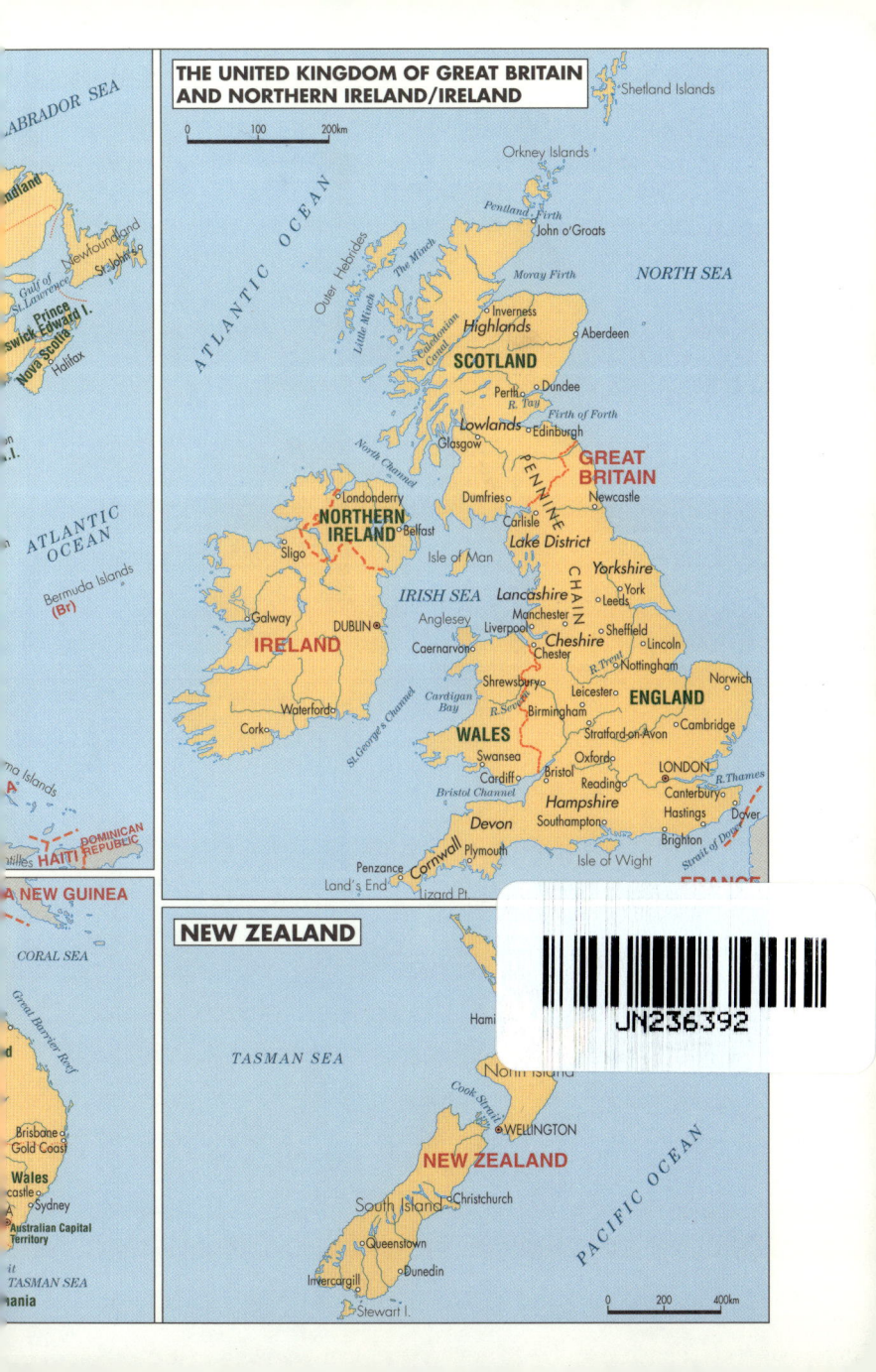

THE UNITED KINGDOM OF GREAT BRITAIN AND NORTHERN IRELAND/IRELAND

0   100   200km

Shetland Islands
Orkney Islands
ATLANTIC OCEAN
Pentland Firth
John o'Groats
Outer Hebrides
The Minch
Little Minch
Moray Firth
Inverness
Aberdeen
NORTH SEA
Highlands
SCOTLAND
Caledonian Canal
Perth
Dundee
R. Tay
Lowlands
Firth of Forth
Glasgow
Edinburgh
PENNINE
GREAT BRITAIN
North Channel
Dumfries
Newcastle
Londonderry
Carlisle
NORTHERN IRELAND
Belfast
Lake District
Isle of Man
CHAIN
Yorkshire
Sligo
IRISH SEA
Lancashire
York
Leeds
Galway
Manchester
Sheffield
DUBLIN
Anglesey
Liverpool
Cheshire
Lincoln
IRELAND
Caernarvon
Chester
Nottingham
R. Trent
Waterford
Shrewsbury
Leicester
Norwich
Cardigan Bay
Birmingham
ENGLAND
Cambridge
Cork
R. Severn
WALES
Stratford-on-Avon
St. George's Channel
Swansea
Oxford
Cardiff
Reading
LONDON
Bristol
R. Thames
Bristol Channel
Hampshire
Canterbury
Devon
Southampton
Hastings
Dover
Brighton
Penzance
Cornwall
Plymouth
Isle of Wight
Strait of Dover
Land's End
Lizard Pt.
FRANCE

NEW ZEALAND

TASMAN SEA
Hami[lton]
N[orth Island]
Cook Strait
WELLINGTON
NEW ZEALAND
South Island
Christchurch
PACIFIC OCEAN
Queenstown
Dunedin
Invercargill
Stewart I.

0   200   400km

Practical
GENIUS English-Japanese Dictionary

プラクティカル
ジーニアス英和辞典

編集主幹
小西友七／東森 勲

大修館書店

Taishukan's Practical Genius English-Japanese Dictionary
Copyright © 2004 by KONISHI Tomoshichi & HIGASHIMORI Isao
Taishukan Publishing Company, Tokyo

まえがき

『プラクティカル ジーニアス英和辞典』は，高校生のための新時代の情報満載型・発信型英和辞典であり，「ジーニアス=ファミリー」を形成する『アクティブ ジーニアス英和辞典』(1999)の後継となるものである。英語を読むときに使うだけでなく，海外に向けて発信するときにも使用できる英和辞典をめざした。

発信型英和辞典とするために，日本の諸相をどう表現するかを示す用例を多数掲載した。これらは，日本の歴史・文化・習慣・現代の事情などの具体的な事象を発信するのにすぐに役立つもので，*日本発*》マークをつけて，見やすく工夫してある。また，英語学習を楽しくするため，ジョークの用例を取り入れた。ジョークは1つの単語を複数の意味にかけて使用したり，論理のずれが笑いを生んだりすることで意味の落差を楽しむもので，深く英語を理解し，英語のセンスを磨くのにはよい言語材料と考えられる。ジョークの用例には ジョーク マークをつけ，必要に応じて理解を助ける説明を加えた。

たいていの語は複数の語義（語の意味）を持ち多義的である。従来の大部分の英和辞典における語義の並べ方は，頻度順と歴史的順序との折衷であり，時として語義同士の意味のつながりがわかりにくく，辞書使用者には不親切な面もあった。本辞典では，最近の認知意味論，認知語用論による研究成果を踏まえ，語義ごとの使用頻度を重視しつつ，主要な語義をⅠ,Ⅱ,Ⅲとグループ分けすることで，再検討した太字の語義とあわせて，複数の語義のつながりを理解しやすいように工夫した。

また，発信型の英和辞書として，意味のよく似た語の違いを 使い分け 欄を設けて解説した。また 関連 ［いろいろな種類の…］ではよく使う英語表現をリストにし，高校生に必要な情報源を提供した。

さらに，本辞典の大きな特色は**文法との連携**である。高校生の**文法の理解と大学入試対策**のために，巻末に「文法のまとめ」を置き，辞典本文から「文法のまとめ」の関連項目をきめ細かく参照できるようにした。

巻末にはさらに，「発音注意の語一覧」「語要素一覧」を置いた。「発音注意の語一覧」では過去10年分の大学入試センター試験やその他の大学入試問題の発音・アクセント問題の分析を踏まえて，発音・アクセントに注意すべき語・同音語・同綴語などについて，分類・整理した。

文法の関連ではこのほか，**コーパス**による検索結果を用いて，文法情報（たとえば，ある名詞にaがよくつくのか）や構文情報（たとえば，この動詞はどの前置詞とよく用いられるか）などを再検討し，実際の英語使用の状況をできるだけ反映するように努めた。同時に**語法欄**についても最近の語法実態を反映させる一方，語法上問題

になるポイントには ☛ 印を付し,簡潔にわかりやすく示すようにした。

　海外の辞書事情をみると,ここ数年,英米で学習辞典が次々と改訂されている。2003年には色々な検索が可能なCD-ROM付きのLDOCE4, Cobuild4, CALDが出版され,辞書の新時代到来を思わせる。

　世界は今,イラクでの戦争や新型の病気(SARS)や狂牛病(BSE,《略式》mad cow disease)による米国からの牛肉輸入禁止など,安全性(security)が問われる不安な時代である。ヨーロッパではEU(ヨーロッパ連合)が拡大され,また,地上波デジタル放送,携帯電話,インターネットの進化,異常気象など,すべてが地球規模で大きく動いている。これに伴い,新語・新語義もどんどん誕生している。本辞書ではこのような新しい事物,若者文化に関わるものはできるだけ収録するよう努めた。

　最後になったが,本辞典でも,これまでのジーニアス=ファミリーの利用者から寄せられた多数のご意見・ご指摘を参考にさせていただいた。その恩恵には計り知れないものがある。ここに改めて深く感謝の意を表する。
　また,本辞典作成に協力をいただいた若い諸君,および大修館書店編集部の方々にも心から感謝申しあげたい。

　今までと同様,ご利用いただいた方々には,厳しいご批判と温かいご助言をいただければ幸いである。

2004年9月

小西友七　　東森　勲

編集主幹
小西友七　　　東森 勲

編集委員
南出康世　　佐藤哉二　　Kevin Collins

校閲者・編集協力者
畠山利一　　　南條健助

執筆者・執筆協力者
有吉侑佳　　飯田由幸　　石川圭一　　井上貞明
黒川尚彦　　近藤絵美　　塩田英子　　島田浩之
東森めぐみ　政村秀實　　松岡信哉

資料提供者
柳田躬嗣	川島 明	中井 隆	丸山孝男	佐藤哲夫
佐藤 学	野沢 清	今村 達	入里清孝	吉田 聡
吉岡克則	池本博泰	滝川真之	吉村信義	熊沢良明
吉田雅子	兼平邦男	野口真澄	中野繁男	髙見 仁
田口辰之	長野 格	中村 淳	秋山耕壱	真野寛海
三木義和	三浦弘善	小松俊文	宮本順紀	

この辞典の使い方

I　見出し語

見出し語の並べ方

1 アルファベット順に並べてある。同じつづりで大文字・小文字の違いのあるものは，小文字 → 大文字の順。

2 同じつづりで語源の異なる語は別見出しとし，右肩に番号をつけた（ただし，説明の都合で同語源でも別立てとしたものがある）。

　　　bill¹　　　**bill**²　　　**Bill**

重要語の表示

3 重要度に応じて次のような記号をつけてランクを示した。

‡	Aランク	最重要語（赤色の特大見出し）	約1100語
*	Bランク	重要語（赤色の見出し）	約3100語
†	Cランク	A，Bに次ぐ頻度の語	約12500語
無印	Dランク	その他の語	約31000語

いろいろなつづりがある場合

4 米国式と英国式のつづりがあるときは，米国式を優先させた。

　　　‡**col·or,** (英) **--our...** 名
　　　　　：
　　　‡**col·our** /kʌlə/ (英) 名 動 =color.

5 （ ）は省略可能な部分，−は最初のつづりとの共通部分を示す。
　（ ）内の部分もアルファベット順に含めて配列した。

　　　Bern(e)　　　　　　[Bern とも Berne ともつづる]
　　　Bol·shie, --shy　　[Bolshie とも Bolshy ともつづる]

分節

6 音節の切れ目は，・（小さい中点）で表示した。

2語見出し（分離複合語）

7 2語以上からなる見出し語（以下「分離複合語」という）は，最初の語の項目の末尾にまとめて掲げた（アルファベット順）。例えば，table knife は見出し語 table の末尾に **táble knífe** として示した。

派生語

8 ある語に接尾辞（-ly, -ness, -er, -ism など）をつけてできた派生語は，Dランクの場合，元の語の末尾（分離複合語の後）にまとめて置く場合がある。（いくつかの派生語があるとき，アルファベット順によらない。）

II　発　音

発音の表記

1 発音記号は別表（表見返し）のものを用い，/ / に入れた。発音のしかたなどについては巻末付録「発音のてびき」参照。米国式と英国式の発音が異なるときは，/米音｜英音/ のように示した。ただし，「発音記号

表への注」(p. xvii) の 2. に示すような読み替えを行なう。
省略可能な音は斜字体 (ə, j など) で表記した。ただし, ( ) に入れて示したものもある（「発音記号表への注」2.も参照）。
第1強勢（ストレス）は´, 第2強勢は`をつけた。
前置詞など文中で通例強勢のない語にはアクセントを示さない。2音節以上の前置詞では弱いアクセントが置かれるので, これを ` で示した。

2 同じ発音で違う強勢もあるときは, ダッシュ(-)を使って /-´-`-/ のように表記した（1音節につき1つのダッシュ）。

複合語・派生語などの発音

3 分離複合語（I-7参照）は, 原則として発音表記を省略し, 強勢だけを示した。

4 見出し語の末尾に置く派生語（I-8参照）も, 原則として発音表記を省略し, 必要により, 元になった語に追加する部分・発音の違う部分だけを示した。発音を一部でも省略した語は, 見出しに第1強勢の位置を示した。

5 (要要素) の発音は代表的な発音だけを示した。実際の語のなかでは他の発音もありうる。

【発音注意】・同音・類音

6 発音がわかりにくい語や日本人がよく誤って発音する語には【発音注意】【アクセント注意】（これは「強勢の位置に注意」の意）と注記した。また, 発音表記の後に 同音 として見出し語と同じ発音の語を掲げた。見出し語または掲げた同音語にいくつか発音があるときは △ 印をつけた。

　　◇米・英の差があるときは次のようにした。
　　pour /pɔ́ːr/ (同音) (英) paw)
　　　　[pour の英音 /pɔ́ː/ は paw と同音である]
　　paw /pɔ́ː/ (同音) pour (英))
　　　　[paw は pour の英音と同音である]
日本人の立場から見て発音が似ていてまぎらわしい語を 類音 として掲げた。
　　fork /fɔ́ːrk/ (類音) folk /fóuk/)

III 本義・原義・語義インデックス

本義・原義

1 A, Bランクの語については, 意味の総合的な理解の助けとするため, その語の語義全体の基本となる「本義（中核的意味）」, または「原義（語源的意味）」を《 》に入れて示した。
　　arrive 《「水路で岸(rive)に着く」が原義》
　　cassette《小さい(-ette) 箱(case)》
　　close 《「互いに密着している」が本義》

2 外来語（完全に英語化しているものも一部含む）は, その由来する言語名を《フランス》《スペイン》などとして示した。
《聖》は聖書,《Shak.》はシェイクスピアの作品に由来する句・用法であることを示す。

3 成句についても, 適宜単語の本来の意味を示して本義の理解の助けとなるよう工夫した。
　　get out 《場所の外へ (out 副 **1**) 人や物を動かす (get 他 **12**)》

語義インデックス	**4** A, Bランクで多くの語義がある語については, インデックス欄を設け, 主要な語義がひと目でわかるようにした。 **allow** *index* 動 他 **1** 許す **2** 与える **4** 認める

IV 品　詞

品詞の表示	**1** 品詞は次のような記号で示した。 　名　名詞　　　動　動詞　　　前　前置詞 　代　代名詞　　自　自動詞　　接　接続詞 　形　形容詞　　他　他動詞　　間　間投詞 　副　副詞　　　助　助動詞 　語要素　語要素（接頭辞, 接尾辞, 連結形） 　略　略語　　　記号　記号 **2** 分離複合語には品詞を示していない。ただし, 外来語などわかりにくいものには示した。
派	**3** A, Bランクの見出し語については, 重要な派生語（主としてA, Bランク）を 派 として品詞表示の前に掲げた。

V 語形変化

語形変化の表示の原則	**1** 名詞, 動詞, 形容詞, 副詞の語形変化は, 品詞表示のすぐ後に（　）に入れて示した。 **2** A, Bランクの語については, 規則変化もすべて発音とともに示した。Cランク以下の語については, 不規則変化と, 注意を要するもの（子音を重ねる場合など）を示した。 **3** ～ は見出し語まるごとの代用, - は見出し語の一部（音節の切れ目から前）の代用である。 /～/ は（語形変化した場合でも）発音が見出し語と同じであることを示す。
名詞の複数形	**4** （複　）として表示した。つづりが -o で終わる語, その他注意を要する語については, Cランク以下でも複数形を示した。
動詞の語形変化	**5** A, Bランクの動詞の語形変化は 　　　　（三人称単数現在形 ; 過去形, 過去分詞形 ; 現在分詞形） のように示した。過去形・過去分詞形のみ 過去 過分 と表示した。 過去形と過去分詞形が同じ場合は 過去・過分 として1回だけ示した。 2つ以上の形があるときは or で示した。 　　　**run**（～s/-z/; 過去 ran/rǽn/, 過分 run ; ～·ning） 　　　　［三人称単数現在形 runs ; 過去形 ran ; 過去分詞形 run ; 現在分詞形 running であることを示す］

burst (~s/bə́ːrsts/; 過去・過分 burst; ~・ing)
　　［過去形・過去分詞形はともに burst］

spring (~s/-z/; 過去 sprang/sprǽŋ/ or (米) sprung/sprʌ́ŋ/,
　　過分 sprung; ~・ing)
　　［過去形は sprang（または米国では sprung も用いる), 過去
　　分詞形は sprung］

6 Cランク以下の動詞では，不規則変化や語末の子音を重ねる場合などに限り次の例のように簡略に示した。

out・fight (過去・過分 --fought)
　　［過去形・過去分詞形 outfought］

flop (過去・過分 flopped; flop・ping)
　　［過去形・過去分詞形 flopped, 現在分詞形 flopping］

形容詞・副詞の比較変化

7 A, Bランクの1, 2音節からなる形容詞・副詞については比較変化をすべて示した。
3音節以上で表示のないものは more を用いる。

8 Cランク以下の語では，表示のない場合，
　　1音節の語　　　　　　-er, -est
　　2音節以上の語　　　　more, most
　　を用いる。(or ~・er, ~・est) は more 型と -er 型の両方が用いられることを示す。
　　-er, -est をつけるとき語尾の子音を重ねるものは明示するようにした。

VI 語義・文型表示，その他の注記

語義の区分・順序

1 語義は **1, 2, 3** ...の数字で区分し，さらに必要に応じて **a, b, c** ...やセミコロン(;)で区切って示した。多くの語義のある語では，**I, II, III** ...でいくつかの大きなブロックに分けた。
語義を掲げる順序は，頻度を重視しながら，意味の関連・展開がわかりやすい順序となるように工夫した。

語義の示し方

2 語義は，説明的な訳は避け，なるべくそのまま訳語として使えるような形にした。
　　( ) 内は省略可能な部分または「内包的意味」（ふつうそういう意味をこめて用いられるという部分）である。

can... 名 ...... **2** かん詰め(のかん)
　　［「かん詰め」または「かん詰めのかん」の意になる］
channel ... 名 ...... **2** (船が通れる)水路

［ ］は直前の語句と交換ができる語句を示す。

decolorize ... 動 ...脱色[漂白]する
　　［「脱色する」または「漂白する」の意になる］

《 》内は語義の定義や内容説明である。

3 A, Bランクの語では，重要な語義を太字で示した。Aランクの語の特に重要な語義は赤色にした。太字の語義については，文型を示し，用法の注記などを特に詳しくした。

用法の指示 文法上の 注　記	**4** さまざまな語法・文法上の注記を [ ] に入れて示した。(~ は見出し語の代用。ただし、2字以下の語や特に重要な語は全部つづった。) 以下に主なものを掲げる。 語形 　　[P~]　　見出し語は小文字だが、ここでは大文字で用いる。 　　[p~]　　見出し語は大文字だが、ここでは小文字で用いる。 名詞の用法 　　[the ~] [a ~] [an ~]　それぞれの冠詞つきで用いる。 　　[one's ~]　人称代名詞の所有格 (my, your, his, her, our, their など) つきで用いる。 　　[~s] [~es]　複数形で用いる。(y を i に変えて es をつける語は全部つづった。) 形容詞の用法 　　[補語として]　He is crazy. の crazy のように、連結動詞 (be, remain など) の補語として用いる。 　　[名前の前で]　a crazy boy の crazy のように、名詞の直前に置いてその名詞を直接修飾する。 動詞の用法 　　[be ~ed]　受身形で用いる。 　　　[be ~ed] および [通例 be ~ed] については、それに続く語義も受身にしたものを掲げた。 　　[be ~ing]　進行形で用いる。 そのほか、[a ~ of ...] [数詞の前で] [比較級を強めて] [通例命令形で] [比喩的に] などさまざまな表示をした。
文型表示	**5** 重要な動詞および一部の形容詞については、目的語 (時に主語など) に **A, B**, 補語に **C** を用いて文型を表示した。 　　**give** 他 **1** [give (**A**) **B** / give **B** (to **A**)] 　　　〈人が〉〈**A**〈人〉に〉**B**〈物・金〉を(無償で)与える 　　**become** 自 [become **C**] 〈人・動物・物・事が〉 **C** の状態になる 　　**kind** 形 **1 b** [**A** is kind to do / it is kind of **A** to do] …するとは **A**〈人〉は親切だ **6** 不定詞、動名詞、that 節、wh 節、決まった前置詞などを伴う場合は、それも含めて示した。 / は、その両側の部分が交換可能であることを示す。
スピーチ レ ベ ル	**7** 語の使われる地域、文体、時代的差異などに関するスピーチレベルは、( ) に入れて示した。主なものは次のとおり (指示のない語は普通に用いられる一般語である)。 **社会的差異** 　　(非標準)　　非標準英語 　　　　　　　(標準英語には特に表示しない) **レジスター** (標準英語内における機能的差異) 　　(文)　　　文語、堅い書き言葉 (時に (古)(詩) に通じる) 　　(詩)　　　詩で用いる言葉 　　(正式)　　あらたまった書き言葉・話し言葉

	(略式)	くだけた書き言葉・話し言葉
	(俗)	俗語,非常にくだけた話し言葉
	(性俗)	性的な俗語(下品な語,タブーとされる語も含む)

性的・年齢的・人種的差異

	(男性語) (女性語) (学生語) (小児語)	
	(黒人語)	米国の黒人特有の言葉

地域的差異

	(方言)	ある地域でだけ用いる。(英方言)とあれば英国のある地域でのみ用いる言葉ということになる。
	(米)	米国でのみ用いる。
	(英)	英国でのみ用いる。
	(カナダ)	カナダでのみ用いる。
	(豪)	オーストラリア・ニュージーランドでのみ用いる。
	(スコット)	スコットランド方言
	(アイル)	アイルランド方言

その他,必要に応じていろいろな地域名を用いた。

時代的差異

(古)　(まれ)　(今はまれ)　(廃)

その他

(愛称)　(掲示)

その他,場面を表す短い言葉(((空港のアナウンス))((店員の言葉))など)を( )で示した。

8　「主に」「…ではしばしば」「…では時に」などの言葉も用いて,特に地域ごとの使用実態を示すようにした。

	(主に英)	主に英国で用いる。米国で用いることもある。
	(英では主に)	英国では主にこの語句・語形を用いる。他の語句・語形を用いることもある。米国では用いない。
	(英ではしばしば)	英国ではこの語句・語形を用いることもよくある。米国では用いない。
	(英では時に)	英国では時にこの語句・語形を用いることもある。米国では用いない。
	(英まれ)	英国でまれにこの語句・語形を用いることがある。米国では用いない。
	(英古)	英国で古い用法でのみ用いる。米国では用いない。
	(英・カナダ)	英国とカナダでのみ用いる。

(PC)・(侮蔑)　**9**　性差別・人種差別・障害者差別等につながりうる語句には,非差別的表現を,(PC)という表示をつけて掲げた。(PC =politically correct)
例えば,人間全体を表す男性名詞(例:man, mankind),男女両性を含む男性職業名詞(例:salesman, congressman),ことさら男女の違いを強調する語(例:lady doctor, waitress)などに対して,男性に偏しない両性平等に使える語を示した。

　　　assemblyman　議員((PC) assembly member)

特定の人種・民族や同性愛者などを見下した文脈で用いられ,侮辱的と受け取られる語には(侮蔑)という表示をつけて,特に使用上の注意を促した。

　　　Chinaman (侮蔑) 中国人((PC) Chinese (person))

専門語	**10** 専門的な語, 決まった分野で用いられる語には, 分野を〔 〕で示した（語義から明らかなものは表示を省略した場合がある）。〔動〕は動物（学）,〔植〕は植物（学）の略。
選択制限	**11** 動詞の主語・目的語・補語, 形容詞の被修飾語, 前置詞の目的語などにどういう内容の語がくるか（これを選択制限という）を, 語義の中に〈 〉で示した。 **call** ... 動 ... **2a** 〈人が〉〈人・名前・動物など〉を(大声で)呼ぶ. [主語については〈…が〉のように示す] **deprive** ... 動 ... [deprive **A** of **B**] 〈人・物・事が〉**A**〈人・物〉から **B**〈人・物・地位・慰安・能力など〉を奪う. **decent** ... 形 **2** 〈態度・考え・言葉・人などが〉上品な, 慎み深い. **assure** ... 動 **2** ... [assure **A** of **B** / assure **A** that 節] 〈人・物・事が〉**A**〈人〉に **B**〈物・事〉を[…だと]確信させる. [assure **A** of **B** の場合「**A**〈人〉に **B**〈物・事〉を確信させる」, assure **A** that 節の場合「**A**〈人〉に…だと確信させる」の意となる]
連語関係	**12** その語と一緒によく用いられる前置詞（および動名詞・不定詞など）を, 語義の後に〔 〕に入れて斜字体で示し, 重要なものは太字にした。それに対応する訳語も〔 〕で示した。 **fire** ... 動 ... **1** 〈人が〉〈銃・弾丸など〉を[…めがけて]発射する, 発砲する〔*at, into, on, upon*〕. **fight** ... 名 ... **2** 〔…に対する/…のための〕戦い, 戦闘, 闘争〔*against/for*〕. [「…に対する」の意では against, 「…のための」の意では for となることを示す] **13** 動詞にしばしば伴う副詞辞は, ＋印をつけて( )に入れ, 斜字体で示した。 **figure** ... 動 ... **2** …を計算する, 合計する(+*up*)
同義語	**14** 語義の後の( )内に同義語または言い換え可能な英語を示した。
いろいろな 注記・記号	**15** 語義・訳語についての関連情報や語法説明・語のイメージ・補足などは《◆ 》に入れて示した。説明の長いものは囲み記事とした。 **16** 必要に応じて, 次のような表示を用いた。 　関連　　語法　　文化　　事情　　類語 　使い分け　似た意味の 2〜3 語（句）をとりあげ, 基本的な意味・用法を用例とともに示す。 　日英比較　日本語と英語の比較 　表現　主に英語で表現する場合に役立つ知識 　／　　学習上特に注意すべきポイント 　×　　文法的に誤った英語, 語法上不適切な表現。使用例があっても, 学習上の配慮から×印をつけた場合がある。 　cf.　…を参照せよ 　→　　…を見よ（直接関連する情報が他の箇所にある場合） 　↔　　反意語・対になる語

巻末付録への参照	**17** 本辞典では，個別の語法というより一般的な文法に属することがらは原則として巻末付録「文法のまとめ」で扱った。それに伴い，本文から付録への参照を ➡文法2.2 のように入れた。 また，語要素も意味は巻末付録「語要素一覧」にまとめたので，本文では →語要素一覧（1.1）のように示した。

VII 用　　　例

用　　例	**1** 各項目の語義の後に，‖で区切って用例を掲げた。 対話文の用例には ◖対話◗，日本文化や日本の事情を説明するための用例には 日本発 ，ジョークには ジョーク の印をつけた。 **2** [　] は，語義の場合と同じように，直前の語と交換が可能であることを示す。「は，交換可能の [　] を使うとき，交換部分の起点を示す。ただし1語だけの交換のときは示さない。 英語とその訳の両方に [　] があるときは，[　] の前の語同士，[　] の中の語同士が原則として対応している（これは注記などでも同じ）。 　　**eclipse** ... 图 **1** ... ‖ a solar [lunar] eclipse 日[月]食 　　　　[a solar eclipse が「日食」，a lunar eclipse が「月食」となることを示す]
準 成 句	**3** 用例の中で，特によく使われる連語や重要な句，成句的な慣用表現などは，「準成句」と考えてやや太い斜字体にした。
言い換え	**4** 重要語の用例では，可能な限り，言い換え［書き換え］を次のように示した。 　　**cold** ... 形 ... ‖ It's *cold* in this room. =This room is *cold*. この部屋は寒い． 　　**collapse** ... 動 自 ... ‖ The roof of the house *collapsed* under the weight of the snow. 雪の重みで家の屋根がつぶれた（=The weight of the snow *collapsed* the roof.）［他 を用いた言い換え］ 　　◇ここで用いた等号（=）は，「まったく同じ意味」ということではなく，「だいたい同じような意味である（ニュアンスには相違もある）」といった場合に用いている。
イントネーション，強勢など	**5** イントネーションや強勢によって意味の違いが生じる場合（「部分否定」と「全否定」など），丁寧さの度合いが異なってくる場合（Thank you. (↗)(↘) など），その他必要に応じて用例にイントネーションや強勢を示した。イントネーションは，高低変化の終わった箇所に，次のような記号で示した。 　↘（下降調）　通例平叙文で用いられ，文の完結を示す。断定的口調。疑問文では同意や情報を求める場合に用いられる。 　　　That's a pity [too bad]. (↘) それは残念． 　↗（上昇調）　通例疑問文で用いられ，質問・勧誘・依頼などを表す。また文中で，文が未完結であることを示す。 　　　[勧誘] Will you have some coffee with me? (↗) 一緒にコ

　　　　　　　　ーヒーを飲みませんか.
　　　　[質問]　Who is it(, please)? (↗) どなたですか.
　　　　[依頼]　Perhaps you would be good enough to read this.
　　　　(↗) これを読んでいただけるとありがたいのですが.
　　　　[未完結]　Which do you like better, tea (↗) or coffee?
　　　　(↘) 紅茶とコーヒーとではどちらが好きですか.
　↘ (下降上昇調)　通例文頭の文副詞・挿入句[節]で用いる. 文尾では対比とか話し手の含みのある態度を示す.
　　　　[文頭]　To begin with (↘), ¦ he is unexperienced; secondly
　　　　(↗) ¦ he is unreliable. 第一, 彼は経験が浅いし, 第二に信用できない.
　　　　[文尾]　I'd like my lunch hot. (↘) 温かければ昼食をいただきます《◆(↘)では「昼食は温かいのがよい」》.
　↘ (部分下降調)　中途半端な下降で, 未完結あるいは話し手のちゅうちょなどを表す.
　　　　[未完結]　Like you (↘), I'm nòt táll. (↘) 君と同じで私も背が高くない.
　　　　[ちゅうちょ]　Excuse me for interrupting you (↘), but ... お話中失礼ですが….

この他, ¦ によって, 若干の休止があることを示した.

VIII　ⒸとⓊ

名詞のⒸとⓊ

1　名詞には, 数えられるものにⒸ (countable), 数えられないものにⓊ (uncountable) の記号をつけた.
語義番号の前にある記号は全部の語義に共通である. 番号の後のⒸⓊは, 次の記号があるまで適用される.

ⒸとⓊの意味

2　Ⓒ名詞は, 単数形では a, an (または the, my, any, that などの決定詞) が必要であり, 複数形にすることができる.

3　Ⓤ名詞は, 冠詞 (または他の決定詞) なしで用いることができ, 複数形にならない. いわゆる物質名詞, 抽象名詞, 集合名詞などがこれに含まれる. 特に a, an がつくときは [a ~], また [しばしば a ~] [しばしば~s] などとして示した.

4　[集合名詞]としたものには通例ⓊⒸをつけない.
固有名詞にはⓊⒸ記号をつけない.
実際にはⓊとⒸの中間段階の語(義)もある. こうした語やランクの低い語については一括してⒸⓊまたはⓊⒸと表示した.

関連する用法の表示

5　[the ~] [a ~] [~s] [the ~s] [one's ~] などとあるものは常にこの形で用いられることを示す. この場合ⓊⒸはつけない.
複数形の語の語義については, 必要に応じ, [単数扱い] [複数扱い] [単数・複数扱い]という表示をした. [単数扱い]の語が主語になった場合は単数の主語に呼応する動詞を用い, また単数の代名詞で受ける. (複数形で表示のないものは複数扱いである.)

IX 成句・句動詞

成句の掲げ方

1 成句（イディオム，熟語）は各品詞の語義・用例の後に太い斜字体で掲げた。（動詞の成句はその終わりにまとめて示した。）

2 配列はアルファベット順（単語ごとでなく，全体を通してのアルファベット順）である。A, A's（時に B, C など）はアルファベット順に含めないが，*one's*, one**self**, **the**, **a** などはアルファベット順に含めた。また，（ ）内の語（省略可能の意）はアルファベット順に含め，[ ] 内の語（直前の語と交換可能の意）は含めない。

成句に用いた記号

3 A, B は動詞・前置詞の目的語を示す（ただし，目的語ではなくても便宜上 A を用いた場合がまれにある）。

one's は成句の主語と同じものが人称代名詞（my, your, her, their など）になって入ることを示す。その他の場合は A's とする。*oneself* は再帰代名詞（myself, yourself, herself など）が入ることを示す（この辞典の **oneself** の項目の 語法 参照）。

[ ] が成句見出しと訳の両方にあるときは，用例の場合（Ⅶ-2 参照）と同じように，英語とその訳を対応させて用いるのを原則とした。

4 成句には標準的な強勢を表示した。ただし，文脈による変動や個人差も大きいので，ひとつの目安としての表示である。

5 重要な成句には *印をつけて見出しに大きな活字を用い，重要な語義は太字（特に重要なものは赤色）にした。

◇用例の中で成句的な慣用表現を扱った場合がある。このうち重要なものは「準成句」とした（Ⅶ-3 参照）。

成句を扱う場所

6 名詞を含む成句は原則として名詞のところで扱う。それ以外は，その成句の中でもっとも重要な語またはもっとも特徴的な語の見出し語のところで扱う。

 in the lóng rùn **run** 名 で扱う。
 hít it óff   **hit** 動 で扱う。
 còme (*báck*) *to lífe* **life** 名 で扱う。

引きにくいものについては，いろいろな箇所から引けるように参照見出しを置いた。

機能表示

7 「動詞＋前置詞または副詞辞」からなる句動詞には成句としての機能（品詞に準ずるもの）を次のように表示した。

 [自] 自動詞＋副詞辞。目的語をとらない。
 [他] 他動詞＋副詞辞。目的語は他動詞の目的語であり，原則として副詞辞は目的語の前にも後にも置かれる（〜 **A** *up*／〜 *up* **A** いずれも可）。ただし **A** が代名詞の場合は通例 [〜 **A** *up*] のみ可。
 [自]⁺ [〜 *on* **A**] 自動詞＋前置詞。目的語 **A** は前置詞の目的語である。

8 句動詞以外でも，形や訳語からわかりにくいものは [名] [副] [接] のように機能表示をした。

「日本発」用例 分類リスト

テーマ		見出し語		テーマ		見出し語
[自然]	セミ	cicada			回転寿司	conveyor belt
	地震	earthquake			大阪弁	dialect
	森林	forest			着物	dress
	湿度	humidity			おにぎり	fast food
	湖	lake			日本食	food
	富士山	Mt.			お守り	fortune
	日本の面積	size			てんぷら	fry
	雪	snow			テレビゲーム	game
	台風	typhoon			こたつ	heater
	火山	volcano			即席麺	instant
[政治]	米軍基地	base[1]			布団	mattress
	国会	diet[2]			米	rice
	天皇	emperor			摂氏	scale[1]
	政党	party			靴	shoe
	戦争放棄	renounce			しょうゆ	soy
	自衛隊派遣	send			水道水	tap water
	国交	tie			緑茶	tea
[経済]	円高	appreciation			おしぼり	towel
	不良債権	debt			ごみの分別収集	trash
	財政赤字	deficit			鶴と亀	turtle
	経済成長	growth	[スポーツ]	野球	baseball
	天然資源	natural resources			柔道	judo
	食糧自給率	self-sufficiency			Jリーグ	league
[歴史]	爆撃	bombing			マラソン	marathon
	仏教	Buddhism	[文化]	わび・さび	aesthetic
	城	castle			床の間	display
	植民地	colony			生け花	flower arrangement
	漆器	japan			枯山水	garden
	虐殺	massacre			尺八	instrument
	占領	occupy			日本文学	literature
	日中国交回復	restore			盆栽	miniaturize
	戦争	war			ゴジラ	monster
[社会]	高齢化社会	aging			小説家	novelist
	車	car			折り紙	paper
	漫画	comic			俳句	poetry
	地価	cost			文楽	puppet
	犯罪	crime			茶道	tea ceremony
	英語教育	English			人間国宝	treasure
	帰省	go back			相撲	wrestling
	平均寿命	life expectancy	[季節・	成人の日	age
	宝くじ	lottery	行事]	原爆の日	atomic bomb
	初婚年齢	marriage			紅葉	autumn
	携帯電話	mobile phone			大みそか	bell
	姓と名	name			年越しそば	buckwheat
	交通機関	punctual			桜	cherry
	リストラ	restructuring			ひな祭り	doll
	定年制	retirement			彼岸	equinox
	帰国子女	returnee			祭り	festival
	ラッシュアワー	rush hour			花火	firework
	学校制度	school			年賀状	greeting card
	印鑑	seal[1]			勤労感謝の日	labor
	振り替え休日	substitute			お年玉	money
	チップ	tip[2]			初詣	new year
	修学旅行	trip			花粉	pollen
	制服	uniform			梅雨	rainy
	自動販売機	vending machine			四季	season
	年度	year			敬老の日	senior
[生活]	風呂	bathtub			七五三	shrine
	お辞儀	bow[2]			お盆	spirit
	名刺	business card			雪祭り	statue
	文字	character			バレンタインデー	Valentine's Day

[発音記号表への注]　　＊発音記号表は裏見返し参照。

1．米音と英音

/lǽf | lά:f/ のような場合，| の左側が米国式，右側が英国式の発音である。
《米＋》，《英＋》は「米国ではこの発音もある」，「英国ではこの発音もある」の意。
＊印の音については米音と英音が異なっていて，次のように対応している。

/ɑ/	→	米 /ɑ/	英 /ɔ/	（英音を特に示すときは /ɔ/ を用いた）
/ɔ(:)/	→	米 /ɔ:/	英 /ɔ/	
/(j)u:/	→	米 /u:/	英 /ju:/	
/ər/	→	米 /ɚ/	英 /ə/	
/ə:r/	→	米 /ɚ:/	英 /ə:/	
/ə:r | ʌr/	→	米 /ɚ:/	英 /ʌr/	
/ou/	→	米 /ou/	英 /əu/	（英音を特に示すときは /əu/ を用いた）
/ɑ:r/	→	米 /ɑɚ/	英 /ɑ:/	
/ɔ:r/	→	米 /ɔɚ/	英 /ɔ:/	
/iər/	→	米 /iɚ/	英 /iə/	
＊/eər/	→	米 /eɚ/	英 /eə/	
/uər/	→	米 /uɚ/	英 /uə/	
/-iər-/	→	米 /-ir-/	英 /-iər-/	
/-eər-/	→	米 /-er-/	英 /-eər-/	
/-uər-/	→	米 /-ur-/	英 /-uər-/	
/hw-/	→	/w-, 《米＋》 hw-/		

/ɚ/ /ɚ:/ については4．参照。

2．/i/と/i:/，/u/と/u:/

/i/と/i:/，/u/と/u:/の違いは，音の長さの違いではなく，音質の違いである。すなわち，/i/ /u/は舌の位置が低い，緊張がない，唇の形が緩む，といった特徴があるのに対し，/i:/ /u:/は舌の位置が高く，緊張があり，唇が張って [/u:/では丸められて] いる。(この点，「おじいさん」と「おじさん」を母音の長さで区別する日本語とは事情が異なる。実際のところ，beat /bí:t/ と bid /bíd/ の母音の長さはほとんど等しい。)

本辞典では従来からの記号を使って表記をしているが，上記の点を考慮して/i/ /u/の代りに/ɪ/ /ʊ/と表記することも多くなってきている。

3．あいまい母音 /ə/

通常「あいまい母音」と呼ばれている /ə/（記号の名称は「シュワー(schwa)」）は，「そのつづり字本来の母音を弱く発音した音」を表す。/ə/ は時に「日本語のアの弱い音」というように説明されることもあるが，実際にはそれだけでなく，かなり広い範囲の音が含まれる。

例えば，today /tədéi/ の /tə-/ は，「タ」ではなく，/tu-/ の方に寄った音である。

4．/ər/と/ə:r/（または/ɚ:r/）

米音における/ər/と/ə:r/（または/ɚ:r/）は，/ə+r/ /ə:+r/という2つの音の連続ではなく，実際には，それぞれ/ɚ/ /ɚ:/という1つの母音として発音される（/ɚ/の記号は「かぎ付きのシュワー(hooked schwa)」と呼ばれる）。母音の/ɚ/ /ɚ:/は，いわば子音の/r/を長めに発音した音（すなわち音節主音的な/r/）であり，これら3つの音の音質は，実質的に同じであると考えてよい。

5．音節主音的子音の発音表記

主として日本人の発音に多い誤りを防ぐ配慮から，次のような語の終りにくる「音節主音的子音 (syllabic consonant)」 /l/ /m/ /n/ の前では通例母音を表示しない。

(1) /pl/　**principal** /prínsəpl/　　　　/kl/　**local** /lóukl/
　　/sl/　**Russell** /rʌ́sl/　　　　　　　/bl/　**global** /glóubl/

	/fl/ **beautiful** /bjúːtəfl/	
	(ただし,「…1杯分」の -ful は /-fùl/)	
	/zl/ **drizzle** /drízl/	/tl/ **metal** /métl/
	/nl/ **national** /nǽʃənl/	/ml/ **normal** /nɔ́ːrml/
	その他 /dl/ /gl/ /vl/ /ʃl/ など。	
	副詞形では **normally** /nɔ́ːrməli/ のようになる。	
(2)	/zm/ **prism** /prízm/	/ðm/ **rhythm** /ríðm/
(3)	/tn/ **cotton** /kátn/	/pn/ **happen** /hǽpn/
	/dn/ **harden** /háːrdn/	/zn/ **reason** /ríːzn/
	/sn/ **lesson** /lésn/　その他 /fn/ /vn/ /kn/ など。	

また, /əl/ /əm/ /ən/ /ər/ は, それぞれ音節主音的な /l/ /m/ /n/ /r/ として発音されることがあるということを示している。

6．強勢（ストレス）とアクセント

アクセントと強勢（ストレス）ということばはしばしば同じように用いられるが, 正しくは, 強勢は音の強さ（大きさ）を表す用語であり, 音の高さや長さとは関係がないのに対し, アクセントは, 音の強さ（大きさ）に加えて, 音の高さや長さなどの要素を総合したものを指す。本辞典の 【アクセント注意】 は, 内容としては「強勢の位置に注意せよ」という意味である。

なお, 英語のアクセントは強勢を主とする「強さアクセント（stress accent）」であるのに対し, 日本語のアクセントは音の高低による「高さアクセント（pitch accent）」という違いがある。

7．強勢の位置の変化

強勢（ストレス）は, ①リズムの都合により, また ②2つのものを対照させる場合に, その位置が変化することがある。

①英語では, 強弱のリズムを整えるために, 第1強勢が連続することを避けようとする傾向がある。例えば, 後ろの方に第1強勢のある形容詞（または形容詞的用法の名詞）がすぐ次の名詞を修飾するとき, その形容詞の第1強勢が前に移動して, 第2強勢のあった位置に置かれることがある。これを「強勢移動（stress shift）」という。

強勢移動が起こるかどうかは, 人により, 場合により異なるが, 本辞典では, 一般に強勢移動がよく起こる語については《◆限定用法では /´--/》のように注記した。

例：Japanese　　普通は Jàpanése だが, 例えば boy を限定的に修飾するときは通例 a Jápanèse bóy となる。分離複合語（~ ápricot など）でも同様。

　　New York　　単独では Nèw Yórk だが,「ニューヨーク市」のときは Néw Yòrk Cíty となる。

② happy or unhappy（幸福なのか不幸なのか）のように意味を対照させる場合は, unháppy を本来の強勢位置で発音すると意味の区別にとって重要な un- が際だたないので, 第1強勢を un- に移動させて únhàppy とし, 対照を明確にすることがある。これを「対照強勢（contrastive stress）」という。

8．その他,「この辞典の使い方」の II を参照。

A

a, A /éi/ 名 (a's, as; A's, As/éiz/) **1** ⓒⓊ 英語アルファベットの第1字. **2** ⓒⓊ a, A 字の表す音; ⓒ A 字形のもの《◆アルファベットの各文字についても同様》. **3** ⓒⓊ 第1番目(のもの); アルファ(alpha). **4** ⓒⓊ [品質が] 最高級のもの;《米》[教育] 優(→ grade 名 **4** 関連) ‖ Grade A milk 最高級ミルク / get (an) A in [for] English 英語でAをとる. **5** Ⓤ [音楽] イ音, イ調 ‖ in A flat major 変イ長調で.
from Á to B あちこちへ, ある所から別の所へ.
from Á to Ź [《英》Zéd] [通例 know, learn と共に] 初めから終わりまで; 完全に(completely, thoroughly).
Á lèvel =advanced level.
A one, A 1 /éi wán/, ***A number 1*** /éi nÁmbər wán/ 《略式》とび切り上等の, 第1級の.

a /(弱) ə; (強) éi, éi/, **an** /(弱) ən; (強) æn, æn, æn/
『ひとつ(one)の』が原義で, 原則として単数のⒸ名詞に付く. **不定冠詞**(indefinite article)と呼ばれる』

index 1 ある 2 どの 3 ひとつの 4 …につき 5 一種の 6 一例の 7 …という(名の)人 12 同じ

─ 形

語法 (1) [a と an] a は次の音が子音の場合, an は次の音が母音の場合に用いる. 詳しくは → an¹.
(2) [弱形と強形] ふつう, 弱形 /ə, ən/ であるが, 特に強調するときは強形 /éi, éi/ を用いる: *a* /éi/ new nation (ひとつの)新しい国(家)
(3) [a(n) の位置] a(n)は名詞につけるが, その名詞に形容詞がつくと,「a(n)+ 形容詞+名詞」の語順: *a hot day* (暑い日). この名詞句に such, quite, what をつけると such [quite, what] *a hot day*(そんな[まったく, なんて]暑い日)の語順. too, so, how をつけると too [so, how] hot *a* day (あまりにも[それほど, なんて]暑い日)の語順.
(4) [a(n) をつけない場合] その名詞が主格補語, 目的格補語で captain, chairman, head, president, principal など団体の長を表す語は無冠詞がふつう(→ **as** 前**1**): She is *captain* of the team. / They elected him *president*.
(5) ✗ my, this, Mary's などといっしょに用いない: ✗a my friend → a friend of mine. (➡文法 15.3(4))

Ⅰ [a(n) + Ⓒ 単数名詞]

1 [初めて登場するある特定の人[物]を指す名詞, または特にこれと断定しない人[物]を指す名詞に付けて] **ある, ひとつ[1人, 1匹, など]の**《◆日本語には訳さないことが多い》‖ A boy came running toward me. He [The boy] was breathless. 少年が私の方へ駆けて来た. 彼は息を切らしていた《◆初出名詞には a をつけ, 2度目からは代名詞にするか the をつけるのがふつう》/ Wear *a* hat on *a* hot day. 暑い日には帽子をかぶって来[行き]なさい《◆複数個あるもの

の中で任意の1つに a をつける. ➡文法 16.1(2)》.
2 [総称的に] **どの, どれも, …というものは(すべて)**《◆ any の弱い意味. 同種の中からひとつを代表に選ぶ言い方で, 定義や一般的事実を述べる際に用いる》‖ A bat is *a* mammal. コウモリは哺(ほ)乳類である(=《正式》The bat is a mammal. / Bats are mammals.)《◆無冠詞の複数形が一番ふつう》/ A [Any] child needs love. 子供には愛情が必要だ(=All children need love.).

語法 (1) 実際にはこの意味では無冠詞複数形が好まれる. 特に目的語となる名詞は複数形がふつう: I like (reading) books [✗a book]. 本(を読むの)が好きだ.
(2) Ⓤ名詞の総称用法は常に無冠詞単数形: *Paper* is made of *wood*. / I like *chocolate*.

3 ひとつの, 1人[1匹など]の《◆ one の弱い意味》‖ *a* box of matches マッチ1箱 / *a* roll of film フィルム1本 / *a* book of mine 私の本(の1冊) (=one of my books)《◆ ✗a book, ✗my a book は不可. my book は聞き手にもそれとわかる特定の本. ➡文法 15.2》/ for *a* week 1週間(の間) / *Not a* star was visible. 星ひとつ見えなかった《◆強調形は Not *a single* star …》.
4 [a(n) + 数量・期間を表す名詞] **…につき**(each), **…ごとに**(every)《◆(1) a(n) は前置詞ともとれる. cf. the 形**11**. (2) 商業文では per》‖ three meals *a* day 1日3食 / The library was kept open until ten o'clock five nights *a* week. その図書館は週5日夜10時まで開いていた.

Ⅱ [a(n) + Ⓤ 名詞]

5 [a(n) + 物質名詞] **一種の; 1杯の**‖ *a* good [French] wine 上質[フランス産]のワイン《◆ふつう品質・生産地などを表す修飾語を伴う》/ Give me *a* coffee, please. 《略式》コーヒーを1杯ください《◆正式には a cup of coffee. → coffee》.
6 [a(n) + 抽象名詞] **一例の, 1つの場合の, 一種の, ある量[期間]の**《◆an example of, a case [kind, period] of などの省略表現》‖ These slums are *a* disgrace to the city. このようなスラム街は市の恥だ《◆主語が複数でも disgraces とならない》/ He has *a* knowledge of biology. 彼には生物学の知識が多少ある / There was *a* silence after he finished speaking. 彼の講演が終わったときしばしの沈黙があった.

Ⅲ [a(n) + 固有名詞]

7 [しばしば正式] **…という(名の)人**‖ A (certain) **Mr. *Brown*** came to see you while you were out. 留守中, ブラウンさんとおっしゃる方が来られましたよ《◆ Mr., Mrs. のような敬称の前につける. cf. one 形**6**》.
8 …のように偉大な[悪名高い]人[物]‖ He thinks he is *a Soseki*. 彼は自分を漱石のような大小説家であると思っている《◆限定語句を伴う場合は the: He is *the Soseki of present-day Japan*. 彼は現代日本の漱石である》.

9 a …家の一員 ‖ She was *a Smith* before her marriage. 彼女は結婚前はスミス姓だった《◆ *the* Smiths は「スミス家の人々全員」》. **b** …の製品，…の作品 ‖ *a Millet* ミレーの絵 / He drives a Nissan. 彼の車は日産車です.

IV〔その他〕

10〔a(n) + 数量詞〕《◆次の句で》‖ *a dozen* 1ダース / *a few* [*lot of*] *books* 数冊の[何冊もの]本 / *a good many people* (かなり)多数の人々 / *a great deal of advice* 多くの助言.

11〔a(n) + 序数詞〕もう1つの(another) ‖ She tried to jump up *a second* time. 彼女はもう一度跳び上がろうとした.

12 同じ，同一の(the same)《◆ことわざ・成句表現以外では〔今은하〕》‖ We are *of an age*. 我々は同じ年齢だ《◆ We are (of) the same age. がふつう》/ *Two of a trade seldom agree*. (ことわざ)同業者はめったに意見が合わない / We stood up at *an instant*. 同時に起立した.

A〔記号〕〔血液型の〕A型；〔印刷〕〔標準寸法の〕A判《A3(297×420 mm), A4(210×297 mm), A5(148×210 mm)》；〔電気〕ampere；〔略〕answer (↔ Q)；America(n).

@ /ət/〔記号〕〔商業〕単価…で(at)；〔コンピュータ〕アットマーク《ユーザー名とドメイン名の区切りに用いる》.

a.〔略〕acre; active; adjective; alto; ampere; answer.

a-〔語要素〕→語要素一覧(1.7, 2.1).

AA〔略〕〔英〕Automobile Association 英国自動車協会と；〔米〕Alcoholics Anonymous アルコール依存症患者自主治療協会，禁酒会；〔米〕Associate of Arts（短大卒の）準学士.

AAA〔略〕〔英〕Amateur Athletic Association アマチュア陸上競技協会；American Automobile Association 米国自動車協会.

aard·vark /ɑ́ːrdvɑ̀ːrk/〔名〕ⓒ〔動〕ツチブタ《シロアリを食べる．アフリカ産》.

ab〔略〕abbreviation; 〔野球〕at bat《◆ a.b. ともする》.

AB〔記号〕〔血液型の〕AB型.

AB〔ラテン〕《Artium Baccalaureus (= Bachelor of Arts (BA))》.

ab- /æb-, əb-/〔語要素〕→語要素一覧(1.7).

a·ba·ci /æbəsài/〔名〕abacus の複数形.

†a·back /əbǽk/〔副〕《◆次の成句で》. *be táken abáck*〔…に[で]/…ということに〕めんくらう，あっけにとられる《*by, at* / *that* 節》.

ab·a·cus /ǽbəkəs/〔名〕（〜*es*, ab·a·ci /-sài/）ⓒ（子供用の）計算盤；そろばん《◆英米では子供に数を教えるのにしか用いない》.

a·ba·lo·ne /æ̀bəlóuni/〔名〕ⓒ アワビ.

†a·ban·don /əbǽndən/〔動〕他 **1**〈人が〉〈職業・希望・計画など〉を(中途で)あきらめる，断念[中止]する(give up) ‖ The girl had to *abandon* her dream of becoming a singer. その少女は歌手になる夢を捨てなければならなかった. **2**〈人が〉〈家・国・船など〉を捨てる，去る(→ desert²) ‖ *Abandon* ship! 退船せよ《緊急避難命令》. **3**〈思想・主義・信念など〉を捨てる.
abándon onesélf to A〈悲嘆・快楽など〉に身をまかせる，ふける.
──〔名〕Ⓤ 放縦(ほうじゅう)，気まま ‖ with gay [wild] *abandon* 大いにはめをはずして.

†a·ban·doned /əbǽndənd/〔形〕**1** 見捨てられた；人気(ひとけ)のない ‖ an *abandoned* child 捨て子. **2** 奔放な，放埓な. **3** 無造作な.

†a·ban·don·ment /əbǽndənmənt/〔名〕Ⓤ **1** 放棄；〔法律〕（権利の）放棄，（訴えの）取り下げ，（死体などの）遺棄；〔保険〕委付. **2** 自暴自棄.

a·base /əbéis/〔動〕他〔正式〕〈人〉の地位[評価]を下げる，落とす(degrade) ‖ *abase* oneself (before …) (…の前で)ひれふくだる，かしこまる，きまり悪く思う.

a·báse·ment〔名〕Ⓤ（品位・信用などを）落とすこと，失脚.

a·bashed /əbǽʃt/〔形〕〈人が〉〔…で〕当惑した；赤面した〔*at*〕‖ The boy was not *abashed* at the laughter of the class. その子は級友たちに笑われても動じなかった.

a·bash·ment /əbǽʃmənt/〔名〕Ⓤ 当惑；赤面.

†a·bate /əbéit/〔動〕〔正式〕他 …を減らす，〈痛みなど〉をやわらげる ‖ *abate* a tax 減税する / *abate* his fury 彼の怒りをしずめる. ──〔自〕〈風・あらし・痛みなど〉がやわらぐ，おさまる(die down)；〈波〉がなぐ.

a·báte·ment〔名〕Ⓤⓒ 減少（額）.

ab·at·toir /ǽbətwɑ̀ːr/〔フランス〕〔名〕ⓒ〔英〕食肉処理場(slaughterhouse).

ab·bess /ǽbes/ -is-/〔名〕ⓒ 女子修道院長，尼僧院長《convent の長．呼びかけも可. cf. abbot》.

†ab·bey /ǽbi/〔名〕ⓒ **1**（男子または女子の）大修道院《◆現在では monastery（僧院），convent（尼僧院）がふつう》. **2**〔the 〜；集合名詞；単数・複数扱い〕僧[尼僧]団. **3**〔しばしば A〜〕（もと大修道院であった）大寺院，大邸宅 ‖ Westminster *Abbey* ウエストミンスター寺院《◆単に the *Abbey* ともいう》.

†ab·bot /ǽbət/〔名〕ⓒ（男子）大修道院長，僧院長《monastery の長．呼びかけも可. cf. abbess》.

†ab·bre·vi·ate /əbríːvièit/〔動〕他〔正式〕〈話・言葉など〉を〔…に〕短縮[要約]，省略する(shorten)〔*to, as*〕‖ an *abbreviated* version of … …の短縮形 / *abbreviate* "verb" *to* [*by using*] "v" verb を v と短縮する.

†ab·bre·vi·a·tion /əbrìːviéiʃən/〔名〕Ⓤⓒ〔正式〕省略，短縮，縮約；省略形，略形，略語[字]《◆ USA, vol. など．→ acronym》.

ABC¹ /éibiːsíː/〔名〕（複 〜*'s*, 〜*s*/-z/）**1** Ⓤ〔通例 the 〜('s)〕アルファベット. **2** Ⓤⓒ〔通例 the 〜('s)〕（物事の）基本原則；初歩，いろは；〔one's 〜〕（読み・書きの）基礎 ‖ the *ABC*'s of computer science コンピュータサイエンス入門 / (as) easy as *ABC* いとも簡単な.

ABC²〔略〕America, Britain and Canada; American Broadcasting Corporation〔米〕ABC 放送（会社）《CBS, NBC と並ぶ3大放送網のひとつ》；Australian Broadcasting Corporation オーストラリア放送協会.

ab·di·cate /ǽbdikèit/〔動〕他〔正式〕〈王位・権利・義務など〉を〔正式に〕捨てる，放棄する(give up). ──〔自〕〔王位・権力の座などから〕退位[辞任]する〔*from*〕.

ab·di·ca·tion /æ̀bdikéiʃən/〔名〕Ⓤ〔正式〕(…からの)退位；放棄〔*from*〕.

†ab·do·men /ǽbdəmən, æbdóu-/〔名〕（〜*s*, --dom·i·na /æbdɑ́minə, əb-|-dɔ́mi-/）ⓒ〔解剖・動・昆虫〕腹部，腹腔《◆一般には belly の遠回し語として用いる》.

†ab·dom·i·nal /æbdɑ́mənl, əb-|-dɔ́mə-/〔形〕〔解剖・動・昆虫〕腹部の.

ab·duct /æbdʌ́kt/〔動〕〔正式〕〈人〉を誘拐《拉致》する，かどわかす(kidnap).

ab·duc·tee /æ̀bdʌktíː/〔名〕ⓒ 誘拐[拉致]された人.

ab·duc·tion /æbdʌ́kʃən/〔名〕Ⓤⓒ〔正式〕誘拐，拉致.

ab·duc·tor /æbdʌ́ktər/〔名〕ⓒ 誘拐[拉致]犯人，人

さらい.

Abe /éib/ 图 エイブ《男の名. Abraham の愛称》.

A·bel /éibl/ 图〖聖書〗アベル《Adam と Eve の第2子. 兄 Cain に殺された》.

ab·er·rant /æbérənt/ 形〖正式〗悪徳の;常軌を逸した, 異常な;〖生物〗変形(体)の, 変種の, 異状の.

ab·er·ra·tion /æbəréiʃən/ 图 ⓤⓒ 逸脱, 脱線, 欠陥;奇行, 倒錯;(一時的な)異常;〖生物〗変形, 異形 ‖ in (a moment of) *aberration* 魔がさして, 出来心で / have a mental *aberration* 頭がおかしい. **àb·er·rá·tion·al** 形 逸脱した, 異常な.

a·bet /əbét/ 動 (過去過分) **--bet·ted**/-id/; **--bet·ting**) 他〖法律〗〈犯罪〉を幇(ほう)助する, 〈人〉を教唆(きょうさ)〔扇動〕する〔…を犯させる〔*in*〕〕‖ aid and *abet* him in a bank robbery 彼をそそのかして銀行強盗を働かせる.

a·bét·ment 图 ⓤ そそのかすこと.

a·bey·ance /əbéiəns/ 图 ⓤ〖正式〗(一時的な)停止, 休止, 失効 ‖ hold [leave] the project in *abeyance* 計画を棚上げする / fall into *abeyance* 停止〔中止〕する.

†**ab·hor** /æbhɔ́:r/ əb-/ 動 (過去過分) **ab·horred**/-d/; **--hor·ring**) 他〖正式〗〈人・物〉を忌み嫌う, 憎悪して いる;〔…することを〕嫌悪している〔*to do, doing*〕《◆ hate の強意語》.

ab·hor·rence /æbhɔ́:rəns/ əb-/ 图 ⓤⓒ〖正式〗憎悪, 嫌悪(感) (hatred) ‖ have an *abhorrence* of racial discrimination =hold racial discrimination in [with] *abhorrence* 人種差別を嫌悪する.

ab·hor·rent /æbhɔ́:rənt/ əb-/ 形〖正式〗〈人・感情など〉嫌悪感を起こさせる〔*to*〕;〔…と〕相反する, 対立する (contrary)〔*to*〕;〈人が〉〔…を〕嫌悪する〔*of*〕.

ab·hór·rent·ly 副 ぞっとするほどいやに.

a·bid·ance /əbáidəns/ 图 ⓤ **1** 滞在;持続. **2**〖法律などの〗遵守〔*by*〕.

†**a·bide** /əbáid/ 動 (過去過分) **a·bode**/əbóud/ or ~**d**/-id/) (やや古) ⓐ **1**〔場所に〕とどまる (stay), 住む (live)〔*at, in*〕;そのまま残る (remain);〔記憶などに〕とどまる〔*in, with*〕. **2**〖規則・約束などに〗忠実に守る, 遵守(じゅんしゅ)〔固守〕する (stick [keep] to)〔*by*〕;〔…を〕甘受する〔*by*〕;abide by *doing* …することを誓う ‖ She *abided* faithfully *by* her promise [decision]. 彼女は約束〔決心〕を忠実に守った 《◆ **2** の意味では過去形・過去分詞形は abided》.
─ 他〖主に can 人例文否定文・疑問文で〗〈人・事〉を我慢する;〔…することに〕耐えられる〔*to do, doing*〕.

a·bíd·ing 形 〖文〗不変の, 永遠の (permanent).

＊**a·bil·i·ty** /əbíləti/ (複 ~**·ies**/-z/) 图 〖→ able〗
─ 图 (複 **--ties**/-z/) **1** ⓤ (実際に物事ができる)〔…の〕**能力**, 才能, 手腕, 力量〔*in, for, at*〕;〖例例 the/an ~ to do〗…できる能力 (↔ inability)‖ display great *ability* as a lawyer 弁護士としてすぐれた力量を発揮する / *to the best of* one's *ability* 力の及ぶ限り (=as best one can) / She has unusual [poor] *ability* in music. 彼女は非凡な音楽の才能を持っている〔音楽が不得意である〕/ He *has the ability to* speak ten languages. 彼は10の言語を話せる (= He *can* [is *able to*] speak ten languages.)《◆ ▌ ふつう ability of speaking … とはしない》.

2〔通例 abilities〕(生まれながらの)才, 才能 (talents), 知能 ‖ a person of many *abilities* 多芸多才の人.

†**ab·ject** /æbdʒekt, 《米+》-/ 形〈暮らしなどが〉みじめ な, みすぼらしい (miserable);〈行為などが〉(卑屈で)軽 蔑(けい)に値する ‖ live in *abject* poverty 赤貧の生活をする (=live very poorly) / an *abject* apology 平身低頭(へいしん)謝り / an *abject* failure ひどい失敗. **ab·ject·ly** 副 みじめに.

†**ab·jure** /æbdʒúər/ əb-/ 動 他〖文〗〈信念・行動など〉を(誓って)捨てる, (公式に)破棄する, 撤回する.

ab·la·tive /æblətiv/〖文法〗图 ⓤ 形 奪格(の).

a·blaze /əbléiz/ 形 (炎を上げて)燃えて (on fire);〔…で〕輝いて (bright);興奮して, かっとして〔*with*〕‖ the hotel *ablaze with* lights 電灯であかあかと輝くホテル / *ablaze with* anger 怒り狂って.

＊**a·ble** /éibl/ 〖「すぐ使える状態にしておく」→「能力がある」cf. habit〗 图 ability (名), enable (動)
─ 形 (**better ~, best ~; more ~, most ~**) 〔補語として〕 [be able to do]〈人が〉(現実に)…することができる, …する能力がある (↔ unable) ‖ He *is able to* speak ten languages. 彼は10の言語を話せる (=He *has the ability to* speak …) / 〖対話〗 "*Is* the baby *able to* walk?" "Yes, he's *able to* already." 「その赤ん坊は歩けますか」「ええ, もう歩けますよ」《◆ 文脈上明らかな場合, do, to do の省略可能》: She will come if she *is able*. ➡文法 11.9) / You're *better* [*more*] *able to* play chess "than I am ["略") than me]. チェスは君の方が私よりうまくできるね / She *is well able to* read. 彼女は十分字が読める / I *wasn't able to* walk up the stairs, because my leg was injured. 私は脚にけがをしていたので階段を歩いて昇れなかった (=I *could not* …)《◆ 永続的な能力ではなくその時たまたまできなかったことをさす. capable of doing は永続的能力をいう》.

語法 [can [could] との比較]
(1) 現在時制では can の方が一般的.
(2) 未来時制では will [shall] be *able to*, または can (→ can¹ **1** 語法).
(3) 過去時制については → could **1** 語法.
(4) 受身では can が普通: The door ⌈*could not* [×*was not able to*] be opened. ドアはあけられなかった.

使い分け [was [were] able to と could]
could は「能力が備わっていた」の意で可能性があった場合に用いるので, 具体的に「ある行為を実行できた」の意では用いない. was [were] able to は具体的に「実行できた」の意で用いる.
I *was able to* [*could*] pass my driving test. 車の運転免許試験にパスできた《◆ could は仮定法で〈もしも君がアドバイスしてくれたら〉運転免許試験にパスできるのに, の意になる》.

---

2 (~**·r, ~·st; more ~, most ~**)〈人が〉**有能な**;〔通例名詞の前で〕〈行為などが〉有能ぶりを示す ‖ a very *able* leader 大変有能な指導者 (=a leader of great *ability*) / an *able* speech 才気あふれる演説.

3 〔the ~;集合名詞的に;複数扱い〕(老人などが)自力で動き回れる.

–a·ble /-əbl/ 〔語要素〕→語要素一覧 (2.1).

a·ble-bod·ied /éiblbɑ́did/ -bɔ́d-/ 形 健康で丈夫な, 五体満足の ‖ an *able-bodied* [*able*] seaman〔海事·英海軍〕熟練船員〔水夫〕〔(米海軍) trained seaman〕《ordinary seaman と leading seaman

の中間).

ab·lu·tion /əblúːʃən/ 名 1 [教会] ⓊⒸ [通例 ~s] (手・聖器の) 清浄, ⓊⒸ (それに使う) 水, ブドウ酒. 2 Ⓒ (略式) [通例 ~s] 体を洗うこと.

a·bly /éibli/ 副 上手に, 立派に, 能力を発揮して.

-a·bly /-əbli/ (語要素) →語要素一覧(2.5).

ABM (略) (軍事) antiballistic missile 弾道弾迎撃ミサイル.

ab·ne·gate /ǽbnigèit/ 動 他 (正式) 〈権利を〉放棄する;〈快楽を〉絶つ.　**àb·ne·gá·tion** 名 Ⓤ (正式) 克己 (self-denial); 放棄;拒絶.

†**ab·nor·mal** /æbnɔ́ːrml/ 形 例外的な, 特異な;〈態度・人などが〉異常な, 変態の(↔ normal) || *abnormal* dry weather for the rainy season 梅雨にしては異常な乾燥した天気 / have an *abnormal* IQ とてつもなく知能指数が高い[低い].

ab·nór·mal·ly 副 異常なほど, 変態的に.

ab·nor·mal·i·ty /æbnɔːrmǽləti/ 名 Ⓤ ふつうでないこと[もの], 変則, 異質;Ⓒ 特異な物[事].

Ab·o /ǽbou/ [*aborigine, aboriginal*] (時に a~) (豪俗) (侮蔑) 名 (複 ~s) Ⓒ 形 アボリジニ [オーストラリア先住民](の).

†**a·board** /əbɔ́ːrd/ 副 (船・飛行機・電車・(主に米) バスに) 乗って, 乗船[乗車]して, 搭乗して(on board) || All the passengers climbed [went] *aboard* quickly. 乗客全員は急いで(バスなどに)乗り込んだ / Is everybody *aboard*? 皆乗りましたか / *Welcome abóard!* (乗務員の言葉) ご搭乗[乗車, 乗船]ありがとうございます.

Áll abóard! お早くご乗車[船] 願います;全員乗車, 発車.

── 前 〈船・飛行機・電車・バス〉に乗って || go [put him] *aboard* the train 列車に乗る[彼を乗せる].

†**a·bode**¹ /əbóud/ 名 Ⓒ (正式) [通例 an/the/one's ~] 住居, 住まい(home);Ⓤ (法律) 居所, 住所, 住居 || people of [with] no fixed *abode* 住所不定の人々.

a·bode² /əbóud/ 動 abide の過去形・過去分詞形.

†**a·bol·ish** /əbɑ́liʃ/ 動 他 〈法律・制度・慣習などを〉(公式に)廃止[撤廃]する(do away with) || *abolish* the death penalty 死刑を廃止する.

†**ab·o·li·tion** /æbəlíʃən/ 名 Ⓤ (制度・法律・戦争などの) 廃止, 撤廃, (米史) 奴隷制度廃止 || the *abolition* of nuclear weapons 核兵器の廃絶 (◆ *abolish* nuclear weapons の名詞化表現).

àb·o·lí·tion·ist 名 Ⓒ 奴隷[死刑]廃止主義者.

A-bomb /éibàm | -bɔ̀m/ 名 =atom bomb.

†**a·bom·i·na·ble** /əbɑ́minəbl | əbɔ́m-/ 形 (正式) 〈人に〉嫌悪感[憎悪]を引き起こす(disgusting)[to];(略式) ひどい, まずい, いやな (◆ bad の強意語) || *abominable* manners [weather] 不愉快な作法[天候].

abóminable snówman [しばしば A~ S-] (略式) 雪男 (yeti).

a·bóm·i·na·bly 副 ひどく.

a·bom·i·nate /əbɑ́minèit | əbɔ́m-/ 動 他 (正式) …を嫌悪する(detest);〔…することを〕忌み嫌う〔doing〕;(略式) …を嫌う (◆ hate の強意語).

a·bòm·i·ná·tion 名 Ⓤ (正式) 嫌悪感;Ⓒ Ⓤ 嫌悪を起こさせるもの.

†**ab·o·rig·i·nal** /æbərídʒənl/ 形 (正式) 〈民族・動植物が〉原生の, 土着の, 太古からの || *aboriginal* people 土着民. ── 名 =aborigine.

ab·o·rig·i·ne /æbərídʒəni/ 名 (通例 ~s) 1 先住民, 土着民. 2 [A~] アボリジニ《オーストラリア先住民》.

a·bort /əbɔ́ːrt/ 動 自 〈妊婦が〉流産[早産]する,〈計画などが〉流産する, 未完で終わる. ── 他 1 〈医者が〉〈胎児を〉(人工)流産させる;〈妊娠を〉中絶する || *abort* a pregnancy 妊娠を中絶する. 2 〈計画・コンピュータのプログラムなどを〉中止する. ── 名 Ⓒ 〈ミサイル打ち上げ・計画の〉中断.

a·bor·tion /əbɔ́ːrʃən/ 名 1 Ⓤ Ⓒ (医学) 流産[早産] させる[する]こと;妊娠中絶(手術), 堕胎 || have an *abortion* 妊娠中絶をする / *Abortion* is prohibited in Catholic countries. 中絶はカトリックの国では禁止されている. 2 Ⓒ [通例 an ~] 不発の計画, 失敗, でき損ない(failure) || a complete *abortion* 安全な失敗.

a·bór·tion·ist 名 Ⓒ (不法に) 中絶手術を行なう医者.

a·bor·tive /əbɔ́ːrtiv/ 形 〈計画などが〉(途中で)水泡に帰した, 実を結ばない, 回避された.

†**a·bound** /əbáund/ 動 自 1 〈場所などが〉〈動物・物で〉満ちている(be full of) [in, with] (cf. rich) || This meadow *abounds in* [*with*] frogs. この草地にはカエルがうようよいる(=This meadow is abundant in frogs. / Frogs are abundant in this meadow. / This meadow has an abundance of frogs.) / English *abounds in* [*with*] idioms. 英語はイディオムが豊富である(=Idioms abound in English. → 2). 2 〈動物・物が〉[…に] いっぱいいる[ある] [in, on] || Frogs *abound* in this meadow [around the hut]. この草地に[小屋のまわりに]カエルがうようよいる.

‡**a·bout** /əbáut/ 〘「空間的に(漠然と)周辺に」の本義から数量の概略を表し「約, およそ」の意が生じた〙

index
前 1 …について　2 …のまわりに　4 およそ
副 1 およそ　2 まわりに　3 ぐるりと回って

──前

1 [関連] …について, …に関して, …に関する || She wrote a book *about* [on] animals. 彼女は動物に関する本を書いた (◆ *about* はふつう一般的な内容を扱った本について用いる. on は対象を限定するのでふつう *about* よりも専門的で高度な内容を含む) / He spoke *about* [of] his new car. 彼は買った新車の話をした (◆ ふつう *about* は詳しく(長く)話した場合, of は軽くふれた場合に用いる) / They are arguing *about* [over] their share of the property. 彼らは財産分けのことでもめている / *What is* the letter *about*? その手紙には何て書いてあるの / It's sad [unfortunate] that Mr. Smith, isn't it? スミスさんはお気の毒でしたね (◆ It's sad that Mr. Smith died. などの遠回し表現) / What [How] about A? → what 代 成句.

2 [位置・運動] **a** [円周] …のまわりに, …の周囲に[を, の];…を取り巻いて (◆ 今日では (a)round がふつう. 必ずしも「完全に取り囲んで」を意味せず, b との区別が明確でない場合が多い) **b** There is a fence *about* the house. 家のまわりには囲いがしてある / They gathered *about* the fireplace. 彼らは暖炉のまわりに集まった. **b** [周辺] (主に米式) …の近くに, …のあたりに[を, で];[移動・分散の動詞と共に] …のあちこちに[を, で], …のほうぼうに[を, で]((米) around) || wander *about* [around] the town (目的もなく)町をぶらつく (◆ (a)round は目的がある場合にも用いる: walk *around* the town 町をあちこち見て歩く) / I lost my key (somewhere) *about* here. この

あたりでかぎを落とした.
3 [携帯・付随] **a** [携帯] 《主に英正式》《金銭・財布などを》〈人〉の身につけて, 〈人〉が持って《♦かさのようなやや大きな物の場合は ...の方がふつう》‖ I *have* no money *about* [*with*, 《主に米》on] me. お金を(今)持っていない《♦この意味では《米》ではふつう on で about は用いない》. **b** [付随]《通例 there is 構文で》〈人〉の身辺に, 〈物・事には〉《♦漠然と周囲に漂う気配・様子を表す》‖ *There* is something *about* him that I don't like. 彼にはどこか好きになれないところがある / *There* is something mysterious *about* her suicide. 彼女の自殺にはどこか謎めいたところがある.
4 [概略] およそ, 約, …ぐらい, …ごろ《♦副詞とも考えられる. → 副1》‖ The rope is *about* 20 feet long. そのロープは長さ約20フィートです / It's *about* ten o'clock. 10時ごろだ.
be abóut A〈人が〉〈仕事などに〉従事している‖ *What* is he *about*? 彼は何をしているのですか(= What is he doing?) / Call the police, and *be* quick *about* it! 警察を呼んでくれ, ぐずぐずするな《♦ it については → it **1c**》/ Fetch the evening paper and lock the door *while you're about* [at] *it*. 夕刊を取りに行って, ついでにドアにかぎをかけてちょうだい.
*be (jùst) abóut to do 〈人・事が〉(まさに)…しようとしている, …するところである《♦ be just going to do とほぼ同じ意味で, 差し迫った未来を表し, ふつう未来を表す副詞(句)を伴わない》‖ Something terrible *is (just) about to* happen. 何か恐ろしいことが今にも起ころうとしている / I *was just about to* go out *when* the phone rang. 外出しようとしていると電話が鳴った(結局その時外出できなかった).
be nót abòut to do 《略式》…する気がしない‖ I'm *not about to* pay 150 dollars for a dress like that. そんな服に150ドルも払う気がしない.

—— 副 **1** およそ, 約…, …ぐらい(cf. just) ;《略式》[形容詞・副詞・動詞を修飾して] ほとんど(almost)‖ She is「*about* forty [《略式》forty *about*]. 彼女は40歳ぐらいだ / He will arrive there (*at*) *about* five o'clock. 彼はそこに5時ごろ着くでしょう《♦数詞の前に置くので ×*about* at five o'clock は不可》/ This tree is *about*「as high [the same height] as that one. この木はあの木とほぼ同じ高さだ / *That's* (*just*) *about all* [*it*]. この件は以上で終わりだ / I've had *just about* enough. もう十分にいただきました《♦控えめに言って逆に意味を強めたり, 時には皮肉を表す》/ I'm *about* done with this work. この仕事はほぼ終わった.
2《主に英》**a** まわりに, 周囲に[を] ; 周囲が(…ある)‖ look *about* 周囲を見回す《♦比較: Can I look *around*? 《店で》見て回ってもいいですか》/ The lake is ten miles *about*. その湖は周囲10マイルだ. **b** 近くに, あたりに[を] ; あちこちに[へ, を], ほうぼうに‖ walk *about* 歩き回る / Is she *about* yet? 彼女はもう来ていますか / There was no one *about*. あたりにはだれもいなかった. **c** 何もしないで, ぼやっと‖ He was just standing *about* (there). 彼はただそこに茫然と立っていた.
3 ぐるりと回って, 転回して ; 向きを変えて, 反対の方向に[へ] ; 回り道をして ; 〔海事〕上手(かみ)回しに‖ The *other* [*wrong*] *way about* 反対に, あべこべに / The ship turned *about*. 船はぐるりと向きを変えた.
4 [be about] 〈人が〉《病後などに起きて》動き回って

[活動して, 働いて]いる ; 〈病気が〉はやっている ; 〈うわさなどが〉広まっている‖ *be úp and abòut* 《病床・寝床から》起きて動き回っている《働いている》/ *be* (*out and*) *about* 《病後などに元気になって》仕事ができるようになる, 仕事をしている / Measles *is about*. はしかが流行している.

a・bout-face /əbáutféis/ 名 C 《米正式》《考え・態度などの》急な変更 ; 〔軍事〕[通例 an/the ~] 回れ右‖ do *an about-face* 向きを変える ; 完全に態度を変える.

a・bout-turn /əbáuttə́ːrn/ 名 C 《英正式》= about-face.

✦a・bove /əbʌ́v/ 《本義の「〈空間的〉基準点から離れて上に」から「〈価値・地位・程度などの点で〉…より優れた, …を超越した」という比喩的用法が生じた》

index 前 **1** …の上の[に] **3** …より上で[の, に]
副 **1** 上に

—— 前 I [位置]
1 [空間的位置]《表面から離れて》…の上の[に], …の上方に[の], …より高く[高い] ; …の上に(出て)《♦真上を含めて広く上方の位置を示す. over は真上を示しおおいかぶさる感じを伴う》(↔ below)‖ 1,000 meters *above* sea level 海抜1000メートル / the part [portion] of the iceberg *above* the water 水面に出ている氷山 / a room *above* [*over*] the garage ガレージの上の部屋 / fly high *above* [*over*] the clouds 雲のはるか上を飛ぶ / The sun rises *above* the houses. 太陽が家並の上に出る / The clock is *above* [*over*] the fireplace. 暖炉の上に時計が掛かっている.

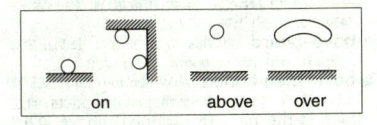

on	above	over

2 [地理的位置] …より上流に ; …より北に ; …より先に[遠くに] ; …の向こうに[の, で]‖ a waterfall *above* the bridge 橋の上手(かみて)にある滝 / The town lies just *above* London. その町はロンドンのすぐ北にある《♦地図などを見て言う場合》.

II [超過]
3 [超過]《数・量・程度の点で》…より上で[の, に], 基準より上の[で] ;《音が》…より大きく[高く]‖ value [put] honor *above* life 生命よりも名誉を重んじる / *above* average in weight 体重が平均より上で / He lives *above* his income just to show off. 彼はむだな見えを張って収入以上の生活をしている / He is *above* [*over*] the age of fifty. 彼は50歳を越えている / Her voice could be heard *above* [*over*] the noise. 彼女の声は騒音の中でも聞きとれた.
4 [優越]《地位などに》…より上で ;《能力などに》…よりまさって, すぐれて‖ A captain is *above* [*over*] a sergeant. 大尉は軍曹よりも階級が上だ《♦ above では単に地位の上下関係を示すが, over では直接支配・監督する意味も含む》/ He is far *above* my level in chess. 彼は私よりもはるかにチェスがうまい.
5 [超過]《物・事が》〈人の理解などを〉越えている ;《行為などを》〈非難・疑惑などを〉受けない ;〈人が〉《高潔・善良さなどで》…を超越して, …を脱して ;〔…を〕しない, […するのを] 恥とする(doing)‖ conduct *above* re-

proach [suspicion] 非難[疑惑]の余地のない行動 / Her behavior is *above* [beyond] praise. 彼女の行為は言葉でほめきれないほど立派だ / She is honest and *above* bribery [telling a lie]. 彼女は誠実だからわいろなど受け取ったり[うそをついたり]しない.

*above **áll** (**things**) 〖他のすべてのことに優先して (above 前 4)〗[副] とりわけ, 中でも, 何よりもまず ‖ He is strong, brave and, *above all*, kind. 彼は強くて勇敢で, とりわけ親切だ.

abóve and beyónd A …に加えて, …よりもまず(重要なことに).

be abóve it áll (地位が高く)日常の細々したことはしない.

be [**gét**] **abóve** onesélf (1) うぬぼれる, 思い上がる. (2) 上機嫌になる, はしゃぐ.

── [副] 1 [しばしば名詞の後で] 上に[の], 高い所に[の]; 頭上[階上]に[の] ‖ the sky *above* 頭上の空 / The fireworks exploded *above* in the night sky. 花火が夜空高くではじけた. 2 上流に[の], 上(ｶﾐ)の方に ‖ the bridge ten miles *above* 10マイル上流にある橋. 3 前述の, 上記の, 先に ‖ the example (mentioned) *above* 上述の例《◆ the *above*(-mentioned) example よりくだけた言い方》/ For the examples, *see above*. 用例については前述参照. 4 上位に(あって), 上級に(ある) ‖ the court *above* 上級裁判所. 5 (ある数量を)越えて, それより上の(over) ‖ 30 and *above* 30(とそれ)以上.

from abóve [副 形] 上から(の), 天から(の)《●文法 21.1(3)》.

── [形] 《正式》 [通例名詞の前で] 上述の, 上記の ‖ the *above* facts 上記の事実《◆ the facts (mentioned) *above* の方がくだけた言い方》.

── [名] 《正式》 [the ~; 単数・複数扱い] (同一論文・書物などの)上記[上述]のこと.

a·bove-board /əbʌ́vbɔːrd/ [形] 正直な, 公明正大な ‖ open and *above-board* 公明正大な.

a·bove-men·tioned /əbʌ́vmènʃənd/ [形] 《正式》前述の, 上記の ‖ the *above-mentioned* facts 前述の事実《◆ the facts (mentioned) above の方がふつう》. ── [名] [the ~; 複数扱い] 上記の人々.

ab·ra·ca·dab·ra /æ̀brəkədǽbrə/ [間] 魔法を使う時にうまくいくように唱える呪文(ｼﾞｭﾓﾝ). ── [名] 1 アブラカダブラ《魔よけとして文字を逆三角形に並べて書いた呪文》; (魔法使いや奇術師の唱える)呪文. 2 訳のわからないおしゃべり, たわ言 (nonsense).

a·brade /əbréɪd/ [動 他] 《正式》〈皮膚〉をすりむく; 〈岩など〉を研磨する, 浸食する.

†**A·bra·ham** /éɪbrəhæ̀m/ [名] 1 《旧約》 アブラハム《ユダヤ人の始祖》. 2 アブラハム《男の名. 愛称 Abe》.

a·bra·sion /əbréɪʒən/ [名] Ｕ Ｃ (皮膚の)すりむき(傷); (岩の)摩滅, 侵食; いらだち; 口争い.

a·bra·sive /əbréɪsɪv, -zɪv/ [形] 1 研磨用の. 2 しゃくにさわる, 不愉快な; 耳障りな. ── [名] Ｃ Ｕ 研磨剤; 磨耗(ﾏﾓｳ)品, 摩耗しやすい物.

a·brá·sive·ly [副] (人の)気を悪くするように.

a·brá·sive·ness [名] Ｕ しゃくにさわること, 不愉快なこと.

†**a·breast** /əbrést/ [副] […と同じ方向に]横に並んで[だ], 並行して(*of*, *with*) ‖ The soldiers marched three *abreast*. 兵隊は3列縦隊で後進した.

kéep [**be**] **abréast of** [**with**] **A** (時勢・進捗など)に遅れないでついて行く; 〈事〉に精通している.

†**a·bridge** /əbrídʒ/ [動 他] 〈本・物語〉を要約[簡約]する

る, 〈時間〉を早く切りあげる, 短縮する (shorten) ‖ a children's story *abridged* from the literary work 文学作品を短くした童話 / an *abridged* edition 簡約版.

a·brídg·ment, 《英ではしばしば》 **a·brídge·ment** [名] Ｕ Ｃ 《正式》 簡約(版); 抄録, 抜粋, 摘要.

***a·broad** /əbrɔ́ːd/ 《広い (broad) へ(a)》

── [副] 1 外国に[へ], 海外に[へ] ‖ go [be, live, travel] *abroad* 外国に[へ]行く[いる, 住む, 旅行する] / return from *abroad* 帰国する / I've studied *abroad* before. 以前留学したことがある / The professor is famous at home and *abroad*. その教授は国内外で有名である.

2 《文》広く, あちこちに (everywhere); 《正式》くうわさなどが(多くの人々の間に)流布して ‖ The news quickly spread *abroad*. ニュースはすぐに広まった.

ab·ro·gate /ǽbrəgèɪt/ [動 他] 《正式》〈法律・慣習など〉を(公式に)廃止する; 取り消す, 無効にする.

àb·ro·gá·tion [名] Ｕ Ｃ 《正式》 廃止, 撤回.

†**a·brupt** /əbrʌ́pt/ [形] 1 急な, 不意の, 突然の《◆ sudden より意外感が強い》‖ come to an *abrupt* halt [end] 急停車する[突然終わる]. 2 〈文が〉まとまりのない, たどたどしい; 〈人・言葉・態度など〉無骨な, ぶっきらぼうな ‖ an *abrupt* manner 無愛想な態度. 3 〈絶壁など〉(上から見て)険しい, 切り立った (cf. steep).

a·brúpt·ness [名] Ｕ 唐突さ.

†**a·brupt·ly** /əbrʌ́ptli/ [副] 1 [様態] [通例文頭・動詞の前で] 突然, 不意に, 急に《◆ suddenly より意外感が強い》‖「*Abruptly*, Jane [Jane *abruptly*] backed away. 不意にジェーンはあとずさりした. 2 [通例動詞の後で] ぶっきらぼうに, 荒々しく ‖ She returned my greeting *abruptly*. 彼女はぶっきらぼうにあいさつを返した.

ABS (略) anti-lock breaking system アンチロック=ブレーキ装置.

Ab·sa·lom /ǽbsələm/ [名] 1 《旧約》 アブサロム《David 王の子. 父に反逆して殺された》. 2 反抗的な息子.

ab·scess /ǽbses/ [名] Ｃ 《医学》 膿瘍(ﾉｳﾖｳ), はれ物. ── [動 自] はれ物ができる.

ab·scond /əbskɑ́nd, æb- | əbskɔ́nd/ [動 自] 《正式》 […から]姿をくらます, 逃亡する (*from*); […を]持ち逃げする (*with*). **ab·scónd·er** [名] Ｃ 脱走者.

ab·seil /ǽbseɪl/ [動 自] (ロープを使って急斜面を)降りる (+*down*). ── [名] Ｕ 懸垂下降.

***ab·sence** /ǽbsəns/ [名] [→ absent]

1 Ｕ (略) ~s/-ɪz/) 1 Ｕ 不在, 欠席, 欠勤, (いるべき場所に)居合わせないこと (↔ presence) ‖ Did anyone visit me *in* [*during*] my *absence*? 私の留守中にだれか訪ねてきましたか (= Did anyone come to see me while I was out?) 《●文法 22.2》.

2 Ｃ (1回・1件の)〔…の〕不在[欠席, 欠勤](期間)〔*from*〕‖ frequent *absences from* a poor-paying job 割りの悪い仕事をしばしば休むこと / I visited my hometown last month after twenty years' *absence*. 私は先月20年ぶりに故郷を訪れた (= I visited my hometown for the first time in twenty years.) / *I met her last month after twenty years' *absence*. 不可. I met her last month for the first time in twenty years. の意である).

3 Ｕ […の](まったく)ないこと, 欠如〔*of*〕《◆ lack は「十分にないこと」》‖ a complete *absence* of sincerity 誠意がまったく欠けていること / (the) *absence*

of faculties 能力の欠如[ないこと].
4 Ⓤ ぼんやり(していること); 夢中(cf. absent-minded)《◆次の句で》‖ *àbsence* of mind 放心(状態), うわの空(↔ presence of mind).

*****in** A's *absence* A〈人〉のいないときに[所で]‖ I called on him to speak in his brother's *absence*. 私は彼の兄さんがいないときに話してくれるように彼に頼んだ.

*****in the absence of** A 〈人・物〉が(い)ないので[とぎに(は)]‖ We can't promise anything in *the absence of* the manager. 支配人がいませんので私どもは何もお約束できません.

:ab·sent /ǽbsnt ; *動* æbsént/ 《「人がいない」が本義》 派 absence (名)

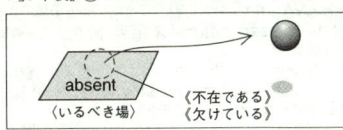

—*形*《◆比較変化しない》**1**〈人が〉〔いるべき場所に〕不在の, 欠席の, 欠勤の, 居合わせない〔*from*〕(↔ present)‖ the *absent* (people) =the people *absent* その場にいない人々, 欠席している人々 / an *absent* father (仕事などのため)家庭に不在の父 / She was *absent from* school without notice. 彼女は無断で学校を欠席した / She has been *absent from* the screen for over a year. 彼女は1年以上映画(のスクリーン)に出ていない. 語法 (1) ※ 出席する義務のない会合などには absence を用いず He didn't come to the party. (彼はパーティーに行かなかったの)のようにいう. (2) 約束せずに訪問して相手が不在なときは absent は用いず, She is out [not in, not at home]. などという.
2〔正式〕**a**〔be absent from A〕〈精神・感情・物・事などが〉〈心・生活など〉に欠けている, ない(cf. lack *動*(名))‖ The adventures I read about are *absent from* my life. 私の読んだ冒険談は実生活とは縁遠い. **b**〈物が〉〔…に〕ない〔*in*〕‖ The tail is *absent in* this type of cat. この種のネコには尾がない.
3〔正式〕[通例名詞の前で]〈表情・様子などが〉放心状態の, ぼんやりした(absent-minded)‖ look at him in an *absent* way =give him an *absent* look ぼんやりと彼を見る.

—*動* /ǽbsent/ (~s/-s/-sénts/; 過去・過分 ~ed/-id/; ~·ing)
—*他*〔正式〕[absent oneself from A]〈人が〉〈学校・会合など〉を欠席する, 欠勤する, …を留守にする《◆故意に休むことを含む》‖ She *absented* herself *from* class(es) [the meeting]. 彼女は授業[会議]を休んだ.

áb·sent·ly *副* ぼんやりして, うっかりして.
ab·sen·tee /ǽbsntíː/ *名* Ⓒ **1**〔…の〕欠席者, 欠勤者, 不在者〔*from*〕; 常習欠席者. **2 a** 在外者. **b** =absentee landlord [landowner]. **c**〔主に米〕=absentee voter.
absentée bállot〔米〕不在投票.
absentée lándlord [lándowner] 不在地主.
absentée móther 家を留守にして働きに出る母親.
absentée vóter（郵送で投票する)不在投票者《◆ absent voter ともいう》.
absentée vóting 不在(者)投票.
àb·sen·tée·ism 名 Ⓤ (常習的な)長期[無断]欠

席[欠勤].
†**ab·sent-mind·ed** /ǽbsntmáindid/《◆名詞の前で用いるときは⁄ˊ—ˊ—/》*形* ぼんやりした, 忘れっぽい, (他の事に気をとられて)注意が散漫な.
áb·sent-mínd·ed·ly *副* ぼんやりと. **áb·sent-mínd·ed·ness** *名* Ⓤ ぼんやりしていること.
ab·sinth(e) /ǽbsinθ/ 名 Ⓤ アブサン《にが味のある緑色の強い酒》.

*:**ab·so·lute** /ǽbsəlùːt/《「欠けるところがない」が本義》派 absolutely (副)

—*形*《◆比較変化しない》**1**[名詞の前で]**完全な**, 欠けたところのない, 決定的な; 絶対的;純粋の, まじりけのない(pure)‖ have *absolute* trust in him 彼をまったく信頼している / an *absolute* lie まっかなうそ / *absolute* alcohol 無水アルコール.
2〔正式〕無条件の, 絶対的の, 無制限の(↔ relative); 専制[圧制]の, 独裁的な‖ an *absolute* promise 無条件の約束 / an *absolute* ruler [monarch] 専制の支配者[専制君主].
3〔文法〕独立の, 遊離する, 絶対の‖ an *absolute* infinitive 独立不定詞.
—*名* Ⓒ 絶対的なもの[考え, 原理].
ábsolute majórity（選挙などの）絶対多数, 過半数.
ábsolute mónarchy 専制君主制[国].
ábsolute témperature〔物理〕絶対温度.
ábsolute válue〔数学〕絶対値.
ábsolute zéro〔物理〕絶対零度《-273.15℃》.

*:**ab·so·lute·ly** /ǽbsəlùːtli, ˈ—ˈ—/《◆形容詞・動詞などの前では/ˈ—ˈ—/, 動詞などの後または単独(→ **3**)では/ˈ—ˈ—/. cf. positively》[→ absolute]

—*副* **1**[強意語として]**完全に**, まったく‖ *ábsolutely impossible* [*right*] まったく不可能[正しい].
2[否定語の前で]〔全否定〕少しも, まったく(…でない); [否定語の後で]〔部分否定〕まったく(…というわけではない) (**◊**文法 2.2)《◆対話》"Is he lazy?" "*Absolutely nót*."「彼は怠け者ですか」「いやとんでもありません」/ I'm *not absolutely* certain. (✓)絶対に確信があるというわけではありません.
3〔略〕[返事として] そうだとも ‖《◆対話》"The weather was the best ever." "*Absolútely.*"「天気は最高だったね」「まったくだ」《◆ yes, certainly, quite (so) などより強意的》.
4 きっぱりと, 断固として ‖ refuse *ábsolutely* きっぱり断る.
ab·so·lu·tion /ǽbsəlúːʃən/ *名* Ⓤ《主にキリスト教》(苦行・宗教儀式による)(罪の)許し; 赦免; (義務・約束の), (罪の)許しの言葉, 悪行消滅宣言.
ab·so·lut·ism /ǽbsəluːtìzm/ *名* Ⓤ 絶対主義, 専制[独裁]政治. **áb·so·lut·ist** *名* Ⓒ 絶対[専制]主義者.

†**ab·solve** /əbzálv, -sálv | -zɔ́lv/ *動 他*〔正式〕〔法律〕〈人〉〈の義務など〉を免除する〔*of, from*〕;〔キリスト教〕〈人〉を〔罪などから〕赦免する(excuse)〔*of, from*〕‖ He was *absolved of* all responsibility. 彼はすべての責任を免れた.

*:**ab·sorb** /əbzɔ́ːrb, æb-, -sɔ́ːrb/《「液体などを吸収する」が本義》派 absorption (名)

—*動* (~s/-z/; 過去・過分 ~ed/-d/; ~·ing)
—*他* **1**〈物・植物などが〉〈液体・気体など〉を(徐々に)**吸収する**, 吸い込む(soak up);〈熱・光・音・衝撃など〉を(吸収して)和らげる‖ *absorb* the attention of the students 学生の注意をすっかり引きつける / Dry sand *absorbs* water. 乾いた砂は水を吸い込む.
2〈人が〉〈知識など〉を**吸収する**, 自分の物にする‖ I

can't *absorb* all of the lesson in an hour. 私は1時間ではその課は全部理解できない。
3 〈物・事が〉〈人を〉夢中にさせる；[通例 be ~ed]〈人が〉[…に]夢中になる、没頭する《*in, by*》‖ She was totally *absorbed in* thought. 彼女はまったく物思いにふけっていた。
4 〈小さい国・会社・団体などを〉[…に]吸収[合併]する《*into*》；〈大都市が〉〈近郊を〉吸収してさらに大きくなる。
5 〈収入・時間・資源などを〉使い尽くす；〈出費・損失などを〉負担する。

†**ab·sorb·ent** /əbzɔ́ːrbənt, æb-, -sɔ́ːr/b-/ 吸収性[力]のある ‖ an *absorbent* paper towel 吸水性の紙タオル。── 名 © U 吸収剤。
absórbent cótton (米)脱脂綿((英) cotton wool).
ab·sorb·en·cy /əbsɔ́ːrbənsi, æb-, -zɔ́ːrp-/ 名 U 吸収力[性].
†**ab·sorb·ing** /əbzɔ́ːrbɪŋ, æb-, -sɔ́ːr/p-/ 形〈本などが〉〈人を〉夢中にさせる、興味のつきない。
†**ab·sorp·tion** /əbzɔ́ːrpʃən, æb-, -sɔ́ːr/p-/ 名 U 吸収する[される]こと；[…に対する]没頭、専心、熱中《*with, in*》；[…への]合併《*into*》‖ *absorption in* sports スポーツに没頭すること / by *absorption* 吸収作用で.

†**ab·stain** /əbstéɪn, æb-/ 動 ⾃〈人が〉よく考えて〉[特に快楽を]避ける、控える、慎む；[投票する権利を]棄権する《*from*》(cf. refrain) ‖ He *abstained from* alcohol. 彼は禁酒した / *abstain from* voting = *abstain* on the vote 棄権する. **ab·stáin·er** © 禁酒主義者；禁欲家、節制家.

ab·ste·mi·ous /əbstíːmiəs/ 形 (正式)〈人・習慣などが〉つつましい、控えめな；禁欲的な；[食事・酒を]節制して《*in*》‖ an *abstemious* meal つつましい食事.

ab·sten·tion /əbsténʃən/ 名 U […を]慎む[控える、断つ、棄権する]こと《*from*》；© 棄権者(数).

†**ab·sti·nence** /ǽbstɪnəns/ 名 U (誓ったり約束したりして)[…を]禁欲[節制、自制]していること；(…の)(部分的な)断食《*from*》‖ total *abstinence from* tobacco 完全禁煙. **áb·sti·nent** 形 禁欲的な.

*__ab·stract__ /形 ǽbstrækt；動 ─́, əb-/ ‖ 〈具体的なものから〉抜いて(tract)取り去られた(abs)》

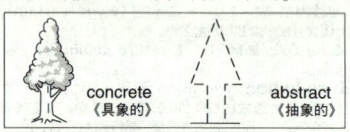

concrete 《具体的》　　abstract 《抽象的》

── 形 **1** 抽象的な《◆比較変化しない》(↔ concrete) ‖ *abstract* words like "truth" and "beauty" 「真理」とか「美」といった抽象的な言葉. **2** (正式)理想主義的な、空想(観念)的な、空理空論の(idealistic) (↔ practical)；あいまいな. **3** 難解な、深遠な. **4** (美術)〈絵などが〉抽象主義(派)の(↔ representational).
── 名 (複) ~s/-strækts/) © **1** [通例 the ~] 抽象(観念、概念) ‖ Elderly people know the usefulness of computers *in the abstract*. 年配の人はコンピュータ有効性について頭の中でしか知らない. **2** 摘要、抄録、抜粋(summary) ‖ make [prepare] *an abstract of* a long article 長い論文を要約する. **3** (美術)抽象画.
── 動 /─́, əb-/《◆**1**の意では /─́/》⊕ **1** 〈論文などを〉(書いて)要約する、まとめる(summarize). **2** 〈金属などを〉取り出す、…を[…から]分離する《*from*》‖ *abstract* metal *from* ore 鉱石から金属を取り出す. **3** 〈注意などを〉そらす、奪う.
ábstract árt 抽象芸術.
ábstract nóun (文法)抽象名詞.
ab·strac·tive·ly /æbstræktɪvli/ 副 抽象的に、観念的に.
ab·stract·ed /æbstræktɪd/ 形 **1** うっかり[ぼんやり]した、うわの空の(absent-minded). **2** 抽象[抽出]された. **ab·stráct·ed·ly** 副 うっかりして；観念的に.
†**ab·strac·tion** /æbstrǽkʃən, əb-/ 名 **1** © 抽象概念、純理論的観念 (↔ fact). **2** U (正式)[…から]抽象[抽出]する[される]こと《*from*》、抽象[抽出]作用. **3** U 放心(状態) ‖ in one's *abstraction* = in a moment of *abstraction* ぼんやりして(いて). **4** (美術) U 抽象主義；© その作品. **ab·strác·tion·ism** 名 U (美術)抽象主義；その技法. **ab·strác·tion·ist** 名 © 抽象主義派の画家[彫刻家].
ab·struse /æbstrúːs, əb-/ 形 (正式)難解な、難しい(difficult)；深遠な. **ab·strúse·ly** 副 難しく. **ab·strúse·ness** 名 U 難解.

*__ab·surd__ /əbsɔ́ːrd, -zɔ́ːrd/ 《「…から(ab)耳が聞こえない(surd)」→「道理がわからない」》
── 形 (more ~, most ~) 常識に反した、理性[理屈]に反する、不条理な；(理屈に合わず)ばかげた、おかしな、こっけいな(cf. ridiculous) ‖ It is *absurd* to [that you] water the plants on a rainy day. 雨の日に植木に水をやるのはばかげている / It is *absurd of* [*for*] you *to* study hard after the exam. 試験がすんでから一生懸命勉強するなんて君はどうかしている(➡文法 17.5).
── 名 [the ~] ばかげたこと、愚味《the ~》.
†**ab·surd·i·ty** /əbsɔ́ːrdəti, -zɔ́ːrd-/ 名 U 不合理、不条理；(言動・慣習などが)ばかげていること、こっけい；© ばかげた行為[考え] ‖ the *absurdity of* superstition 迷信の持つ不合理性.
†**ab·surd·ly** /əbsɔ́ːrdli, -zɔ́ːrd-/ 副 ばかばかしいほど；[文全体を修飾]ばかげたことには ‖ The price was *absurdly* high. 値段はお話にならない程高かった.
ABTA ㊇ Association of *British* Travel *Agents* 英国旅行代理店協会《旅行会社のトラブルから旅行者を保護する団体》.
a·bun·dance /əbʌ́ndəns/ 名 [時に an ~] 大量、豊富(→ plenty)；ありあまる量；余分、過多；富、豊饒(じょう) ‖ This pond has carp *in abundance*. この池にはたくさんコイがいる / *an abundance of* natural resources 豊富な天然資源.

*__a·bun·dant__ /əbʌ́ndənt/
── 形 〈場所が〉[…の]豊富な、ありあまる、豊かな《*in,* (まれ) *with*》；〈物が〉豊富にある、大量の(plentiful) ‖ a forest (which is) *abundant in* trees 樹木が豊かな森林(=a forest *with an abundance of* trees / a forest *abounding* [which *abounds*] *in* trees) / an *abundant* supply of food 十分な食物の供給 / Oranges are *abundant* in Spain. =Spain is *abundant in* oranges. スペインはオレンジがたくさんとれる(=Oranges abound in Spain. / Spain abounds with oranges).
a·bun·dant·ly /əbʌ́ndəntli/ 副 豊富に、多量に；[強意語として]とても、非常に(very).

*__a·buse__ /動 əbjúːz；名 əbjúːs/
── 動 (~s/-ɪz/；~d/-d/；-bus·ing/)
── ⊕ **1** 〈子供・動物を〉虐待する、酷使する；〈人を〉罵倒(ごう)する、ののしる(insult) ‖ The elderly woman is being *abused* by her son. その年をと

abuser

った女性は息子に虐待されている. **2**〈人が〉〈権利・権力〉を乱用する, 悪用[誤用]する(use wrongly); …を(乱用・酷使して)傷つける, そこなう ‖ *abuse* drugs 麻薬を乱用する / *abuse* one's privileges [power] 特権[権力]を乱用する / *abuse* one's health (不摂生などで)健康をそこなう.
——名 (複 ~s/-iz/) **1** © **虐待, 酷使** ‖ child *abuse* 子供の虐待 / sexual *abuse* cases 性的虐待の事例. **2** ⓊⒸ **乱用, 悪用; 誤用**(wrong use) ‖ word *abuse* 語の誤用 / drug *abuse* 薬の乱用 / This is a great *abuse* of human rights. これは大きな人権侵害だ. **3** © [しばしば ~s] **悪習, 弊害**《◆ bribery, graft² など》[で], アカペラの[で].**4** Ⓤ **毒舌, 悪口** ‖ shout [howl, scream] a stream of *abuse*(s) at him 彼に次々に悪口を浴びせかける.

a·bus·er /əbjúːzər/ 名 © (麻薬・シンナーなどの)乱用者; 虐待者.

a·bu·sive /əbjúːsiv/ 形 **1**〈人が〉口汚い,〈言葉などが〉罵詈(ば り)[悪態]の. **2** 乱用[誤用, 悪用]された ‖ an *abusive* use of one's authority 権力[職権]の乱用.

a·bú·sive·ly 副 口汚く; みだりに.
a·bú·sive·ness 名 Ⓤ 口汚いこと.

a·but /əbʌ́t/ 動 (過去・過分) **-but·ted**/-id/; **-but·ting**)(正式) ⓐ〈国・土地・建物などが〉〔…に〕境を接する, 隣接する(border) [on, upon, onto] ‖ The farm *abuts on* [onto] the road. 農園は道路に接している. ——他 …に接する, 隣接する.

a·but·ment 名 Ⓒ【建築】せりもち台, 橋台, 側壁, 合口(がっ こう), 合端(あい ば).

a·buzz /əbʌ́z/ 形 〔…で〕やかましい, 騒然として(*with*).

a·bys·mal /əbízməl/ 形 **1**(正式)底知れない, 測り知れない, 極端な(extreme). **2** ひどく悪い(very bad).
a·býs·mal·ly 副 極端に; ひどく.

†**a·byss** /əbís, æ-/ 名 © (複 **-byss·es**)底知れない割れ目, 深淵, 穴(pit); 巨大な(暗黒の)空間; [比喩的に] どん底; 奈落(hell); (文) 危険な状況; [比喩的に] (二者間の)溝, ギャップ ‖ be in an *abyss* of grief [despair] 悲嘆[絶望]のどん底にいる.

ac, AC (略)【電気】alternating current (↔ dc); (主米) air conditioning.

a/c (略)【簿記】(英) account 銀行口座.

a·ca·cia /əkéiʃə/ 名 ©Ⓤ【植】**1** アカシア(の木). **2** =locust **4 a**.

ac·a·deme /ǽkədiːm/ 名 Ⓤ =academia.

ac·a·de·mi·a /æ̀kədíːmiə/ 名 ⓊⒸ(正式)学究的な世界[分野].

*★**ac·a·dem·ic** /æ̀kədémik/
——形 **1**(通例名詞の前で)**学園の, 学校の**《◆ ふつう大学以上の高等教育機関をいう》, **大学の**《◆比較変化しない》‖ an *academic* degree 学位 / an *academic* city 学園都市 / *academic* dress [costume] 大学式服(academicals) / an *academic* adviser (大学の)指導教授. **2** 学問的な, 学究[学者]的な, 学のある ‖ *academic* freedom 学問[学園]の自由. **3** 純理論的な(↔ practical), 専門の;〈議論などが〉非現実的な, 現実離れの. **4**(米)【教育】人文科学の(実技・専門科目に対して)一般教養の《◆比較変化しない》.
——名 © **1** 研究員, 学究(的な人), 学者; 大学教授; =academician. **2** [~s] 学業(成績).

academic year 学年度(school year)《英米ではふつう9月, 時に10月から6月まで. オーストラリア・ニュージーランドでは2月から11月まで》.

àc·a·dém·i·cal·ly 副 学問的に; 理論的に.

a·cad·e·mi·cian /əkæ̀dəmíʃən/ 名 © (米) アカデミー[学院の, 芸術院]会員.

†**a·cad·e·my** /əkǽdəmi/ 名 © **1** [しばしば the A~] 学士院, 美術[学]院 ‖ the Royal [French] *Academy* 英国王立美術院[フランス学士院]《◆単に the Academy ともいう》. **2** 高等教育機関《ふつう大学以上》; 特殊[専門]学校 ‖ a military *academy* 陸軍士官学校《米国 West Point など》/ a police *academy* 警察学校. **3**(ふつう私立の)中等[高等]学校《◆権威づけのためしばしば学校名に用いる》. **4**(スコット)中等学校《11歳から16歳までの生徒が通う》. **Acádemy Awárd** アカデミー賞《映画芸術科学アカデミー会員の投票により映画人に贈られる賞. cf. Oscar》.

a cap·pel·la /àː kəpélə/ 〖イタリア〗【音楽】形 副 (合唱が楽器の)伴奏なしの

ACAS /éikæs/ (略)(英) Advisory, Conciliation and Arbitration Service (労働争議への)助言・調停・仲裁業務.

acc. (略) account.

ac·cede /əksíːd, æk-/ ⓐ (正式) **1**(譲歩して, しぶしぶ) [… に] 同意する, 応じる(agree) [to] ‖ *accede to* her request [will] 彼女の要求[願い]に応じる. **2**(ある高位・要職を)継ぐ, 得る, [… に] 加盟する[to] ‖ *accede to* the throne [presidency] 王位[大統領の職]を継ぐ.

†**ac·cel·er·ate** /əksélərèit, æk-/ 動 他〈車などが〉(急に)加速する(↔ decelerate); [比喩的に] …を加速する, 早める, …に拍車をかける. ——ⓐ〈人が〉急に車のスピードを増す,〈車・インフレなどが〉急加速する.

ac·cel·er·a·tion /əksèləréiʃən, æk-/ 名 Ⓤ 〔…の〕加速(力), 促進[*in*]; 【物理】加速度.

ac·cel·er·a·tor /əksélərèitər/ 名 © **1** アクセル(ペダル), 加速装置. **2**【化学】促進剤;【物理】粒子加速装置.

*★**ac·cent** /名 ǽksent | -snt; 動 ǽksent, -´-/〖『言葉に付けられた曲』が原義》(派) accentuate (動)
——名 (複 ~s/-sents/) **1** © **なまり** ‖ speak English *with* a heavy [strong] New York *accent* 強いニューヨークなまりで英語を話す. **2** [~s] **口調, 言葉遣い** ‖ in tender *accents* やさしい口調で.
3 © **アクセント, 強勢**(stress) ‖ the primary [secondary] *accent* 第1[第2]アクセント / In the word "bamboo" the *accent* is [falls] on the second syllable. bamboo という単語のアクセントは第2音節にある.
4 © =accent mark. **5** ⓊⒸ **特色, 特徴; 重点, 強調**(emphasis). **6** 数量単位を表す符号《feet (ʹ) / inches (ʺ) / minutes (ʹ) / seconds (ʺ) など》.
——動 /ǽksent | ǽksent, əksént/ 他 **1**〈単語などに〉アクセントを付けて発音する, アクセント符号を付ける;〈単語などを〉外国語なまりで発音する. **2**〈衣服などを〉[…で]飾る(with); =accentuate.

áccent màrk アクセント符号《acute (ʹ) / grave (ˋ) / circumflex (ˆ) など》.

ac·cent·ed /ǽksentid | -ʹ-/ 形 なまりの強い[ある].

†**ac·cen·tu·ate** /əkséntʃuèit, æk-/ 動 他〈物・事〉を目立たせる, きわだたせる; …を力説[強調]する ‖ His baggy trousers *accentuate* his fatness. だぶだぶのズボンで彼の肥満が目立つ.

ac·cen·tu·a·tion /əksèntʃuéiʃən, æk-/ 名 **1** Ⓤ 強調, 力説, 重点. **2** © 発音の仕方, アクセント(符号)の付け方.

*ac·cept /əksépt, æk-/ 「(同意し快く)受け入れる」が本義 派 acceptable (形), acceptance (名)
　——動 (~s/-sépts/; 過去・過分 ~·ed/-id/; ~·ing)
　——他 **1**〈人が〉〈贈り物・賞などを〉快く受け取る, 受理する;〈招待・申し出などを〉受諾する(↔ refuse, decline, reject, turn down) ‖ *accept* an invitation 招待に応じる / My girlfriend readily [reluctantly] *accepted* my proposal. 私の恋人はプロポーズを喜んで[いやいやながら]受け入れてくれた.

> 使い分け [accept と receive]
> accept は「相手が差し出した物を, 自分から意図的に受け取る」, receive は「人から送られた[与えられた]物を単に受身的に受け取る」の意.
> Please *accept* [×*receive*] this present. このプレゼントを受け取ってください.
> I *received* [×*accepted*] a gift on my birthday. 私は誕生日に贈り物をもらった.

2 a〈人が〉〈説明・人などを〉(妥当として)受け入れる, 容認する, 認める(admit);〈人を〉快く思う, (喜んで)遇する(treat) ‖ *accept* oneself 自分に満足する / *accept* him with open arms 彼を熱烈に歓迎する. **b** [*accept* A as C]〈人が〉A〈説明・人などを〉C だと認める ‖ *accept* her testimony *as* true 彼女の証言が真実であると認める(= *accept* that her testimony is true). **c** [*accept that* 節]〈人が〉…であることを認める(◆ that はふつう省略しない) ‖ I *accept that* he was telling the truth. 彼が事実を告げていたものと私は認めます / It is *accepted* [agreed] *that* we'll have a meeting tomorrow. 明日会合があるということは了解済みだ(→ it 代 4g).
3 a〈事態・運命などに〉(やむなく)服する ‖ *accept* a situation 事態を甘受する. **b**〈責任・仕事などを〉引き受ける ‖ *accept* full responsibility for [the damage [breaking the window]] 損害[窓を割ったこと]の全責任を負う. **c**〈機械などが〉〈物を〉受けつける ‖ This vending machine only *accepts* 100-yen coins. この自動販売機には100円玉しか使えない.
4〈移植臓器・組織を〉拒絶反応なしに受け入れる. **5**〈クレジットカードなどを〉受けつける ‖ Do you *accept* credit cards [travelers' checks]? クレジットカード[トラベラーズチェック]を使えますか.
　——自 [文脈から明らかな場合目的語を省いて]〈人が〉承諾する ‖ I invited him to the party, and he *accepted*. 私が彼をパーティーに招待したら, 彼はそれに応じた(◆ … he accepted my invitation. の my invitation の省略).

ac·cept·a·bil·i·ty /əksèptəbíləti, æk-/ 名 U 受容性; 容認(可能)性[度].

†ac·cept·a·ble /əkséptəbl, æk-/ 形 **1**〈決定・態度などが〉(すぐれてはいないが)〔…にとって〕受諾しうる, (一応)満足[許容]できる, 無難な(to) ‖ Such manners are not *acceptable* in Japan. その作法は日本では受け入れられていない. **2**〈人・物が〉好ましい(pleasing). **ac·cépt·a·bly** 副 無難に.

†ac·cept·ance /əkséptəns, æk-/ 名 U 受諾, 承諾; 賛成, 容認, (仲間として)受け入れること; C 受諾[合格]通知 ‖ meet with [find, gain] general *acceptance* 一般に認められる.

ac·cept·ed /əkséptid, æk-/ 形 一般に容認された, 確立した.

ac·cept·ing /əkséptiŋ, æk-/ 形〈人が〉〔他人・状況

†ac·cess /ǽkses/ 名 **1** U 〔正式〕〔場所への〕接近法; C 通路, 入口(to) ‖ the only *access* to the roof 屋根へ上る唯一の方法 / The hotel is *within easy access of* the station. そのホテルは駅から近くにある. **2** U 〔…の〕入手[出入, 面会, 利用]の権利[方法, 機会](to) ‖ Students *have* [can gain] *access to* these computers. 学生はこのコンピュータを利用できる(= These computers are *accessible* to students.). **3** U 〔コンピュータ〕アクセス《システムへの接続や記憶装置とのデータのやりとりを行なうこと》.
　——動 他 …に接近する, …を利用する;〔コンピュータ〕…にアクセスする, …のデータを読みに行く;〔ネットワークなど〕に接続する.

áccess còde〔コンピュータ〕アクセスコード.
áccess pòint〔コンピュータ〕アクセスポイント.
áccess ròad [**ròute**]〔主に米〕(特定の区域への)連絡道路, アクセス; 進入路(slip road).
áccess tìme〔コンピュータ〕アクセスタイム, 呼び出し時間.

†ac·ces·si·ble /əksésəbl, ək-/ 形〈場所・人・物などが〉〔人にとって〕(容易に)接近できる, 入場[面会, 利用, 入手, 理解]可能な(to) ‖ The scene of the plane crash is not easily *accessible* by car. 飛行機の墜落現場には容易に車では行けない(= … is not easy to reach by car.) / a very *accessible* sort of person とても近づきやすい人物 / These books are *accessible* to all students. この本は学生がだれでも利用できます.

ac·ces·si·bil·i·ty /əksèsəbíləti/ 名 U 接近できること.

†ac·ces·sion /əkséʃən, ək-/ 名 **1** U 〔…への〕接近, 到達; 即位, 継承; 就職; 相続(to). **2** U C 〔要求などへの〕同意(to). **3** U C 〔…への〕増加(物), 付加, 追加(addition)(to).

†ac·ces·so·ry /əksésəri, æk-/【アクセント注意】名 C **1** [通例 *accessories*] (自転車・車などの)付属品《ランプ・ベル・ラジオ・エアコンなど》; 装飾品, アクセサリー《◆日本語の「アクセサリー」と違って帽子・かばん・手袋などが含まれる》. 〔法律〕従物(→ appurtenance). **2** 〔法律〕〔犯罪の〕共犯(者)(to) ‖ an *accessory* before [after] the fact 事前[事後]共犯. **3** 付属の, 副次的な;〔法律〕〔犯罪の〕従犯の, 幇助の(to).

*ac·ci·dent /ǽksədənt/ 「…へ(ac)降りかかる(cident). cf. precedent」
　——名 (複 ~s/-dənts/) **1** U [時に an ~] 偶然(chance) ‖ *by accident* of birth 生まれ合わせで / It *was* just *an accident that* we met. = Our meeting was just *an accident*. 我々が出会ったのはまったくの偶然だった.
2 C 事故, 不測の出来事; 故障 ‖ She *was* killed in a railway [traffic] *accident*. 彼女は列車[交通]事故で死んだ / *be in* a small *accident* ちょっとした事故にあう / *have* [meet with] *an accident* 事故にあう(◆ have ... の形は「事故を起こす」の意にもなる).

類語 accident 交通事故, 出会い頭にぶつかること. disaster 火事, 洪水, 地震, 飛行機事故. incident 人との偶然の出会い, 犬がいなくなること.

> 関連 [いろいろな種類の accident]
> air [aircraft] *accident* 航空(機)事故 / fatal *accident* 死亡事故, 人身事故 / industrial *accident* 業務災害, 労働災害 / marine *accident* 海

難事故 / medical *accident* 医療事故 / nuclear *accident* 原発事故 / railway *accident* 列車事故 / automobile [car, traffic, road] *accident* 交通事故.

3 C 偶然に発生した事物[生物]. *Accidents will happen.* 事故は起こりがちなもの《◆不幸な出来事に責任を感じている人をなぐさめるときに言う》.

*by **áccident** たまたま，偶然(に)，誤って(by chance)(↔ on purpose, by design)‖ She spotted her lost ring *by accident*. 彼女は失った指輪を偶然見つけた．

háve an áccident 〈子供が〉おもらしをする．
withóut áccident 何事もなく．

†**ac·ci·den·tal** /ǽksədéntl/ [アクセント注意] 形 偶然の，予期しない(↔ deliberate)‖ an *accidental* death 不慮の死 / *accidental* homicide 過失致死．

†**ac·ci·den·tal·ly** /ǽksədéntli/ 副 偶然に，誤って；付随的に；[文全体を修飾] ふとしたことから ‖ *accidentally* on purpose 偶然のふりをして意図的に．

ac·ci·dent–prone /ǽksədəntpròun/ 形 事故にあいやすい．

†**ac·claim** /əkléim/《正式》動 他 **1** 〈人・本などを〉〔…として〕熱狂的に歓迎[賞賛]する(praise highly)〔*as*〕‖ He was *acclaimed* as the best writer of the year. 彼はその年の最良の作家としてほめたたえられた．**2** 〔*A* C〕〈人〉を C として歓呼して迎える，〔正式に〕認める ‖ They *acclaimed* him their leader. 彼を指導者として歓呼して迎えた．
— 名 U 拍手かっさい，賞賛，賛呼，歓呼．

†**ac·cla·ma·tion** /ǽkləméiʃən/ 名《正式》(拍手・歓呼による)承認，賛成；[通例 ~s] 拍手かっさい，歓呼 ‖ by *acclamation*《米》発声投票で．

ac·cli·mate /ǽkləmèit, əkláimət/《主に米正式》〈人・物〉を〔新風土・環境などに〕慣らす，順応させる〔*to*〕．— 自 〔新風土・環境に〕慣れる〔*to*〕．

ac·cli·ma·tion /ǽkləméiʃən | -lai-/ 名 U 順応．

ac·cli·ma·ti·za·tion /əklàimətizéiʃən | -mətai-/ 名 =acclimation.

ac·cli·ma·tize /əkláimətàiz/ 動《主に英正式》他 自 =acclimate.

ac·cliv·i·ty /əklívəti/ 名 C 上り坂．

ac·co·lade /ǽkəlèid, -lɑ̀:d/ 名 C 賞賛，賛美，名誉．

†**ac·com·mo·date** /əkɑ́mədèit | əkɔ́m-/ 動 他《正式》**1** 〈人が〉〈人・物〉を〈物・事〉に適応させる，順応[適合]させる(adapt)〔*to*〕‖ You will soon *accommodate* your*self* to a [your] new way of living. あなたは新しい生活様式に慣れるでしょう《◆ get accustomed [used] to を使うのがふつう》/ You must *accommodate* your plans to mine. 私の計画に合うように計画を変えていただかねばなりません．**2** 〈ホテル・建物などが〉〈人〉を宿泊させる，〈物〉を収容[収納]する；〈乗物などが〉〈人〉を乗せられる ‖ The hotel can *accommodate* 500 guests. そのホテルは500人収容[宿泊]できる(=… has *accommodations* for …) / This airplane *accommodates* [holds, seats] 400 passengers quite comfortably. この飛行機はとても快適に400人運ぶことができる．**3** 〈人〉に〔…を〕融通[調達]する(supply)〔*with*〕；〈人〉に便宜をはかる，〈人〉の願いを入れる，…を考慮に入れる ‖ The old man kindly *accommodated* us with a night's lodging. その老人は親切にも私たちを一晩泊めてくれた．**4** 〈お金に困っている人〉に支払い期間の猶予を与える．
—自〔…に〕適合[同意]する，〈視力・人などが〉順応する〔*to*〕．

ac·com·mo·dat·ing /əkɑ́mədèitiŋ | əkɔ́m-/ 形 好意的な，親切な；順応しやすい；扱いやすい．

†**ac·com·mo·da·tion** /əkɑ̀mədéiʃən | əkɔ̀m-/ 名 **1** U C 便宜，好都合(convenience)‖ *for* one's *accommodation* 便宜のために．**2** U [《米》通例 ~s] 収容[宿泊]設備[施設]《部屋・寝台・食事・サービスなど》；収容能力，余地(space)；(交通機関の)予約席，《英》住居，部屋 ‖ The hotel *has* accom*modations for* 300 guests. そのホテルには300人宿泊できる(=… can *accommodate* …). **3** U C 《米》融資，用立て；[遠回しに]割引(discount). **4** U 《正式》順応，適合．**5**《正式》[an ~] 調停，和解，解決 ‖ reach an *accommodation* 和解[妥協]する．

accommodátion áddrèss《英》郵便物の受け取りに用いる便宜上の住所(《英》mail drop).

accommodátion làdder タラップ．

accommodátion tràin《米》普通列車《◆ local [slow, way] train ともいう》(↔ express).

†**ac·com·pa·ni·ment** /əkʌ́mpənimənt/ 名 C **1** 付随して生じるもの，産物；〔…の〕付き物，付属物，添え物，つまみ〔*to, for*〕‖ Injury is often an *accompaniment* to sport(s). スポーツにはけがはつきものである(=Injury often *accompanies* sport(s).). **2** 伴奏 ‖ sing with (a) piano *accompaniment* = sing *to the accompaniment of* a piano ピアノの伴奏に合わせて歌う．

ac·com·pa·nist /əkʌ́mpənist/ 名 C 〔楽器の〕伴奏者〔*on*〕．

*†**ac·com·pa·ny** /əkʌ́mpəni/ 〔…の(ac)仲間(company)として一緒に行く．cf. *companion*〕
— 動 (--nies/-z/; 過去・過分 --nied/-d/; ~ing)
— 他
Ⅰ[人に伴う]

1 〈人が〉〈人〉と一緒に行く，…に同行する，付き添う《◆ go (together) with より堅い語》；〈人〉と〔…を〕一緒にする〔*in*〕‖ The secret police *accompanied* the president to the White House. 秘密警察がホワイトハウスまで大統領に同行した 〔◉対話〕"Would you mind my *accompanying* you?" "Certainly not." 「ご一緒させていただいてよろしいでしょうか」(=《略式》"Can I come with you?")「いいですよ」《◆堅い語であるからこのような改まった言い方や書き言葉に限られ，くだけた日常会話にはふつう用いられない》/ The patient was *accompanied* by [*with*] the nurse. 患者は看護師に付き添われて行った / This is described on the *accompanying* application form. これは同封の願書に書かれています．

2〔楽器で〕〈人・歌〉の伴奏をする〔*at, on*〕‖ *accompany* her *on the piano* [*with the guitar*] ピアノ［ギター］で彼女の(歌の)伴奏をする．

Ⅱ[事柄が伴う]

3 〈物・事〉が〈物・事〉に付随して起こる，…と同時に生じる ‖ Thunder normally *accompanies* lightning. 雷には稲妻がつきものだ cf. Thunder *follows* lightning.》/ Misery and sorrow *accompany* [*follow*] war. 戦争には悲惨と悲しみが伴う．

4 〈物〉に〔…を〕伴わせる，添えて出す，加える〔*with*〕‖ *accompany* one's speech *with* jokes スピーチに冗談を交える．

†**ac·com·plice** /əkɑ́mplis | əkɔ́m-/ 名 C 〔…の〕共犯者，共謀者，ぐる〔*in, to*〕‖ She was found to be his *accomplice* in the murder. 彼女はその殺

人事件で彼との共犯であることがわかった.

†**ac·com·plish** /əkámplɪʃ | əkám-/ 動 他《正式》〈人が〉〈仕事・計画などを〉(努力と忍耐によって)成し遂げる, 成功させる, 完遂する, 成就(じょう)する ‖ At last he *accomplished* his aim. とうとう彼は目的を果たした.

†**ac·com·plished** /əkámplɪʃt | əkám-/ 形 1 成し遂げられた, でき上がった ‖ an *accomplished* fact 既成事実. 2《…に》熟達[熟練]した,《…の》専門家の《in》‖ an *accomplished* pianist 熟達したピアニスト. 3《やや古》〈女性が〉教養［才芸, たしなみ]のある.

†**ac·com·plish·ment** /əkámplɪʃmənt | əkám-/《正式》U 遂行, 達成, 完成, 完了; C 達成された物[事], 成果, 業績, 功績; 熟達;《やや古》（女性の)たしなみ, 教養, 才芸; 才能; 技術 ‖ a plan easy [difficult] of *accomplishment* 遂行しやすい[しにくい]計画 / The discovery of the new atom was no small *accomplishment*. 新しい元素の発見ははいした功績であった.

***ac·cord** /əkɔ́ːrd/《心・中心(cord)へ向かって(ac). cf. discord》派 accordance (名), according (副), accordingly (副)
—動 (~s/əkɔ́ːrdz/ ; 過去・過分 ~·ed/-ɪd/ ; ~·ing)《正式》
—自〈人・物・事などが〉〈他の人・物・事などと〉(ぴったりと)一致する, 調和する(agree)〔*with*〕(↔ differ) ‖ His words and actions do not *accord* (well together). 彼の言行は(あまり)一致していない / Her account of the incident *accords with* yours. その事件についての彼女の説明は君の説明と一致する.
—他 [*accord* A B = *accord* B to A]〈人が〉〈人に〉B〈許可など〉を与える(give);〈敬意など〉を示す(●文法 3.3) ‖ *accord* praise for good behavior 善行をほめる / *accord* him respect = *accord* respect *to* him 彼に敬意を表す / She was *accorded* permission to use the car. = Permission to use the car was *accorded* (*to*) her. その車の使用許可が彼女に与えられた.
—名 (複 ~s/əkɔ́ːrdz/)《正式》1 U《…との》一致, 合致, 調和(agreement)〔*with*〕‖ **in** [**out of**] **accord** on the matter *with* the leader その件で指導者と一致して[しないで] / Our interests are in complete [perfect] *accord*. 我々の興味[利害]は完全に一致している. 2 C《他国などとの》協定, 協約《*with, between*》. 3 U C《音楽》和音, 協和音(↔ discord).
***of* one's ówn accórd**〈人が〉自発的に, 何も言わず勝手に;〈物・事が〉自然に, ひとりでに ‖ He quit school *of his own accord*. 彼は自発的に退学した.
with óne accórd《正式》一斉に, 満場一致で.

†**ac·cord·ance** /əkɔ́ːrdns/ 名 U《正式》〔法律・慣習などの〕一致, 合致, 調和(agreement)〔*with*〕‖ When in a foreign country, behave **in accordance with** its customs. 外国にいるときはそこの習慣に従ってふるまいなさい.

*ac·cord·ing /əkɔ́ːrdɪŋ/《→ accord》
—副 一致して; 従って《◆ 次の成句で》.
accórding as ... [接]《英正式》…に従って, 応じて; …しだいで《◆ ... の部分は節》‖ You should choose things *according as* they are useful to you or not. 物事は自分にとって有益かどうかに従って選びなさい.

***accórding to** A (1)《新聞・文献・時計など》に**よれば**(…だそうだ);〈(他の)人〉の話では ‖ *According to* the weather forecast, it will snow tomorrow. 天気予報によればあすは雪だ(= The weather forecast says that it will ...).

語法 ふつう第三者や権威ある機関についていうので ˟*according to me* [*you, my opinion*] は避け, *in my* [*your*] *opinion* などとする.

(2)《計画・約束など》に**従って, 応じて**(in agreement with) ‖ act *according to* her instructions 彼女の指示に従って行動する / Everything is going (well) *according to* plan [schedule]. 万事計画[スケジュール]通りに順調に運んでいる《◆ 成句的に用いるものとしては冠詞を省略する》. (3)《事》の順に(in the order of), …を基準として; …に比例して(in proportion to) ‖ We will pay you *according to* the amount of work you do. 君がする仕事の量に応じて給料を払おう.

†**ac·cord·ing·ly** /əkɔ́ːrdɪŋli/ 副《◆ 常に前文と対応して用いる》《正式》1 [動詞の後で] それに応じて(ふさわしく), 状況に応じて ‖ She is an elderly patient, so you should treat her *accordingly*. 彼女は年配の患者だから, それ相応に扱うべきだ(= ... treat her as such.). 2 [接続副詞に] それゆえに, したがって(therefore) ‖ This watch is expensive; *accordingly* (↘) it should keep correct time.(↘) この時計は高価なものだ. だから正確なはずだ.

ac·cor·di·on /əkɔ́ːrdiən/ 名 アコーディオン, 手風琴(piano accordion).
accórdion file《米》折りたたみ式ファイル.
accórdion pléats アコーディオンプリーツ《スカートのじゃばら型のひだ》.

ac·cost /əkɔ́ːst/ 動 他〈知らない人〉に近寄って相手に不快な思いをさせる[おどすような]態度で話しかける.

***ac·count** /əkáunt/
—名 (複 ~s/əkáunts/)
I [出来事や問題などを計算すること]
1 C 報告, 記述, 話《◆ report より個人的な体験についての話をさすことが多い》; 釈明, 弁明, 記事, 報告書; 始末書 ‖ give a detailed [full] *account* of one's trip 旅行の詳しい報告をする / give a good [bad, poor] *account* of him 彼をほめる[けなす] / by (*according to*) her own *account* 彼女自身の言うところによると.
2 U 理由, 根拠(reason) ‖ **on that** [**this**] ***account*** その理由で.
II [数えて計算すること]
3 C [通例 ~s] 勘定書,《金銭の》計算書; **請求書**; 会計簿; 収支計算, 決算 ‖ cast *accounts* 計算する / **keep accounts** 簿記をつけている《◆「いつもつけている」の意. 1回では do》; 会計係をする / send (*in*) an *account* 請求書を送付する.
4 C《貸借》勘定; **預金口座**; 信用取引;《主に米》得意先; 掛売り(勘定)《charge account》‖ She bought the diamond **on** (**her**) ***account***. 彼女はそのダイヤを(自分の)つけで買った. / 対話 "May I help you?" "Well, I'd like to open a savings *account* with you."「いらっしゃいませ」「ええと, 普通預金口座を開きたいのですが」/ **Short accounts make long friends.**《ことわざ》貸借の期間が短ければ交友期間は長い; 長い付き合いには掛けは禁物.
5 C《コンピュータ》**アカウント**《パソコンやネットワークを利用するための資格, そのための課金》.
III [計算結果の評価]
6 U 考慮, 配慮(consideration); 評価《◆ 次の句で》‖ **take *account* of** him = take him into

account 彼を考慮に入れる[重視する]《◆後者で目的語が長い場合は take into account **A** の語順となる: You must take into account the fact that he is inexperienced. 彼の経験が浅いことを考慮してやらねばならない》/ *take no account of* his academic career 彼の学歴を無視する / Do you *hold* him *in great* [*no*] *account*? 彼を重視[無視]しているのですか.

7 Ⓤ (正式) 重要性, 重大さ(importance) ‖ a man of much [little] *account* 大切な[取るに足らぬ]人 / *of great* [*small*] *account* 非常に重要な[さほど重要ではない] / It is *of no account* to me whether he comes or not. 彼が来るかどうか私に重要なことではない.

bríng [*càll, hóld*] **A** *to accóunt* (正式) (1) 《上司などが》部下などに[…の]釈明を求める, 責任を問う *for*. (2) 《人》をしかる, 非難する.

by [*from*] *áll accóunts* だれに聞いても, どこで聞いても《◆文頭・文中・文尾のいずれの位置にも用いる》.

give a póor accóunt of oneself (試合などで)しくじる, 失敗する.

on accóunt (1) → **4**. (2) まず, 手始めに. (3) 分割払いで. (4) 内金[代金の一部]として.

on **A**'s *accóunt* (1) → **4**. (2) 《人》のために ‖ He worked *on my account*. 彼は私のために働いてくれた.

*on accóunt of **A** (1) …のために, …という理由で(→ owing to, due to, thanks to) ‖ The game was delayed *on account of* (the) snow. 雪のため競技の開始が遅れた《◆(1) because of の方がふつう. (2) **A** の the は省略されることが多い》. (2) 《主に米》《人》の(利益)のために. (3) 《事情など》を考慮して.

on áll accóunts [肯定文で] すべての点で, どう考えても; 是が非でも.

on évery accóunt =on all ACCOUNTs.

on nó [*not on ány*] *accóunt* 決して[絶対に]…しない ‖ You must *on no account* cut school. =*On no account* must you cut school. 授業をさぼるようなことは絶対にしてはならない《◆(1) しばしば must, will, would, 命令形と共に用いる. (2) 文頭に置かれ倒置になり強意的. ➡文法 23.3》.

on one's *ówn accóunt* (1) 自分の(利益[喜び])のために. (2) 自分の責任で. (3) 独りで.

pùt **A** *to* (*góod*) *accóunt* (正式) 《経験など》を生かす, 活用する ‖ *put* one's knowledge of electronics *to account* 電子工学の知識を生かす《◆反対は put **A** to poor [bad] account》.

take account of **A** =*táke* **A** *into accóunt* (1) → **6**. (2) 《合図など》に注意する.

tùrn [*ùse*] **A** *to* (*góod*) *accóunt* (正式) =put **A** to (good) ACCOUNT.

──動 (~s/əkáunts/; ~ed/-id/; ~ing)
──📗 **1** 《人が》《事実など》の**理由を説明する**; 《事が》[出来事などの]原因[源]となる, 《…》の原因を説明する *for* ‖ 【対話】"We have had little rain this year." "Oh, *that accounts for* the poor crop."「今年はほとんど雨が降りませんでした」「ああ, それで不作の原因がわかりました」/ The lightning *accounted for* the power failure. 雷のため停電になった / There is no accounting for *taste*(s). → taste 图 **4**.

2 《行為などの》釈明をする, 責任をとる *for* ‖ How do you *account for* your negligence? 君の怠慢は釈明の余地がありませんね. **3** 《…》を予期する

[*on*] ‖ He hadn't *accounted on* facing such difficulty. 彼はそんな困難に直面するとは思ってもいなかった. **4** 《金銭の》支出報告をする *for* ‖ *account* to the auditor 監査役に会計報告をする / *account for* all the money spent 全支出金の明細を説明する. **5** (略式・やや俗)《人・動物》を殺す, 射止める(kill); 捕らえる(catch) *for*. **6** 《人・物など》《ある割合》を占める; 《人》《試合の点数》を取る *for*. **7** 《人が》《人・物》の居所を突きとめる, 消息を知る *for*.

accóunt bàlance (銀行口座の)残高.

accóunt exècutive (広告代理店などの)顧客担当責任者.

ac·count·a·ble /əkáuntəbl/ 形 (正式) **1** 《人が》《人に対して/行為に関して》(釈明する)**責任がある** [*to*/*for*] 《◆ responsible の強意語》‖ He cannot be held *accountable* for his actions. 彼は自分の行為に責任能力がない. **2** 《行為などが》もっともな, 無理もない.

ac·count·a·bil·i·ty Ⓤ (上位の人の)説明責任 (cf. responsibility).

ac·count·an·cy /əkáuntənsi/ 名 Ⓤ 会計事務, 会計職.

†**ac·count·ant** /əkáuntənt/ 名 Ⓒ 会計係, 会計士.

ac·count·ing /əkáuntiŋ/ 名 Ⓤ 会計(学), 経理; 精算.

ac·cou·ter·ment /əkú:tərmənt/, (英) **-tre·ment** /-trə-/ 名 Ⓤ [~s; 複数扱い] **1** (軍事) (衣服・武器以外の)装具《ベルト・背囊(はいのう)など》, 旅の装具《カメラ・かばんなど》. **2** (正式) 服装; (ドレスなどの)装飾品, 装身具; [比喩的] 資質.

†**ac·cred·it** /əkrédit/ 動 [通例 be ~ed] **1** 《報告などが》信じられる, 信用される. **2** 《人が》[…の性質・資質などがあると]みなされる *with* ‖ *be accredited with* hard work 勤勉だと評価されている. **3** 《発見・業績などが》《人のしたもの》と(公式に)みなされる(ascribe) *to*; 《人が》[…したと]みなされる *with* ‖ =This invention *is accredited to* Edison. =Edison *is accredited with* the invention. この発明はエジソンがしたものとみなされている. **4** 《大使・代表者など》《外国・会議などに》信任状を受けて派遣される *to, at*. **5** 《人・学校・製品など》を(公の基準に達したものと)認定[認可]される.

ac·cred·i·ta·tion 名 Ⓤ 信任; 認定.

ac·cred·it·ed /əkréditid/ 形 《人・学校などが》公認の, 認可された; 《信仰・説など》広く認められた; 《家畜・製品など》品質認定された; 《大使などが》(正式に)(国)を代表する ‖ an *accredited* school 認可校.

ac·cre·tion /əkrí:ʃən/ 名 Ⓤ (成長・付着などによる)増大, 拡大; 付着; Ⓒ 増大物; 付着[堆積]物.

†**ac·crue** /əkrú:/ 動 Ⓘ 《権力・利益などが》《人などに/…から》(当然の結果として)生ずる(result) [*to*/*from*] ‖ Benefits *accrue* to the community *from* redevelopment. 再開発によって地域に便益が生じる. **2** 《利子がつく》; 《資本・借金などが》ふえる, 増加する. ──他 …を蓄積する. **ac·crú·al** 名 Ⓤ 蓄積.

†**ac·cu·mu·late** /əkjú:mjəlèit/ 動 (正式) 他 《物》を積み上げる(pile up); …を集める(gather); 《金・物・知識など》を(徐々に, 少しずつ)ためる, 蓄積する ‖ *accumulate* old newspapers 古新聞を積み上げる / *accumulate* antique 骨董品をためこむ / *accumulate* enough money to buy a house 家を買うだけの金を積み立てる. ──Ⓘ 《物など》が積もる, 集まる, 増える; 《金などが》たまる ‖ Dust had *accumulated* in the attic. 屋根裏にはほこりがたまっていた.

†**ac·cu·mu·la·tion** /əkjù:mjəléiʃən/ 名 Ⓤ 蓄積; 蓄

財, 利殖; ⓒ 蓄積物, たまった金[財産].

ac·cu·mu·la·tive /əkjúːmjəlèitiv/-lətiv/ 形 **1** 蓄積する, 累積する, 累積的な《◆ cumulative の方がふつう》. **2** 欲深い, 利殖好きの.

ac·cú·mu·là·tive·ly 副 累積的に.

ac·cu·mu·la·tor /əkjúːmjəlèitər/ 名 ⓒ **1** 蓄積する人, 蓄財家. **2** 〖機械〗蓄熱[蓄圧]装置; 緩衝装置. **3** 〖英〗蓄電池 (storage battery). **4** 〖コンピュータ〗累算器, アキュムレータ. **5** 〖英〗〖競馬〗(勝った配当金が次のレースの賭けに次々と賭けられ, 賭けに勝ち続ける限り次第に賞金がたまっていく. ふつう 4-5 レースにまとめて賭ける)繰り越し競馬投票.

*****ac·cu·ra·cy** /ækjərəsi/ [→ accurate]
──名 Ⓤ 正確さ, 精密[的確]であること; 精度 (↔ inaccuracy) ‖ **for accuracy** 正確を期して / predict earthquakes **with accuracy** 地震を正確に予知する.

*****ac·cu·rate** /ækjərət/ 【発音注意】《…に (ac) 注意を払った (curate) = 間違いのない》 派 accuracy
──形 **1** 〈人·行為などが〉〔…の点で〕(よく注意して)間違いのない, 周到な; 〈答えなどが〉**正確な**, 的確な, 寸分の誤りもない (↔ inaccurate) [in, at] 使い分け ≒ exact 形1) ‖ The sentence is not grammatically *accurate*. その文は文法的に正確でない《◆ correct より精密さ·正確さを強調》/ be *accurate* **in** arithmetic =be *accurate* **at** figures [counting] 計算が正確である.
2 〈計器などが〉精密な, 誤差のない.

ac·cu·rate·ly /ækjərətli/ 副 正確に, 精密に.

ac·curs·ed /əkə́ːrsid, əkə́ːrst/, (古) **ac·curst** /əkə́ːrst/ 形 **1** 〖古〗のろわれた; 非運の. **2** 〖略式〗いやな, 不快な.

ac·cu·sa·tion /ækjuzéiʃən/ 名 **1** Ⓤ 〖法律〗〔…に対する〕起訴, 告訴, 告発 [against]; Ⓒ 告訴理由; 罪 ‖ **bring** [**lay**] **an accusation against** him 彼を告訴する / What's the *accusation* **against** him? 彼を告訴する理由は何ですか. **2** ⓊⒸ (…という)非難, とがめ(blame)[that 節]. **màke an accusátion agàinst** 〈人〉を非難する.

ac·cu·sa·tive /əkjúːzətiv/ 〖文法〗─名 Ⓤ 対格; Ⓒ 対格の語; (英語の)直接目的語. ──形 対格の.

ac·cu·sa·to·ry /əkjúːzətɔ̀ːri/-təri/ 形 〖正式〗告訴[告発]の; 非難する, 責める.

†ac·cuse /əkjúːz/ 動 ⑯ 〈人が〉〔盗みなどの理由で〕〈人を〉訴える, 告発[告訴]する [of]《◆ charge と違って必ずしも公的機関への訴えとは限らない》 ‖ *accuse* her **of** stealing [having stolen] a car 彼女を車の窃盗罪で訴える《➔文法 12.2》/ *accuse* him **of** murder 彼を殺人罪で告訴する. **2** 〔怠慢などの理由で〕〈人〉を非難する, 責める (blame) [of] ‖ *accuse* him **of** carelessness 彼を不注意だと責める (= blame him for being careless).

ac·cused /əkjúːzd/ 形 **1** 告発された. **2** 〖法律〗[the ~; 名詞的に; 単複同形] (刑事)被告人(たち) (↔ accuser) (cf. defendant).

ac·cus·er /əkjúːzər/ 名 ⓒ 告発者, 告訴人, 原告 (↔ the accused); 非難する人.

ac·cus·ing /əkjúːziŋ/ 形 非難するような, 非難に満ちた. **ac·cús·ing·ly** 副 とがめるように.

†ac·cus·tom /əkʌ́stəm/ 動 ⑯ **1** 〈人·事が〉〈人·動物を〉〔環境·仕事などに/…することに〕慣れさせる, なじませる [to / to doing, to do] ‖ *accustom* one's child [*to* new surroundings [*to* sleeping in a bed] 子供を新しい環境に[ベッドで寝るのに]慣れさせる. **2** 〖正式〗[~ oneself] 〈人〉〔…に〕慣れる, 順応する [to]; 〔…することに〕慣れる [to doing] ‖ He soon *accustomed* himself *to* the cold weather. 彼はすぐその寒い天候になじんだ(=He soon got *accustomed* to …) / We had to *accustom* ourselves *to* rising with the dawn. 我々は夜明けと共に起きる習慣をつけねばならなかった.

*****be** [**gèt**, **grów**, **becóme**] **accústomed to** **A** 〖正式〗〈人が〉〈環境·仕事などに〉**慣れている**[**慣れる**]《◆ be [get, become] used to **A** より堅い表現》 対話 "Have you gotten [become] *accustomed to* the Japanese food?" "I'm not completely used to it yet." 「日本食に慣れましたか」「まだ完全に慣れていません」.

be [**gèt**, **becóme**] **accústomed to** do**ing** [do] 〖正式〗(1) 〈人が〉…することに慣れている[慣れる] ‖ She is *accustomed to doing* her homework before dinner. 彼女は夕食の前に宿題をするのが習慣になっている / I'm not *accustomed to being* interrupted. 邪魔されては困る《◆相手をたしなめるための遠回し表現》. (2) 〈人が〉…することを習慣にしている[する], いつも…している[する]《◆この意味では to do がふつう》.

ac·cus·tomed /əkʌ́stəmd/ 形 〖正式〗(何度も見聞きして)慣れた; いつもの, 例の ‖ one's *accustomed* haunts いつも行く場所, 行きつけの所.

†ace /éis/ 名 **1** Ⓤ (トランプ·さいころ·ドミノの) 1; Ⓒ (トランプ·ドミノの) 1 の札, エース ‖ the *ace* of spades スペードのエース. **2** Ⓒ (テニス·バレーボールなどの)サービスエース; それで得た 1 点. **3** Ⓒ 〖略式〗一流の人; 熟練者, 達人 (expert); 〖野球〗主戦投手, エース ‖ a tennis *ace* =an *ace* at tennis テニスの第一人者 / the Tigers *ace* Igawa タイガースのエース井川.

an áce in the hóle 〖米略式〗〖トランプ〗伏せているエースのカード; とっておきの手, 最後の切り札.

an áce up one's **sléeves** 〖トランプ〗袖に隠しているエースのカード; 〖英略式〗奥の手, もう一つの決め手《◆ **have** [**keep**] **an ace up** one's **sleeves**, **with an ace up** one's **sleeves** の型で用いる》.

hóld [**háve**] **all the áces** 全権[すべての有利な条件]を持っている.

within an áce of A [do**ing**] (〈さいころであと1回1の目が出れば勝てることから〉〈目標〉からわずかな距離の範囲内に (within 前 2) 〖英〗〈事〉をもう少しで…しそうで; …しそうになって ‖ He was *within an ace of success* [*defeat*]. 彼はもう少しで成功する[敗れる]ところだった.

──動 ⑯ **1** (テニスなどで)〈相手〉からサービスエースで得点する. **2** 〖ゴルフ〗〈ホール〉にホールインワンをする. **3** 〖米略式〗…を首尾よくやる. **4** 〖俗〗〈人〉を打ち負かす (+out).

──形 〖略式〗最高の, 一流の, 優秀な.

──間 最高! 〖驚嘆·賞賛の声〗.

a·cer·bic /əsə́ːrbik/ 形 〖正式〗〈言葉·態度が〉辛辣(しんらつ)な, 厳しい; 〈味が〉酸っぱい, 渋い.

a·cér·bi·cal·ly 副 激しく, 厳しく, 辛辣に.

a·cer·bi·ty /əsə́ːrbəti/ 名 〖正式〗**1** Ⓤ 苦味, 酸味, 渋さ; 辛辣さ. **2** Ⓒ 辛辣な言葉[行為].

ac·e·tate /ǽsətèit/ 名 Ⓤ **1** 〖化学〗酢酸塩. **2** = acetate fiber.

ácetate fíber アセテート, 酢酸人造絹糸.

a·ce·tic /əsíːtik, əsé-/ 形 酢の, 酢酸の, すっぱい.
acétic ácid 酢酸.

ac·e·tone /ǽsətòun/ 名 Ⓤ 〖化学〗アセトン.

a·cet·y·lene /əsétəliːn/ 名 Ⓤ 〖化学〗アセチレン.

育. **2**〈ギターが〉アンプを用いない.
a·cóus·ti·cal·ly 副 聴覚に関して；音響学上.
a·cous·tics /əkúːstiks/ 名 **1** Ｕ［単数扱い］音響学. **2**［the ~；複数扱い］音響効果 ‖ *The acoustics of [in] this room are [ˣis] poor.* =*This room has poor acoustics.* この部屋の音響効果はよくない.

†**ac·quaint** /əkwéint/ 動 他 (正式)〈人がく人に〉〔事実などを〕(詳しく)知らせる，熟知させる〔with〕‖ *acquaint the transfer student with the rules of the school* 転校生に学校の規則を教える.
 acquáint onesélf **with Ａ** (1)〈事実などを〉知る，…に精通する ‖ *Drivers should acquaint themselves with the new traffic rules.* 運転手は新しい交通規則をよく知るべきである. (2)〈人〉と知り合う，交際する ‖ *He acquainted himself with everybody in town.* 彼は町のだれとでも交際した.
 be [gèt, becòme] acquáinted with Ａ (1)〈事実など〉を知っている[知る]，わかっている[わかる] ‖ *The Sri Lankan student became acquainted with Japanese customs.* スリランカ出身のその学生は日本の習慣がわかるようになった. (2)〈人〉と知り合いである[になる]；交際している[するようになる] ‖ 〖対話〗"How did you *get acquainted with* an important person like that?" "Through a big-name politician."「どのようにしてあんな大物と知り合うのですか」「ある有名政治家を通してです」.

*****ac·quaint·ance** /əkwéintəns/
 ──名 (複) ~s/-iz/) **1** Ｃ 知り合い，知人（類語 companion）《♦ *friend* ほど親しい関係ではなく，仕事の上などで知っている程度の人に用いる》(↔ *stranger*) ‖ 〖対話〗"Is he a friend of yours?" "No, only an *acquaintance.*"「彼はあなたの友人ですか」「いいえ，知人にすぎません」/ *make some acquaintances* 数名の人と知り合う.
 2 Ｕ (正式)［時に an ~］〔人との〕面識，なじみ；交際〔with〕；〔学問・慣習などの〕知識，心得〔with〕‖ *on close acquaintance* 親しく交際して / *on further [closer] acquaintance* もっとよく知れば / *have a wide acquaintance* 交際が広い / *I am glad to make your acquaintance.* 初めてお目にかかります，どうぞよろしく《♦ *I'm glad to meet you.* の堅い言い方》 / *strike up an acquaintance with her* 彼女と偶然のことで知り合いになる / *I have no acquaintance with French.* 私はフランス語を全然知らない.
 hàve a nódding [bówing, pássing, slíght] acquáintance with Ａ (1)〈人〉と会えば会釈する程度の(ちょっと会っただけの)知り合いである. (2)〈事実など〉を少しだけ知っている.

†**ac·qui·esce** /ækwiés/ 【発音注意】動 自 (正式)［要求などに］黙って従う，(不本意ながら)同意する(agree)〔*in, to*〕‖ *acquiesce in the idea* その案にしぶしぶ同意する.
†**ac·qui·es·cence** /ækwiésns/ 名 Ｕ［…の］黙従，甘受〔*in, to*〕. **àc·qui·és·cent** 形 言いなりになる.
 àc·qui·és·cent·ly 副 言いなりになって.

*****ac·quire** /əkwáiər/ 他［…を］求める(quire). cf. inquire) 派 acquisition (名)
 ──動 (~s/-z/; 過去・過分 ~d/-d/; --quir·ing /-wáiərɪŋ/)
 ──他 (正式) **1**〈人が〉〈分け前などを〉(長期間努力して)得る，獲得する《♦ *get* より堅い語》‖ *acquire a fortune dealing in drugs* 麻薬取引でひと財産築く.
 2〈人が〉〈能力・趣味・知識など〉を身につける，我がものにする ‖ *acquire education* 教養を身につける / *acquire a liking for fishing* 魚釣りに凝るようになる / *He finally acquired fluency in French.* 彼はついにフランス語が流暢(ｽﾞ)に話せるようになった.

ac·quired /əkwáiərd/ 形 獲得した；後天的な(↔ innate) ‖ *an acquired taste* 後天的嗜(し)好品.
ac·quíred immúne deficiency sýndrome = AIDS.
ac·quir·er /əkwáiərər/ 名 Ｃ (主に米) 他企業を他に売る目的で買収する企業.

†**ac·qui·si·tion** /ækwizíʃən/ 名 (正式) **1** Ｕ 獲得，入手；買収；習得. **2** Ｃ 取得［入手した］物；掘り出し物《♦ 人についても言う》‖ *make acquisitions* 獲得する；買収する.

†**ac·quis·i·tive** /əkwízətiv/ 形 欲張り；［…を］欲しい［得たい］と思う〔*of*〕‖ *an acquisitive nature* 欲張りな性格. **ac·quís·i·tive·ness** 名 Ｕ 貪欲さ.

†**ac·quit** /əkwít/ 動 (過去・過分 ~·quit·ted/-ɪd/; --quit·ting) 他 **1**［通例 be ~ted］〈人が〉〔容疑について〕(証拠不十分で)無罪を宣告される〔*of*〕‖ *He was acquitted* (on the charge) *of murder.* 彼は殺人の容疑について無罪を宣告された. **2 a**〈人〉を〔任務・責任などから〕解放する，放免する(release)〔*of*〕. **b**［*of*］［~ oneself］〈義務〉を果たす〔*of*〕.
 acquít onesèlf (正式) (1) → **2 b**. (2)［副詞(句)を伴って］ふるまう，行動する ‖ *acquit oneself wéll* [*with dígnity*] 立派に[堂々と]ふるまう.

†**ac·quit·tal** /əkwítl/ 名 Ｃ Ｕ **1** (法律) 無罪評決，無罪判決 (↔ conviction). **2**〔任務・責任などの〕免除，解放〔*of*〕. **3**〔債務などの〕弁済〔*of*〕.

*****a·cre** /éikər/ (つづり注意)［野原・土地］から「耕作地」の意になり，Edward Ⅰ のとき，2頭びき(yoke)の雄牛の1日分の耕作面積を1 acre と定めた》
 ──名 (複 ~s/-z/) Ｃ **1** エーカー《面積の単位. 約 4047 m². (略) ac》. **2**［~s］私有地，地所(estate)；田畑，牧草地.

†**a·cre·age** /éikərɪdʒ/ 名 Ｕ **1**［しばしば an ~］エーカー数，面積. **2** (米) エーカー当たりの地価.

†**ac·rid** /ǽkrɪd/ 形 **1**〈味・においなど〉がぴりっとする，刺すような；苦い. **2**〈気質・言葉など〉がきつい，とげとげしい，辛辣(ﾗﾂ)な.

ac·ri·mo·ni·ous /ækrəmóuniəs/ 形 (正式) きつい，辛辣(ﾗﾂ)な，とげとげしい. **àc·ri·mó·ni·ous·ly** 副 (正式) とげとげしく.

ac·ri·mo·ny /ǽkrəmòuni | -məni/ 名 Ｕ (正式) 〈気質・言葉などの〉厳しさ，辛辣(ﾗﾂ)さ.

ac·ro·bat /ǽkrəbæt/ 名 Ｃ 曲芸師；大胆な人《♦「人」をさす. cf. acrobatics》.

ac·ro·bat·ic /ækrəbǽtɪk/ 形 曲芸(師)の，軽業的な，アクロバット的.

ac·ro·bat·ics /ækrəbǽtɪks/ 名 **1**［単数扱い］曲芸(術)，軽業，アクロバット；［複数扱い］(曲芸における)一連の妙技. **2**［複数扱い］離れ技，超人的行為 ‖ *mental acrobatics* 超人的な頭脳の働き.

ac·ro·nym /ǽkrənɪm/ 名 Ｃ 頭字語《各語の頭字をつづりあわせて作った語. NATO, radar など. → abbreviation》.

a·crop·o·lis /əkrɑ́pəlɪs | əkrɔ́p-/ 名 (複 ~·es/-ɪz/) Ｃ (古代ギリシア都市の)城砦(ｻｲ)；［the A~］(アテネの)アクロポリス《♦ Parthenon 神殿の遺跡がある》.

*****a·cross** /əkrɔ́ːs, (米) əkrɑ́s/ 〖「平面を横切る」が本義〗

†ache /éik/ 動 ❶ 1〈人・頭・胃などが〉(長く鈍く)(…のために)うずく, 痛む[from, with] ‖ I *ached* all over. 体中が痛んだ / My legs *ache* [*are aching*] from sitting. 座っていたので脚(㊥)がうずく. **2**〈人が〉〈人・現象などに〉心を痛める, つらい思いをする;〈心が〉痛む[for] ‖ Her heart *ached* for the poor child. 彼女は不幸な子供に心を痛めた. **3** (略式) [しばしば be aching] **a**〈人・心が〉(…で/…したくて)うずうずする, わくわくする[with / to do];〈人が〉〈人・故郷などに〉思いこがれる[for] ‖ *ache* with desire to go home 家に帰りたくてたまらない / The child *ached* for his mother. その子は母親に会いたくてたまらかった. **b**〈人が〉(…することを)熱望する, 切に願う(want)[to do] ‖ I'm *aching* to travel. 旅行したくてたまらない. ── 名 ⓊⒸ (長く続く鈍い)痛み, うずき[◆ 鋭い痛みは pain] ‖ all *aches* and pains 全身の痛み / I have an *ache* in my arm 腕が痛む.

[関連] [いろいろな種類の ache]
earache 耳痛 / back*ache* 背中の痛み, 腰痛 / head*ache* 頭痛 / stomach*ache* 腹痛, 胃痛 / tooth*ache* 歯痛.
《「筋肉痛」は muscle *ache* または muscle pain という》.

***a·chieve** /ətʃíːv/ 〖「(努力して, または能力があって)頂点[究極]に達する」が本義〗㊤ achievement (名). 動 (~s/-z/; 過去・過分 ~d/-d/; -chiev·ing). ── 他 **1**〈人が〉〈仕事などを〉(首尾よく)成し遂げる, 完成する;〈目的などを〉達成する, 果たす ‖ *achieve* nothing 何も成し遂げない / Have you *achieved* all you expected to do today? 今日したいと思っていたことが全部できましたか / She *achieved* the goal of winning the prize. 彼女は入賞の目的を達成した. **2**〈人が〉〈幸福・名声などを〉(努力して)獲得する, (最終的に)得る;〈人・事が〉〈平和などを〉もたらす ‖ *achieve* greatness 偉くなる / *achieve* success 成功する / *achieve* the highest rank in one's class クラスで首席になる / *achieve* a lasting peace 恒久の平和をもたらす. ── 自 目標を達成する.

a·chiev·a·ble /ətʃíːvəbl/ 形 完遂できる, 達成可能な.

***a·chieve·ment** /ətʃíːvmənt/ 〖→ achieve〗 ── 名 (働 ~s/-mənts/). **1** Ⓒ 業績, 偉業, 手柄; 離れ技 ‖ a great technological *achievement* 工学上の大偉業. **2** Ⓤ 達成, 完遂, 成就; 獲得 ‖ the *achievement* of fame 名声の獲得 / a sense of *achievement* 達成感. **3** Ⓤ 学業成績.

achíevement quótient 学業指数《教育年齢を実際年齢で割ったもの.(略)AQ》.

achievement tèst【教育】学力検査, アチーブメントテスト(cf. intelligence test).

a·chiev·er /ətʃíːvər/ 名 Ⓒ 達成者; 学業成績優秀者.

A·chil·les /əkíliːz/ 名【ギリシャ神話】アキレ(ウ)ス《トロイ戦争でのギリシャ軍の英雄》.

Achílles' héel アキレスのかかと, 弁慶の泣き所《唯一の弱点》.

Achílles' téndon【解剖】アキレス腱(⁵).

a·choo /ɑːtʃúː/ 間 =atchoo.

ach·y /éiki/ 形 (略式) 痛む, 痛みのある, うずく.

***ac·id** /æsid/ ── 形 **1**【化学】酸の, 酸性の(↔ alkaline) ‖ *acid* rain 酸性雨 / *acid* reaction 酸性反応. **2** (自然に)すっぱい, 酸味のある ‖ *acid* fruit すっぱい果物 (lemon, sour fruit ともいう). **3** 気難しい, 意地の悪い; 辛辣(ɹ²ⁿ)な ‖ an *acid* comment 辛辣な批評. **4**【地質】〈土・火成岩が〉多くのケイ土を含む. ── 名 **1** ⓊⒸ すっぱい物. **2** ⓊⒸ【化学】酸(↔ alkali).

acíd hóuse(単純な拍子による)シンセサイザー音楽.

acíd tést [the ~](人・物の価値などの)厳格な基準[吟味]; 試練;(金の)品質試験.

acíd·ly 辛辣に, 厳しく.

a·cid·ic /əsídik/ 形 酸性の酸を出す.

a·cid·i·fy /əsídəfai/ 動 他 …をすっぱくする. ── 自 すっぱくなる. 酸性化[酸敗]する.

a·cid·i·ty /əsídəti/ 名 Ⓤ [時に an ~] 酸味; 辛辣(ɹ²ⁿ)さ.

†ac·knowl·edge /əknɑ́lidʒ | əknɔ́l-/ 動 他 **1 a**〈人が〉〈過失・敗北などを〉(しぶしぶ)認める,(…したことを)認める, 承認する(A's) doing](↔ deny) [〈容疑者が〉罪を認める」という時は admit が好まれる】‖ *acknowledge* one's failure 過失を認める / *acknowledge* having been defeated 敗北を認める(= *acknowledge* defeat) **b**〈人が〉〈人・行為などを〉…だと認める[as, to be];(…ということを)(本当と)認める[that節] ‖ I *acknowledge* you as [to be a [the] better speaker of English. =I *acknowledge* that you are a [the] better speaker of English. 君は私よりも英語を話すのがうまいことを認める. **2**〈人が〉〈手紙・贈り物などを〉受け取ったことを知らせる;〈好意・会釈などに〉答える(answer), 礼を言う;(正式)〈人に〉会釈する(greet),〈人に〉(手を上げたり, 微笑などで)答える, あいさつする ‖ *acknowledge* the gift 贈り物が届いたことを知らせる / *acknowledge* her favor 彼女の好意にお礼を言う / *acknowledge* his greeting with a nod 彼のあいさつにうなずいて答える.

†ac·knowl·edg(e)·ment /əknɑ́lidʒmənt | əknɔ́l-/《◆〈米〉は g, 〈英〉は e あるのがつづりがやや多い. 他に judg(e)ment, abridg(e)ment なども同じ》名 **1** ⓊⒸ〔過失・事実などの〕自認, 自白, 承認; 認定, 公認[*of*];(an) *acknowledge(e)ment* of one's misdeeds 悪事の自白. **2** Ⓒ〔手紙・金銭などの〕受取通知書, 領収書, 礼状[*of*] ‖ I received an *acknowledgement* of my remittance. 私は送金の礼状を受け取った. **3** ⓊⒸ〔好意などに対する〕感謝, お礼,[*of*] 感謝の印, お返し[*of, for*];[通例 ~s]〔著者の〕謝辞 ‖ The baseball player waved his cap *in acknowledg(e)ment of* the cheering fans.(ホームランのあとその野球選手は応援してくれたファンに感謝して帽子を振った.

in acknowledgement of Ⓐ (1) → **3**. (2)〈物・事〉を認めて.

ac·me /ǽkmi/ 名 Ⓒ (文)[通例 the ~]〔美しさ・技術などの〕(完成度の)極致, 絶頂, 最盛期[*of*].

ac·ne /ǽkni/ 名 Ⓤ【医学】痤瘡(ﾞｯ); にきび.

ac·o·lyte /ǽkəlait/ 名 Ⓒ **1**【カトリック】侍祭, 侍者, ミサの侍者(altar boy). **2** 《文》助手; 見習い, 初心者.

†a·corn /éikɔːrn/ 名 Ⓒ ドングリ(oak の実).

ácorn cùp (ドングリの)殻斗(ᵕｯ), へた.

a·cous·tic, --ti·cal /əkúːstik(l)/ 形 **1** 聴覚の, 聴音に関する(cf. visual); 音響(学)の ‖ the *acoustic(al)* nerve 聴神経 / an *acoustic(al)* instrument 聴音器 / *acoustic(al)* education 音感教

across-the-board

index
前 1 …を横切って　2 …の向こう側に　3 …の至る所に
副 1 横切って　2 十字に交わって　3 直径で

——前 1 [方向・運動]〈平面的なもの〉**を横切って,** …を横切って, …を越えて ‖ jump *across* [over] a puddle 水たまりを跳び越える / a bridge *across* [over] the river 川に渡した橋 / walk *across* the bridge 橋を歩いて渡る / We flew *across* [over] the Atlantic. 大西洋を飛行機で横断した. 類語 across では「(表面を) 横切って」動作に, over では「上を」跳ぶ「横切る」動作に視点をおいた表現.
2 [位置]〈平面的なもの〉**の向こう側に,** …を越えた所に ‖ a house *across* the street 通りの向こう側にある家 / He came *from across* the river. 彼は川の向こう側からやって来た.
3 [しばしば all ~] **…の至る所に** ‖ large demonstrations *across* the United States against the war 全米にわたる戦争反対の大規模なデモ / He's famous *all across* the country. 彼は全国で有名です.
4 …と十文字になって, …と交差して, …に交わるように; …を(斜めに)横切って ‖ with one's arms *across* one's chest 腕組みをして(= arms folded [crossed]) / saw *across* the grain of the wood (のこぎり)で木材を横びきする. **5** …のいたるところに, …の中に.

——副 **1 横切って,** 横断して; (越えて) 向こう側に《◆前置詞の目的語を省略したもの. ●文法 18.7》‖ jump *across* 跳んで渡る / come *across* in a boat ボートで渡って来る / We shall soon be *across*. 私たちはすぐにそちら側に渡ってしまうだろう / I helped an old lady *across*. 老婦人が渡るのを助けた.
2 十文字に交わって, 交差して; 斜めに ‖ saw *across* (のこぎり)で横びきにひく.
3 直径で, さしわたしで, 幅で ‖ The pond is five yards *across*. その池は幅[直径]が5ヤードである.
4 (クロスワードで)横に ‖ 3 *across* ヨコのカギ3.

across from **A** (主に米略式) (通りを挟んで)〈人・場所など〉の向こう側に, 正面に(opposite).

a·cross-the-board /əkrɔ́(ː)sðəbɔ́ːrd/ 形 副〈賃上げなどが〉全面的な[に], 全員に該当する[して], (全員)一律の[に].

a·cros·tic /əkrɔ́ːstik/ 名〇 アクロスティック《各行初め[終わり]の文字をつづるとある語になる遊戯詩》.

a·cryl·ic /əkrílik/ 形 名 ℂ アクリル(の樹脂, 繊維).

act /ækt/ 名〖行為とその結果生まれたものをさす〗源 action (名), active (形), actor (名), actual (形)

index
名 1 行ない; みせかけ
動 自 1 行動する　2 ふるまう　3 動く　4 演じる
他 1 ふるまいをする　2 演じる

——名 (複 ~s/ækts/) ℂ **1** (正式) (1回限りの)行ない, 行為, 行動; (略式) [通例単数形で] みせかけ, ふり, 芝居 類語 action, behavior, conduct, deed〗‖ do [perform] a noble *act* 立派な行ないをする / It is an *act* of courtesy for the host to sip the wine first. ホスト役がまず1口ワインを飲むのが礼儀である / Her crying was *just an act*. 彼女の涙は単なる芝居[みせかけ]にすぎなかった.
2 [The Acts; 単数扱い]〖新約〗使徒行伝(ぎょうでん) (The Acts of the Apostles)《新約聖書の一書》.
3 [しばしば A~] 法律, 条令 ‖ 「the *Acts* [an *Act*] of Congress [(英) Parliament] 国会制定法. **4** [しばしば A~] (劇の) 幕 ‖ in *Act* Ⅲ, Scene ⅱ of *Hamlet*『ハムレット』の第3幕第2場で《♦/ækt θri˘ː, sìːn túː/ と読む》/ This opera has five *acts*. = This is an opera in [with] five *acts*. = This is a five-*act* opera. この歌劇は5幕ものです.
5 (ショー・ラジオ番組などの) 出し物の1つ ‖ a magician's *act* 奇術.

Áct [**an ác̀t**] **of Gód**〖法律〗天災, 不可抗力, 自然災害.

cléan úp *one's ác̀t* 行ない[態度]を改める.

gét [***múscle***] ***in on the áct*** 分け前にあずかろうと加わる, 一口乗る.

gét [***háve***] *one's ác̀t tog̀éther* (略式) 協調[協力]する, 態勢を整える.

in the (véry) ác̀t of doing …している最中に《♦「悪いことをしているとき」の場合に用いることが多い》‖ The student was caught *in the act of breaking* windows. その生徒は窓ガラスを割っているところをつかまえられた.

pút òn an ác̀t (略式) 心にもない行動をとってみせる, 芝居をうつ(pretend) (→ **1**).

——動 (~s/ækts/; 過去・過分 ~·ed/-id/; ~·ing)
——自 **1**〈人が〉**行動する,** 実行する; (職務上) 出動する ‖ *act* quickly てきぱきと動く / *act against* his will 彼の意志に逆らって行動する(cf. ACT on (2)).
2 [様態の副詞(句)・as if節を伴って]〈人が〉**ふるまう** (behave)《♦ 修飾語(句)は省略できない》‖ She always *acts* politely toward everybody. 彼女はだれにでもつねに礼儀正しくふるまう.
3 a〈車・機械・器官などが〉(正常に)**動く** ‖ The engine is not *acting well*. エンジンの調子が悪い. **b**〈薬などが〉[…に]効く, 作用する(work) [on, upon].
4 a〈人が〉[舞台・映画などで]**演じる** [on, in]; 〈人(役)が〉上演に向く (+*well*) ‖ *act* in a school play 学校劇に出演する. **b** (米) [*act* ℂ] (実際はそうではないが) ℂ らしく振る舞う《♦ ℂ は形容詞》‖ *act* dead 死んだふりをする (= play dead).
——他 **1** (略式) …のようなふるまいをする《♦ 目的語は the + 単数名詞》‖ *act* the fool [child] ばかげた[子供じみた]ふるまいをする《♦ *act* like a fool / *act* foolishly の方がふつう》.
2〈俳優が〉〈…の役〉を演じる; 〈団体が〉〈劇〉を上演する《♦ play の方が一般的》‖ *act* (the part of) Hamlet ハムレット(の役)を演じる.

act as **A** (1)〈人が〉…の役目を務める ‖ *act as* interpreter 通訳をする《♦ **A** はふつう無冠詞. → **as** 前 **1**). (2)〈物が〉…の働きをする ‖ This sofa will *act as* a bed. このソファーはベッド代わりになる.

act like **A** (1) …のようにふるまう ‖ **対話** "Don't *act like* a fool." "I was only joking."「ばかなまねをするな」「今のは冗談だよ」. (2)〈物が〉…のような働きをする.

act for [***on behalf of***] **A**〈弁護士などが〉〈依頼人〉などの代理をする; 〈人が〉〈人(の任務)〉を代行する.

act on [(正式) ***upon***] **A** (1) → 自 **3 b, 4 a**. (2)〈人が〉〈忠告・主義など〉に**従って行動する** ‖ *act on* impulse 衝動的に動く / The patient should have *acted on* the doctor's advice. 患者は医者の助言通りにすぐ休すべきであった. (3)〈物が〉〈物〉に**作用する**(influence) ‖ Tobacco *acts on* the brain. タバコは脳に影響を与える.

act out [他]〈人が〉〈所信・感情など〉を行動[態度]に

表す, 行動に移す;〈物語・出来事などを〉実演する, 身ぶり[声色]よろしく話す.

act úp 〔自〕(略式) (1)〈人(特に子供)・動物が〉(注意をひこうとして, 興奮して)暴れる, いたずらする;〔遠回しに〕〈動物が〉発情する. (2)〈機械・器官などが〉調子が狂う(cf. PLAY up).

ACTH /éːkθ, éisìːtíːéitʃ/〔略〕adrenocorticotropic hormone〔医学〕アクス, 副腎皮質刺激ホルモン.

act·ing /æktiŋ/〔形〕(一時的に)代行する,〈名目上に対して〉事実上の ‖ an *acting* principal 校長代理.
——〔名〕**1**〔U〕行為, 実行;演出(法);演技. **2**〔形容詞的に〕演出用の, 上演向きの ‖ an *acting* copy 台本.

*ac·tion /ækʃən/〔→ act〕

<u>index</u> 〔名〕1 行動 3 動作 4 作用

——〔名〕(複) ~s/-z/) **1**〔U〕行動(の全体), 活動; 実行;〔形容詞的に〕活動的な ‖ He is a man of *action*, not a thinker. 彼は活動家であって, 思索家ではない/〈◆学者などに対する政治家・軍人・探検家など〉/ an *action* man 活動的な人〈◆an active person より強意的〉/ suit one's *action* to one's words 言ったことは実行する / She put her ideas into *action*. 彼女は自分の考えを実行に移した.
2〔C〕行ない〈◆ある期間にわたる複数の act を総括的に表す〉;〔~s〕日常のふるまい ‖ The invasion of other countries is a shameful *action*. 他国を侵略することは恥ずべき行為である / *Actions* speak lóuder than wórds.〔ことわざ〕不言実行.
3〔C〕〔通例 an/the ~〕(俳優・運動選手・馬などの)動作, 演技 ‖ in a graceful *action* 美しいフォームで / Action!〔映画監督の指令〕演技開始, 本番 / a movie with no *action* アクションのない映画.
4〔U〕〔…に対する〕作用, 影響〔on, upon〕(↔ reaction);〈機械・器官などの〉働き ‖ the *action* of acid on copper 銅に及ぼす酸の作用.
5〔C〕(ピアノ・銃などの)機械装置, 動く部分. **6**〔U|C〕交戦, 戦闘〈◆活発なまたは激しい battle〉;〔形容詞的に〕交戦の;〔スポーツ〕試合, 競技 ‖ see *action* 戦闘に参加する, 実戦を経験する / be killed in *action* 戦死する / an *action* drama 活劇[活劇映画]〈◆その俳優は action player [star] という〉/ in doubles *action* ダブルスの試合で. **7**〔C〕訴訟 ‖ bring [raise] an *action* against him 彼を訴える. **8**〔C〕(脚本・物語の)筋.
in áction 活動[競技, 試合, 交戦, 作動]中の[に].
óut of áction 〔形〕(1)〈機械・兵器などが〉(事故・攻撃などのため)動かない. (2)〈人が〉(病気・負傷のため)活動できない.
swíng [spríng] ínto áction すばやく行動する.
táke áction 〔…に対して〕行動を起こす, 措置をとる〔in, on〕;〔…に〕取りかかる〔on〕;〔…を〕取り締まる;訴える〔against〕.
áction agénda 行動指針.
áction gróup (政治団体などの)行動派.
áction replày〔英〕=instant replay.
áction státions〔軍家〕戦闘配置;〔略式〕〔命令文で〕戦闘配置につけ.

ac·tion·a·ble /ækʃənəbl/〔形〕告訴できる;実現可能な, 実用的な.

ac·ti·vate /æktəvèit/〔動〕**1**〔化学〕…を活性化する. **2**〔物理〕…に放射能を帯びさせる;〈装置などを〉作動させる. **3**〔コンピュータ〕…を起動させる, 立ち上げる.
àc·ti·vá·tion〔名〕〔U〕活性化.

*ac·tive /æktiv/〔→ act〕〔派〕activity〔名〕
——〔形〕(**more ~, most ~**) **1**〈人・生活などが〉(思索的に対して)活動的な;〈心身の動きが〉活発な, 元気な, 機敏な;〈商売が〉盛んな(↔ inactive) ‖ lead an *active* life 活発な生活を送る / be *active* in business 実業界で活躍している / Owls are *active* at night. フクロウは夜活動する〈◆このような動物を nocturnal animal という〉/〔対話〕"How old is your father?" "Seventy. He is still *active*." 「お父さまは何歳ですか」「70歳です. まだ元気です」/ The child has an *active* brain. その子供は頭がよく働く.
2〈人・行為が〉積極的な, 自発的な(↔ passive) ‖ They took an *active* part [role] in the war. 彼らは進んで戦争に参加した.
3〈比較変化しない〉**a**〈物が〉活動中の ‖ an *active* volcano 活火山(cf. dormant, extinct). **b**〔補語として〕〈法律などが〉効力のある, 現行の;〔通例名詞の前で〕〈物質が〉効力のある.
4〔文法〕〔名詞の前で〕能動の〈◆比較変化しない〉(↔ passive) ‖ the *active* voice 能動態.
5 =radioactive. **6**〈電気装置などが〉作動する. **7**〈化学物質が〉反応を起こす.
——〔名〕〔U〕〔文法〕〔the ~〕能動態(active voice).
áctive fáult〔地質〕活断層.
ác·tive·ness〔名〕〔U〕活発さ, 積極性.
ac·tive·ly /æktivli/〔副〕活動的に, 活発に;積極的に.
ac·tiv·ist /æktivist/〔名〕〔C〕〔形〕政治活動家(の), 行動隊員(の).

*ac·tiv·i·ty /æktívəti/〔→ active〕
——〔名〕(複)**-ties**/-z/) **1**〔C|U〕活動;〔しばしば activities〕(ある目的, 特に興味とか楽しみのために反復される一定の)活動, 運動 ‖ Watching TV is a passive *activity*. テレビを見ることは受身的活動である / club *activities* クラブ活動.
2〔U〕**a** 活動性, 活躍(↔ passivity, inactivity);〔化学〕活性 ‖ display *activity* 活動性を発揮する / The rock band is in full *activity*. そのロックバンドは今盛んに活躍しています. **b** (心身の)活発さ;(商況などの)活気 ‖ a person of *activity* 活動的な人.

*ac·tor /æktər/〔→ act〕
——〔名〕(複) ~s/-z/)〔C〕**1**(舞台・映画・テレビの)(女性も含め一般に)俳優(→ player 3), (特に)男優〈◆女性形は actress〉 ‖ Who is your favorite *actor*? あなたの好きな俳優ですか? **2**行為者;〔著名な出来事の)関係者;〔文法〕行為者.

*ac·tress /æktrəs/〔→ act〕
——〔名〕(複) ~·es/-iz/)〔C〕女優(↔ actor)〈◆最近では女優自身も自らを actor と称することが多い〉.

*ac·tu·al /æktʃuəl/〔→ act〕〔派〕actually〔副〕
——〔形〕〈比較変化しない〉〔通例名詞の前で〕**1**(理論上・想像上・未来のことでなく)実際の, 現実に生じた[存在する](↔ potential) ‖ an *actual* person 実在の人物 / in *actual* fact 実際には(actually) / the *actual* experience of going abroad 実際に外国へ行った経験.
2(まれ)当面の;現今の.
yóur áctual …〔英略式〕本物の, 原作の ‖ This isn't *your actual* gold. これは本物の金じゃないよ.
áctual gráce〔神学〕〔the ~〕助力(きょ)の恩恵.
áctual sín〔神学〕〔the ~〕(個人が犯した)自罪(↔ original sin).
ác·tu·al·ist〔名〕〔C〕現実主義者.
ac·tu·al·i·ty /æktʃuǽləti/〔名〕〔正式〕**1**〔U〕現実(性),

(現象的)実在 ‖ *in actuality* 現実に(は)、現実問題として. **2** [C] [通例 actualities] 実情. **3** [C] 実際の事件の記録映画〔(録音)放送〕；ドキュメンタリー.
ac·tu·al·ize /ǽktʃuəlàiz/ [動] (他) …を実現する.
àc·tu·al·i·zá·tion [名] [U] 実現, 実行.

***ac·tu·al·ly** /ǽktʃuəli/ (◆(略式)ではしばしば /ǽkʃli/) (◆ actual)
—— [副] **1** [文全体を修飾] (略式) **a** [自分の発言を和らげるために、特に相手[または自分]の発言を訂正・追加・補足して；通例文頭で] (意外と思うでしょうから)ほんとうのところは ‖ (対話) "They should have arrived there by now." "*Actually* (↘), they haven't. (↗)"「彼らはもうそちらに着いているはずだが」「それがなんとまだないんですよ」. **b** [注意を引くため、特に新情報を与えたり、話題を変えるとき；通例文頭・文尾で] 実は、実のところ ‖ (対話) "What do you do, by the way?" "I'm in electronics (↘), *actually*. (↗)"「ところでお仕事は?」「電子工学関係なんですよ、実は」. **c** [謝罪で] 実は ‖ (対話) "How did you get on with my car?" "Well, *actually*, I'm terribly sorry, I'm afraid I had a collision."「ぼくの車をどうしたんだい?」「あのう、実はね、非常に悪いんだけど、ぶつけてしまったんだ」.
2 [通例文全体を修飾] (予想・外見と違って)現実に(おいては)、実際には、本当のところ (類語) really, in fact) ‖ He *àctually* isn't the manager of the hotel. 彼は(名目上はともかく)実際はそのホテルの支配人ではない(= The *actual* fact is that he isn't the manager …) / He is *àctually* not the manager. 彼が支配人だというのは事実でない(= It's not an *actual* fact that he is the manager.) / He looks like a fool, but *actually* he is not. 彼はばかに見えるが実はそうではない.

ac·tu·ar·i·al /æ̀ktʃuéəriəl/ [形] 保険数理上の.
ac·tu·ar·y /ǽktʃuèri│-tʃəri/ [名] [C] 保険数理士.
ac·tu·ate /ǽktʃuèit│-tju-/ [動] (他) (正式) **1** 〈機械・電気器具〉を作動[始動]させる. **2** [通例 be ~d] 〈人が〉〔動機・欲望などに〕動かされる(*by*), 駆り立てられる (…する[*to do*]).
a·cu·i·ty /əkjúːəti/ [名] [U] (正式) (針などの) 鋭さ；(痛みなどの) 激しさ, 鋭敏さ；(頭脳の) 明晰さ, (感覚の) 鋭さ.
a·cu·men /əkjúːmən│ǽkjə-/ [名] [U] (正式) 鋭さ, 鋭敏；眼識, 洞察力.
ac·u·pres·sure /ǽkjuprèʃər/ [名] [U] 指圧(療法).
ac·u·punc·ture /ǽkjupʌ̀ŋktʃər/ [名] [U] 針療法.
ác·u·pùnc·tur·ist [名] [C] 針療法師.

†**a·cute** /əkjúːt/ [形] (more ~, most ~；~r, ~st)
1 〈物が〉先のとがった, 先端の鋭い；[数学] 鋭角の(↔ obtuse) ‖ an *acute* angle 鋭角 / an *acute* triangle 鋭角三角形. **2** 〈感覚が〉鋭い(keen), すぐに反応する；〈知力などが〉鋭い, 鋭敏な ‖ *acute* hearing 鋭い聴覚 / *acute* intelligence 鋭い知性. **3** 〈痛みなどが〉(一時的に)激しい, ひどい(severe)；〈病気が〉急性の(↔ chronic) ‖ *acute* pain 激痛 / *acute* pneumonia 急性肺炎. **4** [強意語として] ひどい, きつい；深刻な ‖ *acute* jealousy ひどいねたみ / an *acute* shortage of engineers 技術者の深刻な不足. **5** 〈音が〉鋭い；[音声] 鋭音(符)の.
acúte áccent 鋭アクセント〈´〉.
a·cute·ly [副] 鋭く, 痛切に, 十分に.
a·cúte·ness [名] [U] 鋭さ；鋭さ.
-a·cy /-əsi/ (語尾素) →語尾素一覧(2.2).
†**ad** /æd/ [名] [C] **1** (*advertisement*) (略式) 広告. **2** (*advantage*) (米) [テニス] アドバンテージ.

ad. (略) *adverb*; *advertisement*.
†**A.D., a.d., AD** /éidíː/ (ラテン) *Anno Domini* (= in the year of Our Lord) キリスト紀元[西暦]…年(↔ B.C.). (語法) A.D. 1960 のように数字の前に置くのが(正式)であるが, B.C. の類推で from 500B.C. to 500A.D. のように書くことも多い. 次のような ときも後に置く: during the fifth century A.D.
ad·age /ǽdidʒ/ [名] [C] 格言, 金言, ことわざ.
a·da·gio /ədáːdʒiòu│-dʒou/ (イタリア) [音楽] [形] [副] ゆるやかな[に], アダージョ調の[で] (◆ largo と andante の中間). —— [名] (複 ~s) [C] アダージョの楽曲[楽章], 緩徐曲；ゆるやかな舞踏.
†**Ad·am** /ǽdəm/ [名] **1** アダム (《旧約聖書》の「創世記」に出てくる神が初めて造った人間. cf. Eve). **2** アダム《男の名》.
nót knów A **from Ádam** (略式)〈人〉を見てもさっぱりわからない[まるで知らない].
Ádam's ále [(まれ) **wíne**] (文) 水(water).
Ádam's ápple 〖禁断の木の実が Adam ののどにつかえたという伝説から〗のどぼとけ.
†**ad·a·mant** /ǽdəmənt/ [形] 〔…の点で〕強固な(*in*)；〔…について〕毅(*き*)然とした態度をとる (*about*(doing)), [要求などに]動じない, 不屈の(*to*)；〔…だと〕頑強に主張する(*that* 節). **ád·a·mant·ly** [副] 頑強に.
Ad·ams /ǽdəmz/ [名] **1** アダムズ《John ~ 1735-1826；米国の第2代大統領(1797-1801). 独立戦争の指導者》. **2** アダムズ《John Quincy /kwínzi, -si/ ~ 1767-1848；1の子. 米国の第6代大統領(1825-29)》. **3** アダムズ《William ~ 1564-1620；英国の航海士. 日本に帰化し三浦按針と称した》.
***a·dapt** /ədǽpt/ (類音) adopt /ədɑ́t│ədɔ́pt/)〖…に(ad)合わせる(apt). cf. *aptitude*〗
—— [動] (~s/ədǽpts/; (過去・過分) ~·ed/-id/; ~·ing)
—— (他) **1** [adapt A to B] 〈人が〉A〈物・事〉をB〈物・事〉に**適合させる**, 合わせる；A〈人・動物など〉を B〈環境など〉に順応させる, なじませる (類語) adjust, accommodate, conform) ‖ *adapt* one's way of life *to* the new circumstances 生活様式を新しい環境に合わせる.
2 [adapt A for B] 〈人が〉A〈物〉を B〈別の用途〉に**改造する**；A〈作品など〉をB〈映画など〉に改作する, 翻案する((正式) modify)；…を〔…を改作して〕作り変える(*from*) ‖ *adapt* a toilet *for* use by the handicapped 障害者が使えるようにトイレを改造する / *adapt* a novel *for* the stage = *adapt* the stage *from* a novel 小説を劇にする / *adapt* a book *for* children 子供向きに本を書き直す.
—— (自) [adapt to A] 〈人などが〉〈環境などに〉(努力して)**順応する**(◆「機能調節して順応する」は adjust)；慣れる ‖ The foreign student *adapted* *to* life in the new school. その留学生は新しい学校での生活に慣れた.
adapt **onesèlf to** A 〈人が〉(努力して)〈環境など〉に慣れる, なじむ ‖ *adapt* oneself *to*「hot weather [a new job] 暑い天候[新しい仕事]に慣れる.
a·dapt·a·bil·i·ty /ədæ̀ptəbíləti/ [名] [U] (環境などへの)順応性, 適応性〔能力〕(*to*).
†**a·dapt·a·ble** /ədǽptəbl/ [形] 融通のきく, 順応できる；〔…に〕適応[改造, 改作]できる(*to, for*).
†**ad·ap·ta·tion** /æ̀dæptéiʃən/ [名] [U][C] 〔…への〕順応, 適応(*to*)；〔…からの/…への〕改造(*from, of / to*)；[C]〔…用の〕改造物；改作, 翻案物(*for*) ‖ (対話) "Is this film original?" "No, it's an *adaptation* of a novel."「この映画はオリジナルなものですか」「いいえ, 小説をもとにしたものです」.

a·dapt·er, a·dap·tor /ədǽptər/ 图 C 改造者; 改作者, 翻案家, 編曲者; 〔電気〕アダプター, 調節器.
a·dap·tive /ədǽptiv/ 形 適応できる, 適応性のある; 適応に関する. **a·dáp·tive·ly** 副 順応して; 改造[改作]して.
ADC 图〔軍事〕aide-de-camp (専属)副官(◆ A.d.c. ともいう); analogue-digital-converter アナログ・デジタル・コンバーター; Aid to Dependent Children 母子家庭扶助.

***add** /ǽd/ 同音 ad; 類音 odd /ɑ́d/ 5d/ 「「加える」が本義」 派 addition (名), additional (形)
——動 (~s/-dz/; 過去・過分 ~·ed/-id/; ~·ing)
——他 **1** [add **A** (to **B**)] 〈人が〉**A** を(**B** の後に)加える, つけ足す; 〈物・事が〉**A**〈雰囲気などを〉(**B**〈人・物・事〉に)添える(to) ‖ *Add* some sugar if the coffee is too bitter. コーヒーが苦すぎたら, 少し砂糖を入れなさい / *add fuel to the flame(s)* → fuel 图 成句 / *to add insult to injury* 〈被害を及ぼした上怒らせて〉悪いことには / *Add* water and mix to a firm dough. 水を加え, 練り粉がどろどろしない程度に混ぜなさい / *If you add* 5 and [to] 8, *you get* 13. 8足す5は13です.
2 〈数字〉を**合計する**(sum up)(+*up, together*)(↔ subtract) ‖ *add* the ones [hundreds] 一[百]の位の数字を合計する / *add (up)* a column of figures (縦に書かれた)数列を足す.

〔関連〕[足し算の読み方] 8＋5＝13 は Eight and [plus] five are [is, make(s), equal(s)] thirteen. と読む(×Eight added to five is ...).

3 [add that 節] …とつけ加えて言う[書く]; 「…」と言い足す ‖ He *added that* I should come to the party, too. 私もパーティーに来るべきだ, と彼はつけ加えた(="And you should come to the party, too," he *added*.).
——自 足し算をする, 加算する ‖ *add up* [down] (縦に並んだ数を)上から下へ[下から上へ]足す.
ádded to thát それに加えて.
ádd ín [他] 〈人・物・事〉を加える, 入れる; 〈費用〉を算入する.
ádd on [他] …を〔…に〕つけ足す; 〈車両など〉を〔…に〕連結する(to).
***ádd to A** …を増やす, 増す(increase)(◆ 受身可) ‖ This *adds to* our troubles. これでやっかいなことがまた増える.
ádd úp [自] (1) → 自. (2)〔略式〕〈話などが〉つじつまが合う, 筋が通っている(◆ 進行形不可). ——[他] (1) → 他 **2**. (2)〈内容など〉を検討する.
***ádd úp to A** (1) 〈数字が〉**合計**…**になる**. (2)〔数字がきちんと合計されることから〕〔略式〕つまるところ…ということになる, 結局…を意味する ‖ What she says just *adds up to* a refusal. 彼女の言ったことは結局「ノー」ということだ.
to add to A 〔通例文頭で〕…に加えて(◆文法 11.3 (3)) ‖ *To add to* his difficulties, his son died a sudden death. 彼に起こった種々の不幸に加えて息子が急死した.

ádd·ed-vál·ue táx /ǽdidvǽljuː-/ 付加価値税 (value-added tax, VAT).
ad·den·dum /ədéndəm/ 图 (複 -·da/-də/) C 追加物; (本の)補遺, 付録.
†**ad·der** /ǽdər/ 图 C [動] ヨーロッパクサリヘビ《英国では唯一の野生の毒ヘビ》; シシバナヘビ《北米産. 弱毒》; マムシ.

†**ad·dict** /動 ədíkt; 图 ǽdikt/ 動 他 [通例 ~ oneself / be ~ed] 〈人が〉(麻薬・酒などに)中毒になる; 〔…に〕おぼれる, 夢中になる, 〔趣味などに〕凝っている(to) ‖ He *is addicted to* the Net. 彼はインターネット中毒になっている / Don't *addict yourself to* gambling. かけごとにふけるな. ——图 C (麻薬などの)常用者, 中毒患者(to); [悪い習慣などに]そまった人, 〔略式〕熱狂している人 ‖ a heroin *addict* ヘロイン中毒者 / a TV *addict* テレビ狂.
ad·dic·tion /ədíkʃən/ 图 U C 中毒, 常用, ふけること; 〔…に対する〕熱中(to).
ad·dic·tive /ədíktiv/ 〈薬などが〉中毒[中毒性]の, 〈行為などが〉やみつきにさせる.

***ad·di·tion** /ədíʃən/ 〔→ add〕派 additional (形)
图 (複 ~s/-z/) **1** U 〔…への〕**追加**, 付加, 〔…に〕加える[付け足す]こと(to); U C 〔数学〕足し算, 加法(↔ subtraction) ‖ The *addition* of 7 and [to] 2 gives you 9. 2 と[に]7 を足すと 9 になる / be good at *addition* 足し算が得意である / It will taste better with the *addition* of salt. 塩を加えればおいしくなるだろう.
2 C 〔…への〕**追加分**, 増加分, 〔…に〕加えられた[増加した]物[人](to); (米)(建物の)増築部分, (所有地の)拡張部分 ‖ There has been *an addition* to his family. 新たに彼の家族が増えた(◆ ふつう子供が生まれること) / build an *addition* to one's house 家の建増しをする / She is a new *addition* to the teaching staff. 彼女が新たに教授陣に加わった人です.
***in addition** [通例文頭で; 既述のことを受けて]その上, さらに加えて〔類語〕besides, what is more) ‖ His mother died, and, *in addition*(ヽ), his father's company went broke. 彼の母親が亡くなった, その上父親の会社が倒産した.
***in addition to A** …に加えて, …である上に ‖ *In addition to* being a good teacher, she was a great scholar. 彼女はよい教師であるばかりでなく, 偉大な学者でもあった(= She was a great scholar as well as a good teacher.).

†**ad·di·tion·al** /ədíʃənl/ 形 追加の, 付加された; 特別に余分の(further) ‖ an *additional* charge 追加料金. **ad·di·tion·al·ly** 副 [全文修飾; 文頭・文中で] その上, さらに(加えて).
ad·di·tive /ǽdətiv/ 图 C (ガソリンなどへの)添加剤; (食品)添加物.
ad·di·tive-free /ǽdətivfríː/ 添加物を付けていない ‖ *additive-free* food 無添加食品.
ad·dle /ǽdl/ 動 他 〈卵〉を腐敗させる; 〔略式〕〈頭〉を混乱させる. ——自 〈卵〉が腐敗する; 〔略式〕〈頭〉が混乱する.
ad·dled /ǽdld/ 形 〈頭〉が混乱した; 〈卵〉が腐った.
add-on /ǽdɑn| -ɔn/ 图 C U 追加額[量]; C 〔コンピュータ〕(コンピュータに接続する)機械[装置], (モデムなど)周辺機器; 追加したもの.

:**ad·dress** /ədrés, 图 **2** では(米+) ǽdres/
〔アクセント注意〕「「言葉をさし向ける」が本義」

index 图 **1** あて先 **2** あいさつ; 演説 **3** アドレス
動 他 **1** あて先を書く **3** 話しかける **4** 演説する

——图 (複 ~·es/-iz/) **1** C **あて先** (◆ふつう氏名は含まない), 住所, 所(ʤ)番地; 上書き 〈対話〉
"May I have your *address*?" "It's 3-24, Kan-

da 6 chome, Chiyoda-ku."「ご住所はどちらですか」「千代田区神田6丁目3-24です」/ Write your *name and address* on this envelope. この封筒に住所・氏名を書きなさい《◆ふつう ×address and name とはしない》/ a woman with no fixed *address* 住所不定の女.

2 [C] 《正式》(口頭・書面での公式的な)**あいさつ**(の言葉); **演説**, 講演(formal speech) ‖ an inaugural *address* 就任演説 /「an opening [a closing] *address* 開会[閉会]の辞 / The Queen ***made an address to*** the nation on television yesterday. 女王は昨日テレビで国民に演説した.

3 [C] 〔コンピュータ〕アドレス《データの記憶場所などを示す番号・文字列. IPアドレス, ホームページのアドレス(URL), 電子メールのアドレスなど》.

——[動] (~·es/-iz/; [過去・過分] **~ed**/-t/; **~·ing**)

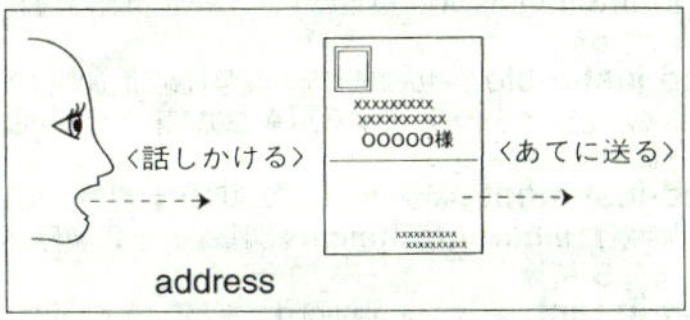

——[他] **1** …**にあて先を書く**, 上書きする; 《米》…に手紙を書く ‖ This letter is properly [improperly] *addressed*. この手紙のあて名は正しく[間違って]書かれている.

2 《正式》〈問題など〉を検討する, …に対処する.

3 《正式》〈人が〉〈人など〉に**話しかける**, …と話をする《◆speak to より堅い語》‖ Please, *address* the chair!「議長!」.

4 〈人が〉〈人・聴衆など〉に(正式に)話をする, **演説する**, 講演する ‖ *address*「the nation [an audience] 国民[聴衆]に演説する(=make an *address* to ...) / *address* a convention [meeting] 大会[集会]で演説する.

5 《正式》…を〔…と〕敬称で呼ぶ〔*as*〕‖ He is always *addressed as* "Professor." 彼はいつも「教授」(の肩書)をつけて呼ばれている.

6 《正式》…を〔…に向けて〕(じかに)言う(express); …を〔…に〕提出する〔*to*〕; …を申し入れる ‖ *address* thanks *to* his host 主人に感謝の気持ちを述べる / *address* a complaint *to* the labor union 労働組合に苦情を申し込む.

***addréss* onesèlf to A** 〘自分自身を〈人・事〉に向ける(address [他] **6**)〙《正式》(1) …に話しかける(cf. [他] **2**) ‖ He *addressed himself to* the mayor. 彼は市長に発言許可を求めた. (2) …に(本気で)取りかかる, 専念する.

addréss bòok 住所録.

ad·dress·ee /ædresíː/ [名] [C] 受信人, 名あて人; 聞き手(↔ addresser).

ad·duce /əd(j)úːs/ [動] [他] 《正式》〈証拠・理由など〉を挙げる, 示す; 〈事実など〉を証拠として挙げる, 引用する.

-ade /-eid/ [語要素] →語要素一覧(2.2).

ad·e·noid /ǽdənɔ̀id | ǽdi-/ 〔医学〕 [名] [U] [C] [通例 ~s] [形] アデノイド(の); 腺(せん)様増殖症(の).

ad·e·noi·dal /ædənɔ́idl | ædi-/ [形] アデノイド(症状)の, 鼻声の.

a·dept /[形] ədépt; [名] ǽdept/ [形] 〔…に〕熟達した; 精通した〔*at, in*〕. ——[名] [C] 《正式》〔…の〕名人, 達人〔*at, in*〕. **a·dépt·ly** [副] たくみに, 上手に.

ad·e·qua·cy /ǽdəkwəsi/ [名] [U] 《正式》〔…に対する〕適切さ, 申し分のなさ, 適性, 妥当性〔*for*〕.

***ad·e·quate** /ǽdəkwət/ 〘…と(ad)等しい(equate)〙

——[形] 《◆比較変化しない》**1** 〔…のために/…するのに〕(ちょうど)**十分な量の**, ちょうどの〔***for*** / ***to*** do〕([類語] enough, sufficient, ample) (cf. enough) ‖ an *adequate* supply of information 情報の十分な提供 / Do you have an *adequate* excuse *for* missing class yesterday? きのう授業をさぼった十分な言い訳ができますか / His marks in English were not *adequate* enough *to* pass the exam. 彼の英語の点数はその試験に合格するには十分ではなかった.

2 [補語として] 〔仕事などに〕**適した**, 有能な〔***to, for***〕‖ She isn't ***adequate to*** [***for***] the task. 彼女はその仕事に不向きだ.

3 〈行為などが〉**まずまずの**, 平凡な(ordinary) ‖ an *adequate* mark of art, not an excellent one 優秀なものではないが, まずまずの美術作品.

ád·e·quate·ness [名] [U] 適切さ, 妥当性.

ad·e·quate·ly /ǽdikwətli/ [副] 十分に, 適切に; まずまず, 平凡に.

†ad·here /ədhíər, æd-/ [動] [自] 《正式》**1** 〈物が〉〔…に〕(しっかりと)くっつく, 粘着する, 付着する(stick)〔*to*〕《◆名詞は adhesion, 形容詞は adhesive》‖ The gum ***adhered to*** the sole of the shoe. ガムが靴底にくっついた. **2** 〈人が〉〔主義・計画などを〕固守する, かたくなに支持[信奉]する〔*to*〕《◆名詞は adherence, 形容詞は adherent》‖ ***adhere to*** one's ***decision*** 自分の決意を絶対に変えない / He *adheres to* the Democratic Party. 彼は民主党の支持者だ.

†ad·her·ence /ədhíərəns, æd-/ [名] [C] [U] 《正式》〔…に対する〕執着, 固守; 信奉, 支持; 粘着性〔*to*〕.

†ad·her·ent /ədhíərənt, æd-/ 《正式》 [形] 〔…に〕粘着する, 執着する〔*to*〕. ——[名] [C] 〔…の〕味方, 支持者; 党員; 信奉者(follower)〔*of*〕; [~s] 与党 ‖ an *adherent of* the governor 知事の支持者.

ad·hér·ent·ly [副] 粘着して; 執着して.

ad·he·sion /ədhíːʒən, æd-/ [名] **1** [U] 〔…への〕粘着, 付着; 粘着性〔*to*〕. **2** [U] [C] 〔医学〕癒着(ゆちゃく); [U] 〔物理〕(分子の)付着(力) (cf. cohesion). **3** [U] 《正式》〔…への〕支持〔*to*〕.

ad·he·sive /ədhíːsiv, æd-/ [形] 粘着性の, 付着する, べとつく(sticky) ‖ an *adhesive* label のり付きのレッテル. ——[名] [U] [C] **1** 粘着性物質; 接着剤. **2** =adhesive tape.

adhésive tàpe 接着用テープ, ばんそうこう.

ad hoc /æd hɑ́k | -hɔ́k/ 〘ラテン〙 [形] [副] 特別の[に], 特にそのための[に], その場限りの[で] ‖ *ad hoc* rules その場限りの規則 / an *ad hoc* committee 特別委員会 / on an *ad hoc* basis 場当たり的に.

†a·dieu /əd(j)úː/ 〘フランス〙《主に詩》[間] さらば, さようなら(good-by). ——[名] ([複] **~s, ~x**/-z/) [C] いとまごい, 告別(farewell).

ad in·fi·ni·tum /æd infináitəm/ 〘ラテン〙 [副] 無限に, いつまでも.

a·di·os /ædióus | -ɔ́s/ 〘スペイン〙 [間] さようなら.

adj. [略] *adj*ective; *adj*unct; *adj*ustment.

ad·ja·cen·cy /ədʒéisnsi/ [名] [U] 隣接(していること); [adjacencies] 近所.

†ad·ja·cent /ədʒéisnt/ [形] 《正式》〔…に〕隣接した; 〔…の〕近隣の, 近辺の〔*to*〕《◆close, next よりも堅く, contiguous より一般的な語. 必ずしも隣接しているとは限らない》‖ *adjacent* angles 〔幾何〕隣接角 / The stadium is ***adjacent to*** the school. その

球場は学校の近くにある.

ad·ja·cent·ly 隣接して, 近辺に.

ad·jec·ti·val /ædʒiktáivl/〔文法〕形 形容詞の, 形容詞的な. ──名C 形容詞的語句.

ad·jéc·ti·val·ly 副 形容詞的に.

†**ad·jec·tive** /ædʒiktiv/【発音注意】名C〔文法〕形容詞 ‖ predicative [attributive] adjectives 補語として用いる[名詞の前で用いる]形容詞◆(1) 本辞典では[補語として][名詞の前で]と表示している(→ 文法17). (2) 形容詞の比較級については → more 副1 語法. **ad·jéc·tive·ly** 副 形容詞として, 形容詞的に; 自立しないで.

†**ad·join** /ədʒɔ́in/ 動 他 …に隣接する, …の隣にある(be next to) ‖ There is an anteroom adjoining the study. 書斎の隣に控えの間がある. ──自 隣り合う ‖ Their farms adjoin. 彼らの農場は隣り合わせになっている.

ad·join·ing /ədʒɔ́iniŋ/ 形 隣の, 隣り合った(→ adjoin 用例) ‖ adjoining rooms at a hotel ホテルの隣り合った2室[両隣の2室].

†**ad·journ** /ədʒə́ːrn/ 動 他 1〈会議などを〉[…まで]延期する, 見合わせる〔till, until, to〕◆(1) put off, postpone より堅い語. (2) 試合などを延期するのは postpone, put off〕 ‖ adjourn the meeting until tomorrow at 9 a.m. 会議を明日午前9時からに延期する. 2〈会議・業務などを〉(再開を前提に)[…の間]中断する, 一時休止する〔for〕◆ suspend は再開を前提としない〕 ‖ The court is adjourned for two hours. 法廷は2時間休廷になる.
──自 1〈会議・業務などが〉延期になる; 一時休止する ‖ Congress [英] Parliament] adjourned for the summer. 国会は夏の間は休会になった. 2〔正式〕〔他の場所に〕移る〔to〕;〈人が〉(食事・話しなどの後で休憩のため)[別の場所に]移動する(go, move)〔to〕 ‖ The family all adjourned to the living room to watch TV. 家族はみんなテレビを見るために居間に移った.

ad·jóurn·ment 名UC 延期.

ad·judge /ədʒʌ́dʒ/ 動 他 〔正式〕1〈事件〉を裁く;〈法廷・裁判官などが〉[…であると]判決する, 判定する〔that節〕;〈人など〉を[…であると]判断[判定]する〔to be〕 ‖ The court adjudged that the will was valid. =The court adjudged the will (to be) valid. 法廷は遺言状が有効であるとの判決を下した. 2〈賠償金・土地など〉を法に従って[人に]授与[返却]する〔to〕.

ad·ju·di·cate /ədʒúːdikèit/ 動 〔正式〕他 1〈人に〉[…だと]宣告する〔to be〕 ‖ adjudicate him (to be) guilty 彼に有罪判決を下す. 2〈事件〉の判決を下す. ──自〔訴訟などについて/異なる考え方について〕判決する, 決定する〔on, upon / between〕;〔コンクールなどで〕審査員を務める〔in, at〕.

ad·jú·di·cà·tor 名C 裁判官.

ad·ju·di·ca·tion /ədʒùːdikéiʃən/ 名U〔正式〕判決, 裁決; 破産宣告; 決着.

ad·junct /ǽdʒʌŋkt/ 名C 1 […に対する]付加物, 付属品〔to, of〕. 2 助手, 補助役. 3〔文法〕(動詞を修飾する)付加詞, 付加語(句), 副詞(句). ──形 1 付加的な, 付属の. 2 補佐的な.

ad·jure /ədʒúər/ 動 他〔正式〕〈人〉に[…するように]懇願する(beg)〔to do〕;〈人〉に[…を/…するように/…だと]厳命する(command)〔to / to do / that節〕.

ad·just /ədʒʌ́st/ 〔…に(ad)ぴたりと合わせる(just)〕 派 adjustment(名)
──動 (~s/ədʒʌ́sts/; 過去・過分 ~·ed /-id/; ~·ing)
──他 1〈物·事〉を[物·事に]適合させる, 合致させる(fit)〔to〕;[~ oneself]〔…に〕(工夫して)慣れる, 順応する〔to〕 ‖ adjust the seat to one's build 自分の身長に合うように座席を調節する / adjust oneself to life overseas 海外生活に慣れる.

2〈機械など〉を調節する, 整備する;〈衣服など〉を整える(make tidy), あるべき状態にする(put in order) ‖ adjust one's tie ネクタイをきちんと結ぶ / adjust the brakes on the car 自動車のブレーキを調整する.

3〈差異·間違いなど〉を調整する, なくす;〈争い·対立など〉を調整[解決]する(settle) ‖ adjust the difference of opinion 意見の違いを調整する / adjust conflicts 紛争を解決する / adjust one's accounts 清算する.

──自〔環境などに〕(機能調節して)順応する, 慣れる, なじむ〔to〕(→ adapt) ‖ How are you adjusting to life in Tokyo? 東京の生活にどのようにして慣れてきましたか.

ad·just·a·ble /ədʒʌ́stəbl/ 形 調整[調節, 加減]できる, 整えられる, フリーサイズの〈◆ この意味で free-size とはいわない〉.

†**ad·just·ment** /ədʒʌ́stmənt/ 名UC 1 調整, 調節, 加減 ‖ make adjustments 調整する. 2 調停, 解決. 3 精算.

†**ad·ju·tant** /ǽdʒətənt/ 名C 1〔軍事〕(部隊付きの)副官(cf. aide-de-camp). 2 =adjutant bird.
──形 助手の, 手伝いの.

ádjutant bird 〔鳥〕ハゲコウ〔コウノトリ科〕.

ad·lib /ǽdlíb/(略)形 即興の, アドリブの; 任意の, 無制限の.
──動 (過去·過分 ad-libbed /-d/; -lib·bing) 他 自 即興的に歌う[演奏する, しゃべる].

ad lib /ǽd líb/(略)副 即興的に, アドリブで.
──名 (複 ad libs) C 即興演奏[せりふ], アドリブ.

ad·man /ǽdmæ̀n/ 名C (複 ~·men /-mən/)(略式) 広告業者; 広告[宣伝]担当者(PC) advertising agent [executive]).

ad·min /ǽdmin/ 名U(英略式) =administration 1.

†**ad·min·is·ter** /ədmínəstər/ 動 他 1〈人·政府など〉が〈国·市など〉を(秩序整然と)治める; …の行政管理をする;〈会社·学校·世帯など〉を運営[管理]する;〈政務·業務など〉を司る, 指揮する ‖ administer a country 国を治める / administer a corporation 会社を経営する / administer the project for improving the building ビル改造工事の責任者になる. 2〔法律〕〈財産など〉を管理[処分]する. 3〔正式〕〈人·法廷など〉が〈処罰·治療·儀式·テストなど〉を〔人に対して〕行なう, 執行する, 施行する;〈薬〉を[人に]投与する(give)〔to〕 ‖ administer first aid to the patient 患者に応急手当を施す / administer baptism to the baby その赤ん坊に洗礼を施す(=baptize the baby). 4〔正式〕〈人〉に〈宣誓〉をさせる;〈言質〉をとらせる〔to〕 ‖ administer an oath to him 彼に宣誓させる. 5〔正式〕[administer A B =administer B to A]〈人が〉A〈人に〉B〈非難·忠告など〉を与える(give) ‖ administer him a rebuke = administer a rebuke to him 彼をのしる / administer her a blow on the head 彼女の頭をなぐる. ──自 1 行政官[管理者, 管財人]の任務につく. 2〔正式〕[人·事に]役立つ, 貢献する(minister)〔to〕 ‖ administer to the sick 病人のためにつくす.

ad·min·is·trate /ədmínəstrèit/ 動 =administer.

†**ad·min·is·tra·tion** /ədmìnəstréiʃən/ 名U C 行政,

施政, 政治 ; [the ~ ; 集合名詞 ; 単数・複数扱い] 行政部 ; [the A~] [C] 《主に米》 政府, 内閣 (《英》 (the) Government) ‖ city *administration* 都市行政 / *the* Roosevelt *Administration* ローズベルト政権. **2** [U] **a** (団体・業務などの) 管理, 運営, 経営, 監督 ; [the ~] 管理部, 本部, 経営陣, 理事会 ‖ *administration* of a big business 大事業の経営. **b** 〔法律〕 遺産[財産]管理 ‖ letters of *administration* 遺産管理状. **3** [しばしば A~] [C] 《米》 (政治家・管理者の) 任期, 在任期間 ‖ during the Clinton *administration* クリントン政権の時代に. **4** [U] [C] (法・裁き・処罰・援助・儀式などの) 執行, 実施 ; (薬剤の) 投与.

+ad·min·is·tra·tive /ədmínəstrèitiv, -trə- | -istrə-tiv/ [形] **1** 行政の, 行政に関する (executive) ‖ *administrative* policies 施政方針. **2** 管理の, 運営[経営]上の ‖ *administrative* ability [responsibilities] 管理能力[責任].

admínistrative cènter (国の) 首都, (州の) 州都, (県などの) 県庁所在地.

ad·mín·is·trà·tive·ly [副] 行政上 ; 管理上.

+ad·min·is·tra·tor /ədmínəstrèitər/ [名] [C] 行政官, 事務官 ; 管理者, 経営者, 理事 ; 執行者, 担当者 ; 管財人 ; まとめ役.

+ad·mi·ra·ble /ǽdmərəbl/ [アクセント注意] [形] 賞賛に値する, あっぱれな ; すてきな, 見事な ‖ an *admirable* school record あっぱれな学業成績.

+ad·mi·ra·bly /ǽdmərəbli/ [副] すばらしく, 見事に.

+ad·mi·ral /ǽdmərəl/ [名] [しばしば A~] [C] 海軍将官, 提督, (艦隊の) 司令長官 ; 海軍大将 《♦(1) 呼びかけも可. (2)「陸軍大将」は general》.

ád·mi·ral·ship [名] [U] 海軍将官[大将]の任務[地位].

+ad·mi·ral·ty /ǽdmərəlti/ [名] **1** [U] =admiralship. **2** [U] 海事法, 海事審判 ; [C] =admiralty court. **3** [the A~] 《英古》 海軍本部, 海軍省 《♦ 1964年国防省に統合》. **ádmiralty cóurt** 《米》 海事裁判所.

+ad·mi·ra·tion /ædməréiʃən/ [名] **1** [U] [時に an ~] 〔人・物などに対する〕 感嘆, 敬服 ; 賞賛 〔*of, for, at*〕 ‖ a note *of admiration* 感嘆符 / look at a great work of art ***with admiration*** 偉大な芸術作品を感嘆しながら眺める / ***to admiration*** 見事に / excite his *admiration* 彼を敬服させる / I ***feel*** [***have***] ***admiration*** for his talent. 彼の才能に敬服しています (=I *admire* ⌈his talent [him for his talent].) / She stood ***in admiration of*** the garden. 彼女は庭に見とれて立っていた. **2** [the ~] (人の) 賞賛の対象 ‖ *the admiration* of everybody だれもが賞賛する人.

***ad·mire** /ədmáiər/ 〚…に(ad) 感嘆する(mire)〛 [派] admiration (名)

—[動] (~s/-z/ ; [過去・過分] ~d/-d/ ; -·mir·ing /-máiəriŋ/)

—[他] **1** 〈人が〉〈人・物など〉に**敬服する**, 感心[感嘆]する ; …に見とれる ; [admire **A** for **B**] 〈人が〉 **A**〈人〉の **B**〈物・事〉をたたえる ‖ I *admire* his courage. = I *admire* him *for* his courage. 私は彼の勇気に感服しています (=I feel [have] *admiration* for his courage.) / ***admire*** one***self*** うぬぼれる / She stood *admiring* the night view. 彼女は夜景に見とれて立っていた. **2** 〈人・持ち物など〉をほめる, すてきだという (praise).

+ad·mir·er /ədmáiərər/ [名] [C] **1** (クラシック音楽などの) 賞賛者, ファン 《♦ fan より高級なものについて用いる. ×a pop admirer とはいわない》 ‖ an *admirer* of (the) ballet バレエ愛好家 / a secret *admirer* かくれたファン. **2** 《やや古》 (特定の女性を) 崇拝する男 ; 求婚者.

ad·mir·ing /ədmáiəriŋ/ [形] **1** 敬服の念に満ちた, うっとりしている ‖ He has an *admiring* friend. 彼には崇拝者がいる / She gave the dress an *admiring* look [glance]. 彼女はうっとりした目つきでそのドレスを見た. **2** 〔…を〕すべきだと思っている〔*of*〕.

ad·mír·ing·ly [副] 賞賛して, うっとりして.

ad·mis·si·ble /ədmísəbl/ [形] 《正式》 **1** 〔…に〕入場[入会]の資格がある ; 〔地位などに〕つく権利[資格]がある〔*to*〕. **2** 〈行為などが〉認められる, 許される. **3** 〔法律〕 (法廷で) 証拠として許容される. **ad·mìs·si·bíl·i·ty** [名] [U] 許されること, 許容(性).

***ad·mis·sion** /ədmíʃən/ 〚→ admit〛

—[名] (~s/-z/) **1** [U] [時に an ~] 〔事実などの/…という〕**承認**, 自認 ; (犯罪などの) 自白, 告白〔*of/that* 節〕 ; [C] 承認された事実, 了承事項 ‖ by [on] one's own *admission* 自分が認めているように, 自白により / ***make an admission of*** guilt to one's lawyer 罪を弁護士に打ち明ける / She couldn't make ***the admission that*** she had broken her father's watch. 彼女は父親の時計をこわしたことを告白できなかった.

2 [U] [C] 〔場所・団体などに〕**入れること**, 入会, 入社, 入学, 入院 ; 〔…への〕入場[入会, 入社, 入学, 入院]許可 ; 入る権利[資格]〔*to, into*〕 《♦ admittance より一般的な語. cf. entrance, enter [他] **2** [語法]》 ‖ the *admission* of aliens *into* Japan 外国人を日本に入国させること / She ***applied for admission to*** two national universities. 彼女は2つの国立大学に入学願書を出しました / gain *admission to* the library stacks 図書館の書庫に入る許可を得る / ***No admission without tickets.*** 《掲示》 切符なしでは入場できません.

3 [C] (公共の場への) 入場希望者, (病院への) 入院希望者, (学校への) 入学希望者 ‖ cinema *admissions* 映画館へ入場を希望する人々.

4 [U] 〔…への〕**入場料**, 入会金〔*to*〕 (admission fee [charge]) ; 入場券 (admission ticket) ‖ *admission to* the zoo 動物園の入園料 / ***Admission free*** [60 cents]. 《掲示》 入場無料[60セント].

admíssion fèe [**chàrge**] 入場料, 入会金.

admíssion ticket 入場券.

***ad·mit** /ədmít/ 〚「受け入れることを認める」が本義〛 [派] admission (名), admittance (名)

—[動] (~s/-míts/ ; [過去・過分] -·mit·ted/-id/ ; -·mit·ting)

—[他] **1** [admit (that) 節 / admit doing] …ということを(事実であると)**認める**, 自白する 《♦ 自分に不利なことを仕方なく認める意で主に用いる》 (↔ deny) ; [admit **A** (to be **C**)] 〈人が〉 **A**〈人・物・事〉を(**C**であると)**認める**, …を(正当[妥当]と)認める 《♦ ✍ ×admit to do》 ‖ *admit* one's guilt 罪を認める / They hate to *admit* mistakes. 彼らは誤りを認めたがらない / She ***admitted*** (***that***) she was in the wrong. 彼女は自分が誤っていることを(いやいやながら)認めた / Tom *admitted* ⌈having broken [*that* he had broken] the window. トムは窓を割ったことを白状した 《♦ having broken は breaking としても可. ➔文法 12.2》.

2 [通例否定文で] 〈物・事が〉…を認める, 許容する, …の余地を残す ‖ The law *admits no* exception. その法律は例外を認めていない.

3 〈人・物が〉〈人・物〉に〔場所・会などへの〕**入場[入会,**

入学を認める, 許す〔*to, into*〕‖ *admit* him *into* the office 彼を事務所に入れる《◆《略式》では let》/ *The key admits* you. このかぎであなたは入れます《→ 圓2》/ The pass *admits* only one person free (*to* the show). この許可証で(そのショーに)1人だけ無料で入場できます / Windows *admit* air to the room. 窓から空気が部屋に入る / He was *admitted to* (the) hospital. 彼は入院した《◆ the をつけるのは《主に米》》.

> **使い分け [admit と allow]**
> admit は場所・会・学校などへ「入学・入会・入場を許可する」の意. allow は人が何か行為をする前に,「同意や許可を与える」の意.
> We *allowed* [*×admitted*] our son to use the car. 私たちは息子に車を使ってよいと許可した.
> We were *admitted* [*allowed*] backstage by the security guard. 私たちは警備員に楽屋に入ることを許可された.

4《正式》〈建物・港・通路などが〉〈ある特定の人数を〉**収容できる**‖ This hall *admits* only 500 people. この公会堂は500人しか入れない.

—圓 **1**《正式》[admit of A] [通例否定構文で]〈問題・行動・計画などが〉…の**余地がある**, (可能性として)…を許す(allow) ‖ These facts *admit of* no other explanation. この事実はほかに説明の余地がない / A hypothesis *admits of* being disputed. 仮説には反論の余地がある. **2** [admit to A]〈かぎ・戸などが〉〈場所・建物などに〉入ることを可能にする, …に通じる‖ The gate *admits to* the yard. この門から中庭に入る. **3** [admit to A]〈人が〉…を(事実であると)**認める**‖ I *admitted* to stealing [being a fool]. 私は盗んだ[自分が愚かな]ことを認めた(⇒文法 12.2).

admitting that …《正式》…だということを認めたとしても.

ad·mit·tance /ədmítns/ 图U《正式》[場所への]入場の権利], 入場許可(entrance)[*to, into*]‖ *Admittance* [Restricted] *to staff members only.*《掲示》職員以外入室[入場]禁止.

ad·mit·ted /ədmítid/ 形《ふつう悪い》事実などが〉(公然と)認められた, 疑いのない‖ an *admitted* liar 自らうそつきと認める者.

ad·mit·ted·ly /ədmítidli/ 副 [しばしば文全体を修飾] 一般[自ら]が認めているように; 明らかに‖ He is *admittedly* an able leader. =*Admittedly*《⌃》, he is an able leader. 彼は明らかに有能な指導者だ《=It is *admitted* that he is …》⇒文法 18.6).

ad·mix·ture /ədmíkstʃər/ 图《正式》U 混合; C 混合[付加]物, 混ぜ物(mixture).

†**ad·mon·ish** /ədmóniʃ, æd-│ədmɔ́niʃ/ 動 他《正式》**1**〈年上・上位の人が〉〈人に〉[…するように]**忠告**[勧告]**する**(advise)〔*to do*〕‖ The policeman *admonished* him to drive more slowly. 警官は彼にスピードを落として運転するように注意した(=The policeman *admonished* him *against* driving too fast.). **2**〈人に〉[危険などを]**警告する**(warn) 〔*against*〕; [誤り・義務などに]気づかせる, 知らせる(remind)〔*of, about, on*〕;〈人を〉[…のことで](穏やかに)しかる, 訓告する〔*for*〕‖ I *admonished* him *for* coming late. 私は彼に遅れてはいけないと諭した.

ad·mon·ish·ment 图 =admonition.

†**ad·mo·ni·tion** /ædmənʃən/ 图UC《正式》(目上の人からの)穏やかな訓戒, 説諭; 忠告, 助言.

ad·mon·i·to·ry /ədmɑnətɔ̀ːri│-mɔ́nitri/ 形《正式》〈手紙・意見などが〉忠告[説諭, 訓戒]の, 警告的な.

ad nau·se·am /æd nɔ́ːziæm/《ラテン》副 むかつくほど, 《略式》ばかばかしくなるまで.

†**a·do** /ədúː/ 图U《正式》(くだらない・不必要な)騒ぎ, 騒動《略式》fuss); 骨折り, 面倒(trouble) ‖ *make* [*have*] much *ado* [to do [in doing]]《…するのに)大騒ぎする / much *ado* about nothing から騒ぎ《◆Shakespeare の喜劇名にもなっている) / without more [much, further] *ado*《あとは》苦もなく; すぐさま.

†**a·do·be** /ədóubi/《スペイン》图U アドーベ[日干し]れんが; 图U 日干しれんがが造りの建物[家].

ad·o·les·cence /ædəlésns/ 图U《時に an ～》**1** 青春期; 思春期から成人期の間の成長期間, 子供から大人への成長. **2** 若々しさ. **3**(言語・文化などの)発展期.

†**ad·o·les·cent** /ædəlésnt/ 形〈人などが〉青春期の, 若々しい;《略式》(知能・情緒の面で)未熟な. —图C 青春期の人, 10代の若者《12-13歳から17歳ぐらいまで》;《略式》子供っぽい人.

A·do·nis /ədóunis,《米+》ədɑ́-/ 图 **1**〔ギリシア神話〕アドニス《女神 Aphrodite に愛された美青年》. **2** C 美少年, 美青年.

*★**a·dopt** /ədɑ́pt│ədɔ́pt/《類音》adapt /ədǽpt/)〔…を(ad)選ぶ(opt), 選んで採用する. cf. option〕
 —(動)(～s/ədɑ́pts│ədɔ́pts/;(過去・過分) ～·ed/-id/; ～·ing)
 —他 **1**〈人が〉〈孤児などを〉**養子にする**《◆「一時期限って養育する」は foster》;〈人・動物などを〉[家族・団体などに]引き取る〔*into*〕‖ The orphan was *adopted* into a rich family. その孤児は裕福な家庭にもらわれた / one's *adopted* country 永住を決めた国. **2**〈人が〉(新しい)理論・技術などを〉**採用する**;〈外国語などを〉(形を変えずに)借用する;〈他国の習慣・態度などを〉身につける」〔⇒日本発〕‖ Japan *adopted* Buddhism early in its history. 日本は歴史上早い時期に仏教を取り入れた.

3(投票により)〈報告書・議案などを〉採択[可決]する, 認可する;《英》〈候補者を〉[…として]選任[指名]する(nominate) (*as*) ‖ *adopt* him *as* our representative 彼を代表に選ぶ.

†**a·dop·tion** /ədɑ́pʃən│ədɔ́p-/ 图UC 採用[採択](する[される]こと); 養子縁組(の事実);《英》(候補者の)指名; (外国語の)借用‖ put him up for *adoption* 彼を養子に出す.

a·dop·tive /ədɑ́ptiv│ədɔ́p-/ 形〈父・母が〉養子関係の‖ *adoptive* parents 養父母.

†**a·dor·a·ble** /ədɔ́ːrəbl/ 形 **1**《文》崇敬[敬慕](される)に値する. **2**〈人・物が〉とてもかわいい(charming) ‖ What an *adorable* puppy! 何てかわいい子犬なんでしょう《◆主に女性, 特に女子学生の用語》.

a·dór·a·bly 副 とても愛らしく.

†**ad·o·ra·tion** /ædəréiʃən/ 图U **1**《文》[…を]崇拝[崇敬, 礼拝](すること)〔*of*〕. **2**《時に an ～》[…への]愛慕(の念), 熱愛〔*for*〕.

†**a·dore** /ədɔ́ːr/ 動 他 **1**《主に詩》(宗教儀式で)〈人が〉〈神・聖体などを〉崇拝する, あがめる《◆ worship が一般的》‖ They *adore* God. 彼らは神をあがめている. **2**〈人が〉〈人を〉(神のように)敬愛する, 敬慕している‖ His students *adored* him. 学生たちは彼に心酔していた. **3**《略式》…が**大好きである**〔*adore doing*〕…するのが大好きである《◆ like, love より強意的. 主に女性, 特に女子学生の用語. 進行形不可》‖ I *adore* (going to) the cinema. 映画を(見に行くの)

が大好きよ」 ◆対話◇ "Do you like the modeling job?" "Like it? (♪) I love it. I just *adore* the job." 「モデルの仕事好き?」「好きかですって? 大好きです. 好きでたまらないんです」.

a‧dor‧er /ədɔ́ːrər/ 图ⓒ 崇拝者, 熱愛者.

†**a‧dorn** /ədɔ́ːrn/ 動他〔文〕**1**〈人が〉〈人‧物〉を〔…で〕飾る(with, in) ‖ *adorn* oneself 「*with* jewels [*in* furs] 宝石[毛皮]で身を飾る / She *adorned* her hair *with* flowers. 彼女は髪の毛を花で飾った《◆目的語が場所‧建物などの場合は decorate がふつう》. **2** …に(外面的‧物質以上の)美観[光彩, 名誉]を添える.

†**a‧dorn‧ment** /ədɔ́ːrnmənt/ 图〔正式〕U 装飾; ⓒ 装飾品.

a‧dren‧a‧lin, ‑‑line /ədrénəlin/ 图U〔生化学〕アドレナリン《副腎髄質から分泌されるホルモンの一種. (米)では epinephrine ともいう》‖ get the *adrenalin* going 〈怒り‧緊張などで〉感情を高ぶらせる.

A‧dri‧at‧ic /èidriǽtik/ 形 アドリア海の. ─ 图 [the ~]=the ~ Sea アドリア海《イタリアの東の海》.

a‧drift /ədríft/ 副形 〈ボートなどが〉〈綱が解けて〉波[風]に漂って; 〈人が〉途方にくれて; 目的もなく, 行くあてもなく; 〔略式〕ゆるんで, 的をはずれて; あてもなく, 目的をもたずに; 乱雑に, 調子が狂って; 〈英〉〈選手‧チームが〉〔相手に〕リードされて, 負けて〔*of*〕‖ come *adrift* ほどける / go *adrift* 〈船が〉漂流する; 〈計画などが〉うまくいかない; 〈図書館の本が〉紛失する. **tùrn** ⓐ **adríft** 〈船〉を漂流させる; 〈人〉を追い出す, 路頭に迷わせる.

a‧droit /ədrɔ́it/ 形〔正式〕〈人が〉〔…(する点)で〕〈手先の〉器用な, 〈頭脳の働きが〉機敏な, 巧妙な(clever)〔*in, at*〕; 〈答弁‧取引などが〉うまい.

a‧dróit‧ly 副 巧妙に, うまく. **a‧dróit‧ness** 图U 器用さ, 巧妙さ.

ADSL (略) 〔コンピュータ〕 asymmetric(al) digital subscriber loop [line] 非対称デジタル加入者線《通常の電話線を使った高速通信システム》.

ad‧u‧late /ǽdʒəlèit │ ǽdju‑/ 動他〔文〕(必要以上に)…にへつらう; …をほめる.

ád‧u‧là‧tor 图ⓒ へつらう人.

ad‧u‧la‧tion /ædʒəléiʃən │ ædju‑/ 图UC〔極端な〕お世辞, 賛美《より過度のへつらい》.

*__a‧dult__ /ədʌ́lt │ ǽdʌlt/ 〖「成長する」が原義〗
─ 形 **1**〔通例名詞の前で〕〈人が〉成人した, (知的‧感情的に)大人の; 〈動‧植物が〉成長した ‖ We caught an *adult* panda alive. 大人のパンダを生け捕りした. **2** 成人向きの ‖ *adult* movies [films] 成人向き映画(記号) A).(→ film rating).
─ 图 **1** ⓒ 大人(らしい人), (法律上の)成人《◆(1) ふつう米国 20‑21歳, 英国 18歳以上. (2) grown‑up より堅い語. (3)「成人の日」は Coming‑of‑Age Day で ×Adult Day とはいわない》; 成長した動物[植物] ‖ *Adults* Only (掲示) 未成年者お断り.

adúlt educátion 〈米〉成人教育《〈英〉 further education》.

a‧dul‧ter‧ate /ədʌ́ltərèit/ 動─tarit/ 動他〈飲食物‧薬など〉に[…を]混ぜる(*with*); …の品質を[…で]落とさせ[下げる](*with*). ─ 形 不純な; にせの; 品質を下げた; 不義の(cf. adulterous).

a‧dùl‧ter‧á‧tion 图U 粗悪[不純]化; ⓒ 混ぜ物, 粗悪品.

a‧dul‧ter‧er /ədʌ́ltərər/ 图ⓒ 〈やや古〉姦夫(かんぷ).

a‧dul‧ter‧ess /ədʌ́ltərəs/ ‑tres/ 图ⓒ 〈やや古〉姦婦.

a‧dul‧ter‧ous /ədʌ́ltərəs/ 形 姦通の; 不正の; 偽物の.

†**a‧dul‧ter‧y** /ədʌ́ltəri/ 图UC 姦通, 不倫, 不貞(の行為).

a‧dult‧hood /ədʌ́lthùd │ ǽdʌlt‑/ 图U 成人であること.

ad‧um‧brate /ǽdʌmbrèit/ 動他〔正式〕**1**(ぼんやりと)…の輪郭を思いえがく. **2** …の前兆を示す, …を事前に暗示する. **3** …に影を投げかける, …を暗くする.

àd‧um‧brá‧tion 图UC ほのかな輪郭; 前兆; 投影, 陰.

adv. (略) adverb.

*__ad‧vance__ /ədvǽns │ ‑vɑ́ːns/ 〖「前へ」が原義. cf. advantage〗 (派) advanced (形), advancement (名)

index
動他 1進める 2進歩させる 5前払いする 6提出する
自 1進む 2進歩する
图 1a 前進 b進歩

─ 動 (~s/‑iz/; 過去‧過分 ~d/‑t/; ~‑vanc‧ing)
─ 他 **1**〈人が〉〈人‧物‧事〉を〔…へ〕進める, 前進させる〔*to*〕(使い分け) → gain (2)‖ *Advance* the clock an hour. 時計を1時間進ませなさい.
2 …を進歩させる, 増進させる ‖ *advance* the cause of peace 平和運動を促進する.
3〔文〕〈人〉を〔…に〕昇進[進級]させる(promote)〔*to*〕.
4〈期日など〉を早める, くり上げる(↔ postpone) ‖ *advance* the date of the wedding 結婚式の日取りを早める.
5 〔*advance* A B =advance B to A〕〈人が〉〈人〉に〈B〈金銭〉〉を(特に担保をとって)前払いする, 融通する; 〔…の〕〈手付け金〉を打つ〔*on*〕‖ *advance* him $60 [$60 to him] against next week's salary 彼に来週分の給与60ドルを前払いする.
6〔正式〕〈人が〉〈意見‧計画‧理論など〉を提出する, 提案[提言]する(propose) ‖ The committee *advanced* a new project. 委員会は新しい計画を提出した.

─ 自 **1**〈人‧軍隊など〉が〔…に向かって〕進む, 前進する〔*to, toward*〕, 〔…に〕侵攻する(*into*)〔*to*〕‖ The army *has advanced* to the river. 軍隊は川のところまで進出した.
2〈人が〉〔…の点で〕〈*in*〕; 〔…まで〕昇進する〔*to*〕; 〈仕事がはかどる〉, 〈夜がふける〉‖ *advance in years* [*age*] 年をとる / *advance in* one's profession 職業上の地位が上がる / The evening is *advancing*. 夜がふけてきている / *advance to* the next level 次のレベルまで進む.
3〔正式‧まれ〕〈物価‧率など〉が上がる(rise), 〈割合‧数量〉が増える.

*__advánce on [upón, 〈主に英〉agàinst]__ A〈敵‧町など〉に向かって進撃する; 〈人〉に詰め寄る ‖ They *advanced on* [*against*] the town. 彼らは町に攻め寄せた.

─ 图 (複 ~s/‑iz/) **1**UC **a**〔…への〕前進, 進出; 進軍〔*to, on*〕; 〔時‧年齢‧病気の〕進行〔*of*〕. **b**〔知識‧学問‧文明などの〕進歩, 発達〔*of, in, on*〕; 〔an ~〕〔…より〕前進した事[物]〔*on*〕‖ an *advance on* the previous theory 前の理論より進歩したもの / make 「great *advances* [a *great advance*] in medical techniques 医術の面で大きな進歩をとげる.
2UC 〔…への〕昇進, 昇級〔*to*〕(→ advancement) ‖ his *advance* in the firm 会社での彼の昇進. **3**

© […の)前払い, 貸し付け[立て替え](金), 前金(advance(d) payment)[on]; 前渡し品 ‖ get an *advance* on one's allowance 給与の前貸しを受ける. **4** © (通例 ~s) [女性に対する]誘惑, 口説き; 申し入れ(to). **5** [形容詞的に] 前もっての, あらかじめの ‖ *advance* planning 予備計画 / an *advance* ticket 前売り券 / an *advance* party [guard] 先発隊[部隊]. **6** © (価格・価値の)上昇.

*__in advánce__ (1) (正式) (時間的に)前もって, あらかじめ(beforehand)《◆具体的な時間は直前に置く》: two weeks *in advance* 2 週間前に》‖ <対話> "Can you forecast an earthquake *in advance*?" "No, not now. I wish we could." 「前もって地震を予知することができますか」「現在のところできません. できるといいのですが」. (2) 前金で, 立て替えて ‖ pay the rent *in advance* 家賃を前払いする.

*__in advánce of__ A (1)(場所的・時間的に)…より進んで; …より発達[進歩]した ‖ a boy far *in advance of* his friends 友だちよりも発達[能力]が進んで[すぐれて]いる子 / an idea *in advance of* the times 時代を先取りした考え《◆(略式)では ahead of》. (2) …に先立って(before) ‖ *in advance of* the meeting 会議の前に / I thank you *in advance of* your help. ご協力をお願いします.

†__ad·vánced__ /ədvǽnst | -vɑ́ːnst/ 形 (時間的に)前にある, 前に動いた;(時間的に)<年齢・病状などが>進んだ,<夜が>ふけた ‖ an *advanced* pawn (チェスで)前方のポーン / **a person of advanced years** [**age**] = a person *advanced* in years (正式) 高齢者. **2** <学問など>上級の, 高等の;<国など>進歩した;<思想など>進歩的な ‖ The university is very *advanced* in computer science. その大学はコンピュータサイエンスが非常に進んでいる. **3** <値段が>ふつうより高い.

advánced lèvel (英) 上級課程(の GCE 試験)《大学への入学資格を得る水準. (略) A level》.

†__ad·vánce·ment__ /ədvǽnsmənt | -vɑ́ːns-/ 名 (正式) **1** ⓤ 前進(すること), 進出(progress). **2** ⓤⓒ **a** (学問・希望などの)促進, 助長 ‖ the *advancement* of science 科学の振興《◆ of は「目的格関係」を表す. advance science の名詞化表現. the advance of science「科学の進歩」の of は「主格関係」を表す. ➡ 文法 14.4). **b** (…での)進歩, 向上(in) ‖ *advancements* in design デザインの進歩. **3** ⓤ 昇進, 昇級(promotion). 語法 **1, 2 b** の意味では advance がふつう.

*__ad·ván·tage__ /ədvǽntidʒ | -vɑ́ːn-/ 《[前にある状態]が原義. cf. advance》 形 advantageous (形)
──名 (複 ~s/-iz/) (↔ disadvantage) **1** ⓤ 有利(なこと), 好都合, 便利, 優越(類語) benefit, profit, vantage)《◆通例次の句で》‖ use one's height *to advantage* in the game 試合で長身を最大限に生かす / The crisis may work *to* his political *advantage*. その危機は彼の政治的有利に働くかもしれない / It was shortened *with advantage*. それは切り詰められてよくなった / It will be [prove] *to* your *advantage* to learn to use a computer. コンピュータが使えるようになれば君のためになるよ / Young workers are *at an advantage* when applying for jobs. 若い労働者の方が仕事に応募するときには有利である.

2 ⓒ […より/…という/…する場合に]有利な点, 強み, メリット(*over* / *of* / *in doing*) ‖ *ádvantage* and *dísadvantage* 長所と短所, メリットとデメリット《◆対照的優勢に注意》/ He *has an advantage over* us *in* volleyball, because he is much taller. 彼は我々よりずっと背が高いのでバレーボールでは有利だ / It is a great *advantage* to have good health. 健康であるということは大きな強みだ / It's *a* double *advantage*. それは鬼に金棒だ.

3 ⓤ (テニスなど) (アド)バンテージ《(英) vantage, (米) ad》《ジュース(deuce)の後の最初の得点》‖ *Advantage*, Miss Sugiyama. アドバンテージ, (ミス)杉山《杉山選手がアドバンテージを取った時のアナウンス》.

*__gáin__ [__gét__] __an advántage òver__ A 〈人など〉をしのぐ, より勝る ‖ She *gains an advantage over* me in speaking Chinese. 中国語を話すことでは彼女は私よりすぐれている.

*__hàve the advántage of__ A (1) (正式) 〈事〉という強みを持つ《◆of は同格の of》‖ He had the *advantage* (over me) *of* knowing the language. 彼には(私より)その言語を知っているという強みがあった. (2) (英正式) 〈人〉より優位な立場にある ‖ You have the *advantage of* me. 君は私より優位な立場にある;(相手の名前を失念して)どちら様でしたか《◆後に Have we met before? などが続く》. 語法 冠詞が an の場合は have *an advantage over* A (→ 2).

*__tàke advántage of__ A (1) 〈機会など〉を利用する, …を利用して[…]する[to do] ‖ I *took* full *advantage of* the library *to* read papers on the subject. その図書館をフルに生かして研究テーマについての論文を読んだ. (2) <親切・無知など>につけ込む, 乗じる.

*__to advántage__ → **1**.
__to__ A's __advántage__ → **1**.
__wín an advántage òver__ A = gain an ADVANTAGE over.

──動 他 (正式) …に役立つ, …を促進する.

†__ad·van·ta·geous__ /ædvəntéidʒəs/ 形 有利な, [...に]都合のよい(*to, for*) (↔ disadvantageous) ‖ Homestay visits are *advantageous to* [*for*] foreign students. 留学生にはホームステイが有利です. **àd·van·tá·geous·ly** 副 好都合に.

†__Ad·vent__ /ǽdvent/ 名 (正式) **1** キリストの降臨[降誕]; 降臨節, 待降節(クリスマス前約 4 週間. クリスマスまでの時期とされる); (最後の審判の日の)キリストの再臨 (the Second *Advent* [*Coming*]). **2** [the a~] (正式) (重要人物・事件・時代などの)到来(arrival) ‖ the *advent* of modern science 現代科学の出現.

__Ádvent Càlendar__ (英) 降臨節暦.

__ad·ven·ti·tious__ /ædvəntíʃəs/ 形 (正式) 本質的でない; 偶発的な.

*__ad·ven·ture__ /ədvéntʃər/ 《[目標に(ad)起こってくる(vent)(異常な)こと(ure). cf. convent, event]》
──名 (複 ~s/-z/) **1** ⓤ 冒険(心), 冒険的な行動[試み]; 危険に出会うこと ‖ a story of *adventure* = an *adventure* story 冒険物語 / She is full of *adventure*. 彼女は冒険心に満ちあふれている.

2 ⓒ 予期せぬ出来事[事件], はらはらする[珍しい]経験; 危険な旅[冒険] ‖ an *adventure* in exotic dining 異国風の食事での思いがけない経験 / the *adventures* of Marco Polo マルコポーロの冒険.
──動 自 (古) …をあえてする[言う]. ── 他 危険にもかかわらず進む; あえて危険を冒して[…に]乗り出す(*into, on, upon*)《◆動詞としては venture がふつう》.

__advénture plàyground__ (主に英) 冒険広場《遊戯用

†**ad·ven·tur·er** /ædvéntʃərər/ 图C **1** 冒険家. **2** 投機家, 相場師. **3** (まれ)いかさま師.

ad·ven·ture·some /ədvéntʃərsəm/ 形 (米) =adventurous.

†**ad·ven·tur·ous** /ədvéntʃərəs/ 形 **1**〈人が〉冒険好きな, 大胆な(◆ reckless と異なり軽率さ・不注意を暗示しない). **2**〈旅・航海・企てなどが〉危険な, 冒険的な; 勇気のいる. **3** 革新的な, 新方式の.
ad·vén·tur·ous·ly 副 大胆に(も).

†**ad·verb** /ædvɚːb/【文法】图C 副詞 (➔文法 18).
──形 副詞の.

ad·ver·bi·al /ədvɚ́ːrbiəl/ 形 副詞の(機能を持つ), 副詞的な, 副詞を作る. ──图C 副詞相当語句.
advérbial párticle 副詞辞〈give up の up, put on の on など〉(➔文法 18.7).

ad·ver·sar·i·al /ædvɚrséəriəl/ 形 反対者の, 意見を異にする.

†**ad·ver·sar·y** /ædvɚrsèri|-səri/ 图 **1**C 敵, 敵対者《◆ antagonist より敵対感情が強い》. **2**〈スポーツなどの〉(競争)相手, 対抗者《◆ opponent の方がふつう》.

ad·verse /ædvɚ́ːrs, ⁻⁻/ 形〈正式〉**1**〈人が〉[…することに]反対する[to doing];〈態度・意見などが〉[…に]反対の[to], (ひどい)敵意に満ちた || *adverse* criticism 酷評. **2**〈風などが〉逆方向の; […に]有害[不都合]な(unfavorable)[to] || an *adverse* effect 悪影響 / a decision *adverse* to our team 我々のチームに不利な判定.
ad·vérse·ly 副 有害なやり方で, 不利に, 好ましくない方向に.

†**ad·ver·si·ty** /ædvɚ́ːrsəti|əd-/ 图〈文〉**1**U(大きな, 永続する)不運, 不幸, 難儀, 困難(cf. misfortune) || in (the face of) *adversity* 逆境に直面して. **2**[adversities] 不幸な出来事[経験], 災難, 困難な状況.

ad·vert /ædvɚːrt/ 图C〈英略式〉広告(advertisement, ad).

*****ad·ver·tise**, (米ではまれに)**‑‑tize** /ædvərtàiz/
【アクセント注意】[…へ(ad) (注意を)向ける(vert)ようにする(ise)] 派 *advertisement* (名)
──(~s/‑iz/; 過去・過分 ~d/‑d/; ‑tiz·ing)
──他〈人・団体が〉〈物を〉〔新聞・テレビなどで〕…であると**広告する**, 宣伝[公示]する[in, on / as]; …に注意を向けさせる(◆修飾語(句)は省略できない) || *advertise* new cars *in* the paper 新聞に新車の広告を出す / She *advertised* herself as an expert photographer. 彼女は腕のよい写真家であると売り込んだ.
──自 〔新聞・ビラなどで〕〈人・団体が〉〔人・物を求める〕広告を出す[for], 〈商品を広告で〉宣伝する(◆修飾語(句)は省略できない) || *advertise* on TV for volunteers テレビ広告でボランティアを募(つの)る.

*****ad·ver·tise·ment**, (米ではまれに)**‑‑tize‑** /ædvərtáizmənt, ədvɚ́ːrtəs‑|ədvɚ́ːrtis‑, ‑tiz‑/【発音注意】
──图 (~s/‑mənts/) U 広告(活動)(をすること); C (テレビなどの)[…を求める]広告, 告示[for](略 ad, adv., advt.) || put [place] an *advertisement* 「*in* a paper [*on* a placard] 新聞[プラカード]に広告を出す / She answered an *advertisement* in paper and got a part-time job as a secretary. 彼女は新聞広告に応募して秘書としてのアルバイトを得た / sell one's car *through an advertisement* in paper 新聞広告で車を売る.

†**ad·ver·tis·er** /ædvərtàizər/ 图C 広告者, 広告主; [A~]〈紙名に用いる〉.

†**ad·ver·tis·ing** (米ではまれに) **‑‑tiz·ing** /ædvərtàiziŋ/ 形 広告の, 広告を扱う || *advertising* media 広告媒体 / an *advertising* agency 広告代理店[業者]. ──图U [集合的名詞]〈新聞・ビラなどによる〉広告; 広告[告示]すること; 広告業.

ad·ver·tize /ædvərtàiz/ 動〈米ではまれに〉=advertise.

ad·ver·tize·ment /ædvərtáizmənt/ 图〈米ではまれに〉=advertisement.

*****ad·vice** /ədváis/【アクセント注意】[(相手の身になって)人を(ad)見ること(vise)] 派 *advise* (動)
──图(複 ~s/‑iz/) **1**U (これからやることについての)[…に関する]**助言**, 勧め, (私的な)忠告, アドバイス; (公的な)勧告; (専門家の)診断, 鑑定[on, about, as to](◆ 専門的助言には on を用いる傾向がある) || ask his *advice* on Internet shopping =*ask* him *for* (his) *advice* on Internet shopping 彼にインターネットショッピングについてのアドバイスを求める / He began jogging *on* his doctor's *advice* [*on the advice of* the doctor]. 彼は医者の助言に従ってジョギングを始めた / She would not listen to the [her] teacher's *advice*. 彼女は先生の忠告を聴こうとはしなかった.

> ✓ 語法 「1つの助言」は *a piece* [*bit*, *word*] *of advice*, 「2つの助言」は *two pieces of advice*, 「いくつかの助言」は *some pieces* [*a few words*] *of advice* のように言う. *some advice* は「いくらか[若干]の助言」.

表現 「忠告に従う」は take [follow] *advice* を用いて, ×obey *advice* とはいわない: Whether you take [follow, ×obey] my *advice* is your decision. 私の忠告に従うかどうかは君が決めることだ.
2 U C〈正式〉〈商取引の〉通知(書); [通例 ~s]〈遠隔地からの〉報告, 情報(report) || a letter of *advice* =an *advice* note (特に出荷の)通知状, 案内状 / receive *advice*(s) from the bank 銀行から通知を受け取る.

advice column (米) (新聞の)人生相談欄((英略式) agony column).

advice columnist (米) (新聞の)人生相談解答者((英略式) agony aunt)《主に女性》.

ad·vis·a·bil·i·ty /ədvàizəbíləti/ 图U 勧めてよいこと, 得策(であること); 妥当性, 適否.

†**ad·vis·a·ble** /ədváizəbl/ 形〈物・事が〉薦められる; [it is advisable to do] 当を得た; 賢明な, 分別のある || It is *advisable* (for you) to call the police. =It is *advisable* that you (should) call the police. 警察を呼ぶほうが賢明です(◆(1) should を用いるのは〈主に英〉. → should 助 **6**. (2) → advise 他 **1a** 語法 (3)) / It's often cold, so overcoats are *advisable*. 寒い日が多いからオーバーを持って行った方がよい.
ad·vís·a·bly 副 当を得て, 賢明に; [文全体を修飾] (…が)得策で, 賢明なことには.

*****ad·vise** /ədváiz/【発音注意】[→ advice] 派 adviser (名), advisory (形)
──動(~s/‑iz/; 過去・過分 ~d/‑d/; ‑vis·ing)
──他 **1a** [advise A to do / advise A('s) doing]〈人〉に…するように[…することを]**勧める**, 忠告する[advise (A) that節](人〈人〉に…するように忠告する(類義 counsel, admonish, caution, warn) ||

◆対話◇ "Did you see the doctor?" "Yes. He *advised* me to give up sugary food(s). =Yes. He *advised* (me) *that* I (*should*) give up sugary food(s)."「医者に診てもらったの」「はい、甘いものを食べるなと言われました」.

語法 (1) 不定詞構文が一般的.
(2) that節の動詞は仮定法現在；should を用いるのは〈主に英〉.
(3) I advise … は押しつけがましく響くので, It is advisable to do [that節] … が好まれる.

b [advise A not to do / advise A against doing]〈人が〉A〈人〉に…しないよう戒める；[advise A against B]〈人が〉A〈人〉にB〈事〉をしないよう戒める ‖ She *advised* him *not to use* [*against* the use of / *against* using] too much sugar. 彼女は彼に砂糖を入れすぎないように忠告した.
c [advise A on [about, in] B]〈人が〉A〈人〉にB〈物・事〉について助言する, 忠告する；[advise A (on) wh句]〈人〉に…するかについて忠告する ‖ He *advised* me *on* my study. 彼は私の研究について忠告してくれた(=He gave me *a piece of advice on* …) / She *advised* me (*on*) *where* to stay. どこに滞在すべきか彼女は私に助言してくれた.
2〈人が〉〈事〉を勧める；[advise doing] …することを勧める ‖ *advise* an early start 早く出発するよう勧める / *advise* consulting a lawyer 弁護士に相談するように勧告する《◆〈物〉を目的語としない: He recommended [ˣadvised] a good book. 彼はよい本を推薦した. cf. He *advised* [recommended] buying a good book.》.
3〈正式〉[advise A of B]〈人〉にB〈決定・日時・情報・注意など〉を通知する, [advise A that節] …であることを〈人〉に知らせる(inform).
── 自 **1**〔…について〕忠告する, 助言する〔*on, upon*〕;〔…しないように〕助言する〔*against*〕. **2**〈主に米〉〔…と〕相談する(confer,〈正式〉consult)〔*with*〕.

ad·vis·ed·ly /ədváizidli/ 副 熟慮の上で；故意に《◆ intentionally より強意的》.

*ad·vis·er,〈主に米〉**ad·vi·sor** /ədváizər/ ── 名 (複 ~s/-z/) C **1** [(…にとっての/…についての)相談役, 助言者, 忠告する人；(法律・政治などの)相談相手 [*to/on*]. **2** (米) (大学の) 新入生指導教官.

†ad·vi·so·ry /ədváizəri/ 形 助言を与える, 忠告する；助言の権限を有する, 顧問の ‖ *advisory* words 忠告の言葉 / an *advisory* panel 諮問機関 / an *advisory* committee 諮問委員会.
── 名 C 情報, 報告, 発表, 注意報.

ad·vo·ca·cy /ǽdvəkəsi/ 名 U 弁護, 支持, 擁護；唱道 ‖ in *advocacy* of … …を弁護して.

†ad·vo·cate /名 ǽdvəkət; 動 -keit/ 名 C **1**〈主義などの〉主張者, 支持者 [*of, for*]. **2** (法廷での)〈人の〉代弁者, 仲裁人 [*for*]；〈主にスコット〉弁護士 / 〈米〉attorney,〈英〉barrister ‖ Lord *Advocate*《スコット》検事総長. ── 動〈正式〉…を主張〔唱道, 提唱, 弁護, 支持〕する(support) ‖ *advocate* free speech 言論の自由を唱道する / I *advocate* (you [your]) spending more money on technical books. (あなたが) 専門書にもっとお金を使うよう私は主張します.

adze,〈米では主に〉**adz** /ædz/ 名 C (粗仕上げ用の) 手おの, 手斧(ておの). ── 動 …をおのなどで切る [削る, 形造る].

AEC (略) Atomic Energy Commission 原子力委員会.

Ae·ge·an /idʒíːən/ 形 エーゲ海《文明》の；the ~ Sea エーゲ海《ギリシア・トルコ間の地中海の一部》; the ~ Islands エーゲ海諸島. ── 名 =the Aegean Sea.

ae·gis /íːdʒis/ 名 U **1**《ギリシア神話》(Zeus 神が Athene 神に与えた) 神の盾(たて). **2**《文》保護, 後援, 庇護 ‖ under the *aegis* of the law 法律の保護を受けて.

Ae·ne·as /iːníːəs/ 名《ギリシア神話・ローマ神話》アイネイアース《Aphrodite [Venus] の子で Troy の勇士》.

aer·ate /éəreit/ 動 他 **1**〈土・液体など〉を(浄化するため)空気にさらす. **2** (呼吸作用により)〈血液〉に酸素を供給する. **3** (圧縮して)〈液体〉に炭酸ガスを飽和させる ‖ *aerated* water 〈英〉炭酸水.

aer·a·tion /eəréiʃən/ 名 U **1** 空気にさらすこと, 通気. **2** 炭酸ガス飽和. **3** 動脈血化.

†aer·i·al /éəriəl/ 形 **1** 空気の, 大気の, 空気より成る；気体の；〈植物・根などが〉気生の, 空気中で成長する, 空中に住む ‖ *aerial* current 気流 / *aerial* particles 気体の粒子. **2** 航空機の, 航空機による, 航空機用の《◆ air を用いることが多い》‖ an *aerial* photograph 航空写真. **3** 高架の. ── 名 C **1**〈英〉アンテナ(〈米〉antenna). **2**〔スキー〕エアリアル《フリースタイルスキーの1種目》.

áerial víew 空から見た[撮影した]景色.

aer·o- /éərə-, éərou-/ (語要素) → 語要素一覧(1.6).

aer·o·bat·ic /eərəbǽtik/ 形 空中飛行の.

aer·o·bat·ics /eərəbǽtiks/ 名 **1** [複数扱い] 空中曲芸. **2** [単数扱い] 曲芸飛行術.

aer·o·bic /eəróubik/ 形 **1**〔生物・化学〕好気性の. **2** エアロビクスの ‖ *aerobic* exercise エアロビクス.

aer·o·bics /eəróubiks/ 発音注意 名 U [単数扱い] エアロビクス.

aer·o·drome /éərədroum/ 名 C〈英やや古〉飛行場(airfield)《◆特に個人[軍用]の飛行場で, airport より小さい》.

aer·o·dy·nam·ic, -i·cal /eərədainǽmik(l)/ 形 空気力学の[的な], 空気抵抗の少ない.

àer·o·dy·nám·i·cal·ly 副 空気力学上[的に].

aer·o·dy·nam·ics /eərədainǽmiks/ 名 U [単数扱い] 空気[航空]力学, [複数扱い] 空気抵抗の影響.

aer·o·gram, --gramme /éərəgræm|éərəu-/ 名 C =air letter.

†aer·o·nau·tic,〈主に英〉**-ti·cal** /eərənɔ́ːtik(l)|éərəu-/ 形 航空(学)の；飛行(術)の；飛行船操縦者[搭乗者]の.

aeronáutic chàrt 航空図.

aeronáutic engineering 航空力学.

aer·o·nau·tics /eərənɔ́ːtiks|éərəu-/ 名 U [単数扱い] 航空学[術]《◆「航空術」の意では aviation がふつう》.

†aer·o·plane /éərəplein/ 名〈英〉=airplane.

aer·o·sol /éərəsɑl|éərəusɔl/ 名 U〔化学〕エーロゾル；(煙・霧などの) 煙霧質.

áerosol bòmb [sprày] (殺虫剤などの) 噴霧器.

aer·o·space /éərəspeis/ 名 U [もと米] 大気圏と(その外側の) 宇宙；航空宇宙学；航空宇宙産業；[形容詞的に] 航空宇宙の. ── 形 飛行機や宇宙船の製造[操縦]の.

Ae·sop /íːsɑp,〈米+〉-səp|-sɔp/ 名 イソップ, アイソーポス《620?-564?B.C.；ギリシアの寓(ぐう)話作家》.

aes·thete,〈米では しばしば〉**es·-** /ésθiːt|íːs-/ 名 C 唯

aes・thet・ic /esθétik | iːs-/ 形 (正式) **1** 美的な, 美学の; 審美的な(artistic). **2** 美の感覚[審美眼]のある, 美を愛する; (知的に対し)感覚的な. ― 名 U 美学(原理)
∥ 日本発 ≫ Wabi and sabi are the highest aesthetic values aimed at by traditional Japanese arts, particularly the tea ceremony and haiku. わびさびは, 日本の伝統的な芸術, 中でも茶道や俳句などが目指す究極の美的境地を意味しています.

aes・thét・i・cal・ly 副 **1** 美的に. **2** 芸術的に.
aes・thet・i・cal /esθétikl | iːs-/ 形 =aesthetic.
aes・thet・ics (米ではしばしば) **es‑‑** /esθétiks | iːs-/ 名 U [単数扱い] 美学, 美の哲学; 美的感覚.
ae・ti・ol・o・gy, (米) **e‑‑** /iːtiάlədʒi | iːtiɔ́l-/ 名 U 病因学.

†**a・far** /əfάːr/ 副 (文) **1** 遠くで[に] (far off) ∥ afar off はるか遠くに. **2** [名詞的に] 遠方 ∥ from afar 遠くから.

af・fa・bil・i・ty /ӕfəbíləti/ 名 U (正式) 人好きのすること; (…に対する)愛想のよさ [to, toward] ∥ with affability 愛想よく.

†**af・fa・ble** /ӕfəbl/ 形 (正式) **1** 〈人が〉気軽に話せる, (目下の人に)愛想のよい, 思いやりのある [to, with]. **2** 〈返事などが〉思いやりのこもった, ていねいな.
áf・fa・bly 副 愛想よく.

*__af・fair__ /əféər/ 名 [(何かを)する(fair)こと(ad)]
― 名 (複) ~s/-z/ C **1 a** 問題 ∥ current [foreign] affairs 時事[外交]問題. **b** (日々の)業務, 事務, 仕事; (漠然とした)事態, 事情 ∥ a man of affairs 実務家 / the affairs of church 教会の業務 / important affairs of state 重要な国事[政務] / in the present state of affairs 現状では / world affairs 世界情勢 / Put your affairs in order. あなたの身辺(の事柄)をきちんと(整理)しなさい. **2** [主に単数形で] (世間を騒がせるような)世間でよく知られた事件, 出来事, 事柄, 事変; 催し(の内容) ∥ the Kennedy affair ケネディ(暗殺)事件 / a serious affair 重大事件.
3 (one's ~(s)) (個人的な)関心事, 問題, 雑務 ◆対話 "What's happening between you and your boy friend?" "That's my [none of your] affair(s)." 「君とボーイフレンドの仲はどうなっているの」「それはあなたの知ったことではないわ」◆ふつう business を用いる).
4 短期的な恋愛(沙汰), 浮気, (不倫の)情事(love affair) ∥ the affair between the two movie stars 2人の映画スターの情事 / have an affair with …. …と浮気をする.
5 (略式) [通例形容詞を伴って無強勢で; 俗用的に; しばしば an ~] こと, もの, 品(thing) ∥ a rámshackle affair ガタガタのしろもの / My house is a twó-story affair. 私の家は2階建てです.
6 (社会的な)集まり(パーティーや結婚式など).

*__af・fect__[1] /動 əfékt; 名 ӕfekt/ (類音 effect /ifékt/) [(…に(af)作用する(fect). cf. effect, infect] 類 affection (名), affectionate (形)
― 動 (~s/əfékts/; 過去・過分 ~ed/-id/; ~ing)
― 他 **1** 〈事・状態などが〉(直接的に)〈物・事〉に影響する, はねる返る, (不利に)作用する ◆〈間接的に〉行動・思想などに変化を及ぼすは influence) ∥ Damp, cold day affects his health. じめじめした寒い日は彼の体にこたえる / The greater part of the area has been affected by flooding. その地域の大部分が洪水の被害を受けた.
2 [通例 be ~ed] 〈人が〉(病気などに)冒される, 襲われる[by, with] (cf. attack 動 3) ∥ those affected by the disease [heat] その病気[暑さ]にやられた人々 / She is affected with the gout. 彼女は痛風を病んでいる.
3 [通例 be ~ed] […で]感動する, 心を動かされる(be moved) [by, with, at] ∥ be affected with pity 哀れみの心に動かされる / I was much [deeply] affected by [at] the news. 私はその知らせがたいへん悲しかった.

†**af・fect**[2] /əfékt/ 動 他 (正式) 〈人が〉事のふりをする, …を装う, …のまねをする, […する]ふりをする[to do] ◆ pretend には人をあざむく意図があるが, affect, assume には悪い動機があるとは限らない ∥ affect a British accent 気取って英国アクセントでしゃべる / affect the philosopher 哲学者ぶる / affect a haughty manner 高飛車な態度を取る.

†**af・fec・ta・tion** /ӕfektéiʃən/ 名 U C 気取った態度[言動], わざとらしさ; [an ~ of + U 名詞] 〈事〉のふりをすること, 見せかけ ∥ an affectation of innocence 純真ぶり.

†**af・fect・ed**[1] /əféktid/ 形 **1** (災害などの)影響を受けた, (暑さ・寒さに)やられた; (病気に)冒された. **2** 〈人が〉(影響を受けて)心が動かされた, 同情した.
af・fect・ed[2] /əféktid/ 形 気取った, みせかけの.
af・féct・ed・ly 副 気取って, わざと.
af・fect・ing /əféktiŋ/ 形 (正式) (涙の出るほど)人の心を打つ; 痛ましい, 哀れな.
af・féct・ing・ly 副 感動的に, 痛ましく.

*__af・fec・tion__ /əfékʃən/ [→ affect[1]] 類 affectionate(形)
― 名 (複) ~s/-z/) U [時に an ~] 〔人・物に対する〕(穏やかな持続的な)愛情, 好意 [for, toward] (cf. love); [~s] 恋慕(の情), 愛着 ∥ She has [feels] (a) great [deep] affection for [toward] her parents. 彼女は両親をとても愛している.

†**af・fec・tion・ate** /əfékʃənət/ 形 **1** 〈人が〉〔人に対して〕情愛のある, やさしい [to, toward] ∥ be affectionate to each other お互いに愛し合っている. **2** 〈手紙・配慮などが〉愛情のこもった ∥ affectionate looks やさしい顔つき.

†**af・fec・tion・ate・ly** /əfékʃənətli/ 副 やさしく ∥ Yours affectionately = (米) Affectionately (yours) (手紙の結び) さようなら(◆特に親しい者の間や女性同士で用いる. 一般には Yours sincerely / Sincerely yours) / Affectionately, your brother Bill 親愛なる兄ビルより(=Your affectionate brother, Bill).

af・fi・da・vit /ӕfidéivit/ 名 C (法律) 宣誓供述書.

†**af・fil・i・ate** /動 əfílièit; 名 əfíliət/ 動 他 [しばしば ~ oneself / be ~d] 〈人・団体などが〉〈人・小施設など〉を[会・クラブ・大施設などの]会員[支部, 付属, 所属]にする, [...に]合併する, 提携させる [with, to] ∥ The library [is affiliated with [has affiliated itself to] the University. その図書館は大学の付属です.
― 名 C **1** 支部, 支社, 分会, 外部団体, 系列会社, 分校. **2** 加入者, 会員.

†**af・fil・i・a・tion** /əfìliéiʃən/ 名 U **1** 加入, 加盟; 所属, [...との]提携, 合併(されること) [with].

†**af・fin・i・ty** /əfínəti/ 名 (正式) **1** U C […に対する/…との/...の間の](構造上の)類似点[性], 親近性; 類縁; 密接な関係(relationship) [for / with / between, of] (◆3つ以上の物については常に of) ∥ affinities

af·firm /əfə́ːrm/ 動 《正式》 **1**〈人が〉〈信念に基づいて〉〈人・物〉を[…だと]断言する, 肯定する(↔ deny)〔to be, that節〕;〈人が〉〈人に対して〉〈事〉を確言する〔to〕(類義 assert, warrant, declare, protest) ‖ He *affirmed* the truth of the report (*to* her). =He *affirmed* (*to* her) (*that*) the report was true. その報告は本当だと彼は(彼女に)断言した / He *affirmed* [himself *to be* innocent [(*that*) he was innocent]. =He *affirmed* his innocence. 彼は自分は無実だと主張した. **2**〖法律〗〈上級審の裁判所が〉〈下級審の〉判決などを支持[確認]する;(宣誓に代えて)…を確約する. **3** …に同意する, …を支持する.

af·fir·ma·tion /æfərméiʃən/ 名 ⓊⒸ **1** 断言, 肯定(↔ negation). **2**〖法律〗(判決などの)容認, 批准;(例えばキリスト教徒でない人が)〖聖書〗に手をのせて誓うことなしに法廷で真実を述べる約束をすること(◆法的な力を持ち偽証すると罪になる). **3** 同意, 支持.

†**af·firm·a·tive** /əfə́ːrmətiv/ (《正式》) 形 〈返答・陳述などが〉(明確に)言い切った; 肯定的な, 賛成の;《米》積極的な(↔ negative).

—— 名 ⓊⒸ (通例 the ~) 断言, 肯定(文, 表現) ‖ answer *in the affirmative* 肯定の答えをする(◆おぎそな表現) ‖ say [answer] yes や His answer was yes. などがふつう).

—— 間《米》はい, その通り(◆ yes の代わりに用いる).

affirmative áction 積極的な活動;《米》(就職や昇進に際し少数派・弱者・女性などに対する)差別是正[撤廃]措置, 少数派優遇政策(《英》 positive discrimination [action]).

af·fírm·a·tive·ly 副 肯定的に.

†**af·fix** 動 /əfíks/; 名 /ǽfiks/ 動 他 《正式》 **1**〈人が〉〈切手・荷札など〉を〈手紙・小包などに〉はる, 添付する〔to〕(◆ attach より堅い語で, 小さなものを きちっりと付けることをいう) ‖ *affix* a stamp *to* a letter 手紙に切手をはる. **2**〈人が〉〈印〉を〔書類などに〕押す;〈名前・追伸など〉を〔契約書・手紙などに〕書き添える〔to〕‖ *affix* a seal *to* a document 書類に印を押す.

—— 名 ⓒ《正式》付着(付属, 付加)物, 添付[追加]物(addition);〖文法〗接辞〖接頭辞・接尾辞・挿入辞の総称〗.

†**af·flict** /əflíkt/ 動 他 …を(精神的・肉体的に)苦しめる, 悩ます;[be ~ed]〈人が〉〈病気などに〉侵される, 苦しむ〔with〕‖ *be afflicted with* rheumatism [a sense of inferiority] リューマチ[劣等感]で苦しむ.

†**af·flic·tion** /əflíkʃən/ 名 **1** Ⓤ (心身の)苦痛, 苦悩(の状態). **2** Ⓒ 苦しみ[苦痛]の種, 災難;病気(*to*, *of*).

af·flu·ence /ǽfluəns/ 名 Ⓤ 富, 財, 富裕(wealth).

†**af·flu·ent** /ǽfluənt/ 形 **1** …で裕福な, 富裕な〔with〕‖ The *affluent* society 豊かな社会(◆ 経済学者 Galbraith が現代アメリカ社会に与えた呼び名). **2**〔…の〕豊富な(abundant)〔in〕;〈想像力などが〉あふれるばかりの.

áf·flu·ent·ly 副 豊かに.

***af·ford** /əfɔ́ːrd/ 動《原義「与える」→「(与える・持つ)余裕がある」》

—— 動 (~s/əfɔ́ːrdz/; 過去・過分 ~·ed/-id/; ~·ing)

—— 他 **1** (通例否定文・疑問文で) [can afford to do]〈人が〉…する(経済的・時間的・心理的)余裕がある;…しても困らない[can afford A]〈人が〉〈時間・車・お金など〉を持つ[とる]余裕がある ‖ How *can* you *afford* (to buy) such an expensive imported car? そのような高い外車が買える余裕があるね / You *can't* [*can ill*] *afford to* neglect your health. 君は自分の健康を度外視するわけにはいかない(すれば大変なことになる) / 《対話》 "Couldn't you *afford* a first-class flight?" "Yes. I just wanted to cut the travel [traveling] expenses." 「ファーストクラスの飛行機に乗るお金がなかったのですか」「いいえ. ただ旅費を節約したかっただけです」 / I *can't afford the* time to travel. 旅行する暇がない.

2《正式》[afford (A) B =afford B (to A)]〈物・事が〉〈A〉に〈人など〉にⒷ〈物・事〉を与える(give)(⇒文法 3.3);〈物が〉〈自然の結果として〉…を供給[産出]する(◆ A が一般の人の場合は省略するのがふつう) ‖ Music *affords* us much pleasure. =Music *affords* much pleasure *to* us. 音楽は私たちを大いに楽しませてくれる.

af·ford·a·ble /əfɔ́ːrdəbl/ 形 **1** 入手可能な, 〈値段が〉手頃な, 購入しやすい. **2**〈危険などが〉余裕をもって乗り越えられる.

af·for·est /əfɔ́ːrist/ 動 他 …を森林にする;《主に英》…に植林する.

af·for·es·ta·tion /əfɔ̀ːristéiʃən/ 名 Ⓤ 造林, 植林 ‖ *afforestation* projects 植林計画.

af·fray /əfréi/ 名 Ⓒ《正式》(公衆の場での小人数による)騒動(fight);騒々しい口論;〖法律〗闘争[乱闘](罪).

†**af·front** /əfrʌ́nt/《正式》動 他 (通例 be ~ed)〈人が〉(故意に)侮辱される(insult);〈人の〉誇り[感情]を〔…で〕(公然と)傷つけられる〔at〕‖ feel *affronted at* having one's honesty doubted 誠実さを疑われて侮辱されたと感じる. —— 名 Ⓒ (通例 a ~)〔…に対する〕(公然[故意])の侮辱, 無礼な行為[言葉]〔to〕‖ *offer an affront to* him =*put an affront on* [*upon*] him 彼を侮辱する / suffer *an affront* at her hands 彼女に侮辱される.

Af·ghan /ǽfgæn/ 名 **1** Ⓒ アフガニスタン人. **2** Ⓤ アフガニスタン語. **3** [a~] Ⓒ 毛糸編みの掛けぶとん[肩掛け]. **4** Ⓒ =Afghan hound.

—— 形 アフガニスタン人[語]の.

Áfghan hóund 動 アフガンハウンド(猟犬の一種).

Af·ghan·i·stan /æfgǽnəstæn|-istɑ̀ːn/ 名 アフガニスタン《アジア中西部の共和国. 首都 Kabul》.

a·fi·cio·na·do /əfìʃiɑnɑ́ːdou/《スペイン》名 (複 ~s /-z/) Ⓒ (闘牛の)熱愛者(で, 一般に)ファン.

†**a·field** /əfíːld/ 副 **1** 家を離れて, 遠くに(far away), 海外へ;(既成の常識などから)離れて, 常道をはずれて〔*of*, *from*〕‖ from far *afield* 遠くから. **2** 農夫などが〉野原[畑]へ[で](on the field);〈軍隊が〉戦場へ[で];〈野球〉野手として ‖ be strong *afield* 守備がうまい.

a·fire /əfáiər/《文》副 形 燃えて ‖ set the fields *afire* 畑に火をつける.

a·flame /əfléim/《やや文》副 形 **1** 燃え立って. **2**〔…で〕燃えるように輝いて〔with〕. **3**〖比喩的に〕〔…に〕燃える, 〔…で〕非常に興奮して〔with〕.

AFL-CIO 略 the American Federation of Labor and Congress of Industrial Organizations 米国労働総同盟産業別組合会議.

†**a·float** /əflóut/《文》副 形 **1** (水上・空中に)浮かんで[だ], 漂って[た](floating). **2** 海上に[で](at sea), 船[艦]上に[で](on board). **3**〈うわさなどが〉広まって[た], 〈手形などが〉流通して[た]. **4**〈仕事・計画な

どか〉ぐらついて[た]; 〈人があてもなく. **5** 〈会社・商売などが〉破産[倒産]しないで; 活動して[た].
kéep aflóat [自] 水に浮かんでいる; 借金しないでいる. ——[他] [keep A ~] (1) 〈船などを〉浮かべておく. (2) 〈商売を〉破産[倒産]しないでがんばる.
sét A aflóat (1) 〈船などを〉浮かばせる[進水させる]. (2) 〈うわさなどを〉広める, 流布させる.
a·flut·ter /əflʌ́tər/ 形 ドキドキ[興奮]して.
AFN (略) American Force's Network 米軍放送網.
†**a·foot** /əfút/ 副 形 〈事が〉起こって, 進行中で(under way); 計画中で; (早くから)起きて; (古)徒歩で(on foot).
a·fore·men·tioned /əfɔ́ːrmènʃənd/ 《正式》形 名 [the ~] 前記の(こと).

☆**a·fraid** /əfréid/ 『「人が恐れや不安を感じている状態」が本義』
—— 形 (**more ~, most ~**) [補語として] **1** [be afraid **of** A] 〈人が〉(一時的に)〈人・物・事を〉**恐れる**, …がこわい, いやになる(類語) frightened, terrified, timid, fearful) ‖ People *are afraid of* death. 人は死ぬのを恐れている(=People *are afraid of* dying.) / She *is afraid of* her (own) shadow. 彼女は自分の影におびえている[びくびくしている] / Jim *was afraid of* physical labor. ジムは肉体労働がいやになっていた.

2 [be afraid of doing / be afraid that 節] …(するの)ではないかと心配する, 恐れる ‖ She *was afraid that* he *might* have … 彼女は彼が事故にあうのではないかと心配した《◆She *was afraid of* his [《略式》him] hav*ing* an accident. とするのは《まれ》》 / He *was afraid (that)* he might hurt her feelings. =He *was afraid of* hurt*ing* … 彼は彼女の感情を傷つけるのではないかと不安に思った.

3 [be afraid to do] (結果を心配して)こわくて…できない[したくない], あえて…する勇気がない ‖ I *was afraid to* touch the bomb. 私はこわくて爆弾に触れることができなかった / ジョーク Don't *be afraid to* try something new. An amateur built the Ark. Professionals built the Titanic. 何か新しいことに挑戦するのを恐れるな. 素人はノアの箱舟を造り, プロはタイタニック号を造った《◆ノアは全生物を洪水から救い, タイタニック号は沈没した》.

4 《略》[be afraid for [about] A] …を気づかう ‖ The parents *are afraid for* (the safety of) their daughter. 両親は娘の(安否を)気づかっている / He *was afraid about* what was going to happen. 彼は何が起こるのかと心配だった.

*__I'm afráid__ … 《略式》残念ながら…のようだ, (漠然と)どうやら…だと思う; 申し上げにくいのですが(I'm sorry, 《正式》I regret)《◆よくないことを言ったり, 不作法になりそうな発言を和らげたりするていねいな表現. ふつう that は省略》(cf. hope, expect)‖
対話 "Are we late?" "*I'm afráid sò*." 「我々は遅刻ですか」「どうもそのようです」/ "Can you meet me at the airport?" "*I'm afráid nót*. (↘)" 「空港に迎えにきてもらえますか」「申し訳ありませんが, ちょっと無理です」/ "She is studying hard for the entrance examination. I wonder if she will pass it." "*I'm afráid she will fail it.*"「彼女は受験勉強をすごくがんばっています. はたして合格するかどうか」「残念ながらだめなようです」(=She will fail it, *I'm afráid*.)《◆文頭・文中・文尾でも挿入的に用いる》.

A-frame /éifrèim/ 《米》名 Ⓒ Aのような形の家.
—— 形 〈建物が〉Aのような形の.
†**a·fresh** /əfréʃ/ 副《正式》もう一度新たに, 再び(again), 改めて《…し直す》.

☆**Af·ri·ca** /ǽfrikə/ 名 アフリカ (略 Afr.).
☆**Af·ri·can** /ǽfrikən/ [→ Africa]
—— 形 アフリカ(産, 特有)の; アフリカ(黒)人の.
—— 名 Ⓒ アフリカ人; アフリカ黒人(Negro).
Af·ri·can·ism 名 Ⓤ アフリカかぶれ; アフリカ文化の特質.
Af·ri·can-A·mer·i·can /ǽfrikənəmérikən/ 名 Ⓒ 形 アフリカ系アメリカ人の《◆現在は一般に black や Afro-American に代わって用いられる》.
Af·ri·kaans /ɑ̀ːfrikɑ́ːns/ ǽf-/ 名 Ⓤ アフリカーンス語《南アフリカ共和国で用いられる公用オランダ語》.
Af·ri·kan·er /ɑ̀ːfrikɑ́ːnər/ ǽf-/ 名 Ⓒ 南アフリカ生まれの白人《特にオランダ系》.
Af·ro /ǽfrou/ 名 (~**s**) Ⓒ アフロヘア(の)《縮れ毛を丸くふくらませた髪型》.
Áfro wig アフロヘアのかつら.
Afr(o)- /ǽfrou/-/ (語尾素) →語要素一覧(1.3).
Af·ro-A·mer·i·can /ǽfrouəmérikən/ 《今は古》名 Ⓒ 形 =African-American.
†**aft** /ǽft /ɑ́ːft/ 形 副 〖海事・航空〗船尾[尾翼](の近く)で, 船尾[尾翼]の方へ(↔ fore). **fóre and áft** 船首と船尾に; あちらこちらに. —— 形 船尾[尾翼](の方)にある.

☆**af·ter** /ǽftər /ɑ́ːf-/ 『元来は時間・場所の前後関係を示したが, 今日では […のあとで] という時間の用法に限られている. これが論理的判断と結びつき, 結果の意が生じた(→ **3**). また元は場所的背後を示したことから, 離れないでついていくという追求の意が生じた(→ **4, 5**)』

index 前 **1** …のあとに[で] **4** …を追って **5** …にならって 接 **1** …したあとで

—— 前 **1** [時間] …のあとに[で]; …過ぎに(past)《◆直後のこともあればそうでないこともある (↔ before) (使い分け) → in 前 **5 b**》‖ The game has been postponed until *the day after tomorrow*. 試合はあさってまで延期された《◆前置詞不要. →文法 21.6(1)》/ the week *after* next 再来週 / Applications will be accepted *after* May 1. 応募は5月1日以降受けつけます《◆法律上など厳密には1日を含まない. 当日を含める時は, *on* and *after* May 1 とする》/ ten *after* [《英》past] five 5時10分 / I met him *after* a week. 1週間後に彼に会った《◆比較: I met him *a* week *after* that. それから1週間で彼に会った(前者の方が経過した期間を強調する言い方. → 副) / I'll meet him *in* a week. 1週間後に彼に会います(現在を起点として未来を言う時)》/ *After* reading [having read] his letter, I hurried to his home. 彼の手紙を読んでから急いで彼の家へ行った《 →文法 12.2》/ She came back (×him) ten minutes *after* the explosion. 爆発の10分後に彼は帰って来た《◆具体的な時間の開きを示す数値は after の直前に置く(→ 接 第1例)》.

2 [順序・順位] **a** …のあとに, …に次いで ‖ pay tax 税金を差し引いて / *After you* (↘). どうぞお先に(→ go AHEAD (2)b) / *After* you with the salt, please. (食卓で)塩をどうぞお先にお使いください《◆「使ったあとは私に回してください」の意》/

Repeat this sentence *after* me. 私のあとについてこの文を繰り返しなさい / *After* Hardy, Dickens is my favorite writer. ハーディに次いでディケンズが私の好きな作家だ / She closed the door *after* her. 彼女は入って[出て]からドアを閉めた. **b** [名詞を無冠詞で繰り返して]《反復・継続を表す》(→文法 16.3(3)) ‖ *time after time* 何度も何度も / *day after day* くる日もくる日も / read *óne* letter *after* anóther 手紙を次々に読む(→ one 成句) / have mèeting *after* méeting 次々に会議を開く.

3 a [因果関係] …のあとだから, …したのだから, …の結果 ‖ All the players must be tired *after* the heated game. 白熱した試合のあとでは選手は全員疲れているにちがいありません. **b** [逆の結果]《通例 ~ all …》(せっかく・いろいろと)…したのに, …にもかかわらず(in spite of) ‖ *After all* his efforts, he still failed to pass the examination. 努力したにもかかわらず, 彼は依然として試験にパスしなかった.

4 [目的・追求]〈仕事などを求めて, 〈犯人など〉を追って, …をねらって;〈名声など〉を追い求めて ‖ seek [hanker, hunger, yearn] *after* [for] fame 名声を追い求める《現在では for がふつう》/ run *after* the thief 泥棒を追う / shout *after* him 彼の後ろから大声で叫ぶ / She is *after* a better job.《略式》彼女はもっとよい仕事を捜している.

5 [模倣・順応] …にならって, …をまねて, …風の;…流儀の;…にちなんで, …に従って, …に応じて ‖ a picture *after* (the style of) Rubens ルーベンス風の絵画 / I was named Tom *after* [(米) for] my uncle. 私はおじの名をとってトムと名づけられた / He is a man *after* my own heart. 彼は私の望み通りの人物だ.

*__after all__ [副] (1)《すべてが終わってみると》/=/《通例コンマなしで文尾で》《意図・予想・計画などに反して》結局, 終わってみると ‖ I thought he was going to fail the exam, but he passed *áfter áll*. (↘) 私は彼が試験に落ちると思ったが結局は受かってくよかった. (2) /=/《前文への証拠・理由・補足・説明を示して;通例文頭で》だって…だから(for);そもそも, お忘れかもしれませんが ‖ You mustn't be too angry with her; *áfter áll* (↘), she is only a child. あの娘のことであまり腹を立ててはいけません, 何といっても[だって]まだ子供なんですから. (3) /=/《コンマなしで文尾, 時に文頭で》(なんのかんの言っても)やはり, とうとう《◆(米)ではまれ》‖ So you've cóme *áfter áll*! (↘) やあ, やっと来てくれましたね / *After áll* she did not come. (↘) とうとう[やっぱり]彼女は来なかった(→ at LAST).

——[副] あとに[で], のちに ‖ soon *after* すぐあとに / *the day after* その翌日に《◆the following [next] day の方がふつう》/ follow *after* ついて行く / look before and *after* 前後を見る; あと先を考える.

語法 (1) 上の例や They lived happily ever *after*. (→ happily 副1) のような決まった表現を除いて, 今は単独には用いられない.
(2) ✍ 単に「あとで, のちほど」の意では after でなく later, afterward(s), (and) then, (and) after that を用いる: She came home later [afterward, ×after]. (その)あとで彼女は帰宅した《◆ She came home *after* that. のように after を前置詞として用いるのは可》.

ever after → ever.
——[接] …したあとに[で] ‖ I came back 'five days [soon, shortly] *after* he left Tokyo. 彼が東京をたって5日後に[すぐ]私は帰ってきた(→ 前1 最終例と注) / I will go out *after* I finish [have finished] my homework. 宿題を終えたら出かけます《◆節内に will を用いない: ×… *after* I 'will finish [will have finished] … (→文法 4.1(4))》/ He arrived *after* you (had) left. 君が帰ったあとで彼が到着した.

語法 時の前後関係が明白なので, *after* 節では現在完了形・過去完了形の代わりに現在形・過去形がしばしば用いられる(→文法 10.1).

àfter áll is sáid and dóne (米ではまれ) ＝AFTER all (3).

——[形] [名詞の前で] のちの, あとの;後部の.

af·ter- /ǽftər- | ɑ́ːf-/《語基》→語要素一覧(1.7).
af·ter·birth /ǽftərbɚːθ | ɑ́ːf-/ [名] ⓒⓊ [医学] [通例 the ~] 後産(ごさん).
†**af·ter·care** /ǽftərkèər | ɑ́ːf-/ [名] Ⓤ《正式》**1**（病後・術後の）健康管理, アフターケア ‖ The patient needs to receive to get *aftercare*. その患者はアフターケアを受けなければなりません. **2**（刑期終了後の）更生補導.
áf·ter-din·ner spéech /ǽftərdìnər | ɑ́ːf-/ テーブルスピーチ《◆英米では食後にするのがふつう. ×table speech は誤り》.
af·ter·ef·fect /ǽftərifèkt | ɑ́ːf-/ [名] ⓊⒸ [しばしば ~s] **1** 余波, なごり;悪影響, 後遺症. **2** [医学] (薬などの)後作用[効果](病気などの)後遺症.
af·ter·glow /ǽftərglòʊ | ɑ́ːf-/ [名] Ⓤ [通例 (the) ~] **1** 夕ばえ, 夕焼. **2** 残光. **3** (過去の)快い追想[思い出], 余韻, 名ごり.
af·ter·im·age /ǽftərìmidʒ | ɑ́ːf-/ [名] Ⓒ [心理] 残像.
af·ter·life /ǽftərlàif | ɑ́ːf-/ [名] **1** [the ~] 来世, あの世. **2** Ⓤ [通例 one's ~] 晩年, 余生.
af·ter·math /ǽftərmæθ | ɑ́ːf-/ [名] Ⓒ [通例 the/an ~]（災害・戦争などの）余波, 結果, 落し子；余波の続く期間 ‖ Many investors were ruined in the *aftermath* of the financial crisis. その金融危機のあおりを受けて多くの投資家が破産した.

‡af·ter·noon /ǽftərnúːn | ɑ́ːf-/《◆名詞の前で用いるときはふつう /=/》[[noon (正午) の後(after). → noon]]
——[名] (⑱ ~s/-z/) **1** ⓊⒸ **午後**《◆正午から日没[午後6時]までの時間》;[形容詞的に] 午後の ‖ a cold December *afternoon* 12月のある寒い午後 / *this* [*tomorrow*] *afternoon* きょう[あした]の午後 / She died *yesterday afternoon*. 彼女はきのうの午後亡くなった《◆以上の2例のような句は前置詞をつけないで副詞的に用いる. →文法 21.6(1)》‖ *in* [*during*] *the afternoon* 午後に / *on* Sunday *afternoon* 日曜日の午後に / *on the afternoon of* June 6th 6月6日の午後に《◆以上の2例のように特定の日の「午後に」は on》. **2**《主に米》[~s; 副詞的に] 午後は(いつも) (in the afternoons).
áfternoon páper 夕刊.
áfternoon shów (テレビの)午後の映画ショー《ホームコメディー, お涙ちょうだい劇など》.
áfternoon sléep [náp] 午睡.
áfternoon téa《正式》午後のお茶；午後の集い《◆ホ

af·ters /ǽftərz | ɑ́:f-/ 图 ①《英略式》デザート(dessert).

áf·ter-sàle(s) sérvice [sérving] /ǽftərseil(s)- | ɑ́:f-/《主に英》アフターサービス《◆ ×after service は和製》.

af·ter·shave /ǽftərʃèiv, ɑ́:f-/ 图 UC =aftershave lotion. **aftershave lótion** アフターシェーブローション《ひげそりあとの化粧水》.

af·ter·shock /ǽftərʃɑ̀k | ɑ́:ftəʃɔ̀k/ 图 CU 余震《時に比喩的に用いる》.

af·ter·taste /ǽftərtèist | ɑ́:f-/ 图 UC《通例単数》あと味, あと口《◆比喩的にも用いる》.

af·ter·thought /ǽftərθɔ̀:t | ɑ́:f-/ 图 UC **1** あとから思いついたこと, 考え直し, 再考. **2** あと知恵; 追加した物 ‖ as an *afterthought* 考え直した結果 / on an *afterthought* 考え直してみると.

†**af·ter·ward(s)** /ǽftərwəd(z) | ɑ́:f-/ 副 あとで(later); その後, 以後(subsequently) ‖ They lived happily *ever afterward(s)* [after]. それからずっと幸せに暮らしました《◆童話の終わりによく使われる文句》/ two weeks *afterward*(s) 2 週間後に(=two weeks later [after that]) / shortly *afterward*(s) [after] その後まもなく(=shortly after that) / I had supper, and *afterwards* [×after], I went to bed. 私は夕食を食べて, そのあと床についた.

af·ter·word /ǽftərwə̀:rd/ 图 C《主に著者以外の人による》あと書き.

Ag《記号》《化学》銀(silver)《◆ラテン語 argentum より》.

‡**a·gain** /əgén, əgéin/《◆**1** では強勢を受けるが, **2** では弱強勢》《原義「向かいあって」→「反響して」「繰り返して」》

——副《◆比較変化しない》**1** 再び, もう一度, さらに;《別の事柄を述べる際に》この場合もまた [やはり] ‖ *all over again* 始めからもう一度 / never [not ever] *again* 二度と…しない /《the》*same again*《注文して》お代わり / He will never *again* be able to use a gun. 彼は二度と銃を使えない / Here you come *again*. やっぱり来たのね / 《対話》"I forget his name. What was his name *again*?(↗)" "Martin Van Buren."「彼の名前を忘れました, もう一度聞きますが, 名前は何といいましたか」「マーティン・ビューレンです」《知っていることが今思い出せない場合》/ "I lost your book." "Oh, not (↘) *again* (↗)!" 「君の本をなくしたよ」「あーあ, またか」.

2 /əgén/ もとの状態へ ‖ come back *again* もとへ帰る, 帰宅する / *to and fro again* 行きつ戻りつ, あちらこちらへ / She is herself *again*. =She has got well *again*. 彼女は(病気[ショック]から立ち直って)もと通り元気になった.

3《文頭で; (and) then ~ で》その上に, さらにまた; ところが,《しばしば and ~, but ~, or ~ の形で》しかし)また一方では ‖ *Then again* (↘), do not forget to mail the letter. それまた手紙を出すのを忘れないでください / I might do it. *Or again* [Or else] I might not. それをするかもしれぬ, またしないかもしれない / I thought you told me about it, *but again* it could have been Tom. そのことを言ってくれたのは君だと思ったが, でもひょっとしてトムだったかもしれない / *Again* (↘), why didn't you come? もう一度聞くが, なぜ来なかったのか(=I ask you *again*, …).

agáin and agáin 何度も何度も ‖ I told him

again and again to pay off his debts. 私は彼に借金をきれいに返すようにと何度も言った.

as lárge agáin《as **A**》《〈対象〉よりもさらに(again) 同じだけ大きい》(**A** の)2倍の大きさの, さらに同じ大きさ(だけ)の《(**1** as many again (as **A**)「(**A** の)2倍の数の」, as much again (as **A**)「(**A** の)2倍の量の」, as long again (as **A**)「(**A** の)2倍の長さの」のようにもいう. (2)「1倍半」は hálf as lárge *agáin*《as **A**》.

once again → once 圓.

‡**a·gainst** /əgénst, əgéinst/《「2つの力が対立して緊張している状態」が本義》

index **1** …に反対して **2** …によりかかって **4** …を背景にして **5** …に不利に

——前 **1** [対抗する運動・行為] …に反対して, …に対抗[抵抗, 敵対]して; …に反して, …に逆らって ‖ *fight against* the enemy 敵と戦う / *struggle against* poverty 貧困と戦う / *act against* one's *will* [*conscience*] 自分の意志[良心]に反したふるまいをする / *row against* the current 流れに逆らってこぐ / Are you *for* or *against* the plan [candidate]? その計画[候補者]に賛成ですか反対ですか(→ for 前 **5**) / *That's against the rule.* それはルール違反だ / We are *against* working overtime. 我々は超過勤務[時間外労働]には反対です / have something *against* living alone ひとり暮らしに反対である, ひとり暮らしが嫌いである.

2 [接触・圧迫・衝突] …に対して, …に押しつけて, …にもたれて, …にぶつかって ‖ run *against* [*into*] a wall〈車が〉塀に衝突する《◆ into ではめり込む感じを伴う》/ place one's ear *against* [*to*] a wall 壁に耳を押し当てる《◆ against では強く, to では軽く当てる感じ》/ lean *against* [*on*] the door ドアにもたれる.

3 [防御・準備] …から防いで, …しないように; …に備えて ‖ an inoculation *against* yellow fever 黄熱病の予防接種 / save money *against* a rainy day《古》まさかの時に備えて金を貯える《◆ for がふつう》/ I bought warm clothes *against* [*for*]《the》winter. 冬に備えて暖かい衣類を買った《◆ take precautions *against* … など特定の連語以外では for がふつう》.

4 [比較・対照] …と比較[対比]して; …を背景にして ‖ The church stood out clearly *against the blue sky*. その教会は青空を背景にくっきりそびえていた / The yen has suddenly risen *against* the dollar. 円はドルに対して急激に高くなった.

5 [不利益]〈人に〉不利に[な], …に都合悪く[い]《主に略式》on)‖ the evidence *against* him 彼に不利な証拠 / His age is *against* him. 彼は年齢の点で損をしている, 彼は年齢ではだめだ.

6 …から差し引いて ‖ I wrote two checks *against* my bank account. 銀行口座から2枚の小切手を書いた / The loan was an advance *against* my salary. ローンは私の給料から差し引いて前払いされた.

as against → as 前.

over against → over 前.

Ag·a·mem·non /æ̀gəmémnɑn, -nən/ 图《ギリシア神話》アガメムノン《トロイ戦争のギリシア軍総大将》.

a·gape /əgéip/ 形 副《驚いて》口をぽかんとあけた[て]; […に/…で] 非常に驚いた[て] 《at/with》.

†**ag・ate** /ǽgət/ 名 **1** Ⓤ《鉱物》めのう. **2** Ⓒ めのう[ガラス]のビー玉《◆ Scotch pebble ともいう》.

Ag・a・tha /ǽgəθə/ 名 アガサ《女の名.《愛称》Aggie》.

‡**age** /éidʒ/ 《個人の生存期間を表す「年齢」が本義》
⑱ aged

index 名 **1** 年齢 **2** 成年 **5** 時代

――名 (複 ~s/-iz/) **1** ⓊⒸ **年齢**, 年《◆人とだけでなく, 動植物・物にも用いる》‖ mental *age* 精神年齢 / You're just my *age*. 君はちょうど私と同じ年齢です / *at* your *age* あなたの年齢では / I have a daughter (*of*) your *age.* =I have a daughter the same *age* as you. 私にはあなたと同い年の娘がいます / look [show] one's *age* 年相応に見える; 年とって[疲れて]いるように見える / people *of all ages* あらゆる年齢の人たち / *be of an age when* one talks back to one's parents 親に口答えする年齢である / live to a great *age* 長生きする / What was his *age* when his father died? 彼の父が亡くなったとき彼は何歳でしたか(=How old was he when …?) / He is nine years *of age*. 彼は9歳です(=《略式》He is nine (years) old.) = He is a nine-year-old boy.) / He died ¹*at the age of* 70 [《米》*at age* 70]. 彼は70歳で亡くなった(=He died when he was 70 years old.) / The *age* of this church is 100 years. この教会が建ってから100年になる(=It is 100 years since this church was built.) / She looks young for her *age*. 彼女は年のわりには若く見える.

2 Ⓤ **成年**; 規定の年齢‖ *be* [*cóme, *become*] *of áge* 成年である[成年に達する](→ adult 名) / the *age* for a driver's license 運転免許証が取れる年齢 / be of driving *age* 運転できる年齢である / be under *age* 未成年である; (規定の)年齢に達していない / 《日本発》Coming of Age Day is a holiday celebrating men and women who have reached the age of 20. 成人の日は, 満20歳になった男女を祝う日です.

3 Ⓤ **高齢, 老齢 (old age)**《ふつう65歳以上》; 《集合名詞; 複数扱い》老人たち (the aged) ‖ *youth and age* 老いも若きも / the wisdom of *age* 年の功 / My grandfather is weak *with age*. 私の祖父は年をとっているので弱っている.

4 Ⓤ **寿命**, 一生; (一生の)一時期; Ⓒ 世代‖ the *age* of man 人間の寿命 / the *age* of adolescence 青春期 / a person of full [middle, old] *age* 成年[中年, 老年]の人 / *ages* yet unborn = future *ages* 後世の人々 / women of childbearing *age* 出産適齢期の女性 / a rather difficult *age* 難しい年齢.

5 Ⓒ [通例単数形で; しばしば A~; the ~] **…時代, 時期**《◆ふつう era より長い》‖ the Iron *Age* 鉄器時代 / the Middle *Ages* 中世 / the nuclear *age* 核の時代.

6 Ⓤ [しばしば ~s] **長い間**《◆a long time の誇張表現》‖ It's [It has been] *ages* [an *age*] since I saw [have seen] you last. =I haven't seen you for [《米》in] *ages* [an *age*]. たいへんお久しぶりですね.

be [*áct*] *one's áge*《略式》[通例直接・間接の命令で] 年相応に(区別のある)ふるまいをせよ.

cóme of áge (1) → 名 **2**. (2) 十分発達する.

――動 (ag(e)・ing) 自《人》が年をとる, ふける; 《物》が古くなる‖ You're *aging* like fine wine. [ほめて] 君はいいワインのように年を重ねてきたね. **2**《酒・チーズなど》が熟成する.

――他 **1**《人》をふけさせる;《物》を古くさせる‖ Worries *aged* him rapidly. 心配のあまり彼は急にふけこんだ. **2**《酒・チーズなど》を熟成させる, 寝かす.

áge brácket =age-bracket.
áge discriminàtion《米》=ageism.
áge gróup =age-group.
áge lìmit 年齢制限, 定年.
-age /-idʒ, -áiʒ/《語要素》→語要素一覧(2.2).
age-brack・et /éidʒbrækət/, **áge brácket** 名 Ⓒ (何歳から何歳までといったような)年齢層[範囲].
†**aged**¹ /éidʒd/ 形 **1** [数詞の前に置いて] …歳の[で]‖ a man *aged* 40 (years) 40歳の男(=a 40-year-old man) / die *aged* eighty 80歳で死ぬ. **2**《酒・チーズなどが》熟成した, 年数を経た, まろやかになった‖ *aged* wine 熟成したワイン.
†**ag・ed**² /éidʒid/ 形 (*more* ~, *most* ~)《正式》[しばしば感動をこめて] 老いた, 年とった(very old); [the ~; 集合名詞的に; 複数扱い] 老人‖ my *aged* father 老いた私の父.
age-group /éidʒgrùːp/, **áge gròup** 名 Ⓒ [単数・複数扱い] 同一[特定]年齢の集団 (cf. age-bracket).
age・ing /éidʒiŋ/ 名《英》=aging.
age・ism /éidʒizm/ 名 Ⓤ 年齢[特に高齢者]差別《◆若者向け差別・偏見にも用いられる》.
age・ist /éidʒist/ 名 Ⓒ 年齢層差別主義者.
age・less /éidʒləs/ 形 不老の; 永遠の.
†**a・gen・cy** /éidʒənsi/ 名 **1** ⓊⒸ (…の)代理店, 取次店; 代理業(者); 代理権, 代理業務[機能][for]‖ an insurance *agency* 保険代理店 / a travel *agency* 旅行代理店. **2** Ⓒ《主に米》(政府などの行政上の)機関, 独立行政法人;…庁, 局; 課(ゕ) 報部‖ the Central Intelligence *Agency* 米国中央情報局《◆ 略 CIA. 遠回しには the *Agency* という》. **3** Ⓤ《正式》媒介, 仲介, 周旋‖ *by* [*through*] his *agency* 彼の仲介で[世話で]. **4** Ⓒ《正式》[通例 the ~] 作用, 働き (power); 手段‖ *the agency of* fate 運命の力.
a・gen・da /ədʒéndə/ 名 (複) (単数形) **-dum**/-dəm/) Ⓒ [本来は複数形だが通例単数扱い] **1** 協議事項, 議事(日程(表)), 議題; (行動の)指針《◆本来複数形だが, agendas, agendums という複数形も用いられる》‖ *be* (high) *on the agenda*(重要な)協議事項[(検討)課題, 計画]となっている. **2** カレンダー, 手帳. **3** (世間の話題になっている)事項, 関心事.
†**a・gent** /éidʒənt/ 名 Ⓒ **1** (…の)代理人, 代理店, 特約店; 仲介者, 周旋人, (窓口の)係員[for]《◆代理業務(の場所)は agency》‖ an insurance *agent* 保険外交員 / ¹a publicity [an advertising] *agent* 広告代理店 / a travel *agent* 旅行代理店. **2**《正式》行為の主体. **3**(反応・変化などを起こす)力, 作因, 動因; 手段, 媒介, 媒体; 薬品, 作用剤, …剤‖ cancer-causing *agents* 発がん物質 / sarin and other nerve *agents* サリンや他の神経剤 / Yeast acts as an *agent* in making bread rise. イースト菌はパンをふくらませる際の作用剤(ざ)です. **4** 政府の職員, 法の執行官《警官・刑事など》; 秘密情報員 (secret agent), スパイ‖ an FBI *agent* 連邦捜査局員 / a double *agent* 二重スパイ. **5**《文法》行為者, 動作主.
a・gent pro・vo・ca・teur /àːʒɑːŋ prouvàkɑtə́ːr | ǽʒɔŋ prɔ-/《フランス》名 (複 **agents provocateurs** /~, -z/) Ⓒ (警察の)囮(ぉと).

ag·glom·er·ate /əglɑ́mərèit/ /əgl5m-/ 動 形 -ərət/ 動他 …をかたまりにする. ― 自 かたまりになる. ― 名 [単数扱い] 火山岩. ― 形 かたまりの, 集まった. **ag·glom·er·á·tion** 名 ⓒⓊ かたまり, (異質な物同士の)集まり.

ag·gran·dize, 《英ではしばしば》 **--dise** /əgrǽndaiz, ǽgrəndàiz/ 動他 1 …を拡大[増大]する, 高める. 2 …を(実際よりも)強大[誇大]にみせる.
ag·grán·dize·ment 名 Ⓤ (好ましくない)増大.

†**ag·gra·vate** /ǽgrəvèit/ 動他 1 〈悩み・病気などを〉さらに悪化させる; 〈負担・困難などを〉さらに重くする. 2 〈人を〉怒らせる, 悩ます. **ág·gra·vàt·ing** 形 腹立たしい, いやな. **ág·gra·vàt·ing·ly** 副 腹立たしく.
ag·gra·va·tion /ǽgrəvéiʃən/ 名 1 Ⓤ (病気などの)悪化; (悩み・苦痛などの)激化. 2 ⓒ 悩みの種. 3 Ⓤ (略式)腹の立つこと, 腹だたしさ; いら立ち.

†**ag·gre·gate** /ǽgrigèit/ 形 名 -gət/ 動他 1 (正式)〈ひとまとめに〉…を集める. 2 (略式)総計…となる ‖ Admission charges *aggregated* $2,500. 入場料は総計2500ドルになった. ― 自 (正式)集まる.
― 形 (一団に)集合した, (植)〈花・実が〉集合花[果]の; 総計の ‖ *aggregate* demand 総需要.
― 名 Ⓤ 1 集合体(mass); 総計, 合計(total) ‖ in (the) ággregate 全体として, 総計で / on *aggregate* 総計すると. 2 Ⓤ (正式)(建築)〈時に an ~〉骨(ミミ)石, 砂利.

†**ag·gre·ga·tion** /ǽgrigéiʃən/ 名 (正式) 1 Ⓤ 集合[集成](すること). 2 ⓒ 集合体, 集団.

†**ag·gres·sion** /əgréʃən/ 名 ⓊⓒⒾ 1 (不当な)攻撃; (他国への)侵略(行為). 2 〈権利などに対する〉侵害 〔on, upon〕. 3 (心理)攻撃, 攻撃性; 敵対(心).

†**ag·gres·sive** /əgrésiv/ 形 1 攻撃的な, 侵略的な; けんか好きな(↔ defensive). 2 活動的な, 精力的な; 積極的な《米国人の国民性の1つとされる》‖ You have to be *aggressive* to succeed. 出世するためには積極的な人間でなければならない. 3 自信たっぷりな, 独断的な. **ag·grés·sive·ly** 副 攻撃的に. **ag·grés·sive·ness** 名 Ⓤ 攻撃性, 積極性.

ag·gres·sor /əgrésər/ 名 ⓒ 攻撃者[国], 侵略者[国]. **aggréssor nátion** [cóuntry] 侵略国.

†**ag·grieve** /əgríːv/ 動他 1 (正式)〈通例 it を主語として〉〈人を〉(不当に)苦しめる, 悩ます; 〈be ~d〉〈人が〉…で悩む〔at, by, over〕‖ I was *aggrieved* at my wife's misunderstanding of me. 私は妻が私を誤解しているので悩んだ. 2 (法律)〈権利侵害などで〉〈人を〉不当に苦しめる.

ag·gro /ǽgrou/ 名 (英俗)けんか, 攻撃; (わざと仕組んだ)もめごと, 問題.

†**a·ghast** /əgǽst/ 形 […で](恐怖・驚嘆のあまり)仰天して(shocked)〔at〕.

†**ag·ile** /ǽdʒl/ /ǽdʒail/ 形 1 すばやい, 身軽な; 機敏な, (頭の回転が)速い. 2 生き生きして活気のある. **ág·ile·ly** 副 すばやく, 生き生きと.

†**a·gil·i·ty** /ədʒíləti/ 名 Ⓤ 軽快さ, 機敏.

ag·ing, (英) **age·ing** /éidʒiŋ/ 名 動 → age.
― 形 年老いてくる, 老化の, 高齢化; 熟成.
― 形 (非常に)年老いた, 高齢(化)の, 老(朽)化した ‖ your *aging* mother あなたの年老いたお母さん / an *aging* society 高齢化社会 / an *aging* people 老人人口 / 日本発》With the number of elderly people gradually increasing and a declining birthrate, Japan will soon have an *aging* society like those of Europe and America. 次第に老人の数が増え出生率が低下して, 日本は近いうちに欧米型の高齢化社会になるだろう.

†**ag·i·tate** /ǽdʒətèit/ 動他 1 …を激しく(揺り)動かす, かきまわす(shake), (規則的に)動かす ‖ A sudden wind *agitated* the surface of the pond. 突然の風で池の水面が波立った. 2 《正式》〈心・感情などを〉かき乱す, 〈人を〉興奮させる; 〈群衆を〉扇動する.
― 自 (…のために/…に対して)世論をかきたてる, 扇動する, アジる〔for/against〕.
ág·i·tàt·ed·ly 副 動揺[興奮]して.

†**ag·i·ta·tion** /ǽdʒətéiʃən/ 名 1 Ⓤ (人心の)動揺, 興奮; (政治的・社会的)不安 ‖ I cried for help in (a state of) great *agitation*. 私は非常に動揺して助けを求めて叫んだ. 2 ⓊⒸ 世論に訴えること, 扇動; […に賛成の/…に反対の]社会[政治]運動, 論議〔for/against〕.

†**ag·i·ta·tor** /ǽdʒətèitər/ 名 1 扇動者; (政治上の)運動家. 2 攪拌(ホミメ)器《洗濯機など》.

a·git·prop /ǽdʒitpràp/ -pr5p/ 名 (社会主義の扇動・宣伝のための)音楽, 文学, 美術.

a·gleam /əglíːm/ 形 きらめく. ― 副 きらめいて.

a·glit·ter /əglítər/ 形 きらきら輝いて.

a·glow /əglóu/ 形 《文》[…で]赤く輝いて, (興奮などで)赤らんで(glowing)〔with〕.

AGM (略) air-to-ground missile 空対地ミサイル; annual general meeting (英)年次総会.

Ag·nes /ǽgnis/ 名 アグネス《女の名. 愛称 Aggie》.

ag·nos·tic /ǽgnɑ́stik/ -n5stik/ 形 名 (哲学・神学)不可知論の, 不可知論者(の) (cf. atheist).
ag·nós·ti·cism /-tisizm/ 名 Ⓤ 不可知論.

☆**a·go** /əgóu/ 《(過去の方)へ(a)行く(go)》
― 副 1 [期間を表す語を前に置いて](今から)…前に (↔ in) ‖ two years *ago* 2年前に / *not long ago* つい先ごろ / two weeks *ago* today 2週間前の今日 / long *ago* =a long time *ago* ずいぶん前に ◆(1) 後者の方がふつう. (2) 次の表現は物語の始めなどによく使われる: Long, long ago, there lived a little boy called Jack. 昔々, ジャックという少年がいました / 対話》"How long *ago* did I see you last?" "Two months *ago*." 「この前お会いしたのはどのくらい前ですか」「2か月前です」/ no longer *ago* than last Sunday ついこの前の日曜日に(=as recently as last Sunday). 2 [位置を表す語を前に置いて]…前に ‖ two pages [chapters] *ago* 2ページ[章]前に.

> **語法** (1) *ago* は「(今から)…前の(時点で)」の意味であるから動詞の時制は原則として過去形であり, 現在完了形と共には用いない(→文法 6.1): I saw [×have seen] him an hour *ago*. 1時間前に彼と会った(cf. He must have died years *ago*. 彼はきっと何年も前に亡くなったのでしょう).
> (2) *ago* は「今」を基準にして「…前」をいうのに対し, *before* は過去の一時点からみて「…前」をいう.

a·gog /əgɑ́g/ /əg5g/ 形 〈通例 all ~〉[…で]大騒ぎして, 熱狂して〔with, at〕; […したくて]うずうずして〔to do〕.

†**ag·o·nize**, 《英ではしばしば》 **--nise** /ǽgənàiz/ 動 自 1 […で]ひどく苦しむ, 真剣に悩む〔over, about〕. 2 必死に努力する. ― 他 〈人を〉ひどく苦しめる ‖ *agonize* oneself 苦悩する. **ág·o·nìzed** 形 苦しそうな.

ag·o·niz·ing /ǽgənàiziŋ/ 名 Ⓤ 形 苦しい[苦痛](を与える), 苦闘(させる). **ág·o·nìz·ing·ly** 副 苦しんで; 苦しいことに.

†**ag·o·ny** /ǽgəni/ 名 ⓊⒸ 1 (ふつう長く続く肉体的・精

神的な) 激しい苦痛 (◆pain よりも強い)‖ The wounded soldier was lying *in agony*. けがをした兵士が横になって苦しんでいた / the *agony* of a severe toothache 激しい歯痛の苦しみ. **2** [時にagonies] 死の苦しみ; [the A~] 受難前のキリストの苦しみ ‖ the *agonies* of death =mortal (death) *agony* 死にぎわの苦しみ. **3** 奮闘[苦闘](すること). **4** (感情の)激発, きわみ.

píle [**pút, túrn**] **òn the ágony** 《英略式》悲惨なことを大げさに言う; 誇張して言う.

ágony àunt [**còlumnist**] 《英略式》=advice columnist.

ágony còlumn 《英略式》(1) (新聞の)私事広告欄 (personal column) 《尋ね人・死亡・遺失物・慈善行事など》. (2) =advice column.

ag·o·ra·pho·bi·a /ˌæɡərəfóubiə/ 《名》《心理》広場[臨場]恐怖(症) (cf. claustrophobia).

ág·o·ra·phó·bic 《形》 広場[臨場]恐怖(症)の.

a·grar·i·an /əɡréəriən/ 《形》 **1** 土地所有「所有権分配]に関する. **2** 農民[農業]の進歩向上に関する.

a·grár·i·an·ism 《名》《U》 土地均分論[運動].

***a·gree** /əɡríː/ 《『議論したりなどして合意に達する』が本義》 《派》 agreeable (形), agreement (名)
──《動》 (~s/-z/; 過去・過分) ~d/-d/; ~·ing)
──《自》 **1** 《人が》(決定権があって)**同意する**, 賛成する ‖ I asked him to come with me and he *agreed*. 私が彼について来てくれるよう頼んだところ彼は承知してくれた / *Agreed!* よろしい, 同感 (◆しばしば握手をしながら言う).

2 [agree to do / agree doing] ⋯することを認める ‖ We *agreed to* start early. 我々は早く出発することに同意した (→ 他).

3 《人と》仲よくやっていく (+*together*) (*with*) ‖ The people in the office will never *agree*. あの会社の人たちは決してうまくやっていけないだろう.

4 《文法》 (⋯と/人称・性・数で)一致する (*with/in*).
──《他》 《主に英》 ⋯を承認する, 認める (◆もと会計用語); [⋯であることに]**同意する**((*that*)節) ‖ *agree* his return of income 彼の所得申告を承認する / *We agreed* [《正式》*It was agreed*] *that* we (*should*) start early. 我々は早く出発することに合意した (=We *agreed to* start early.) (◆*should* を用いるのは《主に英》. → *should* 《助》**6**) / I *agreed with* them *that* we should try again. 再びやってみるべきだという彼らの意見に私は賛成した / Medical experts *agree that* ultraviolet rays are the chief cause of skin cancer. 医療専門家は紫外線が皮膚がんの主原因だと認めている.

agrée on [**abóut**] **A** 《事に意見がまとまる》‖ We [×I] *agree on* this point. この点ではあなたと同意見です / We *agreed on* a date for our next meeting. 次の会合の日取りを決めた / We don't *agree about* [*on*] the dog. その犬のことで我々は意見が合わない.

agrée to disagrée [**díffer**] 《『意見が異なることを認める』》 意見の相違を相違として認め争わない, 見解の相違(ということ)を《友好的に打ち切る決まり文句. 主語はふつう複数》.

agrée to 《提案・要請などに同意する, 賛成する》 ‖ *agree to* his proposal [plan] 彼の提案[計画]に同意する(◆×agree to him は不可) / *agree to* her marry*ing* John 彼女とジョンとの結婚に同意する.

agrée with A (1) 《人》と意見が一致する; 《人・考え・

意見・説明など》に賛成の意を表す‖ 《対話》 "Let's put off the game." "I *agree with* you [what you say]." 「試合を延期しましょう」「あなたのおっしゃることに賛成です」/ Oh, I don't know if I *agree with* you. どうも賛成しかねます (◆I don't *agree with* you. や I disagree. の遠回し表現. I won't *agree*. 《ちょっと賛成しにくい》です) / I *agree with* [×*to*] your argument [opinion] on this point. この点ではあなたと同意見です. (2) [通例否定文・疑問文で] ⋯(の風土・気候・食物など⋯(の体質)) に合う ‖ Mutton doesn't *agree with* me. 羊の肉は私の体質に合わない / This climate here doesn't *agree with* me. この気候にはなじめない. (3) 《物・事が》⋯に一致する, 符合する ‖ His report doesn't *agree with* the facts. 彼の報告書は事実と一致しない. → 《自》**3**, **4**.

I cóuldn't agrée (**with A**) **léss.** 《これより少なく賛成しようとしてもできない(賛成の度合いが0%を示す仮定法表現)》 《人に》絶対に反対だ (◆I couldn't *agree with* **A**) more. は「まったく賛成だ」の意).

†**a·gree·a·ble** /əɡríːəbl/ 《形》 (↔ disagreeable) **1** 感じのよい, 愛想のよい, 愛嬌のある (◆pleasant よりも弱い); [⋯の]好み[性]に合う(*to*) ‖ an *agreeable* voice 耳に快い声 / an *agreeable* smile 明るい微笑 / an *agreeable* girl 感じのいい少女 / an occupation *agreeable* to one's tastes 自分の趣味に合った職業. **2** 《正式》 [⋯に] 同意[賛成] する, 乗り気で(*to*) ‖ Are you *agreeable to* our plan? 私たちの計画に賛成してくれますか (◆Do you agree to our plan? がふつう) / I'm quite *agreeable* to doing my duty. 喜んで私の義務を果たしましょう (◆*agreeable* to do は《非標準》). **3** [⋯に]一致する, ふさわしい, ぴったりの(*to, with*) ‖ music *agreeable to* the occasion その場にふさわしい音楽.

†**a·gree·a·bly** /əɡríːəbli/ 《副》 快く, 楽しく ‖ be *agreeably* surprised うれしい驚きである.

a·greed /əɡríːd/ 《形》 **1** 協定した, 決められた ‖ the *agreed* price 協定価格. **2** 同意した, 同意見である; 許された. **3** 《正式》《人が》⋯であることに〕同意している《*that* 節); 《人が》[事に]意見が一致して[まとまって]いる(*on*, *about*) ‖ The jurors were *agreed on* their verdict. 陪審員の評決は一致していた.

***a·gree·ment** /əɡríːmənt/
──《名》 (複 ~s/-mənts/) (↔ disagreement) **1** 《U》 [⋯についての/⋯という](意見などの)**一致**, 調和 [*on, upon, about / that* 節]; [⋯との]同意, **合意** (*with*) (↔ disagreement) ‖ by tacit *agreement* 暗黙の了解で / reach *agreement on* [*about*] *that* point その点についての意見が一致する, 合意する / She is *in* partial [hearty] *agreement with* this decision. 彼女はこの決定に部分的に[すっかり]同意している.

2 《C》 [⋯との/⋯に関する/⋯という] **協定**, **契約** (*with / on, about / that* 節) (◆国家間の条約(treaty), 個人の契約(contract)を含む) ‖ an *agreement* to rent a house 家の賃貸契約 / make [arrive at, come to, reach] *an agreement with* their employers *about* wages 経営者と賃金契約を結ぶ.

3 《U》 《文法》 (性・数・格・人称の) 一致, 呼応 (concord) (cf. the SEQUENCE of tenses).

ag·ri·bus·i·ness /ˈæɡribìznəs/ 《名》《C》《U》 農業関連産業.

ag·ri·chem·i·cal /ˈæɡrikèmikəl/ 《名》《C》(通例 ~s) 農薬.

†ag·ri·cul·tur·al /ˌæɡrɪkˈʌltʃ(ə)rəl/ 〖形〗 農業の, 農業に関する; 農事[農芸]の; 農学の ‖ an *agricultural* labourer 《英》農業労働者/《米》farmhand) / *agricultural* products 農産物 / an *agricultural* technique [college] 農業技術[大学].
agricúltural chémicals 農薬.

†ag·ri·cul·ture /ˈæɡrɪkʌltʃər/ 〖名〗 ⓤ 農業, 農耕《◆ farming が日常語》; 農芸, 農学 ‖ a type of *agriculture* 農耕の形態 / highly modernized *agriculture* 高度近代化農業.

a·ground /əˈɡraʊnd/ 〖副〗〖形〗 **1** 座礁して[した] ‖ run [go] *aground* 座礁する. **2** 困窮して(いる).

***ah** /ɑː/ 〖同音〗are 《英》
──〖間〗**1** ああ, あれ 《驚き・悲しみ・賞賛などを表す. 発見・確認・納得などの反射的反応や話中に間を置くのに用いる. イントネーションは下降調》‖ *Ah* (↘), me! ああ悲しい[驚いた]! / *before you can say* '*ah*' あっという間に / *Ah*, thére (↘) you áre (↗). ああ, ここにいたのか《◆ ah は「話し手が前もって考えていたことが実現した驚き」に,「予想外の驚き」に用いる》. **2** えーと, あのー《◆ 言いにくいことを言う時のためらいを表す》‖ *Ah* ... do you have anything for, *ah* ... diarrhea? えーと, 下痢の薬はありますか.

a·ha /ɑːˈhɑː, əhɑː/ 〖間〗 (あ)はあ!, (ほ)ほう!, わかった! 《驚き・満足・勝利・発見・伝達内容を理解したことを表す》‖ *Aha*, so you decided to leave that place. ああ, それでそこから去ることにしたわけだ.

***a·head** /əˈhed/ 〖頭(head)の方向に(a)〗
──〖副〗**1** 〖*A* **of** *B* で *A* が *B* の前を明らかなまたは *A* が省略された用法〗(位置的に)前方に[へ, の](↔ behind), 行く手に; 先に立って, 〖レースのトップで〗; [名詞の後で] 前方の《◆ ふつう進行方向の前方の意. in front of は ふつう静止したものの前の意》‖ The road *ahead* is blocked by a fallen rock. これから先の道路は落石でふさがれています / Full speed *ahead*! 〖海軍〗全速前進! / I went *ahead* on the road. 私は先頭に立って道を歩いた《◆ *ahead of the others* の省略表現》/ The station is dead *ahead*. 〖略式〗駅はこのすぐ先だ / His new house is up the street *ahead* on the right. 彼の新築の家はこの通りを先に行った右側にあります.
2 (時間的に)先に, 先に; 前途に; (時間などで)早めて, 前もって, 将来に備えて; [名詞の後で] これから先 ‖ look *ahead* 前方を見る; 将来のことを考える / In spring Americans set their clocks one hour *ahead*. 春には米国人は(サマータイムで)時計を1時間進めます / Next time phone *ahead*. 次は前もって電話してください / Go *ahead* with this work. この仕事をどんどん進めなさい / in the years *ahead* これから何年かの間に[か経てば].
3 [比喩的に] 進んで, 有利な立場に, 進歩[成功, 出世]して; まさって, (金を)もうけて ‖ get *ahead* in business 商売で成功する / America is *ahead* in space technology. アメリカは宇宙技術において(他より)進んでいる. **4** (ゲームなどで)先行して[して] ‖ Our team is five points *ahead*. =Our team is *ahead* by five points. 我々のチームは5点リードしている.

ahéad of A (1) (位置的に) **A**〈人・物〉の前に[へ, を] (使い分け) → in FRONT of ‖ He walked *ahead of* me. 彼は私の前方を歩いた / The marathon runner saw the sign *ahead of* her. It said two kilometers to the finish. そのマラソン選手は前方の標識を見た. それにはゴールまで2 kmと書かれてあった. (2) (時間的に) **A**〈人・事・時刻〉より先に ‖ two hours *ahead of time* [schedule] 2時間予定[定刻]より早く / I arrived *ahead of* the others. 私は他の人たちより先に着いた. (3) 〈人・事〉より先に, よりまさって ‖ Socrates' ideas were far [well, way] *ahead of* ˈthe times [his time]. ソクラテスの思想は時代〖彼が生きていた時代〗よりもはるかに進んでいた.

gò ahéad《◆ しばしば Go right ahead》(1) → **1**, **2**. (2) [Go ~!] a) 〖話を促して〗話を始めてください; それで, その先は. b) 〖エレベーターなどに乗る際に〗お先にどうぞ. c) 〖米〗〖電話交換手の言葉〗お話しください. (3) 〈人・仕事などが〉進歩する, はかどる. (4) [命令文で] (許可を表して)どうぞ, いいですとも (certainly); さあ … しなさい 〖対話〗 "May I borrow this pen?" "Yes, go *ahead*." 「このペンをお借りしていいですか」「ええ, どうぞ」. (5) 〖略式〗自分の思いどおりにやっていく.

on ahéad 先に, 前もって ‖ go *on ahead* in her car 彼女の車で先に行く.

a·hem /mm/ 〖せき払いをするように〗, mˈhm, hm, əhém/ 〖間〗うふん, えへん《◆ せき払いの音. 人の注意を引いたり, 疑いを表したり, 話の間をとる時に発する. cf. hem²》.

a·hoy /əˈhɔɪ/ 〖間〗〖海事〗おおい《船員が他船に呼びかける声. hello 以前に電話の「もしもし」に使われた》‖ *Ahoy* there! =Ship *ahoy*! おおいそこの船よ!

AI 〖略〗 artificial intelligence 人工知能; artificial insemination 人工受精.

***aid** /eɪd/ 〖同音〗aide)
──〖動〗 (働) ~s/eɪdz/; (過去・過分) ~·ed/-ɪd/; ~·ing
──〖他〗〖正式〗**1 a** 〈人が〉〈人・物・事〉を[…で]助ける, 手伝う〖with, in〗; 〈団体を〉(財政的・物質的に)[…において]援助する〖in〗(→ help). 〖類語〗help よりも堅い語. assist と違い援助する人が援助される人より優位にある.「〈溺(ぉぼ)れている人を〉助ける, 救出する」のは rescue) ‖ We *aided* them in their war against the terrorism. 我々が彼らの対テロ戦争を援助した. **b** [aid **A** in doing]〈人・国・団体が〉… するのを援助する ‖ They *aided* us *in* fighting for higher wages and better working conditions. 彼らは我々の賃上げと労働条件改善のための闘争を援助してくれた. **2** …を助成する, 促進する ‖ This new medicine may *aid* your recovery. この新薬は君の回復を早めるかもしれない.

áid and abét → abet 〖他〗.
──〖名〗 (働) ~s/eɪdz/) **1** ⓤ (精神的・肉体的)手助け, 助力; (財政的)援助, 救援 ‖ go [come] to his *aid* 彼を助けに行く[来る]《◆ 所有格 his は「目的格関係」を表す. 次例は「主格関係」を表す: I asked his *aid*. 私は彼に助けを求めた》/ give *first aid to* the injured 負傷者に応急手当を施す / with [without] the *aid* of ... …の助けを借りて[借りずに] / British *aid* for victims of the Mexican earthquake メキシコ地震罹(ʳ)災者に対する英国の援助《◆ 新聞の見出しでは assistance, backing, help, support の代わりに多用される》.
2 ⓒ [複合語で] 助力者, 援助物; 助手《◆ 政府高官などの補佐官は aide). **3** ⓒ [複合語で] 補助物[器具] ‖ She doesn't hear well and wears a hearing *aid*. 彼女はよく聞こえないので補聴器をつけている. **4** ⓤ 救援物資《食糧・医薬品など》 ‖ food [medical] *aid* 救援食料[医療品].

in áid of A (1) 〈人などの〉助けとして. (2) 〖英略式〗[what と共に] いったい何のためですか (What ... for?) ‖ What's (all) this excitement *in aid of*? この興奮はいったいどうしたのか.

aide [軍事] 前線応急救護所.
áid wòrker (国際機関の)援助隊員.
†**aide** /éid/ (同音) aid) 名 C (主に米) **1** (ふつう政府高官などの)補佐官, 側近(closest aide). **2** [通例複合語で] 助手(◆ assistant の上品語法) ‖ a nurse's *aide* 看護助手.

†**aide-de-camp** /éiddəkǽmp | -kɑ́:mp/《フランス》名
(複 **aides-**/-éidz-/) C 〖軍事〗副官.

AIDS, Aids /éidz/〖acquired immunodeficiency [immune deficiency] syndrome〗名 U エイズ, 後天性免疫不全症候群(◆《正式》には HIV infectious disease を用いる. → HIV, P(L)WA)‖ *die* of [*from*] *AIDS* エイズで死ぬ / *contract AIDS* [HIV] エイズにかかる.

†**ail** /éil/ (同音) ale) 動 他《英正式》〈人〉を苦しめる, 悩ます. ―自《英古》[通例 **be ~ing**]〔…に〕わずらう〔*with*〕. **áil·ing** 形《英正式》(慢性的に)病気の, 病弱の; 悩んでいる; 不調の;〈経済・財政〉が健全でない.

†**ail·ment** /éilmənt/ 名 C (ふつう軽いまたは慢性の)病気, 不快(disease).

*****aim** /éim/ 〖「〖ねらう〗が本義〗
―動 (~s/-z/) (過去・過分) ~ed/-d/; ~·ing)
―他 **1** [aim A {at B}]〈人が〉〈人・物など〉に〈銃など〉を向ける;〈人が〉〈人などに〉 A〈言葉・行為など〉を向ける(◆後者の意味では at B は省けない) ‖ He *aimed* the basketball *at* the hoop and shot the ball. 彼は(バスケットボールを)リングにねらいを定めてシュートした / *aim* a stone *at* a dog 犬めがけて石を投げる / *aim* a protest *against* martial law 戒厳令に抗議する / a dictionary (which is) *aimed at* high school students 高校生向きの辞書 / The criticism was *aimed at* me. その非難は私に向けられたものであった.
2 [通例 be aimed at doing]〈計画などが〉…するように意図されている.
―自 **1** [aim to do / aim at doing]〈人が〉…することを目ざす; 努力する ‖ The swimmer *aims* 'to beak [*at* break*ing*] the world record. その水泳の選手は世界記録を破ろうとねらっている / I'm *aiming for* Bill to invite me to his party. 私はビルが私をパーティーに招待してくれることをねらっている / We *aim* to please.《商店・ホテルなどの宣伝文句》お客様にご満足いただけるように努力しております.
2〈人が〉〔…を〕〈ねらう(*at*); ねらって撃つ;〔…の〕獲得[達成]を意図する, もくろむ〔*at, for*〕;〔…〕を目ざして進む〔*for*〕 ‖ The hunter *aimed at* the bird but missed. その猟師は鳥を狙って撃ったが当たらなかった / *aim at* full victory 完全優勝をねらう / *aim for* directorship 重役の地位をねらう / *Aim* higher. 目標をもっと高いところに置きなさい.
―名 (複 ~s/-z/) **1** C 〔…における〕(特定の)目標; 目的, 意図(◆ intention 以上に努力を傾けることを含む) ‖ an *aim* in life 人生の目標 / *with* the *aim of* earning money 金をもうける目的で / achieve one's *aim* 目的を達する.
2 U ねらい;〔武器・話などを〕〔…に〕向けること〔*at*〕‖ *Take* (a) steady *aim at* the target. 的にぴったりねらいをつけて撃ちなさい.

aim·less /éimləs/ 形 目的[目当て]のない.
áim·less·ly 副 目的もなく. **áim·less·ness** 名 U 目的のないこと.

†**ain't** /éint/《非標準》[時に《略式》で] am [is, are] not の短縮形; 助動詞用法の have [has] not の短縮形 ‖ *Ain't* I right? おれの言うとおりじゃない(と言うの)か / I *ain't* seen him. 彼を見ちゃいねえよ(◆付加疑問・否定疑問の ain't は他の場合に比べ許容度が高い. これは ain't が am not の短縮形 amn't に由来するという語源的理由と, 他に適当な短縮形がないため). 語法 → aren't.

Ai·nu /áinu:/, **Ai·no** /áinou/ 名 (複 **Ai·nu**, **~s**) C U 形 アイヌ(族, 語)(の).

*****air** /éər/ (同音) heir) 〖「大気の下層部分」が原義〗
(派) **aerial** (形)

index 名 **1** 空気 **2** 空中 **3** 外見

―名 (複 ~s/-z/) **1** U 空気, 大気(◆生命の創造的息吹きで無限・天国・魂などを象徴する. atmosphere は地球を囲む大気)‖ Exhaust gas pollutes the *air*. 排気ガスは大気を汚染する.
2 [the ~] 空中, 空;(特定の場所の)空気, 外気;辺り(一面)(◆ in moist *air* (湿った空気中で)のように形容詞がつくと the が省略されることもある); あたり一面 ‖ The *air* of the countryside is cleaner than that of the city. 田舎(*いなか*)の空気の方が都会の空気よりきれいだ.
3 C [通例 an ~](人・物の特徴的な)外見(appearance), 様子, 雰囲気, (自信のある)態度; [~s] 気取った態度 ‖ She *has* an *air of* elegance (*about* her). 彼女には優雅な気品がある / *airs* and *graces* お上品ぶり, 高慢な態度 / do things *with* an *air* 自信に満ちて物事をやる / [*put on* [*assume, give oneself*] *airs* 気取る; お高くとまる, えらそうにする.
4 C 〖古〗〖音楽〗調べ, 旋律(tune); 歌曲, 詠唱(aria) ‖ old Turkish *airs* 古いトルコの曲.
5 U《米略式》エアコン(air conditioner). **6** [形容詞的に] 空気の; 航空(機)の, 航空(機)による; 空軍の ‖ an *air* accident 航空事故.

be full of hót áir ばかげたことを言う.

build a castle [castles] in the air → castle.

*****by áir** 飛行機で; 航空便で; 無電で.

cleár the áir《(ほこりや疑惑を)取り除いて空気をきれいにする(clear 他 **2**)》《略式》(1) 換気をする. (2) 疑惑[誤解など]を(話すことで)取り除く ‖ *clear the air* of rumors and guessing うわさやぼて推量の暗雲を払う.

disappéar into thín áir =vanish into thin AIR.

*****in the áir** (1) [時に up …](拡散して)空中に(in mid air) ‖ Rain is *in the air*. 雨が降りそうだ. (2)《略式》〈うわさなどが〉広まって, 取りざたされて; 〈不満・不安などが〉(人々の間に)広まって; 近々起こりそうで ‖ It's *in the air* that they may get married. あの2人が結婚するらしいといううわさだ.

in the ópen áir 戸外で[に].

líve on áir [比喩的に] かすみを食べて生きる.

óff (the) áir 放送されていない(↔ on (the) air)‖ go *off the air* 〈人・放送局が〉放送をやめる,〈番組・画像などが〉放送されなくなる.

ón (the) áir (定期的に)放送されて[して]; 放送中で(↔ off (the) air).

óver the áir 放送で, 放送によって.

táke the áir《やや古》(新鮮な空気を吸いに)外出する; 散歩[ドライブ]に出る.

úp in the áir 〖宙に浮いた状態で〗《略式》(1) 幸せで, 有頂天になって; うろたえて(◆ absolutely, completely, quite などと共に用いる). (2)《米略式》腹をたてて, 興奮して. (3)〈計画などが〉未決定で, 漠然と

して《◆still, very much などと共に用いる. in mid air ともいう》∥ Next month's schedule is *still up in the air.* 来月のスケジュールは未定です. (4)→ in the AIR (1).
vánish ínto thín áir (略式)完全に見えなくなる[手が届かなくなる].
──**動 他** 1 …を公表する, 議題にのせる, 〈知識などを〉見せびらかす ∥ *air* one's new ideas at parties あちこちのパーティーで自分の新しい考えを吹聴(ホュォ)する / *air* one's grievances 苦情を公にする. 2 (米)…を放送[放映]する(broadcast). 3 〈衣類などを〉空気[風, (主に英)熱]にあてて乾かす;〈部屋などの〉換気をする(+*out*) ∥ *Air* your room well on sunny days. 天気のよい日には部屋の換気をよくしておきなさい.
──**自** (米) 〈番組が〉放送される ∥ The documentary will *air* on ABC on Saturday. そのドキュメンタリーは土曜日に ABC で放送される.

áir áge [the ~] 航空機時代.
áir alèrt (空襲の)警戒警報[信号];(空襲に対する)待機飛行.
áir bàg エアバッグ, 空気袋《自動車の衝突時の衝撃をやわらげる》.
áir báll [ballòon] (おもちゃの)風船玉.
áir báse 空軍基地.
áir blàdder 〔魚〕浮き袋(swim bladder);〔動・植〕(特に海草の)気胞, 気嚢(ﾉｳ).
áir bràke (大型車の)空気ブレーキ.
áir càstle 空中楼閣;白昼夢.
Áir Chief Márshal (英)空軍大将.
áir còach (米)低運賃旅客機.
Áir Cómmodore (英)空軍准将.
áir condìtioner 空気調節[冷暖房]装置, エアコン《◆この意味では cooler は不可》.
áir conditioning 空気調節(装置), 冷暖房(装置)《◆「冷房中」の標示は Air Conditioned, Refrigerated, Cool Inside など. (略) ac, AC, a/c, A/C》∥ *air conditioning* units 空調設備一式, クーラー.
áir crèw =aircrew.
áir expréss 小荷物空輸(業, 料金);[集合名詞的に] 空輸小荷物.
áir fòrce 空軍(力) (略) AF.
Áir Fòrce Óne 米国大統領専用機.
áir fréshener 芳香剤.
áir gùn 空気銃;噴霧装置, スプレー(cf. airbrush).
áir hóstess エアホステス, スチュワーデス《◆今は flight attendant を用いる》.
áir intercèption 〔軍事〕空中迎撃.
áir làne 航路(略式 skyway).
áir lètter 航空便(の手紙) (airmail letter);(主に英)航空書簡, エアログラム(aerogram).
áir line =airline.
áir màil =airmail.
Áir Márshal (英)空軍中将.
áir máttress =airbed.
áir pòcket 〔航空〕エアポケット.
áir pollùtion 大気汚染.
áir pollùtion órdinance 大気汚染条例.
áir pòst (英) =airmail.
áir prèssure 空気圧.
áir pùmp 空気[排気]ポンプ.
áir ràid 空襲《◆攻撃を受ける側から見た言い方. する側からは air strike という》.
áir rìfle (もと米)ライフル[旋条]空気銃(cf. air gun).
áir sèrvice (1) (一国の)空軍, 航空部. (2) 空輸業(業);航空便.
áir spèed =airspeed.
áir strike 空爆(→ air raid).
áir tèrminal (1) 乗客がバスで空港へ行くための市内の集合場所. (2) 空港のターミナルビル.
áir tràffic contròl [**contròller**] 空港管制(塔) [管制官].
Áir Vice-Márshal (英)空軍少将.
air·bed /ɛ́ərbèd/ 〔名〕 ⓒ (主に英) 空気ベッド((米) air mattress).
air·borne /ɛ́ərbɔːrn/ 〔形〕(正式) 1 空輸の, 空輸される;〈部隊が〉空挺(ﾃｨ)訓練を受けた. 2 飛行中の. 3 〈花粉・細菌などが〉空気で運ばれる.
air·brush /ɛ́ərbrʌ̀ʃ/ 〔名〕ⓒ 噴霧器, スプレー. ──〔動〕他…をエアブラシで描く, 修正する.
air·bus /ɛ́ərbʌ̀s/ 〔名〕ⓒ (商標) エアバス, (中距離用の)大型旅客ジェット機.
air-con·di·tion /ɛ́ərkəndìʃən/ 〔動〕他…にエアコン[冷暖房装置]をつける, …の空気調節をする(→ air conditioner).
áir-con·di·tioned 〔形〕空気調整している.
air-cooled /ɛ́ərkúːld/ 〔形〕〈エンジンが〉空冷式の.
†**air·craft** /ɛ́ərkræ̀ft | -krɑ̀ːft/ 〔名〕ⓒ 航空機《airplane, helicopter, glider, airship, balloon などの総称. ふつう集合名詞として用いるが, 時に冠詞・数詞と共に a aircraft, 20 aircraft のようにも用いられる》∥ The Air Force maintains many kinds of *aircraft*. 空軍は多くの種類の航空機を備えている.
áircraft càrrier 航空母艦. 母艦.
air·craft(s)·man /ɛ́ərkræ̀ft(s)mən | -krɑ̀ːft(s)-/ 〔名〕(覆) **-men**;〈女性形〉**-wom·an** ⓒ(英空軍) 航空兵《最下位の階級. 水兵》.
air·crew /ɛ́ərkrùː/, **áir crèw** 〔名〕ⓒ〔航空〕 [集合名詞;単数形・複数扱い] 搭乗員(全体).
air·drop /ɛ́ərdrɑ̀p | -drɔ̀p/ 〔名〕ⓒ〔航空〕(航空機からの)空中投下. ──〔動〕(過去・過分) **air·dropped**/-t/; **-·drop·ping**)他 …を空中投下する.
air·fare /ɛ́ərfɛ̀ər/ 〔名〕ⓒ 航空運賃.
air·field /ɛ́ərfìːld/ 〔名〕ⓒ〔航空〕 1 (設備の少ない)飛行場. 2 (米)(軍用などの)飛行場.
air·i·ly /ɛ́ərəli/ 〔副〕 軽快に;気軽に;陽気に.
air·ing /ɛ́ərɪŋ/ 〔名〕(衣類などが)空気[風, 熱]に当てること;換気, 通風. 2 ⓒ [通例 an ~] (意見・醜聞(ｼｭｳ)などの)公表, 発表;公開討論, 討論の機会 ∥ give [get] an *airing* 議論する.
air·less /ɛ́ərləs/ 〔形〕 1 (特に新鮮な)空気のない;風通しの悪い. 2 〈天候が〉おだやかな.
air·lift /ɛ́ərlìft/ 〔名〕ⓒ 1 空輸(組織);空輸された人員[物資];空中補給. 2 空気揚水ポンプ. ──〔動〕他〔自〕(…を)[…から/…へ]空輸する(*from/to*).
†**air·line** /ɛ́ərlàɪn/, **áir line** 〔名〕ⓒ 1 定期航空路(air route). 2 [しばしば ~s;単数扱い] 航空会社 ((英) airways);[形容詞的に] 航空会社の ∥ American *Airlines* (会社名)アメリカン航空.
air·lin·er /ɛ́ərlàɪnər/ 〔名〕ⓒ (大型)定期旅客機.
air·lock /ɛ́ərlɑ̀k | -lɔ̀k/ 〔名〕ⓒ 1 (空中作業中の)気密(区画)室. 2 (パイプ中の)気泡, (気泡による)パイプの詰まり.
†**air·mail** /ɛ́ərmèɪl/, **áir màil** 〔名〕 1 ⓤ 航空郵便(制度)《◆「海[陸]上便」は surface mail. (米)「別配達航空便」は AO airmail という》;ⓤⓒ 航空便の(小荷)物((英) air post) ∥ *by airmail* 航空郵便で (↔ (by) regular mail). 2 [形容詞的に] 航空郵便の, 航空郵便で送付された ∥ an *airmail* edition (雑誌などの)空輸版. ──〔動〕他 [airmail A (to B)

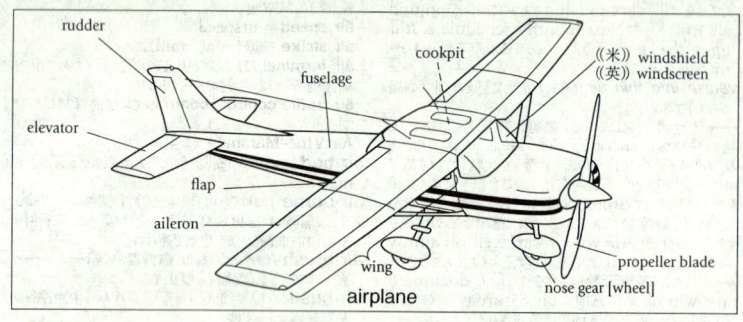

airplane (labeled diagram)
- rudder
- cockpit
- ((米)) windshield / ((英)) windscreen
- fuselage
- elevator
- flap
- aileron
- wing
- propeller blade
- nose gear [wheel]

=airmail **B A**) 〈人が〉**A**〈郵便物を〉(**B**〈人に〉) 航空便で送る.

air·man /ɛ́ərmən/ 名 (複 -·men; 女性形 -·wom·an) Ⓒ **1** [通例複合語で] 飛行家, 飛行士 ((PC) aviator, pilot) ‖ a civilian *airman* 民間飛行家. **2**〖空軍〗航空兵 《〖英空軍〗では warrant officer 以下の階級》.

*air·plane /ɛ́ərplèin/ 〖空(air)板(plane)〗
— 名 (複 ~s/-z/) Ⓒ 《米》飛行機 (《英》 aeroplane)《◆単に plane ということが多い》‖ I've never flown [been] in an *airplane*. 私は飛行機に乗ったことがない.

:**air·port** /ɛ́ərpɔ̀ːrt/ 〖空(air)港(port)〗
— 名 (複 ~s/-pɔːrts/) Ⓒ 空港, 飛行場 (cf. airfield) ‖ New Tokyo International *Airport* 新東京国際空港 / the busiest *airport* in Asia アジアで最も飛行機の発着の多い空港.

†**air·ship** /ɛ́ərʃìp/ 名 Ⓒ 飛行船《◆ zeppelin とも呼ばれた》.

air·sick /ɛ́ərsìk/ 形 飛行機に酔った (cf. seasick).

áir·sick·ness 名 Ⓤ 飛行(中の)酔い, 航空病.

air·speed /ɛ́ərspìːd/, **áir spèed** 名 Ⓤ 〖航空〗[単数扱い] 対気速度.

air·space /ɛ́ərspèis/ 名 Ⓤ 空隙(᷾), (部屋の)空気量, 空積, 領空.

air·stream /ɛ́ərstrìːm/ 名 Ⓒ (飛行物体の周囲の)気流.

air·strip /ɛ́ərstrìp/ 名 Ⓒ 〖航空〗(臨時の)滑走路.

air·tight /ɛ́ərtàit/ 形 **1** 気密の. **2** (もと米)《議論などが》完全な.

air·time /ɛ́ərtàim/ 名 Ⓤ **1** (パイロットの)飛行時間. **2** (テレビ・ラジオの)放送時間.

air-to-air /ɛ́ərtəɛ́ər/ 形 副 空対空の[に]; 飛行中の2機間の[に] ‖ an *air-to-air* missile 空対空ミサイル.

air·wave /ɛ́ərwèiv/ 名 (略)[通例 ~s; 複数扱い] (ラジオ・テレビの)電波; チャンネル; 放送 ‖ on the *airwaves* ラジオで.

†**air·way** /ɛ́ərwèi/ 名 **1** Ⓒ (定期)航空路 (air route). **2**《英》[~s] 航空会社 ((米) airlines) ‖ British *Airways* 《会社名》英国航空 (略 BA). **3** Ⓒ (鉱山やビルなどの)通気口. **4**《米略式》[~s] (ラジオ・テレビ放送の)チャンネル.

air·wom·an /ɛ́ərwùmən/ 名 → airman.

air·wor·thy /ɛ́ərwə̀ːrði/ 形 (-·thi·er, -·thi·est) 〖航空〗耐空性の(ある); 整備された.

áir·wòr·thi·ness 名 Ⓤ 耐空性.

†**air·y** /ɛ́əri/ 形 **1**〈物が〉空気の(ような); 空中の; 〈峰などが〉空高くそびえる; 航空の. **2** 部屋などが風通しのよい, 広々とした. **3**〈約束などが〉誠意のない, はかない; うわべだけの ‖ Her head was full of *airy* thoughts. 彼女の頭はとりとめのない考えでいっぱいだった. **4**〈足取りなどが〉(空気のように)軽やかな, 〈歌などが〉軽快な, 優美な;〈様子などが〉気楽そうな ‖ apologize in an *airy* manner 涼しい顔をしてあやまる. **5**(略式)〈態度などが〉気取った.

air·y-fair·y /ɛ́ərifɛ́əri/ 形《英略式》〈計画などが〉実体のない, あいまいな (vague).

†**aisle** /áil/ 〖発音注意〗《同音》isle, I'll] 名 Ⓒ **1a**《主に米》(教会・劇場・教会・列車などの座席間の)通路《◆ふつう《英》では教会は church aisle, 劇場は aisle または corridor, 列車は corridor》 ‖ on the *aisle* (座席が)通路側の / an *aisle* sèat 通路側の席《◆窓側の席は wíndow sèat, 中央の席は cénter sèat》. **b**〖建築〗(教会の)側面の通路, 側廊. **2**《米》(商店・倉庫などの)内部運送用の)通路.

aitch /éitʃ/ 名 Ⓒ 'H, h' の字[字形, 音] ‖ drop one's *aitches* [h's] 語頭の h 音を落として発音する《ロンドンなまりの特徴. home を 'ome と発音するなど. cf. cockney》. — 形 H 形の.

a·jar /ədʒáːr/ 副 形 少し開いて, 半開きで ‖ leave the door *ajar* ドアを半開きにしておく.

AK (略)〖郵便〗Alaska.

aka, a.k.a., AKA (略) *also known as* …としてまた知られている.

a·kim·bo /əkímbou/ 副 形 [名詞の後に置いて] 両手を腰に当てひじを張って《◆女性の「なによ」と言いたい気持ちを表すときに多い》‖ She stood defiantly *with arms akimbo*. 彼女は挑戦的な態度で両手を腰に当てて立っていた《◆今ではこの成句は古風という人もある》.

†**a·kin** /əkín/ 形 《…と》同種の, 同類《同質, 同族, 血族》の{to};《…の点で》類似した{in} ‖ He writes romantic adventure stories *akin to* those of earlier writers. 彼は昔の作家が書いたような空想冒険物語を書く.

Al (記号)〖化学〗aluminum.

AL (略)〖郵便〗Alabama;〖野球〗American League.

-al /-l/ (語要素) → 語要素一覧(1.1, 2.3).

Ala. (略) Alabama.

à la, a la /ɑ́ːlɑː, -lə/ æ-/ 〖フランス〗前 **1** 〖フランス語の形容詞を伴って〗…流の[に], …式の[に] ‖ à la Turque トルコ式の. **2** (略) 〖英語の名詞を伴って〗(特定の人(など)を)まねて[た], …の流儀で ‖ write à la Dickens ディケンズ風に書く. **3** 〖料理〗…つきの, …風の, …を添えた.

à la carte →見出し語.

à la mode →見出し語.

Al·a·bam·a /æləbǽmə/ 名 アラバマ《米国南東部の州. 州都 Montgomery. (愛称) the Yellowhammer [Cotton] State. (略) Ala., (郵便) AL》.

†**al·a·bas·ter** /ǽləbæstər, -bɑːs-/ 名 ⓤ 雪花石膏(せっこう).

à la carte /ɑ̀ː lɑː kɑ́ːrt, -lə-/ æ-/ 〖フランス〗形 副 (定食でなく)献立表による[によって], 好みの料理の[を選んで], アラカルトの[で] (cf. table d'hôte).

a·lac·ri·ty /əlǽkrəti/ 名 ⓤ 〖正式〗敏活, 敏速; 活発; 気軽 ‖ with alacrity てきぱきと, 即座に.

†**A·lad·din** /əlǽdn/ -din/ 名 アラジン《『アラビアンナイト』中の「アラジンと魔法のランプ」(Aladdin and the Wonderful Lamp)の主人公》.

Aláddin's cáve アラジンのほら穴(のように宝物が詰まった場所[入れ物]).

Aláddin's lámp アラジンのランプ(のように願いを何でもかなえてくれる物).

Al·a·mo /ǽləmòu/ 名 [the ~] アラモ《米国 Texas 州 San Antonio にあった修道会伝道所で後に要塞(とりで). テキサス独立戦争で1836年メキシコ軍に包囲され守備の米人が全滅した》‖ *Remember the Alamo!* (米)アラモを忘れるな《◆報復・雪辱の合言葉》.

à la mode, a la mode /ɑ̀ː lɑː móud, -lə-/ æ-/ 〖フランス〗形 副 **1** (今はまれ)〈考え・服装などが〉流行の[に従って]; 現代的な[に]. **2** (主に米)〖料理〗アイスクリームをのせた[添えた]; (牛肉が)野菜とともに料理した ‖ an apple pie *à la mode* (米)アイスクリームを添えたアップル=パイ.

Al·an /ǽlən/ 名 アラン《男の名》.

a·larm /əlɑ́ːrm/
── 名 (複) ~s/-z/) **1 警報器[装置]; 目覚し時計 (alarm clock) ‖ a fire [burglar] alarm 火災[盗難]報知器 / sound [ring] the alarm 非常ベルを鳴らす / set the alarm for seven o'clock 目覚し時計を7時にセットする / My alarm rings [goes off] at seven every morning. 私の目覚ましは毎朝7時に鳴る. **2** ⓤ (激しい)驚き, (危険を察知しての)突然の恐怖, 恐慌《◆ fear より強い語》‖ take [feel] alarm おびえる / The deer darted off *in alarm*. シカは驚いて急いで逃げていった. **3** ⓒ […に対する]**警報**(信号, 音) (alarm call) [*for, over*] ‖ *give* [*raise*] *the alarm* 警報[警告]を発する / This is no false alarm. これは誤報ではない.

── 動 他 **1** (物・事が)⟨人⟩を(突然の恐怖や心配で)はっとさせる, 不安にさせる ‖ The escape of the dangerous prisoner alarmed local residents. 危険な囚人の脱走が地域に住む人々を不安に陥れた. **2** ⟨人⟩に警報を発する, 危急を告げる. **3** …に警報装置を取りつける.

alárm bèll 警報[非常]ベル; 警鐘.
alárm càll =名 **3**.
alárm clòck =名 **1**.

a·larmed /əlɑ́ːrmd/ 形 **1** 驚いて, 心配して. **2** 警報装置で保護された.

a·larm·ing /əlɑ́ːrmiŋ/ 形 (人)を不安にさせる, 驚くべき ‖ at an *alarming* rate 驚くべき速さで.

a·lárm·ing·ly 副 不安にさせるほど, 驚くほど.

a·larm·ist /əlɑ́ːrmist/ 形 名 ⓒ 人騒がせな(人); 心配性の(人).

†*a·las* /əlǽs, əlɑ́ːs/ 間 〖古文〗副 〖正式〗ああ, 悲しや《悲嘆・後悔・哀れみ・恐れなどの発声》‖ *Alas*, she died young. ああ, 彼女は若くして逝ってしまった.

Alas. (略) Alaska.

†**A·las·ka** /əlǽskə/ 名 アラスカ《米国北西部の州. 州都 Juneau. エスキモーを連想させる州. (愛称) the Last Frontier. (略) Alas., (郵便) AK》.

A·las·kan /əlǽskən/ 形 アラスカ州(人)の. ── 名 ⓒ アラスカ州人.

Al·ba·ni·a /ælbéiniə/ 名 アルバニア《バルカン半島の共和国. 首都 Tirana》. **Al·bá·ni·an** 形 アルバニア人[語]の. ── 名 ⓒ アルバニア人; ⓤ アルバニア語.

al·ba·tross /ǽlbətrɔ̀ːs, (米+) -trɑ̀ːs/ -trɔ̀s/ 名 ⓒ **1** (複) ~·es, [集合的で] ~) アホウドリ《群》《南太平洋に多い, 翼の長い水鳥. 航海中この鳥が飛ぶとされた》. **2** (略) 〖通例 an ~〗(執拗(しつよう)な)心配のもと ‖ an *albatross* (around one's neck) 頭痛の種. **3** (英) 〖ゴルフ〗アルバトロス《(米) double eagle》《par より3打少ない. → par 関連》.

†**al·be·it** /ɔːlbíːit/ 接 〖正式〗…にもかかわらず(although); (たとえ)…であろうとも(even though).

Al·bert /ǽlbərt/ 名 **1** アルバート《男の名. (愛称) Al, Bert》. **2 Prince ~** アルバート公《1819-61; Victoria 女王の夫君》.

Álbert Háll [the ~] アルバート=ホール《〖正式〗Royal Albert Hall》《London の Kensington にある Prince Albert を記念した大公会堂》.

al·bi·no /ælbáinou/ -bíː-/ 名 ⓒ **1** 〖医学〗(人・動物の)白子(しろこ). **2** (略) 〖動·植〗アルビノ, 白化種.

Al·bi·on /ǽlbiən/ 名 〖詩·古〗アルビオン《Great Britain の雅称. white land の意. 英国ブリテン島南部の白亜質の絶壁にちなむ》.

al·bum /ǽlbəm/ 〖『白い平たい板』が原義〗
── 名 (複) ~s/-z/) ⓒ **1** (レコード・テープ・CD などの)**全集, 曲集, アルバム**; (レコードの)ジャケット. **2** アルバム ‖ We have a photo *album* full of family pictures. うちには家族の写真でいっぱいの写真帳(アルバム)が1冊あります.

〖事典〗(1) 英語では白紙のページを含むものを広く album と称するので, 「写真帳」の他, 次のものを示す: autograph book(サイン帳), commonplace book(備忘録), scrapbook(スクラップ=ブック), stamp book(切手帳), visitor's book(来客名簿).
(2) 英米の家庭では, 招待客に album にサインしてもらい記念にする習慣がある.

al·bu·men /ælbjúːmən/ /ǽlbjumin/ 名 ⓤ **1** 卵の白身(しろみ) (cf. yolk). **2** 〖生化学〗アルブミン《水溶性の単純タンパク質の総称》.

al·che·my /ǽlkəmi/ 名 **1** ⓤ (中世の)錬金術. **2** ⓒ 〖文〗(変成の)魔力. **ál·che·mist** 名 ⓒ 錬金術師.

al·co·hol /ǽlkəhɔ̀ːl/
── 名 ⓤ **1 アルコール飲料**, 酒 ‖ *alcohol* abuse アルコール中毒 / All schoolchildren must be taught not to drink *alcohol*. すべての学童は酒類を飲まないよう教えられなければならない. **2 アルコール, 酒精**《◆ふつう ethyl alcohol をいう. cf. methyl alcohol》‖ industrial [medical] *alcohol* 工業用

al·co·hol·ic /ˌælkəhɔ́ːlik, (米+) -hɑ́ːlik | -hɔ́lik/ 形 **1** アルコール[薬用]の,アルコールを含んだ ‖ *alcoholic* liquors アルコール飲料. **2** アルコールによる. **3** アルコール中毒の. ── 名 C アルコール中毒患者((PC) problem drinker).

al·co·hol·ism /ǽlkəhɑlìzm, (米+) -hɔːl- | -hɔl-/ 名 U 〖医学〗アルコール中毒,「アル中」.

Al·cott /ɔ́ːlkət/ 名 オールコット《Louisa May ～ 1832-88; 米国の女性作家》.

al·cove /ǽlkouv/ 名 C (部屋の壁の一部を引っ込ませて作った)小部屋《ベッド・書棚・いすなどを置く》,床の間,アルコーブ.

al dén·te /ælˈdénti, -tei/ 形《(特に)パスタが》歯ごたえのある,ゆでた後でも固い.

†**al·der·man** /ɔ́ːldərmən/ 名 (複) **-men**, (女性形) **-wom·an**) C **1** (米・カナダ) 市会議員((PC) city council member). **2** (英古式) 市[町]参事会員((PC) county [borough] council member).

†**ale** /éil/ (同音 ail) 名 U C エール《ビールの一種. 色・苦み・アルコール含有量(6%)は lager (beer) より多く, porter, stout より少ない》.

al·ec(k) /ǽlik/ 名 ⇒ smart alec.

ale·house /éilhàus/ 名 C (英古) ビアホール,酒場(pub).

†**a·lert** /ələ́ːrt/ 形 **1** […に]油断のない,用心深い; 敏感な(to, for) ‖ A hunting dog *is* very *alert to* every sound and movement in the field. 猟犬は原っぱでのどんな音や動きにも非常に用心深い. **2** 〔…の点で〕機敏な,抜け目のない〔in〕類語 active, brisk, lively). **3** 頭のよい ‖ My grandfather is very weak, but his mind is still quite *alert*. 私の祖父は体はとても弱っているが頭はまだ非常にさえています.

── 名 C (空襲[警戒])警報; 警報発令期間; 警戒態勢《◆「解除」は all clear》(類語 alarm, warning).

on fúll alért 〔…に対して〕厳重に警戒して〔against〕.
on the alért 〔…に対して〕油断なく警戒[待機]して〔for, against〕.

── 動 他 (さし迫った危険などに対して)〈人・軍隊などに〉警戒態勢を取らせる,警報を出す; 〈人〉に〔…に対して〕注意を喚起する〔to〕; 〈人〉に〔…だと〕警報を出す〔that 節〕.

alért fòrce 非常待機部隊.
a·lért·ly 副 用心深く. **a·lért·ness** 名 U 用心深さ.

A·leu·tian /əlúːʃən/ 形 **1** アリューシャン列島の. **2** アレウト族[語]の. ── 名 **1** アレウト族. **2** [the ~s] = the ～ Islands アリューシャン列島.

A-lev·el /éilévl/ 名 =advanced level.

Al·ex·an·der /ǽligzǽndər, -ɑ́ːn-/ 名 **1** アレクサンダー《男の名. 愛称》Sandy》. **2** ～ the Great アレクサンドロス[アレクサンダー]大王《356-323 B.C.; Macedonia の王 (336-323 B.C.)》.

Al·ex·an·dri·a /ǽligzǽndriə, -ɑ́ːn-/ 名 アレクサンドリア《エジプトの商港. Alexander 大王が建設》.

Al·ex·an·dri·an /ǽligzǽndriən, -ɑ́ːn-/ 形 **1** アレクサンドリアの. **2** アレクサンドロス大王の. **3** (古代)アレクサンドリア文化[学派]の. ── 名 **1** アレクサンドリアの住民. **2** アレクサンドリア学派の人.

†**al·fal·fa** /ælfǽlfə/ 名 U (米) 〖植〗アルファルファ,ムラサキウマゴヤシ(主に英) lucerne) 〖牧草・緑肥用〗.
alfálfa spròut アルファルファの芽,もやし(サラダ用).

Al·fred /ǽlfrid/ 名 **1** アルフレッド《男の名. 愛称 Alf)》. **2** ～ the Great アルフレッド大王《849-899; 古代英国 Wessex の王 (871-899)》.

al·fres·co, al fresco /ælfréskou/ 〖イタリア〗(正式) 副 形 戸外[野外]で[の](→ fresco) ‖ dine *alfresco* 戸外で食事を取る.

al·ga /ǽlgə/ 名 (複 ~e, ~·gae/-dʒiː/) C 〖植〗藻(も); [algae] 藻(も)類. **ál·gal** 形 藻類の.

†**al·ge·bra** /ǽldʒəbrə/ 名 U 代数(学) ‖ The letter *x* represents 4 in the *algebra* problem *x* + 3 = 7. 文字 *x* は *x* + 3 = 7 という代数の問題で4を表している. 関連 arithmetic, geometry, mathematics.

al·ge·bra·ic, -i·cal /ǽldʒəbréiik(l)/ 形 代数の, 代数上の[的な]. **àl·ge·brá·i·cal·ly** 副 代数的に.

Al·ge·ri·a /ældʒíəriə/ 名 アルジェリア《北アフリカの共和国. 首都 Algiers》.

Al·ge·ri·an /ældʒíəriən/ 形 アルジェリアの. ── 名 C アルジェリア人.

Al·giers /ældʒíərz/ 名 **1** アルジェ《アルジェリア共和国の首都》. **2** アルジェ《アルジェリアの旧称》.

ALGOL /ǽlgɑl | -gɔl/ 〖*algorithmic language*〗 名 〖コンピュータ〗アルゴル《プログラミング言語の1つ. 科学技術計算用》.

al·go·rithm /ǽlgəriðm/ 名 U 〖数学・コンピュータ〗(一連の)算法,アルゴリズム《プログラムの解法手順》.
àl·go·ríth·mic 形 アルゴリズム的な.

Al·ham·bra /ælhǽmbrə/ 名 [the ～] アルハンブラ宮殿《スペイン Granada にあるイスラム様式の建築》.

a·li·as /éiliəs/ (英+) -ɑːs/ 副 (特に犯人について)別名は,またの名は ‖ Jones, *alias* Williams ジョーンズ通称ウィリアムズ,ウィリアムズことジョーンズ. ── 名 (複 ~·es) C 別名.

A·li Ba·ba /ɑ́ːli bɑ́ːbə, ǽli-/ 名 アリババ《『アラビアンナイト』中の一話「アリババと四十人の盗賊」(Ali Baba and the Forty Thieves)の主人公》.

†**al·i·bi** /ǽləbài/ 名 (複 ~s) C **1** 〖法律〗アリバイ,現場不在証明 ‖ The suspect couldn't ⌈establish an *alibi* [prove his *alibi*]. 容疑者はアリバイを立証できなかった《◆*prove an alibi は不可》. **2** (略式)〔失敗などに対する〕口実,言い訳(excuse) 〔for〕.

Al·ice, Al·i·cia /ǽlis/ 名 アリス,アリシア《女の名. 愛称 Elsie》.

Al·ice-in-Won·der·land /ǽlisinwʌ́ndərlənd/ 形 空想的な,非論理的な(→ Carroll).

†**al·ien** /éiliən, -ljən/ 名 **1** 外国(人)の《◆foreign よりも堅い,主に法律上の語》‖ an *alien* language 外国語 / *alien* domination 外国の支配. **2** 外国人の法的身分をもつ ‖ an *alien* resident 居留外国人. **3** […にとって]なじみのない〔to〕; […と]異質な〔from〕‖ customs *alien* to us 私たちになじみのない習慣. **4** […と]相いれない,対立した〔to〕‖ Insincerity *is alien* to me [my nature]. 不誠実は私,(の性分)には相いれないものだ. **5** 地球上のものでない.

── 名 C **1** 外国人; 居留外国人《◆法律上または公式な語. foreigner が一般的》. **2** (地球人に対して)宇宙人,異星人,エイリアン.

al·ien·a·ble /éiljənəbl, -iən-/ 形 〖法律〗《財産・権利などが》譲度(さるることが)できる.

†**al·ien·ate** /éiliənèit/ 動 他 **1** 〈(以前親しかった)人〉を遠ざける,疎外する,…と不和にする(make unfriendly) ‖ His offensive manner *alienated* his friends. 彼の無礼な態度が原因で友人たちは離れていった. **2** 〈愛情・信頼などを〉[…から]よそに向ける,そらす〔from〕. **3** 〖法律〗〈財産・名義などを〉譲渡する.

全速力で.

3 …に満ちた, …だけの, すっかり…《◆主に次の句で》‖ I was *all* ears [eyes]. 私は熱心に聴いた[見た] / be *all* fire and energy 全身火と燃え気力あふれている / be *all* kindness 親切そのものだ(＝be kindness itself) / be *all* skin and bones 骨と皮ばかりにやせている / He was *all* thumbs 《略式》不器用である / He was *all* smiles [apologies]. 彼は満面に笑みをたたえていた[わびばかりしていた].

4 [部分否定] [not ～ …] すべてが…とは限らない(➡文法 2.2(1)) ‖ *Not all* children like apples. (↘) ＝*All* children do *nót* like apples. (↘) どの子供もリンゴが好きだとは限らない / She did *nót* answer *áll* the questions. (↘) 彼女は必ずしもすべての質問に答えたわけではない.

> 語法 [部分否定と全否定]
> (1) *All* children do *nót* like apples. (↘)では「どの子供もリンゴが好きでない」(＝*No* children like apples.). He did *nót* answer *áll* the questions. (↘)では「彼はすべての質問に答えなかった」(＝He answered *no* questions.)のように全否定になることがある.
> (2) あいまいさを避けるため部分否定が all の直前に not を置き, 全否定は no, none などを用いる. 会話では音調で区別する.

after áll A → after 前 3 b.
áll this 《略式》これまで述べたすべてのこと, 以上全部 ‖ It is not clear how *all this* will be achieved. これらすべてをどうやって実現していくか明らかでない.
*__for áll__ A 《◆A の代わりに that 節を伴うこともある. この場合 all は 代》(1) …にもかかわらず(in spite of); …であるけれども ‖ *for all that* それにもかかわらず. (2) [否定節で] …に関する限り; ほとんど…がないから ‖ for all A cares → care 動 成句.
of áll (the) A 《略式》数ある…の中で[の], (人, 事, 所, 時) もあろうに, よりによって《◆驚き・困惑を表す》‖ *Of all* the silly ideas! ばかげた考えにもほどがある / *Of all* places to meet you! よりによってこんな所で会うなんて / I caught cold on Christmas Day *of all* days. こともあろうにクリスマスの日にかぜをひいた.

── 代 **1** [単数扱い] (全体的に)すべての物[事]. いっさい, 万事; (物・時などの)全体, 全部; 最も大切なもの ‖ spend *all of the* money [time] 金[時間]を全部使う / *All* is lost [over]. 万事休す / *All (of) the* town was destroyed by a fire. 町は火事で全焼した《◆(1) *All* the towns in this area were destroyed by a fire. この地域のすべての町は火事で全焼した. (2) 「all (of) the ＋ 単数の Ⓒ 名詞」については→ 形 1 語法》/ *All that* is heard is the sound of waves. 聞こえるのは波の音だけだ(＝I hear only the sound of waves.) / *All*'s well *that ends well*. (ことわざ)「終わりよければすべてよし」/ *All you have to do is* (to) put your seal on this document. 君はこの書類に印を押しさえすればよいのだ(＝You have only to put your seal on this document.)《◆ to を省くのは主に《略式》》/ It was *all* he could do not to laugh. 《略式》彼は笑いをこらえるのが精一杯だった(＝*All* he could do was not (to) laugh.).

2 a [複数扱い] (複数のもの)全部; 《正式》[通例関係代名詞節を伴って] あらゆる人[物] ‖ *All* were qui- et in the room. その部屋ではみんな静かだった《◆*All was* quiet … のように単数扱いの場合は「その部屋の中は静まりかえっていた」(＝《略式》Everything was quiet …). → 1》. **b** [同格的に] 全部 ‖ I can read them *all* [*all of* them]. それら全部を読むことができる《◆名詞が目的語の時は *I read the books all*. は不可. I read *all* (of) the books. という》/ You are *all* diligent. ＝《米》*All of* you are diligent. 君たちはみんな勉強だ《◆主語と離れる場合の位置は, be 動詞・助動詞の後, 一般動詞の前: *All* you are diligent. / *You all are diligent.*》.

> 語法 特定のもののすべてをさす場合 all を単独で用いるのは不可: There are some nice cars parked outside. I like *all*. / I like 「*all of* them [them *all*]. 外に何台かいい車が止めてある. 私はどれも好きです.

> 使い分け [all と everybody]
> 通例 all 単独で everybody の意味では使わない. *Everybody* [Everyone, *All*] welcomed the student from China with applause. みんなは中国からきた留学生を拍手喝采(かっさい)で受け入れた.

above all (things) → above 前.
after all → after 前.
áll being wéll 《主に略式》うまくゆけば.
áll but … …のほかはみな ‖ *All but* she [《略式》her] answered the question. 彼女のほかはみなその問題に答えた. ──副 [通例形容詞の前に置いて] ほとんど(almost) ‖ It is *all but* impossible. それはほとんど不可能だ / He is *all but* dead. 彼は死んだも同然だ. 語法 動詞の前に置くこともある: Mary *all but* wept when she heard the sad news. 悲報を聞いてメリーは涙をこぼしそうになった.
áll in áll (1) 《略式》[通例文頭で] (すべてのことを考え合わせて, 結論として)大体, 概して ‖ taking *all in all* 全体的に見て(➡文法 13.7). (2) 合計[全体]で. ──名 《正式》[…にとって] 最も大切な物[人] (to).
all of … (1) → 形 1 語法. (2) 代 1, 2. ──副 (1) [数詞を伴って] たっぷり, 十分…(fully), 少なくとも《◆しばしば驚き・皮肉を表す》‖ study *all of* three hours たっぷり 3 時間も勉強する. (2) [all of a ＋ 動詞派生形容詞で] まったく…で ‖ *all of a* tremble ぶるぶる震えて / (*all*) *of a* sudden まったく突然《◆ *suddenly* の強意形》.
áll or nóthing (1) 全部か無か. (2) 大事な所. (3) 一生懸命になって.
and áll 《略式》(1) [無冠詞の名詞の後で] すっかり, …ごと ‖ He jumped into the water, clothes *and all*. 彼は服ごと水に飛び込んだ. (2) 《略式》…もそうだ.
*__at áll__ [副] (1) [否定文で] 全然, 少しも ‖ He doesn't watch television *at all*. 彼は全然テレビを見ない. (2) [条件節で] いやしくも, かりそめにも ‖ If you study a foreign language *at all*, learn enough to master it. いやしくも外国語を勉強するからにはそれをマスターするまで徹底的にやりなさい / I can't recall the story but vaguely if *at all*. その話は思い出せてもばんやりだ. (3) [疑問文で] いったい, そもそも ‖ What do you want to do *at all*? いったい何がしたいんだい. (4) [肯定文で] ともかく, まさか ‖ 《対話》"Sorry I'm late." "In this

alienation   43   **all**

al·ien·a·tion /èiliənéiʃən/ 图 ① 1 〔…から〕疎(うと)んじること, 疎外(すること)〔from〕; 仲たがい. 2 〔法律〕財産・権利などの〕移転, 譲渡.

†**a·light**¹ /əláit/ 動 (過去·過分) ~-ed or (まれ·詩) a·lit /əlít/ 自 1 〔旅が終わって〕〔乗物・車などから〕降りる〔from〕. 2 〔鳥などが〕〔…に〕降りる, 止まる, 〔目が〕…を偶然見つける〔on〕; 〔雪片が〕舞い落ちる ‖ The bee *alighted* on the flower. ミツバチが花に止まった.

a·light² /əláit/ 形 燃えて; 灯[明かり]がともって; 〔比喩的に〕〔…で〕輝いて〔with〕.
sét a alight 〈物に〉火をつける.

a·lign, a·line /əláin/ 動 他 1〈3つ以上の点など〉を一直線[一列]に並べる, 整列させる. 2 〔正式〕〔~ oneself〕〔団体·党·国家などと〕提携〔同盟, 連合〕する〔with〕. 3 …を調整する.

a·lign·ment /əláinmənt/ 图 1 ① 〔一列の〕整列; 一直線にすること ‖ into [out of] *alignment* with … …と一列に並んで[並ばずに]. 2 ⓒ 整列線, 一列線. 3 ⓤⓒ (政治運動などの)〔…との〕提携, 連合, 同盟, 協力〔with〕.

***a·like** /əláik/
—— 形 (more ~, most ~)〔補語として〕(外見·性質などが)似ている, 同様な《◆名詞の前で用いるときは similar(-looking)を用いる》(↔ unlike) ‖ People say my father and I look *alike*. 父と私は(外見が)よく似ていると皆が言う / The twins are so (much) *alike* that you can't tell one from the other. その双子はよく似ているので区別がつかない (→ one 代 8).
—— 副 同様に, 同等に(equally)‖ treat all students *alike* すべての学生を同等に扱う / rich and poor *alike* 金持ちも貧乏人も等しく(=both rich and poor).

a·like·ness 图 ① 同様, 同等; 類似.

al·i·men·ta·ry /æləméntəri/ 形 1 栄養の, 食物の, 消化に関する. 2 扶養する.

aliméntary canál [the ~] 消化管.

al·i·mo·ny /æləmòuni | -mə-/ 图 ① 〔しばしば an ~〕1 〔法律〕離婚扶養料; 離婚後扶養《◆現在では maintenance または financial provision ともいう》. 2 生活費; 扶養費.

a·line /əláin/ 動 =align.

***a·live** /əláiv/
—— 形 〔補語として〕1 生きて(いる)《◆(1) 名詞の前で用いるときは live /láiv/ や living を用いる. (2) 比較変化しない》(↔ dead)《使い分け → living 形 1》‖ He was only half *alive*. 彼は半死半生だった / A tiger is difficult to catch *alive*. トラは生けどりにするのが難しい(⊃文法 17.4)/ stay *alive* 生き残る. 2〈人·記憶などが〉生き生きして, 活発で(active); 〈計画·伝統などが〉有効で; 存続して ‖ She was [looked] still very much *alive* for her age. 彼女は年のわりにはまだとても元気だった[元気に見えた]. 3〈人が〉〔重要なことに〕敏感で, 気づいている(alert)〔to〕‖ He was *alive to* the danger. 彼は危険に気づいていた. 4〔場所などが〕〔生物などで〕いっぱいの, 活気づいている〔with〕‖ The football stadium is *alive* with excitement. サッカー場は興奮で活気づいている. 5〔最上級形容詞など+名詞+~; 強意語として〕現存の, この世での(in the world) ‖ the *happiest* woman *alive* この世でいちばん幸福な女性 / any man *alive* (この世の)人はだれでも. 6〈電気·電話·ラジオなどが〉通じて.
alíve and kícking [**wéll**] 《略式》元気でぴんぴんして〔生き残っていて〕.
còme alíve 生き返る, 生き生きとする, 活気を呈する.

a·líve·ness 图 ⓤ 生き生きしていること.

†**al·ka·li** /ǽlkəlài/ 图 (複 ~s, ~es) ⓤⓒ 1 〔化学〕アルカリ (↔ acid). 2 〔化学〕アルカリ金属の無機塩.

†**al·ka·line** /ǽlkəlàin, (米+) -lin/ 形 〔化学〕アルカリ(性)の; アルカリを含んだ(↔ acid).

al·ka·loid /ǽlkəlòid/ 〔化学〕图 ⓒ 形 アルカロイド(の), 植物性塩基(の)《ニコチン·モルヒネ·コカインなど》.

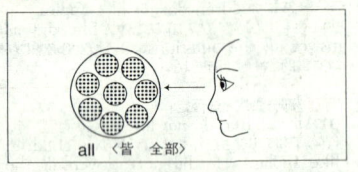

‡**all** /ɔ́ːl/

all 〈皆 全部〉

(cf. each 图, every 图)

index 形 1 全部の 2 いかなる 3 …に満ちた
代 1 すべての物[事] 2 あらゆる人[物]
副 1 まったく

—— 形 1〔しばしば定冠詞·所有格·指示形容詞·基数などの前で〕全部の, 全体の, すべての, 全…. a〔単数名詞を修飾〕‖ *all* the money 有り金全部 / *all* (the) morning [night] 午前中[夜通しずっと] / *all* (the) week [winter, year] 1週間[一冬, 1年]中 / We had to walk *all the way* to the station. 私たちは駅までずっと歩かねばならなかった / This flower has a scent *all its own*. この花は独特の香りがする / Where have you been *all this time*? 今までずっとどこにいたの / *All* the world desires [✗desire] peace. 世界中(の人)が平和を望んでいる. b〔複数名詞を修飾〕‖ *all* men and women すべての男女 /「*all* my [✗my all] friends 私の友人全部 / He has read *all* kinds of books on automobiles. 彼は車についての本を全部読んでいる / on *all* sides =in *all* directions 四方八方に / *All* the villages were beautiful. すべての村が美しかった《◆ *All* the village *was* …で「村じゅうが」の意》.

語法 [*all* と *all of*]
(1) 代名詞が続く場合は *of* の省略不可(→ 代): ✗all them [us] / *all of* them [us] (cf. them [us] all).
(2) 単数名詞がくる場合, 《米》では *of* を用いる方が好まれる: *all (of)* the way. the や his のように限定する意味を持つ語を伴う複数名詞がくる場合は *of* は選択的: *all (of)* the stories / *all (of)* his friends.
(3) 複数名詞が定冠詞, 所有格などで限定されない場合は *of* は不要: *all (*✗of*) stories*.
(4) all の後は the や his のように限定する意味を持つ語が必要: *all of* the books / ✗*all of* books.

2 ⓤ 名詞を修飾〕いかなる, あらゆる, できる限りの ‖ He is guilty *beyond all doubt*. 彼の有罪は何の疑いの余地もない / in *all* haste 大急ぎで / with *all* one's might 全力を出して / with *all* speed

weather, I'm surprised that you came *at all*."「遅れてすみません」「こんな天候なのに、君がそもそも来るなんてびっくりしたよ」.
èach and áll =all and SUNDRY.
in áll 《副》全体で,合計で(all told).
nót at áll《英式》どういたしまして.
Thát's áll (there ís to it). = Thát's áll she wróught.《米式》それで終わり,それだけだ.

—— 名 [one's ~] 一切の所有物,全財産;全体,総本;生命 [give] one's *all* 全財産を失う〔与える〕/ do [give] one's *all* 全力を尽くす.

—— 副 **1** [形容詞・副詞・前置詞句を修飾して] まったく,すっかり(completely);《略式》ひどく,ただ…だけに(only) ‖ *áll at ónce* 突然;同時に,いっせいに / I've been busy *all* through the week. この1週間ずっと忙しかった / an *áll too* important difference あまりにも重大な相違 / The play ended *all too* soon. その劇は残念ながら早く終わった / We're *all* bored with her chattering. 彼女のおしゃべりにはほとほとうんざりしだよ◆(1) ふつう好ましくない意味の形容詞の前で用いる. (2)「彼女のおしゃべりには私たちみんなうんざりしている」の意味もある. → 代**2**/ I'm *all* for [in favor of] her proposal. 彼女の提案に大賛成だ / The can is *all* empty. かんは空っぽだ.
2 [all + 比較級で] [...のために] かえって,ますます…[*for, because*節] ‖ She got *all the more* angry「*for* my silence [*because* I kept silent]. 私が黙っていたので彼女はよけいに腹を立てた.
3《スポーツ》両方とも ‖ thirty *all*《テニス》サーティーオール / The score is one *all*. スコアは1対1だ.
áll ín (1) [be の後に置いて] 疲れ切った(very tired). (2) [文尾で] 合計して,全部で(→ all-in).
áll óne (1) 1つになっている. (2) =all the same (→ same 代).
áll óut 全力を尽くして.
***áll óver** [副]《略式》(1) 至る所,一面に;体中で《◆all over the place の短縮表現》. (2) 全体的に,すっかり(覆って). (3)《略式》[名詞の後で] いかにも…らしい;どこからどこまでも,まったく ‖ That's Bill *all óver*. いかにもビルのやりそうなことだ / She is her mother *áll óver*. 彼女は母親にそっくりだ. —— 形 (1) [人にとって] すっかり終わった,過ぎた〔*with*,《米》*for*〕(→ 副**1**). (2)《略式》《ニュースがに広がった. (3) [be all over **A**]《略式》〈人〉にご執心である,〈関心を引こうと〉なれなれしい.
áll óver [前] …の至る所で ‖ *all over the world* 世界中で / *from all over the town* 町中から.

***all right** → right 形.
áll róund =all around(→ around 副).
áll thát《略式》[否定文・疑問文で] そんなに(so, very)《◆all は副詞 that を強調している》‖ He isn't as honest as *all that*. =He isn't *all that* honest. 彼はそれほど正直ではない.
áll úp《略式》[…にとって] もう終わりで,希望が消えて〔*with*〕‖ It's *áll úp with* him.《略式》彼はもうだめだ.
and áll thát《略式》その他全部,…などいろいろ《◆and all that jazz ともいう》.
áll cléar [通例 the ~] (1) 空襲[危険,障害] 解除の合図[信号](→ alert). (2) (計画などを実行に移す) 許可,ゴーサイン.
Áll Fóols' Dày =April Fools' Day.
áll fóurs (1)(獣の)4本の足, (人間の) 手足(→ on all fours (four 成句)). (2) [単数扱い] オールフォア《トランプ遊びの一種》.
Áll Sáints' Dày 諸聖人の祝日, 万聖節《11月1日. cf. Halloween》.
Áll Sóuls' Dày 諸死者の記念日, 万霊祭《11月2日》.

Al·lah /ǽlə, əlάː,《米+》άːlə/ 名 アラー《イスラム教の唯一神》.

all-A·mer·i·can /ɔ̀ːləmérikən/ 形 **1** 米国人[米国的要素] だけから成る. **2**《スポーツ》全米代表の. **3** 最も米国的な, 米国人(ら)らしい(cf. apple-pie).
——名 [A~] C 全米代表選手[チーム].

Al·lan /ǽlən/ 名 アラン《男の名. 異称》Alan》.

all-a·round /ɔ̀ːləráund/ ⇨ 形 **1** 多芸の, 多才の, 広く役に立つ, オールラウンドの ‖ an *all-around* player 万能選手. **2** 全般にわたる, 全部を含む ‖ an *all-around* education 全人教育. [◆ all-round ともいう]

áll-aróunder 名 C 万能選手, 器用な人《◆野球では a utility player という》.

†**al·lay** /əléɪ/ 動 他《正式》〈苦痛・悲しみなど〉を和らげる;〈恐怖・怒りなど〉を静める(calm).

al·le·ga·tion /ǽləgéɪʃən/ 名 U C《正式》(証拠のない) 主張, 申し立て(statement).

†**al·lege** /əlédʒ/ 動 他《正式》**1 a**〈人が〉(証拠なしに) …を断言する(declare);[allege that節] …だと主張する ‖ She still *alleges* (her) innocence. = She still *alleges that* she is innocent.《法律》彼女は今でも無実を主張している《◆法律用語では her の省略がふつう》. **b** [be alleged to be **C** / be alleged to do]〈人が〉(真偽のほどはわからないが)**C**だ […する] といわれている ‖ He is *alleged to* have been a thief. =*It is alleged that* he was a thief. 彼は泥棒だったそうだ(が疑わしい)《⇨文法 7.13》(=He was *allegedly* a thief. / He was the *alleged* thief.)(→ alleged, allegedly). **2** (理由・口実として) …を持ち出す, 言い立てる.

al·leged /əlédʒd/ 形 申し立てられた; 断定された ‖ an *alleged* murderer 殺人犯とされている人(→ allege **1b**).

al·leg·ed·ly /əlédʒɪdli/ 副 [文全体を修飾] (真偽のほどはよくわからないが) 申し立てによると, 伝えられるところでは ‖ The governor *allegedly* accepted the bribe. 伝えられるところによるとその知事はわいろを受け取ったらしい(=It is alleged that the governor accepted …. → allege **1b**).

Al·le·ghe·ny /ǽləgéɪni,《英+》ǽləgèɪni/ 名 [the Alleghenies] =the ~ **Mountains** アレゲーニー山脈《米国東部》.

†**al·le·giance** /əlíːdʒəns/ 名 C U《正式》(君主・団体・主義などに対する) 忠誠(の義務);忠実さ, 献身〔*to*〕《◆loyalty は愛着による忠誠》‖ take a pledge of *allegiance* to the government 政府に忠節を誓う / change one's *allegiance* from A to B [比喩的に] A から B へ乗り換える[鞍(くら)替えする] ….

al·le·gor·ic /ǽləɡɔ́(ː)rɪk(əl),《主英》-/, **-i·cal** /ǽləɡɔ́rɪk(əl)/ 形 寓意(ぐう)の, 寓意的な, 比喩的な;たとえ話の, 寓話的な.

al·le·go·ry /ǽləɡɔ̀ːri | -ɡəri/ 名 U 諷喩(ふうゆ)(法), 寓喩(ぐうゆ);C 寓話, たとえ話(cf. parable, fable).

al·le·gro /əléɡroʊ, əléɪ-/ [イタリア]《音楽》形 アレグロの[で], 快速の[に]. —— 名 (複 ~**s**) C アレグロ(の曲).

al·le·lu·ia(h), **--ja** /ǽləlúːjə/ 間 ハレルヤ. —— 名《教会》ハレルヤ唱 [聖歌].

all-em·brac·ing /ɔːlembréisiŋ/ 形 すべてを含む.
Al·len /ǽlən/ 名 アレン《男の名. → Alan》.
Állen kèy [wrènch] アレンキー《六角柱鉄棒を折り曲げたスパナ》.
al·ler·gen /ǽlərdʒən/ 名 C [医学] アレルゲン《アレルギー反応を起こす物質》.
al·ler·gic /ələ́ːrdʒik/ 形 1 [医学] [...に対して]アレルギー(体質)の[to] ‖ an *allergic* rash アレルギー性発疹 / Are you *allergic* to eggs? 卵に対するアレルギーはありますか. 2 (略式) [...に対する]大嫌いな[to] ‖ She's *allergic to* going out. 彼女は外出嫌いだ.
al·ler·gy /ǽlərdʒi/ 名 C 1 [医学] [...に対する]アレルギー, 異常敏感症[to] (cf. idiosyncrasy 2). 2 (略式) [...に対する]反感, 嫌悪[to].
al·le·vi·ate /əlíːvièit/ 動 他 (正式) 〈苦痛などを〉(一時的に) 軽減する, 緩和する(lessen), 楽にする.
al·le·vi·á·tion /-éiʃən/ 名 U 軽減[緩和](するの).
†**al·ley** /ǽli/ 名 C 1 (庭園・公園などの)小道. 2 (車の通れない)狭い通り, 横町, 路地(alleyway) ‖ a blind *alley* 袋小路(ॐ). 3 (テニス) アレー《ダブルスのサイドラインとシングルスのサイドラインとの間の区域. (図) → tennis》.
be (right) up [down] A's álley (米式) 〈物事が〉〈人の〉能力・趣味に適している, お手のものである.
álley càt のらネコ.
al·ley·way /ǽliwèi/ 名 =alley 2.
all-fired /ɔːlfáiərd/ (米式) 形 副 非常な[に]; すごい[く].
†**al·li·ance** /əláiəns/ 名 1 UC (国家間の)同盟, 協調; (一般に)[...との/...間の]提携, 同盟[with / between, among] ‖ in *alliance* with ... ...と協力[同盟]して / enter into [make, form] an *alliance* with a country [company] ある国[会社]と同盟[提携]する / a triple *alliance* 三国同盟. 2 C [単数・複数扱い] 同盟国[者]. 3 U (性質などの)類似. 4 (正式) 縁組み, 婚姻.
al·lied /ǽlaid, əláid/ 形 同盟した, 結束した; 同類以外の医療従事者(paramedic).
Állied Fórces [the ~] 連合軍(略) AF).
†**al·li·ga·tor** /ǽləgèitər/ 名 C 1 アリゲーター《米国南東部・中国東部産のワニ. あごは丸く口を閉じると歯が隠れる》; (広義) ワニ. 関連 crocodile 《アフリカ・南アジア産》. 2 U ワニ皮. **álligator pèar** =avocado.
all-im·por·tant /ɔːlimpɔ́ːrtənt/ 形 最も重要[大切]な.
all-in /ɔːlín/ 形 (略式) 1 (英) 全部を含めた; 全面的な ‖ at the *all-in* expense こみ費用で. 2 (レスリング) フリースタイルの.
all-in·clu·sive /ɔːlinklúːsiv/ 形 すべて含んだ, 包括的な.
all-in-one /ɔːlinwʌ́n/ 形 オールインワンの, 一体型の ‖ an *all-in-one* PC 一体型パソコン.
al·lit·er·a·tion /əlìtəréiʃən/ 名 U (修辞) 頭韻(法) 《Car killed the cat. 《ことわざ》の /k/ 音など》.
al·lit·er·a·tive /əlítərətiv, -əréi-/ 形 頭韻を踏む.
all-Ja·pan /ɔːldʒəpǽn/ 形 全日本の《◆組織名は用いるときはハイフンを省くのがふつう》‖ All Japan Seamen's Union 全日本海員組合》.
all-night, (略式) **all-nite** /ɔːlnáit/ 形 終夜[徹夜]の, 夜通しの; 終夜営業の. **áll-níght·er** 名 C (米略式) 一晩中続くもの《演劇・勉強・催し物など》.
al·lo·cate /ǽləkèit/ 動 他 ...を(物・事のために) (特別に)とっておく[for]; ...を(人)に割り当てる, 分配する

る[to, among] 《◆ assign, allot より堅い語》 ‖ *allocate* $1,000 *for* books 図書に1000ドル充当する / *allocate* food *to* the victims of the earthquake 地震の災害者に食料を分配する.
al·lo·ca·tion /ǽləkèiʃən/ 名 1 U 割り当て(ること), 分配; 配置. 2 C [...への]割り当て額[量][to, for].
†**al·lot** /əlɑ́t | əlɔ́t/ 動 (過去・過分) **--lot·ted**/-id/; **--lot·ting**) 他 1 [allot A to B =allot B A] 〈人・政府などが〉A〈物〉をB〈人など〉に割り当てる, 分配する《◆ assign より堅い語》‖ He *allotted* each employee a portion of the profits. =He *allotted* a portion of the profits *to* each employee. 彼は利益の一部を従業員一人一人に分配した. 2 〈物〉を〈事・物に〉充てる, 充当する[for] ‖ *allot* a pound a week *for* petrol 1週間につき1ポンドをガソリン代に割り当てる.
†**al·lot·ment** /əlɑ́tmənt | əlɔ́t-/ 名 1 U 割り当て(ること), 分配; C (金銭・空間などの)割り当てられたもの, 配当, 分け前. 2 C (米軍事) (給料の)配分額《保険会社・家族などに本人以外に渡す分》. 3 C (主に英) (市民に貸付けられる)市民菜園.
all-out /ɔːláut/ 形 1 総力をあげての, 全面的な ‖ make an *all-out* effort 全力を尽くす. 2 完全な, 徹底的な ‖ an *all-out* victory [defeat] 完勝[完敗].
*****al·low** /əláu/ [発音注意] 〖「認めて許す」が本義〗 派 allowance (名)
——動 (~s/-/; (過去・過分) ~ed/-d/; ~·ing)

index 動 他 1 許す 2 与える 4 認める

—— 他 1a 〈人・物が〉〈事〉を(個人的に)許す; [allow A B] 〈人〉に B〈物・事〉を認める(↔ forbid) (使い分け → admit 他 3) ‖ *Allow* me. (ていねいに援助を申し出て)お手伝いしましょう / He *allowed* me in [out]. 彼は中に入る[外に出る]ことを許してくれた / I won't *allow* any excuse. 一切の言い訳は許さない / Passengers are *allowed* one item of baggage. (掲示) 旅客には1個の手荷物が許される / Massachusetts became the first state to *allow* same-sex marriages. マサチューセッツ州は同性間の結婚を認める最初の州になった / This gate *allows* access to the garden. この門から庭に入れる / **No pets allowed.** (掲示) ペット持ち込み禁止(= Pets not *allowed*.) 《◆ be 動詞を省いたもの》.
b [allow A to do] 〈人・物が〉 A〈人・物・事〉に...させておく; 〈人・物・事が〉...するのにまかせる; A〈人・物〉が...するのを可能にする ‖ Her honesty will not *allow* her to tell a lie. 彼女は正直なのでうそをつけない / ❸対応⑨ "Won't you go to the concert with us tomorrow night?" "No, I'm afraid I can't. My parents won't *allow* me (**to**)." 「明日の晩私たちと一緒にコンサートに行きませんか」「残念ながら行けないわ. 両親が許してくれないの」(❸文法 11.9) / *Allow* me to point out three errors in the above article. (失礼ですが)上記の記事にある3つの誤りを指摘しておきたい(=(略式) Let me point out ...) / Mary *allowed* the flowers *to* die. (水やりを怠って)メリーは花を枯らしてしまった.
類語 (1) **allow** は「暗黙に同意を与える」場合も含む. (2) **permit** はふつう文書で, 「公に同意[許可]を与える」. (3) **let** はふつう口語で, 「阻止しない」という意味に用いる.
2 [allow A B =(まれ) allow B to A] 〈人が〉A〈人〉に B〈物〉を与える, 配分する ‖ His father *allows*

al·low·a·ble /əláuəbl/ 形 許される, 差し支えない; 〈費用などが〉非課税の. ——名 ⓒ (米略式) (石油の) 産出許容量.

†**al·low·ance** /əláuəns/ [発音注意] 名 1 ⓒ (一定額の)手当《◆「…手当」はふつう … allowance》; (食料など一定の)割り当て量; (米) (主に子供の)こづかい ((英) pocket money) ‖ a dress *allowance* of $2,000 a year 年2000ドルの衣装代 / a travel [family] *allowance* 通勤[家族]手当 / provide an *allowance* of time for recreation レクリエーションの時間をつくる. 2 Ⓤ 認めること, 許容(量). 3 ⓒⓊ […の]費用, 見越し[*for*]; 余裕部分 ‖ make *allowance for* breakage 破損による損害額を見越しておく / a seam *allowance* of 1cm 1センチの縫い代(⅞). 4 ⓒ 値引, 割引額(discount); 下取り価格 ‖ an *allowance* for cash on a bill 現金払による割引 / a trade-in *allowance* on a used car 中古車の下取り価格. 5 非課税所得額. 6 Ⓤ ⓒ (通例 ~s) 手加減, 斟酌(冷冷)《◆通例下の成句で》

***màke allówances** [**(an) allówance**] **for A** 〈事〉を考慮に入れる, 斟酌する;〈人〉を大目にみる ‖ We must make *allowance(s)* for her youth. 彼女がまだ若いという点を配慮しなければいけない(= We must *allow* for her youth.).

†**al·loy** /名 ǽlɔi, əlɔ́i; 動 Ⓤⓒ 合金; Ⓤ (貴金属に混ぜる)卑金属; 混ぜ物 ‖ an *alloy* of copper and nickel 銅とニッケルの合金. 2 Ⓤ [比喩的に] (品質・純度を落とすが)不純物 ‖ No joy without *alloy*. (ことわざ) 混じり気のない喜びはない. 3 Ⓤ (金・銀の)純度, 品位. ——動 ⓣ …を〔…との〕合金にする〔*with*〕‖ *alloy* gold *with* copper 金に銅を混ぜる.

all-pur·pose /ɔ́ːlpə́ːrpəs/ 形〈物が〉多目的(使用)の, あらゆる目的にかなう;〈人が〉万能の.

all-round /ɔ́ːlráund/ 形 =all-around.

all·spice /ɔ́ːlspàis/ 名 1 Ⓤ オールスパイス《シナモン・ナツメグ・クローブを合わせたような香りの香辛料》. 2 ⓒ オールスパイスの木.

all-star /形 ɔ́ːlstɑ̀ːr; 名 ≠/ 形 スター[花形選手]総出場の. ——名 ⓒ [スポーツ] オールスターチームに選ばれた選手. **áll-star cást** スター総出演.

áll-tér·rain vè·hi·cle /ɔ́ːltəréin-/ 不整地走行車

(略) ATV).

all-time /ɔ́ːltàim/ 形 1 空前の, 今までにない. 2 全時間勤務の(full-time) (↔ part-time). 3 永遠の.

†**al·lude** /əlúːd/ 動 ⓘ (正式) 〔聞き手がたぶん知っていると思われる〕…のことをそれとなく言う, ほのめかす〔*to*〕‖ His letter *alluded to* her misfortune. 彼の手紙には彼女の不幸をそれとなく指摘してあった(=His letter made an *allusion to* her misfortune.).

†**al·lure** /əlúər/ 動 ⓣ …を魅惑する(attract); …を〔…へ〕(えさで)誘い込む(tempt)〔*into*〕;〈人〉をそそのかして〔…〕させる〔*to do*〕《◆ **lure** は「悪いことに誘う」》‖ *allure* passers-by *into* the side-shows 通行人を見世物に呼び寄せる. ——名 Ⓤ 魅惑(するもの); (個人的な)魅力(charm).

al·lure·ment /əlúərmənt/ 名 1 Ⓤ 誘惑, 魅惑. 2 ⓒ 誘惑する物; 魅力.

†**al·lur·ing** /əlúəriŋ/ 形 誘惑する, おびき寄せる;心を奪う, 魅力的な.

†**al·lu·sion** /əlúːʒən/ 名 Ⓤⓒ 1 〔…を〕ほのめかすこと, 当てつけ;(間接的な)言及(reference)〔*to*〕‖ make an [no] *allusion to* her death 彼女の死亡のことをそれとなく言う[言わない]. 2 (修辞) 引喩.

al·lu·sive /əlúːsiv/ 形 暗示する, 間接的に言及する.

†**al·lu·vi·al** /əlúːviəl/ 形 [地質] 沖積(⅞)物[層]の;沖積世[期]の.

†**al·ly** /動 əlái; 名 ǽlai, əlái/ 動 ⓣ (通例 be allied / ~ oneself) 〈国・人などが〉〔…と〕同盟する, 連合する, 縁組する〔*with, to*〕‖ Germany *was* once *allied with* Italy. = Germany once *allied* itself *with* Italy. ドイツはかつてイタリアと同盟国であった / He *allied* himself *with* a powerful family. 彼は有力者の家と縁組みした. ——ⓘ〈国・人などが〉〔…と〕同盟[連合, 縁組み]する〔*with, to*〕.

——名 ⓒ 1 同盟国, 盟邦 ‖ the Allies (第一・第二次大戦における)連合軍 (cf. the Axis). 2 協力者, 味方 ‖ make an *ally* of … …を味方にする.

–al·ly /-əli/ [接尾辞] →語要素一覧(2.1).

al·ma ma·ter, Al·ma Ma·ter /ǽlməmɑ́ːtər/ 〖ラテン〗名 ⓒ (正式) 母校; (米) 校歌.

†**al·ma·nac** /ɔ́ːlmənæ̀k, ǽl-/ 名 ⓒ 1 暦《特に天文・気象などの情報を盛ったもの》. 2 年鑑(yearbook).

†**al·might·y** /ɔːlmáiti/《◆名詞のまで用いるときはふつう /-́-/》形 1 [しばしば A~] (宗教) 全能の ‖ Almighty God =God Almighty 全能の神《◆ God [Christ] Almighty は驚きや怒りを表す間投詞としても使われる》/ the Almighty [All Mighty] [名詞的に] 全能者, 神(God). 2 (略式) 巨大な, 強力な (very great), 極端な; ひどい ‖ *almighty* nonsense まったくのたわごと. 3 (略式) 〈音などが〉騒々しい.

almíghty dóllar (米略式) [the ~] 万能のドル, 金力.

†**al·mond** /ɑ́ːmənd, (米＋) ǽlmənd/ 名 ⓒ アーモンド, ハタンキョウ; その木;その種子; [形容詞的に] アーモンド色の.

‡**al·most** /ɔ́ːlmoust, (米＋) -́-/《◆ (1) 前に置く修飾ではふつう /-́-/, 後に置く修飾ではふつう /-́-/: *almost dóne* ... *done almóst*. (2) 単独では (米) ではふつう /-́-/》『「到達点または限界に近づいてはいるがまだ少し足りない」というのが本義. cf. nearly』

——副 ほとんど, ほぼ, たいてい; もう少しで, 九分通り, …と言ってもよい; すんでのところで…するところ《◆形容詞・副詞・動詞・all・every などを修飾する. 名詞を修飾

しない》‖ *almost* always ほとんどいつも / The day is almost over. 一日は終わろうとしている / *Almost áll (of) the* students like English. 学生のほとんどは英語が好きだ《◆(1) *Most of the students …* だとこれよりやや多い人数をいう. (2) ˟*almost the students* は誤り》/ That is almost correct. 大体正しい; [否定の意味で; 通例 almost に強勢を置いて] まだ少し正確とは言えない / *Almost* éverybody was invited. ほとんど全員が招待された / She *almost* wished her husband would die. 彼女は夫が死んだらよいと思うぐらいだった / She was *almost* late for school because her bicycle had a puncture. 自転車がパンクしたため彼女は学校を遅刻しそうになった / He answered *almost* in a whisper. 彼はほとんどささやくような声で答えた.

✓ 語法 (1) [**almost** と **nearly**] almost はもう少しのところである状態に達していないこと, nearly はもう少しのところである状態に達しそうなことをいう.《英》では特に nearly は驚き・不満などの感情が含まれることが多い: She *almost* [*nearly*] drowned. 彼女は危うく溺(ｵﾎ)死するところだった《◆*almost* では危うかったが結局溺死しなかったこと, nearly は危うく溺死しそうになったことが強調される》.
(2) almost は今では not, no, none, never, nothing などの否定語の前に置く: I *almost* didn't meet her. 私はすんでのところで彼女に会えないところだった / I *almost* never met her. 私は彼女とほとんど会わなかった(=I hardly ever met her.) / There were *almost* no railroads out West. 遠い西部にはほとんど鉄道がなかった(=There were hardly any railroads out West.).

†**alms** /ɑ́ːmz/ 発音注意 同音 arms 《英》名《複 alms》Ⓒ《やや古》[複数扱い]《貧民救済の》施し物《衣服・食物など》, 義捐(ｷﾞｴﾝ)金.
alms·house /ɑ́ːmzhàuz/ 名Ⓒ《英》私設救貧院, 養老院.
al·oe /ǽlou/ 名 **1** Ⓒ《植》アロエ, ロカイ《ユリ科の薬用・観賞用植物》. **2** [~s] アロエのけ[液]《薬用》.
†**a·loft** /əlɔ́ːft, (米+) əlɔ́ːft| əlɔ́ft/副形《正式》上に, 高く; 空中に, 飛んで; 《船の》帆上に.
——前 …の上に.
a·lo·ha /əlóuhɑː, -hɑ̀ː| -hə́/《ハワイ》間 アロハ: ようこそ (hello), さようなら (good-by). ——名ⓊⒸ 愛.
aló·ha shírt アロハシャツ.
Alóha State《愛称》[the ~] アロハ州(→ Hawaii).

:**a·lone** /əlóun/《まったく (al) ひとり (one)》
——形《ふつう比較変化なし》[補語として] **1** […の点で] ただひとりの, 孤独な (*in*) 《◆(1) lonely, lonesome と違って必ずしも寂しいことを含意しない. (2) 名詞の前に用いるときは lonely を用いる: 'a lonely [˟an alone] girl 孤独な少女》‖ I don't want to be *alone*. Will you come with me? ひとりぼっちはいやだ, 一緒に来てくれるかい / *alone togéther* 二人きりで.
2 [通例主語の名詞・代名詞の後で] ただ…だけ《◆ only より強意的. この alone は副詞ともとれる》‖ John *alóne* went there. ジョンだけがそこに行った(=Only Jóhn went there.) (cf. John went there *alone*. ジョンはそこへひとりで行った) / Man shall not live by bread *alone*. 《聖》人はパンのみにて生くるにあらず. 語法 目的語の後に用いて

˟Call John *alone*. 《ジョンだけを呼ぶ》とはいえない (cf. only 副 語法).
3 [be [stand] *alone* in A]《人・物が》〈能力・誠実さなど〉の点で比較するものがない ‖ He stands *alone* as 'a conductor of ballet music [*in the field of science*]. バレエ音楽の指揮者として[科学の分野では]彼にかなうものはない.
gó it alóne 《援助を受けないで》ひとりでやる[行なう].
*léet alóne **(略式)**《人・物を》…はいうまでもなく (much less) ‖ I don't have a cent, *let alone* a dollar. 1ドルどころか, 1セントも持っていない / She can hardly walk, *let alone* run. 彼女は走るどころか, ろくに歩きもしない. **2** 放って…く.
*léet [léave] A alóne **(略式)**《人・物を》《かまわず》そのままにしておく, …に干渉しない ‖ Leave me *alone*; I don't feel well. ほっといてくれ, 気分が悪いから.
léet [léave] wéll (enóugh) alóne[通例命令文で]《すでに満足している》現状のままにしておきなさい.
——副 **1** ひとりで, 単独で (by oneself; on one's own); 単に, ただ…だけ《◆修飾する語句の後ろに置く》‖ He is not married and lives *alone*. 彼は独身でひとり暮らしだ / I did it for him *alone*. ただ彼もうけのためにだけそれをした / He went abroad three times in June *alone*. 彼は6月だけで3回海外へ行った. **2** 独力で.
àll alóne ひとりだけで[寂しく]; まったく独力で.
gó it alóne ひとりで働き[住み]始める.

:**a·long** /əlɔ́ːŋ/ 前 əlɔ́ŋ; 副 -/《「細長いものに沿って端から端まで移動する」が本義》

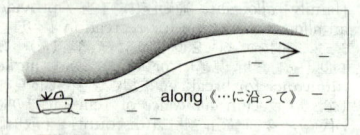

along 《…に沿って》

——前 **1** [方向・運動] …に沿って, …づたいに, 沿いの; …の上[中]をずっと; [*all* ~] …に沿って[…の上[中]を] (端から端まで) ずっと ‖ walk *along* (the bank of) the river 川に沿って (土手を) 歩く / sail *along* the river 川(の中)を航行する《◆「その物の上を通って」と第1例のように「外側に沿って」との2つの意味がある》/ drive *along* the mountain path 山道を車で行く / drag one's coat *along* the ground コートを地面に引きずって歩く / *Pass* [*Move*] *along* the bus, please! 《車掌が乗客に》中へお詰めください / There are trees *all along* the banks. 両岸に沿ってずっと並木がある.
2 [位置]《英》…の途中[中]で[に](on); …をずっと行った所に;《旅行などの間に》(during) ‖ *along* the way 途中で / There is a mailbox somewhere *along* this street. この通りのどこかに郵便ポストがある.
3〈方針・方向などに〉沿って, 従って ‖ *along* the lines mentioned above 上で述べた線に沿って.
——副 **1** […のそばに] 沿って (*by, beside*) ‖ cars parked *along* by the building 建物のそばに並んで駐車している車 / jog *along* beside him 彼と並んでジョギングする (=jog alongside him).
2 [止まらずに] 前へ, 《どんどん》先へ; 進んで (on) ‖ She drove *along* [on]. 彼女はどんどん車を走らせた《◆ on はどんどん向こうへという「継続」を, along は先行する車を追ってという「付随」を含意する》/ *Move along, please!* 《警官が群衆に》《道をふさがないで》どんどん歩いて!

3 a [通例 far, well などを前に置いて]〈仕事・時間などが〉かなり進んで[進行して, はかどって] ‖ The party was *well along* when I came. 私が来た時にはパーティーはもうかなり進んでいた / He is *far along* with his thesis. 彼は論文がかなり進んでいる. **b** [about, toward を伴って] (時間的に)…に近づいて, …ごろに ‖ *along about* [*toward*] midnight 真夜中ごろ. **4**〈人〉を伴って, 一緒に〈物〉を持って ‖ Joe ***brought*** his girlfriend ***along*** to the party. ジョーはパーティーにガールフレンドを連れて行った / I ***took*** my camera ***along***. カメラを持っていった.

*__àll alóng__ (1) → [前] **1**. (2)〘初めから今まで時の流れに沿って〙《略式》**ずっと**, 最初から(《主に米略式》right along)《◆ふつう know, feel, sense などと共に用いる》‖ I *knew* it *all along*. 最初からそれがわかっていた.

*__alóng with A__ 〈人〉**といっしょに**; …と協力して; 〈物・事〉に加えて, …のほかに ‖ He planned the project *along with* his colleagues. 彼は同僚と協力してその計画を立てた.

be alóng [未来時制で] やって来る ‖ *I'll be along* soon. すぐ行きます.

†**a·long·side** /əlɔ́(ː)ŋsàid, ⌒⌒|⌒⌒, ⌒⌒/ [副] **1** 〔…の〕そばに; 〔…と〕並んで, 平行して〔*of*〕‖ walk「*alongside of* [along] the river 川沿いに歩く. **2**〘海事〙横付けに, 舷側(げんそく)に. ――[前] **1** …のそばに; …と並んで, …とともに, …と平行して ‖ The boat was *alongside* [along] the quay. そのボートは波止場につながれていた《◆次例では along と交換不可: We walked *along* [×alongside] the street. 通りを歩いた》. **2** …のそばに置くと, …と比較すると.

†**a·loof** /əlúːf/ [副] 〔…から〕離れて, 遠ざかって〔*from*〕; 〘海事〙風上の方に. ――[形] 〔…に〕よそよそしい, 冷淡な〔*from*〕《◆強調するには very much *aloof* が本来だが, 《略式》では very *aloof* も用いられる》‖「***keep*** (oneself) [***hold*** (oneself), ***stand***] ***aloof from*** the others ほかの人に加わらないでいる, ほかの人から離れている. **a·lóof·ly** [副] 冷淡に. **a·lóof·ness** [名] [U] 〔…に対する〕無関心〔*from*〕.

*__a·loud__ /əláud/

――[副]《◆比較変化しない》**1** (人に聞こえるほどに)**声を出して**(→ loudly **1**) ‖ ***think aloud*** (思わず)ひとりごとを言う, 考えていることを声に出す; 考えながら話す / laugh *aloud* 声を出して笑う / read a poem *aloud* 詩を朗読する. [語法] aloud は実際に口に出したことが心で思ったことと違う場合にしばしば用いる: He thought to himself, "No!" *Aloud*, he said, "Yes." 彼は心の中で「いやだ!」と思ったが, 声に出して言ったのは「はい」であった. **2**《古》=loudly.

al·pac·a /ælpǽkə/ [名] [C] アルパカ《南米産の毛の長い羊に似た家畜》; [U] アルパカの毛; その混紡織物.

al·pha /ǽlfə/ [名] **1** [U] [C] アルファ《ギリシアアルファベットの第1字(α, A). 英字の a, A に相当. → Greek alphabet》. [表現]「彼には実力プラスアルファがある」は He has real capacity plus something extra. **2** [U] [C] (物事の)初め, 第1(のもの)(↔ omega). **3** [A~] アルファ星《星座中の主星》.

the álpha and ómega 《文》〔…の〕初めと終わり, 全体; 主要素, 最も重要なもの〔*of*〕.

álpha pàrticle 〘物理〙アルファ粒子.

álpha plús とびきり上等の; 〈成績が〉秀の《◆(1) A^+ で表す. (2) plus alpha は不可》.

*__al·pha·bet__ /ǽlfəbèt/ [アクセント注意]〘アルファ(α)+ベータ(β)〙

――[名] (複 ~s/-bèts/) **1** [C] [集合名詞] **アルファベット**, ABC; 字母 ‖ a phonetic *alphabet* 発音記号 / the third letter in [of] the English *alphabet* 英語のアルファベットの第3文字. **2** [the ~] 〔…の〕初歩, いろは〔*of*〕‖ *the alphabet of* mathematics 数学の初歩.

> [関連] (1) 英語のアルファベット26字のうち, 1字が1音を表すのは次の11個の子音字: b, h, j, k, l, m, p, r, v, w, z. (2) 最も頻度の高い文字は e. (3) s で始まる語が最も多い. 以下 c, p の順.

álphabet sòup 《米》(湯で溶かすと)アルファベット(の文字が浮かび上がる)スープ《子供が好むように工夫した多くのものをごたまぜにしたもの》.

al·pha·bet·i·cal, -·bet·ic /ælfəbétik(l)/ [形] アルファベット(字母)の, アルファベット[ABC]順の.

àl·pha·bét·i·cal·ly [副] アルファベット[ABC]順に.

al·pha·bet·ize /ǽlfəbətàiz|-bet-/ [動] [他] …をアルファベット[ABC]順にする; …をアルファベット[ABC]で表す.

al·pha·nu·mer·ic, -·i·cal /ælfənjuːmérik(l)/ [形] 〘コンピュータ〙文字と数字を組み合わせた, 英数字の.

†**al·pine** /ǽlpàin/ [形] **1** [A~] アルプス山脈の. **2** [時に A~] 高山の; 〘生物〙高山性の. **3**〘スキー〙アルペン競技の. ――[名] [C] **1** =alpine plant. **2** [A~] 〘人類〙アルプス人種《ヨーロッパ東部・中部に分布する体毛の多い白人》.

álpine plánt 高山植物.

álpine skíing 〘スキー〙アルペンスキー.

Alps /ælps/ [名] [the ~; 複数扱い] アルプス山脈《ヨーロッパ南部の山脈. 最高峰 Mont Blanc》.

**__al·read·y__ /ɔːlrédi/〘まったく(al)準備ができた(ready). cf. alone〙

――[副] **1** [肯定文で; しばしば完了時制で] (予期しているよりも早く)**もう, すでに**; 今までに, それまでに《◆これに対する否定文・疑問文ではふつう yet を用いる. ➔文法 6.1(1)》‖ She ***has already finished*** the work. 彼女はもう仕事を終えました《◆She's finished the work *alréady*! のように文尾に置くと「もう終えたのですか!」と驚きを強調する》/ Tom's *already* here, but Bill hasn't come *yet*. トムはもうここへ来ていますがビルはまだです / I ran to school but the bell had *already* rung. 学校へ走って行ったがベルはとっくに鳴っていた / She was *already* getting ready to go to bed when the phone rang. 彼女が寝ようと準備していたちょうどその時電話のベルが鳴った / She knew the story *already*. 彼女はすでにその話を知っていた.

> [語法] (1) already の位置はふつう be動詞・助動詞(have)の後であるが, 省略文などではその前に置く: "Why don't you change the bulb?" "But I ***already háve*** /hǽv/ (changed)."「電球を取りかえてくれたらどうなの」「いや, もう取りかえたよ」.
> (2) 文頭に用いることもある: *Already* he was aware of it. とっくに彼はそれに気づいて(しまって)いた.
> (3) 一般動詞と共に用いる時はふつうその前: We *already* discussed it [the matter] with Tom. 私たちはすでにトムと話し合った.

2 [疑問文・否定文で; しばしば完了時制で] もう, そんなに早く(so soon)《◆意外・驚きを表す》‖ ***Have you met*** Mr. Smith ***alréady***? もうスミスさんに会われた

のですか《◆Yes, I *did* last week. のような肯定の答えを期待する. Have you met Mr. Smith *yét*? にはこのような含みはない. 答えは Yes, I *have*. / No, I *haven't*. / No, not yet. のいずれか》/ Are my socks dry *alréady*? 靴下もう乾いたの(早いね)《対話》"You haven't solved the problem *already*(↗), have you?(↗)""Yes, I have. Can I go home?"「まさかもうその問題を解いてしまったのではないでしょうね」「いいえ, 解けました, 家に帰ってよろしいですか」.
3《略式》今すぐ, 早く《◆いらだち・性急さを表す》.

al·right /ɔːlráit/《略式・非標準》副 形 =all RIGHT.

:al·so /ɔːlsou/ 〘まったく(al)そのように(so)〙
──副 …もまた, さらに, 同様に《◆too, as well より堅い語》《使い分け》→ either 副 **2**》‖ He is a doctor and *also* a novelist [and a novelist *also*]. 彼は医者であり小説家でもある《◆文尾に用いるのは強意的》(=《略式》He is a doctor and a novelist, *too*.) / We went to the museum. We *also* went to the temple. 我々は博物館へ行った. 寺へも行った(=We went to the temple *as well as* the museum.) / I was not a good mother. I was *also* not a bad mother. 私はいい母親ではなかった. 悪い母親でもなかった(=《略式》… I was not a bad mother, *either*.).

> 〖語法〗話し言葉では一般動詞の前, be動詞・助動詞の後に置かれ, 文のどの部分をも修飾することができる. その場合, *also* が直接修飾する語に強勢が置かれる: Tóm *also*(↘) phoned Susie today(↘). (トムも)《◆Also(↘) (,) Tom … はその上トムは電話した」→《接》/ Tom *also* phóned(↘) Susie today(↘). (電話もした) / Tom *also* phoned Susie today(↘). (今日も).

> 〘使い分け〙[also と too]
> *also* は文頭でも用いられる.
> *too* は文頭で用いることはできない.
> Smoking makes you ill. *Also* [*×Too*], it costs a lot. タバコを吸うと病気になる. さらに, タバコは高くつく.
> John lives in Kyoto. Mary lives in Kyoto, *too*. =…Mary *also* lives in Kyoto. ジョンは京都に住んでるよ. メリーもだよ.

──接《略式》その上, さらに《(1) 書き言葉には接続詞用法は避けて and also とする. (2) 文頭で独立して用いられることがある》‖ She speaks English, *also* Swahili. 彼女は英語を話し, その上スワヒリ語も話す / *Also*(↘), there is a greater risk of accidents. おまけに, 事故の恐れがより大きい.

al·so-ran /ɔːsouræn/ 名 C **1**(競走で)等外馬; 等外人. **2**(競技で)入賞できない人; 落選者; 落選候補者; 取るに足りない人.

ALT(略)assistant language teacher (日本の)外国語指導助手《◆もと AET と言った》.

Al·tai /æltai/ 名 the ~ Mountains アルタイ山脈《アジア中央部の大山系》.

Al·tair /æltéər/ 名〔天文〕アルタイル, 彦星, 牽牛(は<ぼ)星《わし座のアルファ星. cf. Vega》.

†**al·tar** /ɔːltər/ 〘同音〙alter) 名 C **1** 祭壇, 供物台;〔教会〕聖餐(歳)台, 聖体拝領台. 〔事情〕神の食卓とされ, 創造主を象徴する.

at [on] the áltar of A 〈何か大切なもの〉のために, …とひきかえに.
léad A to the áltar (教会で)〈女性〉と結婚する.
áltar bòy〔カトリック〕ミサの侍者(acolyte).

*__al·ter__ /ɔːltər/ 〘同音〙altar)「「他のものにする」が原義. cf. *alternate*〙派 *alteration*(名)
──動(~s/-z/; 過去・過分 ~ed/-d/; ~ing /-tərin/)
──他〈人が〉〈衣服〉を作り変える;〈家・部屋〉を改造する;〈人・物・事〉が〈人・物・事〉を**変える**, 改める《◆change より部分的な変化を強調する》‖ These trousers must be *altered*. They are too baggy. このズボンは直してもらわねばならない. だぶだぶだから / She has *altered* her hairstyle. 彼女はヘアスタイルを変えた.
──自〈人・物が〉[…において]変わる, 改まる[in]‖ He has *altered* very much *in* appearance. 彼はずいぶん外見が変わった.

ál·ter·a·ble 形 変更できる.

†**al·ter·a·tion** /ɔːltəréiʃən/ 名 CU **1** (一部の)変更(をすること), 修正, 手直し, 改変(された)(もの)‖ make *alterations* to [*in*] … …を改造する. **2** 変化, 変質.

†**al·ter·ca·tion** /ɔːltərkéiʃən/ 名 UC《正式》[…との]口論, 激論, 論争(quarrel)[*with*].

al·ter e·go /ɔːltər íːgou | ǽltər-|〔ラテン〕名(複 *alter egos*) C 別の自己; 親友(close friend).

†**al·ter·nate** /形 名 ɔːltərnət, ɑː-, -ɑːl | ɔːltəːnət; 動 ɔːltərneit/ 形 **1**〈2つの事物が〉交互に起こる[現れる], 交替する, かわるがわるの‖ *alternate* stripes of red and white 紅白のしま模様. **2** 1つおきの, 互い違いの‖ I write in my diary on *alternate days*. 私は1日おきに日記をつけています(=… *every other [second] day*.) / *alternate* leaves 互生葉. **3**《米》(2者のうち)どちらか一方の; 代わりの《◆*alternative* のほうがふつう》‖ an *alternate* site 代替地.
──名 C《米》代わりをする人, 代理人, 代役, 補欠.
──動《正式》他〈人が〉〈人・物・事〉を[…と]交替にする, 交互にする; 互い違いにする[*with*]‖ *alternate* reading *with* [*and*] watching television 読書をしたりテレビを見たりする / My wife and I *alternated* [took] turns taking care of my sick mother. 妻と私は交替で病気の母の看病をした.
──自[…と]交替する[*with*];[…を]交互にする[*between*]; 交互に来る[起こる]‖ She *alternated between* joy *and* grief. 彼女は喜んだり悲しんだりした(=She *alternated* joy *with* grief.).

álternate ángles〔幾何〕錯角.

†**al·ter·nate·ly** /ɔːltəːnətli | ɔːltəːnətli/ 副 **1** かわるがわる, 交替に‖ take the dog out *alternately* 交替で犬を散歩させる. **2** 互い違いに, 1つおきに.

al·ter·nat·ing /ɔːltərneitin/ 形 交互の;〔電気〕交流の. **álternating cúrrent**〔電気〕交流(略) ac, a-c, AC) (↔ *direct current*).

†**al·ter·na·tion** /ɔːltərnéiʃən/ 名 UC 交互(にすること), (2者間の)交替《◆3者以上の交替は rotation》; 1つおき‖ *alternation* of generations〔生物〕世代交番[交代].

*__al·ter·na·tive__ /ɔːltəːrnətiv/ アクセント注意
──形《◆比較変化しない》**1**(2者[時に3者以上]のうち)どちらか一方の, [どれか]1つを選ぶべき, あれかこれかの; 代わりの《◆*alternate* と違って「交互の」「互い違いの」という意味はない》‖ *alternative* courses (死か降伏かなどの)二筋道 / When applying for tickets, please *give alternative dates*. 切符を申し込まれ

る際は代替日もご指定ください. **2**（社会的基準に基づかず）新しい, 型にはまらない, 伝統的ではない ‖ the *alternative* theater 前衛劇 / the *alternative* society 新[別]社会.

—[名]（複 ~s/-z/）[C] 二者択一(の自由[機会])《◆3者以上用いることもある》;（2者以上から）選択すべきもの, 選択肢《◆ alternative は必ず1つ選ばなければならないのに対して, choice はどれも選ばないこともありうる》;〔...に〕代わりのもの[方法], かけがえ[to]｜ We can take a boat to Florida or, as an *alternative*, we can fly. フロリダまで船に乗って行くこともできるしあるいはその代わりに飛行機で行くこともできる / Is there no *alternative* to your method? 他に方法はありませんか / The *alternatives* are liberty and [×or] death. 選ぶべき道は自由か死だ《◆主語が単数ならば or》/ We missed the last bus, so we had no *alternative* but to walk. 最終バスに乗り遅れたので, 歩いて行くより仕方がなかった.

altérnative conjúnction [文法] 選択接続詞《or, either ... or, whether ... or など》.

altérnative énergy 代替エネルギー《太陽熱・風力など》.

altérnative médicine 補完医学[療].

altérnativé quéstion [文法] 選択疑問文《Was it fine or cloudy? など》.

al·tér·na·tive·ly [副] 二者択一的に, 代わりに;［文全体を修飾］あるいは, その代わりに(instead).

al·ter·na·tor /ɔ́ːltərnèitər/ [名] [C] 交流(発電)機.

***al·though, al·tho**' /ɔːlðóu/［まったく(al) + though］

—[接]〔通例主節に先行して〕(...である)けれども, ...にもかかわらず《◆ though より強意的で堅い語. → though》 ‖ *Although* teachers give a lot of advice, students don't always take it. 教師はいろいろと助言をするが, 生徒はいつも聞き入れるわけではない(=Teachers give a lot of advice, *but* (even so) students ...) / *Although* (he is) rich, he is not happy. 彼はお金持ちだが幸せではない(=!In spite of [For [With] all, Despite (of)] his riches, he ...)《◆ he is の省略については ➡文法 23.5 (2)》.

†al·ti·tude /ǽltətjùːd/ [名] **1** [C] [通例 an/the ~]（山・飛行機などの）高さ, 高度; 海抜, 標高《◆ height と違って「海面または地面からの高さ」の意. ふつう「非常に高い」意をこめる》‖ fly at a low *altitude* 低空飛行をする. **2** [C]［通例 ~s] 高所, 高地.

†al·to /ǽltou/ [名]（複 ~s）[音楽] **1** [U] アルト《女声の低音部. soprano, mezzo-soprano, alto の順に低くなる》. **2** [C] アルト歌手; アルト声部; アルト楽器. **3**［形容詞的に］アルトの.

†al·to·geth·er /ɔ̀ːltəɡéðər/ [副] まったく, 完全に, すっかり《◆ completely より強意的. àll togéther は「みんな一緒に」の意》‖ an *altogether* trustworthy person 完全に信頼のおける人 / He is *altogether* a giant.［名詞を強めて］彼は文句なしの巨人だ / I'm *not altogether* satisfied with your answer. 私は君の答えにまったく満足しているというわけではない《◆否定文では部分否定. ➡文法 2.2(2)》.

[語法] 修飾する語の前に置くと /-́-/, 後に置かれると /-́-/ と発音されることが多い ‖ *altogèther* fálse まったく間違った / different *altogéther* まったく異なる.

2 全部で, 合計で(in all) ‖ His debt amounted to ten million yen *altogether*. 彼の借金は合計で1千万円に達した. **3** [文面で; 文全体を修飾] 全体的に見て, 要するに; 概して ‖ *Altogèther* [Tàken *altogéther*] (⤵), it was a success. 全体的に見れば成功だった.

in the altogéther 《略式》裸で[の].

al·tru·ism /ǽltruɪzm/ [名] [U] 利他主義[精神]《↔ egoism》.

al·tru·is·tic /æltruístik/ [形] 利他(主義)的の《↔ egoistic, selfish》. **àl·tru·ís·ti·cal·ly** [副] 利他的に.

†al·u·min·i·um /ǽləmíniəm/ [名]《英》= aluminum.

†a·lu·mi·num /əlúːmənəm/ [名] [U]《米》[化学] アルミニウム《金属元素. 記号 Al》《英》aluminium.

a·lum·na /əlʌ́mnə/ [ラテン] [名]（複 --nae/-niː/）[C]（女子の）卒業生, 同窓生《英》old girl）(→ alumnus).

a·lum·ni /əlʌ́mnai/ [名] alumnus の複数形.

alúmni associátion《米》（男・女の）同窓会《英》old boys' [girls'] association》《◆「同窓会の集まり」は an *alumni* meeting,《英》an old boys' [girls'] meeting》.

a·lum·nus /əlʌ́mnəs/ [ラテン] [名]（複 --ni; 《女性形》--na）[C]《米》（男子の）卒業生, 同窓生《英》old boy》《◆複数形 alumni は共学の学校の男女卒業生の意にも用いる》; 以前の住人, 旧社員, 旧寄稿者.

al·ve·o·lar /ælvíːələr; ælvíːəʊlə, ælvɪ́ələ/ [形] [解剖] 小胞(しょう)状の; 肺胞の; 歯槽(ち)の; [音声] 歯茎音の《子音節で /t, d, n, l, s/ のように舌先を上歯茎につけるか, 接近させて発音される》.

:al·ways /ɔ́ːlweiz, -wəz/［「頻度100％」が本義. cf. often］

—[副]《比較変化しない》**1a** [be動詞・助動詞の後, 一般動詞の前] いつも ‖ いつも(every time), いつでも(anytime);（今まで）ずっと;［通例文尾で］（これから）いつでも, 永遠に(forever)《↔ never》‖ I *always* walk to school. 私はいつも徒歩で通学する《*always* は否定語に先行できない. したがって「いつも徒歩で通学しない」の全否定は I never walk to school. とし, *I always do not walk to school. とはいえない》/ Night *always* follows day. 昼の後には必ず夜がやってくる / *Always* be kind. いつも親切にしなさい《◆命令文以外は文頭に置かない. ×*Always* he comes early.》/《対話》"You should *always* be polite." "I *álways* ám polite." 「いつも礼儀正しくしなければいけません」「いつだって礼儀正しくしていますよ」《◆ be動詞に強勢が置かれる場合はその直前に置かれる》/ I will love you *always*. 永遠にあなたを愛します / (ジョーク) "Does water *always* come through the ceiling in this place?" "No, sir, only when it rains."「ここではいつも天井から水がしたり落ちてくるのかね」「いいえ, 雨が降ったときだけです」.

b [通例完了形と共に] ずっと, もともと, 前々から, かねてね ‖ She *has always* lived in Otaru. 彼女はずっと小樽で暮らしている.

c [進行形と共に] いつも[たえず]...ばかりしている ‖ He *is always* coming late for school. 彼はいつも学校に遅刻ばかりしている《◆ふつう話し手の非難・嫌悪・軽蔑(⤵)やいらだたしさを表す. ➡文法 5.2(4)》/ I'm *always* meeting him there. そこへ行くと彼に出会ってしまう《◆「よく偶然に会う」意. I *always* meet him there. では「いつも決まって会う」場合をいう》.

2 [総称名詞を主語にして] ...はすべて, 必ず ‖ Good

books are *always* worth reading. 良書はすべて読むに値する(=All good books are worth reading.). **3** (通例 can, could と共に; 強意副詞として) いつだって; きっと, とにかく, 必要ならば ‖ We *can always* find time for reading. いつだって読書の時間は見つけられる《◆陳述を強調するときは We *al-ways cán* ... (本当にいつだって…)となる》.

*álmost [néarly] álways たいてい《◆否定文では用いられない》 ‖ I *almost always* play baseball after school. 僕は放課後にはたいてい野球をする.

as [like] álways いつものように.

*nót álways (1) いつも…である[する]とは限らない ‖ 〔対話〕 "Do you *always* have Saturdays off in your school?" "No, *not always*. We have school on the first and third Saturday." 「あなたの学校でほいつも土曜日は休みですか」「いつも休みと限りません. 第1と第3土曜日は行きます」. (2) 〔通例総称名詞と共に〕必ずしも…である[する]とは限らない ‖ Great men are *not always* wise. 偉人が必ずしも賢いとは限らない(=*Not all* great men are wise.).《◆全否定は Great men are *never* wise. / No great men are wise.》

Thére is álways ... …を試してみられてはどうですか《◆ていねいな提案》.

You could álways do ... …なさってはいかがですか《◆ていねいな提案》.

Álz·hei·mer's disèase /ɑ́ːltshaimərz-|ɛ́lts-/ 〖医学〗 アルツハイマー病《退行性の老人性痴呆症》.

*am /(弱) əm; (強) æm, ém/《◆発音はふつう弱形.〔略式〕では通例短縮形 'm /m/ となる. ただし文尾にくるときや強調のあるときは強形で, 〔略式〕でも短縮形にしない(→第2例)》.

—— 動 (過去 was, 過分 been; be·ing) 一人称単数を主語とする be の直説法現在形〔語法 → be〕‖ I *am* a housewife. 私は主婦です / 〔対話〕 "Are you a student?" "Yes, I *am* [*I'm]." 「学生さんですか」「はいそうです」.

〔語法〕 *am not* の短縮形は 'm not. 〔正式〕*am I not* の短縮形としては〔略式〕aren't I や〔非標準〕ain't I が用いられる. → **aren't** 〔語法〕, **ain't**.

AM, a.m. 略 〖電気〗 amplitude modulation (cf. FM) ‖ AM broadcasting AM 放送.

Am. 略 America(n).

*a.m., A.M. /éiém/ 〖ラテン語 ante meridiem (=before noon) の略〗

—— 副 午前(↔ p.m., P.M.) ‖ at 10:15 *a.m.* 午前10時15分 / catch the 10 *a.m.* (train) to Hakata 博多行午前10時の列車に乗る.

〔語法〕 (1) 見出し・時刻表などのとき以外は小文字で書くのがふつう.
(2) 時間を示す数字の後に置く(数字の前には置かない).
(3) 数字 + o'clock *a.m.* とはしない: ×10 o'clock *a.m.*
(4) 会話では, 列車の時刻などいう時以外はふつう in the morning を用いる: She got up at seven in the morning. 彼女は午前7時に起きた.
(5) 「正午」は単に noon という. ×12 *a.m.*, ×12 *p.m.*

a.m., AM 略 〖ラテン語〗 Artium Magister (=Master of Arts, MA) 文学修士.

a·mal·gam /əmǽlgəm/ 图 **1** ⓤⓒ 〖化学〗 アマルガム《水銀と他の金属との合金》. **2** ⓒ 〔正式〕〔通例 an ~〕混合物体; 合成物(mixture). **3** ⓒⓤ 〖歯科〗 アマルガム《水銀・スズを主成分とする虫歯の充填(じゅうてん)剤》.

†a·mal·ga·mate /əmǽlgəmèit/ 動 他 〈会社などを〉〔…と〕合併[合同]する(join)〔*with*〕; 〈階級・思想などを〉〔…に〕混交[融合]する(mix)〔*into*〕. —— 自 〈会社が〉〔…と〕合併する; 融合する〔*with*〕.

a·mal·ga·ma·tion /əmæ̀lgəméiʃən/ 图 ⓤⓒ **1** (正式) 融合(すること); 融合体. **2** (会社などの)合併, (人種の)混交, 混血. **3** 〖冶金〗 アマルガム製錬(法).

a·man·u·en·sis /əmæ̀njuénsis/ 图 (複 ~·ses /-siːz/) ⓒ 〔正式〕(口述)筆記者; 書記.

am·a·ryl·lis /æ̀mərílis/ 图 (複 ~·es) ⓒ 〖植〗 アマリリス.

†a·mass /əmǽs/ 動 他 …を積む, 集める; 〈財産などを〉(自分のために)蓄積する.

†am·a·teur /ǽmətʃùər, -tər|ǽmətə/ 图 ⓒ アマチュア, しろうと (↔ professional); 〔…の〕愛好家, ファン; 未熟者, 生かじりの人〔*in, at*〕‖ a musical *ama·teur* =an *amateur in* music 音楽愛好家 / "Oh, well, you're just an *amateur*!"「あなたって本当に不器用ね」.
—— 形 未熟な; アマチュアの ‖ an *amateur* radio operator アマ無線家 / His driving skill is very *amateur*. 彼は運転が非常にへただ / *amateur* dramatics しろうと劇[芝居].

am·a·teur·ish /ǽmətʃùəriʃ|ǽmətəriʃ/ 形 しろうと臭い, へたな. **àm·a·téur·ish·ly** 副 しろうと臭く, へたくそに.

am·a·teur·ism /ǽmətʃùərìzm|ǽmətərìzm/ 图 ⓒ しろうと芸, 道楽; アマチュアの立場[資格] (↔ professionalism).

*a·maze /əméiz/ 〖ひどく(a) まごつかせる(maze)〗 関連語 amazement(名), amazing(形)
—— 動 (~s/-iz/; 過去·過分 ~d/-d/; a·maz·ing)
—— 他 〈物·事·人が〉〈人を〉びっくりさせる, 驚嘆させる; [be ~d] 〈人が〉〔…に/…して〕びっくりする〔*at, by / to* do〕;〔…ということに〕驚嘆する〔*that* 節〕《◆ surprise より強い「驚き」を表し, とても信じられない気持ちを含む》‖ His lack of common sense *amazes* me. 彼の非常識にはまったくあきれるよ / He was *amazed at* [*to*] hear the news. 彼はその知らせに[知らせを聞いて]仰天した / I'm *amazed* (*that*) she won. 彼女が勝ったのでびっくりした(=To my *amazement*, she won. =It is *amazing* to me that she won.).《◆ be *amazed* を強調するには be much *amazed* のように much がふつう》.

†a·mazed /əméizd/ 形 びっくりした, 驚嘆した ‖ an *amazed* look びっくりした顔つき.

†a·maze·ment /əméizmənt/ 图 ⓤ びっくりすること, 驚愕(きょうがく), 仰天, 驚嘆 ‖ *in amazement* 動転して / *To* my *amazement*, the bus began to move on its own. バスがひとりでに動き出したのには驚いた《◆その他の用例→ amaze》.

*a·maz·ing /əméiziŋ/ 〖→ amaze〗
—— 形 [他動詞的に] 〈物・事が〉〈人を〉びっくりさせるような, 驚嘆すべき, 見事な〔*to*〕‖ You're *amazing*! すごいわね, 大したものだ / *amazing* skills 驚くほどの技能 / It is *amazing* (*that*) she 'should have won [(has) won] the prize. 彼女が入賞したのにはびっくりした《◆ (1) should については → should 動

9. (2) その他の用例→ amaze).

†**a·maz·ing·ly** /əméiziŋli/ 副 驚嘆するほど、驚くほど；[文全体を修飾] 驚嘆すべきことは (⇒文法 18.6) ‖ *Amazingly* (⚠), the dying man recovered. 驚くべきことに、死にかけていた人が健康を回復した.

Am·a·zon /ǽməzɑn, -zən/ 名 **1** [the ~] アマゾン川《南米の大河. 世界最大の流域をもつ》. **2** Ⓒ [ギリシア神話] アマゾン族(の女)《カフカス山や黒海沿岸にいたとされる勇猛な女武人族. 弓を引く便利さから右乳房を切ったという》. **3** [しばしば a~] 大柄で運動好きな女；男まさり、女傑.

Am·a·zo·ni·an /ˌæməzóuniən/ 形 **1** アマゾン川[流域]の. **2** 男まさりの、勇猛な.

†**am·bas·sa·dor** /æmbǽsədər/ 名 Ⓒ **1** [しばしば A~] […駐在の]大使 [to] (cf. minister, consul) ‖ the *Japanese ambassador to* the US 駐米日本大使《国名以外の場合は the *ambassador* in [at] Washington ワシントン駐在の大使》/ His Excellency the American *Ambassador to* France 駐仏アメリカ大使閣下《◆直接の呼びかけには Your Excellency ...》/ the *ambassador to* the Court of St. James's 駐英大使. **2** (一般に)使節、代表(representative)；使者 ‖ an *ambassador* of goodwill 親善使節.

am·bas·sa·do·ri·al /æmbæsədɔ́ːriəl/ 形 大使の.

am·bas·sa·dor·ship /æmbǽsədərʃip/ 名 ⓊⒸ 大使の職[身分・資格].

am·bas·sa·dress /æmbǽsədrəs/, -dres/ 名 Ⓒ 大使夫人.

†**am·ber** /ǽmbər/ 名 Ⓤ こはく；こはく色《◆交通信号の「黄色」など》.

am·bi·ance /ǽmbiəns/ 名 = ambience.

am·bi·dex·t(e)·rous /æmbidékst(ə)rəs/ 形《人が》両手のきく；非常に器用な；二心のある.

am·bi·ence /ǽmbiəns/ 名 Ⓤ [正式] [時に an ~] 周囲の状況、環境、雰囲気.

am·bi·ent /ǽmbiənt/ 形 [文] 周囲の、(場所)全体の.

am·bi·gu·i·ty /æmbigjúːəti/ 名 **1** Ⓤ 両義(のこと)；多義性、あいまいさ. **2** Ⓒ あいまいな表現[言葉].

am·big·u·ous /æmbígjuəs/ 形 12つ以上の意味にとれる；多義的な；あいまいな ‖ an *ambiguous* reply どちらともとれる返事. 2疑わしい、不明瞭な.

am·bí·gu·ous·ly 副 どっちつかずに、あいまいに.

am·bit /ǽmbit/ 名 Ⓒ [正式] **1** (勢力)範囲、(活動)領域；境界 ‖ within the *ambit* of ... ...の勢力範囲で. **2** 周囲.

*__**am·bi·tion**__ /æmbíʃən/ [(票を求めて)歩き回る (ambit) こと(ion)] の意《◆ ambitious 形》

——名 (複 ~s/-z/) **1** ⓊⒸ […しようとする]大望、渇望 [to do]；[…に対する]野心、野望；宿願、念願；功名心、権力欲 [for]《◆よい意味にも悪い意味にも用いられる》‖ be filled with [full of] *ambition* 野望に燃えている / She realized [achieved, fulfilled] her *ambition to* become a great scientist. 彼女は大科学者になるという夢を実現した.

2 Ⓒ 野心の対象、野望の的.

*__**am·bi·tious**__ /æmbíʃəs/

——形 **1**《人が》大望を抱いた、野心のある、野望に燃えている ‖ an *ambitious* student 大志を抱いている学生. **2** […を/...することを]熱望[渇望]する [of, for / to do] ‖ He was *ambitious of* [*for*] success in business. =He was *ambitious to* succeed in business. 彼は実業家として成功したいと熱望していた / Mothers are always *ambitious for* their children. 母親はみなわが子の成功を熱望するものだ(= Mothers want their children to be successful.). **3**《計画などが》野心的な、(技術・資金面などで)大がかりの；《文学作品などが》てらいのある、大げさな ‖ Her project is too *ambitious*. 彼女の企画は欲しすぎている.

am·bí·tious·ly 副 野心的に、大がかりに.

am·biv·a·lence /æmbívələns, (英+) æmbivéi-/ 名 Ⓤ […に対する]相反[矛盾]する感情 [toward, about]；[心理] 両面価値(感情).

am·biv·a·lent /æmbívələnt, (英+) æmbivéi-/ 形 […に対して]相反する[矛盾する]感情の、はっきりしない、あいまいな [toward, about]；[心理] 両面価値的な.

am·bív·a·lent·ly 副 あいまいに、同時に.

†**am·ble** /ǽmbl/ 動 ⾃《人がぶらぶら歩く、ゆっくり歩く；《馬がアンブル[側対歩]で歩く (+about, around, along).

——名 [an ~] **1** [馬術] アンブル、側対歩《馬が同じ側の前後の脚を片側ずつ同時に上げて進む歩き方. → gait 名 2》. **2** (略式) (人の)ゆるやかな足どり[歩調]. **ám·bler** 名 Ⓒ アンブルする馬；ゆっくり歩く人.

am·bro·si·a /æmbróuʒə, -ziə/ 名 Ⓤ [ギリシア神話・ローマ神話] アンブロシア、神饌(しんせん)《神々の食物. 食べると不老不死になるという. cf. nectar》.

†**am·bu·lance** /ǽmbjələns/ 名 Ⓒ 救急車《◆米国では民営》；病院車；病院船、傷病兵輸送機 ‖ "Quick! Call an *ambulance*!" 「急いで. 救急車を呼んでください]」/ They lifted him carefully into the *ambulance*. 彼らは彼を慎重に救急車に運び込んだ.

ámbulance chàser 《米式》交通事故を商売の種にする(悪徳)弁護士、示談屋.

am·bu·lance·man /ǽmbjələnsmæn/ 名 (複 -men /, 《女性形》-wom·an/) Ⓒ 救急車乗務員 ((PC) ambulance worker).

am·bu·la·to·ry /ǽmbjələtɔ̀ːri | ǽmbjuléitəri/ 形 [正式] 歩行の；歩行用の、歩行に適した；動く；一時的な.

†**am·bush** /ǽmbuʃ/ 名 ⓊⒸ **1** 待ち伏せして奇襲すること、待ち伏せ ‖ trap an enemy by *ambush* 待ち伏せして敵をわなにかける / lie [hide, wait, conceal oneself] in *ambush* (for ...) (...を)待ち伏せする / fall into an *ambush* 待ち伏せにあう / lay [make, set up] an *ambush* (for ...) (...を攻撃するために)伏兵を置く. **2** 待ち伏せ場所[地点](ambush site) ‖ attack an enemy from *ambush* 待ち伏せして敵を襲う. **3** [集合的名詞] 伏兵の一団.

——動 他 **1**《敵などを》待ち伏せする[して襲う]. **2**《兵隊》を待ち伏せさせる.

ámbush site → 名 2.

AmE 略 American English.

a·me·ba /əmíːbə/ 名《米》=amoeba.

a·me·lio·rate /əmíːliərèit/ 動 他 [正式] (ひどい状態から)...を改良[改善]する. —— ⾃ よくなる、向上する.

a·me·lio·ra·tion /əmìːliəréiʃən/ 名 ⓊⒸ 改良(箇所), 改善(した物), 改善；[言語] 意味の向上.

†**a·men** /èimén, ɑ̀mén/ 《◆聖歌では /áː-/》間 ⒸⒾ アーメン《キリスト教で祈りの終わりに唱える語. 「かくあらせたまえ」(=So be it!, May it be so!) という意》；(略式) よし!.

a·me·na·ble /əmíːnəbl/ 形 [正式] **1** [忠告・提案などに] (自らすすんで)従う、受け入れる、従順な (obedient)；[...を]受け入れやすい [to]. **2** [法律などに]従う義務のある [to]. **3** [法則などに]かなう、耐えられる [to]. **a·mé·na·bly** 副 [...に]従順に、従って [to].

†**a·mend** /əménd/ 動 他《人・団体が》《憲法・法律など》

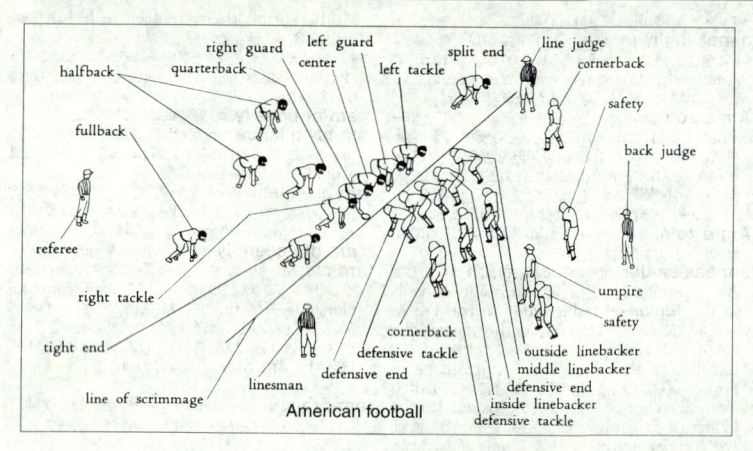

Figure labels (American football): halfback, right guard, left guard, quarterback, center, left tackle, split end, line judge, cornerback, safety, fullback, back judge, referee, umpire, safety, right tackle, cornerback, outside linebacker, tight end, defensive tackle, defensive end, middle linebacker, defensive end, inside linebacker, line of scrimmage, linesman, defensive tackle — American football

を修正する, 改正する ‖ *amend* the Constitution 憲法を修正する.

a·mend·a·ble /əméndəbl/ 形 改められる；修正できる.

*__a·mend·ment__ /əméndmənt/
——名 (複 ~s/-mənts/) 1 ⓊⒸ […の]改正(すること), 修正；改善；改心；(信用状の)修正(通知)[*to*] ‖ make *amendments to* the text 本文の修正をする. 2 Ⓒ (憲法の)修正条項；改正案 ‖ the *Amendments* (米国憲法の)修正条項.

†**a·mends** /əméndz/ 名 [単数・複数扱い] (不親切・損害などの)償い, 埋め合わせ.
　máke aménds [人に対して/愚行・損害などの]償いをする[*to*/*for*].

a·men·i·ty /əménəti, əmín-│əmín-/ 名 1 [正式] [the ~] (場所・気候などの)心地よさ, 快適さ, アメニティ；(態度・人柄などの)感じのよさ. 2 [amenities] 生活を楽しく[快適に]するもの[環境]；楽しみ；娯楽設備. 3 [amenities] 礼儀, (会合の始まりの)ていねいな言葉[態度].
aménity spáce アメニティ空間.

Amer. (略) America(n).

Am·er·a·sian /æməréidʒən/ 名 Ⓒ アメリカ人とアジア人の混血の人.

‡**A·mer·i·ca** /əmérikə/ 《イタリアの航海家 Amerigo Vespucci の名前から》 派 American (形・名).
——名 1 アメリカ(合衆国), 米国《◆正式名 the United States of America. 首都 Washington, DC》 ‖ *America* was the host country for the 1996 Atlanta Olympic Games. アメリカは1996年のアトランタオリンピックの主催国であった. 語法 2 の意とまぎらわしいとき, また米国人自身はふつう the United States を用いる. 米国人が国外で自国をいうときはふつう the States と言う.
2 (南北)アメリカ大陸(の一方)；[the ~s] 南北アメリカ, アメリカ大陸全体.

‡**A·mer·i·can** /əmérikən/ 《→ America》
——形 1 アメリカ(合衆国)の；アメリカ人の；アメリカ式[的]な《◆ 2 の語義とまぎらわしい場合は US residents (米国の住民)のように工夫される》 ‖ an *American* citizen アメリカ市民 / Our teacher is *American*. 私たちの先生は米国人です《◆ 国籍を強調するときには Our teacher is an *American*. という》. 2 (南北)アメリカの；アメリカ大陸の ‖ an *American* plant アメリカ産の植物. 3 アメリカ先住民の.
——名 (複 ~s/-z/) 1 Ⓒ アメリカ人, 米国人《◆[別称・異名] Uncle Sam》 ‖ She is married to an *American*. 彼女はアメリカ人と結婚している / five *Americans* アメリカ人5人 / the *Americans* アメリカ人(全体)；そのアメリカ人たち.
2 Ⓒ アメリカ大陸の(先)住民. 3 Ⓤ =American English.

Américan dréam [the ~] アメリカ人の夢[理想]《民主主義・平等・自由・物質的繁栄と成功など》.
Américan éagle (1) 〖鳥〗 =bald eagle. (2) [the ~] 白頭のワシ印《米国の紋章》.
Américan Énglish アメリカ英語, 米語(the President's English) (cf. British English).
Américan Expréss (米商標) アメリカンエクスプレス 《クレジットカードの1つ. 略 Amex》.
Américan fóotball アメリカンフットボール《◆ 米国では単に football ともいう》.
Américan Índian (まれ) (1) アメリカンインディアン (Amerindian). (2) =Indian 名 3.
Américan Léague [the ~] アメリカンリーグ《National League と共に米国の2大プロ野球連盟. 略 AL; cf. major league》.
Américan plán [the ~] (ホテルの)アメリカ方式《部屋代・食費を合算する. cf. the European plan》.
Américan Revolútion [the ~] アメリカ独立革命 《1775-83》 《(英) the War of American Independence》.

A·mer·i·ca·na /əmèrikǽnə, 《米+》-kéinə/ 名 [複数扱い] アメリカーナ《アメリカの文化・地理などに関する文献》；[単数扱い] アメリカ風物誌.

†**A·mer·i·can·ism** /əmérikəizm/ 名 1 ⓊⒸ 米国特有の英語表現, アメリカ語法(cf. Briticism). 2 Ⓒ Ⓤ アメリカ風(のもの)；アメリカ人気質($_{かたぎ}$)[精神].

A·mer·i·can·ize /əmérikənàiz/ 動 1 …をアメ

Amerindian

力風にする；アメリカ語法に変える. **2** …を米国に帰化させる. ─ 圓 **1** アメリカ風になる. **2** 米国に帰化する.
A·mer·i·can·i·zá·tion 名 U アメリカ化；米国帰化.
Am·er·in·di·an /æməríndiən/ 名 C アメリカ先住民.
A·mes·lan /ǽməslæn/《American Sign Language の略》アメリカ手話法.
am·e·thyst /ǽməθist/ 名 **1** C アメジスト, 紫水晶《2月の誕生石》. **2** U 紫色, すみれ色；[形容詞的に] 紫色の.
Am·ex /ǽmeks/《略》American Express.
†**a·mi·a·ble** /éimiəbl/ 形《人が》愛想[気だて]のよい, 社交的な, 優しい；好意的な；《場所などが》楽しい ‖ an *amiable* girl 気だてのよい女の子.
á·mi·a·bly 副 愛想よく, 優しく.
am·i·ca·bil·i·ty /æmikəbíləti/ 名 U C 友好, 親善.
†**am·i·ca·ble** /ǽmikəbl/ 形《行為・態度が》友好的な, 平和的な ‖ *amicable* relations 友好関係.
ám·i·ca·bly 副 友好的に, 平和的に.
†**a·mid** /əmíd/ 前《正式》…の真ん中に[で], …の中に[で]《◆*among* より堅い語》；[比喩的に] …のまっただ中に[で], …の最中に《◆ふつう複数名詞・集合名詞, 時に抽象名詞を従える》‖ a house *amid* the trees 木々に囲まれた家 / She was standing *amid* the ruins of the castle. 彼女は城の廃墟(ホ)の中にたたずんでいた. 彼は混乱のただ中にあっても冷静だ《◆比喩的用法ではふつう好ましくない状態の中にあることに用いる》.
a·mid·ship(s) /əmídʃip(s)/ 副《海事》船の真ん中に[で].
a·mí·no ácid /əmínou-/《化学》アミノ酸.
†**a·miss** /əmís/《文》副 間違って；具合悪く (wrongly) ‖ speak *amiss* 場違いな事を言う, 言いそこなう.
─ 形 **1** 誤った；不都合な；(…が) 具合の悪い, 故障した (wrong)〔with〕‖ There is something *amiss* 〔wrong〕 with this latest plan. この計画には具合の悪いところがある《◆*wrong* がふつう》/ It may not be *amiss* to give this advice. こんな忠告をしても悪くはなかろう.
cóme amíss〔通例否定文で〕故障を起こす；[…に対して] まずいことになる〔to〕‖ Nothing comes *amiss* to him. 彼は何でも歓迎する, 彼にかかると何でもよいようになる.
gó amíss《略》《物・事が》うまくいかない, 手違いになる；《物》なくなる.
táke A amíss《他人の言葉など》を(誤解して)悪く取る；《物・事》に腹を立てる.
†**am·i·ty** /ǽməti/ 名 U《正式》友好, 親善 (friendship) (↔ enmity) ‖ a treaty of *amity* 友好条約. *in ámity*〔人・国と〕友好的で[に]〔with〕.
am·mo /ǽmou/ 名《俗》=ammunition.
†**am·mo·ni·a** /əmóunjə/ 名 U《化学》(気体の)アンモニア；アンモニア水.
am·mo·nite /ǽmənàit/ 名 C《古生物》アンモナイト《古生代の軟体動物. うず巻状の殻の化石が見つかっている》.
am·mo·ni·um /əmóuniəm/ 名 U《化学》アンモニウム.
†**am·mu·ni·tion** /æmjuníʃən/ 名 U **1** 弾薬. **2**［比喩的に］(議論などの) 攻撃手段[材料]；防衛手段.
am·ne·sia /æmníːʒə|-ziə/ 名 U《医学》記憶喪失, 健忘(症). **am·né·si·ac** 形 C 記憶喪失症の(患者).
am·nes·ty /ǽmnəsti/ 名 **1** C U《正式》〔通例 an ~〕［…に対する] 恩赦, 大赦, 特赦 (pardon) 〔for〕‖

under an *amnesty* 恩赦によって. **2** C 免責期間.
Ámnesty Internátional 国際アムネスティ《思想犯・政治犯の釈放をめざす団体》.
am·ni·o·cen·te·sis /æmniousentíːsis/ 名 C《医学》羊水穿刺(ゼ)《検査などのため羊水を採ること》.
a·moe·ba, 《米ではしばしば》**a·me·ba** /əmíːbə/ 名《複》~s, --bae/-biː/ C《動》アメーバ.
a·moe·bic, 《米ではしばしば》**a·me·bic** /əmíːbik/ 形 アメーバ(のような)；アメーバによる ‖ *amoebic* dysentery アメーバ赤痢.
a·mok /əmʌ́k | əmɔ́k/ 副 =amuck.

‡**a·mong** /əmʌ́ŋ/《「周囲の集合体の中に囲まれて位置する」が本義》
── 前 **1**［物理的位置・分布］(ある集合体に囲まれて[まじって]) …の間に[を, で], …の中に[を]《◆複数名詞, 時に集合名詞を従える(→最終例). 2つのものの関係をいう場合は between》‖ a cottage *among* the trees 木々に囲まれた小屋 / be popular *among* specialists 専門家の間で人気がある / The escaped prisoner hid himself *among* the crowd. 脱獄囚は人ごみの中に身を隠した / an attitude common *among* [with] scholars 学者によく見られる態度 / walk *among* the trees [*the forest] 森の中を歩く《◆ cf. walk through the forest 歩いて森を通り抜ける》.
2［部分］［通例 the ＋最上級を従えて］(ある集合体)の中の1つ[1人]で (one of)；［同じ名詞を繰り返して] …の中で目立って；［(from) ~] …の中から ‖ a prince *among* princes《文》王子の中でも特にきわ立った王子 / choose one (*from*) *among* many dresses 多くのドレスの中から1つを選ぶ / My father is numbered *among* the missing. 父は行方不明者の1人に数えられている / *Among* modern novels, this is the best. 近代小説の中でこれが最高傑作だ / This lake is *among* the *deepest* in the country. この湖はこの国で最も深いものの1つだ(= This is *one* of the deepest lakes in the country.).
3 みんなで, 協力して；お互いに, 内輪どうしで ‖ We lifted the table *among* us. 我々はみなで力を合わせてテーブルを持ち上げた / The three men had £50 *among* them. 3人は合わせて50ポンド持っていた / They quarreled *among themselves*. 彼らは互いに口げんかした / He divided one million dollars *among* [between] his five sons. 彼は100万ドルを5人の息子に分けた.

> **語法** [among と between]
> (1) among は集合体, between は個別の観念を強調する.
> (2) between blacks and whites では黒人対白人という個別的なとらえ方をしているのに対し, among blacks and whites では(黒人と白人の混じりあった)集合体としてとらえている.
> (3) 集合体(mass)としてとらえられない場合は3つ(以上)のものを問題にしていても among は不可: *between* [*among] Nancy, Betty and Lucy / an agreement *among* [between] the three nations 3国間の協定《◆between では個々の国を頭に置いた表現》.

†**a·mongst** /əmʌ́ŋst/ 前《主に英》=among.
a·mor·al /èimɔ́(ː)rəl/ 形 超道徳的な, 道徳観念のない.
a·mor·al·i·ty /èimərǽləti|-rɔ́mi-/ 名 U 道徳観

念のなさ.

am·o·rous /ǽmərəs/ 形 〔正式〕〔遠回しに〕**1** 愛に動かされ** やすい, 多情の(cf. erotic). **2** 〈人〉に恋をしている〔of〕. **3** 〈視線などが〉なまめかしい, 色っぽい. **4** 恋の, 恋愛の ‖ an *amorous* letter ラブレター, 恋文.
ám·o·rous·ly 副 色っぽく. **ám·o·rous·ness** 名 U 色欲.

a·mor·phous /əmɔ́ːrfəs/ 形 無定形の; 組織のない; 特徴のない, 散漫な; あいまいな; 〔鉱物〕非結晶質の. **a·mór·phous·ly** 副 あいまいに. **a·mór·phous·ness** 名 U あいまいさ.

am·or·ti·za·tion /æ̀mərtəzéiʃən |əmɔ̀ːtai-/ 名 U **1** 〔法律〕死手譲渡〈不動産などの宗教法人への譲渡〉. **2** 〔経済〕(減債基金による)割賦弁済(金).

am·or·tize, 〈英ではしばしば〉**-tise** /ǽmərtaiz | əmɔ́ːtaiz/ 動 他 〔経済〕〈負債など〉を償却[償還]する, 割賦弁済する.

***a·mount** /əmáunt/ 〖(山(mount)に(a) 登って → (頂上に)達する〗
── 動 (~s/əmáunts/; 過去・過分 ~·ed/-id/; ~·ing)
── 自 **1** [amount to A]〈物〉の総計 A〈数・量・額〉に達する, のぼる ‖ His debts *amount to* more than he can pay. 彼の負債は支払い限度を越えている / The number of unemployed college graduates *amounts to* more than 4,000. 大学卒業生の未就職者は4000人以上に及んでいる.
2 [amount to A / amount to doing]〈事が〉(内容・価値などの点で)結局 A〈好ましくない事〉に[…することに]なる, …に等しい, …同然である ‖ Her advice *amounts to* an order. 彼女の助言は命令も同然だ / What it *amounts to* is this, that he was defeated. = It *amounts to* his defeat. つまり彼の負けだということだ.
── 名 (複 ~s/əmáunts/) **1** [the ~]〔金銭・量・重さなどの〕総計, 総額〔of〕(略 amt.)〈◆sum は数の和〉‖ The *amount* of the bill is $100. 請求書の合計金額は100ドルです. **2** [the ~]帰するところ, 要旨; 意義, 全体的な価値. **3** [a + 形容詞 + ~; 形容詞 + ~s]ある量[額]〈の…〉〔of〕‖ a large [fair] *amount* of damage 大[相当]な被害〈◆前者(単数扱い)は全体に, 後者(複数扱い)は個々に重点がある〉/ in small *amounts* 少量ずつ.

***ány amòunt of** A (1) どれだけの量[額]のく金銭・時間など〉(でも)‖ *Any amount of* information on his background will do. 彼の前歴についての情報はどんなに(たくさん)あってもかまいません. (2)〔英〕たくさんの[無限の]〈金など〉.

in amóunt (1) 量は; 総計で. (2) 結局, 要するに.

nó amount of A どんなに…しても〈◆A は抽象名詞〉‖ *No amount of* study seems to improve him. どんなに勉強しても彼は進歩しないようだ.

a·mour /əmúər, æ̀-/ 〖フランス〗名 C 〔今はおもに〕**1** 情事, 密通. **2** 情事の相手, 愛人〈特に女性〉.

am·our–pro·pre /ɑ̀ːmuərprɔ́prə | æ̀muəprɔ́-/ 〖フランス〗名 U 自尊(心); うぬぼれ(self-esteem).

amp /ǽmp/ 名 C 〔略式〕=amplifier. **2** 〔米俗〕エレキギター; 〔電気〕=ampere.

am·per·age /ǽmpəridʒ/ 名 U 〔電気〕〔時に an ~〕アンペア数, 電気量(略 A).

am·pere, am·père /ǽmpiər, -peər | -peə/ 名 C 〔電気〕アンペア〈電流の強さの単位. 物理学者アンペール(A. M. Ampère)の名にちなむ. 記号 A〉.

am·per·sand /ǽmpərsænd/ 名 C アンパサンド〈and を意味する&, &の字の呼び名. 主に商用文・参考文献などに用いられる〉.

am·phet·a·mine /æmfétəmiːn/ 名 U C 〔薬学〕アンフェタミン〈覚醒剤〉.

am·phib·i·an /æmfíbiən/ 形 **1** 〈動植物が〉(水陸)両生の. **2** 水陸両用の. ── 名 C **1** 両生動物. **2** 水陸両用飛行機[戦車].

am·phib·i·ous /æmfíbiəs/ 形 **1** 水陸両生の. **2** 水陸両用の.

†**am·phi·the·a·ter**, 〈英〉**-tre** /ǽmfəθìətər | -fiθìətə/ 名 C (古代ギリシア・ローマの)円形闘技場(Colosseum);(劇場の)半円形のひな段式観客席;指定席.

†**am·ple** /ǽmpl/ 形 (~·r, ~·st) **1** 広い, 広大な;〈場所が〉十分ゆとりのある(spacious)‖ an *ample* house 広々とした家. **2** 〔遠回しに〕太った, でっぷりした(stout)‖ an *ample* bosom 豊満な乳房. **3**〔…のために/するのに〕十二分の〔for / to do〕(↔ scanty)‖ an *ample* amount of data to investigate the cause of the accident その事故の原因を調査するのに十分な資料 / *ample* energy for the work その仕事をするのに十二分な精力 / give *ample* praise ほめちぎる.

類語 ample は enough と同様に U 名詞・複数名詞にも用いられるが, enough より意味が強く堅い語.

am·pli·fi·ca·tion /æ̀mpləfikéiʃən/ 名 C 〔時に the/an ~〕**1** 拡大(すること), 拡張. **2** 〔電気〕増幅;〔光学〕倍率. **3** 〔修辞〕(物語の)補充, 敷衍; 拡充[敷衍]された記述[物語].

am·pli·fi·er /ǽmpləfàiər/ 名 C **1** 拡大する人[物]. **2** 〔電気〕増幅器, アンプ; 拡声器〈◆〔略式〕では amp〉. **3** 拡大鏡.

†**am·pli·fy** /ǽmpləfài/ 動 他 **1** …を拡大[拡張]する(extend). **2**〈説明・叙述など〉をさらに詳述する, 敷衍(ふ)する(enlarge);〈理論〉を展開する;〈感情〉を誇張する. **3** 〔電気〕…を増幅する. ── 自〔…について〕さらに詳述[敷衍]する〔on, upon〕.

am·pli·tude /ǽmpləṭjùːd | -tjùːd/ 名 U **1** 〔正式〕広さ, 大きさ(largeness); 多量, 十分(なこと). **2**〔物理・電気〕〔時に an ~〕振幅.

ámplitude modulàtion 〔電気〕振幅変調((略 AM, a.m.). AM 放送.

†**am·ply** /ǽmpli/ 副〔動詞の前で〕十分に, たっぷり;〔動詞の後で〕広く; 詳細に, はっきりと.

am·poule /ǽmpuːl/, 〔米ではしばしば〕**am·pul(e)** /-pjuːl/ 名 C (注射薬などの)アンプル.

am·pu·tate /ǽmpjətèit/ 動 他 (外科手術として)〈手・脚など〉を切断する.

am·pu·tee /æ̀mpjətíː/ 名 C 切断手術を受けた人.

Am·ster·dam /ǽmstərdæ̀m/ 名 アムステルダム〈オランダの海港・首都〉.

a·muck /əmʌ́k/ 副〈◆次の成句で〉.
rùn [gó] amúck 〈人が〉(殺意に燃えて)暴れ狂う, 〈物が〉手がつけられない.

am·u·let /ǽmjələt/ 名 C (首にかける)お守り, 魔よけ(charm).

A·mund·sen /ɑ́ːməndsən/ 名 アムンセン, アムンゼン(Roald/róuəl/ ~ 1872-1928; ノルウェーの探検家. 1911年南極点到達).

***a·muse** /əmjúːz/ 〖…を(a) 見つめる(muse)〗⟨源⟩ amusement (名), amusing (形)
── 動 (~s/-iz/; 過去・過分 ~d/-d/; a·mus·ing)
── 他 **1**〈人・冗談など〉が[…で]〈人〉を面白がらせる, 笑わせる, 楽しませる〔with, by〕‖ Santa Claus

amused the children. サンタクロースは子供たちを楽しませた(cf. amusing) / Mr. Yamane is very popular with the students because he always *amuses* them「by telling jokes [with jokes]. 山根先生が学生に大変人気があるのは、いつも冗談を言って楽しませてくれるからだ. **2**〈人に楽しく時間を過ごさせる;〈人〉を慰める.

*a·múse onesélf「with A [(by) doing]〈遊びなどをして〉楽しむ ‖ During the long journey, the child *amused* himself by drawing pictures. 長旅の間その子供は絵を描いて過ごした.

*be amúsed at [by, with] A〈人の〉〈物・事〉を見て[聞いて,知って]面白く思う ‖ The children *were* greatly [very] *amused* by the clown's performance. 子供たちは道化師の演技をとても面白がった.

be amúsed to do [*that* 節] …して[…ということに]面白く思う ‖ We *were* all *amused* (to learn) *that* he couldn't ride a bicycle. 彼が自転車に乗れないのを知ってみんな面白がった.

You amúse me!《略式》ばかばかしい, 笑わせるね.

✝**a·muse·ment** /əmjúːzmənt/ 图 **1** Ⓤ 楽しみ;愉快, 楽しいこと;楽しませること;面白味 ‖ with *amusement* おかしさのため, 面白かったので / places of *amusement* 娯楽場 / his *amusement* at [toward] …… に対する彼のおかしな[笑い] / He plays the guitar simply for his own *amusement*. 彼はただ自分の楽しみのためにギターをひきます. **2** Ⓒ 慰みごと, 娯楽;[~s] 遊戯設備, 遊び道具[用具].

amúsement arcàde ゲームセンター.

amúsement gròunds [[主に米]pàrk] 遊園地 (playground,《英》funfair).

✝**a·mus·ing** /əmjúːzɪŋ/ 形 [他動詞的に]〈人を〉楽しくさせる,〈…にとって〉愉快な;面白い(to)❶文法 17.4 (4)] ‖ an *amusing* story 面白い話 / We found the new movie very *amusing*. =The new movie was very *amusing* to us. その新しい映画はとても面白かった.

a·mús·ing·ly 副 楽しませるように, おもしろいほど;[文全体を修飾] 興味のそそられることには.

:**an**¹ /(弱) ən; (強) ǽn/《◆ 弱形 /n/ は次のような強勢のある語の前で,(/n̩/) 場合に起こりやすい. He was nót an /n/ ápt person for the task. 彼はその仕事に適任ではなかった》.

[不定冠詞] =a.

語法 [a と an]
(1) a は子音で始まる語の前で, an は母音で始まる語の前で用いる. この場合の子音・母音はつづり字でなく発音による: an ear 耳 / a year 1年 / an old man 老人 / an e e字1個 / an 80-year-old lady 80歳の女性 / an hour 1時間 / an R R字1個 / an MP《英》下院議員《◆後の3例では次の語が子音字(h, R, M)で始まるが, 発音は母音(/aʊə-/ /ɑː-/ /e-/)で始まるので an. このように文字の名が母音で始まるために an がつくアルファベット1文字は a, e, f, h, i, l, m, n, o, r, s, x がある. 逆に母音字でも音で始まるとその前には a: a useful animal 有用な動物 / a one-way ticket 片道切符》.
(2) h 音で始まる語でも最初の音節にアクセントがないときは an とすることがある: a(n) hotél ホテル / a(n) históric house 由緒ある家.

an², an' /ən/ 接《略式》=and《◆ 'n, 'n' とも書く》.
-an /-ən/《語要素》→語要素一覧(1.7).
ANA《略》All Nippon Airways 全日本空輸, 全日空.

an·a·ból·ic stéroid /ænəbɑ́lɪk-|ænəbɔ́lɪk-/ タンパク同化ステロイド《運動選手が使う筋肉増強剤》.

a·nach·ro·nism /ənǽkrənɪzm/ 图 Ⓒ Ⓤ **1** 時代錯誤, アナクロニズム;[しばしば an ~] 時代遅れの人[物], 年代にそぐわない人[物]. **2** 年代[日付]の誤り.

a·nàch·ro·nís·tic, -a·nàch·ro·nís·ti·cal·ly 副 時代遅れにも.

an·a·con·da /ænəkɑ́ndə|ænəkɔ́ndə/ 图 Ⓒ アナコンダ《南米産の無毒の大ヘビ》;《広義》ヘビ.

a·nae·mi·a /əníːmiə/ 图《英》=anemia.
a·nae·mic /əníːmɪk/ 形《英》=anemic.

an·aer·o·bic /ænəróʊbɪk/ 形《生物》嫌気性の, 空気なしで生きられる;嫌気性生物[の][による].

an·aes·the·sia /ænəsθíːʒə|-θíːzɪə/ 图《英》=anesthesia.

an·aes·thet·ic /ænəsθétɪk/《英》形 图 =anesthetic.

an·aes·the·tist /ənésθətɪst|əníːs-/ 图《英》=anesthetist.

an·aes·the·tize /ənésθətàɪz|əníːθə-/ 動《英》=anesthetize.

an·a·gram /ǽnəgrǽm/ 图 Ⓒ **1** つづり換え, アナグラム;Ⓒ その単語[句];[~s;単数扱い] つづり換えゲーム[遊び] ‖ make [form] an *anagram* of "lapse" lapse のつづり換えをして別の単語を作る《pleas, pales, sepal, leaps の4つができる》.

a·nal /éɪnl/ 形 **1** 肛門(anus)(の付近の). **2** ささいなことにこだわる, 狭量な.

an·al·ge·si·a /ænəldʒíːziə|-ʒə/ 图 Ⓤ《薬品による》無痛覚, 痛覚の喪失. **àn·al·gé·sic** /-dʒíːzɪk|-sɪk/ 形 图 鎮痛の;Ⓤ Ⓒ 鎮痛剤.

an·a·log /ǽnəlɔ̀ːg/ 图《米》=analogue.

✝**a·nal·o·gous** /ənǽləgəs/ 形 〈…に〉類似した, 相似の (similar)〈to, with〉.

an·a·logue,《米ではしばしば》**-log** /ǽnəlɔ̀ːg/ 图 Ⓒ 類似[相似]点[の物];類似語;〖電子工学〗アナログ;[形容詞的に]《数量を時計の針や文字盤で表す》アナログ方式の(cf. digital).

ánalogue clóck [wátch] アナログ式時計.
ánalogue compúter アナログ型コンピュータ.

✝**a·nal·o·gy** /ənǽlədʒi/ 图 Ⓒ《正式》〈…との/…間の〉類似, 似より(likeness)〈to, with / between〉《◆本来まったく別のものを機能面から関連させる》‖ There is an *analogy* between the human heart *and* a pump. =The human heart has an *analogy to* [*with*] a pump. 心臓とポンプは似かよっている. **2** Ⓤ 類推, 推論;〖論理〗類推 ‖ by *analogy* with … =on the *analogy* of … …から類推して.

***an·a·lyse** /ǽnəlàɪz/ 動《主に英》=analyze.

***a·nal·y·sis** /ənǽləsɪs/ 图
—— 图 (複 -ses/-siːz/) Ⓒ Ⓤ **1** 分析, 分解 (↔ synthesis);検討, 解明;分析結果, 分析表《◆動詞は analyze》‖ make an *analysis* of the poison 毒物を分析する / a (computer) *analysis* コンピュータ分析. **2**《化学》分析;〖文法〗分析, 解剖. **3**《米》精神分析(psychoanalysis).

in the final [làst, últimate] análysis [通例文頭・文中で] とどのつまりは, 結局は, つまるところ(in the end).

an·a·lyst /ǽnəlist/ 名 ⓒ 分析者, アナリスト. (情勢などの)解説者; 精神分析医 [学者] (psychoanalyst).
an·a·lyt·ic / æ̀nəlítik(l)/, **-i·cal** /-ǽnəlítik(l)/ 形 分析の, 分解の; 分析的な (↔ synthetic(al)).
analýtic(al) geómetry 解析幾何学.
àn·a·lýt·i·cal·ly 副 分析的に.

⁕an·a·lyze, (主英) **-lyse** /ǽnəlàiz/
── 動 (~s/-iz/ 過去·過分 ~d/-d/; -lyz·ing)
── 他 1〈物・事〉を[…に]分析する, 分解する《into》(↔ synthesize); …を検討[解明]する, 分析して調べる‖ *analyze* his motive 彼の動機を解明する / *analyze* a chemical compound 化合物を分析する. 2 …の精神分析をする(psychoanalyze).

an·a·pest /ǽnəpest/, (英) **--paest** /-pi:st/ 名 ⓒ 〔詩学〕短短長格, 弱弱強強格.
àn·a·pés·tic 形 短短長格の, 弱弱強格の.
an·ar·chic /ænɑ́rkik/, **-chi·cal** /-(ə)l/ 形 無政府主義の; 無法(状態)の, 無秩序の, 無規則の.
an·ar·chism /ǽnərkizm/ 名 Ⓤ 無政府主義, アナーキズム.
†**an·ar·chist** /ǽnərkist/ 名 ⓒ 無政府主義者[支持者, 擁護者], アナーキスト;《略式》テロリスト(terrorist). ── 形 無政府主義(者)の(ような).
an·ar·chy /ǽnərki/ 名 Ⓤ 無政府状態, 無統制;(一般に)無秩序, 混乱, 乱脈‖ be in a state of *anarchy* 無政府状態である. (一般に)混乱している.
a·nath·e·ma /ənǽθəmə/ 名 1 ⓒ Ⓤ (神·教会の)呪(の)い, 呪(じゅ)文‖ utter *anathema(s)* 呪う, ののしる. 2 ⓒ 破門された人;(教義の)破棄. 3 Ⓤ […にとって]大きらいなもの[会, 人].
an·a·tom·i·cal, (主英) **-ic** /ænətɑ́mik(l)/ -tɔ́m-/ 形 解剖の, 解剖学(上)の; 構造[形態]上の.
àn·a·tóm·i·cal·ly 副 解剖学的に, 構造上.
a·nat·o·mist /ənǽtəmist/ 名 ⓒ 解剖学者; 分析者.
†**a·nat·o·my** /ənǽtəmi/ 名 1 Ⓤ 解剖学. 2 ⓒ (人体·動植物の)解剖学的構造[組織, 形態];(一般に)組織, 構造‖ the *anatomy* of (a) language 言語の構造‖ Ⓤ 解剖, 分析‖ the *anatomy* of a crime 犯罪の分析. 4 人体, からだ.
-ance /-ns/ 語要素 → 語要素一覧 (2.2).

⁕an·ces·tor /ǽnsestər/ 先に(ante)行く人(cestor). cf. concede〕
── 名 (複 ~s/-z/) ⓒ 1 祖先, 先祖 ◆ (1) ふつう祖父母より古い人についていう. 動物についてもいう. (2) 日本語は集合的だが, 英語は個別的(→ descendant)(◯文法 14.3表)‖ *ancestor* worship 祖先崇拝 / Abraham Lincoln is a distant *ancestor* of mine. アブラハム·リンカーンは私の遠い先祖です《◆ふつうは relative を使う》. 2 先駆者, 先人;原型, 先駆けとなった物. 3 〔生物〕(進化論における)祖先種, 始祖.

†**an·ces·tral** /ænséstrəl/ 形 祖先の, 祖先から受けついだ, 祖先代々の, 親譲りの;原型をなす.
†**an·ces·try** /ǽnsestri/ 名 Ⓤ ⓒ〔通例 an/the ~〕1〔集合名詞〕祖先, 先祖(↔ posterity) ◆ 個別的には ancestor〕. 2 家系;系統, 系図. 3〔貴族·名門の)家柄, 血統, 門閥‖ He is (born) of noble *ancestry*. 彼は高貴な生まれだ.
†**an·chor** /ǽŋkər/ 名 ⓒ 1 錨(いかり)‖ drop [cast] (the) *anchor* 錨をおろす;(ある場所に)とどまる, 落ち着く‖ be [lie, ride] at *anchor* 錨をおろし, 停泊している / weigh (up) *anchor* 錨をあげる《◆以上は無冠詞》/ Sailors put the ship's *anchor* into the water. 水夫たちは船の錨を水におろした.

2 固定する物; 支え[頼み]になる人[綱, 物]. 3 ＝anchor man [person, woman].
cóme to (an) ánchor (1) 停泊する. (2)《米》落ち着く, 定着する.
── 動 他 1〈船など〉を錨で止める;固定する. 2《米》〔放送〕…のニュースキャスターを務める. 3〈物·事〉を[…に]始めさせる[in, to]. 4 …に精神的支持[安心感]を与える.
── 自 […に]錨をおろし, 停泊する[in];[…に]定着する, 固まる[in]‖ The ship *anchored* at Kobe Port. その船は神戸港に停泊した.
ánchor màn [pèrson, wòman] (1)《スポーツ》(リレーの)最終走者[泳者], アンカー;(綱引きで)最後尾の人.(2)重要な役割をする人, 大黒柱. (3)《米》〔放送〕ニュースキャスター, 総合司会者(《英》newsreader).
†**an·chor·age** /ǽŋkəridʒ/ 名 1 ⓒ 停泊所[港], 投錨地. 2 Ⓤ 停泊;〔時には an ~〕停泊料[税].
An·chor·age /ǽŋkəridʒ/ 名 アンカレッジ《米国 Alaska 州南部の都市. 海港·空港がある》.
an·cho·vy /ǽntʃouvi/-tʃəvi/ 名 (複 --vies, an·cho·vy) ⓒ〔魚〕アンチョビ《カタクチイワシ科の小魚で, ソースやペーストに用いる》.

⁕an·cient /éinʃənt/ 〔「以前の」が原義〕
── 形 (more ~, most ~) 1〔通例名詞の前で〕古代の,(特に)西ローマ帝国滅亡(A.D.476)前の;《広義》太古の, 大昔の(↔ modern)‖ *ancient* Greek 古代ギリシア語 / *ancient* Egypt [Greece] 古代エジプト[ギリシア]/ Rome has many *ancient* buildings. ローマには古代建築物がたくさんある. 2《略式》a 時代がかった, 古くさい, 流行遅れの《◆old のおおげさな表現》‖ an *ancient*, worn-out coat 時代遅れのすり切れたコート. b〈人が〉非常に年とった (very old).
── 名 ⓒ 1〔通例 the ~s〕古代人《古代エジプト·ギリシア·ローマ人についていうことが多い》, 古代文明人, 古代芸術家[作家]. 2《古》非常に年をとった人.
áncient hístory 古代史;《略式》(近い過去の)周知の事実, だれでも知っている事.
án·cient·ly 副 昔は, 以前には;古代は.
an·cil·lar·y /ǽnsəleri/ ænsíləri/ 形 […に]従属[付随]する[to];副次的な, 補助の. 名 ⓒ《英》1 付属[付随]物. 2 助手, 補助[援助]する人.
-an·cy /-nsi/ 語要素 → 語要素一覧 (2.2).

⁑and /(弱) ənd, nd;(強) ǽnd/《頭音》end /énd/《「項目を並べて〔追加〕する」ことが本義》《◆ふつう, 弱形 /ənd/(次の語が母音で始まる場合), /ən/(主に次の語が子音で始まる場合)を用いる. /t, d/ の後では /n/ となることが多い. &とも書く(→ ampersand). その他詳細は各語尾の発音注記を参照》.

index 形 1 そして 2 …付きの 4 どんどん 5 それで 6 それから 7 それなのに 8 そうすれば 9 それも

── 接
Ⅰ〔等位接続詞〕《語·句·節を対等に連結する》
1〔並列的に〕…と, …を結んで [並列して] そして, および;…と…, …や…‖ you [she] *and* I あなた[彼女]と私《◆ふつう二人称, 三人称, 一人称の順》/ a table *and* four chairs テーブルと4つのいす / a black *and* yellow insect 黒と黄の(混じった)昆虫《◆(1) このように同種の形容詞が重なる場合は, ふつう短い語を先に置く: bíg *and* úgly 大きくて醜い / mále

and fémale [mén *and* wómen] 男女. (2) 異種の形容詞の場合は, ふつう and を用いない: a big black insect 大きな黒い昆虫. ➡文法 17.2》(1) the ability to read, write(,) *and* speak English 英語を読み書き話す能力《◆3つ以上の語(句)を結ぶ場合は最後の語(句)の前に and を置く. その前のコンマは省略可》: various kinds of musical instruments, such as violins, clarinets *and* trumpets バイオリン, クラリネット, トランペットといったさまざまな種類の楽器》/ I went home, *and* Bill stayed at the office. 私は家路につき, ビルは会社に残った / He is a póet *and* nóvelist. 彼は詩人であり, かつ小説家だ.

[語法] 接続した語を個々に強調する時は, ふつう, 冠詞・所有[指示]代名詞を繰り返し, and は強形で発音される: He is a póet *and* a nóvelist. / a knife *and* a spoon ナイフとスプーン (cf. knife and fórk) / my father *and* (my) aunt 私の父とおば / those books *and* (those) papers あの本と書類.

[語法] [and と動詞の省略] Watt invented the steam engine *and* Edison (invented) the light bulb. ワットは蒸気機関を発明し, エジソンは電球を発明した《◆2度目の invented はふつう省略》/ I thought I was respectful toward my boss *and* my boss (was respectful) for me. 私は上司に敬意をもっていると上司も私に敬意をもっていると思っていた《◆前置詞は残すのがふつう》.

b /ænd/ [追加・順位] [and also ...] (それに)また; ...したり...したり ‖ He has long hair *and* wears jeans. 彼は髪を長くし, ジーンズをはいている / You mind your own business. *And* when you talk to me, take off your hat. 余計なお世話だよ. それにおれに話す時は帽子ぐらい取れよ / We drank, sang *and* danced all night. 私たちは一晩中飲んで歌って明かした.

2 /n, ən/ [一体となったものを表して] [単数扱い] ...付きの ‖ *bread and butter* /brédnbʌ́tər/ バターを塗ったパン《◆/ænd/ と発音すれば別々の物をさし, 複数扱い》/ a hóok *and* líne 糸のついた釣針 / hám *and* éggs ハムエッグ《◆《米俗》では eggs を略して ham *and* /hǽmænd/ ともいう. coffee *and* (doughnuts) も同様》.

[語法] (1) 発音は話し言葉では /p, b/ のあとでは /m/, /k, g/ のあとでは /ŋ/ となることがある: cúp *and* /m/ sáucer 受け皿つきカップ / bláck *and* /ŋ/ white 白黒.
(2) 成句となったものは前後を入れ替えられない: on one's hánds *and* knées [×knees and hands] 四つんばいになって / with (a) knífe *and* fórk ナイフとフォークで / físh *and* chíps 魚フライとポテトフライ.

3 [数詞を結んで] ...に加えて, ...と... ‖ Two *and* two make(s) four. 2たす2は4 / two hundred (*and*) forty-five 245 / two thousand, five hundred (*and*) thirty-one 2,531《◆hundred の次の and は《米》ではふつう省略するが, 百の位が0の時は省略しない: two thousand *and* five 2005.》/ two pounds *and* fifty pence 2ポンド50ペンス《◆《略式》では簡単に two pounds fifty あるいは two fifty という》.

[語法] 慣習的に and を省略する場合: 1707 =one seven O /ou/ seven (電話番号) / 1995 = nineteen ninety-five《◆and を使って the year nineteen hundred and ninety-five ともいう》(年号) / 261 =two sixty-one または two six one (部屋番号・番地など).

4 [同一語の反復] **a** /ənd/ [同一語を結んで, 時・状態・行為などの連続・反復を示して] どんどん, ...も...も ‖ again *and* again 何度も何度も / They rán *and* rán *and* rán. 彼らはどんどん走った (=They kept running.) / It's getting wármer *and* wármer. だんだん暖かくなってきた《◆It's getting *more and more* warm. ともいえる. ➡文法 19.4》.
b /ænd/ [there is / you can find のあとに来る同一の複数名詞または物質名詞を結んで] (ピンからキリまで, いいのやら悪いのやら)さまざまの ‖ *There are* teachers (↗) *and* teachers (↘). 先生といってもいろいろある (=There are good *and* bad teachers.) / *There is* coffee *and* coffee. コーヒーにも(ピンからキリまで)いろいろある.

[語法] 3度繰り返すと多数を表す: There were dógs *and* dógs *and* dógs all over the place. そこは至るところ犬だらけだった.

5 [理由・結果] [しばしば and so, and therefore] それで, だから ‖ He was very tired *and* (so) went to bed early. 彼はとても疲れていたので早く寝た (=Because [Since] he was very tired, he went ...) / The clock is accurate *and* dependable. その時計は正確で(それゆえに)信頼できる.
6 [時間的前後関係を示す] そして, それから; すると (and then) ‖ He told her the news *and* she smiled. 彼が彼女にそのニュースを伝えると彼女はにっこりした / She washed the dishes *and* (she) dried them. 彼女は皿を洗い, それから乾かした.
7 /ænd/ [対照] それなのに, しかし, (また)一方《◆but と交換可能》; [譲歩的に] ...なのに ‖ He is very poor *ánd* (yet) leads a luxurious life. 彼は非常に貧乏だが, ぜいたくに暮らしている《◆ふつう yet を使う》/ Roy is secretive, *ánd* Ted is candid. ロイは秘密主義だがテッドはざっくばらんだ (=..., while Ted is candid.) / He's afraid of the sea. *Ánd* he calls himself a sailor. 彼は海を恐がるんだ. それでいて自分は船乗りだと言うんだからね.

‖ [準等位的] (純粋に等位接続詞と認めがたい場合)
8 [条件] [命令文またはそれに相当する句の後で] そうすれば (cf. or **4**) ‖ Hurry up, *and you'll* be in time for school. 急ぎなさい, そうすれば学校に間に合うよ (=If you hurry up, you'll be in time ...) / Eight more months, *and you'll* have him home again. もう8か月すれば彼はあなたのもとへまた帰ってきますよ.

[語法] しばしば脅迫を表す: Move (an inch), *and* you're dead. 動いてみろ, 命はないぞ (=Don't move, or I'll kill you.).

9 /ænd/ [補足・要約]《《略式》》(挿入または追加的に)それも, しかも, もっとも《◆相手の意見にコメントを加えるときにも用いる》; すなわち, つまり《◆相手に代わって話を完結させるときにも用いる》‖ They hated Tom—

and that's not surprising. 彼らはトムを嫌っていた—それも当然のことだ / He, *and* he alone, is to blame. 彼、しかも彼だけが責任がある / The police found the missing boy, *and* by accident. 警察は行方不明の少年を見つけた、しかも偶然に.
10 /ænd/ [動詞＋*and*＋動詞] **a** (略式) [通例命令文で; try ~ ...] …するように || *Try and* swim! さあ泳いでごらん(=Try to swim!). **b** (略式) [通例命令令文で; come [go, hurry up, run, stay, stop など]＋~ ...] || *Còme* (*and*) sée me again tomorrow. 明日また来てください◆(米略式)では come, go のあとの *and* はしばしば脱落). **c** [sit, lie, walk などの後に用いて] …して, …しながら || She sat *and* smoked. 彼女はタバコを吸いながら座っていた(=She sat smoking.). **d** [否定の動詞を伴って] …し…しない, …と…と同時はすることはない || You can't eat your cake *and* have it (too). → cake 名 1a 用例.
11 /ənd/ (略式) [形容詞＋~＋形容詞の形で] ◆前の形容詞が後の形容詞を副詞的に強調する || It's *nice and* cóol. とっても涼しい(=It's fairly cool.) / I hit him *good and* hárd. 力いっぱい彼をたたいた(=I hit him very hard.).
12 /ənd/ [疑問文の文頭に用い, 相手の言葉を受けて, または相手の発言を促すために] それじゃ, それでは(…は?); それじゃ(…というわけですね); [強意語として] ふむ || 《対話》"Have you been well?" "I've lost weight." "*And* are you able to sleep?" "Hardly at all." 「おからだは?」「やせました」「で, 眠れますか」「ほとんど眠れないのです」 / "He decided to study harder. Today he's considered one of the greatest tenors that ever lived." "I see. *And* he owes his success to his tenacity?" 「彼は以前にもまして勉強しようと決めたのです。今日では史上最高のテノールの一人」「そうですか, それじゃ彼の成功はその不屈の精神に負っているということですね」.
13 a /ænd/ [特に受ける前行要素なしで, 驚き・意外・非難などを表す] ほんとうに, そうとも, …だけども || O John, *and* you have seen him! ああ, ジョンね, ほんとうに彼を見かけたのだね. **b** [主語＋~＋補語の形で] …のくせに ◆be 動詞に接近する || A policeman *and* afraid of a thief! 警官のくせに泥棒を恐れるなんて.
and how → how.
A *ánd/ór* B [主に法律・商業] A と B または A か B || by cash *and/or* check 現金と小切手またはその一方(=by cash or check, or both) / I like fish *and/or* meat for dinner. 夕食には魚と肉の(両方), またはどちらかがいい.
and só òn＝**and só fòrth** …など(の(略) etc.)◆人には *and* others などを用いる) || tea, sugar, salt *and so on* お茶・砂糖・塩など.

an·dan·te /ɑːnˈdɑːnteɪ | ænˈdænti/ [イタリア] [音楽] 副 形 アンダンテ, 歩くような速さで[の], 適度にゆるやかに[な] (*adagio* と *allegretto* の中間).
An·der·sen /ˈændərsən/ 名 アンデルセン, アネルセン 《Hans Christian ~ 1805-75; デンマークの童話作家》.
†**An·des** /ˈændiːz/ 名 [the ~; 複数扱い] アンデス山脈 《南米西部の大山脈》.
An·drew /ˈændruː/ 名 **1** アンドルー《男の名. (愛称) Andy》. **2** (Saint) ~ 聖アンデレ 《キリストの1人. スコットランドの守護聖人》.
and/or → **and** 成句.
an·drog·y·nous /ænˈdrɑːdʒənəs | -ˈdrɔdʒ-/ 形 (男女)両性の, 中性的な; [植] 〈花序が〉雌雄両性の, 雌雄同株[体]の.
an·droid /ˈændrɔɪd/ 名 ⓒ アンドロイド, 人造人間.
An·drom·e·da /ænˈdrɑːmədə | -drɔm-/ 名 **1** [ギリシア神話] アンドロメダ《Cassiopeia の娘. 人身御供(いけにえ)となったが Perseus に助けられた》. **2** [天文] アンドロメダ座《北天の星座. the Chained Lady ともいう》.
An·dy /ˈændi/ 名 アンディ《男の名. Andrew の愛称》.
†**an·ec·dote** /ˈænɪkdoʊt/ 名 (複 ~**·do·ta**/-ˈdoʊtə/, ~s) ⓒ [...についての] 逸話, 秘話 (*about*).
àn·ec·dó·tal 形 逸話の.
a·ne·mi·a, (主に英) a·nae·~ /əˈniːmiə/ 名 ⓤ [医学] **1** 貧血(症). **2** 無気力, 虚弱.
a·ne·mic, (主に英) a·nae·~ /əˈniːmɪk/ 形 **1** [医学] 貧血の. **2** 無気力な, 弱々しい.
an·e·mom·e·ter /ˌænəˈmɑːmətər | -mɔm-/ 名 ⓒ 風速計.
†**a·nem·o·ne** /əˈnɛməni/ 名 ⓒ **1** [植] アネモネ (wind flower). **2** [動] ＝sea anemone.
an·es·the·sia, (主に英) an·aes·~ /ˌænəsˈθiːʒə | -ziə/ 名 ⓤ **1** 麻酔. **2** (一時的な知覚) 麻痺(び).
an·es·thet·ic, (主に英) an·aes·~ /ˌænəsˈθɛtɪk/ 形 **1** 麻酔の, 麻酔による. **2** 無感覚の; [...に対して] 感覚の鈍い (*to*). ── 名 ⓒ 麻酔剤, 緩和剤.
an·es·the·tist, (主に英) an·aes·~ /əˈnɛsθətɪst | əˈniːs-/ 名 ⓒ 麻酔医 [看護師].
an·es·the·tize, (主に英) an·aes·~ /əˈnɛsθətaɪz | əˈniːs-/ 動 ⓣ …に麻酔をかける.
an·eu·rysm, ·rism /ˈænjʊrɪzm/ 名 ⓒ [医学] 動[静]脈瘤(゚).
†**a·new** /əˈnjuː/ 副 [正式] もう一度, 再び (again); 新たに, 新しい方針で (freshly).
***an·gel** /ˈeɪndʒəl/
── 名 (複 ~**s**/-z/) ⓒ **1** 天使《9階級全天使 (seraphim, cherubim, thrones, dominions, virtues, powers, principalities, archangels, angels) の中の第9位. 神に仕える霊的な存在》 || *Angels* of many kinds are found in the Bible. いろいろな天使が聖書の中に出てくる. **2** (白衣を着て翼のある) 天使像. **3** [通例 an ~] 天使のような(純真無垢の)人, 優しい[美しい]人《特に女性・子供に用いる》 || She is *an angel* of a girl. (正式) 彼女は天使のような少女だ ◆日常語としては She is (*like*) *an angel*. の方がふつう. of は同格を表す. → of **3 b** / You are *an angel* 「for doing [to do] my shopping. 買物に行ってくれるなんていい子ね / Be *an angel* and turn the radio down. お願いだからラジオの音を小さくしてちょうだい ◆上2例の言い方は主に女性が子供に対して用いる. **4** (演劇などの) 経済的援助者, パトロン, スポンサー.
ángel /(主に米) **fòod) càke** エンゼルケーキ 《スポンジケーキの一種》.

an·gel·fish /ˈeɪndʒəlfɪʃ/ 名 (複 → fish [語法]) ⓒ [魚] エンゼルフィッシュ 《観賞用熱帯魚》.
†**an·gel·ic, -i·cal** /ænˈdʒɛlɪk(əl)/ 形 天使の; 天使のような; 愛らしい, 無垢な.
an·gel·i·cal·ly 副 天使のように.
an·gel·i·ca /ænˈdʒɛlɪkə/ 名 ⓤ ⓒ [植] アンゼリカ, シシウド《薬用・料理用》; ⓤ その茎の砂糖づけ.
***an·ger** /ˈæŋɡər/ 『〖悲しみ〗が原義』 angry 形
── 名 ⓤ [時に an ~] [...への] 怒り, 立腹 (*at, for, against*) (類語) indignation, rage, fury) || direct the *anger* at him 怒りを彼に向ける / provoke him to *anger*＝arouse *anger* in him 彼

をかっとさせる / He banged his fist hard on the desk *in anger*. 彼はかっとなって机をこぶしで強くドンとたたいた.
——動 他《正式》〈人〉を怒らせる, 立腹させる.

an·gi·na /ǽndʒáinə/ 名 U〖医学〗 **1** =angina pectoris. **2**《一般的に》急な激痛. **3** 喉痛炎.

angína péc·to·ris /-péktəris/ 狭心症.

Ang·kor Wat /ǽŋkɔːr wát | -wɔ́t/ アンコールワット《カンボジア北西部, Khmer 族の石造寺院の遺跡》.

*   **an·gle**[1] /ǽŋgl/〖「曲がったもの」が原義. cf. anchor〗派 angular (形)
    ——名 (複 ~s/-z/) C **1** 角度, 角 ‖ *at an angle* of 30 degrees to [with] ... =at a 30° *angle* to [with] ... …と30度の角をなして / The two lines cross each other *at right angles*. その2つの線は直角に交わっている. 関連 an acute [obtuse] *angle* 鋭角[鈍角] / an interior [exterior] *angle* 内角[外角] / a complimentary [supplementary] *angle* (to ...) …の余角[補角].
    2〖建築〗《建物·部屋·構築物の》角(た).
    3《鋭い特定の》見方, 観点, 視点, 見解(point of view);《問題·状況の》面 ‖ View your problem *from another angle*. 君の問題を別の観点から見てごらん / from a journalist's *angle* 記者の目から.
    4《略》《隠された》動機, ねらい.

at an ángle 角度をつけて; 斜めに, 傾いて.
háve an ángle (1)《…について》見解を持つ〔on〕. (2)《不正な方法で》利益を得る.
——動 他 **1** を斜めに動かし, 曲がって進む; 角度をつけて曲げる. **2**《記事·番組などを》《ある角度から》《…向けに》書く, 報告する, 提示する〔to, toward〕.
——自 **1**〈物〉を斜めに[ある角度で]動かす[置く], 曲げる. **2**《略》《…を》《遠回しに》求める,《小細工をして》得ようとする〔for〕.

ángle bràcket 《通例 -s》山形かっこ《 》.

an·gle[2] /ǽŋgl/ 動 自 **1**《さおと糸だけを用いて》魚釣りをする ‖ go *angling* 釣りに行く《◆go fishing がふつう》. **2**《略》《…を》《遠回しに》求める,《小細工をして》得ようとする〔for〕.

†**an·gler** /ǽŋglər/ 名 C **1**《特に趣味で》魚を釣る人, 釣り師, 太公望. **2**《略》策略家, 策士.

An·gles /ǽŋglz/ 名〖歴史〗《the ~; 複数扱い》アングル族《5世紀以後北ドイツから英国に移住したゲルマン族. cf. England》.

†**An·gli·can** /ǽŋglikən/ 形 **1** アングリカンチャーチ[イングランド(国)教会](派)の(→ Anglican Church), 聖公会の. **2**《米》イングランド[英国](国民)の.
——名 C アングリカンチャーチ[イングランド(国)教会]信徒[派の人].

Ánglican Chúrch《the ~》(1) アングリカンチャーチ, イングランド(国)教会(Church of England)《◆「英国国教会」と訳されることが多い》. (2) =Anglican Communion.

Ánglican Commúnion 聖公会連合《アングリカンチャーチ派教会の世界的連合》.

An·gli·cism /ǽŋgləsizm/ 名 C U **1** 英語特有の慣用表現. **2**《米》イギリス語法(Briticism). **3**《他の言語に見られる》英語的語法.

An·gli·cize,《英》**-cise** /ǽŋglisaiz/ 動〖時に a~〗他 …をイングランド[英国]風(式)にする; …を英語化する. ——自 イングランド[英国]風(式)になる; 英語化する.

an·gling /ǽŋgliŋ/ 名 U《特に趣味としての》釣り, 魚釣り, 釣り術《ふつう fishing》.

An·glo- /ǽŋgloʊ-/〖語要素〗→語要素一覧(1.3).

An·glo·phile /ǽŋgloʊfàil/, **-phil** /-fil/〖《主に英》a~〗形 名 C イングランド[英国]びいきの(人), 親英派

An·glo·phobe /ǽŋgloʊfòub/〖《主に英》a~〗形 名 C イングランド[英国]ぎらいの(人).

an·glo·phone /ǽŋgloʊfòun/ 形 名 C 《英語圏以外で》英語を話す人(の), 英語圏の(人).

†**An·glo-Sax·on** /ǽŋglousǽksn/ 名 **1**《the ~s》アングロサクソン族(the Anglo-Saxon race)《今日の英国人の主な祖先で, 5, 6世紀に英国に移住したゲルマン民族. → Angles, Saxon》《アングロサクソン族の人》《略》AS. **2** C アングロサクソン《系の人》;《米》アングロサクソン系米国人(Anglo-American)《→ WASP》. **3** U アングロサクソン語, 古(期)英語《◆今は Old English がふつう》.
——形 **1** アングロサクソン族の. **2** アングロサクソン語の[的な].

An·go·ra /ǽŋgɔ́rə/ 名 **1**〖しばしば a~〗C =Angora cat [rabbit, goat]. **2** U =Angora wool.

Angóra cát [rábbit, góat] アンゴラネコ[ウサギ, ヤギ].

Angóra wóol アンゴラヤギ[ウサギ]から作る毛糸[毛織物].

†**an·gri·ly** /ǽŋgrəli/ 副 怒って, 憤慨して.

an·gry /ǽŋgri/〖→ anger〗
——形 (--gri·er, --gri·est ; more ~, most ~)
1 怒った, 腹を立てて《◆《米略式》ではふつう mad を用いる. → mad 1》. 類語 furious, mad, indignant ‖ Why is he *angry*? 彼はなぜ腹を立てているのか / get [become] *angry* 腹を立てる.
2 a [be angry to do] …して怒っている ‖ He was *angry* to hear the news. 彼はその知らせを聞いて怒った《◆不定詞には see, know, hear などの知覚や認識を表す動詞が来る》. **b** [be angry that節] …ということに怒っている ‖ She *was angry that* her son was bullied by his classmates. 彼女は息子がクラスの者にいじめられていたので腹が立った.
3《人·言葉·様子が》怒った《ような》‖ an *angry* protester 怒った抗議者 / *angry* letters 怒った手紙 / *angry* words とげのある言葉 / He has an *angry* look. 彼は怒った《ような》顔をしている. **4**《やや文》怒った(ような), 険悪な ‖ an *angry* sea 怒り狂った海 / The sky looks *angry*. 空模様があやしい. **5**《痛み·傷などが》痛んで, 赤くなった, ずきずきする, 炎症を起こした.
be ángry at [*about, over*] A《事》に怒っている《◆動作「怒る」の場合は be ではなく get など》. 対話 "He didn't invite me to the party." "*Are* you *angry about* that?" 「彼は私をパーティーに招いてくれなかったのよ」「そのことで腹を立てているのですか」/ get *angry over* nothing 何でもない事に腹を立てる.
be ángry with 〖《主に英》*at*〗A〈人〉に怒っている《◆動作「怒る」の場合は be ではなく get など》‖ I got [became, grew] *angry with* [*at*, ×*to*] the children for not behaving themselves. 行儀よくしなかったので子供たちに腹を立てた.

ángry yòung mán (1)〖しばしば A~ Y~ M~〗怒れる若者《社会に対する不満·反抗を示した1950年代の英国の若い作家たちの一員》. (2) 反抗的な人.

angst /ɑ́ːnst | ǽŋst/〖ドイツ〗名 《複 **ang·ste·/-ə/, ängs·te/ɛ́nstə/**》U C〖哲学〗不安; 恐怖; 苦悩.

†**an·guish** /ǽŋgwiʃ/ 名 U《心·体の》苦痛, 非常な悲しみ ‖ agony は心身の耐え難い苦痛》‖ be in *anguish over* ... …に苦悩する.
——動 自 苦悩する, 迷う, 決めかねる.

án·guished 形 苦痛に満ちた, 苦悶の.

A

†an·gu·lar /ǽŋgjələr/ [形] **1** かどのある，角張った． **2** やせこけた(thin)，骨ばった(bony)． **3** ぎこちない，不器用な(awkward)．

‡an·i·mal /ǽnəml/ 〚「呼吸するもの」が原義〛
——[名] ([複] ~s/-z/) **1** [C] 《広義》 動物(cf. plant) ‖ the higher *animals* 高等動物 / the lower *animals* 下等動物 / We often forget that humans are *animals*. 私たちは人が動物であることをしばしば忘れる．
2 [C] 《狭義》(人間と区別して) 動物，けだもの；(鳥類·爬虫類·魚類·昆虫類と区別して) 哺乳動物，(特に) 四足獣《◆日常ではこの意味に用いることが多い》([類語] beast, brute) ‖ a wild *animal* 野獣 / a domestic(ated) *animal* 家畜 / a dangerous *animal* 危険な動物 / plants and *animals* 動植物《◆この語順が一般的》．
3 [C] けだもの(のような人間)，人でなし． **4** [U] [通例 the ~] (人間の) 獣性 ‖ War arouses *the animal* in man. 戦いは人間の獣性をよびおこす． **5** [形容詞(句)を伴って] …のような人[物] ‖ She is not a literary *animal*. 彼女は文学的なタイプの人間ではない．
——[形] **1** 動物の，動物性[質]の ‖ *animal* food 動物性食物，獣肉《◆「動物の餌」ではない． cf. cat [dog] food キャット[ドッグ]フード》． **2** (知的·精神的に対して) 肉体的な，動物的な；肉欲的な ‖ *animal* desires 肉体的欲望，獣欲．
ánimal assisted thérapy 〔社会〕 動物介護療法．
ánimal compànion 動物伴侶《◆pet の遠回し表現． companion animal ともいう． cf. botanical companion》．
ánimal húsbandry 《米》 畜産学[業]．
ánimal kíngdom [the ~] 動物界．
ánimal mágnetism (1) 人を引きつける力． (2) 《古》 催眠術．
ánimal ríghts 動物の(虐待から保護される) 権利．
ánimal tèsting (新薬開発用などの) 動物実験．

†an·i·mate /[動] ǽnəmèit; [形] ǽnəmət/ [動] [他] **1** …を活気のあるものにする，元気[勇気]づける(make lively) ‖ Her face was *animated* by joy. 喜びで彼女の顔はぱっと明るくなった． **2** 〈人·行動〉を駆り立てる ‖ His action was *animated* by [with] jealousy. 彼の行動はしっと心にかられたものであった． **3** 〔映画〕 …をアニメ化する．
——[形] **1** 生命のある，生きている，動いている(↔ inanimate) ‖ an *animate* object 生命のある物． **2** 生き生きとした，活発な．
án·i·mà·tor, -màt·er [名] [C] アニメ作家[製作者]．

†an·i·mat·ed /ǽnəmèitid/ [形] **1** 活気に満ちた，快活な ‖ an *animated* discussion 活発な議論． **2** 生きているような；アニメの．
ánimated cartóon アニメ(ーション)．
án·i·màt·ed·ly [副] 生き生きと．

†an·i·ma·tion /ænəméiʃən/ [名] **1** [U] 活発；生気[元気](を与えること)． **2** [U] アニメ製作；[C] アニメ(ーション)．

†an·i·mos·i·ty /ænəmɑ́səti | -mɔ́sə-/ [名] [U] [C] 〔…に対しての/…間の〕(強い) 憎しみ，敵意(hatred)；反目〔*against, toward* / *between*〕．

an·ise /ǽnis/ [名] [C] 〔植〕 アニス《セリ科の1年草》；その実(aniseed)《催眠剤·強壮剤·安産の薬用》．

an·i·seed /ǽnəsiːd/ [名] [U] アニスの実[油]《リキュールなどの酒，菓子の香味料；薬用》．

An·ka·ra /ǽŋkərə/ [名] アンカラ《トルコ共和国の首都．旧名 Angora》．

†an·kle /ǽŋkl/ [名] [C] 足首，足関節([図] → body)．
ánkle bóots 《英》 足のくるぶしまでの短いブーツ．
ánkle sóck 《英》 =anklet **2**．

an·klet /ǽŋklət/ [名] [C] **1** アンクレット，足首の飾り(cf. bracelet)． **2** 《米》 [通例 ~s] (足首までの) 短いソックス． **3** [通例 ~s] 足首で留める靴《女性·子供用》．

Ann, Anne /ǽn/ [名] アン《女の名． 《愛称》 Annie, Nancy, Nanny》．

†an·nals /ǽnlz/ [名] 《正式》 [複数扱い] **1** 年代記；編年史料． **2** 記録，…史． **3** (学会などの) 紀要，年報．
in the ánnals of … …の全歴史を通して．

An·nap·o·lis /ənǽpəlis/ [名] アナポリス《米国 Maryland 州の州都》；(同地の) 海軍兵学校．

Anne /ǽn/ [名] **1** =Ann. **2** Queen ~ アン女王《1665-1714；英国の女王(1702-14)》．

†an·nex, (英ではしばしば) **-·nexe** /[動] ənéks; [名] ǽneks/ [動] [他] **1** 〈領土·国〉を〔…に〕併合する〔*to*〕 ‖ The United States *annexed* Texas in 1845. 合衆国は1845年にテキサスを併合した． **2** …を〔…に〕付け加える，添える(add)〔*to*〕．
——[名] [C] **1** 〔…への〕付加[添付，付帯]物；付録〔*to*〕． **2** 〔…への〕建増し，別館〔*to*〕．

†an·nex·a·tion /ænekséiʃən/ [名] [U] 〔…の/…への〕付加，併合，添付(addition)〔*of*/*to*〕；[C] 付加[添加，併合]されたもの．

an·nexe /ǽneks/ [名] 《英》 =annex.

An·nie /ǽni/ [名] アニー《女の名． Ann(e), Anna の愛称》．

†an·ni·hi·late /ənáiəlèit/ [発音注意] [動] [他] **1** 〈町·敵など〉を全滅[絶滅]させる(destroy) ‖ The bomb *annihilated* the whole city. その爆弾で全市が壊滅した． **2** 《略式》〈相手チーム〉を(完璧に·簡単に) 打ち負かす，…に圧勝[完勝]する(defeat)．
an·ní·hi·là·tor [名] 破壊者，全滅させる者．

†an·ni·hi·la·tion /ənàiəléiʃən/ [名] [U] 全滅，壊滅 ‖ cause the *annihilation* of the enemy 敵を全滅させる．

†an·ni·ver·sa·ry /ænəvə́ːrsəri/ [名] [C] [通例複合語で] …周年記念日(cf. birthday)；記念祭，記念行事 ‖ We celebrated our tenth wedding *anniversary* yesterday. きのう私たちは結婚10周年のお祝いをした / Tomorrow is the 80th *anniversary* of Soseki's death. 明日は漱石の没後80周年です．
——[形] …周年祭の，…記念の．

An·no Dom·i·ni /ænou dɑ́məni:/ 〚ラテン〛 [形] [時に a~ D~] 《正式》 =A.D.

an·no·tate /ǽnətèit | ǽnəu-/ [動] [他] 〈本〉に注解[注釈，評釈]をつける． ——[自] 〔…を〕注釈する〔*on, upon*〕．

an·no·ta·tion /ænətéiʃən | ænəu-/ [名] [C] 注釈，注解；[U] 注釈をつけること．

†an·nounce /ənáuns/ [動] [他] **1** 〈人が〉〈事·物〉を〔人に〕公表する，公告[布告]する，知らせる〔*to*〕 ‖ He *announced* his engagement to her. 彼は彼女との婚約を公表した / The death of former President Reagan was ***announced to*** the public on television. レーガン元大統領が亡くなったことがテレビで発表された． **2** 〈人が〉…を(大声で) 知らせる，放送する，〈事·物が〉…の到来を示す；〔…であることを〕示す〔*that*節〕 ‖ Japan Air Lines *announces* the arrival of flight twenty five from Hong Kong. ご案内いたします．日本航空25便はホンコンから到着いたしました / The dark clouds *announced* the coming of a typhoon. 黒い雲が出て台風が

近づいていることを示していた(→文法 14.4). **3** …を[…であると]発表する, 知らせる, 告げる[as / to be] ‖ He *announced* himself *as* [*to be*] a second cousin of mine. 彼は自分が私のまたいとこであると告げた / *announce* him *as* the chairperson of the summit conference 彼が首脳会議長であると発表する. **4** 《主に米》〈番組〉のアナウンサーを務める; 〈出演者〉を紹介する.

†**an·nounce·ment** /ənáunsmənt/ 图 U C […についての]発表, 公表, アナウンス; 公告, 公示; 通知(状)(*about, of* / *that*節); (短い口頭による)メッセージ, コマーシャル ‖ *make an announcement* 発表する.

†**an·nounc·er** /ənáunsər/ 图 C アナウンサー; 発表者, 告知[公表]する人; 告知する物 ‖ He is going to be a sports *announcer*. 彼はスポーツアナウンサーになろうとしている.

*an·noy /ənɔ́i/ 〖「不愉快にさせる」が本義〗(派) annoyance (名)
——動 (~s/-z/; 過去·過分) ~ed/-d/; ~ing)
——他 **1** 〈人·物·事が〉〈人〉を[…で](一時的に)いらいらさせる, 悩ます[*with*](類義) irritate, vex, bother) ‖ The child always *annoys* his mother *with* frequent questions. その子供はひたひた質問していつも母親を困らせる / It *annoys* me that she comes home late every night. 彼女の帰宅が毎晩のように遅いのが私の悩みの種だ.
2 [be annoyed **to do** / be annoyed **that**節] …して[…ということに]いらいらする ‖ I was *annoyed* (to find) *that* she was still asleep. 彼女がまた寝ているのには頭に来た.
be annóyed abòut [**at, by**] **A** 〈物·事〉にいらいらする, むっとする, 当惑する ‖ *be annoyed at* his dirty jokes 彼の下品な冗談に当惑する.
be annóyed wìth A 〈人〉にいらいらする, むっとする, 当惑する ‖ *be annoyed with* him for his dirty jokes 彼の下品な冗談に当惑する / She *is* very *annoyed with* her bad son. 彼女はできの悪い息子にうんざりしている.

†**an·noy·ance** /ənɔ́iəns/ 图 **1** U いらいらさせる[する]こと, […に対する]いらだち, わずらわしさ[*at, with*] ‖ *with annoyance* 困惑して / *put* [*subject*] him *to annoyance* 彼を悩ます / (*Much*) *to his annoyance*, he missed the last train. (とても)困ったことに彼は最終列車に乗り遅れた. **2** C […の/…にとっての]頭痛[悩み]の種(*of* / *to*).

†**an·noy·ing** /ənɔ́iiŋ/ 形 [他動詞的に] (人)をいらいらさせる, うるさい, いやな, うっとうしい ‖ *annoying habits* やっかいな[困った]癖 / *an annoying fly* うるさいハエ. **an·nóy·ing·ly** 副 うるさく; [文全体を修飾] いらいらすることには.

***an·nu·al** /ǽnjuəl/
——形 〖♦比較変化しない〗 [通例名詞の前で] **1** 年1回の, 年次の, 例年の, 毎年の〖♦「年2回の」は biannual, 「半年ごとの」は semiannual → periodical〗; 1年間の ‖ an *annual* event 恒年の催し物 / *annual* income [salary] 年収, 年俸 / an *annual* ring 年輪. **2** (植)一年生の(cf. biennial, perennial).
——名 (複 ~s/-z/) C **1 年報, 年鑑, 年刊誌**(yearbook). **2** (植)一年生植物.

an·nu·al·ized /ǽnjuəlaizd/ 形 1年間の.
***an·nu·al·ly** /ǽnjuəli/ 副 毎年, 1年度.
***an·nu·i·tant** /ənj(j)úitənt/ 图 C 年金受給者.
†**an·nu·i·ty** /ənj(j)úiəti/ 图 C 年金(pension); 年金制度; 年金受領資格.

†**an·nul** /ənʌ́l/ 動 (過去·過分) **an·nulled**/-d/; **--nul·ling**) 他 〈…を〉(法的に)無効にする, 取り消す.
an·núl·ment 图 C 取り消し(にすること).

an·nu·lar /ǽnjələr/ ǽnju-/ 形 《正式》環状の.
an·ode /ǽnoud/ 图 C 《電気》(電池の)陽極; (電子管·電解槽などの)陽極(↔ cathode).

an·o·dyne /ǽnədain/ ǽnəu-/ 图 C 鎮痛剤; 鎮痛[痛み止め]の; (一般的に)感情を和らげる物. ——形 **1** 鎮痛[痛み止め]の; (一般的に)感情を和らげる. **2** つまらない, 毒にも薬にもならない.

†**a·noint** /ənɔ́int/ 動 他 **1** …に軟膏(ぅ)(ointment) [油(oil)]を塗る, すりこむ; …に[…を]塗る[*with*]. **2** 〖キリスト教〗 …を聖油で清める, 油を塗って聖別する. **3** 〈人〉を正式に指名[選定]する.
a·nóint·ment 图 C 聖別(式).

a·nom·a·lous /ənάməlɔs/ ənɔ́m-/ 形 《正式》(正常でなく)変則的な; 異常な, 異例の(irregular).
a·nom·a·ly /ənάməli/ ənɔ́m-/ 图 C 《正式》**1** 例外, 変則; 変わりだね, 不合理, 異常(な事態). **2** 〖天文〗 近点離角.

anon. 略 anonymous(ly).
an·o·nym·i·ty /ǽnəníməti/ 图 U C 匿名(の人).

†**a·non·y·mous** /ənάnəməs/ ənɔ́n-/ 形 **1** 匿名の, 名を明かさない ‖ an *anonymous* letter 匿名の手紙 / a woman who wants to remain *anonymous* 匿名希望の女性. **2** 名のわからない ‖ an *anonymous* book 筆者不明の本. **3** 特徴のない, ありふれた.
a·nón·y·mous·ly 副 匿名で; 名もなく, 名も知られずに.

A No. 1. /éi nʌ́mbər wʌ́n/ 形 =A one, A 1.
a·noph·e·les /ənάfəliːz/ ənɔ́f-/ 图 (複 **a·noph·e·les**) C 〖昆虫〗 ハマダラカ《マラリアを媒介する蚊(*)》.

an·o·rak /ǽnəræk/ 图 C 《英》 アノラック(cf. parka), 防寒用上着.
an·o·rec·tic /ǽnəréktik/, --**rex·ic** /-réksik/ 形 **1** 食欲のない. **2** 食欲を減退させる.
——图 C 〖薬学〗 食欲減退剤.
an·o·rex·i·a /ǽnəréksiə/ 图 U 〖医学〗 **1** 食欲不振; 無食欲(症), 拒食症. **2** =anorexia nervosa.
anoréxia ner·vó·sa /-nərvóusə/ 神経性無食欲(症).

:**an·oth·er** /ənʌ́ðər/ 〖〖an + other からできた語. 同じ種類の物について「もうひとつ別の」のように追加を表すのが本義〗〗

one　　　another　　　another
　　　　《もう1つの》　《もう1つの》

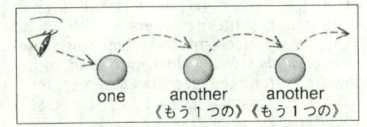

——形 [名詞の前で] C 名詞に用いて] **1 もう1つの, もう1人の** ‖ May I have *another* piece of cake? もう1つケーキを食べてもいいですか.

語法 (1) 数を強調する場合は one more: *Give me one more card, please.* カードをもう1枚ください.
(2) U 名詞の場合は some more を用いる: *Would you like some more coffee?* コーヒーをもう少しいかがですか.

2 別の, 他の, 異なった ‖ 〘対話〙 "I don't like this shirt. Show me *another* one." "Just a moment. ... How about this one?" 「このシャツはどうも気に入りません. 別のを見せてください」「ちょっとお待ちください. …これはいかがでしょうか」/ The store was closed, so I decided to come *another* day. 店は閉まっていたのでまた別の日に来ることにした / He's become *another* person since he got married. 彼は結婚してから別人のようになってしまった / **Anóther thing is** (〘々〙) …〘略式〙さらに, 他の問題点は… 《◆ *Another thing,* …の形でも用いられる》.
3 よく似た; 〈人格・業績などの点で〉同様な, 等しい ‖ We can call him *another* Picasso. 彼を第2のピカソと呼んでもよい.

〖語法〗(1) another の前には冠詞・代名詞の所有格, また this, that などは用いられない. これは元来 an + other であるため: *another* book of mine / ×my *another* book.
(2) another の後の名詞はふつう ⓒ 単数形であるが,「数詞 [few] + 複数形の名詞」を1つのまとまりと考えてその後に続くことができる《単数・複数扱い》: Give me *another* five eggs. 卵をもう5個くれ(= ... five more eggs.).

jùst anóther 〘略式〙 通りいっぺんの, ありふれた ‖ That was *just another* party. 月並みのパーティーだったよ.

── 代 《⑱には others を用いる》 **1** もう1つ, もう1人 ‖ I ate a hamburger and ordered *another*. 私はハンバーガーを1つ食べてもう1つ注文した / Help yourself to *another* if you like. よろしければもう1つお取りください.
2 別のもの 《◆しばしば one と相関的に用いる》 ‖ for one reason or *another* どういうわけか / **one àfter anóther** 1つまた1つと, 続々と 《◆用例→ one 代 成句》 / I don't like this tie; show me *another*. 〈売場で〉このネクタイは気に入らない, 別のを見せてください / To know English is one thing; to speak it is quite *another*. 英語を知っていることと英語を話せるとはまったく別のことである.
3 似たもの[人], 同等のもの[人] ‖ He's a liar, and *you're another*. 彼はうそつきだが, おまえもだ 《◆人を侮辱した言葉》.

〖語法〗多くのもの[人]から任意に次々と選び出す場合, one, another [a second], another [a third], … といい, 残りの1つ[1人]を the other, 2つ[2人]以上であれば the others という: She had three very successful sons. *One* was a lawyer. *Another* was a doctor, and *the other* was an architect. 彼女には3人のとても成功した息子がいた. 1人は弁護士, もう1人は医者, そしてもう1人は建築家だった.

one another → **one** 代.

‡**an·swer** /ænsər, ά:n-/ 〘「言葉や行動で答える」が本義〙
── 動 (~s/-z/; 過去・過分 ~ed/-d/; ~ing /-səriŋ/)
── ⑲ **1a** 〈人が〉〈人・質問・手紙などに〉**答える**(↔ ask) 《◆reply より口語的の》《類語 respond, retort, rejoin》《使い分け → solve》 ‖ *Answer* my letter as soon as possible. できるだけ早く手紙の返事

をください / 〘対話〙 "You don't have to make a hasty decision now. Sleep on it." "Thank you. I'll *answer* you tomorrow." 「今急いで決めていただく必要はありません. 一晩ゆっくり考えてください」「ありがとうございます. 明日ご返事いたします」/ You have not *answered* my question yet. あなたはまだ私の質問に答えていません / **Ánswer me thìs** [*thàt*]. これ[それ]に答えなさい 《◆ answer A B の文型で, 固定化した表現》. **b** [answer A]〈人が〉A と答える 《◆ A は返答の内容》; [answer A that節] (A〈人に〉)…と答える 《◆ that は省略できない》 ‖ She *answered* nothing. 彼女は何も答えなかった / "Do you know him?" "Yes," she *answered*. ["She *answered* yes [in the affirmative]."] 「彼を知っていますか」「ええ」と彼女は答えた / They *answered* (me) *that* they did not know you. =They *answered*, "We don't know you." 彼らは私を知らないと答えた.
2 〈人が〉〈電話・ノックなど〉に**応答する** ‖ 〘対話〙 "The phone is ringing." "My hands are full. Will you *answer* it for me?" "OK." 「電話が鳴っています」「今手が離せません. 代わりに出てくれませんか」「わかりました」/ I'll *answer* the door. 玄関に私が出ましょう 《◆呼び鈴・ノックなどに答えてドアを開け, 応対する一連の行為をさす (cf. be going to do (go¹ 成句))》《語法》.
3 〈目的・要求などに〉かなう, 役立つ, …を満たす (satisfy). **4** 〈非難・仕打ちなど〉に応酬する, やり返す, 弁明する. **5** 〈謎(ぷ)など〉を解く, 〈事態〉に対処する, …を解決する.

── ⑲ 〈人・電話などが〉**答える**, 返事をする, 応答する ‖ *Answer* at once when spoken to. 話しかけられたらすぐ返事をしなさい / He asked me a question, but I couldn't *answer*. 彼は私に質問したが私は答えられなかった / She *answered* with a nod. 彼女は答える代わりにうなずいた / The number [phone] did not *answer*. 電話は何度鳴らしても応答がなかった.

ánswer báck 〘英〙 ⑲ (1) (特に子供が)〈説教されている時に〉[…に]口答えをする (〘米〙 talk back) [*to*].
(2) 自己弁護する. (3) 復唱する. ── ⑲ [~ A *back*] 〈人〉に口答えする, 抗弁する.
*ánswer for A 〈人・物・事〉の責任を負う ‖ The thief knew that he would one day have to *answer for* his crimes. その泥棒はいつか自分の犯した罪の精算をしなければならないことは覚悟していた. (2) 〈物・事〉を保証する, 請け合う ‖ I can *answer for* the truth of this information. この情報が間違いないことは私が保証します. (3) 〈物・事〉の役に立つ. (4) 〈人〉に代わって答える.
ánswer to A …に従う, 正しく反応する ‖ I do not have to *answer to* you, you're not my boss. 私はあなたの命令に従う必要はないわ. あなたは私の上司ではないのだから.

── 名 (⑱ ~s/-z/) ⓒ **1a** [(…への)]**答え**, 返事, 応答, 回答 [*to*] (⑱ A., ans.) (↔ question) ‖ a straight *answer* 誠意ある[率直な]返答 / give an *answer* to her question 彼女の質問に返事をする / send an *answer* to his letter 彼の手紙に返事を出す (=*answer* his letter) / Every time I ask her about it, I get [receive] a different *answer*. それについて彼女に尋ねるたびに, 異なった答えがかえってくる. **b** […という]答え [*that*節] ‖ I got **the** *answer that* she would agree to our request. 私たちの依頼に応じるつもりだという彼女の返答を私は得た. **2** 〔問題などの〕解答, 解決策 [*to*] ‖ the *an-*

swer to our housing problem 住宅問題の解決策 / an *answer* sheet for computer scoring マークシート. **3**〘身ぶり・行為による〙(…への)応答,返答〘*to*〙‖ His *answer* to her being late was to fire her. 彼女の遅刻に対して彼は彼女をくびにした. **4**〘…と〙同様のもの,〘…の〙…版〘*to*〙‖ Japan's *answer* to the Rolling Stones ローリング=ストーンズの日本版.

***in ánswer to A**〘質問・非難などに〙答えて,応対して,(行為で)答えて‖ The girl smiled *in answer* to my greeting. その少女は私のあいさつに微笑でこたえた.

 hàve[**knòw**]**áll the ánswers**(あることについて)詳しいと自認している,何から何まで知りつくしていると思い込んでいる.

 ánswering machíne(米)(1)留守録装置(answerer).(2)留守番電話((英)answer-phone)‖ leave a message on his [the] *answering machine* 留守番電話にメッセージを入れておく.

〘関連〙〘留守番電話の英語〙You have reached the Collins residence [telephone number]. We're sorry, but no one is here to take your call. Please leave a message after the beep and we will get back to you. Thank you. こちらコリンズ宅[…番]です. 申し訳ございませんが, ただ今, 電話に出られません. ピーという音のあとに伝言を残してください. 後ほどお電話さしあげます. ありがとうございました.

 ánswering sèrvice 留守番電話取次業.

an·swer·a·ble /ǽnsərəbl | ɑ́ːn-/ 形 **1**〘人に対して/…に〙(法的に, 道徳上)責任のある〘*to*/*for*〙. **2**〘問題などが〙答えられる.

an·swer·er /ǽnsərər | ɑ́ːn-/ 名 C 回答者, 答弁人;(米)=answering machine (1).

an·swer-phone /ǽnsərfoun | ɑ́ːn-/ 名 C (英)=answering machine (2).

***ant** /ǽnt/ **aunt**(米)
——名(複 ~s/ǽnts/)C〘昆虫〙アリ(蟻)《◆秩序だった行動と勤勉のたとえとされる》/ white *ant* 白アリ / queen *ant* 女王アリ.
 ánt bèar〘動〙(1)オオアリクイ《南米産》. (2)ツチブタ《アフリカ産》.
 ánt hèap =anthill.
 ánt hìll =anthill.
 ánt lìon =ant-lion.

-ant /-ənt/〘語要素〙→語要素一覧(2.1).

ant·ac·id /æntǽsid/ 形 (胃内の)酸を中和する, 制酸の. ——名 CU 酸中和剤, 制酸剤.

†**an·tag·o·nism** /æntǽgənìzm/ 名 UC〘…間の/…に対する〙(相互の)反目, 敵対(心), 対立(opposition)〘*between* / *for*, *to*, *against*, *toward*〙‖ be in [come into, be brought into] *antagonism* with him 彼と対立している[するようになる].

†**an·tag·o·nist** /æntǽgənist/ 名 C 敵対者《◆opponent より敵意と支配欲が強い》; ライバル(↔ protagonist).

an·tag·o·nis·tic /æntægənistik/ 形〘…に対抗する, …と〙対立する〘*to*, *toward*〙;〘…に〙敵意を持つ〘*to*〙. **an·tàg·o·nís·ti·cal·ly** 副 対立的に, 敵意を持って.

an·tag·o·nize /æntǽgənàiz/ 動 他 **1** …に反感[敵意]をもたせる(offend), …を敵にまわす. **2** …を中和[相殺(殺)]する. ——自 対立[敵対]する.

***Ant·arc·tic** /æntɑ́ːrktik | æntɑ́ːk-/ 形〘北極の(arctic)反対(ant)〙
——形〘名詞の前で〙南極(地方)の‖ Scott headed the *Antarctic* expedition. スコットが南極探検隊の隊長であった.
——名〘the ~〙南極地方.
 Antárctic Círcle〘the ~〙南極圏《南緯66°33′の緯線》.
 Antárctic Cóntinent〘the ~〙=Antarctica.
 Antárctic Ócean〘the ~〙南氷洋, 南極海.
 Antárctic Zòne〘the ~〙南極帯《南緯66°33′以南の地域》.

Ant·arc·ti·ca /æntɑ́ːrktikə | æntɑ́ːk-/ 名 南極大陸.

an·te /ǽnti/ 名 C〘通例 an/the ~〙**1**(ポーカーで)アンティー, 場所代《新しく札を配る前に出す賭け金》‖ raise [up] the *ante*(米略式)賭け金[値]を上げる; あおる;(危険を冒かす)要求を高める. **2**(米略式)分担金, 費用. ——動 他(米略式)(ポーカーで)〈賭け金〉を出す, 賭ける(+*up*);《俗》〈分担金〉を払う.

ant·eat·er /ǽntìːtər/ 名 C〘動〙アリクイ《中南米産》.

an·te·bel·lum /ǽntibéləm/ 形 戦前の, (米)南北戦争前の.

†**an·te·ced·ent** /æ̀ntəsíːdnt/(正式)形〘…より〙先の, 前の;〘…を引き起こした〙先行の(previous)〘*to*〙. ——名 **1** 前例, 先行する事件. **2**〘文法〙先行詞. **3**〘~s〙前歴, 経歴; 祖先.

an·te·cham·ber /ǽntitʃèimbər/ 名 C 控えの間(anteroom).

an·te·date /ǽntidèit, ˌ—ˋ—/ 動 他(正式) **1** …に先行する, …より先に起こっている(↔ postdate). **2** …を(実際の日付より)早める, …の日時を前にする.

†**an·te·lope** /ǽntəlòup/ 名 ‖ **an·te·lope**〘動〙C レイヨウ, アンテロープ《主にアフリカ産》; U そのなめし皮.

an·te·na·tal /æ̀ntinéitl/ 形 (英正式) prenatal. **2** 妊婦の.

†**an·ten·na** /ænténə/ 〘アクセント注意〙名 C **1**(複 --nae/-niː/)〘動〙触角(feeler). **2**(複 ~s)(米)アンテナ(英 aerial).

†**an·te·ri·or** /æntíəriər/ 形 (正式)(時間・位置が)前の;〘…より〙前方の;〘…〙以前の〘*to*〙(↔ posterior).

an·te·room /ǽntirùːm/ 名 C (正式)次の間, 控えの間; 待合室.

†**an·them** /ǽnθəm/ 名 C **1** 賛美歌, 聖歌(hymn); 応答合唱讃歌, 交唱; 賛歌, 祝歌‖ a national *anthem* 国歌《◆*a national *song* とはいわない》.
——動 他 …を歌ってたたえる.

an·ther /ǽnθər/ 名〘植〙(花の雄しべの)葯(や).

†**ant·hill** /ǽnthil/, **ánt hìll** 名 C **1** アリづか, アリの塔《◆ant heap ともいう》. **2** たくさんの人でにぎわう場所[建物]; 群衆.

an·thol·o·gize /ænθɑ́lədʒàiz | -θɔ́l-/ 動 自 (名詩)撰集[作品集]を作る. ——他 …を(名詩)撰集に入れる.

an·thol·o·gy /ænθɑ́lədʒi | -θɔ́l-/ 名 C **1** 詩選集, 詞華集; 作品集, 選集. **2** 名曲集; 名画集.

An·tho·ny /ǽnθəni, -tə-/ 名 **1** アントニー, アンソニー《男の名(愛称)Tony》. **2** Saint ~ 聖アントニウス《251?-356; 修道院の創始者》. **3** アンソニー《Susan B. ~ 1820-1906; 米国の婦人参政権指導者》.

an·thra·cite /ǽnθrəsàit/ 名 U 無煙炭(→ coal).

an·thrax /ǽnθræks/ 名 U〘医学〙炭疽(*)病《家畜の病気で人にも伝染する》.

an·thro·poid /ǽnθrəpɔ̀id | ǽnθrəu-/ 形〘動物が〙類人の; (略式)〈人が〉猿に似た.

anthropology —名C =anthropoid ape.
ánthropoid àpe 類人猿.
an·thro·pol·o·gy /ˌænθrəpάlədʒi|-pɔ́lə-/ 名U 人類学; 文化人類学; 人間学.
 àn·thro·pól·o·gist 名C (文化)人類学者. **àn·thro·po·lóg·ic, -i·cal** /-pəlάdʒɪk(l)|-lɔ́dʒ-/ 形 人類学の. **àn·thro·po·lóg·i·cal·ly** 副 (文化)人類学上(的)には.
an·thro·po·mor·phic /ˌænθrəpəmɔ́ːrfɪk/ 形 1 神人同形説の; (神・自然の)擬人観[論]の. 2 人間に似た(形をした). **àn·thro·po·mór·phism** 名U 神人同形説, 擬人観[論].

†**an·ti** /ǽnti, (米+) -taɪ/ (略式) 名 (複 ~s) C 反対者. ——形 反対の, 異議のある. ——前 …に反対で[の].

an·ti- /ǽnti-, (米+) æntaɪ-/ (語要素) →語要素一覧 (1.7).

an·ti·a·bor·tion /ˌæntiəbɔ́ːrʃən/ 形 中絶反対の.
an·ti·air·craft /ˌæntiéərkræft|-krɑːft/ 形 対空の, 防空用の. ——名 1 C =antiaircraft gun. 2 U 対空砲火.
an·ti·au·thor·i·tar·i·an /ˌæntiɔːθɔ́rəˌtɛəriən/ 形 反権威主義の.
an·ti·bi·ot·ic /ˌæntibaɪάtɪk|-ɔ́t-/ 名 C (通例 ~s) 形 抗生物質(の).
an·ti·bi·ot·ic-re·sist·ant /ˌæntibaɪάtɪkrɪzístənt|-ɔ́t-/ 形〈菌など〉抗生物質に耐性のある.

†**an·ti·bod·y** /ǽntibὰdi|-bɔ̀di/ 名 C 【免疫】抗体, 抗毒素《◆「抗原」は antigen》.

an·ti·can·cer /ˌæntikǽnsər/ 形 抗がんの ‖ *anticancer drugs* 抗がん剤.
an·ti·christ /ǽntikrὰɪst/ 名 1 [A~] 【神学】反キリスト者, キリストの敵; 偽キリスト. 2 極悪非道の輩.

*__an·tic·i·pate__ /æntísəpèɪt/ 〖「先に(anti)取る(cipate)」から「先手を打つ」が本義〗
 ——自 (~s/-pèɪts/; 過去・過分) ~d/-ɪd/; ~·pat·ing)
 ——他 1〈人が〉〈物・事〉を予想する, 見越す, 予期[期待, 懸念]する; [anticipate *doing* / anticipate *that* 節] …だと予期[期待]する《◆ expect より堅い語で, 前もって必要な手段を講ずることを含む. → 2》‖ *anticipate the worst* 最悪の事態を予期する / We are *anticipating* receiving a gift from our uncle. おじから贈り物をもらえるものと楽しみにしています / Nobody *anticipated* such a sharp decline in interest rates. = ... *anticipated* that interest rates would decline so sharply. そんなに急激に利率が下がるとはだれも予想しなかった. 2 (正式) …の先手を打つ, …に先んじる; …を未然に防ぐ;〈要求など〉を言われる前になえる ‖ *anticipate* one's rival in winning rapid promotion 早い昇進でライバルを出し抜く / *anticipate* the trouble with kids these days 近ごろの子供の問題を前もって処理する / Mother *anticipates* all my desires. 母は私の望むものは何も言わなくても何でもかなえてくれる. 3 …を早める ‖ *anticipate* one's departure 出発を早める.

†**an·tic·i·pa·tion** /æntìsəpéɪʃən/ 名 U 1 […を]期待して待つこと, […に対する]予期, 予想(*of*)《◆ expectation より堅い語》‖ *in anticipation of* his arrival 彼の到着をいまかいまかと待って / with great *anticipation* 大いに期待して. 2 先手を打つこと, 機先を制すること, 先取.
 in anticipation 期待しながら, 前もって ‖ Thanking you *in anticipation*, ...(以上のことを)前もってお願いいたします《◆手紙の結びの文句. in advance が普通》.

an·tic·i·pa·to·ry /æntísəpətɔ̀ːri|-təri/ 形 (正式)予想しての, 見越しての;【文法】先行の, 予備の.
an·ti·cler·i·cal /ˌæntiklérɪkl/ 形 聖職者の権力[影響]に反対の. **àn·ti·clér·i·cal·ism** 名U 教権反対主義.
an·ti·cli·max /ˌæntikláɪmæks/ 名 1 U 【修辞】漸降法(↔ climax). 2 C 不面目な結末, 竜頭蛇尾. **àn·ti·cli·mác·tic** 形 あっけない; 期待外れの.
an·ti·clock·wise /ˌæntiklákwaɪz|-klɔ́k-/ (主に英)形副 反時計回りの[に]((主に米) counterclockwise).
an·tics /ǽntɪks/ 名 [時に単数扱い] こっけいな動作[しぐさ]; 愚行.
an·ti·cy·clone /ˌæntisáɪkloʊn/ 名 C 【気象】高気圧(↔ depression); 逆旋風(↔ cyclone).
an·ti·de·pres·sant /ˌæntidɪprésənt/ 名CU 形 【薬学】抗鬱(つ)病[興奮]剤(の).

†**an·ti·dote** /ǽntidoʊt/ 名 C […の]解毒剤, 毒消し; 解決方法(*against, for, to*).

an·ti·freeze /ǽntifrìːz/ 名 U 【化】不凍剤[液]の.
an·ti·gen /ǽntidʒən/ 名 C 【免疫】抗原.
an·ti·he·ro /ǽntihìroʊ|-hìərəʊ/ 名 C 【文学】反英雄〈英雄的でない主人公〉.
an·ti·his·ta·mine /ˌæntihístəmìːn/ 名 CU 【薬学】抗ヒスタミン剤.
an·ti·knock /ˌæntinάk|-nɔ́k/ 名 U アンチノック剤.
an·ti·pas·to /ˌæntipǽstoʊ|ˌæntipǽstəʊ/《イタリア語》名 (複 ~s, -·ti/-ti/) C 【料理】前菜.

†**an·tip·a·thy** /æntípəθi/ 名 UC (正式) […に対する/…間の](生理的な)嫌悪, 反感(aversion)(*to, against, for, toward / between*)(↔ sympathy) ‖ I feel [have] a great *antipathy* toward him 彼をひどくきらいする. **àn·ti·pa·thét·ic** 形 反感をもった.

an·ti·per·son·nel /ˌæntipɜ́ːrsənél/ 形 【軍事】地上兵士殺傷用の.
an·ti·per·spi·rant /ˌæntipɜ́ːrspərənt/ 名 C 【薬学】発汗抑制剤.
an·tip·o·des /æntípədìːz/ 名 1 [複数扱い] (地球上で)正反対側にある2つの地点, [the ~; 単数扱い] 対蹠(しょ)地. 2 [the A~] (英国から見て)オーストラリア, ニュージーランド. **àn·tip·o·dé·an** 形 オーストラリア(人の).
an·ti·pol·lu·tion /ˌæntipəlúːʃən/ 形 公害[汚染]防止の ‖ *antipollution* laws 公害防止法.
an·ti·quar·i·an /ˌæntikwéəriən/ 形 古物研究[収集, 販売]の ‖ an *antiquarian* bookseller 古書籍店. ——名C 古物研究[収集]家.

†**an·ti·quat·ed** /ǽntikwèɪtɪd/ 形 時代遅れの, 古風な, 旧式の(old-fashioned).

†**an·tique** /æntíːk/ 形 1 古風な, 時代を経た, 骨董(とう)の; 古くさい, 旧式の(old-fashioned). 2 《正式》(特に)ローマ・ギリシア時代の. 3 老齢の(old).
 ——名C 古器, 骨董品《米国税法ではふつう100年以上前の, 値打ちの出てきた物をさす》‖ an *antique* shop 古美術店.

†**an·tiq·ui·ty** /æntíkwəti/ 名 1 U 古代《特に古代ローマ・ギリシアの時代》. 2 U 大昔, 古さ, 太古の昔 ‖ be lost in *antiquity* 古代に消え去る, 古すぎて不明である. 3 C [通例 antiquities] 古代の遺物[美術品]. 4 U 古さ.

an·ti-Sem·ite /ˌæntisémaɪt|-síːm-/ 名 C 1 反ユダヤ主義者. 2 [形容詞的に] 反ユダヤ主義の. **àn·ti-Se·mít·ic** 形 反ユダヤ主義の. **àn·ti-Sém·i·tism** 名 U 反ユダヤ主義.

†**an·ti·sep·tic** /æntiséptik/ 形 防腐[消毒]の, 無菌[性]の;(整っているが)個性に欠ける;人間味のない, 冷たい. ── C 防腐剤, 消毒剤, 抗菌剤.
àn·ti·sép·ti·cal·ly 副 消毒剤によって.
an·ti·so·cial /æntisóuʃl/ 形 **1** 反社会的な ‖ *antisocial* behavior 反社会的行為[行動]. **2** 非社交的, 利己的な.
an·ti·tank /æntitǽŋk/ 名形 対戦車[装甲車](用の).
an·tith·e·sis /æntíθəsis/ 名 (複 **-ses**/-siːz/) (正式) **1** ⓤ 〔…間の〕完全な相違〔*between*〕;〔…と〕反対の性質, 対立 (opposition)〔*to*〕. **2** ⓤ C 〔通例 the ~〕〔…の〕正反対(のもの)(opposite)〔*of*, *to*〕‖ Death is the *antithesis* of life. 死は生の正反対である. **3** ⓤ 〔修辞〕対照法;C 対句.
an·ti·thet·i·cal /æntəθétikl/ 形 〔…に〕対立する〔*to*〕.
an·ti·trust /æntitrʌ́st/ 形 (米)〔法律〕反トラストの, 独占禁止(法)の ‖ *antitrust* laws 独占禁止法.
ant·ler /ǽntlər/ 名 C (通例 ~s)(雄ジカの)枝角.
ant-lion /ǽntlaiən/, **ánt lìon** 名 C 〔昆虫〕**1** ウスバカゲロウ. **2** アリジゴク (doodlebug) 《**1**の幼虫. アリを食う》.
An·toi·nette /æntwənét/ 名 Marie/mɑːríː/ ~ マリー・アントワネット《1755-93;フランス王ルイ16世の王妃でフランス革命の際処刑された》.
An·to·ni·a /æntóuniə/ 名 アントニア《女の名》.
An·to·ni·o /æntóuniou/ 名 アントニオ《男の名》.
An·to·ny /ǽntəni/ 名 アントニー《男の名, 愛称 Tony》.
†**an·to·nym** /ǽntənim/ 名 C 反意語(↔ synonym).
an·ton·y·mous /æntɑ́nəməs | -tɔ́ni-/ 形 〔…と〕反意語の〔*with*〕(↔ synonymous).
ants·y /ǽntsi/ 形 (略式)落ち着かない, 神経質になっている.
A num·ber 1 /éi nʌ́mbər wʌ́n/ (略式) =A one, A 1.
a·nus /éinəs/ 名 C 〔通例単数扱い〕肛門《◆ 形容詞 anal》.
†**an·vil** /ǽnvil/ 名 C **1** 鉄床(診). **2** 〔解剖〕きぬた骨《中耳にある小骨》.
*****anx·i·e·ty** /æŋzáiəti/ 〔発音注意〕 〔「のどを締めつけるもの」が原義〕⇒ anxious (形)
── 名 (複 **-ties**/-z/) **1** ⓤ 〔未来のことについての/…という〕(漠然とした)心配, 不安〔*about*, *for*, *over* / *that*節〕《◆ worry の方が深刻な心配(事)》‖ I feel strong *anxiety* for her safety. 彼女の安否を大変気づかう / He *was filled with anxiety about* his wife's return. 彼は妻の帰りを心配する気持ちでいっぱいだった. **2** C 心配事, 心配の種 ‖ The entrance examination is one of my *anxieties*. 入試が私の心配事の1つだ. **3** ⓤ 〔…に対する〕切望 (strong wish);〔…への/…したい/…という〕熱望〔*for* / *to* do / *that*節〕.
*****anx·ious** /ǽŋkʃəs/ 〔発音注意〕〔→ anxiety〕
── 形 (**more** ~, **most** ~) **1** [be anxious **about**[**for**] A] 〈人が〉A〈人・物・(まだ起こらない)事〉を心配して, 不安に思う;…ではないかと不安に思う ‖ She is *anxious about* [*for*] the results of her son's test. 彼女は息子のテスト結果がどうなるかと心配している / The director became really *anxious* at this second postponement. その指揮者はこの2度目の延期によって本当に不安になった.
2 [be anxious **for** A / be anxious **that**節 / be

anxious **to** do] 〈人が〉A〈事・物〉を[…であることを](結果に不安を抱きながら)切望する (eager) 《◆ 期待通りになるだろうかという心配を含む》‖ I'm *anxious for* [*to* get] a new computer. 新しいコンピュータが欲しい / She is very *anxious for* her son *to* get well. =She is very *anxious that* her son (should) get well. 彼女は息子が回復するのを切に望んでいる《*that*節を用いるのは堅い言い方. should を用いるのは主に(英)》.
3 [名詞の前で] **a** 〈事〉(人を)不安にさせる, 気がかりな ‖ an *anxious* matter 心配事. **b** 心配している, 不安な ‖ Jim's *anxious* parents spoke with his teacher. 心配したジムの両親はジムの先生に相談した.
†**anx·ious·ly** /ǽŋkʃəsli/ 副 〔様態〕心配して;切望して ‖ The climbers *anxiously* waited for daybreak. 登山家たちは今か今かと夜明けを待った.

an·y /(弱) əni; (強) éni, èni/

index 形 **1** 何か **2** どれも **3** どれでも
代 **1** 何か **2** どれも

── 形 《◆ 比較変化しない》[名詞の前で]《◆ C ⓤ 名詞を修飾する. C 名詞の場合はふつう複数形. ただし **3** は単数形》.

1 /əni/ [疑問文で] 何か, どれか, だれか;少しでも《◆ 日本語には強いて訳さないことが多い. yes か no かいずれの答えを期待しているかは原則として五分五分. → 語法》‖ Is there *any* butter in the refrigerator? 冷蔵庫にバターはありますか / Do you have *any* children? お子さんがおありですか 《対話》"Do you have *any* plans for the weekend?" "I've been invited to a birthday party." 「週末の予定はありますか」「誕生パーティーに招かれています」.

> 語法 [any と some]
> (1) 相手から yes という答えを予期する場合は some: Are there *some* letters for me? 私に手紙が来ていませんか《たぶん来ているはずですが》《◆ Are there *any* letters …? だと《たぶん来ているはず》といった話し手の期待は含まれない》.
> (2) some は相手の yes という返事を先取りしていることなるので, 物を勧める場合ていねいに響く: Would you have *some* more tea? お茶をもう少しいかがですか.

2 /əni, éni/ [否定文で] どれも, 何も, だれも;少しも 《◆ 日本語では訳さないことが多い》‖ I don't want *any* sandwiches. サンドイッチはいりません / There isn't *any* hope of his success. 彼が成功する望みはまったくありません.

> 語法 (1) not がなくても avoid, forbid refuse, without などの否定文に準じる場合は any: *without any* trouble 簡単に (=with no trouble) / They refused to eat *any* cake. 彼らはケーキを食べようとしなかった.
> (2) [**not any** … と **no** …] 両者は交換できる, ふつう not any の方が口語的: People are starving because there 「aren't *ány* food [are nó food]. (食べ物がないので, 人々は飢え死にかけている).
> (3) any の後にその any を支配する否定語を置くことは不可(→ either 代 語法 (3)): No students came. 学生はだれも来なかった(×Any students

anybody

did *not* come.).

3 /éni/ [肯定文で; 通例 any + 単数名詞] **どれでも**, どんなもの[人]でも, だれでも《◆ふつう強勢を置く》‖ 〈対話〉"Do you want an HB pencil?""Not necessarily. Any pencil will do."「HBの鉛筆が欲しいですか」「必ずしもHBでなくても結構です ◆ 鉛筆ならかまいません」/ You can have *ány* cake on the table. テーブルのケーキはどれを食べてもいい《◆ケーキが2つのときは either》/ Any bed is better than nó bed. どんなベッドでもないよりはいい.

4 /əni, éni/ [if 節で] **どれでも**, どんなもの[人]でも, だれでも‖ *If* you have *any* questions, please (don't hesitate to) ask. もし何か質問があれば(遠慮しないで)尋ねてください《◆好ましい意味で「もし…したら」ではふつう some: If you eat *some* spinach, I'll give you a present. もし(嫌いな)ホウレンソウを食べたら、ごほうびをあげよう》/ If you have *any* difficulty, ask me for help. もしこまった事があれば、私に助けを求めなさい.

5 /əni, eni/ [否定文で; 時に any ordinary] ただの, 並の‖ This isn't *any* ordinary ability. これは並の能力ではない / We can't accept just *any* apology. 単なる弁解は承知できない.

— 代 /éni/ **1** [疑問文で; しばしば any of + the [this, these, my など] + 名詞] (…の中の)何か, どれか, だれか‖ I need some butter. Is there *ány* in the fridge? バターが必要です. 冷蔵庫にありますか《◆ any butter の省略表現》/ Does any of the wood have knots? その木のどこかに節がありますか.

2 [否定文で; しばしば any of + the [this, these, my, etc.] + 名詞] (…のうち)どれも, だれも‖ I want to buy *some* flowers. We don't have *any* in the garden. 花を買うつもりだ. 庭には全然ないから(=We have *none* in the garden.)《◆ any flowers の省略表現》/ I don't lend my books to *any* of the students.(↘) 私は学生のだれにも本は貸さない(=I lend my books to *none* of the students.). 〖語法〗*Any* of the students did not come. のように any の後に否定語を置くことは不可. *None* of the students came. (学生はだれも来なかった)(→ 〖形〗**2** 〖語法〗(3)).

3 [肯定文で; しばしば any of + the [this, these, my, etc.] + 名詞] (…のうち)どれも, だれも‖ 〈対話〉"I want to go to the station. Which street do I have to take?""*Any of these* will lead to the station."「駅に行きたいのですが、どの道を行けばよろしいですか」「これらの道はどれも駅に通じています」《◆道が2つならば Either of these will … とな る》. **4** [if 節で; しばしば any of + the [this, these, my, etc.] + 名詞] (…のうち)どれでも, だれでも‖ May I have some more tea *if* there is *any* in the pot? ポットに残っていたらお茶のお代わりをしてもいいですか《◆ any tea の省略表現》. **5** 《米略式》だれも(anybody).

— 副 /éni/《◆比較変化しない》**1** [補語の形容詞・副詞の比較級を修飾] いくらか, 少しは; [否定文で] 少しも, 全然‖ The animal isn't *any* bigger than a cat. その動物はネコよりも少しも大きくない[同じ大きさである](=The animal is no bigger than a cat.)/ Do you feel *any* better today? 今日は少しは気分がいいですか. **2** 《米略式》[動詞を修飾; 否定文・疑問文で] 少しは, ちょっとは(at all)‖ Have you *practiced any* today? 今日は少しでも練習しましたか / I don't feel like eating *any*. 少しも食べ

anyone

気がしません《◆標準的には at all がふつう》.

àny móre → anymore.
àny (óld) time 《略式》=anytime.
any one (1) /éni wán/ (また /ən/) =anyone. (2) /éni wán/ (…の)うちのどれ[だれ]も, ひとつ[1人]残らず《◆ any の強調形》 〈対話〉 "Which pen do you want?""*Any one* will do."「どのペンがいいかい」「どれでもいいよ」《◆ one は pen の代用》/ *Any one* [×Anyone] of us could do it. 私たちのうちのだれでもそれができるでしょう《◆ one は数詞》.

àny tíme → anytime.
àny wáy → anyway.
as … as ány [形] [代] その…と比べても同じくらい; だれにもひけをとらず‖ He is *as* wise *as any* (man). 彼女[彼]にも劣らず賢い[とても賢明だ].

if ány (1) もしあれば《◆ if there is [are] any …の省略表現》‖ Correct errors *if any*. もし誤りがあれば訂正せよ. (2) たとえあったとしても‖ There is little(,) *if any*(,) difference between the two. 両者の間には、たとえあったとしてもごくわずかしか、相違はありません.

thàn ány other → than 接 **1** 〖語法〗.

‡an‧y‧bod‧y /énibàdi, -bədi|-bɔ̀di/
— 代 =anyone.

〖語法〗(1) 呼びかけなどの場合は anybody が好まれる: Don't *anybody* move! だれも動くな! (=*Nobody* move!)
(2) 関係詞が続く場合は anyone が好まれる: *Anyone who* has made a promise should keep it. 約束をした人はだれでもそれを守るべきだ.

— 名 (複 ~·**bod·ies**/-z/) **1** ⓤ [疑問・否定・条件文で] ひとかどの人物, 大物(↔ nobody)‖ Is she *anybody*? 彼女は有名な人なの. **2** ⓒ [肯定文で] つまらぬ人間, 小物, 並(↔ somebody).

if ánybody (ふさわしい人が)もしいるとしたら‖ Bill can do it *if anybody* (can). それをするにはビルがうってつけだ.

†an‧y‧how /énihàu/ 副 =anyway.

†any more,《米では主に》**an‧y‧more** /ènimɔ́:r/ 副 [否定文・疑問文で] もはや, これ以上(any longer)‖ We can't walk *anymore*. もうこれ以上歩けません.

〖語法〗(1) no more の方が強意的.
(2) 量をいう場合は常に any more の2語つづり: I don't want 「*any more* [×anymore]. もうこれ以上いりません.

‡an‧y‧one /éniwʌ̀n, -wən/
— 代 **1** [疑問文で] だれか, だれでも‖ Does *ány one* know where Tom lives? だれか、トムの住んでいる所を知りませんか / Is *ányone* else coming? ほかにだれか来ますか.

2 [否定文で] だれも, どの人も‖ She was so sad that she did *not* want to speak to *anyone*.(↘) 彼女はとても悲しかったので、だれにも話しかけたくなかった / There was *hardly anyone* in the room.(↘)《=There were very few people in the room.》/ I did *not* meet *anyone*.(↘) だれにも会わなかった(=I met nobody.).

anyplace 69 **anything**

語法 (1) [**anyone** と **any one**] anyone は〈人〉を表すが, any one は〈人〉も〈物〉も表すことができる. (2) 主ND用いて否定する場合は nobody, no one を用いる: Nobody [No one] came. だれも来なかった.

3 [肯定文で] だれでも, どの人も ‖ Give help to *anyone* who needs it. 助けを必要としている人にはだれでも手を貸してあげなさい(=Give help to *whoever* needs it.).

4 [条件文で] だれでも, どの人も《◆if節では否定・肯定にかかわらず用いる》‖ If *anyone* comes to see me, tell him [them] that I am out. もしだれか会いに来ても, 留守だと言いなさい《◆「たぶんだれか会いに来そうだ」と話し手が考えている場合は If *somebody* comes …》.

語法 (1) [**anyone** [**anybody**] と数の一致・人称の呼応] a) someone, somebody と同じく常に単数扱い. b) 呼応する代名詞は, 性差に言及しない場合, 堅い書き言葉では he, he or she などを用いるが, それ以外では they (their, them) を用いるのがふつう. 特に主格の場合は they が原則: Anyone can become a member, can't *they*? だれでも会員になれますね / Anyone who acts [ˣact] so selfishly is [ˣare] sure to lose their [his] friends. そのようにわがままにふるまう人はだれでも友だちを失う破目になりますよ(cf. each, everybody). (2) of 句が続く場合 any one of … のみ可:「any one [ˣanyone, ˣanybody] *of* us 我々のうちのだれも(→ ANY one).

an·y·place /énɪplèɪs/《米》=anywhere.

an·y·thing /énɪθɪŋ/
—代《◆形容詞は後ろに置く》**1** [疑問文で] 何か, どれでも ‖ Is there *anything* I can help with? = Can I help (you) with *anything*? お手伝いすることが何かありますか / Do you have *anything* to do after that? そのあと何か用事がありますか / 対話 "*Anything* else, sir?" "Yes, I'd like to have the train schedule." 「ほかに何かご用はございませんか」「列車の時刻表が欲しいのですが」《◆ホテルで部屋まで荷物を運んできたボーイが客に向かってチップを要求するときの遠回し表現にも用いられる》.

語法 相手がたぶん yes と答えるものと予測される場合, または相手が yes と答えやすくしてやりたい気持ちがある場合は, 疑問文でも something を用いる: Do you smell *something* burning? 何かこげていませんか.

2 [否定文で] **a** 何も, どれも ‖ I do *not* know *anything* about him. 彼のことはまったく知りません(=I know nothing about him.) / He did*n't* give me *anything* to eat. 彼は私に食べ物を一切くれなかった(=He gave me nothing to eat.) / She *hardly* ate *anything*. 彼女はほとんど何も食べなかった(=She ate almost nothing.).

語法 主語に用いて否定する場合は nothing を用いる: Nothing [ˣNot anything] is left. 何も残っていない. anything の後に否定語を置くことはできない: ˣAnything is not left.

b たいした事[物](cf. anybody 图**1**) ‖ I got injured in the car accident, but it wasn't *anything*. 車の事故で負傷したがたいしたことではなかった.

3 [肯定文で] 何でも, どれでも ‖ How about a cafeteria? It has just about *anything*. カフェテリアに行きましょう. あそこならほとんど何でもありますから / *Anything* cold to drink will do. 冷たい飲み物であれば何でも結構です / ***Anything* you say.** あなたの言われることなら何でも, おっしゃる通り《◆心の中では同意していないことを暗示》.

4 [if節で] 何か, 何でも ‖ If you do *anything* wrong, you will be punished. もし何か少しでも悪いことをしたら罰せられます《◆好ましい意味ではしばしば something: If you do *something* good, I'll give you some candy. 何か君がいいことをしたら, あめをあげよう》.

****ánything but** … 《◆この句の but は「…以外の」(except)の意》(1)《何でもよいが…だけは除く(but)》[形容詞・名詞の前で] 少しも…でない, …どころでない ‖ His table manners are *anything but* good. 彼の食事のマナーは決してよいとはいえない《◆ … are far from good. より口語的》/ He is *anything but* a gentleman. 彼が紳士だなんてとんでもない. (2)(略》[A~ but!] (相手の質問に対して)とんでもない, それどころでない ‖ 対話 "Was the exam easy?" "*Anything but*!"「テストはやさしかったかい」「とんでもない」. (3) [動詞の後で] …を除けば何でも ‖ I will eat *anything but* broccoli. 私はブロッコリー以外は何でも食べます. (4) =do ANYTHING but.

Ánything góes. 何でも許容される, 何にでも甘い.

ánything like … (1) → **1**. (2)《略》[否定文・疑問文・条件文で; 形容詞・数詞の前で] …に近いもの. (3) [否定文で; 名詞の前で] …に似たもの(similar to) ‖ My bike is not *anything like* yours. ぼくのバイクは君のにはとても及ばない《◆My bike is not like yours. の強調表現》.

****ánything of a** …《略》[否定文・疑問文で] ちょっとした…で《◆肯定文は something of a …》‖ He is not *anything of a* gentleman. 彼には紳士らしいところがまるでない.

as … as ánything《略》[形容詞・副詞; 強意用法] 何よりもまして…で, めっぽう, とても(very)《◆形容詞は主に easy, strong, fast など》‖ The wind was *as* cold *as anything*. 風はひどく寒かった.

do ánything but …《◆ … は名詞・動詞の原形》…(すること)のほかは何でもする, …だけはしない ‖ I will *do anything but* clean windows. 窓ふき以外なら何でもします(窓ふきだけはかんべんしてください).

for ánything [通例 would not と共に]《略》何と引き換えても[絶対に](…しない)《◆for は「交換」の意》.

if ánything (1) [通例文頭で] どちらかといえば, むしろ ‖ He says he lost weight after the operation; but he seems to have gained weight, *if anything*. 手術のあとで体重が減ったと彼は言っているが, どちらかといえば体重が増えたように思われる. (2) もしあるとしても ‖ He had little, *if anything*, to say. 彼はほとんど言うべきことがなかった.

like ánything《略》[動詞の後で] 猛烈に, めちゃくちゃに《◆ふつう好ましくない状態に用いる》‖ cry *like anything* おいおい泣く.

… or ánything《略》[疑問文・否定文・条件文で] …や何か.

—副 [通例否定文・疑問文で; しばしば ~ like] とに

かく, いやしくも, 少しでも (cf. 咽 成句).

†an·y·time, any time /énitàim/ 副 **1**《主に米》いつでも, いつも, 常に《《英》では (at) any time がふつう》‖ Call me *anytime*. いつでもお電話ください 《 対話》"Thanks for your help." "*Anytime*." 「手伝ってくれてありがとう」「いつでもどうぞ〔どういたしまして〕」《◆(1) You can ask [call] me *anytime*. の意. (2) ふつう短時間でできることについていう》. **2** [接続詞的に]…する時はいつも《◆whenever より口語的》‖ Come and see me *anytime* you want to. その気になったらいつでも遊びに来てください (➔文法 4.1(4)).

***an·y·way** /éniwèi/
——副 (略式) **1** [通例 but 節で文尾に置いて] とはいうものの, それでもやはり《◆nevertheless より口語的》‖ I'm tired, *but* I'm góing ányway. 疲れているが, やっぱり行くつもりだ / Thank you *anyway*. (辞退して)結構です, でもどうもありがとう《◆No, thank you. よりよい》.
2 [肯定文で; しばしば文頭で] (すでに述べたことはさておき)**いずれにせよ, ともかく**《◆in any case より口語的》‖ *Anyway*, even if she refuses permission, I still intend to go. いずれにせよ, 彼女が許してくれなくても私は行くつもりだ.
3 a [文頭でコンマを伴って] (一度脱線したあと話を本題に戻して)ところで, それはそうとして ‖ *Anyway*(⤵), I'll call you. ともかくお電話します. **b** [文脈で, 後に長い休止を伴って] (話題を変えて話を続けて欲しいという気持ちをこめて)それはそうとして ‖ You said so yesterday. *Anyway* … 君は昨日そう言ったよ. それはそうとしてね…. **c** [コンマを伴って疑問文の後に置いて] (話を本題に戻すことを暗示して)それはそうと《◆a と異なり本題が前に明示されないことが多い》‖ What time is it, *anyway*? それはそうと, 今何時だい.
4 どんな方法にせよ《in any way より口語的》; [否定文で] どうしても(…できない) ‖ The door was locked, so I couldn't get into the room *ányway*. ドアに鍵がかかっていたので, どうしても部屋に入れなかった. **5** [通例 just ~] いいかげんに, ぞんざいに (carelessly) ‖ Don't do the job *just anyway*. いいかげんに仕事をするな. **6** [疑問文で] 一体どうして, …

***an·y·where** /énihwèar/
——副 **1** [否定文で] **どこへも, どこにも** ‖ I haven't seen them *anywhere*. (⤵) 彼らにはどこでも会ったことがない. **2** [疑問文で] **どこかへ[で]** ‖ Have you seen my glasses *ánywhere*? 私のめがねをどこかで見かけなかったですか. **3** [肯定文で] **どこでも, どこへでも** ‖ Just put those packages *ánywhere*. とにかくその包みはどこでもいいから置きなさい.

語法 主語になったり, 関係詞節を導いたりすることができる: "Where should I put these books?" "*Anywhere* will do." 「この本をどこへ置きましょうか」「どこでもいいです」 / Go *anywhere* you like! どこでも好きな所へ行ってなさい.

ánywhere néar A (1) [疑問文・否定文で] …の近くのどこかに ‖ Is her house *anywhere near* the station? 彼女の家はどこか駅の近くですか. (2) (略式) [通例否定文で] (程度・数量などが)…に近い ‖ His son isn't *anywhere near* as diligent as he is. 彼の息子は彼のように勤勉だとはとても言えたものではない.
gèt [go] ánywhere [通例否定文で] (議論などで)

(《人》にとって)結論が出る, うまくいく.
if ánywhere どこかに(そういう場所が)あるならば; (そういう場所があるとしても)せいぜい.
… or ánywhere [否定文・疑問文・条件文で] …やどこかで[へ].

AO (略) 〔教育〕 admissions office 入試準備室, アドミッションオフィス《学力以外の要素を加えた総合判断で合否を決定する入試方法》.

A-O.K., A-OK, A-O·kay /éioukéi/ (米式) 形 申し分ない[なく].

A-one /éiwʎn/ 形 =A one, A 1.

a·or·ta /eiɔ́:rtə/ 名 (複 ~s, --tae/-ti:/) C 〔解剖〕 大動脈.

Ap (略) April.

AP (略) airplane; 《米》 Associated Press AP通信 (社)《UPI と並ぶ米国2大通信社の1つ》.

Ap. (略) Apostle.

a·pace /əpéis/ 副 (文·古) すみやかに, たちまち.

A·pach·e /əpǽtʃi/ 《スペイン》名 **1** C (複 A·pach·e, ~s) アパッチ族(の人)《北米先住民の一種族》.

Apáche Státe (愛称) [the ~] アパッチ州 (→ Arizona).

***a·part** /əpɑ́:rt/ 《一方の側(part)へ(a)》
——副《◆比較変化しない》 [名詞・動詞の後で] **1** 離れて, へだたって ‖ The couple are living *apart*. その夫婦は別居している / The sumo wrestler stood with his legs wide *apart*. その相撲取りは脚を大きく開いて立っていた (→ with 前 **10 a**).
2 ばらばらに《come *apart* ばらばらになる, ほつれる / tear the letter *apart* 手紙をばらばらに引き裂く》.
3 一方, わきへ ‖ set [put, lay] some money *apart* for a vacation 休暇に備えてお金を取っておく.
4 別にして, それだけで ‖ joking *apart* 冗談はさておき / View each suggestion *apart*. それぞれの提案を別々に考えなさい / A few grammatical mistakes *apart*, your writing is good. いくつかの文法のまちがいを除いて君の作文はよく書けている. **5** [通例 be, seem と共に用いて] 離れた, 無関係の; (意見などを)異にする ‖ "It's best for us to be *apart* for a while, darling," he said. 「僕たちしばらく離れているのが一番いいんだよ」と彼は言った.

apárt from A (1)《人・物》と離れて. (2)《主に英》 《人・物・事》を除いて, ほかは[という点以外では], を別として], …以外に(《米》aside from) ‖ *Apart from* all the homework he assigned, Mr. Smith was liked by his students. 課題として与えた宿題は別にすれば, スミス先生は生徒に好かれていた. (3) …に加えて, …である上に (in addition to).
take apárt → take.
téll [knów] A apárt [can, cannot を伴って]《人・物・事》を識別[区別]する《◆A は複数名詞. 別々に表せば tell [know] A from B》.
worlds [poles] apárt → world.

a·part·heid /əpɑ́:rteit, -ait /əpá:theit/ 名 Ⓤ アパルトヘイト《南アフリカ共和国の人種隔離制度[政策]. 1993年廃止》.

***a·part·ment** /əpɑ́:rtmənt/
——名 (複 ~s/-mənts/) C **1** 《主に米》 **a** アパート(の貸室)《(略) Apt(s).》(→ mansion. cf. condominium)《◆(1) 1室, または 1 世帯分の数室(居間・食堂・台所・寝室・浴室など)をさす. (2) 日本の「アパート」(建物全体)に当たるのは apartments または apartment house [building]: Sunset *Apartments* サンセットアパート》(→ flat) ‖ *Apts*. Furnished《新聞広告》家具付きアパート有り / 《 対話》

apathetic 71 **apostate**

"I'd like to rent an *apartment*. Do you have any vacancies?" "I'm afraid we don't." 「アパートを借りたいのですが空いていますか」「あいにくいっぱいです」. **b** =apartment building [house]. **2**（英）［通例 ~s］**a**（保養地などの短期間滞在用の）（複数の部屋からなる）貸室. **b**（宮殿などの）豪華な1組の部屋《ふつう state [royal] *apartments* の連語で用いる》.

apártment blòck（米）団地.
apártment búilding [hòuse]（米）（高級）アパート, （賃貸）マンション《（英）block (of flats)》《◆tenement house より高級》.
apártment cómplex 団地.
apártment hotél（米）アパート式ホテル《（英）service flat》《家具つき・食事サービスがある》.

ap·a·thet·ic /æpəθétik/ 形 […に］無感動の; 無関心な, 冷淡な[*to, toward*]. **àp·a·thét·i·cal·ly** 副 冷淡に, 無表情で.

†**ap·a·thy** /ǽpəθi/ 名 Ⓤ（物事に）無感動[冷淡]（であること）, […に対する］無関心[*to, toward*].

†**ape** /éip/ 名 Ⓒ **1**（ふつう尾のない）サル;（特に）類人猿《gorilla, chimpanzee, baboon, orangutan など》;〔広義〕サル《◆monkey よりしばしば悪意・ずるさを含む》. **2** 人のまねをする者. **3** 大柄で不器用な人.
go ápe（俗）かんかんに怒る, 異常に興奮する;［…に］夢中になる[*over*].
pláy the ápe 人のまねをしてふざける.
── 動 他（笑われるようなへたな）…のものまねをする.

APEC /éipek/ 略 Asia Pacific Economic Co-operation Conference アジア太平洋閣僚会議.

a·per·i·tif /əpérətí:f/『フランス』名 ~s Ⓒ 食前酒, アペリチフ.

†**ap·er·ture** /ǽpərtʃuər, -tʃə/ 名 Ⓒ **1**（光・空気などが通る）穴, すきま. **2**（光学）レンズの口径.

†**a·pex** /éipeks/ 名 複 ~·es, **a·pi·ces**/éipisi:z, ǽpi-/ Ⓒ ［通例 the ~］**1**（物の）頂点(top)‖ *the apex of a triangle* 三角形の頂点. **2**（力・成功の）絶頂, 極致(climax)‖ *at the apex of her career* 彼女の生涯の全盛期に.

APEX, Apex /éipeks/ 略 Advance Purchase Excursion（割引の）事前購入の航空運賃, エイペックス.

a·pha·sia /əféiʒə, -ziə/ 名 Ⓤ〔医学〕失語症.

a·phe·li·on /æfí:liən/ 名 複 ~s, **-li·a**/-liə/ Ⓒ〔天文〕遠日点《惑星・彗(ｽｲ)星の軌道上で太陽から最も遠い点》(↔ perihelion).

a·phid /éifid, ǽfid/ 名 複 ~s Ⓒ〔昆虫〕アリマキ, アブラムシ(greenfly).

aph·o·rism /ǽfərizm/ 名 Ⓒ 金言, 格言, アフォリズム, 警句《◆「機智を含む警句」は epigram》.

àph·o·rís·tic 形 金言[格言]的な.

aph·ro·dis·i·ac /ǽfrədíziæk/ 形 (正式) 催淫(ｲﾝ)的な. ── 名 Ⓒ Ⓤ 催淫剤, 媚(ﾋﾞ)薬.

Aph·ro·di·te /ǽfrədáiti/ 名〔ギリシャ神話〕アフロディテ《愛と美の女神で, ローマ神話の Venus に当たる》.

a·pi·ar·y /éipièri, -iəri/ 名 Ⓒ 養蜂(ﾎｳ)場.

ap·i·ces /éipisi:z/ 名 apex の複数形.

†**a·piece** /əpí:s/ 副 (正式) 各個に, 一人[一個]に, おのおのに (each) ‖ The oranges cost 7 pence *apiece*. そのオレンジは1個7ペンスです.

a·plen·ty /əplénti/ (正式) 形〔名詞の後で〕副 たくさんの[で], 豊富な[に](in plenty).

a·plomb /əplám, -plɔ́m/『フランス』名 Ⓤ (正式)（難局を前にしての）冷静, 自信 ‖ with perfect *aplomb* 自信満々で.

a·poc·a·lypse /əpákəlips | əpɔ́k-/ 名 **1** Ⓤ 黙示, 啓示. **2** [the A~] ヨハネの黙示録(Revelation)《新約聖書最後の書》. **3** Ⓒ（社会的）大事件, 大惨事.

a·pòc·a·lýp·tic 形 黙示録的な, 末世の.

a·poc·ry·pha /əpákrəfə | əpɔ́k-/ 名 **1** [the A~] 聖書外典《聖書の正典(canon)に選ばれなかった書》. **2** Ⓒ 出典・出所不明の書物[報告].

a·poc·ry·phal /əpákrəfl | əpɔ́k-/ 形 (正式)《重要人物に関する話が》不確かな, もっともらしい, (出典・出所などが)怪しい;《作品などが》でっちあげられた.

ap·o·gee /ǽpədʒi: | ǽpəu-/ 名 Ⓒ［通例 an/the ~］**1**〔天文〕遠地点(↔ perigee). **2** (正式)（力・成功などの）絶頂, 最高点.

a·po·lit·i·cal /èipəlítikl/ 形 政治に無関心の, ノンポリの.

†**A·pol·lo** /əpálou | əpɔ́lou/ 名 複 ~s **1**〔ギリシア神話・ローマ神話〕アポロ, アポローン《詩・音楽・予言などを司る美青年の神. また太陽神ともされる》. **2** [a~] Ⓒ 美青年.

†**a·pol·o·get·ic** /əpàlədʒétik | əpɔ̀lə-/ 形 […に対する／…について］謝罪の（気持ちを表した）, 弁明の; 申しわけなさそうな[*for/about*] ‖ an *apologetic* reply 謝罪の返事 / He was *apologetic for* being absent. 彼は欠席したことをすまなく思っているようだった (⊃文法 12.2). ── 名 Ⓒ［…に対する］（正式の）弁明, 謝罪[*for*];〔神学〕[~s; 単数扱い] 護教学, 弁証論〔法〕.

a·pòl·o·gét·i·cal·ly 副 弁明して.

a·pol·o·gise /əpálədʒàiz | əpɔ́l-/ 動（英）=apologize.

*****a·pol·o·gize,**（英）**-gise** /əpálədʒàiz | əpɔ́l-/
── ~s/-iz/; 過去・過分 ~d/-d/; **-giz·ing**
── 自 [apologize (to A) (for B)]〈人が〉(A〈人〉に)(B〈事・人のことで〉) (言葉・文書で) わびる, あやまる ‖ I must *apologize for* my rudeness. 私の無礼をおわび申しあげます / Will you *apologize to* him *for* me [for doing it]? 私のことで[やったことを]彼にあやまっておいていただけますか.

*****a·pol·o·gy** /əpálədʒi | əpɔ́l-/
── **-gies**/-z/) **1** Ⓒ Ⓤ［人への／事に対する］(お)わび, 謝罪[*to/for*] ‖ a letter of *apology* おわびの手紙 / I owe my mother an *apology*. 私は母にあやまらないといけない / *in apology for* one's error 過失をわびて[弁解して] / We made [extended] our *apologies* (to her) for being late. 私たちは遅刻したことを(彼女に)わびた / *accépt* [*máke, óffer, demánd*] an *apology for* not arriving on time 時間通りに到着しなかったことに対する謝罪を聞き入れる[言う, 申し出る, 要求する] / Why does that require an *apology*? どうしてそんなことであやまらなければいけないの?(=I don't need to *apologize for* that.) / My [Many] *apólogies for* being so láte! 遅れてしまってごめんごめん《◆My ... の方がふつう》. **2** Ⓒ (正式)〔主張・信念などに対する〕弁護, 弁解[*for*]. **3** (略) [通例 an ~] […の]代用品, まにあわせ[*for*] ‖ *a skimpy apology for* (a) breakfast 朝食とは名ばかりの粗末なもの.

ap·o·plec·tic /ǽpəpléktik/ 形 **1** 卒中(性)の. **2** (略式)〔怒りなどで〕顔の赤い[*with*], すぐ怒る.

ap·o·plex·y /ǽpəplèksi/ 名 Ⓤ Ⓒ 卒中(stroke).

a·pos·ta·sy /əpástəsi | əpɔ́s-/ 名 Ⓤ Ⓒ (正式) 背教, 背信, 脱党《◆背教[背信]行為》.

a·pos·tate /əpásteit | əpɔ́s-/ 名 Ⓒ (正式) 背教者, 背信者; 脱党者.

a pos·te·ri·o·ri /ɑ̀ː poustiríːri | èi pòstèːriˈraːi/ [ラテン] 副 形 《正式》帰納的に[な], 後天的に[な](↔ a priori).

†**a·pos·tle** /əpɑ́sl | əpɔ́sl/ 名 C 1 [しばしば A~] 使徒《キリストの12人の弟子の1人》‖ the Apostles 十二使徒. 2 初期のキリスト教伝道者《パウロなど》. 3 《正式》(新しい考えなどの)推進者, 指導者.
Apóstles' Créed 使徒信条[信経].

ap·os·tol·ic, -i·cal /æ̀pəstɑ́lik(l) | -tɔ́l-/ 形 1 十二使徒の(教義・教え)に関する. 2 [A~] ローマ教皇の.

a·pos·tro·phe /əpɑ́strəfi | əpɔ́s-/ 名 C アポストロフィ(')《◆[用法](1) 文字・数字の省略: cannot → can't; I am → I'm; 1905 → '05. (2) 所有格: boy's, boys'. (3) 文字・数字の複数: There are two *l*'s in 'Bell.'》.

†**a·poth·e·car·y** /əpɑ́θəkèri | əpɔ́θəkəri/ 名 C (古・米)薬剤師; 薬局, 薬屋.

a·poth·e·o·sis /əpɑ̀θióusis, (米+) æpəθíːəsis | əpɔ̀θ-/ 名 (複 ~·ses/-siːz/) 1 U 神として祭ること, 神格化. 2 U C (人・物に与えられる)最高の名誉. 3 U C 完璧な例, 真髄, 典型.

Ap·pa·la·chi·an /æ̀pəléiʃiən, (米+) -tʃən, -ləʧ-/ 形 アパラチア山脈の. ——名 [the ~s] = the ~ Mountains アパラチア山脈《北米東部の山脈》.

†**ap·pall**, (英ではまた) **-pal** /əpɔ́ːl/ 動 他 …をぞっと[ぎょっと]させる《dismay より強意的》; [be ~ed]〈人が〉(…ということに/…して)ぞっとする(*that*節/*to* do)‖ All of us *were appalled at* [*by*] the news. 私たちはみなその知らせを聞いてぞっとした.

ap·pall·ing /əpɔ́ːliŋ/ 形 1 [他動詞的に](人を)ぞっとさせる, 恐ろしい. 2 (略式)びっくりさせるほどの, ひどい(very bad)‖ She is an *appalling* cook. 彼女は料理が恐ろしくへただ. **ap·páll·ing·ly** 副 ぞっとするほど, ひどく.

ap·par·at·chik /ɑ̀ːpərɑ́ːtʃik, æ̀pərǽtʃik/[ロシア] 名 C (命令にすぐ従う)官吏; (特に共産主義国の)政治組織の一員.

†**ap·pa·ra·tus** /æ̀pərǽtəs, -réitəs/ 名 (複 **ap·pa·ra·tus**, ~·es/-iz/) 1 [集合名詞]器具一式, 機械‖ a piece of *apparatus* 1組の道具 / A good gymnast must master the various *apparatus*. 上手な体操選手はたくさんの器具を使いこなさねばならない. 2 C [通例 an ~](ある目的に必要な)1組の機械[道具, 資料]‖ an underwater breathing *apparatus* 水中呼吸器具. 3 C [通例 the ~](一連の)器官‖ the digestive *apparatus* 消化器官. 4 C [通例 the ~]機構, 組織.

†**ap·par·el** /əpǽrəl/ 名 (過去・過分) **-par·eled** or (英) **-par·elled**/-d/; **-el·ing** or (英) **-el·ling**) 動 《正式》[通例 be ~ed]〈人が〉(きらびやかに)装う,〈人が〉(…の衣装で)飾る(*in*)‖ The queen *was* richly *appareled*. 女王は豪華な服装をしていた.
——名 1 U 《正式》(特別な機会に着る立派な)衣服, 服装‖ priestly *apparel* 聖職者の服装. 2 C (主に米)[集合名詞](特に女性・子供の)衣服, 衣料品; (特に)既製服.

†**ap·par·ent** /əpǽrənt, əpéər-/ [アクセント注意] 形 1 〈事が〉(…にとって)明白な, 明らかな(*to*); [it is apparent *that*節]…ということが(推論によって)明白である《◆ evident の方が視覚的な》[類語] obvious, clear) ‖ for no *apparent* reason はっきりした理由もなく / Her disappointment *was apparent to* everyone. 彼女の失望はだれの目にも明らかだった / Since he looks happy, *it is apparent that* he passed the exam. 彼はうれしそうなので試験に合格したのは明らかである. 2 《実はそうでないかもしれないが》見たところの; 外見上 [一見]…らしい(↔ real, actual)‖ an *apparent* advantage うわべだけの利点 / His *apparent* anger proved to be only a joke. 彼は腹を立てたようすだったが, 結局それは冗談にすぎなかった. 3〈物が〉はっきり見える‖ The building is *apparent* from across the room. その建物は部屋の反対側からよく見える.

***ap·par·ent·ly** /əpǽrəntli, əpéər-/
——副 [しばしば文全体を修飾](実際はともかく)見たところは…らしい《◆ only, merely と共に用いることが多い. cf. evidently, obviously》‖ an *apparently* genuine five-dollar bill 一見本物らしい5ドル紙幣 / *Apparently*(\) he is a good swimmer, though I have never seen him swim. 実際に泳いでいるのを見たことはないが, 彼は泳ぎが上手なようだ(= It *appears* [*is apparent*] *that* he is …) / 【対話】"I thought she passed her test." "So did I, but *apparently* not."「彼女なら試験に合格すると思ったんだけど」「私もそうです. でもどうやらだめだったようです」.

†**ap·pa·ri·tion** /æ̀pəríʃən/ 名 1 C 亡霊, 幽霊(ghost); 奇妙[奇怪]な現象; 突然現れた人[物]. 2 U 《正式》(突然の)出現(appearance).

***ap·peal** /əpíːl/ [(…に)ap話しかける(peal)]
——動 (~s/-z/; appealed/-d/; ~·ing)
——自《◆ ☑ appeal は自動詞.「…に」「…を」などには前置詞を用いる》1 [appeal to **A** to do]〈人が〉**A**〈人〉に…することを懇願する‖ I *appeal to* you *to* contribute to the new clinic. 新しい病院に寄付をお願いいたします.
2 **a** [appeal to **A** for **B**]〈人が〉**A**〈人〉に**B**〈助け・同情など〉を求める, 懇請する‖ She *appealed to* me *for* help. 彼女は私に助けを求めた. **b** [appeal for **A**]〈人が〉〈物〉を求める;〈人〉に訴える‖ They are *appealing for* money [everyone] to help (the) refugees. 彼らは難民救済の資金を求めている[すべての人に難民救済を訴えている].
3 **a** [appeal to [(英) against]]〔A〕【法律】〈人が〉〈上級裁判所に〉上訴する‖ The defendant will *appeal to* a higher court. 被告は上級裁判所に上訴するだろう / I will *appeal against* the sentence. その判決が不服で上告する. **b** 《スポーツ》〔審判などに〕アピールする(*to*); 〔判定などに〕抗議する(*against*).
4 (人の)気に入る, (人の心に)訴える; 〔理性・力などに〕訴える(*to*)《◆ 進行形・受身不可》‖ She *appeals to* me. 彼女は私の好みにぴったりだ / This novel doesn't *appeal to* women. この小説は女性に受けない / *appeal to* arms 武力に訴える.
——名 (複 ~s/-z/) 1 U C (同情・助けを求める)〔…を求める/…に対する〕訴え, 嘆願, 要求(*for/to*)‖ make an *appeal for* mercy 慈悲を乞う. 2 C U【法律】上訴‖ an court of *appeal* 控訴院. 3 U〔…に対する〕魅力, 趣; 興味を起こさせるもの(*for, to*)‖ sex *appeal* 性的魅力; (一般的に)魅力‖ Contemporary music holds [has] little *appeal for* me. 現代音楽は私にはほとんど魅力がない. 4 C《スポーツ》[判定を不服とする](審判への)アピール, 抗議(*against*).

ap·peal·ing /əpíːliŋ/ 形 人の心を動かすような; 魅力[興味]のある; 哀願的な.
ap·péal·ing·ly 副 人の心に訴えるように.

*ap·pear** /əpíər/ [「自ら姿を見せる(show oneself)」が原義] 派 appearance (名)

appearance

—動 (~s/-z/; 過去・過分 ~ed/-d/; ~-ing /-iəriŋ/)
—自 **1 a** [it appears (to A) (that 節 / as if 節)] (A〈人〉にとって)(どうも)…らしい, きっと…だ《◆
〘対話〙 "*It appears that* he knows everything about it." "*It appears* so. [So *it appears*.]" 「彼はそのことは全部お見通しのようだ」「そうだね」《◆否定的に反応するときは It *appears* not. (そうではないようだ)》‖ *It appears that* he will win first prize. 彼は1等賞を取りそうだ.
b [appear to do] …のようだ‖ He *appears to* know Ann. 彼はアンを知っているようだ(= It *appears* that he knows Ann.) / She *appeared to* have forgotten my name. 彼女は私の名前を忘れてしまっているようだった(⊃文法 11.5)(= It *appeared* that she had forgotten my name.).
c [appear (to A) (to be) C]〈人・物が〉(Aに)C のように見える, 思える《◆(1) C は名詞・形容詞・前置詞句. (2) 五感のうち主に視覚による判断を示す. seem は五感のいずれでもよい》‖ She is kindhearted, but *appears* to me *to be* cruel. 彼女は優しいが, 私には残酷そうに見える / The boy *appeared to* be in bad health. その子は体の具合が悪そうだった / He *appears* (*to be*) a rich man. 彼は金持ちのようだ / She *appears* well today. 彼女は今日は調子がよさそうだ.
2〈人が〉姿を現す, 到着する(come, turn up, show up);〔舞台・映画などに〕出演する[*in, at*];〔弁護人・原告・被告・検事として〕出廷する[*as*];〔…に/…のために〕出頭する[*in, before / for, on behalf of*]《◆修飾語(句)は省略できない》‖ *appear* 「*on* television [*in* a play, *at* a theater] テレビ[演劇, 劇場]に出演する / *appear as* Hamlet [an actor] ハムレット役で[役者として]出演する / *appear in* court = *appear before* a judge 出廷する / A man suddenly [unexpectedly] *appeared* in the doorway. 突然[思いがけず]人が玄関に現れた(= A man turned [showed] up in the doorway.).

> 〘使い分け〙 [appear と show up]
> appear は「存在し始める」の意の「現れる」.
> show up はしばらく見なかった人が「姿を現す」の意.
> When did human beings *appear* [ˣshow up] on earth? いつ人類は地上に現れたのか.
> They finally 「*showed up* [ˣappeared] at noon. 彼らは正午になってようやく現れた.

3 a〈物が〉現れる, 見えてくる;〈物・事が〉出現する(↔ disappear)‖ Dimples *appear* [〘文〙 There *appear* dimples] on her cheeks when she smiles. 彼女はにっこりするとほおにえくぼができる. **b**〈本・商品などが〉発売される;〈新しい物などが〉出る, 手に入るようになる‖ This hairstyle first *appeared* in the early 19th century. この髪型は19世紀初期に初めて見られるようになった / The weekly *appears* on Thursday. その週刊誌は木曜日に出る / to *appear*〈本などが〉出版予定; 未刊《◆参考文献をあげるときなど》.

†**ap·pear·ance** /əpíərəns/ 图 **1** ⓊⒸ 外見, (外から見た)様子《特に目立った点》, 印象; 顔つき, 容貌(ぼう)《◆この意では look(s) の方がふつう》; 見せかけること‖ *Appearances are deceptive.* 《ことわざ》人[物]は見かけによらない / *judging by appearances* 外見から判断すると / for the sake of *appearance(s)* = for *appearance* sake 体面のために / I can see he is ill 「*by* [*from*] his *appearance*. 彼の様子からみて病気だということがわかる / try to 「*put on* [*give*] *an appearance of* being busy 忙しそうに見せかけようとする. **2** Ⓒ(人前に)姿を現すこと, 出現, 到着;(目・頭に)浮かぶこと(↔ disappearance); 出演, 出廷〘野球〙登板‖ *make one's appearance* 姿を現す, 出現[出演]する, 到着する / Her sudden *appearance* in the doorway surprised us. 彼女が突然玄関に姿をみせたので我々はびっくりした. **3** [~s] 状況, 兆候‖ *Appearances* are against her. 状況は彼女に不利だ.
kéep up appéarances 世間体をよくする, 体面を保つ.
「*pùt ín* [*màke*] *an* [*one's*] *appéarance*〔会合などに〕ちょっと顔を出す[*at*].
to [*by, from*] *áll appéarance(s)* どう見ても《◆ふつう文頭または動詞のすぐ後に置く》‖ He is *to all appearances* a "strong man." 彼はどう見ても「実力者」だ.

†**ap·pease** /əpíːz/ 動 他 **1**〈相手・感情など〉をなだめる(calm);〔要求などに屈して〕〈相手〉に譲歩する, …の言う通りにする(↔ aggravate)‖ *appease* a crying child by giving her a teddy bear 泣いている子にクマのぬいぐるみを与えてなだめる. **2**〈食物などを〉〈空腹・欲求など〉を満たす(satisfy)‖ A hearty dinner well *appeased* my hunger. ディナーをたっぷり食べて空腹が十分満たされた. **ap·péase·ment** 图 ⓊⒸ 和解, 和解政策.

ap·pel·lant /əpélənt/ 图 Ⓒ〘法律〙上訴人(側).
—形 = appellate.
ap·pel·late /əpélət/ 形〘法律〙上訴の‖ an *appellate* court [judge] 上訴(院)裁判所[担当判事].
ap·pel·la·tion /æpəléiʃən/ 图〘正式〙ⓊⒸ 命名(すること), ⓒ 呼称, 称号《正式》; 異名《William the Conqueror (ウィリアム征服王) では the Conqueror が William の appellation》.
ap·pend /əpénd/ 動他〘正式〙…(の終わりに)(付録・補遺などとして)付け加える(add)[*to*].
†**ap·pend·age** /əpéndidʒ/ 图 Ⓒ **1**[…の]付属物(addition)[*to*]. **2**〘正式〙〘動〙(body に対して)付属肢〈腕・脚・尾など〉;〘植〙(茎・葉などについている)付属物[体]. **3** 従者, 部下.
ap·pen·dec·to·my /æpəndéktəmi/ 图 ⓊⒸ〘医学〙虫垂切除(術).
ap·pen·di·ces /əpéndəsìːz/ 图 appendix の複数形.
ap·pen·di·ci·tis /əpèndəsáitis/ 图 Ⓤ〘医学〙虫垂炎《◆いわゆる「盲腸炎」のこと》.
†**ap·pen·dix** /əpéndiks/ 图 (複 ~es, --di·ces /-dìsìːz/) Ⓒ **1**(本の)付録, 補遺; 付加物(cf. supplement)‖ a list of irregular verbs in the *appendix* of a dictionary 辞書の付録にある不規則動詞一覧表. **2**〘解剖〙突起;(特に)虫垂(vermiform appendix).
†**ap·per·tain** /æpərtéin/ 動 自〘正式〙〈権利・義務などが〉(ふつう人でなく)〈物・事〉に属する(belong);〔…に〕関連がある(relate)[*to*]《◆受身不可》.
***ap·pe·tite** /æpətàit/ [〈…を(ap)捜し求める(pete)〉. cf. compete]
—图 (~s/-taits/) ⓊⒸ 食欲《◆飲み物に対する欲求も含めることがある》‖ increase one's *appetite* = make one's *appetite* bigger (運動などが)食欲を増進する / Walking outdoors gives you an *appetite*. 戸外を散歩すると食欲が出ますよ /

appetizer / **application**

lose one's **appetite** 食欲をなくす / *satisfy one's* **appetite** 食欲を満たす / I don't have much (of an) *appetite* today. 今日は食欲があまりない / *A good* **appetite** *is the best sauce.* (ことわざ)食欲は最良のソースである;「空腹にまずいものなし」(=Hunger is the best sauce.). **2** C […に対する](生理的・精神的)欲求;好み[*for*] ‖ sexual *appetites* 性的欲求 / She has a great *appetite* for adventure. 彼女は冒険心が旺盛だ. **whét** A's **áppetite** 〈人〉の食欲[欲求, 欲望]をそそる;〈人〉を夢中にさせる.

ap·pe·tiz·er, (英) **‑tis·er** /ǽpətàizər/ 名 C アペタイザー《食前酒・前菜など》; 興味・意欲を刺激する軽い活動.

ap·pe·tiz·ing, (英) **‑tis·ing** /ǽpətàiziŋ/ 形〈食物・事・物〉が食欲[欲望, 意欲]をそそる.

áp·pe·tiz·ing·ly 副 食欲をそそるように.

†**ap·plaud** /əplɔ́ːd/ 動 自〈人が〉拍手する(clap) ‖ The whole audience *applauded* loudly. 聴衆全員が盛んに拍手した. ― 他 **1** 〈人・行為〉に拍手を送る ‖ The audience *applauded* the performer. 聴衆は演奏者に拍手を送った. **2** …を賞賛する;…を支持する ‖ I *applaud* your decision to quit smoking. よくまあ禁煙を決意しましたね.

†**ap·plause** /əplɔ́ːz/ 名 U 拍手, 拍手喝采(かっさい), 賞賛;(拍手による)承認 ‖ give [win] *applause* 拍手を与える[得る], 賞賛を与える[得る] / a book worthy of *applause* 賞賛に値する本.

‡**ap·ple** /ǽpl/
― 名(複 ~s/‑z/) C リンゴ《◆ fruit の中で最も典型的なものとされる》; リンゴの木(apple tree) ‖ bite into an *apple* リンゴをかじる / *An apple a day keeps the doctor away.* (ことわざ) 1日にリンゴ1個で医者いらず《◆ 字義通りには「医者を遠ざける」という意味》/ ショーク "Why don't you eat *apples*?" "I met a handsome doctor at the party." 「どうしてリンゴを食べないの」「パーティーですてきなお医者様に会ったのよ」《◆ 上記のことわざから》.
文化 (1) エデンの園でアダムが食べた禁断の木の実は, 一般には apple であるとされる. 花言葉は「誘惑」.
(2) 英米では生で皮は洗わないで服などでみがいて(→成句 polish apples)食べるほか, 煮たり焼いたりして食べることが多い(cf. 複合語).
(3) 木は人間の幸福・喜びを表す. 連想する色は赤・黄のほか緑がある.

語法 果実そのままは C だが, 果肉をいうときは U. 後者を数えるときは a piece of *apple*, a fragment of *apple* などという. これは他の果実についても同様.

pólish ápples [**the ápple**] (米俗) ごまをする《◆ 生徒がピカピカにみがいたリンゴを先生に贈って点数をかせごうとしたことから. → apple-polish(er)》.
the ápple of A's **éye** [**the**] 《もと「ひとみ」の意から》〈人〉が非常に大切にしているもの, 可愛がっている人.
ápple bùtter リンゴジャム.
ápple píe アップルパイ (cf. apple-pie) ‖ (as) American as *apple pie* (米) 非常にアメリカ的な / Mom's *apple pie* (米) おふくろの味. 文化 米国で代表的なデザートで, 味は日本の味噌汁と同様に母親のイメージと重なる.
ápple sàuce =applesause.
ap·ple-pie /ǽplpái/ 形 **1** きわめてアメリカ的な (cf. apple pie). **2** 完全にととのった.

ápple-pie órder [薄切れのリンゴがきれいに並べてあるところから]《略式》秩序整然とした状態 ‖ *put* … *in* (*to*) *apple-pie order* …をきちんと整理する.
ap·ple-pol·ish /ǽplpɑ̀liʃ | ‑pɔ̀l‑/ 動 (米俗) 他 (人に)ごまをする(→ apple 文化, 成句).
ápple-pòlisher 名 (米俗) ごますり《人》《◆ 今は ass kisser の方がふつう》.
ap·ple·sauce /ǽplsɔ̀ːs/ ∠, **ápple sàuce** 名 U **1** リンゴソース《リンゴをきざんでつぶして甘く煮たもの》. **2** (米俗) ばかげたこと, でたらめ.
ap·plet /ǽplət/ 名【コンピュータ】アプレット《小規模なアプリケーション》.

†**ap·pli·ance** /əplájəns/ 名 C (家庭用の小型の)器具, 道具, 設備;(器具の)部品;(米)電気[ガス]器具《コンロ・トースター・冷蔵庫・掃除機・洗濯機など》;(英)消防車(fire engine) ‖ a household *appliance* 家庭用電気器具 / an *appliance* dèaler [ìndustry] 電気器具店[産業].

†**ap·pli·ca·ble** /ǽplikəbl, əplí‑ | əplíkəbl, ǽpli‑/ 形 (正式) **1** […に]適用できる(suitable);[…に]重要である(significant), 効力がある, 正しい[*to*], […の]ための(for the purpose of) [*to*] (↔ inapplicable) ‖ This traffic rule is *applicable* to every case. この交通規則はすべての場合にあてはまる (=This traffic rule *applies to* every case.) / His earlier comments were not *applicable* to our later discussion. 彼の初めのコメントは我々のこれからの議論にはあまり関連がない. **2** 〈薬などが〉使用できる, 効用がある. **àp·pli·ca·bíl·i·ty** 名 U 適用可能性;応用がきくこと.

†**ap·pli·cant** /ǽplikənt/ 名 C [職・学校・奨学金などの]志願者, 応募者, 申込者[*for*, *to*] ‖ an *applicant for* a job =a job *applicant* 求職者 (cf. candidate) / the successful *applicants to* this university この大学の合格者.

*****ap·pli·ca·tion** /æ̀plikéiʃən/ [→ apply]
― 名 (複 ~s/‑z/) **1a** U […へ]申し込みをすること[*to*]; C [物・事への/人への](個々の)申し込み, 申請, 要請[*for*/*to*] ‖ More detailed information will be supplied *on application to* the publisher. 詳細は当出版社に申し出あり次第お知らせ致します / *make an application for* admission 入学[入会]を申し込む / Her *application for* leave was refused. 彼女の休暇の申請は拒否された.
b C 申込書, 申請用紙 (application blank [form]) ‖ write an *application* 申込書を書く / *fill out an application* 申請書に書き込む / file an *application* 申請書を提出する.
2 U C (正式) […を/…に]応用すること, 利用(すること)[*of* / *to*, *in*] (言葉などを)あてはめること, (法律の)適用; 【コンピュータ】アプリケーション《実務処理用のソフトウェア》‖ the *application of* psychology *to* linguistic research 心理学を言語学の研究に利用すること.
3 U C 応用(法), 効用, 効果; 妥当性, […への]適合性[*to*] ‖ This method has no *application to* the case. この方法はこの場合には当てはまらない (=This method does not *apply to* the case.).
4 U C (薬・化粧品・ペンキなどを)塗ること, 塗布; C 塗り薬(ointment) ‖ External *application* only. 外用のみ《薬品の注意書き》. **5** U [物・事に]打ち込むこと[*to*, *in*]; 熱心さ, 勤勉(hard work), 集中力 ‖ by [through] *application to* one's study 勉強に熱中することによって.
applicátion blànk (米) =1b.

application fòrm (英) = 1b.
application mòney 申込金.

†**ap·plied** /əplái/ 形 応用の(↔ pure, theoretical) ‖ *applied* chemistry [linguistics, science] 応用化学[言語学, 科学].

ap·pli·qué /æpləkéi | əplí:kèi/〖フランス〗名 Ⓤ アップリケ(をすること). ── 動 …にアップリケをする ‖ *appliqué* a skirt with tulips スカートにチューリップのアップリケを施す. **àp·pli·quéd** 形 アップリケのついた.

***ap·ply** /əplái/〖…に(ap)くっつける(ply). cf. reply〗 派 applicant (名), application (名)

index 動 他 1 適用する 2 加える 3 充当する
4 向ける
自 1 求める 2 あてはまる

── 動 (--plies/-z/, 過去・過分 --plied/-d/; ~·ing)

── 他 **1** [apply A (to B)] 〈人が〉A〈法・規則〉を(B〈人・事〉に)適用する, 応用する; A〈物〉を(B〈物〉に)応用する, 利用する(use) ‖ This school rule cannot *be applied* to foreign students. この校則は外国人学生にはあてはめることはできない.
2 [apply A (to B)] 〈人が〉A〈力・熱・物など〉を(B〈物〉に)加える, 当てる; A〈薬・のり・化粧品・ペンキなど〉を(B〈体・物〉に)塗る(put); A〈マッチ・火〉で(B〈物〉に)火をつける ‖ The taxi driver *applied* the brake(s) as soon as he saw the child rush out. そのタクシー運転手は子供が飛び出したのを見てすぐブレーキをかけた / Mother *applied* the medicine *to* the injury on my knee. 母は私のひざの傷にその薬を塗ってくれた.
3 [apply A to B] 〈人が〉A〈資金など〉をB〈事〉に充当する, A〈金〉をB〈口座〉に入れる ‖ The money is to be *applied* to the debt. その金は負債の支払いに充当することになっている.
4 [apply A to B] 〈人が〉A〈自分自身・心〉をB〈事〉に向ける, B〈事〉に熱中する, 専心する; A〈表現・名〉をB〈人・物・事〉にあてはめる ‖ He *applied* himself [his mind] *to* the task. 彼はその仕事に打ち込んだ / Don't *apply* that nickname *to* me. 私をそのあだ名で呼ばないでくれ.

── 自 **1** [apply (to A) (for B)] 〈人が〉(A〈人〉に)(B〈仕事・許可・援助など〉を)求める(ask for), …を志願する, 問い合わせる ‖ She *applied* to her boss *for* two days of paid vacation. 彼女は上司に2日間の有給休暇を申し出た / I am going to *apply for* a visa today. 今日ビザの申請をするところだ / He *applied for* a job [*to* three colleges]. 彼は仕事に応募[3つの大学に出願]した(=He made an *application for* [*to*] …).

> 使い分け [apply for, enter, participate in, take part in]
> apply for は 職や地位に「応募する」ときに用いる.
> enter, participate in, take part in はコンテストや競技に「応募する」ときに用いる.
> Mary entered [participated in, took part in, ˣapplied for] the beauty contest. メリーは美人コンテストに応募した.

2 [apply (to A)] 〈規則・法など〉が〈人・事〉にあてはまる ‖ The same rule *applies to* going for a journey. 旅行に出かける時にも同じ規則があてはまる.

†**ap·point** /əpɔ́int/ 動 他 **1** 〈人が〉を〈…(の役職)に〉指名する, 任命する(to be / as); 〈役職の人〉を指名[任命]する, 〈委員会など〉を設立する; 〈人〉を任命して(…に〜する)to do; 〈人〉を〈役職に〉任命する(to) ‖ The Government *appointed* Mr. Brown (*as* [*to be*]) ambassador to Peru. 政府はブラウン氏をペルー大使に任命した(◆補語が唯一の役職のときはふつう無冠詞. →文法 16.3(4)) / We have to *appoint* new members of [*to*] the examining board. 調査委員会の新委員を任命しなければならない / They *appointed* her to do the task. 彼らは彼女を任命してその仕事をやらせた. **2** 《正式》〈人が〉〈会合・会見などのために〉〈時・場所〉を約束して決める(for); 〈時・場所〉を〈会合などの時・場所〉に指定する, 〔…に〕決める(as), 〈物〉を〔…する〕時[場所]に指定する(to do) ‖ *appoint* a certain date *for* the meeting ある日を会議の日と決める / *appoint* a coffee shop *as* the place for a date 喫茶店をデートの場所に決める.

ap·point·ed /əpɔ́intid/ 形 **1** 任命された ‖ an *appointed* official 任命を受けた役人. **2** 《正式》〈時・場所などが〉指定された, 約束した ‖ at the *appointed* time =at the time *appointed* 約束の時間に. **3** [副詞の後で] 設備のある, 〔…が〕備えてある(with) ‖ a well [badly, beautifully, fully] *appointed* hotel 設備のよい[悪い, 美しい, 十分な]ホテル.

ap·poin·tee /əpɔintí:/ 名 Ⓒ 任命された人; 《法律》被指名者.

***ap·point·ment** /əpɔ́intmənt/
── 名 (複 ~s/-mənts/) **1** Ⓒ **a** ; (ふつう高い職にある)人との)(面会の)約束(with); (会う)約束; (医師・美容師などの)予約(◆ promise との交換不可. ホテルの宿泊, レストランの食事などの予約は reservation) ‖ make [kéep, cáncel] an *appointment* 会う約束をする[守る, キャンセルする] / The dentist will see you *by appointment* only. その歯科医には予約をしないと診てもらえない / I *have an appointment with* the professor at 1:30. =I *have an appointment to* see … 私は教授と1時30分に会う約束がある.

> 使い分け [appointment と date, promise]
> appointment は「商用の約束, 医者や弁護士と会う約束, 予約」.
> date は「恋人や友人との食事などの約束」.
> promise は「一般的な約束」.
> The lawyer made ⌈an *appointment* [ˣa date, ˣa promise] to meet his client. 弁護士は依頼人と会う約束をした.
> I have a *date* with my girlfriend tonight. 今夜ガールフレンドと約束がある.
> If you make a *promise*, you must keep it. 約束したら守らないといけない.

b 約束の場所 ‖ They arrived at their *appointments*. 彼らは約束の場所に到着した.
≡事情 英米では医者の診療を受けたい人を訪問する場合などは予約をするのがふつう. 都合の悪い時は I'm sorry, but I have a five o'clock *appointment* with Mr. Brown. (すみませんがブラウンさんと5時の約束がありますので)などと言って調節し, 「set up [arrange] an *appointment* (約束を取り決める)ようにする.

2 a Ⓤ (人を役職に)任命(すること), 指名 ‖ the *appointment of* Mr. Brown *as* [*to be*] ambassador to Peru ブラウン氏をペルー大使に任命すること

apportion / **apprentice**

(◆appoint Mr. Brown (as [to be]) ambassador … の名詞化表現. ⇒**文法** 14.4/ by *appointment* to the Queen 女王陛下御用達の(◆店の看板などの文句) / They filled the vacancy *by appointment*. 彼らは任命により欠員を補充した. **b** C (任命による)役職; (任命によって)役職についた人 ‖ receive an *appointment* from the president 大統領から役職を与えられる / She had a high government *appointment*. 彼女は政府の高官になった.

ap·por·tion /əpɔ́ːrʃ(ə)n/ 動 他 …を[…の間で/…に](つり合いよく)配分する, 振り分ける(divide); (責任などが)相当にあるとする[between, among / to].

ap·pór·tion·ment 名 CU 分配, 配当.

ap·po·site /ǽpəzit/ 形 《正式》[…に](まさに)適切な, ぴったりした(suitable)[to, for].

ap·po·si·tion /æ̀pəzíʃən/ 名 U 並置, 並列; 付加, 添加; 書類にサイン[捺印]すること; 〔文法〕同格.

ap·pos·i·tive /əpɑ́zitiv | əpɔ́z-/〔文法〕形 名 C 同格の(語, 句, 節); (関係代名詞の)非制限用法の.

†**ap·prais·al** /əpréizl/ 名 UC (価格・価値の)評価(evaluation)[of]; 査定額, 価値判断.
appráisal gàin 含み益.

†**ap·praise** /əpréiz/ 動 他 〈土地・財産・人・能力など〉を[…と](精確に・専門的に)評価[鑑定]する(evaluate)[at].

†**ap·pre·ci·a·ble** /əpríːʃəbl, -ʃiə-/ 形 評価可能な, (容易に)感知できる; かなり大きい.
ap·pré·ci·a·bly 副 かなり.

*ap·pre·ci·ate /əpríːʃièit/ […に(ap)価格をつける(preciate). cf. *praise, price*] 派 appreciation (名)
——動 (~s/-èits/, 過去・過分 ～ d/-id/; ～ ·at·ing) 《正式》(↔ depreciate).
——動 他 1〈人が〉〈物・事〉を正しく理解する, 正しく認識する; …を察する; [appreciate that[wh]節]…であることを[…かを]正しく理解する(understand)(◆進行形不可)‖ *appreciate* the difference between right and wrong 善悪を見分ける / I can *appreciate how* sad you are because of your dog's death. あなたの愛犬の死でどんなにお悲しみの事かとお察しします.
2〈人が〉〈物・事〉をありがたく思う, …を感謝する; [appreciate doing]…することをありがたく思う(◆ ✗ の意味では〈人〉を目的語にできない) ‖ I would *appreciate it if you could* [*would*] agree to my plan. 私の計画にご承認をいただければ幸いです / I really *appreciate* 'your kindness [what you've done for me]. お世話になりました(=《略式》Thank you for your kindness.) / I will *appreciate hearing* [ˣto hear] from you soon. すぐにお返事をいただければ幸いです. **語法** appreciate A doing の構文も可能: I *appreciate* him coming to Tokyo and having a meeting. 彼が東京へ来て会議を開いてくれることをありがたく思っている.
3〔正しい判断・分析などによって〕〈人が〉〈人・物・事〉の**価値を認める**, …を正しく評価する ‖ Her musical genius is widely *appreciated*. 彼女の音楽の才能は広く認められている / We don't *appreciate* our health until we lose it. 健康を失うまでのその価値はわからない, 失って初めてその価値がわかる.
4 …を鑑賞する, …のよさを味わう ‖ *appreciate* literature and music 文学や音楽を味わい楽しむ / *appreciate* a rest after hard work 熱心に働いた後の休息を満喫する.
——自 価格[相場]が上がる(↔ depreciate).

ap·pré·ci·a·tor 名 C 鑑賞者.

*ap·pre·ci·a·tion /əpriːʃiéiʃən/ 〖→ appreciate〗
——名 U 1 (しばしば an ～) 1 […の]鑑賞(力), […を]味わうこと[力][of]‖ have an *appreciation* of English poetry 英詩を味わう.
2〔…に対する〕感謝(すること)[for]‖ *by way of appreciation* 感謝のしるしに / show no *appreciation for* her help 彼女の援助に礼も言わない(= be not *appreciative* of her help).
3〔…に対する〕**正しい理解[認識]**(understanding); 察知[for] ‖ He *has an appreciation for* how difficult it is to write well. 上手に書くという事がいかに難しいかを彼はわかっている.
4 正しい評価, 真価の認識.
5 《正式》(ふつう好意的な)批評. **6** 《正式》(価格・評価額の)騰貴(ʹ), 値上り(increase) (↔ depreciation) ‖ an *appreciation* of 50 % in property value 資産価値の50%アップ / *appreciation* of the yen 円高 / **日本発»** The recent yen *appreciation* has made visitors to Japan complain about costly hotel and restaurant bills. 最近の円高で, 日本を訪れる外国人はホテルやレストランの料金が高いと文句を言っている.

in appreciation of [*for*] A …を認めて; …に感謝して; …を多として.

†**ap·pre·ci·a·tive** /əpríːʃiətiv | -ʃiə-/ 形 (↔ unappreciative) **1**〔…を〕感知する, 認める(aware)[of]‖ *be appreciative* of the dangers of this job この仕事の危険なことがわかっている. **2**〔…を〕鑑賞する〔of〕; 目の高い ‖ *be appreciative* of a beautiful landscape 美しい景色を見て楽しむ / an *appreciative* audience 耳の肥えた聴衆. **3** 感謝の, 〔…に〕感謝する[of] ‖ *be appreciative* of the small kindness 小さな親切にも感謝する.
ap·pré·ci·a·tive·ly 副 感謝して, ありがたく.

†**ap·pre·hend** /æ̀prihénd/ 動 他 **1**《正式》…を捕える, 逮捕する(arrest). **2**《文》〈意味など〉を理解する.

†**ap·pre·hen·sion** /æ̀prihénʃən/ 名 **1** CU (時に ~s) (未来のことについての)懸念, 気づかい, 心配(◆fear より堅い語) ‖ *feel apprehension* for the safety of my husband 夫の安否を気づかう. **2** U 《正式》(時に an ～) 理解(力)(understanding) ‖ be quick [slow] of *apprehension* 理解が早い[遅い] / a man of dull [weak] *apprehension* 頭の鈍い人. **3** UC 逮捕(arrest).

†**ap·pre·hen·sive** /æ̀prihénsiv/ 形〔…を〕恐れる[of]; (他人の)〔…を〕懸念する, 気づかう(afraid)[about, for, that 節] ‖ We *are apprehensive of* another earthquake. ＝We *are apprehensive that* another earthquake will occur. また地震が起こらないかと心配している / *be* [*feel*] *apprehensive for* one's son's safety 息子の安否を気づかう / *be apprehensive about* one's interview for the job 就職の面接のことが気にかかる / wear an *apprehensive* expression 心配そうな顔をしている. **ap·pre·hén·sive·ly** 副 気づかって, 心配そうに.

†**ap·pren·tice** /əpréntis/ 名 C 養成工, 見習い(工); [形容詞的に] 修業中の ‖ make him *apprentice* to a tailor 彼を仕立て屋の見習いに出す / an *apprentice* electrician 電気技師見習い.
——動 他 …を[…に]奉公に出す, 弟子入りさせる[to].
——自 奉公する, 見習いを勤める.

ap·pren·tice·ship /əpréntisʃip/ 图 **1** UC 徒弟[見習い]であること. **2** C 徒弟[見習い]期間 || serve an [one's] *apprenticeship* with a sculptor 彫刻家に弟子入りする.

ap·prise, ap·prize /əpráiz/ 動 他 《正式》〈人〉が〔…を/…だと〕知らせる, 通知する〔of/that 節〕|| I *apprised* my boss of my reasons for leaving my job. 私は上司に私が仕事をやめる理由を知らせた.

***ap·proach** /əpróutʃ/《…(ap)近づく(proach)》. cf. re*proach*.
―動 (~·es/-iz/; 過去・過分 ~ed/-t/; ~·ing)
―他 **1**〈人・乗物が〉〈場所・物・人など〉に近づく, 接近する || *approach* him [the station] 彼[駅]に近づく《◆前置詞を伴って ˣ*approach* to him [the station] とするのは誤り》/ The interior of the Amazon rain forest can be *approached* only by helicopter. アマゾンの熱帯雨林の奥地はヘリコプターでしか行けない / She is *approaching* 90. 彼女はもうすぐ90歳だ / The plane is *approaching* New York. 飛行機はニューヨークに接近している.
2〈人に〉(特別な目的を持って)接近する, 話をもちかける(speak to), …に〔…について/…を求めて〕交渉を始める〔on, about/for〕|| *approach* my father on the matter その件で父に相談してみる / *approach* the bank for a loan 貸付の件で銀行に当たってみる / Her boss is *easy to approach*. 彼女の上司は近づき[親しみ, 話し]やすい.
3 …に取り組む, 着手する || *approach* the subject in a practical way 実際面からその問題を取り扱う. **4**〔ゴルフ〕に寄せる. **5** …の域に近づく, …に達する, 匹敵する || Her passion for collecting *approaches* madness. 彼女の収集癖はもはや狂気に近い / No writer can *approach* Shakespeare in greatness. どの作家も偉大の点でシェイクスピアに及ばない.
―自 **1**〈人・物・事が〉近づく, 接近する || *approaching* winter 間近に迫(せま)っている冬 / The time for payment *approaches*. 支払い期限が迫る. **2**〔…に〕近いものとなる, 近似する〔to〕|| Her reply *approaches to* an absolute denial. 彼女の返事は完全な拒絶といってよいものだ. **3**〔ゴルフ〕寄る, アプローチする.
―名 (複 ~·es/-iz/) **1** C〔…への〕接近[研究]方法; 手引, 手がかり〔to〕|| a new *approach to* Milton ミルトン研究への新しいアプローチ / *approaches* for financial help 財政援助の打診 / make *approaches to* her 彼女に言い寄る, 話しかける. **3** U〔…に〕近づくこと, 接近〔to〕|| the *approach of* the typhoon *to* Japan 台風の日本への接近 (cf. The typhoon *approaches* Japan. ⇒**1**) **◎文法** 14.4). **4** U〔…に〕近いこと, 近似〔to〕|| an *approach to* perfection 完成の域に近いこと. **5** C〔…へ〕近づく道(road); 〔…への〕通路, 入り口〔to〕|| The only *approach to* the castle is by ship. その城に近づくには船で行くしかない. **6** C〔ゴルフ〕= approach play [shot]. **7** C = approach path [road].

be difficult of appróach〈場所・人が〉近づきにくい.

be éasy of appróach〈場所・人が〉近づきやすい.

appróach pàth〔〔英〕**ròad**〕 (滑走路 [高速道路] への) 進入路.

appróach plày [**shòt**] 寄せ球, アプローチ.

ap·proach·a·ble /əpróutʃəbl/ 形 **1**〈場所〉に接近できる. **2**〈人が〉付き合いやすい, きさくな.

†**ap·pro·ba·tion** /ˌæprəbéiʃən | ˌæprəu-/ 名 U 《正式》賞賛(praise); 賛意, 是認; (正式な)認可.

***ap·pro·pri·ate** /əpróupriət; 動 əpróuprièit/《(ある目的)のために(ap)とっておく(propriate)→(目的に)ふさわしい》
―形 適切な, 正しい, 〔…に〕(とりわけ)ふさわしい (suitable, fit) 〔for, to〕|| take *appropriate* measures 適切な処置をする / a dress (which is) *appropriate for [to]* the occasion その場にふさわしいドレス / It is not *appropriate* to leave a hotel room in pajamas. ホテルでパジャマ姿のまま部屋を出るのは適切ではない / It is *appropriate* that everyone「(should) attend [《英略式》attends]」the meeting. すべての人がその会に出席するのがよい.
―動 /-èit/ (~s/-èits/; 過去・過分 ~d/-id/; -·at·ing)
―他 **1**〈人が〉〈金など〉を〔特別の目的に〕充当する, 当てる(set aside)〔for〕|| The council *appropriated* £2,000,000 *for* (the construction of) new school buildings. 評議会は新校舎建築に200万ポンドの予算を組んだ. **2** …を(不法に)私用に供する; …を盗む, 盗用する, 着服する《◆ steal の遠回し語》|| *appropriate* the biggest bookcase to oneself 最も大きい書棚を勝手に独り占めする. **3** 没収する, 徴発する, 強制的に取り上げる.

ap·pró·pri·ate·ly 副 ふさわしく, 適切なやり方で; [文全体を修飾] 適切なことには.

ap·pró·pri·ate·ness 名 U 適切性, 適否.

†**ap·pro·pri·a·tion** /əpròupriéiʃən/ 名 《正式》**1** UC〔…への〕充当, 流用; 支出金〔for〕|| make an *appropriation* of 100 dollars *for* payment of debts 借金の支払いに100ドルを充てる / the Senate *Appropriations* Committee 〔米〕上院予算委員会. **2** U 専用, 私用; [遠回しに] 盗み, 盗用, 横領.

***ap·prov·al** /əprúːvl/
―名 U **1** (正式の)承認, 認可 || *have the approval of* the committee 委員会の承認を得る / give final *approval* to a five-year plan 5か年計画について最終的な許可を与える.
2〔…に対する〕是認, 賛成〔for, toward〕; [形容詞的に]支持の(↔ disapproval) || *meet with* her *approval* 彼女の支持[賛同]を得る / The new policy had [won] our full *approval*. 我々はその新方針に全面的に賛成した.
3 賞賛(praise).

on appróval〔商業〕試供品販売で, 点検売買条件で || goods *on approval* 見計らいの品物.

a séal [**stámp**] **of appróval** (正式の)承認, 許可, お墨付き.

†**ap·prove** /əprúːv/ 動 他 **1** …を(正式に)承認[認可]する || Congress *approved* the budget. 議会は予算案を可決した. **2**〈人〉を〈事〉に賛成する, 是認する(agree to); …をよく思う || I can't *approve* such methods. そんな方法には賛成しかねる / The teacher *approved* Tom's work. 先生はトムの作品をほめた.―自〔…に〕賛成[是認]する, 〔…をよく思う〕〔of〕(↔ disapprove) || Her parents don't *approve of* their「daughter('s) marrying [daughter's marriage to]」Tom. 彼女の両親は娘とトムの結婚を認めない.

ap·proved /əprúːvd/ 形 **1** 定評のある, 折紙付きの. **2** 認可[承認]された, 公認の.

ap·prov·ing /əprúːviŋ/ 形 [名詞の前で]賛成の, 満足げな. **ap·próv·ing·ly** 副 うなずくように, 満足げに.

approx.〔略〕*approximate*(ly).

ap·prox·i·mate /əpráksəmət | əprɔ́ksə-/ 形 -mèit/ 形 **1**〈数字などが〉近似の,おおよそ(の…)の‖ her *approximate* age 彼女のおおよその年齢. **2**〈…と〉同然の,おおむね〈…に〉近い(to) ‖ a statement (which is) *approximate* to the truth 本当らしい声明.
—— 動 他 《正式》**1** …に近似する,おおよそ…になる ‖ The weight will *approximate* 3,000 pounds. その重さは約3000ポンドになるだろう(=The weight will be about 3,000 pounds.). **2** …を概算する,見積る ‖ The mechanic *approximated* the cost of a new engine for my car. 修理工は私の車の新しいエンジンの値段を見積もった. —— 自 《正式》〈…に〉近づく;〈…に〉同程度になる〈to〉‖ a story that *approximated* to the truth 本当らしい話.

ap·prox·i·mate·ly /əpráksəmətli | əpró-/ 副 おおよそ,約《◆ about より堅い語》‖ *approximately* five thousand people ざっと5千人の人々 / She is *approximately* sixty. =She is sixty *approximately*. 彼女はだいたい60歳だ.

ap·prox·i·ma·tion /əpràksəméiʃən | əpròksə-/ 名 U《時に an ~》〈…に〉近づくこと,〈…への〉接近,近似〈to〉,〈…に〉似たもの〈of〉. **2** 値踏み;概略. **3** 概算;《数学》近似値[式].

ap·pur·te·nance /əpə́ːrtənəns | -ti-/ 名 C 《正式》《通例 ~s》 付属品[物], 備品.

APR (略) annual percentage rate (預金の)年利率.

Apr. (略) April.

ap·rès-ski /ɑ̀ːpreiskíː | æprei-/《フランス》 名 U アフタースキー (の楽しみ).

a·pri·cot /æprəkàt, éi- | éiprikɔ̀t/ 名 **1** C アンズ(の実), アンズの木. **2** U アンズ色, 黄赤色.

A·pril /éiprəl/《「開花の月」が原義》
—— 名 U **4**月;[形容詞的に] 4月の((略 Ap, Apr.))《語法》⇨ January).

Ápril fóol 4月ばか《エイプリル=フールにかつがれる人》; その日にいたずら.

Ápril Fóol's [Fóols'] Dày エイプリル=フール,万愚節《4月1日. All Fools' Day ともいう. かつぐのは正午まで》.

a pri·o·ri /ɑ̀ː prióːri | èi praióːrai/《ラテン》形 **1** 〔論理〕 演繹(えき)的な[に];〔哲学〕 先験的な[に](↔ a posteriori). **2** 先天的な[に];直観的な[に].

†a·pron /éiprən/《発音注意》名 **1** C エプロン. **2** (位置・外見・機能が)エプロンに似たもの;(空港の)エプロン《建物近辺の舗装した区域》;= apron stage.

ápron stáge 張出し前舞台.

ápron strings エプロンのひも;完全に他の支配の下にある人[物]‖ *be tied to* his *wife's* [*mother's*] *apron strings* 《略式》(男が)妻[母親]の言いなりになっている.

ap·ro·pos /æprəpóu, ´-ˌ/《フランス》副 **1** 適切に, 折よく. **2** ところで, さて(by the way).
apropos of A《聞き手がすでに知っている(であろう), すぐ前に述べた話題》に関して(concerning), …と言えば‖ *apropos of* that matter その件については《◆《米》 of of を省略することもある》.
—— 形 〔…に〕(タイミングよく)適切な(to).

apt /æpt/《「結びつけられた」が原義. cf. aptitude》
—— 形 《**1**, **2** では more ~, most ~; その他は -·er, ~·est; more ~, most ~》 **1** 〔通例 be apt to do〕 (本来的に)…する傾向がある,(とかく)しがちである《◆ liable ば(よくないこと・危険など)に陥りがちな》‖ A careless person *is apt to* make mistakes. 不注意な人は間違いをおかしやすい. **2**《米略式》 [be apt to do] …しそうである(likely) ‖ It *is apt to* rain. 雨が降りそうだ(=It is likely to rain.). **3** (まさに)適切な,〔…に〕ふさわしい(for) (↔ inapt)‖ an *apt* quotation 適切な引用句 / pick out a term (which is) *apt for* use その用法にぴったりの言葉を選ぶ. **4**《正式》かしこい,利発な‖ an *apt* pupil よくできる生徒.
ápt·ness 名 U 《通例 the ~》適切さ;傾向.

†ap·ti·tude /æptət(j)ùːd/ 名 U《時に an ~》〔…に対する〕適性;(学問・芸術習得の)才能,素質(talent) 〔for, in〕‖ a remarkable *aptitude for* [in] languages すばらしい語学の才能 / have [show] an *aptitude for* music 音楽の才能がある[才能を発揮する].
áptitude tèst 適性検査.

apt·ly /æptli/ 副〔通例文全体を修飾〕適切に, うまく.

AQ(略)achievement quotient.

aq·ua·cul·ture /ækwəkʌ̀ltʃər/ 名 U (魚介類・海藻類の)養殖.

Aq·ua·lung /ǽkwəlʌ̀ŋ, (米+) áːk-/《時に Aqualung, a~》名《商標》 動 アクアラング(をつけて潜水する)《潜水用水中呼吸器. cf. scuba》.

aq·ua·ma·rine /ækwəməríːn, (米+) àːk-/ 名 **1** C 〔鉱物〕藍玉(ぎょく), アクアマリン(beryl の変種. 3月の誕生石). **2** U 藍緑色.

aq·ua·plane /ǽkwəplèin, (米+) áːk-/ 名 C (広めの)波乗り板, 水上スキー用板, アクアプレーン《モーターボートが引く》(cf. surfboard). —— 動 自 **1** アクアプレーンに乗る. **2**《英》〈自動車が〉水たまりなどのある路上でスリップする((米) hydroplane).

†a·quar·i·um /əkwέəriəm/ 名 (複 ~s, -i·a/-iə/) C **1** (ふつうガラス製の)養魚タンク, 水槽. **2** 水族館.

A·quar·i·us /əkwέəriəs/ 名 **1**〔天文〕みずがめ座. **2**〔占星〕宝瓶(ほう)宮, みずがめ座(cf. zodiac);C 宝瓶宮生まれの人《1月20日-2月18日生》.

A·quár·i·an /-ən/ 名 みずがめ座生まれの(人).

†a·quat·ic /əkwátik | əkwǽt-, əkwɔ́t-/ 形 **1** 水生の, 水中にすむ《◆「陸生の」は terrestrial》. **2** 〈スポーツが〉水の, 水上の.

†aq·ue·duct /ǽkwədʌ̀kt/ 名 C **1** (人工)送水路, 水道;(高架式)水路橋. **2**〔解剖〕脳の導水管.

a·que·ous /ǽkwiəs, éi-/ 形 水の;水溶性の.

aq·ui·fer /ǽkwəfər/ 名 U 帯水層《地下水を含む地層》.

aq·ui·line /ǽkwəlàin, (米+) -lən/ 形 ワシの(ような);ワシのくちばしのような‖ an *aquiline* nose ワシ鼻.

Ar(記号)〔化学〕argon.

-ar /-ər/〔語要素〕⇨ 語要素一覧(2.1, 2.3).

†Ar·ab /ǽrəb/ 名 **1** C アラブ人, アラビア人;[the ~s] アラブ民族. **2** アラビア馬, アラブ(種の馬)(Arabian horse)《足の速さ・優美さ・かしこさで有名》.
—— 形 アラブ人の. —— 語法

> 語法 3つの形容詞はふつう次のように使い分けられる:
> **Arab** アラブ人の / **Arabian** アラビアの / **Arabic** アラビア語[文字]の(→ **Arabian, Arabic**).

Árab Léague [the ~] アラブ連盟《1945年結成. アラブ諸国とパレスチナ解放機構が参加》.

ar·a·besque /ærəbésk/ 名 C **1** アラビア模様, 唐草模様《主に絨毯・壁画装飾用》. **2**〔バレエ〕アラベスク《基本姿勢のひとつ》. —— 形 唐草[アラビア]模様の.

†A·ra·bi·a /əréibiə/ 名 アラビア《紅海とペルシア湾の間にある大半島》.

†A·ra·bi·an /əréibiən/ 形 [名詞の前で] アラブの;

ブ人[民族]の(→ Arab 語法) ‖ the Arabian Desert アラビア砂漠. ――[C] (古) アラブ人; =Arabian horse.

Arábian cámel [動] ヒトコブラクダ.

Arábian hórse アラビア馬(Arab).

Arábian Nights [the ~]『アラビアンナイト』『千(夜)一夜物語』(The Arabian Nights' Entertainments, A Thousand and One Nights)《シャハラザードがペルシア王に語る形式の大説話集》.

†**Ar·a·bic** /ǽrəbik/ (アクセント注意) [形] アラブ(人)の; アラビア語[文字]の(→ Arab 語法) ‖ Arabic architecture アラビア建築. ――[名] [U] アラビア語.

Árabic númerals [figures] アラビア数字, 算用数字《0, 1, 2, 3など. cf. Roman numerals》.

ar·a·ble /ǽrəbl/ [形] 〈土地が〉耕作に適する, 耕地の; 〈作物anが〉耕地で採れた; 耕作に関係した. ――[名] [U] = arable land. **árable lánd** 耕地.

ar·bi·ter /ɑ́ːrbətər/ [名] (《女性形》-·tress) [C] 裁決[決定]者; 権威者.

ar·bi·trar·i·ly /ɑ̀ːrbətréərəli | ɑ́ːbitrəli/ [副] 任意に, 勝手に; 独断的に; 気まぐれに, 思いつきで.

†**ar·bi·trar·y** /ɑ́ːrbətrèri | -bitrəri/ [形] 1 任意の, 恣意(ﾞ)の; 独断的な ‖ make an arbitrary decision 勝手に決定する / make an arbitrary selection 任意に選択する. 2 気ままな, 移り気な; 任意の ‖ an arbitrary character 気まぐれな性質[人].

ar·bi·trar·i·ness [名] [U] 任意, 独断的; 気ままなこと.

ar·bi·trate /ɑ́ːrbətrèit/ [動] [自] 仲裁[調停]する ‖ arbitrate (in a disagreement) between ... ...間の(争議の)調停をする. ――[他] ...を仲裁[調停]する ‖ arbitrate a dispute 争議を仲裁に付する.

†**ar·bi·tra·tion** /ɑ̀ːrbətréiʃən/ [名] [U][C] 仲裁, 調停《◆mediation より法的強制力を持つ》‖ refer [take] a wage dispute to arbitration 賃金争議を調停に持ち込む / go [be taken] to arbitration 仲裁に付[される].

ar·bi·tra·tor /ɑ́ːrbətrèitər/ [名] [C] 1 仲裁[調停]者. 2 裁決[決定]者(arbiter).

†**ar·bor**[1], (英) -·bour /ɑ́ːrbər/ [名] [C] 木陰, 日よけの場所; あずまや, 亭(ｾ)《困った格子に木の枝・ブドウ・ツタなどをはわせた休憩所. cf. bower》.

ar·bor[2] (⇔ ark) [名] (《複》-·bo·res/-riːz/)[植]樹木《◆一般には tree》.

Árbor Dày (米·カナダなどの)植樹祭(の日)《ふつう4月下旬から5月上旬. Tree-planting Day ともいう. 日本の「みどりの日」は Greenery Day》.

ar·bo·re·al /ɑːrbɔ́ːriəl/ [形] 樹木の, 高木性の; 樹上に住む;〈動物が〉樹上生活に適した.

ar·bo·re·tum /ɑ̀ːrbərí:təm/ [名] (《複》~s, -·ta/-tə/)[C](研究·観賞用の)森林公園, 植物園.

ar·bour /ɑ́ːbə/ [名] (英) = arbor[1].

†**arc** /ɑ́ːrk/ (同音 ark) [名] [C] 1 [数学]円弧, 弧;[天文]弧;[電気]アーク, 電弧(electric arc). 2 弓形 ‖ with one's eyebrows raised in an arc まゆを弧状につり上げて《驚き·非難などのしぐさ》. ――[動] [自] 電弧をつくる; 弓形を描く.

árc làmp アーク灯.

árc líght アーク灯; 弧光.

árc wèlding アーク溶接.

ar·cade /ɑːrkéid/ [名] [C] 1 アーケード ‖ a shópping arcáde 商店街《◆ロンドンでは Burlington Arcade が有名》/ an amúsement arcáde (英略式) ゲームセンター《(米) video arcade》. 2 [建築]拱(ﾞ)廊《アーチ状の側面の続いている廊下》;(ギリシア建築にみられる)列柱, 柱廊. 3 (米略式) ゲームセンター《◆その

「客」は arcadian》.

arcáde gàme (ゲームセンターでの)コンピュータゲーム.

†**Ar·ca·di·a** /ɑːrkéidiə/ [名] 1 アルカディア《古代ギリシアの景勝地》. 2 [しばしば a~] (静かで風光明媚な)理想郷, 理想的田園.

Ar·ca·di·an /ɑːrkéidiən/ [形] 1 アルカディアの; アルカディア(住)人[語]の. 2 [しばしば a~] 牧歌的な, 純朴な. ――[名] 1 [C] アルカディア(住)人; [U] アルカディア語. 2 [時に a~] 牧歌的な生活を送る村民, 純朴な人. 3 (米略式) ゲームセンターの客.

ar·cane /ɑːrkéin/ [形] (文) 秘密の; 深遠な; (専門知識のない人には)わかりにくい.

†**arch**[1] /ɑ́ːrtʃ/ [名] [C] 1 [建築]アーチ, (橋·建物の)迫持 ‖ a bridge with two arches 眼鏡橋(=a two-arched bridge). 2 アーチ[弓形]門, 緑門 ‖ a triumphal arch =an arch of triumph 凱(ｶﾞ)旋門. 3 アーチ道(archway). 4 アーチ形[弓形, 弧形](のもの, デザイン) ‖ the great blue arch of the sky 青い大空 / an arch in the cat's back 弓形にまるめたネコの背《警戒·怒り·威嚇などのしぐさ》. 5 足の甲; 土踏まず(plantar arch). ――[他] ...をアーチ形[弓形]にする ‖ A bridge arches the stream. 川にアーチ橋がかかっている. ――[自] 弓形に曲がる, アーチ形にかかる ‖ The rainbow arched over [across] the river. 川に虹がかかった.

arch[2] /ɑ́ːrtʃ/ [形] 1 おちゃめな, いたずらっぽい. 2 主要な, 第一の《◆今はふつう複合語にする》‖ an arch rogue 大悪党. **árch·ly** [副] おちゃめに, いたずらっぽく.

ar·chae·o·log·i·cal, (米ではしばしば) **-che-** /ɑ̀ːrkiəlɑ́dʒikl | -lɔ́dʒi-/ [形] 考古学(上)の.

ar·chae·ol·o·gy, (米ではしばしば) **-che-** /ɑ̀ːrkiɑ́lədʒi | -ɔ́lə-/ [名] [U] 考古学.

àr·chae·ól·o·gist [名] [C] 考古学者.

ar·cha·ic /ɑːrkéiik/ [形] 古風な, 古体の ‖ an archaic word 古語. 2 (略式) 古風な, 旧式の; 旧態依然とした. 3 古代の, 初期の.

ar·cha·ism /ɑ́ːrkiizm/ [名] 1 [C] 古語(用法); [U] 古文体, 擬古文. 2 [C] 古風なもの《風習など》.

arch·an·gel /ɑ́ːrkèindʒəl, ⌐⌐/ [名] [C] [神学]大天使, 天使長.

†**arch·bish·op** /ɑ́ːrtʃbíʃəp/ [名] [しばしば A~] [C] [カトリック] 大監督;[プロテスタント] 大監督;[ギリシア正教·アングリカン] 大主教;[仏教] 大僧正(cf. bishop) ‖ the Archbishop of Canterbury カンタベリー大主教.

arch·dea·con /ɑ́ːrtʃdíːkn/ [名] [C] [カトリック] 副司祭;[アングリカン] 副主教;[プロテスタント] 副監督, 大執事《bishop の次位》.

arch·duke /ɑ́ːrtʃdjúːk/ [名]《◆女性形は arch·duchess》[しばしば A~] [C] 1 大公. 2 旧オーストリアの皇子.

†**arched** /ɑ́ːrtʃt/ [形] アーチ形の, 弓形の; アーチ付きの ‖ an arched passage アーチ道.

arch·en·e·my /ɑ́ːrtʃénəmi/ [名] [C] 1 最大の敵. 2 (文) [the ~] 悪魔, サタン.

†**arch·er** /ɑ́ːrtʃər/ [名] [C] 弓の射手, アーチェリーの選手. 2 [the A~] [天文·占星] = Sagittarius.

†**arch·er·y** /ɑ́ːrtʃəri/ [名] [U] 1 洋弓術, アーチェリー. 2 [集合名詞] 弓矢類, アーチェリー用具.

ar·che·typ·al /ɑ̀ːrkitáipl/ [形] (正式) 原型的な; 典型的な.

ar·che·type /ɑ́ːrkitàip/ [名] [C] 1 原型; 元版, オリジナル. 2 典型.

ar·che·typ·i·cal /ɑ̀ːrkitípikl/ [形] = archetypal.

Ar·chi·me·des /ɑːrkəmíːdiːz | ɑːki-/ 图 アルキメデス《287?-212 B.C.; 古代ギリシアの数学者・物理学者》.

†**ar·chi·pel·a·go** /ɑ̀ːrkəpéləgòu | ɑ̀ːki-/ 图 (覆 ~(e)s) © 1 群島, 諸島 ‖ the Japanese Archipelago 日本列島. 2 多島海; [the A~] エーゲ海 (Aegean Sea).

†**ar·chi·tect** /ɑ́ːrkətèkt/ 图 © 1 建築家, 設計者 ‖ a marine architect 造船技師. 2 [通例 the ~] 制作者, 立案者 ‖ the architect of one's own fortune 自らの運命の開拓者.

†**ar·chi·tec·tur·al** /ɑ̀ːrkətéktʃərəl/ 形 建築上の; 建築学[術]の. **àr·chi·téc·tur·al·ly** 副 建築(学)上.

*****ar·chi·tec·ture** /ɑ́ːrkətèktʃər | ɑ́ːki-/ [⇒ architect]
—— 图 (~s/-z/) 1 ⓤ 建築, 建築学[術], 設計(技術) ‖ My major is architecture. 私の専攻は建築学です. 2 ⓤⓒ [通例複合語で] 建築様式 ‖ classical [modern] architecture 古典[現代]建築 / Romanesque [Elizabethan, Byzantine, Greek] architecture ロマネスク式[エリザベス朝, ビザンチン式, ギリシア]建築. 3 [the ~; 集合名詞で] 建築物 ‖ the massive architecture of the Pyramids ピラミッドという巨大な構築物. 4 ⓤ [正式] [通例 the ~] 構成, 構想(plot) ‖ the architecture of a novel 小説の筋立て. 5 [コンピュータ] アーキテクチャー《ハードウェアとソフトウェアを含めたコンピュータシステムの構成[設計思想]》.

†**ar·chive** /ɑ́ːrkaiv/ 图 [通例 ~s; 複数扱い] 1 公文書[記録文書]保管所, 文書局, (公)文書館. 2 [集合名詞] 古文書, 公文書, 記録文書《◆単一の記録は document, record》, アーカイブ.

arch-ri·val /ɑ̀ːrtʃráivl/ 图 © 主なライバル, 最大の競争相手.

arch·way /ɑ́ːrtʃwèi/ 图 © アーチ道, 拱(*きょう*)道; 入口[通路]のアーチ形.

-ar·chy /-ɑ̀ːrki, -əːrki/ (語素) → 語要素一覧(1.7).

†**Arc·tic** /ɑ́ːrktik/ 形 1 北極の, 北極地方[地域, 付近]の(↔ Antarctic) ‖ an Arctic expedition 北極探検隊. 2 [a~] 厳寒[極寒]の; 冷淡な; 耐寒用の ‖ arctic weather 極寒 / an arctic smile 冷ややかな笑い.
—— 图 1 [the ~] 北極地方. 2 ⓒ [米] [通例 arctics] 防寒靴[オーバー]シューズ.

Árctic Círcle [the ~] 北極圏限界線《北緯66°33′の緯線》.

Árctic fóx [動] ホッキョクギツネ.

Árctic Ócean [Séa] [the ~] 北極海.

Árctic Zòne [the ~] 北極帯《北緯66°33′以北の地域》.

-ard /-ərd, -ɑːrd/ (語素) → 語要素一覧(2.1).

Ar·den /ɑ́ːrdn/ 图 アーデンの森(Forest of Arden)《英国中部の森林地帯. Shakespeare の As You Like It の舞台》. 夢の国.

†**ar·dent** /ɑ́ːrdnt/ 形 1 情熱的な, 熱烈な(passionate); 激しい ‖ ardent love [hate] 燃えるような愛[憎悪]. 2 熱心な, 熱狂的な《◆eager より強意的》 ‖ an ardent fan of the rock band そのロックバンドの熱狂的なファン. **ár·dent·ly** 副 熱烈に, 熱心に.

†**ar·dor**, (英) **-dour** /ɑ́ːrdər/ 图 ⓤⓒ [正式] 《…を求める》(燃ゆる)情熱(passion) [for] ‖ (an) ardor of art 芸術への情熱 / with patriotic ardor 激しい愛国心に駆られて.

†**ar·du·ous** /ɑ́ːrdʒuəs | -dju-/ 形 困難な(difficult); 努力を要する ‖ an arduous task 骨の折れる仕事 / make an arduous effort 根気よく努力する. **ár·du·ous·ly** 副 困難を伴って, 根気よく.

***are**[1] /(弱) ər; (強) ɑːr/ 動 (同音) △ah, △R)《◆発音ふつう弱形の(略式)ではふつう短縮形 'reをとる. ただし文尾にくるときや付加疑問・強調のあるときは強形で, (略式)でも短縮形にしない》.
—— 動 (過去) were, (過分) been; being) 图 二人称単数および各人称の複数を主語とする be の直説法現在形(語法 = be) 君は私の(教えている)学生だ / <対話> "Are they your children?" "Yes, 「they áre [*they're]." 「(あなたの)子供さんですか」「はい, そうです」.

are[2] /éər, ɑːr/ 图 © アール《面積の単位. = 100m². (略) a》.

*****ar·e·a** /é(ə)riə/ [『空地』が原義. cf. arid]
—— 图 (覆 ~s/-z/) 1 © (特定の)地域, 地方 《◆region より狭い区域》 ‖ a desert area 砂漠地帯 / This is a perfect area for growing grapes. ここはブドウの栽培にぴったりの地域だ.
2 © 広場, 空地; 場所, 区域, 空間 ‖ a picnic area ピクニック場 / a parking area 駐車場 / the shopping area ショッピング街 / My kitchen has a dining area. 私の台所には食事をするコーナーがある. 3 © (活動などの)領域, 範囲; 問題 ‖ Sales is not my area; I'm in accounting. 私の部署は販売ではなくて, 会計です. 4 ⓤⓒ (表)面積, 坪数 ‖ The area of this floor is 100 square meters. =This floor is 100 square meters in area. =This floor has [covers] an area of 100 square meters. この床面積は100平方メートルある.
5 (英) =areaway.

área còde (米・カナダ) (電話の)市外局番《頭3ケタ》 (英) dialing code.

área stùdy 地域研究 (英) local history.

ar·e·a·way /é(ə)riəwèi/ 图 © (米) 地下勝手口《(英) area》; (建物間の)通路.

†**a·re·na** /əríːnə/ 图 © 1 (古代ローマの)円形闘技場 (cf. amphitheater). 2 (一般に)闘技場, 競技場, リング(boxing arena); =arena stage ‖ an ice-skating arena アイススケート場. 3 (…の)活動の場[舞台], (…)界(for) ‖ the arena for tonight's political debate 今夜の政治討論会の会場.

aréna stàge 円形劇場; 屋内球技[競技]場.

aréna théater 円形劇場.

†**aren't** /ɑ́ːrnt/ 1 are not の短縮形. 語法 I am の付加疑問には(略式) **aren't I?** / (正式) **am I not?** / (非標準) **ain't I?** の3つの型がある(→ ain't). 2 [疑問形式の感嘆文で] am not の短縮形 ‖ Aren't I strong?(↗) ぼくって強いだろう(=How strong I am!).

†**Ar·gen·ti·na** /ɑ̀ːrdʒəntíːnə/ 图 アルゼンチン《南米の共和国. 正式名 the Argentine Republic. 首都 Buenos Aires》.

Ar·gen·tine /1では ɑ́ːrdʒəntàin, 2では -tiːn/ 1 [the ~] =Argentina. 2 © アルゼンチン人《◆(俗) Argie(ɑ́ːrdʒi) という》. アルゼンチン(人)の.

ar·gon /ɑ́ːrgan/ 图 ⓤ [化学] アルゴン(希ガス. (記号) Ar).

ar·gu·a·ble /ɑ́ːrgjuəbl/ 形 異論のある, 疑わしい; 論証できる, もっともな.

ar·gu·a·bly /ɑ́ːrgjuəbli/ 副 [文全体を修飾] (…とは)異論のあるところだが; [断定を和らげて] ほぼ間違いなく, おそらく ‖ He is arguably the best pitcher

A

in the US. 彼はたぶん合衆国の最優秀投手であろう.

*ar·gue /ɑ́ːrgjuː/ 〚「明らかにする」が原義〛 [派] argument (名)

—[動] (~s/-z/; [過去·過分] ~d/-d/; --gu·ing)

—[他] **1** [argue that節] 〈人が〉…だと**主張する**, 論ずる ‖ Copernicus *argued that* the earth moves [moved] around the sun. 地球は太陽のまわりを回っているとコペルニクスは主張した《◆ moves と moved の違いについては ➔文法 10.2(2)》.

2 〈人が〉〈人〉を〔…するように/…しないように〕**説得する**〔*into* / *out of*〕‖ I *argued* her *into* entering the beauty contest, though she really didn't want to at first. 彼女は最初は美人コンテストに出たがらなかったが, 出るように説きふせた / *argue* [talk] her *out of* suicide 彼女を説得して自殺を思いとどまらせる.

3 〈人が〉〈問題など〉を(理由·証拠をあげて)**論ずる**; 論争する《◆相手の言う事に耳を傾けず一方的に自説を主張する含みがある. discuss より非友好的》([使い分け] → discuss) ‖ *argue* the whole matter *out* その問題を徹底的に議論する[論じ尽くす].

4 《正式》[argue that節] …だと示す; 〈事によって〉〈事〉であるのがわかる(prove) ‖ Her manners *argue* a good upbringing. 彼女の行儀作法を見れば育ちのよさがわかる.

—[自] 〈人が〉〔人と/…のことで〕(理由をあげて)**論ずる, 議論する**, 言い争う〔*with* / *about*, 《英》 *on*, *over*〕; 《正式》〔…に賛成の/反対の〕論を張る〔*for*/*against*〕([使い分け] → fight [自] **1b**) ‖ We *argued with* each other *about* the best place for a holiday. 休暇を過ごすのにどこが一番いいか言い合った / The next speaker *argued against* [*for*, in favor of] the plan. 次の発言者は計画に反対[賛成]の意見を述べた.

árgue agàinst A (1) → [自]. (2) 《正式》〈物·事が〉…に反する結論を下す.

árgue awáy [自] 議論し続ける. —[他] 論じて〈誤解など〉を取り除く; 〈難問題など〉を言い抜けする, 言いくるめる.

árgue báck [自] 難癖をつける.

árgue dówn [他] 《主に米》〈人〉を議論でやりこめる.

árgue óff =ARGUE away.

árgue with A (1) → [自]. (2) 〈人〉の決心を変えさせようとする.

*ar·gu·ment /ɑ́ːrgjəmənt | ɑ́ːgju-/

—[名] ([複] ~s/-mənts/) **1** [C] 《米略式》**口論**, 口げんか(quarrel) ‖ a huge *argument* 大げんか / They were friends before the *argument*. 友だちだった彼らはけんか別れをした.

2 [C][U] 〔人との/…についての〕(事実·論理にもとづく)**議論**, 論争〔*with* / *over*, *about*〕([類語] debate, discussion, dispute, controversy) ‖ *have an argument with* her *over* [*about*] politics 政治のことで彼女と議論する / get an *argument* from … …から反論される / *without argument* 異議なく / There are many *arguments* for and against the death penalty. 死刑の是非については多くの議論がある.

3 [C] 〔…に賛成する/反対する/…という〕主張, 論拠, 論点; 道理, 理由〔*for*/*against*/*that*節〕.

(jùst) for árgument's sàke =**(jùst) for the sáke of árgument** 議論の糸口として.

ar·gu·men·ta·tive /ɑ̀ːrgjəméntətiv | ɑ̀ːgju-/ [形] **1** 議論好きな; 理屈っぽい. **2** 論争的な, 議論を呼ぶ.

àr·gu·mén·ta·tive·ly [副] 論争的に; 理屈っぽく.

a·ri·a /ɑ́ːriə, 《米+》 ɛ́əriə/ 〚イタリア〛 [名] [C] 〔音楽〕 アリア, 詠唱《オペラなどの中の独唱曲》; 抒情的小歌曲.

-ar·i·an /-ɛ́əriən/ [語要素] →語要素一覧(1.7).

†**ar·id** /ǽrid/ [形] **1** 〈土地などが〉(異常に)乾燥した, 湿気のない(dry); 不毛の. **2** 〈討論などが〉むだな, 不毛の, 退屈な, 単調な.

a·rid·i·ty /ərídəti, æ-/ [名] **1** [U] 乾燥(状態); 不毛. **2** [U] 無味乾燥, 味気なさ; [C] 不毛のもの.

Ar·i·es /ɛ́əriːz/ [名] **1** 〔天文〕 おひつじ座. **2** 〔占星〕 白羊宮, おひつじ座(Ram); [C] 白羊宮生まれの人《ふつう3月21日–4月19日生》.

a·right /əráit/ [副] 《古》 正しく(rightly).

†**a·rise** /əráiz/ [動] ([過去] **a·rose**/əróuz/; [過分] **a·ris·en**/ərízn/) [自] **1** 〈物·事が〉起こる, 現れる(come into being); 〔…から〕生ずる〔*from*, *out of*〕 ‖ A new problem has *arisen*. 新たな問題が生じた / A great [strong] wind *arose*. 強風が起こった / This accident *arose from* the driver's carelessness. この事故は運転手の不注意から起こった. **2** 《正式》 (ある目的のために)立ち上がる; 起きる(get up).

†**a·ris·en** /ərízn/ [動] arise の過去分詞形.

†**ar·is·toc·ra·cy** /æ̀ristɑ́krəsi | -tɔ́k-/ [名] **1** [C] [通例 the ~; 集合名詞] 貴族(階級, 社会)(nobility) ‖ In England, dukes, marquesses, earls, viscounts and barons belong to *the aristocracy*. イングランドでは公爵, 侯爵, 伯爵, 子爵, 男爵が貴族階級である. **2** [C] 《正式》 [集合名詞] 上流階級; エリート層, 第一級の人々 ‖ an *aristocracy* of scientists 屈指の科学者たち. **3** [U] 貴族政治; [C] 貴族政治国家(cf. democracy).

†**a·ris·to·crat** /ərístəkræ̀t | ǽris-/ [名] [C] **1** 貴族; 上流階級の人. **2** 貴族趣味の人; 最高級のもの.

†**a·ris·to·crat·ic** /ərìstəkrǽtik | æ̀ris-/ [形] **1** 貴族の; 上流階級の. **2** 貴族政治の. **3** 貴族的な, 貴族趣味の ‖ with an *aristocratic* bearing [air, manner] 貴族のような態度で.

Ar·is·tot·le /ǽristɑ̀tl | -tɔ̀tl/ [名] アリストテレス《384–322 B.C.; 古代ギリシアの哲学者》.

†**a·rith·me·tic** /[名] əríθmətìk; [形] æ̀riθmétik/ [アクセント注意] [名] [U] 算数, 算術; 計算(能力)《◆ reading, writing を加えて the three R's という. cf. mathematics》 ‖ *do a little arithmetic* 簡単な計算をする / mental *arithmetic* 暗算 / His *arithmetic* is good [poor]. 彼は計算に強い[弱い].

—[形] 《◆分節は ar·ith·met·ic》 =arithmetical.

ar·ith·met·i·cal /æ̀riθmétikl/ [形] **1** 算数の, 算術の. **2** 算術式の(cf. geometric).

arithmétical progréssion 等差数列.

arithmétical séries 〔数学〕 算術[等差]級数.

Ar·i·zo·na /æ̀rəzóunə/ [名] アリゾナ《米国南西部の州. 州都 Phoenix. 《愛称》 the Grand Canyon State. the Apache State, the Copper State. [略] Ariz., 〔郵便〕 AZ》.

†**ark** /ɑːrk/ ([同音] arc) [名] [the ~] 〔旧約〕 ノアの箱舟(Noah's ark); 契約の箱, 約櫃(ひつ)(the Ark of the Covenant)《Moses の十戒を刻んだ石板を納めた櫃》.

Ar·kan·sas /ɑ́ːrkənsɔ̀ː/ [発音注意] [名] **1** アーカンソー《米国中南部の州. 州都 Little Rock. 《愛称》 the Land of Opportunity, the Bear State. [略] Ark., 〔郵便〕 AR》. **2** /《米+》 ɑːrkǽnzəs/ [the ~] アーカンソー川《Mississippi 川の支流》.

Ar·ling·ton /ɑ́ːrliŋtən/ [名] アーリントン《米国 Virginia 州北東部の郡. 国立墓地(Arlington National Cemetery)があり, そこには無名戦士の墓や,

arm¹ /ɑːrm/ 「『人間の腕』が本義」
──名 (複 ~s/-z/) **1** ⓒ 腕, 上肢《◆ 肩から手首までをいう. 図 → body》(動物の)前肢(図 → horse) ‖ one's better *arm* きき腕 / The policeman *held* him *by* the *arm*. 警官は彼の腕をとった[つかんだ](→ catch 他1c) / a lady *with* a baby *in* her *arms* 赤ん坊を抱いた婦人 / hold a racket *under* one's *arm* ラケットをわきにかかえる / fold [cross, lock] one's *arms* 腕組みをする / bare one's *arms* 腕をまくる / *spread out* one's *arms* 腕[手]を大きく広げる《◆ 驚き・絶望などのしぐさ》.
2 ⓒ 腕状の物; (いすなどの)ひじかけ; (服の)そで; 腕木, 腕金, てこの腕, (船の)帆桁(ほげた); 大枝 ‖ an *arm of the sea* 入江, 河口, 海峡 / an *arm of* a river 分流, 支流 / the *arms of* a chair いすのひじかけ.
3 ⓒ (政府・軍などの組織の)部門.
an árm and a lég (略式) 莫大な金 ‖ That cost me an *arm and a leg*. それは私には大変な出費だった.
「*an ínfant [a chíld, a báby] in árms* 乳飲み子, まだ歩けない子供; 未熟な人.
árm in árm 〔人と〕仲よく腕を組んで〔with〕(◎文法 16.3(3)) ‖ I saw Jack walking *arm in arm* with Sue. 私はジャックがスーと腕を組んで歩いているのを見た.
at árm's léngth (1) 〔手を伸ばせば届く〕すぐ近くに. (2) ある距離をおいて; よそよそしく ‖ keep [hold] him *at arm's length* 彼を寄せつけない.
jóg [núdge] A's árm 〈人〉の腕を自分の腕でこづく; 〔…させるため〕〈人〉をつつく〔to do〕《◆ 相手の不注意・失念を気づかせたり, 警告をするしぐさ》
twist A's árm (1) 〈人〉の腕をねじる. (2) (略式) 〈人〉に圧力をかける.
with one's árms fólded 腕組みして; 手をこまねいて (=with folded arms).
with ópen árms (1) 両手を広げて. (2) 心から, 熱烈に.

†**arm**² /ɑːrm/ 名 **1** [~s] 武器, 兵器《◆ ふつう複数扱い》; [形容詞的に] 兵器の, 軍備の ● 使い分け → weapon 名1) ‖ small *arms* (携帯用の)ピストル / continue *arms* talks with the United States 合衆国との軍縮会議を継続する / appeal for a nuclear *arms* agreement 核兵器協定を結ぼう訴える / carry [bear, shoulder] *arms* 武器を携帯する / Shoulder [Presént] arms! 〈号令〉になえ[捧げ]銃(つつ) / To arms! 〈号令〉戦闘準備. **2** [~s] 戦争, 軍職, 武力行使; 兵役 ‖ a man of *arms* 軍人, 兵士 / receive a call to *arms* 兵役につく / deeds of *arms* 軍功. **3** [しばしば A~] ⓒ 兵種, 兵科; 軍隊《陸・海・空軍など》‖ the infantry *arms* 歩兵科. **4** [~s] 〈盾・旗などに用いた〉紋章, しるし ‖ coat of *arms* (盾形の)紋章.
béar árms (1) → 1. (2) (古) 軍役に服する; 〔…と〕戦う〔against〕. (3) 〔…に〕紋章をつける〔on〕.
láy dówn one's *árms* 〈文〉(軍事) 降伏する.
táke úp arms = *ríse úp in árms* 〈文〉武器を取る, 〔…に対して〕戦闘を開く〔against〕.
únder árms 戦いの準備で; 戦時体制になって.
──動 他 〔人が〕〈人〉に〔…で〕武装させる; [be ~ed] 〔…で〕防備する〔with〕(↔ disarm) ‖ Watch out! The criminal *is armed* with a pistol. 用心しろ. 犯人はピストルを持っているぞ / *be armed to the teeth* 完全武装している / The skunk *is armed* with a powerful scent. スカンクは激臭で身を守る. **2** [通例 be ~ed / 時に ~oneself] 〔…〕を身につける, (万全の)用意をする〔with〕; 〔…に〕〔…を〕供給する〔with〕 ‖ *arm one*self *against* the cold *with* a fur coat 毛皮のコートで寒さに備える / Arm your children *with* a good education. 子供たちにはしっかりした教育を受けさせなさい.
──自 **1** 武装する, 戦闘準備をする. **2** 〔…に〕身を固める, 備える〔against〕.
árms contról 軍備制限.
árms cút 軍備削減, 軍縮.
árms ràce [competítion] 軍備(拡)競争.

ar·ma·da /ɑːrmάːdə/ 名 **1** ⓒ 〔時に複数扱い〕大型艦隊; (軍用機・戦車などの)編制部隊. **2** 〔歴史〕[the A~] (スペインの)無敵艦隊(the Spanish [Invincible] Armada) 《1588年英国海軍に敗れた》.

ar·ma·dil·lo /ɑːrmədílou/ 名 (複 ~s) ⓒ (動) アルマジロ《南米産》.

Ar·ma·ged·don /ɑːrməgédn/ 名 **1** 〔新約〕ハルマゲドン《世界の終末における善と悪との大決戦(場)》. **2** 最後の[国際的な]大決戦(場).

†**ar·ma·ment** /ɑːrməmənt/ 名 **1** ⓒ [しばしば ~s] a (一国の)軍備, 軍事力 ‖ reduction of *armaments* 軍備縮小. b (軍隊・軍艦などの)装備, 兵器 ‖ heavy *armaments* 重火器 / light *armaments* 小型兵器. **2** ⓤ 軍備を整えること, 武装化 (↔ disarmament).

arm·band /ɑːrmbænd/ 名 **1** 腕章. **2** (英) (泳げない子供がつける) 腕巻き浮輪.

†**arm·chair** /ɑːrmtʃeər/ 名 ⓒ ひじかけいす. ──形 実際の経験のない, 机上の ‖ an *armchair* critic 観念的批評家 / an *armchair* traveler 空想旅行家.

armed¹ /ɑːrmd/ 形 **1** [通例複合語で] 〔…の〕腕をした ‖ long-*armed* 長い腕の. **2** 〈いすなどの〉ひじ付きの ‖ an *armed* chair ひじかけいす (armchair).

armed² /ɑːrmd/ 形 **1** 武器〔兵器〕を身に付けた; 武装した ‖ the *armed* forces [services] (陸・海・空軍の)軍 / an *armed* robber 武装した強盗. **2** 〔理論などを〕身につけた〔with〕. **3** [名詞の前で] 武器[兵器]使用の ‖ an *armed* conflict 武力衝突.

Ármed Fórces Dày (米) 軍事パレードの日《5月の第3土曜日》.

ármed neutràlity 武装中立.

Ar·me·ni·a /ɑːrmíːniə/ 名 アルメニア《Caucasia 地方の国》. **Ar·mé·ni·an** 形 アルメニアの; ⓒ アルメニア人(の); ⓤ アルメニア語(の).

†**arm·ful** /ɑːrmfʊl/ 名 ⓒ [an ~ of ...] ひとかかえの…

arm·hole /ɑːrmhòʊl/ 名 ⓒ 袖(そで)ぐり(図 → jacket).

arm-in-arm /ɑːrmɪnάːrm/ 副 =ARM¹ in arm.

†**ar·mi·stice** /ɑːrməstɪs/ 名 ⓒ 休戦, 停戦.

Ármistice Dày (第一次大戦の)休戦記念日《11月11日. 第二次大戦の休戦記念日と併せて今は(米) Veterans(') Day, (カナダ) Remembrance Day [(英) Sunday] と改称》.

†**ar·mor**, (英) --mour /ɑːrmər/ 名 ⓤ **1** よろいかぶと, 甲冑(かっちゅう) ‖ The soldier was in full *armor*. 兵士は完全武装だった. **2** (軍艦・戦車などの)装甲; [集合名詞] 装甲[機甲]部隊. **3** 〔生物〕(動・植物の)防護[護身]器官(甲羅(こうら)など).

†**ar·mored**, (英) --moured /ɑːrmərd/ 形 **1** よろい

着けた；装甲した ‖ an *armored* car 装甲車. **2** 装甲車両を持つ（編制の）‖ an *armored* division 機甲師団 / *armored* forces [(英) troops] 機甲部隊.

ar·mor·er /ɑ́ːrmərər/ 名 C (昔の)武具師；(今の)武器製造者；[軍隊]武器整備係.

ar·mo·ri·al /ɑːrmɔ́ːriəl/ 形 紋章の.

†**ar·mo·ry**, (英) **--mou·ry** /ɑ́ːrməri/ 名 C **1** 兵器庫；(米) 兵器工場. **2** (主に米)(州兵・予備役の)部隊本部；その屋内訓練場. **3** (一般に)蓄え，資源.

†**ar·mour** /ɑ́ːmə/ 名 (英) = armor.

arm·pit /ɑ́ːrmpìt/ 名 C **1** わきの下 (図 → body). **2** (米俗) とても不愉快な[汚れた]場所.

úp to the ármpits (米俗) 完全に，すっかり.

arm·rest /ɑ́ːrmrèst/ 名 C (いすなどの)ひじかけ.

ar·my /ɑ́ːmi/ [『武装(arm)されたもの』が原義. cf. *armor*]

——名 (複) **--mies**/-z/) C **1** [通例 the ~；単数・複数扱い] **a** (一国の)陸軍 (cf. navy, air force)；[形容詞的に] 陸軍の ‖ join [enter, go into] *the army* (陸軍に)入隊する / an officer in *the army* = an *army* officer 陸軍将校 / the Department of the Army 陸軍省. **b** 方面軍, 軍《2軍団(corps)以上からなる最大の戦術部隊》; field army ともいう》 ‖ the 6th *Army* 第6軍 / the *Army* Commander 軍司令官《ふつう大将》.
2 (一国の)軍隊, 全地上部隊；軍勢, 兵力 ‖ a standing *army* 常備軍 / an *army* of occupation 占領軍 / an *army* 10,000 strong 一万の軍勢.
3 (軍隊組織の)団体 ‖ the Salvation Army 救世軍.
4 [an ~ of + C 名詞] …の大群, 大ぜいの… ‖ an *army* of demonstrators 大ぜいのデモ隊.

(**ármy**) **còrps** 軍団《2個師団以上》.

Ar·nold /ɑ́ːrnəld/ 名 アーノルド《男の名》.

A-road /éiroud/ 名 C (英) 幹線道路《motorway より重要ではないが，B-road より広くまっすぐなものがある》.

†**a·ro·ma** /əróumə/ 名 [ラテン] C U **1** (正式) 芳香, かおり；(特にワインの)香気《◆ smell より強く芳しい》. **2** (芸術品などのもつ)気品, 風格.

a·ro·ma·ther·a·pist /əròumə θérəpist/ 名 C アロマテラピスト.

a·ro·ma·ther·a·py /əròumə θérəpi/ 名 U C アロマテラピー, 芳香療法.

†**ar·o·mat·ic** /ærəmǽtik/ 形 **1** 香りのよい(sweet), 芳しい，快くピリッとした. **2** [化学] 芳香族の.

†**a·rose** /əróuz/ 動 arise の過去形.

a·round /əráund/ 前 [『円周およびそれに沿った運動』を表すが，それより漠然と周辺を取り囲んでいる状態，周囲を回った結果などを表すようになった]《◆副前とも(米)では around,(英)では round が好まれるが，今日では特に運動を表す用法では(英)でも around が優勢になりつつある》.

index 前 **1** …をひとまわりして **2** …の周りに[を] **3 a** …を回って **4** …のあちこち **5** …の近くで **6** およそ
副 **1** ひとまわりして **2** 周りに **6** あちこちに[を] **8** およそ

——前《◆ **1**, **2**, **3** は副 **I** (**1**, **2**, **3**)に，**4**, **5**, **6** は副 **II** (**6**, **7**, **8**)にそれぞれ対応する》 **1** …をひとまわりして；

…を巡って；〈軸など〉を中心[基礎]にして；[比喩的に] …に基づいて(based on) ‖ a story built *around* a new plot 新しい筋をもとに作られた物語 / put a man-made satellite in orbit *around* the earth 人工衛星を地球を回る軌道に乗せる / The earth moves [revolves] *around* the sun. 地球は太陽の周りを回る.
2 …を取り巻いて, **…の周りに[を]**, …の周囲に ‖ sit *around* the table 食卓を囲んで座る / The bird had an identification ring *around* its leg. その鳥は脚に認識輪をつけていた / Many people gathered *around* the scene of the crime. 多くの人々が犯罪現場に集まった / He looked *around* him [*himself*]. 彼はあたりを見回した.
3 a **…を回って**；〈角などを曲がった所に〉‖ go *around* the corner 角を曲がって行く / the church *around* the corner 角を曲がった所にある教会. **b** 〈法律・規則など〉を避けて ‖ a way of getting *around* the tax 税金をのがれる方法.
4 [移動・分散動詞と共に] **…のあちこちを**, …ほうぼうを《◆(英)では主に about を用いる》‖ travel *around* the world.世界をあちこち旅行して回る；世界を1周する(→ **1**) / wander *around* the town 町をあちこちぶらぶら歩く / She left empty bottles *around* the house. 彼女は家のあちこちに空きびんをほおっておいた.
5 (略式) …の辺りで, **…の近くで[の]** ‖ hang *around* the drugstore ドラッグストアの周りでたむろする / He lives somewhere *around* Paris. 彼はパリの近郊に住んでいる.
6 (米略式) **およそ, 約, …ぐらい, …ごろ**(about) 《◆副ともよる》‖ *around* midnight 真夜中ごろ / It happened *around* 1960. それは1960年ごろ起こった.

——副《比較変化しない》

I [円周(運動)]
1 (周りを)**ひとまわりして, 巡って**；回転して；円周が(…ある)((く) round) ‖ a tree 4 feet *around* 周囲が4フィートある木 / How big *around* is that tree? あの木のまわりはどれくらいですか / The wheels turned *around*. 車輪はくるくる回転した / Her turn came *around*. 彼女の順番がやってきた.
2 **周りに[を], 周囲に[を]**；四方に[から] 《◆**6** と区別が明確でないことが多い》‖ look *around* (ぐるっと)あたりを見回す / A dense fog lay all *around*. 濃い霧があたり一面にたちこめていた.
3 (周囲の一部を)回って；回り道をして ‖ The road goes *around* by the lake. その道は湖を迂(う)回している.
4 (反対方向に)向きを変えて, ぐるりと；もとの方向[状態]に ‖ turn *around* (後を)ふり向く / bring the conversation *around* to politics 話を政治の方に戻す / The unconscious man came *around*. 気を失っていた人が意識を回復した.
5 〈年が〉始めから終わりまで；[まんべんなく・次々と]回して, 回って ‖ all (the) year *around* 1年中 / pass the roll *around* 名簿を回す.

II [周辺の位置・運動]
6 [移動・分散動詞と共に] **あちこちに[を]**, ほうぼうに[を]《◆(英) では about も用いる》‖ shop *around* (略式) あちこち買物をして回る / His room is messy and his clothes are lying *around*. 彼の部屋は散らかっている. 衣服もあちこちに散らばっている / I shall be delighted to *show* you *around*. 喜んでご案内いたしましょう.

7 (略式)(ぶらぶらとして)辺りに, 近くに ‖ I'll be *around* when you need me. その辺にいますからご用がありましたらどうぞ.
8 (略式)およそ, …ごろ(about) ‖ (at) *around* 5 o'clock 5時ごろに.
9 a 〈人が〉(病床から起きて)動き回って, 働いて；活躍して ‖ He is *úp and aróund* now. 彼は今ではピンピンしている / be *around* as a TV personality テレビタレントとして活躍している. **b** 〈人が〉やって来る, 行く；〈物が〉出回っている, 手に入る. **c** [最上級形容詞＋名詞の後へ置いて] 現存する(うちで), 生存中で ‖ *the most productive of the writers (who are) around* 生存している(うちで)最も多作の作家.

áll aróund [副] **(1)** → 副**2**. **(2)** (握手など)(まんべんなく)みんなに, 一同に. **(3)** (略式)万事に.

háve been aróund 〈人が〉(経験を積んで)世間[人生]をよく知っている, 教養が高い；交際が派手である, プレイボーイ[ガール]である.

a·rous·al /ərάuzl/ [名] Ⓤ Ⓒ 目ざめ(させ)ること；奮起；(性的)興奮.

†**a·rouse** /ərάuz/ [発音注意] [動] 他 (正式) **1** [比喩的にも用いて] 〈人·物·事が〉〈人を〉[眠りから]目ざめさせる, …の目をさまさせる(awake)〔*from*〕‖ Her cry *aroused* me *from* my sleep. 彼女の叫び声で私は眠りからさめた. **2** 〈物·事が〉〈人の〉感情·行為などを刺激する, 呼び起こす(excite)；〈人〉をふるい立たせて…させる, […に]かり立てる(stir up)〔*to*〕；〈人の〉性欲を刺激する ‖ His lecture *aroused* my interest in linguistics. 彼の講義は私の言語学への興味をかきたてた.

ar·peg·gi·o /ɑːrpédʒiòu, -dʒou/ [イタリア] [名] Ⓤ Ⓒ 〔音楽〕アルペジオ《和音の各音を急速に連続で演奏する》.

arr. (略) arrive(s); arrived; arrival; arriving; 〔音楽〕arranged by …による編曲[演奏]で.

†**ar·raign** /əréin/ [動] 他 〔法律〕〈人〉を[…の理由で](裁判のため)召喚する〔*for*〕.

ar·raign·ment /əréinmənt/ [名] Ⓤ Ⓒ 〔法律〕起訴, 罪状認否(手続き). **2** 非難, 詰問.

*****ar·range** /əréindʒ/ [[ばらばらのものを秩序ある状態に整える]]が本義 [派] arrangement [名]
── [動] (~s/-iz/; 過去·過分 ~d/-d/; -rang·ing)
── 他 **1 a** 〈人が〉〈会合などを〉(あらかじめ)**取り決める**, 打ち合わせる; [arrange *that*節 [wh節·句]] …であると取り決める ‖ We have *arranged* a meeting for tomorrow. 私たちは明日会合することにした / It is *arranged* that my wife (*should*) meet him at the station. 妻が駅まで彼を迎えに行くように手配してあります(=It is *arranged* for my wife to meet him …)◆*should* を用いるのは(主に英). → *should* [助]**6**)／ Shall we *arrange* what to do next? 次に何をすべきか打ち合わせましょうか / Fall, 2005 (dates to be *arranged*) 2005年秋(期日は未定). **b** 〈人が〉[…について]〈人·物·事の〉**手はずを整え**, 手配[準備]をする〔*for*〕；[arrange *for* 〔wh節·句〕] …できるよう手配[準備]をする ‖ an *arranged* marriage 見合い[政略]結婚 / He *arranged* everything *for* my trip to Kyoto. 彼の京都行きの手はずをすべて彼が整えてくれた / She *arranged* ((主に米) *it*) *that* he would ((主に英) *should*) meet her friend here. 彼女は彼がここで彼女の友だちに会えるようにお膳立てしてくれた(=She *arranged for* him *to* meet … → 他**2**).
2 〈人が〉〈人·物·事を〉**きちんと並べる**, 整頓(ミミ)する；…を配列する；…を整理する ‖ She *arranged* her

hair beautifully. 彼女はきれいに髪を整えた / *arrange* the children according to height 身長順に子供を並べる.
3 〈曲〉を[…用に]編曲する〔*for*〕, 〔劇など〕を放送用に改作する.
4 〈人が〉〈紛争など〉を**調停する**, 解決する〔*with*〕.
── 自 **1** 〔人と/…について/…するよう〕打ち合わせる, 取り決める〔*with* / *about* / *to do*〕‖ We *arranged with* our travel agent to stay one night in San Francisco. 私たちは旅行会社と打ち合わせをしてサンフランシスコに1泊することにした. **2** […の]手はずを整える, 準備[用意]をする〔*about*, *for*〕；[arrange (*for* A) *to do*] (A〈人·物〉が)…するよう手配する ‖ Who *arranged about* (buying) the tickets? だれが切符を手配してくれましたか / She *arranged for* the music at the wedding. 彼女は結婚式の音楽の手配をした / I'll *arrange to* meet her at ten. 10時に彼女と会うように手はずを整えます(◆ I'll *arrange that* I ((主に英) *should*) meet her at ten. (他**1 b**)よりもto不定詞構文の方がが好まれる)／ I *arranged for* him *to* drive me home. 彼に車で家に送ってもらうよう手はずを整えた(=I *arranged that* he (*should*) drive me home.).

†**ar·range·ment** /əréindʒmənt/ [名] **1 a** Ⓤ (きちんと)並べる[並べられる]こと, 整頓, 配列, 配置, 整理 ‖ the *arrangement* of the books on the shelf 本を棚に並べること；棚の上の本の整理 / *in arrangement* 整然と. **b** Ⓒ 整理[配列]した物；整理[配列]法 ‖ a flower *arrangement* 生け花. **2** Ⓒ Ⓤ 調停(すること)；解決 ‖ the *arrangement* of the differences between the brothers 兄弟間のいさかいの仲裁. **3** Ⓒ Ⓤ 〔…と〕取り決め(ること)；打ち合わせ, 協定〔*with*〕‖ *by arrangement with* A Press A出版社と協定して / I came to an *arrangement with* the lawyer about the case. その事件について弁護士との打ち合わせがまとまった. **4** [通例 ~s] […の/…する]準備, 用意, 手配〔*for* / *to do*〕‖ Have you made *arrangements for* the wedding? 結婚式の準備はできましたか(=Have you *arranged* for the wedding?)／ I made *arrangements for* him *to* see her home. 彼に彼女を家に送ってもらうよう手配した(=I *arranged* for him *to* see her home.). **5** Ⓒ Ⓤ […のための]編曲[脚色](すること), アレンジ〔*for*〕.

ar·rang·er /əréindʒər/ [名] Ⓒ 編曲者.

†**ar·rant** /ǽrənt/ [形] (やや古)この上ない, 名うての, まったくの(complete) ‖ *arrant* nonsense 愚の骨頂 / an *arrant* liar 大うそつき.

†**ar·ray** /əréi/ [動] 他 **1** (正式)〈軍隊など〉を整列させる；…を(戦闘)配備する(arrange) ‖ *array* his troops along the river bank 彼の軍を川岸沿いに配置する. **2** (文)〈人など〉に…で盛装させる〔*in*〕.
── [名] Ⓤ **1** [しばしば an ~] 整列, 配列 ‖ set the troops in *array* 軍隊を配置する. **2** [an ~ of ＋複数名詞] …の勢ぞろい[列挙], ずらりと並んだ[並べたてた]… ‖ an *array* of the best brains in the world ずらりと並んだ世界の最優秀の知的指導者. **3** 〔正式·詩〕衣装, (特に)美しい服装(fine clothes) ‖ in fine *array* すばらしい衣装で[を身にまとって]. **4** 〔コンピュータ〕配列, アレイ《一定の形に配列されたデータ群》.

*****ar·rest** /ərést/ [[(ある状態)に(ar)引き止める(rest)]]
── [動] (~s/ərésts/; 過去·過分 ~·ed/-id/; ~·ing)
── 他 **1** 〈警察·人など〉が〈犯罪者など〉を[…の罪で/

arresting / **art**

として)**逮捕する**, 検挙する(*for/as*) ‖ The policeman *arrested* him *for* drunken driving. 警官は彼を飲酒運転で逮捕した.
2《正式》…(の進行)を止める(stop), 遅らせる ‖ *arrest* development 発達を妨げる / The new drug *arrested* the growth of the disease. 新しい薬がその病気の進行を抑えた.
3《正式》〈物・事が〉〈人の注意など〉を(ちょっと)引く(attract) ‖ Her casual remark *arrested* my attention. 彼女のさりげない言葉が私の注意を引いた.
──名 (複 ~s/-ésts/) ⓒⓤ **1 逮捕**, 検挙 ‖ an *arrést wàrrant* 逮捕状 / make more than twenty *arrests* 20名以上の人を逮捕する. **2**《法律・医学》止まること, 停止; 進行阻止; 止めること, 妨害 ‖ (a) cardiac *arrest* 心臓(機能)停止, 心拍停止 / *arrest* of judgment 判決の阻止.
***únder arrést 逮捕されて** ‖ place [put] the suspect *under arrest* 容疑者を逮捕する / You're *under arrest*.《警察官の言葉》お前を逮捕する.
ar·rest·ing /əréstiŋ/ 形 注意を引く, 目立つ, 著しい; 《正式》〈警官などが〉逮捕しつつ.
***ar·riv·al** /əráivl/
──名 (複 ~s/-z/) **1a** ⓤ (ある場所に)**到着**(すること)〔*at, in, on*〕(↔ departure)《◆前置詞については → arrive 1 語法》‖ The president's *arrival in* Washington will be an hour ahead of schedule. 大統領のワシントン到着は予定より1時間早くなるでしょう / The *arrival* of the 10:30 train was announced. 10時30分発の列車の到着のアナウンスがあった. **b** [形容詞的に] 到着の ‖ an *arrival* platform 到着ホーム / What's the *arrival* time in Tokyo? 東京到着時刻は何時ですか.
2 ⓤ (結論などへの)到達〔*at*〕; 出現; 出生(birth)〔*of*〕‖ our *arrival at* a conclusion 我々が結論に到達すること / the *arrival* of his són and héir 彼の跡とり息子の誕生.
3 ⓒ 到達する[した]人[物]; (略式)(新しく)生まれた子 ‖「an early [a late] *arrival* 早く[遅く]来た人 / new *arrivals* 新着置; 新生児(たち), 新しく来た人たち(客, 先生, 社員, 生徒など) / Best wishes to the new *arrival*.《電文》(お子様の)ご誕生おめでとうございます.
on (one's) **arríval** 着くとすぐ, 着き次第.

:**ar·rive** /əráiv/《題源 alive /əláiv/》【『水路で岸(rive)に着く』が原義. cf. *river*》 派 arrival(名)
──動 (~s/-z/; 過去・過分 ~d/-d/; --riv·ing)
──自 **1**〈人・乗物などが〉(ある場所に)(自然に)**着く**, 到着する, 来る(*at, in, on, upon*)(↔ depart)《◆努力して着くは get to, reach》‖ No letters *arrived* today. 今日は手紙が1通も来なかった / She *arrived at* the station [*in* Tokyo, *on* the shore]. 彼女は駅に[東京に, 海岸に]到着した / When did he *arrive on* the scene? 彼はいつ現場に到着[姿を現した]か / *Arriving* there, he called his wife. =He *arrived* there and called …. そこへ着いて彼は妻に電話した / I will meet your cousin at the airport for you. What time will [does] her plane *arrive*? あなたの代わりにいとこを出迎えに空港に行ってあげますよ. 飛行機はいつ着きますか.

> 語法 [**arrive** *at, in, on*]
> (1) at は比較的狭いと考えられる場所に, in は空間として理解され比較的広いと考えられる場所に, on,

upon はその表面が意識される場合に用いるのが原則. (2) ただし心理的な面もあって必ずしも場所の広狭に関係のないこともある: I *arrived at* Tokyo and took a plane. 東京に着いて飛行機に乗った《◆通過地点. → at 3 語法 (1)》/ We *arrived in* a very small village. 我々はとても小さな村に着いた《◆特に village や town は広狭に関係なく in を用いる》.

2 [**arrive at A**]〈人・事が〉〈結論・合意・年齢・時期・価格など〉に**到達する**, 達する《◆(1) 受身可能. (2) 1と違い常に at を用いる》‖ After many hours' talk, we *arrived at* a conclusion. 何時間もの話し合いの後我々は1つの結論に到達した / My son has *arrived at* the age of twenty. 息子が20歳になった / An unexpected result was *arrived at*. 予期しない結果に達した.
3〈時・時期などが〉来る(come) ‖ The great day *arrived*. すばらしい日が訪れた / The time *arrived* for us to stand up. 我々の立ち上がる時がやって来た. **4**〈赤ん坊が〉生まれる ‖ The baby *arrived* on Monday. 赤ちゃんが月曜日に生まれた.

†**ar·ro·gance** /ǽrəgəns/ 名 ⓤ 横柄さ, 尊大さ.
†**ar·ro·gant** /ǽrəgənt/ 形〈人・態度などが〉横柄な, 尊大な; 無礼な. **ár·ro·gant·ly** 副 横柄に.
ar·ro·gate /ǽrəgèit/ 動 他《正式》**1**〈権利など〉を思いのままにする, 横取りする; …を(不当に)要求する ‖ *arrogate* the money to oneself 金を一人占めにする. **2** …を不当に[人の]せいにする〔*to*〕.
†**ar·row** /ǽrou/ 名 ⓒ **1** 矢《◆早さ・狩り・戦争を象徴する》(図 → bow) ‖ fly straight as an *arrow* まっすぐに飛んで行く / shoot an *arrow* at the target 的(ま)をねらって矢を射る. **2** 矢に似たもの; 矢印(→) ‖ follow the *arrows* (標識・地図上の)矢印をたどる.
ar·row·head /ǽrouhèd/ 名 ⓒ **1** 矢じり; 矢じりに似た物. **2**【植】クワイ.
†**ar·se·nal** /ɑ́:rsnl/ 名 ⓒ **1** 兵器[軍需]工場, 工廠(しょう). **2** 兵器(倉)庫; (兵器庫を兼ねた)訓練場. **3**《武器の》蓄え.
†**ar·se·nic** /ɑ́:rsnik; 形 ɑ:rsénik/ 名 ⓤ【化学】ヒ素《非金属元素. 記号 As》; (広義)毒薬. ──形《◆分綴は ar·sen·ic》=**arsenical**.
ar·son /ɑ́:rsn/ 名 ⓤ【法律】放火(罪).
ár·son·ist 名 ⓒ 放火犯人.

***art**[1] /ɑ́:rt/《『自然に対して「人の手を加えること」が本義』派 artificial(形), artist(名), artistic(形)
──名 (複 ~s/-ɑ́:rts/) **1a** ⓤⓒ **芸術**《美術のほかに音楽・詩歌・劇・舞踊なども含む》; **美術**《絵画・彫刻・建築など. cf. fine arts》‖ ancient Roman *art* 古代ローマ芸術 / *árts* and cráfts 美術工芸《機織・木工・陶芸など》/ *art* for *art's* sake 芸術のための芸術, 芸術至上主義 / *Art is long, life is short*.《ことわざ》「芸術(の生命)は長く人生は短し」;「少年老い易く学成り難し」《◆もとはラテン語で「技術[医術]を修得するのには長くかかるから時間をむだにしないで励め」の意. → 3》. **b** [形容詞的に] 芸術の, 美術の ‖ an *art* form 芸術形式(=a form of *art*) / *art* history 美術史.
2 [集合名詞] **a** 芸術作品, 美術品(work(s) of art) ‖ a museum of modern *art* 近代美術館 / an *art* dealer 美術商, 画廊. **b** (新聞・雑誌などの)挿絵, カット; 写真.
3 ⓤⓒ **技術**, こつ, 要領; (芸術的)手腕, わざ, 技巧

‖ the *art* of búilding =the búilding árt 建築術 / His wife knows the *art* of manag*i*ng to get by on a small budget. 彼の奥さんは乏しい予算でやり繰りするこつを心得ている；家計のやり繰りがうまい / the *art* of (self-)defense 護身術《boxing や fencing の別称》 / There is an *art to* [*in*] putt*i*ng things in order. 物を整頓するにはこつがある.
4 Ⓤ 人工, 人為(↔ nature) ‖ the beauties of *art* 人工の美(cf. artificial).
5 Ⓤ 狡猾(ﾁﾞ)さ(cunning).
6 [~s] **a** 〔単数扱い〕（自然科学に対し）人文科学 ‖ an *arts* subject 人文系科目. **b** 〔複数扱い〕=liberal arts.
by árt 熟練によって；人為的に；策略で.
gét A dówn to a fíne árt（略式）…を完全に修得する.
Árt déco →見出し語.
árt diréctor (1)〔演劇・映画・テレビ〕美術監督. (2)（出版・広告の）美術面担当者(art editor).
árt èditor =art director (2).
árt gàllery (1) =art museum. (2) 画廊.
árt hòuse アートシアター《主として外国映画や小プロダクションの作品を上映する映画館》.
árt muséum 美術館.
Árt Nouvéau →見出し語.

art² /ɑːrt, (時に弱形として) ərt/ 動〔古・詩〕be の二人称単数直説法現在形 ‖ thou *art* (=you are).

Art De·co /ɑ́ːrt dékou/ 〔『フランス』〕アールデコ《1920-30 年に欧米で流行った装飾様式》.

ar·te·fact /ɑ́ːrtifækt/ 名 =artifact.

ar·te·ri·al /ɑːrtí(ə)riəl/ 形 **1**〔解剖〕動脈の(↔ venous). **2**（鉄道・道路が）幹線の. —— Ⓒ =arterial road [highway].

artérial róad [**híghway**] 幹線道路.

†**ar·ter·y** /ɑ́ːrtəri/ 名 Ⓒ **1**〔解剖〕動脈(↔ vein) ‖ a main *artery* 大動脈. **2**（鉄道・川・道路・伝達などの）幹線.

†**art·ful** /ɑ́ːrtfl/ 形《人・言動などが》狡猾(ﾁﾞ)な, ずるい；〈配列など〉巧妙な. **árt·fully** 副 狡猾に；巧妙に.
árt·ful·ness 名 Ⓤ 狡猾さ；巧妙さ.

ar·thri·tis /ɑːrθráitis/ 名 Ⓤ 関節炎.

ar·thrit·ic /ɑːrθrítik/ 形 Ⓒ 関節炎の(患者).

ar·thro·pod /ɑ́ːrθrəpɑd | -pɔd/ 名 Ⓒ 節足動物.

†**Ar·thur** /ɑ́ːrθər/ 名 **1 King** ~ アーサー王《5, 6 世紀ごろの英国の伝説の王》. **2** アーサー《**Chester** /tʃéstər/ **Alan** ~ 1830-86；米国の第 21 代大統領 (1881-85)》. **3** アーサー《男の名. 《愛称》Art, Artie》.

Ar·thu·ri·an /ɑːrθ(j)ú(ə)riən/ 形 アーサー王(伝説)の, アーサー王(伝説)に関する.

ar·ti·choke /ɑ́ːrtitʃòuk/ 名 Ⓒ〔植〕 **1** アーティチョーク, チョウセンアザミ (globe artichoke)《頭花が食用. 高級品》. **2** キクイモ (Jerusalem artichoke)；その塊茎.

*ar·ti·cle /ɑ́ːrtikl/
—— 名 (複 ~s /-z/) Ⓒ **1** 品物, 物 (thing)；（同種の物の）1 個, 1 つ (piece) ‖ *an article of* clothing [furniture] 衣料品[家具]1 点《◆このような 名 詞を数えるときに用いる》/ domestic [toilet] *articles* 家庭用[化粧]品 / comfort *articles* 慰問品 / a missing *articles* 紛失品 / They sell *articles* of all kinds at the shop. その店ではいろいろな物を売っている.
2（新聞・雑誌などの）〔…についての〕記事, 論説, 論文〔*on*, *about*〕‖ a leading *article*〔米〕主要記事, 〔英〕（新聞の）社説 (editorial) / Are there any interesting *articles* in today's paper? 今日の新聞に面白い記事がでていますか.
3〔通例 ~s〕（法律・条約・契約などの）条項 (clause), 項目；（文書などの）（個々の）規約, 契約 ‖ *articles* of apprenticeship 年季契約 / *articles* of association （会社の）定款 / 「the ninth *article* [*Article* 9] of the Constitution 憲法第 9 条 / the **Articles of Confederation**〔米史〕連邦規約《1781 年 13 州の間で結ばれた》.
4〔文法〕冠詞 (a, an, the)‖ the definite [indefinite] *article* 定[不定]冠詞.
árticle of fáith 宗教上の信条；（一般に）信条, 信念.
—— 動 他〈人〉を〔…に〕年季契約で雇う〔*to*, *with*〕.

ar·tic·u·late 動 /ɑːrtíkjəlèit/, 形 /-lət/ 動 他 **1**〈語音など〉をはっきり発音する；〈考え・物事など〉をはっきり述べる ‖ *articulate* each word 1 語 1 語をはっきりと言う. **2** …を〔…と〕関節でつなぐ；…を〔…と〕関連づける〔*with*, *to*〕. —— 自 **1** はっきり言う[発音する]. **2**（関節などで）つながる.
—— 形 **1**〈発音・言葉など〉がはっきりした ‖ *articulate* speech はっきりとわかる言葉. **2**〈人〉が考えをはっきり述べられる；〈考えなど〉が明確な. **3**〔動〕関節のある.

artículated lórry〔英〕トレーラートラック(〔米〕trailer truck).

ar·tic·u·late·ly 副 はっきりと, 明確に.

ar·tic·u·late·ness 名 Ⓤ 明確さ.

ar·tic·u·la·tion /ɑːrtìkjəléiʃən/ 名 **1** Ⓤ（明瞭な）発音. **2** Ⓤ（思想・感情の）表現. **3** Ⓤ〔音声〕調音, 言語音；(特に) 子音. **4** Ⓒ〔動〕関節；〔植〕関節.

ar·ti·fact,（主に英）**ar·te**- /ɑ́ːrtifækt/ 名 Ⓒ〔正式〕人工物；〔考古〕工芸品.

†**ar·ti·fice** /ɑ́ːrtifis/ 名 **1** Ⓒ 工夫, 巧みな配置；(欺くための) 手段. **2** Ⓤ〔文〕巧妙さ, 器用さ.

ar·tif·i·cer /ɑːrtífisər,〔英+〕ɑ́ːrti-/ 名 Ⓒ **1**〔文〕熟練工, 職人, 考案者. **2**〔海軍〕機関士.

*ar·ti·fi·cial /ɑ̀ːrtifíʃəl/《◆名詞の前で用いるときはしばしば /-/》〖→ art〗
—— 形〔通例名詞の前で〕**1** 人工の, 人工的な；人造の；模造の《◆比較変化しない》(↔ natural) ‖ *artificial* snow 人工雪 / an *artificial* flower 造花 / an *artificial* tooth 入れ歯, 義歯 / an *artificial* leg 義足 / an *artificial* heart [kidney] 人工心臓[腎臓] / an *artificial* planet 人工惑星.
2 不自然な, わざとらしい, 見せかけの ‖ an *artificial* smile 作り笑い / *artificial* tears そら涙.

artifícial inseminátion 人工受精(略 AI).
artifícial intélligence 人工知能(略 AI).
artificial respirátion 人工呼吸.
artificial sátellite 人工衛星《◆単に satellite ともいう》.
artificial túrf 人工芝.

ar·ti·fi·ci·al·i·ty /ɑ̀ːrtifìʃiǽləti/ 名 Ⓤ 人工；不自然さ；Ⓒ 模造品.

†**ar·ti·fi·cial·ly** /ɑ̀ːrtifíʃəli/ 副 人工的に；不自然に, わざとらしく.

†**ar·til·ler·y** /ɑːrtíləri/ 名 Ⓤ〔集合名詞〕**1** 大砲《◆ cannon は昔の大砲；個々の大砲は gun》,（移動式）ミサイル発射機. **2**〔しばしば the A~〕砲兵隊(cf. cavalry, infantry).

†**ar·ti·san** /ɑ́ːrtəzən | ɑ̀ːtizǽn/ 名 Ⓒ 職人 (craftsman), 熟練工《大工・石工など》《◆女性を含まない craftsman の (PC) 語》.

art·ist /ά:rtist/ 〖→ art〗
——名 (複 ~s/-ists/) C **1 芸術家**; (特に)**画家**, 彫刻家 ‖ You're an [a good] *artist*. 君は立派な芸術家だ;(素人で絵をかいた人に)絵(など)がうまいですね. **2** =artiste. **3** (略式)〔…の〕名人, 達人, …通 (at, in, with);〔米俗式〕(…の)人, やつ ‖ an *artist* at wine ワイン通.

ar·tiste /α:rtíːst/〖フランス〗名C 芸能人《歌手・俳優・ダンサーなど》; 理容師, 料理人.

†**ar·tis·tic** /α:rtístik/形 **1** 芸術の, 美術の, 芸術[美術]家の ‖ an *artistic* temperament 芸術家的気質. **2** 芸術的な, 風雅な, 趣のある ‖ the *artistic* beauty of the film その映画の芸術的な美しさ / *artistic* impression (フィギュアスケートなどで)芸術点[的評価]《◆ technical merit (技術点[的評価])に対して》. **3** 芸術がわかる, 美のわかる; 芸術を好む, 芸術家肌の. **ar·tís·ti·cal·ly** 副 芸術的に; [文全体を修飾] 芸術的にみれば.

art·ist·ry /ά:rtistri/ 名U 芸術家としての手腕, 優秀な技能.

†**art·less** /ά:rtləs/形 **1** 自然のままの, 作りものでない (natural) (↔ artful); 飾らない, 素朴な; 無邪気な, あどけない. **2** 不器用な, へたな (clumsy).
 árt·less·ly 自然のままに; 無邪気に.

Art Nou·veau /ά:rt nu:vóu/〖フランス〗アールヌーボー《1890-1910 年ごろ流行した装飾様式》.

art·sy /ά:rtsi/形 =arty.

art·work /ά:rtwə̀:rk/名 **1** C 芸術[工芸]品; アートワーク《印刷物中の図・写真など》. **2** [集合名詞] 絵画, 図版.

art·y /ά:rti/形 (**-i·er**, **-i·est**) (略式) 芸術家ぶった; 凝りすぎの《米》 artsy). **árt·i·ly** 副 いやに凝って; 芸術家気取りで.

-ar·y /-eri, -əri/ -əri/ [語要素] →語要素一覧 (1.7).

Ar·y·an /éəriən, ά:r-/形 **1** (古) アーリア[インド=ヨーロッパ]語族(の). **2** U インドイラン語(の). **3** C (ナチスドイツで)非ユダヤ系白人(の).

as /(弱) əz;(強) ǽz/

index
接 **1** …と同じほど **2 a** (…する)ように **b** …であるが **3** …する時(に) **4** …なので **5** …するにつれて **6** けれども
副 同じくらい
代 **1** (…する)ような **2** それは…だが
前 **1** …として(の) **2** (…である)と

——接 **1** [比較] [as … as A (does)] **A と同じくらい**, **A** ぐらい…, **A** と同じように…《◆ (1) 前の as は副詞で, その後に形容詞・副詞を置く (→ 副). (2) 前の as が省略されることがある. (3) **A** の後が完全な文でなければ, (助)動詞は省略されることもある》‖ He has *as* múch money「*as* I [(略式) *as* I do, (略式) *as* me]. 彼は私と同じくらい金を持っている《◯文法 15.3 ③》/ Mr. Brown's *not as* óld *as* he looks. ブラウン氏は外見ほどの年齢ではない / She isn't *as* energetic *as* she once was. 彼女はひところほど元気がなくなった / I can't drink coffee (which is) *as sweet as this*. 私はこんな甘いコーヒーは飲めない (=I can't drink *such* [✕as] sweet coffee *as* this.) / The twins are as alike *as* two peas in a pod. その双子はさやの中の2つのえんどう豆のように似ている[うりふたつだ] / Her face turned (*as*) white *as* flour. 彼女の顔は粉のように白くなった / She scolds Terry *as* often *as* (she scolds) me. 彼女は私をしかるのと同じくらいよくテリーをしかる.

語法 (1) 否定文では前の as が so になることもある (→ not SO **A** as **B** (so 副 成句)).
(2) He is not *ás* tall *as* his brother. では, He is not *as* táll *as* his brother. (彼は兄より背が低い)と違って, 「彼は兄と同じ背丈ではない」の意.

2 a [様態] (…する)**ように**, (…する)やり方で, (…する)のと同様に《(略式) the way;(米略式) like》‖ Give up smoking *as* the doctor advised. 医者が言ったように禁煙しなさい / You may dance *as you please*. 好きなように踊ってよい / In the nineteenth century, *as* in the seventeenth, great social changes took place. 17世紀のころと同様, 19世紀には社会的な大変革が起こった《◆ 主語と動詞の省略されたもの》.
b [対照] …であるが (一方), …とちがって (while).
3 [時] …**する時(に)** (when);…する間, …しながら (while);…につれて ‖ *As* I entered the room, they applauded. 私が部屋へ入っていったとき, 彼らは拍手をした《◆ while I was entering … の意で近く, まだ完全に部屋に入っていなくともよい. When I entered … だと, 部屋に入る行為が完了したことになる》/ I saw him *as* he was coming out of the house. 彼が家から出てくるのが見えた《◆ I *saw* him coming … とほぼ同じ意味》.

語法 (1) **⚠** as は2つの関連ある出来事がほぼ同時に生じたものとして表現するので, 次のように2つの出来事が独立性を持つ場合, when は as と交換できない: I'll call you *when* I've finished the work. 仕事を終えたらお電話します / *When* I arrived at the station, the train had already left. 駅に着いたら列車はもう出てしまっていた.
(2) 同時性をさらに強調するには, just as …, as soon as … を用いる: I was held up by a visitor *just as* I was going out. ちょうど私が出かけようとしているときにお客さんにつかまってしまった.

4 [理由] …**なので**, …だから ‖ *As* I didn't have any stamps, I couldn't mail the letter. 切手がなかったので, 手紙を出すことができなかった / Careless *as* she was, she could never pass the examination. 彼女は注意が足りなかったため, 試験にはとうてい合格できなかった《◆ この語順では **6** の意になる場合もある》/ *As* (he is) a married man, he has to think of the future. 彼は既婚者なのだから, 将来のことを考えねばならない (=Because he is a married man, …).

語法 (1) as は多義なので原因・理由の意を明確に述べるには because, 特に《米》では since がしばしば好まれる. (2) ふつう as 節は主節より前に置く.

5 [比例] …**するにつれて**, …**と比例[並行]して** ‖ *As* the sun rose, the fog dispersed. 太陽がのぼるにつれて霧が晴れた / *As* it grew darker, it became colder. 暗くなるにつれて, いっそう寒くなった (=The darker it grew, the colder it became.) (→ 副 **1**).
6 [譲歩] **a** [程度などを示す形容詞・副詞, 名詞を前に置いて] …**であるが** (though) ‖ Good *as he is*, he will never come out at the top of his

class. 彼はいい生徒だが, 決してクラスのトップにはなれないだろう(=Though he is good, he will ...). (2) *As* good *as* he is ... は《主に米》/ (As) much *as* I admire him as a writer (◡̮), / I do not like him as a man. 作家としては大いに彼には敬服するが, 1人の人間としては好きではない / Egoist *as* he was (◡̮), / his parents loved him. 彼はわがままだったが, 両親は彼を愛した《◆ as の前に名詞を置くのは《まれ》. この場合名詞には冠詞はつかない》. **b** [動詞の原形を前に置いても] いかに…しても ‖ **Try *as* she does** [will, may, might], she never seems able to do the work satisfactorily. どんなにやっても彼女は決して満足にその仕事ができそうもない.

7 [直前の名詞を限定して] **a** (…する)ような, (…した)ときの《時 に as の直後に主語と be動詞が省略されて過去分詞や形容詞がくることもある》‖ Language *as* **we know it** is a human invention. 我々の知っているような言語は人間の創り出したものである / Japan *as* (it is) seen from the space shuttle スペースシャトルから見た日本. **b** 《正式》たとえば, …のような(《非標準》like)《◆例を列挙する場合には such as がふつう》‖ diseases *as* heart failure and cancer 心臓麻痺(ひ), ガンなどの病気.

8 [後に be, do を伴って] また同様に(and so) ‖ He studies hard, *as* does his sister. 彼はよく勉強するし, 彼の妹もそう / She was delighted, *as* we all. 彼女は喜んでいたし, 私たちも皆そうであった《◆ and so were we all の方がふつう》.

A *is to* B *as* C *is to* D A の B に対する割合[関係]は C の D に対する割合[関係]と同じである ‖ Reading *is to* the mind *as* food *is to* the body. 読書が精神に必要なのは食物が身体に必要であるのと同じだ《◆「A は B にとって重要[必要]である」ことを C と D の関係を例にしていう構文》.

——副 [形容詞・副詞の前に置いて] 同じくらい, 同じように, 同様に《◆ 腫1 の as ... as **A** (does) における前の as で, その時の状況により as **A** (does) が省略されることもある》‖ He swims fast, but I can swim just *as* fast. 彼は速く泳ぐが, 私もまったく同じくらい速く泳げる《◆前に He swims fast があるので, I can swim just as fast as he swims. の as he swims が省略された》‖《対話》"Finish your homework *as* soon *as* possible [you can]." "Yes, Mom." 「できるだけ早く宿題をすませなさい」「はい, お母さん」/ She has twice (three *times*) *as* many books 「*as* I [as I have, (略式) as me]. 彼女は本を私の2倍[3倍]持っている《◆ 倍数や分数は as ... as の直前に置く》: Japan is one-twentieth *as* large *as* Australia. 日本はオーストラリアの20分の1の広さだ / His composition has ten spelling mistakes in *as* many pages. 彼の作文には10ページで10個のスペルミスがある(→ as MANY …).

as ... as* **A 《数詞》(と同じほども) ‖ *as* early *as* the 12th century 早くも12世紀には《◆前置詞は不要. ➡文法 21.6(1)》/ *as* five times a week 1週間に5回も / The tower is *as* high *as* 220 meters. その塔は高さが220メートルもある.

not as [*so*] **A** *as* **B** Bほど A ではない《◆《(1) **A** は形容詞・副詞. (2) **B** は節》‖ She is *not as* old *as* she looks. 彼女は見かけほど年をとってはいない / He doesn't drive *as* carefully *as* Tom (does). 彼はトムほど慎重には運転しない.

as ... as any → any (成句).

——代 [関係代名詞] **1** (…する)ような, (…する)…の《◆ (1) 先行詞に such, the same, as があると関係代名詞は as を用いる《➡文法 20.10》. (2) as 節中では主語・動詞などが省略される場合がある. → such, same》‖ Read *such* books *as* will benefit you. ためになるような本を読みなさい / She wears *the same* kind of clothes *as* her sister wears. 彼女は姉さんが着るのと同じ種類の服を着る / John wants to come up with *as* good *a* solution *as* Christine's [Christine did]. ジョンはクリスティーンと同じくらいよい解決策を提案したいと思っている / *As* many girls *as* he knew were teachers. 彼が知っている女性はみな教師だった.

2 [非制限用法] **a** [前の文(の一部)または後に来る主節を先行詞として] それは…である; (…するように)は《◆ which 代 **4 b** より堅い語》《➡文法 20.9》‖ Her feet were bare, *as* [which] was the custom in those days. 彼女は素足だったが, それは当時の習慣であった / She was a southerner, *as* [which] was evident from her accent. 話し方からわかったことだが, 彼女は南部出身の人だった(→ as is often the CASE). **b** [主節に否定語を伴う場合] …ではあるが(一方…) ‖ He did *not* appear, *as* she had hoped. 彼女は(彼が現れることを)望んでいたのだが, 彼は現れなかった.

——前 **1** …として(の); …であるので《◆ 後に置かれる名詞が唯一の役職を表す語の場合, ふつう冠詞を付けない. ➡文法 16.3(4)》‖ He served [acted] *as* (*a*) principal of our school for five years. 彼は5年間わが校の校長を務めた / She worked *as* a maid and cook for him. 彼女は彼の女中兼料理人として働いた / *As* your doctor, I advise you to eat less. あなたの医者として, 食事の量を減らすよう忠告します.

2 [補語を導いて] …(である), …として《◆ 名詞のほか形容詞・分詞を従える》‖ I *regard* him *as* my friend. 私は彼を友人と考える / I *accepted* the report *as* trustworthy. 私はその報告を信頼できるものと認めた / We regarded the document *as* belonging to her brother. その文書は彼女の兄さんのものだと私たちは考えた.

> 語法 この型すなわち「他動詞 + **A** + as + **C**」で用いられる代表的な動詞は accept, acknowledge, characterize, claim, class, condemn, consider, count, define, describe, intend, interpret, know, look on, recognize, regard, see, strike, take, treat, use など.

3 …の時に, …の頃(の) ‖ *As* a young man, he taught English in Africa. 若いころ, 彼はアフリカで英語の先生をしていた《◆習性・出来事以外は完了形がふつう》.

as against **A** [通例前にコンマを置いて] …に比べて《◆心理的に相当な違いのある(と思われる)ものを比較する場合に用いる》.

às and whèn (1) いつ. (2) 《略式》いつか, できるだけ早く. (3) …する[である]限り.

*as for **A** …について言えば, …に関する限りでは(《主に英》as to)《◆ (1) ふつう文頭に用い, 前述の人・物・事に関連して, 新しい情報を導く. (2) with regard [reference] to より一般的な語》‖ Mary has several close friends. *As for* John, he seldom associates with anyone. メリーは数人親友がある. ジョンはどうかと言えば, 彼はだれともめったにつき合わない.

às for mè [通例文頭に置いて] 私に関していえば, 私

のごときは《◆この連語では ×as to me とはふつういわない》.

às from A 〔法律・契約などが〕…(の日)から, …以降 (⇒AS of).

as ... go [goes] [as の前に通例コンマを置いて]…としては《◆「平均してみれば」という意味を含み, 善悪の価値判断につけいうことが多い》‖ He is a good doctor, *as* doctors *go* these days. いまの医者としては, 彼はよい医者だ.

*****as if** /əzíf/ [接] (1) 〔仮定法過去〕まるで…であるかのように(as though) ‖ She swims [swam] *as if* she were [《略式》was] a fish. 彼女はまるで魚のように泳ぐ[泳いだ]《⇒文法 9.7》. (2) 〔仮定法過去完了〕まるで…であったかのように(as though) ‖ He speaks [spoke] *as if* he *had seen* the accident with his own eyes. 彼はまるでその事故を自分の目で見たかのように話す[話した]《⇒文法 9.7》《◆時制の一致については⇒文法 10.2(3)》. (3) 〔様態〕…するかのように《◆as if節内の動詞は直説法》《《略式》like) ‖ It looks *as if* we are going to have a shower. どうも夕立がきそうだ / Who is that man behaving *as if* he is in charge? 責任者のようにふるまっているあの男はだれだ / Tim writes *as if* he is [were] left-handed. ティムは左ききのような書き方をする.

as ís 《略式》そのままで, 手を加えないで.

*****às it ís** (1) 〔文脈で〕(だが)実情は(そうでないので), 実際のところは《◆ふつう前述の仮定と対照して用い, 前に but を置くこともある》‖ I'd like to have seen you today. *As it is* (\), I will wait until tomorrow. 今日お会いしたかったのですが, お会いできませんでしたので, 明日まで待ちます. (2) 〔文中で〕現状は, 実際問題としては. (3) 〔文尾・目的語の後で〕そのままにして, そのままの《◆指すものによって it が他の人称代名詞に, is が are とか過去形にも変わる》‖ I'll take it away *as it is*. それはそのまま持って帰ります / Come *as you are*. そのままで[ふだん着で]お越しください.

*****às it wére** [副] いわば《◆so to speak より堅い語》‖ He is, *as it were*, a second Einstein. 彼はいわば, アインシュタインの再来だ.

às of A …の時点で, …現在で(の)〔《主に米》〈日時〉から(as from A)〕《《米》right now, now, at present》/ *As of* midnight tonight, the contract will become effective. 今夜午前0時からその契約は効力を発する.

*****às A, sò B** Aと同様にB; Aと同時にB《◆A, B は節》‖ Just *as* British people enjoy their beer, *so* the Japanese enjoy their sake. イギリス人がビールをたしなむように日本人は酒をたしなむ《◆比較を強調するため just を置くこともある》/ *As* the wind blew harder, *so* did the trees tremble more. 風が強く吹くにつれにわかに木は大きく揺れた《◆so に続く主語と動詞の語順が倒置することが多い. ⇒文法 23.3》.

as though =AS if.

*****às to A** (1) …については(about)‖ I have no complaint *as to* the rent. 家賃については何の不満もない / We are doubtful (*as to*) whether he will win first prize. 彼が優勝するかどうかは難しい《◆wh節・wh句を目的語とする場合, as to は省略することが多い》. (2) 《主に英》〔文脈で〕(先だっての)…について言えば(as for). (3) …に応じて‖ They graded the apples *as to* size and shape. 彼ら

はリンゴを大きさと形で等級づけした.

as you wére 〔軍事〕〔命令として〕元へ《◆元の位置・姿勢に戻させる号令》; 〔前言訂正として〕元へ.

doíng as A dóes このとおり[実際]Aは…しているので《◆as A does は強調のため》‖ Living in luxury *as* he *does*, he won't be able to stand a simple life. あのような贅沢(ぜいたく)な暮らしをしているので, 彼は質素な生活に耐えられないでしょう.

done as A ís このとおり[実際]Aは…されているので《◆as A is は強調のため》‖ *Written*, *as it is*, in easy English, the book is suitable for beginners. このとおりやさしい英語で書かれているので, その本は初学者に適している.

it is nót as if ... …のわけじゃない‖ It is not *as if* I have anything to gain. 何も得することがあるわけじゃない《◆as if 節内が意味上否定される強調的な表現》/ *As if* I cared! 気にしているわけじゃあるまいし, (そんなこと)どうでもいいですよ《◆It is not が省略されることもある》.

As (記号) 〔化学〕arsenic; (略) Asia; Asiatic.

ASA (略) American Standards Association 米国規格協会《◆現在は ANSI》; (ASA の決めた)フィルム感度基準《◆今は ISO という》; 《英》Advertising Standards Authority 広告基準局.

ASAP, asap, a.s.a.p. /éiesèipí:, éisæp, ǽs-/ (略) *as soon as possible*.

as·bes·tos, --tus /æsbéstəs, æz-, 《英+》-təs/ [名] [U] 石綿(布), アスベスト.

†as·cend /əsénd/ [動] [自] ❶〈人が〉登る, 上がる;〈事が〉さかのぼる‖ He *ascended* in a balloon high into the sky. 彼は気球で空高く昇った. ❷〈道などが〉上りになっ(ている), 〈煙などが〉立ち昇る;〈値が〉騰貴する;〈地位・名声が〉上がる‖ The road *ascends* gently here. 道はここからゆるやかな上りだ.
—[他]〈山など〉に登る, 上がる(climb) (↔ descend);〈川・系図など〉をさかのぼる‖ *ascend* a hill [ladder] 丘に[はしごを]登る / *ascend* a river 川をさかのぼる / *ascend* the throne 王位に就く.

as·cen·dan·cy, --en·cy /əséndənsi/ [名] [U] 《正式》〔時に an 〕〔…に対する〕優位, 支配(control) 〔over, in〕.

as·cen·dant, --ent /əséndənt/ [形] 《正式》上昇する (↔ descendant); 優勢な, 支配的な. —[名] [U] 〔通例 the ~〕優勢, 優越, 支配力‖ be in the *ascendant* 支配力を得ている, 優勢である.

as·cend·ing /əséndiŋ/ [形] 上昇する (↔ descending);〔植〕〈葉・茎などが〉斜上する‖ in *ascending* order of difficulty (やさしい方から)難易度順に.

ascénding scàle 〔音楽〕上昇音階.

as·cen·sion /əsénʃən/ [名] ❶ [U][C] 《正式》登る[上がる]こと; 上昇, 昇進《◆ascent がふつう》‖ *ascension* to the throne 即位. ❷ [U] 昇天; 〔the A~〕キリストの昇天; =Ascension Day.

Ascénsion Dày キリスト昇天祭《Easter の40日後の木曜日》.

as·cent /əsént/ [名] ❶ [C][U] 登る[上がる]こと; 上昇 (↔ descent)‖ make a successful *ascent* of Mont Blanc モンブラン登頂に成功する. ❷ [C][U] 騰貴(とうき)(rise), 向上, 進歩; 昇進; (古代への)さかのぼり. ❸ [C] 〔通例 a/the ~〕上り坂[道] (rise).

†as·cer·tain /æsərtéin/ [アクセント注意] [動] [他] 《正式》〔調査・観察などで〕…を確かめる;〔…であることを〕…かどうかを〕確かめる〔*that*節/*wh*節〕; [ascertain **A to be C**] 〈人が〉A〈人・物〉が C であることを確かめる‖ It will take many months to *ascertain* the

as·cet·ic /əsétik, æs-/ 形 苦行の, 禁欲主義の手段としての(宗教的修道の手段としての)苦行, 克己(きっ).

as·cet·i·cism /əsétisìzm/ 名U 禁欲主義[生活]; (宗教的修道の手段としての)苦行, 克己(きっ).

ASCII /æski/ 『American Standard Code for Information Interchange』 名 [コンピュータ] アスキー(コード)《ANSI が定めた情報交換用標準コード》.

as·cot /æskət/ 名C 1 (米) アスコットタイ《スカーフ状にゆるく結ぶネクタイ. (英)では **Ascot tie** ともいう. cf. cravat》. 2 [the A~] アスコット競馬(場)《英国 Berkshire にある. 多くの貴族が参加するので有名. → horse racing》.

as·crib·a·ble /əskráibəbl/ 形 (…の)せいである, (…に)帰せられる(to).

†**as·cribe** /əskráib/ 動 他 《事の原因を[物・事・人に]帰する, 〔…によって〕生じたものとみなす(to)《◆よいことにも悪いことにも用いる. cf. attribute》‖ He *ascribes* his poverty to ⌈bad luck [his parents]. 彼は貧乏なのを不運[両親]のせいにしている / This melody *has been ascribed* to Haydn. この曲はハイドン作とされている.

as·crip·tion /əskrípʃən/ 名U (正式)〔…に/…に〕帰する[原因があるとする]こと《of/to》.

ASEAN, Asean /ǽsiæn/ 『Association of South East Asian Nations』 名 東南アジア諸国連合, アセアン.

a·sep·sis /eisépsis, ə-, æ-/ 名U 無菌(状態);〔医学〕無菌法.

a·sep·tic /eiséptik, ə-, æ-/ 形 1 無菌の;〔医学〕無防腐剤的. 2 無感情な. —名C 防腐剤.

a·sex·u·al /eisékʃuəl, æ-/ 形 1 〔生物〕性別[性器]のない; 無性の ‖ *asexual* reproduction 無性生殖. 2 (正式)性と無関係の.

*****ash**¹ /æʃ/
名 (複 ~·es/-iz/) U 1 (時に ~es; 複数扱い) 灰《火・死・悲惨などの象徴》; [~es] (火事の)灰(がら); 廃墟, 痕跡, 火山灰 ‖ He knocked the *ash(es)* from his cigarette. 彼はこんこんとたたいてタバコの灰を落とした / burn [be burnt, be reduced] *to ashes* 焼けて灰になる / We have ⌈too many *ashes* [too much *ash*] in the fireplace. 炉に灰がたまりすぎている. 2 [~es] (骨を焼いた)灰, 遺骨; (詩)亡きがら ‖ Peace to her *ashes*! 彼女の霊よ安らかなれ.
rise (*like a phóenix*) *from the* [*one's* ⌈*own*⌉] *áshes* 荒廃などから(見事に)復興する.
Ásh Wédnesday 聖灰の水曜日《四旬節(Lent)の初日. 頭に灰をかける風習から》.

ash² /æʃ/ 名C 〔植〕(セイヨウ)トネリコ; U トネリコ材《スキー・バット用》.

*****a·shamed** /əʃéimd/ [→ shame]
—形 (more ~, most ~)〔補語として〕**1** [be ashamed of A]《人が》(道徳的に間違ったことをして面目を失って, 良心の呵責(かしゃく)から)…を恥じている, 恥じ入っている(↔proud); [be ashamed of doing / be ashamed to do / be ashamed that 節]《人が》…したことを[して, …であることを]恥じている ‖ You should *be ashamed of yourself*. 少しは恥を知りなさい / Stop making trouble! I'm *ashamed of you*! いたずらはやめなさい. お前にはあきれるよ / He is *ashamed* ⌈*of* his idleness [*of* having been idle / *that* he was [has been] idle]. 彼は怠けていたことを恥じている / I *am* [feel] *ashamed* for her *that* she is [should be] ignorant of it. それを知らないなんて彼女にはあいそがつきたよ. **2** [be ashamed to do]《人が》…するのが恥ずかしい(と思う); 恥ずかしくて…することができない[したくない] ‖ I *am ashamed to* say that I failed the exam. 恥ずかしいことに試験に落ちました / I *was ashamed to* go out in old clothes. 古い服を着て出かけるのは恥ずかしくて嫌でした《◆実際に外出したかどうかは文脈による》.

[語法] *ashamed* を「てれくさい」「きまりが悪い」に近い「恥ずかしい」の意味に用いるのは不可: ˣ I am *ashamed* of this dress. ⌈This dress is *too* loud for me. (このドレスは派手すぎ(だから恥ずかしい))のように「恥ずかしい」の意は言外に含まれることが多い》.

[使い分け] [ashamed, embarrassed, shy]
ashamed は「悪い行為をしててれくさい, 決まりが悪い」
embarrassed は「へまをしてどぎまぎして恥ずかしい」
shy は「(性格が)恥ずかしがり屋の, 内気な」
nervous は「(人前に出て一瞬)恥ずかしい」
He was *ashamed* [ˣ*embarrassed*] of his son's behavior. 彼は息子の行為のことを恥ずかしく思った.
I was *embarrassed* [ˣ*ashamed*] when I couldn't answer the question. その質問に答えられなくて恥ずかしかった.
He's too *shy* [ˣ*ashamed*] to speak to a girl. 彼は恥ずかしくて女の子に話しかけられない.

†**ash·en** /ǽʃən/ 形 灰色の(ash-colored);《人・顔などが》青白い(pale)《(as) pale as *ashes* ともいう》.

†**a·shore** /əʃɔ́r/ 副 岸に[へ], 浜に[へ], 陸上に[へ](↔aboard)《◆名詞を後ろから修飾することがある》‖ life [service] *ashore* (船員の)陸上生活[勤務] / All the crew went [came] *ashore* at Yokohama. 乗組員は全員横浜で上陸した《◆go, come のどちらを使うかは話し手が横浜にいるかいないかによる》/ run [be driven] *ashore*《船が》座礁する / All *ashóre* that's going *ashóre*! (出航前のアナウンス)お見送りの方は下船してください.

†**ash·tray** /ǽʃtrèi/ 名C (タバコの)灰皿.

ash·y /ǽʃi/ 形 (-i·er, -i·est) 1 灰(だらけ)の. 2 =ashen.

A·sia /éiʒə, (英+) -ʃə/ 〔発音注意〕『「ヨーロッパから見て太陽の昇る東の土地」が原義』派 **Asian** (形・名). —名 アジア(大陸).
Ásia Mínor 小アジア《黒海と地中海にはさまれた半島でトルコの大部分を含む》.

†**A·sian** /éiʒən, (英+) -ʃən/〔発音注意〕 形 アジア(大陸)の; アジア人の(cf. Asiatic) ‖ *Asian* influenza [(略式) flu] アジアかぜ. —名C アジア人.

A·si·at·ic /èiʒiætik, (英+) -ʃi-/ 名 =Asian《

特に人種を示す場合は侮蔑(ﾌﾞ)的な含みがある).

*a・side /əsáid/ /[わき(side)に(a)]/
——副 1 [比喩的に] わきへ, 別にして ‖ speak *aside* 〖演劇〗わきぜりふ〖独白〗で言う / put [set, lay] money *aside for* an emergency 非常用に金をとっておく / Put your tears *aside*. 泣くのをやめなさい. **2** [位置] わきへ[に], かたわらに《◆名詞の後で》, わきを向いて ‖ the man *aside* そばの人 / joking *aside* 冗談は別にして / I stepped [stood] *aside* to let her pass. 彼女が通れるようにわきに寄った / draw [take] him *aside* (内緒話をしようと)彼をわきへ連れていく.

aside from A (1) 〈問題など〉からはずれて, それて ‖ turn *aside from* the topic 本題から脱線する. (2) 《米》〈物・事〉は別として(《主英》apart from). (3) 《米》…を除いては(except for, apart from) ‖ *Aside from* the chilly weather, our vacation was fun. 肌寒い天気を除けば, 私たちの休暇は楽しかった. (4) 《主に米》…に加えて, …のほかに.

——名 ⓒ 〖演劇〗わきぜりふ; (一般に)ひそひそ話, 余談 ‖ in an *aside* わきぜりふで.

as・i・nine /ǽsənàin/ 形 ロバの(ような); 愚かな, 石頭の.

:**ask** /ǽsk | ɑ́ːsk/ 〖「言葉を使って物・事を求める」が本義〗

index 動他 1 尋ねる 2 求める 3 必要とする 4 招待する
自 1 尋ねる 2 求める

——動 (~s/-s/; 過去・過分 ~ed/-t/; ~・ing)
——他 **1a** 〈人が〉〈人〉に[…について]尋ねる《*about*》《◆目的語は語, 句, wh句[節], if節で, that節は不可》(↔ answer) ‖ *ask* him *about* the problem 彼にその問題について聞く.
b [ask A B] 〈人が〉A〈人〉にB〈物・事〉を尋ねる, 問う《◆(1) B は語, 句, wh句[節], if節. (2) inquire, enquire よりくだけた語》[類語] question, interrogate) ‖ *ask* him the way to the station 彼に駅へ行く道を尋ねる / *Ask* him his name. 彼に名前を尋ねなさい / *Ask* his name of [to] him. は不可》/ He *asked* his teacher *how* to solve the problem. 彼は先生にその問題の解き方を尋ねた / I *asked* her *if* she was free. 彼女にひまかどうか尋ねた (="Are you free?" I said to her.) / She *asked* me *who* had caused the accident. 事故を起こしたのはだれかと彼が私に聞いた(=She said to me, "Who (has) caused the accident?") / "Are you hungry?" *asked* my mother. =…my mother *asked*. 「おなかがすいているの」と母が尋ねた.
c 〈人が〉〈物・事〉を尋ねる, 聞く, 問う ‖ *ask* the price [the date of her birthday] 値段[彼女の誕生日]を聞く.
2a 〈人が〉〈人〉に頼む, 請う; 〈物・事〉を求める《◆改まった依頼は request》; [ask A for B =ask B from A] 〈人が〉A〈人〉にB〈物・事〉をくれと頼む; [ask A B =ask B of A] 〈人が〉A〈人〉にB〈事〉を頼む《◆後者の方がふつう》‖ I *asked* his permission. =I *asked* him *for* permission. 私は彼に許可を求めた / *ask too much of* her 彼女に過大な事を要求する / The child *asked* his mother *for* his pocket money. その子供は母親にこづかいをねだった / 対話 "May I *ask* ˈyou (for) a favor [*a favor of you*]?" "Certainly, what is it?" 「ひとつお願いしてもよろしいですか」「どうぞ, 何でしょう」.
b [ask A to do / ask (of A) that節] 〈人が〉〈人〉に…するように頼む, 誘う; [ask to do / ask if 節] …させてほしいと頼む ‖ *Ask* him *to* sweep the room. 彼に部屋を掃除するように言いなさい.

[語法] I *asked* her *to* go. =I *asked* (of her) *that* she (*should*) go. 彼女に行くように言った.
(1) 前者がふつう. 後者は〖正式〗で〖まれ〗. 前者は彼女に頼むのに対して, 後者はふつう彼女以外の人に頼む.
(2) should を用いるのは《主英》.
(3) 主語が不定詞の意味上の主語となって「私は彼女に行かせてくださいとお願いした」の意味の場合もある (cf. beg 他 1).

3 〈物・事〉が〈物・事〉を必要とする, 要求する(require); [ask (A) B] 〈人が〉[…について]〈A〈人〉に〉B〈代金〉を求める[*for*] ‖ The mechanic *asked* 1,000 dollars *for* repairing of my car. 修理工は私の車の修理代に1000ドルを要求した.
4 〈人が〉〈人〉を[場所に]招待する, 招く[*to, for*] ‖ *ask* guests *to* a party 客をパーティーに招く《◆invite の方がふつう》/ *ask* him *in* [up, down, out, over, around] *for* [to] dinner 《略式》彼を夕食に招く《◆in [up, down] は「中に入る[階上へ上がる, 階下へ下りる]ようにすすめる」意》/ *ask* her *out* 彼女をデートに誘う.

——自 **1** 〈人が〉[人・物・事について]尋ねる, 聞く [*about*] ‖ *ask back* [*against*] 問い返す / *ask about* a matter 事柄について聞く / Mary *asked* about you when I met her yesterday. きのうメリーに会ったらきみのことについて聞いていたよ(きみが元気でいるかと聞いていたよ).
2 [ask for A] 〈人が〉〈物・事・人〉を求める《◆修飾語(句)は省略できない》‖ *ask for* advice [the mayor] 忠告[市長への取次ぎ]を求める / The workers *asked for* a pay increase. 労働者は給料を上げるよう要求した.

ásk áfter A(ˈs **héalth**) 〈人〉は元気かと尋ねる; 〈人〉の容態を(手紙などで)聞く.
ásk aróund 自 いろいろ聞いて回る.
ásk for A (1) → 自 **2**. (2) 〈人〉の消息などを尋ねる《略式》ask after.
ásk for it [*tróuble*] 〖災い・怒りなどを自ら招く〗《略式》自業自得である, 身から出たさびだ ‖ You're (just [really, simply]) *asking for it* when you come home too late. 帰宅が遅すぎるととんだことになるよ.
if you ásk me 言わせてもらえば ‖ I think they sold you some shoddy goods *if you ask me*. 私に言わせれば君は不良品をつかまされたのだよ.
(**Wéll,**) **I ásk you!** 《略式》(へぇー)そんなの信じられるかい, こんなばかな話ってあるかい.

†**a・skance** /əskǽns, 《英+》-skɑ́ːns/, **a・skant** /əskǽnt, 《英+》-skɑ́ːnt/ 副 **1** 不信の念をもって, 不賛成の様子で ‖ look *askance* at the offer of help 援助の申し入れを疑いの目で見る. **2** 横目で; 斜めに.

a・skew /əskjúː/ 副 斜めに, ゆがんで; 怪しんで ‖ wear one's hat *askew* 帽子を斜めにかぶっている / look *askew* at him 彼を(軽蔑(ﾍﾞﾂ)して)横目で見る.

ask・ing /ǽskiŋ | ɑ́ːsk-/ 名 Ⓤ 求めること, 請求 ‖ It's yours *for the ásking*. 請求[望み]さえすれば無料でさしあげます.

ásking price 言い値, (売り主の)提示価格.

*a·sleep /əslíːp/
——形《比較変化しない》[補語として] **1 a** 眠って(いる)(↔ awake) ‖ *awake or asleep* 寝てもさめても / The tired boy is *fast* [*sound*] *asleep*. 疲れた少年はぐっすり眠っている / I *fell* [*sound*] *asleep during* (*the*) *class*. 私は授業中(ぐっすり)寝入ってしまった (cf. go to sleep) / *the old man asleep* 眠っている老人 (= the *sleeping* old man) (→文法 17.3(2)).

〘語法〙 名詞の前で用いるときは sleeping を用いる. 副詞を伴えば限定的にも用いる: a *sleeping* [ˣan *asleep*] *baby* 眠っている赤ん坊 / a *half-asleep child* 半ば眠っている子供.

〘使い分け〙 [take a nap と fall asleep]
take a nap は「(疲れてひと休みするために)少し眠る」の意.
fall asleep は「(ついうとうとして)居眠りをする」の意.
I *fell asleep* [fell into a doze, ˣtook a nap] when I was riding on the train. 電車の中で居眠りをした.

b 永眠して(いる)《◆ dead の遠回し語》.
2《手足などが》無感覚で(numb);《こま・帆が》静止状態になって;不活発で ‖ My hand is *asleep*. 片手がしびれている.　**3**《略式》不注意な,怠慢な.
†asp /ǽsp/ 名 C 【動】エジプトコブラ《北アフリカ・アラビア産の有毒ヘビ》.
ASP /ǽsp/《略》Anglo-Saxon Protestant 白人新教徒階級《◆米国の中流・上流階級の代表. cf. WASP》; American Selling Price (System) アメリカン・セリング・プライス《米国での輸入課税》.
ASPAC /ǽspæk/ 〖*A*sian and *P*acific *C*ouncil〗 名 アジア太平洋協議会.
†as·par·a·gus /əspǽrəgəs/ 名 (複 **as·par·a·gus·es**) U【植】アスパラガス; その芽《◆食用. 数えるときは a *bunch* [*stalk, piece*] *of asparagus* という》.

*as·pect /ǽspekt/〖原義「…を(a)見る(spect)」から「外見上の特徴」が本義. cf. expect, inspect〗
——名 (~s/-pekts/)
1 C《物・事の》外観, 様子, 光景;《ある時点での》形勢, 状況, 局面, 側面 ‖ change the *aspect* of a town 町の外観を一新する / assume [take on] a new *aspect* 新局面を呈する / the absurd *aspects* of life 人生の不条理な面 / consider a problem *in all its aspects* = *from every aspect* 問題をあらゆる面から考える.
2 C [通例 an ~]《家などの》向き, 側, 方位 ‖ The villa has *a* southern [south-facing] *aspect*. その別荘は南向きだ (= The villa faces south.).
3 C U《正式》[単数形で]顔つき, 表情, 容貌(ʰ)(appearance) ‖ a man *of* [*with*] (a) serious *aspect* 深刻な顔つきの人 / be stern *in aspect* きびしい風貌の人.
4 U C《文法》相, アスペクト《進行相・完了相など》.
áspect rátio 縦横[画面]比;《テレビ・映画の》画面比, 画面比率.

as·pen /ǽspən/ 名 C【植】アスペン (aspen tree)《◆ポプラの類. 微風でもカサカサ音を立てる》‖ tremble like *aspen* leaves 《アスペンの葉のように》ぶるぶる震える.

as·per·i·ty /æspérəti/ 名《正式》**1** U《気質・言動の》荒々しさ; C [通例 asperities] 辛辣(ʱʱ)な言葉.　**2** U [通例 asperities]《気候・境遇などの》きびしさ.
as·per·sion /əspə́ːrʒən|-ʃən/ 名 C U《正式》[通例 ~s]《…に対する》非難, 中傷(on, upon) ‖ cast *aspersions on* [*upon*] him 彼を中傷する.
†as·phalt /ǽsfɔːlt|-fælt/ 名 U アスファルト.
——動 他《道路》をアスファルトで舗装する.
ásphalt júngle《略式》生存競争のきびしい大都会《都会で》暴力の横行する地区.
as·phyx·i·a·tion /æsfíksiéiʃən/ 名 U 窒息させること, 仮死状態にすること; 窒息; 気絶.
as·pic /ǽspik/ 名 U 肉汁ゼリー《添え物または鳥肉・魚・卵などを包み固めて前菜として用いる》.
†as·pir·ant /ǽspərənt, əspáiər-/ 名 C《正式》大望を抱く人;《名声・地位などを》熱望する人《for, after, to》. ——形 大志を抱く, 向上的な.
as·pi·rate 名 形 /ǽspərət/; 動 /ǽspəreit/ 名 C【音声】気(息)音, 帯気音《子音の後, 母音の前にある /h/ の音》;《ギリシア語の》気息音符《῾》. ——形 気(息)音の, 帯気音の. ——動 他【音声】**1**《語・音節》を気音で発音する.　**2** [医学] **a**…を吸い出す[込む], 吸引する.　**b**《異物》を体内に吸引する.
†as·pi·ra·tion /ǽspəréiʃən/ 名 **1** U C《…に対する・…したいという》切望, 抱負, 向上心, 大志《for, to, after, toward / to do》; C 熱望の対象 ‖ have *aspirations* [an *aspiration*] *after* [*for*] honor 名誉を熱望している / her *aspiration* to attain a goal 目標を達成したいという彼女の熱望.　**2** U 吸気, 呼吸;【音声】気息音(法);【医学】吸引.
as·pi·ra·tion·al /ǽspəréiʃənl/ 形《人が》上昇志向の;《人々が》上昇志向の人々にアピールする《◆新聞用語》.
†as·pire /əspáiər/ 動 自《人が》《人・事・物を》熱望する, 求める《to, after》;《…することを》切望する(aim)《to do》‖ *aspire after* [*to, for*] fame = *aspire to* be famous 名声を熱望する / *aspire* to high honors 高い栄誉にあこがれる.
as·pi·rin /ǽspərin, ǽspərən/ 名《薬学》アスピリン; C アスピリン錠《◆もと《商標》. 鎮痛・解熱剤》.
†ass[1] /ǽs/ 名 C **1**《古》ロバ《◆この意味では donkey がふつうの語. 馬より小さく不格好なことから愚かさの象徴とされる. 鳴き声は bray》‖ a heavily loaded *ass* どっさりと荷を積んだロバ.　**2**《英+》/ɑ́ːs/《略式》ばか, とんま; がんこ者 ‖ a pompous *ass* 大ばか / What *an ass!* 何てばかなんだ!
máke an áss of A 《人》をばかにする.
máke an áss (óut) of oneself 《略式》ばかなまねをする.
ass[2] /ǽs/ 名 C《米性俗》けつ, 尻;《英性俗》arse).
áss kisser《米俗》ごますりをする人《◆今は apple-polisher がふつう》.
†as·sail /əséil/ 動 他《正式》《人・物》を《激しく》攻める, 襲撃する (attack);《人》を《議論・暴力などで》激しく攻めたてる; [通例 be ~ed]《考え・感情で》悩む《with, by》‖ *assail* a fortress 要塞(ʱʱ)を襲う / *assail* the speaker *with* many questions 演説者をたくさんの質問で責めたてる.
as·sail·ant /əséilənt/ 名 C《正式》襲撃[攻撃, 加害]者; 敵.
†as·sas·sin /əsǽsən/ 名 C《正式》《大統領などの》暗殺者, 刺客.
†as·sas·si·nate /əsǽsəneit/ 動 他 **1**《支配者・政治家などを》暗殺する.　**2**《名誉・人格などを》《卑劣な手段で》傷つける.
†as·sas·si·na·tion /əsǽsənéiʃən/ 名 U C **1** 暗殺.

2 (人格などへの)攻撃, 中傷.
as·sas·si·na·tor /əsǽsəneɪtər/ 名 C 暗殺者.
†as·sault /əsɔ́ːlt/ 名 C (人・物に対する)(突然の)激しい襲撃, 攻撃; 非難[on, upon, against]; C U 〔法律〕暴行; 婦女暴行(◆rape の遠回し語) ‖ *make an assault on* [*upon*] *a castle* 城を襲撃する / *come under assault* 攻撃を受ける / *take* [*carry*] *a city by assault* 強襲して都市を占領する / *assault and báttery* 〔法律〕脅迫暴行 / *indecent assault* 〔法律〕強制わいせつ罪.
——動 …を(突然)激しく襲撃[非難]する; …に暴行を働く; 〈婦女〉を暴行する(rape) (→).
assáult cóurse (英)練兵場, 軍事教練場((米) obstacle course).
†as·say /動 æséi; 名 æsei | əséi/ 動 他 **1** 〈鉱石・金属などを(含有量を知るため)分析検査[試金]する; 〈薬品など〉を分析[評価]する. **2** (文)〈事を試みる.
——名 C (鉱石などの)試金, 分析, 検査; 〈鉱石・薬品などの)分析物[表] ‖ *make an assay of an ore* 鉱石を分析する.
†as·sem·blage /əsémblɪdʒ/ 名 U (正式) (人が)集まること; (機械部品などの)組み立て; 寄せ集め芸術.
†as·sem·ble /əsémbl/ 動 **1** 〈人が〉〈複数の人〉を (ある目的のために)集める, 集合させる(bring together); 〈会など〉のメンバーを招集する; 〈物〉を(集めて)整理する ‖ *assemble* a committee [party] 委員会[パーティー]を開く / All the workers at the factory *were assembled* for a strike. 工場の労働者は全員ストライキをするために集まった. **2** 〈人が〉〈機械など〉を組み立てる(put together); [*assemble* A *into* B = *assemble* B *from* A] 〈人が〉A〈部品など〉を[から]B〈機械〉に組み立てる ‖ How long does it take to *assemble* an entire car? 車1台組み立てるのにどのくらい(日数が)かかりますか / He *assembled* parts *into* a TV set. =He *assembled* a TV set *from* parts. 彼は部品からテレビを組み立てた. **3** 〔コンピュータ〕〈プログラム〉をアセンブリ言語に翻訳する.
——自 **1** 〈人が〉(…に)集まる(gather) [in] ‖ All the pupils *assembled* in the playground. 全校生徒が運動場に集まった. **2** 〈物が〉組み立てられる.
as·sem·bler /əsémblər/ 名 C 〔コンピュータ〕アセンブラ《アセンブリ言語を機械語に変換するプログラム》.
†as·sem·bly /əsémbli/ 名 **1 a** C U (ある目的の)集り, 集合; (特に討議のための)集会, 会合(◆ assemblage より一般的な語)[類語] meeting, gathering) ‖ the city *assembly* 市議会 / an illegal *assembly* 不法集会. **b** [しばしば the A~; 単数・複数扱い] 立法議会; (米)ネブラスカを除く州議会の下院 ‖ the (United Nations) General Assembly (国連の)総会 / (米)州議会 / the Legislative Assembly (英)(植民地議会の)下院 / the National Assembly (フランスの)国民議会. **2** U (機械の)組み立て; C 組み立て(部品) ‖ the *assembly* of a radio set ラジオの組み立て[部品]. **3** U 〔コンピュータ〕アセンブリ《プログラムをアセンブリ言語に翻訳すること》.
assémbly hàll (学校などの)集会場; 議場, 会館; (飛行機の)組み立て工場.
assémbly line (大量生産の)流れ作業(列), 一貫作業員列.
assémbly pòint (地震・火災などの)避難場所.
as·sem·bly·man /əsémblimən/ 名 (女性形) –wom·an) C (米)議員; (州議会の)下院議員((PC) assembly member) (cf. senator).
†as·sent /əsént/ 動 (正式) 〈提案・意見などに〉…すること](よく考えたあとで)同意する, 賛成する(agree) [to / to do(ing)] (↔ dissent) ‖ *assent to* a proposal [plan] 提案[計画]に賛成する / *assent* to go [going] there そこへ行くことに同意する.
——名 U (正式) (…に対する)同意, 賛同, 承諾 (agreement)[to] ‖ *in assent* 同意して / *with óne assént* =*by general assent* 満場一致で, 異議なく / She *gave* her reluctant *assent to* the arranged marriage. 彼女はその見合い結婚にしぶしぶ同意した. / *nod assent to it* =give a nod of *assent to it* うなずいてそれに賛成する.

***as·sert** /əsə́ːrt/ 〔一方へ(as)結びつける(sert). cf. desert²〕 (祈) assertion (名)
——動 (~s/əsə́ːrts/〈過去・過分〉~·ed/-ɪd/; ~·ing)
——他 **1** 〈人が〉〈正当性など〉を(証拠はないが自信をもって)断言する, 言い張る; [*assert* (that)節]〈人が〉…ということを断言[主張]する[類語] affirm, allege, declare, maintain, protest) ‖ Can you really *assert that* the suspect is innocent? 容疑者は無罪であると本当に断言できますか / He *asserts that* his words are true. 彼は自分の言ったことは事実だと断言している. **2** 〈無罪・要求など〉を主張する, 擁護する(insist on); 〈権力など〉を(強引に)行使する. **3** [~ oneself]〈人が〉自分の権利[意見など]を主張する; でしゃばる, 我を張る; 〈天分などが〉現れる ‖ Minority groups can *assert themselves* nowadays. 少数派の人たちも今では自己主張できる.
†as·ser·tion /əsə́ːrʃən/ 名 U C 断言; 言言, 断定, 所説 ‖ make an *assertion* 主張する.
as·ser·tive /əsə́ːrtɪv/ 形 断定的な, 独断的な; 我の強い ‖ an *assertive* person 強引な人, 強情に言い張る人 / speak in an *assertive* tone 断定的な調子で話す. **assértive séntence** 〔文法〕断定文《◆ declarative sentence (平叙文)ともいう》.
as·sér·tive·ly 副 断定的に.
as·sér·tive·ness 名 断定[自己主張]すること.
†as·sess /əsés/ 動 他 **1** 〈人が〉(課税のため)〈財産・収入・損害など〉を算定する(estimate); 〈税金・罰金などを〉〈金額〉と査定する; …の(性質・価値)を[…と]評価する(evaluate) [*at*] ‖ *assess* his property *at* 1,000,000 [its true worth] 彼の財産を100万ドルと算定する[真価どおりに評価する]. **2** 〈人・状況など〉を熟慮判断する《◆目的語は wh 節も可》. **3** 〈税金・寄付金・会費などを〉〈人・物に〉課す[割り当てる] (lay) [on, upon]; 〈金額〉を〈人に〉課す[at, in] ‖ *assess* a sales tax *on* the people 国民に消費税を課す.
as·séss·a·ble 形 課税[評価]できる.
†as·sess·ment /əsésmənt/ 名 C U (財産・収入の)査定, 評価; 税額の決定; (財産・収入に対する)課税; 見積もり, 予想; C 査定[評価]額; (罰金の)割り当て額; (事態に対する)意見, 判定 ‖ do an environmental *assessment* 環境アセスメント[影響評価]を行なう.
as·ses·sor /əsésər/ 名 C (税額・財産などの)査定人, 評価人, (英)(保険)損害査定人((米) expert witness); 補佐役.
†as·set /ǽset/ 名 C **1** (狭義)財産; (広義) [通例 an/one's ~] (…にとって)有用[有利, 貴重]なもの[人]; 強味, 利点, 宝 [*to, for*] ‖ Honesty is *a* great *asset to* him. 正直さが彼の大きなとりえだ. **2** [商業] [通例 ~s; 修飾語を伴って] (個人・会社の)財産, 資産, (↔ liabilities); ((不)動産・証券・金銭などの)目録 ‖ *assets* and liabilities (貸借対照表の)資産と負債 / fixed [permanent] *assets* 固定資産 /

current [liquid, floating] *assets* 流動資産.

as·set-strip·ping /ǽsetstrìpiŋ/ 名U〔商業〕資産剝奪.

as·si·du·i·ty /ǽsidjú(ː)əti/ 名〔正式〕1 U 勤勉, 精励. 2 [assiduities][〜への]配慮, 心づくし{to}.

as·sid·u·ous /əsídʒuəs/ 形〔義務・仕事などに〕根気強い, 勤勉な；配慮が行き届いた(careful)[in] ‖ an *assiduous* student 勤勉な学生. **as·síd·u·ous·ly** 副 根気強く, こつこつと. **as·síd·u·ous·ness** 名 U =assiduity 1.

†**as·sign** /əsáin/ 動 他 1〈人が〉〈物・事〉を割り当てる；[assign A B =assign B to A]〈上位の人が〉A〈人〉にB〈仕事・場所など〉を割り当てる(give) ‖ They *assigned* him much work [much work *to* him]. =Much work was *assigned to* him. 彼は多くの仕事を割り当てられた. 2〈団体などが〉〈人〉を[地位・任務・部署に/…として]任命する(appoint)[to, for / as]；…を[…するように]選任する[to do] ‖ *assign* her for a new duty [to perform a new duty] 新しい任務に彼女を任命する / Five secret policemen were *assigned to* guard the president. 5人の秘密警官が大statue統領の警護に割り当てられた. 3〈人が〉[…の]〈日時など〉を指定する(fix)[for, to]；〈限度など〉を[…に]設ける[to] ‖ *assign* a day for a meeting [marriage] 会合[結婚式]の日取りを決める / *assign* a limit *to* our discussion 討論に制限を設ける. 4〈物・事〉の理由・動機などを[…に]帰する[to](◆attribute, ascribe が一般的な語) ‖ *assign* one's failure *to* one's poverty 失敗を貧乏のせいにする. 5〔法律〕〈財産・権利など〉を〈人〉に委託する[to]. — 名 C〔法律〕〔通例 〜s〕(財産などの)譲り受け人.

as·sign·a·ble /əsáinəbl/ 形〔正式〕1 割り当てうる, 〔法律〕譲渡されうる. 2 […に]帰すべき, 原因する[to] ‖ Her success is *assignable to* her diligence. 彼女の成功は勤勉によるものだ.

†**as·sig·na·tion** /ǽsignéiʃən/ 名 U C〔恋人との〕密会(の約束)(appointment)[with].

***as·sign·ment** /əsáinmənt/ — 名(複 〜s/-mənts/)〔正式〕1 a U(仕事・任務などの)割り当て；C 割り当てられた仕事[任務](duty). b C(米)宿題(homework), 研究課題 ‖ a biology [history] *assignment* 生物[歴史]の宿題. 2 U C(日時・場所などの)指示, 指定. 3 U〔法律〕(財産などの)譲渡, (権利などの)委託(証).

†**as·sim·i·late** /əsíməlèit/ 動 他 1〈食物など〉を消化[吸収]する(digest)；〈考え・知識など〉を(徐々に)理解[吸収]する(absorb) ‖ *assimilate* food 食物を消化する / *assimilate* computer language コンピュータ言語を理解する / *assimilate* what I have read 読んだものを自分のものにする / *assimilate* European civilization 西欧文明を吸収する. 2 a …を同化する, 融合する(fuse)；〔生理〕〈動物・植物〉が…を同化する；〔音声〕…を同化[類化]する(◆give me の [v] の音が後の [m] の音に同化して gimme となるなど). b〈言語・文化・民族など〉を[他の…に]同化する, 融合する[to, into]；〈物・事〉を[…と]一致させる, 一様にする[to, with] ‖ *assimilate* oneself [one's way of thinking] *to* [*into*] new surroundings 自分自身[考え方]を新しい環境に合わせる / The immigrants were *assimilated with* the natives. 移民は先住民に同化した.
— 自 1〈食物など〉が消化される. 2(米)〈人・物事〉が…と同化する, 一様になる, 一致する[to, into, with] ‖ one substance *assimilating to* [*with*] another 他の物質と同化する物質.

†**as·sim·i·la·tion** /əsìməléiʃən/ 名 U(人種・文化などの)同化, 融合；〔生理〕(動植物の)同化(作用)；(食物の体への)消化, 吸収(↔ dissimilation)；〔音声〕同化, 類化.

†**as·sist** /əsíst/ 動 他〔正式〕1〈人が〉〈人〉を(補助的に)助ける, 手伝う(help)；〈人が〉〈人〉を助ける[in, with]；[assist A in doing]〈人が〉A〈人〉が…するのを手伝う(→ aid 1a 類語) ‖ *assist* a handicapped boy into a wheelchair 体の不自由な少年が車椅子に乗るのに手を貸す / *assist* him *with* money 彼に金銭的援助をする / *assist* him *in* his business 彼の事業を助ける / He *assisted* me *in* building the wall by handing me bricks. 彼はレンガを手渡して私が壁を造るのを助けてくれた. 語法「人を[困難・危険などから]助ける」意では assist は不正: "Help [×Assist] me!"(溺れている人が)「助けて!」(→ aid 1a 類語). 2〈物・事〉が…を促進する, の助けとなる ‖ Rest *assists* digestion. 休息は消化を促進する.
— 自〔正式〕〈人・事〉が(仕事などを)(補助的に)助ける, 手伝う(help)[in, with].

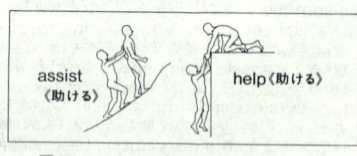

assist (助ける)　　help (助ける)

— 名 C 助力, 援助；〔スポーツ〕(得点の)補助プレー, アシスト.

***as·sis·tance** /əsístəns/ — 名〔正式〕1 U […のための/…での/…する]手伝うこと；援助, 助力(help)[for / with / in doing, to do] ‖ economic *assistance*(政府間の)経済援助《◆新聞の見出しでは aid がふつう》/ Nobody came [went] to her *assistance*. 誰も彼女を助けに来なかった[行かなかった]《◆her は目的格関係を表す所有格. cf. Nobody assisted her.》/ give [render] *assistance to* him 彼を援助する / Can I be of any *assistance*? 何かお役に立てることはありますか《◆男性が知らない女性などに対して用いる》. 2 C(まれ)〔集合名詞〕列席者.

***as·sis·tant** /əsístənt/ [→ assist]
— 名(複 〜s/-tənts/) C 1[…の]助手, 補佐役, アシスタント[to](略 Asst., asst.) ‖ serve as *assistant to* Professor Brown ブラウン教授の助手をつとめる《◆as の後の無冠詞名詞については → a 前1》/ *Assistant to* the President(米国の)大統領補佐官. 2(英) =shop assistant. 3 補助になるもの, 補助手段.
— 形[名詞の前で]援助[助力]の；補助の, 副… ‖ an *assistant* manager 副支配人 / an *assistant* secretary 書記官補.

assístant clérk 書記補；(米)次官補.
assistant proféssor《主に米・カナダ》助教授(→ professor 事典).

†**as·sis·tant·ship** /əsístəntʃìp/ 名 C(教授の手伝いをする大学院生に対する)助手手当て.

as·so·ci·a·ble /əsóuʃiəbl/ 形[…に]関連[関係]づけられる[with]；[…に伴って]連想される[with].

***as·so·ci·ate** /動 əsóuʃièit, -si-|-si-, -ʃi-；名 形 əsóuʃiət, -si-|-si-, -ʃi-[…(as)結び(soci)つく(ate). cf. *social, society*] 派 association(名)

—— 動 (~s/-ěits/; 過去・過分 --at·ed/-id/; --at·ing)

—— 他 **1**〈人が〉〈人・物・事を〉連想する; [associate **A** with **B**]〈人が〉**A**〈人・物・事〉で**B**〈人・物・事〉を思い出す, **A** と **B** を結びつけて考える《◆ connect の方が一般的》‖ We *associate* the name of Lincoln *with* the Civil War. リンカーンといえば(米国の)南北戦争を思い出す / The skull and crossbones *are associated with* pirates. 頭蓋(がい)骨と2本の交差した骨の図を見ると海賊を思い出す.

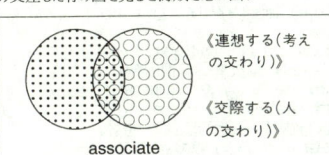

《連想する(考えの交わり)》

《交際する(人の交わり)》

associate

2 …を[…の]仲間に加える, …を[…に]連合[関係]させる[*with*] ‖ *associate* oneself *with* the political movement 政治運動に参加する / She was *associated with* me in business. 彼女は私と一緒に事業をしていた(=She was my business *associate*.).

—— 自 《正式》〈人が〉[好ましくない人と]交際する, 提携する[*with*] ‖ Don't *associate with* that family. その家族と付き合うな.

—— 名 -/-ʃiət, -si-/ © **1**(共通の利益・目的・事業などの)仲間, 友人(co-worker), 同僚(colleague), 〔会社などの〕提携者(partner), (同じ)組合員[*in*]. **2**(団体・学会などの)準会員(associate member); 〔しばしば A~〕(短大卒などの)準学士.

—— 形 -/-ʃiət, -si-/[名詞の前で] **1** 連合した, 仲間の. **2** 準…, 副….

Assóciated Préss [the ~] AP 通信社(略) AP)《◆ UPI と共に米国2大通信社》.

assóciate proféssor 准教授《◆ professor と assistant professor の間(→ professor 事情)》.

***as·so·ci·a·tion** /əsòusiéiʃən, -ʃi-/ [『→ associate]

—— 名 (複 ~s/-z/) **1 a** ©〔単数・複数扱い〕(共通の目的のための)協会《◆ society より一般的》, 組合, 団体, 会社 ‖ the *Association* of Southeast Asian Nations 東南アジア諸国連合(略) ASEAN); the Young Men's [Women's] Christian *Association* キリスト教青年[女子青年]会(略) YMCA [YWCA]). **b** ⑪《正式》[…との]連合, 合同, 提携(partnership); 交友(friendship)[*with*] ‖ his close *association with* the president 彼の大統領との親交 / *in association with* him 彼と協力して((略式) together with him).

2 a ⑪ 連想する[される]こと; © 連想(されるもの); 〔数学〕結合; 〔化学〕会合 ‖ This letter awakens a lot of *associations*. この手紙はたくさんのことを連想させる. **b** © 関係, つながり, 結びつき(connection) ‖ a close *association* between A and B AとBとの密接な関係 / Experts have found an *association* between poverty and crime. 専門家は貧困と犯罪との間に結びつきがあることを発見した.

3 ⑪ =association football.

assóciation bòok [còpy]《米》(名士などが書き入れた)手沢(たく)本.

assóciation fóotball《英正式》サッカー((略式)) soccer).

†**as·sort** /əsɔ́ːrt/ 動 《正式》 他 **1**〈物・事を〉[…に]類別[分類]する(classify, divide)[*into*], 組み[詰め]合わせる ‖ *Assort* the cards *into* three piles. カードを3つの山に分類しなさい. **2**〔通例 be ~ed〕〈品物が〉[店に]各種取りそろえてある[*at*]. —— 自〈物・事が〉[…と]合う(harmonize)[*with*].

as·sort·ed /əsɔ́ːrtid/ 形 **1** 分類[仕分け]された, (用途・好みに応じて)組み合わせた; 各種取りそろえた; 雑多な ‖ *assorted* biscuits [cakes] ビスケット[ケーキ]の詰め合わせ. **2**《正式》[複合語で] …な組み合わせの, …に調和した ‖ a well-*assorted* couple [pair] 似合いの夫婦[ふたり].

as·sort·ment /əsɔ́ːrtmənt/ 名 **1** ⑪ 類別, 分類. **2** © 各種取りそろえた[詰め合わされた]物; [an ~ of + © 名詞複数形] 各種の[いろいろな]物[人].

asst., Asst.(略) assistant.

†**as·sume** /əs(j)úːm/ 動 他 **1**〈人が〉〈事を〉(明確な証拠はなくても)想定する, 憶測する, …は本当に[確か]だと思う; [assume **A** to be **C**]〈人が〉**A**〈人・物・事〉を **C** ととる, **C** であるとみなす《◆ **C** は名詞・形容詞》; [assume (that)節] …だと思いこむ《◆根拠のある推論には think を用いる》‖ I *assume* "his honesty [him *to be* honest]. =I *assume* (*that*) he is honest. =He is honest, I *assume*. 私は彼を正直だと思う《◆ I assume は文頭・文中・文尾のいずれにも用いる. →文法 23.4)》/《対話》"Are you going fishing next Sunday?" "Probably." "If you don't call me, I'll *assume that* you are."「来週の日曜日に釣りに行きますか」「たぶん」「もしあなたから電話がなければ, 行かれるものと思っておきます」. **2**〈人が〉〈責任〉をとる, 〈(重要な)役目・任務・責任・統制・掌握など〉を引き受ける(undertake) ‖ *assume* office 就任する / *assume* the chair 議長職につく / *assume* full responsibility for it その全責任を負う. **3**〈態度〉をとる (put on); 〈習慣・言行・衣服など〉を身につける; 〈物が〉〈様相・性質など〉を帯びる(take on) ‖ *assume* a good habit よい習慣をつける / *assume* a rude attitude [a haughty air] 失礼な態度をとる / *assume* the offensive 攻撃に出る / The question began to *assume* a new character. その問題は新しい性格を帯び始めた. **4**〈態度・性質など〉を(悪意から)装う, …の[…する]ふりをする (to do)《◆ do は be, have などの状態動詞》(→ affect[2]) ‖ *assume* a look of surprise [a surprised look] =*assume to* be surprised 驚いたふりをする. **5**《正式》〈権力・他人の物など〉を我が物にする, 横領する ‖ *assume* her identity [voice] 彼女の名をかたる[声色(こわいろ)を使う].

***as·sum·ing [as·súme] (that)**《正式》[しばしば後に疑問文を従えて] …と仮定して, …とすれば(if) ‖ *Assuming that* my flight is on time, I'll be home by this time tomorrow. 私の飛行機が時間通りなら, あしたの今ごろは家に着いている(→文法 4.1(4)).

as·sumed /əs(j)úːmd/ 形 **1** 装った, 見せかけの ‖ under an *assumed* name 偽名を使って. **2**(当然のことと)仮定した, 仮の; 予定の ‖ an *assumed* settling day 〔商業〕仮決算日.

†**as·sump·tion** /əsʌ́m(p)ʃən/ 名 ⑪© **1**(証拠なしに)当然のことと考えること, 思い込み; 〔…という〕想定, 前提, 推定(*that*節); 〔論理〕(三段論法の)小前提 ‖ accept (a) mere *assumption* 単なる憶測を認める / (based) *on the assumption that* the rumor is true うわさが本当だという仮定[推定]のもとに. **2**《正式》(任務・責任などを)引き受けること; 就任; (権力

の)掌握(しょうあく), 横領 ‖ the *assumption* of the presidency 大統領就任 / the army's *assumption* of power 陸軍が権力を握ること. **3** 〖正式〗〖態度などを〗とること,〖様相・性質などを〗帯びること. **4** 〖正式〗〖態度・性質などを〗装うこと,見せかけ ‖ *put on an assumption* of indifference 無関心を装う. **5** [the A~] 〖カトリック〗 聖母被昇天(祭) 《8月15日》.

†**as·sur·ance** /əʃúərəns│əʃɔ́ː-/ 图 **1** C 〈…について の/…という〉保証, 請け合い, 約束〔*of*/*that* 節〕 ‖ In spite of all her *assurances*, she broke her promise. 必ず約束を守るといっておきながら, 彼女は約束を破った / I give you my *assurance that* I shall pay you on time. 期日までに支払う事を請け合います〔きっとそうします〕. **2** U 〈…についての/…という〉確信(confidence)〔*of*/*that* 節〕; *with assurance* 確信をもって / I have full *assurance* ˹*of* her success [*that* she will succeed]˺. 彼女の成功を十分確信している(=I'm sure she'll succeed.). **3** U 〔しばしば self-assurance〕 (強い)自信; 落ち着き ‖ *have the assurance to* do so 厚かましくもそうする. **4** U 〖主に英〗(生命)保険(insurance) ‖ life *assurance* 生命保険《◆〖英略式〗では生命保険以外は insurance》.

 make assúrance dóubly [*dóuble*] *súre* 念には念を入れる.

†**as·sure** /əʃúər│əʃɔ́ː-/ 動 他 〖正式〗 **1** 〈人が〉〈自信をもって〉〈人に〉保証する, 確かに〈…だと〉言う(*that*)節); [assure **A** (*of*) **B**] 〈人・物・事が〉〈人〉に〈B〈物・事〉〉を保証する, 請け合う ‖ I *assure* you (*of*) her sincerity. =I *assure* you (*that*) she is sincere. 彼女が誠実なことを保証します(=Assuredly, she is sincere.). 〖対話〗 "Be careful. That looks dangerous." "Don't worry. I *assure* you I know what I'm doing." 「気をつけて. 危なそうだわ」「心配しないで. 自分が何をしているかよくわかっているから」. **2** [be assured *that* 節] …だと確信する; 〈人が〉〈人に〉確信させる; 〈保証して〉〈人に〉を安心〔納得〕させる(convince); [assure **A** *of* **B** / assure **A** *that* 節] 〈人・物・事が〉〈A〈人〉〉に〈B〈物・事〉〉を〔…だと〕確信させる ‖ I *am assured* [I *assure* myself] ˹*of* his innocence [*that* he is innocent]˺. 私は彼が無罪だと確信している(=I'm sure that …) / I (can) *assure* you (*that*) she will come. 彼女はきっとここへ来ますよ《◆I (can) *assure* you は挿入的に文頭・文中・文尾のいずれにも用いる. → 文法 23.4(1)》. **3** 〈物・事が〉〈物・事〉を安全〔確実〕にする《◆ ensure の方がふつう》 ‖ This *assures* his success in the examination. これで彼が試験に合格するのはまちがいなしだ. **4** 〖主に英〗〈人・人命〉に保険をかける(insure) ‖ *assure* one's life with [in] the company その会社の生命保険に加入する.

†**as·sured** /əʃúərd│əʃɔ́ːd/ 形 **1** 保証された, 確かな ‖ an *assured* position 保証された地位 / an *assured* income 確実な収入. **2** 〔しばしば self-assured; 時に反語的に〕〈態度などが〉自信のある, 自信たっぷりの, 厚かましい ‖ in an *assured* manner 自信満々の〔ずうずうしい〕態度で. **3** 〖主に英〗[the ~] 被保険者.

†**as·sur·ed·ly** /əʃúərid li│əʃɔ́ː-/ 副 **1** 〖正式〗 〖文全体を修飾〗確かに, 確実に 〖用例 → assure 他 1〗. **2** 〔時に反語的に〕自信をもって; ぞうぞうしく.

As·syr·i·a /əsíriə/ 图 アッシリア《南西アジアにあった古代帝国. 首都 Nineveh》.

As·syr·i·an /əsíriən/ 形 アッシリアの; アッシリア人

[語]の. —— 图 C アッシリア人; U アッシリア語.

†**as·ter** /ǽstər/ 图 C 〖植〗 アスター《キク科のシオン・ヨメナの類》; アスターの花.

†**as·ter·isk** /ǽstərisk/ 图 C 星印, アステリスク(star)《*》《◆〖脚〗注・非文法的文の表示などに用いる》; 星形のもの. *with an ásterisk* 星印付きの, 注目すべき.
—— 動 他 …に星印をつける.

†**a·stern** /əstə́ːrn/ 副 **1** 〖名詞の後で〗 船尾〔飛行機の後尾〕に(ある). **2** 〔船・飛行機の後方に〔*of*〕(↔ ahead); drò̀p [fàll] *astérn* (*of* the other ships) 〈他船に〉遅れる / Full speed *astern*! 後進全速.

as·ter·oid /ǽstərɔ̀id/ 图 C 〖天文〗 小惑星(minor planet)《主に火星・木星間に散在》.

asth·ma /ǽzmə│ǽs-/ 图 U 〖医学〗 ぜんそく.

asth·mat·ic /æzmǽtik/ 图 C ぜんそく患者. —— 形 ぜんそく(性)の, ぜんそく持ちの.

†**a·stir** /əstə́ːr/ 〖文〗 副 形 **1** 〈人・風などが〉動いて; 〔…で〕ざわめいて, 興奮して〔*with*, *at*〕. **2** 〈人が〉〈寝床から〉起き出て.

*****as·ton·ish** /əstάniʃ│-tɔ́n-/ 他 〖(雷に打たれたように)驚かす〗原義 → astonishment
—— 動 (~·*es*/-iz/; 〖過去・過分〗 ~*ed*/-t/; ~·*ing*)
—— 他 〈人・物・事が〉〈人〉を(とび上がるほどに)驚かす, びっくりさせる; [be astonished *at* [*by*] **A** / be astonished to do / be astonished *that* 節] 〈人が〉〈A〈物・事〉〉に […して〕ということに〕驚く, 驚いている《◆ surprise より強意的で astound より弱い語》 ‖ in an *astonished* voice 驚いた声で / He *was astonished at* [*by*, *to* hear] the news. その知らせを聞いて彼は驚いた / We *are* all *astonished* (*that*) the bride didn't come to the wedding. 我々みんなは新婦が結婚式に来なかったことにたまげている.

†**as·ton·ish·ing** /əstάniʃiŋ│-tɔ́n-/ 形 〖他動詞的に〕〈人〉をびっくりさせるような, 驚くばかりの, めざましい〔*to*〕(→ 文法 17.4(4)) ‖ an *astonishing* man [event] 驚くべき人物〔出来事〕《◆「驚いている人」の意ではない》 / His success *was astonishing* to me. 彼の成功には驚いた(=I *was astonished at* his success.) / It's *astonishing* (*that*) the patient (has) recovered so soon. 患者がそんなに早く健康を回復したなんて〔したことは〕驚きだ(=We *are astonished* (*that*) …). **as·tón·ish·ing·ly** 副 〔しばしば文全体を修飾〕驚くほど, 驚いたことには.

†**as·ton·ish·ment** /əstάniʃmənt│-tɔ́n-/ 图 U (大変な)驚き; C 驚くべき事〔物〕 ‖ cry *in* [*with*] *astonishment* 驚いて叫ぶ; 〔*to one's* [**A**'s] *astonishment* 〔まったく〕驚いたことには / His impudence *was* my *astonishment*. 彼の厚かましさには私はあきれかえった.

†**as·tound** /əstáund/ 動 他 〈人〉を〔…で/…して/…ということに〕びっくり仰天させる; 〈人〉の肝をつぶさせる〔*at*, *by* / *to* do / *that* 節〕《◆ astonish より強意的. shock がふつうの語》 ‖ I *was astounded at* [*by*, *to* see] the murder case. その殺人事件に私はたまげた.

as·tound·ing /əstáundiŋ/ 形 〖他動詞的に〕びっくり仰天させるような.

as·tral /ǽstrəl/ 形 〖正式〗 星の(ような), 星形の; 星の世界の; 〖植〗 シオン属の(ような).

†**a·stray** /əstréi/ 〔しばしば比喩的に〕 副 形 道に迷って, 道をはずして, 正道からそれて.

gó astráy 〈人が道に迷う〉; 〖主に英〗 〈物〉が行方不明になる; 堕落する, 〈話などが〉脱線する.

léad A astráy 〈人〉を迷わせる, 堕落させる.

†a·stride /əstráid; 副 -/ 副 形 (…に)またがって, 両足を広げて ‖ ríde astríde 馬にまたがっていく / sit astríde ((主に米)) of) a horse 馬にまたがる.

as·trin·gent /əstríndʒənt/ 形 **1** [医学] 収斂(しゅうれん)性の. **2**〈批評などが手きびしい(severe);〈味が〉渋い. ─ 名 C U [医学] 収斂剤(止血用); アストリンゼン(ト). **as·trín·gent·ly** 副 手きびしく. **as·trín·gen·cy** 名 U 収斂性; (批評などの)きびしさ.

as·tro- /æstrə- / æstrəu-/ 語要素 → 語要素一覧(1.6).

as·tro·dome /æstrədòum / æstrəu-/ 名 C **1** [航空] 天測窓《飛行機上部のドーム型の窓》. **2** アストロドーム《丸屋根つきの全天候競技場》.

as·trol·o·ger /əstrálədʒər / -trɔ́l-/ 名 C 占星術師.

as·tro·log·i·cal /æstrəládʒikl / -lɔ́dʒ-/ 形 占星術[学]の.

†as·trol·o·gy /əstrálədʒi / -trɔ́l-/ 名 U 占星術[学].

*as·tro·naut /æstrənɔ̀:t/
─ 名 (複) ~s/-nɔ̀:ts/) C 《特に米国の》**宇宙飛行士**《旧ソ連の宇宙飛行士は cosmonaut》.

†as·tro·naut·ics /æstrənɔ́:tiks/ 名 [単数扱い] 宇宙航法(学), 宇宙飛行.

†as·tron·o·mer /əstránəmər / -trɔ́n-/ 名 C 天文学者.

†as·tro·nom·i·cal, -ic /æstrənámikl / -nɔ́m-/ 形 **1** 天文(学上)の ‖ an astronomical observatory 天文台 / the astronomical time [day, year] 天文時[日, 年] / an astronomical telescope 天体望遠鏡. **2** (略式)〈数・量などが〉天文学的な, けたはずれに大きな ‖ astronomical figures 天文学的な数字. **astronómical únit** [天文] 天文単位《太陽系内の距離を表すのに用いる単位 = 1.496×10^{11}m》.
às·tro·nóm·i·cal·ly 副 天文学的に, けたはずれに.

†as·tron·o·my /əstránəmi / -trɔ́n-/ 名 U 天文学 ‖ astronomy lectures 天文学の講義.

as·tro·phys·ics /æstrəfíziks / æstrəu-/ 名 [単数扱い] 天体物理学.

As·tro Turf /æstrou tə̀:rf/ 〔商標〕アストロターフ《芝生や運動競技場に用いられる人工芝》.

as·tute /əstjú:t/ 形 (正式)〈人・行為などが〉〔…に〕機敏な; 抜け目のない, ずるい(in / at doing).

†a·sun·der /əsʌ́ndər/ (正式) 副 形 〈2つ以上のものが〉離れて, 別々に;〈1つのものが〉真っ二つに, ばらばらに[こなごなに](apart).

†a·sy·lum /əsáiləm/ 名 (複 ~s, -·la/-lə/) **1** C (身体障害者・精神薄弱者・孤児・老人などの)保護[養護]施設《◆遠回しに home》;〔古〕精神病院 ‖ an orphan [a foundling] asylum 孤児院 / an asylum for the aged 老人ホーム, 老人養護施設《◆遠回しに nursing home》. **2** U C (一般に)(安全な)隠れ場, 避難所《昔犯人・負債者などのかがれた寺院・教会などもさす》;〔国際法〕(亡命者・政治犯などの)一時的避難(所)《◆主に外国大使館》 ‖ seek political asylum 政治的亡命を求める. **3** U 〔正式〕避難, 亡命, 保護. **asýlum sèeker** 亡命希望者.

a·sym·met·ric, --ri·cal /èisimétrik(l), æ-/ 形 非対称の;不均斉[不調和]の(↔ symmetric(al)).

a·sym·me·try /eisímətri / æ-/ 名 U 非対称, 不調和;〔植〕非相称(↔ symmetry).

a·symp·to·mat·ic /eisìmptəmǽtik / æ-/ 形 〈病気が〉(自覚)症状のない.

:at /(弱) ət, (強) æt, æt/ 前 [空間的一点を表すのが基本で, 方向・存在を表し, 比喩的に時の一点, 割合・関連・

index **1** …に **2** …から **3** …の **4** …に **6** …に向かって **8** …をしている **11** …で **16** …に対して

─ 前
I [場所] (場所の一点,より地点, さらに起点を表す. また地点と考えられる場所に属して活動することから所属の意を表す)

1 [地点・場所] **…(のところ)に, …で** ‖ at (a distance of) 10 feet 10フィート離れたところに / at the corner of the street 町角で / at ((主に米)) on] the side of the road 道路の脇に / I bought it at the grocer's (shop). 食料品店でそれを買った / I live at 99 Glóucester Róad. グロスター通り99番に住んでいる《◆番地が明示されないと on か in: I live in [((主に米)) on] Hárding Stréet.》 / Open your books at ((主に米)) to] page ten. 10ページを開きなさい / She was at the station. 彼女は駅にいた《◆駅の構内とは限らず駅前の広場や道路・駅のそばにいたことも含む. in では常に構内を表す. →**3** 語法(2)》 / 対話 "Where in New York did the fire break out?" "At the Hilton Hotel in Brooklyn." 「火事はニューヨークのどこで起こりましたか」「ブルックリンにあるヒルトンホテルです」.

2 [(主英)][出入点・起点] **…から**《◆特定の連語以外では (まれ)) ‖ in [by, through, ×from] the back door 裏口から入る《◆ at は出入りする地点を, by は経路, through は通り抜ける動作に力点がある. (米)では by, through がふつう》 / get information at its source 情報源から情報を得る.

3 [所属] **…の** ‖ He is a student at [×of] Oxford University [Genius High School]. 彼はオックスフォード大学[ジーニアス高校]の学生だ《(1) He studies at Oxford University. の名詞表現(→ 語法 (3)). (2) 学部や学科の前は in: She is a student in the department of economics. 彼女は経済学部の学生だ(→ pupil, principal, student, teacher)》.

語法 [**at** と **in**] at は狭い場所[ひとつの点, 地点], in は広い場所[区域]に用いるのが原則だが in は「空間」を「容器」としてみなしている. 心理的にどう見るかにより in が選択される.
(1) 大都市でも地図上の一点, 寄港地・乗り換え地点として見た場合は at がふつう(cf. arrive**1** 語法): The party stopped at Chicago on its way to New York. 一行はニューヨークへ行く途中シカゴに立ち寄った.
(2) 自分の住んでいる所など, その中での活動が暗示される文脈では場所の大小を問わず空間的広がりがあるとされるから, in が用いられる傾向が強い: I've lived in this small apartment for 5 years. 私はこの狭いアパートに5年間暮らしています.
(3) in が単に場所「…の中に」を示すのに対し, at は従事・活動の意を含む: She was at the cinema. は「映画館にいた」から「映画を見ていた」「映画館で働いていた」の意味をもち表す《→ **8**》.
(4) at (地点)は it と共に用いない: He is at the station. ×She is at it, too. ◇She is there … とする》. in it, on it も同.

II [時] (一時点の意味より時間・年齢を, さらに順序・回数を表す)

4 [時間・年齢] …に ‖ *at* **noon** 昼に《◆[類例] *at* dawn, *at* sunrise, *at* twilight, *at* nightfall, *at* midnight, *at* dusk, *at* night》/ *at* Christmas クリスマス季節に《◆on がつけばクリスマス(当日) (12月25日)に》/ *at* the beginning of January 1月初めに《◆in the beginning … は「1月上旬に」》/ *at* (the age of) 13 13歳で(=at age 13) / School begins *at* [×from] 8:30. 授業は8時30分から始まる《◆次例では at はふつう省略: What *time* does school begin?》/ 〈対話〉"What time is he expected to arrive here?""At five o'clock." 「Oh, that's early. We have to go to the station to meet him." 「彼は何時にここに到着する予定ですか」「5時です」「早いですね.そろそろ駅に迎えに行かなくては」.

5 [順序・回数] …は ‖ *at* ***first*** 最初(のうち)は《◆順序を言う時には用いない》/ *at* all times いつでも / *at* regular intervals 等間隔で / I passed the test *at* [on] the third attempt. 3回目で試験にパスした.

III [方向] (一点に向けての意図的な目標・試みを示す)
6 [方向・目標] …に対して, …に向かって;《◆意図的な目標を示すため, しばしば攻撃・敵意・非難などの意を含む》‖ *point at* [*to*] the house その家を指さす《◆at は家その0位置する方向を指す》/ get angry *at* [(英) *with*] John ジョンに腹を立てる / throw the ball *at* Bill (あてようと思って)ビルにボールを投げつける《◆比較: throw the ball *to* Bill ビルにボールを(捕球できるように)投げる》/ She shouted *at* me. 彼女は(怒って)私をどなりつけた《◆比較: She shouted *to* me. 彼女は私に向かって(聞こえるように)大声で言った》/ The tiger pounced *at* [on] the deer. トラはシカに襲いかかった / A drowning man will catch [grasp] *at* a straw. (→ CATCH *at*).

7 [試み] [catch, strike, shoot, grasp, guess などの他動詞と共に]《◆成就を目ざす行為・運動を示すが, 成就したかどうかは不明. *at* がなければふつう成就したことを示す》‖ *guess* [make a guess] *at* the meaning その意味を推察しようとする / The hunter shot *at* the bird but missed it. ハンターは鳥をねらって撃ったがはずれた《◆ … shot the bird は鳥を撃ち落としたという意味. 従って次のようには言えない: ×The hunter shot the bird but missed it.》.

IV [存在] (ある地点にいることから従事の意を表し, それより比喩的に **9**, **10** の意が生じた)
8 [存在・従事] …に(出席して); …をして(いる), …の最中で《◆後に来る名詞はふつう無冠詞単数. ➡文法16.2(6)》‖ *at* (the) **table** 食事中で《◆(米)では the をつけることが多い》/ be (*at*) home 在宅している《◆at の省略は(主に米)》/ be *at* play [work, prayer] 遊んで[仕事をして,お祈りをして]いる / be *at* chess [cricket] チェス[クリケット]をしている / He is *at* [(英) *in*] school. 彼は学校に行っている; 授業を受けている; 在学中である《◆[類例]: be *at* [(米) *in*] college [university]》/ *What* are they *át*? 彼らは何をして[しようとして, 言おうとして]いるのか.

9 [状態] …(の状態)で ‖ *at* (one's) ease くつろいで / *at* a standstill 止まって; 行き詰まって / *at a loss* 途方にくれて(→ loss 成句) / *at* a disadvantage 不利な立場で / *at* war with a neighboring country 隣国と交戦中で(の).

10 [任意・根拠] …のままに[で]; …によって, 応じて ‖ *at will* 意のままに / *at* one's request 要求によって / the fortune at his disposal 彼の自由になる財産 / The opponent was *at* your mercy. 相手はあなたの思うままだった.

V [割合・程度] (変動するものの一点を示すことから, **11** の意を表し **12**, **13** の意味が生じた)
11 [価格・速力・距離・度合い] …(のところ)で ‖ *at any rate* とにかく / *at* (an angle of) 90° 90度で[に] / drive *at* (a speed of) 50 miles an hour 時速50マイルで運転する / sell these things *at* [for] ten cents each これらを1つ10セントで売る《◆each でなく, 全部の金額をいうときは *at* [for] ten cents》/ The temperature stands *at* 25°C. 気温は摂氏25度だ.

12 [方法・様態] …(のやり方)で ‖ *at random* でたらめに / *at a run* かけ足で / *at* a draft ぐいっと一飲みで / *at* (英) by] wholesale 卸売りで.

13 [条件・代償] …で《主に次の句で》‖ *at* any price どんな犠牲を払っても / *at* one's (own) risk 自分(自身)の責任で / *at* the cost of one's health 自分の健康を犠牲にして.

VI [関連・極限] (行為・状態の点を示すことから, 関連の意味を表す. また比喩的に極限を示す)
14 …の点で, …において, …に関して ‖ be slow [quick] *at* learning 覚えが遅い[速い] / be kind *at* heart 根は親切だ / He is an expert *at* chess. 彼はチェスの達人だ / *She is good* [*bad*] *at* mathematics. 彼女は算数が得意[不得意]だ.

15 a [極限] いくら…でも ‖ *at* a maximum [minimum] 最大[最小]限で / *at* one's zenith 絶頂で / *at* the outset 最初に / *at* the completion of the work 仕事を完了して. **b** [最上級と共に] ‖ *at* (the) **most** いくら多くても, せいぜい / *at* (the) best いくらよくても, せいぜい / *at* (the) latest 遅くとも / *at* (the) worst 悪くても / *at* (the) *least* 少なくとも / *at* (the) earliest 早くても.

VII [原因・理由] 一点を示すことから,「…に"接して"喜ぶ」のように感情の原因となる接点を表す)
16 a [感情を表す動詞・形容詞・名詞と共に] …に対して ‖ be pleased *at* [with] his success 彼の成功を喜ぶ(=be pleased to hear about his success) / They were filled with envy *at* her good fortune. 彼らは彼女の幸運をうらやむ気持ちでいっぱいだった / Everyone marveled *at* her courage. みんな彼女の勇気に驚嘆した.

> 語法 驚きを表す語(surprise, amaze, astonish などには at, by いずれも使われる. at の場合は過去分詞は形容詞的な性質を持っており, by の場合は受身的な動詞的意味が強い場合に使われる: I was surprised *by* a sudden knock at the door. 突然ドアのノックに驚いた / I was very surprised *at* your rudeness. 君の不作法にはあきれた.

b [ある種の名詞と結合して副詞句として] …して ‖ He hesitated *at the sight of* her face. 彼は彼女の顔を見てためらった / They stopped *at* the sound of his voice. 彼らは彼の声を聞いて立ち止まった.
be át it (略式)けんか[いたずらなど]をしている ‖ They *are at* it again. Why are they always fighting? またやっているよ. どうしていつもけんかばかりしているんだろう《◆このように again を伴うことが多い》.
whére it's át (略式)面白い場所[行為].
át sign [コンピュータ] アットマーク《@》.

at·a·vis·tic /ǽtəvístik/ 形 **1** 隔世遺伝的な; 先祖返りの. **2** [正式] [遠回しに] 原始的な, 粗野な.

ATC (略) Air Traffic Control 航空交通管制;〔鉄道〕*automatic train control* 自動列車制御装置.

atch·oo /ətʃúː/ (米)(間) ハクション《くしゃみの音》. ―名 (複) ~s) C「ハクション」の音.[◆(英) atishoo]

*__ate__ /éit, éit/ (同意)(米) eight) 動 eat の過去形.

-ate (語要素) →語要素一覧(1.6, 2.2, 2.3, 2.4).

at·el·ier /ǽtəljéi | ətéljei/〔フランス〕名 C アトリエ, 画室(studio);〔職人の〕仕事場, 製作室.

a·the·ism /éiθìizm/ 名 U 無神論; 不信心;〔古〕罪深さ, 邪悪さ.

†**a·the·ist** /éiθiist/ 名 C 無神論者; 不信心者.

A·the·na /əθíːnə/ 名〔ギリシア神話〕アテナ, アテネ《知恵・学芸・工芸・戦術の女神. ローマ神話の Minerva に当たる》.

A·the·ni·an /əθíːniən/ 形〔古代〕アテネの〔人〕.

†**Ath·ens** /ǽθinz/ 名 アテネ, アテーナイ《ギリシア の首都》.

†**ath·lete** /ǽθliːt/ 名 C 運動選手, スポーツマン(cf. sportsman);(英) 陸上競技の選手.

> 使い分け [athlete と player]
> player は野球・バスケットボールなどの球技の選手を指す.
> 運動選手すべてをまとめていうときは athlete を用いる.
>
> How many Japanese *athletes* take part in the Olympic Games? どれくらいの日本人選手がオリンピックに参加しますか?
> How many Japanese baseball *players* take part in the Olympic Games? どれくらいの日本人野球選手がオリンピックに参加しますか.

áthlete's fóot(略式)〔医学〕(足の)水虫.

áthlete's shírt ランニング(シャツ).

*__ath·let·ic__ /æθlétik/ ―形〔◆比較変化しない〕**1** 運動が得意な, 筋骨たくましい ‖ *athletic* build (運動競技に適した)がっしりした体格. **2** [名詞の前で](戸外)運動競技の ‖ *athletic* sports 運動競技 / an *athletic* meet(ing) 競技会《◆学校の「運動会の日」は(米) field day, (英) sports day. ただし日本の運動会とは違って, 勝ち負けよりみんなで楽しむのが目的. また行なわれるのは競技だけで遊戯はふつう含まれない》.

†**ath·let·ics** /æθlétiks/ 名 **1**〔通例複数扱い〕運動競技《◆(英)ではトラック・フィールドなどの陸上競技》. **2**〔通例単数扱い〕[科目としての]体育理論[実技].

-a·tion /-éiʃən/ (語要素) →語要素一覧(2.1).

a·ti·shoo /ətíʃuː/ (英)(間) =atchoo.

-a·tive /-eitiv, -ətiv/ (語要素) →語要素一覧(2.1).

*__At·lan·tic__ /ətlǽntik/〔「(西の果てとされた)アトラス山脈に接する海」の意. ← Atlas〕
―名 [the ~] =the ~ Ocean 大西洋.
―形 大西洋の, 大西洋岸の ‖ an *Atlantic* liner 大西洋航路定期船 / the *Atlantic* islands 大西洋諸島 / the *Atlantic* states 米国大西洋岸諸州, 東部諸州.

Atlántic (stándard) tíme(米) 大西洋標準時.

†**at·las** /ǽtləs/ 名 (複 ~·es) **1** [A~]〔ギリシア神話〕アトラス《肩で天を支えるように宣告された巨人》; C 重荷を負う人, 頑丈な人. **2** C 地図帳[書]《◆昔の地図帳の巻頭に天球をになうアトラスの絵があったことから. 1枚の地図は map》; 図解[表解]書.

ATM(略)(米) *automated teller* [(英) *telling*] *machine* 現金自動預入払出機 ‖ an ATM card キャッシュカード.

*__at·mo·sphere__ /ǽtməsfìər/〔「空気の(atmos)圏 (sphere). cf. hemisphere〕略 atmospheric(形)
―名 (複 ~s/-z/) **1** C U 雰囲気(ふんいき), 周囲の状況, 環境;(略式)ムード《◆日本語の「ムード」はこれに相当する》 ‖ an *atmosphere* of peace =a peaceful *atmosphere* のどかな雰囲気 / a restaurant with *atmosphere* ムードのあるレストラン ・ジョーク "Did you hear about the restaurant on the Moon?" "Great food but no *atmosphere*." 「月にあるレストランについて聞いたことある?」「料理はおいしいけど, 雰囲気がよくないってさ」《◆**2**の意味にかけて》.
2 a [the ~](地球または天体を取り巻く)**大気** ‖ pollute the earth's *atmosphere* 大気を汚染する. **b** C (特定の場所の)**空気** ‖ a clear *atmosphere* 澄んだきれいな空気.
3 C〔物理〕**気圧**(atm)〈1 atm =101,325 Pa〉.

†**at·mo·spher·ic** /ǽtməsférik/《◆名詞の前で用いるときは /-/-/》形 **1** 大気の, 空気の; 大気によって[大気中に起こる] ‖ *atmospheric* conditions 大気の状態 / *atmospheric* vapors 大気中の蒸気. **2** 雰囲気に富む, 雰囲気を醸し出す ‖ *atmospheric* music ムード音楽 / *atmospheric* lighting for a room 部屋のムード照明.

atmosphéric núclear tést 大気圏核実験.
atmosphéric pollútion 大気汚染.
atmosphéric préssure〔気象〕(大)気圧《◆単に pressure ともいう》.

àt·mo·sphér·i·cal·ly 副 気圧上; 大気の作用によって.

at·mo·spher·ics /ǽtməsfériks/ 名〔複数扱い〕**1** (電光などによる)空中障害, 空電;(空中障害によるラジオなどの)雑音. **2** ムード, 雰囲気.

at·oll /ǽtɔ(ː)l/ 名 C 環礁珊瑚(さん)島, 環礁(cf. lagoon).

*__at·om__ /ǽtəm/〔「(これ以上)分割(tom)できない(a)もの. cf. anatomy〕略 atomic (形)
―名 (複 ~s/-z/) **1** C〔物理・化学〕**原子**(cf. molecule) ‖ the power of the *atom* 原子力. **2** 微粒子;みじん, 破片;(略式)[an atom of +U名詞](少量)(bit) ‖ smash [blow] ... *to atoms* …をこっぱみじんに砕く[爆破する] / She doesn't have *an atom of* moral sense. 彼女には道徳観念のかけらもない.

átom bòmb 原子爆弾《◆A-bomb, atomic bomb, fission bomb ともいう》.

*__a·tom·ic__ /ətámik | ətɔ́m-/ 形 [通例名詞の前で] **1** 原子(力)の, 原子(力)で働く, 原子(力)に関する; 原子爆弾を使う[持っている] ‖ *atomic* scientists 原子科学者 / *atomic* research 原子力研究. **2** 極小の, 微少の ‖ *atomic* changes ごく小さな変化.

atómic áge [the ~] 原子力時代.
atómic bómb =atom bomb ‖ 日本発》 *Atomic Bomb* Day is commemorated on August 6th and 9th every year with a moment of silence. 私たちは原爆が投下された8月6日と9日に毎年黙禱(もく)を捧げます.
atómic clóck 原子時計.
atómic diséase 原子病.
atómic énergy 原子力, 原子[核]エネルギー(nuclear energy).
Atómic Énergy Commission(米) [the ~] 原子力委員会((略) AEC).

atómic fúsion 核融合(nuclear fusion).
atómic máss 原子(質)量(atomic weight).
atómic númber [物理・化学] 原子番号.
atómic píle 原子炉《◆atomic [nuclear] reactor ともいう》.
atómic pówer (1) 原子力(nuclear power). (2) 核兵器を保有している強国.
atómic pówer plànt [stàtion] 原子力発電所.
atómic válue [化学] 原子価(valence).
atómic wárfàre 核戦争.
atómic wéapon 原子力兵器.
atómic wéight = atomic mass 《略 at. wt.》.
a‧tom‧i‧cal‧ly /ətámikəli | -tɔ́m-/ 副 原子力的に, 原子力によって; こっぱみじんに.
a‧ton‧al /eitóunl/ 形[音楽] 無調の.
†**a‧tone** /ətóun/ 動(自) [正式] (罪・失敗などの)償い[罪滅ぼし]をする(make up for) [for].
†**a‧tone‧ment** /ətóunmənt/ 名 1 U[正式] (罪などの)償い, あがない[to] ∥ **màke atónement for** one's sins with one's life 死をもって罪の償いをする. 2 [the A~] キリストの贖罪(しょくざい)《十字架にかかり人類の罪の償いをしたこと》.
†**a‧top** /ətɔ́p | ətɔ́p/ 前[文] [おおげさに] …の頂上に[の], …の上に[の]《◆atop of の of が脱落したもの. on the top of がふつう》∥ The flag waved *atop* the pole. 旗はポールの上でひるがえる.
a‧top‧ic der‧ma‧ti‧tis /eitápik dɜ̀ːrmətáitis | -tɔ́p-/ [医学] アトピー性皮膚炎.
at‧o‧py /ǽtəpi/ 名 U [医学] アトピー《先天性過敏症. 一般には eczema ともいう》.
-a‧tor /-eitər/ (語要素) →語要素一覧(2.2).
a‧tri‧um /éitriəm/ 名 (⑧ atria /-triə/, ~s) C 1 [医学] 心房. 2 [建築] 中庭; 中央大広間.
†**a‧tro‧cious** /ətróuʃəs/ 形 1〈行為などが〉残虐な(cruel); たちの悪い; ぞっとするような. 2〈略式〉〈食事・天気などが〉ひどい, たいへん悪い; 不愉快な. **a‧tró‧cious‧ly** 副 残虐に(cruelly); 〈略式〉ひどく, 猛烈に. **a‧tró‧cious‧ness** 名 残虐性, 凶悪.
†**a‧troc‧i‧ty** /ətrásəti | ətrɔ́s-/ 名 1 U〈正式〉残虐, 非道, 極悪; C [主に atrocities] 残虐行為. 2 C〈略式〉ひどいこと; (趣味の)悪い, 悪趣味なもの.
at‧ro‧phy /ǽtrəfi/ 名 U [医学] [時に an ~] (栄養不足などによる)萎縮(いしゅく)(症), (機能の)衰退, 退化. ── 自 萎縮する. ── 他 …を萎縮させる.
At‧ro‧pos /ǽtrəpɑs | -pɔ̀s/ 名《ギリシア神話・ローマ神話》アトロポス《運命の三女神(the Fates)の1人. 運命の糸を切る役》.
ATS 《略》[鉄道] Automatic Train Stop 自動列車停止装置.
at‧ta‧boy /ǽtəbɔ̀i/ 間《主に米略式》いいぞ, よくやった《◆激励・賞賛の叫び. That's the boy! のなまり. 女性には使えない. cf. attagal》.
†**at‧tach** /ətǽtʃ/ 動 1〈人が〉〈物に〉〈物を〉はりつける, 結びつける, 付け加える[to]《◆affix より口語的》(↔detach) ∥ *Attach* a recent photograph *to* the top right of the application. 申し込み用紙の右上に最近とった写真をはってください / *attach* one's name to the contract 契約書に名前を書き添える / an *attached* document 添付の書類. 2 [be attached to A = attach oneself to A] 〈人が〉〈団体・党などに〉所属する; 〈会社・団体などに〉〈人を〉[部署に](一定期間)配属する[to]《◆主に一時的な配属をいう. 長期的な配属には assign を用いる》∥ I「*am attached* [*attach* myself] to the Lib-

erals. 私は自由党員です. 3〈人が〉〈人〉を〈人・物に〉愛情[愛着]を持たせる, なつかせる[to] ∥ He is deeply [very] *attached* to his wife. 彼は妻を深く愛している《◆形容詞化している場合が多く, しばしば very の修飾を受ける. この場合形容詞と考えてよい》/ A stray dog *attached* itself to me. 宿のない犬は私になついた. 4〈人が〉〈重要性・性質などが〉〈人・物・事に〉あるものと考える[to] ∥ I *attach* no [much] importance *to* public opinion. 私は世論を重視しない[する] / No suspicion may be *attached to* the accountant. その会計士に疑わしい点はなさそうだ.
── 自〈物が〉〈…に〉付着する; 〈正式〉〈事が〉〈…に〉付随する[to] ∥ No blame *attaches to* me. 私が悪いのではありません(= 〈略式〉 I am not to blame.).
attáched schóol 付属学校.
at‧ta‧ché /ætəʃéi | ətǽʃei/ 〈フランス〉 名 C〈大使・公使の〉随行員, 大[公]使館員. **attaché càse** アタッシェケース《(固い)小型手さげかばん, 書類入れ》.
†**at‧tach‧ment** /ətǽtʃmənt/ 名 1 U [the attachment of A to B] A〈物〉の B〈物〉への取り付け, 付着; C 〈…の〉付属物[品][to, for]; 留め金, 締め具 ∥ A vacuum cleaner has various *attachments*, such as a narrow nozzle and a brush. 電気掃除機は, 細いノズルやブラシなどのさまざまな付属品が付いている. 2 C〈…への〉愛着, 愛情, 献身, 忠誠[to, for]; form an *attachment* for [to] the orphan その孤児が好きになる / I have a strong [deep] *attachment* to [for] Yokohama. 私は横浜が大好きです. 3 C [コンピュータ] 添付ファイル《◆attached file ともいう》.
*****at‧tack** /ətǽk/ 〖「一方的に取りかかる」が本義. cf. attach〗
── 動 (~s/-s/; 過去・過分 ~ed/-t/; ~・ing)
── 他 1〈軍隊などが〉〈敵・人・場所などを〉攻撃する(↔defend); 〈人などが〉〈人などを〉[…の理由で]非難する(criticize) [for] (使い分け) → hit 他 3)∥ The army *attacked* the fort. 軍は要塞(ようさい)を攻撃した. 2〈人が〉〈仕事・問題などの処理に〉(勢いよく)着手する, 取りかかる ∥ He *attacked* the big pie as if he had not eaten for days. 何日も物を食べていないかのように彼は大きなパイをガツガツ食べ始めた.
3〈病気が〉〈人(の体)〉を冒す; 〈物が〉〈物をいためる, だめにする(cf. affect¹ 動 2)∥ Homesickness *attacked* her suddenly. 突然彼女はホームシックにかかった / Rust *attacks* metals. さびは金属を侵す.
── 自 攻撃する; (ゲームで)得点しようとする.
── 名 (⑧ ~s/-s/) 1 U C 〈…への/…からの〉攻撃, 襲撃; 非難[on, upon, against / from] ∥ the *attack* on Pearl Harbor 真珠湾攻撃 / make [deliver, launch] an *attack* on [upon, against] … …を攻撃[非難]する / be [come] under *attack* 攻撃を受けている[受ける] / take *attacks* 攻撃を受ける, 攻撃に耐える / *Attack* is the best form of defense. 〈ことわざ〉攻撃は最良の防御である.
2 U C〈…への〉開始, 着手; 取組み[on]∥ make a new *attack* on the problem その問題に新たに取り組む. 3 C 発病, 発作 ∥ a heart *attack* 心臓発作 / have an *attack* of fever [coughing] 熱病にかかる[せきこむ]. 4 U C 発声法, 音の出だし. 5〈スポーツ〉(得点をねらう)攻撃プレーヤー.
at‧táck‧er 名 C 攻撃者; (ゲームの)アタッカー.
at‧ta‧gal /ǽtəgæl/, **at‧ta‧girl** /-gɜ̀ːrl/ 間《主に米略式》いいぞ, よくやった《◆男性には使えない. cf. at-

†**at·tain** /ətéin/ 動 他 《正式》 **1**〈人が〉〈並みの人には無理な望み・望みなど〉を達成する, 成し遂げる, 〈地位など〉を獲得する(get) ‖ *attain* the position of president 大統領の地位を得る / She *attained* success through hard work. 彼女は一生懸命働いたので成功した. **2**〈人が〉〈場所・年齢・身長などに〉到達する(reach), 〈事が〉〈完成などの〉域に達する ‖ She *attained* the age of seventy-seven. 彼女は77歳になった.

†**at·tain·a·ble** /ətéinəbl/ 形 〈目標などが〉到達できる, 成し遂げられる(↔ unattainable).

at·tàin·a·bíl·i·ty 名 Ü 到達[達成, 獲得]の可能性.

†**at·tain·ment** /ətéinmənt/ 名 《正式》 **1** Ü 到達, 達成 ‖ for the *attainment* of one's purpose 自己の目的達成のために. **2** Ü [しばしば ~s] 才芸, 技芸, 学識, 造詣(ｹﾞｲ) ‖ a man of great *attainments* 多芸多才な人.

*****at·tempt** /ətémpt/ 〚…を(at)試みる(tempt). cf. tempt〛
——動 (~s/ətémpts/; 過去・過分 ~ed/-id/; ~·ing)
——他 〈人が〉〈事〉を試みる, 企てる; [attempt to do] …しようと企てる 《◆ try より堅い語で, しばしば失敗に終わることを含意》 ‖ *attempt* an attack 攻撃を試みる / She *attempted* to jump the fence. 彼女はへいを跳び越えようとした.
——名 ~s/ətémpts/) Ü [(…する)試み, 企て, 努力 (to do, at doing)] ‖ on one's first *attempt* = at the first *attempt* 1回目の(試み)で 《◆ 文頭・文中・文尾のいずれにも用いる》 / He màde anóther *attémpt* to bréak [at breáking] the world record. 彼はもう一度世界新記録を破ろうと試みた. **2** […に対する]襲撃, 攻撃(attack); 〔生命などを〕奪おうとする企て; [(記録などを)更新[改善]しようとする努力] [on, upon, at, against] ‖ màke an *attémpt* on the president's life 大統領の命を奪おうとする.

*****at·tend** /əténd/ 〚『(注意を向ける)』が本義〛 → attendance (名), attendant (形·名), attention (名), attentive (形)

<u>index</u> 動 他 1 出席する 2 世話する
  自 1 出席する 2 言うことを注意して聞く

——動 (~s/əténdz/; 過去・過分 ~·ed/-id/; ~·ing)
——他 **1**〈人が〉〈学校・儀式・会合などに〉(ふつう義務的に)**出席する**, 参列する《◆ go to より堅い語》 ‖ *attend school* 通学する / *attend* church 教会へ通う / The meeting will be well *attended*. その会議は出席者が多いだろう.

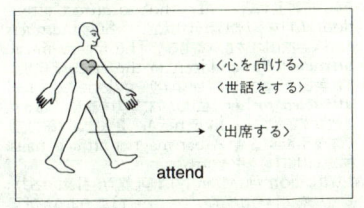

attend

2〈医者などが〉〈病人など〉を**世話する**(look after), 看護する, 診察する; (やや古) 〈人が〉〈人〉に付き添う, 随行する ‖ Each child must be *attended* by a parent. 子供は親が付き添わなければならない / Which doctor is *attending* you? だれがあなたの担当医ですか.

3〈人が〉〈貴人など〉に仕える, 随行する;〈事が〉〈仕事などに〉伴う, 付随する(accompany) ‖ Success *attended* her efforts. 彼女は努力の結果成功した / The mission was *attended* by many risks. その任務は多くの危険を伴った / May good luck *attend* you!(⌒) ご幸運をお祈りいたします(=May you have good luck!(⌒)).

——自 **1** 出席する ‖ Please let us know if you are unable to *attend*. ご出席いただけないかどうかをお知らせください.
2《正式》[attend to **A**]〈人が〉〈人の言うことを注意して聞く《◆ この意味では to **A** は省略可》;〈話など〉を傾聴する《◆ pay attention to の方がふつう》;〈人〉の世話をする(look after), 応対する, 〈仕事など〉に専心する, 精を出す;〈用件など〉を聞く, 引き受ける ‖ You are not *attending* to what I am saying. 私の言っていることをあなたは注意して聞いていない(=《略式》You are not listening to me.) / *attend to* one's thesis 論文に専念する / If you go out, who will *attend* to the baby? あなたが出かけたら, だれが赤ん坊の世話をしますか《◆ *attend* the baby に比べて一時的な世話をいう》/ I'll *attend to* that. ご希望に添うようにします(=I'll see to that.) / Are you being *attended* to? 《店員が客に》どれかご用を承っておりましょうか(=Is anyone serving you?).

at·ténd·er 名 出席者, 参加者.

†**at·tend·ance** /əténdəns/ 名 **1** Ü C […への](ふつう義務的な)**出席**, 参会, 参列, 出動(回数)[at] ‖ take [check] *attendance* 出席をとる / be in *attendance* at …に出席している / His *attendance* at school is regular [irregular, poor]. 彼は学校へきちんと出席している[出席は不規則だ, 出席が悪い]. **2** [集合名詞; 単数形で; 修飾語を伴って] […への]出席者(数), 参会[参列]者(数)[at] 《◆ 単数扱いが原則だが個々の成員を考えるときは複数扱い》 ‖ There will be a lárge [góod, hígh] *atténdance* at the meeting. その会議には出席者が多いでしょう. **3** Ü 《正式》[…への]付添い, 随行; 世話, 看護[on, upon] ‖ medical *attendance* 医療, 治療 / His mother is in *attendance* on [upon] him. 母親が彼に付き添っている; 彼の看護にあたっている.

dánce atténdance on [upòn] A 《Shak.》《正式》〈人〉の機嫌をとる; 一心に〈人〉の世話をする.

†**at·tend·ant** /əténdənt/ 形 〈人が〉[…の]お供の, 付添いの, 随行の;〈困難・問題などが〉[…に]伴う, 付随する(accompanying) [on, upon] ‖ an *attendant* nurse 付添い看護師 / problems *attendant on* [upon] pollution 汚染に伴う問題 / war and its *attendant* horrors 戦争とそれに伴う恐怖 / the two ladies *attendant on* [upon] the queen 女王に随行する2人の婦人. **2**〈人が〉出席の, 参会の, 居合わせた.
——名 Ü **1** 付添い人; 随行員, 従者; 世話人, 看護人. **2** 接客係, 案内係, 添乗員, …係 ‖ a shop *attendant*《英》店員(《米》salesclerk) / a flight *attendant*（旅客機）の客室乗務員. **3** 付随するもの ‖ ignorance and its *attendants* 無知とそれに伴うもの.

atténdant círcumstances [複数扱い] 《事に》伴う条件, 付帯状況.

*****at·ten·tion** /əténʃən/ 〚→ attend〛

attentive / **attraction**

—名 (複 ~s/-z/) **1** Ⓤ 注意, 注意力(concentration) ‖ *attract* [*arrest, catch, draw*] (his) *attention* to the details 細かい点に(彼の)注意を引く / *direct* [*turn*] one's *attention* to ... …に注意を向ける / *concentrate* [*rivet*] one's *attention* on solving the problem その問題を解くことに注意を集中する / *call* his *attention* to ... …に彼の注意を促す / *come to* his *attention* 彼の知るところとなる / *bring* the fact to her *attention* その事実を彼女に気づかせる / *escape* (his) *attention* (彼に)気づかれずにすむ《◆しばしば否定文で》/ He got us his *attention*. 彼は我々に注意を払うように仕向けた / He was *àll atténtion*. =He was *atténtion itsélf*. 彼は全身耳にしていた(=(略式) He was very attentive.) / *Atténtion, pléase!* 《アナウンス》お知らせ致します; (人に)ちょっとお聞きください / *Pay* [*Give*] *more attention to* your teacher. 先生のおっしゃることをもっと注意して聞きなさい《◆ pay がふつう》.

2 Ⓤ 配慮, 考慮; 手当て, 手入れ; 世話(care) ‖ This injury may need medical *attention*. このけがは医師の手当てを必要とするかもしれない.

3 Ⓤ Ⓒ (通例 ~s) 親切[丁重](な行為) (kindness); (女性への)思いやり ‖ pay one's *attentions* to ... (女性に)いろいろ優しくする, 言い寄る.

4 Ⓤ (軍隊の)気をつけの姿勢 ‖ stand to [be at, come to] *attention* 気をつけの姿勢で立つ[を取る] (↔ stand at ease) / bring them to *attention* 彼らに気をつけの姿勢をとらせる / *Atténtion!* (号令) 気をつけ!《◆発音は /əténʃən/. さらに短縮される 'shun /ʃʌn/ ともなる》.

5 [A~] …あて《◆ 会社・団体あての手紙の冒頭で, 担当の部課・人名を Attention : Mr. J. F. Brown (=(英) For the attention of ...)のように示す》.

†**at·ten·tive** /əténtiv/ 形 **1** […に]注意深い, 油断のない; […に]謹聴する(to) ‖ an *attentive* audience 謹聴する聴衆 / They *were* most *attentive to* his speech. みんなは彼の話をたいへん注意深く聞いた (=They *attended* carefully to ...). **2** (人に対して) (つねづね) 親切な, 思いやりのある, 気を使う(to)《◆もっと細やかな気くばりが sensitive》‖ You should be more *attentive to* your manners [*appearance*]. 君はもっと礼儀作法[様子]に気をくばるべきだ.
at·tén·tive·ness 名 Ⓤ 注意深さ; ていねさ, 手厚さ.

at·ten·tive·ly /əténtivli/ 副 注意深く; ていねいに《◆ carefully より堅い語》‖ listen *attentively* 注意深く聞く.

at·ten·u·ate /əténjueit/ 動 (正式) 他 〈物〉を細くする; 〈人〉をやせ細らせる; 〈勢力・効果など〉を弱める. ——自 減ずる, 弱る.
at·ten·u·a·tion 名 Ⓤ 細くすること, 弱めること.

†**at·test** /ətést/ 動 (正式) 自 〈人・事が〉〔真実性・性質などを〕証明[証言]する(to) ‖ *attest to* one's innocence 無実を証明する / The fingerprints on the knife *attest to* her guilt. ナイフの指紋が彼女の有罪の証拠である. ——他 **1** 〈真実性など〉を証明する (show); 〔…だと〕証言する(that節) ‖ ふつう法廷での発言に用いる》‖ I *attest* the truth of her statement. 彼女の陳述が事実であることを証明します / I *attest that* I saw him on Monday last week. 先週の月曜日に彼に会ったことは間違いありません. **2** 〈事が〉〈事・性質などの〉証拠となる, 真実性を示す; 〈署名・遺言書など〉を認証する; 〈人〉に誓わせる; 〈家畜など〉に病気がないことを証明する ‖ Winning the Nobel Prize *attests* his genius. ノーベル賞を受賞したことから彼の天才ぶりがうかがわれる.
at·tes·ta·tion /ætestéiʃən/ 名 (正式) Ⓤ 証明; 確証, 確認; Ⓒ 証拠, 証明書; 宣誓.

†**at·tic** /ǽtik/ 名 Ⓒ **1** 屋根裏. **2** 屋根裏部屋 《◆不用になった家具・道具類をしまっておく所. garret と違い日常的な語で, こぎれいな感じなどを伴う》.

At·tic /ǽtik/ 形 (古代)アッティカ(Attica)の; (古代)アテネ(Athens)の; アテネ人の. ——名 **1** Ⓒ アッティカ人; アテネ人. **2** Ⓤ (ギリシア語の)アッティカ方言.

At·ti·ca /ǽtikə/ 名 アッティカ, アッティケー《古代アテネを中心とした地方. 現在はギリシア中部の県名》.

At·ti·la /ǽtilə/ 名 アッティラ《?–453; ヨーロッパを侵略したフン族(Huns)の王》.

at·tire /ətáiər/ (正式) 動 他 (通例 be ~d / ~ oneself] […で]装う, 盛装する(dress) [*in*]. ——名 Ⓤ (豪華な, 特別の)服装, 衣装.

*at·ti·tude /ǽtitjuːd/ 〔適している(atti)こと(tude). cf. aptitude〕
——名 (~s/-tjuːdz/) Ⓒ **1** […に対する/…という]態度, 心構え, 考え方, 気持ち(の持ち方)(*toward, to* / *that*節) ‖ one's "can do" *attitude* やればできるという姿勢 / *take* [assume] a strong [threatening, cool] *attitude toward* [*to, on*] ... …に強硬な[脅迫的な, 冷静な]態度をとる.

2 (正式) 姿勢, 身構え(posture) ‖ The listeners stood in an attentive *attitude*. 聴衆は謹聴の姿勢で立っていた.

3 (one's ~) 意見, 判断. 🗨 対話 "What is *your attitude* toward that politicians?" "I think they're all *a bunch of crooks* [*crooked*]." 「あの政治家たちについてあなたはどう思いますか」(=What do you think about that politicians?)「彼らはみんな泥棒みたいだと思います」.

strike an áttitude → strike 他 **12**.

attn. (略) (商業) *attention* …あて(→ attention **5**) ‖ *attn.* Mr. Brown ブラウン氏あて.

†**at·tor·ney** /ətə́ːrni/ 名 Ⓒ **1** (主に米) 弁護士(attorney-at-law) (→ lawyer). **2** 法定代理人(attorney-in-fact) ‖ a letter [warrant] of *attorney* 委任状 / power(s) of *attorney* 委任権 / *by attorney* 代理人でもって(↔ in person).

attórney géneral (複 ~s *general*, ~ *generals*) [しばしば A~ G~] 司法[法務]長官.

*at·tract /ətrǽkt/ 〔…の方へ(at)引き寄せる(tract). cf. abstract〕 (派) *attraction* (名), *attractive* (形)
——動 (~s /ətrǽkts/; 過去・過分 ~·ed /-id/; ~·ing)
——他 **1** 〈人・物・事が〉〈注意・興味など〉を引く; 〈人・物・事が〉〈人・動物〉を(磁石のように)〔…に〕引きつける [*to*], 魅惑する(↔ distract)《◆ charm は「魔法のような力で魅了する」》‖ Try not to *attract* attention. 人目を引かないようにしなさい / Sugar *attracts* ants. 砂糖はアリを引き寄せる / The merry music *attracted* the children *to* the circus. 子供たちは楽しい音楽に引き寄せられてサーカスに行った / I feel *attracted to* her. 私は彼女に魅力を感じている; 私は彼女が好きだ(=I like her.). **2** 〈物〉が(磁力で)〈物〉を引きつける ‖ A bar magnet *attracts* nails. 棒磁石は釘(ǧ)を引きつける.

†**at·trac·tion** /ətrǽkʃən/ 名 **1** Ⓤ 魅力, 引きつける力; Ⓒ 引きつけるもの, […にとって]魅力あるもの[場所], 呼び物, アトラクション (*for*) ‖ a tourist *attraction* 観光名所 / the *attraction* of the new religion その新興宗教の魅力 / the center of *attrac-*

tion 人気の的《◆場所・人いずれにも用いる》/ Detective stories *hold a* special *attraction for* me. 私は推理小説には特に興味があります(=I'm specially *attracted* to detective stories.). **2** Ⓤ [...を]引きつけること[*for*], [...に]引きつけられること[*to*]; 誘引, 吸引; [物理]引力(↔ repulsion) ‖ the *attraction* of gravity 重力 / the *attraction* of the moon 月の引力 / the *attraction* of a magnet 磁力.

*at·trac·tive /ətrǽktiv/ 〖→ attract〗
——形 **1** 〈人・微笑などが〉(外見から見て)〔人に対して〕魅力的な, 愛嬌(ポェ)のある[*to*]《◆(1) ふつう女性に用いるが, 男性にも用いるようになってきている. (2) charming は内面的な魅力をさすが, attractive は性的な魅力も含む》;〈物・事が〉人を引きつける ‖ The singer is *attractive* to young girls. その歌手は若い女性たちにもてている / an *attractive* personality 魅力的な人柄 / She is a very *attractive* woman with many admirers. 彼女は多くの取り巻きを持つ大変魅力的な女性です. **2** [物理]引力のある ‖ *attractive* powers of a magnet 磁石の引力.
at·tráct·ive·ness 名 Ⓤ 魅力; 人目を引くこと; 引きつけること.
at·trac·tive·ly /ətrǽktivli/ 副 魅力的に, 人目を引く[目につく]ように.
attrib. (略) attribute; attributive(ly).

*at·trib·ut·a·ble /ətríbjətəbl/ 形 〈事が〉[...に]帰することができる, [...の]せいと考えられる[*to*].

*at·trib·ute ——動 /ətríbjuːt/ ——名 ǽtrəbjùːt/
【アクセント注意】 動 他 **1** [attribute A to B]〈人がAを〉〈B〈結果〉を〉〈B〈原因〉に帰する, ...のせいにする;〈A〈性質〉がB〈人など〉にあると考える《◆(1) B にはしばしば doing がくる. (2) ふつうよいことに用いる. cf. ascribe》‖ I *attribute* his success to his talent and hard work. 私は彼の成功が彼の才能と努力によるものと考えている / No kindness can be *attributed* to the murderer. その殺人犯に優しさがあるとは考えられない. **2** [正式] [通例 be ~d]〈作品が〉〈作者の〉作品と考えられる[*to*] ‖ This story is *attributed* to Mark Twain. この物語はマーク=トウェインの作と考えられている(=(略式)People say that Mark Twain wrote this story.).
——名 /ǽtrəbjùːt/《◆分節は at·tri·bute》(複 ~s /-juːts/) Ⓒ 属性《本来備えている性質》; 特質 ‖ He is a handsome man with many other good *attributes*. 彼はハンサムでしかも他にもよい所がたくさんあります.

at·tri·bu·tion /ætrəbjúːʃən/ 名 [正式] **1** Ⓤ [the attribution of A to B] A〈物・事〉をB〈人・物・事〉に帰する[のせいにする]こと. **2** Ⓒ 属性.
at·trib·u·tive /ətríbjətiv/ 形 [文法]限定的な, 連体的な《◆本辞典ではこの用法を[名詞の前で]として示してある》(↔ predicative). ——名 Ⓒ [文法] =attributive adjective.
attributive ádjective 限定(形容)詞《◆ the old dog の old のように名詞に直接添える形容詞. cf. predicative》.
at·trib·u·tive·ly /ətríbjətivli/ 副 限定的に.
at·tri·tion /ətríʃən/ 名 Ⓤ 摩擦; 消耗; 減少.
at·tune /ətjúːn/ 動 他 **1** 〈楽器〉を調音[調律]する. **2** [正式] [通例 be ~d]〈人・物が〉[...に]調和する, 慣れる;[...を]知っている, [...に]敏感に反応する[*to*] ‖ *attune* oneself *to* weightlessness in outer space 宇宙の無重力状態に慣れる / The married couple *are attuned* to each other's needs. そ

の夫婦はお互いの必要なものを知っている. **3** [be ~d] [...に]敏感な[*to*].
a·twit·ter /ətwítər/ 形 興奮して話す.
a·typ·i·cal /eitípikl/【発音注意】形 型にはまらない; 異常な; 不規則な.
Au (記号) [化学] gold《◆ラテン語 *aurum* より》.
au·ber·gine /óubərdʒiːn/ 名 Ⓤ Ⓒ (主に英)[植]ナス(の実)((米) eggplant).
†au·burn /ɔ́ːbərn/ /ɔ́ːbən/ 名 Ⓤ 形 〈毛髪が〉赤褐色(の).

†auc·tion /ɔ́ːkʃən/ 名 Ⓤ Ⓒ 競売, せり売り, オークション(public sale) ‖ buy [sell] a thing *at* [(英) *by*] *auction* 競売で物を買う[売る] / *put* the used car up *at* [(英) *to, for*] *auction* 中古車を競売に出す / be [come] up for *auction* 〈物が〉競売に出されている[出される]. ——動 他 〈物〉を競売する(+*off*).
auc·tion·eer /ɔ̀ːkʃəníər/ 名 Ⓒ 競売人, せり売り人.
†au·da·cious /ɔːdéiʃəs/ 形 **1** 〈人・行為などが〉大胆不敵な, 勇敢な(bold). **2** 〈言葉・行為などが〉(上位の者に対して)無礼な, 失礼な.
au·dá·cious·ly 副 大胆にも.
†au·dac·i·ty /ɔːdǽsəti/ 名 Ⓤ Ⓒ [通例 the ~] [...する]大胆さ, 図太さ(boldness); 厚かましさ[*to do*] ‖ He had the *audacity* to stay for dinner. 彼は厚かましくも夕食を食べていった(=He was *audacious* enough to stay ...).
au·di·bil·i·ty /ɔ̀ːdəbíləti/ 名 Ⓤ 聞き取れること, 可聴性[度].
†au·di·ble /ɔ́ːdəbl/ 形 〈人・声などが〉[...に]聞こえる, 聞き取れる[*to*] (↔ inaudible) ‖ in a scarcely [barely] *audible* voice ほとんど聞き取れぬ[やっと聞きとれる]ほどの声で. áu·di·bly 副 聞こえるように, 聞き取れるほどに.

*au·di·ence /ɔ́ːdiəns/ 〖聞く(audi)こと(ence). cf. audio〗
——名 (複 ~s/-iz/) **1** Ⓒ [集合名詞; 修飾語を伴って] (文化的芸術的催しの)聴衆(数), 観衆, 観客, 聞き手, (ラジオの)聴取者(数), (テレビの)視聴者(数), (本の)読者(数) ‖ There *was* 「a large *audience* [an *audience* of 700] at the concert. 演奏会の聴衆は大勢[700人]だった《◆There were many audiences ... は不可》/ The *audience* at the rock concert was [were] very enthusiastic. そのロックコンサートの聴衆はとても熱狂的だった《◆単数扱いが原則だが, 個々の成員をさしているときは(英)では一般に複数扱い. ➡文法14.2(5)》.

（使い分け）[audience と spectator]
spectator は野球・フットボールなどの観客をひとりずつ個別的に指す.
audience は映画・コンサートなどの観客全体を集合的に指す.
The movie attracted a large *audience* [ˣspectators]. その映画は多くの観客を引きつけた.

2 Ⓤ Ⓒ 謁見(ポヘ), 引見, 接見(formal interview) ‖ be received in *audience* 謁見を許される / grant an *audience* to [with] him =grant him an *audience* 彼に謁見を許す / have an *audience* with the papal *audience* ローマ法王に拝謁する.
áudience ráting 視聴率.
áudience reséarch 視聴率調査.
au·di·o /ɔ́ːdiòu/ 形 [通例複合語で] 音声の; 可聴周波(数)の; 音の再生の, ハイファイの.

—名 UC 音の送受信;音の再生;音声部門(cf. video)《◆audio equipment の略》.
áudio fréquency 可聴周波(数)《略》AF, a.f, a-f).
áudio pollútion (騒)音公害.
au·di·o- =audio-visual の意.
au·di·o-cas·sette /5:dio*u*kəsèt/ 名 C 録音(用)カセット.
áu·di·o-lín·gual méthods /5:diouliŋgwl-/〔教育〕耳と口を使う外国語指導[学習]法.
au·di·o·tape /5:dioutèip/ 名 C U オーディオテープ.
au·di·o-vi·su·al /5:diouvíʒuəl/ 形 視聴覚の.
—名 [~s] =audio-visual aids.
audio-vísual áids 視聴覚教具《略》AV).
au·dit /5:dət/ 名 C 会計検査,監査;決算;審査;聴査 ‖ make an *audit* of … …の会計検査をする. —動 他 **1**《会計簿など》を検査する. **2**《米》《講義など》を聴講する. **3**《建物・設備などの安全性・効率》を検査する.
au·di·tion /ɔːdíʃən/ 名 C (歌手・俳優などの)オーディション;(レコードの)試聴 ‖ give an *audition* to him 彼のオーディションをする / have an *audition* for the part of Ophelia オフィーリア役のオーディションを受ける. —動 他《歌手・俳優》のオーディションをする. — 自 (…の)オーディションを受ける[for).
†**au·di·tor** /5:dətər/ 名 C **1** 会計検査官,監査役. **2**《米》(大学の)聴講生.
†**au·di·to·ri·um** /ɔːdətɔ́ːriəm/ 名 (複 ~s, ·ri·a /-riə/) C **1**《米》講堂,大講義室. **2** 公会堂,音楽堂. **3** 聴衆席,観客席;傍聴席.
au·di·to·ry /5:dətɔ̀ːri|-ditəri/ 形 耳の,聴覚の.
Au·drey /5:dri/ 名 オードリー《女の名》.
Aug.《略》August.
†**aught** /5:t/ 〔同音〕 ought) 代《古》何でも,何か.
for áught I cáre《文》私にはどうでもいいことだが.
for áught I knów《文》たぶん,よくは知らないが.
†**aug·ment** /ɔːgmént/ 動 他《正式》《権力・人口・収入など》を(さらに)増加[増大]させる(increase). —自 増加[増大]する.
aug·men·ta·tion /ɔ̀ːgmentéiʃən/ 名《正式》**1** U 増加,増大(increase). **2** C 増加物,付加物.
†**au·gur** /5:gər/ 名 C《正式》〔歴史〕ト占古官(ぼくせんかん)《古代ローマで鳥の動きを見て公事の吉凶を占った神官》. —動《正式》他《事》を占う,予言する(predict);《事》の前兆を示す. —自 前兆となる ‖ *augur* well [ill] for … …のよい[悪い]前兆である.
au·gu·ry /5:gjəri/ 名《正式》**1** U 占い ‖ perform *augury* 占う. **2** C 前兆(sign);吉兆.
†**au·gust** /ɔːgʌ́st/ 形《文》威厳のある,堂々たる(grand);畏敬[尊敬]の念を起こさせる ‖ your *august* father ご尊父.
*__August__ /5:gəst/《ローマ皇帝アウグストゥス(Augustus)の月》
—名 U 8月;〔形容詞的に〕8月の《略》Aug.)
〔語法〕 → January).
August wáve 8月の暑波.
August vacátion 8月の休暇.
Au·gus·ta /ɔːgʌ́stə/ 名 オーガスタ《米国 Maine 州の州都》.
Au·gus·tan /ɔːgʌ́stən/ 形 **1** アウグストゥス帝(Augustus)時代の;《その》の文芸全盛期の. **2**《文学が》古典主義の;古典風の. **Augústan áge** [the ~] Augustus 帝時代《27 B.C.-A.D.14のラテン文学隆盛期》;(一国の)文芸全盛時代.
Au·gus·tine /ɔːgʌ́stin, -gəs-/ 名 **1** Saint ~ アウグスティヌス《354-430;北アフリカのヒッポレギウスの司教で初期キリスト教会最大の指導者》. **2** Saint ~ [Austin] アウグスティン《?-604;ローマの修道士で英国 Canterbury の初代大司教》.
†**Au·gus·tus** /ɔːgʌ́stəs/ 名 アウグストゥス《63 B.C.-A.D.14;ローマ帝国の初代皇帝. Julius Caesar の後継者. 皇帝になる前の名は Octavianus》.
auk /5:k/ 名 C〔鳥〕ウミスズメ《北半球沿岸にすむ潜水性の海鳥》.
auld lang syne /ɔːld læŋ záin, -sáin/ 名 U〔スコット〕**1** なつかしい昔(old long since)《◆歌ったり飲んだりする時によくいう》‖ Let's drink to *auld lang syne*. 過ぎし日々に乾杯しよう. **2** [A~ L~ S~] オールドラングサイン《R. Burns の詩の題名. これにつけた曲が「ほたるの光」のメロディ》.
Aung San Suu Kyi /ɔːŋsæn súːtʃiː/ 名 アウンサン スーチー《Daw ~1945-;ミャンマーの政治家. ノーベル平和賞(1991)》.

:**aunt** /ǽnt | áːnt/〔同音〕《米》ant)〔「父の姉妹」が原義〕
—名《複》~s/ǽnts /ǽnts/ C **1** [しばしば A~] おば,父母の姉妹;おじの妻;甥(おい)や姪(めい)のいる女性 (cf. uncle) ‖ one's *aunt* on one's father's side 父方のおば / become an *aunt* おばになる,甥[姪]ができる / Read me the book, Aunt Jane. (ジェーン)おばさん,その本を読んでください.《◆自分のおばは my *aunt*. より親しみをこめて単に Jane と呼ぶこともある. ×Aunt Smith のように姓にはつけない》.
2 [しばしば A~]《略式》〔子供などに〕したわれる年配な女性,おばさん[to)《◆呼びかけも可》‖ be an *aunt* to the children 子供らに親しくする.
aunt·ie, aunt·y /ǽnti | áːnti/ 名 C **1**《略式・小児語》おばちゃん《◆ *aunt* の親愛語. 本当のおばでなくとも使える. 呼びかけも可》. **2**《米》《きまじめの》おばちゃん《◆《英》BBC 放送,《豪》ABC 放送の愛称》.
au pair /ou péər/〔フランス〕名《英》オペア《英語習得のために住み込みで家事を手伝う外国人女性(au pair girl). au pair は仕込みでは男性にも用いる》.
au·ra /5:rə/ 名 (複 ~s, au·rae /5:riː/) C《正式》(花などから出る)ほのかな香り;〔人・場所のまわりの〕(独特の)雰囲気,オーラ(atmosphere)〔about).
au·ral /5:rəl/〔同音〕oral)《◆ oral と並べた時は区別のため /áurəl/ と発音することがある》形 耳の,耳に関する,聴覚の,聴覚に訴える ‖ an *aural* surgeon 耳科医 / an *aural* aid 補聴器 / Dogs have a keen *aural* sense. 犬は鋭い聴力を持っている.
áu·ral·ly 副 聴力に関して,聴覚によって.
au·re·o·la /ɔːríːələ/, **au·re·ole** /5:riòul/ 名 C **1** (聖像の)後光,光輪(halo). **2** 光輝,輝き. **3**〔天文〕光環,コロナ.
au re·voir /ou rəvwáːr/〔フランス〕間 さようなら.
au·ri·cle /5:rikl/ 名 C〔解剖〕外耳,耳殼;(心臓の)心耳,心房;〔動・植〕耳状部,耳葉(じよう).
†**au·ro·ra** /ərɔ́ːrə/ 名 (複 ~s, -rae /-riː/) **1** C オーロラ,極光. **2** [A~]〔ローマ神話〕アウロラ,オーロラ《夜明けの女神. ギリシア神話の Eos に当たる》.
auróra aus·trá·lis /-ɔːstréilis/ 南極光(the southern lights).
auróra bo·re·á·lis /-bɔ̀ːriǽləs/ -éilis/ 北極光(the northern lights)《◆災害などの前兆といわれる》.
au·ró·ral 形 オーロラの,曙光の.
Aus.《略》Australia; Austria.
†**aus·pice** /5:spis/ 名 C **1** [~s] 保護,援助(help),賛助,後援,主催 ‖ under the *auspices* of the

city government 市当局の主催[後援]で. **2** 前兆(sign);吉兆;予言,占い ‖ *under favorable auspices* さい先よく.

†**aus·pi·cious** /ɔːspíʃəs/ 形 吉兆の;さい先のよい,めでたい;幸運な(lucky).

Aus·sie /ɔ́ːsi | ɔ́zi/ 名 ⓒ (略式) **1** 〔略式〕オーストラリア人(の). **2**〔豪略式〕オーストラリア(の).

Aus·ten /ɔ́ːstən/ 名 オースティン《Jane ~ 1775-1817;英国の女性小説家》.

†**aus·tere** /ɔːstíər/ [アクセント注意] 形 (正式) **1**〈人・態度・規律などが〉きびしい(strict),厳格な(stern). **2**〈文体・服装などが〉簡素な,飾りけのない;〈人・生活などが〉〔極めて〕質素な. **aus·térely** 副厳しく,簡素に.

†**aus·ter·i·ty** /ɔːstérəti/ 名 **1** Ⓤ 厳格さ,きびしさ(strictness). **2** Ⓤ 簡素;耐乏,緊縮;[austerities] 禁欲[耐乏]生活.

Aus·tin /ɔ́ːstin/ 名 **1 a** ⓒ (商標) オースティン《英国製小型自動車》. **b** オースティン《米国 Texas 州の州都》. **c** オースティン《男の名》. **2** =Augustine **2**.

*****Aus·tral·ia** /ɔːstréiljə/〔『南の(国)』が原義〕—名 **1** オーストラリア(大陸),豪州. **2** オーストラリア連邦《正式名 the Commonwealth of Australia;首都 Canberra》.

*****Aus·tral·ian** /ɔːstréiljən/〔→Australia〕—形 オーストラリアの,豪州の;オーストラリア人の;オーストラリア英語[原住民の言語]の ‖ an *Australian bear* コアラ(koala).
—名(複 ~s/-z/) ⓒ **1** オーストラリア人;オーストラリア先住民. オーストラリア英語(Australian English);オーストラリア先住民の言語.
Austràlian Rúles (fóotball) オーストラリアン[豪式]フットボール.

†**Aus·tri·a** /ɔ́ːstriə/ 名 オーストリア《ヨーロッパ中部の国. 現在は共和国. 首都 Vienna》.

†**Aus·tri·a-Hun·ga·ry** /ɔ́ːstriəhʌ́ŋɡəri/ 名 オーストリア=ハンガリー(帝国)《両国を中心としたヨーロッパ中部の帝国(1867-1918)》.

Aus·tri·an /ɔ́ːstriən/ 形名 オーストリア(人)の.

†**au·then·tic** /ɔːθéntik/ 形〈古美術品・署名などが〉本物の,真正の(genuine);〈本・報告などが〉(事実に基づき)信頼できる,確実な(reliable);〈復元などが〉元の物に忠実な;(略式) 心からの(sincere).

au·thén·ti·cal·ly 副 真正に;確実に;正式に.

au·then·ti·cate /ɔːθéntikèit/ 動 他 **1**〈専門家などが〉〈美術品・陳述・会計など〉が本物である[正しい,有効である]と認める,証明する. **2**〈作品を〉〔…の作〕と認める,証明する(as). **au·thèn·ti·cá·tion** 名 Ⓤ (正式) 証明,認証.

au·then·tic·i·ty /ɔ̀ːθentísəti/ 名 Ⓤ 真正[本物]であること,確実[信頼]性;(略式) 誠意.

*****au·thor** /ɔ́ːθər/〔『生み出す人』が原義〕—名(複 ~s/-z/) ⓒ **1** 著者,作者;著述家,作家《◆(1) writer より品格のある感じを与える. (2) 具体的には, playwright, dramatist, poet, novelist, composer, lyricist, songwriter, biographer など. 女性も含む》‖ the *author* of *Faust*『ファウスト』の著者 / *Cervantes* is one of the most famous *authors* in the Spanish language. セルバンテスはスペイン語の作家の中で最も有名な人です. **2** (正式) 創始者,創造者(creator);立案者;(いたずらなどの)張本人 ‖ the *author* of this plan この計画の立案者.

au·tho·ri·al /ɔːθɔ́ːriəl/ 形 著者の.

au·thor·i·tar·i·an /ɔːθɔ̀ːrətéəriən | -θɔ̀r-/ 名ⓒ 権威[独裁]主義者. —形〈人・政治などが〉権威[独裁]主義の,ワンマンの. **au·thòr·i·tár·i·an·ism** 名 Ⓤ 権威主義.

†**au·thor·i·ta·tive** /əθɔ́ːrətèitiv | ɔːθɔ́rritətiv/ 形 **1**〈情報・本などが〉権威のある,信頼できる ‖ an *authoritative* figure in biotechnology 生物工学の権威ある人物. **2**〈決定などが〉当局の,官憲の,その筋の. **3**〈人・態度・口調などが〉命令的な,横柄な ‖ speak in an *authoritative* voice 命令的な口調で話す.

au·thór·i·tà·tive·ly 副 権威を持って,命令的に.

†**au·thor·i·ty** /əθɔ́ːrəti | ɔːθɔ́r-/ 名 **1** Ⓤ〔…に対する〕(地位などによる)権威,権力(power);影響力〔over, with〕‖ a person of *authority* 権威ある人 / *with* [*without*] *authority* 権威を持って[無断で] / *under the authority of* the Ministry of Justice 法務省の管轄下に / His father is *in authority here*. ここでは彼の父が権力を持っている / Some teachers **have no authority over** their students. 生徒に全然にらみのきかない先生もいる. **2** [the authority to do / the authority for doing] …する権限,職権,許可《◆to do の方がふつう》‖ By [On] whose *authority* do you enter this room? いったいだれの許しを得て君はこの部屋に入ってくるのか / Do you **have (the) authority to** practice medicine? 医者を開業する許可を得ていますか《◆(略式) では to はしばしば省略》. **3** [しばしば the authorities:複数扱い] 当局,官憲,その筋;Ⓤ [the ~] 公共事業機関 ‖ the school *authorities* 学校当局 / the *authorities* concerned 関係当局. **4** Ⓒ Ⓤ〔…の/…に対する〕典拠,根拠〔on/for〕;Ⓒ〔…の〕権威者,大家〔on, about〕‖ an *authority* on English literature 英文学の大家 / *on the authority of* the Bible 聖書をよりどころとして.
on one's *ówn authórity* (1) 独断で. (2) 自称.
authórity sýndrome 権勢症候群《犬などを甘やかして育てると言うことを聞かなくなるなど》.

au·thor·i·za·tion /ɔ̀ːθərəzéiʃən | -raiz-/ 名 Ⓤ〔…する/…に対する〕公認,許可,権限;委任〔to do / for〕;Ⓒ 許可証.

†**au·thor·ize**, (英ではしばしば) **-ise** /ɔ́ːθəràiz/ 動 他 **1**〈人・国家が〉〈人〉に〔…する〕権限[権威]を(公的に)与える〔to do〕‖ The law *authorizes* policemen *to carry weapons*. 警官は法律によって武器を携帯することを公認されている. **2**〈計画・支払いなど〉を〔…に〕認定[認可,公認]する(approve)〔to〕.

au·thor·ized /ɔ́ːθəràizd/ 形 **1** 公認[認可]された,検定済みの. **2**〈人が〉権限を与えられた.
Áuthorized Vérsion [the ~] 欽定訳聖書《(主に米) King James Version》《1611 年に英国王 James I の命により出版された英訳聖書. (略) AV》.

†**au·thor·ship** /ɔ́ːθərʃìp/ 名 **1** Ⓤ 著作者であること;著述業 ‖ a book of unknown *authorship* 著者不明の本. **2** (正式) (うわさなどの)出所,根源.

au·tism /ɔ́ːtizm/ 名 Ⓤ (心理) 自閉症,自閉性.

au·tis·tic /ɔːtístik/ 形 自閉症の(人).

†**au·to** /ɔ́ːtou/ 名 (複 ~s) ⓒ (米略式) =automobile.
—形 (略式) =automatic.
áuto còurt モーテル(motel).
áuto ràce オートレース.
Áuto Stàte (愛称) [the ~] 自動車州(→ Michigan).

au·to- /ɔ́ːtou-/ (語基素) =語要素一覧(1.2, 1.6).

au·to·bahn /ɔ́ːtoubàːn, áutou-/〔ドイツ〕名(複 ~s, ~·en/-ən/) [時に A~] ⓒ アウトバーン《ドイツの高速道路(superhighway)》.

au·to·bi·o·graph·ic, -i·cal /ɔːtoubàiougræfik(l)/ 形 〈小説などの〉自叙伝の; 自伝体[風]の.

†**au·to·bi·og·ra·phy** /ɔːtəbaiɑ́grəfi, -bi-/ 名 C 自叙伝, 自伝; U 自叙文学. **au·to·bi·óg·raph·er** 名 C 自叙伝作者.

au·to—com·mut·er /ɔːtoukəmjúːtər/ 名 C 自動車通勤者.

au·toc·ra·cy /ɔːtɑ́krəsi, -tɔ́k-/ 《正式》U 独裁権;〔専制〕政治;C〔専制〕主義国.

au·to·crat /ɔ́ːtəkræt/ 名 C 1 独裁[専制]君主; 独裁者. 2 横暴な人, ワンマン.

au·to·crat·ic, -i·cal /ɔ̀ːtəkrǽtik(l)/ 形 独裁の; 独裁[専制]的な, 横暴な. **àu·to·crát·i·cal·ly** 専制[独裁]的に.

au·to·cross /ɔ́ːtoukrɔ̀(ː)s/ 名 C (英) クロスカントリー〔自動車・オートバイ〕レース《(米) rally》.

au·to—free /ɔ́ːtəfríː/ 形 (情報ハイウェイ化時代の) 自動車(通勤)から解放された.

†**au·to·graph** /ɔ́ːtəɡræf, -ɡrɑ̀ːf/ 名 C 1 自筆, 肉筆;〔有名人の記念のための〕サイン ‖ May I have your *autograph* [×signature, ×sign]? サインしていただけますか《◆ signature は書類などへの署名》. 2 自筆の原稿[文書]. ― 動 他 〈原稿などを〉自筆で書く;〈手紙・本・写真などに〉サインする.

áutograph àlbum [**bòok**] サイン帳.

áutograph sèssion サイン会.

au·to·mak·er /ɔ́ːtoumèikər/ 名 C (米) 自動車メーカー.

au·to·mat /ɔ́ːtəmæ̀t/ 名 C (米)〔もと商標〕自動販売式食堂《24時間営業のカフェテリアの一種》; 自動販売機.

au·to·mate /ɔ́ːtəmèit/ 動 他 〈物〉をオートメーションで製造する;〈工場・工程など〉をオートメーション化する ‖ an *automated* factory オートメーション工場. ― 自 オートメーションで製造する;〈工場・工程など〉がオートメーション化される.

áutomated téller machìne → ATM.

†**au·to·mat·ic** /ɔ̀ːtəmǽtik/ 形 《名詞の前で用いるときはふつう》 1〈機械・工程などが〉自動(式)の, 自動装置の; 無人の ‖ an *automatic* translation machine 自動翻訳機. 2〈動作が〉機械的な, 無意識的な, 習慣的な ‖ Most of our habits are *automatic*. 我々の習性のほとんどは無意識的に行なわれる. 3 必然的な ‖ an *automatic* rise in prices 物価の必然的な上昇. ― 名 C 1 自動操作機械[装置]; オートマ(チック)車《自動変速装置つきの自動車》. 2 自動ピストル.

áutomatic péncil シャープペンシル《(米) mechanical [(英) propelling] pencil》《◆ a sharp pencil は「先のとがった鉛筆」》.

áutomatic pílot 自動操縦装置《◆ C, 時に U》 ‖ on *automatic pilot* 惰性で.

áutomatic transmíssion [**dríve**] (自動車の)自動変速装置《◆ C, 時に U》.

†**au·to·mat·i·cal·ly** /ɔ̀ːtəmǽtikəli/ 副 自動的に; 無意識的に, 機械的に ‖ ▶対話◁ "All I have to do is to push the button." "Yes, the camera focuses *automatically*."「ボタンを押すだけでよろしいですね」「はい, そのカメラは自動的に焦点を調節します[自動焦点カメラです]」.

†**au·to·ma·tion** /ɔ̀ːtəméiʃən/ 名 U (機械などの)自動操作, オートメーション;(労働者に代わる)機械使用.

au·tom·a·ton /ɔːtɑ́mətɑ̀n, -tɑ́mətn/ 名 (複 ~s, -ta/-tə/) C 1 自動機械[装置]; ロボット. 2 機械的に仕事をする人, 考えなしに行動する人.

†**au·to·mo·bile** /ɔ́ːtəmoubìːl, ˌ–ˈ– | ɔ́ːtəməu-, ˌ–ˈ–/ 〔発音注意〕名 C 1 《主に米》自動車《◆ 日常語は car. ふつう乗用車をさすが bus や truck をも含めることも多い. 略 auto》. 2 〔形容詞的に〕自動車の; 自動の《事情》→ car》.

áutomobile navigátion sýstem → car navigation system.

†**au·to·mo·tive** /ɔ̀ːtəmóutiv, ˌ–ˈ– –/ 形 1〈機械・乗用が〉自動(推進)の. 2〈工業などが〉自動車の.

au·ton·o·mous /ɔːtɑ́nəməs, -tɔ́nə-/ 形〈国・団体などが〉自治の, 自治権のある, 独立した ‖ a local *autonomous* body 地方自治体.

au·tón·o·mous·ly 自治して.

au·ton·o·my /ɔːtɑ́nəmi, -tɔ́nə-/ 名 U 自治(権), 自主性; C 自治体, 自治団体.

au·top·sy /ɔ́ːtɑpsi, -tɔp- | -tɔp-/ 名 C〔…の〕検死, 検死解剖 [on]; U C 詳細な批判分析.

au·to·sug·ges·tion /ɔ̀ːtousədʒéstʃən/ 名 U〖心理〗自己暗示.

‡**au·tumn** /ɔ́ːtəm/〔発音注意〕 ― 名 (複 ~s/-z/) U C 1〔時に A~〕秋, 秋季《(英) では 8, 9, 10月,(米) では 9, 10, 11月が *autumn* とされる. (米) では *autumn* は《正式》で詩的な響きがする. ふつうは fall》;〔形容詞的に〕秋の(ような) ‖ 日本発》Kyoto and Nikko are among the most famous places for *autumn* leaves, and both become quite crowded with tourists. 京都と日光は紅葉で有名な場所で, 観光客でたいへんにぎわいます. 2 秋の収穫. 3《文》〔the ~〕初老[(ﾎｯﾄ)落]期 ‖ in the *autumn* [×time] of one's life 晩年に.

au·tum·nal /ɔːtʌ́mnl/ 形《正式》秋の, 秋に実る, 秋に咲く《◆ autumn, fall で代用することが多い》.

aux. (略) *auxiliary*.

†**aux·il·ia·ry** /ɔːgzíljəri | -zíliə-/ 形 補助の, 予備の (standby); 副の, 付加的な; 援助する; 補助エンジンのある ‖ *auxiliary* troops 援軍 / an *auxiliary* sloop 補助エンジンのある帆船 / an *auxiliary* engine 補助機関. ― 名 1《文法》= auxiliary verb. 2 助手, 補助者; 補助団体; 〔auxiliaries〕援軍, 外人部隊, 予備隊. 3 補助物, 補助艦[艇].

auxíliary vérb 助動詞.

AV《略》 Authorized Version; audio-visual.

†**a·vail** /əvéil/《正式》動〔通例否定文・疑問文で〕自〈物・事が〉役に立つ, 用が足りる ‖ No medicine *availed* [prevailed] against the disease. その病気にはどの薬もきき目がなかった《◆ prevailed がふつう》. ― 他〈物・事が〉〈人・事に〉役立つ, …を益する (help) ‖ What does it *avail* to do so? そんなことをして何の役に立つか (= 「It is no use [There is no use (in)] doing so.)」.

aváil onesélf of A =(米) **aváil of** A《正式・まれ》 …を利用する, …に乗じる (make use of) ‖ While working in Paris, I *availed* myself of the opportunity to visit the museums. パリで働いている間に私はその機会を利用して美術館に行った.

― 名 U 利益 (advantage), 効用, 効力, 甲斐(☆).

(**áll**) **to nó** [**líttle**] **aváil** =**without aváil** 〔しばしば but の後に用いて〕無益に, 甲斐なく (in vain)《◆ 文中・文尾に置く》.

be of nó [**líttle**] **aváil** 全然[ほとんど]役に立たない.

a·vail·a·bil·i·ty /əvèiləbíləti/ 名 U 利用できる[役に立つ]こと,(入手の)可能性; 有効[有用]性.

‡**a·vail·a·ble** /əvéiləbl/ [→ avail]

avalanche — aviary

―形 **1** (使っていないので)利用できる; 入手できる, 得られる《◆比較変化しない》(↔ unavailable) ‖ The tickets are *available* here. その切符はここで手に入ります(=The tickets can be bought [obtained] here.) / The motel had「no *available* rooms [no rooms *available*]. そのモーテルには空き部屋はなかった / The dress is *available* in all sizes. その服はどのサイズでも手に入ります / The telephone is now *available*. (前の人がかけ終わったのでもう電話は使えますよ / This magazine is not *available* in Japan. この雑誌は日本では入手できません / Every *available* patrol car rushed to the scene. どのパトカーも現場へ急行した. / *Available* Immediately.《広告》即入居可能.
2 [補語として]〈人が〉(手があいて)会う[来る]ことができる, 忙しくない(free)‖《対話》"When is Mr. Smith *available*?" "Just a minute. I'll check his schedule."「スミス氏にいつお会いできますか」「少々お待ちください. スケジュールを調べてみます」.

†**av·a·lanche** /ǽvəlæntʃ/ -|ɑ̀ːntʃ/《フランス》名 **1** ⓒ なだれ. **2** [an ~ of ...] 多くの, 殺到する(質問, 手紙など) ‖ an *avalanche* of fan letters ファンレターの殺到.

a·vant-garde /ɑ̀ːvɑːŋɡɑ́ːrd/ ævɑ̀ːŋ-/《フランス》名 [the ~; 集合的名詞; 単数・複数扱い] 前衛的芸術[文学]家たち, アバンギャルド; ⓤ 前衛思想[芸術]. ―形〈人・作品などが〉前衛的な, 最先端の.

†**av·a·rice** /ǽvəris/ 名 ⓤ《正式》(金銭に対する)貪(ど)欲, 強欲.

av·a·ri·cious /ævəríʃəs/ 形《正式》〈人が〉(金銭に対して)強欲な;〔権力などを〕ひどく欲しいと思う《of》.

a·ve /ɑ́ːvei/,《米+》/ǽvi/,《英+》/ɑ́ːvi/ 間 ようこそ, ごきげんよう. ―名 **1** [A~] =Ave Maria; アベマリアの祈りの時刻. **2** ⓤⓒ 歓迎[別れ]のあいさつ(の言葉).

Áve María 《カトリック》(聖母マリアにささげる)アベマリアの祈り, 天使祝詞《◆ラテン語で「幸いあれマリア様」の意》.

ave., Ave. 略 avenue.

†**a·venge** /əvéndʒ/ 動 他 **1** (他人・正義のために)〈事〉の復讐(ふく)をする, 仕返しをする(→ revenge 他 **1**) ‖ He *avenged* his brother's murder by sending the murderer to jail. 彼は兄(弟)が殺害されたことに対して, 殺人犯を刑務所へ入れることによって復讐した. **2** [be ~d / ~ oneself]〈人に/事の仕返しをする〕《on/for》‖ I *avenged* myself [was *avenged*] on him for the insult. 私は彼に侮辱された仕返しをした(=《略式》I paid him back for the insult).

†**av·e·nue** /ǽvənjùː/ 名 ⓒ **1** [しばしば A~] 大通り, 本通り, 大街路《◆米国の都市ではしばしば Avenue と Street が直角に交差している. New York 市では Avenue は南北の通りをいう. 略》Av., Ave., ave.》; 並木道;《英》(大邸宅の本道から玄関までの)並木道 ‖ an *avenue* of elms ニレの並木道 / Fifth *Avenue* 5番街《New York 市の繁華街》《◆固有名詞に用いると Swán *Avenue* のように the をつけないのがふつう》. **2** ⓒ 〔~への〕手段(means), 方法(way)《to》‖ an *avenue* to success 成功への道 / explore every *avenue* あらゆる手段を検討[調査]する.

†**a·ver** /əvə́ːr/ 動《過去·過分》a·verred/-d/; ~·ver·ring《◆》 他 **1**〈真実であることなど〉を断言する, (確信をもって)主張する(affirm). **2**〔…だと〕証言する《that 節》.

av·er·age /ǽvəridʒ/《「損失商品の分担」が原義》 ―名 [an/the ~] 平均; 標準, 並み ‖《対話》 "Has the rice crop failed this year?" "No, it's *up to* (*the*) *average*."「今年の米は不作でしたか」「いいえ平年並です」/ take [strike] an [*the*] *average* 平均をとる / The *average* of the sum of 10, 16, and 4 is 10; that is, 10 plus 16 plus 4 equals 30, and 30 divided by 3 is 10. 10と16と4の合計の平均は10である. すなわち, 10足す16足す4は30で, 30割る3は10である / My grades are *above* [*below*] *average*. =I am above [below] *average* in my grades. 私の成績は標準以上[以下]です / An *average of* twenty people apply [applies] each month. 毎月平均して20名が申し込みます《◆《略式》では複数扱いがふつう》/ a high-*average* hitter 打率の高い打者 / His batting *average* stands at .332. 彼の打率は3割3分2厘です《◆at three thirty-two と読む》.

*on (an [*the*]) *average* 平均して ‖ He earns one hundred pounds a week *on* (*an* [*the*]) *average*. 彼は1週平均して週に100ポンドかせぎます = His income *averages* (out at) ten pounds a week.)《◆文頭·文中·文尾いずれにも用いる》.

―形 平均の; ふつうの, 並みの《◆比較変化しない》 ‖ the *average* rainfall for April 4月の平均降雨量 / What is the *average* life expectancy [span]? 平均余命[寿命]はどれだけですか / He's not exceptional; he's just an *average* child. 彼は特別優秀というわけではなく, まったく平均的な子供です.

―動 他 **1**〈数〉を平均する, …の平均をとる, …の平均が〔…と〕なる(+*out*)〔*at*〕;〈賃金などの平均値を上げる〉(+*up*)〔*to*〕(+*down*)〔*to*〕 ‖ If you *average* 3, 4 and 8, you get 5. 3と4と8を平均すれば5になる. **2** (平均して)〈数〉だけ…する[になる]《◆受身不可》 ‖ My car *averages* 15 kilometers to the liter. ぼくの自動車はリッターあたり平均15キロ走る / The children *average* seven years of age. 子供たちの平均年齢は7歳です(=The *average* age of the children is seven.) / We *average* 8 hours' work a day. 私たちは1日平均8時間働きます(= We usually work 8 hours a day.).
―自 **1** 平均が〔…の〕となる(+*out*)〔*at*, *to*〕. **2** 平均的な線に落ち着く.

†**a·verse** /əvə́ːrs/ 形 **1**《正式》[しばしば否定文で]〔…に〕反対で,〔…を〕きらって(opposed)〔*to*〕 ‖ We are *not averse to* the new tax system. 我々は新しい税制に反対というわけではない《◆消極的な賛成に用いる》/ The child is very much *averse to* getting an injection. その子供は注射をひどくいやがる《◆強調に very を用いるのは《略式》》. **2**〈葉·花が〉茎から外の方を向いた.

a·vérse·ness 名 ⓤ けぎらい.

†**a·ver·sion** /əvə́ːrʒən/ -ʃən/ 名 **1** [an ~]〔…に対する〕(根強い)反感, 避けたい気持ち《*to*, *for*》《◆「生理的な嫌悪」は antipathy》‖ have a strong *aversion to* [(まれ) *from*] insects 虫が大きらいである / I have an *aversion to* traveling during the heat of August. 8月の暑い時に旅行をするのはいやだ. **2** ⓒ [通例 one's pet ~] きらいな物[人].

†**a·vert** /əvə́ːrt/ 動 他《正式》**1**〈目など〉を〔光景から〕そらす, そらす, 転ずる(turn away)《*from*》‖ She *averted* her glance *from* an ugly sight. 彼女はいやな光景から目をそらした. **2**〈人·事など〉〈事故·危険など〉を避ける, 防ぐ(prevent).

a·vi·ar·y /éivièri/ -əri/ 名 ⓒ (動物園などの)大きな鳥

のおり；鳥類飼育場.

†**a·vi·a·tion** /èiviéiʃən/ 名 **1** 航空術[学]. **2** 航空機産業. **3** 軍用機.

†**a·vi·a·tor** /éivièitər/ 名 C (やや古) 飛行家[士], 航空機操縦士(pilot)《◆airman の(PC)語》.

av·id /ǽvid/ 形 **1** [物・名声などを]渇望している〔*of, for*〕‖ She *is avid* of [*for*] fame [power]. 彼女は名声[権力]が欲しくてたまらない. **2** 〈人の熱心さ〉an *avid* reader of science fiction SF の熱烈な愛好家.

áv·id·ly 副 渇望して; 熱心に.

av·o·ca·do /ævəkɑ́:dou/ 名 (複 ~s, ~es) **1** C U =avocado pear. **2** C 〖植〗アボカドノキ.

avocádo pèar アボカド(の実) (alligator pear)《◆サラダに入れるので salad fruit ともいう》.

*__a·void__ /əvɔ́id/ [~を離れて(a)回避にする(void)]
──/-s/əvɔ́idz/; (過去・過分) ~·ed/-id/; ~·ing)
他〈人が〉く(望ましくない)人・事・物を(意識して)避ける, よける; [avoid *doing*] …しないようにする《◆avoid to do とはしない》‖ *avoid* fried foods 油で揚げた食べ物を避ける / The pilot barely [narrowly] *avoided* a crash. パイロットはかろうじて墜落を回避できた / *Avoid* get*ting* too mixed up with those fellows. そういう連中とかかわるのを避けなさい.

a·void·a·ble /əvɔ́idəbl/ 形 〈事故などが〉避けられる.

a·void·ance /əvɔ́idəns/ 名 U […を]避けること, 忌避, 慎む[控える, 断つ]こと〔*of*〕‖ tax *avoidance* 節税.

av·oir·du·pois /ævərdəpɔ́iz; ǽvwɑ:djupwɑ́:/《フランス》名 U =avoirdupois weight. **avoirdupóis wèight** 常衡(じょうこう)《16オンスを1ポンドとする通常の重量の単位系》.

†**A·von** /éivn/ 名 **1** エイボン《イングランド南西部の州；州都 Bristol》. **2** [the ~] エイボン川《イングランド中部の川；Stratford-upon-Avon を流れる》.

†**a·vow** /əváu/ 動 他 (正式) **1**〈信条・欠点などを〉率直に認める(admit) (↔disavow)‖ *avow* one's errors 自分の誤りを認める. **2** …を公言する, […だと]明言する[*that*節]‖ He *avowed that* he was a true liberal. 彼は自分は本当の自由主義者だと公言した.

a·vow·al /əváuəl/ 名 U C (正式) 公言, 明言；公認；告白‖ make an *avowal* of … …を公言する.

a·vowed /əváud/ 形 公言した(stated), 公然の；自ら認めた. **a·vow·ed·ly** /əváuidli/ 副 (正式) [しばしば文全体を修飾] 率直に認められるように, 明らかに.

aw /ɔ́:/ 間 おお, ばかな《◆反対・抗議などを表す》.

†**a·wait** /əwéit/ 動 他 (正式) **1**〈人が〉〈事〉を待つ, 待ち受ける《◆wait for より堅い語. 抽象的な物事を待つ場合に多く用いられる》‖ I *await* your reply. ご返事をお待ち申し上げます (=I wait for you to reply.) / the long *awaited* Christmas holiday 待ちに待ったクリスマス休暇. **2**〈事・物が〉〈人〉を待ち構えている‖ Another misfortune *awaited* me. さらにもうひとつの不幸が私を待ち構えていた / No one knows what *awaits* him in life. 人生において何が待ち構えているかだれにもわからない.

*__a·wake__ /əwéik/ 形
──動 (~·s/-s/; (過去) **a·woke**/əwóuk/ or **a·waked**/-t/, (過分) **a·woke** or **a·waked** or **a·wok·en**/əwóukn/; **a·wak·ing**)《◆awake is wake より堅い言い方で, 自 他 とも **2**, **3** の比喩的な意味に多く用いられる》.

──他 **1** (正式) [awake **A** (from B)]〈人・物・事が〉**A**〈人〉を(**B**〈眠り〉から)起こす, 目覚めさせる (wake up)‖ The mother *awoke* the baby *from* its afternoon nap so it would sleep through the night. 母親は赤ん坊を夜中眠るようにお昼寝から起こした / I was *awoken* in the middle of the night by thunder [the sound of a rain]. 私は雷(かみなり)[雨音]で真夜中に目をさました.

2 (正式) [awake **A** from **B**]〈人・物・事が〉**A**〈人〉を**B**〈無知など〉から目覚めさせる, 覚醒させる；[awake **A** to **B**]〈人〉に **B**〈事〉を気づかせる, 自覚させる (wake)‖ The teacher *awoke* her *from* a state of ignorance. 先生は彼女を無知から目ざめさせた / *awake* him *to* the fact that there's no easy way to success 成功への道は容易でないことを彼に悟らせる《◆the fact that については → fact **1a**》(=make him aware that …).

3 〈記憶・興味など〉を呼び起こす, 喚起する‖ *awake* old memories 昔の記憶を呼び起こす.

──自 **1** (正式) 〈人が〉目がさめる, 起きる (wake)‖ I *awake* at seven every morning. 私は毎朝7時に目がさめる / I *awoke* to find I was late for work. 私は目がさめて仕事に遅れたことに気づいた / The next morning she *awoke* exhausted. 翌朝彼女が目をさますとひどく疲れが残っていた. **2** 〈人が〉〈迷いなどから〉さめる〔*from*〕; 〈人が〉〈危険などに〉気づく, …を意識する, 悟る〔*to*〕‖ They *awoke* to the danger. 彼らは危険に気づいた (=They became aware of the danger.). **3** 〈記憶などがよみがえる; 興味などが〉呼び起される.

語法 **2**, **3** では awaken が好まれる.

──形 [補語として] **1** 目がさめて, 眠らずに (↔asleep)《◆名詞の前で用いるときは waking》‖ *awake* or *asleep* 寝ても覚めても / I was wide *awake* all night. 私は一晩じゅうまったく眠らずにいた《◆this wide is fully の意味》. **2** 油断のない; […に]気づいて〔*to*〕‖ We became *awake to* the danger. 我々は危険に気がついた.

wíde awáke (1) → **1**. (2) 簡単にはだまされない.

*__a·wak·en__ /əwéikn/ 動 (~·s/-z/; (過去・過分) ~ed /-d/; ~·ing)(正式)=awake (→ awake 自 **3** 語法).

†**a·wak·en·ing** /əwéikniŋ/ 名 U C [通例 an/the/one's ~] 目覚め; 覚醒; […に対する]自覚〔*to*〕; 開始, 発足期‖ have [receive] a rude [shocking] *awakening* 自分のやっていることに気づいてショックを受ける[幻滅を感じる].
──形 目ざめつつある; 覚醒させるような, めざましい.

*__a·ward__ /əwɔ́:rd/ [発音注意] 「「(裁判して)与える」が本義]
──動 (~·s/əwɔ́:rdz/; (過去・過分) ~·ed/-id/; ~·ing)
──他 **1** [award **A B** =award **B** to **A**]〈人が〉**A**〈人〉に(賞として)**B**〈物〉を与える, 〈賞・メダルなどを[業績などに対して]授与する〔*for*〕(●文法 **3.3**)‖ He *awarded* her the sum of 500 pounds. =He *awarded* the sum of 500 pounds to her. 彼は彼女に総額500ポンドを与えた / 'She was *awarded* [They *awarded* her] (the) first prize. =(The) first prize was *awarded* to her. 彼女は1等賞をもらった. **2** 〈賠償金〉を裁定により与える；〈売買・譲渡などの契約書を渡す.

──名 (~·s/əwɔ́:rdz/) **1** C (選考の結果与えられる)賞, 賞品, 賞金 (cf. prize, reward)‖ The winner received an *award* of $1,000. 優勝者は賞金1000ドルを得る. **2** U [人への]審査, 判定；裁定；C 裁定額〔*to*〕. **3** C (英) 奨学金.

award ceremony 表彰式.

a·ward-win·ning /əwɔːrdwíniŋ/ 形 賞を勝ち取った.

***a·ware** /əwéər/ [「…に(a)用心して(ware). cf. beware」] 派 awareness (名)

——形 (more ~, most ~) **1** [be aware of A] …に気がついている, …を知っている; [be aware that 節 / be aware wh節] …であることを[…であるかを]知っている《◆内面的でなく外からの観察・情報などによって気づくことをいう》(conscious) (↔ unaware) ‖ I was aware of a detective following me. 刑事が私を尾行していることに気づいた / ◉対話◉ "You should have locked the door before you went to bed." "I am fully aware of that." 「寝る前にドアに鍵をかけるべきだったね」「そのことはよくわかっているのですが」/ I was aware that there was no hope of success. 成功の望みはないということを私は知っていた / Only the leader of the party was aware (of) how dangerous it was. 一行のリーダーしかそれがどれほど危険であるか知らなかった. **2** [名詞の前で] [修飾語を伴って] [人から理解[知識]がある, 気がつく ‖ an aesthetically aware woman 美的感覚に目覚めている女性.

***a·ware·ness** /əwéərnəs/ [→ aware]
——名 ⓤ [時に an ~] […を/…と]知ること, 自覚する[認識する]こと[of/that節] ‖ the awareness of one's own ignorance =the awareness that one is ignorant 自分が無知だと知ること / She has little awareness of her own faults. 彼女は自分の欠点についてほとんど気づいていない.

a·wash /əwάʃ | əwɔ́ʃ/ 形 **1** 水面(の高さ)すれすれになって; 波[水]にもまれて[覆われて]. **2** (略式) […であふれて, たまって][with, in].

:**a·way** /əwéi/ [「ある物から離れて」が本義]

index
1 離れて[た]; 不在で **2** あちらへ **4** どんどん

——副 **1** [位置・時間] **a** […から]離れて[た], 去って, 遠くへ[from]; (出かけていて)不在で, 留守[欠席]で ‖ How far away is your car parked? あなたの車はどのくらい離れたところにとめてありますか / a village 5 miles away from here ここから5マイル向こうにある村《◆away from … の前に具体的な数字を置くと away が省略されることもある》/ It wasn't very far away. あまり遠くなかった / far away from the village 村から遠く離れて《◆肯定文では a long way from … がふつう》/ I was away on vacation for two weeks. 私は休暇で2週間留守にしていた《◆出張・旅行などでかなり離れて不在の場合。ちょっと外出して留守の場合は out: He is out for a walk. 彼は散歩に出かけている》/ Christmas is a week away. あと1週間すればクリスマスだ. **b** [通例 well ~] [人が]有杆な立場で, 〈送者・馬がよいスタートを切って; 〈人が〉(酔っ払って)陽気に騒いで ‖ He was well away when I came. 私が来た時, 彼は飲んで騒いでいた / They're away! 一斉にスタートしました.

2 [通例移動を表す動詞と共に] あちらへ, 向こうへ; […から]離れて別の方向へ, わきへ[from]; 安全な場所に[go [rùn] away あちらへ行く[走り去る] / cárry it away それを運び去る / turn one's face away from him 彼から顔をそむける / lock away the jewels in the safe 宝石を金庫にしまい込む /

Away! あちらへ行け! 立ち去れ! (=Go away!)《◆動詞なしで命令的に用いることができる》.

3 離れたところへ, 除いて, 消えて, 弱まって ‖ throw the paper away 紙を投げ捨てる / cut away a dead branch 枯れた小枝を切り落とす / The sounds faded [died] away. 音は次第に消えていった.

4 [行動の連続を表して] (間断なく)どんどん, せっせと, 絶えず ‖ work away at a job 仕事を懸命に続ける

5 [形容詞的に] **a** [名詞の前で] 〈試合が〉遠征地の(↔ home) ‖ an away match [game] 遠征試合(=a match [game] we play away). **b** (野球)アウトになった(out).

Awáy with A! (文)〈人〉を追い払え;〈物・事〉を取り除け, どけろ ‖ Away with you! 立ち去れ, 出ていけ.

Gèt awáy [alóng, ón, óff] (with you)! (略式)そんなばかな, 冗談でしょう!

***right away** → right 副.

†**awe** /ɔ́ː/ 名 ⓤ (正式) 畏(ぃ)れ, 畏敬(ぃゖぃ)の念, 畏怖(fear) ‖ be struck [filled] with awe 畏敬の念に打たれる[満ちている] / keep [hold] him in áwe 彼に畏敬の念を持っている / stand [be] in awe of the founder of the religion 教祖を畏れ敬(ぅゃま)っている / He gazed in [with] awe at the Buddhist image. 彼は畏敬の念を持って仏像を見つめた.

——動 他 (正式)〈人・物・事が〉〈人〉に畏敬の念を起こさせる; [通例 be ~d]〈人が〉畏敬の念で[…の状態に]なる[into] ‖ They were awed into silence. 彼らは畏敬の念に打たれて沈黙してしまった.

awe-in·spir·ing /ɔ́ːinspὰiəriŋ/ 形 (正式) 畏敬の念を起こさせる, 荘厳な.

awe·some /ɔ́ːsəm/ 形 (正式) **1** = awe-inspiring. **2** 〈光景などが〉恐ろしい, すごい. **3** (米略式)とてもいい, すごい. **áwe·some·ly** 副 恐ろしく.

awe-strick·en /ɔ́ːstrìkn/ 形 威厳に打たれた, 畏敬の念を起こした, 畏怖して.

awe-struck /ɔ́ːstrʌ̀k/ 形 =awe-stricken.

***aw·ful** /ɔ́ːfl/《(英)では 形 1 では /-fl/》 [awe + ful]

——形 (more ~, most ~; --ful·ler, --ful·lest)
1〈光景・事故などが〉恐ろしい(dreadful), すさまじい(terrible) ‖ There was an awful silence before the tornado. 暴風雨の前は恐ろしいほどの静かだった.

2〈天気・行為などが〉ひどい, たいへん悪い, 不快な ‖ an awful joke たいへんひどい冗談 / We've been having awful weather lately. 最近(この辺は)ひどい天気だ / ◉対話◉ "What an awful thesis!" "It really is. It lacks coherence." 「何という論文だ」「本当だ. 首尾一貫していない[支離滅裂です]」.

3 (略式) [名詞の前で]〈チャンスなどが〉すごくよい ‖ an awful lot of money ものすごく多くの金. **4** 病気の, かぜんの悪い(ill).

——副 (略式)ひどく, すごく ‖ I am awful tired. ぼくはへとへとに疲れている.

áw·ful·ness 名 ⓤ /ɔ́ːflnəs/ 形 (古)るべきこと, 荘厳さ. **2** /ɔ́ːflnəs/ (略式)ひどさ, すさまじさ.

†**aw·ful·ly** /ɔ́ːfli/, 2 では (英) -fəli/ 副 **1** (略式) 非常に, ひどく, とても(very)《◆特に女性が多く用いる》‖ She is awfully kind to me. 彼女は私にとても親切にしてくれる / It's awfully cold today. 今日はものすごく寒い. **2** たいへん悪く ‖ He behaved awfully last night. 彼は昨晩はたいへん行儀が悪かった.

awhile / **azure**

†**a·while** /əwáil/ 副 しばらく, ちょっとの間 ‖ Let's rest *awhile*. しばらく休もう(=(略式) Let's rest for a while.)《◆この両形が混同されて Let's rest *for awhile*. ということもある》.

†**awk·ward** /ɔ́ːkwərd/ 形 (more ~, most ~; ~·er, ~·est) **1**〈人が〉［…が〕不器用な, ぎこちない, へたな, ぶざまな〔*at, in, with*〕《◆ clumsy はけなした語》(↔ skillful) ‖ an *awkward* dancer へたなダンサー / My son is still *awkward with* chopsticks. 私の息子まだはしの使い方がへただ. **2**〈人が〉〔人の前で〕落ち着かない(uncomfortable), どぎまぎした〔*with*〕‖ I felt *awkward with* them. 彼らと一緒にいてきまりが悪かった. **3**〈立場・問題などが〉やっかいな, やりにくい, 困った;〈物が〉使いにくい, 扱いにくい《◆人の場合は《主に英》》‖ There was a long, *awkward* silence among us. 私たちの間に気まずい沈黙があった《◆この意で〈人〉を主語にして補語として使ったのが **2**》/ That heavy axe *was awkward to use*. その重いおのは使いにくかった(=It was *awkward* to use that heavy axe.)(→文法 17.4(1)) / It *is awkward that* she ｢should be [is] unable to come. 彼女が来られないなんて[ことは]困ったことだ(→ should 助 9) / It has put me in an *awkward* position. そのためやっかいなことになった. **4**〈日・時が〉［…にとって〕具合の悪い, 不便な〔*for*〕‖ at an *awkward* time 具合の悪い時に.

áwkward áge [the ~] 思春期《◆この時期には人見知りして言動がぎこちないことから》.

áwkward cústomer 始末に負えぬ[手ごわい, 厄介な]人[動物].

†**awk·ward·ly** /ɔ́ːkwərdli/ 副 **1** 不器用に, へたに. **2** きまり悪そうに. **3** ぶざまに.

†**awk·ward·ness** /ɔ́ːkwərdnəs/ 名 ⓤ **1** 不器用. **2** 間の悪さ, ぐあいの悪さ. **3** ぶざま.

awl /ɔ́ːl/ 名 ⓒ 突き錐(⻆), 千枚通し.

awn·ing /ɔ́ːniŋ/ 名 ⓒ (窓・入口などの)日よけ, 雨おおい; (甲板上の)天幕. **áwn·inged** 形 日よけのある.

†**a·woke** /əwóuk/ 動 awake の過去形・過去分詞形.
a·wok·en /əwóukn/ 動 awake の過去分詞形.

a·wry /ərái/ 形 副 **1** 曲がった[て], ゆがんだ[て], ねじれた[て](crooked) ‖ look [glance] *awry* 横目で見る. **2** 間違った[て], 不首尾でに] ‖ Our flight has been canceled, and our trip has gone *awry*. 私たちの乗るはずだった飛行機の便は運行取りやめとなり, 私たちの旅行は台無しになった.

†**ax**, (主に英) **axe** /ǽks/ 名 **1** ⓒ おの, まさかり; 首切りおの, いくさおの. **2** (略式) [the ~] 首切り, 解雇; (人員・経費の)削減.

gét the áx 首になる, 解雇される; 放校される;〈恋人などに〉ふられる;〈計画などが〉(予算の段階で)中止[縮小]される.

gíve Ａ the áx …を首にする, 解雇する; …を放校する;〈恋人などを〉ふる;〈計画などを〉(予算の段階で)中止[縮小]する.

háve an áx to grínd [通例否定文で] 下心がある, 腹に一物ある.

——動 ⓗ **1**〈人を〉解雇する;〈経費を〉削減する. **2** (略式)〈計画などを〉突然打ち切る.

ax·el /ǽksəl/ 名 ⓤ (フィギュアスケートの)アクセル《ジャンプの一種》.

ax·es 名 **1** /ǽksiz/ ax(e) の複数形. **2** /ǽksiːz/ axis の複数形.

†**ax·i·om** /ǽksiəm/ 名 ⓒ **1**〔数学〕公理. **2** 原理, 原則, 自明の理. **3** 格言.

***ax·is** /ǽksis/
——名 (複 **ax·es** /ǽksìːz/) ⓒ **1** 軸, 軸線, 中心線 ‖ the *axis* of the earth =the earth's *axis* 地軸. **2** (国家間の)枢軸(ᡰᡳ); [the A~](第二次世界大戦での)枢軸国《日本・ドイツ・イタリア》‖ *the* Rome-Berlin-Tokyo *Axis* 日・独・伊枢軸国.

†**aye, ay** /ái/ (方言・詩) 副 間 はい; 賛成!(yes)《◆表決の時の発声》‖ Ay(e), ay(e), sir! アイアイサー《◆船員・海軍軍人が命令を確認した時の応答》.

——名 (複 **ayes**) ⓒ 《主に英国議会で》賛成者, 賛成票 (↔ nay) ‖ The *ayes* have it, and the amendment is passed. 賛成多数で修正案は可決されました.

AZ (略) 《郵便》 Arizona.

AZT 《*a*zidothymidine》 名 ⓤ 〔薬学〕アジドチミジン《抗エイズ薬》.

a·zal·ea /əzéiliə/ 名 ⓒ 〔植〕ツツジ, サツキ, アザレア.

az·i·muth /ǽziməθ/ 名 ⓒ 〔天文〕方位(角); 〔電気〕(テープレコーダーの)アジマス.

†**az·ure** /ǽʒər, (英+) éiʒ-/ (正式) 名 **1** ⓤ 空色, 淡青色《希望を象徴する》. **2** ⓒ 青色の絵の具[顔料]. **3** (詩) [the ~] 空色, 蒼穹(ᵋ⃀₃ᵘ). ——形 空色の; 青空の. **áz·ure·ly** 副 空色に, 青空のように.

B

b, B /bí:/ 〖名〗 ⓒ **b's, bs; B's Bs**/-z/) **1** ⓒⓊ 英語アルファベットの第2字. **2** → a, A **A**. **3** ⓒⓊ 第2番目(のもの); ベータ(beta); 〖論理〗第2の仮定者 [物]. **4** ⓒ 〖品質が〗Bクラス, 2級; 〖米〗〖教育〗良 (→ grade 〖名〗4 関連). **5** Ⓤ 〖音楽〗口音, 口調.

B 〖略〗 black (◆鉛筆の軟度. B, BBの順で軟度が高い); 〖チェス〗Bishop; 〖記号〗(血液型の)B型; 〖化学〗boron.

Ba 〖記号〗〖化学〗barium.

BA 〖略〗 Bachelor of Arts 文学士; British Airways 英国航空.

baa /bǽ:|báː/ 〖名〗ⓒ メー〈ヒツジ・ヤギの鳴き声. ba ともいう〉. —— 〖動〗(過去・過分) **~ed or ~'d** 〖自〗〈ヒツジが〉メーと鳴く(bleat); ヒツジの鳴くような声を出す.

†**bab·ble** /bǽbl/ 〖動〗〖自〗〈小児が〉片言を言う(+ *away*); 〖略〗〈大人が〉(小児のように)しゃべる, たわごとうごとを言う, むだ口をたたく; (理解できないなど)早口でしゃべる(+ *away, on*); 〈文〉〈川などがさらさら音を立てて流れる〉(+ *away, on, along*). —— 〖他〗…を片言で[ぺちゃくちゃ]しゃべる; 〈秘密〉を口走る(+ *out*) ‖ *babble* (*out*) a secret to him 彼に秘密を漏らす. —— 〖名〗Ⓤ 〔しばしば a ~〕意味のないことを言うこと; たわごと; (群衆の)ざわめき; (電話の混線で入ってくる)話し声(小川・小鳥などのさえずき.

bab·bler /bǽblər/ 〖名〗ⓒ **1** 意味のない音を発する小児; おしゃべり; 秘密を漏らす人. **2** 〖鳥〗チメドリ類.

†**babe** /béib/ 〖名〗ⓒ **1** 〈詩〉赤ん坊(baby). **2** うぶな人, 世間知らず. **3** 〔主に米略〗(かわいい)女の子, かわいこちゃん〖◆呼びかけも可: Hi there, *babe*! やあ! 親しみの表現であるが, 軽蔑[という]呼びかけにもなる.

Ba·bel /béibl, 〔米〗+ bǽbl/ 〖名〗**1** 〖旧約〗バベル(の都) 《Babylon のヘブライ語名》; バベルの塔(the Tower of Babel)《人間が神をおそれず建てようとした高い塔. これに立腹した神は人間同士の言葉を通じなくした. 不可能な計画・人のおごり・言葉の混乱を象徴》. **2** [b~] Ⓤ 〔a ~〕騒々しい話し声[場所], 喧噪(ᅠけん ᅠ)騒.

†**ba·boon** /bæbúːn|bə-/ 〖名〗ⓒ〖動〗ヒヒ.

※**ba·by** /béibi/ 〖babe に愛称を示す -y がついたもの〗

—— 〖名〗(複 **-bies**/-z/) ⓒ **1** 赤ん坊, 赤ちゃん, 乳児〖◆ ▇ (1) 自分の家の赤ん坊をいうとき性別を問題にする場合は he, she で, それを受ける関係代名詞は who, whose, whom. それ以外ではしばしば it で受ける. (2) it で受ける場合それを受ける関係代名詞は which: She kissed the *baby* which was in *its* mother's arms. 彼女は母親の胸に抱かれていた赤ちゃんにキスをした〉事情 → birthday) ‖ act like a *baby* 赤ん坊のようにふるまう〖◆わがままを含意〗/ a testtube *baby* 試験管ベビー / have a *baby* 赤ん坊を産む〖◆ bear a baby は〈古〉. give birth to a *baby* は She's just given birth to a *baby*. のみ / *make a baby of* him =treat him 「like a baby [as if he were a *baby*] 彼を赤ん坊扱いする(→文法 9.7). **2** [the ~] (家族の)末っ子; (集団の)最年少者. **3** 〔通例 a ~〕赤ん坊みたいな人, 泣き虫(crybaby). **4** 〔主に米略〗女(の子), 女房, 恋人, かわいこちゃん(girlfriend); やつ, 野郎〖◆ しばしば呼びかけに用いるが, 軽蔑(ᅠけい ᅠ)的にもなる〗‖ I've got a knife here, *baby*! やい, このドスが見えないのか. **5** 〔略〗 [one's ~] 〔提案者が〕責任を負うべきもの, 自慢のもの[提案]. **6** 〔形容詞的に〕赤ん坊(用)の, 赤ん坊のような; 小型の ‖ a *baby* monkey サルの赤ちゃん / a *baby* wife 幼妻(ᅠよう ᅠ) / a *baby* car 小型(自動)車〖◆「うば車」ではない〗.

báby bòy [gìrl] 男[女]の赤ん坊〖◆ ×boy [girl] baby とはふつういわない. →文法 14.5〗.

báby bóom 〖略〗ベビーブーム; [the ~s] ベビーブーム[団塊]の世代.

báby bóomer 〖略〗ベビーブーム時代(1946–64)に生まれた人.

báby bòttle 〔米〕哺乳びん((英) feeding bottle).

báby càrriage [bùggy] 〔米〕うば車((英略式) pram) (cf. stroller, push-chair)〖◆この意味で baby car とはいわない〗.

báby minder 〔主に英〕(仕事を持った母親の代わりに)赤ん坊の世話をする女性〖◆ baby-sitter より長期的〗.

báby's things =layette.

báby tàlk 赤ちゃん言葉.

báby tòoth 乳歯(milk tooth) (→ tooth).

ba·by-faced /béibiféist/ 〖形〗**1** 丸ぽちゃの顔の, 童顔の. **2** 無邪気な.

†**ba·by·hood** /béibihùd/ 〖名〗Ⓤ 乳(幼)児期, 幼年期, 幼少; 〔集合名詞〕赤ん坊 ‖ since *babyhood* 赤ん坊の時から(=略) since one was a baby).

ba·by·ish /béibiiʃ/ 〖形〗(ふるまいなどが)赤ん坊のような; 赤ん坊じみた(→文法 14.5).

Bab·y·lon /bǽbələn, -làn/ 〖名〗**1** バビロン《Babylonia の首都》. **2** ⓒ 逸楽と悪徳の大都会.

Bab·y·lo·ni·a /bæ̀bəlóuniə/ 〖名〗バビロニア《メソポタミアの古代帝国》.

Bab·y·lo·ni·an /bæ̀bəlóuniən/ 〖形〗**1** バビロニアの; バビロンの. **2** 華美で悪徳の. —— 〖名〗ⓒ バビロニア人; Ⓤ バビロニア語.

ba·by-sit /béibisìt/ 〖動〗(主に米) (過去・過分) -sat; -sit·ting) 〖自〗(他人の子供の子守りをする(*for, with*) 〖◆過去形は baby-sat より did (some) baby-sitting がふつう〗‖ Could you *baby-sit for* us tonight? 子守りをお願いできますか. —— 〖他〗**1**〈他人の子供〉の子守りをする ‖ She *baby-sits* her friend's daughter. 彼女は友人の娘さんのベビーシッターをしている. **2** 〈人・物〉を(まるで赤ん坊を扱うように)こまごまと面倒みる.

†**ba·by-sit·ter** /béibisìtər/ 〖名〗ⓒ (主に米) ベビーシッター((英) child minder)〖◆両親の留守中に赤ん坊の世話をする職[アルバイト]の人. 単に sitter ともいう〗.

bac·ca·lau·re·ate /bækəlɔ́ːriət/ 〖名〗ⓒ 〖正式〗学士号〖◆ bachelor's degree または単に bachelor がふつう〗.

bac·cha·nal /bǽkənəl〔英+〕bækənl/ 〖名〗ⓒ **1** バッカス(Bacchus)信者. **2** 飲み騒ぐ人. **3** 〈文〉どんちゃん騒ぎの酒宴(noisy party).

Bac·cha·na·li·an /bækənéiliən/ 〖形〗**1** バッカス祭の.

2 [b~] 〖文〗どんちゃん騒ぎの.

Bac・chus /bǽkəs/ 名 〖ローマ神話〗バッカス, バッコス《酒の神. ギリシア神話の Dionysus に当たる》.

Bach /báːk, báːx/ 名 バッハ《**Johann Sebastian** /jòuhɑ́ːn sebǽstʃən/ ~ 1685-1750；近代音楽の祖といわれるドイツの作曲家》.

†bach・e・lor /bǽtʃələr/ 名 © **1** 独身の男子, 一人者《◆ **unmarried [single] man** と同意だが, bachelor には結婚の候補となり得る男性という含みがある. cf. spinster‖ He isn't a *bachelor*. He is just an unmarried man. 彼は(結婚の対象となるような)独身男性ではない. ただ結婚していないだけだ》. **2** [しばしば B~] 学士(cf. master, doctor)‖ a *Bàchelor of Árts* 文学士(略) BA / a *Bàchelor of Science* 理学士(略) BS / a *bachelor's degree* 学士号《◆ (略式) では単に bachelor('s) ともいう》.

báchelor gírl [wòman] (適齢期に)(自活している) 独身女性((PC) single (person), unmarried person).

báchelor mòther 未婚の母.

†ba・cil・lus /bəsíləs/ 名 ⓑ **--li/**-lai/ © 〖医学〗バチルス, 桿菌(かんきん)；[-li] (略式) 細菌(bacteria).

**back /bǽk/ 類語 buck /bʎk/ 〖『(人間・動物の)背』が本義で, その形状から「ナイフ・本などの背」など, その位置から「後部・裏」などの意が派生〗

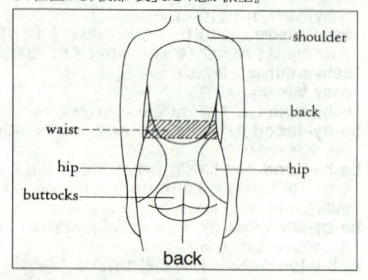

(shoulder, back, waist, hip, buttocks, hip, back)

index
名 **1** 背 **3** 後部
形 **1** 後ろの
副 **1** もとへ **2** 後ろへ
動 他 **1** 後援する **2** 後進させる

────── 名 ⓑ **~s/**-s/) **1** © [one's/the ~] (人間・動物の)背, 背中 《neck from to buttocks の部分. 図 → body》；背骨(backbone) ‖ curve [hunch] one's *back* 背を曲げる / swim on one's *back* 背泳ぎをする / pat him on the *back* 彼の背中をポンとたたく(→ 成句) / have nothing on one's *back* 何も荷を背負っていない；何も着ていない.

2 © [the ~] (物の)背などの部分；(ナイフ・本などの)背；(山の)尾根；(刀の)峰；(船の)竜骨 ‖ the *back* of a chair [book] いす[本]の背.

3 © [the ~] (物の)後部；奥, 裏(↔ front)；(舞台の)背景；(事の)真相；裏張り；[the Backs] (英) (Cambridge 大学の)裏庭 ‖ the *back* of the head 後頭部, うなじ / give him the *back* of one's hand 彼を手の甲で打つ；彼をとめる / sit 「in the *back* [on the *back* seat] of the car 車の後部座席に座る《◆劇場・飛行機の後部座席の場合はふつう sit at the *back* of the theater [airplane]》 / at [in, on] the *back* of one's mind 心の奥に[で].

4 © © 〖球技〗後衛, バック(の位置, 選手).

*at the báck of A =(米) **(in) báck of A** (1) 〈人・物〉のうしろに[で](behind) (↔ in front of) (→ 図 3). (2) 〈事〉の背後で ‖ There must be something *at the back of* this matter. この事件の裏に何かがあるにちがいない. (3) 〈人・案など〉を支持[後援]して.

bàck to báck (1) [...と]背中合わせに；[...と]助け合って[with] (⊙文法 16.3(3)). (2) (主に米) 続けざまに ‖ I have two meetings *back to back* today. 今日は会合が続けざまに2つある.

bàck to frónt (英) うしろ前に(着る)；裏の裏まで, まったく(⊙文法 16.2(3)).

behínd A's báck =**behìnd the báck of A** (略式)〈人〉のいない所で；内緒で(↔ to A's face)‖ They are nice to her when she is with them, but they say mean things about her *behind her back*. 彼らは彼女が一緒にいる時は親切だが彼女のいない所では意地悪なことを言っている.

brèak one's **báck** (1) 背骨を折る. (2) (略式) (背骨を折らんばかりに)熱心に努力する[働く].

brèak the báck of A (略式) (1) ...の最も厄介[重要]な部分を片づける. (2) ...の基盤を打ち砕く, ...を破滅[失敗]させる.

gèt óff A's báck (略式)〈人〉の邪魔をしない, 〈人〉を悩まさない；〈人〉のあら探しをしない《◆ふつう次の命令文で》‖ *Get off my back*! うるさいぞ!, いい加減にしろ!

gét [pút] A's báck ùp (略式)〈人〉を怒らせる.

gìve A the báck =**gíve the báck to A**〈人〉に背を向ける, ...にそむく, ...を無視する.

gò behìnd A's báck (略式)〈人〉をだます, あざむく.

háve A at one's **báck**〈人〉に支援[保護]してもらう.

knów A lìke the báck of one's **hánd** 『自分の手の甲のように知っている』(略式)〈場所など〉を熟知している.

on A's báck (1) 〈人〉におんぶされた[で]；〈人〉に頼って. (2) 『人の首根を抑えて』(略式)〈人〉をしかりつけて, ...を悩ませて；〈人〉に無理強いをして.

*on one's **báck** (略式) (1) あお向けの[に](→ 図 **1**) ‖ lie [be (flat)] *on one's back* あおむけに寝ている；病床についている(be sick in bed). (2) 背負われた[で] ‖ She has her baby *on her back*. 彼女は赤ん坊をおんぶしている. (3) 完全にうちのめされた[で] ‖ be flat [thrown] *on one's back* すっかり参っている《◆レスリングのフォールの位置から》.

on [upòn] the báck of A (1) ...の裏側[うしろ]に. (2) ...のすぐあとに, ...に引き続いて；...に加えて. (3) ...のおかげで, ...に支えられて.

pát A on the báck (1) → **1**. (2) (略式)〈人〉を激励[称賛]する, 〈人〉に賛同する.

pùt A's báck into [to] A〈人〉...に身を入れる, 努力する.

sée the báck of A (略式)〈人〉が去るのを見る；〈人〉を追い払う；〈災難など〉を免れる；〈仕事など〉を片付ける.

túrn the [one's**] báck on [upòn] A** ...に背を向ける, ...を無視する, ...を見捨てる.

when(èver) A's báck is túrned〈人〉が見ていない時は(いつも).

with one's **báck to [agàinst] the wáll** 『壁に背をくっつけて』(略式)追いつめられて《◆ have one's *back* to [against] the wall「追いつめられている」》

のようにもいう》.

──形《◆比較変化しない》[名詞の前で] [複合語で]
1 後の, 背後[後部]の, 裏[奥]の(cf. front 名6)
‖ a *back* garden 裏庭(=a backyard) / *back* teeth 奥歯.
2 (中心部から)遠い(remote), へんぴな, 未開の ‖ the *back* country《豪》へんぴな地方. **3 逆の, あと戻りの；反対の** ‖ *back* action 反動 / *back* cargo 戻り貨物 / a *back* current 逆流. **4 滞(ﾀﾞl)っている**, 未納の ‖ *back* pay [salary] 未払いの賃金 / *back* taxes 滞納税金. **5**《ゴルフ》(18ホールの)後半9ホールの.

──副《◆比較変化しない》**1** (位置·状態が)**もとへ**, 逆戻りして；(借金·返答などを)返して；(流行などが)戻って ‖ *Back*! 帰れ, 戻れ(=Go [Come] back.) / go *back* (to one's) home 家に戻る《◆(1) go home は単に「家に帰る, 帰宅する」. (2) go home は不可》/ còme báck to life 生き返る / Put things *back* where you found them. 使ったものは元のところに戻しておきなさい / A tree fell across the road, so we had to drive *back* home. 木が倒れて道路をふさいだので車で家まで引き返さなければならなかった / Long skirts are *back* in Paris. パリではロングスカートがまたはやりだした / "We'll be right báck."《米》(アナウンサー》(コマーシャルの前に)「番組はすぐまた始まります」/ I've been *back* for an hour. 戻ってきてから1時間になる /
💬対話💬 "Do you want her báck?" "No."（電話で）「彼女なんて替わろうか」「いえ, けっこうです」/ I would like to *come back* to Japan. 日本にまた来たいと思います《◆come to Japan again とするより日本に対する懐かしさがこもっている》.
2 後ろへ[に], 後方[奥]に；(中心部から)離れて(↔forward) ‖ drop [draw] *back* あとずさりする / play *back* 後衛としてプレーする / The hotel is further *back* from the road. ホテルは道路からさらに引っ込んだ所にある / It's summer now *back* in Australia. =Back in Australia it's summer now.（故郷の）オーストラリアでは今は夏ですね《◆ this *back* は自国を離れた外国に住んでいる人が自国を振り返って用いる》.
3 a (昔に)さかのぼって, 以前に; …前に ‖ a while *back* 数週間[数か月]前《◆ a while ago は「数分前, ちょっと前」》 / *back* in 1800 さかのぼって1800年に / from way *back*《米略式》ずっと前から, 長い間. **b** (本のページで)…ページ前に.
4 (笑いなどを)抑えて;（真実などを）隠して；（物を)保留して；（支払いなどが）滞って ‖ keep [hold] 20 dollars *back* from one's salary 自分の給料から20ドルをとっておく.

*báck and fórth [fórward] 前後に, 左右に, あちこちに；行ったり来たりして《◆ ×forth and back とはふつういわない. to and fro は《正式》》‖ She waved her handkerchief *back and forth*. 彼女はハンカチを前後に振った.

gó báck on A《約束などを》守らない.

(in) báck of A《米略式》=at the BACK of.

thére [báck] and báck そこまで[…へ]往復して[の] ‖ go *there* [to Tokyo] *and back* そこ[東京]まで往復する / the fare to Paris and *back* パリまでの往復運賃《◆次の言い方に注意: I walk three miles, *there and back*, to Victoria Station every day. 私は毎日ビクトリア駅まで往復3マイル歩いています》.

──動 (~s/-s/；過去·過分 ~ed/-t/；~·ing)

──他 **1**〈人が〉〈人·案などを〉(経済的に·精神的に)**後援する**, 支持する(support) (+ *up*) ‖ *back* a project [friend] (*up*) 企画[友人]を支持する《◆ *up* をつけると具体的にそのものの背後に立つ感じが強い》.
2 〈人が〉〈乗物などを〉[…から／…に]**後退させる**, バックさせる(+ *up*, *out*) [*from*, *out of* / *into*, *to*] ‖ *back* a car *up into* a parking place [lot] 車をバックさせて駐車場に入れる.
3 [通例 be ~ed] 背を付けられる, 裏打ちされる.
4 [通例 be ~ed] […を]背にする(*by*).

──自 **1** […から]後退する, あとずさりする(+ *away*, *off*) [*from*]. **2**《英》〈場所·建物が〉[…と]背中合わせである[*on*, *onto*, *against*].

báck and fíll《米略式》〈考え·心などが〉たえず変わる, ぐらつく.

báck awáy 〔*away* 離れて, 遠くへ〕〔自〕(1)→ 自1. (2) [主義などから]遠ざかる(*from*).

báck dówn 〔*down* 下へ, 減じて, 停止の状態に〕〔自〕 (1) [場所から]降りる(*from*). (2)《略式》〔主張などを〕放棄する(*on*, *over*); [事業·議論などから]手を引く(*from*); 〔決定などを〕取り消す(*on*).

báck óff 〔自〕 (1)《米》=BACK down (2). (2) [通例命令文で]いじめるのをやめる. (3) 調子を落とす. (4) 詳細に説明する.

báck óut 〔自〕《略式》退却する；約束を破棄する；〔事業などから〕手を引く(*of*, *from*) ‖ *back out* (*of* **A**) at the last minute (**A** を)ドタキャンする.──他 → 他2.

báck úp 〔自〕(1) 後退する；逆流する；〔海事〕ロープで船と船をつなぐ. (2)《米》〈交通などが〉停滞する；〈異物などが〉詰まる. ──他 (1) → 他1, 2. (2)〈人が〉〈主張などを〉証拠だてる. (3)〔スポーツ〕〈選手が〉バックアップする, 援護する. (4)〔コンピュータ〕〈ディスクなどの〉バックアップをとる. (5)《米》〈交通などを〉停滞させる；…を(異物などで)詰まらせる.

báck cráwl =backstroke 1.
báck dive〔水泳〕背面飛込み.
báck dóor 裏門, 裏戸；陰謀(の手段) ‖ get in through [by] the *back door* 裏口から入る；不正な手段で職につく《◆《米略式》では through [by] を省略することが多い》.
báck íssue =back number.
báck númber (1) (新聞·雑誌などの)旧号, バックナンバー (back issue). (2)《略式》時代遅れの人[物, 方法].
báck pássage《略式》直腸《◆ rectum の遠回し語》.
báck séat (車などの)後ろの席；《略式》目立たない[重要でない]地位 ‖ take a *back seat* 目立たないでいる, 出しゃばらないでおく, […に]…の陰口をきく(*to*).
báck strèet 裏通り；[-s] 裏町, 場末.
báck tàlk《米略式》(生意気な)口答え《英略式》backchat).

back·ache /bækèik/ 名 U《主に米》背中の(下部の)痛み, 腰痛.
back·bite /bækbàit/ 動 (過去 --bit, 過分 --bit·ten) 他 陰口をきく, 悪口をいう.
back·board /bækbɔ̀ːrd/ 名 C (家具·額などの)背板；〔バスケットボール〕バックボード《リングをつけた板》.
†**back·bone** /bækbòun/ 名 **1** [the ~] 背骨, 脊柱(spine). **2** [the ~] 背骨状のもの. **a** 中央山脈, 分水嶺(ﾚｲ). **b**《米》(書物の)背. **c** [the ~] (団体·運動などの)主力, 中堅 ‖ the *backbone* of the Allied Forces 連合軍の主力. **d** (物·事の)重要要素.

3 ⓤ [通例否定文で] 気骨, (不屈の)勇気 ‖ have no backbone 気骨がない. **to the báckbone** 骨の髄まで, 徹底的に[な], まったく(の) ‖ a patriot *to the backbone* 生粋の愛国者.

báck·bòned 形 背骨のある; 気骨のある.

back·break·ing /bǽkbrèikiŋ/ 形 〈仕事が〉骨の折れる.

back·chat /bǽktʃæt/ 名 ⓤ 〔英式〕(生意気な)口答え(〔米式〕back talk).

back·court /bǽkkɔ̀ːrt/ 名 ⓒ 〔テニス・バスケットボール〕バックコート(図 → tennis).

back·date /bǽkdèit/ 〓 動 他 〈契約など〉の日付[効果]を[…に]さかのぼらせる(*to*).

back·door /bǽkdɔ́ːr/ 形 ⓒ 裏口(の); 秘密の.

back·drop /bǽkdràp/ | -drɔ̀p/ 名 ⓒ 1 〔演劇〕背景幕. (文)背景, [比喩的に](出来事の)背景, 原因 ‖ against a *backdrop* of ....を背景として.

back·er /bǽkər/ 名 ⓒ 1 後援者, 支持者. 2 〔英〕(競馬などに)賭け(*し*)る人.

back·field /bǽkfìːld/ 名 ⓤ 〔アメフト〕[集合名詞] 後衛の選手[位置]; そのプレー範囲.

back·fire /bǽkfàiər/ 名 ⓒ 1 (内燃機関の)バックファイア, さか火. 2 (米)(山火事の延焼を防ぐための)向かい火. 3 [B~] バックファイア〈旧ソ連の超音速中型爆撃機〉. ── 動 ⓐ 1 さか火を起こす; (米)向かい火を放つ. 2 〈計画などが〉(人にとって)不測の結果に終わる, 裏目に出る(*on*).

back·gam·mon /bǽkgæmən/ 〓 名 ⓤ バックギャモン〈2人でする西洋すごろく〉.

****back·ground** /bǽkgràund/
── 名 (複 ~s/-gráundz/) 1 ⓒ (人の)素性〈家族関係・教養・経験などを含む〉, 経歴, 学歴 ‖ an academic *background* 学歴.
2 [the ~] (事件の)背景, 原因 ‖ social [cultural] *background* 社会的[文化的]背景.
3 [the ~] (風景・絵画・舞台の)**背景**, 遠景, バック(↔ foreground); 背後, 陰 ‖ The hunter waited in the *background* of the trees for deer to pass by. その猟師はシカが通るのを木の陰で待っていた. **4** ⓒ (織物などの)地. **5** [the ~] 目立たない所, 裏面 ‖ He is a big name in the political world, but likes to stay in the *background*. 彼は政界では大物であるが表面に出たがらない. **6** ⓤ =background information. **7** ⓤ =background music. **8** ⓒ 〔コンピュータ〕背景, バックグラウンド.

báckground informàtion 予備知識, 裏情報.
báckground mùsic 〔映画・放送〕背景音楽; 〔喫茶店・デパート・空港などの〕ムード音楽, BGM.

back·hand /bǽkhænd/ 名 1 ⓒ =backhand stroke; バックハンドの能力(↔ forehand). 2 ⓤ 手の甲で打つこと. 3 ⓤ 左傾斜の筆跡. ── 形 副 逆手打ちの[で]; 左傾斜の書体の[で].

báckhand stròke (テニスなどの)バックハンド, 逆手(*ぎゃ*)打ち.

back·hand·ed /bǽkhǽndid/ 形 バックハンドの, 逆手打ちの; 〈お世辞などが〉裏の意味を持つ, あいまいな; 皮肉な.

back·ing /bǽkiŋ/ 名 1 ⓤ (金銭的な)助力, 支援, 保証; [a ~; 集合名詞] 後援者グループ. 2 ⓤⓒ (補強用の)裏張り.

back·lash /bǽklæʃ/ 名 ⓒ 〔政治的・社会的な出来事への〕反発, 反動(*against*).

back·less /bǽkləs/ 形 背部のない; 〈服が〉背中の開いた.

back·log /bǽklɔ̀ːg/ 名 ⓒ [通例 a/the ~] 未処理の仕事(の山), 残務.

back·most /bǽkmòust/ 形 〈列などの〉最後部の.

back·pack /bǽkpæk/ 名 ⓒ (米)バックパック〈しょいこ付きの箱型リュックサック. 児童のランドセルに当たる〉. ── 動 ⓐ バックパックを背負って(徒歩)旅行[登山]する.

back·ped·al /bǽkpèdl/ 〓 動 ⓐ 1 (自転車の速度を落とすため)ペダルを逆に踏む. 2 (略式)〈約束・意見・声明・政策などを〉撤回する, くつがえす; したことをなかったことにする(*on*).

back·room /bǽkrùːm/ 〓 名 ⓒ 奥の部屋; (政治家などの)秘密の会合の場所; (新製品などの)秘密の研究所; [形容詞的に] 秘密の; 人目につかない; 背後であやつる.

back-scratch /bǽkskrætʃ/ 動 ⓐ 互いの利益を計り合う, もたれ合う, 癒着(*ゆ*)する.

back-scratch·ing /bǽkskrætʃiŋ/ 名 ⓒ (略式) もたれ合い, 癒着.

back-scratch·ing /bǽkskrætʃiŋ/ 形 もたれ合いの, 癒着の ‖ a *back-scratching* relationship between politics and business 政界財界の癒着.

báck-seat drìver /bǽksiːt-/ (略式) 後ろの席[補助席]から運転手に指図する人; (主米)(権限外のことに)口出しする人.

back·side /bǽksàid/ 名 ⓒ 1 後部; 裏側. 2 (略式)[時に ~s] けつ, 尻(*し*).

back·slide /bǽkslàid/ 動 ⓐ 〔過去〕--slid, 〔過分〕--slid or --slid·den〕ⓐ (正式) 〈もとの不信仰・悪癖に〉逆戻りする. **báck·slìd·er** 名 ⓒ 背教者.

back·space /bǽkspèis/ 名 ⓒ (英) 〓 名 ⓒ (コンピュータのカーソルで)1スペース分戻す. ── 動 ⓐ (戻した)スペース; 戻し用のキー.

back·spin /bǽkspìn/ 名 ⓒ 〔球技〕(球の)逆回転に, バックスピン.

back·stage 副 /bæ̀ksteidʒ/ 名 〓 副 1 (劇場の)舞台裏[楽屋]で[へ]; 舞台の奥へ. 2 内密に. ── 形 舞台裏の; (俳優の)私生活の; 裏面の, 内密の.

back·stair /bǽkstèər/ 形 (米+)=backstairs.

back·stairs /bǽkstèərz/ 名 (米+)[単数・複数扱い](使用人が使う)裏階段. ── 形 陰で行なわれる, 険悪な; 裏面に通じた.

báckstairs góssip 使用人同士のうわさ話, 井戸端会議.

back·stop /bǽkstɔ̀p/|-stɔ̀p/ 名 ⓒ 〔野球〕バックネット(図 → baseball)〈♦ ×backnet は誤り〉; キャッチャー, 捕手 ‖ see a game from behind the *backstop* ネット裏から試合を観戦する(⇒ 文法 21.1(2)).

back·stretch /bǽkstrétʃ/ 名 ⓒ 〔陸上競技・競馬〕バックストレッチ(↔ homestretch).

back·stroke /bǽkstròuk/ 名 1 ⓤ 〔水泳〕背泳(back crawl); [(the) ~] 背泳競技 ‖ do (the) *backstroke* 背泳競技をする. 2 ⓒ 〔テニス〕逆手打ち, バックハンド(backhanded stroke). 3 ⓒ (ピストンなどの)退衝.

back-to-back /bǽktəbæk/ 名 ⓒ (英) 背中合わせに接した家. ── 形 (米) 連続した, 続けざまの.

báck-to-schòol sále /bǽktəskùːl-/ (8月中旬から行なわれる9月からの)新学期用向けセール.

back·track /bǽktræk/ 動 ⓐ 1 来た道を引き返す. 2 意見[政策]を撤回する; 手[身]を引く.

back·up /bǽkʌ̀p/ 名 1 ⓒ 代替要員; 予備(品), 複製(品). 〔コンピュータ〕バックアップ. 2 (略式) 後援者, 支え, 裏打ち. 3 [~s] (車の)渋滞, (排水の)氾濫(*はん*) ‖ traffic *backups* 交通渋滞. ── 形 1 代替要員の; 予備[複製]の; 〔コンピュータ〕バックアップの. 2

《略式》後援者の; 支え[裏打ち]となる.

back·ward /bækwərd/
— 形 **1** [名詞の前で] 後方(へ)の; もと[過去]へ戻る, 逆行する; 逆の《◆比較変化しない》(↔ forward) ‖ She gave me a *backward* glance. 彼女は振り返ってちらっと私を見た / a *backward* journey 帰路の旅《対話》"You know he still thinks women should never work.""That is really *backward* thinking, isn't it?"「あのね, 彼はいまだに女性は働くべきでないと考えているよ」「それはずいぶん時代遅れな考え方だね」.

2 〔知恵の〕遅れた《◆ retarded より一般的な語》,〔…の〕発達[進歩]の遅い《in》; 時期的に遅い; 旧式で不便な ‖ a *backward* child 学業不振児((PC) a mentally-challenged child))/ a *backward* country [nation] 後進国((PC) 'a developing [an emerging] country [nation]'(発展途上国)).

3 〔通例補語として〕〔…の点で/…するのに〕気おくれする, 積極性に欠ける, 内気な《in / to do》.

— 副 《主に英》 --wards/-wərdz/) **1** 後へ; 後ろ向きに; 逆に, 反対に, まちがった順番で; あおむけに《↔ forward》‖ Can you say the alphabet *backward*? アルファベットを逆に言えますか / put on a hat *backward* 帽子を前後逆にかぶる / The tide ebbs *backward*. 潮がひく. **2** 退歩[退化]して ‖ go *backward* 退歩する. / move *backward* 堕落する. **3** 過去へ[昔]にさかのぼって《◆ back の方がふつう》‖ some fifty years *backward* 約50年前に.

bàckward(s) and fórward(s) (1) 前後[左右]に, あちこち(back and forth). (2)《米式》完全に, すっかり.
knòw A bàckward(s) (and fórward(s)) 《略式》 …を知り尽くす.

†**báck·ward·ness** 名 U 後進性; しりごみ.
†**back·wards** /bækwərdz/ 副 《主に英》 = backward.

back·wa·ter /bækwɔːtər/ 名 C **1** 戻り水, 逆流, よどみ. **2** (心の)沈滞; 辺地, 僻地(ʰˢʰᵏᶦ).

†**back·woods** /bækwu˘dz/ 名 《主に米》[the ~; 単数·複数扱い] 未開拓森林地; 辺境, 奥地.

†**back·woods·man** /bækwu˘dzmən, ‑/ 名 《※ ‑·men》 C 奥地の住人; いなか者.

†**back·yard** /bækjɑːrd/ 名 C 裏庭《※ 米国では一家団らんのできる場でふつう塀で囲ってある. 単に yard ともいう(→ yard²). 英国ではしばしば舗装され, 物置きなどに使う》.

ba·con /béikn, (時に) -kŋ/ 名 U ベーコン ‖ a piece [slice, strip] of *bacon* ベーコン 1 切れ / a kilo of *bacon* ベーコン 1 キロ / *bacon* strips 薄切りベーコン / *bacon* bits (カリカリにいためた)刻んだベーコン / *bacon* and tomato ベーコンとトマトをはさんだサンドイッチ / *bacon*, lettuce and tomato ベーコン・レタス・トマトのサンドイッチ《◆ BLT と略すことがある》.

***bacon and egg(s)** /béikənənég(z)/ 《単数扱い》ベーコンエッグ《(1) eggs は卵が複数の場合. 時に egg(s) and bacon ともいう. (2) 英国の朝食に多い. cf. sunny-side up》.

bring hóme the bácon [gróceries]〔賞品のベーコン[食料品]を家に持って帰る〕《略式》生活費を稼ぐ; (往々に)成功する(succeed), 試合に勝つ.
sáve bácon《英略式》〈人が〉危機を脱する.
sáve A's bácon《英略式》〈人〉を危機から救う.

bac·te·ri·a /bæktíəriə/ 名 《単数形》 --ri·um /-riəm/) バクテリア, 細菌, ばい菌《※ 単数形は《まれ》》.

bac·té·ri·al 形 バクテリアの.
bac·te·ri·ol·o·gy /bæktíəriɑ́lədʒi, -ɔ́l-/ 名 U 細菌学.
bac·te·ri·ol·o·gist 名 C 細菌学者.
bac·te·ri·um /bæktíəriəm/ 名 → bacteria.
Bác·tri·an cámel /bǽktriən-/ 動 フタコブラクダ《中央アジア産》.

‡**bad**¹ /bæd/ 《類音》bud /bʌd/)〔「好ましくない状態」をさす最も一般的な語〕 反 badly《↔ good》
— 形 (worse/wɔ́ːrs/, worst/wɔ́ːrst/)

I [体によくない]

1 不快な, いやな(unpleasant);〔補語として〕〔…に〕有害な〔for〕; [it is bad for A to do] …するのは A〈人·物〉にとって有害だ[よくない] ‖ a *bad* smell 悪臭; 口臭 / have a *bad* time (of it) ひどい目に会う / The food tasted *bad*. 食事はまずかった / Eating too much is *bad* for the [our] health. =It is *bad* for us to eat too much. 食べすぎは体に悪い.

2 〔…で〕体の具合が悪い, 痛む《with, from》‖ have a *bad* leg [heart] 足[心臓]が悪い / be taken *bad*《主に英略式》病気になる(=be taken sick) / be *bad* [sick] *with* fever 熱病にかかっている / I'm feeling *bad* from drinking too much.《略式》飲みすぎて気分が悪い《◆ feel badly ともいう》.

II [行為などが好ましくない]

3 [be bad **at** A] …がへたな, まずい, 未熟な(poor)《◆ A は動作を表す名詞や動名詞》‖ He is a *bad* swimmer. = He is *bad* at swimming. 彼は泳ぎがへただ(=He cannot swim well).

4 (道徳的に見て)悪い, 不道徳な, 不品行な, 邪悪な; 品性を欠く, 粗野な; [it is bad (of A) to do] …するとは《A〈人〉が》不作法である《類語》evil, wicked)‖ a *bad* guy (テレビ·映画の)悪者, 悪玉 / *bad* behavior 不品行 / He was *bad* to hurt her (feelings). 彼が彼女の感情を傷つけるなんてひどかった《**◯文法 17.4**(2)) / You *bad* girl [boy]! いけない子ね《◆たしなめる表現》/ The movie is *bad*. その映画はよくない《◆しばしば vulgar, harmful の遠回し表現》.

5 間違っている ‖ The letter was returned because the address was *bad*. その手紙は住所が間違いなので戻ってきた.

6 不十分[不適当, 低質]な ‖ a *bad* harvest 不作 / *bad* eyesight 悪い視力 / a *bad* day ついてない日.

7 《略式》[通例名詞の前で][強意として] ひどい, 重い(serious) ‖ a *bad* cold [mistake] ひどいかぜ[誤り].

III [物が好ましくない]

8 腐った, 朽ちた(rotten) ‖ The milk has gone *bad*; it is sour. そのミルクは腐っている. すっぱくなっているから《◆ ミルク·魚·果物·野菜·卵が腐る場合に使う》.

feel bád《略式》(1) → **2**. (2) 〔…だとは/人を〕残念[気の毒]に思う〔about, that節〕 ‖ I *feel bad that* you are sick. あなたがご病気だとは残念です《対話》"His father was killed in a car accident yesterday.""Oh, really? I *feel bad* for him."「彼のお父親はきのう自動車事故で亡くなりました」「ええっ, 本当ですか. それはお気の毒です」(3) がっかりする, しょげる《◆ feel sorry よりも口語的》.
gó from bád to wórse〈事態が〉悪化する.
It's tóo bád.《略式》[ゆっくり発音して] それは残念だ;〔…だとは〕残念だ〔(that) 節〕‖ *It's* (just) *too bad* she's ill. 彼女が病気だとは気の毒です《◆(1) It's を略して Too bad she's ill. のように言うこともある》

多い. (2) just [really] too bad などで相手への思いやりを表わす. (3) そっけなく早口で発音すると反語的に「いい気味だ」の意味になる.

nót (so [tóo, hálf]) bád (略式) 悪くはない, けっこういける(rather good)《◆控え目な表現. 逆にしばしば強い承認の表現としても使われる. また「もう少しはしものができそうなのに」といった皮肉の意にもなる》∥ As a pianist, he's *not tóo bad*. ピアニストとして彼はけっこういい線いっている / 〘対話〙 "How is your summer vacation going?" "*Not bad* so far." 「夏休みはいかがお過ごしですか」「今までのところまあまあです」.

That's tóo bád. =It's too BAD.
—— 副 (米略式) ひどく, とても(badly).
be bád óff =be BADLY off.
—— 名 ⓊⒸ [the ~] 悪い下[状態]((米) badness) 《◆次の句で》∥ go to the bád (れ)堕落する / take the bád with the good 人生の運不運を甘受する.
be [get] in bád [人に]受け[折り合い]が悪い[with].
to the bád (英略式) 赤字[不足]で.
bád blóod 悪感情, 反目(bad feeling).
bád bréath 口臭.
bád débt [lóan] 不良債権.
bád fórm (英略式) 無作法.
bád lánguage のろいの言葉; 悪態語, 毒舌.
bád móuth (主に米略式) 悪口, 中傷(cf. bad-mouth) ∥ put the *bad mouth* on him 彼の悪口を言う.
bád néws (略式) 迷惑な人[物].
bád-ness 名 Ⓤ 悪い状態; 悪行; 不良, 不吉.
bad² /bǽd/ 動 =bade.
bade /bǽd, béid/ 動 bid の過去形.
†**badge** /bǽdʒ/ 名Ⓒ 1 記章, バッジ《◆button の方ががふつう》∥ a school *badge* 校章. 2 象徴, 印 ∥ a *badge* of spring 春を感じさせるもの.
†**badg·er** /bǽdʒɚr/ 名Ⓒ 動 1 アナグマ《イタチ科の夜行性動物》; Ⓤ アナグマの毛皮. —— 動 他 (人)を[…で](逆上するほど)困らせる, 悩ます[with]; (人)に[…するように]うるさく言う, せがむ [to do, into doing]; (人)にせがんで[…に]させる [into] ∥ Her boss *badgered* her *to do* the sales report early. 彼女の上司は早く売上高の報告をするようにとしつこく言った.
Bádger Státe (俗) (愛称) [the ~] アナグマ州(→ Wisconsin).
*****bad·ly** /bǽdli/ 副 [/ bad]
—— 副 (2 以外で worse/wɚrs/, worst/wɚrst/) **1** [通例動詞・目的語の後で] まずく, へたに, 不当に(↔ well) ∥ He treated his aged mother *badly*. 彼は年老いた母親を粗末に扱った《◆*He *badly* treated his aged mother. は不可. 受身形では過去分詞の前に置くことがある: The house was very *badly* built. その家はひどく建て付けが悪かった》 / 〘対話〙 "How did the teacher handle his pupils?" "*Badly*." 「その先生の生徒の扱いはどうでしたか」「まずかったです」.

2 ((英ではしばしば) more ~, most ~) (略式) [しばしば動詞の前で] とても, ひどく (very much, a lot)《◆greatly, earnestly, entirely, completely などよより口語的な強調語. want, need などの動詞と共に, または望ましくない状態を表す場合に用いられる》∥ be *badly* defeated こてんぱんに敗れる / be *badly* in need of money お金をとても必要としている / He *badly* wants to be healthy again. 彼は元通りに健康になりたいとひたすら願っている《◆この位置ではあとに need または want が来る傾向が強い》/ 〘対話〙 "How did he bungle it?" "*Badly*." 「彼はどんなふうにしくじったのですか」「そりゃひどいもんです」.
be bádly óff (略式) [しばしば否定構文で] 貧乏である; […に]困っている, […を]必要としている [for](↔ be well off) ∥ The hospital *is badly off for* experienced doctors. その病院は経験を積んだ医師が不足している.

bad·min·ton /bǽdmintən/ 名 Ⓤ バドミントン《◆「羽根」は shuttlecock》.
bad-mouth /bǽdmauθ/ 動 他 (米略式) (人・物)の悪口を言う(cf. bad mouth).
bad-tem·pered /bǽdtémpərd/ ⧳ 形 機嫌が悪い; 気難しい; 怒りっぽい.
†**baf·fle** /bǽfl/ 動 他 **1** (人)をまごつかせる, 当惑させる (frustrate) ∥ We were *baffled* by his strange remark. 私たちは彼の変な意見に惑わされた. **2** (計画・努力・願望などを)くじく ∥ *baffle* all description 筆舌に尽くしがたい. —— 名Ⓒ =baffle plate.
báffle pláte (空気・水・音などの)出入り制御装置.

*****bag** /bǽg/ (類音) bug /bʌg/) 《「物を入れる袋」が本義》
—— 名 (覆 ~s/-z/) Ⓒ
I [袋]
1 袋; かばん, 手さげ《◆(1) handbag, school bag, suitcase, pouch, trunk, purse の総称. (2) sack は果物・小麦などを入れる大きな布[皮]製の袋.》

【関連】いろいろな種類の bag
disposal *bag* (飛行機に備えつけの)処理袋, 汚物袋 / doggie *bag* (レストランで食べ残しを持ち帰るための)ドギーバッグ / overnight *bag* 1泊分の着替えの入ったバッグ / paper *bag* 紙袋《◆代表的なのが茶色の brown *bag*) / plastic *bag* ビニール袋 / school *bag* 通学用かばん《学生かばん・ランドセルなど》/ second *bag* セカンドバッグ / shoulder *bag* ショルダーバッグ / shopping *bag* 買い物袋《(英) carrier *bag*) / sleeping *bag* 寝袋 / tote *bag* (米) トートバッグ, 大型手さげ袋.

2 1袋(の量); 1俵 ∥ three *bags* of coins 硬貨3袋. **3** (男女兼用の)財布《◆男性の財布は wallet, 女性の小物入れは purse》∥ bear the *bag* 金が自由になる. **4** [通例 a ~] (狩り・釣りの)獲物 ∥ have a good *bag* 大猟[大漁]だ.
II [袋状のもの]
5 (皮膚・布などの)たるみ, (英略式) [~s] (だぶだぶのズボン》∥ *bags* under the eyes (睡眠不足などによる)目の下のたるみ.
III [その他]
6 (英略式) [~s of ...] たくさんの… ∥ *bags* of money たくさんの金[豊富な機会]. **7** (俗) (侮蔑) (醜い)女 ∥ an old *bag* ばばあ.

a bág of bónes やせこけた人[動物].
(be) in the bág (略式) (獲った獲物がすでに袋に入っていることから) 確実に手中に収められている, きっとうまくいく; 酔っ払っている ∥ The game *is in the bag*. その試合はきっと勝てる.
be léft hólding the bág (獲物を入れた袋を持ったまま取り残される) (米略式) 全責任を取らされる.
my bág (やや古・俗) お気に入りの趣味.
páck one's bágs (略式) (議論のあとで)荷物をまとめて出て行く.

bagatelle

──動 《過去・過分》 bagged/-d/; bag・ging 自 (袋状に)ふくらむ;〈衣服が〉だぶだぶする;(略式)だらけと下がる(hang heavily) (+out).
──他 **1** …を袋に入れる(+up). **2** (略式)〈ウサギなど〉をしとめる(kill). **3** (英略式)…を(許可なしに)手に入れる《◆ steal の遠回し語》;〈席〉を予約する(reserve);〈席〉を(他人に先んじて)とる.

bág làdy (米) バッグレディ《身の周りの品を紙袋に詰めて持ち歩くホームレスの女性》((PC) street person).

bag・a・telle /bǽgətél/ 名 **1** ⓒ つまらないもの. **2** ⓤ バガテル《ビリヤードの一種》. **3** ⓒ《音楽》バガテル《ピアノ用の小曲》.

Bag・dad /bǽgdæd/ 名=Baghdad.

ba・gel /béigəl/ 名 ベーグル《丸くて中央に穴のあるパン》.

bag・ful /bǽgfùl/ 名 (複 ~s, bags・ful) ⓒ 袋1杯の(分量).

*****bag・gage** /bǽgidʒ/ [「束ねたもの」が原義]

── 名 (複 ~s/-iz/) ⓤ 《主に米》[集合名詞](旅行時の)手荷物((主に英) luggage)《◆(1) luggage は米国では高級なイメージを与える.(2)《英》でも船や航空機の「手荷物」は baggage を用いる》‖ three *pieces of baggage* 3個の手荷物《◆*three baggages* は誤り》. ●文法 14.2(5)/ claim one's *baggage* (手荷物一時預り所で)手荷物を受け取る / I carried my *baggage* onto the train. 私は荷物を列車に運んだ.

bággage càr《客車に連結される》手荷物車;(英) luggage van).

bággage chèck《米》手荷物預り証((英) luggage ticket).

bággage clàim《空港の》手荷物引き渡し所.

bággage ròom《米》手荷物一時預り所((英) left-luggage office, cloakroom).

bággage tàg《米》手荷物の荷札((英) luggage label).

bag・gy /bǽgi/ 形 (通例 --gi・er, --gi・est) 袋のような;だぶだぶの;ふくれた.

Bagh・dad, Bag- /bǽgdæd/ 名 バグダッド《イラク共和国の首都》.

bag・pipe /bǽgpàip/ 名 ⓒ《時に(the) ~s》バグパイプ,風笛;(略式) pipes. **bág・pip・er** ⓒ バグパイプ奏者.

bah /bá:/ 間 ふん!,ばかな!《軽蔑・嫌悪の発声》.

Ba・ha・ma /bəhá:mə/,《米+》 -héi-/ 名 **1**《the ~s; 複数扱い》=**the ~ Islands** バハマ諸島《フロリダ半島の南東》. **2**《~s; 単数扱い》=**the Commonwealth of the Bahamas**. 首都 Nassau).

Bai・kal /baikǽl, -káːl/ 名 バイカル湖(Lake Baikal)《東シベリア南部にある世界最深の淡水湖》.

†**bail**¹ /béil/《同音》bale) 名 **1** ⓤ 保釈,保釈金 ‖ be (òut) on báil 保釈出所中である / be *under bail* 保釈中である. **2** ⓤ [集合名詞] 保釈保証人.
gò [stánd, pùt úp,《米》póst] báil for A《法律》〈人〉の保釈保証人になる,保釈金を払う.
──動 他 **1**〈判事が〉〈被告〉の保釈を許す;〈人〉を保釈させる(+*out*). **2**〈人など〉を窮地から救い出す(+*out*).

bail²,《英ではしばしば》**bale** /béil/ 名 ⓒ(船のあか汲(く)み;船底にたまった水を汲みあげる器具). ──動 他 〈船底のあか〉を汲み出す,〈船〉からあかを汲み出す(+*out*) ‖ báil water 「óut (of) [from] the boat =báil the boat (òut) =báil out the boat 船底からあかを汲みだす. ──自 あかを汲み出す(+*out*).
báil óut(自)(1) → 他. (2) 落下傘で脱出する;サーフボードから離れる. (3) 責任を回避する;困難から逃

───

げる. ──他 (1) → 他. (2)(略式)〈人・会社など〉を経済的に援助して救う.

†**bai・liff** /béilif/ 名 ⓒ **1**《米》廷吏 ((英) usher). **2**《英》執行吏《◆ sheriff の助手》. **3**《英》土地[農場]管理人.

†**bairn** /béərn/ 名 ⓒ《スコット・北イング》子供(child).

†**bait** /béit/《同音》bate) 名 ⓤ《時に a ~》**1**《釣針・わなに付ける》えさ,餌(え) ‖ put *bait*「on a hook [in a trap]」釣針[わな]にえさを付ける / small fish used as *bait* えさにする小魚. **2** (人を)おびき寄せる物,おとり;誘惑.
rise to [swallow, táke] the báit 〈魚が〉(水面のえさに)食いつく;〈人が〉誘いにのる;挑発に乗る;(挑発されて)腹を立てる.
──動 他 **1**〈釣針・わな〉に,〈…の〉えさを付ける;〈人が釣り場に〉〈…の〉餌をまく[仕掛ける] ‖ *bait* the trap (with meat) わなに(肉片のえさを)仕掛ける. **2**〈人〉を〈…で〉誘惑する〔*with*〕. **3**《正式》**a**〈人が〉〈(鎖に)つないだ)動物〉を〈犬をけしかけて〉いじめる(tease)〔*with*〕. **b**〈人が〉〈(無力な)人〉を悪口を言って[ひやかして]いじめる,怒らせる.

*****bake** /béik/ [「肉をくしに刺して焼く」が原義] 頻 baker (名)
──動 (~s/-s/;《過去・過分》~d/-t/; bak・ing)
──他 **1a** [bake A ⓒ] 〈人が〉〈A〈パン・魚など〉を(直火にあてずに)オーブンなどで)(ⓒ の状態まで)焼く (→ cook 他 1 関連) ‖ *bake* potatoes ジャガイモを丸焼きにする / *baked* apples 焼きりんご / *bake* the cake brown on the top ケーキの上面をキツネ色に焼く / *bake* cookies with flour 小麦粉でクッキーを焼く. **b** [bake A B = bake B for A] 〈人〉にBを焼いてやる《◆受身は B is baked for A のみ可》. ●文法 3.3)‖ I'll *bake* you delicious bread. = I'll *bake* delicious bread *for* you. 君においしいパンを焼いてあげる.
2〈火などが〉〈レンガ・陶器など〉を(ある状態まで)焼く,焼き固める‖ The pottery was *baked* by fire. 陶器は火で焼かれた.
3(太陽などで)〈皮膚〉を焼く(burn).
──自〈パンなどが〉焼ける;〈レンガなどが〉焼け固まる[乾く];〈人が〉〈パンなど〉を焼く;(こんがり)日焼けする;〈人(の体)が〉熱くなる(become hot) ‖ The cake is *baking* now. ケーキが焼けています(=The cake is being *baked* now.).

báked béans ベークトビーンズ《白インゲンマメなどのマメに塩漬豚肉・調味料などを加え,オーブンで調理したもの.ふつうかん詰めで販売される.《米》では Boston baked beans ともいう》.

bake・house /béikhàus/ 名《米》=bakery.

Ba・ke・lite /béikəlàit/ [L. H. Baekeland /béikləːnd/ の名から] 名《しばしば b~》《商標》ベークライト《合成樹脂》.

†**bak・er** /béikər/ 名 ⓒ パン[ケーキ]を焼く人,パン[ケーキ]製造業者;パン[ケーキ]屋の主人‖ *baker's* salt (製パン用の)炭酸アンモニア / go to the *baker's* (shop) パン屋へ行く / Her mother is a good *baker*. 彼女の母はパンを焼くのがうまい(=Her mother bakes well.). **a báker's dózen** [昔量目不足で罰せられるのを恐れて1個おまけをつけたことから]《やや古》パン屋の1ダース,13個.

†**bak・er・y** /béikəri/ 名 **1** ⓒ 製パン所;パン屋(cf. confectionery)《◆ 業者は baker》;パン・ケーキ販売店(bakeshop,《米》bakehouse,《英》baker's (shop)). **2**(略式)[集合名詞] 焼いたパン[ケーキなど].

bake・shop /béikʃɑ̀p|-ʃɔ̀p/ [名] =bakery 1.

†**bak・ing** /béikiŋ/ [動] ⇒ bake. ── [名] 1 ⓤ パンを焼くこと; [形容詞的に] パン焼きの. 2 ⓒ (パンなどの)一焼き分(batch). ── [形][副] (英略式)焼けつくような[に] ‖ Open the window. It's báking (hót) in here. 窓を開けてくれ.ここは暑くてたまらない(=We are baking in here.).

báking pòwder ふくらし粉.

báking sòda 重曹(bicarbonate of soda).

bak・ing-hot /béikiŋhɑ́t|-hɔ́t/ [形] 焼けるように暑い, 灼(しゃく)熱の.

bal・a・lai・ka /bæ̀ləláikə/ 《ロシア》[名] ⓒ《音楽》バラライカ.

***bal・ance** /bǽləns/ (アクセント注意)
── [名] (複 ~s/-iz/)

Ⅰ [均衡]

1 ⓤ 〖時に a ~〗 (重量・勢力などの)**均衡**, つり合い, バランス; (心の)落ち着き, 平静; (美的な)調和(↔ imbalance) ‖ *balance* of mind 正気 / a man of *balance* 落ち着いた人 / (the delicate) *balance between* man *and* nature 人類と自然の(微妙な)調和 / Skaters need a good sense of *balance*. スケートをする人は平衡感覚がすぐれていなければならない / hold [upset] the world *balance* of power 世界の勢力の均衡を保つ[崩す] / keep [lose, regain, recover] one's *balance* バランスを保つ[失う, 取り戻す]; 心の平静を保つ[失う, 取り戻す] / throw him off (his) *balance* (知らせなどが)彼に平衡を失わせる; 彼を面食らわせる / 〖ジョーク〗 Accountants don't get hurt; they just lose their *balance*. 会計士はけがをしない.ただしバランスを失うことがある《◆ [名] 4 (貸借勘定)とのしゃれ》.

2 ⓒ 天秤(びん), はかり ‖ weigh eggs on a *balance* 卵をはかりにかける.

3 〖a ~〗 平衡おもり; 相殺するもの[人] ‖ act as a *balance* to his ignorance 彼の無知を補う.

Ⅱ [収支の均衡]

4 ⓒ ⓤ 〚会計〛 **貸借勘定**, 収支残高, 差額 ‖ the *balance* of payments [trade] 国際貿易収支.

Ⅲ [その他の均衡]

5 〖略式〗 〖the ~〗 残り, 残余(rest) ‖ the *balance* of the party 一行の残りの人たち / the *balance* of life 残りの人生.

be [hàng, lie] in the bálance [はかりにかけられている]《事が》不安定な状態にある; きわどい瀬戸ぎわにある.

off bálance バランスを失って, 倒れそうになって; 不安な状態になって ‖ He was thrown *off balance*. 彼はバランスを失った(→ 1).

on bálance [副] 概して;すべてを考慮して; 結局は.

***regáin** one's *bálance* =regain one's feet(→ foot [名]).

strìke a bálance (1) バランスをとる, つり合いをとる. (2) 清算する; 〔…の間の〕妥協点を見出す; 〔…を〕調和させる〔*between*〕.

típ [swíng] the bálance 均衡を破る, 情勢を変化させる; 決定的な役割を果たす.

── [動] (~s/-iz/; [過去・過分] ~d/-t/; -anc・ing)
── [他] 1〈人・物・事 が〉〈物・事 を〉〔…と〕**つり合わす**, 〈物・事 を〉〔…で〕埋め合わせる, 相殺する〔*with*, *by*, *against*〕. 〖対話〗 "Our family budget is in the red this month, too." "We have to *balance* expenses *with* income." 「今月も我が家の家計は赤字だ」「収入と支出のバランスをとるようにしないといけない」. 2…の平衡[重量・バランス]を保たせる ‖ *bálance* onesèlf on one leg [foot] 片足で倒れないように立つ. 3〈問題・論点などを 多義的に〉〔…と〕比較する〔*against*, *with*〕. 4 〚会計〛 …の差引勘定をする, 帳尻を合わす; …を清算する ‖ a *balanced* budget 均衡予算 / *balance* the books [budget] (会計簿の)決算をする.

── [自] 1〈重さ・額 が〉〔…と〕等しい, つり合っている〔*with*〕; 〈人が〉バランスを保つ. 2〈計算・帳尻 が〉合う(+*out*).

bálance béam (米)〚体操〛 平均台.

bálance dúe (支払うべき)不足額.

bálance shèet 〚会計〛 貸借対照表(簿) b.s., B/S〕.

bal・anced /bǽlənst/ [形] つり合いのとれた; 〈人が〉落ち着いている ‖ a *balanced* diet (栄養の)バランスのとれた食事.

†**bal・co・ny** /bǽlkəni/ [名] ⓒ 1 バルコニー《ヨーロッパ南部, 特にイタリアなどに多い》. 2 (米)(劇場の)バルコニー席, 階上席(◆(米)では特等席(dress circle)を, (英)では特等席の一段上にある張出し席(upper circle)をさす》.

bál・co・nied [形] バルコニーのある.

†**bald** /bɔ́:ld/ [形] 1〈人・頭が〉**はげた**《♦ thin より直接的. cf. balding》;〈動物・鳥が〉毛[羽根]のない;〈木が〉葉のない;〈山・平野などが〉木[草]のない ‖ He's going [becoming] *bald* 「on top [at the sides]. 彼は頭が真ん中から[両側から]はげてきている / He's *bald*. あの人ははげだ. 2〈模様・文体・発言などが〉味気ない; 飾り気のない, ありのままの.

báld éagle 〚鳥〛 ハクトウワシ《♦ 米国の国章. 貨幣や切手の模様になっている》.

báld・ness [名] ⓤ はげていること; 露呈さ; 味気なさ.

báld・ly [副] 率直に; 露骨に.

báld・head /bɔ́:ldhèd/ [名] ⓒ はげ頭の人.

báld・head・ed /bɔ́:ldhèdid/ [形] 頭のはげた. ── [副] しゃにむに.

báld・ing /bɔ́:ldiŋ/ [形] 〈人 が〉はげかかった ‖ He's *balding*. 頭がはげてきている《♦ He's bald. より遠回し》.

†**bale**¹ /béil/ (同音) bail) [名] ⓒ 梱(こり), 俵《輸送用に圧縮梱包した一定量の商品》, [~s] 貨物;(バインダーで結束したコーン・草などの)梱 ‖ a *bale* of cotton 1梱の綿《米国では500ポンド》. ── [動] [他] …を[俵に]する, 梱包(こんぽう)する(+*up*).

bale² /béil/ (英) =bail².

bale・ful /béilfl/ [形] 〚正式〛 (破滅をもたらすほど)有害な(harmful); 悪意に満ちた; 不吉な.

Ba・li /bɑ́:li/ [名] バリ島《ジャワ島の東, インドネシア領》.

balk, (主に英) **baulk** /bɔ́:k/ [動] [自] 1〈馬などが〉(障害物に)たじろいで急に止まる, 止まって動かない. 2 〚正式〛〈人が〉〔…に〕しりごみする, ちゅうちょする〔*at*, *in*〕 ‖ *balk at* tell*ing* lies うそをつくのをためらう / The weatherman suddenly *balked in* the middle of his weather report. その天気予報官は突然天気予報中に言葉につまった. 3〚野球〛ボークをする.

── [他] 〚正式〛〈希望・計画などを〉挫折させる, くじく(block); 〈人を〉〔…のことで〕挫折させる〔*in*, *of*〕;〈人 の〉…するのを邪魔[妨害]する〔*from*〕 ‖ *balk* his attempt =*balk* him *in* his attempt 彼の計画をくじく.

── [名] ⓒ 〚正式〛 1 〖通例 a ~〗 〔…の〕妨害, 障害〔*to*〕. 2 はり材. 3 〚野球〛ボーク; 〚競技〛反則; 〚ビリヤード〛ボーク.

Bal・kan /bɔ́:lkən/ [形] 1 バルカン諸国民の. 2 バルカン半島[山脈]の; the ~ Peninsula バルカン半島《ヨ

ーロッパ南東部の黒海とアドリア海との間の半島).
——名 [the ~s] =**the** ~ **States** バルカン諸国.

ball[1] /bɔ́ːl/ 〖同音〗bawl; 〖類音〗bowl /bóul/)
——名 (複 ~s/-z/) **1** ⓒ (球技用の)ボール, 球, 玉, まり ‖ hit [kick, throw] a *ball* ボールを打つ[ける, 投げる] / 〖ジョーク〗Cinderella was bad at football because she kept running away from the *ball*. シンデレラはサッカーが下手だった. 何しろボールから走って逃げ続けたんだからね 《◆ ball[2] (舞踏会)としゃれ》

〖関連〗ball はどの競技にも用いられる一般語. 各種の球技での使用ボールは次のようにいう. 球技名に -ball がついているものはそこで使うボールも表す: baseball / basketball / football / golf ball 《◆ ×golfball と1語にしない》/ softball / tennis ball 《◆ ×tennisball とはしない》/ volleyball / bowling ball / soccer ball 《◆ ×soccerball とはしない》.

2 ⓒ 球形の物, 球体; 天体, 地球 ‖ the *ball* of the eye 眼球 (eyeball) / the *ball* of the foot [thumb] 足[手]の親指のつけ根のふくらみ / a *ball* of wool 毛糸の玉 《◆ ×woolball とはいわない. cf. snowball》 / The sun is a flaming *ball*. 太陽は燃える球体である.
3 ⓤ 球技. 《米》野球(baseball).
4 ⓒ **a** 〔野球〕(投げた・打った)球 ‖ a flý báll フライ / a fóul báll ファウル(ボール) (↔ a fair ball).

〖関連〗〖いろいろな野球の球種〗
bread-and-butter pitch 決め球 / breaking ball 変化球全般 / change-up チェンジアップ / curveball カーブ 《◆ curve(d)ball, または単に curve ともいう》/ fast ball 速球 / forkball フォークボール / knuckle ball ナックルボール / screwball スクリューボール, シュート / sinker シンカー / slider スライダー / slow ball スローボール.

b 〔野球〕ボール (↔ strike) ‖ three *balls* and two strikes ツーストライク・スリーボール《◆ 日本語とは語順が逆》/ a base on *balls* → base[1] 成句.
c 〔サッカー・ラグビー〕(けった)球.
5 ⓤⓒ (丸い)弾丸, 砲丸 ‖ a cannon *ball* (昔の球形の)砲弾《◆ ふつう cannonball と1語にする. また現在では「大きな弾丸」の意では shell を用いる》. **6** (性俗) [~s] 睾丸(こうがん).
(**be**) **on the báll** 〖ボールを目を離さずに見ている〗《略式》〈人が〉油断[抜け目]のない, 勤勉な.
cárry the báll 〖ボールを持って行く〗《略式》率先してやる, 責任を一身に負う.
háve [**hóld**] **A by the bálls** 《米俗》〈人〉の弱味を握っている, 〈人〉を何でもできる.
háve the báll at *one's* **féet** 好機に恵まれている.
kéep the báll rólling 〖「転がるボールが止まらないようにする」から〗《略式》(仕事・話などを)うまく続けていく, (パーティーなどで)座が白けないようにする.
pláy báll (1) 野球をする. (2) 《米》野球(などの球技)を始める[再開する]. (3) 《略式》〈人と〉協力する 〔*with*〕; 活発にやる, 忙しくする.
stárt [**sét**] **the báll rólling** 〖ボールを転がし始める〗《略式》(会話・仕事などを)率先して始める, (話などで)口火を切る.
The báll is [**in** A**'s cóurt** [**with** A]. 《略式》次は〈人〉が行動する番だ, 〈人〉が決断する時だ.

ball[2] /bɔ́ːl/ 〖同音〗bawl) 名 ⓒ (公式の)大舞踏会, ダンスパーティー《◆ 私的なものは dance》‖ *give a ball* 舞踏会を催す / lead (up) the *ball* 舞踏会の先導として踊る.
háve (one**sélf**) **a báll** 《略式》大いに楽しむ.

†**bal·lad** /bǽləd/ 名 ⓒ **1** バラッド《素朴な民間伝承の物語詩. またその形式で作られた詩. その詩につける曲》.
2 バラード《感傷的なポピュラーソング》.

bal·lade /bəláːd, bæl-/ 〖フランス〗名 ⓒ 〔詩学〕バラード《フランス詩体の一形式》; 〔音楽〕バラード, 譚(たん)詩曲.

†**bal·last** /bǽləst/ 名 ⓤ **1** 〔海事〕底荷, 脚荷(きゃに), バラスト ‖ in *ballast* 脚荷だけ積んで, 空荷で. **2** (気球の)砂袋. **3** (鉄道・道路に敷く)バラス, 砂利. **4** (心・社会などを)安定させるもの. ——動 ⓣ **1** 〔海事〕…に底荷[砂袋]を積む, (底荷・砂袋で)…を安定させる.
2 …にバラス[砂利]を敷く.

bal·le·ri·na /bæ̀ləríːnə/ 〖イタリア〗名 ⓒ **1** バレリーナ《バレエ団の主役女性ダンサー》(prima ballerina).
2 《略式》(一般に)女性バレエダンサー.

*‎**bal·let** /bǽlei/ 名 〖発音注意〗〖フランス〗
——名 (複 ~s/-z/) **1** ⓒⓤ バレエ, 舞踊劇 ‖ She invited me to the *ballet*. 彼女は私をバレエの公演に招待してくれた / a *bállet* dàncer バレエダンサー / a *bállet* skirt バレエダンサー用の(短い)スカート.
2 ⓒ バレエ曲; オペラ中のバレエ ‖ Tchaikovsky's famous *ballets* チャイコフスキーの有名なバレエ曲. **3** ⓒ バレエ団.

bal·lis·tic /bəlístik/ 形 弾道(学)の.
ballístic míssile 弾道ミサイル (cf. ICBM).

*‎**bal·loon** /bəlúːn/ 名 〖大きな球(ball)が原義〗
——名 (複 ~s/-z/) ⓒ **1** 気球 ‖ a captive [free] *balloon* 係留[自由]気球 / a hot-air *balloon* 熱気球 / an advertising *balloon* アドバルーン《◆ (1) ×ad balloon は誤り. 単に balloon でいう. (2) 飛行船状のものは an advertising blimp という》.
2 (ゴム)風船. **3** 《略式》吹き出し《漫画中の人物の言葉を示す風船形の囲み》.
——動 ⓘ **1** (風船のように)ふくれる (+*out, up*); 〈数量が〉(急激に)ふくれ上がる[増える]. **2** (気球のように)軽やかに飛行する; 気球に乗る.

†**bal·lot** /bǽlət/ 名 **1** ⓒ 無記名投票用紙 [《古》小球] ‖ *cast a ballot for* [*against*] … …に賛成[反対]投票する. **2** ⓒ 投票数; 投票総数. **3** ⓤⓒ 無記名投票 (secret ballot), 《米》大統領候補者指名投票; [the ~] 投票権[制度] ‖ *take* [*cast*] *a ballot* 投票する / Mr. Brown was elected chairman *on* the third *ballot* [vote]. ブラウン氏が3度目の投票で議長に選ばれた. **4** ⓤ くじ引き.
by bállot 投票で, くじ引きで.
——動 〖正式〗ⓘ (無記名で) […に賛成/…に反対]投票する (vote) 〔*for/against*〕; […を]くじで決める 〔*for*〕. ——ⓣ …を投票[くじ]で決める, …に投票する.

B

bállot bòx 投票箱；[the ~]（民主的手段としての）投票.
bállot pàper 投票用紙.
bállot rigging 投票結果の不正操作.

ball·park /bɔ́ːlpɑ̀ːrk/, **báll pàrk** [名][C] **1**《米》野球場. **2**《米略式》概算 ‖ *in the* (right) *ballpark* 概算で；ほぼ正確に. **bállpark fígure**〘「球場入場者を調べる大まかな計算方法」から〙《米略式》概算.

ball·play·er /bɔ́ːlplèiər/ [名][C]（一般に）球技をする人；《米》（特に）プロ野球選手《◆pro ballplayer ともいう》.

báll-pòint pén /bɔ́ːlpɔ̀int-/,（主に英）**ball·point** /bɔ́ːlpɔ̀int/ [名][C] ボールペン《◆《英》では biro ともいう》.

ball·room /bɔ́ːlrùːm/ [名][C]（ホテルなどの）舞踏室[場] ‖ a *ballroom* dancing 社交ダンス.

†bal·ly·hoo /bǽlihùː|ニ-/ [名][U]《やや古・略式》**1** 騒々しい低俗な宣伝, 誇大広告. **2** ばか騒ぎ.

†balm /bɑ́ːm/ [名] **1**[U] 香油, 香膏(こう)；芳香. **2**[U][C] 鎮痛剤, バルム剤. **3**[C][比喩的に] 精神的な慰め.

†balm·y /bɑ́ːmi/ [形] (--i·er, --i·est) **1**〈風・外気などが〉さわやかな；温和な, おだやかな ‖ a *balmy* day すがすがしい1日. **2** 芳香のある. **3**《略式》[比喩的に] 頭がおかしい(crazy).

bal·sa /bɔ́ːlsə/ [名][C]〔植〕バルサ；[U] =balsa wood; [C] バルサ材のいかだ[浮き]. **bálsa wóod** バルサ材《軽い木材》.

†bal·sam /bɔ́ːlsəm/ [名] **1**[U] バルサム《液体の樹脂》；香油, 香膏(こう)；鎮痛剤, せき止め薬；慰め. **2**[C]〔植〕ホウセンカ.

Bal·tic /bɔ́ːltik/ [形] **1** バルト海の；the ~ Sea バルト海. **2** バルト諸国の([略] Balt.). **3** バルト語派の.
——[名][U] バルト語派《リトアニア語・ラトビア語・レット語・古プロイセン語など》.

Bal·ti·more /bɔ́ːltəmɔ̀ːr/ [名] ボルティモア《米国 Maryland 州の都市》.

bal·us·ter /bǽləstər/ [名][C]（手すりなどを支える）手すり子；[~s] =balustrade.

†bal·us·trade /bǽləstrèid|ニ-/ [名][C] (baluster を含む手すり) 手すり, らんかん.

Bal·zac /bɔ́ːlzæk|bǽl-/ [名] バルザック《Honoré dè /ɔ(ː)nəréi də/ ~ 1799-1850；フランスの小説家》.

†bam·boo /bæmbúː/《◆名詞の前で用いる時はふつう /ニ-/》[名] ([複] ~s) **1**[U]〔植〕竹, タケ・ササ類 ‖ *bamboo* shoots [sprouts] たけのこ. [表現]「雨後のたけのこのように」はふつう like mushrooms [bean sprouts] / like wild flowers after a spring rain などのようにいう. **2**[C] 竹ざお；[U] 竹材；[形容詞的に] 竹(製)の ‖ *bamboo* work 竹細工.

bam·boo·zle /bæmbúːzl/ [動][他]《略式》**1** …を煙にまく. **2** …をだまして〔…に〕させる〔*into*〕；…をペテンにかけて〔…を〕巻き上げる〔*out of*〕.

†ban /bǽn/ [名][C] [通例 a ~]（法による）〔…の〕禁止(令), 禁制〔on〕《◆短い語なので新聞見出しでは prohibit, forbid の代用語として用いられる》‖ *a* nuclear test *ban* =*a ban on* nuclear tests 核実験禁止 / ***put*** [*place*, impose] ***a ban on*** drinking =***put*** [*place*] drinking ***under a ban*** 飲酒を禁止する / lift [remove] the *ban on* drinking 飲酒を解禁する.
——[動] ([過去・過分] banned/-d/; ban·ning) [他]〈出版・行動など〉を(法的に)禁止する；〈人〉が〔…するのを〕禁止する, さし止める(prohibit)〔*from*〕‖ ***You are banned from*** smok***ing*** in this car. この車両は禁煙です《◆ふつうは Smoking is prohibited in this car. / You can't smoke in this car. / Smoking is not allowed ... / This is a nonsmoking car. などという》.

ba·nal /bənǽl, béinl|bənɑ́ːl/ [形]《正式》(新鮮味がなく)平凡な, ありふれた, つまらない. **ba·nal·i·ty** /bənǽləti/ [名][U] 平凡；[C] 平凡な言葉[考え].

***ba·nan·a** /bənǽnə|-nɑ́ːnə/〘西アフリカの言葉より〙
——[名] ([複] ~s/-z/) **1**[C] バナナ(の実)；〔植〕バナナ《多年草》‖ a bunch of *bananas* バナナの1ふさ. **2**[U] バナナ色. **3**[C]《米俗》白人側にこびる黄色人《◆外は黄色で中は白いことから》.

***band** /bǽnd/
——[名] ([複] ~s/bǽndz/) [C] **1**（物をしばる）ひも, 帯(状のもの), バンド《◆ズボンの「バンド」は belt》；(おけなどの)たが, 帯金；(帽子の)はち巻きリボン；(機械の)ベルト, 調帯；(本の)背とじ糸；(建造物の)帯飾り ‖ a rubber *band* 輪ゴム / an iron *band* (たるなどの)鉄のたが / a hair *band* ヘアバンド. **2**（色の）しま, 筋(stripe). **3**（通信機の）バンド, 周波帯(wave band). **4**（レコードの）バンド《1曲分の音みぞ》. **5** [単数・複数扱い]（ある目的をもつ人・時に動物の）一隊, 一団, 一群《◆しばしば悪人の集団に用いる》‖ a *band* of robbers 強盗の一味《◆group が一般的な語. troop は《略式》で「(動く)一団, 群れ」》/ a guerrilla *band* ゲリラ部隊. **6** [単数・複数扱い]（主に吹奏楽・軽音楽の）楽団, バンド《◆ふつうバイオリンなどの弦楽器を含まない. 本格的な楽団は orchestra》‖ form a rock [jazz, brass, Hawaiian] *band* ロック[ジャズ, ブラス, ハワイアン]バンドを結成する / play in a *band* バンドで演奏する.
——[動][他] **1** …を(ひもで)縛る；…にしまをつける；(識別のために)〈鳥など〉にバンドをつける. **2** …を〔…と/…に対して〕結合[団結]させる(+ *together*)〔*with*/ *against*〕；[~ oneself] 団結する ‖ *band oneself with* a nation 国と同盟を結ぶ.
——[自]〔…と/…に反対して〕団結する(+*together*)〔*with/against*〕.
bánd mùsic バンド音楽.
bánd sàw〔機械〕帯のこぎり.
bánd shèll（半円形の）野外音楽堂.

†ban·dage /bǽndidʒ/ [名][C][U] 包帯, 巻き布 ‖ ***a roll of bandage*** 1巻きの包帯 / put a *bandage* on a wound 傷に包帯をする / have a *bandage* over one's eye 目に眼帯をしている.
——[動][他]〈人・腕・傷など〉に包帯をする(+*up*).

Band-Aid /bǽndèid/ [名][C] **1**《米商標》バンドエイド. **2**《米》[時に band-aid] 応急策[処置]；[形容詞的に] 応急の, 間に合わせの.

ban·dan·na, --dan·a /bændǽnə/ [名][C] バンダナ《カウボーイなどが首に巻く大型ハンカチ, スカーフ》.

B & B, b & b /bìː ənd bíː/〘*bed and breakfast*〙《もと英略式》宿泊と朝食；朝食つきの民宿《◆BB とも書く》.

ban·deau /bǽndou|ニ-/〘フランス〙[名] ([複] **~x**/-z/) [C] **1**（女性用）ヘアバンド. **2**（主に米）細いブラジャー.

†ban·dit /bǽndit/ [名] ([複] **~s, ~·ti**/bændíti/) [C]（山野に出没する）盗賊(の一味), 追いはぎ；《広義》無法者；賊, 強盗.
bán·dit·ry /-ri/ [名][U] 強盗；[集合名詞] 盗賊団.

band·mas·ter /bǽndmæ̀stər|-mɑ̀ːs-/ [名][C] バンドマスター, 楽団指揮者(《PC》conductor).

bands·man /bǽndzmən/ [名] ([複] **--men**) [C] バンドマン, 楽団員(《PC》a member of the band, band member).

band·stand /bǽndstæ̀nd/ [名][C] 野外ステージ；(ホールなどの)演奏台.

band·wag·on /bǽndwæ̀gən/ 〖名〗Ⓒ〖米〗(パレードの先頭の)楽隊車. **jump** [**gét, clímb**] **on** [**abóard**] **the bándwagon** [**wágon**] 〖略式〗優勢な政党の肩を持つ; 時流に乗る.

ban·dy /bǽndi/ 〖動〗他〖やや古〗**1**〈ボールなどを打ち合う〉; …を〈人と〉やり取りする〔*with*〕‖ *bandy* words *with* him〈はきはき〉彼と口論する. **2**〈うわさなどを〉言いふらす, まき散らす(+*about, around*)‖ have one's name *bandied about* 悪いうわさを立てられる.
—〖形〗=bandy-legged.

bandy-leg·ged /bǽndilèɡid | -lèɡd/ 〖形〗〈人・動物が〉がにまたの, わに足の.

†**bane** /béin/ 〖名〗〖正式〗**1** [the ~] 破滅[災難]のもと‖ Alcoholism was his *bane*. アルコール中毒が彼の死因だった. **2** Ⓤ〔複合語で〕毒‖ ratsbane ネコいらず.

bane·ful /béinfl/ 〖形〗〖文〗破滅[災難]をもたらす, 致命的な; 有害な‖ a *baneful* influence 悪影響.

†**bang**[1] /bǽŋ/ 〖動〗他 **1**…をドシン[バタン, ドンドン]とたたく[打つ], …を〔…に〕打ちつける〔*against*〕, …にぶつかる《♦crash よりも軽くぶつかること》; 〈鉄砲などを〉ズドンと放つ‖ *bang* the door with one's fist =*bang* one's fist on the door ドアをこぶしでドンとたたく. **2 a**〈ドアなどを〉バタンと閉める‖ Please don't *bang* [slam] the door behind you. 入った[出た]あとドアをバタンと閉めないでください. **b** [bang A Ⓒ]〈人が〉A〈物を〉B[バタン, バン]とたたいて Ⓒ の状態にする‖ *bang* the door *open* [*shut*] ドアをバタンと開ける[閉める]. **3**〖略式〗…を手荒に扱う(+*about*), ドシンと置く(+*down*). **4**〈知識などを〉〔…に〕たたき込む〔*into*〕. —〖自〗**1**〔…を〕ドンドンたたく[打つ]〔*on, at*〕; 〔…に〕ドシンとぶつかる〔*against, into*〕; 〖略式〗大きな音をたてて[たてて歩く]〔+*about, around*〕. **2**〔通例 shut を伴って〕〈ドアが〉バタンと閉まる; 〈鉄砲が〉ズドンと鳴る.

báng awáy〖略式〗(1)〔…に〕発砲しつづける〔*at*〕, 〈花火が〉連続的に鳴る. (2)〔…に〕大いに励む〔*at*〕.
báng into A (1) → 自 **1**. (2)〖略式〗〈人に〉偶然出会う.
báng óff [自] 急いで行く. —[他]〈鉄砲を〉ズドンと発射する; 〈音楽を〉鳴らす.
báng óut [他]〖現れるように(→ **out** 副 **17 a**)打ちつける〗〈記事を〉(キーボードで)打ち出す, 〈原稿などを〉手早く書く; 〈曲を〉(ピアノで)がんがん弾く.
báng úp [他]〖ばらばらの状態に(→ **up** 副 **14 e**)打ちつける〗〖略式〗〈車を〉だめにする; 〈手などに〉傷を負う; 〈主に英〉〈給料などを〉上げる; 〈英俗〉〈人を〉刑務所に入れる.
—〖名〗Ⓒ〔通例 a ~〕**1** 衝撃音, 炸(⁇)裂音, ドシン[バタン, ズドン]という音《♦bump, thud より高い音をいう》‖ "Bang! Bang!" (子供がピストルごっこで)「バン! バン!」. **2**〖米略式〗喜び, 楽しみ.
with a báng〖略式〗(1) ドシン[バタン]と. (2)〖略式〗うまくいって, 大成功で; にぎやかに‖ 「go over [〈英〉go (off)] *with a bang*〈米〉大成功をおさめる.
—〖副〗**1** ごう音を伴って; 突然; 激しく‖ They walked *bang* into my house. 彼らはどかどかと私の家へ上がりこんだ. **2**〖略式〗〔前置詞句・副詞と共に〕まさに, ちょうど‖ *bang* in the middle ど真ん中に.
gò báng (1)〈鉄砲が〉ズドンと鳴る; 〈ドアが〉バタンと閉まる. (2)〖略式〗〈希望などが〉あっけなく消え去る.
—〖間〗ドシン, バタン, ズドン.

bang[2] /bǽŋ/ 〖名〗Ⓒ〔主に米〕〔しばしば ~s〕切り下げ前髪.

bang·er /bǽŋər/ 〖名〗Ⓒ〔英略式〕**1** ポークソーセージ. **2** 爆竹花火. **3**〈音のうるさい〉ぽんこつ車.

Bang·kok /bǽŋkɑk | -´-/ 〖名〗バンコク《タイの首都》.

Ban·gla·desh /bæ̀ŋɡlədéʃ/ 〖名〗バングラデシュ(人民共和国)〔正式名 People's Republic of Bangladesh. 首都 Dacca〕.

ban·gle /bǽŋɡl/ 〖名〗Ⓒ 腕輪, 足首飾り(cf. bracelet).

bang-up /bǽŋʌ̀p/ 〖形〗〖米式〗すばらしい; 一流の.

†**ban·ish** /bǽniʃ/ 〖動〗他〖正式〗**1**〈人〉を〔国などから/…に〕追放する〔*from, out of / for*〕; 〈人〉を〔…に〕流刑にする〔*to*〕‖ He was *banished* to an island for high treason. 彼は大逆罪で島流しにされた. **2**…を〈面前から〉追い払う; 〈恐怖心・考えなどを〉〔…から〕払いのける; 〈しわなどを〉取り除く〔*from*〕‖ *banish* him *from* one's presence 彼を面前から遠ざける / Her calm words *banished* our fears. 彼女の落ち着いた言葉で我々の恐怖は消し飛んだ.

†**ban·ish·ment** /bǽniʃmənt/ 〖名〗Ⓤ 追放(する[される]こと), 流刑.

ban·is·ter, ban·nis·- /bǽnəstər/ 〖名〗=baluster; [~s] =balustrade.

ban·jo /bǽndʒou/ 〖名〗(複 ~**s**, ~**es**) Ⓒ〖音楽〗バンジョー. **bán·jo·ist** Ⓒ バンジョー弾き.

‡**bank**[1] /bǽŋk/ 〖原義〗bunk /bʌ́ŋk/)〖「盛り上がった所」が原義〗
—〖名〗(~**s**/-s/) Ⓒ **1** (川・湖などの)土手, 堤, 川岸, 湖畔; [~s] 川の両岸‖ the right [left] *bank* of a river 川の右[左]岸《♦左右は下流に向かっていう》/ The river often overflows its *banks*. その川はよく〈堤を越えて〉氾濫(ﾊﾝ)する /〖ジョーク〗"Why is a river rich?" "Because it has two *banks*." 「なぜ川はお金持ちなの?」「バンクを2つも持っているからさ」《♦bank[2] (銀行)とのしゃれ》. **2** (畑などの境界の)盛り土(mound); (盛り土のようになった)雪・霧・雲などの)かたまり(mass)‖ A *bank* of cloud darkened the sky. 雲のかたまりで空が暗くなった. **3** =sandbank. **4** バンク《道路の湾曲部の外側を高くした斜面》.
—〖動〗他 **1**…に〔…で〕土手[堤]を築く, …を〔…の〕土手[堤]で囲む〔*with*〕‖ *bank* the river *with* sand 川に砂の土手を築く. **2**〈土・まきなどを〉積み上げる(+*up*)‖ *bank* snow (*up*) along the wall へいに沿って雪を積み上げる.
—〖自〗**1**〈雪・雲などが〉積み重なる(+*up*). **2**〈航空機・車が〉片側に傾く, バンクする.
bánk úp [自] → 自 **1**. —[他] (1) → 他 **2**. (2)〈テラスなどを〉(盛り土で)支える; 〈川を〉せき止める.

‡**bank**[2] /bǽŋk/ 〖「長いす・カウンター」の原義から「両替屋のテーブル・店」となった. cf. bench〗〖原〗banker の —
—〖名〗(複 ~**s**/-s/) Ⓒ **1** 銀行(略 bk); 〈英〉[the B~] イングランド銀行(the Bank of England)‖ a central *bank* 中央銀行《♦市中銀行(a commercial bank)に対していう. 英国では the Bank of England, 米国では the Federal Reserve Bank (連邦準備銀行), 日本では the Bank of Japan (日本銀行)がそれに当たる》/ a credit [deposit, savings] *bank* 貸付[預金, 貯蓄]銀行 / a *bank* of issue [circulation] 発券銀行 / a checking account at the *bank* 銀行の当座預金 / put [deposit] money in [×to] the *bank* 銀行に預金する / *bank* robbery 銀行強盗(行為) / a *bank* robber 銀行強盗犯人 /〖ジョーク〗A *bank* is a place

that will always lend you money if you can prove that you don't need it. 銀行とは、お金を必要としないことを証明できる人にならいつでもお金を貸してくれるところである.
2 (略式) 小型貯金箱(piggy bank)《ふつうブタの形》.
3 [複合語で] 貯蔵所, バンク ‖ 'a dáta [an éye] bànk データ[アイ]バンク / a blóod bánk 血液銀行 / a gene bank 遺伝子銀行.
bréak the bánk 人[胴元]を破産させる; 文無しにする.
──動 (~s/-s/; 過去·過分 ~ed/-t/; ~·ing)
──他 〈人が〉〈金〉を**銀行に預ける**; 〈金〉を〔…銀行に〕預ける(with) ‖ My father banks part of his salary every week. 父は毎週給料の一部を銀行に預金する.
──自 [bank at [with] **A**] 〈人が〉〈銀行〉に**預金する**; 〈銀行〉と取引する ‖ Where do you bank? = Who are your bankers?). 取引銀行はどこですか (=Who are your bankers?).
bánk on [upón] A (略式) 〈人・援助など〉をたのみとする; 〈人・事〉の〔…するのを〕あてにする〔to do, doing〕.
bánk accóunt (米) 銀行預金口座[残高].
bánk bill (1) (米) = bank note. (2) (英) = bank draft.
bánk clèrk 銀行員《◆「銀行家」は banker》.
bánk crísis (取り付け騒ぎによる)銀行恐慌.
bánk dràft (銀行)手形(略 B/D)《◆ banker's draft ともいう》.
bank holiday /=/=/ (米) (一般休日以外の)銀行休日; (英) 一般公休日《一般の人も休む法定休日. 年8回》.
bánk nòte (主に英) 銀行券, 紙幣.
bánk ràte 公定歩合.
bánk státement (客に出す)銀行明細書.
bank³ /bǽŋk/ 名C (ピアノなどの)キーの列; (物の)1列.
bank·book /bǽŋkbùk/ 名C (銀行の)預金通帳 (cf. passbook).
†**bank·er** /bǽŋkər/ 名 **1** C 銀行家; 銀行の役員[経営者] (bank officer)《◆ 一般の「銀行員」は bánk clèrk》. **2** C (賭博(とばく)の)胴元, 親元. **3** U (トランプ)銀行遊び.
bánker's dràft = bank draft.
†**bank·ing** /bǽŋkiŋ/ 名U 銀行業, 銀行業務.
†**bank·rupt** /bǽŋkrʌpt/ 名C **1** [法律]破産者, 支払い不能者. **2** (性格的・道徳的)破綻(はたん)者.
──形 **1** [法律] 破産した, 破産宣告を受けた, 支払い能力のない ‖ go [become] bankrupt 破産する (=go into bankruptcy). **2** (性格的・道徳的)破綻した. **3** (正式) 〔何かよいもの〕を欠く, 〔…が〕ない (lacking) [of, in] ‖ She is bankrupt 'of intellect [in good manners]. 彼女には知性[礼儀作法]がない.
──他 〈人・会社など〉を破産させる.
†**bank·rupt·cy** /bǽŋkrʌptsi/ 名 **1** U C 破産(状態), 倒産 ‖ personal bankruptcy 個人破産. **2** U (正式) (名声の)失墜; (性格・計画などの)破綻(はたん) ‖ the bankruptcy of an artist's creative power 芸術家の創造力の枯渇.
†**ban·ner** /bǽnər/ 名C **1** (文) (君主・騎士の)旗, (国・軍隊・学校などの)旗((flag)); 旗じるし ‖ The working class fought under the banner of change. 労働者階級は変革の旗じるしのもとに[ために]戦った / carry the banner for …の旗じるしに

かかげる. **2** (デモなどの標語入り)横断幕;(歓迎の)たれ幕. **3** =banner line [headline]. **4** (コンピュータ) バナー《ウェブサイトの長方形の広告》.
──形 (米) 秀でた, すばらしい; 大成功の.
bánner line [(英) héadline] [新聞] 全段抜きの大見出し.
ban·nock /bǽnək/ 名C (スコット・北イング) バノック《オートミールや大麦製の丸くて平たい菓子パン》.
banns /bǽnz/ 名 (英) [複数扱い] 結婚予告《教会で挙式の予告を公示して異議の有無を問うもの》《◆ ふつう banns of matrimony という》‖「put up [announce, call, publish] the banns (教会で)結婚の公告をする / forbid the banns 結婚に異議を申し立てる.
†**ban·quet** /bǽŋkwit|-kwit/ 名C **1** 宴会, 祝宴《スピーチ・乾杯があり, dinner, feast より儀式ばった会》‖ give [hold] a banquet 宴を催す. **2** (通例 a~) ごちそう, 豪華な食事. ──動自 宴会に出る;〔…を〕(宴会で)楽しく食べる〔on〕.
ban·tam /bǽntəm/ 名C **1** 〔鳥〕チャボ《ニワトリの小品品種》. **2** 小柄でけんか好きな男. **3** バンタム級ボクシング選手.
ban·tam·weight /bǽntəmwèit/ 名 [ボクシング] C 形 バンタム級(の選手) (→ boxing¹).
†**ban·ter** /bǽntər/ 名U (気さくな, 悪意のない)冗談, ひやかし. ──動他 〈人〉をひやかす, からかう;〈人と〉会話をはずませる〔with〕.
Ban·tu /bǽntu:| -ˊ-, ba:ntúː/ (しばしば侮蔑) 名 (複 ~s, [集合名詞] **Ban·tu**) C U 形 バンツー族[語](の)《中央・南部アフリカの黒人諸族》.
ban·zai /ba:nzái | bænzái/ [日本語] 間 ばんざい!
banzái attàck [chárge] 自殺的な突撃.
ba·o·bab /béiəbæb | béiɔu-/ 名C 〔植〕 バオバブ (baobab tree)《熱帯アフリカ・インド産の巨木》.
Bap., Bapt. (略) Baptist.
bapt. (略) baptized.
†**bap·tism** /bǽptizm/ 名 **1** U C (教会) 洗礼(を行なう[受けること]); 洗礼式, バプティスマ《体を水に浸すか, もしくは水を頭からかけるかの動作によって, キリストの死と復活に参与し, 神の子の生命を受け, 教会の一員とされる儀式》‖ a baptism of blood (未受洗者の)血の洗礼, 殉教. **2** C (比喩的に) 洗礼, 初体験 ‖ a baptism of [by] fire (新兵の受ける)砲火の洗礼,(広義)初めての厳しい試練.
bap·tis·mal /bæptízml/ 形 洗礼の.
baptísmal nàme 洗礼名.
†**Bap·tist** /bǽptist/ 名 **1** C **a** バプテスト(派の人). **b** [the ~s] バプテスト派《幼児洗礼を認めず, 成人の自覚に基づく洗礼を主張》. **2** [通例 b~] C 洗礼を授ける人. **3** [the ~] 洗礼者ヨハネ (John the Baptist).
†**bap·tize,** (英ではしばしば) **-·tise** /bæptáiz, -ˊ-| -ˊ-/ 動 他 **1** 〈人〉に洗礼を施す. **2** [baptize **A** C] 〈牧師などが〉(洗礼を施して)**A**〈人〉を C 宗派の教徒にする; **A**〈人〉に C という名《特に Christian name》をつける;(広義) **A**〈人〉に C と名前[あだ名]をつける (name) ‖ baptize him a Catholic 洗礼を施して彼をカトリック教徒とする / She was baptized Mary. (洗礼式で)彼女はメリーと名づけられた.
*****bar**¹ /báːr/
──名 (複 ~s/-z/) C **1 a** (食堂・家庭の軽食を出す)台, カウンター (counter) ‖ put a glass on the bar カウンターにグラスをおく. **b** (米) 酒場, バー《◆ホテルの bar は遠回しに cocktail lounge という》. **c** [複合語で] (カウンター形式の)軽飲食店 ‖ a cóffee

[milk] bár コーヒー店[ミルクスタンド]. **d** 売り場, カウンター ‖ a hat bar 帽子コーナー. **e** 靴直し[鍵直し]のスタンド.
2(木・金属の)**棒**;(棒状・長方形の)かたまり;(電気ストーブの)熱棒 ‖ *a bar of* soap [chocolate, gold] =a soap [chocolate, gold] *bar* 石けん1個[板チョコ1枚, 金の延べ棒1本]. **3**(門・窓の)かんぬき, 横木, 桟(ﾋ), 格子(ｶﾞ);(バレエ練習用の)バー ‖ *behind bárs*(略式)獄中で[に]. **4**[正式][通例 a ~](…の)障害(物), 妨害(する物), 邪魔物(barrier, obstacle)[*to*, *against*];柵(ｻｸ);(道路の)遮断棒;(河口の)砂州(sandbar) ‖ *a bar to* ambition 野望の障壁. **5**[通例 the ~](裁判官席と被告席・傍聴席との)仕切り;被告席(cf. bench);裁判所, 法廷 ‖ *a case at* (*the*) *bar* 係争中の事件 / *the bar of* the House(英下院の)懲罰制裁席 / *at the bar of* conscience [public opinion] 良心[世論]の裁き[審判]の場で. **6**[the ~ / the B~]弁護士業(英)では法廷弁護士(barrister)業をいう);[集合名](英)単数・複数扱い]弁護士団;弁護士界 ‖ *the outer bar*(英)非勅選弁護士 / *a call to the bar*(英)弁護士免許 / 「*be admitted* [*gó*,(英正式)*be cálled*]*to the bár* 弁護士になる / *be called within the bar*(英)勅選弁護士になる / *práctice at the bár* 弁護士を開業する / *read* [*study*,(略式)*eat*] *for the bar* 弁護士になる勉強をする. **7**(光・色などの)線条, 筋, しま. **8**[音楽]= bar line. **9**(米)(軍隊の)線章《◆戦功をあげると1本増える》.
── [動](過去・過分)barred/-d; bar·ring/báːriŋ/
[他] **1**〈人が〉〈戸・門などに〉かんぬきをする(↔ unbar), 〈通路などを〉〈横木で〉閉じる(+*up*);〈人・動物等を〉(…から)除外する(+*out*)[*of*, *from*];〈人を〉閉じ込める(+*in*)‖ *Scolded by his father, the boy barred himself in*(his room). 父親にしかられて, その子は(自室に)閉じこもってしまった / *He has been barred from the club*. 彼はクラブから締め出しを食っている. **2**〈道〉をふさぐ ‖ *bar the way* 「*to the city* [*to success*] 町への[成功への]道を閉ざす. **3**(正式)〈人・物〉〈を〉禁止する;〈人・物〉〈の…(するの))を妨げる(prevent)[*from doing*] ‖ *bar the use of* nuclear fuel 核燃料の使用を禁止する / *bar* drinking 飲酒を禁止する / *Her lack of money barred her from* traveling abroad. 彼女はお金がなかったので海外旅行ができなかった(⊙文法23.1)(=Because she lacked money, she couldn't travel abroad.). **4**[通例 be ~red][…で]線[しま模様の筋]がついている(*in*, *with*)‖ *a flag barred in* red and white 紅白の線のはいった旗.
──[前](正式)…を除いて(except)(cf. barring)《◆主に新聞用語》.
bár nóne 例外なく(最高の), 文句なしに(最上の).
bár còde[コンピュータ]バーコード.
bár examination [**exàm**] 司法試験《米国では各州ごとに行なわれ, 合格者はその州内でのみ営業できる》.
bár gràph(英)**chàrt**)棒グラフ(cf. pie chart).
bar line(楽譜を小節に分ける)縦線, 小節線;小節.
bar[²] /báːr/ [名][C][物理]バール《圧力の単位;$10^5 N/m^2$》.
†**barb** /báːrb/ [名][C] **1**(矢じり・釣針の)あご, かかり, 戻り, さかとげ. **2**(正式)とげのある言葉;いやみ.
Bar·ba·ra /báːrbərə/ [名] バーバラ《女の名》.
†**bar·bar·i·an** /bɑːrbéəriən/ [名][C] **1**野蛮人, 未開人. **2**野蛮な人;無教養[野暮]な人. ──[形]未開の;無

教養の《◆ barbaric, barbarous が持つ軽蔑(ｹﾂ)的な含みはない》.
†**bar·bar·ic** /bɑːrbǽrik/ [形]〈人・習俗などが〉野蛮人のような, 未開の;〈文体・趣味などが〉荒っぽい, 粗野な.
bar·ba·rism /báːrbərìzm/ [名](正式)**1**[U]野蛮(な状態), 未開(↔ civilization);[C]野蛮な行為[風習]. **2**[C](文法的に)破格の言葉づかい.
bar·bar·i·ty /bɑːrbǽrəti/ [名][U][C]野蛮, 残酷;残虐行為;(文体などの)荒削り, 粗野.
bar·ba·rize /báːrbəràiz/ [動][自]野蛮[粗野]になる. ──[他]を野蛮[粗野]にする.
†**bar·ba·rous** /báːrbərəs/ [形](正式)**1**〈扱い・罰などが〉残酷な, むごい(cruel). **2**=barbaric. **3**外国の, 異国の. **4**非文法的な, 非標準的な.
bár·ba·rous·ly [副]野蛮に, 残酷に.
†**bar·be·cue** /báːrbikjùː/,(略式)**bar-B-Q** /-/ [名][C] **1a**バーベキュー用のグリル[こんろ]. **b**バーベキューで料理した肉. **2**=barbecue party. ──[動][他]〈肉などを〉バーベキュー用にこんろであぶり焼く, バーベキューにする;〈牛などを〉丸焼きにする(→ cook **1** [関連]).
bárbecue pàrtyバーベキューパーティー《裏庭や公園などで行なわれる野外パーティー. よくBBQと省略される》.
bárbecue sàuceバーベキューソース.
barbed /báːrbd/ [形]さかとげのある;辛辣(ｼﾝ)な.
bárbed wíre 有刺鉄線 ‖ *barbed wire* entanglements 鉄条網.
bar·bell /báːrbèl/ [名][C](重量挙げの)バーベル.
†**bar·ber** /báːrbər/ [名][C] 理髪師《◆英米ではふつう男性の散髪をする男性をいう. 女性を対象にする場合 hairdresser という》;理髪店, 散髪屋, 床屋 ‖ *at a barber's* (shop)(英)理髪店で《◆(1) ˣat a barber とはいわない.(2) *go to the barber's* 理髪店へ(散髪をしに)行く《◆'s の形はその shop を意味し, 理容[髪]師個人に関心が強いときや簡潔性を求めるときは 's のない形が好まれる》 / *a barber's* pole 理髪店の看板柱.
[事情](1)昔外科医を兼ねていたので赤と白(と青)の看板のポールは血と包帯を示す. (2)英米では散髪・ひげそり・洗髪が独立し, それぞれの料金とチップを払う. 予約制が多い.
bárber shòp =barbershop.
bar·ber·shop /báːrbərʃɑ̀p|-ʃɔ̀p/, **bárber shòp** [C](米)理髪店, 床屋(英)barber's shop).
bar·bi·can /báːrbikən/ [名][C](城の)外防御《城門・橋楼など》;物見やぐら.
Bar·ce·lo·na /bàːrsəlóunə/ [名] バルセロナ《スペインの都市》.
†**bard** /báːrd/ [名][C] **1**(ケルト族の)吟遊詩人《◆ハープを持つ》. **2**(文)(大)詩人(poet).
*****bare** /béər/((同音) bear)[「本来覆われているものが露出した」が本義]
──[形](~,*more* ~; ~*st*/béərist/) **1**(あるべき)覆(ｵｵ)いがない, むきだしの, 露出した;(部分的に)衣服をつけていない, 裸の, 裸体の《◆「全裸の」はふつう naked, nude》 ‖ *a bare* floor 敷物のついていない床 / *a bare* wall 装飾のない壁 / *a bare* tree(葉が落ちて)裸になった木 / *a bare* mountain はげ山 / *a bare* sword 抜き身の刀 / *with one's head bare* 無帽で(=bareheaded)《◆「はげ頭」は a bald head》; *in one's bare* skin 素っぱだかで / *with (one's) bare* hands (武器・道具を持たず)素手で(=barehanded) / *walk in bare* feet はだしで歩く(= walk barefoot(ed)).
2[be bare of **A**]〈場所などが〉〈物〉が(ほとんど)ない, 空(ｶﾗ)の(empty) ‖ *a face* (which is) *bare of*

make-up 化粧のしていない顔 / a person (who is) *bare of* credit 信用の置けない人.
3 [名詞の前で] 〈物事・話がありのままの, 偽りのない〉 ‖ the *bare* truth of the matter 事の赤裸々な真相.
4 [名詞の前で] 最低限の(basic); [通例 a ~] ほんの, ただそれだけの(mere)《◆比較変化しない》‖ the *bare* necessities of life (水や空気などのように)生存に最低限必要なもの / by *a bare* majority やっと過半数で / escape with one's *bare* life 命からがらのがれる / A *bare* word of criticism makes her nervous. 一言批判されただけで彼女はびくびくする. **5** くじゅうたんなどがすり切れた(threadbare).

láy báre A =**láy** A **báre** (1)…をむき出しにする.
(2)〈秘密など〉を明かす, 漏らす, 暴露する.

—動 (**bar·ring**) 他 …をむき出しにする, あらわにする (expose) ‖ *bare* a sword 刀を抜く / *bare* one's head (主に男性が敬意を表して)帽子をとる《◆take off one's hat は単に帽子をとる意》/ *bare* one's teeth (犬などが)怒って歯をむく.
báre infinitive 【文法】原形不定詞.
báre·ness 名 Ⓤ (木などの)裸, むき出し; (土地の)不毛; (部屋などの)がらんどう, からっぽ.
bare·back, ·-backed /béərbæk(t)/ 形 副 裸馬で[で], 鞍(くら)なしの[で].
bare·faced /béərfèist/ 形 **1** 素面(ふめん)の, ひげをそった. **2** 露骨な, ずうずうしい, 恥知らずの.
†**bare·foot, ·-foot·ed** /béərfùt(id)/《◆〔英〕では後者はふつう /-/》 形 副 素足の[で] ‖ walk *barefoot* [*barefooted*] はだしで歩く.
bare·hand·ed /béərhændid/ /-ー/ 形 副 素手の[で]; 道具[手段, 武器]を持たない(で).
†**bare·head·ed** /béərhèdid/ 形 副 帽子なしの[で].
bare·leg·ged /béərlègid | bèərlégd/ 形 副 脚(あし)がむき出しの[で], 靴下なしの[で].

***bare·ly** /béərli/《類音》*barley* /báːrli/》《「かろうじて(ある)」が本義》

—副 **1** [強意語として] **かろうじて**(…するに足る), やっと, なんとか(only just) ‖ I just *barely* caught the bus. バスにかろうじて間に合った(=I almost missed the bus.) / We have *barely* enough bread for breakfast. 朝食用のパンはなんとかある《◆比較: We have *scarcely* [*hardly*] any bread ...パンがほとんどない》/ There were *barely* fifty people there. そこにいたのはやっと50人ぐらいだ《◆比較: There were *scarcely* fifty people there. 50人はいなかった》.

⚠ [**barely** と **hardly**]
barely かろうじて**ある**(肯定文扱い)
hardly 十分には**ない**(否定文扱い)

2 (家具などが)十分でない ‖ a *barely* furnished room 家具がわずかしか付いていない部屋.
A had bárely *done* **befòre** [**when**] ... Aが…するや否や ‖ I had *barely* got home *when* the storm broke. 家に着くやあらしになった (◐文法 22.3).

***bar·gain** /báːrgən | -gin/
—名 (複 ~s/-z/) Ⓒ **1** 安い買物, 見切り品, 買得(品); 割引き値 ‖ a good [bad] *bargain* 安い[高い]買物 / special *bargains* in great books 名著の大廉売; 〈対話〉 "You can have these two ties for 1,000 yen, sir." "*It's* [*That's*] *a bargain*." 「このネクタイ2本 1000円でどうですか」「これは安い」/ I got the bicycle *at a* (good) *bargain*. =The bicycle was a (good) *bargain*. 自転車を安く買った.

📕〈使い分け〉 [**sale** と **bargain**]
sale は「特売」
bargain は「掘り出し物, 得な買い物」《◆「バーゲンセール」は bargain sale とはあまりいわない》.
That department store is having a *sale* [×*bargain*]. あのデパートではバーゲンをやっている.
I got a *bargain* when I bought this suit for half price. この上着を半値で買ったのは掘り出し物だった.

2 [〈…との/…についての/…という/…する〉] (売買)契約, 取引; (労使間の)協定《*with* / *over* / *that*節 / *to do*》‖ *make* 〔strike, settle, conclude〕 a *bargain with* him *over* the price 価格について彼と契約する / We *made a bargain that* she would cut the grass for three dollars. 彼女が3ドルで草刈りをするという取決めをした《◆「交渉で」という含みがあるので複数主語がふつう. cf. I made a bargain with her that she would cut the grass for three dollars.》 / A *bargain's a bargain*. (ことわざ) 契約は契約《履行しなければならない》.
3 [形容詞的に] 格安の, 特売の ‖ a *bárgain* básement (デパートの)地階の特売場 / *at a bárgain príce* 特価で / a *bárgain cóunter* 特売場 / a *bárgain húnter* 特売品をあさる人.
drive a hárd bárgain […を]うんと値切る, 自分に有利な取引をする《*with*》.
into [〔米〕**in**] **the bárgain** その上に, おまけに(in addition).
máke the bést of a bád bárgain 逆境にくじけずベストを尽くす.

—動 自 (売買)契約する; 〔人と/…のことで〕商談する《*with* / *for, about, over*》‖ *bargain with* the farmer *for* [*over the price of*] the vegetables 農夫と野菜の値段を掛けあう[値切る].
bárgain awáy 自 〔away「せっせと続けて」〕値段の交渉を続ける. —他 〔away「離れて, あちらへ」〕〈土地など〉を(ある利益のために)安く手放す.
bárgain for A 〈物・事・人〉を予想[当てに]する《◆ふつう否定語や more than を前に伴う. 受身ははまれ》‖ I didn't *bargain for* so many people coming to the party. =More people came to the party *than* I had *bargained for*. こんなに多くの人がパーティーに来るとは思いもよらなかった《◆ふつう好ましくない状態・結果を伴う》. (2) → 自.
bárgain on A (主に米略式) =BARGAIN for (1).
bárgaining position (交渉・取引上の)立場, 状況.

†**barge** /báːrdʒ/ 名 Ⓒ **1** (川・運河・港の重い荷物を運ぶ)平底帆船, はしけ, 伝馬(てんま)船; 小型内航用輸送船《◆運河用のは canalboat ともいう》. **2** (儀式用の豪華な)御座船, 飾り船; (主に英) 屋形船(house-boat); (大型遊覧船.

—動 自 (略式) 人を押しのけて進む; 重そうにのろのろ進む(+*along*); どたばたと動く(+*about, around*); […]にぶつかる(*into*, 〔主に英〕*against*).
bárge ín 自 (略式) (ノックしないで)(押し)入る; 〔余計なことに〕首を突っ込む, 干渉する《*on*》.
bárge into A (略式) (1) …に(乱暴に)入り込む, 押しかける. (2) …に口をはさむ, 割り込む. (3) …にぱったり出会う. (4) → 自.
bar·ing /béəriŋ/ 動 → bare.
†**bar·i·tone** /(米ではしばしば) **bar·y·--** /bærətòun/《「音

楽)图U形バリトン(の)《tenor と bass の間の高さの男声部》;ⒸバリトンのKOE; バリトン歌手[楽器](の).
†**bar·i·um** /bέəriəm, (米) bǽr-/ 图U《化学》バリウム《アルカリ土類金属. 記号 Ba》; 《X線造影用の》硫酸バリウム.

***bark**[1]
—— 图 (複 ~s/-s/) Ⓒ **1**《犬・キツネなどの》鳴き声, ほえる声 ‖ give a deep *bark* 低い声でほえる. **2**《人のどなり声 ‖ His *bark* is worse than his bite. (略式)彼はロやかましいが本心は悪くない.
—— 動 (~s/-s/; 過去・過分 ~ed/-t/; ~·ing)
—— 圓 **1**《犬などが》《人に》ほえる《*at*》‖ *A barking dog seldom bites.* (ことわざ)よくほえる犬はかみつかない◆a *barking* dog は「よくほえる犬」(性質)と「(今)ほえている犬」(現在進行中の動作)の2つの意味がある. このことわざでは前者の意味. a dog *barking* は後者の意味しかない. ➡文法 13.2)/《ジョーク》Remember, a barking dog never bites ― while *barking.* いいかい, ほえるイヌは決してかみつかないんだよ, ほえている間はね《◆ 上記のことわざを茶化したもの》.

関連 [いろいろな鳴き声]
(1) [犬]
bay (猟犬が獲物を追って)ほえる / bowwow ワンワン《犬の鳴き声》 / howl (オオカミ・犬などが)遠ぼえする / growl 怒ってうなる / roar (猛獣が)ほえる / yap yap キャンキャン《小犬の鳴き声》.
(2) [その他の動物の鳴き声]
baa baa メーメー《ヒツジ》/ caw caw カーカー《カラス》/ cock-a-doodle-doo コケコッコー《ニワトリ》/ croak croak ケロケロ《カエル》/ hoo hoo ホーホー《フクロウ》/ meow ニャーオ《ネコ》/ moo moo モーモー《ウシ》◆英語の発音は /múː múː/ / neigh ヒヒーン《ウマ》/ oink ブー《ブタ》/ peep peep ピヨピヨ《ヒヨコ》/ quack quack クワックワッ《アヒル》/ squeak チューチュー《ネズミ》/ twitter チュッチュッ《小鳥》.

2[人に]どなる, 鋭い声で叫ぶ; (略式)大声で《客などに》呼ぶ《*at*》‖ The landlord *barked at* his servants. 宿の主人は召使いたちにがなりたてた.
—— 他 (命令調で)…をどなる《+*out*》‖ The boss *barks* orders at everyone. あの親方はみんなに大声で命令する.
†**bark**[2] /báːrk/ 图U 木の皮; キナ皮《関連 → skin》.
—— 動 他《木》の皮をはぐ[むく]; (略式)《体の部分を》《…にあてて》すりむく《+*up*》《*on, against*》.
bark[3], (主に英) **barque** /báːrk/ 图Ⓒ **1**(主に米)バーク船《ふつう3本マストで最初の2本は横帆, 最後の1本は縦帆》. **2**(詩)小帆船.
bar·keep·er, --keep /báːrkìːp(ə)r/ 图Ⓒ (米) **1**酒場の主人[経営者]. **2** =bartender.
bark·er /báːrkər/ 图Ⓒ **1**ほえる動物; どなる人. **2** (廃式)(劇場・カーニバルなどの)客引き; 物売り, 呼び込み風《◆ Step right up! (さあ, 寄ってらっしゃい)のように叫ぶ》.
†**bar·ley** /báːrli/ 图U 大麦(ビール・ウイスキーの原料) 《関連》wheat, oat, rye》‖ harvest *barley* 大麦を収穫する.
bar·ley·corn /báːrlikɔ̀ːrn/ 图Ⓒ 大麦; 大麦の粒.
bar·maid /báːrmèid/ 图Ⓒ(英)バーのホステス[接客係]; バーのバーテン.
†**bar·man** /báːrmən/ 图Ⓒ (主に英) =bartender.
bar mitz·vah /báːr mítsvə/ 图《時に B- M-~》〔ユダヤ教〕**1** バル=ミツバー《13歳の男子の宗教上の成

人式》. **2** =bar mitzvah boy.
bar mítzvah bóy 1の成人式をむかえた少年.
†**barn** /báːrn/ 图Ⓒ **1**(農場の)納屋, 物置き(乾草・農具などをしまっておく場所》(cf. shed[1]); 家畜小屋, (トラック・電車などの)車庫 ‖ The *barn* door had been carelessly left unlatched. 納屋のドアが不注意にもかぎがはずれたままになっていた. **2**(略式)(納屋のような)建物.
bárn dánce (1)(もと納屋での)フォークダンス(パーティー). (2)バーンダンス《いなかふうの社交ダンスの一種》.
bárn dóor 納屋の大戸(→ barn **1**用例); (略式)(はずしようのない)大きな標的.
bar·na·cle /báːrnəkl/ 图Ⓒ **1**〔動〕フジツボ; エボシガイ《岩・船底に付着する甲殻類. これから雁(がん)が生まれるという伝説がある》. **2**(英)〔人〕[地位など]にしがみついて離れない人; 腰巾(きん)着.
†**barn·yard** /báːrnjàːrd/ 图Ⓒ(垣のある)納屋の前庭, 農家の庭.
bar·o- /bǽrə-, bǽrəl- | bǽrə-/ 《語素》→語素一覧 (1.6).
†**ba·rom·e·ter** /bərɑ́mətər | -rɔ́m-/ 【アクセント注意】
图Ⓒ **1** 気圧計, 晴雨計. **2**(正式)《世論・市場価格などの動向を示す》尺度, 徴候, バロメーター ‖ a *barometer* of success [business] 成功[商売]の指標.
bar·o·met·ric, --ri·cal /bæ̀rəmétrɪk(l)/ 形 気圧(計)の ‖ *barometric* pressure 気圧.
†**bar·on** /bǽrən/ 《同音》 barren) 图Ⓒ **1** 男爵《最下位の貴族で viscount の下. 尊称として英国では Lord ..., 英国以外では Baron ... と呼ぶ. 女性形は baroness. → duke》. **2** [前に修飾語を伴って]大実業家 ‖ a newspaper [railroad] *baron* 新聞[鉄道]王.
†**bar·on·ess** /bǽrənəs | -es/ 图Ⓒ **1** 男爵夫人[未亡人] (→ baron); 女男爵《◆ 尊称として英国では Lady ..., 英国以外では Baroness ... と呼ぶ》.
bar·on·et /bǽrənət/ 图Ⓒ 準男爵《◆(1)英国の最下位の世襲貴族で貴族ではない. (2) baron の下, knight の上で, 敬称として姓名の前に Sir, 後に省略形の Bart. または Bt. を添える: Sir John Doe, Bart. 準男爵サー=ジョン=ドウ》.
ba·ro·ni·al /bəróuniəl/ 形 男爵(領)の; 男爵に適した, 大きくて立派な; (建築)男爵邸の.
bar·on·y /bǽrəni/ 图Ⓒ **1** (英)男爵領[位]. **2** (アイル)郡《州の下位区分》; (スコット)大荘園.
ba·roque /bəróuk | -rɔ́k/ 形 **1**[しばしば B-]〔建築・美術・音楽〕(ヨーロッパで17-18世紀に流行した)バロック(様)式の(cf. rococo). **2** 飾り立てた, 奇異な.
—— 图[通例 the ~ / B-]〔建築・美術〕バロック様式[時代](の作品); 〔音楽〕バロック音楽. **2** 怪奇趣味; 異様な装飾.
barque /báːrk/ 图Ⓒ (主に英) =bark[3].
†**bar·rack** /bǽræk/ 图 **1** [~s; 単数・複数扱い](基地の)兵舎, 兵営. **2** (略式) [~s; 単数扱い] バラック, にわか造りの建物.
bar·rage /bərɑ́ː | bǽrɑːʒ/《◆(米)では图**2**以下は /bǽrɑːʒ/》 图Ⓒ **1**(灌漑(がい)用などの)ダム, せき. **2**〔軍事〕弾幕, 集中砲撃. **3**(正式)(質問などの)連発, 集中砲火 ‖ a *barrage* of questions 質問の雨.
barred /báːrd/ 形 **1** かんぬきのある, かんぬきのかかった. **2** しま[色]模様のついた.
†**bar·rel** /bǽrəl/ 图Ⓒ **1**(胴のふくれた)たる《◆ 酒用のは cask》‖ a beer *barrel* ビアだる / from the *barrel* たるから出した(ばかりの). **2 a** 1たるの分量 ‖ *a barrel of* beer ビール1たる分. **b** バレル《◆ 容量の単位. (米)では石油は42米ガロン, 他の液体は31.5米

ガロン，(英)では36英ガロン). **3** たるに似たもの；銃身((図) → revolver)；(機械の)円筒；(太鼓などの)胴；(時計の)ぜんまいケース.

háve [**gét**] **A óver a** [**the**] **bárrel** (略式)〈人〉を窮地に陥れる；(米略式)〈人〉を意のままにする.

bárrel òrgan 小型の手回しオルガン(hand organ).

bar·rel·ful /bǽrəlfùl/ 名 C たる一杯(分の量).

✝**bar·ren** /bǽrən/(同音)baron) 形 (**more ~, most ~; ~·er, ~·est**) (正式) **1** 〈土地が〉不毛の(↔ fertile) ∥ *barren* soil 不毛の土壌. **2** 〈木などが〉実を結ばない(unfruitful)；(やや古)〈女性が〉不妊の(sterile, infertile). **3** 内容のない；無益な，退屈な ∥ a *barren* dispute 無益な論争 / a *barren* play 味気ない劇. **4** 〔…の〕ない，欠けた〔of〕∥ a thesis (that is) *barren* of insight 洞察力の欠けた論文.

bár·ren·ness 名 U 不毛；不妊；つまらなさ，無益.
bar·rette /bərét/ 名 C (米) ヘアクリップ，髪留め.

✝**bar·ri·cade** /bǽrəkèid/ 名 C **1** バリケード，障害物；[~s] 戦場，論争の場，論争のある話題．—— 動 他〈道路などに〉バリケードを築く(+*off*)，〈場所・人などを〉バリケードではばむ[囲む，守る](+*in*)∥ A criminal *barricaded* himself in a house. 犯人は家の中に立てこもった．

✻**bar·ri·er** /bǽriər/ 名 C **1** 〔横木(bar)で作ったもの〕
—— 名 (優) ~s/-z/) C **1** 〔…に対する／…の間の〕障害，障壁〔*to, against / between*〕∥ Being a woman has not been a *barrier* to her success. 女性であることは彼女の成功の妨げにはならなかった． / a language [trade] *barrier* between peoples 民族間の言葉[貿易]の壁. **2** 柵(浞)，防壁；(主に英)(鉄道の)改札口；(米) gate, entrance)；(競馬の)ゲート ∥ break the one-minute *barrier* 1分の壁を破る.

bar·ri·er-free /bǽriərfrì:/ 形 〈家・道路などが〉(老人・身障者が動きやすいようにした)障害物のない，バリアフリーの.

bar·ring /bá:riŋ/ 前 (略式) …を除いて，…がなければ.
bar·ri·o /bá:ri:òu, bǽr-/ 名 (優 ~s) C (米) スペイン語を話す人々の住む(都市の)区域.

✝**bar·ris·ter** /bǽrəstər/ 名 C **1** (英) 法廷弁護士，バリスタ(barrister-at-law)〈裁判所での弁論を行なう．→ solicitor **2**, lawyer **1**〉. **2** (米式) (一般に) 弁護士(lawyer, attorney).

bar·room /bá:rùːm/ 名 C (米) (ホテルなどの)酒場，バー．

✝**bar·row** /bǽrou/ 名 C **1** 手押し車．**2** 手押し車一杯分の荷．

bar·tend·er /bá:rtèndər/ 名 C (米) バーテン(の主に英) barman).

✝**bar·ter** /bá:rtər/ (正式) 動 他 〈物〉を〔物と〕交換する(trade)〔*for*〕∥ *barter* farm products 〔*for* machinery〕[*with* each other] 農産物を(出して)機械類と[互いに農産物を]交換する．—— 自 〔人と…を〕物々交換する〔*with/for*〕∥ The settlers *bartered* with the native Americans for furs. 開拓者たちはアメリカ先住民から物々交換で毛皮を手に入れた．

bárter awáy (他) 〈自由など〉を〔金と交換に〕安く手放す〔*for*〕．

—— 名 U 物々交換；C その品物 ∥ be engaged in *barter* with … …と物々交換に携わる．

bar·y·tone /bǽrətòun/ (米) 名 形 =baritone.
bas·al /béisl/ 形 (正式) 基部の；基礎[根本]的な．
ba·salt /bəsɔ́:lt | bǽsɔ:lt/ 名 U (鉱物) 玄武岩．

✻**base**¹ /béis/(同音 bass¹) 〖「もととなる部分」が本義．→ basis〗派 basic (形)

index 名 **1** 土台 **2** 基地 **5** 基礎
動 他 **1** 基礎を置く

—— 名 (優 ~s/-iz/) C
I [物理的にもとなる部分]
1 土台；基底，基部〈◆基礎の一部．基礎そのものは foundation〉∥ the *base* of a pillar 柱の基部 / The *base* of the building had begun to crumble. 建物の土台がぼろぼろになり始めていた．

2 [軍事] 基地，根拠地；(事業などの)本部，本拠(地)；(仕事・生活の)拠点 ∥ a *base* exchange (米) 空軍基地の物品販売所 / return to the *base* 基地に帰還する〈◆無冠詞に注意．⊃文法 16.3 (6) / 日本発》 Many of the US military *bases* established in Japan as part of the Japan-US Security Treaty are situated in Okinawa. 日米安全保障条約により日本には米軍基地が置かれ，その多くが沖縄にあります．

3 [野球] 塁，ベース ∥ a *bases*-loaded home run 満塁ホームラン〈◆ a grand slam ともいう〉 / a *bases*-loaded walk 押し出しの四球 / fill [load] the *bases* 満塁にする．**4** [要] (図形の)底辺，底面；(数字の桁の値，基数，(対数の)底．

II [抽象的にもとなる部分]
5 (計画・組織などの)基礎，地盤，根拠，(思考などの)原理，起点〈◆この意味では basis がふつう〉 ∥ use the novel as a *base* for the film 映画の下敷きとしてその小説を使う / raise the wage *base* ベースアップを実施する〈◆ ✕*base up* は誤り．cf. raise〉．

6 (混合の)主成分；[医学] 主薬；(化学) 塩基性化合物．

base on bálls [野球] フォアボール，四球(による出塁)〈略〉 BB〉 (pass, walk)〈◆ ✕*four ball(s)* とはいわない〉．

gét to [**máke, réach**] **fírst báse** [野球] 1塁に出る；(主に米略式) [通例否定文・疑問文・条件文で] 〔…で〕大切な出だしに成功する〔*with*〕；〈女性に〉うまく言い寄る〔*with*〕．

óff báse (1) [野球] 塁から離れて．(2) (米略式) 〈態度・考えなどが〉まったく間違った；不意に．

tóuch báse with A (米略式) 〈同僚・家の人〉に連絡する，相談する．

—— 動 (~s/-iz/) (過去・過分) ~d/-t/; bas·ing)
—— 他 **1** [base **A** on [upon] **B**] 〈人が〉**B**〔事実など〕に〈意見など〉の基礎を置く；[**A** is based on **B**] **A**〈意見・小説など〉が**B**〈事実など〉に基づく ∥ Her theory *is based on* careful research. 彼女の理論は入念な調査に基づいている．**2** [通例 be ~d] (本拠として) …に〔…に〕配置される〔*at, in, on*〕∥ Our company *is based in* Tokyo. わが社は東京に本拠地がある．

báse càmp [登山] ベースキャンプ．
báse hít [野球] ヒット，安打〈◆単に hit ともいう〉．
báse line (1) [野球・テニス] ベースライン((図) → tennis). (2) 基準線；[測量] 基線．
báse pày 基本給．
báse ràngé [野球] ピッチングマシン．
báse rùnner [野球] 走者，ランナー．
báse rùnning [野球] 走塁，ベースランニング．

✝**base**² /béis/ 形 **1** (正式) 〈人・行動などが〉卑劣な，利己的な，さもしい(mean)(↔ noble). **2** 品質の低下し

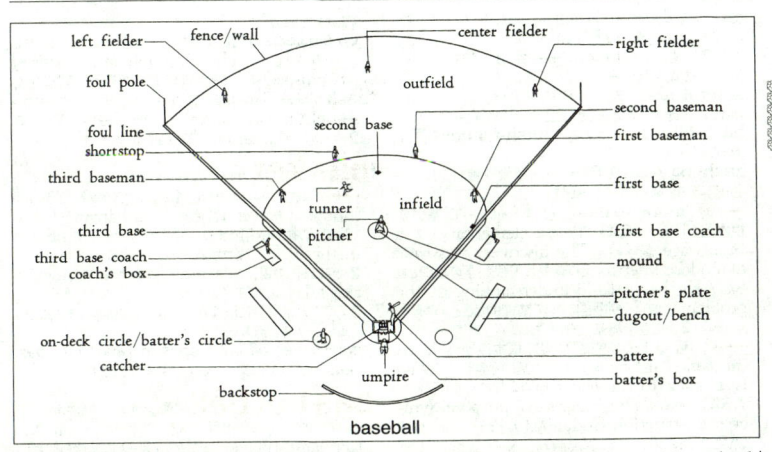

baseball diagram labels:
left fielder, fence/wall, center fielder, right fielder, foul pole, outfield, second baseman, foul line, second base, first baseman, short stop, third baseman, runner, infield, first base, pitcher, first base coach, third base, mound, third base coach, coach's box, pitcher's plate, dugout/bench, on-deck circle/batter's circle, batter, catcher, umpire, batter's box, backstop

baseball

た, にせの ‖ *base* coins [currency] 悪貨, にせ貨幣.

báse métal 卑金属《銅・スズなど》 (↔ precious [noble] metal).

‡base・ball /béisbɔ̀ːl/
──名 (複 ~s/-z/) **1** Ⓤ **野球**, ベースボール《◆単に ball ともいう》 ‖ *play* (*the) *baseball* 野球をする / a *baseball* game 野球試合 / a *baseball* player [fan] 野球の選手[ファン] / a *baseball* team 野球のチーム《◆ nine ともいう》 / [日本発]》 *Baseball* is one of Japan's favorite sports, and the all-Japan high school *baseball* tournament is very popular. 野球は日本で最も好まれるスポーツの1つで, 全国高校野球選手権はとても人気があります. [事情] 英国のクリケット (cricket) から発生したラウンダーズ (rounders) という古い競技を原型に19世紀初めに米国で始まった. **2** Ⓒ 野球用のボール.

[関連] [いろいろな野球用語]
(1) [投手]
balk ボーク(略) BK) / bullpen ブルペン((略式) pen) / closer 抑え役《9回に少ないリードの時に登板》 / earned run average 防御率(略) ERA) / longman ロングリリーフ《先発投手が早い回でノックアウトされた時に登板する投手》 / middle reliever (6回あたりから登板する)中継ぎ投手 / mop-up man 大差のつき試合で登板する投手, 敗戦処理 / pitcher 投手(略) P) / set-up man セットアッパー《通常8回からリリーフして closer につなぐ役割の投手》 / starter 先発投手.
(2) [守備]
battery バッテリー《pitcher と catcher》 / carom クッションボール《◆ *cushion ball は誤り》 / catcher キャッチャー(略) C) / center fielder 中堅手, センター(略) CF) / cutoff man カットオフマン《外野から本塁への返球を中継する内野手》 / double play ダブルプレー / first baseman 一塁手(略) 1B) / infielder 内野手 / left fielder 左翼手, レフト(略) LF) / line drive ライナー / outfielder 外野手 / right fielder 右翼手, ライト(略) RF) / second baseman 二塁手(略) 2B) /

short stop 遊撃手, ショート(略) SS) / third baseman 三塁手(略) 3B).
(3) [打撃]
base hit bunt, drag bunt セーフティーバント / base on balls, walk 四球《◆ *four balls は誤り》 / batter, hitter バッター / bunt バント / double 二塁打 / game-winning [game-ending] homer サヨナラホームラン / grand slam, bases-loaded homer 満塁ホームラン / ground rule double エンタイトルツーベース / hit by a pitch 死球 / homer, home run ホームラン / inside-the-park homer ランニングホーマー《◆ *running homer は誤り》 / sacrifice bunt 犠牲バント, 犠打 / sacrifice fly 犠牲フライ / signal, sign サイン / single 単打 / solo homer ソロホームラン / strikeout 三振(略) K) / suicide squeeze bunt スクイズ / triple 三塁打 / two-run homer ツーランホームラン.
(4) [走塁, その他]
bases empty 走者なし / bases loaded 満塁 / caught stealing 盗塁失敗(略) CS) / headfirst slide ヘッドスライディング《◆ *head sliding とはいわない》 / manager 監督 / stolen base(s) 盗塁 / tag up タッチアップ.

báseball càp [**hàt**] (ひさしの突き出た)野球帽.
báseball càrd ベースボールカード《表に選手の写真, 裏にその選手の記録などが印刷されている》.
báseball glòve [**mìtt**] (野球用)グラブ[ミット].
base・board /béisbɔ̀ːrd/ 名 Ⓒ =skirting board.
-based /-béist/ (語尾素) →語尾素一覧(1.2).
Bá・se・dòw's disèase /bɑ́ːzədòuz-/ [医学] バセドー病.
base・less /béisləs/ 形 根拠[理由]のない.
base・man /béismən/ 名 (複 -men) Ⓒ [野球] [通例複合語で] …塁手 ‖ the first *baseman* 1塁手.
‡base・ment /béismənt/ 名 Ⓒ 地階, (半)地下室《◆英国では台所や食堂にし, 住むこともある. 米国ではボイラー室や物置きにし, cellar ともいう》.
ba・ses /béisiːz/ 名 basis の複数形.
bash /bǽʃ/ (略式) 動 他 **1** (偶然・故意に)…を強打する(+*about, around, in*); …を[…で]打ちこわす, へこ

bash·ful /bǽʃfl/ 形 〈人の〉内気な, 恥ずかしがり屋の (shy); 〈態度・微笑などが〉はにかんだ, 恥ずかしがりの.
básh·ful·ly 副 はにかんで. **básh·ful·ness** 名 U 内気.

-bash·ing /-bæʃiŋ/ 語要素 →語要素一覧 (1.7).

*__ba·sic__ /béisik/ [→ base¹]
— 形 (more ~, most ~) **1** […にとって]基礎の, 根本的な[to]; (略式) 初歩的な(elementary) ‖ a *basic* wage 基本給 / The discovery was *basic* to modern science. その発見は現代科学の基礎となった. / He has a *basic* understanding of the problem. 彼はその問題について基礎的なことを理解している. **2** 〘化学〙 塩基性の.
— 名 (略式) [~s] 基礎(事実), 根本原理 ‖ learn the *basics* of English 英語の基礎を学習する / go [get] back to the *basics* 原点に帰る.

BASIC /béisik/ 〘Beginner's All-purpose Symbolic Instruction Code〙 名 〘コンピュータ〙 ベーシック 《パソコン用のプログラミング言語》.

ba·si·cal·ly /béisikəli/ 副 基本的に, 基礎として; [通例文頭で, 文全体を修飾] 基本的に言えば; 実の所, 要するに.

Bá·sic Énglish /béisik-/ 〘Basic は British, American, Scientific, International, Commercial より〙 ベーシック=イングリッシュ 《C. K. Ogden が国際補助語として考案した 850 語からなる基礎英語》.

bas·il /bǽzl/ 名 U **1** 〘植〙 メボウキ, バジル《シソ科》. **2** バジル 《1 の葉. 芳香があり食用》.
básil sáuce バジルソース.

ba·sil·i·ca /bəsílikə |-zíl-/ 名 C **1** 〘ローマ史〙 バシリカ《裁判や集会に用いた長方形の建物》. **2** (初期キリスト教の)バシリカ風の教会堂. **3** 〘カトリック〙 バシリカ聖堂 《ローマ教皇から特権を与えられた》.

bas·i·lisk /bǽsəlisk, bǽzə-/ 名 C バシリスク《ニワトリのトサカと体, ヘビの尾を持つ伝説中の動物で, 吐く息または一瞥で人を殺したという. 別名 cockatrice》.

†**ba·sin** /béisn/ 名 C **1** (深さに比べ幅の広い)水ばち, 水盤, たらい, (料理用のやや深い)はち 《◆ bowl より浅い》; (浴室の)洗面器((英) washbasin, (米) washbowl); (台所の)流し. **2** はち 1 杯の分量 ‖ a *basin* of cold water 洗面器 1 杯の冷たい水. **3** (自然または人工の)水たまり, ため池. **4** (河川の)流域 (river basin) ‖ the Amazon *basin* アマゾン川流域. **5** 盆地, くぼ地; 海盆; 入江, 滝つぼ; (水量調節門のある)ドック, 係船地 ‖ a *basin* for yachts =a yacht *basin* ヨットハーバー.

bas·ing /béisiŋ/ 動 ⇒ base.

*__ba·sis__ /béisis/
— 名 (複 **ba·ses** /-si:z/) C **1** (知識・体系などの)基礎; 論拠, 基本原理; (交渉などの)共通基盤 ‖ the *basis* of [for] his opinion 彼の意見の根拠 / a project *on an* experimental *basis* 実験に基づく企画 / the five-day-week [five-days-a-week] *basis* 週 5 日制, 週休 2 日制 / 〘対話〙 "Do you practice conversational English *on a regular basis* [regularly]?""Yes, I go to an English language school twice a week." 「定期的に英会話の練習をしていますか」「はい. 週 2 回英会話学校に通っています」/ judge on a case-by-case *basis* 個々別々に判断する(→ CASE by case). **2** (正式)主成分.
on the básis of A [*that*節] …の[…という]根拠で, …に基づいて ‖ I chose the job *on the basis of* its prospects. 将来性という基準でその仕事を選んだ.

†**bask** /bǽsk | báːsk/ 動 C **1** [通例 in the sun(shine) を伴って] 〈動物が〉ひなたぼっこをする, 寝そべる. **2** 〈人が〉[恩恵などに]ひたる, 浴する [*in*].

*__bas·ket__ /bǽskət | báːskit/
— 名 (複 ~s /-kits/) C **1** かご, バスケット, ざる ‖ a shopping *basket* 買い物かご / a hanging *basket* (鉢植えの植物を吊るす)ハンギングバスケット / be left in the *basket* 売れ残る, 見捨てられる. **2** かご 1 杯の(量) ‖ a pint *basket* of strawberries 1 パイントかご 1 杯のイチゴ. **3** 〘バスケットボール〙(ゴールの)バスケット; 得点《◆特にフィールドゴールの 2 点》.
put [*have*] *all one's eggs in* [*into*] *one basket* (略式)1 事業[1 人の人]にすべてをかける.

*__bas·ket·ball__ /bǽskətbɔːl | báːskit-/
— 名 (複 ~s/-z/) **1** U バスケットボール ‖ a *basketball* game [player] バスケットボールの試合[選手] / 〘対話〙 "Who is the captain of the *basketball* team?""Tom is." 「だれがバスケットボールチームのキャプテンですか」「トムです」/ *play* (*the*) *basketball* バスケットボールをする. **2** C バスケットボール用ボール.

†**bas·ket·ful** /bǽskətfl | báːskit-/ 名 =basket 2.
bas·ket·work /bǽskətwəːrk/ 名 C かご(編み)細工 (品).

bas mitz·vah /bɑːs mítsvə/ 名 [時に B~ M~] C 〘ユダヤ教〙 **1** バース=ミツバ 《女子の宗教上の成人式. 12-14 歳》. **2** =bas mitzvah girl.
bas mítzvah girl という成人した少女.

Basque /bǽsk/ 名 C **1** バスク人《スペイン・フランス国境付近に住む少数民族》; U バスク語. **2** [b~] C (女性用のぴったりした)胴着.

bas-re·lief /bàːrilíːf, bæs-, ˌ-ˈˌ|ˈˌ-ˌ 〘フランス〙 名 (複 ~s) U 浅浮き彫り; C その作品 (↔ high relief).

†**bass¹** /béis/ 【発音注意】 【同音】 base 名 〘音楽〙 **1** U バス, ベース; (楽譜・楽器の)最低音部(bass part) 《◆ bass, baritone, tenor, alto, soprano [treble] の順に高くなる》. **2** C バス歌手; (略式)低音楽器 《◆特に double bass》. **3** C bass guitar.
— 形 バス(用)の[で], 低音(部)の[で].
báss cléf 〘音楽〙 低音部記号, へ音記号(F clef).
báss drúm 大太鼓.
báss guitár ベースギター 《◆単に bass ともいう》.

bass² /bǽs/ 名 (複 **bass, ~·es**) C 〘魚〙 バス《サンフィッシュ類. トラウト(trout)と共に釣魚(game fish)の代表》.

bas·si·net /bæsinét/ 名 C (籐(とう)製の)ほろ付き揺りかご.

bas·so /bǽsou/ 〘イタリア〙 名 (複 ~s, **bas·si**/bǽsi/) C 〘音楽〙 バス(歌手); 低音(部).

bas·soon /bæsúːn | bə-/ 名 C バスーン, ファゴット《2 枚リードの低音木管楽器》.
bas·sóon·ist /bəsúːnist/ 名 C バスーン奏者.
bass·wood /bǽswùd/ 名 (米) C 〘植〙 シナノキ, (特に)アメリカシナノキ; U シナノキ材.

†**bas·tard** /bǽstərd | báːs-/ 名 C **1** (やや古)(侮蔑)私生児, 庶子 (PC) love child). **2** (侮蔑)いやなやつ ‖ Yóu *bastard*! (~) こんちくしょう!, くそったれ! **3** (俗)[形容詞を伴って] (…な)やつ ‖ a poor

bas·tard·ize /bǽstərdàiz | báː-/ 動 他 《正式》…の品質を落とす; …の価値を下げる.

†baste¹ /béist/ 動 他 (火であぶりながら)〈肉〉に肉汁[バター]を〈塗る〉《◆単に「あぶる」は roast, grill》.

baste² /béist/ 動 他 …を仮縫いする; …をしつけで留める.

bas·til(l)e /bæstíːl/ 名 **1** [the B~] 〔フランス史〕バスチーユ監獄. **2** C (一般的に)牢獄.

Bastil(l)e Day [しばしば the ~] フランス革命記念日《7月14日. 1789年のこの日のバスチーユ監獄襲撃でフランス革命が始まった》.

★**bat¹** /bǽt/ 〔類音〕but /bʌ́t/ 〖「(戦場で相手を)打つ(人)」が原義. cf. battle〗
——名 (複 ~s/bæts/) C **1** 〔野球・クリケットの〕バット, 〔卓球・バドミントン・テニスの〕ラケット ‖ a baseball bat 野球用バット / hit a ball *with a bat* バットで球を打つ. **2** (略式) 打者, バッター ‖ a good [useful] *bat* うまい[頼りになる]バッター《◆クリケットでは batsman, 野球では batter, hitter がふつう》. **3** 打つこと; 打撃順 ‖ at *bat* =成句.
at bát 〔野球〕(1) 打席について (略 ab, a.b.) (cf. in the field) ‖ Who is *at bat* now? 今だれが打っていますか. (2) 〔名〕打数, 打席.
gó to bát for A 〖人の代わりに打席に立つ〗(米式)〈人〉を支持[援助]する.
óff one's *ówn bát* (英略式) 自分の力で, 独力で; 自分の意志で, 勝手に(without help).
(right) óff the bát (米略式) すぐに, 直ちに; まず初めに(〈(略式) right away [off]).
——動 (~s/bæts/; 過去・過分 bat·ted/-id/; bat·ting)
——自〈人が〉バットで打つ, 打席に立つ ‖ Our side is *batting* now. 味方のチームが今攻撃しています / Tom *bats* with his left hand. =Tom *bats* left(-handed). トムは左打者だ.
——他 **1**〈人が〉〈ボールなど〉をバットで打つ ‖ He *batted* the ball into the left field seats. 彼はボールを左翼席へ打ち込んだ. **2**〔野球〕打って〈走者〉を進ませる ‖ *bat* a runner home 打って走者を生還させる. **3**〔野球〕…の打率をあげる ‖ Ichiro *batted* .370 last season. 昨シーズンイチローの打率は3割7分だった(=Ichiro's batting average was .370 …)《◆.370 は three seventy と読む》.
bát aróund 〔自〕(略式) [しばしば be ~ting] あちこち走りまわる; 〔野球〕1イニングで打者一巡する.
bát ín [他]〔野球〕〈走者〉を入れる.
bát bòy (米)〔野球〕バットボーイ.

*****bat²** /bǽt/
——名 (複 ~s/bæts/) C コウモリ《◆悪魔・死・盲目・吸血を連想させる》 ‖ At night *bats* flew about catching insects. 夜になるとコウモリが飛び回って虫をつかまえていた.
hàve báts in the [one's] bélfry 〔鐘つき堂にコウモリを飼っている〕(やや古式式) 頭がおかしい, 風変わりである.
like a bát òut of héll (略式) すばやく, 脱兎(だっと)のごとく.

bat³ /bǽt/ 名 U C (英略式) 速力 ‖ at a great [terrific, rare] *bat* すごい速さで / at full *bat* 全速力で.

bat⁴ /bǽt/ 動 (過去・過分 bat·ted/-id/; bat·ting) 他 (略式) **1**〈翼〉をばたつかせる. **2**〈目・まぶた〉をまばたかせる ‖ do not *bat* an eye(lid) (略式) 一瞥もしない; 少しも驚かない / She *batted* her eyes when dust got in them. 彼女は目にほこりが入ったのでまばたきした.

†batch /bǽtʃ/ 名 C **1** [a ~] (パン・陶器などの)1かま分, 1焼き分(bake) ‖ a *batch* of cookies 1焼き分のクッキー. **2** (略式) [a ~] (処理・生産の)1度分; 1束; 一群. **3** 〔コンピュータ〕バッチ《一括して処理されるひとまとまりのジョブ》‖ a *batch* file バッチファイル.

★**bath** /bǽθ | báːθ/ 〔類音〕birth, berth /báːrθ/, bus /bʌ́s/ 〖「暖めること」が原義〗 (複 bathe
——名 ~s/bǽðz | báːðz; bǽθs/) C **1** 入浴, 水浴; 日光浴《◆bathe 名 はふつう「水浴」の意》 ‖ a sún báth 日光浴 / a shówer báth シャワー / tàke [hàve] a *bath* 入浴する《◆(1) take は (主に米). ×enter a [the] bath とはいわない. (2) 人に入れてもらう場合は英米とも have a *bath*: The baby had a *bath*. 赤ん坊は入浴した》.

関連 [いろいろな種類の bath]
bubble *bath* 泡ぶろ / cold *bath* 水ぶろ, 冷水浴 / sponge *bath* (米) 清拭((英)) blanket *bath*) 《(ベッドで)ぬらしたタオル[スポンジ]で体をふくこと》/ steam *bath* 蒸しぶろ / warm *bath* 温水浴.

2 (米) 浴室, ふろ場(bathroom)《◆ふつう寝室の近くにある》; (英) 浴槽, 湯ぶね((米) bathtub) ‖ My mother ran a hot *bath* for me. 母は私のために浴槽に湯を入れてくれました(=(米) My mother prepared a hot *bath* for me.) / one and a half (=1½) *bath* トイレと洗面台《◆one and a half (=1½) *bath*)はある場所にトイレ・洗面台・浴槽[またはシャワー]があり, 別の所にまた 1/2 *bath* があることをいう. → bathroom 1. **3** [通例 ~s; 単数・複数扱い] ふろ屋, 温泉[湯治(とうじ)]場; (英やや古) [通例 the ~s] 屋内プール(swimming bath) ‖ (英) public *baths* 公衆浴場《◆英米では海水浴場に多く, 間仕切りをしたシャワー室になっている》 / take the *baths* 湯治する. **4** (化学処理用)浴液, 薬液; 浴器槽; 電解槽 ‖ a *bath* of dye 染液(容器) / an oil *bath* 油бат(液).
——動 (英)〈病人・赤ん坊〉を入浴させる((米) bathe). 自 (英正式) 入浴する((主に米) bathe) 《◆ take [(英) have] a *bath* がふつう》.

báth màt バスマット.
báth scàle =bathroom scale.
báth tòwel バスタオル.

Bath /bǽθ | báːθ/ 名 バース《England 南西部の Avon 川に臨む都市. 温泉地として有名》.

Báth chàir [時に b~] (病人用の)ほろ付き3輪イス (cf. wheelchair).

†bathe /béið/ 〔発音注意〕動 他 **1**〈人が〉〈体の部分〉を(ふつう医療で)水に浸す, 洗う; 〈波・海などが〉〈岸〉を洗う; (米)〈病人・赤ん坊など〉を入浴させる((英) bath) ‖ *bathe* one's sprained ankle twice a day くじいた足首を1日2回水に浸す. **2** (文) [通例 be ~d] 〈場所・物などが〉〔日光などに〕浴びる; 〈人・顔などが〉〔汗・涙〕にまみれる*in*〕 ‖ His eyes *are bathed in* [*with*] tears. 彼の目は涙にぬれていた / fields *bathed in* sunlight 日光をいっぱいに浴びた畑.
——自 **1** (主に米正式)〈人が〉入浴する((英式) bath) ‖ *bathe* in a hot spring 温泉に入る. **2** (主に英正式) **a**〈人が〉水泳をする(swim), 水浴をする, 海水浴に

行く(go swimming) ‖ *bathe* in the sea 海で泳ぐ. **b** 日光浴する ‖ *bathe* in the sun 日光浴する.
— 名 (主に英) [a ~] (海・川・プールでの)水浴, 水泳 ‖ *gó for a báthe* 泳ぎに行く / *háve* [*táke*] *a báthe* in a pond 池で水浴びをする (cf. take [have] a bath (bath 名1)).

bath·er /béiðər/ 名 C (英)泳ぐ人; (豪) [~s] 水着.
bath·house /bǽθhàus/ 名 C (公衆の)浴場. (米)(海水浴場の)脱衣所.
bath·ing /béiθiŋ/ 名 U 水浴, 水泳; 入浴.
 báthing béauty [**bèlle**] 水着美人.
 báthing càp (特に女性用の)水泳帽.
 báthing sùit (米·英やや古)(ワンピース型女性用)水着 (swimsuit, (英) swimming costume).
 báthing trúnks (英やや古) 水泳パンツ (swimming trunks).
†**bath·robe** /bǽθròub/ 名 C バスローブ, ガウン《米国では安価な部屋着としても用いる》.
*****bath·room** /bǽθrùːm | báːθ-/

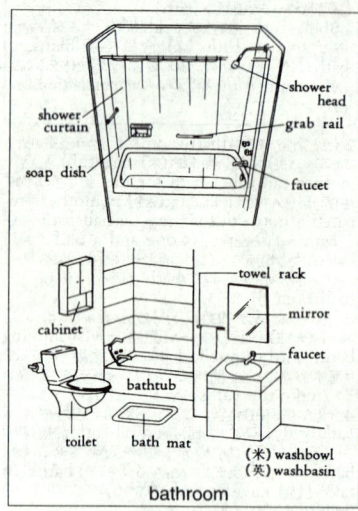

bathroom

— 名 (複 ~s/-z/) C **1** (米) 浴室; [the ~; 遠回しに] (個人住宅の)お手洗い, トイレ《◆「浴室」にあることが多いが, 浴槽なしで便器と洗面台だけのものも bathroom という. 「浴室」の意をはっきりさせるには bath を用いる》. **◇対話** "*May* [*Can*] *I use* [*go to*] *your bathroom?*" "Sure, it's at the end of the corridor."「トイレお借りできますか(=Where is the bathroom?)」「廊下の突き当たりです」(→ toilet 関連). **2** (英) 浴室; ふろ場《◆ (1) 2階建ての家にはふつう 2階にある. (2) 浴槽[シャワー]としばしば洗面台·水洗便器を含む. 洗濯物を乾かしたり物置の役も果たす》.
 báthroom scàle (浴室におく)体重計《◆ bath scale ともいう. ×health meter は誤り》.
bath·tub /bǽθtʌb | báːθ-/ 名 C (主に米) (備え付けの)浴槽 ((英) bath, (米英略式) tub) (図 → bathroom); (主に英) (移動式)浴槽《日本発》» We Japanese wash our bodies outside of the bathtub and soak in hot water mainly to relax. 私たち日本人は浴槽の外で体を洗い, 主に疲れを取るために熱いお湯につかります.
ba·tik /bətíːk, bǽtik/ 名 U 形 ろうけつ染め(の); その布.
bat·man /**1** bǽtmən; **2** -mæn/ 名 (複 **-men**) C **1** (英)(陸軍将校付きの)当番兵. **2** [B~] バットマン《米国の漫画・映画の主人公》.
bat·on /bətɑ́n, bæ-|bǽtən, bǽtɔn, bǽtn/ 名 C **1** (主に英)(警察の)警棒 ‖ *a baton* charge 警棒による攻撃. **2** 〔音楽〕指揮棒; (楽隊長·バトンガールの)バトン. **3** 〔競技〕(リレー用の)バトン ‖ *the báton páss(ing)* バトンタッチ《◆ ×baton touch とはいわない》/ *pass the baton to the anchor* アンカーにバトンを渡す. **4** (元帥などの官職を示す)官杖(かんじょう), 杖.
 báton róund (ゴム・プラスチック製の)威嚇(いかく)弾《征圧用》.
 báton twírler (楽隊行進の)指揮者; バトントワラー《◆ ×baton girl とはいわない》.
bats·man /bǽtsmən/ 名 (複 **-men**) C **1** (クリケットの)打者. **2** 〔航空〕(飛行機の)着陸誘導係((PC) landing signaler).
†**bat·tal·ion** /bətǽljən|-iən/ 名 C **1** 〔軍事〕大隊 (→ army); [通例 ~s] (整列した)軍勢. **2** [~s / a ~] 大軍, 多数 ‖ *a battalion* of firemen 消防士の大集団.
†**bat·ter**[1] /bǽtər/ 動 他〈人·物〉を乱打する; …を打ってこわす (+*down*, *up*, *in*, *about*); …を繰り返し打って痛める(*to*); [通例 be ~ed](長期間使用して)傷む ‖ *batter the door in* 戸をたたきこわす / *a battered felt hat* 使い古したフェルト帽 / A man *battered* his girlfriend, and she called the police. ある男性がガールフレンドを繰り返しなぐり彼女は警察を呼んだ. — 自 (…を)連打する (+*away*) (*at*, *against*, *on*).
— 名 U 〔料理〕(牛乳·小麦粉·卵などの)こねもの; (てんぷらなどの)ころも《◆ ばたばた落ちる程度の固さ》.
†**bat·ter**[2] /bǽtər/ 名 C (野球·クリケットの)打者, バッター《◆ 野球では hitter ともいい, クリケットでは batsman の方がふつう》 ‖ a cleanup *batter* 4番打者 (→ cleanup hitter) / *the bátter's bóx* バッターボックス《◆ ×batter box は誤り》 / *batter's circle* 次打者席 (=on-deck circle).
bat·tered /bǽtərd/ 形《物がつぶれた, こわれた, 使い古された. **2**〈人が〉やられた; 虐待された ‖ *a refuge for a battered wife* 夫から暴力を受けている妻の避難所.
*****bat·ter·y** /bǽtəri/
— 名 (複 **-ies**/-z/) C **1** 電池, バッテリー ‖ The *battery* is dead [flat]. 電池が切れた, バッテリーがあがった / charge a *battery* バッテリーを充電する ‖ a [solar] *battery* 乾[太陽]電池. **2** 〔軍事〕砲列; 砲兵中隊; 砲台; (軍艦上の)備砲. **3** [a ~] 1組の装置[器具]; (人·物の)勢ぞろい ‖ *a battery* of cooking pots ひとそろいのなべ / *a battery* of questions 一連の質問. **4** 〔野球〕バッテリー《投手と捕手》. **5** C U 〔法律〕暴行(罪)《◆通例次の句で》 ‖ assault and *battery* 暴行殴打. **6** (英) =battery farm.
 rechárge one's bátteries (略式)(活力を取り戻すために)くつろぐ.
 with bátteries rechárged 気分一新して.
 báttery fàrm (英) 養鶏場.
bat·ting /bǽtiŋ/ 名 U **1** バッティング, 打撃 ‖ the *bátting òrder* 打順 / *a bátting èye* 選球眼. **2**

(ふとん・キルティングに入れる木綿・毛の)詰め綿.
bátting áverage (1)〖野球〗打率《◆打率の言い方→ number (3)》. (2)〖略式〗成功率.

***bat·tle** /bǽtl/〖「打つこと」が原義. cf. batter〗
— 名 (複 ~s/-z/) **1** CU (大規模な)(局地)戦争《♦ war の部分をなす》,〔…との〕(二者間の)戦闘〔with, against〕‖ *fall in*[*be killed, die*] *in battle* 戦死する / *engage in*[*give*] *battle* 戦う,攻める.
2 CU (広義)〔…との/…を求める〕闘争;競争,いさかい,対立(contest)〔with, against / for〕‖ a *battle of ideas*[*wits*] 着想[知恵]くらべ / *join*[*refuse*] *battle* 戦いを始める[避ける] / a *battle against* AIDS エイズとの戦い / Every day it was a real *battle* to get the kids fed, bathed, and ready for bed. 毎日子供たちに食事をさせ,ふろに入れ,寝る準備をさせるのは非常に大変でした.
fight a lósing báttle (見込みのない事に)奮闘する.
hálf the báttle 勝利,成功 ‖ Confidence is *half the battle.* 自信があれば半ば成功した[勝ったも同然]だ.
— 動 自 (文)〔…と/…を求めて,…のために/…するために〕戦う,闘争する(fight)〔+away, on〕〔against, with / for / to do〕‖ *battle away*[*on*] *against all opposition for* world peace 世界平和のためにあらゆる反対勢力と戦い続ける.
— 他 **1**〔~ one's way〕押し分けて[奮闘して]進む. **2** (米)…と戦う.
báttle crùiser 巡洋戦艦《戦艦より軽装甲》.
báttle crỳ (兵士の)ときの声;(闘争の)スローガン.
báttle drèss 戦闘服,軍服.
báttle lìne 戦線,戦列;(戦闘部隊の)艦隊.
bat·tle·dore /bǽtldɔ̀ːr/ 名 C ラケット,羽子板《 *battledore and shuttlecock* (badminton の前身の羽根つき遊び)などで用いる》; U 羽根つき ‖ play *battledore* (and shuttlecock) 羽根つきをする.
†**bat·tle·field** /bǽtlfìːld/ 名 C 戦場;闘争[葛藤(とう)]の場.
bat·tle·front /bǽtlfrʌ̀nt/ 名 C (最)前線;戦闘地区[正面].
bat·tle·ground /bǽtlgrὰund/ 名 =battlefield.
†**bat·tle·ment** /bǽtlmənt/ 名 C〔通例 ~s〕銃眼付きの胸壁〔狭間〕;(塔や城の)胸壁で囲まれた平たい屋根.
bat·tle·ship /bǽtlʃìp/ 名 C 戦艦.
bat·ty /bǽti/ 形 (通例 ~·ti·er, ~·ti·est) コウモリの;(略式)頭の変な;〔…に〕夢中の〔*about*〕.
bau·ble /bɔ́ːbl/ 名 C 安ぴか物,安物の装飾品[宝石].
baud /bɔ́ːd/ (＠ baud, ~s) C 〘コンピュータ〙ボー《データ伝送速度の単位》.
Bau·de·laire /bòudəlέər/ -də-/ 名 ボードレール《(Pierre) Charles(piέər) šà:rl/ ~ 1821-67;フランスの詩人・批評家》.
baulk /bɔ́ːk/ (英+) /bɔ́ːlk/ (主に英) 動 名 =balk.
baux·ite /bɔ́ːksait/ 名 U 〘鉱物〙ボーキサイト.
Ba·var·i·a /bəvέəriə/ 名 バイエルン,ババリア《ドイツ南部の州. ドイツ語名 Bayern》.
bawd·y /bɔ́ːdi/ 形 (通例 -i·er, -i·est)〈話が〉みだらな,わいせつな.
†**bawl** /bɔ́ːl/〖同音 ball〗 動 自〈人〉に大声でどなる[叫ぶ]〔+out〕‖ He *bawled* (*out*) his commands. 彼は大声をあげて命令した. — 自〔…に向かって〕どなる〔+away〕〔at, to〕;大声で泣く.
báwl óut 〔自〕大声で叫ぶ ‖ The calf *bawled out* in pain. 子牛は痛みで大声で鳴いていた.

— 他 (1) → 他. (2)〔主に米略式〕〈人〉をひどくしかる(cf. scold, tell off)‖ His boss *bawled* the manager *out* for the accounting mistake. 経理上のミスについて上司は課長をきびしくしかった.

***bay**¹ /béi/ 名 (複 ~s/-z/)〔しばしば B~〕C (海・湖の)湾,入り江《♦ cove より大きく gulf より小さい》‖ Botany Bay =the Bay of Botany ボタニー湾《♦冠詞の有無に注意》.
Báy Àrea〔the ~〕ベイエリア,湾岸地域《米国のサンフランシスコ周辺》.
Báy Státe〔愛称〕〔the ~〕湾岸州(→ Massachusetts).
bay² /béi/ 名 U **1**〈獲物を追いつめた猟犬の低く長いほえ声,うなり声. **2** 窮地,どたん場 ‖ be [stand] *at bay* 窮地に立っている.
bríng*[*dríve*] A *to báy 〈獲物など〉を追いつめる.
kéep*[*hóld*] A *at báy 〈いやな人・猛獣・病気などを〉寄せつけない.
tùrn*[*còme*] *to báy 追いつめられて刃向かう,開き直る.
— 動 自〈猟犬などが〉〔獲物に向かって〕太い声でほえたてる〔at〕.

bay³ /béi/ 名 **1** C 〘植〙=bay tree [laurel]. **2**〔~s〕月桂冠《詩人・勝者の頭に載せる栄誉のしるし》;(主に詩)名声,栄誉.
báy lèaf ベイリーフ,ローリエ《(乾燥させた)ゲッケイジュの葉. 香辛料》.
báy trèe [**láurel**] ゲッケイジュ(laurel tree)《◆枯れると不幸が起こるといわれる》.
bay⁴ /béi/ 名 C **1** (部屋・建物の)引っ込み,(外への)張り出し ‖ a *bay* window 張り出し窓. **2** (駐車用)区画,バス乗場. **3** (航空機の)仕切り室,倉.
***bay·o·net** /béiənət, -nèt, bèiənét/ 名 C 銃剣.
bay·ou /báiu:, (米+) báiou/ 名 C (米南部の)湿原中の川の支流,沼のような入り江.
Báyou Státe〔愛称〕〔the ~〕入江州(→ Mississippi, Louisiana).
†**ba·zaar,** (米ではしばしば) **--zar** /bəzάːr/ 〔アクセント注意〕名 C **1** (東洋諸国の)市場,バザール,商店街. **2** 雑貨店;百貨店. **3** 特売場. **4** (基金を集める)慈善市,バザー ‖ hold a *bazaar* バザーを催す / a church [hospital] *bazaar* 教会[病院]のバザー.
ba·zoo·ka /bəzúːkə/ 名 C (米)〘軍事〙バズーカ砲,対戦車砲.
†**BBC**〔略〕〔the ~〕British Broadcasting Corporation 英国放送協会 ‖ *BBC* English BBC英語《BBCのアナウンサーの使う英語》.
bbl.〔略〕barrel(s).
BBQ〔略〕barbecue.
***B.C., BC**¹, **B.C.** /bíːsíː/〔略〕before Christ 紀元前《♦ 230 B.C. のように数字の後に付ける. ふつうスモールキャピタルで書く》(↔ A.D.).
BC² 〔略〕British Columbia.
BCG (váccìne) /-/-/-/〔略〕〘医学〙Bacillus Calmette-Guérin 結核予防ワクチン, BCG.
BDS〔略〕book detection system.

***be** /(弱) bi; (強) bíː/ 動 助

[語形変化]
(1) 直説法
 a) 現在形 (I) am / (you) are / (he, she, it) is / (we, you, they) are
 b) 過去形 (I) was / (you) were / (he, she,

be

it) was / (we, you, they) were
(2) 仮定法
　a) 現在形 be（人称・数に関係なし）
　b) 過去形 were（人称・数に関係なし）
(3) 命令形 be　　(4) 不定詞 (to) be
(5) 過去分詞 been　　(6) 現在分詞 being
(7) 短縮形 'm (← am) / 're (← are) / 's (← is)
(8) 否定短縮形
　a) 現在形 aren't / isn't /《非標準》ain't
　b) 過去形 wasn't / weren't

《◆各語形の発音・特別用法についてはそれぞれの語形を参照》.

index
動⃝自 1 …である, …となる　2 ある, いる　3 存在する
助 1 …しているところだ　2 a …することになっている　b …すべきだ　c …できる　d …す る運命になっている　3 …されている

―― **動⃝自**

語法 原形の be の形のままで用いるのは次の a) – e) の場合だけで，それ以外は語形変化した形を用いる.
a) 命令文: *Be* careful. 注意しろ《◆肯定命令文を強調するとき否定命令文では助動詞 do をつける: *Do be* careful. 注意しろったら / *Don't be* late. 遅刻するな》.
b) 助動詞の後: You must *be* kind to me. 私にやさしくしてね.
c) 不定詞: Our principal told us to *be* kind and fair. 校長先生は私たちに親切で公正であるようにと命じた.
d) 仮定法現在（**→文法 9.3**）で（→**⃝助** 4）.
e) 一時的な状態に対する疑問文: Why don't you *be* more reasonable? どうしてもっと分別ある行動をしないのか.

1〖連結動詞として〗 [be **C** / be **to** do / be doing / be that 節 / be wh 節 / be whether 節 / be wh 句 / be 前置詞 + (代)名詞] 〈人・物・事が〉…である, …となる, …（と）言う ‖ I *am* Mr. Williams. 私はウィリアムズという者だ / *Are* you cold? 寒いのですか / The lesson *is* over. 授業は終わりです / I'm a sophomore now. 僕はもう大学の 2 年生になった《◆この文脈では ˟I became … は不可》/ Tomorrow *is* Saturday. あすは土曜だ (=It is Saturday tomorrow.) / Two and three *is* [*are*] five. 2 たす 3 は 5 である / A week *is* seven days. 1 週間とは 7 日のことだ《◆week という語を定義するときの言い方. 1 週何日あるかが問題のときは There *are* seven days in a week., A week *has* seven days.》/ To say "yes" *is* to agree. 「はい」と言うことは同意することである / What [*All*] I want you to do *is* (*to*) clean up your room. 君(たち)にしてもらいたいのは整頓(せいとん)だ《◆be 動詞の直前に do がある場合, be の後の不定詞の to は省略されることが多い. **→文法 23.2(2)**》/ Our problem *is* how to get in touch with him. 我々の問題は彼といかに連絡をとるかだ / Love *is* seeing her in your dreams. 愛とは夢に彼女を見ることだ / The trouble with you *is* (˷) (that) you talk too much. 君の困った性分はしゃべりすぎることだ《◆《略式》では that はしばしば省略される》/ The point *is* whether he will accept our offer (or not). 要は彼が我々の申し出を受け入れるかどうかである / I want to *be* [*become*] a teacher. 私は先生になりたい / Suddenly she *was* [*became*] silent. 突然彼女は黙った.

語法 (1) 日本語の「**A** は **B** である」の **A** は主語とは限らないので, A=B の関係にならない場合がある. このような場合, これをそのまま "**A** is **B**" と訳すと誤りとなる. 「明日は学校です」は, ˟Tomorrow is school. でなく Tomorrow *is* a school day. とか Tomorrow we *have* school. などとする.
(2) 比喩などでは主語と **C** が一見異質なものとなる: He *is* a fox. 彼はキツネ（のようにずるい人）だ.
(3) He *is* kind. は「彼は（本来）親切だ」と「彼は（今）親切にしている, 親切なふりをしている」(=He *is being* kind.) という場合があるが, He *is* a kind man [person]. は前者の意.
(4)《略式》では *Are* you (selling) cosmetics? (化粧品屋さんですか) などのような省略形もみられる.

2〖存在を示す〗《◆修飾語(句)は省略できない. 場所・時を示す副詞(句)を伴う》〈人・物・事が〉**ある, いる, 実在する**;〈物・事柄が行われる〉(take place)《◆主語はより限定された語句》‖ **対話** "Where *are* you?" "I'm here [in the kitchen]."「どこにいるの」「ここ[台所]だよ」/ The radio *is* in my room. そのラジオは私の部屋にある《◆初めて話題に出したり, 不定の人・物の存在をいう場合は there 構文を用いる: 「There *is* a radio [˟A radio is] in my room. 私の部屋にラジオがある」》/ The station *is* only two blocks away. 駅はほんの 2 ブロック[街区]離れた所です / I'll *be* there in a minute. すぐそちらに行きます《◆I'll go … とはふつういわない》/ I *was* at the party. 私はパーティーに出席した (=I was present at the party.) / Where will the wedding *be*? 結婚式はどこであるのか / The meeting *was* last month. 会合は先月あった.

3《文》〈神・人・物が〉**存在する, 実在する** (exist);〈人が生存する〉(live) ‖ God *is*. 神は（本当に）存在する《◆There is a God. の方が一般的》/ He *is* no more. 彼はもはやいない / I think, therefore I *am*. われ思う, ゆえにわれ在り《◆デカルトの言葉》/ To *be* or nót to *be*: that is the question.《Shak.》生きていくべきか死ぬべきか, それが問題だ.

4〖be の特殊用法〗 **a**《文》〖仮定法現在〗 ‖ If any person *be* [*is*] found guilty ….［条件］もしだれであれ有罪であると判決[評決]が下されれば… / *Be* it ever so humble, there's no place like home. ［譲歩］いかに粗末であろうともわが家にまさる所はない (= No matter how humble it may be, …) / *Be* that as it may, …. それはともあれ…, それにもかかわらず (despite that). **b**《米》〖要求・命令・提案などを表す動詞, およびそれに準じる形容詞・名詞に続く that 節中で〗《◆《英》ではふつう should be (→ **not ⃝助 1**)》（**→文法 9.3**）‖ We *insist* that a meeting be held as soon as possible. 会合をできる限り早急に開催することを我々は要求する.

―― **助** **1** [be doing] [進行形] …**しているところだ**（**→文法 5**）‖ **対話** "What *are* you doing?" "I'm just watching TV."「何をしているの」「テレビを見ているところだ」/ I'm leaving here tomorrow. 明日ここを発ちます / She *is* always complaining about her small salary. 彼女はいつも安い給料の不満ばかり言っている / The child *is being* a nuisance to us again. その子はまた我々にうるさくふるま

っている.

語法 (1) 人為的に計画不可能な行動, 例えば自然現象などには用いられない. ×It is raining tomorrow. (It'll rain tomorrow. または It is going to rain … とする).
(2) 主語の意志でなく話し手の意志を含む場合もある. You're coming with us now. 君は今私たちと一緒に来るんだ.

2 (正式) [be to do] 《◆述語動詞の時点から見た未来の動作を表す》 **a** [予定] …することになっている (→文法 4.3(5)) ‖ We *are* to meet at seven. 7時に会うことになっている / They *were to have been married*. 彼らは結婚することになっていたのだが (=They *were to* be married, but they did not go through with it.)《◆結婚が実現しなかったことを述べている→文法 11.5). They *were to* be married. では実現したかどうかが不明であるが, 実現しなかったことを含意するのがふつう》.
b [義務] 《◆第三者的な命令・指示》 …すべきだ; [当然] [しばしば疑問文で] …すべき, …したらよい ‖ You *are* not to leave this building. この建物を出てはいけないことになっています(=You should [must] not leave …) / The form *is* to be filled in and returned within two weeks. この用紙は必要事項を記入の上2週間以内に返送のこと / When am I *to* come? いつ来たらよいか.
c [可能] [通例否定文で] …できる《◆to be done を従える》 ‖ The ring *was* not to be found anywhere. 指輪はどこにも見つからなかった(=The ring couldn't be found …).
d [意図] [通例過去時制で] …する運命になっている ‖ After his accident, he *was* never *to* get a chance to play in a real game. 事故の後, 彼は公式試合に出場する機会を得ることは二度となかった.
e [意図] [条件節で] …したいと思うなら, …するつもりなら ‖ If you *are to* succeed in your new job, you must work hard now. 今度の新しい仕事で成功したいと思うなら, 君は今懸命に働かねばならない (=If you mean to succeed …).
f [目的] …するためのものだ ‖ The letter *was to* announce their engagement. 手紙は彼らの婚約を知らせるためのものでした.

3 [be done] [受身形] 《◆動詞は他動詞》 …される 《動作》, …されている 《状態》 (→文法 7.1) ‖ What *was* [got] *stolen* from his pocket? 彼の上着のポケットから何が盗まれたのか《◆動作を表す場合は get done ともいえる. →文法 7.12》 / The butter *is kept* here. バターはここにしまってある.

4 [be done] [完了形] 《◆動詞は finish, go, change など特定の自動詞》 有り金全部無くなってしまった. **語法** 現在では, have を用いて All the money had gone. がふつう.

if I were to do → if 接.
that is [*was, is to be*] 現在の[もとの, 将来の].

be- /bi/ 〘語要素〙 →語要素一覧(1.7, 2.1).

*＊**beach** /bíːtʃ/ 〘同音〙 beech) [《小石, 砂利》が原義]
─ 名 (複 ~·es/-iz/) C (海・大きな湖・時に大河の) 砂浜, 海辺, なぎさ, 波打ちぎわ; (海水浴用の)海岸(地域) (→ coast 類義) ‖ walk on the *beach* 浜辺を歩く / go to the *beach* 海へ行く (=go to the seashore) / 〘対話〙 "Here we are at last on the west coast." "Oh, it's a beautiful *beach*. Shall we go for a swim first?" 「さあ, とうとう西海岸に着きました」「あら, 美しい砂浜ですね, 泳ぎましょうか」.
─ 動 他 …を浜に引き上げる.
─ 自 浜に乗り上げる.

béach báll ビーチボール《浜での遊戯用》.
béach búggy 砂浜用軽自動車(dune buggy).
béach umbrélla (米) ビーチパラソル《♦ ×beach parasol とはいわない》.
béach vólleyball ビーチバレー.
beach·comb·er /bíːtʃkòumər/ 名 C (生活や趣味のため)浜辺で漂流物などを拾う人.
béach·héad /bíːtʃhèd/ 名 C **1** [軍事] 海岸の上陸拠点, 橋頭堡(ﾎﾟｳ). **2** (出発点となる)足がかり, 足場.
béach·wear /bíːtʃwèər/ 名 U ビーチウエア《水着の上に着用》.

*＊**bea·con** /bíːkn/ 名 C **1** =beacon fire; (英) 高台地《昔はここでのろしなどをあげた》. **2** 立標; 信号灯, 信号ブイ; =beacon sign. **3** 灯台. **4** (主に文) 指針となるもの[人]. **5** (英) =Belisha beacon.
béacon fíre かがり火, のろし《昔合図に用いた》.
béacon líght 合図の光《灯台の光など》.
béacon sígn 航空 [水路]標識; (米) 無線標識《飛行機・船などへの緊急合図》.
béacon sígnal 無線標識信号.

*＊**bead** /bíːd/ 名 C **1** じゅず玉, ビーズ《昔から交易品として尊重され, また身につけると悪霊を防ぐといわれる》. **2** [~s] (ビーズの)ネックレス, じゅず, ロザリオ(rosary) ‖ *tell* [*say, count*] *one's beads* (古·文) ロザリオをつまぐって祈る. **3** (汗などの)玉, しずく; (ビールなどの)あわ ‖ *beads* of dew 露の玉. **4** (銃の)照星(ﾋﾞｰ).
dráw [*gó, táke*] *a béad on* A 〈標的など〉を(銃で)ねらう.
─ 動 他 …を玉で飾る; …をじゅずつなぎにする ‖ a face (which is) *beaded* with sweat 玉のような汗をかいた顔. ─ 自 玉で飾られる; じゅずつなぎになる.
béad cúrtain 玉すだれ.
bead·work /bíːdwə̀rk/ 名 U ビーズ細工[飾り]; [建築] 玉縁(装飾).
bead·y /bíːdi/ 形 (–i·er, –i·est) ビーズのような, ビーズで飾った, 泡だった ‖ *beady* eyes 小さく丸く輝く目《◆興味・欲望・疑惑を示す》 / keep one's *beady* eyes on … …を見張っている.

bea·gle /bíːgl/ 名 C [動] ビーグル犬《ウサギ狩りに使う短脚で小型の猟犬》.

*＊**beak** /bíːk/ 名 C **1** (猛鳥のかぎ形にとがった)くちばし《♦水鳥などの細長く扁平なものは bill》. 〘表現〙 「くちばしの黄色い」青年 は= an inexperienced youth または a greenhorn, 「…にくちばしを入れる」は poke (one's) nose into …. **2** くちばし状の物; (バク・ゾウなどの)鼻; (略式) (人の)わし鼻; (水差しの)注ぎ口.
béaked 形 くちばしのある, くちばし状の, 突き出ている.
beak·er /bíːkər/ 名 C **1** (広口の)紙[プラスチック]製大コップ, 大きい1杯の量. **2** (実験用)ビーカー.
béak·er·fùl /-fùl/ 名 C 大コップ1杯分(beaker).

be-áll 形 [the ~] かなめ, 本質; 全部 ‖ *the be-all and* (*the*) *end-all* (*of* …) 〘Shak.〙(略式) (…の)すべて, 究極のもの, 最も重要なもの.

*＊**beam** /bíːm/ 名 C **1** [建築] 梁(ﾊﾘ), けた, 横材. **2** [海事] (船の)ビーム, 横梁; 船幅, 真横. **3** (はかりの)さお, 棒; はかり; 鋤(ｽｷ)のかじの柄 ‖ kick the *beam* (一方が軽すぎて)さおがはね上がる, ずっと軽い; 負ける. **4** (太陽・月などの)光線, (ランプ・灯台・ヘッドライトの

光《◆ふつう ray は光線の1すじ, beam は光線の束》‖ a moon beam 月光. **5** [比喩的に; a ~ of ...]《文》(喜び・輝き; 明るい笑顔(smile))‖ a beam of hope 希望の光 / with a beam of welcome ようこそいらっしゃいといった笑顔で. **6** [無線]《飛行機・船を導く》信号電波, ビーム ‖ fly [ride] the beam [航空]方向指示電波通りに飛行する. **7**《体操の》平均台 ‖ take a silver (medal) on the beam 平均台で銀メダルを取る.

a [the] béam in one's **(own) éye** 《聖》自分の大欠点.

óff the béam《略式》**(1)**《飛行機が》信号電波に示された航路をそれて. **(2)**《人・考えが》間違って.

òn the béam《略式》**(1)**《飛行機が》信号電波に示された航路に乗って. **(2)**《人・考えが》適切な.

—**動** (他) **1** ~を表(¼らわ)す, 発する ‖ I beam a cheerful welcome 笑顔で迎える. **2**〈光・放送〉を〔…に〕向ける, 送る〔to, at〕.

—(自) **1**《文》〈太陽などが〉輝く, 〔…に〕光を発する〔down〕〔on〕. **2**〔…に〕にこにこほほえむ(smile)〔at〕.

+**beam·ing** /bíːmɪŋ/ 形 光り輝く; 喜びにあふれた; 晴れやかな; 陽気な.

***bean** /bíːn/ (同音) △been)
—**名** (復 ~s/-z/) C **1** 〔通例 ~s〕豆《◆「エンドウ」の類は pea》‖ broad [soy(a), small] beans ソラマメ[大豆, アズキ] / kidney [French] beans インゲン豆. **2** 〔通例 ~s〕《豆に似た》実 ‖ coffee beans コーヒー豆. **3** 《米俗》頭, 頭脳 ‖ Use your bean. 頭を使え. **4** 《俗》つまらぬもの; [通例否定文で]ごくわずか ‖ nòt cáre [gíve] béans [a béan] 全然気にしない / be nòt wórth 「a béan [a row of beans] まったく価値がない.

fúll of béans《略式》**(1)**〈人・馬が〉元気な. **(2)**《米》ばかげた.

do not have a béan《英略式》一文なしである.

spíll the béans 《豆をうっかりこぼす》《略式》[…の/…という]秘密をうっかりもらす〔over, about / that節〕.

bean càke 大豆かす.

béan cùrd 豆腐(tofu).

bean·ball /bíːnbɔːl/ 名 C 《野球》ビーンボール《打者の頭のあたりをねらった投球》.

bean·sprout /bíːnspraʊt/ 名 〔~s〕もやし.

bean·stalk /bíːnstɔːk/ 名 C 豆の茎 ‖ *Jack and the Beanstalk*《ジャックと豆の木》《童話の題》.

***bear**¹ /béər/ (同音) bare)
—**動** (~s/-z/; 過去 **bore** /bɔ́ːr/ or 《古》**bare** /béər/, 過分 **borne** /bɔ́ːrn/ or **born** /bɔ́ːrn/ (→**7**); -**ing**) —**他**
I [我慢する]
1 [通例 can と共に; 否定文・疑問文で] **a**〈人が〉〈人・事・物に〉**耐える**; [bear doing / bear to do] …するのを我慢する(cf. stand, put up with, endure, tolerate) ‖ I can't bear the sight of the man. あの男の顔を見るのもいやだ / We can't bear smoking here. (あなたが)ここで喫煙するのは私たちは耐えられません / 《対話》"This movie is awful. I can't bear watching it." "I can't, either." 「この映画はひどいね. 見るに耐えないよ」「ぼくもだ」. **b** [bear **A** to do / bear **A**'s doing]〈人〉が…するのを我慢する ‖ She couldn't bear Jim to be naughty. 彼女はジミーがいたずらなのに耐えられなかった.

2 [通例否定文で]〈事・物〉に…に耐えうる, 適する ‖ His joke doesn't bear repeating. 彼の冗談は繰り返して言えないほど(ひどいもの)だ《❸文法 12.2(3)》.

II [運ぶ]
3 《正式》〈人・物が〉〈人・物を〉**運ぶ**, 持って行く(carry) (+along, away, off) ‖ The train bore the remains of the president. その列車が大統領の遺体を運んだ / Sweet scents are borne on soft breezes. 甘い香りがそよ風に乗ってくる.

4 《正式》〈人・物・事が〉〈武器・印・跡など〉を身につける, 帯びる(carry); 〈関係・特徴など〉を持つ ‖ bear a part in the course of events 一連の事件に関係[協力, 参加]する / He bears a strong likeness to my son. 彼は私の息子にとても似ている / This letter bears no signature. この手紙には署名がない.

5 《正式》[bear **A B** = bear **B** against [for, toward] **A**]〈人が〉**A**〈人〉に **B**〈恨み・愛情など〉をいだく ‖ bear her no ill-will = bear no ill-will against her 彼女にはどんな悪意もいだかない.

III [支え持つ]
6 〈物〉〈物の重さ〉を支える(support); 〈人が〉〈費用・責任など〉を持つ, 負担する ‖ The ice on the pond was thick enough to bear my weight. 池の氷は私の体重を支えるほどの厚みがあった / bear a heavy load of duty 義務の重荷を負う.

IV [生む]
7 a [be born]〈人・動物が〉**生まれる** ‖ be born intelligent 賢く生まれる / be born to be a comedian コメディアンになるように生まれる / John *was born* in 1940 in Liverpool. ジョンは1940年にリバプールで生まれた. **b** 《正式》[bear **(A) B**]〈女性が〉〈**A**〈人〉との間に〉**B**〈子〉を産む《◆過去分詞は borne, by 句のない受身では born》‖ She bore (Bob) three children. 彼女は(ボブとの間に)3人の子供をもうけた. **c**〈花・実〉を生じる; 〈利子〉を生む(produce) ‖ His efforts bore fruit. 彼の努力が実った.

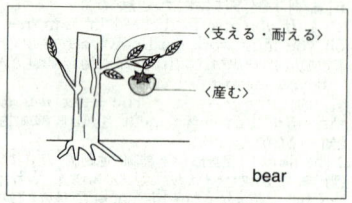

〈支える・耐える〉
〈産む〉
bear

—(自) **1**〈人が〉〔…に〕もたれる〔on〕‖ bear on a stick つえにすがる《◆ lean の方がふつう》. **2** [...に]向かう, 進む, 曲がる(turn)〔to〕‖ bear (to the) right at the intersection その交差点で右へ曲がる. **3** [通例副詞・否定語を伴って]実をつける, 子を産む.

béar awáy (自)《海事》風下に出て行く. —(他)《正式》**(1)**〈賞など〉をとる. **(2)**〈人・物など〉を運び去る; 〈人〉をかりたてる(carry off) ‖ She was borne away by an impulse. 彼女はある衝動にかられた.

béar dówn (自)全力を尽くす. —(他)《正式》〈努力・軍などが〉〈人・物など〉を圧倒[圧迫]する; 〈物〉を引き倒す ‖ bear down all resistance あらゆる抵抗を制圧する.

béar dówn on [《正式》**upòn**] **A**〈物・人〉にのしかかる, …を圧迫する, …に(のしかかるように)接近する, 近寄る.

béar A in mínd = keep **A** in MIND.

***béar on** [**upòn**] **A (1)**《正式》[しばしば比喩的に]

heavily, severely などを伴う》 ‖ The tax *bore* heavily on us poor people. その税金は我々貧乏人を圧迫した《◆(米)では bear in on の形もある》. (2)〈物・事が〉〈人・事・物に〉関係[影響]する《◆受身不可》.

béar onesélf [正式]〔様態副詞を伴って〕…にふるまう(behave) ‖ He *bore* himself well [nobly]. 彼は行儀よく[堂々と]ふるまった.

béar óut [他]《仮説》の正しさをすっかり支える(→ out 副16)［正式]〈人・事実が〉〈事・人（の言葉など）〉を支持[確証, 証明]する ‖ The results *bear out* my suspicions. 結果は私の疑惑を証明している / They can *bear* me *out* that I was there. 私がそこにいたことを彼らが証明してくれます.

béar úp [自]〔略式〕［...に対して］（苦境に負けないで）がんばる《*under/against*》 ‖ He *bears up* well *under* pressure. 彼はプレッシャーのもとでよくがんばっている.

béar wátching 〈人が〉有望である;〈物などが〉危険だ.

be bórne ín upòn [on] 〔→ on 前**11**〕［正式]〈事実などが〉〈人に対してその心の中に生まれる〉〈人にわかってくる〉 ‖ It *was* gradually [slowly] *borne in on* me that ... 私にはしだいに…だとわかってきた.

be bórn ínto A …の家庭に生まれる.

be bórn (óut) of A 〔正式〕(1)〈親・家系〉の所に生まれる. (2)〈人・事が〉〈事から[...の結果として]生まれる, 生じる.

be bórn to A 〔正式〕〈人〉を（両）親として生まれる, …の所に生まれる ‖ The world's first test-tube baby *was born to* a British woman. 世界初の試験管ベビーが英国の女性から生まれた.

bórn and bréd be 動詞・名詞の後で] 生粋の ‖ a Parisian *born and bred* 生粋のパリっ子.

I wàsn't bórn yésterday. → yesterday 副**2**.

†**bear**[2] /béər/ [名] (~s, [集合名詞] bear) **1** [C] クマ《◆醜く粗暴なイメージ. 鳴き声は grunt, growl. 米国の森林警備隊(Forest Rangers)のシンボルマーク》 ‖ a brown *bear* ヒグマ／アメリカグマ／a polar [white] *bear* ホッキョクグマ, 白クマ.
2 [C] (大柄の)がさつ者, 乱暴者; (米俗) 醜い女. **3** [C] 〔株式〕(相場が安くなるとみて売る)売り方, 弱気筋(↔ bull). **4** [the B~] 〔天文〕くま座 ‖ *the* Great [Little] *Bear* おおぐま[こぐま]座.

like a béar with a sóre héad =(*as*) *cróss as a béar* 〔略式〕（理由なく）非常に不機嫌な.

béar húg (1) クマが前足で獲物をつかむこと. (2) 〔レスリング〕ベアハッグ. (3) 〔略式〕力強い抱擁.

bear's sérvice ありがた迷惑な援助.

Béar State 〔愛称〕[the ~] クマ州(→ Arkansas).

bear・a・ble /béərəbl/ [形] 我慢できる, しのげる(↔ unbearable).

†**beard** /bíərd/ 〔発音注意〕[名] **1** [U][C] 〔通例 ~s〕あごひげ 《◆ 時に口ひげ(mustache), ほおひげ(whiskers)を含む. 知恵・経験を示すものとして敬意を払われた. cf. stubble》 ‖ a man with a *beard* あごひげをはやした人(=a bearded man) 《◆ 顔のひげ全体を1つとして見るので不定冠詞が多い》／grow [have, wear] a *beard* ひげをはやす[はやしている]／a heavy [light] *beard* もじゃもじゃ[まばらな]ひげ《◆「濃い」,「薄い」はそれぞれ thick, thin を使う》. **2** [C] あごひげ状の物, (ヤギなどの)ひげ; 〔植〕のぎ(awn), ひげ, (矢じり・釣針などの)(barb).

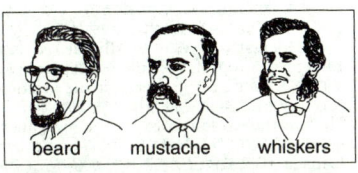

beard mustache whiskers

—— 動 [他] …のひげをつかむ[抜く]; …にひげをつける.

béard・ed [形] あごひげのある. **béard・less** [形] ひげのない; 青二才の.

†**bear・er** /béərər/ [名] **1** 〔正式〕(手紙・知らせなどの)使者, 運搬する人[物]; ひつぎ持ち. **2** (小切手・手形の)持参人 ‖ a *bearer* check 持参人払い小切手. **3** [形容詞を伴って] 花[実]をつける木[草] ‖ a heavy *bearer* よく実のなる[花の咲く]木.

béarer bònds 無記名債券.

†**bear・ing** /béəriŋ/ [名] **1** [U] 〔時に a ~〕(その人特有の)態度, 物腰, ふるまい(behavior); 姿勢. **2** [C][U] 〔正式〕［...との〕関係, 関連(connection)〔*on, upon*〕; 意味, 趣旨; 面, 重要性, 影響 ‖ in all its *bearings* あらゆる面で[から] / It does not *have* much *bearing on* this problem. それはこの問題にたいして関係がない. 《◆ 動詞 bear on より頻度が高い》. **3** [C] 方向, 方位; [one's ~s] 自己の位置, 進路 ‖ take a (compass) *bearing* on a lighthouse 灯台の方向に針路をとる / find [lose, be out of] *one's bearings* 自分の位置・方向を定める[見失う] / bring him to *his bearings* 彼に身のほどをわきまえさせる / get [take] *one's bearings* 自分の位置[方向]を知る. **4** [U] 忍耐, 我慢 ‖ His rudeness is *beyond* [*past*] (*all*) *bearing*. 彼の不作法は(どうにも)我慢がならない. **5** [C] 〔機械〕[通例 ~s] 軸受け, ベアリング. **6** [U] 出産 (child bearing); 結実(能力, 期間); [U][C] 収穫 ‖ a tree past [in full] *bearing* もう実らなくなった[結実盛りの]木.

bear・ish [形] **1** クマのような; 乱暴な, 粗野な, 気難しい. **2** 〔株式〕〈相場が〉弱気の, 下落傾向の(↔ bullish).

bear・skin /béərskin/ [名] **1** [U] クマの毛皮(敷物用); [C] クマの毛皮製品. **2** [C] ベアスキン帽《英国近衛(`ﾉ`)連隊兵のかぶる黒毛皮高帽. 通称は busby》.

Beards・ley /bíərdzli/ [名] ビアズリー《**Aubrey**/5:bri/ **Vincent** ~ 1872-98; 英国の白黒画家》.

†**beast** /bíːst/ [名] **1 a** 〔文〕(人間以外の)動物《◆ 粗野で残酷なイメージがある. 一般的には animal がふつう》, 獣, 四足獣 ‖ the king of *beasts* 百獣の王 / a *beast* of prey 肉食獣, 猛獣 / *beasts* and birds 鳥獣. **b** [集合名詞] (人間に対して)けだもの, 畜生 ‖ man and *beast* 人畜. **2** (運搬・労役の)牛馬, 家畜 ‖ a *beast* of burden 荷物運搬用動物(牛馬・ロバ・ラクダなど). **3** [the ~] 獣性, 動物性. **4** 〔略式〕残酷な(獣のような)人, 《俗式》いやな人[物] ‖ You *beast*! けだものめ, この畜生.

beast・li・ness /bíːstlinis/ [名] [U] 獣のような状態, 不潔, 醜悪; 〔略式〕いやらしさ.

†**beast・ly** /bíːstli/ [形] (**--li・er, --li・est**) **1** 〔主に略式〕いやな, 不愉快な ‖ a *beastly* toothache ひどい歯痛. **2** 下品な, 下劣な; 不潔な. **3** 獣(のような); 野蛮な, 残酷な. —— 副 [強意副詞として] ひどく, いやに ‖ *beastly* hot ひどく暑い.

*‡**beat** /bíːt/ (同音) beet) 〔「続けざまに打つ」が本義〕
—— 動 (~s/-bíːts/; 過去 beat, 過分 beat・en/bíːtn/ or (米ではしばしば) beat; ~・ing)

B

——[他] **1** (略式) (ふつうスポーツ・知識で)〈人・チームなど が〉〈人・チームなど〉を**打ち負かす**, …より先に着く, …を打ち破る(defeat), 〈記録〉を破る(break) ‖ *beat* him *to* the top of the hill 丘の頂上まで競走して彼を打ち負かす / My father *beat* me at chess. 父はチェスで私に勝った《◆「競技」に勝つのは win》/ He *beat* the world record for the high jump. 彼は走り高跳びで世界記録を破った / Can't *beat* Canada (国際競技などの横断幕で)カナダはどこの国にも負けないぞ.
2 〈人が〉(続けざまに)〈人・物〉を**たたく**, 打つ《◆hit, strike は1回打つ意》; [beat **A C**] 〈人が〉**A**〈人〉をたたいて**C**にする; 〈ほこりなど〉を〔…から〕たたき出す〔*out of, from*〕; …を打ち[追い]払う(+*away, off*); (罰として)…をむち[杖(つえ)]で打つ, …の尻(しり)をぶつ(spank) ‖ The girl was *beaten* for lying [misbehavior]. その女の子はうそをついた[悪さをした]ためぶたれた / the *beaten* child ぶたれた子(cf. ×the hit child).
3 〈水・風などが〉…にぶつかる, 打ちつける ‖ waves *beating* the shore 岸に打ちつける波.
4 (略式)〈人〉を困惑[閉口]させる(puzzle); 〈人〉に理解できない ‖ This problem *beats* me. この問題には参った / ***It beats me.*** それはわからんね.
5 (米略式)〈人〉をだます, 詐欺にかける; 〈人〉をだまして〔…を〕取る(cheat)〔*out of*〕 ‖ *beat* her *out of* the inheritance 彼女をだまして相続財産を巻き上げる. **6** (ハンマーなどで)〈鉄など〉を打ち延ばす; …をたたいて〔…に〕する〔*into*〕 ‖ *beat* gold *into* leaf 金を打ち延ばして金箔(ぱく)にする. **7** 〈道など〉を踏み固める.
8 〈卵など〉を(スプーンで)強くかきまぜる(+*up*); 〈クリームなど〉を泡立てる ‖ *beat* the eggs (*up*) for a cake ケーキ用に卵をかきまぜる. **9** 〈翼など〉をばたばたさせる. **10** 〔音楽〕〈拍子〉を取る; 〈秒〉を刻む ‖ *beat* time 拍子をとる. **11** …にまさる; …をしのぐ ‖ No other sport can *beat* soccer for excitement. 興奮度にかけてはサッカーにまさるスポーツはない.
12 (米俗)〈罰など〉を免れる. **13** 〈ルールなど〉を破る.

——[自] **1** 〈人・物が〉〔…を〕**続けざまに(どんどん)打つ**, たたく〔*at, on, against*〕; 〈雨・風などが〉〔…に〕激しくあたる, 打ちつける〔*against, on*〕 ‖ *beat at* [*on*] the door ドアをドンドンたたく / Waves ***beat against*** [*on*] the shore. 波が岸に激しく打ちつけた. **2** 〈心臓が〉鼓動する, 〔喜びなどで〕どきどきする〔*with*〕; 〈脈が〉打つ ‖ My heart is *beating with* joy. 私の心臓はうれしくてどきどきしています. **3** 〈太鼓が〉どんどん鳴る, ビートを打つ.

béat abóut [自] (心配して)〔…を〕探し回る〔*for*〕, バタバタ動き回る.
béat aróund [自] (米略式) ぶらぶらと暮らす.
béat aròund the búsh → bush.
béat* A *at* A*'s ówn gáme → game [名] **2**.
béat dówn [自] 〈雨が〉どしゃ降りに降る; 〈太陽が〉〔…に〕照りつける〔*on*〕. ━[他] (1) …を打ち倒す; 〈人〉の意気をくじく. (2) (略式)〈価格〉を値切る; 〈人〉に〔…まで〕値引きさせる〔*to*〕.
béat ín [他] 〈物〉をたたきつぶす, ぶち破る, かきまぜる, 教え込む.
***béat* A *into* B** (1) → [他] **6**. (2) **A**〈人〉を力ずくで **B**〈服従など〉させる.
béat it (俗) [通例命令文で] 急いで立ち去る[逃げる].
béat óut [他] (1) 〈火など〉をたたき消す. (2) 〈曲・リズムなど〉を〔楽器などをたたいて〕打ちならす〔*on*〕.
béat úp [他] 〈人〉をぶちのめす, …にリンチを加える.

——[名] [C] **1** (続けざまに)打つこと; その音《ドンドン, パカパカなど》. **2** (心臓の)動悸(どうき), 脈搏(みゃくはく), その音. **3** (鳥の翼の)羽ばたき, ひと打ち. **4** 拍子, 足拍子; 〔音楽〕指揮棒のひと振り; ロックなどのビート, 強いリズム. **5** 巡回[パトロール, 配達]区域 ‖ a cop on [off] his *beat* 巡回中[非番]の巡査.
be òff [***òut of***] *one's* ***béat*** (1) → **5**; 巡回区域を離れている. (2) (略式) 専門外である; 範囲外である.
òff (***the***) ***béat*** 調子がはずれて.
òn (***the***) ***béat*** 調子が合って.
póund the béat (略式) 担当区域を巡回する.

——[形] 《◆比較変化しない》**1** (俗) [補語として] [しばしば dead/all ~] 疲れ切って. **2** (米略式) 不意を打たれて, あっけにとられて. **3** [しばしば B~] [名詞の前で] ビート族(世代)の.

beat generation /ニ|ニ/ [the ~; しばしば B~ G-] ビート族(の世代)《◆ひとりひとりは beatnik》.

†beat·en /bíːtn/ [動] beat の過去分詞形. ——[形] **1** (むちで)打たれた. **2** 踏み固められた ‖ off the *beaten* track [path] 踏み固めた道をはずれて; 人里離れた; 常道をはずれた, 変わった / ***keep to the beaten track*** ふつうの方法をとる. **3** 打ち負かされた. **4** 疲れはてた. **5** 〈金属が〉打ち延ばされた.

†beat·er /bíːtər/ [名] [C] **1** [通例合成語で] 打ち叩く[かきまぜる]器具 ‖ a rug *beater* じゅうたん叩き / an egg*beater* 卵泡立て器. **2** (狩りの)勢子(せこ).

be·a·tif·ic /bìːətífik/ [形] (文) 〈微笑などが〉至福の.

be·at·i·fi·ca·tion /biæ̀təfikéiʃən/ [名] [U] 授福, 受福; [U][C] 〔カトリック〕列福(式).

be·at·i·fy /biǽtifài/ [動] [他] 〔カトリック〕〈死者〉を列福する《福者(blessed)の称号を与える》.

†beat·ing /bíːtiŋ/ [名] **1** [U][C] 打つ[たたく]こと, 打つ音; むち打ち(の刑罰); (心臓の)動悸(どうき), 鼓動; 羽ばたき. **2** [C] [通例 a ~] 打ち負かす[される]こと; 大損失 ‖ ***tàke a béating*** (略式) 大敗する.
tàke some [***a lòt of***] ***béating*** (略式) …よりすぐれるのは困難である, …は打ち負かしがたい ‖ Hawaii *takes some beating* as a vacation destination. ハワイは休暇の目的地としては他を寄せつけない[最高だ].

beat·ing-up /bíːtiŋʌ́p/ [名] [U][C] **1** 袋だたき, 打ちのめすこと. **2** 〔紡織〕筬(おさ)打ち.

be·at·i·tude /biːǽtət(j)ùːd/ [名] **1** [U] (正式) 至福; 無上の喜び; 祝福. **2** [the Beatitudes] 〔新約〕幸福に関する章句《キリストが山上の垂訓中で説いた》.

Bea·tles /bíːtlz/ [名] [the ~; 複数扱い] ビートルズ《世界の音楽・風俗に大きな影響を与えた英国のロックグループ. メンバーは John Lennon, Paul McCartney, George Harrison, Ringo Starr. 1970年解散》.

beat·nik /bíːtnik/ [名] [C] (1950年代・60年代初めの)ビート族の人(beat).

Be·a·trice /bíːətrəs | bíətris/ [名] **1** ベアトリーチェ《Dante の理想とした女性》. **2** ベアトリス《女の名》.

beau /bóu/ 『フランス』 [名] ([複] ~s, ~x/-z/) [C] (古) **1** (主に米) 求婚者, 愛人《男性》; (女性への)付添いの男. **2** しゃれ男, だて男.

†beau·te·ous /bjúːtiəs, -tjəs/ [形] (詩) =beautiful.

beau·ti·cian /bjuːtíʃən/ [名] [C] 美容師.

***beau·ti·ful** /bjúːtəfl/ 『→ beauty』 [派] beautifully (副)

——[形] **1** (完璧(ぺき)に) 美しい, きれいな; (心・感覚などを)楽しませる(↔ ugly) (→ pretty, cute, handsome, good-looking, attractive); (道徳的・知的に)立派な ‖ a *beautiful* face [flower] 美しい顔

[花] / Black is *beautiful*. (→ black 形1). **2** (略式) すばらしい, すごい, 見事な(very good); ひどい《◆反語用法》|| 『A *beautiful* [*Beautiful*] shot! ナイスショット《◆他に英語では great, fine, nice などの形容詞を使う》/ *beautiful* weather 快晴 / *Beautiful* soup! なんておいしいスープなんだろう / Rhythmic gymnastics are [(米) is] *beautiful* to watch. 新体操は見てすばらしい(→文法 17.4). **3** [the ~; 名詞的に; 単数扱い][集合名詞的に; 複数扱い] 美しいもの, 美人, 美人たち.
—間 (略式) お見事, でかした.

†**beau·ti·ful·ly** /bjúːtəfli/ 副 **1** 美しく; 立派に; 見事に, とてもよく || She dances *beautifully*. 彼女のダンスは見事です(=She is a *beautiful* dancer.)《◆後者は「美人のダンサー」の意にもなる. →文法 14.7). **2** (略式)[強意語として]実に, 非常に.

beau·ti·fy /bjúːtəfài/ 動 (正式) …を美しく[美化]する;…を飾る || *béautify* oneself 着飾る.

beau·ti·fi·er 名 ◯ 美しくするもの, 化粧品.

***beau·ty** /bjúːti/ [美しい(beau)こと(ty)] 派 beautiful (形)
—名 (複) ~·ties /-z/ **1** Ⓤ 美, 美しさ《◆高貴・愛・不滅・うつろいやすさの象徴》|| a woman of great *beauty* 絶世の美女 / *Beauty* is but (only) *skin deep*. (ことわざ)美貌は皮一重(ﾋﾄｴ); 外面では人柄はわからない, 外面より内面が大事. **2** Ⓒ 美人, 美女; 美しい場所 || *Beauty and the Beast* 『美女と野獣』《童話の題》. **3** (略式) [a ~] きわ立って美しいもの; 見事なもの(文法 14.2); ひどいもの《◆反語用法》|| His new car is a *beauty*. 彼の新車はすばらしい / Your black eye in the fight was a real *beauty*. けんかでできた青目の目のまわりの黒いあざは見事だ. **4** (略式) [the ~] 美点, 長所, 取り柄; 魅力.

béauty còntest 美人コンテスト.

béauty màrk つけぼくろ, ほくろ.

béauty quèen 美人コンテストの優勝者.

béauty sàlon [(米) **shòp,** (主に英) **pàrlor**] 美容院.

béauty slèep [one's ~] 美容・健康のための(夜半前の臨時の)睡眠[仮眠].

béauty spòt (1) 景勝[景観]地. (2) (文) =beauty mark.

beaux /bóuz/『フランス語』名 beau の複数形.
beaux arts /bouzáːr/ [複数扱い] 美術(fine arts).

†**bea·ver** /bíːvər/ 名 **1** Ⓒ 動 ビーバー《◆勤勉な動物とされる》|| *work like a beaver* あくせく働く. **2** Ⓤ その毛皮. **3** Ⓤ (織物) =beaver cloth. **4** Ⓒ (略式) 働き者(eager beaver).

béaver clòth (ビーバーの毛に似た)厚地のラシャ.

Béaver Státe (愛称) [the ~] ビーバー州(→ Oregon).

†**be·came** /bikéim/ 動 become の過去形.

****be·cause** /(強) bikʌ́z, bə-, -kɔ́ːz, -káz, (弱) -kəz | (強) bikɔ́z, bə-, -káz, (弱) -kəz/, (略式) **'cause, 'cos** /(強) káz, (弱) kəz/ [by + cause より]

—接 **1** [副詞節を導いて] **a** [主節で述べられている結果を引き起こした原因を説明して] …だから, …なので; …ばかりに; なぜなら…だから《◆ as, since よりも一般的で最も強意的な語. 対応する前置詞は because of) || I cannot go to work today *because* I am sick. 私は病気なので今日仕事に行けません / *Because* he (had) overslept (╲), he was late for school. 彼は寝過ごしたので学校に遅刻した(=He had overslept, *so* he was late …)《◆(1) 文頭では強勢を受けることが多い. (2) 因果関係が明らかなので時制の一致をしないこともむり. →文法 10.3》《◆対話》"Why aren't you going?" "*Because* I am busy." 「どうして行かないの」「忙しいからです」《◆(1) Why … ? に対する返事は because …を使い, as, since は使わない. (2) 相手の問いが間違っている時には, but で始める: But I ám. いえ, 行きますよ》/ I stayed silent. *It was because* I was angry. 私は黙っていた. それは腹が立っていたからだ.

b (略式) [主節の後で] [主節の内容のことを主張する根拠を述べて] というのは((正式) for) || He was drunk, *because* [(正式) for] he fell off the pier. 彼は酔っ払っていた, というのは(どうしてこのように主張するかというと)桟橋から落ちたからだ.

c [否定語を伴って] …だからといって(…ない)《◆(1) 否定の範囲が because 以下全部に及ぶ点において a と異なる. したがってこの意味では because の前にコンマ[休止]は用いない. (2) because節は just, only, simply, chiefly などの程度を表す副詞で限定されることが多い》|| You should *not* despise a man *júst becáuse* he is poorly dressed. 身なりが貧しいというだけで人を軽蔑(ｹｲﾍﾞﾂ)してはいけない / She dídn't come hóme *because* it was ráining. (╲) 彼女が帰ってきたのは雨が降っていたからではない(ほかに理由があった)《◆She didn't come hóme | *because* it was ráining. (╱)では「雨が降っていたので彼女は家に帰らなかった」》.

語法 (1) (略式) では, because, for なしですますことが多い: I'm sorry I couldn't be there. I was busy. 行けなくてすみません. 忙しかったので.
(2) because を用いるときは I'm sorry I couldn't be there, *because* I was busy. のように言う. ×I'm sorry I couldn't be there. *Because* I was busy. のようにふつう主節と because節を別々にしない.

2 (略式) **a** [the reason と呼応して; 補節に用いて] …ということ((正式) that) || *The reason* (*why*) he is absent is *because* he has a cold. 彼が欠席したのはかぜを引いているからです.

b [just because … で主語に用いて] …ということ(→ just BECAUSE **A** doesn't mean (that) **B**).

***because of A** …の理由で, …の原因で(owing to, on account of, due to) || We changed our plans *because of* her late arrival. 彼女が遅刻したため, 計画を変更した《◆この例では We changed our plans *because* she arrived late. の方が口語的)/ The game was canceled *because of* heavy rain. 大雨のため試合は中止された.

júst becáuse A dóesn't méan (that) B Aだからといって B ではない || *Just because* they resorted to violence *doesn't mean* you have to. 彼らが暴力に訴えたからといって君もそうする必要はない.

beck /bék/ 名 Ⓒ (詩) うなずき(nod); 手招き《◆通例次の句で》|| be at his *béck* and cáll すぐに彼の言いなりになる.

†**beck·on** /békn/ 動 他 **1** (ふつう指で)人などに(自分の近くに[後について]来るよう)合図する, 手招きする(+*in, on*)《◆手のひらを自分の方に向けて人さし指を前後に動かす. (→ CROOK one's finger)》;〈人に〉[…するように]合図する(*to do*) || The teacher *beckoned* me *in* [*back, out, nearer*]. 先生は私に中

に入る[戻る, 外に出る, もっと近くに来る]ように手招きした / The guide *beckoned* us *to* follow him. ガイドは我々にあとについてくるよう合図した. **2** 〈事物が〉〈人などを〉誘う, 招き寄せる(+ *in, on, over*) ‖ The smell of bread *beckoned* the hungry boy. パンのにおいに誘われて空腹の少年がやって来た. ― 自 〔…に〕合図する, 手招きする〔*to*〕.

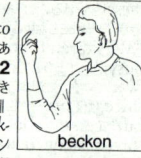

Beck·y /béki/ 名 ベッキー《女の名. Rebecca の愛称》.

be·cloud /bikláud/ 動 他 (正式) **1** …を雲で覆う; 曇らせる. **2** …を隠す, 混乱させる(confuse).

***be·come** /bikʌ́m, bə-/ 〖*be* の動作形(→ *get*)〗
― 動 (~s/-z/; 過去 --came/-kéim/, 過分 --come; --com·ing)
― 自 [*become* C] 〈人・動物・物・事が〉Cの状態になる《◆(1) C は名詞・形容詞・過去分詞. (2) *get* より堅い語で, *get* は一時的, *become* は永続的状態を表す》‖ He *became* king [a teacher]. 彼は王[先生]になった / She *became* [got] sick [wiser]. 彼女は病気になった[前より賢くなった]《◆永続的状態を表す場合は(略式)でも *become*: She *became* [˟got] famous. 彼女は有名になった》/ The truth will never *become* known to them. 真相は決して彼らに知られないだろう / He has *become* increasingly popular among the students. 彼は学生間でますます人気が出てきた《◆ *increasingly, more and more* などと連語になることが多い》/ I want to *become* [be] a teacher. 先生になりたい《◆「(これから)…になる」の意では be と交換可能》.

> 語法 (1) He will *become* [be] a good doctor. (いい医者になる[でしょう])では, be ではもともとその素質があることを, *become* では今の素質のないことを意含する.
> (2) ˟become to do は不可: She learned [˟became] to swim. 彼女は泳げるようになった / She came [got, ˟became] to know the fact. 彼女は事実を知るに至った.

― 他 **1** (やや文)〈衣服・髪形などが〉〈人〉に似合う《◆ suit より堅い語.「衣服の大きさが人に合う」は fit》‖ Your new dress *becomes* you very well [much]. 君の新しいドレスはとても似合っています(= Your new dress is very *becoming* on you.). **2** (正式) [通例否定文で]〈言動などが〉〈人〉にふさわしい ‖ It does not *become* you to grumble. ぶつぶつ言うのは君らしくない(=(略式) It's not like you to grumble.)《◆ it is to do 以下を受ける形式主語》.

***become of A** [通例 what, whatever を主語として; 心配・困惑を表す] …はどうなるのか ‖ *What* has *become of* him? 彼はどうなったのだろう(= What (has) happened to him?) ; (略式)彼はどこへ行ったのか / *Whatever* will *become of* his wife if he does not return? 彼が戻らなかったら奥さんはいったいどうなるだろうか.

†**be·com·ing** /bikʌ́miŋ, bə-/ 形 (やや古) **1** 〈服装などが〉〔…に〕よく似合う(suitable)〔*on, to*〕‖ Red *is* very *becoming on* you. 赤い服は君によく似合う《◆ Red looks very good on you. がふつう》. **2** 〈言動などが〉〔…に〕ふさわしい〔*to, for*〕‖ conduct (which is) *becoming for* a gentleman 紳士にふさわしい行為.

be·com·ing·ly /bikʌ́miŋli, bə-/ 副 (英では少やや古) ふさわしく; 上品に ‖ *becomingly* modest 上品につつましい.

***bed** /béd/
― 名 (複 ~s/bédz/) **1** ⓒ ベッド, 寝台; Ⓤ 就寝(時間) ‖ 対話 "It's time for *bed*." "Let's stop working and *go to bed*, shall we?"「寝る時間です」「仕事はここでやめて, 寝ることにしましょうか」(➡文法 16.3(6)) / *get out of bed* 起床する / *lie down on the bed* ベッドに横になる.

> 事情 *bed* の幅は single, double の順に広くなる. 長さは standard を基準に queen-sized, king-sized となる. ベッドの頭の方を head, 足の方を foot という.

> 関連 [いろいろな種類の *bed*]
> bunk *bed* 2段ベッド / camp *bed* (キャンプ用)折りたたみ寝台 / double *bed* ダブルベッド / hospital *bed* 病院用ベッド / single *bed* シングルベッド / sofa *bed* ソファーベッド / twin *bed* ツインベッド / water *bed* ウォーターベッド.

2 a ⓒ 寝所; 休息所. **b** ⓒ 結婚の床; (略式)性的関係. **3** ⓒ 土台, 基礎(foundation). **4** ⓒ 苗床; 花壇 ‖ a tulip *bed* = a *bed* of tulips チューリップの花壇. **5** ⓒ 川床, 湖底, 海底; (カキなどの)養殖場. **6** ⓒ (貝・鉱物などを含む)岩床, 鉱床; (鉄道の)路盤, 道床.

béd and bóard (1) 宿泊と食事. (2) 結婚生活, 夫婦関係.
béd and bréakfast (もと英式) = B & B.
be in béd with A 〈人〉と協力する.
die in one's béd 寿命で[畳の上で]死ぬ; 病気で死ぬ.
gèt úp on the wrong síde of the béd = (英)
gèt óut of béd (on) the wrong síde (略式)寝起きが悪い, 不機嫌である.
gó to béd (1) → 名 1. (2) (略式) 〔異性と〕寝る, 性交する〔*with*〕.
in béd 寝床で; (略式)性行為をして.
máke a [one's] béd **= máke the béd(s)** ベッドを整える[片づける]; 床をとる.
pút A to béd (1) 〈子供・病人など〉を寝かしつける. (2) 〈組版〉を印刷機に組み付ける.
táke [kéep] to one's béd 病床につく.

― 動 (過去・過分 *bedded*/-id/; *bed·ding*) 他 **1** …に寝床を与える; …を寝かす, 寝かしつける(+ *down*). **2** (やや古)…と(ゆきずりの)性交をする. **3** 〈大型銃などをしっかりと固定する; 〈機械など〉をはめ込む(+ *in*). **4** …を花壇[苗床]に植える, 移植する(+ *out, in*).

béd dówn (略式) 自 床に合わせのベッドで寝る.
― 他 〈人・馬など〉に眠れるように寝床を作ってやる.
béd chàir = chair bed.
béd linen [集合名詞的に] シーツと枕カバー.
béd rèst ベッドでの長期療養.

be·daub /bidɔ́:b/ 動 他 …を〔(ペンキなどで)塗り[飾り]立てる; …を〔泥などで〕汚す〔*with*〕.
be·daz·zle /bidǽzl/ 動 他 [通例 be ~d] 〈人〉が〔…に〕眩惑(ぜんわく)される, 目がくらむ〔*by*〕.
bed·bug /bédbʌ̀g/ 名 Ⓤ 〖昆虫〗トコジラミ(類).

†**bed·clothes** /bédklòuz, -klòuðz/ [名] [複数扱い] 寝具《毛布とシーツ》.
bed·cov·er /bédkʌ̀vər/ [名] =bedspread.
†**bed·ding** /bédiŋ/ [名][U] **1** =bedclothes. **2** (牛馬の)寝わら. **3** 〔建築〕土台, 基礎. **4** 〔地質〕成層, 層理.
bed·dy-bye /bédibài/ [名][C] (子供に対して) おやすみ.
be·deck /bidék/ [動][他] (文) [be ~ed] 〈人・物が〉〔宝石・花などで〕(ごてごてと)飾られる〔*with, in*〕.
be·dev·il /bidévl/ [動] ([過去・過分] ~ed or (英) --dev·illed; ~·ing or (英) --il·ling) [他] (正式) **1** 〈悪魔などが〉…にとりつく; …を苦しませる, 悩ませる ‖ Misfortune *bedeviled* his family. =His family was *bedeviled* by misfortune. 彼の一家はさんざん不幸に見舞われた. **2** …を混乱させる. **3** …を堕落させる, 台なしにする.
bed·fel·low /bédfèlou/ [名][C] **1** 寝床を共にする人. **2** (便宜上の一時的な) 協力者.
Bed·ford·shire /bédfərdʃiər | -ʃə/ [名] ベッドフォードシャー《イングランド中部の州. [略] Beds.》.
bed·lam /bédləm/ [名][U] (略式) 大騒ぎ; [a ~] (騒々しい) 混乱の場所.
bed·lamp /bédlæ̀mp/ [名][C] 枕元のランプ.
bed·mak·ing /bédmèikiŋ/ [名][U] ベッドを整えること, ベッドメーキング.
Bed·ou·in, --u·in /béduin, (米+) bédwin/ [名] [時に b~] ([複] ~s, [集合名詞] Bed·ou·in) [C][形] ベドウィン(の)《アラブ系遊牧民》; (一般に) 遊牧民(の); 放浪者(の).
bed·pan /bédpæ̀n/ [名][C] (病人用) 差し込み便器.
bed·post /bédpòust/ [名][C] (旧式寝台の四すみの) 寝台支柱.
be·drag·gled /bidrǽgld/ [形] (正式) 〈衣服などが〉しわくちゃになった, 引きずって汚れた; ぬれた, 汚くなった.
bed·rid·den /bédrìdn/ [形] (病気・老齢で) 寝たきりの.
bed·rock /bédrɑ̀k | -rɔ̀k/ [名][U] **1** 〔地質〕基盤, (最下層の) 岩盤, 岩床. **2** [比喩的に] 基盤, 基礎; 最低, 底; 基本原則; 基本的事実 ‖ 「*get down to* [*reach*] *bedrock* (略式) 真相[本質]をつく.
bédrock price 底値.
bed·roll /bédròul/ [名][C] (米) (携帯用に) 巻いた寝具, 寝袋.
*__bed·room__ /bédrù:m, -rùm/
—[名] ([複] ~s/-z/) [C] **1 寝室**《◆(1) 英米の一戸建て住宅ではふつう2階にある. → upstairs [副]**1**. (2) 夫婦の寝室は master [main] bedroom ともいう. 「子供[勉強]部屋」は単に bedroom とする》‖ The twin brothers share one *bedroom*. その双子の兄弟は1つの寝室を共同で使っている. **2** =bedroom suburb.
—[形] [名詞の前で] **1** (米) ベッドタウンの; 通勤者が住む. **2** 情事[セックス]を扱った ‖ a *bedroom* comedy お色気喜劇.
bédroom scène ベッドシーン《◆ ×bed scene は誤り》.
bédroom slipper [通例 -s] 寝室用上ばき[部屋ばき], スリッパ.
bédroom sùburb(s) [commùnity] (米) ベッドタウン((英) dormitory suburb [town])《◆ ×bed town は誤り》.
†**bed·side** /bédsàid/ [名][C] [通例 a/the ~] [形] 寝台のそば(の); (病人の) 枕もと(の) ‖ I sat at [by] the patient's *bedside*. 私は患者を病床に見舞った / a *bedside* lamp 枕もとのランプ / a *bedside* table ナイトテーブル / a *bedside* book 就寝前に読む本.
bédside mánner(s) ベッドサイドマナー《医者が患者に接する態度》.
bed·sit(·ter) /bédsìtər/ [名][C] (英略式) =bed-sitting room.
béd-sít·ting ròom /bédsítiŋ-/ (英正式) (1 DK 程度の) 貸間, ワンルームマンション((主に米) studio apartment); 寝室・居間兼用の部屋.
bed·sore /bédsɔ̀:r/ [名][C] (病人の) 床ずれ.
bed·space /bédspèis/ [名][U] (ホテル・病院などの) ベッド数.
bed·spread /bédsprèd/ [名][C] (装飾的な) ベッドカバー.
†**bed·stead** /bédstèd/ [名][C] 寝台の骨組.
†**bed·time** /bédtàim/ [名] **1** [U] 就寝時間. **2** [形容詞的に] 〈話・食事などが〉寝る前の ‖ a *bedtime* story (子供を寝かしつける時にする) おとぎ話.
Bed·u·in /béduin/ [名][形] =Bedouin.
bed·wet·ting /bédwètiŋ/ [名][U] (子供の) おねしょ.
*__bee__ /bí:/ ([同音] △be)
—[名] ([複] ~s/-z/) [C] **1 ミツバチ**(honeybee); (広義) ハチ《◆ ハチが巣にこもれば雨, 飛びまわれば晴れといわれる》‖ a queen [worker] *bee* 女王[働き]バチ / A *bee* stung me on the forehead. ミツバチが私の額を刺した. [関連] hornet スズメバチ《英国では最も大型》/ wasp ジガバチ. **2** 勤勉な働き者 ‖ He's a busy *bee*. (略式) 彼は働き者だ. **3** (主に米) (共同作業・遊びなどの) 集まり, 寄合い ‖ She will win the *spelling bee*. 彼女がつづり字競技に勝つだろう.
(as) búsy as a bée [bées] (略式) 非常に忙しい.
have a bée in** one's **bónnet (略式) 〔…について〕そのことばかり考えている, 気が変になっている〔*about*〕.
†**beech** /bí:tʃ/ ([同音] beach) [名] **1** [C] 〔植〕ブナ (beech tree)《◆ 堂々たる景観を呈する巨木. この木の板に文字を書いたので本・文書の象徴となった(→ book)》. **2** [U] ブナ材.
*__beef__ /bí:f/ 〖「牛」が原義. cf. pork〗

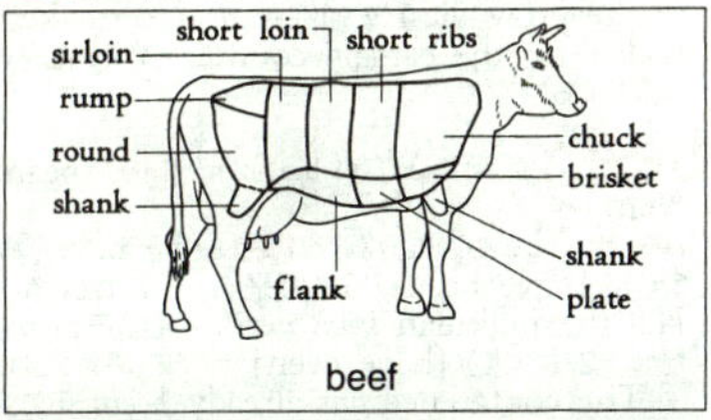

beef

—[名] ([複] ~s/-s/; **2** では beeves/bí:vz/, (米では主に) ~s) **1** [U] **牛肉** ‖ Buddhist priests don't eat *beef*. 僧は牛肉を食べません《◆(1) 英米では日本のような薄い切身は売っていない. (2) 等級は prime (最上級), choice (上級), good (中級), standard (並み). (3) 動物と肉の関係は → meat [関連]》; [合成語で] …肉 ‖ corned *beef* コーンビーフ / horse *beef* 馬肉. **2** [C] [通例 beeves, (米) ~s (集合名詞 ~)] =*beef* cattle《主に ox》; (1頭分の) 牛肉. **3** [C][U] (略式) 不満, 文句 ‖ I've got a *beef* about it. それには不満がある.
Whére's the béef? (米略式) 真意は何ですか, 何が言いたいのですか.
—[動][自] (略式) 〔…のことで〕ぶつぶつ文句を言う〔*about*〕.
béef úp [他] (略式) 〈組織・法律など〉を強化[増強]する.
béef càttle [集合名詞的に; 複数扱い] 肉牛《◆ 乳

B

béef consommé 牛肉のコンソメ.
béef filet 牛ヒレ肉.
béef jèrky 《米》ビーフジャーキー《保存用乾燥牛肉》.
béef lìver 牛のレバー.
beef pótpie 牛肉の温かいパイ.
Béef Státe《愛称》[the ~] 牛肉州 (→ Nebraska).
béef stèw ビーフシチュー.
béef téa《主に病人用の》牛肉スープ; 牛肉エキスの汁.
beef·burg·er /bíːfbə̀ːrɡər/ 名UC ビーフバーガー.
beef·eat·er /bíːfìːtər/ 名C 1 牛肉を食べる人; ひどく肥えた人. 2《通例 B~》ビーフイーター《ロンドン塔の護衛兵》.
beef·steak /bíːfstèik/ 名CU ビーフステーキ《用の厚切り肉》《◆ 単に steak ともいう》.

> 関連 (1) 最も美味とされるのは sirloin, porterhouse, T-bone, filet mignon など.
> (2) 焼き方には rare, medium rare, medium, medium well-done, well-done の5段階があり, レストランで "How do you like your steak(, sir)?" と聞かれたら rare, medium, well-done のいずれかで答えるのがふつう.

beef·y /bíːfi/ 形 (--i·er, --i·est) 1 牛肉の(ような). 2《略式》筋骨たくましい; でっぷり肥えた.
bee·hive /bíːhàiv/ 名C 1 ミツバチの巣(箱); [集合名詞] ミツバチの群れ. 2 人が群がる場所, 繁華街, 盛り場; 活動の中心地.
Béehive Státe《愛称》[the ~] ハチの巣州 (→ Utah).
bee·keep·er /bíːkìːpər/ 名C ミツバチを飼う人, 養蜂家(ようほうか).
bee·keep·ing /bíːkìːpiŋ/ 名U 養蜂 (apiculture).
bee·line /bíːlàin/ 名C《米》一直線, 最短距離 (cf. as the crow flies)《◆ 通例次の句で》‖ make a beeline for the bargain counter《略式》特売場へ直行する.

‡**been** /(弱) bin; (強) bíːn | bíːn/《同音》△bean, △bin)
—動 助 be の過去分詞形《語法》→ be; have 動).
1《英》[have been]《すでに》来ている, 訪れている ‖ Has the milkman *been* yet? 牛乳配達はもう来たか. 2《主に英》[have been]《すでに》終わっている ‖ The conference has already *been*, sir. 会議はもう終了いたしました. 3 [have been to **A**] → have 動 成句. 4 [have been in **A**] → have 動 成句.
beep /bíːp/ 名CU 自他《警笛・ブザーなどの》ビーッという音(を発する[鳴らす]). **béep·er** 名C《主に米》ポケットベル, ポケベル (pager).
†**beer** /bíər/《同音》bier) 名C 1a C ビール《日本語の「ビール」はドイツ語またはオランダ語から》‖ order a quart [pint, half pint, bottle] of *beer* ビールを 1クォート[1パイント, 半パイント, 1本]注文する / can [bottle] *beer* 缶[びん]ビール / black [dark] *beer* 黒ビール. **b** C [注文する場合に] ビール(グラス)1杯[1本, ひと缶]‖ I *feel* like a *beer*. ビールを1杯飲みたい / Two *beers*, please. ビール2本ください《◆ この文脈では some beer は不可》.

> 事情 (1) 英米とも家庭ではあまり飲む習慣がなく, 英国の場合は pub, club で飲むか.
> (2) 種類: lager, ale, stout《この順に強くなる. 日本・米国の beer はたいてい lager 級. stout は black beer の一種》/ bitter《英》ビター (→ bitter beer) / light beer 弱いビール / double beer 強いビール / draft [《英》draught] beer (=beer on draft) 生ビール / bottled beer びん詰めビール / canned beer 缶ビール.
> (3) 容器: beer barrel ビアだる / beer bottle ビールびん / glass コップ / jug ジョッキ / mug ジョッキ型カップ / tankard ふた付きジョッキ《◆ cup はふつう用いない》.

2 U [合成語で]《アルコール分に関係なく》発泡飲料 (→ ginger beer).
béer bélly 《gút》《略式》太鼓腹(の男).
béer gàrden《ビール会社などの》ビアガーデン.
béer hàll《米》ビアホール(《英》beerhouse, 《カナダ》beer parlor).
béer mòney《夫の》ポケットマネー.
beer·house /bíərhàus/ 名C《英》ビアホール, ビール店.
beer·y /bíəri/ 形 (--i·er, --i·est)《略式》ビールの(ような); ビールに酔った; ビール臭い.
bees·wax /bíːzwæks/ 名U みつろう(を塗る).
†**beet** /bíːt/《同音》beat) 名C【植】ビート, ビーツ; C U《米》《食用の》ビートの根《《英》beetroot》‖ the red *beet*《食用》ビート, カエンサイ《サラダ・スープなどに用いる》/ the white [sugar] *beet* サトウダイコン, 甜菜(てんさい) / (as) red as a *beet*《略式》《人・ほほなど》がビートのように赤く[い]. **béet sùgar** 甜菜糖《sugar beet から取った砂糖, cf. cane sugar》.
†**Bee·tho·ven** /béitouvn | -θòuvn/ 名 ベートーベン《Ludwig van/lúːdwiɡ væn/ ~ 1770-1827; ドイツの作曲家》.
†**bee·tle** /bíːtl/ 名C【昆虫】甲虫《クワガタムシなど》;《略式》《一般に》甲虫に似た虫 ‖ a long-horned *beetle* カミキリムシ / a stag *beetle* クワガタムシ.
(as) *blínd as a béetle* → blind 形 1 用例.
bee·tle-browed /bíːtlbràud/ 形 1 眉毛(まゆげ)の太い, 毛虫眉毛の. 2 しかめっつらの, むっつりした.
beet·root /bíːtrùːt/ 名C《主に英》ビートの根(《米》beet).
beeves /bíːvz/ 名 beef 2 の複数形.
†**be·fall** /bifɔ́ːl/ 動 (過去) --fell, (過分) --fall·en)《正式》他《不幸などが》《人に》起こる《◆ 受身不可》.
—自《不幸などが》《人に》起こる, 降りかかる《to》.
†**be·fit** /bifít/ 動 (過去·過分) --fit·ted/-id/; --fit·ting) 他《正式》[しばしば it befits **A** to do]〈…するのが〉〈人に〉ふさわしい, 適する (be proper).
be·fit·ting 形 適当な, ふさわしい.

‡**be·fore** /bifɔ́ːr, bə-/ 副 前 接 -/《元来,「前に」という副詞であったが, 逐次前置詞さらに接続詞の用法が生じた. 本来は静止したものについて用いるが, 今日ではむしろ動くものの前後, さらに時の順序を表す》

> index
> 副 1 以前に 2 その…前に
> 前 1 …よりも前に 2 …の前に
> 接 1 …する前に

—副 **1** [時間] [過去·現在完了時制で] (今より)前に, **以前に**, 今まで(に) ‖ *lóng befòre* とっくの昔に (=a long time earlier) / I have seen you somewhere *before*. (現在を基準にして)以前どこかであなたに出会ったことがある《◆ 《現在から見て》具体的に何年前という場合は I saw you somewhere 「three years *ago* [×three years before, ×before three

beforehand

years, ×three years earlier]. のようにいう).
2 [過去完了時制で; 期間を表す語(名詞･副詞)を前に置いて] その…前に[=→ ～ ago 語法(2)] ‖ He gave Betty a brooch he had bought [*the day before* [the previous day]. 彼は前の日に買ったブローチをベティにプレゼントした(→文法 10.1) / We were introduced to Meg at the meeting, but I had met her *two years before* [earlier, previously]. ぼくたちはその会議でメグに紹介されたが、ぼくはその2年前に彼女に会ったことがあった.
3 (決められたある時より)前に, 早く(earlier) ‖ You should have come home *before*. 君はもっと早く帰るべきだった.

―― 前 **1** [時間] **a** …よりも前に[先に, 早く](↔ after) ‖ *before* dark 日が暮れないうちに / (on) *the day before yesterday* 一昨日 (◆(米)ではしばしば the もしばしば略す) / (in) the May *before* last 一昨年の5月 (◆(英)ではしばしば in をつける) / I haven't been here *before* now. 今までにここへ来たことがない / I thought his offer over *before* giving my reply. 返事をする前に彼の申し出をよく考えた / He got home *before* [×till] 5 o'clock 彼は5時前に帰った / ジョーク "Where does Friday come *before* Tuesday?" "In the dictionary." 「火曜日より金曜日が先に来るのはどこ?」「辞書の中」 **b** (米) (…分)前に(to, (米式) of) ‖ five *before* ten 10時5分前(=five to ten).

> 使い分け [**in front of** と **before**]
> in front of は空間的に「前に」
> before は空間的および時間的に「前に」
> I had to explain myself *in front of* [*before*] the whole class. 私はクラス全員の前で説明しなければならなかった.
> *Before* [×In front of] starting, let's list the things we have to do. 始める前にしなければならないことをリストにしよう.

> 語法 [**before** と **until**]
> (1) ✓ before は漠然と「…前に」の意を表すだけだが, until は「…まで(ずっと)」の意味で継続を表す動詞と共に用い, 一回性の動詞とは用いない.
> (2) 否定文では両者とも可能だが意味内容に差異がある. He didn't come home *before* [until] midnight. で, before は「真夜中前には帰らなかった→真夜中以後に帰った(いつ帰ったかは不明)」の意だが, until は「真夜中まで帰らなかった→ちょうど真夜中に帰って来た」ことを表す(by との差異については → by **13**).

2 [位置] **a** [しばしば比喩的に] …の前に, …に直面して(◆建物･無生物などの具体的な前位置はふつう in front of を用いる) (↔ behind) ‖ *before* mỳ véry éyes まさに私の面前で, 公然と / bow *before* authority 権力に屈服する / A good idea flashed *before* my mind. よい考えがぱっと頭に浮かんだ / A bright future lies *before* us. =We have a bright future *before* us. 我々の前途には輝かしい未来がある / They had the whole day *before* them. 彼らはまる1日を自由に使えた. **b** [(正式)(裁判官など)の面前に] [(審議･考慮などのために)…の前に] ‖ swear *before* God 神に誓う / appear *before* a judge 裁判官の前に出頭する / the problem *before* us 我々が直面する問題 / The question is be-

befriend

fore the committee. その問題は委員会にかけられている.
3 [順位･優先･選択] …より前に[先]に; (正式) …に優先して, よりまさって; …よりむしろ ‖ His name *comes before* mine on the list. リストで彼の名前は私より前にある / I would die *before* leaving you. 君と別れるぐらいなら死んだほうがましです(=I would *rather* die *than* leave you. → 接 **2**) / He puts his family *before* everything else. 彼は何よりも家庭を最優先する[家庭第一主義です].
befóre áll (**things**) = **before éverything** [副] 何よりも, とりわけ.
befóre lóng [副] まもなく(soon, presently, (文) by and by) ‖ She will be back *before long*. 彼女はほどなく戻るでしょう.
before or since あとでも先にも.

―― 接 **1** …する前に, …しないうちに ‖ I'll finish it *before* you come [×will come, ×are coming] home. あなたが帰る前にそれをすませておきます(◆未来のことであっても現在形を用いる. また節中で進行形は不可. → 文法 4.1(4)) / He got [had gotten] up *before* the sun rose. 彼は日の出前に起きた (◆ *before* で前後関係が明らかなので, 主節は過去完了を過去形で代用することが多い. → 文法 10.1) / She left home long [ten minutes] *before* I called her. 彼女は私が電話するずっと[10分]前に家を出ていた(◆時間の開きは before の直前に long や具体的な数値を置く) / *Before* you gó (↗) I must tell you something. 君が行く[出かける]前に言っておきたいことがあります(◆文頭では強勢を受けることが多い) / It was a week *before* [until, till] she got well. 彼女は1週間してようやく回復した(=She got well *after* a week.) / *It will be* five years *before* [until, till] I see you again. 今度あなたにお会いするのは5年先でしょう(=I will see you again in five years.) / *Hardly had I left before* the fight started. (文) 私が立ち去ったとたんにけんかが始まった. (→文法 23.3(2)) (=As soon as I left, the fight started.) / She had not been employed five months *before* she was fired. 彼女は雇われて5か月もしないうちにくびになった (◆ not の代わりに hardly を用いると「5か月たつかたたないうちに」の意).
2 [will, would と共に] …するよりはむしろ(rather than) (◆(1) before 節内の(助)動詞は現在形か will, would, should が用いられる. (2) before 節は否定形は不可) ‖ I *would* die *before* I give [would give] in. 降参するぐらいなら死んだ方がましだ.
3 [形容詞節を導いて] …する前の ‖ I was born (in) the year *before* World War II came to an end. 私は第二次世界大戦の終戦の前年に生まれた.

befóre one **has fínished** 遅かれ早かれ, いつかは (sooner or later) (◆(1) 未来のことであっても現在完了形で用いる. (2) しばしば非難･譴責(けんせき)を表す).
befóre one **knóws it** → know.
*it is nót lóng befòre … ほどなく…, すぐに… (soon) ‖ It will *not be long before* the patient gets [×will get] well. まもなく患者は回復するでしょう (→文法 4.1(4)).

✝**be·fore·hand** /bifɔ́ːrhænd, bə‑/ [副][形] あらかじめ, かねてからの(in advance) (↔ afterward) ‖ *be beforehand with* … …にあらかじめ備える, 先んじる.
✝**be·friend** /bifrénd/ [動] (他) (正式) 〈困っている人〉の友[味方]として力を貸す[助ける].

be·fud·dle /bifʌ́dl/ 動 他 **1** …を[…で]混乱[困惑]させる〔with〕. **2** (酒などで)…の正体を失わせる.

***beg** /bég/ [類音] **big** /bíg/] [「「施しを請う」が原義] 派 beggar (名)

——動 (~s/-z/; 過去·過分 **begged**/-d/; **beg·ging**)
——他 **1** [正式] [beg **A** to do / beg (**A**) that節] 〈人が〉…することを願う〔♦ ask より堅い語で, request よりくだけた語〕‖ I **beg** you **to** behave well. =I **beg** that you (should) [may]) behave well. どうか行儀よくしてください〔♦ (1) I **beg** (from, [正式] of) you that … も可. (2) should [may] を用いるのは(主に英). ⇒文法 9.3〕/ I **begged** him **to** leave. 私は彼にどこかに行ってくれと頼んだ〔♦ 主語が不定詞の意味上の主語となって「私は彼に帰ってくださいとお願いした」の意味にもなる. ⇒文法 11.4(1)〕/ I **beg** you not **to** follow me [around]. お願いだからぼくにつきまとわないでくれ / She **begged to** ride a bicycle. =She **begged** that she might ride a bicycle. 彼女は自転車に乗りたいとせがんだ / I **beg to** inform you that … (商業文)…の旨謹んでお知らせします. → differ **2**.
2 a 〈人が〉〈衣食·金·許可·恩恵などを〉(熱心に)請う, 頼む, 懇願する ‖ **beg** one's bread 食べ物を請う, 乞食をする〔♦ ask [beg] for one's bread の方がふつう〕/ **beg** one's life 命乞いをする / I **beg** pardon [leave] to say … 失礼ですが…と申し上げます. **b** [beg **A** from (略式, [正式] of] **B** =**beg B** for **A**] 〈人が〉**B**〈人〉に**A**〈物〉を求める〔♦ **beg B A** は不可〕‖ **beg** money **from** him =**beg** him **for** money 彼に金を無心する / May I **beg** a favor **of** you? お願いがあります〔♦ *I beg you a favor. は不可〕.
3 〈犬が〉ちんちんする ‖ **Beg**! ちんちん.

——自 **1** 〈人が〉施しを請う; 乞食をする; 〔…を/人に〕求める, 請う[for/from] ‖ **beg for** mercy **from** passersby 通行人に慈悲を乞う / **beg from** door **to** door 1軒ずつ物乞いして歩く / The child is always **begging** for pocket money. その子はいつもこづかいをねだってばかりいる / a **begging** letter 無心の手紙.
2 [正式] [beg of **A** to do] 〈人が〉**A**〈人〉に…してくれと請う[頼む] ‖ I **beg** of you to go there. どうぞそこへ行ってください〔♦ I **beg** you to go … より堅くて強い表現〕.
3 〈犬が〉ちんちんする ‖ **Beg**! ちんちん.

bég óff 自 (約束·義務などを) 言い訳して断る.
——他 〈人〉を〔義務·罰などから〕免除するよう頼む〔from〕.
gó bégging (略式·やや古) (1) 〈人が〉物乞いして歩く. (2) 〈物が〉持ち主[欲しい人]がいない; 〈物·事が〉手もつけられずにいる.

***(I) beg your pardon.** → pardon 名.

†**be·gan** /bigǽn/ 動 begin の過去形.

†**be·get** /bigét/ 動 (過去 --**got** or (古) --**gat**, 過分 --**got·ten**, --**get·ting**) (文) 〈事が〉〈好ましくないもの〉を生む; …の原因となる ‖ Fear **begets** fear. 恐怖が恐怖を呼ぶ.

†**beg·gar** /bégər/ 名 © **1** こじき (beggar man [woman]) ‖ die a **beggar** のたれ死にする / **Beggars** can't [must not] **be choosers**. (略式) (ことわざ) 物もらいには好みは禁物 / Once a **beggar**, always a **beggar**. こじきは3日はやめられない. **2** (慈善などの) 寄付募集者 ‖ a good **beggar** 寄付集めがうまい人. **3** 貧乏人, 貧困者. **4** (略式) 〔人·動物を指して〕 やつ; 皮肉に〕 ‖ You lucky [poor]

beggar! 何て運のいい[かわいそうな]やつだ.
——動 他 [正式] 〈人〉を貧乏にする, 破滅させる.

beg·gar·ly /bégərli/ 形 [正式] こじきのような, ひどく貧しい; わずかばかりの, 申し訳程度の.

beg·gar·y /bégəri/ 名 ① 極貧; こじきの身分.

***be·gin** /bigín/ [「「運動や過程を始める」が本義] 派 beginner (名), beginning (名)
——動 (~s/-z/; 過去 **be·gan**/-gǽn/, 過分 **be·gun**/-gʌ́n/; --**gin·ning**)
——他 **1** 〈人·物·事が〉〈物·事〉を**始める**, …に取りかかる; …を創始する 〈人·物·事が〉…し始める〔♦ to do or begin doing〕〈人·物·事が〉…し始める〔♦ to do を伴うことが多い. → 語法〕‖ **begin** a new business 新商売を始める / the quotation that **begins** this book この本の初めの引用文 / She **began** ⎡**to** run [**runn***ing*]. 彼女は走りだした / There **began** to be a discussion. 討論が始まった.

> **語法** [**begin to do** と **begin doing**]
> (1) 主語が物の場合には to do が好まれる: Prices **began** to increase. 物価が上がり始めた.
> (2) to do は feel, think, realize, see, understand, taste などの認識·理解を意味する動詞の場合に用いられる: I **began** ⎡to feel [*×*feeling] tired. 疲れを感じ始めた.
> (3) 進行形に続く時には口調上 to do が好まれ, doing はふつう用いない: It is **beginning** to rain. 雨が降りかけている[降り出しそうだ].
> (4) to **begin** は doing を用いる: I want to **begin** discussing the matter right now. その件について今すぐ討論したい.

2 [not begin to do] (略式) 〈人·事が〉まったく…しない; …するどころではない ‖ He doesn't **begin to** speak English. (↷) 彼は英語のエの字もしゃべれない / My cooking can't **begin to** compare with hers. (↷) 料理では彼女にかなわない.

——自 **1** 〈事が〉**始まる**; 〈人が〉始める, 着手する; 言い出す ‖ **begin** ⎡**at** nine [**on** Sunday, **on** the first of December, **in** March, **in** 2006] 9時 [日曜日, 12月1日, 3月, 2006年] から始まる 〔♦ **from** は用いない〕/ **begin at** [(米) **on**, *×***from**] page five, line ten =**begin with** line ten, page five 5ページの10行目から始める / **begin** at the wrong end 第一歩を誤る / He **began on** a new thesis. 彼は新しい論文に着手した〔♦ 対象が仕事の場合は on〕/ The policeman **began** [started] **by** asking my name. 警官はまず私の名を尋ねた / The service **began with** a prayer. 礼拝はお祈りから始まった / What [Which] shall I **begin** with? 何[どれ]から始めようか / If you are ready, let's **begin**. 用意ができたなら, さあ始めましょう. **2** 〈人が〉〔…として〕出発する[as] ‖ **begin as** a teacher 最初は教師として出発する (=**begin** life as …). **3** 〈事が〉起こる. 生じる. 成立する.

***to begin with** 〔♦ **to start with** の方が口語的〕
⇒文法 11.3(3) (1) [通例文頭で] (理由をあげて) まず第一に ‖ **To begin with** (↷) he is inexperienced; secondly (↷) he is unreliable. 第一に彼は経験が浅いし, 第二に信用できない. (2) [文頭·文尾で] 最初(のうち)で[は] (at first); [元] から.

†**be·gin·ner** /bigínər/ 名 © **1** 初学者, 初心者 ‖ a book for **beginners** 初心者向けの本 (=a **begin-**

ner's book / beginner's luck（賭け事などで）初心者によくある幸運. **2** 創始者, 創立者.

be·gin·ning /bigíniŋ/ [→ begin]
—名（複）~s/-z/) **1** ⓒ 始め, 最初(の部分)(↔ end); (物・事を)引き起こしもの, 生み出すもと ‖ *at [in] the beginning of* April 4月の初めに / *in the beginning* (まず)手始めに, 最初に / *from the beginning* 始めから / ◆対話 "How was the lecture yesterday?" "It was boring *from beginning to end*." 「きのうの講演はどうでした」「初めから終わりまで退屈だったよ」◆ この場合は無冠詞. ➡文法 16.3(3) / make a good [bad] *beginning* / *start at the beginning* 最初から始める / Curiosity is the *beginning* of knowledge. 好奇心が知識のもとである. **2** ⓒ [通例 ~s; 単数扱い] 初期, きざし; 起源, 起こり; 幼少のころ ‖ the *beginnings* of medical science 医学の初期 / the *beginning* of the end 結末のきざし, 不幸を予見するきざし / rise from small [humble, modest] *beginnings* 卑賤(ᵭᵻ)な身分から身を起こす. **3** [形容詞的に] 最初の; 初歩の, 基礎の ‖ *beginning* philosophy 基礎哲学 / a *beginning* teacher 新米教師.

be·go·ni·a /bigóunjə/ 名 ⓒ [植] ベゴニア, シュウカイドウ.

be·got /bigát | -gɔ́t/ 動 beget の過去形.

be·got·ten /bigátn | -gɔ́tn/ 動 beget の過去分詞形.

be·grudge /bigrʌ́dʒ/ 動 ⑯ [正式] 1 …をしぶしぶ与える[認める]. **2** …をねたむ.

be·grudg·ing /bigrʌ́dʒiŋ/ 形 [正式] しぶしぶの, 気のすすまない.

†**be·guile** /bigáil/ 動 ⑯ [正式] **1** …を迷わす, 欺く(deceive); (人)をだまして(…に)させる(into). **2** …を〔人から〕だまし取る(cheat) (of, out of). **3** 〔…で〕(人など)を魅了する; (気晴らしに)楽しませる, 慰める; (時間を)〔…で〕紛らす(+away)(with, by) ‖ The tourists were all *beguiled* by the beauty of the lake. 観光客はみんな湖の美しさに見とれた.
be·guíl·ing 形 魅力的な, 面白い.

†**be·gun** /bigʌ́n/ 動 begin の過去分詞形.

†**be·half** /biháf | -háːf/ 名 ⓤ 味方, 支持; 利益《◆ 次の成句で》.
on [《米では時に》in] behálf of A [正式] (1)〈人・物・事〉の(利益の)ために(for the good of) ‖ He works *on behalf of* charity. 彼は慈善行為のために働く. (2)〈人〉に代わって([正式] in place of); 〈人〉の代表として, …の代理として([正式] as the representative of)《◆A が代名詞の場合は on [in] behalf of him でなく, *on [in] his beháf* を用いる. またこの型の方が口語的》‖ I attended the meeting *on her behalf*. 彼女に代わってその会に出席した.

***be·have** /bihéiv/《発音注意》[『自分自身を完全に支配する」が原義] 派 behavior (名)
—動(~s/-z/; 過去・過分 ~d/-d/; --hav·ing)
—⑯ [behave onesélf]〈人が〉(自己をコントロールして)行儀よくする ‖ *behave* oneself 'like a child [with courage]' 子供らしく[勇ましく]ふるまう / *Behave (yourself)!*（子供をたしなめて）行儀よくしなさい.
語法 物にも用いることがある: The car *behaved* itself. 車は故障せず走った.
—⑱ **1** [様態の副詞(句)と共に]〈人が〉[…に対して] (よく[悪く])ふるまう(to, toward)《◆ 修飾語(句)は省略できない》(↔ misbehave) ‖ Tommy be-

haved (well) [badly, ill] to his uncle. トミーはおじさんに行儀よく[悪く]した(→ ⑯ 用例) / She *behaves 'as if* she owned the place *[like* the boss]. 彼女はまるで人を自分のものにしているかのようにふるまっている[わが物顔にふるまっている]. **2** [正式]〈機械などが〉動く; 〈物が〉作用する, 反応をホする ‖ How does the medicine *behave?* その薬の効き目はどうだい.

be·haved /bihéivd/ 形 [通例副詞を伴い複合語で] ふるまいの ‖ be well-[ill-, badly-]*behaved* 行儀がよい[悪い].

***be·hav·ior**, 《英》--iour /bihéivjər/ [→ behave]
—名 **1** ⓤⓒ ふるまい, 動作; 行儀, 品行; [他人に対する]態度, 応対の仕方(manners)(toward); [生物] 行動, 習性, 生態; ⓒ [心理] 行動 ‖ his *behavior* at table 食事中の彼の行儀 / observe people's *behavior* in a panic パニック状態になっている人の行動を観察する / His *behavior* toward me shows that he respects me. 私に対する彼の態度から私を尊敬していることがわかる / many childhood *behaviors* that occur frequently as habits しばしば習慣として生じる多くの子供時代のふるまい. **2** ⓤ（機械などの)動き, 調子; (特定の状況での)反応, 作用.
òn one's góod [bést] behávior 謹慎中で; （行状監督中に) 行儀よくして ‖ put him *on his good behavior* 彼に謹慎を命じる.

be·hav·ior·ism /bihéivjərizm/ 名 ⓤ [心理] 行動主義《行動を純客観視する》; 行動心理学, 行動療法.

be·háv·ior·ist 名 ⓒ 形 行動主義者(の).

***be·hav·iour** /bihéivjər/ 名=behavior.

Béh·cet's sỳndrome /béitʃets-/ [医学] ベーチェット症候群.

†**be·head** /bihéd/ 動 ⑯ …の首を切り取る; 〈人〉を打ち首にする.

be·held /bihéld/ 動 behold の過去形・過去分詞形.

*be·hind** /biháind/ ba-/ [『静止したものの背後に位置する」が本義で, それより時間の「遅れ」を, また転じて「背後に」「劣って」の意を表す]
—前 **1** [位置・場所] **…のうしろに**, …の裏側に(↔ in front of); …の向こうに; …のあとに続いて(↔ ahead of) ‖ a garden *behind* the house 家の裏にある庭 / a small village (a few miles) *behind* the hill 丘の(数マイル)向こうにある小さな村 / Sit *behind* the steering wheel. ハンドルの前[運転席]に座りなさい《◆車の先頭部を「前」と見て behind を用いる. コンピュータの場合は in front of: Sit *in front of* the computer. コンピュータの前に座りなさい》/ hide *behind* the tree 木のうしろに隠れる / He closed the door *behind* him. 彼は(入った後できちんと)ドアを閉めた(→ after ⑲ **2 a**) / A lot of fans followed close *behind* the TV star. たくさんのファンがそのテレビタレントのあとをぴったりついていた.

2 [leave, stay, remain などの動詞と共に]〈人など〉のあとに(残して, とどまって, など) ‖ *stay behind* the others 他の人たちが行ったあとに残る / She left a great name *behind* her. 彼女は後世に偉大な名を残した.

3 [時間] **a** 《米・スコット》〈定刻など〉**に遅れて** ‖ *behind the times* 時代に遅れて(=old-fashioned) / The train arrived five minutes *behind* time [schedule]. 列車は分遅れて到着した. **b** 〈人〉の過去にある, …の経験としてある ‖ My happy school days will soon be *behind* me. 楽しい学生時代もやがて過ぎ去るでしょう / Two divorces are

B

behind her. 彼女は2度離婚したことがある.
4 (略式) …の背後に；…の陰に；…を陰で支えて，支持して；…の原因となる ‖ *behind* his back 彼の陰で / He has someone *behind* him. 彼の陰でだれかが糸を引いている / I wondered what was *behind* her refusal. 彼女の拒絶の原因は何かと思った / The mayor is *behind* the project. 市長がその計画の後押しをしている.
5 [進度]〔進歩・能力などで〕**…より遅れて**，…より劣って〔*in*〕；〔…(の分)だけ〕…に負けて〔*by*〕 ‖ She *is* ***(well) behind the others in*** mathematics. 彼女は数学では他の者より(とても)遅れをとっている / We are two goals *behind* the other team. =We are *behind* the other team *by* two goals. 私たちは相手チームに2ゴール負けている.
―― [副] **1** [位置] **うしろに[の]** (↔ in front, ahead)；あとに(残して)；[比喩的に] 背後に，陰に《♦名詞の後で修飾することも可能》 ‖ the mán behínd うしろの人 / lóok behínd うしろを見る / remáin [stáy] behínd あとに残る / the cárs behínd うしろに連なっている車 / ***léave*** the key ***behínd*** かぎを置き忘れる / He attacked ***fròm behínd.*** 彼は背後から攻撃した(➲文法 21.1(3)).
2 [時間] **a** (米・スコット)〈時計などが〉遅れて ‖ The train is *behind* today. 今日は列車が遅れている / The clock is ten minutes *behind* [slow, ×late]. その時計は10分遅れている《♦「遅れる」は … *loses* ten minutes》. **b** 過ぎ去って.
3 〔支払い・仕事などに〕遅れて〔*in, with, in doing*〕；劣って ‖ ***lag*** [***fall***] ***behind*** at school 学校の勉強についていけない / He is a month *behind in* [*with*] his tax payment. 彼は税金の支払いを1か月滞(とどこお)らせている.
―― [名] [C] (略式) [遠回しに] 尻(しり) (buttocks) ‖ ***fall on*** one's ***behind*** しりもちをつく.

be·hind·hand /bihái̯ndhæ̀nd, bə-/ (正式) [副][形] 〔支払い・仕事などが〕遅れて，滞って〔*in, with*〕 ‖ be *behindhand in* one's school work 学業が遅れている.

be·hind-the-scenes /biháindðəsíːnz, bə-/ [形] 舞台裏の，内幕の，陰の.

†**be·hold** /bihóuld/ [動] ([過去・過分] **-·held**) [他] (詩) …を(じっくり)見る(see)，見守る，注視する.
―― [間] [B~!] (古) (注意を促して) 見よ!
be·hóld·er [名] [C] 見る人，見物人.

be·hold·en /bihóuldn/ [形] (文) 〔人に〕恩義を受けて，ありがたく思って〔*to*〕.

be·hoove /bihúːv/, (英) **-·hove** /-hóuv/ [動] [他] (正式) [it behooves **A** to do] **1** …するのが **A**〈人〉に必要[当然，義務]である. **2** …するのが **A**〈人〉にふさわしい[利益がある].

beige /béiʒ/ [名] [U] (染めていない) 生地のままの毛織物；ベージュ色，薄いとび色. ―― [形] ベージュ色の.

†**Bei·jing** /bèidʒíŋ/ [名] ペキン(北京)《中華人民共和国の首都. Peking ともする》.

***be·ing** /bíːiŋ/ [動] → be.
―― [名] ([複] **~s**/-z/) **1** 〖be の動名詞〗 [U] (…で) **ある**こと，(…に) いること ‖ I hate myself for *being* cowardly [a coward]. 私は自分が臆(おく)病であるのがいやだ. **2** [U] **存在** (existence)，生存；人生 (life) ‖ the aim [purpose] of one's *being* (人の) 生きている目的. **3** [C] **生き物**《♦ふつう形容詞を伴う》 ‖ ***a human being*** (動物に対して) 人間 / all animate *beings* 生きとし生けるもの / a *being* from outer space 宇宙からの生命体. **4** [the (Supreme) B~] 神 (God).
bríng [***cáll***] **A** ***into béing*** 〈物〉を生み出す，生じさせる.
****còme into béing*** 〈物・事が〉**出現する**，生まれ出る，設立される ‖ When did the universe *come into being*? いつ宇宙は生まれたのですか.
in béing 存在している，現在の ‖ the strongest army *in being* today 現在最強の軍隊 (=the strongest army existing [in existence] today).
―― [形] 現在の《♦次の成句で》.
for the tíme béing さしあたり，当分の間.

Bei·rut /bèirúːt, ⌐-/ [名] ベイルート《レバノンの首都》.

be·jew·el /bidʒúːəl/ [動] [他] 〈物〉に宝石をちりばめる.

Bel·a·rus /bèlərúːs, bjèlə-/ [名] ベラルーシ《東ヨーロッパの国. 首都 Minsk》.

be·la·bor, (英) **-·bour** /biléibər/ [動] [他] **1** (古) …を〔…で〕強く打つ[なぐる]〔*with*〕. **2** …を繰り返し強調する.

†**be·lat·ed** /biléitid/ [形] (正式) 遅れた，遅ればせの；手遅れになった；時期遅れの. **be·lát·ed·ly** [副] 遅れて.

be·lay /biléi/ [動] [他] **1** [海事] (綱止め栓などに)〈綱〉を(8の字形に) 巻きつける. **2** [登山] …をビレイする《岩や立ち木にザイル[ロープ]を固定して登山者や荷物を確保する》. ―― [名] [登山] ビレイ《ザイル[ロープ]で仲間の墜落を防ぐこと》，確保.

belch /béltʃ/ [動] [他] 〈げっぷ〉を出す《♦英米では人前でのげっぷはきわめて下品なこととされる》. ―― [自] 〈煙などが〉大量に吐き出る (+*out*).

be·lea·guer /bilíːgər/ [動] [他] (正式) …を包囲する；〈人〉を悩ませる，困らせる.

bel·fry /bélfri/ [名] [C] 鐘楼，鐘塔；鐘つき堂.

†**Bel·gian** /béldʒən/ [形] ベルギー(人) の. ―― [名] [C] ベルギー人.

†**Bel·gium** /béldʒəm/ [名] ベルギー《ヨーロッパ西部北海沿岸の王国. 首都 Brussels》.

Bel·grade /bèlgréid/ [名] ベオグラード《セルビア=モンテネグロの首都》.

†**be·lie** /bilái/ [動] ([過去・過分] **~d; -·ly·ing**) [他] (正式) **1** 〈物・事が〉…を誤って[偽って]伝える；〈感情など〉を隠す. **2** 〈物・事が〉…が偽りであることを示す. **3** 〈物・事が〉〈期待など〉を裏切る.

***be·lief** /bilíːf, bə-/ 〖→ believe〗
―― [名] ([複] **~s**/-s/) **1** [U] (証拠がなくても真実と) **信じること**；〔…の存在の〕確信〔*in*〕；意見，所信；[C] 〔…という〕信念，考え〔*that* 節〕 (↔ disbelief, unbelief) ‖ the *belief in* devils 悪魔の存在を信じること / His English improved ***beyond belief.*** 彼の英語は信じられないほどよくなった / ***to the bést of my belíef*** (正式) 私の信じる限りでは (=as far as I *believe*) / be light of *belief* 信じやすい / There is a general *belief that* women live longer than men. 女は男より長生きするという一般的な考えがある / ⌈My *belief* is [It is my *belief*] (⤴)| *that* she has never told a lie. 彼女はうそをついたことがないと私は信じている (=I *believe* (that) …).
2 [U][C] 〔…に対する〕**信用**，信頼 (trust) 〔*in*〕 ‖ She always ***had belief in*** me. 彼女はいつも私を信頼していた.
3 [U][C] 〔…に対する〕**信仰**，信心〔*in*〕；[しばしば ~s] (宗教上の) 信条 (faith) ‖ *belief in* God 神への信仰 / Christian *beliefs* キリスト教的信条 / one's *belief* system 信条，信仰.
páss (one's) ***belíef*** 〈事が〉信じられない.

be·liev·a·ble /bilíːvəbl, bə-/ [形] 信じられる，信用でき

Bell /bél/ 图 ベル《Alexander Graham ~ 1847-1922; スコットランド生まれの米国の科学者. 電話を発明》.

bell-bot·toms /bélbɑtəmz|-bɔ̀t-/ 图《複数扱い》ベルボトム《すそのひろがったズボン》.

bell·boy /bélbɔ̀i/ 图 C =bellhop.

belles-let·tres /bɛ̀lletrə/『フランス』图 C《単数扱い》美文(学); 純文学.

bell·flow·er /bélflauər/ 图 C《植》ホタルブクロ, ツリガネソウ ‖ the Japanese [Chinese] *bellflower* キキョウ.

bell·hop /bélhɔ̀p|-hɔ̀p/ 图 C《米》(ホテルなどの)ボーイ《◆ この意味での boy は軽べつ的》.

bel·li·cose /bélikòus/ 形《正式》好戦的な, 敵意に満ちた.

bel·lied /bélid/ 形 1《通例複合語で》(…)腹の ‖ a big-[beer-]*bellied* man ビール腹の人. 2 ふくれた.

bel·lig·er·ence /bəlídʒərəns/ 图 U 好戦性; 戦争行為. **bel·líg·er·en·cy** 图 U 交戦状態; 敵意.

†**bel·lig·er·ent** /bəlídʒərənt/ 形 1 好戦的な, 敵意のこもった; けんか腰の, 強硬な. 2《正式》けんかをしている; 交戦中の; 交戦国[国民]の. — 图 C けんかをしている人; 交戦国(民).

bel·líg·er·ent·ly 副 好戦的に, けんか腰で.

†**bel·low** /bélou/ 動 1 ⓐ《牛などが》大声で鳴く, ほえる. 2《人が》《痛み・興奮・怒りで》どなる, うめく(+*out*)[*with*] ‖ The wounded soldier *bellowed* (*out*) *with* [in] pain. 傷ついた兵士は痛みのあまりめいた. 《大砲が》とどろく; 《風が》うなる. — ⓑ 大声で, または怒って…とどなる(+*out, forth*). — 图 C 《雄牛などの》ほえ声, 《人の》どなり声; 《大砲の》響き.

†**bel·lows** /bélouz/ 图 C《単数・複数扱い》 1 ふいご《◆両手で使うのはふつう a pair of bellows, すえ付けたのは (the) bellows》. 2 《カメラなどの》じゃばら; 《送風機の》送風器.

bell-pull /bélpùl/ 图 C《鐘の》引きひも.

†**bel·ly** /béli/ 图 C 1 a 腹(部), 《動物の》腹面, 下面; 《英略式》胃《◆遠回しにはふつう abdomen, stomach が好まれる. 「太鼓腹」は paunch, pot(belly), beer belly. tummy はポンポンに当たる幼児語》 ‖ an empty *belly* 空腹 / lie on one's *belly* 腹ばいになる. **The belly has no ears.** 〈ことわざ〉空腹の時は道理も聞こえない; 「衣食足りて礼節を知る」. 2 腹状の物; 《バイオリン・びんたるなどの》胴; 《飛行機の胴体の》下面. — 動《正式》ⓑ 《帆などが》ふくらむ(+*out*). — ⓐ 《帆などを》ふくらませる.

bélly bòard《腹ばいで乗る》小型サーフィンボード.

bélly bùtton =bellybutton.

bélly dànce ベリーダンス《腹をくねらせて踊る, 踊る人は **bélly dàncer**》.

bélly lànding =bellylanding.

bélly làugh《略式》《腹の底からの》大笑い.

bel·ly·ache /bélièik/ 图 U C《略式》腹痛《◆ 不平の原因; 苦情の種》. — ⓐ 〔…のことを〕しきりに不平を言う(*about*…). — ⓒ 〔…だと〕しきりに不平を言う《*that* 節》.

bel·ly·but·ton /bélibʌ̀tn/, **bélly bùtton** 图 C《略式》おへそ (navel).

bel·ly·ful /béliful/ 图 C 腹いっぱい; 食べすぎ; 《俗》[a ~]《いやなものだが》たくさん, 存分《*of*》; 《…の》しすぎ《から起こる病気》.

bel·ly·land /béliæ̀nd/ 图《略式》《航空》ⓐ …を胴体着陸させる. — ⓑ 胴体着陸する.

bel·ly·land·ing /béliæ̀ndiŋ/, **bélly lànding** 图 U C《略式》胴体着陸.

†***be·long** /bilɔ́ːŋ, bə-/ 〖「本来あるべき所にある[いる]」が原義〗® belonging 图.

— 動 (~*s*/-z/; 《過去·過分》~ed/-d/; ~·ing)

— ⓐ《◆ 命令形・進行形にはしない》**1** [belong to A]《人が》《団体・組織などに》**に所属する**, …の一員である; 《物が》…の所有である《◆話》‖ "Everybody, listen. Who lost this textbook?" "I did. It *belongs to* me."「皆さん, 聞いてください. この教科書をなくしたのだれですか」「私です. それは私のものです」《◆ 最後の文は It's mine. の方がよい》/ I *belong* [×am belonging] *to* the music club. 私は音楽部員だ (=I'm a member of the music club). 《◆ 運動部員については I am on the baseball [volleyball] team. がふつう》/ The button *belongs to* this dress. そのボタンはこのドレスのだ / This expression *belonged to* Soseki. この言い回しは漱石が使ったものだ.

> 🔴 **語法**「会社に勤めている/大学生です」は work for a company / be a university student という. ×*belong to* a company [university] は不可.

2《物・人が》《ある[いる]べき所に》**ある[いる]**, 《…の中に入る》資格がある《*among, in, on, under, with*》; 《…と》関係[調和]する《*with, to*》, 《男女が》お似合いである; 《主に米》ふさわしい, あるべきである ‖ Among those celebrities, I felt as if I didn't *belong*. 有名人に囲まれて, 私は場違いな気がした / She *belongs among* the greatest chemists. 彼女は大化学者の一人だ / He doesn't *belong* here. 彼はここに住んでいない; ここは彼の来るべき所ではない / The dishes *belong on* [*under*] this shelf. その皿の置き場所はこの棚の上[下]だ / She *belongs in* the movies. 彼女は映画界に向いている《◆ 単に所属を意味する時は to》/ Cheese *belongs with* salad. チーズはサラダと合う / The couple *belongs* together [*with* each other]; they really get along well. あのカップルはお似合いだ. 彼らはうまくいっている.

3《分類上》〔…に〕属する(+*together*)《*among, in, under, with*》‖ Dolphins *belong among* mammals. =The dolphin *belongs to* the mammal family. イルカは哺乳動物の一種だ / These *belong together* [*under* the same category]. これらは同じ部類に入る.

†**be·long·ing** /bilɔ́ːŋiŋ, bə-/ 图 C 1 所属しているもの, 付属物. 2 [~s] 所有物; 身の回り品; 財産《◆ 家・土地・金銭などは含まない》‖ one of my *belongings* 私の持ち物の1つ / personal *belongings* 私物.

†**be·lov·ed** /bilʌ́vid, -lʌ́vd; 動 bilʌ́vd/ 形《正式》**1** 最愛の, いとしい(much loved)(cf. loving) ‖ one's *beloved* child 愛児. **2** 愛用の ‖ a well-*beloved* novel 愛読の小説. — 图 C [通例 one's ~] 最愛の人, 恋人《◆ 呼びかけも可》. 〖《古》belove の過去分詞〗[通例 be ~]〔…に〕愛されている《*by, with*》《*of*》.

†***be·low** /bilóu, bə-/ 〖「ある基準より下に位置する」が本義〗(↔ above)

— 前 **1**《位置》…より下に[の], …の下方に, …より低く; …の下流[下手]に(↔ above) ‖ *below*

る.

:be·lieve /bilíːv, bə-/ [[「物・事の真実・存在を信じる」が本義. 2, 3のように確信の弱いときにも用いる]] 㳂 belief (名)

—— 動 (~s/-z/; 過去・過分 ~d/-d/; --liev·ing)
—— 他 《◆ふつう進行形にしない》**1** 〈人が〉〈人・言葉〉を**信じている**, 信用している《◆think より強い意味》‖ *believe* a tale [rumor] 話 [うわさ] を本当だと思う / I can't [can hardly] *believe* my ears [eyes]. 自分の耳 [目] が信じられない《◆非常に驚いたときにいう》 / I *believe* you. 君の言うことを信じるよ (= I believe what you say.)《◆I *believe* in you. は「あなた(の人柄)を信頼する」→成句 BELIEVE in》/ I can well *believe* it. それはあり得ることだと思う / I'll *believe* it [that] when I see it. 〈自分の目で〉確かめるまでは信じない (= I will not *believe* it until I see it.).

2 [believe (that) 節]〈人が〉…であると思う, 信じる; [believe A (to be) C]〈人〉がCであると思う‖ Do what you *believe* to be right. 正しいと信じることをしなさい (= Do what you *believe* is right.) 《◆I *believe* (that) he is kind. =I *believe* him (to be) kind. 彼は親切だと思う/「**It is believed** [**They believe**] **that** she is kind. = She **is believed** to be kind. 彼女は親切だと思われている / Nobody *believes* how diligent he is. 彼がどんなに勤勉であるかをだれも信じない《◆ how 以下は間接感嘆文. How diligent he is! に対応する》/ I don't *believe* that she will come. 彼女は来ないと思う《◆I *believe* that she will not ... より一般的》/ I *believe* that he was a doctor. =(文) I *believe* him to have been a doctor. たしか彼は医者だったと思う (⇒文法 11.5) / 〈対話〉 "Will she be glad?" "「Yes, I believe sò [(正式) No, I believe nòt]." 「彼女は喜ぶだろうか」「うん, そう思うよ [いや, そうは思わない]」《◆ so, not は that節の代用》.

語法 (1) 「であると思う, (特に希望をこめて)推測する」という意味のときは I believe him kind. のように to be を省略することもあるが, 信念を強く表す場合には省略しない.
(2) to be が to do となることは比較的まれで, その場合は進行形か完了形となることが多い.

3 《略式》[通例 I ~ で挿入的に]確か…だと思う《◆あいまいな確信で I think とほとんど同じ; ⇒文法 23.4》‖ She has, I believe (↗), a villa. 《文法 =She has a villa, I believe. (↘) 彼女は確か別荘を持っている《◆文頭に I believe を使うときはそう省く》/ Mr. Wood, I believe? ウッドさん, でしたよね《◆先行文が否定だと, I don't believe になることがある: She isn't at home, I don't believe. 彼女は家にいないと思います》.

—— 自 〈人が〉〈神を〉信じる, 思う; 強い信仰心を持つ‖ *Seeing is believing.* 〈ことわざ〉見るほど確かなことはない;「百聞は一見にしかず」.

*:**believe in** A [自+] **(1)** …の**存在を信じる**;〈宗教〉を信仰する‖ Do you *believe* in God [UFO's]? 神 [空飛ぶ円盤] の実在を信じますか / I *believe* in Christianity [Buddhism]. キリスト教 [仏教] を信仰している / *believe* in superstitions 迷信を信じる《◆ ✕believe superstitions は不可》. **(2)** 〈人・人柄・能力〉を(一時的ではなく)信用

する‖ His mother *believes* in him and knows he would never hurt anyone. 彼の母親は彼を信頼していて, 彼が決してだれかを傷つけるようなことはしないのを知っている. **(3)** 〈事・物〉の価値[正しさ]を信じる;…を信条とする‖ He *believes* in working slowly but steadily in anything he does. 彼は何ごとにもこつこつ努力することを信条にしている.

Believe it [me] or nót. 《略式》信じようが信じまいが, こんなことを言っても信じないだろうが.

believe mé 《略式》[挿入的に] 本当に, 実は‖ *Believe mé* (↘), nothing's changed in him. 本当に彼にちっとも変わっていない.

*:**màke believe** [[make people believe「人に信じこませる」などの目的語の省略から]] [… する]**ふりをする**《to do》; […と]見せかける(pretend)《(that)節》‖ He *made believe* to be asleep. 彼は眠っているふりをした / She *made believe* not to hear me. 彼女は私の言うことが聞こえないふりをした / The boys *make believe* they are cowboys. その男の子たちはカウボーイごっこをして遊ぶ.

†be·liev·er /bilíːvɚ, bə-/ 名 C […の(正当性・有用性・価値など)を]信じる人[in]; […の]信者[of]‖ a great [firm] *believer* in walking for (the) health 散歩が健康によいと大いに[固く]信じている人.

be·liev·ing /bilíːviŋ, bə-/ 名 U 信じること.
—— 形 信じる, 信仰心のある.

Be·lí·sha (**béacon**) /bəlíːʃə-/ 名 C 《英》ベリーシャ交通標識《頂上に赤黄色の球をつけた歩行者の横断箇所を示す立標. 単に beacon ともいう》.

be·lit·tle /bilítl/ 動 他 《正式》**1** …を小さくする[見せる]. **2** …の価値を下げる;…をけなす, 見くびる‖ *belittle* oneself 卑下する.

:bell /bél/
—— 名 (複 ~s/-z/) C **1 ベル**, 鈴, 呼び鈴; 鐘(ʱ);[通例単数形で](ベル・鐘などの)音‖ *ánswer the béll* 来客を取りつぐ / *toll the béll* at his death 彼の死に際して鐘を鳴らす / 〈対話〉 "There goes the starting *bell*. Let's hurry to the classroom." "Yeah, we have an exam today." 「始業のベルが鳴っているよ. 教室に急いで行こう」「ええ, 今日はテストがあるから」/ 日発 »» On New Year's Eve *bells* are rung 108 times at Japanese temples in a ceremony known as '*joya no kane* [tolling in the New Year]. 大晦日の夜, 日本のお寺では108回鐘を鳴らします. これは除夜の鐘と呼ばれます / a church *bell* 教会の鐘 / a funeral *bell* 弔いの鐘 / a marriage *bell* (教会の)結婚式の鐘.
2 鐘状のもの;(管楽器・パイプ・鉛管などの)広がった口; 花冠;くらげのかさ.

(as) cléar as a béll 《略式》(音などが)澄み切った; 非常に聞き[理解し]やすい.

(as) sóund as a béll 《略式》極めて健康[健全]な; 〈物・事が〉完璧(ᵏ)な状態の.

ring [stríke] a béll 《略式》〈名前などが〉記憶を呼び起こす, はたと思いつかせる, …にぴんと来る.

sáved by the béll 《略式》**(1)** (ボクサーが)終了のゴングでノックアウトから救われた. **(2)** (土壇場で)難をのがれて.

béll càptain (主に米) (ホテルの)ボーイ長.
béll pèpper (米) = sweet pepper.
béll pùsh ベルの押しボタン.
béll ròpe (緊急用の)ベルのひも.
béll tòwer (教会などの)鐘楼.

(the) sea level 海面より下に《♦ the を略すのがふつう》/ a bruise just below one's right eye 右目の真下にある傷 (使い分け) / Her skirt reaches far below the knees. 彼女のスカートはひざのはるか下まである / People were dancing below our window. 窓の下で人々が踊っていた.

使い分け [**below と under**]
below は「ある物から下の方に」の意で,真下とは限らない. under は「広がりがある物の真下に」の意.
The boat was running under [ד*below] the bridge. ボートは橋の下を走っていた.
The sun sank below [ד*under] the horizon. 太陽は地平線の下に沈んだ.

---

2 [下位] 〖数・量などが〗…より下で[の];〖地位・階級などが〗…より低く[劣って] ∥ below the average mark 平均点より下で / children below the age of sixteen 16歳未満の子供 (=children under sixteen) / Oil prices fell below $40 a barrel. 原油価格は1バレル当たり40ドルより下になった / The output is below last year's level. 生産高は昨年の水準より落ちこんでいる.

使い分け [**below, under, beneath**]
He is below [under, beneath] me. 彼は私より地位が下だ.
below は地位の上下関係が, under は人に支配・監督されていることが含意される. beneath は能力・地位が劣っていることを示し, ふつう軽蔑(ミ゙)的.

---

3 〖事に〗値しない, 〖人に〗ふさわしくない《♦ この意味では beneath の方がふつう》∥ below one's dignity 体面にかかわる / It is below her to say that. そんなことを言うとは彼女の値打ちが下がる.

——副 **1** 下に[の, へ, を];下流[下手]に《♦ 名詞の後で修飾可能》(↔ above) ∥ the man below 下にいる男 / From the hilltop, you can see the whole village below. 小山の頂上から下の村全体が見える. **2** 階下に[の];船室[船倉]に ∥ the róom belów 階下の部屋 / go belów (甲板から)船室などへ降りて行く. **3** (本・ページの)以下で[下部, 下記]の, 以後に ∥ in the fóotnote belów 下の脚注で / Click on a section below for more news. 下のニュースは下をクリックしてください / Below is a sample of adverbs. 以下は副詞の例である(=The following is ...). **4** 〖数・量などが〗以下で[の], **5** 〖(米)(温度が)零度以下で[の]〗 ∥ the cóurt belów 下級裁判所. **5** (米)(温度が)零度以下で[の].

Belów thére! おーい下の人!《♦ 物を投げ落とす時などの注意》.

dówn belów 階下で[の];ずっと下に[の];地下[墓,地獄]に;水底[海底]に.

†**belt** /bélt/ 名 C **1 a** ベルト, バンド, (騎士などの)礼帯;帯状の締める物;(車・飛行機などの)シートベルト ∥ If your trousers are loose, you may need to wear a belt. もしあなたのズボンがだぶだぶなら, ベルトを締めなければならないかもしれません / loosen one's belt two holes ベルトの穴を2つゆるめる. **b** (機械の)ベルト. **2** (農作物・動植物などの)分布地域, 帯状の広がり;[複合語で] …地帯《♦ zone より口語的》∥ a wheat belt 小麦生産地帯 / a green belt (都市周辺の)緑地帯《♦ 住居地帯(commuter belt)に対して建物の建築を禁じられた地域》.

belów the bélt 〖ボクシングでベルトより下の部分(=下腹部)を打つのは反則〗《略式》ルール違反の;不正な《♦ be, hit, strike と共に用いる》.

bélts and bráces 〖ベルトと締め金をしっかりつけて〗《英略式》念には念を入れて.

tíghten [**púll ín**] one's **bélt** 〖ベルトを締めて空腹をこらえる〗 **(1)** 窮乏生活をする. **(2)** 空腹を我慢する.

——動 他 **1** 〖人に〗〖服などを〗ベルト[ひも]でくくる(+up), …を結びつける(+on);〖帯状のものが〗〖物を〗巻く(+up) ∥ belt on a sword =belt a sword on 帯刀する. **2** 〖人を〗(皮帯で)打つ;《略式》〖人・ボールなどを〗(げんこつ・バットなどで)強打する.

bélt óut 他《略式》〖人・レコードが〗〖歌を〗大きな声で歌う.

bélt convèyor ベルトコンベア《♦ conveyor belt の方がふつう》.

bélt híghway (米)(都市周辺の)環状(幹線)道路((英) ring road).

bélt líne (米)(交通機関の)環状線((英) loop-line).

bélt tíghtening 耐乏生活, 緊縮(政策).

belt·ed /béltid/ 形《正式》ベルト[礼帯]をつけた.

belt·ing /béltiŋ/ 名 **1** Ⓤ ベルトの材料;ベルト類. **2** Ⓒ《略式》〖通例 a ~〗(皮帯などで)ひっぱたくこと.

belt·way /béltwèi/ 名 = belt highway.

†**be·moan** /bimóun/ 動 他《正式》…を嘆き悲しむ.

be·mused /bimjúːzd/ 形 〖…に〗困惑した〖by〗.

Ben /bén/ 名 ベン《男の名. Benjamin の愛称》.

:**bench** /bén(t)ʃ/ 〖「長い座席」が原義〗
名 **1** Ⓒ (2人以上が座れる木・石などの)**ベンチ**, 長いす《♦ 屋内外・背の有無には関係ない. → chair》;(ボートの)漕(ᴱ)ぎ座(thwart) ∥ sit on [at] a bénch ベンチに座る.
2 〖the ~ 時に the B~〗 裁判官[判事]席, 法廷, 裁判所. **b** 〖集合名詞;単数・複数扱い〗裁判官の職;裁判官(全体) ∥ bénch and bár 裁判官と弁護士 / be raised [elevated] to 'the bench [the Bench] 判事(英) 主教)に昇任する / appéar befóre the bénch 出廷する.
3 Ⓒ (英) 〖通例 the ~〗(議会の)議員席;〖集合名詞;単数・複数扱い〗議員. **4** Ⓒ (大工・職人などの)作業台(workbench). **5**《米》《スポーツ》選手席, ベンチ;〖the ~;集合名詞〗補欠選手(bench warmers) ∥ warm the bénch 補欠でいる, 試合に出ていない.

be [**sit**] **on the bénch** **(1)** 裁判官席についている, 審判である. **(2)** =warm the bench (→ **5**).

bénch sèat (2, 3人が座れる)車の座席.

bénch wàrmer [**pòlisher**] (米)《スポーツ》補欠選手, 控え選手 (→ **5**).

bench·mark /bén(t)ʃmὰːrk/ 名〖通例 a/the ~〗 **1** 〖測量〗水準標, 水準点. **2** (価値判断などの)基準. **3** 〖コンピュータ〗ベンチマーク《♦ ハード・ソフトの信頼度や性能を比較するためのテスト用プログラム, その評価基準》.

†**bend** /bénd/ 動 (bent /bént/ or (古) ~·ed/id/) 他 **1** 〈人・物から〉〈長いまっすぐな物を〉(丸く・角をつけて)曲げる(↔ unbend)《♦ curve は丸く曲げる, twist は不自然な形にねじ曲げる》;…を曲げて[…に]する〖into〗;〈弓などを〉ひく ∥ bénd one's báck [élbow] 背[ひじ]を曲げる / bend an iron rod into a hoop 鉄棒を曲げて輪を作る / bend one's [the] bróws まゆをひそめる / bend the knée(s) to ... …におじぎ[礼拝]する / bend one's [the] néck 頭を下げる;屈

beneath

服する / *bend* one's head over a book うつむいて本を読む / Water *bends* light rays that pass through it. 水は中を通る光線の向きを変える. **2**〈文〉〈意思など〉を曲げる;〈人〉を〈…に〉屈伏させる(force)〔to〕;〈英格式〉〈規則などを〉〈都合のいいように〉変える(alter) ‖ *bend* him to my will 彼を私の意志に従わせる / *bend* the rules 規則を曲げる / *bend* him from his purpose 彼の目的を変えさせる. **3**〈目・耳・歩みなどを〉〈…に〉向ける;〈文〉〈心・注意などを〉〈…に〉傾ける((正式)) direct)〔on, to, toward〕 ‖ *bend* one's eyes on a scene 光景に目を向ける / *bend* one's ear *to* the radio ラジオに耳を傾ける(=listen to the …) / *bend* one's mind *to* [*on*] the work 仕事に打ち込む / *bend* oneself [be *bent*] *to* [*on*] music 音楽に熱中する[している].

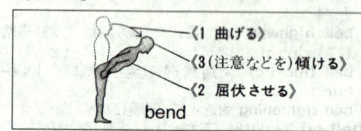

〈1 曲げる〉
〈3 (注意などを) 傾ける〉
〈2 屈伏させる〉
bend

―自 **1a**〈物が〉曲がる,〈…で〉たわむ(+*down*),〈物を〉曲げる〈*with, under*〉‖ An iron bar will not *bend* easily. 鉄の棒はなかなか曲がらない / Do not *bend*. (郵便物で)二折禁止(=No *bending*.) / *Better bend than break*. (ことわざ)折れるより曲がったほうがまし;「柳に雪折れなし」. **b**〈人が〉からだを曲げる,かがむ(+*toward*)《◆ stoop はこれより堅い語》‖ He *bent down* to pick up a coin on the floor. 床の上のコインを拾うために彼は体をかがめた / *bend over* a table テーブルの上にかがみ込む. **2**〈…に〉屈服する〔*to, before*〕‖ *bend* 「*to* fate [*before* a rival] 運命[好敵手]に屈する. **3**〈川・道などが〉〈…の方向に〉向かう〔*to, toward*〕‖ The river *bends* slightly [sharply] to the right here. 川はここでわずかに[急に]右へ曲がっている《◆人・車が「右折する」は *turn* (to the) right》. **4**〈…に〉熱中する〔*to*〕‖ *bend* to one's oars [task] 懸命に漕ぐ[仕事に励む].

bénd 「*fáll, léan*」 óver báckward(*s*)(略式)…することの)できる限りのことをする〔*to* do〕.

―名 UC 曲げる[曲がる]こと;曲がった状態[物];屈曲, 湾曲 ‖ a *bend* of the knee [elbow] ひざ[ひじ]を曲げること / at the sharp [gentle] *bend* in [of] the road 道が急に[ゆるやかに]カーブしたところで.

(a)round the bend(英格式)頭が変な, 逆上した(crazy);(略式)近い将来, まもなく, じきに.

*be·neath /bɪníːθ, bə-/

―前 **1**〈位置〉(正式)…の下に[の], …の真下に(↔ *above*);…のふもとに;…に隠れて[た]《◆ under, below がふつうの語》‖ Solid rock lies *beneath* the ground. 硬い岩が地面の下[地中]にある.
2〈重み・圧迫・影響・指導などのもとに, …を受けて ‖ The apple tree bent *beneath* the weight of the apples. リンゴの木はリンゴの重みでたわんだ.
3(正式)〈地位・能力などが〉…より低く[劣って](lower than)《◆ふつう軽蔑(<ruby>ベツ</ruby>)の意を含む》(使い分け)→ below 前 2)‖ As a scholar, he ranks far *beneath* his brother. 学者としては彼は弟よりもはるかに劣る / That is *beneath* ordinary decency. そんなことをするのは日常の礼儀の常識を欠いている / She married *beneath* her. 彼女は(自分より)身分の低

148

benefit

い人と結婚した.
4〈軽蔑・注目などに〉値しない;〈人〉にふさわしくない, …の品位[体面]にかかわる ‖ *beneath* contempt [notice] 軽蔑[注目]する価値もない / Such conduct is *beneath* you. そのような行為は君の恥だ.

Ben·e·dict /bénədìkt/ 图 **1** ベネディクト《男の名》. **2** [b~] 图 新婚の男. **3** Saint ~ 聖ベネディクトゥス《480?-543?; ベネディクト会の創立者》.

†**ben·e·dic·tion** /bènədíkʃ*ə*n/ 图 UC (教会)(牧師の)祝福, 祝禱; (食事前の)感謝の祈り.

ben·e·fac·tion /bènəfǽkʃ*ə*n, ＞́－／́－／ 图 (正式) **1** U 善行, 慈善, 喜捨. **2** C 施し物, 寄付金.

†**ben·e·fac·tor** /bénəfæktər, ＞＞́－／－/ 图 (女性形) **-tress**) C (正式) **1** 恩人, 恩恵を施す人. **2** (学校・慈善事業などの)後援者.

ben·e·fice /bénəfɪs/ 图 C (正式)(教会)聖職禄(<ruby>ロク</ruby>), 聖職禄《vicar または rector の収入》.

†**be·nef·i·cent** /bənéfɪs*ə*nt/ 形 (正式)慈善心に富んだ(kind). **be·néf·i·cent·ly** 副 情け深く. **be·néf·i·cence** 图 U 善行; C 施し物, 寄付.

†**ben·e·fi·cial** /bènəfíʃ*ə*l/ 形 (正式)有益な, [〈…の〉ためになる](useful)〔*to*〕‖ be *beneficial to* your health 健康によい(=do you good).
bèn·e·fí·cial·ly 副 有益に.

ben·e·fi·ci·ar·y /bènəfíʃièri|-ʃ*ə*ri/ 图 C (法律)(信託)受益者;(遺産などの)受取人.

•ben·e·fit /bénəfɪt/ (アクセント注意)【善(bene)を行なう(fit)】 cf. beneficial (形)

―名(複 ~**s**/-fɪts/) **1** UC 〈人にとっての〉利益, 助け(advantage, profit)〔*to*〕;(商業)利得 ‖ the public *benefit* 公共の利益 / He did it *for the benefit of* the poor. 彼は貧しい人々のためにできる限り尽くした / *reap the benefit*(*s*) *of* … …の成果を得る / It would be 「*to his benefit* [*of benefit* to him] to study linguistics under Dr. Brown. ブラウン博士のもとで言語学を研究することは彼のためになるだろう. **2** UC 恩恵, 親切(な行為);特典, 特権 ‖ the *benefits* of modern technology 現代科学技術の恩恵 / *without benefit of* … …の恩恵を受けずに / His report can be read *with benefit*. 彼のレポートは読む価値がある(=His report is worth reading.) / I got a lot *of benefit from* my teachers. 先生がたに大変お世話になった. **3** C [通例 ~s](給料以外の)手当, 特典;(年金・保険などの)給付金, 扶助金 ‖ unemplóyment *bénefit*(*s*) 失業手当. **4** C 慈善[募金]興行 ‖ a *benefit* concert 慈善音楽会.

for A's bénefit =**for the bénefit of A** (1) → 名 **(2)** …をこらしめるために.

give [**allów**] **A the bénefit of the dóubt** (証拠不十分の場合)〈人〉に有利に解釈する.

―動 (~**s**/-fɪts/; 過去・過分 ~**ed** or (米) **-fit·ted**/-ɪd/; ~**ing** or (米) **-fit·ting**)
―他 (正式)〈物・事が〉〈人〉を益する, …のためになる ‖ The new tax system will only *benefit* the rich. 新しい税制度は金持ちだけを利するだろう.
―自 〈人が〉〈…で〉利益[恩恵]を得る〔*from, by*〕《◆修飾語(句)は省略できない》‖ The company *benefited from* the change in the exchange rate. その会社はため替レートの変動で利益をあげた / People with Parkinson's can greatly *benefit from* acupuncture. パーキンソン病患者は鍼(<ruby>ハリ</ruby>)療法で著しくよくなることがある.

bénefit society [**associátion**] (米)共済組合, 共

済会《(英)benefit club, friendly society》.

†**be·nev·o·lence** /bənévələns/ 名《正式》U 善意, 慈悲心(↔ malevolence). ② 善行.

†**be·nev·o·lent** /bənévələnt/ 形《正式》1《…に対して》慈悲深い, 親切な(charitable)《to, toward》; やさしい, 好意的な(kindly)(↔ malevolent). 2 善者のための ‖ a benevolent institution 慈善団体.
be·név·o·lent·ly 副 慈悲深く.

†**Ben·gal** /beŋɔ́ːl, beŋ-/ 名 ベンガル《インド北東部の地方. 旧英領インドの州. 略 Beng.》.

be·nign /bənáin/ 形《正式》1《上位の人が》優しい, 慈悲深い(kind). 2《気候などが》温和な(mild). 3《医学》良性の(↔ malignant); the ~ Strait a benign tumor 良性の腫瘍(ﾕｳ).

Ben·ja·min /béndʒəmin/ 名 ベンジャミン《男の名. 愛称 Ben, Benny》.

Ben·ny /béni/ 名 ベニー《男の名. Benjamin の愛称》.

***bent** /bént/
——動 bend の過去形・過去分詞形.
——形 1《物が》曲がった, 曲げられた(↔ straight) ‖ a bent twig [pole] 曲がった小枝[柱] / His back is bent (down) with age. 彼は老齢で腰が曲がっている. 2《正式》[be bent on [upon] A]《人が》《物・事》をしようと決心している, …するつもりである(determined); …に熱中している ‖ **対話** "He is studying very hard for the bar examination." "Yes, he really is. He *is bent on* becoming a lawyer." 「彼は司法試験のために一生懸命に勉強しています」「本当にそうですね. 弁護士になるつもりです」.
——名 (複 ~s/bénts/) C《正式》[通例単数形で]《…の》(生まれつきの)好み, 傾向, 性癖(inclination); 適性[for] ‖ a man with an artistic bent 芸術家肌の人 / follow one's bent 自分の気の向くままにする / have a (natural) bent for literature [sewing] (生まれつき)文学[裁縫]が好きだに向いている].

Ben·tham /bénθəm, -təm/ 名 ベンサム《Jeremy ~ 1748-1832; 英国の哲学者. 功利主義(utilitarianism)を唱えた》. **Bén·tham·ism** 名 U ベンサムの功利説《最大多数の最大幸福説》.

†**be·numb** /bináːm/ 動 他《正式》[通例 be ~ed]《寒さなどで》無感覚になる, 麻痺(ﾏﾋ)する(numb)《with, by》. **be·númbed** 形 無感覚の.

Benz /bénts/ 名 C《米略式》ベンツ(Mercedes-Benz)《高級車》.

ben·zene /bénzin, -/ 名 U《化学》ベンゼン《石油・コールタールから得られる無色の揮発性液体. 合成化学原料》. **bénzene ring**《化学》ベンゼン環.

ben·zine, --zin /bénzin, -/ 名 U ベンジン.

Be·o·wulf /béiəwùlf | béiəu-/ 名 ベオウルフ《8世紀初めに書かれた古英語の叙事詩. その主人公》.

†**be·queath** /bikwíːð, -kwíːθ/ 動 他《正式》1《動産》を《…に》遺言で譲る[to]; 《人・団体に》《動産》を遺贈する(leave)《◆不動産の遺贈には devise》‖ Her rich uncle *bequeathed* Mary a large fortune. =Her rich uncle *bequeathed* a large fortune *to* Mary. 彼女の金持ちのおじは多くの財産をメリーに遺産として残した. 2《物》を《後世の人に》伝える, 残す[to] ‖ *discoveries bequeathed to us* 我々に伝えられた種々の発見.

be·quest /bikwést/ 名《正式》《法律》U [人への]遺贈; C 遺産, 形見[to] ‖ He left a *bequest* of $1,000,000 *to* the foundation. 彼は財団に100万ドルの遺産を寄付した.

be·rate /biréit/ 動 他《正式》《人》を[…のことで]《がみがみ》しかる[for].

†**be·reave** /biríːv/ 動《過去・過分》通例 1 で ~d, 2 で be·reft/-réft/ 他《正式》[bereave A of B] 1《事故・死などが》《人》から B《近親》を奪う(take away) ‖ The *bereaved* are [is] still in mourning. 遺族はまだ喪に服している / The accident *bereaved* him of his wife. =He was *bereaved* (by the death) *of* his wife in the accident. その事故で彼は妻を亡くした. 2《主に詩》《驚き・怒りなどが》A《人》から B《希望・理性などを失わせる ‖ be *bereft of* joy 喜びを失っている. **be·réave·ment** 名 U C (肉親に)先立たれること, 死別.

be·reft /biréft/ 動 bereave の過去形・過去分詞形.

be·ret /bəréi | bérei/ 名 C ベレー帽.

Berg·son /báːrgsn/ 名 ベルグソン, ベルクソン《Henri /ɑːnríː | ɔ́nri/ ~ 1859-1941; フランスの哲学者; 創造的進化論を唱道》.

ber·i·ber·i /béribéri, -ː-/ 名 U《医学》脚気(ｶｯｹ).

Be·ring /bíəriŋ | béər-/ 名 the ~ Sea ベーリング海《シベリアとアラスカの間》; the ~ Strait ベーリング海峡.

Berk·shire /báːrkʃiər | báːkʃə/ 名 1 バークシャー《英国南部の州. 州都 Reading /rédiŋ/. 略 Berks.》. 2 C バークシャー原産の黒豚.

†**Ber·lin** /bəːrlíːn/ 《名詞の前の場合は時に /-ː-/》名 ベルリン《ドイツの首都. 戦後東西に分割され, 東は東ドイツの首都, 西は西ドイツ領だったが, 1990年統合》.
Berlín Wàll ベルリンの壁.
Ber·lín·er 名 C ベルリン市民.

Ber·li·oz /béərliouz/ 名 ベルリオーズ《Louis Hector /luːi héktɔːr/ ~ 1803-69; フランスの作曲家》.

Ber·mu·da /bərmjúːdə/ 名 1 バミューダ(諸)島《米国 North Carolina 州東の大西洋にあり英国の植民地, 保養地》. 2《米略式》[~s] =Bermuda shorts.
Bermúda shórts バミューダ・パンツ《ひざ上までの半ズボン》.
Bermúda Tríangle [the ~] バミューダ三角海域《海難・航空事故の多発地帯として有名》.

Ber·nard /bəːrnáːrd | báːnəd/ 名 1 バーナード《男の名》. 2 ~ Saint Bernard.

Bern(e) /báːrn/ 名 ベルン《スイスの首都》.

†**ber·ry** /béri/ (同音 bury) 名 C《植》ベリー《イチゴの類などの核のない果実. apple と共にアングロサクソン人の代表的果物》. 関連 blackberry ブラックベリー, blueberry ブルーベリー, cranberry クランベリー, gooseberry スグリ, raspberry キイチゴ, strawberry イチゴ.
(*as*) *bròwn as a bérry* こんがりと日焼けして《◆複数の人についている場合は berries》.

Bert /báːrt/ 名 バート《男の名. Albert, Gilbert, Herbert, Bertrand の愛称》.

†**berth** /báːrθ/ (同音 birth) 名 C 1《船・列車の》寝台, 段ベッド. 2《海事》投錨(ﾁｮｳ)地, 停泊位置; 操船余地, バース.
gìve A *a wìde bérth* =*give a wíde bérth to* A《略式》(1)《物》に十分距離をおく. (2)《人》を避ける, …に近寄らない.
——動 他《船》を(安全な場所に)停泊させる.
——自 停泊する, 投錨する.

ber·yl /bérəl/ 名 U C 《鉱物》緑柱石《緑色・薄青色の宝石. エメラルドなどはこの変種》; U 緑色, 薄青色.

†**be·seech** /bisíːtʃ/ 動 (過去・過分) ~·sought/-sɔːt/ or ~ed) 他《文》1 …を嘆願する, 懇願する; 《人》に

[...するように]懇願する, 請う[*to* do, *that* 節]. **2** 〈人〉に〈慈悲・許可などを〉嘆願する[*for*]; 〈慈悲などを〉〈人に〉嘆願する[*of*] ∥ *beseech* the judge for mercy =*beseech* mercy of the judge 裁判官に慈悲を嘆願する. **be·séech·ing** /形/ 懇願するような, 哀願の.

†**be·set** /bisét/ /動/ (過去・過分) **be·set**; **--set·ting** /他/ **1** 〈文〉〈場所・人〉を包囲する, 取り囲む(surround); 〈道などを〉で)ふさぐ; 〈を(四方八方から)襲う(attack)[*by, with*] ∥ a village *beset* on all sides *with* mountains 山にすっかり囲まれた村. **2** 〈文〉[通例 be beset] 〈人・物事が〉[困難・誘惑などに]つきまとわれる, 悩まされる[*by, with*] ∥ be *beset* by doubts 疑念にかられている / His life *was beset with* hardships. 彼の人生はいつも苦労がつきまとった. **be·sét·ment** /名/ 弱み.

be·set·ting /bisétiŋ/ /形/ 絶えずつきまとう ∥ a *besetting* sin 陥りやすい罪.

:**be·side** /bisáid/ 《そば(side)近くに(be)》
―[前] **1** [位置] ...のそばに[の], ...の近くに◆ある程度の距離を含む near (to)) ∥ a town *beside* the sea 海のそばにある町 / He sat down *beside* her. 彼は彼女の隣に腰をおろした. **2** ...と比べると ∥ *Beside* me, she seems tall. 私と比べると彼女は背が高く見える. **3** 〈正式〉〈的・本題などと〉れて, ...と無関係で(off)) ∥ The question is *beside* [the point [the mark]. その質問は的をはずれている. **beside thát** その上, さらに.
***beside** oneself → oneself.

*·**be·sides** /bisáidz/ 《beside に副詞を作る -s がついたもの. nowadays の s と同類》
―[前] **1** [肯定文で] ...のほかに, ...に加えて(in addition to) 使い分け → except [前] **1**) ∥ I need your help *besides* your interest. 関心だけでなく援助もしてもらいたい / *Besides* Susie, there were several other girls in the room. 部屋にはスージーのほかも数人の女の子がいた[◆ *Beside* Susie... だと「スージーのそばに女の子が数人いた」の意] / *Besides* talk*ing* to him, she wrote him a letter. 彼女は話をするだけでなく手紙も書いた.
2 [主に否定文・疑問文で] ...を除いて, ...以外に(except) ∥ He has *no* friends *besides* me. 彼は私以外に友人がいない(=He has no other friends *than* me. =I am his only friend.) / What else can I *do besides* talk? 話す以外に私に何ができるというのですか[◆ do と共に用いる場合は原形不定詞を用いる].

―[副] **1** [接続詞的に] その上, さらに(also); その他に ((正式) in addition)[◆ふつう, 前文・主文より軽い内容の追加をさす. cf. moreover] [対話] "Why don't you want to marry him?""For one thing, I don't like his job. *Besides* (↘), he is too talkative."「なぜ彼と結婚しないの?」「第一に, 彼の職業が気に入らないし, それに大しゃべりだからです」/ She had four sons and an adopted one *besides*. 彼女は4人の男の子と, それ以外に1人の養子をかかえていた.

†**be·siege** /bisí:dʒ/ /動/ /他/ 〈正式〉 **1** 〈軍隊などが〉〈町・要塞などを〉〈長期にわたって〉包囲[攻囲]する; 〈群衆などが〉...に押し寄せる, ...をとり囲む ∥ The lottery winner was suddenly *besieged* by charities requesting contributions. 宝くじに当たった人は突然寄付を求める慈善団体にとり囲まれた. **2** 〈人〉を[要求などで]攻める[*with*]. **3** 〈疑惑〉〈人〉を悩ます. **be·síege·ment** /名/ U 包囲.

†**be·sieg·er** /bisí:dʒər/ /名/ C 包囲者; [~s] 攻囲軍(↔ the besieged).

be·smirch /bismə́ːrtʃ/ /動/ 〈正式〉 **1** ...を汚す, 変色させる. **2** 〈人・名声〉に泥を塗る.

be·sot·ted /bisɑ́təd/ /形/ 〈正式〉 **1** 〈酒・異性・権力などに〉おぼれた, のぼせあがった[*by, with*]. **2** 酔った.

be·sought /bisɔ́ːt/ /動/ 〈正式〉 beseech の過去形・過去分詞形.

be·spat·ter /bispǽtər/ /動/ /他/ 〈正式〉 **1** ...に[泥水などを]はねかける[*with*]. **2** ...を中傷する.

be·speak /bispí:k/ /動/ /他/ 〈正式〉 (過去) **--spoke**, (過分) **--spo·ken** or **--spoke**) /他/ 〈正式〉 **1** 〈行動など〉を...物語る.

be·spec·ta·cled /bispéktəkld/ /形/ 〈正式〉 めがねをかけた.

be·spoke /bispóuk/ /動/ bespeak の過去形・過去分詞形.

be·spo·ken /bispóukn/ /動/ bespeak の過去分詞形.

Bess /bés/, **Bes·sie**, **Bes·sy** /bési/ /名/ ベス, ベシー《女の名. Elizabeth の愛称》.

:**best** /bést/
―[形] 《good, well の最上級》 **1** 最もよい, 最善の, 最適の, 最も有益[上手]な(↔ worst) ∥ one's *best* days 全盛時代 / the three *best* writers 3大作家 / the ten *best* hitters 打者のベストテン[◆ *best* ten の語順については → [形] **1**)] / the *best* man for the job その仕事に最適の人 / the *best* poet I have ever known 知っている中で最高の詩人 / That wine is ((正式) of the) *best*. そのワインは極上だ / Experts say *it is best to* stop smoking completely. タバコを完全にやめるのが最もよいと専門家は言います / *It is best for* him not to change his job. =*It is best that* he (should) not change his job. 彼は転職しないのが一番よい(→ [文法] 9.3) / *best before:* Oct. 31, 2005 賞味期限2005年10月31日まで / May the *best* man win. さて栄冠はだれの手に◆ 競技会などの初めに司会者が言う).

[語法] (1) ふつう [the ~] の形をとるが, 補語として用いる場合や, 同一の人[物]の部分・性質の比較では (米略式) を除き the を省くのがふつう (→ [文法] 19.6): The view is *best* about here. 眺めはこのあたりが最もよい.
(2) 2つのものの比較に用いるのは (略式): This book is the *best* of the two. 2冊のうちでこの本の方がよい(=This is the *better* of the two.).

2 〈略式〉 [the ~ part of] ...の大半(most of) ∥ the *best* part of 「the journey [an hour, a mile] 旅[1時間, 1マイル]の大部分[大半]. **3** 〈略式〉 とてもひどい◆ 反語用法) ∥ a *best* liar 大うそつき.

pùt [**sèt**] one's *bést* lèg [fóot, fáce] fóremost [fórward] 〈正式〉 精いっぱい仕事を急ぐ, 急いで道を行く; 全力を尽くす; 〈米略式〉 できるだけよいところを見せる.

―[副] 《well, very much の最上級》 **1** 最もよく; 最も上手に; 最も多く(↔ worst) ∥ I feel *best* in cool weather. 私は涼しい気候の時に気分が最もよい / I like English (the) *bést of áll* the subjects. 全科目中で英語が一番好きです(=I like English better than any other subject.)[◆強調の

bestial

ために the をつけることがある》.
2 《略式》 [複合語で] 最も, 一番(most) ‖ *the best-pleasing singer* 最も愛嬌のある歌手 / *the best-hated man* 一番の憎まれ者《◆ *the most hated man* の方がふつう》.

*as **bést** one **cán** [**máy**]* 《完全を期さないまでも》できるだけよく, 精いっぱいに ‖ *Do it as best you can.* 精いっぱいやりなさい.

*had [would] **bést** dò* …すべきである; …するのが一番よい ‖ *You had best start now.* 今出発するべきだ《◆ (1) had better の強意形だが《非標準》とする人もある. (2) would best は《英》では《非標準》. (3) 否定文は *You* had *best not start* …, 疑問文はふつう *Hadn't you best start* …?》.

── 名 Ｕ 《通例 the/one's ~》 **1** 最もよいもの, 最善[最上]のもの; 《略式》晴れ着 [best clothes]《◆ *Sunday best* ともいう》; [通例複数扱い] 最もすぐれた人々 ‖ *the second [next] best* 2番目にいいもの, 次善の策 / *the best of* husbands 模範的な夫 / *be the best of* friends 最も仲のよい間柄となる / *play the best of* three [five] *games* 3[5]回勝負をする《◆ 2[3]回勝った方が勝ち》/ *the「ten bests [top ten] in fiction* 小説のベストテン《◆(1) 日本語との語順の違いに注意. ただし, ベストテン の語順も可. (2) これは the ten best *books* [sellers] が縮約されて bests という形になったと考えられる》/ *bring out the best in him* 彼の長所を引き出す.
2 [通例 the/one's ~] 《人・物の》最もよい状態 ‖ *in the best of health* [temper] まったく健康[上機嫌]で / *The girl looks her best in jeans.* その少女はジーパンが最もよく似合う.
3 [通例 one's ~] 全力, 精いっぱい ‖ *dò [try] one's bést* =《略式》*dò one's level bést* =《略式》*dò the bést one can* 最善を尽くす《◆ I *will do my best.* しばしば「期待に応えられないが…」という意を含む》/ *Why not the best?* (→ why 圖 **3**).
4 《米略式》 [one's ~] 《手紙などで》よろしくというあいさつ ‖ *Please give my best to* your father. お父さんによろしく.

*(**áll**) for the **bést*** [形・副] 《最初は悪く見えていても》《物・事が結局は一番よい [よくなるように]で ‖ *It turned out all for the best.* それが一番いい結果になった.

*All the **bést**!* 《略式》万事うまくいきますように《◆ 乾杯・別れ・友人への手紙の末尾の言葉》.

*at one's [its] **bést*** 最高の状態で; 満開で, 見頃で ‖ *The cherry blossoms are at their best.* 桜は満開です.

*at (the) **bést*** よくても, せいぜい《◆ 文頭・文中・文尾のいずれにも用いる. at the very best はこの強意形》(↔ at (the) worst) ‖ *At best,* you will get only a small increase in salary. どんなに多くを期待しても昇給はせいぜいわずかなものだろう.

*(**éven**) at the **bést** of times* 最良の時[状態]にあっても《◆ ふつう否定文で用いる》.

*gèt [hàve] the **bést** of A* 《略式》 (1) 〈人〉をしのぐ, 出し抜く, だます. (2)〈議論・競技などに〉勝つ;〈取引〉をうまくやる《◆《英》では better がふつう》.

*hópe for the **bést*** うまくいくことを望も, 首尾よく終わることを望む.

màke the bést of A 〈不満足な事情・条件〉を何とかうまく切り抜ける[乗り切る]; 〈機会などを最大限に利用する《◆「有利な条件を利用する」は make the most of A》‖ *We have only a few weeks before the entrance exam, so let's make the*

bet

best [most] of them. 入試までほんの数週間しかありません. だからその時間を最大限に生かしましょう / *make the best of* a bad job 《主に英略式》逆境でベストを尽くす.

The bést of it ís (that) … 最も面白い[よい]ことは…だ.

to the bést of A 《正式》 [文頭・文中・文尾で]〈能力・知識などの〉限り(では) ‖ *to the best of* one's belief [recollection, ability] 信じている[思い出せる, 力の及ぶ] 限り / *To the best of my knowledge,* she is still in charge of the firm. 私が知っている限りでは彼女はまだその会社の責任者だ(=As far as I know, …).

with the bést (of them) 《略式》だれにも劣らず, 上手に.

── 動 他 《略式》〈人〉に打ち勝つ;〈人〉を出し抜く.

bést man 花婿付添人 (cf. groomsman); 結婚する男の友人.

bést pitch [野球] [one's ~] ウイニングショット《◆ ×winning shot とはいわない》.

bést róom 《米》 [the ~] 応接間.

best seller → 見出し語.

bes·tial /béstʃəl │ -tiəl/ 形 〈人・行為が〉獣のような; 野蛮な; 堕落した, みだらな.

be·stir /bɪstə́ːr/ 動 (過去・過分) **be·stirred** /-d/; **--stir·ring** 他 《正式》 [~ oneself] 奮起する, 忙しくする; 身動きする.

†be·stow /bɪstóu/ 動 他 《正式》〈名誉・賞などを〉〈人に〉授ける [on, upon]《◆ give と違って上下関係が含まれる》‖ *bestow* a knighthood *on* him 彼にナイトの爵位を与える.

be·stow·al /bɪstóuəl/ 名 《正式》 **1** Ｕ 授与; 貯蔵. **2** Ｃ 贈り物.

be·strew /bɪstrúː/ 動 (過去) ~ed, (過分) --strewn or ~ed 他 《正式》…を[…で]一面に覆う (strew) [*with*].

be·stride /bɪstráɪd/ 動 (過去) --strode or --strid, (過分) --strid·den 他 《正式》〈馬・いすなど〉にまたがる.

†best sel·ler, best-sel·ler /béstsélər/ 名 Ｃ **1** ベストセラー《本・レコードなど》‖ *This novel is not a* [×the] *best seller.* この小説はベストセラーではない. **2** ベストセラーの作者[作家].

best-sel·ling /béstsélɪŋ/ 形 〈本・作家などが〉ベストセラーの.

†bet /bét/
── 動 (~s /béts/; 過去・過分 **bet** or **bet·ted** /-ɪd/; **bet·ting**)《◆ 過去形・過去分詞形は, 特に《英》では, 特定の金額を賭けるときは bet, その他の場合は betted を用いることが多い》.
── 他 **1** 〈人が〉〈金などを〉賭ける ‖ *What will you bet?* 君は何を賭けるかい.
2 [bet A on B =《英》bet B A]〈人が〉A〈金〉を B〈馬・チームなど〉に賭ける ‖ *I bet* five pounds *on* the horse. =《英》*I bet* the horse five pounds. 私はその馬に5ポンド賭けた.
3 [bet A on B]〈人が〉A〈人〉と B〈物事〉について賭けをする ‖ *I bet* John *on* the baseball game. 私はジョンと野球の試合で賭けをした.
4 [bet A (B) (that)節]〈人が〉(A〈人〉に) きっと…だと B〈金など〉を賭ける ‖ *I bet* (you) a pound *(that)* he will succeed. 彼が成功する方に1ポンド賭けるよ(=I *bet* (you) a pound on his success.) / *I bet* anything she's lying. 彼女がうそをついていることに何を賭けてもよい.
── 自 〈人が〉 […(であること)に/…(でないこと)に](金

を)賭ける〔*on/against*〕《◆修飾語(句)は省略できない》‖ It's foolish to *bet on* horses. 競走馬に金を賭けるのはばかげている / I'll *bet against* his winning. 彼が勝ったら金を出すよ.

I('ll) bét (you) (**that**) … 《命・大金を賭けてもいいくらい自信がある》《略式》(1) きっと…だ《◆I'll *bet* that は ふつう, I *bet* と しばしば省略される. また)》挿入的に「きっと」「確かに」の意で用いる)》‖ I *bet* it rains [will rain] tomorrow. きっと明日は雨だ. (2) まさか, さあどうだかね; ああそれどうとも《◆反語用法》.

*****you bét** (**that**) … 《略式》(1) (君の言う通り)確かに…だ‖ 《対話》"Frightened?" "*You bet* I was." 「こわかったのか」「実はそうなんだ」《◆You bét! で「確かに」「もちろん」の意にも用いる》. (2) [You bet.] (米俗) (Thank you. に対する応答として)どういたしまして.

You can bét on it. 間違いないよ, 絶対にそうだよ.

――名 賭(か)け, 賭け金, 賭けの対象; 《略式》行動の仕方; 《略式》意見, 考え‖ an even *bet* 五分五分の賭け / win [lose] a *bet* 賭けに勝つ[負ける] / lay [make] him a *bet* =lay [make, have, place] a *bet* with him 彼と賭けをする / one's best *bet* 最も確実な[もの, 人] / It is a safe [good] *bet* that … …と考えて間違いない(=It is certain …).

máke [**táke**] **a bét** 《人と/…に関して/…だと)賭けをする〔*with/on/that*節〕(→ 名)‖ She made a *bet* on the horse race and won. 彼女は競馬で賭けをして勝った.

be·ta /bíː-/ 名 C **1** ベータ《ギリシアアルファベットの第2字 (β, B). 英字の b, B に相当. → Greek alphabet》. **2** 《分類の》2番目(のもの), 第2級; 《主に英》(学業成績が3段階の)中, 良‖ *beta* plus [minus] 中の上[下]《記号は B⁺ [B⁻]》(→ alpha plus). **3** [B~]《天文》ベータ星《1つの星座中で2番目に明るい星》.

Beth /béθ/ 名 ベス《Elizabeth の愛称》.

†**Beth·le·hem** /béθlihèm, -liəm/ 名 ベツレヘム《Jerusalem の近くの町. キリスト生誕の地. 現在ヨルダン国内》.

be·tide /bitáid/ 動 他 《文》《事が)起こる(happen)《通例次の句で》‖ whatever (may) *betide* 何が起ころうとも.

†**be·to·ken** /bitóukn/ 動 他 《正式》《雷鳴などの)…の前兆となる.

be·took /bitúk/ 動 《正式》betake の過去形.

†**be·tray** /bitréi/ 動 他 **1** 《人が)〈約束・信頼などを〉裏切る, …にそむく; 《味方などを)〈敵などに〉売り渡す〔*to, into*〕‖ Judas *betrayed* Christ. ユダはキリストを裏切った / *betray* one's country to the enemy 祖国を敵に売る / *betray* one's wife [husband] 浮気をする. **2** 《正式》〈人が)〈秘密などを〉〈人・敵に〉漏らす, あばく(reveal)〔*to*〕‖ She *betrayed* his secret to her friends. 彼女は彼の秘密を友だちに漏らした. **3** 《正式》〈表情・様子などが〉〈弱点・事実などを〉(うっかり)さらけ出す, 暴露する; 〔…であることを〕表す〔*that*節・*wh*節〕‖ Her pale face *betrayed* her fear. 彼女の真っ青な顔は恐怖を表していた / His accent *betrayed* the fact) that he was an Englishman. アクセントから彼がイングランド人だとわかった.

betráy *oneself* 〔…で〕うっかり本性を表す〔*by*〕.

be·tray·al /bitréiəl/ 名 U C 裏切り, 背信; 密告.

be·tray·er /bitréiər/ 名 C 裏切り者, 売国奴; 誘惑者.

†**be·troth** /bitróuð, 《米+》-tráθ, 《英+》-tróuθ/ 動 他 《文・今は廃》〈人〉を〔…と〕婚約させる〔*to*〕.

be·troth·al /bitróuðl, -tráθ-, 《英+》-tróuθ-/ 名 U C 《正式・やや古》婚約.

Bet·sy /bétsi/ 名 ベツィ《女の名. Elizabeth の愛称》.

:bet·ter¹ /bétər/
―― 形《good, well の比較級》**1** [good の比較級] **よりよい**, よりすぐれた[上手な, 好ましい]《⟷ worse》‖ Mary is a *better* dancer than Beth. メリーはベスよりダンスがうまい(=Mary is *better* at dancing than Beth). / Mary dances *better* than Beth.) / Which of the two is the *better* skater? 2人のうちでスケートのうまいのはだれだ / I don't advise people not to eat meat, but *it is better to* eat less of it. 肉を食べないことまでは言わないが食べる量を減らす方がよい / It is *better for* him to ask for advice. = It is *better that* he (should) ask [《主に英略式》he asks] for advice. 彼は助言を求めた方がよい(⇒ 文法 9.3) (= He had *better* ask for advice.) / It is *better than* nothing. ないよりはましだ / The sóoner [móre], the bétter. 《略式》早ければ早い[多ければ多い]ほどよい / So much the bétter! ますます結構 / Bétter luck next time! (失敗した人を励まして)今度こそうまくいきますように! / Bétter late than néver. 《ことわざ》(遅刻の弁解として)遅くとも来ないよりはまし; たいしてうまくできなくても全然しないよりはまし.

2 [well の比較級] [補語として] a 〈病人が〉快方に向かった‖ 《対話》"How are you feeling this morning?" "I am feeling much *better* today, thank you, doctor." 「今朝の気分はいかがですか」「先生, 今日はだいぶ気分がいいです」《◆この質問は病人に対して用いる》. b 〈病人が〉健康を回復した, 全快した《◆しばしば quite, completely で意味を強める》‖ Don't start work again until you are *quite better*. すっかりよくなるまで仕事を始めるな.

3 [good の比較級] 〈人〉が爽快(そうかい)な気分の‖ Doing something other than housework will make you feel even *better* about yourself. 家事以外のことをすることに気分が晴れるでしょう. **4** [good の比較級] 《略式》数量がより多い; [the better part of …] …の半分以上‖ the *better part of* one's pay [a week] 給料[1週間]の大部分.

little [**nó**] **bétter than** A 《A はよくないもの》…よりだけはいかとうとその差は(ほとんど)ゼロに等しい; …も同然の《◆ not better than … は文字どおり「…よりもよくない」の意》‖ His house is no [little] *better than* a rabbit hutch. 彼の家はまるでウサギ小屋だ.

―― 副 《well, very much の比較級》**1** [well の比較級] **よりよく**, より上手に‖ sing *better* than anyone else だれよりもうまく歌う.

2 [very much の比較級] **より多く**, より以上に‖ I like [love] spring *better* than summer. 夏よりも春の方が好きだ《◆ more の方が堅い言い方》.

3 [(or,) ~ still; ~ yet; 接続詞的に] いっそのこと, さらによいことには(what is better)‖ You can call her. "*Better yet* [(Or,) *better still*], you can go (and) see her personally. 彼女に電話してもよいが, いっそのこと直接会いに行った方がよい.

àll the bétter 理由を受けてその分だけよく(→ 副 2)‖ 〔…のために〕いっそう, それだけいっそう[多く]〔*for, because*〕‖ I like her *all the better* [*for* her faults [*because* she has faults]. 欠点があるからかえって彼女が好きだ.

be bétter óff よりよい[幸せな, 健康な]状態である;いっそう暮らし向きがよい(↔ be worse off)《◆原級は be well off (↔ be ill [badly] off)》¶ The Japanese *are far better off* than before. 日本人は以前に比べてはるかに暮らし向きがよくなった.
bétter áble to *dó* **than** ... …よりもうまく…できる ¶ Mary is *better able to* cope with stress *than* her husband. メリーは夫よりストレスをうまく克服できる.
gó (A) **one bétter** =《英》**gó óne bétter (than** A) 《略式》(人…よりも)すぐれる, 一枚うわてである.
***had bétter** *dó* (今あるいはこれから)…するのがよい;(you を主語にして)…しなさい, …すべきである(→ 語法(2)) ¶ I'd *better* hurry. 急がなくては / There *had better* be a break between the two lectures. 講演と講演の間に一休みあるのがよい.

語法 (1) 否定文は You「*had better not* do it [×had not [hadn't] better do it]. 君はそれをしないのがよい《◆文脈から明らかな場合, do 以下は省略可能》. 疑問文はふつう Hadn't you *better* do it? 君はそれをしないほうがよくはないかい《忠告》.
(2) 主語が二人称の場合か, 文脈・音調によっては警告・押しつけがましさの意を含むことがあるのでふつう目下の人に対して用いる: You'd *better* do it. (↘)そうするのがよい(↘) / You'd *better* do it. (↗)きっとor節が省略されて)そうした方がよい(さもないと…), そうした方が身のためですよ《警告》.
(3) 目上の人に対してはMaybe [Perhaps] you'd *better* do it. / It would [might] be *better* for you to do it. / I (would) suggest [suppose, recommend] you do it. / You should [would be *better* to] do it. などが無難.
(4) 《略式》ではふつう had は軽く発音され, You'd *better* ..., You *better* ..., さらに *Better* ... となることが多い: (You) *better* go now. そろそろ行った方がいいぞ.
(5) 一般的なことをいう場合には should, ought to: You should [ought to, ×had better] always be kind to old people. 年寄りには常に親切にすべきだ.
(6) far によって better が強調される時がある: You *had far better* stay home today. 君は今日は家にいるほうがずっといい.

***know bétter than** A [*to* *dó*] → know 動.
Néver bétter. 《略式》(体の具合を尋ねられて)今までになく元気だ, 絶好調だ(=I have never felt better.) ¶ 《対話》 "How are you?" "*Never better*." 「(体の)調子はどうだい」「最高だよ」.
will [would] dó better to *dó* …する方がよい.
―動 他 1 〈(よい)状態などを〉よりよくする, 改善する.
2 …にまさる, よりすぐれる.
―自 《正式》向上する, 向上しきる.
bétter onesélf (1) 出世[向上]する, 昇進[昇給]する. (2) 自己をみがく, 教養をつむ.
―名 C 1 《正式》[a/the ~] よりよい物[事, 人] ¶ take a change [turn] *for the better*. 好転[改善, 栄転]する(↔ for the worse) / *the better of* the two 2つ[2人]のうちでよりよい物[人]. 2 [通例 one's ~s] (能力・地位などの)よりすぐれた人 ¶ *one's* (elders and) *betters* 目上の人, 先輩.
for bétter (or) for wórse 副 よいときも悪いときも, 健康な時も病気の時も, どんなことがあろうとも(永遠に)《◆結婚式の宣誓の文句》.
for bétter or wórse 副 (結果)がよかれ悪しかれ.
gét [**gáin, háve**] **the bétter of** A 〈人と議論などに〉勝つ;〈困難などに〉打ち勝つ《◆ better は強意形では best とする》.
bétter hálf 《略式》[one's ~; おおげさに] 妻;(時に)夫((PC) spouse, partner).
bétter náture 善良さ(goodness).

bet·ter² /bétər/ 名 =bettor.
†**bet·ter·ment** /bétərmənt/ 名 《正式》1 U 向上すること;出世, 改善. 2 C 《法律》[通例 ~s] (改善による不動産の)値上がり.
bet·ting /bétiŋ/ 名 U 賭(か)けること[場所] ¶ *betting* laws 賭(と)博法.
bétting tícket 馬券.
bet·tor, bet·ter /bétər/ 名 C 賭(か)けをする人.
Bet·ty /béti/ 名 ベティ《女の名. Elizabeth の愛称》.

:**be·tween** /bitwíːn/ 《「2つのものの間にある」が本義で, それより種々の2者間の関係を表す. 目的語が落ちて 副 が生じた》
―前 1 [場所・時間・関係]…の間に[で, を, の] 《◆ between A and B または between + C 名詞複数形で用いる》 ¶ the love *between* (a) mother *and* child 母と子の愛情《◆文法 16.3(3)》 / a bridge *between* the island *and* the mainland 島と本土を結ぶ橋 / The cat was *between* the wall *and* the fence. そのネコは壁と塀(へい)の間にいた / He is always here *between* 5 *and* 6 o'clock. 彼は5時と6時の間はいつもここにいる《◆ from 5 to 6 o'clock の意味》 / the relation *between* stress *and* disease ストレスと病気との関係 / *between* marriages 1つの結婚と次の結婚の間;[遠回しに] 離婚中 / eat (snacks) *between* meals 間食をする《◆ *between* one meal and another [the next] とはいうが, between each meal は《非標準》》.

語法 原則として2者について用いるが, 個別関係を示す時は3つ以上でも between を用いる(→ 前3 語法): Switzerland lies *between* Italy, Germany, Austria and France. スイスはイタリア, ドイツ, オーストリア, フランスと接している.

2 [区別・選択・分配]…の間に[で];…のどちらかを ¶ choose *between* peace and war 平和か戦争のいずれかを選ぶ / Divide the remainder of the cake *between* the two children. そのケーキの残りを2人の子供に分けなさい《◆この場合《略式》では3人以上でも *between* を用いることがあるが among の方が望ましい》 / What's the difference *between* 'lions *and* leopards [a lion and a leopard]? ライオンとヒョウの違いは何ですか.
3 [程度・性質]…の中間に[の], のどっちとも言えない ¶ a girl *between* a child and a woman 子供とも大人とも言いがたい少女 / *between* red and yellow. オレンジ色は赤と黄色の中間色だ.
4 [協力・共有]〈人が協力して, 共同で;〈お金などを〉みんな合わせて《◆この意味では3人以上でも用いる. cf. among 3》 ¶ *Between* them they finished the job. 彼らは協力してその仕事を終えた / The three boys have $50 *between* them. 3人の少年は合わせて50ドル持っている.
5 [原因] [between A(, B) and C] A やら (B やら) C で ¶ *Betwèen* cóoking, wáshing *and* cléaning, her mother was very busy. 料理やら洗濯

やら掃除で彼女の母は大変忙しかった.
betwèen ourselvés =(**just**) **betwèen yóu and mé** =**betwèen the twó of us** 〔略式〕〔通例文頭で〕ここだけの話だが; 内密[内緒]だが《◆ between you and I は〈非標準〉》∥ *Between you and me*, I know that John loves Mary. 内緒だけれど, 僕はジョンがメリーを好きなことを知っているんだよ.
cóme [**stánd**] **between** Ａ 〈人〉の間に割り込む, 〈人〉の間を裂く
— 副 間に, 中間に《◆名詞の後で修飾可能》∥ the man *between* 間の人 / He'll come sometime *between*. 彼はその時間中にいつか来るでしょう.
in betwèen [副] (1) 中間に, 間にはさまれて; 合い間に ∥ two rooms with a hall *in between* 間にホールのある2つの部屋〔間としても用いられる: Mother had two miscarriages *in between* us. 母は我々の間に2度流産している〕. (2) どちらとも言えない; 中間的な.

be·twixt /bitwíkst/〔古・詩〕前副=between《しばしば 'twixt と略される》. **betwíxt and betwèen** [形・副]〔略式〕(…の)中間の[で]; (態度などが)どっちつかずの[で], はっきりしない.

†**bev·el** /bévl/名Ｃ **1** 斜角. **2** 傾斜面.

†**bev·er·age** /bévəridʒ/名Ｃ《正式》(水以外の)飲み物, coffee, buttermilk, cocoa, milk, tea, beer など《◆ a drink はアルコール飲料. something to drink は水も含めて「飲み物」》∥ a familiar party *beverage* ありふれたパーティー用飲み物 / alcoholic [cooling] *beverages* アルコール[清涼]飲料《◆官庁用語. ふつうは drink を使う》.

Bév·er·ly Hílls /bévərli-/ ベバリーヒルズ《米国 Los Angeles 郊外の町. 映画人などの高級住宅地》.

†**be·ware** /biwéər/動《正式》《◆命令法・不定詞中は助動詞の後にのみ用いる》 ⾃ (…に)用心する, 注意する (be careful) [*of*] ∥ *Beware of* fire. 火の用心.
— ⽋ 〈人が〉…に用心する; (…するのに)気をつける [*that* 節] ∥ *Beware that* you do not miss the train. 列車に乗り遅れないよう気をつけなさい (=Be careful not to miss …) / *Beware* what you do. 自分のすることに注意しなさい.

†**be·wil·der** /biwíldər/動⽋〈事・物が〉〈人〉を当惑[ろうばい]させる ∥ She was *bewildered* by their personal questions. 彼らのプライバシーにかかわる質問攻めにあって彼女はとまどった. **be·wíl·der·ing** 形 まごつかせる, 途方もない. **be·wíl·der·ing·ly** 副 とまどうほど, 途方にくれて.

†**be·wil·der·ment** /biwíldərmənt/名Ｕ 当惑, ろうばい, とまどい ∥ **in bewílderment** 当惑して.

†**be·witch** /biwítʃ/動⽋ **1** 〈人〉に魔法[呪文(ぱつ)]をかけ(て(…に)する) [*into*] ∥ I'll *bewitch* him *into* a frog! あいつに魔法をかけてカエルにしてやろう. **2** 〈人・情景など〉が〈人〉を(…で)魅了する (charm) [*with*] ∥ Her beauty *bewitched* the young men. 彼女の美しさに若者たちはうっとりした / She is so charming that men are *bewitched* by her. 彼女は非常に魅力的なので男たちは彼女に心を奪われる.
be·wítch·ing 形 〈微笑などが〉魅惑的な.
be·wítch·ing·ly 副 うっとりさせるほど[ように].

†**be·witch·ment** /biwítʃmənt/名ＣＵ **1** 魅力, 恍惚(こう)(状態). **2** 呪文, 魔術.

***be·yond** /biánd, bijánd ∥ bijɔ́nd/ 前副名 -/《「ある基準を越えて向こうへ」が本義で, そこから時間的超過, または比喩的に範囲・限界を越えていることを表す》
— 前 **1** 〔位置〕…の向こうに[へ, で, の] 〔対話〕 "Where is the post office?" "Well, just *beyond* that tall building." 「郵便局はどこですか」「ちょうどあの高いビルの向こう側にあります」(cf. across **2**) / The ship disappeared *beyond* the horizon. 船は水平線のかなたに消えて行った / He lives about a quarter-mile *beyond* the bridge. 彼はその橋の約4分の1マイル向こうに住んでいる (➡文法 23.4(2)).
2 〔時間〕…を過ぎて《◆ after, past がふつう》∥ stay out *beyond* midnight 真夜中を過ぎまで外にいる.
3 〔範囲・限界〕〈…の範囲・限界・能力〉を越えて; …より以上に; …よりすぐれて (above) (↔ within) ∥ His conduct was *beyond* reproach. 彼の行動は非難の余地がなかった / a success far *beyond* our expectations [hopes, wildest dreams] 予想外の大成功 / live *beyond* one's income [means] 収入以上の生活をする / Understanding mathematics is *beyond* him [his head]. 数学は難しすぎて彼には理解できない / He must be far *beyond* 50. 彼は50歳をはるかに越えているにちがいない.
〔表現〕*beyond* endúrance 我慢できない / *beyond* (a) dóubt 疑う余地のない / *beyond* belíef 信じられない(ほど) / *beyònd* description [wórds] 筆舌に尽くしがたい / *beyond* compáre [compárison] 比較にならないほど(よい) / *beyond* all práise いくらほめてもほめきれない / *beyond* all hópe (of recóvery) まったく望み[回復の見込み]ない / *beyònd* réach 手の届かない / *beyònd* recáll 思い出せない (→ recall 名 成句) / *beyònd* recognítion 見分けがつかないほど / *beyònd* repáir 修繕できない / *beyond* one's income 収入以上に / *beyond* one's expectátion 意外で / *beyònd* one's understánding [comprehénsion] 理解できない.

4 〔通例疑問文・否定文で〕…のほかに, 以外に (except) 〔対話〕 "Was he seriously injured?" "He had a car accident and was carried to the hospital in an ambulance. *Beyond* that, I know nothing." 「彼は重傷でしたか」「彼は自動車事故にあって救急車で病院に運ばれました. それ以上は何も知りません」.
— 副 (ややも) (はるか) 向こうに (away), かなたに (farther); より先に《◆名詞の後で修飾可》∥ the hill *beyond* 向こうの丘 / The village is fàr *beyónd* [awáy]. その村ははるかかなたにある.
and beyond そしてそれ以上に; そしてそれ以外の他の所[地域, 分野]でも ∥ Japan *and beyond* 日本やその他の国でも.
— 名 〔the ~; 時に the B~〕 かなた; 来世, あの世 ∥ *the* (*gréat*) *beyónd* あの世 / live at the back of *beyond*《英略式》へんぴな土地に住んでいる《◆軽蔑(う)的な用法》.

bhang, bang /bǽŋ/ 名Ｕ 〔植〕 タイマ.

bhp, b.hp. 〔略〕〔機械〕 brake horsepower.

Bhu·tan /bu:tá:n/ 名 ブータン《ヒマラヤ山中の王国》.

bi– /bai-/ 〔語要素〕→語要素一覧 (1.7).

bi·an·nu·al /bàiǽnjuəl/ 形《正式》年2回の《◆「2年ごとの」と混同しやすいので semiannual, half-yearly とする方が明確》.
bi·án·nu·al·ly 副 半年ごとに.

*†**bi·as** /báiəs/ 名ＣＵ **1** 先入観, (心の)傾向; 〔…に〕する)偏見 [*against*], 〔…に対する〕えこひいき [*for, in*

favor of, toward》《◆ prejudice と違いよい意味にも用いる》‖ She has a *bias against* wasting money. 彼女はお金のむだ使いを毛嫌いする傾向がある. **2** [布地の織目に対する]斜線, バイアス.
── 動 (過去・過分) ~ed or (主に英) bi·assed; ~·ing or (主に英) ~·as·sing ⑭ (正式) [利害などが]〈意見・判断〉を片寄らせる; …の傾向がある; [通例 be ~ed]〈人が[…に対し]偏見を持つ〔*toward, in favor of, against*〕‖ She *is* biased *against* [*toward, in favor of*] her teacher. 彼女は先生に偏見[好意]を抱いている.

bi·ath·lon /baiǽθlən, -lɑn | -lən, -lɔn/ 名 Ⓤ バイアスロン《20kmのクロスカントリースキーと途中での射撃の組み合わせ. その選手は biáthlete》.

†**bib** /bíb/ 名 **1** よだれ掛け. **2** [エプロン・オーバーオールなどの]胸当て.

Bib. (略) *Bible*; *Biblical*.

***Bi·ble** /báibl/ 〖『書物(複数形)』が原義〗
── 名 (複 ~s/-z/) Ⓒ **1** [the ~] (キリスト教の)聖書, バイブル(the (Holy) Scripture(s))(略 B., Bib.) 《◆(1) 旧約(the Old Testament)と新約(the New Testament)から成る. (2) × 'the Bible'(引用符つき), ×*the Bible*(斜字体)のようにしない. (3) ユダヤ教では旧約のみを聖典とし, Tanach, Tanakh と呼ぶ. (4) 占いに用いられた》. Ⓒ (1冊の)聖書. **2** [しばしば b~] Ⓒ (一般に)聖典. **3** [b~] Ⓒ (略式) (聖書のように)権威ある書物, 必読書‖ the car mechanic's *bible* 自動車工のバイブル.
kiss the Bible =kiss the BOOK.
Bíble Bèlt [the ~] 聖書地帯《米国, 特に南部の根本主義(fundamentalism)が優勢な地域》.
Bíble clàss バイブルクラス, 聖書研究会.

†**bib·li·cal** /bíblikl/ 形 [時に B~] 聖書の, 聖書から出た‖ a *biblical* quotation 聖書の引用(文句).
bib·li·og·ra·phy /bìbliɑ́grəfi | -liɔ́g-/ 名 Ⓒ **1** 書誌学. **2** Ⓒ 書籍解題《書誌的記述》. **3** Ⓒ (巻末の)参考文献一覧, 関係書目; 出版目録; 著書目録.
bib·li·o·gráph·ic, -o·gráph·i·cal /-əɡræfik(l)/ 形 書誌学の; 書籍解題の.
bib·li·óg·ra·pher 名 Ⓒ 書誌学者; 書籍解題者.
bib·li·o·phile /bíbliəfàil/ 名 Ⓒ (正式) 愛書家, 本収集家.
bi·cam·er·al /baikǽmrəl/ 形 〈議会が〉上下二院制の.
bi·car·bon·ate /baikɑ́ːrbənit, -èit/ 名 Ⓤ 〔化学〕重炭酸塩, 炭酸水素塩; [化合物名で] 重炭酸…; (俗用的に) 重炭酸ソーダ, 重曹(bicarbonate of soda).
bi·cen·te·nar·y /bàisenténəri, -séntənèri | -tíːnəri/ (英) 形 名 =bicentennial.
bi·cen·ten·ni·al /bàisenténiəl/ 形 (米正式) 200年目ごとの(記念の); 200年間続く; 200周年の (英) bi-centenary). ── 名 Ⓒ bicentennial anniversary. **bicenténnial annivérsary** 200年祭; [B~] 米国独立200年祭《1975-76》.
bick·er /bíkər/ 自 動 〔つまらないことで/人と〕言い争う〔*about, over / with*〕. ── 名 Ⓒ 双頭歯, 小臼歯(ぜ)(premolar) (図) → tooth).

***bi·cy·cle** /báisikl, -sikl/ 〖『2つの(bi)車(cycle)』〗
── 名 (複 ~s/-z/) Ⓒ 自転車(cycle, (略式) bike) 《◆原動機付自転車(motor bicycle)も含めていう》‖ come *by bicycle* [*on a bicycle*] 自転車で来る(➔文法 16.3(5)) / ride a *bicycle* 自転車に乗る / mount [get on, get onto] a *bicycle* 自転車にまたがる / dismount from [get off] a *bicycle* 自転車から降りる《◆ mount, dismount を使うのは(正式)》/ a five-speed *bicycle* 5速の自転車.
関連 [いろいろな…輪車]
monocycle, unicycle 1輪車 / motorcycle, motorbike オートバイ / scooter スクーター / tandem タンデム(bicycle-built-for-two)《2人乗り自転車》/ tricycle (子供用)3輪車.

── 動 自 (まれ) 自転車に乗る, 自転車で行く(+*along*)《◆ふつう cycle を用いる. (略式) bike》.
bícycle làne 自転車専用路.
bícycle kick 〔サッカー〕=scissors kick.

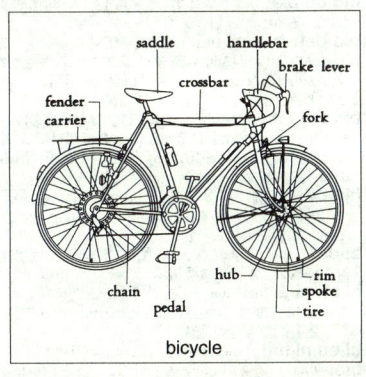

[figure: bicycle — saddle, handlebar, brake lever, crossbar, fender, carrier, fork, hub, rim, spoke, tire, chain, pedal]

bi·cy·clist /báisəklist/ 名 Ⓒ 自転車に乗る人《◆ cyclist の方がふつう》.

†**bid** /bíd/ 動 (他 **1, 2** で 過去 bade/bǽd, béid/ or (古) bad/bǽd/, 過分 bid·den/bídn/ or bid, それ以外で 過去 bid, 過分 bid; bid·ding) 自 **1** 〈人が〉(競売・入札で)〔物〕に値をつける〔*for*, (米) *on*〕; 〔人と〕競り合う〔*against*〕‖ *bid for* [*on*] the new road 新道路の建設に入札する / *bid against* him for a mansion at auction 邸宅の競売で彼とせり合う[彼にせり勝つ] (cf. outbid). **2** [名声・支持などを]得ようと努力する〔*for*〕‖ *bid for* fame [popular support] 名声[大衆の支持]を得ようと手を尽くす.
── 他 **1** (文・古) [bid A ((to) do)] 〈人が〉A〈人〉に(…するように)命ずる, 言いつける(tell, order); A〈人〉に(…するように)勧誘する(invite)《◆現在では tell A to do がふつう》‖ The doctor *bade* him (*to*) go on a diet. =He was *bidden to* go on a diet by the doctor. 医者は彼に減量するように言った《◆ふつう能動態では原形不定詞, 受動態は to 付き不定詞》/ Do as you are *bid* [*bidden*]! 言われたとおりにせよ. **2** (文・古) [bid A B =bid B to A] 〈人が〉A〈人〉に B〈あいさつなど〉を述べる, 言う《◆(1) say, wish より(古)語. (2) 受身不可》‖ She *bade* me farewell [welcome]. =She *bade* farewell [welcome] *to* me. 彼女は私に別れ[歓迎]のあいさつを述べた. **3** (競売・入札で)〈金額の値〉を〔物・工事などに〕つける, 入れる〔*for*, (米) *on*〕‖ He *bid* 'a high price [ten thousand dollars] *for* [*on*] the painting. 彼はその絵に高値[1万ドルの値]をつけた.
語法 時に間接目的語を伴う: I'll *bid* you $100. 君

に100ドル出すよ. **4**〔トランプ〕…をビッドする.
——名 C **1 a** 〔…の〕つけ値, さし値〔*for*〕; 競売[入札]に付される物; (米)〔工事などの〕入札〔*for, on*〕∥ *make a bid of* $100 *for a vase* 花びんの入札に100ドルの値をつける / *call for bids on a painting* 絵の入札を募る. **b** 入札の番だ ∥ *The bid is with you.* 君の入札の番だ. **2** (略式)〔通例 a ~〕〔名声などを得ようとする/…しようとする〕努力, 企て〔*for / to do*〕《主に新聞用語》∥ *màke a bíd for the presidency* 大統領の座をねらう. **3** (米式)〔…への/…するようにという〕勧誘〔*to / to do*〕∥ *a bid to the club* [*to join the club*] 入部の勧誘. **4**〔トランプ〕ビッド, せり(札の宣言); (ビッドの)せり高[順番].

bid·da·ble /bídəbl/ 形 **1**《主に英略式》〈人・動物が〉すなおな, 従順な. **2**〔トランプ〕ビッドが可能な.

bid·den /bídn/ 動 bid の過去分詞形.

bid·der /bídər/ 名 C (競争・トランプの)入札者 ∥ *will sell to (the) highest bidder* 最も高値をつけた入札者に売ります《中古車などの新聞広告》.

†**bid·ding** /bídiŋ/ 名 **1** U せり, 入札; (トランプの)ビッド ∥ *brisk bidding* 活発な入札. **2** U C 命令, 言いつけ ∥ *at the bidding of* him =*at his bidding* 彼の言うがままに.

†**bide** /báid/ 動 (過去 ~d or bode /bóud/, 過分 ~d) 他《文》〈好機〉を待つ(abide) ∥ *bide one's time* 時節[好機]を待つ.

bi·det /bidéi | bí:dei/《フランス》名 C **1** ビデ《女性用性器洗浄器》. **2** 小型の乗用車.

bi·en·ni·al /baiéniəl/ 形 C **1**《正式》2年ごとの(行事), 2年に1度の(事がら)(cf. biannual); 2年間続く. **2**〔植〕2年生の(植物).

bi·en·ni·um /baiéniəm/ 名 C 2年間の期間.

†**bier** /bíər/ (同音 beer) 名 C 棺(ひつぎ)台《死体・棺を安置したり, 墓地へ運ぶ》.

bi·fo·cal /báifóukl, (米+) ⁻⁻/ 形 **1** (遠・近)二重焦点の(レンズ). **2** [~s] 遠近両用メガネ.

*big /bíg/

index
形 **1** 大きい　**2** 成長した　**3** 偉い; 重要な

——形 (big·ger, big·gest) **1**(形・数量・強さなどの点で)大きい(↔ little) ∥ *a big room* [*fleet, change*] 大きな部屋[艦隊, 変化]/ *big pay* 高給 / *a big voice* 大声 / *a big fire* 大火事 / *big shoulders* 広い肩.

> **語法** [big, large, great]
> (1)「大きさ」をいう時 big は重さ・かさに, large は単に大きさ・広さに重点がある. 数量では large がふつう. great は「巨大な」の意以外ではまれに. great, large, big の順に口語的となる: *a big* [*large*, ˣ*great*] *lunch* たっぷりの昼食 / *a big* [*large*, *great*] *city* 大都会.
> (2)「重大さ」をいう時 great は big より堅い語. large は用いない: *a big* [*great*] *failure* 大きな失敗.
> (3) U 名詞と用いるのはふつう great だけ: *great* [ˣ*big*] *care* [*difficulty*] ひどい気苦労[困難].
> (4) 一般に large は無色な語だが, big, great は親しみ・賞賛・驚きなどの主観的感情を帯びることが多い: *a large man* 体の大きい人《◆ *a big man* では親しみがこめられる(→ **3 a**). *a great man* は「偉人」. 時に *a great big man* ともいう》.

(5) 強意語としても用いる(→ **4 c**).

2〈人が〉成長した;(米略式)〔名詞の前で〕年上の ∥ *one's big* [*older*, (主に英) *élder*] *bróther* [*síster*] 兄[姉](→ brother 名 **1**) / *Don't cry. You're a big boy* [*girl*] *now.* 泣くのはやめなさい, もう大きいんでしょう《子供の言動をたしなめる言葉》∥ **ショック** "*Rita, what will you do when you get as big as your mother?*" "*Go on a diet, miss.*" 「リタ, お母さんぐらい大きくなったら何がしたい?」「ダイエットです. 先生」《◆リタは big を 形 **1** と取った. do も 自 **4 a** と 自 **1** の意味が重なっている》.

3(略式)〔通例名詞の前で〕**a**〈人が〉偉い(→ **1 語法** (4));〈人・物・事が〉重要な, 目立つ ∥ *He is a big man.* 彼は偉い人[大物]だ / *The biggest problem in Japan today is recession.* 現在の日本の最大の問題は不況である / *The Crown Prince's engagement was big news.* 皇太子のご婚約は重大ニュースだった. **b**(米)人気のある(popular). **4**(略式) **a**〈人・心・処置などが〉寛大な(generous) ∥ *do big things* 寛大な処置をとる / *have a big heart* 心が広い / *That's big of you!*(略式)どうもご親切さま《◆時に皮肉で》. **b**〈人・言動などが〉尊大[おおげさ]な(pretentious) ∥ *big words* ほら, 大言壮語;(あまり使わない)意味不明な語 / *have big ideas* でっかいことを考える. 野心家である / *look big* 偉そうな顔をする / *a big talker* ほらふき. **c**〔名詞の前で〕〔強意語として〕大変[非常]に ∥ *a big* [*great*] *eater* [*liar, fool, spender*] 大食漢[大うそつき, 大ばか者, 大変な浪費家] / *He's a big movie fan.* 彼は大変な映画ファンです.

5〔物・事などで〕いっぱいの(*with*)∥ *eyes* (*which are*) *big with tears* 涙でいっぱいの目 / *be big with events* 行事が目白押しだ.

——副 **1**(略式) **a** 大いに ∥ *eat big* 大食する / *pay big for* …に多額の金を払う. **b** 大きく, 自慢して ∥ *act big* でかい面(ﾂﾞﾗ)をする / *think big* 大きなことを考える / *talk big about* …についてほらを吹く[偉そうな口をきく]. **2** 首尾よく ∥ *come* [*go*] *down* (*over*) *big* (俗) うまくいく / *make* (*it*) *big* (俗) 大成功する.

Bíg Ápple (米俗)[the ~] ビッグアップル《◆ニューヨーク市のこと. 単に the Apple ともいう》; [時に b- a-] 大都会.

bíg báng [the ~] (1)〔天文〕宇宙爆発起源. (2)〔時に B- B-〕〔経済〕証券制度の自由化《英国の金融自由化の1つ. 1986年実施》.

Bíg Bén《工場監督をした Benjamin Hall のあだ名 Big Ben(巨人ベン)から》ビッグベン《英国国会議事堂時計塔の時鐘》;その塔[時計].

bíg bróther (1) 兄(→ 形 **2**). (2)〔時に B- B-〕非行少年の(兄に代わる)指導者. (3)〔通例 B- B-〕(ヒトラーのような)全体主義国家(の指導者)(略) BB).

bíg búcks (米俗) 大金.

bíg búsiness (1) 大きな商売[取引]. (2)(略式)〔集合名詞的に〕財閥, 大企業. (3) 大規模な公共施設.

bíg déal (米俗) たいした物[人, 事]《◆時に反語用法》∥ *Big deal!* (͡°(。))そりゃたいしたもんだ.

Bíg Dípper (1) (米)〔天文〕[the ~] 北斗七星((英) the Plow, Charles's Wain). (2) [b~ d-] (英) ジェットコースター((米) roller coaster).

bíg fíght (米俗)(プロボクシングなどの)大試合, ビッグファイト.

Bíg Fíve [the ~] (1) (第一次大戦中[後]の)5大国《英・米・仏・伊・日》. (2) (第二次世界大戦後の)5大

bigamy / **bill**

bíg gáme (1) (伝統のある)対抗競技. (2) [集合名詞的に] (狩り・釣りの)大きな獲物(↔ small game). (3) 《略式》(危険を伴う)大目的.

bíg gún 《俗》(1) 大物, 実力者. (2) 《サーフィン》大型サーフボード.

bíg héad 《略式》うぬぼれの強い人).

bíg móney 《略式》大金;高給;大利益.

bíg náme 《略式》(ある分野の)有名人, 大物《◆個人にもグループにも用いる》(cf. big-name).

bíg nóise [shót] 《略式》大物(ぶっている人).

bíg pláy 《競技》ビッグプレー《試合を左右するファインプレー》.

bíg tíme (cf. big-time) (1) 《略式》[the ~] (収入・地位の)最高水準. (2) 《俗》大変楽しい時. (3) 1日2回上演の高級興行.

bíg tóe 足の親指.

bíg tòp 《略式》(サーカスの)大テント;[the ~] サーカス.

bíg trèe (米)《植》セコイアオスギ(giant sequoia).

bíg whéel (1) 《米略式》= bigwig. (2) = Ferris wheel.

bíg·ness /-/ 名U 大きいこと, 大きさ;重大さ, おおげさ.

†**big·a·my** /bígəmi/ 名UC 重婚(罪).

big·head·ed /bíghèdid/ 形 1 大頭の. 2 うぬぼれた, 気取った.

big·heart·ed /bíghà:rtid/ 形 寛大な, 親切な.

bight /báit/ 名C 1 (海・川の)湾曲部, 入り江《◆ bay より大きいが奥行が浅い》. 2 (巻きつけた時にできる)綱の輪;(張ったロープの)中間部, たるみ.

big-league /bíglì:g/ 名C 《米略式》《スポーツ》 = major league. — 形 (ある分野で)重要な, 最高の.

big·mouth /bígmàuθ/ 名C 1 (複 ~s/-ðz, -θs/) 《俗》(秘密をすぐしゃべる人, 大声でしゃべる人. 2 (複 big·mouth, ~s) 大口の魚.

big-mouthed /bígmàuθt, -ðd/ 形 1 口の大きな. 2 《略式》おしゃべりな[大声の];自慢する;〈子供が小生意気な.

big-name /bígnèim/ 形 《略式》有名な, 一流の(cf. big name).

big·ot /bígət/ 名C (宗教・政治・人種に関して)頑迷な人, 偏狭な人.

big·ot·ry /bígətri/ 名UC 《正式》頑固[偏狭]さ(な行為[態度]).

big-time /bígtàim/ 形 一流《最高水準》の, 有名な(↔ small-time) (cf. big time).

big-tim·er /bígtàimər/ 名C 《俗》一流の人, 大物, 《米俗》大リーガー.

big·wig /bígwìg/ 名C 《略式》実力者, 大物;おえら方.

bi·jou /bí:ʒu:, (米+) -/ 《フランス》 名 (複 ~x/-z/) C 形 1 宝石;装飾物. 2 《正式》小さくて優美な(もの)《◆ しばしば皮肉用法》.

*__bike__ /báik/
— 名C 自転車(bicycle);(小型)オートバイ(motorcycle, motorbike). 日英比較 日本語の「バイク」は motorcycle, motorbike を含む.
— 動C 自転車[オートバイ]に乗る.
  bíke làne 自転車用車線((英) cycle lane).

bike·way /báikwèi/ 名C 《米》自転車道路, サイクリングコース.

Bi·ki·ni /bikí:ni/ 名 1 = Bikini Atoll. 2 [b~] C ビキニ《女性用水着の一種. ツーピース型》;[bikinis] ビキニブリーフ[パンツ](bikini briefs).

Bikíni Atòll ビキニ環礁《北太平洋 Marshall 群島の1つでかつての原水爆の実験地》.

bi·la·bi·al /bailéibiəl/《音声》形 両唇の. — 名C 両唇音《/p/, /b/, /m/ など》.

bi·lat·er·al /bailǽtərəl/ 形 《正式》1 両側の, 双方の ‖ a *bilateral* treaty 2国間条約. 2 《生物》左右相称の.

bil·ber·ry /bílbèri | -bəri/ 名C 《植》コケモモ(の木);コケモモの実《食用》.

bile /báil/ 名U 1 《生理》胆汁. 2 《文》不機嫌;かんしゃく ‖ stir [rouse] his *bile* 彼を怒らせる.

bilge /bíldʒ/ 名 1 U 《海事》(船底の)湾曲部. 2 U = bilge water. 3 C (たるの)胴. 4 U 《俗》たわごと. **bílge wàter** (船底の)あか, ビルジ.

bi·lin·gual /bailíŋgwəl/ 形 C 2言語使用[併用]の(人). 関連 monolingual 1言語使用の / trilingual 3言語使用の / multilingual 多言語使用の.

bi·lín·gual·ism 名U 2言語使用.

bil·ious /bíljəs | -iəs/ 形 1 《生理》胆汁(性)の;胆汁症の. 2 吐き気がする, むかつく. 3 《正式》気難しい, 怒りっぽい. 4 《正式》〈色が〉不快な, どぎつい.

bilk /bílk/ 動他 《俗》~を欺く,(だまして)〈人〉から〔借金などを〕踏み倒す〔*out*(of)〕.

*__bill__[1] /bíl/ 『「公的に書かれた何らかのもの」が本義』

index 名 1 請求書 3 法案 4 紙幣 6 a ちらし b 番組

— 名 (複 ~s/-z/) C

Ⅰ [支払いにかかわるもの]

1 請求書, 勘定(書) (↔ receipt);つけ《◆ 食堂などの勘定書は《米》では check》 ‖ *pay* the hotel *bill for* [×*of*] $70 ホテルの勘定70ドルを払う / *collect bills* 集金する / a medical *bills* 医療費 / a utility *bill* ガス電気水道代 / May I have the *bill* [(米)check], please?(客が)勘定をお願いします / Shall we split the *bill*? 割勘にしよう.

2 明細書, 表 ‖ a *bill* of expenditures 支出明細書.

Ⅱ [法律にかかわるもの]

3 [しばしば B~] 法案《◆ 可決されると act(法令)となる》‖ The *bill* was introduced [brought] in the House of Representatives. 法案は衆議院に提出された / pass [reject, amend] a *bill* 議案を可決[否決, 修正]する / the Women's Rights *Bill*「女性の権利」法案.

Ⅲ [商業にかかわるもの]

4 《米》紙幣, 札((英)note) (cf. coin 事情) ‖ a ten-dollar *bill* 10ドル紙幣.

事情 [米国の紙幣]
紙幣　描かれた肖像
　1ドル　　ワシントン(Washington)
　2ドル　　ジェファソン(Jefferson)
　5ドル　　リンカーン(Lincoln)
　10ドル　　ハミルトン(Hamilton)
　20ドル　　ジャクソン(Jackson)
　50ドル　　グラント(Grant)
　100ドル　　フランクリン(Franklin)
　500ドル　　マッキンレー(McKinley)
　1000ドル　クリーブランド(Cleveland)
《◆ 米国の紙幣は大きさが皆同じ. また裏側が緑色なので greenbacks という愛称がある》

[英国の紙幣]
　5ポンド

10ポンド
20ポンド
50ポンド
◆(1) 肖像はみなエリザベス2世. (2) 1ポンド紙幣は1985年に廃止になった》

5《商業》手形, 為替(ホネャ)手形(bill of exchange); 証券 ‖ a dishonored *bill* 不渡り手形 / back a *bill* 手形の裏書きをする / draw a *bill* on the ABC Bank ABC 銀行あてに手形を振り出す / clear a *bill* 手形を清算する.
6《正》**a** (催し物などの)ちらし, 広告(handbill); はり紙, ポスター(poster) ‖ post (up) a *bill* ビラをはる / Post [Stick] No Bills 《掲示》はり紙お断り. **b** (芝居・音楽会などの)番組(表), プログラム; 出し物 ‖ a theater *bill* 劇の番組.
bíll of ládǐng 積荷〔船荷〕証券《略》b.l., b/l, BL, B/L); 《米》貨物引換証.
fíll [fít] the bíll 《略式》(…の)条件を満たす, ぴったり望み[目的]にかなう[*for*]; 《英》人気をとりて背負う.
fóot the bíll for A 《略式》…の勘定を受け持つ《重大事》の責任を引き受ける.
the bíll of ríghts 基本的人権宣言; [B~ of R~]権利章典《英では1689年, 米では1791年》.
tóp [héad] the bíll 《略式》(リストなどで)トップを飾る; 《俳優・歌手が》主演する.
── 動 他 **1**《人》に〔…の〕請求書を送る〔*for*〕‖ *bill* him *for* his purchases 購入品の請求書を送る(=《略式》send him a *bill* for …). **2**《俳優などを》〔…であると〕ビラで広告する〔*as*〕; 《俳優が》〔…すると〕番組に発表する〔*to do*〕‖ Mike was *billed* (*to* appear) *as* Hamlet. マイクがハムレットを演じると発表された.
bíll bròker 《主に英》証券[手形]仲買人.

†**bill²** /bíl/ 名 C **1** くちばし《◆鳥のくちばしの意の一般的な語. ワシ・タカなどのを特に beak という》. **2**《カモノハシなどの》鼻づら. **3** 《通例 B~; 主に地名で》《英》細長い岬(宅) ‖ Portland *Bill* ポートランド岬. ── 動 自 《ハトがくちばしを互いに擦り合わせ, 愛撫(ジ)する.
bíll and cóo 《やや古》《恋人同士が》キスしたり甘い言葉をささやき合う.
Bill /bíl/ 名 ビル《男の名. William の愛称》.
bill·board /bílbɔ̀rd/ 名 C **1** 《屋外の広告板, 掲示板. **2** 《米》《ラジオ・テレビ》提供クレジット, ビルボード《番組の開始[終了]時に行なうスポンサーなどの表示》.

†**bil·let¹** /bílət/ 名 C **1**《軍事》(戦時に兵士が宿泊するための)民家, 民家提供命令. **2**《略式; 今はまれ》仕事, 勤め口(job); 行き先 ‖ *Every bullet has its billet.*《ことわざ》弾丸に当たるも当たらぬも運しだい.
── 動 他《兵士》の宿泊舎を〔…に〕割り当てる, …を宿泊させる〔*on, at, in, with*〕.

bil·let² /bílət/ 名 C **1** (太い)棒切れ; たき木. **2** (圧延用の)鉄(鋼)塊, 鋼片. **3** (馬の腹帯の)革ひも.
bill·fold /bílfòuld/ 名 C 《米》(2つ折りの)札入れ, 名刺入れ(→ purse 名 **1**, wallet 名 **1**).
bil·liard /bíljərd/ 形 ビリヤードの, 玉突きの.
bílliard báll ビリヤードの玉.
bílliard màrker ビリヤードのゲーム取り.
bílliard plàyer ビリヤードをする人.
bílliard ròom ビリヤード場.
bílliard tàble ビリヤード台.

†**bil·liards** /bíljərdz/ 名 U 〔単数扱い〕ビリヤード, 玉突き ‖ play *billiards* =have a game of [《英》at] *billiards* ビリヤードをする.

†**bil·lion** /bíljən|-iən/ 名 《複 bil·lion, ~s》 C **1** (基数の)10億《《米》milliard》《◆10^9. 100万(million)の千倍. 序数は billionth. 今は《英》でも公式にはこの意味で用いる.《略》bn.》; 《英》1兆《10^{12}. 100万の100万倍.《米》trillion》‖ three *billion*(s) 30億; 《英》3兆(→ hundred 名 **1** 語法 (1)) / *billions of* dollars 何十億[《英》何兆]ドル. **2**《略式》[~s] 莫大な数.
bil·lion·aire /bíljənéər | bíliən-/ 名 C 億万長者(cf. millionaire).

†**bil·low** /bílou/ 名 C **1**《文》大波, うねり; [the ~(s)] 海. **2** 波のうねるもの《炎・煙・音など》‖ *billows* of smoke もうもうとさかまく煙. ── 動 自 **1**《炎・煙などが》大波のようにうねる. **2**《帆・旗などが》《風などで》ふくらむ, ふきあがる(+*out*)〔*in*〕.
bil·low·y /bíloui/ 形 大波の, うず巻く.
bill·post·er /bílpòustər/ 名 C ビラをはる人.
bill·stick·er /bílstìkər/ 名 C =billposter.
bil·ly /bíli/ 名 C **1** =billy goat. **2** =billy club.
bílly clùb 《米式》こん棒, (警官の)警棒.
bílly gòat 《小児語》《成長した雄ヤギ》.
Bil·ly /bíli/ 名 **1** ビリー《男の名. William の愛称》. **2** ~ the Kid ビリー・ザ・キッド《1859-81; 本名 William H. Bonney; 米国西部の無法者でピストルの名手》.

bi·me·tal·lic /báimətǽlik/ 形 **1** 2つの金属から成る. **2**《経済》(金銀)複本位制の(↔ monometallic).
bi·met·al·lism /báimétəlìzm/ 名 U 《経済》(金銀)複本位制[主義].
bi·month·ly /báimʌ́nθli/ 副 ひと月おきに[の]; 月2回に[の]. ── 形 隔月刊行物.

†**bin** /bín/ 同音 been 名 C **1** (石炭・穀物などの)ふた付きの大箱, (パンなどの)容器, (ワインなどの)貯蔵所 ‖ a coal *bin* 石炭置き場. **2**《英》ごみ入れ((米) dustbin,《米》 trash can).

bi·na·ry /báinəri/ 形 **1** 2つの, 2進法から成る. **2**《数学》2進法の, 2進の.
bínary sýstem [nòtation]《数学》2進法.

*bind /báind/《「ひもなどで縛って固定する」が本義》
── 動 (~s/báindz/;過去・過分 bound/báund/; ~·ing)
他 **1**《人が》《人・物》を〔ひもなどで〕縛る, 結ぶ(+*together*)〔*with*〕; 《呪文(ネネ゙)が》《人》を縛る(↔ unbind)‖ *bind* the prisoner *with* (a) rope 囚人をロープで縛る / The criminal was *bound* hand and foot. 犯人は手足を縛られた(⇒文法 16.3 (3)) / She stood there, as if *bound* by a spell. 彼女は呪文に縛られたように立っていた(⇒文法 23.5(2)). **2** [bind A to [on] B]《人》が A《人・動物・物》を B《物・場所・職》に縛りつける(+*on*)‖ *bind* the prisoner *to* his chair 囚人をいすに縛りつける / *be bound to* hard work つらい仕事に縛られる / *bind* it (on) *with* (a) rope それをロープで縛りつける.
3《傷などに》包帯する(+*up*); …を《ハンカチなどで》くくる, くるむ, 巻く(+*up*)〔*in*〕; …を〔…に〕巻く〔*about, around*〕; …を〔…に〕束ねる〔*into*〕‖ *bind* (*up*) one's hair in a handkerchief 髪をハンカチでくくる / *bind* a bandage *about* [*around*] a wound =*bind* (*up*) a wound (*with* a bandage) 傷に包帯をする / The ivy *binds* itself *around* the utility pole. ツタが電柱にからみついている.
4《正式》**a** …を束縛する, 義務づける; [be bound ~ oneself] (法・誓約・義務などで)《人》が〔…に〕束縛される(+*down*), 従う〔*to*〕; 〔…することを〕義務づけられる〔*to do*〕; (道徳的きずなで)《人》が結びつける, 団結させる(+*together*)‖ *be bound* by a promise 約

束に束縛される / **bind oneself** by an agreement 協約に縛られる / The couple *are bound* to each other by the deepest commitment [devotion]. 夫婦は最も深いきずなで結ばれている / 〘対話〙 "Why do I have to pay his debt?" "Because the contract *binds* you to pay it." 「なぜ彼の借金を私が払わなければならないのですか」「その契約書によるとあなたが彼の借金を払わなければならないことになっています」. **b** [be bound to *do* ~ bound¹ 形 2, 3. **5** (米) 〈人〉を[…に]見習い奉公に出す(+*out*, *over*) [*to*] ‖ He *bound* (*out* [*over*]) his son (as an apprentice) to a tailor. 彼は息子を仕立屋に奉公に出した. **6** 〈本・書籍などを〉[…で]とじる, 製本[装丁]する(+*up*) [*in*]; …を[…に]合本する[*into*] ‖ a book *bound* in cloth [leather] 布[革]表紙の本 / a well-*bound* book 上製本 / *bind up* two books *into* one volume 2冊を1巻に合本する. **7** (保護・装飾のために)〈敷物・布などに〉[…で]縁をつける [*with*]; (米)〈編み物の目〉をかがる. **8** 〈砂利などを〉[セメントで]固める(+*together*, *up*); …を〈物と〉くっつける, 一緒にする, 混ぜる[*with*, *by*].
——自 **1** 縛る, 束ねる. **2** 〈契約・約束などが〉拘束力がある; 〈物を〉拘束する[*on*] ‖ an obligation that *binds* 人を拘束する義務. **3** 〈土砂などが〉固まる.
be bóund to *do* → bound¹ 形 2, 3.
be bóund up in A (1) …に忙しい, …に夢中になる. (2) =be bound up with (2).
be bóund úp with A (1) → (他) 8. (2) …と密接な関係がある, …に依存する.
bínd one**sélf to** *do* …することを約束する.
bínd A óver 〔英法律〕〈人〉を謹慎させる; 〈人〉に [……すると〕誓わせる[*to do*].
I'll be bóund. (略式)〔通例文尾で〕請け合う, きっと…だ〔◆I bet がふつう〕.
——名 **C** **1** 縛るもの《ひもなど》, 縛ること. **2**〔音楽〕連結線. **3** (略式)〔通例 a bit [hell] of a ~〕やっかいなこと, 退屈なもの.
in a bind (米略式) 困って, あせって.

†**bind·er** /báindər/ 名 **C** **1** 縛る[くくる]人, (特に)製本屋. **2** C (新聞・雑誌などの)帯封; ひも, 縛るもの. **3** C 製本機, 刈り取り束ね機. **4** CU 接合剤. **5** C (ルーズリーフの)バインダー; つなぎ石. **6** C (米) 仮契約.

bind·er·y /báindəri/ 名 C 製本所.
†**bind·ing** /báindiŋ/ 形 〈事が〉〈人に〉拘束力のある; 永続的, 不変の[*on*, *upon*, *to*] ‖ A marriage agreement is considered *binding* for life. 結婚の契約というものは一生続くものとみなされる. **2** 縛る, くくる; 接合[結合]する. **3** 窮屈な. ——名 **1** U 縛る [結ぶ]こと, 束縛. **2** C 縛る物, ひも, 包帯. **3** C (本の)表紙. **4** U 装丁, 製本. **4** U (衣類の補強・飾りの)縁取り材料 ‖ with silk *binding* 絹の縁取りで.

binge /bindʒ/ 動 自 食べすぎる, 飲みすぎる; 欲求を満たす行動をやりすぎる. ——名 したい放題に[制限なく]何かをすること.

bin·go /bíŋgou/ 名 U ビンゴ《5×5の升目に数字を記入したカードを使うゲーム》. ——間 (俗・今ははやれ) やった(ぞ)! ♦ビンゴゲームで勝者が bingo! と叫ぶことから.

bi·noc·u·lar /bainákjələr, bi-|-nɔ́kju-/ 形 bi-, bai-|-nɔ́kju-/ 形 両眼(用)の(cf. monocular) ‖ a *binocular* telescope 双眼(望遠)鏡. ——名 〔通例 ~s; 複数扱い〕 双眼鏡 ♦数えるときは a pair of *binoculars* ‖ ten-power *binoculars* 倍率10倍の双眼鏡.

bi·no·mi·al /bainóumiəl/ 形 〔数学〕2項式の ‖ the *binomial* theorem 2項定理. ——名 〔通例 a ~〕=binomial expression.
binómial expréssion 2項式.

bi·o- /báiou-| báiəu-, báiə-/ 〔語要素〕 → 語彙要素一覧 (1.6).

bi·o·chem·i·cal /baioukémikl/ 形 生化学の, 生化学的な.
biochémical óxygen demànd〔生態〕生物化学的酸素要求量(略 BOD).
bi·o·chem·is·try /baioukémistri/ 名 U 生化学.
bi·o·chém·ist 名 C 生化学者.
†**bi·og·ra·pher** /baiágrəfər| -ɔ́g-/ 名 C 伝記作家.
bi·o·graph·i·cal, –ic /baiougrǽfikl| -i:k/ 形 伝記の, 伝記体[ふう]の ‖ a *biographical* dictionary 人名辞典 / a *biographical* sketch 略伝.
bi·o·gráph·i·cal·ly 副 伝記ふうに.
†**bi·og·ra·phy** /baiágrəfi| baiɔ́g-/ 〔アクセント注意〕名 **1** C 伝記, 一代記 ‖ the *biography* of Dr. Johnson ジョンソン博士伝. **2** U 〔集合名詞〕伝記文学, 伝記物.
†**bi·o·log·i·cal** /baiəládʒik(ə)l| -lɔ́dʒi-/ 形 生物学(上)の, 生物学的な.
biológical clóck 生物[体内]時計(body clock).
biológical wárfare 細菌戦, 生物戦(germ warfare).
*bi·ol·o·gy /baiálədʒi| baiɔ́l-/〔アクセント注意〕【生物の(bio)学問(logy). cf. psychology】
——名 U **1** 生物学 ‖ I take a course in *biology*. 生物学のコースを取っている. **2** 生態学; 生態 ‖ the *biology* of bacteria バクテリアの生態.
bi·ól·o·gist /baiálədʒist/ 名 C 生物学者.
bio·mass /báioumæs/ 名 C バイオマス《燃料として使われる動植物》.
bi·on·ic /baiániks| -ɔ́nik/ 形 **1** 生体工学の/サイボーグ的な. **2** (略式) 並はずれた力[スピード, 能力]の.
bi·on·ics /baiániks| -ɔ́niks/ 名 〔単数扱い〕バイオニクス, 生体工学《生体の機能を電子工学的に応用する学問》.
bi·o·nom·ics /baiənámiks| -nɔ́miks/ 名 U 〔単数扱い〕生態学(ecology).
bi·o·phys·ics /baioufíziks/ 名 U 〔単数扱い〕生物物理学《生物の構造など物理的に研究する学問》.
bi·o·rhythm /báiouriðm/ 名 UC 〔通例 ~s〕バイオリズム, 生物周期.
BIOS /bíous, báiəs| báiɔs/ 〔basic input-output system〕名 C 〔コンピュータ〕バイオス《起動時に作動し, 周辺機器との間の出入力を制御する基本的なプログラム》.
bi·o·sat·el·lite /baiousǽtəlait/ 名 C 生物人工衛星《実験観測のため動植物を搭載している人工衛星》.
bi·o·sci·ence /baiousáiəns/ 名 U 生物科学, 生命科学.
bi·o·tech·nol·o·gy /baiouteknálədʒi| baiəuteknɔ́l-/ 名 U 生物工学, バイオテクノロジー; 人間工学.
bi·ot·ic /baiátik| -ɔ́tik/ 形 **1** 生命[生物]に関する. **2** 生体活動で生じる. **3** 相互依存の.
bio·weap·on /báiouwèpn| -ɔ-/ 名 C 生物兵器.
bi·par·ti·san /baipártəzən| baipɑːtízǽn/ 形 2党[2派]から成る, 2党[2派]を代表する.
bi·ped /báiped/ 名 C 〔正式〕2足動物《人間や鳥》(cf. quadruped). ——形 2足の.
bi·plane /báiplein/ 名 C 複葉機(cf. monoplane).
†**birch** /bə́rtʃ/ 名 **1** C 〔植〕カバノキ, カバ(birch tree) ‖ a white [silver] *birch* シラカバ. **2** U カバ材.

3 C (カバ材で作った)杖(ξ); =birch rod. ― 動 他 〈生徒・罪人などを(罰として)カバのむちで打つ.
bírch ròd (カバの枝を束ねた生徒を罰するための)むち.

bird /bə́ːrd/ (類音) bard /bɑ́ːrd/)
― 名 (複 ~s/-dz/) C **1** 鳥 ∥ *birds* of prey 猛禽(*ξ)《タカ・ワシなど》 / a *bird* of paradise (主としてニューギニアに生息する)極楽鳥 / a *bird* of passage 渡り鳥[者] / *Birds of a feather* (*flock together*). (ことわざ) (略式) 同じ羽の鳥(は群れをなす); 同じ興味[考え]の人は集まる傾向がある; 「類は友をよぶ」/ *be* (*as*) *frée as a bírd* 鳥のように自由である / *The early bird catches* [*gets*] *the worm*. (ことわざ) 早起き鳥は虫を捕える; 「早起きは三文の得」.

[関連] (1) [国鳥] 米国 bald eagle / 英国 robin / オーストラリア lyrebird / 日本 pheasant. (2) [州鳥] ハワイ州 Hawaiian goose (ハワイガン) / ワシントン州 American goldfinch (オウゴンヒワ).

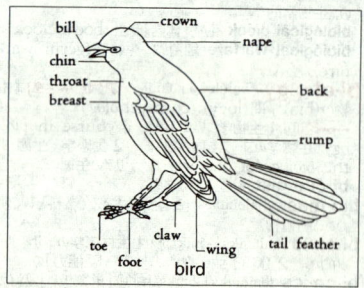

bill, crown, chin, nape, throat, back, breast, rump, toe, foot, claw, wing, tail feather
bird

2 猟鳥《シャコ・キジなど》. **3** (英俗性俗)女の子, かわい子ちゃん; (俗)男, やつ, 変人 ∥ *an early bird* 早起き[早く来る]人 / a home *bird* マイホーム主義の人.

a bírd in the hánd 何か確実なもの, 掌中にあるもの ∥ *A bird in the hand is worth two in the bush.* (ことわざ) 手中にある1羽の鳥はやぶの中の2羽の値打ちがある;「あすの百よりきょうの五十」.

be (*strictly*) *for the bírds* 《主に米俗》〈事が〉ばかげている, ふざけている.

éat like a bírd きわめて少食である(↔ eat like a horse).

gét the bírd (俗) ブーブーやじられる《◆観客・聴衆の不満足・不賛成などを表す》;(米式)くびになる.

kíll twó birds with óne stóne (略式) 一石で二鳥を得る, 一挙両得をする.

like a bírd (略式) いそいそと; 軽やかに; ほがらかに; やすやすと, ためらわずに.

the bírd of fréedom 自由の鳥《米国の紋章のハクトウワシのこと. → bald eagle》

bírd's nèst 鳥の巣;(特に)(料理用の)ツバメの巣(cf. bird's-nest).
bírd wàtcher 野鳥観察家.
bírd wàtching バードウォッチング, 野鳥観察.
bird-brain /bə́ːrdbrèin/ 名 (C) (米俗式) ばか者.
bird-brained /bə́ːrdbrèind/ 形 (略式) ばかな.
bird-cage /bə́ːrdkèidʒ/ 名 C 鳥かご.
bird-call /bə́ːrdkɔ̀ːl/ 名 C **1** 鳥のさえずり, そのものまね. **2** (鳥を呼び寄せる)呼び子.

bird-eyed /bə́ːrdáid/ 形 **1** 鳥のような(鋭敏な)目をした; 鳥目模様の. **2** (馬が驚きやすい.
†**bird-ie** /bə́ːrdi/ 名 C **1** (略式/小児語) 小鳥さん ∥ Watch [Look at] the *birdie*! はーい, カメラを見て《◆写真をとる時小さい子にいう言葉》. **2** (ゴルフ) バーディー《par より1打少ないホールイン. → par 関連》. **3** (バドミントンなどの)羽根.
bird's-eye /bə́ːrdzái/ 形 **1** 鳥瞰(タホク)的な, 上空から見おろした. **2** 概観的な, 大まかな ∥ take [have] a *bird's-eye* view of … …を概観[大観]する.
bírd's-eye víew 鳥瞰図, 全景;(略式) 概観, 大要 (→ 形 **2**).
bird's-nest /bə́ːrdznèst/ 動 (自) 鳥の巣(の卵)を捜す (cf. bird's nest).
†**Bir·ming·ham** /bə́ːrmiŋəm/ 名 バーミンガム《イングランド West Midlands 州の工業都市》.
bi·ro /báiərou/ 名 (複 ~s) **1** (英) ボールペン(ballpoint pen). **2** [B~] (商標) バイロウボールペン《◆発明者 Lazlo Biro の名から》.

*‡**birth** /bə́ːrθ/ (同音) berth) [[「赤ん坊を運び出すこと」が原義]] 派 bear (動)
― 名 (複 ~s/-s/) **1** a C U 出生, 誕生 ∥ My date of *birth* [The date of my *birth*] is [was] November 10, 1989. 私の生年月日は1989年11月10日です(=I was born on November 10, 1989.) / the town of his *birth* 彼が生まれた町 / The girl has been delicate *since* [*from* (*her*)] *birth*. その少女は生まれつきひよわである / My daughter weighed eight pounds *at birth*. 娘は生まれた時8ポンドの重さだった. **b** 産むこと, 出産 ∥ have two at a *birth* 双子を産む / have an easy [a difficult] *birth* 安産[難産]である.
2 U 生まれ, 血統, 家系; (古) (よい) 家柄 ∥ a man *of noble* [*mean*] *birth* 高貴な[卑しい]生まれの人 / be of good *birth* (古) 名門の出である / *Birth is much, but breeding is more.* (ことわざ) 「氏(ミ)より育ち」.
3 U (正式) (…の) 出現, 発生; 始まり, 起源 (beginning) [*of*] ∥ the *birth* of a new car [era] 新車の出現[新時代の始まり].
by bírth [be 動詞と共に] (1) 生まれは ∥ She doesn't speak Japanese at all, but she is Japanese *by birth*. 彼女は全然日本語を話しませんが, 生まれは日本人です. (2) 生まれながらの ∥ *be* an artist *by birth* 生まれながらの芸術家である.
‡give bírth to A (正式) (◆(1) *give* A *birth* とはいわない. (2) 受身不可) (1) 〈子を〉産む(bear) ∥ Our cat *gave birth to* three kittens. うちのネコは子ネコを3匹産んだ. (2) 〈物・事〉を生み出す, …の原因となる.
birth certificate 出生証明書(↔ death certificate).
birth control 産児制限(の方法); 避妊.
birth ràte 出生率(natality) 《◆ふつう年間の千分比》.

birth·day /bə́ːrθdèi/ [[→ birth]]
― 名 (複 ~s/-z/) C **1** 誕生日(の祝い) 《生年月日は the date of one's *birth*, one's date of birth》; 創立記念日(の祝い);[形容詞的に] 誕生日の ∥ a *birthday* càrd 誕生日祝いのカード / celebrate [keep, observe] one's twentieth *birthday* 20歳の誕生日を祝う / *Happy birthday* (to you)! =Let me wish you a happy *birthday*! 誕生日おめでとう / 【対話】 "When is her *birth*-

day?" "It's (on) November 10." 「彼女の誕生日はいつですか」「11月10日です」《◆(1) つい最近誕生日であった場合は過去形も可: It was (on) November 10." (2) birthday は必ずしも年(year) まで言わないが, date of birth はふつう年まで含まれる. cf. I was born on November 10, 1989.》 / We met again on [*at] the 10th *birthday* of our company. 我々は会社の創立10年記念日に再び出会った 《◆この例では anniversary の方がふつう》.

事情 (1) "Happy birthday to you" の歌はもとは "Good morning to you" で, 米国のある幼稚園で朝のあいさつに歌われていたことに由来するといわれる.
(2) 子供が生まれた時には次のような言葉を書いたカードを送る: Congratulations on Your New Addition! And Best Wishes to All of You.

birthday càke バースデーケーキ《◆年齢の数だけろうそくをたて本人が吹き消すのが習慣》.
birthday hònours (英) 国王[女王]の誕生日に与えられる叙爵・叙勲.
birthday pàngs (社会変革の)生みの苦しみ; (米) (出産の)陣痛(labor pains).
birthday pàrty 誕生日(祝い)の会.
birthday prèsent [**gìft**] 誕生日の贈物.
birthday sùit (1) (略式) (生まれた時のままの)素肌, 裸 ‖ in [wearing] one's *birthday suit* [clothes] 素っ裸で. (2) (英) 国王[女王]の誕生日に着る礼服.
birth·mark /bɔ́ːrθmɑːrk/ 名 ⓒ (生まれつきの)あざ, ほくろ; 母斑(ﾎﾞﾊﾝ)(cf. bruise). —— 動 ⊕ (通例 be ~ed) あざができる.
†**birth·place** /bɔ́ːrθplèis/ 名 ⓒ (通例 one's/the ~) 生まれ故郷, 出生[生誕, 発生]地; 源(cf. cradle 名 2).
†**birth·right** /bɔ́ːrθrὰit/ 名 ⓒⓊ 生得権; (長子の)相続権(cf. heritage) ‖ sell one's *birthright* for a mess of pottage (聖) 一椀(ﾜﾝ)のあつもののために家督権を売る; 目先の利のために永久的利益をふいにする.
birth·stone /bɔ́ːrθstòun/ 名 ⓒ 誕生石《◆身につけると幸運が訪れるといわれる》.

事情 [各月の誕生石]
1月: garnet / 2月: amethyst / 3月: bloodstone (or aquamarine) / 4月: diamond / 5月: emerald / 6月: pearl (or alexandrite, moonstone) / 7月: ruby / 8月: sardonyx (or peridot) / 9月: sapphire / 10月: opal (or tourmaline) / 11月: topaz / 12月: turquoise (or zircon).

Bis·cay /bískèi, -ki/ 名 the Bay of ~ ビスケー湾《フランス西岸とスペイン北岸との間の大西洋に面する湾》.
*****bis·cuit** /bískit/ 【「長い旅の保存食として『2度焼かれたパン』」が原義】
—— 名 (働 ~s/-kits/, **bis·cuit**) 1 ⓒ (英) ビスケット((米) cracker, cookie). 2 ⓒ (米) (バサバサで甘味がなく楕)円形の薄焼きパン《◆ふつう軍隊・病院の朝食用》(= **scone**). 3 Ⓤ [形容詞的に] 薄茶色(の). 4 Ⓤ (陶器の)素焼き. **tàke the bíscuit** [**cáke**] (英略式) (皮肉に)一枚うわ手である; びっくりするほど「悪い[悪い]」; とても信じられない.
bi·sect /baisékt/ 動 ⊕ を2(等)分する.
bi·séc·tion 名 Ⓤ 2(等)分すること.
bi·sex·ual /baisékʃuəl/ 形 1 (男女・雌雄)両性の; 両性をそなえた. 2 両性愛的の; 両刀使いの.

—— 名 1 〔生物〕両性体; 雌雄同体[同性]. 2 両性愛者.
†**bish·op** /bíʃəp/ 名 1 [しばしば B~] ⓒ 〔アングリカン〕主教《England と Wales の約40の管轄教区(diocese)の1つを統轄する最高職の聖職者》; 〔カトリック〕司教; 〔プロテスタント〕監督; 〔仏教〕僧正《◆ 呼びかけも可》. 2 ⓒ 〔チェス〕ビショップ《僧正帽子の形で, 将棋の「角」に当たる駒》.
†**Bis·marck** /bízmɑːrk/ 名 ビスマルク《**Otto**/átou/ **von** ~ 1815-98; ドイツ帝国の初代宰相. あだ名は Iron Chancellor (鉄血宰相)》.
bi·son /báisn, (米+) -zn/ 名 (働 ~, ~s) ⓒ 動 バイソン《ウシ科の動物. cf. buffalo》 ‖ ジョーク "What did the buffalo say when her son left?" "Bison." 「バイソンは息子が旅立つときなんと言った?」「バイソン」《◆ Bye, son. (さよなら, 息子よ)とのしゃれ》.
bisque /bísk/ 名 Ⓤ ビスク《貝類などで作る濃いスープ》.
bis·tro /bístrou/ 〔フランス〕 名 (働 ~s) ⓒ (フランス(風)の)小さなレストラン; 町の小さな居酒屋.
*****bit¹** /bít/ 【「かみ(bite)とられた部分」が原義. 「ひとかじり」から「少し」の意に».

—— 名 (働 ~s/bíts/) ⓒ 1 [通例 a (little) bit of + Ⓤ 名詞] **a** 少し, わずか(の…); (物の)小片, 小部分; [通例 ~s] 破片 ‖ a *bit of* lánd わずかな土地 / a *bit of* bréad 1切れのパン / gò [còme, be blown] *to bíts* こなごなになる / be [lie] *in bíts* こなごなになっている / púll [bréak, cút, téar] a thing *to bíts* 物をこなごなに[壊す, 切る, 引き裂く]. **b** (略式) (事の)1つ ‖ a *bit of* advíce [lúck] 1つの忠告[幸運]. **c** (食物の)1口 ‖ a *bit of* fóod 1口の食物.

語法 (1) a piece of ... より口語的で「少量」の意味が強い.
(2) ×a bit money のように名詞の前に直接つかない.
(3) (略式) では a little *bit* のように little を添えることがある: *a little bit* of rain お湿り程度の雨.

2 (略式) [a ~; しばしば副詞的に] 少し, ちょっと(a little)《◆「予想外」の意を含むことが多い》 ‖ The question was *a bit* difficult. 問題は(予想より)少し難しかった / walk *a bit* slowly 少しゆっくり歩く.

語法 (1) 以下のように形容詞・副詞の比較級, too を修飾できる: *a bit* earlier 少し早めに / *a bít* tòo lárge 少し大きすぎる / eat *a bit* less いつもほどは食べない.
(2) *a líttle bít* のように little を添えることがある: *a little bit* cold.
(3) 「かなり」は *a góod* [*níce*] *bít* / *quite a bít*.
(4) 動詞修飾の場合は, 動詞の後: We should relax *a bit* [×a bit relax]. 我々は少しリラックスすべきだ.

3 (略式) [a ~] 少しの時間[距離] ‖ wáit (for) 「a bit [a good bit] ちょっと[かなり]の間待つ. **4** 役割, (目標への)貢献.
a bit múch [**róugh**] (略式) ⟨物・事が⟩(耐えられないほど)あんまりな, ひどすぎる.
a bit of a ... (略式) (1) わずか(ばかり)の物(→ **1**); ちょっとした人[物]; やや…の素質のある人[物]《◆「かなり」は a nice bit of / quite a bit of》‖ I've

got *a bit of* a problem. ちょっとした問題をかかえてましてね / *a bit of* a coward やや臆(ホミ)病者. (2) 大変な人[物]《◆反語用法》∥ You are *a bit of* a musician yourself, aren't you? 君自身たいした音楽家だね.

bít by bít =bìt by bíts =a bít at a tíme [副]《略式》少しずつ, 徐々に(little by little).

dó one's **bít**《略式》本分を尽くす; ひと肌ぬぐ.

*éveryー **bít** [名]《略式》(1)すべて[の…]; 《…の》一部始終(of)∥ The hungry boy ate *every bit* of the big dinner. 腹をすかした少年はたっぷりのごちそうをすっかり平らげた. (2)[副詞的に] どの点から見ても, まったく∥ He is *every bit* a gentleman. 彼はどこから見ても紳士だ.

nót a [one] bít [副]《略式》[形容詞の前で] 少しも…ない[でない]《◆強調して not …óne bit ともいう》(↔ not a little) ∥ I'm *nót a bít* tired. ちっとも疲れていない / *Nót a bít* (of it). (相手の言葉・前言を強く打消して) それどころか; (礼を言われて) どういたしまして《◆Not at all. の方がていねい》.

bit[2] /bít/ [名][C] **1**(馬の)はみ(cf. harness); (一般に)制御する物. **2** (きりの)穂先; (かんな・やっとこなどの)刃; (鍵の)歯.

bit[3] /bít/ [[binary digit から]] [名][C] [コンピュータ] ビット《情報量の基本単位》.

bit[4] /bít/ [動] bite の過去形・過去分詞形.

bitch /bítʃ/ [名][C] **1** 雌犬《◆「雄犬」は dog》; (オオカミ・キツネの) 雌; (一般に)雌, あばずれ女∥ *son of a bitch* → son 成句. ─[動][自]《人が》意地悪である; 《俗》不平を言う(+*about*).

*****bite** /báit/ [[「(歯で)切る, かむ, 突き刺す, はさむ」が本義]]
  ─[動] (~s/báits/, [過去] bit/bít/, [過分] bit·ten /bítn/ bit; bit·ing)
  ─[他] **1**〈動物・人が〉〈…を〉**かむ**, かみつく, かみ切る(+*off, away*); 〈穴などを〉かんであける∥ The monkey *bit* me *on* the hand. 猿が私の手にかみついた / The dog *bit* meat *off* [out of] the bone. 犬は肉を骨からかじりとった / If you approach that dog, you may have your hand *bitten*. その犬に近寄ると手をかまれるかもしれない∥ *Once bitten, twice shy.* (ことわざ) 一度こりると後で用心する[「あつものにこりてなますを吹く」]. **2**〈虫などが〉〈人・動物〉を刺す; 〈カニなどが〉〈物〉をはさむ∥ I am being *bitten* by mosquitoes. 私は蚊に刺されどうしだ. **3**〈物・事が〉〈人の痛手となる〉; 〈寒さが〉〈人〉にしみる, 〈霜や酸が〉〈物〉をいためる, 腐食する; 〈コショウなどが〉〈人〉を刺激する∥ Pepper *bites* the tongue. コショウは舌にぴりぴりくる / Acid *bites* metals. 酸は金属を腐食する.
  ─[自] **1**〈人・動物が〉〈…に〉**かみつく**; 〈…に〉食いつく(*at, on*) ∥ A barking dog seldom *bites*. → bark[1] [自]. **2**〈魚が〉餌に食いつく∥ The fish won't *bite* today. 今日は魚がどうも食わない. **3**〈人が〉〈誘惑などに〉のる, とびつく(*at*).

be bítten with [*by*] **A**《略式》Aに夢中になる, 熱中する.

bíte báck [自] (1)〈犬などが〉かみ返す. (2) 怒って〈人に〉やり返す(*at*). ─[他] (1) …にかみ返す. (2)《略式》〈言葉などを〉抑える.

bíte into A (1)〈果物など〉にかじりつく. (2) …を腐食する.

bíte óff móre than one **can chéw** 「かみこなせる以上の食べ物をかじり取る」手にあまる仕事をしようとする∥ Be cautious not to *bite off more than you can chew.* 能力以上のことをしないよう注意しなさい.

bíte on A (1) → [自] **1**. (2)《略式》〈問題などに〉取り組む, …に考える.
  ─[名] **1**[C] かむこと; (魚の)あたり∥ 〖ショック〗 "Any *bites*?" "Just the mosquitoes." (魚釣りをしている人に)「ひきはあるの?」「蚊が刺すだけさ」(→ **2**) = ("Are the fish biting?" "The mosquitoes are biting me."). **2**[C] かみ傷, 刺し傷. **3** [a ~] ひとかじり; 少量; 1口分の食物∥ She hasn't had *a bite* of bread since yesterday. 彼女はきのうから1口のパンも食べていない / She took *a bite* from [out of] the cake. 彼女はケーキを1口食べた. **4**[U] (歯車の) かみ合い, ひっかかり. **5**[U] [時に a ~] (文体の)鋭さ, 辛辣(½½)さ; (空気・風の)肌を刺す冷たさ; 刺激的な味, 苦味. **6**《略式》[a ~] 食物, 軽い食事∥ Can you come over to the house for *a bite* tonight? 今晩, めしを食いに家に来ないかい. **7**[C] つらい出来事.

bit·er /báitər/ [名][C] かむ人[物]; かみつく動物.

†**bit·ing** /báitiŋ/ [動] → bite. ─[形] **1** 身を切るように寒い∥ *a biting* wind 肌を刺す風. **2**〈皮肉などが〉鋭い, 痛烈な∥ *biting* remarks 辛辣(½½)な言葉. **3** [副詞的に] 身を切るように∥ *biting* cold ひどく寒い.
bít·ing·ly [副] 身を切るように; 痛烈に.

bit·ten /bítn/ [動] bite の過去分詞形.

*****bit·ter** /bítər/
  ─[形] (**more** ~, **most** ~) **1 a**〈出来事などが〉むごい, つらい; 〈人が〉〈…に〉心を痛める, 苦々しく思う(*about*)∥ *bitter* death 悲痛な死 / *bitter* truth むごい真実 / know [learn] from *bitter* experience つらい経験から学ぶ / His failure in the exam was a *bitter* blow to him. 試験に落ちたことは彼にとってつらい出来事だった. **b**〈言動などが〉激しい, 辛辣(½½)な, 耐えがたい ∥ *bitter* satire [criticism] 痛烈な風刺[批評].
  2 a〈飲食物が〉(不快なほど)苦い(↔ sweet) (cf. salty, sour)∥ *bitter* beer《英》(ホップのきいた)苦味ビール / 〖対話〗 "I can't drink this coffee." "What's the matter? Does it taste too bitter [×bitterly]?"「このコーヒーが飲めません」「どうしました. 苦すぎますか」. **b**《英》=bittersweet [形] **2**.
  3〈風・寒さなどが〉厳しい, 身を刺す∥ *the bitter* cold 厳寒.
  ─[名] **1** [the ~(s)] 苦しいもの, 苦さ; 苦しみ∥ táste *the swéets and bítters* of life =tàke the *bítter* with the swéet 人生の苦楽を経験する《◆take the rough with the smooth の方がふつう》. **2** [U] =bitter beer. **3** [~s; 単数・複数扱い] 苦味酒《苦い草・根・実などを浸したアルコール飲料. カクテルの風味・強壮剤用》.
  ─[副]《米》ひどく, 非常に∥ *bitter* cold ひどく寒い.
  ─[動][他] …を苦くする. ─[自] 苦くなる.

bítter béer《英》ビター(→ [形] **2 a**)《ホップで強い苦味をつけた英国の代表的な生ビール. ふつう日本のビールより泡(head)が少ない. pint 単位で注文する. → beer》.

bítter órange [植] ダイダイ(sour orange); その実.

bít·ter·ness [名][U] 苦さ; つらさ; 恨み, 敵意; 皮肉.

†**bit·ter·ly** /bítərli bítəli/ [副] **1 a** 激しく, 痛烈に∥ I *bitterly* regret my mistake. 失敗を身にしみて後悔している. **b** 激しく, 敵意に満ちて∥ speak *bitterly* 苦々しく言う. **2** [強意語として] とても, 大変∥ *bitterly* cold とても寒い.

bit·ter·sweet /bítərswìːt/ [形] **1** ほろ苦い, 苦くてつらい; 楽しくつらい. **2**《米》〈チョコレートが〉ほとんどミル

bi·tu·men /bitúːmən, bai-│bítjumin/ 名U〖鉱物〗ビチューメン, 瀝青(ﾚ̄ｷｾｲ)《天然に産する炭化水素の混合物を指す。アスファルトなど》.

†**bi·tu·mi·nous** /bitj(j)uːmínəs/ 形 瀝青(ﾚ̄ｷｾｲ)(質)の. **bitúminous cóal** 瀝青炭.

bi·valve /báivælv/ 名C 二枚貝《カキ・ハマグリ・アサリなど》.

biv·ou·ac /bívuæk/ 名C (軍隊の)露営(地), 野営, (登山の)ビバーク.
――動 (過去・過分) ~ked; ~king 自 露営[野営]する.

bi·week·ly /baiwíːkli/ 形 1 隔週の[に]. 2 (非標準)週2回の[に]《◆混乱を避けるためには, 1では every second week, every two weeks を 2では semiweekly を使う方がよい》. ――名C 隔週刊の雑誌[新聞, など](→ periodical).

bi·year·ly /baijíərli, (英+) -jáː-/ 副形 1 隔年に[の]. 2 年2回に[の].

bi·zarre /bizάːr/ 形 (正式)風変わりな, 奇怪な, アンバランスな(strange).

Bi·zet /biːzéi/ 名 ビゼー《Georges /ʒɔːrʒ/ ~ 1838-75; フランスの作曲家. 歌劇「カルメン」を作曲》.

b.l., b/l, BL, B/L 略 bill of lading 船荷[運送]証券.

blab /blǽb/ 動 (過去・過分) **blabbed**/-d/; **blab·bing** (略式) 他 (秘密などを)漏らす(+*out*); (無分別に)しゃべりまくる(+*off*, *out*).

blab·ber /blǽbər/ 名U おしゃべり; C しゃべり屋, 密告者. ――動自〔つまらないことを〕しゃべりまくる〔*on*〕.

black /blǽk/
――形 (~·er, ~·est) 1 **黒い**, 黒色の(↔ white) ‖ a huge *black* cloud 大きな黒い雲 **⊃文法 17.2** / His eyes are *black*. =He has *black* eyes. 彼は目が黒い《◆(1) He has (got) a *black* eye. は「なぐられて目の周囲が黒くあざになっている」という意. (2) 日本人の「目が黒い」は black eyes ではなく dark [brown] eyes とするのがよい. (3) 「私の目が黒いうちは…」は as [so] long as I live, ... という. → body 7》.

〖文化〗 日本語と同じくしばしばよくないイメージを暗示. 陰気な色から不吉・死・敗北・違反など悪の代名詞として用いられることが多い. ただし, 3 語法 参照.

2 真っ暗な, 真っ暗闇の《◆ *dark* より暗い状態》‖ The cave was (as) *black* as coal [pitch, ink, night]. 洞穴は真っ暗だった.

3 〈人が〉(皮膚が)黒い《◆(1) 黒人であるということ.「日に焼けて黒い」は brown, sunburnt, (sun-)tanned. ただし次の表現は可能: She is burned [tanned] almost *black*. 彼女は日に焼けてほとんど真っ黒だ.「彼は色が黒い」は He's dark. (2) 比較変化しない》; [時に B~] 黒人の ‖ *black* literature 黒人文学.

語法 米国の黒人については, 1970-80年代に black が最もふつうの語となった(それ以前は Negro, colored). 90年代以降, Afro-American を経て, 現在は African-American が公称となったが, black も依然として日常語として使われている. Negro, colored は特別な連語を除いて避けられる.

4 (略式)〈手・着物などが〉汚れた, 大変汚い(dirty)《◆強意表現は (as) black as the ace of spades》.

5 (文) [名詞の前で] 悪意の, 邪悪な(evil) ‖ a *black* lie 悪意のあるうそ / commit many *black* deeds 悪行を重ねる. 6 [しばしば B~] 不吉な(unlucky), 大変悪い; 悲しい, 憂うつな;〈事態が〉険悪な ‖ terrible *black* days ひどく憂うつな日 / Don't look on the *black* side. 悪い面を見なさい / ***Things look black.*** 事態は険悪だ / She was in a *black* mood after losing an afternoon's work on the computer. 彼女は午後の時間を全部使ってコンピュータに入れた仕事が消えてしまってからは憂うつな気分になっていた. 7 [通例名詞の前で] 非常に怒った(angry), むっとした(bad-tempered) ‖ He gave me a *black* look. 彼はむっとして私を見た. 8 (主に英) [名詞の前で] (ストで)仕事などが休業している, ボイコットされた. 9 〈コーヒー・紅茶が〉ミルク[クリーム]の入っていない, ブラックの(↔ white) ‖ hàve [drínk] one's còffee blάck コーヒーをブラックで飲む《◆この場合も時に侮辱的な black を避けて coffee without milk と言う人も多い》.

black and blúe (ぶたれて・ころんだりして)青あざのできた.

black and white /-ŋ-/ (cf. black-and-white) (1) (写真・テレビ・印刷の)白黒《◆ ×white and black とはいわない. **⊃文法 17.2**》‖ in *black and white* (口頭でなく)書面で, 印刷物[文書]で; 白黒テレビ[写真]で. (2) 白か黒か, 正か邪か, 善か悪か, (その中間はないという)割り切った考え方.

gò blάck (明かりが消えたり人が気を失って)〈周囲の物が〉視界から消える, 真っ暗になる.

――名 (複 ~s/-s/) 1 UC **黒, 黒色**(↔ white) ‖ *Black* is beautiful. 黒は美しい《1960年代の黒人解放運動のスローガン》. 2 U 黒い服, 黒衣, 喪服 ‖ be (dressed) *in black* 喪服を着ている. 3 [the ~] 黒字(↔ red) ‖ be *into* the *black* 黒字になる. 4 UC 黒色の絵の具[染料, 色素]; C よごれ, 汚点. 5 [時に B~] C **黒人**《◆ black man, Black Man ともする. → 形3 **語法**》. 6 (英) [the ~] (労組による)ボイコット(戦術).

black and tán (複 black and tans) (1) 黒と褐色の犬《テリア犬の一種》. (2) [通例 B~ and T~] 警備隊員《1920-21年アイルランドの治安運動に対して英国から派遣された》. (3) (英) ビター割り黒ビール《bitter と stout を混ぜたもの》. (4) (米俗) 白人と黒人の混血の人. (5) [形容詞的に] 白人と黒人の差別をしない, 白人も黒人も出入り自由の.

swéar blάck is whíte = tálk blάck into whíte [未来形・条件節で] (目的のためには)手段を選ばない, 黒を白と言う.

――動 他 1 …を黒く[暗く]する;〈靴〉をみがく. 2 (英)(ストで)…をボイコットする, 休業を宣言する. 3 = blacken 2.

black out (自) (1) 灯火管制をする. (2) (一時的に)気を失う. ――(他) (1) …を灯火管制をする;〔演劇〕〈舞台〉を暗くする. (2) 〈記事〉を黒く塗りつぶす;〈ニュースなど〉の放送を禁止する.

bláck ánger 黒人の怒り.

bláck árt (1) [the ~] (悪事に使う)黒魔術(↔ white magic). (2) (米)黒人芸術.

bláck báss 〖魚〗ブラックバス《北米産サンフィッシュ科の淡水魚》.

bláck bélt (1) [the ~; 通例 B~ B-] (米国南東部の)黒人地帯. (2) [the ~] (アラバマ・ミシシッピ州の)肥沃(ﾋﾖｸ)な黒土地帯. (3) /=/ (柔道・空手の)黒帯(保有者).

black bíle 〔古生理〕黒胆汁《4つの humor の1つ. 憂うつを引き起こす》.
black bóok (1) [時に little ~ b-] ガールフレンド住所録. (2) (通例 -s) 要注意人物録, ブラックリスト;（教師の）えんま帳.
black bóx (1) ブラックボックス, 暗箱. (2) 〔略式〕自動飛行記録装置 (flight recorder).
black bréad 黒パン.
Bláck Cúrrent =Black Stream.
Bláck Déath [the ~] 黒死病, ペスト; 敗血症.
Bláck díamond (1) 黒ダイヤ. (2) [-s] 石炭.
Bláck Énglish (米国の)黒人英語《◆今は公式には African-American English の方がふつう》.
black éye [a ~] (1) (なぐられた後の)目のまわりの黒あざ (cf. black-eyed). (2) 〔略式〕恥, 不名誉(の原因).
black flág [the ~] (1) 海賊旗. (2) (死刑執行を知らせる)黒旗.
Bláck Fríday 不吉の金曜日《キリストの処刑日》.
black hóle 〔天文〕ブラックホール (↔ white hole).
black húmor ブラックユーモア.
black líst ブラックリスト, 要注意人物表 (cf. blacklist).
black márket 闇市場, 闇取引.
Bláck Pánther ブラックパンサー, 黒ひょう団員《米国の黒人の極左過激武装組織団体》.
black pépper 黒コショウ.
black pówer [しばしば B~ P~] ブラックパワー《自らの権力機構を樹立しようという米国の黒人の運動のスローガン》.
Bláck Séa [the ~] 黒海.
black shéep 〔略式〕(一家の)つらよごし, 厄介者, 持て余し者; 異端者.
Bláck Stréam [the ~] 黒潮, 日本海流.
black téa (緑茶などと区別して)紅茶《◆ふつう単に tea という. 「ミルクの入っていない紅茶」という意味ではない. ×red tea とはいわない》.
black tíe (1) 黒蝶ネクタイ. (2) (男性用)略式夜会服. (3) (2)の着用が求められるパーティー.
black-and-white /blǽk/hwáit/ 形 黒白のはっきりした, 単純明快な《写真などが白黒の (cf. BLACK and white)》.
black・ball /blǽkbɔ̀ːl/ 動 他 名 C (…)に反対投票(をする)《◆黒球で反対投票したことから》.
†**black・ber・ry** /blǽkbèri/ 名 C クロイチゴ(の木) ‖ (as) plentiful as blackberries たくさんある.
── 動 自 クロイチゴをつむ ‖ go blackberrying クロイチゴをつみに行く.
†**black・bird** /blǽkbə̀ːrd/ 名 C 〔鳥〕ハゴロモガラス《アメリカ産》; クロツグミ《(1) ヨーロッパ産. ヒタキ科. スウェーデンの国鳥. (2) bláck bírd は「黒い鳥」の意味》.
†**black・board** /blǽkbɔ̀ːrd/ 名 C (ふつう教室の)黒板 ((米) chalkboard)《◆緑色のにも用いる. 単に board ともいう. 台所のメモ用の は message board. bláck bóard は「黒い板」の意味》‖ The teacher told me to erase the blackboard. 先生は私に黒板を拭くように言った《◆黒板ふき (eraser) で消す場合をいう. ぞうきんなどでふく場合は wipe [clean] the blackboard》/ 〔対話〕 "Mr. Brown, could you write the spelling of the word on the blackboard?" "You mean 'encyclopedia'?" 「ブラウン先生, その単語のスペルを黒板に書いていただけませんか」「'encyclopedia' のことですか」.
†**black・en** /blǽkn/ 動 1 …を黒くする ‖ blacken one's boots ブーツを黒く磨く. 2 〈人格・名声〉を傷つける. ── 自 (空などが)黒く[暗く]なる.
black-eyed /blǽkáid, 〔英〕 ⸗⸗/ 形 黒い目をした; (なぐられて)目のふちが黒あざになった.
black・face /blǽkfèis/ 名 1 C 黒人に扮装(ゔ)した役者; U 黒人の扮装. 2 U 〔略式〕〔印刷〕ボールド体.
black・head /blǽkhèd/ 名 1 頭の黒い鳥《スズガモなど》. 2 にきび, 吹出物. 3 〔獣医〕(シチメンチョウなどの)腸肝炎.
black-heart・ed /blǽkhɑ̀ːrtid/ 形 邪悪な, よこしまな.
black・ing /blǽkiŋ/ 名 1 靴墨《◆今は shoe polish がふつう》. 2 (労働組合員などの)仕事のボイコット.
black・ish /blǽkiʃ/ 形 黒みがかった.
black・jack /blǽkdʒæk/ 名 1 C (米) (短くて太い)自在こん棒 (sap, 〔英式〕cosh). 2 C 海賊旗. 3 U (米) 〔トランプ〕21, ブラックジャック.
black・leg /blǽklèg/ 名 1 C 〔略式〕詐欺師, ペテン師. 2 (主に英) スト破り, 裏切り者.
black・list /blǽklìst/ 動 他 …をブラックリストに載せる (cf. black list).
black・ly /blǽkli/ 副 怒って (angrily), 悲しく[も] (sadly); (文) 凶悪に (evilly).
†**black・mail** /blǽkmèil/ 名 U ゆすり, 恐喝(で得た金). ── 他 〈人〉をゆする, 恐喝する; […するよう]〈人〉をゆする, …に強要する (into doing).
black・mail・er /⸗⸗⸗/ 名 C 恐喝する人.
†**black・ness** /blǽknəs/ 名 1 黒さ, 暗黒. 2 腹黒さ, 陰険. 3 陰うつ.
black・out /blǽkàut/ 名 C 1 灯火[報道]管制; 停電. 2 〔演劇〕暗転. 3 (一時的な)意識不明, 記憶喪失.
†**black・smith** /blǽksmìθ/ 名 C かじ屋(の仕事場), 蹄(⸗)鉄工 (smith)《◆時には病人も治した》.
black・thorn /blǽkθɔ̀ːrn/ 名 C U 〔植〕ブラックソーン《地中海地域産のスモモの原種の1つ》《(北米産の)サンザシ》.
†**blad・der** /blǽdər/ 名 1 〔解剖〕 [the ~] 嚢(⸗), 袋状組織;（特に）膀胱(⸗) ‖ the gall bladder 胆嚢. 2 C 〔嚢状の物〕 a (海草の)気胞; (魚・水泳用の)浮袋. b (サッカー・ラグビー)(ボールの)内袋.
†**blade** /bléid/ 名 C 1 (稲・麦などの穀草の)(平たく細長く, ふつう先のとがった)葉《◆「木の葉」は一般に leaf, 「松葉」は needle》 ‖ a blade of grass 草の葉 / in the blade (穂が出る前の)草のうちに; 若いうちに. 2 (刀・スケートなどの)刃; 刀身, 刃物; (豪) [~s] 羊毛刈り込みばさみ ‖ a sharp razor blade 鋭いかみそりの刃. 3 (鋤(⸗)などの道具の)平らな部分; (オールの)水かき; (プロペラ・扇風機などの)羽根; (アイスホッケー用スティックの)打球面; 肩胛(⸗⸗)骨.
blah(**-blah**) /blɑ́(blɑ́ː)/ 〔略式〕 形 名 U 1 ばかげた[こと][話], くだらぬ[こと][話]; なんだかんだ《話の後を省略するとき付ける》. 2 [the ~s] 退屈な気分, 不機嫌.
Blair /bléər/ 名 ブレア《Tony ~ 1953- ; 英国の政治家. 首相 (1997-)》.
Blake /bléik/ 名 ブレイク《William ~ 1757-1827; 英国の詩人・画家》.
blam・a・ble /bléiməbl/ 形 非難すべき, 非難に価する.
*__**blame**__ /bléim/ 〔「冒瀆(⸗⸗)する」が原義〕
── 動 ～s/-z/; 過去・過分 ～d/-d/; blam・ing/⸗⸗/.
── 他 1 [blame A (for B)] 〈人〉を〔B事で〕[…ということで] A〈人〉を非難する, とがめる, 責める (praise)《◆(1) accuse より意味が弱い. → con-

demn. (2) for 句は非難の対象となる行為・事がらを示す(使い分け → scold) ‖ They *blamed* her *for* writing that letter. その手紙を書いたことで彼女を責めた / *I dòn't bláme yòu*. (君のしたことは間違っていても)責めはしない;(君のしたこと間違っていない,)それでよいのだ, その通りだよ(=I agree.) / *We don't blame her for* saying she wants a better job. 我々は彼女がもっとよい職につきたいと言ったからといって責めはしません.

2 [blame **A** on **B**]=[blame **B** for **A**]〈人が〉〈物事を〉**B**〈人・物・事〉の責任にする, …のせいにする, …に負わせる ‖ I *blamed* the bankruptcy *on* the manager. =I *blamed* the manager *for* the bankruptcy. 私は倒産の責任を支配人に負わせた.

3(米俗)…をのろう(◆damn の遠回し語)‖ *Blame* it! こんちくしょう / *Blame* me if I do. だれが(そんなことを)するもんか.

* ***be to bláme*** 〚be to blame oneself「自分を責めるべきである」(→ 動 **2 b**)〛[…に対して]責めを負うべきである, 責任がある[*for*] ‖ He *is to blame for* the accident. その事故の責任は彼にある(=He is responsible for the accident.).

hàve ónly onesélf to bláme […に対して]責任がある[悪い]のは…だけど, …以外に責任の持っていくところがない[*for*].

―名 U **1** [通例 the ~][失敗などの]**責任**[*for*] ‖ *tàke* [*bèar*, accept] *the bláme for* the defeat その敗北のことで責任をとる, 泥をかぶる / She laid [*put*, *placed*] *the blame for* the divorce on her husband. 彼女は離婚の原因を彼女の夫のせいにした(◆*It's my blame. のように所有格をつけるのは誤りで, I am to blame. / It's my fault. のようにする. cf. fault 名1).

2[失敗などに対する]非難, 責め[*for*] ‖ incur *blame for* … …に対して非難を招く.

†**blame·less** /bléimləs/形 (正式)〈生活などが〉非難するところのない, 罪[欠点]のない, 潔白な(innocent).

bláme·less·ness 名 U 潔白.

blame·wor·thy /bléimwə̀ːrði/形 (正式)〈行動などが〉非難に価する, 責任がある.

blam·ing /bléimiŋ/動 ▶ blame.

†**blanch** /blæntʃ | blɑːntʃ/動 他 **1** …を漂白する(◆bleach より堅い語);〈植物を〉(日光に当てないようにして)白く栽培する ‖ *blanch* tablecloths white テーブルクロスをさらして白くする / The sun *blanched* the rug. 日光で敷物の色があせた. **2**〔料理〕〈果実・野菜などを〉熱湯に通す, ゆがく(→ cook 動1関連).

―自 (正式)〈人・顔などが〉[病気・寒さなどで…を知って]青ざめる[*with*/*at*]‖ Their faces *blanched with* fear *at* the news. 彼らの顔はその知らせにこわくなってさっと青ざめた.

blanc·mange /bləmɑ́ːndʒ | -mɔ́ndʒ/《フランス》名 UC ブラマンジェ《コーンスターチ・牛乳などで作ったゼリーに似た冷菓》.

†**bland** /blǽnd/形 **1**〈人・態度などが〉おだやかな, 人あたりのよい;どっちつかずの, 個性のない;精彩のない, 感情を示さない(◆gentle, suave より否定的・軽蔑(ﾉ)的意味が強い). **2**〈食物が〉薄味の, 刺激の少ない, 味気ない;〈音楽などが〉面白味のない(cf. insipid). **3**〈気候などが〉温和な.

blánd·ly 副 おだやかに.
blánd·ness 名 U おだやかさ.

blan·dish /blǽndiʃ/動 他 (正式)〈人に〉こびへつらう.
blán·dish·er 名 C ご機嫌取り.
blán·dish·ment 名 C [通例 -ments] 追従

(ﾂ), 甘言.

†**blank** /blǽŋk/形 **1**〈紙・書類が〉白紙の, 何も書いていない;〔商業〕無記名の, 白地式の ‖ a *blank* sheet of paper 白紙1枚 / a *blank* tape 録音していないテープ / His examination paper was totally *blank*. 彼の答案用紙はまったくの白紙であった. **2**〈表情が〉無表情な, うつろな;まごついた ‖ She wore a *blank* expression on her face. 彼女はぽかんとした顔をしていた. **3**〈壁や〉窓や戸や掛絵などの〉<空間などが〉がらんとした, からっぽの. **4**〈こが〉無味乾燥な, 空虚な;成果のない ‖ *blank* efforts 実りのない努力.
go blánk(1)〈頭・心などが〉うつろになる. (2)〈画面が〉消える.

―名 (複 ~s/-s/) C **1** 空白, 余白 ‖ in *blank* 空白のままで / *Fill in* [out, up] *the blanks*.（試験問題などで）空所を埋めよ. **2** 白紙;書き込み用紙(英)⦅空⦆;申込書 ‖ an application [order] *blank* 申込み[注文]用紙. **3** [通例 a ~];比喩的に] 空白, 空虚;何もない時間. **4** =blank cartridge. **5**（明示をさけての省略・空白の）ダッシュ ‖ Mr. ― 某氏（◆ふつう Mr. Blank と読む）.

dráw (a) blánk (略式)しくじる, 空くじを引く, 思い出せない.

―動 自 (一時的に)意識を失う(+*out*).
―他 (米)〈チームを〉完封する;(英略式)〈顔見知りの人を〉無視する.

blánk cártridge 空包(↔ ball cartridge).
blánk chéck [(英)**chéque**]（金額無記入の）白地式小切手;(略式)無制限[自由行動]の権限.
blánk vérse 無韻詩(弱強五歩格などの脚韻のない詩).
blánk·ness 名 U 空白;白紙状態;から.

•**blan·ket** /blǽŋkət/〚「白いもの」が原義. 毛布は元来白い羊毛でできていた〛

―名 (複 ~s/-kits/) C **1** 毛布 ‖ I sleep on [under, with] an electric *blanket* in winter. 私は冬電気毛布を敷いて眠ります. **2** (米・カナダ)(先住民の)外衣. **3** [a ~ of …](毛布のように)すっぽり覆うもの ‖ a *blanket* of mist [snow] 一面の霧[雪]. **4** [形容詞的に] 包括[総括]的な ‖ a *blanket* rule 総括的な規則 / a *blanket* (insurance) policy [保険] 包括保険契約.

―動 他 **1**〈人・物を〉毛布でくるむ. **2** [通例 be ~ed](毛布でくるむように)〈場所が〉[…で]覆われる〔*with*, *in*〕‖ The sea *was blanketed with* floating ice. その海は一面流氷で覆われていた.

blank·ly /blǽŋkli/副 **1** ぼんやりと, ぽかんと. **2** きっぱりと.

†**blare** /blɛ́ər/動 自〈らっぱ・ラジオなどが〉(耳障りに)鳴り響く(+*out*). ―他〈らっぱ・音などを〉高らかに鳴らす;〈人などが〉大声で…をがなり立てる(+*out*).

―名 **1** [a/the ~] (らっぱなどの)響き;叫び, がなり立て. **2** まばゆさ, きらびやかさ.

bla·sé /blɑːzéi, ≠ | ≠ /《フランス》形 (歓楽に)遊び飽きた;[…に]無感動なさま[*about*].

†**blas·pheme** /blæsfíːm/動 他 (正式)〈神・神聖なものを〉冒瀆(ﾄﾞｸ)する;…をののしる. ―自 [神などに対して] 不敬[冒瀆]の言葉を吐く(swear) [*against*].

blas·phe·mous /blǽsfəməs/形 (正式)〈人・言葉・絵などが〉不敬の, 冒瀆(ﾄﾞｸ)的な.

†**blas·phe·my** /blǽsfəmi/名 **1** U（神聖なものへの）不敬, 冒瀆(ﾄﾞｸ). **2** C（一般に）不敬な言動(◆profanity, swearing より激しい語).

†**blast** /blǽst | blɑ́ːst/名 **1** C 突風（類語 wind) ‖ a *blast* of wind 一陣の風. **2** UC 爆発, 爆破, 爆

撃；爆風；(1回分の)発破. **3** Ⓒ〔らっぱなどの〕一吹き(の音)，〔車の〕警笛 {*of, on*}‖ blow a *blast* on one's horn 角笛を大きく吹く. **4** Ⓒ (炉に送る)強い一吹き ‖ *at a blast* (口・ふいごなどから)一吹きで；一気に. **5** Ⓒ (米俗式) (楽しい)経験.
(*at* [*in*]) *fúll blást* (略式) (仕事などに)全力をあげて；(ラジオなどの)最高の音量で(◆この意味では単に full blast として副詞的に用いることが多い).
──他 **1** (人などが)(物を)(発破・砲撃で)爆破[爆撃]する(+*away*)；(爆破して)(トンネル)を作る(+*off*)‖ *blast* a channel through the reefs 岩礁に発破をかけて水路を開く. **2** (正式) (事が)(評判・希望などを)台なしにする，破滅させる；(文)〈霜・熱などが〉(植物)を枯らす，損なう‖ His father's death *blasted* his hope of becoming a doctor. 父が亡くなったため医者になる夢は台なしに吹く. **3** 〈らっぱ・ラジオなどが〉騒々しく鳴らす(+*out*). **4** (略式) …をのろう(◆*damn* の遠回し語)‖ *Blast* it (all)! (⤴) こんちくしょう! **5** …を(激しく)批判する. **6** (野球)ホームランなどを打つ. ──自 発破をかける.
blást óff 〔自〕〈ロケットなどが〉発射する. ──〔他〕(1) → 自. (2) 〈ロケットなど〉を発射する.
blást fùrnace 溶鉱炉.
blast·ed /blǽstid | blɑ́ːst-/ 形 **1** (正式) (望みなどが)台なしの. **2** (略式) ひどい，いまいましい(◆*damned* などの遠回し語).
blast·ing /blǽstiŋ | blɑ́ːst-/ 形 爆破の ‖ a *blasting* cap [*fuse*] 爆破用雷管[信管] / *blasting* powder 発破薬，黒色火薬.
†**blast-off** /blǽstɔ̀ːf | blɑ́ːst-/ 名 Ⓒ Ⓤ (ミサイルなどの)打ち上げ，発射.
bla·tant /bléitnt/ 形 **1** (正式) 騒々しい，耳障りな. **2** ずうずうしい，露骨な.
blá·tant·ly 副 騒々しく.
†**blaze**[1] /bléiz/ 名 Ⓒ【通例 a】 **1** (明るく燃え上がる)炎，火炎；火事(◆*flame* より勢いの炎)；(銃・砲の)一斉射火 ‖ *in a blaze* 一面火の海となって / The fire *burst into a blaze*. 火が燃え上がった. **2** 強い輝き，燃えるような色彩，(宝石などの)まばゆい光；(名声の)輝き‖ the dazzling *blaze* of the gems 宝石のまばゆい輝き / *a blaze of* glory さんぜんたる栄光 / The school building was *a blaze of* lights in the evening darkness. 校舎は夕暮れの中に赤々と輝いていた. **3** (感情などの)激発(outburst) ‖ He shouted at his wife *in a blaze of* anger [*fury*]. 彼の目は怒り狂って妻をにらんだ.
Go to bláze! (⤴) (俗)くたばりやがれ!
like bláze (俗) 猛烈に.
──動自 **1** 〈火が〉燃え立つ[上がる](+*away, up, forth*)；燃えさかる(+*down*)，ぱっと燃え出す(+*out, up*)；〈太陽が〉ぎらぎら照らす(+*down*)，〈家などが〉照明で明るく輝く(+*with*). **2** 〈人などが〉〈怒りで〉燃え立ち，かっとする(+*up*) 〔*with*〕‖ His eyes were *blazing* with anger. 彼の目は怒りに燃えていた.
bláze awáy 〔自〕(1) 〈砲が〉(一斉に)〔…に〕火を吹く；〈人が〉〔…に〕発砲し続ける〔*at*〕. (2) → 自 1.
bláze óff 〔自〕= BLAZE away (1).
blaze[2] /bléiz/ 名 Ⓒ **1** (境界線・道標として木につけた)目印. **2** (牛馬の顔面の)白いマーク，ほし. ──〔他〕**1** 〈木など〉に目印をつける；木に目印をつけて…を示す. **2** (正式) …の先鞭(せん)を〔…に〕つける〔*in*〕‖ *blaze* a [*the*] trail (他の人が従う道をつけ)先駆者となる.
blaz·er /bléizər/ 名 Ⓒ ブレザーコート(◆×*blazer coat* とはいわない).

blaz·ing /bléiziŋ/ 形 **1** 赤々と燃えている，焼けるような. **2** (略式) まぎれもない ‖ a *blazing* lie まっかなうそ.
bla·zon /bléizn/ 名 Ⓒ **1** 紋章；紋章描画. **2** 誇示. ──〔他〕**1** 〈紋章〉を描く，…を飾る. **2** (正式) …を言いふらす，公示する.

bldg, bldg. = building (◆×*buil*, ×*bil* は誤り).
†**bleach** /blíːtʃ/ 動〔他〕〈布・髪など〉を(薬品で)漂白する(+*out*)；〈日光が〉〈物〉を漂白する(◆ *blanch* より口語的) ‖ bones *bleached* by the sun 日にさらされた白骨. ──〔自〕(薬品・日光にさらされて)白くなる(+*out*). ──名 Ⓤ Ⓒ 漂白剤；漂白する[される]こと.
bléaching pòwder さらし粉，漂白粉.
bleach·er /blíːtʃər/ 名 **1** Ⓒ 漂白する人；漂白剤. **2** (米) [~s] (野球場などの)屋根なし観覧席.
bleah /blíː/ 間 (人をばかにして)イーだ，べー(nyaa).
†**bleak** /blíːk/ 形 **1** 〈天候が〉寒々とした，冷たい. **2** 〈場所が〉吹きさらしの，荒涼とした. **3** 〈見通しなどが〉暗い，寒い前途 ‖ a *bleak* prospect [*outlook, future*] 暗い前途. **bléak·ly** 副 吹きさらしに，わびしく. **bléak·ness** 名 Ⓤ わびしさ，陰気さ.
blear·y /blí(ə)ri/ 形 (時に -i·er, -i·est) **1** 〈目が〉かすんだ；〈輪郭などが〉ぼやけた.
blear(·y)-eyed /blí(ə)ríàid/ 形 (睡眠不足で)目がかすんだ，ふちが赤くただれた，目先のきかない；物わかりの悪い.
†**bleat** /blíːt/ 動〔自〕〈羊・ヤギ・子牛などが〉鳴く；(略式)〔…のことで〕泣き言を言う〔*about*〕. ──〔他〕(略式) …を弱々しく言う，ぐちぽくしゃべる(+*out*). ──名 Ⓒ [通例 a/the ~] (羊・ヤギの)鳴き声；哀れな震え声.
†**bled** 動 bleed の過去形・過去分詞形.
***bleed** 動 (類音) breed /bríːd/) [『血(blood)が流れる』が本義]
──動 (~s/blíːdz/; 過去・過分 bled /bléd/; ~·ing)
──〔自〕**1** 〈人・動物が〉〔…から〕出血する〔*from*〕，〈切り口・鼻などが〉出血する‖ *bleed* to death [×*die*] 出血多量で死ぬ / His nose was *bleeding*. 彼は鼻血を出していた. **2** 〈祖国・自由などのために〉血を流す，傷を負う〔*for*〕‖ *bleed* for one's country 祖国のために血を流す. **3** 〈染料など〉にじむ.
──〔他〕**1** 〈人〉から血を採る，放血する(◆昔の医師の治療法). **2** 〈樹液〉を採る，〈容器・タイヤなど〉を抜く〔*of*〕‖ *bleed* a tire of air タイヤから空気を抜く. **3** (略式) 〈人〉から(恐喝などで)〔金を〕まき上げる〔*of, for*〕‖ She *bled* me for all my money. 彼女は私からすっかり金をしぼり取った.
bléed A *whíte* [*drý*] 〔顔色が白くなるまで血を流す〕(略式) 〈人〉から金をしぼり取る.
bleed·er /blíːdər/ 名 Ⓒ **1** (俗) 出血性素因者，血友病者(hemophiliac). **2** (英略式) (いやな)やつ.
bleed·ing /blíːdiŋ/ 名 Ⓤ 出血，血まみれ. ──形 **1** 出血する，血まみれの. **2** (英略式) いまいましい，汚らわしい.
bleep /blíːp/ 名 Ⓒ **1** (無線・コンピュータなどの)ピーピーという音. **2** (主に英) ＝ bleeper. ──〔自〕 ピーピーという音を出す；〔…を〕信号音で呼ぶ〔*for*〕. ──〔他〕…を信号音で呼ぶ. **bléep·er** 名 Ⓒ (主に英) ポケットベル(pager).
†**blem·ish** /blémiʃ/ (正式) 動〔他〕〈名声・人格など〉を(少し)傷つける，いためる，汚す(spoil) ‖ Her beauty [beautiful face] was *blemished* by the scar. 彼女の美貌(ぼう) [美しい顔]もその傷で少し影がさした. ──名 Ⓒ **1** (名声・美しさなどを損う)〔…の〕(ささやかな)欠点，汚点(flaw) 〔*on*〕. **2** 〔…(の表面)の〕傷，しみ(stain) 〔*on*〕.

blench /blén(t)ʃ/ 動 自 **1** (危険などに)たじろぐ, しりごみする. **2** 白くなる, 真っ青になる.

†**blend** /blénd/ (過去·過分) ~·ed/-id/ (or 〈詩·文〉**blent**/blént/) 他 **1** …を(むらなく)混合する《◆目的語は複数名詞》; [blend A with B] Aく物〉をB〈物〉に混ぜ合わせる《◆mix より堅い語》‖ *blend* the paints 絵の具を混ぜる / *blend* some herbs *with* tea 薬草を茶に混ぜ合わせる《◆A と B が対等のときは and; *blend* milk *and* flour (together) 牛乳と小麦粉を混ぜ合わせる》. **2** 〈茶·酒·タバコなど〉を(ブレンドして)作る, 調整する. ── 自 **1** 〈2つの物が〉溶け合う; 〈物が〉〈他の物に〉溶け合う, 一体となる〔with, into〕‖ Oil and water won't *blend*. =Oil and water won't *blend with* [*into*] water. 油は水と溶け合わない. **2** 〈物·事が〉〈…と〉調和する(+well)〔with〕‖ The curtain *blends* well with the walls. そのカーテンは部屋の壁の色とよく調和している.

blénd ín 自 〔…と〕融合する, 混ざる, 調和する〔with〕. ── 他 〔…に〕混ぜ合わせる, 混入する〔with〕. (─) 〈物〉を〔…と〕調和させる〔with〕.

── 名 C **1** (数種のものの)混合物, ブレンド‖ our special *blends* (of coffee) 当店特製の(コーヒーの)ブレンド / a *blend* of love and hatred 愛憎の入りまじった気持ち〔態度〕. **2** 〔言語〕混成語, かばん語《smog ← smoke + fog など》.

blend·er /bléndər/ 名 C **1** 混ぜる人〔機械〕. **2** (主に米) (電動の)混ぜ合わせ器, ミキサー((主に英) liquidizer).

blend·ing /bléndiŋ/ 名 U C **1** 混合(物), 融合, 調合. **2** 〔言語〕混成(語), 混交.

blent 動 /blént/ 〔詩〕 blend の過去形·過去分詞形.

*__**bless**__ /blés/ (変化) bliss /blís/ 〔「(いけにえの)血で清める」から「神を崇拝し加護を祈る」が本義》 動 blessing (名)
── 動 (~·es/-iz/; 過去·過分) ~ed/-t/; ~·ing)
── 他 〔正式〕 **1** [通例 be ~ed] 〈人が〉〈…の〉恩恵を受ける, 〔…を〕祝福される, 〔…に〕恵まれる〔with, in〕‖ She *is blessed with* a good brain. 彼女は頭がいい / She *is blessed with* a healthy long life. 彼女は健康長寿に恵まれている.

2 〈聖職者が〉〈人·物〉に神の加護を祈る, …を(十字を切って)祝福する‖ The priest *blessed* the newborn baby. 牧師は新しく生まれた赤ちゃんを祝福した. **3** 〈神〉を賛美する; 〈人·物〉に〔…に対して〕感謝する〔for〕‖ *Bless* the name of the Lord! 主の御名をほめたたえよ / I *bless* him *for* his kindness. 彼の親切に心から感謝している.

4 (儀式で)〈パン·ブドウ酒など〉を聖別〔祝別〕する. **5** 〈人〉をのろう《◆damn の遠回し語》‖ (I'm) *blessed* if I know! そんなこと知るものか!

bléss oneself (十字を切って)神の祝福を祈る; 〔…からのがれて〕よかったと思う〔from〕.

*__**Bléss you!**__ /blésju/ あなたに神の恩寵(な)がありますように; どうもありがとう; **おやまあ**!, まあ, かわいそうに《◆英米では別れのあいさつ. またしゃみをした人に言う. 返事は Thank you.》.

Gód bléss me! = Bless me [(やや古) **my soul, my stars**]! = **Well, I'm blest!** おやおや, やれやれ, しまった, とんでもない《◆驚き·喜び·怒り·困惑などを表す》.

†**bless·ed** /blésid/, (主に詩·古) **blest** /blést/ 形 **1** 〔文〕神聖な, 清められた(holy) ‖ the *blessed* land 天国 / the *blessed* (ones) 天国の諸聖人. **2** (古) 幸せな, 神の恵みを受けた ‖ *blessed* ignorance 知らぬが仏 / *Blessed* are the poor in spirit. 〔聖〕

幸いなるかな, 心の貧しい者. **3** 楽しい, 喜ばしい ‖ a *blessed* event 〔略式〕おめでた; 生まれての赤ん坊. **4** 〔略式〕いまいましい, のろわしい《◆damned の遠回し語》‖ Those *blessed* bells! あのうるさい鐘め. **5** 〔強意語として〕すべて‖ every *blessed* yen 1円残らず, あり金全部.

Bléssed Sácrament 〔カトリック〕 [the ~] 聖体, 聖別されたパン; 聖餐(こん)式.

Bléssed Vírgin [the ~] 聖母マリア.

bless·ed·ness /blésidnəs/ 名 U 幸運, 幸福 ‖ single *blessedness* 〔Shak.〕(気楽な)独身生活.

†**bless·ing** /blésiŋ/ 名 **1** C (通例 a ~) 〔…への〕(牧師の)祝福; 祝禱(きう)〔on, upon〕(↔ curse); (食事の前後の)短い祈り ‖ ask [say] *a blessing* 食前(または食後)の祈りをする. **2** C 〔…にとっての〕神の賜物, 恩恵; ありがたいもの〔to〕‖ count one's *blessings* (不幸な時に)自分のこれまでの幸運を思う / Her baby was a great *blessing to* her. 赤ん坊は彼女にとってありがたい天の恵みであった. **3** U 〔略式〕承認, 賛成. **a bléssing in disguíse** 初めは不幸に見えても最後は幸福となるもの.

blest 動 /blést/ 動 〔文〕 bless の過去形·過去分詞形. ── 形 〔主に詩·古〕 = blessed.

*__**blew**__ /blú:/ 動 blow¹ の過去形.

†**blight** /bláit/ 名 **1** U (植物の)胴枯れ病; 虫害; その害虫. **2** C 〔正式〕〔通例 a ~〕〔希望·前途を〕くじくもの〔on, upon〕; その原因 ‖ cast [put] *a blight on* [*upon*] … …に暗い影を投げかける. **3** U (都市の)荒廃, 無秩序化. ── 他 **1** 〈霜などが〉〈植物〉を枯らす, 害する. **2** 〔正式〕〈物〉をだめにする, 破滅させる; 〈希望など〉をくじく.

*__**blind**__ /bláind/
── 形 (~·er, ~·est) **1a** 目の見えない, 盲目の, 盲人の; [名詞の前で] 盲人の(ための)《◆比較変化しない》‖ a *blind* school [hòme] 盲学校〔盲人ホーム〕《◆a school for the blind の方がふつう》/ (*as*) *blind as a bát* [beetle] 〔略式〕まったく目の見えない; [比喩的に] 先が見えない / be born *blind* 生まれつき目が見えない / be *blind in* the left [in one] eye 左(片方)の目が見えない / He *turned a blind eye to* his own failure. 彼は自分の失敗を見て見ぬふりをした / It makes you go *blind*. そんなことをしていると目がつぶれるよ《◆become blind よりふつう》. **b** [the ~; 名詞的に; 複数扱い] 目の見えない人たち《◆unseeing people, the visually impaired の遠回し表現》‖ It is (a case of)*the blind leading the blind*. 〔聖〕それは盲人が盲人を導くようなものだ; 非常にむだ〔危険〕だ.

〔関連〕 deaf 耳の聞こえない / dumb 口のきけない.

2 [補語として] 〈人が〉物を見る目がない; 〔利害·長所·短所などが〕わからない, 〔…に〕気がつかない; 〔問題から〕目をそむけている〔to〕‖ He *is blind to* her kindness. 彼には彼女の親切がわからない.

3 [通例名詞の前で] **盲目的な**, 無計画な ‖ a *blind* purchase 衝動買い / the *blind* forces of nature 理性に支配されない自然な力 / by a *blind* draw くじ引きで / *Blind* faith is dangerous. 盲信は危険だ / *Love is blind.* 〔ことわざ〕恋は盲目.

4 [通例名詞の前で] 〈場所·建物などが〉出口〔窓〕のない; 道などが見通しのきかない, 行き止まりの.

5 意識のない; (略式) 酔っぱらって(→ 2) ‖ a *blind* stupor 人事不省 / be *blind with* grief 悲しみのあまりぼうっとする.

── 動 他 **1** 〈人·動物〉を(永久に)盲目にする; …(の目)を(一時的に)見えなくする‖ He was *blinded* in a war. 彼は戦争で失明した《♦負傷など外的な理由がない場合には become blind》/ The sunlight *blinded* me [my eyes]. =I was [My eyes were] *blinded* by the sunlight. 日光で目がくらんだ. **2 a**〈人〉の分別[判断]を失わせる; [blind **A** to **B**]〈人・感情など〉**A**〈人〉に**B**〈事実・欠点など〉を隠す ∥ His love for her *blinded* him to her faults. 愛するあまり彼には彼女の欠点が見えなかった / Far from being *blinded* by greed, we were *blinded* by idealism. 私たちは欲に目がくらむことはなかったが, 理想主義に目がくらんでいた. **b** [~ oneself]〔物・事に〕目をつぶる[to] ∥ *blind* one*self* to one's failure [faults] 自分の失敗[欠点]に目をつむる. **3** …を暗くする, …の光を奪う; …を[視界などから]隠す[from] ∥ Trees *blinded* ⌈the train from my view [my view of the train]. 木立ちで列車が見えなくなった.

——名 (複 ~s/bláindz/) Ⓒ **1 a** ブラインド; (窓の)日よけ (《米》(window-)shade) ∥ draw up [raise] the *blinds* 日よけをあげる / pull down [lower] the *blinds* 日よけをおろす. **b** [~s] (馬の)目隠し皮. **2**《略式》[a ~]〔…の〕口実, 隠れみの[for] ∥ as a *blind* 口実として.

——副 **1** 行きあたりばったりで ∥ go it *blind* =go *blind* on it (あと先を考えず)がむしゃらにやる. **2**《略式》意識を失うほど ∥ be *blind* drunk べろべろに酔っている. **3**〔航空〕計器に頼って ∥ fly *blind* 計器飛行する; わけもわからずに行動する.

blínd álley (1) 袋小路, 行き止まり (dead end). (2)《略式》先の(よい)見込みのないもの[こと].

blínd cóal 無煙炭.

blínd córner(ドライバーなどの)見えないかど; 死角.

blínd dáte《米略式》ブラインド=デート(の相手)《第3者の紹介による面識のない男女のデート》.

blínd flýing [**flíght**] 計器飛行.

blínd gód =Eros **1**, Cupid **1**.

blínd gút 盲腸 (cecum).

blínd lánding 計器による着陸.

blínd spòt (1) (眼球の)死角, 盲点; [比喩的に] 盲点, 弱点. (2) (通信の)難視聴地域; (道路・劇場の)見え[聞こえ]にくい所; (車の)死角.

blínd·er /bláindər/ 名 Ⓒ **1 a** 目をくらます人[物, 事]. **b**《米》[~s] 視覚[識別]をさまたげるもの. **2**《米》[~s] (馬の)目隠し皮 (《英》blinkers). **3**《英略式》(スポーツなどでの)華麗なプレー.

†**blínd·fold** /bláindfòuld/ 動 他 …に目隠しをする; …の目をくらます, 欺く. ——名 Ⓒ 目をくらませるもの, 目隠し布. ——形 目隠しの[して], 目隠しされた[で]; 向こう見ずの[に]; 容易な[に], 楽々の[と].

blínd·ing 形 **1** 目をくらます; 分別を失わせるような ∥ a *blinding* flash めくらめくばかりのフラッシュ. **2** 色あせの.

†**blínd·ly** /bláindli/ 副 盲目的に, やみくもに; 行き止まりで; 目がくらむほど.

blínd·man /bláindmæ̀n/ 名 (複 -men) Ⓒ《英》(郵便局の)あて名判読係;(PC) blind-man.

blíndman's búff [**blúff**] 目隠し遊び《目隠しされた鬼がつかまえた人の名を当てる鬼ごっこ》.

†**blínd·ness** /bláindnəs/ 名 Ⓤ **1** 盲目, 失明 ∥ night blindness 夜盲症. **2** 無知; 無分別; 向こう見ず.

†**blink** /blíŋk/ 動 自 **1** (まぶしさなどで)(目を)しばたきする, またたく(♦wink は意図的に);〔…で〕目をぱちぱち[ぱちくり]して見る[at]. **2**(明かり・星などが)明滅する, またたく. **3**《米》(車のライトが)点滅する (《英》wink).

——他 **1**〈目〉をしばたたく. **2** まばたきして〈涙など〉をとり除く[押さえる](+*away, back*) ∥ *blink* away one's tears まばたきして涙を隠す.

***blink at* A** (1) →自 **1**. (2)《略式》[しばしば否定で]…を驚き[当惑, 不満]の目で見る ∥ *blink at* her splendid dress 彼女のすばらしい服に驚き見る.

——名 Ⓒ **1** まばたきすること, またたき ∥ *in the blink* [*wink, twinkling*] *of an eye* またたく間に. **2**《文》(光などの)きらめき, ちらつき.

on the blínk《略式》(1)《機械などが》調子がわるい, 故障している. (2) 死んで, くたばって.

blínk·ing 形 **1** まばたきする; 明滅する. **2**《英略式》ひどい, いまわしい(♦bloody の遠回し語).

blínk·er /blíŋkər/ 名 Ⓒ **1** まばたきする人. **2**《主に英》[通例 ~s] 馬の目隠し皮 (《米》blinders) ∥ be in *blinkers* 周囲の事情がわからない. **3** (交差点などの)点滅信号灯;《米》[~s] 自動車の方向指示器(《英略式》winkers).

blínk·ered 形 目隠し皮をかけた;〈人が〉視野の狭い.

†**bliss** /blís/ 名 Ⓤ Ⓒ《文》無上の幸福[喜び](great happiness)《♦ecstasy は我を忘れるほどの喜び, bliss は心の平静を保つ精神的喜び》∥ *Ignorance is* bliss.(ことわざ)無知は至福である;「知らぬが仏」/ *in blíss* 無上の幸福感に満ちて.

†**blíss·ful** /blísfəl/ 形 この上なく幸福な[楽しい].
blíss·ful·ly 副 この上なく幸福に.

†**blis·ter** /blístər/ 名 Ⓒ (皮膚の)水[火]ぶくれ; (足の)まめ (cf. corn²). ——動 自〈手足などに〉水[火]ぶくれができる. ——他〈手足など〉に水[火]ぶくれにならせる.

†**blithe** /bláið/ 形 (米+) bláiθ/ 形《詩》陽気な, 楽しそうな, 心配のない.

blith·er·ing /blíðəriŋ/ 形《略式》ばかげたことをしゃべる; [強意語として] まったくの.

†**bliz·zard** /blízərd/ 名 Ⓒ 猛ふぶき, 暴風雪 ∥ *Blizzards rage.* 暴風雪が荒れ狂う.

bloat /blóut/ 動 自〈物が〉〔…で〕ふくれる (+*out*);〈人が〉〔…で〕慢心する [*with, from*]. ——他 …をふくらませる (+*out*);〈人〉を慢心させる (+*out*). **blóat·er** 名 Ⓒ (丸干しの)燻 (くん) 製ニシン[サバ].

bloat·ed /blóutid/ 形〈物が〉〔…で〕ふくれた, 太った;〈病気などで〉むくんだ, はれた [*with, from*];〈人が〉〔…で〕慢心した [*with*].

blob /blɑ́b | blɔ́b/ 名 Ⓒ (ろう・絵の具などの)しずく, 小さな塊;(インクなどの)しみ.

bloc /blɑ́k | blɔ́k/《フランス》名 Ⓒ [単数・複数扱い] 連合, ブロック, 圏 ∥ the Eastern European *bloc* 東欧圏.

***block** /blɑ́k | blɔ́k/【『塊』が本義. その「用途」により **1** が,「塊」の概念より **2** が,「つまずく原因」の連想から比喩的な **3** の意が生じた】

index 名 **1** 塊 **2 a** 街区 **3** 障害(物)
動 他 **1** ふさぐ

——名 (複 ~s/-s/) Ⓒ
Ⅰ [ものの塊]
1 a(面が平たい木・石などの)大きな塊;(建築用)角材; (コンクリート)ブロック ∥ big *blocks* of ice =ice in big *blocks* 大きな氷の塊. **b** [しばしば複合語で] 台木, 作業台 ∥ a chopping [butcher's, mounting] *block* まな板[肉切り台, 乗馬台] / put [lay] one's *head on the block*《略式》(危険なことに)身をさらす / go on [to] the (auction) *block*《米》競売に出される. **c**《米》[~s] (おもちゃの)積み木

blockade

(building block, 《英》brick).

II [1つの塊の単位]
2 a (主に)(4つの街路で囲まれた)**街区**(の一辺の距離), ブロック, 区画 ∥ My parents live on my *block*. 両親は私と同じブロックに住んでいます / Walk three more *blocks* west. 西へさらに3ブロック歩いて行きなさい. **b** (主に英)(住居・事務所からなる)ビル, 建物, 棟 ∥ a *block* of flats =an apartment *block* アパート(《米》apartment house). **c** (座席の)区画, (株券・切手などの団型に連なった)1組, ブロック ∥ in (the) *block* 一括して.

III [障害物]
3 (通例 a ~)(通行・通過の一時的な)**障害(物)**; [⋯への]障害(物), ネック〔*against, to*〕(cf. obstruction) ∥ a *block* in the pipe 管の詰まり(cf. blockage).

── 動 (~s/-s/; 過去・過分 ~ed/-t/; ~ing)
── 他 **1**〈障害物が〉〈通路・交通などを〉(完全に)**ふさぐ**,〈人が〉〈通路などを〉ふさぐ(+*up*, *off*)〔*with*〕; ⋯を封じ込める(+*in*); ⋯を締め出す, 入れなく[見えなく]する(+*out*) ∥ (Road) *Blocked*. (掲示)この先通行止め / Traffic was *blocked* (up) with [by] a stalled truck. 立往生したトラックのために交通がまひした / The tall building *blocks* (out) the light from the west. 高いビルが西日をさえぎっている. **2**〈計画などを〉妨害する∥ What [Who] is *blocking* our plan? 何が[だれが]私たちの計画を邪魔しているのか. **3**〈スポーツ〉〈相手・動きを〉ブロックする.

── 自 (入口などを)ふさぐ∥ Don't *block* (drive). 車を止めて(入口をふさが)ないでください《私道の入口などの掲示》.

blóck ín [他] (1)〈戸口などを〉(ブロックなどで)ふさぐ. (2) → 他 **1**. (3)〈設計図などの〉概略を作る,〈家などの〉大まかな見取り図を作る.

blóck óut [他] (1) =BLOCK in (3). (2) → 他 **1**.
blóck lètter [**càpital**] 活字体, ブロック体《◆ふつう大文字》.
blóck sìgnal [野球] ブロックサイン《◆×block signは誤り》.
blóck stỳle (手紙文の)ブロックスタイル《各段落の初めで字下げせず記す形》.

†**block·ade** /blɑkéid | blɔk-/《*block* + barric*ade*》名 ⓒ (交通・進行の)障害(物); (港湾・道路などの)封鎖. ── 動 他 ⋯を封鎖する; ⋯をさえぎる.

block·age /blɑkidʒ | blɔk-/ 名 ⓤⓒ 妨害(物), 閉塞(?)(する物).

block·bust·er /blɑkbʌstər | blɔk-/ 名 ⓒ 《略式》**1** 大型(非核)爆弾. **2** 強い影響を与える作品[人], 大ヒット作《映画・本など》, 大広告; [サッカー] 強烈なシュート.

†**block·head** /blɑkhèd | blɔk-/ 名 ⓒ 《主に男性語略式》うすのろ, でくのぼう. **blóck·hèad·ed** 形 うすのろの.

†**block·house** /blɑkhàus | blɔk-/ 名 ⓒ **1** (コンクリート製)小要塞(ホネェ). **2** (ロケット発射基地のドーム形の)避難[制御]所. **3** 角材家屋.

bloke /blóuk/ 名 ⓒ 《英俗式》やつ, 男,《主に米式》fellow, guy》.

†**blond**, (女性形) **blonde** /blɑ́nd | blɔ́nd/ 形《◆blondの方は男女の区別なく用いられる傾向がある》**1**〈毛髪が〉ブロンドの, 金髪の. **2**〈皮膚が〉色白の. **3**〈人が〉色白で金髪の(fair) (cf. brunet(te)).
── 名 **1** ⓒ 色白・金髪の人. **2** ⓤ ブロンド色.

blonde /blɑ́nd | blɔ́nd/ 形 =blond. ── 名 ⓒ 金髪の女[美人] (blondie).

blon·die /blɑ́ndi | blɔ́ndi/ 名 **1** ⓒ =blonde. **2** [B~] ブロンディ《C. Young の漫画 *Blondie* の女主人公. 米国の代表的中流家庭の主婦》.

***blood** /blʌ́d/ [発音注意] 派 bleed (動), bloody (形)

── 名 ⓤ **1** **血**, 血液; 生命∥ (as) red as *blood* 血のように真っ赤な[で] / shed [let] *blood* 血を流す[出す] / give one's *blood for* one's country 祖国に一命を捧げる / The blow drew *blood*. その一撃で血が出た / Please Give [Donate] *Blood*. 《掲示》献血をお願いします. 関連「A型」は group [type] A *blood* という. **2** 純血; 血統; 家柄, 家系; 血縁; 名門∥ be of the same *blood* 同じ血統である / a man *of* noble [blue] *blood* 高貴な家柄の人 / That American is *of* Italian *blood*. そのアメリカ人はイタリア系である / a prince [princess] *of the blood* (royal) 王子[王女]; 親王[内親王] / be related by *blood* 血がつながっている / She really likes reading. The love of books runs [is] in her *blood*. 彼女は読書がとても好きだ《彼女の本好きは親譲りだ《◆後半は次の文でもよい》: Her love of books runs in the *blood*.》/ *Blóod is thicker than wáter*. (ことわざ)血は水よりも濃い(血縁の間柄は他人に対するより親密である)/ *Blood* will tell. 血統は争えないものだ. **3** (文) 血気, 元気, 情熱, 感情(temper) ∥ be *in* [*out of*] *blood* 元気がある[ない] / feel one's *blood* tingle 血潮の高鳴りをおぼえる / It made one's *blood* boil. そのことで血圧が激怒した[腹わたが煮えくりかえった] / My *blood* froze [ran cold] in my veins. 私は血の凍る思いをした / There's no [a lot of] bad *blood* between Tom and Jim. トムとジムは不和でない[大変仲が悪い].

fréeze A's blóod =*máke A's blóod fréeze* (恐怖などで)〈人〉をぞっとさせる(→ **3** 用例).
frésh [*néw*, *yóung*] *blóod* (ある血統・分野に導入された)新しい血[要素]; [集合名詞的に] (新風を吹き込む)新進気鋭の人 ∥ infuse [bring] *new blood* into the old tradition 古い伝統に新しい生命を吹き込む.
in cóld blóod 冷酷に, 平然として.
in hót blóod 《英》激怒して.
pùt one's *blóod into* A〈仕事などに〉心血を注ぐ.
shéd A's *blóod* 《正式》〈他人〉の血を流す,〈人〉を殺す《◆*kill* の遠回し表現》.
stír the [A's] *blóod* 〈人〉をわくわくさせる, うずうずさせる.
táste blóod〈猟犬・野獣などが〉血の味を知る; (新しいことを)初めて経験する, 味をしめる.
to the lást dróp of one's *blóod* 血の最後の一滴まで; 生命のある限り.

blóod bànk 血液銀行(の輸血用貯蔵血液).
blóod bàth (略式) [a/the ~] 血戦, 大殺戮(?).
blóod bróther (1) 血を分けた兄弟, 血盟の兄弟, 義兄弟. (2) (略式) [-s] 戦友同志.
blóod cèll 血球.
blóod clòt [生理] 血栓.
blóod donàtion 献血.
blóod dònor 供血者, 献血者.
blóod gròup 血液型(→ **1** 関連) (blood type, blood-type) ∥ What is your *blood group*? あなたの血液型は.
blóod hòrse 純血種の馬, サラブレッド.
blóod mòney (1) (殺人を頼まれた人が得る)殺人の報酬. (2) (殺された人の遺族が得る)賠償金. (3) 献血

料.
blóod plàsma 〔解剖〕血漿(しょう), リンパ漿.
blóod pòisoning 〔医学〕敗血症, 毒素血症.
blóod prèssure 血圧.
blóod réd 暗赤色《cf. blood(-)red》.
blóod relátion [rélative] 血族, 肉親.
blóod revénge 血族による報復.
blóod róyal 皇族, 王族.
blóod sèrum 〔解剖〕血清.
blóod spòrt〔通例 ~s〕血を流すスポーツ《闘牛・狩猟など》.
blóod strèam =bloodstream.
blóod sùgar 〔生化学〕血糖.
blóod tèst 血液検査.
blóod transfúsion 〔医学〕輸血(法)《◆単に transfusion ともいう》.
blóod týpe =blood group《cf. blood-type》.
blóod vèssel 血管.
blood-and-thun·der /blʌ́dnθʌ́ndər/ 形 〔略式〕〈映画・小説などが〉暴力本位の, 血なまぐさい.
blood(-)cur·dling /blʌ́dkə̀ːrdliŋ/ 形 血も凍るほど恐ろしい, 身の毛もよだつような.
blood·ed /blʌ́did/ 形 **1** [複合語で] …の血[気質]をもった ‖ cold-*blooded* animals [killers] 冷血動物[冷酷な殺し屋]. **2**《米》〈馬などが〉純血の, 血統のよい.
blood·hound /blʌ́dhàund/ 名 C **1** ブラッドハウンド《嗅覚の鋭い警察犬・猟犬》. **2** 探偵;《米略式》冷酷な追手.
†**blood·less** /blʌ́dləs/ 形 **1** 血の(出)ない;血の気のない(pale);貧血の ‖ *bloodless* lips 青ざめた唇. **2**《文》生気のない ‖ a *bloodless* young man 元気のない青年. **3**《文》流血を見ない ‖ a *bloodless* victory [coup] 無血の勝利[クーデター]. **4** 無情[非情]な, 冷酷な.
Blóodless Revolútion 〔英史〕[the ~] 無血革命(English [Glorious] Revolution)《1688-89》.
blóod·less·ly 副 **1** 青ざめて;元気なく. **2** 冷酷に.
blóod·less·ness 名 U 血色[元気]のないこと;冷酷さ.
blood·line /blʌ́dlàin/ 名 U《動物の》血統.
blood·mo·bile /blʌ́dməbìːl/ 名 C《米》採血車《《英》mobile blood donation unit》;緊急血液運搬車[機].
blood(-)red /blʌ́dréd/ 形 血のように赤い;血染めの《cf. blood red》.
blood·shed /blʌ́dʃèd/ 名 U《正式》流血(の惨事), 殺戮(さつ), 虐殺.
blood·shot /blʌ́dʃɑ̀t|-ʃɔ̀t/ 形〈目が〉充血した, 血走った.
blood·stain /blʌ́dstèin/ 名 C 血のしみ, 血痕(こん).
——動 他 …を血で汚す.
blood·stained /blʌ́dstèind/ 形 **1** 血痕(こん)のついた, 血まみれの. **2** [比喩的に] 血でけがれた, 人殺しの.
blood·stone /blʌ́dstòun/ 名 C 〔鉱物〕血石(heliotrope)《3月の誕生石(→ birthstone)》.
blood·stream /blʌ́dstrìːm/, **blóod strèam** 名 U〔通例 the ~〕《体内の》血流;《活力などの》主流, 本流.
blood·suck·er /blʌ́dsʌ̀kər/ 名 C **1** 吸血動物[虫], 《特に》ヒル. **2**《比喩》搾取者, 吸血鬼, 居候(そうろう).
†**blood·thirst·y** /blʌ́dθəːrsti/ 形 **1** 血に飢えた, 残虐な. **2** 暴力[流血]を好む;殺気立った. **3**《映画などが》殺人[暴力]本位の.
blóod·thirst·i·ly 副 血に飢えたように. **blóod·**

thirst·i·ness 名 U 残虐さ.
blood-type /blʌ́dtàip/ 動 他《人》の血液型を判定する,《人》の血液型に分類する《cf. blood type》.
——名 =blood group.
†**blood·y** /blʌ́di/ 形 **1** 血だらけの, 血まみれの, 血を含む;血(のような) ‖ a *bloody* sword 血塗られた剣. **2**《正式》血なまぐさい, 殺伐とした, 残虐な ‖ a *bloody* battle 血なまぐさい戦闘 / a *bloody* tyrant 残忍な暴君 / I'll get sick watching that *bloody* movie. そのむごたらしい映画を見て吐き気を催すと思う《◆その「いまいましい」映画とも解釈可 → 3》. **3**《英式》いまいましい(damned);〔否定を強めて〕ただの(…もない);[強意語として] すごい, ひどい《◆(1) b—(d)y と遠回しに書くこともある. (2) 軽蔑(ベッ)・賞賛・怒り・失望などの表現に用いる》‖ a *bloody* liar 大うそつき / *Bloody* hell! ちくしょう / You are a *bloody* fool [genius]! 何とまぬけなんだ[頭がいいんだ] / She hasn't eaten a *bloody* thing since (this) morning. 今朝彼女は何にもくって食べていない.
——副《英俗》ひどく, やけに 》 It's *bloody* wonderful. まったくすばらしい / *Bloody* well. まったくその通り(=Certainly. Definitely.) ／〔対話〕"Will you lend me your car?" "Not *bloody* likely!" 「君の車を貸してくれないか」「とんでもない(=Certainly not.)」.
blóod·i·ly 副 血だらけになって, むごたらしく.
blóod·i·ness 名 U むごたらしさ.
blood·y-mind·ed /blʌ́dimáindid/ 形 へそ曲がりの;残酷な.
*****bloom** /blúːm/〔類音 broom /brúːm/〕〔「花」「盛り」が原義〕《正式》
——名 ~s/-z/〕 **1** C《主にバラなど観賞用植物の》花《◆flower がふつうの語. 梅など果樹の花はふつう blossom》‖ a large yellow *bloom* 黄色の大輪の花. **2** U [集合名詞]《木・枝全体の》花 ‖ be covered with *bloom* 花盛りである. **3** U《観賞用植物《の花》の》開花(期), 花盛り ‖ *burst into bloom* ぱっと花が咲き始める / The roses are in [*òut of*] *blóom*. バラが咲いて[散って]いる / The cherry trees are *in fúll blóom*. 桜が満開である(=《略式》The cherry blossoms are fully out.) / …ness ~]; 比喩的] 開花期, 最盛期《◆通例次の句で》‖ be in *the bloom of* youth [beauty] 若い[美しい]盛りである. **5** U《ほほ・コインなどの》色つや, 光沢, 輝き;《熟したブドウなどの表に付く》白い粉.
——動 自 **1**〈花が〉咲く,〈観賞用植物・木が〉花を咲かせる;樹木が茂る. **2**〈人・事が〉栄える; 成熟して[…に]なる《into》;〔通例 be ~ing〕〈子供が〉育ちざかりである ‖ a woman (who is) *blooming* with health and youth ピチピチと若さあふれる女性.
bloom·er /blúːmər/ 名 C [*blooming error* の略] 《や古・英略式》ばかげた大失敗, ドジ.
bloom·ers /blúːmərz/ 名 [複数扱い] ブルーマー《19世紀後半にはやった婦人服》;《略式》=knickers.
†**bloom·ing** /blúːmiŋ/ 副《英+》-in/-ɪŋ/ 形 **1** 〔通例園芸で〕花の咲いた, 花盛りの;盛りの. **2**《主に英俗》途方もない,《婉曲》《◆bloody の遠回し語》‖ a *blooming* fool 大ばか.
*****blos·som** /blɑ́səm|blɔ́s-/〔→ bloom〕
——名 ~s/-z/〕 **1** C《主に桜・リンゴなど食用果樹の》花《◆観賞用植物の花はふつう flower, bloom》‖ The apple *blossoms* are out. リンゴの花が咲いている《◆このように特定の樹木全体の花をいう時はふつう ~s》.

2 Ⓤ [集合名詞；しばしば ~s] (木・枝全体の)花 ‖ apple *blossoms* リンゴの花《◆複数形がふつう》/ a tree covered in [with] *blossom(s)* 花盛りの木《◆*a tree in blossom* ともいえる．→ **3**》. **3** Ⓤ [食用果樹の]**開花(期)**,花盛り ‖ *come* [*burst*] *into blossom* 開花する ‖ *bring* the roses *into blossom* (季節などが)バラを咲かせる ‖ The cherry trees are *in fúll blóssom*. 桜の花が満開である《◆ ... in (full) bloom も可能.→ **bloom 3**》. **4** Ⓤ [比喩的に] 開花(期),最盛期；青春(時代).
─動 (~s/-z/; 過去・過分 ~ed/-d/; ~·ing)
─⾃ (正式)**1**〈果樹・草木が〉**開花する**,満開になる(+*forth, out*) (cf. **bloom**) ‖ The roses *blossomed* last week. バラは先週咲いた. **2** [比喩的に]**開花する**,実を結ぶ,盛りになる；〈人が〉(花が開くように)活発[陽気]になる(+*out, forth*)；発達して[…と]なる(+*out*)[*into, as*] ‖ Her talent *blossomed* early in life. 彼女の才能は若くして開花した / She will *blossom out* into "a first-rate artist [a great beauty]. 彼女はやがて一流の画家[絶世の美人]になるだろう.

†**blot** /blát | blɔ́t/ 名 Ⓒ **1** […についた](インクなどの)しみ,よごれ[*on*] ‖ I've made an ink *blot* on my trousers. ズボンにインクのしみをつけてしまった. **2** [比喩的に][…についた]人格,傷,汚点[*on, in*] ‖ a *blot* on his name [reputation] 彼の汚名 / a *blot* on the landscape 景観を損うもの / a *blot* in her career 彼女の経歴上の汚点.
─動 (過去・過分 blot·ted/-id/; blot·ting) 他 **1**〈人・物が〉〈物〉を[…で]汚す,…にしみをつける(stain)[*with*] ‖ He *blotted* his shirt with ink spots. 彼はシャツをインクのしみで汚した. **2**〈人格・名声などを〉傷つける,けがす(+*out*) ‖ His misbehavior *blotted* (*out*) his family name. 彼の不品行は家名に傷をつけた. **3**〈文字などを〉(吸取紙で)乾かす,…に吸取紙を当てる(dry) ‖ *blot* his letter 彼の手紙を吸取紙で乾かす.

*blót óut [他]『汚して見えなくする(→ **out 副 7**)』(1)〈人・物・事が〉〈文字・記憶などを〉消す,抹消する,すっかりぬぐい去る(erase) ‖ I *blotted out* all the unpleasant memories of the disaster. その惨事の不愉快な記憶をすべてぬぐい去った. (2)〈景色などを〉すっかり隠す[覆う](hide) ‖ The thick fog *blotted out* everything. 濃い霧は何もかもすっかり隠してしまった.
blót·ting pàper 吸取紙.

blotch /blátʃ | blɔ́tʃ/ 名 Ⓒ **1** (インクなどの)[…についた]大きなしみ,汚れ[*on*]. **2** [比喩的に]しみ,汚点,欠点.
blotch·y /blátʃi | blɔ́tʃi/ 形 (**-i·er, -i·est**) しみ[できもの]だらけの.
blot·ter /blátər | blɔ́tər/ 名 Ⓒ **1** 吸取紙[器]. **2** (米)(取引・出来事などの)(臨時の)記録簿,控え帳.

†**blouse** /bláus, bláuz | bláuz/ 名 Ⓒ **1** ブラウス《女性用》. **2** 軍服の上着. **3** 仕事着《腰やひざまでの長さでしばしばベルトでしめる. ヨーロッパの農民の野良着が原型》.

∗∗**blow**¹ /blóu/ 《本義の「〈風が〉吹く」より他動詞「〈物・人〉を吹き動かす」となり,さらに能動受身形の「〈人が風に吹かれる〉」が生じた. 一方風の代わりに人を主語とする「息などを吹きかける」から「〈楽器などが〉鳴る」が生じた》
─動 (~s/-z/; 過去 blew/blúː/, 過分 blown /blóun/; ~·ing)
─⾃
I [風が吹く]
1〈風が〉**吹く**《◆主語は storm から breeze まで可能だが, it 主語の場合はふつうあらし・強風を含意する》‖ The storm has *blown up* [*over, away*]. あらしが(突然)起こった[吹き止んだ,通り過ぎた]《◆「吹き止んだ」は The storm has *blown itself out*. ともいえる》/ A cool breeze was *blowing* down from the mountain. 涼しい冷風が山から吹いていた / see *how* [(*which*) *way*] *the wind blows* 風の吹き方を調べる；事の成り行きを見る,先の見通しを立てる.

II [物が風で飛ぶ]
2〈物が〉**風に吹かれる**《◆必ず修飾語(句),たとえば方向を表す副詞(句)を伴う》；[blow C]〈風に吹かれて C になる《◆C はふつう吹かれた結果を示す》‖ The door *blew* open. 風でドアが開いた / The laundry is *blowing* in the wind. 洗濯物が風にはためいている / The paper(s) *blew off* the desk. 書類は机から吹き飛んだ.

III [息を吐く]
3〈人・動物が〉**息を吐く**,タバコの煙を吹きかける；あえぐ；〈送風機などが〉風を送る；〈クジラが〉潮を吹く ‖ be (puffing and) *blowing* あえいでいる / *blow into* one's *flute* (手入れのために)フルートに息を吹き込む / *blow on* one's *hand* [*food*] 吹いて手を暖める[食物をさます] / I'll *blow on* my tea to cool it down. お茶を吹いてさまそうっと《◆英米では不作法な行為》/ There she *blows*! あっ,潮を吹いたぞ《◆クジラ発見の第一声》.

IV [息を吐き音を出す]
4〈管楽器などが〉**鳴る**；〈物・人が〉[…を]鳴らす[*on, into*] ‖ He *blew* hard *on* a whistle. 彼は強く口笛を吹いた.

V [空気などが勢いよく吹いて出る]
5〈工場・鉱山などが〉爆発する,破裂する(+*up, out, in*)；〈ヒューズが〉とぶ,〈電球・電気製品が〉切れる(+*out*)；〈タイヤが〉パンクする.
─他 **1a**〈風が〉〈物・人〉を**吹き動かす**《◆修飾語(句)は省略できない. 方向・状態を表す副詞(句)を伴う》[blow A C]〈風・物・人〉を吹いて C にする / The antenna was *blown over* [*down*]. アンテナが吹き倒された / A gust *blew* the candle *out*. 一陣の風ろうそくの火を吹き消した《◆「吹いて消えた状態にする」の意(→ **out 副 7**)》/ My hat was *blown off* by the wind. 帽子が風で吹き飛ばされた. **b**(略式)[it を主語にして](あらし・強風などを)引き起こす(+*up*) ‖ It's *blowing* (*up*) a storm [a gale, great guns]. あらしが吹き荒れている《◆*blow a storm up のような分離はしない》.
2a〈人・動物が〉〈息・タバコの煙・水などを〉吐く,[…に]吹きつける[*over, into*]；〈送風機が〉〈風〉を送る ‖ *blow* kisses 投げキスをする / Don't *blow* your smoke in my face! タバコの煙を顔に吹きかけないでよ. **b**〈人が〉〈物〉に息を吹きつける ‖ *blow* (*up*) the fire (into flames) (ふいごなどで)火を吹きおこす.
3 …を吹いて中味を出す[空気を出す,掃除をする]；[blow A C] A を吹いて C の状態にする ‖ *blow* one's *nose* 鼻をかむ《◆英米では音をたてても失礼ではない》/ I *blew* my pipe clear. 私はパイプを吹いてきれいにした.
4 [blow A B =blow B for A]〈人が〉A〈人〉に B〈ガラス細工・泡など〉を吹いて作ってやる；〈風船・タイヤなど〉を吹いてふくらませる(+*up, out*)；[blow A B =

blow B to A〉〈人が〉A〈人に〉B〈キスなど〉を投げつける ‖ *blow* her a kiss ＝*blow* a kiss *to* [*at*] her 彼女にキスをする.
5〈人が〉〈管楽器・警笛など〉を鳴らす,吹く；〈管楽器が〉〈曲〉を奏する ‖ *blow* a [the] trumpet [horn] トランペット[角笛]を吹く / The driver *blew* his horn as he came around the dangerous curve. 運転手は危険なカーブで警笛を鳴らした.
6〈人・爆弾など〉が…を[…の状態に]爆破[破壊]する, 〈タイヤ〉をパンクさせる(+*up, away, out, in*)(*to*) ‖ The bomb *blew* the wall *up* [*to* bits]. 爆弾が壁をこっぱみじんにした. / *blow* one's [someone's] brains *out* (略式)頭をぶちぬいて自殺する[殺す].
7〈うわさなど〉を暴露する,広める(+*about*) ‖ *blow* the gaff on him (英俗)彼のことを(警察に)ばらす.
blów awáy〔他〕(1) → **⦿6**. (2)(米略式)〈人〉を射殺する；圧倒する(overwhelm) ‖ I'm just *blown away* by that. それには大変驚いた.
blów dówn〔他〕…を吹き倒す.
blów hót and cóld(略式)〈人・気持ちなどが〉〈人に対して／事に関して〉変わりやすい,気まぐれで定見がない〔*toward/about*〕.
blów ín〔自〕(1)(略式)〈人が〉不意に現れる,どやどや入ってくる. (2)＝BLOW out〔自〕(2). (3) → **⦿2, 5.** —〔他〕→ **⦿6.**
blów intó A (略式)〈人が〉〈場所〉に不意に現れる. (2)〈風・物が〉…に吹き込んでくる.
blów óff〔自〕(1)〈蒸気などが〉吹き出る. (2) → **⦿2.** —〔他〕(1)〈悩み・精力など〉を発散させる；〈約束など〉を無視する ‖ *blow* steam *off* 「with drink [by drinking] 酒でうっぷんを晴らす. (2) → 〔他〕**1 a.**
blów óut〔自〕(1)〈タイヤなど〉がパンクする. (2)〈油井(ﾞﾁ)・ガスなど〉が(押さえきれずに)突然吹き出る(*blow in*). (3) → **⦿5.** —〔他〕「吹くようにして「なくなった」状態にする(→ out〔副〕**6, 7**)」(1)〈タイヤ〉をパンクさせる(◆「パンクしたタイヤ」は a flat tire. a *blown* tire は「ふくらませたタイヤ」). (2)〈ヒューズ〉をとばす. (3) → 〔他〕**1 a.**
blów óver〔自〕(1) → 〔自〕**1.** (2)(略式)〈うわさ・怒りなど〉がおさまる,忘れられる ‖ The dispute *blew over* soon. その言い争いはすぐにおさまった.
blów úp〔自〕(1)〈計画・評判など〉が台なしになる ‖ Their plans *blew up* when the war broke out. 戦争の勃発(ﾎﾞ)で彼らの計画は完全につぶされた. (2)〈不吉な事が〉突然起こる；一触即発の危機に発展する. (3) → 〔自〕**1, 5.** (4)〈タイヤなど〉がふくらむ. —〔他〕(1)〈信用・事の重要性など〉を台なしにする. (2)(略式)〈写真〉を引き伸ばす；(略式)〈評判・話など〉を誇張する；〈製品〉を誇大宣伝する. (3) → 〔他〕**1 b, 2 b, 4, 6.**
—〔名〕Ⓒ**1**(略式)[a ～] ひと吹きの風；強風. **2** (息の)ひと吹き；(鼻を)かむこと；送風；[冶金]吹き入れ(工程,時間), (ひと吹きの)精錬量 ‖ Give your nose a good *blow*. ＝Have a good *blow*. 鼻をよくかみなさい. **3**(楽器の)吹奏；吹奏音.
⁺blow² /blóu/〔名〕Ⓒ**1 a**(こぶし・平手・こん棒などによる)強打,一撃《◆*hit* より堅い語》 ‖ get [receive] a heavy *blow* 「to the jaw [in the stomach] あご[腹]に強烈な一撃をくらう / give him *blows* to the head 彼の頭を何度もなぐる / bear *blow* on *blow* 連打に耐える. **b** [～s]〔…の〕なぐり合い,けんか〔*with*〕 ‖ be at *blows* けんかをしている / They exchanged [came to] *blows* with each other. 彼らはなぐり合いをした[始めた] / The matter brought them *to blows*. その件で彼らはなぐり合いになった. **2** [比喩的に]〔…への〕精神的打撃,ショック〔*to, for*〕 ‖ deliver a psychological *blow* 心理的な打撃を与える / Her sudden death was a *blow to* [*for*] us [our plan]. ＝We [Our plan] suffered a *blow* at [by] her sudden death. 彼女の突然の死は私たち[私たちの計画]にとって打撃であった.
a lów blów(ボクシング)ローブロー《腰より下部への打撃で反則》；(略式)汚い行為.
at [with] óne [a (síngle)] blów 一撃のもとに；一挙に,たちまち.
gét a blów ín (略式)(1)うまく一撃を食わせる. (2)言い負かす,口で報復する.
strike a blów(1)〔敵・場所へ〕急襲をかける〔*at, to*〕. (2)(文)〔…を支持して/…に反対して〕加勢[抵抗]する〔*for/against*〕.
without (striking) a blów 戦わず[労せず]して.
blow-by-blow /blóubaiblóu/〔ボクシングの実況で1打1打伝えることから〕〔形〕逐一詳細に述べた.
blow-dry /blóudrài/〔動〕〔他〕Ⓤ〈髪など〉を乾かす(こと),乾かしながらセットする(こと).
blow・er /blóuər/〔名〕Ⓒ**1** 吹く人；ガラス吹き工. **2**(火などに)吹く物；送風機[装置]. **3**(略式)伝声管；(英略式) [the ～]電話.
*****blown** /blóun/〔動〕blow¹の過去分詞形.
—〔形〕**1**(空気・ガスなどで)ふくれた. **2**(吹管(ﾋﾟ)で)吹いて作った. **3**(ヒューズなどが)とんだ.
blow-out /blóuàut/〔名〕Ⓒ**1**(略式)〈タイヤなどの〉パンク(個所)；ショート. **2**(油田・ガス田の)(突然の)噴出. **3**(略式)どんちゃん騒ぎ,大宴会.
blow・pipe /blóupàip/〔名〕**1**火吹き竹；(ガラス細工用の)吹管. **2**吹き矢筒.
blow-up /blóuʌ̀p/〔名〕Ⓒ**1**爆発. **2**(略式)かんしゃくの玉の破裂；(米略式)けんか. **3**(略式)引き伸ばした写真.
blow・y /blóui/〔形〕(**-i・er, -i・est**)(略式)風の吹く,風の強い(windy).
blub・ber /blʌ́bər/〔名〕Ⓤ(クジラなどの)脂肪,(人の)余分な脂肪. —〔動〕(略式)〔自〕〈子供などが〉めそめそ泣く. —〔他〕…を泣きながら(途切れ途切れに)言う(+*out*)；〈目・顔〉を泣きはらす.
bludg・eon /blʌ́dʒən/〔名〕Ⓒ**1**こん棒. **2**(言葉による)攻撃,脅威. —〔動〕(正式)**1**…をこん棒で何度も打つ；…を打ち倒して〔…の〕状態にする〔*to*〕. **2**…に無理やり[おどして]〔…〕をさせる〔*into doing*〕.

⁑⁑**blue** /blúː/(同音 blew)
—〔形〕(**～r, ～st**) **1** 青い,青色の《◆空・海の青さや青ざめたさまをいう場合は日英共通. *blue* には「憂うつ・優秀・厳格・わいせつ」のイメージがある. 日本語の「青二才」などに見られる「未熟」のイメージは英語では green で表す》 ‖ the *blue* sea [sky] 青い海[空]. **2** (寒さ・恐れ・怒りで)青ざめた,青黒い(pale) ‖ a *blue* face 青ざめた顔 / gò *blúe* in the face 顔が青ざめる / *blue* from [with] cold 寒さで青ざめた / I've got *blue* legs. 足が寒さで土気色になった. **3**(古・主に米略式)[補語として]〈人〉が元気のない,落胆した(depressed) ‖ *fèel blúe* 憂うつである / I feel *blue*. 君も気の毒になあ. (対話)"Why do you look so *blue* today?""I messed up at the practice match."「今日はなぜそんなに気がふさいでいるの」「練習試合でへまをしたんだ」. **4**(俗)わいせつな,エロの ‖ *blue* jokes わい談 / *blue* [*pink] films

[movies] ピンク映画.
scréam [**shóut, crý**] **blúe múrder** 《略式》大声をはりあげる, 騒ぎ立てる.

─**名 1**(複 ~s/-z/) ⓊⒸ **青(色)**, 空色, あい, 紺青(こんじょう); ブルー. (A) light *blue* is his favorite color. 淡い青色は彼のお気に入りの色だ. **2** Ⓤ 青い服; (警官・水夫などの) 青い制服; [the ~s] 青い制服を着た人々; [しばしば B~] 《米》(南北戦争時の)北軍(の兵士) (↔ gray); [the Blues] 《英》近衛騎兵 ‖ be dressed in *blue* 青い服を着ている / boys in *blue* 青い服を着た少年たち; 《古・略式》警官, 水夫 / the *blue* and the gray 北軍と南軍. **3**《詩》[the ~]青海原; 青空; 未知. **4** ⓊⒸ 青色の染料[色素]; 《英》(洗濯用の)青み《《米》blu(e)ing. **5**[しばしば B~] Ⓒ《英》(Oxford, Cambridge 大学の)正選手(の地位); 《英》dark blue が前者, light blue が後者を代表する色》‖ *get* [*win*] one's [a] *blue* in soccer (オックスフォード[ケンブリッジ]の)サッカーの正選手になる. **6 a**《音楽》[the ~s; 単数・複数扱い] ブルース; [~s; 単数扱い] ブルース曲 ‖ a *blues* singer ブルースの歌手. **b**《略式》[the ~s] 憂うつ ‖「*be in* [*sing*] *the blues* ふさいでいる.

óut of the blúe 突然の, 予告なしに(→ a BOLT from [out of] the blue).

Blúe Bírd (1)[the ~]青い鳥《◆幸福のシンボル》(cf. bluebird). (2)《米》campfire girls の7-9歳の団員.

blúe blóod 貴族(の血統); 貴族の人(cf. blue-blooded).‖ have *blue blood* in one's veins 貴族の血が流れている.

blúe bòok (1)[しばしば B~ B~]《英》青書《表紙が青色の国会・政府の報告書》, (2)《米略式》紳士録. (3)《米》(青表紙の)大学試験答案用紙.

blúe chèese ブルーチーズ《青かびで熟す》.

blúe chìp 優良株 (cf. blue-chip).

blúe jèans [複数扱い] (青色の) ジーパン, ブルージーンズ《◆×G pants は誤り. → denim 2》.

blúe Mónday《米略式》憂うつな月曜日.

blúe péncil (修正・編集用の) 青鉛筆; 修正, 削除《◆英米では訂正に青インクを用いる》(cf. blue-pencil).

blúe ríbbon (1)(英国の)ガーター勲章の青いリボン. (2)(品評会・コンクールの)最高賞(cf. blue-ribbon). (3)禁酒会員章.

Blúe·beard /blúːbìərd/ 青ひげ《6人の妻を次々と殺してとりかえたおとぎ話の中の人物》. **2**[時に b~] Ⓒ 何人も妻をとりかえた男.

Blúebeard's chámber 恐ろしい物のある所.

blue·bell /blúːbèl/ 名 Ⓒ《植》**1** ブルーベル《ヨーロッパ産のユリ科の球根植物(wild hyacinth)》. **2**《スコット》=harebell. **3** ブルーベル《一般に》青いつりがね型の花が咲く草》.

†**blue·berry** /blúːbèri|-bəri/ 名 Ⓒ《植》ブルーベリー《ツツジ科の低木》; その実.

†**blue·bird** /blúːbə̀ːrd/ 名 Ⓒ《鳥》ルリツグミ《北米産ツグミ科の鳥》; ルリコノハドリ《アジア南部産》(cf. Blue Bird).

blue·black /blúːblǽk/ 形 濃青色の.

blue-blood·ed /blúːblʌ́did/ 形 貴族(出身)の, 名門(出)の(cf. blue blood).

blue·bot·tle /blúːbɑ̀tl|-bɔ̀tl/ 名 Ⓒ **1** =bluebottle fly. **blúebottle flỳ** 〖昆虫〗ホホアカクロバエ.

blue-chip /blúːtʃɪ̀p/ 形 **1** 優良株の; 一流の(cf. blue chip). **2**《略式》すばらしい.

blue·coat /blúːkòut/ 名 Ⓒ 紺色の制服を着た人; 警

官; 《米史》北軍兵士.

blue-col·lar /blúːkɑ́lər|-kɔ́l-/ 形 《主に米》肉体労働の, ブルーカラーの (↔ white-collar) ‖ a *blue-collar* robot 工場で働くロボット.

blue·fish /blúːfìʃ/ 名 Ⓒ 〖魚〗アミキリ.

blue·grass /blúːgrǽs|-grɑ́ːs/ 名 Ⓒ **1** Ⓒ《米》〖植〗イチゴツナギ《牧草・芝生用》. **2** Ⓤ《音楽》ブルーグラス《米南部のカントリーミュージック》. **3**[the B~]=Bluegrass Country [Region].

Blúegrass Còuntry [**Règion**] ブルーグラス地帯《米国ケンタッキー州中部》.

Blúegrass Státe (愛称) [the ~] ブルーグラス州(→Kentucky).

blue·ish /blúːɪʃ/ 形 =bluish.

blue·jack·et /blúːdʒæ̀kit/ 名 Ⓒ 〖おおげさに〗水兵.

blue-pen·cil /blúːpénsl/ 動 他《原稿などを》(青鉛筆で)削除[修正]する; …を編集する; …を検閲する(cf. blue pencil).

blue·print /blúːprìnt/ 名 Ⓒ (…の)青写真; 詳細な計画(*for*).

blue-rib·bon /blúːríbən/ 形 最優秀の, 特選の(cf. blue ribbon).‖ a *blue-ribbon* jury 特別陪審.

blue·stock·ing /blúːstɑ̀kɪŋ|-stɔ̀kɪŋ/ 名 Ⓒ 文学趣味[学問好き]の女性《◆1750年代のロンドンの文学愛好家団体 *Bluestocking* Society (青鞜(とう)会)から》.

†**bluff**[1] /blʌ́f/ 形 **1**〈海岸などが〉切り立った, 絶壁の. **2**〖海事〗〈船首部が〉ほぼ垂直の. **3** 〈気立てはよいが〉ぶっきらぼうな, 無愛想な(blunt). ─名 (複 ~s) Ⓒ (海岸などにある幅の広い)断崖, 絶壁, 切り立った岬; [the B~] 山の手.

blúff·ly 副 ぶっきらぼうに. **blúff·ness** 名 Ⓤ 険しさ; ぶっきらぼうさ.

†**bluff**[2] /blʌ́f/ 動 他〈人を〉(はったりで)だます, だまして [...を] させる (*into doing*)《◆deceive より口語的》‖ He *bluffed* them *into* think*ing* he was a detective. 彼は彼らにはったりをかけて自分を刑事だと信じ込ませた. **2**〈人を〉(はったりで)おどす, おどして […を] 止めさせる(*out of*). **3** はったりをかける, からばりする (*bluff it óut*《略式》(困難な事態を)はったりで切り抜ける.
─名 **1** ⓊⒸ はったり; こけおどし. **2** Ⓒ《米》=bluffer.

cáll A*'s* **blúff** (1)〖トランプ〗〈相手に〉手を公開させる. (2) 〈はったりの主に〉挑戦する.

blúff·er 名 Ⓒ はったり屋.

†**blu·ish, blue·ish** /blúːɪʃ/ 形 青みがかった.

†**blun·der** /blʌ́ndər/ 名 Ⓒ (責任を問われるような)誤り, 大失敗(bad mistake), へま, 不手際 ‖ *make* [*commit*] *a* colossal *blunder* 大失敗をする.
─動 🅐 **1** (まごつき・不注意などから)大失敗する. **2** 恐る恐る[まごまごして]歩く(*+about, along*), 〈…に〉ぶつかる(*into, against*); 〈…に〉うっかり入り込む(*into*). **3** 〈…を〉偶然見つける, 〈…に〉出くわす (*on, upon*).

blún·der·ing·ly 副 無器用に, まごまごと.

†**blunt** /blʌ́nt/ 形 **1**〈刃・先端などが〉(もともと)鈍い, とがっていない, 丸くなった, なまくらの, 切れない(dull)(↔ sharp). **2**〈言い方・態度が〉(相手の感情を考慮せず)ぶっきらぼうな, そっけない 類語 bluff, brusque, curt, frank》‖ She is very *blunt* in her speech. 彼女はしゃべり方が非常に無作法である.
─動 他 **1**〈刃・先などを〉鈍くする(dull)(↔ sharpen). **2**〈感覚・思考力などを〉鈍らせる, 弱める.

blúnt·ness 名 U 1 鈍さ; 鈍感. 2 無骨さ.
blúnt·ly /blʌ́ntli/ 副 1 〈刃・先などが〉丸まって; 鈍感に. 2 〈相手の感情を考えずに〉ぶっきらぼうに，無遠慮に; [文全体を修飾] 遠慮なく言えば ‖ to speak bluntly 遠慮なく言うと.

†**blur** /bləːr/ 名 1 [a ～] (霧などで)かすんだもの, ぼやけた状態; (汚れなどで)不鮮明なもの ‖ Everything was a blur in the fog. 霧の中で何もかもがかすんでいた. 2 C (インクなどの)汚れ, しみ, 汚点. 3 U 不明瞭な音 ‖ a blur of voices ぼんやり聞こえる声.
── 動 (過去・過分 blurred/-d/; blur·ring) 他 1 …をぼやけさせる; 〈感覚などを〉鈍らせる ‖ hills blurred with [by] mist 霧でぼんやり見える丘. 2 〈書き物などを〉汚す; [比喩的に] …を汚す, 傷つける.
── 自 1 [… で]ぼやける, かすむ; 〈感覚が〉鈍る〔with〕. 2 汚れる.

blurb /bləːrb/ 名 (略式) 1 C (新刊本のカバーの袖などの)宣伝文, 推薦広告. 2 U つまらぬ宣伝資料.
── 他 …を[誇大に]広告[宣伝]する.

†**blurt** /bləːrt/ 動 他 …をうっかり口に出す(+out).

†**blush** /blʌ́ʃ/ 動 自 1 〈人が〉[…で]顔を赤らめる〔at, for, with,〕(主に米) from〕; […に]赤面する, 恥ずかしく思う〔to do〕(◆feel ashamed よりくだけた語) ‖ blush for [with] shame 恥ずかしくて顔を赤らめる / He blushed at his own error. 彼は自分の誤りに赤面した / She blushed for [to see] her son's rude manners. 息子の行儀悪さに[を見て]彼女は顔がほてった. ── 他 1 …を赤くする. 2 赤面して…を示す.
── 名 1 C (恥ずかしさなどで)顔を赤らめること, 赤面 ‖ A sudden blush rose to the girl's cheeks. 突然その少女のほおがぱっと赤くなった / Spare my blushes! おだてるなよ; 恥をかかせるなよ. 2 U 赤い色, バラ色. 3 U (米) ほお紅(blusher).
at first blush (文) 一見したところでは(◆at first sight の方がふつう).
blúsh·er 名 C 赤面する人; ほお紅. **blúsh·ing** 形 顔を赤らめている; はにかんでいる. **blúsh·ing·ly** 副 顔を赤らめて.

†**blus·ter** /blʌ́stər/ 動 自 1 〈風・波などが〉荒れ狂う. 2 〈人が〉(自分の弱みを隠すために)どなり[威張り]ちらす; 空おどしをする. ── 名 1 U 荒れ狂う風[波] (の音). 2 どなりちらすこと; 空威張り.
blús·ter·er 名 C どなりちらす人.

bo, boh /bóu/ 間 ばあっ (子供を驚かす声).
BO (略) body odor 体臭; box office.

bo·a /bóuə/ 名 C 1 [動] =boa constrictor. 2 (とぐろを巻いたボアの姿から) ボア(羽毛や毛皮製の女性用えり巻き). **bóa constríctor** ボア(南米産の大蛇で無毒).

†**boar** /bɔːr/ 名 (複 ～s/-z/) 1 C (去勢していない)雄ブタ; U その肉(→ pig 類語). 2 C イノシシ(wild boar)(◆「森の騎士」と呼ばれる); U その肉.

***board** /bɔːrd/ (同音 bored; 類音 bode /bóud/) 『「船の横側で水との境の板」が原義. cf. border』

〈1 板〉 〈3 賄い〉 board 〈4 委員会〉

── 名 (複 ～s/bɔːrdz/) 1 C [しばしば複合語で] (特定の目的のための)板, …台, …盤; 黒板(blackboard); (米)掲示板 ‖ a díving bòard 飛び込み台 / Back to the dráwing bòard! (略式) (計画などが)一からやり直しだ.

関連 [いろいろな種類の board]
advertising board 広告板 / bulletin board 掲示板(米) noticeboard / chopping [cutting] board まな板 / departures board 出発時刻表 / drawing board 画板 / ironing board アイロン台 / sandwich board サンドイッチマンが持つ広告板.

2 C (細長い)板, 板材(◆plank より薄く幅は4-12インチ程度) ‖ a floor board 床板 / a board fence 板べい.
3 U (下宿での)食事(費), 賄(まかな)い; C (ごちそう山盛りの)食卓 ‖ Room [Bed] and Board (看板) 食事付き下宿(=(英) Board and Lodging) / My room rent is 700 dollars with full board. 私の部屋代は3食付きで700ドルです.
4 [時に B～] C (会社・政府などの幹部)会議; 委員会, 部局, 省; [集合名詞; 単数・複数扱い] 重役, 政府高官, (試験, 面接)委員 ‖ a board of directors 重役[理事]会 / a member of board =a board member 重役, 役員 / a board of trade (米) 商工会議所; 商品取引所(◆the Board of Trade は(英) (1970年までの)商務省) / a board of education 教育委員会 / an advisory board 諮問委員会 / be on the board (問題が)審議中である, (人が)委員会のメンバーである.
5 [the ～s] 劇場, 舞台; 俳優の職.
6 C 〔コンピュータ〕 ボード.

above bóard 公明正大に, ガラス張りで.
across the bóard 〘目当ての馬が3位以内に入れば賞金が得られる競馬で, 総動員して手広く賭ける賭け方から〙(略式) (職場の)全員を含んで, 全員に該当する, 全体一律に; 全域にわたって ‖ wage increases right across the board 全員一律のベースアップ.
gò by the bóard (1) 〈人・マストなどが〉船から落ちる, (荒海中で)行方不明になる. (2) (略式) 〈計画・理想などが〉完全に失敗する; 〈習慣・希望などが〉無視[放棄]される.
on bóard [前] 〈船・航空機・電車・バスなど〉に乗って. ── 副 =aboard.
sweep the bóard (cléan) 〘盤上の駒をひとり占めにする〙 賭(か)け金を全部勝ちとる; (競技・選挙などで)ほぼ全勝する, 圧勝する; 完全に成功する(◆特に新聞・テレビでよく用いられる).

── 動 (他) 1 〈床・窓などを〉板張りにする(+up, over, in) ‖ boarded-up shops 板をうちつけた[閉鎖された]店. 2 (正式) 〈船・飛行機・列車・バスなど〉に乗り込む; (古) 〈敵船〉に斬り込む, 横付けする. 3 〈人〉を(費用をとって)賄(まかな)う, 食事付きで下宿させる.
── 自 (費用を払って)[…に]食事付きで下宿する〔at, with〕(cf. lodge).

bóard óut 自 〈人・動物が〉外で食事をする, よそで食事を世話してもらう. ── 他 〈生徒などを〉(寄宿舎でなく民間で)下宿させる; 〈人・動物の食事の賄いを〉よそでさせる.
bóard gàme ボード=ゲーム(◆チェス・チェッカーなど).
bóard ròom (重役・理事の)会議室.

†**board·er** /bɔ́ːrdər/ (同音 border) 名 C 1 (賄(まかな)い付きの)下宿人(cf. roomer) ‖ take in boarders 下宿人を置く. 2 (英) (寄宿学校の)寄宿生(↔ day-boy).

†**board·ing** /bɔ́ːrdiŋ/ 名 U 1 板張り, 板囲い; [集合

名詞] 板. **2** 乗船, 乗車, 搭乗. **3** 《英》賄(まか)い.
bóarding brídge 〔空〕搭乗橋《航空機と搭乗ロビーが離れているときに用いられる》.
bóarding cárd [**pàss**] 搭乗券, 乗船券.
bóarding hòuse =boardinghouse.
bóarding schòol 寄宿[全寮制]学校(↔ day school).
board·ing·house /bɔ́ːrdiŋhàus/, **bóarding hòuse** 名 C **1** 《賄(まか)い付きの》下宿屋《cf. rooming [lodging] house》. **2** 《英·豪》寄宿学校の寄宿舎.
board·walk /bɔ́ːrdwɔ̀ːk/ 名 C 《米》《海辺などの》遊歩道；板道；《工事現場の》足場.
***boast** /bóust/ 派 boastful 形
—— 動 (~s/bóusts/; 過去·過分 ~·ed/-id/; ~·ing)
—— 自 [boast of [about] A] 〈人が〉〈人・物事〉を**自慢する**, 鼻にかける《◆(1) be proud of より鼻にかける』の意が強い. (2) brag より堅い語. (3) 受身可》‖ *boast of* [*about*] one's cleverness 自分の利口さを鼻にかける / I don't mean to *boast*, but I have a good imported car. 自慢じゃないがよい外車をもっている / He *boasted* to [《英》with] his classmates *about* having won the prize. 彼は級友に賞を取ったことを自慢した《◆(1) 自慢する相手は to か with で示す. (2) boast と前置詞が分離する場合 about は好まれる》.
—— 他 **1** [boast that節] 〈人が〉…であったことを**鼻にかける**‖ He *bóasts that* he is a famous writer. 彼は《自分は》有名な作家だと自慢している《=He *boasts of* being a famous writer.》.
2 《正式》〈町·学校などが〉〈誇らしい物〉を**持っている**, 〈物·事〉を誇りにする《◆(1) be proud of と違って人を主語にとらない. (2) 進行形不可》‖ The city *boasts* a fine library. その町にはすばらしい図書館がある《◆1と違ってこの用法ではふつう悪い意味はない》.
—— 名 (**複** ~s/bóusts/) C **1** 《正式》**誇りとする物** [事], 自慢の種《◆ 悪い意味はない》‖ A fine park is the *boast* of the town. 美しい公園がその町の誇りだ / It is her *boast* that she has a good memory. もの覚えがよいというのが彼女の自慢だ. **2** いばった言葉, ほら；［…という〕自慢(話) [*that*節].
máke a bóast of A …をほこに自慢する, 誇る.
bóast·er 名 C 自慢家, ほら吹き.
†**boast·ful** /bóustfl/ 形 〈人が〉［…を〕自慢する[*of, about*], 〈言葉などが〉自慢に満ちた‖ She is *boastful of* [*about*] her talent. 彼女は自分の才能を自慢している. **bóast·ful·ly** 副 自慢そうに.

**boat /bóut/ 類音 bought /bɔ́ːt/) 『オール·帆·発動機で動く「小舟」から一般の「船」の意にも用いる』
—— 名 (**複** ~s/bóuts/) C **1** [しばしば複合語で] **ボート**, 小舟《◆(1) モーターボート(motorboat), 帆船 (sailboat), こぎ舟(rowboat)などをいう. (2) 日本語の「ボート」は主に rówbòat, 《英》rówing bòat に当たる. (3) 《海事》では <ins>船</ins>は小舟, ship は定期船をいう》‖ a ship's *boat* 救命ボート(lifeboat) / a *boat* for hire 貸しボート / We went to the lake to row a *boat*. 私たちは湖へ出かけた.
2 《略式》《一般に》**船**(ship)《◆(1) 《小型》蒸気船(steamboat), 客船(passenger boat), 遠洋定期船(ocean liner)をさす. (2) ふつう大きさは vessel, ship, boat の順に小さくなる》‖ *by boat* = *on a boat* 船で / take (a) *boat* for Kobe 神戸行きの船に乗る / I sometimes feel sick when I go *on a boat*. 船で行くと私は時々気分が悪くなる《◆by

boat と on a boat については→ by 前 2》
関連 [いろいろな種類の boat]
fishing *boat* つり船, 漁船 / patrol *boat* 巡視船 / pleasure *boat* 遊覧船 / racing *boat* レーシングボート / row *boat* こぎ舟(《英》rowing *boat*) / sailing *boat* ヨット(《米》sailboat).

3 《通例複合語で》船形容器‖ a gravy [sauce] *boat* 船形肉汁[ソース]入れ.
4 = boat race.
be (áll) in the sáme bóat 《略式》境遇[運命, 危険, 困難など]を共にする.
búrn one's **bóats** [**brídges**] 《略式》背水の陣をしく.
míss the bóat 《略式》好機を逸する, チャンスのがす；要点をつかみそこなう.
púsh the bóat óut 《英略式》［…を〕豪華に祝う [*for*].
róck the bóat 《略式》《通例否定文で》《意識的に》ゆさぶりをかける, 《無用の》波風を立てる.
táke to the bóats 《難破して》ボートに移る.
—— 動 自 《ふつう船遊びで》ボートに乗る, ボートをこぐ‖ go *boating* on [˟in, ˟to] Lake Biwa 琵琶湖へ船遊びに[ボートこぎに]行く.
bóat péople [集合的名詞に；複数扱い] ボート難民《◆ 主にベトナム難民をさす》.
bóat ràce 《主に英》ボートレース, 競艇(regatta).
bóat tràin 船便接続列車.
bóat·ing 名 U 船遊び, ボートこぎ.
boat·house /bóuthàus/ 名 C 艇庫；船小屋.
†**boat·man** /bóutmən/ 名 C **1** 貸ボート屋《の主人》《PC》keeper of boats for hire》. **2** ボートのこぎ手《PC》rower》. **3** 船頭；ボート乗組員《PC》boat worker》.
bóat·man·shìp 名 U ボートの運転技術, 漕(そう)艇術.
†**boat·swain** /bóusn, bóutswèin/ 名 C 《海事》《商船の》甲板長, ボースン；《軍艦の》掌帆長(員)《◆bosun, bo'sun, bo'sn, bo'sn, bos'n ともつづる》.
†**bob**[1] /báb | bɔ́b/ 動 (過去·過分 **bobbed**/-d/; **bob·bing**) 自 ひょいと動く, 上[下]に動く[揺れる, はねる] (+*up, down*) ‖ A piece of wood *bobbed* on the water. 木片が1つ水面の上を浮き沈みしていた.
—— 他 《頭などを《ぴょこんと》上下に動かす‖ He *bobbed* his head in approval. 彼はうなずいて賛意を示した.
bób úp 自 《略式》《予期しない物·人が》突然現れる；《沈めたコルクなどが》ぱっと浮かび上がる.
bob[2] /báb | bɔ́b/ 名 C **1** 《女性の》ショートヘア, 断髪；結び髪；巻き毛. **2** = bobtail. **3** 《振り子などの》おもり. **4** 《魚釣りの》浮き. —— 動 (過去·過分 **bobbed**/-d/; **bob·bing**) 他 《やや古》《女性の髪》を断髪にする.
bóbbed 形 断髪の；切り尾の.
Bob /báb | bɔ́b/ 名 C ボブ《男の名. Robert の愛称》.
bob·bin /bábən | bɔ́b-/ 名 C 《筒形の》糸巻き, ボビン.
bob·ble /bábl | bɔ́b-/ 名 C 《英略式》《球技》ファンブル, 失策(fumble). —— 動 他 自 **1** 《米略式》…をへまをする. **2** 上下に動く.
†**bób·by** /bábi | bɔ́bi/ 名 C 《英略式》警官.
Bob·by /bábi | bɔ́bi/ 名 C ボビー《男の名. Robert の愛称》.
bób·by pín /bábi- | bɔ́b-/ 《米·豪》ボビーピン《ヘアピンの一種》.

bob·by·socks, –·sox /bábisàks | bɔ́bisɔ̀ks/ 名 《米略式》[複数扱い]（足首までの少女用）ソックス.
bob·sled /bábslèd | bɔ́b-/ 名 © ボブスレー（2人乗りと4人乗りがある）; 二連ぞり（の片方）《英》bobsleigh. ── 動 ⾃ ボブスレーに乗る.
bob·sleigh /bábslèi | bɔ́b-/ 名 © 《英》= bobsled.
bob·sled·der /bábslèdər | bɔ́b-/ 名 © 《米》ボブスレー選手《英》bobsleigh driver）.
bob·tail /bábtèil | bɔ́b-/ 名 © (馬などの)切り尾，短い尾 (bob²).
Boc·cac·ci·o /boukɑ́ːtʃiòu, -tʃou, bə- | bɔk-/ 名 ボッカチオ《**Giovanni**/dʒiouvɑ́ːni/ ～ 1313–75; イタリアの作家・詩人》.
BOD 略 biochemical oxygen demand.
†bode¹ /bóud/ 動 他 《文》…の前兆となる，…を予示する; 〈人〉の〈不幸など〉の前兆となる《◆受身不可》‖ It *boded* him misfortune. それは彼にとって不幸の前ぶれだった.
bóde íll for [**to**] **A** 《正式》…にとって悪い前兆である.
bóde wéll for [**to**] **A** 《正式》…にとってよい前兆である.
bód·ing 名 ⓊⒸ (まれ) 前兆，(悪い)予感.
bod·ice /bádis | bɔ́d-/ 名 © **1** (婦人服の)胴部，身ごろ. **2** (体に密着した女性用の)ベスト《◆ふつう中央をひもで締めあげる》.
–bod·ied /-bádid | -bɔ́d-/ 語要素 → 語 要 素 一 覧 (1.2).
†bod·i·ly /bádəli | bɔ́d-/ 形 肉体の; 肉 体 的 な《◆ physical より直接的に肉体をさす》(↔ mental) ‖ *bodily* defects 身体上の欠陥 / *bodily* punishment 体罰，体刑 / *bodily* beauty 肉体美.
── 副 **1** からだごと，まるごと; 全部，一斉に ‖ carry her *bodily* from the room 彼女を抱いて部屋から運び出す. **2** 本人が(直接に)，自身で.
bod·kin /bádkin | bɔ́d-/ 名 © **1** ひも通し(針). **2** 千枚通し，目打ち. **3** （長い）ヘアピン.

**bod·y /bádi | bɔ́di/ (同音 buddy /bʌ́di/) 《昔酒を入れた「大だる」(cask)が原義》派 bodily (形)

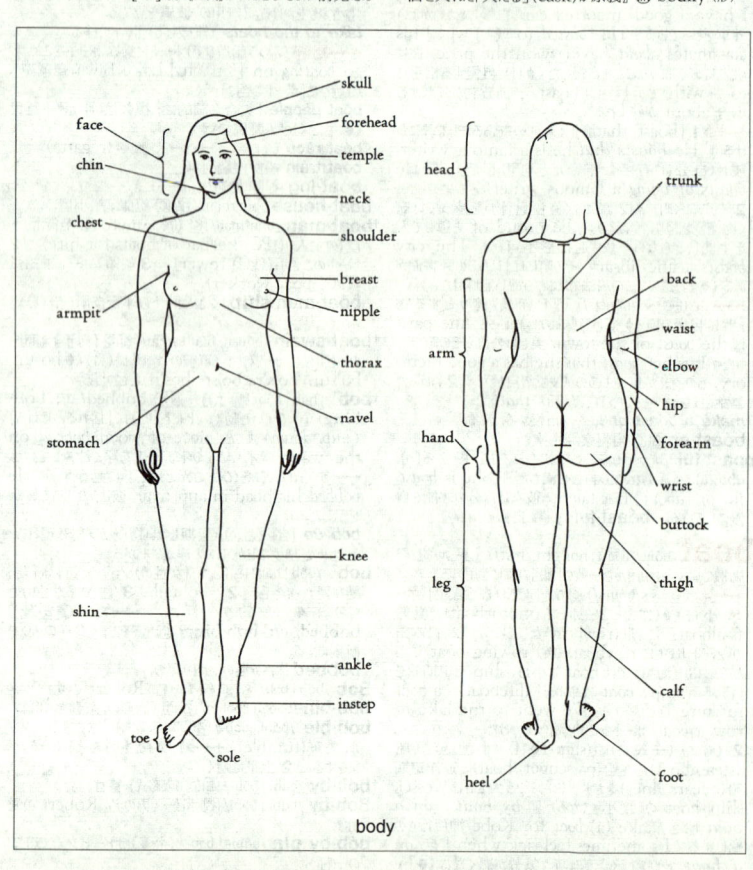

body

index 1からだ 2a死体 4aかたまり b団体

—名 (複 --ies/-z/)

I [人・動物の肉体]

1 ⓒ (広義) (人・動物の)**からだ**, 肉体(↔ mind, soul, spirit); (狭義) (頭・手足を除いた)からだ, 胴体(類語 figure, build) ‖ *A sound mind in a sound body.* (ことわざ) → sound² 形 3 / I don't have the feeling for classical music in my *body*. クラシック音楽はどうもぼくの肌に合わない / (You can do it) *òver my déad bódy!* (略式) (提案などに強く反対して)私の目の黒いうちはそんなことはさせないぞ(→ black 形 1) / My whole *body* hurts. からだじゅうが痛い.

2 ⓒ **a** 死体《◆ corpse より (略式)でかつ遠回し》 ‖ Only one *body* is unidentified. 1つの遺体だけが身元不明である. **b** [法律] 人, 身柄; (略式) [修飾語を伴って] 人, やつ; (米俗) グラマー[セクシー]な女 ‖ an heir of the [his] *body* その人[彼]の直系相続人 / a good sort of *body* 気のいい人《◆ふつう女性》.

3 (略式) [a ~; 代名詞的に] 人, だれでも(anybody), (特に話し手の)私 ‖ A *body* can do it. だれだって[この私でも]できるよ.

II [物体の塊]

4 ⓐ ⓒ [主に a ~ of + Ⓤⓒ 名詞] 大量 [多数]の(物, 事, 人の)**かたまり**, 集まり ‖ *a body of* evidence [facts] 一連の証拠[事実] / *a large body of* cold air [policemen] 大寒気団[大勢の警官隊]. **b** [時に B~] [集合名詞; 単数・複数扱い] **団体**, 法人, …会 ‖ the student *body* 学生集団[自治会] / a legislative *body* 立法府, 議会 / *in a* [one] *body* 一団になって, 一斉に.

5 ⓒ 天体; 物質; (物理) 物体; (数学) 立体 ‖ heavenly *bodies* 天体 / a foreign *body* in the eye 目に入った異物《◆昆虫・ごみ・ほこりなど》/ a solid [liquid, gaseous] *body* 固体[液体, 気体].

III [中心的な部分]

6 ⓒ (植物の)幹(trunk); (服の)胴部; [the ~ of a …] (建物・乗物・道具などの)主要部, 本体, ボディー; (軍隊の)主力; (人々の)大多数 ‖ the *body of* a violin バイオリンの共鳴箱.

7 [the ~] (文書などの)本文, 主文 ‖ the *body* of a speech 演説の主文.

IV [その他]

8 Ⓤ 濃度, 粘度, 密度; (酒の)こく; (作品・芸などの)味わい ‖ There is *body* to his works. 彼の作品には味がある.

bódy and sóul 肉体と精神; [副詞的に] 身も心も, 全身全霊で ‖ The scholar is giving *body and soul* to his research. その学者は研究に全身全霊を打ち込んでいる / I love that woman with all my *body and soul*. ぼくは身も心もその女性を愛している.

in bódy からだは(↔ in spirit); 自身で, 親しく(→ spirit 名 3 用例).

kèep bódy and sóul togéther [しばしば否定文で] どうにか生きていく, 命をつなぐ《◆ 死んでしまうと魂が肉体から離れるから, そうならないように魂を肉体から離れないようにしておく, という発想から》.

bódy àrmor [(英) **àrmour**] 防弾チョッキ.
bódy bàg 遺体(運搬)袋.
bódy chèck [アイスホッケー] ボディーチェック《相手側選手の動きをからだで阻止すること》《◆ 空港などでの「ボディーチェック」は secúrity chèck, bódy sèarch》(cf. bodycheck).
bódy clòck 体内時計(biological clock).
bódy cóunt 人数, 頭数; 戦死者数.
bódy dòuble [映画] 代役, ボディーダブル《アクションシーンなどで有名な役者の代わりをする人》.
bódy lánguage [言語] 身体言語, ボディーランゲージ《動作・表情などによる意思表示》.
bódy píercing ボディーピアス《飾りをつけるために鼻・舌など)からだに穴をあけること》.
bódy pólitic 政治的統一体(としての国民).
bódy scánner [医学] X線断層写真撮影装置, CT スキャナー.
bódy sèarch (空港などでの)ボディーチェック(cf. body-search).
bod·y-blow /bάdiblòu | bɔ́di-/ 名 **1** [ボクシング] ボディーブロー. **2** (略式) ひどい挫折(㌾.) [失敗].
bod·y·build·ing /bάdibìldiŋ | bɔ́di-/ 名 Ⓤ ボディービル.
bod·y·check /bάditʃèk | bɔ́di-/ 動 (自) (相手を)からだで阻止する(cf. body check).
bod·y·guard /bάdigὰːrd | bɔ́di-/ 名 ⓒ **1** ボディーガード; [集合名詞; 単数・複数扱い] ボディーガードの一団, 護衛隊. **2** 随行員, 従者.
body-search /bάdisὰːrtʃ | bɔ́di-/ 動 他 (人)をボディーチェックする(cf. body search).
bod·y·suit /bάdisùːt | bɔ́di-/ 名 ⓒ (米) ボディースーツ《シャツとパンティがひと続きになった型の婦人服・下着. ふつうスラックスやスカートと併用. レオタードもこの一種. 下着の場合も用いる》.
bod·y·work /bάdiwə̀ːrk | bɔ́di-/ 名 Ⓤ 車体; 車体製造[修理].
Bo·er /bɔ́ːr, bouər/ (古) 名 ⓒ 形 ボーア人(の)《南アフリカのオランダ系移民》.
Bóer Wár [the ~] ボーア戦争《1899–1902》.
†**bog** /bάɡ | bɔ́ɡ/ 名 Ⓤ ⓒ 沼地. —— 動 (過去・過分) bogged/-d/; bog·ging) (略式) (自) 沼にはまる; [比喩的に] 動きがとれなくなる(+*down*). —— 他 [通例 be [get] ~ged] 沼にはまりこむ; [比喩的に] […で/…にはまって]動きがとれなくなる(+*down*) [*by, with* / *in, into*].
bo·gey /bóuɡi/ 名 ⓒ **1** = bogy. **2** [ゴルフ] ボギー《ホールの基準打数(par)より1つ多いスコア. → par 関連》《(主に英古)》= par.
bo·gey·man /bóuɡimæ̀n, (米+) bύ(ː)ɡi-/ 名 (複 --men) ⓒ お化け《◆ 子供をおどすために用いる》; こわい物[事, 人].
bog·gle /bάɡl | bɔ́ɡl/ 動 (略式) **1** (驚き・恐怖や)(馬などが)(物に)ぎょっとする, 飛びのく(*at*). **2** (人が)(事・考えに)びっくりする, 反対する, ためらう(*at, about*); (理解力・想像力などが)(…に/…することを)受けつけない(*at / to do*). **3** (…に)とぼける, 言葉をにごす(*at*).
bog·gy /bάɡi | bɔ́ɡi/ 形 (--gi·er, --gi·est) 沼地の, 低湿の.
bo·gie /bóuɡi/ 名 ⓒ (英) **1** (鉄道の)ボギー台車. **2** 無限軌道内輪. **3** トロッコ.
bo·gus /bóuɡəs/ 形 にせの, いんちきの.
bo·gy /bóuɡi/ 名 ⓒ **1** 悪魔; 悪霊(ฐ.); お化け. **2** (理由もなく)こわいもの, 人を悩ませる物[人].
†**Bo·he·mi·a** /bouhíːmiə/ 名 **1** ボヘミア《チェコの西部地方》. **2** [しばしば b~] ⓒ 因襲にとらわれない人々の住む社会[地域].
†**Bo·he·mi·an** /bouhíːmiən | bəu-/ 形 **1** ボヘミア(人, 語)の. **2** [しばしば b~] 自由奔放な, 因襲にとらわれな

い. ——名 **1** ⓒ ボヘミア人；Ⓤ ボヘミア語. **2** 〔しばしば b~〕ⓒ ボヘミアン《芸術家など自由奔放な生活をしている人》. **3** ⓒ ジプシー. **Bo·hé·mi·an·ism** 名Ⓤ 奔放主義［気質］.

*boil /bɔ́il/ 『「泡を立てる」が原義』
—— 動 (~s/-z/; 過去・過分 ~ed/-d/; ~·ing)
—— 他 **1**〈人が〉〈液体・容器《の液体》〉を沸かす(+up)∥ boil water [a kettle] 湯［やかんの湯］を沸かす《♦(1) ×boil hot water とはいわない. cf. boiling hot water「沸騰している湯」. (2) 容器も目的語にとれることに注意. cf. ×cook the bottle [pot]》.
2 a〈人が〉〈食物〉をゆでる，煮る，炊く(→ cook 他**1** 関連) ∥ boil the rice in a rice-cooker ごはんを炊飯器で炊く. **b** [boil A B=boil B for A]〈人が〉A〈人〉に B〈食物〉をゆでてやる(●文法 3.3) ∥ He boiled me (up) some eggs. =He boiled (up) some eggs for me. 彼は私に卵をゆでてくれた《♦受身形は [B is boiled for A] Some eggs were boiled for me. のみ可》. **c** [boil A C]〈人が〉〈卵など〉をゆでて C〈の状態〉にする《C は形容詞》∥ boil eggs soft [hard] 卵を半熟［固ゆで］にする《♦「半熟卵」は soft-[×half-]boiled eggs》.
—— 自 **1 a**〈液体・容器《の液体》〉が沸騰する，〈液体がゆだる，煮える，炊ける〉∥ Water boils at 212°F. 水は華氏 212 度で沸騰する / The kettle's boiling. =The water in the kettle is boiling. やかんの湯が沸いている《♦ boiling water は「煮えたっている湯」「湯の種類としての熱湯」の 2 つの意味がある》/ A watched pot never boils. 《ことわざ》ポットは見つめていると沸かない《「待つ身は長い」》. **b** [boil C]〈液体・食物が〉沸騰して［煮えて］C〈の状態〉になる《♦C は形容詞》∥ boil dry 沸騰して［煮詰まって］水分がなくなる.
2 《略式》〈人が〉〔怒りで／…のことで〕激怒する，〈血などが〉煮えたぎる(+over)〔with/at〕；〈海などが〉沸き立つ，荒れ狂う ∥ She boiled (over) with rage at his betrayal. 彼女は彼の裏切りに激怒した / His remark really made my blood boil. 彼の発言にはほんとうに腹わたが煮えくりかえった /〔対話〕"Is he angry about what happened?" "He is angry(⤴) He's boiling about it."「彼のことで怒っている?」「怒っているかって？ かんかんに怒っているよ」.
3 《略式》〔通例 be ~ing〕〈人が〉《暑くて》うだっている，煮えるほど暑い.

boil awáy 自 〈液体・容器・食物が〉沸騰し続ける；〔しばしば all と共に〕〈液体が〉沸騰して蒸発する. —— 他 〈液体〉を沸騰させて蒸発させる.

boil dówn 自 (1)〈液体・食物が〉煮詰まる，沸騰してかさが減る. (2)《略式》〈話などが〉つまるところ〔…〕になる〔to〕. —— 他〔~ down A／~ A down (to B)〕(1)〈食物など〉をゆでて〔B〈状態〉にする〕. (2)《略式》A〈文・話など〉を B〈ある長さ〉に要約する.

boíl óver 自 (1)〈液体・食物が〉沸騰してこぼれる［あふれる］ /【自】**2**. (2)〈事が〉収拾がつかなくなる；〔…〕に発展する〔into〕.

—— 名 〔a/the〕沸騰（点［状態］）；《英略式》〔the ~〕興奮［危機］の頂点 ∥ give it a good boil それをよくゆでる［煮る］.

cóme [be bróught] to the 〔《主に英》 **a**〕**bóil** 〔しばしば比喩的に〕沸騰する，頂点に達する《♦「沸騰している［頂点に達している］状態」は be (kept) on [at] the boil，「その状態でなくなる」のは go [take] off the boil》.

bóil shírt (1)〔胸あきの糊づけした〕礼装用白ワイシャツ. (2)《堅苦しい人》《米》stuffed shirt》.

bóiled swéet《英》砂糖を煮詰めた固いあめ《《米》hard candy》.

†**bóil·er** /bɔ́ilər/ 名 ⓒ **1** ボイラー；《家庭用》給湯器，煮沸器《かま・なべなど》. **2** 煮沸する人.
bóiler sùit《英》《胸まで続きの》作業服(overalls).
boil·ing /bɔ́iliŋ/ 形 **1**《略式》沸騰している，ひどく暑い；激しく ∥ boiling hot ぐらぐら沸騰している；《略式》猛暑の. ——名Ⓤ 沸騰，煮沸.
bóiling pòint 〔(the) ~〕沸点(cf. freezing [melting] point); 〔忍耐の〕限界，危機的状況 ∥ reach boiling point 沸点に達する.

†**bois·ter·ous** /bɔ́istərəs/ 形 **1**〈人・言葉など〉が乱暴な；〈陽気に〉騒々しい. **2**〈風・海・天候など〉の荒れ狂う，大荒れの. **bóis·ter·ous·ly** 副 騒々しく；荒れ狂って. **bóis·ter·ous·ness** 名Ⓤ 喧騒（けんそう）；大荒れ.
BOJ(略) the Bank of Japan 日本銀行，日銀.

*bold /bóuld/ (類語) bald /bɔ́:ld/ 『「危険を前にして恐れを知らない」が本義』派 boldly (副)
—— 形 (通例 ~·er, ~·est) **1 a**〈人・態度などが〉**大胆な**，自信と勇気のある《♦ brave より向こう見ずな勇敢さを強調》∥ You are bold enough [so bold as] to dispute her proposal. 彼女の提案に異議を唱えるとは君も大胆だ《♦ ×be bold to do の構文ではふつう使わない》. **b**〈事が〉度胸を必要とする，大胆さを要する ∥ a bold act 大胆な行為 / a bold plan 計画.
2《正式》〈人・行為などが〉ずうずうしい，厚かましい(impudent) ∥ a bold woman ずうずうしい女 / (as) bold as brass ずうずうしく / She gave me a bold glance. 彼女は無遠慮に私をちらっと見た.
3〈色・輪郭などが〉はっきりした，目立つ；《印刷》ボールド体の，太活字の ∥ bold features はっきりした顔だち / bold handwriting 肉太の筆跡 / in bold type ボールド体で. **4**〈崖(がけ)などが〉険しい.
màke bóld [bé] to do =**màke [be] so bóld as to** do《大胆にふるまう(→ make 自**7**)》《正式》失礼ながら…する，あえて…する ∥ May I make so bold as to ask your help? 恐縮ですがお手伝いいただけませんか《♦ May I ask …? よりていねい》.
màke bóld with A〔…に関して大胆にふるまう(→ with 前 **17**)〕…を勝手に使う《♦ make free with A の方がふつう》.

bóld frónt 大胆な態度.
bold·face /bóuldfèis/ 名Ⓤ《印刷》=boldface type. **bóldface tỳpe** ボールド体，肉太活字（体），太字(↔ lightface).
bold-faced /bóuldfèist/ 形 **1** 厚かましい. **2**《印刷》ボールド体の.
†**bold·ly** /bóuldli/ 副 **1** 大胆に ∥ She boldly went up to the king. 彼女は臆（おく）することなく王の面前へ出た. **2** 厚かましく. **3** くっきりと.
†**bold·ness** /bóuldnəs/ 名Ⓤ **1** 大胆さ；目立つこと. **2** 図太さ ∥ have the boldness to do 厚かましくも…する.
bole /bóul/ 名 ⓒ《文》《植》《木の》幹.
bo·le·ro /bəléərou/ 《♦《英》では **2** は /bɔ́lərou/》名 (~s) ⓒ **1** ボレロ《スペイン舞踊》；その曲. **2** ボレロ《前を止めない女性用上着》.
Bo·liv·i·a /bəlíviə/ 名 ボリビア《南米中西部の共和国. 政府所在地 La Paz》.
†**boll** /bóul/ (同音 bowl) 名 ⓒ 《綿・亜麻の》丸いさや.
Bo·lo·gna /bəlóunjə/ 名 **1** ボローニャ《北イタリアの都市》. **2** [b~] ⓒⓊ《米》=bologna sausage.
bológna sàusage /bəlóuni-, -njə-/ ボローニャソーセージ《大型のソーセージ》.

Bol·she·vik /bóulʃəvik, bál-│b5l-/ 名 (複) ~s, -vi·ki/-vìki/ C 1《歴史》ボリシェビキ《ロシア社会民主労働党の多数派の人》. 2 (1918年以降の)ソ連共産党員. 3《広義》共産党員. 4 [時に b~] 過激主義者; 非協力的な人.

†**Bol·she·vism** /bóulʃəvizm, bál-│b5l-/ 名 U 1 ボリシェビキの思想. 2 ソ連の共産主義. 3 [時に b~] 過激主義. **Ból·she·vist** 形 C ボリシェビキの(一員).

Bol·shie, --shy, bol·shy /bóulʃi, bál-│b5l-/《英略式》形 C 1 左翼の; 非協力的な. 2 ボリシェビキの.
—— 名 =Bolshevik.

†**bol·ster** /bóulstər/ 名 C 長枕《◆ふつう枕(pillow)か敷布の下に置く》. —— 動 他《略式》〈世論・団体などが〉…を支持する, 励ます; 梃子入れする(+up).

†**bolt** /bóult/ 名 C 1 ボルト, 締めくぎ《一端を nut で締めて2つの物を結合する》. 2〔門・戸・窓を締める〕かんぬき, 差し錠. 3 稲妻, 電光 ‖ There was a bolt of lightning just now. さっき今稲妻が走った. 4〔織物などの〕1巻き, 1反;〔わらなどの〕束 ‖ a bolt of silk 1反の絹. 5《略式》[a ~] 逃げ[駆け出す]こと ‖ make a bolt 突然逃げ出す.
 ***a bólt from [òut of] the blúe** 〘青空に稲妻が走ることは考えられないことから〙《略式》青天の霹靂(へきれき), 思いがけない(よくない)出来事 (cf. out of the BLUE) ‖〈会話〉"Did you hear that our boss is going to resign?" "Yes, it was such a surprise — like a bolt from the blue."「上司が辞職するというのを聞きましたか」「いやまったく驚きました. 晴天の霹靂ですね」.
 máke a bólt for A〈バス・約束など〉に間に合うよう急ぐ;…に向かって逃げる《◆ふつう make a bolt for it の句で用いる》.
 shóot one's (**lást**) **bólt**〘最後の矢を射る〙最善を尽くす, 全力を出しきる《◆ふつう完了形にする. 不成功を暗示》.
—— 動 他 1〈人が〉〈門・戸・窓に〉かんぬきを掛ける ‖ bolt the door ドアにかんぬきを掛ける. 2 …を[…で]ボルトで留める(+back, down, on, together) {to}. 3〈食物〉をかまずに飲み込む, 大急ぎで食べる(+down) ‖ bolt (down) one's lunch 昼食をかきこむ. 4〈政党など〉を途中で脱退する, 脱退する.
—— 自 1〈戸などが〉かんぬきで締まる. 2〈物がボルトで留まる[結合する]. 3〈馬などが〉(驚いて)急に駆け出す(+out), 《略式》人が逃げ出す(+out).
 bólt A ín〈人〉を閉じこめる.
 bólt A óut〈人〉を締め出す.
 bólt úpright [sit, be などの後で] (人の姿勢が)まっすぐに《◆コチコチに緊張したり, 驚いている時の様子》.

*****bomb** /bám│b5m/《発音注意》〘頭韻 balm/bá:m/〙〘「ぶーん」という音の擬音語〙
—— 名 (複) ~s/-z/ C **1 a 爆弾** ‖ an atomic [a hydrogen] bomb 原子[水素]爆弾 / plant a time bomb 時限爆弾を仕掛ける.

> 関連 いろいろな種類の bomb
> atomic bomb 原子爆弾 / cluster bomb クラスター爆弾 / depleted uranium bomb 劣化ウラン弾 / hydrogen bomb 水素爆弾 / incendiary bomb 焼夷弾 / letter [parcel] bomb〔テロリストが郵送してくる〕手紙 [小包] 爆弾 / nuclear bomb 核爆弾 / petrol bomb 火炎びん / time bomb 時限爆弾 / unexploded bomb 不発弾《略》UXB).

 b [the ~, the B~] 原爆, 水爆;《広義》核兵器. 2《米略式》大失敗;〔興行の〕不入り. 3《英略式》[a ~] 大金 ‖ make a bomb 大金をかせぐ / cost a bomb 大金がかかる.
 gó (like) a bómb《英略式》(1)〈車などが〉速く走る. (2)[しばしば皮肉に]〈事が〉成功する;〈物がよく売れる.
—— 動 (~s/-z/)《過去·過分》~ed/-d/; ~·ing) 他 爆弾を落とす ‖ The city was heavily bombed by enemy planes. 町は敵機の激しい爆撃を受けた.
—— 自 1 爆弾を投下する. 2《米俗》大失敗する(+out). 3《略式》[…を]高速で進む[along, up, down].
 be bómbed óut 空襲で焼け出される.
 bómb dispósal 不発弾処理.
 bómb squàd《警察の·軍の》爆弾処理班.

†**bom·bard** /bambá:rd│bɔm-/ 動 他 1 …を砲撃[爆撃]する. 2〈人〉を[質問などで]攻め立てる(with). 3《物理》〈原子などに〉粒子を衝突させる.

†**bom·bard·ment** /bambá:rdmənt│bɔm-/ 名 CU〔通例 a ~〕砲撃, 爆撃;〔質問などの〕攻撃;《物理》衝撃.

bom·bast /bámbæst│b5m-/ 名 U〔内容のない〕おおげさな言葉, 大言壮語. **bom·bás·tic** 形 おおげさな.

Bom·bay /bambéi│bɔm-/《◆形容詞的にはふつう /=/》 名 ボンベイ《インド西部の都市 Mumbai の旧称》.

bomb·er /bámər│b5m-/ 名 C 爆撃機 (cf. fighter); 爆弾兵, 爆破犯人 ‖ a suicide bomber 自爆テロをする人.

bomb·ing /bámiŋ│b5m-/ 名 UC 爆撃 ‖ a bombing plane 爆撃機 (=a bomber) / 日本発 Almost all big cities in Japan were burned to the ground by the indiscriminate bombings during the Second World War. 第二次世界大戦中に無差別爆撃で日本の大部市はほとんど焦土と化しました.

bomb·proof /bámprù:f│b5m-/ 形 爆弾よけの, 防弾の ‖ a bombproof shelter 防空壕(ごう). —— 名 C 防空壕.

bomb·shell /bámʃèl│b5m-/ 名 C 1 爆弾, 砲弾. 2《略式》[通例 a ~] 人を驚かせるような事. 3《略式》かわい子ちゃん.
 explóde [dróp] a bómbshell《略式》爆弾宣言をする.

bomb·site /bámsàit│b5m-/ 名 C (空襲を受けた)被爆地区.

bo·nan·za /banǽnzə, bou-/ 名 C《主に米》1 (鉱山中の)富鉱帯. 2《略式》[時に形容詞的に]大当たり(の), 大もうけ(の), 幸運 ‖ a bonanza year 当たり年.

 Bonánza Státe《愛称》[the ~] 富鉱州代 (→ Montana).

†**bon·bon** /bánbàn│bɔnbɔn/《フランス》名 C ボンボン《砂糖菓子の一種》;(クリスマス用の)かんしゃく玉.

†**bond** /bánd│bɔnd/ 名 1 C [しばしば ~s]〔…間の〕(愛情などの)きずな, 縁, 結束 [between]《◆ tie より強く, 一体と感じられる結びつき》‖ Nothing will ever break the couple's bond of affection. どんなことがあっても2人の愛情のきずなは切れないでしょう / The bond(s) of friendship united the two men. 友情のきずなが2人の男を結びつけた. 2《文》[~s]〔囚人の鎖, 足かせ〕‖ be in bonds 囚人[奴隷]となっている. 3 C 縛る[結ぶ]もの; ひも, なわ. 4 C 契約; 契

約書, (債務)証書 ‖ enter into a *bond* with him 彼と契約を結ぶ / My word is (as good as) my *bond*. 私の約束は契約書と同じという確実だ;武士に二言はない. **5** ⓒ (財政)公債,社債;債券《無担保のものは debenture》‖ a savings *bond* 貯蓄債券 / *bond* trading 債券取引. **6 a**《正式》[a 〜] 接着,結合 (join). **b** Ⓤⓒ 接着剤,くっつけるもの.
—— 動 他 …を(接着剤などで)[…に]くっつける (+*together*) [*to*]. —— 自 […に]くっつく, つながる (+*together*) [*to*].

†**bond·age** /bάndidʒ | bɔ́nd-/ 名 Ⓤ **1**《文》[…に]隷属[とりこ]の境遇 [状態] [*to*] ‖ a man *in bondage to* drugs 麻薬中毒の男. **2** (行動の自由の)束縛, 屈従.

bond·hold·er /bάndhouldər | bɔ́nd-/ 名 Ⓒ 公債 [社債] 所有者.

bond·man /bάndmən | bɔ́nd-/ 名 (複 **-men** /-mən/) (男の)奴隷, 農奴.

Bónd Strèet /bάnd- | bɔ́nd-/ ボンド街《London の高級ショッピングストリート》.

bond·wom·an /bάndwùmən | bɔ́nd-/ 名 (複 **-wom·en**) Ⓒ 女奴隷.

***bone** /bóun/ ((類音) **born** /bɔːrn/)『『手足の骨』が原義』
—— 名 (複 ~**s**/-z/) **1** Ⓤⓒ [集合名詞; 単数扱い] 骨 (cf. flesh, skin); (骨格を形成する)骨片; 肉付きの骨 ‖ a small *bone* in a fish 魚の小骨 / a horse with plenty of *bone* がっしりした馬 / *(as) dry as a bone* 《略式》 かさかさに乾いて / suck *bones* 骨をしゃぶる / Can you eat this fish, *bones* and all? この魚は骨ごと食べられますか / *Nó bónes brόken!* たいしたことはない, 無事だよ.
2 《略式》[〜s] 死骸(恐), 遺体《◆死体を焼いた「骨(愛)」は ashes》‖ lay [leave] one's *bones* 埋葬される, 死ぬ.
a bóne of conténtion [*discòrd*] 不和の種になるもの《◆犬が奪い合う骨にたとえて》.
féel [*knów, believe*] **A** *in one's bónes* (直感的に)〈物·事を〉確信している, 予感する ‖ I feel (it) in my *bones* that the party will be a great success. パーティーはきっと大成功だよ.
háve [*gót*] *a bóne to pick with* **A** 《略式》〈人〉と […の件で] 苦情がある, 不平がある(*about*).
màke nó bónes about [*of*] **A** 《略式》〈物·事〉を遠慮せず(平気で)やる, 率直に言う.
to the bóne 《略式》 骨の髄まで, 徹底的に;〈費用·バスの便などが〉最小限度まで ‖ be chilled [frozen] *to the bone* しんまで冷える / cut expenses *to the bone* 費用を極度に切り詰める.
what is bréd in the bóne 持って生まれた性分.
—— 動 (**bon·ing**) 他 〈魚·肉など〉の骨をとる ‖ *bone* a chicken [fish] 鶏肉[魚]の骨をとる.
—— 自 《略式》〔科目を〕試験に備えて〕詰め込み勉強する (+*up*) [*on*/*for*] ‖ She is *boning up* `on English [*for* the exam]. 彼女は英語[試験]の詰め込み勉強をしている.

bóne chìna 骨灰磁器.

bóne·less 形 骨のない; 骨抜きの.

bone–dry /bóundrái/ 形 《略式》 からからに乾いた.

†**bon·fire** /bάnfàiər | bɔ́n-/ 名 Ⓒ (祝賀·合図·ごみ焼きのための戸外での)大かがり火, たき火 ‖ make a *bonfire* of rubbish ごみを焼き捨てる. **Bónfire Nìght**《英》たき火の夜《11月5日. → guy 名 **2**》.

bon·go /bάŋgou | bɔ́n-/ 名 (複 ~**s**, ~**es**) Ⓒ =bongo drum. **bóngo drùm** ボンゴ《ラテン音楽に用いる小型太鼓》.

bon·ing /bóuniŋ/ 動 → bone.

Bonn /bάn | bɔ́n/ 名 ボン《ドイツの都市. 旧西ドイツの首都》.

†**bon·net** /bάnit | bɔ́n-/ 名 Ⓒ **1** ボンネット《昔の婦人帽の一種. 今は小児·修道女の帽子》; (スコット) (男性用) ベレー帽.**2**《英》(車の)ボンネット 《《米》hood》 ((図)→ car).

†**bon·ny, ~·nie** /bάni | bɔ́n-/ 形 (**-ni·er**, **-ni·est**) (主にスコット·北イング) **1** 美しい, 魅力ある; 健康な; 快活な. **2** 十分な資質を持った ‖ a *bonny* fighter 腕利きの戦士.

bon·sai /bάnsái, bòun- | bɔ́n-, ⌴/『日本』 名 (複 **bon·sai**) Ⓒ 盆栽.

†**bo·nus** /bóunəs/ 名 Ⓒ **1** 特別手当, 賞与《◆英米では日本の「ボーナス」のように社員全員に定期的に支給されるのではなく, 腕ききのセールスマンとか会社役員に規定以外に支給される》‖ a cost-of-living *bonus* 物価上昇のための特別手当. **2** =bonus dividend. **3** 《英》[保険] 利益配当金. **4** 《略式》[通例 a 〜] 予期しないよい事[物]; おまけ.

bónus dívidend《株などの》特別配当金.

bónus sàle おまけ付きセール.

bon voy·age /bὰn vwaiάːʒ | bɔ̀ːŋ-/《フランス》 間 道中ご無事に! ごきげんよう!

†**bon·y** /bóuni/ 形 (**-i·er**, **-i·est**) **1** 骨ががっちりした. **2** 〈手などが〉やせた, 骨ばった. **3** 〈魚が〉骨の多い. **4** 骨の(ような).

boo /búː/ 間 **1** ブー《観衆が発する非難·不満の声》. **2** バアー, お化けだぞ!《人·子供を驚かす声》‖ *Peek-a-boo!* いないいない, バアー. —— 名 Ⓒ ブー[バアー]という声 ‖ She can't say *boo* to a goose.《略式》彼女はとても臆病で文句が言えない. —— 動 他 自 […に]ブー[バアー]と叫んでやじる [*at*] ‖ *boo* the speaker off the platform 演説者をやじって演壇から降ろす.

boob /búːb/ 名 Ⓒ **1**《略式》ばか者. **2**《略式》どじ, へま. **3** [通例 〜s] おっぱい. —— 動《略式》自 他 (試験などで)へまをする.

bóob tùbe《米略式》とんまの受像機《テレビのこと》.

†**boo·by** /búːbi/ 名 Ⓒ **1** ばか者 (略式) boob). **2** 最下位. **3**〔鳥〕カツオドリ《海鳥》.

bóoby prìze 最下位賞.

bóoby tràp **1**) まぬけだまし《戸を開けると上からものが落ちるように仕組んだいたずら》. (**2**)《軍事》偽装爆弾.

boog·ie(-woog·ie) /búgi(wúgi) | búːgi(wúːgi)/《音楽》 名 Ⓤ 動 自 ブギウギ(を踊る)《ジャズピアノの演奏スタイルの１つ》.

***book** /búk/『『紙をとじたもの』が本義』
—— 名 (複 ~**s**/-s/) Ⓒ
I [本]
1 a 本《◆知恵·知識の象徴》; 著作 (略 bk.) ‖ a best-selling *book* ベストセラーの本 / a math *book* 数学の教本 [参考書] ‖《◆ a *book* on [about] math は「数学の研究書」》/ *books* by [×of] Agatha Christie アガサ·クリスティーの著作 / I like to read *books*. (習慣·趣味で)読書が好きだ. (2) [通例 〜] 巻, 編《◆外形上の分冊をさす volume に対して, 内容的区分をさす》‖ an epic in 12 *books* 12巻から成る叙事詩 / *the Book of Genesis*『聖書』の創世記. **c**《オペラなどの》歌詞, 台本 (libretto);《劇の》脚本 ‖ the *book* (of words) for [of] *Oklahoma*『オクラホマ』の台本. **d** [the 〜; 時に B〜] 聖書 ‖ people *of the Book* ユダヤ民族 / *the good book* = *the*

Good *Book* 《略式》聖書.

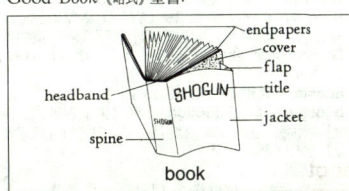

[図: book の各部名称]
endpapers / cover / flap / title / jacket / headband / spine / SHOGUN
book

II [一冊にとじてあるもの]

2 a 帳面(notebook); [複合語で] …帳, …録; (個々の)帳簿; (競馬の賭(⁽ᵏ⁾)け)帳 [《主に英略式》the ~] 電話帳(telephone book [《正式》directory]) ‖ You can't call him. He's [His name's] not in the book. 彼に電話することはできませんよ. 彼は電話帳に載っていないよ. **b** [~s] 名簿, 会計簿 ‖ be on the books (人・名前など)が記録[登録]されている / doctor [《略式》cook] the *books* 帳簿をごまかす / The woman keeps our *books*. その女の人がわが社の会計簿をつけています[帳簿係です](=The woman is our bookkeeper.).

関連 [いろいろな種類の book]
address *book* 住所録 / bank *book* 預金通帳 / best-selling *book* ベストセラーの本 / comic *book* 漫画雑誌 / e-*book*, electronic *book* 電子ブック / exercise *book* 練習帳, 練習問題集 / guest *book*, visitor's *book* 来客名簿 / picture *book* 絵本 / recipe *book* 料理の本 / reference *book* 参考図書《辞書や百科事典など》 / talking *book* (盲人用に)音声録音した本 / telephone *book* 電話帳 / word *book* 単語帳.

III [その他]

3 《マッチ・小切手などの》つづり, とじ込み; 《タバコの葉の》束, 梱(⁽ᵍ⁾) / a *book* of tickets =a ticket *book* 1つづりの回数券 / a *book* of stamps 切手のつづり《◆ a stamp *book* は切手帳》. **4** 《略式》[the ~] 《一連の》基準, 規則, 慣例, 政策 ‖ not in the *book* 許可されていない / by [according to] the *book* 規則どおりに; (適切な情報・典拠に基づいて)正確に; 切り口上で.

at one's **bóoks** 勉強中で.
bóok of wórds 《オペラなどの》台本(→ **1c**).
bring A to bóok 《警察などが》〈人〉に［…の〕弁明［釈明］を求める, …を〔…のかどで〕罰する〔*for*〕.
in bóok fórm 本の形で, 単行本として.
in my bóok 私の意見では.
kiss [**the bóok**, **the Bíble**] (法廷で)聖書に接吻(⁽ᵏ⁾)して宣誓する《◆現在はこの習慣は見られない》.
like a bóok 改まった口調で, 正確に; 完全に.
màke [**kèep**, **òpen**] (**a**) **bóok** 《略式》[…に]賭(⁽ᵏ⁾)ける〔*on*〕; (胴元が)賭金を集める《◆《米》ではふつう無冠詞》.
óne for the bóok(s) 《米略式》注目[記録]すべき出来事[行為].
the bóok of fáte 「運命の書」《人の未来が記されているとされる》.
the bóok of life 「生命(⁽ᵐʸ⁾)の書(⁽ˢ⁾)」《神に救われて天国に入る人を記すという》.
thrów the bóok (of rúles) at A 《略式》〈人〉を洗いざらい告発する, 最高厳罰にする, 〈人〉にうんとおきゅうをすえる.

—動 他 1 《英》**a** [*book* (**A**) **B** =*book* **B** (for **A**)] 〈人が〉〈A〈人〉のために〉**B**〈座席・部屋・切符など〉を予約する〔*up*〕《(1)《米》では reserve をふつう用いる. ただし旅行業者は《米》でも book を用いる. (2) 美容院・歯科医などの予約は make an appointment》‖ *book* him a hotel room =*book* a hotel room *for* him 彼のために部屋を予約する. **b** 〈人〉に乗物の切符を発行する; 〈乗物の切符〉を発行する. **2 a** 〈人・名前・注文など〉を《名簿[帳簿]に》記載する〔*down*〕. **b** 《主に英略式》[通例 be ~ed] 〈違反者など〉を〔…のかどで〕調書をとられる, ブタ箱にぶち込まれる〔*for, on a charge of*〕. **3** [通例 be ~ed] 〈人が〉出演[講演]の予約[契約]をする.

—自 《部屋など》を予約する.

bóok ín [自] 《英》(1) 《ホテルに》チェックインする〔*at, to*〕. (2) チェックイン(checkin)する. —[他] 《1》〈人〉に《ホテルな》で予約してやる〔*at, to*〕. (2) 〈人〉を(チェックインさせて)受け入れる.

bóok úp A [通例 be ~ed up] [全部予約する(→ up 副 **14 d**)]《ホテル・劇場などが予約済みである; 《略式》〈人が〉予定[約束]が詰まっている》■《対話》 "We'd like to stay overnight here." "Sorry, but we're (fully) booked up."「一晩泊まりたいのですが」「申しわけありません. 全室予約済みでございます」.

bóok clùb (1) (会員制の)ブッククラブ. (2) 読書クラブ.

bóok coùpon 《米》図書券.

bóok còver 本の表紙《◆「ブックカバー」は book jacket》.

bóok detèction sýstem (図書の)盗難防止装置 《略 BDS》.

bóok dròp (図書館の)図書返却箱《◆街頭などにある》.

bóok ènds ブックエンド.

bóok jàcket ブックカバー.

bóok lèarning 《略式》《経験的知識に対して》本から学んだ知識, 机上の学問.

bóok revíew 書評; (新聞・雑誌の)書評欄; 書評誌.

bóok tòken 《英》=book coupon.

book·a·ble /búkəbl/ 形 《主に英》予約できる ‖ All seats *bookable*. 《掲示》全席座席予約制.

book·bind·er /búkbàindər/ 名 C 製本会社, 製本所.

book·bind·er·y /búkbàindəri/ 名 U 製本; C 製本所.

book·bind·ing /búkbàindiŋ/ 名 U 製本; 製本術[業], 製本業.

†book·case /búkkèis/ 名 C 本箱, 書棚(⁽ᵈ⁾)《◆本の「函(⁽ᵏ⁾)」は slipcase》.

bóok·ing /búkiŋ/ 名 U C 《主に英》**1** 予約《《米》reservation). **2** 出演契約. **3** 調書[帳簿]記入.

bóoking clèrk 《英》(駅の)出札係.

bóoking òffice 《英》=ticket office.

book·ish /búkiʃ/ 形 **1** (異常に)本好きな, 学究的な; 学者ぶった. **2** (実際的でなく)机上の. **3** 本の, 本に関する. **4** 《言葉など》文語調の, 堅苦しい.

†book·keep·er /búkkìːpə⁽ʳ⁾/ 名 C 簿記[帳簿]係.

book·keep·ing /búkkìːpiŋ/ 名 U 簿記《◆「簿記」はこの音訳》.

†book·let /búklət/ 名 C 小冊子, パンフレット.

bóok·love /búklʌv/ 名 U =book learning.

book·mak·er /búkmèikə⁽ʳ⁾/ 名 C **1** ブックメーカー, 私設馬券屋《《英正式》turf accountant, 《略式》bookie). **2** 出版者, 《もうけ主義の》編集者; 製本

book·mak·ing /búkmèikiŋ/ 名U 編集(業)；ノミ屋業.

book·man /búkmən/ 名C 1 学問好きの人；学者((PC) book worm bibliophile). 2 (略式)本屋；出版［製本］屋((PC) book seller, book dealer).

book·mark(·er) /búkmàːrk(ər)/ 名C 1 しおり. 2 =bookplate. 3 ［コンピュータ］ブックマーク，お気に入り《よく利用するウェブサイトのURLを記録したもの》.

book·mo·bile /búkməbìːl/ 名C (米) 移動図書館((主に英) mobile [traveling] library).

book·plate /búkplèit/ 名C 蔵書票『所有者を示すため書物に貼る紙片』(bookmarker).

book·rack /búkræk/ 名C 1 小さな本棚. 2 書見台(bookstand).

book·sel·ler /búksèlər/ 名C (小売りの)本屋；その経営者 ‖ at a bookseller('s) 書店で / go to a bookseller('s) 書店へ買いに行く.

book·shelf /búkʃèlf/ 名C 本だな.

book·shop /búkʃàp | -ʃɔ̀p/ 名C (主に英) =bookstore；(英) 小書店.

book·stall /búkstɔ̀ːl/ 名C 1 (戸外の)(古)本・雑誌の屋台店. 2 (英) =newsstand.

book·stand /búkstænd/ 名C 1 =bookstall 1. 2 =bookrack.

†**book·store** /búkstɔ̀ːr/ 名C (米) 書店((主に英) bookshop).

book·worm /búkwə̀ːrm/ 名C 1 (略式) 読書家, 勉強家, 本の虫. 2 本をむしばむ虫《シミなど》.

†**boom**¹ /búːm/ 名C 1 ［通例単数形で］《大砲・雷・波などの》とどろき, うなり；《ハチなどの》ブーンという羽音. 2 にわか景気，［…の］ブーム[in]；《物価の》急騰(↔ slump)；《人口・貿易の》急増；《都市の》急発展 ‖ a war boom 軍需景気. ──動自 1 《大砲・雷・人の声などが》とどろく(+away)；《ハチなどが》ブーンとうなる(+out). 2 《商売などが》にわかに景気づく；《物価が》急騰する；《人が》［…として］急に有名になる[as]. ──他 …を大声で伝える；…をうなるように発する，報じる(+out).

boom² /búːm/ 名C 1 ［海事］ 斜檣(しゃこう)，縦桁(たてげた), ブーム(sail boom). 2 長いさお，ブーム，《マイクの》腕木. 3 (港口の)流木止め，防材；(川の流れを妨げる)丸太材.

boo·mer·ang /búːməræŋ/ 名C 1 ブーメラン《オーストラリア先住民の狩猟用飛び道具．投げた人の所へ戻ってくる》. 2 発案者にはね返る計画(など). ──動自 (発案者に)害を及ぼす，やぶへびになる[on].

†**boon**¹ /búːn/ 名C 恩惠，利益.

†**boon**² /búːn/ 形 愉快な. **bóon compánion** (正式)［通例 ~s］(男の)愉快な遊び仲間，仲よし.

Boone /búːn/ 名 ブーン《Daniel ~ 1734-1820；米国辺境の開拓者. 伝説的な英雄》.

boor /búər/ 名C (古) 不作法者, 粗野な(いなかの)人. **bóor·ish** 形 無作法な. **bóor·ish·ly** 副 無作法に.

†**boost** /búːst/ 動他 1 (略式) …を下［後ろ］から押し上げる(push)(+up). 2 (略式)《値段・価値などを上げる；《生産などを》増加する；《士気などを》高める ‖ boost prices 物価を上げる / boost sales 売り上げを伸ばす. 3 (米略式) …を宣伝［に］，を応援［後援］する ‖ boost a candidate for mayor 市長候補を後援する. ──名C 1 押し上げ，上げられること. 2 ［物価などの］上昇, つり上げ[in] ‖ a boost in salary 給料の上昇. 3 宣伝；励まし，応援，景気づけ.

boost·er /búːstər/ 名C 1 後押しする人, (志気・気力などを)高めるもの；後援者；(米略式) 熱心な応援者；宣伝屋. 2 ［電気］昇圧機[器]；ブースター, 増幅器. 3 =booster shot [injection]. 4 =booster rocket.

bóoster rócket 補助推進ロケット.

bóoster shòt [injèction] (薬の)効能促進剤；(略式)(効能促進のための)2度目の予防注射；[比喩的に] カンフル剤.

•**boot**¹ /búːt/

──名 (複 ~s/búːts/) C 1 ［通例 ~s］長靴, ブーツ；(英)《くるぶしの上までくる》靴，編上靴(→shoe) ‖ pull on [off] one's boots 長靴をはく[脱ぐ] / have one's boots on =be in one's boots 長靴[深靴]をはいている / two pair(s) of ski [lace(d)] boots スキー[編上]靴2足. 2 (英)(自動車の)トランク((米) trunk). 3 (略式)[通例 a ~] キック, けること ‖ give the door a boot ドアをける / give A the boot 《女が》《男》にひじ鉄を食らわせる，《男》をふる. 4 (俗) [the ~] くび切り，解雇 ‖ get the bóot くびになる / give him the bóot 彼をくびにする. 5 ［コンピュータ］ブート，起動. **bét one's bóots [lífe, néck, shírt, sóul]** 《…を》確信する[on]，きっと[…]する[that 節]《◆ I will [would], you (can) と共に用いる》.

die in one's bóots =**díe with one's bóots on** (略式) 非業の死を遂げる，仕事[戦闘]中に死ぬ.

gèt [grów] too bíg for one's bóots [shóes, tróusers, (米) **pánts, bréeches, brítches]** (略式)《がらにもなく》うぬぼれる，横柄にふるまう.

líck A's bóots =**líck the boots of A** (略式・俗) 《人》へへつらう.

pùt the bóot ín =**pùt the bóot in the bóot** 『倒れた相手にブーツのけりを入れる』《英訳式》(倒れた相手を)残酷にする；[比喩的に] とどめを刺す.

The bóot [shóe] is on the óther fóot [lég]. (略式) 事態は逆となってしまった，劣勢を盛り返した.

wípe one's bóots on A 『ブーツの汚れを《人》にこすりつける』《人》をひどく侮辱する.

You (can) bét your bóots (that) … (略式) きっと…だ.

──動他 (略式) 1 《ボールなどを》ける(+out, over, about, in). 2 《人》を［…から］《無理やり》追い出す(+out)[out of]；…を(突然)くびにする(cf. 名 4). 3 ［コンピュータ］《プログラムを》起動する，立ち上げる；…をコンピュータに読み込んで本来の作動状態にする(+up). 4 (米) (駐車違反の車に) 車止めをする.

bóot trèe 靴型《靴の形がくずれないように脱いだ靴に入れる》.

boot² /búːt/ 名《正式》《◆次の成句で》. **to bóot** その上，おまけに(as well, in addition).

boot·ee /búːtìː, -´-/ 名C 1 [通例 ~s] (幼児用の)毛糸靴. 2 (女性・子供用の)裏付き深靴.

boo·ter /búːtər/ 名C (俗) サッカー選手.

†**booth** /búːθ | búːð, búːð/ 名 (複 ~s/-ðz, -θs/) C 1 a 小さく仕切った部屋, ブース ‖ a vóting [(英) pólling] bòoth 投票用紙記入ボックス / a tícket bòoth 切符売場, a lístening bòoth (レコード店などの)試聴室. b (レストランなどの)仕切り席，ボックス席. c =telephone booth. 2 (定期市などの)屋台の店, 売店(stall)；(帆布などでできた)仮小屋.

boot·lace /búːtlèis/ 名C [通例 ~s] ブーツの靴ひも；(英) 靴ひも.

†**boot·leg** /búːtlèg/ (主に米) 動 (過去・過分) **bootlegged** /-d/; **--leg·ging**) 他《酒などを》密造［密

密輸]する. ― 自 密造[密売, 密輸]する. ― 形 密造[密売, 密輸](酒)の; 不法の. ― 名 U 密造[密売, 密輸]酒; C (CDなどの)海賊版.

†**boot‧leg‧ger** /búːtlèɡər/ 名 C [米史] (禁酒法時代の)酒類密造[密売, 密輸]人.

boot‧lick /búːlìk/ 動 (略式) 他 自 〈…に〉へつらう, 取り入る.

boot‧strap /búːtstræp/ 名 C (長靴の口のうしろにある)つまみ皮.

「**púll** oneself **úp** [**hául** oneself **úp**, **ráise** one self] **by** one's (own) **bóotstraps** [**bóotlaces**]」自力で苦境を乗り切る.

†**boo‧ty** /búːti/ 名 U 1 戦利品; 略奪品, (盗みの)獲物《◆山分けされる》. 2 (事業などの)もうけ.

†**booze** /búːz/ 名 (俗) U 酒; C 酒盛り, 大酒を飲むこと ∥ 「have a [go on the] booze 酒盛り[どんちゃん騒ぎ]をする. ― 自 [通例 be boozing] 大酒を飲む(+up).

bop /báp|bɔ́p/ 米略式 名 C 殴打.
― 動 [過去過分] bopped/-t/; bop‧ping 他 …を(軽く)なぐる. ― 自 (音楽に合わせて)踊る.

†**bo‧rax** /bɔ́ːræks/ 名 U [化学] ホウ砂.

†**Bor‧deaux** /bɔːrdóu/ 名 1 ボルドー《フランス南西部の都市. 周辺はワインの名産地》. 2 U ボルドー(産の)ワイン(cf. claret).

*__bor‧der__ /bɔ́ːrdər/ (同音) boarder) 『「船の側面・船と水との境の板」が原義』
― 名 (複) ~s/-z/; C 1 (国・州・地方などの)〔…との/…の間の〕境界(線), 国境(線); 国境地方〔with/between〕《◆ boundary と違って国と国との地理的境界(山・川など)や政治的境界をさすことが多い. the Border は米国ではメキシコとの国境, 英国ではイングランドとスコットランドの境をさすことが多い. cf. frontier》∥ over [across] the border 国境を越えて / a conflict on the border of Iraq イラク国境での紛争 / pass across the border 国境を越える.
2 (衣服・本のページなどの)縁飾り, 縁どり ∥ a lace border レースの縁飾り.
3 (庭園・歩道などを縁どる)花壇, 植込み ∥ a border of pretty pansies along the walk 散歩道に沿ったかわいいパンジーの植込み.
4 (地域・平面の)へり, 縁, 端《◆ edge は「へり・縁」その もの(線)をさすが, border はそれに接する細長い部分(面)をも含む》∥ The army encamped on the border of a lake. 軍隊は湖畔で野営した.
5 [形容詞的に] 国境の ∥ border guards 国境警備兵 / border dispute 国境紛争.

on the bórder of A (1) …に接して, …のほとりに(→ 名 1 用例). (2) 今にも…しそうだ.
― 動 他 1 〈衣服・歩道など〉に〔…で〕縁をつける〔with〕∥ border a dress with lace 服にレースで縁どりする / a garden (which is) bordered by red tulips 赤いチューリップで縁どられた庭. 2 〈土地など〉に接する, …と境界を成す.
― 自 1 〈土地などが〉〔…に〕接する(on, upon〕∥ France borders on Italy. フランスはイタリアに接している. 2 ほとんど〔…の〕状態である, 〔…に〕近い(on, upon〕∥ Her behavior borders on the ridiculous. 彼女の行動はほとんどばかげている.

bor‧der‧er /bɔ́ːdərər/ 名 C 国境地方に住む人; イングランドとスコットランドの境界地方の住民.

bor‧der‧land /bɔ́ːrdərlænd/ 名 C 国境地方.

bor‧der‧less /bɔ́ːrdərləs/ 形 1 無[脱]境界の, 無境界化の, ボーダーレスの. 2 へりのない.

bor‧der‧line /bɔ́ːrdərlàin/ 名 [通例 a/the ~] 〔…の間の〕国境線, 境界線. ― 形 1 境界[国境]線上の. 2 〈合否・成否が〉五分五分の, 境界線上にある ∥ a borderline pass [failure] すれすれの合格[あと一歩及ばなかった不合格].

bórderline càse どちらとも決めにくい場合.

*__bore¹__ /bɔ́ːr/ (同音) boar) 派 boring (形)
― 動 (~s/-z/; [過去過分] ~d/-d/; bor‧ing /bɔ́ːriŋ/)
― 他 〈人・物〉が〈人〉を〔…で〕うんざりさせる, 退屈させる〔with〕(使い分け → boring¹) ∥ He bored me with his complaining. =I was bored with [by] his complaining. 彼のぐちにはうんざりした《◆ 興味・関心的なくてあきあきすること. 同じことの繰り返しであきあきするのは be tired of》.
― 名 (複) ~s/-z/; C 1 [時に a ~] (つまらない話を長々としゃべって)うんざりさせる人[事], 退屈な人[事] ∥ She is a terrible bore. 彼女はまったくうんざりさせる人だ《 ⟨対話⟩ "Every time he comes, it's the same old story.""What a bore!" He never has anything new to say."「彼はいつ来ても同じ話ばかりだ」「うんざりだね. 新しい話題が何もない人だもの」. 2 (主に英略式) [通例 a ~] いやな事, 不快なこと ∥ What a bore! なんて困ったぜ[いやな]事だ!

†**bore²** /bɔ́ːr/ 動 bear¹ の過去形.

†**bore³** /bɔ́ːr/ 動 他 1 (きりなどで)〈穴〉をあける; 〈板などに〉穴をあける.
― 自 1 (きりなどで)穴をあける; 〔石油などを〕試掘する 〔for〕∥ bore for oil 石油を試掘する. 2 〈物に〉穴があく, あけられる ∥ This board bores easily. この板は簡単に穴があけられる《◆ 能動受動態》. 3 〔…を〕押し分けて[苦労して]進む〔through〕.
― 名 C 1 (きりなどであけた)穴; 試掘孔; U (銃・管などの)内腔, 中ぐり(図 → revolver). 2 C (銃・管などの)内径, 口径.

Bo‧re‧as /bɔ́ːriəs | bɔ́ːriæs/ 名 [ギリシャ神話] ボレアス《北風の神》∥ 名 北風.

bore‧dom /bɔ́ːrdəm/ 名 U 退屈, 倦怠(ﾀｲ).

bo‧ric /bɔ́ːrik/ 形 [化学] ホウ素の.

bóric ácid ホウ酸.

*__bor‧ing¹__ /bɔ́ːriŋ/ 動 → bore.
― 形 [他動詞的に] 〈人を〉退屈させる(⇒文法 17.6 (4)) ∥ an awfully boring Sunday まったく退屈な日曜日 / How boring! 退屈だなぁ!(=What a bore!) / ⟨ジョーク⟩ "Have you heard the story about the woodpecker?""It's boring." 「キツツキに関する話を聞いたかい」「もううんざりさ」《◆ be boring は「穴をあけている(bore³)」とも解く》.

✏️ **使い分け** [**boring** と **bored**]
be boring は主語が〈事〉で, それが「(人を)退屈させる」の意.
be bored は主語が〈人〉で, その人が「(ある事に)退屈にさせられている」の意.
His lecture is boring [×bored]. 彼の講義は退屈である.
He quit school because he was bored [×boring] with the lessons. 彼は授業が退屈で学校をやめた.

bor‧ing² /bɔ́ːriŋ/ 名 U 穿孔(ｾﾝ), 穴あけ, ボーリング; C 穿孔であけた穴; [通例 ~s] きりくず.

*__born__ /bɔ́ːrn/ (同音) borne; (類音) bone /bóun/)
― 動 bear¹ の過去分詞形《cf. bear¹ 他 7》.
― 形 1 [名詞の前で] 生まれながらの, 天性の ∥ a born poet [liar] 生まれながらの詩人[うそつき]. 2

-born /-bɔ́ːrn/ (語要素) →語要素一覧(1.2).
born-a-gain /bɔ́ːrnəgén, -əgèn/ 形 生まれ変わった；熱烈な.
borne /bɔ́ːrn/ 動 bear¹ の過去分詞形.
Bor·ne·o /bɔ́ːrniòu/ 名 ボルネオ《Malay 諸島中の島》．**Bór·ne·an** /-niən/ 形 名 ボルネオ(人)の．
bo·ron /bɔ́ːran | -rɔn/ 名 U〖化学〗ホウ素《非金属元素．記号 B》．
✝**bor·ough** /bə́ːrou, bʌ́rou | bʌ́rə/ 発音注意 同音 burrow 名 C **1** (New York 市の)行政区《Manhattan, the Bronx, Brooklyn, Queens, Staten Island の5区がある．略 bor.》．**2** (米)(アラスカ州で)郡(county)；(Connecticut 州などで)町，村．**3** (英式)(行政単位としての)市《◆(米)の city に相当》．**4** (ロンドンの) the City ◆ Greater London (大ロンドン) は the City と32の区とから成る.
✱**bor·row** /bɔ́ːrou, bʌ́rou/ 類音 burrow, borough /bə́ːrou/ 〖「借りて持って行く」が本義〗
── 動 (~s/-z/; 過去・過分 ~ed/-d/; ~·ing)
── 他 **1a** [borrow A (from B)] 〈人が〉〈B〈人など〉から〉〈A〈物〉を〉〈無料で〉借りる《時に《↔ lend》》 || He borrowed money to buy a house. 彼は家を買うために金を借りた / You can borrow these books from the library for a week. これらの本は図書館から1週間借り出せます《▶対話》 "The brakes on my bike don't work. Can I borrow yours?" "Yes, of course." 「私の自転車のブレーキが故障しました．あなたのを借りてもよろしいですか」「もちろんです」． **b** …を無断で借りる《◆steal の遠回し語》． **c** …を[…と引き替えに/…を抵当に]借りる〔for / on, against〕．

─────────────
使い分け [borrow, use, rent]
borrow は「動かせるものを借りる」の意．
use は「(トイレなど)動かせないものを使う」の意．電話の場合は固定・携帯とも use, borrow の両方が用いられる．
rent は「定期的に金を払って家などを借りる」の意．
May I *use* [×borrow] your bathroom? トイレをお借りできますか．
May I *borrow* your umbrella? かさを借りてもいいですか？
Can I *use* [borrow] your telephone? 電話を借りてもよろしいですか．
We *rent* [×borrow, ×use] this house from Mr. Yamada. 私たちはこの家を山田さんから借りている．
─────────────

2 〈人・言語などが〉〈考え・言葉など〉を〔…から/…に〕取り入れる，模倣する〔from/into〕|| *borrowed* estate 借地 / English has *borrowed* many words from French. 英語はフランス語から多くの語を借用してきている．
── 自 **1** 〔人などから〕金[物]を借りる〔from〕；無断で借りる．**2** 〔人・作品などから〕考え[言葉，属性など]を取り入れる〔from〕．
live [*exist*] *on bórrowed tíme* 〈老人・病人・政府などが〉(余命いくばくもないと思われたが)思いがけず生きのびる[長続きする]．
bórrowed líght 間接光《をとり込むための内窓》．
bor·row·er /bɔ́ːrouər, bʌ́r-/ 名 C 借り手，借用人．
bor·row·ing /bɔ́ːrouiŋ, bʌ́r-/ 名 **1** U 借りること，借用．**2** C 借用したもの；(他言語からの)借用語；借金

|| a large *borrowing* from a bank 銀行からの多額の借金．
bors(c)ht, borshcht /bɔ́ːrʃt/, **bor(t)sch** /bɔ́ːrʃ/ 〖ロシア〗名 U ボルシチ《ロシア式ビート入りスープ》．
✝**bor·stal** /bɔ́ːrstl/ 名 [時に B~] **1** U C (英古)= borstal institution. **2** U 少年院への収容．**bórstal institútion** 《監督の厳しいボースタル式》少年院，教護院．
Bos·ni·a /bázniə | bɔ́z-/ 名 ボスニア《ヨーロッパ南部の地域》．**Bósnia and Herzegovína** ボスニア=ヘルツェゴビナ《ヨーロッパ南部の国．首都 Sarajevo. **Bosnia-Herzegóvina** ともいう》．
✝**bos·om** /búzəm, (米+) búːzəm/ 発音注意 名 C (文) **1** 胸，[通例 ~s] (女の)胸《◆breasts の遠回し語》|| I pressed [held] him to my *bosom*. 彼を胸に抱きしめた． **2** (衣服の)胸部；〈金・物を入れる〉ふところ；(米)(シャツの)胸． **3** (の中)，心，愛情 || keep the grief *in* one's *bosom* 悲しみを胸に秘めておく． **4** [形容詞的に] 親しい，胸に秘めた || a *bosom* friend 親友 / a *bosom* secret 大切な秘密． **5** [通例 the ~] 内部，奥，〈家族・団体などの〉内輪；(海・服などの)広い表面，真ん中 || *in the bósom of* one's fámily 家族内で，一家団欒(%)の中で / *on the bósom of the ócean* 大海の真ん中で．
Bos·por·us /báspərəs | bɔ́s-/, **--phor·us** /-pər-, -fər-/ 名 [the ~] ボスポラス海峡《黒海とマルマラ海を結ぶ．アジアとヨーロッパの境界》．
✝**boss** /bɔ́ːs, (米+) bɑ́s/ 名 C (略式) **1a** (直属の)上司，(労働者の)監督，親方(master)；雇用主，社長《◆(1) 呼びかけにも用いる．(正式)には sir. (2) 女性にも用いる．(3) ご主人，顔役」というような悪い響きはない》|| He is *boss*. 彼が上司です《◆be 動詞の後ではしばしば無冠詞》． **b** [the ~] 支配者，実権を持っている人 || My wife is the *boss* in my family. 私の妻は万事家庭を切り回している；女房は私を尻に敷いている． **2** (米) 政党の首領．── 動 他 (主に略式)〈仕事・人など〉を指揮[支配，管理]する．
bóss A abóut [*aróund*] (略式)〈人〉をあごでこき使う，命令する．
bos·sa no·va /básə nóuvə | bɔ́sə-/ 名 U ボサノバ《ブラジル起源の音楽》；C そのダンス．
boss-eyed /bɔ́ːsáid, (米+) bás-/ 形 (英俗) 斜視の，やぶにらみの；片目の，一方に片寄った，ひねくれた．
boss·y /bɔ́ːsi, (米+) bási/ 形 (通例 --i·er, --i·est) (略式)〈人・態度が〉いばり散らす，横柄な．
✝**Bos·ton** /bɔ́ːstən/ 名 ボストン《米国 Massachusetts 州の州都．愛称 the Puritan City, Bean Town》《◆the City of Boston とはいうが ×Boston City とはいわない. cf. New York City》．
Bóston bág 手下げ袋，(古) ボストンバッグ《◆overnight bag, small traveling bag などの方がふつう》．
Bóston Téa Pàrty [米史] [the ~] ボストン茶会事件《1773年英国政府の茶税に抗議するボストン市民が英国船に忍び込み茶箱を海に投げ捨てた事件》．
✝**Bos·to·ni·an** /bɔ(ː)stóuniən/ 形 名 C ボストンの(市民)．
bo·sun /bóusn/ 名 =boatswain.
✝**bo·tan·i·cal** /bətǽnikl/ 形 植物の，植物に関する；植物から採った；植物学(上)の || *botanical* gardens 植物園．
botánical compánion 植物伴侶《花束(bouquet)，室内の鉢植え(house plant)の遠回し語．◆animal companion》．

bot·a·nize /bάtənaiz | bɔ́tə-/ 動 ⓐ ⓗ (植物を)植物学的に研究する, (研究用に)植物採集をする, 植物の生態を研究する.

†**bot·a·ny** /bάtəni | bɔ́tə-/ Ⓤ 植物学; (一地方の)植物(全体); 一植物の生態; Ⓒ 植物学書.

bót·a·nist /-ist/ Ⓒ 植物学者.

Bot·a·ny /bάtəni | bɔ́tə-/ ~ **Bay** ボタニー湾《オーストラリア Sydney 近くの入江. 付近はもと英国の流刑者植民地》.

botch /bάtʃ | bɔ́tʃ/ (略式) 動 ⓗ …をやり損なう, だめにする; …をへたに修繕する(+*up*). ── 名 Ⓒ へたな仕事; へた継ぎ当て[修理] ‖ màke a *bótch* of ... …をやり損なう.

botch-up /bάtʃʌp, bɔ́tʃ-/ 名 (略式)=botch.

‡**both** /bóuθ/ (類音) boss /bάs, bɔ́ːs | bɔ́s/
── 形 [名詞の前で] **両方の**, 双方の《◆ the, these [those], 所有格などがあるときはその前に置く》‖ *both these* toys このおもちゃ2つとも / *both* Jack's sisters ジャックの(2人の)姉妹の両方 / You cán't have it [things] *bóth* ways. 両天びんにかけようとってもそうはいきませんよ(=You must decide on one thing or the other.) / There are hotels on *bóth* sides of the street. 通りの両側にホテルがある(=... on each side of ...)《◆両側に1軒ずつある場合は There is a hotel on *either* side of the street. といっても同じ》.

〖語法〗(1) both the ... ではふつう, the は省略することも多いが (→ 代): *Both* (the) cups are broken. カップは2つとも割れている(=*Both* of the cups are broken. / The cups are *both* broken. / The *two* cups are broken.).
(2) both these [Jack's] ... の場合でも (略式) では both of these [Jack's] ... がふつう(→ 代).

── 代 [通例 both of ... の句で] **両方**, 双方, 両者 2人[2つ]とも ‖ I'll take *bóth*. このネクタイがいいですね. 両方もらいます / *Bóth of* us have a desk. =We *both* have a desk. 我々2人は共有の机を持っている《それぞれ別に机を持っている場合は, Each of us has a desk. という》/ *Bóth of* them are not necessary. i) [↘] [部分否定] 両者とも必要なわけではない《×Not both of them are necessary. は不可》. ii) [↘] [全面否定] 両者とも必要でない(=Neither of them is necessary.) (cf. all 形 4 語法) / *Bóth of* the girls are my classmates. その女の子は2人とも私のクラスメイトです(=The girls are *both* my classmates.)《*Both* (the) girls are ... ともいえる. → 形 語法》.

〖語法〗(1) both of の後が代名詞の時は of の省略不可: ×both us [them].
(2) 主語と同格の both の位置は, 助動詞・be動詞の後, 一般動詞の前: They *both* belong to me. 2つとも私のものです. ただし, 短い答えのときは助動詞・be動詞の前: "Have you finished?" "Yes, we *both* have." 「終わったか」「2人とも終わりました」.
(3) both of の後は常に代名詞か the, these, their などを伴う名詞: ×both of books.

── 副 [both **A** and **B**] **A も B も 両方とも**, **A** だけでなく **B** も《◆ A, B はふつう文中で同じ働きをする語句で, 名詞・形容詞・動詞・句など》(↔ neither **A** nor **B**) ‖ *Both* you *and* I are to blame. あなたも私も悪い《◆ both **A** and **B** を主語に用いると常に複数扱い》/ The book is *both* useful *and* amusing. その本は有益でありその上面白い(=The book is not only useful but (also) amusing. / The book is amusing as well as useful.) / He likes *both* Máry *and* Bétty. =(米) ... Máry *and* Bétty *bóth*. 彼はメリーもベティも好きなのです / He can *both* spéak *and* wríte Russian. 彼はロシア語が話せるし書くこともできる / She is well known *both* in India *and* in China. =(略式) ... in *both* India *and* China. 彼女はインドだけでなく中国でもよく知られている.

〖語法〗(1) *Both* help the other. (両者は助け合っている)は (非標準) で, ふつう They help each other. / Each helps the other.
(2) the both books も (非標準). both (the) books (→ 形)か both of the books (→ 代)とする.

*__**both·er**__* /bάðər | bɔ́ð-/ 〖「うるさく言って[つきまとって]困らせる」が本義〗
── 動 (~s/-z/; 過去・過分 ~ed/-d/; ~·ing/-əriŋ/)
── ⓗ **1 a** 〈人・物・事が〉〈人を〉**悩ます**, 困らせる; 困惑させる; 〈人〉に〔…で〕困らせる(*with*, *about*); 〔…を〕くれと言って〈人〉を悩ませる(*for*)《◆ (1) annoy より迷惑の程度が軽い. (2) worry と違って「故意に悩ます」場合もある》‖ What's *bothering* you? 何を困っているんだ / I won't *bother* [×worry] you any more. もう君には迷惑をかけないつもりです / The child *bothered* me *with* his crying. 子供が泣いて私を困らせた / Bob *bothered* me *for* money. ボブが金をねだって困った.
b [it bothers **A** that [when, if] 節] …が **A**〈人〉を困らせる ‖ It *bothered* me *that* the baby didn't stop crying. 赤ちゃんが泣きやまなくて私は困った.

〖語法〗しばしば許可などを求めるていねい表現として用いる: "Will it *bother* you if I turn on the radio?" "Certainly not." 「ラジオをつけてもご迷惑じゃないでしょうか」「かまいませんよ」.

2 [bother **A** to do / bother **A** doing] **A**〈人〉を…してくれと言って困らせる ‖ He *bothered* me *to* solve the problem at once. 彼はすぐにこの問題を解けと言って私を困らせた.
── ⓐ **1** [通例否定文で] **わざわざ**〔…〕**する**〔*to* do, (*about*) doing〕《◆ to do の方がふつう》‖ *Dón't bother to* call me back. 折り返し電話をかけていただくには及びません.
2 〈人が〉〔事を/人・事を〕**思い悩む**, 心配する, 苦しむ〔*with*/*about*〕‖ Don't *bother about* [*with*] such things. そんなことに気を使ってもらわなくて結構.

── 名 (複 ~s/-z/) **1** Ⓤ (ちょっとした)**面倒**, 厄介; 騒ぎ ‖ 〖対話〗 "You were almost late for the concert." "I had a lot of *bother* [×trouble] in finding the ticket." 「もう少しでコンサートに遅刻するところだったね」「切符を見つけるのが大変だったの」《◆ in の省略がふつう》/ "Would it be a *bother* for you to help me with my work?" "It's no *bother* [Nó *bóther*] (at all)." 「私の仕事を手伝っていただくとすればお手間を取らせることになるでしょうか」「少しも面倒ではありません」《◆ 質問中の bother は **2** の意》.

2 [a ~] 『…にとって』悩みの種, 厄介なもの『to』‖ The lazy student is *a bother* to her. その怠惰な学生は彼女にとって頭痛の種だ.
——間(主に英)〖軽いいらだちを表して〗ちぇっ, うるさい‖ *Bother* (it)! ちぇっ! / Oh, *bother* (you)! うるさい《◆ *damn* などの遠回し表現》.

both·er·some /bάðərsəm | bɔ́ð-/ 〖形〗〖正式〗〈人・要求など〉厄介な, うるさい.

Bot·ti·cel·li /bὰtit∫éli | bɔ̀t-/ 〖名〗ボッティチェリ《Sandro /sάːndrou / ~ 1444?-1510; イタリアの画家》.

bot·tle /bάtl | bɔ́tl/ (類音 battle /bǽtl/)
——〖名〗(複 ~s/-z/)〖「小さなたる」が原義〗**1**ⓒ (一般的に)びん, ボトル, びん型の容器《(1)ふつう口が細くなっているものをいう (cf. bottleneck). (2) 厳密には広口びんは jar, 取っ手つきは jug》‖ wine in *bottle* びん詰めのワイン.

関連 (1)〖いろいろな種類の bottle〗

beer *bottle* ビールびん / feeding *bottle* ほ乳びん / milk *bottle* ミルクびん / plastic *bottle* プラスチック製のボトル, ペットボトル (polyethylene terephthalate) / squeeze *bottle* (マヨネーズなどの)絞り出し容器 / vacuum *bottle* 魔法びん ((英) vacuum flask) / wine *bottle* ワインのボトル.
(2)「栓」は stopper,「栓抜き」は opener.

---

2 [a ~] **1**びんの量 (bottleful), びんの中味‖ crack [break] *a* (chilled) *bottle* (of wine) 〖略式〗(冷やしたワインの)びんを開けて飲む; 宴会に出る / drink *a* whole *bottle* of soda ソーダ水を 1 びん飲み干す.
3 ⓒ 哺乳びん; [the/one's ~] (哺乳びんの)牛乳, 人工乳(↔ breast) ‖ *bring up* (米) *raise*] the baby *on the bottle* 人工栄養で赤ん坊を育てる / The baby drank [sucked at] *his bottle*. 赤ん坊はミルクを飲んだ[吸った].
4〖俗〗[the/one's ~; 遠回しに] ウイスキー, 酒; (大)酒を飲むこと‖ be *on the bottle* アル中である, 酒びたり / Tom [likes *his* [is fond of *the*] *bottle*. トムは酒好きだ, 酒飲みだ. **5**ⓒ湯たんぽ《ゴム製で氷枕に似た形》.

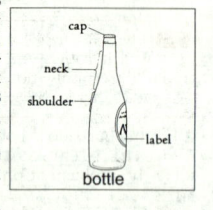

hit [*take to*] *the bóttle* (悩みを忘れるために)酒におぼれるようになる《◆ begin [start] to hit … の形で. また進行形でも》.
over a [*the*] *bóttle* 〖酒びんに従事して〗(→ **over** 前10)〗酒を飲みながら.

——〖動〗他〖酒など〗をびんに詰める; 〖英〗〈果実・野菜〉を(保存用に)びん詰めにする(+*up*).

bóttle úp [他] 〖略式〗〈感情などを〉抑える, 押し殺す.
bóttle nòse とっくり鼻《図 → nose》.
bóttle òpener =bottle-opener.
bot·tled /bάtld/ 〖形〗びん詰め[入り]の.
bot·tle-fed /bάtlfed | bɔ́t-/ 〖形〗(母乳でなく)人工乳で育てられた (cf. breast-fed).
bot·tle-feed /bάtlfiːd | bɔ́t-/ 〖動〗(過去·過分 **-fed**) 他〈赤ん坊〉を人工乳で育てる. ——自〈赤ん坊が〉人工乳で育つ(cf. breast-feed).
bot·tle·ful /bάtlfùl | bɔ́t-/ 〖名〗ⓒ **1**びん(の量).

bot·tle·neck /bάtlnèk | bɔ́t-/ 〖名〗**1** びんの首. **2** (工事などのため他より)狭くなっている道. **3** (生産などの)支障, 障害, ネック《◆ この意味では ˣneck とはいわない》.

bot·tle-open·er /bάtlòupnər | bɔ́t-/, **bóttle òpener** 〖名〗ⓒ 栓抜き.

·**bot·tom** /bάtəm | bɔ́t-/ 〖「底」「基底」が本義〗
——〖名〗(複 ~s/-z/) **1**ⓒ [通例 the ~] (物の)底, 最低部(↔ top); (川·海などの)底, 水底(↔ surface); (靴などの)底; (衣服の)すそ; [~s] (パジャマの)ズボン; [形容詞的に] 最下部の, 底の, 水底にある ‖ *bottom* fish 底魚 / *the bottom* shelf 一番下の棚 / the fourth line from *the bottom* (ページの)下から4行目 / barnacles *on the bottom of* a boat ボートの底についたフジツボ / the taskbar *at the bottom of* the computer screen コンピュータ画面の一番下にあるタスクバー / The boat sánk [wént, was sént] to *the bóttom* (of the sea). ボートは海底に沈んだ. **2**ⓒ (心などの)底‖ love [welcome] him from *the bottom* of one's heart 心の底から彼を愛する[歓迎する]《◆ … *with all one's heart* の方が好まれる》/ He is a very kind man *from the bottom* of his heart. 彼は根はとても親切だ. **3**ⓒ [通例 the ~] 最下位, 末席, びり(の人); [形容詞的に] びりの, 最後の‖ *at the bottom of* the corporate ladder 出世の階段の一番下いる / She is (at) *the bottom of* the class. =She is *the bottom* student of the class. 彼女はクラスのびりである. **4** (英) [the ~] (道·庭などの)いちばん奥, 行き止まり‖ *the bottom of* the garden 庭のいちばん奥. **5** ⓒ 〖略式〗(いすの)座部; 尻(しり), けつ (buttocks). **6** [the ~] (物事の)本質, 真相; 裏面, 黒幕; [形容詞的に] 根本的な, 本質的な ‖ We must *gét to the bóttom of* this mystery [trouble]. 〖略式〗このなぞ[紛争]の真相を突き止めねばならない / Who is at *the bottom* of these rumors? このうわさの張本人はだれだ. **7** ⓒ 船底; (喫水線下の)船殻(かく)部分; 〖文〗〖海事〗船, 貨物船. **8** ⓒ 〖しばしば~s〗=bottom land. **9** 〖野球〗(イニングの)裏(↔ top).

at bóttom (表面的にはどうあれ)心の底は; 根本的には; 実際には(→ **2**).
Bóttoms úp! 〖主に英略式〗さあ, 乾杯!, さあ, ぐいと一杯!《◆「持っている杯のしりを上げて飲み干そう」の意》.
bóttom úp [*úpward*] 〖副〗さかさまに.
knóck the bóttom óut of A 〈考え·意見·計画などの〉根底をくつがえす, …を台なしにする.
stánd on one's *ówn bóttom* 独立独歩である.
stárt (*lífe*) *at the bóttom of the ládder* 〖略式〗裸一貫から身を起こす, 下積みから始める.
tóuch bóttom (1)〈足が水底に届く〉; 〈船が〉座礁する. (2) 〖略式〗〈値段などが〉底をつく.

——〖動〗他 **1**〈いすなど〉に座部をつける. **2** …の真相をきわめる. **3**〈議論などの〉根拠を[…に]置く〘*on*, *upon*〙. **4**〈潜水艦などを〉海底につける.
——〖自〗**1** 〈潜水艦などが〉〈海などの〉底につく〘*on*〙. **2**〈議論などが〉〖…に〗基づく〘*on*, *upon*〙.

bóttom óut 〖自〗(1)最低位である. (2)〈値段·相場などが〉底をつく.

bóttom lánd (米) (川沿いの)低地.
bóttom line 〖名〗(1) 最低値. (2) (最終的な)収益[損失]額; 最終結果. (3) (物事の)本質, 肝心かなめ; 本音 ‖ *The bottom line is that* … 本当のところを言えば, 本音は….

†**bot·tom·less** /bάtəmləs | bɔ́t-/ 〖形〗**1** 底のない, いす

bougainvillea

などが)底部のない. **2**《正式》非常に深い;[比喩的に]測り知れない;無限の ‖ a *bottomless* well 底なしの井戸.

bou·gain·vil·le·a, **--lae·a** /bùːgənvíliə/ 名C《植》ブーゲンビレア《熱帯性の低木》.

†bough /báu/ 【発音注意】【同音】bow[2,3] 名C《文》(実・花のついた)大枝(→ branch 名**1**【類語】) ‖ The typhoon broke off the *bough*. 台風のため大枝が折れた.

*bought /bɔːt/ 動 buy の過去形・過去分詞形.

bouil·la·baisse /bùːləbéis | bùːjəbés/《フランス》名UC ブイヤベース《魚・貝などの入った煮こみ料理》.

†bouil·lon /búljɑn/《フランス》名U **1**《料理》ブイヨン. **2**CU (ブイヨンで作った)薄い澄んだスープ.

†boul·der, bowl·- /bóuldər/ 名C (水の作用で角のとれた)大きな岩, 巨石(→ stone **2**).

†boul·e·vard /búləvɑːrd | búːləvɑːd/《フランス》名C **1** (もとパリの)広い並木道. **2** [B~;街路名で]《米》大通り(略 Blvd, blvd.) ‖ Sunset *Boulevard* (ハリウッドの)サンセット大通り.

†bounce /báuns/ 動 **1**〈ボールなどが〉はずむ, はね上がる;はね返る, 反射する, バウンドする(bound) ‖ *bounce* on a trampoline トランポリンの上ではねる / *bounce* off the wall 壁に当たってはね返る / The ball *bounced* over the net. ボールははねてネットを越した. **2**〈人が〉跳び上がる, はねるように歩く(+*about, up*);(怒って)荒々しく歩く;〈車が〉音をたてて走る(+*along, down*) ‖ *bounce* out of bed ベッドからはね起きる / *bounce* into [out of] a room ぱんと部屋に飛び込む[部屋を飛び出す]. **3**〈小切手が〉不渡りにな(って戻ってく)る. ―他 **1**〈ボールなど〉をはずませる, バウンドさせる ‖ *bounce* the ball off the wall ボールを壁に当ててはね返らせる / *bounce* a child on one's knee(s) [lap] ひざの上で子供をゆすってあやす. **2**〈不渡り小切手〉を出す,〈小切手〉を不渡りにする.

bóunce báck 自 (1)〈ボールなどが〉はね返る. (2)《略式》〈人が〉[打撃・敗北・困難などから]すぐ立ち直る, もとどおり元気になる(*from*). ―他 〈人〉を力ずくで追い出す.

―名 **1**C はずみ, はね返り, バウンドすること ‖ The right fielder caught the ball on the second *bounce*. ライトはツーバウンドで捕球した. **2**U 弾力(性). **3**U《略式》(うるさいほどの)元気のよさ, 活力(energy);(失意などからの)すばやい回復力 ‖ with *bounce* and vigor 元気はつらつとして.

bounc·er /báunsər/ 名C **1** 跳びはねる人[物];《略式》《野球》ゴロ(grounder). **2**《俗》(ナイトクラブ・レストランなどの)用心棒.

bounc·ing /báunsiŋ/ 形《略式》元気のいい, 健康な.

†bound[1] /báund/ 動 bind の過去形・過去分詞形.

―形 **1** 縛られた, 縛り[結び]つけられた(↔ unbound) (cf. -bound **3**) ‖ a *bound* prisoner 縛られた囚人. **2** [be bound to do]〈人・事が〉きっと…する, …するに違いない ‖ You're *bound* to pass the exam if you work hard. 懸命に勉強すればきっと試験に受かりますよ / Your plan *is bound* to fail. 君の計画はきっと失敗するよ(=I'm quite sure that your plan will fail.) / 【対話】 "Where is your homeroom teacher?" "The bell has not rung yet. He *is bound* to be in the staff room." 「あなたの担任の先生はどこにいらっしゃいますか」「まだ授業のチャイムが鳴っていませんから, 職員室にいらっしゃるはずです」《◆He must be in the staff room. より確信の度合が強い》. **b**〈人が〉(約束・規則・法律などにより)…する義務がある ‖ We *are bound* by the rules to attend the meeting. 我々は規定によりその会議に出席する義務がある / You're not *bound* to buy them if you don't want to. 買いたくなければ買う必要はありません. **3**《略式》[be bound to do =be bound on doing]〈人が〉…する決心をしている ‖ I'm *bound* ⌜to go [on going] whatever you say. あなたが何と言おうと私は行くつもりでいます. **4**〈本が〉[…で]装丁された[*in*] ‖ a *bound* volume 製本された本.

I'm bóund to sáy [*admit*] … あえて言いますが, …と言わ[認め]なければならない.

†bound[2] /báund/ 動 **1**〈ボールなどが〉[…の方向へ](大きく)はずんで行く, はね返って行く(bounce) [*to*] ‖ The ball hit the wall and *bounded* back. ボールは壁に当たってはね返った. **2** 跳び上がる, 跳んで[…]へ行く[来る](+*over, up*) [*toward, to*];元気に歩く;〈心がはずむ〉 ‖ My dog *bounded* through the field. 私の犬は野原をはねるように走り抜けた / Her heart *bounded* with joy. 彼女の胸は喜びでおどった. ―名C **1** はね[跳び], 跳ぶこと,(心の)躍動. **2**(ボールの)はね返り, はずみ(bounce) ‖ catch a ball on the *bound* ボールがはね返ったところを捕える.

at a (*single*) *bóund* (ただ)ひと飛びで.

with [*in*] *óne bóund* ひと飛びで, 一足とびに, 一躍して.

†bound[3] /báund/ 名C《正式》[通例 ~s;比喩的に] 境界(線), 限界, 限度, 範囲(limit)《◆物理的な境界は boundary, border》 ‖ You should *put* [*set*] *bounds* to the amount of money you spend. 君は自分の使うお金を制限すべきです / keep one's hopes within reasonable *bounds* 期待が度を過ぎないよう押える / Her love of money knows no *bounds*. =There are no *bounds* to her love of money. =Her love of money is *without bounds*. 彼女の金への執着心には際限がない / It is within [beyond] the *bounds* of possibility that he will succeed. 彼の成功はあり得る[あり得ない]ことだ.

óut of bóunds [形][副](1)《主に英》〈人が〉立ち入り禁止の[に]((米) off limits)[*to*](↔ within bounds). (2)(競技)場外の[で](↔ within bounds). (3)礼儀を破って, 行き過ぎで《◆強調形 is out of *all* bounds》.

within [*in*] *bóunds* 競技場内の[で];立ち入り自由の[で](↔ out of bounds).

―動 **1** …を制限[抑制]する. **2**《正式》[通例 be ~ed]〈場所が〉[…と]境を接する, 隣接する [*on*] ‖ Mexico *is bounded on* [in] the north by the United States. メキシコは北が米国に接している. **3**〈国などの〉境界を示す. ―自〈国などと〉境を接する [*on*].

†bound[4] /báund/ 形《正式》〈列車などが〉[…]行きの;[…へ]行こうとしている(going to);[…へ行く]途上にある[*for*] ‖ 【対話】 "Where's the plane flying to?" "I think it's *bound for* London." 「その飛行機はどこに行きますか」「ロンドン行きだと思います」《◆from と相関的に用いる場合は to:a plane *bound from* Paris *to* London パリ発ロンドン行きの飛行機》 / He is ⌜*bound for* home [homeward *bound*]. 彼は帰国途上にある(=He is on the way home.).

–bound /-bàund/ 語要素 →語要素一覧(1.2).

bound·a·ry /báundəri/ 名 C ((ある地域の))境界線, 端(edge); (2つの地域の)接点, 境界(線)《◆ この意味では border がふつう》; [比喩的に] 境界, 限界 ‖ the *boundary* between the two farms 2つの農場間の境界(線) / This is the *boundary* of our property. 我々の地所はここまでだ / It is beyònd the *bóundary* of human knowledge. それは人知の範囲を越えている.

bound·less /báundləs/ 形 際限のない, 無限な. **bóund·less·ly** 副 限りなく. **bóund·less·ness** 名 U 無限.

†**boun·te·ous** /báuntiəs/ 形 1 (文) 〈人が〉気前のよい, 物惜しみしない(generous). 2 〈物が〉豊富な, 十分ある.

boun·ti·ful /báuntifl/ 形 =bounteous.

†**boun·ty** /báunti/ 名 1 U (正式) (人への)気前のよさ, 恵み深さ(generosity) (to). 2 C (正式) (貧者への)施し物, 恵み物, 贈り物. 3 C (産業などに対する政府の)奨励金, 補助金; (犯人逮捕などの)賞金, 報奨金. **bóunty hùnter** 賞金かせぎの人.

†**bou·quet** /boukéi, buː-|bu-, bəu-/ 《フランス》 名 1 C (贈り物として持った)花束. 2 C お世辞, ほめ言葉. 3 C U (正式) (ワインなどの)香り.

bouquét gar·ní /-gɑːrníː/ ブーケガルニ 《香草の束. 料理用》.

bour·bon /báːrbən, (英+) búə-/ 名 U C バーボン 《トウモロコシを主原料とする米国のウイスキー》.

†**Bour·bon** /búərbən/ 名 ブルボン家 《フランスの王家》; C ブルボン家の人.

†**bour·geois** /buəʒwáː, ´-´| ´-´/ 《フランス》 名 (複 **bour·geois** /-z, ~/) C 1 中産階級の市民; 商工業者. 2 (マルクス主義で)資本家(階級の人), ブルジョア(↔ proletarian). 3 俗物根性の人.
— 形 1 a 中産階級の. b 資本主義の. 2 〈人・態度・趣味などが〉俗物的な; 平凡で保守的な.

†**bour·geoi·sie** /bùərʒwɑːzíː/ 《フランス》 名 U (通例 the ~; 単数・複数扱い) 1 (商工業に従事する)中産階級. 2 (マルクス主義で)資本家[ブルジョア]階級 (↔ proletariat(e)).

†**bout** /báut/ 名 C 1 a (活動などの)一期間, 一仕事 ‖ a *bout* of exercise 一運動. b (病気の)一期間, 発作 ‖ several *bouts* of fever 数回の発熱. 2 (ボクシングなどの)1勝負[試合] (match) ‖ a sumo *bout* 相撲の一番 / the last *bout* of the day 結びの一番.

bou·tique /buːtíːk/ 《フランス》 名 C ブティック.

bo·vine /bóuvain/ 形 1 (正式) ウシ属の. 2 (頭の働き・動きの)のろい, 鈍重な.

†**bow**[1] /bóu/ 名 C 1 弓(→ crossbow); 弓のひと引き ‖ a **bów** and árrow 弓矢. 2 (弦楽器の)弓 ‖ The violin is played with a *bow*. バイオリンは弓で弾く《◆ バイオリンでは正式には fiddle bow》. 3 (リボンなどの)ちょう結び; =bow tie ‖ tie a ribbon in a *bow* リボンをちょう結びにする. 4 弓形(のもの); にじ(rainbow). — 動 他 1 〈物〉を弓形に曲げる. 2 〈弦楽器〉を弓で弾く. — 自 弓形に曲がる. 2 弓で弾く.

bów hànd (1) 〔弓術〕弓手(ゆんで)《◆右ききの人なら左手》. (2) (弦楽器の)弓を弾く手.

bów tíe ちょうネクタイ.

*bow[2] /báu/ (「弓のように曲げる」が本義) (同音) bough); (類音) vow /váu/)
— 動 (~s/-z/; 過去・過分 ~ed/-d/; ~·ing)
— 自 1 〈人が〉[…に] (敬意・あいさつの印として)おじぎをする, 頭を下げる, 腰をかがめる (+*down*) (*to, before*)

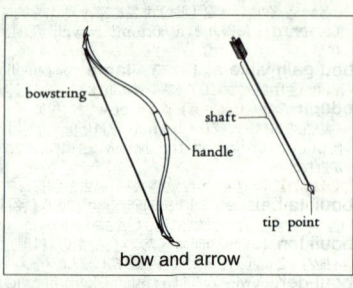

bow and arrow

《◆ 英米では握手がふつうのあいさつ. cf. curtsy》 ‖ She *bowed* before the queen. 彼女は女王の前でうやうやしく頭を下げた《◆ 身分の高い人に対しては before》 / 《日本発》 The Japanese *bow* to each other instead of shaking hands when greeting. 日本人はあいさつのとき, 握手でなくおじぎをします. 2 (正式) […に] 屈服する, 従う(submit) (+*down, out*) (*to*) ‖ *bow* to one's father's wishes [opinions] 父親の意向[意見]に従う / *bow to nóbody in* ...の点ではだれにも負けない.
— 他 1 〈人が〉〈頭〉を**下げる**, 〈ひざ・腰〉をかがめる ‖ The priest *bowed* his head in prayer. 牧師は頭を下げて祈りを捧げた. 2 (おじぎをして)〈同意・感謝〉などを表す ‖ *bow* one's thanks 頭を下げて感謝の気持ちを表す. 3 (会釈して)〈人〉を[…に]案内する(+*in, out*) (*to, into*) ‖ He *bowed* me 「to the car [into the room, out of the hall]. 彼はおじぎをして私を車に[部屋の中へ, ホールから外へ]案内してくれた. 4 [通例 be ~ed] 〈人・物〉が曲がる, 〈人が〉気力がくじける(+*down*) ‖ He is *bowed* by [with] (old) age. 彼は年齢で腰が曲がっている / The branches *were bowed* (*down*) with oranges. 枝はオレンジでたわんでいた.

bów and scrápe [[腰をかがめ片ひざで地面をこする]] (1) 片ひざをついておじぎをする. (2) ぺこぺこする.
bów (oneself) **óut** (1) おじぎをして引き下がる(→ 他 3). (2) (略式) […から] 身を引く, 辞職する(*of*).
— 名 C [通例 a ~] おじぎ, 会釈 ‖ answer with a polite *bow* ていねいにおじぎをして答える / She gave [made] me a deep *bow*. 彼女は私に深々とおじぎをした.
màke one's **bów** (1) (略式) 〈演奏家・政治家などが〉お目見えする, デビューする; 〈書物が〉出版される. (2) (おじぎをして)入場[退場]する. (3) =BOW (oneself) out (2).
táke a [one's] **bów** 〈俳優・演技者などが〉前に出て[立ち上がって]拍手に答える.

†**bow**[3] /báu/ (同音) bough) 名 [海事] [しばしば ~s; 単数扱い] 船首, へさき, 艦首 (↔ stern).

Bów béels /bóu-/ 名 [複数扱い] (ロンドンの)ボウ教会 (St. Mary-le-Bow, 俗に Bow Church)の鐘.
be bórn within the sóund of Bów bélls 生粋のロンドン子(cockney)である.

bowed /báud/ 形 (頭などが)下げた; 〈物が〉曲がった.

†**bow·el** /báuəl/ 名 C [しばしば ~s] 1 腸(の一部) ‖ the large [small] *bowel* 大[小]腸 / bind [loosen, move] the *bowels* 下痢をとめる[通じをつける] / have loose *bowels* 下痢をしている《◆ これは直接的な表現なので have diarrhea [intestinal trouble] などということが多い》 / My baby's *bowels* are

open. 赤ちゃんに通じがあった. **2** [通例 ~s] 内臓, はらわた, 腸の全体(intestines); (大地・物などの)内部, 中心部 ‖ dig for coal in the bowels of the earth 大地の奥深く石炭を掘る.

bówel mòvement [**mòtion**] 便通, 排便《略 BM》◆ my ~ movement ともいう.

†**bow·er**¹ /báuər/ 名C《文》木陰, 木陰の休息所; あずまや.

Bow·er·y /báuəri/ 名 [the ~] バワリー《New York 市の大通り. 安酒場・安宿が多い》.

bow·ing /bóuiŋ/ 名U (弦楽器の)運弓法, ボウイング.

bow·knot /bóunàt | -nɔ̀t/ 名C (ひもなどの)ちょう結び.

***bowl**¹ /bóul/ 同音 boll; 類音 ball /bɔ:l/)
——名 (複 ~s /-z/) C **1** [しばしば複合語で] はち, わん; (料理用の)ボウル《◆ cup より深く大きい容器. basin はふつう bowl より浅く洗面・洗濯用》‖ a sugar bowl 砂糖つぼ / a salad bowl サラダボウル / a finger bowl フィンガーボウル / a goldfish bowl 金魚鉢.

2 [a ~] はち[わん]一杯の量 ‖ a bowl of rice [soup] ごはん[スープ]1杯 / He and I ate out of the same bowl. 彼と私は同じ釜の飯を食った.

3 (さじ・パイプ・はかりなどの)はち状の部分; (土の)くぼみ.
4 (主に米) (すり鉢型の)円形競技場; 円形劇場; = bowl game.

bówl gàme (シーズン後年末年始にかけて行なわれる)大学フットボール選抜試合. 事情 [4大ボウル] Rose Bowl (カリフォルニア州), Cotton Bowl (テキサス州), Sugar Bowl (ルイジアナ州), Orange Bowl (フロリダ州).

†**bowl**² /bóul/ 名 **1** C (ボウルズの)木球《◆ 重心が片寄っている》, (ボウリングの)ボウル; その1転がし, 1投 ‖ play bowls = have a game of bowls ボウリングをする. **2** [~s; 単数扱い] a ボウルズ《芝生でするゲーム》((米) lawn bowling). **b** = bowling **1**.
——動他 **1** (ボウリングなどで)〈球〉を転がす; 〈得点〉をあげる. **2** 〈クリケット〉〈球〉を投げる; 〈打者〉をアウトにする(+out); 〈人〉をひどく驚かす, うろたえさせる(+out).
3 …を(転がるように)運ぶ, 動かす. ——自 **1** 〈正式〉 ボウルズ[ボウリング]をする ‖ gò bówling ボウリングをしに行く. **2** 〈クリケット〉投球する. **3** 〈略式〉〈車・仕事などが〉すいすい[順調]に進む(+along).

bówl óver [他] …を(球で)倒す; 〈略式〉〈人・動物などを〉打ち倒す; びっくりさせる.

bowl·der /bóuldər/ 名C = boulder.

bow·leg /bóuleg/ 名 [通例 ~s] がにまた足. 医学 内反膝(しつ), O脚. **bów·lègged** 形 O脚の.

bowl·er¹ /bóulər/ 名 **1** ボウリングをする人. **2** (クリケットの)投手.

bowl·er² /bóulər/ 名C (主に英) = bowler hat.
bówler hàt 山高帽(米) derby).

bowl·ful /bóulfùl/ 名C ボウル[はち]1杯の量.

†**bowl·ing** /bóuliŋ/ 名U **1** ボウリング(cf. tenpin, ninepin).

関連 [ボウリング用語]
alley レーン / bowl(s) ボール / gutter 溝 / lane レーン / pin ピン / spare スペア / split スプリット / strike ストライク.

2 球を転がして遊ぶゲームの総称.

bówling álley (1) ボウリングのレーン. (2) [しばしば -s] ボウリング場.

bówling gréen ローン=ボウリング((米) lawn bowl-ing)用芝生.

bow·sprit /báusprit, bóu- | bóu-/ 名C 海事 船首斜檣(しょう); バウスプリット《船首の前に突き出た円材》.

†**bow·string** /bóustrìŋ/ 名C 弓のつる, ゆづる (図) → bow¹).

†**bow·wow** /間 báuwáu; 名 ⌐| 間 ワンワン《犬の鳴き声》《略式》わーいわー《やじの声》.——名C 犬の鳴き声;《略式・小児語》わんわん, 犬.

***box**¹ /báks | bɔ́ks/ (類音 backs /bæks/) [[箱の材料にしたツゲ(box³)」が原義]
——名 (複 ~·es /-iz/) C

Ⅰ [箱]
1 箱《ふつう四角でふた付き》‖ What do you have in the box? 箱に何が入っていますか.

関連 [いろいろな種類の box]
ballot box 投票箱 / black box ブラックボックス, フライトレコーダー / cardboard box ダンボール箱 / cash box 小型手さげ金庫 / collection box 募金箱 / dialog box (コンピュータの)ダイアログボックス / dispatch box アタッシュケース / ice box 冷蔵庫 / lunch box 弁当箱 / music box オルゴール / shoe box げた箱 / tool box 道具箱 / toy box おもちゃ箱 / wooden box 木箱.

2 〔…の〕1箱(の分量) (boxful) 〔of〕 ‖ two boxes of popcorn ポップコーン2箱.
3 私書箱.

Ⅱ [仕切られた場所]
4 (劇場・レストランなどの)ます席, ボックス(席); (法廷の)証人席, 陪審席; (馬車の)御者席. **5** 小屋, 番小屋, 詰所; (英) 狩猟小屋; 避難小屋; キオスク; 電話ボックス ‖ a police box 交番 / a signal box (英)(鉄道の)信号所. **6** 野球 バッター[コーチャーズ]ボックス; ピッチャーズマウンド; キャッチャーの定位置. **7** (小さな)四角. **8** 《英略式》[the ~] テレビ(受像機).
——動他 **1** 〈正式〉〈物〉を箱に入れる[詰める]. **2** …に箱を取り付ける. **3** 〈相手〉を取り囲む(+in, out, up).

bóx ín [他] (1) 〈相手〉を(レースなどで)妨害する. (2) …を(狭い所に)閉じ込める《◆ in の代わりに up を用いることもある》. (3) → 他 3.

bóx úp 《略式》[自] [通例命令文で] 静かにしろ. ——[他] (1) → 他 3.

bóx càmera ボックスカメラ《多く固定焦点で単一シャッター》.

bóx jùnction (英)(道路上の)黄色のしま模様の部分《一時停止以外では進入禁止》.

bóx lùnch (米) 弁当.

bóx nùmber (新聞の)広告番号; 私書箱番号.

bóx óffice C (劇場などの)切符売場(略 BO) (cf. ticket office); (興行の)売り上げ, 大当たり(cf. box-office).

bóx plèat [**plàit**] (スカートなどの)箱ひだ.

bóx scóre 野球 ボックススコア.

bóx séat (劇場などの)ます席の座席; 特等席; 御者席.

†**box**² /báks | bɔ́ks/ 名C (平手やこぶしの)殴打.
——動自 〔…と〕ボクシングをする〔with, against〕.
——他 〈人〉とボクシングをする, …の横つらを張る[なぐる].

†**box**³ /báks | bɔ́ks/ 名 植 **1** CU ツゲ;(豪) ユーカリ(属の木). **2** U ツゲ材《彫刻や楽器・器具の材料》.

box·car /bákskɑ̀r | bɔ́ks-/ 名C (米) 鉄道 有蓋(がい)貨車.

†**box·er** /bάksər | bɔ́ks-/ 名 © **1** ボクサー, 拳闘家. **2** 動 ボクサー《中型のドイツブルドッグ系の犬》.
box·ful /bάksfùl | bɔ́ks-/ 名 © 1箱分(=box¹ 2).
†**box·ing¹** /bάksiŋ | bɔ́ks-/ 名 ⓤ ボクシング, 拳闘 ‖ a *boxing* match [bout, ×game] ボクシングの試合 / a *bóxing* ring ボクシング場, リング《◆単に ring ともいう》.

> 関連 [体重別等級] light flyweight 48kg以下 / flyweight 51kg / bantamweight 54kg / featherweight 57kg / lightweight 60kg / light welterweight 63.5kg / welterweight 67kg / light middleweight 71kg / middleweight 75kg / light heavyweight 81kg / heavyweight 81kg以上.

bóxing glòve ボクシング用グラブ《◆単に glove ともいう》.
box·ing² /bάksiŋ | bɔ́ks-/ 名 ⓤ **1** 箱の材料. **2** 箱形[状]の囲い;戸袋. **3** 箱詰め(作業).
Bóxing Dày (英·カナダ)(クリスマスの)贈り物の日《◆12月26日(その日が日曜日であれば27日)で法定休日.かつて使用人·郵便配達人などに贈り物(Christmas box)をした》.
box-of·fice /bάksɔ̀fəs | bɔ́ksɔ̀fəs/ 形 切符売場の;大当たりの,大人気の(cf. box office).
box·wood /bάkswùd | bɔ́ks-/ 名 © [植] ツゲ; ツゲの材(box³).

‡**boy** /bɔ́i/ (同音 △buoy) [「男の従者」が原義] 派 boyish (形)
—名 (複 ~s/-z/) © **1 男の子**, 少年(↔ girl)《◆ふつう18歳位まで》; (大人に対して未熟な)青年,若者;[形容詞的に] 男子の,青年の ‖ a *boy* student 男生徒 / a *boy* doctor 青年医師 / He was a *boy* with many dreams. 彼は夢多き少年だった / I want our new baby to be a *boy*. 今度生まれてくる子は男の子がいい / *Bóys will be bóys*. (ことわざ) [しばしば成人した男子にも用いて] 男の子はやっぱり男の子;男の子のわんぱくは仕方がない《◆Girls will be girls. や男女を含めた Children [Kids] will be children [kids]. を使う人が多くなっている》.
2 (略式) むすこ(son) (形)《◆年齢に無関係》 ‖ Is this your *boy*? この方があなたの息子さんですか.
3 青二才, 若造, 未熟なもの ‖ He's just a *boy* when it comes to politics. 政治のこととなると彼はほんの子供だ. **4** (主に米略式) (年齢に)関係ない男 ‖ *That's the boy*. それでこそ男だ. **5** (略式) [the ~s] (交遊)仲間.
——間 (主に米略式) [しばしば Oh, boy!] わあ,まあ,おや(《英略式》whew, gosh)《◆(1) 困惑·感嘆などを表す.男女の別なく用いるが,黒人に対して用いるのは軽蔑(◌̀)的.(2) Man! というが, girl は間投詞に使えない》 ‖ *Bóy*(↷), it is damn hot in here!(↷) いやー,ここは暑いのなんのって.
bóy friend =boyfriend.
bóy scòut (1) [the B~ Scouts] ボーイスカウト《米国では1910年,英国では1908年創設》. (2) ボーイスカウトの一員. 関連 年齢順に cub scout, boy scout, (米) explorer と (英) venture に分かれる.
-boy /-bɔ̀i/ [語要素] →語要素一覧(1.5).
boy·cott /bɔ́ikət | -kɔt/ [小作人から排斥されたアイルランドの土地管理人 Boycott の名より] 動 **1** (人などを)(同盟して)のけものにする,排斥する. **2** (商品)の購買[取引]を拒否する, …をボイコットする ‖ *boycott* foreign products 外国製品の不買同盟を結ぶ. **3** (競技会·会議などの)参加を拒否する. 排斥[不買]運動[同盟], ボイコット ‖ put [place] 「him under a *boycott* [a *boycott* on him] 彼を共同で排斥する.
boy·friend /bɔ́ifrènd/, **bóy friend** 名 © (略式) (女の側から見た) 男の恋人, (男の)愛人, 男友だち,ボーイフレンド 《◆ふつう性的関係を含意するので,単なる男友だちをいう場合は He is a friend (of mine). などが無難》.
†**boy·hood** /bɔ́ihud/ 名 ⓤ **1** [時に a ~] 少年期,少年期, [形容詞的に] 少年時代の ‖ *in my boyhood* 少年時代に《◆when I was a boy, as a boy がふつう》 / He spent *a* happy *boyhood* in Rome. 彼はローマで幸せな少年時代を過ごした. **2** [the ~; 集合名詞] 少年たち.
†**boy·ish** /bɔ́iiʃ/ 形 〈男の子が〉少年[男の子]らしい;〈大人·女の子が〉男の子のような;元気な ‖ *bóyish* haircut ボーイッシュなヘアスタイル. **bóy·ish·ly** 副 少年のように. **bóy·ish·ness** 名 ⓤ 少年らしさ.
Br (記号) [化学] bromine.
bra /brά:/ 名 =brassiere.
†**brace** /bréis/ (複 **4** では brace) © **1** 締め金, かすがい. **2** 突っ張り, 支柱. **3** 中かっこ(片方)《{》(cf. bracket, parenthesis). **4** (狩りで殺された鳥·動物の)つがい, 1組 (cf. pair, couple) ‖ a *brace* of quails ひとつがいのウズラ. **5** (英) [~s] ズボンつり (《米》suspenders) ‖ a pair of *braces* ズボンつり1つ. **6** (米) [~s] 歯列矯正器 (《英》a brace).
——動 他 **1** 〈人〉を元気づける(+*up*). **2** [~ oneself] 身構える;(…に)備えて(…に)気を引しめる [*for* / *to* do];(…に対し)(手足を固定して)身構える [*against*] ‖ I *bráced* myself for [to hear] the news. そのニュースを聞くのに備えて腹をすえた. **3** …を(…で)補強する, 支える [*with*] ; …に支えをする(+*up*). ——自(主に米略式) 〈人〉が元気を出す(+*up*), [困難などに対して]覚悟する(+*up*)(to, *for*).
†**brace·let** /bréislət/ 名 © **1** (手首·腕にはめる)腕輪, ブレスレット. **2** (俗)[通例 ~s; 複数扱い] 手錠.
brac·ing /bréisiŋ/ 形 身を引き締めるような; 〈空気·気候が〉(涼しくて)さわやかな, 身の引き締まるような.
brack·en /brǽkn/ 名 ⓤ [植] **1** シダ類《◆fern の大きいもの. 荒野(heath)に野生》, (特に)ワラビ(brake³). **2** シダ類の茂み.
†**brack·et** /brǽkət/ 名 © **1** (棚(た̀)などを支える)腕木, ブラケット. **2 a** [通例 ~s] =square bracket. **b** =angle bracket. **c** (略) [~s] =round bracket. **d** =brace **3**. **3** (同じ所得·年齢などの)階層, 集団. ——動 **1** 〈語句など〉をかっこでくくる(+*off*). **2** …を(…に)分類する[*into*] ; …を(…と)一括[分類]する(+*together*)[*with*].
brack·ish /brǽkiʃ/ 形 (正式) 〈水が〉塩気のある; 不快な.
†**brag** /brǽg/ 動 (過去·過分) **bragged**/-d/; **bragging**) 自 [(…に)(…を)自慢する(*of*, *about* / *to*);(…と(言って))おおげさに言い立てる[*that*節] 《◆boast より「鼻もちならない」の意が強い》 ‖ nothing to *brag about* (略式) 取るに足りないこと / He *bragged* to me *of* his success. 彼は私に自分の成功を鼻にかけた (=He *bragged* to me *that* he had succeeded). → 他. —他 …を自慢する, [(…だと)鼻にかける(《米》+*up*)[*that*節] (→ 自). —名 **1** ⓒⓤ […という]自慢(話)[*that*節]. **2** ⓒ 自慢屋. **brág·ging** 名 ⓤ 自慢する(こと).

brag·gart /brǽgərt/ 名 C 形 自慢屋(の); ほら吹き(の).

Brah·ma /brάːmə/ 〖ヒンドゥー教〗ブラフマー《創造の神. Shiva, Vishnu と共に3大神の1つ》.

Brah·man /brάːmən/ 名 (複 ~s) C 〖ヒンドゥー教〗バラモン《カーストの最高位》. **Bráh·man·ism** 名 U バラモン教.

Brahms /brάːmz/ 名 ブラームス《Johannes /jouhǽnis/ ~ 1833-97 ドイツの作曲家》.

✝**braid** /bréid/ 名 1 C (主に米) [通例 ~s] 編んだ髪, おさげ髪, 三つ編み. 2 U (絹・綿・金などで)編んだひも, 組みひもの毛・糸などをより合わせる. 編む, (リボンなどで)結ぶ. 2 〈衣服〉をリボンで飾る. **bráid·ing** 名 U [集合名詞] 組みひも, 打ちひも.

Braille /bréil/ 名 U ブライユ点字(法).

★**brain** /bréin/ 〖「脳」から「頭脳」「知力」へ意味が拡大した〗

—— 名 (複 ~s/-z/) 1 C U [通例 the/one's ~s] 脳, 脳髄; (食用になる)動物の脳 ‖ calf's [sheep's] *brains* 子牛[羊]の脳 / *water on the brain* 脳水腫 / *blow one's* [someone's] *brains out* (略式) 脳を撃ち抜いて自殺する[殺す](=shoot oneself through the head) / ショウゲキ "How long can human beings live without a *brain*?" "How old are you?"「人間は脳を失ったらどれくらい生きられるんでしょう」「あなたはおいくつですか」.

2 U C [しばしば ~s] 頭脳, 知能, あたま ‖ a clear *brain* 明晰(セキ)な頭脳 / have good [plenty of] *brains* 頭がよい《◆ have much *brain* ともいう》/ beat [rack] one's *brain(s) out* 知恵をしぼる, 考え抜く 《◆ 対話》 "The math problem is really difficult to solve." "You have to *use your brain(s)*." 「この数学の問題はとても難しくて解けないよ」「頭を使わなければだめだ」/ tax one's *brain* 頭を絞って疲れさせる.

3 C (略式) [the ~] 知的な人, 秀才; (俗) [~s] (一団・計画などの)知的な指導者, ブレーン《◆ 1人にも複数の人にも用いる》‖ *the brain of the college* 大学の秀才 / He *is the brains of* the group. 彼はグループの指導者だ.

háve [**gét**] **A on the** [one's] **bráin** (略式) 〈物・事〉をいつも考えている; 〈お金・性など〉に熱中している, こっている.

pick A's **bráin(s)** 〈人〉の知識を借りる.

—— 動 他 (略式) ⋯の頭を[⋯で]打ち砕いて殺す[*with*]; ⋯の頭をしたたか打つ.

bráin cèll [解剖] 脳神経細胞.
bráin dèath [医学] 脳死.
bráin dràin (略式) [a/the ~] 頭脳流出.
bráin fàg (略式) 精神疲労, 脳神経衰弱.
bráin fèver 脳(膜)炎.
bráin scàn 脳のレントゲン断層写真.
bráin sùrgery 脳外科.
bráin wàsh 洗脳, 意識改革 (cf. brainwash) ‖ *give him a brain wash* 彼を洗脳する.
bráin wàve (1) [医学] [~s] 脳波. (2) (英略式) ひらめき, 霊感 ((米略式) brainstorm).
-brained /-bréind/ (語要素) →語要素一覧 (1.2).
brain·child /bréintʃàild/ 名 C アイデア, 計画.
brain-dead /bréindèd/ 形 〈人〉が脳死状態の.
brain·less /bréinləs/ 形 愚かな.
brain·storm /bréinstɔ̀ːrm/ 名 C (略式) 1 (米) 霊感, ひらめき ((英略式) brain wave) ‖ have a *brainstorm* うまい考えが浮かぶ. 2 (英) 突然の精神錯乱. 3 =brainstorming.
brain·storm·ing /bréinstɔ̀ːrmiŋ/ 名 U (主に米) ブレーンストーミング《グループの中で思いつくままにアイディアを出し合う問題解決法》.
brain-teas·er /bréintìːzər/ 名 C 難問, 難題, なぞ.
brain·wash /bréinwɑ̀ʃ|-wɔ̀ʃ/ 動 他 〈人〉を(強制的に)洗脳する[⋯させる] (*into* (*doing*)) (cf. brain wash). **bráin·wàsh·ing** 名 U 洗脳.
brain·work /bréinwɚːrk/ 名 U 精神[頭脳]労働.
brain·y /bréini/ 形 (-i·er, -i·est) (略式) 頭のいい, よくできる (clever).

braise /bréiz/ 動 他 〈肉・野菜〉を(油でいためてから, とろ火で)蒸し煮にする (→ cook 1 関連) ‖ *braised short ribs of beef* 牛肉のあばら肉の蒸し煮.

★**brake** /bréik/ 名 (同形) [break の変形]

—— 名 (複 ~s/-s/) C 1 [しばしば the ~s] ブレーキ, 制動装置, 歯[輪]止め ‖「*pùt ón* [apply, hit]「*a bráke* [*the bráke*]」(⇔) (急)ブレーキをかける《比喩(ヒユ)的にも用いる》/ release the [one's] *brake(s)* ブレーキを解く / The engineer reached for *the brakes*. 機関士はブレーキに手を伸ばした / a *brake pedal* (車の)ブレーキペダル.
2 抑制, 牽(ケン)制 ‖ *act as a brake on his plan* 彼の計画にブレーキをかける.

—— 動 (~s/-s/; (過去・過分) ~d/-t/; brak·ing) 自 1 〈人が〉(急)ブレーキをかける ‖ The driver *braked* hard [suddenly]. 運転手は急ブレーキをかけた. 2 [比喩的に] 〈⋯に〉ブレーキをかける (*to*).
—— 他 ⋯にブレーキをかける.
bráke drùm ブレーキドラム.
bráke flùid ブレーキ液《油圧ブレーキに使う》.
brake·man, (英) **brakes-** /bréik(s)mən/ 名 (複 -men) C (列車の)制動手, ブレーキ係; 車掌助手.
brak·ing /bréikiŋ/ 名 = brake.
bra·less /brάːləs/ 形 ノーブラの.
✝**bram·ble** /brǽmbl/ 名 C 1 〖植〗キイチゴ(類); (特に)クロイチゴ (blackberry). 2 [通例 ~s] 野バラ(の茂み), イバラ.
✝**bran** /brǽn/ 名 U ぬか, ふすま.

★**branch** /brǽntʃ | brάːntʃ/ 〖「枝」から「枝状のもの(支流・支局など)」をさす〗

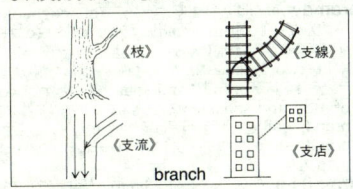

〈枝〉 〈支線〉

〈支流〉 〈支店〉

branch

—— 名 (複 ~·es/-iz/) C

[木の枝]

1 (一般に) **枝** 《◆子孫・友情の象徴. 幹は trunk, 根は root》‖ The dead *branches* were used for firewood. その枯れ枝はたきぎに使われた.
類語 (1) bough (文) 花・実などのついた(切り取った)大枝 / twig, sprig, spray 小枝 / shoot 若枝 / limb (文) 主要な幹枝.
(2) branch は特に区別しない場合は大枝 (bough), 小枝 (twig) の総称として用いる.
2 a 枝状のもの; 派生した物 ‖ *a branch of a deer's antler* シカの枝角の1つ. **b** [しばしば形容詞的に] (川の)支流(の), 支脈(の); =branch line.

‖ [全体の一部分を表すもの]
3 a =branch office. **b** (学問などの)部門, 機関 (section) ‖ the judical *branch* 司法機関[部門] / Semantics is a *branch* of linguistics. 意味論は言語学の1部門である《◆ **2 b** および **3 a** では反対語は main, head, trunk》. 一 一族, 分家.
— 動 (自) 《木が枝をひろげる(+*forth*) ; 川・道・鉄道などが》分かれる(+*off, away, out*) ; 分岐して[…に]なる[*into, to*).
bránch óff [自](1) → 自. (2) 〈列車・車が〉[…から]支線[わき道]に入る[*from*]. (3) 〈考えが〉[…から]それる[*from*].
bránch óut [自](1) → 自. (2) 〈事業・人が〉[…に]活動範囲を広げる[*into*]. (3) 〈話が〉[…から]枝葉にわたる(+*away*) [*from, to*).
bránch line (道・鉄道の)支線.
bránch óffice 支店(↔ main office) ; 支局, 支部, 分館, 出張所(cf. chapter).

†**brand** /brǽnd/ 名 **1** (飲食物・家庭用品などの)品質, 銘柄, 商標(trademark)《◆ この語自体には「高級品」のイメージはない》 ‖ **対話** "What's your favorite *brand* of clothes?" "I like *Kenzo* best." 「服で一番好きなブランドは何ですか」「ケンゾーです」. **2** 種類, タイプ ‖ one's own *brand* of humor その人特有のユーモア. **3 a** =branding iron. **b** (家畜などに押した)焼き印. **4** (昔罪人に押した)焼き印 ; 汚名, 烙〔らく〕印 ‖ the brand of Cain 【聖】カインの烙印, 殺人罪. — 動 他 **1** 〈人・物に〉〈家畜などに〉焼き印を押す ‖ They *branded* the calves. 彼らは子牛に焼き印を押した. **2** 〈人に〉[…の]烙印を押す(*with, as*) ‖ a person *branded* (*as*) a liar うそつきの烙印を押された人.
bránding íron (家畜に印を押す)焼きごて.
bránd náme 商標名.

†**bran·dish** /brǽndiʃ/ 動 他 (正式)〈武器などを〉(おどかすために)[…に向かって]振り回す ; 〈物を〉見せびらかす[*at*].

†**brand-new, brand·new** /brǽndnjúː/《◆名詞の前で用いるときは /⸗⸗/》形 **1** 真新しい, 新品の. **2** 〈人が〉生まれたばかりの ‖ a *brand-new* baby 生まれたばかりの赤ん坊 / a *brand-new* minister 就任したばかりの大臣.

†**bran·dy** /brǽndi/ 名 **1** U ブランデー(cf. cognac) ; …ブランデー ‖ plum *brandy* プラムブランデー《◆ブドウ以外の果実名が前にくる》. **2** C ブランデー1杯[1本] ‖ two *brandies* and sodas ソーダ水で割ったブランデー2杯《◆ brandy and soda を1語とみて two brandy and sodas とすることもある》.
brándy báll (英) ブランデーの香りのキャンデー.
brándy snáp ブランデー=スナップ《◆ブランデーの香りつきのジンジャー=ブレッド》.

Bra·sil·i·a /brəzílja, (米+) brɑːzíːlj-/ 名 ブラジリア《1960年からブラジルの首都》.

†**brass** /brǽs | brɑ́ːs/ 名 **1** U〔しばしば形容詞的に〕真鍮〔ちゅう〕(の), 黄銅の ‖ *brass* ware 真鍮製器具. **2** C **a** [the ~(es)] 真鍮製器具《馬具飾り・記念牌など》. **b** [the ~ ; 集合名詞 ; 単数・複数扱い] 金管楽器, ブラス ; (オーケストラの)金管楽器部(brass section). **3** U (略式)[通例 the ~] 厚かましさ, 鉄面皮(nerve) ‖ I **have the brass** to stay for dinner 厚かましくも夕食を食べていく. **4** (米略式)[the ~ ; 集合名詞] 高級将校, 幹部, お偉方, 大物《(英) top brass》.
(**as**) **bóld as brass** ずうずうしい.
— 動 (自) (馬を)金・皮の具で飾る.

bráss bánd ブラスバンド《金管・打楽器による楽団》.
bráss tácks (俗) 核心 ‖ **get [come] down to brass tacks** 要点[急所]に触れる.

bras·siere, --sière /brəzíər | bræzíə, -siə, -sieə/ 〖フランス〗名 C ブラジャー((略式) bra).

brass·y /brǽsi | brɑ́ːsi/ 形 (**-i·er, --i·est**) **1** 真鍮 〔ちゅう〕色の. **2** 金属音の. **3** 〈主に女性・態度が〉厚かましい. **brass·i·ly** 副 厚かましく.

†**brat** /brǽt/ 名 C (略式)(生意気な)子供, (悪い)がき.

Bráun túbe /brάun-/【電子工学】ブラウン管《◆一般的には picture tube》.

bra·va·do /brəvάːdou/ 名 (複 ~(**e**)**s**) U 虚勢, からいばり ; C その行為.

†**brave** /bréiv/ 〖「野蛮な」から「危険などに立ちかうことができる」が本義〗 派 bravely (副), bravery (名)
— 形 (~**r**, ~**st**) **1** 〈人・行為が〉**勇敢な**, 勇ましい, (何事も)恐れない(↔ cowardly) 《◆ courageous より日常的な語. → bold》 ; [A is brave to do =it is brave of A to do] …するとは A〈人〉は**勇気がある** ‖ a *brave* man [act] 勇敢な男[行動] / fight a *brave* battle against cancer 勇敢にがんと闘う / He *was brave to* go into the burning house to save the baby. =**It was brave of** [*for*] him *to* go ... 勇敢にも彼は赤ん坊を助けるために燃えさかる家に飛び込んだ(=Bravely, he went into …) (**◆文法** 17.5).
2 [the ~ ; 複数扱い ; 名詞的に] 勇敢な人たち ‖ *Fortune favors the brave.* (ことわざ) 運命の女神は勇者に味方する. **3** すばらしい.
— 動 (**brav·ing**) 他 (正式)〈危険・困難などに〉勇敢に立ち向かう ; …をものともしない(用例 → bravery).
bráve it óut (略式)(敵意・脅迫・嫌疑に対して)平然とふるまう.
— 名 C (詩) 勇敢な人, 勇士 ; (北米先住民の)戦士.

†**brave·ly** /bréivli/ 副 勇敢に(も)(→ brave 形 **1** 用例) ; 雄々しく ‖ face death *bravely* 敢然と死に立ち向かう.

†**brav·er·y** /bréivəri/ 名 U 勇敢さ, 勇気(ある行為) (↔ cowardice)《◆ courage より日常的な語》 ‖ Her *bravery* saved a drowning child. おぼれかかった子供は彼女の勇敢さによって救われた(=(正式) She *braved* danger to save a drowning child.)

brav·ing /bréiviŋ/ 動 → brave.

bra·vo /brάːvou/ 〖/⸗⸗/〗〖イタリア〗間 ブラボー, うまいぞ《演技[奏]者などを賞賛する叫び声》. — 名 (複 ~(**e**)**s**, --**vi** /-vi/) C かっさいの叫び.

†**brawl** /brɔ́ːl/ 名 C (衆目の中での)騒々しいけんか[口論]. — 動 (自) 騒々しくけんかする[口論]する.

brawn /brɔ́ːn/ 名 **1** U たくましい筋肉 ; 腕力, (知力に対する)腕力. **2** (英) 煮て塩漬けにした豚肉.

brawn·y /brɔ́ːni/ 形 (**-i·er, -i·est**) 筋骨たくましい.

bray /bréi/ 名 C **1** ロバの鳴き声. **2** (らっぱなどの)耳ざわりな音 ; 騒々しい音. — 動 (自) **1** 〈ロバが〉鳴く ; 〈人が〉耳ざわりな声を出す. **2** 〈らっぱが〉鳴り響く.

Braz. (略) Brazil, Brazilian.

†**bra·zen** /bréizn/ 形 **1** (文) 真鍮〔ちゅう〕の ; 〈調べなどが〉不快な金属音の. **2** 鉄面皮の, 恥知らずの《◆ shameless より強意的》. — 動 他 《◆次の句で》 **brazen** it out 厚かましく押し通す.
brá·zen·ly 副 ずうずうしく.

brazenfaced /bréɪznfèɪst/ 形 厚かましい.
bra·zier 名 C 火おけ,(焼肉用)金属製火鉢, 焼肉こんろ.
*Bra·zil /brəzíl/ [アクセント注意]
── 名 **1** ブラジル《南米の共和国. 正式名 the Federative Republic of Brazil ブラジル連邦共和国. 公用語はポルトガル語. 首都 Brasília. **2** [~s] ブラジルコーヒー.
†Bra·zil·ian /brəzíliən/ 形 ブラジル(人)の. ── C ブラジル人.
Br.Col. 略 British Columbia.
BrE 略 British English.
†breach /bríːtʃ/ 〔正式〕 **1** C U (法律・規則・協定などの)違反, 不履行 ‖ He is in *breach of promise* [*contract*]. 彼は約束[契約]に違反している / (a) *breach of confidence* 秘密漏洩(ᵃᵉⁱ) / (a) *breach of privacy* プライバシーの侵害 / (a) *breach of trust* 背任. **2** C [壁・堤防などの]割れ目[in]; (城壁に攻撃によって開けた)突破口; [比喩的に] 穴, 欠陥. **3** C 仲たがい, 不和.
stand in the bréach (攻撃の)矢面(ᵃᵒᵗ)に立つ, 難局に当たる.
step into the bréach = fill [fíx] the bréach = thrów [flíng] onesélf into the bréach 急場をしのぐ, 難局を乗り切る, (人を)危機から救う.
── 動 他 **1** 〈城壁など〉を破る. **2** 〈法律・約束など〉を破棄する(break).

*bread /bréd/ 〔「生命を維持するもの」が本義〕
── 名 (複) ~s/brédz/; U **1** 食 パン ‖ *a loaf* [*roll, slice, piece*] *of bread* パン1本[1個, 1枚, 1切れ] / *dry bread* バターの付いていないパン / *bake bread* brown パンをこんがり焼く《よく焼いたのは dark, 軽く焼いたのは medium brown》 / I have a glass of milk, hot cereal, and *bread* and butter for breakfast. 私の朝食はミルクと熱いオートミールとバター付きのパンです / What *breads* have you got today? 今日はどんな(種類の)パンがありますか.

関連 (1) 食パン以外の小型パンは roll,「フランスパン」は Frénch lóaf,「丸パン」は bun という.
(2) パンの「皮, みみ」は crust, 中は crumb.
(3) 日本語の「パン」はポルトガル語に由来.

関連 [いろいろな種類の bread]
black *bread*(ライ麦の)黒パン / brown *bread*(糖みつ入りの)黒い蒸しパン,(全粒小麦粉の)黒パン / fresh *bread* 焼きたてのパン / rye *bread* ライ麦パン / white *bread* 白いパン.

2 〔略式〕食糧, 糧(⁽); 生計 ‖ one's daily *bread* 日ごとの糧 / *earn* [*gain*] one's *bread* 生計を立てる / *beg* one's *bread* 食べ物を乞う, こじきをする. **3** 〔俗〕金(⁽);(米俗)上役, 雇い主.
bréad and bútter〔単数扱い〕バター付きパン《パンが2枚以上でも1名詞扱い. ただし「パンとバター」の意では *Bread and butter* are sold at that shop.(パンとバターはあの店で売られている)のように複数扱い》. (2)〔略式〕**1** 生計(の資[手段]); 必需品の, 基本. [形容詞的に]〈問題など〉最も基本的な (cf. bread-and-butter) ‖ *earn* one's *bread and butter as* a writer 作家として生計をたてる.
関連 bread and cheese チーズ付きパン; 簡素な食事[生活] / bread and water 最も簡素で安い食事 / bread and milk 熱い牛乳に浸したパン《小児食》.
bútter both sídes of one's bréad (1) パンの両面にバターを塗る. (2)〔略式〕ふたまたをかけてかせぐ.
cast (*thrów*) *one's bréad upòn the wáters*【聖】〔略式〕報酬を当てにしないで善行をする.
knów (*on*) *which síde one's bréad is búttered*〔パンのどちら側にバターが塗ってあるかちゃんと知っている〕〔略式〕自分の利害にさとい, 抜け目がない《on を末尾に移動して is buttered on ともいう》.
táke (*the*) *bréad óut of* A's *móuth*〔略式〕〈人〉から生活の道を奪う.
bréad crúmb (1) パンのやわらかい中味. (2) [通例 ~crumbs] パン粉, パンくず《小鳥・リスのえさ》.
bréad knìfe パン切りのナイフ.
bréad ròll〔主に英〕ロールパン(roll).
bread-and-bútter /brédnbʌ́tər/ 形 〔略式〕(cf. BREAD and butter) **1** 生計に関する; 主要な収入源となる ‖ *a bread-and-butter job* 生業. **2**〔英〕最も基本的で重要な. **3**〔手紙が〕もてなしに対する感謝の ‖ *a bread-and-butter letter*(お呼ばれの)礼状.
bread·bas·ket /brédbæ̀skət | -bɑ̀ːskɪt/ 名 C **1**(食卓用の)パンかご. **2**〔略式〕[the ~] 穀倉地帯; 胃(袋).
Bréadbasket Stàte〔愛称〕[the ~] 穀倉地帯州 (→ Iowa).
bread·fruit /brédfrùːt/ 名 C【植】パンノキ(breadfruit tree); U その実《焼くと食パンの味がする》.
bread·line /brédlàɪn/ 名 C 〔主に米〕施しの食料配給を待つ人の列; 〔英〕最低生活水準 ‖ *on the breadline* とても貧乏で.
†breadth /brédθ, brétθ/ 名 〔正式〕**1** U C 幅, 横幅 (width) 《「長さ・丈」は length》. **2** C (布などの)一定の幅. **3** U (土地・水面などの)広がり; U (知識・経験などの)広さ, 範囲. **4** U (心・見解が)広いこと, (音楽・絵画の)雄大さ ‖ *a woman of great breadth of mind* 広い寛容な精神の女性.
by a hair's breadth → hair.
breadth·wise /brédθwàɪz, brétθ-/, **-ways** /-wèɪz/ 副 形 横に, 横からの, 横切って[た].
bread·win·ner /brédwìnər/ 名 C [通例 the ~] 一家のかせぎ手, 大黒柱.

*break /bréɪk/ 〔発音注意〕〔同音〕brake) 〔「突然に打撃を加えて固い物を2つ以上の部分にこわす」が本義で, 2, 3, 比喩的に「連続性をこわす[絶つ]」の意味で 他 4, 5 となり, また目的語が主語になって 自 1 となり, 比喩的に 自 2 となった〕類 brake (名・動), breach (名)

index 動 他 **1** こわす **3** 役に立たなくする **4** 中断する **5** 破る
自 **1** こわれる **2** 故障する **5** 急に現れる
名 **1** 小休止

── 動 (~s/-s/; 過去 broke/bróʊk/, 過分 bro·ken/bróʊkn/; ~·ing)
── 他
▌物を2つ以上のものにこわす
1〈人などが〉〈物〉を(誤って・故意に)こわす, 割る, 砕く, 折る, ちぎる《「(刃物で)切る」は cut と「裂く」は (tear)」という手段以外で2つ以上の部分に分ける動作をいう》‖ **対話** "Stop crying." "But I *broke* your favorite mirror into pieces." 「泣くのはや

めなさい」「でも，あなたの気に入っている鏡をこなごなに割ってしまったんですもの」/ break the stick of wood 木の棒を折る / break 「the biscuit [the bar of chocolate] into three pieces ビスケット〔チョコレート〕を3つに割る / She broke her leg when (she was) skiing. 彼女はスキー中に脚を骨折した / Don't break branches from [off] the tree. 木の枝を折るな / How did he break the skin on his knees? どうして彼はひざをすりむいたのか. 比較「からだをこわす」は injure [lose] one's health /「話をこわす」は upset [spoil] a conversation.

2〈人・動物などが〉〈物〉を無理に開く，…に穴を開ける；[break **A C**]〈人が〉**A**〈物〉をこわして **C** にする；〈道などを〉切り開く ‖ The bank robbers broke the safe. 銀行強盗は金庫をこわした / We broke the door open. 我々は戸をこわしてあけた.

3〈人が〉〈機器を〉役に立たなくする，こわす ‖ My brother broke my watch. 弟は私の時計をだめにしてしまった / The television is broken again. テレビがまた故障している.

> 語法 be broken は通例比較的小さなものについて用い，大きなものについては not working [functioning] または out of order を用いる．特に公の施設などについては out of order が好まれる: The elevator is not working. エレベーターが故障している / This public telephone is out of order. この公衆電話は故障している(→ order 成句).

II［計画などをこわす］

4〈人が〉〈行為〉を中断する，じゃまをする；〈沈黙・眠りなどを〉破る，終わらせる ‖ break one's habit of smoking 禁煙する / break one's journey to Naples at Rome ナポリへの旅をローマで打ち切る / The baby's cry broke my train of thought. 赤ん坊の泣き声が私の思考の流れを中断した.

III［約束・秘密を破る］

5〈人が〉〈約束・法律などを〉破る，犯す ‖ break one's promise 約束を破る / Did you ever break 「the traffic rules [speed limit]? 交通規則〔速度制限〕に違反したことがありますか.

6〈人が〉〈主に悪い知らせを〉〈人に〉〈そっと〉打ち明ける，知らせる〔to〕‖ Who broke the news of her marriage to you? 彼女の結婚のことをだれがあなたに知らせてくれたのですか.

IV［心の正常な状態をこわす］

7〈人・気力〉をくじく，打ちのめす；…を弱める ‖ The sad news broke his heart. 悲報に彼の心は打ちひしがれた / The big oak tree breaks the force of the wind. 大きなオークの木が風の力を弱めている.

8〈記録〉を破る，更新する，上回る ‖ The record for snowfall was broken this winter. この冬は降雪量の記録を更新した.

V［癖・野生などをこわす］

9〈動物〉を馴(な)らす(train)；〈人・動物〉に〈動作・癖を〉やめさせる〔of〕‖ His wife tried hard to break him of (the habit of) smoking. 彼の奥さんはタバコ(の習慣)をやめさせようと一生懸命であった.

VI［その他］

10〈人が〉〈そろっているもの〉を分ける，ばらす；〈金・紙幣などを〉〔小銭に〕くずす〔into〕‖ break a set ばらにして売る / Could you break a ten-thousand-yen note? 1万円札をくずしていただけませんか. **11**〈牢などから〉〈力ずくで〉のがれる，脱出する；〈川など〈堤防〉を越えて〉氾(はん)濫する ‖ break jail [prison] 脱獄する.

12〈暗号・なぞなどを〉解読する；〈事件・問題などを〉解く；〈アリバイなどの〉誤りを立証する. **13**(略式)〈人・銀行などを〉破産させる.

——**自 1**〈物が〉(ばらばらに)こわれる，割れる，砕ける〔into〕；ちぎれる，はずれる(collapse)(+off, away) ‖ The cup broke into [to] pieces. コップはこなごなに割れた / The rubber band broke with a vicious snap. ゴムバンドがプツンと大きな音を立てて切れた / The chair broke apart. いすがばらばらにこわれた / The TV antenna broke away in last night's storm. テレビアンテナが昨夜のあらしではずれた.

2〈機器が〉故障する，こわれる ‖ My personal computer broke down this morning. 今朝私のパソコンがこわれた.

3〈続いている事が〉中断する，途切れる；〈人が(やっていることを)〉中断する；〈天気が〉くずれる，下り坂になる ‖ Let's break for coffee. ひと休みしてコーヒーにしよう(＝(略式)Let's take a coffee break.).

4〈雲などが〉切れる，消散する.

5〈物・事が〉急に現れる，〈あらしなどが〉急に起こる；〈朝・日などが〉始まる；(略式)〈ニュースなどが〉知れる ‖ The sun broke through the clouds. 太陽が雲の合い間から顔を出した / A storm broke during the night. 夜のうちにあらしが起こった / The news of her victory will break in the evening paper. 彼女の勝利のニュースは夕刊で報道されるだろう / The day [dawn, morning] is breaking. 夜が明けかけている(◆the day を主語にしない)/ break live (放送などが)生で流れる.

6〈続いた天気などが〉終わる，急変する.

7〈…から〉(突然)逃げる，脱走する；離脱する(+out, away)〔from〕‖ break out of prison 脱獄する.

8〈健康・体力などが〉弱る；〈心が〉悲しみに打ちひしがれる ‖ Her heart broke when her husband died. 夫が死んで彼女は悲しみに沈んだ. **9**〈波が激しく〉打つ〔against, over, on〕，あわと砕ける. **10**〈魚などが〉水面から飛び上がる. **11**〈熱などが〉急に下がる；〈声・楽器の〉調子が変わる，〈声〉が変わりする；〈価格・株価が〉急落〔暴落〕する. **12**破産する.

bréak awáy［自］(1) → 自① **1**. (2)(トラック競技で)フライングする. (3) → 自 **7**. (4)〈考え・伝統などと〉関係を断つ〔from〕.

bréak dówn［自］(1)〈車・機械などが〉故障する(→ 自 **2**). (2)〈関係・交渉などが〉失敗する，物別れに終わる，だめになる. (3)〈人が〉取り乱す；ノイローゼになる ‖ When his mother died, he broke down and cried. 母親が亡くなったとき，彼は取り乱して泣いた. (4)〈…に〉分析〔分解〕される〔into〕. (5)〈健康などが〉衰える，〈人が〉(健康を害して)倒れる ‖ Worry caused her health to break down. 心配のあまり彼女は健康を害した. ——［他］(1)〈物〉をこわす，つぶす ‖ Someone broke down the door of the hut. だれかが小屋のドアをこわした. (2)〈障害・内気〉など〉を乗り越える，取り除く.

bréak éven［自］(ギャンブル・商売などで)損得なしに終わる.

bréak ín［自］((break into の **A** が自明のため break in))(1) 話に割り込む(interrupt). (2)(無理やり)建物に侵入する. ——[他] (1)〈戸などを〉ぶち抜く. (2)〈馬・人を〉訓練する. (3)〈靴など〉をはき慣らす；〈新しい機械〉を慣らに運転する.

bréak ín on [upón] **A** (1)〈会話・会合など〉に割り込む，…を中断させる. (2)〈騒音など〉が〈思考・瞑想など〉を妨げる◆受身可.

bréak into **A** (1)〈店・家など〉に侵入する，押入る〈◆

受身可). (2) 急に〈動作〉をし始める ‖ *break into* laughter [song, a run, tears] 急に笑い[歌い、走り、泣き]出す. (3) 〈会話などに〉口をさしはさむ. (4) 〈略式〉〈仕事など〉で世に出る. (5) 〈夜勤・超過勤務などに〉余暇などに食い込む《◆受身可》. (6) → 圓 1.

bréak lóose [自]〈…から〉のがれる, 離される, 解放される《*from*》(3) 〈悪い事が〉突然起こる.

bréak óff [自] (1) → 圓 1. (2) 急に話を止める. (3) 〈仕事をやめて〉休憩する. (4) 〈略式〉〈…と〉関係を断つ《*with*》. —[他] (1) → 圓 1. (2) 〈話・関係などを〉打ち切る.

***bréak óut** [自]〈戦争・火事・伝染病・暴動などが〉急に発生する, 勃発(ぼっぱつ)する(come about)(cf. outbreak) ‖ War *broke out* in 1914. 1914年に戦争が勃発した / Cholera *broke out* in the small village. その小さな村でコレラが発生した. (2) → 圓 7. (3) 〈人・体の部分が〉〈吹き出物・汗などで〉いっぱいになる; 〈人が〉〈涙・叫びなどを〉突然出す[あふれさせる]《*in*, *with*》. (4) 〈にきびなどが〉〈体の部分に〉できる《*on*》.

bréak óut *doing* 急に…し始める.

bréak óver A〈波・音などが〉…にかぶさる, 押し寄せる.

bréak thróugh [自] (1) 〈軍隊・軍隊などが〉押し破る. (2) 〈太陽・月などが〉〈雲間などから〉現れる; 〈次の発見の手がかりとなるような〉一大発見をする. —[圓+]〈~ *through* A〉(1) 〈壁・前線などを突破する. (2) 〈内気・遠慮などを〉なくす.

bréak úp [自] (1) 〈人・物がばらばらになる; […]に分かれる《*into*》. (2) 〈…との〉関係・友情などが終わる《*with*》. (3) 〈夫婦などが〉別れる. (4) 〈会議・群衆などが〉解散する. (5) 〈英〉〈学校・生徒が〉〈夏休みなどで〉休暇になる《*for*》. (6) 〈安定した天気が〉急変する. —[他] (1) 〈物を〉ばらばらにする[粉々にする]; 〈船などを〉解体する. (2) 〈関係・友情などを〉終わらせる; 〈群衆・会などを〉解散させる ‖ *Break it up*! もうやめろ《◆けんかの仲裁などで》. (3) 〈略式〉〈悲し知らせなどが〉〈人を〉がっくりさせる. (4) 〈主に米略式〉〈人を〉笑わせる. (5) 〈問題文・農地などを〉[…]に分ける《*into*》.

bréak wíth A (1) 〈人と〉別れる, 絶交する; 〈組織などを〉脱退する. (2) 〈考え・伝統・過去などを〉捨てる.

—[名][複]~s/-z/] 《C》1 [通例 a ~] 小休止, 休憩; 短い休息 ‖ a *cóffee bréak* [主に米] コーヒーブレイク (→圓 3) / a *Christmas break* クリスマス休暇 / We have *a* ten-minute *break* [(米) recess] between classes. 《主に英》授業時間の間に10分の休憩がある.

2 [通例 a ~] 〈…の〉急な[きわだった]変化, [連続したものの]途切れ《*from*, *in*, *with*》‖ *a break* in the weather 天気の急変 / *a break* in the traffic 交通の途切れ. **3** 〈…の〉中断, 中止《*in*》; 〈…との〉仲がい, 断交《*with*》‖ *without a break* 間断なく / The country announced a diplomatic *break with* China. その国は中国との国交断絶を宣言した. **4** 〈…の〉破壊, 破損; 破損箇所, 割れ目, 裂け目, 切れ目; 骨折《*in*》‖ a *break* in the clouds (青空の見える)雲の切れ目 / patch up a few *breaks* in the wood 木材のすきまをふさぐ. **5** 《U》〈詩〉〈日の〉始まり ‖ the *break* of day 夜明け. **6** 〈米〉逃走, 逃亡; 〈米〉突進 ‖ màke a bréak for it 脱走[しようと]する; 〈米〉突進する. **7** 〈略式〉 [通例 a ~] 運, 幸運; 機会, 好機(chance) ‖ Give me *a break*. チャンスを与えてくれ, 〈米略式〉勘弁してよ, ちょっと待ってくれ / It was *a* bad [lucky] *break* for him that …… 〔のとは彼にとって不運[幸運]だった.

bréak cròp 区切り作物《穀物の連作を避けるために植えられる》.

bréak póint 〔テニス〕ブレイクポイント《相手のサービスゲームを破る時のポイント》〔状況〕.

break·a·ble /bréikəbl/ [形] こわすことのできる, こわれやすい. —[名]《C》[通例 ~s] こわれやすい物, 割れ物.

break·age /bréikidʒ/ [名] **1** 《U》破損; 破損箇所[部分]《*in*》; [通例 ~s] 破損(した)物. **2** 《U》《C》[通例 ~s; 単数扱い] 破損量;《米》破損補償金.

break·a·way /bréikəwèi/ [名]《C》**1** 脱走[離脱]する人, 分離すること. **2** (集団・習慣から)離れること. **3** 〔スポーツ〕フライング. —[形] (集団から)分離した; こわれ[曲がり]やすい.

†**break·down** /bréikdàun/ [名] 《C》**1** (機械・自動車などの)故障, えんこ. **2** (心身の)衰弱, 消耗 ‖ a nervous *breakdown* 神経衰弱. **3** 崩壊, (交渉などの)決裂 ‖ the *breakdown* of a family 家庭の崩壊 / the *breakdown* of law and order 法と秩序の崩壊. **4** (統計的)分析; 分類; 内訳.

bréakdown lòrry [**trùck**] レッカー車 《(米) wrecker, towtruck》.

†**break·er** /bréikər/ [名]《C》**1** 砕く人; 破砕機. **2** 波浪, 白波. **3** 〔電気〕ブレーカー, 遮断機 (circuit breaker).

-**break·er** /-brèikər/ 〔語要素〕 → 語要素一覧 (1.4, 1.5).

break·fast /brékfəst/ [発音注意] 〖断食(fast)を破る(break)〗

—[名]《C》[複 ~s/-fəsts/] 《C》《U》朝食 《◆形容詞(句)を伴う《C》》‖ at [during] *breakfast* 朝食中に / I have [eat] *breakfast* at seven. 私は7時に朝食をとる / What would you like *for breakfast*? 朝食には何がよろしいか / The hotel serves excellent *breakfasts*. そのホテルの朝食はすばらしい / I ate a modest *breakfast* of toast and coffee and one egg. 私はトーストとコーヒーと卵1個というつつましい朝食をとった / a *breakfast* meeting (忙しいビジネスマンの)朝食を食べながらの会議.

〔事情〕[米英の朝食]
米国の典型的な朝食は (1) juice, fruit (2) breakfast cereal (↓) (3) egg (4) toast (5) coffee, tea, milk などからなる. 英国では例えば B & B では (1) cereal and/or orange juice (2) bacon and eggs with fried tomatoes (3) toast (butter, jam をぬる) with tea or coffee などで, 米国に比べ量が多い (→ English breakfast). ヨーロッパ大陸の朝食は continental *breakfast* といい, ふつうパンとコーヒーが紅茶.

〔表現〕「そんなのは朝飯前だ」は That's easy. / That's a piece of cake. / I could do it before *breakfast*.

—[動][自] 〈文〉朝食をとる; 朝食に〈…を〉食べる《*on*》; 〈人に〉朝食を出す.

bréakfast cèreal 朝食用の穀物食品 《コーンフレークやオートミールなど, ふつう牛乳をかけて食べる》.

bréakfast cùp 朝食用の大型のコーヒーカップ.

break·front /bréikfrʌnt/ [形]〈本棚・たんすが〉前面中央部張出しの. —[名]《C》張出し本棚など.

break-in /bréikin/ [名]**1** 不法侵入. **2** 試行, 試運転.

break·ing /-iŋ/ [名]《U》《C》破壊 ‖ *breaking* and entering 家宅侵入(罪).

bréaking báll [**pítch**] 〔野球〕変化球.

bréaking póint 〔機械〕破壊点; 忍耐[抵抗]の限度.

break·neck /bréiknèk/ [形] 危険な, 無謀な.

break·out /bréikàut/ 名C **1** (集団)脱獄, 脱走. **2** 強行突破. **3** 発疹(ほっしん). **4** (病気・戦争などの)発生.

break·through /bréikθrù:/ 名C **1** (科学上の)大発見, 躍進. **2** 切り開くこと, 打開; 突破(作戦), 打破.

break·up 名C **1** (組織の)分裂, 解体, 解散. **2** (関係の)崩壊; (夫婦の)離別, 別居; (財産などの)分割.

break·wa·ter /bréikwɔ̀:tər/ 名C 防波堤.

†**bream** /brí:m/ 名 (複 **bream,** [種類] **~s**) C **1** ブリーム《コイ科の淡水魚》; (平たい体形の)種々の淡水魚. **2** タイ類の魚(sea bream).

***breast** /brést/ [「肩から腰までの部分」が原義]
── 名 (複 **~s**/brésts/) C **1a** (女性の)乳房, 乳(図 → body); 乳房, 栄養源 ‖ a child at [past] *the breast* 乳飲み[乳離れした]子 / *The breast* is said to be better than the bottle. 母乳はミルクよりもよいといわれています ‖ take [suck] *the breast* 乳を飲む. **b** (正式) (女性の)胸(bosom), 胸部(chest); (衣服の)胸部(bust). 表現「胸がつまって声も出なかった」は My heart was too full for words.
2 (文) 胸中, 心(heart) ‖ a pain in the *breast* 心の痛み / have a troubled *breast* 心配している / The suspect *made a clean breast of* his crime. 容疑者は罪をすっかり白状した / soothe [smooth] the savage *breast* 怒りを静める.
3 (正式) 胸状の物; (暖炉などの)突起部, (山などの)中腹, (器物の)側面. **4** C (動物・鳥の)胸; U 胸肉.
béat one's bréast (略式) (時に見せかけに)胸をたたいて悲しむ.
── 他 (文) ⋯を胸に受ける; 〈困難・危険〉に大胆に立ち向かう(face); 〈波・あらし〉を冒して進む.
bréast mìlk 母乳.
bréast pòcket 胸ポケット.

breast-beat·ing /bréstbì:tiŋ/ 名U 胸をたたいて悲しむこと.

breast·bone /bréstbòun/ 名C 【解剖】胸骨《◆医学用語 sternum》.

breast-deep /bréstdí:p/ 形 胸までつかる[つかって].

breast-fed /bréstfèd/ 形 母乳で育てた(cf. bottle-fed).

breast-feed /bréstfí:d/ 動 (過去・過分 **--fed**) 他 〈赤ん坊〉を母乳で育てる. ── 自 〈赤ん坊が〉母乳で育つ(cf. bottle-feed).

breast-high /brésthái/ 形 胸までの高さの[に].

breast·pin /bréstpìn/ 名C 胸の飾りピン, ブローチ.

†**breast·plate** /bréstplèit/ 名C 《よろいの》胸当て.

breast·stroke /bréststròuk/ 名U [the ~] 平泳ぎ, ブレスト(cf. butterfly (stroke), crawl (stroke)).

***breath** /bréθ/ [→ breathe]
── 名 **1** U 息((主に英略式)puff), 呼吸(作用); [a ~] 一呼吸 ‖ *hold one's breath* under water 水中で息を止める / take [draw] a deep *breath* ほっとひと息つく; 深呼吸をする / with one's last [dying] *breath* 死の直前に / He has very bad *breath*. =His *breath* smells bad. 彼は息がとてもくさい. **2** [a ~; 通例否定文で] そよぎ, ゆるぎ ‖ There isn't a *breath* of air [wind]. そよとの風もない. **3** (正式) [a/the ~] 気配, 気味(trace). **4** U 〖音声〗 無声音.
a bréath of frésh áir (1) 新鮮な空気. (2) 新鮮なものをもたらす物[人].
at a bréath 一息で.
belów [*benéath*] *one's bréath* =under one's BREATH.
be óut [*shórt*] *of bréath* (運動・興奮・疲労・病気などで)息を切らしている.
cátch one's bréath (恐怖・驚きなどで)息をのむ; (苦痛で)息を止める; (仕事・運動のあと)ひと息つく.
dráw bréath =take BREATH.
gét one's bréath (*báck* [*agáin*]) 呼吸を回復する.
hàve nó bréath léft =lose one's BREATH.
hóld one's bréath (1) → **1**. (2) 息を殺す, かたずをのむ.
in óne breath (1) [in the next [breath [moment]] と相関的に用いて] ⋯したと思うと, 舌の根も乾かぬうちに. (2) (相反することを)同時に. (3) (ふつう興奮して早口で)一気に(言う), ひと息に.
in the sáme bréath =in one BREATH (2).
lóse one's bréath 息を切らす, あえぐ.
sáve one's bréath to cóol one's pórridge (むだと悟って)話[説得]をやめる《◆ しばしば can, may [might] as well, might have の後で用いる》, 黙っている.
táke bréath ひと休みする, ひと息つく.
táke A's bréath awáy 〈人〉をはっとさせる ‖ The beautiful view *took my breath away*. その美しい眺めに息をのんだ.
the bréath of lífe to [*for*] *A* 〈人〉にとって不可欠[貴重]なもの.
ùnder one's bréath 小声で, 息をひそめて.
wáste (*one's*) *bréath* (略式) [⋯に](くたびれ損の)話[説得]をする(*on, doing*) ‖ You'd be *wasting your breath.* 言ってもむだだよ.
with óne bréath =in one BREATH.

***breathe** /brí:ð/ 発音注意 (類音) breeze /brí:z/) [「息を吸う」(inhale)と「息を吐く」(exhale)を含めた動作を示す] 名 breath (名)
── 動 (**~s**/-z/; 過去・過分) **~d**/-d/; **breath·ing**)
── 自 **1** 〈人・動物が〉呼吸する, 息をする ‖ We cannot *breathe* under water. 私たちは水中では呼吸できない / She *breathes* deeply and slowly while she sleeps. 彼女は眠っている間深くゆっくりと息をする / *breathe* in [out] 息を吸う[吐く]. **2** 〈花・ワイン・生地などが〉外気にあたる, 外気を吸う.
── 他 **1** 〈人・動物が〉〈空気〉を呼吸する; 〈においなど〉を吸い込む(+*in*); 〈息など〉を吐く(+*out, forth*) ‖ *breathe* in [a poison gas [the scent of flowers] 毒ガス[花の香り]を吸い込む / *breathe out* cigarette smoke タバコの煙を吐く. **2** 〈言葉〉をささやく ‖ *breathe* words of love 愛の言葉をささやく. **3** 〈生気・勇気〉を[⋯に]吹きこむ(*into*) ‖ *breathe* new life *into* the school 学校に新風を吹き込む.
as lóng as one bréathes (文) 〈人が〉生きている限り[間は].
bréathe ín [他] (1) → 他 **1**. (2) 〈言葉など〉に耳を傾ける.
can [*be àble to*] *bréathe fréely* [*éasily, éasy, agáin*] (略式) (緊張・心配などが去って)ほっとする.

breathed /bréθt, brí:ðd/ 形 〖音声〗 無声の(音).

breath·er /brí:ðər/ 名C (略式) ひと休み ‖ *táke* [*hàve*] *a bréather* ひと息つく.

breath·ing /brí:ðiŋ/ 動 → breathe. ── 名U **1** 呼吸; [a ~] 一呼吸 ‖ heavy *breathing* 激しい息づかい. **2** [a ~] ひと息(つく間). ── 形 呼吸している,

breathing capacity 肺活量.
breathing space [**spell, period, room**] [通例 a ~] 息つくひま, 休息.

†**breath·less** /bréθləs/ 形 1 息切れした ‖ in *breathless* haste [a *breathless* hurry] 息せきせきって / He was *breathless* after running. 彼は走ったあと息切れした(=He was out of *breath* …). 2 息を殺した ‖ a *breathless* audience かたずをのんで聞き入る聴衆. 3 風のない蒸し暑い.
breath·less·ly /bréθləsli/ 副 1 息を切らして. 2 かたずをのんで.
breath·tak·ing /bréθtèikiŋ/ 形 1 わくわくさせる. 2 すごい, 息をのむような, 並はずれた.
bred /bréd/ 動 breed の過去形・過去分詞形.
—— 形 [複合語で] 育ちが… ‖ ill-*bred* [well-*bred*] しつけ[育ち]の悪い[よい] / British-*bred* 英国育ちの / university-*bred* 大学出の / a pure-*bred* dog 純血種の犬.
breech /brí:tʃ/ 名 C 銃尾.
†**breech·es**, (米俗式) **britch·es** /brítʃiz/ 名 [複数扱い; しばしば a pair of ~] (ひざ下で締めた乗馬用・宮廷用礼服の)半ズボン(◆主に男性用); (略式) (一般に)ズボン.
gét [**grów**] **too bíg for** one's **bréeches** =get [grow] too big for one's boots(→ boot¹).

†**breed** /brí:d/ 動 (過去・過分) **bred** /bréd/ ⓣ 1 〈動物が〉〈子〉を産む, 〈卵〉を孵(か)す; 〈人が〉〈子〉を産ます. 2 〈人が〉〈動物・魚・菌など〉を繁殖させる, 栽培する, 飼育する; 品種改良する; 〈米〉をつがわせる ‖ He *breeds* pigs for the market. 彼は市場用に豚を飼っている. 3 〈事態・悪い感情〉を引き起こす, 生み出す, …の原因となる(cause) ‖ The delays have *bred* frustration and anger. 遅れたことにより不快や怒りが生じた. —— ⓘ 〈動物が〉子を産む; 〈人が〉子供を作る(たくさん)産む; 〈動物が〉卵を産む, 繁殖する ‖ Bacteria *breed* in a hot climate. バクテリアは暑い気候で繁殖する.
born and bred → bear¹.
—— 名 C [単数・複数扱い] (ふつう, 人為的に作られた)動植物の種類; 品種; 系統; (カナダ米西部)(白人と先住民の)混血児 ‖ a fine *breed* of man 優れた血統の人 / a new *breed* of gang [entrepreneur] 新しいタイプの暴力団[起業家].

†**breed·er** /brí:dər/ 名 C 1 畜産家, 栽培者. 2 (過度に)繁殖する動物[植物]. 3 =breeder reactor [pile].
bréeder reàctor [**pile**] [物理] 増殖炉.
breed·ing /brí:diŋ/ 名 U 1 (動物などの)繁殖, 生殖 ‖ the *breeding* season 繁殖期. 2 品種改良. 3 しつけ; すぐれた行儀作法.
bréeding gròund (家畜の)飼育場, 繁殖地; (悪の)温床.

breeze /brí:z/ 名 1 U C (心地よい)微風, そよ風(◆すきま風(draft)のような不快なもの; → wind¹); (気象) 秒速1.6-13.8mの風(→ wind scale) ‖ a lovely cool *breeze* さわやかな風. 2 C (米俗式) [通例 a ~] 容易なこと ‖ win in a *breeze* やすやすと勝つ. —— 動 ⓘ 1 [通例 it ~s] (風が)そよそよと吹く. 2 (略式) すいすいと動く[進む](+*along*); [仕事などを]さっさと片づける[*through*] ‖ *breeze* *through* all the questions 全問すいすいと解答する.
bréeze ín ⓘ (略式) 〈人が〉不意に[元気よく]入ってくる(◆「出ていく」は breeze out).

†**breez·y** /brí:zi/ 形 (--i·er, --i·est) (略式) 1 そよ風の(吹く). 2 〈人・態度が〉威勢のよい, 陽気な(lively). 3 軽薄な. **bréez·i·ly** 副 そよ風が吹いて; 陽気に. **bréez·i·ness** 名 U 風通しのよいこと; 陽気さ.

†**breth·ren** /bréðrən/ 〖**brother** の複数形の1つ〗 名 [複数扱い] 同志, 同胞, 信仰[同業者]仲間(◆主に改まったおごそかな呼びかけ) ((PC) brothers and sisters).

bre·vi·ar·y /brí:vièri/ 名 -i·ar·i/ C (カトリック・アングリカン) 聖務日課書, 日禱(*tō*)書; (一般に)祈禱書.

†**brev·i·ty** /brévəti/ 名 U (正式) (時の)短さ(shortness); (表現の)簡潔さ ‖ *for brevity* 略して / *Brevity* is the soul of wit. (ことわざ) 簡潔は機知の神髄;「言は簡を尊ぶ」.

†**brew** /brú:/ 動 ⓣ 1 〈ビールなど〉を醸造する(+*up*). 2 〈茶・コーヒーなど〉を(熱湯を注いで)入れる(+*up*) ‖ freshly *brewed* coffee 香りよく入れたコーヒー. 3 〈陰謀・いたずらなど〉をたくらむ(+*up*); 〈波乱など〉を起こす(+*up*). —— ⓘ 1 〈茶・コーヒーなどが〉入る(+*up*). 2 [通例 be ~ing] 〈あらし・陰謀など〉が起ころうとしている(+*up*). 3 醸造する.
—— 名 U C 醸造酒, (特に)ビール ‖ home *brew* 自家製ビール / a good strong *brew* of tea 香りのよい濃いお茶.
brew·er /brú:ər/ 名 C ビール醸造人[会社].
†**brew·er·y** /brú:əri/ 名 C (ビールなどの)醸造所.
brew-up /brú:ʌp/ 名 (英略式) [a ~] お茶を入れること; (労働者などの)お茶休み.

bri·ar /bráiər/ 名 C =brier¹, brier².
brib·a·ble /bráibəbl/ 形 わいろのきく, 買収できる.
†**bribe** /bráib/ 名 C 1 わいろ ‖ offer [give] a *bribe* to him 彼にわいろを贈る. 2 (いやな事をさせるための)えさ, 誘惑物. —— 動 ⓣ 1 〈人が〉〈人〉にわいろを贈る; 〈人〉を[…で]買収する(略式) buy off [*with*] ‖ too honest a judge to be *bribed* たいへん清廉なので買収できない裁判官 / He *bribed* the guards to get out of prison. 彼は脱獄するために看守を買収した. 2 [bribe **A** to do / bribe **A** into **B**] 〈人が〉〈人〉を買収して…させる(◆**B** は名詞・動名詞) ‖ The witness was [*bribed* *into* silence [*bribed* *to* say nothing]. その証人はわいろをもらって口をつぐんだ. 3 わいろを使う[贈る].

brib·er 名 C 贈賄する人.
†**brib·er·y** /bráibəri/ 名 U 贈賄[収賄]行為((略式) payoff) ‖ do away with *bribery* and corruption 贈収賄と腐敗をなくす.
bríbery cáse [**scándal**] 贈賄事件, 疑獄.

*****brick** /brík/ 〖『割れたかけら』が原義〗
—— 名 (複 ~s/-s/, **brick**) 1 U [集合名詞] れんが; C (1個の)れんが ‖ lay *bricks* れんがを積む / bake [burn] *brick* れんがを焼く / a *brick* house =a house built of (ややかた) (やや) built with *brick*(*s*) れんが造りの家. 2 [a ~ of …] れんが状の… ‖ a *brick* of ice cream 箱形のアイスクリーム. 3 C (英) 積み木(米) block). 4 C (英略式・やや古) 困った時に頼りになる人.
hít the brícks (れんがの壁をたたく)(略式) 不可能なことを試みる.

brick·bat /bríkbæt/ 名 C 1 (投石用の)れんがのかけら. 2 (略式) にくまれ口, 侮辱.
brick·lay·er /bríklèiər/ 名 C れんが工[職人].
brick·work /bríkwə̀:rk/ 名 U 1 れんが積み工事. 2 れんが造りの壁[装飾].
brick·yard /bríkjɑ̀:rd/ 名 C れんが工場[販売所].
†**brid·al** /bráidl/ (同音 bridle) 形 花嫁の; 結婚の.

brídal fèast 結婚の祝宴.
brídal fínery [sùit] 花嫁衣装.
brídal shòwer [a~] 結婚する女性をその女友だちが祝福するパーティー《◆祝い物(shower gift)を持参するのが習慣》.

†**bride** /bráid/ /名/ⒸⒸ 花嫁, 新婦; 新妻(cf. bridegroom). **bride and gróom** 新郎新婦《×groom and bride といわない. 「夫婦」は husband and wife の順》.

†**bride·groom** /bráidgrù:m/ /名/Ⓒ 花婿, 新郎(cf. bride, groom)《◆単に groom ともいう》.

†**brides·maid** /bráidzmèid/ /名/Ⓒ 花嫁[新婦]の付添い《◆若い未婚の女性. 花婿の付添いは best man》.

bride-to-be /bráidtəbí:/ /名/ (複 **brides-to-be**) Ⓒ 間もなく結婚する女性.

:**bridge**¹ /bríd3/ [[「梁(はり), けた」が原義]]
── /名/ (複 ~s/-iz/) Ⓒ **1** 橋, 橋梁《◆2つの物・存在の結合の象徴》‖ London *Bridge* ロンドン橋《◆固有名詞の時はふつう無冠詞》/ the mouth of a *bridge* 橋の入口[出口] / build [ˣmake] a *bridge* over [across] a river 川に橋をかける / cross a *bridge* 橋を渡る / A lot of water has gone [flowed] under the *bridge* (since then). (その時以来)いろいろな事が起こった, (回顧して)時間がずいぶんたったものだ / *Don't cross your bridges before you come* [*get*] *to them*. =*Cross your bridges when you come* [*get*] *to them*. (ことわざ) 橋のたもとに着くまでは橋を渡るな; 「取り越し苦労はするな」.

[事情] ロンドンでは Tower Bridge, Westminster Bridge, ニューヨークでは the George Washington Bridge, Brooklyn Bridge, サンフランシスコでは the Golden Gate Bridge などが有名.

2 船[艦]橋・艦長の指揮するデッキ] ‖ a *bridge* deck 船橋楼甲板. **3** [比喩的に] 橋渡し, 懸(か)け橋, 仲立ち. **4** 橋状のもの; 鼻柱, 鼻梁(りょう), (メガネ・義歯の)ブリッジ; (弦楽器の)こま, 柱(ぢ).
búrn one's *brídges* =burn one's BOATS.
── /動/ (**brídg·ing**) ⑲ **1** 〈川〉に橋をかける(正式)span)(+*over*) ‖ *bridge* a river 川に橋をかける. **2** …の橋渡しをする; 〈の空白[ギャップ, へだたり]を埋める ‖ *bridge* the gap between rich and poor 貧富の差を縮める[なくす] / *bridge* an awkward silence with a funny remark 面白いことを言って気まずい沈黙を消す. **3** …を克服する, 乗り越える(+*over*); 〈お金などが〉〈人〉の一時のしのぎに役立つ.

bridge² /bríd3/ /名/Ⓤ ブリッジ《◆代表的なトランプゲーム. 米英では特に contract bridge は最も知的なゲームとされる》.

brídge ròll (英) 小型ロールパン.

bridge·head /bríd3hèd/ /名/Ⓒ (軍事) 橋頭堡(ほ)(cf. beachhead); 躍進の拠点, 足がかり.

bridg·ing /bríd3iŋ/ /名/ = bridge.

†**bri·dle** /bráidl/ (同音) bridal) /名/Ⓒ 馬勒(ばろく)《馬の頭部につける headstall (おもがい), bit (くつわ), reins (手綱) の総称》. ── /動/ ⑲ **1** 〈馬〉に馬勒をつける. **2** 〈怒り・熱情など〉を抑える. ── /自/ (正式) 頭をつんと上げる, そり返る(+*up*); 〈怒り・あざけり・傲慢(ごうまん)の態度で〉〈…に〉冷笑う, 小ばかにする(*at*).

*†**brief** /brí:f/ [[「短い」が本義で, 時間・出来事・文書・話などに用いる]] 派 briefly (副), brevity (名)
── /形/ (~·**er**, ~·**est**) **1** 短時間の《◆ short より正》; 〈スカートなどが〉短い ‖ Life is *brief*. 人生は短い. **2** 簡潔な ‖ a *brief* announcement 簡潔な告知 / to be *brief* [文頭または挿入的に] 手短に言えば. **3** そっけない.

── /名/ Ⓒ **1** 簡単な声明, 要約. **2** Ⓒ (法律) 訴訟事件摘要書, 準備書面. **3** [~s] (男性用のブリーフ, 女性用のパンティー(underpants)《◆ (米) ではしばしば BVDs の商標の品の意で用いる》.

*in **brief** /副/ [文頭・文中で] (1) [文全体を修飾] 要するに (to be brief, in short) ‖ *In brief*, you should have accepted the responsibility. つまり君が責任を取るべきだったのだ. (2) 手短に(in short) ‖ He answered *in brief*. 彼は手短に答えた / Here's the news *in brief*. 手短にニュースを申し上げます《◆アナウンサーの決まり文句》.

── /動/ ⑲ **1** …を要約する. **2** 〈人〉に[…の]概要を伝える, 要点を教える(*on*).

brief·ness /名/Ⓤ (正式) 簡単[簡潔]であること; (時の)短さ(brevity).

†**brief·case** /brí:fkèis/ /名/Ⓒ (革製の)書類かばん(cf. attaché case).

brief·ing /brí:fiŋ/ /名/ **1** Ⓤ (要約した)情報, 指示. **2** Ⓒ (事前の)打ち合わせ. **3** Ⓒ 簡単な報告[発表] ‖ attend a press *briefing* 記者会見に出席する.

†**brief·ly** /brí:fli/ /副/ **1** 簡潔に, 手短に; [文全体を修飾] 手短に言えば(briefly speaking; to be brief, in brief) ‖ *Briefly* (、), it's nonsense. 要するに, それはばかげたことだ. **2** しばらく, 暫時, 一時的に.

bri·er¹, **-ar** /bráiər/ /名/Ⓒ (植) イバラ, 野バラ(wild rose); その茂み ‖ *briers* and brambles おい茂った野イバラ.

bri·er², **-ar** /bráiər/ /名/ **1** Ⓒ (植) ブライア, エイジゴ(栄植) 地中海沿岸原産. ツツジ科). **2** Ⓤ ブライア材《◆根の部分》. **3** Ⓒ ブライアの根で作ったパイプ.

†**brig** /bríg/ /名/Ⓒ (海事) ブリッグ《横帆の2本マストの船》.

†**bri·gade** /brigéid/ /名/Ⓒ **1** (軍事) 旅団(→ army); 砲兵大隊. **2** (軍隊式編制の)団体, 隊, 組 ‖ a fire *brigade* 消防隊.

†**brig·a·dier** /brìgədíər/ /名/Ⓒ **1** (英軍) (陸軍) 准将; 旅団長. **2** (略式) (米軍) =brigadier general. **brigadíer géneral** (陸軍・空軍・海兵隊の)准将(→ general /名/).

†**brig·and** /brígənd/ /名/Ⓒ (古・文) 追いはぎ, 山賊(の1人)(bandit).

:**bright** /bráit/ (類音) blight /bláit/) [[「明るく輝く」が本義]] 派 brighten (動), brightly (副)

index /形/ **1** 輝いている **2** 頭のよい **3** 生き生きした **4** 輝かしい **5** 鮮明な

── /形/ (~·**er**, ~·**est**)
‖ [物理的明るさ]
1 (光を出して・反射して) 輝いている, 光っている; 〈部屋などが〉(光であふれて)明るい(↔ dark); 〈天気・日などが〉うららかな, 晴朗な《◆ brilliant の方が明るさが強い》 ‖ *bright* brass knobs きらきら光る真鍮(しんちゅう)の取っ手 / The moon is very *bright* tonight. 今夜は月がとても明るい.

‖ [頭脳のよさ]
2 (略式) 〈人が〉**頭のよい**《◆ brilliant は「並外れて頭のよい」》; 〈考えなどが〉気のきいた, よい; [A is *bright* enough to do] …するとき A 〈人〉は賢い(cf. intelligent) ‖ a *bright* answer [idea] よい答え[考え] / She's a *bright* 10-year-old. 彼女は賢い10

歳の子供です / She is very *bright* and very talented. 彼女はとても頭がよくて才能に恵まれている / You *are bright enough* not to follow his advice. 彼の忠告に従わないとは君は聡明(饕)だ《×*bright to do*》(→文法17.5)《対話》"Who do you think is the *brightest* student in your class?" "I think Bill is."「あなたのクラスでだれが一番頭がよいと思いますか」「ビルだと思います」.

III [人の性格の明るさ]

3 〈人・態度などが〉**生き生きした**, 晴れやかな, 快活な (cheerful) ‖ a *bright* smile 晴れやかな笑み / Her face looked *bright* with happiness. 彼女の顔は喜びで生き生きとして見えた.

IV [将来の見通しの明るさ]

4 輝かしい, 頼もしい, 有望な (favorable) ‖ a *bright* future [outlook] 明るい前途 / Look on the *bright* side of things. (悲観せずに)物事の明るい面を見よ.

V [色合いの明るさ]

5 〈色が〉鮮やかな, さえた, 強烈な (↔ dull) ‖ *bright* yellow dresses 鮮やかな黄色のドレス.

bright and early [副] (略式) 朝早く(からいそいそと).

── [副] (略式・詩) 明るく, 輝いて《◆ *brightly* より(略式)でふつう shine と共に用いる》‖ The fire was burning *bright*. 火があかあかと輝いていた《◆*bright* を補語とみれば形》.

bright lights [the ~] 都会の生活[歓楽街].

†**bright·en** /bráitn/ 動 **1** 〈人・物が〉〈物を輝かせる, 磨く;〈人〉を明るくする (+*up*) ‖ Sunlight *brightened* the room. 日がさして部屋が明るくなった. **2** …を晴れ晴れとさせる, 快活にさせる (+*up*); …を有望にさせる ‖ A child will *brighten* (*up*) a home. 子供は家庭を明るくするものだ. ── [自] **1** 明るくなる, 輝く; 快活になる (+*up*) ‖ The weather has *brightened* (*up*). 天気がよくなってきた. **2** 有望になる.

†**bright·ly** /bráitli/ 副 **1** 明るく, 輝いて ‖ Venus was shining *brightly* last night. 金星が昨夜明るく輝いていた. **2** 快活に ‖ smile *brightly* 晴れ晴れとほほえむ.

†**bright·ness** /bráitnəs/ 名 ① **1** 明るさ, 輝き;(天体の)光度. **2** 鮮やかさ;透明. **3** 聡明, 気のきいていること. **4** 快活, 明朗.

Brigh·ton /bráitn/ 名 ブライトン《英国 East Sussex 州南部の都市. 海辺保養地》.

†**bril·liance**, **-·lian·cy** /bríljəns(i)/ 名 ① **1** 輝き. **2** 華麗. **3** すばらしい才能. **4** (音楽) (音色の) 輝かしさ.

†**bril·liant** /bríljənt/ 形 **1** 〈宝石・日光などが〉輝く, 光り輝く《◆ *bright* の強意語》‖ *brilliant* jewels きらきら光る宝石. **2** 〈業績などが〉りっぱな, 華々しい ‖ a *brilliant* performance すばらしい演奏[演技]. **3** (略式)〈人・考えなどが〉すばらしい,〈人が〉(…で) (きわめて)優秀な (*at*) ;〈人が〉才気あふれた (cf. → intelligent) ‖ a *brilliant* musician 才能豊かな音楽家.

── 名 © ブリリアントカットの宝石《特にダイヤモンド. 58面体が最もふつう》.

bril·lian·tine /bríljəntiːn, -ǽ/ 名 ① **1** ブリリアンティーン《油性整髪料》. **2** (主米) ブリリアンティーン地《光沢の美しい毛織物》.

†**bril·liant·ly** /bríljəntli/ 副 きらきらと, 鮮やかに;見事に.

†**brim** /brím/ 名 © **1** (コップ・鉢などの)縁, へり (cf. rim) ‖ The waiter filled our glasses (*full*) *to the brim*. ウエイターは私たちのグラスになみなみ注いだ.

2 (突き出た)縁, つば ‖ the *brim* of a hat 帽子のつば (cf. crown 名 5). ── 動 (過去・過分 *brimmed*/-d/; *brim·ming*) (正式) 他 …を縁まで満たす. ── [自]〈容器などが〉(…で)縁までいっぱいになる; [通例 be ~ing] 〈人が〉〈希望などに〉あふれる (+*over*) [*with*] ‖ His eyes *were brimming over with* tears. 彼の目から涙があふれ出ていた.

brím·less 形 縁[へり]のない.

brim·ful, **--·full** /ˌ-ˈfʊl/ 形 […で] (縁まで)いっぱいの (*of*, *with*) ‖ *brimful of* tears 目に涙をためて.

†**brim·stone** /brímstòun/ 名 ① 硫黄《*sulfur* の古い名》.

brin·dled /bríndld/ 形〈雌牛・猫などが〉まだらの, ぶちの.

†**brine** /bráin/ 名 ① **1** 塩水《つけ物用》. **2** (文) [the ~] 海水;大海.

†# **bring** /bríŋ/ 動 《自動詞 come に対応し, 「行為者が自分とともに人[物]を話し手[聞き手]のところへ移動させる」が本義 (↔ take)》

── [他] (~s/-z/; 過去・過分 **brought** /brɔːt/; ~·ing)

I [持って来る] 《◆日本語の「持って[連れて]来る」は発話[到達]時に話し手が到達点にいる場合に使われるが, *bring* は発話[到達]時に話し手と聞き手が到達点にいる場合にも使われる》

1a 〈物〉を[…に]**持って来る** [行く] [*to*] ‖ I'll *bring* an umbrella with me in case it rains. 雨が降った時に備えてかさを持って行きます /《対話》"Shall I *bring* some wine *to* the dance?" "No, thank you. Just *bring* yourself."「ダンスパーティーにワインをお持ちしましょうか」「いいえ, それだけはおよびません. 手ぶらでお出かけください」.

b [*bring* **A B** =*bring* **B to** [*for*] **A**] 〈人が〉〈人〉に **B**〈物〉を**持って来る**;〈聞き手のところ〉に持って行く (→ **2**)《◆ *to* は方向, *for* は「利益になるように」の意. どこかへ行って物を持ってくるのは fetch》(→文法 3.3) ‖ She *brought* some flowers [*to* school [*into* the room]. 彼女は花を学校 [部屋] へ持って来た / *Bring* me today's paper. =*Bring* today's paper *to* [*for*] me. 今日の新聞を持ってきてくれ / I'll *bring* [×*take*] it *to* you tomorrow. 明日そちらへ持ってまいります.

[語法] (1) **B** が代名詞の場合は ×*Bring me it*. のように [*bring* **A B**] の型はとれない. *Bring it to me*. となる.

(2) [*bring* **A B**] の受身形は一般には **B** 〈物〉を主語にする: I *brought* her some flowers. (私は彼女に花を持って来た)の受身形は Some flowers were *brought* for her (by me). がふつう. She was *brought* some flowers (by me). のように **A** 〈人〉を主語にするのは不自然.

2 〈人・出来事・乗物・道などが〉〈人〉を (…に) **連れて来る**;(聞き手のところに)連れて行く《◆ [*to* [*before* など] +場所 [人]」を伴う》(使い分け) → take (他 **4** b) ‖ I'll *bring* ((略式) *along*) my sister *to* the party. 妹をパーティーに連れて来[行き]ます《◆聞き手の主催するまたは出席予定の所に連れて行くには, しばしば「連れて行く」という訳になる. cf. I'll *come* to the party. (→ **come** 自 **1**) 》/ A few minutes' walk *brought* me *to* the station. 数分歩いて駅にやって来た / The accused was *brought before* the

bringer / **briny**

judge. 被告は裁判官の前へ連れて来られた / What has *brought* you here? どうしてここに来たのか(=Why have you come here?).

Ⅱ [もたらす]

3 〈物・事が〉〈物・事〉を(…に)もたらす(◆ [to ＋ 場所「人」] を伴う); [bring **A B** =bring **B** to [for] **A**] 〈事が〉**A**〈人〉に **B**〈物・事〉をもたらす ‖ His brave deeds *brought* ⌈him a medal [a medal *to* him]. その勇敢な行為で彼は勲章をもらった.

4 〈物が〉〈値段〉で売れる ‖ Vegetables *bring* a high price in winter. 冬は野菜が高価になる.

5 [法律] 〈訴訟など〉を[人に対して]提起する, 起こす [against], 〔損害などに対し〕〈訴訟〉を起こす [for] ‖ *bring* ⌈a charge [charges] *against* the doctor その医師を相手取って訴訟を起こす / The suit was *brought* by a man in London. その訴訟はロンドンに住む男性によって起こされた.

6 〈理由・証拠など〉をあげる, 提示する.

Ⅲ [ある状態に至らせる]

7 〈物・事・人が〉〈人・物・事〉を(…の状態に)至らせる [to, into, under] (◆ 修飾語(句)は省略できない); [bring **A C**] **A** を **C** に至らせる(◆ **C** は doing, 形容詞) ‖ The punch on the jaw *brought* me *to* my knees. あごにパンチを受けて私はひざをついた / The warm weather will *bring* the fruit trees *into* blossom soon. 陽気が暖かでやがて果樹の花が咲くだろう / *bring* the fire *under* control 火事を下火にさせる / It was the sound ¦ that *brought* ⌈her eyes open [her running away]. 彼女の目を開かせた[彼を逃げさせた]のはその音だった.

8 [通例否定文・疑問文で] [bring **A** to do] 〈人・事が〉**A**〈人〉に…するよう仕向ける; [bring oneself to do] …する気になる ‖ What *brought* you *to* buy a car? どうして車を買うことになったのですか / She could *nót* quite *bríng hersélf to* adópt a child. 彼女はどうしても子供をもらって育てる気にはなれなかった.

*bring abóut [他] (1) 〈人・事が〉〈死・失敗・変化など〉を(徐々に)引き起こす(cause); 〔事〕を成し遂げる ‖ Her recklessness *brought about* her death. 彼女の無謀さが死を招いた.

bring (a)róund [他] (1) 〈人〉を連れて来る[行く]; 〈物〉を持って来る[行く]. (2) 〈人〉を(…に)説得する, 〈人〉の考えを(…に)変えさせる [to] ‖ *bring* him *round* to the point 彼に要点をわからせる. (3) 〈人〉の意識を戻させる. (4) 〔話〕を徐々へ〔…の件へ〕持っていく [to].

*bring báck [他] (1) [~ **A B** *back* / ~ **B** *back to* **A** / ~ **A** *back* **B** / ~ *back* **B** *to* **A**] **A**〈人〉に **B**〈物〉を返す ‖ *Bring* my nótebook *bàck to* me, please. =*Bring* me my nótebook *bàck*, please. =*Bring báck* my nótebook *to* me, please. =*Bring* me my nótebook *báck*, please. 私のノートを返してください(◆ 「**A** のために持って[買って]帰る」の意では to の代わりに for を用いる). (2) 〈事・物〉を〈人〉に思い出させる [to]; 〔旧制度〕を復活させる; 〈人〉を(…に)回復させる [to]. (3) 〈人が〉…を持ち帰る.

bring dówn [他] (1) 〈飛行機〉を着陸させる, 撃墜する; 〈獲物〉を打ち止める; 〈家・政府・木など〉を倒す. (2) 〈値段・数量〉を下げる(reduce); 〈売り手〉に値段を [・・・に] 下げさせる [to]. (3) 〔乗除算の筆算で〕〈数・数字〉をおろして書く. (4) 〈災難など〉を(…に)もたらす [on].

bríng A fòrth (◆ ~ *forth* **A** はまれ) 〔古〕〈結果〉を

もたらす, 〈実〉を結ぶ; 〈子〉を産む.

bring fórward [他] (1) 〈人・物〉を面前に出す; 〈意見・提案など〉を提出する. (2) [簿記] 〈合計額・利益〉を次期[次ページ]に繰り越す. (3) 〈時期〉を早める, 〈日時・行事〉を繰り上げる.

bring ín [他] (1) 〈収穫〉を取り入れる. (2) 〈資金・金額〉をかせぐ; [~ **A** *in* **B**] 〈財産・投資・職業などが〉〈**A**〈人〉に〉**B**〈利益・金額〉をもたらす. (3) 〈物・事〉を流行させる, 取り入れる, 紹介する. (4) 〈法案・議案〉を提出する; 〔陪審員が〕〈評決〉を答申する. (5) 〈人〉を逮捕する, 警察に連行する. (6) 〈人〉を [・・・してもらう ように/…に] 導入する, 参加させる [to do / on].

bring óff [他] (1) 〈人〉を救助する. (2) 〔略式〕〈困難な仕事など〉をやってのける.

bring ón [他] (1) 〈物・事が〉〈病気・戦争・熱など〉を引き起こす. (2) 〈人〉を紹介する[見せる]. (3) 〈事〉を上達させる; 〈人〉を〔・・・のことで〕向上させる [in].

bring óut [他] (1) 〈新製品などを〉出す, 〈本〉を出版する(publish); 〈天候などが〉〈花〉を咲かせる. (2) 〈物・事が〉〈才能など〉を引き出す; 〈人・事が〉〈意味・真相などを〉明らかにする(reveal). (3) [bring **A** out (of **A**'s shell)] 〈はにかみ屋など〉を打ち解けさせる, しゃべらせる. (4) 〔英〕〈労働者〉をストに追い込む. (5) 〈言葉〉を言う, しゃべる ‖ She was too shocked to *bring out* a word. 彼女はショックのあまり一言も発することができなかった.

bring óver [他] (1) 〈家族・人〉を(自分の住んでいる国へ, 旅行・居住のため) 呼び寄せる. (2) =BRING around (2).

bring A róund to B **A**〈人〉の考えを **B** に変えさせる.

bring thróugh [他] (1) 〈病人〉を回復させる, 〈国・会社〉を(危機から) 救う; [~ **A** *thròugh* **B**] **A**〈人〉を **B**〈病気・戦争など〉から救う.

bring tó [自] 〈船〉が止まる. —[他] (1) 〈人〉を正気づかせる(◆ *bring* **A** to himself ともいう. cf. COME to). (2) 〈船〉を停止させる.

bring togéther [他] (◆ 目的語は複数形) (1) 〈人〉を呼び集める, 〈物〉を寄せ集める. (2) 〈人〉を接触[和解, 一致, 再会] させる.

bring A únder (1) [bring **A** under (control)] 〈政府・警察などが〉〈暴動・暴徒〉を鎮圧する. (2) [~ **A** *under* **B**] **A**〈物〉を **B**〈分類など〉に分ける, 含める.

*bring úp [自] 〈船〉が止まる; 〔主に英略式〕吐く, もどす. —[他] (1) 〈子供〉を(成人するまで)育てる, 養育する, しつける(cf. GROW up) ‖ *bring up* one's children to be truthful 子供を誠実な人間に育てる / He is badly *brought up*. 彼は育ちが悪い. (2) 〈議題・問題など〉を持ち出す, 提出する. (3) 〔主に英略式〕〈食べ物〉をもどす, 吐く. (4) 〔略式〕 [通例 be brought] 〈人が〉動作[話] を急にやめる; 〔略式〕〈車などが〉止められる(◆ ふつう short, sharp(ly), with a jerk などの副詞(句) を伴う).

bring·er /bríŋər/ [名] Ⓒ 持って来る[来た] 人.

bring·ing-up /bríŋiŋʌ́p/ [名] Ⓤ 〔米〕子供のしつけ[教育], 養育.

†**brink** /bríŋk/ [名] Ⓒ [通例単数扱い] **1** 〔文〕 [the ~] (絶壁・崖などの危険な) 縁, 端(◆ edge より堅い語). **2** (破滅の) 瀬戸際. *on* [*at, to*] *the brínk of* **A**〈死・滅亡など〉にひんして; もう少しで〔…するところ〕(do-ing)] ‖ Her failure in the entrance exam drove her *to the brink of* suicide. 入学試験に落ちたことで彼女はもう少しで自殺するところだった.

brin·y /bráini/ [形] (**-i·er, -i·est**) 〔文〕塩水の, 塩辛い(salty). —[名] 〔略式〕[the ~] =briny deep.

bríny déep 〔文〕海(sea).

bri·quet(te) /bríkét/〖フランス〗 名 C 豆炭, たどん《◆バーベキューに用いる》.

†**brisk** /brísk/ 形 1〈動きが〉活発な, きびきびした;〈人が〉元気のよい(↔ dull) ‖ at a *brisk* trot 急ぎ足で / The tourist trade is *brisk*. 観光業は活況を呈している. 2〈風などが〉身のひきしまるような, すがすがしい ‖ *brisk* fall weather さわやかな秋の天気.
brísk·ness 名 U 活発さ.

bris·ket /brískit/ 名 U (獣類の)胸肉(⇒ beef);胸部.

†**brísk·ly** /brískli/ 副 きびきびと, 活発に.

†**bris·tle** /brísl/ 名 C (動物の毛や人の髭(ﾋｹﾞ)の)剛毛, 荒毛, 針毛;(ブラシの)毛. ― 動 自 1〈動物が〉(怒って)毛を逆立てる,〈毛が〉逆立つ(+*up*) ‖ The cat *bristled* (*up*), held at bay. 猫は追いつめられて毛を逆立てた. 2〈人か〉〔怒りで〕いらだつ, けんか腰になる〔*with*〕. 3〔正式〕〈場所が〉〔…が〕密生する, 林立する,〈仕事・問題などが〉〔困難などが〕充満する, たくさんある〔*with*〕‖ His English *bristles* with many Japanese accents. 彼の話す英語は日本語なまりだらけだ.
bris·tle·tail /brísltèil/ 名 C〔昆虫〕シミ.
bris·tly /brísli/ 形 (-·tli·er, -·tli·est) 1 剛毛質の, 剛毛の多い. 2〔略式〕〈人が〉不機嫌な, 短気な.

†**Bris·tol** /brístl/ 名 ブリストル《英国南西部の貿易港. Avon 州の州都》.

Brit /brít/ 名 C〔略式〕英国人.
Brit.〔略〕Britain; Britannia; Briticism; British; Briton.

*__**Brit·ain**__ /brítn/〔同音〕Briton〕 派 British《形・名》
― 名 大ブリテン島(Great Britain)《◆ England, Scotland, Wales から成る》, (本国), イギリス(United Kingdom) (→ England).

Bri·tan·ni·a /britǽnjə, -niə/ 名 U 1 ブリタニア《大ブリテン島の古代ローマ名》. 2 =British Empire. 3〔文〕=Great Britain. 4 ブリタニア像《2, 3 を象徴する女人像》.

Bri·tan·nic /britǽnik/ 形 英国の(British) ‖ Her *Britannic* Majesty 英国女王陛下.

britch·es /brítʃiz/ 名 (複) britch·es《米略式》=breeches.

Brit·i·cism /brítisìzm/ 名 U C 英国特有の語(句) [表現], 英国語法(cf. Americanism).

*__**Brit·ish**__ /brítiʃ/
― 形 1 英国の;大ブリテン島(Great Britain)の;英連邦(the British Commonwealth)の;英国人の《◆ 一般に English, 政治的には British が好まれる. → English》 ‖ Instead of bowing, *British* and American people shake hands. おじぎの代わりに, 英国人や米国人は握手をする. 2〔英史〕(古代)ブリトン人(the Britons)の.
― 名 1 [the ~;複数扱い] 英国人;大ブリテン人;英連邦民 ‖ The *British* are [×is] a conservative people. 英国人は保守的な国民である《◆ これは「the + 形容詞」で British people の意》. 2 U〔米〕=British English. 3 U 古代ブリトン語.
British Ácademy [the ~] 英国学士院《人文学の研究・発展を目的として 1901 年に創設》.
British Áirways 英国航空(略 BA).
British bréakfast =English breakfast.
British Bróadcasting Corporátion [the ~] 英国放送協会(略 BBC).
British Colúmbia ブリティッシュ=コロンビア《カナダ西部の州》.
British Cómmonwealth (of Nátions) [the ~] 英連邦(→ commonwealth).
British Cóuncil [the ~] ブリティッシュ=カウンシル《英国文化の海外紹介と英語の普及を目的とした機関》.
British Émpire [the ~] 大英帝国《英本国とその植民地・自治領の旧称. 現在公式には使われない》.
British Énglish (アメリカ英語に対して)イギリス英語.
British Ísles [the ~;複数扱い] イギリス諸島《Great Britain, Ireland, the Isle of Man, the Channel Islands, the Orkneys, the Shetlands などから成る》.
British Líbrary [the ~] 大英図書館《1973 年に British Museum の図書部門が独立してできた》.
British Muséum [the ~] 大英博物館《ロンドンにある》.
British Ráil 英国国有鉄道.
British Tél·e·com /-télikəm/ =BT.

†**Brit·on** /brítn/〔同音〕Britain〕 名 1〔文〕英国人 (Englishman 名2). 2〔英史〕ブリトン人《ローマ軍侵入の頃英国南部に住んでいたケルト(Celt)族》.

†**Brit·ta·ny** /brítəni/ 名 ブルターニュ《フランス北西部の半島》.

Brit·ten /brítn/ 名 ブリテン《Benjamin ~ 1913-76;英国の作曲家. 代表作 *Peter Grimes*》.

†**brit·tle** /brítl/ 形 1〈物が〉(固いが)もろい ‖ a *brittle* glass こわれやすいグラス. 2 はかない, 不安定な ‖ Our love was all too *brittle*. 私たちの愛はあまりにももろかった. 3 a〈人・性質が〉短気な, 冷淡な. b 傷つきやすい. c 耳ざわりでかん高い.
brít·tle·ness 名 U もろさ;冷淡さ.

†**broach** /bróutʃ/〔同音〕△brooch〕 動 他 1〔正式〕…を〔人に〕初めて話題に出す(introduce)〔to, with〕‖ *broach* the subject of marriage 結婚話を切り出す. 2〈樽(ﾀﾙ)など〉に口を開ける;〈飲み口を開けて〉〈酒など〉を出す.

†**broad** /brɔ́ːd/〔発音注意〕形 1 (ふつうより)広い《◆ *broad* shoulders (広い肩幅)のような連語以外では wide にくらべて「幅」よりも「広がり」に重点を置く語》(↔ narrow);広々とした(expansive) ‖ a *broad* road 広々とした道路《a wide road は『幅の広い道路』》/ a *broad* stretch of land 広大な田野.
語法 穴の口などの大きさをいうときは wide:a wide [×broad] gap [mouth] 大きな割れ目[口]. 2 [距離を表す語の後で] 幅が…ある《◆この場合は wide, in width がふつう》.〔正式〕では in breadth ‖ The river is thirty meters *broad* [〔正式〕in breadth]. この川の幅は 30 m あります(=This river is thirty meters *wide* [in width].). ⇒文法 23.4 (2). 3〈心・知識・活動範囲などが〉広い ‖ have a *broad* knowledge of Japanese literature 日本文学について幅広い知識を持つ. 4 [名詞の前で] 一般的な, 大まかな ‖ *broad* agreement 大筋での一致 / give a *broad* outline of the lecture その講義の大まかな輪郭を話す. 5 [名詞の前で]〈光が〉満ち満ちた ‖ in *broad* daylight 白昼に. 6 明白な, わかりやすい ‖ Give me a *broad* hint. もっとはっきり言ってください. 7 大きい;無遠慮な;下品な ‖ *broad* smile うれしさいっぱいのほほえみ / a *broad* joke 下品な冗談. 8〈言葉がなまりの〉強い.
It's as bróad as it's lóng.〔略式〕五十歩百歩だ《「長さと幅が同じ」の意で, どっちみち同じということから》.
― 副 すっかり, 十分に《◆ wide の方がふつう》‖ *broad* awake ばっちり目をさまして.
― 名 1 [the Broads] (川が広がってできた)沼, 湖

‖ the Norfolk Broads 湖沼地方《イングランド東部》. **2** [the ~] (体の)広い部分 ‖ the broad of the back 背中.
broad bean /⌒|⌒/《英》《植》ソラマメ.
broad jump《米》《スポーツ》[the ~] 幅跳び《英》long jump》‖ the rúnning [stánding] bróad júmp 走り[立ち]幅跳び.
bróad·ness 名 U 広いこと,広々としていること.
broad·band /br5:dbǽnd/《無線・コンピュータ》形 広帯域の,広周波数帯域(の),ブロードバンド(の).

†**broad·cast** /br5:dkǽst/ -kɑ́:st/《「広範囲に投げる」が本義》
── 動 ~**s**/-kǽsts/ -kɑ́:sts/; 過去・過分 broad·cast, 時に ~**ed**/-ɪd/; ~**ing**
── 他 **1**〈人・放送局が〉〈テレビ・ラジオに〉〈番組など〉を放送する ‖ The rock concert is being broadcast live. ロックコンサートは今生中継されています / broadcast the news of the president's death 大統領死亡のニュースを放送する / My favorite TV drama is broadcast from 8:30 to 9:00 in the morning. 私のいちばん好きなテレビドラマは朝8時30分から9時まで放送されています. **2** …を言いふらす,吹聴(ﾌｯﾁｮｳ)する;《正式》〈種子など〉をまく (spread) ‖ broadcast gossip うわさをまく.
── 自 **1** 放送する,(ラジオ・テレビに)出る,出演する ‖ NHK broadcasts at 4:30 a.m. every day. NHKは毎朝4時半から放送している. **2** まき散らす.
── 名 ~**s**/-kǽsts/ -kɑ́:sts/ U (ラジオ・テレビの)放送;放送業界; C (ラジオ・テレビの)番組,番組出演 ‖ live broadcast 生[実況]放送.
── 形《名詞の前で》放送された,広められた《◆比較変化しない》.
── 副 (ラジオ・テレビで)達するように;くまなく広がって.
bróadcast mèdia [the ~] 放送メディア,電波媒体.
bróad·càst·er 名 C アナウンサー,放送会社;散布器.

†**broad·cast·ing** /br5:dkǽstɪŋ/ -kɑ́:st-/ 名 U 放送(業) ‖ a rádio [télevision] bróadcasting stàtion ラジオ[テレビ]放送局.

――――――――――――
関連[いろいろな種類のbroadcast]
cable broadcast 有線放送 / election broadcast 政見放送 / live broadcast 生放送 / satellite broadcast 衛星放送 / terrestrial digital broadcasting 地上波デジタル放送.

事情[米国の3大放送網] ABC / CBS / NBC《◆他にFOXを含めて4大放送網とすることも多い》. [英国の2大放送網] BBC / ITV《◆他にChannel 4がある》.
――――――――――――

†**broad·cloth** /br5:dklɔ̀(ː)θ/ 名 U 形 **1** ブロード(の),広幅生地(の). **2** ブロードクロース《昔の高級紳士服用の黒ラシャ》.

†**broad·en** /br5:dn/ 動 **1**〈川・道路などが〉広くなる;〈視野などが〉広がる (+ out). **2**〈顔などが〉(笑いで)崩れる. ── 他〈川・道路など〉を広げる;〈視野など〉を広げる[深める] ‖ broaden one's horizons by traveling abroad 海外を旅行して視野を広げる / broaden one's mind 考え方[物の見方]を広げる.

†**broad·ly** /br5:dli/ 副 **1** 大ざっぱに (generally) ‖ broadly speaking 大まかに言えば. **2** [文全体を修飾]《正確なことを言うのを避けて》大ざっぱに言えば,概して《◆ broadly speaking ともいう》. **3** 幅広く,広範囲に ‖ broadly known あまねく知られた. **4** 大きく;露骨に,無遠慮に;下品に ‖ grin broadly 大笑いする.

broad-mind·ed /br5:dmáɪndɪd/ 形 偏見のない;寛大な,包容力のある.
bróad-mínd·ed·ness 名 U 寛大さ.

†**broad·side** /br5:dsáɪd/ 名 C **1**《海事》舷側(の),船べり《船の側面の水面より上の部分》;《古》舷側砲(の一斉発射). **2**《略式》(言葉での)〈人への〉一斉攻撃 (to, at). **3** (家などの)広い側面. ── 副 **1** 舷側に,舷側を向けて;横[側面]から ‖ broadside on (to …)《…に》舷側を向けて;横向きに. **2** 一斉に;《主に米》でたらめに,見境なく.

†**Broad·way** /br5:dwèɪ/ 名 **1 a** ブロードウェイ《New York のManhattan区を南北に走る大通り》. **b** ブロードウェイ《a の一流劇場街で,米国演劇界の代名詞. cf. off-Broadway》. **2** [b~] C 大通り,メインストリート.

†**bro·cade** /broʊkéɪd/ brə-/ 名 C にしき,金らん,にしき織. ── 形 にしき[金らん]の;にしき織の. ── 動 他〈布〉をにしきを織にする.

broc·(c)o·li /brɑ́k(ə)li/ brɔ́k-/ 名 C U《植》ブロッコリー.

†**bro·chure** /broʊʃʊ́ər/ brə́ʊʃə/ 名 C パンフレット《pamphlet よりふつう》‖ go over the brochure パンフレットに目を通す.

†**broil** /br5ɪl/ 動 他 **1**《主に米》〈肉・魚など〉を〈焼き網・グリルを使って直火で〉焼く,あぶる;…を照り焼きにする (grill) (→ cook 他**1**関連). **2**〈太陽が〉…に焼けるように照る.

broil·er /br5ɪlər/ 名 C **1** = broiler chicken. **2**《米》肉焼器《英》grill》. **3**《米》(職業としてでなく臨時に)…を焼く人 ‖ a good steak broiler 上手にステーキを焼く人. **4**《略式》焼けつくほど暑い日.
bróiler chìcken (焼肉用の)若鶏,ブロイラー.
bróiler hòuse ブロイラー鶏舎.

broil·ing /br5ɪlɪŋ/ 形 副《主に米式》焼けつくように(暑い) ‖ It's bróiling (hót) today! 今日は猛烈に暑い.

***broke** /bróʊk/
── 動 break の過去形.
── 形《略式》文無しの,破産した ‖ be flat [completely,《米式》stone-,《英》stony] broke まったく一文無しである.
gò [be] bróke《略式》文無しになる[である],破産する[している]《◆ broke の代わりに broken は使わない》.
gò for bróke《主に米式》有り金[全財産]をはたく,つぎ込む;全力を尽くす.

***bro·ken** /bróʊkən/
── 動 break の過去分詞形.
── 形 **1** こわれた,折れた,割れた (↔ unbroken) ‖ a broken cup こわれた茶わん / He suffered a broken leg. 彼は足を折った. **2** 故障した,動かない ‖ a broken clock 故障した時計. **3** 〈地面が〉でこぼこの,平らでない. **4** 破棄された ‖ a broken promise 破られた約束. **5** つぶれた,挫折した ‖ a broken marriage 破綻(ﾊﾀﾝ)した結婚生活 / A friend of mine comes from a broken home. 私の友だちに両親が別居している[離婚した]人がいます. **6** 切れ切れの,断続的の ‖ broken sleep 途切れ途切れの眠り. **7** 身体が弱った;くじけた,打ちひしがれた ‖ broken dreams 破れた夢 / a broken man 失意の人. **8** 〈言葉が〉不完全な,ブロークンの ‖ His English is broken, but I have no trouble understanding him. 彼の英語はブロークンですが,彼の言うことはなく理解できます.

bróken héart 失意, 失恋.
bróken líne 破線 《----》 (cf. dotted line); 折れ線.
bróken réed 折れた葦(ﾖｼ); 頼りにならない人[物].
bró·ken·ly 副 途切れがちに, 変則的に.
bro·ken-down /bróukndáun/ 形 1 打ち砕けた. 2 健康を損ねた; 衰弱した. 3 〈機械などが〉動かない; ポンコツの.
bro·ken-heart·ed /bróuknhάːrtid/ 形 〈人が〉(失恋して)悲嘆にくれた, 望みを失った.
†**bro·ker** /bróukər/ 名 C 1 [しばしば複合語で] ブローカー, あっせん業者 (cf. stockbroker). 2 (英) 古物商, 質屋. ── 動 他 …の仲介をする.
bro·ker·age /bróukəridʒ/ 名 U 1 《正式》仲介料 (fee). 2 仲買業務 ‖ a brokerage firm 仲介会社, 仲買会社.
†**bro·mide** /bróumaid/ 名 1 UC 〔化学〕臭化物; [化合物名で] 臭化… 2 C《正式》陳腐でなぐさめの言葉.
brómide pàper 〔写真〕ブロマイド印画紙《◆「芸能人・スポーツ選手などの写真」という意味では使わない》.
bro·mine /bróumiːn/ 名 U 〔化学〕臭素《液体のハロゲン元素. (記号) Br》.
bron·chi·al /bráŋkiəl | brɔ́ŋ-/ 形 気管支の ‖ bronchial tubes 気管支.
bron·chi·tis /brɑŋkáitis | brɔŋ-/ 名 U 〔医学〕気管支炎.
bron·co, -·cho /bráŋkou | brɔ́ŋ-/ 名 (複 ~s) C ブロンコ《北米西部産の半野生馬, cf. mustang》.
Bron·të /brɑ́nti | brɔ́n-/ 名 ブロンテ《Anne ~ 1820-49; Charlotte ~ 1816-55; Emily ~ 1818-48; 英国の小説家3姉妹》.
bron·to·sau·rus /bràntəsɔ́ːrəs | brɔ̀n-/, -·**saur** /brántəsɔ̀ːr | brɔ́n-/ 名 〔古生物〕ブロントサウルス《ジュラ紀・白亜紀の草食性恐竜》.
†**Bronx** /brάŋks | brɔ́ŋks/ 名 [the ~] ブロンクス《New York 市の5つの区の1つ》.
*****bronze** /brάnz | brɔ́nz/ 〔『Brindisi (イタリアの都市)の赤味がかった褐色の銅』が原義〕
── 名 (複 ~s/-iz/) 1 U 青銅, ブロンズ, 銅合金《◆銅とスズの合金》 ‖ a sculpture in bronze ブロンズの彫刻. 2 U 青銅色; 赤茶色, 赤褐色. 3 C ブロンズ製品, 青銅製品.
── 形 《◆比較変化しない》 [名詞の前で] 1 青銅の, ブロンズの ‖ She won the [a] bronze [×copper] medal at the Atlanta Olympic Games. 彼女はアトランタオリンピックで銅メダルを獲得した. 2 青銅色の ‖ bronze leaves 赤茶色の木の葉. 3 青銅[ブロンズ]製品の.
── 動 (bronz·ing) 他 …をブロンズ色にする;《正式》[通例 be ~d] 〈人・顔〉を赤銅色に焼ける.
Brónze Àge [the ~] 青銅器時代《the Stone Age と the Iron Age の間》;〔ギリシア神話〕青銅時代.
bronz·ing /bránziŋ | brɔ́nz-/ 動 → bronze.
†**brooch** /bróutʃ/, (米+) brúːtʃ/ (同音 broach) 名 C ブローチ《◆昔は青銅製で動物の姿が多く, 帽子につけられた(→ broach)》.
†**brood** /brúːd/ 〔発音注意〕 名 C 集合名詞; 単数・複数扱い] 1 ひとかえりのひな鳥;〔動物の〕ひと腹の子 ‖ a brood of chickens ひとかえりのワトリの全体《◆犬, 豚などの獣の子はふつう litter : a litter of pigs ひと腹の子豚》. 2《略》(一家の)子供たち.
── 動 自 1 卵を抱く. 2《文》〈雲・夕やみ・静寂などが〉たれこめる, 静かにおおう [on, over];〈建物が〉

ぼんやりと […に] そびえる [over, above] ‖ 3 […を] 考え込む, 熟考する [on, over]《◆「熟考する」の意では over, にしてくよくよする」の意では on [about] が多い》‖ brood on one's failure 失敗をくよくよ思い悩む.
── 他〈卵〉を抱く;〈ひななどを〉翼で守る.
brood·y /brúːdi/ 形 (-·i·er, -·i·est) 〈人が〉不機嫌な, 陰気な; 物思いにふけっている.
†**brook** /brúk/ 名 C《文》小川 (stream).
†**Brook·lyn** /brúklin/ 名 ブルックリン《New York 市の5つの区の1つ》.
†**broom** /brúːm/ 名 C ほうき, 長柄のブラシ ‖ A new broom sweeps clean. (ことわざ) 新しいほうきはきれいに掃ける; 新任者は改革に熱心である.
broom·stick /brúːmstik/ 名 C ほうきの柄《◆魔女 (witch) がこれに乗って空を飛ぶと考えられた》.
bros., Bros. /《◆おどけて /brɔ́ːs, brɔ́ːz/, (米+) brάs/ と発音されることもある》(略) brothers ‖ Smith Bros. & Co. スミス兄弟商会.
†**broth** /brɔ́ːθ | brɔ́θ/ 名 UC [形容詞または時には a ~] (肉・野菜などの)薄い澄んだスープ ‖ a nice chicken broth おいしいチキンスープ / Too many cooks spoil the broth. (ことわざ) 料理人が多すぎるとスープがまずくなる;「船頭多くして船山に登る」.
broth·el /brɔ́θl, brɔ́ːθl | brɔ́θl/ 名 C 売春宿.

broth·er

/brʌ́ðər/ 〔『同族の人』が原義〕
── 名 (複 ~s/-z/, 4で時に, 5でしばしば **breth·ren** /bréðrən/) C 1 兄弟, 兄, 弟 (↔ sister)《◆呼びかけには用いない》 ‖ my older [big,《主文》elder] brother 私の兄 / my younger [little, baby] brother 私の弟 / Do you have any brothers? 兄弟はありますか《◆複数形で聞くことが多い》《◆対話》 "How many brothers do you have?" "I have three brothers." 「(男の)兄弟は何人いますか」「3人います」《◆(1) 女性が答えた時, 男性が答えた場合は「4人兄弟です」の意. (2) 英米ではふつう兄と弟を特に区別せず, 単に one's brother のようにいう.「兄さん」という呼びかけには本人の名前を用いる》‖ the Ford brothers フォード兄弟《◆ Ford Brothers ともいう. the brothers Ford は堅い表現. ただし「グリム兄弟」は the brothers Grimm というのがふつう》. 2 異父[異母]兄弟 (half brother); 義[乳]兄弟 ‖ 3《略》(兄弟のように)親しい男性, 親友. 4 同僚; 同級生; 同業者; 仲間, 同志, 同胞; (PC) comrade friend);[形容詞的に] 同僚の ‖ brothers in arms 戦友たち / my brother teacher 同僚教師 (=my fellow teacher). 5 [しばしば B~]《称号・呼びかけ》宗徒, 信者仲間; 修道士《(略) Br.》.
Òh, bróther! こりゃ困った《◆ Oh, my God!, Oh God! の言い換え》.
†**broth·er·hood** /brʌ́ðərhùd/ 名 1 U《正式》兄弟の間柄, 兄弟愛; 仲間のよしみ ((PC) friendship); 同胞愛, 人類愛 ((PC) humanity). 2 C《略》[通例 the ~; 単数・複数扱い] 協会, 組合, 親睦(ﾎﾞｸ)会 ((PC) society, association); 信徒会 ‖ the legal brotherhood 法曹(ｿｳ)団体 / the medical brotherhood 医師会. 3 (米) [the ~; 集合名詞; 単数複数扱い] (同業者たち; 同業者たち; 仲間たち; 同胞 ((PC) coworkers, associates).
†**broth·er-in-law** /brʌ́ðərinlɔ̀ː/ 名 (複 **broth·ers-**, (英略) ~**s**) C 義理の兄[弟], 義兄[弟] (cf. sister-in-law).
†**broth·er·ly** /brʌ́ðərli/ 形 1 兄弟(としての); 兄弟にふさわしい ‖ brotherly love 兄弟愛. 2 優しい, 親切な. **bróth·er·li·ness** 名 U 兄弟らしさ.

brough・am /brúːəm, brúːm, bróuəm/〖Lord Brougham(1778-1868)の名より〗图 C 1 頭立て4輪箱馬車《御者台が外にある》．ブルーム型自動車.

***brought** /brɔːt/ 動 bring の過去形・過去分詞形.

†brow /bráu/ 【発音注意】图 C 1 《通例 ~s》まゆ毛(eyebrow)《◆感情や性格の表れる部分とされる》‖ knit [wrinkle] one's *brów* まゆをひそめる(frown) / heavy [strong] *brows* 太いまゆ毛. 2 《やや詩》額(ひたい)《詩》 a wrinkled *brów* しわが寄った額. 3 《崖などの》縁，突出部；《主に英》(丘の)頂き. 4 《詩》表情.

brow・beat /bráubìːt/ (過去) **--beat・en** (過分) 他《顔で言葉で》〈人〉を威嚇(いかく)する；〈人〉をおどして[…]させる[させない][*into* [*out of*]].

✦brown /bráun/
─ 形 (~・er, ~・est) 1 茶色の，褐色の，チョコレート色の，とび色の《◆トースト，ミルクを入れたコーヒー，ジャガイモの皮などの色．「茶色」だけでなく黄色から黒に近い色までを含む》‖ *brown* eyes 茶色の目 / a *brown* horse 栗毛の馬 / He had *brown* hair, not fair. 彼女は子の髪で金髪ではありませんでした. 2 日焼けした(suntanned)《◆オーブンなどで》こんがり焼けた，キツネ色の‖ a slice of fresh *brown* bread 焼きたてのパン1切 / You are still *brown* from the sun. まだ日焼けがさめないね.
dó it úp brówn [*right*] (俗)完全に[申し分なく]やる.
─ 图 (複~s/-z/) 1 UC 茶色，褐色‖ (a) dark *brown* こげ茶(↔ (a) light *brown* 薄茶). 2 UC 茶色の絵の具[染料]. 3 U 茶色の服‖ wear *brown* 茶色の服を着ている.
─ 動 自 茶色になる；日に焼ける. ─ 他 …を茶色にする；《料理》…を(キツネ色になるまで)いためる，焼く.
brówned óff 〔英略式〕(…に)うんざりした，困った[*with, by*].
brówn bág 茶色の紙袋《◆特に弁当を入れるものをさす》.
brówn béar 〔動〕ヒグマ《◆北米産の grizzly bear を含む》.
brówn bréad (糖みつ入りの)黒い蒸しパン；(全粒小麦粉の)黒パン(cf. black bread).
brówn cóal 褐炭.
brówn páper 包装紙，ハトロン紙《無漂白，褐色》.
brówn ríce 玄米(unpolished rice).

†brown・ie /bráuni/ 图 C 1 (伝説)ブラウニー《夜ひそかに家事の手伝いをするという善良な小妖(こよう)精》. 2 (米) チョコレートケーキ.

Brown・ing /bráuniŋ/ 图 1 ブラウニング《Robert ~ 1812-89；英国の詩人》. 2 C ブローニング式自動小銃，ブローニング式機関銃.

brown・ish /bráuniʃ/ 形 茶色がかった.

brown・stone /bráunstòun/ 图 1 U 《米》赤褐色砂岩. 2 赤褐色砂岩を正面に張った家.

†browse /bráuz/ 图 C《通例 a ~》(本などの)拾い読み(の期間)‖ have a good *browse* through various essays さまざまエッセイをあちこち拾い読みする. ─ 動 自 1《家畜が》若草を食べる(feed)‖ Cows are *browsing* in the meadow. 牛が牧場で草を食べている. 2《家畜が》〈草を〉食べる[*on*] ‖ *browse* on the leaves 葉を食べる. 3 (本などを)興味本位に拾い読みする；本を立ち読みする‖ *browse* through Takuboku's poetical works 啄木の詩集をあれこれ拾い読みする / *browse* in a bookshop 本屋で本の立ち読みをする. 4〔コンピュータ〕

(インターネットで)ブラウズする，(ウェブページを)あちこち見る.
brówsing ròom (図書館の)ブラウジングルーム.

brows・er /bráuzər/ 图 C 1〔コンピュータ〕ブラウザー《ウェブページを表示するためのソフト》. 2《本を》拾い読みする人.

†bruise /brúːz/【発音注意】動 他 1〈人が〉〈人・動物・果物など〉に傷をつける，…を痛める‖ The child fell and *bruised* his knee [himself]. その子はころんでひざを打った[打ち傷がついた]. 2〈言葉などが〉〈感情など〉を傷つける，害する‖ My harsh words *bruised* her feelings. 私のとげのある言葉が彼女の感情を傷つけた《◆ *hurt* の方がふつう》. ─ 自《*easily* などを伴って》《皮膚・果物・人などが》傷がつく‖ Peaches *bruise* easily. モモはいたみやすい. ─ 图 C 1《体などの》打撲傷，打ち身. 2《野菜・果物の》傷.

brúis・er 图 C 《略式》筋骨たくましい大男；プロボクサー；乱暴者. **brúis・ing** 形 《略式》力を消耗する，過酷な.

brunch /brʌntʃ/〖breakfast + lunch の混成〗图 UC《主に米略式》(昼食兼用の)遅い朝食，(朝食兼用の)早い昼食.

Bru・nei /brúːnai/ 图 ブルネイ《ボルネオ北部のイスラム首長国》.

†bru・net /bruːnét/ 形《皮膚が》浅黒い；《髪が》ブルネットの《◆「黒みがかった色」から「褐色」までの色をいう》(cf. blond) ‖ *brunet* hair 黒髪. ─ 图 C ブルネットの人《◆ふつう男性．女性形は brunette》；(肌の)浅黒い人.

†bru・nette /bruːnét/ 形 图 C brunet の女性形(→ brunet).

†brunt /brʌnt/ 图 ほこ先《通例次の成句で》.
béar the brúnt of A 《正式》〈攻撃・非難〉の矢面(やおもて)に立つ.
escápe the brúnt of A 《正式》〈攻撃・非難〉を免れる.

***brush**¹ /brʌʃ/ 【類音】blush /blʌʃ/ 〖「灌木(かんぼく)(bush)」が原義〗
─ 图 (複~・es/-iz/) C 1《しばしば複合語で》ブラシ，はけ；毛筆，画筆，(掃除用の)モップ‖ a háir [tóoth] *brùsh* ヘア[歯]ブラシ. 2《通例 a ~》*brùsh* [はけ]をかけること；絵筆を使うこと；[the ~]筆法，画法，[集合名詞]画家‖ She gáve my shoes a quíck brúsh. 彼女は私の靴にさっとブラシをかけてくれた. 3《…との》(通りすがりの)軽い接触[衝突]；《略式》小ぜり合い，もめごと[*with*] ‖ I felt the *brush* of her hand against me. 彼女の手が触れたのを感じた. 4《キツネなどの》ふさふさした尾《◆狩りの記念にする》.
─ 動 (~・es/-iz/; (過去過分) ~ed/-t/; ~・ing)
─ 他 1《人が》〈物〉にブラシをかける，…を《ブラシ・モップで》磨く；[brush A C]〈人〉を〈人〉にブラシをかけてC(…の状態)にする‖ *brush* one's shoes [hair] 靴を磨く[髪をブラッシングする] / *brush* one's teeth before going to bed 寝る前に歯を磨く. 2《ごみ・ハエなどを》(ブラシ・手などで)払いのける(+*aside, away, off*)‖ *brush* the dirt *off* (the coat) with one's hand 手で(上衣の)ほこりを払い落とす. 3《通りすがりに》…にさっと触れる(+*past*). 4《~ one's way》力ずくで進む(force).
─ 自 1《…に》かすめる，かすって通る[*against, past, by*]，《人ごみの中などを》無理に進んで行く.
brúsh asíde [*awáy*] [他] (1) → 他 2. (2) …を無視する，軽くあしらう.
brúsh dówn [他] (1)〈人・服など〉のほこり[ごみ]を(ब

brush

[ブラシ]などで〕払い落とす. (2)《略式》〈子供などを〉〔…で〕しかる(for)《◆ give [get] a brushing down などとして名詞的にも用いる》.

brush off [自]〈ほこりなどが〉すれて落ちる. ━[他] (1)→[他]2. (2)《略式》〈人・提案などを〉無視する, はねつける. (3)《略式》〈人〉との関係を断つ, …と会おうとしない, …の言うことに耳を貸さない.

brush up [他] (1)〈物〉を〔ブラシ・手で〕すっかりきれいにする;〈人〉の身づくろいをする. (2)〈〔忘れていた〕外国語・知識〕などを磨き直す, 復習する(review) ‖ *brush up* one's English〔忘れかけた〕英語をやり直す(=*brush up on* one's English).

brush up on A =BRUSH UP (2).

brush² /bráʃ/ [名] ① 1 (主に米・豪) (低木の)やぶ, 雑木林;その地域;下ばえ. 2 =brushwood 1. 3 (米) [the ~]未開拓地.

brush-off /bráʃɔ̀(ː)f/ [名] ① [the ~]そっけない拒絶;解雇 ‖ give [get] *the brush-off* すげなく断る[断られる].

brush-up /bráʃʌ̀p/ [名] ⓒ (忘れかけている知識・技能の)復習.

brush·wood /bráʃwùd/ [名] ① 1 折れた[切った](小)枝, しば, そだ(brush²). 2 下ばえ, やぶ, 叢(ξ)林地域.

brush·work /bráʃwə̀ːrk/ [名] ① 筆致, 画法;はけ仕事.

brusque, brusk /brʌ́sk | brúːsk/ [形] ぶっきらぼうな, 無愛想な. **brúsque·ly** [副] ぶっきらぼうに.

†**Brus·sels** /brʌ́slz/ [名] ブリュッセル《ベルギーの首都》;[時に b~] ⓒ 《英略式》芽キャベツ. **Brússels spróuts** 芽キャベツ.

†**bru·tal** /brúːtl/ [形] 1 (時に ~·er, ~·est) 1 獣のような, 野蛮な. 2 〈獣のように〉残酷な, 無慈悲な(cruel). 3 〈気候などが〉厳しい. 4 〈事実などが〉冷厳な. **brú·tal·ly** [副] 獣のように, 情け容赦なく.

†**bru·tal·i·ty** /bruːtǽləti/ [名] 1 ① 獣性;残忍性. 2 ⓒ 残虐行為, 蛮行.

bru·tal·ize /brúːtəlàiz/ [動]《正式》[他] 〈事が〉〈人〉を残忍[無情]にする. ━[自] 残忍な仕打ちをする.

†**brute** /brúːt/ [名] 1 (文・略式) 獣, 畜生, 動物(cf. animal, beast) ‖ a *brute* of a man 獣のような男《◆ of は同格の of》.《略式》〈獣のように〉冷酷[残酷]な人, 人でなし;《略式》いやなやつ[もの] ‖ a *brute of* a problem やっかいな問題 / 〈対話〉"He locked his child up in the basement and starved him to death." "What a heartless *brute*!" 「彼は自分の子供を地下室に閉じこめて餓死させたのだ」「何と冷酷なやつだ」. 3 [the ~] (人間のもつ)獣性, 獣欲. ━[形] 1 獣のような, 非情な;残酷な, 野蛮な ‖ *brute* force [strength] 暴力. 2 肉欲的な, 肉体だけの ‖ *brute* strength 腕力.

brut·ish /brúːtiʃ/ [形] 1 (理性・知力を欠く)獣のような. 2 粗野な. 3 理に合わない, 不合理な.

†**Bru·tus** /brúːtəs/ [名] ブルータス《**Marcus Junius** /máːrkəs dʒúːnjəs/ ~ 85?-42 B.C.;ローマの政治家;Caesar の暗殺者》.

BS (略) (米) Bachelor of Science 理学士《◆ **B. Sc.**/bíːèsíː/》; (英) Bachelor of Surgery 外科医学士; British Standard 英国工業規格.

BSE (略)《獣病理》bovine spongiform encephalopathy 牛海綿状脳症《◆《略式》では mad cow disease (狂牛病)ともいう》.

BST (略) British Standard Time 英国標準時; British Summer Time 英国夏時間.

BT (略) British Telecommunications Corporations 英国電気通信株式会社《◆ British Telecom ともいう. → post office 2》.

†**bub·ble** /bʌ́bl/ [名] 1 ⓒ [通例 ~s] (1つ1つの)あわ, あぶく;気泡《◆ bubble の集まりは foam》‖ sóap *búbbles* 石けんのあわ / blòw *búbbles* シャボン玉を吹く. 2 ① あわだち;沸騰音. 3 ⓒ 実体のないもの, はかないもの;(すぐ消える)誇大な計画, 詐欺. 4 ①ⓒ 〔経済〕泡沫的投機[事業](現象), バブル ‖ **The búbble búrsts.** バブルがはじける[崩壊する];幸運な状態が突然崩れる / the burst [collapse] of the *bubble* バブルの崩壊.

príck [búrst] **a búbble** シャボン玉を突いて[ふくらまして]こわす;化けの皮をはぐ.

━[動][自] 1〈液体があわ立つ(+*out, up*);沸騰する;沸いて[あわ立って]あふれる(+*over*);〈液体が〉ぶくぶく沸く[湧く](+*away, up*)‖ The water is *bubbling* in the kettle. やかんの湯が沸いています. 2〈人が〉〈興奮などで〉沸き立つ(+*over*)[*with*];〈物などが〉…にあふれる[*with*] ‖ *bubble* (over) *with* joy 喜びでざわめく / His brain *bubbles with* new ideas. 彼の頭は新しいアイデアであふれている.

búbble báth あわ風呂;(風呂の)あわ立て剤.
búbble gùm 風船ガム.

†**buc·ca·neer** /bʌ̀kəníər/ [名] ⓒ 〔歴史〕バカニーア, 海賊《16-17世紀にスペイン船やアメリカの植民地を荒らした海賊》.

Bu·cha·rest /búːkərèst | ーーー/ [名] ブカレスト《ルーマニアの首都》.

†**buck**¹ /bʌ́k/ [名] (複 ~**s**, [集合名詞として] **buck**) ⓒ 1 雄ジカ. (トナカイ・ヒツジ・ウサギ・ネズミなどの)雄(↔ doe) (→ doe). 2 (南ア) カモシカ(antelope). 3 《略式》元気な若者. 4 (米・豪略式)ドル(dollar).

buck² /bʌ́k/ [動][自]〈馬が〉馬の背を曲げてはねあがる. ━[他] 1〈馬が〉〈は乗り手〉をふり落とす(+*off*). 2 《米略式》〈物・事に〉反対する, 反抗する ‖ *buck* the system 体制に反抗する.

búck úp 《略式》[自] [しばしば命令形や must, have to を伴って] 元気を出す(cheer up);急ぐ(hurry). ━[他] (1)〈人〉を元気づける. (2)〈考えなど〉をもっとよいものにする.

buck³ /bʌ́k/ [名] ⓒ (古) (トランプ) (ポーカーで次の配り手を示すために置く)札. **páss the búck** (**to** A) 責任を(…に)転嫁する.

Buck /bʌ́k/ [名] バック《Pearl (Sydenstricker /sáidnstrìkər/) ~ 1892-1973;米国の女性小説家》.

*****buck·et** /bʌ́kət/ [名]《小さな(et) 容器(buck)》
━[名] (複 ~**s**/-its/) ⓒ 1 バケツ, 手おけ;つるべ(cf. pail). 2 =bucketful. 3 《略式》[~s] 多量(large quantity) ‖ The rain fell [came down] (in) *buckets*. =It rained in *buckets*. 雨がどしゃぶりに降った.

gíve the búcket to A 〈人〉を解雇する.
kíck the búcket 《俗》死ぬ, くたばる.

━[動][他] (英略式) を[で]運ぶ(+*up, out*).
━[自] (英略式) 1〈車などが〉急いで進む, 疾走する(+*along*). 2 [通例 it を主語にして] 雨が激しく降る(+*down*).

buck·et·ful /bʌ́kətfùl/ [名] ⓒ [通例 a ~ of + ① 名詞] バケツ1杯(の量).

†**Búck·ing·ham Pálace** /bʌ́kiŋəm-, (米+) -hæm-/ [名] バッキンガム宮殿《ロンドンにある英国王室の宮殿. 衛兵の交替式(Changing the Guard)はロンドン名物の1つ》.

Buck·ing·ham·shire /bʌ́kiŋəmʃìər | -ʃə/ [名] バッキ

ンガムシャー《英国南部の州. (略) Bucks(.)》.

†**buck·le** /bʌ́kl/ [名] ⓒ **1**〈ベルトの〉バックル. **2**〈靴・カバンなどの〉飾り金具. **3**〈金属などの〉曲がり, よじれ ‖ a buckle in the road 路面の起伏. ── [動] ⓔ **1**〈ベルト・靴など〉を締め金で留める(+up, down, on, together); **2**〈熱・圧力・衝撃などが〉〈物〉を曲げる(+up). ── [動] ⓘ **1**〈物が〉(圧力・熱などで)曲がる(+up) 〈人など〉が[権威・攻撃など](に]屈服する(+under)[under, to] ‖ a beam buckling under pressure 重みのたわんだ(天井の)はり. **2**〈服・ベルトなどが〉締め金で留まる;〈車の〉シートベルトを締める(+up).
búckle (dówn) to A [to do, to doing]《略式》〈仕事〉に[…すること]に精を出す, …に熱心にとりかかる.
búckle tó ⓘ(困難・危機に直面して)〈仲間・団体が〉一丸となってがんばる, 仕事に励む.

buck·ram /bʌ́krəm/ [名] Ⓤ バクラム《にかわ・のりなどで固めた粗い布地. 服地の芯(ぐ)や製本などに用いる》.

buck·saw /bʌ́ksɔː/ [名] Ⓒ 《両手でひく, 枠がH型ののこぎり》.

†**buck·skin** /bʌ́kskin/ [名] [形] **1** Ⓤ バックスキン(の), 黄色の柔らかいシカ皮《羊皮, ヤギ皮》(の). **2** [~s; 複数扱い] シカ皮のズボン《靴》.

†**buck·wheat** /bʌ́khwiːt/ [名] Ⓤ **1**《植》ソバ(の実)《◆英米では家畜・家禽(ぎぐ)の飼料》. **2** ソバ粉《米国ではbúckwheat flóur ともいい, 朝食のパンケーキに用いる》 ‖ buckwheat noodle broth ソバなどの汁 - [日本発≫] In Japan, there is a tradition of eating buckwheat [soba] noodles on New Year's Eve in the hope of living a long life. 日本では長寿を願って大晦日にそばを食べる習慣がある.

†**bud** /bʌ́d/ [名] **1**《しばしば複合語で》[葉・枝の]芽《◆芽鱗に包まれた芽. 発芽したものは sprout》;(花の)つぼみ(cf. flower bud, leaf bud) ‖ a rose bud バラのつぼみ. **2** 未成熟の物; 未成年; 小娘. **3** 《米》社交界に出たての娘.
cóme into búd〈木などが〉芽を出す, つぼみをつける.
in búd〈木・花が〉芽ぐんで, つぼみをつけて;〈人・物が〉未成熟[未発達]の状態で.
níp A **in the búd**[比喩的に]…をつぼみのうちに摘み取る.
── [動](過去・過分) **búd·ded**/-id/; **búd·ding** ⓘ〈木・花が〉芽を出す, つぼみをつける(+out).
búd·ded [形] 芽ぐんだ, つぼみをもった.

Bu·da·pest /bjúːdəpest/ |ニヽ/[名] ブダペスト《ハンガリーの首都》.

†**Bud·dha** /búːdə/ [目覚めた[悟りを開いた]人] [名] **1** [(the) ~] ブッダ(仏陀), 釈迦牟尼(キカムミ)《463-383 B.C.》有力な仏者. 仏教の開祖》. **2** Ⓒ 仏像.

†**Bud·dhism** /búːdizm/ [名] Ⓤ 仏教, 仏道 [日本発≫] Buddhism [bukkyō] came to Japan in the middle of the sixth century and has shaped the spiritual culture of the Japanese people. 仏教が日本に伝わったのは6世紀の半ばで, 日本人の精神文化を形成しています.

†**Bud·dhist** /búːdist/ [名] Ⓒ [形] 仏教徒; 仏陀の, 仏教(徒)の ‖ a Buddhist monk 仏教僧 / a Buddhist temple 寺.

bud·ding /bʌ́diŋ/ [形] **1**〈木などが〉芽[つぼみ]を出しかけた. **2** 新進の, 世に出始めた ‖ a budding violinist 新進バイオリニスト.

†**bud·dy** /bʌ́di/ [名] Ⓒ 《主に米略式》**1**〈男の〉仲間, 相棒(friend). **2**〈男の呼びかけ〉〈親しく〉おい, 君;〈怒って〉おいおまえ ‖ Get out of my way, buddy! じゃまだ, どけ. ── [動] ⓘ […と]友だちになる(with).

†**budge** /bʌ́dʒ/ [動] 《略式》《通例否定文で》 ⓘ **1**〈物が〉ちょっと動く, 人が身動きする;〈人が〉[意見などを]変える(from) ‖ The elephant won't budge. そのゾウはてこでも動かない. ── ⓔ〈人が座ったり通ったりするため〉〈物〉を(ちょっと)動かす;〈意見などを〉変える, 〈人〉に意見を変えさせる.

†**budg·et** /bʌ́dʒət/ [名] Ⓒ **1** 経費, 生活費 ‖ the annual budget for a family of five 5人家族の1年間の生活費. **2**《国などの》予算(案, 執行計画);(可決された)予算 ‖ the budget for the 2005 fiscal year 2005年度予算. **3** ひとまとめ, 束. **4**《形容詞的に》予算にあった;安い《◆cheap の遠回し語》 ‖ a budget hotel 安いホテル. ── ⓔ《時間・金額》を[…に]割り当てる, 予算[予定]に組む(for). ── ⓘ budget for buying a new house 新しい家を買う予算を立てる.
búdget accòunt [plàn]《銀行の》自動振込み口座[勘定].
búdget constràint 予算の制約《◆ lack of money の遠回し語法》.
búdget déficit 財政赤字.

Bud·weis·er /bʌ́dwàizər/ [名]《商標》バドワイザー《米国の代表的なビール》.

Bue·nos Ai·res /bwèinəs áiriz, bòunəs-| bwènɔs-, -nəs-/ [名] ブエノスアイレス《アルゼンチンの首都》.

†**buff** /bʌ́f/ [名] [形] **1** Ⓤ 〈牛などの〉黄褐色のもみ皮(の). **2** Ⓤ 黄褐色(の). **3** Ⓒ 《もみ皮を張った》とぎ棒[盤]. **4** Ⓒ 《略式》…狂《◆…ファン》 ‖ a jazz buff ジャズ狂.
(áll) in the búff [形]《古》人が丸裸の[で].
── [動] ⓔ〈金属・靴・皮など〉を《とぎ棒・もみ皮で》とぐ, 磨く(polish).

†**buf·fa·lo** /bʌ́fəlòu/ [名]《~(e)s, [集合名詞] buf·fa·lo》Ⓒ [動] スイギュウ《アジア・アフリカ産》;《俗用的に》アメリカバイソン(American bison).

Buf·fa·lo /bʌ́fəlòu/ [名] バッファロー《米国 New York 州 Erie 湖に臨む都市》.

Búf·fa·lo Bíll /bʌ́fəlou-/ [名] バッファロー=ビル《本名 W. F. Cody 1846-1917;米国西部開拓史上の伝説的人物》.

buff·er /bʌ́fər/ [名] Ⓒ **1**《英》ふつう鉄道の緩衝器[装置];《米》bumper)《◆自動車などの緩衝器, バンパー》はふつう《米》fender,《英》bumper)=buffer stop. **2**《苦痛・衝撃などを》和らげるもの[人]. **3** 《コンピュータ》バッファ《入力データを一時的に保持する記憶領域》. **4** =buffer state.
── [動] ⓔ **1** …の衝撃を和らげる, …を緩和する. **2** …をに対して]かばう, 保護する(against).
búffer stàte [zòne] 緩衝国[地帯].
búffer stòp 車止め《米》bumper).

†**buf·fet**[1] /bəféi, bu-| [仏語で『フランス』[名]《複 ~s/-z/》Ⓒ **1**《軽食・飲み物を置く》カウンター, 台;《主に英》《駅・劇場などの》簡易食堂;列車食堂, ビュッフェ. **2** 立食の食べ物(buffet meal) ‖ a buffet lunch セルフサービス式昼食 / a buffet party 立食パーティー.
buffét càr《主に英》《簡》食堂車, ビュッフェ.
buffét mèal =2.

†**buf·fet**[2] /bʌ́fət/ [名] Ⓒ 《正》**1**《手・こぶしによる》打撃. **2**《比喩的に》打撃, 不幸, (運命などに)もまれること ‖ the buffets of fate 不幸の連続. ── [動] ⓔ **1**《正式》《手・こぶしが》〈人〉をなぐる, 打つ. **2**〈風・波などが〉〈船〉をもむ, 激しく揺さぶる ‖ The small boat was buffeted by the stormy wind. その小さな船は暴風に翻弄(誓)された.

buf·foon /bəfúːn/ [名] Ⓒ《古》道化者;ばか者 ‖ play

―動 ⓐ 1 〈物が〉〈…で〉ふくれる, いっぱいである, 丸くなる〔with〕‖ Her eyes *bulged with* surprise. 彼女はびっくりして目を丸くした. **2**〈腹などが〉突き出る(+*out*). **―他**〈人が〉〈物を〉〔…で〕ふくらませる(+*out*)〔*with*〕; 〈物が〉〈物を〉ふくらませる ‖ *bulge* [puff] one's cheeks *out* ほっぺたをふくらませる / Walnuts *bulged* her pockets. 彼女のポケットはクルミでふくらんでいた(=Her pockets were *bulging with* walnuts. / Walnuts *bulged in* her pockets. → ⓐ **1**).

†bulk /bʌ́lk/ 图 **1** ⓤ 容積, 大きさ, かさ; 大きい[かさのある]こと; ⓒ 〔古〕〔通例 a ~〕（人・動物の）巨体, 巨大な物 ‖ *a* whale's *bulk* クジラの巨体. **2**〔the ~ of +ⓤ 名詞〕…の大部分(greater part) ‖ *The bulk of* the population is in the coastal area. その国人口の大部分は沿岸地域に集中している. **3** ⓤ (船の)積載; ばら荷 ‖ bréak búlk 積荷を降ろし始める. **4** ⓤ (腸の働きをよくする)繊維質の食物, 食物繊維〔◆ roughage よりくだけた語〕.
in búlk (1) 大量に, 大口で. (2) ばら荷で.
―動 ⓐ〈物が〉(集まって)大きくなる, かさばる(+*up*); 〔…に〕かたまりになる(+*up*)〔*into*, *to*〕‖ *bulk up into* a large sum (合わせると)大きな額になる.
búlk lárge (文) 〈事が〉大きくみえる; 重大である.
búlk bùying [**pùrchase**] 大量買入れ.
búlk màil (米) 料金計器別納郵便.
búlk prodùction 大量生産.

†bulk·y /bʌ́lki/ 形 (**-i·er**, **-i·est**) 団体(芔)の大きい, 遠目にて)太った; かさばる, 大きくて扱いにくい; 〈衣服が〉ゆったりした ‖ a *bulky* package かさばった包み.

†bull¹ /búl/
― 图 (複 ~s/-z/) ⓒ **1** (去勢していない成長した)雄牛. 関連 (1) 牛の種類は → cow¹. (2) 鳴き声は bellow. cf. John Bull. **2** (体が大きく攻撃的な)雄牛のような人. **3** (ゾウ・大ジカ・クジラなど大きな動物の)雄(↔ cow) ‖ *a bull* whale 雄クジラ. **4** (米俗) 警察官, 刑事. **5** 〔株式〕買い方; 強気筋(↔ *bear*²); (略式)〔ポーカー〕強気に宣言する人. **6** 〔the B~〕〔天文学〕牡牛座=Taurus. **7** 的の中心, 金的.
táke the búll by the hórns (略式) 勇敢に難局に当たる.
―形〔名詞の前で〕雄の, 雄牛のような; 〔株式〕上向きの, 強気な(↔ *bear*²) ‖ a *bull* market 強気市場.

bull² /búl/ 〔*bullshit* の短縮語〕图 **1** ⓒ (俗) とんちんかんな話(Irish bull)〈◆「欠席者は手を挙げなさい」など〉. **2** ⓤ 〔しばしば the ~〕= bullshit.

bull·dog /búldɔ̀:g/ 图 ⓒ **1** 〔動〕ブルドッグ 〔mastiff (英国産)と pug (東アジア産)の交配種〕. **2** 執拗(芔)で勇敢な人, 頑固者.

bull·doze /búldòuz/ 動 他 **1** (略式)〈人〉を脅迫する; 〈人〉をおどして〔…〕させる〔*into* (*doing*)〕. **2** (正式)…をブルドーザーでならす[掘る, 運搬する].

bull·doz·er /búldòuzər/ 图 ⓒ **1** ブルドーザー. **2** (略式)脅迫する人.

†bul·let /búlət/ 图 ⓒ **1** 弾丸, 銃弾 ((俗) slug)〈◆「散弾」は shot, 「破裂弾」は shell〉‖ The *bullet* missed the bear by a few inches. 弾は数インチクマからそれた. **2** 小球, 弾丸状のもの. *bíte* (まれ) *on the búllet* いやな状況に敢然と立ち向かう.
búllet tràin (日本の)新幹線(列車); 弾丸列車.

†bul·le·tin /búlətɪn | -tən/ 图 ⓒ **1** (官庁の)公報; 告示; (新聞・ラジオ・テレビの)短いニュース ‖ weather *bulletins* 天気情報. 〔対話〕"What's the news *bulletin* about?" "It's about the president's death." 「それは何のニュース速報だい」「大統領が亡くなったニュースだ」. **2** (学会の)会報, 紀要; (会社の)社報; 機関紙[誌]. **3** (病気中の名士に関する)容態報告(書).
búlletin bòard (1) (米) 掲示板 ((英) notice board). (2) 〔コンピュータ〕(電子)掲示板システム.

bul·let-proof /búlətprù:f/ 形 防弾の ‖ a *bulletproof* vest 防弾チョッキ.

bull·fight /búlfàɪt/ 图 ⓒ 闘牛. **búll·fìght·er** 图 ⓒ 闘牛士(matador). **búll·fìght·ing** 图 ⓤ 闘牛.

bull·finch /búlfìntʃ/ 图 ⓒ 〔鳥〕ウソ 〔胸毛の赤いアトリ科の鳥〕.

bull·frog /búlfrɔ̀:g/ 图 ⓒ 〔動〕(北米原産の)ウシガエル, 食用ガエル.

bull·head·ed /búlhédɪd/ 形 ばかで頑固な; 強情な.

†bul·lion /búliən/ 图 ⓤ **1** 金[銀]の延べ棒. **2** 金[銀]塊. **3** =bullion fringe.
búllion frìnge 金[銀]モール.
Búllion Stàte (愛称) 〔the ~〕金塊州(→ Missouri).

bull·ish /búlɪʃ/ 形 **1** 〈性格・態度が〉雄牛のような. **2** 〔株式〕〈相場が〉上向きの, 強気の(↔ bearish). **3** (略式)楽観的な.

bull·necked /búlnèkt/ ⌐/ 形 (雄牛のように)首の太い.

bull·ock /búlək/ 图 ⓒ 去勢牛; (4歳以下の)雄牛(→ bull¹).

bull·pen /búlpèn/ 图 ⓒ (米) **1** (米略式)留置場; 飯場. **2** 〔野球〕ブルペン 《救援投手練習場》; 〔集合名詞〕救援投手陣.

bull·ring /búlrìŋ/ 图 ⓒ 闘牛場.

bull's-eye /búlzàɪ/ 图 ⓒ (アーチェリー・ダーツなどの)的の中心, 金的; 命中, 正中.

bull·shit /búlʃɪt/ (俗) 图 ⓤ たわごと, でたらめ(nonsense). **―動 他**〈人〉をだます; 〔…〕のほらを吹く. **―間**〔不快を表して〕ばかな, うそつけ!

†bul·ly /búli/ 图 ⓒ 弱い者いじめをする人, いじめっ子〈◆「いじめ」は bullying〉; (学校の)がき大将 ‖ play [act] the *bully* いばり散らす. **―動 他 1**〈人〉をいじめる, おどす. **2**〈人〉をおどして〔…〕させる[させないようにする]〔*into* [*out of*]〕‖ The child is always *bullying* his classmates *into* 'going on (doing) errands for him. その少年はいつもクラスメートをおどして使い走りばかりさせている(→ 文法 5.2(4)). **―形** (略式) すばらしい.

bul·ly·ing /búliɪŋ/ 图 ⓤ (弱い者)いじめ ‖ victims of *bullying* いじめの被害者 / The problem of *bullying* いじめの問題 / There is a lot of *bullying* at my school. 私の学校にはいじめが多い.

†bul·wark /búlwərk/ 图 ⓒ **1** 〔しばしば ~s〕土塁, 堡(芔)塁; 防波堤. **2** (正式) 〔比喩的に〕〔…に対する〕防波堤.

†bum¹ /bʌ́m/ 图 ⓒ **1** (米・豪俗)乞食(beggar), 浮浪者〈◆「性根の腐ったやつ」という含みがある〉‖ *go on the bum* 乞食[放浪]生活をする. **2** 怠け者, ぐうたら. **3** …狂. **―動** (米俗) ⓐ ぐうたらに暮らす, 遊びほうける; 浮浪[放浪]生活をする (+*around*, *about*); (車で)どんどん進む (+*along*). **―他** …をたかる; 〔人から〕せびる〔*off*, *from*〕‖ *bum* a cigarette *off* [*from*] him 彼にタバコをせびる. **―形** (主に米略式) 一文の価値もない, 無能な; ひどい.

bum² /bʌ́m/ 图 ⓒ 〔bottom から〕ⓒ (英俗) 尻(芔), けつ 〈◆上品な言い方ではないがくだけた話し言葉ではふつう. ていねいに言う場合は bottom, behind〉.

the *buffoon* おどけ. **buf·fóon·er·y** /-əri/ 名 U 〔古〕おどけ;〔通例 buffooneries〕おどけた行ない.

†**bug** /bʌ́g/ 名 C **1** 〔主に米〕昆虫 (insect) 《◆最も典型的なものはカメムシ・セミの類》, (特に)〔刺す〕虫. **2** 〔主に英〕ナンキンムシ. **3** 〔略式〕ばい菌, 微生物, 〔軽い〕病気. **4** 〔略式〕〔修飾語を伴って〕熱狂家, …マニア;〔the ~〕〔短期間の〕熱狂〔熱狂〕(すること);情熱 ‖ be [get] bitten by *the* mountain climbing *bug* 山登りにとりつかれる / have *the* photography *bug* 写真に夢中である. **5** 〔機械などの〕欠陥, 故障,〔コンピュータ〕バグ《プログラムの誤り・欠陥》. **6** 〔略式〕盗聴器, 隠しマイク.
——**動 他 1**〔俗〕〔部屋・電話器などに〕盗聴器を取りつける. **2**〔主に米式〕〈人〉を悩ます, 困らせる.
bug·a·boo /bʌ́gəbùː/ 名 (複 ~s) C〔主に米式〕恐怖の種.
bug·ging /bʌ́giŋ/ 名 U 盗聴.
†**bug·gy** /bʌ́gi/ 名 C **1** 1頭立て(1–2人乗り)の軽装馬車《◆〔米〕ではふつうほろ付き4輪. 〔英〕ではほろなし2輪》. **2** 〔米〕baby carriage. **3** 〔屋根のない〕砂浜用(小型)自動車(beach [dune] buggy).
†**bu·gle** /bjúːgl/ 名 C〔音楽〕〔軍隊の〕らっぱ, ビューグル《trumpet に似た金管楽器》. ——**動 自** らっぱを吹く. **bú·gler** 名 C らっぱ手;ビューグル奏者.

:build /bíld/〔「住居」が原義〕 頻 building (名)
——**動**(~s /bíldz/;過去・過分 built /bílt/ or 〔古〕~·ed;~·ing)
——**他 1 a** [build A (of [out of, from] B)]〈人が〉〈B〈材料〉で〉A〈建物〉を**建てる**, 建築[建設, 建造, 敷(ふ)設]する《◆ make と違い大きなものを造ること. トンネル・運河などを造る場合は dig, excavate などを用いる》‖ *build* a dam [bridge] across a river 川にダムを築く[橋をかける] / *build* a railway [ship, road] 鉄道[船, 道路]を建設する[造る] / *build* a house (which is) *built* of brick(s) れんが造りの家. **b** [build A B=build B for A]〈人が〉〈人〉にB〈建〉物〉を建てて[造って]やる ‖ I *built* my son a new house =I *built* a new house for my son. 息子に家を新築してやった《◆ 自分で建てる時にも, 業者に建てさせる時にも用いる. ただし, have a new house *built* では後者の場合のみ》. **c** 〈人が〉〈機械類〉を組み立てる;〈鳥が〉〈巣〉を作る;〈火〉を起こす ‖ *build* a computer コンピュータを組み立てる.
2〈人が〉〈事業・国家〉などを**設立する**, 興す, 確立する(+*up*);〈事が〉〈名声・富・関係・信頼など〉を築き上げる, 打ち立てる(+*up*);〈人格など〉を形成する;〈人の〉人格を形成する(+*up*); …を増強[増進]する(+*up*) ‖ *build up* one's health 健康を増進する / be *built* that way 〔略式〕〈人が〉そんな性質[たち]だ / the funds which have been *built up* over many years 何年にもわたって蓄積されてきた資金 ‖ *Rome was not built in a dáy.* → Rome.
3 [build A on [upon] B]〈人が〉B〈物・事〉の上にA〈物・事〉を築く;B〈事〉をA〈事〉の基礎とする ‖ Her argument was not *built* on facts. 彼女の論拠は事実に基づいていなかった / He's *built* all his hopes on this book being published. 彼はこの本の出版にすべての望みをかけてきた.
4〈材料〉で[…を]作る(*into*);〔通例 be built〕〈物が〉〈場所〉に作りつけられている;〈条項など〉に付記されている(*into*) ‖ *build* a boy into a man 少年を一人前の男にする / The bookshelves *are built into* the walls of my room. 私の部屋の壁に本棚が作りつけになっている.

——**自 1** 建築[建造]する;建築業に従事する;〈家が〉建つ ‖ The house is *building*.《今はまれ》家が建築中である《◆ 現在では The house is being *built*. / They are *building* the house.《略式》The house is going up. がふつう》. **2**〔感情などが〕(徐々に)高まる, 積もる, つのる.
build ín [他]〔通例 be built〕(1)〈物〉を作りつけにする. (2)〈土地〉を建物で囲む. (3)〈条項など〉を組み入れる.
build ón [他]〈建物〉を[…に]建て増しする(*to*). ——[自†]〔~ on A〕〈事〉を当てにする, 頼る(count on); …をもとに事を進める.
build úp [自]〈圧力・風などが〉強まる;〈緊張・音などが〉高まる;〈自信など〉が強まる;〈(交通)量が〉増える;〈雲など〉が集まる, 出てくる ‖ Those books will *build up* into a fine library. あれらの書物でりっぱな文庫ができるだろう. ——[他] (1)〈物〉を作りつけにする. (2)〔通例 be built〕〈場所〉が建物で建て込む. (3) → 他 2. (4)〔通例 be built〕〈人〉を宣伝する, ほめる, 〈人・物〉をほめて[…に]する(*into*).
build úpon A =BUILD on.
——**名** U C **1**〔機械などの〕造り, 構造. **2**〔人・動物の〕体格 ‖ He has a nice *build*. 彼はスタイルがいい《◆ 女性の場合は She has a good figure. も可能》.
†**build·er** /bíldər/ 名 C **1** 建築(業)者, 建造者;〔国家の〕建設者 ‖ a máster *búilder* (大工の)棟梁(とうりょう). **2** [比喩的に] 築くもの ‖ a character-*builder* 性格を形成するもの.

:building /bíldiŋ/〔→ build〕
——**名** (複 ~s /-z/) **1** C 建物, 建造物, 建築物, ビルディング(略 bldg) ‖ a high [tall] *building* 高層ビル, 《何階もある建物は a high-rise *building*, 数十階のものは a skyscraper》 / a two-story *building* 2階建ての家《◆ *building* は高層とは限らない》/ The United Nations *Building* was built in 1952. 国連のビルは1952年に建てられた. **2** U 建築[建造](すること, 術, 業);〔形容詞的に〕建築の ‖ *building* materials 建築材料.
búilding blòck 建築用ブロック, (おもちゃの)積み木, 構築物((米) block, 〔英〕brick).
build-up /bíldʌ̀p/ 名 C **1**〔新製品・新人の〕宣伝, 売り込み. **2**〔軍事力などの〕増強, 強化;〔緊張・交通量などの〕高まり, 増加(*in*, *of*).

*†**built** /bílt/ **動** build の過去形・過去分詞形.
-built /-bìlt/ 〔語要素〕 → 語要素一覧(1.2).
built-in /bíltín/ 形 **1** 作りつけの. **2** 固有の, 本来備わった, 生来の. **3** 組み込まれ, 内蔵された ‖ a camera with a *built-in* computer コンピュータ内蔵のカメラ.
built-up /bíltʌ̀p/ 形 **1** 組み立てた. **2** 高く[大きく, 強く]した, 〈靴などが〉かさを増した. **3** 〈土地が〉建て込んだ ‖ a *built-up* area 市街地, 建築密集地.
†**bulb** /bʌ́lb/ 名 C **1** 〔ユリ・タマネギなどの〕球根, 鱗(りん)茎;球根植物. **2** 球状のもの;〔電気の〕球;(白熱)電球(light bulb);真空管《◆ valve がふつう》.
†**Bul·gar·i·a** /bʌlgéəriə/ 名 ブルガリア《ヨーロッパ南東部の共和国. 首都 Sofia》.
†**Bul·gar·i·an** /bʌlgéəriən/ 形 ブルガリアの;ブルガリア人[語]の. ——名 C ブルガリア人;U ブルガリア語.
†**bulge** /bʌ́ldʒ/ 名 C **1** 〔内圧による〕ふくらみ, でっぱり. **2**〔略式〕〔数・量などの〕一時的増加;〔価格の〕急騰(*in*) ‖ a *bulge* in the birthrate 出生率の急増. **3** 〔米式〕〔the ~〕強み, 利点(advantage) ‖ get [have] *the bulge on* him 彼にまさる[を負かす].

chintz・y /tʃíntsi/ 形《俗》派手すぎる.

+chip /tʃíp/ 名 C **1 a** 〈木・石・陶磁器・ガラス・金属など〉の切れ端, かけら;《略式》小粒のダイヤ〔水晶〕. **b** (かご・帽子などの) 経木など;《主に英》= chip basket. **2** 〈陶磁器などの〉欠けた箇所, 欠いた傷 ‖ a *chip* on [in] the edge of a cup カップのふちの欠けた傷. **3** 〈果物・野菜などの〉薄切り小片;《米・豪》〔通例 ~s〕ポテトチップ (potato chip(s), chip crisps);《英略式》[~s] チップス (拍子木切りのジャガイモから揚げ) (《英》French fries). **4** 〈ポーカー・ルーレットの〉数取り札, 点棒, チップ (counter)《現金の代用. 青・赤・白の順で低額になる. cf. blue chip》. **5** 〔電子工学〕[the ~] チップ (microchip, silicon chip)《集積回路が作りつけられた半導体小片》.

a chíp on one's **shóulder**《略式》(ばかにされたことで) つっぱりつづけること, けんか腰; しゃくの種 ‖ You have a *chip on your shoulder*. えらくご機嫌ななめね; けんか腰にならないで.

when the chíps are dówn《ポーカーの賭 (か) けでchip 名 4 をテーブルの上に置いて, 決着がつくのを待つことから》《略式》いざというときに, せっぱつまった.

——動 (過去・過分) chipped/-t/, chipping) 他 **1** 〈木〉を削る; 〈石・陶磁器などを〉割って取る, 欠けさせる, 小片に砕く; 〈ジャガイモ〉を拍子木切りにする;〈小片などを〉[…の端[表面]から]削り[切り, はがし]取る (*off, from, out of*) ‖ I've *chipped* a piece off [*out of*] the glass. = I've *chipped off* a piece of the glass. コップを欠いてしまった. **2** 〈像・文字など〉を刻む, 作る ‖ *chip* 「a hole in [the name on] the stone 石に穴をあける [名前を刻む]. ——自 〈陶磁器・歯などが〉欠ける, 砕ける, 〈ペンキなどが〉はげ落ちる (+*off*) ‖ This glass *chips* easily. このコップは欠けやすい.

chíp awáy [自] […を]少しずつ削り取る (*at*); はがれる. ——他 …を少しずつ削り取る;〈希望・自尊心など〉を徐々に崩す, そぐ.

chíp ín《略式》[自] (1)〈金・労力などを〉出し合う, 寄付する ‖ Each of us *chipped in* to help the victims of the fire. 我々一人一人は火事の被災者たちを助けるためにお金を出し合った. (2)〔自分の考えを〕横から口出しをする (*with*). (3)〈ポーカー〉〈金を〉賭 (か) ける (*with*). ——他〈金〉を出し合う.

chíp básket 経木細工の果物かご.

chípped béef 薄切り燻 (ふ) 製牛肉.

chíp shòp《英略式》フィッシュアンドチップス (fish and chips) を売る店.

chip·munk /tʃípmʌŋk/ 名 C 〔動〕シマリス《北米・アジア産. squirrel より小さい》.

Chip·pen·dale /tʃípəndèil/ 形 U チッペンデール風の〈家具〉《凝った装飾・彫刻がほどこされた家具. 18世紀英国の家具師の名から》.

chip·per /tʃípər/ 形《略式》機嫌のよい (cheerful); 元気な (lively); 小ぎれいな.

chip·ping /tʃípiŋ/ 名 C 〔通例 ~s〕(木や石などの) 切れ端, 断片;《主に英》(鉄道線路・道路舗装用の) 砂利.

chi·ro·prac·tic /kái(ə)rəpræktik/ 名 U 〔医〕脊柱指圧療法, カイロプラクティック. **chí·ro·pràc·tor** 名 C 脊柱指圧師.

+chirp /tʃə́ːrp/ 動 自〈小鳥・虫などが〉チーチーとさえずる, チュンチュン [リンリン] と鳴く (+*away*). ——他〈歌〉をさえずる; …をかん高い声で楽しそうに話す (+*out*).
——名 C (小鳥や虫の) 鳴き声.

chirp·y /tʃə́ːrpi/ 形 (-i·er, -i·est)《英略式》**1** にぎやかな, 楽しげな. **2** 明るい, 陽気な.
chírp·i·ly 副 楽しそうに. **chírp·i·ness** 名 U 楽しいこと.

chir·rup /tʃírəp, 《米》tʃə́ːr-/ 動 自 名 C〈虫・小鳥が〉チッチッと鳴く(声)《chirp のひとつながり》.

+chis·el /tʃízl/ 名 C のみ, たがね; 彫刻刀 [the ~] 彫刻術. ——動 (過去・過分) ~ed or《英》 chiselled; ~·ing or《英》-el·ling) **1**〈木・石・金属など〉をのみで彫る, 彫刻する ‖ *chisel* stone into a figure = *chisel* a figure out of [from] stone 石を彫って像を作る. **2**《やや myth》〈人〉をだます, だまして〔物を〕取る, 〈物〉を[人から]だまし取る (*out of*) ‖ *chisel* him *out of* $50 = *chisel* $50 *out of* him 彼をだまして 50 ドルくすねる. ——自 **1** […を]のみで彫る(*at*). **2**《俗》不正をやる.

chit[1] /tʃít/ 名 C《略式》(古) 生意気な小娘《◆ふつう a (mere) *chit* of a girl で》.

chit[2] /tʃít/ 名 C《略式》(飲食・買物の) 伝票, 請求書《◆客がサインして料金は後払い》.

chit-chat /tʃíttʃæt/ 名 U《略式》雑談; うわさ話 ‖ engage in *chitchat* 雑談を始める.

chit·ter·ling /tʃítərliŋ, 《米》tʃítlin/, **chit·ling** /tʃítliŋ/ 名 C 〔通例 ~s〕(豚・子牛などの) 食用小腸.

+chiv·al·rous /ʃívlrəs/ 形 **1** 騎士道 (制度, 時代) の. **2**《正式》〈男性が〉騎士道にかなった, 騎士らしい; 勇敢な, 礼儀正しい (courteous). **3**〈男性が女性に〉親切[丁重]な. **chív·al·rous·ly** 副 騎士道らしく, 勇ましく.

+chiv·al·ry /ʃívlri/ 名 U **1** 騎士道 (精神)《勇気・礼節・忠君・寛容などの徳を重んじ, 武芸にたけ, 女性を敬い, 弱者を助けるといった資質》. **2** (中世封建時代の) 騎士道制度; 騎士道の修行 ‖ the age of *chivalry* 騎士道時代《10-14世紀》. **3**《正式》(女性・弱者への) 丁重な態度, 親切.

chive /tʃáiv/ 名 C U 〔植〕チャイブ, アサツキ;〔通例 ~s〕その葉《サラダ・スープなどの薬味に用いる》.

chiv·y, chiv·vy /tʃívi/ 動 他《略式》**1** …をしつこく悩ます (*about, along, up*). **2** …に[…するよう]せかす (*to do*).

chlo·rel·la /klərélə/ 名 U C 〔植〕クロレラ.

chlo·ric /klɔ́ːrik/ 形 〔化学〕塩素の.

chlóric ácid 塩素酸.

+chlo·ride /klɔ́ːraid/ 名 U C 〔化学〕塩化物 ‖ *chloride of lime* さらし粉 (bleaching powder).

chlo·rin·ate /klɔ́ːrinèit/ 動 他《正式》〔化学〕〈物質〉を塩素化する, 塩素処理する; 〈水〉を塩素殺菌する.
chlo·rin·á·tion 名 U 塩素処理.

+chlo·rine /klɔ́ːriːn/ 名 U 〔化学〕塩素《気体のハロゲン元素. 記号 Cl》.

chlo·ro·fluo·ro·car·bon /klɔ̀ːroufluːərouká(ː)r-bn/ 名 C 〔化学〕クロロフルオロカーボン, フロン (ガス) (CFC) (→ Freon).

chlo·ro·form /klɔ́ːrəfɔ̀ːrm/ 〔化学・薬学〕 名 U 動 他 (…に) クロロホルム(で麻酔をかける[気絶させる]).

+chlo·ro·phyl(l) /klɔ́ːrəfil/ 名 U 〔植・生化学〕葉緑素, クロロフィル.

choc /tʃɔ́k/ 名 C《英略式》= chocolate.

choc-ice /tʃɔ́kais, tʃɔ́k-/ 名 C《英》チョコアイスキャンディー.

+chock /tʃɔ́k/ 名 C **1** (たる・車輪の下に置いて) らくさび, 輪止め. **2** 〔海事〕(ボートなどの) チョック, 止め木. ——動 他 **1** …にらくらくさび[輪止め]をかます, まくらさびで…を止める. **2** 〈ボート〉を止め木に載せる (+*up*).

chock-a-block /tʃɑ́kəblɑ̀k | tʃɔ́kəblɔ̀k/《略式》形副 […で]ぎっしり詰まった[て]〔with〕.

chock-full /tʃɑ́kfúl | tʃɔ́k-/ 形《略式》[…で]ぎっしり詰まった〔of〕.

***choc·o·late** /tʃɔ́ːkələt/
——名 (複 ~s/-ləts/) **1** UC チョコレート(菓子); U (料理用の)チョコレート ‖ *a bàr of chócolate* =a *chocolate bar* 板チョコ / *a box of chocolates* 箱詰めのチョコレート《複数形は「数種類」を表す》/ *chocolate in cake [powder] form* 塊状[粉末]チョコレート / *Have a [another] chocolate.* チョコレートを1個[もう1個]お食べ. ショーク "*Did you see the chocolate factory?*" "*When the sun came out, it melted.*" 「チョコレート工場見た?」「お日様が昇ったら溶けちゃった」/ *the chocolate factory* は「チョコレートでできた工場」ともとれる).
文化 (1) 英米では女性に対する贈り物によく使われる.
語源 (2) 菓子・飲み物として英米人に好まれる.
2 U チョコレート飲料《実際には cocoa のことを chocolate ということが多い》; C チョコレート1杯 ‖ *a cup of (hot) chocolate* (熱い)チョコレート[ココア]1杯. **3** U =chocolate brown [color].
chócolate bóx《略式》(チョコレートの箱にあるような)ロマンチックな絵.
chócolate brówn [cólor] チョコレート色.
chócolate chíp《米》チョコチップ.

Choc·taw /tʃɑ́ktɔː | tʃɔ́k-/ 名 (複 ~s, 集合名詞 Choc·taw) **1** [the ~(s)] チョクトー族; C その人《北米先住民の一部族》. **2** U チョクトー語.

***choice** /tʃɔ́is/ 《→ choose》
——名 (複 ~s/-iz/) **1** UC (自由意志による)[…からの]選択, 選ぶこと〔*from, between, among*〕《入念に選ぶことを表す selection より選択範囲が狭いことが多い》‖ *take [make] one's choice of rooms* 部屋を選択する / *màke a chóice* 「*from among* [*from, out of*] *so many* 多くの物から選択する.
2 U […の/…間の]選択の自由[権利], 選択力, 選り好み〔*of/between*〕; […の]二者のうちの一方(alternative)〔*of*〕‖ *from choice* (自ら)進んで, 好んで / *without choice* あれこれ区別しないで《◆「手当たり次第に」は at random》/ *a choice between surrender and [or] death* 降伏か死かの選択 / 対話 "*What kind of soup do you have?*" "*Well, you have a choice of tomato* (↗), *corn* (↗), *or potato.* (↘)" 「スープにはどんな種類がありますか」「トマト, コーン, ポテトのうちから選んでいただけます」/ *She had a choice of going or remaining.* 彼女は行くか残るかどちらかだった. / *You leave [give] me no choice in that matter.* そのことで私の取るべき道は1つしかない / *I háve* [*There is*] *nó* (*óther*) *chóice* ‖ *but to* dó it. それをするよりほかにどうしようもない(=I have to do it.) / *You can have your choice.* 好きなのを選んでください.
3 C 選ばれた物[人] ‖ *He is our choice for captain.* 船長には彼を選んだ.
4 [通例 a + 形容詞 + ~ of …] …の選択の範囲[種類] ‖ *This shop has a large* [*wide, big*] *choice of bags.* =*There is a large* [*wide, big*] *choice of bags in this shop.* この店はたくさんのかばんをそろえている. **5** [the ~] 選りぬきの物[人], 優良品, 精華;《米》(牛肉の等級で)上肉 ‖ *These flowers are the choice of her garden.* これらの花は彼女の庭で咲いた逸品である.
of one's (*own*) *chóice* 自分の好みの[で], 好き勝手に ‖ *the book of his* (*own*) *choice* 彼の選ん

だ[好きな]本.
——形 (~r, ~st) [通例名詞の前で] **1**〈果物・野菜・肉などが〉最上等の, 優良の; 精選した ‖ *choice wine* 特選ワイン / *a choice spot for a picnic* ピクニック用によりすぐった場所. **2**《米》〈肉が〉上(じょう)の(→ standard **4**). **3**《文》〈議論・言葉が〉注意深く[慎重に]選ばれた;〈言葉が〉攻撃的な, 無礼な.

chóice·ly 副 精選して, すばらしく.

†**choir** /kwáiər/ 名 [発音注意] C **1** [the ~, 集合名詞; 単数・複数扱い] (教会の)聖歌隊《◆「聖歌隊員」は chorister》; [通例 the ~] (教会堂の)聖歌隊席《ふつう内陣(chancel)にある》. **2** 《広義》(一般に)合唱団(chorus); 舞踊団;〈歌う鳥・天使らの〉群れ.
——動 自 他〈鳥・天使らが〉(…を)合唱する.

choir·boy /kwáiərbɔ̀i/ 名 C (教会の)少年聖歌隊員.

†**choke** /tʃóuk/ 動他 **1**〈人・物が〉〈人・動物など〉を(のどを詰まらせて)窒息させる, 息苦しくさせる《◆ suffocate よりくだけた語》‖ *choke him to death* 彼を窒息死させる(=strangle him) / *The gas choked people.* =*People were choked with* [*by*] *the gas.* 人々はガスで息苦しくなった. **2**〈物・人が〉〈場所・管など〉を[…で]ふさぐ, 詰まらす(+up)〔*with*〕‖ *Mud choked (up) the pump.* 泥でポンプが詰まった / *The newly opened store is choked (up) with customers.* 新しく開店した店は客でいっぱいだ. **3**〈言葉など〉を詰まらせる(+up) ‖ *Sobs choked (up) her utterance.* 彼女は泣きじゃくって口がきけなかった. **4**〈物〉の成長を(日光などを与えずに)枯らす;〈火〉を(空気を遮断して)消す;〈人が〉〈感情〉を抑える(+*back, down*) ‖ *choke back one's rage* こみ上げる怒りを抑える. **5**〈エンジン〉のチョークを引く.
——自 **1**〈人・動物が〉[…で]息が詰まる, 窒息する〔*on, over*〕‖ *Don't hurry through your lunch. You'll choke on your food.* あわてて昼食を食べてはいけません. 食べ物でのどが詰まるよ. **2**〈管などが〉[…で]詰まる(+up)〔*with*〕. **3** [感情で]むせぶ(+up)〔*with*〕, (緊張・恐怖などで)口がきけない, あがる ‖ *choke (up) with laughter* 笑って口がきけない.
chóke báck [他] → **4**.
chóke dówn [他] → **4**. (2)〈食物を無理に[やっとのことで]〉飲み込む.
chóke óff [他] (1)〈人・動物〉を絞め殺す. (2)《略式》〈議論・計画など〉を(無理に)やめさせる[妨げる];〈人〉に思いとどまらせる.
——名 **1** UC 窒息, むせること; むせび音[声]. **2** C (エンジンの)空気吸入調節弁, チョーク.

choked /tʃóukt/ 形 […に]怒って; ろうばいして〔*about*〕.

chok·er /tʃóukər/ 名 C **1** (息を)止める[詰まらせる]人[物]. **2** チョーカー《首にぴったり巻きつくもの. 短い首飾り(necklace, necktie)》.

chok·ing /tʃóukiŋ/ 形 息を詰まらせる[窒息させる]ような;〈声や〉(感情で)詰まった ‖ *in a choking voice* 声をおさえて.

chol·er /kɑ́lər | kɔ́l-/ 名 U **1**《詩・古》短気, かんしゃく; 怒り(anger). **2**《古生理》胆汁(bile)《4体液の1つ. かんしゃくの原因と考えられた. → humor 名 **4**》.
chól·er·ic 形 怒りっぽい.

†**chol·er·a** /kɑ́lərə | kɔ́l-/ 名 U《医学》コレラ ‖ Asiatic [epidemic, malignant] *cholera* 真性コレラ / European [summer] *cholera* 欧州[夏]コレラ《非伝染性》.

cho·les·te·rol /kəléstərɔ̀ul | -rɔ̀l/, 《俗》 **--rin** /-rin/ 名 U《生化学》コレステロール ‖ *a high* *cholesterol* level コレステロールの高い値 / dishes high in *cholesterol* コレステロールの多い食事.

Cho·mo·lung·ma /tʃòumoʊlúŋmə/ 名 チョモランマ 《Mt. Everest のチベット名》.

choose /tʃúːz/ 〖発音注意〗 類 choice (名)
— 動 (~s/-iz/; 過去 chose/tʃóuz/, 過分 cho·sen/tʃóuzn/; choos·ing)
— 他 **1** 〈人が〉〈複数個の中から〉〈物・人〉を(優先して)選ぶ, 熟して取り出す《*from*, (*from*) *among*, *between*》《◆ choose は単に欲しいものを2つの中から1つ, または2つ以上の中から選ぶこと. select は最高[最適]のものを多くの中から入念に選び出すこと》; [choose A B = choose B for A] 〈人が〉A〈人〉にB〈人・物〉を選んでやる (➔文法 3.3) 〖使い分け〗 → select 他》 *Choose* one *from* [*from*] *among*, *out of*] these books. これらの本から1冊選びなさい / I *chose* a book *for* Bill. = I *chose* Bill a book. 私はビルに本を選んでやった / She will help me *choose* a new car. 彼女は新車を選ぶのに手助けしてくれるでしょう.
2 a [choose A as [for / to be] C] 〈人・団体が〉A〈人〉をC〈役職など〉に選ぶ, 選挙する《◆ elect は投票で選出する. choose は選出の方法は問わない》∥ We *chose* John *as* [*for*, *to be*] captain. 我々はジョンを主将に選んだ(club では as, to be, for は省略されることもある; Who *was chosen* chairman? だれが議長に選ばれたのか. ➔文法 16.3(4)). **b** [choose A to do] 〈人が〉…するように選ぶ ∥ You *chose* me *to be* your bride. あなたが私を花嫁に選んだ.
3 [choose to do / choose wh節[句]] 〈人が〉…することに決める; (むしろ)(…より)…する方を選ぶ (prefer) [*over*, *rather than*]; 〈物が〉(決められたように)…するようになる ∥ We *chose* to go to Paris. 我々はパリへ行くことを選んだ(= We *chose* that we would go to Paris.) / Everything *chose* to go wrong during my absence. 彼の不在の間にすべてが決められたようにうまくいかなくなってしまった / I *chose* to learn English *rather than* French in school. 私は学校でフランス語より英語を習う方を選んだ.
4 (略式) …を欲する, 望む (want).
— 自 **1** 〈人が〉(…の間から)選ぶ, 選択する《*out of*, *from*, (*from*) *among*, *between*》∥ *choose* between Jane and Linda ジェーンかリンダのうちどちらを選ぶか / *choose* (*from*) *among* these neckties これらのネクタイから好きなものを選ぶ.
2 欲する, 望む ∥ You can do as you *choose*. したいようにできますよ.
cánnot chóose but *dó* (文) …せざるをえない.
There is nóthing to chóose betwéen A and B. A と B の間に優劣はまったくない 《◆「あまりない」は There is ⌜not much [little] to choose …⌝》.

choos·er /tʃúːzər/ 名 C 選択者; 選挙人.

choos·ing /tʃúːziŋ/ 動 ← choose.

choos·y, -ey /tʃúːzi/ 形 (--i·er, --i·est) (略式) 〈人が〉(…について)好みのうるさい, 気難しい《*about*》.

†**chop**[1] /tʃɑ́p | tʃɔ́p/ 動 (過去・過分 chopped/-t/; chop·ping) 他 **1** 〈人が〉〈物〉を〔おの・なた・ナイフなどで〕たたき切る, ぶった切る《+*down*, *off*》《*with*》《◆ cut と異なりふつう繰り返す動作を伴う》∥ *chop* down a tree *with* an ax おのて木を切り倒す / *chop* a branch ⌜*off* a tree⌝ 木から枝を切り取る.
2 [通例 ~ one's [a] way] 〈道など〉を切り開く ∥ We *chopped* our way through the jungle. 我々はジャングルを切り開いて進んだ. **3** 〈人が〉〈物〉を切り刻む《+*up*》; 〈語句など〉を切って短くする; (略式) 〈費用・予算など〉を削る ∥ *chop* meat *into* small pieces 肉をこまぎれにする. **4** (テニスなどで) 〈球〉を切って(回転を与えて)打つ.
— 自 **1** 〈人が〉たたき切る, ぶった切る《+*away*》; 〔人・物〕に切りつける《*at*》∥ He *chopped at* me with his knife, but missed. 彼はナイフで私に切りかかったがはずれた. **2** (テニスなどで) 〈人が〉〔球〕を切る《*at*》; (ボクシングなどで) 〈人が〉〔相手〕に上からの一撃を加える《*at*》.

chóp ín 突然割り込む, 差し出口をする (cut in).
— 名 C **1** [通例 a ~] (おのなどで)たたき切る一撃. **2** (球・相手への) (上からの鋭い)一撃; (テニス・クリケット) チョップ (chop stroke); (ボクシング・空手) チョップ ∥ give *a chop* to the ball ボールをチョップする. **3** ぶった切った一片; (ヒツジ・豚のあばら骨付きの)切り身, チョップ ∥ pork *chops* ポークチョップ.

chópping blòck [bòard] まな板.

chop[2] /tʃɑ́p | tʃɔ́p/ 名 [通例 ~s] (動物の)あご; ほお; 口腔 (ɔ̀) 《◆ (俗) では人間のあごほおも指す》.

chop[3] /tʃɑ́p | tʃɔ́p/ 動 (過去・過分 chopped/-t/; chop·ping) 自 〈風が〉急に向きを(くるくる)変える《+*about*, (*a*)*round*》; 〈人が〉気が変わる.

chóp and chánge (略式) 自 ころころ気が変わる《+*about*》. — 他 〈考え・計画など〉をころころ変える《◆ change の強調表現》.
— 名 C 急変.

chops and chánges 変転; 変心, 無定見.

chop–chop /tʃɑ́ptʃɑ́p | tʃɔ́ptʃɔ́p/, **chóp chóp** (俗) 副 [間] [呼びかけ] 早く早く(!), 急いで(!).

†**Cho·pin** /ʃóupæn | ʃɔ́pæn/ 名 ショパン 《Frédéric François/frédrik frɑːnswɑː/; ~ 1810-49; フランスで活躍したポーランドの作曲家・ピアニスト》.

†**chop·per** /tʃɑ́pər | tʃɔ́p-/ 名 C **1** ぶった切る道具; (英) おの; 肉切り大包丁; 野菜刻み器; ぶった切る人. **2** (略式) ヘリコプター. **3** (略式) (改造)バイク.

chop·py /tʃɑ́pi | tʃɔ́pi/ 形 (--pi·er, --pi·est) 〈水面が〉波立つ, 三角波の立つ.

chop·stick /tʃɑ́pstik | tʃɔ́p-/ 名 C [通例 ~s] はし (箸) ∥ *a pair of chopsticks* はし1ぜん.

chóp sú·ey [sóoy] /tʃɑ́p súːi | tʃɔ́p-/ 名 U チャプスイ 《米英式中華丼 (ぶりぶ)》.

cho·ral /kɔ́ːrəl/ 〖同音〗 △coral》 聖歌[合唱]隊の; 合唱の; 合唱(隊)による; 合唱用の ∥ *choral* service (聖歌隊の)合唱礼拝 / the *Choral* Symphony 合唱付交響曲 (Beethoven の交響曲第9番). **chóral socíety** 合唱団.

cho·rale /kəræl | -rɑːl/ 名 C **1** (合唱)賛歌, コラール; 賛美歌. **2** 合唱隊.

†**chord**[1] /kɔ́ːrd/ 〖同音〗 cord》 名 C **1** (詩) (楽器の)弦 (string); (心の)琴線, 情感 ∥ His voice strikes a *chord*. 彼の声は聞き覚えがある. **2** 〖数学〗 弦.
stríke [tóuch] a chórd with A …の共感を得る.
stríke [tóuch] the ríght chórd 心の琴線に触れる, 巧妙に人の感情に訴える.

chord[2] /kɔ́ːrd/ 名 C 〖音楽〗 和音, コード.

†**chore** /tʃɔ́ːr/ 名 C **1** はんぱ仕事, 雑用. **2** [~s] 決まりきった仕事, 日課; (特に家庭・農場の)毎日の仕事 ∥ do household [domestic] *chores* 家事をする《掃除・洗濯など》. **3** つらい[いやな]仕事.

cho·re·o·graph /kɔ́ːriəɡræf | kɔ́riəɡrɑːf/ 動 自 他 **1** (バレエなどの)振付けをする. **2** …を取り仕切る.

cho·re·og·ra·phy /kɔ̀ːrɑ́ɡrəfi | kɔ̀riɔ́ɡ-/ 名 U 《正

式**) 1** (バレエなど舞台舞踊の)振付け(法);舞踊記譜法. **2** 舞踊術;舞踊,バレエ.

chò·re·óg·ra·pher 名 振付け師.

chò·re·o·gráph·ic 形 振付けの.

cho·ris·ter /kɔ́:rəstər/ 名 **C 1** (正式)(教会の)(主に少年)聖歌隊員(→ choir). **2** (米)聖歌隊指揮者.

chor·tle /tʃɔ́:rtl/ 動 〖Lewis Carroll の造語(chuckle + snort)〗自他〈人が〉(…に)満足して笑う[言う]. — 名 〖a ~〗うれしげ[満足げ]な笑い.

*****cho·rus** /kɔ́:rəs/
— 名 (複 ~·es/-iz/) **C 1** 合唱(曲)◆「斉唱」は unison;(歌)の合唱部分,折返し(refrain);(軽音楽曲の)コーラス《イントロの後の主要部分》‖ a mixed *chorus* 混声合唱.
2 [the ~;集合名詞;単数·複数扱い] 合唱団,コーラス;(ミュージカルなどの)コーラス《主役の後ろで歌い踊る一群》.
3 (人·動物の)一斉の発声 ‖ a *chorus* of loud laughter どっと起こる笑い声 / a *chorus* of criticism [boos] 一斉にわき上がる非難の声「ブーイング] / *chorus* reading (教室でテキストを)声をそろえて読むこと.
in chórus 合唱して;みないっしょに.
— 動 自他〈人が〉(…に)合唱する,声をそろえて言う.

chórus girl コーラスガール《ミュージカルなどのコーラスの一員.今は show girl がふつう》.

chórus line コーラスライン《劇·映画等で特に一直線に並んで一緒に歌ったり踊ったりする集団》.

chórus màster 合唱指揮者.

†**chose** /tʃóuz/ 動 choose の過去形.

†**cho·sen** /tʃóuzn/ 動 choose の過去分詞形.
— 形 **1** 選ばれた;〖神学〗神に選ばれた ‖ the *chosen* =the *Chosen* People 神の選民《ユダヤ人》.
2 好きな.

Chou En-lai /dʒóu énlái/ 名 =Zhou Enlai.

chow /tʃáu/ 名 **1 C** =chow chow. **2 U** (俗)食い物. — 動 自他 (米俗) 食べる(+*down*).

chów chòw 〖動〗チャウチャウ《中国原産のむく毛の犬》.

chow·chow /tʃáutʃàu/ 名 **1 U** (ショウガ·ダイダイの皮などを漬けた)中華漬け;(米)カラシ漬け. **2 U** (中国·インドの)混ぜ合わせ料理.

chow·der /tʃáudər/ 名 **C** チャウダー《魚介類と野菜を牛乳で煮込んだ濃いスープ》.

chów méin /tʃáu méin/ 名 **U C** チャーメン《米英式中華焼きそば》.

Chris /krís/ 名 **1** クリス《男の名. Christopher の愛称》. **2** クリス《女の名. Christine の愛称》.

*****Christ** /kráist/ 名 〖『塗油で聖別された人』が原義〗 (形 Christian (形·名), Christianity (名))
— 名 **1** イエス=キリスト(Jesus Christ)◆ *Christ* は称号だったが,後に固有名詞化.
2 [the ~] (旧約聖書で預言された)救世主(Messiah). **3** [強意の成句として]〖遠回しに goodness や heaven を用いるが一般的》◆ *for Christ's sake* (俗式) 後生だから / What *in Christ's name* made him kill his wife? (俗式) いったい彼はなぜ妻を殺したのか(→ *in the* WORLD, *on* EARTH) / By *Christ!*(ͨ) 神かけて,確かに / Thánk *Christ!*(ͨ) (俗式) ありがたい.
— 間 **1** (俗) [驚き·怒りなどを表して] まあ驚いた,おや;とんでもない,畜生. **2** [yes, no の前で] *Christ, nó!* 絶対だめだ,何てことを.

†**chris·ten** /krísn/ 〔発音注意〕動 **1** …に洗礼を施す,(洗礼を施して)…をキリスト教徒にする(baptize). **2** [通例 be christened **C**] 〈人が〉洗礼を受けて **C** と命名される;〈船·鐘などが〉**C** と名をつけられる ‖ The baby *was christened* Thomas. =We *christened* the baby Thomas. その赤ん坊はトマスという洗礼名を授かった. **3** (俗式) …を初めて使う.

†**Chris·ten·dom** /krísndəm/ 名 〖正式〗〖集合的〗全キリスト教徒.

†**chris·ten·ing** /krísniŋ/ 名 **U C** 洗礼[命名](式).

*****Chris·tian** /krístʃən/
— 形 (more ~, most ~) **1 a** キリスト(教)の;〈人が〉キリスト教を信じる,クリスチャンの《比較変化しない》(↔ unchristian) ‖ *Christian* búrial 教会葬 / *Christian* Sócialism キリスト教社会主義 / a *Christian* dáimyo キリシタン大名. **b** [時に c~] 〈人·精神などが〉キリスト教徒にふさわしい;慈悲深い,隣人愛のある ‖ *Christian* chárity 隣人愛,博愛.
2 (俗式) 立派な,品行方正の,上品な.
— 名 (複 ~s/-z/) **C 1** キリスト教徒,クリスチャン;キリスト教の実践者. **2** (俗式) 立派[上品]な人;(俗式·方言) (動物に対して)人間. **3** クリスチャン《男の名》.

Chrístian Éra [時に ~ e-] (主に英) [the ~] 西暦[キリスト]紀元.

Chrístian náme (姓(surname, family name)に対して)洗礼名◆(1) 必ずしもキリスト教と関係なく用いられる. (2) 聖書の英雄·使徒や伝説上の人物の名がよく用いられる. → *first* name].

Chrístian Science クリスチャンサイエンス《19世紀中頃 Mary Baker Eddy が米国で起こしたキリスト教の一派. 信仰療法が特色》.

Chris·ti·a·ni·a /krìstʃiǽniə| -tiɑ́:n-/ 名 **C** (スキー) クリスチャニア回転法.

*****Chris·ti·an·i·ty** /krìstʃiǽnəti | krìsti-/ 〖→ Christ〗
— 名 **U** キリスト教;キリスト教信仰[精神,の宗派].

Chris·tian·ize /krístʃənàiz/ 動 他 …をキリスト教徒にする,…にキリスト教の教義を吹き込む.

Chris·tian·ly /krístʃənli/ 形 キリスト教徒らしい.
— 副 キリスト教徒らしく,キリスト教徒にふさわしく.

Chris·tie /krísti/ 名 **1** クリスティ《男[女]の名》. **2** クリスティ《Agatha ~ 1890-1976;英国の推理小説家》.

Chris·tine /krìstí:n/ 名 クリスティーン《女の名. 《愛称》 Chris》.

Christ·like /kráistlàik/ 形 〈心·行為が〉キリストのような.

Christ·mas /krísməs/ 〖『キリスト (Christ)のミサ(Mass)』〗
— 名 **U** [a + 形容詞 +~] (休日としての)クリスマス(Christmas Day),キリスト降誕祭(yule)(→ Xmas; → quarter day); =Christmastide ‖ *on Christmas* (Day) クリスマスに《12月25日当日のみをいう. *at Christmas* は Christmastide (クリスマス期間)の意》 / *on Christmas* morning クリスマスの朝◆「クリスマスの午後[晩]に」は *on the afternoon [evening] of Christmas Day* という. ×*on Christmas afternoon* [*evening*] / 〖対話〗 "〖(A) Mérry 〖英ではしばしば〗 Háppy] *Christmas* (*to you*)!(ͨ)" "(The) sáme to yóu!" 「クリスマスおめでとう」「おめでとう」◆(1) 「いいクリスマスを」という意味にもなる. cf. wish 〖他〗**8**. (2) 無冠詞が原則だが, A Merry *Christmas* to You!, A Very Merry *Christmas*! のように何かをつけ加えると a が入る. (3) キリスト教徒以外の人に対しては I wish

Christmassy

you a happy holiday. / Season's Greetings! / Holiday wishes! / Holiday Greetings! などがよくといわれる.
Christmas bòx《英》クリスマスの贈り物《特に郵便配達人や牛乳配達員に贈られるもの(ふつうお金)→ Boxing Day》.
Christmas càke クリスマスケーキ《◆ふつうフルーツケーキ》.
Christmas càrd クリスマスカード《◆クリスマスの(かなり)前に着くように出す》.
Christmas cárol 賛美歌, クリスマスキャロル.
Christmas cràcker クラッカー《ひもを引っ張ると爆発して紙ふぶきなどが飛び出す. 単に cracker ともいう》.
Christmas Dày キリスト降誕祭, クリスマス祭日.
Christmas Ève クリスマス前夜[前日]《12月24日》.
Christmas hólidays《米》**vacàtion**《the ～》クリスマス休暇;《学校の》冬休み《米国では4-5週間, 英国では2-3週間》.
Christmas prèsent [gíft] クリスマスの贈り物.
Christmas pùdding《英》クリスマスのプディング(plum pudding)《◆時々お金や小さい馬のひづめが入っており, それに当たった人は幸運とされる》.
Christmas ròse《植》クリスマスローズ《キンポウゲ科. クリスマスの頃から春にかけてピンクがかった色の花が咲く》.
Christmas stòcking クリスマスの(長)靴下.
Christmas trèe クリスマスツリー《◆モミの木(fir)を用いるのがふつうで, セイヨウヒイラギ(holly)などでも飾る》.
Christ·mas·sy, --mas·y /krísməsi/ 形《略式》クリスマスらしい.
Christ·mas·tide /krísməstàid/, **--time** /-tàim/ 名U《文》クリスマス期間《Christmas Eve (12月24日)から New Year's Day (1月1日)まで.《英では主に》Epiphany (1月6日)まで》.
Chris·to·pher /krístəfər/ 名 クリストファー《男の名. 愛称》Chris, Kit》.
chro·mat·ic /kroumǽtik | krə-/ 形 **1** 色彩の; 着色[彩色]した(↔ achromatic). **2**《音楽》半音階の(↔ diatonic) ‖ the *chromatic* scale 半音階.
chrome /króum/ 名U《略式》= chromium. **2** クロム染料 ‖ *chrome* green クロム緑《緑色顔料》. **3**《略式》(自動車などに施した)クロムめっき.
chróme stéel クロム鋼.
chróme yéllow クロムイエロー, 黄鉛《黄色顔料. 単に chrome ともいう》;その色.
chrome–plat·ed /króumpléitid/ 形 クロムメッキした.
chro·mi·um /króumiəm/ 名U《化学》クロム《金属元素.《記号》Cr》.
chro·mo·some /króuməsòum/ 名C《生物》染色体.

†**chron·ic** /kránik | krón-/ 形 **1**〈病気が〉慢性の(↔ acute) ‖ a *chronic* disease [illness] 慢性病, 持病. **2**《略式》〈人が〉慢性病にかかった; 癖になった ‖ a *chronic* liar ウソの常習犯. **3**〈思わしくない事態が〉長期にわたる, 絶えず起こる.
chrónic fatígue sýndrome《医学》慢性疲労症候群.
chrón·i·cal·ly 副 慢性的に.

†**chron·i·cle** /kránikl | krón-/ 名C **1**《しばしば ～s》年代記, 編年史;《広義》《正式》記録; 物語. **2**《the C～》…新聞《例: the *Daily Chronicle*》. **3**《the Chronicles, 単数扱い》《聖書》歴代誌《旧約聖書中の一書で2巻からなる》. ── 動 他《正式》…を年代記に載せる, 記録にとどめる.

†**chron·i·cler** /kránikləɹ | krón-/ 名C 年代記編者, 編年史家;(事件の)記録者.
chron·o·log·i·cal /krànəládʒikl | krɔ̀nəlɔ́dʒ-/ 形 年代順の, 年代順に配列した ‖ *in chronological order* 年代順に; 発生順に / a *chronological* table of Japanese history 日本史年表. **2** 年代(学)上の. **chròn·o·lóg·i·cal·ly** 副 年代順に.
chro·nol·o·gy /krənálədʒi | -nɔ́l-/ 名《正式》**1**U 年代学. **2**C 年代順記述, 年表.
chro·nól·o·gist 名C 年代学者.
chro·nom·e·ter /krənámətəɹ | -nɔ́m-/ 名C **1**《海事》クロノメーター《経度測定用の精密な時計》. **2**《一般に》高精度腕時計.
chron·o·scope /krάnəskòup | krɔ́nə-/ 名C クロノスコープ《微小な時間を測る秒時計》.

†**chrys·a·lis** /krísəlis/ 名《複》~**es, chry·sal·i·des** /krisǽlidìz/ C《昆虫》さなぎ(pupa).
chry·san·the·mum /krəsǽnθəməm/ 名C《植》キクの花《◆東洋《特に日本》のものというイメージがある. 英米でも葬儀に用いる》.
Chrys·ler /kráislər | kráiz-/ 名C《商標》クライスラー《米国 Chrysler 社製の高級自動車》.
chub /tʃʌ́b/ 名《複》**chub, ～s**C《魚》チャブ《ヨーロッパ産のコイ科の魚》.
chub·by /tʃʌ́bi/ 形 (--bi·er, --bi·est)《主に赤ん坊・子供が》丸々太った, ふっくらした.
chúb·bi·ness 名U ふっくらしていること.

†**chuck¹** /tʃʌ́k/ 動 他《略式》**1** …を(無造作に)投げる; …を捨てる(*away, out*). **2** …をやめる; 断念する(*up, in*). **3** …を追い[つまみ]出す(*out, off*).
chùck awáy 他 (1) → 1. (2) …を処分する. (3) …を空費する.
chùck it (ín)《俗》《通例命令文で》やめろ, よせ.
── 名 **1** C (あごの下を)軽くたたく[なでる]こと ‖ give a baby a *chuck* under the chin 赤ちゃんのあごの下をたたく. **2**《俗》《the ～》解雇, 「首」‖ give him the *chuck* 彼を首にする / gèt the *chúck*〈人が〉首になる.
chuck² /tʃʌ́k/ 名U チャック《牛の首から肩の肉.(図)→ beef》‖ *chuck* steak チャックステーキ.
chuck³ /tʃʌ́k/ 名C **1**《雌ニワトリの》コッコッという鳴き声(cluck). **2**《馬をうながす》ドウドウという声. ── 他〈ニワトリ〉をコッコッといって呼び集める. ── 自 コッコッと鳴く.

†**chuck·le** /tʃʌ́kl/ 名C《しばしば a ～》(気分よく)くすくす(含み)笑い(すること), ほくそ笑み. ── 動 自 (心地よく)くすくす笑う, ほくそ笑む;〈…を面白がる(*at, over*)〉‖ *chuckle at* [*to*] oneself ひとりでくすくす笑う.
chug /tʃʌ́g/ 名C (蒸気機関の)ポッポッ[シュシュ]という音. ── 動 自 **1**〈蒸気機関が〉ポッポッと音を立てる. **2**《略式》〈車が〉ポッポッと音を立てて進む(*along, away*).

†**chum** /tʃʌ́m/ 名C《略式・古》《特に男子の》仲よし; 親友;《米》《学寮の》同室者(roommate)《◆Oxford 大学の chamber fellow からできた言葉》.
── 動《過去・過分》**chummed** /-d/; **chum·ming**〉自 〈…と〉親しくする(*up*)《*with*》‖ *chum together* 仲よくする.
chum·my /tʃʌ́mi/ 形 (--mi·er, --mi·est)《略式》〈…と〉仲のよい, 友好的な(*with*). **chúm·mi·ly** 副 友好的に. **chúm·mi·ness** 名U 友好(的であること).
chump /tʃʌ́mp/ 名C **1** 太く短い丸太切れ. **2** = chump chop.

chúmp chòp (肉などの骨付きの)厚切り.
Don't be a chúmp! (略式) ばかなまねはよせ, ばかなことを言ってはだめだよ.

†**chunk** /tʃʌŋk/ 图 ⓒ (略式) **1** (パン・肉・材木・氷などの)大きな塊, 厚切り ‖ *cut meat in one inch* chunks 肉を1インチの塊に切る. **2** かなりの量 ‖ *have a chunk of money* 金をたんまり持っている. **3** [言語] (関連項目の)まとまり;(文中での)意味の塊[区切り].

chunk・y /tʃʌ́ŋki/ 形 (**-i・er**, **-i・est**) **1** ずんぐりして丈夫な. **2** 〈食物・服が〉分厚くて堅い. **3** 〈コートなどが〉太い結び目模様のついた.

:**church** /tʃɚːtʃ/ [『神の家』が原義]
— 图 (複 ~・**es**/-iz/) **1** ⓒ (キリスト教の) **教会**(堂) (略 **ch.**, **Ch.**)《◆ (英)ではイングランド国教会 [アングリカン]の教会をさす. 宗教的行事のほか, パーティーなどの社交の場でもある. 非国教徒や学校付属の教会は chapel. 教会の尖(とが)った塔は豊穣(ほうじょう)の象徴》‖ Is he in *church* or *chapel*? (英略式) 彼は国教派ですか非国教派ですか《◆ この church, chapel は形容詞的用法》.
2 Ⓤ [無冠詞で] (教会の)**礼拝** (service), (礼拝の場所としての)教会(➡ 文法 16.3(6)) ‖ *in* [*at*] *church* 礼拝中に[で, の] / *Church* begins [is] at ten. 礼拝は10時に始まる /〔対話〕"Are you a regular churchgoer?" "Yes. I *go to* [(正式) *attend*] *church* every Sunday." 「いつも決まって教会へ行かれますか」「はい. 毎日曜日に教会へ(お祈りに)行きます」《◆ 礼拝のためでないときは the をつける(1の用法): I went to *the church* to see the pictures by Rubens. その教会ヘルーベンスの絵を見に行った》.
3 [通例 C~] Ⓒ [通例複合語で] (独立した) **教派**, …教会 (cf. sect, denomination) ‖ the *Church of England* イングランド国教会, アングリカンチャーチ (the Established Church)《◆「英国国教会」と訳されることが多い. → Anglican church》/ The Roman Catholic *Church* ローマカトリック教会 (cf. a Roman Catholic church ローマカトリック系の教会).
4 [通例 the C~; 集合名詞] (ある国・地方・派派の)(全)キリスト教徒; キリスト教(世)界 ‖ the *Church and the world* 教会と世俗.
5 [the ~ / the C~] 聖職, 僧職(clergy) ‖ *énter* [*gó into*, *join*] *the Chúrch* (正式) 牧師になる, 聖職につく / *be destined for the church* 聖職につくことになっている.
6 [しばしば C~] Ⓤ (国家に対する)教会, 教権 ‖ the separation of *church and state* 政教分離. **7** [the ~; 集合名詞; 単数扱い] (特定のキリスト教会の)会衆; (非キリスト教の)教団, 会衆.
tálk chúrch 宗教談義をする.
chúrch règister 教会記録(簿), 教会戸籍簿.
chúrch sèrvice (1) (教会の)礼拝. (2) [アングリカン] 祈禱(きとう)書.

†**church・go・er** /tʃɚ́ːtʃɡòʊɚ/ 图 Ⓒ **1** (規則正しく)教会へ礼拝に行く人. **2** (主に英) アングリカンチャーチ [イングランド国教]信徒.
church・go・ing /tʃɚ́ːtʃɡòʊɪŋ/ 形 Ⓤ (規則正しく)教会へ行くこと.
†**Church・ill** /tʃɚ́ːtʃɪl/ 图 チャーチル 《**Sir Winston** /wínstn/ (L. S.) ~ 1874-1965; 英国の政治家・首相》.
†**church・man** /tʃɚ́ːtʃmən/ 图 (複 **--men**) [女性形 **--wom・an**] Ⓒ **1** 聖職者, 牧師 ((PC) priest). **2** 教会の会員[信者]((PC) church member); 〔アングリカン〕会員.

†**church・ward・en** /tʃɚ̀ːtʃwɔ́ːɚdn/ 图 Ⓒ 教区委員《アングリカンチャーチや米国聖公会で教区を代表して牧師を助け, 教会の経理と信徒の世話をする教会員》.
†**church・yard** /tʃɚ́ːtʃjɑ̀ːɚd/ 图 Ⓒ **1** 教会の境内, 教会に隣接する敷地; (特に)教会付属の墓地(→ burial ground).
churl /tʃɚːl/ 图 Ⓒ **1** 不作法な男, 育ちの卑しい男. **2** けちんぼう.
chúrl・ish 形 (文) 不作法な, 育ちの卑しい; けちな; 手に負えない. **chúrl・ish・ly** 副 不作法に. **chúrl・ish・ness** 图 Ⓤ 不作法(なこと).

†**churn** /tʃɚːrn/ 图 Ⓒ **1** (バターを作る)撹(かく)乳器. **2** (英) (運搬用の)大型牛乳かん.
— 動 (他) **1** 〈クリーム・牛乳〉を〈撹乳器で〉かき回す, かき回して〈バター〉を作る(+*out*). **2** …を激しくかき回す; 〈風・船などが〉波をわき返らせる. — (自) **1** 〈群衆・心などが〉激しく揺れ動く; 〈波などが〉激しく洗う, あわ立つ; (略式) 胃がむかつく ‖ My stomach *churned* at the sight. その光景に吐きそうになった. **2** 撹乳器を動かす, バターを作る.
chúrn óut [他] (略式) 〈作品など〉をぞくぞくと作る, 粗製濫造する.

†**chute** /ʃuːt/ 〔同音〕shoot〕图 Ⓒ **1** シュート《穀物・石炭・水・郵便物・ごみなどを下へ送り落とす装置》; ダストシュート; [しばしば ~s] (遊園地の)滑り台 ‖ a máil [létter] *chute* レターシュート / a wáter *chute* ウォーターシュート《傾斜路を滑り降りて水上に突進する遊戯》 / an escápe *chute* (旅客機の)緊急脱出装置. **2** 急流; 滝. **3** (略式) = parachute.
chut・ney /tʃʌ́tni/ 图 Ⓤ チャツネ《果物・酢・スパイスで作るインドの薬味. カレーなどにそえる》.
CIA (略) Central Intelligence Agency [the ~] (米国の)中央情報局.
ciao /tʃáʊ/ [イタリア] 間 (略式) さよなら; こんにちは.
†**ci・ca・da** /sɪkéɪdə/ -kάːdə/ 图 (複 ~**s**, **-dae**/-diː/) Ⓒ [昆虫] セミ((米) locust)《◆ ギリシャ神話ではアポロや暁の神アウロラの持ち物とされた》‖ «日本発» The fleeting life of the *cicada*, which dies only a week after birth, is often compared to the transitory life of man. セミは地上に出てほんの1週間で死ぬので, 人のはかない人生にたとえられる.
事情 英国では南イングランドにいるがまれ. 米国には170種ぐらいいるといわれる.
Cic・e・ro /sísərə̀ʊ/ 图 キケロ 《**Marcus Tullius** /mɑ́ːɚkəs tʌ́lɪəs/ ~ 106-43B.C.; 古代ローマの哲学者・政治家・雄弁家》.
cic・e・ro・ne /sìsərə́ʊni, tʃìːtʃə-/ 〔イタリア〕图 (複 ~**s** /-z/, **--ni**/-niː/) Ⓒ (文) (名所・旧跡の)案内人《◆雄弁家 Cicero から》.
Cic・e・ro・ni・an /sìsərə́ʊniən/ 形 キケロの(著作に関する); (キケロのように)弁舌さわやかな, 〈文体が〉流麗な. — 图 Ⓒ キケロ研究家; キケロ崇拝者; キケロ風の文章を書く人.
CID (略) Criminal Investigation Department (米) 検察局; (ロンドン警視庁の)犯罪捜査課.
-cide /-saɪd/ [連結要素] →語要素一覧(2.2).
†**ci・der** /sáɪdəɚ/, (英では ほぼ) **cy・-** **1** Ⓤ (米) リンゴジュース(sweet cider); (英) リンゴ酒((米) hard cider)《◆ アルコール分10%未満. 食中・食後酒. 日本でいう「サイダー」は soda pop》. **2** Ⓒ (1杯・1本の)リンゴジュース[酒].
cíder prèss リンゴ絞り器.
cíder vìnegar リンゴ酢.

circuit board 電気回路を配した板.
circuit breaker 〔電気〕回路遮断器;〔比喩的に〕(株価暴落などの)歯止め.
circuit court 巡回裁判所.
circuit training サーキットトレーニング.
cir·cuit·ry /sə́ːrkitri/ 名 ⓤ 電気回路の明細図.
cir·cu·i·tous /sərkjúːətəs | səː-/ 形 〔正式〕**1** 回り道の. **2** 回りくどい(roundabout).
†**cir·cu·lar** /sə́ːrkjələr/ 形 **1** 円形の(round), 丸い. **2** 循環的な ‖ a circular road. **3** 〔英式〕周遊の ‖ a circular tour [trip] 周遊旅行. **4** 回りくどい; 堂々めぐりの ‖ Stop giving me circular explanations. 回りくどい説明はよせ.
── 名 ⓒ 回状, 回覧(板); (広告用の)ちらし ‖ a lot of circulars inserted in a newspaper 新聞に折り込まれたたくさんのちらし.
circular letter 回覧状.
circular orbit 円軌道.
circular saw まるのこ.
†**cir·cu·late** /sə́ːrkjəlèit/ 動 ⓐ **1** 〈血などが〉〔…を〕循環する〔through, in, (a)round〕‖ Blood circulates through [(a)round] the body. 血液が身体を循環する. **2** 〈通貨などが〉〔…に〕流通する;〈新聞・雑誌などが〉〔…の間に〕読まれる, 行きわたる〔among, through〕‖ Money circulates among people. 金は天下の回りもの. **3** 〔略式〕〈人が〉移動する, 動き回る(move about) ‖ circulate among the crowd 人混みの中を動き回る. **4** 〈うわさが〉〔…に〕広がる〔among〕. ── ⓗ **1** 〈水などを循環させる; 〈新聞・雑誌などを〉配布[回覧]する. **2** 〈通貨などを〉流通させる;〈うわさなどを〉広める.
cir·cu·lat·ing /sə́ːrkjəlèitiŋ/ 形 循環[巡回]する ‖ a circulating library 移動[巡回]図書館 / a circulating decimal 〔数学〕循環小数.
†**cir·cu·la·tion** /sə̀ːrkjəléiʃən/ 名 **1** ⓤⓒ (主に血液の)循環 ‖ a person with (a) poor [good] circulation 血行の悪い[よい]人. **2** ⓤ (ニュースの)伝達, (交通などの)流れ; (貨幣の)流通 ‖ the circulation of information 情報の流れ. **3** ⓤ〔新聞・雑誌の)発行部数, 〔図書の〕貸出部数 ‖ increase circulation 部数を重ねる / This magazine has a monthly circulation of 400,000. この雑誌は1か月40万部発行されている《ふつうの連語でのみ a を伴う》/ This newspaper has the greatest circulation in Japan. この新聞が日本で発行部数が一番多い.
be in circulation (1) 〈貨幣などが〉流通している. (2) 〔米〕〈人が〉(社交界・実業界で)活動している.
be out of circulation (1) 〈貨幣などが〉現在使われていない. (2) 〔米〕〈人が〉(社交界・実業界で)活動していない.
put A in [into] circulation 〈風説・貨幣などを〉流布[流通]させる.
cir·cu·la·tor /sə́ːrkjəlèitər/ 名 ⓒ (うわさ・報道・病毒などの)流布者; (液体の)循環装置;〔数学〕循環小数.
cir·cu·la·to·ry /sə́ːrkjəlɑ̀təːri | səːkjuléitəri/ 形 〔正式〕循環上の ‖ the circulatory system 循環系統.
cir·cum- /sə̀ːrkəm-/ 語基素 →語要素一覧(1.7).
cir·cum·am·bi·ent /sə̀ːrkəmǽmbiənt/ 形 〔正式〕周囲の, 取り巻く.

cir·cum·cise /sə́ːrkəmsàiz/ 動 ⓗ 〈人に〉割礼(礼)を施す《ふつう陰茎の包皮, 女子は陰核を切り取ること. ユダヤ教・イスラム教などの宗教的儀式》.
cir·cum·ci·sion /sə̀ːrkəmsíʒən/ 名 **1** ⓤⓒ 割礼. **2** 〔C~〕割礼祭《1月1日》.
†**cir·cum·fer·ence** /sərkʌ́mfərəns/ 名 ⓤⓒ 〔幾何〕**1** 円周; 周囲 ‖ The circumference of the lake is almost 5 miles. =The lake is almost 5 miles in circumference. その湖の周囲は約5マイルである. **2** 周辺の長さ; 範囲.
cir·cum·fer·en·tial /-énʃl/ 形 周囲の.
cir·cum·flex /sə́ːrkəmflèks/ 名 ⓒ 形 曲折アクセント符号(circumflex accent)(をつけた)《ˆ など》.
cir·cum·lo·cu·tion /sə̀ːrkəmloukjúːʃən | -ləʊ-/ 名 ⓤⓒ 〔正式〕①遠回し;〔回りくどい表現〕(返答); 逃げ口上.
cir·cum·lo·cu·to·ry /-lɑ́kjuːtɔ̀ːri | -lɔ́kjutəri/ 形 回りくどい.
cir·cum·nav·i·gate /sə̀ːrkəmnǽvigeit/ 動 ⓗ 〔正式〕…を周航する;〈世界〉を(船で)一周する.
cir·cum·nav·i·ga·tion 名 周航.
cir·cum·po·lar /sə̀ːrkəmpóulər/ 形 **1** 〔天文〕極周辺の ‖ a circumpolar star 周極星. **2** 〔地質〕(地球の)極地(方)を回る.
circum·scribe /-⌣́-, ⌣-́/ 動 ⓗ **1** 〔正式〕…を制限する. **2** …の周囲に線を引く, …を取り囲む.
cir·cum·scrip·tion /sə̀ːrkəmskrípʃən/ 名 ⓤ 〔正式〕限界; 周辺.
cir·cum·spect /sə́ːrkəmspèkt/ 形 〔正式〕**1** 〈人が〉(礼儀作法に)用心深い, 慎重な. **2** 〈行為が〉用意周到な.
cir·cum·spec·tion 名 ⓤ 用心深さ, 慎重.
●**cir·cum·stance** /sə́ːrkəmstæns, 〔英+〕stɑːns, -stəns/ 名 〔回りに(circum)立つ(stance). cf. constant〕
── 名 《覆 ~s/-iz/》 **1** ⓒ 〔通例 ~s〕(周囲の)**事情, 状況, 境遇** 《◆「生活環境」は特に environment という》‖ Circumstances forced her to break off her engagement. 彼女は(いろいろな)事情でやむなく婚約を解消した(→文法 23.1) / It was a poor choice of words under [in] the [these] circumstances. こういう状況で失言した / under difficult [unusual] circumstances 困難な[異常な]状況の中で / Imagine circumstances where [in which] a stranger has come into the room suddenly. 知らない人が突然部屋に入ってきたという状況を想像してみなさい.
2 〔~s〕(経済的な)**生活状態, 境遇** ‖ He seems to be in easy [reduced, straitened] circumstances. 彼は暮らし向きが楽に[苦しく]みえる.
3 ⓤ 〔正式〕儀式ばったこと, ものものしさ ‖ with pomp and circumstance 威風堂々と / without circumstance 手軽に. **4** 〔正式〕ⓒ (人・物事に影響する偶然の)事柄, 事実; ⓤ 運命(fate) ‖ It is a lucky circumstance that … …というのは幸運な事実である. **5** ⓤ (事の)次第, 詳細 ‖ with much [great] circumstance 詳細に / You can't say anything till you know the circumstances. 事の次第がわかるまでは, 君は何も言えない.
under [in] no circumstances 決して…ない(never) ‖ Under no circumstances should you tell another lie. いかなることがあっても決して2度とうそをついてはならない《◆ 文頭に用いると倒置構文になる. →文法 23.3》.
cir·cum·stanced /sə́ːrkəmstænst, 〔英+〕-stɑːnst, -stənst/ 形 〔副詞(句)を伴って〕(…の)事情[境遇]である.

†**ci·gar** /sigάːr/ 【アクセント注意】名Ⓒ 葉巻, シガー.
🗾文化 米国では(特に男の)子供が生まれたとき, Have a cigar. My wife had a boy. (葉巻をどうぞ. 男の子が生まれました)と言って葉巻を贈る習慣がある.
　cigár hòlder 葉巻用パイプ.
　cigár stòre (米)タバコ店((英) tobacconist's shop).

***cig·a·rette,** (まれ) **--ret**/sígərèt, ⌣｜⌣, ⌣/⌣/
〖cigar(葉巻) + ette (小さい)〗
——名 (複) **~s**/-rèts/) Ⓒ (紙)巻きタバコ ‖ a carton [pack, packet] of cigarettes 1ケース[1箱]の巻きタバコ / How many cigarettes do you smoke a day? 1日に何本タバコを吸いますか / two loose cigarettes ばらの紙巻きタバコ2本.
　cigarette bùtt タバコの吸い殻.
　cigarette càse 巻きタバコ入れ.
　cigarette hòlder 巻きタバコ用パイプ.
　cigarette lighter タバコ用ライター(◆単に lighter ともいう).
　cigarette pàper 巻きタバコ用の薄い紙.

C-in-C (略) Commander-in-chief.
cinch /síntʃ/ 名Ⓒ **1** (米) (くら(saddle)を止める)ひも帯(girth). **2** (略式) [a ~] 容易にできる[朝飯前の]こと; 確実なこと, バッチリ; (スポーツで)本命.——動他 (米) …をしっかりつかむ; (俗) …を確実なものにする.
Cin·cin·nat·i /sìnsinǽti/ シンシナティ《米国 Ohio 州の都市. Ohio 川に臨む》.
†**cin·der** /síndər/ 名 **1**Ⓒ (石炭・木材の)燃え殻; 消し炭 ‖ be burnt to a cinder 黒焦げになる. **2** [~s] 灰.
†**Cin·der·el·la** /sìndərélə/ 名 **1** シンデレラ《童話で, 王妃になった灰かぶり娘》; この童話. **2**Ⓒ 不幸な境遇に埋もれた美女, (人になかなか認められぬ)埋もれた価値のある[人]. **3**Ⓒ 一躍有名になった人.
　Cinderélla stòry シンデレラ物語; (突然の)成功物語.
cin·e- /síni-/ (語要素) →語要素一覧(1.6).
cin·e·cam·e·ra /sínikæmərə/ 名Ⓒ (英)映画用カメラ((米) movie [motion-picture] camera).
†**cin·e·ma** /sínəmə/ 名 **1**Ⓒ (英)映画館 (米) movie house, (米) movie theater) ‖ go to the [a] cinema 映画を見に行く. **2**Ⓤ [通例 the ~; 集合名詞] 映画((主に英式)the pictures, (主に米) movies); (主に英)映画芸術[産業]((主に米) movies).
cin·e·mat·ic /sìnəmǽtik/ 形 映画に関連した.
cin·e·mat·o·graph /sìnəmǽtəgrὰːf ‖ -grɑ̀ːf/ 名 (主に英古) **1**Ⓒ 映画用カメラ; 映写機; 映画. **2**Ⓤ [しばしば the ~] 映画製作技術.
cin·e·ma·tog·ra·phy /sìnəmətɑ́grəfi ‖ -tɔ́g-/ 名Ⓤ 映画撮影(法[術]). **cin·e·ma·tóg·ra·pher** 名Ⓒ 映画撮影技師.
cin·e·pro·jec·tor /sínipradʒèktər/ 名Ⓒ 映写機.
†**cin·na·mon** /sínəmən/ 名 **1**Ⓤ シナモン; 肉桂皮(香味料). **2** その木. **3** シナモン色, 淡黄褐色.
　cínnamon tòast シナモン・トースト.
Cin·za·no /tʃìnzάːnou/ 名 (複) **~s**/-z/) Ⓤ Ⓒ (商標) チンザノ《イタリア産ベルモット酒》.
†**ci·pher, cy–** /sáifər/ 名 **1 a**Ⓤ 暗号; Ⓒ 暗号文 ‖ in cipher 暗号で. **b** =cipher key. **2**Ⓒ (文)〔数学〕ゼロ(記号). **3**Ⓒ 取るに足らない(つまらない)人[物]. **4**Ⓒ アラビア数字.——動 (略式) **1** …を暗号で記す(↔ decipher). **2** (米略式) …を考え出す(+ out).
　cípher kèy 暗号解読の鍵.

　cípher tèlegram 暗号電報.
CIQ (略) customs, immigration and quarantine 入国手続.
cir(c). (略) 〖ラテン〛 circa (=about).
cir·ca /sə́ːrkə/ 〖ラテン〛 前 (正式) およそ(about)《◆ふつう c., ca., cir(c) と略して日付などの数字の前につける》‖ since circa 1470 (看板・広告など) 創業1470年ごろ.
cir·ca·di·an /sərkéidiən/ sə́ː-/ 形 〔生物〕 24時間周期の, 概日の ‖ a circadian clock (1日を単位とする)体内時計(body clock). **circádian rhýthm** (24時間周期の)概日リズム, 生物リズム.
***cir·cle** /sə́ːrkl/ 〖『小さな輪』が原義. cf. circuit, circus〗 circular (形), circulate (動)

index 名 **1** 円 **2** 仲間 **4** さじき
　　　　動 自 旋回する

——名 (複) **~s**/-z/) Ⓒ **1 a** 円, 円形, 丸《◆永遠・宇宙・完全の象徴》; 円形の物, 輪, 環 ‖ Arrange your desks in a circle. 机を丸く並べなさい / draw [×write] a circle 円を描く / talk in circles 堂々めぐりの議論をする / make a circle with (the) thumb and forefinger (相手に手のひらを見せて)親指と人差指で輪を作る《◆OK, 「やった」などのサイン》. 関連 circumference 円周 / chord 弦 / arc 弧 / diameter 直径 / radius 半径. **b** Ⓒ (市街地の)円形広場((英) circus) ‖ Dupónt /djuːpάnt/ Círcle デュポンサークル《◆ Washington, D.C. の中心にある》.

2 [しばしば ~s; 集合名詞; 単数・複数扱い] 仲間, 団体; [形容詞を伴って] …界 ‖ business [political] circles 実業[政]界 / a circle of friends 友だち仲間 / You stood out in our circle. 我々の仲間ではあなたは異色の存在だった《◆「(学校などの)サークル, 同好会」は club》.

3 (活動・勢力の)範囲 ‖ have a wide [large] circle of friends 付き合いが広い.

4 〔演劇〕(半円形の)バルコニー, 階上席, さじき((英) balcony)《◆ gallery と floor の間; 特等席は dress circle》.

5 〔詩〕循環, 周期(cycle) ‖ a vicious circle 悪循環 / a circle of 12 months 12か月の循環. **6** 〔地理〕緯線, 緯度圏.

　còme fúll círcle (1周して・いろいろな変化を経て)もとに戻る.
　squáre the círcle 不可能なことを企てる.

——動 (**~s**/-z/; (過去・過分) **~d**/-d/; **~·cling**)
——自 〈飛行機などが〉旋回する (+(a)round, about, over).
——他 **1** 〈物〉の周りに円を描く **2** 〈飛行機などが〉…の上[周り]を旋回[する]; 〈人・コースが〉…の周りを回る [走る, 歩く]. **3** 〈敵などが〉…を取り囲む. **4** 〈人が〉〈答えなどに〉丸を付ける.

cir·clet /sə́ːrklit/ 名Ⓒ **1** (金・宝石などを使った)飾り輪(頭飾り・腕輪・指輪など). **2** 小円.
†**cir·cuit** /sə́ːrkət/ 名 **1**Ⓒ 周囲, 円周; 〔幾何〕長円, 楕(ḋ)円(ellipse); 円状に囲まれた部分. **2**Ⓒ 〔電気〕回路, 回線 ‖ a television circuit テレビ回線 / a clósed [an ópen] círcuit 閉[開]回路 / an íntegrated círcuit 集積回路(略 IC). **3**Ⓒ 1周; 巡行; (裁判官・牧師の)定期的巡回; 巡回裁判区[教区] ‖ The space shuttle completes its circuit of the earth in two and a half hours. そのスペースシャトルは2.5時間で地球を1周する / be [go]

†**cir·cum·stan·tial** /sə̀ːrkəmstǽnʃl/ 形 〖正式〗 **1** (事情・状況に)付随的な, 重要でない. **2** 詳細な ‖ a *circumstantial* report 詳細な報告.

circumstántial évidence 〖法律〗状況証拠 (↔ direct evidence).

cir·cum·vent /sə̀ːrkəmvént/ 動 他 〖正式〗 …を回る, 巡る;〈計画〉を妨げる,〈法律などの〉抜け道を見つける,〈人〉を出し抜く.

†**cir·cus** /sə́ːrkəs/ 名 C **1** サーカス(団), 曲馬[曲芸]団《◆団体をさす場合は単数・複数扱い》‖ the Bolshoi *Circus* ボリショイサーカス / run a *circus* サーカスの興行をする / Let's go to the *circus* this weekend. 今週の週末サーカスを見に行こう《◆演技を表す場合は the を伴う》. **2** 曲芸, 曲馬. **3** (円形の)興行場, 競技場;(古代ローマの)円形の野外大競技場 ‖ the Circus Maximus /-mǽksəməs/ (ローマの)大競技場. **4** (英)(放射状街路の集まる)円形広場《◆固有名詞に用いる. 「方形広場」は square》((米) circle) ‖ Píccadilly Círcus ピカデリー広場《ロンドンの繁華街にある》. **5**〖略式〗騒々しい会[活動].

cir·rho·sis /sərόusis/ 名 U 〖医学〗肝硬変.

cir·rus /sírəs/ 名 (複 --ri/-rai/) U C 〖気象〗絹雲.

CIS (略) Commonwealth of Independent States 独立国家共同体.

cis·sy, cis·sie /sísi/ 名 形 (英) 名 形 =sissy.

cis·tern /sístərn/ -tən/ 名 C 水槽, (水洗トイレの)貯水タンク;(主に米)貯水池.

†**cit·a·del** /sítədl/ 名 C **1** 城, とりで. **2** 〖正式〗安全な避難所, 最後のよりどころ.

ci·ta·tion /saitéiʃən, (英+) si-/ 名 C **1** 引用文;引用. **2** (米)(軍人などに与える)感状, 表彰(状).

†**cite** /sáit/ 動 他 〖同音〗sight, site 〖正式〗 **1** …を引用[引証]する (quote). **2** … を例証する (illustrate). **3** (米)〈軍人〉に感状を出す;〔…に対して〕…を表彰する 〔for〕. **4**〖法律〗…を〔…の容疑で〕召喚する 〔for〕.

cit·i·fy /sítifài/ 動 他 …を都会人のようにふるまえようにする, 都会化する.

*****cit·i·zen** /sítəzn, -sn | sítizn/
— 名 (複 ~s/-z/; (女性形) ~·ess) C **1** (ある市・町の)市民, 住民 ‖ the *citizens* of Tokyo 東京都民 / start a *citizens'* movement 市民運動を始める / a *citizens'* group 市民団体. **2** 国民, 公民, 人民《◆本来 citizen は共和国の国民, subject は君主に従うものとしての国民.「英国[日本]国民」は a British [Japanese] citizen [subject] でよい》(↔ alien) (cf. national 名 1) ‖ Many boat people have become 「*citizens* of the United States [American *citizens*]. 多くの漂流難民がアメリカ合衆国国民になった / a naturalized *citizen* 帰化人 / 対話 "Where are you from, I wonder?" "I'm a *citizen* of Singapore."「どちらからお見えになったのかしら」「シンガポールからです」. **3** (一般に)居住者, 住民 (resident);(軍人・警官などに対し)民間人 (civilian);(ある場所に住む)生物 ‖ sénior cítizens お年寄り《◆ older people の遠回し表現》/ a *citizen* of the forest 森の住人.

cítizen of the wórld 世界人, コスモポリタン.

cítizen's arrést 〖法律〗市民による犯人逮捕.

cítizen's [cítizens] bánd (主に米)市民バンド(ラジオ)《トランシーバーなど民間の近距離無線に使える周波数帯およびそのラジオ, 略 CB》.

cítizen's [cítizens] bánd rádio 市民バンドラジオ.

cit·i·zen·ess /sítəznis, -sn- | sítizn-/ 名 C citizen の女性形《◆現在は女性にも citizen がふつう》.

cit·i·zen·ry /sítəznri, -sn- | sítizn-/ 名 U 〖文〗[通例 the ~;集合名詞;単数・複数扱い] (しばしば軍人・官吏・知識人と区別して)一般市民, 庶民.

cit·i·zen·ship /sítəznʃip, -sn- | sítizn-/ 名 U **1** 市民権, 公民権 ‖ grant [acquire, lose] *citizenship* 市民権を与える[得る, 失う]. 表現 「プロレスは今や市民権を得た」は Pro wrestling has gained a lot of popularity and is now largely accepted. などとする. **2** (国民[市民])であること, 国籍;その身分[資格, 義務] ‖ American *citizenship* アメリカ国籍.

cit·ric /sítrik/ 形 〖化学〗クエン酸の ‖ *citric* acid クエン酸.

†**cit·ron** /sítrən/ 名 **1** C 〖植〗シトロン《ミカン属の植物》;その実. **2** U (砂糖づけの)シトロンの皮. **3** U 淡黄色.

cit·rus /sítrəs/ 名 C 〖植〗かんきつ類の植物 (citrus tree)《citron, lemon, orange などの木》;かんきつ類の果物 (citrus fruit). — 形 かんきつ類の;甘ずっぱい.

cit·tern /sítərn/ 名 C シターン《16-17世紀に用いられたギターに似た弦楽器》.

*****cit·y** /síti/ 〖「市民 (citizen) のいる所」が原義〗(派) civic (形)
— 名 (複 --ies/-z/) C **1** (田舎に対して)都市, 都会《◆関連形容詞 urban》‖ the cápital cíty 首都 / I like living in *cities*. 私は都会に住むのが好きです / Kobe is a sister *city* of Seattle. 神戸はシアトルの姉妹都市です.
2 (行政上の正式の)市《米国では州の認可を受けた自治体で county の中の一単位. ふつう town より大きい. 英国では国王の勅許を得た town で, cathedral を有し bishop がいる》‖ New York *City* ニューヨーク市.
3 [the ~;集合名詞;単数・複数扱い] その市の(全)市民, 住民 ‖ "All the [The entire] *city* knows the news. 全市民がそのニュースを知っている. **4** [the C~] シティー (London 旧市内の中心部約1マイル四方で英国の金融・商業の中心地;米国の Wall Street に相当);財界, 金融界. **5** (古代ギリシアなどの)都市国家. **6** [形容詞的に] 市の, 都会の, 公共の ‖ a *city* university 市立大学 / *city* life 都会生活 / *city* people 市当局(の人) / the Boston City Council ボストン市議会 (→ city council).

cíty cóuncil (イングランド・ウェールズの)市議会.

cíty désk (米)地方記事編集部;(英)経済記事編集部.

cíty éditor (新聞社の)(米)社会部長, 地方記事編集長, (英)経済部長.

cíty gáte 城門《周囲に壁をめぐらした古代・中世都市の出入口》.

cíty háll (米) (1) 市役所, 市庁舎 (town hall). (2) 市当局, 都市行政.

cíty páge (英)(新聞の)経済面.

cíty plánning (米)都市計画 ((英) town planning).

cíty róom (米) (1) (新聞社・放送局などの)ニュース編集室. (2) その職員.

cíty slícker 〖略式〗都会ずれした人.

cíty státe (古代ギリシアなどの)都市国家.

civ·et /sívit/ 名 C **1** 〖動〗 =civet cat. **2** U (ジャコウネコから採る)じゃこう《香料》. **3** U ジャコウネコの皮.

cívet cát ジャコウネコ.

†**civ·ic** /sívik/ 形 **1** 都市の, 市の; 市立の (類語 urban, municipal) ‖ a *civic* problem 都市問題 / a *civic* university 市立大学. **2** 公民の, 市民(として)の, 市民にふさわしい ‖ a *civic* group 市民団体 / a *civic* movement 市民運動 / *civic* rights 公民[市民]権 / *civic* duty 市民の義務.

cívic cénter (英) 官庁街; そこにある公共施設.

cív·i·cal·ly 副 市民として[らしく].

civ·ic-mind·ed /sívikmáindid/ 形 公共心のある; 社会福祉に関心のある.

civ·ics /síviks/ 名 U [単数扱い] **1** 市民論, 市民学, 公民研究. **2** (学科としての)公民科.

*civ·il** /sívl/ 《『市民 (citizen) の』が原義》
——形 (more ~, most ~; 時に ~·er, ~·est) **1** [名詞の前で] 国内の (↔ foreign); 国家の, 政府の《比較変化しない》‖ *civil* affairs 国事, 国内問題 / *civil* strife 内乱.
2 [名詞の前で] (軍人・官吏に対して)一般人の, 民間(人)の; (武に対して)文の (↔ military); (僧に対して)俗の (↔ ecclesiastical)《比較変化しない》‖ return to *civil* life (軍人をやめて)一般市民の生活に戻る / *civil* government (軍政に対して)民政 / *civil* aviation 民間航空.
3 〈人が〉(最低限度に)[…に/…するほど] 礼儀正しい, 丁重[ていねい]な, 親切な [to / to do]《♦ polite より好意的なこと》; [A is *civil* to do it is *civil* of A to do] …するとは A 〈人〉は礼儀正しい ‖ a *civil* letter ていねいな手紙 / "It was *civil* of him [He was *civil*] to offer his seat to the old man. 老人に席を譲るとは彼も礼儀をわきまえていた (⇒文法 17.5).
4 市民(として)の, 公民の, 公民に関する; 公民にふさわしい《♦ (1) civic がふつう. (2) 比較変化しない》‖ *civil* life 市民[社会]生活 / *civil* duties 公民としての義務.
5 [法律] [名詞の前で] 大陸法の; 民事の《比較変化しない》(cf. criminal) ‖ a *civil* case [suit] 民事事件[訴訟].

cívil deféncee (空襲や天災などに対する)民間防衛(組織) (略 CD).

cívil disobédience 市民の不服従《武力でなく納税拒否・違法行為などの手段による》.

cívil engineér 土木技師.

cívil láw (1) 民法 (cf. criminal law). (2) 国内法.

cívil líberty [通例 -ies] 市民的自由《思想・言論の自由など》.

cívil márriage 宗教的儀式によらない結婚.

cívil ríghts [しばしば C~ R~] (米) [複数扱い] 公民権, 市民権.

cívil ríghts móvement [the ~] 公民権運動《主に黒人の公民権と平等を求める運動. 1960 年代に高揚》.

cívil sérvant (主に英) 公務員 (public servant).

Cívil Sérvice [しばしば c~ s~] (1) [the C~ S~] (軍・司法・立法・宗教関係以外の)政府官庁; 行政機関. (2) [集合名詞的に; 単数扱い] 公務員.

cívil wár (1) 内乱, 内戦. (2) [the C~ W~] a) [米史] 南北戦争 (1861-65). b) [英史] 大内乱《Charles I と国会との争い. Puritan Revolution ともいう. 1642-46, 1648-52》. c) スペイン内乱 (1936-39).

†**ci·vil·ian** /sivíljən/ 名 C (軍人・警官・消防官・聖職侶に対して)一般市民, 民間人, 文民.
——形 民間の, 一般市民の; 非軍事的な ‖ a *civilian* airplane 民間機 / a *civilian* agency 民間機関 / *civilian* control 文民統制, シビリアン=コントロール《軍人より文民が優位に立つこと》.

*ci·vil·i·sa·tion** /sìvəlǝzéiʃən/ -lai-/ 名 (英) = civilization.

†**ci·vil·i·ty** /sivíləti/ 名 **1** U (特に正式な場での)ていねい(さ), 礼儀正しさ; 親切 (↔ incivility) ‖ He greeted his audience *with civility*. 彼は観客にていねいにあいさつした. **2** C [しばしば civilities] ていねいな言葉, 礼儀正しいふるまい ‖ *exchange civilities* 〔正式〕時候のあいさつなどを交わす.

*civ·i·li·za·tion,** (英ではしばしば) **-sa·tion** /sìvǝlǝzéiʃən/ -lai-/
——名 (複 ~s/-z/) **1** U C 文明; (特定の地域・国民・時代に発達した)文明《♦一定の生活様式をもつ文化(状態). 精神的な面を強調した語は culture》‖ modern *civilization* 現代文明 / with the progress of *civilization* 文明の進歩に伴って / (the) Egyptian [Babylonian] *civilization* エジプト[バビロニア]文明. **2** U 文明化, 開化, 教化. **3** [集合名詞] 文明社会, 文明諸国, 文明世界; 文明人; 人類. **4** U (略式) 文化的生活, 現代の(快適な)高度文明社会[生活]; 文明の利器.

†**civ·i·lize,** (英ではしばしば) **-lise** /sívǝlaiz/ 動 他 **1** 〈未開人(種)などを〉文明化する, 教化する, 啓蒙する ‖ The ancient Britons were *civilized* by the Romans. 古代ブリトン人はローマ人によって文明化された. **2** 〈人〉を礼儀正しくさせる, 洗練させる ‖ *civilize* youngsters 青少年を健全育成する.

†**civ·i·lized,** (英ではしばしば) **-lised** /sívǝlaizd/ 形 **1** 文明化した, 文化の発達した, 教化された《比較変化しない》(↔ uncivilized) ‖ *civilized* life 文化的生活 / a *civilized* country 文明国 / Europeans considered that the inhabitants there were not *civilized* yet. ヨーロッパ人たちはそこの住民はまだ文明化されていないと考えていた. **2** 礼儀正しい, 教養のある, 洗練された ‖ *civilized* behavior 行儀よい態度.

civ·vies /síviz/ 名 [複数扱い] 平服.

Cl 記号 [化学] chlorine.

cl. 記号 centiliter(s).

clack /klæk/ 動 自 **1** カタッ, カチッという音. 日英比較 次のような擬声音に当たる: カタンカタン, カタカタ, バタバタ, バチバチ, ガチャリ, バタッ, カチカチ, コツコツ. cf. crack. **2** ぺちゃくちゃ早口のおしゃべり.
——動 **1** カタッ, カチッという音がする. **2** ぺちゃくちゃしゃべる. ——他 **1** …にカタッ, カチッという音をさせる. **2** …をぺちゃくちゃしゃべる.

†**clad** /klæd/ 動 (古) clothe の過去形・過去分詞形.
——形 〔文〕[しばしば複合語で] (…を)着た; (…に) 覆われた ‖ snow-*clad* mountains 雪に覆われた山々.

clad·ding /klædiŋ/ 名 U [金属加工] クラッド法.

*claim** /kléim/ 名 原義. cf. ex*claim*].

index 動 他 **1** 主張する **2** 要求する **3** 求める
名 **1** 主張 **2** 要求 **3** 権利

——動 (~s/-z/; 過去・過分 ~ed/-d/; ~·ing)
——他 **1** [claim (that)節 / claim to do] 〈人が〉(しばしば疑い・反対にあって)…であると[…すると]主張する《♦「クレームをつける」の意味はない → 名1》‖ He *claims* (that) he knows nothing about her. 彼女のことは何も知らないと彼は言い張っている / He *claimed to* have witnessed the accident. 彼はその事故を目撃したと言った (⇒文法 11.5).

2〈人が〉[…の](当然の権利として・自分の所有物として)〈物・事〉を**要求する**, 請求する[for] (↔ disclaim) 《◆ demand の方が強意的》‖ Does anyone *claim* this knife? このナイフの持ち主はいませんか / Where do I *claim* my baggage? (空港で)手荷物はどこで受け取るのですか.
3〈物事が〉〈物事〉を**求める**, 必要とする; 〈事故などが〉〈人命〉を奪う; 〈注意・尊敬・称賛など〉に値する‖ My homework *claimed* all of Sunday afternoon. 宿題のために日曜日の午後全部とられた / His new novel *claims* our attention. 彼の新しい小説は注目に値する / The typhoon *claimed* many lives. 台風が多くの生命を奪った.
4 [claim A to be C]〈人が〉A〈人・物〉がCであると**主張する**‖ She was *claimed* to be the best tennis player in the school. 彼女はテニスが校内一だといわれていた(=It was *claimed* that she was ...).
5 …を得る, 〈賞など〉を取る;〈記録など〉を達成する《◆主に新聞用語》‖ *claim* the bronze medal 銅メダルを取る.
── 自 […の]権利を主張する;[法律]損害賠償を要求する[on, against].
── 名 (複 ~s/-z/) C **1**(事実としての)**主張**,[…ということ]**断言**[to do] ‖ make a *claim* to have seen the criminal at the scene 現場で犯人を見たと主張する(=*claim* to have seen ...) / It is my *claim* that I have done nothing wrong. 何も悪いことはしていないと申し上げているのです(=I *claim* that I ...)《◆「クレームをつける」は make a complaint. → complaint》.
2 […に対する](当然の権利としての)**要求**, 請求[for, on] ‖ Bággage Cláim(掲示)荷物受取所 / máke [pút in] a *cláim* for damages against him 彼に損害賠償を求める(=*claim* damages against him) / She asked, "Wasn't the *claim* legal?"「請求は合法じゃなかったの?」と彼女は尋ねた.
3 […に対する]権利[to, on] ‖ She has a *claim* on her deceased husband's estate. 彼女は死んだ夫の財産の相続権を持っている.
4 請求物; 払下げ請求地. **5** (保険金の)支払い要求.
láy cláim to A《正式》〈財産など〉に対する所有権を主張する.
cláim·a·ble 形 要求[請求, 主張]できる.
cláim·ant /-ənt/《正式》, **cláim·er** 名 C 要求[請求, 主張]する人;[法律]原告.
clair·voy·ant /kleərvɔ́iənt/《正式》 形 C 千里眼[透視力](の)人. **clair·vóy·ance** 名 U《正式》千里眼, 透視力.
†**clam** /klǽm/ 名 C **1**[貝類]二枚貝《食用にされる二枚貝の総称》. **2**《略式》だんまり屋, 無口な人.
(as) háppy as a clám《米略式》とても幸せで《文句なし》.
shút up like a clám《略式》突然口を閉ざす.
── 自 (過去・過分) clammed/-d/; clam·ming/-ɪŋ/《主米》二枚貝を採る ‖ go *clamming* 二枚貝を採りに行く.
clám úp 自《略式》[…に]口をつぐむ, だまり込む[on].
clam·bake /klǽmbèik/ 名 C 焼き貝パーティー《海辺で二枚貝・ロブスター・コーンなどを焼いて食べる》.
†**clam·ber** /klǽmbər/ 動 自(手足を使って)よじ登る(+*up, about, over*) ‖ *clamber up* [*over*] a wall 壁をよじ登る[乗り越える]. ── C よじ登ること.

clam·my /klǽmi/ 形 **--mi·er**, **--mi·est**《汗などで》冷たく湿った, ねばねばする[*with*].
†**clam·or**,《英》**--our** /klǽmə/ 名 [C]《通例 a/the ~》**1**(多数の人・動物の)やかましい声, 大きな叫び声 ‖ *the clamor* of children at play 遊んでいる子供たちのはしゃぐ声. **2**(楽器・交通などの)やかましい音 ‖《騒々しい音》; (動物の)うなり声・やかましい鳴き声 ‖ *the clamor* of a waterfall ゴーゴーと落ちる滝の音. **3** […に対する](要求・抗議の)民衆の声, わめき[*for, against*] ‖ raise a *clamor against* higher prices 値上げ反対の叫びをあげる. ── 動 自 **1** 大きな声を出す, やかましく叫ぶ. **2** […を/…してくれと]やかましく要求する[*for* / *to do*]; […に]やかましく反対する[*against*] ‖ *clamor against* the government policy 政府方針に大声で反対[抗議]する / The baby *clamored* 'to be fed [for food]. 赤ん坊がミルクを欲しがって泣き叫んだ. ── 他 **1** …を大声をあげて主張する; …をがなり立てる. **2**〈人〉にやかましく言って[…]させる[*into*], […から]追い出す[*out of*].
†**clam·or·ous** /klǽmərəs/ 形《正式》**1** 騒々しい(noisy). **2** やかましく要求する.
†**clam·our** /klǽmə/《英》名 動 =clamor.
†**clamp** /klǽmp/ 名 C[留め締め]金; かすがい.
── 動 他 …を〈留め金で〉留める(+*together*).
clámp dówn (*on*) A《略式》…を弾圧する, 取り締まる.
clamp-down /klǽmpdàun/ 名 C《略式》[…の]締め付け, 弾圧[*on*].
clam·shell /klǽmʃèl/ 名 C 二枚貝の貝殻.
†**clan** /klǽn/ 名 C **1**(主に高地スコットランドの)氏族 ‖ Clan Forbes フォーブス族. **2**《略式》(一般に)一家, 一門, 一族《◆ tribe より小規模》; [俗用的に] 仲間, 党, 派.
†**clan·des·tine** /klændéstin/ 形《正式》**1** 秘密の(secret)《◆悪い意味で使われる含みがある》‖ a *clandestine* plan [operation] 内密の計画[作戦]. **2** 不法の.
†**clang** /klǽŋ/ 動 自 カラン[ガラン]と鳴る. ── 他 …をカラン[ガラン]と鳴らす. ── 名 C[the/a ~] カラン[ガラン]と鳴る音《◆ clink, clank, clang の順に音が大きくなる》. [比較] 次のような擬音語に当たる: カチン, ガチン, カーン, カラン, カラン, カラン, ガチャン. clink はチリン, チャリン, カチン, チャラチャラ.
clan·gor,《英》**--gour** /klǽŋər | klǽŋgə/ 名《文》[a/the ~]《鐘などの》鳴り響く音, 騒音.
clán·gor·ous /-gərəs, -ərəs/ 形 鳴り響く.
†**clank** /klǽŋk/ 動 自〈鎖などが〉チャリンと鳴る. ── 他 …をチャリンと鳴らす. ── 名 C [a/the ~]《鎖・金属などが打ち合う》チャリンと鳴る音《◆ clang ほど大きな音》. [日英比較] 次のような擬音語に当たる: ガチャッ, カチン, ガチッ, チャリン, ガチャン.
†**clan·nish** /klǽniʃ/ 形 **1** 氏族の. **2** 党派的な, 排他的な.
clans·man /klǽnzmən/ 名 (複 --men); 《女性形》--wom·an) C 一族の人.
*clap /klǽp/ 【「打ちつける」が原義】
── 動 (過去・過分 ~s/-s/) **1** [a ~] 拍手《◆ *clapping* の方がふつう》‖ We gave the performer a *clap*. 我々はその演奏者に拍手を送った(=We *clapped* for the performer.).
2 C パチパチ[バンバン, ピシャリ]という音;(鳥の)羽ばたく音;(雷などの)バリバリという破裂音 ‖ shut the book with a *clap* 本をバタンと閉じる / a *clap* of thunder 雷鳴. [比較] 次のような擬音語に当たる: パチパチ, バンバン, ピシャリ, バリバリ, ピチャリ, パチン, バタン,

ゴツン, ポン.
3 [a ~]〔親しい人の肩などを〕軽くたたくこと[on]‖ He gave me *a clap on* the [[(非標準)] my] back. 彼は私の背中を軽くたたいた(=He *clapped* me on the back)(◆励ましや友情のしるしのため)(⇒文法16.1(3)).

── 動 (~s/-s/; 過去・過分 **clapped**/-t/; **clapping**)

── 他 **1a** 〈人が〉〈手〉をたたく;〈人・演技など〉に拍手する(applaud)‖ *clap* one's hands 拍手する. **b** 〈物〉をピシャリ[パチン]とたたく(+*together*);〈鳥が〉〈羽〉を打つ;〈人が〉〈黒板消しなど〉をポンとたたく‖ *clap* a dictionary shut 辞書をパタンと閉じる. **2** 〈人が〉(歓迎・激励などのために)〈人〉の〈身体の部分を〉ポンとたたく[on], (失敗・失望などで)〈手〉を〈身体の部分に〉あてる, たたく[to]‖ *clap* him *on* the back 彼の背中をポンとたたく(⇒文法16.2(3))/ *clap* a hand *to* one's forehead 額(ひたい)をポンとたたく. **3** (略式)〈人が〉〈人・物〉を〈ある状態・方向に〉さっと動かす, すばやく置く[*in, into, on, over, to*](◆修飾語(句)は省略できない)‖ *clap* him *in* [*into*] jail 彼を刑務所に送る / He *clapped* his hand *across* [*over*] her mouth. 彼は手ですばやく彼女の口をふさいだ.

── 自 〈人が〉拍手する;〈物が〉ピシャリと音を立てる;〈ドアが〉バタンと締まる.

cláp éyes on A → eye 成句.
cláp·ping 名 U 拍手.

clap·board /klǽbərd | klǽpbɔːrd/ (米)名 C U 下見板, 羽目板. ── 動 他 …に下見板[羽目板]を張る, …を下見板で覆う.

clapped-out /klǽptáut/ 形 (英略式)使い古した; 疲れ果てた.

clap·per /klǽpər/ 名 **1** 拍手する人. **2** 拍子木;(鈴・鐘の)舌. **3** (英)鳴子. *like the cláppers* (英略式)すばやく, 騒々しく;ものすごく速く;元気に, 力強く.

clap·trap /klǽptrӕp/ (英略式)名 U 形 場当たり[人気取り]の言動(の);はったり(の).

Clar·a /klǽrə, (米)- klǽrə/ クララ《女の名. 愛称》Clare》.

clar·et /klǽrət/ 名 **1** U C クラレット《ボルドー産の赤ワイン》;(一般に)赤ワイン. **2** U 赤紫色.

clar·i·fy /klǽrəfài/ 動 (正式)他 **1** 〈意味など〉を明らかにする. **2** 〈液体・バターなど〉を浄化する. ── 自 **1** 〈意味など〉が明らかになる. **2** 〈液体・バターなど〉が澄む.
clár·i·fi·er 名 C 浄化するもの.
clàr·i·fi·cá·tion 名 U 浄化.

clar·i·net /klǽrənèt/ 名 C 《音楽》クラリネット《木管楽器》. **clàr·i·nét·(t)ist** 名 C クラリネット奏者.

clar·i·on /klǽriən/ 名 C クラリオン《明るく澄んだ高い音を出す昔のらっぱ》.

clar·i·ty /klǽrəti/ 名 U (正式)(液体・音色などの)清澄;(論理・表現などの)明快さ.

✝**clash** /klǽʃ/ 動 自 **1** 〈物〉が〈物〉と[ぶつかり合って]ガチャンと音をたてる,〔…に〕ガチャンとぶつかる[*to, against, into*] (類語) clash は固いもの同士の衝突に用いる. 「(衝突して)破損する」は crash, 「柔らかいものと衝突して[つぶす]」は crush ‖ Their swords *clashed*. 2人の刀がガチッと切り合った / The glasses *clashed* (*against* each other). グラスがガチャガチャと鳴った. **2** 〔比喩的に〕〈人・事〉が〔…に関して〕ぶつかる, 対立する, 衝突する;〈日時など〉が重なる, かち合う[*with, against, on, over*]‖ The police *clashed with* the rioters. 警察は暴徒と衝突した / It's a pity the two lectures *clash*. 2つの講義が同じ時間にぶつかるとは残念だ / My interests will *clash with* yours. 私の利害は君の利害と衝突する. **3** (色彩の点で)〔…と〕調和しない, つり合わない[*with, against*]‖ The red shoes *clash with* this green shirt. 赤い靴はこの緑色のシャツとは似合わない. 語法 2, 3 とも, A *clashes with* B. / A and B *clash*. という.

── 他 〈人が〉〈鐘など〉をジャンジャン鳴らす;〈物〉を打ち鳴らす, ガチャンとぶつける(+*together*).

── 名 **1** C ガチャンという音. **2** C (意見・色などの)対立, 不一致‖ a violent *clash* of opinions 意見の激しい対立. **3** C 〔…との/…の間の〕争い [*with/between*].

✝**clasp** /klǽsp | klɑːsp/ 名 C **1** (ブローチ・ネックレス・ハンドバッグなどの)留め金, 締め金‖ The *clasp* on [of] his belt broke. 彼のベルトの留め金が壊れた. **2** (通例 a ~) 握ること;握手,(固い)抱擁.

── 動 他 **1** (正式)〈人が〉〈物〉を留め金で止める;〈つるなどが〉…に巻きつく, からみつく. **2** 〈人が〉〈手・体などを〉握り[抱き]しめる‖ *clasp* him by the hand = *clasp* his hand 彼の手を握りしめる(→ catch 他 **1c**)/ She sighed and *clasped* her hands tightly together over her breast. 彼女はため息をつき胸の上で(指を組み合わせて)両手をしっかり握りしめた《◆絶望・祈り・感動などの動作》 / *clasp* hands *with* him (感情をこめて)彼と堅く握手する《◆ shake hands … より強意的》. **3** 〈留め金などが〉掛かる.

clásp knífe 折りたたみナイフ(cf. jackknife).

:**class** /klǽs | klɑːs/ 〖「同種の人・物の集まり」が本義〗派 classic (形・名), classical (形), classify (動)

---

index 名 **1** 階級 **2** クラス **3** 授業 **4** 部類 **5** レベル

── 名 (複 ~·es/-iz/) **1** C [しばしば ~es;集合名詞;単数・複数扱い;複合語で](社会の)**階級**制度 ‖ the úpper [míddle, lówer] cláss(es) 上流[中流, 下層]階級 / the ruling [working] *class* 支配[労働者]階級 / *class* distinctions 階級間の差異 / the *classes* (主に米) 裕福で教育のある人々, 有産・知識階級.

2 C (学校の)**クラス**, 学級, 組; [集合名詞;単数・複数扱い] クラスの生徒たち; [呼びかけ] クラスのみなさん ‖ This *class* consists of 40 students. このクラスは40人です / We are in the same *class*. 私たちは同級生です《◆「私たちは同じ授業に出ている」という意味(→ **3**)にもなる》/ At school he was always at the top [bottom] of his *class*. 学校では彼はいつもクラスでトップ[びり]だった / "Good morning, *class*(↗)." 「みなさん, おはようございます」/ The *class* is [are] divided on this question. この問題ではクラスの意見が分かれている.

語法 (1) (米)では単数扱いがふつう. ただし1人1人を意識すれば複数扱い(⇒文法14.2(5)).
(2) 英米では日本の A組, B組式に Class A, Class B といわず, 担任の名をとって Miss Green's class などと呼ぶのがふつう.

3 C U (クラスの1時間ごとの)**授業**《◆集団的授業をいう. lesson は個人的レッスン》;(主に米)(大学の)講義;講習;授業時間;授業科目(subject);(授業

の)教室 ‖ **attend** [**go to**] **class** 授業に出る / *after class* (is over) 授業後 / I don't have *classes* today. きょうは授業がない / I cut [skipped] my English *class* yesterday. きのう英語の授業をサボった / talk *in class* 授業中私語をする / take *classes* in dancing ダンスの講習を受ける / I have a ten o'clock *class*. 10時の授業がある.
4 ⓒ (正式) (人・物の)**部類**, 種類(kind) ‖ *be in a class with* …と同類[同等]である / Both belong to the same *class*. 両方とも同じ部類に属する.
5 ⓒ [first, high などを伴う合成語で] (人・物の)**レベル**, ランク, 水準, 等級 / [複合語で](乗物の)…等 ‖ a *first-class* tennis player 一流のテニス選手 / a *first-class* ticket to Tokyo 東京行きの1等の切符 / travel (**by**) *first* [*tourist*] *class* 1等ツーリストクラス]で旅行する(→ **first-class** 形).
6 ⓒ (米) [集合名詞; 単数・複数扱い] (高校・大学の)同期(卒業)生, …年生 ‖ the *class* of 2002 = the 2002 *class* 2002年(卒業)生 / the sophomore *class* 2年生(全体). **7** Ⓤ(俗)高級, 上等, 優秀性; (俗)(衣装・デザイン・挙動の)品位, 気品, 気調, ハイカラ; [形容詞的に] 優秀な ‖ a *class* magazine [hotel] 格調高い雑誌[一流ホテル] / She's got real *class*. 彼女は実に気品がある. **8** ⓒ (郵便物の)種; (生物) 綱(ʔう)(→ classification **3**).
be [*stànd*] *in a cláss by* one*sélf* = *be in a cláss of* [*on*] *one's* [*its*] *ówn* = *be in a cláss apàrt* (略式)〈人・物が〉ずばぬけている, 断然優秀だ.
——動 他 **1** …を分類する, …に等級をつける(classify). **2** (略式) 〈を[に…の]一員とみなす(*as, among, with*) ‖ John is *class*ed *as* a top-rank tennis player. ジョンは一流のテニス選手と考えられている.
cláss áction súit 共同訴訟.
cláss cónsciousness 階級意識.
cláss rìng (米)卒業記念指輪.
cláss strúggle [*wár, wárfare*] [the ~] 階級闘争; 階級間の対立.

✝**clas·sic** /klǽsik/ 形 **1** 〈文学・芸術などが〉最高級の, 第一流の; 模範的な, 標準的な ‖ Picasso's *classic* work ピカソの名作. **2** 古典の, 古典的な(↔ romantic) ‖ *classic* culture 古典文化《古代ギリシア・ローマをさす》(cf. classical **4**). **3** (文学上・歴史上)由緒ある, 伝統的な, 有名な ‖ a *classic* event 伝統的な行事. **4** 〈衣服などが〉伝統的な(スタイルの) ‖ wear *classic* clothes 伝統的な服装をまとう.
——名 **1** 一流の作品[作者] ‖ *The Tale of Genji* is a *classic* that still excites readers even today. 『源氏物語』は現在でもなお読者に感銘を与えてくれる第一級の作品だ. **2** 伝統的[有名な]行事; [スポーツ] 伝統的(大)試合 ‖ the midsummer pro baseball *classic* (米) (プロ野球)オールスターゲーム / the Fall *Classic* (米) (プロ野球) ワールドシリーズ. **3** [(the) ~s; 単数扱い] (古代ギリシア・ローマの) 古典(文学); 古典語. **4** [**Classics**] (大学の)古典のコース[講座]. **5** (米) クラシックカー 《1925-42年型の自動車》.

***clas·si·cal** /klǽsikl/
——形 [通例名詞の前で] **1** 〈文学・芸術・科学が〉**古典派[伝統派]の**(↔ romantic). **2** [時にC~] (古代ギリシア・ローマの)**古典文学の**, 古典語の ‖ *classical* studies 古典研究. **3** = classic **1**. **4** (音楽) クラシックの; (ロマン派に対して)古典派の ‖ *classical* [ˣ*classic*] music クラシック音楽(cf. popular [folk] music).
clás·si·cal·ly 副 古典的に, 古典的に.
clas·si·cism /klǽsisizm/ 名 Ⓤ **1** (文学・芸術に関する) **古典主義**《形式の簡素・均整・調和・抑制を重んじる》. **2** しばしば *C*~] 古典的様式, 古典の学識.
✝**clas·si·cist** /klǽsisist/ 名 古典学者[主義者].
✝**clas·si·fi·ca·tion** /klæ̀səfikéiʃən/ 名 **1** Ⓤ 分類, 区分, 等級分け ‖ *by classification* 分類すれば, 分類によって. **2** ⓒ 類(型), 部類, 範疇(はんちゅう), タイプ. **3** Ⓤ (生物) 分類, 分類体系《◆ 大きな方から phylum [植]門, class 綱, order 目, family 科, genus 属, species 種, subspecies 亜種, variety 変種》.
clas·si·fied /klǽsəfaid/ 形 **1** 分類された. **2** 〈文書などが〉(国家, 軍事)機密の, 極秘扱いの.
——名 → classified ad 注.
clássified ád [(正式) *advertisement*] (新聞などの)部門別案内広告, 求人・求職広告((米略式) want ad, (英略式) small ad)《◆ 単に classified として名詞的にも用いる》.
clássified informátion (米) (役所などの文書に押される)機密情報(の表示); その書類《◆ 3段階に分かれ Eyes Only, Sensitive, Secret Classified の順に秘密度は低くなる》.
✝**clas·si·fy** /klǽsəfai/ 動 他 **1** 〈人が〉〈人・物を〉[部門などに] **分類する**, 類別[区分]する(*into, in, as*); …を等級に分ける ‖ *classify* the books into ten categories 図書を10部門に分類する / Today, one of every seven people in Western Europe is *classified as* elderly. 今日, 西ヨーロッパの7人に1人は老人である. **2** (情報・文書を)(区分して)機密扱いにする. **clás·si·fi·a·ble** 形 分類できる.
class·ism /klǽsizm/ 名 Ⓤ 階級主義; 上流崇拝(snobbery).
class·less /klǽsləs | klɑ́ːs-/ 形 (社会的)階級のない.
*****class·mate** /klǽsmèit | klɑ́ːs-/《(class)の仲間(mate)》
——名 (複) ~s/-mèits/) ⓒ (正式) (授業・ホームルームの) **同級生**; (米)同期生《◆「同窓生」は schoolmate》‖ He and I are *classmates*. =He is my *classmate*. 彼と私は級友[同級生]だ ‖ 「クラス[英語の授業]が同じ」では We are both in the same homeroom [English] class. とする》.

class·room /klǽsrùːm | klɑ́ːs-/
——名 (複) ~s/-z/) ⓒ **1 教室**《◆ ふつう英米の教室は room number で呼ばれる》. **2** [形容詞的に] 教室の ‖ *classroom* English 教室英語.
class·y /klǽsi | klɑ́ːsi/ 形 (**-i·er, -i·est**) (略式) センスのいい, ハイカラな, 高級な; 身分[地位]の高い.
✝**clat·ter** /klǽtər/ 名 [a/the ~] カタカタ[ガチャガチャ]いう音(rattle) ‖ a *clatter* of coins in the pocket ポケットの中のコインのガチャガチャいう音 / A bunch of keys dropped to the floor with a *clatter*. 一束の鍵が床にガチャンといって落ちた / The *clatter* of dishes came from the kitchen. 台所からの食器のガチャンという音が聞こえた.
——動 圊 **1a** 〈なべ・皿などが〉ガタガタ[ガチャガチャ]音を立てる ‖ Dishes *clatter*ed in the kitchen. 皿が台所でガチャガチャ音を立てた. **b** 〈人・馬・車などが〉ガタガタ音を立てて進む(+*about, along, away, over*) ‖ *clatter* downstairs ドタドタと階下におりる. **2** ぺちゃくちゃしゃべる. ——他 〈茶わん・皿など〉をガチャガチャ鳴らす(+*about*).

clát·ter·er 名 C カタカタ音を立てるもの；おしゃべり.

†**clause** /klɔ́ːz/ 名 C **1** (条約・法律の)条項, 個条. **2** 〔文法〕節 (cf. phrase).

claus·tro·pho·bi·a /klɔ̀ːstrəfóʊbiə/ 名 U 〔医学〕閉所恐怖症. **claus·tro·pho·bic** 形 名 C 閉所恐怖症の(人).

clav·i·chord /klǽvikɔ̀ːrd/ 名 C 〔音楽〕クラビコード《ピアノの前身》.

clav·i·cle /klǽvikl/ 名 C 〔医学〕鎖骨.

†**claw** /klɔ́ː/ 名 C **1** 〈鳥獣の〉かぎづめ (図 → bird).
関連 talon (主に)猛禽のつめ / hoof 牛馬のひづめ.
2 〈カニ・エビなどの〉はさみ. **3** くぎ抜き. —— 動 他〈物を〉つめでつかむ[引き裂く, ひっかく], …をひっかくようにして進む ‖ *Claw me, and I'll claw thee*. (ことわざ)「万事相手の出かた次第」；魚心あれば水心. —— 自 つめでつかもうとる[手探りする]〔*at, for*〕.

†**clay** /kléi/ 名 U **1** 粘土. **2** 土.

cláy còurt 〔テニス〕クレーコート《表面が土のコート. 単に clay ともいう》.

cláy pígeon クレー《粘土製標的》.

cláy pígeon shóoting =trapshooting.

clay·ey /kléii/ 形 粘土質の；粘土を塗った.

:**clean** /klíːn/ [「汚れた所が1つもなく, きれいな」が本義] 派 cleanly¹ (形), cleanly² (副)

clean the table   clear the table

—— 形 (~·er, ~·est)
I [汚れがない]
1 a (まったく)**汚れていない**, きれいな, 清潔な (↔ dirty, unclean) (cf. clear) ‖ *clean* air きれいな空気 / *clean* dishes きれいな皿 / The cottage was cléan and tídy. その別荘は清潔で整然としていた. / Keep your hands [underwear] *clean*. 手[下着]を清潔にしておきなさい. **b** [通例名詞の前で] **ま新しい**, まだ使っていない, 新鮮な；洗濯してある ‖ a *clean* page 白紙のページ / a *clean* sheet of paper 新しい[書き込みのない]きれいな紙 / *clean* jeans ま新しい[きれいに洗った]ジーンズ.
2 〈物が〉**不純物のない**, 純粋な(pure) ‖ *cléan drínking wàter* きれいな飲料水.
3 〈核兵器・エネルギーなど〉放射性物質が少ない, 公害の少ない ‖ *clean* energy クリーンエネルギー《環境汚染物質を発生しないきれいなエネルギーのこと. 太陽熱・地熱など》.

II [心や行ないが汚れがない]
4 〈人・心・生活などが〉(道徳的・性的に)**清らかな**, 汚れのない；前科[前歴]のない, 無傷の；〔汚れなどが〕なくて〔*of*〕‖ a *clean* driver's license 違反歴のない運転免許証 / She has a *clean* record. 彼女には前科がない / He led a *clean* life all his life. 彼は一生清廉潔白な人生を送った.
5 [通例名詞の前で] **きれい好きな**, 身ぎれいな(cleanly¹) ‖ Cats are *clean* animals. ネコはきれい好きな動物だ.
6 〈競技(者)・戦い・規則など〉**正々堂々とした** ‖ a *clean* fight フェアな戦い.

III [形式的に欠点のない]
7 a [通例名詞の前で] 格好のよい, すらりとした, 均整のとれた；〈車・船などが〉流線型の ‖ a *clean* profile 整った横顔. **b** 〈文体などが〉すっきりした, 飾り立てない ‖ a *clean* style 簡潔な文体. **c** [通例名詞の前で]〈切り口・面などが〉滑らかな, でこぼこ[ぎざぎざ]のない ‖ a *clean* cut 滑らかな切り口.
8 〈物事が〉欠点[誤り, 問題, 障害]のない ‖ a *clean* manuscript 間違いのない原稿 / a *clean* copy 清書.

còme cléan (略式)〔悪事・不都合な事実を/…に〕白状する, ドロを吐く〔*about*/*with*〕.

—— 副 **1** (略式)まったく, すっかり(completely)《◆比較変化しない》‖ get *clean* away 完全に逃げきる / I'm *clean* out of sugar. 砂糖がすっかり尽きていた / I *clean* forgot (to call her). (彼女に電話するのを)すっかり忘れていた / A pistol bullet went *clean* through his leg. ピストルの弾が彼の脚を貫通した. **2** きれいに, 清潔に(cleanly²) ‖ The street was *clean* swept. 通りがきれいに掃除してあった.

—— 動 (~s/-z/;過去・過分 ~ed/-d/; ~·ing)
—— 他 **1** 〈人・機械などが〉〈場所・物〉を(すっかり)**きれいにする**, 清潔にする, 〔…で〕(完全に)**掃除する**〔*with*〕‖ *clean* the table テーブルをきれいにふく / *clean* the room [house] 部屋[家]を掃除する / You must *clean* your hands before meals. 食事の前には手をきれいに洗わなければいけない / Please *clean* the floor *with* this mop. このモップで床をきれいにしてください / the thoroughly *cleaned* furniture すっかりきれいにされた家具. **2** 〈物の中身を空にする〉(→ disembowel) ‖ *cléan* one's *pláte* 皿の料理を平らげる / *clean* fish 魚の内臓を(きれいに)取り除く.
—— 自 **1** 〈物・事が〉(すっかり)きれいになる ‖ This heater *cleans* easily. このヒーターは手入れするのが簡単だ. **2** (家の)掃除をする(⇒ 文法 3.1) ‖ I'm *cleaning*. 今お掃除しているところなの《◆車の他には用いない》.

cléan dówn [他]〈壁・家・ドア・車など〉を(くまなくブラシをかけたりふいたりして)きれいにする[洗う]；〈馬など〉にブラシをかけて洗う.

cléan A from [off] B B〈物〉から A〈ごみなど〉を取り除く.

cléan A of B A〈物〉を洗って B〈汚れなど〉をきれいに落とす.

cléan óut [他] (1)〈部屋・引き出しなど〉の内部を掃除する, 片付ける；〈不要品など〉をすっかり処分[始末]する. (2)〈金・資源〉を使い果たす. (3) (略式)〈賭(か)・投機・盗みなどで〉〈人〉を無一文にする；〈場所〉から〈金品など〉を全部盗む〔*of*〕.

cléan úp [自] (すっかり)きれいに清掃する；身ぎれいになる. —— [他] (1)〈場所・物〉をきれいに(掃除)する, 片付ける；…を処分する. (2)〈敵・不良分子・犯罪者・腐敗・罪悪など〉を一掃する；〈場所〉から悪を一掃する, …を粛清する. (3) (略式)〈仕事など〉を仕上げる. (4) (主に米略式)[~ oneself *up*] からだを洗う, 身なりを整える.

—— 名 [a ~] きれいにすること, 掃除 ‖ Give the room *a* good *clean*. 部屋をよく掃除しなさい.

cléan ròom (精密機械工場・病院・宇宙船などの)無菌[塵]室.

cléan·ness 名 清潔.

clean-cut /klíːnkʌ́t/ 形 **1** すっきりとして整った, 格好のよい；輪郭のはっきりした. **2** 明確な, はっきりした. **3** きちんとした, 身だしなみのよい.

clean·er /klíːnər/ 图 © **1** 掃除作業員. **2** 洗(浄)剤. **3** (電気)掃除機, クリーナー；空気清浄機.

clean-hand·ed /klíːnhǽndid/ 形 〈人が〉潔白な, 無実の.

†**clean·ing** /klíːniŋ/ 图 Ⓤ **1** 掃除 ‖ dò the (géneral) hóuse cleaning 家の(大)掃除をする. **2** 洗濯(物), クリーニング.

cléaning wòman [**làdy**] (特に時間給の)掃除婦 (《PC》housekeeping cleaner).

clean·li·ly /klénlili/ 副 きれいに, 清潔に.

clean-limbed /klíːnlímd/ 形 〈特に若者が〉〈手足が〉すらりとして均整のとれた；活発そうな.

†**clean·li·ness** /klénlinəs/ [発音注意] 图 Ⓤ [しばしば比喩的に] 清潔, きれいなこと；きれい好き ‖ cleanliness of thought 思想の高潔さ.

†**clean·ly**¹ /klénli/ 形 (**more ~, most ~**; **--li·er**, **-li·est**) 《正式》〈人・動物が〉〈性格・習性として, 神経質なほど〉きれい好きな, いつもこざっぱりした (tidy) ‖ The Japanese are a cleanly people. 日本人は清潔好きな国民だ.

†**clean·ly**² /klíːnli/ 副 **1** (神経質なほど)きれいに, ちゃんと, 見事に ‖ This knife cuts very cleanly. このナイフはきれいに切れる. **2** 清潔に, きれいに ‖ The car was cleanly washed. 車はきれいに洗われた. **3** 潔白に, 不正をせずに ‖ live cleanly 清く生きる.

†**cleanse** /klénz/ [発音注意] 動 ⑪ 《正式》**1** 〈肌などを〉(化学的処理で)清潔にする. **2** 〈人の〉〈罪・汚(ぎ)れ・傷などを〉清浄にする；〈人・心〉を[罪・病などから]清める, 浄化する, [**from**, **of**] ‖ She was cleansed of her sins. 彼女の罪は洗い清められた.

cleans·er /klénzər/ 图 **1** Ⓒ Ⓤ 洗剤；洗顔乳液(パウダー)；クレンザー. **2** Ⓒ 洗う人.

clean-shav·en /klíːnʃéivn/ 形 ひげをきれいにそった；ひげのない.

cleans·ing /klénziŋ/ 图 Ⓤ (心の)清め, 浄罪にすること；[~s] 掃き捨てたごみ. ──形 清潔にするための, 清潔にするのに役立つ.

cléansing crèam 洗顔用クリーム.

clean-up /klíːnʌp/ 图 **1** [a ~] (大)掃除. **2** [a ~] (腐敗・犯罪・汚職・ギャンブルなどの)一掃, 浄化.

cléanup hítter [**bàtter**, **màn**] 《野球》4番打者 (◆ 3, 4, 5 番打者をさして ×cleanup (trio) とはいわない).

☆clear /klíər/ 〖「じゃまものや不要なものがなく視界がさえぎられない」が本義〗派 clearly (副)

index	形 **1** はっきりした **2** 確信している **4** 澄んだ **5** 晴れた **7** 鮮やかな **10** 妨げるものがない **11** 潔白な 動 ⑪ **1** きれいにする **2** 取り除く **3** 跳び越える ⑥ **1** 晴れる

──形 (**~·er** /klíərər/, **~·est** /klíərist/)

Ⅰ [思考・感情がはっきりしている]

1a はっきりした, 明らかな, 明瞭な；よくわかる(↔ vague) ‖ I have a clear memory of my childhood. 子供の頃のことをよく覚えている / Have I máde mysèlf cléar? =Clear enough? 今言ったことはおわかりですか / Make your position clear. 君の立場をはっきりしなさい.

b [**it is clear that** 節/**wh** 節] …だということは[…かは]明らかだ ‖ It is clear that he pretended to be ill. 彼が仮病を使ったのは明らかだ(=He clearly pretended …) / It is not clear what the writer is trying to say. 筆者が何を言おうとしているかはっきりしない.

2 [補語として] 〈人が〉〔…を/…だと〕確信している, はっきり知っている [**about**, **as to** / **that** 節, **wh** 節] 《◆ **wh** 節はふつう否定文・疑問文で用いる》‖ I'm not clear about [×**of**] his address. =I'm not clear (as to) what his address is. 彼の住所はよく知らない.

3 〈頭脳・思考・人が〉明晰(ੈੀ)な ‖ a clear head さえた頭.

Ⅱ [視覚・聴覚的にはっきりしている]

4 〈物が〉澄んだ, すき通った, 透明な 《◆ clear は「視覚的にきれいな」, clean は「汚染がなくきれいな」》 [類語] transparent, translucent) ‖ clear water [air] 澄んだ水[空気] / clear soup すましスープ, コンソメ / Her eyes are (as) clear as glass. =Her eyes are very clear. 彼女の目はガラスのように澄みきっている.

5 晴れた, 明るい ‖ It was a fine, clear day today. 今日は快晴の1日だった.

6 〈音声が〉澄んだ, 明るい ‖ in a clear voice よく聞きとれる明瞭な声で.

7 〈色彩が〉鮮やかな, 明るい ‖ a clear blue 抜けるような青色.

8 〈形・輪郭が〉はっきりした, くっきりした (distinct) ‖ a clear photo 鮮明な写真 / Her face was not clear in the poor light. うす暗い照明の中で, 彼女の顔ははっきり見えなかった.

9 傷[しみ]のない ‖ (a) clear skin しみのない肌.

Ⅲ [妨げるものがない]

10a 〈物・人・危険などの〉妨げるものがない, 空いた, 開けた；[通例補語として] 〈道が〉自由に通れる ‖ a clear space 空き地 / Keep clear. 《掲示》駐車禁止 / We had a clear view of the sea. 海が沖の方まではっきり見渡せた. **b** [補語として]〔…から〕離れて, 〔…を〕避けて[**of**]；〔都合の悪いものが〕ない, 〔…から〕自由になった, 〔…に〕わずらわされない[**of**, **from**] 《◆比較変化しない》‖ This street is clear of traffic at night. この通りは夜は車や人が通らない / She is clear of debt [worry]. 彼女は借金[心配事]がない / Keep clear of the propellers. (聞き手のいるところを基準にして)プロペラに近づくな 《◆ プロペラを基準にして「そこから離れていろ」は Keep away from the propellers》.

11 潔白な, やましいところのない ‖ have a clear conscience 良心に恥ずべきところがない.

12a [通例名詞の前で] [しばしば数詞を伴って] 純粋の, 正味の(net) 《◆比較変化しない》‖ earn a clear ¥10,000 =earn ¥10,000 clear 純益1万円をあげる. **b** (略式)[名詞の前で] まったくの ‖ win a clear victory 完勝する.

Áll cléar! (1) 敵影なし, 《空襲》警報解除. (2) だれもいなくなった, もう大丈夫だ.

──副 (**~·er**, **~·est**) **1** はっきりと, 明瞭に(clearly) 《◆比較級・最上級で用い, 原級は単独では(非標準)》 ‖ Speak clearer. もっとはっきり話しなさい / Speak lóud and cléar. 大きな声ではっきり言いなさい(= Speak loudly and clearly.). **2** (略式) すっかり, 完全に；(主米)〔…まで〕ずっと[**to**] 《◆比較変化しない》‖ get clear away 遠ざけ[逃げ]切る / run clear to the goal ゴールまでずっと走る. **3** 《正式》〔…から〕離れて, 触れずに(away) [**of**] 《◆比較変化しない》‖ Stand clear of the doors. ドアから手を下がりなさい 《◆列車が発車する前のアナウンス》.

clearance

──**動** (~s/-z/; 過去・過分) ~ed/-d/; ~·ing /klíərɪŋ/

──**他** **1**〈人が〉〈場所〉を**きれいにする**, 片付ける ‖ *cléar* the táble 食事の後片付けをする(→ **clean 他** 1) / *clear* one's thróat せきばらいをする《◆発言の前に威厳・思わせぶりを表すためにすることも》.

2 [clear A of B = clear B from [off] A]〈人が〉A〈場所〉からB〈じゃまな物・人〉を**取り除く**, 排除する ‖ She *cleared* the roads of snow. =She *cleared* snow *from* the roads. 彼女は道路の雪を片付けた《◆この of は分離を表す. → **of** 6》 / *clear* one's mind of doubt 心から疑いを払いのぞく.

3 a〈人・物が〉〈障害物〉を(触れずに)**跳び越す**, 通り越す, 突破する, クリアーする ‖ *clear* a hurdle [fence] ハードル[柵]を跳び越す. **b**〈法案が〉〈議会〉を通過する;〈荷物が〉〈税関など〉を(正式手続きを終え)通過する.

4 …をはっきりさせる; …を明らかにする ‖ A short nap *cleared* my head. 少し昼寝したら頭がすっきりした / *clear* the mystery 謎を解明する.

5〈嫌疑〉を晴らす;〈疑い・汚名・罪などから〉〈身〉のあかしを立てる, …を解放する[of, from] ‖ The witness's testimony *cleared* her of guilt. 目撃者の証言で彼女の有罪は晴れた.

6(略式)〈純益〉をあげる ‖ *clear* $300 on [out of] the sale その販売で300ドルもうける.

7【コンピュータ】〈メモリーから〉〈データ〉を消去する, クリアする.

──**自** **1**〈天候・空・霧が〉**晴れる**(+*off*, *away*, *up*);〈雲・煙などが〉消える;〈雨があがる〉‖ The sky finally *cleared*. 空がとうとう晴れた. **2**〈液体が〉澄む. **3**〈心が晴れる;〈頭・考え・視力・状況などが〉晴れる;〈発疹(ﾋﾟｼﾝ)などが〉消える. **4**〈法案が〉(議会)を通過する;〈障害物などを〉跳び越す, クリアーする, パスする;〈小切手が〉清算される. **5**〈船が〉出入港時に正式の手続きをする.

cléar awáy [自] (1) → **自 1**. (2)〈徴候などが〉消える. (3)〈食事の〉後片付けをする. (4)〈人が〉立ち去る. ──[他] (1)〈物を(場所から)取り除く, 片付ける;〈群衆〉を排除する;〈仕事など〉を一掃する;〈疑いなど〉を一掃する.

cléar óff [自] (1) → **自 1**. (2)〈食事の後片付けをする. (3) 立ち[走り]去る. ──[他] (1)〈場所〉からじゃまなものを取り除く;(米)〈テーブル〉から食器類を片付ける. (2)〈不用物〉を処分する. (3)〈借金〉を返済する. (4)〈未了の仕事〉を片付ける. (5)〈人〉を立ちのかせる, 排除する. (6)〈在庫品〉を安く売る.

cléar óut [自] (1) → **自 1**. (2) 急いで立ち去る. ──[他] (1)〈物〉の中の物を取り出す, 片付ける;〈物〉を取り除く. (2)〈場所〉をきれいに掃除する. (3)(略式)〈人など〉を追い出す, 排除する;〈不用物など〉を処分する, 捨てる.

cléar úp [自] (1) → **自 1**. (2)〈病気・悩みなどが〉治る, 消える. (3)きれいに片付ける. ──[他] (1)〈場所〉を片付ける, 整頓する. (2)〈仕事など〉を仕上げる, 片付ける. (3)〈問題・謎・疑い・誤解など〉を解く, 明らかにする.

──**名** [the ~] 空所, 余白, 空き地, あき.

in the cléar (略式) (1) 疑われていない, **無実[無罪]**で. (2) じゃま[危険]がない, 自由で[に]. (3) 借金がない.

clear·ance /klíərəns/ **名 1** ⓊⒸ 取り除くこと, 除去, 撤去, 排除;片付け;整理 ‖ *make (a) clearance* of a lot of junk がらくたの山をきれいに処分する. **2** Ⓒ =clearance sale. **3** ⓊⒸ (車・船などが橋などを通るときの)間隔, ゆとり, すき間, 空間の高さ ‖ *Clearance* 8 feet.(掲示)あき8フィート. **4** Ⓤ (船の)通関手続き;Ⓒ =clearance papers;Ⓤ (航空機の)離[着]陸許可.

cléarance pàpers 出[入]港許可証.

cléarance sàle 在庫一掃大売出し.

clear-cut /klíərkʌ́t/ **形 1**〈人・物の〉輪郭のはっきりした, くっきりした, きちんと整った. **2**〈発言・考えなどが〉はっきりした, 疑いのない明確な.

clear-eyed /klíəráid/ **形 1** 目の澄んだ. **2**〈人が〉よく目の見える. 明敏な, 洞察力のある.

clear-head·ed /klíərhédid/ **形**〈人が〉頭のさえた[切れる], 頭脳明晰(ｾｷ)な;物を見通す力のある.

†**clear·ing** /klíərɪŋ/ **名 1** Ⓒ (森林の)開拓地, 木や下草を取り切り開いた所. **2** Ⓤ (障害物の)除去.

cléar·ing·hòuse /klíərɪŋhàus/ **名** Ⓒ 手形交換所.

***clear·ly** /klíərli/ [→ **clear**]

──**副** (more ~, most ~) **1** [文全体を修飾] 明らかなことには, 疑いなく ‖ We *clearly* need to think again. =*Clearly*(↘[↘]), we need to ... 明らかに我々はもう一度考えてみる必要がある(=It is clear that we need ...) **⊃文法 18.6**).

2 はっきりと, 明らかに ‖ Pronounce this word more *clearly*. この単語をもっとはっきり発音しなさい / You can see Mt. Fuji very *clearly* from here. ここから富士山がとてもはっきり見える(=You can have a very *clear* view of Mt. Fuji ...).

3 [返答として] その通り, いかにも.

†**clear·ness** /klíərnəs/ **名** Ⓤ **1** 明らかなこと, 明瞭, 明快. **2** 明らしさ, 鮮明(さ);清澄. **3** じゃまないこと.

clear-sight·ed /klíərsáitid/ **形 1** よく目の見える. **2** 理解[判断]力のある, 先見の明のある.

†**cleat** /klíːt/ **名** Ⓒ **1** (通例 ~s)(靴底の)滑り止め. **2** 押え木[金].

†**cleav·age** /klíːvɪdʒ/ **名 1** Ⓒ (正式)裂け目(split) ‖ a *cleavage* in society between rich and poor 貧富の差[溝]. **2** Ⓤ 分裂(すること).

†**cleave**[1] /klíːv/ **動** (過去) **clove**/klóuv/ or **cleft**/kléft/ or ~**d**, (過分) **clo·ven**/klóuvn/ or **cleft** or ~**d**) **他 1** …を切り裂く(split). **2**〈道なりを〉切り開く(make). **3**〈飛行機が〉〈雲〉を貫いて進む;〈船などが〉〈水〉を切って進む. ──**自 1** 割れる, 裂ける. **2** …を切って突き進む[*through*].

†**cleave**[2] /klíːv/ **動** (過去) ~**d** or (古) **clave**/kléiv/, (過分) ~**d**) **1** (文・古) […に]忠実である, 執着する [to]. **2** […に]くっつく, 粘着する(stick) [to].

cleav·er /klíːvər/ **名** Ⓒ 裂く人[物], (肉屋の)肉切り包丁.

clef /kléf/ **名** (複 ~s) Ⓒ〔音楽〕音部記号 ‖ a G [C, an F] *clef* ト[ハ, ヘ]音部記号(圖 ♪ music).

†**cleft** /kléft/ **動** cleave[1]の過去形・過去分詞形.

──**名** Ⓒ (正式) 裂け目(crack);裂片.

cléft pálate 口蓋(ｶﾞｲ)破裂(症).

clem·a·tis /klémətəs/ **名** Ⓤ〔植〕クレマチス《テッセン・センニンソウなどの植物》.

clem·en·cy /klémənsi/ **名** Ⓤ (正式) **1** (罪人などへの)寛大な措置, 慈悲(◆ *mercy* がふつう). **2** (天候・性格の)温和. **clém·ent 形** (正式) 温和な.

clem·en·tine /klémənt

àin, -tìːn/ **名** Ⓒ〔園芸〕クレメンタイン《小型オレンジ》.

†**clench** /klénʧ/ **動 他 1**〈歯〉をくいしばる;〈手など〉を(決意・怒り・苦痛などで)固く握りしめる ‖ *clench* one's teeth in pain 痛みに歯をくいしばる / *clench* one's hands [fists](緊張して)手を握りしめる. **2**

〈物〉を〔手などで〕しっかりつかむ〔in, with〕‖ My stomach is clenched with hunger. 空腹でおなかがぐしゃんこだ. 2 =clinch 1.

Cle·o·pat·ra /klìːəpǽtrə/ 名 クレオパトラ《69?-30 B. C.; エジプトの女王(51-30 B.C.)》.

†**cler·gy** /klə́ːrdʒi/ 名 [the ~; 複数扱い] 1 聖職者(↔ laity). 2 牧師たち.

†**cler·gy·man** /klə́ːrdʒimən/ 名 (複 --men/-mən/; (女性形) **-wom·an**) 1 聖職者, 牧師《◆(米)では一般的に聖職者, [アングリカン]ではふつう bishop 以下の聖職者をさす》(cf. minister 3) ((PC) member of the clergy).

cler·ic /klérik/ (古) 名 C 形 牧師[聖職者](の).

†**cler·i·cal** /klérikl/ 形 1 事務員, 書記の; *clerical* wòrk 事務の仕事. 2 聖職者[牧師]の.
—— 名 1 C 牧師. 2 [C~] 聖職権を主張[支持]する人. 3 [~s] 僧服.
clér·i·cal·ism 名 U 聖職権主義.
clér·i·cal·ist 名 C 聖職権主義者.
clér·i·cal·ly 副 牧師[書記]として.

***clerk** /kləːrk | klɑːk/ 《原義の「牧師」が読み・書きのできることから「書記・事務員」の意が生まれた》派 clerical (形)
—— 名 (複 ~s/-s/) C 1 (銀行・会社・ホテルなどの)事務員, 係.《対話》 "What kind of work do you do?" "I'm a room *clerk* at the Sheraton Hotel." 「どんなお仕事をしているのですか」「シェラトンホテルで部屋係をしています」.

[関連] [いろいろな種類の clerk]
airline *clerk* 空港の事務員 / bank *clerk* 銀行員 / booking *clerk* (劇場などの)予約(受付)係 / desk *clerk* ホテルの受付 / filing *clerk* 文書整理係 / night *clerk* 夜勤員 / office *clerk* 事務員 / parish *clerk* 教会の庶務係.

2 (裁判所・町議会などの)書記, 事務員. 3 (主に米)店員(salesclerk, (英) shóp assìstant); ホテルの受付(desk clerk).
—— 動 自 (主に米略式)店員を務める.

clerk·ship /klə́ːrkʃip | klɑ́ːrk-/ 名 U 1 事務員[書記, 店員]の職[身分]. 2 聖職者の身分.

Cleve·land /klíːvlənd/ 名 1 クリーブランド《米国 Ohio 州の都市》. 2 クリーブランド《(Stephen) Grover/gróuvər/ ~ 1837-1908; 第22, 24代米国大統領(1885-89, 1893-97)》.

***clev·er** /klévər/ 《[「頭がよく, 器用な」が本義]》
—— 形 (通例 more ~, most ~; 時に ~·er /-ərər/, ~·est/-ərist/) 1 〈人が〉利口な, 頭がよい, 物わかりのよい, 小利口な, 賢い(→ wise); [A is clever to do / it is clever of A to do] …するとは A は利口だ(↔ stupid) (🔵文法 17.5) ‖ How *clever* of you (it is) *to* guess the right answer! 正しい答えを考えられるなんてとても君は頭がいいね.
[類語] (1) wise は知識と経験に基づく正しい判断力があること.
(2) clever は頭の回転の速さ・機敏さ・器用等などを強調するため, 「小利口な, ずる賢い, 抜け目がない」の意味になることがある. cf. 4.
(3) よい意味での「利口な」には bright, intelligent, brilliant などが無難. cf. smart.
2 〈人が〉〔…するのが〕巧みな, 器用な, 上手な〔at〕; 〈人が〉〔道具・手先などの扱いがうまい〔with〕(↔ clumsy) ‖ a *clever* liar 上手なうそつき / He is *clever at* making model cars. 彼は模型自動車を作るのがうまい / She is *clever with* her fingers [hands]. 彼女は手先が器用だ.
3 〈言動・考え・作品などが〉巧妙な, うまい ‖ a *clever* reply [speech] 気のきいた返答[演説] / a *clever* trick うまいたくらみ.
4 (略式)〈人・物から〉抜け目[そつ]のない, (誠実さに欠け)うわべだけの ‖ make a *clever* excuse 巧妙な言い訳をする / You're more *clever* than I thought. 君ってすみにおけないね. 5 (略式)〈道具などが〉扱いやすい.

tóo cléver by hálf(主に英略式)ひどく抜け目がない, ずるがしこい.

cléver Díck(略式)知ったかぶりをする人.

†**clev·er·ly** /klévərli/ 副 利口に, 器用に, 上手に, 巧妙に.

†**clev·er·ness** /klévərnəs/ 名 U 利口なこと, 利口さ, 器用(さ), 巧妙さ.

clew /klúː/ 名 C 糸玉. —— 動 他 …を糸玉にする.

cli·ché /kliːʃéi/ 名 /-/ [フランス] 名 C 1 (使い古された)陳腐な決まり文句. 2 ありきたりの筋[場面, 効果].
cli·chéd /-d/ 形 陳腐な文句でいっぱいな.

†**click** /klík/ 名 C 1 (かぎを回すときなどの)カチッという音. 2 [音声] 舌打ち音. 3 歯止め. 4 [コンピュータ] (マウスボタンの)クリック, クリックする[動作].
—— 動 自 1〈掛け金・スイッチ・かぎなどが〉カチッと音がする; カチッという音で〈電気・スイッチなどを〉つける[消す]〔on, off〕‖ The door *clicked* shut behind him. 彼のうしろでドアがカチッと閉じた. 2 (略式)〈事がうまくいく(work properly); (英)〈劇・番組などが〉〈人に〉うける〔with〕. 3 (略式)〈異性とフィーリングが合う, 意気投合する〔with〕. 4 (略式)〈物事がすっと意味があう, 〈人に〉突然わかる〔with〕. 5 [コンピュータ](マウスのボタンを)クリックする.
—— 他 1 …をカチリといわせる ‖ *click* one's tongue 舌打ちする《不満の表現》. 2 カチリと音を立てて…を動かす. 3 [コンピュータ]〈マウス〉をクリックする, 〈マウスで〉…をクリックする.

click·e·ty-click /klíkətiklík/ 名 [the ~] (列車の車輪などの)ガタンゴトン(という音).

†**cli·ent** /kláiənt/ 名 C 1 (弁護士などへの)依頼人, (公的機関に)相談する人, (ソーシャルワーカー・カウンセラー・精神科医の)クライアント; (英) (一般に)患者《◆イメージの向上した patient より好まれる》. 2 (正式)(商店の)顧客, 得意先, 取引先(→ customer). 3 [コンピュータ] クライアント《サーバーの提供する情報・機能を利用するユーザー側のコンピュータ》.

cli·en·tele /klàiəntél | klìːɔn-/ [フランス] 名 (正式) [the/a/one's ~; 集合的単数] 1 (劇場・商店・レストランなどの)顧客, 常連. 2 訴訟依頼人.

†**cliff** /klíf/ 名 C 1 (主に海岸の)絶壁, 岸壁, 岩壁《◆precipice の方が険しい》.

cliff dwèller (1) [通例 C~ D~] 岩窟居住民《有史前に米国に居住していた種族》. (2) (米俗) 大きなアパートの住人.

cliff dwèlling がけにつくられた家[穴].

cliff·hang·er /klífhæŋər/ 名 C (略式) 1 最後まで結果がわからない競争(者)[試合]. 2 次回に興味をもたせるような場面で終わるラジオ[テレビ]の連続サスペンスドラマ.

cliff·hàng·ing 形 〈ドラマが〉はらはらさせる; 〈試合などが〉手に汗にぎる.

cli·mac·tic /klaimǽktik/ 形 クライマックスの, 最高潮の.

***cli·mate** /kláimət/ 名 [発音注意]《「赤道から両極への

傾k」が原義. cf. *climax*]
──名 (~s/-mits/) **1** C (ある特定の地域の年間を通じての)**気候** (◆ 特定の日の天候は weather) ‖ The Inland Sea area has a mild *climate*. 瀬戸内海地方は気候が温暖である / The *climate* in Kyoto did not agree with her. 京都の気候は彼女に合わなかった. **2** C [通例 the ~] (ある時代・社会の)**風潮**, 傾向, 精神的風土 ‖ the *climate* of public opinion 世論の風潮 / the American cultural *climate* =the cultural *climate* of America アメリカの文化的風土. **3** C (気候上からみた)**地方**, 地帯 ‖ a dry *climate* 乾燥地.

clímate chànge 気候変動 (◆ しばしば地球温暖化 (global warming) と同じ意味に用いる).

†**cli·mat·ic** /klaimǽtik/ 形 気候(上)の, 風土的な.
cli·mát·i·cal·ly 副 気候的, 風土的に.

cli·ma·tol·o·gy /klàimətɑ́lədʒi, -t∫i-/ 名 U 気候[風土]学. **cli·ma·tól·o·gist** 名 C 気候[風土]学者.

†**cli·max** /kláimæks/ 名 **1** C (事件・考え・表現などの)**頂点, 最高点, 最高潮; 最盛期. 2** C (劇・小説・映画・音楽などの)**最高の山場, クライマックス** ‖ the *climax* of the novel 小説の山場. **3** U (修辞)漸層法 (↔ anticlimax). **4** U (生態)極相 (ある環境・条件下で長期間安定を持続する植生の状態).
──動 自 (人・物事が)絶頂に到達する.
──他 (人・物事)を絶頂に到達させる.

:**climb** /kláim/ (発音注意) (同音) clime; (類音) crime /kráim/ [「手足を使って側面に密着させてよじ登る」が本義]
──動 (~s/-z/; (過去・過分) ~ed/-d/; ~ing)
──他 **1** (人・動物が)(山・木・塀(へい)・かけ綱・坂道など)に[を, 足, 時に手足を使い苦労して]登る, よじ登る;(車など)(坂道・丘など)を上る (◆ ascend より口語的. down を伴うと「降りる」にも使える) ‖ I *climb* the stairs [ladder] 階段[はしご]を登る / The bus *climbed* the hill slowly. バスはゆっくりと丘を上った.

> 🗹 語法 「富士山に登る」は climb Mt. Fuji だが,「(エレベーターで)東京タワーに上る」は go up [ˣclimb] (the) Tokyo Tower (ただし「塔などに階段で登る」場合は climb),「ケーブルカーで山に登る」は go up [ˣclimb] the mountain by cable car.

2 (植物が)(壁など)を伝って[巻きついて]上る.
3 (太陽・煙・飛行機などが)(空など)に昇る ‖ The sun *climbed* the sky. 太陽が空に昇った.
4 (栄達の道など)を歩む, 昇進する.

──自 **1** (人・動物が)(手足を使って)〔…に/…に〕(よじ)**登る, 上がる** (*up* / *onto*, *on*);〔壁・さくなど〕をよじ登って越える (*over*) ‖ *climb* up a tree 木に登る / I *climbed* up the bicycle. 私は自転車にまたがった / *climb* up the Matterhorn マッターホルンに登る (◆ 必ずしも頂上まで登ることを意味しない. 他動詞用法 climb the Matterhorn では「頂上まで登る」を意味する) / Tired (↘) already? (↗). We have to *climb* 300 more meters. もう疲れたの? あと 300 メートルも登らねばならないのだ / go *climbing* in [ˣto] the Alps アルプスへ登山に行く.
2 (手足を使ってはうように)進む ‖ *climb* into one's bed [tent] ベッド[布団, テント]にもぐり込む / *climb* under (the) covers 寝具[布団]にもぐり込む / *climb* into [out of] a car 〈幼児などが〉車に乗り込む[車から降りる] / *climb* through the window 窓をよじ登って出る[入る].
3 (飛行機・煙・太陽などが)〔…まで〕上昇する (*to*); (物価・温度などが)上がる ‖ The airplane *climbed* above the clouds. 飛行機は雲の上に昇った (◆「気球が上がる」は A balloon rises [ˣclimbs].) ♪/ Military budgets are *climbing* steadily. 軍事費が着実に増えている / The death toll from the hurricane *climbed* to 20. ハリケーンによる死者は 20 人にのぼった.
4 (道が)上り坂になる. **5** (植物が)はい登る (+*over*).
6 (人が)〔…の地位・名誉まで〕(努力して)出世する, 昇進する (*to*); (評判・地位などが)上がる ‖ He has *climbed* to a high position. 彼は出世した / The higher you *climb*, the harder you fall. 高く登った者ほど, 落ちた[失敗した]とき痛い.

clímb dówn [自] (1) (手足を使って)降りる ‖ *climb down* from the roof 屋根から降りる. (2) (自分の非や誤りを認めて)引き下がる, 譲歩する. (3) (高位から)降格する, 下がる. ──[他 +] [~ *down* A] (手足を使って)…を降りる.

clímb ìnto A (1) → 自 2. (2) (略式)〈服〉をあわてて[苦労して]着る.

clímb òut of A (1) → 自 2. (2) (略式)〈服〉をあわてて[苦労して]脱ぐ.

──名 [通例 a ~] **1** 登ること, (ひと)登り, 登山; 登坂; 上がること, 上昇. **2** 登る(必要のある)所, 急な坂, 傾斜面.

climb·a·ble /kláiməbl/ 形 〈山・木などが〉よじ登ることのできる.

climb-down /kláimdàun/ 名 C **1** (はい)降りること, 降下. **2** (略式)(主張・要求などの)撤回; 譲歩.

†**climb·er** /kláimər/ 名 C **1** 登山家[者]; 登る人[物], 上昇するもの. **2** はい上がる植物 (ツタなど). **3** (略式)立身出世にあくせくする人.

climb·ing-frame /kláimiŋfrèim/ 名 C (英) ジャングルジム ((米) jungle gym).

†**clinch** /klínt∫/ 動 他 **1** (打ち込んだ)(くぎ)を打ち曲げる, …の先をたたきつぶす. **2** (板など)をしっかり固定させる (+*together*). **3** (略式)〈問題・議論などが〉決まりをつける (settle) ‖ *clinch* a deal 取引をまとめる / *clinch* the matter 事件のかたをつける. **4** (正式)(ボクシング)〈相手〉をクリンチする. ──自 (正式)(ボクシング) 〈2人が〉クリンチする.
──名 C **1** (ボクシング) クリンチ. **2** (略式)激しい抱擁とキス.

in a clínch (1) 〈ボクサーが〉クリンチして. (2) (物・人を)しっかりと抱えて[握って].

clinch·er /klínt∫ər/ 名 C (略式)決め手.

†**cling** /klíŋ/ 動 (過去・過分) **clung** /klʌ́ŋ/) 自 **1** (物などが)〔…に/…に〕くっつく, 粘着する (stick) (+*together*) (*to*, *onto*) ‖ The sweaty shirt *clung* to my body. 汗を含んだシャツは私の体にくっついた / Vines *cling* to the tree. ツタが木に巻きついている.
2 (人・動物が)〔…に〕すがりつく, しがみつく (*to*, *onto*) ‖ He was *clinging* to the karaoke microphone. 彼はカラオケのマイクを離さなかった / The child *clung* to his father's arm in fear. その子供はこわくて父親の腕にしがみついていた. **3** (人が)(希望・習慣・考えなどに)執着する, 固執する, 〔…を〕固守する (*to*) ‖ The old professor still *clings* to the old theory. その老教授はまだ古い理論に執着している.

cling-film /klíŋfìlm/ 名 U (食物保存用の)ラップ.
cling·ing /klíŋiŋ/ 形 **1** 〈衣服が〉(体に)ぴったりした

clin·ic /klínik/ 名 ⓒ (医大・病院付属の)診療所(の医師団); 専門相談所《結婚・言語障害などの助言・指導をする》; (英)個人病院 ‖ an eye clinic 眼科診療所.

clin·i·cal /klínikl/ 形 **1** 〈講義・医学などの〉臨床の. **2** 病床の. **3** 〈判断などが〉冷静な, 客観的な.
clínical médicine 臨床医学.
clínical récord 〔医学〕カルテ.
clínical thermómeter 〔医学〕体温計, 検温器.
clín·i·cal·ly 副 臨床[医学]的に.

cli·ni·cian /klin íʃən/ 名 ⓒ 臨床医.

†**clink** /klíŋk/ 自 〈ガラス・金属などが〉カチン[チリン]と鳴る. —他 〈ガラス・金属などを〉カチン[チリン]と鳴らす. —名 [the ~] (ガラス・金属などの)カチン[チリン]と鳴る音《clang, clank より小さい》.

clink·er /klíŋkər/ 名 ⓤ クリンカー, 塊塊《石炭燃焼後の灰など》, 金くそ.

Clin·ton /klíntn/ 名 クリントン《**William Jefferson** ~ 1946- ; 第42代米国大統領(1993-2001)》.

†**clip¹** /klíp/ 動 (過去・過分 **clipped**/-t/; **clip·ping**) 他 **1** 〈人が〉〈毛・植木などを〉刈る, はさみで摘む (+*away, off*); 〈記事・絵などを〉(…から)切り取る[抜く] 〔*from, out of*〕 ‖ *clip* a hedge 生け垣を刈り込む / *clip* "a picture [an article] *out of* the paper" 新聞から写真[記事]を切り抜く / 彼の長い頭髪を刈るときはふつう cut). **2** [比喩的に] …を摘む, 刈り取る. **3** 《略式》〈人・体の一部〉を強くなぐる (strike) ‖ *clip* him on the ear *clip* his ear 彼の耳のところをぶんなぐる(→ catch 他 **1c**). —名 ⓒ **1** (はさみで)切ること, 刈り込み; 《主に米》新聞・雑誌の切り抜き記事. **2** 《略式》強打(sharp blow).
clíp árt 〔コンピュータ〕クリップアート《イラストや写真などの画像集》.

†**clip²** /klíp/ 名 ⓒ **1** [しばしば複合語で] クリップ, はさみ金具. **2** (万年筆の)留め金具. **3** 挿弾(さう)子. —動 (過去・過分 **clipped**/-t/; **clip·ping**) 他 〈物を〉クリップで(…に)留める[はさむ] (+*together*) 〔*to, on, onto*〕 ‖ *clip* papers *together* 書類をクリップではさむ.

clip·board /klípbɔːrd/ 名 ⓒ 紙ばさみ, 回覧板, クリップボード.

clip·per /klípər/ 名 ⓒ **1** (昔の)快速帆船. **2** 切る[刈る人]. **3** 〔通例 ~s〕 (牛・羊・針金などを切る)はさみ《数えるときは "a pair [two pairs] of clippers"という. cf. scissors》‖ a *clipper* blade はさみの刃 / hair *clippers* バリカン / nail *clippers* つめ切り.

†**clip·ping** /klípiŋ/ 名 **1** 〔通例 ~s〕切られたもの; ⓤ 切る[刈る]こと ‖ nail *clippings* つみ切ったつめ. **2** 《主に米》新聞・雑誌の切り抜き(《英》cutting).

†**clique** /klíːk/ 名 ⓒ 《略式》 徒党(を組む).

clit·o·ris /klítɔris, klái-/ 名 ⓒ 〔解剖〕陰核, クリトリス.

†**cloak** /klóuk/ 名 ⓒ **1** (ふつう袖(そで)なしの)マント《今は overcoat の着用がふつう》‖ draw on a *cloak* マントをまとう. **2** [単数形で] 覆い隠すもの, 仮面, 口実 ‖ a *cloak* for bribery わいろ行為のための偽装.
ùnder (the [a]) clóak of A 〈慈善などの〉口実のもとに; 〈夜・闇〉にまぎれて. —動 他 《正式》…を[…で](ごまかそうと)覆い隠す(cover) 〔*with, in*〕 ‖ He *cloaked* his evil intentions *with* his friendly behavior. 彼は友好的にふるまって邪悪な意図を隠した / the hills

cloaked in mist もやに包まれた山々.

cloak-and-dag·ger /klóukənddǽgər/ 形 〈劇・小説・映画などが〉陰謀の, スパイ活動の.

cloak·room /klóukrùːm/ 名 ⓒ **1** (劇場などの)携帯品[手荷物]一時預り所, クローク(《米》checkroom)《◆この意味で cloak を用いるのは誤り》. **2** (英) (公共のトイレ, 便所《◆lavatory の遠回し語》‖ the ladies' *cloakroom* 婦人用トイレ.

clob·ber /klábər | klɔ́b-/ 動 他 《略式》**1** 〈人・動物〉をぶんなぐる. **2** 〈競技などの相手〉をひどく負かす.

★**clock** /klák | klɔ́k/ 〔類音〕crock /krák | kr5k/) 〔『鐘』が原義. 昔は鐘の音で時刻を示した. cf. cloak〕 —名 (~s/-s/) ⓒ **1** 時計《◆掛け時計や置き時計など. 携帯用のものは watch》‖ set the *clock* for seven 時計を7時にセットする / wind (up) the *clock* 時計のネジを巻く / The *clock* struck two. 時計が2時を打った / The *clock* is (two minutes) fast [slow]. 時計は(2分)進んで[遅れて]いる《◆(1) 「進む[遅れる]」は gain [lose] : The *clock* gains [loses] two minutes a day. その時計は1日に2分進む[遅れる]. (2) 「進ませる[遅らせる]」は set : set the *clock* ahead [backward] by two minutes その時計を2分進ませる[遅らせる]》.

関連 [いろいろな種類の clock]
alarm *clock* 目覚まし時計 / body *clock* 体内時計 / cuckoo *clock* ハト時計 / digital *clock* デジタル時計 / grandfather *clock* 振り子式箱型の大型時計 / kitchen *clock* タイマー付き台所時計 / time *clock* タイムレコーダー / wall *clock* 壁掛け時計.

2 《略式》速度計(speedometer); 走行距離計(《米》odometer); タクシーのメーター; ストップウォッチ; タイムレコーダー.
agàinst the clóck 時計とにらめっこで, 時間に追われて; ストップウォッチで計られて.
(a)róund the clóck = **the clóck (a)róund** まる一日中, 夜も昼も, 休みなくぶっ通しで.
like a clóck きわめて正確に[な].
pùt [sèt, tùrn] the clóck báck (1) (冬時間用に)時計を遅らせる. (2) 時勢[時代]に逆行する, 古くさいやり方[考え方, 習慣]に戻る.
pùt the clóck ón [fórward] = 《米》**sèt the clóck ahéad** (夏時間用に)時計を進ませる.
wàtch the clóck 《略式》終業時間ばかり気にする (cf. clock watcher).
—動 他 **1** 《略式》〈レース・ランナー〉のタイムを計る (time); 〈スピード違反者の車〉のスピードを計る. **2** 《略式》〈ある時間・スピードなど〉を達成[記録]する (record) (+*up*); 〈得点・勝利〉をあげる (+*up*).
clóck ín [ón] 自 (1) (タイムレコーダーで)出勤時を記録する(punch in). (2) (出勤して)仕事を始める.
clóck óut [óff] 自 (1) (タイムレコーダーで)退出時刻を記録する(punch out). (2) 仕事を終える.
clóck ràdio 目覚ましつきラジオ.
clóck tòwer 時計塔.
clóck wàtcher (1) (終業時刻ばかり気にする)やる気のない勤め人[学生]. (2) 度量の狭い人, けちくさい人.
clock-di·al /klákdàiəl | klɔ́k-/ 名 ⓒ =clockface.
clock·face /klákfèis | klɔ́k-/ 名 ⓒ 時計の文字盤.
clock·watch·ing /klákwàtʃiŋ | klɔ́kwɔtʃ-/ 名 ⓤ 終業時刻を気にして仕事に身を入れないこと.

clock・wise /klákwàiz | klɔ́k-/ 副 形 (時計の針のように)右回りに[の] (↔ (主に米) counterclockwise, (英) anticlockwise) (cf. -wise) ‖ circle *clockwise* 時計回りに回る.

†**clock・work** /klákwə̀ːrk | klɔ́k-/ 名 U 時計[ぜんまい]仕掛け; [形容詞的に] 時計[ぜんまい]仕掛けの ‖ a *clockwork* toy ぜんまいで動く玩具 / with *clockwork* precision 時計のような正確さで.

like clóckwork 規則正しく, 正確に; 計画通りに, スムーズに, すらすらと.

†**clod** /klάd | klɔ́d/ 名 C **1** (文) (粘土・土の)かたまり. **2** (略式) ばか, のろま(fool).

clod・hop・per /klάdhὰpər | klɔ́dhɔ̀pər/ 名 C **1** (略式)いなか者. **2** [通例 ~s] どた靴.

†**clog** /klάg | klɔ́g/ 動 (過去・過分 **clogged**/-d/; **clogging**) 他 **1** 〈動物〉の動きをおもり木で鈍らせる; 〈油・ちりなどが〉〈機具などの〉動きを妨害する, 〈靴〉を重くする (+*up*). **2** 〈管・溝・パイプなど〉を詰まらせる; 〈心など〉を[不安などで]ふさぐ, 悩ませる (+*up*) [*with*] ‖ The sink was *clogged* (up). 流しが詰まった / Don't *clog* your mind (up) with trifling matters. つまらない事ばかり考えてふさぎ込むな.

— 自 〈機械などが〉[…で]動きが悪くなる; 詰まる (+*up*) [*with*].

— 名 C **1** [通例 ~s] (ぬかるみを歩くための)木底靴, 木靴 (cf. sabot) ‖ wooden *clogs* (日本の)げた. **2** 動きを妨げるもの, 邪魔な物; (ちりなどのための機具の)故障.

clóg・gy /-i/ 形 (時に **--gi・er**, **--gi・est**) ごつごつした, つまりやすい; ねばねばする.

†**clois・ter** /klɔ́istər/ 名 C **1** (建築) [通例 ~s] (修道院・大学・寺院などの)回廊, 柱廊. **2** (正式) [the ~] (男または女の)修道院(生活). **clóis・tered** 形 (正式) 修道院にこもった, 世を捨てた.

clois・tral /klɔ́istr(ə)l/ 形 修道院の; 浮世を離れた.

clone /klóun/ 名 C **1** (生物) [集合名詞] クローン, 栄養系, 分枝系 〈単一の細胞あるいは単一の個体から無性生殖的に発生した遺伝的に同一の細胞[個体]群〉; クローン細胞[個体]. **2** (略式) そっくりな[人], 写し. — 動 他 …を無性生殖させる, …をクローンとして増やす. — 自 無性生殖する.

clon・ing /klóuniŋ/ 名 U クローン技術, コピー生物作製(術).

clop /klάp | klɔ́p/ 名 C 動 (過去・過分 **clopped**/-t/; **clop・ping**) 自 (ひずめ・靴などが)パカパカ[コツコツ]という音(を立てる).

clop-clop /klάpklàp | klɔ́pklɔ̀p/ 名 動 = clop.

:**close**¹ /klóus/ (類音 cloth /klɔ́(ː)θ/) 「互いに密着している」が本義

☑ close¹ 形 副 /klóus/
　close² 動 /klóuz/

— 形 (**~r**, **~st**)

I [空間的・時間的に接近した]

1 (距離・時間の点で)[…に]**接近した**, ごく近い [*to*] ‖ a *close* view 近景 / at *close* range 至近距離で / The hut is *close* to the lake. 小屋は湖のすぐ近くにある / Our ages are very *close* (to each other). = We are very *close* in age. 私たちの年齢はごく近い.

2 a (関係・愛着の点で)[…と]**親密な**, 親しい, 気心の知れた, 身近な [*to*]; 密接な (→ intimate¹) (↔ distant) ‖ a *close* friend 親友 / people (who are) *close* to her 彼女と親しい人々 / be *in close association with* one's neighbors 近所の人たちと親密な交際をしている / There is a *close* relationship between Japan and the US. 日米両国間には緊密な関係がある. **b** (程度・状態の点で)似かよった, 類似した, […に]近い [*to*] ‖ bear a *close* resemblance to one's father 父親に酷似している / She is *close* to tears. 彼女は今にも泣きそうだ / Spanish is very *close* to Italian. = Spanish and Italian are very *close*. スペイン語はイタリア語によく似ている.

3 a [通例名詞の前で] 〈観察・注意などが〉綿密な, 周到な, きめの細かい ‖ after (a) *closer* examination もっとよく調べてから / tàke a clóse lóok at … …に注目する / This work needs *close* attention. この仕事は細心の注意を要する / Keep a *close* grip on your purse. 財布のひもをしっかり締めておけ. **b** 〈写本・翻訳など〉〈原典に〉忠実な, 厳密な, 逐語的がよく似た ‖ a Japanese translation (which is) *close* to the original 原典に忠実な日本語訳.

4 [通例名詞の前で] 〈間隔が〉密集した, ぎっしり詰まった ‖ *close* print [printing] 活字がぴっしり詰まった印刷 / *close* bushes 密生した灌(かん)木.

5 [通例名詞の前で] ぴったり合う(tight) ‖ a *close* hat [lid] ぴったり合う帽子[ふた].

6 〈競技・試合・選挙などが〉接戦の, 互角の ‖ have a *close* contest [game] with … …と接戦を演じる / a *close* race 接戦 / a *close* election 接戦の選挙 / a *close* play クロスプレー《◆判定の難しいプレー》.

III [閉じた]

7 〈場所が〉狭苦しい, 窮屈な; 閉ざされた ‖ live in *close* quarters 狭苦しい所に住む / a *close* area 四方を山に囲まれた地域.

8 (主英) 〈部屋・空気が〉風通しの悪い, 息苦しい; 〈天気が〉蒸し暑い, うっとうしい ‖ a hot, *close* room 暑くて息苦しい部屋.

9 a 秘密の, 隠された ‖ kèep [lìe] clóse 隠れている / kéep the màtter clóse その件を秘密にしておく. **b** (略式) [補語として] […について]秘密にしたがる, 口数の少ない [*about*] ‖ He was very *close* about his past. 彼は自分の過去については話したがらなかった. **10** 厳重に監禁された ‖ a *close* prison 監視のきびしい刑務所. **11** (略式) [補語として] 〈人が〉[…を]手放さない, […に関して]けちな(stingy, (米) tight) [*with*]; 〈金が〉乏しい ‖ He is *close* with his money. 彼は金にけちけちする. **12** 〈頭髪・芝生など〉が短く刈り込まれた. **13** (音声) 〈母音が〉閉音の《舌の位置が口蓋(こうがい)に近い》.

— 副 (**~r**, **~st**) **1** […に]接近して, […の]すぐ近くに [*to*, *by*] ‖ draw *close* 〈日など〉が近づく / 《対話》 "I come to work by bicycle." "So you must live very *close* to the office."「私は自転車で通勤しています」「それではきっと会社のすぐそばに住んでおられるのですね」/ The dog followed *close* behind (me). 犬は(私の)すぐ後についてきた. **2** ぴったりと, くっつき合って, 密集して (+*together*) ‖ These shoes fit *close*. この靴はぴったり合う / He héld her clóse. 彼は彼女をひしと抱いた.

(*close*) *at hand* → hand 名.

clóse on [*upón*] A (1) 〈年齢・時間・数値がほとんど…で(almost)《◆ A には達していない》 ‖ She is *close on* sixty. 彼女はもうすぐ60歳だ. (2) …に引き続いて.

clóse to A (1) → 形 1, 副 1. (2) → 形 2 a. (3)

ぐに…する, …しようとしている《◆**A** はしばしば doing》‖ How close are you to coming back? あとどのくらいで戻ってこられますか. (**4**) /klóuz túː/ 近くに[で].
clóse to hóme 〈言葉・人が〉痛い所をついて, 痛切に.
clóse úp (to A) 〈人・物に〉密着して, 寄りそって.
cut it close → cut 動.
clóse cáll (略式) (**1**) 危機一髪(で危険や失敗をのがれること) (narrow escape). (**2**) 勝敗が微妙な試合の審判の判定.
clóse séason (英) 禁猟期《(主に米) closed season》(↔ open season).
clóse sháve (略式) =close call (1).
clóse thíng (略式) (**1**) =close call (1). (**2**) 薄氷の勝利.

✱**close**² /klóuz/ (同音) cloze, △clothes) 『原義の「開いているものを閉じる」から「活動や機能を止める」の意が生じた』

index 動 他 **1** 閉じる **5** 終える
自 **1** 閉まる **2** 終業する, 終わる

—動 (~s/-iz/; 過去・過分 ~d/-d/; clos·ing)
—他 **1** 〈人・物が〉〈開いているドア・窓などを〉(ゆっくり)閉じる, 閉める《◆shut よりていねいな語で「開いていない状態にする」点を強調》(↔ open) ‖ Close your eyes, and make a wish. 目を閉じて願いごとをしなさい / She closed the door tightly behind her. 彼女は入ってからドアをきっちり閉めた.
2 a 〈人が〉〈店・工場などを〉閉じる, 閉鎖する(+off) ; …の営業を中止する(to) ‖ The shop is closed at seven. その店は7時に閉店になる[閉店している]. (➡文法 7.12). **b** 〈道路・井戸などの使用を〉[…に対して]中止する(to) 《◆shut は不可》‖ This road is closed to traffic due to construction. この道路は工事中のため通行止めだ.
3 〈すき間・入口などを〉ふさぐ, 閉鎖する(+off, up) ‖ close the hole [gap] 穴[すき間]をふさぐ / A rock fall closed the road. 落石事故のため道路が遮断された.
4 〈人・動物を〉[…に]閉じ込める(in, into) ‖ The burglar closed the couple in the basement. 強盗は夫婦を地下室に閉じ込めた.
5 〈人が〉〈議論・仕事・取引などを〉終える, しめくくる, 止める ; 〈申し込みを〉締め切る ‖ The professor closed his lecture by quoting Shakespeare. 教授はシェイクスピアを引用して講義をしめくくった.
6 〈列の間隔を〉つめる, 寄せる ; …を密集させる(+up) ‖ close (the [one's]) ranks 列の間を詰める ; 〈政党などを〉大同団結させる.
7 〈目・心・門戸を〉[…に対して]閉ざす(to) ‖ Japan closed its doors to Westerners in the Edo period. 江戸時代の日本人は西洋人に対して門戸を閉ざしていた.
—自 **1** 〈戸・門などが〉閉まる ; 〈目・唇・花(びら)などが〉閉じる, くっつく(+up) ; 〈穴・傷口などがふさがる(+up) ‖ This door closes by itself. このドアはひとりでに閉まる / Flowers close at night. 花は夜開じる《◆「ゆっくり閉じる」意味では shut よりふつう》.
2 〈店・会社・施設などが〉終業する, ひける, 閉まる ; 〈会・討論などが〉終わる ‖ School has closed for the Christmas holidays. 学校はクリスマスで休みになった / We're closing in five minutes. あと5分で閉店[閉会]です / Well, I must close now. (手紙で)ではこの辺でペンを置きます / We never close. (掲示) 年中無休.
3 〈敵・闇・霧などが〉[…に]しのび寄る(+in, down) [on, around) ; […を]閉じ込める(in, on) ‖ The night closed in (on us). 夜のとばりが降りた.
4 〈間隔が〉狭(せば)まる, ちょっかん間隔を狭める(+up) ‖ Close up a bit. ちょっとつめてくれ.

clóse (a)róund [(主に英) **abóut**] **A** 〈人・物を〉(次第に)取り囲む, じりじりと迫る.
clóse dówn (**1**) 〈工場・店などが〉(永久に)閉鎖[停止, 廃業]する. (**2**) (英) 〈当日の〉放送が終了する. (**3**) (米) 〈闇・霧などが〉[…に]迫る, 降りる[on] (→自3). —他 (**1**) 〈工場・店などを〉(永久に)閉鎖[停止, 廃業]する. (**2**) 〈放送局〉に〈(当日の)放送を〉終了させる.
clóse dówn on A (**1**) 〈麻薬の取引などを〉禁止する. (**2**) 〈反乱などを〉押える.
clóse ín [自] (**1**) 〈日が〉次第に短くなる. (**2**) → 自 3. —[他] (**1**) …を閉じ込める. (**2**) (略式) 〈身体を〉傷つける.
clóse ón [他] (**1**) 〈手が〉…をしっかりと握る. (**2**) 〈夜が〉〈人〉に徐々にしのび寄る.
clóse óut [他] (米) 〈商品を〉(閉店などのため)在庫一掃大売りをする.
clóse úp [自] 〈店などが〉(一時的に)閉まる, 業務を停止する. (**2**) 〈花(びら)が〉閉じる ; 〈傷口が〉ふさがる. (**3**) 口を閉ざす, 黙る. (**4**) → 自 **4**. —[他] (**1**) 〈店などを〉(一時的に)閉める ; 〈道路などを〉封鎖する. (**2**) 〈活字・スペースを〉詰める.
—名 /klóuz/ ⓒ (正式) [通例 a/the ~] (活動・時間・期間の)終わり, 最後 ; (話・劇などの)結末 ; 締め切り ‖ The play-off came to its close. 優勝決定戦は終わった / at the close of the chapter 章末で.
bríng A to a clóse …を終わらせる.
cóme [dráw] to a clóse 終わりになる[近づく].
close-by /klóusbái/ 形 すぐ近くの, 隣接する.
close-crop·ped /klóuskrápt | -krɔ́pt/ 形 〈髪・草などが〉短く刈った.
close-cut /klóuskʌ́t/ 形 =close-cropped.
✚**closed** /klóuzd/ 形 (↔ open) **1** 〈戸・通路などが〉閉じた, 中へ入れない, 閉鎖した ‖ open the closed door 閉まっているドアを開ける. **2** 〈壁・へいなどで〉囲まれた. **3** 閉店の, 休業の ‖ Closed Today. (掲示) 本日休業 / We're closed. (掲示) 閉店しました, 休業中. **4 a** ある人々・状態などに制限された ‖ a closed membership 限定会員. **b** […に]非公開の, 閉鎖的な, 排他的な(to) ;(関係者以外には)秘密の ‖ behind closed doors 内密に, 非公開で / a closed meeting 非公開の会議 / an area closed to foreigners 外国人立入禁止区域 / a closed society 閉鎖社会 / a closed mind (他説を入れない)閉ざした心 / closed seas 領海 / remain closed-mouthed 口を閉ざしたままである.
clósed bóok (**1**) 閉じた本. (**2**) (略式) さっぱり理解できない事物. (**3**) (略式) すでに決着のついた事柄.
clósed séason (主に米) 禁猟期《(英) close season》(↔ open season).
clósed shóp クローズドショップ《労働組合員だけを雇う会社. cf. union shop》 (↔ open shop).
clósed sýllable 〔音声〕閉音節《子音で終わる音節》.
closed-cir·cuit /klóuzdsɚ́ːrkit/ 形 **1** 〔電気〕閉回路の. **2** 有線方式の.
clósed-círcuit télevision 有線[閉回路]テレビ《ローカル有線放送や教室内授業用のテレビなど》.

closed-door /klóuzdɔ́:r/ 形 〈会議などが〉非公開の, 秘密の.

close-down /klóuzdáun/ 名 **1** 工場閉鎖, 操業停止; 店じまい, 閉店. **2** (主に英) 放送(時間) 終了.

close-fit·ting /klóusfítiŋ/ 形 〈(輪郭がわかるほど)体にぴったり合った(↔ loose-fitting).

*__close·ly__ /klóusli/ 〖→ close¹〗
——副 (more ~, most ~; 時に -·li·er, -·li·est)
1 綿密に, 細かく注意して, 念入りに, 厳重に ‖ Study this report *closely*. この報告書を綿密に検討せよ / look *closely* at a problem 問題を入念に見る.
2 (抽象的関係において)**密接に**; 親密に ‖ He *closely* resembles his father. 彼は父親にそっくりだ.
3 ぴったりと, きっちりと, ぎっしりと(詰めて) ‖ be *closely* packed with interesting news 興味あるニュースがぎっしり詰まっている / This dress fits *closely*. このドレスはぴったり合う.

close-mouthed /klóusmáuðd, -máuθt/ 形 無口な; 口の堅い (*about*...).

†**close·ness** /klóusnəs/ 名 **1** 近いこと, 接近, 近似. **2** 親密(さ), 緊密(さ). **3** 厳密(さ), 精密(さ). **4** 密着, 密集, ぎっしり詰まっていること. **5** 閉鎖.

close-out /klóusàut/ 名 C (米) (商品の)(閉店)大安売り(on); 見切り品 ‖ a *closeout* price 見切り値.

clóse(-rùn) thìng /klóus(rʌ́n)-/ [a ~] 危機一髪, (選挙・争いなどでの)きわどい勝利, 接戦(near thing).

†**clos·et** /klázət | klɔ́z-/ 名 C (主に米・カナダ) (台所用品・食料などの)物置, 収納室; 戸だな, 押入れ ((英)) cupboard).
——形 (米略式) 秘密の, 人には知られていない; 非現実的な ‖ a *closet* person (living) with AIDS 隠れたエイズ患者.
——動 他〈人〉を(密談などの)小部屋に閉じ込める; 〈物事〉を伏せておく; [(正式)] [be ~ed / ~ oneself] 〈人〉と(密談のため)小部屋に閉じこもる(+*together*) (*with*).

†**close-up** /klóusʌ̀p/ 発音注意 名 C (写真・映画・テレビ)接写; 大写しの写真, クローズアップ.

†**clos·ing** /klóuziŋ/ 動 → close². ——名 **1** U 閉じること, 閉鎖. **2** U C 終結, 終了; (演説などの)結び, 終わり; [手紙の]結句; 締め切り. ——形 終わりくる, 終わりの[結びの] ‖ the *closing* day 締め切り日, 最後の日. **2** 閉会の; 閉店の; 終業の(↔ opening) ‖ a *closing* ceremony 閉会式.

clósing tìme 閉店[終業]時刻; (英) (特にパブの)閉店時刻.

clo·sure /klóuʒər/ 名 **1** U C 閉める[閉める]こと, 閉鎖, 締め切り, 閉じた状態; 閉店, 閉会, 休業. **2** U C (正式) 終結, 終止, 結末. **3** 気持ちの整理をすること, (衝撃的な出来事が終わり)心の平和を取り戻すこと. **4** C (英) [通例 the/a ~] (議会の)討論終結((米) cloture).

†**clot** /klát | klɔ́t/ 名 C (血・粘土・ゴムなどの)どろっとした固まり. ——動 (過去·過分 **clot·ted**/-id/; **clot·ting**) 他 …を凝固させる ‖ *clotted* hair (血・泥などの)こびりついた髪. ——自 凝固する.

‡**cloth** /klɔ́:θ/ 類音 close¹/klóus/) 〖「布」が本義〗派 clothe (動), clothes (名), clothing (名)
——名 (~s, -s **2** では klɔ́:ðz/) **1** U 布(地); [形容詞的に] 布製の ‖ *cloth* of gold [silver] 金[銀]糸織 / two yards of *cloth* 布地2ヤール.
2 C (特定の用途の)布切れ; テーブル掛け(tablecloth); ふきん(dishcloth); ぞうきん(dustcloth) ‖ lay [draw, remove] the *cloth* 食事の用意[後片付け]をする.

cloth·bound /klɔ́:θbàund/ 形 (製本) 布装の.

†**clothe** /klóuð/ 動 (過去·過分 **~d**/-d/ or (古·文) **clad**/klǽd/) 他 **1** [通例 be ~d / ~ oneself] 〈人など〉に[衣服を]着せる(*in*) 〈*dress* より飾り気のない堅い語) ‖ *be clothed in* silk 絹の服を着ている / *clóthe onesélf in* one's bést 晴れ着を着る. **2** 〈人〉に衣服をあてがう (*with*). **3** (文) …を[…で]すっかり覆う[覆い隠す] (*with*, *in*); …を[言葉などで]適切に表現する (*in*) ‖ the hills *clothed in* mist 霧に包まれた山々.

‡**clothes** /klóuz, klóuðz/ 同音 △close²) 〖→ cloth〗
——名 [集合名詞; 複数扱い] **1** 衣服, 身につけるもの 《時に帽子·靴も含む》 《類語 dress, costume, clothing》 ‖ baby *clothes* ベビーウエア《◆ ×baby wear は誤り》 / put on [take off] one's *clothes* 服を着る[脱ぐ] / two changes of *clothes* 着替え2着 / 《対話》 "What a nice suit of *clothes* you're wearing today?" "Thanks. These *clothes* are not mine, though." 「今日はいい服を着ているのね」 「でもこの服は私のじゃないんだ」《◆ (1) 「1着」でも複数形になる. (2) some, few とともに用いるが, 数詞とは用いない ×two *clothes*》 / She wore beautiful *clothes*. 彼女はきれいな服を着ていた.

> 関連 [いろいろな衣料品の表現]
> blouse ブラウス / business suit 背広 / dress ドレス / jeans ジーパン / morning coat モーニング / pants (主に米), trousers ズボン《ふつう複数形を用いる》/ shorts ショーツ / skirt スカート / tie ネクタイ / tuxedo, (英) dinner jacket タキシード.

2 寝具(bedclothes) 《◆ 毛布・シーツを含む》.

clothes bàsket [bàg] 洗濯物かご[袋].

clothes hànger 洋服掛け.

clóthes mòth (昆虫) イガ(衣蛾).

clothes pròp (英) 物干し柱.

clothes trèe 樹木形の帽子・コート掛け.

clothes·brush /klóuzbrʌ̀ʃ, klóuðz-/ 名 C 洋服ブラシ.

clothes·horse /klóuzhɔ̀:rs, klóuðz-/ 名 C 物干し掛け.

clothes·line /klóuzlàin, klóuðz-/ 名 C 物干し綱 《◆ (washing) line ともいう》.

clothes·peg /klóuzpèg, klóuðz-/ 名 (英) = clothespin.

clothes·pin /klóuzpìn, klóuðz-/ 名 C (米) 洗濯ばさみ.

*__cloth·ing__ /klóuðiŋ/ 〖→ cloth〗
——名 U (主に正式) [集合名詞] 衣料品, 衣類 《◆ *clothes* より堅い語で, 意味が広く, 帽子・靴なども身につけるものをすべて含む. 個人使用の *clothes* に対して商売用のものをいう》 ‖ 「an article [a piece] of *clothing* 衣類1点 / a *clothing* store 衣料品店 / food, *clothing* and shelter 衣食住 《◆ 語順に注意》 / Don't wear much *clothing*. 厚着をするな.

Clo·tho /klóuθou/ 名 (ギリシア神話) クロートー 《運命の3女神 the Fates の1人. 生命の糸を紡ぐ》.

clo·ture /klóutʃər/ 名 C (米) [通例 a/the ~] (議会の)討論終結((英) closure).

club·foot /klʌ́bfùt/ 名 C 〔医学〕湾曲足, 内反足; U 足の湾曲. **club·foot·ed** 形 足が曲がった.

club·house /klʌ́bhàus/ 名 C クラブ会館, (ゴルフクラブの)クラブハウス《◆単に club ともいう》; (米)運動選手のロッカールーム.

club·man /klʌ́bmən, -mèn/ 名 (複 ··men) C (熱心な)クラブの会員《◆特に裕福な会員》((PC) club member).

club·wom·an /klʌ́bwùmən/ 名 C 女性のクラブ会員《◆特に社会奉仕団体などで活動する女性》((PC) club woman).

†**cluck** /klʌ́k/ 動 自 〈めんどりが〉コッコッと鳴く《◆ひよこを呼び集めたり, 卵を抱くとき》. 関連 cackle (卵を産んで)コッコッと鳴く / crow おんどりが鳴く. ― 他 〈関心・心配などを〉言葉で示す. ― 名 C コッコッという鳴き声.

†**clue** /klúː/ 名 C 1 〔難問・調査・研究などの〕手がかり, ヒント, 糸口〔to〕, (思索の)糸; (物語の)筋道 ‖ get [find] a clue to knowing [to know] Japan 日本理解の糸口を見つける / I do nót háve a [I háve nó] clúe about it. (略式)その手がかりは全然ない; それについてはさっぱりわからない. 2 =clew 名.
― 動 他 1 (略式)〈人〉に[…に対して]解決の手がかりを与える(+in)〔to, about〕. 2 =clew 他.
be (all) clúed ín [ín] on [about] A (略式)… に明るい, 精通している.

clue·less /klúːləs/ 形 (英略式)ばかな, とんまな; 無力な.

†**clump**¹ /klʌ́mp/ 名 C 1 木立ち, (低木の)やぶ, 茂み, 植込み ‖ a clump of pines 松の木立ち. 2 (泥・汚れなどの)固まり. ― 他 〈花木などを〉群生させる, 寄せ集めて植える. ― 自 群生する(+together).

clump² /klʌ́mp/ 名 [a/the ~] 重い足音; (略式)一撃, ガツン. ― 自 ドシンドシン歩く(+around, about).

clum·si·ly /klʌ́mzili/ 副 ぎこちなく, 不器用に.

†**clum·sy** /klʌ́mzi/ 形 (-si·er, -si·est) 1 〈人が〉[…に関して]不器用な〔about, at, in, with〕; 〈道具・家具などが〉不細工な, できの悪い ‖ a clumsy old computer 古い使いにくいコンピュータ / be clumsy at speaking in public 人前で話すのが苦手である. 2 〈言葉が〉気のきかない ‖ a clumsy apology へたな言い訳. **clúm·si·ness** 名 ぎこちなさ, 不器用.

clung /klʌ́ŋ/ 動 cling の過去形・過去分詞形.

clunk /klʌ́ŋk/ 名 C ドスン[ゴツン](という鈍い音). ― 動 自他 (…に)ドスン[ゴツン]と当たる[音を立てる].

†**clus·ter** /klʌ́stər/ 名 C 1 (花・果実などの)房(ふさ), かたまり ‖ a cluster of grapes 1 房のブドウ. 2 (同種の動物・人・物などの)群れ, 一団 ‖ a cluster of bees ハチの群れ / in clusters [a cluster] 群れをなして, 集団で. 3 〔言語〕子音群《2 つまたはそれ以上の連続した子音: cluster の cl-, -st- など》.
― 動 自 〈人・生物が〉群れをなして[…のまわりに]集まる, 群生する (+(a)round) ‖ Many people clustered (together) around the accident scene. 大勢の人びとが事故現場のまわりに集まってきた.
― 他 〈物を〉かたまりにする(+together).

clúster bòmb クラスター爆弾《破片爆弾と爆発性榴弾などから成る》.

clúster zóning (米)集合住宅地域制.

†**clutch**¹ /klʌ́tʃ/ 動 他 〈人が〉〈物・人〉を(両手で)ぐいと[しっかり]握る[抱える](→ snatch) ‖ She clutched her daughter to her breast. 彼女は娘をぎゅっと胸に抱きしめた. ― 自 〈人が〉〈物・人を〉ぐいとつかむ[つかもうとする](at)《◆つかむ動作に焦点を当てた表現. 実際につかんだかどうかは文脈による》 ‖ A drowning man will clutch at a straw. (ことわざ)おぼれる者はわらをもつかむ《◆ catch at よりふつう》.
― 名 C 1 [通例 a/the ~] ぐいとつかむこと, しっかり握ること; [a ~] つかむ[つかもうとする]手, 指 ‖ make a clutch at the criminal その犯人につかみかかる. 2 [~es] 魔手, 手中, 支配 ‖ fall [get] into the clutches of the enemy 敵の手中に陥る. 3 (米略式)ピンチ, 困った時. 4 〔機〕 (歯車の)クラッチ, クラッチペダル[レバー]. 5 =clutch bag.

clútch bàg クラッチバッグ《脇にかかえる型のハンドバッグ》.

clutch² /klʌ́tʃ/ 名 C 1 1 かえりの卵, 1 回に抱く卵. 2 1 かえりのひな. ― 動 他 〈ひなを〉かえす(hatch).

†**clut·ter** /klʌ́tər/ 名 C U 散らかり(の山), 混乱, 群がり, 騒々しさ. ― 他 〈場所〉を〔…で〕散らかす, ごった返す(+up)(with).

Clyde /kláid/ 名 [the ~] クライド川《スコットランド南部の川; 河口に Glasgow がある》; **the Firth of ~** クライド湾.

cm (記号) centimeter(s).

†**cm, cm.** (略) cumulative.

Cm (記号) 〔化学〕 curium.

CM (略) commercial message.

Cmdr, Cmdr. (略) Commander.

CND (英) Campaign for Nuclear Disarmament 核軍縮キャンペーン.

CNN (略) Cable News Network CNN《米国のニュース専門の有線テレビ局》.

Co (記号) 〔化学〕 cobalt.

CO (郵) Colorado.

co., Co. (複 cos., Cos.) (略) County; county.

†**Co.** /kʌ́mpəni, kóu/ (略) 〔商業〕 Company.

c/o, c.o. /síːóu/ (略) care of.

*****coach** /kóutʃ/ 名《初めての馬車が用いられた村の名 Kocs /kɔ́tʃ/ から》
― 名 (複 ~·es/-iz/) C 1 (運動能力競技・演技などの)コーチ, 指導員; (サッカー等の) 監督 ‖ a singing coach 歌のコーチ / a baseball coach 野球のコーチ. 2 (米)バス(bus), (英)長距離[観光]用バス《◆1 階バスをさし, 市内用 2 階バス(double-decker)は単に bus として区別する》; [形容詞的] 〈~の〉バスの ‖ travel by coach バス旅行をする / a coach tour [trip] バス旅行.

3 〔鉄道〕(英)客車《◆ railway carriage の正式名》; (米)普通客車《◆ Pullman と区別していう》; (バス・鉄道の)車両. 4 (旧式の)大型4輪馬車 ‖ a stage [mail] coach 駅[郵便]馬車 ‖ a coach and four [six] 4頭[6頭]立て4輪馬車《(1) … four [six] horses の略. (2) and は with の意》/ a burial coach (米)《遠回しに》 葬儀車. 5 (受験指導専門の)家庭教師.
― 動 他 〈人〉に〔…を/のために〕特別な指導[訓練]をする〔in/for〕 ‖ coach him in chess [English] 彼にチェス[英語]を教える / coach my son for the English exam 息子が英語の試験に受かるように特訓する. 2 〔競技〕〈チームなどの〉コーチをする ‖ coach the football team フットボールチームのコーチをする. ― 自 1 〔競技〕コーチを務める. 2 家庭教師について勉強する.

cóach bòx (馬車の)御車席.

cloud

cloud /kláud/ (類音 crowd /kráu—/) 『「岩や土の塊(ｶﾀﾏﾘ)」が原義』派 cloudy (形)
— 名 (複 ~s/kláudz/) 1 ⓒⓊ 雲 ‖ The sun came out from behind a cloud. 太陽が雲の間から顔を出した / Every cloud has a silver lining. (ことわざ) どんな雲も裏は銀色に光っている; 「苦は楽の種」 / mushroom cloud (原爆による)——のこ雲.
2 ⓒ [ほこり・煙・蒸気などの]煙, 雲状のもの [of] ‖ a cloud of sand [steam] もうもうと巻き——がった砂煙 [蒸気] / 〔昆虫・鳥などの大群〕[of] ‖ a cloud of locusts イナゴの大群 (=a rain of l——custs) / a cloud of arrows 雨あられと飛んでくる矢——. 4 ⓒ (液体・ガラスなどの)曇り, 濁り; (大理石——などのきず.
5 ⓒ (文)暗雲, 憂うつ, 憂慮, 疑念;浮——かぬ様子 ‖ the clouds of war 戦雲 / have a cloud on one's brow 浮かぬ顔をする / The sad news cast a cloud over the party. その悲しい知——せにパーティーは憂うつなものになった.

in the clóuds (1) (略式) 〈人・頭・心など——〉がぼんやりして; 空想にふけって 《◆ふつう have [w——ith] one's head in the clouds の句で用いる》. (2) 〈事が〉実際的[現実的]でない, 空想的な.

on a clóud = on clóud níne [sev——n] (俗) (1) 上機嫌で. (2) (麻薬などで)夢見心地で.

únder a clóud (1) 疑われて, 嫌われて. (2) 憂うつで 《◆ふつう be, remain, leave などの後——で用いる》.

— 動 (~s/kláudz/; 過去・過分・ed/—id/; ~ing)
⊕ 1 〈事が〉〈事に〉暗い影を投げかける/〈名声・評判など〉を汚す; 〈判断・記憶など〉を鈍らせる ‖ His son's death clouded the happiness o—f his later years. 息子の死が彼の晩年の幸せに暗い——影を投げた.
2 〈物が〉〈物〉を曇らせる, 〈液体〉を濁ら——せる (+up) ‖ Steam clouded my glasses. 湯気でめ——がねが曇った / Tears clouded her eyes. 涙で彼——の目が曇った.
3 (文) 〈空〉を暗くする, 〈顔〉を憂うつにさせる ‖ His face was clouded with anxiety. 彼の顔——不安で曇っていた.
— ⓘ 1 〈空〉が曇る (+over, up). 2 (——文) 〈顔・目・感情など〉暗くなる, 曇る (+over).

clóud càstle 空中楼閣; 白日夢.
clóud chàmber 〔物理〕霧箱.
cloud·burst /kláudbə̀ːrst/ 名 ⓒ 突——大豪雨, 暴風雨.
cloud-capped /kláudkæpt/ 形——頂上が雲で覆われた.
cloud·ed /kláudid/ 形 雲で覆われた ‖ a clouded sky 曇り空《◆「曇った日」は cloudy [×clouded] day》.
†**cloud·less** /kláudləs/ 形 雲のない, 日——れわたった.

cloud·y

/kláudi/ [< cloud ——]
— 形 (-i·er, -i·est) 1 〈空・日な——〉が曇った; 日のほとんどささない (↔ bright, sunny) ‖ It will be cloudy tomorrow. あすは曇り——う.
2 雲の(ような); 〈大理石などが〉〈雲様——に)斑点[しま模様]のある.
3 〈液体が〉透明でない 〈川・鏡などが〉——濁った.
4 〈考えなどが〉明瞭でない, あいまい—— ‖ I have a cloudy memory of my childh——ood. 子供のころについてはおぼろげな記憶しかない / a ——loudy picture ピンぼけ写真.
5 (表情などが)陰うつな.

clóud·i·ness 名 Ⓤ 曇り, 不透明——, 不明瞭.
clout /kláut/ 名 ⓒ (略式) [通例 a ——] (ふつうげんこつ——)

†**clove**¹ /klóuv/ 名 1 〔植〕チョウジ. 2 [通例 ~s] 丁字, クローブ《10つぼみを干した香辛料》 ‖ oil of cloves チョウジ油.
clove² /klóuv/ 名 〔植〕小鱗茎(ﾘﾝｹｲ) 《ユリ根などの1片》.
clove³ /klóuv/ 動 cleave¹ の過去形.
clo·ven /klóuvn/ 動 cleave¹ の過去分詞形.
— 形 (獣のひづめ)2つに裂けている, 割れている.
clóven fóot [ho——] (ウシ・シカ・ヒツジ・ヤギなどの)偶蹄(ｸﾞｳﾃｲ); 悪魔の印.
clo·ven-foot·ed /klóuvnfútid/, **-hoofed** /-húft |-húːft/ 形 偶蹄動物の; 悪魔のような.

†**clo·ver** /klóuvər/ 名 Ⓤⓒ 〔植〕クローバー, シロツメクサ《家畜の飼料に;cf. four-leaf(ed)[-leaved] clover》.

live [be] in cr—— (略式) 安楽で[ぜいたくに]のんびり暮らす.

clo·ver-leaf /—liːf/ 名 (複 ~s, -leaves) 1 クローバーの葉. 2 クローバー型立体交差点.

†**clown** /kláun/ 名 道化役者, 道化師, ピエロ(jester); おどけ者 ‖ make a clown of oneself ばかなまねをする. — 動 道化を演じる; おどける (+about, around).

clown·ish /kláuniʃ/ 形 おどけ者らしい, こっけいな.
clówn·ish·ly 副 こっけいに. **clówn·ish·ness** 名 Ⓤ こっけいなこと.

†**cloy** /klɔ́i/ 動 (あきられ)(甘味で)…を[…で]満腹[飽食]させる, 飽きる飽きる (with); ⊕ 〈人〉が堪能(ｶﾝﾉｳ)する, 〈甘いもの・楽〉で〉食傷する, 飽和状態となる.
clóy·ing 形 甘い, 強すぎる.
clóze tèst /klóu——/ 穴埋め読解力テスト.

club

/kláb/ (類 crab /kréb/) 『「先にこぶのついた太い棒」が原義5). こぶのようにまとまることから比較的に「クラブ———」などの意が生まれた』
— 名 (複 ~s/—z/) 1 [集合名詞; 単数・複数扱い; 主に複合語で] 交・スポーツ・趣味などの）クラブ ‖ an Alpine [tennis] club 山岳[テニス]クラブ / a golf club ゴルフクラブ《◆4の意味にもなる》/ join a club クラブに入会する / I am in [a member of] the music club. 私は音楽部に入っています (→ belong 動 1)《参》Are there any clubs for young people——? 「Only when they are not so kind.」「若者用のクラブありますか?」「親切心がないときだけね」《clubs for young people は「若者を殴るこん棒」にもなりうる》.
2 クラブ室, クラブハウス, クラブ会館(clubhouse).
3 こん棒, 警棒《◆暴力・勇猛・力などの象徴》.
4 〔ゴルフの〕クラブ(golf club); (ホッケーの)スティック.
5 〔トランプ〕 クラブ《◆トランプの♣の模様はこん棒をデザインしたもの》; [~s; 単数・複数扱い] クラブの組 ‖ the four of clubs クラブの4. 6 = nightclub.

— 動 (過去・過分 clubbed/—d/; club·bing) ⊕ 〈人・動物など〉をこん棒で打つ, なぐる.
— ⓘ (英) (…するために/…のために)資金を出し合う (+together) (to do / for).

clúb càr (米) (長距離列車に連結されている, 軽食などのとれる)特別列車.
clúb chàir クラブチェア《安楽いすの一種》.
clúb sándwich (主米) クラブサンドイッチ《ふつう3枚重ねのパンにチキン・ハム・レタス・トマトなどをはさむ》.
clúb sóda ソーダ水 (soda water).
clúb stèak クラブステーキ《(米) Delmonico steak 《牛の腰肉の小さなステーキ. cf. porterhouse steak,

ríde on A's cóattails《米略式》〈人〉に便乗する, つけいる, 〈人〉のすねをかじる, 〈人〉を踏み台にする.

co·author /kòuɔ́:θər/ 图 共著者. ── 動 他 …を共同して著す.

†**coax** /kóuks/ (同音 cokes) 動 他 **1**〈人〉を(やさしく[辛抱強く]徐々に)説得して[あやして][…するto do / into doing]; 〈人〉を説得して[あやして][…するのをやめさせる(out of doing)]; 〈物〉をうまく扱って[…]させる(+up){to do}(♦ persuade と違って結果までは示さない: He coaxed [*persuaded] her to go, but she wouldn't. 彼女に行くように説得したが行こうとしなかった) ‖ coax a child to take [into taking] his or her medicine 子供の機嫌を取り薬を飲ませる / coax a fire to burn うまく火を燃えるようにする. **2** …を[人から]うまく引き出す[from, out of]. **3**〈人〉を説得して[…へ]導く[into] ‖ She coaxed him into the room. 彼女は彼を部屋へ誘い入れた. ── 自 甘言を使う, なだめる, だます.

cóax·er 图 © 口先のうまい人.

co·ax·i·al /kouǽksiəl/ 形 **1** 同軸の. **2** 同軸ケーブルの, 同軸ケーブルを用いた.

coax·ing /kóuksiŋ/ 图 Ü 甘言を使うこと, なだめすかすこと. **cóax·ing·ly** 副 甘言を使って, なだめすかして.

†**cob** /káb | kɔ́b/ 图 © **1** トウモロコシの穂軸. **2** コップ種の馬〈短脚で強健〉. **3** 雄のハクチョウ (cf. pen³).

co·balt /kóubɔ:lt | -ɔ́-/ 图 Ü 〖化学〗コバルト《金属元素, 記号 Co》. **2** コバルト色, コバルト絵の具.

cóbalt blúe コバルトブルー(の).

cóbalt bòmb コバルト爆弾.

cóbalt 60 [síxty] 〖化学〗コバルト60《放射性同位体》.

†**cob·ble** /kábl | kɔ́bl/ 图 © (通例 ~s) =cobblestone. **2**〈英〉[~s] 丸石大の石炭. ── 動 他 …に丸石を敷く; …を丸石で舗装する.

†**cob·bler** /káblər | kɔ́b-/ 图 © 靴直し(店) (♦ shoemaker, shoe repairer のほうがふつう) ‖ cobbler's wax 靴の縫糸(ぬい)用ろう / The cobbler's wife goes the worst shod. (ことわざ) 靴直しの女房はぼろ靴をはく; 「紺屋の白ばかま」.

cob·ble·stone /káblstòun | kɔ́bl-/ 图 © (鉄道・道路舗装・壁用の)丸石, 玉石, くり石 (cobble) (→ stone **2**).

COBOL, Cobol /kóubal | -bɔl/ 图 Ü 〖コンピュータ〗コボル《事務処理用のプログラミング言語》.

co·bra /kóubrə/ 图 © 〖動〗コブラ《インド・アフリカ産の毒ヘビ. hooded [spectacle] snake ともいう》.

†**cob·web** /kábwèb | kɔ́b-/ 图 © **1**〈英〉クモの巣[糸] (spider's web), 〈米〉spiderweb); 〈クモの巣のように〉弱々しいもの. **2** [~s] (頭の中の)もやもや, 混乱, あいまい ‖ blów out the cóbwebs awày = blów [clear] awày the cóbwebs 《略式》(散歩などして)もやもやを取る, 気分をすっきりさせる. **3**（入り組んだ)細かな, 好計 (陰謀). ── 動 (過去・過分 cob·webbed /-d/; ~·web·bing) 他 **1**〈クモが〉…に巣を張る. **2** …をぼんやりさせる.

cób·web·by /-i/ 形 クモの巣(のような)が張った.

cob·webbed /kábwèbd | kɔ́b-/ 形 クモの巣(のような)が張った.

co·ca /kóukə/ 图 © 〖植〗コカ《アンデス山脈原産の低木》; その乾燥した葉《コカインを採る》.

Co·ca-Co·la /kòukəkóulə/ 图 © 〖商標〗コカコーラ《略式》coke, Coke); © 1 びん[1 かん, 1 杯]のコカコーラ.

co·caine, ·cain /koukéin/ (米+) -/ 图 Ü コカイン《麻酔剤・興奮剤》.

coc·cus /kákəs | kɔ́k-/ 图 (複 coc·ci /káksai | kɔ́k-/) © **1** 〖細菌〗球菌. **2** 〖植〗分果の一部.

coc·cyx /káksiks | kɔ́k-/ 图 © (複 ~·es, ·cy·ges /-sáidʒi:z, -sədʒì:z/) © 〖解剖〗(ヒト・サルの)尾骨, 尾低(びてい)骨.

co·chin /kóutʃin/ (米+) ká-/ 图 [しばしば C~] = cochin China. **cóchin Chína** 〖鳥〗コーチン種《ニワトリの品種》.

coch·i·neal /kàtʃəní:l | kɔ̀t-/ 图 **1** © 〖エンジムシ《サボテンに寄生する》. **2** Ü コチニール《エンジムシを乾燥して採る鮮紅色の染料・食物着色剤》.

coch·le·a /káklia, kóuklia | kɔ́k-/ 图 (複 ~s, ·le·ae /-lì:/) © 〖解剖〗(内耳の)蝸牛(かぎゅう).

coch·le·ar /-liər/ 形

†**cock¹** /kák | kɔ́k/ 图 © **1**〈英〉(成長した)おんどり, 雄鶏 (↔ hen) (♦ **6** の意を連想させるため〈米〉では rooster で代用することが多い) ‖ Every cock crows on its own dunghill. (ことわざ) どのおんどりも自分の糞の山の上でときをつくる;「内弁慶はだれにでもできる」/ live like a fighting cóck 《略式》美食してぜいたくに暮らす. (関連 cockerel 若いおんどり / cock-a-doodle-doo コケコッコー《おんどりの鳴き声》/ cluck コッコッ《めんどりの鳴き声》. **2 a** [しばしば複合語で] 〖鳥〗の雄 ‖ a cock robin 雄のコマドリ / a peacock 雄のクジャク. **b** (大エビ・カニ・サケなどの)雄. **3** (ガス・水道・たるの)せん, 飲み口, コック(《米》faucet). **4** (銃の)撃鉄; © Ü (発砲するときの)撃鉄の位置 ‖ at [on] full [half] cock 打ち金をいっぱい[半分]上げて. **5** 風見(鶏) (weathercock). **6**《俗性》陰茎, ペニス.

gó òff at hálf cóck (**1**) かんかんになって怒る. (**2**)〈計画などが〉早まって失敗する.

── 動 他 **1** (銃)の打ち金を起こす ‖ cock a gun 銃の打ち金を起こす. **2** 〈耳・鼻・目など〉をぴんと立てる, 上へ向ける, 故意に[…に]向ける (+up){at} ‖ cock one's nose 鼻をつんと上に向ける《軽蔑(ぶつ)の表情》 / He cocked his eye at me. 彼は私に目くばせをした; 私を注意深く見た. **3**〈帽子〉を気取ってかぶる, 〈頭〉をかしげる. **4** [~ 耳・尾などが〉ぴんと立つ (+up). **5**〈人がふんぞり返る; そり返って歩く.

cócked hát (**1**) つばを上に曲げた帽子. (**2**) 三角[二角]帽子 ‖ knock him into a cocked hat 《略式》彼を完全にたたきのめす.

cock² /kák | kɔ́k/ 图 © (干し草などの)円錐形の山, 稲叢(いなむら) (haycock).

cock-a-doo·dle-doo /kákədù:dldú: | kɔ̀k-/ 图 © **1** コケコッコウ《おんどりの鳴き声》. **2**《俗》おんどり.

cock-a-hoop /kàkəhú:p | kɔ̀k-/ 形 **1** 得意顔の, いばっている. **2**《英》混乱している.

cóck-and-búll stòry /kákənd(ə)búl- | kɔ́k-/《略式》でたらめな話, まゆつば物.

cock·a·too /kákətù: | kɔ̀kətú:/ 图 © (複 cock·a·too, ~s) 〖鳥〗バタン《フィリピンからオーストラリア産の冠羽が鮮やかなオウムの類》.

cock·a·trice /kákətris | kɔ́kətràis/ 图 © コカトリス《basilisk の別名》.

cock·crow /kákkròu | kɔ́k-/ 图 Ü 《文》ニワトリが鳴く時刻; 夜明け.

cock·er /kákər | kɔ́k-/ 图 © = cocker spaniel. **cócker spániel** コッカースパニエル《狩猟・愛玩(がん)用の小型スパニエル犬》.

cock·er·el /kák(ə)rəl | kɔ́k-/ 图 © **1** (生後1年以内の)若いおんどり (→ cock¹). **2** けんか好きの若者.

cock-eyed /kákàid | kɔ́k-/ 形 《略式》斜視の; 〈計画・考えなどが〉実際的でない, ばかげている.

coach park (英) バス駐車場.
coach's box (野球) コーチャーズボックス (図) → baseball).
coach·er /kóutʃər/ 名 ① 指導者;(野球) コーチ.
†**coach·man** /kóutʃmən/ 名 (複 ~·men) C 1 (馬車の)御者((尾)coach driver). 2 (釣)コーチマン《毛針》.
coach·work /kóutʃwə̀ːrk/ 名 C (自動車・列車の)車体.
co·ag·u·late /kouǽɡjəlèit/ 動 (正式) 〈容液〉を凝固させる. ―― 自 〈溶液が〉凝固する.
co·ag·u·la·tion /kouæ̀ɡjəléiʃən/ 名 U 凝固(作用);C 凝固物.

***coal** /kóul/ (同音) call /kɔ́ːl/ 『『燃える石』が原義』
―― 名 (複 ~s/-z/) 1 U 石炭;[形容詞的に] 石炭の ‖ a lump [sack] of coal 一塊[袋]の石炭 / (as) black as coal 真っ黒な / a coal fire 石炭の火.
2 C (1個の)石炭, (英) [~s] (燃料用に)砕いた石炭. 3 C (英) 燃えている石炭[炭など];燃えさし, おき ‖ live [burning] coals 燃えている石炭. 4 U 木炭.
cárry [táke] cóals to Néwcastle [Newcastle-upon-Tyne は炭坑の中心地であったことから] 物をあり余った所へ持って行く;むだな労力を使う《◆ That's (like) coals to Newcastle. (それは必要ないこと)のようにも用いる》.
―― 動 他 1 〈船などに〉石炭を積み込む. 2 …を燃やして炭にする. ―― 自 〈船などが〉石炭を積む.
cóal bèd 炭層.
cóal dùst 粉末炭;石炭の粉, 炭塵(シ).
cóal gàs (燃料用・暖房用の)石炭ガス;(石炭を燃やしたときに出る)ガス.
cóal mìne 炭坑, 炭山.
cóal mìner 炭坑夫.
cóal òil (米) 石油(petroleum); 灯油(kerosene).
cóal scùttle 石炭の容器.
Cóal Státe (愛称) [the ~] 石炭州(→ Pennsylvania).
cóal tàr コールタール.
coal-black /kóulblǽk/ 形 真っ黒の.
co·a·lesce /kòuəlés/ 動 自 (正式) 合体[癒着]する, 合同[連合]する. **cò·a·lés·cence** 名 U 合体, 合同.
coal-face /kóulfèis/ 名 C 炭層の露出面.
coal·field /kóulfìːld/ 名 C 炭田.
coal-fired /kóulfàiərd/ 形 石炭で動く.
†**co·a·li·tion** /kòuəlíʃən/ 名 C 1 (一時的な)連合, 合同, (政治)提携(alliance) ‖ a coalition government [cabinet] 連立政権[内閣].
coal·pit /kóulpìt/ 名 C 炭坑(coal mine)《◆単に pit ともいう》;炭焼き場.
†**coarse** /kɔ́ːrs/ [発音注意] (同音) course) 形 1 粗末な;〈食物・ワインなどが〉粗悪, 下等な ‖ coarse fare [food] 粗食. 2 〈生地・粒・肌などが〉きめの粗い, 〈髪の毛などが〉硬い, ごわごわした;粗大な (↔ fine) ‖ (a) coarse skin 荒れ肌. 3 〈態度・言葉などが〉(不快で)粗野な, 下品な, みだらな ‖ He is coarse in speech. 彼は話し方が粗野だ.
cóarse físh (サケ類以外の)淡水魚.
cóarse físhing (サケ類以外の)淡水魚釣り.
cóarse·ly 粗野に, あらあらしく.
cóarse·ness 名 U (生地などの)きめのあらさ;粗雑;野卑.
coars·en /kɔ́ːrsn/ 動 (正式) 他 …を粗雑[粗野, 下品, ざらざら]にする. ―― 自 粗雑[粗野, 下品, ざらざら]になる.

*** coast** /kóust/ (類音) cost /kɔ́ːst/)
―― 名 (複 ~s/kóusts/) C 1 沿岸, 海岸(地帯);沿岸地方 ‖ Boston is on the Atlantic *coast*. ボストンは大西洋沿岸にある / The ship sank *off the coast* of Ireland. その船はアイルランドの沖合で沈んだ.
(類語) coast は地図・気候・防備などの面から見た海岸. beach は coast の一部で, 海水浴・保養のための海岸. 大きな陸の浜にも海から陸を見たばあいの海岸で, 川・湖などの岸についても用いる. 観光地としての海岸は seaside.
2 [the ~] (米)(米国の)太平洋岸(地域).
from cóast to cóast (米) 太平洋岸から大西洋岸まで(の), 全国(的)に[の].
The cóast is cléar. (米略) じゃまものはいない, 危険は去った, だれも見ていない, やるなら今だ《◆密入国船の見張りの言葉から》.
―― 動 自 1 (車・自転車で)滑降[滑走]する(+along). 2 (米略) 〈人が〉苦労なく進む, のんびりする (+along). 3 海岸沿いに(港から港へ)航行する.
cóast guàrd [しばしば C~ G~] (米) 沿岸警備隊(員).
Cóast Rànges (米) [the ~] コースト山脈《南カリフォルニアから南アラスカに至る》.
†**coast·al** /kóustəl/ 形 沿岸の.
coast·er /kóustər/ 名 C 1 沿岸航行者[船], 沿岸貿易船. 2 (コップ・びんなどの下に敷く)コースター;(食卓用のワインのびんの)銀製の盆.
coast·guard(s)·man /kóustgɑ̀ːrd(z)mən/ 名 (複 ~·men) C (英) 沿岸警備隊員(米) coast guard).
coast·line /kóustlàin/ 名 C (主に海から見た)海岸線.

:**coat** /kóut/ (同音) cote; (類音) caught /kɔ́ːt/, court /kɔ́ːrt/) 『『覆うもの』が本義』
―― 名 (複 ~s/kóuts/) C 1 (背広・女性用スーツの)上着 (類語) jacket) ‖ a trench [duffel] coat トレンチ[ダッフル]コート / a coat and skirt [単数扱い] 女性外出用スーツ / A coat and tie are required.(レストランの入口の掲示)上着とネクタイをお召しください. 2 (英では古) = jacket. 3 コート, 外套(ガ) (cf. overcoat, raincoat) ‖ a heavy [light] coat 厚手[薄手]のコート. 4 (動物の)外被, 被毛, 毛;(植物の)皮, 殻(為). 5 (ほこりなどの)層;上塗り, メッキ.
cút one's cóat accórding to one's clóth (英略式) 分相応の生活をする《◆しばしば忠告の言葉》.
táke óff one's **cóat** 上着を脱ぎすてる《なぐりあいの用意》;本気で[体をはって][…に]取りかかる(to).
túrn [chánge] one's **cóat** (政治上)変節する, 裏切る, 改宗する (cf. turncoat).
―― 動 他 [通例 be ~ed] …が(ほこり・粘着物で)覆われる(with, in);…に塗る, めっきする ‖ pills coated with [in] sugar 糖衣錠(シシ)(= sugar-coated pills) / Dust coated the books. 本はほこりだらけだ.
cóat hànger 洋服掛け, ハンガー(clothes hanger).
coat·ed /kóutid/ 形 1 a 上塗りした, めっきした;光沢のある ‖ coated paper コート紙. b 防水加工した;〈レンズが〉コーティングを施した. 2 コートを着た.
coat·ing /kóutiŋ/ 名 C U 1 塗り, 上塗り;(光学)コーティング;被覆物, 覆いのころも. 2 上着用生地.
coat·tail /kóuttèil/ 名 C [通例 ~s] (えんび服などの)上着のすそ ‖ trail [hang] one's coattails (すそを人に踏ませて)けんかを売る, けんか腰である.

cock·fight·ing /kákfàitiŋ | kɔ́k-/ 图 ① 闘鶏.
This beats cóckfighting. こんな面白いものはない.

†**cock·le** /kákl | kɔ́kl/ 图 ⓒ **1**〔貝類〕ザルガイ(トリガイの類);その殻(cockleshell). **2**《文》(軽くて浅い)小舟.

cock·le·shell /káklʃèl | kɔ́kl-/ 图 ⓒ 〔貝類〕ザルガイ(cockle)の殻.

†**cock·ney** /kákni | kɔ́k-/ 图 **1** [しばしば C~] ⓒ (生粋の)ロンドン子《◆特に East End の労働者階級をさす》. **2** Ⓤ ロンドンなまり, コクニー《◆ plate /plèit/, house を /æus/ のように発音する》.——形 ロンドン子(風)の, ロンドンなまりの.

cock·ney·ism /káknìɪzm/ 图 Ⓤ ロンドン子気質;ロンドンなまり.

†**cock·pit** /kákpìt | kɔ́k-/ 图 ⓒ **1**〔航空〕操縦室《图 → airplane》;(レーシングカーの)運転席, (ヨット・ボートの)操舵席. **2** 闘鶏場.

cock·roach /kákroutʃ | kɔ́k-/ 图 ⓒ ゴキブリ, アブラムシ《(俗称) bláck bèetle》.

cocks·comb /kákskòum | kɔ́ks-/ 图 **1** ニワトリのとさか. **2**〔植〕ケイトウ.

cock·sure /káksúər | kɔ́ksʃúə/ 形《略式》[…を]信じきっている;[…に]自信たっぷりの(*of, about*) ‖ *He is cocksure of his position.* 彼は自分の立場に自信満々だ.

†**cock·tail** /káktèil | kɔ́k-/ 图 ⓒ **1** カクテル《ジンなどの強い酒をベースにした混合酒で食前に飲む. martini, manhattan, old-fashioned など》; [~s] = cocktail party. **2** Ⓤ Ⓒ カキ・エビなどのカクテル(一皿分)《前菜》;(食前に出す)フルーツ[トマト]ジュース ‖ (a) shrimp *cocktail* エビのカクテル / (a) fruit *cocktail* フルーツカクテル (fruit salad).

cócktail drèss カクテル=ドレス《準正装用》.
cócktail glàss カクテルグラス.
cócktail hòur (ホテル・レストランの)カクテル=アワー《ふつう午後5時–8時頃》.
cócktail lòunge [bàr] (ホテル・空港などの)カクテルラウンジ《◆ bar の遠回し表現》.
cócktail pàrty カクテル=パーティー《◆ふつう夕食前》.
cócktail stìck カクテルスティック《料理の小片に刺す爪楊枝(つまようじ)》.

cock·y /káki/ 形 (-i·er, -i·est)《略式》うぬぼれた (over-confident);横柄な, 生意気な.

†**co·coa** /kóukou/ 【発音注意】 图 **1** Ⓤ ココア《粉末》; ⓒ カカオの木《◆ cacao の方がふつう》. **2** Ⓤ ココア《飲料》;ⓒ 1杯のココア (cf. chocolate 2). **3** Ⓤ ココア色.

cócoa bèan ココア豆《cacao の種子;ココア・チョコレートの原料》.
cócoa bùtter カカオバター[脂]《薬用・化粧品の原料》.

COCOM /kóukam | kóukɔm/ 『Coordinating Committee for Export to Communist Area』ココム《対共産圏輸出統制委員会》.

†**co·co·nut, co·coa-** /kóukənʌt, kóukə-/ 图 **1** Ⓒ ヤシの実(coco). **2** Ⓤ (ココ)ヤシの果肉《食用》.

cóconut màtting シュロのむしろ《ヤシの実の外皮の繊維でつくる》.
cóconut òil ヤシ油.
cóconut pàlm 〔植〕ココヤシの木.
cóconut shý ヤシの実落とし《ボールを投げて当てる余興》.

†**co·coon** /kəkúːn/ 图 ⓒ (チョウ・ガ・特にカイコの)繭(まゆ)《中に pupa (さなぎ) が包まれている》.
——動 他 [通例 be ~ed] すっぽりくるまっている.

†**cod** /kád | kɔ́d/ 图 (複 cod) **1** ⓒ 〔魚〕タラ (codfish). **2** Ⓤ タラの肉.

Cod /kád | kɔ́d/ **Cape** ~ コッド岬《米国 Massachusetts 州南東部の岬》.

c.o.d., COD(略)《米》collect [《英》cash] on delivery.

COD(略) chemical oxygen demand; The Concise Oxford Dictionary《辞書の名》.

co·da /kóudə/ 图 ⓒ **1**〔音楽〕コーダ, 終結部. **2** しめくくり.

†**cod·dle** /kádl | kɔ́dl/ 動 他 **1** 〈卵などを〉とろ火でゆでる. **2** …を甘やかす, 大事に育てる[扱う].

†**code** /kóud/ 图 ⓒ **1** 法典 ‖ the civil *code* 民法 / the criminal *code* 刑法. **2** (社会・階級・同業者などの)規約(の体系), 規則, 習慣 ‖ a school *code* 校則 / a dress *code* 服装規制 / *a code of practice* (ある特定の職業のメンバーによる)合意基準. **3** [しばしば複合語で] (体系立った) 符号, 記号, 番号;〔コンピュータ〕符号, 符号 ‖ break [crack, decipher] a secret *code* 暗号を解読する / Mórse *códe* モールス信号((略式) Morse) / All the goods here bear a price in bar *code*. ここの商品はすべてバーコードで値段がつけられいる / a telegram in *code* = a *code* telegram 暗号電報《◆ in の後では無冠詞》.
——動 他 …を暗号にする (encode).

códe bòok 記号[暗号]の一覧表.
códe nàme 暗号名.
códe nùmber 暗証番号.
códe wòrd (1) (政治的攻撃の意図を秘めた)暗示[婉曲(えんきょく)]語句. (2) 遺伝情報.

co·deine /kóudi:n/ 图 Ⓤ〔薬学〕コデイン《鎮痛・睡眠剤》.

códe·shàr·ing práctice /kóudʃèəriŋ-/(航空会社の)共同運航方式.

co·dex /kóudeks/ 图 (複 --di·ces/-dəsìz/) ⓒ (聖書・古典の)古写本.

cod·fish /kádfìʃ | kɔ́d-/ 图 = cod.

codg·er /kádʒər | kɔ́dʒə/ 图 ⓒ 《略式》[通例 old ~] (年寄りの)偏屈者;老人《◆男性についていう》.

co·di·ces /kóudəsìːz/ 图 codex の複数形.

cod·i·cil /kádəsl | kɔ́di-/ 图 ⓒ〔法律〕遺言補足書;追加条項, 付録.

cod·i·fi·ca·tion /kàdəfikéiʃən | kə̀u-/ 图 Ⓤ Ⓒ (正式)(規則・法律などの)成文化, 集成.

cod·i·fy /kádəfài | kə́ud-/ 動 他《正式》〈規則・法律などを〉成文化[集成]する.

cod·ling /kádliŋ | kɔ́d-/ 图 ⓒ〔魚〕タイセイヨウマダラの幼魚.

cód·li·ver óil /kádlìvər- | kɔ́d-/ 肝油.

COE(略) center of excellence (日本の)中核的研究拠点.

co·ed, co-ed /kóuèd/『coeducational の略』(略式)图 (複 ~s) ⓒ **1**《米》(男女共学校の)女子大学生. **2** 男女共学制の.

cóed dòrm《米》大学の男女共用の寮.

co·ed·i·tor /kouédətər/ 图 ⓒ 共編者.

co·ed·u·ca·tion /kòuedʒəkéiʃən, -edju-/ 图 Ⓤ 男女共学《(略式) coed》.

cò·ed·u·cá·tion·al 形 男女共学の.

†**co·ef·fi·cient** /kòuifíʃənt/ 图 ⓒ 〔数学・物理・統計〕係数, 率 ‖ a differential *coefficient* 微分係数 / a *coefficient* of friction [expansion] 摩擦[膨張]係数.

coe·la·canth /síːləkænθ/ 图 ⓒ シーラカンス《中生代

から生息する魚.「生きた化石」として有名》.
co·e·qual /kòuíːkwəl/ 形 〔…と〕同等[同格]の〔with〕.
co·erce /kouə́ːrs/ 動 (正式)〈人を〉無理に〔…〕させる〔into〕；〈事を〉強要する；〈人を〉〔権力・おどしで〕抑圧する.
co·er·cion /kouə́ːrʃən/ 名 U (正式) 強制(力), 抑圧, 威圧; 弾圧政治 ‖ under *coercion* 強制されて.
co·er·cive /kouə́ːrsiv/ 形 (正式) 強制的な, 威圧的な.
co·ex·ist /kòuigzíst/ 動 自 (正式) 〈国などが〉同時に[同一場所に]存在する; 〔…と〕共存する; 平和共存する〔with〕.
co·ex·ist·ence /kòuigzístns/ 名 U 共存, 共存 ‖ peaceful *coexistence* 平和共存. **cò·ex·ìst·ent** 形 〔…と〕共存する〔with〕.
co·ex·ten·sive /kòuiksténsiv/ 形 〔…と〕同一の広がりを持つ〔with〕.

:**cof·fee** /kɔ́ːfi, káf-|kɔ́f-/ 『アラビア語の「飲み物」が原義』
—— 名 (複 ~s/-z/) **1 a** U コーヒー ‖ strong [weak] *coffee* 濃い[薄い]コーヒー / feel like some [a cup of] *coffee* コーヒーを少し[1杯]飲みたい / Will you *make some coffee* for me? コーヒーを入れてくれますか / 対話 "How would you like your *coffee*?" "I'd like mine black [without milk]." 「コーヒーはどのようにいたしましょうか」「ブラック[ミルクなし]でお願いします」《◆(1) white は milk または cream を入れたもの. (2) ミルクを入れてほしい場合は: I'd like mine with milk. という. (3) → black 形 **9**) (→ 関連) / *coffee and* (doughnuts) → **and** 接 **2**.
b C (略式)(1杯の)コーヒー《◆コーヒーを注文するような場面で用いる》‖ 対話 "Two *coffees*, please." "Certainly!" 「コーヒー2つください」「かしこまりました」《◆しばしば two coffee, coffee for two も用いられる》/ How about a *coffee* on me? コーヒーでもどう, おごるよ《◆会話では a cup of coffee よりふつう》.

関連 (1) [用語] roast [blend, grind] coffee (beans) コーヒー豆を炒(い)る[ブレンドする, ひく] / fine grind 細びき《サイフォン(vacuum coffee maker)用》/ medium [drip] grind 中びき《主にドリップ(drip coffee)用》/ coarse [regular, electric-peak] grind 荒びき《パーコレーター(percolator)用》.
(2) [種類] black *coffee* ブラックコーヒー / decaffeinated *coffee* カフェイン抜きのコーヒー / fresh *coffee* いれたてのコーヒー / instant *coffee* インスタントコーヒー / Irish *coffee* アイリッシュコーヒー《生クリームとウイスキー入り》/ strong *coffee* 濃いコーヒー.

文化 米国のコーヒーは薄く, 日本のお茶のように日常的な飲料で, 至る所に drugstore のようなコーヒーの飲める店がある. 英国や欧州では食後にミルクなしでコーヒーを少量飲む(after-dinner coffee, demitasse)習慣がある. コーヒーは大人の飲物で, 16, 17 歳頃親にコーヒーを許されることは大人の仲間入りを意味する. Starbucks, Tully's, Blendz など有名なコーヒー店のフランチャイズがある.

2 C =coffee tree; U =coffee bean; ひいたコーヒー ‖ a pound of *coffee* コーヒー豆1ポンド. **3** U コーヒー色; [形容詞的に] コーヒー色の. **4** =coffee break.
cóffee bàr (英) 喫茶軽食堂(café, snack bar)《◆ふつうスタンド式. 朝食は出さない. cf. coffee shop》.
cóffee bèan コーヒー豆.
cóffee bèrry コーヒーの実.(俗)コーヒー豆.
cóffee brèak (主に米)(職場での)コーヒー休み《午前10時と午後3時に各15分程度. 単に coffee ともいう》《◆(英)の tea break に当たる. ただし今は英国でも, 特に午前中は the coffee break とすることが多い》;(大学の2時間続きの授業の途中の)コーヒー休み.
cóffee càke (米) コーヒーケーキ《干しブドウ・砂糖漬けの果物・ナッツなどの入った菓子パン. コーヒーパーティーや朝食用》.
cóffee cùp コーヒーカップ《teacup にくらべて米国では大きく, 英国では小さい》.
cóffee grìnder =coffee mill.
cóffee hòur =coffee break.
cóffee hòuse (軽食も出す)喫茶店, (英)クラブ式軽食喫茶店《◆17-18世紀の文人・政客のたまり場. 現在では coffee bar より高級なものをさす》.
cóffee machìne コーヒー自動販売機.
cóffee mìll コーヒー豆ひき器.
cóffee sèrvice [sèt] (ふつう銀製の)コーヒーセット《coffeepot, sugar bowl, creamer, tray など》.
cóffee shòp (1) (米) (ホテル・大型店などの)喫茶軽食堂(coffee room) ‖ a Starbucks *coffee shop* スターバックスのコーヒー店. (2) (コーヒー豆も売る)コーヒー店.
cóffee tàble (ソファーの前に置く)低いテーブル.
cóffee trée コーヒーの木.
cof·fee·pot /kɔ́ːfipɑt|kɔ́ːfipɔt/ 名 C コーヒーポット《沸かし》.
†**cof·fer** /kɔ́ːfər, káf-|kɔ́f-/ 名 C (正式) **1** 貴重品箱. **2** [~s] 金庫; 財源.
†**cof·fin** /kɔ́ːfin|kɔ́f-/ 名 C 棺, ひつぎ((米) casket).
drive [*pút*, *hámmer*] *a náil into* [*in*] A's *cóffin* (略式)〈不節制・心配などが〉人の寿命を縮める.
cog /kɑ́g|kɔ́g/ 名 C **1** [機械] (歯車の)歯; 歯車 ‖ *slip a cog* (米). **2** (略式) (大きな組織・企業などで)小さな役割を果たしている人[物] (a cog in the machine). **cógged** 形 歯車のついた.
co·gen·cy /kóudʒənsi/ 名 U (正式) 適切さ, 妥当さ, 説得力; 強制力のあること.
co·gent /kóudʒənt/ 形 (正式) 適切な, 説得力のある; 強制力のある.
có·gent·ly 副 人を説得するほどに, 力強く.
cog·i·tate /kɑ́dʒitèit|kɔ́dʒ-/ 動 自 (正式) 〔…について〕考える, 熟考する〔about, on, over, upon〕.
còg·i·tá·tion /-ʃən/ 名 U 熟考(力), 熟考; [~s; 単数扱い] 着想, 思いつき, 思案.
co·gnac /kóunjæk|kɔ́n-/ 名 [時に C~] U コニャック《フランスの Cognac 地方原産のブランデー》; (略式) (フランス産の)ブランデー. C (1杯の)コニャック.
cog·nate /kɑ́gneit|kɔ́g-/ 形 (正式) **1** 同じ先祖の(kindred); 女系親の, 母方の. **2** 〔…と〕同起源の; [言語] 同語族[語源]の; 〔…と〕同種の〔with, to〕.
—— 名 C (正式) **1** 同系の人[物], 血族者. **2** 同起源の物, 同種のもの; [言語] 同族言語.
cógnate óbject [文法] 同族目的語《die a glorious *death* など. 形容詞に強勢を置く》.
cog·ni·tion /kɑɡníʃən|kɔɡ-/ 名 U (正式) **1** 認識(作用), 認知, 知覚. **2** 認識されたもの, 知識.
cog·ni·tive /kɑ́gnitiv|kɔ́g-/ 形 認知の, 認知に関した.
cog·ni·zance /kɑ́gnəzəns|kɔ́g-/ 名 U (正式) 認識, 知覚; 認識範囲 ‖ *within* [*beyond, out of*]

one's *cognizance* 認知[知識]の範囲内[外]で.
cog·ni·zant /kágnəzənt | kɔ́g-/ 形 《正式》〔…を〕(観察によって)認識して, 知って〔of〕.
co·hab·it /kouhǽbit/ 動 自 《正式》 **1**〔…と〕同棲(怒)する, 共同生活をする〔with〕. **2** 両立する, 共存する. **co·hàb·i·tá·tion** 名 U 同棲, 共同[集団]生活.
co·heir /kóueər/ 名 ((女性形)) ~**·ess**/-éəris/) C《法律》共同相続人.
†**to·here** /kouhíər/ 動 自 《正式》 **1** 密着[結合]する;《物理》凝集する. **2**〈文体・論理などが〉筋が通る, 首尾一貫する. **3**〔…に〕一致する〔with〕.
co·her·ence, ~·en·cy /kouhí(ə)rəns(i)/ 名 U **1** = cohesion. **2**(話・文章の)首尾一貫性, 理路整然性, 結束(consistency).
†**to·her·ent** /kouhí(ə)rənt/ 形 《正式》 **1**〔…に〕密着した, 凝集性の〔with, to〕. **2**〈文章などが〉筋の通った, 論理的な, 首尾一貫した; 明白な, わかりやすい; 結束した(↔ incoherent). **co·hér·ent·ly** 副 ~·**ly**.
co·he·sion /kouhí:ʒən/ 名 U《正式》結合, 粘着, 結束;(人などの)つながり, 団結.
co·he·sive /kouhí:siv/ 形《正式》**1**密着した, 団結した, 結束した. **2**粘着性[力]のある.
co·hort /kóuhɔːrt/ 名 C **1**《ローマ史》[単数·複数扱い]歩兵隊《legion を 10 に分けた1隊で 300-600 人で構成》. **2**(略式)[しばしば ~s] 軍隊, 一隊, (信奉者の)一団;《主に米》同僚, 仲間; 共犯者. **3**《統計》コーホート, 群《同一年齢層など》.
coif·feur /kwɑːfə́ːr/ 《フランス語》名 ((女性形)) **··feuse** /-fɜ́ːz, -fjúːz/) C **1** 髪型. **2**《正式》美容師, 理髪師.
†**coil** /kɔ́il/ 動 他 **1**〈人·物が〉物をぐるぐる巻く(+ *up*);〈物を〉[…に]巻きつける〔(a)round〕 ‖ The cobra *coiled itself up*. コブラがとぐろを巻いた / *coil* a long wire *around* the tree 木に長い針金を巻きつける. **2**〈人·物を〉丸くする, 輪状にする ‖ He *coiled* himself on the bed. 彼はベッドで丸くなっていた. ── 自 **1**〈ヘビなどが〉とぐろを巻く, 巻きつく; 丸くなる(+ *up*, (*a*)*round*). **2**〈煙などが〉うずを巻く. ── 名 C **1**(綱·針金などの)1巻き, 輪, とぐろ巻き. **2**《電気》コイル;(冷蔵庫などの)らせん状のパイプ配管. **3**巻き毛.
***coin** /kɔ́in/ [『鋳型』が原義]
── 名 (複 ~**s**/-z/) C 硬貨《◆ 商売の象徴. 表は head(s), 裏は tail(s) という. cf. bill[1]》;[集合名詞]硬貨(類), (俗)金(ぜ), ぜに ‖ a copper *coin* 銅貨 / Do you collect *coins*? コインを集めていますか / false *coin* にせ金 / pay *in* [*with*] *coin* 硬貨で支払う / Let's toss [flip] a *coin* to decide who should pay. 誰がお金を払うかコインを投げて決めましょう《◆ 米英ではよくコインを投げて順番を決める(日本のジャンケンに相当)》 / *Much coin, much care*. (ことわざ) お金が多ければ気苦労が多い.

事情| [米国の硬貨]		
硬貨	通称	刻まれた肖像
1セント	penny	リンカン (Lincoln)
5セント	nickel	ジェファーソン (Jefferson)
10セント	dime	F. ローズベルト (Roosevelt)
25セント	quarter	ワシントン (Washington)
50セント	half dollar	ケネディ (Kennedy)
1ドル		アイゼンハウワー (Eisenhower), アンソニー (Anthony)

[英国の硬貨]
1ペニー 2ペンス(以上銅貨) 5ペンス 10ペンス 20ペンス 50ペンス 1ポンド 2ポンド(以上白銅貨).

◆ 肖像はみなエリザベス2世(Elizabeth II)》.
── 動 他 **1**〈硬貨を〉鋳造する. **2**〈新語·うそなどを〉造り出す. ── 自 硬貨を鋳造する.
cóin it [*móney*] (*in*)《英俗式》大金をかせぐ[もうける].
cóin bòx (1)料金受け箱. (2)小型金庫.
cóin làundry コインランドリー(coin-op).
cóin pùrse 小銭入れ(→ purse 名 **1**).
cóin retùrn コイン返却口.
cóin slòt [**slìt**] コイン投入口.
†**coin·age** /kɔ́inidʒ/ 名 **1** U 硬貨鋳造(権); [集合名詞]硬貨(coins). **2** U 貨幣制度. **3** U C 造語, 新語句.
†**to·in·cide** /kòuinsáid/ 動 自 **1**〈行事などが〉〔…と〕同時(期)に起こる〔*with*〕《◆ happen [come] together の方がふつう》 ‖ His free time never *coincided with* hers. 彼と彼女の暇な時間は一致しなかった. **2**〈性質·性格などで〉一致する〔*with*〕《◆ agree の方がふつう》 ‖ *coincide in* opinion *on* that matter そのことで意見が一致する / The ideal never *coincides with* the real. 理想は現実と決して一致することはない.
†**co·in·ci·dence** /kouínsidəns/ 名 U C **1**(驚くべき·思いがけない)同時発生, 同時共存. **2**〔…との〕の一致, 暗合〔*with*〕;符合 ‖ *by a* curious [strange] *coincidence* 不思議にも偶然の一致で.
co·in·ci·dent /kouínsidənt/ 形《正式》**1**〔…と〕一致〔符合〕した, 調和する〔*with*〕. **2**〔…と〕同時に起こる〔*with*〕.
co·in·ci·den·tal /kouìnsidéntl/ 形《正式》 = coincident. **co·in·ci·dén·tal·ly** 副 (偶然)一致[符合]して, 同時的に; [文全体を修飾]偶然の一致だが.
coin·er /kɔ́inər/ 名 C 貨幣鋳造者.
coin-op /kɔ́ináp | -ɔp/ 形 『*coin-operated* の短縮語』 名 C コインランドリー(coin laundry); コイン式自動販売機. ── 形 機器がコイン式の.
†**coke**[1] /kóuk/ 名 U C 動 自 コークス. ── 動 自〈石炭が〉コークス化する. ── 他〈石炭を〉コークスにする.
coke[2], **Coke** /kóuk/ 名 『*Coca-Cola* の略』 U コカコーラ; C 1杯[1本]のコカコーラ ‖ I'd like a *Coke*. コーラを飲みたい.
cóke machìne コーラ(など飲み物)の自動販売機.
co·la[1] /kóulə/ 名 C 《植》コラ《アオギリ科の常緑樹》. **2** U C《略式》コーラ(飲料) (cf. coke[2]).
col·an·der, cul·len·-- /kÁləndər/ 名 C《料理用の》金属·プラスチック製の水切りボール.
col·can·non /kɑlkǽnən/ 名 U 《英》コルカノン《キャベツとジャガイモをバターで味つけした料理》.

‡**cold** /kóuld/ 類語 called /kɔ́ːld/ 『「温度が適温より低い」が本義』 派 coldly (副), coldness (名)
── 形 (~·**er**, ~·**est**) **1** 寒い, 冷たい, 低温の;〈人が〉寒けがする(↔ hot)《◆ 寒寒い寒いは chill, 非常に寒い状態は freezing 凍るような / icy 氷のような / nippy 《英略式》身を切るような. → cool, chilly》 ‖ Do you feel *cold*? = Are you *cold*? 寒いですか / It's

cold in this room. =This room is *cold*. この部屋は寒い / January is the *coldest* month in Japan. 日本では1月が最も寒い月だ / My hands are (as) *cold* as ice [marble, stone]. 手が非常に冷たい.

2〔物が〕**冷えた,さめた** ‖ 〘対話〙"Mike! Your breakfast's going *cold*.""Coming."「マイク,朝食が冷めてしまうわよ」「今行くよ」

3〈人・性格・行為などが〉**冷淡な,冷酷[無情]な,冷厳な,よそよそしい**(↔friendly);〘略式〙[補語として]**冷静な,平然とした**(↔warm) ‖ I got a *cold* look from her. 彼女に冷たいまなざしで見られた.

4[補語として]〈人が〉**死んだ**;〘略式〙[(out) ~]**(主に頭に打撃を受けて)無意識の**(unconscious).

gét [háve] a cóld〘略式〙〈人〉を思いのままにする,さんざんやっつける.

gò cóld all óver ぞっとするほどこわくなる[心配する].

léave a cóld〈物・事が〉〈人〉に感動[興味,感銘]を与えない,失望させる.

stóne cóld 非常に冷たい(◆普段暖かいものが冷たいことを強調する).

──**图** ~s/kóuldz/) **1** C U **かぜ,感冒**(common cold) ‖ be in bed with a *cold* かぜで床につく / I'm glad your *cold* is better. かぜがよくなってきてよかったね / He *cáught* [got (a)] *cold* yesterday. 彼はきのうかぜをひいた(◆形容詞を伴う場合は catch a bad cold のように a が必要) / She *has* a *bád* [*slíght*] *héad cold*. =She *hàs* a *bád* [*slíght*] *cóld* (*in the héad*). 彼女はひどい[ちょっと](鼻)かぜをひいている(◆(1) 前の文の方がふつう. (2) have との連語では Do you often *have* a *cold*? / Do you often *have colds*? で,後者は「何度も」という場合の言い方. (3) 「のどかぜは」a *sóre* thróat,「せきかぜは」a *cóld* in [on] the *chést*).

2 U [しばしば the ~]**寒さ;寒気,寒い天候[天気];寒け** ‖ I can't bear the *cold* of the winter here. 私はここの冬の寒さには堪えられない.

(**óut**) *in the cóld* **ただひとりで[で], 無視されて, のけ者にされて**(◆しばしば be, leave, keep, stay などの後に用いる).

──**副 1** 冷たい状態で. **2**〘略式〙完全に;きっぱりと ‖ She learned her lines *cold*. 彼女はせりふを完全におぼえた. **3**〘略式〙準備なしに.

cóld cómfort 何の慰めにもならない同情.
cóld créam コールドクリーム.
cóld cùts〘主に米〙**コールドカット**《チーズや冷肉の薄切り》.
cóld féet〘略式〙弱気, しりごみ(◆通例次の句で)‖ gèt [hàve] *cóld féet* おじけづく.
cóld físh〘略式〙よそよそしい人, 変人.
cóld fràme 冷床《加温せずに苗を寒さから保護する枠組》.
cold front /=|=⁄|=⁄〘気象〙寒冷前線.
cóld ínjury 凍傷.
cóld mèat(サラミ・ハムのような)加工肉, 冷肉《料理してから冷ましたもの. cooked [sliced] meat ともいう》.
cóld medicine かぜ薬.
cóld shòulder わざと冷たくあしらうこと(cf. cold-shoulder)‖ gíve him the *cóld shóulder* → shoulder 成句.
cóld sòre〘略式〙〘医学〙口唇(ミン)ヘルペス.
cóld stórage 冷蔵;〘略式〙(計画をしまっておく)胸(の内).
cóld stòre 冷蔵倉庫.
cóld swéat [a ~](恐怖・病気などによる)冷や汗 ‖ be in *a cold sweat* 冷や汗をかいている.

cóld túrkey (1)〘主に米式〙[副詞的に]率直に;いきなりずばっと / 〘口語〙*cold turkey* 突然きっぱりやめる. (2)〘英俗〙そっけない話[言葉].
cóld wár 冷戦(↔hot war);[the C~ W~]米ソ間の冷戦.
cóld wáve (1)〘気象〙寒波. (2) コールドパーマ(◆×cold perma は誤り).

cold-blood·ed /kóuldblʌ́did/ 形 **1** 冷酷な, 残忍な, 無情な. **2**〘略式〙寒さに敏感な. **3**〈動物が〉冷血の, 変温の. **cóld-blóod·ed·ly** 副 残酷に;寒さに敏感に.

cold-heart·ed /kóuldhɑ́ːrtəd/ 形〈人・行為が〉無情な, 不親切な. **cóld-héart·ed·ly** 副 冷淡に. **cóld-héart·ed·ness** 名 U 無情.

†**cold·ly** /kóuldli/ 副 **1** 寒く, 冷たく. **2** 冷ややかに, よそよそしく. **3** 冷静に.

†**cold·ness** /kóuldnəs/ 名 U 寒さ, 冷たさ;冷淡, よそよそしさ.

cold-shoul·der /kóuldʃóuldər/ 動 他〈人〉をわざと無視[冷視]する(cf. cold shoulder).

cold-wa·ter /kóuldwɔ̀ːtər/ 形 (水道だけで)近代的給湯設備のない;禁酒グループの.

cole /kóul/ 名 C 〘植〙アブラナ類の葉菜《セイヨウアブラナ・キャベツなど》.

Cole·ridge /kóulərɪdʒ/ コールリッジ《Samuel Taylor ~ 1772-1834;英国ロマン派詩人・批評家》.

cole·slaw /kóulslɔ̀ː/ 名 U 〘米〙コールスロー《細かく刻んだキャベツ・ニンジン・タマネギなどをマヨネーズ・ドレッシングであえたサラダ》.

col·ic /kɑ́lik | kɔ́l-/ 名 U 〘医学〙[しばしば the ~] 疝痛(セン);乳児疝痛《激しい腹痛》. **cól·ick·y** /-iki/ 形〈幼児が〉腹が痛い.

col·i·se·um /kɑ̀ləsíːəm | kɔ̀l-/ 名 C **1** 大競技場, 大演芸場. **2** [the C~] =Colosseum 1.

co·li·tis /kəláitis, kou-/ 名 U 〘医学〙大腸炎, 結腸炎.

col·lab·o·rate /kəlǽbərèit/ 動 自〘正式〙(文芸・科学の分野で)**協力[協同]する,(人と・伝記などを)合作する,共同研究する**[*with* / *on*, *in*].

col·lab·o·ra·tion /kəlæ̀bəréiʃən/ 名 **1** U 〔…との/…での〕協力, 協同;共同制作[*with* / *in*, *on*]. **2** C 合作, 共同制作品.

col·làb·o·rá·tion·ist 名 C (敵への)協力者.

col·lab·o·ra·tive /kəlǽbərèitiv | -ərətiv/ 形 協力の. **col·láb·o·rà·tive·ly** 副 協力して.

col·lab·o·ra·tor /kəlǽbərèitər/ 名 C 協力者, 共著者.

col·lage /kəláːʒ | kɔ́-/ 名 U C 〘美術〙**コラージュ**(の手法で描かれた絵).

col·la·gen /kɑ́lədʒən | kɔ́l-/ 名 U 〘生化学〙コラーゲン, 膠(ヨ)原質 ‖ *collagen* disease 〘医学〙膠原病.

col·laps·a·ble /kəlǽpsəbl/ 形 =collapsible.

†**col·lapse** /kəlǽps/ 動 自 **1**〈建物・足場・屋根などが〉(突然)**崩壊する, くずれる, 崩れる**(◆fall down より堅い語);〈人が〉崩れるように倒れる, 卒倒する ‖ The roof of the house *collapsed* under the weight of the snow. 雪の重みで家の屋根がつぶれた(=The weight of the snow *collapsed* the roof.) / A lot of buildings *collapsed* in the earthquake. 地震で多くの建物が崩壊した. **2**〈計画・事業などが〉(突然)失敗する, つぶれる ‖ Despite all her efforts, the project *collapsed*. 彼女のあらゆる努力にもかかわらずその企ては挫折した. **3**〈体力・健康が〉衰弱する ‖ He's working too hard. I'm afraid he

is going to *collapse*. 彼は仕事のやりすぎだ。そのうちダウンするのじゃないかな。 ◀(机・いすなどが)折りたためる. ──⦅他⦆〈人・物〉をつぶす，くじけさせる；〈物〉を折りたたむ. ──⦅名⦆ 1 ⓤ [時に a ~]（建物・屋根・橋・家具などの）倒壊；（事業・計画などの）崩壊，挫折 ‖ the complete *collapse* of the Soviet Union ソビエト連邦の完全な崩壊． 2 ⓒⓤ （健康などの）（突然の）衰弱；意気消沈 ‖ suffer from a nervous *collapse* 神経衰弱に陥る．

col·laps·i·ble, ‑·a·ble /kəlǽpsəbl/ ⦅形⦆ 折りたためる ‖ a *collapsible* chair 折りたたみ式いす．

†**col·lar** /kάlər | kɔ́l‑/ ⦅発音注意⦆ ⦅名⦆ⓒ 1 （服の）えり，カラー（図→ jacket）‖ a stánd‑úp [túrndòwn] cóllar 立ち[折り]えり / grab him by [in] the *collar* 彼の服のえりをつかむ（➡文法 16.1(3)）． 2 （女性の）えり飾り，首飾り；⦅戯⦆（聖職・騎士の階級章）． 3 （犬などの）首輪；（馬車馬の）首当て，はも（horse collar）． 4 ⦅動⦆ 首回りの変色部，首輪． ──⦅動⦆⦅他⦆⦅略式⦆〈人〉のえりをつかむ；…を捕える，しょっぴく；〈いやがる人〉を(話しかけるために)引き止める．

col·lar·bone /kάlərbòun | kɔ́l‑/ ⦅名⦆ⓒ ⦅解剖⦆ 鎖骨 (clavicle).

col·lar·less /kάlərləs | kɔ́l‑/ ⦅形⦆ カラー[えり]なしの．

col·late /kəléit, koul‑, kɑl‑ | kɔl‑/ ⦅動⦆⦅他⦆ 1 ⦅正式⦆…を〔…と〕対照[校合(きょう)]する〔with〕． 2 ⦅印刷⦆…のページを順にそろえる；…の落丁を調べる．

†**col·lat·er·al** /kəlǽtərəl/ ⦅形⦆ 1 〔…と〕相並んだ，平行する〔to〕． 2 〔…に〕付随する〔with〕；二次的な，間接の． 3 傍系の(↔ lineal) ‖ a *collάteral* fámily 分家． ──⦅名⦆ⓤ [時に a ~] 見返り担保．

col·lát·er·al·ize /‑àiz/ ⦅動⦆⦅他⦆ …に担保を与える．

col·la·tion /kəléiʃən, koul‑, kɑl‑ | kɔl‑/ ⦅名⦆ⓒⓤ ⦅正式⦆ 対照，校合（きょう）．

†**col·league** /kάli:g | kɔ́l‑/ ⦅名⦆ⓒ （専門職・公職にある人の）同僚，仲間(cf. companion).

****col·lect** /kəlékt/ ⦅類音⦆ correct /kərékt/ 〖共に（col）集める（lect）. cf. elect, select〗⦅派⦆ collection (名), collective (形), collector (名). ──⦅動⦆ (~s/‑ékts/; ⦅過去･過分⦆ ~‑ed/‑id/; ~‑ing) ──⦅他⦆ 1a 〈人が〉（ちらばっている）人・動物・物を**集める**(gather) (+up, together)；〈目的語はふつう複数名詞〉；〈物〉をほこりなどを集める ‖ The teacher *collected* the papers. 先生は答案用紙を集めた / The candidate *collected* about 20,000 votes. その候補者は約2万票を獲得した / The books *collected* dust. 本にほこりが積もった（→ ⦅自⦆ 1）. **b** 〈切手・骨董(こっとう)品など〉を(趣味・研究で)**収集する**《◆この意味では gather と交換不可 ⦅使い分け⦆》.

⦅使い分け⦆ **[collect, gather]**
gather は「ちらばった物を一箇所に集める」の意．collect は「研究・趣味などで集める」の意．また「署名や寄付金を集める」ときにも用いる.
I have been *collecting* [×gathering] stamps. 私は切手を収集しています．
The children are *gathering* [×collecting] flowers in the woods. 子供たちは森で花を集めています．
They *collected* [gathered] 10,000 signatures. 彼らは1万人の署名を集めた．

2 〈税金・料金など〉を**徴収する**，取り立てる；〈保険金・給料など〉を受け取る；〈寄付〉を募る ‖ They *collect* the garbage on Tuesdays. 火曜日が生ごみの収集日だ / *collect* thousands of dollars for the poor 貧しい人々のために何千ドルもの寄付金を集める．

3 〈考えなどをまとめる〉；〈勇気・自制心など〉を取り戻す；[~ oneself] 気を落ち着かせる，気を取り直す；〈馬〉を落ち着かせる ‖ He sat down and *collected* his thoughts. 彼は座って考えをまとめた / Calm down and *collect yourself*. 落ち着いて気を取り直しなさい．

4 ⦅略式⦆〈人・動物など〉を〔…に〕迎え[連れ]に行く，〔…に〕来て〈人・動物〉を連れ[持ち]去る；〈物〉を〔…から〕取ってくる（⦅主に英⦆ fetch）〔from〕‖ *collect* the rubbish ごみを収集する / I'll stop by and *collect* the parcel on my way home. 帰りに立ち寄って小包を取ってきます．

──⦅自⦆ 1 〈人・動物が〉**集まる**(+together)；〈水・ほこりなどが〉たまる，積もる《◆ gather と交換可能》(↔ disperse) ‖ Dust *collected* on the books. ほこりが本の上に積もった（→ ⦅他⦆ 1a）/ A crowd *collected* to hear the candidate's speech. その候補者の演説を聞くために大勢が集まった．

2 〔…を〕集金する，〔…の〕支払いを受ける〔on〕；〔…の〕寄付を募る〔for〕‖ *collect* on the insurance 保険金を受け取る．

colléct on delívery（米）現金引換え払い[配達時払い](で)（（英）cash on delivery）《◆⦅略⦆ COD, c.o.d. を用いるのがふつう》．

──⦅形⦆⦅副⦆ ⦅米⦆〈電話などの〉受信人払いの[で]；〈荷物が〉着払いの[で]《◆比較変化しない》‖ I'd like to make a *collect* call to Mr. Andy Smith in Chicago, please. シカゴのアンディ・スミスさんにコレクトコールしたいのですが / Call me *collect*. コレクトコールで電話をして．

col·lect·a·ble, ‑·i·ble /kəléktəbl/ ⦅形⦆ 集められる，収集[徴収]可能な． ──⦅名⦆ⓒ [~s] 文化的収集品.

col·lect·ed /kəléktid/ ⦅形⦆ ⦅正式⦆ 落ち着いた，冷静な《◆通例次の連語で》‖ stay cool, calm and *collected* 平然としている，落ち着き払っている．

col·léct·ed·ly ⦅副⦆ 落ち着いて．

***col·lec·tion** /kəlékʃən/ ⦅類音⦆ correction /kərék‑/ [→ collect] ──⦅名⦆ (⦅複⦆ ~s/‑z/) 1 ⓒ 収集物，コレクション；収蔵物 ‖ a large [big] *collection* of foreign stamps 外国切手の大コレクション．

2 ⓒ [a ~ of +ⓤ 名詞・複数名詞] 堆(たい)積，山と積まれたもの；（人の）集まり ‖ a *collection* of garbage [dirt] 残飯[ほこり]の山．

3 ⓤⓒ 収集，採集；集金；ⓒ ⦅主に英⦆ 郵便物の回集 ‖ (a) garbage [refuse] *collection* ごみ収集 / The *collection* of these coins took me nine years. これだけのコインを集めるのに9年かかった（= It took me nine years to *collect* these coins.）.

4 ⓒ （教会などの）寄付金[募金]，献金 ‖ tàke (úp) [màke] a *colléction* 募金をする / a *collection* box 献金箱，募金箱．

colléction ágency 取立業．

†**col·lec·tive** /kəléktiv/ ⦅形⦆ 1 ⦅正式⦆ 集めた，収集された；集合的な． 2 〈移民などが〉集団の，団体の；〈所有権などが〉共同の，共通の． ──⦅名⦆ⓒ 1 共同体． 2 集産主義社会；集団農場．

colléctive agréement 労働協約．

colléctive bárgaining （給料・労働条件などについて）労使間[団体]交渉．

colléctive fárm （共産国の）集団農場，コルホーズ．

colléctive nóun ⦅文法⦆ 集合名詞《committee, herd など》．

col·lec·tive·ly 副 集合[集団]的に, 団結して.
col·léc·tiv·ism 名 ⓤ 集産主義.
col·léc·tiv·ist 名 ⓒ 集産主義者.
col·lec·tiv·i·ty /kəlektívəti | kɔ̀lek-/ 名 ⓒ 集合[集団]性; ⓒ 集合[共同]体; 民衆.
col·lec·ti·vi·za·tion
†**col·lec·tor** /kəléktər/ 名 ⓒ 〔しばしば複合語で〕1 集める人[物, 機械]. 2 集金人; 徴税官 ‖ a táx colléctor 収税人. 3 収集家, マニア; 採集者 ‖ a coin collector =a collector of coins コイン収集家.

col·leen /kálí:n, -´- | kɔ́l-/ 名 ⓒ 《アイル》少女, 娘.

‡**col·lege** /kálidʒ | kɔ́l-/ 〖『仲間(colleague)の集まり』が原義〗〔類音〕courage /kə́ːridʒ/.〖『共に(col)選ぶ(lege)』. cf. colleague〗
―― 名 (複 ~s/-iz/) 1 ⓒ ⓤ **単科大学**; ⓤ ⓒ (総合大学の)学部(faculty) ‖ the College of Agriculture [Law] 農[法]学部 / a téachers còllege 教員養成大学 / the médical còllege of Yale University エール大学の医学部. 2 ⓒ ⓤ 〔広義〕大学(略 coll.); 〔形容詞的に〕大学の; 大学生用の (◆《米》ではしばしば university と区別なく用いられる) ‖ We go to college. =We are college students. =We are in [at] college. 私たちは大学生だ (◆どの大学に行っているかを問題にしているときは文脈に応じて go to a [the] college のように冠詞をつける. → university) / I hope to study history in [at] college. 大学では歴史を勉強したいと思っている (◆ at/in については → school¹ 名). 3 ⓒ 専修学校, 専門学校, 各種学校 (◆ school の上品語) ‖ a bárber(s') còllege 理容[専修]学校 / a secretarial college 秘書養成(専門[専修])学校. 4 ⓒ 《英》(Oxford, Cambridge 大学など総合大学の中で自治体として独立した) 大学, 学寮. 5 ⓒ ⓤ 《英·カナダ·豪》私立中等学校, パブリックスクール (◆校名に用いる) ‖ Eton Cóllege イートン校. 6 ⓒ (大学·専門学校などの) 校舎, 寮舎. 7 ⓒ 〔集合名詞; 単数·複数扱い〕(大学·専門学校などの) 教職員と学生全体. 8 ⓒ (共通の義務·権限·目的を持つ職業人の) 団体, 協会, 学会 ‖ the Royal College of Surgeons 英国外科医師会.

col·le·gi·an /kəlíːdʒiən, -dʒən/ 名 ⓒ 大学生; 最近の大学卒業生; 団体[協会, 学会など]の一員.
col·le·gi·ate /kəlíːdʒiət/ 形 〔正式〕大学の; 大学生(用)の (◆ college を用いることが多い).

†**col·lide** /kəláid/ 動 ⓐ 1 〔動いている物·人同士が〕〔物·人と〕(激しく)衝突する, ぶつかる〔with〕(cf. crash) ‖ The cars collided head-on in the fog. 霧の中で車が正面衝突した (◆ with 句を伴わない単数主語は不可: ×The car collided.》 / The bus collided with a lorry. =The bus and a lorry collided. バスがトラックとぶつかった. 2 〔比喩的に〕〔…と/…について〕衝突する, 一致しない(clash)〔with/over〕‖ I collided with the boss over the new project. 新しい企画について私は上司と意見が合わなかった.

†**col·lie** /káli | kɔ́l-/ 名 ⓒ 〔動〕コリー《スコットランド原産の牧羊犬》.
col·li·er /káljər | kɔ́liə/ 名 ⓒ 《主に英》1 (炭鉱の)坑夫. 2 石炭船, 石炭船の船員.
col·li·er·y /káljəri | kɔ́l-/ 名 ⓒ 《主に英》炭鉱《施設なども含む》.
†**col·li·sion** /kəlíʒən/ 名 ⓒ ⓤ 1 〔…との/…の間の〕衝突〔with/between〕‖ a héad-òn collision between two buses バス同士の正面衝突 / cóme into collísion with an oil tanker 石油タンカーと衝突する. 2 〔通例 a ~〕〔…との/…の間の〕対立, 食い違い(clash)〔with/between〕‖ a collision of interests [views] 利害[意見]の対立.
collision còurse (弾道彈などの)衝突進路; [比喻的に] 衝突経路 ‖ be on a collision course with … …と衝突必至である.

col·lo·cate /kálokèit | kɔ́l-/ 動 ⓗ …を並べる, 配置する. ―― ⓐ 〔文法〕〔…と〕連語を成す, 共起する〔with〕.
col·lo·ca·tion /kàləkéiʃən | kɔ̀l-/ 名 1 〔正式〕並置, 配列. 2 ⓒ ⓤ 〔文法〕コロケーション, 連語(関係).
col·loid /káloid | kɔ́l-/ 名 ⓒ ⓤ 〔化学〕コロイド, 膠(こう)質. **col·loi·dal** /kəlɔ́idl/ 形 コロイド状[膠(こう)質]の.
col·loq. (略) colloquial(ly); colloquialism.
†**col·lo·qui·al** /kəlóukwiəl/ 形 口語(体)の, 話し言葉の; 日常会話の (↔ literary).
col·lo·qui·al·ism /kəlóukwiəlìzm/ 名 ⓤ 口語[談話]体; ⓒ 口語的表現. **col·ló·qui·al·ly** 副 口語(体)で.
col·lo·qui·um /kəlóukwiəm/ 名 (~s, -·qui·a /-kwiə/) ⓒ (専門家などの)会合.
†**col·lo·quy** /káləkwi | kɔ́l-/ 名 ⓒ ⓤ 〔正式〕(正式な)会談, 協議; (格式ばった)会話; 対話.
col·lude /kəlúːd/ 動 ⓐ 〔正式〕〔…と〕共謀する〔with〕.
col·lu·sion /kəlúːʒən/ 名 ⓤ 〔正式〕〔…との/…の間の〕共謀, なれ合い〔with/between〕.
col·lu·sive /kəlúːsiv/ 形 共謀の.
Co·logne /kəlóun/ 名 1 ケルン《ドイツ西部の都市. ドイツ名 Köln》. 2 〔時に c~〕ⓤ =eau de Cologne.
Co·lom·bi·a /kəlámbiə | kəlɔ́m-/ 名 ⓒ コロンビア《南米北西部の共和国. 首都 Santafé De Bogotá》.
Co·lom·bo /kəlámbou/ 名 コロンボ《スリランカのもとの首都·海港》.
†**co·lon¹** /kóulən/ 名 ⓒ コロン《:》《句読点の1つ. 主な使用法: (1) 説明句·引用句の前, (2) 対句の間, (3) 時刻(9:15), (4) 対比数字(2:3) (◆ two to three と読む) など》.
co·lon² 名 (複 ~s, co·la /-lə/) 〔医〕結腸.
†**colo·nel** /kə́ːrnl/ 〔発音注意〕〔同音〕 kernel) 名 ⓒ 〔軍事〕(陸軍, 空軍, 海兵隊)大佐; 《英》陸軍大佐, 連隊長.

†**co·lo·ni·al** /kəlóuniəl/ 形 1 植民地の, 植民地風の; 植民地人に特有な; 〔しばしば C~〕《米》英国植民(時代)の; 古めかしい ‖ a colonial policy 植民地政策 / release a country under colonial rule 植民地支配下にある国を解放する. 2 〔生物〕群落[群生]の. ―― ⓒ 植民地住民.
co·lo·ni·al·ism /kəlóuniəlìzm/ 名 ⓤ 植民地主義, 植民政策; 植民地風[気質]. **co·ló·ni·al·ist** 名 ⓒ 植民地主義者; 植民地住民.
†**col·o·nist** /kálənist | kɔ́l-/ 名 ⓒ 植民地開拓者, 入植者; 植民地住民.
†**col·o·ni·za·tion** /kàlənəzéiʃən | kɔ̀lənai-/ 名 ⓤ 植民地化; 植民(地)状態.
†**col·o·nize**, 《英でしばしば》**-nise** /kálənàiz | kɔ́l-/ 動 ⓗ …に植民地を建設する. ―― ⓐ 入植する. 2 〔生物〕〈生物が〉新しい生育場所に移住する, コロニーを形成する. **cól·o·ni·zer** 名 ⓒ 植民地開拓者.
col·on·nade /kàlənéid | kɔ̀l-/ 名 1 ⓒ 〔建築〕コロネード, 列柱, 柱廊. 2 並木.
•**col·o·ny** /káləni | kɔ́l-/ 〖『耕作する人』が原義〗 colonial (形), colonist (名)

—名 (複 --nies/-z/) **1** ⓒ **a** 植民地；[the Colonies][米史](独立により合衆国を形成した)東部13州の英国植民地 ‖ 日本発 Japan occupied Taiwan, the Korean Peninsula and other regions as *colonies*. 日本は台湾・朝鮮半島などを植民地として支配していた. **b** 属国, 海外領土；[単数・複数扱い]その住民.
2 ⓒ 居留地, [単数扱い]居留民；[複合語で]…人街, …村 ‖ the Japanese *colony* in Los Angeles ロサンゼルスの日本人街 / an artists' *colony* 芸術家村.
3 ⓒ[集合名詞]植民；移民, 移住者.
4 ⓒ[生物]群落, 群生；[動](鳥類などの)集団営巣地 ‖ a *colony* of ants アリ群集.

†**col·o·phon** /kάləfən, -fən | kɔ́ləfən, -fɔn/ ⓒ《正式》**1** (古書の)奥付. **2** 出版社の社章.

***col·or,** 《英》**--our** /kʌ́lər/ [発音注意] [類音] collar | kάlər | kɔ́lə/) (派 colorful (形)
—名 (複 ~s/-z/)
I [色]
1 ⓒⓊ 色, 色彩, 色調；[形容詞的に]色の, 色彩の, 色つきの(cf. monochrome) ‖ primary *colors* 原色《光の場合は赤・緑・青. 絵の具の場合は赤・青・黄》/ Do you have another shirt in the same *color* and size? 同じ色とサイズのシャツがもう1枚ありますか / What *color* is her car? 彼女の車は何色ですか / How many *colors* does a rainbow have? にじはいくつの色からなっていますか.

> [関連] (1) 明度差を表すには light, medium, dark, 彩度差には grayish, moderate, strong, vivid を用いる. 明度差と彩度差の両者を表すには brilliant (light と strong を表す), pale (light と grayish を表す), deep (dark と strong を表す)などを用いる.
> (2) 色の名詞は通例Ⓤであるが主要色ではⓒも用いる：a color scheme dominated by a variety of blacks and grays さまざまな黒やグレーを基調にした配色.

2 ⓒⓊ 絵の具, 顔料, 染料, 口紅 ‖ paint in oil [water] *color*(s) 油[水彩]絵の具で描く / Do you have a deeper *color*? もっと濃い色の口紅はありませんか.
II [肌の色]
3 Ⓤ (時に a ~) (主によい) 顔色, 血色；頰の赤らみ ‖ The boy *has* a good *color*. その少年は血色がよい / She had no *color* in her cheeks. 彼女の頰には赤味がなかった / The good news brought *color* to her cheeks. 朗報で彼女の頰に赤味が戻った.
4 ⓒ 皮膚の色；Ⓤ (有色人種, 主に黒人の)肌の色；[形容詞的に]肌の色の ‖ a person of *color* 有色の人, 非白人 / people of all *colors* あらゆる皮膚の色の人たち / *color* prèjudice (有色人種, 特に黒人に対する)肌の色による偏見.
III [団体を表す色]
5 [the ~s] 国旗, 軍旗, 連隊旗, 船舶旗；[軍事]国旗[軍旗]掲揚[降納]式；軍隊 ‖ the Queen's [King's] *colors* 英国国旗 / desert one's *colors* 脱営する / serve (with) the *colors* 兵役に服する.
6 [~s] (象徴を示す)色；(クラブ・学校・チーム・政党などの)服, 帽子, バッジ, リボン ‖ my school *colors* 私の学校色《服・帽子などに用いる色》.

[表現] 抽象的な意の「カラー」は color を用いず, 次のようにいう：I like the atmosphere [feeling] at this school. この学校のスクールカラーは好きだ.
IV [その他]
7 Ⓤ 外観, 外見, 姿；もっともらしさ；口実 ‖ His lie has some *color* of truth. 彼のうそには本当らしく思えるところがある. **8** Ⓤ (人格・文学作品などの)精彩；味, 気分；特色 ‖ His description of characters in his novel lacks [has] *color*. 彼の小説の人物描写は精彩を欠いて[に富んで]いる.

appéar in one's **trúe cólors** =show one's (true) COLORs.
chánge cólor (1) 〈動物が〉変色する. (2) 〈人が〉青ざめる；顔を赤らめる.
displáy one's (**trúe**) **cólors** =show one's (true) COLORs.
gíve cólor to A 〈話など〉をもっともらしく見せる.
háve a high cólor 顔を紅潮させている.
in (**fúll**) **cólor** (映画などが白黒でなく)カラーの[で].
in one's **trúe cólors** ありのままの姿で.
***lóse cólor** 〖顔色(color 3)を失う〗〈人が〉(恐怖・病気などで)青ざめる.
náil one's **cólors to the mást** (決意・意見などを)最後まで固守する.
óff cólor (1) 《略式》健康をそこなって, 気分が悪い《ふつう be, feel, look, seem などの補語として用いる》. (2) 〈話・冗談などが〉いかがわしい.
shów [**revéal**] one's (**trúe**) **cólors** 《略式》本性を現す.
stíck to one's **cólors** 《略式》自分の意見[決意, 党など]に忠実である[固執する].
únder cólor of A …という口実のもとに.
—動 働 **1** 〈物〉に(クレヨン・絵の具・鉛筆などで)色をつける[塗る](*with*)；[color A C] A〈物〉を C〈ある色〉に染める[塗る]；〈顔など〉を紅潮させる(↔ discolor). **2** 《正式》〈話など〉を潤色する, 間違って伝える, 誇張する(exaggerate) (+*up*). **3** 〈意見・文章など〉を特徴づける.
—自 **1** 〈人が〉(当惑・いらだちなどで)顔を赤らめる, 赤面する(+*up*) ‖ She *colored* (*up*) at my compliments. 私がほめたので彼女は赤面した. **2** 〈果実・木の葉が〉色づく；〈物〉の色が変わる.
cólor ín [他] 〈絵・形など〉に色を塗る.
cólor bòx 絵の具箱.
cólor film カラーフィルム.
cólor TV カラーテレビ.

†**Col·o·ra·do** /kὰlərǽdou, -rά:- | kɔ̀lərά:d-/ 名 コロラド《米国西部の州. 州都 Denver. (愛称) the Centennial State. 略 Colo., Col., [郵便] CO》; [the ~] コロラド川.
col·or·a·tion /kʌ̀ləréiʃən/ 名 Ⓤ **1** 色合い；自然の色. **2** 着色(法), 彩色(法).
col·o·ra·tu·ra /kʌ̀lərətjúərə | kɔ̀l-/〖イタリア〗[音楽] ⓒ Ⓤ 〖名〗 コロラトゥーラ(の)《声楽の装飾的旋律》；その楽曲(女性)歌手(の).
col·or·blind /kʌ́lərblàind/ 形 色盲の.
cólor·blind·ness 名 Ⓤ 色盲.
col·or·cast /kʌ́lərkæ̀st | -kὰ:st/ 《米》名 Ⓤ ⓒ カラーテレビ放送. —動 (過去・過分 col·or·cast or ~ed) 他 自 〈番組〉をカラーで放送する.

†**col·ored** /kʌ́lərd/ 形 **1** 色のついた, 着色した《◆黒・白は除く》；[複合語で]…色の ‖ a créam-*còlored* swéater クリーム色のセーター《◆赤・青など基本的な色については単に a red sweater などでよい》. **2** [しばしば C~] 《今はれ》(侮蔑)有色人種の,

(特に)黒人の《◆1950年代まで用いられたが現在では African-American が最も穏当な語. → Negro, black, Afro-American, African-American》. (南ア)(黒人と白人との)混血(人種)の.
——名 C 1 [通例 ~s; 俗用的に] [(しばしば蔑)] 有色人; [the ~; (PC) black person); [the ~; 複数扱い] 有色人種;(特に)黒人((PC) black race).
2 [しばしば C~] (南ア) 白人と黒人との混血の人.
cólored ràces 有色人種.

col・or・fast /kʌ́lərfæst | -fɑ̀ːst/ 形 色の落ちない[さめない], 変色しない.

*__col・or・ful__ (英) -our- /-fl/ [→ color]
——形 **1** (模様などの)色とりどりの, カラフルな; 派手な (↔ colorless). **2** (話などが)生き生きとした, 興味深い; 絵のように美しい ‖ *colorful* descriptions of his adventures 彼の冒険の生き生きとした描写.
cól・or・ful・ly 副 生き生きと.

†**col・or・ing** (英) -our- /kʌ́ləriŋ/ 名 U **1** 着色(法), 彩色(法). **2** 着色剤, 染料, 顔料, 絵の具 ‖ food *coloring* 食品着色料.
cóloring bòok ぬり絵帳.

*__col・or・less__ (英) -our- /kʌ́lərləs/ 形 **1** 無色の, 色のない (↔ colorful). **2** (正式) 退屈な, 生彩のない (dull). **3** (人・顔・ほおなどが)青白い, 色ざめた, くすんだ色の.

co・los・sal /kəlɑ́sl | -lɔ́s-/ 形 **1** 巨大な, 膨大な. **2** (略式) [しばしばおおげさに] すばらしい, 驚くべき.

Col・os・se・um /kɑ̀ləsíːəm | kɔ̀l-/ 名 [歴史] [the ~] コロッセウム《古代ローマの円形競技場; 紀元80年の建造物で今は遺跡》. **2** [c~] C =coliseum 1.

co・los・sus /kəlɑ́səs | -lɔ́s-/ 名 (複 -si/-sai/, ~es) C **1** 巨像; [the C~] アポロ神の巨像. **2** 巨大なもの; 大国, 大会社; 偉人.

‡**col・our** /kʌ́lə/ (英) 名 動 =color.
*__col・our・ful__ /kʌ́ləfl/ 形 (英) =colorful.

†**colt** /kóult/ 名 C **1** 雄の子ウマ[ロバ, ラバ]《ふつう4歳未満のもの》(↔ filly). **2** (略式) 未熟者, 青二才, 若造.

Colt /kóult/ 名 C (商標) コルト式自動拳銃.

†**Co・lum・bi・a** /kəlʌ́mbiə/ 名 **1** コロンビア《米国 South Carolina 州の州都》. **2** [the ~] コロンビア川 (Columbia River)《太平洋に注ぐ川》. **3** (文) コロンビア《アメリカ(合衆国)を擬人化した呼び名; 赤・白・青の服を着た女性で表した. cf. Uncle Sam》.
[関連] Albion / Caledonia / Cambria / Hibernia.

col・um・bine /kɑ́ləmbàin | kɔ́l-/ 名 C [植] オダマキ.

Co・lum・bus /kəlʌ́mbəs/ 名 **1** コロンブス《Christopher ~ 1451?-1506; イタリアの航海者. 1492年, 北米に到達》. **2** コロンバス《米国 Ohio 州の州都》.
Colúmbus Dày (米)コロンブス(米大陸上陸)記念日《多くの州では10月の第2月曜日で法定休日. Discovery Day ともいう》.

†**col・umn** /kɑ́ləm | kɔ́ləm/ [発音注意] 名 C **1** [建築] 円柱, 柱. **2** 円柱状の物; (煙などの)柱; (そろばんの)けた ‖ a *column* of mercury (温度計の)水銀柱. **3** (新聞・雑誌・辞書などの)縦の欄[段]; 定期特定テーマ(寄稿者)欄, 定期特約寄稿欄; コラム(略 col.) ‖ The news of the safe return of the Space Shuttle runs across 5 *columns* in the newspaper. スペースシャトルが無事地球に帰還したニュースは新聞に5段にわたって載っている / a sports [personal] *column* スポーツ[個人消息]欄. **4** [数学] (行列の)列 (↔ row); [印刷] 1ページ中の各段.

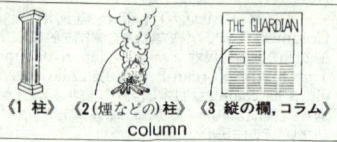

〈**1** 柱〉 〈**2** (煙などの)柱〉 〈**3** 縦の欄, コラム〉
column

co・lum・nar /kəlʌ́mnər/ 形 **1** 円柱の, 円柱状に作った. **2** (新聞のように)縦組式に印刷した.

col・um・nist /kɑ́ləmnist | kɔ́l-/ 名 C (新聞・雑誌などの)特約寄稿家, 特別欄担当者, コラムニスト.

COM, com (略) [コンピュータ] computer-output on microfilmer [microfilmer, microfiche] コンピュータ出力マイクロフィルム.

com- /kəm-, kɑm- | kɔm-, kəm-/ [語要素] =語要素一覧.

co・ma /kóumə/ 名 U C [医学] 昏(こん)睡(状態) ‖ go into a *coma* 昏睡状態になる.

Co・man・che /kəmǽntʃi/ 名 **1** (複~, ~s) C [the ~ (s)] コマンチ族; C コマンチ族の人《北米先住民》; U コマンチ語.

co・ma・tose /kóumətòus, kɑ́m+ | kɑ́-/ 形 [医学] 昏(こん)睡性の, 昏睡状態の.

*__comb__ /kóum/ [発音注意] [[歯の立ったもの]が原義]
——名 (複 ~s/-z/) C **1** (金属・プラスチック・骨・竹製の)くし(櫛); (馬・羊毛などの)梳(す)き具; 馬梳; [a ~] くしで梳くこと ‖ the teeth of a *comb* くしの歯 / Your hair needs a good *comb*. くしで髪をよくとかしなさい. **2** (鶏の)とさか(状の物) (図 → chicken); 波がしら.
——動 (~s/-z/; 過去・過分 ~d/-d/; ~ing)
——他 **1** ~を梳く; 毛のもつれなどをくしでとかす (+out). **2** ~を梳き具で梳く. **3** (略式) 〈場所〉を[…を求めて]徹底的に捜査する (search) (+through) (for).
——自 〈波が〉[…の上に]波がしらを立てて逆巻く (over).
cómb óut [他] (略式) (1) 〈不純物など〉を[…から]取り除く (from). (2) 〈不要な人員・物〉を整理する; (組織など)から不要な人・物を取り除く (from). (3) 〈情報など〉を調べ出す. (4) → [他] **1**.

*__com・bat__ 名 kɑ́mbæt, kʌ́m- | kɔ́m-, kʌ́m-; 動 kəmbǽt, kɑ́mbæt, kʌ́m- | kɔ́mbæt, kʌ́m-/ [《共に (com) 打つ (bat). cf. battle》]
——名 (複 ~s/-bæts/) C U […の間の]戦闘, 闘争, 論争 (between) (cf. battle) ‖ single *combat* 一騎打ち[死闘] / a trial by *combat* 決闘裁判 / in *combat* 戦闘中.
——動 (~s/-bæts/; 過去・過分 --bat・ted /-id/; --bat・ting) 《◆ (米) では t を重ねないこともある》(正式)
——他 〈…〉と戦う, 〈…〉を撲滅しようと努める, 〈…〉に立ち向かう ‖ *combat* inflation [ignorance] インフレ[無知]と戦う.
——自 […を得るために/…に対抗して] 戦う, 奮闘する (fight) (for / against, with) ‖ *combat* for one's rights 権利を勝ちとるために戦う / *combat* against disease 病気と戦う.

†**com・bat・ant** /kəmbǽtnt, kɑ́mbətənt | kɔ́mbətənt, kʌ́m-/ 名 C (正式) 戦闘員. **2** 闘士. ——形 **1** 戦っている, 戦う. **2** 好戦的な, 戦闘的な.

com・bat・ive /kəmbǽtiv | kɔ́mbətiv, kʌ́m-/ 形 (正式) 闘争的な, 好戦的な, 好戦好きな.
com・bát・ive・ly 副 好戦的に.

comb・er /kóumər/ 名 C **1** (羊毛や綿を)梳(す)く人, 梳き機械[道具]. **2** 寄せ波, 砕け波.

*__com・bi・na・tion__ /kɑ̀mbənéiʃən | kɔ̀m-/ [[2つ

(bin)をいっしょにする(com)こと】
——名 (複 ~s/-z/) **1** ⓒⓊ **結合(体)[状態], 組み合わせ, 合体(体), 連合；チームワーク；連係動作** ‖ Gray is a *combination* of black and white. 灰色は黒と白との配合である / a good *combination* between work and play 勉強と遊びをうまく組み合わせること / *enter into combinátion with* …と協力する / *in combinátion with* a partner パートナーと共同[協力]して / His strength and her intelligence make a good *combination*. 彼の力と彼女の頭のよさはいい組み合わせだ. **2** (英)[~s] コンビネーション《シャツとズボン下[スリップとパンティ]が続いている下着》. **3** Ⓤ (化学)化合；ⓒ 化合物; (数学)組み合わせ.
combinátion lòck (数字や文字の組み合わせの)ダイアル錠.
†**com·bine** /動 kəmbáin; 名 kámbain | kəm-/ 動 ⑯ [combine **A** (with **B**)] **1** 〈人などが〉**A**〈物・事〉を〈**B** 〈物・事〉と〉**結合させる**(+*together*), 合併[連合]させる；…を組み合わせる, 兼ね備える, 合わせ持つ ‖ *combine* factions *into* a party 党派を合体して一党にする / *combine* theory *with* [and] practice 理論を実践と結びつける / work (which is) *combined with* pleasure 娯楽を兼ねた仕事. **2** (化学)…を〈…と〉**化合させる, 結合させる**(+*together*) (*with*).
——⑯ **1** 〈物などが〉〔…に対して〕**結合する；合同[合併]する；同時に起こる, 〈人々が〉〔…と〕団結する**(*with*, *against*)；(化学)化合する ‖ The factory workers *combined* to oppose the change. 工場の労働者は団結してその改革に反対した.
——名ⓒ **1** 企業合同, (政治上の)合同；[単数・複数扱い] 合同体[企業]. **2** (略式) =combine harvester.
combíne hàrvester 刈り取り脱穀機, コンバイン.
combíning fòrm (文法)**連結形**《*biology, biochemical* の *bio* の単独では用いられない複合語の構成要素》.
com·bo /kámbou | kɔ́m-/ 名 (複 ~s) ⓒ (略式)[単数・複数扱い] 小編成のジャズ楽団, コンボ.
comb-out /kóumàut/ 名ⓒ (略式)[通例 a ~] (髪の)セット, 結い上げ.
†**com·bus·ti·ble** /kəmbʌ́stəbl/ (正式) 形 **燃えやすい, 可燃性の；興奮しやすい**(↔ incombustible).
——名ⓒ [通例 ~s] 可燃物.
†**com·bus·tion** /kəmbʌ́stʃən/ 名Ⓤ **1** 燃焼; (有機体の)酸化. **2** 激動, 大騒ぎ.
combústion chàmber (エンジン内の) 燃焼室.

come /kʌ́m/
『他動詞 bring に対応し, 発話が行われた時点または発話の中で示された時点に come の主語が話し手の所へ「来る」または聞き手の所へ「行く」が本義(↔ go). 現 coming (形)』

index
動⑥ 1 来る	2 着く	3 達する	4 現れる
5 出身である	6 到来する	7 起こる	
8 心に浮かぶ	9 入手できる	11 なる	
13 …するようになる			

——動 (~s/-z/; 過去 **came**/kéim/, 過分 **come**; **com·ing**)
——⑥
Ⅰ [来る]
1a 〈人・動物・車などが〉(話し手の方へ)(やって)**来る**；(聞き手の方へ)**行く** ‖ 対話 "*Come* downstairs. Dinner's ready." "*I'm cóming.*" 「下へ降りておいで, 夕食ですよ」「今行きます」◆ ▨「聞き手の所に近づく」場合に come を用いる. この場合 ×I'm going. とはいわない / *Come* to my office. 私のオフィスに来なさい(そこで待っていますから) ◆ Go to my office. は話し手がオフィス以外の地から聞き手に指令 / Are you coming to the meeting? あなたは会にいらっしゃいますか ◆ 会が話し手の家で開かれるか, 話し手も会に行くことを決めている場合. going を用いるとこのような含みはない / I'll *come to* the party. パーティーに出席します ◆ 聞き手の主催するまたは出席予定のパーティーについていう発話で, go では関係のない相手に述べていることになる. cf. I'll *bring* (along) my sister to the party. (→ bring 働 **2**) / We're going *to* the movies tonight. Would you *come* (along) with us? 今晩映画へ行きます. ご一緒にいらっしゃいませんか / Could I *come* with you, Mother? お母さん, 一緒に行ってもいい ◆ 相手と同行する場合にも好んで用いられる / I'm *coming to* Kobe next week. 《手紙で遠方の友人へ》来週神戸へ行きます ◆ I will *come* there next week. のように「そちらに参ります」も可 / Mary asked me *to come* "to her party [to see her], but I didn't. メリーはパーティーに[会いに]来てほしいと言ったが, 私は行かなかった《◆ didn't の後に省略されている語は go》.
b [come and do] …をしに来る[行く] ‖ *Come and* pick me at seven. 7時に迎えに来て / ***May I come and visit you?*** (電話で)おうかがいしてよろしいですか → come and do (成句).
c [come doing] …しながらやってくる《◆ doing は現在分詞》‖ Two dogs *came* running toward me. 犬が2匹私の方へ走って来た.
2 〈人・乗物などが〉(ある場所に)**着く, 到着する**(arrive) ‖ What time does the next train *come*? 次の列車は何時に着くのですか / Go straight until you *come* to a crossroads. 交差点に行き着くまでまっすぐ行きなさい.
3 [come to **A**] 〈物〉が〈物〉に**達する, 届く**(+*down, up*) ‖ His hair *comes* (*down*) to his shoulders. 彼の髪は肩まである / My son *comes* (*up*) to my shoulder. 息子の背は私の肩までる.
4 〈物〉が**現れる, 生じてくる；〈子供〉が生まれる** ‖ The moon *came* and went. 月が見えたり, 隠れたりした.
5 [come from [of] **A**] 〈人〉が〈場所・家族〉の**出身である** ◆ 当該者が存命中の時は形で用いる. be 動詞と交換可能；〈物〉が〈場所〉の**産である, …からとれる, …の製品である, 〈習慣・生活様式〉などが…から来ている, …が元になっている；〈事〉が〈事〉に由来する ‖ He *comes from* [*of*] a very good family. 彼は名門の出である《◆ *of* はやや堅苦しく《主に英》》/ ***Where do you cóme from?*** どこの出身ですか (=Where are you *from*?) ◆ (1) 大まかな質問なので, 国籍を聞いているのか, 都市とか町の名を聞いているのかあいまい. 場合によっては Where did you *cóme* from? (さきごろまでどこにいましたか) の意にもなる. (2) ×From where do you come? とはいわない. (3) 国籍を聞くときは What is your nationality?, 国籍がわかっているときは What city [state, part of America] do you come from? のように聞くとはっきりする》.
6 〈時・事柄〉が**到来する**, 近づく；〈順序として〉くる；〈順序が回って来る〉 ‖ Monday *comes* after Sunday. 月曜日は日曜日の次に来る / Our wedding anniversary is *coming* soon. 私たちの結婚記念日はもうすぐです / Spring has *come*. 春が来た(=

Spring is here. / Spring is now with us.) (→文法 6.1(1)) / *The time may come when people will have used up all the oil.* 人間がすべての石油を使い切ってしまうことが訪れるかもしれない 《◆ when は関係副詞でその先行詞は the time. →文法 20.4》 / *Your turn comes last.* あなたの番は最後です.

7 〖事が〗(結果として)**起こる**(happen) ‖ *This kind of accident comes when you are careless.* この種の事故は注意しなければ起こる / *Whatever may come,* I will stay. どんなことが起こっても私はとどまるよ(=〖正式〗*Còme what máy* [*will*], ... / *Whatever happens,* ...).

8 [come (**to** [**upon**]) **A**] 〖考えなどが〗〖〈人〉の〗心に浮かぶ; [come into **A**] 〖心・頭〗に浮かぶ ‖ *Suddenly an idea came to me.* 突然ある考えが彼の心にひらめいた / *An answer came into her mind at once.* すぐさま返答が彼女の心に浮かんだ / *It suddenly came to [upon] me that I had once been here.* 一度ここに来たことがあると私はふと思った.

9 [come in **A**] 〖商品などが〗〖容器・大きさ・色などで〗**入手できる**, 売られる, 生産される ‖ *Beer comes in bottles and cans.* ビールはびん入りとかん入りで売られている / *This coat comes in "all sizes* [*three colors*].* この上着はすべてのサイズ[3色]そろっている.

10 〖命令形・間投詞的に〗さあ, これ, おい, よせ, 考えなおせよ, 落ち着け 《◆怒り・いらだち・抗議・非難などの感じを表す》 ‖ *Come, come, you shouldn't do that.* これ, これ, そんなことはよせ / *Oh, come now.* まさか(本当にそう言っているんじゃないでしょうね) 《◆相手の言ったことに対する不信と拒絶》.

‖ [ある状態に至る]

11 [come **to** [**into**] **A** / come **as A**] 〖人・事・物が〗〖状態・事態〗になる《◆(1)固定した表現に多い. (2) into の後の **A** はふつう Ⓤ 名詞》 ‖ *come to blows* けんかを始める / *come to his aid* [*assistance, help*] 彼を助ける 《◆ come to aid him は「彼を助けに来る」》 / *come into blossom* [*flower*] 〖木・枝が〗花を咲かせる / *I don't know whát things are coming to.* 〖略式〗事態がどうなるのかわからない.

〖関連〗〖類例〗**come to A**: *come to grief*〖略式〗〖計画などが〗失敗に終わる; 〖人などが〗ひどい目にあう, 事故にあう / *come to a halt* [*standstill*]〖車・工場などが〗止まる / *come to light*〖正式〗〖事実などが〗明らかになる.
come into A: *come into bud* [*leaf*]〖木・枝が〗芽をふく[葉を出す] / *come into fashion* [*vogue*] 流行してくる / *come into sight* [*view*] 現れる.

12 [come **C**] 〖物・事が〗**C になる**《◆ **C** は形容詞または分詞. 名詞の場合は come to [into] (→ **11**)》 ‖ *His dream came true.* 彼の夢は実現した / *The doorknob* [*hinge*] *has come loose.* ドアの取っ手[ちょうつがい]がゆるんできた / *My bow tie came undone.* ちょうネクタイがほどけた.

語法 (1) 〖go + **C** との比較〗go [×come] *bad* [*rusty, wild, mad, wrong*]; come [×go] *undone* [*unfastened, unhinged, untied, loose*]《◆過去分詞の場合は un- で始まるものが多い》. (2) 上記に類する以外の形容詞は come と共に用いることは不可; become [get, ×come] *angry* [*anxious, cold, accustomed, etc.*]. → **13** 語法.

13 [come **to do**] 〖人などが〗…**するようになる**《◆ do は know, love などの状態動詞》; …するはめになる(→ *get* 自 **4 a**) ‖ *I came to know him on board the ship.* 船の中で彼と知り合った 《◆ ×*I became to know ...* は誤り》.

語法 (1)「習得して…するようになる」は learn to do: *She learned to swim.* 彼女は泳げるようになった. (2)「…しなくなる」は stop doing: *I* 「*stopped smoking* [×*came not to smoke*]. (3) come to be + 形容詞は避けられる: *She* 「*became angry* [×*came to be angry*]. → **12** 語法.

━━ 他 **1** 〖英略式〗〖通例 ~ the + 名詞[形容詞]〗〖人の役を演じる, 〖…に対して〗…ぶる《*over, with*》‖ *Don't come the bully* [*schoolmaster*] *with me.* 私にえらそうにするな[先生のような口をきく]な. **2** 〖英略式〗〖物・事〗をする《◆非難の気持ちを含む》‖ *Don't come such nonsense.* そんなばかなことをするな. **3** 〖年齢に達する〗‖ *She is coming ten (years old).* 彼女は10歳になります.

as ∴ as they cóme 非常に…, 最高に… 《◆… は人の性質をあらわす clever, stupid, careless, forgetful などの形容詞》

*còme abóut 自 (1) 〖近くに〗(about 副 **2 b**) 現れる(come 自 **4**)》 (2) 〖予期せぬ〗事が**起こる**, 生じる(happen)《◆ it を主語とし that 節を従えることが多い》‖ *How did the accident come about?* どうしてその事故は起こったのか / *Why did it come about that you were late?*〖文〗遅かったのはどうしてですか(=*Why were you late?*). (2) 〖風が〗〖…へ〗向きを変える 〖into, to〗; 〖船が〗向きを変える.

*còme acróss 〖相手側に〗(across 副 **1 b**) 伝わる〗 自 (1) 〖人・話・声などが〗理解される, 印象を与える. (2) 〖略式〗〖ふるまいなどから〗〖人に〗〖…だと〗思われる 〖to/as〗 《◆ as の後は副詞・形容詞・名詞》‖ *He came across (to us) as (being) honest.* 彼は(私たちには)正直だと思われた. (3) 向こうから〖渡って〗来る. ━━〖自〗(**A**) (1) 〖**A**〈人〉と交差する〗(across 前 **4**)》 (2) 〖**A**〈人・物〉に(偶然)**出くわす**, 会う, …を見つける; 〖考えなどが〗〖人・心〗に浮かぶ《◆受身不可》‖ *Where did you come across those rare stamps?* その珍しい切手はどこで見つけたのですか / *You came across my mind.* あなたのことが頭に浮かんだ. (3) …を渡って[向こうから]来る.

cóme áfter **A** (1) → 自 **6**. (2) 〖略式〗〈人〉を追跡する. (3) …を誘い[取り, 探し]に来る.

cóme agáin (1) 帰る, 戻る. (2) [*C~ agáin?*]〖略式〗もう一度言ってください, 何とおっしゃいましたか; ほんとうかい, うそじゃないだろうね.

còme alóng 〖自〗(1) 〈人・機会などが〉(偶然)やって来る, 現れる. (2) 〖様態を表す副詞(句)を伴って〗〈人が〉〖…を〗運ぶ《*with*》; 〖略式〗〈人・仕事などが〉進歩する(progress); 〈植物が〉(特に花の段階で)育つ; 〈人が〉元気になる《◆ *along* の代わりに *on* も用いる》. (3) 〈人が〉〖…へ〗ついてくる〖*to*〗 《◆しばしば短い距離の場合に用いる》. (4) 〖…に〗同伴する〖*with*〗 ‖ *Come shopping along with us to go shopping.* (もしよかったら)いっしょに買物に

きませんか《◆Let's go shopping. では何か計画があって「さあ, 行こう」という感じ》. (5)《略式》[…に]参加する, 出席する. (6)《略式》《通例命令文で》(a) 急げ, もっと努力せよ;しっかりしろよ, 元気を出せよ;ねえ, 君, いいかい;ちょっと待って;まさか《◆Come on (now)!》ともいう. (b)[…と]さっさとふざける[with].

còme and dó《略式》《通例 come は原形で》…しに来る ‖ I'll *come and see* you at six. 6時に迎えに行くよ / *Come and see* me tomorrow. 明日遊びに来なさいよ(=Come to see me …)(→ ⓐ **1 b** 用例).

[語法] (1)《米略式》ではしばしば Come see me …という(《英》では〈非標準〉).
(2) come の変化形の後では He comes [came] to see me. などとする.
(3)「(ここへ)来て見なさい」の意では常に Come and see.

còme and gó (1) 行ったり来たりする, 現れたり消えたりする《◆語順に注意》‖ I wanted a love that didn't *come and go*. 私はふらふらしない(安定した)愛が欲しかった. (2) ちょっと立ち寄る. (3) つかの間である.

còme apárt[自] (1)〈物が〉(力を加えないで)つなぎ目などで)ばらばらになる.

*còme aróund [自] (1) (定期的に)巡って来る ‖ My birthday *comes around* next week. 私の誕生日が来週やってくる. (2)《略式》〈家などを〉ちょっと訪れる[to]. (3) 意識[健康]を取り戻す(cf. COME to). (4)《略式》機嫌を直す. (5)〔考え方などに〕〈意見・態度などを〉変える, (反対だったのに)同意する[to];議論に決着をつける. (6)〈風・船の〉方向を変える(cf. COME about).

còme at A (1)〈事実・真理などを〉見つける, 得る;〈考えなどを〉理解[習得]する. (2)〈人〉に襲いかかる, …に向かってくる. (3)〈人・動物が〉〈物に〉届く;〈人・場所〉へ近づく.

còme awáy[自] (1)〈物が〉[…から]はずれる, 離れる[from]. (2)〈人が〉(ある印象・感じを抱いて)(場所・人から)去る[with];《英》[…から]去る《《米》get away》[from].

*còme báck [自] (1)[…から/へ]帰る, 戻る[from/to]. (2)〈事が〉[…に]よみがえる, 思い出されてくる[to]. (3)〈服・スタイルなどが〉再び流行する(+in). (4)《米略式》[…に/…で]口答えする[at/with]. (5)《略式》〈芸能人・選手などが〉(元の座に)カムバックする. (6)〈家庭・体制・法律などが〉(元の状態に)戻る. (7)《略式》もう一度言う[答える].

còme befóre A (1)〈人・物〉の前に来る, 位置する;〈人・物・事〉より重要である. (2)〈人・問題などが〉〈法廷・委員会など〉で〈審議[審理]される.

còme betwéen A (1)〈人・物・事〉の間に来る[位置する]. (2)〈二者〉の事に干渉する, の間を裂く. (3) [~ between A and B] A〈人〉の B〈仕事・休息など〉を妨げる《◆受身不可》.

còme bý [自] (1) 通り過ぎる. (2)《米》〈人が〉立ち寄る. ─ [他] (1) [~ by A]〈人〉が〈仕事・金などを〉(ふつう努力の結果)得る;〈傷などを〉(偶然に)受ける ‖ Reliable data are hard to *come by*. 信頼できる資料は手に入りにくい. (2) =COME across(他)[*] (1).

còme cléan《略式》[…に関して]すっかり白状する[over].

còme clóse to dóing (1) もう少し[すんでのところで]

*còme dówn [自] (1)〈高い所から〉降りてくる;〔大都市・北方から南方へ〕来る[from] ‖ Come down from there. そこから降りて来い. (2) → ⓐ**3**;〈天井・壁などが〉落ちる, くずれる;〈雨・雪などが〉降ってくる;〈建物などが〉取り壊される;〈飛行機などが〉撃墜される, (故障などで)降りる. (3)〈話・伝統・習慣などが〉[…に]伝わる, 受け継がれる[to]. (4)〈価格・費用・地位などが〉下がる;〈体重などが〉減る ‖ Meat will soon *come down* in price. =The price of meat will soon *come down*. 肉の値段はやがて下がるだろう. (5) 落ちぶれる. (6) (ためらった後などで)[…に賛成の/…に反対の]決意をする[in favor [support] of, on the side of / against].

còme dówn on [upón] A [A<人>目がけて(on ⓔ**11**)降りる]《◆受身不可》(1)《略式》〈人〉を[…のことで]ひどくしかる[どなりつける][for];〈人〉を罰する;〈人〉の過失を非難する. (2)《略式》〈人〉に[支払い・補償を]要求する[for];〈人〉に[…するように]求める[to do]. (3)〈人〉を急に襲う.

còme dówn to A (1) → ⓐ**3**. (2)《略式》とどのつまりは〈事〉になる. (3)《略式》〈事・動作が〉…まで落ちぶれる, …をするはめになる《◆ A はしばしば動名詞》. (4) 《略式》〈人が〉〈価格などを〉…まで下げる.

còme dówn with A《略式》(1)《米》〈かぜなど〉にかかる ‖ *come down with* a virus ウイルスに感染する. (2)〈金〉を支払う;〈金〉を[…に]寄付する[to].

còme for A (1)〈人〉に〈攻撃を加えようと〉向かって来る. (2)〈人〉を取り[迎え]に来る.

còme fórward [自] (1)〈人が〉(助力などに)進んで申し出る, 志願する, 名乗り出る. (2)〈問題などが〉議題として提案される.

còme from behínd《米略式》あとから追い抜く, 〈野球〉逆転する ‖ a come-from-behind *victory* 逆転勝ち.

*còme ín [自] (1)〈人・乗り物などが〉入ってくる, やってくる, 到着する. (2)〔流行の状態に〕(in ⓐ**4**)なる〕流行する ‖ Long skirts are now coming in again. 長いスカートがまたはやりだしている. (3)〖出回った状態に〗(in ⓐ**4**)なる〗〈野菜・魚などが〉旬(ʃnʌnʲ)になる, 取れるようになる, 出回る. (4)〈人が〉〔試合・仕事などに〕参加する, 役目を分担する ‖ Where do I come in? 私の役目[分け前]はどうなるのですか. (5)〔序数的副詞を伴って〕〔競走で〕〈選手・馬などが〉…着になる ‖ He came in third in the hundred-meter dash. 彼は100メートル競走で3着に入った. (6)〈政党・候補者が〉(選挙で)勝利を収める;〈政党が〉政権を握る. (7)〈海・潮などが〉満ちてくる, 上げ潮になる. (8)〈給料・利益などが〉(収入として)入る. (9)〈ニュースが〉(放送局・デスクなどに)入って来る;〔放送〕〈解説者・報道記者などが〉解説する. (10)〔命令文で〕(無線通信で)どうぞ, 話してください.

còme ín for A《受身不可》(1)〈財産・金〉を〈権利・分け前として〉受け取る(come into). (2)〈称賛・批判・注目などの〉的である. (3)〈事・人〉の役に立つのに利用できる《◆ come in handy [useful] for … ともいう》.

còme ín on A《略式》(1)〈計画・事業など〉に加わる. (2)〈人〉の記憶によみがえる.

còme ínto A (1) → ⓐ**8, 11**. (2)〈財産・金〉を相続する.

cóme it (a bit [a lìttle, ráther]) tòo stróng《主に英略式》(ちょっと)言いやり過ぎる, 誇張する.

còme néar to A〈事〉に近い, …と言ってよいくらいだ.

còme néar to dóing =COME close to doing 《◆(略式)では come near doing となることがある》.

cóme of A (1) → 圇 5. (2) A〈人・事〉に起こる ‖ What's come of him? 彼にいったい何が起こったのだい,彼はいったいどうしたのだ.

cóme óff [離れた状態に(off)なる] [自] (1) [~ off (…)]〈馬・自転車などから〉落ちる. (2) [~ off (…)]〈なべ・服などから〉〈取っ手・ボタンなどが〉とれる;〈塗料が〉〈壁などから〉はがれる. (3) 〈柄・ふたなどが〉取りはずせる;〈塗料などが〉はがせる. (4) (略式)〈事が〉行なわれる,起こる. (5) (略式)〈計画・試み・実験などが〉成功する,うまくいく. (6) (略式)〈様態の副詞(句)を伴って〉〈人が〉やっていく,ふるまう. (7) 〈劇などの〉公演を終わる. ― [他⁺] [~ off A] (1) 〈仕事・酒・麻薬などから〉手を引く;〈金額・税などから〉〈物品・値段を〉引き下げる. (2) → [自] (1) (2).

Cóme óff (it)! (略式)かっこつけるのはやめろ,ばかを言うなよ,いいかげんにしろ;やめろ,そんなことするな《◆come off「the grass [one's perch]」ともいう》.

***Cóme ón.** さあ行こう;そうだ,その調子だよ《◆みんながあとについているよといった親しみと励ましを表す表現;競技などでの声援》;勝負しようよ,さあ来いよ《◆けんかのとき》;早く,ねえ,ほらこれ;《◆せきこんでたり,ねだったり,たしなめたりするとき》;[反語的に]いいかげんにしろよ,まさか,まさか,いくらなんでも《◆相手の発言に対する軽い抗議のとき;しばしば Oh, come on! Cóme ón nów! となる》;さあさあ《◆命令文の前に用いて,意味を強める》‖ Come on! One more out. さあ,しっかり,あとひとつアウトをとれ./ 【対話】"Where do you want to go this weekend, Terry?""Well, Dad, I want to go to Universal Studios.""Oh, come on, Terry. We've been there many times."「テリー,今度の週末はどこへ行きたいかい」「お父さん,ぼくユニバーサル・スタジオに行きたいよ」「あきれたやつだな.何度も行ったじゃないか」.

cóme ón [自] (1) [様態の副詞(句)を伴って]〈人・仕事などが〉(…に)進歩する[in]《(米)では on の代わりに along がふつう》. (2) 〈植物が〉育つ,大きくなる. (3) [通例 later を伴って]後で行く. (4) (略式)〈熱が〉出てくる,〈かぜ・頭痛などが〉起こる;〈夜・雨・あらし・季節が〉やって来る ‖ The snow came on. 雪が降り出した. (5) (クリケット)投球を始める. (6) (舞台に)登場する,(持ち場につく;(電話・テレビに)出る,(スポーツ)試合に出る. (7) (電灯などが〉つく,スイッチが入る. (8) → COME along (6). ― [他⁺] [~ on [upon] A] よくないことが〈人〉にふりかかる,…を襲う.

Cóme ón in! (米略式)さあお入り.

***cóme óut** [自] (1) 〈しみなどが〉とれる,〈染色が〉おちる. (2) 〈日・月・星が〉現れる,(外へ)出てくる,出る;〈花が〉咲く,〈つぼみが〉出る ‖ Stars come out at night. 星は夜現れる. (3) 〈ニュース・真実などが〉知られ,広まる,ばれる. (4) 〈やや古〉(社交界・芸能界に)デビューする. (5) 〈意味などが〉明らかになる. (6) 〈本などが〉出版される,〈品物が〉店に出る. (7) [様態の副詞(句)を伴って]〈人などが〉(写真に)写る,〈写真ができる〉‖ The picture didn't come out well. その写真はよく写っていなかった. (8) 秘密を明らかにする,同性愛者であることを公言する. (9) [試験などで]〈…位で〉あらわれる[in] ‖ He came out first [at the top, (略式) top] in the test. 彼は試験で一番だった. (10) [結果が]出る,発表される,〈合計・計算などが〉出る;〈合計・平均などが〉[…に]なる[at]. (11) 〈言葉・宣言などが〉述べられる,口から出る. (12) 態度を表明する ‖ come out against [for, in favor of] a plan 計画に反対[賛成]する. (13) [ドライブ・ピクニックで]家を出る[for],[…へ]出かける[to]. (14) 〈歯・くぎ・ボルトなどが〉[…から]抜ける,はずれる[of].

cóme óut in A (略式)〈人・はだ・体の部分が〉にきびなどで(部分的に)覆われる,汗をかく.

cóme óut with A (略式) (1) 〈事実・話などを〉(ちゅうちょした後だしぬけに)言う. (2) 〈宣言などを〉公表する;〈本〉を出版する;〈製品〉を世に出す.

***cóme óver** [自] (1) [(…へ/…から)やって来る[to/from]《◆over は単に口調の関係で軽く加えることも多い》‖ Why not come over to see my new stereo? 私の新しいステレオを見に来たらどう? (2) 〈人・国家・政党などが〉[…に]意見を変える,[…の側に]つく[to]. (3) ぶらっと立ち寄る. (4) 〈主に英略式〉[通例気分・病気を表す形容詞を伴って]〈人が〉(急に)…になる,感じる. ― [他⁺] [~ over A] 〈強い感情が〉〈人〉を襲う,…の身にふりかかる ‖ What (ever) has come over him? いったい彼はどうしたのかしら《◆態度が急に変わった場合にいう》.

cóme róund =COME around (1) – (6).

cóme thróugh [障害や隔たりを通り抜けて(through 圇1)来る] [自] (1) 〈知らせ・伝言などが〉(電話・ラジオ・公の筋を通じて)届く;〈人が〉(…で)通信する[on] ‖ We knew you'd come through. 君から知らせが届いたことは私たちは知っていた. (2) (略式)[…で]期待[要求]に応える[with]. (3) 〈能力などが〉はっきり現れる;〈声などが〉聞ける. (4) 生き抜く,切り抜ける. (5) 〈人が〉病気から持ち直す. (6) 回復する. ― [他⁺] [~ through A] 〈病気・戦争・危機などを〉切り抜ける《◆受身不可》.

cóme tó [元の状態[静止,正気]に(to 圇1)なる] [自] (1) 意識を取り戻す. (2) 〈船が〉停泊する;船首を風上に向ける. ― [他⁺] [~ to A] → 圇 3, 8, 11.

cóme to onesélf (ばかなことをやめて)まじめにやる,自制心を取り戻す. (文) 意識を回復する,(ぼんやりしている状態から)正気づく,(はっと)気がつく.

cóme to this [thát] 〈事がこういう[そういう](悪いいやな)]事態になる.

cóme to thát (略式) [文頭・文尾で]そのことについて言えば,その場合には《◆if it comes to that の省略表現で,前言をさらに述べるのに用いる》.

cóme to thínk of it (略式)[独立不定詞的に]考えてみると,そういえば,本当に《◆whèn [nów that] I come to think of it の省略表現》.

cóme únder A (1) 〈部類・見出しなどに〉分類される,…に見つけられる. (2) 〈勢力・権力などに〉支配[監督]される. (3) 〈砲火・非難などを〉受ける.

cóme úp [自] (1) 上ってくる;出世する,昇進する. (2) [...まで]近づく,やって来る,達する[to]. (3) 〈太陽が〉昇る. (4) 〈種子・植物が〉芽を出す. (5) 〈ダイバー・魚などが〉水面に上ってくる. (6) 〈問題・質問などが〉生じる,述べられる;〈事件が〉審理される;〈被告が〉法廷に出廷する. (7) (英) (London へ)行く;(米) (北部・主要都市に)やって来る. (8) (略式)〈食べ物などが〉ゲっと出る. (9) 〈機会・意外なことなどが〉生じる;〈あらしなどが〉起こる. (10) (略式)〈人・債券・番号などが〉(くじで)当たる,勝つ. (11) [Coming up, sir] (略式)(食堂などで)「いっちょうあがり」「はいただいま(できあがりました)」.

cóme úp agàinst A 〈問題・困難・反対などに〉直面する.

cóme úp to A (1) → 圇 3. (2) 〈人・仕事・結果などが〉〈規準・期待〉に添う,達する,匹敵する,〈望み〉に合う.

còme úp with A (1) 《〈考え・金〉を持ってやって来る》《略式》〈考えなど〉を思いつく,持ち出す,提案[提供]する,申し出る(propose). (2) 〈人・事など〉に追いつく. (3) 《米》〈人・物〉が見つかる(find).
hàve A cóming (to one) 《略式》《罰・困難などを当然の報いとして》こうむる,《休暇など》を手にする.
I dòn't know whèther [if] I am cóming or góing. どうしていいかわからない.
to cóme 《正式》[名詞の後で] 将来の,来たるべき ‖ for several weeks *to come* 来たるべき数週間(=《略式》for coming several weeks).
What's cóme óver [of] A? 《略式》〈人・事〉にいったい何が起こったのでしょう,いったいどうしたのだ.
when [if] it còmes to A …ということが[話]になれば ‖ *When it comes to* swimming, nobody can beat Jim. 水泳のことならだれもジムにかなわない.

cóme・back /kʌ́mbæk/ 名 ⓒ 《通例単数形で》返り咲き,復帰 ‖ make a [one's] *comeback* on the stage 舞台にカムバックする. **2** ⓒ 《略式》《非難・批評に対する》当意即妙の答え,しっぺ返し.

†**co・me・di・an** /kəmíːdiən/ 名 ⓒ **1** 《舞台・テレビなどの》喜劇役者[作家],コメディアン. **2** 《略式》こっけいな人. **3** [呼びかけ] おばかさん.

co・me・dienne, co・mé・di・en・ne /kəmìːdién, kəmèidién/ 《フランス》名 ⓒ 喜劇女優.

come-down /kʌ́mdàun/ 名 ⓒ 《略式》重要な地位を失うこと.

*__**com・e・dy**__ /kʌ́mədi | kɔ́m-/ 《「宴会」が原義》 ⇒ comic (形・名)

──名 (複 **-dies**/-z/) ⓤ コメディー,喜劇,喜劇文学 (↔ tragedy); ⓒ (一編の)喜劇(cf. farce). ‖ a light *comedy* 軽喜劇 / a musical *comedy* ミュージカル=コメディー.

†**come・li・ness** /kʌ́mlinəs/ 名 ⓤ 顔立ちのよさ[美しさ].

†**come・ly** /kʌ́mli/ 形 《正式》〈女性が〉顔立ちのよい[美しい].

come-on /kʌ́mɔ̀n, -ɔ̀n/ 名 ⓒ 《俗》**1** 目玉商品,客寄せの商品. **2** 誘惑,挑発.

†**com・er** /kʌ́mər/ 名 ⓒ 《略式》**1** 来る[来た]人 ‖ all *comers* 来る人全部;挑戦者[応募者]全員. **2** 《主に米国》将来有望な人[物]. **3** [複合語で] 来る[到着する]人,来た人 ‖ a latecomer 遅刻者;新しく来た人.

†**co・mes・ti・ble** /kəméstəbl/ 名 ⓒ 《正式》《通例 ~s》食料品.

†**com・et** /kʌ́mit | kɔ́m-/ 名 ⓒ 《天文》彗星(ｽｲｾｲ),ほうき星 《♦ 昔は天災・疫病などの前兆とされた》.

come・up・pance /kʌ̀mʌ́pəns/ 名 ⓒ 《略式》当然の報い,天罰.

†**com・fort** /kʌ́mfərt/ 名 **1** ⓤ 快適さ,安楽,満足(↔ discomfort). **2** ⓤ 慰め,慰安;安心感,ほっとした気持ち ‖ words of *comfort* 慰めの言葉 / take *comfort* from books 書物から慰めを得る / The development of the new medicine **brought** great *comfort* **to** the patients. 新薬が開発されたので患者たちはたいへん安心した. **3** ⓒ[通例 a ~] 慰めとなる人[物];[通例 ~s] 生活を快適にする物 ‖ The Bible was *a* great *comfort* to me during my illness. 病気の間,聖書は私にとって大きな慰めであった / The hotel has all the *comforts* of home. そのホテルは家庭と同じ快適な設備が備えられている.

──動 他 〈人・物・事が〉〈人〉を慰める,元気づける,〈子供・動物など〉をなだめる ‖ *comfort* him [ˣhis grief] 彼の悲しみを和らげる(cf. ease). **2** 〈体の部分〉の痛みを和らげる.

cómfort stàtion 《米》公衆便所(《英》public convenience) 《♦ public lavatory の遠回し表現. 家庭の便所の遠回し表現は bathroom》.

cómfort stòp 《米》《長距離バスなどで》トイレのための停車.

*__**com・fort・a・ble**__ /kʌ́mfərtəbl/ 形 《アクセント注意》
──形 **1** 《通例名詞の前で》〈いす・部屋・温度などが》《身体的に》快適な,居心地のよい,くつろげる(↔ uncomfortable) ‖ a *comfortable* bed [chair] 寝心地(ｺﾞｺﾁ)《座り心地》のよいベッド[いす]. **2** 《通例名詞の前で》〈人・事が〉〈人を身体的・精神的に》心地よくさせる,慰め[安らぎ]を与える. **3** 《通例補語として》〈人が〉《身体的・精神的に》心地よく思う,くつろいだ,気楽な;苦痛[悲しみ]のない;《…に》満足する(*about*) ‖ Please make yourself *comfortable*. どうぞお楽に《♦ 主人から客への言葉》. **4** 《略式》[補語として] かなり裕福である(comfortably off). **5** 《収入などが》十分な,不足しない(decent).

†**com・fort・a・bly** /kʌ́mfərtəbli/ 副 心地よく,くつろいで,気楽に,不自由なく(↔ uncomfortably).

†**com・fort・er** /kʌ́mfərtər/ 名 ⓒ **1** 慰める人,慰めとなる物. **2** [the C~] 聖霊,みたま. **3** 《米》羽根ぶとん,キルト仕上げのベッドカバー. **4** 《英》おしゃぶり(《米》pacifier).

com・fort・ing /kʌ́mfərtiŋ/ 形 《言葉などが》慰めとなる,励みになる.

com・fort・less /kʌ́mfərtləs/ 形 慰めのない,わびしい;悲しみを抱いたままの.

com・fy /kʌ́mfi/ 形 《略式》=comfortable.

*__**com・ic**__ /kʌ́mik | kɔ́m-/ ⇒ comedy

──形 (**more ~, most ~**) **1** [名詞の前で] 喜劇の,喜劇的な 《♦比較変化しない》 (↔ tragic);《意図的に》こっけいな(cf. comical) ‖ a *comic* actor 喜劇俳優. **2** 人を笑わせるための,漫画の.

──名 **1** ⓒ 《略式》喜劇役者[作家](comedian);[呼びかけ] おどけ者,おばかさん. **2** ⓒ 《子供向きの》漫画;喜劇映画;[~s] =comic strip.

cómic bóok 漫画本 《♦ 日本発》 In Japan, *manga* [*comic books*] have become highly cultivated literary works. It is not unusual to see white-collar businessmen in suits reading *manga* magazines in trains. 日本では漫画は高度に発達した文芸作品となっています. スーツ姿のサラリーマンが電車内で漫画雑誌を読む光景も珍しくありません.

cómic ópera 喜歌劇.

cómic strìp 《新聞などの》数コマの漫画(《英》cartoon (strip)).

†**com・i・cal** /kʌ́mikl | kɔ́m-/ 形 こっけいな,おどけた(funny) (cf. comic) ‖ a *comical* appearance おかしな風采(ﾌｳｻｲ). **cóm・i・cal・ly** 副 こっけいに.

†**com・ing** /kʌ́miŋ/ 動 ⇒ coming. ──形 **1** 《時・出来事などが〉来たるべき,次の ‖ Can you stop by this *coming* Friday? 今度の金曜日に来られますか 《♦ next では「来週の」の意にもなる》 / the *coming* generation 次の世代. **2** 前途有望な,新進の(promising). ──名 ⓤⓒ 到着,接近;来訪 ‖ *comings* and goings 《略式》到着と出発,人の出入り,往来;消息,動静 / the *coming* of the computer age コンピュータ時代の到来.

com・i・ty /kʌ́məti | kɔ́m-/ 名 ⓤⓒ 《正式》《まれ》相互の礼譲[礼節]. **the cómity of nátions** 〔法律〕国際礼譲;《国際礼譲を尊重する》友好国.

com·ma /kámə | kɔ́mə/ 【「切られた断片」が原義】
— 名 (複 ~s/-z/) © コンマ(,) ‖ inverted commas コンマ, 引用符 (' ', " ").

com·mand /kəmǽnd | -mάːnd/ 【「まったく(com)任せる(mand)」から「指揮権を与える[持つ]」が本義. cf. demand, mandate】 愿 commander より.
— 動 (~s/-ændz | -άːndz/; 過去・過分 ~·ed/-id/; ~·ing)
— 他 【正式】《進行形不可》 **1** 〈権力者が〉〈事〉を命ずる, 〈人に〉〈…するよう〉命令する(order)[to do, that節] (cf. desire 他 **1b**, direct 他 **3**) ‖ commanded silence 黙れと命じる / The general commanded his men to retreat. =The general commanded that his men (should) retreat. 将軍は部下に退却を命じた / She commanded that the city (should) be attacked. 攻撃するように彼女は命じた(◆(1) that の省略は不可. (2) should を用いるのは《主に英》. ➔文法 9.3).
2 《軍事》〈人・物〉を**指揮する**, 率いる ‖ The captain commands his ship. 船長は船を指揮する.
3 〈感情など〉を抑制する, 支配する(control); 〈お金などを意のままにし〉〈言葉〉を自由にあやつる[使いこなせる] ‖ The linguist commands seven languages. その言語学者は7つの言葉を話す. **4** 〈同情・尊敬・支持など〉を集める, 起こさせる, …に値する ‖ Her bravery commanded our admiration. 彼女の勇気は賞賛に値した. **5** 〈高所・丘・絶壁・窓・屋根・砦(とりで)などが〉〈景色など〉を見おろす ‖ a house commanding [which commands] a fine view 見晴らしのよい家 / This fort commands the whole valley. この砦から谷全体が見渡せる; この砦は谷全体を押さえている.
— 自 〈人が〉命令する, 指揮権を持つ.
— 名 (複 ~s/-ændz | -άːndz/) **1** ⓤ 指揮(権), 統率, 支配 ‖ a general in command of an army 軍隊を指揮する将軍 / thirty men under my command 私の配下の30名.
2 ⓤ [時に a ~] 〈感情の〉**抑制力**(control); 〈言葉を〉**自由にあやつる力**, 巧みに使いこなせる能力 ‖ have command over oneself 自制できる / lose [be in] command of oneself 自制力を失う[ある] / have (a) fine [poor] command of English 英語が達者[不得意]である.
3 © 〔…するようにという〕**命令**, 号令[to do, that節] ‖ by his command 彼の命令で / on command 命令すると, 命令に応じて / give [issue] a command 「for the crowd to be [that the crowd (should) be] dispersed 群衆を解散させるようにという命令を出す(◆should を用いるのは《主に英》. ➔文法 9.3).
4 ⓤ 見晴らし, 展望(view), 見おろす位置の占有 ‖ The hill has the command of the whole city. その丘から全市を見渡せる. **5** © 〖コンピュータ〗 (コンピュータに与える)コマンド, 命令, 指令.
at A's **command** (1) 〈人〉が自由に使える(available). (2) 〈文〉 〈人〉の命令で.

†**com·man·dant** /kάməndǽnt, -dάːnt, ⊥⊥ | kɔ̀mən-/ 名 © (都市・要塞などの)防衛「司令官, 指揮官, 長官.
com·man·deer /kάməndíər | kɔ̀m-/ 動 他 〈人〉を徴兵する; …を(軍用・公用に)徴発[徴用]する.
†**com·mand·er** /kəmǽndər | -mάːnd-/ 名 © 指揮者, 指導者, 司令官, 長官; 〖陸軍〗 指揮官; 〖海軍〗 (軍艦の)副長; 海軍中佐. **Commánder in chíef** 〖陸軍〗 最高指揮官; 〖海軍〗 司令長官.
com·mand·ing /kəmǽndiŋ | -mάːnd-/ 形 **1** 命令する, 指揮する. **2** 〖正式〗堂々とした, 威厳ある. **3** 〖正式〗見晴らしのよい; 地の利を占めた.
commánding ófficer 隊長, 指揮官.

†**com·mand·ment** /kəmǽndmənt | -mάːnd-/ 名 © 〖正式〗 **1** 命令, 指令(order). **2** 掟(おきて), 戒め, 律(rule). *the Tén Commándments* 〖聖〗 (モーセの)十戒.

com·man·do /kəmǽndou | -mάː-/ 名 (複 ~s, -es) ⓒ **1** 〖正式〗 (第二次大戦時における連合国の)特殊部隊. **2** ゲリラ隊(員).

†**com·mem·o·rate** /kəmémərèit/ 動 他 〖正式〗 **1** …を(儀式・祭典で)祝う, 記念する; 〈死者〉を追悼する. **2** 〜を(演説・文書で)賞揚する, ほめる.

com·mem·o·ra·tion /kəmèməréiʃən/ 名 〖正式〗 **1** ⓤ 祝賀, 記念 ‖ *in commemoration of* the victory 戦勝を記念して. **2** © 祝典, 記念祭; 記念物[碑]; [C~] 《英》 Oxford 大学創立記念日.

com·mem·o·ra·tive /kəmémərətiv, -ra-/ 形 記念の, 記念となる; 記念すべき[of]. — 名 © 記念品; 記念貨幣[切手].
commémorative íssue 記念発行物[切手・コインなど].
commémorative stámp [cóin] 記念切手[コイン].

†**com·mence** /kəméns/ 動 〖正式〗 他 〈人が〉〈物・事〉を開始する, 始める; 〈人が〉〔…し〕始める(doing, 《今はまれ》to do) ‖ commence the opening ceremony 開会式を始める. — 自 〔…で〕始める, 始まる[with].

†**com·mence·ment** /kəménsmənt/ 名 ⓒⓊ 〖通例単数形で〗 **1** 〖正式〗 開始, 始め(beginning). **2** 《米》国の大学, Cambridge, Dublin 大学の)学位授与式; その日; 《米》 (一般に)卒業式(graduation)(◆卒業式は人生のスタートだという発想から).

†**com·mend** /kəménd/ 動 他 〖正式〗 **1** 〈人が〉〈人・物・事〉の(ことで)ほめる, 推賞する(praise)[for, on, upon] ‖ She commended Mr. Smith on his excellent speech. 彼女はすばらしいスピーチのことでスミス氏をほめた. **2** 〈人が〉〈人・物〉を〔…に〕推薦する, 推挙する[to](◆recommend の方がふつう). **3** 〈人・物〉を〔…の世話に〕ゆだねる, 託する[to].
comménd *oneself* [*itself*] **to** A …に好印象を与える, …に好かれる; …を魅惑する.
com·mend·a·ble /kəméndəbl/ 形 〖正式〗 ほめるに足る.

†**com·men·da·tion** /kάməndéiʃən | kɔ̀mən-/ 名 **1** ⓤ 〖正式〗 推賞, 賞賛; 推薦. **2** © 〖軍功などに対する〕 賞, 感謝状[for].

com·men·su·rate /kəménsərət, -ʃərət/ 形 〖正式〗 [名詞の後で] 〔…と〕等しい, 同等の, 相応の(with); 〔…と〕比例した[to].

*__**com·ment**__ /kάment | kɔ́m-/ 〔アクセント注意〕 〖共に(com)心にかけること(ment). cf. mental〗
— 名 (複 ~s/-ents/) **1** ⓒⓊ 論評, 意見, 批評, 評言, コメント; 注解, 解説 ‖ make a comment on …に論評を加える / *No comment.* (そのことについては)何も申しあげられません. **2** ⓤ (世間の)うわさ話(gossip).
— 動 (~s/-ents/; 過去・過分 ~·ed/-id/; ~·ing)
— 自 〈人などが〉〔…について〕批評する, 論評する, 注解する; (一般に)あれこれ言う, とやかく述べる, コメントする[on, upon, about](→ about 前 **1**) ‖ Everyone commented on his new poem. みんなは彼の新作の詩を批評した.
— 他 〈人が〉〈物・事〉を批評[論評]する; …を〔…だと〕

批評する〔*that*節〕.

†**com·men·tar·y** /kámentèri | kɔ́mentəri/ 名 **1** 〔…の〕論評, 解説(書)〔*on*〕‖ a *commentary* on the Scripture 聖書解説書. **2** 〔通例 commentaries〕事実, 事実の記録. **3** 〔…の〕実況解説〔放送〕〔*on*〕.

com·men·tate /kámentèit, kɔ́m-/ 動《正式》自 〔…を〕論評する〔*on*〕; 実況解説をする. ― 他 …を論評する; …の実況解説をする.

†**com·men·ta·tor** /kámentèitər, kɔ́m-/ 名 ⓒ 注釈者; 時事問題解説者; 実況放送のアナウンサー.

†**com·merce** /kámərs, kɔ́məːs/ 名 Ⓤ **1**《正式》商業; (商品・サービスなどの)売買; (大規模な)通商, 貿易(trade) ‖ *commerce* and industry 商工業 / domestic [foreign] *commerce* 国内[外国]貿易 / a Chamber of Commerce 商工会議所. **2**《古》〔…との〕交際, 交渉〔*with*〕.

***com·mer·cial** /kəmə́ːrʃl/
― 形 **1** 商業(上)の, 通商[貿易]の ‖ a *commercial* school 商業学校 / a *commercial* transaction 商取引 / a *commercial* treaty 通商条約 / a *commercial* traveller《英まれ》(地方)販売外交員 /《米》a traveling salesman) / *commercial* correspondence 商業通信(文) / *commercial* English 商業英語 / *commercial* law 商法. **2** 営利的な; 営業用の, 市販の; 大量生産された. **3** 〔放送の〕広告用の, スポンサー付きの, (営利目的の)民間放送の. **4**《米》〈肉が〉準, 並みの(→ standard 形 4).
― (複) ~s/-z/) ⓒ〔…の〕広告放送, コマーシャル〔*for*〕(commercial message)《◆「新聞・雑誌・ビラなどによる宣伝」は advertisement》‖ a spot *commercial* 番組の間にはさまれた広告, スポット / in a TV *commercial* テレビのコマーシャルで.

commércial árt 商業美術.
commércial bánk 市中銀行.
commércial bréak (テレビ・ラジオなどの)コマーシャル.
commércial méssage =commercial 名《CM と略するのは(まれ)》.
commércial TV [rádio] スポンサー提供のテレビ[ラジオ]番組.
commércial véhicle 営業車.

com·mer·cial·ism /kəmə́ːrʃlìzm/ 名 Ⓤ 商業主義[本位], 営利主義.

com·mer·cial·ize /kəmə́ːrʃlàiz/ 動 他 …を商業[営利]化する, 商品化する ‖ *commercialize* sports [Christmas] スポーツ[クリスマス]を商業化する.

†**com·mer·cial·ly** /kəmə́ːrʃli/ 副 商業上, 商業[営利]的に; 通商[貿易]上 ‖〔文全体を修飾〕商業的見地からいえば.

com·mis·er·ate /kəmízərèit/ 動 自《正式》〔…を/…のことで〕あわれむ〔*with / for, on, over*〕.

com·mis·er·a·tion /kəmìzəréiʃən/ 名《正式》**1** Ⓤ〔…に対する〕あわれみ〔*for, on, over*〕. **2** 〔~s〕同情の言葉.

com·mis·sar·i·at /kàməsɛ́əriat, kɔ̀m-/ 名 ⓒ《軍事》兵站(へい)部, 軍食糧部.

com·mis·sar·y /káməsèri, kɔ́məsəri/ 名 ⓒ《軍事》兵站部将校;《主に米》(軍隊・鉱山などの)販売部, 売店.

†**com·mis·sion** /kəmíʃən/ 名 **1** Ⓤ (職権・任務の)委任, 委託; ⓒ 委任状. **2** Ⓤ ⓒ〔…に対する/…するようにという〕(委任された)任務, 職権, 権限〔*for / to do*〕‖ go beyond one's *commission* 権限外のことをする. **3** 〔しばしば C~; 集合名詞〕(調査)委員会《◆ ふつう単数扱い. 個々の構成委員に重点を置くと複数扱い》. **4** Ⓤ《法律》〔罪を〕犯すこと〔*of*〕‖ be charged with the *commission* of murder 殺人罪で告訴される. **5** Ⓤ ⓒ 手数料 ‖ The salesman receives a 10% *commission*. セールスマンは10%の手数料をとる.

in commission 委任を受けた; 〈将校が〉現役の, 〈軍艦などが〉就役中の; 《略式》使用可能の.

on commission 〔商業〕代理で, 委託されて; 手数料で; 歩合制で.

out of commission 《略式》働けないで; 使用不能の.

― 動 他 **1** 〈人・物〉に〔…する〕権限[任務]を与える, 委任する; 〈人〉に〔…するように〕依頼[注文]する〔*to do*〕‖ She *commissioned* the artist *to* paint her portrait. 彼女はその画家に頼んで自分の肖像画を描いてもらった. **2** [commission A (as) B] 〈人が〉A〈人〉を B〈役職〉に任命する; 〈軍艦などを〉就役させる.

com·mis·sioned /kəmíʃənd/ 形 任命された ‖ a *commissioned* officer 士官, 将校 / a *commissioned* ship 就役艦.

†**com·mis·sion·er** /kəmíʃənər/ 名〔しばしば C~〕ⓒ **1** 委員, 理事; (官庁の)長官, 局長《◆呼びかけも可》‖ the *Commissioner* of Customs《米》関税局長官 / the *Commissioner* of the Metropolitan Police《英》(ロンドン)警視総監. **2** (昔の植民地の)弁務官《◆呼びかけも可》. **3**《米》(プロ野球などの)コミッショナー.

***com·mit** /kəmít/ 〖「ある人の所へ(com)送る(mit)」から「人にゆだねる」が本義〗 派 commission(名・動), committee(名)
― (~s/-its/; 過去過分 --mit·ted/-id/; --mit·ting)
― 他 **1** 〈人が〉〈罪・過失などを〉犯す ‖ *commit* murder [suicide, robbery] 人殺し[自殺, 強盗]をする / *commit* an error 間違いを犯す《◆ make an error より堅い言い方》.

2《正式》[commit A to B] **a** 〈人が〉A〈人・物〉を B〈人など〉に託す, 委託する(trust) ‖ *commit* a child *to* him [his care] 子供の世話を彼にしてもらう. **b** (法的に) A〈人〉を (治療・矯正などのために) B〈施設など〉に送る(send), 収容する ‖ *commit* a suspect (*to* prison) 容疑者を勾(こう)留する / *commit* someone *to* a mental hospital ある人を精神病院に収容する / *commit* troops *to* the front 部隊を前線へ送る. **c** A〈物・事〉を B〈記憶・焼却などにゆだねる, 付く(put on) ‖ *commit* an idea *to* memory [writing, print] 着想を(忘れないように)記憶する[書き留める, 印刷に付す]《◆ memorize [write down, print] an idea より堅い言い方》.

3 〈政府などが〉〈人・歳費などを〉〔…のために〕割(さ)くと約束する(promise)〔*to*〕‖ *commit* some money *to* improving the health service 医療行政の充実にお金を支出する.

4 [be ~ted / ~ oneself] 〔…について〕動きのとれない立場に陥る; 〔…に〕深くかかわる, コミットする〔*in*〕; 〔…に関する〕自分の考えを明らかにする〔*on*〕; 〔…に/…することに〕傾倒する, 専心する〔*to / to doing*〕‖ *commit* oneself (*on* women's rights) (女性の諸権利について)自己の立場を明らかにする / *commit* oneself *to* a political movement 政治活動に参加する / be committed *to* a sect ある宗派に傾倒する / be committed *to* the cause of world peace 世界平和のために献身する.

com·mit·ment /kəmítmənt/ 名 〔正式〕 **1** ⓒ 〔…の/…するという〕約束, 言質(ﾊﾞ), 義務, 責任〔to (doing)〕/ to do, that 節〕‖ I'm sorry. I have a commitment. すみません, もう先約がありますので《◆誘われたときに断る言葉》/ He repeated his commitment to help [that he would help]. 必ず助けると彼は繰り返して言った. **2** ⓤ 〔…への〕献身, 傾倒; かかわり合い, (現実)参加〔to〕.

com·mit·tal /kəmítl/ 名 ⓤ 投獄.

com·mit·ted /kəmítɪd/ 形 大変忠実な.

*****com·mit·tee** /kəmíti/ kɔ́-/ ─ (アクセント注意) 〖→ commit〗
── 名 (複 ~s/-z/) ⓒ 〔しばしば複合語で; 集合名詞〕〔…の〕委員会〔for, on〕, (全)委員《1人の委員は committeeman》‖ a stánding committee 常任委員会 / a jóint [stéering] committee 合同[運営]委員会 / be in committee 委員会で審議中である / The committee is [are] considering the matter. 委員会はその件を検討中だ《◆ふつう単数扱い》 / The committee are [*is] wearing their hats. 委員会のメンバーは帽子をかぶっている《◆(1) 個々の構成委員に重点を置く場合は複数扱い (➡ 文法 14.2(5)). (2) 単数呼応のときは関係代名詞が which, 複数呼応のときは who》.

語法 単数扱い・複数扱いのいずれか決めがたい場合もあるが, 文脈でおのずと決まってくることが多い: The committee was [*were] formed two month ago. 委員会は2か月前に結成された.

com·mit·tee·man /kəmítimæ̀n/ 名 (複 --men /-mèn/; 女性形 --wom·an /-wùmən/) ⓒ 委員(会の一員)((PC) member of the committee, committee member).

†**com·mo·di·ous** /kəmóudiəs/ 形 〔正式〕〈家・室など が〉広くて便利な;〔古〕手ごろな.

com·mó·di·ous·ly 副

†**com·mod·i·ty** /kəmάdəti | kəmɔ́d-/ ⓒ 〔正式〕 **1** 産物, 商品; 〔しばしば commodities〕 必需品, 日用品(goods) ‖ commodity prices =prices of commodities 物価 / staple commodities 主要商品. **2** 〔しばしば~ies〕〔有用な〕もの; 貴重な[価値ある]もの.

†**com·mo·dore** /kάmədɔ̀r | kɔ́m-/ 名〔しばしば C~〕 ⓒ 《◆呼びかけも可》 **1** 〔米〕海軍准将[代将] 〈少将と大佐の間の階級, 平時にはおかない〉. **2** 〔英〕艦隊司令官; 空軍准将(air commodore).

*****com·mon** /kάmən | kɔ́m-/ 〖〈共に(com) 役に立つ(mon). cf. commune, community〗

index 形 **1** ありふれた **2** 共通の **3** 公共の

── 形 (more ~, most ~;〔まれ〕~·er, ~·est)《◆ 1, 6 以外はふつう比較変化しない》 **1** ありふれた, ふつうの, よく起こる, よく見かけられる (類語) ordinary, usual)(↔ uncommon) ‖ a common proverb 言い古された格言 / an error (which is) common among [with] students 学生にありがちな[とってはよくある]間違い / Cherry trees are common in Japan. 桜は日本ではどこにでも見られる / It is quite common for [*of] him to have a drink at home in the evening. 彼が晩酌するのはごくふつうのことだ. 《◆ *It is common that ... は不可》. **2** 〔…に〕共通の, 共有の, 共同の〔to〕(↔ personal) ‖ cómmon próperty 共有財産 / work in a bíg [lárge] common róom 大部屋で仕事をする / Barking at strangers is「a habit (which is) common to [a common habit of] many dogs. 見知らぬ人にほえかかるのは多くの犬に共通の習性である 《◆ *a common habit to many dogs は不可》. **3** 〔名詞の前で〕公共の, 社会全体の ‖ a cómmon cóuncil 市[町]議会 / work for the common good 公益のために働く.

4 一般的な, よく〔広く〕知られた (↔ unknown) ‖ This word is not in common use. この単語は一般にはよく使われていない / a common mistaken notion 間違った通念 / a common thief 名うての盗人. **5** 並の, ふつうの, 平凡な;特別の位のない;平民の ‖ cómmon courtesy ごくふつうの礼儀 / a common soldier 兵卒. **6** 〔略式〕〈人・行動などが〉品のない, 野卑な, 俗っぽい;品質の悪い (↔ refined) ‖ common manners 不作法 / common clothes 粗末な服.

── 名 〔時に ~s〕 (町・村の)共用地, 公有地《◆ 囲いのない草地・荒地. 地名に多い》.

háve A in cómmon …を〔…と〕共通に持つ〔with〕《◆ A は something, many things, much などで程度を表す. これらの疑問詞は what》‖ The twins have「a lot [something, nothing] in common. その双子(ﾌﾀｺﾞ)は(興味・性格などについて)共通点が多い[いくらかある, ない].

in cómmon 共同の[で]; 〔通例文頭で〕〔人と〕同様に(like)〔with〕.

cómmon cóld (ふつうの)かぜ, 感冒.

cómmon críminal 常習犯罪者

cómmon denóminator (1) 〔数学〕公分母. (2) (意見・性質などの)共通点.

cómmon divísor [fáctor] 〔数学〕公約数.

cómmon fráction 〔数学〕分数.

cómmon génder 〔文法〕通性 《parent などに見られる男女両性に通ずる(代)名詞の性質》.

cómmon gróund (討論のための)共通の基盤, 一致した見解[関心, 目的] ‖ on common ground 共通の場で, 共通の場に立って, 一致して / Common ground! 〔英〕同感!

cómmon knówledge だれもが知っていること, 常識;周知の(不快な)事実(→ common sense の注記) ‖ as is common knowledge 〔前文を受けて〕それはみなよく知ってのことだが.

cómmon lànd 共有地.

cómmon láw (1) 慣習法, 不文法 (cf. common-law). (2) 英米法(全体).

cómmon mán 〔the ~〕 ふつうの人, 一般市民;平民《◆ 複 は the common people》((PC) common citizen [person]).

cómmon múltiple 〔数学〕公倍数.

cómmon nóun [náme] 〔文法〕普通名詞.

cómmon núisance 〔通例 a ~〕公害 (cf. public nuisance).

cómmon péople 〔the ~〕人民, 民衆.

cómmon práyer 〔アングリカン〕 (1) 公祷(ﾄｳ), 共通祈祷文. (2) 〔the C~ P-〕 祈祷書 (the Book of Common Prayer; ふつう the Prayer Book).

cómmon rátio 〔数学〕公比.

cómmon ròom 〔英〕(大学などの)教員[学生]控え室, 談話室.

cómmon schòol 〔米史〕公立初等中等学校.

cómmon sénse (人生経験から身につけた)常識的な判断力, 良識, 分別《◆日本語の「常識」はこの意味(ふつうの人が持っている思慮・分別)と common knowledge (ふつうの人が持っている知識)の2つを含む(cf.

commonsense)》.
cómmon tìme 〔音楽〕4分の4拍子.
cómmon yèar (閏(ｳ)ﾙｳ)年 (leap year) に対して) 平年.
cóm·mon·ness 名 U ふつう(であること), 平凡.
com·mon·al·i·ty /kɑ̀mənǽləti | kɔ̀m-/ 名 C U 1 共通性, 共通点. 2 ありふれたこと.
com·mon·al·ty /kɑ́mənəlti | kɔ́m-/ 名 U 《正式》〔the ~; 集合名詞; 単数・複数扱い〕平民, 庶民《◆個人は commoner》.
com·mon·er /kɑ́mənər | kɔ́m-/ 名 C 一般の人, 一庶民, 平民《◆集合的には commonalty》.
com·mon-law /kɑ́mənlɔ̀ː | kɔ́m-/ 形 1 慣習法の, 慣習法による (cf. common law). 2 内縁の.
cómmon-law húsband [wífe] 内縁の夫[妻].
†**com·mon·ly** /kɑ́mənli | kɔ́m-/ 副 1 一般に, 通例, ふつうは (⇔ uncommonly)∥ He is commonly known as Tom. 彼は通称トムという名で知られている. 2 下品に, 安っぽく∥ behave commonly 下品なふるまいをする.
†**com·mon·place** /kɑ́mənplèɪs | kɔ́m-/ 形 1 ごくふつうの, 平凡な; つまらない《◆common より「ありふれた」意が強い》∥ Female lawyers are commonplace in the United States. 米国では女性の弁護士はごくふつうだ. 2 陳腐な, 新味のない∥ make a commonplace remark 陳腐なことをいう.
—— 名 C 1 陳腐な文句, わかりきったこと〔話〕. 2 ありふれた物, 平凡なこと∥ Traveling abroad is now a commonplace. 外国旅行は今では珍しくない.
cómmonplace bòok (名文句の) 抜書き帳, 備忘録.
Com·mons /kɑ́mənz | kɔ́m-/ 名 〔the ~; 単数・複数扱い〕(英国・カナダなどの) 下院 (the House of Commons)《◆「上院」は (the House of Lords)》(→ house 名 8 関連).
cómmon sénse /kɑ́mənsèns | kɔ́m-/ 名 形 常識的な, 良識のある; はっきりとした (cf. common sense).
com·mon·weal /kɑ́mənwìːl | kɔ́m-/ 名 〔the ~〕《文》公共の福祉, 公益.
†**com·mon·wealth** /kɑ́mənwèlθ | kɔ́m-/ 名 **1 a** C 連邦, 共和国, 民主国∥ the Commonwealth of Australia オーストラリア連邦《◆Australia の正式名》. **b** 〔the C~〕 = the COMMONWEALTH OF NATIONS. **2** C (共通の利害で結ばれた) 団体. **3** C (米) **a** コモンウェルス《◆米国の連邦内の自治領として Puerto Rico に用いる》. **b** 州《◆正式には Kentucky, Massachusetts, Pennsylvania, Virginia に用いる》.
the Cómmonwealth of Indepéndent Státes 独立国家共同体(略) CIS 《旧ソ連諸国(バルト三国を除く)の連合体》.
the Cómmonwealth of Nátions 英連邦《英国・カナダ・オーストラリアなどの連合体》.
Cómmonwealth Dày 〔英〕〔the ~〕英連邦記念日《Victoria 女王の誕生日(5月24日)を祝う. 今は3月の第2月曜日とするところが多い》.
Cómmonwealth Énglish 英連邦英語《英国以外の連邦国で使われる英語》.
†**com·mo·tion** /kəmóʊʃən | kɔ́m-/ 名 U C (あらし・波などの) 激動; (精神的な) 動揺, 興奮; 騒ぎ立て, 喧噪(ｹﾝｿｳ); (社会的・政治的な) 騒動, 暴動, 動乱∥ be in commotion 動揺している.
com·mu·nal /kəmjúːnl | kɔ́mju-/ 形 1 共同社会の; 地方自治体[市町村]の, 部落の. 2 共同(使用)の, 共有の; 公共の.
†**com·mune¹** /kəmjúːn/ 自 《文》〔…と〕 (親しく) 語り合う, 心を通わせる (+together) 〔with〕∥ commune with nature 自然と交感する.
†**com·mune²** /kɑ́mjuːn/ 名 C 1 (共産的) 共同社会(の人々); (中国などの) 人民公社. 2 コミューン, 市町村自治体[自治区]《フランスなどの最小行政単位》. 3 〔the Commune〕〔歴史〕パリコミューン (the Commune of Paris, the Paris Commune)《1871年3月から5月までパリを支配した史上最初の社会主義政権》.
com·mu·ni·ca·ble /kəmjúːnɪkəbl/ 形 《正式》(容易に) 伝達できる; 伝染性の.
*†**com·mu·ni·cate** /kəmjúːnəkèɪt/ 〖「他人と共有する」が原義〗 派 communication (名)
—— 動 (~s/-kèɪts/; 過去・過分 ~d/-ɪd/; ~cat·ing)
—— 他 《正式》 1〈人が〉〈情報・見解などを〉(口頭・手紙・電話などで)〔…に〕 知らせる, 伝達する (tell) 〔to〕 《◆修飾語(句)は省略できない》∥ Bill communicated the whole story to me. ビルは話を残らず伝えてくれた. 2〈物が〉〈熱・動きなどを〉〔…に〕伝える, 導く; 〈病気を〉〔…に〕うつす〔to〕 ∥ communicate a disease to her 彼女に病気を感染させる / Her excitement communicates itself to me. 彼女の感動が私に伝わってくる.
—— 自 1〈人が〉(口頭・手紙・電話などで)〔…と〕情報[意見, 気持ち]を伝え合う, 通信し合う, 連絡を取り合う〔with〕, 〔…について〕話し合う (+together) 〔on, about〕 ∥ Are there any hospitals where I can communicate in Japanese? 日本語が通じる病院がありますか / The prisoner was not allowed to communicate with his family. 囚人は家族との連絡を許されていなかった. 2 《正式》〈部屋・ベル・場所などが〉〔…に〕 通じている (be connected) 〔with〕. 3 〔教会〕聖餐(ｾｲｻﾝ)にあずからせる, 聖体を拝領する.
*†**com·mu·ni·ca·tion** /kəmjùːnəkéɪʃən/ 〖→communicate〗
—— 名 (複 ~s/-z/) **1** U コミュニケーション, (口頭・文書・合図などによる) 〔…への〕 伝達, 連絡; (ラジオ・テレビによる) 報道; (電話・電報による) 通信, 交信; 〔…との〕意思疎通, 交際, 取引 〔with〕 ∥ Language is not the only means of communication. 言語はコミュニケーションの唯一の手段ではない / be in communication with him 彼と連絡[通信, 文通]している. **2** U C 〔…への/…の間の〕交通; 交通機関[手段], (列車などの) 便 〔to/between〕.
3 C 〔通例 ~s〕(電話・電信などの) 通信機関[施設] (ラジオ・テレビなどの) 報道機関; (道路・鉄道などの) 交通網, 輸送機関; = communication(s) theory∥ a network of communication 通信網.
4 U 伝える[伝わる] こと, (熱の) 伝導; (動力の) 伝播; (病気の) 感染.
5 U C 《正式》(伝達された) 情報, ニュース, 通知 (information); (送られてきた) 文書, 通信文, 伝言; 学会発表論文.
communicátion enginèering 情報工学.
communicátions gáp (年齢差・情報不足などによる) 意思疎通の欠如.
communicátions sàtellite 通信衛星《◆略して COMSAT ともいう》.
communicátion(s) skíll コミュニケーション能力.
communicátion(s) thèory 情報理論《◆She majored in communications at college. (大学で情報理論を専攻した) ともいう》.
com·mu·ni·ca·tive /kəmjúːnəkèɪtɪv | -kə-/ 形 《正式》 1 話好きの, 隠しだてをしない (⇔ uncommunicative). 2 伝達の, 通信の.

com·mu·ni·ca·tor /kəmjúːnəkèitər/ 名 C （考えや気持ちを他人に）はっきりと伝えることのできる人；（車内の）通報器.

†**com·mun·ion** /kəmjúːnjən/ 名 U （詩文）〔…との/…の間の〕親交；（霊的）交感，交流〔with/between〕.

com·mu·ni·qué /kəmjùːnəkéi/『フランス』名 C コミュニケ, 公式発表；声明書.

†**com·mu·nism** /kámjunìzm | kɔ́m-/ 名 U **1**（広義）共産主義. **2**〔C～〕（狭義）（マルクス=レーニン主義に基づく）共産主義（理論）.

†**com·mu·nist** /kámjənist | kɔ́m-/ 名 C **1** 共産主義者；左翼の［左傾化した］人. **2**〔C～〕共産党員，パリコミューン支持者. ── 形 **1** 共産主義（者）の. **2**〔C～〕共産党員の.
  Cómmunist Pàrty〔the ～〕共産党.

com·mu·nis·tic /kàmjunístik | kɔ̀m-/ 形 〔しばしば C～〕〔正式〕共産主義（者）の（communist）.

＊**com·mu·ni·ty** /kəmjúːnəti/『「共有［共同］の状態」が原義. cf. common〕
  ── 名（複）-ties/-z/）**1** C 地域社会；市町村自治体；その人びと ‖ a village *community* 村落共同体. **2** C〔the ～；単数・複数扱い〕（利害・職業・宗教・国籍・人種などを同じくする人の）社会（集団），共同体（society）‖ a religious *community* 教団／the political [academic] *community* 政界［学界］／the Chinese *community* in the US 米国の中国人社会. **3**〔the ～〕一般社会〔大衆〕. **4** C〔生物〕群集，〔植〕群落.
  community anténna télevision〔テレビ〕有線放送（略）CATV.
  community cènter コミュニティセンター《教育・文化・厚生・スポーツ施設がある》地域社会の中心》.
  community chèst（米）共同募金（運動）.
  community cóllege（米国・カナダの）地域短期大学《地域社会の要求にマッチした人材の育成を目指す》.
  community hòme（英）非行少年収容施設.

com·mut·able /kəmjúːtəbl/ 形〔…に〕交換［代替］可能な〔to〕.

com·mu·ta·tion /kàmjətéiʃən | kɔ̀mju-/ 名 **1** C U〔法律〕〔…から/…への〕減刑；（義務などの）軽減〔from/to〕. **2** U〔主に米正式〕定期券〔回数券〕通勤.

†**com·mute** /kəmjúːt/ 動 他〔正式〕── を取り替える, 交換する（exchange）；〈支払い方法などを〉〔…に〕切り替える〔to, for, into〕. **2**〈距離〉を〔…から/…へ〕毎日通う〔from / to, into〕.
  ── 自〔…から/…へ/…の間を〕通勤〔通学〕する〔from/to/between〕《◆元来は「郊外の自宅と都心の職場を鉄道を利用して通う」の意》‖ *commute* from Nara to Osaka =*commute* between Nara and Osaka 奈良から大阪まで通勤〔通学〕する.
  ── 名 U 通勤〔通学〕（距離）‖ How long is your *commute*? 君の通勤〔通学〕距離はどのくらいですか.

†**com·mut·er** /kəmjúːtər/ 名 C （鉄道の）定期（回数）券利用客, 通勤〔通学〕者.
  commúter bèlt（郊外の）通勤者居住区, ベッドタウン地帯《（米）bedroom town）《◆×bed town は誤り》.
  commúter càr（2人用）通勤〔通学〕用自動車（cf. two-seater）.
  commúter tícket〔**páss**〕通勤〔通学〕用定期券《（英）season ticket）（→ ticket 名 **1** 関連）.
  commúter tràin 通勤〔通学〕列車.

＊**com·pact**[1] 形 kəmpǽkt, kámpækt |-ˊ-, kɔ́mpækt；動 kəmpǽkt；名 kám- | kɔ́m-/〔共に (com) 堅く締める(pact). cf. im*pact*〕
  ── 形（more ～, most ～；時に ～·er, ～·est）**1**〈家・車・道具などが〉むだなスペースのない，こぢんまりした；小さくて安い ‖ a *compact* camera コンパクトカメラ《小型の35ミリカメラ》.
  2 ぎっしり詰まった；引き締まった；目の詰まった；（狭い場所に）密集した ‖ the cabbage with a *compact* head 固く巻いたキャベツ／in a *compact* mass 密集して.
  3〔文体・記述などが〕簡潔な ‖ a *compact* style of writing きびきびしてむだのない文体.
  ── 動 他〔正式〕〔通例 be ～ed〕**1**〈物が〉凝縮〔密集〕する；〈物が〉〔…へと〕圧縮される, 固められる〔into〕. **2**〔…からできている［成る］〕〔of〕.
  ── 名 /kám- | kɔ́m-/ C **1** コンパクト《携帯用のおしろい入》. **2**（米）=compact car.
  cómpact càr（経済的な）小型自動車《◆standard と subcompact の中間. 日本の小型車は subcompact に当たる》.
  cómpact dísc コンパクトディスク（略）CD）.
  com·páct·ly 副 簡潔に. **com·páct·ness** 名 簡潔（さ）.

†**com·pact**[2] /kámpækt | kɔ́m-/ 名 U C〔正式〕〔…の間の〕合意, 協定；契約（contract）〔between〕.

com·pac·tor /kəmpǽktər/ 名 C 家庭ごみ圧縮機.

＊**com·pan·ion** /kəmpǽnjən/〔共に (con) パンを食べる(panion) 人. cf. accompany, company〕
  ── 名（複）～s/-z/）C **1**〔主に文〕**a** 仲間, 友だち；連れ，（一時的な）話し相手《◆friend ほど心のつながりではないが一緒にいることを強調. 動物や本など旅先で人の心を慰めるものの場合もある》〔類語〕colleague, comrade.‖ former *companions* at school 昔の学校友だち／a traveling *companion* 旅の道連れ／one's lifelong *companion* 終生の伴侶(はんりょ)／My *companion*(s) will come later.（予約した店で）連れはあとから来ます. **b** 気の合った友〔動物〕, 同好の友 ‖ The woman [dog] is a good *companion* to me. その女性〔犬〕は私のよき友です. **2** 付添い, コンパニオン《老人・病人などの話し相手・手伝いとして雇われる人. 主に女性》. **3**〔C～；通例書名で〕手引き, 必携,〔…の〕友〔to〕‖ The Motorist's *Companion* 運転者必携.

compánion ànimal =animal companion.

com·pan·ion·a·ble /kəmpǽnjənəbl/ 形 連れ〔友〕になる, 親しみやすい, 人付き合いのよい.

com·pan·ion·ate /kəmpǽnjənət/ 形 **1** 仲間の, 友愛的な. **2** 調和した, ぴったり合った.

†**com·pan·ion·ship** /kəmpǽnjənʃip/ 名 U〔時に a ～〕仲間付き合い, （親密な）交際 ‖ enjoy his *companionship* 彼と交際する.

＊**com·pa·ny** /kámpəni/〔「一緒に(com) パン(pany) を食べる人. cf. companion〕

index **1** 会社 **2** 同席すること **3** 仲間 **4** 来客 **5** 一団

── 名（複）-nies/-z/）**1a** C 会社（略）Co.）《◆& Co./ənid/ kóu/ は John Smith & Co. のように主に個人名の合資会社, 合名会社に用いる（→ **1b**）. この場合複数扱いにすることもある》(cf. firm[2])‖ an oil *company* 石油会社／an insurance *company* 保険会社／a multinational *company* 多国籍企業／a business [trading] *company* 商事会社／a publishing *company* 出版社／a bogus *company* 幽霊会社／My mother works *for* [at,

compar. (略) comparative.

†com·pa·ra·ble /kǽmpərəbl | kɔ́m-/ 形《正式》(↔ incomparable) **1**〔…と〕比較できる;〔…と〕同種の, 類似の(equivalent)〔with, to〕‖ The human lungs are *comparable to* the gills of the fish. 人の肺は魚のえらと類似したところがある. **2**〔しばしば否定文で〕〔…と〕比較に値する;〔…に〕匹敵する, 同等の, 同じとみられる〔to, with〕.
cóm·pa·ra·bly 副 比較できる[匹敵する]ほど(に).

†com·par·a·tive /kəmpǽrətɪv/ 形 **1** 比較による, 比較に基づいた‖ *comparative* literature [linguistics] 比較文学[言語学]. **2**《正式》比較した(場合の), 相対的な; かなりの‖ in *comparative* comfort 比較的[以前の生活に比べて]安楽に. **3**〖文法〗比較級の(◆「原級の」は positive,「最上級の」は superlative). ━名〖文法〗[the ~] = comparative degree. **compárative degrée** 比較級(の形).

†com·par·a·tive·ly /kəmpǽrətɪvli/ 副 **1** 比較的(に), かなり; いくぶん, 少し. **2**〖文法〗(みると)‖ *comparatively* speaking〔通例文頭で〕比較して言えば.

*com·pare /kəmpéər/《共に(com)同等の状態(par)に置く. cf. par, pair》関連 comparable (形), comparative (形·名), comparison (名)
━動 (~s/-z/; 過去·過分 ~d/-d/; -par·ing /-péərɪŋ/)
━他 [compare A with [to] B] **1**〈人·論文など が〉(異同を明確にするために) A〈人·物·事〉を B〈人·物·事〉と比較する, 比べる(◆to は受身で好まれる)‖ *compare* the two novels 2つの小説を比べる(= make a *comparison* between the two novels) / *compare* the translation *with* [*to*] the original 翻訳と原作を比較検討する.
2〈人·ことわざなどが〉A〈人·物·事〉を B〈人·物·事〉にたとえる, なぞらえる(◆「この意味では to の方が好まれる」); A を B と同等にみなす, 同じとみる‖ Life is often *compared to* a voyage. 人生はしばしば航海にたとえられる.
3〖文法〗〈形容詞·副詞〉の比較変化形をつくる〖示す〗.
━自 [compare with A]〔通例否定文で; 肯定文では poorly などを伴って〕〈人·物·事〉と匹敵する;〔…に似ている,〕…と同じ水準にみえる‖ He just can't *compare with* Bach. 彼はバッハにはとうていかなわない(= There is no *comparison* between Bach and him. → comparison 名**1**) / This picture *poorly* [*favorably*] *compares with* the original. この写真は実物に劣る[まさる].
(as) compáred with [《主に米》**to**] **A** …と比較すると, 比べて.
━名 U《文·まれ》比較(comparison)《◆次の成句で》.
beyónd [**withóut**] **compáre**《文》比類なく, 比較にならないくらい(すばらしい).

†com·par·i·son /kəmpǽrɪsn/ 名 U C **1**〔…と〕比べること,〔…との〕比較〔with, to〕;〔…との〕類似, 相似;〔…に〕匹敵(するもの)〔to〕‖ the *comparison* of this book and [with, to] that この本とその本との比較 ◆ *compare* this book with [and, to] that の名詞化表現. → 文法 **14.4**〕/ **beyónd** [**withóut**] **compárison** = òut of (àll) *compárison* 比類なく, 段ちがいのないほど(すぐれた) / **by** *compárison* 比較すると / **in** [**by**] *compárison* **with** France フランスに比較すると / **béar** [**stánd**] *compárison* **with** her beauty 彼女の美しさにたちうちできる / My skill in golf is poor [superior,

━━━━━━━━━━━━━━━

in] a big software *company*. 母は大きなソフトウェア会社に勤めている / a limited (liability) *company*〘英〙有限責任会社(略 Co., Ltd.) / a public [private] *company*〘英〙(株式)の公開[非公開]会社 (cf. corporation, firm²).

> 語法 (1) ⚠ company は日本語の「会社」に比べ「雇用関係」や「人間(の集まり)」ということが強く意識されているので「会社に勤めている」は work for a ... company を用いることが多い(→ work 自 ⑥ 語法).
> (2)「会社へ行く」は go to work / go to the office [factory] で, ×go to the company は不可.

b U (会社名に名前の出ない)共同経営者, 一般社員(たち); [... and C~ (略) ... & Co.)]…商会‖ John Smith *and Company* =John Smith & Co. スミス商会. **c** C (中世の)同業組合, ギルド (guild).
2 U〈人·ペットと〉同席すること, 同行; 付き合い, 交際‖ I really enjoyed your *company*. ご一緒[お話]できて本当に楽しかったです(=I really enjoyed being with you.) / She loves the *company* of children. 彼女は子供を相手にするのが好きだ(= She loves being with children.) / He is good [poor, ×bad] *company*. 彼は付き合って面白い[面白くない]人だ.
3 U〖通例集合名詞; 単数·複数扱い; 無冠詞〗仲間, 友だち, 連れ(◆ 個人をさすこともある) (→ 文法 **14.3**(2)) ‖ get into [keep] bad *company* 悪友と交際する[している] / A man is known by the *company he keeps*. (ことわざ) 付き合う仲間を見ればその人の人柄がわかる / Two's *company*, three's none [*a crowd*]. (ことわざ)(略式)2人はよい連れ, 3人は仲間割れ.
4 U〖集合名詞; 無冠詞または the ~〗来客, 客《◆ (1) visitor, guest がふつう. (2) 個人にも用いる》‖ receive a great deal of *company* 多くの客を迎える.
5 C〖集合名詞; 単数·複数扱い〗**a** 人の集まり, 一団, 一行 (類義) band, party, troop)‖ A *company* of tourists are [is] arriving soon. 観光客の一団がもう着きます (→ 文法 **14.2**(5)). **b**（俳優などの）一座, 劇団‖ an opera *company* 歌劇団 / Royal Shakespeare Company ロイヤル=シェイクスピア劇団. **c**〖呼びかけで〗(一座·一行などの)みなさん, 君たち, お前たち.
be in góod cómpany よい仲間と付き合っている; (ミスなどをしても)同じような(りっぱな)人はたくさんいる《◆ ミスなどをした人を慰める場合に用いる》.
for cómpany 付き合いに; 話し相手として.
in cómpany (1)〔…と〕一緒に〔with〕. (2) 人前で, 客の前で.
kéep cómpany（やや古）〔…と〕付き合う;〔異性と〕交際する〔with〕.
kèep A cómpany〈人〉に同行する, 〈人〉と一緒にいる.
párt cómpany《正式》(1)〔…と〕絶交する, 別れる; 分かれる〔with, from〕. (2)（路上などで〕…と〕別れる〔with〕. (3)〔…と〕意見を異にする〔with〕.
cómpany dòctor (1) 企業コンサルタント. (2) (会社の)嘱託医.
cómpany mànners（略式）（客の前での）たいへん丁重なふるまい.

excellent] in *comparison* to his. 私のゴルフの腕前は彼よりも劣る[まさる] / **máke** [**dráw**] **a compárison** between an artificial flower and a wild one 造花と野生の花を比べる(=*compare* an artificial flower *with* a wild one) / *There is no comparison* between Bach's compositions and other baroque music. バッハの作品は他のバロック音楽とは比べものにならない(バッハの方が断然すぐれている)(=Other baroque music cannot *compare with* Bach's ...) / *Comparisons are odious.* (ことわざ) 甲乙つけるのはおぞましい;(人と人の)比較はいやなもの. **2** […に]たとえること, なぞらえること[*to, with*]; たとえ, 比喩(的表現); 例示, 実例 ‖ *the comparison of the heart to* [*with*] *a pump* 心臓をポンプにたとえること. **3** [文法](形容詞・副詞の)比較変化(形).

†**com·part·ment** /kəmpɑ́ːrtmənt/ 名 ⓒ **1** 区画, 仕切った部分. **2** [鉄道]仕切り客室, コンパートメント 《◆米国では寝台・トイレ付きの豪華個室をさす. 英国・ヨーロッパでは, 向かい合わせの座席のある部屋で, 通路とドアで仕切られ, 定員6-8人の部屋》.

com·part·men·tal·ize /kəmpɑ̀ːrtméntəlàiz | kɔ́mpɑːt-/ 動 他 …を分類する.

†**com·pass** /kʌ́mpəs/ [発音注意] 名 **1** ⓒ (船舶用)羅(°)針儀[盤] (mariner's compass); (一般に)方位磁石, コンパス, 方位計 ‖ *the 32 points of the compass* コンパスの32方位 / *box the compass* 方位を順次に列挙する;〈議論などが〉堂々巡りをする. **2** ⓒ [しばしば ~es] (製図用)コンパス, 両脚器 ‖ *draw a circle with a compass* コンパスで円を描く《◆*a pair of compasses* ともいう》. **3** Ⓤⓒ [正式] [通例 the ~] (囲まれた)地域(area);範囲, 限界(limit) ‖ *beyónd* [*withín*] *the cómpass of* one's *ability* 能力の範囲外[内]で / *in* (*a*) *small compass* 小範囲に;ぎっしりと. ── 動 他 **1** …を囲む, 取り巻く《◆encompass がふつう》. **cómpass póint** (コンパスの)32方位;方位頻度(11°15′).

†**com·pas·sion** /kəmpǽʃən/ 名 Ⓤ […への](助けてやろうという深い)思いやり, あわれみ, 同情[*for*, (英では主に) *on*]《◆ pity より堅い語》‖ *out of* [*because of*] *compassion* あわれに思って, 同情して / *have* [*take*] *compassion for* [*on*] *the poor* 貧しい人に同情する.

†**com·pas·sion·ate** /kəmpǽʃənət/ 形 あわれみ深い, 思いやりのある《◆sympathetic より堅い語》.

com·pás·sion·ate·ly 副 あわれんで, 同情して.

com·pat·i·bil·i·ty /kəmpæ̀təbíləti/ 名 Ⓤ 矛盾のないこと;[…との/…の間の]適合性;両立性[*with*/*between*];[コンピュータ] 互換性.

com·pat·i·ble /kəmpǽtəbl/ 形 〈考え・主義などが〉[…と]矛盾しない, 共存できる, うまく合う;[…と]両用の, 共用できる[*with*];[コンピュータ] 互換性のある《データやソフトウェアが他の機種でも利用できる》.

com·pát·i·bly 副 矛盾なく.

†**com·pa·tri·ot** /kəmpéitriət | -pǽ-/ 名 ⓒ [正式] 同胞, 同国人.

†**com·pel** /kəmpél/ [アクセント注意] 動 (過去・過分) **com·pelled**/-d/; **--pel·ling**) 他 [正式] **1** [*compel* **A** *to do*]〈人・物・事が〉**A**〈人・物〉に無理やり…させる《◆ *force* の順に強制力が弱くなる》● 文法 23.1)‖ *His illness compelled him to stay indoors.* = *He was compelled by illness to stay ...* 彼は病気のため家に閉じこもっていなければならなかった(=He had to stay indoors because he was ill.). **2** [正式] [*compel* **A** (*from* **B**)] 〈人・物・事が〉**A**〈沈黙;服従・言動など〉を(**B**〈人〉に)強いる, 要求する, せしめる《◆受身不可》‖ *Her performance compelled admiration from us* [*our admiration*]. = *We were compelled to admire her performance.* 彼女の演奏に感嘆せざるをえなかった(=We couldn't help admiring her performance.).

com·pél·la·ble 形 強制しうる.

com·pel·ling /kəmpélin/ 形 [正式] **1** 強制的な, やむにやまれぬ. **2** 人を引きつける. **com·pél·ling·ly** 副 強制的に.

com·pen·di·ous /kəmpéndiəs/ 形 [正式] (要を得て)簡潔な.

com·pen·di·um /kəmpéndiəm/ 名 (複 ~s, --di·a /-diə/) ⓒ [正式] 要約, 概要.

·**com·pen·sate** /kɑ́mpənsèit, -pen- | kɔ́mpən-, -pen-/ 動 他 **1** 〈人〉に[…で/損害などの]賠償[補償]をする;〈人〉に[…で/努力・仕事などに]報いる(make up for)[*with/for*]‖ *compensate him with money for his injury* お金で彼に傷害補償する. **2** 〈損失・欠点などを〉[事で]埋め合わせをする, 相殺(${}^{そう}_{さい}$)する[*with, by*]‖ *compensate one's lack of experience with diligence* 経験不足を勤勉で補う. ── 自 〈人・物・事が〉[損失・欠点などの]埋め合わせをする[*for*];[…を/人に]償(^{ヶな})う, 補う[*for/to*]《◆受身可》.

cóm·pen·sà·tor 名 ⓒ 補償する人;補整器.

†**com·pen·sa·tion** /kɑ̀mpənséiʃən, -pen- | kɔ̀mpən-, -pən-/ 名 **1** Ⓤ […の]埋め合わせ(をすること[がされること]), 相殺(${}^{そう}_{さい}$);賠償, 補償[*for*];(振子の)補正 ‖ *in* [*by way of*] *compensation for his injury* 彼の傷害の補償として. **2** Ⓤ [時に a ~] […を]補うもの; […の]補償[賠償]金;(米)[…に対する]報酬, 給与[*for*]‖ *some compensation for his lack of talent* 彼女の才能の欠如を補うもの / *as a compensation for his injury* 彼の傷害の補償金として.

com·pen·sa·to·ry /kəmpénsətɔ̀ːri | kɔ̀mpənséitəri/ 形 [正式] 埋め合わせとなる;償いの, 賠償の;補償の;報酬の.

com·père /kɑ́mpeər | kɔ́m-/ [フランス] (英) 名 ⓒ (ラジオ・テレビ番組の)司会者. ── 動 自 **1** (…の)司会をつとめる. **2** (…の)ガイドをつとめる.

·**com·pete** /kəmpíːt/ [共に(com)求める(pete). cf. *petition*] 他 *competition* (名)
── 動 (~*s*/-píːts/; (過去・過分) ~*d*/-id/; --**pet·ing**)
── 自《◆修飾語(句)は省略できない》**1** 〈人が〉[人を得るために]**競争する**, 張り合う[*with, against / for*]‖ *I had to compete with* [*against*] *him for the prize.* その賞を手に入れるために彼と競わねばならなかった.
2 〈人が〉(競技などに)**参加する**[*in*] ‖ *Jane will compete in the race.* ジェーンがそのレースに参加するだろう.
3 [通例否定文で] 〈人・物が〉[…に]比べられる[*with*] ‖ *No one can compete with her in intelligence.* 知性の点で彼女に並ぶ人はいない.

·**com·pe·tence** /kɑ́mpətəns | kɔ́m-/ 名 **1** [正式] Ⓤ […する/…に必要な]能力, 力量(ability); […する/…の]適性[*to do / for, in*] (↔ *incompetence*) ‖ *his competence* [*to drive* [*for driving*] ‖ *his competence in coping* [*to cope*] *with a problem* 彼の問題処理能力. **2** (文) [a ~] (十分な)資力[収入, 所得];(生活する)財産.

com·pe·tent /kɑ́mpətnt | kɔ́m-/ 形 〔正式〕 **1** 〔…する/…に必要な〕能力[力量]のある; 〔…するのに/…に〕適格な, 適任の(able) 〔to do / for〕; 〔…に〕堪能(たんのう)な, 有能な(skilled) 〔at, in〕(↔ incompetent) ‖ a *competent* pianist 腕のいいピアニスト / a man *competent for* the task その仕事がやれる人《◆qualified for の方がふつう》 / She is *competent to* teach Spanish. 彼女はスペイン語が教えられる. **2** 〔能力・収入などが〕十分な, 相当な; 〈作品・仕事・できばえなどが〉まずまず上出来の, (まずまず)満足のいく. **cóm·pe·tent·ly** 副 有能に, 立派に; 十分に.

***com·pe·ti·tion** /kɑ̀mpətíʃən | kɔ̀m-/ 〔→ compete〕
—— 名 (複 ~s/-z/) **1** Ⓤ 〔…を獲得する/…同士の/…との〕競争, 張り合い〔for / between, among / with〕‖ bitter [keen] *competition* for leadership 激しい主導権争い / *in competition with* other rivals 競争相手と競って. **2** Ⓒ〔力・技能を競う〕競技(会), コンクール, コンペ; 競争試験, コンテスト ‖ enter a dancing *competition* ダンス競技会に参加する. **3** Ⓤ 競争相手; [(the) ~; 集合名詞; 単数・複数扱い] 競争者.

†**com·pet·i·tive** /kəmpétətiv/ 形 **1** 競争による, 競争的な, 競争が激しい ‖ a *competitive* examination 競争試験. **2** 自由競争による; 〈価格・製品などが〉他のどれにも負けないぐらいの ‖ (at) *competitive* prices 他より安い価格(で) / a *competitive* edge 競争力. **3** 〈人が〉競争好きな; 他人に勝ちたがる. **com·pét·i·tive·ly** 副 競争して. **com·pét·i·tive·ness** 名 Ⓤ 競争; 競合性.

†**com·pet·i·tor** /kəmpétətər/ 名 Ⓒ 競争する人[団体], 出場選手, 競争相手《◆rival と違って敵意を含まない》‖ a *competitor* in business 商売がたき.

com·pi·la·tion /kɑ̀mpəléiʃən/ 名 Ⓤ (本などの)編集; 〔資料の〕収集; Ⓒ 編集[収集]物.

†**com·pile** /kəmpáil/ 動 他 **1** 〔正式〕〈資料を〉収集[編集]する(collect) 〔into〕; 〈辞書・リストなどを〉編集する《◆edit は 新聞・雑誌・映画・書物の編集》‖ *compile* information *into* a book 資料を編集して本にする. **2** 〔コンピュータ〕〈プログラムを〉コンパイルする, 機械語に翻訳する.

com·pil·er /kəmpáilər/ 名 Ⓒ (辞書などの)編集者; 〔コンピュータ〕コンパイラ《高水準言語で書かれたプログラムを機械語に変換するプログラム》.

†**com·pla·cence**, **–cen·cy** /kəmpléisns(i)/ 名 Ⓤ 充足感; 自己満足, ひとりよがり.

com·pla·cent /kəmpléisnt/ 形 〔…に対して〕悦に入った, 自己満足の〔about, toward〕; のん気な, 心配のない. **com·plá·cent·ly** 副 悦に入って, のん気に.

***com·plain** /kəmpléin/ 〔「非常に悲しむ」が原義〕
動 complaint (名)
—— 動 (~s/-z/; 過去・過分 ~ed/-d/; ~·ing)
—— 自 **1** [complain about [of] A / doing] 〈人が〉〈物・事に〉ついて〔同情をひくように〕〔…に〕不満を言う, ぶつぶつ言う, 文句[不平]を言う〔to〕‖ *complain of* the book being too difficult その本は難しすぎるとこぼす《◇文法 12.5》(=*complain* that the book is too difficult) / She is always *complaining about* the food. 彼女はいつも食べ物のことで文句ばかり言っている《◇文法 5.2(4)》/《対話》 "How are you?" "*Can't complain.*" 「やあ, どうだい」「まあまあってとこだね」.
2 [complain about [of] A] 〈人が〉〈物・事について〕〔…に〕(正式に)訴える, 苦情を言う〔to〕‖ *complain* to the police *about* the noise 警察に騒音のことを訴える.
3 〔病気・苦痛などを〕訴える〔of, 〈文〉about〕‖ *complain of* a toothache 歯が痛いと言う.
—— 他 [complain (to A) (that) 節] …であると〈人に〉不満[不平]を言う, 訴える, 嘆く《→ 自 **1**》‖ She *complained* to me *that* prices were high in Tokyo. 彼女は私に東京の物価は高いと不満を述べた.

com·pláin·er 名 不平を言う人.

com·plain·ant /kəmpléinənt/ 名 Ⓒ 〔法律〕原告, 告訴人.

com·plain·ing·ly /kəmpléiniŋli/ 副 ぶつぶつ言いながら, 不平がましく.

†**com·plaint** /kəmpléint/ 名 **1** Ⓒ 〔…に対する/…についての/…という〕不平, 不満, 泣きごと, 愚痴〔against, on / about, of / that節〕‖ his *complaint against* the government 政府に対する彼の不満 / *make a complaint about* the service to the manager 支配人にサービスについてクレームをつける. **2** Ⓒ 不平[不満]の種; [時に遠回しに](身体の)病気 ‖ I have a heart *complaint* 心臓が悪い. **3** Ⓒ 不平[不満]の訴え ‖ I have every reason for *complaint* 不平を言うのは至極当然である. **4** Ⓒ 〔法律〕不服申立て; 告訴; (米)(民事訴訟における)原告側の最初の申し立て.

com·plai·sance /kəmpléisns | -zns/ 名 Ⓤ 〔正式〕親切心, 好意.

com·plai·sant /kəmpléisnt | -znt/ 形 〔正式〕親切心のある, 好意的な. **com·plái·sant·ly** 副 すすんで.

†**com·ple·ment** /名 kɑ́mpləmənt | kɔ́m-; 動 -mènt/ (同音) compliment) 名 Ⓒ **1** 〔…の〕補完物, 〔…を〕完全にするもの〔to〕‖ Mercy must be a *complement* to the law. 法律は慈悲によって補わなければならない. **2** (必要な)全数, 全量; (艦船の)乗組定員, (乗物の)定員 ‖ a full *complement* of students 定員いっぱいの学生. **3** 〔文法〕補語, 補文.
—— 動 他 〔正式〕…を完全にする; …を補足する《◆supplement は「欠点を補う」》‖ The brooch *complements* your dress perfectly. そのブローチであなたの服装は完全に整う.

†**com·ple·men·ta·ry** /kɑ̀mpləméntəri | kɔ̀m-/ (同音) complimentary) 形 〔…を〕補足する, 〔…に〕補足的な〔to〕; 相補的な.

complementáry ángle 〔数学〕余角.

complementáry cólor 〔絵〕補色.

***com·plete** /kəmplíːt/ 〔「完全に(com)満たす(plete)」cf. *complement*〕副 completely (副)
—— 形 (more ~, most ~)《◆ふつう比較変化しない》**1** [通例名詞の前で] まったくの, 徹底した, 完全な(perfect) ‖ He is a *complete* [perfect, total] stranger. 彼は赤の他人だ(=He is *completely* [perfectly, totally] a stranger.) / It's a *complete* surprise to see you here. ここであなたにお会いするとはまったく思いがけないことです / Her face showed *complete* contentment. 彼女の顔には満足しきった様子が現れていた.
2 [名詞の後で] 〔…が〕完備した, 〔…〕付きの〔with〕‖ a house *complete with* furniture 家具付きの家 / On the train I lost my wallet *complete with* a ticket and money. 列車で私は切符とお金の入った財布をなくした.
3 (すべての面で)完全な, 全部の《◆perfect は「質がすぐれている」の意が加わる》(↔ incomplete) ‖ the

complete works of Shakespeare シェイクスピア全集 / An ordinary Japanese meal is not *complete* without rice. ふつう和食にはご飯が必ずついている.
4 [補語として] **完成した**, 完了した ‖ Her work is now *complete*. 彼女の作品はいま完成している.

―― 動 (~s/-plí:ts/; 過去・過分 --plét·ed/-id/; --plét·ing)

―― 他 1〈人・物〉〈物・事を**完全(なもの)にする**; …を全部揃える ‖ One more page will *complete* my report. あと1ページで私の報告書は完成だ.
2〈人が〉〈物・事を**仕上げる**, 完成させる《◆ finish より堅い語》; [complete doing] …することを仕上げる ‖ *complete* repairing [×to repair] a watch 時計の修理を終える(→文法 12.7) / The building was *completed* last month. その建物は先月完成した.
3〈アンケート・申し込み用紙などに〉**記入する** ‖ *complete* a form [questionnaire] 申し込み用紙[アンケート]に記入する.

†com·plete·ly /kəmplí:tli/《→ complete》
―― 副 〔通例修飾語の前で〕**完全に**, すっかり, 徹底的に《◆比較変化しない》(↔ incompletely) ‖ I *completely* forgot about my wife's birthday. 私は妻の誕生日のことをすっかり忘れていた / a *completely* new method (既知の)まったくの新方式 / He *completely* denied it. 彼はそれをきっぱり否定した / I still didn't *completely* trust him. 私はまだ彼を完全に信用してはいなかった《◆ 部分否定》. →文法 2.2⑵.

†com·plete·ness /kəmplí:tnəs/ 名 U《正式》完全(であること), 完璧(な).

†com·ple·tion /kəmplí:ʃən/ 名 U C《正式》完成, 完了, 終了, (課程などの)修了, 成就 ‖ **bring** the plan *to completion* その計画を完成させる / **on** *completion* of the work その仕事の完了時に.

†com·plex /形 kəmpléks | kɔ́mpleks; 名 ─/ 形 (more ~, most ~; 時に ~·er, ~·est) **1**〈密接に関連した〉**多くの部分から成る**, 複合の, 合成の ‖ a *complex* administrative structure 複雑な行政機構. **2** 入り組んだ, 錯綜(さく)した; 複雑で理解[説明]しにくい(↔ simple) ‖ Her political theory is too *complex*. 彼女の政治理論は私には複雑すぎて理解できない. **3**《文》〈文が複文の〉〈語が合成の. ── 名 C **1** 複合体, 合成物; 総合ビル, 合同庁舎, 総合施設; (工場の)コンピュータ ‖ a hóusing còmplex 住宅団地 / a léisure còmplex 総合レジャーセンター. **2**〈心理〉コンプレックス(cf. Oedipus complex); (略式)[…に対する]固定観念, 強迫観念(obsession)[about] ‖「an inferiority [a superiority] *complex* 劣等[優越]感《◆単独では「劣等感」の意ではない》.

complex frácture 〔医学〕複雑骨折.
complex númber 〔数学〕複素数.
complex séntence 〔文法〕複文《従属節を含む文》.

†com·plex·ion /kəmplékʃən/ 名 C **1** 肌の色; 顔色, 顔のつや ‖ a dark [fair] *complexion* 色黒[色白] / a poor [pale] *complexion* 悪い[青ざめた]顔色 / have a rosy [fine, good, beautiful] *complexion* 血色がいい. **2**《正式》〔通例 a/the ~〕様子, 形勢; 心構え, 態度.

com·plex·ioned /kəmplékʃənd/ 形 〔複合語で〕…の顔色をした ‖ fair-*complexioned* 色白の.

†com·plex·i·ty /kəmpléksəti/ 名 U《正式》複雑さ, 複雑性;(↔ simplicity); C 複雑なもの.

com·pli·ance, --an·cy /kəmpláiəns(i)/ 名 U《正式》**1**〔要求・命令・規則などに〕従うこと[with], 遵守 ‖ *in compliance* [*compliancy*] *with* his wishes 彼の希望に従って. **2** 追従(2,3), へつらい.

com·pli·ant /kəmpláiənt/ 形《正式》従順な, すなおな; 卑屈な, 言いなりになる.
com·pli·ant·ly /-li/ 副 従順に.

†com·pli·cate /kámpləkèit | kɔ́m-/ 動 **1**〈事を〉理解[処理]しにくくする, 困難にする;〈事を複雑にする, 紛糾させる〉(↔ simplify). **2**〈病気などを〉悪化させる. **3** …に[…を]からませる, まぜる[with].

†com·pli·cat·ed /kámpləkèitəd | kɔ́m-/ [アクセント注意] 形 **1**〈機械などが〉込み入った, 複雑な《類語》complex)‖ a *complicated* computer 複雑なコンピュータ. **2** (理解・説明・処理するのに) […にとって] (複雑で)難しい, 困難な[for]《◆ difficult より堅い語》‖ a *complicated* puzzle 解きにくいパズル.

†com·pli·ca·tion /kàmpləkéiʃən | kɔ̀m-/ 名 **1** U (…の)理解[処理]を難しくすること, 困難になる[する]こと, 複雑化. **2** C (さらに加わる)困難のもと, 紛糾の種; 困難な状況, 紛糾状態.

com·plic·i·ty /kəmplísəti | kɔm-/ 名 U《正式》〔犯罪などの〕共謀, 共犯[in]《◆ conspiracy より堅い語》‖ *complicity* in his crime 彼との共犯関係.

†com·pli·ment /名 kámpləmənt | kɔ́m-/ 動 -mènt/《同音》complement) 名 C **1** […についての]賛辞, ほめ言葉; (社交上の)お世辞; 賛美, 表敬[on]《◆ flattery と異なり, 積極的なよい意味を持つ》‖ màke a *cómpliment to* him (on his book) = páy him a *cómpliment* (on his book) 彼の(著書を)ほめる / retúrn the [a] *cómpliment* 返礼する / páy him the *cómpliment* of attending the meeting 彼に敬意を表してその会に出席する. **2**《正式》[~s](時候の)あいさつ;(表敬の)言葉(cf. regards) ‖ a *compliment* slip 〈贈呈本などの〉献辞を書いた紙 / "Give my *compliments* to your wife."「奥様によろしくお伝えください」《◆ Give my best regards to … がふつう》/ With Mr. Butler's *compliments* = With the *compliments* of Mr. Butler バトラーより《◆贈呈品に記す文句》.

── 動 他〈人に〉[…の]賛辞[祝辞]を述べる;〈人に〉[…について]お世辞[愛想]を言う;〈人の〉[の…]をほめる, たたえる[on, for] ‖ He *complimented* her on her beauty. 彼は彼女を美しいとほめた.

†com·pli·men·ta·ry /kàmpləméntəri | kɔ̀m-/《同音》complementary) 形 **1** あいさつの, 敬意[敬意]を表す; お世辞の, お愛想の. **2** (好意により)無料の; 招待の(free)‖ *complimentary* beverage (機内の)無料の飲み物《◆ coffee, tea, coke など》/ *complimentary* dinner 招待の会食 / *compliméntary* clóse [clósing] (手紙の)結びの文句《◆「敬具」に当たる部分. Faithfully yours など》.

†com·ply /kəmplái/ 動 《正式》〔要求・命令・規則に〕従う, 応じる[with].

†com·po·nent /kəmpóunənt/ 形 (機械・機構などを)構成している, 構成要素[部分]を成す ‖ She disassembled her radio into its *component* parts. 彼女はラジオをばらばらに分解した. ── 名 C 構成要素[部分]; (車などの)部品, パーツ;(ステレオの)コンポ(ーネント).

com·port /kəmpɔ́:rt/ 動《正式》他 [~ oneself] (しきたりに従って)ふるまう, 行動する ‖ He *comports* him*self* with confidence. 彼の態度は自信に満ち

compose

com·pórt·ment 名 U ふるまい.

†**com·pose** /kəmpóuz | kɔm-/ 動 他 **1**〔正式〕〈人･物が〉〈物を〉構成する, 組み立てる; [be ~d]〈…から〉成り立つ(be made up)〔of〕(◆進行形は不可) 類語 comprise, consist of)‖ What is air composed of? 空気は何からできているか / The encyclopedia is composed of 30 volumes. その百科事典は30巻からなる. **2**〈人が〉〈詩を使って〉〈物･事を〉〔…から…へと〕創作する〔from/into〕;〈詩･小説･手紙･演説を〉書く;〈曲･オペラなどを〉作曲する;〈絵を〉構図する‖ compose a letter 〔正式〕手紙を書く / Beethoven's Ninth Symphony was composed in 1824. ベートーベンの交響曲第9番は1824年に作曲された. **3**〔正式〕〈心･気持ちを〉整理する, 鎮(ﾄ)める;〈表情･態度を〉和らげる(calm); [~ oneself]〈人が〉気を鎮める, 心を落ち着ける; [be ~d] 落ち着いている(↔ discompose)‖ He compósed himsèlf before speaking. 彼は話す前に気を鎮めた. **4**〔正式〕〈けんか･論争などを〉おさめる, 調停する.
―― 自 詩〔文〕を書く; 作曲する; 構図にまとめる.

compose〈組み立てる〉

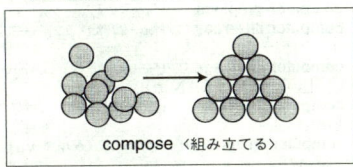

†**com·posed** /kəmpóuzd/ 形〈人が〉(つらい事態に対して)落ち着いた, 平静な(◆ quiet, calm より堅い語).

com·pos·ed·ly /kəmpóuzidli/ 副 落ち着いて, 静かに.

*ˈcom·pos·er /kəmpóuzər/ (類語 composure /-póuʒər/)
―― 名 (複 ~s/-z/) C (楽)作者; 作曲家; 調停者‖ The composer came on the stage to take a bow. 作曲家は舞台に進み出ておじぎをした.

†**com·pos·ite** /kəmpάzit | kɔmpózit/ 形〔正式〕複数の要素[部分]で構成された; 混合[合成, 複合]の.

*ˈcom·po·si·tion /kàmpəzíʃən | kɔm-/
―― 名 (複 ~s/-z/) **1** U 配合, 配置; 組織, 構造; 組成, (絵などの)構成(図).
2 C 構成物; (製)作品; (1つの)詩[曲]‖ his latest composition 彼の最近の作品.
3 U〔正式〕構成[合成](すること); 組み立て; 創作[作曲](すること)‖ She read a poem of her own composition. 彼女は自作の詩を読んだ.
4 UC〔学校の〕作文‖ The teacher assigned a 500-word composition. 先生は500語の作文の宿題を出した. **5** U〔正式〕(人の)性質, 気質(character)‖ There is something eccentric in his composition. 彼の性質は一風変わっている.

com·pos·i·tor /kəmpάzətər | -pɔ́z-/ 名 C 植字工.

com·post /kάmpoust | kɔ́mpɔst/ 名 U 堆肥(ひ), つみごえ; 混合物‖ a compost heap [pile] 堆肥の山. ―― 動〔土地に〕堆肥を施す.

†**com·po·sure** /kəmpóuʒər/ 名 U〔正式〕落ち着き, 平静(calmness)‖ kéep [lóse] one's compósure 平静を保つ[失う].

com·pote /kάmpout, (英+) kɔ́mpɔt/ 名 **1** C 砂糖煮の果物〔デザート用〕. **2** C コンポート〔菓子･果物用の足付きの盛り皿〕.

comprehensive

†**com·pound**¹ /kάmpaund | kɔ́m-/, 形〈米〉⁼; 動 kəmpáund/ 形 **1** 〔2つ以上の〕部分[要素, 成分]から成る; 合成の, 混合の, 複合の. **2** 2つ以上の機能[作用]を持つ‖ a compound organ いろいろな機能を持つ器官. **3**〔文法〕複合の; 重文の.
―― 名 C **1** 混合物, 合成物, 複合物;〔化学〕化合物 (cf. mixture)‖ Water is a chemical compound (which is) made up of hydrogen and oxygen. 水は水素と酸素から成る化合物である. **2**〔文法〕複合語.
―― 動 他〔正式〕**1**〔通例 be ~ed〕〔部分･要素･性質などから〕構成[合成]されている, 成り立っている (make up) (+together)〔from,〔主に英〕of〕‖ Her charm is compounded of gaiety and kindness. 彼女の魅力は陽気さと親切さにある. **2** 〈成分などを〉混ぜて〔…を〕作る〔into〕;〔…と〕混ぜる〔with〕;〈薬を〉調合する‖ compound a drug 薬を調合する / compound two chemicals into a medicine 2つの薬品を調合して薬を作る. **3**〈困難などを〉増す(increase). ―― 自〔正式〕〔…と/…のことで〕和解する, 示談にする〔with/for〕.

cómpound éye〔動〕(昆虫などの)複眼.
cómpound frácture〔医学〕複雑骨折.
cómpound ínterest 複利.
cómpound séntence〔文法〕重文.

com·pound² /kάmpaund | kɔ́m-/ 名 C (壁･垣などで囲まれた)構内; 住宅地[街], 屋敷, 刑務所; 工場.

*ˈcom·pre·hend /kàmprihénd | kɔ́m-/《完全に(com)つかむ(prehend). cf. comprise》(動 comprehensive (形･名)
―― 動 (~s/-hénʤz/; ~·ed/-id/; ~·ing)
―― 他〔正式〕**1**〔通例否定文で〕〈人が〉〈人･物･事の性質･意味〉を(知的に)十分に)理解する, …がわかっている(understand)‖ He doesn't comprehend the complexity of the problem. 彼はその問題の複雑さが理解できない. **2** …を包む, (暗に)包含する;〈地域･演説などが〉…に及ぶ(include).

com·pre·hen·si·ble /kàmprihénsəbl | kɔ́m-/ 形〔正式〕〔…に〕(たやすく)理解できる〔to〕.

còm·pre·hèn·si·bíl·i·ty /-bíləti/ 名 U 理解(できること).

†**com·pre·hen·sion** /kàmprihénʃən | kɔ́m-/ 名〔正式〕**1** U 理解(力)‖ The topic is beyónd [abóve] my comprehénsion. その話題は私には理解できない(= I can't comprehend the topic.) / a listening comprehension (test) リスニング[聞き取り]テスト (◆ a hearing test は「聴力テスト」のこと). **2** UC（理解して得た）知識; (生徒に課す言語能力の)試験‖ an English comprehension test 英語能力試験.

†**com·pre·hen·sive** /kàmprihénsiv | kɔ́m-/ 形 **1** 〔正式〕多くのものを含む, 広範囲な; すべてを包含する, 包括的な(inclusive)‖ She made a comprehensive list of all the local restaurants. 彼女は地元のレストランのすべてを網羅(ﾓｳ)したリストを作った. **2** 〈理解力が〉幅広い. ―― 名 C **1**〔英略式〕= comprehensive school. **2**〈米〉[~s] = comprehensive examination.

comprehénsive examinátion〈米〉総合試験〔sophomore が専門課程に進むために受ける試験〕.

comprehénsive schóol〈英〉総合中等学校〔能力に応じて分けられた grammar [modern, technical] school の弊害を避けるため, 各地域の11–18歳の生徒を教育する学校. 現在英国の公立中等学校の大

部分を占める》(cf. grammar school; → school¹).

com·pre·hen·sive·ly 副 広範囲にわたって, 包括的に; 完全に (thoroughly).

†**com·press** /kəmprés/ 動 (正式) **1** …を押し[締め]つける;〈空気・ガス〉を圧搾[圧縮]する(press);…を[…に]詰め込む(into) ‖ *compressed* air 圧搾空気. **2** …を圧縮して[…に]する;〈思想・文章・考え〉を[…に]縮める, 短縮する(into);『コンピュータ』〈データ〉を圧縮する.

†**com·pres·sion** /kəmpréʃən/ 名 Ⓤ (正式) 圧縮[圧搾](状態);(内燃機関の)圧縮量;(思想などの)要約;『コンピュータ』(データの)圧縮.

com·pres·sive /kəmprésiv/ 形 圧縮[圧搾]の;圧縮力のある, 圧縮する.

com·pres·sor /kəmprésər/ 名 Ⓒ (空気・ガスなどの)圧縮[圧搾]器[装置];(医学)(血管などの)圧迫器, コンプレッサー.

†**com·prise** /kəmpráiz/ 動 他 (正式) **1** 〈団体・組織が〉(部分として)〈人・物〉を含む(include);〈部分から〉成る(consist of). **2** 〈部分が〉〈団体・組織〉を構成する((正式) compose, make up) ‖ Four main islands *comprise* Japan. =Japan is *comprised* of the four main islands. 日本は主要な4つの島から成っている(⊃文法 7.3).

***com·pro·mise** /kámprəmàiz | kɔ́m-/ [アクセント注意]
── 名 〜s/-iz/ **1** Ⓤ Ⓒ (意見対立する両者の)妥協(すること), 折衷, 歩み寄り ‖ by *compromise* 妥協して / a happy *compromise* 円満解決. **2** Ⓒ […との/…の間の]妥協[折衷]の結果;妥協案;折衷物, 中間物(with/between) ‖ make [arrange] *a compromise with* him 彼に歩み寄る.
── 動 〜s/-iz/ (過去・過分) 〜d/-d/;〜·mis·ing
── 自 1 〈人が〉(…のことで)〉妥協する, 折り合う(on, over / with) ‖ I *compromised with* her on the matter. その件で彼女と和解した(=I made a *compromise with* her on that matter.). 語法 (英)ではよい意味に用いるが, (米)では「うやむやにする」という非難するような含みがある. **2** (正式) […のことで)屈服する, 譲歩する(with).
── 他 **1** (互いに妥協して)〈紛争など〉を解決する. **2** (不品行によって)〈名誉・体面・信用〉を損う, 汚(ȷ́がら)す, 危うくする;[〜 onesèlf] 自分の名誉[体面]を傷つける ‖ He *compromised* him*self*. He *compromised* his honor [reputation]. 彼は恥をさらした. **3** 〈信念・主義など〉を曲げる;〈基準・道徳的価値など〉を落とす.

†**com·pul·sion** /kəmpʌ́lʃən/ 名 **1** Ⓤ (正式) 強制する[される]こと) ‖ *under compulsion* 強いられて. **2** Ⓒ 強制されるもの[人];(よくないことをしようとする)衝動(to do);(心理)衝動強迫.

com·pul·sive /kəmpʌ́lsiv/ 形 (正式) 強制的な, 抑えられないほどの欲望[衝動]に駆られた, (心理的だに)やむにやまれぬ;〈番組・本などが〉とても面白い, 人の心をとらえて離さない ‖ a *compulsive* smoker タバコを吸わずにはいられない人 / You're *compulsive*. 君は生まじめ[神経質]すぎるよ / *compulsive* viewing [reading] とても面白い見物[読み物].

compulsive shópping 衝動買い.

com·púl·sive·ly 副 強制的に;やむにやまれずに.

com·pul·so·ry /kəmpʌ́lsəri/ 形 **1** 強制的な, 無理じいの(↔ voluntary). **2** 義務的な;必修の(↔ optional) ‖ a *compulsory* subject (英) 必修科目(=a required subject)《◆「選択科目」は

an optional [elective] subject》 / *compulsory* education 義務教育.
── 名 Ⓒ (体操などの)規定演技[課題](↔ free).

com·púl·so·ri·ly 副 強制的に.

com·punc·tion /kəmpʌ́ŋkʃən/ 名 Ⓤ (正式) [しばしば否定文・疑問文で](一時的な)良心の痛み;罪の意識.

com·pu·ta·tion /kàmpjutéiʃən | -kɔ̀m-/ 名 Ⓤ Ⓒ (正式)[しばしば〜s:複数扱い] 計算[算定](法);Ⓒ 計算結果, 算定数値;コンピュータの操作.

†**com·pute** /kəmpjúːt/ 動 (正式) 他 **1** 〈数・量など〉を(精確に)計算する;…を〈ある数・量であると〉算定する(at, to be);…を[…と]算定する(that 節). **2** …をコンピュータで計算する. ── 自 計算する;コンピュータを操作する.

***com·put·er** /kəmpjúːtər/《共に(com)考える(pute)もの》
── 名 (複 〜s/-z/) Ⓒ **1** コンピュータ, 電子計算機《◆代名詞は he, his で受けることがある》‖ A *computer* is indispensable to my work. コンピュータは私の仕事に欠かせない. **2** 計算[算定]する人.

compúter gàme コンピュータゲーム.
compúter gráphics コンピュータグラフィックス.
compúter illíteracy コンピュータ音痴《コンピュータを使えないこと》.
compúter lánguage コンピュータ言語《C, BASIC, COBOL, FORTRAN など》.
compúter líteracy コンピュータ操作能力(のあること).
compúter vírus コンピュータウイルス《◆単に virus ともいう》.

com·put·er·ize /kəmpjúːtəràiz/ 動 (正式) **1** …をコンピュータで処理する, コンピュータに入れる. **2** …にコンピュータを備える[組み込む]. ── 自 コンピュータを使用する.

com·pùt·er·i·zá·tion 名 Ⓤ コンピュータ化(すること).

†**com·rade** /kámræd, -rəd | kɔ́mreid, -rid/ 名 Ⓒ (正式) (労苦などを共にする男の)仲間;親友;僚友(類語 companion) ‖ his *comrades* in battle [arms] 彼の戦友. **2** (同じ政治・政党などの)組合員, 党員;(共産主義者・社会主義者などの)同志《◆呼びかけも可》;(共産圏の国の)市民;[the 〜s] 共産党員 ‖ *Comrades*, please be quiet.《◆ (⌒) は命令の, (‿) は親愛の意を表す》同志諸君「みなさん」, 静かにしてください.

cóm·rade·ship 名 Ⓤ 仲間[同志]関係;友情.

COMSAT, Com Sat, Comsat /kɑ́msæt | kɔ́m-/《Communication(s) Satellite (Corporation)》名 Ⓒ コムサット, 通信衛星(会社).

con¹ /kɑ́n | kɔ́n/《ラテン》副 (…に)反対して《◆ふつうthe pró and cón で》‖ consider the *pros* and *cons* of the matter 賛否双方から問題を考察する / He's very *con* (it). (略式) 彼は強く反対している. ── 名 Ⓒ 反対票[論]《◆ふつう the pros and cons で》‖ 4 *pros* and 6 *cons* 4人の賛成と6人の反対.

con² /kɑ́n | kɔ́n/《『信頼(confidence)させて…する』の意の短縮語》動 (過去・過分) conned/-d/; con·ning) 他 **1** (略式)〈人〉をペテンにかける. **2** 〈人〉をだまして〈金など〉を巻き上げる(trick)[out of];〈人〉をだまして(…)させる(into). ── 名 Ⓒ =con game.

cón gàme (米俗) =confidence game.
cón màn [ártist] (俗) =confidence man.

con³ /kɑ́n | kɔ́n/ 名 Ⓒ (略式) 罪人, 囚人(convict).

con·cat·e·na·tion /kɑnkætənéiʃən | kɔn-/ 名《正式》Ⓤ 連鎖, 連結; Ⓒ (事件の)ひとつながり, 一連.

†con·cave /kɑnkéiv, ='= | kɔn-, =´= / 形 凹(ぉぅ)面の, 凹形の, くぼんだ (↔ convex).

con·cav·i·ty /kɑnkǽvəti | kɔn-/ 名《正式》Ⓤ くぼんだ状態; Ⓒ くぼみ.

†con·ceal /kənsíːl/ 動 他 **1**〈人が〉〈人・物〉を隠す《◆hide より堅い語》∥ conceal a book under the desk 机の下に本を隠す / conceal oneself behind the tree 木のうしろに身を隠す. **2**〈人が〉〈事〉を[…に]秘密にする, 隠しておく〔from〕(↔ reveal); […のことを]秘密にする〔the fact that節, wh節〕∥ He concealed his anger from friends. 彼は友人に怒りをみせなかった / He concealed why he met her. 彼はなぜ彼女に会ったかだれにも言わなかった.

†con·ceal·ment /kənsíːlmənt/ 名 **1**Ⓤ《正式》隠すこと(hiding), 隠匿(ぃんとく); 隠されている状態 ∥ stay [remain] in concealment 隠れている. **2**Ⓒ 隠れ[隠し]場所 (hiding place); 隠し方, 隠匿法 ∥ act as a concealment 隠れ場所になる.

†con·cede /kənsíːd/ 動 他《正式》 **1**〈人が〉…を(正しいと)(しぶしぶ)認める; […と]認める〔that節〕∥ concede defeat しぶしぶ敗北を認める ∥ He conceded (that) he was wrong. 彼は自分が間違っていることを認めた. **2**…を(権利・特権として)許す, 与える; [concede A B = concede B to A]〈人・団体が〉A〈人・団体など〉にB〈権利・特権など〉を与える, 譲る.

con·ced·ed·ly /kənsíːdidli/ 副 明白に.

†con·ceit /kənsíːt/ 名 **1**Ⓤ (能力・権力・地位などの)うぬぼれ, 自尊心《◆vanity より鼻もちならない気持ちが強い; ↔ modesty》∥ *be full of conceit* うぬぼれが強い / She is wise in her own conceit. 彼女は自分では賢いつもりでいる. **2**Ⓒ《古》奇抜な考え, 思いつき, 気まぐれ; しゃれた文句;《文》(詩などの)奇抜な比喩.

†con·ceit·ed /kənsíːtid/ 形 […に]うぬぼれの強い, 思い上がった〔about〕(↔ modest) (cf. vain); 思いつきの. **con·céit·ed·ly** 副 うぬぼれて.

†con·ceiv·a·ble /kənsíːvəbl/ 形《正式》…であると考えられる(thinkable), 想像できる, ありそうな(possible) 〔that節〕 (↔ inconceivable) ∥ to escape by every conceivable means ありとあらゆる手段で逃亡を企てる / It is conceivable (to me) that our initial premise was wrong. おそらく私たちの最初の前提が間違っていたのだろう (= Conceivably, our initial premise ...).

con·ceiv·a·bly /kənsíːvəbli/ 副《正式》 **1**[文全体を修飾して, 文頭で] 考えられる限りでは, ことによると. **2**[can, could, may, might などの後に置いて強調して] どうしても, とても(possibly).

†con·ceive /kənsíːv/ 動 他 **1**《正式》〈人が〉〈事・物〉を(まったく新しく)思いつく, 考え出す (think up);〈考え・恨みなど〉を心に抱く (have) ∥ conceive a bright idea 名案を思いつく / conceive a prejudice against him 彼に偏見を抱く. **2**《正式》[conceive A (as [to be])C]〈人が〉A〈人・物・事〉がCだと考える《◆C は to 不定詞・形容詞》∥ conceive him (to be) honest 彼を正直だと思う / I conceive (that) she is now in the hospital. 彼女は今入院中だと思う. **3**[can を伴う疑問文・否定文で]〈人が〉〈事〉を想像する, 理解する (know); [conceive that節 / conceive wh節・句]…だと[…かを]理解する ∥ I simply can't conceive (a reason) why she would neglect her children. 彼女がなぜろくに子供たちの面倒をみないのかまったくわからない. **4**[通例 be ~d]〈考えなどが〉言葉で表される (express)∥ His idea is conceived in plain terms. 彼の考えはやさしい言葉で述べられている. **5**〈子〉をはらむ;〈男が〉〈子〉をもうける ∥ conceive a child 妊娠する.
── 自 **1**《正式》[通例 cannot ~]〈人が〉[…を]想像する (imagine), 思いつく (think) 〔of〕; […を/…と〕みなす〔of / as〕∥ I *can't conceive of* her deceiving me. 彼女が私をだますなんてとても考えられない / We cannot conceive of her as our leader. 彼女を私たちの指導者とはどうもみなせない. **2** 妊娠する (become pregnant).

*con·cen·trate /kɑ́nsəntrèit, -sen- | kɔ́n-/ [アクセント注意]〖『同じ(con)中心(centre)に集まる』〗(派) concentration (名)
── 動 (~s/-treits/; 過去過分 ~d/-id/; --trating)
── 他 **1** [concentrate A on [upon] B]〈人が〉A〈努力・注意など〉をB〈目的・仕事など〉に集中する (direct) ∥ concentrate one's attention on the scene 場面に注意を集中する / He concentrated all interests into his hand. 彼は全利益を手に収めた. **2**《正式》〈人が〉〈人・物など〉を[1点[中心]に/…に]集める〔in, at / into〕; …を中心に集める [類語] assemble, gather〕∥ concentrate people in a square 人々を広場に集める / All important offices are concentrated in the capital. 重要な役所は首都に集中している. **3**〈液体など〉を(沸騰させて)凝縮[濃縮]する.
── 自 **1**〈人が〉[…に]努力を集中する, 注意を集中する, 専念する〔on, upon〕∥ Please don't interrupt while I'm trying to *concentrate on* my homework. 宿題に取り組んでいる時にじゃましないでください. **2**〈人・物が〉…に集まる (gather) 〔at, in, into〕∥ Money concentrates in banks. 金は銀行に集まる. **3** 凝縮[濃縮]する.
── 名 (複 ~s/-treits/) Ⓤ Ⓒ 凝縮[濃縮]物, 凝縮[濃縮]食品.

con·cen·trat·ed /kɑ́nsəntrèitid, -sen- | kɔ́n-/ 形 **1**〈人・物・注意など〉を集中した, 激しい ∥ cóncentrated hóuses 密集した家 / màke a cóncentrated éffort 一心に努力する. **2**〈液体などが〉凝縮[濃縮]した ∥ concentrated juice [food] 濃縮ジュース[食品].

*con·cen·tra·tion /kɑ̀nsəntréiʃən, -sen- | kɔ̀n-/ 〖→ concentrate〗
── 名 (複 ~s/-z/) Ⓤ Ⓒ **1**《正式》集中(する[される]こと), 集中状態, 密集 (↔ distraction);〔心・努力などの〕集中(力), 専念 (attention) ∥ the concentration of power 権力の集中 / lose one's concentration 集中力を失う / In the next chapter we will *focus* our *concentration on* this problem. 次章でこの問題を重点的に扱います(= ... we will concentrate on this problem.). **2**〔軍事〕(軍隊・艦隊などの)集結. **3** [a/the ~] (液体の)濃縮, 凝縮;〔化学〕(溶液の)濃度.
concentrátion càmp (政治犯・捕虜などの)強制収容所.

con·cen·tric /kənséntrik/ 形 **1**〈円・球が〉[…と]同心の(with) (↔ eccentric). **2** 集中的な.

*con·cept /kɑ́nsept | kɔ́n-/ 〖『心に共に(con)取り入れたもの(cept)』〗
── 名 (複 ~s/-septs/) Ⓒ **1**《正式》[…に関する/…という]基本概念, 概念, 観念;《略式》着想, 考え〔of

*that*節〕‖ an abstract *concept* 抽象概念.

†con·cep·tion /kənsépʃən/ [名]《正式》**1** [U][C]《計画案を》心に抱くこと, 想像(力), 概念, 考え(idea) ‖ ***have no conception*** ⌈***of*** his feelings [(of) what he means]⌉ 彼の気持ち[真意]が全然わからない / His plan is ***beyond all conception***. 彼の計画はまったく想像もつかない. **2** [C]《よい》着想, 考案(されたもの)(idea) ; 計画. **3** [U][C] 妊娠 ; [C] 胎児.

C

†con·cep·tu·al /kənséptʃuəl/ [形]《正式》概念(形式)の, 概念に関する. **con·cép·tu·al·ism** [名][U]〔哲学〕概念論. **con·cép·tu·al·ist** [名][C] 概念論者.

con·cep·tu·al·ize /kənséptʃuəlàiz/ [動][他][自]《…を》概念化する.

***con·cern** /kənsə́ːrn/《共に(con)ふるい分ける(cern). cf. discern》[派] concerning (前)

—[動] ([複] ~s/-z/; [過去·過分] ~ed/-d/; ~·ing)

—[他] 1 a 〈話·研究などが〉〈人·物·事〉に**関することである**(be about) ‖ [対話] "What's this story about?" "It *concerns* a family of three people who live in the countryside."「これはどんな物語ですか」「田舎(いなか)に住む3人の家族の話です」. **b** 〈物·事が〉〈人〉に**影響する**, **関係する** ‖ The project *concerned* all the people living in that area. 計画はその地域の全住民に関係していた.

2 [be ~ed / ~ onesèlf]〈人·研究·学科などが〉〔物·事に〕**関係している**〔*with*〕; [be ~ed]〔犯罪などに〕関係している, 加担している〔*in*〕; [be concerned to do] …することが大切だと思う ; …したい ‖ He *was concerned in* the crime. 彼はその犯罪に関係していた / Don't ***concern yourself with*** other people's affairs. 他人の問題に口出しをするな / The organization ***is concerned with*** the welfare of the aged. その団体は老人福祉にかかわっている.

3《正式》**a** 〈物·事が〉〈人〉を(大いに)**心配させる**(worry) ‖ Their son's illness *concerns* them greatly. =They are greatly ***concerned about*** their son's illness. 彼らは息子の病気を大変心配している. **b** [be ~ed / ~ onesèlf]〈人が〉〔人·事を〕**気にかける**, 心配する(make oneself uneasy)〔*about*〕《◆受身の時は for, over, at, that節も可》‖ Doctors must always *be concerned about* their patients. 医者は常に患者のことを気にかけていなければならない / We are ***concerned for*** [***about***] his safety. 私たちは彼の安否を気づかっている / I'm *concerned that* you (should have) lost. 君が負けたので私は心配している.

as concérns **A** …に関しては, …については.

******as* [*so*] *fàr as* Á *is concèrned* …に関する限り《◆ふつう文頭で ; **A** に強勢を置く》‖ *As fàr as* I'm *concèrned* (↗), I have no complaint (to make). (一般的状況としてはやや不満だが)私に関する限り不満はありません(=As for me, ...).

To whóm it may concérn. 関係各位《◆相手の宛名が不特定のとき証明書などの冒頭に用いる》.

where ... is concérned …のこととなると.

—[名] ([複] ~s/-z/) **1** [U]《正式》〔…に対する/…という〕**心配**, 懸念(anxiety)〔*about, for, over* / *that*節〕; 〔…に対する〕(真剣な)**関心**, 気づかい〔*for, about, with*〕(↔ unconcern) ‖ The mother's *concern* is *over* [*with*] her sick child. その母親の心配は病気の子供に対するものだ / ask ***with*** [(英) ***in***] ***concern*** 心配して尋ねる / show some *concern* ⌈*about* his ability [on the subject]⌉ 彼の能力[その問題]にある程度懸念を示す / I felt a strong *concern for* her. 私は彼女に強い関心を持った / ***I appreciate your concern.*** ご配慮いただいて感謝しています.

2 [C] **a** **関心事**, 重大事《◆interest より堅い語》‖ It should not be put off as no *concern* of ours. それは対岸の火事として軽視されるべきではない / public *concern* number one (国·州などの)最大の課題[関心事]. **b** [~s]《個人的な》事柄, 仕事《◆business より堅い語》‖ interfere with her *concerns* 彼女の仕事のじゃまをする / It is nóne of your *concérn*. =It is no *concern* of yours. 君にはかかわりないことだ.

3 [U]〔…との〕**関係**, 関連〔*with*〕‖ a matter ***of no small concern*** to man 人間にとって重要な事柄 / ***have no concern with*** ... …とは関係がない.

†con·cerned /kənsə́ːrnd/ [形] **1**《正式》心配そうな, 気づかっている ‖ with a *concerned* look 心配そうな顔つきで. **2** [通例名詞の後で] 関係している, 当該の ‖ speak to the people *concerned* 関係者に話をする. **con·cern·ed·ly** /kənsə́ːrnədli/ [副] 心配そうに.

†con·cern·ing /kənsə́ːrniŋ/ [前] **1** [名詞の後で] …について(の), …に関して(の)(about) ‖ They had an argument *concerning* their budget. 彼らは予算について議論した. **2** [名詞の前で ; 通例文頭で] …に関して言えば(as for), …に関する限りでは ‖ *Concerning* the fire, the police are looking into its cause. その火事に関しては警察がその原因を調査中です.

***con·cert** /[名] kάnsərt | kɔ́n-; [動] kənsə́ːrt/《「共に(con)決める(cert)」より「協定する」「一致」の意が生まれた》

—[名] ([複] ~s/-sərts/) **1** [C] **音楽会**, **演奏会**, **コンサート**《◆「独奏[唱]会」は recital》; [形容詞的に] 音楽会の(ための) ‖ give [×open] a *concert* 音楽会を開く / a *concert* pianist 音楽会で演奏できるピアニスト / We enjoyed listening to a *concert* in the open air. 野外コンサートを聞いて楽しかった.

> [関連] [いろいろな種類の concert]
> charity [benefit] *concert* チャリティーコンサート / fund-raising *concert* 資金集めのコンサート / jazz *concert* ジャズコンサート / memorial *concert* 記念コンサート / orchestral [orchestra] *concert* オーケストラコンサート / pop *concert* ポップコンサート / rock *concert* ロックコンサート.

2 [U]《目的·行動などの》一致, 協力 ; 調和.

in cóncert《正式》(1) 一斉に, 声をそろえて(together). (2)〔…と〕協力して〔*with*〕. (3) [補語として] 演奏中の.

cóncert gránd (**piàno**)《演奏会用》大型グランド=ピアノ.

cóncert hàll 演奏会場, コンサート=ホール.

†con·cert·ed /kənsə́ːrtid/ [形] **1**《正式》協定された, 協調した ‖ tàke *concérted* áction 一致した行動をとる. **2**〔音楽〕合唱[合奏]用に編曲された.

concérted èffort (1) 一致協力. (2) [俗用的に] あらゆる[ものすごい]努力.

con·cért·ed·ly [副] 協定[協調]して.

con·cert·go·er /kάnsərtgòuər | kɔ́n-/ [名][C] 音楽会によく行く人.

con·cert·mas·ter /kάnsərtmæ̀stər | kɔ́nsərtmὰːs-/ [名][C]《米》〔音楽〕コンサート=マスター((英) leader, (PC) concert leader [director])《オーケストラの第1バイオリンの首席奏者》.

con·cer·to /kəntʃéərtou, -tʃɜ́ːr-/〖イタリア〗名(複 ~s, ·ti/-tiː/) C〖音楽〗協奏曲, コンチェルト.

†**con·ces·sion** /kənséʃən/ 名 1 UC (…への) 譲歩 (compromise), 容認 (admission) (to) ‖ *make a concession* to him [*over the matter*] 彼[その件に]に譲歩する. 2 C (政府の与える) 免許, 特許 (from);(…する) 特権 (to do).
concéssion shòp [**stànd**]《米》売店.
con·cés·sion·ar·y /-əri/ 形 割引の.
con·ces·sion·aire /kənseʃənéər/ 名 C《正式》(政府からの) 特許業務[免許]所有者.
con·ces·sive /kənsésiv/ 形《正式》1 譲歩的な;譲与する. 2〖文法〗譲歩を表す ‖ *a concessive clause* 譲歩節《*even if, though* などで始まる節》.
conch /kɑ́ŋk, kɑ́ntʃ | kɔ́ŋk, kɔ́ntʃ/ 名 C (大型の) 巻き貝《ホラガイなど》, その殻.
con·chol·o·gist /kɑŋkɑ́lədʒist | kɔŋkɔ́l-/ 名 C 貝類学者.
con·ci·erge /kɑ̀nsiéərʒ | kɔ̀n-/〖フランス〗名 C 守衛, 管理人《ふつう女性》;(ホテルなどの)接客係.

†**con·cil·i·ate** /kənsílieit/ 動 他《正式》 1 (うまいことを言って)〈人〉をなだめる, 手なずける;〈不信・敵意など〉を和らげる (ease). 2〈尊敬・好意など〉を得る;〈人〉の気に入る.
con·cil·i·a·tion /kənsìliéiʃən/ 名 U《正式》なだめ, 慰め, 手なずけ;調停, 和解.
con·cil·i·a·to·ry /kənsíliətɔ̀ːri | -təri/ 形《正式》なだめる(ような);融和的な(↔ hostile).

†**con·cise** /kənsáis/ 形(**アクセント注意**)〈言葉・文体など〉が簡潔な, 簡明な(↔ wordy). **con·císe·ly** 副 簡潔に. **con·císe·ness** 名 U 簡潔.
con·clave /kɑ́nkleiv | kɔ́n-/ 名 C 1〖枢機卿(卿)による〗ローマ教皇選挙秘密会議(場). 2 秘密会議 ‖ *sit* [*meet, be*] *in conclave with* him 彼と密談する.

****con·clude** /kənklúːd/
—動(~s/-kluːdz/; 過去·過分 ~d/-id/; ··cluding)
—他 1 [conclude (*that*)節 / conclude to do]〈人が〉…と[…すると] 結論を下す,《米》…と[…することを] 決心[決定]する (decide);〈人が〉〈人·物·事が〉[…だと] 推論[断定]する (to be) ‖ From his explanation, I *conclude* (*that*)he is right [him *to be* right]. 説明を聞いて彼の (言うこと) が正しいと考える(◆ that節の方がふつう) / He *concluded* not to make the same mistake [(*that*) he would not make …]. 彼は同じ誤りを犯すまいと決心した (➡文法 11.7).
2〈人が〉〈事·物〉を〔言葉などで〕終える, …の結末をつける (end, finish) [*with, by*] ‖ Concluded. (連載記事の) 本号完結 / *To be concluded.* (連載記事の) 次号完結 / He *concluded* a lecture 講義を終えた / The party was *concluded with* three cheers. 万歳三唱でパーティーは終わった.
3〈条約など〉を[…と] 締結する(settle) [*with*].
—自 1〈文·話·会などが〉[…で] 終わる;[…と] 決定する, 結論を下す (end) [*with*] ‖ The story *concludes* happily. その話はめでたしめでたしで終わる / The meeting *concluded with* the school song. その会合は校歌斉唱で終わった. 2〈人が〉〔言葉などで〕結びかえる [*by, with*] ‖ He *concluded by* saying [*with* the remark] that he would like to thank you for your attention. 彼はご静聴に感謝しますといって話を結んだ / *To conclude* (↘), I agree with you. 結論を言えば君に賛成だ

(➡文法 11.3(3)).

****con·clu·sion** /kənklúːʒən/〖いっしょに (con) 閉じる (clus)こと〗
—名(複 ~s/-z/) 1 C 結論, 決定, 断定;〔…という〕結論 (*that*節);推論;〖論理〗(三段論法の) 断案 ‖ a foregone *conclusion* 初めからわかりきっている結論 / a hasty *conclusion* 早合点 / I *cáme to* [*arríved at, réached*] *the conclusion that* I must study harder to pass the exam. 試験に合格するためには今以上に熱心に勉強しなければならないという結論に達した / dráw a *conclusion* from experience 経験から推論する / júmp to [*at*] *conclúsions* [a *conclúsion*] 軽率に結論する, 早合点する.
2《正式》U 結末;C〖通例単数形で〗終局, 結び (end) ‖ *at the conclusion of* the ceremony 儀式の終わりに / bring the discussion *to a conclúsion* 討論を終わらせる.
3 U〔条約などの〕締結 (*of*) ‖ *the conclusion of* a peace treaty 平和条約の締結.
in conclúsion《正式》終わりに, 要するに.
trý conclúsions with A《正式》〈人〉と優劣を競う.

****con·clu·sive** /kənklúːsiv/ 形《正式》〈事実·証拠などが〉決定的な, 確実な;最終的な(↔ inconclusive) ‖ give a *conclusive* reply 最終的な返事をする.
con·clú·sive·ly 副 決定的に, 断固として.
con·coct /kənkɑ́kt | kənkɔ́kt/ 動 他《正式》 1〈スープ·飲み物など〉を (混ぜ合わせて) 作る, 調理する. 2〈話などを〉でっち上げる;計画·陰謀などを仕組む.
con·coc·tion /kənkɑ́kʃən | kənkɔ́k-/ 名 1 U (飲食物などの) 混合;UC 調合物, 混合飲食物;調合薬. 2 C 作り事[話];でっち上げ.
con·com·i·tant /kənkɑ́mətənt | -kɔ́m-/ 形《正式》〔…に〕伴う, 付随する (related) (*with, to, of*).
—名《正式》U 付属, 併存;C 付随した物.

†**con·cord** /kɑ́nkɔːrd | kɔ́ŋ-/ 名《正式》 1 UC (意見·感情·利害などの) 一致 (agreement);(人·物の間の) 調和;親善関係 (↔ discord) ‖ *live in concord with* others [*the rules*] 人と仲よく[規則に従って] 暮らす. 2 UC (国際間の) 協調, 友好協定. 3 U〖音楽〗協和音 (↔ discord). 4 U〖文法〗(数·性·人称などの) 一致, 呼応.

†**con·cord·ance** /kənkɔ́ːrdəns/ 名 1《正式》一致, 調和 (agreement) ‖ act *in concordance with* one's principles 主義に従ってふるまう. 2 C〖本·作品などの〗用語索引, コンコーダンス (*to, of*) ‖ a *concordance to* Milton =a Milton *concordance* ミルトン用語索引.
con·cord·ant /kənkɔ́ːrdnt, kɑn-/ 形《正式》〔…と〕調和[一致] した (*with*).
Con·corde /kɑ́nkɔːrd | kɔ́ŋ-/〖フランス〗名 C コンコルド《英仏で開発した超音速旅客機》.
con·course /kɑ́nkɔːrs | kɔ́ŋ-/ 名《正式》 1 UC《正式》(人·物の) 集合;群衆. 2 C (公園の) 散歩道, 車道;中央広場;(駅·空港などの) 中央ホール, コンコース.

†**con·crete** /kɑ́nkriːt, -́ -́ | kɔ́ŋ-/ 名 1《米》-́ -́;動 他 2《英》kən-/ 形 **1a**《正式》[名詞の前で] 具体的な, 有形の (↔ abstract) ‖ Could you give a *concrete* example? 具体例をあげていただけませんか. **b** 実際の, 現実の (real);特殊な (↔ general). **2a** コンクリート製の ‖ a *concrete* building コンクリート作りの建物 / The wall is *concrete*. その塀はコンクリート製だ. **b** 固まった, 固体の.
—名 UC **1** コンクリート;結合体, 凝固物. **2** 具体的観念[語句].

―― [動][他] **1** …をコンクリートで固める. **2** …を固める.
―― [自] 固まる；コンクリートを打つ.
cóncrete júngle 生存競争の激しい大都会.
cóncrete mìxer コンクリートミキサー(車).
cóncrete músic (複数電子音などによる)具体音楽, ミュージック=コンクレート.
cóncrete nóun 〔文法〕具象名詞(↔ abstract noun).

C

cón·crete·ly [副] 具体的に；[文全体を修飾] 具体的に言うと. **cón·crete·ness** [名][U] 具体性, 有形.

con·cre·tion /kɑnkríːʃən | kən-/ [名] 《正式》[U] 具体性；凝固；[C] 具体物；凝固体.

con·cu·bi·nage /kɑnkjúːbənidʒ | kɔn-/ [名][U] 《正式》内縁関係, 同棲(どうせい)；内妻であること.

con·cu·bine /kɑ́ŋkjəbàin | kɔ́n-/ [名][C] (一夫多妻制の)正妻以外の妻.

con·cu·pis·cence /kɑnkjúːpisns | kən-/ [名][U] 《正式》(感覚的な)強欲；色欲.
con·cú·pis·cent [形] 強欲な, 好色の.

con·cur /kənkə́ːr/ [動] ([過去·過分] **con·curred**/-d/; **-·cur·ring**) [自] 《正式》**1** 〔人と/…のことで〕意見が(公式に)一致する〔*with*/*in*〕；〔人·意見などに〕同意する〔*with*〕. **2** 〈事情などが〉〔…と〕同時に起こる〔*with*〕；〈要素·原因が〉重なり合って…する〔*to* do〕.

con·cur·rence /kənkə́ːrəns | -kʌ́r-/ [名][U][C] 《正式》**1** 〔意見などの〕(公式的)同意, 一致〔*of*〕；〔…という〕意見の一致〔*that*節〕‖ have the full *concurrence of* the staff 職員全員の一致を得る. **2** (事情·出来事の)同時発生[作用]；協力 ‖ A fire broke out in *concurrence* with an earthquake. 《文》地震と同時に火事が発生した.

con·cur·rent /kənkə́ːrənt | -kʌ́r-/ [形] 《正式》**1** 〔…と〕同時に発生[存在]する〔*with*〕；〈職が〉兼任の ‖ a *concurrent* resolution 《米》(上下院の)同一決議. **2** 〈意見などが〉〔…と〕同一の, 一致した〔*with*〕.

con·cuss /kənkʌ́s/ [動][他] [通例 be ~ed] 脳に損傷を受ける.

con·cus·sion /kənkʌ́ʃən/ [名][U][C] **1** (衝突·転倒などによる)衝撃, 激動. **2** 〔医学〕脳震盪(とう).

+con·demn /kəndém/ 〔発音注意〕 [動][他] **1** 〈人が〉〈人·言動など〉を〔…の理由で/…だと〕(きびしく)責める, とがめる, 非難する〔*for*/*as*〕《◆blame, censure より強く damn より弱い》‖ *condemn* his mistake = *condemn* him *for* his mistake 彼の過失を責める / *condemn* impudence *as* evil 厚かましさを悪だととがめる. **2** 〈人が〉〈人·行為〉を〔事のために〕有罪と判決する〔*for*〕；〈人〉に〔刑を〕宣告する(sentence)〔*to*〕；〈人〉に〔…することを〕宣言する〔*to* do〕‖ *condemn* the accused *to* death [imprisonment] *for* murder 被告人に殺人罪で死刑[禁固刑]を宣告する / He was *condemned to* be hanged. 彼は絞首刑を宣告された. **3** 《正式》〈言動·表情などが〉…の非難[有罪]のもととなる, …に災いする ‖ His clumsy manner *condemns* him. ぎこちない態度で彼が有罪だとわかる. **4** [通例 be ~ed] 〈人が〉〔苦境を〕強いられる, 運命づけられる〔*to*〕；〈人が〉〔…するように〕強いられる, 運命づけられる〔*to* do〕‖ *be condemned to* (lead) a miserable life みじめな生活(を送るよう)に運命づけられる.

+con·dem·na·tion /kɑ̀ndemnéiʃən | kɔ̀n-/ [名][U][C] **1** (激しい)非難. **2** 有罪の判決[宣告]. **3** 不良[不適]の認定；《米》(財産などの)接収, 収用.

+con·den·sa·tion /kɑ̀ndenséiʃən | kɔ̀n-/ [名] **1** [U][C] 凝縮；濃縮；液化；(ガラス·葉の表面につく)外滴. **2** [C][U] 《正式》(物語·思想などの)要約[短縮](したもの).
condensátion tràil 飛行機雲(contrail).

+con·dense /kəndéns/ [動][他] **1** 〈人·機械などが〉〈液体·気体〉を濃くする, 〔…に〕濃縮する, 凝縮[凝結]する〔*into*, *to*〕‖ *condense* milk 牛乳を練乳にする / *condense* steam *into* water 蒸気を水に凝縮する. **2** 《正式》〈人が〉〈本·思想など〉を〔…に〕要約する, 短縮する(digest)〔*into*, *to*〕‖ *condense* the manuscript *to* half its original length 原稿を元の半分の長さに短縮する. **3** 〈光〉を集める；〈電気〉の強度を増す. ―― [自] **1** 〈液体·気体などが〉濃くなる, 濃縮する, 凝縮する；凝固[液化]する. **2** 要約[短縮]する.
condénsed mílk 練乳, コンデンスミルク.

+con·dens·er /kəndénsər/ [名][C] (気体·液体などの)濃縮器, 液化[固体化]装置；《古》コンデンサー, 蓄電器.

+con·de·scend /kɑ̀ndəsénd | kɔ̀n-/ [動][自] **1** お高くとまらない, 〔目下·同等の人に〕いばらない〔*to*〕；へりくだって〔…〕する〔*to* do〕. **2** いばって[恩着せがましく]〔…〕する, 卑劣にも〔…〕する〔*to* do〕；〔人に〕恩着せがましい態度をとる〔*to*〕；[しばしば皮肉的に]〔…に〕身を落として〔卑劣な行為を〕する〔*to*〕.

con·de·scend·ing /kɑ̀ndəséndiŋ | kɔ̀n-/ [形] **1** 〔目下の者に〕謙遜(けんそん)した, 腰の低い〔*to*〕. **2** いばった, 恩着せがましい.

con·de·scen·sion /kɑ̀ndəsénʃən | kɔ̀n-/ [名][U][C] **1** (目下の者への)謙遜, 腰の低さ. **2** 恩着せがましさ.

con·dign /kəndáin/ [形] 《正式》〈処罰·復讐(しゅう)など が〉当然の, 十分な, 妥当な.

con·di·ment /kɑ́ndəmənt | kɔ́n-/ [名][U] 《正式》[しばしば ~s] 香辛料, 薬味《カラシ·ケチャップ·コショウなど》.

***con·di·tion** /kəndíʃən/ 〖共に(con)言うこと(diction)〗
―― [名] ([複] ~s/-z/) **1** [U] [時に a ~] **a** (人·物のある時点における)**状態**, 健康状態, 体調；(機械·選手などの)コンディション ‖ the *condition* of weightlessness 無重力状態 / improve [keep] one's *condition* by jogging ジョギングで健康を増進する[保つ] / ˹The player [The car] is ***in*** [***òut of***] ***condition***. その選手[その車]は調子がよい[悪い]《◆「調子がいい」は ***in good condition***, 「調子が悪い」は ***in bad*** [***poor***] ***condition*** ともいう》. **b** 〔…できる〕状態〔*to* do〕‖ She is ˹***in nó*** [nót in *a*] ***condítion to*** gò óut. 彼女はとても外出できるようなからだではない(=She is not well enough to go out.).
2 [~s] (周囲の)**状況**, 事情《◆situation より範囲が狭い日常的な事情》‖ rich living *conditions* 裕福な生活状況 / the présent [exísting] *conditions* 現状 / líve ***ùnder*** [***in***] ***dífficult*** [***fávorable, idéal***] ***conditions*** 困難[好都合, 理想的]な状況のもとで生活する.
3 [C] 〔…の/…という〕**条件**, 必要条件〔*of*, *for* / *that*節〕‖ a *condition of* success [happiness] 成功[幸福]の条件 / wórking *conditions* 労働条件 / agree on this [that] *condition* この[その]条件で同意する / satisfy a *condition* ある条件を満たす / meet the *conditions* その条件に合う / I made it a *condition that* he (should) go alone. 彼に1人で行くようにという条件をつけた《◆should を用いるのは《主に英》》.
4 [U][C] 《古》地位, 身分, 境遇 ‖ a man of *condition* 身分のある人.
5 [C] 病気 ‖ He has a heart *condition*. 彼は心臓が悪い(=He has a weak heart.).

*on condition (that) ... 〔正式〕…という条件で, もし…ならば((only) if) ‖ 〘対話〙 "Well, can I borrow the car?" "Yes, but only on condition (that) you come [will come] home by 9 p.m." 「車借りてもいいかい」「いいよ。でも夜の9時までには家に帰ってきなさいという条件つきだからね」《♦ will come は「来る気がある」で, 意志を表す》.

on nó condition 〔正式〕どんな条件でも[ことがあっても]…ない ‖ I can on no condition forgive her. =On no condition can I forgive her. どんなことがあっても彼女を許せない《♦ 文頭に置くと倒置構文となる. ➡文法 23.3》.

——動 他 **1** …をよい[適当な]状態にする; …のコンディションを調整する;〈室内の空気・温度などを〉(必要な状態に)(温度)調節する ‖ *condítion* onesélf 「for a game [against illness] 試合[病気]に備えて体調を整える. **2** 〔正式〕〈物・事が〉…を決定[左右, 支配]する(control);〈…を〉…の必要条件とする〔on, upon〕‖ Circumstances often *condition* our characters. 環境はしばしば私たちの性格を左右する / Any action I may take will be *condition*ed on my father's approval. 私のとりいかなる行動も父の許可しだいである. **3**〈人・動物を〉〔…に〕…のように〕慣らす, 訓練する, 条件づける〔to / to do, into doing〕. **4**〈シャンプー・ローションなどが〉〈肌・頭髪などを〉整える.

†**con·di·tion·al** /kəndíʃənl/ 形 〔正式〕**1** 条件付きの; 暫定的な, 仮定的な. **2**〔…を〕条件としての;〔…)次第の〔on, upon〕‖ A big crop is *conditional* on the weather. 豊作は天気次第だ《= A big crop *depends* on …》. **3**〔文法〕条件を表す ‖ *a conditional clause* 条件節《♦ if, unless などで始まる節. ➡文法 4.1(4)》. ——名 〔文法〕条件文[節, 法]; 仮定語句.

con·dí·tion·al·ly 副 条件付きで.

con·di·tioned /kəndíʃənd/ 形 条件付き[次第]の.
condítioned refléx 〔心理〕条件反射.
con·di·tion·er /kəndíʃənər/ 名 C **1** 冷[暖]房装置. **2** コンディショナー《髪などにうるおいを与える液体》.
con·do /kándou | kɔ́n-/ 名〔米略式〕=condominium.

con·dole /kəndóul/ 動 自 〔正式〕〈人に/…のことで〉悔みを言う, 哀悼の意を表す〔with / on, upon, over〕《♦ console は「慰める」》‖ *condole* with her on her husband's death 夫の死に対し彼女にお悔みを言う《*condolences* on her …》.
con·dól·er 名 C 弔問客.
con·do·lence /kəndóuləns/ 名 U C 〔正式〕〔…に対する〕悔み, 哀悼;〔しばしば ~s〕弔辞〔on〕‖ a letter of *condolence* お悔み状 / Please accept my *condolences*. お悔み申し上げます.

con·dom /kándəm | kɔ́n-/ 名 C コンドーム.

***con·do·min·i·um** /kàndəmíniəm | kɔ̀n-/
——名 (複 ~s/-z/) C **1** 分譲(高層)マンション《((米略式)) condo》《♦ 建物全体もその中の1戸もいう》

con·done /kəndóun/ 動 他 〔正式〕〈人が〉〈罪・違反など〉を許す, 大目に見る(forgive);〈行為が〉〈罪などを〉償う.

con·dor /kándər | kɔ́ndɔr, -də-/ 名 C 〔鳥〕コンドル《南米産》; カリフォルニアコンドル.
con·duce /kəndjúːs/ 動 自 〔正式〕〈よい結果に〉導く, 貢献する〔to, toward〕‖ Diligence *conduces* to success. 勤勉は成功をもたらす.
†**con·du·cive** /kəndjúːsiv/ 形 〈よい結果の〉助けになる,〔…に〕貢献する〔to, toward〕‖ Moderate exercise is *conducive* to good health. 適度な運動は健康によい.

†**con·duct** /名 kándʌkt | kɔ́n-; 動 kəndʌ́kt/
〔アクセント注意〕——名 U 〔正式〕**1**(道徳上の)行ない, 行為, 品行(behavior) ‖ good [bad, terrible, manly] *conduct* よい[悪い, ひどい, 男らしい] ふるまい / his *conduct* in school [at home] 学校[家庭]内での彼の態度. **2**(仕事・活動などの)指導, 案内; 管理, 運営; 遂行.

——動 他 〔正式〕**1**〈人が〉〈人を〉〔…に〕導く(lead), 案内する(guide)〔to〕《♦場所・方向の副詞(句)を伴う》‖ *conduct* him *out* [*in*] 彼を外[中]へ案内する / *conduct* her *through* the city 彼女に市内を案内する / a *conducted tour* 案内付きの旅行. **2**〈人が〉〈業務などを〉行なう, 管理[処理]する(carry on);〈会社などを〉経営する(run) ‖ *conduct* a fair investigation 公正な調査を行う. **3**〈人が〉〈楽団・演奏会・曲を〉指揮する ‖ It is his dream to *conduct* a major symphony orchestra. 一流の交響楽団を指揮するのが彼の夢だ. **4**〔正式〕〔~ onesélf〕ふるまう, 行動する ‖ *conduct* oneself well [at ease, with care] りっぱに[気楽に, 慎重に]ふるまう. **5**〈金属などが〉〈熱・電気などを〉伝える, 伝導する ‖ *conduct* electricity 電気を伝える.
——自 指揮する; 案内する;(バスの)車掌をする.

con·duc·tion /kəndʌ́kʃən/ 名 U(熱・音・電気などの)伝導.
con·duc·tive /kəndʌ́ktiv/ 形 伝導性のある.
còn·duc·tív·i·ty 名 U 伝導性.

***con·duc·tor** /kəndʌ́ktər/
——名 (複 ~s/-z/;〈女性形〉**-tress**) C **1**〔音楽〕指揮者. **2**(バス・路面電車・列車の)車掌《♦((英))では列車の車掌は guard》. **3** 案内人(leader), ガイド(guide), 添乗員. **4** 半導体.

con·duc·tress /kəndʌ́ktris/ 名 → conductor《♦ *bus conductor は使わない》.
†**con·du·it** /kándit, -djuit, -dwit | kɔ́n-/ 名 C **1**〔電気〕コンジット《何本もの電線の入った管》. **2**(水・ガスの)導管; 水路, みぞ. **3**(物の流れる)ルート, パイプ; 仲介業者.
***cone** /kóun/ 名 C **1** 円錐(*すい*)《形》. **2** 円錐状のもの《ソフト[アイス]クリームの容器《(英) cornet》・道路工事現場などに立てる〉円錐形・暴風警報球・円錐形火山《マツ・モミ類の》球果など》‖ eat ice cream in a *cone* コーンのアイスクリームをなめる. ——動 他 ((英))〈道路を〉【工事標識】円錐状で仕切る(+*off*).
Con·es·to·ga /kànestóugə | kɔ̀n-/ 名 C =Conestoga wagon.
Conestóga wágon((米))(西部移住に用いた)大型ほろ馬車(Conestoga)《♦ペンシルベニア州 Conestoga で初めて作られた》.
co·ney /kóuni/ 名 =cony.
Có·ney Ísland /kóuni-/ 名 コニーアイランド《New York 市 Long Island の遊園地》.
con·fab·u·late /kənfæbjəlèit/ 動 自 〔…と〕うちとけて話す, 談笑する〔*with*〕.
con·fàb·u·lá·tion 名 U C 談笑.
con·fec·tion /kənfékʃən/ 名 〔正式〕糖菓《キャンディー・ボンボンなど》; 甘糖漬け, ジャム.
con·fec·tion·er /kənfékʃənər/ 名 C 菓子製造[販売]人.
con·fec·tion·er·y /kənfékʃənèri | -əri/ 名 **1** U〔集合名詞〕菓子類《♦ケーキ・パイも含む》. **2** U 菓子製造(業). **3** C 菓子製造所; 菓子店.
†**con·fed·er·a·cy** /kənfédərəsi/ 名 **1** C (政治上の)連合(体), 同盟(国); 連盟. **2** C 徒党; 共謀. **3**

confederate — 326 — **confidence**

[the C~] =the Confederate States of America(→ confederate 形 成句).

†**con·fed·er·ate** /kənfédərət; -dərèit/形 (正式) **1** 同盟[連合, 共謀]の[した](united). **2** [C~]《米史》南部連邦の(→ Confederate States of America)(↔ Federal) ‖ the *Confederate government* 南部連邦政府.
　the Conféderate Státes (of América)《米史》南部連邦《南北戦争の直前(1860-61)に合衆国から脱退した11州が結成した; CSA》.
　——名 **1** […の]同盟者[国], 連合国; (犯罪の)共謀者[in]; (興行などの)さくら. **2** [C~]《米史》南部連邦支持者.
　——動 他 …を[…と]同盟[連合]させる, …を[…と]共謀させる[with] ‖ *confederate* oneself *with another country* 他国と同盟[共謀]する.
　——自 同盟[連合]する, 共謀する.

†**con·fed·er·a·tion** /kənfèdəréiʃən/名 (正式) **1** Ⓤ Ⓒ […との]同盟, 連合(*of, between*). **2** [the C~]《歴史》(独立までの13州の)アメリカ植民地同盟; イギリス自治領カナダ連邦.

†**con·fer** /kənfə́ːr/ 過去・過分 con·ferred; --fer·ring《正式》他 (恩恵・贈物などを)与える(give); 〈資格・称号・特権・学位などを〉[人に]授ける, 贈る[*on, upon*] ‖ *confer* "an award [a title] *on* her" 彼女に賞[称号]を授ける. ——自 […について]話し合う, 協議する(talk)[*with / about, on*].

con·fér·ment 名 Ⓤ (正式) 授与; 叙勲.
con·fér·rer 名 授与者.
con·fér·ra·ble 形 授与できる.

*__con·fer·ence__ /kάnfərəns | kɔ́n-/《共に(con)持ちよる(fer)こと(ence). cf. prefer, refer》
　——名 (複 ~s/-iz/) **1** Ⓒ 会議, 協議会《◆特に年1回(数日間にわたる)開催のものをいう》; 会見 ‖ con·vene [call] a staff *conference* 幹部会を招集する / hold [*give, have,* ×*open*] "an international [a summit] *conference* in Paris" パリで国際[首脳]会議を開催する / The *conference* was opened [×held] with a speech by the president. 会議は大統領の演説で始まった《◆上例の ×open と比較》 / attend a *conference* on ecology 環境保護の会議に出席する.
2 Ⓤ《正式》(重要な問題に関する)相談, 協議 ‖ He is *in conference with* his director. 彼は監督と協議中だ.
　cónference càll 会議電話《3人以上の間で通話する》.

†**con·fess** /kənfés/ 動 他 **1** 〈人が〉…に〈悪事・犯罪など〉を(公式に)白状する, 告白する, 〈秘密など〉を打ち明ける[*to*](↔ conceal); [confess that節]〈人が〉…だと白状する ‖ *confess* one's secret *to him* 彼に秘密を打ち明ける / *confess* "one's guilt [(that) one is guilty]" readily enough あっさりと罪を白状する / She *confessed* (*to* me) *that* she had stolen the purse. 彼女はそのサイフを盗んだと私に自白した(→ 自 ①). **2** 〈人が〉〈事〉を(事実だと)(しぶしぶ)認める; (正式) [confess A C] A〈罪・弱点など〉を C〈C は名詞・形容詞〉と; 〈人が〉[…だと]認める[(that)節]《◆ that はしばしば省略》 ‖ *confess* one's incompetence 自分の無能を認める / *to confess the truth*〔 〕《通例文頭で》実を言えば / He *confessed* himself a swindler. 彼は自らぺてん師だと認めた / I (must) *confess (that)* I have told a lie. 実を言うと私がうそをついたのです. **3** 〈罪〉を〈神・司祭に〉ざんげする[*to*]; 〈人〉〈人〉のざんげを聞く ‖ *confess* oneself [one's sins] *to* a priest 自分の罪を司祭にざんげする.
　——自 **1** 白状する; [confess to A / confess to doing] A〈罪など〉を[…したことを]白状する, 認める ‖ *confess to* a crime 罪を認める / He *confessed to breaking* [having broken] the window. 彼は窓を割ったと白状した(➔文法 12.2). **2**《司祭に》ざんげする[*to*]; 〈司祭が〉ざんげを聞く.

con·fessed /kənfést/形 (事実だと)認められた, 明白な. **stánd conféssed as** …《正式》…であること[…の罪状]が明白である.

con·fess·ed·ly /kənfésidli/ 副 自白で, 自認するように; 明白に.

†**con·fes·sion** /kənféʃən/名 **1** Ⓤ Ⓒ (罪・恥ずべき行為などの/人への)自白, 白状, 告白(*of / to*); 自認; 自白の告白 ‖ a *confession* of one's fault 罪の告白 / The suspect *made a full confession* of his crime to the police. 容疑者は自分の罪をあらいざらい警察に白状した. **2** Ⓤ (正式) (信仰・信念の)告白; (罪の)ざんげ ‖ a *confession* of faith 信仰告白 / *gò to conféssion*〈信者が〉司祭に告白[ざんげ]に行く / hear *confessions*〈司祭が〉ざんげを聞く.

con·fes·sion·al /kənféʃənl/形 告白[自白, ざんげ]の; 信仰告白の. ——名 Ⓒ **1** 告白[ざんげ](聴聞)室. **2** [the ~] ざんげ.

†**con·fes·sor** /kənfésər/名 Ⓒ 告白[自白]を聞く人; 告白[自白]する人.

con·fet·ti /kənféti/《イタリア》名 (複) (単複形) --fet·to/-tou/) Ⓤ (単数扱い) (結婚式・パレードなどでまく)紙ふぶき. **2** 糖菓, キャンディ.

con·fi·dant, (女性形) --**dante** /kάnfidænt, ‐‐‐ ̀ | kɔ́n-/名 Ⓒ (正式) (悩み・秘密を打ち明けられる)腹心の友, 親友.

†**con·fide** /kənfáid/動 他 **1** 〈人が〉〈人などを〉(秘密を打ち明けられるほど)信頼する, 信用する[*in*] ‖ I can *confide in* him [his good judgment]. 私は彼[彼のすぐれた判断力]を信頼している. **2** 〈人が〉〈人に〉秘密を打ち明ける[*in*] ‖ These days children seldom *confide in* their parents. この頃の子供はめったに心の内を両親に話さない.
　——他 **1** 〈人が〉〈秘密などを〉〈人に〉打ち明ける[*to*]; [confide that節 / confide wh節] …だと[…かを]〈人に〉打ち明ける[*to*] ‖ *confide* one's secret [troubles] *to* him 彼に秘密[心配ごと]を打ち明ける / He *confided* to me that he had told a lie. 彼はうそをついたと私に打ち明けた. **2** (正式) 〈人・仕事などを〉〈人・管理などに〉委(ゆだ)ねる, 委託する[*to*] ‖ She *confided* her child *to* her sister's care. 彼女は子供を姉に預けた.

*__con·fi·dence__ /kάnfidəns | kɔ́n-/《完全に(con) 信頼する(fid)こと. cf. confident》(→ con²) 派 confidential (形)
　——名 (複 ~s/-iz/) **1** Ⓤ […に対する/…という] (理性・証拠に基づく)信頼, 信用[*in / that*節]《◆直感に基づく信頼は trust》‖ The bank took action to restore *confidence*. 銀行は信頼回復の措置をとった / The student has [enjoys] the fullest *confidence* of the whole school. その学生は全校の全幅の信頼を得ている / I *hàve* [*pùt, pláce*] *grèat cónfidence in* him [his skill]. 私は彼[彼の技術]を大いに信頼している.
2 Ⓤ […への/…という] 自信(self-assurance), 確信[*in / that*節]; 大胆さ; 厚かましさ ‖ *lòse* [*búild*] *cónfidence* 自信を失う[つける] / *with cónfi-*

dence 自信をもって / I have perfect *confidence in* my ability. 私は自分の能力に絶対の自信を持っている / I have every *confidence that* she will pass the examination. 私には彼女が試験に合格するという十分な確信がある.

3 [C]《正式》打ち明け話, 秘密 ‖ exchange *confidences* ないしょ話をする.

hàve the cónfidence to *do* 自信を持って[ずうずうしくも]…する(=be *confident* enough to do / be so *confident* as to do).

in cónfidence ないしょで, 秘密で ‖ She told me the story「*in confidence* [*in* strict(est) *confidence*]. 彼女はないしょで[極秘で]私にその話をした.

táke* A *into* one's *cónfidence 〈人〉に秘密を打ち明ける.

cónfidence gàme [《英》**trick**]《正式》信用詐欺(《略式》con trick, 《米俗》con game).

cónfidence màn [**trickster**]《英》詐欺師, ぺてん師(《俗》conman, (PC) swindler, trickster).

***con·fi·dent** /kάnfidnt | kɔ́n-/ 〚「信頼して」の意は《廃》. cf. confidence〛

——[形] **1** [be confident of [about] **A** / be confident of [about] doing / be confident that節]〈人が〉**A**〈事〉を[…することを/…ということを]**確信している**《◆sure より強い確信を示す》‖ I am very *confident of* their victory. 私は彼らの勝利を強く確信している / He is *confident of* winning a prize. =He is *confident that* he will win a prize. 彼は入賞を確信している.

2 自信がある, 自信に満ちた, 度胸のある(↔ diffident) ‖ ***be cónfident in onesélf*** 自信がある / in a *confident* manner 自信に満ちた態度で / I'm *confident* in my business sense. 私は自分のビジネスセンスに自信を持っている.

†**con·fi·den·tial** /kὰnfidénʃl | kɔ̀n-/ [形] **1** 秘密の, 内密の(secret), 他言無用の(↔ public, open) ‖ *confidential* documents 秘密書類 / *Confidential* 親展《封筒の上書き》. **2** 信用のおける, 頼りになる ‖ a *confidential* secretary 腹心の秘書. **3**〈態度などが〉うちとけた, 〈人が〉ないしょごとを打ち明ける ‖ in a *confidential* tone of voice うちとけた口調で / ***gèt confidéntial with*** … (親しくなって)…に打ち明け話をする.

con·fi·den·ti·al·i·ty /kὰnfədenʃiǽləti | kɔ̀n-/ [名][U] 内密であること, 秘密性.

†**con·fi·den·tial·ly** /kὰnfidénʃəli | kɔ̀n-/ [副] **1** 内密に, 秘密の話として(↔ openly); 私的に; [文全体を修飾; 文頭で] ないしょの話だが ‖ *Confidentially*, I'm going to quit my job. ここだけの話だが, 私は仕事をやめるつもりです. **2** うちとけて.

†**con·fi·dent·ly** /kάnfidntli | kɔ́n-/ [副] 確信して, 自信を持って, 大胆に.

con·fid·ing /kənfáidiŋ/ [形] 人を信じやすい[疑わない].

con·fig·u·ra·tion /kənfìgjəréiʃən/ [名][C]《正式》(起伏のある)外形, 形状; 輪郭; (部分・要素などの)配列; 〔コンピュータ〕(機器)構成, (システムの)環境設定.

con·fig·ure /kənfígjər | -figə/ [動][他]〔コンピュータ〕…を[…に適するように/…として]構成する, 環境設定する〔*for*/*as*〕.

†**con·fine** /[動] kənfáin; [名] kάnfain | kɔ́n-/ [動][他] **1** [confine **A** (to **B**)]〈人が〉**A**〈発言・努力・人など〉を(**B**〈物・事・人〉の範囲に)制限する, 限定する; [~ oneself / be ~d]〔…に〕限定する[している]〔*to*〕‖ She *confines* her efforts *to* the attainment of her ideal. 彼女は理想の達成に努力を集中している / I will ***confíne mysèlf to*** (making) a short comment. 手短に意見を述べるだけにします. **2**〈人が〉〈人〉を[場所に]閉じ込める, 監禁する〔*to*, *in*, *within*〕; 〔医学〕[通例 be ~d] 病床[お産の床]についている ‖ *confine* him *to* [*in*] prison for murder 殺人罪で彼を投獄する / ***confíne onesèlf to*** one's róom 部屋に閉じこもる / He has *been confined to* béd「with a bad cold [by sickness]. 彼はひどいかぜ[病気]で床についている.

——[名][C]《正式》[通例 ~s] 境界(線)(border); 範囲, 辺境; (言動などの)限界(limit).

†**con·fined** /kənfáind/ [形] **1**〈場所が〉限られた, 狭い. **2**《正式》〈人が〉〔…に〕引きこもった〔*to*〕.

†**con·fine·ment** /kənfáinmənt/ [名][U]《正式》**1** (刑務所・精神病院などに)閉じ込めること, 監禁(状態)(↔ release); 限定, 制限(limitation) ‖ He「is ***under*** [has been ***placed in***] ***confinement***. 彼は監禁されている. **2** [時に a ~] 出産, お産の床につくこと; 病床 ‖ *a* difficult *confinement* 難産.

†**con·firm** /kənfə́ːrm/ [動][他] **1**〈人などが〉〈陳述・証拠など〉を(本当だと)確かめる, …の間違いのないことをはっきりさせる, 確認[確証]する; 〔…ということを〕裏づける〔(*that*)節 /*wh*節〕‖ *confirm* a reservation 予約を確認する(cf. reconfirm) / The witness *confirmed* the suspect's story [account]. その目撃者は容疑者の話[説明]が間違いないことをはっきりさせた. **2**〈契約・協定・人など〉を(正式に)承認する; 〈条約など〉を批准する; 〈任命など〉を承認する. **3**〈人・話などが〉〈決定・信念など〉を固める; [confine (**A in**) **B**] (**A**〈人〉の) **B**〈決意・習慣〉を強める ‖ His advice *confirmed* my decision. 彼の忠告で私はさらに決心を固めた / You *confirmed* (me *in*) my opinion [suspicion]. =I was ***confirmed in*** my opinion [suspicion] by what you said. 君のおかげで私の意見はいっそう固まった[疑いはいっそう強まった].

†**con·fir·ma·tion** /kὰnfərméiʃən | kɔ̀n-/ [名][U][C] **1**〔…の〕確認, 確証, 承認〔*of*〕; 〔…という〕裏づけ, 批准〔*that*節〕; (電報・電話・テレックスなどによる通信を再確認する)確認書[状] ‖ witness ***in confirmation of*** her innocence 彼女の無実を確認する証人となる. **2**〔キリスト教〕堅信(礼), 信仰確認式.

con·firmed /kənfə́ːrmd/ [形] **1**〈陳述などが〉確認された; 〈条約などが〉批准された; 〈決定などが〉固められた. **2**〈習慣・癖などが〉凝り固められた, 常習的な, 慢性の.

†**con·fis·cate** /kάnfiskèit | kɔ́n-/ [動][他] …を〔…から〕(公式に)没収[押収, 徴発]する〔*from*〕. ——[形] 没収[押収]された.

†**con·fis·ca·tion** /kὰnfiskéiʃən | kɔ̀n-/ [名][U][C] 没収, 押収(品).

†**con·fla·gra·tion** /kὰnfləgréiʃən | kɔ̀n-/ [名][C]《正式》大火; (災害などの)突発.

con·flate /kənfléit/ [動][他]《正式》〈2つのもの〉を合成する. **con·flá·tion** [名][U][C] 合成.

***con·flict** /[名] kάnflikt | kɔ́n-; [動] kənflíkt/ 〚共に(con)打つ(flict) →「ぶつかり合う」. cf. af*flict*, in*flict*〛

——[名] (複 ~s/-flikts/) [U][C]《正式》**1** (意見・利害などの)〔…との/…間の/…をめぐる〕**衝突**, 矛盾, 不一致, 葛藤(かっとう), 対立(disagreement)〔*with*/*between*/*over*〕‖ a *conflict* of opinions [interest(s)] 意見[利害]の対立 / a *conflict between* the theories of two scholars 2人の学者の理論の食い違い / testimony that is ***in conflict with*** reliable evidence 確かな証拠と相反する証言.

2〔…との/…間の〕**闘争**(struggle), (長い)争い, 論争

(clash), 口論(quarrel)〔*with/between*〕‖ a *conflict between* two countries 2国間の争い.
── 名 /kənflíkt/ (~s/-flíkts/; 過去・過分 ~ed /-id/; ~ing)
── 自 〈人・意見などが〉〔…と/…の点で〕衝突[対立]する, 矛盾する(disagree); 〈計画などが〉かち合う〔*with / on, over*〕‖ His claim *conflicts with* the known facts. 彼の主張は知られている事実に合わない.

con·flict·ing /kənflíktɪŋ/ 形 矛盾[対立]する ‖ *conflicting* feelings 対立感情.

†**con·flu·ence** /kánfluəns | kɔ́n-/ 名 UC [通例 the ~] (川などの)合流(点); 合流した川[流れ]; (人・物の)流れ, 集まり(gathering); 群衆.

†**con·form** /kənfɔ́ːrm/ 自 〈慣習・規則・基準などに〉従う, 〈人・言動を〉〈法・型などに〉順応[一致]させる〔*to*〕‖ *conform* oneself *to* the rules [fashion] 規則[流行]に従う. ── 1 〈慣習・規則・基準などに〉従う, 順応[適合]する〔*to, with*〕; (英)国教を奉じる ‖ *conform to* expectations 期待したことに合う. 2 〔正式〕〈物・事が〉〔…と〕一致する〔*to, with*〕.

con·form·a·ble /kənfɔ́ːrməbl/ 形 〔正式〕1 〈形状・性質などが〉〔…に〕一致[順応]した, 似ている〔*to, with*〕. 2 〈人・性格などが〉〔…に〕従順な〔*to*〕.

con·form·a·bly 副 一致して, 従順に.

con·for·ma·tion /kànfɔːrméɪʃən | kɔ̀n-/ 名 UC 〔正式〕1 形態, 組織, 構造. 2 配置.

†**con·form·i·ty** /kənfɔ́ːrməti/ 名 U 1 〔正式〕[時に a ~] 考え・形状・性質などの〔…との〕一致, 適合〔*to, with*〕. 2 〔慣習・規則などへの〕服従, 従順〔*with, to*〕.

†**con·found** /kənfáund/ , (米+) kɑn-/ 動 他 〔正式〕1 (今はまれ) 〈人・物・事を〉(間違って)〔…と〕混同する〔*with*〕. 2 〈物・事が〉〈人を〉当惑させる; [be ~ed] 〈物・事に〉まごつく, うろたえる〔*at, by*〕‖ *be confounded at* [*to hear*] *the news* その知らせにまごつく / Her strange conduct altogether *confounded* me. 彼女の奇行に私はたへん面くらった.

con·found·ed /kənfáundɪd, (米+) kɑn-/ 形 〔略式・古〕いまいましい.

con·fra·ter·ni·ty /kànfrətə́ːrnəti | kɔ̀n-/ 名 C 〔正式〕(宗教・慈善などの)団体, 協会, 組合.

†**con·front** /kənfrʌ́nt/ 動 他 〔正式〕1 〈物・人が〉〈人・物と〉向かい合う; 〈困難などに〉立ち向かう(face); 〈人が〉〈人と〉対面する(face up to); 〈人について用いる場合はふつう敵対関係を含む〉 ‖ two armies *confronting* each other にらみ合う両軍 / *confront* danger [trouble] 危険[苦労]に立ち向かう. 2 〈困難などが〉〈人に〉立ちはだかる; [be confronted with [by] A] 〈人が〉〈困難などに〉直面する[している] ‖ Some difficulties *confronted* him. =He was *confronted with* [*by*] some difficulties. 彼は困難に直面した. 3 〈人・物を〉〔人・物と〕対決[直面]させる〔*with*〕.

con·fron·ta·tion /kànfrʌntéɪʃən | kɔ̀n-/ 名 UC 〔…との〕対決, 直面〔*with*〕.

Con·fu·cian /kənfjúːʃən/ 名 形 孔子の; 儒教の.
── 名 C 儒者. **Con·fú·cian·ism** 名 U 儒教. **Con·fú·cian·ist** 名 C 儒者.

Con·fu·cius /kənfjúːʃəs/ 名 孔子《551?–479?B.C.》.

*__con·fuse__ /kənfjúːz/ 〔共に(con)注ぐ(fuse). cf. *refuse*〕confusion (名)
── 動 (~s/-ɪz/, 過去・過分 ~d/-d/; ~fus·ing)
── 他 1 [通例 be ~d] 〈人が〉〔…に/…について〕(落ち着きを失って)困惑する, まごつく, 面くらう(bewilder) 〔*with, by, at / about, on*〕‖ get [become] *confused about* the issue その問題にとまどう / Her expression *confused* me. =I was *confused by* her expression. 彼女の表情に私は困惑した.
2 〈人が〉〈人・物・事を〉混同する, …の区別がつかない; [confuse A with [and] B] A〈人・物〉をB〈人・物〉と間違える ‖ *confuse* the dates [twins] 日付[双生児]を混同する / *confuse* A.D. *with* [*and*] B.C. 紀元後と紀元前を取り違える.
3 〈問題などを〉あいまい[乱雑]にする; …を混乱させる.

con·fused /kənfjúːzd/ 形 〔正式〕1 混乱した, 乱雑な, あいまい. 2 困惑した, まごついた.

con·fús·ed·ly /-ɪdli/ 副 混乱して, 乱雑に; 困惑して, まごついて.

con·fus·ing /kənfjúːzɪŋ/ 形 〈人を〉困惑させる, まごつかせる, 混乱させる〔*to*〕.

†**con·fu·sion** /kənfjúːʒən/ 名 U 1 [時に a ~] 混乱(させること), 乱雑, 混雑(disorder) ‖ a room *in confusion* とり散らかした部屋 / wild [much, great] *confusion* 大混乱 / loot the store during the *confusion* surrounding the fire 火事場のどさくさにまぎれて店から盗む / The coup d'état left the capital *in complete confusion*. クーデターで首都はすっかり混乱状態になった. 2 [時に a ~] 〔…の/…との/…の間の〕混同, あいまいさ, 取り違え〔*of/with/between*〕‖ the [a] *confusion of* freedom *with* [*and*] license 自由と放縦のはき違え. 3 [時に a ~] (心の)混乱, 困惑, どぎまぎ, うろたえ ‖ cry *in confusion* ろうばいして泣く / throw [put] him [everything] *into confusion* 彼を[何もかも]混乱させる.

con·fu·ta·tion /kànfjutéɪʃən | kɔ̀n-/ 名 UC 〔正式〕論破(するもの), 反論, 反証.

con·fute /kənfjúːt/ 動 他 〔正式〕〈人・議論を〉〔…で〕論駁(ぱく)[論破]する〔*by, with*〕.

con·ga /káŋgə | kɔ́ŋ-/ 名 C 1 コンガ《アフリカ起源のキューバの踊り・曲》. 2 =conga drum.

cónga drùm コンガドラム.

con·geal /kəndʒíːl/ 動 〈液体などが〉凍る; 凝結[凝固]する. ── 他 〈液体などを〉凍らせる; …を凝結[凝固]させる.

con·ge·ner /kándʒənər | kɔ́ndʒɪnə, kɔ́n-/ 名 C 1 同種[同類]の物[人]. 2 同属の動植物.

†**con·gen·ial** /kəndʒíːniəl/ 形 〔正式〕1 〈人が〉〔人と〕同じ性質[趣味]の, 気心[性分]の合った(harmonious)〔*to*〕; 愛想のよい, 人の気をそらせない ‖ a *congenial* friend *to* me 私と気の合う友人. 2 〈物・事が〉〈人の〉性分[趣味]に合った, 〈人に〉快適な(pleasant)〔*to*〕. **con·gén·ial·ly** 副 〔正式〕気が合って; 快適に.

con·ge·ni·al·i·ty /kəndʒìːniǽləti/ 名 UC 〔性格・趣味などの〕…の間の〕一致, 相性〔*in/between*〕, 〔…と〕性分が合うこと, 〔…との〕適応〔*to, with*〕.

con·gen·i·tal /kəndʒénɪtl/ 形 〈病気・障害などが〉生まれつきの, 先天的な ‖ a *congenital* disease 先天性の病気. **con·gén·i·tal·ly** 副 先天的に.

con·ger /káŋgər | kɔ́ŋ-/ 名 C 〔魚〕=conger eel.

cónger èel アナゴ(類).

†**con·gest** /kəndʒést/ 動 他 〔正式〕…を(無理に)詰め込む, 混雑させる; 〈場所・車などを〉〔物・人で〕いっぱいにする(fill)〔*with*〕. ── 自 充血する〔*with*〕.

con·gest·ed /kəndʒéstɪd/ 形 〔正式〕密集[混雑]した; うっ血[充血]した.

†**con·ges·tion** /kəndʒéstʃən/ 名 U 〔正式〕(人・物の)

密集, 過剰, (交通・場所などの)混雑.

con·glom·er·ate /kənglάmərət | -glɔ́m-/ 形 **1**〈物が集まって〉丸く固まった, 集塊状の. **2** 複合企業の. ── 名 C 《正式》**1** 集合(体), 集塊. **2** 複合企業(体), コングロマリット ‖ a multinational *conglomerate* 多国籍企業.

con·glom·er·a·tion /kənglὰməréiʃən | -glɔ̀m-/ 名 U C 《正式》固まり, 集塊; 複合企業の形成.

†**Con·go** /kάŋgou | kɔ́ŋgou/ 名 **1** [しばしば the ~] コンゴ(共和国)《アフリカ中部の国. 首都 Brazzaville》. **2** [しばしば the ~] コンゴ(民主共和国)《アフリカ中部の国. 首都 Kinshasa. 旧称 Zaire》. **3** [the ~] コンゴ川《アフリカ中部から大西洋に注ぐ》.

†**con·grat·u·late** /kəngrǽdʒəleit, -grǽtʃə- -grǽtʃu-/ 動 他 **1**〈人が〉〈人〉を祝う;〈人〉に[喜びのことで]お祝いを述べる《*on, upon*, 祝言》; C [~ for]《◆ *celebrate* の目的語は「物・事」》‖ She is to be *congratulated*. 彼女は運のいい人だ / 〈対話〉"I *congratulate* you on your engagement." "Thank you." 「ご婚約おめでとう」「ありがとう」《◆ *Congratulations* on your engagement! がふつう》. **2** [*congratulate* oneself *on* A / *on* doing] A《成功・幸福》を[…だと]喜ぶ, 誇りに思う‖ He *congratulated* himself [on his success [*on* having succeeded, *that* he had succeeded]. 彼はうまくいったことを喜んだ.

***con·grat·u·la·tion** /kəngrὰdʒəléiʃən, -grὰtʃə- -grǽtʃu-/ 名《共に(con) 喜ぶ(grat)こと》

── 名 (複 ~**s**/-z/) U 祝う, 祝賀 ; C [~s] […についての]祝いの言葉, 祝辞《*on, upon*》‖ wire him a message of *congratulation on* his graduation 彼の卒業の祝いに電報を打つ / I *offer* you my *congratulations on* your success in the entrance examination. 入試合格のお祝いを申し上げます.

── 間 [Congratulations!] (成功・幸福などを祝って)[…]おめでとう《略式》Congrats)《*on*》‖ *Congratulátions* (*on* your graduátion)!《⤵》 (卒業)おめでとう《◆ 返事はふつう Thank you (very much).》 / 〈対話〉"I hear you're a father, Rex. *Congratulations*!" "Thanks, Peter."「レックス, お父さんになったんだってね. おめでとう」「ありがとう, ピーター」.

語法 Congratulations! は努力して成功した人、めでたいことがあった人に贈る言葉. 結婚式の場合、花婿にはこれを用い、花嫁にはふつう I wish you great [every] happiness. / Best wishes! などと言うとされてきたが, 若い人や親しい間柄では Congratulations! も用いられる. 新年・クリスマスのあいさつには用いない.

con·grat·u·la·to·ry /kəngrǽdʒələtɔ̀:ri, -grǽtʃə- -grǽtʃuleitəri/ 形《正式》祝いの, 祝賀の‖ a *congratulatory* address [telegram] 祝辞[祝電].

†**con·gre·gate** /kάŋgrəgeit | kɔ́ŋ-/ 動 (自)《正式》〈人・物が〉集まる, 集合する.

†**con·gre·ga·tion** /kὰŋgrəgéiʃən | kɔ̀ŋ-/ 名 **1** U《正式》(人々の)集合, 集まり; C (宗教的な)集会. **2** C [集合名詞; 単数・複数扱い] 集まった人々, 会衆; 信徒団.

con·gre·ga·tion·al /kὰŋgrəgéiʃənl | kɔ̀ŋ-/ 形 集会の; 会衆の.

***con·gress** /kάŋgrəs | kɔ́ŋgrəs/

── 名 (複 ~**·es**/-iz/) **1** [時に C~] C [単数・複数扱い] (代表者・委員などによる正式の)会議, 大会, 学会‖ the Internátional *Cóngress* of Línguists 世界言語学者会議 / the International PEN *Congress* 国際ペン大会 / 〈対話〉"Where is the next medical *congress* going to be held ["opened"]?" "In Paris." 「次の医学学会はどこで開催されますか」「パリです」. **2** [C~] U [通例無冠詞]《米国・中南米諸国の》国会; その会期《略 Cong., C.》《◆ 上院(the Senate)と下院(the House of Representatives)から成る. 日本・デンマークなどは the Diet, 英国・カナダは Parliament》‖ a member of *Congress* 国会議員 / in *Congress* 議会開会中 / *Congress* meets. 国会が開会する.

†**con·gres·sion·al** /kəngréʃənl/ 形 **1** 会議の, 大会の, 集会の. **2** [C~]《米》国会の, 議会の.

con·gress·man /kάŋgrəsmən | kɔ́ŋ-/ 名 (複 **-men** /-mən/) C [しばしば C~] C《米》国会議員, (特に)下院議員《◆ 男女の区別を避けて a member of Congress, Congressperson ともいう. 「上院議員」は senator》.

con·gress·per·son /kάŋgrəspə̀:rsn | kɔ́ŋgrəs-/ 名 → congressman.

con·gru·ent /kάŋgruənt | kɔ́ŋ-/ 形 = congruous.

con·gru·i·ty /kəngrú:əti/ 名 U C《正式》[…との]適合(性), 一致, 調和《*with*》.

con·gru·ous /kάŋgruəs | kɔ́ŋ-/ 形《正式》[…と]適合[一致, 調和]する《*with, to*》.

con·ic, -i·cal /kάnik(l) | kɔ́n-/ 形《正式》円錐(ﾂﾑ)(形)の.

co·ni·fer /kóunəfər | kɔ́-/ 名 C《植》針葉樹, 球果植物《球果をつけるマツ・モミ・スギ類》.

co·nif·er·ous /kounífərəs, kə-/ 形 針葉樹の, 球果をつける.

conj. 略《文法》conjugation; conjunction; conjunctive.

con·jec·tur·al /kəndʒéktʃərəl/ 形〈意見などが〉憶測的な;〈人〉が推測好きな.

†**con·jec·ture** /kəndʒéktʃər/ 名 C U《正式》推測, […という]憶測 (guess)《*that* 節》‖ a mere [mistaken] *conjecture* 単なる[まちがった]憶測 / *hazard* a *conjecture* 当て推量をする / the *conjecture that* he will get on in life 彼が出世するという推量 / *máke* [*fórm, give*] *a conjécture* on the matter その問題について推測する. ── 動 他《正式》…を(不十分な証拠によって)推測[推定]する (guess); […と]推測する《*that* 節, *wh* 節》. ── 自 推測する.

con·join /kəndʒɔ́in/ 動《正式》他 …を結合[連合]させる. ── 自 結合[連合]する.

con·joint /kəndʒɔ́int | kɔ́ndʒɔint/ 形《正式》結合[連接]した, 共同[合同]の.

con·ju·gal /kάndʒəgl | kɔ́n-/ 形《正式》結婚の, 夫婦(間)の.

con·ju·gate /kάndʒəgeit | kɔ́n-/ 動 他《文法》〈動詞〉を活用[変化]させる《◆ 名詞・代名詞・形容詞の場合は decline》. ── 自《文法》〈動詞が〉活用[変化]する.

con·ju·ga·tion /kὰndʒugéiʃən | kɔ̀n-/ 名 U C **1**《文法》(動詞の)活用[変化], (形)(略) conj.)《◆ (代) 名詞・形容詞の変化は declension》‖ regular [irregular] *conjugation* 規則[不規則]変化. **2** 結合, 連結;《生物》(細胞・個体の)接合.

†**con·junc·tion** /kəndʒʌ́ŋkʃən/ 名 **1** U《正式》結合[連結]すること (combination); 共同; (事件などの)関連, 続発, 同時発生‖ study *in conjunction with* him 彼と協力して研究する. **2** C《文法》接

con·junc·ti·va /kʌ̀ndʒʌŋktáɪvə | kɔ̀n-/ 图 ~s, --vae/-viː/ ©〔解剖〕(目の)結膜.
con·junc·tive /kəndʒʌ́ŋktɪv/ 形 結合[連結]する; 合同の, 共同の. ─ 图 ©〔文法〕接続語[句].
con·junc·ti·vi·tis /kəndʒʌ̀ŋktəváɪtɪs/ 图 U〔医学〕結膜炎.
con·junc·ture /kəndʒʌ́ŋktʃər/ 图 © (正式) **1** (危機をはらむ事情などの)からみ合い. **2** 危急の事態.
†**con·jure** /kʌ́ndʒər | kʌ́n-/ 動 他 **1** (正式)〈霊・悪魔などを〉呪(ジュ)文[まじない]で呼び出す(+up); (略式)〈食事などを〉手早く用意する(+up). **2** …を〈マジック[奇術]で〉出す(out of). …を魔法のように追い払う[消す](+away); 〈人に〉魔法をかける ‖ *conjure* a flower *out of* a hat (奇術で)帽子から花を取り出す. **3** (正式)〈物・事が〉…を思い出させる(remind) (+up); 〈人が〉…を思い起こす(+up, out) ‖ The photo *conjures up* memories of my carefree school days. その写真を見るとのんびりした学生時代を思い出す(=The photo reminds me of my ...). ─ 自 魔法を使う, 手品[奇術]をする.
con·jur·er, --ju·ror /kʌ́ndʒərər | kʌ́n-/ 图 © 手品師, 魔法使い.
con·jur·ing /kʌ́ndʒərɪŋ/ 图 U(英)手品.
conk /kɑŋk | kɔŋk/ 图 © (英俗)頭, 鼻, (頭などへの)一撃. ─ 動 他 (俗)〈人〉をなぐる. ─ 自 (略式)〈エンジンなどが〉止まる, 故障する(+out).
Conn. Connecticut.
*****con·nect** /kənékt/ 動〖共に(con)結ぶ(nect). cf. annex〗 図 connection (名)
─ 動 (~s/-ékts/; 過去・過分 ~·ed/-ɪd/; ~·ing)
─ 他 **1**〈人・物の〉く2つ以上のもの〉をつなぐ, 結びつける; 〈物を〉…に接続する(to)(↔disconnect) ‖ This freeway *connects* Kobe and Nagoya. この高速道路は神戸と名古屋を結んでいる / Daddy helped me *connect up* the tracks of my toy railroad. パパは模型の鉄道線路をつなぐのを手伝ってくれた / He *connected* a garden hose *to* the faucet. 彼は庭のホースを蛇口につないだ.
2 a [connect A with B]〈人が〉A〈物〉をB〈物〉と関係づける. AでBを連想する(associate) ‖ We used to *connect* London *with* smog. 以前はロンドンと聞くとスモッグを連想したものだ(=We used to associate London with smog). **b** [通例 be ~ed / ~ oneself](縁故・仕事などで)[…に]関係がある[with] ‖ He *is connected with* the Hills by marriage. 彼はヒル家と姻戚(関係)にある / Our company *is connected with* major banks. 我々の会社は主要銀行と取引関係にある.
3 (電話で)…を[…に]つなぐ[with, to] ◀対話▶ "Operator, please *connect* me *with* the sales department." "Just a moment, ... You are *connected*." 「交換手さん, 営業部につないでください」「お待ちください, ... つながりました」. **4**〈電気器具・ガス管などを〉電源[本管]につなぐ(+up). **5**〔コンピュータ〕…を[…に]つなぐ, 接続する(to).
─ 自 **1** […と]接続する, つながる[with, to] ‖ I can't *connect with* the Internet. インターネットとつながりません.
2〈交通機関が〉[…と]連絡[接続]する[with] ‖ This flight *connects* in Paris *with* the one for Rome. この(飛行)便はパリでローマ行きの便と連絡している.
connécting ròd (内燃機関などの)連絡棒.

con·nect·ed /kənéktɪd/ 形 **1** 接続[結合]した; 関連した. **2** (通例複合語で)縁つづきの, 縁故[コネ]のある ‖ a well-*connected* man よい縁故のある人.
con·nect·er, --nec·tor /kənéktər/ 图 © **1** 結合[連結]する人[物]. **2** (車両の)連結手[器].
Con·nect·i·cut /kənétɪkət/ 图[発音注意]コネチカット《米国北東部の州. 州都 Hartford. (愛称) the Constitution State, the Nutmeg State. (略)Ct., Conn.. (郵便)CT》.
*****con·nec·tion**, (英ではまれに) **--nex·ion** /kənékʃən/ [→ connect]
─ 图 (複 ~s/-z/) **1** ©〇 […との/…間の]関係, つながり, 交流[with/between]《◆ relation より具体的関係が強い》‖ cut ties and sever *connections with* the firm その会社との関係を清算する / It seems that *there is a close connection between* crime and poverty. 犯罪と貧困との間には密接な関係があるようだ.
2 ©〇 つなぐこと, 連結.
3 ©[通例 ~s] 縁故(者), コネ; 取引先, 得意先; 親類(関係), 遠縁(の人) ‖ He has powerful *connections* in the publishing world. 彼は出版業界に有力なコネがある.
4 © **a** (交通機関の)連絡, 接続; 乗り換え ‖ I made a *connection* at Kyoto for Nara. 私は京都で奈良行きの(接続)列車に乗り換えた. **b** (...への)(連絡している)列車[船, 飛行機, バスなど](to) ‖ I miss the [one's] *connection to* Osaka 大阪への連絡列車(など)に乗り遅れる.
5 U 接続すること, 連結; © つながっている物, (電話・電気器具の)接続, (機械などの)連結部 ‖ We have a bad (telephone) *connection*. 電話の接続が悪い《声が遠い・混線など》 / The *connection* was made [broken]. 電話がつながった[切れた] / ジョーク "When are electricians most successful?" "When they have good *connections*." 「電気技師が一番成功するのはどんなとき?」「うまく接続できるとき」《◆「よいコネがあるとき」(3)とも取れる》.
in connéction with A (1) (正式)…に関連して (about, in reference to); …と共同で. (2)〈列車などが〉…に連絡して.
in thís [*thát*] *connéction* = *in connéction to thís* [*thát*] (正式) これ[それ]に関連して, ちなみに; こ[その]文脈では.
con·nec·tive /kənéktɪv/ 形 結びつける, 結合性の. ─ 图 **1** 結びつける物, 連結心. **2**〔文法〕接続語.
con·nec·tor /kənéktər/ 图 =connecter.
con·nex·ion /kənékʃən/ 图 (英) =connection.
Con·nie /kɑ́ni | kɔ́ni/ 图 **1** コニー《男の名. Conrad の愛称》. **2** コニー《女の名. Constance の愛称》.
con·niv·ance, --nence /kənáɪvns/ 图 U〔悪事などの〕見逃し, 黙認, 黙許[at, in]; […との]共謀[with].
con·nive /kənáɪv/ 動 自 (正式) **1** 〈悪事などを〉見て見ぬふりをする, 黙認する, 大目に見る[at]. **2** [人と]共謀する[with]; […しようと]陰謀を企てる(to do).
†**con·nois·seur** /kɑ̀nəsə́r | kɔ̀n-, -sjʊ́ə/ [フランス] 图 ©(美術品などの)鑑定家; […の)通(ツウ), 目きき, くろうと(of, (主で英) in).
con·no·ta·tion /kɑ̀nətéɪʃən | kɔ̀n-/ 图 ©〇 (正式)[しばしば ~s; 単数扱い] (語・事の)言外の意味[考え], 含蓄; 〔論理〕内包(↔denotation).
con·note /kənóʊt/ 動 他 **1** (正式)〈語・事が〉(本来の意味のほかに)…を意味[暗示]する; …を(条件・結果と

connubial ... ...する. **2**〖論理〗...を内包する.
con·nu·bi·al /kənjúːbiəl/ 形 〖正式〗結婚(生活)の, 夫婦の.
co·noid /kóunɔid/ 名 © 円錐(ﾆ)形[状](の), 円錐曲線体(の).

*__con·quer__ /káŋkɚ | kɔ́ŋ-/ 〖〖「求めて手に入れる」が原義〗〗 conqueror (名), conquest (名)
── 動 (~s/-z/; 過去・過分 ~ed/-d/; ~·ing /-kəriŋ/) 〖正式〗
── 他 **1**〈人が〉〈敵・国・都市・自然・病気など〉を(力・道具などで)**征服する**(defeat) ‖ *conquer* a nation 国を征服[征圧]する / *conquer* the world's highest peak 世界の最高峰を征服する / *conquer* AIDS エイズを制圧する / *Conquer* yourself before you *conquer* others. 人に勝つより自分に勝て.
2〖文〗〈名声・愛・称賛など〉を(努力して)得る(gain); 〈異性〉をくどき落とす ‖ *conquer* liberty [his affection] 自由[彼の愛]をかちとる. **3**〈困難・習慣・障害など〉を**克服する**(overcome); 〈感情〉を抑える(control) ‖ *conquer* difficulties [bad habits] 困難[悪習]を克服する.
── 自 勝 つ, 克服する(win) ‖ *stóop to cónquer* 勝つために恥を忍ぶ, 負けて勝つ.
cón·quer·a·ble 形 征服[克服]できる.

†**con·quer·or** /káŋkərɚ | kɔ́ŋ-/ 名 © 征服者, (戦争の最終的)勝利者〖◆ victor は1つの戦いの勝利者〗‖ máke onesèlf the *cónqueror* of the wórld 世界の征服者になる. **2** [the C~] 征服王 (William the Conqueror; → William **2**).

†**con·quest** /káŋkwest, káŋ- | kɔ́ŋ-/ 名 **1** ⓤ © 征服[征圧](する[こと]), 克服, 勝利 ‖ the *conquest* of the earth by aliens 宇宙人による地球征服 / the *conquest* of cancer がんの征圧. **2** ⓤ © (愛情・好意などの)獲得, (異性の)くどき落とし; © 征服された物[人, 国, 土地]; くどき落とされた人 ‖ the *conquests* of Napoleon ナポレオンの征服地 / máke a *cónquest* of her 彼女をくどき落とす. **3** [the C~] =Norman Conquest.

con·san·guin·i·ty /kànsæŋɡwínəti | kɔ̀n-/ 名 ⓤ 〖正式〗血族(関係) (cf. affinity); 密接な関係.

*__con·science__ /kánʃəns | kɔ́n-/ 発音注意 〖共に(con)知るもの(science). cf. conscious, science〗
── 名 (~s/-iz/) ⓤ © 良心, 道徳意識, 善悪の判断[認識]力, 分別, 誠実さ ‖ have a bad [guilty] *conscience* 心がやましい / have a good [clear] *conscience* 心がやましくない / consult one's (*own*) *conscience* 自分の良心に訴える / She writes her stories as if she had no social *conscience*. 彼女の書く話にはまるで社会的良心が感じられない / let her own *conscience* decide 彼女の良心にゆだねる / My *conscience* does not allow me to steal. 良心がとがめて盗みができない.
for cónscience(') *sàke* 気休めに, 後生だから.
háve ▲ *on one's cónscience*〈発言・言動など〉を気に病む, ...のことで気がとめる.
in (*àll*) *cónscience* 〖正式〗=(略式) *upòn one's cónscience*[通例挿入的に用いて] 良心にかけて(honestly); [強調的に] 確かに.
make ▲ *a mátter of cónscience*〈物・事〉を良心の問題とする, ...を良心に扱う.
con·science-smit·ten /kánʃənssmìtn | kɔ́n-/ 形 気がとめる.
con·science-strick·en /kánʃənsstrìkən | kɔ́n-/ 形 =conscience-smitten.

†**con·sci·en·tious** /kànʃiénʃəs | kɔ̀n-/ 形 〖正式〗〈人・言動が〉良心的な, まじめな(honest); [...に]入念な, 用心深い(careful)〘*about*〙‖ a *conscientious* doctor [study] 良心的な医者[綿密な研究] / a *conscientious* objéction [objéctor] 良心的参戦拒否[拒否者]〘(米) CO〙.
con·sci·én·tious·ly 副 良 心 的 に, 入念に.
con·sci·én·tious·ness 名 ⓤ 良心的なこと, 誠実.

*__con·scious__ /kánʃəs | kɔ́n-/ 〖→ conscience〗派 consciousness
── 形 (*more* ~, *most* ~) **1** [補語として] (内心で)**意識している**, 自覚している(↔ unconscious, subconscious); [be conscious of ▲] 〈人が〉〈物・事〉に(心の中で)**気づいている**; [be conscious *that* 節 / be conscious of *wh* 節] ...ということに気づいている〖◆「感覚的に気づく」は aware〗‖ *be* [*become*] *conscious of* one's own faults 自分の欠点を自覚している[する] / She was not *conscious* of being laughed at. 彼女は笑われているのに気づかなかった〖⇒文法 12.3〗/ I was *conscious*「*of* her innocence [(*of* the fact) *that* she was innocent]. 彼女の無罪に私は気づいていた.
2 [補語として] 〈人が〉**意識のある**, 正気の ‖ The patient finally became *conscious*. 患者はやっと意識を取り戻した / remain *conscious* 意識がある.
3 [名詞の前で] 〈言動が〉**意識的な**, 故意の(↔ subconscious) ‖ a *conscious* smile [story] 作り笑い[話] / make a *conscious* effort 意識的に努力する.
4 [複合語で] ...を意識した ‖ self-*conscious* 自意識の強い / a sex-*conscious* girl 性に目覚めた少女 / weight-*conscious* folks 体重を気にする人たち.

†**con·scious·ly** /kánʃəsli | kɔ́n-/ 副 意識して, 自覚して, 故意に.

†**con·scious·ness** /kánʃəsnəs | kɔ́n-/ 名 ⓤ 〖正式〗[時に a ~] 〔...に/...ということに〕気づいていること〘*of* / *that* 節〙, 意識, 自覚; 正気 ‖ class *consciousness* 階級意識 / *consciousness*-expanding drugs 意識拡大薬〘LSDなど〙/ the *consciousness* of guilt 罪の自覚 / *cóme to cónsciousness* 正気づく / *lóse* [*recóver, regáin*] (*one's*) *cónsciousness* 意識を失う[取り戻す] 使い分け → KNOCK out (1) / *ráise one's cónsciousness* (政治・経済的)意識を高める / She hàs a cléar *cónsciousness*「*of* her limitations [*that* she is not talented]. 彼女は自分の限界を[自分に才能がないことを]はっきり自覚している.

con·script /名 kánskript | kɔ́n-; 動 kənskrípt/ 名 © 〘英〙徴集兵〘(米) draft〙(↔ volunteer).
── 動 他 ...を[...に]徴兵[徴用]する〘*into*〙.

†**con·scrip·tion** /kənskrípʃən/ 名 ⓤ 徴 兵 (制度); [集合名詞] 徴募兵.

†**con·se·crate** /kánsəkrèit | kɔ́n-/ 動 他 **1** 〖正式〗〈生命など〉を〔...に〕(宗教的)目的に〕捧げる〘*to*〙. **2** 〖宗教〗...を神聖にする(↔ desecrate)〘...土地・人・物など〉を神に捧げる, 聖別する〖◆ dedicate の方がふつう〗.

†**con·se·cra·tion** /kànsəkréiʃən | kɔ̀n-/ 名 ⓤ © 神聖化; 奉献,〔神・目的に〕自分を捧げること〘*to*〙; 専念.

†**con·sec·u·tive** /kənsékjətiv/ 形 〔間をおかず[順序で]連続した〖◆ 単に連続するのは successive〗‖ buy game tickets by *consecutive* numbers 試合の切符を続き番号で買う / study for five *consecutive* hours 5時間続けて勉強する.

con·séc·u·tive·ly 副 連続して.
con·sen·sus /kənsénsəs/ 名 ⓤⓒ [正式] [通例 a/the~] (意見・感情などの)一致, コンセンサス; (大多数の)一致した意見; 世論 ‖ reach *a consensus on the matter* その問題について意見が一致する.

†**con·sent** /kənsént/ 動 ⓘ [正式] 〈人が〉(自発的に)同意する, 承諾する(agree) (↔ dissent); [consent to A] 〈考え・提案などに〉同意する, 許可を与える; [consent to do [doing]] …することに同意する; [consent that節] …ということに賛成する ‖ I consented「*to marry* [*to marrying*] *him*. 私は彼と結婚するのを承諾した(➡文法 9.3) / *consent to his plan* 「*his climbing Mt. Everest*」彼の計画[エベレスト登山]に同意する / He *consented that* I ((主に英)) should) *marry her*. 彼は私が彼女と結婚することを承諾した〈◆He *consented to my marrying her*. がふつう〉 / He *consented to help her*. 彼は彼女の手助けをすることに同意した.
── 名 ⓤ […に対する/…する]同意, 承諾, 許可(*to*/*to do*); (意見・感情などの)一致 ‖ choose「*with consent* [((略式)) *by common consent*]」満場一致で選ぶ / *give* (*one*'*s*) *consent to* her offer 彼女の申し出を承諾する / I asked for her *consent to do it*. それをしてもよいという彼女の許可を求めた / *Silence gives consent*. (ことわざ) 沈黙は承諾の印.
the áge of consént [法律] 合意年齢 (親の同意がなくても結婚できる年齢).

*****con·se·quence** /kánsəkwèns│kɔ́nsikwəns/
アクセント注意 名 ⓒ [通例~s] (必然の)結果, 成り行き, 影響 〈◆ result より堅い語〉‖ live *by natural consequences* 自然の成り行きにまかせて生きる / *be responsible for the consequences of one*'*s* (*own*) *actions* 自分の行動の結果に責任をとる / *The failure was the consequence of his pride*. 失敗は彼のうぬぼれの結果であった. **2** ⓤ [正式] (人・事の影響などの)重要さ, 重大さ; 尊大さ ‖ a man *of consequence* in the political world 政界での重要人物 / walk with an air of great *consequence* もったいぶって歩く / *It is of much* [*no*] *consequence to me that he is coming*. 彼が来ることは私にとってとても重大だ[少しも重要でない].
*****in** [**as a**] **cónsequence** [正式] したがって, その結果(→ 1) (consequently, as a result); […の]結果として(*of*) ‖ He changed his mind *in consequence of the marriage*. 結婚した結果, 彼は考えが変わった.
take「ánswer for, béar」the cónsequences (***of A***) 〈言行上の〉結果を引き受ける, 責任をとる.

†**con·se·quent** /kánsəkwènt│kɔ́nsikwənt/ 形 [正式] **1** […の]結果として起こる(*on, upon, to*) ‖ This boom was *consequent upon the war*. このにわか景気は戦争のせいだ(=This boom *resulted from the war*.). **2** (論理的に)当然の; 〈推論など〉一貫した.
con·se·quen·tial /kànsəkwénʃəl│kɔ̀n-/ 形 [正式] **1** =consequent. **2** 〈人が〉(社会的に)重大な.
còn·se·quén·tial·ly 副 結果として.

*****con·se·quent·ly** /kánsəkwèntli│kɔ́nsikwənt-/
──副 [正式] [主に文頭で] **その結果**, したがって, 必然的に(therefore, as a result) ‖ *Our town is situated near the sea and consequently we enjoy a healthy climate*. 町は海の近くにあって健康によい気候に恵まれている.

†**con·ser·va·tion** /kànsərvéiʃən│kɔ̀n-/ 名 (資源・運動・文化財などの)保護, 管理, 保存 (↔ destruction). **còn·ser·vá·tion·ist** 名 ⓒ (資源などの)保護論者.

con·serv·a·tism /kənsə́ːrvətizm/ 名 ⓤ 保守主義, 保守性.

†**con·serv·a·tive** /kənsə́ːrvətiv/ 形 **1** 〈人・主義・言動などが〉 […の点で/…について] 保守的な, 保守主義の [*in*/*about*] (↔ progressive) ‖ *conservative politics* [*views*] 保守的な政治[意見] / *be conservative in one*'*s principles* 主義が保守的である. **2** (略式) 〈人・言動・評価・見積もりなどが〉[…の点で/…について] 控えめな, 用心深い(modest); 〈服装などが〉じみな[*in*/*about*] ‖ *be conservative about production* 生産を控える / *plan by a conservative estimate* 控えめに見積もって計画をたてる. **3** [C~] (英国・カナダなどの)(英国・カナダなどの)保守党の(員)の.
──名 ⓒ **1** 保守的な人, 伝統主義者. **2** [C~] (英国・カナダなどの)保守党員; 保守的ユダヤ教徒.
Consérvative Párty [the ~] (英国・カナダなどの)保守党 〈◆英国では the Labour Party (労働党)と並ぶ大政党〉.
consérvative swíng [**shíft**] 右傾化, 保守化.
con·sérv·a·tive·ly 副 保守的に; 控えめに.
con·sérv·a·tive·ness 名 ⓤ 保守性.
con·serv·a·to·ry /kənsə́ːrvətɔ̀ːri│-təri/ 名 ⓒ **1** [正式] (家に付いた)温室. **2** (米) 芸術[音楽]学校.

†**con·serve** 動 /kənsə́ːrv/ 名 /kánsəːrv, kənsə́ːrv│kɔ́nsəːv, kənsə́ːv/ 動 他 **1** …を(将来のために)腐敗・変化・破壊・減衰から)守る, 保護する; [物理] [通例 be ~d] 〈エネルギーなどが〉一定量に保たれる ‖ *conserve forests* 森林を保護する. **2** [正式] 〈果物〉をジャム[砂糖漬け]にして保存する.
──名 ⓒⓤ [正式] [通例 ~s] (種々の果物の)ジャム, 砂糖漬け.

*****con·sid·er** /kənsídər/ 『「(星占いで)星をよく調べる」ことから「よく考える」意が生まれた』 派 considerable (形), considerate (形), consideration (名)

index 動 他 **1** よく考える **2** …だとみなす **3** 考慮に入れる
自 **1** よく考える

──動 (~s/-z/; 過去・過分 ~ed/-d/; ~ing/-əriŋ/)
──他 **1** 〈人が〉〈物・事〉をよく考える, 熟慮[検討]する; 〈人・物・事〉を […に適格かどうか/意見]考える(*for, as*); [consider doing] …することをよく考える, 熟慮[検討]する; [consider wh句・節] …かどうかをよく考える, 熟慮[検討]する ‖ *consider a plan before carrying it out* 実行に移す前に計画をよく練る / *We are considering going* [ˣ*to go*] *on a picnic*. ピクニックに出かけようかと考えています(➡文法 12.7(1)) / *We must consider how to get there* [*how we should get there*]. どうやってそこへ行ったらよいか考えねばならない / *Let*'*s consider whether she will succeed*. 彼女が成功するかどうかを考えてみよう.
2 [正式] [consider A (to be) C] 〈人が〉A〈人・物・事〉を C だとみなす〈◆C は名詞・形容詞〉; [consider that節] 〈人が〉…だと考える ‖ *We consider him* (*to be*) *honest* [*a scholar*]. =*We consider that he is honest* [*a scholar*]. 彼を正直[学者]だと思う / *We consider it necessary to meet her*. 彼女に会わねばならぬと思う / *I consider her to be telling a lie*. =*I consider that she is telling a lie*. 彼女がうそをついていると思う.
3 〈人が〉〈物・事〉を**考慮に入れる**, しんしゃくする; (買い

[受け]入れのとき)…を考慮する; [consider that節/consider wh節] …ということを[…かを]考慮に入れる ‖ *Consider* his poor health =*consider* (the fact) *that* his health is poor 彼の健康がすぐれていないことをしんしゃくする / Just *consider* how kind she is. 彼女がどんなに親切かちょっと考えてごらん.

4 …に注意[関心]を払う; [通例 be ~ed]〈人が〉尊敬[尊重]される《◆しばしば well, greatly などの程度副詞を伴う》‖ He *is* well *considered*. 彼はとても尊敬されている.

——自《正式》〈人が〉よく考える, 熟慮[注視]する (think) ‖ *Consider* well before you practice. 実行する前によく考えよ.

all things consídered [独立分詞構文で文頭・文中・文尾に] あらゆることを考えてみると; 結局(のところ)(=taking all things [everything] into consideration) (➡文法 13.5).

*con·sid·er·a·ble /kənsídərəbl/ [→ consider] 副 considerably (副)

——形 1〈数・量・大きさ・程度が〉**かなりの, 相当な**《◆(1) (略式) large, many の控え目表現. (2) 比較変化しない》(↔ inconsiderable) ‖ a *considerable* income [distance, labor] かなりの収入 [距離, 仕事] / a man of *considerable* wealth 相当な金持ち / a *considerable* number of mistakes 相当数の誤り《◆© 名詞の複数形を直接修飾しない: ˣ*considerable* mistakes》.

2〈物・事が〉重要な, 注目に値する.

†**con·sid·er·a·bly** /kənsídərəbli/ 副 [通例比較級・動詞を修飾して] **かなり, ずいぶん**《◆ very, much などの控え目表現》‖ It's *considerably* more important. それはずっと重要だ / I was *considerably* offended by her remarks. 彼女の言葉にかなりむかっとした / Prices have increased *considerably*. 物価がかなり上がった.

†**con·sid·er·ate** /kənsídərət/ 形〈人が〉〔人・要求などに〕思いやりがある, 理解がある〔*of, to, toward*〕; [A is *considerate* to do / it is *considerate* of A to do] …するとは A〈人〉は思いやりがある, 察しがよい (➡文法 17.5) (thoughtful) (↔ inconsiderate) ‖ a *considerate* girl 親切な少女 / He is *considerate* of old people. 彼は老人に思いやりがある / You are very *considerate* to advise me. =It is very *considerate* of you to advise me. =How *considerate* of you to advise me! 私に忠告してくれて本当にありがとう (➡文法 1.9). **con·síd·er·ate·ness** 名 ⓤ 思いやり(の深いこと).
con·síd·er·ate·ly 副 思いやり深く.

*con·sid·er·a·tion /kənsìdəréiʃən/ [→ consider]

——名 (複 ~s/-z/) **1** ⓤ よく考える[考えた]こと, 考慮, 考察, 黙考 ‖ a matter *for consideration* 一考を要する事柄 / He gave his fullest *consideration* to the problem. 彼はその問題を十分慎重に考察した(=He considered the problem carefully.) / *leave* her proposal *out of consideration* 彼女の提案を度外視する / after much [a moment's] *consideration* 十分[少し]考えたあとで.
2 ⓒ (決定時に) **考慮すべきこと**〔理由, 動機〕‖ Your family should be your first *consideration*. あなたの家族を第一に考えるべきだ.
3 ⓤ [⋯に対する]思いやり, しんしゃく〔*for, of*〕‖ show [have] *consideration for* others 人をいたわる / *in* [*out of*] *consideration for* his youth 彼の若さを考えて[若さに免じて].

4 ⓒ《正式》(通例 a ~, 遠回しに)〔…に対する〕報酬, 心付け〔*for, of*〕‖ a small *consideration for* his services 彼の功労に対するささやかな報酬 / *for a consideration* 心付けで; 報酬目当てに(for a fee).

in considerátion of [*for*] A (1) …を考慮して. (2) …の返礼として; …のために.
on nó considerátion《どんな考えに基づいても…ない》《正式》決して…しない(never).
take A *into considerátion* = *take into considerátion* A 〈人・物・事〉を**考慮[しんしゃく]する**《◆ A が that 節の場合は形式目的語 it を用いる》‖ The boss never *takes* my lack of experience *into consideration*. 上司は私が経験不足であることを決して考慮に入れてくれない.
taking éverything [*áll things*] *into considerátion* =all things CONSIDERed.
ùnder considerátion 考慮[検討]中の[で].
ùnder nó considerátion《正式》=on no CONSIDERATION.

con·sid·ered /kənsídərd/ 形 **1** よく考えた(上での) (↔ unconsidered) ‖ one's *considered* opinion よく考えられた意見. **2** 尊敬される, 重んじられる.

†**con·sid·er·ing** /kənsídəriŋ/ 前 …を考えると, …のわりには, …にもかかわらず ‖ He looks young(,) *considering* his age. 彼は年のわりには若く見える.
——接 …であることを考えれば, …であるわりには ‖ *Considering* (that) he has no experience, he did quite well. 無経験にしては, 彼はかなりよくやった.
——副 [文尾で] すべてを考慮すれば, そのわりには ‖ It's not bad(,) *considering*. そのことを考えれば悪くはない《◆*considering* ⌈the circumstance [all things]⌉ の省略表現》.

†**con·sign** /kənsáin/ 動 他《正式》〈人・物〉を〔保護・管理(者)に〕(引き)渡す, 預ける, ゆだねる〔*to*〕.

†**con·sign·ment** /kənsáinmənt/ 名〖商業〗**1** ⓤ (商品の)委託(販売), 託送 (略 cons.) ‖ take [send] goods *on consignment* 委託販売で商品を仕入れる[発送する]. **2** ⓒ [単数・複数扱い] 委託される物, 委託貨物[販売品].

*con·sist /kənsíst/ 〖共に(con) 立つ(sist). cf. assist, exist〗形 consistent (形)

——動 (~s/-s/; 過去・過分 ~ed/-id/; ~ing)
——自《進行形にしない》**1** [*consist of* A]〈団体・物・事などが〉〈人・部分・要素〉から**成り立つ, 成り立っている**(類語 be composed of, be made up of, be comprised of) ‖ Our class *consists of* 40 pupils. 私たちのクラスは 40 人からなっている.
2《正式》[*consist in* A]〈本質が〉〈事〉に**ある**(lie) ‖ Happiness *consists in* contentment. 幸福は満足にある.
3《正式》〔物・事と〕一致[両立, 調和]する(harmonize)〔*with*〕‖ Her story *consists with* the facts. 彼女の話は事実と合っている.

†**con·sist·en·cy**, **-ence** /kənsístəns(i)/ 名《正式》**1** ⓤⓒ (物質の)堅さ; (液体・混合物の高い)濃度, 密度; 粘度. **2** ⓤ〔主義・言動の/…の間の〕一貫性〔*in*/*between*〕.

*con·sist·ent /kənsístənt/ 〖→ consist〗
——形《正式》**1**〈人が〉〔言行・主義・態度・意見などで〕**一貫した** (steady), 変わらない, **堅実な** (regular) 〔*in*〕(↔ inconsistent) ‖ a *consistent* advocate 自説を曲げない唱道者 / She is *consistent in* her beliefs. 彼女の信念は不動である.
2 [補語として]〈人・言行が〉〔…と〕一致する, 調和[両

con·sist·ent·ly /kənsístntli/ 副《正式》**1** 絶えず,いつも(always). **2** 一貫して,堅実に.

†**con·so·la·tion** /kὰnsəléiʃən | kɔ̀n-/ 名 **1** Ⓤ 慰める[られる]こと,慰め(◆comfort より堅い語);報酬 ‖ find consolation in music 音楽に慰めを見出す. **2** Ⓒ 〔通例 a ~〕〔…にとって〕慰めとなる人[物,事]〔to〕;〔遠回しに〕愛人,恋人.
consolátion prize 残念賞.

†**con·so·la·to·ry** /kənsóulətɔ̀ːri, -sά- | -sɔ́lətəri/ 形 慰めを与える ‖ a consolatory letter 見舞状.

†**con·sole**[1] /kənsóul/ 動 他 [console A with B] 〈人が〉A〈人〉をB〈物・事〉で〔悲しみ・失望・不平・残念な事柄に対して〕慰める,元気づける〔for, on〕(◆comfort より堅い語) ‖ I consoled him for missing his chance at a promotion. 昇進のチャンスを逸したことに対して彼を慰めた / I consoled myself with the knowledge that I had been right. 自分が正しかったということがわかって気がスーッとした.

con·sole[2] /kάnsoul | kɔ́n-/ 名 Ⓒ **1** (パイプオルガンの)演奏台. **2** (卓上型・携帯用に対して)(ラジオ・テレビなどの)コンソール型《ドア付きの床上型》. **3** =console table. **4** 〔コンピュータ〕コンソール,操作卓;〔電気〕制御装置,コンソール.
cónsole táble コンソール=テーブル《壁に取り付けられた受け木脚付きの小型テーブル》.

†**con·sol·i·date** /kənsάlidèit | -sɔ́li-/ 動《正式》他 **1** 〈会社・土地などを合併する,…を統合して[に]する〔into〕;〈借金・荷物などをまとめて整理[1つ]にする. **2** 〈権力・地位などを固める,強化する. ── 自 **1** 会社などが合併する. **2** 地位などが固まる,強固になる.

†**con·sol·i·da·tion** /kənsὰlidéiʃən | -sɔ̀li-/ 名 **1** Ⓤ 強化[される]こと,強固. **2** Ⓤ (会社などの)合併.

con·som·mé /kὰnsəméi | kɔnsɔ́mei/《フランス》名 Ⓤ コンソメ《肉と骨でだしを取った澄んだスープ. cf. potage》.

con·so·nance, –nan·cy /kάnsənəns(i) | kɔ́n-/ 名 Ⓤ《正式》**1** 一致,調和〔with〕.

†**con·so·nant** /kάnsənənt | kɔ́n-/ 名 Ⓒ〔音声〕子音(↔vowel);子音字(略) cons.). ── 形《正式》〔…に〕一致[調和]する〔to, with〕(↔dissonant).

†**con·sort** 名 /kάnsɔːrt | kɔ́n-/ 名 Ⓒ kənsɔ́ːrt/ 名 Ⓒ《正式・まれ》(ふつう国王・女王の)配偶者. ── 動 自《正式》**1**〔人と〕付き合う(mix)〔+together〕〔with〕. **2**〔物・事と〕一致[調和]する(agree)〔with〕.

con·sor·ti·um /kənsɔ́ːrʃiəm, -tiəm | -tiəm/ 名 (徵 ~s, **-ti·a**/-ʃiə, -tiə | -tiə/) Ⓒ (国・企業などによる特定の目的のための)共同企業体,連合体,協議会.

†**con·spic·u·ous** /kənspíkjuəs/ 形 **1**〔言行などで〕人目をひく,顕著な,非常によい[悪い]〔for〕(↔inconspicuous) ‖ be conspicuous for beauty 美しさで目につく / He was conspicuous by his absence. 彼はいないのでかえって目立った / cut a conspicuous figure 異彩を放つ / máke onesèlf conspícuous 《変わった服装・言行などで》人目をひく. **2** 見え[わかり]やすい.
conspícuous consúmption (身分や財力を誇示するための)派手な散財.

†**con·spic·u·ous·ly** /kənspíkjuəsli/ 副 著しく,目立って.

†**con·spir·a·cy** /kənspírəsi/ 名 Ⓤ Ⓒ〔…に対する〕(多数の人の)陰謀,共謀〔against, to〕;陰謀団 ‖ in conspiracy 共謀して.

†**con·spir·a·tor** /kənspírətər/ 名 ((女性形) **-tress**/-tris/) Ⓒ 共謀者,陰謀をたくらむ人.

†**con·spire** /kənspάiər/ 動 自《正式》**1**〔人と〕共謀する(cooperate)〔+together〕〔with〕;〔人に〕…しようと〕陰謀をたくらむ(plot)〔against / to do〕. **2** 〈事などが〉重なって…する(lead)〔to do〕 ‖ These circumstances conspired to make him fail. このような事情が重なって彼は失敗した.

†**con·sta·ble** /kάnstəbl | kʌ́n-/ 名 Ⓒ《英》(平の)巡査,警官(policeman)《◆呼びかけにも用いられる》Constable Brown ブラウン巡査 / a chief cónstable (市・州の)警察部長 / a special constable (非常時の)特別巡査.

Con·sta·ble /kάnstəbl | kʌ́n-/ 名 コンスタブル《**John** ~ 1776–1837;英国の画家》.

†**con·stan·cy** /kάnstənsi | kɔ́n-/ 名 Ⓤ《正式》(目的・愛情などの)不変,安定(↔inconstancy);忠実,貞節;志操堅固 ‖ 永久的なもの.

★**con·stant** /kάnstənt | kɔ́n-/ 〚共に(con)立つ(stant). cf. distant, instant〛 ‖ constantly (副)
── 形 (**more** ~, **most** ~) **1**〈状況・質などが〉一定の,不変の(↔variable);〔通例名詞の前で〕〈動作・状態が〉休みなく[規則的に]続く,不断の ‖ constant temperature 常温 / The patient requires constant care. その患者は片時も目を離せない. **2**《文》〔通例名詞の前で〕〈人が〉〔愛情・信念などが〉変わらない,志操堅固な〔in, to〕;〔人に〕誠実な(faithful)〔to〕 ‖ a constant companion 誠実な友 / be constant in love 愛情が変わらない / be constant to one's wife 妻に誠実である.
── 名 Ⓒ **1** 一定不変のもの. **2**〔数学・物理〕定数(cf. variable) ‖ the circular constant 円周率.

Con·stan·tine /kάnstəntìːn | kɔ́nstəntὰin/ 名 **1** コンスタンチン《男の名》. **2** ~ **the Great** コンスタンチヌス大帝《280?–337;Constantinople を首都としキリスト教を公認したローマ帝国皇帝》.

Con·stan·ti·no·ple /kὰnstæntənóupəl | kɔ̀n-stæntinóu-/ 名 コンスタンチノープル《トルコの Istanbul の旧称》.

★**con·stant·ly** /kάnstəntli | kɔ́n-/〚→constant〛
── 副 絶えず,しきりに;《略式》〔進行形の文で〕いつも,たえず,繰り返して(too often)《◆話し手のいらだち・非難などを表す. ➔文法 5.2(4)》 ‖ She is constantly complaining of her quota. 彼女はしょっちゅう仕事のノルマのことでぐちばかりこぼしている.

†**con·stel·la·tion** /kὰnstəléiʃən | kɔ̀n-/ 名 Ⓒ **1**〔天文〕星座;〔占星〕星運,星座の位置. **2** 《文》美しい物の集まり,きらびやかな〈著名な〉人々の群れ.

†**con·ster·na·tion** /kὰnstərnéiʃən | kɔ̀n-/ 名 Ⓤ《正式》非常な驚き[不安],仰天.

con·sti·pat·ed /kάnstəpèitid | kɔ́n-/ 形 便秘している.

con·sti·pa·tion /kὰnstəpéiʃən | kɔ̀n-/ 名 Ⓤ 便秘.

†**con·stit·u·en·cy** /kənstítʃuənsi | -stítju-/ 名 Ⓒ **1**〔集合名詞;単数・複数扱い〕選挙民,有権者;(政党[政治家]の)後援者. **2** 選挙区. **3**〔集合名詞〕顧客,購買者.

†**con·stit·u·ent** /kənstítʃuənt | -stítju-/ 形 **1**《正式》(物を構成部分として)構成する,作り上げる. **2**〔選挙[指名]権のある,憲法制定[改正]権のある ‖ a constituent body 選挙母体. ── 名 Ⓒ **1**《正式》構成物質[要素],成分(element). **2** 選挙有権者.

†**con·sti·tute** /kάnstətjùːt | kɔ́n-/〔アクセント注意〕

constitution / **consume**

動 他《◆進行形にしない》《正式》 **1**〈物・事が〉〈物・事〉を構成する, …の一部をなす(make up, comprise) ‖ In your view, what *constitutes* a violation of the contract? あなたの考えでは, どのようなことが契約違反になりますか. **2**〈人などが〉〈法律などを〉制定する, 設置する;〈委員会などを〉設立する ‖ They *constituted* the committee last year. 昨年その委員会を設置した. **3** [constitute **A C**]〈人が〉**A**〈人〉を**C**〈役職〉に任命[選任]する(appoint)《◆**C** は役職が同時には1名に限られる場合には無冠詞. ➡文法16.3(4)》‖ We *constituted* him chairman. 彼を議長に選んだ.

*con·sti·tu·tion /kὰnstətjúːʃən│kɔ̀n-/
—名 (複 ~s/-z/) **1** ⓒ 憲法《◆特定の国の憲法をさすときは the C~》; 政体; 決まり, 法令 ‖ The *Constitution* of Japan 日本国憲法 / a written *constitution* 成文憲法. 関連 日本の「憲法記念日」は *Constitution* (Memorial) Day とする.
2 ⓤⓒ 体質; 性質, 気質(nature); 体力, 気力, 健康(health) ‖ have a good [strong] *constitution* 体質が丈夫だ, 体力がある / be weak [delicate] *by constitution* 生まれつきよわだ / have 「a *constitution* like [the *constitution* of]」 a horse [an ox] とても頑健な体質である.
3 ⓤ《正式》構成, 組織, 構造《◆structure, construction より堅い語》; ⓒ 国体, 国家の尊厳 ‖ the political *constitution* of Japan 日本の政治構造.
4 ⓤ《正式》(法律などの)制定, (委員会などの)設立, (人の)任命(appointment).
Constitution Státe《愛称》[the ~] 憲法州(→ Connecticut).

✝**con·sti·tu·tion·al** /kὰnstətjúːʃənl│kɔ̀n-/形 **1** 憲法(上)の, 合憲の, 憲法で規定された[許された]‖ *constitutional* government 立憲政治 / a *constitutional* monarchy 立憲君主国 / the *Constitutional* Convention (米国憲法起草の)憲法制定会議. **2**《正式》体格の, 体質の; 気質の, 生まれつきの(inborn) (略) cons.) ‖ *constitutional* weakness 生来の病弱.

còn·sti·tú·tion·al·ism 名 ⓤ 立憲政治; 立憲主義. **còn·sti·tú·tion·al·ist** 名 ⓒ 立憲主義者, 憲法擁護者, 憲法学者.

✝**con·strain** /kənstréɪn/動 他《正式》**1** 〈服従などを〉強いる; [通例 be ~ed]〈人が〉[…]せざるを得ない(be forced) [*to do*] ‖ *constrain* him to behave against his conscience 彼に無理やり良心に反したふるまいをさせる / I *was constrained* to tell a lie. 私はやむなくうそをついた. **2**〈人・動物などを〉押し込める, 束縛する;〈人〉[が…するのを]抑える, 規制する [*from* (doing)]; …を抑制する ‖ *constrain* one's anger 怒りを抑える.

con·strained /kənstréɪnd/形 **1**〈服従などが〉強いられた. **2**〈言行が〉不自然な, ぎこちない ‖ a *constrained* manner [excuse] 不自然な態度[弁解].
con·stráin·ed·ly 副 しかたなく, 無理に.

✝**con·straint** /kənstréɪnt/名《正式》**1** ⓤ 制限[制約], 拘束, 圧迫]する[される]こと(restraint); ⓒ […を]強制[束縛]する力 [*on*] ‖ agree *under* [*in*] *constraint* やむを得ず同意する. **2** ⓤ (感情などの)抑制, (言行の)気がね.

con·strict /kənstríkt/動 他《正式》…を締めつける;〈血管などを〉圧縮する;〈成長などを〉抑える.
con·strícted 形 圧縮された.

con·stric·tion /kənstríkʃən/名 ⓤ 締めつけ, 圧縮, 収縮; ⓒ (胸などの)締めつけられる感じ [*in*], 圧縮された部分, 締めつける物.

✝**con·struct** /kənstrʌ́kt/動 他 **1**〈人が〉〈部品など〉を組み立てる, […で]〈建物・橋などを〉建設する《◆build より堅い語》(↔ destroy) ‖ *construct* a library from her design 彼女の設計で図書館を建設する. **2**〈理論などを〉構成する ‖ *construct* a theory 理論を構成する.

✝**con·struc·tion** /kənstrʌ́kʃən/名 **1** ⓤ《正式》建設(作業), 建造(building) (↔ destruction); 建築工事((略) constr.) ‖ The new bridge is *under* [*in the course of*] *construction*. その新しい橋は建設中だ. **2** ⓤ 構造[建築](様式); ⓒ 建造物, 建築物 ‖ buildings of modern *construction* 現代風の建物. **3** ⓒ《正式》解釈《◆この意味の動詞は construe》‖ pùt a góod [bád, wrong] *constrúction* on her words 彼女の言葉を善意[悪意]に解釈する《◆put の代わりに place も可》.

✝**con·struc·tive** /kənstrʌ́ktɪv/形 **1**《正式》〈考えなどが〉建設的な(↔ destructive). **2** 構造(上)の, 構成的な.

con·struc·tor /kənstrʌ́ktər/名 ⓒ 物を組み立てる人;《正式》建設者, 建造者.

✝**con·strue** /kənstrúː/動 他《正式》**1** …を[…だと]解釈[説明]する(interpret) [*as*]; […の]意にとる(understand) [*that*節]. **2**《文法》〈語・句〉を分析する;〈語・句〉を[…と]組み合わせる(*with*).

✝**con·sul** /kɑ́nsl│kɔ́n-/名 ⓒ 領事.
✝**con·su·lar** /kɑ́nsələr│kɔ́nsjulə/形 領事の, 領事館[職]の.
con·su·late /kɑ́nslɪt│kɔ́nsju-/名 ⓒ 領事館; ⓤ 領事の職[任期, 権限].

✝**con·sult** /kənsʌ́lt/動 他 **1**《正式》〈人が〉〈専門家・権威者〉に[…について]意見を求める, 助言[情報]を求める, 〈医者に〉診察してもらう [*on, about*] ‖ *consult* 「a lawyer [an expert] for (advice)」 on the matter その問題で弁護士[専門家]に意見を聞く / *consult* a doctor about my headache 頭痛がするので医者に診(ﾐ)てもらう. **2**〈人が〉〈辞書・本など〉を[…のために]調べる [*for*]《◆look up より堅い語》‖ *consult* a dictionary *for* the spelling [pronunciation] つづり [発音] を辞書で調べる.
—自 **1**《正式》〈人が〉[対等の人・同僚と/…について]相談する, 協議する, 話し合う(*with / on, about*)《◆「対等の立場」に用いるが (米) では 他 **1** の意味にも用いる》‖ *consult* with my teacher *about* the entrance exam 入試のことで先生に相談する / *consult* as to what to do どうしたらよいか協議する. **2** […の]顧問として働く [*for*].

con·sult·ant /kənsʌ́ltənt/名 ⓒ […で]相談する人, 相談を受ける人, (専門的意見・助言を与える)顧問, コンサルタント [*on*]. **con·súlt·an·cy** /-ənsi/名 ⓤ コンサルタント業; ⓒ コンサルタント会社.

✝**con·sul·ta·tion** /kɑ̀nsəltéɪʃən│kɔ̀n-/名 **1** ⓤⓒ 〔専門家との〕相談, 協議((略式) talk) (*with*); 診察, 鑑定; 参考 ‖ be in *consultation with* a specialist 専門家[医]と協議中で. **2** ⓒ [しばしば ~s] 専門家[医]の協議会, 会議.

con·sul·ta·tive /kənsʌ́ltətɪv/, **con·sul·ta·to·ry** /kənsʌ́ltətɔ̀ːri│-təri/形《正式》相談[協議]の, 諮問[顧問]の.

con·sult·ing /kənsʌ́ltɪŋ/形 相談役[顧問, 諮問]の; 診察 ‖ a *consulting* room 診察室.

con·sum·a·ble /kənsjúːməbl/形 消費[消耗]できる. —名 ⓒ [通例 ~s] 消耗品.

***con·sume** /kəns(j)úːm/ 『完全に(con)取る

consumer 336 **contamination**

(sume). cf. assume, presume] 派 consumer (名), consumption (名).
― 動 (~s/-z/; 過去・過分) ~d/-d/; --sum·ing)
― 他 〔正式〕 **1** 〈人が〉〈時・金などを〉〔…に〕**消費する**, 消耗する, 使い果たす(use up)〔in, on〕;…を浪費する(waste) ‖ consume much time (in) reading 多くの時間を読書に費やす / consume one's fortune on gambling 財産を賭(ｶ)け事に浪費する.
2 〈火事・病気などが〉〈物・気力などを〉**を消滅させる**, 破壊する ‖ A big fire consumed the whole city. 大火が全市を焼き尽くした / His illness consumed his courage. 病気で彼は気力がなくなった.
3 …を食べ[飲み]尽くす(eat [drink] up).
4 〈野心・憎悪などが〉〈人を〉**夢中にさせる**(absorb); [be ~d] 〔感情に〕かられる, 圧倒される〔with〕 ‖ be consumed with anxiety 不安にかられる / She was consumed with ambition. 彼女は野望に燃えていた.

†**con·sum·er** /kənsjúːmər/ 名 C 消費[消耗]する人[物]; 〔正式〕 消費者(↔ producer) ‖ a consumer society 消費者社会 / consumer credit 消費者金融 / consumer(s') goods 消費財(↔ producer(s') goods).
 consúmer dúrables =durables.
 consúmer propénsity 消費性向.

†**con·sum·mate** /動 kʌ́nsəmèit | kɔ́n-; 形 kʌ́nsəmət/ 動 他 〔正式〕 …を完成する(complete);〈幸福・名誉などを〉頂点に高める;〈性交することによって〉〈結婚〉を法的に〔完全なものにする. ― 形 〔言行が〕完全な, この上ない;〈人が〉教養のある; 熟練した;〈悪人・悪事が〉途方もない.
 con·sum·ma·tion /kɑ̀nsəméiʃən | kɔ̀n-/ 名 U C 〔正式〕 〔通例 the ~〕 完成, (目的・願望などの)達成.

***con·sump·tion** /kənsʌ́mpʃən/ 〘→ consume〙
― 名 U 〔正式〕 **1** 消費(consuming)(↔ production);〔時に a ~〕 消費高[量] ‖ oil consumption 石油の消費量 / annual consumption of salt per head 1人当たりの塩の年間消費量 / have high [low] electricity consumption 電気を多く[少なく]消費する. **2** 飲食(量), 摂取(量). **3** (破壊などによる)消耗, 消失. **4** 〔古〕 肺病.
 consúmption dúty [táx] 消費税《◆日本の「消費税」は consumption tax》.
 consúmption góods 消費財(consumer(s') goods).

con·sump·tive /kənsʌ́mptiv/ 形 消費の, 消耗の; 破壊的な;〔古〕 肺病(性)の.

cont. 〘略〙 containing; content(s); continent(-al); continue(d).
Cont. 〘略〙 Continental.

***con·tact** /kɑ́ntækt | kɔ́n-; 動 + kəntǽkt/〘共に(con)触れる(tact). cf. intact〙
― 名 (複 ~s/-tækts/) **1** U C 〔しばしば ~s〕〔人との〕**付き合い, 連絡**, 近づき, 関係〔with〕;〔略式〕 縁故, コネ; 連絡員, 〈交渉の〉橋渡しをする人[物] ‖ a man of many contacts 交際の広い人 / be in góod cóntact with him = hàve góod cóntacts with him 彼と親交がある《◆ be on good terms with him がふつう》/ At last we màde cóntact with the police. やっと警察と連絡がとれた.
2 U 〈人・物との〉**接触**, 触れ合い〔with〕 ‖ bríng [pút, thrów] her into cóntact with him 彼女を彼と接触させる / cóme in [intó] cóntact with a foreigner 〔正式〕 外国人と接触する, 出会う /

shún [avóid, flée] cóntact with her 彼女との接触を避ける / AIDS is spread by sexual contact. エイズは性的接触によって伝染する.
3 U C 〔電気〕 接触(装置);〔数学〕 接触;〔軍事〕 (敵との)連絡 ‖ make [break] contact 電流をつなぐ[切る]. **4** 〘略〙 =contact lens.
― 動 (~s/-tækts/; 過去・過分 ~·ed/-id/; ~·ing)
― 他 …と接触させる;〔略式〕〈人〉に電話・無線・手紙などで〉**連絡する** ‖ I'll contact (×with) him soon. すぐ彼とコンタクトを取ります.
 cóntact clàuse 〔文法〕 接触節; 関係代名詞のない形容詞節.
 cóntact flýing [flíght] 〔航空〕 接触[有視界]飛行(↔ instrument flying [flight]).
 cóntact léns 〔しばしば ~ lenses〕 コンタクト=レンズ ‖ 「put in [take out] my contact lenses コンタクトをつける[はずす].

†**con·ta·gion** /kəntéidʒən/ 名 **1** U 〔正式〕 (病気の)接触感染(cf. infection); 〔略式〕 spread by contagion 〈病気が〉伝染する. **2** C (接触)伝染病. **3** U C 〔正式〕 (思想・評判などの)伝染(力), 影響; 悪影響;〔道徳上の〕腐敗.

†**con·ta·gious** /kəntéidʒəs/ 形 **1** 〈病気が〉(接触)伝染する(cf. infectious); 〈人が〉伝染病を感染させる. **2** 〔略式〕〈動作・笑いなどが〉伝染性の, 移りやすい.
 con·tá·gious·ly 副 伝染的に.
 con·tá·gious·ness 名 U 伝染性.

***con·tain** /kəntéin/〘ものを共に(con)保つ(tain). cf. attain, maintain, retain〙派 container (名).
― 動 (~s/-z/; 過去・過分 ~·ed/-d/; ~·ing)《◆名詞が content》
― 他 (進行形にしない) **1** 〈物が〉〈物〉を(中味の全体として)**含む**, 持っている, 入っている (使い分け → include 他 1) ‖ This box contains oranges. この箱にミカンが入っている.
2 〔正式〕〈会場などが〉〈人数を〉収容できる, …が入る(accommodate) ‖ This stadium will contain 50,000 people. この球場は5万人入る.
3 〔正式〕〈数量が〉…に相当する(correspond to) ‖ A yard contains three feet. 1ヤードは3フィートに相当する. **4** 〔正式〕〔通例否定語を伴って〕〈感情などを〉抑える;〔~ oneself〕 自制する(control) ‖ contáin one's ánger 怒りを抑える / I cannot contain myself for [with] joy. うれしくてじっとしてはいられない. **5** 〈敵〉を牽(ｹﾝ)制する;〈相手国の力・思想など〉を封じ込める.

†**con·tain·er** /kəntéinər/ 名 C **1** 容器, 入れ物〈box, can, canteen, jar, pitcher, vessel など〉. **2** (貨物用)コンテナ;〔形容詞的に〕コンテナ用の ‖ a contáiner shíp [tráin] コンテナ船[貨車] / a contáiner càr 〔英〕 lòrry コンテナ専用車両.

con·tain·ment /kəntéinmənt/ 名 U **1** 抑制, 束縛;〔軍事〕 牽(ｹﾝ)制. **2** (対立国の力・思想に対する)封じ込め(政策).
 contáinment bóom オイルフェンス《海上に流出した油の拡散を防止する帯状浮き袋. 単に boom ともいう》.

con·tam·i·nant /kəntǽminənt/ 名 C 汚染物質.

†**con·tam·i·nate** /kəntǽmənèit/ 動 他 **1** …を〔不純物などで〕汚す, 汚染する, 不純にする〔by, with〕(↔ purify). **2** 〈子物などを〉〔…で〕堕落させる, …に悪影響を及ぼす〔by, with〕.

con·tam·i·na·tion /kəntæ̀mənéiʃən/ 名 U **1** 汚す[される]こと(↔ purity);(放射能・毒物などによる)汚染. **2** C 汚染物, 不純物; 堕落させる物, 悪影響.

contd, contd. (略) contained; continued.
conte /kóunt | kɔ́nt/ 『フランス』 名 C [冒険などの] 短編小説. コント; 小説.

†**con·tem·plate** /kάntəmplèit, kəntém- | kɔ́ntəm-/ 動 (正式) 他 **1** 〈人が〉〈物〉をじっと見つめる, 静観する, 凝視する(stare at); 〈作品などを〉鑑賞する‖*contemplate* one's face in a mirror 鏡に映った顔をじっと見つめる. **2** 〈人が〉〈事〉をじっと考える, 熟慮 [熟考]する(consider) ‖ *contemplate* the cause of the present depression 現在の不況について熟考する. **3** …を意図する; […しようと]もくろむ(plan) [doing] ‖ She is *contemplating* (making) a trip. 彼女は旅行を計画している(=She is thinking of making a trip.). **4** (正式) …を予期 [予想] する ‖ *contemplate* his help 彼の助けをあてにする.
—他 じっくり考える, 熟考する; 沈思する(cf. meditate).

†**con·tem·pla·tion** /kὰntəmpléiʃən | kɔ̀n-/ 名 U (正式) **1** じっと見つめること, 静観, 凝視(stare). **2** じっくり考えること, 熟慮, 沈思(thought) ‖ *be lóst* [*absórbed, súnk*] *in contemplátion* 黙想にふける. **2** 意図, 計画(plan), もくろみ(consideration) ‖ *be in [únder] contempládion* 計画中である, もくろまれている. **3** 予想, 見込み ‖ prepare in *contemplation* of the result 結果を予期して準備する.

con·tem·pla·tive /kəntémplətiv, kάntəmplèitiv/ 形 (正式)〈習慣的に〉沈思[瞑(%)想]する, 熟慮[熟考]する; 凝視する.

con·tem·po·ra·ne·ous /kəntèmpəréiniəs/ 形 (正式)〈物·事が〉[…と]同時に起こる[存在する], 同時代の(with). **con·tèm·po·rá·ne·ous·ly** 同時的に.

†**con·tem·po·rar·y** /kəntémpərèri | -pərəri/ 形 **1** 〈人·作品などが〉同時代に存在する; […と]同時代の, 同年輩の[with] (略 contemp.) ‖ She was *contemporary with* Milton. 彼女はミルトンと同時代の人だった. **2** 現代の, 当代の ◆**1** の意味との混同を避けるためには modern を使う ‖ I like *contemporary* music better than classical music. 私はクラシックよりも現代音楽の方が好きです. —名 C […と]同時代の人, 同年輩の人, 同時[代]の刊行物 [of] ‖ a *contemporary* of Keats キーツと同時代の人 / We were *contemporaries* at college. 私たちは大学の同期生だった.

†**con·tempt** /kəntémpt/ 名 U **1** [しばしば a ~] [無価値と見える人·物に対する]さげすみ, 軽蔑(%), 侮(%)り[for] (↔ respect) ◆scornは「ひどい[敵意に満ちた]軽蔑」 ‖ an object of *contempt* 軽蔑の的 / bring upon oneself the *contempt* of others 人の侮りを招く / *háve* [*féel*] *a gréat contémpt for* a flatterer ごますりをひどく軽蔑している / *hóld* [*háve*] *him* [*it*] *in contémpt* (正式) 彼[それ]を侮っている / act *in contempt of* rules [danger] 規則を無視して[危険をものともせず]行動する / Her behavior is benéath *contémpt*. 彼女の行ないは(ばかげていて)軽蔑にも値しない. **2** 恥辱, 不面目 ‖ *bríng* him *into contémpt* 彼に恥をかかせる / *fáll into contémpt* 恥をかく / *live* [*be héld*] *in contémpt* 屈辱的な生活をする[している]. **3** 〔法律〕侮辱行為 ‖ *contempt* of court [congress] 法廷 [国会] 侮辱(罪).

†**con·tempt·i·ble** /kəntémptəbl/ 形〔言行が〕軽蔑(%)に値する, 卑劣な. **con·témpt·i·bly** 卑劣に.

†**con·temp·tu·ous** /kəntémptʃuəs, -tju-/ 形 (正式) 〈人が〉軽蔑(%)を示す; […を]軽蔑して[of, about] (cf. contemptible). **con·témp·tu·ous·ly** 副 軽蔑して. **con·témp·tu·ous·ness** 名 U 傲(%)慢, 無礼.

†**con·tend** /kənténd/ 動 (正式) 自 **1** 〈人·国などが〉 [困難·相手などと/…を求めて] 戦う, 争う(struggle) [with, against / for] ‖ I like shopping, but I don't like *contending with* the crowds. 私は買物は好きだが, 人ごみで格闘するのは好きでない / *contend with* them for the prize in the contest コンテストで賞をとろうと彼らと競い合う. **2** […と/…について]議論[論争]する(argue) [with / about, on, over].
—他 〈人が〉[…だと](強く)主張する(claim) [*that* 節]《◆受身不可》‖ She *contends that* money cannot buy happiness. 金で幸福は買えないというのが彼女の持論だ(=It is her *contention that* ...).

***con·tent**[1] /kάntent | kɔ́n-/ 【アクセント注意】【共に(con) 含まれたもの(tent)】《◆動詞は contain》
—名 (複 ~s/-tents/) (正式) **1** [~s] (容器などの) 中身; (文·文書などの)内容, 項目, 目次(略 cont.) ‖ the *contents* of a bottle [book] びん[本]の中身 / a table of *contents* 目次, 目録.
2 U (本·芸術などの表現する)内容, 趣旨(meaning) (↔ form); (一般に)情報内容; 〔言語〕意味内容; 〔哲学〕(概念の)内容 ‖ the *content* of a statement 声明の要旨.
3 U 含有量(amount), 容積, 容量(capacity) ‖ solid [superficial, linear] *content*(s) 体積 [面積, 長さ].

†**con·tent**[2] /kəntént/ 形 **1** […に](ほどほどのところで)満足して, 甘んじて[with]; [ということに]安心する[*that* 節] (↔ discontent) ◆「完全に満足した」は satisfied ‖ I'm (well) *content with* my present salary. 私は今の給料で(大いに)満足している / die [live] *content* 満足して死ぬ[生きる] / I was *content that* they (should have) succeeded. 彼らがうまくやれたことで安心した. **2** [be *content* to do] 喜んで…する(willing); […であることに]満足する, 甘んじる[*that* 節] ‖ He is *content* to help poor people. 彼は喜んで貧しい人たちを助ける / I'm *content* to be [*that* I am] a teacher. 教師であることに満足している.
—名 **1** U 満足 《◆ contentment より堅い語》‖ sleep *in content* 満足して眠る. **2** C (英)(上院の)賛成投票(者).

to one's héart's contént → heart.
—動 他 **1** 〈事·人 が〉〈人〉を[…で]満足させる[with] ‖ Nothing *contents* her. 彼女は何事にも満足しない / Will it *content* you if I give you an allowance? 君にこづかいをあげれば満足してくれるすか. **2** [~ oneself] [不十分な物·事で]満足する[with (doing)] ‖ *contént oneself with* a small success 小さな成功に満足する, 小成に安んじる.

†**con·tent·ed** /kənténtid/ 形 […に/…して]満足した [with / to do] 《◆ content よりくだけた語》 (↔ discontented) ‖ a *contented* look [boy] 満足した顔[少年] / He is *contented with* his present job. 彼は現在の仕事に満足している / be well *contented* to obey him 甘んじて彼に従う.
con·tént·ed·ly 副 満足して[そうに].
con·tént·ed·ness 名 満足.

†**con·ten·tion** /kənténʃən/ 名 (正式) **1** UC […についての]争い, 口論, 議論[on, about, over]. **2** C

con・ten・tious /kənténʃəs/ 形《正式》〈人が〉争い[けんか]好きの;〈問題などが〉議論[異論]を起こす;〔法律〕訴訟の, 争いのある ‖ a *contentious* issue 異議のある問題. **con・tén・tious・ly** 副 論争的に, けんか腰で.

†**con・tent・ment** /kəntént mənt/ 名 U 満足(すること), (心の)安らぎ(↔ discontentment).

*****con・test** 名 /kάntest | kɔ́n-/ 動 /kəntést/《共に(con)証言する(test). cf. testimony, testament》

—— 名 (複 ~s/-tests/) C 1 〔…の獲得をめざす/…をめぐる〕**競争**, 競技, コンテスト〔*for/over*〕‖ a beáuty *cóntest* 美人コンテスト / a spéech [an oratórical] *cóntest* 弁論大会 / a populárity *contest* 人気コンテスト / a spéed *contest* スピード競技 / a kéen [hárd, bítter] *cóntest* for the príze 賞をめざす激しい競争. 2〔…との〕論争, 論戦;争い〔*against, with*〕‖ an eléction *cóntest* 選挙の論戦.

—— 動 /kəntést/ 他《正式》1〈議席などを〉得ようと争う(compete for);〈陣地を〉譲るまいと守る. 2〈判定・権利などに〉異議を唱える, 疑義をさしはさむ.

—— 自 〔人と〕議論[論争する;〔人と/賞などを得ようと〕争う, 競争する〔*with, against / for*〕.

†**con・test・ant** /kəntéstənt/ 名 C (競技大会などの)出場者, 競技者;(選挙などの)候補者.

*****con・text** /kάntekst | kɔ́n-/ 《織り(text)合わせる(con)》

—— 名 (複 ~s/-teksts/) C U (事柄の)**背景**, 状況, (文の)**前後関係**, 文脈 ‖ in thís *cóntext* この文脈[状況]で;これに関連して / guess the meaning of words from their *context*(*s*) 単語の意味を文脈から推測する / His remark will be misunderstood when (it is) taken *out of context*. 彼の発言は前後関係から切り離すと誤解されるでしょう 〖文法23.5⑵〗.

con・tex・tu・al /kəntékstʃuəl | -tju-/ 形 文脈上の, 前後関係の. **con・téx・tu・al・ly** 副 文脈上, 前後の関係上.

con・ti・gu・i・ty /kὰntəgjúːəti | kɔ̀n-/ 名 U C《正式》接触, 隣接.

con・tig・u・ous /kəntígjuəs/ 形《正式》1〔…に〕(ある側が)(ほぼ)全面的に)接触[隣接]している〔*to, with*〕. 2〈出来事などが〉切れ目のない.

con・ti・nence /kάntənəns | kɔ́nti-/ 名 U《正式》自制, 克己(こっき);(特に)大小便を我慢すること;〔欲望の〕節制.

*****con・ti・nent**[1] /kάntənənt | kɔ́n-/ 《切れずに続いている(continuous)土地」が原義》派 continental (形)

—— 名 (複 ~s/-nənts/) 1 C **大陸**(略 cont.) ‖ the Néw *Cóntinent* 新大陸《南北アメリカ》/ live on the Óld *Cóntinent* 旧大陸《ヨーロッパ・アジア・アフリカ》に住む / Austrália is the smállest *continent* in the world. オーストラリアは世界最小の大陸である. 〖事情〗7大陸: Asia, Africa, Australia, Antarctica, Europe, North America, South America. 2 [the C~]《英》(英国から見て)ヨーロッパ大陸;《米》北米大陸.

con・ti・nent[2] /kάntənənt | kɔ́n-/ 形《正式》自制(心)の.

†**con・ti・nen・tal** /kὰntənéntl | kɔ̀n-/ 形 1 大陸の, 大陸状の. 2 [時に C~]《英》(英国(風)に対して)ヨーロッパ大陸の(風)の. 3 [時に C~]《米史》(独立戦争時の)アメリカ大陸の;[C~]《米史》(独立戦争時の)アメリカ植民地の.

—— 名 C 1 大陸の人;[時に C~]《英国から見て》ヨーロッパ大陸の人. 2 [C~]《米史》(独立戦争時の)アメリカ兵[紙幣].

Continéntal bréakfast (ヨーロッパ)大陸式朝食《コーヒー・パン・バター・ジャムのみの簡素なもの》.

continéntal clímate 大陸性気候.

continéntal dríft 〔地質〕大陸移動(説).

continéntal shélf 大陸棚.

continéntal Súnday [the ~]《安息重視の英国に対して》ヨーロッパ大陸ふうの日曜日《◆娯楽を伴う》.

†**con・tin・gen・cy** /kəntíndʒənsi/ 名 1 U 偶然(性). 2 C (未来に起こりうる)偶発のこと, (予期される)緊急事態(cf. emergency);不慮の出来事.

†**con・tin・gent** /kəntíndʒənt/ 形《正式》1〈事が〉〔…に〕依存する(dependent), 〔…〕次第の〔*on, upon*〕;〔…に〕付随する〔*to*〕‖ His succéss is *contingent upon* his éfforts. 彼の成功は努力次第だ. 2 不確かな(uncertain), 不定の. 3 偶然の, 不慮の.

—— 名 C 1 [単数・複数扱い] 派遣団, 分遣隊[艦隊]. 2 偶然の事故, 不慮の出来事.

con・tin・u・a /kəntínjuə/ 名 continuum の複数形.

†**con・tin・u・al** /kəntínjuəl/ 形 1 《しばしば好ましくない動作・状態などが》(わずかな間をおいて)断続的な;繰り返される, 頻繁(ひんぱん)な ‖ *Continual* stúdy is a prerequisite to succéss. 繰り返しの勉強は成功になくてはならぬものだ. 2 絶え間のない(unbroken), 連続した.

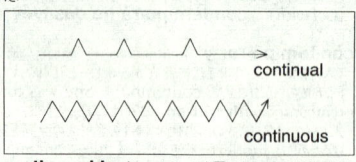

continual

continuous

†**con・tin・u・al・ly** /kəntínjuəli/ 副 絶えず;頻繁(ひんぱん)に;引き続いて ‖ Hé's *contínually* compláining. 彼はぐちばかりこぼしている《◆しばしば進行形の文で話し手の非難・いらだちなどを表す. 〖文法5.2⑷〗》.

†**con・tin・u・ance** /kəntínjuəns/ 名 U C《正式》《◆continue 自 の名詞形. cf. continuation》1 [通例 a / the ~] 〔…が〕続くこと, 〔…の〕連続〔*of*〕;〔場所・状態・地位の〕存続, 滞留〔*of, in, at*〕;継続期間(↔ discontinuance).

†**con・tin・u・a・tion** /kəntìnjuéɪʃən/ 名 《◆continue 他 の名詞形. cf. continuance》1 U C (中断せず)〔…を〕続けること[状態];〔…の〕連続, 延長〔*of*〕(↔ discontinuance). 2 U C (中断後の)〔…の〕続き, 再開〔*of*〕;C 〔建物の〕継ぎ足し〔*to*〕.

con・tin・u・a・tive /kəntínjueɪtɪv | -ətɪv/ 形 1 連続[継続]的な;〈考えが〉関連的の. 2〔文法〕継続用法の(↔ restrictive).

*****con・tin・ue** /kəntínjuː/《原義「共に保つ」から「持続する」の意義が生まれた》派 continual (形), continuous (形)

—— 動 (~s/-z/; 過去過分 ~d/-d/; -・u・ing)

—— 自 1〈動作・状態が〉(ある時まで)〔間断なく〕**続く**, 続いている〔*+on*〕〔*into*〕;〈人が〉〔…を〕続ける〔*with, on*〕;〈道路などが〉続く(↔ discontinue) ‖ *continue on* one's opínion 意見を変えない / *continue with* one's wórk 仕事を続ける / The tálk

[rain] *continued* (*on*) all night. 話[雨]が一晩中続いた《◆last よりもとぎれなく続くことを強調》/ This plain *continues* westward. この平原は西方に延びている.

2 《正式》[continue **C**]〈人・物が〉**引き続き C である** (remain)《◆**C** は前置詞句・形容詞》‖ *continue* quiet [nóisy] 静かにして[騒いで]いる / He still *continued* in good health. 彼は依然として健康だった.

3 《正式》〔場所・地位・状態に〕留まる(stay)〔*at*, *in*〕‖ *continue* ⌈*in* office [*at* one's post] 在職[在任]する. **4** (中断後・中途から)〈仕事・話などが〉続く ‖ The game *continued* after a heavy rain. 大雨の後, 試合は再開された.

——[他] **1** 〈人が〉〈動作・習慣など〉を**続ける**; [continue to do / continue doing] …することを続ける《◆doing は「休みなしに続けること」, to do は「(ちょっと)中断したあと続けること」を含意するが, 区別しないで用いられることも多い》(➔文法 12.7(3)) ‖ Bill *continued* painting the wall despite all the distraction. いろいろ気が散ることがあったが, ビルは休みなく壁を塗り続けた / Bill *continued to* paint the wall after that interruption. ビルはあの中断のあとまた壁を塗り続けた / She *continued* her studies all her life. 彼女は生涯研究を続けた.

2 (中断後・中途から)〈仕事・話など〉を続ける; 〈人が〉〈事〉を**継続させる**, 存続させる; 〔…だと〕話を続ける〔*that*節〕‖ *continue* the meeting after a break 休憩のあと会議を再開する / ***To be continued.*** 《雑誌などの読物の末尾で》以下次号([略] cont., contd) / The story is *continued* ⌈on p.30 [in next month's issue]. 話は30ページ[来月号]に続く.

3 《正式》〈人〉を〔場所・地位などに/…として〕留まらせる〔*in*, *at* / *as*〕‖ *continue* him *in* office *as* chief 彼を主任として留任させる / *continue* her *at* school 彼女に就学を続けさせる.

contínuing educátion (最新技術・知識を学ぶ)現職教育; 成人[生涯]教育.

†con·ti·nu·i·ty /kɑ̀ntən(j)úːəti | kɔ̀nti-/ [名] **1** [U] [時に a ~]〔…間の〕(時間・空間的な)連続(状態, 性), 継続性; (論理的な)関連〔*between*〕; [U][C] (連続した)一続き(↔ discontinuity). **2** [C] 〔映画・ラジオ・テレビ〕(番組の間の)つなぎの言葉[音楽].

†con·tin·u·ous /kəntínjuəs/ [形] 〔…と〕切れずに続いた(without a break)〔*with*〕; (時間・空間的に)連続[継続]的な(↔ discontinuous)《◆continual は「断続的な」([図] → continual)》‖ The patient is under *continuous* observation. その患者は絶えず監視のもとにある / be ***continuous with*** it それとつながっている.

contínuous pàper 〔コンピュータ〕連続用紙[帳簿].

contínuous ténse 〔文法〕継続時制《◆progressive tense ともいう》.

†con·tin·u·ous·ly /kəntínjuəsli/ [副] [しばしば進行形の文で] 連続的に, 切れ目[とぎれ]なく ‖ It has been raining *continuously* since Thursday night. 木曜の夜以来雨が降り続いている.

con·tin·u·um /kəntínjuəm/ [名] ([複] **--tin·u·a** /-tínjuə/, ~s) [U][C] (物・感覚などの)連続(体).

con·tort /kəntɔ́ːrt/ [動] 《正式》[他] 〈物・手足など〉を〔…で〕(ひどく)ねじる〔*with*〕. ——[自] 〈顔などが〉ゆがむ〔*with*〕.

con·tor·tion /kəntɔ́ːrʃən/ [名] [U][C] ねじる[られる]こと, (顔・体などの)ねじれ, ゆがみ; (意味・用法などの)こじつけ.

†con·tour /kɑ́ntuər | kɔ́n-/ [名] [C] **1** 《正式》[しばしば ~s] (山などの)輪郭(線), 外形(outline). **2** = contour line. ——[動] [他] 〈地図など〉に等高線を記す; …の輪郭[外形]を描く.

cóntour lìne 等高線.

cóntour màp 等高線地図.

con·tra- /-kɑ́ntrə- | kɔ́n-/ [語要素] → 語要素一覧 (1.7).

†con·tra·band /kɑ́ntrəbæ̀nd | kɔ́n-/ [名] [U] 《正式》 **1** [U] 密輸, 密売買, 不法取引; [集合名詞] 密輸品, 密売買品 ‖ *contraband* of war 戦時禁制品. **2** [形容詞的に] (輸出入)禁制の ‖ *contraband* goods 禁制品 / *contraband* trade 密輸.

con·tra·bass /kɑ́ntrəbèis | kɔ̀ntrəbéis/ [名] 〔音楽〕[C] コントラバス(double bass).

cón·tra·bàss·ist [名] [C] コントラバス奏者.

con·tra·cep·tion /kɑ̀ntrəsépʃən | kɔ̀n-/ [名] [U] 避妊(法).

con·tra·cep·tive /kɑ̀ntrəséptiv | kɔ̀n-/ [形] 避妊(用)の.

***con·tract** /[名] kɑ́ntrækt | kɔ́n-; [動] kəntrǽkt/《◆[他] **2** [自] **2** は /kɑ́ntrækt/ ともする》〖共に(con)引き合う(tract). cf. at*tract*, re*tract*〗

——[名] ([複] ~s/-trækts/) **1** [C][U] 〔人との/売買・譲渡などの/…する〕**契約**, 請負, 約定; [C] 契約書〔*with*, *to* / *for* / *to* do〕‖ a breach of *contract* 契約違反 / be ***ùnder cóntract to*** [***with***] her 彼女と契約している / close [cancel, annul] a mutual *contract* 相互契約を結ぶ[取り消す] / màke [énter ìnto] a *cóntract with* him *for* 1,000 barrels of oil 彼と石油1000バレルの契約を結ぶ / sign [draw up] a *contract* 契約書に署名[契約書を作成]する / pút the wórk òut ⌈to the *contract* 仕事を請負に出す / build a bridge by [on] *contract* 請負で橋をかける.

> [関連] **[いろいろな種類の contract]**
> *contract* of insurance 保険契約 / express *contract* 明約 / formal *contract* 本契約 / sales *contract* 売買契約 / silent *contract* 黙約 / social *contract* 社会契約 / temporary *contract* 仮契約 / verbal *contract* 口頭契約 / written *contract* 成文契約.

2 [U] =contract bridge.

——[動] /kəntrǽkt, [他] **2** [自] **2** (米+) kɑ́ntrækt/ (~s /-trǽkts/; [過去・過分] ~·ed/-id/; ~·ing) 《正式》

——[他] **1** 〈重い病気〉に**かかる**; 〈癖〉が(自然に)つく; 〈借金など〉を作る ‖ *contract* tuberculosis 結核にかかる / *contráct* a bád hábit 悪習がつく.

2 〈人などが〉〈事〉を〔…と〕**契約する**(make arrangements)〔*with*〕; [contract to do] …することを請負う; 〈親交・婚約など〉を〔人・会社と〕結ぶ〔*with*, *to*〕‖ *contract* oneself *to* a hotel ホテルと契約する / *contract to* build a road 道路の建設を請負う / *contract* a marriage *with* him 彼と婚約する / be *contracted to* him 彼と婚約している / *contract* an alliance *with* a developing country 開発途上国と同盟を結ぶ / pay the money as *contracted* 契約どおり金を払う.

3 …を縮める, 短縮する, 収縮させる(↔ expand).

——[自] **1** 縮まる, 収縮する. **2** 〈人が〉〔人と/請負などの/…する〕**契約をする**〔*with* / *for* / *to* do〕《◆修飾語(句)は省略できない》‖ ***contract with*** him ***for*** the house 彼と家の建築の契約をする.

contráct ín [自] 〔英〕《…に》(正式に)参加契約をする《to》.

contráct óut [自] 〔英〕《…に》(正式に)不参加契約[表明]をする《of》.

cóntract brídge 〔トランプ〕コントラクト=ブリッジ.

cóntract wòrker 契約社員.

†**con·tract·ed** /kəntrǽktid/ [形] 〈筋肉などが〉収縮した；〈語・句が〉短縮した.

con·trac·tile /kəntrǽktl | -tail/ [形] 収縮性の(ある).

con·trac·til·i·ty /kɑ̀ntræktíləti | kɔ̀n-/ [名] Ⓤ 収縮性.

†**con·trac·tion** /kəntrǽkʃən | kɔn-/ [名] **1** Ⓤ 短縮, 収縮；Ⓒ 短縮[収縮]した物 ‖ the *contraction* of muscles 筋肉の収縮. **2** ⓊⒸ〔文法〕〈語・句の〉縮約[短縮](形)《won't など》.

†**con·trac·tor** /kɑ́ntræktər | kəntrǽktə/ [名] Ⓒ (工事)請負人, 土建業者；契約者.

con·trac·tu·al /kəntrǽktʃuəl | kɔn-/ [形] 契約(請負)(上)の；契約で保証された.

†**con·tra·dict** /kɑ̀ntrədíkt | kɔ̀n-/ [動] Ⓣ **1** 〈人が〉〈言葉・主張などを〉(間違っているときっぱり)否定する《◆ deny は(事実でないと)否定する》；〈人に〉口答えする；〈人・言行〉に反論する ‖ I hate to *contradict* you, but the record shows otherwise. お言葉を返すようですが, 事実はそうでないようです / I *contradict* the rumor flatly うわさをきっぱりと否定する. **2** 〔しばしば ~ oneself〕〈人・言行・事実・証拠が〉…と矛盾する ‖ *contradict* oneself 矛盾したことを言う.
━Ⓘ 反対の陳述をする, 否定[反論]する；矛盾する.

†**con·tra·dic·tion** /kɑ̀ntrədíkʃən | kɔ̀n-/ [名] ⓊⒸ **1** 否定, 反論, 否認；反対の主張 ‖ áct in diréct *contradíction* to one's prínciples 主義と正反対の行動をする. **2** 〔…間の〕矛盾；矛盾した言動[事実]《between》.

†**con·tra·dic·to·ry** /kɑ̀ntrədíktəri | kɔ̀n-/ [形] 〈陳述・報告などが〉〔…と〕矛盾した, 反対の《to》；〈人が〉議論[反対]好きな ‖ a report *contradictory* to the facts 事実と矛盾した報告.

con·tra·dis·tinc·tion /kɑ̀ntrədistíŋkʃən | kɔ̀n-/ [名] ⓊⒸ(正式)対比(comparison).

con·tral·to /kəntrǽltou | -trɑ́:l-/ [名] (複 ~s, -ti /-ti:/)〔音楽〕**1** Ⓤ コントラルト, アルト《tenor と soprano の中間, 女声最低音》. **2** Ⓒ コントラルト歌手.

con·trap·tion /kəntrǽpʃən/ [名] Ⓒ(略式)(機械などの)工夫, 新案；珍奇な機械[からくり].

con·tra·pun·tal /kɑ̀ntrəpʌ́ntl | kɔ̀n-/ [形] 〔音楽〕対位法の, 対位法的な(→ counterpoint).

con·tra·ri·e·ty /kɑ̀ntrəráiəti | kɔ̀n-/ [名] (正式) **1** Ⓤ 反対；矛盾. **2** Ⓒ 相反する事実[言葉], 矛盾点.

con·tra·ri·wise /kɑ́ntreriwàiz | kɔ́ntrəri-/ [副] **1** 逆に, 反対に. **2** これに反して(on the contrary). **3** (略式)ひねくれて, にじに.

†**con·tra·ry** /kɑ́ntreri | kɔ́ntrəri/ [形] **1** 反対の, 〔…に〕反する《to》《◆ (1) contradictory より意味が弱い. (2) opposite との違いについては → opposite 〔形〕》‖ an opinion *contrary* to common sense 常識に反する意見 / take a *contrary* position on the proposal その提案について反対の立場をとる / This is *contrary* to your interest. これは君の利益に反する. **2** 〈天候などが〉逆の, 都合の悪い ‖ *contrary* weather 悪天候.
━[名] (正式) 〔the ~〕 逆；Ⓒ 反対のもの ‖ do the *contrary* of a rule 規則違反をする.

*on the cóntrary (1) [文頭で] (相手の言葉を否定したり, 自分の否定的な意図をはっきりさせる場合に)とれどろか(far from that)《◆ 後に話し手の意見や逆の事実が明示される》 ⓒ対話 "Your mother looks young." "*On the contrary*, she is already sixty."「君のお母さん若く見えるね」「とんでもない, もう60歳だよ」. (2) [文中で] 一方では(on the other hand) ‖ Food was abundant; water, *on the contrary*, was running short. 食べ物はたくさんあったが, それに比べて水は不足してきていた.

*to the cóntrary (1) (正式) [修飾する語句の後で] それと反対に[の]；それにもかかわらず ‖ say something *to the contrary* それと反対のことを言う / There is no evidence *to the contrary*. そうでないという証拠はない / She's unhappy, all her brave talk *to the contrary*. 彼女は, けなげに話しているが, 悲しいのだ. (2) (米) [文頭で] =on the CONTRARY (1).
━[副] 〔…に〕反して, 逆らって《to》 ‖ *Contrary to* our expectations, she succeeded in the examination. 私たちの予想に反して彼女は試験に合格した / act *contrary to* the wishes of a superior 上役の期待にそむく行動をとる.

*con·trast /kɑ́ntræst | kɔ́ntrɑ:st; [動] kəntrǽst | -trɑ́:st/ 〘反して(contra)立つ〙
━[名] (複 ~s/-træsts|-trɑ:sts/) **1** ⓊⒸ〔…との〕対照, 対比[with]; [a ~] 〔…と〕対照的な人[物]《to》〘 stránge, shárp〙 ‖ màke a béautiful *contrast with* a blue sky 青空と美しい[妙な, 鮮明な]対照をなす / His house is old *in contrast to* [*with*] mine. 彼の家は私のとは対照的に古い / You are diligent *by* [*in*] *contrast with* her. 比べて(英) 君は彼女と比べて勤勉だ. **2** Ⓒ〔…の間の/…との〕相違, 差異《between / to, with》；[a ~] 〔…と〕対照的な人[物]《to》 ‖ the remarkable *contrast between* right and wrong 善悪の著しい相違 / In every way I'm a complete *contrast to* my brother. すべての点で私は弟とまったく正反対です.

in [*by*] *cóntrast* [前文を受けて] (それと)対照的に, (それに)比べて, (それとは)違って ‖ It's hot outside, but, *in contrast*, it's cold inside. 外は暑いが, それに比べて中は寒い.
━[名] /kɑ́ntræst | -trɑ́:st/ (複 ~s/-træsts|-trɑ́:sts/; 過去・過分) ~·ed/-id/; ~·ing)
━Ⓣ 〈人〉が〈事・物〉を対照させる；[contrast A with [and] B] 〈人・作品などが〉A〈人・物・事〉を B〈人・物・事〉と対比する；A を B と対比して引き立たせる《◆ 動詞に直接続く場合は前置詞は with のみ. → 第3, 4例》‖ *contrast* the two boys 2少年を比べる / *contrast* butterflies *with* [*and*] moths チョウをガと対比する / The ship is *contrasted with* a blue sea. その船は青海原を背景に引き立っている / *as contrasted with* her 彼女と対照してみると.
━Ⓘ 〈物事が〉〔…と〕よい対照となる, 対比して目立つ《with》《◆ 修飾語(句)は省略できない. 様態の副詞を伴う》‖ Her dress *contrasts* well with her bonnet. =Her dress and her bonnet *contrast* well. 彼女の服は帽子でよく引き立っている / The tall green trees *contrasted* strikingly with the white snow. 高い緑の木々は白い雪と著しい対照をしていた.

con·tra·vene /kɑ̀ntrəví:n | kɔ̀n-/ [動] Ⓣ (正式) 〈法律・習慣などを〉破る, …に反する(break).

con·tra·ven·tion /kɑ̀ntrəvénʃən | kɔ̀n-/ [名] ⓊⒸ(正式) (法則・規則などへの) 違反(行為)；(主義・陳述などへの) 反対, 反論.

contrib. (略) *contribution; contributor.*

***con・trib・ute** /kəntríbjuːt/ [アクセント注意]〖共に (con) 与える (tribute). cf. *attribute*〗働 contribution (名)
　——動 (~s/-bjuːts/; 過去・過分 -ut・ed/-id/; -ut・ing)
　——他 **1** [contribute **A** for [to, toward] **B**]〈人が〉**A**〈金品・援助〉を**B**〈人・事業・団体・組織〉に [**B**〈事〉のために]**与える**《◆(1) give より堅い語. (2) contribute **B A** は不可》 / *contribute* money *to* [*for*] relieving the poor 貧民救済にお金を寄付する / *contribute* a new idea *to* the work 新しい考えを仕事に提供する / The whole school has *contributed* food *to* [*for*] the homeless. 全校生徒は家のない人たちに食糧を提供した《◆ to は直接に, for は第三者の手で提供することを含意する》.
　2 [contribute **A** to **B**]〈人が〉**A**〈原稿など〉を**B**〈出版物[社]〉に**寄稿する**, 投稿する ‖ a *contributed* article 寄稿記事 / *contribute* a report *to* a magazine 論文を雑誌に寄稿する.
　——自 [contribute **to A**] **1**《正式》〈人が〉〈人・事業などに〉**寄付する**(donate), **貢献する**, 寄与する《◆この意味では to の代わりに toward も可》;〈物・事が〉〈結果の〉**一助となる**, 一因となる ‖ a *contributing* editor 補助編集員 / *contribute to* the community chest 共同募金に寄付する / *contribute* greatly *to* the progress of medical science 医学の進歩に大いに貢献する / Her experience *contributed toward* overcoming difficulties. 困難を克服するのに彼女の経験が役立った / Lack of exercise *contributes to* poor health. 運動不足が不健康の一因になる《◆このように悪い意味にも使われる》.
　2〈人が〉〈出版社[物]に〉**寄稿する**, 投稿する ‖ *contribute to* a newspaper 新聞に寄稿する.

†**con・tri・bu・tion** /kὰntrɪbjúːʃən | kɔ̀n-/ 名 **1** [U][C]《正式》[…への]**寄付**(金), 寄贈(物)(donation)[*to*] ‖ colléct *contribútions to* the church 教会の寄付(金)を集める. **2** [U] [時に a ~];[…への]貢献, 寄与, 助力(help)[*to, toward*] ‖ máke a lárge *contribútion to* [*toward*] industry 工業に大いに寄与する / Japan's *contribution to* world peace 日本の世界平和への貢献. **3** [U]《…への》寄稿;[C] 投稿作品[*to*] ‖ sénd a *contribution to* the local press 地方新聞に投稿する. **4** [U] 発言(すること), 提案, 進言.

†**con・trib・u・tor** /kəntríbjətər/ 名 寄付する人, 貢献する人;寄稿者, 投稿家.

con・trib・u・to・ry /kəntríbjətɔ̀ːri | -jutəri/ 形《正式》**1** 寄付の, 出資の. **2** […に]寄与[貢献]する, 〈要因などが〉[…の]一助[一因]となる[*to*].

†**con・trite** /kəntráɪt | kɔ́ntraɪt/ 形〈人・顔つきなど〉悔恨の, 悔恨している.
　con・tríte・ly 副 悔恨して.

con・tri・tion /kəntríʃən/ 名 [U]《正式》悔恨, 悔悟.

†**con・triv・ance** /kəntráɪvəns/ 名《正式》**1** [U] 考案, 発明(の才);[C](複雑な)考案品, 仕掛け, 装置. **2** [C] たくらみ, 計略(plot).

†**con・trive** /kəntráɪv/ 動 他〈人が〉〈物〉を考案する, 工夫する, 発明[設計]する ‖ She *contrived* a new machine. 彼女は新しい機械を考案した.〈人が〉〈悪事〉をたくらむ;[…しようと]企てる[*to do*] ‖ *contrive* theft 窃盗をたくらむ / He *contrived to* cheat in the examination. 彼は試験に不正行為をしようと企てた. **3**《正式》[contrive *to do*]〈人が〉どうにか[うまく]…する;見事に…する《◆反語用法》 ‖ He *contrived to* support his family. 彼はどうにか家族を養った.

con・trív・a・ble 形 考案できる.　**con・tríved** 形 不自然な, わざとらしい.

con・triv・er /kəntráɪvər/ 名 **1**《正式》考案者(planner);計略者. **2**《略式》(家事をうまくやりくりする人.

***con・trol** /kəntróul/〖「うまく管理する」が本義〗
　——動 (~s/-z/; 過去・過分 con・trolled/-d/; con・trol・ling)
　——他 **1**〈人・政府が〉〈物・人など〉を**支配する**, 統制[管理, 制御]する, 監督[指揮]する, 左右する《◆ *control* prices 物価を統制する / She cannot *control* her children. 彼女は子供に手を焼いている(= She has no *control* over her children).
　2〈人が〉〈感情など〉を**抑える**, 〈出費など〉を規制[調整]する; 〈害虫・病気など〉の蔓延(まんえん)を防ぐ ‖ *control* one's sorrow [anger] 悲しみ[怒り]を抑える / *control* oneself [one's feelings] 自制する(= get *control* of oneself) / *control* payments 支払いを調整する / The flies were well *controlled* with the insecticide. ハエはその殺虫剤で十分抑えられた.
　——名 (複 ~s/-z/) **1** [U][…に対する]**支配**(力), **制限**, 統制, 規制, 管理, 監督, 指揮[*over, of, on*] ‖ bírth *contról* 産児制限, 避妊 / remóte *contról* 遠隔操作 / tráffic *contról* 交通整理 / a teacher's *control over* the class 教師のクラス掌握 / be in (full) *control of* [*have* (góod) *contról of* [*óver*]] a róbot ロボットを(完全に)制御している《◆ *in* [*under*] *the control of* ... は「…に支配されて」》/ act without *control* 独断でふるまう / gáin [táke] *control of* the region その地方を支配する / gét [bríng] a fíre *under contról* 火事を消す / He feels in *control*. 彼はいつでもやれると思っている / Things gót *beyónd* [*óut of*] *contról*. 事態は手に負えなくなった.
　2 [U][…の]**抑制**(力), 制御[*on, over, of*];[C][通例 ~s] 抑制[制御]の手段 ‖ *hàve* [*kèep*] *contról* *òver* oneself 自分の気持ちを抑える[抑えている] / lóse *contról of* [*óver*] one's temper 怒りを爆発させる / The machine wènt óut of *contról*. その機械は制御がきかなくなった.
　3 [C][通例 ~s] 操縦装置;(機械・器具の)調整用つまみ. **4** [U]《野球》(投手の)制球力, コントロール ‖ have a good [poor] *control* コントロールがよい[悪い]. **5**(実験のとき結果を比較するために操作を加えないままにしてある)対照(群), 統制(群)(control group).

　contról kèy 〔コンピュータ〕コントロールキー.
　contról tòwer 〔航空〕管制塔, コントロールタワー.
　contról wòrd 〔コンピュータ〕制御語《データをどのように処理するかを指示する命令語》.

con・trol・la・ble /kəntróuləbl/ 形 支配[管理]できる.

†**con・trol・ler** /kəntróulər/ 名 **1** 支配人, 管理人;(各部署・会計などの)監督官, 検査官. **2** 制御装置.

con・tro・ver・sial /kὰntrəvə́ːrʃl | kɔ̀n-/ 形《正式》論争(上)の, 論議の多い;〈人が〉論争好きの.

***con・tro・ver・sy** /kὰntrəvə̀ːrsi | kɔ̀n-, kəntrɔ́vəsi/ [アクセント注意] 名 [U][C]《正式》(長期にわたる社会・道徳上の)**論争**, 反対論, 議論(debate);(紙[誌]上の)論戦 ‖ a barren *controversy about* [*over, on*] a matter 問題に関する水かけ論 / a question *in controversy* 論争中の問題 / *hàve* [*énter into, engáge in*] a *cóntroversy with*

con·tro·vert /kάntrəvɜːrt, ﹣́﹣| kɔ́n-/ 動 他 《正式》 …に対して論争する[議論する]; …を否定する.
còn·tro·vért·i·ble 形 議論の余地がある.

con·tu·me·ly /kάnt(j)uːməli, kəntjúː-| kɔ́ntjuː-məli, kəntjúː-/ 名 U C 《正式》 (言動の)傲慢, 無礼; 侮辱(的扱い).

con·tu·sion /kənt(j)úːʒən| -tjúː-/ 名 C U 打撲傷(を負わすこと), 挫(ざ)傷.

co·nun·drum /kənʌ́ndrəm/ 名 C 《正式》(語呂合わせの)なぞ; 難問; なぞの人[物].

con·va·lesce /kὰnvəlés| kɔ̀n-/ 動 自 《正式》(病後)次第に回復する, 快方に向かう.

con·va·les·cence /kὰnvəlésns| kɔ̀n-/ 名 U [時に a ～] (病後の)健康回復(期).

†**con·va·les·cent** /kὰnvəlésnt| kɔ̀n-/ 形 (患者の)回復期の; 回復期患者のための. ── 名 C 回復期の患者.

con·vec·tion /kənvékʃən/ 名 C 《物理》(熱の)対流, 還流, 伝達; 《気象》上昇気流.

†**con·vene** /kənvíːn/ 動 《正式》 他 〈会・人など〉を招集する, 召喚する. ── 自 〈会が〉開かれる.

con·vén·er 名 C (会議などの)開催者.

*****con·ven·ience** /kənvíːniəns/ [→ convenient]
── 名 (~·iencés/-ɪz/) 1 U 便利, 便宜 《正式》好都合(↔ inconvenience); C 便利なこと, (個人の)好都合な時[事情] ‖ cancel one's order for the book ⌈as a matter of *convenience* [according to one's *convenience*] 都合により本の注文を取り消す / move to the city *for the convenience* of one's child 子供が便利なように都会へ引っ越す / It is a great *convenience* to have a car. 車があると非常に便利だ.
2 C 《正式》〔通例 a ～〕便利な物, (文明の)利器; [~s] 便利な設備, 衣食住の便 ‖ skiing *conveniences* スキー用具 / a hotel with wonderful modern *conveniences* すばらしい近代設備のホテル / màke a *convénience* of him 〈好意をよいことにして〉彼をいいように利用する / The telephone is a *convenience*. 電話は便利なものだ.
3 C 《英正式》公衆便所 (public convenience).
at A's **convénience** 〈人〉の都合のよい時[場所]に.
at A's **éarliest convénience** 〈人〉の都合のつき次第; [手紙で]できるだけ早く ‖ Write [Phone] to me *at your earliest convenience*. ご都合のつき次第[できるだけ早く]お手紙[電話]ください.
for the sáke of *convénience* =*for convénience*(') sáke 便宜上.
if it suíts A's **convénience** =*if it is to* A('s) *convénience* =*if it is to* A's *convénience* 《正式》〈人〉にとって都合がよければ ‖ Come to see me *if it suits your convenience*. ご都合がよければ遊びにいらっしゃい.
convénience fòod(s) インスタント食品.
convénience gòods 日用雑貨.
convénience òutlet 室内コンセント.
convénience stòre 《米》コンビニエンスストア.

*****con·ven·ient** /kənvíːniənt/ [『共に(con)来る (venient)』から「そばにいて[あって]便利な」が本義. cf. convene] 限 convenience (名)
── 形 1 〈物が〉〔…にとって〕便利な; 〔通例名詞の前で〕〈物・場所・時が〉〔…にとって〕都合のよい, 使いやすい, 適当な, 手ごろな 〔*to*, 《米》*for*〕(↔ inconvenient) ‖ a *convenient* tool 便利な道具 / a *convenient* place [day] to go skiing スキーをするのにかっこうの場所[日] / màke it *convenient* to phone him 都合をつけて彼に電話する / Visit me *if it is convenient for* [*to*] *you*. =…if you find it *convenient*. 《正式》都合がよければ私の家におこしください (=《略式》…when you're free.) / ◆「人」を主語に用いた ˣif you are convenient は不可. 2 《略式》〔補語として〕〈場所が〉〔…に〕近くて便利がよい (accessible) 〔*for, to*〕.

†**con·ven·ient·ly** /kənvíːniəntli/ 副 1 便利なように; 便利なところに; うまい具合に, 好都合に (↔ inconveniently) ‖ summarize *conveniently* 便利よくまとめる / *conveniently* forget 都合よく忘れる[忘れたふりをする] / My house is *conveniently* located near ⌈the post office [the school, the shopping district]. 私の家は郵便局[学校, 商店街]に近くて便利なところにあります. 2 〔文全体を修飾〕好都合なことに ‖ *Conveniently*, I live near the station. =I live, *conveniently*, near the station. 好都合なことに私は駅の近くに住んでいる.

†**con·vent** /kάnvent| kɔ́nvənt/ 名 C 修道団[会]; (女子の)修道院 (cf. monastery).

†**con·ven·tion** /kənvénʃən/ 名 1 C (政治・宗教上の)代表者会議, 大会; 《正式》の集会 (assembly), 協議会; 《米》(候補者指名などのための)政党大会 ‖ be *in convention* 会議中である / hold [open] an annual *convention* 年次大会を開催[開会]する. 2 C U (社会・芸術上の伝統的な)しきたり, 因習, 慣習, 慣行; 〔トランプ〕〔ブリッジ〕で(ペア内のビッドの)取り決め; ‖ break [follow] social *conventions* 社会慣習を破る[に従う]. 3 C (国家間などの)協定, 協約 《*treaty* よりくだけた語》 ‖ a military [peace] *convention* 軍事[平和]協定 / sign [conclude] a *convention* of security 安全保障協定に署名する[を締結する].

convéntion cènter コンベンション=センター 《会議場・宿泊施設を完備した地区・総合ビル》.

convéntion hàll (ホテル・会館の)会議場.

†**con·ven·tion·al** /kənvénʃənl/ 形 1 型にはまった, 平凡な ‖ màke *conventional* remarks 月並みなことを言う. 2 〔行動などの点で〕因習[慣例]的な, 慣行[伝統]に従う, 改まった〔*in*〕; 〔the ～; 名詞的に〕因習的なもの ‖ judge in *the conventional* sense ふつう言われている意味で判断する.

convéntional wísdom 《正式》世間一般の通念 (the received wisdom).

con·vén·tion·al·ly 副 慣例[因習]的に, 月並みに.

con·ven·tion·al·ism /kənvénʃənəlɪzm/ 名 U 慣例主義.

con·ven·tion·al·i·ty /kənvènʃənǽləti/ 名 U 《正式》因習[慣例]尊重; 〔しばしば conventionalities〕慣例, しきたり.

†**con·verge** /kənvɜ́ːrdʒ/ 動 自 《正式》〈線・道・関心・意見などが〉〔一点に〕集まる, 集中する (come together)〔*on, upon, at, in*〕.

con·ver·gence /kənvɜ́ːrdʒəns/ 名 U 《正式》一点への集中.

con·ver·gent /kənvɜ́ːrdʒənt/ 形 一点に集まる.

†**con·ver·sant** /kənvɜ́ːrsənt/ 形 《正式》 1 〔…に〕精通している〔*with, in*〕. 2 〔…と〕親交がある〔*with*〕.

*****con·ver·sa·tion** /kὰnvərséɪʃən| kɔ̀n-/ 名 [『共に付き合う (converse) こと』が原義]

conversational

──名 (複 ~s/-z/) UC〔正式〕〔人との/…についての〕(うちとけた)会話, 対談, 座談(talk, chat);〔~s〕(外交上の)非公式会談〔with / about, on〕∥ be in conversátion with him about the matter 彼とその問題について話している / hàve [hóld, cárry ón] a conversátion with her on the future 将来について彼女と話し合う / màke conversátion (話したくなくても社交上)雑談をする.

📝 表現 (1)「英会話が得意」は単に「英語をうまくしゃべる」の意に用いるのでは be good at speaking English という. be good at English conversation では「会話術・会話のかけ引きにすぐれている」の意.
(2)「英会話がしたい」は I'd like to have English conversation. よりも I'd like to converse in English. がよい.

†con·ver·sa·tion·al /kɑ̀nvərséiʃənl | kɔ̀n-/ 形 会話(体)の, 座談の, 会話で用いられる. còn·ver·sá·tion·al·ly 副 談話で; 打ちとけて, くだけて.

con·ver·sa·tion·al·ist /kɑ̀nvərséiʃənəlist | kɔ̀n-/ 名 C 話好きな人, 話のうまい人.

†con·verse¹ /kənvə́ːrs | kɔn-/ 動 自〔正式〕〔人と/…について〕談話する, (うちとけて)話す(talk)〔with / about, on〕∥ convérse with him about [on] a subject ある問題について彼と話し合う.

con·verse² 形 /kɑnvə́ːrs | kɔnvəːs; kɑ́nvəːrs | kɔ́n-/ 形〔正式〕(順序・考えなどが)逆の, 正反対の(opposite). ─ 名〔a the ~〕〔…と〕正反対の(物), 逆(の言い方)〔of〕.

†con·ver·sion /kənvə́ːrʒən, -ʃən | -ʃən/ 名 UC〔正式〕 1 (形・性質などの)〔…から/…への〕転換, 変化; 改装, 変換〔of, from / into, to〕; (公債などの)切り換え; (貨幣の)兌(だ)換, 両替; (財産・債務の)転換 ∥ a convérsion tàble 換算表 / a conversion heater〔英〕電熱器 / cause the conversion of water into steam 水を蒸気に変える. 2 改宗, 回(え)心(の事例);〔…から/…への〕(主義などの)転向〔of, from / to〕∥ the conversion of a Buddhist to Christianity 仏教徒のキリスト教への改宗. 3〔コンピュータ〕(コード・データの)変換(→ convert 4).

†con·vert /動 kənvə́ːrt | kɔ́n-/ 動〔正式〕他 1〈人・物・事が〉〈物・事を〉(機能上)〈物・事に〉変える, 転換〔変形, 改造〕する〔into, to〕∥ convert a sitting room into a study 居間を書斎に変える / convert the transmission on a car from manual to automatic 車の変速装置を手動から自動に変える. 2〈人が〉〈人を〉〔宗教に〕改宗させる,〔主義などに〕転向〔改心〕させる〔to〕; 〔be ~ed〕改宗する ∥ He was converted to Mormonism. 彼はモルモン教に改宗した. 3〔正式〕〈金〉を〔外貨に〕両替する;〈証券・財産〉を〔現金に〕替える〔into, to, for〕∥ convert yen into dollars 円をドルに替える / convert property into cash 財産を現金に替える. 4〔コンピュータ〕〈コード・プログラム〉を変換する《あるデータを異種のコンピュータやソフトでも読めるように変換すること》.
─自〔…から/…に〕変形〔転換〕する; 転向〔改心,〔米〕改宗〕する〔from/to〕;〔外貨に〕両替〔換算〕する〔into, to〕.
─名 C〔…への〕転向者, 改宗〔改心〕者〔to〕∥ màke a cónvert of him 彼を転向〔改宗〕させる.

con·vert·er, ‒·ver·tor /kənvə́ːrtər/ 名 C〔電気〕コンバーター, 変換器;〔コンピュータ〕コンバーター, 変換器.

con·vert·i·ble /kənvə́ːrtəbl/ 形 1〔…に〕変換しうる〔into, to〕∥ a convertible bed ソファーベッド. 2〈言葉が〉言い換えられる, 同義の. 3〈自動車が〉幌(ほろ)がたたみこめる, たたみこめるほろ付きの.

─名 C〔米〕コンバーチブル, オープンカー《たたみこみほろ付き自動車. ×open car とはいわない》.

con·vex /kɑnvéks, kən-/ 形 中高の, 凸(とつ)面の(↔ concave)∥ a convex lens [glass] 凸レンズ.

con·véx·ly 副 凸状に.

con·vex·i·ty /kɑnvéksəti | kən-/ 名 UC 凸状, 凸面(体).

†con·vey /kənvéi/ 動 他 1〔正式〕〈人が〉〈人・物〉を〔…から/…へ〕(ひっきりなしに)運ぶ, 運搬する(carry)〔from/to〕;〈病気〉を〔人に〕移す,〈においや音・熱・電気などを〉〔…に〕伝える(send)〔to〕∥ convey passengers「by train [in a bus] 乗客を列車〔バス〕で運ぶ / Air conveys sound. 空気は音を伝える. 2〈人・言動・芸術作品などが〉〈思想・感情などを〉〔…に〕伝える〔to〕; [convey that 節/wh 節]…ということを〔…に〕知らせる ∥ I convey my pleasure to her 私の喜びを彼女に伝える / Her gestures convey no meanings to me. 彼女の身振りは私にはわからない / Words cannot convey how glad I am. 私がどんなにうれしいか言葉では伝えられない.

†con·vey·ance /kənvéiəns/ 名 1 U〔正式〕運搬, 輸送(transportation). 2 U〔正式〕conveyance by air [sea, land]空輸〔海路, 陸路〕輸送. 2 U(意思・熱・音などの)伝達. 3 C〔正式〕輸送機関, 乗物(vehicle) ∥ a public conveyance 公共の乗物.

con·vey·or, ‒·er /kənvéiər/ 名 C〔正式〕運搬〔伝達〕する人〔物〕, コンベヤー; 輸送装置; = conveyor belt.

convéyor bèlt ベルトコンベヤー. ■日本発» Kaitenzushi restaurants are reasonably priced sushi restaurants where plates of sushi set on a conveyor belt circulate around the tables. 回転寿司とは寿司の皿がベルトコンベアーにのせられてテーブルのまわりを回っている手ごろな値段の寿司屋のことです.

†con·vict /動 kənvíkt; 名 kɑ́nvikt | kɔ̀n-/ 動 他〔正式〕〔裁判官・法廷が〉〈人〉に有罪を判決〔証明〕する; 〈人〉に〔犯罪〕の有罪を宣告する(condemn)〔of, for〕∥ a convicted criminal 既決囚 / convict the accused of murder 被告人に殺人罪の判決を下す / He was convicted of (having committed) robbery. 彼は強盗罪の判決を受けた.
─名 C 罪人, 囚人(→ con).

†con·vic·tion /kənvíkʃən/ 名 1 UC〔…という〕(事実に基づく)確信, 信念〔of, that 節〕《◆事実に基づかない確信は confidence》∥ áct in [ùnder] the conviction that time is money 時は金だという信念に基づいて行動する / hàve a stróng conviction「concerning her innocence [that she is innocent]彼女の無罪を堅く信じている. 2 UC〔法律〕(犯罪に対する)有罪判決, 有罪〔for〕(↔ acquittal) ∥ a conviction for murder 殺人に対する有罪判決 / have four previous convictions 前科4犯である. 3 U 説得(力)∥ be ópen to conviction 説得を受け入れる / His words don't carry much conviction. 彼の言葉にはあまり説得力がない.

†con·vince /kənvíns/ 動 他 1〈人・事が〉(証明・議論によって)〈人を〉〔…に〕納得させる, 確信させる〔of/that 節〕; [be ~d]〈人が〉〔物・事を〕確信している〔of/that 節〕∥ convince oneself of its falsehood それがうそだと確信している / I convinced「him of her sincerity [him that she was sincere]. 彼に彼女の誠実さを確信させた / I was convinced by his explanation. 私は彼の説明で納得した / I am convinced「of her guilt [(that)

she is guilty]. 彼女が有罪だと確信している《◆I am sure「of ...[(that) ...]」より強意的). **2** 《主に米式》《人》を(道理で)説得して[...]させる(to do)《◆persuade と同じく,説得が成功したことを含む. = persuade 他 1b 語法》‖ I *convinced* her not to quit the company. 私は会社をやめないように彼女を説得した(そして彼女は納得した).

con·vin·ci·ble /kənvínsəbl/ 形 説得されうる, 道理のわかる.

†con·vinc·ing /kənvínsiŋ/ 形 **1** 〈人・議論などが〉人を納得させる; 信じられる, もっともらしい ‖ a *convincing* speech 説得力のある話. **2** 〈勝利などが〉圧倒的な ‖ a *convincing* victory 圧倒的な勝利.

con·viv·i·al /kənvíviəl/ 形 《正式》〈行事・言動が〉陽気な; 〈人が〉親しみのある, 友好的な.

†con·vo·ca·tion /kànvəkéiʃən | kɔ̀n-/ 名 **1** U (会議・議会の)招集. C (招集された)議会, 集会.

con·voke /kənvóuk/ 動 《正式》〈会議など〉を招集する.

con·vo·lut·ed /kánvəlù:tid | kɔ́n-/ 形 (複雑で)理解しにくい.

con·vo·lu·tion /kànvəlú:ʃən | kɔ̀n-/ 名 C 《正式》[通例 ~s] 回旋(状態), うずまき.

†con·voy /kánvɔi | kɔ́n-/ 名 (米+) kənvɔ́i/ 動 他 〈軍艦など〉…を護衛[護送]する(escort). ━名 **1** U 護衛, 護送 ‖ an ármy cónvoy 軍の護衛 / ùnder cónvoy 護送されて / in convoy (護衛などのため輸送船[車両]が)船団[隊列]を組んで. **2** C [集合名詞; 単数・複数扱い] 護衛艦[隊]; 護衛される(輸送)船団[車両部隊].

con·vulse /kənvʌ́ls/ 動 他 《正式》**1** …を激しく震動させる; …に[…で]騒動[動乱]を起こさせる(with). **2** [通例 be ~d] 〈人が〉〈怒り・笑いで〉身もだえする, けいれんする(with).

†con·vul·sion /kənvʌ́lʃən/ 名 C 《正式》**1** (自然界の)震動, 震動; (社会・政治的)動乱, 動揺(disturbance). **2** [しばしば ~s] a けいれん, ひきつけ ‖ fall into a fit of *convulsions* けいれんを起こす. **b** (怒り・笑いなどの)激しい発作 ‖ They were all in *convulsions* of laughter. 彼らはみんな腹をかかえて笑った.

con·vul·sive /kənvʌ́lsiv/ 形 けいれん性の, 発作的な. **con·vúl·sive·ly** 副 発作的に, 急激に.

co·ny, --ney /kóuni/ 名 (複 co·nies) C (米·英古) アナウサギ.

†coo /kú:/ 同音 coup/ 動 自 **1** 〈ハトが〉クークー鳴く; (ハトのように)クークー言う. **2** 《略式》〈恋人同士が〉甘いささやきを交わす; 優しく[…に]話しかける(to). ━他 〈言葉〉を甘くささやく ‖ *coo* one's words 甘い言葉をささやく.

***bill and coo** → bill² 動.
━名 C (ハトの)クークー鳴く声.
━間 《英略式》〈驚きを表して〉おや, えっ.

***cook** /kúk/ 頭音 cock /kák | kɔ́k/] [[「加熱して食べられるものにする」が本義] 派 cookery (名), cooking (名)
━動 (~s/-s/; 過去·過分 ~ed/-t/; ~ing)
━他 〈人〉が〈食物〉を(火·熱で) **料理する**, 調理する ‖ *cook* a meal [breakfast] 食事[朝食]を作る 《◆加熱して料理した場合に限る》/ *cook* a portion of meat in five cups of water for an hour 肉の塊を5カップの水で1時間ゆでる.

語法 (1) 目的語は材料·食事·完成した料理のいずれでもよい. 目的語の内容に応じて「ゆでる」「煮る」「炊く」「焼く」「揚げる」などを含む. ただし soup については make を用いる.
(2) cook は火熱を使って料理することをいい, 加熱しない料理には fix, make, prepare などを用いる. したがって,「彼がこのサラダを作った」は He made [fixed, *cooked*] this salad. 加熱前の下ごしらえの段階は prepare を用いる.

b [cook A C] 〈人が〉A〈食物〉を C(の状態)まで]料理する《◆C は形容詞·分詞·副詞(句)》‖ *cook* the meat well-done unsalted 塩をしないで十分火が通るまで肉を焼く《◆結果の状態·付帯状況の順に置く. ×cook the meat unsalted well-done. はしない).

c [cook A B = cook B for A] 〈人が〉A〈人〉に B〈食物〉を料理してやる(⊃ 文法 3.3) ‖ She *cooked* some ham and eggs *for* me and then some *for* herself. 彼女は私にハムエッグを作ってくれ, 自分にも1皿作った / A delicious meal was ˈ*cooked* for me [×*cooked* me]. おいしい食事を作ってもらった(⊃ 文法 7.8(2)) / *cook* oneself some eggs 卵を自分で料理して食べる.

関連 [いろいろな調理方法]
bake 焼く / barbecue バーベキューにする / blanch 湯通しする, ゆがく / boil ゆでる / braise 蒸し煮にする / broil (主に米)(焼き網·グリルを使って)じか火であぶる(主に英) grill / burn, brown, blacken 焦がす, 焦げつかす / deep-fry 揚げる / fry 油でいためる / grate すりおろす / peel 皮をむく / poach (沸騰した湯で形をくずさないよう)さっとゆでる / roast (オーブンまたはじか火で)あぶる / sauté (少量の油で)さっといためる / sear 強火でさっと焼く / simmer (沸騰寸前の状態で)ことこと煮る / skim あくをとる / sprinkle salt 塩をふる / steam 蒸す, ふかす / stew とろ火で長時間煮込む / toast (パンなどを)こんがり焼く.

2 《略式》〈話·弁解など〉をでっちあげる; 〈計画〉を秘密に作る(+*up*) ‖ *cook up* an excuse 言い訳をでっちあげる / Be careful. It looks like he's got something *cooking*. 気をつけて. 彼は何かでっちあげているようだから.
━自 **1** 〈人が〉**料理する**; コックとして働く ‖ cóok for onesélf 自炊する(= cook one's own meals) / *cook* with gas ガスで料理する. **2** 〈食物が〉料理される; 火が通る ‖ Onions *cook* more quickly than potatoes. タマネギはジャガイモよりはやく煮える.

cóok úp 他 (1) …を手早く料理する. (2) → 他 **2**.
━名 (~s/-s/) C **1** **コック**, 料理人; 料理をする人; [形容詞を伴って] 料理が…な人《◆(1) この意味で cooker とはいわない. (2) 自分の家の料理人にはふつう無冠詞. (3) 日本語の「コック」とちがって職業人とは限らず, また女性にも用いる》‖ be one's own *cook* 自炊する /《対話》"You certainly are a good *cook*, Barbara." "Thank you. I'm glad you liked it." 「バーバラさん. ほんとうに料理がお上手ですね」「ありがとう. 喜んでいただけてうれしいわ」《時には「ごちそうさま」に相当する表現》/ *Too many cooks spoil the broth*.(ことわざ)料理人が多すぎるとスープがまずくなる;「船頭多くして船山に登る」.

Cook /kúk/ 名 クック《James ~ 1728-79; 英国の航海家.(愛称)Captain Cook》.

†**cook·book** /kúkbùk/ 名C (米) 料理の本 (英 cookery-book).

cook-chill /kúktʃíl/ 形《冷凍食品が》調理済みの.

†**cook·er** /kúkər/ 名C **1** 加熱用調理器具《なべ・かまなど》;《主に英》料理用こんろ・レンジ(stove, oven)《◆「料理人, 料理をする人」の意味ではない》‖ a pressure cooker 圧力がま. **2** 《通例 ~s》料理向きの果物[リンゴ]. (↔ eater).

†**cook·er·y** /kúkəri/ 名 **1** U 料理法. **2** C (米) 調理場, 調理部.
cóokery schòol 料理学校《◆今は cooking school よりふつう》.

cook·er·y-book /kúkəribùk/ 名 (英) =cookbook.

cook·house /kúkhàus/ 名C 炊事場;《キャンプの》屋外炊事場;《船の》料理室.

†**cook·ie, cook·y** /kúki/ 名C **1**(米) クッキー(《英》biscuit).《スコット》《自家製の》菓子パン(bun). **2** 《米略式》[smart, tough などを前に置いて] 人, やつ, 男. **3**《コンピュータ》クッキー《サーバーがユーザーを識別するのに使われる短いデータ》.

*__**cook·ing**__ /kúkiŋ/ [→ cook]
—— 名 U 料理(法); [形容詞的に]《加熱》料理用の, 料理に適した ‖ a cóoking àpple [pèar] 料理用リンゴ[ナシ] / cóoking wine 料理用ワイン / do the cooking 料理をする / do one's own cooking 自炊する.

cook·out /kúkàut/ 名C (米略式) 野外料理, 野外パーティー《◆バーベキュー(barbecue)がこの一種》.

cook·stove /kúkstòuv/ 名C (米) 料理用こんろ, レンジ.

cook·y /kúki/ 名 =cookie.

:**cool** /kú:l/ 《「心地よくてほどよく冷たい」が本義》
派 cooler (名), coolness (名)
—— 形 (~·er, ~·est) **1a**《天候・空気などが》涼しい, ひんやりとした, 少し寒い;《液体が》《ほどよく》冷たい;《物・場所が》涼しそうな《◆(1) cold《寒い, 冷たい》, chilly《うすら寒い》が不快を表すことが多いのに対し, cool は心地よさを示す. (2) cool は「涼しい」よりも低い気温についても用いられる《だいたい 2, 3℃-16, 17℃》》‖ a cool day [wind] 涼しい日[風] / a cool dress 涼しそうな服 / a cool fever 平熱 / It's getting cooler day by day. 日毎に涼しくなっている.
b《液体・料理などが》冷たい, さめた;《色が》寒色の《緑・青・灰色など》(↔ warm);《音が》反響のない ‖ cool water [colors] 冷たい水[寒色].
2 a 《通例補語として》《人が》冷静な, 落ち着いた(calm); クールな《◆ composed, collected よりも口語的》(↔ excited) ‖ cool, calm and collected 落ち着き払って《◆ 頭韻を踏んで口調がよいためこのように重ねてよく使う》 / a cool head 冷静な頭《の人》/ keep [remain] cool in the face of danger 危険に直面しても落ち着いている.
b《人が》《…に対して》熱意のない, 冷淡な, 無関心な(toward, about, to) (↔ warm) ‖ be cool toward his proposal 彼の提案に無関心である / get a cool reception 冷たく扱われる.
3《略式》《人・態度が》厚かましい, ずうずうしい ‖ a cool hand [card, customer, fish] ずうずうしいやつ / a cool lie 厚かましいうそ.
4《略式》[名詞の前で] [強意語として]《金銭・数量が》正味の,《まったくの》掛け値なしの《◆特に金額の大きいことについて用いる》‖ She got a cool million dollars in a day. 彼女は《何とまあ》1日で大枚100万ドルも手に入れた.
5 《略式》格好いい, イケてる ‖ ショック "Why do you put your CD in the refrigerator?" "I like to play it cool." 「なぜ冷蔵庫にCDを入れるの?」「カッコよく再生したいから」《◆ 形 1 としゃれ》.
kéep onesèlf cóol 涼んでいる; 落ち着いている.
—— 副 《略式》冷静で, 冷たく《◆次の句で》‖ pláy (it) cóol 落ち着いてふるまう, 冷静に対処する.
—— 名 U **1** [the ~] 涼しさ, (ほどよい)冷気; 涼しい時[所] ‖ take a walk in the cool of the morning [park] 朝の涼しい時に[公園の涼しい所を] 散歩する. **2** 《略式》[one's ~] 冷静さ(calmness);《米略式》自信 ‖ kéep [lóse, blów] one's cóol 平静を保つ[かっとなる, 興奮する].
—— 動 (~·s/-z/;《過去·過分》~ed/-d/;~·ing)
—— 他 **1**〈人·物が〉〈人·物·場所〉を冷やす, 涼しくする(+down, off) (↔ heat, warm) ‖ cool (off) a room 部屋を涼しくする.
2 〈人が〉〈怒った〉人·感情など〉を静める, 落ち着かせる(+down, off) ‖ cool down one's feelings 感情を静める / Cóol it. 《略式》[通例命令文で] 落ち着け, そうむきになるな; スピードを落とせ.
—— 自 **1** さめる, 涼しくなる(+down, off).
2 〈怒った〉人〉の冷静になる,〈怒り·熱意などが〉さめる(+down, off).

†**cool·er** /kú:lər/ 名C **1** 冷やすもの, 冷却器 (↔ heater).《米》冷蔵庫; ピクニック用のアイスボックス《◆日本語の「クーラー」は air conditioner がふつう》.

cool-head·ed /kú:lhédid/ 形 冷静[沈着]な, 落ち着いた.

Coo·lidge /kú:lidʒ/ クーリッジ《**Calvin ~** 1872-1933; 米国の第30代大統領(1923-29)》.

coo·lie, ~·ly /kú:li/ 名C《アジア地域の》クーリー;《一般に》低賃金未熟練労働者.

cool·ing-off /kú:liŋ(ː)f/ 形C U《米》割賦販売契約取り消し保証制度, クーリングオフ.
cóoling-òff pèriod (1)《労働争議などの》冷却期間. (2) クーリングオフのできる期間.

cool·ly /kú:lli/ 副 **1** 涼しく, (ほどよいほど)冷たく. **2** 冷静に. **3** 冷淡に (↔ warmly); ずうずうしく.

†**cool·ness** /kú:lnəs/ 名 U **1** 涼しさ, (ほどよい)冷たさ. **2** 冷静. **3** 冷淡; ずうずうしさ.

coo·ly /kú:li/ 名 =coolie.

†**coon** /kú:n/ 名C《主に米略式》アライグマ.

†**coop** /kú:p, kúp/ 名C (米+) kúp/ 名C **1**《ニワトリ·ウサギ用の》囲いかご, おり, 小屋;《英》魚捕りかご. **2** 狭苦しい所.
flý the cóop (1)《俗》刑務所をずらかる. (2)《略式》《仕事などから》とんずらする.
—— 動 他 《ニワトリなどをかご[おり]に入れる;《略式》[通例 be ~ed]〈人が〉〈狭苦しい所に〉閉じ込められている(+up)〈in〉.

co-op, Co-op /kóuɑp | -ɔ́p/ 《co(-)operative society [store]》 《略式》 [the ~] =cooperative.

coop., co-op. 《略》cooperative.

†**co·op·er·ate, co-öp--** /kouǽpəreit | -ɔ́p-/ 動 自 **1** [cooperate with A]〈人〉と〈仕事などについて〉協力する, 協同する《in, for, on》‖ cooperate with them for world peace 彼らと協力して世界平和を図る / The children cooperated with their father「in mowing [to mow] the lawn. 子供たちは父親と協力して芝を刈った. **2**〈事態が重なって〉《…》する《to do》 ‖ All things cooperated to enable her to pass the exam. ことがすべてうまく運んで彼女は試験に合格した.

co·op·er·a·tion, co·öp·–, co-op·– /kouàpəréiʃən, kòuəp–|kouɔ́p–, kòuɔp–/《共に(co)働く(operat)こと》
— 名 1 Ⓤ 協力(すること), 協同; 〔経済〕協同組合; 協業; 協調性, 援助 ‖ work *in cooperation with* [*with the cooperation* of] a policeman 警官と協力して[警官の協力を得て］彼女の *cooperation* 協力する. 2 Ⓒ 生活協同組合 ‖ a producers' [productive] *cooperation* 生産組合.

co·op·er·a·tive, co·öp·– /kouɑ́pərətiv, –5p–/ 形
1 協同の, 協力的な. 2 協同組合の ‖ a *coóperative society*（略）生活協同組合, 消費組合 / a *coóperative shóp* [*stóre*] 協同組合店. — 名 Ⓒ 生協, 生活協同組合(の売店), 協同組織（略 coop., co-op) ‖ a fármers' [farm] *coóperative* 農業協同組合. **co·óp·er·a·tive·ly** 副 協力して.

co·op·er·a·tor, co·öp·– /kouɑ́pəreitər/ –5p–/ 名 Ⓒ 協力者; 協同組合員.

co·opt, co·ŏpt /kouɑ́pt/ –5pt/ 動 他 1〈権力など〉を手にする. 2〈人〉を〈委員などに〉選任する.

†**co·or·di·nate** 形 kouɔ́ːrdənət, –5di–/ 動 –nèit/
形 1〔正式〕〈…と〉同等の, 同格の, 対等の(equal to) 〔*with*〕. 2〔文法〕等位の(↔ subordinate) ‖ a *coordinate* conjunction [clause] 等位接続詞[節].— 名 Ⓒ 1〔正式〕同等, 同格［同等の人［物・事］］; 〔文法〕等位語句. 2［～s］〔女性服・家具などの〕コーディネート〈色・デザインなどの調和〉.— 動 他 1 …を対等［同格］にする; …を順序よく整理する. 2〈部分・働きなど〉を調整する. — 自〈…と〉調和させる〔*with*〕.

co·or·di·na·tion /kouɔ̀ːrdənéiʃən/ –5di–/ 名 Ⓤ 同等; 対等関係(↔ subordination); 〔作用などの〕調整; 〔筋肉運動の〕協同; 〔文法〕等位.

co·or·di·na·tor /kouɔ́ːrdəneitər/ 名 Ⓒ 同等［対等］にするもの［人］; 調整するもの［人］, 〔企画推進などの〕責任者, まとめ役, コーディネーター.

coot /kúːt/ 名 Ⓒ〔鳥〕オオバン; 〔米〕クロガモ.

†**cop** /kɑ́p/ –5p/ 動（過去・過分）copped/–t/; cop·ping/）他〔英俗〕…をつかまえる, 獲得する ‖ *cop* a prize 賞をとる / *cop* him stealing some money 彼が金を盗んでいるところをつかまえる.— 名 Ⓒ〔略〕警官.

***cope** /kóup/《「打つ」が原義》
— (～s/–s/; 過去・過分）～d/–t/; cop·ing)
— 自 [cope with A]〔主に否定文で〕〈人が〉〈人・物・事〉と〔対等に〕対抗する, 争う; 〔略〕〈問題などを〉うまく処理する ‖ This is a more difficult problem than I can *cope with*. この問題は難しすぎて私には対処できません / I can't *cope with* her in English. 英語では彼女に歯がたたない.

Co·pen·ha·gen /kóupənhèigən/ –––/ 名 コペンハーゲン《デンマークの首都》.

Co·per·ni·can /koupə́ːrnikən/ 形 コペルニクス(説)の; 地動説の ‖ the *Copernican* system [theory] 地動説 / a *Copernican* revolution コペルニクス的転回.

Co·per·ni·cus /koupə́ːrnikəs/ 名 コペルニクス《Nicolaus ～ 1473-1543; ポーランドの天文学者》.

cop·i·er /kɑ́piər/ –5p–/ 名 Ⓒ 複写機.

co·pi·lot /kóupàilət/ 名 Ⓒ〔航空〕副操縦士.

cop·ing /kóupiŋ/ 動 → cope.— 名 1 Ⓒ〔塀（いし）の上の〕かさ石; Ⓤ かさ石工事. 2 Ⓒ〔手すりなどの上の〕かさ木.

cóping sàw 糸のこぎり.

†**co·pi·ous** /kóupiəs/ 形〔正式〕1〈〔生産・使用量など〕〉数・量が〕多い, 豊富な. 2〈言葉・内容などが〉豊富な, 〈作家が〉多作の. **có·pi·ous·ly** 副 豊富に.
có·pi·ous·ness 名 Ⓤ 豊富さ.

cop-out /kɑ́pàut/ –5p–/ 名 Ⓒ〔俗〕責任回避の口実〔手段, 行動〕; 責任回避(をする人); 逃避策; 社会からの脱落者.

†**cop·per**[1] /kɑ́pər/ –5p–/ 名 1 Ⓤ〔化学〕銅(記号 Cu) ‖ (a) *copper* wire 銅線. 2 Ⓒ 銅貨; 〔英略式・今はまれ〕[～s] 小銭. 3 ［形容詞的に〕銅(製)の, 銅色の ‖ *copper* ware 銅器《cf. a bronze medal → bronze 形》.

Cópper Stàte（愛称）[the ～] 銅の州(→ Arizona).

cop·per[2] /kɑ́pər/ –5p–/ 名 Ⓒ〔英〕巡査(→ cop 名).

cop·per·as /kɑ́pərəs/ –5p–/ 名 Ⓤ〔化学〕硫酸鉄.

cop·per·head /kɑ́pərhèd/ –5p–/ 名 Ⓒ〔動〕アメリカマムシ《北米産の毒ヘビ. 赤銅色で黒いしまがある》.

cop·per·plate /kɑ́pərplèit/ –5p–/ 名 Ⓤ Ⓒ（印刷用の）銅板; 銅版刷り; 銅版彫刻.

cop·per·y /kɑ́pəri/ –5p–/ 形 1 銅(製)の, 銅のような; 銅色の. 2 銅を含んだ.

cop·pice /kɑ́pəs/ –5p–/ 名 Ⓒ〔主に英正式〕= copse.

copse /kɑ́ps/ –5ps/ 名 Ⓒ 雑木林《主に英》(coppice).

Copt /kɑ́pt/ –5pt/ 名 Ⓒ 1 コプト人《古代エジプト人の子孫》. 2 コプト教徒.

cop·ter /kɑ́ptər/ –5p–/ 名〔米略式〕= helicopter.

Cop·tic /kɑ́ptik/ –5p–/ 形 コプト語の; 〔古代エジプト〕人の ‖ the *Coptic Church* コプト教会.

cop·u·la /kɑ́pjələ/ –5p–/ 名 Ⓒ 1 連結物. 2〔文法〕連結詞, 連繫, 繫（けい）辞《主語と述語をつなぐ be, seem など》.

cop·u·late /動 kɑ́pjəleit/ –5p–; –lit/〔正式〕動 自〔…と〕交尾［性交］する〔*with*〕.— 形 結合［連結］した. **cop·u·lá·tion** 名 Ⓤ 交尾.

cop·u·la·tive /kɑ́pjələtiv, –lèi–/ –5p–/ 形 連結的な; 〔文法〕繫（けい）辞的な ‖ a *copulative* verb [conjunction] 連結動詞［接続詞］.— 名 Ⓒ〔文法〕連結詞, 繫辞.

***cop·y** /kɑ́pi/ –5pi/《「書かれた物を写して増やすこと」が本義》派 copious(形)
— 名（複 –ies/–z/）1 Ⓒ〔原本・書類などの〕写し, 複写, コピー(↔ script); 〔原画・原典などの〕模写, 模倣; 〔法律〕謄本, 抄本〔類語〕duplicate, facsimile, replica, reproduction ‖ a *copy* of [a letter [a Millet] 手紙の写し［ミレーの絵の模写］/ make a fair [foul, rough] *copy* 清書［下書き］する / màke [kéep] a *cópy* of a report 報告書の複写をとる［とっておく］. 語法 機械によるコピーであることをはっきりさせるときは photocopy を用いる.

2 Ⓒ〔同時に印刷した本・雑誌・新聞・レコードなどの〕部, 冊; 通; 盤 ‖ order ten *copies* of *War and Peace*『戦争と平和』を10部注文する / I need two *copies* of today's paper. 今日の新聞が2部欲しい / Do you have a *copy* of Shakespeare's plays? シェイクスピア劇の本を1冊持っていますか.

3 Ⓤ（原稿（略 C.)，〔略式〕〔新聞記事になる〕事柄［人］; コピー, 広告文; 〔複製した〕芸術作品 ‖ follow *copy*（活字を）原稿どおりに組む / write (*a) *copy* for an insurance company 保険会社の広告文を書く.

— 動（–ies/–z/; 過去・過分）–ied/–d/; ～·ing)
— 他 1〈人などが〉〈書類などを〉〔…から/…に〕(そっく

copybook

り)写す, (電子)コピーにとる(+*down*)〔*from, off, in, into*〕;〈絵・手紙など〉を(注意深く)複写[模写]する(+*out*)∥ *copy* the exercise from [in] the notebook ノートから[に]その練習問題を写しとる / *copy out* a picture 絵を模写する / *copy a key* 合鍵を作る / Will you *copy* this article *for me*? この記事のコピーをとってくれますか. **2**〔コンピュータ〕〈ファイル〉をコピーする. **3**〈態度などを〉まねる, 手本とする;[*copy doing*] …するのをまねる∥ *copy* her merits 彼女の長所を見習う / Bill *copied* Mary('s) eating her cake with a fork. ビルはメリーがフォークでケーキを食べるのをまねした.
── 自 **1**〔…を〕写す, 複写する, まねる〔*off, after, from*〕∥ *copy after* an example [him] 手本[彼]にならう / *copy from* his autograph 彼のサインをまねる. **2**〔英学生語〕〔人の答案を〕こっそり写す〔*from, off*〕; カンニングする∥ *copy from* one's neighbor during an exam 試験中に隣席の人の答案を写す.

cópy bòy(新聞・出版社の)使い走りの原稿係のボーイ.
cópy dèsk(米)(新聞・出版社の)編集机.
cópy èditor(新聞・出版社の)原稿整理編集者.
cópying pàper 複写紙, コピー紙.
cópying machine 複写機.

cop·y·book /kápibùk | k5pi-/ 名 © (昔学校で用いた)習字手本;(書類などの)控え帳∥ blot one's *copybook*(主に英略式)〈ふつう男が〉(軽率なことをして)経歴を汚すような失敗をする. ── 形 決まり文句の, 平凡な∥ *copybook* maxims(型通りの)古めかしい格言[教訓].

cop·y·cat /kápikæt | k5pi-/ 名 © (略式・小児語)(態度・作品を)まねる人∥ Don't be a *copycat*!(子供のはやし言葉)やーいまねっ子!《◆「サルまねをする人」にあたる. cf. Monkey see, monkey do. → monkey 名》. ── 動(過去・過分)**-cat·ted**/-id/; **-cat·ting**)他(…)をやたらに真似る.

cop·y·ist /kápiist | k5pi-/ 名 © 写字生, 筆耕者; まねる人.

cop·y·read /kápiri:d | k5pi-/ 動(過去・過分)**-read** /-rèd/)他〈原稿〉を整理する.

cop·y·right /kápiràit | k5pi-/ 名 © Ⓤ〔本・演劇・音楽・映画・出版物などの〕著作権, 版権〔*of, in, on*〕《© Ⓒ》.
cópy·right·er 名 © 著作権[版権]所有者.

cop·y·writ·er /kápiràitər | k5pi-/ 名 © コピーライター, 広告文案家. **cópy·writ·ing** 名 Ⓤ コピーライティング, 広告文案製作.

co·quet /koukét | kɔ-/ 動 自〈女が〉〔男に〕こびを見せる, いちゃつく〔*with*〕.
co·quet·ry /kóukitri | k5-/ 名(正式)Ⓤ(女が男に示す)なまめかしさ, 媚(*こ*)態; © 色っぽい行為, しな.
co·quette /koukét | kɔ-/ 名 © (正式)なまめかしい女, 浮気女.
co·quet·tish /koukétiʃ | kɔ-/ 形(正式)なまめかしい, こびを見せる; 男にべたつく.
co·quét·tish·ly 副 なまめかしく.

†**cor·al** /k5:rəl/ 名 **1** Ⓤ サンゴ《◆昔, 嵐・火災よけのお守り, 子供の魔よけなどにした》. **2** © サンゴ細工. **3** Ⓤ サンゴ色. **4**〔形容詞的に〕サンゴ(製, 色)の∥ *coral* wedding サンゴ婚式《結婚35年の祝い》.
córal rèef サンゴ礁.

†**cord** /k5:rd/ 名 **1** © Ⓤ 綱, ひも, 細引き(→ rope)∥ three *cords* = three pieces of *cord* 3本のひも. **2** Ⓤ © (米)(電気の)コード((主に英) flex)∥ a telephone *cord* 電話のコード / an extension *cord* 延長コード. **3** Ⓤ(略)あぜ織布, コーデュロイ, コールテン;[~s; 複数扱い]コールテンのズボン(corduroys).

cord·ed /k5:rdid/ 形 **1** ひものついた, ひもをかけた. **2** うね織りの.

Cor·de·lia /kɔ:rdí:liə/ 名 コーディーリア《Shakespeare の *King Lear* のリア王の末娘》.

†**cor·dial** /k5:rdʒəl | -diəl/ 形 **1**(正式)心からの(wholehearted), 真心[友情, 愛情]のこもった(warm), 思いやりのある∥ a *cordial* welcome 心からの歓迎 / become *córdial* with him 彼と心を許し合う仲になる. **2**〈飲食物・薬〉が強心性の, 元気をつける∥ a *cordial* drink 強壮飲料. ── 名 **1** Ⓤ 元気づける飲食物; 強心[強壮]剤. **2** Ⓤ © コーディアル, リキュール酒.

†**cor·di·al·i·ty** /kɔ:rdʒiǽləti | -diǽl-/ 名(正式)真心, 思いやりのある気持ち; © 思いやりのある言動.

†**cor·dial·ly** /k5:rdʒəli | -diəli/ 副 **1** 心から, 真心こめて∥ Yóurs *córdially* = Córdially yóurs 敬具《◆親友間の手紙の結び文句》/ You are *cordially* invited to attend … …へのご出席を心からお待ちしています《◆招待状の決まり文句》. **2** 腹の底から∥ She was *cordially* disliked [hated] by the whole village. 彼女は村中の人たちにひどく嫌われていた.

cord·less /k5:rdləs/ 形 コードなしの; 電池作動の∥ a *cordless* phone コードレス電話.

cor·don /k5:rdn/ 名 © **1** 飾りひも;(肩からかける)飾りリボン, 綬(*じゅ*)章∥ the grand *cordon* 大綬章. **2**(軍隊の)哨(*しょう*)兵線; (警察の)非常線; (伝染病地区・事故現場などの)交通遮断線∥ a sánitary *córdon* 防疫線 / post [pass] a *cordon* 非常線を張る[破る]. ── 動 他…に非常線を張る, …を遮断[隔離]する(+*off*).

Cor·do·van /k5:rdəvn/ 形 **1** コルドバ《スペイン南部の州・都市》の. **2**[c~]コードバン皮の.

cor·du·roy /k5:rdərɔ̀i, (英+)-djuː-/ 名 **1** Ⓤ コールテン;〔形容詞的に〕コールテン製の, コールテンに似た. **2**(古)[~s]コールテンのズボン. **3** = corduroy road.
córduroy ròad(主に米)(沼地などの)丸太道路.

***core** /k5:r/ 名(同音 corps)〔「心」が原義〕── 名(複 ~s/-z/)© **1**(リンゴ・ナシなどの)(種を含む)しん(芯).《◆「種子」は seed, 桃などの固い「種」は stone, 枇》. **2**[通例 the ~](事物の)中心(部), 最も重要なもの[こと], 核心∥ the *core* of the earth 地球の中心部 / the *core* of a nuclear reactor 原子炉の炉心.
to the [one's] *core*(正式)芯まで, 徹底的に, 完全に∥ an Englishman *to the core* 生粋のイングランド人.

CORE /k5:r/〖Congress of Racial Equality〗名(米)人種平等会議.

co·res·pon·dent /kòurispándənt | -p5n-/ 名 ©〔法律〕(訴訟の)共同被告, 共同被上訴人.

cor·gi /k5:rgi/ 名 © (動)コーギー犬.

†**Cor·inth** /k5:rinθ/ 名 © コリント《古代ギリシアの都市》.

†**Co·rin·thi·an** /kərínθiən/ 形 **1** コリントの. **2**(正式)(コリント市民のように)ぜいたくな;〈文体が〉華麗な. **3**〔建築〕コリント式の∥ the *Corinthian* order コリント様式. ── 名 **1** © コリント人. **2**〔聖書〕[the ~s; 単数扱い]コリント人への手紙《St. Paul による. 第1, 第2の2つがある. ◎ Cor.》.

†**cork** /k5:rk/ 名 **1** © (植)= cork oak. **2** Ⓤ コルク, コルクガシの樹皮∥ burnt *cork* 焼きコルク《役者の用いるまゆ墨》. **3** © コルク栓(*せん*)(bottle stop-

corkscrew ; コルク製品 ‖ draw [pull] out [×open] a *cork* 栓を抜く. **4**〔形容詞的に〕コルク製の ‖ a *cork* jacket コルクを入れた救命胴衣.

bób úp like a córk〔急流のコルク栓のようにすぐ浮いてくる〕元気よく立ち直る.

— 動 他 **1** …にコルクの栓をする(+*up*). **2**(略式)〈感情〉を抑える, 抑制する(+*up*).

córk òak コルクガシ.

cork·screw /kɔ́ːrkskrùː/ 名 ⓒ コルク抜き, 栓抜き.

†**cor·mo·rant** /kɔ́ːrmərənt/ 名 ⓒ **1**〔鳥〕ウ(鵜). **2** 貪(ﾄﾞﾝ)欲な人, 大食いの人.

:**corn**¹ /kɔ́ːrn/〔類音〕cone /kóun/〚「穀粒」が原義〛

— 名 (複 ~s/-z/) **1**(米・カナダ・豪)〔集合名詞〕トウモロコシ (Indian corn, (米) maize) = corn on the cob 穂軸についたままの(調理した)トウモロコシ / *corn* in the ear [shuck] さや付きのトウモロコシ. 文化 米国では corn, peas, carrot などの mixed vegetables を毎日のように食べる人が多い. **2**〔集合名詞〕(その地方の主要)穀物, 穀類《◆(イング)では小麦 (wheat), (スコット・アイル)ではカラスムギ (oats)をさす》. **3** ⓒ (穀物の)粒(grain) ‖ a pepper [barley] *corn* コショウ [大麦]の1粒. **4** Ⓤ 穀草(cereal)《脱穀前の wheat, barley など》‖ grow [raise] *corn* 穀草を作る. **5** Ⓤ (米略式) スイートコーン((主に英) sweet corn).

córn bèef (米) コーンビーフ.

Córn Bèlt [the ~] 米国中西部のトウモロコシ生産地帯 (Iowa, Illinois, Indiana などの諸州).

córn field = cornfield.

córn flòur = cornflour.

córn flòwer = cornflower.

Córn Stàte (米)(愛称) [the ~] トウモロコシ州 (→ Iowa).

corn² /kɔ́ːrn/ 名 ⓒ **1**(足指の)うおのめ, 胼胝(ﾀｺ).
tréad [**trámple**] **on** A's **córns** (略式)〈人〉の感情を害する.

cor·ne·a /kɔ́ːrniə/ 名 ⓒ〔解剖〕角膜 (図 → eye).

corned /kɔ́ːrnd/ 形 塩漬けの ‖ *corned* beef コーンビーフ ((米) corn beef).

cor·nel /kɔ́ːrnl/ 名 ⓒ〔植〕ミズキ, ヤマボウシ.

:**cor·ner** /kɔ́ːrnər/〚「道と道が交差する所」が本義〛

— 名 (複 ~s/-z/) ⓒ **1**(外から見て)かど; (内から見て)すみ; (道の)曲がりかど ‖ a stove *in the corner of* a room 部屋のすみのストーブ / a shop *at* [*on*] *the corner of* a street 町かどの店《◆in は場所内のみ, at は場所規定を強調してかどの地点・接触点》/ tear off the bottom *corner* of a page ページの下の端をちぎり取る / look at it 'out of [*from*] *the corner of* one's eye' 横目でそれを見る / put [stand] a pupil *in the corner* (英)(罰として壁に向かって)教室のすみに生徒を立たせる. 表現 (1)「スポーツウエア・コーナー」は the sportswear department とする. (2) 競技場のコーナーは corner でなく, turn, bend, curve.
2 (略式) へんぴな[静かな]所, 片すみ; 〔しばしば ~s〕地域, 地方, 方面; [the C~] (豪略式) オーストラリア中部地方 ‖ remote *corners* 片いなか / assemble from all [the four] *corners* of the world 世界のいたる所から集まる / be dóne in a córner こっそり行なわれる.
3 (略式) 窮地, 苦しい立場 ‖ be *in a* (tight) *corner* 窮地に陥っている / *drive* [*fórce, pút*] her *into a corner* (略式) 彼女を窮地に追い込む.
4 (サッカー) = corner kick [hit]; (ボクシング) コーナー《ボクサーの休む所》.

cút córners (1)〈角を回らずにまっすぐに行く〉(1)〈運転手が〉近道をする《特に曲がり角をカーブに沿って走らずまっすぐに横切ること》. (2) (手間・経費・努力などを)節約する, 手抜きをする ‖ He never *cuts corners*. 彼は完璧主義者だ.

cút (**off**) **a** [**the**] **córner** (主に英) (1)〈歩行者が〉近道をする. (2) 手を抜く.

(**just**) (**a**) **róund the córner** (1) かどを曲がった所に. (2) (略式)(距離・時間的に)すぐそこ[近く]に ‖ Christmas is *just around the corner*. クリスマスはもうすぐだ. (3) 相手の先を越して. (4) 〈病気・景気などが〉危機を脱して.

túrn the córner (1) かどを曲がる. (2) (事業・病気など)危機を脱して〔立ち直る〕, 峠を越す.

— 動 他 **1**〈人が〉…をすみに置く; 〈場所・物〉に〔…で〕かどをつける(*with*). **2**〈人・動物〉を〔…の〕窮地に追い込む(*into*).

córner kick [**hít**]〔サッカー〕コーナーキック.

cor·ner·back /kɔ́ːrnərbæk/ 名 ⓒ (アメフト) コーナーバック.

cor·ner·boy /kɔ́ːrnərbɔ̀i/ 名 ⓒ (英) 町の不良少年.

cor·nered /kɔ́ːrnərd/ 形 **1**〔通例数字を伴う複合語で〕〈…の〉かど[かど]の; 〈…の〉かどにある ‖ a three-*cornered* hat 三角帽子. **2** 窮地に追いつめられた.

cor·ner·stone /kɔ́ːrnərstòun/ 名 ⓒ **1**〔建築〕すみ石, 礎石《起工の期日・言葉などを記す》. **2**〔比喩的に〕基礎, 土台.

cor·ner·ways /kɔ́ːrnərwèiz/, **--wise** /-wàiz/ 副 かどをはすかいに; 斜めに.

†**cor·net** /kɔːrnét 名 ⓒ **1**〔音楽〕コルネット《トランペットに似た管楽器》; コルネット奏者. **2** (菓子などを入れる)三角の紙袋, (英)(アイスクリーム用の)コーン((米) cone).

cor·net·(t)ist /kɔːrnétist/ 名 ⓒ コルネット奏者.

†**corn·field** /kɔ́ːrnfìːld/, **córn field** 名 ⓒ トウモロコシ[小麦, カラスムギ]畑.

corn·flakes /kɔ́ːrnflèiks/ 名〔複数扱い〕コーンフレークス《トウモロコシをつぶして焼いた食品. ミルク・砂糖をかけて朝食とする》.

corn·flour /kɔ́ːrnflàuər/, **córn flòur** 名 Ⓤ **1** (米) コーンフラワー, トウモロコシ粉; (英) 穀粉. **2** (米) = cornstarch.

corn·flow·er /kɔ́ːrnflàuər/, **córn flòwer** 名 ⓒ〔植〕ヤグルマギク; 穀物畑に咲く花.

†**corn·husk** /kɔ́ːrnhʌ̀sk/ 名 ⓒ トウモロコシの皮.

†**cor·nice** /kɔ́ːrnəs/ 名 ⓒ **1**〔建築〕軒 [天井] 蛇腹 (ﾊﾞﾗ) (図 → house). コーニス. **2**〔登山〕雪庇 (ｾｯﾋﾟ).

†**Cor·nish** /kɔ́ːrniʃ/ 形 (英国の)コーンウォール (Cornwall) 地方(特有)の; コーンウォール人[語]の. — 名 Ⓤ コーンウォール語《ケルト語系. 今は死語》.
Córnish pásty コーニッシュ・パスティ《コーンウォール地方のパイ料理》.

Cor·nish·man /kɔ́ːrniʃmən/ 名 (複 --men) ⓒ コーンウォール人.

corn·meal /kɔ́ːrnmìːl/ 名 Ⓤ **1** (ひき割りの)穀粉, トウモロコシ粉. **2** (スコット) オートミール.

corn·row /kɔ́ːrnròu/ 名 ⓒ 細く編んだ髪.
— 動 他〈髪〉を細く編む.

corn·stalk /kɔ́ːrnstɔ̀ːk/ 名 ⓒ 穀草 [特にトウモロコシ]

の茎.

†**corn·starch** /kɔ́ːrnstɑ̀ːrtʃ/ 图U（米）コーンスターチ《トウモロコシのでん粉。プディングの原料用。（英）corn-flour》.

†**cor·nu·co·pi·a** /kɔ̀ːrnəkóupiə | -nju-/ 图C〔ギリシア神話〕豊饒(ほう)の角(つの)《Zeus に授乳したヤギの角》.

†**Corn·wall** /kɔ́ːrnwɔːl, -wəl/ 图 コーンウォル《イングランド南西部の地方, 州》.

corn·y /kɔ́ːrni/ 厖 (通例 --i·er, --i·est)〔略〕くしゃれなどが古くさい, 陳腐な;〈ジャズなどが〉感傷的な;〈人が〉ぶなん, 素朴な.

co·rol·la /kərάlə, （米）-róulə/ 图 C〔植〕花冠《弁の総称. 図 → flower》.

cor·ol·lar·y /kɔ́ːrəlèri | kərɔ́ləri/ 图 C **1**〔数学〕系. **2**〔正式〕推論；当然の〔論理的なる〕結果.

†**co·ro·na** /kəróunə/ 图 (愛 ~s, -nae/-niː/) C **1**〔天文〕コロナ, 光冠.**2**（太陽・月の）光環, かさ.

cor·o·nal /kɔ́ːrənl |kəróunl/图C 王冠；花冠, 栄冠. ——厖 王冠の, 花冠の.

cor·o·nar·y /kɔ́ːrənèri | kɔ́rənəri/ 厖 冠の（ような）；〈心臓が〉冠状（動脈）の, 心臓の.
córonary throm·bó·sis /-θrʌmbóusəs | -θrɔm-/图 冠状動脈血栓症.

†**cor·o·na·tion** /kɔ̀ːrənéiʃən | kɔ̀rə-/图 UC 戴(たい)冠（式）, 即位（式）.

†**cor·o·ner** /kɔ́ːrənər | kɔ́rə-/ 图 C（変死体の）検死官.

†**cor·o·net** /kɔ́ːrənət | kɔ́rənit/ 图 C **1**（貴族などの）宝冠《◆王（妃）の冠（crown）より小さい》；（花・貴金属製の）小冠状頭飾り《女性礼装用》.**2**（馬の）蹄(てい)冠.

corp., Corp.〔略〕corporal; corporation.

cor·po·ra /kɔ́ːrpərə/ 图 corpus の複数形.

†**cor·po·ral**¹ /kɔ́ːrpərəl/ 厖〔正式〕肉体〔身体〕の, 肉体〔身体〕が受ける（physical）‖ *corporal* punishment 体罰. **cór·po·ral·ly** 副 肉体的に, 身体上.

cor·po·ral² /kɔ́ːrpərəl/ 图 C〔軍事〕伍長《最下位の下士官》.

†**cor·po·rate** /kɔ́ːrpərət/ 厖〔正式〕**1** 法人組織の ‖ a bódy córporate =a corporate body 法人（団体）／ córporate rights 法人権 ／ a *corporate* town 自治都市. **2** 団体〔共同〕の, 団結〔合体〕した ‖ a *córporate* próperty 団体財産 ／ *córporate* responsibility 共同責任.
córporate idéntity [identificátion] コーポレイト=アイデンティティ, 企業のイメージ戦略.
córporate ràider（米）企業乗っ取り屋.
cór·po·rate·ly 副 法人として；団結して.

†**cor·po·ra·tion** /kɔ̀ːrpəréiʃən | kɔ̀rə-/ 图 C **1** 法人, 社団法人 ‖ the British Broadcasting *Corporation* 英国放送協会（BBC）／ a públic *corporátion* 公社 ／ the *corporátion* tàx 法人税. **2**（米）有限会社, 株式会社《（英）limited liability company》（略 corp., Corp.）‖ *corporation* law 会社法 ／ （英）company law ／ a tráding *corporátion* 商事会社.〔関連〕「X株式会社」は X Co., Ltd. というが米では X Inc. か X Corporation がふつう. **3**〔通例 the C~；単数・複数扱い〕（英）市自治体, 市政機関 ‖ the *Corporation* of the City of London 市自治体.

†**corps** /kɔ́ːr/〔発音注意〕〔同音 core〕〔フランス〕图 (愛 corps/kɔ́ːrz/)〔集合名詞；単数・複数扱い〕**1**〔しばしば C~〕〔軍事〕軍団, 兵団；（専門技術をもった）部隊（→ army）‖ a flying *corps* 航空隊 ／ the US Maríne *Còrps* 米海兵隊.**2**〔正式〕（同一活動の）団体, 団, 班 ‖ a préss [pítching] *còrps* 記者団〔投手団〕 ／ the Péace Còrps 平和部隊 ／ the *Corps* Diplomátique =the Diplomatic *Corps* 外交団.

corpse /kɔ́ːrps/ 图 C（人間の）死体, 死骸(がい)《◆遠回し表現は body, remains. 動物の「死体」は carcass》‖ a líving [wálking] *còrpse* 生ける屍 (しかばね).

cor·pu·lence, -len·cy /kɔ́ːrpjələns(i)/图 U〔正式〕（人・体の）肥満, 肥大.

cor·pu·lent /kɔ́ːrpjələnt/ 厖〔正式〕〔遠回しに〕〈人・体が〉太った, 肥満の《◆ふつう不健康な意味に》.

cor·pus /kɔ́ːrpəs/图 (愛 **-po·ra**/-pərə/, 〔集合名詞〕~·es) C **1**〔集合名詞〕（文書などの）集大成, 集積 ‖ the *corpus* of civil law 民法典 ／ the *corpus* of Shakespeare's works シェイクスピア全集. **2**〔言語〕言語資料, コーパス.

Cor·pus Chris·ti /kɔ́ːrpəskrísti, -tai/〔カトリック〕キリスト聖体の祝日《Trinity Sunday の次の木曜日》.

cor·pus·cle /kɔ́ːrpəsl | -pʌsl/〔発音注意〕图 C〔生理〕〔通例 ~s〕小体, 血球 ‖ red [white] *corpuscles* 赤〔白〕血球.

†**cor·ral** /kərǽl | kərάːl/ 图 C **1**〔主に米西部〕（牛馬を入れる）さく囲い(enclosure),（野獣を生捕りにするときの）囲い ‖ *The Gunfight at OK Corral*「OK牧場の決闘」《◆映画の題.「牧場」と訳されているが「牧場」は a stock farm,（米） a ranch》.**2** 車陣《野営中, 襲撃に備えて馬車を円形に並べた囲い》.
——動 (過去・過分 cor·ralled/-d/, --ral·ling)他 〈家畜を〉囲い入れる.

*****cor·rect** /kərékt/〔頭音 collect /kəlékt/〕〔原義「まっすぐにする」から「事実に合って正しい」が本義. cf. erect, direct〕副 **correctly**〔副〕
——厖 (more ~, most ~; 時に ~·er, ~·est) **1**（誤り・欠点がなく）正しい, 正確な（↔ incorrect）；〈人が〉［…の点で／…するのは〕正しい［in ／ in doing〕《〔類語〕right, accurate, exact》‖ a *correct* answer [opinion] 正解〔正論〕／ What is the *correct* time? =Do you have the *correct* time? 正確な時間がわかりますか ／ That's *correct*. そのとおりです《◆単に "Correct." ともいう. 正式の場で多く用いられる返答で, 一般には That's right.》／ He is *correct* in doing so. 彼がそうするのは正しい.
2〈動作・服装などが〉礼儀にかなった, 正式な；（パーティーなどに）ふさわしい, 適当な〔for〕‖ Is it *correct* for a lady to wear a pearl necklace to a funeral? 女性が葬式に真珠のネックレスを身につけていくことは礼儀にかなっているか.
——動 (~·s/-ékts/; 過去・過分 ~·ed/-id/; ~·ing)他 **1**〈人などの〉誤りなどを〉訂正する, 校正〔訂正〕する;〈機械・計算・観測などを〉調整〔修正〕する ‖ *correct* errors [mistakes] in English composition 英作文の誤りを正す ／ *correct* the papers 答案を採点する ／ *correct* the proofs of a novel 小説の校正をする ／ *correct* one's watch by the radio ラジオで時計を合す. **2**（やや古）〈人を〉[…のことで], 罰する〔for〕‖ *correct* him *for* his dishonesty 不正直だといって彼をしかる.
stánd corréctéd〔正式〕言動の誤りを認める.
cor·réct·ness 图 U 正しさ, 正用法（↔ appropriateness）.
cor·rect·a·ble /kəréktəbl/ 厖 訂正可能な.

†**cor·rec·tion** /kərékʃən/图 UC **1**（誤りを）訂正すること, 修正, 校正；添削；訂正箇所 ‖ marks of *cor-*

rection 校正記号 / make a corréction 誤りを訂正する. **2**〔遠回しに〕(性格・主義などの)矯正；こらしめ, 罰(punishment) ‖ He is beyònd corréction. こらしめても彼には通じない. **3**〔間投詞的に〕訂正, もとへ[に] ‖ World War II broke out in 1941. Correction, 1939. 第二次世界大戦は1941年, 訂正, 1939年に始まった.

ùnder corréction 間違っていたら直してもらうことにして.

cor·rec·tion·al /kərékʃənl/ 形 訂正[矯正]の, こらしめの.

cor·rec·tive /kəréktiv/ 形《正式》〔誤りなどを〕正す, 矯正する〔*of*〕‖ *corrective* training 非行少年補導. ——名 C〔…に対して〕矯正するもの[方法]〔*for*〕.

†**cor·rect·ly** /kəréktli/ 副 正しく, 正確に；〔文全体を修飾〕正確には, 正確に言えば ‖ This time he wrote his name *correctly*. 今度は, 彼は自分の名前を正しく書いた.

cor·rec·tor /kəréktər/ 名 C 訂正[矯正]者；罰する人.

†**cor·re·late** /kɔ́ːrəleit/ 動《正式》他 …を〔…と〕関連[関係]づける, …と〔…との〕相互関係を示す[証明する]〔*with, to*〕‖ *correlate* diet with life span 食べ物と寿命を相互に関係づける[との相関関係を立証する](cf. the correlation of diet with life span). ——自〔…に〕関連[関係]する〔*with*〕. ——名 C 相関関係のあるもの[事, 人]《直径と円周など》.

†**cor·re·la·tion** /kɔ̀ːrəléiʃən/ 名 U C《正式》〔…の間の〕相互関係, 相関《*with/between*》.

cor·rel·a·tive /kərélətiv | kɔr-, kær-/ 形 **1**《正式》相関関係のある, 関連する. **2**〔文法〕相関的な ‖ *correlative* conjunctions 相関接続詞《either … or など》/ *correlative* terms 相関語句《「父と子」など》.

***cor·re·spond** /kɔ̀ːrəspánd | kɔ̀rəspɔ́nd/《共に(cor)応じる(respond)」→「応じ合う」が本義》派 correspondence (名), correspondent (名・形)
——動 (~s/-pándz | -spɔ́ndz/; 過去・過分 ~·ed/-id/; ~·ing)
——自 **1**《正式》〈物・事が〉〔…に〕一致する, 調和する, 合う(agree)〔*with, to*〕‖ Your answer *corresponds to* the model answer. 君の答えは模範解答とぴったり一致する / His deeds *correspond* exactly *with* his words. =His deeds and words *correspond*. 彼は言行一致の人だ / The hat *corresponds* well *to* [*with*] her dress. その帽子は彼女のドレスによく合っている.
2〈物・事が〉〔…に〕相当する, 対応する〔*to*〕‖ The president of a company *corresponds to* the captain of a ship. 会社の社長は船の船長に相当する.
3《正式》〈人が〉〔…と〕(規則的に)**文通する**, 通信する《*with*》‖ I have *corresponded with* him for a long time. 彼と私は長い間文通をしている.

†**cor·re·spond·ence** /kɔ̀ːrəspándəns | kɔ̀rəspɔ́nd-/ 名 U C《正式》**1**〈物・事と〉一致すること(agreement)；〔…との〕調和, 符合《*with, to, between, of*》‖ the *correspondence* of [*between*] the goods and the samples =the *correspondence* of the goods *to* the samples 商品と見本の一致. **2**〈事・機能などに〉相当すること；〔…の〕類似, 対応(similarity)〔*to, between*〕. **3**〈人との〉文通, 通信(communication)《*with, between*》；〔集合名詞〕往復書簡, 通信(文), (読者からの)投書 ‖ commercial [business] *correspondence* 商業通信文 / énter into [dróp] *correspóndence with* her 彼女と文通を始める[やめる] / learn *by correspóndence* 通信教育を受ける.

correspóndence còllege [**schòol**] 通信教育大学[学校].

correspóndence còlumn (新聞・雑誌の)投書[読者]欄.

correspóndence còurse 通信教育課程.

†**cor·re·spond·ent** /kɔ̀ːrəspándənt | kɔ̀rəspɔ́nd-/ 名 C **1 a**《正式》文通する人, 通信者 ‖ a good [bad, poor] *correspondent* 筆まめ[筆不精]な人. **b** (新聞・雑誌・テレビなどの)通信員[記者]；(新聞・雑誌への)投書家 ‖ an overseas *correspondent* 海外通信員. **2** (外国・遠方の商社などの)取引先[店]；地方駐在員. ——形《正式》〔…に〕一致[対応]する(corresponding)〔*to*〕.

cor·re·spond·ent·ly 副 一致[符号]して, 相応して, 同様に.

†**cor·re·spond·ing** /kɔ̀ːrəspándiŋ | kɔ̀rəspɔ́nd-/ 形 **1**〔…に〕一致[対応]する, 類似の〔*with, to*〕‖ the *corresponding* period of last year 昨年の同期. **2**〔…と〕文通[通信, 取引]する《*with*》‖ a *correspónding* clerk [secretary] 通信係.

correspónding mémber (学会などの)通信会員.

cor·re·spond·ing·ly 副 一致[対応]して, 同様に.

†**cor·ri·dor** /kɔ́ːridər | kɔ́rid-, -dɔː/ 名 C **1** (ホテル・学校などいくつも部屋の出入口のある)廊下；通路《◆「渡り廊下」は passage(way). 《米》では hall, hallway がふつう》(→ aisle) ‖ run along a *corridor* 廊下を走る. **2 a** 狭い通路. **b** 回廊地帯《他国の領土を通って海港などに通じる内陸国の細長い地域》.

córridor tràin [**càrriage, cóach**] 《英》通廊式列車[車両, 客車]《片側が仕切り客室(compartment)になっている》(→ vestibule train).

†**cor·rob·o·rate** /kərɑ́bəreit | -rɔ́b-/ 動 他《正式》〈陳述などを〉補強する, 確証する, 裏付ける.

cor·rob·o·ra·tion /kərɑ̀bəréiʃən | -rɔ̀b-/ 名 U **1** 確証, 裏付け. **2**〔法律〕補強[裏付け]証拠.

cor·rob·o·ra·tive /kərɑ́bərèitiv | -rɔ́brə-/ 形《正式》〈証拠・人などが〉(意見などを)確認する, 補強する.

cor·rode /kəróud/ 動 他 …を(化学反応で)腐食させる, さびさせる(+*away*). ——自〈金属が〉腐食する, さびつく.

†**cor·ro·sion** /kəróuʒən/ 名 **1** U 腐食(作用), さびること；衰退. **2** C 腐食物, さび.

cor·ro·sive /kəróusiv/ 形 腐食する, さびる.

cor·ru·gate /kɔ́ːrəgeit | kɔ́r-/ 動 他 …にしわをよせる；…を波形[うね状]にする. ——自 しわがよる；波形[うね状]になる.
——形 しわになった, 波形[うね状]になった.

cor·ru·gat·ed /kɔ́ːrəgèitid | kɔ́r-/ 形 波形の, うね状の ‖ *corrugated* boxes [paper, cardboard] 段ボール箱[紙](→ cardboard).

cor·ru·ga·tion /kɔ̀ːrəgéiʃən | kɔ̀r-/ 名 **1** U 波形[うね状]にすること. **2** C (波形の)しわ, ひだ；うね.

†**cor·rupt** /kərʌ́pt/ 形 (more ~, most ~；時に ~·er, ~·est) **1** 堕落した, 退廃した ‖ today's *corrupt* society 腐敗した現代社会. **2** 不純な；腐敗した ‖ *corrupt* ideas 危険な思想. **3** わいろのきく, 地位を悪用した；不正な ‖ a *corrupt* mayor 悪徳市長 / *corrupt* practices (選挙などでの)贈賄, 収賄；汚職.
——動 他 **1**〈人・物・事が〉〈人〉を堕落させる, 退廃させる ‖ films which *corrupt* youth 若者をだめにする映画. **2**〈人が〉〈人〉を〔…で〕買収する《*with*》‖ *corrupt* voters 有権者を買収する. **3**《正式》〈原

文を改善する. ――自 〈物・事が〉人を堕落させる《◆通例次の句で》‖ Power [Money] *corrupts*. 権力[金]は人をだめにする.

cor·rúpt·ly 副 堕落して.

cor·rupt·i·ble /kərʌ́ptəbl/ 形 [正式] **1** 堕落[退廃]しやすい. **2** 買収しやすい, わいろのきく.

†**cor·rup·tion** /kərʌ́pʃən/ 名 **1** ⓤ 堕落(する[させられる]こと), 退廃 ‖ widespread political *corruption* 広範囲に及ぶ政治腐敗. **2** ⓤ 買収; 贈収賄, 汚職. **3** ⓒ〔通例 the/a ~〕〔言語〕のなまり(原文の)改悪.

cor·sage /kɔːrsɑ́ːʒ/ 名 ⓒ **1** コサージュ《婦人服・帽子につける花飾り》. **2** 〔服飾〕 (婦人服の)身ごろ.

†**cor·set** /kɔ́ːrsət/ 名 ⓒ 〔時に ~s〕 コルセット《女性用下着,また整形外科用》(→ foundation garment) ‖ a pair of *corsets* コルセット1着.

†**Cor·si·ca** /kɔ́ːrsɪkə/ 名 コルシカ島《イタリア半島西方のフランス領の島. ナポレオン1世の出生地》.

†**Cor·si·can** /kɔ́ːrsɪkən/ 形 コルシカ島[人, 方言]の. ――名 **1** ⓒ コルシカ島人 ‖ the (great) *Corsican* あの(偉大な)コルシカ島人《ナポレオン1世の愛称. → Napoleon 1》. **2** ⓤ コルシカ方言《イタリア語の一方言》.

cor·tège, --tege /kɔːrtéʒ, -téɪʒ/ 〔フランス〕 名 ⓒ 〔正式〕 **1** [単数・複数扱い] (ふつう葬式の)行列. **2** [集合名詞] 従者, 随行(供奉(ぐぶ)).

cor·tex /kɔ́ːrteks/ 名 〔~·ti·ces-tɪsiːz/, ~·es〕 ⓒ **1** 〔植〕 皮層; 表層組織, 樹皮. **2** 〔解剖〕 (脳・腎臓などの)皮質.

cor·ti·sone /kɔ́ːrtəzoʊn, -soʊn/ 名 ⓤ 〔医学〕 コーチゾン《副腎皮質ホルモンの一種. 関節炎などの治療剤》.

co·run·dum /kərʌ́ndəm/ 名 ⓤ 〔鉱物〕 コランダム《ルビーなど》.

cos (略) 〔数学〕 cosine.

co·sign /koʊsáɪn/ 他 〈書類〉に(保証人として)連署する. ――自 連帯保証人になる.

co·sígn·er 名 ⓒ 連署人, 連帯保証人.

co·sig·na·to·ry /koʊsígnətɔːri | -təri/ 名 ⓒ 連帯保証人.

co·sine /koʊsaɪn/ 名 ⓒ 〔数学〕 コサイン, 余弦 (略 cos).

†**cos·met·ic** /kɑzmétɪk, kɔz-/ 形 **1** 化粧(用)の, 美容の. **2** 美容整形の ‖ *cosmetic* surgery 美容整形外科(cf. plastic surgery).
――名 ⓒ 〔通例 ~s〕 化粧品.

〔関連〕いろいろな化粧品
cleansing cream クレンジングクリーム / eye shadow アイシャドウ / foundation ファンデーション / glitter ラメ / lipstick 口紅 / makeup remover メーク落とし / mascara マスカラ / toner 化粧水.

cosmétic(s) cáse [bág] 化粧バッグ.

†**cos·mic** /kɑ́zmɪk, kɔ́z-/ 形 (地球に対しての)全宇宙[天体]の ‖ *cósmic* dúst 〔天文〕 宇宙塵(じん) / *cósmic* ráys [radiátion] 〔天文〕 宇宙線 / *cosmic* space 宇宙空間.

cos·mog·o·ny /kɑzmɑ́gəni | kɔzmɔ́g-/ 名 **1** ⓤ 宇宙の起源[発生]. **2** ⓒ 宇宙起源[進化]論.

cos·mo·naut /kɑ́zmənɔːt/ 名 ⓒ (旧ソ連・ロシアの)宇宙飛行士《◆米国のは astronaut》.

cos·mop·o·lis /kɑzmɑ́pəlɪs, kɔzmɔ́p-/ 名 ⓒ 国際都市, コスモポリス (cosmopolitan city).

†**cos·mo·pol·i·tan** /kɑ̀zməpɑ́lətən | kɔ̀zməpɔ́l-/ 形 **1** 全世界[国際]的な《◆今は international がふつう》; 多くの国の人から成る ‖ a *cosmopolitan* city 国際都市. **2** (国家的立場にとらわれない)世界主義的な ‖ a politician with a *cosmopolitan* outlook 国際的な視野を持つ政治家. **3** 〔生物〕 〈動植物が〉世界中に分布した; 普遍種の. ――名 ⓒ コスモポリタン, 世界[国際]主義者, 国際人.

còs·mo·pól·i·tan·ism 名 ⓤ 世界主義.

†**cos·mos**[1] /kɑ́zməs, kɔ́zmoʊs | kɔ́zmɔs/ 名 **1** 〔the ~〕 (chaos に対し秩序ある体系としての)宇宙 (cf. universe). **2** (思想などの)完全な体系[集積].

cos·mos[2] /kɑ́zməs | kɔ́zmɔs/ 名 (複 ~·es, cos·mos) ⓒ 〔植〕 コスモス.

†**Cos·sack** /kɑ́sæk, kɔ́s-/ 名 **1** ⓒ コサック人; 〔the ~〕 コサック族《黒海の北に住む. 昔, 騎兵として活躍》. **2** [形容詞的に] コサックの ‖ a *Cossack* dance [hat] コサックダンス[帽].

cos·set /kɑ́sət, kɔ́s-/ 動 他 〔正式〕 …を〔…で〕甘やかす (*with*); …をかわいがる (pet).

****cost** /kɔːst/ 〔発音注意〕 〔類音〕 coast /koʊst/〕 〖「代価がかかる」という自動詞が原義. cf. 動 語法〗 派 cost·ly 形

――名 (複 ~·s/kɔ́ːsts/ kɔ́sts/) **1a** ⓤⓒ 値段, 代価; 費用; 原価 〔類語〕 expense, price ‖ at [below] cost 原価[原価以下]で / at small [great] cost わずかの[多大の]費用で / The castle was restored *at a cost* of $20,000. その城は2万ドルの費用をかけて復元された《◆この場合, the でなく a を用いる. cf. at the cost of (→成句)》 〔日本発〗 It is difficult to buy a house in big cities because of the high *cost* of land in Japan. 日本では地価が高いため, 大都会で一戸建てを買うことが困難である. **b** 〔~s〕 経費, 維持費 ‖ the *cost* of *living* = living *costs* 生活費 / production *costs* 生産コスト / cut [reduce] *costs* 諸経費を切り詰める / housing [clothes, food] *costs* 住居[衣服, 食]費 / make cuts in labor *costs* 人件費を切り下げる. **2** ⓒⓤ (時間・労力の)犠牲, 損害; 失費 ‖ at a high [great] *cost* to one's family 家族に大変な犠牲をしいて. **3** 〔法律〕 〔~s〕 訴訟費用.

****at áll cóst(s)** =**at ány cóst** ぜひとも, どんな犠牲を払っても((正式) at any price) ‖ We must save the baby's life *at all cost(s)*. どんな犠牲を払ってもその赤ちゃんの命を救わなければならない.

****at the cóst of** **A** (結果として)…を犠牲にして; …という犠牲を払って ‖ If you continue to smoke, it will be *at the cost of* your health. タバコを吸い続けたら健康を犠牲にすることになるよ.

to one's **cóst** 〔英〕〈人〉が損害を受けて, ひどい経験をして(to one's loss).

――動 (~·s/kɔ́ːsts/ kɔ́sts/; 〔過去・過分〕 cost; ~·ing) 《◆ **3** の過去形・過去分詞形は ~·ed》
――他 **1** [cost **A** (**B**)] 〈物が〉〈**A**(人)に〉**B**〈金額・費用〉がかかる, …を要する, …の値段である ‖ This hat *cost* (me) $10. この帽子は10ドルした / 〔対話〕 "How much [What] does it *cost*?" "It *costs* $30". 「それはいくらですか」(= What is its price?) / How much is it?)「30ドルです」/ It *cost* (us) a million dollars to build the museum. =The museum *cost* (us) a million dollars to build. 博物館建設に百万ドルかかった / 〔ジョーク〕 There is a new book out called *How To Be Happy Without Money*. It *costs* twenty dollars. 「お

金がなくても幸福になれる方法』という本が出た. この本を買うのに20ドルかかる.

> **語法** (1) 進行形・受身形にはふつうしない. ただし比較級を伴う場合には進行形にする: Eggs have been *costing* more since last month. 先月以来, 卵はだんだん値上りしている.
> (2) ✎ price をいっしょには用いない: ×Its price *costs* too much. (◆ The price is too high. (値段は高すぎる)か It *costs* too much.)
> (3) Tools *cost* money. (道具にはお金がかかる)のように金額を明示しないときは, 多額を暗示する.

2 [cost (A) (B)] 〈事が〉〈A〈人〉に〉 B〈時間・労力〉がかかる; 〈A〈人〉に〉 B〈損失・犠牲〉を**支払わせる** ‖ One mistake can *cost* a person his life. ただひとつのミスで人は生命を失うこともある.
3 〔商業〕〈原価・生産費〉を〔…に〕見積もる((米)+*out*)〔*at*〕.
cóstˌ**déar**(**ly**) 〔比喩的に〕〈人〉にとって高くつく.
cóst accóunting 〔会計〕原価計算.
cóst bénefit 〔経営〕費用便益.
cóst príce 原価(prime cost).
co-star /kóustɑ̀ːr/〔名〕Ⓒ (劇・映画での主役との)共演〔助演〕者. ── 動 (過去・過分 co-starred/-d/; -star·ring) ⓘ 〔…と〕共演する(*with*). ── ⓗ …を共演させる.
Cos·ta Ri·ca /kástə ríːkə, -stə-‖ kóustə-, kɔ́s-‖ kɔ́s-/ コスタリカ(中米の共和国. 首都 San José サンホセ).
cost-ef·fec·tive /kɔ̀ːstɪféktɪv‖ kɔ̀s-/ 形 費用効果の高い. **cóst-ef·féc·tive·ness** 〔名〕Ⓤ 費用効果が高いこと.
cos·ter(-mon·ger) /kástər(mʌ̀ŋɡər)‖ kɔ́s-/ 〔名〕Ⓒ (英)(魚・野菜・果物を売る)呼び売り商人, 行商人.
cost·ing /kɔ́ːstɪŋ/ 〔名〕 (精神的に)負担のかかる.
†**cost·li·ness** /kɔ́ːstlinəs/ 〔名〕Ⓤ 高価, 費用のかかること.
†**cost·ly** /kɔ́ːstli/ 〔正式〕 **1** (良質で珍しさで)高価な, 費用のかかる(→ expensive) ‖ a *costly* jewel 高価な宝石. **2** 犠牲〔損失〕の大きい ‖ It was a *costly* success, because we lost two lives on our way to the top of the mountain. それは大きな犠牲を伴った成功であった. というのは山頂に達するまでに 2 人の命が失われたからである.
cóst-of-lív·ing ìndex /kɔ́ːstəvlívɪŋ-/ 消費者物価指数.
*cos·tume /kástuːm‖ kɔ́stjuːm, -tʃ-/ 〔『習慣となった服装』が原義. cf. custom〕
── 名 (複 ~s/-z/) **1** ⓊⒸ (舞台・仮装舞踏会用の)衣装, 扮(せ)装 ‖ in (a) Halloween *costume* ハロウィーンの仮装をして / Shakespearean *costumes* シェイクスピア劇の時代衣装.
2 ⓊⒸ (国民・階級・時代・地方などに特有の)服装, 衣裳(髪型・装身具なども含む) ‖ academic *costume* 大学の正装 / in Japanese *costume* 和装で.
3 Ⓒ 〔通例複合語で〕 (季節・目的に適した) (婦人)服, …着; 〔古〕 女性用スーツ〔アンサンブル〕 ‖ a ríding *còstume* 乗馬服 / a (swímming) *còstume* (英) (女性用)水着(主に (英)) bathing suit).
cóstume báll 仮装舞踏会.
cóstume jèwel(le)ry 模造装身具.
cóstume pìece [plày] 時代劇.
cos·tum·er /kástuːmər‖ kɔ́stjuːmər, -tʃ-/ 〔名〕Ⓒ 〔正式〕衣装屋〈衣装を作ったり売ったりする人〉; (舞台の)衣装係〔方〕; 貸衣装屋.

co·sy /kóuzi/ 〔主に(英)〕 形 名 =cozy.
†**cot**¹ /kát‖ kɔ́t/ 〔名〕Ⓒ **1** 簡易ベッド; (米)(キャンバス地の)折りたたみ式ベッド《キャンプ用》; (英)(病院の)ベッド, 小寝台; (英)=crib 1.
cot² (略) 〔数学〕cotangent.
co·tan·gent /kòutǽndʒənt/ 〔名〕Ⓒ 〔数学〕コタンジェント, 余接(略 cot).
†**cote** /kóut/ 〔同音〕 coat〕 名 Ⓒ 〔しばしば複合語で〕(動物の)小屋 ‖ a sheep-[dove-]*cote* ヒツジ〔ハト〕小屋.
Côte d'I·voire /kóut diːvwɑ́ːr/ コートジボアール(→ Ivory Coast).
co·te·rie /kóutəri/ 〔名〕Ⓒ 〔文〕 (芸術家などの)仲間, 連中; (文芸などの)同人, グループ.
co·til·(l)ion, --lon /kətíljən, kou-/ 〔名〕Ⓒ コティヨン (18世紀中頃のフランス起源の社交ダンス. 4組の男女が踊る); その曲.
*cot·tage /kátɪdʒ‖ kɔ́t-/ 〔『覆いのある所』が原義. cf. cot, cote〕
── 名 (複 ~s/-ɪz/) Ⓒ **1** 田舎(家)屋, (郊外の小家族用の)小さな(質素な)家 ◆ 米国ではふつう平屋だが英国は平屋とは限らない. **2** (避暑地などの)小さな別荘, コテージ, 小ロッジ, 山荘 ◆ 豪華なものは villa).
cóttage chéese (米)コテージチーズ((主に(英)) curd cheese)(白くて柔らかい).
cóttage índustry 家内工業; (ふつう非公認の)小会社.
cóttage lóaf (英)コテージパン《大小二重の鏡もち型パン》.
cóttage piáno (19世紀頃の)小型竪(たて)型ピアノ(cf. upright piano).
cóttage píe (英) =shepherd's pie.
cóttage púdding コテージプディング(砂糖などを入れないケーキにチョコレートなどのシロップをかけたもの).
cot·tag·er /kátɪdʒər‖ kɔ́t-/ 〔名〕Ⓒ (米)別荘に住む人; 別荘管理人; (避暑地の)別荘客.
*cot·ton /kátn‖ kɔ́tn/
── 名 Ⓤ **1** 綿, 綿花 ‖ raw *cotton* 原綿 / *cotton* in the seed 実綿 / pick [grow, raise, cultivate] *cotton* 綿をつむ〔栽培する〕.
2 〔植〕 〔集合名詞〕 ワタ(cotton plants).
3 綿布; 綿糸(cotton thread) ‖ séwing còtton カタン糸 / a nèedle and cótton 〔単数扱い〕 (木綿)糸を通した縫い針.
── 動 (次の成句で).
cótton ón 〔自〕 (英略式) 〔…を〕 了解する, 悟る(*to*).
cótton to Ⓐ (米略式) 〈人・物〉が好きになる, 気に入る; 〈提案など〉に賛成する.
cótton úp to Ⓐ (米略式) 〈人〉のご機嫌をとる; …と仲よくなる.
cótton bátting (米)脱脂綿, 精製綿(cotton wool).
Cótton Bélt [the ~] (米国南部の)綿花生産地帯.
cótton cándy (米)綿菓子((米)) spun sugar, (英) candyfloss).
cótton clóth =名 3.
cótton gín 綿繰り機.
cótton plánts =名 2.
cótton spínner 紡績工; 紡績工場主.
cótton spínning 紡績業.
Cótton Státe 《愛称》 [the ~] 綿の州(→ Alabama).
cótton thréad =名 3.
cótton wóol (1) (米)原綿. (2) 精製綿, 詰め綿 ((米) (cotton) batting); (英)脱脂綿((米) ab-

cot·ton·seed /kάtnsìːd | kɔ́tn-/ 名 (複 ~s, **cot·ton·seed**) U C 綿の実, 綿の種子 ‖ *cottonseed cake* 綿花のしぼりかす《家畜の飼料用》‖ *cóttonseed óil* 綿実(^{めん})油《料理・石けん・ペンキ用》.

cot·ton·tail /kάtntèil | kɔ́tn-/ 名 C《米》《動》ワタオウサギ《尾が白く小型》.

†**cot·ton·wood** /kάtnwùd | kɔ́tn-/ 名 C《植》ポプラ(→ poplar); アメリカクロヤマナラシ《米国の代表的なポプラ. Kansas, Nebraska, Wyoming の州木》.

†**cot·y·le·don** /kὰtəlíːdn | kɔ̀ti-/ 名 C《植》子葉(^{しよう}). **còt·y·lé·don·ous** /-əs/ 形 子葉のある.

†**couch** /káutʃ/ [発音注意] 名 C **1**《片ひじ付きの》寝いす, 長いす (cf. divan, lounge, sofa);《正式》《病院での》診察台 (examination couch); 精神分析患者用ベッド. **2**《詩·文》ふしど, 寝床. ── 動 (~s /-s/; ~ed /-t/; ~·ing) 他 **1**〔通例 be ~ed / ~ oneself〕〈人が〉体を横たえる (lay) ‖ *be couched* in the undergrowth やぶに身をひそめる. **2**《正式》…を(…で)表現する, 言い表す(express) 〔in〕‖ *Her proposal was couched in the most conciliatory terms possible.* 彼女の提案は双方を丸く収めるため言葉に意を尽くしていた.

cóuch potàto《米》長いすに寝そべって(テレビにかじりついて)いる人, カウチポテト族.

†**couch·ant** /káutʃənt/ 形《紋章》〔通例名詞の後で〕〈獣が〉頭をもたげてうずくまった (cf. rampant).

cou·gar /kúːɡər/ 名 (複 ~s, **cou·gar**) C《主に米》《動》クーガー《puma の別名》.

***cough** /kɔ́ːf/ [発音注意]《擬音語》── 動 (~s /-s/; ~ed /-t/; ~·ing) 自 **1**〈人が〉せきをする; (しばしば合図として)せきばらいをする ‖ *He's coughing badly.* 彼はひどくせき込んでいる. **2**〈エンジンが〉せき込むような音を出す. **3**《略式》(しぶしぶ)打ち明ける, 罪を認める; 支払う(+*up*). ── 他 せきをして…(+*up, out*) [cough oneself C] せき込んで…の状態になる ‖ *cough out* [*up*] *phlegm* せきでたんを吐く / *He coughed himself sick.* 彼はせき込んで気分が悪くなった.

cóugh úp 他 (1) → 他. (2)《略式》〈金·情報〉をしぶしぶ出す ‖ *cough it up* すっかりしゃべる, 口を割る.
── 名 (~s /-s/) **1** C **a** せき; せき払い ‖ *give a* (*slight*) *cough* (ふつう注意·警告のため)(軽い)せき払いをする. **2** せきの音, ゴホン. **3**〈エンジンなどの〉せき払いのような音. **4**〔通例 a ~〕せきの出る病気 ‖ *I have* [*got*] *a bad cough.* ひどいせきで困っている.

cóugh dròp《英》**swèet** せき止め(剤).

cóugh mèdicine [《英》**mixture**] (液体の)せき止め薬.

‡**could** /(弱) kəd, (強) kúd/《can の直説法·仮定法過去としての用法のほか, 独立用法として現在時·当時の可能性·推量を表す》
── 助
Ⅰ [can の直説法過去]
1[能力] **a** [could do]〔通例過去のある期間を示す語句を伴って〕…する**能力があった**[備わっていた]《使い分け》= **able** 形**1**》《対話》"*Could you swim when you were a child?*" "*Yes. I could swim very well at ten.*"「子供の時泳げましたか」「ええ, 10歳の時にはもう上手に泳げました」/ *He ran as fast as he could.* 彼はできるだけ速く走った (=He ran as fast as possible.) / *I could drive perfectly ten years ago.* 私は10年前は車の運転が完璧にできた.

> 語法 [**couldn't** と **was not able to**]
> 「できなかった」では両者はほぼ同じ意味: *She couldn't* [*was not able to*] *swim across the river.* しかし細かくみると, 後者は過去の時点では実際に泳いだが川の流れが急などの理由で渡れなかったことを, couldn't ではこの意に加えて, もともと泳ぐ能力がなくそれゆえ泳いで渡れなかったなどの意を含む.

b [could + 感覚や理解などを表す動詞(hear, see, feel など)] …が聞こえて[見えて]いた《◆過去進行形の代用》‖ *I could hear the door slamming.* ドアがバタンバタンと閉まるのが聞こえていた《◆ある一定期間聞こえていたことを含意. ×I was hearing … の代用と考えられる. *I heard* [×*could hear*] *a door slam.* (ドアがバタンと閉まるのが聞こえた)だと聞こえたのは一瞬のことなので単純過去の heard でよい》/ *I could see the divers' bubbles coming to the surface.* 潜水作業員の出すあぶくが水面に上ってくるのが見えていた.

> 語法 過去における「能力」を表す場合もある(→ **a**): *He could hear even a pin drop when he was young.* 若い頃, 彼はピンが落ちる音でも聞き分けることができた.

Ⅱ 独立用法: 可能性·推量
2 a [could do] …**かもしれない**《◆形は過去形だが現在時における推量を表す(→文法 4.1). 話し手の確信度については → **may** 助**1**》‖ *This could be the chance you have been looking for.* これが君の求めていたチャンスかもしれない / *Could it be true?* それはいったい本当でしょうか.
b [could have done] …**だったかもしれない**《◆現在·当時から見た過去の推量. →文法 8.4》‖ *The answer could have been right.* 答えは正しかったかもしれない (=It is possible that the answer was right.) / *Could she have missed her train?* 彼女が電車に乗り遅れたなんてことはありうるでしょうか.
3 [過去時の可能性·推量] **a** [could do] 時には…する**場合もありえた**; 時には…**しかねなかった**《She could sometimes be annoying as a child.* 子供の頃, 彼女は時に手をやかせることもあった (=She was sometimes annoying as a child.).
b [couldn't have done] …した[であった]はずがなかった(→文法 8.4)《It seemed like hours, but it couldn't have been more than three or four minutes.* 何時間もたったように思えたが, 3, 4分以上ではありえなかった.
c [could have done] 〔疑問文·間接疑問文で〕…**したかもしれない**《→文法 8.4》(→ can[1] **7**).
4 [過去時の許可] …**できた**, …**するのが許されていた**《When she was 15, she could stay out only until 9 o'clock.* 15歳の時, 彼女は夜の外出は9時までしか許されていなかった (=… she was only allowed to stay out …).
Ⅲ [can の仮定法過去: 能力·可能性]
5 [could do] **a** [依頼] 〔通例 could you …?〕…**できる**《◆ can よりていねい》‖ *Could you help me?* お手伝いいただけますか《◆ *Could you possibly help me?* のように言うとさらにていねい》. →

couldn't / **count**

would (助 8 a)).

語法 Could you …? は相手の能力に対する質問(「あなただったら…できますか」)から転じて、「(もしできるのであれば)…していただけますか」という依頼を表す.

b [示唆] (通例 you could do)…できる, …してもよい ‖ *You could* ask your teacher for his advice. あなたは先生に助言してもらうこともできます.

c [if の帰結節として] (もし…すれば)…できるであろうに (→文法 9.1) ‖ We *could* win the game *if* we tried harder. もっと一生懸命やれば, 試合に勝てるだろうに(=It *would* be possible for us to win the game …).

語法 文脈からそれとわかる場合は, if 節は表現されないことが多い(→文法 9.5): I *could* swim across the river. (もしその気になれば)川を泳いで渡れるのだが / 文脈によっては (過去の時に)「川を泳いで渡る能力があった」の意にもなる / I am so hungry that I *could* eat a whole loaf of bread. 腹が減っているので食パンを丸ごと食べられそうなくらいだ / "How are you?" "*Couldn't* be better." 「どうだい」「とても快調だ(これ以上のことはない)」.

d [could have done] [if の帰結節として] (もし…であったなら)…できたろうに(→文法 9.2) ‖ The driver *could have* avoided the accident *if* he had been more careful. もっと注意深かったら運転手は事故を避けることができたろうに(=It would have been possible for the driver to avoid …).

語法 文脈からそれとわかる場合は, if 節は表現されないことが多い(→文法 9.5): I *could have* swum the river. (その気になれば)川を泳いで渡ることができたのだが…(◆ **3 b**, **c** とは別のもの).

6 [許可] (通例 could I [we] …?)…していいですか 〈◆can よりていねい〉‖ 対話 "*Could I* use your typewriter?" "Yes, you *cán* [ˣcould]." 「タイプライターを使ってもいいですか」「ええ, どうぞ」〈◆(1) Could I possibly use …? のように言うとさらにていねい. (2) 許可を与える場合には could はふつう用いない〉.

cóuld be [副] (略式) 多分ね, かもね 〈◆maybe より断言を和らげ, はっきり yes, no と言いたくない時に用いる. ◆**3 b**〉‖ 対話 "Do you think that girl will go out with me if I ask her?" "*Could be.*" 「あの子, 誘ったらデートしてくれると思うかい」「うんまあね」.

It cóuldn't be! (どう考えても)そんなはずはない.

*couldn't /kúdnt/ (略式) could not の短縮形.

couldst /kúdst/ (古) can の二人称・単数直説法・過去形 〈◆主語 thou と共に用いる〉.

*coun·cil /káunsl/ 同音 counsel 〖共に(con)呼び合って集まる(cil). cf. *conciliate*〗派 councilor (名)
—名 (複 ~s/-z/) C [集合名詞; 単数・複数扱い]
1 評議会, 審議 [協議] 会 〈◆各種機関の公式名称に用いる〉‖ the UN Security *Council* 国連安全保障理事会 / the *student council* (米) 生徒会, 学生自治会.
2 (公の) 会議, 審議 (cf. meeting) (cf. counsel 名 2)) ‖ be [méet] *in cóuncil* 会議中である [会議に集まる] / a cábinet *cóuncil* [méeting] 閣議 / a fámily *cóuncil* 親族会議 / a *cóuncil of wár* [歴史] (戦地での)緊急参謀会議; (作戦計画を練る)重要会議.
3 (主に英) 地方自治体.

cóuncil bòard [tàble] 議席, 議長席; (開会中の)会議.
cóuncil chàmber 会議室.
cóuncil estàte 公営住宅用地; [集合名詞として] 議事堂, 会議場.
cóuncil flàt (英) =council house (4).
cóuncil hòuse (1) (北米先住民の)会議所. (2) (英) 議事堂. (3) (スコット) 市役所. (4) (英) 公営住宅.

†**coun·cil·lor** /káunslər/ 名 (主に英) =councilor.

coun·cil·man /káunslmən/ 名 ((女性形) **-wom·an**) C (米) 市[町, 村]会議員 〈(英) councillor, (PC) council member〉.

†**coun·cil·or**, (主に英) **-cil·lor** /káunslər/ 同音 counselor) 名 C **1** 評議員, 顧問官, 参事官 ‖ *Councilor* Lee リー委員. **2** (英) =councilman 〈◆日本の参議院 は the Hóuse of *Cóuncilors*〉.

*coun·sel /káunsl/ 同音 council)
—名 (複 ~s/-z/) **1** U C (正式) (熟慮の上なされる専門的な)忠告, 助言; 勧告 (advice) ‖ a doctor's friendly *counsel* to his patient 医者が患者に与える親切な助言 / ask *counsel* of [from] one's parents 両親に助言を求める. **2** U (文) 相談, 協議, 評議 (cf. council 2) ‖ meet for *counsel* 協議する / take *counsel* together 協議する. **3** [単数・複数扱い] **a** (英) (1人または数人の)(法廷)弁護人; [(the) ~; 集合名詞] 弁護団 ‖ the deféndant's *cóunsel* =(the) *counsel* for the defense 被告側弁護人. **b** 法廷弁護士 〈◆solicitor (事務弁護士), client (依頼人)〉.
—動 (~s/-z/; 過去・過分 ~ed or (英) coun·selled/-d/; ~·ing or (英) -sel·ling)
—他 (正式) 〈人が〉〈人に〉(ふつう専門的に)〔…について…しないよう〕忠告する〔on/against〕, 〈行動などを〉勧める; 〈人に〉[…するよう] 勧める〔to do〕‖ You should *counsel* the students on the importance of studying English. 君は英語の勉強の重要性について学生にとくに助言すべきだ / The doctor *counseled* an immediate operation. 医者はすぐに手術することを勧めた / I *counseled* him to start. 彼に出発するよう勧めた〈◆「出発しないように勧めた」は I *counseled* him not to start. (→文法 11.7) / I *counseled* him *against* starting.〉.

coun·sel·ing, (主に英) **-sel·ling** /káunsliŋ/ 名 U カウンセリング, 助言; 指導.

†**coun·sel·or**, (主に英) **-sel·lor** /káunslər/ 同音 councilor) 名 C **1** 助言者, 相談役 (cf. adviser); カウンセラー; (米) 学生の相談員, 指導教官; (キャンプ)の指導員, リーダー ‖ a high school guidance [career] *counselor* 高校の指導員 [就職] 担当者 / a juridical *counselor* 法律顧問. **2** (大・公使館の)上級館員, 参事官. **3** (米・アイル) (主に法廷に立つ)弁護士 (cf. barrister).

*count¹ /káunt/ 〖「計算する」が原義で, 重要なものは数えるに値するので「重要である」の意が生じた〗
—動 (~s/káunts/; 過去・過分 ~·ed/-id/; ~·ing)
—他 **1** 〈人が〉〈人・物などを〉(1つ1つ)数える, 合計する (+up, over); …を計算 [算出] する 類語 calculate, compute, reckon ‖ *count* the change [books] そのつり銭[本]を数える / *count* the

house 入場者を数える / count heads [noses] 《略式》(出席者の)人数を数える / count up [over] all the desks 机を全部数えあげる.
2《正式》〈人が〉〈人・物・事〉を**勘定に入れる**, 数に入れる;…を考慮する(consider);…を〔…の〕1つとみなす〔in, among〕‖ There were five people, counting her. 彼女を入れて5人いた(➡文法13.8)/ count him among our friends 彼を仲間の1人とみなす(=think he is one of our friends).
3《正式》[count A (as [for]) C]〈人が〉A〈人・物・事〉を**C と考える, 思う**(consider, regard)《◆C は名詞・形容詞. 進行形は不可》‖ cóunt onesèlf háppy [lúcky] 自分を幸福[幸運]だと思う / I count it better to advise him. 彼に忠告する方がよいと思う《◆it is to 以下をさす形式目的語》/ They counted him as [for] lost. 彼らは彼が死んだものと思った.

──**自 1**〈人が〉(1つ1つ)〔…まで〕**数える**;(数字で)計算する;(合計で…の)数になる〔入る〕(+*up*)〔*to*〕‖ count (*up*) from one to ten on one's fingers 指を折って1から10まで数える《◆(1) up は強意. (2)他動詞用法 count ten on one's fingers でも同じ意味を表す》/ The oranges count eight. オレンジは数えると8個ある / How high can you *count*? いくつまで数えられるの.
関連[米英式の数え方] (1)指で数を数えるときは, 左手の親指から小指へと, 右の人さし指でさし示して数えていく. (2)指を折って数える時は, 親指から折り曲げ, 6からは小指から開いていく.
2〔…と〕(の1つと)**みなされる, 認められる**〔*as/among*〕‖ The book *counts as* his masterpiece. その本は彼の傑作とみなされている.
3 価値がある, 重要である;〔…に〕影響力を持つ〔*toward*〕《◆for something [much] などで重要さの程度を表す》‖ The voices of two small people do not *count for* much in this world. この世ではちっぽけな2人の声など問題にならない / Money cóunts for sómething [nóthing]. お金は重要である[ない] / Seconds count. 1秒を争う / What counts is your efforts. 大切なのは努力だ(➡文法23.2(2)).

cóunt (**A**) **agàinst B** (1) B〈人〉に不利となる. (2)〔通例否定文で〕A〈事情〉で B〈人〉を不利に考える.
cóunt dówn 〔自〕(3, 2, 1のように)数を逆に数える;(ロケット発射時などに)秒読みする(cf. countdown).
cóunt ín [他]《略式》〈人〉を〔…の〕仲間に入れる〔*for*〕;〈人・物〉を勘定[目録]に入れる(↔ count out) ‖ Let's cóunt him *in* for the party. 彼をパーティーの仲間に入れよう.
cóunt ón [自] 数え続ける. ──[他]*[~ on [upon] A]《通例進行形で》〈人・事〉を頼りに[期待]する(depend on);〈事〉をするつもりだ ‖ You are always counting *on* him to help you [on him for help, on him help, on his 《略式》him] helping you]. =You are always counting *upon it* that he will help you. 君はいつも彼の助けを当てにしてばかりいる(➡文法5.2(4)).
cóunt óut [他]《略式》〈人〉が出ていくのを数える. (2)〈物・金〉を(ゆっくりと1つずつ)数えて出す[渡す];…の数をすっかり数える;〈物品〉を数え分ける. (3)《英略式》…を数から除く, 仲間[勘定]に入れない(でおく), 考慮外におく(↔ count in). (4)〔ボクシング〕〈選手〉にノックアウトを宣告する.
cóunt to tén 《略式》(1) 10まで数える. (2)(10まで数えて)心を落ち着ける.
cóunt úp to A …まで数える;(集計で)…になる.

──[名]《複》~s/káunts/ **1**UC (1つ1つ)**数えること, 計算, 勘定** ‖ by (one's) count 数える[計算する]と / beyònd [òut of] cóunt 数え切れない / màke a héad cóunt 人数を数える.
2CU**総数, 統計** ‖ The official count of the votes in favor showed more than 450,000. 正式の発表された賛成票は45万票以上であった.
3 C〔法律〕(起訴状の)訴因, (訴訟原因の)項目;争点;論点 ‖ be charged on two counts 2つの訴因で告発される. **4**C〔野球〕(打者の)ボールカウント《◆日本とは逆にボール・ストライクの順に three and one のように数える》;〔ボクシング〕〔the ~〕カウント《ダウンの後審判の数える秒数》.

be dówn [**óut**] **for the cóunt** (1)《略式》[比喩的に] 意識不明である;打ち負かされている;熟睡している, 疲れている;〈機械などが〉だめになる;〈人が〉死ぬ. (2)〔ボクシング〕ノックアウトを宣告される.
kéep (**a**) **cóunt** 〔…を〕数え続ける;〔…の〕数を覚えている〔*of*〕《◆テニスなどで「カウントをとる」は keep (the) score》.
lóse cóunt 〔…を〕数えそこなう[切れなくなる];〔…の〕数を忘れる〔*of*〕.
tàke cóunt of A《略式》…を数える;…を重視する.
cóunting ability 計算能力.
cóunting fràme 計算器《子供に計算を教える abacus》.
cóunting rhýmes 数え唄.
cóunt nòun 〔文法〕可算名詞(countable).

+count² /káunt/[名] 〔しばしば C~〕C (英国以外の)伯爵《◆呼びかけも可. → duke》関連.

count・a・ble /káuntəbl/[形] **1**《正式》数えられる. **2**〔文法〕可算の(↔ uncountable). ──[名] C 数えられるもの;〔文法〕可算名詞(count noun)《◆本辞典ではCと表示してある》.

count・down /káuntdàun/[名] UC (ロケット打ち上げなどで数を逆に0まで読む)秒読み;最後点検.

+coun・te・nance /káuntənəns/[名] **1**CU 顔つき, 顔色, (顔・眼などの)表情(expression) ‖ his angry *countenance* 彼の怒った表情 / change (one's) *countenance* 顔色を変える. **2** C 顔立ち, 容貌(ぼう) ‖ a handsome *countenance* 上品な顔立ち. **3**U (精神的な)援助, 支援(support);黙許(きょ) ‖ gíve [lènd] cóuntenance to his plan 彼の計画を支持する.
kéep A in cóuntenance 《文》〈人〉の顔を立てる, 〈人〉に恥をかかせない.
óut of cóuntenance 《古》当惑して, あわてて.
──[動] [他]《正式》…を支持する(support);…を黙許[黙認]する.

+count・er¹ /káuntər/[名] C **1**(銀行・店などの)勘定台, カウンター, (店の)売り台, (食堂・バー・図書館などの)カウンター, (台所の)調理台 ‖ a clerk behind [across] the counter 売場の店員 / páy òver the cóunter カウンターで支払う / sérve [sít, wórk, stánd] behìnd the cóunter 売場で働く;小売店を営む. **2**計算する人, 計算器, 計算器. **3** (ゲームの)カウンター《得点計算に用いる金属・象牙(ぞう)・木などの小片》.

òver the cóunter (1)小売店を通して. (2) (株式取引所を経ずに)証券業者の店で. (3) (薬を買う時医師の処方箋(せん)なしに)店頭で. (4) → **1**. (5)公明正大に, 堂々と.
ùnder the cóunter 〈商品が〉正規のルートによらず,

†**coun·ter**² /káuntɚ/ 形〔正式〕1〔…と〕反対の, 逆の(opposite)〔to〕; 片方の ‖ in the counter direction 反対方向に / counter arguments (法廷での)反論. **2** 撤回の ‖ counter orders from the colonel 大佐からの撤回命令.
——副〔正式〕〔…と〕反対方向に〔to〕; 反対して ‖ àct [gò, rùn] cóunter to all advice ことごとく忠告にそむく.
——動他〔正式〕**1** …に反対する, 逆らう;…を無効にする ‖ We countered all attempts to defeat him. 彼を破滅させようとするすべての試みを打ち砕いた. **2**〔…という〕反証をあげる〔that節〕‖ We countered that our warnings had been ignored. 我々は警告が無視されていたという反証をあげた. ——自〔正式〕〔…で〕反対して反論する〔with〕.
——名C **1** 逆, 反対のもの. **2**〔ボクシング〕カウンター(counterpunch). **3**(靴の)カウンター, 円型芯(⦅図⦆→ shoe).

coun·ter- /káuntɚ-/ 語基 →語要素一覧(1.7).

†**coun·ter·act** /kàuntɚǽkt/ 動他 (反作用で)…を和らげる, 減殺する; …を中和する.

còun·ter·ác·tion 名CU 減殺; 中和; 逆作用.

coun·ter·at·tack /káuntɚətæk/ 名C〔…への〕逆襲, 反撃, 反論〔against, on〕. ——動他自〔…に〕反撃[逆襲]する.

†**coun·ter·bal·ance** 名 /káuntɚbæləns/; 動 /ー ー ー/ 名C **1** つり合いおもり, 平衡量; 平衡力(counterpoise). **2**〔通例 a ~〕〔…と〕つり合うもの〔to〕; 〔…の〕埋め合わせとなるもの〔to〕. ——動他 **1** …をつり合わせる, 平衡させる. **2** …の埋め合わせをする, …を相殺(殺)する.

coun·ter·blast /káuntɚblæst | -blɑ̀ːst/ 名C (強い)反撃, 猛反対[反論, 反発]《◆ふつう新聞の見出しで用いる》.

coun·ter·charge /káuntɚtʃɑ̀ːrdʒ/ 名C **1** 反論, 反訴尋問. **2**〔軍事〕反撃, 逆襲; 報復, 仕返し.

coun·ter·check /káuntɚtʃèk/ 動 ー ー/ 名C **1** 反対, 妨害, 障害. **2** 再照合, 再点検. ——動他 **1** …を妨害する; …に対抗する. **2** …を再点検する.

coun·ter·claim /káuntɚklèim; 動 ー ー ー/ 名C〔法律〕(民事訴訟における被告からの)〔原告に対する〕反訴〔for〕. ——動自 反訴する.

coun·ter·clock·wise /kàuntɚklákwàiz | -klɔ́k-/〔主に米〕形副 時計回りの[に], 左回りの[に]((主に英)) anticlockwise)(↔ clockwise).

coun·ter·cul·ture /káuntɚkʌ̀ltʃɚ/ 名U 反体制文化《伝統[既成]文化を拒否する若者文化》.

coun·ter·cur·rent /káuntɚkɚ̀ːrənt | -kʌ̀r-/ 形副 ー ー ー/ 名C 逆流. ——形〔…と〕反対方向の[に]〔to〕.

coun·ter·es·pi·o·nage /kàuntɚéspiənɑ̀ːdʒ/ 名U〔軍事〕対情報, 逆スパイ活動(cf. counterintelligence).

†**coun·ter·feit** /káuntɚfit/ 形〔貨幣・紙幣などが〕偽造の; 模造の, まがいの ‖ a counterfeit passport 偽造パスポート / a counterfeit dollar bill にせのドル紙幣. ——動他 …を偽造[模造]する ‖ counterfeit money にせ金を作る / counterfeit handwriting 筆跡をまねる.

coun·ter·foil /káuntɚfɔ̀il/ 名C〔英〕(領収書・小切手の)控え.

coun·ter·in·sur·gen·cy /kàuntɚinsɚ́ːrdʒənsi/ 名U 対ゲリラ活動.

coun·ter·in·tel·li·gence /kàuntɚintélidʒəns/ 名 U〔軍事〕対諜(ちょう)報, 防諜活動, 反スパイ活動(cf. counterespionage).

coun·ter·mand /kàuntɚmǽnd | -mɑ́ːnd/ 動他〔正式〕(命令・注文など)を取り消す, 撤回する.

coun·ter·mea·sure /káuntɚmèʒɚ/ 名C〔しばしば ~s〕〔…に対する〕対(抗)策〔against〕.

coun·ter·move /káuntɚmùːv/ 名C動自 (敵の動きに)対抗して動く(こと).

coun·ter·of·fer /káuntɚɔ̀(ː)fɚ/ 名C〔商業〕修正申し込み, カウンターオファー.

†**coun·ter·part** /káuntɚpɑ̀ːrt/ 名C **1**〔正式〕互いによく似た人[物](の一方)‖ He is the very counterpart of his father. 彼はまったく父親に生き写しだ(=⦅略式⦆He is the spitting image of his father.). **2**〔…に〕対応[相当]する人[物]〔of, to〕‖ Japanese college students and their American counterparts 日本の大学生とアメリカの大学生. **3**〔法律〕(賃貸借契約書などの)副本, 写し(cf. original).

coun·ter·plot /káuntɚplɑ̀t | -plɔ̀t/ 名C 対抗策; 逆計. ——動他自〔…の〕裏をかく, 〔…に〕逆計を企じる.

†**coun·ter·point** /káuntɚpɔ̀int/ 名 **1**〔音楽〕対位法; C 対位旋律. **2** U〔文学〕対位形式. **3** U 対照, 対比.

coun·ter·poise /káuntɚpɔ̀iz/ 名〔正式〕**1** C つり合いおもり; 平衡力《◆ counterbalance がふつう》. **2** U 平衡, つり合い; 均整 ‖ be in counterpoise 安定している. ——動他 **1** …とつり合わせる. **2** …を補う.

coun·ter·pro·duc·tive /kàuntɚprədʌ́ktiv/ 形 逆効果を生む.

coun·ter·pro·pos·al /káuntɚprəpóuzl/ 名C 対案.

coun·ter·punch /káuntɚpʌ̀ntʃ/ 名C動自 反撃(する); 〔ボクシング〕カウンターブロー(を打つ)《◆ counter ともいう》.

†**coun·ter·rev·o·lu·tion** /kàuntɚrèvəlúː(j)u(ː)ʃən/ 名UC 反革命.

cóun·ter·rèv·o·lú·tion·ar·y 形 反革命の.

cóun·ter·rèv·o·lú·tion·ist 名C 反革命主義者.

coun·ter·sign /káuntɚsàin/ 名C **1** 応答[応信]信号. **2**〔軍事〕合い言葉.

coun·ter·spy /káuntɚspài/ 名C 逆スパイ.

coun·ter·sue /káuntɚs(j)úː/ 動他〔法律〕〈原告〉に対し反訴を起こす.

coun·ter·ten·or /káuntɚtènɚ | ー ー ー/ 名〔音楽〕**1** U カウンターテナー(tenor より高い男声の最高音域. 裏声も使う). **2** C その歌手[声部].

coun·ter·vail /kàuntɚvéil/ 動 **1** …に(同等の力で)対抗する, 埋め合わせる. **2** …を弱める, 減殺する. **còun·ter·váil·ing** 形 相殺する.

†**coun·tess** /káuntəs/ 名C《◆呼びかけも可》**1** 伯爵夫人 (英)〔count [earl] の妻). **2** 女伯爵.

*****count·less** /káuntləs/
——形 数えられない(ほどの), 無数の《◆比較変化しない》.

coun·tri·fied, --try-- /kʌ́ntrifàid/ 形 風采・行動が田舎(ぃなヵ)くさい; 〈風景などが〉ひなびた.

******coun·try** /kʌ́ntri/ 発音注意 〖「向こう側の土地」が原義〗
——名 ⦅複⦆ --tries/-z/ **1** C **a** (地理的な意味での)国, 国家(nation), 国土(land)《◆言語や文化面で

見た「国」の意もある: Wales is a *country*. ウェールズは1つの国だ》‖ a civilized [capitalist] *country* 文明[資本主義]国 / in this *country* わが国では《自国にいる人がお国のことを言う場合に用いる. in *our country* は「わが母国[祖国]では」といった感じを含む. → **1b**》.

[類義] country は地理的な国土としての国, nation は歴史的共同体としての国民からなる国, state は法律的・政治的な概念としての国家をさす.

b [通例 one's 〜] 祖国, 本国, 故郷 ‖ love of one's *country* 祖国愛.

2 U a [通例無冠詞; 修飾語を伴って]《広々とした開発されていない》土地, 地方, 地域 ‖ ópen [rócky] *country* ずっと開けた[岩の多い]土地 / There's a lot of *country* there. そこはすごく広々とした土地がたくさんある. **b** [the 〜]《都会に対して》田舎(いなか), 田園, 郊外 (countryside) 《◆ farm, ranch, pasture, orchard, woods, village, field などを連想させる語》(↔ the town)《関連形容詞 pastoral, rural》‖ live in the *country* late in life 晩年を田舎で過ごす.

3 [the 〜; 集合名詞; 単数扱い] 国民, 大衆 ‖「**All** the [The whole] *country* is opposed to war. 国民はみな戦争に反対だ.

4 [形容詞的に] 田舎(ふう)の, 田舎じみた, 粗野な(→ rural); 国の ‖ a *country* road 田舎道 / *country* dignity 国の威厳.

acróss (the) cóuntry《本道を通らずに》田野を横切って; 一直線に; 国中に.

go óut in the cóuntry 地方へ行く; 人をドライブに連れ出す.

gó [appéal] to the cóuntry《英》《議会を解散して》総選挙で世論に問う.

úp cóuntry 都市[海岸]から遠く離れて.

cóuntry clùb カントリークラブ《ゴルフ・スポーツなどの設備をもつ社交クラブ》.

cóuntry cóusin《略式》《作法が》田舎じみた人[親類], お上りさん.

cóuntry géntleman 地方の紳士[地主].

cóuntry hòuse《英》《貴族・富豪などの》田舎の邸宅;《米》別荘 (↔ town house).

cóuntry mùsic =country-and-western.

coun·try-and-west·ern /kʌ́ntriəndwéstərn, -wéstn/ 名 U《音楽》カントリー=アンド=ウェスタン《略 C and [&] W》.

coun·try·fied /kʌ́ntrifaid/ 形 =countrified.

†**coun·try·man** /kʌ́ntrimən/ 名《女性形》**-wom·an**》C **1**《ある土地の》出身者《PC》inhabitant, native (inhabitant), resident, citizen). **2**《通例 one's 〜》同国[同郷]人; 同胞《◆ fellow countryman ともいう》. **3** 田舎(いなか)者《PC》country dweller).

coun·try·seat /kʌ́ntrisìːt/ 名 C《英》田舎の大邸宅[土地].

*****coun·try·side** /kʌ́ntrisàid/
——名《通例 the 〜》**1**《国内の》《田園》地方, 田舎(いなか)《◆田舎の風景を連想する語》‖ I'd like to visit the English *countryside* in May. 5月に英国の田舎に行ってみたい. **2**《集合名詞; 単数扱い》地方の住民.

coun·try·wide /kʌ́ntriwáid/ 形 全国的な[に].

*****coun·ty** /káunti/ [発音注意]《「伯爵 (count) の管轄地」が原義》
——名 ·-ties/-z/ **1** C《米国の》郡《state (州) の下位の行政区画.《略》Co.; ただし Louisiana は

parish を使う. cf. parish, borough, township》 ‖ Suffolk County《米》サフォーク郡. **2**《イングランド・ウェールズ・アイルランドの》州,《英古》shire《行政上の最大区画. アイルランドでは Co. Dublin のように表す. cf. region **4 a**, borough **4**》‖ the *county* of Devon デボン州 (=Devonshire)《◆ ×Devon County としない》.

cóunty cóuncil《米》州議会.

cóunty cóurt《民事・刑事の》郡裁判所.

cóunty fáir《米》《ふつう年1回秋の》農産物品評会.

cóunty séat《米》郡庁所在地.

cóunty tówn《英》州庁所在地, 県都..

†**coup** /kúː/ [発音注意][同音] coo》名《徼》〜s/-z/ C **1**《正式》予期せぬこと; 大当たり, 大成功 ‖ máke [púll óff] a gréat cóup 大成功をおさめる. **2** =coup d'état.

coup de grâce /kùː də ɡrɑ́ːs/《フランス》名《徼》coups de grâce/〜/ C **1**《苦しんでいる人を情けで撃つ》とどめの一発, 一撃. **2**《正式》《比喩的に》とどめの一発.

coup d'è·tat /kùː deitɑ́ː/《フランス》名《徼》coups d'état, coup d'états/-z, 〜/ C クーデター.

†**coupè, -pe** /kuːpéi, kúːp/《フランス》名《徼》〜s/-z/ C **1**《歴史》クーペ型馬車《御者台が外にある4輪箱型馬車. 2人乗り》. **2** クーペ型自動車《2ドア箱型. 最近では two-door sedan [hardtop] ということが多い》.

*****cou·ple** /kʌ́pl/《「つなぎ合された対になっているもの」が原義. cf. copula, copulate》
——名《徼》〜s/-z/ C **1**《同種類の》1対, 1組《◆ pair は同一のものが1対をなすもの》.
2 [集合名詞; 複数扱い] 男女1組; 恋人同士, 夫婦, カップル, アベック《◆1つの単位とするときは単数扱い, 2人とするときは複数扱い》‖ a married [wedded] *couple* 夫婦 / an engaged *couple* 婚約中の2人 / The *couple* are [is] spending their [its] honeymoon in Hawaii. 新婚夫婦はハワイでハネムーンを過ごしている《◆ is と its が呼応》.

a cóuple of A《略式》(1) 2つの…, 2人の… ‖ a [×one] *couple* of socks 2つのソックス《◆そろいとは限らない. a pair of socks は「(そろいの) ソックス1足」》/ a *couple* of girls 2人の少女 《◆ two girls とすれば (2) との誤解がないが《略式》では a couple of を使うことが多い》. (2) 2, 3の, 幾つかの (a few), 数人の《◆ (1) 最高4 (人) ぐらいまで. (2) (1) との区別は文脈による》‖ a *couple* (of) hours [days] 2, 3時間[日] / have a *couple* (of) drinks 数杯飲む《◆ of を省略するのは《主に米略式》》/ Bring a *couple* more chairs. いすをもう2, 3脚持って来なさい《◆ more がつくと of の省略が多くなう》. [語法] couple に複数の数詞がつく場合ふつう couples としない: two *couples* of apples 4個のリンゴ.

——動 他 **1** …を[…に] つなぐ, 連結する, 合わせる (+ *together, on, up*) [*on, onto, to, with*]; …を[…に… として]結びつけて考える (+*together*) [*with, to / as*] ‖ *couple* the railway cars *together* 車両を連結する / We *couple* the name of Aomori *with* the idea of apples. 青森といえばリンゴを連想する. **2**《略式》…を結婚させる. 《動物をつがわせる》.

cou·plet /kʌ́plət/ 名 C《詩》二行連句, 対句.

†**cou·pling** /kʌ́pliŋ/ 名 **1** U 連接, 結合. **2** C《機械》カップリング, 連結器;《鉄道》連結手.

cou·pon /kúːpɑn |-pɔn/ 名 C **1** 切り取り式切符, クーポン式乗車券. **2** クーポン, 優待券, 割引券, 粗品引換券,《広告などに付く》見本請求券.

cour・age /kə́ːridʒ|kʌ́r-/ (発音注意) [「原義「心の状態」から「芯」の強さ」を表す]
——名 Ⓤ (恐怖・不安・危険に際して発揮する)勇気, 度胸, 大胆(↔ cowardice); (苦痛・不幸などに耐える)精神力《◆bravery より堅い語》‖ a person of great [×large, ×big] courage 非常に勇気のある人 / hàve the cóurage to do そうする勇気がある, 大胆にもそうする / tàke [lóse] cóurage 勇気を出す[失う] / pluck [muster, screw, summon] up one's courage 勇気を奮い起こす, 元気を出す / His courage「rose up [almost failed] in him. 彼は元気が出てきた[彼の気力はほとんど尽きた].

hàve the cóurage of one's **convíctions** (批判にくじけず)信念に従って勇敢に行動[発言]する.

tàke one's **cóurage in bóth hánds** (恐れていることを)思い切ってやる.

†**cou・ra・geous** /kəréidʒəs/ (アクセント注意) 形 勇気[度胸]のある, 勇ましい(↔ cowardly); (苦痛・不安などに)耐える《◆brave より堅い語》‖ It is very courageous of him to fight unarmed with a bear. =He is very courageous to fight ... 素手でクマに立ち向かうとは彼はなかなか勇気がある(⇒文法 17.5).

語法 次のような文脈では brave: The boy was brave [×courageous] at the dentist's this morning. 少年はけさ歯医者で勇敢だった[泣かなかった].

cou・rá・geous・ly 副 勇敢に.
†**cou・ri・er** /kúːriər, (米) kə́ːriər/ 名 Ⓒ 1 (正式) (外交)特使, 急使(messenger); 運搬人; 宅配便の業者; 密使; 秘密情報部員. 2 (個人の外国旅行での)世話人, (団体旅行の)案内人, ガイド, 添乗員.
cóurier sérvice 宅配便.

‡**course** /kɔ́ːrs/ (同音 coarse) [「流れ, 走る進行方向」が本義]

index 名 1 連続講座 2 経過 3 方針 4 進行, 方向

——名 (複 ~s/-iz/) 1 Ⓒ 連続講座(series), 講習, 研修; 《英》一連の医療[治療]; (ふつう高校以上の)課程, 講座; 教科, 科目, 単位 ‖ a history course = a course (of lectures) in history 歴史講座 / the people in the course その講座をとっている人たち / a course of study 学習課程, 学習指導要領 / a course of X-ray treatment 一連のX線治療 / take the first course in Spanish スペイン語初歩(の科目)をとる.

2 Ⓤ [通例 the ~] (時・事態の)**経過**, 過程, 成り行き ‖ the course of things 事態の成り行き / par for the course 《略式》いつもの[予想していた]こと《◆ゴルフでコースをパーであげることから》/ Let it take the course of nature. これを自然の成り行きにまかせよ.

3 Ⓒ (行動の)**方針**, 方向, 策, 方法; ふるまい, 行動 ‖「the best [a safe] course 最善[安全]策 / take one's (own) course 思いどおりにする / take to evil courses 放蕩(う)を始める.

4 Ⓤ Ⓒ a [しばしば ~s] (ある方向への)**進行**, 推移 ‖ the course of life 人生行路. b [the/one's ~] (とるべき)方向, 進路, (船・飛行機などの)針路; (物が進む)道(筋), 旅程, 行程; 水路 ‖ the course of a river 川筋 / change [shift] one's course westward 進路を西に変える / stand [shape] the course 進路を変えない[定める] / The plane is on [off] (its right) course 飛行機は正しい針路をとっている[からはずれている]《◆「はずれている」は stray from its right course などとする》.

5 Ⓒ (料理の)一品, 一皿《◆×full course は誤り. a full-course dinner [meal] は可》‖ a six-course dinner =a dinner of six courses 6品料理の食事《◆前者がふつう》. soup, fish, meat, sweets, cheese, dessert の順》.

6 Ⓒ [しばしば複合語で] (競走・競技・ゴルフの)コース, 走路《◆1人ずつに分かれた「コース」は lane》‖ a race-course 《英》競馬場 / run the course in 1 minute 1分でコースを走る.

a mátter of cóurse → matter 名.
by cóurse of A …の手続きをふんで, 慣例に従って.
dúring the cóurse of A =in the COURSE of.
fóllow its cóurse =run its COURSE.
hóld one's **cóurse** 進路を一定に保つ.
in cóurse of A …の中の[で] ‖ in course of construction 建設中の[で]《◆(米)では in the course of ... ともいう》.
in dúe cóurse (1) 当然の順序を追って, 事が順調に運んで. (2) やがて, ついには, 時が来れば(at the due time).
in the cóurse of A (正式) …の間[うち]に(during) ‖ go to London in the course of one's travel 旅行中にロンドンを訪れる.
in (the) cóurse of tíme そのうち, やがて, いつかは.
in the (órdinary [nórmal]) cóurse of thíngs [evénts] 通例, 自然の成り行きで, 自然に.

*of **cóurse** /əvkɔ́ːrs, əf-/ [当然の成り行きで] 副《◆(略式)では単に（')course ともいう》(1) **もちろん**, 確かに《◆相手への返答》‖ 対話 "May I go with you?""Of course. (↘)"「一緒に行ってもいい」「もちろん」/ "You haven't told a lie?""(Nó,) Of course nòt."「うそじゃないだろうね」「もちろん(うそなんかついてない)」《◆特に情報を求める質問に対する答としてはそんなことは当然言っている[という時に使う言い方なので多用すると失礼になることがある》. (2) 《略式》あっそうだ(ったね), (ああ) そうそう《◆当然なことに気づいたり, 思い出したりする時》‖ 対話 "I'm Tom's brother.""Of course. Now I remember you!"「トムの兄です」「そうそう, そうでしたね」. (3) [しばしば but, all the same などを伴って] **もちろん**[なるほど, 確かに]…ではあるが ‖ Of course, he went, but I didn't. もちろん彼は行ったが私は行かなかった. (4) [文全体を修飾] もちろん, 当然の流れとして, …は当然だ ‖ Of course I (must) thank you for your kindness. 私があなたの親切に感謝するのは当然です.

rún [táke] its cóurse 〈事件・病気などが〉成り行きにまかされる, 自然の経過をたどる.
stáy the cóurse (文) 《困難にめげず》最後までがんばる.
táke a cóurse (1) 〈船が〉一定の針路をとる. (2) ある方針をとる. (3) 〔…の〕講義を受ける[in]. (→1).

——動 (courses/-iŋ/) 《正式》他 〈ウサギなどを猟犬に追わせて狩る〉(hunt). ——自 〈血・涙・考えなどが〉…を通り抜けて[…を下へ]勢いよく流れる[走る] [through/down].

cours・ing /kɔ́ːrsiŋ/ 動 → course.

*court /kɔ́ːrt/ (発音注意) (同音 《英》 caught; 類音 coat /kóut/) [「囲まれた庭」から 1, 2 の意が生まれた]
関 courteous (形), courtesy (名)

court-card

──名(複)~s/kɔ́ːrts/) **1** ⓒ 法廷 (courtroom), 裁判所;Ⓤ 開廷, 裁判;[the ~;集合名詞;単数扱い] 裁判官, 判事((略) Ct.) ‖ a *cóurt dày* 開廷日 / a *court* of jústice [júdicature, láw] 裁判所, 法廷 / the High *Court* (of Justice)《英》高等法院 / the Supreme *Court*《米》最高裁判所 / a civil [criminal] *court* 民事[刑事]法廷 / appéar in [atténd] *court* 出廷する / bríng [táke] her to *cóurt* 彼女を裁判にかける / hóld *court* 開廷する / settle the matter in *court* 法廷で黒白をつける / táke it ínto [to] *cóurt* それを裁判ざたにする.

関連[いろいろな法廷用語]
chief judge 裁判長 / defendant 被告 / defense 弁護人 / examination 尋問 / judge 裁判官 / jury 陪審員 / plaintiff 原告 / prosecutor 検事 / sentence 判決 / verdict 評決 / witness 証人.

2 [しばしば C~] Ⓤⓒ **a** 宮廷, 王宮, 皇居;《英》大邸宅;[集合名詞;単数・複数扱い] (王[女王]の)廷臣, 王室 ‖ the king and his (entire) *court* 王と全廷臣 / Hampton *Court* Palace ハンプトンコート宮殿《◆ロンドン郊外の宮殿. 現在は一部公開され, 迷物や名高い》/ be preseénted at *court*《二》宮廷で拝謁を賜わる / gò to *Cóurt* 参内(ｻﾝﾀﾞｲ)する. **b** 君主の催す会議, 御前会議;拝謁 ‖ hòld *court* 御前会議を開く, 御前(ｺﾞｾﾞﾝ)式を行なう《◆有名人・実力者・スターなどの集まりにも用いる》.
3 ⓒ **a**(建物などに囲まれた)中庭, 空地(courtyard);《英》Cambridge 大学の中庭, 校庭;(場末の)路地, (三方建物に囲まれた)袋小路. **b** [しばしば複合語で](テニスなどの)コート;その一画 ‖ a tennis *court* テニスコート / a front *court*《バスケットボール》フロントコート.
òut of cóurt (1) 法廷外で, 示談で. (2)(審理が不必要で)法廷から却下されて;〈人・提案などが〉問題にされないで ‖ laugh *out of court*, put, throw] the proposal *out of court*《英略式》その提案を一笑に付す[無視する] / put oneself *out of court* 一笑に付されるようにする[言う].

──動《正式》他 **1**〈人〉の歓心[尊敬, ひいき]を得ようとする, …の機嫌をとる;〈賞賛・支持など〉を得ようとする (try to win). **2**〈女性に〉(結婚しようと)求婚する, 言い寄る;〈人〉を誘う ‖ He is *courting* her. 彼は彼女に結婚をせまっている. **3**〈災難・敗北などを〉自ら招く; ──自 求愛する, 言い寄る;〈男女が〉(結婚を前提に)付き合う交際する.
cóurt tènnis《米》コートテニス(《英》real tennis)《屋内の壁面を利用するテニスで lawn tennis の原型》.

court-card /kɔ́ːrtkɑ̀ːrd/ 名《英》= face card.

†**cour·te·ous** /kɔ́ːrtiəs/《米+》 kɔ̀ːrt-/ 形《正式》〈人に対して〉(思いやりがあって)礼儀正しい, ていねいで親切[丁寧な] (polite) [to, with]. (↔ discourteous) ‖ It is very *courteous* of you to help me. = You are very *courteous* to help me. = How *courteous* of you (it is) to help me! 助けていただきありがとうございます(❺文法 17.5).
†**cour·te·ous·ly** /kɔ́ːrtiəsli, 《英+》kɔ̀ːrt-/ 副 礼儀正しく, ていねいに;心温かく.
†**cour·te·sy** /kɔ́ːrtəsi,《英》kɔ̀ːrt-/ 名 **1** Ⓤ (言動の)礼儀正しい[行為], ていねい, 親切;ⓒ《正式》いんぎんな行為[言葉] (↔ discourtesy) ‖ with *courtesy* 礼儀正しく / dó [shów] him (a) *cóurtesy* 彼にやさしくする / return a *courtesy* to her 彼女に返礼する / She did me the *courtesy* 「to tell [of telling] me the news. 彼女は親切にも私にそのニュースを知らせてくれた. **2** Ⓤ 寛大, 好意;Ⓤⓒ 優遇;Ⓒ 黙認. **3** [形容詞的に] 儀礼上の, 優遇の, 名目上の;(ホテルなどの)送迎用の, サービスの, 無料の ‖ a *courtesy* visit [call] 表敬訪問 / *courtesy* copies of the texts (textbooks) 教師用献本.
by cóurtesy (1) 儀礼上[慣例]上(の). (2)(…の)好意[許可, 親切]で[の][of] ‖ *by cóurtesy of* the áuthor 著者の好意で[の]《◆転載などのことわり書き. 単に courtesy (of) とすることもある》: *Courtesy Time Magazine タイム誌の好意により*.
cóurtesy light(ドアが開くとつく)車内灯.
†**court·house** /kɔ́ːrthàus/ⓒ 裁判所;《米》郡庁(所在地).
†**cour·ti·er** /kɔ́ːrtiər/ 名ⓒ《古》廷臣.
†**court·ly** /kɔ́ːrtli/ 形 (-li·er, ···li·est)《正式》上品[優雅]な (elegant), 礼儀正しい (polite);宮廷(風)の.
cóurtly lòve 騎士道的な愛;貴婦人崇拝.
cóurt·li·ness 名 Ⓤ 上品さ;礼儀正しさ.
†**court-mar·tial** /kɔ́ːrtmɑ́ːrʃl/名(複 courts-mar·tial, ~s)ⓒ 軍法会議(の公判)(略) c.m.).
──動他 (~ed or《英》~led)·mar·tialled/-d/; ~·ing or《英》··tial·ling)〈人〉を軍法会議にかける.
†**court·room** /kɔ́ːrtrùːm/ 名 ⓒ 法廷.
†**court·ship** /kɔ́ːrtʃìp/ 名 Ⓤⓒ《文》**1**(女性への)求愛(期間), (動物の)求愛(期間, 行動). **2** 賛賞[好意, 支持]の要求.
†**court·yard** /kɔ́ːrtjɑ̀ːrd/ 名 ⓒ (建物・塀などで囲まれた城・大邸宅の)中庭.

※ cous·in /kʌ́zn/ [発音注意] [[《古》「母親方のおばの子」が原義]]
──名(複)~s/-z/)ⓒ **1** いとこ((略)coz)《従兄・従弟・従姉・従妹》《◆堅い言い方では呼びかけも可》‖ I'm *cousin* to the governor. 私は知事のいとこです / a first [full] *cousin* (実の)いとこ《◆cousin-german ともいう》/ a first *cousin* once removed いとこの子 / a second *cousin* またいとこ, はとこ《親のいとこの子》;(俗に)いとこの子. **2** 同胞;仲間;同類;親類, 縁者 ‖ our Japanese *cousins* 我々日本国民 / English and German are *cousins*. 英語とドイツ語は同系統の言語だ.
cous·in-ger·man /kʌ́zndʒɜ́ːrmən/ 名(複 cous·ins-ger·man) ⓒ 実のいとこ.
cou·ture /kuːtʃúər/《フランス》 名 Ⓤ(婦人服の)仕立て(業), 洋裁(業).
cou·tu·ri·er /kuːtʃúəriər | -riéi/《フランス》 名 ⓒ (女性形 -rière)ⓒ(婦人服の)ドレスメーカー[デザイナー].
†**cove** /kóuv/ 名 ⓒ **1**(湾内の)入江, 小湾《◆bay より小さい》. **2** 奥まった場所, 山の中のほら穴.
†**cov·e·nant** /kʌ́vənənt/ 名 ⓒ **1** 契約, 誓約, 盟約. **2** [the C~]《聖書》(神とイスラエル人との)約束, 盟約 ‖ the Land of the *Covenant* 約束の地(Canaan) / Ark of the *Covenant* 聖約の箱《ユダヤ教典を収めた箱》. ──動 他 […すると/…ということを]約束[契約]する[to do / that 節].
Cóv·ent Gárden /kʌ́vnt- kɒ́v-/ 名 **1** コベントガーデン《ロンドンの中心部の地名. もと青果・草花市場があった》. **2** コベントガーデン劇場《同地区にあるオペラ劇場 the Royal Opera House の通称》.

Cov·en·try /kʌ́vntri | kɔ́v-/ 图 コベントリー《英国中部にある工業都市》.

:cov·er /kʌ́vər/ 〖「隠したり，保護するため表面を完全に覆う」が本義〗

index 動 他 1 覆う 2 覆いをする 3 かばう 4 含む 5 行く
图 1 覆う物 2 保護する物[事]

—— 動 (～s/-z/; 過去・過分 ～ed/-d/; ～·ing/-əriŋ/)
—— 他

Ⅰ [表面を覆う]

1〈人・物が〉〈物・人〉を[…で]**覆う**, 包む, …に[…を]かぶせる(+up) [with, by, in] (↔ uncover) ‖ *cover a table with* a cloth 食卓にテーブルクロスを掛ける, 食事の用意をする / *cover* (*up*) his knees *with* a blanket 彼のひざに毛布を掛ける / *cover* one's face *with* [*in*] one's hands 両手で顔を覆う / Dust *covered* his face. =His face was *covered with* [*in*] dust. 彼の顔はほこりまみれだった.

語法 (1) 受身では「覆われている」状態は with, 「覆われる」動作は by.
(2) with, by は表面が隠されていることを, in はある物の中にすっぽり収まっていることをいう.

2 a〈人が〉〈物〉に**覆いをする**;〈人が〉〈物〉に[覆い・上張り・表紙などを]つける[*with*];〈物〉に[ペンキなどを]塗る[*with*] ‖ *cover the pan with* a lid なべにふたをする / *cover* a wall *with* paper [paint] 壁に紙[ペンキ]を張る. **b** [be covered with [in] A=cover oneself with A]〈人・物が〉〈物・事〉を身に受ける ‖ *cóver onesélf with* glóry 光栄に浴する / He *was covered with* arrogance. 彼の顔には傲(ご)慢さが出ていた.

Ⅱ [保護する]

3〈人が〉〈人〉を**かばう**(+up);〔軍事〕…の援護射撃をする;〈人・物が〉〈人・事〉を[…で/…から]保護する, 覆い隠す, さえぎる[*with/from*] ‖ *cover* one's head *with* 帽子をかぶる / *cover* (*up*) one's trácks 足跡を隠す, ゆくえをくらます;〔略式〕活動[消息]を秘密にする / The trees *covered* me *from* the rain. 木のおかげで雨にぬれずにすんだ / I tried to *cover* my grief *with* a smile. 私は笑って悲しみをごまかそうとした / *Cover* me while I get behind the house. 家の陰に回るから援護しろ.

Ⅲ [範囲が…である]

4〈人・物・事が〉〈範囲・問題など〉を**含む**, 扱う, 担当する; …に適用される; …にわたる ‖ *cover* the post [area] その地位[地域]を引き受ける / The law *covers* this case. その規則はこの場合にあてはまる / Her land *covers* three square miles. 彼女の土地は3平方マイルに及んでいる / The exam today *covers* all the work we have done in the English class. 今日の試験は英語の授業で学んだところ全部が範囲です.

5〈人・乗物が〉〈距離・場所〉を**行く**, 踏破する ‖ *cover* 100 miles a day 1日に100マイル行く.

6〔料金・損失などを償う，相殺(ぶ)する，…の支払いに十分である，…に保険をかける，…を担保に入れる〕 ‖ *cover* the damage by insurance 保険で損害をまかなう / I *am covered against* fire. 火災保険をかけている.

7〔事件などを〕報道[放送]する ‖ *cover* an accident for a newspaper 事故について新聞で報道する.

cóver ín [他]〈穴・墓など〉をふさぐ, 埋める;〈家〉に屋根をつける.
cóver óver [他]〈物・事〉をすっかり覆う;〈悪事・失敗などを隠す.
cóver úp [自] (1)〔コートなどで〕身をくるむ. (2)〔人を〕(うそをついたりして)かばう[*for*]. —— [他] (1) → Ⅰ, 3. (2)〈悪事・本心・ミスなど〉を隠す.

—— 图 (複 ～s/-z/) **1** Ⓒ 覆(お)う**物**, 包む物, (本の)表紙(図 → book)《❖表紙をくるむ「カバー」は (book) jacket, wrapper;（俗）レコードのジャケット (jacket); 包装紙 (wrapper); [the ~s] 寝具〈シーツ・毛布・ふとんなど〉》 ‖ a *cover* for a car 自動車用カバー / Pull up the *covers*. (親が子供に)ふとんをしっかりかけなさい / read a book (*from*) *cover to cover* 本を最初から最後まで読み終える.

2 ⒰⒞ 隠れ場所;（鳥獣の）隠れ場所;（略式）(一般に) 隠れ場所; さえぎるもの;〔軍事〕掩(え)護(物); [the ~] 一面に生えている植物 ‖ beat the *cover* 獲物の隠れ場所を打って回る / *break cover* 〈獲物が〉隠れ場所から飛び出す;〈人が〉隠れ場所から出(で)く / *get under cover* 避難する / The trip was a *cover* for his smuggling. 旅行は彼の密輸入の隠れみのだった.

3 ⒸⓊ 見せかけ, 口実, ふり. **4** Ⓒ（食卓の）1人前の食器. **5** ⒸⓊ〔郵便〕封筒; 小包 ‖ *under separate* [the same] *cover* 別封[同封]で, 別便[同便]で / *under plain cover*（送り主・内容物などの明記のない）無地の封筒[小包]で. **6** Ⓒ〔音楽〕カバーバージョン(cover version)《他のアーティストが過去にレコーディングした曲の新たなレコーディング》.

táke cóver 隠れる, 避難する.
únder cóver (1) 屋根の下に(→ 2);封筒に入れて(→ 5). (2) […に] 掩護(ぉ)されて, 隠れて, まぎれて[*of*]; こっそりと ‖ *under cover of* friendship [darkness] 友情にかこつけて[闇にまぎれて].

cóver chárge（レストラン・ナイトクラブなどの）カバーチャージ, 席料.
cóver girl（略式）カバーガール《雑誌の表紙の美女》.
cóver lètter =covering letter.
cóver stòry カバーストーリー《雑誌の表紙写真の関連記事》.
cóver vèrsion =图 6.

cov·er·age /kʌ́vərɪdʒ/ 图 Ⓤ **1**〔時に a ～〕保険担保（範囲）; 補償範囲. **2** 適用[保障, 保護]範囲;（ラジオ・テレビの）放送[視聴]範囲;（新聞の）報道[取材]範囲.

cov·er·all /kʌ́vərɔ̀ːl/ 图 Ⓒ（米）すっかり覆う物[事];〔通例 ～s〕カバロール《上着とズボンが一続きの作業服》.

cov·ered /kʌ́vərd/ 形 **1** 覆い(ふた)のついた, 帽子をかぶった, 屋根つきの ‖ a *covered* walkway 屋根付きの渡り通路. **2** 防備された, 保護された. **3**〔複合語で〕…で覆われた ‖ a dust-[mud-]*covered* coat ほこり[泥]まみれの服.

cóvered wágon (1)（米）（開拓者の）ほろ馬車. (2)（英）〔鉄道〕=boxcar.

cov·er·ing /kʌ́vərɪŋ/ 图 ⓊⒸ 覆う物[事]; 覆い, ふた; 外被, カバー. —— 形 覆う.

cóvering létter [nòte]（書類・品物の）添え手紙, 添付の説明書（（米）cover letter）.

†**cov·er·let** /kʌ́vərlət/, **--lid** /-lɪd/ 图 Ⓒ（正式）**1**（ベッドの）上掛け, 掛けぶとん. **2** 覆い.

†**co·vert** /形 kóʊvərt, kʌ́v-; kʌ́vərt | kʌ́vət,

coverture /kávə/ 形 覆われた, 隠された; ひそかな(secret) (↔ overt) ‖ *covert irony* 暗に示したいやみ. ——名 U C 隠れ場《やぶ・茂みなど》.
cóv·ert·ly 副 ひそかに.
cov·er·ture /kávərtʃər | -tjuər/ 名 U C《正式》覆い, 外皮; 隠れ場; 見せかけ.
cov·er-up /kávərÀp/ 名《略式》[a ~]〔…を〕隠す[される]こと;〔悪事・事件などの〕もみ消し(工作), 隠蔽(%) 〔*of*〕.
†**cov·et** /kávət/ 動 他《正式》〈他人の物〉をむやみに欲しいと思), 熱望する.
†**cov·et·ous** /kávətəs/ 形〔…を〕非常に欲しい(と思う), 熱望する〔*of*〕. **cóv·et·ous·ly** 副《正式》貪(%)欲に. **cóv·et·ous·ness** 名 U 貪(%)欲.
cov·ey /kávi/ 名 C〔単数・複数扱い〕《ウズラ・シャコなど》の一群(→ *flock*¹).

***COW**¹ /káu/ **[発音注意]**
——名(複) **~s**/-z/ ❶ 1 雌牛; 乳牛, ウシ《◆ *ox* が動物学的な総称であるのに対し, *cow* は牛乳と結びつく一般的な名称》‖ *milk a cow* 牛の乳をしぼる / *a sacred cow* (ヒンドゥー教で) 神聖なウシ;〔皮肉的に〕侵すべからざるもの, タブー / *He keeps ten cows and a bull.* 彼は雌牛10頭と雄牛1頭を飼っている.

関連 (1) [種類] *bull* 去勢しない雄牛 / *ox* 去勢した雄牛 / *calf* 子牛 / *steer* 去勢された雄の食肉用牛 / *bullock* 去勢された雄の荷役用の牛 / *heifer* 子をまだ産んでいない若い雌牛 / *cattle* 集合的な家畜としての牛. (2) [鳴き声] *cow* is low, moo; *bull* is bellow; *ox* is low, bellow; *calf* is bleat.

❷《ゾウ・クジラ・アザラシなど》の雌‖ *a cow elephant* 雌ゾウ.
till [*until*] *the cóws còme hóme*《略式》いつまでも《◆ウシは放っておけばいつまでも小屋に戻らないことから》‖ *You can wait till the cows come home.* いつまでも待つがいいさ《待ってもむだという含み》.
cow² /káu/ 動 他《正式》…を(暴力・脅迫などで)おびやかす(+*down*), …をおどして〔…〕させる〔*into*〕.
†**cow·ard** /káuərd/ 名 C 臆(½)病者《軽蔑(%)的》‖ *You coward! Are you afraid of an injection?* この意気地なし! 注射がこわいのかい.
túrn cóward おじけづく.
†**cow·ard·ice** /káuərdis/ 名 U 臆(%)病《↔ *bravery*》.
†**cow·ard·ly** /káuərdli/ 形 臆(%)病な, いくじのない《↔ *brave, courageous*》‖ *cowardly behavior* 臆病な態度. ——副 臆病に. **ców·ard·li·ness** 名 C 臆病, 小心.
cow·bell /káubèl/ 名 C〔居場所がわかるように〕牛の首につるした鈴;《音楽》カウベル.
cow·bird /káubə̀rd/ 名 C《鳥》コウウチョウ《北米産ムクドリモドキ科の鳥. 牛の群れにつく習性がある》.
†**cow·boy** /káubɔ̀i/ 名 C《米》カウボーイ, 牧童(《PC》 *cowhand, cowpuncher*).
Cówboy Stàte 《愛称》[the ~] 牧童州(→ *Wyoming*).
†**cow·er** /káuər/ 動 自《恐怖・恥ずかしさ・寒さなどで》くむ, ちちこまる, あとずさりする(+*down, away*).
cow·girl /káugə̀rl/ 名 C《米》カウガール《牧場で働く女性》.
cow·hand /káuhæ̀nd/ 名 C《米》= *cowboy*.
cow·hide /káuhàid/ 名 ❶ U 牛の生皮; U《なめし》牛革《「生皮」は *rawhide*》. ❷ C《主に米》牛のむち.
cow·house /káuhàus/ 名 C 牛舎, 牛小屋.
†**cowl** /kául/ 名 C ❶《宗教》(修道士の)ずきん(付き外衣). ❷(煙突・通風筒などの)通風帽.
cow·man /káumən/ 名(複 **-men**) C ❶《米》牧畜業者. ❷《英》牛飼い.
co-work·er /kóuwə̀:rkər | -́–/ 名 C 協力者, 仕事仲間《◆ *fellow worker* よりも親しみのある語》.
cow·pox /káupàks | -pɔ̀ks/ 名 U《医学》牛痘.
cow·punch·er /káupʌ̀ntʃər/ 名 C《米略式》= *cowboy*.
cow·rie, --ry /káuri/ 名 C《貝類》コヤスガイ, タカラガイ《◆昔アフリカ・アジアで貨幣として用いた》.
cow·shed /káuʃèd/ 名 C = *cowhouse*.
†**cow·slip** /káuslìp/ 名 C《植》キバナノクリンザクラ.
cox /káks | kɔks/ 『*coxswain* の短縮形』名 C《略式》(ボートの)コックス. ——動 自 他 (…の)コックスを務める.
cox·comb /kákskòum | kɔ́ks-/ 名 C《古》おろか者, だて男.
cox·swain /káksn, kákswèin | kɔ́ks-/ 名 C《正式》(ボート(レース))のコックス, かじとり.
†**coy** /kɔ́i/ 形《人のふるまい》が《わざと》内気な, 恥ずかしがりの《◆ *shy* は性格的に恥ずかしがりの場合をいう》.
cóy·ly 副 恥ずかしそうに. **cóy·ness** 名 U はにかみ.
†**coy·ote** /káiouti, kaióut | kɔ́iət/ 名 (複 **~s,**〔集合名詞〕**coy·ote**) C《動》コヨーテ《北米・メキシコの草原産のイヌ科の動物》. **Coyóte Státe**《愛称》[the ~] コヨーテの州(→ *South Dakota*).
coz·en /kázn/ 動 他《文》〈人〉をだます. ——他〈人〉から〔物を〕だましとる〔*out of, of*〕;〈人〉をだまして〔…〕させる〔*into*〕.
co·zy,《主に英》**co·sy** /kóuzi/ 形 ❶〈部屋・場所など〉が居心地のよい, (暖かくて)気持ちのよい‖ *a cozy nook* (部屋の)居心地のよい隅(¿)《暖炉のそばなど》. ❷ くつろいだ, 楽な. ❸〔人と〕なれ合いの〔*with*〕‖ *be in cozy with* …となれ合いである.——名 C〔複合語で〕保温カバー《*tea cozy, egg cozy* など》.
có·zi·ness 名 U 居心地よさ, 快適さ.
cp. 《略》compare 比較しなさい.
CPA《略》certified public accountant.
CPU《略》〔コンピュータ〕 central processing unit.
Cr《記号》〔化学〕chromium.
†**crab**¹ /kræb/ 名 ❶ C《動》カニ; U カニの肉.
crab² /kræb/ 名 C = *crab apple*. **cráb àpple** 野生リンゴ(の木).
crab³ /kræb/ 動 (過去・過分 **crabbed**/-d/; **crab·bing**) 自《略式》〔…のことを〕口汚く言う, グチる〔*about*〕.
crab·bed /kræbid/ 形 ❶《やや古》気難しい, つむじ曲りの, 意地の悪い. ❷〈文字などが〉(小さく乱雑で)判読しにくい.
crab·wise /kræbwàiz/, **-ways** /-wèiz/ 副 カニのように(横ばいで); 後ろ(向きに)(*backward*).

***crack** /kræk/ 『「突然音を立てて割れること」が本義』——名 (複 **~s**/-s/) ❶ C (ドア・窓の)すき間;〔副詞的に〕少し開けて‖ *Please open the window just a crack.* 窓をほんの少しあけてください. ❷ C〔…の〕割れ目, 裂け目, ひび〔*in*〕;〔行動・防衛などの〕欠陥, 亀裂‖ *There is a crack in the window.* 窓にひびがはいっている. ❸ C〔通例 the ~〕(雷・むち・銃などの)(裂けるような)鋭い音《ドカン, バリバリ, ズドン, パチッ, ピシャ, パンパン,

ガラガラ, ボキン, パシッ, ピシッなど》‖ *the crack* of thunder ドカンという雷の音 / *the crack* of a whip むちのひびく音 / *the sudden crack* of the guns 突然のパンパンという銃声.
4 [a ~] 強打 ‖ She gave him *a crack* on the head. 彼女は彼の頭をピシッとたたいた.
5 Ⓒ (略式) (通例 a ~) [...に対する] 好機, チャンス; 努力, 試み (attempt) 〔*at*〕‖ Let me hàve a *cráck* at the computer game. 私にそのコンピュータゲームをちょっとやらせてください.
6 Ⓒ (略式) 機知に富む[不愉快な]**冗談**, 気のきいた言い返し; (略式) wisecrack.
7 Ⓒ (突然の)声変わり, うわずり, しゃがれ. **8** Ⓤ (俗) コカイン (cocaine).

(*at*) the cráck of dáwn (略式) 夜明け(に).

──**動** (~s/-s/; 過去・過分 ~ed/-t/; ~ing)
──**自 1** 〈物が〉(急激な音を立てて)**砕ける**, 裂ける, 割れる; ひびが入る《◆ break より小規模》‖ The wall *cracked* in three places. 壁に3か所ひびが入った.
2 〈物が〉パン[ピシッ]と音を立てる, 鋭い音を出す ‖ The glass *cracked* when I stepped on it. ガラスを踏んだときパシッという音がした.
3 〈声が〉(急に)変わる, うわずる, かすれる ‖ Her voice *cracked* with grief. 悲しみのあまり彼女の声はかすれた. **4** (略式) 〈人・心などが〉(過労・苦痛などで) まいる, くじける(+*up*).
──**他 1** 〈食器などを〉**割る**, 砕く, ...にひびを入れる ‖ He fell and *cracked* his jaw. 彼は倒れてあごの骨にひびが入った.
2 〈人などが〉〈物・手首などを〉パン[ピシッ, ポキポキ]と鳴らす《◆受身不可》‖ The pianist *cracked* his knuckles before starting to play. ピアニストは演奏を始める前に指関節をポキポキ鳴らした.
3 (略式) 〈酒びんなどを〉ポンとあける(+*open*). **4** (略式) 〈頭などを〉[...にぶち当てる〔*on*, *against*〕 ‖ He fell and *cracked* his head *against* the pillar. 彼はころんで柱に頭をぶつけた. **5** (略式) 〈冗談を〉言う; 〈秘密を〉ばらす. **6** 〈声〉うわずらせる, (急に)変える.

cráck dówn on A 〈A〈人〉を目がけて〔⇒**前 11**〕押さえつける(down 副 14)〕(略式) 〈人・事〉を厳しく取り締まる, ...に断固たる処置をとる.

cráck ópen 〔自〕パンと音を立てて開く. ──〔他〕(1) 〈金庫などを〉爆破する. (2) 〈事件などを〉解決する.

cráck úp 〔自〕(1) 〈飛行機が〉大破する. (2) → 自 4. (3) 〈地面が〉ひび割れる. (4) 〈会社などが〉つぶれる. (5) (略式) 笑いころげる. ──〔他〕(1) 〈車・飛行機など〉を〉(ぶつけて)こわす. (2) (略式) ...を[...だと]ほめそやす〔*as*, *to be*). (3) (米) ...を大笑いさせる ‖ That *cracks* me *up*. とてもおかしい (=That is very funny.). (4) (略式) 〈人〉を精神[肉体]的にまいらせる.

gèt crácking (英略式) [仕事などに]さっと取りかかる; 急ぐ〔*on*, *with*〕‖ Let's *get cracking* [*weaving*] at 8. 8時から始めよう.

crack·down /krǽkdàun/ 名 Ⓒ (略式) 厳重な取り締まり.

†**cracked** /krǽkt/ 形 **1** 砕いた, 砕けた, 割れた. **2** (略式) 気の変な, 愚かな. **3** (信用などが)傷ついた. **4** 〈声が〉変わった.

†**crack·er** /krǽkər/ 名 Ⓒ **1** クラッカー; (米) (甘くない)ビスケット((英) biscuit). **2** (略式) チーズと *crackers* チーズを添えたクラッカー; (宴会用の)クラッカー; =cracker bonbon. **3** [~s] クルミ割り器 (nutcrackers). **4** (英略式) 面白くてすてきなジョーク(など). **5** (コンピュー

タ) ハッカー(ネットワークの不正侵入やウイルスのばらまきなど犯罪行為をする人).

cràcker bònbon =Christmas cracker.

†**crack·le** /krǽkl/ 動 自 **1** 〈人が〉パチパチ音を立てる. **2** 〈陶器の表面に〉ひびができる. ──名 **1** [the/a ~] パチパチ[バリバリ]という音. **2** Ⓤ (陶器の)細かいひび模様.

crack·ling /krǽkliŋ/ 名 **1** Ⓤ (ローストポークの)カリカリする上皮. **2** Ⓤ (正式) パチパチと音を立てる事.

crack-up /krǽkʌp/ 名 Ⓒ (心身の)衰弱.

-cra·cy /-krəsi/ (語要素) →語要素一覧 (2.2).

†**cra·dle** /kréidl/ 名 **1** Ⓒ 揺りかご ‖ *What is learned in the cradle is carried to the grave.* (ことわざ) 揺りかごの中でおぼえたことは墓場まで運ばれる;「雀百まで踊り忘れず」. **2** (通例 the ~) (文芸・民族などの)揺籃(2)の地, 発祥地〔◆ birth-place より堅い語〕‖ England was the *cradle* of the industrial revolution. イギリスは産業革命発祥の地であった. **3** [the ~] 幼年時代, 初期 ‖ *from the cradle* 幼時から / *in the cradle* 初期に, 幼少時代に. **4** Ⓒ 船の進水台, (ビル作業用の)吊り台; (電話の)受話器台.

from* (*the*) *crádle to* (*the*) *gráve 揺りかごから墓場まで, 一生を通じて(=the time between the *cradle* and the *grave*)〔◆福祉国家のスローガンとしても用いられる〕.

──動 他 〈赤ん坊など〉を揺りかごに入れる, 揺すってあやす.

cra·dle·song /kréidlsɔ̀(ː)ŋ/ 名 Ⓒ 子守歌 (lullaby).

*⁂**craft** /krǽft | kráːft/ 名 〔「力・熟練」が本義. cf. handicraft〕 派 craftsman (名)

──名 (~s/krǽfts | kráːfts/) **1** Ⓒ (手の技術を要する)仕事, 商売; Ⓤ 技術; 手工業 ‖ the jewelers' *craft* 宝石細工師の技術. **2** Ⓒ (集合名詞) 同業組合(員). **3** Ⓤ (正式) 悪知恵 (cunning); (正式) 悪知恵と策略. **4** Ⓒ (正式) (通例単複同形) **a** (主に小型)船舶 (boat). **b** 飛行機 (aircraft). **c** 宇宙船 (spacecraft).

──動 他 〈物・製品〉を〈手作りで〉精巧に[念入りに]作る.

†**crafts·man** /krǽftsmən | kráːfts-/ 名 (複 ~**men**) Ⓒ (手作り)職人, 熟練工((PC) artisan, craft(s)-worker, skilled worker).

crófts·man·ship 名 Ⓤ 職人の技能[技術].

†**craft·y** /krǽfti | kráːfti/ 形 (**craft·i·er**, **craft·i·est**) 悪賢い, ずるい〔◆ cunning より策略に富む〕‖ (as) *crafty as a fox* (キツネのように)ずる賢い.

cráft·i·ly 副 ずる賢く. **cráft·i·ness** 名 Ⓤ ずる賢さ.

†**crag** /krǽg/ 名 Ⓒ ごつごつした岩, 絶壁.

crag·gy /krǽgi/ 形 (**-gi·er**; **-gi·est**) 岩の多い; 〈顔の〉彫りが深い, 際立った目鼻立ちの.

†**cram** /krǽm/ 動 (過去・過分 **crammed**/-d/; **cram·ming**) 他 **1** 〈物・人など〉を〔物に〕ぎっしり詰める, 詰め込む (+*in*) 〔*into*〕; 〈物・場所〉を〔人・物で〕いっぱいにする (+*up*, *down*) 〔*with*〕〔◆ fill より口語的〕‖ The boy *crammed* 「all his clothes *into* the bag [the bag *with* all his clothes]. その少年は衣類を残らずカバンに詰め込んだ / The theater was *crammed with* people. 劇場は満員だった. **2** (略式) 〈人に〉[学科を]詰め込む〔*with*〕; 〈人に〉[...のために]詰め込み勉強させる〔*for*〕; 〈人が〉〈学科〉を〔...のために]詰め込み勉強する (+*up*) 〔*for*〕.

──自 (略式) [...の]詰め込み勉強をする (+*up*) 〔*for*〕.

crám còurse 詰め込み教育, 特訓授業.

crám schòol 詰めこみ主義の学校[塾].
crám・mer /-/ 图 ⓒ 《英略式》詰め込み主義の学校[教師], ガリ勉学生; 詰め込み勉強用の本.
†**cramp** /krǽmp/ 图 ⓒ **1** 〔寒さ・運動などによる筋肉の〕けいれん, ひきつり, こむらがえり《◆《英》ではふつう Ⓤ》‖ gèt [hàve] a *cramp* in one's lég 脚の筋肉がひきつる. **2**《主に米》〔通例 ~s〕腹部のけいれん[激痛]. **3** =cramp iron. ── 動 他 **1** …にけいれんを起こす. **2** …を束縛[拘束, 妨害]する. **3**〔建築〕…をかすがいで留める.
crámp iron〔建築〕かすがい.
cramped /krǽmpt/ 形 **1** 狭苦しい, 窮屈な. **2**（小さな文字が詰まって）判読しにくい.
†**cran・ber・ry** /krǽnbèri, -bəri/ 图 ⓒ〔植〕ツルコケモモ; その実《*cranberry sauce* を作る》.
crànberry sáuce クランベリーソース《ゼリー状のソースで, 感謝祭などに出す七面鳥の付け合わせに用いる》.
†**crane** /kréin/ 图 ⓒ **1**〔鳥〕ツル;《米》アオサギ《ジョーク》"Which bird can lift the heaviest objects?" "A *crane*."「最も重いものを持ち上げられる鳥は？」「ツル」《◆ **2** とのしゃれ》. **2** クレーン, 起重機. ── 動 他《首》を伸ばす. ── 自 （よく景色を見ようと）首を伸ばす; 前にのり出す(+*forward*).
cráne flỳ《正式》〔昆虫〕ガガンボ;《英》daddy longlegs.
cra・ni・al /kréiniəl/ 形 頭蓋(ǧǎi)の.
cra・ni・um /kréiniəm/ 图 （ 複 **-ni・a** /-niə/, **~s**）ⓒ〔医学〕頭蓋(ǧǎi)(骨).
†**crank** /krǽŋk/ 图 ⓒ **1**〔機械〕クランク《回転運動を往復運動に変える棒》, L字形ハンドル. **2**《略式》変人, 奇人. ── 動 他《車のエンジン》をクランクを回して始動させる(+*up*).
cránk òut 他《主に米略式》…を（機械的に）作り出す.
cránk càll(er) 迷惑[いたずら]電話（をかける人）.
crank・y /krǽŋki/ 形 （**-i・er**, **-i・est**）《略式》**1**《米豪》（がんこ・移り気で）気難しい, 怒りっぽい. **2**《機械・装置が》不安定な, ぐらぐらし, 修理を要する. **3** 風変わりな, 変な.
†**cran・ny** /krǽni/ 图 ⓒ《文》（壁・岩などの）割れ目, 裂け目. *séarch évery* (*nóok and*) *cránny*《略式》くまなく捜す. **crán・nied** 形 割れ目のはいった.
crap /krǽp/ 图 **1** Ⓤ《俗》うんこ, くそ‖ have a *crap* うんこをする. **2** Ⓤ ばかなこと, つまらないこと.
crape /kréip/ 图 **1** Ⓤ（黒い喪服用の）クレープ, ちりめん(→ crepe). **2** ⓒ クレープの喪章.
craps /krǽps/ 图 Ⓤ《米》〔単数扱い〕クラップス《さいころ賭博(ɑ̌k)の一種》‖ shoot *craps* クラップスをする.
†**crash** /krǽʃ/ 图 ⓒ **1**〔通例単数形で〕（物が倒れたり, こわれるときの）すさまじい音；（雷などの）とどろき《ガチャン, ガラン, ガラガラ, ドシン, ゴロゴロなど》‖ the *crash* of thunder 雷のゴロゴロというとどろき ‖ The fence fell with a great *crash*. 塀はガラガラと大きな音をたてて倒れた. **2**（乗物などの）激突（事故）；（飛行機の）墜落 ‖ in an automobile *crash* 車の衝突事故で / a five-car *crash* 5台の車の玉突衝突. **3**〔略式〕（事業・商売の）倒産(failure)；（相場などの）突然の暴落. **4**〔コンピュータ〕（装置・プログラム）の故障, 突然の停止, クラッシュ.
── 動 自 **1**〈物が〉（激しい音を立てて）割れる, こわれる；落ちる, 倒れる ‖ *crash* to pieces ガチャンとこなごなに割れる / The tree *crashed* (down) to the ground. 木がドシンと倒れた. **2**〈人・乗物などが〉（大音響を立てて）衝突する[*against*, *into*]《◆ against と into の違いは → into 前 **4**》‖ The two cars *crashed* head on. その2台の車は正面衝突した / The truck *crashed* into a house. トラックが E家と家に衝突した. **3**〈飛行機が〉墜落する ‖ The plane turned sharply to the right just before it *crashed*. 飛行機は墜落寸前に右に急旋回した. **4**〈人・動物が〉（大きな音を立てて）…を進む, 突進する, 動く[*about*, *through*] ‖ elephants *crashing* through the woods 森林をドスンドスンと大きな音をたてて突進している象. **5**《略式》〈事業・金融機関・政府が〉つぶれる. **6**〔コンピュータ〕〈装置・プログラムが〉クラッシュする.（突然）故障して動かなくなる. ── 動 他 **1**〈物〉をガチャンとつぶす, こわす（類語 → clash）. **2**〈車などを〉[…に]衝突させる[*into*]；…を[…に]ガチャンと落とす[置く](+*down*)[*on*]. **3**〈敵機〉を墜落させる；〈飛行機〉を不時着させる. **4**《略式》〈劇場・パーティーなど〉に切符や招待状なしで入り込む[押しかける].
cràsh óut 自 大きな音を立てる[立てて進む].
cràsh bárrier〔道路〕中央分離帯.
cràsh cóurse 集中[速成]講座.
cràsh hèlmet（レーサーなどの）ヘルメット.
cràsh lánding（飛行機の）胴体着陸, 不時着.
crash・ing /krǽʃiŋ/ 形《略式》**1** 異常な. **2** まったくの.
crásh-lànd /-/ 自 動 他《飛行機が》不時着する. 他《飛行機》を不時着させる.
crass /krǽs/ 形《正式》**1** 愚かな, 鈍い, 粗野な. **2**〈愚かさ, 思慮のなさが〉ひどい.
-crat /-krӕt/（要素）→ 語要素一覧 (2.2).
†**crate** /kréit/ 图 ⓒ **1**（果物・びん・家具などを運ぶ）木わく, わく箱, かご. **2** わく箱一杯の量. ── 動 他《正式》…を木わくに入れる.
†**cra・ter** /kréitər/ 图 ⓒ **1**（火山の）噴火口. **2**（爆弾・隕(ﾁ)石などで地面にできた）穴. **3**（月面などの）火口状のくぼみ, クレーター.
cra・vat /krəvǽt/ 图 ⓒ《英旧用法》ネクタイ《◆《米》では necktie の気取った語. cf. ascot》.
†**crave** /kréiv/ 動《正式》他〈おおげさに〉…を切望[渇望]する（long for）《◆ to *do*, *that* 節も可》. ── 自〔食物などを〕切望する（*after*, *for*）；〔…〕を懇願する[*for*]‖ *crave for* a cup of tea お茶が1杯欲しい.
†**cra・ven** /kréivn/ 形《正式》〈人が〉臆(ɑ̌k)病な, 意気地のない.
†**crav・ing** /kréiviŋ/ 图〔…への/…したい〕切望, 渇望（desire）(*for* / *to do*) ‖ Pregnant women sometimes have sudden *cravings for* strange foods. 妊娠している女性は時々急に変わった食べ物を欲しがることがある.
craw・fish /krɔ́:fìʃ/ 图《主に米》=crayfish.
*__**crawl**__ /krɔ́:l/ 〔「ヘビのようにはう」が本義〕
── 動 （**~s**/-z/,〔過去・過分〕~**ed**/-d/; ~**ing**）
── 自 **1 a**〈ヘビ・虫・人がはう, 〔…の中へ/…の下へ〕腹ばいで進む[*into*/*under*]《cf. creep 自 **1a**》 ‖ *crawl* on all fours 四つんばいになってはう(=*crawl* on hands and knees) / I was so ashamed (that) I wanted to *crawl under* the rug [table]. 恥ずかしくて穴があったら入りたいくらいだった. **b**〈乗物などが〉のろのろ進む(+*along*)；〈時間がゆっくり過ぎる〉(+*by*) ‖ Our car *crawled* through the traffic jam. 私たちの車は交通渋滞の中をゆっくり進んだ. **2** [be ~ing]〈場所が〉[虫などで]いっぱいである[*with*] ‖ The meat *was crawling with* maggots. 肉にはウジがわいていた / The town is always *crawling with* tourists.《略式》その町はいつも観光客でごった返している(→文法 5.2(4)). **3**〈肌が〉むずむず

crawler / **creative**

する, ぞっとする. **4** 〔水泳〕クロールで泳ぐ.
── 名 **1** [a ~] はうこと, 徐行 ‖ *go at* [*on*] *a crawl* のろのろ行く. **2** ⓊⒸ 〔水泳〕[しばしば the ~] クロール. ジョーク "How does a baby fish swim?" "It does the *crawl*." 「魚の赤ちゃんはどういうふうに泳ぐの?」「クロールで」 ◆ はいはい (圀 **1**) とのしゃれ).
cráwl stròke =名 **2**.

crawl・er /krɔ́ːlər/ 名Ⓒ **1** はう人 [物, 動物]. **2** (米) [~s] (赤ん坊の) はいはい着. **3** クロール泳者.

†**cray・fish** /kréifiʃ/ 名 (複 → fish 語法) Ⓒ 〔動〕ザリガニ; Ⓤ その肉 (主に米) crawfish).

†**cray・on** /kréiən/ 名 **1** ⓊⒸ クレヨン ‖ *a picture drawn with* (*a*) *crayon* [*in crayon*] クレヨンで描かれた絵. **2** Ⓒ クレヨン画. ── 動 圁他 (…を) クレヨンで描く.

†**craze** /kréiz/ 動 圁他 [通例 be ~d] 〈人が〉発狂する, 正気を失う. ── 名Ⓒ (…に対する) (一時的な) 熱狂, 流行 (fashion) [*for*] ‖ Long hair is the latest *craze* among Japanese girls. ロングヘアーは最近日本女性の間で大流行だ.
crázed 形 狂った.

***cra・zy** /kréizi/ 〖「ばらばらになった」が原義. → craze〗
── 形 (**--zi・er, --zi・est**) **1** 〈人が〉(…で) 正気でない, 気が狂った, 狂気じみた (insane) [*with, from*]; ばかげている (silly), 途方もない ‖ *go crázy with wórry* 心配のあまり頭がおかしくなる / She is *crazy* [It is *crazy* of her] *to* swim in this weather. こんな天気に泳ぐなんて彼女はどうかしている (⦿文法 17.5).
2 (…に/…を求めて) 夢中である, 熱中している (enthusiastic) [*about, on, over* / (英) *for*] ‖ He is *crázy about* dancing [Mary]. 彼はダンス [メリー] に夢中だ / He is car [girl] *crazy*. あいつは車に夢中だ [女の子のことしか頭にない] (◆無冠詞に注意) / I am *crazy about* coffee. 私はコーヒーが大好きだ.
3 〈人が〉怒っている, いらいらしている ‖ The noise is driving me *crazy*! 騒音で頭に来ている.
like crázy (略式) 気が狂ったように, 猛烈に, 非常に ‖ *sell like crazy* 飛ぶように売れる.
crá・zi・ly 副 気が狂ったように; 熱狂的に.

creak /kríːk/ 〖同音 creek〗 名Ⓒ [通例 a/the ~] キーキー [ギーギー] 鳴る音, きしる音. ── 動 圁 〈枝・床などが〉キーキー [ギーギー] 鳴る, きしむ (cf. squeak).
creak・y /kríːki/ 形 (**--i・er, --i・est**) 〈枝などが〉キーキー [ギーギー] きしる.

†**cream** /kríːm/ 名 **1** Ⓤ クリーム 《◆ コーヒー・紅茶に英国では生牛乳 (fresh milk) を, 米国ではクリームを入れることが多い》. **2** ⓒⓊ クリーム菓子 [食品, 料理] ‖ (an) ice *cream* アイスクリーム / *cream* of chicken (soup) クリーム入りチキン料理 (スープ). **3** Ⓤ 化粧用クリーム; [しばしば複合語で] クリーム状製品 ‖ a skin *cream* (顔・手に塗る) 栄養クリーム / shoe *cream* 靴ずみ. **4** [the ~] 粒よりの人(たち), 精選したもの; 精髄 ‖ the *cream* of society 最上流階級の人 (たち) / the *cream of the cream* 社交界の粋で; 最高のもの 《◆ フランス語の crème de la crème より》 / the *cream of the crop* 最もすぐれた人 [もの]. **5** Ⓤ クリーム色.
── 形 **1** クリームで作った, クリームの入った. **2** クリーム色の. **3** 〈シェリー酒が〉甘い.
── 動 他 **1** 〈牛乳〉からクリームを採る (skim). **2** 〈バターなど〉をクリーム状にする. **3** 〈紅茶などにクリームを入れる; …をクリームで料理する; 〈皮膚に〉クリームを塗

る; (…と) …を混ぜる (*with*) ‖ *creamed* potatoes ジャガイモのクリーム煮.
créam óff [他] 〈最良のもの〉を精選してとる.
créam chèese クリームチーズ 《柔らかくて白いチーズ》.
créam hórn (英) クリームホーン 《中にクリームをつめて焼いた角形の菓子》.
créam ice (英) =ice cream.
créam púff シュークリーム 《◆「シュークリーム」はフランス語 chou à la crème のなまったもの》.
créam sàuce クリームソース.
créam sóda (バニラの味を加えた) ソーダ水 《◆「クリームソーダ」は ice-cream soda》.
créam tèa (英) クリームティー 《ジャムまたは濃縮クリーム (clotted cream) をのせたパンケーキの出る午後のお茶. 英国南西部に多い》.

cream・er /kríːmər/ 名Ⓒ (米) (食卓用) クリーム入れ.

cream・er・y /kríːməri/ 名Ⓒ **1** バター [チーズ] 製造所. **2** 酪農製品 (バター・チーズ・牛乳) 販売店.

†**cream・y** /kríːmi/ 形 (**--i・er, --i・est**) **1** クリームを (多く) 含んだ; クリームの味のする. **2** クリーム状の, なめらかで柔らかい. **créam・i・ness** 名Ⓤ クリーム状.

†**crease** /kríːs/ 名Ⓒ [通例 ~s] 〈顔・布などの〉しわ; 〈ズボン・紙・布などの〉折り目, ひだ (図) → pants) ‖ *crease*-resisting [*crease*-resistant] cloth しわになりにくい布. ── 動 他 **1** …に折り目をつける; …をしわくちゃにする. **2** (略式) 〈人〉を大いに笑わせる [楽しませる] (*up*). ── 圁 折り目がつく; しわになる.

*__cre・ate__ /kriéit/ 〖「物を生み出す」が本義〗 ⓡ creation (名), creative (形), creature (名)
── 動 ── ~s/-éits/; (過去・過分) ~d/-id/; ~・at・ing
── 他 **1** 〈神〉が〈新しいもの〉を創造する, 発明する 《◆ make より堅い語》; …を創作 [創設, 創立] する; [create **A** **C**] **A** 〈人〉を **C** (の状態) になる [ある] ように造る ‖ In the beginning God *created* the heavens and the earth. 『聖』 初めに神は天と地を造り給うた 《◆「創世記」の言葉》/ All men are *created* equal. 人はみな平等に造られている 《◆ 合衆国の独立宣言の言葉》/ Edison *created* many useful inventions throughout his life. エジソンは一生を通じて役に立つ発明品をたくさん創り出した. **2** 〈興奮・騒動・印象など〉を引き [巻き] 起こす 《◆ cause より堅い語》‖ His fashions *created* a great sensation. 彼のファッションは大きなセンセーションを巻き起こした. **3** [create **A** **B**] **A** 〈人〉を **B** 〈貴族・地位・爵位など〉に列する, 任命する ‖ The king *created* him a peer. 王は彼を貴族に列した.
── 圁 (略式) 泣き叫ぶ, (…のことで) 騒ぎ立てる (*about*).

†**cre・a・tion** /kriéiʃən/ 名 **1** Ⓤ 創造, 創作; 創設, 創立; [通例 the C~] 〈神の〉 天地創造 ‖ the *creation* of a new committee 新しい委員会の創設. **2** Ⓒ 創造物; 創作品; 創案衣装; 人目をひく着物 [帽子]; (俳優の) 新演技 ‖ the artist's latest *creation* その芸術家の最新の作品. **3** Ⓤ (正式) 世界, 宇宙; 万物, 森羅 (ぶ) 万象 (universe) ‖ the *lórd of* (*áll*) *creátion* 万物の霊長, 人間. **4** Ⓤ (位階の) 授与, 授爵, 任命. **5** Ⓤ (騒動などを) 引き [巻き] 起こすこと.

*__cre・a・tive__ /kriéitiv/ 〖→ create〗
── 形 創造力のある, 創造 [創作, 独創] 的な; 想像力 [創意] に富んだ ‖ *creative* writing (詩, 小説などの) 創作法, (科目としての) 作文.
cre・a・tive・ly 副 独創 [創造] 的に.
cre・a・tive・ness 名 =creativity.

cre·a·tiv·i·ty /krìːeitívəti/ 名 U 創造[独創]力[性].

†**cre·a·tor** /kriéitər/ 名 C 創造[創作, 創設]者, 創案[考案]者; [the C~] 造物主, 神(God).

***crea·ture** /kríːtʃər/ 【発音注意】[「create されたもの」が本義]
—名 (複 ~s/-z/) C **1** 生き物, 動物; 家畜 ‖ dumb *creatures* ものが言えない動物 / the *creatures* living in the polar regions 極地に生息する生物. **2**〔やや文〕〔軽蔑(^{ｹｲﾍﾞﾂ})・同情・賞賛などを示す形容詞を伴って〕人, 人間, 女性, やつ ‖ a lovely *creature* すてきな女性 / that filthy [poor] *creature* あの不潔な[かわいそうな]やつ. **3** 手先, 子分, 隷属者 ‖ Man is a *creature* of habit. 人間は習慣の奴隷である.

créature cómforts [複数扱い] 肉体的安楽を増す[に必要な]もの, 衣食住.

crèche /kréʃ/〖フランス〗名 C (英) 託児所.

cre·dence /kríːdns/ 名 U〔正式〕真実として受け入れること, 信用(すること), 信頼.

cre·den·tial /krədénʃl/ 名 C〔正式〕〔通例 ~s〕信用証明書, 成績[人物]証明書;《…に対する/…としての》資質, 資格《*for/as*》.

cred·i·bil·i·ty /krèdəbíləti/ 名 U〔正式〕信用できること, 信用性, 威信; 確実性.

credibílity gáp 〔米〕政府の発言や行動の食い違い.

cred·i·ble /krédəbl/ 形 (証拠があり, 論理的で)信用[信頼]される(↔ incredible); 説得力のある ‖ a *credible* news report 信頼できるニュース報道.

créd·i·bly 副〔通例文全体を修飾〕確実に, 確かな筋から.

***cred·it** /krédit/ 〖「信じること」が本義. cf. credence〗

index 名 1 掛け 2 名声 3 名誉となる人[物]
4 信用 8 (履修)単位
動 他 1 信用貸しをする 3 信じる

—名 (複 ~s/-its/) **1** U 掛け(売り), 信用貸し, つけ, クレジット; 支払い猶予期間 ‖ Cash or *credit*? 現金ですかクレジットカードですか《◆店で店員が客に用いる》/ a *letter* of *crédit* 〔経済〕信用状(略 L/C, LC, l.c.) / My *credit* is good for 50,000 yen at this store. 私はこの店では5万円までつけがきく.
2 U 名声, 尊敬, 賞賛, 評判, 信望; 勤務評定; 手柄, 功績 ‖ a person of *credit* 名声のある人 / give *credit* where it is due 正当に評価する.
3 C〔正式〕〔通例 a ~〕《…の》名誉となる人[物], 面目をほどこすような物[人]《*to*》‖ He is a *credit to* his country. 彼は国家の名誉となる人物だ.
4 U〔正式〕信用(belief), 信頼(trust)(↔ discredit) ‖ *put* [*place*] *credit* in what he says 彼の言葉を信用する.
5 U (支払い能力に対する)信用度.
6 U (銀行)預金(残高), 貸付金額.
7 C〔簿記〕貸し方(credit side)(↔ debit).
8 C〔主に米〕(大学の学科の) (履修)単位(証明) ‖ She needs ten more *credits* to graduate. 彼女は卒業するのにもう10単位必要だ.
9 [~s] =credit titles.
be in crédit with A …に信用がある.
dó A crédit =**dó crédit to A** 〈人〉の名誉となる.
gét [**táke**] (**the**) **crédit for A** 〈業績などの〉功績を認められる.
gíve A crédit for B A〈人〉に B〈資性など〉をもっていると思う. **B**〈物・事〉を **A**〈人〉と認める.
háve crédit with A …に信用がある.
lóse crédit with A …の信用を失う.
***on crédit** [文尾で] クレジットで, 掛けで ‖ buy a new car *on credit* 掛けで新車を買う.
to A's crédit〔正式〕(1) …の名誉として. (2) …の名義で《◆ 文頭・文中・文尾で用いる》. (3) 賞賛に値することには.

—動 (~s/-its/; 過去・過分 ~·ed/-id/; ~·ing)
—他 **1** [credit A with B =credit B to A] a〈人〉が **A**〈人〉に **B**〈金額〉の信用貸しをする; 〔簿記〕 **A**〈人〉の貸し方に **B**〈金額〉を記入する ‖ *credit* a customer *with* £10 =*credit* £10 *to* a customer お客に10ポンド信用貸しする. **b** 〈人〉が **A**〈人〉に **B**〈行為など〉の功績があると思う《◆この意味では with の代わりに for も用いる》; **B**〈物・事〉を **A**〈人・物・事〉のせいにする ‖ The invention of the light bulb *is credited to* Edison. =Edison *is credited with* the invention of the light bulb. 電球の発明はエジソンの功績だ.
2〔正式〕〈人・物〉が〔性質・徳などを〕持っていると思う《*with*》.
3〔略式〕〈人・話など〉を信じる(believe)(↔ discredit).
4〔米〕〈学生〉に〔科目の〕履修証明〔単位〕を与える《*with*》.

crédit accòunt〔英〕掛け売り(勘定), つけ(〔米〕charge account).

crédit càrd クレジットカード《◆ 現金の代わりになるだけでなく社会的信用を示す証明にもなる. 有名なのは American Express(略 Amex), Diners Club, Visa, MasterCard. → card **1b**》.

crédit hòur〔米〕〔教育〕履修単位時間.

crédit líne 貸出し限度額.

crédit límit クレジットカードで使える限度額.

crédit sàle 掛け売り.

crédit síde =名 **7**.

crédit títles〔映画・テレビ〕[the ~] クレジットタイトル〔字幕に出る監督・製作者・配役などの氏名〕.

†**cred·it·a·ble** /krédətəbl/ 形〔正式〕立派な, 見事な, 賞賛に値する(↔ discreditable). **créd·it·a·bly** 副 立派に, 見事に; [文全体を修飾] 信頼すべき筋から.

cred·i·tor /kréditər/ 名 C 貸し主(会社)(↔ debtor).

cre·do /kríːdou, kréi-/ 名 (複 ~s) C〔正式〕信条.

†**cre·du·li·ty** /krədjúːləti/ 名 U C すぐ信じこむ性質[傾向], 軽信(性)(↔ incredulity).

†**cred·u·lous** /krédʒələs/ 形〔正式〕〈人〉が信じやすい, だまされやすい(↔ incredulous).

créd·u·lous·ly 副 軽々しく信じて.

créd·u·lous·ness 名 U 軽信.

Cree /kríː/ 名 (複 ~s, [集合名詞] **Cree**) **1** C クリー族《北米先住民の一部族》. **2** U クリー語.

†**creed** /kríːd/ 名 C **1** (宗教上の)信条, 信経《◆ 信者の側から見たもの. 教会の側から説くものは dogma》. **2** C (一般に)信条, 信念, 主義, 綱領. **3** [the C~] (教会) 使徒信条[信経](the Apostles' Creed).

†**creek** /kríːk, kríːk/ 名 C **1**〔英〕(海・湖などの) 入江, 小湾. **2**〔米・豪〕小川.

Creek /kríːk/ 名 (複 ~s, [集合名詞] **Creek**) **1** C クリーク族《北米先住民の一部族》. **2** U クリーク語.

creel /kríːl/ 名 C びく, かご.

†**creep** /kríːp/ 動 (過去・過分 **crept**/krépt/)自 **1 a**〈赤ん坊・四足動物などが〉はう, はって進む《◆crawl は主にヘビ・ムカデ・虫などについていう》‖ The baby

crept across the room. 赤ん坊は部屋をはった. **b** 〔文〕〈植物が〉〈地面・壁などを〉はう, 〔…に〕からまる〔*up, around, along, over*〕 ‖ Vines *crept up* the stone walls. つるが石壁をはっていた. **2 a**〈人・動物が〉〔…の方へ〕ゆっくり動く, 忍び足で歩く, 徐行する(+ *up, along*)〔*toward, on, upon*〕 ‖ The cat *crept up* on the unwary bird. ネコは油断している鳥にそっと忍び寄っていた. **b** 〔文〕〈時間が〉徐々に過ぎる(+ *on*);〈闇(%)・疑念などが〉〔…に〕忍び寄る(+*up*)〔*on, upon, over*〕 ‖ Old age *creeps upon* us unnoticed. 老齢は気づかぬうちに我々に忍び寄る. **3**(虫がはうような気がして)むずむずする;(寒さ・恐怖などで)ぞくぞくする ‖ make his flésh [skín] *créep* = make him *creep* all over 彼をぞっとさせる.

créep ín 〔自〕 (1) そっと忍び[入り]込む. (2) 過失などが起ころうとしている.

créep into ▲ (1) …にそっと忍び[入り]込む;〈人に〉こっそり取り入る. (2) 過失などが〈仕事などに〉起ころうとしている.

créep óver ▲ (1) → 〔自〕1 b, 2 b. (2) 恐怖・眠気などが〈人・場所〉を徐々に襲う.

——〔名〕1 ⓒ (俗) おぞけを振う人, 不愉快な人;助平なやつ. **2** ⓤ はうこと, 徐行. **3** (略) 〔the ~s〕ぞっとする感じ ‖ *give* him *the creeps* 彼をぞっとさせる.

creep·er /krí:pər/ 〔名〕1 ⓒ はうもの〔昆虫・爬(ꜛ)虫類〕;はう人;〈木に登る〉鳥, (特に) キバシリ. **2** ⓒ ⓤ 〔植〕つる植物.

creep·ing /krí:piŋ/ 〔形〕**1** はい回る. **2** (気づかれないほどに進行する) ‖ *creeping* inflation 忍び寄るインフレ. **3** むずむずする.

creep·y /krí:pi/ 〔形〕 (-·i·er, -·i·est) (略) 虫唾(¾)が走るような, 身の毛がよだつ, ぞくぞくする.

cre·mate /krí:meit | krəméit/ 〔動〕⊕〈死体を〉火葬する;…を焼却する.

cre·ma·to·ri·um /krì:mətɔ́:riəm | krè-/ 〔名〕 (複 ~s, -·ri·a/-riə/) ⓒ 火葬場.

†**crème** /krém | kréim/ 『フランス』 〔名〕**1** ⓤ クリーム (cream). **2** ⓤⓒ =cream sauce. **3** ⓤ クリーム《甘口のリキュール酒》.

crème de la crème /-də lɑ:-/ (正式) 最良のもの, 精髄, 一流の人々.

crème de menthe /-dəmɑ́:nt/ クレーム=ド=マント《ハッカ入りのリキュール》.

†**Cre·ole** /krí:oul/ 〔名〕1 ⓤ クレオール語《主にヨーロッパ言語と非ヨーロッパ系言語との接触による混成語で母語として話されているもの. cf. pidgin》. **2** ⓒ (主に西インド諸島に住む) ヨーロッパ人とアフリカ黒人との混血児.

Créole Státe (愛称) 〔the ~〕クレオール人の州 (→ Louisiana).

cre·o·sol /krí:əsɔ̀:l, -sòul | kríəsɔ̀l/ 〔名〕 ⓤ 〔化学〕クレオソール《殺菌消毒剤》.

cre·o·sote /krí:əsòut/ 〔化学〕〔名〕 ⓤ 〔動〕⊕〈…を〉クレオソートで処理する》《防腐用・医療用》.

†**crepe, crêpe** /kréip/ (同音) crape) 『フランス』 〔名〕**1** ⓤ クレープ, ちりめん《表面に細かく縁取りや模様を施した綿布や絹織物で. 喪装用のものにはふつう crape のつづりを用いる》. **2** ⓒ 薄焼きパンケーキ, クレープ.

crépe de Chíne /-də ʃí:n/ (絹の)デシン.

crêpe su·zétte /-suːzét/ 〔時に ~ S-〕クレープシュゼット《果物の酒ひたしで食べるクレープ. デザート用》.

crept /krépt/ 〔動〕 creep の過去形・過去分詞形.

cres., cresc. (略) 〔音楽〕crescendo.

Cres(c). (略) Crescent.

cre·scen·do /krəʃéndou/ 『イタリア』 〔形〕〔副〕**1** しだいに (大きさが) 増す [増して]. **2** 〔音楽〕 クレッシェンドの [で] ((略) cres(c).). (↔ diminuendo).

——〔名〕 (複) ~s/-z/) ⓒ **1** 〔音楽〕 漸強 (の楽節). **2** (略式) 最高潮.

†**cres·cent** /krésnt/ 〔名〕 ⓒ **1** 三日月, 新月. **2** 三日月形の物;(主に英) 三日月形の街路〔家並み状 Cres(c).》. (米) =crescent roll. **3** 〔the C~〕イスラム教. ——〔形〕1 (正式) 三日月形の. **2** (詩) 〈月が〉しだいに大きくなっていく.

créscent róll クロワッサン (croissant).

cre·sol /krí:sɔ:l, -sɑl | -sɔl/ 〔名〕 ⓤ 〔化学〕 クレゾール.

†**cress** /krés/ 〔名〕 ⓤ カラシナ類の植物《カラシナ・オランダガラシなど, しばしばサラダ・サンドイッチ用》.

cres·set /krésit/ 〔名〕 ⓒ (かがり火用の) 金属製のかご.

Cres·si·da /krésidə/ 〔名〕 〔ギリシア神話〕 クレシダ《トロイの王子 Troilus の恋人》.

†**crest** /krést/ 〔名〕 ⓒ **1** (鳥の) とさか(comb);冠羽. **2** 〔the ~〕 山頂, 波頭;(物事の) 最上, 極致 ‖ at the *crest* of the sales boom 売り上げの絶頂期 (♦「人気の絶頂」はふつう the *zenith* of popularity). **3** (馬などの) 首筋;たてがみ(mane). **4** 〔建築〕棟飾り(図 → house). ——〔動〕⊕ (正式)〈…に〉羽飾り[棟飾りなど]を付ける;…の羽飾り[棟飾りなど]となる.

crést·ed 〔形〕 とさかのある;羽飾りのある.

crest·fall·en /kréstfɔ̀:lən/ 〔形〕 (失敗で) 意気消沈した, がっかりした, 悲しみに沈んだ.

†**cre·ta·ceous, --cious** /kritéiʃəs/ 〔形〕**1** 白亜(質)の. **2** 〔通例 C~〕〔地質〕白亜紀[系]の. ——〔名〕〔the C~〕〔地質〕白亜紀, 白亜系.

Cre·tan /krí:tn/ 〔形〕 クレタ島(人)の. ——〔名〕ⓒ クレタ島人.

†**Crete** /krí:t/ クレタ島《地中海にあるギリシア領の島》.

cre·tin /krí:tn | krétin, krí:-/ 〔名〕ⓒ 〔医学〕クレチン病患者;(略式) ばかな人.

cre·tonne /krí:tɑn | kretɔ́n, -́-/ 〔名〕 ⓤ クレトンさらさ《カーテン・いす張り用》.

cre·vasse /krəvǽs/ 〔名〕ⓒ クレバス《氷河の深い割れ目》, 地表の割れ目.

†**crev·ice** /krévis/ 〔名〕ⓒ (主に岩・壁の) 狭い割れ目 [裂け目].

*****crew** /krú:/ (類語) clue /klú:/) 「増える」が原義. cf. accrue》

——〔名〕 (複 ~s/-z/) ⓒ 〔集合名詞;単数・複数扱い〕 **1** (一般に船の)乗組員, 船員《♦ 高級船員は除く》 ‖ The *crew* respect(s) their [its] captain. 船員たちは船長を敬っている《構成員各1人1人を強調する場合は their, 団体とみる場合は its がちがう. 動詞の呼応も同じ原則》/ The ship has a 200-man *crew*. その船には200人の乗組員がいる / a ship carrying only a small *crew* ほんの少数の船員しか乗せていない船. **2** (飛行機・列車の) 乗務員. **3** (作業[従業]員の) 一団, 一同, チーム ‖ a camera *crew* カメラ班. ——〔動〕〔自〕乗組員となる (*for*).

créw cút クルーカット《短い角刈り》.

créw néck 丸首(セーター).

crew·el /krúːəl/ 〔名〕 ⓤ 刺繍(¼*)用毛糸.

crew·el·work /krú:əlwə̀:rk/ 〔名〕 ⓤ 毛糸刺繍.

crew·man /krú:mən/, --**mem·ber** /-mèmbər/ 〔名〕 ⓒ 搭乗員, 乗組員 ((PC) crew member, member of the crew).

†**crib** /kríb/ 〔名〕 ⓒ **1** (主に米) ベビーベッド ((英) cot). **2** まぐさおけ[だな]. **3** (英略式) とらの巻, 訳本;=crib sheet.

——動 (過去・過分) cribbed/-d/; crib·bing) 《略式》
⑲ 〈部分・全体を〉〔他人の作品から〕無断使用する, 盗用する (from, off). 2 1 とらの巻きを使う, カンニングをする. 2 〔…から〕盗作[盗用]する (from).
crib sheet カンニングペーパー.
crib·bage /kríbidʒ/ 图 ⓤ 〔トランプ〕クリベッジ.
crick /krík/ 图 ⓒ 〔通例 a ～〕(首・背の筋肉などの)けいれん, 筋違い. ——動 ⑲ 〈首・背などの〉筋を違える.
†**crick·et**¹ /kríkət/ 图 ⓒ 〔昆虫〕コオロギ《◆鳴き声は chirp》.
†**crick·et**² /kríkət/ 图 ⓤ **1** クリケット《11人のチーム2組で bats と hard balls を用いる戸外の球技で英国の国技. 中央に22ヤードの間隔で2つの wickets (三柱門)がある. → 囲》.

関連 [いろいろなクリケット用語]
batsman 打者 / bowler 投手 / cricket field クリケット競技場 / cricket match クリケット試合 / the pitch 三柱門と三柱門の間の部分 / umpire 審判.

2 〔通例否定文で〕公平, フェア. **pláy crícket** (1) クリケットをする. (2) 公明正大にふるまう.
crick·et·er 图 ⓒ クリケット競技者.

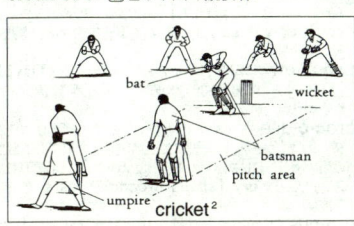

bat / wicket / batsman / pitch area / umpire **cricket²**

***crime** /kráim/ (類音 climb /kláim/) 〔「決定されたこと, 判決」が原義〕⑳ criminal (形・名)
——图 ⑲ ⓒ 〔法律上の〕罪, 犯罪 (cf. sin, vice¹) ‖ a *crime* report 犯罪レポート (cf. criminal 形 2) / He committed a serious *crime* and was sentenced to death. 彼は罪を犯して死刑を言い渡された / the *crime* of perjuring oneself in court 法廷での偽証罪 / 日本発 With a recent rise in various *crimes*, Japan has become a less safe and peaceful place in which to live. 最近はさまざまな犯罪が増加の傾向にあり, 日本は安全で平和に暮らせる場所でなくなっている.

関連 [いろいろな種類の犯罪]
(1) aggravated assault 暴行 / burglary, robbery 強盗 / forcible rape 強姦 / larceny 窃盗 / murder 殺人.
(2) capital *crime* 死罪 / heinous *crime* 凶悪犯罪 / juvenile [youth] *crime* 少年犯罪 / organized *crime* 組織犯罪 / perfect *crime* 完全犯罪 / petty *crime* 軽犯罪 / sex *crime* 性犯罪 / violent *crime* 暴力犯罪 (殺人・傷害).

2 ⓤ 〔一般に〕罪悪, 悪事 ‖ There is much *crime* in the big cities. 大都会には罪悪がはびこっている / *Crime* doesn't pay. 〔ことわざ〕悪事は割に合わないのだ.
3 ⓒ よくない行為, 無分別な行動; 〔略式〕〔通例 a ～〕恥ずべきこと, ばかげたこと, けしからぬこと (shame).

crime fiction 〔集合名詞的に〕推理小説, 犯罪小説.
crime victim 犯罪被害者.
†**Cri·me·a** /kraimí:ə, kri-│-mí:ə/ 图 〔the ～〕クリミア半島.
†**Cri·me·an** /kraimí:ən, kri-│-mí:ən/ 形 クリミア(半島)の.
Crimean War 〔the ～〕クリミア戦争《1853-56》.
***crim·i·nal** /kríminl/ 形 **1** 犯罪の, 刑事上の (cf. civil) ‖ a *criminal* court 刑事裁判所 / a *criminal* record 前科 / a *criminal* offense 刑事犯 / a *criminal* lawyer 刑事専門弁護士 / a *criminal* act 犯罪行為 / a *criminal* report 犯罪になるレポート (cf. crime 名 1). **3** 〔略式〕けしからん, 法外な (very bad) ‖ ⟨対話⟩ "Nine hundred dollars." "That's *criminal*, isn't it 〔 ⟩?" 「900 ドルだよ」「それは法外な値段だね」.
——图 ⓒ 犯人, 〔法律上の〕罪人 (cf. sinner) ‖ arrest a habitual [confirmed] *criminal* 常習犯を逮捕する.
criminal láw 刑法 (cf. civil law).
crím·i·nal·ly 副 犯罪を犯して; 刑事[刑法]上.
crim·i·nal·i·ty /krìminǽləti/ 图 **1** ⓤ 犯罪性, 有罪. **2** ⓒ 犯罪行為, 犯行.
crim·i·nal·ize /kríminəlàiz/ 動 ⑲ 〔正式〕=criminate.
crim·i·nate /kríməneit/ 動 ⑲ 〔正式〕…に罪を負わせる; …を起訴する. **crìm·i·ná·tion** 图 ⓤⓒ 告訴; 〔激しい〕非難.
crim·i·nol·o·gy /krìmənάlədʒi│-nɔ́l-/ 图 ⓤ 犯罪[刑事]学. **crim·i·nól·o·gist** 图 ⓒ 犯罪学者.
crimp /krímp/ 動 ⑲ **1** 〈布・ボール紙・板金など〉にひだ[波形]をつける. **2** 〈髪〉をちぢれさせる.
***crim·son** /krímzn/ 图 ⓤ (紫がかった)濃赤色, 深紅色; その色の染料[顔料]. ——形 濃赤色の. ——動 ⓐ 〈顔などが〉赤くなる, 濃赤色になる. ——⑲ 〈顔など〉を赤くする, 濃赤色にする.
cringe /krínd ʒ/ 動 ⓐ **1** 〔…に〕〔恐怖などに〕すくむ, ちぢこまる; 後ずさりする (+away) (at). **2** 〔…に〕ぺこぺこする, へつらう (to, before). **3** 〔略式〕〔…に〕嫌気がさす (at).
crin·kle /krínkl/ 動 ⑲ …にしわを寄せる (+up).
——ⓐ **1** しわが寄る (+up). **2** 〈紙などが〉カサカサ鳴る. ——图 ⓒ **1** しわ, 波状. **2** カサカサいう音.
crin·kly /krínkli/ 形 **1** 〈生地が〉ちぢんだ; 〈髪が〉ちぢれた. **2** カサカサ音を立てる.
***crip·ple** /krípl/ 图 ⓒ **1** 手足の不自由な人〔動物〕; 〔一般に〕身体障害者, 肢体不自由者《◆ 今は遠回しに disabled person, (physically) handicapped person などが用いられる》. ——動 ⑲ **1** 〈人〉の手足を不自由に[不具]にする《◆ 遠回しの表現は disable》. **2** 〔略式〕…をそこなう, だめにする; 〈活動などの〉機能を鈍らせる.
***cri·sis** /kráisis/ 〔「将来を左右する重要な」分岐点」が原義〕⑳ critical (形)
——图 ⑲ (ⓟ cri·ses /kráisi:z/) ⓒ **1** (事態の)危機, 重大局面, 難局 ‖ an energy [a financial] *crisis* エネルギー[財政の]危機 / *deal with* [*handle*] a *crisis* 危機に対処する / *bring things* [*him*] *to a crisis* 事態[彼]を危機に追い込む / Things are 「coming to [drawing to, reaching] a *crisis*. 事態が重大局面を迎えようとしている.
2 〔人生・運命などの〕重大な分かれ目, 岐路, 転換期; 〔病気の〕危期; 〔小説などの〕山場 ‖ She has passed the *crisis* (point). 彼女の病気は峠を越し

た / I managed to get through the biggest *crisis* in my life. 私は何とか人生の最大局面を切り抜けた.

crísis mànagement 危機管理.

†**crisp** /krísp/ 形 **1**〈食物などが〉(ほどよく)パリパリした, カリカリした ‖ *crisp* snow バリバリに凍った雪 / This toast is *crisp*. このトーストは(食べると)カリカリする. **2**〈野菜・果物などが〉(新鮮で)ぱりっとした;〈紙・新札などが〉手の切れるような ‖ fresh and *crisp* celery 新鮮でしゃきっとしたセロリ. **3**〈空気・天気が〉身の引きしまるような, さわやかな ‖ a cool and *crisp* fall breeze ひんやりとすがすがしい秋のそよ風 / be *crisp* and sharp 身を切るように寒い. **4**〈態度・口調などが〉きびきびした[てきぱきした] ‖ a *crisp* and clear manner of speaking 歯切れのよい話し方. **5**〈髪などが〉細かくカールした; さざ波の立っている.
──動 他 **1** …をカリカリ[パリパリ]にする[焼く](+*up*);〈地面を〉バリバリに凍らせる. **2** …を細かく縮らせる;…をさざ波立たせる. ──自 **1** カリカリ[パリパリ]になる(+*up*); ちぢれる; 波立つ.
──名 ⓒ **1** 堅くてもろい物 ‖ toast burned to a *crisp* こげてカリカリになったトースト. **2** (英) [~s] ポテトチップス(potato crisps, (米・豪) potato chips).
crísp・ness 名 ⓤ パリパリ[カリカリ]にすること; さわやかさ, 新鮮さ.

†**crisp・ly** /kríspli/ 副 **1** パリパリ[カリカリ]して. **2** ぱりっとして. **3** きびきびと; さわやかに.

crisp・y /kríspi/ 形 (--i・er, --i・est) (略式)=crisp 形 1, 2.

criss・cross /krískrɔ̀ːs/ 名 ⓒ 形 **1** 十文字(の), 十字形(の), 十字交差(の). **2** 食い違いの[違った].
──動 十文字に, 食い違って. ──他 ⓒ 十文字(の模様)を書く, 縦横に線を引く; (…を)縦横に行き来する.

cri・te・ri・a /kraitíəriə/ 名 criterion の複数形.

cri・te・ri・on /kraitíəriən/ 名 (複 **~s, ~・ri・a** /-riə/, ~**s** /-z/)〔前者の複数形がふつう〕ⓒ (正式) (…に必要な/…についての)(判断・評価の)標準, 基準, 尺度 (standard) (for/of) ‖ my *criterion* of beauty 美についての私の基準 / What are the *criteria* for making a decision? 決定に必要な基準は何ですか.

†**crit・ic** /krítik/ 名 ⓒ **1** (主に美術・音楽の)批評家, 評論家 ‖ a music [film] *critic* 音楽[映画]評論家. **2** あら探しをする人, 酷評する人 ‖ She is my *critic*. 彼女は私のすることをいちいちけちをつける.

†**crit・i・cal** /krítikl/〔(将来を左右する)分岐点(cri sis) (→ 3), (境界にあるものを) 見わける(→ 1, 2)〕
──形 **1** [… を]あら探しする, 酷評する(*of*, *about*) ‖ *critical* remarks 酷評的な意見 / She is only *critical* of me. 彼女は私のあら探しばかりする.
2 [名詞の前で] 批評の, 評論の(◆比較変化しない) ‖ *critical* essays 評論 / She wrote several *critical* works on Gandhi. 彼女はガンジーについて評論を何冊か書いた.
3 […にとって]危機の, (局面を左右する)重大な, 決定的な(*to*); 〈病人が〉危篤の ‖ The patient was listed as being *critical*. 患者は危篤状態と見なされていた / a *critical* [×heavy] illness 重病.

†**crit・i・cal・ly** /krítikəli/ 副 **1** 批判的に, 酷評して. **2** 危うく, 危篤状態に ‖ be *critically* ill 重態である.

†**crit・i・cise** /krítisàiz/ 動 (英) =criticize.

†**crit・i・cism** /krítəsìzm/ 名 **1** ⓤ (主に芸術作品の)批評, 評論(文) ‖ literary *criticism* 文学批評. **2** ⓤ ⓒ 非難, あら探し, 酷評.

†**crit・i・cize**, (英ではしばしば) **--cise** /krítisàiz/ 動 他 **1** 〈人〉〈人・作品などを〉批評する, 批判[評論]する ‖ *criticize* a poem 詩を批評する. **2**〈人が〉〈事のことで〉,〈人を〉非難する(*for*); 〈人のあら探しをする〉 ‖ We *criticized* her for her behavior. 私たちは行ないが悪いといって彼女を非難した.
──自 批評する; 非難する.

cri・tique /kritíːk/ 名 ⓒ (正式) (文学・社会情勢の)批評, 評論 (review).

†**croak** /króuk/ 名 ⓒ **1** (カラス・カエルなどの)ガーガー[カーカー]鳴く声. **2** [a ~] しわがれ声, 泣き言, 不吉な言葉 ‖ with a *croak* しわがれ声で.
──動 自〈カラス・カエルなどが〉ガーガー[カーカー]鳴く(+*out*). **2** しわがれた声で話す, 不平を言う(+*out*). **3** 不吉を予告する. **4** (俗) 死ぬ. ──他 **1** …を陰気な声で言う(+*out*); 〈不吉なことを〉予告する.

Cro・at /króuæt, -ɑːt/ 名 ⓒ クロアチア人.

Cro・a・tia /krouéiʃə/ 名 クロアチア《ヨーロッパ中部の国》. **Cro・á・tian** /-ʃən/ 形 クロアチア(人・語)の; クロアチア人[語].

cro・chet /krouʃéi/ ¦⃝, -ʃí/ [発音注意] 名 ⓤ かぎ針編み[クローシェ編み](の作品). ──動 自他 (…を)かぎ針で編む.

cro・ci /króusai, -kai/ 名 crocus の複数形.

crock /krák | krɔ́k/ 名 ⓒ (古) (陶器[製]の)つぼ, びん; 容器; その破片 [かけら] 〖植木鉢の穴うめ〗.

†**crock・er・y** /krákəri | krɔ́k-/ 名 ⓤ [集合的名詞] 陶器類, 瀬戸物.

Crock・ett /krákit | krɔ́k-/ 名 クロケット《David [Davy] ~ 1786-1836; 米国西部開拓者・政治家. アラモのとりでで戦死》.

†**croc・o・dile** /krákədàil | krɔ́k-/ 名 **1** ⓒ [動] クロコダイル《あごがとがった大型ワニで, 口を閉じた時でも下あごの第4歯がホホ外に出す. cf. alligator》; (一般に)ワニ. **2** ⓤ ワニ皮. *crý* [*shéd*] *cròcodile téars* そら涙を流す.

cro・cus /króukəs/ 名 (複 ~**・es**, **--ci** /-sai, -kai/) ⓒ 〖植〗クロッカス(の花, 球根)《英国で春を告げる花とされる》.

Croe・sus /kríːsəs/ 名 クロイソス《Lydia 最後の王. 富力で有名》.

crois・sant /krəsɑ́ːnt | kwǽsɔːŋ/ ⟦フランス⟧ 名 (複 ~**s** /-z/) ⓒ クロワッサン《(米) crescent (roll)《三日月型のロールパン》》.

Cro-Mag・non /kroumǽgnən, -mǽnjəŋ/ 名 ⓒ 形 クロマニヨン人(の).

†**Crom・well** /krámwəl | krɔ́m-/ 名 クロムウェル《Oli ver ~ 1599-1658; 英国の清教徒革命指導者》.

crone /króun/ 名 ⓒ 老婆.

Cro・nos, --nus /króunəs/ 名 ⟦ギリシア神話⟧ クロノス《ローマ神話の Saturn に当たる巨人》.

cro・ny /króuni/ 名 ⓒ (男性語略式) 悪友《飲み友だちなど》; 旧友, 昔なじみ.

†**crook** /krúk/ 動 他〈人が〉〈腕・指などを〉曲げる, 湾曲させる ‖ *crook* one's finger 指を曲げる《◆手の平を上にして人さし指を曲げておいでの動作. 図》. ──自 曲がる, 湾曲する.
──名 ⓒ **1** 曲がった物, かぎ状の物; かぎ, ホック (hook); 羊飼いのつえ (shepherd's *crook*); 司教杖. **2** [the ~] (腕・川などの) 湾曲[屈曲](部); (背・性格などの)曲がり, ねじれ. **3** いかさま師, 泥棒.

†**crook・ed** /krúkid/ 形 **1** 〈物が〉曲がった, ねじれた, 湾曲した(↔ straight). **2**〈人が〉(年で腰などが)曲がった. **3** (略式) ひねくれた; 不正な; 詐欺の; 不正直な ‖ *gò* [*tùrn*] *cróoked* 悪の道に入る.

cróok・ed・ly 副 斜めに, 曲がって; 不正に.

†**croon** /krúːn/ 動 ❶ …をささやき声[ハミング]で歌う. ❷ …を低い声で歌う, 口ずさむ; 〈人〉を静かな声で歌って〔…の状態に〕させる〔to〕. ── 自 〔…に〕甘く感傷的に歌う; つぶやく〔to〕.

cróon·er 名 C クルーナー《ささやくように歌う歌手》.

*****crop** /kráp | krɔ́p/ 【『穂』が本義】
── 名 (複 ~s/-s/) C ❶ [しばしば ~s] (穀物・野菜・果樹などの)作物, 収穫物 || white [green, black] crops 穀物[青物, 豆]類 / Corn is the main crop of Iowa. トウモロコシはアイオワ州の主な農産物である / The land is óut of [in, únder] cróp this year. その土地は今年は作付けしていない[ある].
❷ (一地方・一季節の作物の)全収穫高; (広義)生産高; 産出高 || an áverage crop 平年作 / hàve a góod [póor] crop of rice 米が豊作[不作]である / the lamb [ice] crop 子羊肉[氷菓]生産高. 類語 yield は (正式), harvest は収穫物の時期・作業をさし, produce は特に野菜・果物についている.
❸ [a ~ of + 名詞] 続出する…; …の集まり[群れ] || a crop of troubles 続出する困難 / the current crop of the unemployed 最近失業した人々 / a fine crop of hair ふさふさした髪. ❹ [a ~] 短く刈り込んだ髪, いがぐり頭 || get a close crop 五分刈りにしてもらう.
── 動 (~s/-s/; 過去・過分 cropped/-t/; crop·ping)
── 他 ❶ 〈人が〉〈作物・頭髪・本・動物のしっぽなどの〉先端を刈る[切る], 縁を刈る(cut), [crop A C] A の先を切り落として C の状態にする || hàve one's háir cropped shórt 髪を短く刈り込んでもらう. ❷ [crop A with B] 〈人が〉〈土地〉に〈…〉を植え付ける《◆修飾語(句)は省略できない》|| crop five acres with wheat 5エーカーの土地に小麦を植えつける. ❸ 〈作物〉を収穫する, 刈り入れる.
── 自 〈作物が〉できる《◆修飾語(句)は省略できない》|| The potatoes have cropped well [badly] this year. ジャガイモは今年できがよかった[悪かった].

cróp circle ミステリーサークル《小麦が円形などの模様になぎ倒された円》.

cróp spràying [dùsting] 農薬の空中散布.

crop·land /krάplæ̀nd | krɔ́p-/ 名 U 農耕地.

crop·per /krάpər | krɔ́p-/ 名 C ❶ 収穫のある作物. ❷ 作物を植え付ける[刈り込む]人; 刈り込み機, 植付け機, 端切り機.

cro·quet /kroukéi | króuki/ 名 U クローケー《木製の球を木づち(mallet)で打つゲーム. 日本のゲートボールはこれを基にして考案された》; C その球.

†**cro·quette** /kroukét | krɔ-/【フランス】名 C [しばしば ~s] コロッケ.

*****cross** /krɔ́(ː)s/ 類語 cloth /klɔ́(ː)θ/) 【『十字形』が本義. cf. crux】派 crossing (名)

index 名 ❶混ぜ合わせたもの ❷十字形 ❸十字架 ❺試練
動他 ❶横切る ❷交差させる ❸横線を引く

── 名 (複 ~·es/-iz/) C ❶ (2種類を)混ぜ合わせたもの || This dog is a cross between two well-known breeds. この犬は2種類の有名品種のかけ合わせです.
❷ ×の記号; 十字形[記号]《+·×·†など》《◆(1) キリスト教徒が十字を切って祈るしるし, (2) 地図などで所在地を示す場合, (3) 誤りを示す場合, (4) 字が書けない人の署名代わりにする場合, (5) 手紙の終わりにしてキス代わりにする場合, などに用いられる》; (t などの)横線 || màke one's cróss 署名代わりに書類に×印を記入する / màke the sign of the cróss 胸の前で十字を切る《◆指先を額・胸・左肩・右肩の順に当てる.
❸ 十字架《◆(1) キリスト教(教)・受難の象徴. (2) 人さし指に中指を重ねる十字架は 魔よけ, 幸運を祈るしるし》, はりつけ台; [the C~] キリストがはりつけにされた十字架 || die on the cross はりつけになる.
❹ [しばしば C~] 十字形の紋章[勲章];《キリスト教徒が旅にさげる》十字架; (墓の)十字架;《境界・交差点などの》十字標; (十字架のついた)司教杖 || the Mílitary Cróss 戦功十字勲章.
❺ [the C~] キリスト教; キリストの受難; (一般に)試練, 苦難, 苦労, 苦悩, 心配, 苦痛 || We all have our crosses to bear [carry, take]. 私たちみんなに耐えねばならない苦難があるものだ.
❻ 十字路, 交差点. ❼《サッカー》クロスパス;《ボクシング》クロスパンチ.

on the cróss 斜めに, 対角線に.

── 動 (~·es/-iz/; 過去・過分) ~ed/-t/; ~·ing)
── 他 ❶ 〈人・乗り物などが〉〈川などを〉〔…まで〕横切る, 横断する, 渡る〔to〕; 〈人が〉〈人〉を横断させる; 〈橋が〉〈川〉にかかっている || cross the finish line (競走の)決勝線を越える / We crossed the river in a rowboat. 我々はこぎ船で川を渡った(= We rowed across the river …).
❷ 〈人が〉〈2つの物〉を交差させる, 〈手・脚など〉を組み合わせる || He sat on the chair with his legs [arms] crossed. 彼はいすに脚を組んで[腕組みして]座っていた (cf. cross-legged).
❸ 〈人が〉〈t などの文字〉の横線を引く; 〈名前など〉を〔リストなどから〕線を引いて消す〔+ off, out〕〔off, through〕;《英》〈小切手〉に(銀行渡りの)横線を引く || Cross his name óff (the list). (名簿から)彼の名前を消しなさい / Dot the i's and cross the t's. 仕上げは細かいところまで十分気を配りなさい.
❹ 〈手紙などが〉〈他の手紙〉と行き違いになる || My letter must have crossed yours in the mail. 私の手紙はあなたのと行き違いになったに違いありません.
❺ 〈ある動植物〉を〔…と〕交配させる〔with〕; 〈2種類の動植物〉を交配させる.

── 自 ❶ 〔…を〕横断する, 渡る(over);〔…を〕通り抜ける〔through〕|| Don't cross now.《英》[信号の表示] 止まれ(《米》Don't walk.). ❷ 〈2本の線・道などが〉交わる, 交差する; 〈複数の人が〉会う || Our paths seem to cross very often lately, don't they? このところよくお会いしますね. ❸ 〈手紙・人などが〉行き違いになる; 〈列車・バスなどが〉離合する.

cróss óff 他 (1) → ❸. (2) 〈勘定など〉を帳消しにする.

cróss onesélf 胸の前で十字を切る.

cróss óver 自《主英》〈敵・反対パに〉回る.
── 自[+] [~ over A] → ❶.

cróss óver to A《主英》〈敵・反対政党など〉に回る, 寝返る.

── 形《主に英略式》[…で/に]怒った(angry), 不機嫌で〔about, at, for / with〕|| The teacher was cross with me for forgetting my homework. 先生は私が宿題を忘れたので不機嫌だった.

cróss fìre 十字砲火;《質問の》集中攻撃.

cróss sèction (1) (横)断面(図). (2) 全体の代表例[者].

cróss·ness 名 U 不機嫌, 意地悪いこと, すねること.

cross- /krɔ́(ː)s-/【語基素】→語素一覧 (1.7).

cross·bar /krɔ́(ː)sbὰːr/ 名 C 横木;《ラグビーなどの》

ゴールの横木((図) → rugby);(走り高跳びなどの)バー;自転車のハンドルとサドルをつなぐ心棒(図 → bicycle).

cross·bones /krɔ́ːsbòunz/ 图 [複数扱い](海賊旗の図案の)2本の交差した骨(cf. skull)《死の象徴だったが、今は危険の警告の印》.

cross-bor·der /krɔ́ːsbɔ̀ːrdər/ 形 〈取引などが〉国境を越えた、海外との;〈攻撃などが〉越境の ‖ *cross-border trade* 海外との貿易 / a *cross-border* railroad line 国境を越えて走る鉄道線.

†**cross·bow** /krɔ́ːsbòu/ 图 C (中世の)石弓.
cróss·bòw·man 图 C 石弓の射手.

cross·bred /krɔ́ːsbréd/ 動 crossbreed の過去形・過去分詞形. ── 形 图 C 異種交配の(動(植)物).

cross·breed /krɔ́ːsbrìːd/ 图 C 異種交配物、ハイブリッド. ── 動 (過去・過分)··bred 圁 異種交配する. ── 他 …を異種交配させる.

cross-check [動 krɔ́ːstʃék, ⌐⌐] 動 他 (…を)クロスチェックする、(…の)(正確度を)別の方法で調べる. ── 图 C 別の方法による確認.

cross-coun·try /krɔ́ːskʌ́ntri/ 形 クロスカントリーの[で]、田舎を通る[って];〈旅・鉄道などが〉国を横断する. ── 图 U クロスカントリー競技《◆ classical style と free style の2つに分かれる》.

cross·cul·tur·al /krɔ́ːskʌ́ltʃərəl/ 形 異文化間の、比較文化的な ‖ *crosscultural understanding* 異文化理解.

cross-cut /krɔ́ːskʌ̀t/ 图 C **1** 近道. **2** 横断面.
cross-dress·er /krɔ́ːsdrésər/ 图 C 服装倒錯者.
cross-dress·ing /krɔ́ːsdrésiŋ/ 图 U 服装倒錯《異なる性別の服装をすること》.

crossed /krɔ́ːst/ 形 **1** 交差した、十字形に置いた. **2** 横線を引いた. **cróssed chéck** (英) **chéque** 横線小切手、銀行渡り小切手.

†**cross-ex·am·ine** /krɔ́ːsigzǽmin/ 動 他 〈証人に〉反対尋問する;〈人〉を厳しく詰問する.
cróss-ex·am·i·ná·tion 图 U C 反対尋問.
cróss-ex·àm·in·er 图 C 反対尋問をする人.
cross-eye /krɔ́ːsái/ 图 C 寄り目(の目).
cróss-èyed 形 寄り目の.
cross-hold·ing /krɔ́ːshóuldiŋ/ 图 [~s] 株式持ち合い.

†**cross·ing** /krɔ́ːsiŋ/ 图 **1** U C 航海;横断 ‖ have a good [rough] *crossing* from Kobe to Yokohama 神戸から横浜まで穏かな[荒れた]海を航海する. **2** C 交差(点);横断歩道《◆ 掲示ではしばしば xing とつづる》.

> 関連 [いろいろな種類の crossing]
> panda [pelican] *crossing* (英) 押しボタン式横断歩道 / pedestrian *crossing* (英) 横断歩道((米) crosswalk) / railroad *crossing* 踏切 / zebra *crossing* (英) 歩行者優先横断歩道.

cross-legged /krɔ́ːslégd, -légid | krɔ́ːs-/ 形 (両ひざを離し)両足を組んだ[組んで];(床の上で)あぐらをかいて[かいた].
cross·ly /krɔ́ːsli/ 副 **1** 横に、斜めに. **2** 逆に、反対に. **3** 不機嫌に、すねて、意地悪く.
cross·o·ver /krɔ́ːsòuvər/ 图 **1** C (英) (列車の)渡り線;立体[高架]交差路、跨線(ʦ̃)橋((米) overpass). **2** C [音楽] クロスオーバー《ジャンルの混交によってできた新形態の音楽・ファッション》.

†**cross-piece** /krɔ́ːspìːs/ 图 C 横木.
cross-ques·tion /krɔ́ːskwéstʃən/ 動 他 …に反対

尋問する;…に詰問する(cross-examine).
cross-re·fer /krɔ́ːsrifə́ːr/ 動 〔正式〕 他 圁 (同一書中で)(…を)[他箇所から/他箇所へ]参照させる[する] (*from/to*).

cross-ref·er·ence /krɔ́ːsréfərəns/ 图 C (同一書中での)[他箇所の]参照(*to*). ── 動 他 …に相互参照をつける.

†**cross·road** /krɔ́ːsròud/ 图 **1** C (米) 交差道路. **2** [しばしば a ~s] 十字路, 交差点. **3** [しばしば a ~s; 比喩的に] 交差,岐, 重大な岐路 ‖ stand [be] at the [a] *crossroads* 岐路に立っている.

cross-stitch /krɔ́ːsstìtʃ/ 图 C U クロスステッチ, 千鳥がけ;U クロスステッチ刺繍(ɕ*)(の作品).

cross·walk /krɔ́ːswɔ̀ːk/ 图 C (米) 横断歩道.
cross·way /krɔ́ːswèi/ 图 [しばしば ~s] =crossroad.
cross·ways /krɔ́ːswèiz/ 副 =crosswise.
cross·wind /krɔ́ːswìnd/ 图 C 〔海事・航空〕横風, 横なぐりの風.
cross·wise /krɔ́ːswàiz/ 形 副 横断的な[に];交差した[て].
cróss·wòrd (**pùzzle**) /krɔ́ːswə̀ːrd-/ 图 C クロスワードパズル.

†**crotch** /krɔ́tʃ | krɔ́tʃ/ 图 C (人・ズボンなどの)また, 木のまた. **crótched** /krɔ́tʃt/ 形 ふたまたになった.
crotch·et /krɔ́tʃət/ 图 C (英) [音楽] =quarter note.

†**crouch** /kráutʃ/ 動 圁 **1** 〈人・動物が〉しゃがむ, うずくまる;(攻撃のため)身を低くする(+*down*). **2** (恐怖で)ちぢこまる, すくむ;〈人が〉[…に]腰を低くする, ぺこぺこする(*to*). ── 他 〈ひざなどを〉曲げる. ── 图 [a ~] しゃがむこと;身を低くした姿勢.

†**croup**[1] /krúːp/ 图 U [医学] [しばしば the ~] クループ《激しいせきを伴う小児病》.
croup[2], (米ではしばしば) **croupe** /krúːp/ 图 C (馬などの)しり, 臀(ᴅ)部(= horse).
crou·ton, croû- /krúːtan, ⌐⌐ | -tɔn, ⌐⌐/ 〔フランス〕 图 C クルトン《スープに浮かす焼いた[揚げた]パンのさいの目切り》.

†**crow**[1] /króu/ **発音注意** 图 C **1** カラス《◆ 鳴き声は caw, croak》 ‖ (*as*) *bláck as a cr*ɔ́w 真っ黒で;*a white crow* 珍しいもの. 関連 raven, rook, jackdaw, carrion crow. **2** =crowbar.
as the crów flíes =*in a crów* [*stráight*] *líne* 〖カラスは目標に向かってまっすぐ飛ぶことから〗直線距離で(行けば).

†**crow**[2] /króu/ 動 圁 **1** 〈おんどりが〉鳴く,時を告げる. **2** 〔…に〕大喜びする(*over*);〈赤ん坊が〉〔…に〕喜んでキャッキャッと笑う(*with*). **3** 〔略式〕〔…を〕誇らしげに言う(*boast*) (*about, over*);〔…に〕勝ち誇る(*over*).
── 图 C **1** [a/the ~] おんどりの鳴き声《◆ cock-a-doodle-doo と鳴く》(cf. cockcrow). **2** [a ~] 赤ん坊の喜びの声.

Crow /króu/ 图 (複 Crow, ~s) **1** C クロー族《北米先住民》. **2** U クロー語《この一語族の1つ》.

†**crow·bar** /króubɑ̀ːr/ 图 C かなてこ, バール.

*__**crowd**__ /kráud/ 〖類音〗 cloud /kláud/ 〖「押す」が原義〗 **crowded** (形)
── 图 (複 ~s /kráudz/) C **1** 群衆, 人ごみ; 観衆 《◆ 個人を問題にするときは複数扱い. (米) では単数扱いが多い》; [the ~] (専門家・特権階級に対して)一般大衆, 民衆; 烏合(ɢ̃)の衆 ‖ All the *crowd* was [were] waiting to see the prince. 群衆はみんな王子を見ようと待っていた / She was found in [among] the *crowd*. 人ごみの中に彼女の姿が見つけ

られた / TV programs appealing [which appeal] to *the crowd* 大衆が気に入るテレビ番組.

[関連] [いろいろな集合体の言い方]
a bunch of flowers 花1束 / a crowd of people 人の群 / a deck (米) [pack (英)] of cards トランプ一組 / a flock of sheep [birds] 羊[鳥]の群 / a herd of cows 牛の群 / a school of fish 魚の群 / a set of tools 道具一式.

2 (略式) 多数 ‖ come together *in a crowd* 大勢集まる / *A crowd* [*Crowds*] *of people* gathered in front of the city hall. 多くの人たちが市役所前に集まった.
3 (略式) 仲間, 連中.
follow [*move with, gó with*] *the crówd* (略式) 世間並みのことを言う[する].
páss in a crówd 〖人ごみにまぎれて通過する〗〈人・物が〉目立つような欠点はない, だいたい満足できる.

──**動** (~s/kráudz/; 過去・過分 ~·ed/-id/; ~·ing)
──他 〈人などが〉〈場所に〉**群がる**, 押し[詰め]かける;
[crowd A with B =crowd B into A] 〈人が〉A 〈場所に〉B〈人・物〉を詰め[押し]込み, いっぱいにする ‖ Thousands of people *crowded* the beach. = The beach was *crowded with* thousands of people. 何千人もの人たちがその浜に押しかけた (→文法 7.3) / The slaves were *crowded into* the small boat. 奴隷たちは小さなボートに詰め込まれた.
──自〈人・事が〉[…に]**群がる**, 押しかける[寄せる] (+*in, out, together*)[*into, (a)round*] 《◆修飾語(句)は省略できない》‖ The eager spectators *crowded into* the stadium. 熱狂的な観客が野球場になだれ込んだ / Pleasant memories *crowded in* on me. 楽しい思い出がどっとよみがえってきた.

crowd·ed /kráudid/ 〖過去・過分 → crowd〗
──形 (more ~, most ~) **1**〈場所・乗り物が〉**込み合っている**, 満員の《◆「身動きできないほどすし詰めの」はjammed》‖ *crowded* spectators 満員の観客 / The train was too *crowded* for me to find a seat. 列車はとても込んでいたので私は座席を見つけられなかった. **2**〈事が〉ぎっしり詰まった ‖ a *crowded* program ぎっしり詰まったプログラム.

crown /kráun/ **名 1** ⓒ (勝利・賞の印の)花[葉]の冠, 栄冠; 栄誉; 報い; [the ~] 優勝, チャンピオン ‖ a *crown* of laurel leaves 月桂冠 / *táke the crówn in* ténnis テニスで優勝する. **2** ⓒ 王冠;〖通例 the C~〗王, 女王, 君主; [the ~] 王権; 王位 ‖ fight for *the crown* 王のために戦う / succeed to *the crown* 王位を継承する. **3** ⓒ 王冠の形をした物[飾り]; 王冠章[印]; (びんの)王冠; (時計の)竜頭(☺) (⁀ watch). **4** ⓒ =crown piece. **5** ⓒ とさか(crest); 脳天; 頭(head); てっぺん, 頂(top); (帽子の)てっぺん, 山; (宝石の)カットの上部[表面]; 〖建築〗(アーチの)最高部; 〖植〗副花冠, 花冠; 〖医学〗歯冠 ‖ from *crown* to toe 頭のてっぺんからつま先まで, 全身に. **6** [the ~] 極致, 絶頂, 盛り.
──動 他 **1** …に王冠を載せる, …を王[女王]にする, 王位につかせる. **2**(文) …の頂上を[…で]占める[覆う][*with*] ‖ a tower (which is) *crowned with* a spire 尖(⁀)塔のある塔. **3** …(の最後)を栄誉で飾る, …を仕上げる ‖ A Nobel Prize *crowned* her efforts. =Her efforts were *crowned* with a Nobel Prize. ノーベル賞によって彼女の努力は報われた (→文法 7.3).
to crówn it áll (略式) あげくの果てに, とどのつまり.
crówn cáp [còrk] (英) (びんの)キャップ, 王冠.
crówn jéwels (戴冠式などで身につける)装飾品[王冠・刀剣・宝石など]; 即位の宝器(regalia).
crówn piece (英国の旧制度の)クラウン貨幣《旧5シリングのコイン. 今は25ペンス》; (ヨーロッパの)クラウン貨幣単位, クローネ(kuron).
crówn prínce 皇太子《◆英国の皇太子は the Prince of Wales》.
crówn príncess (1) 皇太子妃《◆英国の皇太子妃は the Princess of Wales》. (2) (推定王位継承人である)王女.
crowned /kráund/ 形 王冠を戴いた, 王位についた; 王権に基づいた; [複合語で] (帽子が)…の山のある.
crówned héads (文) [集合的に] 国王と女王.
crown·ing /kráuniŋ/ 形 そびえ立つ, 頂上の; 極上の, 最高の ‖ *crowning* glory 最高の栄誉[成果, 業績].
crow's-feet /króuzfi:t/ 名 [複数扱い] 目じりのしわ.
crow's-nest /króuznèst/ 名 ⓒ 〖海事〗檣(⁀)上見張り台.
CRT (略)〖電子工学〗cathode-ray tube.
cru·ces /krú:si:z/ 名 crux の複数形.
cru·cial /krú:ʃl/ 形 **1**(正式)[…にとって]決定的な, ゆゆしき[*to, for*] ‖ a *crucial* stage [point, moment] 決定的な段階[点, 瞬間]. **2** 〈病気などが〉命にかかわる, 重い. **3** 欠くことのできない, 必須の.
cru·cial·ly /krú:ʃli/ 副 決定的に; ゆゆしく ‖ *crucially* ill 重病の.
cru·ci·ble /krú:səbl/ 名 ⓒ **1** るつぼ; 湯だまり. **2** 厳しい試練.
cru·ci·fix /krú:səfiks/ 名 ⓒ キリスト受難の像[はりつけ像, 十字架像]; 十字架.
cru·ci·fix·ion /krù:səfíkʃən/ 名 **1** ⓤⓒ はりつけ; [the C~] キリストの(十字架上の)処刑. **2** ⓒ キリスト受難[はりつけ]の絵(姿).
cru·ci·form /krú:səfɔ̀ːrm/ 形 十字形(上)の.
cru·ci·fy /krú:səfài/ 動 他 **1** …をはりつけにする, 十字架にかける. **2** (略式)〈人〉を苦しめる; …を酷評する; …を抑制する.
crude /krú:d/ 形 **1a** 天然のままの, 自然の, 加工[精製, 精錬]していない《◆何らかの人工処理が必要な状態を強調する. cf. raw》‖ *crúde* rúbber 生ゴム / *crúde* súgar 粗糖. **b** 〈事実などが〉ありのままの ‖ the *crude* truth [reality] ありのままの真実[現実]. **2** 粗い; 大まかな; 未熟な, 生硬な ‖ a *crude* summary 大ざっぱな要約 / a *crude* log cabin 粗末な丸太小屋. **3** 〈人・態度・言葉などが〉無礼な(rude), 不作法な; 粗野な(coarse); みだらな(vulgar).
──名 ⓤ =crude oil [petroleum].
crúde óil [**petróleum**] 原油.
crúde·ly 副 粗野に, そっけなく; [文全体を修飾] 露骨に言えば. **crúde·ness** 名 ⓤ 粗野, 荒さ, 生硬.
crud·i·ty /krú:dəti/ 名 **1** =crudeness. **2** ⓒ 未熟[粗雑]なもの[行為, 言葉]; 未完成品.
cru·el /krú:əl/ 〖『生(⁀)の』が原義. cf. crude〗 (派) cruelty(=名)
──形 (~·er or (英) ~el·ler, ~·est or (英) ~el·lest) **1**〈事が〉むごい; 悲惨な, 痛ましい ‖ a *cruel* punishment 厳しい刑罰 / be placed in a *cruel* predicament 痛ましい苦境に置かれる.
2〈人・性格などが〉[人・動物に対して]**冷酷な**, 非情[無慈悲]な(brutal)[*to*] ‖ be *cruel to* animals 動物を虐待している / have to be *cruel* to be kind

cru·el·ly /krúːəli/ 副 1 無慈悲に, 残酷に; 痛ましく. 2 [強意語として] ひどく, べらぼうに (extremely).

cru·el·ty /krúːəlti/ 名 (-ties/-z/) ① 残酷な行為 [言動, 言葉]; 残酷さ, むごたらしさ; 悲惨; 無慈悲, 残忍性 ‖ *cruelty* to animals [children] 動物 [児童] 虐待.

cru·et /krúːit/ 名 C (食卓用の酢・油・塩・コショウなどを入れる) 薬味びん; (英) =cruet stand.
crúet stànd 薬味台.

cruise /krúːz/ 動 ⓐ (人が〉(船で) 巡遊する,〈艦船などが〉巡航する 1 ‖ gò *crúising* 巡航する. 2 〈人が〉漫遊する; (略式)行く (go). 3〈タクシーが〉(客を拾うため) 流す, 〈パトカーが〉(巡回のため) ゆっくり走る; 〈人が〉車をゆっくり走らせる. 4〈飛行機・船・車が〉巡航 [経済] 速度で飛ぶ [走行する], (一般に) 軽快に飛ぶ [走行する]. ── 名 C 巡航, 船旅; 漫遊旅行 ‖ a tést [tríal] *crúise* (船の) 試運転 / gó on [for] a *crúise* on a liner 定期船で遊覧する.
crúise contròl クルーズ・コントロール《乗物で, 運転者が選んだスピードを保ち続ける装置》.
crúise mìssile 巡航ミサイル.
crúise shìp 巡航客船.

cruis·er /krúːzər/ 名 C 1 巡洋艦 (cf. battleship, destroyer). 2 巡航飛行機; 流しのタクシー (cruising taxi); (米) (無線つきの) パトカー. 3 遊覧 [行楽] 用モーターボート (cabin cruiser) 《◆motorboat より大きく yacht より小さくて船室で宿泊可》.

cruis·ing /krúːziŋ/ 名 U C [形容詞的に] 巡航 [経済] 速度の, 巡航の ‖ a *crúising* radius (航空機・船の) 航続半径; (動物の) 行動範囲 ‖ a *crúising* spéed 巡航 [経済] 速度 / a *crúising* taxi 流しのタクシー.

crumb /krám/ 名 1 C [通例 ~s] (パン・ケーキ・ビスケットなどの) くず; パン粉 (bread crumbs) ‖ keep bread *crumbs* for birds 小鳥 (のえさ) にパンくずをとっておく. 2 C [主に a ~ of + U 名詞] ほんの少し, 断片 (bit) ‖ (a few) *crumbs* [a *crumb*] of information on the tsunami その津波についてのほんのわずかな情報. 3 U パンの柔らかい部分, パンの身 (cf. crust).
crúmb bún 甘いロールパン.

crum·ble /krámbl/ 動 ⓣ 〈物〉をぼろぼろ [粉々] にする; …を細かくちぎる (+up) ‖ *crumble* the bread for the bird 鳥にやるためパンをくずにする. ── ⓐ 1〈物が〉ぼろぼろになる, 砕ける, 崩れ (落ち) る (+away) ‖ stone that *crumbles* quickly 砕けやすい石. 2〈望みなどが〉水泡 [無] に帰する,〈権威などが〉徐々に落ちる (collapse) (+away). ── 名 C U クランブル《煮た果物に小麦粉・ベット・砂糖・バターをまぶしたもの》.

crum·bly /krámbli/ 形 砕けやすい, もろい.
crum·my /krámi/ 形 (-mi·er, -mi·est) (略式) つまらない, 気分のよくない.
crum·pet /krámpit/ 名 C (主に英) クランペット《(米) English muffin》《マフィンに似たパン》.

crum·ple /krámpl/ 動 ⓣ 1 …をしわくちゃ [もみくちゃ] にする, ねじまげる (+up)《◆crease より堅い語》. 2〈人を肉体 [精神] 的にまいらせる. ── ⓐ 1〈顔などが〉(泣いて) しわくちゃになる (+up). 2 (略式) 〈望みなどが〉つぶれる (+up); 〈人が〉肉体 [精神] 的にまいる, 崩れるように倒れる (+up).

crunch /kránt∫/ 動 ⓣ 〈ビスケット・ピーナッツなどを〉ポリポリ [ガリガリ] かむ; …をバリッと [踏んで] つぶす [砕く], かみ砕く (+down, up); 〈じゃり道・雪などを〉ザクザク [サクサク] と踏む. ── ⓐ カリカリ [ザクザク, バリバリ] という音を立てる;〈車輪が〉きしむ. ── 名 1 a [the ~] 砕ける音《ザクザク, ポリポリ》. b [略式) [通例 the ~] (のるかそるかの) 瀬戸際の時; ピンチ, 危機 (crisis), 試練; (米) 経済的危機 ‖ *when* [if] it còmes dówn to the crúnch = when the crúnch còmes いざ行動 [決定] という時には / *in the crunch* ピンチの時には.

crunch·y /-i/ 形〈食物が〉(かむと) ポリポリ [パリパリ] する;〈砂利道・雪などが〉ザクザク [サクサク] する.

cru·sade /kruːséid/ 名 C 1 [通例 Crusades]〔歴史〕十字軍, 聖戦. 2 (正式)(…に) 賛成 の/…に反対の) 改革 [擁護, 撲滅] 運動 [キャンペーン] (movement) [for/against] ‖ a *crusade* against crime [AIDS] 犯罪 [エイズ] 防止キャンペーン / a *crusade* for women's rights 女権擁護運動.
── 動 ⓐ 1〔歴史〕十字軍 [聖戦] に参加する. 2 改革 [擁護, 撲滅] 運動 [キャンペーン] に参加する.

cru·sad·er /kruːséidər/ 名 C 1 [C~] 〔歴史〕十字軍戦士. 2 社会運動 (キャンペーン) 参加者.

crush /krá∫/ 動 ⓣ 1〈人・物〉が〈物などを〉押しつぶす, 踏みつぶす, ぎしゃんこにする (+down) [頭語→ clash];…をぎゅっと握る [抱く], …を [...に] 押しつける [against];…を [...へ] ぎゅうぎゅうに押し込む (into);…を […から] 押して [出す] (+out) [of] ‖ *crush* a cockroach under one's foot ゴキブリを足で踏みつぶす / the rock which *crushed* ten people (to death) 10 人もの人を押しつぶして圧死させた岩 / *crush* his hand with a friendly handshake 親しみをこめてぎゅっと彼と握手する / He *crushed* her [to him [in his arms]. 彼は彼女を固く抱きしめた. 2〈機械などが〉〈石・穀粒〉を粉々にする (+up, down), …を [...に] 砕く (into);〈ジュース〉を […から] しぼり出す (+out) [of, from] ‖ *crush* the juice *out of* [*from*] a lemon レモンから果汁をしぼり出す / This machine *crushes up* old cans. この機械は空カン押しつぶし機です. 3〈事が〉〈心・人など〉を押しつぶす (+out), 打ちくだく; (政府など が〉…を鎮圧する (+down) ‖ *crush* a revolt 反乱を抑える / That failure *crushed* his spirit *out* (of him). その失敗で彼は意気消沈した.
── ⓐ〈人々が〉ひしめく, 殺到する (+in).
── 名 1 U 押しつぶす [される] こと. 2 (略式) [a/the ~] 大群衆, 雑踏, 混雑. 3 C (略式) [a ~] [...の方への] 夢中, ほれこみ, 片思い; その相手 [on] ‖ have [get] a *crush* on him 彼にのぼせる. 4 U (主に英) 果汁 ‖ orange *crush* オレンジジュース.

crush·er /krá∫ər/ 名 C 押しつぶすもの [人].
crush·ing /krá∫iŋ/ 形 1 押しつぶす. 2 圧倒的な. 3 仕上げの, 決定的な.
Cru·soe /krúːsou/ 名 → Robinson Crusoe.

crust /krást/ 名 1a C U パンの皮, パンの耳 (cf. crumb); U C パイ皮 ‖ sandwiches without the *crust*(s) 耳をのけたサンドイッチ. b C (食パンの両端の) 堅い皮のついた 1 切れ; 堅くなった薄いパン 1 切れ《◆「貧しい食べ物」の含みをもつ》; 生活のかて. 2 U C a 堅い外皮, 堅くなった表面.

crus·ta·cean /krastéi∫ən/ (正式) 名 C 形 甲殻類動物の《カニ・エビなど》.
crust·ed /krástid/ 形 固い皮 [覆い] をもつ.
crust·y /krásti/ 形 (-i·er, -i·est) 1 皮殻質の, 表

面の堅い. **2** 〈パンなどが〉パリパリした; 堅くなった外皮のある. **3** (略式) 短気な, 気難しい.

†**crutch** /krʌ́tʃ/ [名] C [通例 ~es] 松葉づえ ‖ *a pair of crutches* (1対の)松葉づえ / *go* [*walk*] *on crutches* 松葉づえをついて歩く.

crux /krʌ́ks/ [名] (複) ~**·es, cru·ces** /krúːsiːz/ C (正式) [通例 the ~] 難問, 難点; 急所, ポイント, 核心.

**cry /krái/ [名] 「何かを求めて大声を出して叫ぶ」が本義]
——[動] (**cries**/-z/; 過去・過分 **cried**/-d/; ~**·ing**)
——[自] **1** 涙を流して泣く (類語) weep, sob, wail, moan); 〔…のあまり/…で/…のことで〕泣く, 嘆く〔*for*/*with*/*about*〕‖ She *cried about* her only son. 彼女は一人息子のことで泣いた / *cry for* joy うれし泣きをする / *cry with* grief [pain] 悲しみ[痛さ]のあまり声をあげて泣く / Don't *cry* any more. You are a good boy. もう泣かないで, いい子だから. **2** 〈人が〉〔人に/…を求めて〕叫ぶ, 大声をあげる(+*out*) 〔*to*/*for*〕〈◆ shout より堅い語〉‖ *cry out* in panic 怖くなって大声をあげる / The lost girl *cried óut to* me *for* hélp. その迷子の少女は大声で私に助けを求めた. **3** 〈鳥が〉鳴く, さえずる; 〈獣が〉ほえる. **4** 〈人が〉〔…に〕大声で呼びかける〔*to*〕, 〔…してくれるよう〕泣きつく, 陳情[哀願]する〔*to do*〕‖ They are *crying to* the government *to* find employment for them. 彼らは職を与えてほしいと政府に陳情している.
——[他] **1** 〈涙〉を流して泣く. **2** 〔…と〕叫ぶ, 大声で言う(+*out*)〔*that*節〕; 〔…〕と注文などを言う;〈古〉〈ニュースなど〉を大声で知らせる, ふれ回る.

crý dówn [他] (1) 大声をあげて〈人〉を黙らせる. (2) (略式) 〈人・物〉をけなす, みくびる(↔ *cry up*). (略式) 〈提案など〉をしりぞける.

crý óff [英略式] [自] 〔…から〕手を引く〔*from*〕.
——[他] …を取り消す.

crý one*self* 泣いて…の状態になる ‖ *cry oneself* to sleep 泣いているうちに寝入ってしまう〈◆ ✗*cry oneself* asleep のように形容詞がくることはない〉.

crý óut agàinst A …にやかましく反対する, …をぶつくさ言う.

crý óver A …を嘆く, …のことで嘆く〈◆ 受身可〉.

crý úp [他] (英)〈人・物〉を大いに賞賛する, 重視する(↔ *cry down*). (2) …を〔…だと〕評価する〔*to be*〕‖ be not what it is *cried up to be* 評判ほどではない.

——[名] (複) **cries**/-z/) C **1** [a ~] 泣き声; 泣くこと; 〔…を求める/…の〕叫び声〔*for/of*〕‖ *a cry for* help 助けを求める叫び声 / *give a cry of* pain 苦痛の声をあげる / *hàve a góod cry* 思い切り泣く / *Much cry and little wool.* (ことわざ)(豚の毛を刈ろうとしても)鳴き声ばかり大きく毛は少ししかとれない; 空騒ぎ, 「大山鳴動してネズミ1匹」. **2** 〈…を求める/…しないという〉哀願, 嘆願, 要求〔*for* / *to do*〕; (商品の)宣伝の声; スローガン; ときの声 ‖ *give a cry of* triumph 勝どきの声をあげる. **3** (鳥の)鳴き声, (動物, 特に猟犬の群れの)ほえ声.

be a fár [*lóng*] *crý from* A (略式) 〈人・事〉から遠く離れている; …と大いに異なる, …どころではない.

in fúll crý (1) 〈猟犬が〉〔…を〕一生懸命に追って[求めて]〔*after*〕. (2) 〈人が〉激しく要求[攻撃]して.

within a crý of A …から呼べば聞こえる範囲内に.

cry·ba·by /kráibèibi/ [名] C (略式) (特に子供に対して)泣き虫.

cry·ing /kráiiŋ/ [形] 叫ぶ, 泣く, 涙を流す; 緊急の; (質が)悪い.

crypt /krípt/ [名] C (教会堂の)地下聖堂〈礼拝・納骨に用いる〉.

cryp·tic, --ti·cal /kríptik(l)/ [形] **1** 隠(さ)れた, 人目につかない; 秘密の. **2** なぞの, 意味不明の.

cryp·to·graph /kríptəgræf| -grάːf/ [名] **1** C 暗号(文). **2** C 暗号作成[解読]装置.

†**crys·tal** /krístl/ [名] **1** U 水晶(rock crystal); C 水晶体[細工]; =crystal ball ‖ *a necklace of crystals* 水晶の首飾り(=a *crystal* necklace) / (as) clear as *crystal* 水晶のように澄みきった. **2** U =crystal glass; [集合名詞] カットガラス製品[食器類] ‖ *a dining table sparkling with silver and crystal* 銀器とガラス製の食卓. **3** C (化学・鉱物) 結晶(体) ‖ *crystals* of snow =snow *crystals* 雪の結晶. **4** C (主に米) (時計の)ガラス (プラスチック)のふた ((英) watch-glass). **5** [形容詞的に] 水晶(製)の, 水晶質の; クリスタル製の; 透明な, 澄みきった.

crýstal báll (占い用)水晶球.

crýstal cléar [形] 〈ガラス・水などが〉透明な; 明晰(蟹)な; (明白で)理解しやすい.

crýstal gàzer 水晶占い師.

crýstal gàzing 水晶占い.

crýstal gláss クリスタルガラス.

†**crys·tal·line** /krístəlin, -àin | -àin/ [形] **1** 水晶の; (文) 透明な ‖ *crystalline* lens 〔医〕水晶体. **2** 結晶体から成る, 結晶構造の ‖ *crystalline* rocks 結晶岩. **3** 明白な.

crys·tal·li·za·tion /krìstəlɔzéiʃən | -lai-/ [名] U 結晶(する[させる]こと), 晶化; 結晶体; 具体化.

†**crys·tal·lize**, (英ではしばしば) --**lise** /krístəlàiz/ [動] [他] **1** …を結晶[晶化]させる ‖ *crystallize* salt from seawater 海水から塩を採る. **2** (正式) 〈考え・計画などを具体化させる, 具現させる, 明示する(make definite). **3** 〈果物などを〉砂糖漬けにする, …に砂糖をまぶす. ——[自] **1** 結晶[晶化]する. **2** (正式) 〈考えなどが〉〔…に〕具体化する(+*out*)〔*into*〕.

crýstallized frúit 砂糖づけ果物.

Cs (記号) 〔化学〕 c(a)esium; (略) 〔気象〕 cirrostratus.

CS gas (米軍事) 催涙ガス.

CST (略) Central Standard Time.

ct. (略) carat(s); cent(s).

Ct. (略) Connecticut; Count; Court.

CT (略) (郵便) Connecticut; 〔医学〕 computerized tomography コンピュータ [X] 線断層撮影(cf. CAT).

CTBT (略) Comprehensive Test Ban Treaty 包括的核実験禁止条約.

CTC (略) centralized traffic control 列車集中制御装置.

Cu (記号) 〔化学〕 copper 〈◆ ラテン語 cuprum より〉.

cu. (略) cubic; cumulative; 〔気象〕 cumulus.

†**cub** /kʌ́b/ [名] C **1** (キツネ・トラ・クマなどの)子; クジラの子 ‖ *a bear cub* クマの子. **2** (不器用な, 不作法な)子供 (特に男の子), (未経験な)小僧. **3** [C ~ / the ~s] =Cub Scout. **4** (略式) =cub reporter.

cúb repórter 見習い・新米の新聞記者.

Cúb Scóut カブスカウト〈Boy Scout の下で8-11歳. (英)ではもと wolf cub といった〉.

†**Cu·ba** /kjúːbə/ [名] キューバ〈西インド諸島の共和国. 首都 Havana〉. **Cúba lí·bre** /-líːbrə/ キューバ=リブレ〈ライム果汁とラム酒で作った飲み物〉.

†**Cu·ban** /kjúːbən/ [形] キューバ(人)の. ——[名] C キューバ人(語法 → Japanese).

cub·by(·hole) /kʌ́bi(hòul)/ 图C (略式) 狭いが気持ちのよい場所[部屋], こぢんまりとした所.

cúff links カフスボタン《(英) sleeve link》.

cui·sine /kwizíːn/ 〖フランス〗 图U (正式) (独特の)料理(法) (cooking).

cul-de-sac /kʌ́ldəsæk, kúl-/ 〖フランス〗 图 (複 **culs-de-sac** /kʌ́lzdə-, kúlz-/, **~s**) ① 行き止まり, 袋小路.

†**cube** /kjúːb/ 图C 1 立方体; 正六面体; 立方形のもの《さいころ・角ざとうなど》 ‖ a *cube* of sugar =a sugar *cube* 角砂糖1個. 2 〔数学〕立方, 3乗 ‖ 『The *cube* of 3 [3³] is 27. 3の3乗は27である(=3 *cubed* is 27).》. ──動 他〈数〉を3乗する;…の体積[容積]を求める;…を小さい立方体に切る.

†**cul·i·nar·y** /kjúːlənèri | kʌ́linəri/ 形 (正式) 料理(用)の; 台所の ‖ *culinary* plants 野菜類.

†**cull** /kʌ́l/ 動 他 1 〈文〉〈花〉を摘む. 2 …を(一群の中から)より抜く(+*out*)(from). 3〈弱ったもの・卵を生まなくなった動物〉をとり出し(して殺)す(+*out*). ──图 より抜いて殺す[除く]こと; 淘汰(た).

cúbe róot 立方根.

cúbe stèak キューブステーキ《碁盤目状の切り目がある》.

cúbe sùgar 角砂糖.

cul·len·der /kʌ́ləndər/ 图 =colander.

†**cul·mi·nate** /kʌ́lmənèit/ 動 自 (正式) 〔…で〕最高潮に達する(in); 結果的に〔…に〕なる(result) (in) ‖ All her efforts *culminated in* failure. 彼女のすべての努力は水泡に帰した.

†**cu·bic** /kjúːbik/ 形 1 立方体の; 体積の ‖ a *cubic* shape 立方形 / the *cubic* capacity of a tank タンクの容積. 2 〔数学〕3次[3乗, 立方]の; 等軸の. ──图C =cubic equation.

cul·mi·na·tion /kʌ̀lmənéiʃən/ 图U 〔通例 the ~〕 最高点[潮], 絶頂.

cúbic equátion 3次方程式.

cu·lotte /k(j)uːlɑ́t, -/ 图 〔~s; 複数扱い〕キュロットスカート《半ズボン式スカート》.

cúbic ínterchànge 立体交差.

cul·pa·ble /kʌ́lpəbl/ 形 (正式) 〔法律〕〔…で〕非難に値する, とがめるべき (for).

cu·bi·cle /kjúːbikl/ 图C (寮などの)個人小寝室, 小私室; 小部屋, 小ボックス.

†**cul·prit** /kʌ́lprit/ 图C 〔通例 the ~〕 1 (正式) 罪人; 犯人. 2 〔法律〕(特に無罪を主張している)刑事被告人. 3 問題を起こす人[物].

cub·ism /kjúːbìzm/ 图 〔しばしば C~〕U 〔美術〕 立体派, キュービズム. **cúb·ist** 图C形 立体派の画家[彫刻家](の).

cult /kʌ́lt/ 图C 1 儀式, 祭儀; 宗派. 2 a 〈 (に) 賛美, 賞賛, 崇拝 ‖ the [a] *cult* of Napoleon ナポレオン崇拝. b (流行した一時的な)熱狂, (…)熱 ‖ the *cult* of yoga ヨーガの流行.

cu·bis·tic /kjuːbístik/ 形 立体派(の芸術家)の.

†**cu·bit** /kjúːbit/ 图C キュービット, 腕尺《大人の前腕の長さを単位とした古代の尺度, 約 46-56cm》.

cul·ti·va·ble /kʌ́ltivəbl/ 形 1 耕作できる. 2 栽培[培養, 養殖]できる. 3〈能力など〉が育成できる.

cuck·old /kʌ́kld/ 图C (古) 妻を寝取られた男. ──動 他〈妻の〉〈夫〉に不貞をはたらく.

cul·ti·vat·a·ble /kʌ́ltivèitəbl/ 形 =cultivable.

†**cuck·oo** /kúːkuː | kúkuː/ 图C 1 〔鳥〕カッコウ《◆英国では花が咲く頃に鳴き, 春・初夏の訪れを告げる鳥として歓迎される. 他の鳥の巣に卵を産む》. 2 クックー《その鳴き声》. ──形 愚かな, 気の狂った.

*__cul·ti·vate__ /kʌ́ltəvèit/ 〖『耕された(cult)状態にする (ate). cf. culture』〗
── (~s/-vèits/; 過去・過分 ·-vat·ed/-id/; ·-vat·ing)
── 他 1〈人が〉〈土地〉を耕す, 耕作する, 開墾する ‖ We *cultivated* the field to grow wheat. 私たちは小麦を作るために畑を耕した.
2 (正式) …を栽培[養殖, 培養]する (grow).
3 (正式) 〈人が〉〈品性・才能など〉をみがく, 高める, 洗練する, 陶冶(よう)する (improve); 〈芸術・学術など〉を奨励する, 育成する; 〈人〉を教化する, 啓発する; 〈学問〉を修める, …にはげむ ‖ She *cultivated* her mind by reading many books. 彼女は多くの本を読んで精神を陶冶した.
4 (正式) 〈愛情・友情など〉を育(く)む, 深める; 〈人〉と積極的に交わる《◆時に相手を利用する含みがある》.

cúckoo clòck カッコウ時計, 鳩時計.

†**cu·cum·ber** /kjúːkʌ̀mbər/ 图CU 〔植〕キュウリ《◆占星術では月の影響で冷たいとされる》 ‖ (as) cóol as a *cúcumber* 落ち着き払って, 涼しい顔で.

cud /kʌ́d/ 图U 食い戻し《牛などが胃から口に戻してかむ食物》.

†**cud·dle** /kʌ́dl/ 動 他 …を(愛情をこめて)抱き締める, 抱いてかわいがる (+*up*)《◆ caress は(愛情をこめて)なでる[触る]》. ──自 […に]ぴったりよりそって寝る[よりそう] (+*together*, *up*) (*to*, *against*). ──图 [a ~] 抱擁 ‖ Ken gave Cathy a *cuddle*. ケンはキャシーを抱き締めた.

†**cul·ti·vat·ed** /kʌ́ltəvèitid/ 形 1 (正式) 教養のある, 洗練された, 教育を受けた. 2 耕作された (↔ wild).

†**cul·ti·va·tion** /kʌ̀ltəvéiʃən/ 图U 1 耕作 ‖ ùnder [òut of] *cultivátion* 耕作[休耕]中の. 2 栽培, 養殖, 培養. 3 (正式) 教養; 教化, 育成; 洗練, 上品 ‖ *cultivation* of the mind 精神の陶冶(よう).

†**cue**¹ /kjúː/ 〔同音 queue〕 图C きっかけ, 合図, ヒント, 指示; 〔演劇〕キュー; 〔音楽〕次の出のきっかけ(を示す音符); 〔心理〕手がかり, 刺激 ‖ táke one's *cúe* from her (略式) 彼女からヒントを得る, 彼女にならう. ──動 他 …に合図[きっかけ]を与える, 〈人〉にキューを出す (+*in*).

†**cul·ti·va·tor** /kʌ́ltəvèitər/ 图C 1 耕作[栽培]する人. 2 耕耘(ふ)機; 耕耘用器具. 3 養成する人; 修養者.

cúe cárd キュー=カード《テレビなどで出演者に示すせりふ. 指示などを書いたカード》.

*__cul·tur·al__ /kʌ́ltʃərəl/ 〖→ culture〗
──形 〔通例名詞の前で〕 1 文化の, 文化的な; 教養(上)の, 修養の《◆人は修飾しない. cf. cultured》 ‖ *cultural* studies (文学・芸術などの)教養科目 / *cultural* differences 文化的な差異 / a *cultural* desert 文化が不毛の地.

cúed spéech 手話(の一種)《読唇と音を表す12種類の手の型との組み合わせによる》.

三 表現 「生活程度の高い」という意はない. 「文化的生活

cue² /kjúː/ 图C 1 (ビリヤードの)キュー, 突き棒. 2 おさげ, 弁髪. 3 (人の)列. **cúe báll** [ビリヤード] 突き玉, 手玉《ふつう白玉》(↔ object ball).

†**cuff**¹ /kʌ́f/ 图C 1 (服の)そでぐち; カフス; (長手袋の)腕回り. 2 〔米略〕 ズボン・ブーツ・靴下の折り返し((英) turnup)(〔図〕→ pants). 3 (略式) 〔通例 ~s〕 手錠(handcuffs) ‖ put the *cuffs* on him 彼を逮捕する.
óff the cúff (略式) (1) くだけて[た], 形式ばらないで. (2) 即座に[の], 即興で[の].
on the cúff (米略式) 掛売りで[の]; ただで[の].

を送る」は enjoy「modern living [the high standard of living] / ˣlive a cultural life / ˣlive culturally.
2 栽培上の, 培養の ‖ *cultural* variety 栽培変種.
cúltural anthropólogist 文化人類学者.
cúltural anthropólogy 文化人類学.
cúltural exchánge 文化交流.
cúltural impérialism 文化帝国主義《ある文化が他の文化を支配すること》.
cúltural líteracy 文化的知識《特定の社会の成員が共有する教養》.
cúltural revolútion (1) 文化革命. (2) [the C~ R-] (中国の)文化大革命.
cúl·tur·al·ly 副 文化的に; [文全体を修飾] 文化的には.

*__cul·ture__ /kʌ́ltʃər/《「耕された(cult)ところ(ure). cf. agriculture, cultivate》(形) cultural (形)
——名 (複) ~s/-z/) **1** UC 文化, 精神文明《その土地·社会の人々の生活·習慣·考え方などの総称. civilization より精神面を強調》 ‖ The *culture* of ancient Egypt was highly advanced. 古代エジプトの文化はきわめて高度なものであった. 表現 日本の「文化の日」は Culture Day とする.
2 UC 教養, 洗練, 修養, 陶冶(ち) ‖ a man of meager *culture* ほとんど教養のない男 / the two *cultures* 2つの教養《文学と科学》.
3 U 耕作; 栽培; 飼育, 養殖, 培養; C 培養された細菌 ‖ wet rice *culture* 水稲栽培.
cúlture cènter 文化の中心[発祥]地《◆「カルチャーセンター」の意にはならない》.
cúlture gàp (2文化間の)文化の違い.
cúlture shòck (異文化に接したときの)文化ショック.

†**cul·tured** /kʌ́ltʃərd/ 形 **1** 〈人が〉教養のある; 文化のある; 教化[洗練]された. **2** 栽培[養殖, 培養]された.
cúltured péarl 養殖真珠.
cul·vert /kʌ́lvərt/ 名 C (道路·堤防などの下を横切る)排水溝[路]; (電線·ガスなどの)埋設溝[管].
cum /kʌm/《ラテン》前 [複合語で] …兼ねの, …付きの ‖ a kitchen-*cum*-dining room 台所兼食堂.
cúm dívidend (株)の配当付きの(で).
Cum·ber·land /kʌ́mbərlənd/ 名 カンバーランド《イングランド北西部. 今は Cumbria の一部》.
†**cum·ber·some** /kʌ́mbərsəm/ 形 (運搬·着用するのに)やっかいな, 扱いにくい ‖ a *cumbersome* parcel 重くて運びにくい小荷物.
Cum·bri·a /kʌ́mbriə/ 名 カンブリア《イングランド北西部の州. 州都 Carlisle》.
cum·mer·bund /kʌ́mərbʌnd/ 名 C カマーバンド, 腰帯《タキシードの下に着用する幅広の飾り帯》.
cu·mu·la·tive /kjúːmjələtɪv, -lèɪ-/ 形 《正式》しだいに増加[増大]する, 累積[累加]的な.
cú·mu·la·tive·ly 副 累積的に.
cu·mu·lus /kjúːmjuləs/ 名 (複 cu·mu·lus, ·li /-làɪ/) UC 積雲; 積み重ね, 堆(つい)積.
cu·ne·i·form /kjuːníːəfɔ̀ːrm, =|kjuːníː-/ 形 くさび形の; くさび形文字の ‖ *cuneiform* characters (古代バビロニア·アッシリア·ペルシアの)くさび形文字.
——名 U くさび形文字.

†**cun·ning** /kʌ́nɪŋ/ 形 (more ~, most ~; ~·er, ~·est) […について] 悪賢い, 狡猾(さら)な, ずるい (*about*); ◆ clever にずるさが加わる. sly より知恵·実行力があることが強調される. cf. crafty》‖ *(as) cunning as a fox* 非常にずる賢い.
——名 U 狡猾さ, 悪賢さ, ずるさ. 表現 「カンニング」は cheating (at [in, on] an examination). 「カンニングペーパー」は crib sheet.
†**cun·ning·ly** /kʌ́nɪŋli/ 副 悪賢く, ずるく, 抜け目なく.

ː̇cup /kʌp/《類語 cap /kæp/》『「たる(tub)」が原義』
——名 **1** (複) ~s/-s/) C (コーヒー·紅茶用の)茶わん, カップ《(1) ふつう取っ手があり, 暖かい飲み物を入れる. 「コップ」は主に glass に当たる(cf. mug). (2)「食事用の」茶わんは bowl》‖ A breakfast *cup* is twice as large as a tea *cup*. 朝食用のカップは紅茶わんの2倍の大きさである.
2 C 茶わん1杯分のコーヒー·紅茶など); 計量カップ1杯の量(cupful)《英米ではふつう 1/2 pint》. ◀対話▶ "Would you like another *cup* (of tea)?" "Yes, please."「(紅茶を)もう1杯いかがですか」「はいいただきます」 / Add two *cups* of flour. 小麦粉2カップを加えなさい.
3 C **a** [時に the C~] 優勝杯《争奪戦》‖ the Davis *Cup* tournament デビスカップ《テニス》試合 / win the *cup* 優勝する. **b** 《キリスト教》聖(せい)杯; [the ~] 聖杯のブドウ酒.
4 C 杯状のもの; (花の)がく.
anóther cúp of téa (略式)(それとは)まったく別の[似て非なる]事[人, 物].
cúp and /ən/ báll [単数扱い] 拳玉(けんだま)(遊び).
cúp and /ən/ sáucer [単数扱い] 受け皿つきカップ.
one's cúp of téa → tea 名.
——動 (過去·過分 cupped/-t/; cup·ping) 他〈手などを杯状にする(+*together*); …を杯状の物の中に入れる ‖ *cup* his hands behind his ears =*cup* his ears in his hands よく聞こえるように)耳に手をあてがう / *cup* water from a brook 小川の水を手[カップ]ですくう.
cúp final 《英》通例 (the) C~ F-] (サッカーなどの)優勝杯争奪戦(cup-tie)[の]決勝戦, 優勝決定戦.
cup·bear·er /kʌ́pbɛ̀ərər/ 名 C (宮廷などの)酒の給仕係.
†**cup·board** /kʌ́bərd/ 発音注意 名 C **1** 食器戸棚. **2** (英)(衣服·食器·食料用の)戸棚, 押入れ(米 closet). **a [the] skeleton in the closet [cupboard]** → skeleton.
cúpboard lòve 利益目あての愛情《◆特に食べ物目あてに子供が示す愛情》.
cup·cake /kʌ́pkèɪk/ 名 CU カップケーキ《カップ型で焼く》.
†**cup·ful** /kʌ́pfʊ̀l/ 名 C **1** 〘料理〙計量カップ1杯(の量)《米英ではふつう 1/2 pint》‖ two *cupfuls* of flour 小麦粉2カップ. **2** (紅茶などの)カップ1杯分《◆ cup の方がふつう》.
†**Cu·pid** /kjúːpɪd/ 名 **1** 〘ローマ神話〙キューピッド《Mercury と Venus との子で恋愛の神. 弓と矢を持った裸の美少年, ギリシア神話の Eros に当たる》. **2** [c~] C (愛の象徴としての)美少年の絵·像.
Cúpid's bòw (二重弓形の)上口唇.
cu·pid·i·ty /kjuːpídəti/ 名 U 《正式》金銭[財物]欲, 貪(どん)欲(greed).
†**cu·po·la** /kjúːpələ/ 名 C 《正式》丸屋根, 丸天井, ドーム(dome); (屋根の上の)ドーム状小塔《◆しばしば時計·風見付き》.
cup·pa /kʌ́pə/《cup of /kʌ́pə/ tea から》名 C 《英略式》[通例 a ~] 1杯のお茶.
cup-tie /kʌ́ptàɪ/ 名 C 《英》(サッカー)優勝杯争奪戦.
†**cur** /kɔ́ːr/ 名 C 雑種犬, 野良犬.
cur·a·ble /kjúərəbl/ 形 〈病気が〉治療できる, 治せる

(↔ incurable).

cù·ra·bíl·i·ty [名][U] 治療できること.

cu·ra·çao, -·çoa /k(j)ùərəsóu/ [名][U][C] キュラソー《西インド諸島原産の Curaçao orange の皮で風味をつけたリキュール》.

cu·ra·cy /kjúərəsi/ [名][U][C] curate の職[仕事, 任期].

†**cur·ate** /kjúərət/ [名][C] **1** (教区の)補助司祭, 代理牧師. **2** (アングリカンチャーチの)司祭助手, 副司祭《rector, vicar の補佐役》.

C

cu·ra·tive /kjúərətiv/ [形] 《正式》病気を治す.

——[名][C] 治療薬.

cu·ra·tor /kjuəréitər/ [名][C] 博物[図書, 美術]館長; 《英》(大学の)理事; 〔法律〕(未成年者の)保護者.

†**curb** /kə́:rb/ [名][C] **1** 《主に米》(歩道の)縁(石), へり(石)(《英》kerb) ‖ park [put a stop] at the *curb* 歩道脇に車を止める. **2** 〔建築〕化粧縁《井戸の井げた・天窓のわくなど》. **3** くつわ鎖, 止めぐつわ(cf. snaffle).

——[動][他] **1** 〈馬〉にくつわ鎖をかける. **2** 〈歩道〉に縁石をつける. **3** 〈犬〉を(排泄(はいせつ)のために)道端へ連れて行く《◆ "*Curb* your dog!" というサインで用いる》. **4** 《正式》…を抑制する.

cúrb làne 《主に米》歩道側の車線.

cúrb sèrvice (ドライブインで駐車中の客への)出前サービス.

curb·ing /kə́:rbiŋ/ [名] 《米》 **1** [U] (道路の)縁石材料. **2** [集合名詞] 縁石, へり石.

curb·side /kə́:rbsàid/ [名][C][形] 道ばた(の).

curb·stone /kə́:rbstòun/ [名] **1** [C] 《主に米》(歩道の)縁石, へり石(《英》kerbstone). **2** [形容詞的に] 街頭の; 《略式》素人の, 大ざっぱな, 月並な.

†**curd** /kə́:rd/ [名][U] **1** [通例 ~s; 単数扱い] 凝乳《チーズの原料. cf. whey》. **2** 凝乳状の食品 ‖ béan cúrd 豆腐.

cúrd chèese 《主に英》=cottage cheese.

†**cur·dle** /kə́:rdl/ [動][自] 凝乳になる; 〈血が〉凝結する, 〔恐怖で〕凍る〔*with*〕 ‖ The sight made my blood *curdle*. =My blood *curdled* at the sight. その光景を見て血の凍る思いがした. **——**[他] …を凝乳にする; 〈血〉を凝結させる, (恐怖で)凍らせる.

***cure** /kjúər/ 〚「世話・注意(care)」が原義. cf. accurate, secure〛

——[動] (~s/-z/; [過去・過分] ~d/-d/; **cur·ing** /kjúəriŋ/)

——[他] **1** 〈医者・薬が〉〈病人・病気〉を**治療する, 治す**; [cure **A** of **B**] 〈医者・薬が〉**A**〈病人〉の**B**〈病気〉を治す《◆ heal は傷の治療》([使い分け] → treat [他] 3) ‖ The doctor *cured* the patient *of* cancer. その医者は患者の癌(がん)を治した(=The doctor *cured* the patient's cancer.) / The doctor *cured* the pain in my back. 医者が背中の痛みを除いてくれた / The medicine *cured* 「the sick children [his cough]. その薬で病気の子供[彼のせき]が治った.

2 〈人が〉〈弊害・悪癖〉を**除く**; [cure **A** of **B**] 〈人・物・事が〉**A**〈人〉から**B**〈悪癖など〉を取り除く; **A**〈人〉の**B**〈異性〉への熱をさまさせる ‖ *cure* a bad habit like smoking 喫煙のような悪習を直す / *cure* him *of* his heavy drinking 彼の深酒をやめさせる.

3 (乾燥・塩漬け・燻(くん)製により)〈肉・魚・タバコなど〉を保存する.

——[名] ([複] ~s/-z/) [C] **1** 〔…に対する〕**治療**; 回復; 治療法[薬]〔*for*〕 ‖ Doctors are trying hard to find a *cure for* AIDS. 医者たちはエイズの治療法を一生懸命見つけようと努力している / be past *cure* 手遅れである / Aspirin is a *cure for* headaches. アスピリンは頭痛にきく薬だ. **2** 《正式》(魂の)救済(法), (悪癖などの)矯正(法).

cure-all /kjúərɔ̀:l/ [名][C] 万能薬, 万病薬(panacea).

cure·less /kjúərləs/ [形] 治療法のない, 不治の.

cur·few /kə́:rfju:/ [名] **1** [C] (戒厳令下の)夜間外出禁止令. **2** [U] 外出禁止時刻; 門限.

Cu·rie /kjúəri, 《米+》kjurí:/ [名] **1** キュリー《**Marie** ~ 1867-1934; ポーランド生まれの物理・化学者; 夫 Pierre とラジウムを発見(1898)》. **2** キュリー《**Pierre** ~ 1859-1906; フランスの物理・化学者》.

cur·ing /kjúəriŋ/ [動] → cure.

cu·ri·o /kjúəriòu/ 〚*curio*sity の短縮語〛[名] ([複] ~s) [C] 骨董(こっとう)品; 珍しい美術品; 風変わりな人.

***cu·ri·os·i·ty** /kjùəriɑ́səti | -ɔ́s-/ 〚→ curious〛

——[名] ([複] -·ties/-z/) **1** [U] [時に a ~] 〔…について の/…したいという〕**好奇心**; せんさく好き〔*about* / *to* do〕 ‖ My little sister is full of intellectual *curiosity*. 私の妹は知的好奇心でいっぱいである / She 「***has a burning curiosity*** [***is burning with curiosity***] ***to*** know everything. 彼女は何でも知りたがる(=She is *curious* to know everything.) / ***Curiosity killed the cat.*** 《ことわざ》あまりせんさく好きだと面倒に巻き込まれる, 好奇心で身を誤る《◆ 知りたがりをいさめる時に言う》.

2 [C] **珍奇な物, 骨董(こっとう)品.**

(***just***) ***òut of curiósity*** 好奇心から, 物好きに(も).

***cu·ri·ous** /kjúəriəs/ 〚注意(cure)を向ける(ous)〛

[派] curiosity (名)

——[形] (**more** ~, **most** ~) **1** 〈人が〉〔物・事に〕**好奇心が強い**(↔ indifferent); 〔…に〕せんさく好きな〔*about, as to, at*〕, (しきりに)〔…を〕したくて〔*to* do〕 ‖ An intelligent person is always *curious*. 知的な人は常に好奇心が強い / She's always ***curious about*** what I'm doing. 彼女は私のすることをいつも知りたがる《◆ wh節の前の前置詞は時に省略》/ Be careful of the *curious* neighbors. せんさく好きな近所の人に気をつけなさい / I am ***curious to*** know [learn] how that old clock works. あの古い時計がどう動くか知りたい.

2 〈物・事が〉**奇妙な, 好奇心をそそる, 不思議な** ‖ What is this *curious* animal? この奇妙な動物は何だ / It's *curious* that he didn't reply. 彼が返事をしなかったのは奇妙だ.

cúrious to sáy [通例文頭で] 不思議なことに, 妙な話だが(➔文法 11.3(3)) (curiously enough).

cú·ri·ous·ness [名][U] 珍しさ; 好奇心.

†**cu·ri·ous·ly** /kjúəriəsli/ [副] **1** [動詞修飾; 様態] 物珍しそうに; 物好きに, 興味ありげに. **2** [通例文頭で; 文全体を修飾] 奇妙にも, 不思議にも ‖ *Curiously* (enough), … 不思議なことに…(=It is *curious* that …) (➔文法 18.6). **3** [形容詞修飾] 不思議なくらい, 妙に.

cu·ri·um /kjúəriəm/ [名][U] 〔化学〕キュリウム《放射性元素. [記号] Cm》.

***curl** /kə́:rl/

——[動] (~s/-z/; [過去・過分] ~ed/-d/; ~·ing)

——[他] **1** 〈人が〉〈髪〉を**カールする**, 巻毛にする ‖ *curl* one's hair 髪をカールする. **2** …を巻きつける(coil); …をらせん状にする(+*up*). **3** …をねじ曲げる, ゆがめる, 縮める(+*up*) ‖ *curl* one's lip (軽蔑(べつ)などで)唇をゆがめる.

——[自] **1** 〈髪が〉巻毛になる, カールする ‖ Does

Mary's hair curl naturally? メリーの髪はちぢれっ毛ですか. **2** 〈道などが〉曲がりくねる; 湾曲する. **3** 〈紙などが〉丸まる(+up); ゆがむ ‖ Paper curls as it burns. 紙は燃えるとき丸くなる. **4** らせん状になる, らせん状に立ち昇る(+up) ‖ Smoke curled slowly upwards into the evening air. 煙が夜空にゆっくりとうずを巻きながら立ち昇っていった.

cúrl úp [自] (1) → 自 **3, 4**. (2) 体を丸くする; 丸まって寝る[座る] ‖ *curl up* on the sofa ソファーに丸くなって座る. (3) 肉体[精神]的にちぢこまる. —[他] (1) → 他 **2, 3**. (2) [通例 ~ oneself up / be ~ed up] 体を丸くする; 丸まって寝る.

— [名] (複 ~s/-z/) **1 a** [U|C] 巻毛, カール(ringlet). **b** [~s] 巻毛の[カールした]髪. **c** [U] 〈巻く[カールする]こと; 巻かれた[カールした]状態 ‖ keep one's hair in *curls* 髪をカールしておく. **2** [C] **a** うず巻き状の物, 巻いた物 ‖ a *curl* of smoke うず巻いて立ち昇る煙. **b** ねじれた物 ‖ with a *curl* of one's lip [mouth] 唇[口]をゆがめて.

cúrling pin [頭髪用]カールピン.
cúrling tòngs [(英) írons] カールごて.
curl·er /kə́ːrlər/ [名] [C] **1** 巻く人[物]. **2** [しばしば ~s] カーラー《ピン・クリップなど頭髪カール用具》.
cur·lew /kə́ːrljuː/ [名] [C] [鳥] ダイシャクシギ《◆鳴き声は不吉とされる》.
curl·ing /kə́ːrliŋ/ [名] [U] カーリング《氷上で丸い石(**cúrling stòne**)を滑らせがねらうスコットランド起源のスポーツ. 4名で1組. 氷上のチェスとも呼ばれる》.
curl·pa·per /kə́ːrlpèipər/ [名] [U] [頭髪カール用]毛巻き紙.
†**curl·y** /kə́ːrli/ [形] (-i·er, -i·est) 巻毛の, カールをかけた[しやすい] ‖ *curly* hair 巻毛.
†**cur·rant** /kə́ːrənt | kʌ́r-/ (同音 current) [名] [C] **1** 小粒の種なし干ブドウ. **2** [植] スグリ(の実).
†**cur·ren·cy** /kə́ːrənsi | kʌ́r-/ [名] **1** [U|C] 貨幣, 通貨; [U] 流通 ‖ (a) gold [paper] *currency* 金貨[紙幣] / foreign *currency* 外貨. **2** [U] 〈正式〉流布, 普及; (言葉の)通用(期間); 容認 ‖ gíve a rúmor cúrrency = gíve cúrrency to a rúmor うわさを広める / This English word is out of colloquial *currency*. この英語は口語では使われていません.

*__cur·rent__ /kə́ːrənt | kʌ́r-/ (同音 currant) 「『現在流れている』が本義」(派 currency (名))

index [形] **1** 今の **2** 通用している
[名] **1** 流れ **2** 電流 **3** 風潮

— [形] (more ~, most ~) 〈正式〉 **1** [通例名詞の前で] 今の, 現時の(present); 最新の(up-to-date) 《◆比較変化しない》 ‖ *current* English 現代英語 (=up-to-date [contemporary] English) / the *current* year [month, week] 今年[今月, 今週] (this year [month, week]) / We study *current* events as part of our social studies class. 私たちは社会学の授業の一部として, 時事[現代事情]を研究する / the *current* issue of a magazine 雑誌の最新号.

2 a 通用している, 一般に受け入れられている ‖ *current* beliefs 通念 / The figurative meaning is no longer in *current* use. その比喩的の意味はもはや使われていない. **b** 流通[流行]している ‖ *current* fashions 今はやりのファッション.
páss cúrrent 〈うわさ・ニュースなどが〉広まる, 〈にせ金などが〉通用[流通]する.

— [名] (複 ~s/-ənts/) **1** [C] (川・空気などの)流れ, 流

動; 潮流, 海流《◆ stream より速さ・力関係を強調》 ‖ a river *current* =the *current* of a river 川の流れ / a cold [warm] *current* of air 冷[暖]気流 / the Chishima *Current* 千島海流.
2 [C|U] [単数形で] 電流(electric current) ‖ direct [alternating] *current* 直流[交流].
3 [C] (時・情勢などの)流れ, 風潮, 趣(き)勢, 動向 ‖ the *current* of public opinion 世論の動向.

cúrrent accóunt 〈主に英〉[商業] 当座勘定[預金]; 〈米〉 checking account) (略) C/A.
cúrrent affáirs (政治的)時事問題.
cur·rent·ly /kə́ːrəntli | kʌ́r-/ [副] [通例文頭か助動詞・be動詞の後で] 現在(のところ) (at present); (世間)一般に ‖ *Currently*, he teaches in Chicago. 現在彼はシカゴで教師をしている.

*__cur·ric·u·lum__ /kərikjələm/
— [名] (複 ~·la/-lə/, ~s/-z/) [C] (学校の)教育課程, カリキュラム; (卒業・免許に必要な)履修課程.
currículum ví·tae /-víːtai/ [C] [テテン] 〈正式〉 履歴書(personal history, 〈米〉 résumé)《◆米英では, 履歴はふつう現在から書き始めて過去にさかのぼる》.

†**cur·ry, cur·rie** /kə́ːri | kʌ́ri/ [名] **1** [U|C] カレー料理; =curry sauce ‖ (a) shrimp *curry* 小エビのカレー料理 / *curry* and [with] rice [単数扱い] カレーライス《◆英国にはあるが米国にはふつうない》. **2** [U] = curry powder.
— [動] [通例 be curried] カレー粉で料理[味付け]される ‖ *curried* rice カレーピラフ, ドライカレー / *curried* chicken チキンのカレー煮.
cúrry pòwder カレー粉.
cúrry sàuce カレーソース.
cur·ry·comb /kə́ːrikòum | kʌ́ri-/ [名] [C] [動] (馬用)金ぐし(で手入れをする).

†**curse** /kə́ːrs/ [名] [C] **1** (…への)のろい, のろいの言葉 {on} (← blessing); *call down curses* (from Heaven) *upon* … 天にたたりあれと祈る / láy [pút] a cúrse on him = láy him ùnder a cúrse 彼にのろいをかける / the witch's *curse* 魔女の呪(のろ)文. **2** のろわれたもの; (のろいによる)たたり, 災い; 災い害, 破滅のもと, 不幸の種; じゃまな物[人] ‖ Gambling is a *curse* to many. ばくちは多くの人には災いのもとだ. **3** 悪態, ののしりの言葉; 不敬な言葉 《God damn you!, Go to hell!, Confound it! など》.
— [動] (過去・過分) ~d or (古) curst/kə́ːrst/) [他] **1** …をのろう, …に災いあれと願う(← bless) ‖ I *curse* the day that I was born! 自分の生まれた日をのろいたい; 自分自身が腹が立つ. **2** [be ~(と)のろって] {for}, …に悪態をつく; …に不敬な言を吐く ‖ *Curse* it [you]! こんちくしょう! / The thief *cursed* the police for finding him. 泥棒は見つかって警官をののしった. **3** [be ~d] 〈人・物が〉(欠点・病気などで)(習慣的に)苦しんでいる, (…を)持っている(with) ‖ He *is cursed with* poor health [an idle son]. 何の因果か彼は体が弱い[彼には怠け者の息子がいる].
— [自] (災いあれと)のろう; [人・過失などを]ののしる [at] ‖ *curse* and swear 悪口雑言を浴びせる, ぶちくしょう[くたばれ]と乱暴な口をきく.

curs·ed /kə́ːrsid/ [発音注意] [形] **1** のろわれた, たたられた(← blessed). **2** いまいましい, のろうべき; 〈略式〉ひどい, 困った, べらぼうな.
cúrs·ed·ly [副] ひどく, べらぼうに.
cur·sive /kə́ːrsiv/ [形] [名] [U] 草書体(の).
cur·sor /kə́ːrsər/ [名] [C] [コンピュータ] カーソル; (計算尺の)カーソル.

cur·so·ry /kə́ːrsəri/ 形 (正式) 大まかな；早まった，せっかちな ‖ give him a *cursory* glance 彼をちらっと見る. **cúr·so·ri·ly** 副 (正式) 大まかに，せっかちに.

curst /kə́ːrst/ 動 (古) curse の過去形・過去分詞形. ——形 =cursed. **cúrst·ly** 副 =cursedly.

†**cúrt·ly** 副 ぶっきらぼうに. **cúrt·ness** 名 U 無愛想.

†**cur·tail** /kərtéil | kɑːtéil/ 他 (正式) 1 …を(予定より)短く[少なく]する，短縮する(cut short) ‖ *curtail* our trip 旅行を早目に切り上げる. 2 …を減ずる(reduce)；…を抑える ‖ *curtail* inflation インフレを抑える. **cur·táil·ment** 名 U 短縮；抑制．

*★**cur·tain** /kə́ːrtn/ 〖「小さな中庭」が原義〗
——名 (複 ~s/-z/) C 1 カーテン，窓掛け (米 drape) ‖ draw the *curtain*(s) カーテンを引く (◆(1) 開閉のいずれにも用いるが，ふつう「閉じる」意. そのため open [close] the *curtain*(s) の方が好まれる．また draw を使って次のように表現すれば「開ける」意味になる: draw *curtains* apart. (2) カーテンが2枚以上からなっていれば複数形).
2 (舞台の)幕(時間)，どんちょう；〖通例 the ~；比喩的に〗 開幕[終幕]，閉幕 ‖ The *curtain* fell [rose]. 幕が下りた[上がった]；終演[開演]になった / The *curtain* is at 8 p.m. sharp. 開演はちょうど午後8時.
3 さえぎるもの，覆うもの，仕切り ‖ a *curtain* of smoke 煙幕.
4 C =curtain call.
behind the cúrtain 背後に隠れて，秘密に．
dráw a [the] cúrtain óver [on] A (1) 〈話など〉を終わりにする．(2) …を隠す (→ draw 他 3).
It will be cúrtains for A 〖略式〗それで〈人・物・事〉はおしまいだ，最後だ．
——動 他 〈窓など〉にカーテンをつける．
cúrtain òff 他 〈部屋・ベッドなど〉をカーテンで仕切る．
cúrtain càll カーテンコール(閉幕後，出演者が幕の前に出て拍手を受けること).
cúrtain fàll (芝居の)幕切れ；(事件の)結末．

†**curt·sy, ~·sey** /kə́ːrtsi/ 名 C (女性の)ひざを曲げ足を後ろに引くおじぎ (◆高貴な人に対する会釈) ‖ máke [dróp, bób] a *cúrtsy to* the queen 女王におじぎをする．

cur·va·ture /kə́ːrvətʃər, -tʃuər/ 名 C U (正式) 屈曲，湾曲．

*★**curve** /kə́ːrv/ 〖類音 curb/kə́ːrb/〗〖「曲がった」が原義〗
——名 (複 ~s/-z/) C 1 (一般に) 曲線[面](cf. arc)；〖数字〗曲線；〖統計〗曲線図表[グラフ] ‖ draw a *curve* 曲線を描く．2 カーブ，曲がり(角)，湾曲部(cf. bend, corner, turn) ‖ take a *curve* in a road 道を曲がる．3 =curveball ‖ throw a [pitch] a *curve* カーブを投げる．
thrów A *a cúrve* 〈人〉に思いがけない質問をする．
——動 (~s/-z/；過去・過分 ~d/-d/；*curv·ing*)
——他 〈人・物〉が〈物〉を曲げる，湾曲させる．
——自 〈物が〉曲がる，湾曲する；曲線[面]を描く ‖ The road *curves* to the right. 道路は右に曲がっている．
cúrved 形 曲がっている，曲げられている，湾曲した．
cúrv·ed·ness /-ədnəs/ 名 U 曲がっていること．
curve·ball /kə́ːrvbɔ̀ːl/ 名 〖野球〗カーブ，曲球．

†**cur·vet** /kə́ːrvit | kɑːvét/ 名 C 〖乗馬〗クルベット，騰躍 ‖ 〖前足が地に着かないうちに後足だけで優美に跳躍前進する高等馬術〗．

curv·ing /kə́ːrviŋ/ 動 → curve.

curv·y /kə́ːrvi/ 形 (略式) 曲り部の多い．

Cus·co /kúːskou | kúːs-/ 名 =Cuzco.

†**cush·ion** /kúʃən/ 名 C 1 クッション，座[背]ぶとん. 2 クッション状のもの；〖…の〗(衝撃を和らげる)クッションの働きをするもの《against》．3 ビリヤード台のクッション．
——動 他 1 …にクッションを付ける．2 …の衝撃を和らげる ‖ The soft leaves *cushioned* his fall. 柔らかい枯葉のおかげで彼の落下の衝撃が和らげられた．

cush·y /kúʃi/ 形 (略式) 〈仕事などが〉楽な．

cusp /kʌ́sp/ 名 C 尖端(ﾎﾟﾝ)；〖解剖〗歯の咬頭；心臓弁膜尖；〖植〗(葉などの)先端；〖天文〗(三日月の)先端；〖建築〗(特にゴシック風アーチの内側の)突出点；〖幾何〗(2曲線が出合った)尖点；〖占星〗(天宮図による運勢判断の)宿(ゃ̂く)の最初[最後]の部分．

cus·pid /kʌ́spid/ 名 C (人の)犬歯 (図) → tooth).

cus·pi·dor /kʌ́spidɔ̀ːr/ 名 C (米) たんつぼ(spittoon) 〖英米では灰皿としても用いる〗．

cuss /kʌ́s/ 名 C (略式) 1 野郎，やつ (◆動物にも用いる) ‖ a tough *cuss* 手ごわいやつ．2 〖主に米〗 = curse.

cuss·word /kʌ́swə̀ːrd/ 名 C ののしりの言葉，悪態．

cuss·ed /kʌ́sid/ 形 (略式) のろわれた；強情な．
cúss·ed·ly 副 強情に．

†**cus·tard** /kʌ́stərd/ 名 1 U C カスタード 〈カスタード=ソース(→ 2)を焼いたり蒸したりした菓子〉．2 U 〖主に英〗 カスタード=ソース 〈牛乳・卵・砂糖などを混ぜ合わせる〉．
cústard píe (1) カスタード=パイ．(2) どたばた演技 (◆しばしば 2 人で投げ合ったことから)．
cústard pòwder 粉末カスタード 〈牛乳を混ぜてカスタード=ソースにする〉．

cus·to·di·an /kʌstóudiən/ 名 C (公共物の)管理人；〖遠回しに〗守衛． **cus·tó·di·an·ship** 名 管理人の職務[資格]．

†**cus·to·dy** /kʌ́stədi/ 名 U (正式) 1 a 管理，保管 (keeping) ‖ I left my jewels in the bank's *custody*. 宝石を銀行に預けた．b (特に未成年者の)保護，監督，後見(care) ‖ háve the *cústody* of a child 子供の保護監督をする．2 監禁；拘置，留置 (detention) ‖ be *in cústody* 拘置中である．

*★**cus·tom** /kʌ́stəm/ 〖「自分のもの」が原義．cf. *ac-customer* (名)〗
——名 (複 ~s/-z/) 1 C U (正式) (社会の)習慣，風習；慣行，慣例(convention)；(個人の)習慣的行為 〖使い分け〗 → habit 1) ‖ follow [observe, break] social *customs* 社会の習慣に従う[を守る，を破る] / *Custom* is (今は古) a second nature. (ことわざ) 習慣は第二の天性 / *Custom makes all things easy*. (ことわざ) 「習うより慣れよ」/ It is my father's *custom* to take a walk before breakfast. 朝食前に散歩するのが父の習慣です (=My father is in the habit of taking a walk … / My father *makes it a custom* [practice] *to* take a walk … / My father makes a *custom of* taking a walk …) / 単に My father (usually) takes a walk before breakfast. ですますことが多い).
2 U 〖英正式〗 (商店などへの)ひいき，愛顧，引立て；〖集合名詞〗顧客，取引[得意]先 ‖ Thank you for your *custom*. 御引立ありがとうございます / The liquor store has only a small *custom*. その酒屋は得意先がほんのわずかしかない．
3 〖~s〗 a 〖通例複数扱い〗関税 ‖ pay *customs on* the jewelry 宝石の関税を払う．b 〖時に Customs；複数扱い〗税関；税関の手続 ‖ gèt

[gò] thróugh (the) cústoms 税関を通過する. **c** [形容詞的に] 関税の；税関の ‖ a *custom* officer 税関の係官.

——形 (米) [名詞の前で] あつらえの，オーダーメイドの (custom-made, made-to-order) ‖ a *custom* tailor 注文服の仕立屋 / *custom* clothes (米) 注文服 (↔ ready-made).

cústom càr 特別注文車(custom-built car).
cústoms dùty 関税.
cústom(s) hóuse =custom(s)house.
cústoms únion 関税同盟.

†**cus·tom·ar·y** /kʌ́stəmèri│-əri/ 形 (正式) 習慣的な (habitual), 通例の；慣習[慣行, 慣例]の；慣習上の ‖ a *customary* law 慣習法 / with one's *customary* punctuality いつものように無敵に / It is *customary* (for [with] her) to do so. そうするのが(彼女の)習慣[決まり]である(=It is her *custom* to do so.).

cús·tom·àr·i·ly 副 習慣的に, 慣例上.

cus·tom-built /kʌ́stəmbílt/ 形 (米) 注文建築の, 注文製の ‖ a *custom-built* house 注文住宅 ◆「建て売り住宅」は a ready-built house).

***cus·tom·er** /kʌ́stəmɚ/ [→ custom]
——名 (複 ~s/-z/) **1** © (商店・レストランの) 客, 顧客, 常連, 得意 [取引]先, (店の)客；銀行の口座主 ◆(英) 列車の乗客 ◆弁護士などの「依頼客」は client, 「招待客」は guest, 「訪問客」は visitor, caller. 「乗客」は passenger》 使い分け → custom ‖ The *customer* is always right. お客様を第一に考えよ, お客様は神様です〈接客業者のモットー〉/ I am an old *customer* at this bookstore. 私は昔からこの本屋で本を買っている. **2** (略式) [形容詞を伴って] 人, やつ ‖ ˈa funny [an awkward] *customer* おかしな[扱いにくい]やつ.

cústomer sèrvice アフターサービス, カスタマーサービス.

cus·tom·ize /kʌ́stəmàɪz/ 動 **1** …を(客の)注文に応じて作る[調整する]. **2** コンピュータ …をカスタマイズする〈自分の好みに合うように設定を変える〉.

cus·tom-made /kʌ́stəmméɪd/ 形 (服などが)あつらえの(made-to-order) (↔ ready-made).

cus·tom(s)·house /kʌ́stəmhàʊs/, cústom(s) hòuse 名 © 税関.

‡**cut** /kʌ́t/ [「刃物で切る」が原義]

index
動 他 1 短縮する 4 掘り抜く 5 切る
　　　　　6 切断する 9 無断欠席する
　　 自 1 切れる
　　 名 1 削減 2 切ること, 切り傷 3 切り取ったもの
　　 形 1 切った

——動 (~s/kʌ́ts/; 過去・過分 cut; ~·ting)

I [切り取る]

1 〈人などが〉〈物などを〉〔…から／…に〕**短縮する**, 縮小[カット]する〔*from*/*to*〕；(略式)〔…から〕取り除く, 削除する (+*out*)〔*from*〕；(略式) 〈…を〕切り詰める；〈略式）〈言動〉をやめる(stop, quit)(+*out*) ‖ *cut out* (the) dead wood 不要な物[人]を除く ◆ 対話 "This report is too long. *Cut* it to five pages." "OK. I will." 「この報告書は長すぎる. 5ページに縮めてくれ」「じゃ, そうします」/ My allowance was *cut from* 5,000 yen *to* 3,000 yen. ぼくの小遣いは5千円から3千円に下げられた / *cut* the price 値引き

する / *Cut* the talking. 話をやめろ / *Cút* it [that] óut! やめろ, いいかげんにしろ.
2 [cut A C] 〈人が〉A〈物・人〉を C の状態にする《◆C は主に free, loose, open, short》 ‖ *cut* a long story *short* 長い物語を短縮する / *cut* an envelope *open* 手紙を開封する.
3 〈物〉を〔…から〕切って作る〔*out of*〕；〈名前など〉を〔…に〕刻む〔*on*〕；〈像〉を彫る；〈服〉を裁断する；〈原紙〉を切る.
4 〈人などが〉〈穴〉を掘り抜く；〈道・運河〉を〔…に〕切り開く〔*through*〕 ‖ ジョーク A woman told a carpenter to *cut* an opening in the door for her three cats. The carpenter *cut* three holes. ある女性が大工に玄関のドアに3匹の飼い猫の出入口を作ってくれと頼んだ. 大工は穴を3つ開けた.

II [切る]

5 〈人が〉〈体(の一部)〉を(うっかりまたは故意に)〔刃物などで〕**切る**(*on*, *with*), …を傷つける ‖ *cut* one's throat のどを切る, 自殺する ◆ 対話 "I've *cut* my finger *on* [*with*] a piece of broken glass." "Oh, no. Are you all right?" 「ガラスの破片で指を切ってしまった」「まあ, 大丈夫ですか」 ◆ with では故意に切る含みをもつことがある》/ *cut* oneself (誤って刃物などで)けがをする.

関連 いろいろな「切り方」
chop 乱切りにする / cut 切る / dice さいの目に切る / halve 2つに切る / mince みじん切りする / quarter 4つに切る / slice 薄く切る

6 a 〈人などが〉〈物〉を**切断する**(+*up*) ◆ 「引っ張って切る」は break: break a string ひもを切る》；〈物〉を〔…に〕切り分ける〔*in*, *into*〕；〈木など〉を切り倒す(+*down*)；〈作物〉を刈り取る, 収穫する；〈髪・芝生・植木など〉を短く切る, 刈る, 刈り込む；〈花〉を(切って)摘む；…を〔…から〕切り取る[離す](+*away*, *off*) 〔*from*〕 ◆ 対話 "How would you like your hair?" "*Cut* it short all over, please." 「髪はどういうふうにいたしましょうか」「全体に短く刈ってください」/ *cut* a branch *from* the tree 木の枝を切り落とす / *cut* the grass with a lawn-mower 芝刈り機で芝生を刈り込む / *Cut* the cake *in two* [*into halves*]. そのケーキを2つに切りなさい.
b [cut A B for A] 〈人が〉A〈人〉に B〈物〉を切ってやる (→ 文法 3.3) ‖ She *cut* me a slice of cake. =She *cut* a slice of cake *for* me. 彼女はケーキを1切れ切ってくれた.
7 〈道・場所〉を横切る；〈角〉を横切って近道して行く；…と交差する ‖ *cut* one's way through the woods 森を通り抜ける.
8 (略式)〈ガス・水道・電気〉の供給を止める；〈機械〉を止める(switch off).
9 (略式)〈授業・学校・会議〉を**無断欠席する**, さぼる(stay away from)；〈人〉を無視する, …に知らないふりをする(ignore)；〈関係など〉を絶つ ‖ *cut* school [history] 学校[歴史の授業]をさぼる / She deliberately *cut* me. 彼女はわざと聞こえないふりをした, 見て見ぬふりをした.

III [切り込む]

10 〈人の心〉を傷つける；〈風など〉〈人〉の身にこたえる；〈人・動物〉を(むちで)激しく打つ ◆ ふつう to the bone, to the core などの強調の副詞句が付く》 ‖ The cold wind *cut* me *to the bone*. 寒風が骨身にこたえた / The teacher's words *cut* me *to the core*. 先生の言葉は私にひどくこたえた.

cut-and-dried

IV [その他]
11 [トランプ] ⟨カード⟩をカットする《2組に分け上下を入れかえる》; ⟨1枚⟩を(親などを決めるため無作為に)引く.
12 [スポーツ] ⟨球⟩をカットする, 回転させる.
── [自] **1** 切れる, 切れ味がある; 刻む; 裁断する;[副詞を伴って]⟨刃物が⟩切れる; ⟨物が⟩切られる《◆修飾語(句)は省略できない》‖ This knife *cuts well* [*badly*]. このナイフはよく切れる[切れない] / This meat doesn't *cut* easily. この肉は簡単には切れない.
2 急に進路を変える; [...を]通り抜ける[*through*]; [...を]横切る, 横切って近道をする[*across*] ‖ The road *cuts through* the forest. その道は森を通り抜けている. **3** ⟨風が⟩身にこたえる; ⟨言葉が⟩心を傷つける. **4** [トランプ] カードをカットする《親などを決めるため》カードをきる[*for*].

cút acróss A (1) → ⓗ **2**. (2) ...に反する, ...と食い違う; ...を妨げる. (3) ...を無視する, ...の領域[範囲]を越える.
cút and rún (俗) 急いで逃げて行く.
cút at A ⟨人など⟩に[...で]切りつける[*with*]; ⟨希望・計画など⟩をだめにする.
cút awáy [自] 逃げ出す. ── [他] (1) ⟨不要[悪い]部分⟩を[...から]切り取る[落とす, 離す][*from*] (→ ⓗ **6**). (2) ...を(下着・体の一部が見えるよう衣服などから)カットする.
cút báck [自] (1) 急いで帰る. (2) [映画] ⟨フィルムが⟩前のシーンに戻る, 前のシーンを繰り返す. (3) [スポーツ] ...へ突然方向を変える[*to*]. (4) [...を]切り下げる, 削減する[*on*]. ── [他] (1) ⟨木⟩を刈り込む, 剪(せん)定する. (2) ...を削減する, 縮小する.
cút A **déad [cóld]** ⟨人⟩に知らないふりをする, ...を完全に無視する.
cút dówn [他] (1) ⟨木⟩を[...で]切り倒す[*with*] (→ ⓗ **6**). (2) ⟨数・量⟩を減らす; ⟨費用⟩を削減する ‖ *Cut down* the number of cigarettes you are smoking. タバコの数を減らしなさい《◆✕*Cut down* cigarettes は不可》. (3) ⟨値段⟩を[...まで]下げる, 割引する[*to*]; ⟨人⟩に値引きさせる ‖ I succeeded in *cutting* him *down* 「*by* $5 [*to* $3]. 彼に5ドル[3ドルまで]まけさせることができた. (4) ⟨衣類・文章など⟩を短くする.
cút dówn on A ...を減らす ‖ *cut down on* mistakes 誤りを減らす.
cút ín [自] (1) (略式) [...で/...の]じゃまをする, 話を横取りする[*with*/*on*]. (2) (略式) ⟨車が⟩割り込む; [人の(車の)前に]車を割り込ませる[*on*]. ── [他] (1) (略式) ⟨人⟩に[...の]分け前を与える[*on*]. (2) ⟨モーターなど⟩に電流を通す.
cút ínto (1) ⟨話・計画など⟩に割り込む, 食い込む. (2) ⟨ケーキなど⟩にナイフを入れる; ⟨ナイフなど⟩が⟨ケーキなど⟩に入る, 達する. (3) ⟨利益・価値など⟩を減らす. (4) ⟨貯金など⟩から少しずつ取りしぼし出す.
cút it fíne [clóse] (1) 時間[金]をぎりぎりに見積る. (2) どうにか間に合う[足りる]ようにさせる.
cút it shórt =CUT it fine (2).
cút óff (略式) [自] 急いで立ち去る. ── [他] (1) ...を[...から]切り離す[切り取る, 落とす][*from*] (→ ⓗ **6**). (2) ⟨人⟩の電話を切る; ⟨機械⟩を止める; ⟨ガス・電気・援助などの供給⟩を断つ; ⟨ショー・話など⟩を中断する[させる]; ⟨進路・眺めなど⟩をさえぎる, 断ち切る. (3) ⟨望みなど⟩を断つ; ⟨地域⟩を包囲する, 封鎖する, [...から]孤立させる[*from*].
cút óut [自] (1) ⟨車が⟩追い越しをするために列から飛び出す. (2) (米略式) スピードを上げる. (3) ⟨エンジンが⟩急に止まる; ⟨電気など⟩が切れる. ── [他] (1) ⟨記事など⟩

cutlas(s)

[...から]切り取る[抜く][*of*, *from*]. (2) ⟨服⟩の裁断をする. (3) [...⟨道⟩を[...に]切り開く[*through*]; ⟨地位⟩を切り開く ‖ They *cut out* a path *through* the jungle. 彼らはジャングルに道を通した. (4) → ⓗ **1**.
cút through A (1) ...を刃物で切り開く. (2) ...をはしょる. (3) → ⓗ **2**.
cút úp [他] (1) ...を細かく[薄く]切る (→ ⓗ **6**). (2) (略式) [*be cut*] ⟨人が...で⟩嘆き悲しむ, うろたえる[*about*].

── [名] (ⓒ ~s/kʌts/) ⓒ **1** [...の]削減, 値引き; 縮小, 短縮, 削除, [映画・劇の場面の]カット[*in*] ‖ job *cuts* 雇用削減 / price [wage] *cuts* 価格[賃金]引き下げ / a pay *cut* 賃金カット / a salary *cut* 減給 / make a 30 percent *cut* in income taxes 30%の所得税減税.
2 切ること; [...の]切り傷, 切り口[*in*, *on*]《◆*in* は *on* よりも深い傷を示す》‖ She màde a *cút* at me with her knife. 彼女はナイフでぼくに切りつけてきた / My *cut* still hurts. 傷がまだ痛む.
3 [...から]切り取ったもの, 切片, 切り肉[*off*, *from*] ‖ a tasty *cut* of meat 味のよいひと切れの肉.
4 ⟨服・髪などの⟩型, スタイル, 切り[裁ち]かた. **5** (略式) [...の]分け前, 取り分(share)[*of*, *in*, *on*]. **6** [スポーツ] 球をカットすること(による回転). **7** 一撃; [...の]感情を傷つける発言; [...に対する]辛辣(しんらつ)な批判[*at*] ‖ His remark was a *cut at* her. 彼の言葉は彼女の気持ちを傷つけた. **8** [トランプ] カット; (無作為に)1枚引くこと. **9** 中断すること, 停電. **10** (略式) 無断欠席, さぼること ‖ take frequent *cuts* ちょいちょいさぼる. **11** 近道; 切り通し.
a cút abóve A [一切れ分...]より優っている(above 前 **4**)[*略式*]...より良質[上位].
cut and páste [コンピュータ] カット=アンド=ペースト.
màke the cút 成功する, 目的を達する.
the cút and thrúst 激論.

──[形] 《◆比較変化しない》[通例名詞の前で] **1** 切った, 刈った, 摘んだ, 裁断した, 傷ついた, 彫った, 刻んだ ‖ a *cut* finger 切傷のある指 / a *cut* flower 切り花. **2** [植] ⟨葉が⟩切れ込んだ. **3** 切り詰めた, 削減した, 削除した, 省略した, 短縮した. **4** [スポーツ] ⟨ボールが⟩カットされた.

cút flówer (飾り用の)切り花.
cút gláss カットグラス(の器).
cút tobácco 刻みタバコ.
cut-and-dried, (英ではしばしば) **cut-and-dry** /kʌ́təndráɪd/ [形] **1** すでに用意ができている, 前もって決まっている. **2** 新鮮さがない, 月並み.
cut・a・way /kʌ́təwèɪ/ [名] ⓒ **1** =cutaway coat. **2** (内部を示すために一部を切り取った)透視模型[図案].
cútaway cóat モーニング=コート《◆男性の昼間の正装用》.
cut-back /kʌ́tbæk/ [名] ⓒ **1** [...の]削減, 縮小[*in*, *on*] ‖ *cutbacks* in public spending 公費支出削減. **2** [映画] カットバック《異なる場面を交互に映し出す手法》.
✝**cute** /kjúːt/ [形] **1** (主に女性語) (小さくて)かわいい, 魅力的な(charming) ‖ a *cute* baby 抱き締めたくなるような赤ん坊. **2** (主に米略式) 気のきいた, 抜け目のない ‖ a *cute* trick りこうなやり方.
cute・sy /kjúːtsi/ [形] (略式) ⟨人・物が⟩きざな, 気取った, ブリっ子の.
✝**cu・ti・cle** /kjúːtɪkl/ [名] ⓒ **1** [動] 表皮; [植] クチクラ. **2** (つめのつけ根の)細長い皮, あま皮.
✝**cut・las(s)** /kʌ́tləs/ [名] ⓒ **1** カトラス(昔船乗りが武器

cut・ler /kʌ́tlər/ 名 刃物師.

cut・ler・y /kʌ́tləri/ 名 1 [集合的] 刃物類；食卓用金物《ナイフ・フォーク・スプーンなど》. 2 刃物製造[販売]業.

cut・let /kʌ́tlət/ 名 C 1 (子牛・ヒツジの肉の)1人分の薄い切り身《フライ・焼き肉用》; カツレツ ‖ a breaded veal *cutlet* パン粉をまぶして揚げた子牛のカツ. 2 (鶏肉ミンチ・魚のフレークなどの)平たいコロッケ.

cut-off /kʌ́tɔ̀(ː)f/ 名 1 C 締め切り, 期限; 限界. 2 U 遮断; C 遮断[安全]装置. 3 C 近道.

cut-out /kʌ́tàut/ 名 C 1 (板・紙などで作る)切り抜き画[細工]. 2 (電気などの)遮断[安全]装置. 3 排気弁.

cut-o・ver /kʌ́tòuvər/ 形 C 木を伐採した(土地).

cut-price /kʌ́tpràis/ 形 1〈品物が〉安売りの, 割引した. 2〈店が〉安売りする, 割引セールの.

†**cut・ter** /kʌ́tər/ 名 C **1a** 切る人, (仕立屋の)裁断師, (映画の)フィルム編集者. **b** 切る道具, 裁断器, 切断機, カッター; (器具の)刃. 2〔海軍〕カッター《1本マストの快速帆船. 軍艦付き小艇》; 沿岸警備船.

cut・throat /kʌ́tθròut/ 名 C 1 殺人者. 2〔主に英〕=cutthroat razor. 3〔魚〕=cutthroat trout.
 ── 形 殺人的の, 残酷な; 激しい, きびしい ‖ *cutthroat* competition 熾烈な競争.

cútthroat rázor (サックのない西洋かみそり《(米) straight razor》).

cútthroat tròut (北米産のサケ科の一種).

†**cut・ting** /kʌ́tiŋ/ 名 1 U C 切ること; 裁断; 伐採. 2 C 切り取った物, (さし木用の)切り枝, さし穂. 3〔英〕(新聞などの)切り抜き《(米) clipping》. 3 C〔主に英〕山などを切り開いて作った道路, 切り通し, 堀割り(excavation). 4 U (フィルム・テープの)カット, 編集. ── 形 1〈刃物が〉鋭利な. 2〈風が〉身を切るような[ように冷たい]. 3〈言葉が〉辛辣(しんらつ)な, 皮肉な.

cútting édge 辛辣さ; 最先端.

cút・ting・ly 身を切るように, 辛辣に.

cut・ting-room /kʌ́tiŋrù(ː)m/ 名 C フィルム[テープ]編集室.

cut・tle・fish /kʌ́tlfìʃ/ 名 (複 → fish 語法) C〔動〕コウイカ, (一般に)イカ《欧米では悪魔を連想させる》(cf. squid).

cut-up /kʌ́tʌ̀p/ 名 C〔米略式〕(目立とうと)悪ふざけ[いたずら]をする人.

cut・worm /kʌ́twə̀ːrm/ 名 C〔昆虫〕ネキリムシ, ヨトウムシ《特に夜に苗木の茎を根元から食いちぎる害虫》.

Cuz・co, Cus- /kúːskou/ 名 クスコ《ペルー南部の都市. かつてのインカ帝国の首都》.

cwt(.) (略) hundredweight《c はラテン語 centum (=hundred) から》.

-cy /-si/ (語要素) → 語要素一覧 (2.2).

cy・an /sáiæn, -ən/ 名 U 青緑色, シアン(色).

cy・a・nide /sáiənàid/ 名 U〔化学〕シアン化物, 青酸塩; [化合物の種類の]シアン化….

cy・an・o・gen /saiǽnədʒən/ 名 U〔化学〕シアン, ジシアン《無色可燃性の有毒ガス》; シアン基.

cy・ber /sáibər/ 形 コンピュータに関係した, ネットワークの.

 cýber cásh 電子マネー.

 cýber secúrity ネットワーク上の安全確保.

cy・ber- /sáibər-/ (語要素) → 語要素一覧 (1.6).

cy・ber・crime /sáibərkràim/ 名 C ネット犯罪.

cy・ber・net・ics /sàibərnétiks/ 名 U [単数扱い] サイバネティックス, 人工頭脳工学.

cy・ber・punk /sáibərpʌ̀ŋk/ 名 U サイバーパンク《未来の超ハイテク社会をテーマにした SF》.

cy・ber・space /sáibərspèis/ 名 U サイバースペース《コンピュータによる通信・情報の形作る三次元世界》; 仮想現実感.

 cýberspace màrketing サイバースペース[ネットワーク]上の売買.

cy・cad /sáikæd/ 名 C〔植〕ソテツ(類).

cy・cla・mate /sáikləmèit, síklə-/ 名 U C〔化学〕チクロ《人工甘味料》.

†**cy・cla・men** /sákləmən/ 名 C〔植〕シクラメン.

***cy・cle** /sáikl; 名 6 動 (米+) síkl/〖「円」が原義. cf. *cyclone*〗
 ── 名 (複 ~s/-z/) C 1〔正式〕周期, 循環 ‖ the *cycle* of the seasons 季節の移り変わり, 春夏秋冬. 2 [a ~ の] 一連, 一組, 一団 ‖ a *cycle* of events 一連の事件. 3 (1つのテーマによる一連の)詩歌, 伝説群 ‖ the Arthurian *cycle* アーサー王伝説群. 4 一時代, 長い年月 (cf. epoch). 5〔電気〕周波, サイクル《略》 c.p.s.《◆ 今は hertz がふつう》. 6〔略式〕自転車(bicycle); 三輪車(tricycle); オートバイ(motorcycle).
 ── 動 (~s/-z/; 過去・過分 ~d/-d/; -cling)
 ── 自 自転車に乗る, 三輪車[オートバイ]に乗る ‖ go cycling サイクリングに出かける / She *cycles* to school every day. 彼女は毎日自転車通学をしている.

cy・clic /sáiklik, sí-/, **-cli・cal** /sáiklikl | sí-, sái-/ 形〔略式〕周期的な, 循環の.

cy・clist /sáiklist/ 名 C 自転車[三輪車, オートバイ]に乗る人.

cy・clo-cross /sáikloukrɔ̀(ː)s/ 名 C〔米〕サイクロクロス《自転車によるクロスカントリーレース》.

cy・cloid /sáiklɔid/ 名 C〔幾何〕サイクロイド.
 ── 形 円の;〔魚〕円鱗(りん)の;〔精神医学〕循環気質の.

cy・clom・e・ter /saiklάmətər | -klɔ́m-/ 名 C (自転車などの)車輪回転記録計, 走行計; 円弧測定器.

†**cy・clone** /sáikloun/ 名 1 U〔気象〕サイクロン《インド洋の熱帯低気圧. cf. typhoon, hurricane》; (一般に) (温帯)低気圧. 2 U 大竜巻, 大暴風.

 cýclone cèllar 〔米〕(住宅に設けた)暴風退避室.

†**cy・clon・ic** /saiklάnik | -klɔ́n-/ 形 サイクロンの, サイクロンに似た; 大暴風の.

Cy・clo・pe・an /sàikləpíːən, saiklóupiən/ 形 一つ目巨人の; [c~] 巨大な; 巨石建築の.

Cy・clops /sáiklαps | -klɔps/ 名 (複 **Cy・clop・es** /saiklóupiːz/)〔ギリシア神話〕キュクロプス《シチリア島の一つ目巨人族. Zeus のために稲妻を作る》.

cy・clo・style /sáikloustàil/ 名 C 動 他 (…を)サイクロスタイル(で刷る)《歯車のついた鉄筆で切った原紙を使う謄写版》.

cy・clo・tron /sáiklətrὰn, 〔英+〕 -kloutrɔ̀n/ 名 C〔物理〕サイクロトロン《素粒子研究用のイオン加速装置》.

cy・der /sáidər/ 名〔英〕=cider.

cyg・net /sígnət/ 名 C ハクチョウのひな.

†**cyl・in・der** /sílindər/ 名 C **1** 円筒;〔幾何〕円柱, 円柱面. **2** 〔機械〕シリンダー; 気筒(図 → motorcycle); (連発銃の)弾倉(図 → revolver), ボンベ.

 on áll cýlinders =**on évery cýlinder**〔略式〕[比喩的に] 全力で, エンジン全開で.

†**cy・lin・dri・cal, --dric** /səlíndrikl/ 形〔正式〕円筒(形)の; 円柱(状)の.

†**cym・bal** /símbl/ 名 (同音 symbol) C 1〔音楽〕(通例 ~s) シンバル. 2〔古〕(合図の)ドラ.

 cým・bal・ist 名 C シンバル奏者.

cym·bid·i·um /simbídiəm/ 名C〔植〕シンビジウム《ランの一種》.

cyn·ic /sínik/ 名C **1** [C~]〔歴史〕犬儒(かんじゅ)学派. **2**（人間を利己心の固まりとする）冷笑家, 皮肉屋.

†**cyn·i·cal** /sínikl/ 形（人の誠実さを）軽蔑(けいべつ)する；冷笑的な, 皮肉的な；[俗用的に] 悲観的な.

cýn·i·cal·ly 副 冷笑的に, 皮肉に.

cyn·i·cism /sínəsizm/ 名U 冷笑；皮肉な態度[性格]；C 皮肉な言葉[行動].

cy·no·sure /sáinəʃùər, sí-ǀ-sjùə, -zjùə/ 名C〔正式〕注目[興味, 賞賛]の的.

Cyn·thi·a /sínθiə/ 名 シンシア《女の名》.

cy·pher /sáifər/ 名 動 =cipher.

†**cy·press** /sáiprəs/ 名C〔植〕イトスギ, セイヨウヒノキ《ヒノキ科》；U イトスギ材；C イトスギの枝.

†**Cy·prus** /sáiprəs/ 名 キプロス(島)《トルコ南方の地中海にある共和国. 首都 Nicosia》.

†**cyst** /síst/ 名C **1**〔医学〕嚢(のう)胞. **2**〔解剖〕小袋, 包嚢.

cyst·ic fi·bro·sis /sístik faibróusis/ 名U〔医学〕嚢(のう)胞性線維症.

cyst·i·tis /sistáitis/ 名U〔医学〕膀胱(ぼうこう)炎.

†**czar** /zɑːr, tsɑːr/ 名C [しばしば C~] C（特にロシアの）皇帝, 王；専制君主《◆tsar, tzar ともつづる》∥ *Czar* Nicholas ニコライ皇帝.

cza·ri·na /zɑːríːnə, tsɑː-/ 名C（帝政ロシアの）女帝, 皇后.

†**Czech** /tʃék/（同音 check）名 **1**C チェコ人. **2**U チェコ語. ── 形 チェコの；チェコ人[語]の∥ the *Czech* Republic チェコ(共和国).

Czech. 略 *Cz*echoslovakia.

Czech·o·slo·vak, Czech·o-Slo·vak /tʃèkəslóuvæk, tʃèkou-,（米+）-vɑːk/ 名C チェコ=スロバキア人(Czech). ── 形 チェコ=スロバキア(人, 語)の.

†**Czech·o·slo·va·ki·a, Czech·o-Slo·va·ki·a** /tʃèkəsləvɑ́ːkiə, tʃèkou-, -slouˈ-ǀ-vǽkiə/ 名 チェコ=スロバキア《東ヨーロッパの国. 1993年, チェコ (the Czech Republic) とスロバキア (Slovakia) に分離》.

D

d, D /díː/ 名 (複 d's, ds; D's, Ds/-z/) **1** CU 英語アルファベットの第4字. **2** → a, A **3** CU 第4番目(のもの);(品質が) D 級, 最下位. **4** C(米)〘教育〙可(⇔ grade **名 4** 関連). **5** U(ローマ数字の) 500(→ Roman numerals). **6** U〘音楽〙二音, 二調.

D́ dày =D-day.

d—/díː, dǽm/ =damn ◆遠回し表記. d—n ともする).

'd 〘略式〙had, would,〘米では時に〙did の短縮形 ‖ We'd (=had) come too early. / I'd (=would) rather walk. / Where'd (=did) he go? (◆ふつう where, what, when などの疑問詞の後で用いる).

DA 略 (米) deposit account.

†dab[1] /dǽb/ 動 (過去・過分 dabbed/-d/; dab・bing) 他 **1** 〈人・物〉を軽く〔パタパタ〕たたく ‖ He dabbed his eyes with a handkerchief. 彼はハンカチで目を軽くたたいた. **2** 〈ペンキ・バター…薬など〉を軽く塗る.
——自 〈物を〉軽くたたく(at).
——名 C **1** 〔…を/…で〕軽くたたく(押し当てる、塗る)こと〔at/with〕 ‖ make a few dabs at the wall with (the) paint =give the wall a few dabs with ... ペンキで壁を2,3度軽く塗る. **2** 〘略式〙〘通例 a ~ of + U 名詞〙少量;ひと塗り(の量) ‖ a dab of paint [butter] ペンキ[バター]のひと塗り.

dáb hánd〘英略式〙熟練者, 上手な人.

dab[2] /dǽb/ 名 (複 dab, ~s) C〘魚〙ニシマガレイ.

†dab・ble /dǽbl/ 動 自 **1**(水の中で)手[足]をバタバタさせる、水遊びをする. **2**〘道楽半分に〙〔…に〕手を出す、〔…を〕かじる〔at, in, with〕‖ He dabbles in oil painting. 彼は油絵はちょっと勉強しています. ——他 **1**〈手足〉を〈水の中で〉ばたつかせる. **2**〈水など〉をはねかけ〈服など〉に〔泥・しみなどを〕付ける〔with〕.

dáb・bler 名 C〘物事を〙道楽半分にする人〔in, at〕; 水あそびをする人.

da ca・po /dɑːkáːpou/〘イタリア〙〘音楽〙副形 ダーカーポで〔の〕、最初から繰り返して〔の〕(略 DC).

Dac・ca /dǽkə, dáːkə/ 名 =Dhaka.

dace /déis/ 名 (複 dace, ~s) C〘魚〙デイス《コイ科の小型淡水魚》.

dachs・hund /dáːkshùnt, -hùnd | dǽksnd, -hùnd/ 名 C〘動〙ダックスフント《ドイツ種の胴長短脚の犬. 元来猟犬》.

Da・cron /déikran, dæ- | -krɔn/ 名 U(米商標) ダクロン《合成繊維の一種. 日本ではテトロン》.

dac・tyl /dǽktil/ 名 C〘詩学〙強弱弱〔長短短〕格.
dac・tyl・ic /dæktílik/ 形 強弱弱〔長短短〕格の.

*dad ——名 (複 ~s/dǽdz/) C〘略式・小児語〙おとうちゃん, 父さん, パパ (daddy) (cf. mom) (◆ papa よりもよく使われる語. 父親が子供との会話で自分を指して使うこともある)‖ I told Dad about it. ぼくは父さんにそのことを話した(◆家庭内で自分の父親を指すとき、また呼びかけのときにはしばしば固有名詞的に Dad を用いる).

Da・da /dáːdɑː/ 名〘時に d~〙U〘芸術〙ダダ, ダダイズム《1916年頃から興った虚無主義の芸術運動》.

Dá・da・ism 名 =Dada. **Dá・da・ist** 名 C ダダイスト.

†dad・dy /dǽdi/ 名 C〘略式・小児語〙=dad ◆ dad より強い親しみをこめた語で、特に幼い子が用いる. cf. mummy[2]).

dáddy lóng・lègs (複 ~ longlegs) 〘略式〙〘単数・複数扱い〙**1**(米)〘動〙ザトウムシ. **2**(英)〘昆虫〙ガガンボ(〘正式〙crane fly). **3** 足長おじさん(◆ J. Webster に同名の小説がある).

da・do /déidou/ 名 (複 ~es, (英) ~s) C〘建築〙腰羽目《部屋の壁の下部の板張りで、上部と色・材質が異なる》; 台胴《円柱の胴》.

Daed・a・lus /dédləs | díːdə-/ 名〘ギリシア神話〙ダイダロス《クレタ島の迷宮を作った名工匠. Icarus の父》.

dae・mon /díːmən/ 名 =demon 4, 5.
dae・mon・ic /diːmánik | -mɔ́nik/ 形 =demonic.

†daf・fo・dil /dǽfədil/ 名 C〘植〙ラッパスイセン;その花(◆ primrose, bluebell, snowdrop と並んで英国の春を代表する草花). **2** U 淡黄色.

daft /dǽft | dɑːft/ 形〘主に英略式〙ばかな, 気違いじみた; 〔…に〕熱狂的な〔about〕.

†dag・ger /dǽɡər/ 名 C **1** 短剣, 短刀 (cf. sword). **2**〘印刷〙ダガー, 剣標 (obelisk)《†》参照・没年などを示す》.

at dággers drάwn (with A) 〘正式〙(…と)争わんばかりの間柄で, にらみ合って(…)に敵意を持った.

lóok dággers at A〈人〉を怒ってにらみつける.

†dahl・ia /dǽljə, dáːl- | déilia/ 名 C〘植〙ダリア.

*dai・ly /déili/〘→ day〙——形〘名詞の前で〙**1** 毎日の, 日々の ‖ a dáily newspaper 日刊新聞 (cf. periodical 関連) / one's dáily life 日常生活 / éarn one's dáily bréad〘略式〙毎日の暮らしを立てる. **2** 日単位の ‖ a daily wage 日給.
——副 毎日, 日ごとに; 絶えず, しばしば(◆比較変化しない)‖ Park open 9:00 a.m. daily.〘掲示〙毎日9時開園.
——名 C **1**〘略式〙日刊新聞. **2**〘英略式〙=daily help.

dáily hélp 通いの家政婦.
dáily róund 毎日行なう仕事.

†dain・ty /déinti/ 形 (-ti・er, -ti・est) **1**〈人・物が〉(小さく整って)優美な, きゃしゃな(◆ delicate より堅い語) ‖ a dainty little girl かれんな少女 / a dainty piece of china 繊細な陶器. **2**〘文〙〈食べ物などに関して〉好みのやかましい〔about〕‖ be dainty about food 食べ物の好みにうるさい.
——名 C〘文〙〘通例 dainties〙おいしい物, ごちそう《小さいケーキなど》;珍味.

dáin・ti・ness 名 U 好みのやかましさ; きちょうめん; 美味; 優美.

dai・qui・ri /dáikəri, dǽ- | 名 U C (主に米) ダイキリ《ラム・ライム [レモン]ジュースなどで作るカクテル》.

†dair・y /déəri/ 名 **1** C (農場内の)搾乳場, バター・チーズ製造場 ‖ The doctor recommended eating fewer dairy products. 医者は乳製品の摂取をもっと少なくするよう勧めた. **2** C 牛乳・乳製品販売店.

3 ⓒ =dairy farm. **4** [集合名詞；複数扱い] = dairy cattle.
dáiry càttle 乳牛 (cf. beef cattle).
dáiry fàrm 酪農場.
dair·y·ing /déiriŋ/ 名 Ⓤ 酪農業, 酪農の仕事.
dair·y·maid /déəriméid/ 名 ⓒ (やや古) 乳しぼりの女.
dair·y·man /déəriən/ 名 (複 --men) ⓒ **1** 酪農場で働く人 ((PC) dairy worker); 酪農場主 ((PC) dairy farmer). **2** 乳製品販売業者, 牛乳屋 ((PC) dairy dealer).
da·is /déiis/ 名 ⓒ [通例 a/the ~] (広間・食堂などの来賓用)高座, 上段; (講堂などの)演壇.

*****dai·sy** /déizi/ 『「昼の眼(day's eye)」(=太陽)が原義』
— 名 (複 --sies/-z/) ⓒ **1** [植] デージー, ヒナギク《太陽崇拝の象徴. 春の訪れを告げる花で朝だけ開いて夕方閉じる》. **2** [D~] デイジー《女の名》.
(as) frésh as a dáisy (疲れもみせず)元気に活動して.
púsh úp (the) dáisies (略式)くたばって死ぬ.
Dáisy Státe (愛称) [the ~] デージー州(→ North Carolina).
Da·kar /dɑːkɑːr, də-/ dɑːkɑː, -kə/ 名 ダカール《アフリカ西部セネガル共和国の首都》.
Da·ko·ta /dəkóutə/ 名 **1** ダコタ《米中西部の North Dakota と South Dakota からなる地域. (略 Dak.); [the ~s] 両ダコタ州. **2** [the ~(s)] ダコタ族《北米先住民で Sioux 族の一支族》; ⓒ ダコタ人; Ⓤ ダコタ語.
Dá·lai Lá·ma /dɑ́ːlai- | dǽlai-/ 名 → lama.
†**dale** /déil/ 名 ⓒ (方言・詩) (イングランドの北部の)谷(間) (valley).
Da·lian /dɑ́ːljən/ 名 大連《中国遼寧省の都市》.
Dal·las /dǽləs/ 名 ダラス《米国 Texas 州の都市. 1963年 Kennedy 大統領が暗殺された地》.
dal·ly /dǽli/ 動 圓 (略式) **1** 〈考え・物を〉もてあそぶ, ぼんやり考える;〈人と〉戯れる, いちゃつく(play) 〔with〕. **2** 〔…と〕ぐずぐずする〔over〕, ぶらぶら時を過ごす(+ about), 〔…を〕決めるのに手間どる〔over〕.
Dal·ma·tian /dælméiʃən/ 名 ⓒ **1** ダルマチア(Dalmatia)人. **2** ダルマチア犬.

†**dam¹** /dǽm/ 名 (同音) ⓒ **1** ダム, 堰(ゼキ) (cf. barrage) ‖ the Kurobe **Dam** 黒部ダム / build a power **dam** 発電用のダムを造る. **2** Ⓤ せき止めた水, ダムの水.《ショック》 "What did the fish say when he hit the wall?" "Dam!" 「壁にぶつかった時, 魚は何と言ったでしょう?」「ダムだ!」《◆Damn!(ちくしょう!)とのしゃれ》.
— 動 (過去・過分 dammed /-d/; dam·ming) 他 **1** 〈川に〉ダムを造る;〈流れなど〉をせき止める(+ up) ‖ dam (up) the river その川にダムを造る. **2** (正式) …をさえぎる, 〈感情など〉を抑える(+ up, back) ‖ dam up one's anger 怒りを抑える.
dam² /dǽm/ 名 ⓒ (四足獣, 特に家畜の)雌親 (↔ sire).

*****dam·age** /dǽmidʒ/ 『「傷ついてだめになること」が本義』
— 名 (複 ~s/-iz/) **1** Ⓤ 〔…による〕損害(状況), 被害(状況) 〔from/to〕《◆damage は加えられた損害, loss は失うことによる損害・損失》 ‖ widespread [serious] damage [ˣdamages] from typhoons 台風による広範囲にわたる[大]損害 / The damage is done. もう手遅れだ;後の祭りだ. **2** Ⓤ (身体の)損傷, 障害 ‖ I have brain damage 脳に障害がある. **3** [法律] 損失;危害; [~s;複数扱い] [… に対する]損害賠償(金) (damage compensation) 〔for〕 ‖ claim damages for the loss of prestige 名誉毀損による損害賠償を請求する. **4** 《略式》 [the ~] (人にかかった)費用, 支払い, 代価 ‖ What's the damage? =What are the damages? 費用はいくらか.

dò dámage =**dò dámage to** A 〈事が〉〈人・物に〉損害を与える《◆A のない場合もある. → 1》 ‖ The flood did [caused, ˣgave] extensive damage to the village. =The flood did the village extensive damage. 洪水が村に大きな被害を与えた.

— 動 (~s/-iz/;過去・過分 ~d/-d/; --ag·ing) 他 **1** 〈物・事が〉〈物に〉損害を与える(do damage) ‖ damaged goods いたんだ商品, きず物 / The hurricane damaged the entire island. ハリケーンが島全体に損害を与えた.

> 使い分け [damage, hurt, injure]
> 「人がけがをする」場合は be hurt, be injured.
> 「物が傷つく」場合は be damaged.
> He was hurt [ˣdamaged] in a climbing accident. 彼は登山の事故でけがをした.
> She was injured [ˣdamaged] in the traffic accident. 彼女は交通事故で負傷した.
> The car was damaged [ˣhurt, ˣinjured] in the accident. 事故で車が傷ついた.

2 〈体面・評判など〉を傷つける, そこなう ‖ His reputation was damaged. 彼の評判に傷がついた《◆ˣHe was damaged. は不可》.
dámage contròl 被害防止対策.
dam·age·a·ble 形 いたみやすい, 壊れやすい.
dam·ag·ing /dǽmidʒiŋ/ 形 損害を与える;不利になる.
Da·mas·cus /dəmǽskəs, (英+) -mɑ́ːs-/ 名 ダマスカス《シリアの首都》.
†**dam·ask** /dǽməsk/ 名 Ⓤ ダマスク織《絹・麻布》《食卓布・カーテン用》.
†**dame** /déim/ 名 **1** [D~] (英) デーム《◆ knight に叙せられた女性の敬称で, 男性の Sir に相当する. Dame Janet (Baker) のように常に洗礼名をつける》. **2** ⓒ (既婚の)年配女性.
dam·mit /dǽmət/ 間 (男性語略式) ちくしょう!, くそ! (→ damn 間1).

†**damn** /dǽm/ 名 (同音) dam) [発音注意] 動 他 **1** 〈人・物・事を〉ののしる, のろう;[間投詞的に] ちくしょう!, ちぇっ!, ああ! 《◆ (1) swearword の1つ(→ swear); ふつう怒り・困惑・失望などの不快な感情を表すが, 驚き・感嘆・同情などを示すこともある. (2) 遠回しに d— /díː, dǽm/, d—n /díːn, dǽm/ のように伏せ字で書くことがある》‖ Dámn (you [me, him, it])! くそっ!, しまった!, 参った!, いまいましい! / **I'll be dámned!** (略式)こいつは驚いた!, ああいやだ! / (**I'm**) **dámned if** [I know [it is true]. =I'll be … (略式)知るもんか[そんなことが本当でたまるか]. **2** 〈人が〉〈人・物・事を〉だめだと判定する, 非難する;けなす (→ condemn).

— 名 **1** ⓒ のろい, ののしりの言葉. **2** (男性語略式) [a ~; 通例否定文で] 少しも(at all) ‖ I don't **give** [**care**] **a dámn** about it. (米俗)そんなことは少しも気にしない, くそくらえだ / This new pen is not worth a damn. この新しいペンは何の役にも立たない.

— 形 副 (男性語略式) =damned.
dámn áll (英俗語) 少しも…ない(nothing at all) ‖ do damn all まったく何もしない.

†**dam·na·ble** /dǽmnəbl/ 形 **1**《正式》憎むべき、のろわしい、非難すべき. **2**《やや古・略式》実にひどい(very bad)、いまいましい ‖ damnable smell ひどいにおい.
dám·na·bly 副 ひどく.

dam·na·tion /dæmnéiʃən/ 名 Ⓤ（のろって）地獄に落とす[落とされる]こと; 破滅; 非難. ── 間（古略式）ちくしょう、しまった《◆damn より弱く怒り・困惑などを表す》.

†**damned** /dǽmd, (詩) dǽmnid/ (~·er, ~·est or damnd·est) 形 **1** 永遠の刑[地獄行き]を宣告された; [the ~; 名詞的に] 地獄に落ちた人々. **2** 非難された、悪く評された. **3**《男性語略式》ひどい、くそいまいましい《◆(1) 語気・口調を強めるだけでそれ自体ほとんど意味を持たない. (2) 遠回しに d—d /díːd, dæmd/ と書くことがある. 副 も同様》‖ I'm not going to be a damned doctor. ふん、医者になんかなるものか / Shut the damned door! 戸を閉めろったら!

dó [trý] one's dámnedest 全力を尽くす、とことんまでやる.

── 副《略式》ひどく、まったく ‖ You're back pretty damned late. ずいぶん帰りが遅いじゃないか / Damned right. そのとおり.

Dam·o·cles /dǽməkliːz/ 名 ダモクレス《紀元前4世紀シラクサ(Syracuse)の王 Dionysius の廷臣》.
a [the] swórd of Dámocles =**Dámocles' swórd** ダモクレスの剣, いつ起こるかも知れぬ危険《◆王が, ダモクレスの頭上から髪の毛1本で剣をつるして王位の危険を教えた故事による》.

Da·mon /déimən/ 名 **1**〖ギリシア伝説〗ダモン《Pythias が死を宣告されて家事の整理に帰った間, 身代わりに獄に入り彼を待ったというシチリア人》. **2** ダモン《男の名》. **Dámon and Pýthias** ダモンとピュティアス; 無二の親友.

†**damp** /dǽmp/ 形 〔…で〕湿っぽい, じめじめした〔from〕‖ damp weather じめじめした天気 / My coat is still damp from the rain. コートは雨でまだ湿っている.

類語 damp,（文）dank はしばしば不快な湿気を表す. moist は「(主に食物・目・唇などが)適度に湿った」という意味で, しばしばよい意味で用いられる. humid は「(天気・天候などが)湿気でむしむしする」の意. cf. wet.

── 名 **1** Ⓤ [しばしば the ~] 湿気, 水気, 水蒸気(vapor), もや ‖ If you go out in the evening damp, you will catch (a) cold. 夕霧の中を歩くと, かぜをひくよ. **2** [a ~] 落胆, 失望, 気落ちさせるもの(damper) ‖ His illness cast [struck] a damp on [over] the party. 彼の病気でパーティーが面白くなくなった. **3** Ⓤ《英》(壁などの)湿った部分, ぬれたしみ.

── 動 他 **1**〈人が〉〈物を〉湿らす ‖ damp a towel タオルを湿らす. **2**〈物・事が〉〈気持ち・希望など〉をくじく, 鈍らす, そぐ(+down) ‖ The fielder's error damped the pitcher's spirit. 野手のエラーがピッチャーは気力をそがれた. **3**〈火・音〉を弱める, 消す;〈弦の振動〉を止める(+down) ‖ damp down a fire (灰などをかけて)弱火にする.

dámp squíb（英略式）期待はずれのもの.
dámp·ish 形 湿っぽい. **dámp·ly** 副 湿って; 元気なく. **dámp·ness** 名 Ⓤ 湿り, 湿気.
damp·en /dǽmpən/ 動 他 自 =damp.
damp·er /dǽmpər/ 名 Ⓒ **1**（略式）[通例 a ~] 勢い[興, 雰囲気]をそぐ[殺ぐ]人[物]《◆通例次の句で》‖ The news **pùt a dámper on** the party. そのニュースはパーティーを興ざめにした. **2**（ストーブ・炉の通風を調節する）風戸, 空気調節器;（ピアノの）止音器, ダンパー.

†**dam·sel** /dǽmzl/ 名 Ⓒ《古・文》（身分の高い）少女.
dam·son /dǽmzn/ 名 **1** Ⓒ〖植〗インシチアスモモ（の実）(damson plum). **2** Ⓤ 暗紫色.
Dan /dǽn/ 名 **1** ダン《男の名. Daniel の愛称》. **2**〖旧約〗ダン《ヤコブの第5子》.
Dan. 略 Daniel; Danish.

*:**dance** /dǽns | dάːns/ 派 dancer (名)

── 動 (~s /-iz/; 過去・過分 ~d /-t/; danc·ing)
── 自 **1**〈人が〉〔…と/…に合わせて〕踊る, ダンスをする, 舞う〔with/to〕‖ Let's dance to the music on the radio. ラジオの音楽に合わせて踊ろう. **2**〔喜び・怒りなどで〕飛び[跳ね]回る, はね回る〔for, with〕‖ She danced (up and down) with joy at the news. 彼女はその知らせに小踊りして喜んだ. **3**〈文〉〈波・木の葉などが〉踊る, 揺れる;〈心臓・血などが〉躍動する ‖ The leaves were dancing about in the gentle breeze. 木の葉がそよ風に揺れていた.

── 他 **1**〈人が〉〈ワルツなど〉を**踊る** ‖ I dance a polka ポルカを踊る. **2**〔場所の副詞を伴って〕〈人〉を踊らせる, 飛び[跳ね]はせる ‖ He danced me round the room. 彼は私の手をとって部屋の中を踊り回った. **3**〈子供〉を上下に揺する.

── 名 (複 ~s /-iz/) **1** Ⓒ 踊り, ダンス, 舞踊 ‖ May I have this dance? (ダンスパーティーで)お相手をさせていただけませんか.

関連 [dance の種類]
(1) 社交的なもの: polka, conga, rumba, tango, samba, cha-cha, mambo, rock-and-roll, jitterbug, one-step, Charleston, twist, waltz など.
(2) 演劇的なもの: ballet, Russian ballet, modern ballet, adagio, tap dance, toe dance, hip-hop など.

2 Ⓒ（ふつう団体が主催する）**ダンスパーティー**, 舞踏会《◆(1) dance party ともいうが dance がふつう. (2) 公式的で盛大なものは ball, 個人の家で行なうものは単に party ということが多い》‖ **go to a dance** ダンスパーティーに行く / **hàve [hold, gíve, ×open] a dánce on Saturday night** 土曜日の夜ダンスパーティーを開く.

3 Ⓒ =dance music. **4** Ⓤ [(the) ~, 時に D~] 舞踊術, （特に）バレエ.
dó a dánce （うれしさなどで）はね回る ‖ She did a little dance of success. 彼女はうまくいったので小踊りした.
the Dánce of déath 死の舞踏《死神が骸(がい)骨の姿で踊りながら人々を社会的地位の順序で墓場へ導くもの》; それを題材にした絵画[音楽, 文学].
dánce bànd ダンスバンド.
dánce hàll ダンスホール.
dánce mùsic 舞踏曲, ダンス曲.
dánce òrchestra ダンス楽団.

*:**danc·er** /dǽnsər | dάːns-/ 名 (複 ~s /-z/) Ⓒ 踊る人; ダンサー, 舞踊家 ‖ She is a good [bad] dancer. 彼女はダンスが上手[下手]だ(=She dances well [badly].).
danc·ing /dǽnsiŋ | dάːns-/ 動 → dance. ── 名 Ⓤ [しばしば複合語で] 踊り, ダンス ‖ bállet dáncing バレエダンス(→ dance) / take dancing lessons ダンスを習う.

dáncing girl ダンサー,踊り子;(東洋の)舞姫《◆*dáncing líttle* は「踊っている少女」の意.→文法 13.2》.

dan·de·li·on /dǽndəlàiən/ 名〔植〕タンポポ.

dan·der /dǽndər/ 名〈やや古・略式〉怒り,かんしゃく ‖ He *got his* [*my*] *dander up*. 彼は怒らせた[私を怒らせた].

dan·dle /dǽndl/ 動 他〈やや古〉〈赤ん坊〉を(ひざの上・腕の中で)あやす;〈ペットを〉かわいがる(pet).

dan·druff /dǽndrəf, -drʌf/ 名 U (頭の)ふけ.

†**dan·dy** /dǽndi/ 名 C 1〈古式〉とびきりの物[人],一級品. 2〈古〉しゃれ男,ダンディ,きざな男.——形 (通例 **··di·er, ··di·est**)〈主に米略式〉1 とびきりの,極上の. 2〈主に米今は略式〉おしゃれな,きざな.

dán·dy·ish 形 めかし屋の,気取った.

dán·dy·ism 名 U ハイカラ好み;〔文学・美術〕ダンディズム.

Dane /déin/ 名 C 1 デンマーク人(→ Denmark);デンマーク系の人(cf. Danish). 2〔歴史〕デーン人;[the ~s] デーン族《9-11 世紀ごろ英国に侵入したスカンジナビア人》.

:**dan·ger** /déindʒər/ [発音注意]《派 **dan·gerous**(形)》

——名(複 **~s**/-z/) 1 U (生命の)危険,危険状態(↔ safety)〔類語〕hazard, risk, peril》‖ *Danger!* Falling Rocks.(掲示)危険! 落石注意 / There is a lot of *danger* in swimming in this river. この川で泳ぐのは大変危険だ / Can they play without *danger* here? ここでは安心して遊べるだろうか.

2 U 〔被害・損失などの/…という〕危険性〔*of/that* 節〕 ‖ There is no *danger* [*of* his losing all his money [*that* he will lose …]. 彼が有り金すべてを失う恐れはない.

3 C 〔…にとって/…という〕危険なもの[人,こと],脅威〔*to/of*〕 ‖ 「Dense fog is [Avalanches are] a *danger to* mountain climbers. 濃霧[なだれ]は登山者には危険だ《◆〈略式〉では … dangerous to [for] … がふつう》.

be in dánger 危険な状態にある ‖ You're in *danger*! 危ない!《◆この意味では You're dangerous! は不可(この文は「君は危険人物だ」の意). ⊃ dangerous **2**》.

be in dánger of A …の危険がある,…しそうである ‖ The old bridge *is in danger of* collapse [collapsing]. その古い橋は今にも崩れ落ちそうだ.

be óut of dánger 危険を脱している.

dánger mòney 危険手当.

*****dan·ger·ous** /déindʒərəs/

——形 1〈物・事が〉〔…にとって〕**危険な**,危ない,物騒(ξ)な〔*to, for*〕(↔ safe) ‖ a *dangerous* place [journey] 危険な所[旅] / *It is dangerous for* children *to* play in the street. =The street is *dangerous for* children *to* play in. 子供が道路で遊ぶのは危険だ《◆**×**Children are dangerous to play … は不可》(→文法 17.4).

2〈人・植物・物などが〉〔…に〕危害を加えそうな〔*to*〕;〈病気などが〉〔…から〕 ‖ a *dangerous* person 危険人物 / a *dangerous* animal 危険な動物(cf. an animal in *danger* 危険に陥っている動物) / He is *dangerous to* honest people. 彼は正直な人には危険な人物だ(=He is a *danger* to …)(→ be in DANGER).

〔語法〕(1) dangerous は人・物が「(危害を加える恐れがあり)危険である」の意. 警告で「危ないよ,気を

つけなさい」というときは Look out! や,Watch out! を用いる:*Look out* [*Watch out*, **×**Dangerous]! There's a truck coming. 気をつけなさい. トラックが来ます.
(2) 次の連語では dangerous は不可: He is in critical [**×**dangerous] condition. 彼は危険な容態です.

†**dan·ger·ous·ly** /déindʒərəsli/ 副 危険なほどに;危うく ‖ He is *dangerously* ill. 彼は危篤だ.

†**dan·gle** /dǽŋgl/ 動 ❶ 1〈物が〉だらりとたれる,だらりとぶら下がる,ぶらぶら揺れる(+*about*, (*a*)*round*). 2〈恋人・信奉者として〉〈人〉につきまとう,〈人〉を追い回す(*about, after, round*) ‖ The actress always has several men *dangling* round her. その女優にはいつも数人の男がつきまとっている.——他〈物〉をぶらさげる,〈誘惑物・望みなどを〉〔…の前に〕ぶらさげる,ちらつかせる〔*in front of, before, form*〕.

dángling pàrticiple〔文法〕懸垂分詞《主語と結びつかず独立して副詞的に用いられる分詞構文》.

dán·gler /dǽŋglər/ 名 C 1 ぶらさがる物,ぶらぶらする部分. 2 女につきまとう人[男].

Dan·iel /dǽnjəl/ 名 1 ダニエル《男の名. 愛称 Dan, Danny》. 2〔旧約〕ダニエル《ユダヤの預言者》;ダニエル書《旧約聖書中の一書. 略 Dan.》.

†**Dan·ish** /déiniʃ/ [発音注意] 形 デンマークの(→ Denmark; cf. Dane);デンマーク人[語]の;デーン族の〔語法〕.——名 U デンマーク語.

dank /dǽŋk/ 形〈文〉じめじめした〔類語〕→ damp);湿っぽくてうすら寒い.

Dan·te /dǽnti, dǽnti/ 名 ダンテ《1265-1321;イタリアの詩人.「神曲」(*Divina Commedia*)の作者》.

†**Dan·ube** /dǽnjuːb/ 名 [the ~] ドナウ川,ダニューブ川《ドイツ南西部から黒海に注ぐ. ドイツ名 Donau》.

Daph·ne /dǽfni/ 名〔ギリシア神話〕ダフネー《Apollo に追われ月桂樹に化けた妖精》.

dap·per /dǽpər/ 形 1〈正式〉〈男が〉小柄でこざっぱりした. 2 小柄で敏捷な(ぴみ).

†**dap·ple** /dǽpl/ 名 U C まだら,ぶち;C ぶちの動物.——動 他 …をまだらにする.——自 まだらになる.

dap·pled /dǽpld/ 形 まだらの,ぶちの.

Dar·da·nelles /dɑ̀ːrdənélz/ 名 [the ~] ダーダネルス海峡《エーゲ海とマルマラ海を結び,アジアとヨーロッパの境界をなす. 古名 Hellespont》.

*****dare** /déər/《「…する大胆さがある」が本義》動 助(~s/-z/;過去 **dared**/-d/ or〈古〉**durst**/dɔ́ːrst, ——/;過分 **dared; dar·ing**/déəriŋ/)

——動 他 1 [*dare* (*to*) *do*]〈人〉があえて…する,思いきって[大胆にも]…する《◆(1) *to* はしばしば省略される. (2) ふつう進行形不可》‖ I *dared* (*to*) ask a few questions. 私は思いきって 2, 3 の質問をしてみた / We don't *dare* (*to*) speak. 口をきく勇気がない / Did she *dare* (*to*) ask for a raise? 彼女は昇給のことを口にする度胸がありましたか.

〔語法〕(1) to の有無によって意味の差を認める人もいる: He didn't *dare to* touch Elizabeth.(内気の故に)彼はエリザベスにさわるだけの勇気がなかった / He didn't *dare* touch Elizabeth.(病気の感染などが恐くて)彼はあえてエリザベスにさわらなかった.
(2) (have) dared, (be) daring の後で to はふつう省略しない: I should not *have dared to* ask for a raise. 昇給をあえて求めるべきでなかった / She ran away not *daring to* look back. 振り返ろ

うともせず彼女は逃げていった.
2《文》…に立ち向かう, …をものともしない《◆受身不可》‖ He will *dare* any danger. 彼はどんな危険でも冒す. **3**《略式》〈人〉に[…するように]挑戦[挑発]する(to, to do)《◆特に子供の間で危険なことについて用いる》‖ I *dare* you to climb up the tree. その木に登れるものなら登ってみろ / He *dared* me to a fight. 彼は大胆にも私に戦いをいどんできた.
— 助《主に英》[通例否定文・疑問文・if [whether] 節で] あえて…する, 思い切って[大胆にも]…する《◆ふつう受身不可》‖ I wonder if he (would) *dare* come to this dangerous place. こんな危険な場所に来る勇気があるかしら(=I wonder if he *dares* (to) come …) / I *dared* not tell her the sad news. 彼女にその悲しい知らせを伝えるだけの勇気がなかった. 語法 dare を助として成句や上例 daren't (=dare not) に用いる以外は本動詞がふつう.
dáre I sáy (*it*)《正式》思いきって言うと, あえて申し上げますと.
I dáre sáy《略式》(1) [文頭・文尾で] たぶん, おそらく ‖ I *dare say* he'll be taxis at the station. たぶん駅でタクシーが拾えるでしょう《◆節の前にthat をつけない》. (2)〔質問に答えて〕たぶんね, まあね. 語法「あえて言う」の意では I dáre ┆ sáy …
Hów dáre …? よくも[厚かましくも, ずうずうしくも]…できるね《◆他人に対する憤慨を表す》‖ How dare you insult me? よくも私をばかにしてくれたね《◆(1) この構文では助動詞は dare がふつう. (2) 単に驚きを表す場合は can: How *can* you stand all these noises? よくこの騒音に耐えられるね》.
— 名〔通例 a 〜〕挑戦, あえてすること ‖ take *a dare* 挑戦を受けて立つ / for *a dare* 挑戦されたので / do something on *a dare* 大胆にも何かをする.

✝**dare·n't** /déərnt/《主に英》dare not のかなり短縮形.
✝**dar·ing** /déəriŋ/ 動 → dare. — 形 **1**(よい意味で)大胆な, 勇気のある, 向こう見ずの ‖ a *daring* man [crime] 大胆な男[犯罪] / Due to her *daring* action, the children's lives were saved. 彼女の勇気ある行動のおかげで子供たちの命が救われた. **2**〈考えなどが〉思い切った, 異常な;〈物・事が〉衝撃的な(shocking) ‖ a *daring* plan 新しい計画 / *daring* news 衝撃的なニュース. — 名 ⓤ 大胆, 勇気, 向こう見ず;衝撃性 ‖ lose one's *daring* 勇気を失う, (かんしゃくして)力を落とす.
dár·ing·ly 副 大胆に;勇敢に.
Dar·jee·ling /dɑːrdʒíːliŋ/ 名 ダージリン《インド北東部の町》;ⓤ 同産地の紅茶.

‡**dark** /dɑːrk/ 【「(光がなくて)暗い」が本義】 派 darken (動), darkness (名)

index 形 **1** 暗い **2** 濃い
 名 **1** やみ

— 形 (〜·er, 〜·est) **1**〈場所・時などが〉暗い, やみの (↔ light, bright) 類義 dim, dusky, gloomy ‖ a *dark* winter day 暗い冬の日 / the *dark* side of the moon 月の裏側 / It gets *dark* before five o'clock in winter. 冬は5時までに暗くなる / The *darkest* hour comes [is that] before (the) dawn.《ことわざ》一番暗いのは夜明け前《◆苦境にある人を力づける言葉》.
2〔しばしば色彩語の前で〕〈色が〉濃い, 〈物・色が〉暗い色に近い (↔ light) ‖ a *dark* green car 濃い緑色の自動車 / a *dark* dress 黒っぽい服.
3〈髪・目が〉黒い, 〈人が〉黒みがかった髪の, 目が黒い;〈皮膚が〉茶色の(not fair) ‖ He has *dark* eyes. 彼の目の色は黒だ(→ black 形 **1**) / a *dark*-haired man 髪の黒い男性.
4 陰うつ, 陰気な;〈表情などが〉不機嫌な(angry) 悲しい(sad), 希望が持てない ‖ give him a *dark* look 彼にむっとした顔をする / look on the *dark* side of life 人生の暗い面ばかり見る / in the *dark* days after September 11, 2001 2001年9月11日の(同時多発テロ事件)以後の憂うつな日々に.
5〈行為・たくらみなどが〉邪悪な, 腹黒い(evil) ‖ a *dark* deed 邪悪な行為 / *dark* purposes [thoughts] 腹黒い目的[考え].
6〔音声〕〈声が〉低く太い;〈音などが〉暗い響きの(↔ light, clear)《◆英語の l は語尾または子音の前では dark 'l' となる》.
kéep ∧ **dárk** …を秘密にしておく.
— 名 **1** 〔the 〜〕やみ, 暗がり ‖ Are you afraid of the *dark*? あなたは暗がりがこわいですか / Bats are able to fly *in the dark*. コウモリはやみの中を飛ぶことができる. **2** ⓤ〔無冠詞〕夜, 日暮れ ‖ come home *áfter* [*befóre*] (ˣthe) *dárk* 日が暮れてから[暮れないうちに]帰宅する.
in the dárk (1) 秘密の[に]. (2)〈人が〉〔…を〕知らない〔*about*〕‖ be *in the dark about …* …について知らないでいる / Please keep [leave] her *in the dark* about our plan. 我々の計画は彼女に知らせないでおいてください. (**3**) → 名 **1**.
Dárk Áge(**s**) 〔the 〜〕(**1**) 暗黒時代《a) 西ヨーロッパでの知識・芸術が衰退期と考えられる476-1000年. b)《広義》中世》. (**2**)《一般に》暗い時代. (**3**) 青銅時代とギリシアの歴史時代との間の時代.
dárk blúe《英》Oxford 大学の選手[応援団員など](→ blue 名 **5**).
Dárk Cóntinent〔今はまれ〕〔the 〜〕暗黒大陸《◆かってアフリカをさした》.
dárk hórse (**1**)《競馬のダークホース, 実力未知の馬 [選手]. (**2**)《米》〈選挙・競技などで〉予想外の有力候補者. (**3**)《英》実力・手腕は未知だが隠れた特殊な才能の持ち主.
✝**dark·en** /dɑːrkən/ 動 **1** …を(薄)暗くする ‖ *darken* the room by drawing the curtains カーテンを引いて部屋を暗くする. **2** …を黒くする. **3**〈気分など〉を暗くする, 陰うつ[憂うつ]にする. — 自 (**1**)〈空・日などが〉暗くなる. **2** 憂うつ[陰気]になる.
dark·ey, **-ie**, **-y** /dɑːrki/ ⓒ《略式·侮蔑》黒人 ((PC) black, African-American).
dark·ling /dɑːrkliŋ/《詩》暗がりに[で]. — 形 暗がりにある, 暗がりで起こる;暗い;ぼんやりした.
✝**dark·ly** /dɑːrkli/ 副 **1** 暗く;黒ずんで. **2**《正式》神秘的に;こっそりと. **3** ぼんやりと. **4** 陰気に;険悪に;脅迫的に.

*✱**dark·ness*** /dɑːrknəs/ [→ dark]
— 名 ⓤ **1** 暗さ, やみ, 暗やみ ‖ The room was *in complete* [*total*] *darkness*. 部屋は真っ暗であった / *in the darkness* 暗がり(の中)を[で]. **2** 夜, 夜間 ‖ In fall, *darkness* comes quickly after sunset. 秋は日が沈むとすぐに暗くなる. **3** 色の黒さ. **4** 無知. **5** 邪悪 ‖ *deeds of darkness* 悪事, 犯罪.
dark·room /dɑːrkrùːm/ 名 ⓒ《写真現像用の》暗室.
dark·y /dɑːrki/ 名 =darkey.
✝**dar·ling** /dɑːrliŋ/ 名 ⓒ **1** 最愛の人, お気に入りの人[動物, 物] ‖ She is her father's *darling*. 彼

女は父親のお気に入り. **2**〔呼びかけ〕あなた, おまえ《◆夫婦間・恋人同士・家族の間で呼ぶときに用いる》‖ Is that you, *darling*? ねえ, あなたなの. **3**〔略式〕〔a ~〕かわいらしい人‖ Jane really is a *darling*. ジェーンはほんとうにかわいい子だ. ──形(時に ~-er, ~-est)最愛の, お気に入りの. 2〔女性限定的〕すてきな, 魅力のある(charming)‖ What a *darling* outfit! なんてすてきな衣裳だこと!

†**darn** /dá:rn/ 動 他 (編んだ衣類・穴などを)かがる, 繕う(+up). ──名 C かがった箇所; U 繕うこと.

†**dart** /dá:rt/ 名 C **1**(武器・狩り用の)投げ槍(ヤŕ) [矢](ダーツの)投げ矢. **2**[~s; 単数扱い]ダーツ, 投げ矢遊び《標的に矢を投げて得点を競う庶民的な室内ゲーム. 英国のパブでよく見られる》. **3**〔通例 a ~〕猛烈な突進‖ *with a dart* 矢のように(速く) / *make a* súdden *dárt at* [*for*] ...…に突然襲いかかる〔突進する〕. **4**〔洋裁〕ダーツ, ひだ. ──動 自 矢のように飛んで行く, 突進する‖ *dart away* [*off*] 駆け去る. ──他〔正式〕**1**〈槍などを〉[…に]投げつける(at), 〈舌などを〉ぺろっと出す(+out). **2**〈視線・光などを〉[人・物に]放つ, 投げかける(at)‖ *dart* an angry look [glance] *at* her 怒って彼女をじろりとにらむ.

dart·board /dá:rtbɔ̀:rd/ 名 C ダーツ(darts)の標的(盤).

dart·er /dá:rtər/ 名 C 槍[矢]を投げる人; 矢のように走る人[物].

Dart·moor /dá:rtmuər | -mɔ:/ 名 ダートムア高原《英国 Devonshire 州の高原》;[the ~]そこにある刑務所.

Dar·win /dá:rwin/ 名 ダーウィン(**Charles** ~ 1809-82; 英国の博物学者でダーウィニズムの提唱者).

Dár·win·ism 名 U ダーウィン説, ダーウィニズム《自然淘汰と適者生存による進化の理論》.

†**dash** /dǽʃ/ 動 他 **1**〈人が〉〈物を激しく〉投げつける, ぶつける(*to, on, against*); …を打ち砕く; …をはねとばす‖ In her frustration she *dashed* the bottle 'to the floor [*against* the door]. いらいらして彼女はビンを床に[ドアに]投げつけた. **2**[dash **A** over **B** =dash **B** with **A**]**A**〈水などを〉**B**〈場所・人〉にぶっかける, 浴びせる‖ *dash* a bucketful of water *over* the floor =*dash* the floor *with* a bucketful of water バケツ1杯の水を床にまく. **3**〈人・物事〉〈元気・希望などを〉くじく;〈人〉を落胆させる;〈人〉をまごつかせる‖ The accident *dashed* his spirits. その事故で彼はがっくりした. ──自 **1**〈人・乗物などが〉[…(の方)へ]突進する(*for, to*); 勢いよく走る(+out)‖ ダッシュする《◆スピードの大体の目安として, dash は race より遅く, rush, hurry よりも速い》‖ A car *dashed* by. 車がそばを飛ばして行った / She *dashed for* the elevator. 彼女はエレベーターへ向かって駆け出した. **2**〈波などが〉打ちつける.

dásh óff 〔自〕〔略式〕急いで立ち去る[行く]. ──他〕メモなどを急いで書く.

Dásh (it)! =*Dásh it all!*(主に英株式・古)くそっ, しまった(◆damn it の遠回し表現).

──名 **1**[a ~][…の方へ・…を目がけて]突然駆け出すこと, 突進, 突撃(*for/at*)‖ *máke a dásh for* the bus stop [*at* the enemy]バス停に向かって駆け出す[敵を目がけて突進する] / *at a dásh* 一気に, 突進して. **2**U [the ~]〈波・水の〉打ちつける音, ザァザァという音. **3**C〔米〕〔通例 the/a ~〕短距離競走‖ *the* 100-meter *dash* 100メートル競走. **4**[a ~ of +U 名詞](他の物と混ぜる)少量の物, 気味(touch)‖ whisky with *a dash of* soda 少量のソーダで割ったウイスキー / red with *a dash of* blue 青味がかった赤. **5**U〔正式〕活気, 元気, 威勢‖ a man of great *dash* and spirit 大変意気盛んな男. **6**C ダッシュ《―記号》《◆コンマよりも分断力が強い》.

┌─関連─────────────────┐
│**ダッシュの主な用法**   │
│(1) 文の途中で他の語句を挿入する場合. │
│(2) 列挙(?)したものをまとめる場合. │
│(3) 躊躇(ちゅうちょ)を示す場合. │
│(4) 前言を訂正する場合.   │
│(5) 最後の語句を強める場合.   │
│(6)「すなわち」の意を示す場合. │
│(7) 語・数字・人名などを省略する場合. │
└───────────────────────┘

7 C 〔英〕見え‖ *cút a dásh*(身なりや態度で)強烈な印象を与える, 見えを張る. **8** C (モールス信号の)「ツー」(cf. dot). **9** C 〔略式〕=dashboard.

dash·board /dǽʃbɔ̀:rd/ 名 C (自動車・飛行機などの)計器盤(略式 dash).

dash·er /dǽʃər/ 名 C **1** 突進する人. **2** 撹拌(かくはん)器.

†**dash·ing** /dǽʃiŋ/ 形 **1** 元気のいい, 勇みはだの‖ a *dashing* horse 威勢のいい馬. **2**(服装などの)派手な, スマートな. **3**(波などが)打ちつける, 突進する.

DAT /dǽt/ 略 digital audio tape recorder デジタル・オーディオ・テープレコーダー

***da·ta** /déitə, 〈米+〉dǽtə, 〈英+〉dá:tə/〔→datum〕──名 U〔単数・複数扱い〕[…に関する](判断・結論などの根拠とする)**資料**, データ; 情報(information)(*on*); 事実(facts)‖ collect *data on* the problem その問題についての情報を集める / *Data* is [are] stored on the hard disk. データはハードディスクに保存されている / The floppy disk holds 1.4MB of *data*. フロッピーディスクには1.4メガバイトのデータが入っている /「a piece [two pieces] *of data* 1[2]つのデータ / a tremendous amount of *data* ぼう大な情報 / comprehensive *data on* economic growth 経済成長に関する包括的な資料.

┌─語法─────────────────┐
│**data** は複数形であるので, 専門の科│
│学分野では複数扱いがふつう. ただしふつうの話し言葉│
│では単数扱いが好まれる(→ datum 注).│
└───────────────────────┘

dáta bànk 情報銀行, データバンク.
dáta communicàtion〔コンピュータ〕データ通信.
dáta convèrsion〔コンピュータ〕データ変換.
dáta encrỳption〔コンピュータ〕データ暗号化.
dáta pròcessing〔コンピュータ〕データ処理.
dáta pròcessing industry 情報処理産業.
dáta protèction 〔コンピュータ〕データ保護《個人情報を不正な使用から保護する措置》.
data·base /déitəbèis/ 名 C 〔コンピュータ〕データベース.
da·ta·ma·tion /dèitəméiʃən, 〈米+〉dæ-, 〈英+〉dá:-/ 名 U〔コンピュータ〕データ処理.

‡**date**¹ /déit/〔「ある特定の日付」が本義〕

index
名 1日 2日付 4会う約束 5デート
動 他 1日付を書く 2年代を定める
自 1さかのぼる

──名 (複 ~s /déits/)
Ⅰ[日付]
1 C 〔ある特定の〕日(*of, for*); (出来事の起こった[起

こる])日 ‖ the date of the workshop 研究集会の日 / 対話 "What's the ⌈date today [today's date]?" = "What date is this?"" It's May 3." 「今日は何日ですか」「5月3日です」/ What day is (it) today? はふつう曜日を尋ねる / The date of my birth [My date of birth] was [is] November 10, 1989. 私の生年月日は1989年11月10日です(=I was born on November 10, 1989.).

2 © (文書・手紙・書物・貨幣などが書かれたり製造された時を表す)**日付,月日,年**《◆しばしば場所をあわせて示す》‖ This contract bears no date. この契約書には日付が書いてない.

| 語法 | 日付の書き方・読み方 |

(1) (米) June 2, 2005, (英) or (米軍式) 2 June 2005. June 2 はふつう June second [×two], 2 June は second [×two] June と読む.
(2) 文の中で年月日を書く場合 year の前にコンマを置くが、年と月だけであればふつうコンマはつけない.
(3) 数字だけで年月日を書く場合, (米) では 6.2.05 または 6/2/05 のように月/日/年の順, (英) は 2/6/05 のように日/月/年の順. 時に 2-VI-05 のように月をローマ数字で書くこともある.

3 Ⓤ © (歴史上の)**時代, 年代; 継続期間** ‖ of early [late] date 古代[近頃]の.

‖ [約束]

4 © (略式) (決めた時刻と場所で)(人との)**会う約束** [with]; [...する]約束(to do) 使い分け → appointment **1 a**) ‖ Can we màke ˈa lúnch dàte [a date for lunch]? 昼食を一緒にしないか.
5 © (略式) [...との]**デート**[with] ‖ have [make] a date with him 彼とデートをする / She has never been asked for a date. 彼女は一度もデートに誘われたことがない / They went (out) on a date. 彼らはデートに出かけた.
6 © (主に米略式)デートの相手.

*òut of dáte [の]**時代遅れで[の],** 旧式で[の], すたれて[た]; 無効で[の] 対話 "Miniskirts have been out of date for some time." "No, they're coming back." 「ミニスカートがそろそろしばらくすたれるね」「いや,また流行し始めているよ」.

to dáte (正式) [通例現在完了形と共に] **現在まで,今まで(のところ)** ‖ To date, fifty students have applied for the forum. 今までのところ50人の学生がその討論会への参加を応募している.

up to dáte (1) **最新の情報[知識]を取り入れた[に従った], 最新の** ‖ I must bring myself up to date on the latest political news. 最近の政治ニュースについてこれまでわかっていることを知らなければならない / This PC is up to date. このパソコンは最新式です (cf. up-to-date). (2) =to DATE.

──動 (~s/déits/; 過去・過分 dat·ed/-id/; dat·ing)
──他 **1** (date A (as) B) (人が) A (手紙・貨幣など)に B の日付を書く[入れる]《◆ (英) では 名 と違って年だけでもよい》‖ His letter is dated June 20, 2004. 彼の手紙は2004年6月20日付となっている / The statue is dated (as) 1920. その彫像には(製作の年が)1920年ときざまれている.
2 (正式) (date A (to B)) (人が) A (出来事・作品などの)**年代を (B と)定める, 時期を算定する[推定する]** ‖ date the pot to about A.D.600 そのつぼを西暦600年のものと推定する.

3 (物・事が)(人・事物)の**年齢**[年代]を[...と]**示す**[at]; (人・物)を時代遅れに見えさせる. **4** (略式) (異性)と**デートする** ‖ Do you ever date her? 彼女とデートすることはありますか.

──自 **1** (物・事が)(年代・時代)に**さかのぼる, 始まる**[back to]; [...から/...まで]**続いている**[from/to] 《◆修飾語句は省略できない》‖ This church dates from 1800 [before the war]. この教会は1800年[戦前]に建てられたものである / The custom dates back to the 12th century. この風習の起源は12世紀にさかのぼる. **2** (略式)(事・物)が時代遅れになる[である], 古くて使いものにならない. **3** (略式)[...と]デートする(with).

dáte line [しばしば D~ L~] [the ~] **日付変更線** 《◆正式には international date line》(cf. date line).

date² /déit/ 名 © (植) =date palm [tree]; ナツメヤシの実. **dáte pàlm** [trèe] ナツメヤシ.

dat·ed /déitid/ 形 (正式) **1** 時代遅れの, 旧式の. **2** 日付のある.

Da·tel /déitel/ (data + telex) 名 (商標) デーテル《英国の高速データ通信システム》.

date·less /déitləs/ 形 不朽の; 時代遅れになることがない.

date·line /déitlàin/ 名 © (書類・手紙などの)日付記入線; (執筆・発行の)日付と場所《◆(米) では Chicago, Aug. 10, (英)では London, 10 Aug. などと記す》(cf. date line).

dat·ing /déitiŋ/ 動 → date.

da·tive /déitiv/ 名 © (文法) =dative case.
── 形 与格の ‖ the dative verb 授与[与格]動詞.

dátive càse 与格《◆英語では間接目的語の格 (He gave me a book. の me など)》.

†**da·tum** /déitəm, (米+) dǽ-, (英+) dɑ́ː-/ 名 (複 **-ta** /-tə/) © (まれ)データ, 資料《◆ふつう下記の data / these data のように data を単複数形で用い, 特に1つのデータをいう場合は one (item) of the data が一般的. → data 語法》.

†**daub** /dɔ́ːb/ 動 他 **1** (塗料・泥など)を[...に]雑に塗る, なすりつける[on, over]; (物)に[塗料・泥など]を(一面に)雑に塗る ‖ daub mud on a wall = daub a wall with mud 壁に泥を塗りつける. **2** (絵)をへたに塗る, 塗りたくる. ──自 (略式)(絵の具で)へたな絵をかく, 絵の具を塗りたくる.
──名 **1** Ⓤ © 塗料, しっくい; © 少量の塗料《粘着性のもの》‖ a daub of paint 少量の絵の具. **2** © 雑に塗ること; 汚れ. **3** © へたな絵.

dáub·er /-ər/ 名 © (壁などを)塗る人, 左官.

dau·phin /dóufən | dɔ́ːfin/ 名 [しばしば D~] © (フランス史)ドーファン《1349–1830年のフランス第1王子の称号》.

daugh·ter /dɔ́ːtər/

──名 (複 ~s/-z/) © **1** (親に対して)**娘, 女の子供** (cf. son)《◆ son と違い呼びかけにはふつう用いない》‖ one's eldest daughter 長女 / have two daughters 娘が2人いる. **2** 義理の娘; 養女. **3** (女の)子孫 ‖ a daughter of Eve イブの子孫; 女性(woman). **4** (文) **派生したもの** ‖ the daughters of Latin ラテン語からの派生言語《フランス語・スペイン語など》.

daugh·ter·hood /dɔ́ːtərhùd/ 名 Ⓤ **1** 娘であること. **2** [集合名詞; 単数扱い] 娘たち.

daugh·ter-in-law /dɔ́ːtərinlɔ̀ː/ 名 (複 **daughters-, ~s**) © 息子の妻, 嫁.

daugh·ter·ly /dɔ́ːtərli/ 形 娘の, 娘としての, 娘らしい.

†**daunt** /dɔ́ːnt/ 動 他《正式》**1**〈人〉の気力をくじく; [be ～ed] くじける. **2**〈人〉をこわがらせる, 威圧する.
nóthing dáunted 少しもひるまず.

daunt·ing /dɔ́ːntɪŋ/ 形 [他動詞的に]〈仕事・宿題などが〉人の気力をくじく, 非常に困難な, きつい(⊃文法 17.6(4)).

†**daunt·less** /dɔ́ːntləs/ 形《やや文》びくともしない, 勇敢な ‖ *dauntless* courage 不屈の勇気.
dáunt·less·ly 副 ひるまず.

Dave /déɪv/ 名 デイブ《男の名. David の愛称》.

dav·en·port /dǽvənpɔːrt/ 名 C《米》(ベッド兼用)大型ソファー.

†**Da·vid** /déɪvɪd/ 名 **1** デイビッド《男の名. (愛称) Dave, Davy》. **2**《旧約》ダビデ《紀元前1000年頃の第2代イスラエル王. 旧約聖書の『詩編』の作者とされる. キリストはその末裔(⸺)》. **3** Saint ～ 聖デイビッド《?-601?; ウェールズの守護聖人》.

da Vin·ci /da vɪ́ntʃi/ → Leonardo da Vinci.

Da·vis /déɪvɪs/ 名 デイビス《姓; 男の名》.
Dávis Cúp デビスカップ《米国の政治家 Dwight F. Davis が国際テニス試合に寄贈した大銀杯》; [the ～] デビスカップ争奪戦.

dav·it /dǽvɪt, déɪv-/ 名 C《海事》(鉄[木]製の)腕架, ダビット《ボート・貨物の上げ下ろしに使う》.

Da·vy /déɪvi/ 名 デイビー《男の名. David の愛称》.

daw /dɔ́ː/ 名 = jackdaw.

†**daw·dle** /dɔ́ːdl/ 動《略式》自 他 ぶらぶら[ぐずぐず]して(時を)過ごす(waste) (+away) ‖ Stop *dawdling* and get to work! ぐずぐずしてないで仕事にとりかかりなさい.

*__dawn__ /dɔ́ːn/ [発音注意] [類音] down /dáʊn/, don /dɑ́n | dɔ́n/

— 名 (複 ～s/-z/) **1** U C 夜明け, 暁, 日の出《正式 daybreak》; (夜明け前の)空(↔ dusk) ‖ at *dawn* = at the *dawn* [break] [crack] of *dawn* 夜明けに, 明け方に / in the gray *dawn* 薄暗い夜明けに / before *dawn* 夜明け前に / from *dawn* till dark 夜明けから日暮まで / The *Dawn* [×night] is breaking. 夜が明けようとしている; 新しい時代が来ようとしている. **2**《正式》[the ～]〔事の〕始まり, 発端; 出現, 誕生(of) ‖ the *dawn* of the space age 宇宙時代の始まり.

— 動 自《正式》**1** [しばしば It を主語にして]夜が明ける, 明るくなる ‖ It [(The) morning, (The) day] *dawned*. 夜が明けた(=The day broke).《◆ ×Night dawned. とはいわない》. **2**〈才能・文化などが〉発達し[現れ]始める. **3**〈意味・真実などが〉(⋯に)わかり始める〔on,《正式》upon〕《◆通例次の構文で》‖ It slowly *dawned* upon us that the race was going to be canceled. レースが中止になりそうだということが徐々にわかってきた.

dáwn chòrus (夜明けの)鳥のさえずり.

⁑**day** /déɪ/ 『「太陽が暑い時」が原義』 派 daily (形)

index 名 1日　4 日中　6 時代　7 全盛時代

— 名 (複 ～s/-z/)
Ⅰ [1 日]
1 C 日, 1日, 1昼夜(《略》 d.)‖ *évery dáy* 毎日(⊃文法 21.6(1)) / *sóme dày* いつの日か / the *óther dày* 先日 / (on) that *day* その日に / *óne dày* (過去の)ある日; (未来の)いつか / *èvery óther* [*sécond*] *dày* = *èvery twó dàys* 1日おきに (on) the *dày* àfter tomórrow 明後日(あさって) / (on) the *dày* befòre yésterday 一昨日(おとと い) / Góod *dày*.《正式・まれ》(あいさつ) [↗] こんにちは; [↘] さようなら / There are seven *days* in a week. =A week has seven *days*. 1週間は7日です / What day of the month [week] is it today? 今日は何日[何曜日]ですか(=What's today?)《◆単に What *day* is it today? では「今日は何曜日」の意あふつう》. → date 名 1》/ What *day* is his birthday? 彼の誕生日はいつですか / Everything will be ready the *day* you come. あなたがらっしゃるときはすべて用意ができているでしょう《◆ the *day* で副詞節を導く. on the day *when* you come の意. ⊃文法 20.4》/ We met (on) the *day* of the conference. 我々は会議の日に会った《◆《米》では しばしば on を略す》.

2 [しばしば D～] C U 《正式》祝日, 祭日, 記念日 ‖ New Year's *Day* 元日.

3 C《正式》[労働時間の単位としての)1日, 1日の労働時間 ‖ I work an eight-hour *day*. =My working *day* is eight hours. 私は1日8時間働く / In his office the *day* starts at 10 o'clock. 彼の会社では仕事は10時に始まります.

4 U C 日中, 昼間(↔ night); 日光, 昼の明かり ‖ before *day* 夜明け前に / in broad *day* 真っ昼間に / during the *day* 昼間は / We can see by *day*, but not by night.《主文》昼は見えるが, 夜は見えない.

Ⅱ [(生涯の)1区切りの期間]

5《正式》[one's ～s] 生涯, 寿命 ‖ end *one's days* 一生を終える《◆場所を表す句を as … をしばしば伴う》/ Her *days* are numbered. 彼女は余命いくばくもない.

6 C《正式》[～s] 時代, 世世, 時期; [the ～] 現代, 当世; その時代, 当時代 ‖ at the present *day* 現代では / the good old *days* 古き良き時代に / in my high school *days* 私が高校生の時に / in *days* to come [gone by] 将来[昔]に / in the *day*(s) of Queen Elizabeth エリザベス女王時代に.

7《正式》[one's ～(s)] 全盛時代, 活動期, 好調な日 ‖ in one's *day* 最盛期には, 若い頃には / She has seen better *days*.《完了形で》(今おちぶれているが)彼女にも全盛時代があった / Every dog has his *day*. → dog 名 1 / Those were the *days*.《略式》昔はそんないい時代だった.

a dáy òff 休日 ‖ tàke *a dáy òff* 1日休暇をとる.

áll dày and évery dày 絶えず, 毎日.

áll dày (lóng) 1日中.

àny dáy (nów)《略式》近々, 今すぐにでも.

àny dáy (of the wéek)《略式》絶対に《◆ 決意・確信を強調》.

(as) pláin as dáy《略式》きわめて目立った, 非常に明白な.

be nót A's dáy《略式》〈人〉に(運が)ついていない日だ ‖ It just *wasn't my day* yesterday. 昨日はまったくついていなかった.

by the dáy (1) 1日いくらで ‖ We work *by the day*. 我々は日ぎめで働く. (2)《米》日ごとに, 1日1日と(day by day).

càll it a dáy《略式》(仕事などを)終える, しまう, やめる《◆ it は今日の仕事》‖ Let's *call it a day*! 今日はここまでにしよう.

cárry the dáy《略式》(選挙・議論などで)勝利を得る.

dáy àfter dáy 毎日, 来る日も来る日も(同じことを繰

り返して)《◆主語としても用いる》.
dáy and níght =(略式) *níght and dáy* 昼も夜も, 昼夜の別なく, いつも《◆前者は「昼夜」の意であるが, 後者は「夜に日をついで, 続けて」のように成句的性格が強い》.
dáy by dáy 日ごとに, 1日1日と(変化して), 徐々に.
dày ín(,) dày óut =*dày ín and dày óut* 明けても暮れても; 来る日も来る日も(day after day)《◆文頭・文中・文尾で》.
early in the dáy (1) [通例 it is too [rather] ... to do 構文で] …するのは時期尚早の. (2) [副詞的に] (事の)早い段階で.
fáll on évil dáys 不運にあう, 落ちぶれる.
for dáys 何日も(for many days).
from dáy to dáy 日ごとに, 1日1日と《類語 from minute [hour, week] to minute [hour, week]》.
from thát dày to thís あの日以来今日まで《◆現在完了時制と用いる》.
gáin the dáy (略式) =carry the DAY.
Háve a níce dáy. (⌐) (米略式) → nice 形1.
hàve áll dáy 時間がたっぷりある《◆一人称では主に否定文で用いる》.
hàve hád one's [*its*] *dáy* 〈人が〉(昔はよかったが)今はだめだ, 〈物が〉今は役に立たない.
háve [gét] one's dáy 〈人が〉(今は落ちぶれているが)これからいい目をみる.
in an évil dáy =in an evil HOUR.
in thóse dáys =in the (cf. these DAYs).
kéep one's *dáy* 期日を守る.
lóse the dáy (略式) (選挙・議論などで)負ける.
láte in the dáy (1) [通例 it is too [rather] ... to do 構文で] …するのは手遅れの. (2) [副詞的に] (事の)遅い段階で.
máke A's *dáy* (略式) 〈事・人が〉〈人に〉大変楽しい1日を過ごさせる; 〈事・人が〉〈人〉を大変幸せにする.
náme the dáy (結婚式など)行事の日取りを決める.
... of the dáy (1) 当時の…‖ the fashion of the day その時代のファッション. (2) 現代の.
óne [やや古] sóme] of thése (fíne) dáys 近日中に; そんなことをしていたら)そのうちに《◆相手に何かを警告するときに用いる》.
óne of thóse dáys ついていない日.
pùt óff the évil dáy 難事を避ける, 嫌なことを先へのばす.
sáve the dáy (間一髪のところで)危急を救う, 勝利[成功]をもたらす.
sée bétter dáys (1) [完了形で] → 7. (2) (まれ) [will ...] (今は落ちぶれているが)楽しい目にあう, いい思いをする.
the dáy of dáys 記念[記憶]すべき日.
thèse dáys 近頃では, 今日では(cf. in those days)《◆(1) 今は ×in these days とはいわない. cf. in those DAYs. (2) ただし in *these days* of …, in *these days* when … のように修飾を伴うときは in をつけるのがふつう. (3) 文頭・文中・文尾に置く. (4) ふつう現在形, 時に完了形で用いる. (5) *these three days* (この3日間)は古風. for the last [past] three days がふつう》.
to a [the] dáy 1日も違わず, きっちり(exactly)《◆文中・文尾で》‖ five years ago *to a [the] day* ちょうど5年前に.
to this (véry) dáy [通例現在完了形で, 時に現在形で] 今日まで《◆文頭・文中・文尾で》.
wín the dáy (略式) =carry the DAY.

dáy bòok 日記; [簿記]業務日誌.
dáy càre =daycare.
dáy cènter 老人[身体障害者]憩いの家, 老人[身体障害者]福祉センター.
dáy làborer 日雇い労働者.
dáy nùrsery (米) 保育所, 託児所; (英) (昼間の)子供部屋.
dáy retùrn [tícket] (英) (通用当日限りの)往復切符((米) round-trip ticket).
dáy schóol 昼間学校, (私立)通学学校.
dáy shift 昼間勤務(時間); [集合名詞的に; 複数扱い] 昼間勤務者(↔ night shift).
dáy stùdent (大学の寄宿生に対し)通学生.
dáy trìp 日帰り旅行.
day-bed /déibèd/ 图 C 寝台兼用ソファー; 長いす.
†day·break /déibrèik/ [cf. Day breaks. (夜が明ける)]
—— 图 U (正式)日の出, 夜明け, 暁(dawn) ‖ at [before] *daybreak* 夜明け[夜明け前]に / The climbers awoke before *daybreak*. 登山者は夜明け前に目をさました.

day·care /déikèər/, **dáy càre** 图 **1** U (英)(働いている親のため)子供の世話, 保育; 病人介護(cf. day-care). **2** C =day-care center.
day-care /déikèər/ 形 老人[身体障害者]介護の; 保育の(cf. daycare).
dáy-care cènter (親が働いている子供のための)保育所《◆教育もする施設を Educational Day-care Center と呼ぶ. 放課後の「学童保育所」は After-school-care Center》; (一時)介護施設《老人[病人, 身障者]の介護をふだん介護している人の代わりに一時的に引き受ける》.

†day·dream /déidrìːm/ 图 C **1** 空想, 夢想. **2** 楽しいが夢のような考え[計画]. —— 動 (過去・過分 ~ed or --dreamt) 自 空想する.
day·dream·er /-ər/ 图 C 空想家.
†day·light /déilàit/ 图 **1** U 昼の明かり, 日光; 昼, 昼間, 日中 ‖ *at [before] daylight* 夜明けに[夜明け前に] / *in broad [full] daylight* 真っ昼間に; 白昼公然と / *by daylight* 暗くならないうちに; 昼間に. **2** C (はっきり見える)すきま.
bréak [knóck] the (líving) dáylights out of A (略式) 〈人〉を気を失うほどなぐりつける.
bríng A *ínto dáylight* 〈事〉を明らかにする.
fríghten [scáre] the (líving) dáylights out of A (略式) 〈人〉をひどくおびえさせる.
sée dáylight =see the LIGHT (of day) (→ light¹ 图).

dáylight róbbery 白昼強盗; 公然の詐欺; (英略式) 法外な値段(を請求すること).
dáylight sáving (tìme) (米) 夏時間《夏に時間をふつう1時間進める制度》. daylight time, (英) summer time ともいう.
day·long /déilɔ̀ːŋ/ 形副 終日(の), 1日中(の).
day-old /déiòuld/ 形 〈戦いなどが〉1日中続いた; 〈パンなどが〉売れ残りの.
†day·time /déitàim/
—— 图 [the ~] 昼間, 日中(↔ nighttime) ‖ Vampires never go out *in [during] the daytime.* 吸血鬼は決して昼間は出てこない.
—— 形 [名詞の前で] 昼間[日中]の ‖ *dáytime sóap operas* 昼の(テレビの)メロドラマ.
day-to-day /déitədéi/ 形 **1** 毎日の, 日々の, 日常の. **2** 1日限りの, その日暮しの.
†daze /déiz/ 動 **1** 〈人〉をぼうっとさせる ‖ He was

dazedly

dazed by the news. その知らせに彼は茫然(ばうぜん)とした / She lòoked *dázed* ˈwith the drug [*from* sleep]. 彼女は薬のため[眠くて]ぼうっとした顔をしていた. **2**〈人〉の目をくらませる; 〈人〉をまごつかせる.
──名 [a ~] 茫然, 当惑《通例次の句で》∥ in a daze ぼうっとして.

daz·ed·ly /déizidli/ 副 ぼうっとして; 目がくらんで.

†**daz·zle** /dǽzl/ 動他 **1**〈強い光が〉〈人(の目)〉をくらませる ∥ The car's headlights *dazzled* me. =I was *dazzled* by the car's headlights. 車のヘッドライトに目がくらんだ. **2**〈通例 be ~d〉〈人が〉〈…に〉感嘆する〔*by, with*〕∥ She *was dazzled* by the gorgeous room. 彼女は豪華な部屋に目を見張る思いがした. ──自〈物が〉きらきら光る.
──名 [the/a ~] 目がくらむこと, 輝き ∥ the *dazzle* of her smile 彼女の微笑のすばらしさ.

daz·zling /dǽzliŋ/ 形 目もくらむほどの, まぶしい.

dB 記号 decibel(s).

dbl. 略 double.

dc, d.c. 〔電気〕direct current (↔ ac).

DC 略 da capo; 〔電気〕direct current.

D.C. 略 District of Columbia.

d—d /díːd, dǽmd/ =damned 《◆ 遠回し表記》.

D-day /díːdèi/, **D dày** 名 **1** [D は the day of days の day からといわれる] 計画[作戦]実施予定日; 行動開始日; D デー《1944年6月6日; 第二次世界大戦で連合軍が Normandy に上陸作戦を開始した日》. **2** (英) =Decimal Day.

DDT /díːdìːtíː/ 〔*dichlorodiphenyl-trichloro-ethane*〕名 U ディーディーティー《防疫・殺虫剤》.
──動他 …に DDT を散布する.

DE 略 〔郵便〕Delaware.

de- /diː-, di-, də-/〔語素集〕→語要素一覧(1.7).

†**dea·con** /díːkn/ 名 C 〔カトリック〕助祭, 〔プロテスタント・アングリカン〕執事《*priest* の次位》.

de·ac·ti·vate /diǽktəvèit/ 動他 …の効力をなくす.

:dead /déd/ 〔「活動しないで, 死んでいる」が本義〕
派 deadly (形), death (名), die (動)

index 形 **1** 死んでいる **2** 生命のない **3** 感覚のない **4** 動きのない **5** 使用されなくなった

──形 《◆ 比較変化しない》
Ⅰ [生きていない]
1〈人・動物が〉死んでいる, 〈植物が〉枯れている(↔ *alive*, *living*)∥ a *dead* body 死体 / a *dead* person 死者《◆ 複数形は dead people, the dead →图 1》/ The tree is almost *dead*. その木はほとんど枯れている / He has been *dead* for six years. 彼は死んでから6年たつ(→ die[1] **1b** 語法 (2)) / He was *dead* in the back seat of his car. 彼は自分の車の後部座席で死んでいた / She was found *dead* in her bedroom. 彼女は寝室で死んでいるのが発見された / The cameraman was shot *dead*. そのカメラマンは射殺された / She is *dead* of cancer. 彼女はがんで死んだ / *Dead men tell no tales.* 《ことわざ》死人に口なし.

2 [通例名詞の前で] (元来)生命のない ∥ *dead* matter 無機物.

3 [補語として]〈体の部分・人が〉(死んだように)感覚のない; 〈正式〉〈人が〉〈…に対して〉感受性のない[*to*]∥ My toes feel *dead* with cold. 足の先が寒さで感覚がない / She is *dead* to my passionate appeals. 彼女は私の熱烈な訴えにもまったく動じない.

Ⅱ [活動していない]
4 a〈物・事が〉(死んだように)動きのない; 活気のない; 興味[興奮など]の失せた; 静まりかえった ∥ a *dead* sleep 前後不覚の眠り, 熟睡 / *déad* áir [water] よどんだ空気[水] / a *dead* love さめた愛 / a *dead* season (社交・取引などの)さびれた時期, 夏枯れ時 / in the *dead* hours of the night 夜の静まりかえった時間に; 真夜中に. **b** 活動[機能]の停止した / a *dead* volcano 死火山 / a *dead* battery 寿命の切れた電池 / This radio has gone *dead*. 《略式》このラジオは音が出なくなった / His dream is *dead*. 彼の夢は消えてしまった. **c** 《略》[補語として] (死ぬほど)疲れ切って, へとへとの(very tired) ∥ I'm *dead* on my feet. 足が棒のようだ.

5〈言語などが〉使用されなくなった, 廃用の; 〈法律などが〉実効力のない ∥ a *déad* lánguage 死語《ラテン語など》(↔ a living language) / *dead* villages 廃村.

6 [名詞の前で] (死のように)突然の; 完全な; 正確な; 確実な ∥ come to a *dead* stop 急にぴたりと止まる / go into a *dead* faint 完全に気を失う / in *dead* silence まったく黙りこくって / runners on a *dead* level まったく水平な走者たち. **7**〈色・音が〉さえない, 鈍い; 〈部屋などが〉反響しない, 吸音性の.

8 〔球技〕〈ボールがライン外に出た〉 ∥ a *déad*-bàll line 〔ラグビー〕死球線《ゴールライン後方25ヤード以内の線. それを越えた「アウト=ボール」は a *dead* ball》.

déad and dóne with 《略式》〈事が〉すっかり終わってしまって.

déad or álive 生きていようが死んでいようが, 生死にかかわらず.

──名 **1** [the ~; 複数扱い] 死者たち ∥ rise from the *dead* 生き返る / *the dead and the living* 生者と死者. **2** [通例 the ~] (寒さ・静寂・暗闇の)最たる時 ∥ at [in] the *dead* of night 真夜中に / in the *dead* of winter 真冬に.

──副 《◆ 比較変化しない》 **1** 突然 ∥ The engine stopped *dead*. エンジンが突然止まった / *dróp déad* ぽっかり死ぬ; (俗) でうるさい」「とっとと消えろ」などの意. **2** 《略式》絶対に; 完全に(completely) ∥ be *dead* (set) against the plan 計画には絶対に反対する / I'm *dead* serious about it. それについて私は本当に真剣です. **3** 《略式》まっすぐに; 正確に(exactly) ∥ *dead* ahead [straight] 真っ正面に[一直線に] / *dead* on (the) target ぴたりと的中して.

déad báll (1) 〔球技〕アウト=ボール《試合の進行が止まっている時のボール. 試合停止球》(→ 形 8)《◆ 〔野球〕「死球」の意で ×*dead ball* とはいわない; 「デッドボールをくう」は be hit by a pitch》. (2) はずまなくなったボール.

déad cènter [the ~] (平面上の)どまん中 ∥ hit *the dead center of* the target =hit the target *dead center* 標的に命中する《◆ 副詞的用法では無冠詞》.

déad cértain [**cértainty**] 《略式》絶対確実なもの [こと]; (競馬の)本命.

déad énd (道などの)行き止まり, 袋小路; (行動・政策などの)行き詰まり(cf. dead-end).

déad héat (競走・競馬での同時にゴールインする)引き分け(レース); 同点[同着]の大接戦《◆ 日本語の「デッドヒート」は a close [heated] race [contest] など》.

déad pàn 《主(米略式)》無表情な顔[人, 態度].

Déad Séa [the ~] 死海.

déad wéight =deadweight.

déad·ness 名U 死の(ような)状態.

†**déad·en** /dédn/ 動 他 **1** …の強さ[力, 感覚, 光沢など]を失わせる(lessen), …を弱める(weaken); 〈音・痛みなどを〉和らげる, 消す ‖ *deaden* his enthusiasm 彼のやる気をそぐ / I take aspirin to *deaden* the pain of a headache. 私は頭痛を和らげるためにアスピリンをのみます. **2** […に対して]〈人〉を鈍感にする〈to〉. ― 自 弱まる, 消える; 死ぬ.

déad-end /dédénd/ 形 (道などが)行き止まりの; (略式)(行動・政策などの)行き詰まった(cf. dead end).

déad·fall /dédfɔ̀:l/ 名C (主に米)〔狩猟〕(時に比喩的に)(丸太などが落ちる)仕掛けわな; 倒木[しば]の固まり.

déad·head /dédhèd/ 名C (略式)優待券乗客[入場者]; (ニューヨークの地下鉄などの)回送電車.

†**déad·line** /dédlàin/ 名C 〔原稿などの〕締め切り(時間), (最終)期限〔for〕; 越えてはならない線; (囚人が越えると射殺される)死線 ‖ extend the *deadline* for the paper レポートの締め切り期限を延ばす.

†**déad·lock** /dédlàk|-lɔ̀k/ 名C 〔交渉などの〕行き詰まり, デッドロック; (コンピュータの)故障による停止 ‖ *be in* [*come to*, *reach*] *a* (*total*) *deadlock* (完全な)行き詰まりの状態にある[なる] / *end in deadlock* 行き詰まったまま終わる / *break the deadlock* 行き詰まりを打開する. ― 動 他 …を膠着状態にする.

†**déad·ly** /dédli/ 形 (**-li·er**, **-li·est**) **1** (おそらく)命にかかわる, 命取りになる, 命を奪うほどの; [比喩的に]致命的な, 痛烈な〔類語〕fatal, mortal ‖ a *deadly* disease [weapon] 命取りの病気[凶器]. **2** 生かしてはおけない; 命がけの ‖ a *deadly* enemy 不倶戴天（ふぐたいてん）の敵 / *deadly* combat 死闘. **3 a** (略式)過度の; 死ぬほど退屈な ‖ a *deadly* party まったくうんざりするパーティー / with *deadly* speed ものすごいスピードで. **b** 絶対の, 徹底的な; (ねらいなどの)まったく正確な. **4** 死(人)を思わせる.
― 副 **1** (略式)ひどく, 極度に ‖ *deadly* serious 大まじめで. **2** 死(人)のように.

déadly síns 〔神学〕[the ~] (7つの)大罪《pride, covetousness, lust, anger, gluttony, envy, sloth》《◆ seven deadly sins ともいう》.

déad·li·ness 名U 致命的なこと; 冷酷無情; 激烈さ.

déad·weight /dédwèit/, **déad wéight** 名C (略式)[比喩的に]重荷(になる人).

déad·wood /dédwùd/ 名U **1** 立ち枯れの木[枝]. **2** (略式)無用の人[情報], 売れ残り品.

***deaf** /déf/ [発音注意]
― 形 (**~·er**, **~·est**) **1** 耳が聞こえない, 耳が遠い[不自由な] ‖ a *deaf* old man 耳の遠い老人 / *the deaf* = *deaf* people 耳の聞こえない人々 / *deaf* and dumb 聾唖（ろうあ）の《◆今は deaf-mute, (遠回しに) hearing and speech impaired がふつう》; *be deaf* in one ear 片方の耳が聞こえない / *go deaf* 耳が聞こえなくなる. **2** (略式)[補語として]〈忠告・嘆願・要求などを〉聞こうとしない, 〔…に〕耳を傾けない, 無頓着な〔to〕‖ The patient was *deaf to* the doctor's advice. その患者は医者のいうことに耳を貸さなかった.

déaf·ly 副 聞こえないで, 聞こえないかのように.
déaf·ness 名U 耳が聞こえないこと; 耳を貸さないこと.

deaf-aid /défèid/ 名C (英略式)補聴器(hearing aid).

†**deaf·en** /défn/ 動 他 〈騒音などが〉〈人〉の耳を(一時的, または永久に)聞こえなくする; 〈音などを〉かき消す, 聞こえなくする ‖ I was *deafened* by the noise of a passing train. 私は列車が通り過ぎる音で他の音がまったく聞こえなかった.

deaf·en·ing /défniŋ/ 形 耳をつんざくような.
― 名C 防音装置[材料].

deaf-mute /défmjú:t/ 名C 聾唖（ろうあ）者.
― 形 聾唖(者)の.

***deal**¹ /dí:l/ 〖「分けた部分」が原義〗
― 名C [a ~] 量, 程度, 額《多くは次の成句で》.

*a góod [*gréat*] *déal* = *a déal* 副 たくさん, 多量(much) ‖ We learn *a good deal* at school. 私たちは学校でたくさんのことを学ぶ.

*a góod [*gréat*] *déal of* A = (やや古) *a déal of* A たくさんの…, 多量の…(much)《◆(1) A は U 名詞, 複数名詞と用いるのは(古). (2) good, great などの修飾語を伴う場合は肯定文がふつう》‖ We had *a good deal of* snow last winter. 去年の冬は雪が多かった / What [×How] *a great deal of* work I have to do today! 何とたくさんの仕事を今日しなければならないのでしょう《◆ how の場合は much を使う: How [×What] much work I have to do today!》.

― 副 〔通例 a good [great] ~〕**1** 大いに, ずいぶん ‖ You've changed *a great deal*. あなたはずいぶん変わった / Do you see her *a great deal*? 彼女とはよく会いますか. **2** 〔強意語として〕うんと, ずっと《◆比較級・最上級その他 too many [much] などを修飾する》‖ The price was *a good deal* higher than I expected. 値段は予想よりずっと高かった.

***deal**² /dí:l/ 〖「物を分ける」が原義〗派 dealer (名)
― 動 〈~s/-z/; 過去過分 dealt/délt/; ~·ing〉
― 他 **1**〈人が〉〈トランプの札などを〉〔人に〕配る(+*out*)〔*to*〕‖ He *dealt* seven cards to each of us. 彼は私たちに7枚ずつカードを配った.
2(正式) [deal A B]〈人が〉〈人などに〉B〈打撃など〉を加える, 与える(give) ‖ He *dealt* me a sharp punch on the chin. 彼は私のあごをげんこつで強くなぐった.
3 [比喩的に]〈打撃を〉〔…に〕与える〔*at*, *to*〕‖ Failure would *deal* a heavy blow *to* my hopes for promotion. その失敗が私の昇進の望みに大きな打撃を与えるだろう.
4 [deal A (to B)]〈人が〉〈B〈人〉に〉A〈物・事〉を分配する, 分ける(+*out*); 〈神などが〉〈分け前・当然の報いとして〉…を授ける ‖ She *dealt* out two oranges *to* each guest. 彼女はお客にオレンジを2個ずつ配った.
― 自 〈人が〉カードを配る.

déal at A 〈会社・店などを〉ひいきにする, …と取引する《◆ふつう受身不可》.

*déal in A〔他+〕(1)〈人・店などが〉A〈商品〉を扱う ‖ This shop *deals in* kitchen utensils. この店は台所用品を売っている. (2)〈事柄〉で時間を費やす. ―他 (略式)〈人〉を仲間に入れる.

*déal with A (1)〈人・書物などが〉〈事柄〉を扱う, 論じる; …に関係あり ‖ His lecture *dealt with* air pollution. = Air pollution was *dealt with* in his lecture. 彼の講演は大気汚染を扱ったものであった. (2)〈人・会社がA〉と, 〔…と〕取引する〔*for*〕; 〈人〉と交際する ‖ I've *dealt with* this store for years. 私は何年もこの店と取引がある. (3)〈問題・事件などを〉処理[処置]する; 〈問題などに〉対処する, 手を打つ(handle) ‖ This matter must be *dealt with* sooner or later. この問題は遅かれ早かれ片づけねばならない.

deal / death

──名(複)～s/-z/) ⓒ 1 [商品などの]取引,契約 [on] ‖ Will you make [(英) do] a deal with him? 彼と取引をしませんか / It's a deal! =You ('ve) got a deal! (主に米略式) お買い得です; 売買は成立した; これで話は決まった(=I agree to your terms.). 2 [a ~] 取り扱い,待遇(treatment) ‖ give him a fair [square] deal 彼を公平に扱う / (get) a raw [rough] deal (略式) 不当な扱いを(受ける). 3 (米) [政治的・経済的]密約,不正取引. 4 [特定の]計画,政策 ‖ the Néw Déal (米) ニューディール政策(→ New Deal). 5 [トランプ] カードを配ること; カードを配る番; 1回勝負; 持ち,手.
bíg déal (1) (略式) たいしたこと, 重大なこと ‖ Winning the game was a *big deal* for us. 試合に勝ったのは私たちにとって大きなことだった / It's no *big deal.* それはたいしたことではない. (2) 大きな取引(→ 名1).
cút a déal with A 〈犯罪組織など〉と取引をする.
deal³ /díːl/ 名ⓊⒸ (主に英) (植) モミ, マツ; モミ[マツ]材.
†**deal・er** /díːlər/ 名ⓒ 1 a 〈ある商品の〉販売人, 商店, 業者, …商[in] ‖ a used-car *dealer* =a *dealer* in used cars 中古車商. b (略式) 麻薬などの不法品の売人. 2 [トランプ] 大家のひとり. カードの配り手.
deal・er・ship /díːlərʃìp/ 名ⓒ 地域販売特約権; ⓒ (その権利を有する)販売店[人].
†**deal・ing** /díːlɪŋ/ 名 1 [~s] 〔~との〕(商取引)関係; 交際関係[with] ‖ I have *dealings with* him 彼と取引[交際]している. 2 Ⓤ (他人に対する)ふるまい, 待遇.
déaling ròom (株・為替・商品などの)ディーリングルーム, 取引室.
†**dealt** /délt/ 動 deal² の過去形・過去分詞形.
†**dean** /díːn/ 名ⓒ ◆ 1, 2, 3 は呼び かわりも ‖ 1 [アングリカン] 主席司祭〈Cathedral(大聖堂)の長で bishop (主教)の下位〉, 地方司祭; [カトリック] 地方司祭代理. 2 (大学の)学部長. 3 (米) 大学・中等学校の学生指導にあたる学生部長; [Oxford などの]学生監. 4 [団体・同業者などの]最古参者, 最長老.
déan's líst (各学年・学期末に大学当局が作成する)優等生名簿.
dean・er・y /díːnəri/ 名Ⓤ dean の職.

‡**dear** /díər/ (同音 deer; 類音 dare /déər/) [「貴重な」が原義] 派 **dearly** (副)
──形 (~・er /díərər/, ~・est /díərɪst/) 1 [通例 D~] [名詞の前で 敬愛する] …さまな◆ 手紙の書き出しに用いる ‖ *Dear* Sir 拝啓◆ 男性あてで個人名を明示しないときに用いる. 女性あてには Dear Madam, 会社あてには (米) Gentlemen, (英) Dear Sirs / *Dear* John 様.

語法 (1) My *dear* son は *Dear* Son よりくだけた用法. (米) では My dear Mr. Smith は Dear Mr. Smith より堅い言い方であるが, (英) では逆.
(2) 正式には ×Dear John Smith のように full name を用いる.

2 (主に英) [通例補語として] 〈物が〉(法外に)高価な, (品質のわりに)高い(expensive) 〈店・商人が〉高く売る(↔ cheap) ◆ 価格については現在では(まれ)で, ふつう high(-priced) を用いる ‖ Fresh vegetables are very *dear* in winter. 冬は新鮮な野菜はとても高値である.
3 [補語として] 〔…にとって〕大事な, 貴重な[to] ‖ He's an old friend and very *dear to* me. 彼は古い友人で私にとって非常に大切な人です / Try not to lose anything that is *dear to* you. あなたにとって大切なものは何も失わないようにしなさい.
4 親愛な, いとしい, かわいい ◆ little, old を伴って愛情をこめた呼びかけにも用いられる ‖ a *dear* little boy 小さなかわいい男の子 / We miss our *dear* grandmother. 敬愛するおばあちゃんがいなくて寂しい.
──名 (複) ～s/-z/) ⓒ 1 いとしい人, かわいい人; いい人, 親切な人 ◆ 恋人・家族に対する愛情をこめた呼びかけにも用いられる. 男女両用. (略式) では dearie, deary) ‖ You brought me flowers? What a *dear* you are! 花を持ってきてくれたの. いい人ね / Come here, (my) *dear.* おまえ, こっちへおいで. 2 [a ~] いい子 ◆ なだめたり, 元気づけるのに用いる ‖ 「*Be a dear and* [Please] post this letter, won't you? =Post this letter. There's [That's] *a déar.* いい子だから, この手紙出してちょうだい.
──副 [正式・古] [しばしば比喩的に] (値打ちの割に)高く ◆ ふつう buy, cost, pay, sell などと共に用いられる. 2 [(通例女性語)] [しばしば Déar mé!] 驚き・迷い・同情・いらだち・失望などを表して おや, まあ(cf. shit).
déar・ness 名Ⓤ 高価, 貴重, 親愛.
dear・est /díərɪst/ 名ⓒ 呼びかけで 最愛の人.
dear・ie /díəri/ 名 =deary.
†**dear・ly** /díərli/ 副 1 とても, 非常に(very much) ‖ I'd *dearly* love to have a picture of you. あなたの写真がとても欲しいのです. 2 愛情をもって, 心から ‖ She loves her son *dearly.* 彼女は息子をこよなく愛している. 3 [正式] 大きな犠牲を払って ‖ Her fame was *dearly* won. 彼女の名声は大きな代価を払って得られた. *déarly belóved* あなた方ぞ◆結婚する2人に対する牧師の呼びかけ.
†**dearth** /dáːrθ/ 名Ⓤ [正式] [時に a ~] 欠乏, 不足; 飢饉 ‖ a *dearth* of food 食糧不足 / in time of *dearth* 食糧不足の際に.
†**dear・y, --ie** /díəri/ 名ⓒ (やや古) かわいい人, いとしい人, おまえ (dear) ◆ 主に年輩の女性が自分より若い女性・子供に対する親しみをこめた呼びかけに用いる).
déary mé! =dear 間.

‡**death** /déθ/ [→ die, dead]
──名 (複)～s/-s/) 1 Ⓤ 死(↔ life), 殺されること, 死ぬこと(↔ birth); ⓒ 死亡(事例) ‖ meet one's *death* in an accident 事故で死ぬ(=die in an accident) / civil *death* [法律] 法的能力剥奪 / everlasting *death* [神学] 永遠の断罪(damnation) / *on* [*upon, at*] *the death of* my wife =on [upon, at] my wife's *death* 妻の死に際して / *death* with dignity 安楽死 ◆ mercy killing の遠回し表現 / brain *death* 脳死 / many *deaths from* [*of*] cancer がんによる多くの死亡(件数).
2 [a … death] …な死に方 ‖ *an* accidental *death* 事故死 / *die a* violent [heroic] *dèath* 非業の死[英雄的な死]を遂げる(→ die¹).
3 [the/one's ~] 〔人の〕死因; 命取り[*of*]; Ⓤ 〔…にとって〕致命的なこと[*to*] ‖ Heart failure was *the death of* him. 心不全で彼は死んだ / His pride will be *the death of* him. 自尊心が彼の命取りになるだろう / She would be *the death of* me. 彼女のおかげでこちらは死にそうだった / Water pollution is *death to* fishermen. 水質汚染は漁師にとって致命的である.
4 Ⓤ [時に a ~] 死んでいる状態 ‖ (as) stíll [cóld]

as *déath* 死人のように動かない；(場所・人などが)とても静かな / (as) *pale as déath* 死人のように青ざめて / *lie still in déath* 死んで静かに横たわっている / *a líving déath* 希望のない惨めな状態. **5** [D~] 死神《(鎌(ﾅﾏ)を)持った骸(ﾞ)骨の姿で表される》. **6** [the ~]《無生物の》消滅,壊滅,終わり ‖ *the death of feudalism [my hopes]* 封建主義の滅亡[希望の消失].

(*as*) **súre as déath** 絶対確実で.

díce with déath《略式》大きな[無用の]危険を冒す. cf. dice 自1.

dó A to déath (1)〈話など〉を言い[使い]古して精彩をなくす[見飽きさせる,聞き飽きさせる]. (2) …に決着をつける.

pút A to déath《正式》〈人〉を死刑にする,殺す.

to déath (1) 死ぬまで ‖ *beat him to death* 彼を殴り殺す / *be burned to death* 焼死する. (2)《略式》死ぬほど,ひどく(extremely) ‖ *I love her to death.* 私は彼女が大好きだ / *be sick* [*tired, bored*] *to death* (*of* [*with*] …)〈…に〉もう飽き飽きしている / *be scared to death* とても怖がっている.

to the déath 死ぬまで(の) ‖ *a fight to the death* 死闘.

déath certificate 死亡診断書.
déath màsk 死面,死に顔.
déath pènalty [通例 the ~] 極刑,死刑.
déath ràte (1) (1年間の特定地域における人口1000人に対する)死亡率《主米》mortality rate). (2) (同じ病気の100人に対する)致死率(fatality rate).
déath rów《米》死刑囚棟 ‖ *He's on death row.* 彼は死刑囚です.
déath tàx《米》相続税《英》inheritance tax).
déath tòll (事故・戦争・自然災害などの)死亡者数.
†**death·bed** /déθbèd/ 图 C《正式》[one's ~] 死の床；[形容詞的に] 臨終の ‖ *on* [*at*] *his deathbed* 臨終の床で,死にかかって / *make a deathbed repentance* [*confession*] 臨終のざんげをする；どたん場の政策転換をする.
death·blow /déθblòu/ 图 C [通例 a/the ~] 致命的強打；[比喩的に] 命取り.
déath-dèaling 形 致死の ‖ *a deathdealing dose* 致死量.
†**death·less** /déθləs/ 形〈名声などが〉不朽の；不滅の,不死の(immortal). **déath·less·ly** 副 永久に.
death·like /déθlàik/ 形 死(人)のような.
death·ly /déθli/ 形《正式》**1** =deathlike. **2** 死の,致命的な(deadly). **3**《米》極度の,ひどい ‖ *deathly pale* ひどく青ざめて. ── 副 **1** 死んだように. **2** ひどく,極度に.
death-roll /déθròul/ 图 C《英》(戦争・事故などの)死亡者名簿[数].
de·ba·bel·ize /dibéibəlàiz/ 動他 反バベル化する《神の意志によって言語を再統一する》.
dé·bâ·cle, de·ba·cle /deibáːkl/《フランス》图 C (軍隊・群衆などの)突然の総崩れ,敗走；(政府・政権などの)瓦解；(市場の)暴落；完全な失敗.
de·bar /dibáːr/ 動 (過去・過分) **-barred**/-d/; **-bar·ring**)他《正式》**1**〈人〉を〈場所・地位から〉(法的に)力で締め出す,除外する〔*from*〕. **2**〈人〉に〈…するのを〉(法律で)禁止する〔*from doing*〕.
†**de·base** /dibéis/ 動他《正式》**1**〈人・事が〉〈人格・品位・地位などを〉落とす,卑しくする(lower) ‖ *Such behavior will debase you.* =*You will debase yourself by such behavior.* そんなふるまいをすると安く見られますよ. **2**〈貨幣〉の質を混ぜ物をして悪くする. **de·báse·ment** 图 U C (品位・価値の)低下；(人の)堕落.
†**de·bat·a·ble** /dibéitəbl/ 形《正式》**1** 論議の余地のある,異論のある,問題がある ‖ *a debatable conclusion* 異論の残る結論. **2**〈土地などが〉複数の国によって要求されている,係争中の.
***de·bate** /dibéit/《「相手を負かす(beat)」が原義. cf. discuss》
── 動 (~s/-/; 過去・過分 **··bat·ed**/-id/; **··bat·ing**)
── 他 **1**〈人が〉(公開の場で)〈問題などを〉〔…と〕(賛成・反対に分かれて正式に)討論する,討議する〔*with*〕(→ discuss [類語])；[debate *doing*] …することを討議する；[debate *wh*節・句] …かを討議する ‖ *debate the political problem with him* 彼と政治問題を討議しあう. **2** [debate *wh*節] …かどうかを熟慮する,思案する ‖ *We debated 「whether to* [*whether we should*] *go by train or car.* 私たちは電車で行くか車で行くか思案した.
── 自 **1**〔…について/人と〕議論する,討論する〔*about, on / with*〕《◆ふつう on は専門的,about は一般的な事柄に用いる》 ‖ *The trade representative has been debating with his counterparts here over the matter of tariffs.* 貿易担当代表者が当地の委員と関税問題について討議を続けている. **2**〔…について〕思案する〔*about, on*〕 ‖ *debate with oneself about going* 行くべきかどうか1人で思案する.
── 图 (~s/-/; C) **1** U C (公開の場・国会における)討論,議論,論争《◆賛否対立する論議》；C 討論会 ‖ *a heated* [*fierce, intense*] *debate* 白熱した討論 / *hóld a debáte on abortion* 中絶問題について討議する / *a problem under debate* 論争中の問題.
debàting clùb [**sòciety**] 討論部.
de·bat·er /dibéitər/ 图 C 討論する人,討議者；巧みな論客.
de·bauch /dibɔ́ːtʃ/ 動他《正式》〈人〉を(肉欲・酒・麻薬などで)堕落させる；〈女〉を誘惑する. ── 图 放蕩(ﾄｳ)(の時代).
de·bauch·ee /dèbɔːtʃíː/ 图 C 放蕩(ﾄｳ)者,道楽者.
de·bauch·er·y /dibɔ́ːtʃəri/ 图 **1** U 酒色[麻薬,肉欲]にふけること,放蕩(ﾄｳ) ‖ *a life of debauchery* 放蕩生活. **2** [debaucheries] 遊興,らんちき騒ぎ(の時代).
Deb·by /débi/ 图 デビー《女の名. Deborah の愛称》.
de·ben·ture /dibéntʃər/ 图 C 債務証書(cf. bond 5).
de·bil·i·tate /dibílətèit/ 動他《正式》〈人・体〉を(一時的に)衰弱させる,虚弱にする.
de·bil·i·tá·tion 图 U 衰弱(状態).
de·bil·i·ty /dibíləti/ 图 U (病気による)衰弱.
deb·it /débət/ 图 C《正式》《簿記》(帳簿の左側の)借方,借方項目(debit side)(↔ credit) ‖ *on the debit side* 借方に / *a debit slip* 支払い伝票.
── 動他《金額》を〈人・人の勘定の〉借方に記入する〔*against, to*〕；〈人の勘定〉に〈借入額を〉記入する〔*with*〕 ‖ *debit* $1,000 *against* [*to*] *him* [*his account*] =*debit him* [*his account*] *with* $1,000 彼の勘定の借方に1000ドルを記入する.
débit càrd デビットカード,口座引き落としカード.
débit sìde 借方.
deb·o·nair(e) /dèbənéər/ 形《正式》(ふつう男の態度が)愛想のよい,陽気な,のん気な；丁重な；粋な.
de·bouch /dibáutʃ/ 動自〈川が〉〈狭い所から〉広い所

へ]流れ出る〔*from*/*into*〕.

de·bóuch·ment [名][U][C] 進出；流出(口).

†**de·bris, dé·bris** /dəbríː | débriː/ 〘フランス〙 [名][U] 《狭義》(破壊された物の)破片, 瓦礫(がれき), 残骸(ざんがい)《◆ rubbish より堅い語》；《広義》がらくた, ごみ(rubbish).

***debt** /dét/ [発音注意] 〘「人が払う義務のある」が原義〙

——[名] (複 ~s/déts/) **1** [C][U] **借金**, 借り, 負債；[U] 借金状態 ‖ a floating *debt* 一時借入金 / the national *debt* 国債 / a bad *debt* 貸し倒れ / ***gét* [*rún, fáll*] *into débt*** 借金をする / ***gét òut of débt*** 借金を返す / ˹clear off [pay off, pay back, wipe off, discharge] one's *debt* 借金をきれいに清算する / ***kéep òut of débt*** 借金せずに暮らす / I am ***in debt to*** her ***for*** 100,000 yen. =I owe her (a *debt* of) 100,000 yen. 私は彼女に10万円の借金をしている / My father is up to his ears in *debt*. 私の父は首まで借金につかっている(借金で首が回らない) / 日本発》 Banks in Japan have considerable amounts of bad *debt*. 日本の銀行は多くの不良債権をかかえています.

2 [C] 《正式》[通例単数形で]〔…に対して〕(他人に)負うているもの, 恩義, 義理〔*for*〕 ‖ I owe him a *debt* of gratitude *for* his services. 私は彼の尽力に対し恩義がある.

be in débt to* A** =《正式》be in* A's *débt*** (1)〈人〉に借金している. (2)〈人〉に〔親切・援助などに対して〕恩義を感じている〔*for*〕.

débt forgiveness 債権放棄.

†**debt·or** /détər/ [名][C] 借り主, 債務者(↔ creditor)；義理を負う人；〔簿記〕借方(debit) ([略] dr.).

de·bug /dìːbʌ́g/ [動] ([過去・過分] **de·bugged**/-d/; **--bug·ging**) [他] 《略式》〈機械など〉の不調箇所を取り除く, 欠陥を直す；〔コンピュータ〕…をデバッグする, 修正する《プログラム上の誤りを発見・修正する》；〈建物・家・部屋〉から盗聴装置(bug)を取り除く ‖ *debug* the computer program コンピュータのプログラムを手直しする, バグを取り除く.

——[名][C] 〔コンピュータ〕デバッグ, 修正.

de·bunk /dìːbʌ́ŋk/ [動][他] 《略式》〈人・思想など〉の正体を暴露する[あばく].

De·bus·sy /dèbjusíː | dəbúːsi/ [名] ドビュッシー《Claude Achille /klɔ́ːd əʃíːl/ ~ 1862-1918；フランスの作曲家》.

†**de·but,** (米ではしばしば) **dé·but** /deibjúː, ⌐-, dé- | ⌐-/ 〘フランス〙 [名][C] 《正式》デビュー, 初舞台. ——[動][自] 〔…として〕デビューする〔*as*〕.

deb·u·tant /débjutɑ̀ːnt/ 〘フランス〙 [名][C] デビューする男性, 初舞台[初出場]の男性.

†**deb·u·tante,** (米ではしばしば) **déb·--** /débjutɑ̀ːnt/ 〘フランス〙 [名][C] 初舞台の女優；初めて社交界に出る娘, 宮廷に伺候する娘.

dec. [略] *decade*; *deceased*.

Dec., Dec [略] *December*.

dec·a- /dék(ə)-/ [語要素] →語要素一覧(1.1).

†**dec·ade** /dékeid, ⌐-, di-/ [名][C] 10年間；(10年ごとの)…年代《「1990年代」(1990-1999)のような10年間》；《略式》[~s] 長年 ‖ the first *decade* of this century 今世紀の最初の10年《21世紀の場合2001-2010》/ for the last [past] two *decades* ここ20年間.

dec·a·dence /dékədəns, dikéi-/ [名][U] 《正式》 **1** (道徳・文明・文芸・芸術などの)衰微, 堕落, 衰退期 ‖ moral *decadence* 道徳の退廃. **2** 〔芸術〕デカダンス, デカダン運動《19世紀末にフランスを中心に起こった退廃的な美を求める傾向》.

dec·a·dent /dékədənt, dikéi-/ [形] **1** 退廃的な, 堕落して行く. **2** 〔芸術〕退廃期の, デカダン派の[的な].

déc·a·dent·ly [副] 退廃的に.

de·cal /díːkæl | dikǽl/ [名][C] 《米》移し絵.

Dec·a·logue, --log /dékəlɔ̀(ː)g, 《米+》-lɑ̀g/ [名] 〔旧約〕[the ~] 十戒(the Ten Commandments).

De·cam·er·on /dikǽmərən, de-/ [名] [the ~] 『デカメロン』『十日物語』《100話からなる Boccaccio の短編集(1353)》.

de·camp /dikǽmp/ [動][自] 《正式》〈軍隊が〉〔野営地を〕引き払う, キャンプをたたむ〔*from*〕.

de·cant /dikǽnt/ [動][他] 《正式》〈ワインなど〉の上澄みを静かにデカンターに移す.

de·cant·er /dikǽntər/ [名][C] デカンター《栓付きの食卓用ガラスびん；主にワイン入れ》.

de·cap·i·tate /dikǽpətèit/ [動][他] 《正式》〈人・動物〉の首をはねる[切る]；〈花など〉の頭を摘む；《米略式》〈人〉を首にする.

de·càp·i·tá·tion [名][U][C] 首切り.

de·cath·lon /dikǽθlɑn | -lɔn/ [名][U] [the ~] 十種競技.

†**de·cay** /dikéi/ [動][自] **1** 〈物が〉(徐々に, 自然に)腐敗する, 腐る, 朽ちる(go bad)《◆ 物が徐々に少しずつ腐りかけてきた状態の時に使う. rot はその腐敗の度が進んだ時に用いる. rot の方が日常的によく使われる》 ‖ The supports beneath the iron bridge have *decayed* to the point where they are hazardous. 鉄橋の支柱が腐って危険な状態になった. **2** 《正式》〈健康・勢力・美などが〉衰える, 衰退する, 低下する(become weak)；堕落する ‖ Our powers *decay* in old age. 年を取ると体力[知力]が衰える. **3** 〔物理〕〈放射性物質が〉崩壊する. ——[他] 〈歯〉を虫歯にする ‖ Sugar *decays* teeth. 砂糖をとると虫歯になる.

——[名][U] **1** 腐敗, 腐朽；腐敗物質 ‖ We must brush our teeth daily to avoid tooth *decay*. 虫歯を防ぐために毎日歯をみがかなければならない. **2** [a ~] (勢力・財力・美などの)衰退, 衰え；衰微；堕落(downfall) ‖ After the operation, the *decay* in his health was rapid. 手術後彼の健康の衰えは急だった / ***fáll into decáy*** =***go to decay*** 衰える / the *decay* of the dynasty その王朝の衰退.

decáyed tòoth 虫歯.

†**de·cease** /disíːs/ [名][U] 《正式》〔法律〕死亡, 死去(death).

de·ceased /disíːst/ 《正式》〔法律〕[形] (特に最近)死んだ, 故…([略] dec., decd.) (dead). ——[名] [the ~；単数・複数扱い] (特定の)死者, 故人.

†**de·ceit** /disíːt/ [名] **1** [U] いつわり, 欺(あざむ)く[だます]こと, 詐欺, ぺてん；虚偽(性), 不実 ‖ A true statesman is incapable of *deceit*. 真の政治家はうそがつけない. **2** [C] たくらみ, 策略, 計略.

†**de·ceit·ful** /disíːtfl/ [形] **1** 人をだます, うそつきの, 不正直な ‖ a *deceitful* person うそをつく人. **2** 〈外見・言動などが〉人を誤らす[惑わす]；だますつもりの ‖ a *deceitful* act 人を惑わす行動. **de·céit·ful·ly** [副] だますつもりで. **de·céit·ful·ness** [名][U] ずるさ, 欺瞞(ぎまん).

***de·ceive** /disíːv/ 〘(人)から(de)物を取る(ceive). cf. re*ceive*, per*ceive*〙 [派] deceit (名)

——[動] (~s/-z/; [過去・過分] ~d/-d/; **--ceiv·ing**)

——[他] **1** 〈人が〉〈人〉を(事実をまげて)**だます**, 欺(あざむ)く, 惑わす(take in)；〈人〉をだまして〔…〕させる(mislead)〔*into* (doing)〕；[be ~d]〈人が〉(期待などを)

裏切られる，〔人を〕見損なう[*in*]‖ I *was deceived* '*into* the belief [*into* believing] that she loved me. 私はだまされて彼女が自分のことを好きなものと信じてしまった / His eyes *deceived* him. 彼は見間違えた / You seem to *deceive yourself about* the value of the picture. 君はその絵の価値について誤解しているようだ．**2** 〈主に配偶者を〉だまして(…と)不貞を働く[*with*].

de・céiv・er 名 C だます人，裏切り者.
de・cel・e・rate /diːséləreɪt/ 動 《正式》他 (…の)速度を落とす，(…を)減速する (↔ accelerate).
de・cél・e・rà・tor 名 C 減速器.

***De・cem・ber** /dɪsémbər/ 〖10番目(decem)の月．ローマ暦では10月に当たる〗
——名 U 12月《◆平和・静寂を連想させる》; [形容詞的に] 12月の(略 Dec., D.) 語法 → January)‖ *December* snow 12月の雪．

†de・cen・cy /díːsnsi/ 名 **1** U (言葉づかい・行動などの)上品さ，礼儀正しさ‖ an offense against *decency* 無作法 / When he could not attend the wedding, he had the *decency* to call and apologize. 結婚式に出席できなかった時に彼は礼儀正しく電話をしておわびを言った．**2** [the *decencies*] 礼儀作法‖ observe the *decencies* 礼儀作法を守る．

de・cen・ni・al /dɪsénɪəl/ 形 **1** 10年(間)の，10年間続く．**2** 10年ごとの．

†de・cent /díːsnt/《発音注意》形 (**more ~, most ~**;時に **~・er, ~・est**) **1** 《正式》礼儀などがかなり立派な，見苦しくない(suitable)，〈人が〉ちゃんとした服装をした(respectable)‖ Gét *décent*. きちんとした服装をしなさい / Are you *decent*?《略式》服装はちゃんとしていますか《◆着替えの前の人に対して「入っていいですか」の意となる》. **2** 〈態度・考え・言葉・人などが〉上品な，慎み深い，礼儀正しい(respectable) (↔ indecent)‖ a *decent* answer まともな〔ちゃんとした〕返事 / It is not *decent* to laugh at another's troubles. 他人の困っているのを見て笑うのは失礼である．**3**《略式》相当な，相応な，まあまあの，結構な《◆very good の控え目表現》‖ a *decent* standard of living かなりの生活水準 / She earns a *decent* living. 彼女にはかなりの収入がある．**4**《略式》〔人に〕親切な，寛大な，厳しくない(kind)[*to*]‖ It *was decent* of [*×for*] you *to* lend me your car. =You were *decent* to lend … 車を貸していただいてありがとうございました．(⇒ 文法 17.5).

†de・cent・ly /díːsntli/ 副 **1** 見苦しくなく，きちんとして; 上品に．**2**《略式》相当に，かなりに．**3**《英略式》親切に，寛大に，気前よく(kindly).

†de・cen・tral・ize /diːséntrəlaɪz/ 動 他 〈中央の組織・権力などを〉地方に分散させる，地方分権にする．
de・cèn・tral・i・zá・tion 名 分散; 地方分権．

†de・cep・tion /dɪsépʃən/ 名 **1** U だますこと; だまされる[欺かれる]こと‖ practice (a) *deception* on him 彼をだます．**2** C《正式》詐欺，ごまかし，ぺてん(trick); だますもの，幻覚‖ a gross *deception* ひどい詐欺.

de・cep・tive /dɪséptɪv/ 形《正式》**1** 人をだますため(誤解させる)ような，惑わせる; 当てにならない．**2** ぺてんのもの，偽りの．**de・cép・tive・ly** 副 ごまかして，偽って．**de・cép・tive・ness** 名 U ごまかしのしにくさ．

dec・i- /désə-/ 接辞-/語要素→語要素一覧(1.1).
dec・i・bel /désəbèl, -bl/ 名 C《正式》《物理》デシベル (記号 dB).

***de・cide** /dɪsáɪd/〖「きっぱりと決める」が本義〗動 de-cision (名), decisive (形)
——動 (**~s/**-sáɪdz/; 過去・過分 **~・cid・ed**/-ɪd/; **~・cid・ing**)
——他 **1** [decide to do / decide (**that**)節]〈人が〉…しようと**決心する**，決意する(make up one's mind)《◆(1) この意味では that節の中で will, would で使うことが多い．(2) これより強い決意は determine, resolve》‖ They *decided* 'to go [*×*going] abroad. (⇒ 文法 12.7(1))=They *decided* (*that*) they would go abroad. 彼らは外国へ行こうと決心した．

2 [decide that節 / decide wh節・句]〈人が〉…することか〕を**決定する**，決める‖ a *decide* what to do next =*decide what* we should do next 次に何をすべきかを決定する / 'They *decided* [*It was decided*] *that* the profits (should) be divided equally. 利益は等分することに決まった《◆should を用いるのは《主に英》. ⇒ 文法 9.3》/ I can't *decide whether* or not to cut my hair shorter. 髪をもっと短く切ろうかどうか決めかねている．

3 〈人・物・事が〉〈問題・議論などを〉**決定づける**，決定する; 〈人が〉〈訴訟事件に〉に判決を下す; [decide (**that**)節]〈人が〉…すると判断する，…と考える‖ Have you *decided* your future plans? 将来の計画は決めましたか / One point *decided* the football game. 1点がそのサッカーの勝負を決めた / I *decided* (*that*) I was too old to take the job. その仕事に就くには年がいきすぎていると判断した[思った]．

4〈物・事から〉〈人に〉[…することを/…しないことに]**決心させる**[*to do* / *against*]‖ What *decided* you *against* drinking? どうして酒を飲まないことに決めたのですか．

——自 **1** [decide (**on** [**upon**] **A**)]〈人が〉〈事・物(に)〉**決定する**; [decide **on** [**upon**] doing] …することに決定する‖ I haven't *decided on* a day to visit you. お訪ねする日を決めていません / The president *decided on* his cabinet. 大統領は閣僚を決めた / She has to *decide* (*on*) how to deal with the problem. 彼女はその問題の扱い方を決定しなければならない《◆wh節の前では on [upon] はしばしば省略可》/ She *decided on* pruning the roses this weekend. 彼女はバラの剪定を今週末にすることに決めた．

2 [decide **against A**]〈人が〉〈事・物〉をしないことに決定する‖ He *decided against* applying for the job. 彼はその仕事に応募しないことに決めた．

3 〔…に関して/…のどちらかに〕決める[*about*/*between*]‖ Let me *decide*. 私に決めさせて．

4〈裁判官・法廷などが〉〔…に有利な/…に不利な〕判決をする〔*for, in favor of* / *against*〕‖ The judge *decided against* the plaintiff. 裁判官は原告に不利な判決を下した．

> 語法 [**decide A と decide on A**]
> 次例は i)が他 **3**, ii)が自 **1** の語法の例：
> i) The boss *decided* the date.（賛否両論の議論のあと上司は日時を決定した．
> ii) The boss *decided on* the date.（自らの判断で）上司は日時を決定した．

†de・cid・ed /dɪsáɪdɪd/ 形 《正式》**1** 明確な，疑いのない，間違えようのない(definite). **2** 〈人・性格・態度・意見などが〉〔…について〕確固たる，断固とした(determined)〔*about*〕.

†de・cid・ed・ly /dɪsáɪdɪdli/ 副 《正式》**1** 断然，明確に

de·cid·u·ous /disídʒuəs -sídju-/ 形 1 ⟨木が⟩落葉性の(↔ evergreen). 2 ⟨葉・角・歯などが⟩(時期が来ると)落ちる, 抜ける.

dec·i·gram, (英まれ) **--gramme** /désəgræm | dési-/ 名 C デシグラム⟨1/10グラム⟩.

dec·i·li·ter, (英) **--tre** /désəli:tər | dési-/ 名 C デシリットル⟨1/10リットル⟩.

†**dec·i·mal** /désəml/ 名 C 小数; 小数を含む数字. ── 形 1 小数の. 2 10進法の.

décimal classificátion (米)〘図書の〙10進分類法.

décimal cùrrency 10進法通貨(制度).

Décimal Dày (英国の通貨の)10進法制記念日《1971年2月15日. D Day ともいう》.

décimal fràction 小数.

décimal pòint 小数点《◆(英)では中点(·)を用いることがある》.

décimal sỳstem 10進法.

†**dec·i·mal·i·za·tion** /dèsəməlizéiʃən|-məlai-/ 名 U 10進法化[制].

†**dec·i·mal·ize,** (英ではしばしば) **--ise** /désəməlàiz/ 動 他 ⟨通貨などを⟩10進法化[制]にする.

dec·i·mate /désəmèit/ 動 他 (正式)⟨疫病・戦争などが⟩…の大部分の人[生きもの]を殺す.

deci·meter, (英) **--tre** /désəmi:tər|dési-/ 名 C デシメートル⟨1/10メートル⟩.

†**de·ci·pher** /disáifər/ 動 他 1 (正式)⟨不明瞭な文字などを⟩判読する(read) ‖ *decipher* messy handwriting ミミズのはったような筆跡を判読する. 2 ⟨暗号(cipher)・古文書などを⟩(鍵・仕組みを発見して)解読[翻訳]する(↔ cipher).

*****de·ci·sion** /disíʒən/ 名 [→ decide]
── ~s/-z/) 1 C U …に関する/…しないという/…するという/…という)決定, 解決; 結論; 決定事項〔*on, about* / *against* / *to do* / *that*節〕 ‖ a *decision* by majority 多数決 / We must máke [(英) táke] (some sort of) a *decision* on this right now. それについてはすぐに決定しなければならない / He cáme to [arríved at, réached] the *decision* 'to follow [*that* he would follow] my advice. 彼は私の忠告に従うことに決めた.
2 U (褒)力, […しよう とい う]決心, 決意〔*to do*〕 ‖ She was a poor leader because she lacked *decision*. 彼女は決断力に欠けているので不十分な指導者だった.
3 C (法廷での)判決(→ verdict).

de·ci·sion-mak·ing /disíʒənmèikiŋ/ 名 U 形 意思決定(の), 最終決定(の).

†**de·ci·sive** /disáisiv/ 形 (正式) 1 ⟨戦い・勝利などが⟩明確な結果をもたらす, 決定的な(conclusive)(↔ inconclusive) ‖ a *decisive* goal 決定的なゴール. 2 ⟨人・性格などが⟩決断力がある, 断固とした, 果敢な(cf. decided). 3 疑いのない, 明白な.

†**de·ci·sive·ly** /disáisivli/ 副 決定的に; 断固として.

*****deck** /dék/ 名『船の屋根』が原義』
── 名 (榎 ~s/-s/) 1 (海事) デッキ, 甲板(½) ‖ gó úp on déck 甲板に出る / a main *deck* 正[主]甲板 / an upper [top] *deck* 上甲板 / (航空機の)2階席.
2 デッキ状の部分⟨建物・バス・飛行機などの階・床, 橋リングの床, 陸(½)屋根, 客車の屋根など⟩; (俗)地面(ground) ‖ a double-*deck* bus 2階建てバス(double-decker). 3 (主に米) (札の)1束, 1組((英) pack) ‖ shuffle a *deck* of cards 1組のトランプを切る. 4 テープデッキ(tape deck).

belów déck(s) 正甲板の下に[へ].

cléar the décks (1) (甲板を片付けて)(…の)戦闘準備をする〔*for*〕; (…の)行動準備を整える〔*for*〕. (2) 食卓のものをすっかり平らげる.

hít the déck (素早く)床や地面にふせる.

on déck (1) 甲板(上)に(→ 1); (米)戸外に. (2) (米式)(…の)準備を整えて〔*for*〕, 順番を待って.
── 動 他 1 …を[…で]飾る(decorate), 装う(+*out, up*)〔*with, in*〕. 2 (米式)…をなぐり倒す.

deck-chair /dékt∫èər/ 名 C デッキチェア⟨公園・海岸通り・甲板などで使うズック張りの折りたたみ式いす⟩.

deck·er /dékər/ 名 C 1 装飾する人[物]. 2 甲板水夫[船客]. 3 [複合語で] …層の甲板をもつ船; …階のバス[家]; …層に重なった物 ‖ a double-*decker* 2階バス.

de·claim /dikléim/ 動 圓 大声で誇張して話す.

dec·la·ma·tion /dèkləméi∫ən/ 名 1 U 朗読(法), 雄弁(術). 2 C 雄弁, 熱弁.

de·clam·a·to·ry /diklǽmətɔ̀:ri|-təri/ 形 1 雄弁術の; 演説調の. 2 ⟨文章などが⟩修辞的に凝った; ⟨話などが⟩感情的な, 感情に訴える.

†**dec·la·ra·tion** /dèkləréi∫ən/ 名 1 C U (…に賛成の/…に反対の)宣言, 発表, 布告[宣言]〔*for/against*〕 ‖ make a *declaration* of war 宣戦布告する. 2 U C (税関・税務署への)申告(書).

de·clar·a·tive /diklǽrətiv/ 形 陳述[叙述]する; 宣言の. **declárative séntence** 〘文法〙平叙文.

de·clar·a·to·ry /diklǽrətɔ̀:ri|-təri/ 形 =declarative.

†**de·clare** /dikléər/ 動 他 1 ⟨国家・人などが⟩⟨事を⟩(規約・慣習などに従って)(…に対して/…に賛成して)宣言する(proclaim), 布告[公表]する(announce)〔*on, against* / *for*〕 ‖ I hereby *declare* a state of emergency. ここに非常事態を宣言いたします / Britain *declared* war on [*against*] Germany on September 3, 1939. 1939年9月3日イギリスはドイツに宣戦を布告した. 2 (正式) [*declare* A (to be) C] ⟨人が⟩ A⟨人・物・事⟩を C(だ)と断言する, 言明する; [*declare* (*that*)節] …だと断言する; ⟨事が⟩…であることを明らかにする, 表す ‖ I *declare* the rumor (*to be*) false. =I *declare* (*that*) the rumor is false. そのうわさはうそだと私はここに断言いたします / He *declared* (to us) (*that*) she was right. 彼は彼女が正しいと(我々に)断言した / His words *declared* him (to *be*) an honest man. 彼の言葉から彼が正直者であることは明らかであった. 3 (税関・税務署で)⟨課税品・所得などを⟩申告する ‖ ⟨対話⟩ "Do you have [(英) Have you] anything to *declare*?""Nothing to *declare*."「課税品をお持ちですか」「いいえ, ありません」. 4 〘トランプ〙(ブリッジで)⟨ある札を⟩切り札として宣言する.
── 圓 宣言[断言, 言明]する; (正式) (…に賛成を/…に反対を)表明する(argue)〔*for/against*〕.

decláre óff 他 …の開催中止を宣言する.

decláre ón 他 …の開催を宣言する.

decláre onesèlf (正式) (1) (…に賛成の/…に反対の)所信を述べる〔*for/against*〕. (2) 本性を現す.

(Wèll,) I (do) decláre! (古・略式) これは驚いた, まさか, 困ったなあ.

de·clen·sion /diklén∫ən/ 名 U C 〘文法〙語形変化, 屈折⟨名詞・代名詞・形容詞の格・数・性による変化⟩; 格変化(cf. conjugation, inflection).

dec·li·na·tion /dèklənéi∫ən/ 名 1 U C 傾斜, 下降. 2 C U (米)正式の辞退, ていねいな断り.

*****de·cline** /dikláin/

――動 (~s/-z/; 過去・過分) ~d/-d/; --clin·ing)
――他 〔正式〕 1 〈人が〉〈招待・申し出などを〉(丁重に)断る(turn down), 拒否する, 辞退する(↔ accept); [decline to do] …することを断る(◆refuse よりおだやかな拒否を表す) ‖ *decline* an invitation to dinner 食事への招待を断る / I *declined* to take part in the project. 私はその事業に加わるのに断った. **2** 〔正式〕〈体を〉傾ける, 〈頭を〉たれる(bend). **3** 〔文法〕〈名詞・代名詞・形容詞を〉語形[格]変化させる.
――自 〔正式〕 1 〈価値などが〉(徐々に)低下する(decrease); 〈物価が〉下落する(fall).
2 〈人が〉(丁重に)断る, 辞退[拒否]する ‖ *decline* with thanks せっかくだがと断る.
3 〔正式〕〈体力・健康・影響などが〉衰える(weaken), 衰弱する(fall off); 〈国家などが〉堕落する ‖ Her strength [health] began to *decline* gradually. 彼女は体力[健康]が徐々に衰え始めた.
4 〔正式〕〈土地などが〉〈…の方へ〉傾く, 傾斜する, 下を向く(slope) [to, toward]; 〈夕日が〉傾く(sink); 〈1日・1年・一生などが〉終わりに近づく ‖ one's *declining* years 晩年.
5 〔文法〕語形[格]変化する.
――名 (複) ~s/-z/; C U 〔正式〕 [通例 a/the ~] 1 (徐々の)衰え, 衰微; 退歩; 堕落(downfall) ‖ be in *decline* 衰えている / the *decline* of the Roman Empire ローマ帝国の衰退. **2** 〔物価などの〕徐々の下落, 減退, 減少(decrease) [*in*] ‖ a 10% *decline* in population from last year 去年より10%の人口の減少. **3** 下り坂, 下り勾配(氖), 傾斜.
on the decline 衰えて, 下り坂で, 減少して.

de·cliv·i·ty /dikliváti/ 名 C 〔正式〕下り勾配(氖), 下り坂(slope).

de·coc·tion /dikákʃən | -kɔ́k-/ 名 〔正式〕 1 U (煎(せん)じること. **2** C 煎じ薬[汁].

de·code /di:kóud/ 動 他 〈符号[コード]化された通信文・データなどを〉復号化する, (元に戻して)解読する(↔ encode).

de·cód·er 名 C 復号[解読]器, デコーダ.

dé·col·le·té /deikɑ:lətéi, -⌣- | -kɔ́ltei/ 〔フランス〕形 デコルタージュの, えりぐりの深い.

de·col·o·nize /di:kɑ́lənaiz | -kɔ́l-/ 動 他 〈植民地を〉独立させる; …に自治を許す.

de·col·or·ize, 〔英ではしばしば〕**--our·ise** /di:kʌ́ləraiz/ 動 他 …から色を抜く, 脱色[漂白]する.

†**de·com·pose** /dì:kəmpóuz/ 動 他 〔正式〕 **1** 〈物質・光などを〉[成分・元素に]分解[分析]する [*into*]. **2** …を腐敗させる(◆rot の遠回し語). ――自 **1** 分解[分析]する. **2** 腐敗する.

†**de·com·po·si·tion** /di:kɑmpəzíʃən | -kɔm-/ 名 U 〔正式〕 **1** 分解[分析](過程). **2** 腐敗, 腐朽; 変質.

de·con·trol /di:kəntróul/ 動 他 …の管理[統制]を撤廃する. ――名 U 管理[統制]解除.

dé·cor, de·cor /deikɔ́:r | -́-/〔フランス〕名 U C 〔正式〕(部屋・ステージなどの)装飾, 飾りつけ. **2** 舞台装置.

*****dec·o·rate** /dékəreit/ [アクセント注意] 〖装飾(decor)をつける(ate)〗 派 decoration (名)
――動 (~s/-s/; 過去・過分) ~d/-id/; --rat·ing)
――他 **1** 〈人が〉〈場所・物などを〉…で/色・スタイルで](きれいに)飾る, 装飾する[*with*/*in*](→ adorn) ‖ She *decorated* a Christmas tree *with* shining tinsel. 彼女はクリスマスツリーをぴかぴか光る小物で飾った / The streets were *decorated with* flags. 通りは旗で飾られていた. **2** 〈家・部屋などに〉ペンキを塗る, 壁紙をはる. **3** 〔正式〕[通例 be ~d] 〈人が〉〈行為に対して〉勲章を受ける[*for*]; 〈人が〉〈勲章などを〉受ける[*with*].

†**dec·o·ra·tion** /dèkəréiʃən/ 名 **1** U 装飾, 飾る[られる]こと ‖ the *decoration* of the dining room *with* flowers 花による食堂の飾りつけ. **2** C [しばしば ~s] 装飾物, 飾りつけ ‖ Christmas *decorations* クリスマスの飾りつけ. **3** C 〔…に対する〕勲章, メダル [*for*]. **Decoration Day** (米) =Memorial Day.

†**dec·o·ra·tive** /dékərətiv, (米+) -rèi-/ 形 装飾的な, 装飾用の ‖ a *decorative* design 装飾図案.

†**dec·o·ra·tor** /dékəreitər/ 名 C **1** 装飾する人, 装飾者. **2** 室内装飾家[業者](interior decorator).

dec·o·rous /dékərəs, 〔詩〕dikɔ́:rəs/ 形 〔正式〕礼儀正しい, 行儀のよい; 上品な, 気品のある.

déc·o·rous·ly 副 礼儀正しく.

†**de·co·rum** /dikɔ́:rəm/ 名 U 〔正式〕礼儀正しい行動, (行為・言葉・服装などの)上品さ.

†**de·coy** /動 dikɔ́i/ 名 dí:kɔi, dikɔ́i/ 動 他 〔正式〕 **1** 〈人・野鳥・動物などを〉…に[…から](おとりを使って)おびき寄せる[出す](lure) (+*away*) [*into* / *out of*, *from*]. **2** 〈人を〉そそのかす, 誘惑する(entice).
――名 C **1** (鳥をおびき寄せるための)人工の鳥; おとり用の鳥[動物]. **2** おとり, おとりに使われる物[人], えさ.

*****de·crease** /動 di:krí:s, di-, dí-; 名 dí:kri:s, dikrí:s/ 〖下へ(de)増える(crease)→少なくなる. cf. decline〗
――動 (~s/-iz/; 過去・過分) ~d/-t/; --creas·ing)
――自 〈数・人口などが〉〔…から/…に〕(徐々に)減少する, 減る[*from*/*to*] (↔ increase) ‖ Water consumption *decreased* by one half during the winter. 冬の間水の消費量は半減した / A valuable object *decreases* in value if it is damaged. 貴重品は傷がつくと価値が下がる.
――他 …を減少させる, 減らす ‖ *decrease* crime 犯罪を減らす.
――名 /-́-, -́-/ (複) ~s/-iz/) **1** U C [しばしば a ~] 〔…の/…への〕減少, 縮小 [*in*/*to*] ‖ a *decrease in* unemployment 失業率の減少 / the *decrease in* the bank rate from 5% to 4% 公定歩合の5パーセントから4パーセントへの引き下げ. **2** C 〔…の〕減少量[額] [*in*, *of*] ‖ a *decrease of* 25% *in* sales 25%の売り上げ減少.
on the décrease 次第に減少して.

de·créas·ing·ly 副 次第に減少して.

†**de·cree** /dikrí:/ 名 **1** U C (王・政府・教会などによる)法令, 制令, 〔…という〕布告(order) [*that* 節]. **2** C (主に米)〔法律〕(裁判所の)判決(decision), 命令(order). ――動 他 (法令で)命ずる, 布告する(order); [decree A C] A〈物・事〉をCであると定める, 宣言する; (主に米)〔法律〕判決・法廷が〉〔…である〕と判決を下す [*that* 節] ‖ Congress has *decreed that* the present law ((主に英)) should) remain in effect. 議会は現在の法律が効力を持ち続けると宣言した(→文法 9.3).

de·crep·it /dikrépət/ 形 **1** 老いぼれの, よぼよぼの. **2** 〔正式〕〈建物などが〉老朽化した, がたがたの.

de·crep·i·tude /dikrépətju:d/ 名 U 〔正式〕老衰, 老いぼれ(状態), もうろく, 虚弱.

de·cre·scen·do /di:krəʃéndou, dèi-/〔イタリア〕〔音楽〕形 副 デクレッシェンドの[で], 次第に弱く(diminuendo) (〔記号〕>) (↔ crescendo).

de·cry /dikrái/ 動 他 〔正式〕…を公然と非難する, けなす.

†**ded·i·cate** /dédikeit/ 動 **1** 〔正式〕 **a** 〈人が〉〈時間・精力などを〉[人・よい目的などに]捧(ささ)げる(give

up)〔*to, to doing*〕‖ I've decided to *dedicate* my life *to helping* the disabled. 私は身体の不自由な人を援助することに一生を捧げることに決めた. **b** [be ~ed / ~ oneself]〔…に〕専念する, 打ち込む(devote)〔*to, to doing*〕‖ The teacher 「*dédicated* hersèlf [*was dedicated*] *to teaching* English. その教師は英語教育に専念した. **2**〔正式〕〈教会堂などを〉〔…に〕奉納[献納]する, 捧げる〔*to*〕. **3**〔敬意·感謝·愛情などの印として〕〈著書·詩·楽曲などを〉〔…に〕献呈する〔*to*〕‖ *Dedicated* to my wife 妻に捧ぐ《◆著書のとびらなどに印刷する献呈の言葉; 単に To [(米) For] my wife とすることが多い》.

ded·i·cat·ed /dédikèitid/ 形 **1**〈生に人かが〉〔目的·仕事などに〕打ち込んでいる, ひたむきな, 献身的な〔*to*〕. **2**〔コンピュータ〕〈プログラムなどが〉ある特定の目的用の, 専用の.

†**ded·i·ca·tion** /dèdikéiʃən/ 名 **1** ① 〔正式〕〔…への〕献身, 専念(devotion)〔*to*〕. **2** ① 奉納, 献納; ⓒ 献納式, 献堂式, (米) 開所式, 除幕式. **3** ① 〔著書·楽曲などの〕献呈; ⓒ 献呈の辞.

†**de·duce** /didjúːs/ 動 ⓣ 〔正式〕〔推理·推論により〕〈結論に〉達する(conclude); 〈結論などを〉〔一般原理などから〕推定[推論]する, 演繹(訳)する〔*from*〕(↔ induce)《◆「既知の事実·証拠などから推論する」(↔ infer)》; …を〔…だと〕推定する〔*that*節〕.

†**de·duct** /didʌ́kt/ 動 ⓣ 〔正式〕〈一定の金額·一部分などを〉〔全体から〕差し引く, 控除する〔*from*〕‖ *deduct* the cost of the broken window *from* his allowance 割った窓ガラスの代金を彼の小遣いから差し引く. **de·dúct·i·ble** 形 控除できる.

†**de·duc·tion** /didʌ́kʃən/ 名 **1** ① 〔正式〕〔…からの〕差引き, 控除〔*from*〕; ⓒ 差引き高, 控除額. **2** ① 〔論理〕演繹法(↔ induction). **3** ① ⓒ 〔…から/…という〕推論〔*from/that*節〕; ⓒ その結果〔*from/that*節〕.

de·duc·tive /didʌ́ktiv/ 形 推論的な, 〔論理〕演繹的な.(↔ inductive). **de·dúc·tive·ly** 副 演繹的に.

†**deed** /díːd/ 名 ⓒ **1** 〔正式〕行為, 行動(act) ‖ do a *good deed* 立派な行為をする / one's good *deed* for the day (略式) 日々の善行, 一日一善《◆ボーイスカウトなどの標語》. **2** (特に言葉に対して) 実行, 行動 ‖ *Deeds* are better than words. (ことわざ) 実行は言葉にまさる. **3** 〔法律〕〔しばしば ~s〕〔正式〕捺印証書; 不動産譲渡証書.

dee·jay /díːdʒèi/ 名 (略式) = disk jockey(略 DJ).

†**deem** /díːm/ 動 ⓣ 〔正式〕[deem A (as [to be]) C / deem (*that*)節] 〈人が〉A〈物·事〉を C だと考える, …だと思う(consider) ‖ He 「*deemed* it his duty [*deemed that* it was his duty] to carry out the order. その命令を遂行することが自分の義務だと彼は思っていた.

‡deep /díːp/ (派 deepen (動), deeply (副), depth (名))

index 形 **1** 深い **2** 深さが…の **4** 難解な 副 **1** 深く

── 形 (~·er, ~·est) **1** (垂直方向に, または表面から内部へ) 深い(↔ shallow); 奥行きのある ‖ the *deepest* lake in Japan 日本で一番深い湖 / walk in *deep* snow 深い雪の中を歩く / He had a *deep* cut in [on] his arm. 彼は腕に深い切り傷を負った. **2** [通例深さの程度を示す語を前に置いて] **a** 深さが…の; 奥行が…の ‖ The pond is nine feet *deep*. その池は9フィートの深さである(= The pond has a *depth* of 9 feet. / The pond is 9 feet in *depth*.) / The snow was knee *deep*. 雪はひざまでの深さがあった. **b** …列に並んだ ‖ Cars were parked four *deep*. 車は4列に駐車してあった. **3** 〈呼吸·眠りなどが〉深い ‖ take a *deep* breath 深呼吸をする(=breathe *deeply*) / give a *deep* sigh of relief ほっとして深いため息をつく / a *deep* sleep 深い眠り. **4** 〈謎などが〉〔人にとって〕難解な, 難しい(difficult)〔*for*〕;〔英略式〕〈人が〉〈何を考えているのか〉わかりにくい ‖ Ethics is too *deep for* me. 倫理学は私には難しくてわからない. **5** 〈考えなどが〉深遠な, 鋭い, 洞察力のある ‖ *deep* knowledge of the oil industry 石油産業についての深い知識 / a *deep* thinker 考えの深い人. **6 a** 強い, 強烈な; 心からの ‖ *deep* sadness 深い悲しみ / *deep* rage 強い怒り / *deep* love 強烈な愛情. **b** 根が深い, 深刻な, 重大な ‖ *deep* problems 重大な問題 / *deep* recession 深刻な不景気. **7** [補語として]〔…に〕没頭している,〔借金などで〕首が回らない〔*in*〕‖ My father is *deep* in debt. 父は借金で首が回らない. **8** 〈色が〉濃い(↔ light), 〈声·音などが〉低くて張りのある, 太い.

ánkle [knée, wáist] *déep in* A [形][副]〈泥·水などに〉足首[ひざ, 腰]までつかって.

── 副《◆比較変化しない》**1** 深く, 過度に(→ deeply **1**)‖ go *deep* into the cave 洞穴の奥深くへ入る. **2** [前置詞または他の副詞と共に] 遅く(まで)‖ She studied *deep* into the night. 彼女は夜遅くまで勉強した.

déep dówn [副]〔…の〕下深く〔*in, into*〕. (略式) 心の底では, 見かけとは違って, 気持ち[良心]としては.

── 名 **1** ⓒ (海·川などの) 深い所, 深み《◆海では特に6000メートル以上の所》; 深い穴[谷]. **2** 〔詩〕[the ~] 海, わだつみ.

déep kíss ディープキス(French kiss).

déep sèa físhing 遠洋[深海]漁業.

Déep Sóuth [時に d~] [the ~] 深南部《米国で最も南部色の濃い South Carolina, Georgia, Alabama, Mississippi, Louisiana の5州》.

déep·ness 名 ① 深さ; 深遠さ.

†**deep·en** /díːpən/ 動 ⓣ **1** …を〔…で〕深くする.《◆印象·知識·理解などを深める. **3** 〈色〉を濃くする;〈音などを〉低くする. ── 自 **1** (一層) 深くなる. **2** 〈闇(冷)·議論·不況·危機などが〉深まる;〈色·音などが〉低くなる. **3** 〈色などが〉増す.〈色が〉濃くなる.

deep-freeze /díːpfríːz/ 動 (過去) -froze or ~d, (過分) -frozen or ~d) ⓣ …を急速冷凍する.

── 名 **1** [D~] ⓒ 〔商標〕急速冷凍庫. **2** ① (略式) 急速冷凍.

†**deep·ly** /díːpli/ 副 **1** 深く ‖ The ground was *deeply* covered with snow. 地面には深く雪が積もっていた / He is *deeply* interested in computer science. 彼はコンピュータサイエンスに深い興味をもっている. **2** (正式)[感情を表す動詞と共に] 深く, 非常に(greatly) (cf. badly **2**) ‖ He is *deeply* disappointed. 彼はひどく失望している. **3** 〈色などが〉濃く; 〈声などが〉太く, 低く.

deep-root·ed /díːprúːtid/ 形 〔正式〕〈習慣·偏見·憎悪·疑いなどが〉根深い.

deep-sea /díːpsíː/ 形 深海の, 遠洋の.

deep-seat·ed /díːpsíːtid/ 形 〔正式〕〈病気·信念·感

deep-set /díːpsét/ 形 〈目が〉深くくぼんだ; 根深い.

***deer** /díər/ (同音 dear) [「動物」が原義]
——名 (複 deer) ⓒ シカ ‖ *a herd of deer* シカの群れ / 〖ジョーク〗"What is a *deer* with no eyes called?" "No idea." 「目のないシカを何と呼ぶ?」「シラナイ」《◆ no eye deer (目なしシカ)としゃれ》. 関連 雄ジカは hart, (red deer では) stag, (fallow deer では) buck / 雌ジカは (red deer では) hind, (fallow deer では) doe / 子ジカは fawn.

deer·hound /díərhàund/ 名 ⓒ 〔動〕 ディアハウンド 《シカ狩り用の猟犬》.

deer·skin /díərskìn/ 名 ⓤ シカ皮; ⓒ シカ皮の服.

†**de·face** /diféis/ 動 他 〔正式〕**1** 〈…で〉…の外観を損なう《with》. **2** 〈価値・影響力など〉を減ずる.

de fac·to /diːfǽktou | dei-/ 〖ラテン〗〔正式〕副 形 事実上の (in fact).

de fácto stándard 〖コンピュータ〗 デファクトスタンダード《多く使われていて, 事実上の標準となっている規格・機器》.

def·a·ma·tion /dèfəméiʃən/ 名 ⓤ 〔正式〕悪口, 中傷;〔法律〕名誉毀損(きそん).

de·fam·a·to·ry /difǽmətɔ̀ːri | -təri/ 形 〔正式〕中傷的な, 名誉毀損(きそん)の.

de·fame /diféim/ 動 他 〔正式〕…を(ふつう不当な手段で)中傷する, …の名誉を傷つける.

†**de·fault** /difɔ́ːlt/ 名 〔正式〕**1** ⓤ 〔義務などの〕不履行, 怠慢《in, on》; 〔…に対する〕債務不履行《with》. **2** ⓤ 〔法律〕(法廷への)欠席;〔競技〕不出場, 欠席, 棄権 ‖ win [lose] a game by *default* 不戦勝 [敗] となる / judgment by *default* 欠席裁判. **3** ⓒ 〖コンピュータ〗デフォルト(値), 初期値《あらかじめ設定されてユーザーが特に指定していない状態での値》.
in default by A 〈支払い・義務〉を不履行で.
in defáult of A 〔法律〕〈弁済など〉がない場合には; …にないので.
——動 〔正式〕 自 **1** 〔義務・債務・約束などを〕履行しない《in, on》. **2** 〔法律〕(裁判に)欠席する;〔競技〕欠場 [棄権]する, 不戦敗になる. ——他 〈債務など〉を履行しない, 怠る.

de·fáult·er 名 ⓒ 履行しない人; 棄権者.

***de·feat** /difíːt/
——動 (~s/-fíːts/; 過去・過分 ~ed/-id/; ~ing)
——他 **1** 〈敵・相手など〉を〔…を求めて〕(一時的に)破る, 負かす《for》‖ *defeat* him heavily ひどく彼をやっつける / *defeat* an opponent in football by 2-0 サッカーで相手を2対0で負かす. **2** 〔正式〕〈計画・希望・目的など〉をくつがえす, くじく ‖ *defeat* his hopes 彼の希望をくじく. **3** 〔略式〕〈問題などが〉〈人〉に答えられない.
——名 ⓤⓒ **1** 〔選挙などの〕敗北, 負け《in》 (↔ victory)《◆名詞は「打ち負かされること, 敗北」の意味になる》‖ suffer three successive *defeats* 3連敗する / admit [accept, concede] *defeat* 敗北を認める. **2** 打破, 打倒, 征服. **3** (計画などの)挫折(ざせつ), 失敗.

de·féat·ism 名 ⓤ 敗北主義. **de·féat·ist** 名 ⓒ 形 敗北主義者[の].

†**de·fect** /díːfekt, difékt; 動 difékt/ 名 ⓒ 〔正式〕**1** 〔…の〕欠点, 欠陥 (fault); 短所, 弱点, きず《in》《◆宝石などのきずは flaw》‖ *defects* in the educational system 教育制度の欠陥 / The product was recalled because of a structural *defect*. その製品は構造に欠陥があるため回収された / have the *defects* of one's qualities (せっかくの)素質をそこなう欠点がある. **2** 不足, 欠乏, 欠如 ‖ a speech *defect* 言語障害.
in défect of A …がない場合か; …がないので.
——動 自 〔国・党・主義などから〕離脱[離反]する《from》;〔他国・他党などへ〕逃亡する, 変節する《to》.

de·féc·tion 名 ⓤ 〔正式〕離脱, 変節.

de·féc·tor 名 ⓒ 〔正式〕離脱[変節]者.

†**de·fec·tive** /diféktiv/ 形 **1** 欠点[欠陥]のある, 不完全な (imperfect) ‖ The brakes of his car were *defective*. 彼の車のブレーキに欠陥があった. **2** 〔文法〕〈動詞が〉活用形の一部を欠いた, 不完全な ‖ a *defective* verb 欠如動詞《can, may など》. **3** 〔正式〕〈…が〉欠けている, 足りない (lacking)《in》;〈行動・知能などが〉標準以下の. ——名 **1** ⓒ 欠点[欠陥]のあるもの. **2** 〔正式〕心身[身体]障害者.

*•**de·fence** /diféns/ 名 〔英〕=defense.

*•**de·fend** /difénd/ 〖打って(fend)遠ざける(de)→寄せつけない. cf. offend〗派生 defense (名)
——動 (~s/-féndz/; 過去・過分 ~ed/-id/; ~ing)
——他 **1** 〈人などが〉〈人・場所〉を〔敵・危害などから〕防御する, 守る《against, from》(↔ attack) ‖ *defend* one's country *against* enemies 敵から国を守る / *defend* him *from* harm 危害から彼を守る. **2** 〈言論・行動などで〉…を擁護する, 支持する; …を正当化する ‖ *defend* one's rights 権利を擁護する (=stand up for one's rights). **3** 〔競技〕〈ゴールなど〉を守る,〈タイトルなど〉を防衛する ‖ *defend* a [the] goal ゴールを守る. **4** 〔法律〕…を弁護する.
——自 〔競技〕守る, 守備につく; タイトルを守る;〔法律〕弁護する ‖ the *defending* champion (王座決定戦で前回の)チャンピオン.

†**de·fend·ant** /diféndənt/〔法律〕名 ⓒ 形 被告(人)(の) (↔ plaintiff).

†**de·fend·er** /diféndər/ 名 ⓒ **1** 防御[擁護, 弁護]者. **2** 〔競技〕選手権保持者 (↔ challenger);《球技などの守備[ディフェンス]の選手,〔サッカー〕サイドバック, ディフェンダー (→ soccer) ‖ a left [right] *defender* (サッカーで)左[右]サイドバック(の選手).
The Defénder of the Fáith 信仰擁護者《英国国王の伝統的称号》.

***de·fense**, 〔英〕 --fence /diféns/ 〖→ defend〗
——名 (複 ~s/-iz/) **1** ⓤⓒ 防御, 守り, 防衛, 守備 (↔ offense)《◆ offense と対照させるときは〔米〕ではしばしば /díːfens/ と発音する》‖ She raised a hand *for the defense of* [*in* (*the*) *defense of*] women's rights. 彼女は女性の権利を守るために戦った / the Department [〔英〕Ministry] of *Defense* 国防省《◆日本の「防衛庁」は the *Defense* Agency》/ We never raised a hand except in self-*defense*. 自己防衛以外に我々は絶対に手を出さなかった / The best *défense* is a good óffense. 攻撃は最大の防御《対照強勢に注意》.
2 ⓤⓒ **a** 〔法律〕〔通例 a/the ~〕(被告側の)弁護, 抗弁;〔米〕〔the ~; 単数・複数扱い〕弁護人[団];〔米〕被告(人)側 (↔ prosecution) ‖ She made an eloquent *defense*. 彼女は能弁に弁護した. **b** 〔米大学〕(学位審査などの)試問 ‖ an oral *defense* 口頭試問.
3 ⓒ 〔…に対する〕防御物, 防御施設[手段]《against》;〔~s〕とりで, 要塞(ようさい). **4** ⓤ (言論・文書による)弁明, 支持. **5** ⓤ 〔競技〕守備, ディフェンス; ⓒ 〔通例 the ~; 単数・複数扱い〕〔米〕の選手[チーム], 守備陣 ‖ play 'on *defense* [〔英〕 in *defence*〕守備についている.

†**de·fense·less**, 〔英〕 --fence-- /difénsləs/ 形 **1** 防

de·fén·se·less·ly 副 無防備に.
de·fén·se·less·ness 名 U 無防備.
de·fen·si·ble /difénsəbl/ 形《正式》**1** 防御[弁護]できる. **2** 正当と認められる.
de·fen·si·bly 副 防御[弁護]して.
†**de·fen·sive** /difénsiv/ 形《正式》**1** 防御的な, 防御用の, 防衛の, 自衛上の(protective) (↔ offensive) ‖ *defensive* warfare [measures] 防御戦[策]. **2**〈態度・言葉などが〉守勢の, 受身の, 弁護的な(apologetic). **3**〘スポーツ〙守備中心[重視]の.
── 名 [the ~] 防御手段[策]; 守勢 ‖ be [gó, stánd, áct] on the *defénsive* 守りの姿勢をとる.
de·fén·sive·ly 副 防御的に, 受身的に.
†**de·fer**[1] /difə́:r/ 動《過去・過分》**de·ferred**/-d/; **-fer·ring**》他《正式》…を[…に]延ばす, 延期する(delay, put off)[*to*] ‖ *defer* a decision until next week 来週まで決定を延期する / *defer* paying [ˣto pay] a bill 請求書の支払いを延ばす.
de·fér·ment 名 U 延期.
†**de·fer**[2] /difə́:r/ 動《過去・過分》**de·ferred**/-d/; **-fer·ring**》自《正式》〈人・意見・希望・判断などに〉(敬意を表して)従う, 譲る(yield)[*to*].
†**def·er·ence** /défərəns/ 名 U《正式》**1**〔人の判断・意見・希望などへの敬意を表しての〕服従[*to*]. **2**〔…への〕尊敬, 敬意(respect)[*to*, *for*] ‖ *shów* [*páy*] *déference to* a judge 裁判官に敬意を示す.
in [*óut of*] *déference to A* 〈人・人の希望など〉に従って, …を尊重して, …に敬意を表して.
def·er·en·tial /dèfərénʃəl/ 形《正式》〔…に〕敬意を示す(respectful), いんぎんな[*to*].
†**de·fi·ance** /difáiəns/ 名 U《正式》**1**〔権力・敵対者などに対する〕挑戦[反抗]的態度, 公然たる反抗; 挑戦. **2** 無視, 冷淡(indifference); 軽蔑(ｹｲﾍﾞﾂ).
bíd defíance to A = *sét A at defíance* 〈人・物・事〉にいどむ; …を無視する.
in defíance of A 〈命令・法など〉をものともせず, 無視して.
†**de·fi·ant** /difáiənt/ 形 挑戦的な, 反抗的な, けんか腰の(hostile).
de·fí·ant·ly 副 挑戦的に, 反抗的に.
†**de·fi·cien·cy** /difíʃənsi/ 名 C《正式》**1**〘(の)〙不足, 欠乏(shortage); 欠陥, 不完全[*of*, *in*] ‖ (a) vitamin *deficiency* = a *deficiency of* vitamins ビタミン不足, 不足量[額].
deficiency disèase ビタミン欠乏症.
†**de·fi·cient** /difíʃənt/ 形《正式》**1**〈人・物が〉〔最低限必要な物・事が〕欠けている, 不足した(lacking)[*in*] ‖ He is *deficient* in courage. 彼は勇気がない(=He is a coward.). **2** 不完全な, 欠陥[欠点]のある ‖ a mentally *deficient* person 精神薄弱者.
de·fí·cient·ly 副 不足して.
†**de·fi·cit** /défəsit, 《英》difi-/ 名 C《正式》〘会計〙〘(の)〙不足(額), 欠損, 赤字(shortage)[*in*, *of*] (↔ surplus) ‖ run a *deficit* 赤字を出す〘日本語》The Japanese government's budget *deficit* is the worst among the developed nations. 日本政府の財政赤字は先進国で最悪です.
déf·i·cit-fi·nán·cing bònd /défəsitfənǽnsiŋ-/ 赤字国債.
†**de·file**[1] /difáil/ 動 他《正式》**1**〘…を〙[…で]汚(ｹｶ)す, 不潔にする(make dirty)[*with*, *by*]. **2** …の神聖なる〘に〙汚す(ｹｶ), …を〘故意に〙冒瀆(ﾎﾞｳﾄｸ)する. **3**〈名声など〉を汚す, 〈人〉の名誉を汚す(dishonor).
de·fíle·ment 名 U《正式》汚すこと, 汚染(ｵｾﾝ).

†**de·file**[2] /difáil, díːfail/ 名 C (山間などの)狭い道, 峡谷.
de·fin·a·ble /difáinəbl/ 形 限定[定義, 説明]できる.
*****de·fine** /difáin/ 〘「範囲を定める」が本義〙派 def·i·nite (形), definition (名)

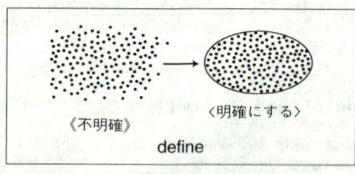

《不明確》〈明確にする〉
define

── 動 (~s/-z/; 《過去・過分》~d/-d/; **-fin·ing**)
── 他 **1**《正式》〈本質・立場など〉を**明らかにする**(make clear), …を説明する(explain) ‖ *define* one's duties [position] 自分の任務[立場]を明確にする. **2**《正式》〈人などが〉〈範囲・境界など〉を限定する, 定める(fix the limits of) ‖ rivers that *define* a country's borders 国境となる川.
3〈人などが〉〈語・句など〉を**定義する**, …の意味を明確にする; …を[…に]定義する〘*as*〙‖ Any number to the power zero is *defined as* one. すべての数の 0 乗は 1 であると定義される / Each scientific term must be carefully *defined*. 科学用語はどれも注意深く定義しなければならない.
4 …の輪郭[形, 線]を〔…を背景に〕はっきりさせる〘*against*〙‖ a face with well *defined* features とてもはっきりした特徴のある顔.

†**def·i·nite** /défənət/ 〘アクセント注意〙 形 **1** 一定の, (はっきりと)限定された(settled) (↔ indefinite) ‖ *definite* standards 一定の標準. **2** 明確な, 正確な; 確実な; 明白な; 〈人が〉〔…だと/…を〕確信した(sure)〘*that* 節/*about*〙‖ Mary was very *definite* *that* she had seen him before. =Mary was very *definite about* having seen him before. メリーには前に彼に会ったことがあると断言できる自信があった〘◆ 発音注意〙.
dèfinite árticle〘文法〙[the ~] 定冠詞〘the〙(cf. indefinite article).
†**def·i·nite·ly** /défənətli/ 副 **1** 明確に, はっきりと(once and for all). **2** 確かに(certainly), そのとおり, もちろん(absolutely); [否定文で] 決して, 絶対に ‖〘対話〙"Are you coming?" "*Definitely.*" 「来ますか」「ええ, もちろん」/ "Did he get full marks in the test?" "*Définitely nòt*!(⤴)" 「彼はテストで満点を取ったのですか」「まったくそんなことはありません」/ Her dress was *definitely nòt* blue. 彼女の服は絶対に青ではありませんでした.

*****def·i·ni·tion** /dèfəníʃən/ [→ define]
── 名 (~s/-z/;《過去・過分》) **1** C〘(語・句などの)〙**定義**, 記述; U C 定義すること, 定義づけ(略 def.) ‖ *give a definition of* a word 語の定義をする(=*define* a word). **2** U C〘(物などの)〙限定, (輪郭・目的などの)明確化. **3** U〘光学〙(レンズの)解像力. **4** U《正式》(ラジオ・テレビ・写真などの)鮮明度(sharpness). **5** C〔…そのもの〔*of*〕‖ He's the very *definition* of health. 彼はまさに健康そのものです.
by definítion 定義上; 当然（のこととして）, 明らかに.
de·fin·i·tive /difínətiv/ 形《正式》**1**〈答え・条約などが〉決定的な; 最終的な. **2**〈本の編集などが〉最も権威のある; まったく信頼がおける.
de·flate /difléit/ 動 他《正式》〘経済〙〈膨張した価格・通貨など〉を収縮させる, 引き下げる (↔ inflate);

de·fla·tion /diflèiʃən/ 名UC〖経済〗通貨緊縮, 物価下落, デフレ(↔ inflation).

de·fla·tion·ar·y /diflèiʃənèri|-əri/ 形〖経済〗通貨緊縮の, デフレの.

de·flect /diflékt/ 動 (正式) 他 〈人・物・事が〉〈人・物〉を(進路などから)そらす(+away, off), 片寄らせる(from). ― 自 (…から)それる(+away, off), 片寄る(from).

†de·flec·tion, (英ではまれに) **‑‑flex·ion** /diflékʃən/ 名UC (正式) 1 それ, ゆがみ, 片寄り. 2 (計器などの)ふれ, 偏位.

de·flow·er /di:fláuər/ 動 他 (文) …の処女を奪う.

De·foe /difóu/ 名 デフォー《Daniel ~ 1660?-1731; 英国の小説家. Robinson Crusoe の作者》.

de·for·est /di:fɔ́:rist/ 動 他 (主に米) 〈場所〉の森林を伐採(蟋)する((英) disafforest) (↔ afforest).

de·for·es·ta·tion /di:fɔ:ristéiʃən/ 名U 森林破壊[伐採].

de·form /difɔ́:rm/ 動 他 (正式) 1 …の形[外観]を(永続的に)損なう; …を変形させる. 2 …を醜くする; …の美観を台なしにする. **dè·for·má·tion** /dì:-/ 名U 外観を損うこと, 醜さ.

†de·formed /difɔ́:rmd/ 形 1 形のくずれた; 〈人・身体の一部が〉奇形の, ぶかっこうな《◆人の場合, 遠回しに handicapped ということが多い》‖ a deformed foot 奇形の足. 2 醜い; いやな, 不快な.

†de·form·i·ty /difɔ́:rməti/ 名 (正式) 1 U ぶかっこう, 変形. 2 C 身体の奇形[不具](部). 3 UC (道徳的な)欠陥, ゆがみ.

†de·fraud /difrɔ́:d/ 動 他 (正式) 〈人〉から〈金・権利などを〉だまし取る, 詐取する(deprive) (of) ‖ I defraud him of his property 彼らから財産を巻き上げる.

de·fray /difréi/ 動 他 (正式) 〈費用・経費など〉を支払う, 支出する.

de·frost /difrɔ́:st|st, di-, (米+) -fróst/ 動 他 1 (米) 〈冷蔵庫・自動車のフロントガラスなどの〉霜[氷, 曇り]を取る((英) demist). 2 〈冷凍食品など〉を解凍する. ― 自 1 (米) 霜[氷, 曇り]が取れる. 2 〈冷凍食品などが〉解凍する.

dè·fróst·er /-ər/ 名C 霜取り装置, デフロスター.

†deft /déft/ 形 〈手先・人などが〉器用な, 巧みな (skillful); 〈行動などが〉すばやい.

†deft·ly /déftli/ 副 器用に, 上手に; すばやく.

de·funct /difʌ́ŋkt/ 形 (正式) 1 〖法律〗 消滅した, 現存しない; 休眠中の. 2 〈人が〉死亡した, 故人となった.

de·fuse /di:fjú:z/ 動 他 1 〈爆弾など〉から信管を取り除く. 2 〈危険・緊張など〉を静める, 和らげる.

†de·fy /difái/ 動 他 1 〈人〉が〈事・人〉を無視する, ものともしない; …に(公然と)反抗する; …に強く抵抗する; 〈危険など〉を避ける ‖ No driver can defy the traffic rules. どんなドライバーも交通規則を無視するわけにはいかない / defy tradition 伝統をものともしない. 2 (正式) 〈物事が〉〈解決・理解・描写・分析・想像などを〉拒む, 許さない, 受け入れない ‖ an ailment which defies all treatments 不治の病 / His strange behavior defies understanding. 彼の奇妙な行動は理解できない(= We can't understand his strange behavior.). 3 〈人〉に(できるなら)(…して みよと)いどむ, 挑戦する(challenge) (to do) (cf. dare) ‖ I defy you to prove this. さあ, これを証明できるならしてみなさい.

deg. (略) degree(s).

de Gaulle /də gɔ́:l|-gául/ 名 ドゴール《Charles /ʃɑ́:rl/ (André Joseph Marie) ~ 1890-1970; フランスの将軍・政治家. 大統領(1959-69)》.

de·gen·er·a·cy /didʒénərəsi/ 名U (正式) 1 (道徳の)品位のなさ, 退歩, 堕落. 2 性的倒錯.

†de·gen·er·ate /動 didʒénəreit/ 形 -ərət/ (正式) 動 自 〔…から/…へ〕退化[退歩, 悪化]する, 堕落する〔from/into〕. ― 形 1 (肉体的・精神的・道徳的に)退化[退廃]した; 堕落した. 2 〖生物〗退化した. ― 名 C 堕落者; 退化した物[動物].

†deg·ra·da·tion /dègrədéiʃən/ 名UC (正式) 1 (地位の)格下げ, 免職. 2 (品格などの)低下.

†de·grade /digréid/ 動 他 1 (罰として)〈人〉の地位 [身分]を(…に)下げる, …を左遷[免職]にする, 降格する (to) (⇔ promote). 2 〈人などの〉品位を下げる, 面目を失わせる; (~ oneself)堕落する. 3 〈力・質・強度など〉を落とす, 減じる. ― 自 堕落する, 品位を落とす. **de·grád·ing** 形 品位を下げるような.

***de·gree** /digrí:/ 〖『ひと続きの段階の1つ』が本義〗
― 名 ~s/-z/ 1 C (経度・緯度・温度・角度・角度などの)度 (略 deg.) ‖ Water freezes at 32° Fahrenheit. 水は華氏32度で凍る《◆ 32° は thirty-two degrees と読む. 0° は zero degrees 〔×degree〕と読む》/ 90 degrees longitude 経度90度 / an angle of ninety degrees [90°] 90度の角, 直角.
2 CU (正式) 程度, 度合い (extent) ‖ That's simply a matter of degree. それは単に程度の問題だ / a high degree of sophistication 高度の教養.
3 C 〖教育〗 学位, 称号 ‖ a BA degree 文学士の学位《◆米国では Associate (準学士), Bachelor (学士), Master (修士), Doctor (博士)の4種がある》/ táke the [one's] degree 学位を取る / a doctor's [doctoral] degree 博士号《◆ a doctor's degree は「ある医者の持っている学位(=the degree of a doctor)」という意味もあるが, ふつうは「博士号」の意味》. 4 C 〖法律〗 親等; (米) (犯罪の)等級. 5 C 〖音楽〗 (音階上の)度.

by degrées 〖一段階(degree)ずつ(by 前 10)〗 次第に, 徐々に (gradually).

give A the third [thrée] degrée 〈人〉に鋭く問いただす, 〈人〉から直接に吐かす.

in sóme degrée いくぶん, 多少.

nót ... in the slíghtest [léast, smállest] degrée 〖最小程度にさえ…ない〗少しも…ない (not at all).

to a degrée (1) ちょっと, いくぶん, 多少《◆ to some [a small] degree がふつう》. (2) 《古》 大いに, とても (to a great degree).

to the lást [híghest] degrèe 極度に (to a high degree).

de·i·fy /dí:əfài, déiə-|déiə-, dí:ə-/ 動 他 (正式) …を神として崇拝する[あがめる].

dè·i·fi·cá·tion 名U 神格化.

†deign /déin/ 動 (自)《目上の人が》もったいなくも[かたじけなくも](…)してくださる;〈ふつうの人が〉(つんとすまして)(…)する (to do) ‖ The queen deigned to shake hands with him. 女王はもったいなくも握手してくださった. 2 〖通例否定文で〗身を落として[恥を忍んで](…)する (to do) ‖ She would not deign to consider such an offer. 彼女はそんな申し出は考えてくれないだろう.

†de·i·ty /dí:əti, déiə-|déiə-, dí:ə-/ 名 (正式) C 神; U 神性.

dé·jà vu /dèiʒɑ: vú:, -vjú:/ 〖フランス〗 名U 〖心理〗既

deject

視感《初めての経験なのに、かつて経験した感じがするような錯覚》.

†**de·ject** /dɪdʒékt/ 動 他 〔通例 be/feel ~ed〕〈人が〉落胆《がっかり》する.

†**de·ject·ed** /dɪdʒéktɪd/ 形 〔失敗などで〕意気消沈した, 落胆した《◆ disappointed より堅い語》.

de·ject·ed·ly 副 意気消沈して.

†**de·jec·tion** /dɪdʒékʃən/ 名 Ⓤ 〔正式〕落胆, 意気消沈《disappointment》; 憂うつ.

Del. 〔略〕Delaware.

Del·a·ware /déləwèər/ 名 デラウェア《米国東部の州. 州都 Dover. 〔愛称〕the First State, the Diamond State. 〔略〕Del., 〔郵便〕DE》.

†**de·lay** /dɪléɪ/

──動(~s/-z/; 〔過去·過分〕~ed/-d/; ~·ing)

──他 **1**〔不測の事態が起きて個人的理由で〕〈人が〉〈事を〉〔…の間/…まで〕**延期する**, 延ばす〔for/until〕; 〔delay doing〕…することを延期する《◆ put off, postpone は前もって議論して「延期する」》‖ delay our trip「for a week [until next week]旅行を1週間[来週まで]延ばす / Why have you delayed seeing the dentist? 歯医者に行くのをどうして遅らせているのか.

〔語法〕次のような連語では put off, postpone がふつう: put off [postpone] the wedding until September 結婚式を9月まで延期する.

2〈事が〉〈人·物·事を〉**遅らせる**, 遅延させる(hold up) ‖ The storm *delayed* the bus for [by] an hour. あらしでバスが1時間遅れた / We were *delayed* in [by] the heavy traffic. 交通渋滞に巻き込まれて遅れた.

──自〈人が〉〔…で〕(わざと)ぐずぐずする〔on〕; 〔…するのに〕手間どる〔in doing〕‖ Don't *delay* on this errand. 使いの途中で道草をくうな / You must not *delay in* paying off your debt. 借金は速やかに返さなければいけない《◆ You must not *delay* paying…のように他動詞用法がふつう. → 他 1》.

──名(複 ~s/-z/) **1** Ⓒ〔到着·出荷などの〕**遅れ**, 遅延時間〔in〕‖ The bus had「(a) 10-minute *delay* [a *delay* of 10 minutes]. バスは10分遅れた. **2** Ⓤ **遅延**; ぐずぐずすること; 延期 ‖ the *delay* caused by a derailment 脱線による遅れ / Was there any *delay* in the flight? その(飛行機の)便は遅れましたか / Dó it *without* deláy. さっさとそれをしなさい.

deláying áction [**táctics**]〔軍事〕遅延行動; 〔スポーツ〕時間稼ぎ, 引き延ばし作戦.

†**de·lec·ta·ble** /dɪléktəbl/ 形 〔正式〕快い, 楽しい(delightful); 〔米〕おいしい《◆しばしば反語的に用いる》.

†**del·e·gate** /名 délɪgət, -gèɪt; 動 -gèɪt/ 名 Ⓒ **1 代表**, 使節; 〔会などへの〕代理人〔to〕《◆個人の代表をいう. 「代表団」は delegation》‖ the Japanese *delegates* to the summit conference 首脳会議への日本代表. **2**〔米〕〔政治〕(もと下院における)準州(Territory)選出の代議士《◆発言権はあるが投票権はない》. ──動 他 **1**〈団体·組織·自治体などが〉〈人を〉〔…へ/…するように〕代表として派遣する〔to / to do〕‖ She was *delegated* to (attend) the convention. 彼女は会議に派遣された. **2**〔権限·任務·責任などを〕〈人に〉委ねる, 委譲する, 委託する〔to〕‖ *delegate* rights *to* a deputy 代理権を権利を委ねる.

del·e·ga·tion /dèlɪgéɪʃən/ 名 **1** Ⓤ 代表派遣. **2** Ⓤ 代表任命; 〔…への〕(権限·任務·責任などの)委任, 委譲〔to〕. **3** Ⓒ〔正式〕〔集合名詞〕〔単数·複数扱い〕**代表(派遣)団**; (米国の)州代表の国会議員.

de·lete /dɪlíːt/ 動 他 **1**〔正式〕〈文字などを〉(書いたもの·印刷したものから)削除する, 消す(erase)〔from〕. **2**〔コンピュータ〕〈データ·ファイルなどを〉削除する.

del·i /déli/ 名〔米略式〕=delicatessen.

Del·hi /déli/ 名 デリー《インド北部の都市. もとインドの首都. New Delhi に対し, Old Delhi ともいう》.

†**de·lib·er·ate**〔形 dɪlíbərət/ 動 -èɪt/ 【アクセント注意】
形 **1**〈人·言葉·考えなどが〉〔…の点で〕**慎重な**, 思慮のある; 用心深い〔in〕《◆ careful より堅い語》(↔ random)‖ a *deliberate* choice 慎重な選択 / a man *deliberate in* (his) dealings with others 他人との交際が慎重な人. **2 故意の, 計画[意図]的な**《◆ intentional より口語的》; よく考えた, 熟考した(↔ spontaneous)‖ a *deliberate* insult 故意の侮辱 / a *deliberate* refusal よく考えた上での辞退. **3**〈動作などが〉落ち着いた, ゆっくりした《◆ slow より堅い語》‖ *deliberate* steps 落ち着いた歩調.

──動〔正式〕他〈人が〉〈重要な物·事などを〉**熟慮する**, 熟考[審議, 考察]する; 〔deliberate wh節·句 / deliberate whether節·句〕…か(どうか)を熟考する(consider)‖ We were *deliberating* whether to go or not. 行ってよいかどうか思案していた / *deliberate* a difficult matter 困難な問題を熟慮する.

──自 **1**〔…について〕**熟慮[熟考]する**(consider)〔over, on, upon, about〕‖ She is *deliberating upon* [*about*] the problems of education. 彼女は教育問題について熟慮している. **2**〔委員会などが〕審議[討議, 協議]する.

†**de·lib·er·ate·ly** /dɪlíbərətli/ 副〔正式〕**1** 慎重に, ゆっくりと(slowly and carefully)‖ speak quietly and *deliberately* 落ち着いて慎重に話す. **2 故意に, わざと**, 意識[計画]的に(on purpose).

†**de·lib·er·a·tion** /dɪlìbəréɪʃən/ 名〔正式〕**1** Ⓤ **熟考, 熟慮**, 思案(careful thought)‖ after long *deliberation* 熟考の末. **2** Ⓒ Ⓤ〔しばしば ~s〕〔正式〕の審議, 討議, 協議(debate)‖ The jury is in *deliberation*. 陪審団は審議中です. **3** Ⓤ〔言葉·考え·動作などの〕**慎重さ**(carefulness); 緩慢さ ‖ speak *with deliberation* 慎重に話す.

de·lib·er·a·tive /dɪlíbərətɪv, 〔米+〕 -əreɪtɪv/ 形 **1** 審議の, 討議の; 審議機能をもつ. **2** 熟慮した, 慎重な.

†**del·i·ca·cy** /délɪkəsi/ 名 **1** Ⓤ〔容姿·形状などの〕優美さ, 優雅さ, 上品さ(↔ indelicacy). **2** Ⓤ〔感覚·感情·趣味などの〕繊細さ, 敏感さ. **3** Ⓤ〔計器などの〕精巧さ, 正確さ. **4** Ⓤ〔問題などの〕微妙さ, 扱いにくさ, 細心の注意[こつ]を要すること. **5** Ⓤ〔他人の感情への〕思いやり, 心づかい; 慎み深さ, たしなみの良さ. **6** Ⓤ〔身体の〕か弱さ, 虚弱, きゃしゃ; もろさ. **7** Ⓒ おいしいもの, 美味, 珍味.

*****del·i·cate** /délɪkət/ 【発音注意】〔『誘うような』が原義〕

──形(通例 more ~, most ~) **1**〈問題などが〉**慎重を要する**, 扱いにくい; 〈人が〉慎重な, 手ぎわのよい, 微妙な ‖ a *delicate* open-heart operation 細心の注意を要する心臓切開手術 / a *delicate* position 微妙な立場.

2〈機械などが〉**精巧な**, 精密な; 〈計器などが〉**敏感な**, 鋭敏な ‖ a *delicate* instrument 精巧な器械 / a *delicate* sense of touch 敏感な触覚.

3〈身体が〉か弱い, 虚弱な, きゃしゃな; 〈物が〉こわれやす

い(fragile) ‖ a *delicate* child 虚弱な子供 / be in *delicate* health 病弱である.
4 〈容姿・形状などが〉**優美な**, 上品な; 〈感覚などが〉**繊細な**, きめの細かい [類語] dainty ‖ a *delicate* figure 優美な姿 / *delicate* skin きめの細かい肌.
5 〈色・においなどが〉柔らかい, ほのかな, 薄い ‖ a *delicate* fragrance ほのかな香り. **6** 思いやりのある, 気のつく; 慎み深い(⇔ indelicate) ‖ a *delicate* speech 思いやりのある言葉. **7** 〈食物などが〉おいしい, あっさりしている.

†**del·i·cate·ly** /déləkətli/ 副 **1** 優美に; 繊細に. **2** 微妙に; 精巧に. **3** 上品に.

del·i·ca·tes·sen /dèləkətésn/ 名 **1** Ⓒ デリカテッセン, 調理済食品店《ハム・チーズ・サラダ・かん詰め・サンドイッチなどの軽食を扱う》. **2** [集合名詞] 調整食品《◆ふつう単数扱い,《英》単数扱い》.

*****de·li·cious** /dilíʃəs/ [アクセント注意] [「喜びの多い」が原義]
—形 **1** 〈食物などが〉**とてもおいしい**, 非常にうまい (very tasty); 香りのよい 《◆(1) delicious にはすでに very の意味が含まれているので very delicious とはあまり言わない. (2) 疑問文・否定文では good, sweet を代わりに用いるのがふつう》 ‖ a *delicious* meal おいしい食事. **2** [通例名詞の前で] とても気持のよい, 愉快な, 楽しい.

†**de·li·cious·ly** /dilíʃəsli/ 副 **1** とてもおいしく; 香りよく. **2** 気持ちよく, 愉快に.

*****de·light** /diláit/ [「誘惑する」が原義] 派 delightful(形)
—名 **1** Ⓤ 〔…にとっての〕(身ぶり・言葉に表れた) **大喜び**, 歓喜, 楽しみ〔to〕(→ pleasure 1)‖ *To his great delight* [*Much to his delight*], his plan succeeded. 彼がとても喜んだことには彼の計画は成功した(=He was greatly *delighted that* his plan had been successful.). **2** [a/one's ~] 楽しみ[喜び]を与えるもの[人] ‖ Skiing is *her* chief *delight*. スキーは彼女の一番の楽しみです.

take (a) delight in A = *feel delight at* A 〈人が〉〈物・事〉を楽しむ, 喜ぶ.

—動 ~s/-láits/; 過去・過分 ~ed/-id/; ~ing
—他 **1** 〈人・事・物が〉〈人〉を**大喜びさせる**, うれしくさせる, 楽しませる《◆please より強意的》 ‖ The play *delighted* the children. その劇は子供たちを楽しませた. **2** [be ~ed] […を]喜ぶ〔with, at, by〕; [… して]うれしい〔to do〕, [… であることを]喜ぶ〔that節〕‖ I'd *be delighted to* come [*go*] to attend your party. パーティーには喜んで参ります《◆ていねいな表現》/ They *were* absolutely [(略式)*very*] *delighted* at [*to* hear] the good news. 彼らはよい知らせを聞いて大変喜んだ / I am *delighted that* you succeeded. 君が成功してうれしい《◆I am *delighted to* know of your success. がふつう》/ He *is delighted with* the new computer. 彼は新しいコンピュータが気に入っている《◆at に比べ, with の方が持続的な「喜んでいる」状態を示す》.
—自 《正式》〈人が〉〔…に〕(大いに)**楽しむ**, 喜ぶ〔in〕; 喜んで〔…〕する〔to do〕‖ He *delights in* teasing his younger sister. 彼は面白がって妹をからかう.

de·light·ed /diláitid/ 形 〈人が〉喜んで, 〈笑いなどが〉楽しそうな.

†**de·light·ed·ly** /diláitidli/ 副 喜んで, うれしくて.

*****de·light·ful** /diláitfl/ [→ delight]
—形 [他動詞的に]〈物・事・人が〉人を**愉快にさせる**, 楽しい, 喜びを与える ‖ a *delightful* holiday 楽しい休日 / a *delightful* person 愉快な人.

[語法]「私はうれしい」は I am delighted [×delightful]. また She is *delightful*. は「彼女は人を楽しくさせる人だ」の意.

†**de·light·ful·ly** /diláitfəli/ 副 楽しく, うれしく, 愉快に.

de·light·some /diláitsəm/ 形《詩》=delightful.
De·li·lah /diláilə/ 名 **1**《旧約》デリラ《Samson を裏切った愛人》. **2** Ⓒ 裏切り女, 妖(ﾀ)婦.
de·lim·it /dilímit/ 動 他《正式》…の範囲[限界, 境界]を定める. **de·lím·it·er** 名 Ⓒ 〔コンピュータ〕デリミター《データの区切りにつけるマーク》.
de·lim·i·ta·tion /dilìmitéiʃən/ 名 Ⓤ 範囲設定; 限界, 境界.
de·lim·i·tate /dilímitèit/ 動 =delimit.
de·lin·e·ate /dilínièit/ 動 他《正式》…の輪郭を描く; …を言葉で描写する.
de·lin·quen·cy /dilíŋkwənsi/ 名《正式》〔法律〕 Ⓤ (職務などの)怠慢, 不履行. **2** Ⓤ 犯罪, 過失. **3** Ⓒ《正式》少年非行.
†**de·lin·quent** /dilíŋkwənt/ 形《正式》〔法律〕**1** 怠慢な, 〔…の〕義務[職務]を怠る〔of〕. **2** 過失[非行]を犯した[犯しやすい], 非行の. **3**《米》〈負債などが〉滞納の.
del·i·ques·cent /dèləkwésnt/ 形〔化学〕潮解性の.
†**de·lir·i·ous** /dilíriəs, (英) -líri-/ 形 **1** (病気[高熱]などで一時的に)精神が錯乱した, うわごとを言う. **2** 〔喜びなどで〕興奮した, 有頂天の〔with〕.
†**de·lir·i·um** /dilíriəm/ 名 (複 ~s, -i·a/-riə/) Ⓒ Ⓤ《正式》**1** (高熱などでうわごとや幻覚を伴う)一時的精神錯乱. **2** [通例 a ~] ひどい興奮(状態), 有頂天.
*****de·liv·er** /dilívər/ [「(手元)から(de)放して自由にする(liver). cf. *liberate*」] 派 delivery(名)

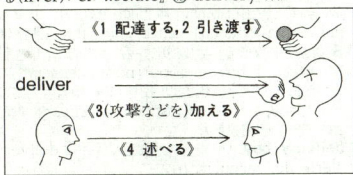

〈1 配達する, 2 引き渡す〉
deliver
〈3 (攻撃などを)加える〉
〈4 述べる〉

—動 (~s/-z/; 過去・過分 ~ed/-d/; ~ing/-əriŋ/)
—他
I [解き放して引き渡す]
1〈人が〉〈手紙・品物・小包などを〉〔人・場所に〕**配達する**, 届ける〔at, to〕; 〈伝言を〉〔人に〕伝える〔to〕
(使い分け)→ PASS out [他] ‖ *deliver* the message *to* him 彼に伝言を伝える《◆ ×*deliver* him the message とはいわない》/ Letters are *delivered* only once a day here. 当地では手紙は日に1回しか配達されない.

2《正式》〈人が〉〈財産などを〉〔人に〕**引き渡す**, 〔町などを〕〔敵に〕明け渡す, 手放す(give *up*)(+*up*, *over*) 〔*to*, *into*〕‖ *deliver* him [oneself] *to* the police 警察に彼を引き渡す[自首する] / *deliver* the town *up to* the enemy 町を敵に明け渡す / *deliver over* one's property *to* one's daughter 娘に財産を譲る.

II [解き放して発する]
3《正式》〈打撃・攻撃などを〉〔人・物に〕加える (strike); 〈球〉を投げる(throw)〔*to*〕‖ *deliver* a hard blow *to* his jaw 彼のあごに強打を加える / *deliver* a curve カーブを投げる.

4《正式》〈意見など〉を〔人に〕述べる、〈演説・講義など〉をする；〈判決などを〉申し渡す、〈命令〉を下す(give)〔to〕‖ She *delivered* a lécture *to* us yesterday. 彼女はきのう私たちに講演した《◆ ×deliver us a lecture の型は不可》/ *deliver* a verdict 評決を下す.
5《略》〈約束〉を果たす、〈期待された事など〉を実行する.
6《主に米》〈票・支持〉を集める.
Ⅲ ある状態から解放する
7《正式》〈医者などが〉〈妊婦〉に〔赤ん坊を〕分娩(ぶんべん)させる〔of〕；〈赤ん坊〉を取りあげる；[be ~ed]〔医術の助けをかりて〕〈女・雌が〉〔子を〕産む〔of〕.
8《正式》〈人〉を〔束縛・不安などから〕救い出す、自由にする(rescue)〔from, out of〕.
— ⓘ **1** 子を産む、お産をする. **2** 品物などを配達する.
***deliver on* A**《略》〈約束・期待されたこと〉をやりとげる.

†de·liv·er·ance /dilívərəns/ 名《古》**1** Ⓤ [⋯からの]救出、釈放(rescue)〔from〕. **2** ⓊⒸ (意見の)公表、公式見解；陳述(statement).

†de·liv·er·er /dilívərər/ 名 Ⓒ **1** 配達人. **2** 救助者.

†de·liv·er·y /dilívəri/ 名 **1** Ⓤ (手紙・品物などの) [⋯への]配達、送付；Ⓒ 配達物[to]；[複合語で] ⋯便‖ *by* special [《英》express] *delivery* 速達(便)で/ the *delivery* of the handbills to each door 各戸へのビラ配り/ a *delivery* certificate 配達証明書/ We have「two postal *deliveries* [two *deliveries* of mail] a day. 配達は1日に2回あります.
2 ⓊⒸ 引き渡し、明け渡し、放棄；〔法律〕[⋯への]譲渡、交付〔to〕‖ a *delivery* órder 荷渡し指示書 (《略》d/o, DO) / *delivery* on arrival 着荷渡し / *cash* [《米》collect] *on delivery* 現品引換払い (《略》c.o.d., COD). **3** Ⓤ《文》[⋯からの]解放、釈放、救助、救出〔from〕. **4** ⓊⒸ 分娩(ぶんべん)、出産‖ painless [artificial] *delivery* 無痛[人工]分娩.
5 Ⓒ [単数形で] 話しぶり、弁舌、話し方；演説、講演；申渡し‖ hàve a góod [póor] *delivery* 話し方がうまい[へただ]. **6** Ⓒ Ⓤ 投球(フォーム)、(テニスなどの)打ち方‖ a fine [fast, slow] *delivery* すばらしい[速い、遅い]投げ方.

delívery bòy (小売店の)配達人((PC) delivery clerk, deliveryperson).

delívery nòte《主に英》商品配達受領書.

delívery ròom 分娩室.

delívery trùck《米》荷物配達トラック((英) goods van).

de·liv·er·y·man /dilívəriˌmən/ 名 (複 -**men**) Ⓒ《米》(トラックなどで品物を配達する)配達人((PC) deliverer, deliveryperson).

†dell /dél/ 名 Ⓒ《文》(両側に草木の茂った)小さい谷.

Del·phi /délfai/ (英+) /-fi/ 名 デルファイ、デルポイ《ギリシアの古都市、神託で有名な Apollo 宮殿があった》.

†del·ta /déltə/ 名 ⓊⒸ **1** デルタ《ギリシアアルファベット第4字(Δ, δ). 英字の d, D に相当. → Greek alphabet》. **2**(Δのように)三角形のもの；(河口の)三角州、デルタ(地帯)‖ the Nile *Delta* ナイル河口の三角州.

†de·lude /dilúːd/ 動 ⓣ《正式》**1**〈人〉〈人〉の心[判断]を[⋯で]惑わす、(まんまと)欺(あざむ)く(deceive)〔with〕；[~ oneself][⋯と]一人合点して思い[期待]する〔with / into doing〕. **2**〈人・事〉が〈人〉を惑わせて(愚行などを)させる(mislead)[into doing, to].

†del·uge /déljuːdʒ/ 【アクセント注意】 名 Ⓒ《正式》**1** 大洪水、大水(flood)；[the D~]《旧約》ノア(Noah) の大洪水；豪雨、大雨. **2** Ⓒ [比喩的に；通例 a ~] 洪水、殺到‖ *a deluge of* mail [orders] 殺到する手紙[注文].
— 動 ⓣ《正式》[通例 be ~d]〈場所〉が水浸しになる；〈人・場所〉に[人・物]が殺到する、押し寄せる(flood)[with] ‖ The teacher *was deluged with* questions. 先生に質問が殺到した.

†de·lu·sion /dilúːʒən/ 名 **1** Ⓤ《正式》惑わす[される]こと. **2** ⓊⒸ 間違った信念、[⋯という]思い違い、錯覚〔that 節〕；〔精神医学〕妄想《◆ illusion は誰もが陥りうる感覚上の思い違い。delusion は(ふつう個人の)誤った思い込み》‖ *delusions* of grandeur [persecution] 誇大[被害]妄想 / *be únder the delúsion that* ⋯ ⋯という妄想を抱いている.

de·lu·sion·al /dilúːʒənl/ 形 妄想的な.

de·lu·sive /dilúːsiv/ 形 **1** 紛らわしい. **2** 思い違いの；妄想上の、架空の.

de·luxe《主に英》**de luxe** /dəlʌ́ks, -lúks/《フランス》形 豪華な、デラックスな《◆ 名詞の後に置くこともある》‖ *accommodations deluxe* = *deluxe* accommodations 豪華宿泊設備 / a *deluxe* edition (皮表紙つきの)豪華[デラックス]版.

delve /délv/ 動 ⓘ《正式》〈資料・問題などを〉事実を求めて〕掘り下げる、徹底的に調べる[into, in, among / for].

Dem.《略》Democrat(ic).

de·mag·net·ize /diːmǽɡnətàiz/ 動 ⓣ ⋯から磁気を除く、消磁する.

dem·a·gog·ic, -·i·cal /dèməɡáɡik(l), -ɡǽdʒ-,《米+》-ɡóudʒ-, -ɡóɡ-, -ɡódʒ-/ 形 扇動的な、デマ的な；扇動者の.

dem·a·gogue,《米ではしばしば》**-·gog** /déməɡɑɡ, -ɡɔɡ/ 名 Ⓒ 扇動政治家.

dem·a·gogu·er·y /déməɡɑɡəri, -ɡɔ́ɡ-/ 名 Ⓤ《主に米》扇動(行為)、デマ；扇動主義[性]《◆ 単なる「うわさ」の意味での「デマ」は rumor》.

dem·a·go·gy /déməɡɑ̀dʒi, -ɡɑ̀dʒi, -ɡɔ́dʒi/ 名《主に英》= demagoguery.

***de·mand** /dimǽnd | -mɑ́ːnd/

index 動 **1** 尋ねる **2** 要求する **3** 必要とする
名 **1** 要求 **2** 需要

— 動 (~s /-mǽndz | -mɑ́ːndz/; 過去過分 ~ed /-id/; ~ing)
— ⓣ **1**〈人が〉〈物・事〉を(権威を持って・強い調子で)尋ねる、詰問する《◆ wh節、whether [if] 節を用いる》；[⋯と]尋ねる‖ *demand* his business [name and address] 彼に用件[住所氏名]を聞く / Suddenly, a man *demanded*, "What are you doing in my garden?" = ⋯ *demanded what* I was doing in his garden.「うちの庭で何してるんだい」と突然男が尋ねた.

2 a〈人が〉〈物・事〉を(権利として・権威を持って)強く要求する、請求する《◆ request, require, claim より「有無を言わさず」の気持ちが強い》(使い分け) ‖ *request* ⓣ) ‖ *demand* payment of the tax 税金の支払いを要求する. **b** [demand **A** from [of] **B**] **A**〈物・事〉を **B**〈人から〉(有無を言わさず)強く要求する‖ *demand* an apology *from* [*of*] her 彼女に謝罪を要求する. **c** [⋯にしてほしいと/⋯であるように]強く要求する[to do / that 節]‖ He *demanded* to know the truth. 彼は事実を教えろと要求した / The librarian *demanded (of* me) *that* I (*should*) produce my student ID (card). 図書館員は私に学生証の提示を求めた《◆(1) that節内は

仮定法現在. (2) that の省略可. (3)《英標式》ではthat節内に直説法を用いることもある》(→文法9.3).

[語法] (1) ask, request, require と違って [demand A to do] の型はない. ただし, [demand for A to do] の型は可: I demand for you to resign. 貴殿の退職を要求する.
(2) that節が肯定の場合は so, 否定の場合は not で置き換えられる: "Will he help us?" "I demánd sò [nòt]." 「彼は私たちを助けてくれるだろうか」「そう願いたいね［その必要はないでしょう]」.
(3) It was demanded that I should tell him the truth.（彼に真実を告げるよう要求された）は可能だが, ×I was demanded to tell him the truth. は不可. ただし, 不定詞中の受身は可能: He demanded to be told the truth.

3《正式》〈物・事が〉〈注意・忍耐・技術・時間など〉を必要とする, 要する(need, call for) ‖ Love demands understanding and compromise. 愛には理解と妥協が必要.
──自 要求する; 尋ねる.
──名（複 ~s/-mándz/ -mándz/)1 C〈物・事を求める／人・時間などに対する／…という〉（権利としての・有無を言わせぬ）要求, 請求;〔法律〕請求(権)[for/on/that 節] ‖ a demand for [×of] a 3% pay increase 3%の賃上げ要求 / There have been demands「for their payment(s) [that they (《英》should) pay, for them to pay]. 彼らは支払いを要求されている(→文法9.3).
2 U〈…の〉需要[for](↔supply) ‖ supplý and demánd 需要と供給(◆単数扱い) / There is much [a great] demand for doctors in this town. =Doctors are in gréat demánd …この町では医者が不足している.
3 C〔時間・金などに関して〕さし迫った必要[on]‖ There are a lot of demands on one's time [purse, money]. 時間のつぶれること[出費]が多い.
in demánd 需要がある; ひっぱりだこの ‖ ALTs are so much in demand now. ALTは今とても必要とされています.
màke demánds on [upón] A〈人・仕事などが〉〈時間・金など〉を必要とする.
on demánd 請求[要求]あり次第.
supplý the demánd for A …の需要を満たす.

de・mand・ing /dimǽndiŋ | -mάːnd-/形 1〈人があまりに多くを要求する, 自分本位の;〈仕事など〉が骨の折れる, きつい.

de・mar・ca・tion /dìːmɑːrkéiʃən/名《正式》1 U 境界, 限界. 2 C（明確な境界による）区分, 区別.

de・mean /dimíːn/動他《文》〈行為など〉の品位を下げる.

†de・mean・or,《英》-our /dimíːnər/名 U《正式》[時に a~]（他人に接する）態度, 物腰, ふるまい.

de・ment・ed /diméntid/形《医学》痴呆(ホウ)症になった;《略式》取り乱した.
de・ménted・ly 副 取り乱して.

de・men・tia /diménʃə, -ʃiə/ 名 U《医学》（脳病・脳損傷による）痴呆(ホウ).

de・mer・it /dimérit | diː-/ 名 C《正式》欠点, 短所(fault)(↔merit) ‖ the merits and demerits /díːmérits/長所短所, 功罪(◆merit と対照させるときには強勢が移動する).

de・mesne /dimén, -míːn/[発音注意]名 1 C 私有地. 2 C 領土, 領地, 荘(シ)園.

De・me・ter /dimíːtər/名《ギリシャ神話》デメテル《農業・多産・結婚の女神. ローマ神話の Ceres に相当》.

dem・i- /démi-/[語要素]=語要素一覧(1.7).

†dem・i・god /démigὰd | -gɔ̀d/名（女性形）~・dess） C 1《神話》（神と人との間に生まれた）半神半人《Hercules など》. 2 神格化された人[英雄].

dem・i・john /démidʒὰn | -dʒɔ̀n/名 C かご入り細口大びん《ふつう取っ手付きで, ほぼ5-45リットル入る》.

de・mil・i・ta・rize /diːmílitəràiz/動他（軍事協定により）…を非武装[軍事]化する ‖ a demilitarized zone 非武装地帯.

†de・mise /dimáiz/名 U C《文》（王の）崩御; 死去, 逝(ㇿ)去(◆ death の遠回し語).

de・mist /diːmíst/動他《英》〈窓ガラスなど〉から（暖気をあてて）曇りをとる(《米》defrost). de・míst・er 名 C デフロスター《自動車などの霜取り装置》.

dem・i・tasse /démitæs/[フランス] 名 C U《米》デミタス《ディナーの後にコーヒーを入れて出す小型カップ. それ1杯分のコーヒー》. démitasse spòon デミタス用スプーン.

dem・o /démou/ 名（複 ~s）C《略式》1 =demonstration 1, 2. 2（新曲の）試聴テープ.

dem・o- /démə-, díːmə-/ [語要素]=語要素一覧(1.2).

de・mo・bi・lize /diːmóubəlàiz/動他《正式》[通例 be ~d]〈軍隊が〉解隊される,〈兵士が〉復員する.
de・mò・bi・li・zá・tion /-zéiʃən/ 名 U 動員解除; 復員.

*de・moc・ra・cy /dimάkrəsi | dimɔ́k-/【アクセント注意】【民衆(demo)の政治(cracy)】派 democratic (形)
──名（複 -cies/-z/）1 U 民主主義, 民主政治, 民主政体, 民主制 ‖ representative [direct] democracy 代議[直接]民主制 / I support [×like] democracy. 私は民主主義を支持する. 2 C 民主(主義)国家, 民主国, 民主社会. 3 U 社会的[政治的]平等, 民主的精神; 意思決定権.

dem・o・crat /déməkræt/名 1 C 民主主義（擁護）者, 民主政体論者; 平等論者. 2 [D~]《米》民主党員[支持者]（略）Dem., D.）(cf. Republican).

†dem・o・crat・ic /dèməkrǽtik/形 1〈政体など〉が民主主義の, 民主制の, 民主体の ‖ democratic government 民主政治. 2〈人・態度など〉が民主的な, 庶民的な, 大衆的な ‖ a democratic way of thinking 民主的な考え方. 3 [D~]《米》民主党の.

Democrátic Párty [the ~]《米国の》民主党《◆ the Republican Party と共に2大政党の1つ. cf. donkey》.

dèm・o・crát・i・cal・ly 副 民主的に; 庶民的に.

de・moc・ra・tize /dimάkrətàiz | dimɔ́k-/動 他《正式》…を民主化する.

de・mòc・ra・ti・zá・tion /-zéiʃən/ 名 U 民主化; 平等化.

de・mog・ra・phy /dimάgrəfi | -mɔ́g-/名 U 人口統計学.

†de・mol・ish /dimάliʃ | -mɔ́l-/動他 1〈人・災害・爆薬など〉が〈建物〉を（こなごなに）破壊する（◆ pull down, destroy より堅い語）. 2〈議論・理論〉を粉砕する, 覆(ㇲ)す;〈制度・計画など〉を廃止する, 取りやめる.

dem・o・li・tion /dèməlíʃən, dìːm-/名 U（建物などの）破壊, 取り壊し; 粉砕; 廃止; 爆破.

†de·mon /díːmən/ 名C **1**〔特に人に取りついた〕悪霊, 悪魔, 鬼. **2** 悪魔[鬼]のような人；〔悪などの〕権化‖ the *demon* of jealousy しっとの鬼. **3**〔略式〕〔超人的な〕精力家, 名人‖ a *demon* 'for work [at golf]' 仕事の鬼［ゴルフの名人］. **4**〔ギリシア神話〕ダイモン《人間と神の中間の霊》. **5** 守護神.

de·mo·ni·ac /dimóuniæk/ 形 悪魔の(ような)；悪魔［悪鬼］に取りつかれた(ような).

de·mo·ni·a·cal /dìːmənáiəkl, -mou-/ 形 =demoniac.

de·mon·ic, dae--, --i·cal /dimánik(l) |-mɔ́n-/ 形 〔正式〕悪魔の(ような)；[通例 daemonic]魔力[神通力]を持った, 超人的な.

de·mon·stra·ble /dimánstrəbl | -mɔ́n-/ 形 〔正式〕 **1** 論証[実証, 証明]できる. **2** 明らかな, 明白な.

de·món·stra·bly 副 論証[実証]できるように；明らかに.

†dem·on·strate /démənstreit/ [アクセント注意] 他 **1**〔正式〕**a**〈人が〉〈学説・真理などを〉（推論・証拠などによって）論証する；〔demonstrate that 節〕…と証明する‖ *demonstrate* a philosophical principle 哲学的論理を論証する. **b**〈事実などが〉〈事の〉証拠となる；〔demonstrate that 節〕…ということを明らかに示す‖ This blunder *demonstrates* her ignorance of the situation. =This blunder *demonstrates* that she is ignorant of the situation. この大失敗は彼女が状況を知らないことをよく示している. **2 a**〈人が〉〈事実・方法を〉〈人に〉(実例・実験などで)説明する, 明示する〔to〕；〔demonstrate wh 節·句〕…かを説明する‖ Please *demonstrate* how the new electronic datebook works. 新しい電子手帳の使い方を実地に説明してください / Your behavior really *demonstrates* how stupid you are. 君の行動は君のばか加減をよく示している. **b**〈商品を〉〈客に〉実物宣伝[実演]する〔to〕. **3**〈人が〉〈感情・意志などを〉〈行動によって〉表明する, あらわにする〔by〕‖ She *demonstrated* her love by [through] the sacrifices she made. 彼女はいろいろなことを犠牲にして愛情を示した.
──自 **1**〈人が〉〔集会・行進などで〕〔…に反対の／…に賛成の〕示威運動をする, デモをする〔against / for, in favor of〕‖ *demonstrate* for changes in their education 教育の改革を求めてデモをする. **2**〔軍事〕陽動作戦をとる. **3** 実地に教授[説明]する.

****dem·on·stra·tion** /dèmənstréiʃən/
──名 (複 ~s/-z/) **1** UC 実地教授[説明]；実地講習会；（商品の）実物宣伝, 実演, デモンストレーション（〔略式〕demo）‖ Basic physics is taught *by demonstration*. 基礎物理学は実地教授が一番だ. **2** C 〔集会·行進などによる〕〔…に反対の／…に賛成の〕デモ, デモンストレーション, 示威運動（〔略式〕demo）〔against / for, in favor of〕‖ a student *demonstration* 学生デモ / The students held a *demonstration against* nuclear tests. 学生たちは核実験反対のデモをした. **3** UC **a** 論証, 証明；〔…ということの〕実証, 立証〔that 節〕；証拠(となるもの). **b**〔論理·数学〕証明. **4** [a ~]〔感情などの〕表示, 表明〔of〕‖ An embrace is a *demonstration* of affection. 抱擁は愛情の表現である（=〔正式〕 An embrace *demonstrates* affection.）.

give a demonstrátion of A (1)…を実演して見せる. (2)〈感情などを〉表に出す.

demonstrátion vèrsion 〔コンピュータ〕（ソフトの）デモ版.

dèm·on·strá·tion·al /-ʃənl/ 形 論証(上)の；実演の；示威運動の. **dèm·on·strá·tion·ist** 名C デモ参加者.

†de·mon·stra·tive /dimánstrətiv | -mɔ́n-/ 形 **1**〔正式〕証明に役立つ, 論証[例証, 説明]の；〔…を〕証明[説明]する(proving)〔of〕. **2**〈人·態度などが〉感情[愛情]をあらわに示す. **3** 指示的な；〔文法〕指示の‖ a *demonstrative* pronoun 指示代名詞.
──名C〔文法〕指示詞《this, there など》.
de·món·stra·tive·ly 副 論証的に, 明白に；感情をあらわに.

dem·on·stra·tor /dimánstreitər | -mɔ́n-/ 名C **1** 論証する人；証拠品. **2** デモ参加者；[~s] デモ隊. **3**（研究室などの）実地教授者；（英国の大学の）実習助手. **4**（商品の使用法を）実演する人；（米）実物宣伝用製品.

†de·mor·al·ize, (英ではしばしば) --ise /dimɔ́ːrəlaiz, (米)-mɑ́ː-/ 動他〈人·兵士〉の士気をくじく, やる気[自信, 希望]を失わせる(→ morale).

de·mór·al·i·zá·tion 名U 退廃；士気沮喪(そそう).

de·mote /dimóut, diː-/ 動他〔正式〕…を〔…から／…へ〕降等[降格]する〔from / to〕(↔ promote).
de·mó·tion 名U 降格, 降等.

de·mot·ic /dimátik | -mɔ́t-/〔正式〕名 U 形 民衆[通俗]の(言葉), (古代エジプトの)民用文字(の)；[しばしば D~] 現代通俗ギリシア語(の).

†de·mur /dimáːr/ 動（過去·過分 **de·murred**/-d/; **--mur·ring**)自〔正式〕〈人が〉〔特に良心のとがめから〕〔事に／…することに〕異議を唱える〔at, to, about / at doing〕（◆object より穏やかで自信のない反対）.
──名U〔正式〕（穏やかな）異議, 反対‖ without demúr 異議なしで【ちゅうちょ】で.

†de·mure /dimjúər/ 形（通例 ~r, ~st）**1**〈特に若い女性の服装·態度〉子供などが〉内気で慎み深い, 控え目な, おとなしい(modest). **2** いやにとりすました, お上品ぶった.

†de·mure·ly /dimjúərli/ 副 控え目に；とりすまして.

†den /dén/ 名C **1**（野獣の）巣穴. **2**（隠れ場所としての）穴, 洞穴；（犯罪者などの）巣, 根城, 隠れ家‖ an opium *den* アヘン窟(くつ) / a *den* of vice [iniquity] 悪の巣窟. **3**〔略式〕（ふつう男性の）私室(private room), 書斎, 仕事部屋.

Den. *Denmark.*

De·na·li /dənáːli/ 名 Mount ~ デナリ山《Mount McKinley の別名》.

de·na·tion·al·ize /diːnǽʃənəlaiz/ 動他〈企業など〉を民営化する；…から国籍[公民権]を奪う.

de·nà·tion·al·i·zá·tion 名U 非国有化.

de·na·ture /diːnéitʃər/ 動他 **1**…の性質を変える. **2**〈アルコール〉を（工業用に）変性させる.

de·ni·a·ble /dináiəbl/ 形 否定[否認]できる.

†de·ni·al /dináiəl/ 名 **1** U 否定（すること）, 否認；C〔…についての／…という〕否定の申し立て〔of / that 節〕‖ He met the rumor *with flat denial*. 彼はそのうわさをきっぱり否定した. **2** UC〔正式〕（要求などに対する）拒絶, 拒否‖ She gave a flat *denial* to his proposal. 彼女は彼のプロポーズをきっぱり断った. **3** U 自制, 克己(こっき)（〔正式〕 self-denial).

màke [give, issue] a deníal of A =give a deníal to A =give A a deníal …を否定する‖ She made a *denial* of the fact. 彼女はその事実を否定した.

tàke nó deníal いや応を言わせない.

den·i·grate /dénəgreit/ 動他〔正式〕〈人〉を中傷する

den·im /dénəm/ 名 形 **1** U デニム地(の製). **2** (略式) [~s] デニムの作業着, ジーンズ(jeans).

†**den·i·zen** /dénəzn/ 名 形 《文》(動植物などの)生息するもの; 住人 ‖ *denizens of the sea* [*deep*] 海の住人《魚》.

†**Den·mark** /dénmɑːrk/ 名 デンマーク《ヨーロッパ北部の王国. 首都 Copenhagen. 形容詞は Danish》.

de·nom·i·nate /dinάməneit | -nɔm-/ 動 他 《正式》[おおむね] に命名する; …を…と呼ぶ[称する].

†**de·nom·i·na·tion** /dinὰməneiʃən | -nɔm-/ 名 **1** 《正式》C 名称, 呼称(name); U 命名. **2** C 宗派, 教派《しばしば sect より大きい》. **3** C 種類, 種目. **4** C U (貨幣・度量衡などの)単位(名); (貨幣・証券などの)額面金額; 〔数学〕分母 ‖ *money of small denominations* 小額貨幣 / *What denominations* (do you want)? 金種は何にしますか《◆銀行員が客に希望の金種を聞く表現》.

日英比較 日本語の「デノミ(ネーション)」は英語の re-denomination (貨幣単位の呼称変更), redenomination downward (貨幣単位の呼称切り下げ)などに当たる. cf. devaluation.

de·nom·i·na·tion·al /dinὰməneiʃənl | -nɔm-/ 形 特定の宗派の.

de·nom·i·na·tor /dinάməneitər | -nɔm-/ 名 C **1** 〔数学〕分母(⇔ numerator). **2** 共通の特徴.

de·no·ta·tion /dìːnoutéiʃən/ 名 **1** U 表示, 指示. **2** C (語の)明示的意味, 〔論理〕外延《◆connotation は内包の意味, 含蓄》.

†**de·note** /dinóut/ 動 他 《正式》〔…ということの〕印である, 〔…を〕示す(*that* 節); …を意味する(mean).

†**de·nounce** /dináuns/ 動 他 《正式》**1** 〈人などが〉〈人・行為〉を〔…との理由で〕公然と強く非難する〔*as, for*〕《◆ criticize と違って公に非難すること》‖ *denounce him as a coward* 彼を臆病者と非難する. **2** 〈人〉を〔警察などに〕〔犯人だと〕告発する〔*to, as*〕.

***dense** /déns/ 〖「密度が濃くて貫き通せない」が本義. cf. condense〗 density (名)
—形 (~r, ~st) **1 a** 〈人・物が〉密集した, 〈場所が〉〈人・物〉でいっぱいの, 〔…が〕密集した〔*with*〕; 〈織物が〉目の詰んだ, 厚い, sparse) ‖ a *dense* forest 密林 / a *dense* crowd 大変な人ごみ / The garden was *dense with* weeds. =The weeds were *dense* in [×on] the garden. 庭には雑草が生い茂っていた. **b** 〈液体・蒸気などが〉濃い, 向こうを見通せくい(↔ rare, thin) ‖ *dense* clouds 密雲.

表現 (1) 「深い霧」は ×*deep* fog [mist] ではなく, ふつう *dense* [thick, heavy] fog [mist].
(2) 「濃いコーヒー[茶]」は strong coffee [tea], 「濃いスープ」は thick [rich] soup.

2 (略式) 〔通例補語として〕 愚鈍な, のみ込みの悪い.
dénse·ness 名 U 密集; 濃さ; 愚鈍さ.

†**dense·ly** /dénsli/ 副 密集して; ぎっしりと; (見通せないほど)濃く ‖ a *densely* populated country 人口密な国.

†**den·si·ty** /dénsəti/ 名 **1** U C 密集; 密度; (霧・液体などの)濃さ, 深さ; 込み入っていること ‖ traffic *density* 交通量 / the *density of* (the) population = population *density* 人口密度. **2** U C 〔物理〕密度, 〔コンピュータ〕(記録などの)密度. **3** U 《俗用的に》愚鈍.

†**dent** /dént/ 名 C (物が平らな固い物に当たってできる)へこみ, くぼみ. **màke a dént** (1) 〔物に〕へこませる〔*in*〕; 〔…に〕印象[影響]を与える〔*in, on*〕. (2) (略式) 〔通例否定文で〕〔仕事などの〕とっかかりを作る〔*in, into, on*〕. (3) (略式) 〔…を〕減少させる〔*in*〕.
—動 他 …をへこませる(+*in*).

dent. (略) dentist(ry); dental.

†**den·tal** /déntl/ 形 **1** 歯の; 歯科(用)の《◆名詞は tooth》‖ a *dental* clinic 歯科医院 / *dental* caries 〔歯科〕虫歯(状態) 《◆「1本の虫歯」は a bad [decayed] tooth》. **2** 〔音声〕歯音の(cf. alveolar). —名 C 〔音声〕歯音, dental consonant.

déntal cónsonant 〔音声〕歯音《/θ, ð/ など》.
déntal flòss 〔歯科〕デンタルフロス, 糸ようじ《歯間の汚れをとるための強い糸》.
déntal ímplant 義歯, さし歯.
déntal pláque 〔歯科〕歯垢(:).
déntal pláte 〔歯科〕義歯(床)(→ denture).
déntal súrgeon 《正式》=dentist.

den·ti·frice /déntəfris/ 名 U C 〔歯科〕練り歯磨; 歯磨粉.

***den·tist** /déntəst/ 〖(dent) にかかわる人(ist). cf. indent〗
—名 (複 ~s/-təsts/) C 歯科医, 歯医者《(正式) dental surgeon》《◆英国では doctor 扱いしない》‖ 〔対話〕"I have a terrible toothache." "You should *go to the dentist* [*dentist's of-fice* [*clinic*], (主に英) *dentist's*]." 「歯がひどく痛くてね」「歯医者さんに行ったほうがいいよ」.

den·tist·ry /déntəstri/ 名 U 《正式》歯科(医学), 歯学; 歯科医業.

den·ture /déntʃər/ 名 C 《正式》〔通例 ~s〕義歯, 入れ歯《◆ しばしば総入れ歯をさす. false teeth がふつう》.

de·nu·cle·ar·ize /diːnjúːkliəraiz/ 動 他 〈ある地域/軍〉の核武装を禁止する.

de·nude /dinjúːd/ 動 他 《正式》…を裸にする; 〈…から〉〔特質・所有物〕を奪う〔*of*〕.

†**de·nun·ci·a·tion** /dinὰnsiéiʃən, -ʃiéi-/ 名 U C 《正式》**1** 公然の非難, 弾劾(;<) (accusation). **2** (条約などの)廃棄通告.

Den·ver /dénvər/ 名 デンバー《米国 Colorado 州の州都》.

***de·ny** /dinái/ 〖「完全に (de) 否定する」が原義〗
—動 (--nies/-z/, [過去·過分] --nied/-d/; ~·ing)
—他 **1** 〈人などが〉〈主張・感情など〉を真実でないと言う, 否定する(↔ admit, affirm, acknowledge) ‖ He flatly *denied* the charge. 彼はきっぱりと容疑を否定した; 彼はそういう悪いことはしていなかったと言った《◆ ✓ ×He *denied* her. のように〈人〉を目的語にとらない / I don't *deny* that, but … それは否定はしませんが… 《◆ 他人が直前に述べたことを批判する表現》.
b [deny (*that*) 節] 〈人が〉…でないと言うこと を否定する; [deny doing [having done]] …していない[しなかった]と言う 文法 12.2》‖ He *denied* (*that*) he had ever done anything wrong. =He *denied* ever *having done* anything wrong. 彼は何も悪いことはしていないと言った《◆ × … to have done anything wrong とはいわない. 文法 12.7(1)》/ "*There is no denying* [It cannot *be denied*] *that* he is a child genius. 彼が神童だということは否定できない[誰もが認める].

語法 (1) 現在・過去のことを否定するのに用い, 未来のことには用いない(→ refuse).
(2) 否定語 + deny の時は接続詞 that の代わりに(略式) but (that), (俗) but what も用いる.

(3) ふつう直接話法の伝達動詞としては用いない.
(4) doing [having done] の意味上の主語を示す場合は普通所有格を用いるが, 堅い表現なので that 節を用いる方がふつう.
(5) 否定語の一種なので that 節内などでは some, something, somewhere などは用いない (**b** の用例参照).

c 〔正式〕 [deny A to be C] 〈人が〉 A 〈事〉が C でないと言う《◆ to do は不可》 ‖ She *denied* him to be the criminal. 彼女は彼が犯人ではないと言った 《◆(1) She *denied* (*that*) *he* was the criminal. の方がふつう. (2) 受身形は不可: ×He was denied to be the criminal.》.
2 〈人が〉〈人・物・事〉と (自分は) 関係がないと言う, …を知らないと言う, …に責任はないと言う (⇔ admit, affirm) ‖ In order to save his life, he *denied* Christ. 自分の命を守るために彼はキリストを知らないと言った.
3 〔正式〕 **a** [deny A B =deny B to A] 〈人・法律などが〉 A 〈人〉に B 〈要求された物[事]〉を**与えない**, 与えることを拒絶する (refuse) ‖ She *denies* her child nothing. =She *denies* nothing to her child. 彼女は子供に何でも与える / 彼女は子供の言うことなら何でも聞いてやる.
b 〈要求を〉拒否する, …に応じない; 〈要求する人〉に物を与えない.

dený onesélf A 〔正式〕 (欲しいのに) …を我慢 [自制] する《しばしば宗教・道徳的理由を暗示. 名詞は self-denial》.

de·o·dor·ant /dióudərənt/ 图 ⓒⓊ (特に不快な体臭の) 防臭剤, 脱臭剤. ― 形 防臭効果のある.
de·o·dor·ize /di:óudəràiz/ 動 〔正式〕〈部屋・服などの〉臭気を除く.

dep. 〔略〕 department; depart(s); departure.

†**de·part** /dipɑ́ːrt/ 動 🅐 〔正式〕 **1** 〈人・列車・バス・飛行機などが〉 […から/…に向けて] (旅などに) 出発する (start, leave) 〔*from/for*〕 (⇔ arrive) ‖ The flight *departs from* Tokyo *for* Seoul at 6:15 P.M. 東京発ソウル行きの便は午後6時15分に出発します. [語法] 時刻表では (略) dep. を使う: *dep.* Tokyo 4:30 P.M. 午後4時30分東京発. **2** (常道・習慣などから) はずれる, それる 〔*from*〕 ‖ I *depart from* old customs 旧習にそむく / *depart from* our original plan 最初の計画を変更する / *depart from* the truth 事実を歪 (ゆが) 曲する (偽る).

†**de·part·ed** /dipɑ́ːrtid/ 形 〔正式〕 **1** 過ぎ去った, 過去の. **2** 〈人が〉 (最近) 亡くなった, 他界した《◆ dead の遠回し語で, 宗教的含意がある. 名詞用法も同様》. ― 图 [the ~] **1** 〔単数扱い〕 (最近亡くなった特定の) 故人. **2** 〔集合名詞; 複数扱い〕 亡くなった人々.

***de·part·ment** /dipɑ́ːrtmənt/
― 图 (*\~s*/-mənts/) ⓒ **1** (複雑な機構・地方自治体・会社などの) **部門**, 部, 課 (略 dep., dept., dpt.) ; (百貨店の) 売り場, コーナー. 〈対話〉"Excuse me, where's the menswear *department*?" "It's on the third floor." 「すみませんが紳士服売り場はどこでしょうか」「3階です」.
2 〔通例 D~〕〔集合名詞; 単数・複数扱い〕(米国政府の)省; (英国政府各省の) 局, 課 (略 Dept.)《◆英国の「省」は Ministry, Office だが, 新設の省などでは the *Department* of Energy [Environment] (エネルギー [環境] 省) という. 日本の「省」は Ministry. 米国の「局, 部」は Bureau, 「課」は Division》.
〘事情〙 [米国の省]
the *Department* of State [Justice, Education] 国務 [司法, 教育] 省 / the *Department* of the Treasury [Interior] 財務 [内務] 省 / the *Department* of Defense 国防総省 / the *Department* of Labor [Agriculture, Commerce] 労働 [農業, 商務] 省 / the *Department* of Health and Human Services 保健福祉省 / the *Department* of Energy [Transportation] エネルギー [運輸] 省 / the *Department* of Housing and Urban Development 住宅都市開発省
3 〔しばしば D~〕〔教育〕〔集合名詞; 単数・複数扱い〕 (米) (大学の) 学科, (米) 学部 (cf. faculty) ‖ the *Department* of Physics = the Physics *Department* 物理学科. **4** 〔略式〕〔通例 one's ~〕(知識・活動・責任などの) 部門, 分野; 得意分野 ‖ Cooking is not my *department*. 炊事はぼくの仕事ではない.

depártment stòre 百貨店, デパート《◆この意味で depart を用いるのは誤り》.
〘事情〙 [米・英・豪の主な百貨店]
米国: Saks Fifth Avenue, Bergdorf-Goodman, Robinson's, Liberty House, Neiman-Marcus (以上はやや高級) / Macy's, Bullock's, Broadway, May Co., Woolworth, Emporium, Garfinckel's, Woodward & Lothrop, Hecht's, Lord & Taylor, Sears, J.C. Penney, Socks, Marshall Field's, Bloomingdale's, Montgomery Ward, Abercrombie & Fitch, Brooks Brothers.
英国: Harrods (やや高級) / Liberty(')s, Peter Robinson, D.H. Evans, Simpson, John Lewis, Peter Jones, Marks & Spencer.
豪: Georges (やや高級) / Myer, David Jones, Mark Foy's.

de·part·men·tal /dipɑːrtméntl, dìː|dìː-/ 形 部門 (別) の; 各部 [省, 局, 課, 科] の.

†**de·par·ture** /dipɑ́ːrtʃər/ 图 **1** ⓤ […からの/…に向けての] 出発 (すること) 〔*from/for*〕 (⇔ arrival) ‖ The *departure* of the train was delayed. 列車の出発が遅れた (=The train was delayed in *departing*.) / Which is the *departure* platform? 発車ホームはどちらですか. **2** ⓒⓊ (常道から) はずれ, 逸脱 〔*from*〕 ; 〔しばしば a new ~〕 (学問などの) 発展 〔*in*〕; 〈人にとっての〉 新方針 〔*for*〕 ‖ a *departure from* old customs 旧習からの離脱 / a new *departure in* physics 物理学上の新発見 / Her behavior was a *departure from* the normal. 彼女の行動は常軌を逸したものだった.

tàke one's **depárture** 〔正式〕 […から] 出発 [発足] する 〔*from*〕.

***de·pend** /dipénd/ 〔下方へ (de) ぶら下がる (pend). cf. pendant〕 派 dependence (名), dependent (形)
― 動 (*~s*/-péndz/; 過去・過分 *~ed*/-id/; *~ing*)
― 🅐 〔ふつう進行形は不可. be dependent より 〔略式〕〕 **1** [depend **on** [**upon**] A] 〈事が〉〈人・物・事〉**次第である**, …によって決まる, …にかかっている《◆進行形不可》‖ Our success *depends on* his [(略式) him] coming in time. 我々の成功は彼の到着が間に合うかどうかで決まる / It (all) *depends on* how you handle this. 万事は君のこの取り扱い方次第だ《◆このように主語が it で wh 節を従える場合は on の省略可》. 〈ジョーク〉 How long a fish grows *depends on* how long you listen to the fisher's story. 魚がどれくらい大きくなるかは, 釣り人の話を

2 a [depend on [upon] **A** (for **B**)] 〈人が〉〈B〈物・事〉を〉**A**〈人など〉の支持・援助に)頼る, 依存する ‖ The children *depend on* her. その子たちは彼女を頼りにしている / The map can't be *depended upon*. その地図は当てにならない 《◆**A**を主語にして受身可. ➡文法7.11》/ Japan *depends on* foreign countries for oil. 日本は石油を外国に依存している. **b** [depend on [upon] **A** to do / depend on [upon] **A**'s doing] 〈人が〉**A**〈人が…するのを信頼する, 当てにする 《◆進行形可》‖ You may *depend on* him to help you. =…on his [(略式) him] helping you. 彼の助けを当てにしてもいい 《◆前者がふつう》(➡文法12.5).

c [depend on [upon] it that節] …ということを当てにする 《◆rely は「(過去の経験に基づいて)信頼すること」》‖ You may *depend on* it that she will join us. 彼女が私たちに加わると思っていてもいいよ 《◆(1) it は形式目的語. (2) ×You may depend that …, ×You may depend on that …は共に不可》. *That* [*it*] (*all*) *depends*. 場合によりけりだ. 《◆対話》"Is New York friendly to foreign visitors?" "Well, it *depends on* you." 「ニューヨークは外国の訪問者にとって親しみの持てる所かい」「それは君次第だよ」/ "Would you do me a favor?" "*It depends*. What is it?" 「頼みたいことがあるんだけど」「ものによりけりど, 何なの」.

(*you can* [*may*]) *depend on* [*upòn*] *it* (略式) [文頭・文尾に] きっと, 確かに, 大丈夫 ‖ She will return, *depend upon it*. きっと彼女は帰ってくるよ.

†**de·pend·a·ble** /dipéndəbl/ 形 (良識があって)信頼できる, 当てになる(reliable).

de·pen·dant, (主に米) **--dent** /dipéndənt/ 名 C (主に英)他人に[衣服・食料・お金などを]頼って生活する人, 居候(ねう); 扶養家族.

†**de·pen·dence,** (米旧式) **--dance** /dipéndəns/ 名 U **1** [人などに]頼ること, […への]依存(状態), 依頼(on, upon) (↔ independence) ‖ *dependence on* US high technology 合衆国の先端技術に依存していること / live in *depéndence on* another 他人の世話になって暮らす. **2** (正式) […への]信頼, 信用(on, upon, in) ‖ *plàce* [*pùt*] *depéndence on* [*in*] her 彼女を信頼する. **3** (医) 依存(症); (薬の)常用 ‖ alcohol *dependence* アルコール依存症 / drug *dependence* 麻薬の常用.

†**de·pen·den·cy** /dipéndənsi/ 名 C U 依存, 従属 [依存]物. **2** C 保護国, 保護領.

*⋆**de·pen·dent** /dipéndənt/ [→ depend]
—— 形 **1** [be dependent on **A** (for **B**)] 〈人・物・事が〉**A**〈人に〉〈**B**〈食料などを〉〉頼っている(↔ independent) ‖ Children are totally *dependent on* their parents for food, clothing and shelter. 子供は衣食住を親にまったく依存している.

2 [補語として] 他人の事次第で[…に]左右される(on, upon) ‖ Promotion is *dependent on* ability. 昇進は能力次第である(=Promotion *depends on* ability.).

—— 名 C (主に米) =dependant.
depéndent cláuse 〔文法〕 従(属)節.

†**de·pict** /dipíkt/ 動 他 (正式) 〈人・作品が〉〈絵・彫刻・言葉などで〉〈人・物・事を〉描く, […に]描写する[as] ‖ *represent* より堅い語で, 詳細に生き生きと描くことを強調》.

de·pic·tion /dipík∫ən/ 名 C U 描写; 叙述.

de·pil·a·to·ry /dipílətɔːri | -təri/ 名 C U (液体・クリーム状の一時的)脱毛剤.

†**de·plete** /diplíːt/ 動 他 (正式) …を激減させる; 〈金力・蓄え・資源などを〉使い果たす.

de·ple·tion /diplíːʃən/ 名 U 減少; 枯渇, 消耗.

†**de·plor·a·ble** /diplɔ́ːrəbl/ 形 (正式) **1** 嘆かわしい, 悲しむべき, 遺憾な ‖ It is *deplorable* that she [should have cheated [(has) cheated] in the examination. 彼女が試験中にカンニングしたなんて[したことは]嘆かわしいことだ 《◆should … は意外・驚きの気持ちを強調する. → should 助9 a》. **2** みじめな, 不幸な; ひどい.

de·plor·a·bly /diplɔ́ːrəbli/ 副 嘆かわしいことに; ひどく; 遺憾ながら.

†**de·plore** /diplɔ́ːr/ 動 他 **1** (正式) 〈人が〉…を遺憾に思う, […することを]非難する(that節, doing)《◆〈人〉を目的語にしない. 進行形不可》‖ I *deplore* my husband('s) being addicted to gambling. =I *deplore* that my husband is addicted to gambling. 夫がギャンブルにふけっているのを嘆かわしく思う / It is to be *deplored* that … …ということは遺憾なことだ. **2** (まれ)〈人の死などを〉嘆き悲しむ, 悼む.

de·ploy /diplɔ́i/ 動 自 〈部隊などが〉(戦闘)配置につく. ―― 他 〈部隊などを〉(戦闘)配置につかせる.

de·plóy·ment /名 U 配置, 展開.

de·pop·u·late /diːpɑ́pjəlèit | -pɔ́pju-/ 動 他 (正式) 〔戦争・疫病などで〕〈ある地域〉の人口を激減させる〔by〕.

†**de·port** /dipɔ́ːrt/ 動 他 **1** 〈政府などが〉〈好ましくない外国人を〉(強制的に)国外に追放する(cf. banish). **2** (正式) [~ oneself; 副詞(句)を伴って] 〈人が〉ふるまう.

†**de·por·ta·tion** /dìːpɔːrtéiʃən/ 名 C U (外国人の)国外追放[退去]; 輸送, 移送.

de·port·ment /dipɔ́ːrtmənt/ 名 U **1** (正式)(米)(特に若い女性の人前での)態度; (英)(特に若い女性の)立居ふるまい, 行儀 《◆しつけ・しきたりの面が behavior より強い》.

†**de·pose** /dipóuz/ 動 他 **1** 〈人などが〉〈高官などを〉〔高位から〕退ける〔from〕; 〈王〉を退位させる ‖ *depose* him from office 彼を免職にする. **2** 〔法律〕 […ということを] (宣誓供述書により)証言する(that節). ―― 自 〔法律〕 […を/…したと〕 (宣誓供述書により)証言する(to / to having done) ‖ He *deposed* to having seen the murder. 彼は殺人事件を見たと証言した(=He *deposed that* he had seen the murder.).

†**de·pos·it** /dipɑ́zət | -pɔ́z-/ 動 他 **1** (正式) **a** 〈人が〉〈物を〉〔ある場所に〕(特に注意して確実に)置く, おろす〔on, in, at〕《◆put より堅い言い方》‖ He *deposited* the packages on the table. 彼はその包みをテーブルの上におろした. **b** [~ onesèlf] 〈人が〉[…に]腰をおろす〔on〕. **2** (正式) 〈人が〉〈金を〉〈銀行・口座に〉預金する〔in〕《◆貴重品などを〈人に〉預ける〔with〕 ‖ *deposit* [put] money in a bank 銀行に金を預ける / He *deposited* his will *with* his oldest son. 彼は遺書を長男に預けた / The *deposited* money 預金. **3** 〈金〉を〔商品の〕手付金[保証金, 頭金]として払う〔on, toward〕. **4** 〈泥などを〉[…に]堆(たい)積[沈殿]させる; 〈人〉を[…に]残す〔on, in, at, over〕.

—— 名 C **1** (銀行への)預金; 預金額 ‖ [fixed] *deposit* 当座[定期]預金 / *màke* [*hàve*] *a lárge depósit in a bank* 銀行に多額の預金をする[がある] / *dràw óut* [*tàke óut, withdráw*] *a depósit* 預金を引き出す. **2** C [通例a ~] […の]手付

金, 保証金, 頭金〔on〕(→ down payment);〔選挙などの〕供託金 ‖ páy [máke, léave, pùt dówn] *a depósit* of $150 on a new car 新車に150ドルの頭金を払う. **3** ©〔地質〕堆積物, 沈殿物 (cf. precipitate, sediment);〔ワインなどの〕おり. **4** ©〔鉱石・石油などの〕一層, 埋蔵物[量] ‖ huge *deposits* of copper 莫(ﾊﾞｸ)大な銅の埋蔵量. **5** Ⓤ 寄託, 保管; © 〔安全のための〕保管物[場所].

on [*upòn*] *depósit* (銀行に)預金した[して];〔保管した[して].

depósit accòunt (米)預金勘定;(英)普通預金口座((米) savings account).

depósit sàfe 貸金庫.

de·pos·i·tar·y /dipázətèri | -pɔ́zitəri/ 名 © **1** 保管人, 預り人, 受託者. **2** =depository **1**.

†**dep·o·si·tion** /dèpəzíʃən, dìːp-/ 名 **1** Ⓤ〔高官などの〕免職;廃位. **2** Ⓤ〔泥などの〕堆(ﾀｲ)積[沈殿](作用); © 堆積[沈殿]物. **3**〔法律〕© 証言録取書; © 宣誓証書.

†**de·pos·i·tor** /dipázətər | -pɔ́z-/ 名 ©(銀行の)預金者, 供託者, 寄託者.

de·pos·i·to·ry /dipázətɔ̀ːri | -pɔ́zitəri/ 名 **1**(文)倉庫, 保管所. **2** 保管人, 受託者.

†**de·pot** /díːpou; **1** では (米) díː-/ 名 © **1**(米)(鉄道の)駅,(バス・飛行機などの)発着所(◆その場所の建物をさすことが多い). **2**(英)(鉄道・バスの)車庫, 修理場. **3**(食糧・装備などの)貯蔵所, 倉庫.

de·praved /dipréivd/ 形(正式)に堕落した; 邪悪な.

de·prav·i·ty /diprǽvəti/ 名(正式)**1** Ⓤ 堕落, 腐敗; © 悪行.

dep·re·cate /déprəkèit/ 動 他 (正式)…に(間接的に)不賛成を唱える, …非難する.

dèp·re·cá·tion /dèprəkéiʃən/ 名 Ⓤ 非難.

dep·re·cat·ing·ly /déprəkèitiŋli/ 副 非難して, 非難するかのように.

dep·re·ca·to·ry /déprikətɔ̀ːri | -rəkèitəri/ 形 不賛成の, 非難の; 弁解的な, 言い訳めいた; 軽視する.

†**de·pre·ci·ate** /dipríːʃièit/ 動(正式)他 **1**〈事が〉〈物・事〉の価値を下げる(↔ appreciate). **2**〈人・物・価値を〉〔世評以下に〕見くびる, 軽視する. 自〈人・物の〉価値[価格]が下がる;〈価値が〉下がる;〈貨幣の購買力[価値]が〉下がる(fall).

†**de·pre·ci·a·tion** /dipríːʃièiʃən/ 名 Ⓤ ©(正式)価値[価格]の下落[低落].

†**dep·re·da·tion** /dèprədéiʃən/ 名 Ⓤ (古)略奪する[された]こと, 盗奪; (通例 ~s) 破壊[浸食](の跡).

†**de·press** /diprés/ 動 **1** (正式)〈ボタン・レバー・クラッチなど〉を下に押す, 押し下げる. **2**〈人〉を[…で/…ということで]意気消沈[落胆]させる, 憂うつに[悲しく]させる (disappoint);〈人〉の元気をなくさせる (discourage) 〔*by, at / that*節〕; [be ~ed] 意気消沈する ‖ His unexpected failure in the exam *depressed* his parents. 彼の予期しない試験の失敗で両親はひどくがっかりした. **3** …を不況[不景気]にする,〈価格・賃金など〉を下落させる.

†**de·pressed** /diprést/ 形 **1**〈人が〉気落ちした, 落胆した (disappointed), 気がめいっている, うつ状態の. **2** 不景気の, 不振の; 貧困の, 窮乏した;〈力・価値などが〉低下した.

†**de·press·ing** /diprésiŋ/ 形 [他動詞的に]〈物・事が〉人を気落ちさせる, 気のめいるような, 憂うつな, 重苦しい, 気のめいる (➡ 文法 17.6 (4)).

de·préss·ing·ly 副 重苦しく.

†**de·pres·sion** /dipréʃən/ 名 **1** Ⓤ © 憂うつ, 意気消沈, スランプ, うつ状態;Ⓤ〔精神医学〕うつ病, 抑うつ症 (↔ mania) ‖ *fáll ìnto* (*a*) *depréssion* ふさぎ込む. **2** © Ⓤ〔経済〕(長期に及ぶ深刻な)不景気, 不況, 不振 (↔ prosperity, boom) (cf. recession); [the (Great) D~] 世界大恐慌《1929年米国に始まった》‖ Japan is now in the middle of a *depression*. 日本は今不況のどん底にある. **3** ©〔正式〕くぼ地, くぼみ ‖ There are some *depressions* in the road. その道路にはくぼんだ所がいくつかある. **4** ©〔気象〕低気圧.

de·pres·sive /diprésiv/ 形(文)低下させるような, 憂うつな;〔精神医学〕うつ病の, うつ病の人.

dep·ri·va·tion /dèprəvéiʃən, (英+) dìːprai-/ 名 © (正式) **1**〔権利の〕剥(ﾊｸ)奪. **2**〔痛い〕損失, 欠如.

****de·prive** /dipráiv/《完全に (de) 奪う (prive)》
— 動 (~s /-z/; 過去・過分 ~d /-d/; ~·priv·ing)
— 他〔deprive **A** of **B**〕〈人・事〉〈人・物〉から〈人・物・地位・慰安・能力など〉を奪う (take **B** away from **A**) ‖ In the desert I *was deprived of* water for three days. 私は砂漠で3日間水を飲むことができなかった. / The new building *deprived* my house *of* sunlight. 新しいビルができたためわが家に陽が当たらなくなった.

語法 (1) rob と違って中立的な語で, 必ずしも不法手段を用いることを意味しない.
(2) 受身形の主語は **A** のみ可能.
(3) ˟They deprived his books. とか ˟He is deprived his books. とはいえない.

depríve onesélf〔楽しみなどを〕自ら奪う, 絶つ, 自制する〔*of*〕;迷惑[損失]を被る.

de·prived /dipráivd/ 形(正式)(社会的・経済的に)恵まれない, 人並みの生活をしていない(◆ poor の遠回し語);[the ~; 名詞的に] 恵まれない人々 ‖ a *deprived* child 恵まれない子供.

Dept., dept. 略 department; deputy.

****depth** /dépθ/ [↦ deep]
— 名 (複 ~s /-s/) **1** Ⓤ ©[通例 a/the ~] 深さ, 奥行き;深いこと ‖ dive to *a depth* of 4 meters 4メートルの深さにもぐる / What is the *depth* of the pond [bookshelf]? その池の深さ[その本棚の奥行き]はどれだけありますか (=How *deep* is the ...?) / The well is 40 feet *in depth*. =The *depth* of the well is 40 feet. =The well has *a depth* of 40 feet. その井戸は深さが40フィートである (=The well is 40 feet deep.).

2 Ⓤ (感情の)深刻さ, 強さ ‖ The *depth* of her feeling surprised me. 彼女の深刻な思いに私は驚いた.

3 Ⓤ (性格・知性などの)深み;眼識;聡明;高潔 ‖ a book *of great depth* 非常に深みのある本.

4 Ⓤ (思考などの)難解さ. **5** Ⓤ (静寂・色などの)濃さ, 深さ; (声・音などの)低さ. **6** Ⓤ [時に the ~s] 奥まった所, 奥地;最も深い[強烈な, 厳しい]部分 ‖ in the *depth*(*s*) *of* winter 冬のさなかに / be (down) in the *depths of* despair 失望のどん底にある / stir him to the *depths* 彼を深く感動させる.

beyónd [*òut of*] *one's dépth* **(1)** […の ~ one's ~] 〈人が〉水中で(自分の)背の立たない所に[の]. **(2)** (略式)〈人・事が〉(難しく複雑)すぎて〈人〉に理解できない(で),〈人の〉力が及ばない(で).

in dépth 完全に[な], 徹底的に[な], 包括的に

［な］.
plúmb the dépth 〘(人生の)底を探る〙〔不幸・悲しみなどの〕どん底に落ちる，どん底を経験する〔*of*〕.
dépth psychòlogy 深層心理学.
dep·u·ta·tion /dèpjətéiʃən/ [名] **1** [U] 代理[代表]者の任命. **2** [C] [集合名詞；単数・複数扱い] 代表団.
de·pute /dipjúːt/ [動] [他] 《正式》 **1** 〈人〉を代理に任命する. **2** 〈仕事・権限など〉を〔人に〕委任する〔*to*〕.
†**dep·u·ty** /dépjəti/ [名] [C] **1** 代理(人)，代表者；副官，補佐官. **2** [形容詞的に] 代理の；副の ‖ The traveler was appointed (a) *deputy* sheriff. その流れ者は保安官代理に任命された.
by députy 代理で[として].
de·rail /diréil, diː-/ [動] 〔鉄道〕 [自] [他] [通例 be [get] ~ed] 〈列車などが〉脱線する.
de·ráil·ment [名] [C] [U] 脱線.
de·range /diréindʒ/ [動] [他] 《正式》 [通例 be [become] ~d] 〈人が〉気が狂っている[狂う].
de·ránge·ment [名] [C] [U] 発狂.
†**Der·by** /dáːrbi | dáː-/ [名] **1** [the ~] **a** 《英》 ダービー競馬《ロンドンの南 Epsom で毎年5月か6月に行なわれる3歳馬のレース. 1780年に第12代ダービー伯が始めた》. **b** 《米》 ダービー競馬(Kentucky Derby). **2** [d~] [C] 《米》 山高帽(《主に英》 bowler hat). **3** [d~] [C] (だれでも参加できる)競技，レース；《英》 同一地域内チーム対抗試合.
Dérby Dày 《英》 ダービー競馬日.
†**Der·by·shire** /dáːrbiʃər | dáː-/ [名] ダービーシャー《イングランド中部の州. 州都 Derby》.
der·e·lict /dérəlikt/ 《正式》 [形] **1** 〈建物・土地などが〉見捨てられた，遺棄された. **2** 《米》 〔職務などに〕怠慢な，不注意な〔*in*〕. ── [名] [C] **1** 遺棄物；遺棄船. **2** (家・仕事・財産などを持たない)路上生活者，ホームレスの人；(アル中などで世間から)見捨てられた人，落後者.
der·e·lic·tion /dèrəlíkʃən/ [名] [U] [C] 《正式》 **1** (意図的な)(職務)怠慢；欠点. **2** (意図的)放棄，遺棄.
†**de·ride** /diráid/ [動] [他] 《正式》 …をあざける，あざ笑う，ばかにする. **de·ríd·ing·ly** [副] あざけって，ばかにして.
†**de·ri·sion** /diríʒən/ [名] [U] 《正式》 (悪意にみちた)あざけり，嘲(ちょう)笑，愚弄(ろう)(mockery)；嘲笑された状態 ‖ be *in derision* =be [become] an object of *derision* 嘲笑されている / bríng him into *derísion* =make him an object of *derision* 彼を嘲笑の的にする.
de·ri·sive /diráisiv/ [形] 《正式》 嘲(ちょう)笑的な，あざけりの；嘲笑に値する，ばかげた.
de·rí·sive·ly [副] 嘲笑して.
der·i·va·tion /dèrivéiʃən/ [名] **1** [U] [C] 由来，起源；語源. **2** [U] 派生；[C] 派生物. **3** [U] 〔文法〕 (語の)派生.
de·riv·a·tive /dirívətiv/ [形] 《正式》 〔…から〕派生[由来]した〔*of, from*〕；〈作品などが〉独創性のない.
── [名] [C] **1** 〔…からの〕派生物；〔文法〕 〔…からの〕派生語〔*of,* ×from〕. **2** 〔経済〕 デリバティブ，金融派生商品.
†**de·rive** /diráiv/ [動] [他] 《正式》 **1 a** 〈人などが〉〔本源となる物・事から〕〈利益・楽しみ・安心・知識など〉を引き出す，得る，見出す(take)〔*from*〕 ‖ We ***derived*** a lot of pleasure ***from*** watching his comical actions. 私たちは彼のこっけいなしぐさを見ることから多くの楽しみを得た. **b** 〈人が〉〈性格〉を〔親から〕受け継ぐ〔*from*〕. **2** 〈人が〉〈物・事〉の由来をたずねる(trace)；[**A** is derived **from B**] **A**〈物・事・単語・家系などが〉**B**〈物・事・言語・家系など〉に由来する，起源がある，…から得られる ‖ The word 'chaos' ***is derived from*** Greek. 'chaos' という語はギリシア語起源である(→[自]). ── [自] 〈人・物・事・単語などが〉〔人・物・事・言語・地位などに〕由来する，〔…から〕出てくる[派生する]〔*from*〕《◆come from より堅い語》 ‖ This word *derives from* German. この語はドイツ語に由来する.
derm- /dáːrm-/ [語要素] →語要素一覧(1.6).
-derm /-dəːrm/ [語要素] →語要素一覧(1.6).
der·mis /dáːrmis/ [名] [U] 〔解剖・動〕 真皮；皮膚.
der·o·gate /dérəgèit/ [動] [自] 《正式》 〔人の権威などを〕減ずる，落とす，傷つける〔*from*〕；〈人が〉〔…から〕逸脱[堕落]する〔*from*〕. **dèr·o·gá·tion** [名] [U] 《正式》 (権威などの)低下.
de·rog·a·tive /dirágətiv | -rɔ́g-/ [形] 《正式》 〔…の〕価値[名声]を傷つけるような〔*to, of*〕.
de·rog·a·to·ry /dirágətɔ̀ːri | -təri/ [形] 《正式》 〔人の威厳・評判などを〕傷つけるような〔*to, from*〕；〈言葉などが〉軽蔑(べつ)的な.
†**der·rick** /dérik/ [名] [C] **1** =derrick crane. **2** 油井(せい)やぐら. **dérrick cràne** デリック(クレーン)《船などに貨物をつり上げる起重機. もとは絞首刑の道具》.
†**der·vish** /dáːrviʃ/ [名] [C] (イスラム教の禁欲苦行派の)修道僧，托鉢(たくはつ)僧.
des·cant /[名] déskænt; [動] ⌐⌐, dis-/ [名] [U] [C] 〔音楽〕 ディスカント《装飾的な高音の対位声部》；(多声曲の)ソプラノ声部.
†**Des·cartes** /deikáːrt | ⌐⌐, ⌐⌐/ [名] デカルト《**René** /rənéi/ ~ 1596-1650；フランスの哲学者・数学者・物理学者. 形容詞は Cartesian》.
†**de·scend** /disénd/ [動] [自] **1** 《正式》 〈人・物などが〉〔場所から/場所へ〕下る，降りる(go [climb] down)〔*from*/*to*〕(↔ ascend) ‖ the dense fogs that *descend on* London ロンドンにかかる濃い霧 / The river *descends from* the mountains *to* the bay below. 川は山を下って湾へ注いでいる. **2** 〈道・丘などが〉〔場所に向かって〕下りになる，(下に)傾斜する〔*to, toward, into*〕. **3** 〈財産・特権・性質などが〉〔祖先から/子孫へと〕伝わる，伝来する，遺伝する〔*from*/*to*〕；〈物事が〉〔…に〕由来する〔*from*〕 ‖ *descend from* father *to* son 父から子へ伝わる(➔文法 16.3 (3)) / This parade *descends from* an ancient rite. このパレードは古い儀式に由来している. **4** 《まれ》 〈人が〉〔血統などの〕系統を引く，出である〔*from*〕《◆今は be *descended* がふつう. come from はくだけた言い方. →[他] **2**》. **5** 〈人が〉〔…をするほど〕身を落とす，落ちぶれる；恥ずかしいことに〔…を〕する〔*to, to doing*〕 ‖ He finally *descended to* fraud [stealing]. 彼はついに詐欺[盗み]をするほど落ちぶれてしまった.
── [他] **1** 《正式》 〈人などが〉〈階段・川など〉を〔場所に向けて〕下る，降りる〔*to*〕；〈道などが〉〈丘など〉を下る ‖ *descend* the stairs 階段を降りる. **2** [be ~ed] 〈人が〉〔人の〕子孫である；〈言語などが〉〔言語などから〕由来する〔*from*〕 ‖ He ***is descended from*** William the Conqueror. 彼は征服王ウィリアムの子孫だ.
descénd on [***upón***] **A** (1) 〈複数の人・動物などが〉〈人・動物・場所など〉を急に襲う(attack)；[比喩的に] 〈人などが〉〈食物など〉にとびつく. (2) →[自] **1**. (3) 〈複数の人が〉〈人〉を不意に訪れる.
†**de·scen·dant** /diséndənt/ [名] [C] 子孫，末裔(えい)；〔祖先などからの〕伝来物〔*of*〕(↔ ancestor, forefather) ‖ leave something to [for] your *descendants* 子孫に何かを残す / She is a *descendant of* the Pilgrims. 彼女はピルグリムファーザーズの子孫だ(=She is *descended from* ...). ── [形] 《主に英》 =descendent.

D

†de·scen·dent, (主に英) --dant /dɪséndənt/ 形 1 下降[下ропеs]する(↔ ascendant). 2 (祖先)伝来の, 世襲の; […から]派生した[from].
——名 ◆ 通例次の成句で. in [on] (the) descéndent 衰えつつある, 下り坂の.

†de·scent /dɪsént/ (同音 dissent) 名 (正式) 1 C [通例単数形で] 降下, 下ること; [descent of A from B] A〈人·物〉が B〈…〉から降りること(↔ ascent) ‖ We're going to begin the descent into Honolulu. (機内放送)ホノルル着陸のため降下を始めます. 2 C 下り坂[道, 傾斜, 階段]. 3 U […の]家系, 血統, 家柄(family)[from]; (特定の家系の)1世代 ‖ be of Russian descent ロシア系である / tráce one's (line of) descént from … …の出である ◆ come from …(くだけた言い方). 4 U C [単数形で] (程度·状態などの)低下, 下落; 転落; 堕落. 5 C […への](特に海からの)急襲; […への](警察などによる)突然の手入れ, 一斉検挙; (略式)(人への)不意の訪問[on, upon].

de·scrib·a·ble /dɪskráɪbəbl/ 形 描写できる(↔ indescribable).

*de·scribe /dɪskráɪb/ 〖下に(de)書く(scribe)〗 源 description (名), descriptive (形)
——動 (~s/-z/; 過去·過分 ~d/-d/; --scrib·ing)
——他 1 a 〈人などが〉〈人に〉〈人·物·事の〉(外観·性質·印象などを)特徴を述べる, 状況を説明する[to, for] ‖ 2 hours of videotape to describe the new machine 新しい機械の特徴を説明する2時間にわたるビデオテープ録画 / Can you describe the man to me? その男について私に話してもらえませんか ◆ ×describe about the man や ×describe me the man は不可).
b 〈人が〉〈人·物·事を〉[人に][言葉で]描写する, 記述[表現, 説明]する[to, for]; [describe wh節] …かを記述する ‖ I described Jane's situation. 私はジェーンの置かれていた状況を説明した.
c 〈言葉·文などが〉〈事〉を表す, 物語る ‖ The word hell is too soft to describe what happened in those days. 当時何が起こったかを地獄という言葉では弱すぎて言い表せない.
2 [describe A as C] 〈人が〉A〈人·物·事〉を C だと言う, 評する, 呼ぶ, 称する(call) ◆ (1) C は名詞·形容詞, doing など. (2) 進行形不可) ‖ describe oneself as a teacher 教師だと自称する / The work can hardly be described as excellent. その作品はすぐれているとは考えられない / They described the girl as (being) an able secretary. 彼らは彼女を有能な秘書であると言った.
3 (正式)〈人·手が〉〈図形·線〉を描く.

*de·scrip·tion /dɪskrípʃən/ 〖→ describe〗
——名 (~s/-z/) 1 a U C [外観·性質·印象などを](言葉で)記述(すること), 描写[表現, 説明](すること)[of] ‖ He wrote a fine description of [×about] what had happened there. そこで何が起こったかを彼は見事に書き表した. b C (物品の)説明[解説](書); (専門的)定義説明; (パスポートなどの)記載事項; 人相(書き) ‖ Can you give me a brief description of the thief? その泥棒の人相とか服装を簡単に話してくれますか / She answers the description. 彼女は人相書きのとおりである.
2 C (略式)種類, たぐい ◆ kind や sort より対象をぼかした言い方. all, some, any, every, that などに修飾される); (商品の)銘柄 ‖ a person of that description そういったたぐいの人 / of「évery descríption [all descríptions] あらゆる種類の.

béggar [defý] (áll) description (文)〈美しさ·惨めさなどが〉言葉に尽くせない.

*beyònd description 〈人·物·事が言葉では言い表せない(ほど) ◆ よい意味にも悪い意味にも用いる. cf. indescribable) ‖ Her beauty was beyond description. =She was beautiful beyond description. 彼女の美しさは言葉では表現できないほどだった ◆ 前者は形容詞句, 後者は副詞句) (=She was too beautiful for words.).

gíve [máke] a description of A 〈人·本などの〉〈人·物·事〉を記述[描写, 説明]する.

†de·scrip·tive /dɪskríptɪv/ 形 1 記述[叙述, 描写, 説明]的な, よく記述[描写, 説明, 表現]された; 叙景的な ‖ The book is full of descriptive passages about life in Russia. その本にはロシアでの生活に関する生きた記述がいっぱい入っている. 2 〔文法〕記述的な(↔ prescriptive), 限定的な(limiting).
de·scrip·tive·ly 副 記述的に, 描写的に.
de·scrip·tive·ness 名 U 記述[描写]的なこと.

†de·scry /dɪskráɪ/ 動 他 (文)〈遠くのもの·ぼんやりしたもの〉を認める, 見つける ◆ 進行形は不可.

Des·de·mo·na /dèzdɪmóʊnə/ 名 デズデモーナ 《Shakespeare 作 Othello 中の若妻》.

des·e·crate /désɪkrèɪt/ 動 他 (正式) …の神聖を汚す, を冒瀆(汎)する 〈神聖なもの〉を俗用に供する.
dès·e·crá·tion 名 U 冒瀆.

de·seg·re·gate /diːségrɪgèɪt/ 動 他 〈学校·公共施設など〉から人種差別を廃止する(cf. integration, segregation). ——他 〈学校·公共施設などの〉人種別を廃止する.

de·sèg·re·gá·tion 名 U 人種差別廃止.

†des·ert¹ /dézərt/ [アクセント注意] 名 C U 1 砂漠 ◆ waste と違って水がほとんどなく不毛であることを強調) ‖ the Desert of Sahara =the Sahara (Desert) サハラ砂漠 / the ship of the deserts 砂漠の船《ラクダのこと》. 2 [a ~; 通例修飾語句を伴って](何か好ましい性質が)欠けた場所[主題, 時代など], …不毛の地[状態] ‖ a cultural desert 文化不毛の地, 文化的砂漠.
——形 1 砂漠のような, (乾燥して)不毛の(cf. barren); 砂漠に生息する[住む] ‖ Before them lay a vast desert tract. 彼らの前には広大な砂漠が広がっていた. 2 住む人のない, 寂しい(deserted) ‖ Their boat washed ashore on a desert island. 彼らの船は無人島に漂着した.

†de·sert² /dɪzə́ːrt/ [アクセント注意] (同音 dessert) 動 他 1〈人が〉〈義務·誓いなどを破って〉〈人·地位·場所など〉を捨てる, 見捨てる ◆ abandon や forsake と違って非難の意味を含む) ‖ How could he desert his wife and children? 彼はよくも妻と子供たちを捨てられたものだ. 2 [be ~ed] 〈通り·村などが〉人が通らない, ひっそりとしている ‖ The streets were deserted at night. 夜は通りに人影がなかった. 3〈軍人·船員などが〉〈軍務·持ち場など〉から脱走する, 逃亡する ‖ A soldier must never desert his post. 兵士は決して持ち場を捨ててはならない. 4〈勇気·信念などが〉(いざという時に)〈人〉からなくなる, うせる, 抜ける

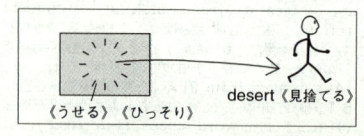

〈うせる〉 〈ひっそり〉 desert 〈見捨てる〉

(fail) ‖ His courage *deserted* him in his hour of need. いざという時に彼の勇気はくじけた.
—[自] **1** 〈軍人などが〉〔…から〕脱走する, 逃亡する〔*from*〕; 〈人が〉〔敵に〕投降する, 転向する〔*to*〕 ‖ *desert from* the front line 最前線から逃亡する. **2** 〈人が〉義務[職務]を捨てる; (無断で)地位[持場]を去る.

de·sert[3] /dizə́ːrt/ [名] [~s] **1** 当然受けるべき賞[罰], 当然の報い. **2** (賞や罰を受けるべき)価値, 功罪.

de·sert·ed /dizə́ːrtid/ [形] **1** 人の住まない, さびれた; 〈通りなどが〉人通りのない ‖ a *deserted* village 廃村. **2** 〈人が〉見捨てられた ‖ a *deserted* child 捨て子.

+de·sert·er /dizə́ːrtər/ [名][C] **1** 脱走兵, 脱営者, 脱艦兵; 脱党者. **2** 見捨てる人, 遺棄者.

de·sert·i·fi·ca·tion /dizə̀ːrtəfikéiʃən/ [名][U] (樹木の無秩序伐採・過放牧などによる)砂漠化.

+de·ser·tion /dizə́ːrʃən/ [名][C][U] **1** 捨て去る[去られる]こと; (家族などの)遺棄; (義務・職場などの)放棄. **2** (軍人などの)脱走, 脱営; 脱艦; 脱党, 脱会.

+de·serve /dizə́ːrv/ [動] 《◆ 進行形は不可》 [他] **1** 〈人・事・行ないなどが〉〈賞罰・助力・注目・感謝・特別な扱いなど〉に値する, …を受けるに足る ‖ She *deserves* first prize because she practiced more than two hours every day. 毎日2時間以上も練習したのだから彼女が1等賞をもらって当然です / A person who steals *deserves* punishment. 盗みを働く者は罰せられて当然だ《◆ 不定詞を用いて … *deserves* to be punished. ともいえる(→ **2**)》 / You *deserve* all the credit. すべて君の手柄だよ / You *deserve* it. 当然の報いだよ, それみたことか《◆ You asked for it. と同じ意味》. **2** [deserve **to** do] …する価値がある, …する権利がある, …してもおかしくない ‖ She *deserves to* succeed. 彼女なら成功してもおかしくない / His objection does not *deserve to* be taken seriously. 彼の反対は真剣に考えるに値しない.
—[自] **1** 〈人・事・行ないなどが〉(前の内容を受けて)それだけの報い[賞, 罰など]を受けるに値する ‖ He was praised as he (well) *deserved*. 彼はそれ相応の賞賛を受けた. **2** 〔…を〕受けるに値する〔*of*〕.
***desérve wéll of* A** 《正式》〈人・事などが〉〈人・国など〉から賞を受けるに値する《◆「罰を受けるに値する」は deserve ill of **A**》.

de·served /dizə́ːrvd/ [形] それだけの価値がある, 当然の.

de·serv·ed·ly /dizə́ːrvidli/ [副] 《正式》 [しばしば文全体を修飾] 当然(の報いとして), 正当に.

+de·serv·ing /dizə́ːrviŋ/ [形] **1** 《正式》〈人・物・事が〉〔賞賛・非難・助力などに〕値する〔*of*〕(↔ undeserving) ‖ This plan is *deserving of* our attention. この計画は注目に値する《◆ ややおおげさで, ふつう This plan *deserves* our attention. の方が好まれる》. **2** 〈人・事が〉正当な資格のある; (特に奨学金などの経済的)援助に値する.

de·sérv·ing·ly [副] (しかるべき)功があって; 当然.

des·ic·cate /désikeit/ [動] [他] 《正式》 …をからからに乾燥させる.

***de·sign** /dizáin/ 〚下に(de)印をつける(sign). cf. resign〛 [派] designer (名)

index
[名] **1 デザイン 2 図案 4 計画**
[動][他] **1 下図を作る 2 a 計画する**

—[名] ([複] ~s/-z/) **1** [U] **デザイン**, 意匠(術); **設計**(技術) ‖ a school of dress *design* 服飾デザイン学校 / modern in *design* 近代的な設計の.
2 [C] 〔…の〕**図案**, 下絵; 〔機械・建物の〕設計図〔*for*〕; 模様(pattern); (芸術作品としての)デザイン ‖ draft a *design for* a house 家の設計図をかく / 「a *design* of flowers [a floral *design*] in [on] a rug じゅうたんの花模様 / a sweater of her ***own design*** 彼女が自分でデザインしたセーター(=a sweater which she *designed* herself).
3 [U][C] (芸術作品などの)構想.
4 [C] 《正式》〔ある目的のための〕(入念な)**計画**, 企画(plan)〔*for*〕; [U] 故意, もくろみ; [C] 《略式》 [通例 ~s] 〔…を盗もうとする〕下心, 陰謀(evil plans)〔*on*, *upon*, *against*〕 ‖ not by accident but ***by design*** 偶然でなく故意に / He ***hàs desígns on*** 「her estate [her life, her]. 彼は彼女の財産を[彼女の命を, 《略式》彼女をものにしようと]ねらっている.
—[動] (~s/-z/; [過去・過分] ~ed/-d/; ~·ing)
—[他] **1** 〈人が〉〔…用に〕〈物〉の**下図を作る**, 図案を作る; 〈服など〉をデザインする; …を設計する; …の原案を作る〔*for*〕 ‖ *design* dresses *for* the shop その店の服飾デザイナーをする(=*design* for the shop / be a *designer* for the shop).
2 《正式》 **a** 〈人が〉〈事〉を(入念に)**計画する**, もくろむ(intend); [design **to** do [doing]] …しようと計画する; [design **A to** do] 〈人が〉**A**〈人〉に…させようと計画する, もくろむ ‖ *design* breaking prison = *design to* break prison 脱獄を計画する. **b** [be ~ed] 〔…用に/…をするように〕作られる〔*for*, *as* / *to* do〕 ‖ This room *is designed* 「*for* the children [*as* a children's bedroom]. この部屋は子供[子供の寝室]用です / *design* [《米》intend] him 「*for* law [*to* be a lawyer] 彼を弁護士にするつもりである.
—[自] 〔店などの〕デザイナーをする; 〔…の〕設計[企画]をする; 〔…の〕意匠[図案]を作る〔*for*〕.

+des·ig·nate /[動] dézignèit; [形] -nət, -nèit/ [動][他] 《正式》 **1** 〈人・物・記号などが〉〈物・事・地位など〉をはっきりと示す, 明示する, 指摘する(point out)《◆ 目的語に wh節, wh句をとることもある》 ‖ Cities are *designated* on this map by [as] red dots. 都市はこの地図では赤い点で[として]示されている. **2** 〈人など〉を〔…と〕呼ぶ, 称する(call)〔*as*〕《◆(1) しばしば受身. (2) as は省略可能》 ‖ The new shopping center ***is designated*** (*as*) New York Plaza. 新しいショッピングセンターはニューヨークプラザと称されている. **3** 〈人などが〉〈人など〉を〔役職・用途に/…として/…するように〕指名[任命, 指定]する(appoint)〔*for*, *to* / *as* / *to* do〕《◆ as は時に省略》 ‖ A local hospital is *designated for* use in an emergency. 地元のある病院が救急用に指定されている.
—[形] 《正式》 [名詞の後で] (役職に)指名された(が未就任の) ‖ a chairman-*designate* 指名後未就任の議長.
désignated hítter 〔野球〕 指名打者([略] DH).

des·ig·na·tion /dèzignéiʃən/ [名] **1** [U] 指示, 指定. **2** [U] 《正式》〔役職などへの〕指名, 任命〔*as*, *of*〕. **3** [C] 《正式》名称(name), 称号(title).

de·sign·ed·ly /dizáinidli/ [副] 故意に, わざと.

+de·sign·er /dizáinər/ [名] **1** [C] デザイナー, 意匠図案家; (建築・機械・都市計画などの)設計技師, 考案者; 舞台装置家 ‖ an intérior *designer* 室内装飾家 / a *designer* of dresses 婦人服のデザイナー / Her dream was to become a *designer*. 彼女の夢はデザイナーになることだった. **2** [形容詞的に] 有名デザイナーの作った; デザイナーブランドの ‖ *designer* jeans [shoes] デザイナージーンズ[シューズ].

de·sign·ing /dizáiniŋ/ 《正式》形 〈人が〉陰険な, 腹黒い(cunning). ——名 ① 設計(術); 意匠図案(法); (服などを)デザインすること.

†**de·sir·a·bil·i·ty** /dizàiərəbíləti/ 名 ① 《正式》望ましさ(の度合い); [desirabilities] 望ましい状況.

†**de·sir·a·ble** /dizáiərəbl/ 形 〈物·事が〉望ましい, 望み値打ちのある; 〈人·物が〉わがものにしたいと思うような(↔ undesirable) ‖ a *desirable* woman (性的)魅力のある女性 / It is more *desirable for* you to stay here. =It is more *desirable that* you ((主に英) *should*) stay here. あなたはここにとどまる方が望ましい《◆前者がふつう》(→文法 9.3).

de·sír·a·bly 副 望ましいように.

de·sír·a·ble·ness 名 ① 望ましい[願わしい]こと.

***de·sire** /dizáiər/ 『『星が出ないかと待つ』が原義』 発音

desirable (形), desirous (形)
——動 (~s/-z/; 過去·過分 ~d/-d/; -·sir·ing /-záiəriŋ/)
——他 1《正式》a〈人が〉〈物·事〉を強く望む; [desire to do] …することを強く望む(wish, long for, want). b [desire A to do]〈人が〉A〈人〉に…してほしいと願う[言う]; [desire that節] …と願う《◆command の遠回し語》‖ It is desired that any reference to us (*shall*) be made in writing. 《公文書》当方への照会は文書でされたし / Her Majesty *desires* them to abandon the plan. =Her Majesty *desires that* they ((主に英) *should*) abandon the plan. 女王陛下にはお願いをしてその計画を中止してほしいとの思し召しです(→文法 9.3). 2〈人·体〉に欲情をいだく.
——自《米》願望する, 希求する.

lèave múch to be desíred『望むべきことを多く残している』《正式》〈行動·仕事などが〉遺憾な点が多い《◆「少しある」は leave something ...》.

lèave nóthing to be desíred『望むべきことをまったく残していない』《正式》〈行動·仕事などが〉まったく申し分ない《◆「ほとんど申し分ない」は leave little ...》.

——名 (~s/-z/; 過去·過分) ① ⓒ (実現可能な物·事への(強い)願望(wish), ⓒ (公式の)要望(request) [for]; [通例否定文で] […したいという]願望, 要望[to do, of doing]《◆to do の方がふつう》; […という]願望 (that節) ‖ He has no [not much, a (great)] *desire for* recognition. =...to be recognized. =...that he ((主に英) *should*) be recognized. 彼には世間に認められたいという欲望がない[あまりない, (大いに)ある]《◆(1) have の代わりに feel ともする. (2) I'd like a cup of coffee. というところを I have a *desire* for a cup of coffee. というのはもったいぶった表現》/ The president expressed a *desire* to dispatch a rescue team. 大統領は救援隊の派遣を要請した / A rescue team was dispatched at [by, according to] the *desire* of the president. 大統領の要請で救援隊が急派された.
2 ⓒ (文) (通例 one's/the ~) 望みのもの, 願っていること ‖ my heart's *desire* =the desire of my heart 私の心からの願い.

†**de·sir·ous** /dizáiərəs/ 形《正式》〈人が〉[…したい/…であれと]切望している(*of / of doing / that*節) ‖ He is *desirous* [*of* prosperity [*of* being prosperous, (*that*) he (should) prosper, ×to prosper]. 彼は立身出世を強く望んでいる《◆(1) *that* や *should* を用いるのは (主に英) (→文法 9.3). (2) desirous は古めかしい感じがするので, He desires [hopes, wants] to prosper. の方がふつう》.

†**de·sist** /dizíst, -síst/ 動 自《正式》[…を/…するのを]やめる, 思いとどまる [*from / from* doing] ‖ *desist from* smoking タバコをやめる(=《略式》stop smoking).

***desk** /désk/ 類語 disk /dísk/)
——名 (複 ~s/-s/) ⓒ 1 (執務·勉強用の)机《◆飲食用は table》; [形容詞的に] 机上用の; 机上でする ‖ On a *desk* 机上に / In a *desk* 机の引き出しに / Paul is *at the desk* today. ポールは今日は机に向かって勉強[執務]している / a *désk* cháir 机用のいす / a *desk* dictionary 机上版の辞書 / a *désk* làmp 卓上スタンド. 2 [the ~] (会社·ホテルなどの)受付; フロント(recéption dèsk, 《米》frónt dèsk) ‖ the chéck-òut dèsk (図書館の)貸出し部. 3 (官庁·新聞社の)部局; 《米》[the ~] 編集部 ‖ the Russian *desk* of the Department of State (米国)国務省ロシア担当部 / the city *desk* 社会部, 《米》地方記事編集部.

désk clèrk 《米》(ホテルの)フロント係(reception clerk).

désk jòb =deskwork.

désk reséarch (記録·統計に基づく)机上調査.

desk·top /désktàp/ -tɔ̀p/ 形 机上用の, 卓上用の, デスクトップの ‖ a *desktop* computer デスクトップコンピュータ / *desktop* publishing (電子)机上出版, DTP. ——名 ⓒ [コンピュータ] デスクトップコンピュータ; デスクトップ(コンピュータ起動後の画面).

desk·work /déskwə̀rk/ 名 ① (事務·研究·執筆など)机に向かってする仕事, 事務系統の仕事.

Des Moines /də mɔ́in/ 名 デーモイン《米国 Iowa 州の州都》.

†**des·o·late** /形 désələt, 《米+》déz-/; 動 -lèit/ 形《正式》1〈土地などが〉荒れた, 荒廃してわびしい; 不毛の; 住む人のない. 2〈人が〉不幸な; みじめな, 悲惨な (sad). 3 孤独な, 寂しい; わびしい, 陰うつな.
——動 他 1〈土地などを〉荒廃させる. 2 [通例 be ~d]〈人が〉ひどく寂しく[みじめに]なる.

dés·o·làt·ed 形 =desolate. **dés·o·làt·er**, **dés·o·là·tor** 名 ⓒ 荒廃させる人[もの]. **dés·o·late·ly** 副 1 荒涼として. 2 わびしく.

†**des·o·la·tion** /dèsəléiʃən, 《米+》dèz-/ 名《正式》1 ① 荒廃; 破壊. 2 ① 寂しさ, みじめさ, 悲しみ. 3 ⓒ 荒れ果てた場所; 廃墟.

***de·spair** /dispéər/ 『「望みが無いこと」が原義』
——名 (複 ~s/-z/) 1 ① 絶望, 失望, 落胆; 憂う(↔ hope) ‖ black [complete and utter] *despair* まったくの絶望 / He is not at all *in despair* at [over, about] his failure in the entrance examination. 彼は入試に落ちても決して絶望していない / Her son's death *drove* her *to despair*. 息子の死が彼女を絶望に追い込んだ / She tried to kill herself *in* [*out of*] *despair*. 彼女は絶望して[失望のあまり]自殺をはかった. 2 ⓒ 《正式》[通例 the ~ of + 名詞] 絶望の種, やっかいな人[物] ‖ He is *the despair of* his family. 彼には家族もさじを投げている.
——動 (~s/-z/; 過去·過分 ~ed/-d/; ~·ing /-spéəriŋ/)
——自《正式》〈人が〉[物·事·人に]絶望する [*of*]; […を/…するのを]あきらめる [*of / of* doing]《◆受身可》‖ Don't *despair* yet. まだあきらめるな / *despair of* the future 将来に絶望する / *despair of* ever finding the lost jewel 宝石を見つけられないものとしてあきらめる.

†de·spair·ing /dispέəriŋ/ 形 絶望の, 絶望的な.
　de·spáir·ing·ly 副 絶望して.
　des·patch /dispǽtʃ/ 《英》動 名 =dispatch.
　des·pe·ra·do /dèspərάːdou, -paréi-/ 名 (複 ~(e)s) ⓒ 《古》(ふつう米国開拓時代の) 無法者, ならず者.
*des·per·ate /déspərət/ [アクセント注意] 〔「望みが無い」が原義〕派 desperately (副)
　——形 1 [名詞の前で]〈人・行為などが〉向こう見ずの, 開き直った, 手に負えない, 常軌を逸した, 気も狂わんばかりの(frantic) ‖ a desperate criminal 凶悪犯.
　2 [通例補語として]〈人が〉〈物・事を〉欲しくてたまらない〔for〕; 〔…したくて〕たまらない ‖ be desperate for food [money] 食べ物[金]が欲しくてたまらない.
　3〈事態・病気などが〉絶望的な, 〔回復の見込みのない《hopeless と違って希望はまだ少しはあるという含みをもつ》‖ a desperate illness 重病 / Desperate times call for desperate measures. 絶望的な時には絶望的な方法がある.
　4 [通例名詞の前で]〈試みなどが〉必死の, 命がけの; 〈仕事などが〉困難で危険な; [強意語として]ひどい, はなはだしい, 極端な ‖ desperate poverty 極貧 / desperate efforts to win 勝利への執念.
†des·per·ate·ly /déspərətli/ 副 必死になって; 絶望的に, やけになって;《略式》[強意語として] ひどく(extremely) ‖ My sister was desperately ill. 彼の姉は手の施しようがないほどの重病だった / He desperately needs your assistance. 彼は何としても君の助けを必要としている.
†des·per·a·tion /dèspəréiʃən/ 名 U 自暴自棄, 死にもの狂い ‖ in desperation やけになって / That drove her to desperation.《略式》そのため彼女は捨てばちになった.
†des·pic·a·ble /dispíkəbl, déspik-/ 形 《正式》 卑しむべき, 卑劣な(mean) ‖ It is (quite) despicable of you to do … …するとは君は見下げた人ですね.
　des·píc·a·bly 副 卑劣に.
†de·spise /dispáiz/ 動 他〈人が〉〈人など〉を(つまらぬ者として)軽蔑(ぐっ)する; 見下す(《略式》 look down on)〈◆ 進行形不可〉(↔ respect);〈物・事〉をどくど嫌う ‖ despise him inwardly for his dishonesty 彼の不正直さをひそかに軽蔑する / despise luxuries ぜいたく品を嫌う / despise oneself 自己嫌悪に陥る.
*de·spite /dispáit/
　——前 《正式》 …にもかかわらず〈◆ in spite of より堅い語. 新聞などで好まれる〉‖ Despite the dense fog we went for a walk. 濃霧にもかかわらず我々は散歩に出かけた / despite oneself =in SPITE of oneself.
　de·spite·ful /dispáitfl/ 形 《古》悪意のある(spiteful), 意地の悪い.
†de·spoil /dispɔ́il/ 動 他《正式》〈人・場所〉から〔重要な物など〕を略奪する〔of〕;〈場所〉を荒らす(rob).
　de·spond /dispánd | -spɔ́nd/ 動 自《正式》〔…に〕落胆[失望]する〔of〕‖ despond of the future 未来に失望する.
　de·spond·en·cy, --ence /dispándənsi | -spɔ́nd-/ 名 U《正式》落胆, 失望 ‖ fall into despondency 意気消沈する.
　de·spond·ent /dispándənt | -spɔ́nd-/ 形《正式》元気のない;〔…に〕落胆した, 失望した(about, over, at).
†des·pot /déspət, -pat | -pət, -pɔt/ 名 ⓒ 専制君主, 独裁者, 暴君(tyrant).
　des·pot·ic, --i·cal /despátik(l), dis- | -pɔ́t-/ 形 専制[独裁]的な;〔…に〕横暴な〔to〕.
†des·po·tism /déspətìzm/ 名 1 U 専制(政治), 独裁(政治). 2 ⓒ 専制国.
*des·sert /dizə́ːrt/ [発音注意] [同音] desert²) 〔「食卓を片付けること」が原義〕
　——名 〔~s/-ts/〕ⓒU デザート《◆ dinner の最後のコースで, 米国ではアイスクリーム・パイ・ケーキなど, 英国ではパイ・プディングなどが代表的》‖ the ice cream served for dessert デザートに出たアイスクリーム.
　dessért fòrk デザート用フォーク.
　dessért wine デザート用ワイン.
　des·sert·spoon /dizə́ːrtspùːn/ 名 ⓒ《主に英》デザート=スプーン(1杯の量).
　des·sert·spoon·ful /dizə́ːrtspùːnfùl/ 名 デザートスプーン1杯(の量)《◆《主に英》では teaspoon 2杯分》.
　de·sta·bi·lize /dìːstéibəlàiz/ 動 他 …を不安定にする. de·stà·bi·li·zá·tion 名 U 不安定化.
†des·ti·na·tion /dèstənéiʃən/ 名 ⓒ《正式》目的地, 行先 ‖ the destination of a ship 船の行先 / What is your destination in the US? 米国での行き先はどこですか《◆ where ではなく what を用いることに注意》.
†des·tine /déstin, -tn/ 動 他《正式》[通例 be ~d] 1 a〈人・事が〉〔…する〕運命にある〔to do〕‖ He was destined to become a great musician. 彼は偉大な音楽家になる運命にあった(=It was his destiny to become … / It was destined that he would become …). b〈人が〉〔…になる/…を受ける〕運命にある〔for/to〕‖ a son who is destined for the church 〔人が〕〔…になる〕運命にある息子. 2 [be destined for A]〈乗り物・便(びん)などが〉…行きである ‖ Are the ships destined for China? あの船は中国行きですか.
†des·ti·ny /déstəni/ 名 UC《正式》(避けられない)運命, 宿命《◆ しばしばよい運命をさす. cf. fate》;[しばしば D~] 運命の神 ‖ the tricks played by destiny 運命のいたずら / Do you think he has the ability to determine his own destiny? 彼には自分の運命を決める能力があると思いますか.
†des·ti·tute /déstit(j)ùːt/ 形《正式》 1〈人・生活などが〉(食物・住居・財産もなく)極貧の, 貧窮の ‖ the destitute 貧困者たち. 2 〔必要なものを〕欠いている, 持たない〔of〕.
　des·ti·tu·tion /dèstit(j)úːʃən/ 名 U《正式》極貧, 貧困; 欠乏(状態) (poverty).
*de·stroy /distrɔ́i/ 〔「反対(de)積み上げる(stroy)」→「取り壊す」〕派 destruction (名), destructive (形)
　——動 (~s/-z/;過去過分 ~ed/-d/; ~·ing)
　——他 1〈人・物・事が〉〈建物など〉を破壊する, 打ち壊す(↔ construct) ‖ His house was destroyed [by a bomb [by fire]. 彼の家は爆弾[火事]で破壊された / The fire completely destroyed the business district. 火事で商業地区が全焼した.
　2〈人・物・事が〉〈敵など〉を負かす, 撲滅する;《略式》[通例 be ~d] 〈動物など〉を殺される《◆ kill の遠回し語》‖ The lion that escaped from its cage had to be destroyed. おりから逃げたライオンは始末せざるをえなかった.
　3〈人・事が〉〈計画・評判など〉を台なしにする, だめにする;〈希望など〉をくじく ‖ destroy her life and all her hopes 彼女の人生と希望をすべて台なしにしてしまう.
†de·stroy·er /distrɔ́iər/ 名 1《正式》破壊者[物].
　2 駆逐艦. destróyer èscort 護衛駆逐艦.

*de·struc·tion /distrʌ́kʃən/ 〘→ destroy〙
――[名][U] 1 破壊(行為) (↔ construction) ‖ the *destruction* of the ozone layer オゾン層の破壊 / the *destruction* of a city by air attack 空襲による都市破壊. 2 破滅状態; 滅亡(ruin). 3 [the/one's ~] 破壊手段, 破滅の原因 ‖ Drink will be *her destruction.* 酒が彼女の命取りになるだろう.

de·strúc·tion·ist [名][C] 破壊主義者.

*de·struc·tive /distrʌ́ktiv/ 〘→ destroy〙
――[形] 1 〈物・事・人が〉破壊的な ‖ The wars of this century were terribly *destructive*. 今世紀の戦争はきわめて破壊的であった. 2 [補語として]〔…にとって〕有害な〔*to*〕;《正式》〔…を〕破壊する〔*of*〕.

de·strúc·tive·ly [副] 破壊的に.

de·strúc·tive·ness [名][U] 破壊性, 有害性.

de·struc·tiv·i·ty /distrʌ̀ktívəti, dìːstrʌk-/ [名][U] 破壊性.

des·ul·to·ry /désəltɔ̀ːri | -təri/ [形]《正式》1 〈物・事が〉とりとめのない, 散漫な, 気まぐれな. 2 〈考えなどが〉とっぴな, 的はずれの.

†de·tach /ditǽtʃ/ [動][他] 1 …を〔…から〕引き離す, 取りはずす, 分離する〔*from*〕(↔ attach) ‖ *detach* freight cars *from* a train 列車から貨物車を引き離す / *detách* onesèlf *from* one's work 仕事のことを考えないようにする. 2〔軍事〕〈軍隊・軍艦などを〉(特別任務に)派遣[分遣]する.

de·tach·a·ble /ditǽtʃəbl/ [形] 分離できる, 取りはずせる; 派遣[分遣]できる.

†de·tached /ditǽtʃt/ [形] 1 〈物が〉分離した; 〈建物が〉独立した ‖ a *detached* house 一戸建ての家. 2《正式》〈考え・意見などが〉公平な; 超然とした(impartial);《略式》冷静な.

†de·tach·ment /ditǽtʃmənt/ [名] 1 [U]《正式》〔…からの〕分離, 孤立〔*from*〕. 2 [U]《正式》距離を置くこと, 超然, 無関心(↔ intimacy); 公平(な態度). 3 [U] (軍隊の)派遣, 分遣; [C] [集合名詞] 派遣隊[艦隊].

*de·tail /díːteil, ditéil/ 〘「細かい部分」が本義〙
――[名] (複 ~s/-z/) 1 [C] 細部, 細目, 項目 ‖ every *detail* of the crime 犯罪のてんまつすべて.
2 [しばしば ~s] 詳細; [U] 詳細な記述, 詳説 ‖ Please describe the accident ***in* (*great*) *detail*.** その事故について詳しく述べてください / Tell me what happened in a few words; don't ***gò* [*ènter*] *ínto detáil*(*s*).** 何が起こったかを手短に話してください, くどくど言う必要はありませんよ / Pay no attention to the minor *details*. 細かいことに一切注意を払うな.
3 [U] (絵画・彫刻・建築などの)細部(装飾).
――[動][他]《正式》1 …を〔…に〕詳しく述べる〔*to*〕. 2 〈人〉を〔…の仕事・任務に〕つかせる〔*to, for, on*〕; 〈兵士・部隊など〉を〔…するために〕派遣する(+*off*)〔*to* do〕.

de·tailed /díːteild, ditéild/ [形] 詳細な, 詳細にわたる(thorough); 分遣された.

†de·tain /ditéin/ [動][他] 1《正式》〈人〉を引き留める, 待たせる, 手間取らせる(delay) ‖ She was *detained* by the blizzard. 彼女は吹雪で足止めをくった / I hope this doesn't *detain* you, but I would like to ask a few questions. お手数をかけたくないんですが, いくつか質問があるのですが. 2〔法律〕〈人〉を留置[勾(こう)留, 監禁]する.

de·tain·ee /ditèiníː/ [名][C]《正式》〔法律〕勾(こう)留者.

†de·tect /ditékt/ [動][他]《正式》《◆進行形は不可》1 〈人・動物が〉〈人の悪事・秘密など〉を見つける, 看取する, 見抜く ‖ The police dog *detected* the scent of the criminal. 警察犬は犯人のにおいを発見した. 2 [detect A doing] A〈人〉が…しているのを発見する ‖ The child was *detected* stealing cookies. その子供はクッキーを盗んでいるところを見つかった. 3 [detect that節] …だと知る(notice). 4〔コンピュータ〕…を認識する.

†de·tec·tion /ditékʃən/ [名][U]《正式》1 発見; 看破, 探知. 2 発覚, 露見. 3〔電子工学〕検波; 整流.

*de·tec·tive /ditéktiv/ 〘→ detect〙
――[名] (複 ~s/-z/) [C] 探偵, 刑事 ‖ a private *detective* 私立探偵; 私服警官(《米略式》private eye).
――[形] 1 探偵の ‖ a *detective* agency 探偵社. 2 探知用の.

detéctive stòry [nòvel, fìction] 探偵小説, 推理小説.

†de·tec·tor /ditéktər/ [名][C] 1 発見者, 探知者. 2 探知器, 検出器 ‖ a líe detèctor うそ発見器. 3〔無線〕検波器.

detéctor pàper [pàint]〔化学〕検知紙[塗料].

dé·tente /deitáːnt | déitɔnt/ 〘フランス〙 [名][C][U]《正式》(国際関係の)緊張緩和, デタント.

de·ten·tion /diténʃən/ [名][U] 1《正式》引き留め, 阻止; 遅延. 2 (判決前の)勾(こう)留, 留置, 監禁; [時に a ~] (罰としての)放課後の居残り ‖ I was given *an* hour's *detention* yesterday. 昨日は1時間の居残りをさせられた.

deténtion cènter《英》少年院.

deténtion facìlity 勾留施設, 少年鑑別所.

deténtion hòme《米》少年鑑別所.

†de·ter /ditə́ːr/ [動] ([過去・過分] de·terred/-d/; --ter·ring) [他]《正式》〈恐怖・不安などが〉〈人〉に〔…するのを〕思いとどまらせる, やめさせる(prevent, stop)〔*from* (do*ing*)〕. de·tér·ment [名][C][U] 制止[妨害](物).

†de·ter·gent /ditə́ːrdʒənt/ [形] 洗浄性の, 洗浄力のある. ――[名][C][U] (中性)洗剤; 清浄剤.

†de·te·ri·o·rate /ditíəriərèit/ [動][自]《正式》〈天気・健康・関係などが〉悪くなる, 悪化する; 〈道徳などが〉低下する; 悪化して〔…に〕至る〔*into*〕.

†de·te·ri·o·ra·tion /ditìəriəréiʃən/ [名][U][C] (品質などの)悪化, 低下; 堕落, 退歩.

de·ter·min·a·ble /ditə́ːrmənəbl/ [形] 1 決定[確定]できる. 2〔法律〕終結すべき.

de·ter·mi·nant /ditə́ːrmənənt/ [形] 決定[限定]的な. ――[名][C]《正式》決定要素.

de·ter·mi·nate /ditə́ːrmənət/ [形]《正式》1 限定された, 明確な. 2 確定した, 確定的な; 一定の. 3 決定的な, 決然とした, 最終的な.

†de·ter·mi·na·tion /ditə̀ːrmənéiʃən/ [名] 1 [U]〔…しようという〕決心, 決意; 決断力〔*to* do, *of* do*ing*〕‖ her **determination** *to* win 勝とうという彼女の決意 / a leader ***of great determination*** 意志堅固な指導者 / ***with determination*** 決然として. 2 [U][C]《正式》(物事の)決定, 確定 ‖ You must make that *determination* for yourself. あなたは自分でその決定をしないといけません. 3 [U]《正式》(含有量・位置などの)測定(法).

de·ter·mi·na·tive /ditə́ːrmənèitiv, -mənə- | -minə-/《正式》[形] 〈物・事が〉決定力のある; 限定[確定]的な. ――[名] 1 [U][C] 決定[限定]因. 2 [C]〔文法〕決定詞, 限定詞.

*de·ter·mine /ditə́ːrmin/ [アクセント注意] 〘「はっきりと限界を定める」が原義〙 [派] determination (名)

—動 (~s/-z/; 過去・過分 ~d/-d/; ~·min·ing)
—他 1《正式》〈人・物・事が〉…を**決定する**; [determine که節]…と結論を下す, 判定する, 判断する; [determine wh 節・句]〈人・物・事が〉…を決める ‖ *determine* the course to be taken 今後とるべき進路を決定する / His father's death *determined* his fate. 父の死が彼の運命を決めた.
2〈程度・範囲などを〉定める; …の境界を定める;〈位置・形状などを〉測定[決定]する ‖ *determine* the position of a star 星の位置を測定する.
3《正式》**a** [determine to do]〈人が〉…することを**決心する**, 決意する(decide) ‖ She *determined to* accept the offer. 彼女はその申し入れを受け入れると決心した.(◆ She *was determined to* accept … の方がふつう. → c). **b** [determine A to do]〈物・事が〉A〈人〉に…することを決心させる ‖ What *determined* you to give up smoking? どうして禁煙する気になったのですか (⑤文法 23.1). **c** [be determined to do / be determined on doing]〈人が〉…することを**堅く決心[決意]している**(◆ to do の方がふつう) / They *were detérmined to* maintain péace. 彼らは平和を守ろうと堅く決意していた.
—自 1《…を〉決心する; 決定する(decide) (on, upon] ‖ They *determined* on an early start. =They *determined* on starting early. 彼らは早く出発することに決めた(◆ decide on an early start より堅い言い方). **2**〔法律〕〈効力などが〉終わる, 終結する.

†**de·ter·mined** /dité:rmind/ 形 **1** 決然[断固]とした. **2**《正式》決定[確定]した; 限定された(fixed).
de·tér·mined·ly 副 決然と, 断固として.
de·ter·mi·ner /dité:rminər/ 名 ⓒ …を決定する人[もの]. **2**〔文法〕決定詞, 限定詞《冠詞・指示代名詞・代名詞および名詞の所有格など》.
de·ter·min·ism /dité:rminìzm/ 名 Ⓤ〔哲学〕決定論.
de·ter·min·ist /dité:rminist/ 名 ⓒ 形 決定論者(の).
de·ter·rence /dité:rəns, -tér-|-tér-/ 名 Ⓤ 制止, 阻止;〈戦争の〉抑止(力) ‖ nuclear *deterrence* 核の戦争抑止力.
de·ter·rent /dité:rənt, -tér-|-tér-/ 形〈物・事が〉妨げる, おじけづかせる; 戦争抑止の. —名 ⓒ **1** […を]引き止める物, 妨害物[to]; 戦争抑止力. **2**《英》核兵器.
detérrent effèct [pòwer] 抑止効果[力].
detérrent strátegy 抑止戦略.

†**de·test** /ditést/ 動 他 …を憎む; 〔…することを〕ひどく嫌う〔doing〕(◆ hate より強意的. 進行形不可) ‖ I *detest* being [×to be] alone. ひとりでいるのは大嫌いだ(◆ 実際にひとりでいるときの発話. → hate 他 2).
†**de·test·a·ble** /ditéstəbl/ 形《正式》憎悪すべき, 大嫌いな, いまわしい(hateful).
de·tést·a·bly 副 憎らしく.
de·tes·ta·tion /dì:testéiʃən/ 名 **1** Ⓤ《正式》〔しばしば a ~〕嫌悪, 憎悪. **2** ⓒ 大嫌いな人[物].
†**de·throne** /diθróun/ 動 他《正式》〈王などを〉退位させる;〈人を〉(高い地位から)引き降ろす.
de·thróne·ment 名 Ⓤ 廃位, 強制退位.
det·o·nate /déṭənèit/ 動 他《正式》**1**〈爆弾・鉱山などを〉(猛烈な音で)爆発させる. **2**〈ブームなどを〉爆発的に引き起こす. —自〈爆弾などが〉爆発する.
dèt·o·ná·tion 名 Ⓤ 爆発(作用); ⓒ 爆発音.
dét·o·nà·tor 名 ⓒ 雷管, 起爆装置; 起爆薬.
†**de·tour** /dí:tuər, ditúər/ (英+) déi-/《フランス》名 ⓒ

1 遠回り; 回り道, 迂(ウ)回路. **2**〔比喩的に〕回り道.
—動 自 回り道をする, 迂回する (+*around*).
—他 回り道をさせる, 迂回させる (+*around*).
†**de·tract** /ditrǽkt/ 動 自〈物・事が〉〈価値・名声などを〉落とす, 損なう, 減ずる [*from*] (◆ 進行形不可. 受身可). **de·trác·tor** 名 ⓒ 中傷する人.
de·trac·tion /ditrǽkʃən/ 名 **1** Ⓤ [時に a ~] 非難, 悪口. **2** […の]減損 [*from*].
det·ri·ment /détrəmənt/ 名《正式》**1** Ⓤ […にとっての]損害, 損失(damage), 不利(disadvantage) [*to*] ‖ overeat to the *detriment* of one's health 健康をそこねるほど食べすぎる. **2** ⓒ [通例 a ~] […にとっての]損害[損失]の原因 [*to*].
dèt·ri·mén·tal 形《正式》〔健康などに〕有害な [*to*].
†**De·troit** /ditrɔ́it/ 名 デトロイト《米国 Michigan 州の都市. 自動車産業の中心地. Motor City, Mo-Town, Automobile Capital of the World などと呼ばれる》.
Deu·ca·li·on /djù:kéiliən/ 名〔ギリシア神話〕デウカリオン《Prometheus の息子. Zeus の起こした大洪水に妻 Pyrrha と共に生き残り人類の祖となったとされる》.
deuce /djú:s/ 名 **1** ⓒ〈トランプの〉2の札;〈ポーカーの〉ワンペア;〈ダイスの〉2の目. **2** Ⓤ〈テニス・バレーボールなど〉デュース, ジュース.
Deu·ter·on·o·my /djù:tərάnəmi|-tərɔ́n-/ 名〔旧約〕申命(シン)記《旧約聖書第5の書. 略 Deut.》.
déut·sch(e) màrk /dɔ́itʃ(ə)-/ [時に D~] ドイツマルク《ドイツの旧貨幣単位. Deutsch mark ともつづる. 略 DM》.
Deutsch·land /dɔ́itʃlɑ̀:nt, -lənd/ 名 Germany のドイツ語名.
de·val·u·ate /di:vǽljuèit/ 動 他《米》**1** …の価値を減じる. **2**〈通貨〉の平価を切り下げる.
de·vàl·u·á·tion 名 Ⓤ 平価切り下げ (cf. denomination);〈価値の〉低下.
de·val·ue /dì:vǽlju:/ 動 = devaluate.
†**dev·as·tate** /dévəstèit/ 動 他 **1**《正式》〈国土などを〉荒らす, 荒廃させる. **2**〈人を〉圧倒する, 困惑させる. **dév·as·tà·tor** 名 ⓒ 破壊者, 蹂躙(ジュ́ウ)する人.
†**dev·as·tat·ing** /dévəstèitiŋ/ 形 **1**《正式》〈物・事が〉(完全に)破壊的な. **2**《略式》〔強意語として〕圧倒的な; 痛烈な; ものすごい. **dév·as·tàt·ing·ly** 副《略式》〔強意語として〕ひどく; 痛烈に; 破壊的に.
dev·as·ta·tion /dèvəstéiʃən/ 名 Ⓤ《正式》荒らすこと; 荒廃(状態), 廃墟(*)(ruins).

*†**de·vel·op** /divéləp/ 動 《包み(velop)をほどく(de). cf. envelop》 形 development (の).
—(~s/-s/; 過去・過分 ~ed/-t/; ~·ing)
—他 **1**〈人が〉〈能力・産業などを〉徐々に**発達させる**, 発展[発育]させる ‖ *develop* one's knowledge 知識を広める / *develop* one's muscles through exercise 運動して筋肉をつける.
2〈…を〉〈資源などを〉**開発する**,〈宅地などを〉造成する ‖ *develop* the natural resources 天然資源を開発する / *develop* nuclear energy for peaceful purposes 平和目的で原子力エネルギーを開発する.
3〈計画・議論などを〉展開する, 進展させる; …を十分考える ‖ *develop* a theory 理論を展開する / *develop* this idea a little more fully この考えをもう少し押し進める.
4《正式》〈傾向・好みなどを〉発現させる;〈潜在的なものを〉引き出す;《米》〈新事実などを〉明らかにする;〈病気〉になる [*かかる*] ‖ The investigation failed to

develop [reveal] any new facts. その調査では何ら新事実が明らかにならなかった / *develop* a liking [fondness] for haiku 俳句が好きになる / *develop* a sense of humor ユーモアのセンスを身につける / *develop* the habit of getting up early 早起きの習慣がつく / *develop* (a) fever 熱を出す / *develop* cancer がんにかかる. **5** ⟨フィルム・写真⟩を現像する / *develop* film [pictures] フィルム[写真]を現像する. ── 圓 **1** ⟨物・事が⟩〔…から/…に〕発達する, 発展[進展]する〔*from/into*〕; 発病する ‖ The situation *developed* unexpectedly. 事態は意外な展開を示した[突然生じた]. **2** ⟨人・動植物が⟩成長する, 〔…から/…に〕発育する〔*from/into*〕 ‖ A blossom *develops from* a bud. =A bud *develops into* a blossom. 芽が出て花が咲く. **3** (表面に)現れる, 見えてくる. **4** ⟨写真が⟩現像される. **5** (まれ) [it develops that] 節 …ということが明らかになる.

de·vel·oped /dɪvéləpd/ 形 ⟨国・地域などが⟩先進の, 高度に発展した; 工業が発達して富んだ ‖ a *developed* country [nation] 先進国.

de·vel·op·er /dɪvéləpɚ/ 名 **1** C 開発者[社], 啓発者; 宅地造成業者. **2** C [形容詞を伴って] 発達が…の人 ‖ a late [slow] *developer* 知的発達の遅れている人. **3** U C (写真) 現像液[剤].

de·vel·op·ing /dɪvéləpɪŋ/ 形 発展[発達]途上の ‖ a *devéloping cóuntry* [nation] 発展途上国 ⟨「a backward [an undeveloped, an underdeveloped] country の言い換え表現⟩.

•**de·vel·op·ment** /dɪvéləpmənt/ 《→ develop》── 名 (複) ~s/-mənts/) **1** U 〔…への〕発達, 発育, 成長; 発展, 進展〔*into*〕 ‖ the *development* of an island country *into* an economic power 島国が経済大国へと発展すること(⊃文法 14.4) / económic *devélopment* 経済的発展 / sócial *devélopment* 社会性の発達, 社会性を身につけること. **2** U (資源・土地などの)開発, 造成(land development); C (政府などが造成した低所得者向けの)住宅地. **3** C 〔…からの〕進化[発展, 発達]の結果; 新事態〔*from, of*〕 ‖ Here are the latest news *developments*. 今はいりましたニュースをお知らせいたします ⟨◆ ニュースでアナウンサーがよく使う言葉⟩. **4** U C (数学)展開; (音楽)展開(部); (写真)現像.

devélopment àrea (英) 開発促進地域.

devélopment wòrk 開発事業.

de·vel·op·men·tal /dɪvèləpméntl/ 形 (正式) 開発[啓発]的な; 発達[発育]上の; 発生の.

de·vi·ate /díːvièɪt/ 動 ⾃ (正式) 〔大通りから〕それる; 〔正しい進路・(行動)基準から〕それる, はずれる, 逸脱する〔*from*〕.

de·vi·a·tion /dìːviéɪʃən/ 名 U C (正式) 〔方針・規準などから〕ずれること, 逸脱〔*from*〕; (性的)変態.

•**de·vice** /dɪváɪs/ 《→ devise》── 名 (複) ~s/-ɪz/) C **1** 〔…の〕装置, (機械的)仕掛け, 考案物〔*for*〕; 〔コンピュータ〕デバイス《キーボード・ディスプレイ・ディスクドライブなどの周辺装置》‖ a *device for* sharpening pencils 鉛筆削り器 / a núclear *device* 核爆弾[ミサイル], 原水爆. **2** (正式) 〔…の/…するための〕案, 計画, 方策 (scheme) 〔*for / to* do〕; (今はまれ) [しばしば ~s] たくらみ, 策略 ‖ a convenient *device for* saving labor 労働を節約するための便利な工夫. **3** (正式) (文学的効果をねらった)特殊表現, 比喩表現.

léave A to A's ówn devíces 「人をその人の工夫に任せる; cf. device **2**」(忠告・援助を与えず)⟨人⟩を思うように[勝手に]させる.

†**dev·il** /dévl/ 名 C **1** [通例 the D~] 悪魔, 悪鬼, 魔神; 魔王, サタン ‖ worship the *Devil* 悪魔を崇拝する / The *Devil* has the best tunes. (ことわざ) 悪の快楽は最も甘い / The *devil* looks after his own. (ことわざ) 悪魔に助けられて事を成す ⟨◆ 他人の成功をねたんでしばしばねたけて用いる⟩ / Speak [(英略式) Talk] of the *devil* (and he will [is sure to] appear). (ことわざ) 「うわさをすれば影」. **2** (略式) 極悪人, 残酷な人; 狂暴な動物; (悪徳などの)権化(ごんげ) 〔…の〕, 狂〔*of, for*〕 ‖ a *devil for* horse racing 競馬狂. **3** (略式) 精力家; 無鉄砲(むてっぽう)な人. **4** (略式) [形容詞の後で] …な人[やつ] ‖ That poor *devil*! 哀れなやつめ! **5** (略式) [the ~] は a 〔強意語として〕すごい, 極端な. b [wh 語を強めて; 疑問詞の直後で] いったい全体 ‖ What the *dévil* happened! いったい全体何事だ ⟨◆ 今は the hell がふつう⟩.

gó to the dévil (1) 落ちぶれる. (2) [命令文で] うせろ! (Go away!), くたばれ.

líke the dévil (古・略式) 激しく, 盛んに, 猛烈に; 一生懸命に (⟨略式) like hell).

── 動 (過去・過分) ~ed or (英) dev·illed /-d/; ~·ing or (英) ·il·ling) 他 ⟨肉・卵などを⟩辛く料理する.

dev·il·fish /dévlfɪʃ/ 名 (複) ~ fish 語法) C (魚) オニイトマキエイ(類) (manta); (動) タコ (octopus).

†**dev·il·ish** /dévlɪʃ/ 形 **1** 悪魔のような, 悪魔に似た; 極悪な, 非道の; ひどく難しい ‖ a *devilish* plot 非道のたくらみ. **2** 大胆な; いたずら好きな. **3** (略式) 〔強意語として〕すごい, 極端な. **dév·il·ish·ly** 副 **1** (略式) [不快さを示して] 大変, ひどく. **2** 悪魔のように.

de·vil·ment /dévlmənt/ 名 U C (正式) **1** (特に問題を起こす)悪魔的行為, いたずら (mischief). **2** 元気, 陽気 ‖ full of *devilment* 元気いっぱいで.

†**de·vi·ous** /díːviəs/ 形 (正式) **1** ⟨道などが⟩遠回りの, 曲がりくねった, (winding) (↔ direct); ⟨風などが⟩方向の変わりやすい. **2** ⟨人・性格が⟩ひねくれた, 素直でない. **3** ⟨方法などが⟩回りくどい; 常道をはずれた. **dé·vi·ous·ly** 副 遠回りして; 不正に.

†**de·vise** /dɪváɪz/ 動 他 **1** (正式) ⟨人が⟩⟨方法などを⟩工夫する, 考案[案出]する (work out, make up), 発明する (invent) ‖ *devise* a secret code 暗号を考案する / We must *devise* some means of escape. 何か逃げる手だてを考えねばならない. **2** (法律) ⟨不動産などを⟩〔人に〕遺贈する〔*to*〕.

de·vi·tal·ize /dìːváɪtəlàɪz/ 動 他 …から生命[活力]を奪う; …を無気力にする.

†**de·void** /dɪvɔ́ɪd/ 形 (正式) ⟨人・物などが⟩〔…に〕欠けている, 〔…が〕まったくない (empty) 〔*of*〕 ‖ a man *devoid* of humor ユーモアのまったくない人 (=(略式) a man lacking in humor).

dev·o·lu·tion /dèvəlúːʃən, díːv-/ 名 U **1** (発達過程などにおける)段階的推移[移行]. **2** (権力・権利・義務・地位などの)移転, 継承; 委任.

†**de·volve** /dɪvɑ́lv|-vɔ́lv/ 動 他 (正式) ⟨権利・義務・官職などを⟩〔下位・下級の(人に)譲り渡す, ゆだねる〔*on, upon, to*〕. ── ⾃ ⟨義務・職などが⟩(病気・不在のため)〔下位の人・新人に〕移る, かかってくる〔*on, upon*〕; ⟨土地・財産などが⟩(死亡のため)〔人の〕所有となる〔*to*〕 ⟨◆ 受身不可⟩.

Dev·on /dévn/ 名 **1** デボン ⟨イングランド南西部の州. 州都 Exeter⟩. **2** C デボン種牛 ⟨食用⟩.

De·vo·ni·an /dəvóʊniən, (英+) de-/ 形 **1** (英国)デボン州の. **2** (地質)デボン紀の. ── 名 **1** C デボン州の人. **2** (地質) [the ~] デボン紀[層].

Dev·on·shire /dévənʃər/ 名 =Devon 1.

*de·vote /divóut/ 動 devotion (名)
——動 (~s/-vóuts/; 過去・過分 -vot·ed/-id/; --vot·ing)
——他 1 [devote A to B]〈人々が〉B〈人・仕事・目的など〉にA〈時間・努力・金・紙面など〉をささげる, 充てる, 向ける ‖ *devote* one's energies to the cause of peace 平和運動に精力をささげる / Three full years were *devoted* to this thesis. この論文を完成するのに丸3年が費やされた. 2 [devote oneself to A =be devoted to A]〈仕事などに〉一身をゆだねる[ささげる], 専念する;〈子供などを〉熱愛する ‖ He's *devoting* himself to preparing for the entrance examinations. 彼は一生懸命に入試の準備をしている / He *is devoted to* gambling. 彼はギャンブルがとても好きだ.

†de·vot·ed /divóutid/ 形 1〈人・行為などが〉献身的な, 忠実な; 熱心な; 愛する ‖ a *devoted* friend 忠実な友. 2〈神に〉ささげられた, 献納された.

†de·vot·ed·ly /divóutidli/ 副 献身的に; 一心に.

†dev·o·tee /dèvətí:, -téi|dèvəu-/ 名 C〔正式〕1 […の]愛好者, 熱愛者[of] ‖ a golf *devotee* =a *devotee* of golf ゴルフ狂. 2 (狂信的)信者, 帰依(ﾟ)する人.

†de·vo·tion /divóuʃən/ 名 U〔正式〕1 […への]深い愛情; 忠実, 忠実さ(loyalty)[to, for] ‖ a mother's *devotion* to [for] her children 子供に対する母親の深い愛情. 2〔仕事・人などへの〕献身, 専念, 傾倒[to] ‖ the *devotion* of a lifetime to research 研究に一生をささげること(➡文法 14.4). 3 信心, 信仰, 帰依(ﾟ).

de·vo·tion·al /divóuʃənl/ 形 信心の(深い); 礼拝(用)の.

*de·vour /diváuər/ 動〖発音注意〗
——動 (~s/-z/; 過去・過分 ~ed/-d/; ~·ing)
——他〔正式〕1〈人・動物が〉〈物を〉(飢えのため)むさぼり食う, がつがつ食う ‖ The hungry lion *devoured* its prey. 空腹のライオンは獲物をむさぼり食った. 2〈人が〉〈本などを〉熱心に[見る, 身につける]; …に熱心に聞き入る ‖ She *devoured* every work by Hemingway. 彼女はヘミングウェイの作品を全部むさぼり読んだ. 3〈火事などが〉〈建物・森林などを〉なめつくす, 滅ぼす(destroy);〈海・やみなどが〉…を飲み込む ‖ The fire *devoured* twenty acres of forest. 火事は森林20エーカーをなめつくした. 4〔通例 be ~ed〕〈人が〉〔好奇心・心配などに〕とりこになる, 夢中になる[by, with] ‖ be *devoured* by hate 憎しみに満ちている.

de·vour·er 名 C むさぼり食う人; むさぼる人.

†de·vout /diváut/ 形〔正式〕1〈人が〉信心深い, 敬虔(ﾟ)な; [the ~; 名詞的に; 複数扱い] 信心深い人々. 2〈願望などが〉心からの, 熱烈な, 献身的な; 誠実な ‖ *devout* thanks 心からの謝意.

de·vout·ly /diváutli/ 副〔正式〕1 敬虔(ﾟ)に; 熱心に. 2 [hope, believe などの動詞を修飾して] 心から, 切に.

dew /djú:/ 名〖同音〗due) 名 U 1 (夜の間にできる)露 ‖ The grass glistened with *dew*. 草は露できらきら光っていた. 2 (涙・汗などの)しずく ‖ beads of *dew* しずくの玉. **déw póint**〔物理〕露点.

dew·ber·ry /djú:bèri|-bəri/ 名 C〔植〕デューベリー《キイチゴの類》.

†dew·drop /djú:drὰp|-drɔ̀p/ 名 C 1 露のしずく. 2〔英〕(鼻先で玉になっている)水ばな.

Dew·ey /djú:i/ 名 デューイ《John ~ 1859-1952; 米国の哲学者・教育者. プラグマティズムの主唱者》.

dew·fall /djú:fɔ̀:l/ 名 U C 露が降りること; 夕暮れ.

DEWK /djú:k/〖〖double employed with kids〗〗名 (複) ~s, ~s 子供を持っている共働き夫婦(cf. DINK).

†dew·y /djú:i/ 形 (--i·er, --i·est)〔文〕露(のように)ぬれた, 露を帯びた ‖ *dewy* grass 露にぬれた草(=〔略式〕grass wet with *dew*).

†dex·ter·i·ty /dekstérəti/ 名 U〔正式〕〔…の点での〕(手先の)器用さ, 巧妙さ[in (doing)].

dex·ter·ous /dékstərəs/ 形〔正式〕1〔…に関して〕(手先の)器用な, 巧妙な, 巧みな[in [at] (doing)]. 2 巧みの機敏な, すばしこい; 抜け目のない, 利口な.

déx·ter·ous·ly 副 器用に, 巧みに.

dex·trous /dékstrəs/ 形 =dexterous.

DH〔略〕〔野球〕designated hitter.

Dha·ka, Dac·ca /dǽkə, dάː kə/ 名 ダッカ《バングラデシュの首都》.

DI〔略〕discomfort index.

di- /dai-, di-/〔語要素〕→語要素一覧(1.7).

dia.〔略〕diagram; dialect; diameter.

di·a·be·tes /dàiəbíːtiːz, (米+) -təs/ 名 U〔医学〕〔通例he単数扱い〕糖尿病.

†di·a·bet·ic /dàiəbétik/ 形 糖尿病の, 糖尿病に関係のある, 糖尿病患者用の. ——名 C 糖尿病患者.

di·a·bol·ic /dàiəbάlik|-bɔ́l-/ 形 悪魔の(ような), 魔性の.

di·a·bol·i·cal /dàiəbάlikl|-bɔ́l-/ 形 非常に残忍な, 邪悪な, 極悪非道の.

†di·a·dem /dáiədèm, -dəm/ 名 C〔文〕1 王冠(crown);〔東方諸国の王・女王が頭に巻いた〕小環; 花冠, (月桂樹の)葉の冠. 2 王位, 王権.

di·ag·nose /dàiəgnóus, ⁀⁀/ 動 1〈病気を[…と]診断する(as),〈人〉を[…と]診断する[with] ‖ He was *diagnosed* with [as having] a cancer. 彼はがんにかかっていると診断された. 2〈問題などの〉原因を究明する.

†di·ag·no·sis /dàiəgnóusis/ 名 (複 -ses/-si:z/) U C 1〔医学〕診察; 診断(法). 2 (問題の原因などの)診断, 分析, 判断.

di·ag·nos·tic /dàiəgnάstik|-nɔ́s-/ 形 診察[診断](上)の;〔…の〕診断に役立つ[of].

di·ag·nos·ti·cian /dàiəgnɑstíʃən|-nɔs-/ 名 C 診断専門医, 診断医.

di·ag·nos·tics /dàiəgnάstiks|-nɔ́s-/ 名〔単数扱い〕〔医学〕診断学[法].

†di·ag·o·nal /daiǽgənl/ 形〔幾何〕対角線[面]の. ——名 C 1 対角線[面]; 斜線. 2 U =diagonal cloth. **diágonal clóth** あや織.

†di·ag·o·nal·ly /daiǽgənəli/ 副 対角線[面]的に, 斜めに, 筋違いに.

*di·a·gram /dáiəgrǽm/〖〖対角線に(dia)書く(gram)〗〗
——名 (複) ~s/-z/) C 1 図, 図表, 図形; 図解 ‖ a schematic *diagram* 略概図, 図表 / He explained the new technique using a *diagram*. 彼は新技術を図表を使って説明した. 2〔数学〕図式, 作図. 3 海図, グラフ, (列車の)ダイヤ(グラム).
——動 (過去・過分 ~ed 〔英〕--a·grammed/-d/; ~·ing or 〔英〕--gram·ming) 他 …を図(表)で示す, …の図表を作る.

di·a·gram·mat·ic, -i·cal /dàiəgrəmǽtik(l)/ 形〔正式〕図表[図式]の. **di·a·gram·mát·i·cal·ly** 副 図表で.

*di·al /dáiəl/〖〖「1日を示す目盛盤」が原義〗〗

——[名] ([複] ~s/-z/) [C] **1** (時計の)**文字盤**；(各種計器の)目盛盤，指針盤 ‖ the *dial* of a wrist watch 腕時計の文字盤. **2** (テレビ・ラジオ・電話・金庫などの)ダイヤル.

——[動] ([過去・過分] ~ed or (英) di·alled/-d/; ~·ing or (英) ~·al·ling) [他] **1** …を文字盤で示す[測る]. **2** 〈人など〉にダイヤルを回して[ボタンを押して]電話をかける(cf. telephone)；〈電話番号・金庫など〉のダイヤルを回す ‖ *dial* the wrong number 間違い電話をかける / If you wish to call the United States, *dial* 0011 and then the number. 米国におかけになる時は，まず0011を，それから(必要な)番号を回してください. **3** (ダイヤルを回して)〈ラジオなど〉を調整する；…の波長を合わせる.

——[自] 電話のダイヤルを回す.

díalling còde (英) 市外局番((米・カナダ) area code, (英) STD code).

díalling tòne (英), **díal tòne** (米) [the ~] (電話の)発信音.

díal·ing [名][C] (米) (電話の)局番.

dial. [略] *dial*ect; *dial*ectal; *dial*ectic; *dial*ogue.

***di·a·lect** /dáiəlèkt/

——[名] ([複] ~s/-lèkts/) [U][C] (地域)**方言**，地方語(regional dialect)；(社会・階級)方言(social dialect)；(職業)方言；なまり ‖ speak ***in dialect*** 方言で話す / 日本発》 *Chau* is a contraction of the word *chigau* in Osaka *dialect*. 「ちゃう」は大阪弁で「ちがう」の短縮形です.

díalect àtlas 方言地図.

díalect geógraphy 方言地理学，言語地理学(linguistic geography).

di·a·lec·tic /dàiəléktik/ [形] 弁証(法)的な；弁証の(巧みな). ——[名][U] **1** [しばしば ~s; 単数扱い] 論理(学)，論理的討論(術). **2** 〔哲学〕弁証法(的論証).

di·a·lec·ti·cal /dàiəléktikl/ [形] =dialectic.

dialéctical matérialism 弁証法的唯物論.

†di·a·logue, (米ではしばしば) **~·log** /dáiəlɔ̀(ː)g/ [名][U][C] **1** 対話，対談，問答，会話(conversation). **2** (劇・小説などの)対話(の部分)(cf. monologue)；対話体(の作品) ‖ in *dialogue* 対話体で. **3** (首脳者間などの)意見の交換；会談.

†di·am·e·ter /daiǽmətər/ [アクセント注意] [名][C] **1** 〔数学〕直径，さしわたし(cf. radius) ‖ The circle is 5 centimeters in *diameter*. その円は直径5センチある. **2** 〔光学〕(拡大単位の)…倍(cf. magnification) ‖ a lens that magnifies 20 *diameters* 倍率20倍のレンズ.

di·a·met·ri·cal, (主に英) **~·ric** /dàiəmétrik(l)/ [形] **1** 直径の. **2** 正反対の；対立的な.

dì·a·mét·ri·cal·ly [副] 完全に，まったく.

†di·a·mond /dáimənd | dáiə-/ [名] **1** [C][U] ダイヤモンド；[C] ダイヤの装身具；[形容詞的に] ダイヤ(製)の，ダイヤ入りの；ダイヤを(多く)産する ‖ a *diamond* ring = a ring with a *diamond* ダイヤの指輪 / a five-carat *diamond* 5カラットのダイヤ / black *diamonds* 黒ダイヤ；(略式) 石炭. **2** [C] **a** ダイヤモンド形，ひし形；[形容詞的に] ひし形の. **b** 〔野球〕[通例 the ~] 内野(infield)；野球場. **c** 〔トランプ〕ダイヤの札；[~s; 単数・複数扱い] ダイヤの組み札 ‖ the ten of *diamonds* ダイヤの10の札. **3** [C] ガラス切り(glazier's [cutting] diamond).

a róugh díamond =(米) ***a díamond in the róugh*** 〖まだ磨いていないダイヤ〗荒削りだがすぐれた素質の人[すぐれた着想]；洗練されていないが根はよい人.

díamond field ダイヤモンド産地.

díamond júbilee (国王即位などの)60[75]年祭典；[the D~ J-] ビクトリア女王即位60年祝典《1897年》.

Díamond Státe (愛称) [the ~] ダイヤモンド州(→Delaware).

díamond wédding (anniversary) ダイヤモンド婚式《結婚60周年(または75周年)の祝い》.

†Di·an·a /daiǽnə/ [名] **1** 〔ローマ神話〕ディアナ《狩猟と月の女神で女性の守護神. ギリシア神話の Artemis に当たる. cf. Luna》. **2** [U] (詩) 月. **3** Princess ~ ダイアナ妃《1961-97；元英国皇太子妃》. **4** ダイアナ《女の名》.

di·a·pa·son /dàiəpéizn, -sn/ [名][C] 〔音楽〕 **1** 旋律. **2** (オルガンの)基本音栓(せん).

†di·a·per /dáipər | dáiə-/ [名][C] (米) おしめ《布製のおしめ(cloth diaper)と紙製使い捨ておしめ(disposal diaper)がある》((主に英正式) napkin).

díaper sèrvice (米) 貸しおしめ.

di·aph·a·nous /daiǽfənəs/ [形] (正式) 〈布などが〉透明な(transparent)；半透明の.

†di·a·phragm /dáiəfrӕm/ [名][C] **1** 〔解剖〕隔膜；横隔膜；胸の前部. **2** (正式) (機械類の)隔壁，仕切り板；(電話機の)振動板；〔光学・写真〕(レンズの)絞り.

di·ar·rhe·a, (主に英) **~·rhoe·a** /dàiəríːə | -ríə/ [名][U] 〔医学〕下痢 ‖ I have *diarrhea*. 私は下痢をしている.

‡di·a·ry /dáiəri/ 〖「一日の手当ての記録」が原義. cf. dial〗

——[名] ([複] ~·ries/-z/) [C] **1 日記**，(個人の)日誌(cf. journal) ‖ ***keep a díary*** 日記をつけている《◆長期間の習慣的行為を表すから ×keep a diary every night のようにはいわない》 / He never forgot to write in his *diary*. 彼は日記をつけることを忘れたことがなかった《◆個々の行為. write one's [a] diary は「(一度に)1冊分の日記を書く」のような意味になり，不自然》 / He told his *diary* that she had come to see him. 彼は日記の中で彼女が会いに来たと書いている《◆英語では diary はしばしば擬人化される》.

> [語法] 日記では，日付と天気は Monday, May 1 [(英) 1 May]. Fine. の順で書く. 主語 I は省略することが多い.

2 (英) 年間覚え書帳，日記帳.

Di·as·po·ra /daiǽspərə/ [名] **1** [the ~] ディアスポラ(Dispersion)《バビロン捕囚後のユダヤ人の離散》. **2** [the ~; 集合名詞] 離散したユダヤ人. **3** [通例 d~] [U] (正式) (家族などの)離散；移住.

di·a·stase /dáiəstèis, -stèiz/ [名][U] 〔生化学〕ジアスターゼ，デンプン糖化酵素.

di·a·tom /dáiətɑ̀m, -təm | -təm/ [名][C] 〔植〕珪藻(けいそう).

di·a·ton·ic /dàiətɑ́nik | -tɔ́n-/ [形] 〔音楽〕全音階の，全音階的な(↔ chromatic) ‖ the *diatonic* scale 全音階.

dib·ble /díbl/ [名][C] (種や苗の植えつけに用いる)穴掘り具，苗差し. ——[動][他] 〈地面〉に穴掘り具で穴を掘る；〈種・苗など〉を[…に]穴掘り具で植える[*in, into*]. ——[自] 穴を掘る.

†dice /dáis/ [名][複] 《◆単数形は (米・英古) die/dái/, (米略式・英) dice》 **1** さいころ《◆ふつうは2個以上を1組として用いるので単数形はまれ.「さい1つ」は, a die の代わりに one of the dice という》. **2** [単数扱い] さいころ遊び，ばくち. **3** (野菜・肉などの)さいの目に切ったも

の.

nó díce《主に略式》(1) だめだ(no)《◆要求を拒否する場合》. (2) 不成功で, 無益で, むだで.
　──**動 自** 1〔正式〕〈人と/…をかけて〉さいころで遊ぶ, ばくちをする(gamble)〔with/for〕. **2** さいの目に切る.
　──**他**〈野菜・肉などを〉さいの目に切る;…を市松模様にする.

Dick /dík/ 名 ディック《男の名. Richard の愛称》.

†**dick·ens** /díkinz/ 名《略式》[通例 the ~] = devil **5 a**, **5 b**《◆ devil の遠回し語》‖ *The díckens!* ちぇっ! / *Whát the díckens!* 何てこった!

†**Dick·ens** /díkinz/ 名 ディケンズ《Charles ~ 1812-70; 英国の小説家》.

dick·er /díkər/ 動 自《略式》〈…と〉商談〔小取引〕する〔*with*〕;〈…を〉値切る〔*for*〕; 物々交換する.

****dick·ey**, **--ie**, **--y** /díki/ 名 1〔服飾〕ディッキー, 胸当て《ワイシャツの代用で正装用》;《女性用》ジレー, 前飾り. **2**《小児語》小鳥ちゃん(dick(e)ybird). **3**〔英〕= dickey seat.
　díckey séat = rumble seat.

dick·(e)y·bird /díkibə:rd/ 名〔英略式〕= dickey 2.

di·cot·y·le·don /dàikɑ̀tə̀lí:dn | dàikɔti-/ 名 C〔植〕双子葉植物(cf. monocotyledon).

dict.《略》dictation; dictator; dictionary.

dic·ta /díktə/ 名 dictum の複数形.

Dic·ta·phone /díktəfòun/ 《dictate + phone》名 C〔商標〕ディクタフォン《速記用口述録音機》.

†**dic·tate** /díkteit/ 動 他 1〈人が〉〈文章などを〉〈…に〉書き取らせる《タイプさせる, テープに録音させるために》口述する〔*to*〕‖ *dictate* a letter *to* a secretary 秘書に手紙を口述する. **2**〔正式〕…を〔人・国に〕〔頭ごなしに〕命令する, 指令する, 押しつける〔*to*〕‖ *dictate* the terms of surrender *to* a defeated enemy 敗軍に降伏条件を指示する.
　──**自** 1〈人に〉要件を書き取らせる, 口述する〔*to*〕‖ *dictate* in French *to* the class クラス(の生徒)にフランス語で書き取らせる. **2**〔通例否定文で〕〈人に〉命令〔指図〕する《[を受身可]》‖ No one shall *dictate* to me. だれからも指図を受けたくない(='I won't [I refuse to] be *dictated* to.). **3**〈物・事が〉…を決定する, …に影響する.
　──**名** C〔正式〕〔通例 ~s〕《理性・良心などの》命令, 指図(order), 指令 ‖ follow [obey] the *dictates* of one's conscience 良心の指示に従う.

†**dic·ta·tion** /díkteiʃən/ 名 1 U 書き取り(テスト), 口述,《外国語の》ディクテーション; C 書き取られた〔口述された〕もの ‖ take *dictation* 書き取りをする / Part of the Russian exam was a *dictation* question [exercise]. ロシア語の試験の一部は書き取りだった. **2** U 命令, 指図, 指令.

†**dic·ta·tor** /díkteitər, -⸍-⸍-/ 名 C 独裁者, 専制者,《略式》(会社などの)ワンマン.

†**dic·ta·to·ri·al** /dìktətɔ́:riəl/ 形〔正式〕独裁者の; 独裁〔独断〕的な; 横柄な, 尊大な.

†**dic·ta·tor·ship** /díkteitərʃip/ 名 1 UC 独裁者の職〔任期〕. **2** C 独裁国〔制〕. **3** UC 独裁権.

dic·tion /díkʃən/ 名 U 語法, 言葉づかい, 言い回し, 語法《◆ speech より堅い語》‖ poetic *diction* 詩語. **2** 発声法; 話し方.

dic·tio·nar·y /díkʃənèri | -ʃənəri/〔単語 (diction)の本 (ary). cf. dictum〕

──名 (複 **-ies**/-z/) C 辞書, 辞典《用語辞典・人名辞典・特別な分野の辞典などを含む》(略 dict.) ‖

consult a *dictionary* 辞書を引く / **lóok úp a** *wórd in a* [*the*] *dictionary* 辞書で単語を引く / a walking *dictionary* 生き字引 / an English-Japanese *dictionary* 英和辞典 / a sports *dictionary* スポーツ辞典 / a *dictionary* of place-names 地名辞典.

dic·tum /díktəm/ 名 (複 **-ta**/-tə/, **~s**) C〔正式〕**1**(権威ある)意見,(公式の)声明, 命令. **2** 金言, 格言.

****did** /(弱) did, (米+) d; (強) díd/ 動 助 do の過去形.

di·dac·tic, **--ti·cal** /daidǽktik(l) | di-/ 形〔正式〕**1** 教訓的な(instructive). **2** 説教的な.

did·dle /dídl/ 動 他《略式》〈人〉をだます;〈人〉をだまして…を取る〔*out of*〕.

****did·n't** /dídnt/ did not の短縮形.

di·do /dáidou/ 名 (複 **~es**, **~s**) C〔米略式〕おどけ, ふざけ ‖ *cut* (up) *dido(es)* ふざけちらす.

didst /dídst, dítst/ 動 助〔古〕do の二人称単数過去形.

****die**[1] /dái/〔同音 dye〕〔「生物が生命を失う」が本義〕関連 dead (形), death (名)
　──**動** (**~s**/-z/; 過去・過分 **~d**/-d/; **dy·ing**)
　──**自** **1 a**〈人・動物が〉死ぬ,〈植物が〉枯れる(↔ live) ‖ When did she *die*? 彼女はいつ亡くなったのですか / He *died* in a traffic accident. 彼は交通事故で死んだ《◆ He was killed … ということも多い》/ She almost *died* twice. 彼女は2度死にかけた / A man can only *die* once. どっちみち1度しか死なないんだ; そうでもいつかは死ぬんだ《◆ 危険に突入しようとする人への警告の言葉》.

b [*die of* [*from*] **A**]〈人・動物が〉〈…の原因〉で死ぬ ‖ What did she *die of*? 彼女の死因は何ですか(= How did she *die*?) / She's *dying of* cancer. 彼女は癌で死にかけている / The victim *died of* [*from*] a loss of blood. 被害者は出血多量で死んだ《◆ pneumonia, cancer, cold, malnutrition, hunger など病気・体の不調などによる内的原因には **of** を用い, wound, explosion, heat, overwork など間接的外因には **from** を用いるとされるが, 実際はしばしば相互に転用される》/ He *died fighting* in the Vietnam War. 彼はベトナム戦争で戦死した《◆ (1) He was killed in … がふつう.(2) 動名詞の前では前置詞が略されることが多い》.

【語法】(1)[of, from 以外の前置詞の用法]*die by* violence [one's own hand] 非業の死を遂げる[自殺する] / *die in* poverty 貧困のうちに死ぬ(= *die* poor) / *die for* love [one's country] 恋[祖国]に殉ずる / *die through* neglect 放置されて死ぬ / My wife *died on* me.〔米〕妻に先立たれた.

(2) [*die* と完了形] ×He has *died* for five years. のように「継続」の意味で用いるのは不可(→ dead 形 **1**). ただし Many people *have died* of cancer.(これまでに多くの人がガンで亡くなってきた)は可.

(3) [「死ぬ」の遠回し表現] pass away [on] / depart (from) this life / have fallen asleep / have gone to Christ / be no longer with us / go west など.

c [*die* **C**]〈人が〉**C** の状態で死ぬ《◆ **C** は名詞または happy, young, rich, poor などの形容詞》‖ He

died rich [(as) a millionaire]. 彼は死んだ時は金持ち[百万長者]であった / *die old* 年をとって(から)死ぬ / ショック *Life insurance is something that keeps you poor all your life so that you can die very rich.* 生命保険とは、人がたえず裕福に死ねるように、生きている間は貧乏にしておくものである.
2 (略式) **a** [主に *be dying*] 元気がなくなる; 死ぬかと思うほど…する[*of, from, with*] ‖ *be dying of* [*from*] *boredom* 死ぬかと思うほど退屈する / *be dying with laughter* 死ぬかと思うほど笑う / *They (nearly) died (of) laughing.* 彼らは笑いこけた《◆*die* が現在形・過去形のときは nearly, almost を伴うことが多い》. **b** (主に女性語) [*be dying for* **A**] (物・事)が欲しくてたまらない; [*be dying to do*] …したくてたまらない ‖ *I'm dying for* [*to* tàke] *a* brèak. 私は一休みしたくてたまらない.
3 〈物・事が〉存在しなくなる, 消える, 忘れられる, 機能停止する; 〈音・光・風・嵐などの〉力[勢い]が次第に弱まる(+*away, down, out, by*) ‖ *The candle is dying.* ロウソクが消えそうだ / *The smile died on her lips.* ほほえみが彼女の口もとから消えた / *The dream will not die.* その夢はなくならないだろう / *The storm díed (awáy) in the breeze.* あらしは次第におさまって微風になった《◆ 勢いが完全にはなくなっていない文脈で用いる. die down を用いる》.
――他 [~ *a* [*an*] … *death*]〈人が〉…の状態で死ぬ ‖ *die a dóg's dèath* みじめな死に方をする / *die a háppy dèath* 幸せに死ぬ《◆ *die happily* より強意的》.
díe hárd (1)「習慣・感情などがなかなか消滅しない ‖ *Bad habits die hard.* 悪い癖はなかなかとれない《◆ ふつう現在形で用いる. cf. die-hard》. (2)「苦しんで死ぬ.
die in one's bóots = *die with one's bóots on* → boot¹ 名.
die óff 〚死んで減って *(off* 副 **7**)いく〛 [自]〈生物の一群が〉(短期間に)次々に死ぬ[枯れる] ‖ *Their young family is dying off through* [*for*] *lack of food.* 食糧不足で一家が次々に死んでいる. (2). =DIE out (1).
die óut 〚死に絶えて; cf. out 副 **7**〛[自] (1)〈家系・種族などが〉絶滅する. (2)〈商売・風習などが〉すたれる.
Néver sày díe! くじけるな, 元気をだせ.
to díe fór (そのために死んでもいいほど) (略式) すてきな; [前の形容詞を修飾して] すごく ‖ *The singer is* 'to *die for.*' [*cute to die for*]. その歌手はすばらしい[とてもかわいい].

die² /dái/ 名 (榎 *dice*/dáis/) (→ dice) **1** ©〖主に米〗さい, さいころ《◆ ふつう複数形 *dice* を用いる》 ‖ *The die is cast* [*thrown*]. 〘ことわざ〙〖やや古〗さいは投げられた(もう後へは引けない)《cf. Rubicon》. **2** → dice 名 **2**. **3** ©さいの目に切ったもの, さいの目形.
(as) stráight [*trúe*] *as a díe* 〖略式〗まったく正直[忠実]で.

díe-hárd, díe·hàrd /dáihà:rd/ 形 © なかなか死なない(人); がんこな(保守主義者), いこじな(人) 《cf. DIE hard (→ die¹ 成句)》.

die·sel /díːzl/ /(米+)-sl/ 〖発明者のドイツ人の名から〗名 (しばしば D~) **1** © **a** =diesel engine [motor]. **b** =diesel locomotive. **2** Ⓤ =diesel oil [fuel].

díesel èngine [**mòtor**] ディーゼル機関.
díesel locomótive ディーゼル機関車.
díesel òil [**fùel**] ディーゼル重油.

*di·et¹ /dáiət/
――名 (榎 ~s/dáiəts/) **1** ©Ⓤ (栄養面からみた日常の)食事, 飲食物, 食物, 常食; (動物の)常用飼料 ‖ *a meat* [*vegetable*] *diet* 肉[菜]食 / *You should have a* (*well-*)*balanced diet.* 栄養のバランスのとれた食事をすべきだ / *a study that compared the diets of rich and poor* 金持ちと貧しい人の食物を比較した研究.
2 © (治療・減量・罰のための) ダイエット, 規定食, 減食; 美容食; [形容詞的用] ダイエット用の ‖ *bè* [*gò*] *on a díet* 減量をしている[し始める] / *pút him on a ˈsált-free díet* [*redúcing díet*] 彼に無塩[減量]食をとらせる.
3 [*a* ~ *of* …] …漬け, 常習的… ‖ *be brought up on a diet of television* テレビ漬けで育てられる.
――動 (自) 規定食をとる, 減食する.
――(他) …に規定食をとらせる, 減食させる ‖ *diet oneself on végetables* 菜食をして養生をする.

díet shèet 規定食の食品リスト.

†**di·et²** /dáiət/ 名 [the D~] (日本などの)国会, 議会 《cf. Congress, Parliament, House》 ‖ *The Diet is now in session* [*sitting*]. 国会はいま開会中だ / *the Diet Building* (日本の)国会議事堂《cf. Capitol》. 日本発》 *The Diet* [*Kokkai*] *consists of two chambers, the House of Representatives and the House of Councilors; it is the highest organ of state and the nation's sole legislative body.* 国会は衆議院と参議院の2院からなる国権の最高機関であり, 唯一の立法機関です.

di·e·tar·y /dáiətèri/ |-təri/ 形 **1** 食事[食物]の. **2** 食餌(じ)療法の. ――名 ©Ⓤ 規定食.
díetary fíber 食物繊維.
díetary lífe 食生活.

di·et·er /dáiətər/ 名 © 食餌療法[制限]を受けている人.

di·e·tet·ic /dàiətétik/ 形 **1** 食物の, 食餌に関する; 食餌(性)の, 栄養の. **2** 規定[特別]食の.

di·e·tet·ics /dàiətétiks/ 名 Ⓤ [単数扱い] 栄養学.

di·e·ti·tian, -·cian /dàiətíʃən/ 名 © 栄養学者.

†**dif·fer** /dífər/ 〘アクセント注意〙 《類語》 *defer* /difə́:r/) 動 (自) **1** 〈人・物・事が〉(本質・程度について)[…と]…の点で]異なる《*from* / *in, as to*》《◆ *in* の後では *that* 節, *doing* が可能》; [〈によって)違う《*with*》《◆ *be different* より堅い語》 ‖ *Tastes differ.* 〘ことわざ〙好みは人によって異なる; 「たで食う虫も好きずき」 / *His opinion differs from hers.* =*He differs in opinion from her.* 彼の意見は彼女のとは違う《◆ *from* の代わりに *different* を用いることについては *different* の場合に同じ. → *different* 語法》 / *The two sisters differ widely* (*from each other*) *in that the older one never studies.* 2人の姉妹は姉の方が勉強しないという点で大いに異なる. **2** 〈人が〉[…と]意見を異にする《*with, from*》; […に関して/…の点で]意見が合わない《*upon, about, over* / *in*》; [〈によって)違う《*with*》《◆ *disagree* より堅い語》 ‖ *He never differs* 「*with my plans* [*with* [*from*] *me in opinion*]. 彼は決して私の計画[意見]に異をはさまない / *I beg to differ* (*with you*). 〘正式〙失礼ですが同意しかねます(= I'm sorry to …).

*dif·fer·ence /dífərəns/ ――名 (榎 ~s/-iz/) **1** ©Ⓤ […の間の/…における/…との]相違, 違い, 差; 相違点; 区別, 差別《*between*/*in*/*from*》 ‖ *What* [ˣ*How*] *is the difference between a mule and a horse?* ラバと馬はどう違

いますか / The *difference* is not so great [×much] for me. その相違は私にはそれほど重大ではない / ***What's the difference?*** 《略式》どう違うのだ；どちらでもいいではないか.

2 [C]《正式》[しばしば ~s]〔…との/…の間の〕意見の相違；不和(disagreement)；紛争(dispute)〔*with, from / between*〕‖ hàve a *dífference* (*with* my wife) on [about, over] our house 家のことで(妻と)仲たがいをする.

màke a dífference (1) 違いが生じる, 重要である ‖ ***It doesn't màke múch*** [***àny***] ***dífference to*** him what I do. 私が何をやるかは彼には大した[何ら]問題ではない《◆wh節内には will, would を用いない》/ ***That màkes*** 「***a bíg*** [***áll the***] ***dífference.*** それは決定的な違いを生じる；それはとても重要である. (2)〔…に〕差をつける,〔…を〕区別する〔*between, in*〕.

màke nó dífference (1) 違いが生じない；重要でない, どうでもよい ‖ ***It makes no difference*** what she said. 彼女が何を言ったって構わない《◆What she said makes *no difference* (to me). は「彼女の言ったことは見当違いだ(... is irrelevant.)」の意》. (2)〔…を〕区別しない〔*between, in*〕‖ I will *màke nó dífference in* my treatment of them. 彼らの扱いについて私は区別をしない.

séttle *one's* ***dífferences*** (***with A***) (…と)和解する.

splít the dífference 〚売り手と買い手が買値の差額の中間を取る；cf. split [他] **3**〛 (1)〈複数の人が〉(互いに譲歩して)妥協する, 折り合う. (2) 残りを等分する.

with a dífference [前の名詞を修飾して] 一味違った ‖ a musician *with a difference* (他の人と違う)持ち味のある音楽家.

‡dif·fer·ent /dífərənt/

―[形] **1** [**be different from A** (**in B**)]〈人・物・事は〉(**B**〈物・事〉の点で) **A**〈人・物・事〉とは**違う**, 異なる, 別である ‖ Man ***is different from*** animals 「*in* having the faculty of speech [*in* that he has the faculty of speech]. 人間は話す能力がある点で動物と異なる / a *different* project *from* [*than*] what I expected 私が期待していたのと違った計画《◆from の代わりに than を用いるのは《主に米略式》, to を用いるのは《英略式》. → [語法]》/ Hi, Meg. You lòok *dífferent* today! やあ, メグ, 今日は別人のようだよ! / He is now a *different* man. 彼は(人が変わって)別人のようになった.

> [語法] (1) different than は《主に米略式》だが《英》でも使用が増えてきている.
> (2) than は次に節が続く場合は特に好まれる: He's now a *different* man *than* he was ten years ago. 彼は10年前とは人が変わって別人のようだ.

2 [名詞の前で] [複数名詞の前で] **種々の, いろいろな** (various) ‖ This dress comes in *different* colors. このドレスにはさまざまな色がそろっている.

3《略式》〈人・物・事が〉特異な(unusual), 独特の.

(***as***) ***different as chalk from*** [***and***] ***cheese*** → chalk [名].

†dif·fer·en·tial /dìfərénʃəl/ [形] **1**〈賃金・関税などが〉区別を示す, 差別的な；格差のある ‖ be against *differential* duties 差別関税に反対である. **2**〈特徴・性格などが〉特異な, 区別の目安になる；差異[特徴]による. **3**〔数学〕微分の(cf. integral). ―[名]《正式》**1** [C]〔…の間の/…における〕差異, 差(額)〔*between/in*〕. **2** [U][C] =differential gear(ing). **3** [U]〔数学〕微分. **differéntial géar**(**ing**)〔機械〕差動歯車[装置], ディファレンシャル(ギア).

†dif·fer·en·ti·ate /dìfərénʃièit/ [動]《正式》[他] **1**〈人・物・事が〉…を〔…と〕(詳細・正確に)区別[識別]する；差別化する(distinguish)〔*from, between*〕. **2** (変化・修正により)…を分化させる；…を変更する. **3**〔数学〕…を微分する(cf. integrate). ―[自] **1**〈器官・種属などが〉〔…に〕分化する〔*into*〕. **2**〈人・体系などが〉〔…の間の〕区別[差別]をする, 差別化する〔*between, among*〕.

dif·fer·en·ti·a·tion /dìfərènʃiéiʃən/ [名] [U] 区別, 差別, 差別化；分化.

†dif·fer·ent·ly /dífərəntli/ [副]〔…と〕異なって〔*from*, 《主に米》*than*, 《英》*to*〕；別に, それとは違って；それぞれに ‖ *differently* abled 身体に障害のある《◆disabled [handicapped] の遠回し表現》.

‡dif·fi·cult /dífikʌ̀lt | -kəlt/ 〚difficulty の逆成〛

―[形] **1a**〈物・事が〉〔…にとって/…するのが〕**難しい**, 困難な；つらい, 問題のある〔*for, to / to* do, *of*〕《◆hard より堅い語. 労力よりは技術・才能・知恵などが必要な難しさをいい, 日本語のような否定的含みはない》(↔ easy) ‖ Which is more *difficult*, English or Chinese? 英語と中国語とではどちらが難しいですか.

b [it is difficult (**for A**) **to do B**] **B**を…するのは(**A**〈人〉にとって)難しい, (**A**〈人〉が) **B**を…するのは難しい《◆do は他動詞・目的語をとる句動詞》‖ The book is too *difficult for* me *to* understand (it). この本は難しすぎて私には理解できない《◆文尾の it の出没に注意: The book is *difficult* to understand (×it). ➔文法 17.4》.

2〈人が〉**扱いにくい**, 気難しい；〔…するのに〕手こずらせる〔*to* do〕《◆to do は他動詞・目的語をとる句動詞》‖ He was *difficult* about beds, especially pillows. 彼はベッドの寝ごこち, 特に枕にうるさい人だった / He is 「a *dífficult* person [a person *difficult*] *to* gèt alóng with. =He is *difficult to* get along with. 彼は付き合いにくい奴だ(=It is *difficult to* get along with him.) (➔文法 17.4)《◆×It is difficult that we (should) get along with him. は不可》/ She is being rather *difficult*. 彼女は少し気難しいことを言って[態度をとって]いる.

***dif·fi·cul·ty** /dífikʌ̀lti | -kəlti/ 〚「容易でないこと」が原義〛[派] difficult (形)

―[名] ([複] **-ties**/-tiz/) **1** [U]〔…する場合の〕**難しさ**〔(*in*) doing〕,〔…に関する/…における〕**困難**, 問題〔*with / in, about*〕(↔ ease) ‖ ***with*** (***much***) ***difficulty*** かろうじて, やっとのことで / ***without*** (***àny*** [***múch***]) ***difficulty*** (何らの[たいした])苦もなく, 楽々と / I ***hàve*** [***find***] ***dífficulty*** 「*with* foreign languages [*in* algebra]. 私は外国語[代数]に苦労している[する] / I ***had no difficulty*** (***in***) find*ing* his house. 彼の家を見つけるのに少しも苦労しなかった.

2 [C] **難事**, 困難な点[原因]；(行動の)障害, 妨害(obstacle)；[通例 difficulties] 難局, 苦境；財政的困難, 窮境 ‖ a big *difficulty* for him 彼にとっての大きな困難 / be [gèt] ***in dífficulties*** (for [with, over, concerning] money) 金に困っている[困る] / méet [encóunter] many *difficulties in* building a dam ダム建設に当たって多くの障害に出くわす.

D

diffidence / **dignify**

3 ⓊⒸ [...との/...の間の]不和, いざこざ[with/between]; [...についての]口論, 異議[over, with] ‖ be in difficulty with the police 警察ともめている / máke [ráise] difficulties [a difficulty] over [with] the plan その計画について苦情を言う[異議を申し立てる].

bég the difficulties =beg the QUESTION.

†**dif·fi·dence** /dífidəns/ 图 Ⓤ (正式)自信のなさ; 気おくれ; 遠慮がち, 内気 (↔ confidence).

†**dif·fi·dent** /dífidənt/ 形 (正式) [...に]自信のない [about, of] (↔ confident); 内気な, 遠慮がちな, 気おくれした(timid). **díf·fi·dent·ly** 副 遠慮がちに.

dif·frac·tion /difrǽkʃən/ 图 Ⓤ [物理](音波・光の)回折.

†**dif·fuse** /difjúːz/ 形 -fjúːs/ 動 他 1 (正式)〈気体・液体などを〉放散[発散]する(spread) ‖ *diffused* light 散光. 2〈知識などを〉広める, 普及させる;〈幸福などを〉まき散らす. ── 自 1 広がった, 拡散した(spread) ‖ *diffuse* light 散光. 2〈文体・作家などが〉言葉数の多い, 冗漫な(wordy).

†**dif·fu·sion** /difjúːʒən/ 图 Ⓒ 1 (正式)放散, 発散, 拡散. 2 普及, 流布. 3 (正式)〈文体などの〉散漫, 冗漫.

***dig** /díg/
── 動 (~s/-z/; 過去・過分 dug/dʌɡ/ or (古) digged/-d/; dig·ging)
── 他 1〈人が〉〈地面などを〉掘る, 〈畑などを〉掘り起こす[返す](+over);〈トンネル・穴などを〉掘って作る ‖ *dig* the ground [vegetable garden] 地面[菜園]を掘る / *dig* a tunnel *through* the hill 丘を掘り抜いてトンネルを作る. 2〈埋まっているものを〉掘り出す, 掘り当てる, 発掘する(+out, up) ‖ *dig* potatoes ジャガイモを掘り出す / *dig up* treasure 宝物を掘り当てる. 3 (米略式)〈物・事を〉[...から](努力して, よく探して)見つけ[調べ]出す, 探求する(+out, up) [of, from] ‖ *dig up* old records 古い記録を見つけ出す / *dig out* the truth *from* conflicting evidence 矛盾する証拠から事実を探り出す. 4 ...を[...に]突く, 突っ込む(into);〈人の...を〉指[ひじ]でつつく(in) ‖ *dig* a fork *into* a pie パイにフォークを突き刺す / *dig* a gun *into* his back 彼の背中に銃を突きつける / *dig* him in the ribs ひじで彼のわき腹をつつく(◆相手の注意を引いたりこっけいなことや冗談を人に教えるときなどのしぐさ). 5 (やや古略式)...を理解する, ...を好む ‖ He *digs* pop music. 彼はポップスが好きだ.

── 自 1 [...を捜して](道具・手などで)土を掘る[掘り返す](*for*) ‖ a dog *digging* in the yard *for* bones 骨を捜して庭を掘っている犬. 2 [...を]掘り抜く[進む] (*into, through, under*) ‖ *dig through* a mountain 山を掘り抜く. 3 (略式)[...に]当てこすりを言う (*at*). 4 [dig deep で] [...を]丹念に調べる, 探求する (*for, into*);〈金や必要な物を〉[...に]すっかり提供する (*for*). 5 (米略式)[...を]こつこつ勉強する (*at*).

díg in [自] (1)(略式)がつがつ食べ始める. (2) ざんごうを掘る. ──[他]〈肥料などを〉埋め込む.
díg into A (1)(略式)〈食物を〉がつがつ食べる. (2) → ④ 4; → ⓐ 2. (3)〈謎などを〉深く探る; ...にくい込む.
díg onesélf ín (1) 塹壕(ﾞﾉ)を掘って身を守る. (2) (略式)自分の地位を確立する.
díg óut [他] (1) → 他 2, 3. (2)〈穴などを〉掘る.
díg óver [他] (略式)〈問題などを〉考え直す.
díg úp [他] (1)〈荒れ地などを〉掘り出す[起こす]. (2)〈遺跡などを〉発掘する. (3) → 他 2, 3.

── 图 Ⓒ 1 [a ~] ひと掘り; (略式)(考古学上の)発掘(作業), 発掘物[現場]. 2 (略式)[a ~]こづき, 突き. 3 (略式)[a ~][...に対する]当てこすり, 皮肉 (*at*). 4 (英やや古) [~s; しばしば単数扱い] 住まい, 下宿 ‖ How do you like your new *digs*? 新しい下宿はいかがですか.

†**di·gest** /動 daidʒést, di-; 图 dáidʒest/ 動 他 1〈人・肉体などが〉〈食物を〉消化する;〈食物の〉消化を助ける[促す] ‖ food (that is) easy to *digest* 消化しやすい食物. 2 (正式)〈知識などを〉消化する, 完全に理解する, 会得する; ...を熟考する. 3 (正式)〈文学作品などを〉要約する. ── 自 1 食物を消化する. 2〈様態の副詞を伴って〉〈食物などが〉消化する, こなれる ‖ food that *digests* slowly [easily] 消化の遅い[早い]食物. ── 图 Ⓒ (正式) 要約, 摘要; (文学作品などの) 梗概(ﾊﾞ), ダイジェスト(summary) (◆雑誌名の一部にもする: *Reader's Digest*).

di·gest·i·ble /daidʒéstəbl/ 形 消化できる, こなれやすい; 要約できる[しやすい]. **di·gèst·i·bíl·i·ty** 图 Ⓤ 消化性[率].

†**di·ges·tion** /daidʒéstʃən, di-/ 图 ⓊⒸ 1 [生理]消化(作用), 消化力, こなれ (↔ indigestion) ‖ have a good [poor, weak] *digestion* 胃腸が丈夫だ[弱い]. 2 (文化などの)同化, 吸収; 理解, 会得(ﾄ).

†**di·ges·tive** /daidʒéstiv, di-/ 形 (正式)[医学]消化の, 消化を助ける; 消化力のある. ── 图 Ⓒ 消化剤.

digéstive bíscuit (英) (消化のよい)全麦ビスケット.
digéstive sýstem [the ~] 消化器系統.

†**di·g·ger** /dígər/ 图 Ⓒ 1 掘る人[動物, 道具, 機械]; (特に金山の)鉱山労働者.

dig·ging /dígiŋ/ 图 Ⓤ 1 掘ること; 採掘, 採鉱; 発掘. 2 [~s; しばしば単数扱い] 鉱山, 発掘[採掘]地.

dight /dáit/ 動 (過去・過分 dight or ~·ed) 他 (略式) [通例 be ~(ed)] [...で]装う, 飾り立てる (adorn) (*with*).

dig·it /dídʒit/ 图 Ⓒ 1 (略式)(人・動物の手・足の)指 (finger, thumb, toe). 2 指幅《約3/4インチ》. 3 a アラビア数字《0から9までの1つ. 時に0を除く》(◆本来指で数えたことから). b 桁(ﾀ) ‖ a two-*digit* number 2桁の数.

***dig·i·tal** /dídʒitl/
── 形 1 (通信・情報・録音などが)数字で表示する, デジタル(式)の (↔ analogue);[コンピュータ]計数型の, デジタル型の; コンピュータ化された. 2 指(状)の, 指(状部)のある[ついた].

dígital cámera デジタルカメラ, デジカメ.
dígital cásh 電子マネー.
dígital clóck [wátch] デジタル時計, 数字式時計.
dígital compúter デジタル[計数型]計算機.
dígital divíde デジタル格差《パソコンやインターネットを使える人[国]とそうでない人[国]との間に生じる情報格差》.
dígital recórding デジタル録音.
dígital sígnal デジタル信号.
dígital vérsatile [vídeo] dísk デジタル多機能[ビデオディスク(略) DVD].

dig·i·tal·is /dìdʒitǽlis, (米+) -téi-/ 图 Ⓒ [植]ジギタリス(foxglove); ジギタリスの乾葉《強心剤用》; Ⓤ ジギタリス製剤.

dig·i·tize /dídʒətàiz/ 動 他〈アナログ情報を〉デジタル(信号)化する.

†**dig·ni·fied** /dígnəfàid/ 形〈人・態度などが〉威厳のある, 堂々とした; 高貴な, 品位のある (↔ undignified) ‖ a *dignified* manner 堂々とした態度.

†**dig·ni·fy** /dígnəfài/ 動 他 (正式) ...に[...で]威厳を与

けるǀby]；…を高貴にする，いかめしくする ‖ I won't *dignify* such an absurd question with a response. そんなばかげた質問には答えるのもばからしい.

†**dig·ni·tar·y** /dígnətèri|-təri/ 名《正式》高位の人；(特に)高官.

†**dig·ni·ty** /dígnəti/ 名 **1** U (風采・態度などの)威厳，重々しさ，荘重さ(cf. indignity) ‖ The mayor is a man of considerable *dignity*. 市長はかなり威厳のある人だ. **2** U [しばしば the ~] (人格などの)品位，気品，気高さ；尊さ，尊厳；価値，貴重さ ‖ the réal *dígnity* of a mán 人間の本当の品位 / Your action has offended his *dignity*. 君の行為は彼の品位を傷つけた / *Dignity* for all. すべての人々に人間の尊厳を《世界赤十字運動のテーマ》. **3** U《正式》高位，高官(high rank)；C 位階，爵位；高位[高官]の人，高僧；[集合名詞]高位の人たち.

be benéath A's dígnity (略式)〈人〉の威厳[体面]にかかわる，品位を落とす.

stánd [*be*] *on* [*upòn*] *one's dígnity* もったいぶる，威張る.

di·gress /daigrés, di-/ 動 自《正式》(話・文章で)(主題から)(故意に・一時的に)わき道[横道]へそれる，脱線する(wander)(*from*).

di·gres·sion /daigréʃən, di-/ 名《正式》U (話・文章が)(主題から)それること(*from*)；C 余談，脱線.

dike /daik/ 名 **1**《主に英》堤防，土手；土手道，あぜ道. **2**《主に英》みぞ，水路，堀.
—— 動 他 …に堤防を築く；…に水路を設ける.

†**di·lap·i·dat·ed** /dilǽpədèitəd/ 形《建物・家具・車両などが》破損[荒廃]した，くずれかかった.

di·lap·i·da·tion /dilæpədéiʃən/ 名 U 荒廃[破損](状態)；山[がけ]崩れ.

†**di·late** /dailéit, di-/ 動《正式》**1**〈目・ひとみ・血管など〉を大きく広げる，開く ‖ *dilate* one's pupils [nostrils] ひとみ[鼻孔]を広げる / *dilate* one's eyes 目を丸くする. —— 自〈目・ひとみなど〉広がる，膨張[拡張]する. **2**《正式》〈…〉を詳しく[長々と]話す[書く]，敷衍する(*on, upon*).

dil·a·to·ry /dílətɔ̀ːri|-təri/ 形《正式》**1**〈人・態度などが〉〈義務遂行に〉遅れがちな，緩慢な(slow)(*in*). **2** 時間かせぎの，引き延ばしの.

†**di·lem·ma** /dilémə, dai-/ 名 C [(…すべきか否かの)(二者択一の)ジレンマ，板ばさみ((*as to* [*about*]) whether)] ◆ 二者のうちどちらを選んでも問題がある，という状況で用いる ‖ He was caught in a *dilemma* concerning the matter. 彼はその件で板ばさみに陥った.

be on the hórns of a dilémma ジレンマ[窮地]におちいる，二者択一を迫られる.

dil·et·tan·te /dílətɑːnt|-tǽnti, -tiː/ 名 (複 ~**s**, **-ti** /-ti|-tiː/)《正式》芸術[学問]道楽，もの好き，ディレッタント. —— 形 しろうとの.

dil·et·tán·tism /-zm/ 名 U 道楽，しろうと芸.

†**dil·i·gence** /dílidʒəns/ 名 U [(…での)勤勉，精励，不断の努力(*in*)].

*†**dil·i·gent** /dílidʒənt/ 《(入念に)選び(ligent)分ける(dis)》
—— 形 **1**〈人・態度などが〉(特定のことに)勤勉な，精励，絶えず努力する(*in*)(◆ earnest, hardworking より堅い語. industrious (性格的に)勤勉な》(↔ idle, lazy) ‖ be *diligent in* one's wórk 仕事熱心だ / a *diligent* student of literature 文学をよく勉強する学生. **2**〈仕事などが〉入念な，骨折った，苦心の ‖ a *diligent* séarch 入念な調査.

†**dil·i·gent·ly** /dílidʒəntli/ 副 精出して，こつこつと，入念に.

dill /dil/ 名 U 〘植〙イノンド，ディル《セリ科．その果実は薬用・香辛料》.

†**di·lute** /dailúːt, di-, (英+) -ljúːt/ 動《正式》**1**〈液体・色〉を [(…で)薄める(*with*)] ‖ Water *dilutes* whiskey. 水で割るとウイスキーは薄くなる. **2** 〈…の効果[強度]〉を弱める. —— 形《正式》(水などで)薄めた ‖ *dilute* acid 〘化学〙希釈酸.

di·lu·tion /dailúːʃən, di-, (英+) -ljúː-/ 名 **1** U (液体などを)(…で)薄めること(*with*)，希釈(度). **2** C 薄めたもの，希釈物.

*✱**dim** /dim/ 《『暗い』が原義》
—— 形 (**dim·mer, dim·mest**) **1**〈光・場所などが〉薄暗い，ほの暗い(↔ bright) ‖ This room is so *dim* (that) I can hardly see in here. この部屋は暗すぎる．ここではほとんど見えない / by the *dim* light of the candle ろうそくの薄暗い光で.
2〈物・目などが〉(…で)かすんだ，見にくい，かすんだ(*with*) ‖ eyes *dim with* tears 涙でかすんだ目.
3 [通例名詞の前で]〈記憶などが〉おぼろげな，あいまいな，鮮明でない ‖ a *dim* recollection of the accident その事故のおぼろげな記憶.
4 (略式)〈人が〉頭の鈍い(stupid)，まぬけな，さえない.
—— 動 (過去分) **dimmed**/-d/; **dim·ming** 他
1 …を薄暗くする，曇らす；〈目など〉をかすませる. **2** (米)〈車のヘッドライト〉を暗くする，減光する(《英》dip). —— 自 薄暗くなる，曇る，かすむ.

dím·ness 名 U 薄暗さ；おぼろげ，不鮮明.

dim. 略 dimension; diminished; diminuendo; diminutive.

†**dime** /daim/ 名 C (米) (米国・カナダの)10セント硬貨(→ **coin** 事情) ◆ 電話・地下鉄などのスロットに入れる硬貨として最も手軽に用いられる．「小額の金」を含意する；(略式) [a ~；否定文で] びた一文(cf. cent) **2** ‖ I dón't cáre *a díme* about it. そんなのちっとも気にしない / His car can *stop on a dime*. (米略式) 彼の車はダイムの上でも止まれる；急停車がきく.

a díme a dózen《1ダースにつき10セントの意より》(米略式) ありあまるほどある[いる]，一山いくらの，ごくありふれた(《英》two [ten] (for) a penny).

díme nóvel 名 (19世紀後半から20世紀初めにはやった)三文小説.

díme stòre 名 (米) (1) 10セントストア，安物雑貨店(《正式》five-and-ten[-dime] store). (2)〘ボウリング〙5ピンと10ピンのスプリット.

†**di·men·sion** /diménʃən|dai-/ 名 **1** C U《正式》寸法《breadth, height, length, width, thickness》‖ 対話 "What are the *dimensions* of this box?" "It's 30cm long [in length], 250cm wide [in width], and 200cm deep [in depth]."「この箱の寸法はどれくらいですか」「縦が30 cm，横が250 cm，高さが200 cm です」. **2** C [~s] 面積，大きさ，範囲，規模；重要性 ‖ a problem of staggering [great] *dimensions* 非常に重要な問題. **3** C [しばしば ~s] 特性，特質；要因，要素；側面，局面，様相 ‖ There is another *dimension* to the vote. その投票にはもう1つの側面がある. **4** C 〘数学・物理〙次元(の座標系)，単位次元 ‖ the fóurth di·ménsion 第4次元.

di·mén·sion·less 形 大きさのない，点の.

di·men·sion·al /diménʃənl|dai-/ 形 寸法の；(…)次元の ‖ a thrée-*diménsional* [3D] movie 立体映画.

†**di·min·ish** /dimíniʃ/ 動《正式》他 **1**〈事・物・人〉が

diminuendo 〈事物〉を減らす, 小さく[少なく]する(decrease, get small) ‖ Unforeseen expenses *diminished* his savings. 予期せぬ出費のため彼の預金は減った. **2** 〈人・名声・信用などを〉落とす, 傷つける; …の重要性[権威]を下げる ‖ *diminish* parliamentary democracy 議会制民主主義を空洞化させる. ── 自 小さくなる, 減少する.

di·min·u·en·do /dimínjuèndou/ 〖イタリア〗形 副 ディミヌエンド, 次第に弱い[弱く](decrescendo) (↔ crescendo); 漸次弱音(楽節).

†**dim·i·nu·tion** /dìminjú:ʃən/ 名 《正式》 U (収入などの) 縮小, 縮小; 削減, 減損(decrease); C 減少額 [in].

†**di·min·u·tive** /dimínjətiv/ 形 《正式》 **1** 小さい, 小型の, 小柄の, ちっぽけな(very small); かわいい. **2** 〖文法〗指小(辞)の. ── 名 **1** 小さい人[物]; 愛称 《Susan を Sue と呼ぶなど》. **2** 〖文法〗 =diminutive suffix. *diminutive* suffix 指小辞〖語〗 〈booklet の -let, lambkin の -kin など〉.

†**dim·ly** /dímli/ 副 薄暗く, ぼんやりと; かすかに.

dim-out /dímàut/ 名 C 《主米》(明かりを)薄暗くすること; 灯火管制 (◆blackout より制限はゆるい).

†**dim·ple** /dímpl/ 名 C **1** えくぼ. **2** (地面の)小さなくぼみ[へこみ], さざ波. ── 動 《文》 自 えくぼができる; さざ波が起こる. ── 他 …にえくぼを作る; …にさざ波を起こす.

†**din** /dín/ 《頭韻》 den /dén/) 名 U (時に a ~) (ひっきりなしの)やかましい音, (耳にガンガン響く)騒音 ‖ the *din* of factory machinery 工場での機械の騒音 / ˈkíck ùp [make] a ˈdín 《略式》ガンガン音を立てる; 強く騒ぎを唱える. ── 動 《過去·過分》 dinned/-d/; din·ning) 他 **1** 〈耳〉を騒音で聞こえなくする; …を騒音で悩ます. **2** [しばしば be ~ning] …をくどく教え込む(+in), …を[…に]やかましく言う[繰り返す][into] ‖ din it *into* him that ... 《略式》…であると彼にやかましく言う / She is incessantly *dinning* her complaints *into* 「my ears [me]. 彼女はたえず耳にやかましく不平ばかり言っている. ── 自 《略式》(耳に聞こえなくなるほど)鳴り響く ‖ *dín* in one's éars (不快に)耳にガンガン響く; …をやかましく耳についている.

dine /dáin/ 動 自 《正式》〈人が〉正餐(ʃ)をとる; 《広義》〈人と〉食事をする(have dinner) [with] (→ dinner 文化) ‖ I *dine* at George's ジョージの家で食事をする / *díne* ín 自宅で食事する(=have dinner at home) / *díne* óut (レストラン・友人宅など)外で食事する, 食事に招かれて出かける / *díne* óff silver plates 銀器で食事をする. ── 他 《略式》〈人〉にごちそうする; 〈人〉を正餐[食事]に招待する. *díne* on [upon, off] A 《正式》 (1) 〈食物〉で食事をする ‖ *dine on* roast beef ローストビーフを食べる(cf. *dine off* silver plates (他)用例). (2) 〈人〉のごちそうを受ける. (3) =DINE out on. *díne* óut on A 《略式》 (1) 〈名声・才能などのため正餐に招かれる. (2) 注意や称賛を得るために〈面白い経験や情報〉について語る.

†**din·er** /dáinər/ 名 C **1** 《正式》(特にレストランで)食事する人; ディナーの客. **2** 《もと米》 =dining car. **3** 《米》(食堂車に似た道路沿いの)簡易食堂.

Díners Clùb (商標) ダイナーズクラブ (◆クレジットカード会社の1つ. → credit card).

di·nette /dainét/ 名 C 《もと米》 **1** (家の隅の)小食堂 (用の小テーブルといすのセット). **2** 小さなレストラン.

ding /díŋ/ 動 他 〈鐘〉をガンガン鳴らす. ── 自 〈鐘な どが〉ガンガン鳴る. ── 名 U 鐘の音.

ding-a-ling /díŋəlìŋ/ 〔≠〕 名 C カランカラン, ジャンジャン 《鐘の音》; C 《米略式》間抜け.

ding-dong /díŋdɔ̀ŋ/ (英+) ≠ 名 U ゴーンゴーン, ガランガラン, ジャンジャン(鐘の音); (戸口のベルの)キンコン, ピンポン; 《略式》激論. ── 形 《略式》激戦の;〈議論が〉激しい ‖ a *ding-dong* race 追いつ追われつの激走. ── 副 せっせと, 本気で, 一生懸命に.

díng-dong strúggle [báttle] 《略式》激戦, 接戦.

din·ghy, -gy /díŋi, -gi/ 名 C (競争・娯楽用の)小型ヨット; (船に積み込む)小ボート; 救命ボート.

din·gle /díŋgl/ 名 C 峡谷, (茂った)深い小谷.

†**din·gy**[1] /díndʒi/ 形 (通例 -gi·er, -gi·est) 黒ずんだ; すすけた, 薄ぎたない; つやのない; 陰気な. **dín·gi·ly** 副 黒ずんで. **dín·gi·ness** 名 薄ぎたなさ.

din·gy[2] /díŋi, -gi/ 名 =dinghy.

din·ing /dáiniŋ/ 名 C 正餐(ʃ)を食べること, 食事. **díning càr** 食堂車. **díning ròom** (家・ホテルなどの)食堂. **díning tàble** (一般に)食卓(cf. dinner table).

DINK, Dink, dink /díŋk/ 〖double [dual] income, no kids〗 名 C (通例 ~s, ~es) 子供を持たない共働き夫婦, そのうちの一方(cf. DEWK).

din·ner /dínər/

── 名 (複 ~s/-z/) **1** UC (1日のうちで主要な)食事, 正餐(ʃ), ディナー, 夕食; 《広義》食事, 料理 (meal) ‖ have a *dinner* of fish; 《英》 take] too much *dinner* 多すぎる量の食事をとる / ˈcook [make] *dínner* 夕食[昼食]をつくる / ˈan early [a late] *dínner* 午[晩]餐 / be at *dínner* 食事中である (◆ be at 《主米》the) table がふつう) / ásk [invite] her to [for] *dínner* 彼女を食事に招く / They serve excellent [good] *dinners* at this hotel. このホテルはおいしい料理を出す / The *dinner* was a frugal one. その正餐は質素なものだった / It was a wonderful *dinner*. I enjoyed it very much. すばらしい食事でした, おいしかったです (◆「ごちそうさまでした」に相当するぴったりの英語がないためこのように言う).

文化 (1) 英米では, 現在では日曜日を除いてふつう夕食を dinner とする場合が多いが, いなかの方では昼食を dinner とする所もある. ただし朝食は dinner にしない.
(2) 日曜日・祭日などには昼食が dinner になり, 夜は軽い簡単な supper ですませる.
(3) 正式の dinner はふつうスープに始まり, パン, 野菜サラダの後に, 肉や魚にジャガイモその他の野菜をつけた主料理が続き, 最後にアイスクリームやパイなどのデザートが出る.

2 C (通例 a ~) (公式の)晩餐(ʃ)会; 祝宴(dinner party) ‖ *gíve* [*hóld*] a *dínner* for the ambassador 大使のために夕食会を催す.

dínner bèll 食事を知らせる鐘.

dínner jàcket 《主英》(紳士用)黒[白]色略式夜会服一式[の上着] (《米》 tuxedo).

dínner pàrty = **2**.

dínner sèrvice [**sèt**] 正餐[食事]用食器類一式.

dínner tàble [the ~] (正餐用に用いられているときの)食卓, 食事の席[間].

dínner wàgon (手押式)車付き食器台.

†**di·no·saur** /dáinəsɔ̀ːr/ 名 C **1** 〖古生物〗恐竜. **2** 役立たずなもの; 時代遅れのもの.

†**dint** /dínt/ (〖頭韻〗dent /dént/) 名 U 力, 努力, 尽力

di·oc·e·san /-ɑ́sən/ -sɜ-/ 形《正式》教区の. ── 名 C (教区の)監督司教, 主教;(教区の)教会員.

†**di·o·cese** /dáiəsis, -sìs, -sìːz/ 名 C 教区.

di·ode /dáioud/ 名 C 〔電子工学〕二極真空管, ダイオード.

Di·og·e·nes /daiɑ́dʒəniːz/ -5dʒ-/ 名 ディオゲネス《412?-323 B.C.; 古代ギリシアのキニク(Cynic)学派の哲学者》.

Di·o·ny·sus, ──sos /dàiənáisəs/ 名〔ギリシャ神話〕ディオニソス, ディオニューソス《酒と演劇と多産の神. ローマ神話のBacchusに当たる》.

di·o·ra·ma /dàiərǽmə/ -rɑ́ːmə/ 名 C ジオラマ, 透視画(cf. panorama);(小型の)立体模型;ジオラマ館.

†**di·ox·ide** /daiɑ́ksaid, -5k-/ +id/ -5ks-/ 名 C 〔化学〕二酸化物; 過酸化物(peroxide) [化合物名で] 二酸化….

di·ox·in /daiɑ́ksin/ -5k-/ 名 U 〔化学〕ダイオキシン《きわめて毒性の強い有機塩素化合物. 環境ホルモンの1つ》.

†**dip** /díp/ 動 (過去・過分) **dipped**/-t/ または **dipt**/dípt/; **dip·ping**) 他 1〈人が〉〈物〉を〈液体などに〉ちょっと浸す, さっとつける(in, into) || Lots of people *dip* their bread *in* coffee or soup. コーヒーやスープにパンを浸して食べる人がたくさんいる / *dip* one's pen *into* the ink ペンをインクにちょっとつける. 2 (手のひら・バケツなどで)〈物〉を[…から]くむ[すくう]出す, すくい上げる(+up)〔*from, out of*〕|| *dip* water *from* a bucket バケツから水をくみ出す. ── 自 1 〔水などに〕ちょっと浸る(つかる, もぐる)〔*into*〕. 2〈物・値段などが〉下がる,〈売り上げなどが〉下がる;〈太陽などが〉地平線などの方へ〉沈む〔*toward, below*〕;〈鳥などが〉急に降下する. 3〈道路などが〉[…へと]下がる, 下り坂になる〔*into, to*〕;〈磁針が〉下方に傾く, 〔地質〕沈下する, 傾斜する.

dip in 『手を突っ込んで自分の分け前を取る』(自)〈人が〉分け合う, 分け前を取る.

dip into A(1)〈金を取るため〉…に手を突っ込む.(2)〈貯金〉に手をつける || *dip into* one's savings 貯金の一部を使う.(3)…をちょっとのぞく〔調べる〕.(4)〈本など〉を拾い読みする || *dip into* English history イングランド史をかじる.

── 名 1 [a ~] ちょっと浸す[つかる, つける]こと;〔略式〕ひと泳ぎ[浴び] || gó [take] for *a díp* in [*xto*] the sea 海へひと泳ぎしに行く. 2 [a ~] (スープなどの)ひとすくい, ひとくみ. 3 U (パン・生野菜・ビスケットなどを浸して食べる)クリーム状の液体. 4 U 浸液;洗羊液. 5 C (土地・道路などの)沈下, くぼみ, 傾斜, 下り坂;〈値段の〉下落.

Dip. (略) *Diploma*.

†**diph·the·ri·a** /difθíəriə/ 名 U 〔医学〕ジフテリア.

†**diph·thong** /dífθɔŋ/, -dίp-/ 名〔音声〕二重母音, 複母音《英語では/ai, au, ei, ɔi, ou/など. cf. monophthong, triphthong》. 2 2字1音, 二重字(digraph).

†**di·plo·ma** /diplóumə/ 名 (複 ~s, (まれ) ~·ta/-tə/) C 1 卒業[修了]証書;〔学科・大学院の学位記〕[略]《(略) Dip.》 || a high schóol *diploma* 《米》高校の卒業証書. 2 資格免許状, 特許状, 賞状.

†**di·plo·ma·cy** /diplóuməsi/ 名 U 1 外交;外交術. 2 外交的手腕;駆け引き(のうまさ)(tact).

†**dip·lo·mat** /dípləmæt, -5lou-/ 名 1 外交官《大使・公使・代理大[公]使など》(《英まれ》diplomatist). 2 外交家, 外交的手腕にすぐれた人, 駆け引きのうまい人.

†**dip·lo·mat·ic** /dìpləmǽtik/ 形 1 外交(上)の;外交官の || break off *diplomatic* relations with the country その国との外交関係を絶つ《♦「外交政策」は a *foreign* [*xdiplomatic*] policy》. 2《正式》外交的手腕のある, 外交的手腕にすぐれた;外交辞令的な, やんわりとした言い方の;駆け引きのうまい.

diplomátic còrps [bòdy] 外交団.

diplomátic immúnity 外交官の免除特権.

dip·lo·mát·i·cal·ly /-kəli/ 副 外交上;そつなく.

†**di·plo·ma·tist** /diplóumətist/ 名 1 = diplomat 2. 2《英まれ》= diplomat 1.

†**dip·per** /dípər/ 名 C 1 浸す人[物]. 2 ひしゃく. 3 水にもぐる鳥,(特に)カワガラスなど. 4 [the D~]《主に米》〔天文〕北斗七星(the Big Dipper);《英》the Plough《おおぐま座(Ursa Major)の7星》;小北斗七星(the Little Dipper)《こぐま座(Ursa Minor)の7星》.

dipt /dípt/ 動 dip の過去形・過去分詞形.

†**dire** /dáiər/ 形 1《正式》恐ろしい, ものすごい;悲惨な, わびしい;不吉な. 2《略式》〈必要・危険などが〉差し迫った(urgent);〈貧困などか〉極端な, ひどい.

***di·rect** /動 形 副 dərékt, dai- | dai-, də-/ 形 + dáirekt/『「まっすぐにされた」が原義. cf. correct』(派) direction (名), directly (副), director (名)

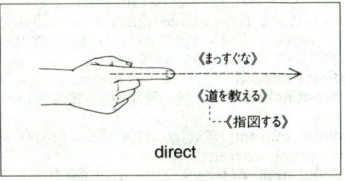

《まっすぐな》
《道を教える》
《指図する》
direct

── 動 (~s/-rékts/;過去・過分 ~·ed/-id/; ~·ing)
── 他 1《正式》〈目・言葉・歩みなど〉を[…に]向ける(point)〔*to, toward, at, against*〕;〈国家有事の際などに〉〈労働者など〉を〔作業・職などに〕割り当てる〔就かせる〕〔*to*〕《受身形(句)は省略できない》|| *direct* the water *at* the fire 水を火に向ける / *direct* all one's energies *to* finding a solution to the problem 自分の全力を問題解決の発見に注ぐ / Their criticism is *directed against* the government. 彼らの批判は政府に向けられている.

2〈人から〉〈人・事〉を指揮する, 管理する(control);〈映画・劇・俳優など〉を監督する, 演出する(produce) || *direct* the building of「the new bridge [the workman]」新しい橋の建設[労働者]を監督する / *direct* the symphony orchestra《主に米》交響楽団を指揮する.

3《正式》[direct A to do / direct that A (should) do]〈人・憲法など〉〈人・集団など〉に〔権威をもって〕…するように指図する《♦ command, order ほど強い命令ではないが, instruct より強い》|| The policeman *directed* the crowd to proceed slowly [*that* the crowd (should) proceed slowly]. 警官は群衆にゆっくり進むように命令した《受身を用いるのは(主に英).⇨文法 9.3》.

4《正式》〈人が〉〈人〉に[…への]道を教える〔*to*〕《♦ guide と違って同行はしない》|| She *directed* me *to* the airport. 彼女は空港への道を教えてくれた(= She told me the way to …).

5《正式》〈手紙・小包など〉に[…にあてて]あて名を書く(address)〔*to*〕.

── 形 /dirékt, dai-, dáirekt/ (*more* ~, *most* ~;

時に ~-er, ~-est)(↔ indirect) **1**〈契約・影響などが〉**直接の**, じかの(immediate)《◆比較変化しない》‖ the *diréct* ráys (of the sun) 直射日光 / a *diréct* election 直接選挙.
2〔通例名詞の前で〕〈道路・路線などが〉**まっすぐな, 一直線の**(straight); 直行の《◆比較変化しない》‖ a *diréct* flíght 直行便 / a *diréct* hít on the church 教会への直撃 / Isn't there a more *direct* route to the airport? 空港へ行くもっと近いルートはありませんか.
3〔名詞の前で〕〈子孫・先祖などが〉直系の《◆比較変化しない》.
4〈人・行動などが〉**率直な, てきぱきした**(frank) ‖ a *diréct* expression 端的な表現 / *direct* insult 露骨な侮辱 / He is very *direct* 「about it [in requiring help]. 彼はそれについて[援助を求める場合に]非常に単刀直入だ.
5〔名詞の前で〕〈対照・矛盾などが〉**まったく[絶対]の**(absolute)《◆比較変化しない》‖ the *diréct* ópposite(s) 正反対. **6**〈引用などが〉もとの言葉通りの, 正確な.
――副 **直接に**《◆この意味では directly よりふつう》;(寄り道せず)**まっすぐに**;(乗り換えなしで)**直通[直行]で** ‖ send it *direct* to you =send it to you *direct* それを君に直送する / This dictionary on CD-ROM is available *direct* from Oxford University Press. この辞書のＣＤ-ＲＯＭ版はオックスフォード大学出版局から直接入手できます.
diréct áccess〔コンピュータ〕=random access.
diréct áction(ストライキ・デモなどの)直接行動; 直接作用.
diréct cúrrent〔電気〕直流(略 DC, dc)(↔ alternating current).
diréct máil ダイレクトメール(→ mail 関連).
diréct narrátion〔《英》 spéech〕〔文法〕直接話法.
diréct óbject〔文法〕直接目的語.
diréct propórtion〔数学〕正比例(↔ inverse proportion).
diréct táx 直接税.
diréct taxátion 所得[資産]課税.
di·réct·ness〔名〕U まっすぐ[直接]であること; 率直.

****di·rec·tion** /dərékʃən, dai-|dai-, də-/〔← direct〕
――名(複 ~s/-z/) **1** CU **a** 方向, 方角 ‖ in [×to] 「áll diréctions [évery diréction] 四方八方に, クモの子を散らすように《◆東西南北の場合は to [in] the west 西へ[から]》/ Don't leave me here. I have a poor *sense of direction*. 私をここに放っておかないで. 私は方向音痴なんです / rush *in the direction of* the gate 門の方へ突進する(=rush toward the door) / I was looking in [×to] his *direction*. 私は彼の方を見ていた. **b** [~s] 道順(を教えること)(cf. direct 他 **4**) ‖ I was lost so I asked a policeman for *directions*. 道に迷ったので警官に道を聞いた.
2 C〔通例 ~s〕機械・薬などの)使用法, 説明(書)[for];「…に関しての/…せよという](方向)指示, 指図; 指令(as *to* / *to do*) ‖ the *directions for* this machine この機械の説明書[使い方] / a *direction to* begin immediately すぐに始めるようにという命令.
3 C〔《正式》〕[比喩的に]方向, 傾向; 方面 ‖ a new *direction* in the investigation 調査の新しい動向.
4 U〔《正式》〕**指導**(guidance), 支配(management); (映画・劇などの)**監督, 演出(すること)**; (音楽の)指揮 ‖ be *únder the diréction of* the dóctor 医者の管理のもとにある.

****di·rect·ly** /dəréktli, dai-|dai-, də-/〔→ direct〕
――副《 **2** を除いて比較変化しない》**1 直接に**, じかに (↔ indirectly)(→ direct 副); すぐ次に ‖ She was linked *directly* with [to] the conspiracy. 彼女はその陰謀に直接かかわっていた.
2(寄り道せず)**まっすぐに**, 直行して ‖ go *directly* to the airport 空港に直行する.
3 ちょうど; 正に, まったく ‖ live *directly* opposite the post office 郵便局の真向かいに住んでいる.
4 すぐに, 直ちに(at once, immediately); (やがて)まもなく, やがて(soon) ‖ I'll be back *directly* after dark. 暗くなったらすぐに戻るだろう.
――接《◆しばしば /drékli/ ともする》《主に英略式》…するとすぐに(as soon as).

†**di·rec·tor** /dəréktər, dai-|dai-, də-/〔名〕C **1 管理職の人, 管理者**; (会社の)重役, 取締役; (団体の)理事; (部・局などの)長官, 局長; 所長; (高校などの)校長 ‖ a board of *directors* 取締役[理事]会. **2** (映画・劇などの)**監督, 演出家**(《英》producer); テレビ・ラジオの)製作責任者; (主に米)(音楽の)指揮者(conductor). **di·réc·tor·ship** 〔名〕C director の職[任期].

†**di·rec·to·ry** /dəréktəri, dai-|dai-, də-/〔名〕C **1**(ある地区の)住所氏名録, 人名簿; (ビルの)居住者表示板, 建物案内板 ‖ a telephone *directory* 電話帳. **2**〔コンピュータ〕ディレクトリ《ファイルを管理するディスクの階層型のリスト》.
diréctory assístance〔《英》enquíries〕電話番号案内(サービス).

†**dirge** /dɔ́ːrdʒ/〔名〕C〔《正式》〕葬送歌, 哀歌, 悲歌(funeral song); (略式)悲しい歌.

†**dirt** /dɔ́ːrt/〔名〕U **1 不潔なもの, 汚物; 泥**(mud), ほこり(dust), ごみ; 垢(略)‖ A detergent removes *dirt* from clothes. 洗剤は衣類の汚れを落とす / The boys were playing in the *dirt*. 少年たちは泥だらけになって遊んでいた. **2**(特にばらばらの)土(soil)《◆「土」は《米》で dirt, 《英》では earth がふつう. 大量の広大な地域にわたる土というときは《米》でも earth を使うことがある》. **3**《米》悪口; 卑劣(な行為)‖ fling [throw] *dirt at* him 彼に悪態をつく.
(*as*) *chéap* [*cómmon*] *as dírt*(略式)(1)非常に安い(dirt cheap). (2)〈家族・女性が〉低階層の, 下品な.
dirt ròad《米》舗装していない道路.

****dirt·y** /dɔ́ːrti/
――形(-i·er, -i·est) **1 汚い**, 汚れた, 不潔な; 泥だらけの, ぬかるみの(↔ clean)‖ *dirty* hands 汚い手 / Don't get your clothes *dirty*. 服をよごしてはいけません. **2**(仕事などが)汚れがつきがちな, 不潔にさせる ‖ a *dírty* jób 汚れ仕事. **3**(略式)〔通例名詞の前で〕〈行為などが〉**不正な**(unfair), **下劣**[**卑劣**]な, **軽蔑**(*Bǔ*)**すべき**(mean)‖ *dírty* pláy (競技の)反則. **4**〔通例名詞の前で〕**下品な, わいせつな, 卑猥**(*ਜ਼*)**な**; けがらわしい ‖ *dirty* books [jokes, language] みだらな本[冗談, 言葉]. **5**(略式)〈天候が〉荒れ模様の(wild).
dò [*pùt in*] *the dírty on A* =*dó A dírty*(略式)〈人〉に卑劣な[汚い]ことをする; 〈人〉をあざむく, 裏切る.
――動 **1** …を汚す, 不潔にする(+《米》*up*). **2**〈名誉などを〉汚(*Bǔ*)す. ――自 [easily, quickly などを

dírty móney 不正な金(もうけ);汚物を扱う人への手当.

dírty tríck 卑劣な策略;《主に米》(政治的)中傷, 不正工作.

dírty wórd(略式)(1) 下品[卑猥]な言葉(four-letter word). (2) 不信を抱かせる言葉, 禁句.

dírty wórk 汚れ仕事;人のいやがる仕事;《略式》不正行為, ぺてん, ごまかし.

dírt·i·ly 副 不潔に;下劣に;下品に.

Dis /dís/ 名〔ローマ神話〕**1** ディス《冥(めい)界の神. ギリシア神話のPlutoに当たる. cf. Hades》. **2** 冥界, 死者の国.

dis., dist. (略) distance; distant.

†**dis-** /dis-/ (語素) →語要素一覧(1.7).

†**dis·a·bil·i·ty** /dìsəbíləti/ 名 **1** UC (正式)(病気などで)(…の/…する)能力を欠くこと(for / to do, doing) ‖ learning disability 学習障害[困難, 不能]. **2** C 身体の障害(handicap);致命傷 ‖ a disability pension 障害年金.

†**dis·a·ble** /diséibl, diz-/ 動 他 **1** [通例 be ~d] 〈人〉が身体障害者になる, 体が不自由である(→ handicapped). **2** 〈機械〉を動かなくする;〔コンピュータ〕…の機能を無効にする ‖ A computer virus disabled my hard disk drive. コンピュータウイルスでぼくのハードディスクドライブがこわれた. **3** (古) 〈人〉に[…を]できなくさせる(for, from)(↔ enable).

dis·a·bled /diséibld, diz-/ 形 身体障害のある(→ challenged);身体障害者のための ‖ the disabled [handicapped] [集合名詞的に;複数扱い] 身体障害者(disabled people, people with disabilities).

disábled àccess 身体障害者用入口[通路].
disábled párking 身体障害者用駐車場.
disábled tòilet 身体障害者用トイレ.

dis·a·ble·ment /diséiblmənt, diz-/ 名 UC 身体障害.

dis·a·buse /dìsəbjúːz/ 動 他 (正式) 〈人(の心)など〉を〔誤った考えなどから〕解放する(free)〔of〕.

dis·ac·cord /dìsəkɔ́ːrd/ 名 UC 不調和, 不一致. ── 動 自 […と] 一致[和合]しない(with).

*__dis·ad·van·tage__ /dìsədvǽntidʒ, -vɑ́ːn-/
── 名 ── ~s/-iz/) **1** C (…の点で/人・物にとっての)不利な立場[状態], 不便[不都合](なこと), デメリット(in/to)(↔ advantage). **2** U 不利(益), 損失, 損害.

pláce [pút] A at a disadvántage …を不利な立場に置く ‖ That put him at a great disadvantage in the contest. そのことで彼はコンテストで非常に不利な立場に置かれた.

to A's disadvántage 〈人〉の不利となるように《◆文尾に置く》.

†**dis·ad·van·taged** /dìsədvǽntidʒd, -vɑ́ːn-/ 形 (正式) 不利な, 恵まれない《◆poor の遠回し語》 ‖ the disadvantaged [集合名詞的に;複数扱い] (米国の)少数民族〈黒人・メキシコ系アメリカ人など〉.

dis·ad·van·ta·geous /dìsædvəntéidʒəs, -væn-/ disæd-, -vɑːn-/ 形 […に]不利(益)な, 不都合な(unfavorable) (to).

dis·af·fect·ed /dìsəféktid/ 形 (正式) (政治的に)不満な;[政府に対して]不信を持つ, 不忠実な(disloyal) (to, toward, with).

dis·af·fec·tion /dìsəfékʃən/ 名 U (正式) (政治的な)不満;[政府に対する]不信, 不忠実(disloyalty) (to, toward, with).

dis·af·fil·i·ate /dìsəfíliéit/ 動 自 脱退する;[…と] 関係を絶つ(with).

dis·af·for·est /dìsəfɔ́(ː)rist/ 動 他 (英) =deforest.

***dis·a·gree** /dìsəgríː/
── 動 (~s/-z/; (過去・過分) ~d/-d/; ~ing)
── 自 **1** 〈人〉が〈人の陳述〉と[…について]意見が合わない(with / on, about)(↔ agree) ‖ I disagree with Jim on that point. その点について私はジムと意見が合わない.
2 […に/…ということに]同意しない(with, on, about / that節) ‖ disagree with the decision その決定に賛成ではない. **3** 〈報告・話などが〉〈物・事と〉一致しない, 異なる, 符合しない(with) ‖ Your report [story] disagrees with the facts. 君の報告[話]は事実と食い違っている. **4** (略式) 〈食物・気候などが〉〈人〉に適さない,〈人〉の害になる(with) ‖ Beer disagrees with me. ビールは私の体質に合わない.

†**dis·a·gree·a·ble** /dìsəgríːəbl/ 形 (正式) **1** 〈物・事が〉[…にとって]不愉快な, いやな(to, for)(↔ agreeable) ‖ disagreeable words to her 彼女には気にくわない言葉 / be disagreeable to the taste 口あたりが悪い. **2** 〈人が〉[…に対して]気難しい, 付き合いにくい(to) ‖ a disagreeable man 付き合いにくい人.

dis·a·grée·a·bly 副 気難しく.

†**dis·a·gree·ment** /dìsəgríːmənt/ 名 **1** U 〔人・物との〕間の/…に関しての〕不一致, 相違(with / between / on, about, over); C 〔遠回しに〕意見の相違点;けんか, 争い(↔ agreement) ‖ be in disagreement with him [his opinion] 彼と意見が合わない(=disagree with him [his opinion]) / disagreements between men and women 男女間の意見の相違. **2** U (食物・気候などが体質に)合わないこと, 不適合.

dis·al·low /dìsəláu/ 動 他 (正式) …を許さない, 禁ずる, (要求などを)却下[拒否]する(↔ allow).

dis·al·low·ance /dìsəláuəns/ 名 U (正式) 不認可, 却下, 拒否.

*__dis·ap·pear__ /dìsəpíər/ 〔見え(appear)なくなる(dis)〕 disappearance (名)
── 動 (~s/-z/; (過去・過分) ~ed/-d/; ~ing /-íəriŋ/)
── 自 **1** 〈人・物が〉見えなくなる, (視界から)消える, 姿を消す(↔ appear) ‖ The sun disappeared below the horizon. 太陽は水平線のかなたに消えた. **2** 〈人・物・事が〉[…から]消失する, なくなる, 存在しなくなる, 消滅する;失踪(しっそう)する(from, off) ‖ My gloves have disappeared from the sideboard. 手袋がサイドボードからなくなった / His illness disappeared as if by magic. 彼の病気はまるでそうかのように治った.

†**dis·ap·pear·ance** /dìsəpíərəns/ 名 U […からの]消失, 消滅;UC 失踪(しっそう)(from) ‖ The girl made a sudden disappearance from home. その少女は突然家出した.

*__dis·ap·point__ /dìsəpɔ́int/ 〔「約束を破る」が原義〕 disappointment (名)
── 動 (~s/-ints/; (過去・過分) ~ed/-id/; ~ing)
── 他 **1a** 〈人・事が〉〈人〉を失望させる, がっかりさせる(↔ satisfy) ‖ 〔対話〕 "Did you enjoy the movie?" "No, it disappointed me."「映画は面白かったですか」「いや, 失望した」 / I suppose I've disappointed you. (ご期待くださったのに)がっかりさせたでしょう.
b [be ~ed] 〈人が〉[…に/…して/…であることに]失望する(at, in, about, of, with / to do / that節)

(➋文法7.3) ‖ I *was disappointed at* your absence. =I *was disappointed to* find that you were out. あなたが留守だったのでがっかりしました / She *was disappointed in* her marriage [daughters]. 彼女は結婚生活[娘たち]に失望した / Are you very *disappointed* [*at*] losing the race? =Are you very *disappointed that* you lost the race? 競走に敗れてたいそうがっかりしていますか.
2〘正式〙〈計画などを〉妨げる;〈約束などを〉破る;〈期待・望みなどを〉裏切る ‖ This result *disappointed* his hopes. この結果によって彼の希望は実現しなかった.

†**dis・ap・point・ed** /dìsəpɔ́intid/ 形 **1** 失望した, がっかりした ‖ many *disappointed* faces 多くの失望した顔 / in a *disappóinted* vóice がっかりした声で. **2**〈計画・希望などが〉くじかれた, 当てはずれの.

†**dis・ap・point・ing** /dìsəpɔ́intiŋ/ 形 [他 動 詞 的 に] (人を)失望[がっかり]させる, 期待はずれの;案外つまらない ‖ It is *disappointing* that she is [should be] so late. 彼女がそんなに遅れるとはがっかりだ / The news *was disappointing*. その知らせは期待はずれのものだった = I was *disappointed* at the news.

*****dis・ap・point・ment** /dìsəpɔ́intmənt/〖→ disappoint〗
── 名 (複 ~s/-mənts/) **1**Ⓤ〔…に対する〕**失望**, 期待はずれ〔*at, in, with*〕‖ to his great *disappóintment* = *mùch* to his *disappóintment* 彼がたいそう失望したことには / our *disappoíntment at* the result 結果に対する我々の失望. **2**Ⓒ〔通例a ~〕〔…にとっての〕失望のもと, 案外つまらない人[事, 物]〔*to*〕‖ The picnic was *a disappointment*. ピクニックは案外つまらなかった / I am *a disappointment to* my parents. 私は両親にとっては期待はずれの存在である.

†**dis・ap・prov・al** /dìsəprúːvl/ 名Ⓤ〔…を〕不可とすること, 不承認〔*of*〕;不賛成, 不満;非難;反感 (↔ approval) ‖ sháke one's héad *in* disappróval だめだと首を横に振る / *to* her *disappróval* 彼女が容認しなかったことには / *with* disappróval 非難の気持ちをこめて;不満[不賛成]の様子で.

†**dis・ap・prove** /dìsəprúːv/ 動 ⓘ〔…に〕不賛成である, 〔…を〕非[誤り]とする, 〔…が〕気にいらない〔*of* (*doing*)〕‖ He *disapproves of* mothers going out to work. 彼は母親たちが仕事に出ることに反対である. ── 他 〘正式〙…を承認[認可]しない.

dis・ap・prov・ing・ly /dìsəprúːviŋli/ 副 不賛成の様子で;非難して.

†**dis・arm** /disɑ́ːrm, diz-/ 動 他 **1**〈人〉から〔武器を〕取り上げる〔*of*〕;…の(核)武装を解除する, …の軍備を縮小する (↔ arm). **2**〘正式〙〈怒り・疑い・敵意などを〉和らげる;…を無力[無害]にする (charm). ── ⓘ〈核〉武装を解除する〈国が〉(核)軍備を縮小[制限, 撤廃]する.

†**dis・ar・ma・ment** /disɑ́ːrməmənt, diz-/ 名Ⓤ 武装解除;軍備縮小, 軍備制限[撤廃] ‖ a núclear *disɑ́rmament*. 核軍縮. **disɑ́rmament cònference** [**negotiàtion**] 軍縮会談(交渉).

dis・ar・range /dìsəréindʒ/ 動〘正式〙…をかき乱す, 混乱させる. **dis・ar・ránge・ment** 名Ⓤ かき乱すこと, 混乱.

dis・ar・ray /dìsəréi/ 名〘正式〙名Ⓤ 混乱, 無秩序, 乱雑. ── 動 他 …を混乱させる, 乱す.

*****di・sas・ter** /dizǽstər / -ɑ́ːs-/ 派 *disastrous* (形) ── 名 (複 ~s/-z/) **1**ⒸⓊ〔…にとっての〕**災害**, 天災, 大惨事;(突然の)大災難〔*for*〕[類語] calamity,

catastrophe) ‖ a natural *disaster* 自然災害, 天災 / court *disaster* 災難を自ら招く / The apartment fire was *a disaster for* the family who lived there. アパートの火事は入居していた家族にとってたいへんな災難であった. **2**〘略式〙Ⓤ 完全な失敗;Ⓒ 失敗作[者];ひどいもの.

disáster àrea 災害[被災]地.
disáster fìlm [**mòvie**] パニック映画.

†**di・sas・trous** /dizǽstrəs -zɑ́s-/ 形 悲惨な[災害[災難]を]引き起こす, 破滅を招く;〔…にとって〕悲惨な, 損害の大きい;ひどい〔*to*〕.

di・sás・trous・ly 副 悲惨にも, 破滅的に.

dis・a・vow /dìsəváu/ 動〘正式〙〈知識・責任などを〉否認[否定]する. **dis・a・vów・al** 名ⒸⓊ 否認, 否定.

†**dis・band** /disbǽnd/ 動 他〘正式〙〈組織などを〉解散する, 〈軍隊を〉解除する.

dis・bar /disbɑ́ːr/ 動 (過去・過分 dis・barred /-d/; ・・bar・ring) 他 …から〈弁護士の資格[特権]を〉剥奪(はくだつ)する〔*from*〕.

dis・be・lief /dìsbilíːf/ 名Ⓤ〘正式〙〔正しいと思われることに〕(積極的な)信じようとしないこと, 不信, 疑惑〔*in*〕;不信仰 (↔ belief) ‖ *in* (*utter*) *disbelief* (まったく)信じられず[信じられないという風]に.

dis・be・lieve /dìsbilíːv/ 動〘正式〙他 ⓘ …を信じない;疑う〔*in*〕;〔…の存在を〕信じない〈宗教を〉信仰しない〔*in*〕;〈…であることを〉信じない〔*that* 節〕(◆ふつう進行形不可.〘略式〙では don't believe がふつう).

dis・bur・den /disbɑ́ːrdn/ 動 他 **1** …から荷を降ろす;〈荷〉を降ろす (↔ burden). **2**〘正式〙〈人・心〉から〔重荷となるものを〕取り除く, 取り除いてほっとさせる〔*of*〕;〈心(のうち)を〉〔人に〕打ち明ける, さらけ出す〔*to*〕.

dis・burse /disbɑ́ːrs/ 動〘正式〙他 ⓘ (…を)支払う, 支出する.

dis・burse・ment /disbɑ́ːrsmənt/ 名〘正式〙**1**Ⓤ 支払い, 支出. **2**Ⓒ 支払い金, 出費;〔法律〕[しばしば ~s] 営業費.

†**disc** /dísk/ 名〈英〉 =disk.

*****dis・card** /動 diskɑ́ːrd, 名 ́ー/
── 動 (~s/-kɑ́ːrdz/; 過去・過分 ~・ed/-id/; ~・ing)
── 他 **1**〘正式〙〈人が〉〈不用品・習慣・信念などを〉**捨てる**, 放棄する (throw away);〈人〉を見捨てる ‖ After the concert, we *discarded* our programs. コンサートの後, プログラムを捨てた. **2**〔トランプ〕〈不要の手札を〉捨てる.
── ⓘ〔トランプ〕不要の手札を捨てる.
── 名 **1**Ⓤ 捨て(られ)ること, 放棄. **2**Ⓒ 捨てられた物[人]. **3**〔トランプ〕Ⓒ 捨て札;Ⓤ 手札を捨てること.

†**dis・cern** /disɑ́ːrn, dizɑ́ːrn/ 動〘正式〙(◆ふつう進行形不可) **1**(目や心で)…をはっきり見る, 見分ける (see);…に〔…であると[…かに]〕気づく (realize, notice)〔*that* 節, *wh* 節〕‖ Through the wreckage of the fog, we could just barely *discern* the wreckage of the ship. 霧の中でかろうじて船の残骸(ざんがい)を見分けることができた / I soon *discerned* from her silence *that* she was angry. 口をきかないので, 彼女が腹を立てていることがわかった. **2**[discern **A** from **B**] **A** と **B** を見分ける ‖ *discérn góod from évil* 良し悪しを見分ける / *discern* the truth of an event *from* a newspaper report 新聞報道から事件の真相を見抜く〈◆〘略式〙では tell …〉.
── ⓘ〔…を〕識別する, 見分ける〔*between*〕〈◆distinguish の方がふつう〉‖ *discérn betwèen trúth*

dis·cern·ment 名 ① 識別, 認識 [洞察]力, 明敏さ.
dis·cern·i·ble /dɪsə́ːrnəbl, dɪzə́ːrn-/ 形《正式》認められる;〈人に〉認識できる(to).
dis·cern·ing /dɪsə́ːrnɪŋ, dɪzə́ːrn-/ 形《正式》洞察力[識別力]のある, 明敏な; [the ~] 見識のある人たち.

*__dis·charge__ /動 dɪstʃɑ́ːrdʒ; 名 ´-, -´/『「積荷を降ろす」が原義』

index 動 他 1 解放する 2 排出する 3 発射する 4 果たす
名 1 解放

──動 (~s/-ɪz/; 過去・過分 ~d/-d/; ~charg·ing)
── 他 1〈団体などが〉〈人〉を〈義務・責任などから〉解放する(◆ free, release より堅い語);〈人〉から〈…〉を免除する(from);〈人〉を〔…から〕退院[除隊]させる, 釈放する;〈人〉を解雇する(from) ‖ *discharge him from his debt* 彼の負債を免除する / *discharge him from (the) hospital* 彼を退院させる / *discharge an employee for laziness* 怠惰のために従業員を解雇する.
2《正式》〈物が〉〈排液・ガス・煙など〉を〔…に〕排出する (let out)(into);〈傷口など〉が〈うみなど〉を出す;〈人が〉〈悪口など〉を発する, 言う ‖ *The wound discharged blood.* 傷口から血が出た / *The factory is secretly discharging waste into the lake.* その工場はひそかに湖に廃液を流している.
3《正式》〈人が〉〈弾丸・矢・ミサイルなど〉を〔…に〕発射する,〈鉄砲〉を撃つ(fire)(at, into) ‖ *discharge a gun at him* 彼に発砲する.
4《正式》〈人が〉〈義務・責任〉を果たす(perform);〈負債〉を支払う, 弁済する(pay) ‖ *dischárge one's dúties* 自分の義務を果たす / *dischárge a débt* 借金を返す.
5〈人・船荷〉を降ろす;〈船〉から荷揚げする.
──自 1《正式》〈うみ・煙など〉が出る;〈川〉が〔…に〕注ぐ(into). 2 電池が放電する.
──名 /-´, -´/ (複 ~s/-ɪz/)《正式》1 C U〔…からの〕(義務・責任の)解放;(負債の)免除; U 退院, 除隊, 釈放; 解雇; 解任状, 除隊証明書 ‖ *his discharge from detention* 彼の拘(ﾆﾅ)留を解くこと.
2 C U〔…からの〕排出(量, 物); 流出(from) ‖ *a discharge of electricity* 放電 / *the discharge from the chemical works* 化学工場からの排液.
3 U 発砲, 発射; 爆発(blast) ‖ *the discharge of dynamite* ダイナマイトの爆発. **4** U C (義務の)遂行, 履行;(債務の)支払い, 弁済. **5** C U 荷揚げ.

dis·ci /dɪ́skaɪ, dɪ́saɪ/ 名 discus の複数形.

†**dis·ci·ple** /dɪsáɪpl/ 名 C 1 (宗教的[政治的, 芸術的]な)大指導者などの)門弟, 門人, 弟子, 信奉者. 2 しばしば D~] キリスト 12 使徒 (the Apostles)の 1 人.

dis·ci·plin·ar·y /dɪ́səplənèri | dɪ̀səplɪ́nəri/ 形《正式》1 訓練(上)の, 訓練的である. 2 規律[懲戒]の, 規律[懲戒]に関する ‖ *disciplinary measures* 懲戒処分.

*__dis·ci·pline__ /dɪ́səplɪn/ [アクセント注意]『「弟子たち (disciple)の教育」が原義』

──名 (複 ~s/-z/) 1 U 訓練, 鍛錬, 修養; C 訓練[学習]法, 修養法 ‖ *The soldiers had to undergo severe discipline.* 兵士たちは厳しい訓練を受けなければならなかった.
2 U 規律, しつけ, 風紀; 統制, 抑制, 自制 ‖ *school discipline* 学校の規律 / *Discipline is essential in the classroom.* 教室では規律が不可欠だ.
3 U 懲戒, 懲罰; 折檻(ｾｯｶﾝ);《宗教》苦行. **4** C 《正式》学科, 学問(分野).
──動 1〈人・動物〉を訓練[鍛錬]する, …を〔…するように〕しつける(to do). 2〈人〉を〔…で〕懲戒する (punish)(for).

dis·ci·plined /dɪ́səplɪnd/ 形 よく訓練された.

dis·claim /dɪskléɪm/ 動 他《正式》1〈責任・関係など〉を否認する,〔…したこと〕を打ち消す(doing). 2〈要求・権限など〉を拒否する.

dis·claim·er /dɪskléɪmər/ 名 C《正式》1 否認[拒否](行為); 放棄, 棄権;《法律》放棄[否認]証明書[文]. 2 否認する人, 放棄[棄権]者.

†**dis·close** /dɪsklóʊz/ 動 他《正式》1〈人などが〉〈秘密など〉をあばく,〔人に〕暴露[摘発]する(reveal)(to) ‖ *disclose the truth* 真実を暴露する / *This letter discloses his identity.* この手紙は彼の正体を暴くものだ. 2 [disclose to A that節] 〈人が〉…であることを A〈人〉に発表する, 明らかにする ‖ *He disclosed to me that he had been in prison.* 彼は自分がかつて刑務所にいたことを私に明らかにした(⚫ 文法 10.1). 3 …の覆いを取る; …をあらわにする,〈隠れた物〉を取り出す.

†**dis·clo·sure** /dɪsklóʊʒər/ 名《正式》1 U a 暴露, 発覚; 発表. b (特に企業の投資家に対する)情報公開, ディスクロージャー. 2 C 発覚した事柄; 打明話.

dis·co /dɪ́skoʊ/ 名 (複 ~s) C 《略式》ディスコ(ティーク)(《正式》discotheque).

dis·cog·ra·phy /dɪskɑ́grəfi | -kɔ́g-/ 名 C ディスコグラフィー《体系的に分類したレコード目録》.

dis·col·or, **《英》-our** /dɪskʌ́lər/ 動《正式》他 …を変色[退色]させる; …の色を汚す ‖ *paper (which is) discolored with age* 古くなって変色した紙.
──自 変色する, 色があせる.

dis·col·or·a·tion /-ərèɪʃən/ 名 C U 《正式》変色, 退色; 変色の部分, しみ.

dis·com·fit /dɪskʌ́mfət/ 動 他《正式》[通例 be ~ed]〈人が〉まごつく, 当惑する(embarrass).

†**dis·com·fi·ture** /dɪskʌ́mfɪtʃʊər | -tʃər | -tʃə/ 名 C U 《正式》当惑, うろたえ(embarrassment).

†**dis·com·fort** /dɪskʌ́mfərt/ 名《正式》1 U 不快, 不安; 苦痛. 2 C 不快なもの; 不便, 困難(↔ comfort).

discómfort index 《気象》不快指数(略) DI.

dis·com·pose /dɪ̀skəmpóʊz/ 動 他《正式》〈人〉の落ち着き[平静]を失わせる; …を不安にする.

dis·com·pós·ed·ly /-póʊzɪdli/ 副 落ち着き[平静]を失って, 取り乱して.

dis·com·po·sure /dɪ̀skəmpóʊʒər/ 名 U 心の動揺, 不安; 混乱(状態), 当惑, ろうばい(↔ composure).

†**dis·con·cert** /dɪ̀skənsə́ːrt/ 動 他《正式》落ち着きを失う, ろうばい[当惑]する.

dis·con·cért·ing·ly 副 当惑[混乱]させるように, まごつくほど(に).

†**dis·con·nect** /dɪ̀skənékt/ 動 他 …との連絡を断つ; …を〔…から〕分離する, 断ち切る(from);〈電話など〉を切る, …の電源を切る(↔ connect) ‖ *Operator, I've been disconnected.* 交換手さん, 電話が切れたんですか.

dis·con·nect·ed /dɪ̀skənéktɪd/ 形 1 連絡[接続]の切れた, 離ればなれの, 切れぎれの. 2〈話・思想など〉がまとまりのない, 支離滅裂な, 一貫性のない.

dis·con·nec·tion, **《英》ではまれに **-nex·ion /dɪ̀skənékʃən/ 名 U C 1 (連絡の)切断, 断絶;《電気》断線. 2 (話・思想など)がまとまりのないこと, 支離滅裂.

†**dis·con·so·late** /dìskάnsələt | -kɔ́n-/ 形《正式》〈人が〉〈…で〉ひどく悲しい, わびしい, 絶望的な, 不幸な (unhappy)〔about, at, over〕. **2**〈場所・物などが〉陰気な, 不快な, 憂うつな (gloomy).
  dis·cón·so·late·ly 副 憂うつそうに, わびしく.

†**dis·con·tent** /dìskəntént/ 名《↔ content》**1** U〔…に対する〕不満, 不平, 不愉快〔with〕; C〔通例 ~s〕不満[不平]のもと. **2** C 不満な人, 不平家. ──動 他〔通例 be ~ed〕〈人が〉〔…に〕不満をいだく, 不機嫌になる〔with〕‖ *be discónténted with* one's jób 仕事に不満をいだく.

†**dis·con·tent·ed** /dìskəntént̬id/ 形〈人が〉〔…に〕不満な, 不平のある, 不機嫌な〔with〕(↔ contented) ‖ *discontented with* one's wáges 給料に不満である.
  dis·con·tént·ed·ly 副

dis·con·tin·u·ance /dìskəntínjuəns/ 名 U **1** 停止, 中止, 断絶, 廃止. **2**《法律》訴訟の取下げ.

dis·con·tin·u·a·tion /dìskəntìnjuéiʃən/ 名 = discontinuance **1**.

†**dis·con·tin·ue** /dìskəntínju:/ 動 他《正式》**1**〈生産・継続していたことなど〉をやめる (stop), 停止[中止, 休止] する (↔ continue) ‖ The manufacturer *discontinued* that line of products. 製造業者はその生産ラインを止めた. **2**…の採用[使用]をやめる.

dis·con·ti·nu·i·ty /dìskɑntənjú(:)əti | -kɔn-/ 名 **1** U《正式》不連続, 断絶, 中断, 無連続; 支離滅裂. **2** C《正式》〈…の間の〉切れ目, 裂け目〔between〕.

dis·con·tin·u·ous /dìskəntínjuəs/ 形《正式》途切れた, 中絶[断絶]の (intermittent) ‖ a *discontinuous* line 不連続線.

†**dis·cord** /dískɔ:rd; 動 ˌ-́/《正式》名 **1** U〔意見・目的などの〕〔…との〕不一致, 不調和〔with〕(↔ accord); U C〔…に関しての/…の間の〕仲たがい, 不和 (quarrel), 争い, 論争 (disagreement)〔over/between〕‖ *discord* between nations 国家間の不和 / be *in díscord with* the fácts 事実と一致していない / marital *discord* 夫婦の不仲. **2** C 騒音, 耳ざわりな音 (noise);〔音楽〕不協和音 (↔ concord, harmony). ──動〔…と〕一致しない, 不和である〔with, from〕(↔ accord).

dis·cord·ance, **–an·cy** /dískɔ́:rdənsi(i)/ 名《正式》**1** 不調和, 不一致; 不和 (↔ accordance). **2** 騒音,〔音楽〕不協和(音).

†**dis·cord·ant** /dískɔ́:rdənt/ 形《正式》**1** 調和[一致] しない, 争っている, 不和である (disagreeing) ‖ *discórdant* opínions 相いれない意見. **2**〈音が〉〔人に〕耳ざわりな (harsh)〔to〕;〔音楽〕不協和音の ‖ *sòund a discórdant nóte* 不協和音を出す; 異議を唱える.
  dis·córd·ant·ly 副 一致せずに; 耳ざわりな音を立てて, 騒々しく.

dis·co·theque, **–thèque** /dískətèk, ˌ-́-́/《フランス》名 C《正式》= disco.

*****dis·count** /動 dískaunt, ˌ-́/ 名 ˌ-́/《反対に (dis) 数える (count) で「勘定を引く」が原義》
  ──動 (~s/-káunts/;(過去・過分) ~ed/-id/; ~ing)
  ──他 **1**《正式》〈人が〉〈話・考えなど〉を割り引いて聞く[考える];…を考慮[勘定]に入れない (disregard) ‖ *discount* half [a great deal] of what I hear 人の話を半分に[非常に]割り引いて聞く.
  2〈人に〉関して〕〈金額・割合〉だけ割り引く〔on, for〕;〈商品〉を〔…の率で〕割り引いて売る〔at〕‖ *discount* 10 percent 「on all bills [for cash] すべての勘定[現金払い]について1割引く / *discount* menswear *at* 5 percent from the retail price 小売値段の5分引きで紳士服を売る.
  ──自 利子を割り引いて貸す; 割引する.
  ──名 /-/ (複 ~s/-kaunts/) U C 割引; 割引額[率];〔貸借の〕割引利子〔《dis., disc.》〕‖ *dis-count* fare [price] 割引料金[価格] / Could you give me a *discount*? 安くなりませんか / We will offer [give] a 5% *discount* on cash purchases. 現金でお買い上げのお客様には5％値引きします /《対話》"That's a nice sweater you have on." "Thanks. I bought it at a 10% *dis-count*."「そのセーターとてもいいわ」「ありがとう. 1割引で買ったんです」.
  at a díscount (1) 額面[定価]以下で[の] (↔ at a premium). (2)《正式》軽んじられて[た]; 不当な評価を受けて[た].
  díscount hòuse《米》(1940-50年代に流行した) 安売り[割引] 店.
  díscount shòp [**stòre**, **wàrehouse**] 安売り店, 割引店.

dis·coun·te·nance /dìskáuntənəns/ 動 他《正式》…に反対する; …を当惑させる.

*****dis·cour·age** /dìskə́:ridʒ | -kʌ́r-/〘勇気 (courage) を失わせる (dis)〙
  ──自 (~s/-iz/; 過去・過分) ~d/-d/; -ag·ing)
  ──他 **1**〔discourage A from doing〕A〈人〉に…するのをやめさせる, 思いとどまらせる ‖ The dark clouds *discouraged* me *from* taking a walk. 暗い雲が出ていたので散歩に行くのを思いとどまった (⇒文法 23.1).
  2〈事・事がら・人〉を落胆させる, がっかりさせる;〈人〉の勇気[希望, 自信] を失わせる, やる気なくさせる (↔ encourage) ‖ The News *discouraged* me. = I *was discouraged at* [*by*] the news. その知らせにがっかりした.
  3〈計画・活動など〉を思いとどまらせる.
  dis·cóur·ag·ing 形〔他動詞的に〕(人を) がっかりさせる.

†**dis·cour·age·ment** /dìskə́:ridʒmənt | -kʌ́r-/ 名 U C がっかりさせること[もの], 落胆 (↔ encouragement); 障害.

dis·cour·ag·ing·ly /dìskə́:ridʒiŋli | -kʌ́r-/ 副 がっかりさせて, 思わしくなく; 阻止して.

†**dis·course** /名 dískɔ:rs, ˌ-́; 動 ˌ-́ /名《正式》**1** C〔…についての〕講演; 講話, 説教 (lecture); 論説, 論文〔on, upon, about〕. **2** U 言葉による思想の伝達;〔…との〕会話, 談話 (conversation)〔with〕. **3** U《文法》話法 (narration);〔言語〕談話, 文章〔文の有機的集合体〕. ──動 自《正式》〔…について〕講演[演説, 説教] する (speak)〔on, upon, about〕‖ *dis-course on* [*upon*] Greek literature ギリシア文学について講演する.

dis·cour·te·ous /dìskə́:rtiəs/ 形《正式》〔人に〕失礼な, 不作法な〔to〕.
  dis·cóur·te·ous·ly 副 ぶしつけに.

dis·cour·te·sy /dìskə́:rtəsi/ 名《正式》**1** U 失礼, 非礼, ぶしつけ, 不作法. **2** C 無礼[失礼] な言動.

*****dis·cov·er** /dískʌ́vər/〘「覆い (cover) を取り除く (dis) 」が原義〙 *discovery* (名)
  ──動 (~s/-z/;(過去・過分) ~ed/-d/; ~ing /-kʌ́vəriŋ/)
  ──他 **1**〈人・物〉を (偶然に・探検などで) 発見する ‖ The Curies *discovered* radium in 1898. キュリ

一夫妻は1898年にラジウムを発見した.
2 [discover **that**節 / discover **wh**節・句] …ということを知る, 悟る; [discover **A** to be **C**] **A**〈人・物〉が **C** であることを知る《◆(1) discover **A** to be **C** の型もあるが, that 節の方がふつう. (2) find より堅い語》‖ He *discovered how* to open the box. 彼は箱の開け方を見つけた / The astronaut *discovered that* the planet was uninhabited. 宇宙飛行士はその惑星には人が住んでいないことがわかった / It was not *discovered why* she left. 彼女がなぜ去ったのかわからなかった《◆ it は形式主語》/ I *discovered* her *to be* stupid. 彼女は愚かであることがわかった.
3 [discover **A** doing / discover **A** done] **A**〈人〉が…している[されている]のを発見する ‖ *discover* him *sitting* [*seated*] there 彼がそこに座っているのを見つける.

語法「なくしていた物を見つける」は find: Have you *found* [×*discovered*] your gloves? 手袋は見つかりましたか.

†**dis·cov·er·er** /dɪskʌ́vərər/ 名 ⓒ 発見者.
*****dis·cov·er·y** /dɪskʌ́vəri/ [→ discover]
—名 (複 **-ies**/-z/) Ⓤ 発見; [the/one's discovery *that*節] …という発見《◆「発明」は invention》; ⓒ 発見した[された]物; [芸能・スポーツ界の]新人 ‖ the *discovery* of uranium ウランの発見 / *the discovery that* the earth is round 地球は丸いという発見 / màke a gréat *discóvery* through scientific experiment 科学実験で大発見をする.
Discóvery Dày (米) =Columbus Day.
†**dis·cred·it** /dɪskrédət/ 動 他 (正式) **1** …を〈として〉疑う, 信用しない(as) ‖ The judge *discredited* the defendant's story *as* mere conjecture. 判事は被告の話を単なる憶測として信用しなかった. **2** …をうそだとしてはねつける, 信用できないものとする(reject).
3 …の評判を[…に対して]悪くする, …の信用を傷つける(damage)[*with*]‖ *discrédit* oneself by taking bribes わいろを受け取って自ら信用を傷つける.
—名 (正式) **1** Ⓤ 不信用, 不信任; 疑惑 ‖ General *discredit* was cast on his theory. 彼の理論に対してほとんどの人が疑惑を投げかけた. **2** Ⓤ 不面目, 不名誉; 不評; [a ~] [...にとって]不面目[不名誉]な人[事, 物][*to*] ‖ *bríng discrédit upòn* oneself 信用をなくす / a *discredit* to the school 学校の不名誉.
dis·cred·it·a·ble /dɪskrédətəbl/ 形 (正式)〈行為が〉[…の]信用を傷つける(ような)[*to*]; 評判が悪そうな(ような), 不面目な, 恥ずべき(disgraceful).
†**dis·creet** /dɪskríːt/ 形 (通例 more ~, most ~)
1〈人・行為が〉思慮[分別]のある, […に]慎重な[*in*] ‖ *discreet* inquiries 慎重な調査 / It was not *discreet* of you to say such a thing. そんなことを言ったのは軽率だったね(➡文法 17.5). **2** 控え目な, 目立たない.
†**dis·creet·ly** /dɪskríːtli/ 副 思慮深く, 慎重に; 控え目に.
†**dis·crep·an·cy** /dɪskrépənsi/ 名 ⓒⓊ (正式) 陳述・計算などの)不一致, 相違(inconsistency)[*in*]; […の間の]矛盾, 食い違い(difference)[*between*].
dis·crep·ant /dɪskrépənt/ 形 (正式) 食い違う, 矛盾した, つじつまが合わない(inconsistent).
dis·crete /dɪskríːt/ 形 (正式) **1** 分離した, 個別的な(separate). **2** 不連続の, 関連のない.

†**dis·cre·tion** /dɪskréʃən/ 名 Ⓤ (正式) **1** 行動[判断, 選択, 決定]の自由, 自由裁量 ‖ leave the matter to the principal's *discretion* その件を校長の裁量にゆだねる. **2** 思慮分別, 慎重さ.
at discrétion 随意に; 無条件で.
at A's discrétion =**at the discrétion of A**〈人〉の思うままに, 裁量で, 勝手に, 自由に.
the áge [**yéars**] **of discrétion** 分別年齢《◆英米の法律では14歳》.
dis·cre·tion·ar·y /dɪskréʃənèri | -əri/ 形 (正式) 任意の, 自由裁量の, 自由裁量で処理できる.
†**dis·crim·i·nate** /dɪskrímənèit/ 動 ⓘ **1** [...を]区別[識別, 弁別]する(*between*)《◆ distinguish より微妙な, 細かな差を区別する》‖ *discríminate betwèen* góod *and* bád bóoks 良書と悪書を区別する. **2** [...の間で]差別待遇をする, 分け隔つ[*between*, *among*]; [...を]差別(待遇)する[*against*]; [...を]えこひいきする[*in favor of, for*] ‖ *discriminate against* a minority group 少数集団に対して差別する. —他 [...と]見分ける, 識別[区別]する(*from*) ‖ *discriminate* a genuine Picasso *from* its copy 本物のピカソの絵を複写と見分ける《◆(略式)では tell ...》.
dis·crim·i·nat·ing /dɪskrímənèitiŋ/ 形 (正式)〈人が〉識別力のある, 目の肥えた ‖ a *discriminating* taste in literature 文学に対する鋭い鑑賞力.
*****dis·crim·i·na·tion** /dɪskrìmənéiʃən/
—名 Ⓤ **1** [...に対する]差別待遇(*against*); [...への]えこひいき(*in favor of*) ‖ rácial [séx, séxual] *discriminátion* 人種[男女]差別.
2 [...との/...の間の]区別, 識別, 弁別[*from/between*] ‖ *discrimination* of the R sound *from* the L sound =*discrimination between* the R sound and the L sound RとLの音の区別.
3 (正式) [...の点での]識別力, 弁別力, 眼識[*in*].
dis·crim·i·na·tive /dɪskrímənèitiv, -nə- | -nə-/ 形 **1** 区別的な. **2** 差別的な.
†**dis·cur·sive** /dɪskə́ːrsiv/ 形 (正式)〈議論・記述などが〉広範囲[多方面]にわたる; 散漫な(wordy).
†**dis·cus** /dɪ́skəs/ 名 (~·es, -·ci /dɪskai, dɪ́sai/) ⓒ (競技用)円盤; [the ~] 円盤投げ(競技) ‖ the *discus* throw 円盤投げ.
díscus thrówer 円盤投げ選手.
*****dis·cuss** /dɪskʌ́s/ 【「細かくなるまで振る」が原義で「考えを詳しく論じ合う」意が生まれた】派 discussion (名)
—動 (~·es/-ɪz/, 過去・過分 ~ed/-t/; ~·ing)
—他〈人が〉〈物・事〉を話し合う, 論議する, 討論[吟味]する, …について意見を出し合う(➡文法 3.1)《◆目的語は名詞・動名詞. talk over [about] より堅い語》; 〈書物・章で〉…について(詳細に)論ずる, 詳述する; [discuss **wh**句・節] …すべきかを検討する《◆ that節は不可. 代わりに the fact that を用いる》‖ a book which has been widely *discussed* lately 最近話題にのぼった本 / *discuss* (×about, ×on) the problem *with* them 彼らとその問題について討論する《◆ 他動詞なので前置詞は不要. → 使い分け》(=talk over the problem ...) / *discuss* goíng [×*to go*] on a picnic ピクニックに行くことを話し合う(➡文法 12.7⑴) / We *discussed* ⌈*what* to do [*what* we should do] first. まず何をしたらよいかを話し合った.

類語 discuss は違った意見を出し合って軽く「話し合う」の意味合いで用いられることが多い. 日本語の「議論する」はしばしば感情の対立・とげとげしさを含むので, dispute に近い. argue は相手を説得しようと自分の考えを主張すること. debate は公的問題を賛否両面から討論すること.

> **使い分け [discuss と argue]**
> discuss は他動詞, argue は自動詞.「…について議論する」は discuss または argue about とする. We *discussed* [×discussed about] the problem with the boss. =We *argued about* [×argued] the problem with the boss. 私たちは上司とその問題について議論した.

***dis・cus・sion** /dɪskʌ́ʃən/〖→ discuss〗
— 名 (複) ~s/-z/; UC〔…についての〕話し合い, 討議, 討論, 審議;〔科学論文の〕考察〔about, on, as to〕‖ a propósal únder discússion《正式》審議中の提案 / beyónd discússion 論をまたない / *be dówn* [《正式》*còme úp*] *for discússion*〈議題が〉討議に付される[される] / *hàve* [*hóld*, ×*make*] *a héated discússion on the subject with them* 彼らとその問題について激しく論じ合う.

†**dis・dain** /dɪsdéɪn, dɪz-/《正式》《優越感から》— を軽蔑(する), 見下す(feel contempt for);〔…することを〕恥ずかしく感じる,〔…するのは〕沽券(こけん)にかかわると思う〔*to do*〕《◆進行形不可》‖ I *disdain* all offers of help あらゆる援助の申し出に見向きもしない / He *disdained* to tease the weak. 彼は弱い者いじめを潔(いさぎょ)しとしなかった(=He was too proud to tease the weak). — 名 U 〔時に a ~〕〔人・事に対する〕軽蔑(感)(scorn, contempt); 高慢(な態度)〔*for*〕‖ *with a lóok of disdáin* 相手を見下した面つきで.

dis・dain・ful /dɪsdéɪnfl, dɪz-/ 形《正式》〔…に〕軽蔑(けいべつ)的な, 尊大な〔*of, toward*〕‖ be *disdáinful of* [*toward*] líars うそつきを軽蔑する.
dis・dáin・ful・ly 副 軽蔑して, 尊大に.

***dis・ease** /dɪzíːz/【発音注意】〖安楽(ease)でない(dis)こと〗
— 名 (複) ~s/-ɪz/; UC 1 (人・動物・植物の)病気, 疾病(しっぺい), 疾患《◆ illness,《米》sickness に対し, 病名のはっきりした病気をいう》(→ health) ‖ fóot [móuth] *disèase* 足[口]の病気 / a fámily [heréditary] *disèase* 遺伝病 / an acúte [a chrónic] *disèase* 急性[慢性]疾患 / a fátal [déadly] *disèase* 致命病 / díe of *disease* 病死する / fáll víctim to a sérious *disèase* 重病にかかる / spréad [prevént] *disèase* 病気を蔓延(まんえん)させる[予防する]. 2 (社会・精神・道徳面の)不健全な状態, 悪弊, 堕落 ‖ a sócial *disèase* 社会悪, 社会病.

†**dis・eased** /dɪzíːzd/ 形 病気の(↔ healthy);〈精神などが〉病的[不健全]な ‖ the *diseased* part 患部 / a *diseased* society 病める[異常な]社会.

dis・em・bark /dìsəmbɑ́ːrk, -em-/ 動 他《正式》… を〔船・飛行機から〕降ろす, 上陸させる; … を陸揚げする(debark)〔*from*〕(↔ embark). — 自 降りる, 上陸する; 陸揚げする. **dis・em・bar・ka・tion** 名 U 陸揚げ.

dis・em・bod・ied /dìsəmbɑ́dɪd | -bɔ́dɪd/ 形 1《霊魂などが》肉体から離れた ‖ the *disembodied* spirits of the dead 死者の亡霊. 2〈思想などが〉具体から切り離された ‖ *disembodied* theories 机上の空論. 3〈音・声などが〉出所がわからない.
dis・em・bód・i・ment 名 U (霊魂の)肉体離脱.

dis・em・bow・el /dìsəmbáʊəl, -em-/ 動 (過去・過分 ~ed or《英》~bow・elled/-d/; ~ing or《英》~el・ling) 他《正式》… のはらわた[腸] を抜き出す.

dis・en・chant /dìsəntʃǽnt, -en-/《正式》[be ~ed]〈人が〉〔…に〕幻滅を感じる〔*with*〕.

dis・en・cum・ber /dìsənkʌ́mbər, -en-/ 動 他《正式》〈人〉を〔束縛・邪魔な物から〕解放する, やっかい払いする〔*from, of*〕.

†**dis・en・gage** /dìsəngéɪdʒ, -en-/ 動 他《正式》… を〔束縛・義務などから〕自由にする, 解放する;〈機械の一部〉を〔… から〕はずす, 解く, 離す〔*from*〕. — 自〔… から〕自由になる, 逃れる, 解かれる, 離れる, はずれる〔*from*〕;〔軍事〕撤退する, 戦闘をやめる.

dis・en・gaged /dìsəngéɪdʒd, -en-/ 形《正式》〈人が〉自由な, 約束のない;〈場所が〉あいている(↔ engaged).

dis・en・gage・ment /dìsəngéɪdʒmənt, -en-/ 名 U 〔義務・束縛などからの〕解放, 自由〔*from*〕;(政策などの)撤回,〔軍事〕撤退;(婚約の)解消.

dis・en・tan・gle /dìsəntǽŋgl, -en-/ 動 他《正式》… のもつれをほどく;〈ごたごた〉を解決する. — 自 ほどける, ほぐれる.

dis・es・tab・lish /dìsɪstǽblɪʃ/ 動 他《正式》 1 … を免職にする. 2〈制度など〉を廃止する. 3〈教会〉の国教制を廃する. **dis・es・táb・lish・ment** 名 U 制度廃止;[国教]廃止.

dis・es・teem /dìsɪstíːm/ 動 他 … を軽蔑(けいべつ)する; … をひどく嫌う. — 名 U 軽蔑, 冷遇.

dis・fa・vor,《英》**-vour** /dɪsféɪvər/ 名 U《正式》 1 不快, 冷遇, 嫌悪; 不賛成(↔ favor). 2〔… に対する〕不人気, 不評, 嫌われること〔*with*〕‖ *fáll ínto* [*be in*] *disfávor with the yóung* 若者に嫌われる[嫌われている].

†**dis・fig・ure** /dɪsfígjər | -fígə/ 動 他《正式》 1 … の外観[形状, 美観]をそこなう, … を醜くする(spoil). 2 … の価値[効力]を損なう, … を傷つける.
dis・fíg・ure・ment 名 U 美観を損なうこと; C 傷, 欠点.

dis・fran・chise /dɪsfrǽntʃaɪz/ 動 他《正式》〈人〉から市民権[選挙権, 公職就任権]を奪う(↔ enfranchise).
dis・frán・chise・ment 名 U 公民権[選挙権]剥(はく)奪.

dis・gorge /dɪsgɔ́ːrdʒ/ 動《正式》… を吐き出す.
— 自〈川などが〉〔…に〕注ぐ〔*at, into*〕;《略式》盗品をしぶしぶ返す.

†**dis・grace** /dɪsgréɪs,《米》-kréɪs/ 名 1 U (人または自分の行為による)不名誉, 不面目(cf. dishonor), 恥(shame); 不人気, 不評(disfavor) ‖ *bríng disgráce on* [*to*] *one's fámily* [*cóuntry*] 家名[国名]を汚す / I *féll ínto*《略式》*I'm in*] *disgráce with* him. 私は彼に嫌われた[嫌われている]. 2《略式》[a ~]〔…の〕不名誉[不面目, 恥]となる人[物, 事], 面[よごし]〔*to*〕‖ The delinquent boy is a *disgrace* to the city [school]. その非行少年は市[学校]の恥さらしだ. — 動 1 … の恥となる, 名を汚す ‖ *disgrace one's name* [*honor*] 名[名誉]を汚す / *disgráce onesèlf by one's bád condùct* 不品行で面目をつぶす. 2《正式》〈人〉を〔地位・役職などから〕退ける(dismiss)〔*from*〕;[通例 be ~d]〈人〉の信用を失う;〔…で〕失脚する〔*by, in*〕.

†**dis・grace・ful** /dɪsgréɪsfl,《米》-kréɪs-/ 形 恥ずかしい, 不名誉[不面目]な. **dis・gráce・ful・ly** 副 不名誉[卑劣]にも. **dis・gráce・ful・ness** 名 U 不名誉, 恥.

dis・grun・tled /dɪsgrʌ́ntld/ 形〔…に〕不満の, 不機嫌な, むっとした〔*at, with, by*〕.

†**dis・guise** /dɪsgáɪz/ 動 1〈人が〉〈人・物〉を〔…に〕

変装させる, 偽装させる[as]; [be ~d / ~ oneself] [...で/...に]変装している[する] [with, by, in / as] ‖ *disguise* one's voice *with* a strong accent ひどいなまりで作り声をする / *disguise* oneself *with* [*by* wearing] a wig かつらで変装する / He *is disguised* [×is disguising] *in* woman's clothes. 彼は女装している. **2** 〈人・物・事が〉〈事実・本性・感情・目的・意図などを〉[...で/...に対して]隠す, 偽る[*with, by / from*] ‖ *disguise* one's sorrow *beneath* a smile 微笑で悲しみを隠す / There is no *disguising* the fact *from* [×*to*] her. 彼女に事実を隠すことはできない.
——名 **1** Ⓤ 変装(すること), 偽装, 仮面; Ⓒ 変装[偽装]に使われる[身につけられる]もの, (舞踏会などの)仮面; (芸人などの)扮装(ホミュ)(makeup) ‖ put on a *disguise* 変装する / The bank robber was *in disguise*. 銀行強盗は変装していた / *In* [*Under*] *the disguise* of a passer-by, the detective followed the suspect. 刑事は通行人に扮して容疑者を尾行した. **2** Ⓒ 見せかけ, ごまかし; 口実, 隠れみの ‖ confess *without disguise* 包み隠さず白状する / *make nó disguíse of* one's feelings 感情をむき出しにする.

***dis·gust** /dɪsgʌ́st/ [「好みに合わないこと」が原義]
——動 (~s/-gʌ́sts/; 過去・過分 ~·ed/-ɪd/; ~·ing)
——他 **1** 〈人・物・事が〉〈人〉を(心理的に)**むかつかせる** ◆進行形不可 ‖ She [Her behavior] *disgusts* me. 彼女[彼のふるまい]にはつくづくうんざりしている. **2** [be ~ed] [...で]いやになる, 嫌悪をつかす[*by, with, at, that節*] ‖ I *am* [feel] *disgusted at* [*by, with*] her [her behavior]. 彼女[彼のふるまい]にはうんざりしている.
——名 Ⓤ [...に対する](むかつくような)**嫌悪**(ポン), 反感, 愛想づかし[*at, for, toward, against, with*] ◆ dislike, distaste より強い意味) ‖ *in disgúst* いやになって, うんざりして / *to* my *disgust* うんざりした[愛想がつきた]ことには / *fáll into disgúst of* him [his hobby] 彼[彼の趣味]が大嫌いになる / I always view this photo *with disgust*. この写真を見るといつもむかつく(=This photo always *disgusts* me.).
dis·gust·ed·ly /dɪsgʌ́stɪdli/ 副 うんざりして; 愛想をつかして.
†**dis·gust·ing** /dɪsgʌ́stɪŋ/ 形 (略式)〈人・物・事が〉気分の悪くなる[愛想のつきる]ような, うんざりさせる. 実にいやな ‖ His table manners are *disgusting*. 彼のテーブルマナーはまったく気に入らない(=His table manners *disgust* me.) / smell *disgusting* いやなにおいがする(◆ smell *disgustingly* はふつう「ひどく悪臭がする」).
dis·gúst·ing·ly 副 うんざりするほど, 愛想をつかして; (略式)とても(extremely).

☆**dish** /díʃ/ [「投げられる物」が原義. cf. disk]
——名 (~·es/-ɪz/) Ⓒ **1** 〔料理をテーブルまで運ぶ深い〕**皿**, 大盛り皿((米)platter)(◆各人がめいめいそって食べる皿は plate, 「受け皿」は saucer. (米)では dish be plate の意にも用いる) ‖ a *dish* for meat =a meát *dish* 肉皿 / a wóoden *dish* 木製の皿.
2 [the ~es](食事で使用された)**食器類** ◆ ナイフ・フォーク類を含むふつう銀器・ガラス器は含まない) ‖ *wásh* (úp) [*dó*] *the díshes*(食後)食器[皿]を洗う / put away the *dishes* 食器を片付ける.
3 (皿に盛った)**料理, 食物**; 1皿分の料理(dishful) ‖ one's favorite *dish* 好きな料理, 好物 / the main *dish*(コース中の)主菜(cf. entrée) / Spanish *dishes* スペイン料理.
4 皿形のもの[くぼみ]; 椀(ホ)型[凹面形]アンテナ.
——動 他〈料理〉を皿に盛る(+*up*).
dísh it óut (略式) ぼろくそに言う, こっぴどくしかる; こらしめる, 罰を食らわす.
dísh óut [他] (1)〈料理〉を皿に取り分ける, よそい分ける. (2)(略式)〈物・情報などを〉(じゃんじゃん)ばらまく[配る], どんどん流す.
dísh úp (略式) [自] 料理を盛りつける. ——[他]〈料理〉を盛りつける.
dísh tówel (米)(食器用)ふきん((英) tea towel).
dis·har·mo·ny /dɪshɑ́rməni/ 名 Ⓤ Ⓒ (正式) **1** 不調和; 不一致. **2** 不調和なもの; 不協和音.
†**dis·heart·en** /dɪshɑ́rtn/ 動 他 (正式)〈人〉の勇気[自信, 希望, 情熱]を失わせる, 〈人〉を落胆させる.
dis·héart·ened 形 勇気[自信]を失った.
dis·héart·en·ing 形 失望させる, 落胆させる.
†**di·shev·eled, --elled** /dɪʃévld/ 形 (正式)〈髪が〉みだれた;〈服装・容姿などが〉だらしのない,〈人が〉だらしなく(untidy).
dish·ful /díʃfʊl/ 名 Ⓒ 皿1杯の量).
†**dis·hon·est** /dɪsɑ́nɪst, dɪzɑ́nɪst | -ɔ́n-/ 形〈人が〉不正直な, 不誠実な, 不まじめな;〈言動が〉不正[ごまかし]の(↔ honest) ‖ be *dishonest* about one's qualifications 資格を偽る.
dis·hón·est·ly 副 [文全体を修飾] 不正直[不誠実]にも.
dis·hon·es·ty /dɪsɑ́nɪsti, dɪzɑ́nɪsti | -ɔ́n-/ 名 **1** Ⓤ 不正直, 不誠実(↔ honesty). **2** Ⓒ 不正行為, ごまかし, 詐欺, 盗み.
†**dis·hon·or**, (英) **--our** /dɪsɑ́nər, dɪz- | dɪsɔ́nə, dɪz-/ 名 **1** Ⓤ (正式)(自らに招く)不名誉, 不面目, 恥(◆ shame, disgrace より堅い語)(↔ honor) ‖ His scandal brought *dishonor to* [*on*] his family. 彼のスキャンダルは家族の恥辱となった / live *in dishonor* 屈辱の生活を送る. **2** Ⓤ Ⓒ 軽蔑(ポン), 無礼(な言動) ‖ *do* him *a dishonor* 彼を侮辱する. **3** Ⓤ [時に a ~] [...の]不名誉[不面目, 恥]となる人[物, 事][*to*] ‖ a *dishonor to* one's school 学校のつら汚し.
——動 他 (正式) ...の名誉をけがす; ...を辱(ホッラ゙)める.
†**dis·hon·or·a·ble**, (英) **--our·--** /dɪsɑ́nərəbl, dɪz- | dɪsɔ́n-, dɪz-/ 形 不名誉[不面目]な, 恥ずべき, 卑劣[不道徳]な(↔ honorable).
dis·hón·or·a·bly 副 不名誉にも;[文全体を修飾] 不名誉にも, 恥ずべきことに.
†**dish·hon·our** /dɪsɑ́nə, dɪz- / (英) 名 動 =dishonor.
dish·wash·er /díʃwɑ̀ʃər | -wɔ̀-/ 名 Ⓒ (米) 皿洗い(をする人, 機).
†**dis·il·lu·sion** /dɪ̀sɪlúːʒn/ 名 動 =disillusionment.
——動 他 (正式)〈人〉の幻想[誤った考え]を取り除く;〈人〉に迷いをさまさせる, 幻滅を感じさせる; [be ~ed] [...に]幻滅を感じる, 迷いがさめる[*at, about, with, by*]. **dis·il·lú·sion·ment** 名 Ⓤ 幻滅(感), 覚醒(ホミイ).
dis·in·cli·na·tion /dɪ̀sɪnklɪnéɪʃn/ 名 (正式)[通例 a/one's ~] [...]に気が進まないこと(unwillingness)[*for, toward*];〔...することに対する〕嫌気[*to do*] ‖ He has *a* strong *disinclination toward* flying in a plane. 彼は飛行機に乗るのがひどく嫌いだ.
dis·in·cline /dɪ̀sɪnkláɪn/ 動 他 [通例 be ~d] 自〈人が嫌気を起こす, やる気を失う(↔ incline);(好み・意見に合わず)[...するのに]乗り気でない[*to do*];

dis·in·fect /dìsənfékt/ 動 他 〈服・部屋・傷口・器具など〉(を殺菌)消毒する.

dis·in·fect·ant /dìsənféktənt/ 名 CU 殺菌[消毒]剤.

dis·in·fec·tion /dìsənfékʃən/ 名 U 消毒, 殺菌.

dis·in·fest /dìsənfést/ 動 他 〈場所〉から害虫[ネズミなど]を駆除する.

dis·in·gen·u·ous /dìsəndʒénjuəs, (米+) -dʒénjəwəs/ 形〈正式〉〈人・行為が〉不正直[不誠実]な; 率直でない; 腹黒い, 陰険な.

dis·in·her·it /dìsənhérət/ 動 他 〈相続人〉から相続権を奪う; …から権利を奪う.

†**dis·in·te·grate** /dìsíntəgrèit/ 動〈正式〉他 …をばらばらにする, 崩壊させる; …を(成分・部分などに)分解する (↔ integrate). — 自 崩壊[分解]する, 崩れて[…に]なる (into).

†**dis·in·te·gra·tion** /dìsìntəgréiʃən/ 名 U 1 崩壊, 分解, 分裂. 2 〈放射性元素の〉崩壊.

†**dis·in·ter·est·ed** /dìsíntərəstid, -èstid/ 形 〈人・行為が〉私心のない(unselfish), 欲得のない; 無心, 無私な (↔ self-seeking).

dis·joint /disdʒɔ́int/ 動 他 1〈正式〉…の関節をはずす, …を解体[ばらばらに]する. 2〈秩序・関係・団結力など〉を乱す. — 自 関節がはずれる, ばらばらになる.

dis·joint·ed /disdʒɔ́intid/ 形 1 関節のはずれた; ばらばらの. 2〈正式〉〈言葉・思想などが〉支離滅裂な.

dis·junc·tion /disdʒʌ́ŋkʃən/ 名 UC 分離, 分裂.

dis·junc·tive /disdʒʌ́ŋktiv/ 形 1 分離性の[的な]. 2 〈文法〉=disjunctive conjunction.
disjúnctive conjúnction 離接接続詞〈but, yet, either … or など〉.

disk,〈英ではしばしば〉**disc** /dísk/ ◆特にコンピュータ関連では〈英〉でも disk とつづる.
— 名 (複 ~s/-s/) 1〈コンピュータ〉ディスク(magnetic disk) ‖ a hard *disk* ハードディスク / a floppy *disk* フロッピーディスク. 2 (平らな)円盤(状の物). 3〈略式〉レコード, 音盤.

dísk bràke [通例 -s] (自動車などの)ディスク=ブレーキ.

dísk drìve ディスク駆動装置.

dísk hàrrow ディスクハロー〈トラクター用農機具の1つ〉.

dísk jòckey ディスクジョッキー((略式) deejay)〈軽い話題・コマーシャルなどを間にはさんだレコード音楽の番組を担当するアナウンサー. (略) DJ〉.

dísk whèel (自動車などの)ディスク=ホイール.

dis·kette /diskét/ 名 C 〈コンピュータ〉ディスケット(floppy disk).

***dis·like** /disláik/〖好ま(like)ない(dis)〗
— 動 (~s/-s/; 過去・過分 ~d/-t/; ~·lik·ing)
— 他 〈人・物・事〉が嫌いである; [dislike doing] 〈人が〉…することをいやだと思う; [dislike A doing] A〈人・物〉に…してもらいたくない《◆ (1) not like より意味が強く hate より意味が弱い. (2) like と違い, to do はとらない (↔ like)》‖ I *dislike* "big cities [selfish people, rainy weather]". 大都会[利己的な人, 雨]が嫌いだ / I *dislike* having to be alone. 1人でいなくてはならないのはいやだ / I *dislike* you [your] writing to her in such a tone. 君にあんな調子で彼女に手紙を書いてもらいたくない(→文法 12.5) / Everyone *dislikes* being told like that. だれでもそんな口のきき方をされるのはいやだと思う.
— 名 U [通例 a ~] 嫌い; […への]嫌気, 反感 (of, for); C [通例 ~s] 嫌いな物 ‖ tàke a díslike to him 彼が嫌いになる / I hàve a díslike of [for] cats. ネコが嫌いだ(◆〈米〉では I dislike cats. の方がふつう).
líkes and díslikes 好き嫌い(◆対照強勢に注意).

dis·lo·cate /díslòukeit, 〈米+〉dislóukeit/ 動 他 〈正式〉1 …の関節をはずす. 2〈計画・事業・機械・組織・サービスなど〉を混乱させる.

dis·lo·cá·tion 名 UC 位置を変えること; 脱臼; 混乱.

†**dis·lodge** /dislɑ́dʒ│-lɔ́dʒ/ 動 他〈正式〉〈人・物〉を[固定した場所から]移動させる, 取り除く; 〈人など〉を[隠れ家などから]追い払う, 撃退する (from).

†**dis·loy·al** /dislɔ́iəl/ 形〈正式〉[…に]不忠実な, 不実な(unfaithful) (↔ loyal)《◆政治的な意味では disaffected》; 不信の (to).

†**dis·loy·al·ty** /dislɔ́ialti/ 名〈正式〉U[…に対する]不忠実, 不実; 不信 (to) (↔ loyalty); C 不忠[不信]な行為, 背信行為.

†**dis·mal** /dízml/〖悪い(mal)日(dis)〗
— 形 (more ~, most ~; ~·er, ~·est) 1 陰気な, 陰うつな, 憂うつな, 暗い(◆ gloomy より堅い語) ‖ a *dismal* song 陰気な歌 / *dismal* weather うっとうしい天気. 2〈景色などが〉もの寂しい, 荒涼たる. 3〈略式〉みじめな, 期待はずれの ‖ His grades are really *dismal*. 彼の成績は本当に惨たんたるものだ.
— 名〈略式〉[the ~s] 憂うつ.
dís·mal·ly 副 陰気に, 憂うつに; みじめに.

†**dis·man·tle** /dismǽntl/ 動 他〈正式〉1 [通例 be ~d]〈船・家・部屋などから〉[設備・装備などを]取り除わる(strip) (of) ‖ The roofs of the old dwelling were *dismantled*. その古い家から屋根が取りはずされた. 2〈機械など〉を分解[解体]する. 3〈制度・組織などを〉段階的に廃止する.

†**dis·may** /disméi, diz-/ 名 U 1 ろうばい, うろたえ; 仰天; 不安[恐怖, 絶望]感(◆ fear より堅い語) ‖ They listened **in** [**with**] *dismay* to the news. 彼らは呆(ほう)然としてその知らせを聞いた. 2 失望, 落胆; 自信喪失.
to A's dismáy がっかり[びっくり]したことには(◆文頭・文中・文尾に置く) ‖ To her *dismay*, her grades were very poor. 彼女がびっくりしたことには学校の成績が大変悪かった.
— 動 他 1〈心配・恐怖などが〉〈人〉をうろたえさせる, 狼狽(ろうばい)させる; [be ~ed]〈人が〉[…で/…して/…であることに]びっくりする (by, at / to do / that 節)《◆ appall より意味が弱い》‖ He was *dismayed* by the sight of the burning house. 彼は燃えている家を見て狼狽した / We were *dismayed* 「at (hearing) [to hear] the news. そのニュースを聞いて私たちはうろたえた. 2〈人〉を失望[落胆, 意気消沈]させる(◆ disappoint より堅い語) ‖ The speaker was *dismayed* by the audience's lack of interest. 話し手は聴衆の関心のなさに失望した.

dis·mem·ber /dismémbər/ 動 他〈正式〉1 …の手足を切断[ばらばらに]する. 2〈国土・土地などを〉分割する(divide). **dis·mém·ber·ment** 名 U (手足の)切断; 国土分割.

†**dis·miss** /dismís/ 動 他 1〈人が〉〈集会など〉を解散させる, 散会させる; 〈正式〉〈人〉を去らせる, …に退出を許す[命ずる] ‖ It is time to *dismiss* the class now. もう生徒を下校させる時間だ; もう授業を終わる時間だ / Class is *dismissed*. これで終わり《◆授業の終わりを告げる決まり文句. 先生が小中学生に向かっていう》. 2〈人〉を[地位・役職から][…の理由で]解雇[免職]する (from / for, by)(◆ sack より堅い語) ‖ *dismiss* oneself from office 公職から身を引く / She was

dismissed. 彼女はくびになった(=She lost employment.) / *dismiss* him *for* neglect of duty 職務怠慢で彼をくびにする / *dismiss* him *from* school [the army] 彼を退学[除隊]させる. **3** 〔正式〕〈考えなどを〉[…だとして/…から]捨てる, 退ける, 忘れてしまう(put away) 〔*as/from*〕;〈問題・討論などを〉さっさと片づける ‖ *dismiss* him [an idea] *from* one's mind 彼のこと[ある考え]を忘れる / *dismiss* it *as* impossible [a foolish proposal] それを不可能[おろかな提案]だとはねつける. **4** 〔法律〕〈訴訟などを〉[…に対して]却下[棄却]する〔*against*〕.

†**dis·mis·sal** /dismísl/ 名 © **1** […からの]退去, 解散, 免職, 解雇〔*from*〕. **2** 〈考えなどの〉放棄;〔法律〕(訴訟の)却下, 棄却.

dis·mis·sive /dismísiv/ 形 拒否するような, 否定的な.

dis·mis·sive·ly 副 否定的に, すげなく.

†**dis·mount** /dismáunt/ 動 〔正式〕 **1** 〈馬・自転車・オートバイなどから〉降りる〔*from*〕(◆「列車・バス・タクシーから降りる」は alight) ‖ *dismount from* a horse [bicycle] 馬[自転車]から降りる(◆ 他動詞用法がふつう). ── 他 **1** 〈人を〉馬などから落とす, 降ろす;〈馬などから〉降りる. **2** 〈大砲を〉砲架から取りはずす.

Dis·ney /dízni/ 名 《Walt(er Elias) ~ 1901-66;米国の動画・映画制作者・興行師》.

Wált Dísney Wòrld ディズニーワールド《Florida 州 Orlando 市近郊の遊園地》.

Dis·ney·land /dízniltend/ 名 [(the) ~] ディズニーランド《米国 Los Angeles 市近郊の遊園地. W. Disney が設立》.

†**dis·o·be·di·ence** /dìsəbí:diəns/ 名 Ⓤ […への]不従順, 違反〔*to*〕 (⇔ obedience).

†**dis·o·be·di·ent** /dìsəbí:diənt/ 形 〈人・行為などが〉〔人・命令・規則などに〕服従しない, 反抗的な, 違反する〔*to*〕 (⇔ obedient).

dis·o·bé·di·ent·ly 副 反抗的に.

†**dis·o·bey** /dìsəbéi/ 動 他 〈人・命令・法などに〉服従しない, 違反する (⇔ obey). ── 自 服従しない.

*__dis·or·der__ /disɔ́ːrdər, diz-/
── 名 (複 ~s/-z/) **1** Ⓤ 〔正式〕 混乱(している状態), 乱雑 ‖ My room is usually clean, but it's in *disorder* now. 私の部屋はいつもきれいですが, 今は散らかっています (◆ 後半部分は〈略式〉では, but it's in a mess now).
2 ⓊⒸ (政治的)**無秩序**, 不穏, 騒動, 暴動(riot) ‖ The police tried to quell the *disorder*. 警察は暴動を鎮圧しようと試みた.
3 ⓊⒸ 〔正式〕 (心身機能の)不調, 異常, 障害;(軽い)病気 ‖ a stomach *disorder* 胃病.
── 他 **1** …を乱す, 混乱させる. **2** 〈心身の〉調子を狂わせる, 異常を起こす;…を病気にする.

dis·ór·dered 形 **1** 乱れた, 乱雑な. **2** 病気の, 不調な.

†**dis·or·der·ly** /disɔ́ːrdərli, diz-/ 形 〔正式〕 **1** 無秩序の, 混乱した. **2** 〈人・行為が〉乱暴な, 手に負えない. **3** 〔法律〕治安[風紀]を乱す, 法律違反の.

dis·or·gan·i·za·tion /disɔ̀ːrgənəzéiʃən | -gənai-/ 名 Ⓤ **1** 秩序[組織]の破壊, (組織の)分裂, 解体. **2** 混乱.

†**dis·or·gan·ize,** 〈英ではしばしば〉 **-ise** /disɔ́ːrgənàiz/ 動 他 …の組織[秩序, 体制]を乱し, …を混乱させる.

dis·o·ri·ent /dìsɔ́ːrient/ 動 他 (米) [通例 be ~ed] **1** 〈人・物が〉方向感覚を失う, 道に迷う. **2** 〈人・分別を〉失う, まごつく, (精神的に)混乱する.

†**dis·own** /disóun/ 動 他 〔正式〕 …を自分のものだと認めない, …に関係[責任]がないと言う;〈子〉を勘当する.

dis·par·age /dispǽridʒ/ 動 他 **1** 〔正式〕 …を見くびる, …をけなす. **2** …の信用を落とす, 評判を悪くする.

dis·par·i·ty /dispǽrəti/ 名 ⓊⒸ 〔正式〕 […の]相違〔*between*〕;〔…における〕不つり合い, 不均衡 〔in, of〕.

dis·pas·sion·ate /dispǽʃənət/ 形 〔正式〕〈人・行為が〉感情に動かされない, 冷静な(calm);公平な.

†**dis·patch,** 〈英〉 **des-~** /dispǽtʃ/ 動 他 **1** 〔正式〕〈手紙・小包などを〉[…に]発送する, 投函(ﾄｳｶﾝ)する(send off)〔*to*〕;〈使者・軍隊などを〉[…に]派遣する〔*to*〕 ‖ *Dispatch* a rescue party *to* the scene of the fire at once. すぐ救援隊を火事の現場に派遣しなさい. **2** 〈仕事・食事などを〉手早くすませる(finish off);〈人〉をさっさと送り出す. ── 名 **1** Ⓤ 〔正式〕 (使者・軍隊などの)派遣, 特派;(手紙などの)発送, 投函(ﾄｳｶﾝ). **2** Ⓤ 〔正式〕 (仕事などの)手早い処理, 迅速(hurry) ‖ *with* (great) *dispatch* 大急ぎで(=in a great hurry). **3** Ⓒ (新聞記者の)特電, (急送)公文書.

dis·patch·er /dispǽtʃər/ 名 Ⓒ 配車[発車]係;発送者.

†**dis·pel** /dispél/ 動 (過去・過分 **dis·pelled**/-d/; **-pel·ling**) 他 〔正式〕 …を追い散らす[払う];〈心配・恐怖などを〉一掃する.

dis·pen·sa·ble /dispénsəbl/ 形 なくても済む.

dis·pen·sa·ry /dispénsəri/ 名 Ⓒ **1** (特に病院の)調剤室, 薬局. **2** (工場・学校などの)医務室.

†**dis·pen·sa·tion** /dìspənséiʃən/ 名 **1** ⓊⒸ 〔正式〕 分配, 施し;Ⓒ 分配品, 施し物. **2** Ⓤ (施政・管理などの)体制, 制度;統治. **3** Ⓒ 〔神学〕神の定め, 摂理. **4** Ⓤ 〔カトリック〕特免.

†**dis·pense** /dispéns/ 動 他 〔正式〕 **1a** …を[多数の人に]分配する, 施す(distribute)〔*to*〕 ‖ *dispense* clothing *to* the needy 困っている人たちに衣服を施す. **b** 〈自動販売機が〉〈商品を〉売っている. **2** 〈法を〉施行する;〈儀式などを〉執り行なう ‖ *dispense* justice 法を施行する, 裁判する. **3** 〈薬を〉調合[調剤]する, 投与する.

dispénse with A (1) 〔正式〕〈人・企業などを〉…なしで済ます(◆ do without より堅い語. 共に「必要ではあるが」の意を含む) ‖ *dispense with* an interpreter 通訳なしで済ます. (2) 〈人・物が〉〈事〉を不要にする.

dis·pens·er /dispénsər/ 名 Ⓒ 薬剤師, 調剤師;自動販売機;(銀行の)現金自動支払い機(cash dispenser).

†**dis·per·sal** /dispɔ́ːrsl/ 名 〔正式〕 =dispersion.

†**dis·perse** /dispɔ́ːrs/ 動 他 〔正式〕 **1** 〈人々を〉四方に散らす, 分散[散開]させる ‖ The police *dispersed* the crowd. 警察隊は群衆を四散させた. **2** 〈雲・苦痛などを〉追い払う[散らす] ‖ The wind *dispersed* the smoke. 風は煙を吹き散らした. **3** 〈知識などを〉広める, 普及させる;…を配布[布告]する. ── 自 **1** 〈群衆などが〉散らばる, 分散[離散]する (⇔ collect). **2** 〈霧・雲などが〉消散する, 晴れる.

dis·per·sion /dispɔ́ːrʒən | -ʃən/ 名 〔正式〕 散布;散乱, 離散;四散.

dis·pir·it /dispírət/ 動 他 〔正式〕 [通例 ~ed で形容詞的に] 〈人〉の元気[意気]をくじく, …を落胆[がっかり]させる ‖ look dispirited がっかりしている様子だ.

dis·pír·it·ed 形 がっかりした. **dis·pír·it·ed·ly** 副 がっかりして.

†**dis·place** /displéis/ 動 他 〔正式〕 **1** …を〈通常の場所・正しい位置から〉置き換える, 移す, 動かす〔*from*〕. **2** (追い払って)…に取って代わる, …と入れ代わる ‖ The calculator has almost *displaced* the aba-

cus. 計算機はほとんどそろばんに取って代わった. **3** 〈人〉を〔役職から〕解職[解任]する〔*from*〕.

displáced pérson (戦争・飢饉(ﾞﾝ)などによって故国を追われた)難民, 流民.

†**dis･place･ment** /displéismənt/ 图 Ⓤ **1** 《正式》置換え；転置, 取り替え ‖ The union rebelled at the *displacement* of large numbers of people. 組合は多くの人々の配置転換に抗議した. **2** 解雇, 解職, 解任. **3** 〔しばしば a ~〕(船舶の)排水量[トン].

***dis･play** /displéi/ 〖「折り重なっているものを広げてみせる」が原義〗

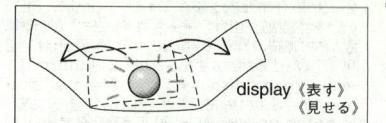

display《表す》《見せる》

──動 (~s/-z/; 過去・過分 ~ed/-d/; ~ing)
──他 **1** 〈人などが〉〈商品・作品などを〉陳列する, 展示する, 飾る(exhibit) ‖ *display* fall fashions in the window ショーウインドーに秋のファッションを陳列する / 日本発 *Tokonoma* (or alcoves) are used as the place to *display* hanging scrolls or flower arrangements. 床の間は掛軸や生け花を飾るのに使われます.
2 《正式》〈人などが〉〈感情・性質など〉を(はっきりと)表す, 露呈する；〈能力・勇気など〉を発揮する(show) ‖ *display* great courage in doing ... …するに当たって大いに勇気を発揮する / Many people *display* their lack of knowledge as soon as they start talking. 話し始めるとすぐ知識のなさを露呈する人が多い.
3 …を見せびらかす, 誇示する.
──名 (複 ~s/-z/) **1** ⓊⒸ 陳列, 展示, 装飾, ディスプレイ；Ⓒ 展示(商品) ‖ His ceramics are *on display* at the city museum. 彼の陶芸作品は市の美術館に展示されています.
2 Ⓤ 〔時に a ~〕見せびらかし, 誇示；(旗の)掲揚；(花火の)打ち上げ ‖ *òut of displáy* これ見よがしに / He got drunk and *made a display* of himself. 彼は酔っ払って自分をひけらかした.
3 ⓊⒸ 表示, (感情などの)発揮, 露呈 ‖ The synchronized swimmer *put on an impressive display* of superior skill and grace. そのシンクロナイズドスイミングの選手は見事に高度な技と優雅さを見せた.
4 Ⓤ 〔コンピュータ〕ディスプレイ, 表示装置.

†**dis･please** /displíːz/ 動 他 〈人・物・事が〉〈人〉を不快にする, 怒らせる(offend) (↔ please)；〔be ~d〕〔…に対して/…で〕不快になる(*with, at, by / for*〕‖ He *is displeased at* [*with*] her rude behavior. =He *is displeased with* her *for* behaving rudely. 彼は彼女の無作法に立腹している(◆He is very angry. の遠回し表現).

dis･pleas･ing /displíːzɪŋ/ 形 《正式》〔他動詞的に〕〔人にとって〕不快な〔*to*〕.

†**dis･pleas･ure** /displéʒər/ 图 Ⓤ 《正式》不快, 不機嫌, 不満, 立腹 ‖ He glared at the stain *with displéasure*. 彼はしみをそのしみをにらんだ.

dis･port /dispɔ́ːrt/ 動《古》〔おおげさに〕〔~ oneself〕 自 (特に海や日なたで)楽しむ, 気晴らしをする, 遊び戯れる.

dis･pos･a･ble /dispóuzəbl/ 形 使い捨ての；自由に使える ‖ a *disposable* cup [towel] 使い捨てコップ[タオル]. ──名 Ⓒ 《米》使い捨て用品.

†**dis･pos･al** /dispóuzl/ 图 《正式》**1** Ⓒ 配置, 配列. **2** Ⓤ 処分, 処理, 始末；売却, 譲渡 ‖ the *disposal* of property [rubbish] 財産[ごみ]の処分 / *disposal by sale* 売却処分 / ocean *disposal* of wastes 廃棄物の海洋投棄. **3** Ⓤ〔have [put] one's ~〕処分権, 処分の自由 ‖ The money is [left [put, placed]] *at my disposal*. そのお金は私の自由になる.

dispósal bàg (ホテルなどに備えつけの)汚物[生理用品]処理袋.

***dis･pose** /dispóuz/ 〖(適当に)離して(dis)置く(pose)〗 派 disposal (名), disposition (名)
──動 (~s/-ɪz/; 過去・過分 ~d/-d/; --pos･ing) 《正式》
──他 **1**〈人が〉〈人・物〉を(適切な位置に)配置する, 配列する(arrange) ‖ *dispose* books in order きちんと本を並べる / *dispose* soldiers for the battle 兵士を戦いに備えて配置する.
2 [dispose A for [to, toward] B] 〈人・物・事が〉 A〈人〉に B〈仕事など〉をする気にさせる；[dispose A to do] A〈人〉にする気にさせる；[be ~d] 〔…したい〕気がする〔*to, for, to do*〕‖ I'm not *disposed* 「*for* a drive [*to* take a drive]. 運転する気がしない.
3 [dispose A to B] 〈物・事が〉 A〈人〉を B〈病気・言動など〉をする傾向にする；[dispose A to do] A〈人〉を…しがちにする；[be ~d] (生来的に)〔…への/…する〕傾向がある〔*to / to do*〕‖ She *was disposed to* colds [tears]. 彼女はかぜをひきやすかった[涙もろかった].

be íll dispósed to [*toward*] A …に不賛成である.

be wéll [*fávorably, kíndly*] *dispósed to* [*toward*] A …が好きである；…に賛成である.

***dispóse of** A **(1)**《正式》…を処理する, 処分〔始末, 売却, 譲渡〕する, 殺す(◆受身可) ‖ *dispose of* an argument 議論を片づける / *dispose of* oneself 身の振り方を決める / *dispose of* (kitchen) garbage 生ごみを処分する. **(2)**《略式》〈飲食物〉を平らげる.

dis･pos･er /dispóuzər/ 图 Ⓒ 処理する人[物]；ディスポーザー, 生ごみ粉砕機(流しのごみを砕いて処理する器具).

†**dis･po･si･tion** /dìspəzíʃən/ 图 **1** Ⓤ 《正式》〔時に a ~〕**a** (行為・人との関係に現れる生来の)〔…する/…に陥(ﾁ)りやすい〕気質, 性質, 傾向(tendency)〔*to do / to*〕‖ a *disposition to* tears 涙もろいたち / *have* [*show, be of*] *a* selfish [shy, mild] *disposition* わがままな[内気な, おとなしい]性質である / a *disposition* in plants *to* turn to the sun 植物の向日性. **b** 〔一時的な〕〔…したい〕気持ち〔*to do*〕‖「*I was in* [I *felt*] *a disposition to* sympathize with her. 彼女に同情したい気になった. **2** ⓊⒸ 《正式》(物・軍隊などの)配置, 配列；〔~s〕準備, 作戦計画 ‖ *make* one's *dispositions* for the departure 出発の準備を万端整える. **3** Ⓤ〔法律〕〔時に a ~〕処分(権), 措置；(財産の)売却, 譲渡 《◆ disposal がふつう》 ‖ the *disposition* of land 土地の処分 / He has no property *at* [*in*] *his disposition*. 彼には自由にできる財産がない.

dis･pos･sess /dìspəzés/ 動 他 《正式》(法律に基づいて)〈人〉から〔財産・土地などを〕取り上げる〔*of*〕.

dis･pos･sessed /dìspəzést/ 形 《正式》〔…を〕奪われた, 財産[地位]を奪われた, 立ち退かされた〔*of*〕；〔the

~; 集合名詞的に; 複数扱い] 破産者たち, 放浪者たち.
dis·praise /disprέiz/ 《正式》動 他 …をけなす, 非難する. ——名 U C けなすこと, 非難.
dis·proof /disprú:f/ 名 U C 《正式》反証(物件), 論駁(⁻).
dis·pro·por·tion /dìsprəpɔ́ːrʃən/ 名 U C 《正式》[…の間の]不つり合い[between] (↔ proportion); [数・量・大きさ・年齢などの/…に対する]不均衡[in/to]; C 不つり合いなもの.
dis·pro·por·tion·ate /dìsprəpɔ́ːrʃənət/ 形 《正式》[…と]不つり合いな, 不均衡の[to].
†**dis·prove** /disprúːv/ 動 他 《正式》…の誤り[不正確さ]を立証する, 反証をあげる; …を論駁(⁻)する.
dis·put·a·ble /dispjúːtəbl, díspjət-/ 形 《正式》議論[疑問]の余地のある.
dis·pu·tant /dispjúːtənt, díspjə-/ 名 C 《正式》[討論]している人. ——形 論争[討論]の.
dis·pu·ta·tion /dìspjətéiʃən/ 名 U C 《正式》論争, 議論; 《古》学術的討論(会).
†**dis·pute** /dispjúːt/ 動 ⇨, ⇨/ 動 他 1〈人が〉…を議論する, 討論する; [dispute wh節・句] …かを議論する; [dispute whether節] …かどうかを議論[論議]する (→ discuss [類義]) ‖ I *dispute* the future of the world 世界の未来を議論する / We *disputed when* [*how, where*] to carry it out. = We *disputed when* [*how, where*] we should carry it out. それをいつ[どのように, どこで]実行すべきかを討論した(●文法 11.8). 2〈提案・問題などに〉反論[反対]する(argue against); [しばしば否定文で] [dispute that節] …ということに異議を唱える ‖ Nobody *disputes*「her marriage [*that* she will marry]. だれも彼女の結婚に異議を唱える者はいない / I don't *dispute that* he will be elected the new president. 彼が新しい大統領に選ばれることに異議を唱える. 3〈物を〉[人と]争う[with].
——〈人が〉[人と/…について]討論する, 論争[口論]する[with, against / about, over, on] (◆ discuss より感情的な議論を含意) ‖ I *disputed with* him *about* world peace for an hour. 彼と1時間ほど世界平和について論争した.
——名 U C [人との/…についての]議論, 口論, 紛争[with / about, on, over] ‖ a labor *dispute about* efficiency wages 能率賃金についての労働争議 / be open to *dispute* 議論の余地がある.
beyònd [*òut of, pàst* (*àll*), *withòut* (*àny*)] *dispúte* (まったく)議論の余地なく, 疑いなく, 明白に.
in dispúte = *ùnder dispúte* […と]論争中の[で][with]; 未解決の[で].
dis·qual·i·fi·ca·tion /dìskwɑləfikéiʃən | -kwɔlə-/ 名 1 U 資格剥奪(ﾊﾂ); 不適任. 2 C 失格理由, 欠格事項.
dis·qual·i·fy /diskwɑ́ləfài | -kwɔ́lə-/ 動 他 1〈人の〉資格を[…に関して/…することから]奪う; 〈人を〉失格させる, 失格者[不適任]と判定する[for / from doing] ‖ Insufficient education *disqualified* him for the job. 彼は十分な教育を受けていないためその仕事に就けなかった(●文法 23.1). 2〈病気などが〉〈人に〉[…することを]不能にさせる(disable)[from]. 3〈権利・権力・特権などを〉奪う; 〈人の〉出場資格を[…の理由で]取り上げる[for].
†**dis·qui·et** /diskwáiət/ 《正式》動 他 〈事が〉〈人〉を不安にする; 〈人の〉平静を失わせる; [be ~ed] 〈人が〉[…について/…していることで]気がかりである[about / that節]. ——名 U 不安, 心配; 不穏, 動揺.
Dis·rae·li /dizréili/ 名 ディズレイリ《Benjamin ~ 1804–81; 英国の政治家・小説家・首相(1868, 1874–80). 《称号》1st Earl of Beaconsfield》.
†**dis·re·gard** /dìsrigɑ́ːrd/ 《正式》動 他 1 …に(故意に)注意をしない, …を無視する(◆ ignore の方が意味が強い) ‖ *disregard* a stop sign 停止標識を無視する. 2 …を軽視する, なおざりにする.
——名 U [時に a ~] […の]無視, 軽視; […に対する]無関心[of, for].
in disregárd of A …を無視して.
dis·rep·u·ta·ble /disrépjətəbl/ 形 1 […に]評判の悪い, 不評の[to] (↔ reputable); いかがわしい, たちのよくない. 2 みっともない, みすぼらしい.
dis·rep·u·ta·bly 副 評判悪く; みっともなく.
dis·re·pute /dìsripjúːt/ 名 U 《正式》不評, 悪評; 不名誉, 汚名 ‖ fáll into *disrepúte* 評判を落とす.
†**dis·re·spect** /dìsrispékt/ 名 U 《正式》失礼, 失礼; […に対する]軽蔑(⁻)[*to, toward*] (↔ respect) ‖ *No disrespect to* you, but I think you are not very careful. 君には悪いけど, 内容が少し足りないと思うな. **dis·re·spéct·ful** /-fl/ 形 《正式》[…に]失礼[無礼]な[*to*]. **dis·re·spéct·ful·ly** /-fəli/ 副 失礼に(も).
dis·robe /dìsróub/ 動 自 《正式》衣服[礼服]を脱ぐ. ——他〈人に〉[礼服などを]脱がせる[*of*].
dis·rupt /disrʌ́pt/ 動 他 《正式》1〈制度・国家などを〉分裂させる. 2〈会合・通信・交通などを〉混乱[中断, 途絶]させる.
dis·rup·tion /disrʌ́pʃən/ 名 U C 《正式》1〈国家などの〉分裂, 崩壊; 破裂. 2 混乱, 中断, 途絶.
†**dis·sat·is·fac·tion** /dìssætisfǽkʃən/ 名 U […に対する]不満, 不平[*at, with*] (↔ satisfaction); […という]不平[*that*節]; U C 不満の種 ‖ her *dissatisfaction at* his late arrival [*that* he arrived late] 彼の遅刻に対する[彼が遅刻したという]彼女の不平.
dis·sat·is·fac·to·ry /dìssætisfǽktəri/ 形 […にとって]不満足な; 不満の原因となる[*to*].
†**dis·sat·is·fied** /dìssǽtisfàid/ 形 不満[不快]を示す ‖ a *dissatisfied* look 不満そうな顔つき.
dis·sat·is·fy /dìssǽtisfài/ 動 他 〈人に〉不快[不満]をいだかせる; 〈人を〉不快にし[失望]させる; [be dissatisfied] […に]不満[不快]である[*with*]; […することに]不満である[*at doing*] (↔ satisfy).
†**dis·sect** /disékt, dai-/ 動 他 《正式》1〈実験・研究のため〉〈人・体・動植物などを〉解剖する. 2〈議論・学説などを〉詳細に調べる[批判する, 分析する].
dis·séc·tion 名 1 U 切開, 解剖, 解体; C 解剖体(模型). 2 U 詳細な調査[分析].
dis·sem·i·nate /disémənət/ 動 他 《正式》1〈ニュース・思想・説・意見などを〉広める, 普及させる(spread). 2〈種子などを〉ばらまく, 散布する.
dis·sem·i·ná·tion 名 U 普及; 種まき.
†**dis·sen·sion** /disénʃən/ 名 U C […間の](同じ団体内の)…の間の]意見の相違[不一致, 衝突], 紛争[*between, among*]. 2 C 不和[紛争]の原因.
†**dis·sent** /disént/ 動 自 […と]意見が違う, […に]異議を唱える(disagree)[*from*] (↔ assent, consent). ——名 U […との]意見の相違, 異議, 不同意[*from*]. **dis·sént·er** 名; [通例 D~] アングリカンチャーチ反対者; 非国教徒.
dis·sen·ti·ent /disénʃənt, -ʃiənt/ 《正式》形 C 意見を異にする(人), 反対する(人).
dis·ser·ta·tion /dìsərtéiʃən/ 名 C 1 […に関する]学術[学位]論文, (特に)博士論文[*on, upon, concerning*]. 2 (文章・口述による)論説, 論述.
dis·serv·ice /dìssɔ́ːrvis/ 名 U 《正式》[しばしば a ~]

dissever

(…への)ひどい仕打ち, あだ; 害[to] ‖ do him (a) disservice =do (a) disservice to him 彼に害を与える, ひどい仕打ちをする.

dis·sev·er /dɪsévər/ 動 (正式) 他 …を分離させる, 分割[分裂]させる. ― 自 分離する, 分割[分裂]する.

dis·sim·i·lar /dɪssímələr/ 形 (正式) [しばしば否定文で] (…と)似ていない, 異なる[to, from].

dis·sim·i·lar·i·ty /dɪssɪməlǽrəti/ 名 (正式) Ü 似ていないこと, 相違; Ç (…の間の)相違点[between].

dis·sim·u·late /dɪssímjəlèɪt/ 動 (正式) 他 〈感情・意志などを〉(偽り)隠す. ― 自 真意を隠す, そらとぼける.

dis·sim·u·la·tion 名 Ü 感情を隠すこと.

†**dis·si·pate** /dísəpèɪt/ 動 (正式) 他 1 〈雲・霧・煙などを〉散らす, 追い払う(drive away); 〈心配・恐怖などを〉消す, 晴らす. 2 〈時間・金などを〉浪費する(waste), 財産などを食いつぶす. ― 自 1 〈雲などが〉消散する. 2 放蕩(¾)[道楽]する, 散財する.

dís·si·pàt·ed 形 (正式) 1 放蕩にふける, 道楽な; ふしだらな. 2 浪費される.

dis·si·pa·tion /dìsəpéɪʃən/ 名 Ü (正式) 1 消散, 消失. 2 浪費, 濫費; 放蕩(¾), 遊興; 不節制. 3 気晴らし, 娯楽.

dis·so·ci·ate /dɪsóʊʃièɪt, -si-|-si-, -ʃi-/ 動 他 (正式) …を(…から)引き[切り]離す, 分離する; …との関係[交際]を絶つ(↔ associate) ‖ dissociate oneself from … …との関係を断つ, …の支持[同意]を断る.

dis·sò·ci·á·tion /-siéɪʃən/ 名 Ü (正式) 分離(作用・状態).

dis·so·lute /dísəlùːt, (英) -ljùːt/ 形 (正式) 〈人・ふるまいが〉ふしだらな[放縦]な. **dís·so·lùte·ly** 副 (正式) ふしだらに.

†**dis·so·lu·tion** /dìsəlúːʃən, (英) -ljúː-/ 名 Ç Ü (正式) 1 溶解[分解](したもの); 〔化学〕溶解. 2 〈契約・責任・結婚などの〉解消, 解約[of]; (英)〈議会・団体などの〉解散. 3 死, 破滅, 〈機能の〉終局.

†**dis·solve** /dɪzάlv|dɪzɔ́lv/ [発音注意] 動 他 1 〈人・液体などが〉〈物を〉(…に)溶かす[in]; 〈物を溶かして〉(…に)する[into](◆加熱せずに溶かすこと. cf. melt) ‖ dissolve the sugar in water 砂糖を水に溶かす; (正式) 〈人・団体が〉〈議会・組織などを〉解散する; 〈契約・責任などを〉解消[解消]する; 〈関係・影響などを〉解く ‖ We have dissolved our marriage. 私たちは結婚を解消した / dissolve the Diet 国会を解散する. 3 〈人が〉〈問題などを〉解く; 〈希望・疑いなどを〉なくす. ― 自 1 〈物が〉(…に)溶ける[in]; 溶けて(…)になる[into]; (…に)(溶けるように)消えてしまう(disappear)[into] ‖ Ice dissolves into water. 氷は溶けて水になる. 2 (正式) 〈議会などが〉解散する; 〈力・関係・影響などが〉消える; 〈契約などが〉解消される ‖ My resolution dissolved at the last moment. いざという時に決意がくじけた.

dis·so·nance, --nan·cy /dísənəns(i)/ 名 Ü Ç (正式) 1 不調和[耳ざわり]な音(noise). 2 〔音楽〕不協和(音)(↔ consonance). 3 (言行の)不一致, 不調和; 不和(disagreement).

dis·so·nant /dísənənt/ 形 1 (正式) 〈音などが〉不調和[耳ざわり]の, 一致しない(↔ harmonious). 2 〔音楽〕不協和(音)の.

†**dis·suade** /dɪswéɪd/ 動 他 (正式) 〈人に〉説得[忠告]して(…)(することを)思いとどまらせる[from (doing)](cf. persuade) ‖ dissuade a friend from marrying [his plan] 友人に忠告して[計画]を思いとどまらせる.

dist. (略) distance; district.

442

---

distant

†**dis·taff** /dístæf|-tɑːf/ 名 Ç (昔の) 糸巻き棒.

dístaff sìde [the ~] 母系, 母方.

dis·tal /dístl/ 形 〔解剖〕〈筋・骨・足などの末梢(¿¾)(部)の, 末端の.

*__dis·tance__ /dístəns/ [離れて(dis)立った位置(stance)]

― 名 (複 ~s-iz/) Ç Ü 1 […の間の/…からの/…までの]距離, 間隔; 道のり, 行程[between/from/to](略) dis., dist.) ‖ a great [a short, quite a] distance away [off] 遠く[少し, かなり]離れて / My house is within walking distance of the bus stop 私の家はバス停から歩いて行ける距離にあります / cóver [wálk] a dístance of three miles 3マイルの道のりを行く[歩く] / What [×How much] is the distance (from here) to the station? (ここから)駅までどの位の距離ですか(=How far is it (from here) to the station?) / It's no [It's not any] distance. すぐ近くだ, それほど遠くはない.

2 遠距離, 隔たり; 〈遠い地点[地域]〉; (絵の)遠景; [通例 ~s] (空間的)広がり, 範囲 ‖ the middle distance 中景 / fly away into the distance 遠くへ飛び去る / view it in a [×the] distance behind him 彼の後ろから少し離れてその先を見る / at a distance of five miles 5マイル離れたところに(◆ ×at a five miles' distance とはいわない) / I saw a town in the (far) distance (はるか)遠方に町が見えた(◆ in the distance は視覚的の及ぶ範囲内にあることを示し, at a distance は「やや離れた所」を示す).

3 (時間の)隔たり, 経過; (長い)期間 ‖ look back over a distance of ten years 10年の年月を顧みる. 4 (正式) (精神面の)隔たり, 敬遠; 〈態度の〉よそよそしさ ‖ Kéep [your dístance [a safe dístance] from her. 彼女になれなれしくするな(◆ Keep her at a distance. の方がふつう).

from a distance ちょっと離れて.

gó the (full) dístance (略式) 仕事などを最後までやり抜く, 競技などで最後まで戦う; [野球] 完投する; [ボクシング] 最終ラウンドまで戦う.

dístance lèarning (英) (遠距離) 通信教育(制度).

dístance ràce 長距離レース.

dístance rùnner 長距離ランナー.

*__dis·tant__ /dístənt/ [離れて(dis)立った(stand)] (派) distance (名)

― 形 (more ~, most ~) 1 (距離的に) (…から)(非常に)遠い[from](↔ near); [名詞の前で] 遠方への[からの] ‖ a distant (文)far] country 遠い国 / a distant voyage 遠洋航海 / have a distant vîew of Mt. Fuji 遠くに富士山が見える / The station is two miles distant from here. (正式) 駅はここから2マイル先にある(=(略式) The station is two miles ahead [away from here].).

> 語法 distant は具体的な数字を伴わないで用いると, The sun is distant from the earth. (太陽は地球から遠いところにある)のように絶対的な意味を表す. 「私の家は駅から遠い」では My house is 「a long way [×distant] from the station. あるいは It is a long way from my house to the station. とするのがふつう.

2 (時間的に)遠い ‖ in the (dim and) distant past 遠い昔に / in the not too distant future あまり遠くない将来に / at no distant date 近いうちに.

3 a [名詞の前で] 〈関係が〉遠い(↔ close) ‖ a dis-

distantly 443 **distortion**

tant relative 遠い親類. **b**〈類似・記憶など〉かすかな;〈態度が〉よそよそしい, 冷やかな, 遠回しの;〔人に〕冷たい(*with, to*)‖ a (dim and) *distant* recollection [memory] かすかな思い出 / hàve a *dístant* áttitude *toward* [*to*] him =be *distant with* him 彼によそよそしい態度をとる.

dis·tant·ly /dístəntli/ 副 **1**〔文〕(距離・時間的に)遠く, 離れて. **2** 冷淡に, 遠回しに. **3**〔関係が〕遠く, 遠縁に.

†**dis·taste** /distéist/ 名 U〔正式〕〔時に a ~〕〔…に対する〕嫌悪, 嫌気,〔…を〕嫌うこと(dislike)〔*for*〕‖ hàve a distáste for hard work つらい仕事を嫌う.

†**dis·taste·ful** /distéistfl/ 形 **1**〔正式〕〈物・事が〉〔人にとって〕いやな, 不快な(unpleasant)〔*to*〕. **2**〔まれ〕〔…の〕味がまずい〔*for*〕.
dis·táste·ful·ly 副 不愉快に.

†**dis·tem·per** /distémpər/ 名 U〔獣医〕ジステンパー《特に子犬・ウサギに多い急性伝染病》.

†**dis·tend** /disténd/ 動 他 **1**《内部圧力によって》…を膨脹させる. **2**…を誇張する. ─自 膨脹する, ふくらむ. **dis·tén·sion,**(米) **dis·tén·tion** 名 U〔正式〕膨張.

†**dis·till,**(英) **-til** /distíl/ 動 過去・過分 ~ed or (英) dis·tilled; ~·ing or (英) -til·ling 他 **1**〈液体〉を蒸留する;〈ウイスキーなど〉を〔…から〕蒸留して造る〔*from*〕, …を蒸留して〔アルコールなど〕を造る〔*into*〕;〈不純物など〉を蒸留して取り除く(+*out, off*)‖ Brandy is *distilled* from wine. =Wine is *distilled into* brandy. ブランデーはワインを蒸留して造られる / *distilled* water 蒸留水. **2**〈考えなど〉を〔…から〕抽出する〔抜き出す〕〔*from*〕.
dis·till·er /-ər/ 名 C アルコール蒸留業者[会社].
dis·till·er·y /-əri/ 名 C 蒸留酒製造場.

dis·til·late /dístəlèit, -lət/ 名 **1** UC〔…の〕蒸留物, 蒸留液〔*from*〕. **2**〔the ~〕精髄(ずい), 骨子.

†**dis·til·la·tion** /dìstəléiʃən/ 名 U 蒸留(作用), 蒸留法. **2** =distillate.

†**dis·tinct** /distíŋkt/ 形 (more ~, most ~; ~·er, ~·est) **1**〔…と〕まったく異なった, 別個の(*from*); 独特な‖ Butterflies are *distinct from* moths. チョウとガは異なる. **2** はっきり見える[聞こえる], 明瞭(りょう)な, 明確な(definite)(↔ indistinct)‖ His English has a *distinct* Japanese accent. 彼の英語にははっきりと日本語なまりがある. **3**〈言動が〉目立った.
as *distínct from* A …ときわめて対照的に, …とはまったく異って.
dis·tínct·ness 名 U 明瞭さ, 明確さ.

†**dis·tinc·tion** /distíŋkʃən/ 名 **1** UC〔正式〕〔…の/…との〕区別, 差別; 相違, 識別(difference)〔*between / from, to, as to*〕‖ *in distinction from* [*to*] … …と区別して, …と違って / *without distinction* of sex [rank] 男女[身分]の差別なく / a *distinction* without a difference 不当な区別; 無用の区別 / màke [dráw] a (cléar) *distínction between* right *and* wrong 正邪を(はっきり)区別する. **2** U〔a ~〕(区別される)特徴, 特色;(文体などの)風格;(外見などの)上品, 気品‖ This English dictionary has the *distinction* of having the largest number of words of any dictionary in Japan. この英語の辞書は日本最大の語彙数があるという特徴がある. **3** UC〔…という〕栄誉〔*of*〕; 優遇; 著名‖ hàve the *distínction of* beïng presented to the king 王に拝謁する栄誉を得

る. **4** U 卓越, 非凡; 功績, 勲功;(試験成績の)優等, 栄誉のしるし《勲賞・称号など》‖ a man of *distinction* 名士 / pass the entrance examination with *distinction* 優秀な成績で入試をパスする / wín [gáin] *distinction* 名声を得る.

†**dis·tinc·tive** /distíŋktiv/ 形〔正式〕(他と)明確に区別できる(different); 〔…に〕特有[独特]の(unique)〔*of*〕;〔言語〕弁別[示差]的な‖ an accent *distinctive* of one's hometown 生まれ故郷がわかるなまり. **dis·tínc·tive·ness** 名 U 特殊性.

†**dis·tinct·ly** /distíŋktli/ 副 **1** はっきりと, 明白に(clearly)‖ speak *distinctly* はっきりと話す. **2**〔文全体を修飾〕疑いもなく, 確かに.

*★**dis·tin·guish** /distíŋgwiʃ/ 〖「分割・分離する」が原義で「特徴によって人・物・事を分離する」という意が生まれた〗派 distinct (形), distinction (名), distinctive (形), distinguished (形)
── 動 (~·es/-iz/, 過去・過分 ~ed/-t/; ~·ing)
── 他〔正式〕**1 a**〈人などが〉〈複数の物・事〉を〔…によって〕見分ける〔*by*〕‖ *distinguish* colors [the two ideas] 色[2つの考え]を識別する. **b** *distinguish* A *from* [*and*] B〈人・物・事〉を〈人・物・事〉と[A と B を]区別する, 識別[弁別]する◆(1) tell A *from* B の方が一般的. (2) *from* B は文脈上明らかな場合は省略可. (3) 進行形不可‖ *distinguish* cultured pearls *from* genuine ones 養殖真珠と天然物とを区別する.
2〔通例 can を伴って〕〈人が〉(五感で)〈物・人〉がはっきりと見える[聞こえる]◆進行形不可‖ I couldn't *distinguish* the boat in the far distance. ずっと遠くだったのでその船がはっきりわからなかった.
3〈物〉が〈物・事〉を特色づける; [*distinguish* A *from* B]〈特徴などが〉〈人・物・事〉を〈人・物・事〉と区別する目安となる◆進行形不可‖ Mary's boyish haircut *distinguishes* her *from* other girls. =Mary is *distinguished* from other girls by her boyish haircut. メリーはボーイッシュなヘアスタイルをしているので他の女の子と見分けがつく.
4 [通例 be ~ed / ~ oneself]〔…で/…として〕目立つ, 有名である〔*for, by, in / as*〕‖ be *distinguished by* its [one's] absence その場にない[いない]のでかえって目立つ / She is *distinguished*「*for* her eloquence [*as* a scholar]. 彼女は雄弁で[学者として]有名だ / He *distinguished* himsélf 「*in* the cóntest [*by* his skill]. 彼はコンテスト[技量]で名をあげた.
── 自〔正式〕〔…の間の〕相違を見分ける〔*between, among*〕‖ *distinguish*「*between* love and charity [*between* the two words] 愛と慈愛[2語]の見分けがつく(=recognize a difference between …).
dis·tín·guish·a·ble 形〔…と〕区別できる, 見分けられる〔*from*〕.

†**dis·tin·guished** /distíŋgwiʃt/ 形 **1**〈行動などが〉すぐれた, 抜群の;〈人が〉〔…で/…として〕有名な, 顕著な(famous)〔*for, by, in / as*〕◆ dist.)‖ a writer (who is) *distinguished for* his [her] polished style 洗練された文体で有名な作家. **2**〈人・言動が〉威厳のある; 気品[威厳]のある.

†**dis·tort** /distɔ́:rt/ 動 他〔正式〕**1**〈物・顔など〉をゆがめる, 〈手足など〉をねじる. **2**〈事実・真理など〉を曲げる, ゆがめる, 誤り伝える.

dis·tor·tion /distɔ́:rʃən/ 名 UC〔正式〕**1** ゆがめるこ

と, ゆがみ, ねじれ. **2** ゆがめられた状態[部分, 話].

†dis･tract /distrǽkt/ 働 **1**〈人・気持ちを注意などを〉[…から/…に]そらす, 紛らす, 散らす, 転ずる(divert)〔from/to〕(↔ attract) ‖ *distráct* one's mind *from* one's *wórries* 心配事から気持ちを紛らす. **2** 〔通例 be ~ed〕〈人が心を〉[…で]悩ませ, 当惑[混乱]する〔at, by, with〕‖ *be distracted with* anxiety 心配で心を取り乱している.

dis･tract･ed /distrǽktid/ 形 《正式》〈精神が〉集中できない, 取り乱した(confused), 頭がおかしくなった(mad). **dis･tráct･ed･ly** 副 取り乱して.

†dis･trac･tion /distrǽkʃən/ 图 **1** Ｕ 気を散らす[散らされる]こと, 注意散漫, うわの空, 放心状態. **2** Ｃ〔…から〕気を散らすもの, 気晴らし, 娯楽〔from〕; 迷惑なもの ‖ Noise is a *distraction* when we are trying to concentrate. 精神を集中しようとしている時は騒音は邪魔になる. **3** Ｕ Ｃ 《正式》乱心, 動転, 精神錯乱.

dis･train /distréin/ 働 自 《法律》〔…を〕差し押える〔*upon*〕.

†dis･traught /distrɔ́ːt/ 形 《正式》〈人が〉[心配・嘆きなどで]取り乱した(distracted), 困惑[当惑]した〔with, at, by〕.

†dis･tress /distrés/ 图 《正式》**1** Ｕ 悩み(worry), 嘆き(sorrow), 苦しみ;〔…の〕悩み[苦悩]の種[tone]‖ *feel distress* 〔*at* him [*over* his disappearance〕〕彼[彼の失踪(ポ)]に心を痛める / She is a *distress* to 〔*×*of〕the family. 彼女は家族の頭痛の種だ. **2** Ｕ (肉体的)苦痛(pain), 疲労 ‖ *show signs of distress* 疲労[苦痛]の色を見せる. **3** Ｕ 難儀, 苦境; 困窮, 貧困 ‖ a ship [plane] *in distress* 遭難船[機] / She is *in* (*deep*) *distress* 〔*over* money [*about* the matter]〕. 彼女はお金[その問題]のことで(ひどく)困っている.
— 働 他 **1**〈物・事・人が〉〈人〉を悩ませる, 悲しませる;〔~ oneself / be ~ed〕〔…で/…して〕悩む, 苦しむ, 心配する, 疲れる〔with, at, by, about, for / to do〕‖ *Don't distréss yoursèlf* about 〔*for*〕 her. 彼女のことで[ために]心配するな / The news *distressed* me. = I *was distressed* 〔*at* the news [*to hear* the news〕〕. その知らせを聞いて心を痛めた. **2** 《正式》…を追いこんで[苦しめて]〔…〕させる〔*into doing*〕.

dis･tress･ful /distrésfəl/ 形 苦しい, つらい; 悲惨な, 痛ましい. **dis･tréss･ful･ly** 副 苦しく, 痛ましく.
dis･tress･ing /distrésiŋ/ 形 苦しめる, 悩ます; 悲惨な, 痛ましい. **dis･tréss･ing･ly** 副 悲惨に, 痛ましく.

*dis･trib･ute /distríbjət, -juːt, -ニ-/〖別々に分けて(dis)与える(tribute). cf. con**tríb**ute〗 派 distri**bu**tion (名).
— 働 (~s/-bjəts/-bjuːts/; 過去・過分-**ut･ed**/-id/; **-ut･ing**)
— 働 他 **1**〈人が〉〈物〉を分配する, 割り当てる;〈人が〉〈物〉…を[…に]配布[配給, 配達]する〔*to, among*〕
(使い分け) → PASS out [他]) ‖ *distribute* cakes *to* 〔*among*〕 the children 子供にケーキを配る(◆*×distribute* the children cakes は不可).
2〈人などが〉〈塗料などを〉〔…の一面に〕散布する, 塗る, ばらまく; …を分布させる,〔be ~d〕〈人種・動植物が〉分布する〔*over, through*〕‖ *distribute* paint *over* a wall 壁にペンキを塗る / The insect *is distributed* widely throughout the world. その虫は世界中に広く分布している.

†dis･tri･bu･tion /dìstribjúːʃən/ 图 **1** Ｕ 〔…へ〕(の)配分, 分配, 配給, 配布〔*to, among*〕; 割り当て; (株などの)配当; 配電, 配水; Ｃ 配給[分配]品 ‖ the *distribution of* money *to* 〔*among*〕 the poor 貧しい人への金の分与. **2** Ｕ (動植物・言語の)分布(状態); Ｃ 分布区域 ‖ the *distribution of* natural resources 天然資源の分布 / *distribution* curves (統計の)分布曲線.

dis･trib･u･tive /distríbjətiv/ 形 **1** 分配[配布]の, 分配[配布]に関する. — 图 **2**〔文法〕配分詞の.
〔文法〕配分詞《every, each, either など》.

dis･trib･u･tor /distríbjətɚ/ 图 Ｃ 分配[配布, 配給, 配達]する人; 卸売り業者.

*dis･trict /dístrikt/ 〖原義「支配する」より「領主の支配の及ぶ範囲・地域」の意になった〗
— 图 (複 ~s/-trikts/) Ｃ **1** (ある特色・機能を持った)地方(region);(都市などの特定の)地域, 街(◆ ～の意味では region は不可) ‖ a farming *district* 農業地域 / the theater *district* 劇場街 / a shopping *district* [*×region*] / a residential *district* 住宅地[区域] / a poor *district* [*×region*] of London ロンドンの貧民街.
2 (行政・司法・教育・選挙などの目的で区分された)地区, 区域, 管区 ‖ an eléction [eléctoral] *district* 選挙区 / a póstal *district* 郵便区 / a schóol *district* の Tohoku *district* 東北地方.

the Dístrict of Colúmbia コロンビア特別区《米国の首都 Washington 市のことで, 他の州と独立した議会直轄地. 略 D.C.; Washington, D.C. ともいう》.

dístrict cóurt (米) (1) 連邦地方裁判所. (2) (いくつかの州で一般的管轄権を持つ)下級[地方]裁判所.

†dis･trust /distrʌ́st/ 图 Ｕ《正式》…を信用しない, 疑う, 怪しむ(◆ mistrust より意味の強い語)(↔ trust) ‖ *distrust* him 彼を信用しない(=《略式》 have no trust in him). — 图 Ｕ〔時には ~ a〕〔…への〕不信, 疑惑〔*of, in*〕‖ *distrust* in politics 政治不信.

dis･trust･ful /distrʌ́stfəl/ 形 《正式》〔…を〕信用しない〔*of*〕, 疑い深い, 不信の念を抱く.
dis･trúst･ful･ly 副 疑い深く.

*dis･turb /distə́ːrb/ 〖完全に(dis)かき乱す(turb). cf. turbulence〗派 disturbance (名).
— 働 (~s/-z/; 過去・過分 ~**ed**/-d/; ~**ing**)
— 働 他 **1**〈人・事・物が〉〈人・言動〉を妨げる, …に迷惑をかける;〔法律〕〈権利〉を侵害する ‖ *disturb* him in his work [sleep] 彼の仕事[眠り]を妨げる / I hope I didn't *disturb* you. お邪魔でなければいいのですが / *Don't distúrb yoursèlf.* おかまいなく.
2〈人・心〉を不安にする, [be ~ed]〈人が〉〔…で/…して〕心配[当惑]する〔*about / at, by / to do*〕‖ I *am* (very) *disturbed at* [*by*] the news. = I *am* (very) *disturbed to* hear the news. ニュースを聞いて(とても)心配している.
3〈人・物・事が〉〈治安・平静・秩序・休息・集中などを〉かき乱す, 混乱させる ‖ *disturb* 〔the peace [one's happiness]〕 治安[幸福]を乱す.
— 働 自 睡眠[休息]を邪魔する ‖ *Do Not Disturb.* (揭示)(ホテルで)起こさないでください, (睡眠中につき)入室ご遠慮ください.

dis･túrb･er 图 Ｃ 邪魔する人; 侵害する人.

†dis･tur･bance /distə́ːrbəns/ 图 Ｕ Ｃ **1** 《正式》(治安・平静・秩序・休息・集中などを乱すこと[もの, 人](disorder); 妨害[邪魔](物). **2** (心の)動揺, 不安, 心配 ‖ màke múch *distúrbance* about it そのことで大変興奮[立腹]する. **3** (社会の)不安; 混乱, 騒動, 暴動(◆riot の遠回し語) ‖ cause [suppress] a *disturbance* 騒動を起こす[しずめる].

dis·turb·ing /distə́ːrbiŋ/ 形 〈事が〉心をかき乱す, 騒々しい;[…に]邪魔になる[*to*].

dis·un·ion /dìsjúːnjən/ 名 《正式》 **1** 分離, 分裂. **2** 不統一, 不一致; 内輪もめ, 不和, あつれき (↔ union).

dis·u·nite /dìsjuːnáit/ 動 《正式》他 …を分離[分裂]させる (↔ unite). ── 分離[分裂]する.

†**dis·use** /dìsjúːz/ 名 U 《正式》不使用, 廃止.

dis·used /dìsjúːzd/ 形 すたれた, もはや使われなくなった ‖ a *disused* mine 廃鉱.

†**ditch** /dítʃ/ 名 C 水路, 溝, 掘割り, 排水溝 (◆ふつう畑などの灌漑(かんがい)用の水路. *ditch* より小さい道路沿いの溝は *gutter*) ‖ an open *ditch* 蓋(ふた)のない溝[水路]. ── 動 他 《略式》〈人・物〉を見捨てる, 見限る;〈人・車などを〉置き去りにする;〈飛行機〉を水上に不時着させる.

dit·to /dítou/ 名 (複 ~s) C **1** 《略式》同上, 同前 (the same)(略) do., d°,(記号) 〃, -). **2** =ditto mark. **dítto márk**[**sign**]同上符号《〃》.

di·ur·nal /daiə́ːrnl/ 形 《正式》 **1** 毎日起きる; 毎日の (daily). **2** 〖天文〗日周の. **3** 日中の, 日中のみの (↔ nocturnal) ‖ the *diurnal* temperature 日中の気温. **3** 〈動物が〉昼行性の;〈植物が〉昼咲きの (↔ nocturnal).

†**di·van** /diván, dáivæn/ 名 C ディバン《壁ぎわに置く背もたれやひじかけのない長いす・寝いす》.

†**dive** /dáiv/ 動 (過去) ~d/-d/ or 《米》 **dove** /dóuv/, (過分) ~d) **1** 〈人が〉[…から/水中に](頭から)飛び込む, 潜(もぐ)る(+*in*, *off*, *down*)[*from*, *off* / *into*, *in*] ‖ *dive* for pearls 真珠を取りに潜る / *dive* from the boat *into* the sea ボートから海に飛び込む / *dive* in the cold water 冷たい水に潜る. **2** 〈飛行機・鳥などが〉[…めがけて]急降下する(+*down*)[*on*, *to*]. **3** 《略式》[…に/…の中へ]突進[進入]する,突っ込む[*into*/*for*]. **4** 《略式》〈ポケット・さいふなどに〉手を突っ込み, […を]探る[*in*, *into*]. **5** 〈仕事・研究などに〉急に打ち込む, 没頭する(+*in*)[*into*] ‖ *dive into* the history of automobiles 自動車の歴史の研究に急にのりだす.

── 名 C (水泳の)飛び込み, ダイビング; 潜水; […へ向かっての]突進[*for*] ‖ màke[dò] a *dive into* the sea 海に飛び込む.

dive-bomb /dáivbàm|-bɔ̀m/ 動 自 他 (…を)急降下下爆撃する.

†**div·er** /dáivər/ 名 C **1** 水に飛び込む[潜る]人[もの]. **2** 潜水作業員, ダイバー, 海女(あま); ダイビング選手.

†**di·verge** /dəvə́ːrdʒ|dai-/ 動 自 《正式》 **1** 〈線・道など が〉[…から/…へ]分岐する, 分かれる (branch)[*from* / *to*, *into*] ‖ The path *diverges from* the river bank very soon. 小道はまもなく川の土手から分かれる. **2** 〈意見・態度などが〉[…に]異なる, 分かれる (differ)[*from*];[…に関して]意見を異にする[*on*].

di·ver·gence, --gen·cy /dəvə́ːrdʒəns(i)|dai-/ 名 U C 《正式》 **1** […からの]分岐;逸脱[*from*] (↔ convergence). **2** (意見の)相違 (difference), 不一致.

di·ver·gent /dəvə́ːrdʒənt|dai-/ 形 《正式》 **1** 分岐する, 分かれる (↔ convergent). **2** (慣習などから)逸脱した. **3** 〈意見などが〉(妥協点のないほど)異なった, 不一致の.

†**di·verse** /dəvə́ːrs|dai-/ 形 《正式》[…と](はっきり)異なった, 別種の (*from*);種々の, 多様な.

di·ver·si·fi·ca·tion /dəvə̀ːrsəfikéiʃən|dai-/ 名 《正式》 **1** U 多様化, 雑多の状態. **2** U C (多様な)変化, 変形.

†**di·ver·si·fy** /dəvə́ːrsəfài|dai-/ 動 他 **1** …を多様化する. **2** 〈投資〉を分散させる. ── 自 〈企業が〉活動分野[投資]を広げる.

†**di·ver·sion** /dəvə́ːrʒən, dai-, -ʃən|daivə́ːʃən/ 名 **1** U C (進路・目的・用途などから)わきへそらす[それる]こと, 転換 (cf. conversion). **2** C 《正式》気晴らし, 娯楽 (→ recreation). **3** C 車の迂(う)回路, 回り道.

†**di·ver·si·ty** /dəvə́ːrsəti|dai-/ 名 《正式》 **1** U 相違, 差異. **2** C 相違点 (difference). **2** C [しばしば a ~ of …] 多様(性) (variety), 種々, 雑多 ‖ a *diversity* of food on the menu メニューのさまざまな食べ物.

†**di·vert** /dəvə́ːrt|dai-/ 動 他 **1** …をわきへそらす[向ける];〈進路・用途などを〉[…から/…へ]方向転換する[*from*/(*in*)*to*]. **2** 〈注意などを〉[…から]そらす(+*away*)[*from*]; 〈人〉の気を[…で]晴らさせる, 〈人〉を慰める, 楽しませる[*with*].

di·vest /daivést, di-/ 動 他 《正式》 **1** 〈人など〉から[式服など〉を]脱がすほぐ(strip)[*of*]. **2** 〈人〉から[権利・財産などを]剥奪(はくだつ)する[*of*].

*__**di·vide**__ /diváid/ 『離れて (di) 分ける (vide). cf. provide』 派 division (名).

── 動 (~s/-/; 過去・過分 ~d/-id/; --**vid·ing**)

── 他 **1** 〈人・物・事〉が〈物・事・人〉を(統一的に)**分ける**(+*off*);〈人が〉〈物〉を[部・群]に分割する(segment)[*into, in, between*];〈人・物・事〉を〔人・物・事と…で〕区別[分類, 分界]する(+*off*)[*from* / *by, with*] ‖ the strait *dividing* Kyushu *from* Honshu 九州を本州から隔てている海峡 / *divide* the land *into* [×*in*] three (pieces) 土地を3つに分ける / *divide* one's time *between* work and play time を勉強と遊びに割り当てる / *divide* (*off*) the study *from* [*and*] the living room *by* a partition 書斎を仕切りで居間と分ける.

2 〈人が〉〈物〉を〈人の間で/…によって〉**分ける**(+*up*)[*among, between* / *by*]; …を〈人と〉分け合う, 分担する(+*up, out*)[*with*] ‖ *divide* (out) a cake *between* two children [*among* three children] ケーキを2人[3人]の子供に分ける / *divide* (*up*) pleasure *with* him 喜びを彼と分け合う.

> 語法 (1) 個別関係を重視する場合は分配相手が3人以上のときもしばしば between を用いる: He *divided* his money *among* [*between*] his three children. 彼は自分の金を3人の子供に分けた.
> (2) 一方, 3人以上でも列挙された単数名詞の前では among は不可: His estate was *divided between* [×*among*] his wife, his son and his sister. 彼の遺産は妻と息子と妹に分配された.

3 〈事・人〉が〈人・意見・感情〉などを[…に関して]**分裂させる**, 迷わす;〈人〉の仲[関係]を裂く[*on, over, as to*] (↔ unite) ‖ Jealousy *divided* us. 嫉妬(しっと)が私たちの仲を裂いた / Their opinions were *divided* [They were *divided* (in opinion)] *as to* where to spend their holidays. 休日をどこで過ごしたらよいかについて彼らの意見が分かれた / United we stand (♪), *divided* we fall. (ことわざ) 団結すれば栄え分裂すれば倒れる.

4 〈人が〉〈物・事・人〉を[…に/…によって]**分類する**

[into/by] ‖ *divide* books *into* various types *by* their subjects 主題によって本をいろいろな型に分類する. **5** ⟨数⟩を〔…で〕割る, 等分する〔by〕; ⟨数⟩で〔…を〕割る⟨↔ multiply⟩ ‖ *Divide* 2 *into* 8. =*Divide* 8 *by* 2. 8を2で割りなさい. 関連【割り算の読み方】15÷3=5は Fifteen *divided* by three equals [is] five. と読む.
　―圓 **1** ⟨川・道路などが⟩〔…に〕分かれる〔into〕;⟨意見・仲などが⟩〔…で/…に〕分かれる(+*up*)〔into / on, over〕 ‖ a road *dividing into* two directions 2方向に分かれている道 / They *divided* (*up*) *into* two parties *on* [*over*] the proposal. 彼らはその提案で2派に割れた. **2**〔…と〕等しく分配する(+*up*)〔with〕 ‖ The cake *divided up* nicely. そのケーキはうまく分けられた. **3**〔…で/…に〕割り切れる〔by/into〕(↔ multiply) ‖ 8 *divides by* 4. =4 *divides into* 8. 8は4で割り切れる(=8 is *divisible by* 4.).
　―圕 Ⓤ Ⓒ (正式) 分割; [比喩的に] 境界線; (米) 分水嶺(ホネシ), 分水界.
dividing line 境界線.
di·vid·ed /dɪváɪdɪd/ 㓊 分けられ[分かれ]た.
divided highway (米) 中央分離帯のある幹線道路 ((英) dual carriageway).
divided usage [文法] 慣用のゆれ; 分割語法.
†**div·i·dend** /dívɪdènd/ 名 Ⓒ **1** (株の)配当(金); (保険) 利益配当(金); (英) capital bonus); (銀行) 利息 ‖ Each year he receives substantial *dividends*. 毎年彼は相当額の配当金を得ている. **2**(略) 分け前; おまけ ‖ *Honesty* pays *dividends* [*a good dividend*]. (ことわざ) 正直にしているとよいことがある;「正直の頭(ぐ)に神宿る」. **3**[数学] 被除数(↔ divisor).
dividend warrant (英) 配当金支払証.
di·vid·er /dɪváɪdər/ 名 Ⓒ **1** 分割する人[物], 分配する人[物]; 仲を裂く人[原因]; 仕切り, ついたて. **2**(通例 (a pair of) ~s)(可分)ディバイダー, (両脚)分割コンパス.
Di·vi·na Com·me·dia /dɪvíːnə kəméidiə | -kɔméi-/ (イタリア) 名 La /lə/ ~ 『神曲』(*Divine Comedy*) (ダンテの叙事詩).
div·i·na·tion /dìvɪnéɪʃən/ 名 **1** Ⓤ 占い; Ⓤ Ⓒ 予言; 前兆. **2** Ⓒ 的確な予知, 本能的直観.
†**di·vine** /dɪváɪn/ 㓊 (**more** ~, **most** ~; 時に ~**r**, ~**st**) **1** 神の(↔ human), 神性の ‖ *divine* punishment [forgiveness] 神の罰[許し] / the *Divine* Being [*Father*] 神. **2** 神に捧げた, 神聖な ‖ a *divine* vocation [*song*] 聖職[聖歌]. **3** 神のような, 神々しい ‖ She is a woman of *divine* beauty. 彼女は神々しいまでに美しい女だ. **4**(女性語略式やや古) すてきな, 完全な ‖ What a *divine* dress! なんてすてきな服!
　―名 Ⓒ(まれ) 神学者; 聖職者, 牧師.
　―動 他(正式)(を)(霊感・魔力・直観で)占う, (正しく)推測[予知, 予言]する, 見抜く(predict) ‖ *divine* her future 彼女の将来を占う.
　―圓 占う; 〔…を〕推測する, 見抜く〔for〕.
Divine Comedy [the ~] =Divina Commedia.
divine right (帝王の)神権(説).
divine service 礼拝(式).
†**di·vine·ly** /dɪváɪnli/ 副 神のように; (略式) すばらしく.
di·vin·er /dɪváɪnər/ 名 Ⓒ 占い師, 易者; (占い棒による)水脈[鉱脈]の予測者.
div·ing /dáɪvɪŋ/ 名 Ⓤ 潜水, ダイビング, 飛び込み.
diving beetle [昆虫] ゲンゴロウ.

diving bell (水中作業用の)釣鐘潜水器.
diving board (プールなどの)飛び込み台.
diving suit [**dress**] 潜水服.
†**di·vin·i·ty** /dɪvínəti/ 名 **1** Ⓤ 神性, 神格; 超人的な力. **2** Ⓒ (一般に) 神; 神々しい人; [the D~] 天地創造の神, (キリスト教の)神. **3** Ⓤ 神学.
†**di·vis·i·ble** /dɪvízəbl/ 㓊 **1** (正式)〔…に〕分けられる〔into〕. **2** [数学]〔…で〕割り切れる〔by〕(↔ indivisible).
†**di·vi·sion** /dɪvíʒən/ 名 **1** Ⓤ Ⓒ [通例単数形で] 分けられた状態;〔…への/…の間の〕分割〔into / between, among〕 ‖ the *division* of the school year *into* terms 学年を学期に分けること / the *division* of lábor 分業 / the *division* of pówers 三権分立 / máke a *division* of one's estate 地所を分配する. **2** Ⓒ a (分割された)部分, 区分; [通例 D~]; 集合名詞; 単数・複数扱い] (官庁・会社の)部門, 部局, 課 (略 Div.)(◆ section はふつうより小さな部分); ‖ the trade *division* of the company その会社の貿易部. **b** (分割する)[…の間の]仕切り, 隔壁, 境界(線)〔between〕 ‖ the *division* between his farm and mine 彼の農場と私の農場との境界. **3 a** Ⓤ Ⓒ [・・・の間の](意見などの)相違, 分裂, 不一致(discord)〔between, among〕 ‖ a *division* of opinion 見解の相違 / stír úp *divisions* among the people 国民間に不和を生む. **b** Ⓒ (英) (議会の)賛否2派に分かれる採決 ‖ gó to a *division* 採決に入る / táke a *division* on a question 問題を採決する. **4** Ⓤ Ⓒ [数学] 割算, 除法(↔ multiplication). **5** Ⓒ [植](分類階級の)門(→ classification **3**).
di·vi·sion·al /dɪvíʒənl/ 㓊 (正式) 分割する, 区分[部分]的な.
di·vi·sor /dɪváɪzər/ 名 Ⓒ [数学] 除数, 法(↔ dividend); 約数 ‖ a common *divisor* 公約数.
*di·vorce /dɪvɔ́ːrs/
　―名 (複 ~s/-ɪz/) **1** Ⓤ Ⓒ〔・・・との〕離婚, 結婚解消〔from〕(↔ marriage); ‖ gèt [obtáin] a divorce *from* one's wife 妻と離婚する(◆書き換え例 → 動**1**) / They filed for *divorce*. 彼らは離婚を申請した. **2** Ⓒ [例通 a ~]〔・・・との〕(完全な)分離, 絶縁(separation)〔between, from〕 ‖ the *divorce* between religion and science 宗教と科学との完全なる分離.
　―動 (~s/-ɪz/; 過去・過分 ~d/-t/; ~·vorc·ing) 他 **1**〈夫婦〉を離婚させる,〈夫[妻]〉と離婚する(↔ marry) ‖ She *divorced* her husband. 彼女は夫と離婚した(=She gave her husband a *divorce*.) / They have been *divorced* for two years. 彼らは離婚してから2年になる / She got *divorced* from her husband soon after their marriage. 彼女は結婚してまもなく夫と離婚した(→文法7.12) / I hear he was *divorced* by his wife of 10 years. 彼は10年連れそった奥さんから離婚されたんだってね. **2** (正式) [通例 be ~d]〔・・・から〕分離する, 切り離される(separate)〔from〕 ‖ *divorce* fantasy from reality 空想を現実から切り離す.
di·vor·cé /dəvɔ̀ːrséɪ | dɪvɔ̀ːrsíː/ (フランス) 名 Ⓒ (主に米) 離婚した男[人].
di·vor·cée, ~**·cee** /dəvɔ̀ːrséɪ | dɪvɔ̀ːrsíː/ (フランス) 名 Ⓒ (主に英) 離婚した女[人](◆(米)では軽蔑的な含みがあるので両性とも *divorcé* が好まれる. (英)では*divorcee* がふつう).
di·vulge /dəvʌ́ldʒ | daɪ-/ 動 他 (正式) ⟨私事・秘密など⟩を〔人に〕漏らす, 暴露する〔to〕;〔・・・を〕あばく

Dixie

〔*that* 節, *wh* 節〕.
Dix・ie /díksi/ 形 ① 1 =Dixieland 1. 2 ディキシー《南北戦争中南部で流行した行進歌》.
Dix・ie・land /díksilænd/ 名 ① 1 《米略式》〔集合名詞〕米国南部諸州(Dixie). 2 =Dixieland jazz.
Díxieland jázz ディキシーランド・ジャズ《米国 New Orleans で始まった初期のジャズ音楽の一形式》.
DIY, d.i.y. /dí:àiwái/《略》《英》do-it-yourself.
†**diz・zy** /dízi/ 形 (**--zi・er, --zi・est**) 1 《人が》〔暑さ・疲労などで〕目まいがする, ふらふらする〔*from, with*〕. 2 《場所・状況など》(人に)目まいを起こさせるような ‖ a *dizzy* height 目がくらむような高所.
díz・zi・ly 副 めまいがするよう[ほど]に.
díz・zi・ness 名 ① 《医学》(ふらふらする)浮動性目まい.
DJ /dí:dʒéi/ 名 disc jockey《◆dj, deejay とも書く》; dinner jacket.
D-J 名 Dow-Jones average.
Dja・kar・ta /dʒəkɑ́:rtə/ 名 =Jakarta.
DM 《略》Deutsche Mark; direct mail; Doctor of Medicine 医学博士.
d−n /dí:n, dæm/ =damn 《◆遠回し表記》.
DNA 《略》deoxyribonucleic acid デオキシリボ核酸 ‖ *DNA* testing DNA 鑑定.

***do**¹ /(弱) du, də, d; (強) dúː/; 助 名 dúː/《同音》△dew《米》, △due《米》《◆主な用法: 助動詞, 代動詞, 動詞》

index
助 1 …しますか 2 …しない 3 …するな 4 ほんとうに
動 他 1 する 2 終える 3 遂行する 4 処理する 5 a 勉強する 6 見物する 9 もたらす
自 1 行動する 2 ふるまう 3 終える 4 a やっていく 6 間に合う 7 よい

—助 /(弱) du, də, d; (強) dúː/《◆(1) 強形は強調の do (→ 4), 代動詞 (→ II) の場合に用いる. (2) 弱形は母音と /w/ の前では /du/, 子音と /j/ の前では /də/, /d/》(**does**/(弱) dəz, dz, ts, z, s; (強) dʌ́z/) (過去) **did**/(弱) did, (米+) d; (強) díd/, (過分) **done**/dʌ́n/; I では過去分詞ではない》《◆(1) 否定短縮形: **don't, doesn't, didn't**. (2)《古》としての変化形: 二人称・単数・現在形 **dost**; 二人称・単数・過去形 **didst**; 三人称・単数・現在形 **doth**》

I [疑問・否定・強調]
1 [**Do** A + 動詞原形 …?] [疑問文を作る] …しますか《◆一般動詞・have 動詞と共に用いる (→ 語法 (3))》 ‖ 《対話》 "*Do* you like fish?" "Yes, I *do*." 「魚は好きですか」「はい好きです」《◆答えの中の do は代動詞(→ **7**)》 / *Does* she play tennis? 彼女はテニスをしますか / Where *did* she go? 彼女はどこへ行きましたか / *Didn't* you read the book? その本を読まなかったのですか《◆(1) ×Did not you …? は不可. (2) Did you not …? は可能だが《略式》ではふつう用いない》.

語法 [do を用いない場合]
(1) 疑問詞が主語となっているか主語を修飾している文では do を用いない (強調の do (→ 4) は可): Who opened the door? だれがドアを開けたのか / Which boy hit the dog? 犬をたたいたのはどの子か?
(2) 間接疑問文ではふつう do を用いない (強調の do

(→ **4**) は可): I asked him if he cleaned the room. 彼に部屋の掃除をきちんとたずねた(=I said to him, "*Do* you clean the room?").
(3) (**1, 2** 共通) do は can, must, may, will, shall, have などの助動詞と共には用いない: Can you [×*Do* you can] swim? あなたは泳げますか.

2 [**do not** + 動詞原形] [否定文を作る] …しない《◆(1) 一般動詞・have 動詞と共に用いる (→ **1** 語法 (3)). (2) do not は《略式》では don't, doesn't, didn't となる》 ‖ I *do nót* [dón't] work on Sundays. 私は日曜日は働かない / She *did nót* [dídn't] go to the library yesterday. 彼女はきのう図書館へ行かなかった.

3 [**Don't** + 動詞原形] [否定の命令文を作る] …するな ‖ *Don't* worry. 心配するな《◆**Don't** の代わりに Do not を用いるのは堅い言い方》 / *Don't* yóu touch me. 私に触れるな《◆*Don't* touch me! より相手を非難する気持ちが強い》 / *Don't* ánybody move! だれも動くな (=Nobody move!) / *Don't be* silly. ばかなことをするな[言うな].

4 [強調] ほんとうに, ぜひ, ねえ, やっぱり; [but 節を伴って] …することはする《◆do に強勢》. **a** [do + 動詞原形] [肯定の意味の強調] 《◆一般動詞・have 動詞と共に用いる》 ‖ I *dó* wànt to see him. ぜひ彼に会いたい / I *dó* pàint, but not very well. 絵を描くことは描くがあまり上手ではない / I *dó* sèe you! やっぱりお会いしたね！ / I'm afraid I *did* tàlk too frankly. あまり正直に話しすぎたのではないかしら / 《対話》 "Why didn't you come yesterday?" "But I *did* còme." 「きのうはどうして来なかったんだ」「いや行ったとも」.

語法 (1) 助動詞や be 動詞のある文では, その語に強勢を置いて強調を表す: I ám [×*dó* am] happy. ほんとうに幸せだ.
(2) 否定の意味の強調には I "did nót [dídn't] come. 「私は(来たのではなく)来なかった」のように not または don't に強勢を置く.

b [**Do** …] [肯定命令文の強調] 《◆(1) 一般動詞・have 動詞・be 動詞と共に用いる. (2) 懇願や親しみを込めた強い勧めなどに用いる》 ‖ *Dó* come in! (すすめても入るのをためらっている人に)ぜひ入り下さい / ×Do you come in! のように主語のある命令文には強調の do を用いない / *Dó* sit down. お座りください. どうぞ座ってください / *Dó* be quiet! 静かにしてってば / Tell me, *dó*. 話して, お願い《◆この文のように do が後に置かれることもある》 / *Do* let's go for a swim! 泳ぎに行こうよ《◆let's で始まる命令文にも付加できる》.

5 《文》 [… do + 主語 + 動詞原形] [倒置文を作る. 文法 23.3] 《◆(1) 一般動詞・have 動詞と共に用いる. (2) … は never, little, hardly など否定の副詞や only など》 ‖ *Little did* she éat. 彼女はほとんど食べなかった / *Only* yésterday *did* I sée him. きのうようやく彼に会った.

II [代動詞]
《◆動詞の反復を避けるために用いる. 発音は強形》

6 a [先行する動詞または動詞を含む語群の代用] ‖ She ran as fast as hé *did*. 彼と同じくらい速く彼女は走った《◆*did* =ran. did を省略した as he は堅い言い方, as him はくだけた言い方》 / I speak French as well as shé *does*. 彼女と同じくらい私

もフランス語が話せる《◆does =speaks French》. **b** [(正式) do so, (略式) do it, do that などの形で; 先行の動詞または動詞を含む語群の代用] ‖ I wanted to go to bed, and *I did so* [*so I did*]. 私は眠りたかった. だから寝た. **c** [so do A] **A**もまたそうである, **A**もまた…する(➔文法 23.3(3)) ‖ He works hard, and *só does shé* (=she works hard, too). 彼は熱心に働く. 彼女もまたそうだ.

7 [疑問文に対する答えの中で] 《◆ふつう do に強勢》‖ 《対話》 "Do you like music?""Yes, I *dó* (=like music) [No, I *dón't*(↘)(=don't like music)]." 「音楽は好きですか」「大好きです[いいえ好きではありません]」《◆反駁(はく)して答える時は(下降)上昇調: You don't like music?""Yes, I *dó*(↗) [↘]》/ "Who won the race?""Jóhn *did* (=won the race)." 「だれが競走に勝ちましたか」「ジョンです」.

8 [付加疑問文の中で] [確認疑問] 《◆下降調の音調で「…でしょう」「…で間違いありませんね」の意味になるのが原則. 上昇調で「(自信はありませんが)…ですね」の意味になることもある》‖ He works in a bank, *doesn't he*? 彼は銀行に勤めているんですね(↘)《◆聞き手も「彼が銀行に勤めている」ことをすでに知っているはずだが, 念のために確認する気持ち. (↗)だと話し手の方が「彼が銀行に勤めている」かどうかはよく知らないので, 聞き手の意見を聞き出す気持ち》/ You didn't read that book, *did you*? 君はその本を読まなかったでしょう.

> 語法【付加疑問文の作り方】
> (1) ふつう従節は, 主節が肯定なら don't, doesn't, didn't を用い, 主節が否定なら do, does, did を用いる.
> (2) 主節の主語が somebody, anybody, everybody, nobody, neither などのとき, 従節の代名詞はふつう they となる: Everyone turned up, *didn't they*? 皆来ましたね.
> (3) 主節の主語が nothing のとき従節の代名詞は it がふつう: *Nothing* matters, does it? 問題になることはありませんよ.
> (4) 次の用法に注意: The store sells clothes, *doesn't it* [*don't they*]? その店では衣類を売っていますね. 店を意識すると doesn't it? に, 店の人を意識すると don't they? になる.

9 [相づち] ‖ 《対話》 "I bought a car.""Oh, *did you*?(↘)[↗]" 「車を買いました」「おやそうですか」/ "I don't like coffee.""*Don't you*? [↗]" 「コーヒーは嫌いですか」「そうですか」.

10 [so, neither, nor などで始まる応答文の中で] (➔文法 23.3(3)) ‖ 《対話》 "I live in Kobe.""*Só do I* (=I live in Kobe, too)." 「私は神戸に住んでいます」「私もです」《◆**I** に強勢》(cf. **6 b, c**) / "I didn't go to the party.""*Néither* [*Nór*] *did I* (=I didn't go, either)." 「私はパーティーに行きませんでした」「私もそうです」.

11 [...ing as **A** do] ‖ Living *as I do* in a rural area, I rarely have visitors. 私はいなかに住んでいるのでめったに訪問客はない(=Since I live in a rural area, ...).

—— 動 /dúː/; 『『(物事を)行なう』が本義. 主な意味: I「する」 II「人に…をもたらす」 III「作る」 IV その他』 (does/dʌz/; 過去 did/did/, 過分 done/dʌn/; doing) 《◆(1)(古) としての変化形: 二人称・単数・現在形 doest; 二人称・単数・過去形 didst; 三人称・単数・現在形 doeth. (2)(方言)(非標準) では三人称・単数・現在でも do を用いる》

—— 他

■[する]

1a 〈人が〉〈行動・仕事など〉を**する** ‖ I *did* a lot of work today. 今日はたくさん仕事をした / Do you have anything to *do* today? 今日は何か予定(すること)がありますか / *What are you dóing?*(↘) 何をしているのですか; 仕事は何ですか; (↘)《非難して》何をぐずぐずしているんだ / All you have to *dó* is (to) púsh the button. ボタンを押しさえすればよい(あとは自動だ)(➔文法 23.2(2)) / 《対話》 "*Whát can I dó for yòu?*(↗)" "I'm just looking for a striped shirt." 「何にいたしましょうか」「ストライプのワイシャツを探しているのですが」/ Whát can you *dó* about it?(↘) そのことで君はいったい何ができる(仕方がないじゃないか).

b [do the doing] …をする《◆(1) the の代わりに one's, **A**'s, some, a lot of なども用いる. (2) なんらかの目的で **do** lecturing とすれば「職業として」講義をする」の意. → **1c**》‖ I *did* the shópping. 私は買物をした《◆「買物に行く」は go shopping で the を入れない》/ I'll *dó* some reading today. 今日は本を読みます.

c (職業として)…を**する** ‖ 《対話》 "*What do you dó* (for a living)?""I'm a fashion designer." 「何をして生計を立てていますか[お仕事は何ですか]」「ファッション=デザイナーです」.

> 語法 (1) [do の否定・疑問] 一般動詞 do の否定文・疑問文には助動詞の do が必要: He *doesn't do* much work. 彼はあまり仕事をしない(×He doesn't much work.).
> (2) [「…する」と do/make] 一般的には, a) 仕事, 日常の決まりきった事, 漠然とした行為には do を用いる: *do* one's work 仕事をする / *do* the cooking 料理をする / I have nothing to *do* this morning. 午前中は暇です. b)「作り出す」の意味には make を用いる: *make* a plan 計画を立てる / *make* a mistake 失敗をする. 名詞によって do, make のどちらと結びつくか決まっている場合も多い.

2 [have done **A**] 〈人が〉〈事〉を**終える**, すませる(finish); [be done] 〈事〉が終わる(cf. 自 **3**) ‖ I *have done* my work. 私は仕事をすませました《◆(略式) では have を省略することがある》/ His speech *was* finally *done*. 彼の話はようやく終わった / *What's done cannot be undone.* (ことわざ) → undo 他 **1**.

3 〈人が〉〈任務など〉を**遂行する**, 果たす ‖ You have to *dó* your dúty. あなたは義務を果たさねばならない / I'll *dó* my bést [útmost] in everything. 私は何事にも最善を尽くします.

4 〈人が〉〈物・事〉を**処理する**《◆目的語によってさまざまな意味になる. cf. 成句 do up》…〈部屋などを掃除する, 片づける, 飾る〉;〈皿などを洗う〉;〈歯を磨く〉;〈花〉を生ける;〈髪〉を整える;〈庭など〉を手入れする;〈食事・ベッド〉を提供する, 用意する ‖ *dó* the róom 部屋の掃除をする / *dó* the róom in blue 部屋の壁を青色に塗る / I'll *dó* the díshes. 私が(食後の)皿洗いをします / *dó* one's téeth 歯を磨く / She *díd* the flówers. 彼女が花を生けた / *dó* one's háir 髪を整える[洗う] / *dó* "one's fáce [the gárden, one's correspóndence]" 化粧する[庭の手入れをする, 手紙の返事を書く] / The restaurant doesn't *dó* lúnch. そのレストランは昼食はやっていない.

5 a〈人が〉〈学科〉を**勉強する**, 専攻する;〈学位〉をとる ‖ *dó* one's léssons 予習をする / *do* [get] an M. A. 修士号を取る. **b**〈問題など〉を**解く** ‖ *dó* a súm 計算をする.

6(略式)〈人が〉〈場所〉を**見物する**, 見て回る ‖ He *díd* Páris in a week. 彼はパリを1週間で見て回った / Have you *dóne* the Lóuvre? ルーブル美術館の見物はもうすみましたか.

7 a(略式)〈役〉を**演じる**;〈役割〉を務める ‖ *dó* Hámlet ハムレットの役を演じる / *do* the hóst ホスト役を務める. **b**〈劇〉を上演する ‖ We *díd* Macbéth. 私たちは「マクベス」を上演した.

8(略式)…に[らしく]**ふるまう**;…をまねる ‖ *do* Chaplin チャップリンのようなしぐさをする.

II [〈人〉にもたらす,〈人〉に…する]

9 [do **A** **B** / do **B** to **A**]〈物・事が〉**A**〈人・作物など〉に**B**〈害・益など〉を**もたらす**, 与える;〈人〉〈人〉の〈名誉などになる〉(♦文脈から明らかなときは **A** は省略可能) ‖ Too much drinking will *dó* you *hárm*. 酒の飲みすぎは体に悪い / His kindness *dóes* him crédit. 彼は親切なので評判がよい.

10 [do **A** **B** / do **B** [for] **A**]〈人が〉**A**〈人〉に**B**〈敬意・好意など〉を**示す**, 払う(♦文脈から明らかなときは **A** は省略可能) ‖ *dó* [*páy*] *hómage to* her =*do* [*pay*] her homage 彼女に敬意を払う / Will you *dó* me a *fávor*? お願いがあるのですが.

11(英略式)〈人〉を**だます**, ぺてんにかける(cheat);〈人〉から〈…を〉だましとる[*out of*] ‖ I've been *dóne*. だまされた / He tried to *dó* her *out of* her money. 彼は彼女をだまして金を巻き上げようとした.

12(通例 will, should と共に)〈人〉の必要を満たす, 役に立つ(♦自身用 **6**) ‖ This desk will *dó* us nicely. この机で十分間に合います.

13 a〈人〉にサービスを提供する(♦ふつう受身不可) ‖ I'll *dó* you next, sir.(理髪店で客に向かって)お次にいたします. **b**(英略式)(通例 well と共に)〈人〉に(よい)対応をする;〈人〉をもてなす(♦ふつう受身形・進行形不可) ‖ They *díd* me very *wéll* at the restaurant. そのレストランはとてもよい料理を出した / *dó* onesèlf *wéll* ぜいたくな生活をする. **c**(英略式)…を罰する;…を攻撃する.

III [作る]

14 a〈作品など〉を**作る**, 製作する ‖ *dó* a bóok 本を書く[出版する] / *dó* a móvie 映画を作る. **b**〈コピー〉をとる ‖ *dó* two cópies of it そのコピーを2部作る.

15 a〈本など〉を(ある言語に)**翻訳する**(translate)〔*into*〕 ‖ *dó* Joyce *into* Japanese ジョイスを日本語に訳す. **b**〈本など〉を(別の形式に)**変える**[*into*] ‖ *dó* the book *into* a play その本を劇化する.

16 a〈肉・野菜など〉を**料理する**, 焼く, 煮る(cook) ‖ I like my steak *dóne* ráre. ステーキはレア[生焼き]が好きだ(♦「よく焼いたステーキ」は a wéll-dòne steak). **b**〈料理〉をこしらえる(prepare) ‖ *dó* the sálad サラダを作る(♦ cook とはしない. cf. cook).

IV [その他]

17 a〈人・乗物が〉〈距離〉を**進む**, 行く ‖ We *díd* sixty kilometers in an hour. 1時間で60キロ進んだ / The car *dóes* [gets] fíve kilometers to the liter. その車は(ガソリン1)リッター当たり5キロ走る. **b**〈車(の人)が〉〈速度〉で走る ‖ The car was *dóing* 100 mph. その車は時速100マイルで走っていた.

— 圓 **1**〈人が〉**行動する**, 活動する ‖ *Dó*, dón't tálk. 言うのをやめて実行せよ / *Dó* or díe.(正式)死

ぬ覚悟でやれ / He was úp and *dóing* till late at night. 彼は夜遅くまで大忙しだった.

2〈人が〉**ふるまう**, 身を処す(behave)(♦ as 節などの修飾語句を伴う) ‖ *do* wisely 賢明に事を運ぶ / *Dó as you líke.* 好きなようにしなさい / *When in Rome* / *dó* [*as the Rómans dò* [*as Róme dóes*].(ことわざ)ローマではローマ人のようにせよ;「郷に入っては郷に従え」/ You *díd* ríght to follow her advice. 彼女の忠告に従ったのは正しかった.

3(正式)[have [be] done]〈人が〉〈行動・仕事など〉を**終える**, すます(finish)(cf. 圓 **2**, 成句 have done with) ‖ Háve dóne! よせ, やめろ / When he was *dóne*, I asked him a question. 彼が話し終わったとき, 私は彼に質問した.

4 a〈人が〉(仕事・勉強などを)**やっていく**, 暮らしていく(♦ふつう badly, well を伴い, 疑問詞では how) ‖ *do well in the world* 出世する / He *is doing* very well at school. 彼は学校でとてもよい成績をとっている / He is *dóing wéll* in [on] his job. 彼は仕事の方は快調だ / How did you *dó* in the examination? 試験のできはどうでしたか / *Hów are you dóing* these days? (主に米略式)このところ調子[景気]はどうだい. **b**〈人の健康状態が〉…である ‖ He is *dóing bádly* after his operation. 手術後の彼の体調は悪くなる.

5 a〈事・会社などが〉(うまく, まずく)**いく**, 運ぶ, 進行する(♦ふつう badly, well を伴う) ‖ Our company is *dóing vèry wéll*. わが社の業績はとても良好です. **b**〈動物が〉成長する, 育つ.

6 [will [would] do]〈物・事が〉[…に/…として/〈人が〉…するのに]**間に合う**, 役に立つ, ちょうどよい[*for / as / (for …) to do*](♦進行形不可. cf. 圓 **12**) ‖ Thís car *won't dò*. この車ではだめだ / Thís place *will dò* *for* *playing baseball* [*for us to play baseball*]. この場所は野球をするのにもってこいだ / *Thát will dò.* それで結構です(♦文脈によっては, 特に子供に向かって怒って「もうたくさん」「止めなさい」の意を表すが, そのときは *dò* となる).

7〈事が〉**よい**, 礼儀[規則]にかなう;[it「will not [doesn't] do to do] …するのはよくない ‖ The boy's conduct *won't dó*. その少年のふるまいはよくない / It won't [doesn't] *dó* to eat too much. 食べすぎはよくない.

8(略式)[be doing](受身的な意味で)〈事が〉**起こる**(happen), 行なわれる ‖ What's *doing* over there? 向こうで何か起こっているのか(=What is being done …?).

be dóne with **A** → have done with (do¹ 成句).

be hárd dóne by (略式)ひどい扱いを受ける ‖ I have been hard done by. ひどい扱いを受けてきた.

be not dóne → done 圏 **3**.

be to dó with **A** …に関係[関連]がある.

dó as =DO for (2).

dò awáy with **A** [[…を(with)除くように(away)ふるまう(do). cf. away 圓 **3**; with 前 **16 b**](略式)(♦受身可)**(1)**〈規則・制度など〉を**廃止する**(abolish);〈無用となった物〉を捨てる(throw away) ‖ *do away with* the death penalty 死刑を廃止する / *do away with* some old floppy disks 古いフロッピーディスクを何枚か捨てる. **(2)**〈人・動物〉を始末する(♦ kill の「遠回し表現」) ‖ *do away with* oneself 自殺する.

dó bádly for **A** (略式)〈物の蓄えが乏しい.

dó … by **A** [(人に対して(by)…な風にふるまう(do);

cf. by 前4 c)〔通例 well, badly などと共に〕〔略式〕…に扱う, 遇する(treat)〔◆(1) by は toward の意味. (2) 受身可. (3) 進行形不可〕‖ My grandfather *did* very *well by* me. 祖父は私にたいへんよくしてくれた〈◆ hard を伴うと常に受け身: I have been *hard done by*. ひどい扱いを受けてきた〉/ *Do as* you *would be done by.* (ことわざ) 〔聖〕自分がしてもらいたように人にもしなさい.

dó dówn [他]『人を倒れた状態にする→負かす, おとしめる. cf. down 副4]〔略式〕(1) 〈人〉をだます; 〈人〉を(不正な手段で)負かす, やっつける. (2) 〈人〉のかげ口を言う, をけなす; [~ *dówn* oneself / ~onesèlf *dówn*] 恥ずかしく思う, 卑下する.

dó for (1) → 自 6. (2) 〈物〉の代わりになる〈◆進行形不可〉‖ This rock will *do for* a hammer. この石は金づちの代わりになる. (3) 〔英略式〕〈人〉の家事[身の回り]の世話をする. (4) 〔英略式〕〔通例 be done〕〈人〉が殺される〈◆ふつう進行形不可〉. (5) 〔英略式〕〈人〉をひどく疲れさせる, 負かす; 〈物・事〉をだめにする, 壊す〈◆ふつう進行形不可〉‖ I'm *done for.* もうだめだ〈疲れ切っているなど〉.

dó ín [他] (1) 〔略式〕〈人〉を殺す‖ *do* oneself *in* 自殺する. (2) 〔主に米〕〔通例 be done〕〈人〉をひどく疲れさせる. (3) 〈物・事〉をこわす, だめにする.

do or díe → 自 6.

dó óut [他] 〔略式〕〈部屋・棚など〉を掃除する; 〈引き出しなど〉を片づける.

dó óut of B (1) → 他 11. (2) 〔略式〕〈人〉から B 〈機会・権利など〉を奪う.

dó óver [他] (1) 〔略式〕〈部屋など〉を改装する, 〈部屋など〉を掃除する. (2) 〔米略式〕…をやり直す.

dó … to A (1) =DO … by. (2) → 他 9, 10. (3) 〈手など〉に…の傷をつける‖ What have you *done to* your index finger? 人さし指にどんなけがをしたの.

dó úp [自] 〈衣類などが〉〔ボタンなどで〕締まる〔with〕.―[他] (1) 〈ボタン・ホック・靴ひもなど〉を留める, 締める; 〈結び目〉を結ぶ; 〈服などのボタンなど〉をとめる. (2) 〔略式〕…を包み, 包装する. (3) 〔略式〕〈髪〉を(ピンなどで)留める, 結う. (4) …を飾る, 着飾る; [*do* oneself *up*] 着飾る, 装う. (5) 〔略式〕〈家・部屋・衣服など〉に手を入れる, 修繕[修理]する.

dó wéll by A 〔略式〕〈人〉を親切に扱う, 〈人〉によくしてやる‖ My grandfather *did* very *well by* me. 祖父は私にたいへんよくしてくれた.

do well to *do* → well 副.

dó wíth A (1) [cannot [couldn't] *do with* A (doing)] 〔英略式〕〈物・事/人〉が…することに我慢できない[できなかった]‖ I can't *do with* his rude manner. 彼の失礼な態度はがまんできない. (2) [*do with* A] …で満足する, …ですます. (3) [can [could] *do with* A] 〔略式〕〈物・事〉があればありがたい, …が欲しい, 〈人〉が必要である(=would be glad to have)(→ could use (use 動)))‖ I could *do with* some milk. 牛乳が飲みたいのです.

***dó** A **wíth** B [A は常に what] 〔略式〕〈物・人〉を…に処理する, 扱う; …に B〈物を用いる, 使う〈◆(1) 時に受身可. (2) ふつう進行形不可〉‖ What did you *do with* my bag? 私のバッグをどうしましたか / What have you *done with* Tom? トムをどこにやったか, トムはどこにいますか〈◆「トムと何をしたのですか」の意味にはならない. cf. What *have* you *done to* Tom? トムに何をしたのですか(けがをさせたのか)〉/ They talked about what to *do with* the land. 彼らはその土地をどうしたらよいかについて話し合

***dó withóut** A (1) [主に can, could と共に] 〈物・事・人〉なしですます[やっていく]〈◆まれに受身可〉(→DISPENSE with) ‖ If you can't get meat, you'll have to *do without* (it). 肉が手に入らなければ, なしですまさなければならない〈◆文脈から明らかなときは A は省略できる〉. (2) [could [can] *do without* A] 〔略式〕〈批評・干渉など〉がなくてもよい, いらない.

have dóne it 〔略式〕へまをやった, しくじった‖ Now you've *done it.* ほらへまをやった.

***have** [**be**] **dóne wíth** A (1) 〈仕事など〉を終える, すます(cf. 自 3) ‖ I *have* [*am*] *done with* the book. その本は読み終わった / I *have* [*am*] *done with* smoking. 私は禁煙した[タバコを吸い終わった]〈◆ この文では have と be とで意味が異なる〉. (2) 〈人〉と交際をやめる.

have (**got**) A **to do with** B → have 動.

how do you do? → how 副.

máke A **dó** =**màke dó with** A 〔略式〕(不十分だが[何とか])…で間に合わせる, すます〈◆ do with で代表させる〉. → DO with (2)〉.

Thát dóes it! 〔略式〕もうそれで十分[結構]です, もう我慢ならない.

That's dóne it. 〔略式〕(1) (ある事が)うまくいった, 終わったぞ. (2) しまった.

That will dó. → 自 6.

***Wéll dóne!** でかした, よくやった.

Whát be A **dóing …?** 〔驚き・非難などを表して〕なぜ…ある[いる]のですか‖ What's that car doing in my garage? なぜその車が私のガレージの中に入っているんだ〈◆ … の部分には場所を表す副詞(句)がくる〉.

Whát dó B **wíth** … → DO A with B.

――名 /dúː/ (複 ~s, ~'s) C 1 〔主に略式〕祝宴, パーティー. 2 〔英俗〕詐欺; 悪ふざけ.

dós and dón'ts 〔略式〕すべきこととしてはいけないこと, 規則[慣例](集).

do[2], **doh** /dóu/ 名 (複 ~s) U C 〔音楽〕ド〈ドレミファ音階の第1音〉. 関連 「ドレミ…」は do, re, mi, fa, sol, la, si [ti] という.

do. /dítou/ 略 ditto.

Do·ber·man (**pin·scher**) /dóubərmən (pínʃər)/ 名 C 〔動〕ドーベルマン〈ドイツ産の大型犬で主に番犬〉.

doc /dák | dɔ́k/ 名 C 〔略式〕 1 =doctor. 2 〔呼びかけで〕(ちょっと)だんな.

doc. 略 document.

†**doc·ile** /dásl | dóusail/ 形 〈人・動物が〉〈人〉に素直な, 従順な, 御しやすい(obedient)〔with〕.

do·cil·i·ty /dasíləti | dəu-/ 名 U おとなしさ, 従順, 教え[御し]やすいこと.

†**dock**[1] /dák | dɔ́k/ 名 C 1 ドック, 船渠(きょ) ‖ a flóating *dóck* 浮きドック / a gráving [drý] *dóck* 乾ドック / a wét *dóck* 係船ドック ジョーク "Where does a sick ship go?" "To the *dock.*" 「病気の船はどこへ行く?」「ドック」〈◆ doc(医者)とのしゃれ〉. 2 〔通例 the ~s〕ドック地帯. 3 〔米〕波止場, 埠(ふ)頭(wharf).

in [**into**] **dóck** (1) ドック入りして. (2) 〔英略式〕入院中で; 修理中の.

――動 [他] 1 (修理で)〈船〉をドックに入れる; (荷揚げで)〈船〉を埠(ふ)頭につける. 2 〈2つ以上の宇宙船〉をドッキングさせる. ――[自] 1 〈船が〉ドック入りする; 埠頭につく(+in). 2 〈宇宙船が〉ドッキングする.

dock² /dák | dɔ́k/ 動他 **1** 〈尾・毛髪など〉を短く切る. **2** 〈費用・食料などを〉切り詰める; 〈給料などを〉減らす, 差し引く.

dock³ /dák | dɔ́k/ 名C [通例 the ~] (刑事法廷の)被告席.

dock·et /dákət | dɔ́k-/ 名C (正式) **1** [法律] 訴訟事件一覧表, 訴訟人名簿; (米) 判決要録. **2** (主に英) 荷札.

dock·yard /dákjɑ̀ːrd | dɔ́k-/ 名C ドック地帯, 造船所, 船舶修理所.

*doc·tor /dáktər | dɔ́k-/ [教える(doc) 人(tor). cf. doctrine, document, docile]
——名 (複 ~s/-z/) [肩書としては D~] C **1 医者**, 医師; [形容詞を伴って] 医者として腕が…の人; [呼びかけ] 先生 (略 Dr.)◆(1) (米) では surgeon (外科医), dentist (歯科医), veterinarian (獣医) にも用いるが, (英) ではふつう physician (内科医) をさす. (2) (略) では doc とも》∥『send for [call in] a [the] doctor (電話などで[人をつかわせて])医者を呼ぶ◆かかりつけの医者の場合は the》/ go to the doctor('s) 医者の診察を受ける, 病院に行く (= see [(正式)consult] the doctor) (cf. hospital) (→ 語法) / He is under [a doctor's care [(英略式) the doctor] for cancer. 彼はがんの治療で医者にかかっている / She is a good doctor. 彼女は(人間的にみて)よい医者だ; 腕の立つ医者だ / He wanted to be a doctor and became a doctor. 彼は医者になりたかった, そして医者になった.

語法 go to the doctor's のあとには慣用的に office (診療所・医院)が省かれている. この省略形は (主に英) で (米) では go to the doctor という形が多く使われる.

関連 [いろいろな専門医]
dentist 歯科医 / dermatologist 皮膚科(専門)医 / gastroenterologist 胃腸科医, 消化器専門医 / gynecologist 婦人科医 / obstetrician 産科医 / oculist 眼科医 / pediatrician 小児科医 / physician, internist 内科医 / radiologist 放射線科医 / surgeon 外科医.

---

2 博士, 博士号 (略 Dr.)《(1) 肩書として男女いずれにも用いられ, Dr. Brown のようにいう. (2) 修士は master, 学士は bachelor》∥ a teaching doctor 博士号をもつ教師 / a Doctor of Literature [Law, Medicine] 文学[法学, 医学]博士.
Dóctor of Philósophy (1) (米) […の]博士[in] (略 PhD, Ph.D., D.Ph(il).). (2) 哲学博士.
——動他 (略式) **1** …を不正に勝手に変える, ごまかす.
2 (英) 〈動物〉を去勢する◆neuter の遠回し語》.
3 〈飲食物〉を[…で]混ぜる (+up) [with].
dóctor's degrèe 博士号, 学位.
dóctor's òffice 医院, 診療所, 病院《ふつう単に doctor's という (名 1 の例参照). 入院施設のある大きな病院は hospital》.

doc·tor·al /dáktərəl | dɔ́k-/ 形 博士(号)の; 権威のある ∥ a doctoral dissertation 博士論文 / a doctoral degree 博士号 (= a doctor's degree), a doctorate) / a doctoral program 博士課程, ドクターコース◆ˣdoctor course とはいわない》.

doc·tor·ate /dáktərət | dɔ́k-/ 名C (医学以外の)博士号, 学位.

†doc·trine /dáktrin | dɔ́k-/ 名U C (正式) **1** (宗教上の)教義, 教理《信者による容認が前提にある. dogma は論争の余地のないものとして教えられる真理. したがって信者は絶対受け入れなければならない》; (米) (政策上の)主義, […という)方策, (学術上の)学説, 理論 [that御] ∥ the Monróe Dóctrine モンロー主義 / the doctrine [theory] of evolution 進化論. **2** [集合名詞] (宗教上の)教え; 教典 ∥ Buddhist doctrine 仏典.

†doc·u·ment 名 /dákjəmənt | dɔ́kjə-; 動 -mènt/ C **1** (証拠となる) 文書, 書類; [the ~] 船積書類, 公文書, 証書, 記録 (略 doc.) ∥ an official [a private] document 公[私]文書 / a human document 人間記録. **2** [コンピュータ] ドキュメント, 文書《特に仕様書説明書》. ——動 (正式) …を記録する.

†doc·u·men·ta·ry /dàkjəméntəri | dɔ̀kjə-/ 形 (正式) 文書の, 書類[証書]の; 記録[資料]による ∥ a documentary film on bullying at school 学校でのいじめの記録映画 / documentary evidence 証拠書類 / a documentary drama ドキュメンタリードラマ. ——名C (映画・テレビ・ラジオ) 記録作品, ドキュメンタリー番組.

dod·der /dádər | dɔ́d-/ 動自 (略式) (老齢・病気などで)よろよろ歩く (+along); 震える.

†dodge /dádʒ | dɔ́dʒ/ 動自 **1** 素早く身をかわす[よじる] (+about). **2** 言いのがれる, ごまかす. ——他 **1** 〈身をかわして〉〈打撃・人などを〉避ける ∥ dodge a blow to the jaw あごへの一撃をよける. **2** (略式) 〈質問・責任など〉を巧みにごまかす, はぐらかす (evade) ∥ try to dodge one's obligations 自分の義務から逃れようとする. ——名C **1** [通例 a ~] 身をかわすこと ∥ màke a quíck dódge さっと身をかわす. **2** (略式) ごまかし, 言い抜け(trick); 工夫, 考案; 計画, 方法.
dódge báll ドッジボール.

dodg·er /dádʒər | dɔ́dʒ-/ 名C **1** 素早く身をかわす人. **2** (略式) 不正直な人; いかさま[詐欺, ぺてん]師.

do·do /dóudou/ 名 (複 ~(e)s) C **1** [鳥] ドードー《17世紀に絶滅した飛べない大きな鳥》. **2** (略式) 時代遅れの人. (as) déad as a [the] dódo (略式) 完全に死滅した; 〈人・物が〉時代遅れの.

†doe /dóu/ (同音 dough) 名C **1** 雌ジカ(→ deer) ∥ 「ドレミの歌」 (Do-Re-Mi) は Doe a deer, a female deer. (ドはシカ, 雌ジカだよ) で始まる》. **2** (ウサギ・ヒツジ・ヤギ・カモシカなどの) 雌 (↔ buck).

DOE (略) Department of Environment (英国) 環境省.

do·er /dúːər/ 名C (まれ) **1** [複合語で] …する人. **2** (略式) 実行家 (↔ thinker, talker); やり手.

*does /(弱) dəz, dz, ts, z, s; (強) dʌ́z/ 動助 do の三人称・単数・現在形.

*does·n't /dʌ́znt/ (略式) does not の短縮形.

do·est /dúː.ist/ 動 (古) do の二人称・単数・現在形《thou doest のように用いる. → dost》.

do·eth /dúːiθ/ 動 (古) do の三人称・単数・現在形《does に相当. → doth》.

**dog /dɔ́ːɡ, (米+) dɑ́ːɡ/
——名 (複 ~s/-z/) C **1** (広義) イヌ(犬); イヌ科の動物《(1) 英米の日常生活では man's best friend とされ, 番犬・ペット・猟犬などとして欠かせない. よくある呼び名は Toby, Fido, Rover など. (2) のら犬 (stray dog) の連想から好ましくない意味で用いられることも多い》∥ a dóg lòver [fáncier] 愛犬家 / Dick has a dog. ディックは犬を飼っている / Every dog has his [its] day. (ことわざ) だれにも得意な時代はある《=

代名詞はふつう it で受けるが,親しさをこめて he [she] で受けることがある》/ **Lèt sléeping dógs líe.**(ことわざ)眠っている犬は寝かせておけ;「さわらぬ神にたたりなし」/ *He who hates Peter harms his dogs.*(ことわざ)ピーターを憎む人はその犬をいじめる;「坊主憎けりゃ袈裟(ゖ*ぅ*)まで憎い」《/ **Lóve me, love my dog.** ともいう》/ **Gíve a dog a bád náme** (*and háng him*).(ことわざ)犬に悪名を与えろ(そしてしばり首にしてしまえ);一度悪評が立てば二度と浮かばれない.

> 関連 (1) [いろいろな種類の dog]
> guide *dog*, (米) Seeing Eye *dog* 盲導犬 / hearing assistance *dog* 聴導犬 / search (-and-rescue) *dog* 救助犬 / police *dog* 警察犬 / service *dog* 介助犬 / toy *dog* 愛玩用小形犬.
> (2) [いろいろな犬のしつけ言葉]
> Come back! 戻れ / Fetch! 取って来い / Go! 行け / Good boy [girl]! よしいい子だ / Heel! ついてこい / Lie down. 伏せ / No! だめ / Paw., Give me a paw. お手 / Sit. お座り / Stay! 待て / Stop! 止まれ.

2《狭義》雄イヌ;(オオカミ・キツネなどの)雄(↔ bitch) ‖ a dog wolf 雄オオカミ. **3**《略式》[形容詞を伴って] やつ,男 ‖ You dirty dog! いやなやつ.
a dóg in the mánger いじわるな人《◆*Aesop's Fables* から》.
díe like a dóg = **díe a dóg's déath** みじめな死を遂げる.
léad a dóg's lífe(略式)苦労の多い生活を送る.
The táil is wàgging the dóg.『尻尾が犬を振る』本末転倒だ.
wórk like a dóg なりふりかまわず働く.
You can't tèach an òld dóg nèw trícks.(ことわざ)老犬に新しい芸は教えられない;老人には新しい思想[こと]はなじまない.

──**動** (過去・過分 **dogged**-/-d/; **dog·ging**) ⊕ **1** 〈人・足跡〉をつけまわす,尾行する. **2**〈不幸などが〉〈人〉につきまとう ‖ *She is dogged* by misfortune. 彼女には不幸が絶えない.
dóg dàys [the ~] (夏の)土用, 暑い日々《◆ the Dog Star が太陽とともに昇る期間(7月3日から8月11日)が最も暑い日々と考えられたことから》.
dóg pàddle (略式) [通例 the ~] 犬かき(泳ぎ).
dóg slèdge [**slèd**] 犬ぞり.
Dóg Stàr [天文] [the ~] シリウス, 天狼(てん)星(Sirius)《おおいぬ座の主星》.
doge /dóuʤ/ 名 C ドージェ《昔のベネチア・ジェノバ共和国の首長》.
dog-ear /dɔ́(ː)gìər/ 名 C (本の)ページの隅折れ.──**動** ⊕ **1**〈本の〉ページの隅を折る. **2**(使いすぎて)…をぼろぼろにする.
dog-eared /dɔ́(ː)gìərd/ 形〈本・書類が〉隅が折れた.
†**dog·fish** /dɔ́(ː)gfìʃ/ 名 (複 ~ **es**) → fish 語法 C [魚] 小型のサメ《トラザメ・ツノザメ類など》.
†**dog·ged** /dɔ́(ː)gid/ 形 (正式) 容易に屈しない;強情な;根気強い.
†**dog·ged·ly** /dɔ́(ː)gidli/ 副 (正式) がんこに,根気強く.
dog·gie, dog·gy /dɔ́(ː)gi/ 名 C 小さい犬;(小児語) ワンワン.
dóggie bàg (米) ドギーバッグ《レストランなどで食べ残した物の持ち帰り用の袋. 実際は人が食べることが多いで, 今は people bag ともいう》.
dog·house /dɔ́(ː)ghàus/ 名 C (主に米) 犬小屋(kennel);犬小屋のような建物. **in the dóghouse** (略式) 面目を失って;嫌われて.
†**dog·ma** /dɔ́(ː)gmə/ 名 (複 ~**s**, ~**·ta**/-tə/) (正式) **1** C U (教会が示す)教義,教理,ドグマ(→ creed);(集合名詞)教条,信条;定説,定則 ‖ the dogma that all people are created equal 人はみな平等に造られているという信条. **2** C 独断(的な意見・主張・信念).
†**dog·mat·ic, -i·cal** /dɔ(ː)gmǽtik, -əl/ 形 (正式) **1** 教義上の,教理に基づく;教条的な. **2** […について] 独断的な(*on*, *about*).
dog·mát·i·cal·ly 副 教義[独断]的に.
dog·ma·tism /dɔ́(ː)gmətìzm/ 名 U (正式) 独断的な教条[主義],独断的態度.
dog·ma·tize /dɔ́(ː)gmətàiz/ 動 (正式) ⊜ 独断的に主張する[話す, 書く]. ── ⊕〈主義などを〉教義[教理]として示す;…を独断的に断言する.
dog-tired /dɔ́(ː)gtàiərd/ 形 (略式) 疲れ切った.
dog·tooth /dɔ́(ː)gtùːθ/ 名 (複 **-teeth**) C 犬歯(canine).
dog·wood /dɔ́(ː)gwùd/ 名 C [植] ハナミズキ《北米産》.
doh /dóu/ 名 =do².
doi·ly, doy·l(e)y /dɔ́ili/ 名 C 小型装飾ナプキン《ケーキ・食器などの下に敷く円形のレース状敷紙[布]》.
†**do·ing** /dúːiŋ/ 動 → do¹.
── 名 **1** U する[した]こと,なされること,実行,努力;C (俗)(人への)ひどい扱い, 小言 ‖ give him a *doing* 彼をひどく責める / It's your own *doing*. それは君のしたことだ(身から出たさび). **2** (略式) [~s] 行ない, 行動, 活動, 出来事 ‖ everyday sayings and *doings* 日常の言行.
do-it-your·self /dúːəʧɚrsélf/ -itʃə-/ 名 U [『(職人の手を借りないで)自らの手でやれ(Do it yourself)』という生活運動から] (略) DIY, d.i.y. 形 (略式) 日曜大工の. ── U 日曜大工(の趣味).
dó-it-your·sélf·er /-ɚ/ 名 C 日曜大工をする人.
dol. (略 **dols.**) dollar(s).
dol·drums /dóuldrəmz/ dɔl-/ 名 ◆ 通例次の成句で. **in the dóldrums** (船が)無風状態に入って;〈人が〉ふさぎ込んで;〈物が〉停滞状態に.
†**dole** /dóul/ 名 C **1** [通例 a ~] 施し(物);分配(物). **2**(英略式) [通例 the ~] 失業手当 ‖ be [go] on *the dole* 失業手当を受けている[受ける]. ── 動 ⊕ …を(貧しい人などに)分け与える(+*out*)(*to*).
†**dole·ful** /dóulfl/ 形 (正式) 悲しみに満ちた[沈んだ].

doll /dɔ́l, (米+) dɔ́ːl|dɔ́l/ (同音 **dole** /dóul/) 『*Dorothy* の(愛称)*Dolly* から』── 名 (複 ~**s**/-z/) C **1** 人形 ‖ plày dólls 人形遊びをする / She is a collector of antique *dolls*. 彼女は昔の人形を収集している / 日本発» During the *Doll's* Festival, which is observed on March 3, families with young girls decorate their homes with a tiered display of beautifully dressed *dolls*. 3月3日はひな祭りであり, 女の子のいる家庭ではひな壇に美しく着飾ったひな人形を飾る. **2**(主に米略式)(見た目に)魅力的な女性;(略式)(頭の弱い)かわいいこちゃん;(女から見て)かっこいい男,(米略式)(男女ともに)気前のいい人.
── 動 ⊕ (略式) [~ oneself / be ~ed] […で…のために] 着飾る,着飾っている(+*up*) [*in*/*for*].
dóll's hòuse(英)= dollhouse.

dol·lar /dάlər | dɔ́l-/ [[貨幣を鋳造したボヘミアの地名 Joachims*taler* の(略) Taler から]]
——名 (複) ~s/-z/) ⓒ **1 ドル** 《米国・カナダ・オーストラリアなどの貨幣単位. =100 cents. (略) dol., d. (記号) $, $》; [形容詞的に] ドルの ‖ a ten-*dollar* bill [《英》note] 10ドル紙幣《米俗》sawbuck) / in US *dollars* 米ドルで / ˈOne hundred *dollars* [$100] is [×are] a good large sum of money. 100ドルはかなりの金額だ《◆100ドルを1単位と考えるので単数扱い》. **2** ドル紙幣[銀貨];《米》[the ~] 貨幣制度;ドル相場.

doll·house /dάlhàus | dɔ́l-/ 名 ⓒ《米》人形の家《英米では趣味としてこれを作って楽しむ》; 小さな家《英》doll's house.

†**dol·ly** /dάli | dɔ́li/ 名 ⓒ **1**《小児語》お人形さん(doll). **2**《重い荷物を運ぶ》小さな車輪付きトロッコ. **3**《映画・テレビ》ドリー《移動式撮影機台》.

dol·man /dóulmən, dɔ́l- | dɔ́l-/ 名 ⓒ **1** ドルマン《トルコの長い外套(﹅)》. **2** ドルマン《女性用ケープ式そで付きマント》. **3** =dolman jacket.

dólman jácket 軽騎兵用ジャケット.

dólman sléeve ドルマンスリーブ《そでぐりが広く手首のところでぴったりした婦人服のそでの一種》.

dol·men /dóulmən, dɔ́l- | dɔ́lmen/ 名 ⓒ〘考古〙ドルメン《垂直に立てた2個以上の自然石の上に大きな平らな石を載せた先史時代の遺物で, 墓とみなされる》.

do·lo·mite /dóuləmàit, dɔ́l- | dɔ́l-/ 名 Ⓤ 白雲石[岩].

†**dol·or·ous** /dάlərəs | dɔ́l-/ 形《詩》悲しみに満ちた(沈んだ); 悲しみを引き起こす; 苦しい(painful).

†**dol·phin** /dάlfin | dɔ́l-/ 名 ⓒ **1**〘動〙イルカ《◆「人間の友」とされる》; (特に)マイルカ《鼻先のとがったもの. cf. porpoise》. **2**《略式》〘魚〙=dolphin fish.

dólphin fish シイラ(類)(dorado)《◆死ぬときには体が変色する》.

dolt /dóult/ 名 ⓒ《略式》薄のろ, まぬけ, とんま.

–dom /-dəm/ (語要素) →語要素一覧(1.7, 2.1).

†**do·main** /douméin | dəu-/ 名 **1** ⓒ《古》領地. **2** Ⓤ〘法律〙(土地の)完全所有権. **3** ⓒ《正式》(知識・興味・思想・活動などの)領域, 分野. **4** ⓒ《コンピュータ》ドメイン《インターネット上で用いるコンピュータのグループ名》. **domáin nàme** 《コンピュータ》ドメイン名.

†**dome** /dóum/ 名 ⓒ **1** (半球形の)丸屋根, 丸天井, ドーム. **2** 丸屋根状のもの; (山・樹木などの)円頂.

＊**do·mes·tic** /dəméstik/
——形 **1** 国内の, 自国の; 国産の(↔ foreign) ‖ *domestic* mail [trade] 国内郵便[通商] / *domestic* and foreign policies [news] 内外政策[ニュース] / *domestic products* [goods] 国産品 / *Domestic* flights go from Terminal 3. 国内便はターミナル3から出発します.
2 家庭の, 家事(家族)の(略 dom.) ‖ *domestic* life 家庭生活 / *domestic* troubles 家庭内のもめごと / *domestic* industry 家内工業.
3 家庭的な, 家庭を愛する ‖ a *domestic* man マイホーム型の男. **4** (俗用的に)家事の好きな, 家にひきこもりがちの ‖ He's afraid his wife isn't very *domestic*. 彼は妻が家事しない事を好きでないと思っている. **5**〈動物などが〉人になれた(tame) (↔ wild) ‖ a *domestic* animal [fowl] 家畜[ニワトリ, 家禽(﹅)].
——名 ⓒ《古・正式》=domestic worker.

doméstic abúse =domestic violence.

doméstic hèlp 家事手伝い.

doméstic scíence 家政学(home economics).

doméstic sérvice (召使いの)家事.

doméstic víolence (主に夫の妻に対する)家庭内暴力(略 DV) (domestic abuse).

doméstic wórker 召使い.

do·més·ti·cal·ly 副 国内で; 家庭で; 家庭的に.

†**do·mes·ti·cate** /dəméstikèit/ 動 他《正式》(特に農場で)〈動物を〉飼い慣らす.

do·mès·ti·cá·tion 名 Ⓤ《正式》飼い慣らすこと, なじませること, 飼育; 順応, 教化.

do·mes·tic·i·ty /dòumestísəti/ 名 Ⓤ 家庭的であること; 家庭生活; [domesticities] 家事.

dom·i·cile /dάməsàil, -sl | dɔ́m-/, **-cil** /-sl/《正式》名 ⓒ 居住地; 住居, 家(house). ——動 ⓒ 居住[定住]する.

dom·i·cil·i·ar·y /dàməsílièri | dɔ̀misíliəri/ 形《正式》住所[住居]の, 住所[住居]に関する.

dom·i·nance /dάmənəns | dɔ́mi-/ 名 Ⓤ 優越, 優勢; 支配.

†**dom·i·nant** /dάmənənt | dɔ́mi-/ 形 **1**《…に対して》支配的な; 最も有力な, 最も優勢な《over, to》; 主要な ‖ the *dominant* group in society 社会の支配集団 / a *dominant* hand 利(﹅)き腕. **2**《山などが》群を抜いて高い, そびえ立つ. **3**《音楽》(音階の)属音の, 第5音の(cf. tonic). **4**《遺伝》優性[顕性]の(↔ recessive) ‖ a *dominant* gene 優性遺伝子.

・**dom·i·nate** /dάmənèit | dɔ́mi-/〘「領主として支配する」が原義. cf. domain〙動 dominant (形)
——動 (~s/-nèits/; 過去・過分 ~d/-id/; **--nat·ing**)
——他 **1**《権力などで》〈人などを〉**支配する**, 統治する; …を牛耳る ‖ small nations (which are) *dominated* by superpowers 超大国によって支配される小国 / It's hard for me to watch my favorite programs because my brother *dominates* the TV. ぼくが好きな番組を見るのは難しい, 兄がチャンネル権を握っているから. **2**《文》…で優位を占める; …に著しく影響する. **3**《文》〈山・塔・建物などが〉…にそびえ立つ; …を見おろす(overlook) ‖ a building that *dominates* the city 町にそびえ立つ建物.
——自 **1**《…を》支配する《over》;《…に/…で》優位を占める《over/in》《◆他動詞用法がふつう》‖ A large country usually *dominates* over its smaller neighbors. 通常大国は近隣の小国を支配する. **2** そびえ立つ, 見おろす.

dom·i·nà·tor 名 ⓒ 支配者.

†**dom·i·na·tion** /dàmənéiʃən | dɔ̀mi-/ 名 **1** Ⓤ 支配, 統治, 君臨, 制圧. **2** Ⓤ 優位(に立つこと), 優勢.

dom·i·neer /dàməníər | dɔ̀mi-/ 動 ⓒ《正式》《…に》威張り散らす《over》. ——他 …を支配する.

dom·i·neer·ing /dàməníəriŋ | dɔ̀mi-/ 形 横柄な.

Dom·i·ni·ca /dàməníːkə, dəmínikə | dɔ̀m-, dəmíni-/ 名 ドミニカ《西インド諸島の島国. 正式名 Commonwealth of Dominica》.

Do·mín·i·can Repúblic /dəmínikn-/ [the ~] ドミニカ共和国《西インド諸島の国. 首都 Santo Domingo》.

†**do·min·ion** /dəmínjən/ 名《正式》**1** Ⓤ《…に対する》支配権, 統治権, 主権; 支配, 統制(control)《over》‖ In the Bible, it says that God gave man *dominion over* the earth and all its living creatures. 聖書には神は人に大地およびすべての生物に対して支配権を与えたそうです. **2** ⓒ (個人・国家の)領土, 領地, 統治領.

dom·i·no /dάmənòu | dɔ́mi-/ 名 (複) ~(e)s ⓒ **1** ドミノ牌(﹅); [~s; 通例単数扱い] ドミノ(遊び)《28枚

の牌で点合わせをする). **2** ドミノ仮装衣《ずきん付き外套(;)と顔の上半分を隠す仮面から成る舞踏会用衣装》.

dómino efféct ドミノ効果《政治事件などが起きると他の場所でも連鎖的に同様な事件が起きること》.

don /dán/ [名] **1** …君, 殿, 様《スペインで男性の洗礼名の前につける敬称で Mr., Sir に相当. cf. Dona》. **2** ⓒ (英) (Oxford, Cambridge 大学で学寮(college)の)学監, 個人指導教師.

Don Juan /-hwάːn, -dʒúːən/ (1) ドンファン《遊蕩(;)生活を送ったスペインの伝説的貴族》. (2) 放蕩者, 道楽物;女たらし, 色男.

Don Qui‧xó‧te /-kihóuti, -kwíksət/ (1) ドン=キホーテ《スペインの作家 Cervantes の小説. その主人公》. (2) 非現実的な理想家.

Don /dán/ [名] [the ~] **1** ドン川《アゾフ海に注ぐロシア西部の川》. **2** ドン川《北海に注ぐスコットランド北東部の川》. **3** ドン川《Yorkshire 州南部を流れ Humber 河口に注ぐイングランド中央部の川》.

Do‧na /dóunə/《スペイン》[名] …夫人《貴婦人の洗礼名の前につける敬称. Madam に相当. cf. don 1》.

Don‧ald /dάnld | dɔ́n-/ [名] ドナルド《男の名. (愛称) Don》. **Dónald Dúck** ドナルドダック《Walt Disney の漫画映画に登場するアヒル》.

†**do‧nate** /dóuneit, -⨆ | dəunéit/ [動] ⓣ **1**〈金・衣類・食物などを〉《慈善事業・公共機関・基金などに》寄贈する;…を〔…に〕贈与する[to]《◆give より堅い言い方》‖ donate money to the Red Cross 赤十字に金を寄付する / ×donate the Red Cross money とはいわない》. **2**〈血液・臓器などを〉〔…に〕提供する[to] ‖ donate blood 献血する. ── ⓘ〔…に〕寄付[寄贈, 贈与]する[to].

†**do‧na‧tion** /dounéiʃən | dəu-/ [名] [時に a ~] **1** Ⓤⓒ 〔慈善・公共施設への〕寄付, 寄贈[to] ‖ political donation 政治献金 / make a donation of £1,000 to the children's hospital 子供病院に1000ポンド寄付する. **2** ⓒ 寄付金, 寄贈品. **3** Ⓤ〔臓器・血液などの〕提供 ‖ organ donation 臓器提供 / blood donation 献血.

•**done** /dʌ́n/ [動] do の過去分詞形《◆(非標準) では時に did の代用として用いる: Who done [did] it? それがそれをやったのか》.

── [形] **1**〈人・仕事が〉終わった, すんだ ‖ Dóne! よろしい, 承知した / Are you done? (仕事などの進み具合を尋ねて)もうすんだの(=Are you through?) / That's (done) it! (略) (不幸・我慢の後で)それで十分だ, もうたくさんだ. **2** [通例複合語で]〈食物が〉十分に調理された, 焼けた ‖ half-done 生煮え[焼け]の. **3** (略) [通例否定文で]〈ふるまいが〉礼儀[習慣]にかなった, 結構な.

dóne for (略) (1)〈人が〉疲れ切った;〈物が〉使い果たされた. (2)〈人が〉死んだ, 死にかけた;もうだめで, おしまいで;〈人が〉地位を奪われた.

dóne ín [**úp**] (1) → DO in (2). (2)〈物が〉使い果された.

over and done with → over [動].

don‧jon /dʌ́ndʒən, dɑ́n- | dɔ́n-, dʌ́n-/ [名] ⓒ (城の) 天守閣.

†**don‧key** /dάŋki | dɔ́n-/ [名] ⓒ **1** ロバ《(1)「雌ロバ」を特に mare とする. (2) ass よりふつうの語. (3) 鳴き声は hee-haw. (4) 米国では民主党の象徴(cf. elephant)》‖ bray like a donkey ロバのようにいななく. **2** ばか者, 頑固者 ‖ Don't be such a donkey! ばかなまねはよせ.

dónkey's yèars (英略式) [単数扱い] ずいぶん長い間《◆years はロバの長い耳 ears にかけたもの》.

don‧na /dάnə | dɔ́nə/ [名] ⓒ **1** イタリアの貴婦人. **2** [D-] …夫人《イタリアで貴婦人の洗礼名の前につける敬称. madam に相当》.

†**do‧nor** /dóunər/ [名] ⓒ **1** 寄贈者. **2** [医学] 献血者;(移植用の臓器などの)提供者, ドナー ‖ a blood donor 献血者 / a living donor 生体臓器提供者.

do-noth‧ing /dúːnʌ̀θiŋ/ [名] ⓒ **1** (現状打破などに)進んで行動しない人. **2** なまけ者. ── [形] 怠惰な, 怠慢な.

•**don't** /dóunt/ [発音注意] do not の短縮形《◆doesn't の代わりに用いるのは (非標準)》.

── [名] **dos** [**dó's**] **and don'ts** [**dón't's**] → do¹ [名].

doo‧dle /dúːdl/ (略式) [動] ⓘ (話・考え事をしながら)いたずら書きする.

†**doom** /dúːm/ [名] Ⓤⓒ **1** [通例 a/one's ~] (ふつう悪い) 運命, 宿命(cf. fate) ‖ Oh, my doom is sealed. ああ, おれの運命は決まった. **2** 悲運, 凶運;破滅(ruin), 死 ‖ The general sent the soldiers to their doom. 将軍は兵士を死に追いやった. ── [動] ⓣ **1**〈人・事を〉(ふつう悪く)〔…するように〕運命づける[to do];[be ~ed][…の]運命にある[to] ‖ The project **was doomed to** fail [failure]. その計画は失敗する運命にあった. **2**〈いやな結果などを〉決定づける, 〈望まれない事を〉くじく.

dooms‧day /dúːmzdèi/ [名] Ⓤⓒ **1** [しばしば D-] 最後の審判の日, 世の終わり(Judgment Day). **2** 判決日, 運命の決まる日.

till dóomsday (略) 永久に(for ever).

:**door** /dɔ́ːr/ [「門」が原義]

── [名] (複 ~s/-z/) ⓒ **1** [通例 the ~] 戸, とびら, ドア《英米では内開きが多い》‖ the front door 玄関の door of [to] the room 部屋の[に通ずる]戸 / She knocked at [on] the door. 彼女はドアをノックした / Watch (米) [(英) Mind] the door. (アナウンス)ドアが締まります《から気をつけてください》/ He went **out of** [(米) **out**] the back door. 彼は裏口から出て行った / Tom gave the door a kick [push]. =Tom kicked [pushed] the door. トムはドアをけった[押した] / ⟨ジョーク⟩ "Why are pretty girls like hinges?" "They are things to a door." 「なぜかわいい少女はちょうつがいと似ているの」「ドアにつけるから」《◆to adore (とても好かれる)とのしゃれ》.

> [関連] [いろいろな種類の door]
> accordion [folding] door アコーディオンドア / automatic door 自動ドア / revolving door 回転扉 / sliding door 引き戸 / screen door (蚊(ゕ)よけの)網戸 / swing(ing) door スイングドア.

2 [通例 the ~] 戸口, 玄関, 出入口(doorway) ‖ ánswer [gó to] the dóor (略) 応対に出る / stánd in the dóor 戸口に立つ / sée [shów] him to the dóor 彼を送り出す / There is someone at the front [back] door. だれか玄関[裏口]にきています.

3 1軒, 1戸 ‖ She lives next door (but one) to him [×his]. 彼女は彼の(1軒[室]おいて)隣に住んでいる / in [out of] dóors 屋内[屋外]で / séll (from) dóor to dóor 1軒1軒売り歩く(⇨文法 16.3⑶) / He lives [His house is] four doors óff [awáy, dówn, úp, alóng] from here. (略

式)彼はここから4軒先に住んでいる《◆間に3軒あるということ》.

4 [比喩的に] […への]門, 道, 方法[to] ‖ a *door* to independence 独立への道 / be at death's *door* 死にひんしている.

at A's *dóor* (1) 〈人〉の家のすぐ近くに[の]. (2) …に迫って[た].

behind clósed [*lócked*] *dóor*(*s*) 内密に, 非公開で.

be on the dóor 《略式》(劇場・クラブなどの)入口[受付, 改札口]で仕事をする.

clóse [*shút*] *the* [*one's*] *dóor to* [*on, upòn, agàinst*] A (1) 戸を閉めて…を入れない. (2) …への門戸を閉ざす.

(*in*) *by the báck* [*síde*] *dóor* こっそりと, 策略で.

láy A *at* B's *dóor* = *láy* A *at the dóor of* B 〈罪・失敗など〉を B〈人〉のせいにする.

léave the dóor ópen (議論・交渉の)可能性を残しておく.

next door to … → next [形].

ópen a [*the*] *dóor to* [*ìnto, for*] A …への門戸を開く, …を可能にする.

(*out*) *by the báck* [*síde*] *dóor* =(in) by the back DOOR.

out of dóors 戸外で, 野外で(outdoors).

shów A *the dóor* 〖人に出口を指示して出て行けとのしぐさをする〗《略式》〈人〉を追い出す(cf. **2**).

shút [*slám*] *the dóor in* A's *fáce* 〈人〉を入らせない;〈人〉に計画を実行させない;〈人〉に口を利かない.

shút [*slám*] *the dóor to* [*on, upòn, against*] A =close the DOOR to A.

with clósed dóors 門戸を閉ざして;非公開で.

with ópen dóors 門戸を開放して;公開で.

dóor hàndle《英》(冷蔵庫などの)取っ手.

dóor mòney 入場料.

dóor òpener かぎのかかったドアを開ける器具;セールスマンの使うプレゼント.

†**door·bell** /dɔ́ːrbèl/ [名] Ⓒ 玄関の呼びりん[ベル].

door·keep·er /dɔ́ːrkìːpər/ [名] Ⓒ 門衛;《英》玄関番.

door·knob /dɔ́ːrnɑ̀b | -nɔ̀b/ [名] Ⓒ ドアの(丸い)取っ手.

door·man /dɔ́ːrmæ̀n/ [名] (複 **-men**) Ⓒ 門番, 守衛((PC) doorkeeper);(ホテル・劇場・クラブなどの)ドア係, ドアボーイ((PC) concierge)《◆×doorboy とはいわない》.

door·mat /dɔ́ːrmæ̀t/ [名] Ⓒ **1** (玄関先の)靴ぬぐい, ドア=マット. **2**《略式》不当な扱いを受けても黙っている人.

door·plate /dɔ́ːrplèit/ [名] Ⓒ (戸口の)表札.

door·post /dɔ́ːrpòust/ [名] Ⓒ (戸口の)側柱.

(*as*) *déaf as a dóorpost* まったく耳の聞こえない.

door·sill /dɔ́ːrsìl/ [名] Ⓒ (戸口の)敷居, 靴ずり.

door·step /dɔ́ːrstèp/ [名] Ⓒ 戸口の上り段.

door–to–door /dɔ́ːrtədɔ́ːr/ [形] [副] **1** 戸別(訪問)の[に];戸口直送の[で]. **2** 戸口直送の[で], 宅配便の.

†**door·way** /dɔ́ːrwèi/ [名] Ⓒ **1** 戸口, 出入口 ‖ *in* [*at*] *the doorway of* [*to*] *the kitchen* 台所の戸口で. **2** [比喩的に] 門戸[*to*] ‖ a *doorway* to success 成功への道.

†**door·yard** /dɔ́ːrjɑ̀ːrd/ [名]《米》玄関前の前庭.

†**dope** /dóup/ [名] **1** Ⓤ《俗》麻薬(drug);《米俗》麻薬常用者. **2**《略式》(信頼できる筋からの)情報;予報, 予想. **3** Ⓒ《略式》のろまな者, まぬけ. **4** Ⓤ (運動選手・競走馬・猟犬に与える)興奮剤.

dop·ing /dóupiŋ/ [名] Ⓤ ドーピング, 薬物[興奮剤]使用《運動選手・競走馬などに興奮剤を与えること》‖ *dóp·ing tèsting* ドーピング検査.

Do·ra /dɔ́ːrə/ [名] ドーラ《女の名. Dorothea, Doris の愛称》.

Do·ri·an /dɔ́ːriən/ [形] (古代ギリシアの)ドーリス人[地方]の. ——[名] Ⓒ ドーリス人[ドリア人].

Dor·ic /dɔ́ːrik/ [形] **1** ドーリス(Doris)地方[語]の, ドーリス[ドリア]人の(Dorian). **2** [建築] (古代ギリシア)ドリス式の ‖ the *Doric* order ドリス様式.

Do·ris /dɔ́ːris/ [名] ドリス《女の名. (愛称) Dolly, Dora》.

dorm /dɔ́ːrm/ [名]《略式》= dormitory.

†**dor·mant** /dɔ́ːrmənt/ [形] **1**《正式》眠っている(ような) (sleeping);睡眠状態の;〈動物が〉冬眠中の. **2** 〈火山などが〉休止状態にある(↔ active).

dor·mer /dɔ́ːrmər/ [名] Ⓒ **1** = dormer window. **2** 屋根窓付きの切り妻[突出窓].

dórmer wìndow 屋根窓《傾斜した屋根から突き出ている明かり採りの窓》.

dor·mice /dɔ́ːrmàis/ [名] dormouse の複数形.

†**dor·mi·to·ry** /dɔ́ːrmətɔ̀ːri | -təri/ [名] Ⓒ **1**《米》(大学などの)寄宿舎, 寮《略式》dorm,《英》hall of residence》‖ The students were housed in the *dormitories*. 学生たちは寮生活をしていた. **2** (多人数用の)共同寝室. **3**《英》= dormitory town [suburb]. **dórmitory tòwn** [**sùburb**]《英》郊外住宅地, ベッドタウン(《米》bedroom town [suburb(s), community]).

dor·mouse /dɔ́ːrmàus/ [名] (複 **dor·mice**/-màis/) Ⓒ [動] ヤマネ《リスとネズミの中間的動物》;眠たげな人《◆ヤマネは冬眠が長いことから》.

Dor·o·the·a /dɔ̀ːrəθíːə/, **--thy**, **--thee** /dɔ́ːrəθi/ [名] ドロシア, ドロシー《女の名. (愛称) Dora》.

dor·sal /dɔ́ːrsl/ [形] (動物の)背(部)の, 背面の ‖ a shark's *dorsal* fin サメの背びれ(図 → fish).

Dor·set /dɔ́ːrsit/ [名] ドーセット《イングランド南部の州. 州都 Dorchester》.

Dor·set·shire /dɔ́ːrsitʃìər, -ʃər/ [名] = Dorset.

†**do·ry** /dɔ́ːri/ [名]《米》(高い舷(ぺ)側をもつ)平底の小型漁船.

DOS /dɑ́s/, /dɔ́s/ | /dɔ́s/ [略] 〖コンピュータ〗disk operating system ディスクオペレーティングシステム, ドス.

dos·age /dóusidʒ/ [名]《正式》[通例 a ~] 1回[一定期間]分の投薬[服用]量(dose).

†**dose** /dóus/ [名] Ⓒ **1** (主に飲み薬の)服用量(の1回分);(薬の)1服;[医学] (1回に照射される)放射線量 ‖ Give the sick child a *dose* of this medicine before he goes to bed. 病気の子供が寝る前にこの薬を1回分飲ませてください. **2**《略式》(主にいやなことの)1回分, 一定量《◆特に大量であることを強調》‖ a stiff *dose* of hard work 厳しい仕事.

——[動] Ⓣ 〈人〉に […を] 投薬する, 服用させる(*with*).

doss /dɑ́s/ /dɔ́s/ [名] Ⓒ《英略式》(安宿の)寝床, 安宿.

dost /(弱) dəst, (強) dʌ́st/ [助] 《古》do の二人称・単数・現在形《thou が主語のとき用いる》.

Dos·to·ev·ski /dɑ̀stəjéfski, dɔ̀stɔi-/ [名] ドストエフスキー《Feodor Mikhailovich /fjìːsdər mihǎilavitʃ/ ~ 1821–81;ロシアの小説家》.

†**dot** /dɑ́t/ [名] Ⓒ **1** 1点《終止符, 小数点, インターネットの URL に用いるピリオド, i, j の点など》. **2** (点のように)小さな物;小片, 小量;ちび ‖ green islands scattered like *dots* on a blue sea 青海原に点々と散らばった緑の島々 / The plane flew high and finally became a mere *dot* on the horizon. その飛行機は空高く飛んでついには水平線にポツンと点に

なった. **3** (モールス信号の)トン(cf. dash); 〔音楽〕付点.

on the dót (略式)時間[場所]どおりに; 即座に.

to a dót (略式)まったく, 完全に.

——動 **1** 〈人が〉〈物〉に点を打つ, …を点線で示す ‖ Don't forget to *dot* your i's. i に点を打つのを忘れるな. **2** 〈人・物〉が〈場所〉に点在する; [be dotted with A] 〈場所に〉〈人・物〉が点在する ‖ Cows [Trees] *dotted* the field. =The field *was dotted* with cows [trees]. 野に牛[木]が点在していた.

dot·age /dóutidʒ/ 名 U もうろく, 老いぼれ.

dot-com, dot.com, dot·com /dɑ̀tkɑ́m/ 形 名 C インターネット商取引の(企業).

†dote /dóut/ 動 自 […を]溺(ﾃｷ)愛[熱愛]する[*on, upon*].

doth /(弱) dəθ, (強) dʌ́θ/ 動 〔古〕 do の三人称・単数現在形(◆ does に相当).

dot·ing /dóutiŋ/ 形 愛におぼれている, 溺(ﾃｷ)愛している.

dot·ted /dɑ́tid/ 形 /-t-/ 形 点を打った, 点でできた点で描いた ‖ a *dotted* note 〔音楽〕符点音符.

dótted líne (署名欄などの)点線《...》; 予定のコース(cf. broken line).

*****dou·ble** /dʌ́bl/ 『「重なって存在する」が本義』
——形《♦比較変化しない》(cf. single) **1** 〔通例名詞の前で〕**二重の, 二様の** ‖ a *double* window 二重窓 / a *double* purpose 二様の目的 / a sword with a *double* édge 両刃の剣(=a *double-edged* sword).

2 〔通例名詞の前で〕〈意味などが〉二様にとれる, あいまいな; 〈言行・性格などが〉裏表のある, 不誠実な ‖ His words had a *double* meaning. 彼の言葉には裏があった / a man with a *double* character 二重人格者.

3 〔通例名詞の前で〕〈数・量・大きさ・強さ・価値などが〉2倍の, 2重の ‖ a *double* helping いつもの倍の盛り / *double* beer (強さが倍の)特製ビール / A *double* martini, please. マティーニのダブルを1杯ください / She eats a *double* portion of food. 彼女は2人前を食べる.

> 関連 triple 3倍の / quadruple 4倍の / quintuple 5倍の / sextuple 6倍の / septuple 7倍の / octuple 8倍の / nonuple 9倍の / decuple 10倍の.

4 〔名詞の前で〕〈部屋・ベッドなどが〉2人用の, 2つの部分からなる; 2つ折りの ‖ a *double* seat 2人掛けの座席 / a *double* blanket 2枚(続きの)毛布.

5 〔植〕 八重(ﾔｴ)咲きの ‖ a *double* rose 八重のバラ.
——副《♦比較変化しない》**1** [the/one's + 名詞・wh語の前で] 2倍に, 倍の ‖ Four is *double* 2. 4は2の2倍だ(=Four is the *double* of two.) / He is *double* my age. 彼は私の倍の年だ(=He is twice as old as I.) / at *double* the speed 2倍の速度で / pay *double* the price 倍額を支払う / The house costs *double* what it did before. 住宅は前の2倍の価格だ《◆この例の double は 形 と考える》.

2 [動詞の後で] **二重に**, 2人一緒に, 対をなして; 2つ折りに ‖ bend *double* 体を2つに折る, 前かがみになる / sleep *double* 2人一緒のベッドに寝る / ride *double* on a motorbike =ride a motorbike *double* モーターバイクに相乗りする.

sée dóuble (酔いなどで)物が二重に見える.

——名(複 ~s/-z/) **1a** U〈数・量・大きさ・強さ・価値などの〉2倍 ‖ Six is the *double* of three. 6は3の2倍である(=Six is *double* three.) / Give me *double*. 私に倍ください. **b** C (略式) (ウイスキーなどを入れる量がふつうの)2倍(のもの) ‖ Give me a *double*, please. (ウイスキーなど)ダブル1杯ください. **2** C **a** 〔野球〕 2塁打(two-base hit). **b** 〔ブリッジ〕 (点の)倍加, ダブル; 〔ダーツ〕 ダブル(的の外側の2つの円の間への一投). **c** 〔競馬〕 重勝式の賭(ｶｹ). **3** [~s; 単数扱い] (テニスなどの)ダブルス(cf. singles) ‖ mixed *doubles* 混合ダブルス. **4** C よく似た人[もの], 生き写し; (映画などの)代役(stand-in) ‖ You are 'your mother's *double* [the *double* of your mother]. あなたはお母さんにそっくりだ.

at [(米) on] the dóuble (略式)できるだけ早く, ただちに; 駆け足で《◆軍隊の命令で「ふつうの速度の2倍で行進せよ」から》.

dóuble or nóthing [(英) quíts] (負けた人に機会を与えるときに)一か八(ﾊﾞﾁ)かの勝負《勝てば負債は帳消し, 負ければ倍となる》.

——動 (~s/-z/; 過去·過分 ~d/-d/; -bling)
——他 **1a** 〈人・事が〉〈事・物〉を **2倍にする**, 倍加する ‖ *double* one's income 収入を2倍にする / *Double* two and you get four. 2を2倍すると4になる. **b** …の(数・量が)2倍ある ‖ Her salary *doubles* mine. 彼女の給料は私の2倍だ. **2** 〈人が〉〈物〉を2重に折る, 二重にする ‖ *Double* the paper (in two). その紙を2つに折りなさい.

——自 **1** 2倍になる, 倍増する ‖ Prices have *doubled* in the last five years. 物価はこの5年間で2倍になった. **2** 2つ折りになる; ぎゅっと折り曲げる(+*over, up*)[*with*]. **3** [...としても]使える[*as*]; [人の]代わりをする[*for*] ‖ a radio which *doubles* as an alarm clock 目覚まし兼用ラジオ.

dóuble báck [自] 〔同じ道を戻って(back)〕(道のりを)2倍にする(double)], 急に引き返す, あと戻りする.
——[他] (1) 〈2つに折り(double)返す(back). cf. double 他 **2**〕〈物〉を折りたたむ. (2) 〈道など〉を急に引き返す.

dóuble óver [自] (苦痛やおかしさなどで)ぎゅっと体を折り曲げる, かがみこむ. ——[他] =DOUBLE back [他] (1).

dóuble úp [自] (1) =DOUBLE over [自]. (2) […と]一緒の部屋で寝る, 同宿する[*with*]. (3) 急ぐ.
——[他] (1) =DOUBLE back [他] (1). (2) 〈人〉の体を〔苦痛やおかしさなどで〕折り曲げさせる(fold up) [*with*]《♦受身可》.

dóuble ágent 逆スパイ; 二重スパイ.

dóuble bár 〔音楽〕 (楽譜の)複縦線.

dóuble báss 〔音楽〕 ダブルベース, コントラバス(contrabass)《♦単に bass ともいう》.

dóuble bassóon 〔音楽〕 ダブルバスーン, コントラファゴット.

dóuble béd ダブルベッド(cf. single bed, twin bed).

dóuble click 〔コンピュータ〕 ダブルクリック《♦マウスのボタンを短い間隔で2度押すこと》(cf. double-click).

dóuble dágger 〔印刷〕 二重短剣符(‡)《♦注や相互参照を示すのに用いられる》.

dóuble expósure 〔写真〕 二重露出.

dóuble fáult 〔球技〕 ダブルフォールト《テニスなどで連続2回のサーブ失敗. 相手の得点となる》.

dóuble féature 〔映画〕 (長編)2本立て.

dóuble génitive 〔文法〕 二重属格《a book of my *brother's* のように属格を重ねて用いる語法》.

dóuble jéopardy 〔法律〕 二重の危険《同一犯罪に

dóuble négative [**negátion**]〔文法〕二重否定《I didn't say *nothing*. (私は何も言わなかったのように本来なら I didn't say anything. または I said nothing. と言うところを否定語を重ねて強意的に用いる非標準語法》《◆He is *not unhappy*. (彼はまんざら不幸なわけではない)のような言い方(これは標準語法)も含めることがある》.

dóuble pláy 〔野球〕ダブルプレー, ゲッツー, 併殺《◆×get two とはいわない》.

dóuble quótes 〔印刷〕二重引用符《" "》.

dóuble róom (ダブルベッドの入った)2人部屋(cf. twin(-bedded) room).

dóuble stándard(s) (1) 〔経済〕複本位制《金銀の2種類を本位貨幣として使う制度》. (2) 二重基準《性行動について男より女に厳しい基準》; 相手によって扱いなどを変える不公平なやり方, 御都合主義.

dóuble stéal 〔野球〕重盗. **dóuble stéel** ダブルスチール.

dóuble táke 〔米略式〕《◆次の句で》∥ do a *double take* (初め気づかないでしばらくしてからはっと驚く(喜劇役者の演技によく用いられる); (一度ではよくわからないので)もう一度見る[考える].

dóuble tálk 〔略式〕(1) まじめに見えるが何の意味もない語[話], まことしやかなごまかし. (2) (政治家などの)わかりにくい話し方. (3) (二綾の意味にとれるため)理解しにくい語.《◆ cf. double-talk》

dóuble time (週末や公休日に働いた人に支給する)倍額賃金[給料].

dou·ble-bar·reled, (英) **-bar·relled** /dʌ́blbǽrəld/ 形 1 (銃が)二重銃身の, 2連発の. 2 〔略式〕(発言・説明が)二重の目的をもった, どちらにもとれる, あいまいな. 3 (米)強力な∥ a *double-barreled* attack 激しい攻撃.

dou·ble-bed·ded /dʌ́blbédid/ 形〔英〕〈部屋が〉ダブルベッドのついた.

dou·ble-breast·ed /dʌ́blbréstid/ 形〔服飾〕ダブル(ボタン式)の(cf. single-breasted).

dou·ble-click /dʌ́blklík/ 動 他〔コンピュータ〕…をダブルクリックする. (ダブルクリックして)〈ファイル〉を選択・実行する. ―― 自 〈…を〉ダブルクリックする[on].《◆ cf. double click》.

dou·ble-cross /dʌ́blkrɔ́(ː)s/ 動 他〔略式〕…を裏切る.

dou·ble-deck·er /dʌ́bldékə*r*/ 名 C 1〔英〕= double-decker bus. 2〔米〕二重サンド《パンを3枚重ねたサンドイッチ》. **dóuble-décker bùs** 2階つきバス《英国では市内バスとして大いに double-decker を多く用いる. coach に対し単に bus ともいう》.

dou·ble-edged /dʌ́bléd3d/ 形 1〈剣などが〉両刃の. 2〈議論などが〉賛否両方にとれる, あいまいな.

dou·ble-faced /dʌ́blféist/ 形 表裏二心のある, 不誠実な, 偽善的な.

dou·ble-head·er /dʌ́blhédə*r*/ 名 C〔米〕〔野球〕ダブルヘッダー(〔米略式〕twin bill).

dou·ble-joint·ed /dʌ́bldʒɔ́intid/ 形 二重関節のある; 〈指などが〉反(⁺)る.

dou·ble-park /dʌ́blpɑ́ː*r*k/ 動 他 (…の横に)二重[並列]駐車する《◆ふつう駐車違反》.

dou·ble-quick /dʌ́blkwík/ 形〔略式〕形 副 大急ぎの[で].

dou·ble-space /dʌ́blspéis/ 動 他 (…を)(タイプライターで)ダブルスペースで打つ, 1行置きにタイプする.

†**dou·blet** /dʌ́blit/ 名 C 1〔歴史〕ダブレット《15-17世紀の男性用上衣》. 2〔言語〕二重語, 姉妹語《ちがう経路である1つの言語に入ってきた同語源の2つ以上の語の1つ. card と chart, shirt と skirt など》.

dou·ble-talk /dʌ́blt3ːk/ 動 自 他〔略式〕 double talk をする(cf. double talk).

†**dou·bly** /dʌ́bli/ 副 1〔形容詞を修飾して〕2倍に∥ be *doubly* careful 倍注意する. 2 二重に, 二様に.

****doubt** /dáut/ 【発音注意】 〔「2つ(double)の心を持つ」から「いずれを選ぶか迷う」が本義〕㊒ doubtful(形), doubtless (副)

―― 動 (〜s/dáuts/; 過去・過分 〜·ed/-id/; 〜·ing)《◆進行形不可》

―― 他 1〈人が〉〈人・事〉を疑う, 信じない《◆ *doubt* doing は(まれ); [肯定文で] [doubt *whether* [if]節] …かどうか疑問に思う∥ I have never *doubted* him [his innocence]. 彼[彼の無罪]を疑ったことはない∥ I *doubt* if [*whether*] he is kind. 彼が親切かどうか疑わしい《◆if の方が口語的. 書き換え例 → doubtful 1》/〖対話〗"The weather report says it will rain later.""*I doubt it.* There are no clouds in the sky at all." 「天気予報ではこのあと雨になるそうだよ」「それはどうかな. 空に雲が少しもないもの」.
2 [doubt *that*節] …でないと思う(cf. suspect 他 1)∥ I *don't doubt that* she will succeed. 彼女はきっと成功する(= I don't *doubt* her succeeding.)《◆that の代わりに《米略式・英古》but (that),《米略式》but what も用いる》/ Do you *doubt that* [×if] he will betray me? 彼が私を裏切らないと思うかい / I (really) *doubt that* they will be able to do that. 彼らはそれができないと思う.

―― 自〔…を〕疑う, 疑わしく思う〔*of, about, as to*〕.

―― 名 (複 〜s/dáuts/) U C〔…についての〕疑い〔*of, about, over, on, as to*〕;〔…という/…かどうかの〕疑惑, 疑念〔(*that*)節 / *whether*節, *if*節, *wh*節〕∥ Egyptian *doubts* on peace 和平に対するエジプトの疑惑 / clear up *doubts* 疑いをはらす / thrów [cást] *dóubt*(s) on the fact 事実に疑いを抱かせる / I hàve nó dóubt *that* 〔米略式・英》*but* (*that*)〕 he will be chosen chairman. きっと彼は議長に選ばれるだろう《◆否定語に続く節は that, また疑問文や不信を示す肯定文でも that が用いる. 単なる疑いを示す肯定文は whether, if》/ I hàve nó dóubt of his honesty. 彼の正直を少しも疑わない / I entertain [hàve] dóubts〔*about* his words [*about* what he says〕. 私は彼の言うことに疑いをもっている / *There is some doubt if* [(as to) *whether*] she is right. 彼女が正しいかどうか少し疑わしい.

beyònd [**pàst**] (**a** [**all**]) **dóubt** = **òut of** (**áll**) **dóubt** = **withòut** (**a**) **dóubt** 疑いもなく, 明らかに, きっと(certainly).

in dóubt 〔正式〕〈人が〉〔…について〕疑った[て];〈物・事が〉〔…について〕不確かな[で]〔*about, of*〕.

nó dóubt (1)〔正式〕〔可能性を求めて〕たぶん, おそらく(probably). (2) 疑いもなく, 確かに(surely)《◆*without* (*a*) *doubt* の方が強意的》. (3) [but と呼応して]なるほど…だが∥ Your story is *no doubt* true, *but* others don't believe it. なるほどあなたの話は本当だが, 他人は信じません《◆(1) (2) (3) とも文頭でも語順転倒はしない》.

there is nó dóubt that ... …だということは疑いがない[確実だ]∥ *There is no doubt that* she is a first-class opera singer. 彼女が一流のオペラ歌手であることは疑いがない《◆この that は同格の that な

ので形式主語と真主語構文の ×It is no doubt that ... とすることはできない。cf. it is no WONDER that ...

†**doubt·ful** /dáutfl/ 形 1 〈人が〉〔…について/…かどうか〕疑っている，確かでない (about/if 節) ‖ I am doubtful about his diligence. 彼の勤勉ぶりを疑っている (=I doubt his diligence. / I have my doubts about his diligence.) / He is doubtful for that game. 彼がその試合に出られるかどうか疑わしい。2〈物・事が〉疑わしい，ありそうにない，不確かな；〈将来・結果などが〉不安な，おぼつかない ‖ a doubtful phrase あいまいな言い回し / a doubtful future 不安な未来 / It is doubtful that he meant it. 彼が本気でそれを言ったとは思われない《It is doubtful if [whether] he meant it. は「彼はそれを本気で言ったかどうか疑わしい」の意》。3 (略式)〈人・言動・場所が〉いかがわしい，怪しげな。

†**doubt·ful·ly** /dáutfəli/ 副 疑わしく；不安な様子で；あいまいに；[文全体を修飾] 疑わしいと思うか。

†**doubt·less** /dáutləs/ 副 [文全体を修飾] 1 (正式) 確かに，なるほど (indeed)《◆しばしば but の前に置いて譲歩を示す》‖ He is doubtless not creative. なるほど彼は物知りだが独創性がない。2 (略式) たぶん，おそらく (probably).

douche /dú:ʃ/ [フランス] 名 ⓤⓒ (洗浄・医療のための)注水，(膣)水；ⓤ 灌水[灌注]療法.

Doug /dʌɡ/ 名 ダグ《男の名。Douglas の愛称》

†**dough** /dóu/ (同音 doe) 名 ⓤ 練り粉，パン生地；こね粉状のもの。

dough·nut /dóunʌt/ 名 ⓒ ドーナツ《◆米国ではリング型、英国ではまんじゅう型が多い》[事情] 米国では，中がよく焼けてドーナツを食べて消化不良を起こしたことから中心を切り抜いて焼いてもらったことからリング型が生まれたと言われる。

Doug·las /dʌ́ɡləs/ 名 ダグラス《男の名。(愛称) Doug》.

dour /dúər, dáuər/ dúə/ 形 気難しい；陰気な.

douse, dowse /dáus, dáuz/ 動 他 1 (正式)〈を〉(水に) 突っ込む (in)；〜をずぶぬれにする (drench). 2 (正式) …に〈水などを〉ぶっかける，浴びせる (with). 3 (略式) 〈灯火など〉を消す.

†**dove**[1] /dʌ́v/ (発音注意) 名 ⓒ 1 ハト《◆平和の象徴。Noah's Ark (ノアの箱舟), olive leaf (オリーブの葉) を連想させる語。鳴き声は coo》. [類語] ふつう pigeon は飼いバト，dove は小型の野生バトに用いるが, (英) ではどちらも pigeon が好まれ, dove は詩語に多い ‖ the dove [×pigeon] of peace 平和のハト / (as) hármless as a dóve とても無邪気な. 2 (呼びかけ) 柔和で清純な人[子供，女性] ‖ my dove ねえ，君[あなた]. 3 (略式) ハト派の人《戦争[強硬手段]を避け平和[話し合い]政策をとる》(↔ hawk).

dóve cólor ハト色《赤みがかった薄灰色》.

dove[2] /dóuv/ 名 (米) dive の過去形.

dove·cote /dʌ́vkòut/, --**cot** /-kɑ̀t/ /-kɔ̀t/ 名 ⓒ ハト小屋.

Do·ver /dóuvər/ 名 ドーバー《イングランド南東の海港。フランスに最も近い》；**the Strait(s) of ~** ドーバー海峡.

dove·tail /dʌ́vtèil/ 名 ⓒ 【木工】あり継ぎ《ハトの尾の形に似て先の広がったほぞで木材をつなぎ合わせる方式》；あり継ぎの箇所。—— 動 他 1 〜をあり継ぎにする (+together). 2 〜をぴったり適合させる．—— 自 (自) つなぎ合う，ぴったりはまる (with, into).

dov·ish /dʌ́viʃ/ 形 ハト派の；平和を熱望する (↔ hawkish).

†**dow·a·ger** /dáuədʒər/ 名 ⓒ (亡夫から爵位・財産などを相続した) 王侯の未亡人，後家.

dow·dy /dáudi/ 形 (--**di·er**, --**di·est**) 〈女(の服装)〉がやぼったい，むさ苦しい．

†**dow·el** /dáuəl/ 名 ⓒ 【木工】合わせくぎ，目くぎ，だぼ．

†**dow·er** /dáuər/ 名 寡婦産《亡夫の遺産のうち未亡人の相続する部分》．—— 動 他 (正式)〈人〉に寡婦産[持参金]を与える.

Dów-Jónes àverage [ìndex] /dáudʒóunz-/ 名 《株式》ダウ平均[指数]《略 D-J》.

:**down**[1] /dáun/ (類音) dawn /dɔ́:n/ 『本義「下への移動」から動作動詞と結びついて下への運動を，状態動詞と用いて下方での静止した位置を表す。またさまざまな動詞と結合して動詞＋副詞結合を作り，多くの比喩的意味を表す (↔ up)』

index 副 1 下へ 2 下手へ[に], 南へ 3 下がって
5 意気消沈して 14 押さえつけて 15 減じて 17 完全に
前 1 …の下へ[に] 2 …の下手に 3 通って
形 2 南方へ向かう

—— 副 《◆比較級はないが，最上級に downmost を用いることがある》

I [下の方への運動]

1 [動作動詞＋down] 〈高い所から〉下へ，下方へ，下って，降りて；〈上から〉地面[床]に ‖ sit dówn 座る / knéel dówn ひざまずく / púll a blínd dówn 日よけを降ろす / The sun gòes dówn in the west. 太陽は西に沈む / pút the knífe dówn on the table テーブルにナイフを置く / gèt dówn from the bus バスから降りる.

2 a 下手へ[に]；〈内陸から〉沿岸へ；下流へ；〈住宅地域から〉商業地域へ；《海事》風下へ；〈話し手から〉離れて；(米)〈地図で〉南へ；(英) 〈中心地から〉地方へ，いなかへ (cf. go down) ‖ They advanced 5 miles further down into the country. 彼らはさらに5マイル下手[沿岸, 下流, 南]へ進んだ / We went dówn South. (米) 我々は南部へ行った《◆(米) では大都市を中心に up, down を用いるが，北へ行く場合は up, 南へは down を用いる. ただし (英) でも自動車旅行が増えるにつれてこの米式用法が広まってきた》/ take the train from London ̇ dòwn to Brighton (英) ロンドン発ブライトン行きの列車に乗る《◆イングランドではロンドンへ向かうのは up, 離れるのは down》. **b** (英) 〈大学から〉〈休暇で〉帰省して，〈大学を〉卒業して (from) ‖ I went down in 1970. 私は1970年に大学を卒業した《◆(1) 主にオックスフォード[ケンブリッジ]大学を指す. (2) 「退学になる」は be sent down》. **c** 〈舞台の前方へ[に].

II [数量などの低下]

3 [動作動詞＋down] 〈価格・率・質・地位・活力などが〉下がって；〈風などが〉弱まって，静まって；〈人が〉落ちぶれて ‖ còme dówn in the wórld (社会的に) 落ちぶれる / The wind díed dówn. 風がおさまった / The price of coffee has còme dówn. コーヒーの値段が下がった / Production has gòne dówn this year. 今年は生産が落ちた.

4 [状態動詞＋down] 下に，下って，降りて；〈人などが〉倒れて，伏せて；〈カーテンなどが〉降ろしてあって；〈太陽が〉沈んで；〈温度が〉下がって；〈潮が〉引いて；〈価格・質などが〉下がって，落ちて；〈風などが〉おさまって《◆1, 3 の動作を表す意味が状態を表すようになったもの》‖

The tire is dówn. タイヤの空気が減っている,パンクしている / Violence is dówn in schools. 校内暴力が減っている / The price of fruit is dówn. 果物が安くなっている / Down in the valley / the fog still lingers. 下の谷にはまだ霧がかかっている.

III [勢いの低下]

5 [状態悪化][形容詞 + down] (人が)意気消沈して;(健康が)衰えて;(人が)[病気で]寝込んで[*with*];(機械などが)故障して ‖ I félt dówn about my grades. 私は成績のことで気がめいっていた / She is dówn with influenza. 彼女はインフルエンザにかかって床についている.

IV [時間的に下の方へ]

6 [時・順序](過去から)後代へ;(順位など)[上から/下に]至るまで[*from/to*] ‖ dówn *to* the présent 現代に至るまで / count *from* 10 **down to** 1 10から1まで逆に数える / The story was hánded dówn *from* father *to* son. その話は父から息子へと伝えられた (**⊃文法** 16.3(3)).

V [その他]

7 (紙・文書に)書き留めて ‖ wríte [pút] *down* the address 住所を書き取る / The date of the meeting is *down* in my notebook. 会合の日付は私のノートに書き留めてある.

8 (会合などが)予定されて;(人が)[…する]ことになって[*to do, for*];(学校の入学者・競技の出場者など)のリストに名前が載って[*for*] ‖ She is dòwn [to spéak [*for* a speech]] at the meeting. 彼女はその会合で話をすることになっている.

9 頭金として ‖ No money dówn! 頭金なしの後払い / pay twenty dollars dówn 20ドルを頭金として払う.

10 [命令][動詞を省略して] ‖ Dówn, Rover! (犬に向かって)おすわり, ローバ / Dòwn with týranny!(↘)暴政打倒! / Dòwn with the flág! 旗を降ろせ.

11 (略)(在庫・残高などが)不足して, 足りない;損をして;[…だけに]なってしまって[*to*] ‖ He was dówn *to* his last pound. 彼は最後の1ポンドだけになってしまった / We were fifty pounds dówn for the TV. そのテレビを買うのは50ポンド足りなかった.

12 (スポーツ)(…点)負け越して ‖ Our team is two goals dówn. わがチームは2点リードされている.

13 [野球]アウトになって;[アメフト](ボールが)ダウンになって.

VI [主に「動詞 + 副詞」結合を作って]

14 [抑圧] 押し伏して, 抑圧して;却下して ‖ pùt dówn the rebellion 反乱を鎮圧する / tùrn dówn the proposal その提案を拒否する.

15 [縮小] 減じて;薄めて;凝縮して;細かくして ‖ grind *down* corn 穀物をすりつぶす / cut *down* expenses 出費を減らす / túrn the rádio dòwn ラジオのボリュームを下げる / gét the report dówn to sixty pages 報告書を60ページに縮める.

16 [休止] 休止[中止]の状態で ‖ argue him dówn 論駁(ぱく)して彼を黙らせる / shút dówn the factory 工場を閉鎖する / They have settled *down* near London. 彼らはロンドンの近くに定住した / That little shop has clósed dówn. あの小さな店はつぶれてしまった.

17 [強意語として] 完全に, すっかり;最後まで;根源まで;一netkily ‖ wásh *down* a car 車をきれいに洗う / hose *down* the smoldering ashes くすぶっている灰まで水をまいて消す / I am loaded *down* with work. 仕事が一杯たまっている.

be dówn and óut (1) まったく落ちぶれている, 一文なしである. (2) (ボクシング)ノックアウトされる.

be dówn on A 〖人(の怒り)が〗A に落ちる. cf. on (前 11) (略)〈人・事〉に腹を立てている, …を憎む[非難する];〈事〉に反対する, 偏見を持つ.

——(前)**1** …の下(方)へ[に], …を下って, 降りて ‖ A teardrop ran *down* her cheek. ひとしずくの涙が彼女のほおを伝って落ちた / I have a pain / *down* my leg. 脚の下の方が痛い.

2 a …の下手に, …を下ったところに;南方に[へ] ‖ live further *down* the river 川をずっと下ったところに住む. **b** 〈流れ・風〉の方向に ‖ gó dówn the river 川を下る / *down* (the) wind 風下に.

3 〈道路・廊下など〉を通って, …に沿って(*along*) ‖ Go *down* this street one block and turn to the right. この通りを行って最初の角を右に曲がりなさい(◆(1)必ずしも下りを意味しない. (2) ふつう話者・問題の場所から遠ざかる場合に用いる).

4 …以来ずっと ‖ *down* the ages 大昔からずっと.

——形(◆比較変化しない)[通例名詞の前で]**1**下(方)への, 下向きの;下降の, 下り坂の ‖ a *down* escalator 下りのエスカレーター / a *down* slope 下り斜面. **2** (米)〈列車などが〉南へ向かう, 町の中心部へ向かう;(英)下りの《◆「ロンドン[大都市]から離れる」の意味》‖ a dówn tráin (米)南行き列車《◆a sóuth-bòund tráin というのがふつう》;(英)下り列車 / a *down* plátform (米)南行きホーム;(英)下り線ホーム. **3** 頭金の ‖ a dówn páyment 頭金(の支払い). **4** (略)[通信語として]意気消沈した, ふさいだ. **5** 終えた, 片づけた (*finished*) ‖ twó down, three to go (問題などを)2つ片づけて残りが3つ. **6** [コンピュータ]〈コンピュータなどが〉作動していない.

——名**1** 下り, 下降. **2** (略)[通例 ups and ~s] 不運, 衰運(→ up 成句). **3** ⒸU(レスリングなどで)相手をダウンさせること. **4** ⒸU[アメフト]ダウン.

háve a dówn on A (英略式)〈人〉を嫌う, 憎む, …に腹を立てる.

——動他**1** (略)…を引き[押し, なぐり]倒す;…を負かす, 打ち破る, 屈服させる《◆受身不可》. **2** (略)…をぐいっと飲み干す [飲み込む].

dówn Éast 米国 New England 地方《特に Maine 州》.

dówn hóme (米俗) (米) 南部気質の.

dówn páyment (分割払いの)頭金.

down² /dáun/ 名Ⓤ **1** (鳥の)綿毛, ダウン ‖ a pillow of [stuffed with] *down* 羽毛まくら / (as) sóft as dówn 非常に柔らかい. **2** [植](タンポポなどの)冠毛, (モモの実の表面などの)綿毛;(幼児・ほおの)うぶ毛.

down-and-out /dáunəndáut/ 形(優 ~s) Ⓒ (略)無一文の[落ちぶれた](人).

down-at-(米)**the-**)**heel**(**s**) /dáunət(ðə)híːl(z)/ 形(靴が) 〈靴の〉かかとがすり切れた. **2** (主に英)〈服装・人が〉(貧相で)みすぼらしい.

dówn·beat /dáunbìːt/ 名Ⓒ **1** [音楽]強拍, 下拍(の指示)(↔ upbeat). **2** (米)減退. ——形 (略)(映画・音楽などが)陰気な.

†**dówn·cast** /dáunkæst | -kàːst/ 形〈人が〉[…に]がっかりした[*over*], 伏し目の. ——名**1** Ⓤ Ⓒ 投げ落とされた, 転覆;破滅. **2** Ⓤ Ⓒ 伏し目, しおれた様子.

†**dówn·fall** /dáunfɔ̀ːl/ 名**1** Ⓤ Ⓒ (急な)落下, 落下物;[通例 a/one's/the ~] 転落, 失脚, 破滅[没落]の原因. **2** Ⓒ [通例 a ~] (雨・雪の予期せぬ)大降り.

dówn·grade /dáungrèid/ 名Ⓒ **1** 下り坂;落ち目, 悪化 (↔ upgrade) ‖ a house *on the downgrade*

下り坂にある[没落しかかった]家. ― 形副 (米) = downhill. ― 動他 [正式] …を[…に]格下げ[降職]する[to].

down·heart·ed /dáunhɑ́ːrtəd/ 形 落胆した, 沈んだ.

†**down·hill** 名形 dáunhíl; 副 ́ ́ 1 下り坂(の). 2 [正式] [比喩的に] 下り坂の, 落ち目の ‖ the *downhill* of life 人生の下り坂《中年以降》. 3 (略式) (困難を乗り越え)楽[容易]になった.
― 副 下り坂に, 下の方へ; 落ちぶれて, 衰えて.
go dównhíll (1) 坂を降りる. (2) 質が落ちる;〈国・大都市などが〉さびれる, 衰退する.

Dówn·ing Strèet /dáuniŋ-/ 1 ダウニング街《首相官邸のある London の官庁街. No.10 (Downing Street) は Number Ten は英国首相官邸をさす. cf. Pennsylvania Avenue》. 2 (略式) 英国政府; 英国外務省.

down·load /dáunlòud/ ́ ́ [コンピュータ] 動他 …をダウンロードする《ネット上の情報を自分のパソコンに取り込む》. ― 名 U C ダウンロード.

down·pour /dáunpɔ̀ːr/ 名 C 《通例 a ~》(突然の)どしゃ降り ‖ be caught in a big *downpour* ひどいどしゃ降りに会う.

†**down·right** /dáunràit/《略式》形 1 まったくの, 徹底的な《◆主に悪い意味の語と共に用いる》‖ a *downright* lie [liar] まっかなうそ[大うそつき]. 2 率直な, はっきりした. ― 副 徹底的に, まったく.

Downs /dáunz/ 名 1《時に d~》(英) 1《the ~; 複数扱い》イングランド南部・東南部の丘陵地帯. 2 ダウンズ《イングランド東南端と Goodwin Sands 間の Dover 海峡沖の停泊地》.

Dówn's sýndrome /dáunz-/ [医学] ダウン症候群.

down·side /dáunsàid/ 形《経済方面》下向きの, 見通しの悪い(↔ upside). ― 名 C 1 下側, 悪化. 2《ふつう状況の中での》悪い面, 欠点.

down·size /dáunsàiz/ 動他〈車などを〉小型化する;〈人員などを〉削減[整理]する. **dówn·sìz·ing** 形 名 U 小型化(の);(人員)削減[整理](の).

:**down·stairs** 副 dáunstéərz; 形名 ́ ́, ́ ́ (↔ upstairs)
― 副 階下へ[で] ‖ gò *dównstáirs* 階下へ降りる / The studio is *downstairs*. スタジオは階下にある.
― 形 ́ ́ [名詞の前で] 階下の, 階下にある《◆比較変化しない》‖ a *downstairs* dining room 階下の食堂.
― 名 ́ ́, ́ ́《複 **down·stairs**》C《the ~; 単数扱い》階下(の部屋); 下り階段《◆ふつう1階(の部屋)を指し, ある階より下の階全部をいう時は複数扱い》; 2階バス(double-decker)の1階(cf. upstairs).

†**down·stream** /dáunstríːm/ 形《◆名詞の前で用いるときは ́ ́》副 流れに沿った[て], 下流の[へ](↔ upstream).

*****down·town** 副形 dáuntáun; 名 ́ ́, ́ ́(↔ uptown)
― 副形 [名詞の前で] 町の中心部[へ][の], 商業地区へ[の], 繁華街へ[の], 都心へ[の]《◆比較変化しない》(cf. uptown) ‖ gò *dówntówn* 繁華街へ《買物に, 遊びに》行く / lìve *dówntówn* 繁華街に住む / *downtown* centers ビジネス[商店]街.
― 名 U 町の中心[繁華]街, 商業地区, 都心(部) ((英) city centre)《◆(1) (米) ではしばしば「市庁舎・市当局」のニュアンスを含む. (2)「下町」とは必ずしも一致しない.「下町」は the lower town などとする》.

down·trod(·**den**) /dáuntrɑ̀d(n) | -trɔ̀d(n)/ 形《やや文》踏みつけられた, しいたげられた.

*****down·ward** /dáunwərd/《◆比較変化しない》
― 副《主に米》《◆ふつう(英)では downwards》 1 下の方へ, 下方へ;落ち目に, 堕落して(↔ upward). 2 …以来; 以降; …以下; 昔[初期の時代]から ‖ from the 19th century *downward* 19世紀以来 / every teacher from the principal *downward* 校長以下全教員.
― 形《通例名詞の前で》 1 下の方への, 下向きの;落ち目の, 堕落の ‖ a *downward* slope 下り坂 / start on the *downward* path 落ち目になり始める. 2 …以[以降]の.

†**down·wards** /dáunwərdz/ 副《主に英》= downward.

down·wind /dáunwínd/ 副形 風下に[の], 順風で[の](↔ upwind).

†**down·y** /dáuni/ 形 (**-i·er**, **-i·est**) 1 綿毛のような, 柔らかい. 2 綿毛[うぶ毛]で覆われた.

dowse /dáuns, dauz/ 動名 = douse.

dox·ol·o·gy /dɑksɑ́lədʒi | dɔks-/ 名 C [キリスト教] 栄光の賛歌, 頌(しょう)栄歌 (gloria) 《礼拝で神の栄光をたたえる歌》.

Doyle /dɔ́il/ ドイル《Sir Arthur Conan /kóunən/ ~ 1859-1930; 英国の医師・推理小説家. 名探偵 Sherlock Holmes の生みの親》.

doy·l(e)y /dɔ́ili/ 名 = doily.

doz. 略 = dozen(s).

†**doze** /dóuz/ 動自 うたたねする, まどろむ, つい居眠りをする(+*off*) ‖ I must have just *dozed* off for a few minutes. ほんの数分うとうとしてしまったにちがいない. ― 動《時間…》を うとうとして過ごす(+*away, out*).
― 名 C《a ~》居眠り, うたたね, 仮眠, まどろみ (nap) ‖ have a *doze* まどろむ.

*****doz·en** /dʌ́zn/《「12」が原義》
― 名《複 ~**s** /-z/》C 1 ダース, 《同種類の》12個《略 doz., dz.》《◆正確に12というよりは「1ダース前後」を示すこともある》‖ a [two] *dozen* (of) eggs 1[2]ダースの卵《数詞の後では単複同形》/ hálf a dózen [a hálf dózen] (of) pens 《およそ》 6本のペン / some *dozens* of oranges ミカン数ダース《◆ some の後では複数形. of の省略不可》/ some *dozen* (of) oranges 約1ダースのミカン《◆今では of をつけず形容詞的に用いるのがふつう. ただし of the … のように特定数の一部についていう場合は of の省略は不可》: some *dozen* (of the oranges) / pack apples in *dozens* 1ダースずつリンゴを詰める / sell [buy] pencils *by the* [ˣa] *dozen* ダース単位で鉛筆を売る[買う]《⇒文法 16.2(3)》 / I met my old friends *by the dozens* at the party. パーティーで何十人となく旧友に会った《◆(1) 時に by *dozens* も可能. (2) この例では不可》.
2 《略式》[~**s** + 複数名詞] 何ダースもの…, 多数の…(a lot of)《◆ of の省略は不可》‖ *dozens* (and *dozens*) of books 何十冊もの本 / *dozens* of times 何度も何度も.
― 形《比較変化しない》[名詞の前で] 1 1ダースの, 12の. 2 《1ダース前後の, 10余りの, かなりたくさんの》‖ in a *dozen* ways かなりいろいろな方法で.

doz·enth /dʌ́znθ/ 形 12番目の(twelfth).

D.Ph., D.Phil., D Phil 略 Doctor of Philosophy.

:**Dr., Dr** /dɑ́ktər | dɔ́k-/ 略《複 **Drs., Drs**》 doctor …博士《◆ Drs., Drs》 ‖ *Dr.* Jones ジョーンズ博士.

Dr. (略)〔街路名で〕Drive.

†**drab** /drǽb/ 名 U 1 くすんだ茶色[トビ色]. 2 単調(さ). ── 形 1 くすんだ茶色[トビ色]の, (さえない)茶色の. 2 単調な, つまらない, 退屈な.

drach·ma /drǽkmə/ 名 (複 ~s, ·-mae/-miː/, ·-mai/-mai/) C ドラクマ《ギリシアの旧貨幣単位》.

Drac·u·la /drǽkjələ/ 名 ドラキュラ《吸血鬼. B. Stoker の怪奇小説の主人公》.

†**draft**, (英) **draught** /drǽft | drάːft/ 《◆ (英)では名 1, 3, 4, 8, 11, 動 では draught がふつう》 名 1 U 〔(線で)描くこと, C 〔…の〕線画, 設計図, 下図 (for)〕 ‖ a draft for 'a house [an engine] 家[エンジン]の設計図. 2 C 草稿, 草案;〔形容詞的に〕下書きの ‖ the first [last] draft 第1[最終]稿 / máke (óut) a rough dráft of a speech 演説の下書きを書く. 3 C すきま風, 通風;〔冷暖房などの〕通気装置《◆ 対話》 "It's really cold in here." "The window's open. No wonder you feel a draft." 「この部屋は本当に寒いね」「窓があいてるよ. すきま風を感じるのも無理ないね」. 4 C 〔文〕〔液体・空気の〕ひと飲み〔吸い〕(の量);(水薬の)1回分 ‖ drink a glass of water at a draft コップ1杯の水をひと息で飲む. 5 U (積荷・車などを)引くこと, 率[(引)引力(量)];引かれる[引く]もの; C 網の漁獲高 ‖ beasts of draft 荷を引く牛馬. 6 U 〔(米)〕 [the ~] 徴兵((米) conscription);(米)〔(the) ~;集合名詞〕召集[徴募]兵;(資金・食物などの)調達;〔スポーツ〕ドラフト制度 ‖ impose a draft 徴兵制を導入する. 7 C 選抜;(米) [the ~] 選抜分遣隊. 8 〔商業〕U 手形振り出し; C 為替手形, 小切手, 支払い命令[通知] ‖ dráw a dráft for $100 on a bank 銀行あてに100ドルの手形を振り出す. 9 U 〔海事〕〔時に a ~〕(船の)喫(ä)水. 10 U 〔(略式)〕〔液体を〕たるから出す[移す]こと ‖ beer on dráft (たるから出した)生ビール《◆加熱殺菌しないもの. cf. lager (beer)》. 11 [~s; 単数扱い] チェッカー(のこま)((米) checkers).

in dráft 草稿で;計画の段階で.

máke a dráft on [**upon**] **A** (1) 〈銀行〉から金を引き出す. (2) …あてに手紙を出す. (3) 〈友情・忍耐など〉を強要する.

── 他 1 …の下図を描く;…の下書きをする;…を起草[設計]する (+out) ‖ a drafting committee 起草委員会 / draft out a plan for him 彼のために計画をねる. 2 …を選抜する;(米) …を〔…に〕召集[徴募]する (into) ‖ be drafted into the Army 陸軍にとられる.

dráft bèer 生ビール(→ 名 10).

dráft bòard (米)(市・郡などの)徴兵委員会.

dráft càrd (米)徴兵カード.

dráft dòdger (米)徴兵忌避(⤴)者.

draft·ee /drǽftíː | drɑːft-/ C (米)召集兵, 徴募兵.

draft·er /drǽftər | drάːft-/ 名 1 =draftsman. 2 (米)荷車用の, 輓(ばん)馬 (英) draughthorse).

†**drafts·man**, (英) **draughts·**── /drǽftsmən | drάːfts-/ 名 (複 ·-men) C 1 製図者[工]((PC) drafter). 2 (文書の)起草[立案]者((PC) drafter). 3 チェッカーのこま.

†**drag** /drǽg/ 動 (過去・過分 **dragged**/-d/; **drag·ging**) 他 1 〈人が〉〈人・物〉などを重いものを(水平[地水]上)方向に地上を引きずる, 引っ張る (+away, out);[~ oneself] (疲れた)足を引きずっていく《◆ pull は上下左右の方向の別なく自分の方へ引くこと. → trail, tow》 ‖ drag a big tree out (of the woods) (森から)大木を引っ張り出す / drag one foot after another 一足一足引きずるように歩く / drág oneself to the destination 足を引きずってやっと目的地に着く. 2 〔(いやがる)人を〔困難・争いなどに〕引きずり込む (into (doing)); (略式)〈人〉を〔会合などに〕無理やりに引っ張り出す (+out, off)〕 ‖ drág a country [him] into war [a dispute] 国を戦争に巻き込む[彼を論争に引きずり込む] / I was dragged out [off] to the party. 私は無理やりにパーティーに引っ張り出された. 3 〈場所〉を〔…を求めて〕探る, さらう (for);…を〔人から〕聞き出す (+out) (of). 4 〔コンピュータ〕〈アイコンなど〉をドラッグする《マウスボタンを押したまま画面上を移動させる》.

── 自 1 〈鎖・足などが〉引きずられる, 引っ張られる;〈服などが〉地面を引きずる (+along) ‖ This door drags. このドアは引きずって重い / walk along with dragging feet のろのろ足を引きずって歩く / drag at her arm 彼女の腕を引っ張る. 2 〈人などが〉重々しく進む, のろのろと動く, 骨折って行動する ‖ drág through one's wórk やっと仕事をすます / drág behínd (主英)〈人が〉落後する;〈仕事などが〉調子が落ちる;(主米) lag behind). 3 (略式) 〈会議・仕事・退屈なことなどが〉だらだらと長引く (+on, out); 〈時間などが〉だらだらと過ぎる (+by) ‖ The talk dragged on till three o'clock. 話は3時までだらだらと続いた.

drág awáy 他 (1) 〈木など〉を引き抜く. (2)〈子供など〉を〔テレビなどから〕引き離す (from).

drág dówn 他 (1) …を引きずり倒す[降ろす];(略式) 〈人〉を堕落させる. (2)〈病気などが〉〈人〉を弱らせる, 気落ちさせる.

drág úp 他 …を引っ張りあげる;…を引き抜く.

── 名 1 a C U 引きずる[引っ張る]こと[物]. b C 引き網;(水底を引く)錨(な); 大まさり; (大)そり;4頭立て馬車. 2 U (俗)自動車. 2 (俗) [a ~] 退屈な人, うんざりする物[こと]. 3 [a ~] 〔…の〕邪魔, 障害物, 足手まとい (on, upon); 〔…の〕重荷 (to);(車の)輪止め. 4 U C (略式)のろのろした動き〔進行〕;遅れ.

drág bùnt 〔野球〕ドラッグバント.

drag·gle /drǽgl/ 動 他 …をすそを引きずって汚す[ぬらす].
── 自 1 すそを引きずって汚す[ぬらす];〈すそなどが〉引きずって汚れる. 2 あとからのろのろ行く. **drag·gled** 形 〈衣服などが〉(引きずって)汚れた, のろしている.

drag·net /drǽgnèt/ 名 C 地[底]引き網.

†**drag·on** /drǽgən/ 名 C 1 竜. 2 (略式)怒りっぽい女.

drag·on·fly /drǽgənflài/ 名 C 〔昆虫〕トンボ.

†**dra·goon** /drəgúːn/ 名 C (17-18世紀のヨーロッパの)竜騎兵《騎兵銃を持った騎馬兵》;(英)(近衛)騎兵連隊の兵.

†**drain** /dréin/ 動 他 1 〈人・パイプなどが〉〈液体〉を〔…から/…へ〕排出させる, 流し出す (+away, off, out);〈水気〉を切る (from/into);〈土地など〉から〈水〉をはかせる (of) ‖ drain water out into a ditch みぞへ排水する. 2 〈容器など〉から水[液体]を抜き取る;〈土地などの〉排水をする;〈都市などから〉排水設備をする ‖ drain a bathtub 浴槽の水を抜き取る. 3 〔正式〕〈酒・グラス〉を飲み干す, からにする (+off) ‖ drain one's glass (dry) in [at] one gulp 一気にグラスをからにする. 4 〈財産・資源・精力など〉を徐々に消耗させる, 使い果たす (+away);〈人・国〉から〔…を〕奪う (of) ‖ The long hike drained my reserves of strength. 長いハイキングのため私は体力の蓄えを消耗した.

── 自 1 〔…から〕水がはける (+away, off, out);〔…に〕流れ出る[去る][(into) ‖ This playground

drainage

does not *drain* well. この運動場は水はけがよくない. **2**〈土地などを〉[…へ]排水する(*into*);〈沼地などが〉干上がる;〈ぬれた物が〉乾く. **3**〈体力・勇気・財産などが〉[…から]徐々に尽きる(+*away*, *out*, *off*)(*from*)∥ Enthusiasm *drained from* me in my weariness. 疲労で私は熱意がなくなった.

dráin drý [自]〈物が〉(完全に)乾く. ─[他]〚~ A dry〛(1)〈物などを〉(完全に)乾かす. (2)〈人〉をぬけがらにする. (3)→項目

─[名] **1** © 排水溝, 下水管;排水;[~s] 下水施設. **2** Ⓤ [時に a ~](貨幣などの絶え間ない)流出, 消費, 消耗;[…の]枯渇[弱体, 損失](のもと)(*on*). **3** © (財宝などの)国外流出 ∥ the bráin dráin 頭脳流出.

dówn the dráin〚下水に流されて〛《略式》浪費されて, 無価値になって, 水泡に帰して(*wasted*)∥ My effort has gone *down the drain*. 私の努力はすべてむだ[ふい]になった / throw [pour] money *down the drain* どぶに金を捨てる.

†**drain·age** /dréinidʒ/ [名] Ⓤ **1** 排水, 水はけ;排水法. **2** 排水設備;下水路. **3** 下水, 汚水.

drain·board /dréinbɔːrd/ [名] © 《米》食器の水切り台.

drain·er /dréinər/ [名] © 下水(配管)工事人;排水器;排水溝.

drain·pipe /dréinpàip/ [名] © 排水管, 下水管.

†**drake** /dréik/ [名] © [動] アヒルの雄, 雄ガモ(cf. duck).

Drake /dréik/ [名] ドレーク《**Sir Francis** ~ 1540?-96; 英国の航海者・提督. 1588年にスペインの無敵艦隊を破った》.

dram /dræm/ [名] © **1** ドラム《重さの単位. 略 dr. **a** 常用ドラム: 1/16 常用オンス(約 1.8 g). **b** 薬用ドラム《英》drachm): 1/8 薬用オンス(約 3.9 g). **c** 液量ドラム《米》fluid dram, 《英》fluid drachm): 1/8 液量オンス(《米》約 3.7 cm³, 《英》約 3.55 cm³)》. **2**《主にスコット・略式》[a ~] 少量の酒 ∥ She's fond of a *dram*. 彼女は少々酒をたしなむ. **3**《略式》[a ~;通例否定文で] 少量, わずか.

DRAM /dræm, drǽm/〚*d*ynamic *r*andom *a*ccess *m*emory〛[名]〚コンピュータ〛ディーラム, ダイナミック RAM.

*****dra·ma** /drάːmə, 《米+》drǽmə/〚「行なうこと→演技」が原義〛㊅ dramatic (形)

─[名] (⑱~s/-z/) **1** © 劇; 戯曲, 脚本(◆play より堅い語で, ふつうは知的な内容のものをさす)∥ a poetic *drama* 詩劇 / make a story into a *drama* 物語を劇化する / His latest work, a *drama*, was a great success. 彼の最新作のドラマは大ヒットだった. **2** Ⓤ [しばしば the ~] 演劇, 劇文学;上演[演出]法 ∥ Elizabethan *drama* エリザベス朝の演劇. **3** © (一連の)劇的な事件;Ⓤ © [the ~] 劇的な状況[効果, 性質];興奮.

*****dra·mat·ic** /drəmǽtik/〚→drama〛

─[形] **1**〈変化・出来事が〉劇的な, 芝居にありそうな;印象的な, めざましい ∥ a *dramatic* event 劇的な出来事 / máke *dramátic* prógress in English 英語にめざましい進歩をとげる.

2[通例名詞の前で] 劇の, 劇に関する, 戯曲[脚本]の;劇形式の(◆比較変化しない)∥ *dramatic* irony 劇的アイロニー / a *dramatic* poem 劇詩 ◆ *dramatic* license 意味が観客にはわかるが登場人物にはわからないように設定されている皮肉な状況》.

3[通例補語として] 芝居じみた, 大げさな, オーバーな ∥ He is not going to cry; he is being *dramatic*. 彼は泣きはしない. 芝居がっているだけだ.

dra·mát·i·cal·ly [副] 劇的に;芝居がかって;印象的に.

dra·mat·ics /drəmǽtiks/ [名] **1**[通例単数扱い] 演出法;[複数扱い](しろうとの)演劇, 芝居. **2**[通例単数扱い] 芝居がかった[おおげさな]ふるまい.

dra·ma·tis per·so·nae /drǽmətəs pərsóuni:| drǽmətis pəːrsóunai/〚ラテン〛[名]《正式》[しばしば the ~][しばしば複数扱い](劇・小説・映画などの)(全)登場人物(◆dram. pers.).

†**dram·a·tist** /drǽmətist/ [名] © 劇[戯曲]作家.

†**dram·a·tize**,《英ではしばしば》**--tise** /drǽmətàiz/ [動][他] **1**〈小説・事件などを〉劇化[脚色]する. **2 a**〈出来事などを〉おおげさに表現する ∥ *dramatize* one's success 成功を誇張して述べる. **b**《米》…を劇的に表現する ∥ *dramatize* the situation その状況を生き生きと表現する. ─[自]〈小説などが〉劇になる.

dram·a·ti·za·tion /dræmətəzéiʃən/ [名] Ⓤ © 脚色, 劇化;© 脚本.

*****drank** /drǽŋk/ [動] drink の過去形《古・米略式》過去分詞形].

†**drape** /dréip/ [動][他]《正式》**1**〈人・体・物を〉[衣服・布などで](優美に)覆う[飾る](*decorate*)(*with*, *in*);〈衣服・布などを〉[…に]ゆったりたらして掛ける(*hang*)(*over*, *around*). **2**〈手・足などを〉[…に]だらりとたらせかける(*over*, *around*). **3**〚服飾〛〈スカートなどに〉ゆるいひだを寄せる. ─[名] [通例 ~s] 掛け布;《米》厚手の長いカーテン.

†**drap·er·y** /dréipəri/ [名] Ⓤ **1**[時に draperies] 優美なひだのある掛け布[衣服];《米》厚手のカーテン. **2**《英古》反物小売業;[集合名詞] 反物, 服地(《米》goods).

†**dras·tic** /drǽstik/ [形]《正式》**1**〈薬などが〉激烈な, 猛烈な. **2**〈行動・方法などが〉徹底的な, 思いきった, 強硬な ∥ tàke *drástic* méasures 強硬な手段を取る / If we do not do something *drastic*, our company will fail. なにか思いきったことをしないと, わが社はだめになる. **3** 深刻な.

drás·ti·cal·ly [副] 徹底的に, 思いきって.

†**draught** /drǽft | drάːft/ 【発音注意】《英》[名][動] = draft.

draught·board /drǽftbɔːrd | drάːft-/ [名] © 《英》= checkerboard.

draught·horse /drǽfthɔːrs | drάːft-/ [名] © 《英》荷車用の馬.

draughts·man /drǽftsmən | drάːfts-/ [名]《英》= draftsman.

Dra·vid·i·an /drəvídiən/ [形] ドラビダ(人, 語)の.
─[名] © ドラビダ人《インド南部・スリランカに住む》;Ⓤ ドラビダ語.

✻draw /drɔ́ː/〚「(人・物を(手元に)引き寄せる」が原義. cf. drag〛㊅ drawer (名)

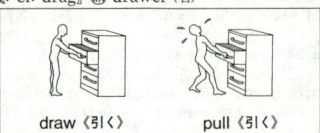

draw〈引く〉   pull〈引く〉

index [動]◯**1** 線を引く;描く   **3** 引く   **5** 引き寄せる   **7 a** 引き出す   **8** くみ出す   **9** 吸い込む   **11** 引き起こす
◯[自] **1** 引かれる   **2** 近づく
◯[名] **1** 引き分け

draw

―動 (~s /-z/; 過去 drew /drúː/, 過分 drawn /drɔ́ːn/; ~·ing)
―他
I [線を引く]
1a 〈人が〉〈線を〉引く；〈人・物を〉(線・言葉で)描く；〈区画・区別・比較などを〉する ‖ *draw* a line 線を引く / *draw* [˟write] a map 地図を描く(→ write) / *draw* Mt. Fuji on the paper その紙の上に富士山を線画で描く / *draw* one's pen through the word その単語に線を引いて消す. **b** [draw **A B** = draw **B for A**]〈人が〉**A**〈人に〉**B**〈地図などを〉描いてやる ‖ Can you *draw* me a map showing [which shows] the way to city hall? 市役所へ行く道の地図を描いてくれませんか.
2 〈試合を〉引き分けにする ‖ The game was *drawn* (at) 3-3 [3 all]. 試合は3対3で引き分けになった(=The game ended in a 3-3 *draw*.)(◆「3-3」は three to three と読む).

II [引く]
3 〈人が〉〈物を〉(平均した力で)引く；〈人が〉〈人・物を〉〔方向・場所に〕引っ張る, 引き寄せる〔to, into, toward〕(使い分け → pull 他1) ‖ *draw* a cart 荷車を引っ張る / *draw* the curtains apart (2枚の)カーテンを左右に開ける》/ dráw úp the blinds 日よけを引き上げる(↔ pull down) / dráw a cháir (úp) *to* the desk いすを机の方に引き寄せる / *draw* a belt tight ベルトをきっと締める / *draw* him aside (耳うちのため)彼をわきに引き寄せる.
4 〈糸・弓などを〉(いっぱいに)引いて, 張る；〈会議・苦痛などを〉を長引かせる(+out) ‖ *draw* a rope tight 綱をぴんと張る / dráw óut páin 苦痛を長引かせる.
5 〈人・物が〉〈人を〉引き寄せる；〈人・興味・注意などを〉〔…に〕引きつける, 引き込む〔to, into, toward〕‖ dráw a fúll hóuse 満員の客を呼ぶ / The accident *drew* crowds. その事故で群衆が集まった(➡ 文法 23.1) / *draw* him *into* the argument 彼を議論に引き込む / The professor's advice *drew* her attention to American literature. 教授の助言によって彼女の関心がアメリカ文学へ向いた / Her dress *drew* all eyes. 《文》彼女の服にみんなの目が引きつけられた / I felt *drawn toward* him. 彼の魅力に引きつけられた.
6 〔通例過去分詞形で〕〈顔に〉しわを寄せる；〈顔を〉ゆがめる ‖ a face (which is) *drawn* with anxiety 心配でゆがんだ顔.

III [引き出す]
7a 〈人が〉〈物を〉引き出す；〈物・事を〉〔…から〕取り出す, 抜き〔探り〕出す 得る(+out)〔from, out of〕；〈トランプの札・くじなどを〉引く；〈賞品などを〉くじに引き当てる；〔米軍事〕〈食糧・給料などを〉受給する ‖ *draw* (*out*) a nail くぎを抜く / *draw* one's gun against [at, on] him 彼に向かって拳銃を抜く / *draw* a lot くじを引く / *draw* one's wages 給料をもらう / *draw* a wallet *out of* one's pocket ポケットから財布を取り出す / *draw* money *from* [*out of*] a bank 銀行から金をおろす / *draw* a wrong conclusion *from* (the) facts 事実から誤った結論を出す. **b** …から中身[はらわた]を取り出す ‖ *draw* a chicken 鶏のはらわたを抜く. **c** (英)〈獲物を〉あさる, 探し出す；〈やぶなどを〉[…を求めて]狩り立てる〔for〕. **d** 〈茶を〉せんじ出す ‖ *draw* tea 茶を入れる.
8 〈人が〉〈液体を〉くみ出す；〈液体を〉〔場所・容器から〕くみ出す〔from〕；〈血・しみなどを〉抜く ‖ *draw* water *from* a well 井戸から水をくむ.
9 〈人が〉〈息〉を吸い込む；〈ため息を〉つく ‖ dráw a déep bréath [sígh] 深く息を吸う[ため息をつく].

IV [その他]
10a 〈人が〉〈文書〉を書く, 作成する(+up)；〈手形などを〉振り出す ‖ *draw* (*up*) a contract [will] 契約書[遺言]を作成する. **b** [draw **A B** =draw **B for A**]〈人が〉**A**〈人に〉**B**〈小切手などを〉振り出す ‖ *draw* him a check =*draw* a check *for* him 彼に小切手を振り出す.
11 〈人・事が〉〈事を〉引き起こす；〈結果・災いなどを〉もたらす, 招く(+out,《正式》forth)；〈人に〉意見を言わせる, 感情を示させる(+out)；〈利息を〉生む ‖ dráw tróuble [rúin] *on* onesélf 自ら面倒[破滅]を引き起こす / *draw* tears [applause] *from* the audience 聴衆の涙[喝采(ポ)]を誘う / *draw* him *out on* a matter 問題について彼に意見を言わせる.

―自 1 〈物が〉(ある状態に)引かれる, 引っ張られる；〈帆・綱などが〉張る《◆修飾語(句)は省略できない》‖ The wagon *draws* well [easily]. その荷馬車は楽に引ける.
2 〈時・人・乗物などが〉〔…に〕近づく(+away, near)〔to, into〕；近寄る, 集まる ‖ dráw *to* 'an énd [a clóse] 終わりに近づく / The summer vacation is dràwing néar [clóser]. 夏休みはもうすぐだ / The train slowly *drew into* the station. 列車がゆっくりと駅に入ってきた.
3 〔…に対して〕剣[ピストル]を抜く〔on〕；〔…を決めるために, …を争って〕くじを引く〔for〕；弓をひく, 歯が抜ける ‖ *draw* for partners 相手をくじで決める / *draw on* him 彼にピストルを構える.
4 〔通例様態の副詞を伴って〕**a** (鉛筆・ペン・チョークなどで)絵を描く, 線で書く, 製図する ‖ He *draws* well [poorly]. 彼は絵がうまい[へただ]. **b** 人を引きつける, 人気を呼ぶ ‖ The new play *draws* well. その新しい劇[芝居]は大入りだ. **c** 〈水が〉はける；〈煙突・部屋などが〉風を通す. **5** 縮まる, 詰まる；〈顔などが〉ゆがむ(+up) ‖ His face *drew up* at the news. そのニュースを聞いて彼の顔はゆがんだ. **6** [〔…に〕手形などを振り出す；〔金銭・助けなどを〕当てにする〔on, upon〕. **7** 〈茶が〉出る. **8** 〈チームなどが〉試合を引き分ける ‖ The teams *drew* 2-2. 両チームは2対2で試合を引き分けた.

dráw apárt [自]〔…から〕離れる〔from〕, 2つに分かれる. **―他** …を分ける, 引き離す(→ 他**3**).

dráw (a)round [自] 周りに集まる. **―他**[~ (a)round]…を囲む, …の周りに集まる.

dráw awáy [自](1)〔…から〕少し後ずさりする, 去る, (急いで)離れる〔from〕. (2) 孤独になる. (3)〔競争などで〕〔相手を〕抜く〔from〕. **―他**(1)…を〔…から〕引っこめる〔from〕. (2)〈注意などを〉〔…から〕そらす〔from〕.

dráw báck [自] うしろへさがる, たじろぐ；〔…に〕退く〔into〕；〔事業などから〕手を引く〔from〕‖ *draw back into* the country 田舎に引っこむ. **―他**(1)〈カーテンなどを〉開ける. (2)〈人・物を〉引き戻す；〈提案などを〉引っこめる.

dráw dówn [他](1)〈日よけなどを〉引き下ろす(→ 他**3**). (2)〈非難・賞賛などを〉〔…に〕招く〔on〕‖ My carelessness has *drawn down* blame on me. 私は不注意のため非難を浴びた.

dráw ín [自](1)《主英》〔日が〕(早く)暮れる；短くなる(↔ draw out). (2)〈列車が〉着く. (3)〈車が〉わきに寄って止まる. (4) 慎重になる；緊縮する. **―他**(1)〈人を〉引き入れる, 呼び寄せる；〈人を〉引きつける, だます. (2)〈空気を〉吸い込む.

dráw óff 〔自〕(1)〈軍隊などが〉撤退する;〈人が〉身を引く. (2)〈水などが〉はける. ── 〔他〕(1)〔正式〕〈手袋・靴下などを〉ぬぐ(↔ draw on). (2)〈水などを〉〔大きな容器から〕うまく流す〔from〕.

dráw ón 〔自〕〔文〕〈時・船などが〉近づく(→ 〔自〕2). ── 〔自〕†〔~ ón **A**〕→ 〔自〕3, 6. ── 〔他〕(1)〔正式〕〈手袋・靴下などを〉はく(↔ draw off). (2)〈金〉を引き出す. (3)〈人〉を進ませる. (4)〈人〉をおびき寄せる;〈人〉を促して[…]させる〔to do〕‖ Her beauty *drew* him *on* to marry her. 彼女の美しさに魅せられて彼は彼女と結婚した. (5) …に近づく. (6) …に〔…を〕頼る〔for〕; …を要求する; …を参考にする‖ *draw on* him *for* money [advice] 彼の金[助言]に頼る / She *drew on* her modeling experience *for* her book. 彼女は本を書くのに自分のモデルの経験を参考にした. (7) 剣[拳銃]を抜いて…をおどす(◆(3)(4)は draw **A** on, (5)(6)(7)は draw on **A**).

dráw óut 〔自〕(1)〈日・話などが〉長くなる(↔ draw in). (2)〈列車・船・車が〉…から出る, 去る;〔約束などから〕手を引く〔from, of〕. ── 〔他〕(1)→ 〔他〕7 a. (2)〈仕事などを〉長引かせる(→ 〔他〕4). (3)→ 〔他〕11. (4)〈秘密〉を〔…から〕聞き出す〔from, of〕. (4)〈預金〉を引き出す(withdraw);〈金属〉を引き[打ち]伸ばす. (5)〈文書・案などを〉作成する;〈案〉を立てる.

dráw togéther 〔自〕〈互いに〉接近している,〈意見などが〉まとまる, 一致する. ── 〔他〕〈人〉を団結[協力]させる.

dráw úp 〔自〕(1)〈車が〉止まる‖ A taxi *drew up* in front of the gate. タクシーが門の前で止まった. (2)〔…に〕追いつく〔with〕;〔…に〕近づく〔to〕. (3)〈軍隊などが〉整列する. ── 〔他〕(1)〈カーテンなどを〉引き上げる[寄せる]. (2)〈車〉を止める. (3)〈文書〉を作成する,〈計画〉を練る(→ 〔他〕10). (4)〈軍隊などを〉整列させる.

dráw A úp shárp [shárply] 〈事が〉〈人〉の話を急に中断させる;〈人〉をふと考えさせる.

── 〔名〕(阅) ~s/-z/〔C〕 **1** 〈試合などの〉引き分け;引き分け試合‖ The game ended *in a draw*. 試合は引き分けに終わった. **2** 抽選, くじ(引き);〔略式〕当たりくじを引くこと. **3** 引くこと, 引っ張られること[物], 引き抜き;〈弓の〉ひきしぼり;〈タバコなどの〉一服;〈銃の〉けんじゅ出し;〈机などの〉開閉部;〈方言〉たんすの引き出し(drawer)‖ He's *quick* [slow] *on the draw*. 〔略式〕彼はピストルを抜くのが素早い[遅い];彼は理解が速い[遅い]. **4** 〔略式〕〔通例単数形で〕人を引きつけるもの, 呼び物(attraction)‖ The concert is a great *draw for* teenagers. その音楽会は10代の若者に大好評だ.

†**draw·back** /drɔ́ːbæk/ 〔名〕〔C〕〔…という〕欠点〔of, (that)節〕,〔…に〕不利な点〔to〕,〔…の〕障害, 故障.

†**draw·bridge** /drɔ́ːbrɪdʒ/ 〔名〕〔C〕はね橋,〈城の堀の〉つり上げ橋.

†**draw·er** /1, 2 drɔ́ːr; 3 drɔ́ːər/〔同音〕1, 2〔英〕draw)〔名〕〔C〕 **1** 引き出し;〔~s〕たんす‖ *a chést of dráwers* たんす1さお(→ chest 〔名〕2) / The diary is in the second *drawer* from the bottom. 日記は下から2番目の引き出しの中にあります / open [close] a *drawer* 引き出しを開ける[閉める]. **2** 〔古〕〔~s〕ズボン下, ズロース. **3** 引く人[物];製図家;〔商業〕手形振出し人, 小切手支払い人, 手形作成者.

óut of the tóp [bóttom] dráwer 〔引き出しの上段に上等な物, 下段に下等な物を入れたことから〕〔英略式〕上流[下流]階級の[で]〔◆ out of の代わりに from も可〕.

†**draw·ing** /drɔ́ːɪŋ/〔名〕 **1** 〔U〕引くこと;引き出す[引き伸ばす]こと;ピストル[剣]を抜くこと;〔商業〕手形などの振出し. **2** 〔U〕 線を引くこと, 線描, 製図;〔C〕スケッチ, 線画, デッサン(cf. painting)‖ a lineal [line] *drawing* 線画. **3** 〔U〕〔米〕くじ引き, 抽選.

in drá́wing 正確に描かれて[た].

óut of dráwing 不正確に描かれて[た].

dráwing bòard 画板, 製図板‖ *on the drawing board*(s) 計画[準備]中で / go back to the (old) *drawing board* 最初からやり直す, 白紙に戻す.

dráwing càrd 〔米〕人気役者[講演者];人気番組[広告, 商品];好カード.

dráwing pàper 画用紙, 製図用紙.

dráwing pín 〔英〕画びょう, 製図ピン((米) thumbtack).

dráwing ròom (1)〔英式〕居間, 客間. (2)〔米〕〈列車の〉特別個室. (3)〔英〕〈宮廷の〉公式接見(会).

†**drawl** /drɔ́ːl/〔動〕〔自〕〔他〕〈母音を長く伸ばして〉〈…を〉ゆっくり(ものうげに)話す〔+on, out〕. ── 〔名〕〔U〕〔C〕ゆっくりとした話しぶり〔言葉〕.

†**drawn** /drɔ́ːn/〔動〕 draw の過去分詞形.
── 〔形〕 **1** 引かれた, 引き伸ばされた;〈顔などが〉ゆがんだ, やつれた. **2** 〈ピストル・剣などが〉抜かれた;〈鶏などが〉はらわたを抜かれた‖ a *drawn* sword [pistol] 抜き身の剣[ピストル]. **3** 〈試合が〉引き分けの‖ a *drawn* game 引き分け試合(cf. draw 〔名〕1).

drawn-out /drɔ́ːnáʊt/〔形〕〈声などが〉引き伸ばされ[伸ばし]た.

dray /dréɪ/〔名〕〔C〕(低くて丈夫な)(ビール樽運搬用)大型4輪荷馬車.

†**dread** /dréd/〔動〕〔他〕〈人が〉〈人・物・事〉を恐れる, 恐れている;〔…するのを/…ではないかと〕ひどく心配する〔していた〕〔doing / that節, wh節〕‖ People *dread* dying [death]. 人々は死を恐れる / A burnt child *dreads* the fire. 〈ことわざ〉やけどした子供は火を恐れる;「羹(あつもの)に懲(こ)りて膾(なます)を吹く」/ The child *dreads* getting an injection. その子供は注射してもらうのをいやがる.

dréad to thínk 〈wh[that] …〉 …を考えると恐ろしくなる.

── 〔名〕〔正式〕 **1** 〔U〕〔時に a ~〕〔極度の〕恐怖,〔…を〕恐れること〔of〕;〈未来に起こること対する〉心配, 不安‖ shiver with *dread* 恐怖で震える / *be* [*live*] *in* constant *dréad of* death 死をたえず恐れている[暮らす] / *hàve a dréad of* spiders クモをひどく恐れている. **2** 〔C〕恐れられる人[物];〔通例 a/the ~〕恐怖[心配]の種.

†**dread·ful** /drédfl/〔形〕 **1** 〔主に米〕〈物・事が〉恐ろしい‖ a *dreadful* fire [accident] こわい火事[事故] / The sound of the approaching tank was *dreadful*. 迫ってくる戦車の音は恐ろしかった. **2** とてもいやな, 不快な;とてもひどい, 激しい‖ a *dreadful* toothache ひどい歯痛.

†**dread·ful·ly** /drédfəli/〔副〕 **1** 〔強意語として〕非常に, とても‖ be *dreadfully* sorry まことに申し訳ない. **2** とても悪く, ひどく.

dream

‡**dream** /dríːm/ 〔『喜び・音楽』が原義〕
── 〔名〕(阅) ~s/-z/〔C〕 **1** 〈睡眠中の〉夢, 夢路〔◆「悪夢」は nightmare〕‖ awake from a *dream* 夢からさめる / dó it like a *dréam* 〔略式〕楽々と[非常にうまく]それをする / *hàve a* [*sèe*] *a bád* [*háppy*]

dréam 悪い[楽しい]夢を見る / read a *dream* 夢判断をする / Swéet *dréams*! お休み《♦親が子供に用いる》/ I can speak English well only in my *dreams*. 夢の中なら英語を上手に話せます / She had a *dream* that she traveled to the moon. 彼女は月旅行した夢を見た.
2 [a ~] 《夢の状態》, 夢心地 ‖ a wáking *dréam* 白日夢 / live [be, go about] in a *dream* 夢うつつで暮らす[いる, うろつく].
3 《心に描く》[...したいという/...という]夢, 理想《of doing / that節, where [in which]節》‖ 「hàve a dréam [réalize one's dréam] of becoming a doctor 医者になるという夢を抱いている[実現させる] / My drèam has còme trúe. 夢がかなった. / I have a *dream*. 私には夢がある《♦M. L. King 牧師が1963年のワシントン大行進の際に行なった有名な演説中の言葉》.
4 《略》[a ~] 《夢のように》すばらしい[美しい]もの[人, 事] ‖ a *dream* of a trip すばらしい旅行《♦of は同格を表す. → of **3 b**》/ She is a *dream* of a man. 彼女は文句なしの美人だ. **5** 《略》[形容詞的に] 夢(のような), すばらしい, 申し分ない ‖ a *dream* wife 理想的な妻.
like a dréam 見事に ‖ go [work] *like a dream* 〈計画などが〉大変うまくいく; 〈車などが〉快調に進む.
── 動 (~s/-z/;過去・過分 ~ed/-d/ dremt/ or 《やや古》dreamt/drémt/; ~·ing)
── 自 **1** [...を]夢に描く, 夢見る《of, about》; 《略》《通例否定文で》[...のことを/...しようと]思う《of / of doing》‖ a *dream* of one's future 将来を夢想する / I néver [little] dréamed of marrying her. 彼女と結婚するなんて夢にも思わなかった《♦Never [Little] did I dream of ... は《文》. ➡文法 23.3》.
2 a 〈人が〉《睡眠中に》夢を見る ‖ I *dréam* bádly at night. 夜いやな夢を見る / You must have been *dreaming*. 君はきっと夢を見たんだよ《➡文法 8.3》. **b** [*dream of* [*about*] **A**] 〈人が〉...の夢を見る《about は ... を詳しく夢の内容にまで及ぶ》‖ *dream of* my homeland [dead mother] 祖国[亡き母]の夢を見る.
3 うとうとと過ごす《+*away*》.
── 他 **1** 〈人が〉〈物・事〉を夢見る; 〈人が〉〈人・物・事〉を夢に見る, 空想する ‖ I *dreamt* (*that*) I was a bird. 鳥になった夢を見た. **2** 〈人が〉〈ある夢〉を見る《♦同族目的語による》‖ *dream* [×see] a stránge *dream* 《文》変な夢を見る《♦have a strange *dream* がふつう》. **3** [*dream* (*that*)節] 《否定文で》...と思う, ...を考えてみる ‖ Néver [Little] did I *dream* (*that*) she would come back. まさか彼女が帰って来るとは夢にも思わなかった《➡文法 23.3》. **4** 《時間》を夢のように[うかうかと]過ごす《+*away*, *out*》.
dréam úp [他] 《略》〈とっぴな計画など〉を思いつく, 考え出す.
dréam tèam 夢のチーム; 最強のチーム[集団].
†**dream·er** /dríːmər/ 名 C 夢を見る人; 空想[夢想]家; 心ここにあらずの人.
†**dream·i·ly** /dríːmɪli/ 副 夢のように, 夢見ごこちで.
dream·land /dríːmlænd/ 名 **1** U C 《想像上の》夢の国, ユートピア. **2** U 《文》眠り.
dream·less /dríːmləs/ 形 夢のない, 夢を見ない, 安眠の《sound》.
dream·like /dríːmlàɪk/ 形 夢のような, おぼろげな.
dreamt /drémt/ 動 《やや古》*dream* の過去形・過去分詞形.

dream·world /dríːmwəːrld/ 名 C 夢の世界, 空想[幻想]の世界.

†**dream·y** /dríːmi/ 形 (**-i·er**, **-i·est**) **1** 〈人が〉空想にふける, 夢見る; 〈経験・物・事が〉夢のような, 幻想的な, ぼんやりした. **2** 《略》〈物・事が〉落ち着かせる, 静かな. **3** 《女性語風》すばらしい.

†**drear·y** /dríəri/ 形 (**-i·er**, **-i·est**) **1** わびしい, もの寂しい, 憂うつな ‖ a *dreary* room わびしい部屋 / a cold, *dreary* day 寒くて憂うつな日. **2** 《略》〈仕事・話などが〉退屈な(dull), つまらない(boring).
dréar·i·ly 副 わびしく. **dréar·i·ness** 名 U わびしさ.

†**dredge** /drédʒ/ 名 C 浚渫(しゅんせつ)機《水底の土砂や岩石を掘り上げる機械》; 浚渫船. ── 他 《川底など》を浚渫する; 〈土砂など〉をさらう《+*away*, *up*, *out*》.

†**dregs** /drégz/ 名 《複数扱い》《コーヒー・ワイン・ビールなどの底に沈んだ》かす, おり.

†**drench** /drén(t)ʃ/ 動 他 〈人・動物・服など〉を〈雨などで〉びしょぬれにする; 〈町など〉を《日光で》いっぱいにする《with, in, by》; ...を水に浸す ‖ be drénched to the skín [bóne] ずぶぬれになる(=be soaked [wet] ...) / His shirt was *drenched* in [with] blood. 彼のシャツは血だらけだった.
drench·ing /drén(t)ʃɪŋ/ 名 C 《時に a ~》びしょぬれ ‖ get a *drenching* びしょぬれになる.

Dres·den /drézdən/ 名 ドレスデン《ドイツ東部の都市》.

****dress** /drés/ 《「まっすぐになる」の原義から「整える」に転じ, さらに「服装できれいに整える」の意となった. cf. direct, address》
── 動 (~·es/-ɪz/;過去・過分 ~ed/-t/; ~·ing)
── 他 **1** 〈人など〉に〈人などに〉服を着せる(↔ un*dress*); [be ~ed] 〈人が〉〈服・色・素材で〉...にふさわしく着こなしている, 装っている; 盛装[正装]している《*in*/*for*》(↔ undress) (cf. clothe) ‖ *dress* the baby nicely 赤ん坊にすてきな服を着せる / be wéll dréssed きちんとした身なりをしている / Gèt dréssed [Dréss yoursèlf] quickly *in* [×with] black. さっさと黒い服を着なさい《➡文法 7.12》《♦(1) yourself を省いた 自 とする. (2)「盛装をする」の意味にもなる. (3) 人を目的語にとるので ×She dressed a nice blouse. とはいわない》/ a man (who is) *dressed* for skiing スキーの服装をした人 / She *was dressed* in blue. 彼女は青い服を着ていた.
2 〈人〉に衣類をあてがう[選んでやる, 作ってやる]. **3** 〈物〉を《...で》飾る《+*up*》《*with*》‖ the show window (which is) *dressed* with Christmas decorations クリスマスの飾りつけをしたショーウインドー. **4** 〈傷〉を消毒し包帯を巻く. **5** 〈肉・鳥など〉を《市場・料理用に》調える, 下ごしらえする.
── 自 **1** 〈人が〉服を着る, 服を着ている; 《晴れ着に》着替える; 盛装[正装]する[している]《+*up*》《♦様態・目的の副詞を伴う》‖ *dress* [×be dressing] in silk 絹の服を着ている / Don't come in! I'm *dressing* for the party. 入らないで! パーティーに行くために着替えているところです / We usually *dress up* for weddings and funerals. 結婚式と葬式には正装するのがふつうである / ジョーク "Why did the tomato go red?" "Because it saw the salad *dressing*." 「トマトはどうして赤くなったの?」「サラダが着替えているところを見ちゃったから」《♦saw the salad dressing は素直にとれば「サラダドレッシングを見た」》/ 日本発 We Japanese used to wear kimono

on an everyday basis, but now we only *dress* in them for special events or ceremonies. かつて日本人は, 様heads着物を着ていましたが, 今では特別な行事や儀式のときにしか着ません.
2 〈人が〉(いつも)服装が…である《◆修飾語(句)は省略できない. 様heads[正装]をする(+を伴う)》‖ She always *dresses* elegantly [(正式) with elegance]. 彼女はいつも上品な身なりをしている(=She is always *dressed* elegantly.)《◆ ×elegantly dress の語順は不可》.

dréss dówn [自] 控えめな[略式の]服装をする.
── [他] (略式)〈人〉をしかりつける; …を(むち・棒で)打ちすえる.

dréss úp [自] (1)→ [自] **1**. (2)〈子供などが〉仮装する ‖ *dress up* as a pirate 海賊の仮装をする. ── [他] (1)〈人〉を盛装[正装]させる; …を仮装させる. (2)(略式)〈物・事〉を見ばえよく[聞こえよく]する, 粉飾する. (3) → [他] **3**.

── 名 ~·es/-iz/) **1** ⓒ(女性・女児の)ドレス, ワンピース《◆「紳士服」はふつう suit, clothes》‖ a one-piece *dress* ワンピース / a two-piece *dress* ツーピース《◆ suit よりくだけた感じのもの》.

[関連][いろいろな種類の dress]
battle *dress* 戦闘服 / casual *dress* ふだん着 / evening *dress* 夜会服 / maternity *dress* マタニティドレス / wedding *dress* ウエディングドレス.

2 Ⓤ(ある目的・行事にふさわしい)衣類, 衣服(clothing); 衣装(costume)《◆服の特徴・種類に重点がある語》‖ casual *dress* ふだん着 / women in Japanese *dress* 和服を着た女性たち / One can tell she is Indian by her *dress*. 彼女は衣装からインド人だとわかる.
3 Ⓤ 礼装, 正装; [形容詞的に] 礼装用の, 礼装を必要とする ‖ in full *dress* 正装して, 礼服で / a dinner *dress* 公式晩餐会 / No *dress*. (招待状)正装には及びません.

dréss círcle (英) [the ~] (劇場の)特等席《(米) first balcony》《◆ふつう2階正面席で昔は礼装を必要とした》.

dréss cóat えんび服《男子の正装夜会服の上着》.
dréss códe (特定の場や集団での)服装規定.
dréss shírt ドレスシャツ, 礼装用ワイシャツ; (米)(スポーツシャツに対する)ワイシャツ.
dréss súit 燕尾服《↔ evening dress》.

†**dress·er**[1] /drésər/ 名 ⓒ **1** [略式] [形容詞を伴って] 服装[着こなし]が…の人 ‖ the best *dresser* 着こなしの上手な人(=the best-dressed man [woman]). **2** (劇場などの)着付け師, 衣裳方; (店窓の)飾り付け人.

dress·er[2] /drésər/ 名 ⓒ **1** (米)化粧台, 鏡台, 鏡付き化粧だんす. **2** 《主に英》食器戸だな.

†**dress·ing** /drésɪŋ/ 名 **1** Ⓤ Ⓒ (傷の)手当て; 包帯, 手当用品《軟膏(こう)・脱脂綿・ガーゼなど》‖ first-aid *dressings* 応急手当用品. **2** Ⓤ Ⓒ (米)(鳥料理の)詰め物. **3** Ⓤ Ⓒ ドレッシング, 《種々の[仕上げ用]》ソース. **4** Ⓤ 着付け方, 衣服.

dréssing cáse (旅行用)化粧道具入れ.
dréssing gòwn (寝まきの上に着る)ガウン, 化粧着《男女両用》; (米) bathrobe, robe》.
dréssing ròom 化粧室; (劇場の)楽屋, 着替え室.
dréssing tàble (女性用)化粧テーブル, (女性用)鏡台.

†**dress·mak·er** /drésmèɪkər/ 名 ⓒ **1** (婦人服)(女性の)仕立屋, (女性の)洋裁師(→ tailor). **2** (米)[形容詞的に]〈婦人服が〉凝った仕立ての; 女性的な線を持った.

dress·mak·ing /drésmèɪkɪŋ/ 名 Ⓤ 婦人服仕立(業), 洋裁(業); [形容詞的に] 洋裁の ‖ a *dress-making school* 洋裁学校.

dress·y /drési/ 形 (-i·er, -i·est) (略式)〈服装が〉(正装らしく)凝った, 粋(いき)な, ドレッシーな(elegant).

*†**drew** /drúː/ 動 draw の過去形.

drib·ble /drɪ́bl/ 動 自 **1** 〈水滴などが〉したたる, ポタポタ落ちる(+*away, out*). **2** よだれを垂らす(+*away*). **3** (球技) 球をドリブルする《ジュニア》‖ "How did the basketball court get wet?" "The players *dribbled*." 「バスケットのコートはどうしてぬれたの?」「選手がドリブルしたため」**2** とのしゃれ》. ── [他] **1** …をしたたらせる, ポタポタ落とす. **2** 〈球〉をドリブルする.
── 名 **1** ⓒ したたり, 滴下; 少量. **2** ⓒ (球技)ドリブル. **3** Ⓤ よだれ.

†**dried** /dráɪd/ 動 dry の過去形・過去分詞形.
── 形 (貯蔵のため)乾燥した, 干した.
dríed frúit 乾燥果実《apple, plum など》.
dríed mílk =dry milk.

†**dri·er, dry·er** /dráɪər/ 形 dry の比較級.
── 名 ⓒ **1** (通例 dryer) 乾燥機, ドライヤー; 洗濯物を干す道具. **2** 乾燥させる人; 乾燥剤.

*†**drift** /drɪ́ft/
── 動 (~s /drɪ́fts/; 過去・過分 ~ed/-ɪd/; ~·ing)
── 自 **1** 〈人が〉漂流する, 流浪する, (あてもなくぶらぶら)動く ‖ The crowd slowly *drifted away* after the concert. 群衆がコンサートの後ぶらぶらと去って行った / She *drifts in* to see us now and again. 彼女は時々理由もなくひょっこり私たちに会いに来る / *drift* from one job to another 転々と職を変わる / *drift* aimlessly through life 生涯目的もなくぶらぶらと暮らす.
2 〈雪・砂などが〉(風で)吹き積もる ‖ The snow *drifted* against the garage. 雪がガレージのところに吹きだまりになった.
3 〈人・船などが〉漂う, 漂流する(+*away, out*); 吹き流される ‖ *drift about* in a rubber raft [boat] ゴムボート[ボート]で漂流する / *drift slówly* down the river 川を漂いながら下る.
── [他] **1** …を漂わす, 漂流させる(+*away, out*) ‖ The current was *drifting* our boat toward the rocks. 潮流で船が岩礁の方へ押し流されていた.
2 〈雪など〉を吹き寄せる[積もらせる] ‖ The wind *drifted* the snow against the window. 風で雪が窓のところに吹き積もっていた.

── 名 (~s /drɪ́fts/) **1** ⓒ (雪・砂の)吹き寄せ[だまり]; 漂流物 ‖ a *drift* of dead leaves 落ち葉のたまり.
2 Ⓤ Ⓒ (潮流・風などに)押し[吹き]流されること, 漂流; Ⓤ 流れ, 流れの向き ‖ The *drift* of this current is south. この潮流は南の方に流れている / the *drift* of a hot-air balloon across the sky 熱気球が空を漂流すること.
3 Ⓤ Ⓒ 傾向, 成り行き; 動き, 動向 ‖ The general *drift* of affairs was toward peace. 大勢は和平に傾いていた. **4** [the ~] (時に)言いたいこと, 意味.

drift·er /drɪ́ftər/ 名 ⓒ 放浪者, 流れ者.

†**drill** /drɪ́l/ 名 **1** ⓒ きり, ドリル, 穴あけ機; 鑿岩(さくがん)機. **2** Ⓤ (軍事) 教練, 練兵, 演習. **3** Ⓤ Ⓒ […の](厳格な, 集団的)訓練, 練習, ドリル[in] [類語] exercise, practice》‖ *drills* in a gymnastic perfor-

mance 体操の演技の練習 / a fíre *drill* 消防訓練.
—— 動 他 **1**〈人など〉が〈きりなど〉で〈物〉に穴をあける(+*up*),〈穴〉を[…に]開ける(*in*, 《主米》*into*);〈きりなど〉を突き通す ‖ *drill* a hole *in* [《主米》*into*] wood 木にやすで穴をあける. **2**〈人が〉〈人〉を訓練する;〈人に〉[…を]繰り返して教え込む(*in*, *on*);〈思想など〉を〔人に〕徹底的に教え込む[吹き込む](*into*) ‖ The teacher *drilled* them *in* [*on*] English pronunciation. 先生は彼らに英語の発音を教え込んだ.
—— 自 **1** きりなどで[…に]穴をあける[*into/for*], […を]貫く, 突き通す[*through*]. **2** 反復練習をする. **3** 軍事訓練に参加する, 教練を受ける.
drill ín [他]〈要点など〉を繰り返して教え込む.
dri·ly /dráili/ 副 =dryly.

※**drink** /drínk/ [『「液体を飲む」が本義』]
—— 動 (~s/-s/; 過去 **drank** /drǽŋk/, 過分 **drunk** /drʌ́ŋk/ or 《米略式》**drank**; ~**·ing**)
—— 他 **1a**〈人が〉〈飲み物〉を<u>飲む</u> ‖ *drink* tea with milk ミルクティーを飲む / *drink* water from a stream 小川の水を飲む / (Have you got) anything to *drink*? 何か飲み物がありますか《◆アルコール類をさす時 drink に強勢を置いて発音し, ふつうの飲み物と区別することがある》‖ 〔対話〕 "What can I get you to *drink*?" "I'd love a glass of lemonade." 「飲み物は何を持ってきましょうか」「レモネードをいただきたいわ」. **b** [drink **A C**]〈人が〉〈A〉〈飲み物〉を C の状態で飲む ‖ *drink* milk hót [cóld] ミルクを熱くして[冷たいままで]飲む ‖ 〔対話〕 "Will you have cream in your coffee?" "No, I *drink* my coffee bláck." 「コーヒーにクリームを入れますか」「いや, 何も入れないで飲みます」.

〔関連〕swallow (かまずに)ごくりと飲む / sip ちびちび飲む / suck〈母乳・汁など〉を吸って飲む / gulp (down), guzzle, quaff, swig, swill ごくごく[がぶがぶ]飲む《◆ swig, swill は飲酒によく用いられる》.

〔語法〕(1) ✍ 人にすすめる時は Won't you have some coffee? (コーヒーはいかがですか)のように have がふつう. ただし Would you like something [*anything] to *drink*? (何かお飲みになりませんか)では drink.
(2) スープについては → soup 名 1.
(3) 薬[毒]を飲む時は固体・粉末・液体にかかわらずふつう take medicine [poison]. ただし液体では drink も用いる.

2a [drink **A** (**C**)]〈人が〉〈A〉〈液体の入った容器など〉を〈飲んで〉あける, 飲み干す ‖ *drink* two cups of (coffee) (コーヒー)を 2 杯飲む / *drink* a glass drý [émpty] グラスを飲み干す. **b** [drink oneself **C**]〈人が〉飲みすぎて C になる《◆ C は形容詞, 前置詞 (to, into, out of) + 名詞》‖ *drink* oneself insénsible 飲みすぎて意識がなくなる / He dránk himself to déath. 彼は飲みすぎて死んだ / *drink* oneself óut of one's situátion [posítion] 酒がもとで地位を失う. **3**〈時・金など〉を飲んで費やす(+*away*).
—— 自〈人が〉[…を]<u>飲む</u>[*from, of*]; 酒を飲む; 酒飲みである ‖「酔っぱらい」は a drunken [《米》drunk] man, a drunkard》‖ éat and *drink* 飲み食いする / I don't smoke or *drink*. 酒もタバコも飲まない《◆以上 2 例はふつうこの語順》/ Don't

drink and drive! 飲酒運転をするな / Drínk of the cup. 一口飲め《◆ of は「…から一部」の意》/ He *drinks* heavily [moderately]. 彼は大酒飲みだ[適度に酒を飲む](=He is a heavy [moderate] drinker.)《◆ a *drinking* man は「(今)酒を飲んでいる男」という意味ではなく,「常習的に酒を飲む男」の意》/ 〔ジョーク〕 College is a fountain of knowledge. The students are there to *drink*. 大学は知識の泉である. 学生は飲むためにそこにいる《◆ drink 自 は「酒を飲む」の意で使うことが多い》.

〔語法〕「(どこかで)一杯飲もう」は Let's hàve a *drínk* (somewhere). などと言う. Let's *drink*. では「飲んで酔っ払おう」といったようなニュアンスを伴う.

drínk déep (1)〈酒〉をぐーっと飲む[*of*]. (2)〔知識など〉を多く吸収する[*of*].
drínk dówn [**óff**] [他]〈人〉が〈酒〉を飲み干す, 全部飲んでしむ《◆ down はさっさと, 努力して」. off は「一気に」飲むことを強調》‖ She dránk the beer *off*. 彼女はそのビールをぐいと飲み干した.
drínk ín [他]《略式》〈言葉など〉に熱心に聞き入る,〈美しさなど〉に見とれる.
drínk to A 〈健康・人などのために〉乾杯する《◆乾杯の発声は 'Cheers!'; 必ずしも飲み干さない》‖ *drink to* his health [success] 彼の健康[成功]を祈って乾杯する.
※***drínk úp*** [自] [通例命令文で] (一気に)飲み干す. —— [他] [通例命令文で]〈酒など〉を飲み干す, 全部飲んでしむ ‖ Tom, *drink up* all your milk. トム, ミルクを残さずに飲んでしまいなさい.

—— 名 (複 ~s/-s/) **1** [a ~] ひと飲み, 一杯 ‖ hàve [tàke] a *drínk* 1 杯飲む(→ 自 〔語法〕) / Hów about a *drínk*? 一杯どうだい / I want a *drink* of water. 水を一杯飲みたい / 〔対話〕 "Would you care for a *drink*?" "I think I'll have a beer, if you have any." 「何かお飲みになりますか」「もしあればビールを一杯いただこうかな」.
2 Ⓤ 飲み物, 飲料《◆修飾語なしで *They brought him drink. などとは用いない》‖ food and *drink* 飲食物(cf. 自)《◆ふつうこの語順》/ a hot [cold] *drink* 熱い[冷たい]飲み物 / a cárbonated [a cólcoholic carbonated] *drink* アルコール性[炭酸]飲料 / cánned [bóttled] *drinks* かん[びん]詰め飲料 / sóft *drinks* 清涼飲料《ginger ale など》/ diet *drinks* ダイエット飲料《低カロリーの飲み物》.
3 a [集合的名詞] **アルコール性飲料**, 酒類(alcoholic drinks) ‖ strong *drink* 強い酒, 火酒. **b** Ⓤ 飲酒, 大酒 ‖ tàke to *drínk* 《略式》(大酒)飲み癖がつく / What dróve him *to drínk*? 何が彼を酒飲みにさせたか(=Why did he come to *drink*?).

drink·a·ble /drínkəbl/ 形 (おいしく)飲める, 飲料に適した. —— 名 [通例 ~s] 飲料 ‖ eatables and *drinkables* 飲食物(food and drink).

drink–driv·ing /drínkdráiviŋ/ 名 Ⓤ《英》飲酒運転(《米》drunk-driving).

†**drink·er** /drínkər/ 名 Ⓒ **1** 飲む人 ‖ a coffee *drinker* コーヒー好きの人. **2** (特に過度な)酒飲み ‖ a héavy *drinker* 大酒飲み / a problem *drinker* アルコール中毒者(=an alcoholic).

drink·ing /drínkiŋ/ 名 Ⓤ **1** 飲むこと, 飲用. **2** (特に過度の)飲酒. **drínking àge** 飲酒(を許される)年齢.

drink·ing–wat·er /drínkiŋwɔ̀ːtər/ 名 Ⓤ 飲料水.

†**drip** /dríp/ 動 (過去・過分 **dripped** /-t/ or **dript** /drípt/; **drip·ping**) 自 **1**〈液体が〉[…から]したたる,

ポタポタ落ちる(+*off, down*)〔*from*〕;〈人・物が〉液体をポタポタ落とす,〔液体が〕したたっている〔*with*〕‖ The tap is *dripping* (*down*). 蛇口から水がポトポトたれている / Blood was *dripping down from* his hand. =His hand was *dripping with* blood. 彼の手から血がしたたり落ちていた. **2** [しばしば比喩的に](しずくがたれるほど)〔…で〕あふれている, ぬれている〔*with*〕. ━[他] …を〔…に〕ポタポタ落とす, たらす〔*into*〕‖ Her brow was *dripping* sweat. 彼女は額から汗をしたたらせていた.
━[名] **1** [a/the ~] したたり落ちること[音], 滴下 ‖ ***in a drip*** したたって. **2** [~s]〔…からの〕しずく, 水滴〔*from*〕‖ bloody *drips from* the cut 傷口からの血のしたたり. **3** [C]〔建築〕=drip stone. **4** [C]〔医学〕点滴(装置) ‖ get a *drip* 点滴を受ける.

dríp còffee ドリップ(式で入れた)コーヒー.

dríp grìnd ドリップコーヒー用に細かくひいたコーヒー豆.

dríp stòne 水切り([図] → house).

drip·ping /drípiŋ/ [名] **1** [U] したたり, 滴下. **2** [~s] 水滴, (焼肉の)たれ汁; (機械の)油のしずく. ━[形] しずくのたれる, ずぶぬれの; [副詞的に] ずぶぬれになるほど.

dript /drípt/ [動] drip の過去形・過去分詞形.

:drive /dráiv/ 〖「追い立てる」が原義〗 [派] driver (名)

index
[動] [他] **1 運転する 3 追いやる 5 追いやる**
[自] **1 車を運転する**
[名] **ドライブ**

━[動] (~s/-z/; [過去] **drove**/dróuv/ or 《古》**drave** /dréiv/, [過分] **driv·en**/drívn/; **driv·ing**)
━[他]

I [車などを動かす]

1〈人が〉〈車など〉を(運転席に座って)**運転する**,〈馬車など〉を駆る, 御する;〈人〉を〔…へ〕車[馬車]で運ぶ〔*to*〕‖ *drive* a car 車を運転する《◆単に drive とする方が自然. → [自] **1**》/ *drive* a horse 馬を駆ってゆく / ***Shall I drive you home?*** 家まで車で送りましょうか(=Shall I give you a ride home?).

> [関連] [「運転する」の意の動詞]
> 自転車, オートバイは ride / 列車・エレベーターは drive, operate / 船は steer, navigate / 帆船は sail / モーターボートは handle / 飛行機は pilot, fly.

2 [通例 be driven]〈機械などが〉〔蒸気・電気などで〕動く, 運転される〔*by*〕‖ The engine *is driven by* steam. =Steam *drives* the engine. そのエンジンは蒸気で動く.

II [ある場所に追いやる]

3〈人が〉〈人・動物〉を**追いやる**, 追う; …を〔…から〕追い払う〔*from, out of*〕《◆移動・方向を表す副詞(句)を伴う》‖ *drive* forty head of cattle to market 牛40頭を市に出す / ***drive*** all care ***away*** あらゆる心配を吹き飛ばす / *drive* him into a (tight) corner 《略式》(議論などで)彼を追いつめる.

4〈波・風が〉…を運ぶ, 吹き[押し]流す(drift) ‖ The wind *drove* the sailboat onto the rocks. 風を受けてヨットが岩礁に乗り上げた.

III [状態に追いやる]

5 [drive **A C**]〈事・人が〉**A**〈人〉を**C**(の状態)にする;〈物・事が〉〈人〉を〔…に〕至らせる, **追いやる**〔*into, to*〕;〈人〉を余儀なく〔…〕させる〔*to* do〕(➔文法 23.1) ‖ The child's death ***drove*** her ***to*** despair. 子供が死んだため彼女は絶望した / ***drive*** him 「***into*** failure [out of his success] 彼を失敗させる / You're *driving* me crazy [nuts, mad]. 君のことで僕は頭にきている.

IV [強く打つ]

6〈くぎ・くいなど〉を〔…に〕打ち込む; [比喩的に] …を〔…に〕たたき込む〔*into*〕‖ *drive* a nail *into* [through] wood 木にくぎを打ちつける[抜く].

7〔スポーツ〕(ゴルフ・クリケットで)〈球〉を〔…まで〕飛ばす〔*to*〕, 強打する; (テニスで)〈球〉にドライブをかける.

━[自] **1**〈人が〉**車を運転する**, ドライブする; 馬車を御する;〈車が〉(ある状態で)運転される[できる] ‖ *drive* by 車で通り過ぎる / ***drive to work*** 車で仕事に行く / People love to *drive*. 人は車の運転が好きだ / This car *drives* easily. この車は運転しやすい.

2 車[馬車]で行く《◆「バス[電車]で行く」は take a bus [train], ride in a bus [train]》. **3**〈車・船などが〉疾走する;〈雲が〉飛ぶように動く. **4**〔…に〕励む, 打ち込む(+*away*)〔*at*〕.

***dríve at* A** 《略式》[be driving] …を言おうとする(mean)《◆**A** は常に what》‖ What are you *driving at?* あなたの言いたいのは何なのですか; どういうつもりですか.

dríve* A *hóme 〖くぎや事実を木や心にぐさりと(home)打ち込む(drive). cf. drive [他] **6**, home [副] **3**〗 (1) → [他] **1**. (2)〈くぎなど〉を深く打ち込む. (3)〈事〉の核心をつく; …を〔人に〕理解[痛感]させる〔*to, in*〕.

dríve ín [他] (1)〈くいなど〉を打ち込む. (2) …を教え込む, たたき込む. (3)〔野球〕〈走者〉をホームに迎え入れる ‖ *drive in* 「three runs [two runners] 3打点をあげる [2走者をホームに迎え入れる].

dríve óff [自] (1) 車で出かける[立ち去る]. (2)〔ゴルフ〕ティーから第1打を飛ばす. ━[他] (1) …を追い払う. (2)〈人〉を自動車で連れ去る.

lèt dríve 〔…を〕ねらって打つ, なぐる;〔…に〕ねらいをつける〔*at*〕.

━[名] ([複] ~s/-z/) **1** [C] (車を)運転すること; **ドライブ**, 自動車旅行; (馬車を)駆る[御する]こと ‖ Let's 「***gó for*** [***tàke***] ***a dríve*** in my new car. 僕の新車でドライブに出かけよう. **2** [C] ドライブ道; [地名の後で; D~] (…)車道, 通り; (道路から玄関・車庫などに通じる)私設車道(《米》driveway) ‖ Woodland *Drive* ウッドランド街道. **3** [U][C] (自動車の)道のり ‖ The park is (*a*) ***two hour drive from here.*** ここから公園まで車で2時間かかる(=It takes two hours to *drive* from here to the park.). **4** [C][U] 精力, 原動[推進]力;〔心理〕動因, 衝動, やる気 ‖ a young man full of [with plenty of] *drive* 気力あふれる若者 / suppress one's sex *drive* 性衝動を抑える. **5** [C]〔…の/…する〕(グループ)運動, 宣伝活動(campaign)〔*for* / *to* do〕‖ hàve [màke] a *dríve to* gather money for charity 慈善金募集運動をする. **6** [C][U]〔スポーツ〕(ボールの)強打, 飛距離, ドライブ. **7** [C] (家畜を)追うこと; 追われた家畜. **8** [U][C]〔機械〕(動力の)伝動, 駆動(装置); [U] (自動車の)ハンドル位置 ‖ a car with front-[rear-]wheel *drive* 前輪[後輪]駆動の車 / four-wheel *drive* 四輪駆動. **9** [C]〔コンピュータ〕(ディスクなどの)ドライブ, 駆動装置 ‖ Place the installation disk in your CD-ROM *drive*. CD-ROMドライブにインストール用ディスクを入れてください.

dríve shàft 〔機械〕駆動軸.

dríve whèel =driving wheel.

drive-in /dráivìn/ 名 C 《主に米》ドライブイン《車に乗ったまま用のたせる簡易食堂・映画館・商店・銀行など》《◆日本語の「ドライブイン」に相当する英語は a roadside restaurant》. ── 形 車で乗り入れできる, ドライブイン式の.

driv・el /drívl/ 動 《過去・過分》~ed or 《英》driv・elled/-d/; ~・ing or 《英》~・el・ling) 自 たわいない[くだらない]ことをくどくど言う(+on, about).
── 名 U 《略式》たわごと, ナンセンス.

***driv・en** /drívn/ drive の過去分詞形.
── 形 **1** 《雪などが》吹き飛ばされた. **2** 《人などが》追いつめられた.

***driv・er** /dráivər/ [→ drive]
── 名 （複 ~s/-z/) C **1** （車を)運転する人, 運転者; 《バス・タクシーなどの)運転手《◆「自家用車の抱え運転手」は chauffeur》/《馬・車の)御者 ‖ a bús [trúck] driver バス[トラック]の運転手 / a rácing driver （カー)レーサー《◆この意味で racer は誤り》/ He is a góod dríver. 彼は運転が上手だ(=He drives well. / He is good at driving.).
2 牛追い, 馬方. **3** （人を酷使する)親方, 監督. **4** 〔ゴルフ〕ドライバー《主にティーショット用の１番ウッド》. **5** 〔コンピュータ〕ドライバ《周辺機器とのインターフェースを制御するプログラム》.

driver's license 《米》運転免許証《《英》driving licence》 《ジョーク》Why do you need a driver's license to buy liquor when you can't drink and drive? 酒を買うのにどうして免許証がいるのだろう, 酒を飲んだら運転できないのに《◆酒を買う時には年齢確認のため運転免許証が必要》.

driver's sèat [the ~] 運転手席(driving seat)《◆「乗客席・助手席」は passenger seat》‖ be in the driver's seat 責任者[経営者]の立場にある.

drive-through /dráivθru:/ 名 C =drive-in.

drive・way /dráivwèi/ 名 C **1** （道路から家・車庫などへ通じる)私設車道《車に乗る人もいう》. **2** 《カナダ》景観道路, ドライブウェイ(《英》parkway).

driv・ing /dráiviŋ/ 動 → drive.
── 名 U 《操縦》〔法〕;推進, 駆動 ‖ drunk driving =driving under the influence (of alcohol) 飲酒運転《◆後者は《略》DUI. driving while intoxicated 《略》DWI ともいう》.
── 形 **1** 推進する, 駆動の; 運転(用)の ‖ take driving lessons 運転を習う. **2** 《物事などが)心をとらえる, 強い効果[影響]を与える. **3** 激しい, 精力的な;《雨・雪などが)吹きつけるような ‖ driving rain 激しい雨.

driving bèlt [bánd] (伝動用の)ベルト.
driving licence 《英》運転免許証(《米》driver's license).
driving mirror 《英》（車の)バックミラー(rearview mirror)《◆×back mirror とはいわない》.
driving schòol 自動車教習所《◆英国では最初から路上練習をする》.
driving sèat [the ~] 運転席(driver's seat).
driving tèst 運転免許試験.
driving whèel (1) (鉄道の)動輪, (車の)駆動輪(drive wheel). (2) （車の)ハンドル(steering wheel) ‖ sit behind the driving wheel 車を運転する.

driz・zle /drízl/ 名 U 《時に a ~》霧雨, こぬか雨. ── 動 自 [it を主語として] 細雨[霧雨]が降る(+down).

†**droll** /dróul/ 形 《古》ひょうきんな, おどけた.

-drome /-droum/ 〔語要素〕→語要素一覧(2.2).

drom・e・dar・y /drámədèri | drɔ́mədəri/ 名 C 〔動〕ヒトコブラクダ(Arabian camel)《アラビア産で足の速い乗用ラクダ. cf. Bactrian camel》.

†**drone** /dróun/ 名 C **1** （ミツバチの)雄バチ, ブーンという低い音をたてる. **2** [the ~] （ミツバチ・車・飛行機などの)ぶーんという低い音. **3** C 《略式》居候(ぃそうろう), なまくら者. ── 動 自 **1** 《ハチなどが)ブンブンうなる, ブーンという低い音をたてる. **2** 低い声でだらだらしゃべる, だらだらと続く(+on, out) ‖ The priest droned through his sermon. 司祭は説教を長々と続けた.

†**droop** /drú:p/ 動 自 **1** 《正式》（物が)(…に)（だらりと)たれる(hang)(+down), 《人が)うなだれる《over》‖ A willow droops over the pond. 柳が池の上に垂れ下がっている. **2** 《略式》《草木が)しおれる;《身体・元気が)衰える;《人が)気が沈む ‖ droop with grief 悲しみの余り気が沈む. ── 名 U [しばしば the ~] たれ(ていること); うなだれ, うつむき; 意気消沈, （調子の)だれ;（枝などの)たれ下がり.

‡**drop** /dráp | drɔ́p/
── 名 (複 ~s/-s/) C **1 a** しずく, （しずくの)１滴 ‖ a drop of water [dew] 水滴[露の玉] / dróp by dróp １滴ずつ(→文法 16.2(3)) / empty the glass to the last drop グラスを最後の１滴まで飲み干す. **b** [a ~ of +U 名詞] 少量の…, …の微量;《略式》少量の酒 ‖ Would you like your coffee with a drop of brandy? コーヒーにブランデーを落としましょうか /《only) a drópin the búcket [ócean] 《略式》ごく少量;〔聖〕大海の一滴, 九牛の一毛, 焼け石に水 / She doesn't have a drop of kindness. 彼女には一かけらの親切心もない. **c** [~s] 点滴薬 ‖ eye drops 点眼薬 / nose drops 点鼻薬.
2 したたり; [a/the ~] 落下; [量・価値などの]下落(fall)（in）; 落下距離; 落差; 急斜面; 降下, 投下 ‖ a súdden dròp in [×of] temperature 気温の急降下 / a vertical [an altitude] drop （スキー競技の)標高差 / Stocks have taken a sharp drop. 株が急落した.
3 しずく状のもの; ペンダント, 耳飾り, ドロップ菓子;〔建築〕つるし玉 ‖ an orange drop オレンジドロップ.
4 落ちる仕掛け口, たれ幕;《米》（郵便箱の)差入れ口[集配所]; 〔野球〕ドロップ;〔ラグビー・アメフト〕ドロップキック.
── 動 (~s/-s/; 《過去・過分》dropped/-t/ or 《まれ》dropt/dráft/; drop・ping)
── 自 **1** 《物が)(急に, 思いがけなく, わざと)落ちる(+down);《花が散る);《人が)（車などから)(飛び)降りる《off》(↔ pick up);《正式》《川・丘などが)下る(+down)《◆ fall は「落ちる」を表す最もふつうの語》‖ drop down a river 川を下る / drop from a window into the garden 窓から庭へひらりと飛び降りる / The book dropped off my lap. 本が膝からすべり落ちた / You could hear a pin drop. ピンの落ちる音でも聞こえるほど静かだ《◆could は仮定法過去. →文法 9.1》.
2 《液体が)したたる, ポタポタ落ちる(drip) ‖ The rain dropped from the leaves. 雨が葉からしたたり落ちた.
3 《人が)(落ちるようにばったり)倒れる, くずれる; 死ぬ;（意識的に)身を投じる ‖ drop into a chair いすにドサリと座る / drop (on)to one's knees がっくりひざをつく / drop with fatigue [injury] 疲れて[傷ついて]へたばる.
4 《程度・数量・価値・価格などが)下がる, 落ちる(+away) ‖ Her voice dropped to a whisper. 彼女の声が低くなってささやきとなった / My temperature has dropped. 熱が下がった / The price of

meat *dropped*. 肉が値下がりした.

5 〈事が〉やめになる；〔…から〕手を引く，やめる〔*from*〕；〔視界から〕見えなくなる〔*out of, from*〕；〈交通・話などが〉とだえる(+*off*) ‖ *drop from* business 商売から手を引く / Let the matter *drop* now. その件を話すのはもうこれくらいにしておきなさい / He *dropped out of* sight. 彼はどこかへ雲隠れした / Their correspondence has *dropped off*. 彼らの文通がとだえた.

6 [drop **C**] (急に) **C** の状態になる；急に〔ある状態に〕なる，陥る〔*into, to*〕‖ *drop* asleep =*drop* off to sleep 寝入る / *drop into* deep thought 深く考え込む / *drop into* a bad habit 悪いくせがつく.

7 落後[後退]する，遅れる(+*away, back, off, behind*) ‖ *dróp* behínd him in tennis テニスで彼に遅れをとる.

—[他] **1** 〈人などが〉〈物〉を(偶然・故意に)〔…から/…へ〕**落とす**，落下させる〔*from / to, into, on*〕；〈手紙〉を〔…に〕投函(かん)する〔*to*〕；〈試合〉を失う；…を空中投下する；〈釣り糸・錨(いかり)など〉を下ろす ‖ *drop* a letter *to* her in the mailbox 彼女に手紙を出す / *dróp* one's jáw (驚いて下あごを落として)口をポカンとあける / You should not *drop* litter in the street. 通りにごみを捨ててはいけません / [対話] "Excuse me. You *dropped* something." "Oh, thanks. That's my wallet." 「もしもし，何か落ちましたよ」「ありがとう．それ私の財布です」/ An atomic bomb was *dropped on* Hiroshima in 1945. 1945年広島に原爆が投下された.

2 (略式) …をなぐり倒す，撃ち落とす ‖ *drop* him with a blow 一撃で彼をなぐり倒す.

3 〈人などが〉〈液体〉を**したたらす**，ポタポタ落とす ‖ *drop* milk into tea 紅茶にミルクをたらす / *drop* tears for her 彼女のために涙をこぼす.

4 〈人・事が〉〈数量・程度・価値など〉を**下げる** ‖ *Drop* the speed by 20 kilometers. 時速を20キロ落としなさい.

5 〈言葉・ため息など〉をもらす，それとなく言う；〈短い手紙〉を書き送る ‖ *drop* him a hint =*drop* a hint for him 彼にヒントをにおわす / *drop* him a line [note] 彼に手紙を出す / *dróp* a wórd in his ear 彼に耳うちする.

6 (略式) 〈人・荷物〉を〔…で〕乗物から途中で降ろす(+*off, in*)〔*at*〕(↔ pick up) ‖ *Drop* me (*off*) *at* the corner. 次の角で降ろしてください.

7 〈文字・音声〉を〔語などから〕落とす，抜かす〔*from*〕‖ *drop* a letter *from* a word 単語から1字を落とす / She often *drops* her h's. 彼女はよく h の音を落として発音する《◆Cockney の特色. hat を 'at と発音するなど》.

8 (略式) 〈習慣・計画・議論〉をやめる；〈人〉と関係を絶つ，別れる；〈学生が〉(学期途中で)〈登録科目〉を捨てる ‖ *drop* a plan [bad habit] 計画[悪いくせ]をやめる / *drop* an old friend of mine 旧友と手を切る / [対話] "I don't want to hear any more talk about marriage." "Okay. I'll *drop* it [the subject]." 「結婚についての話はこれ以上聞きたくないのです」「わかった，その話はやめにするよ」.

9 〔コンピュータ〕〈アイコンなど〉をドロップする《アイコンなどを目的の場所へドラッグし，マウスボタンを離してそこに置くこと》.

***dróp acróss* A** → [自] **7**；〈物〉を偶然見つける.

dróp awáy [自] (1) 1人ずつ去る，(いつのまにか)いなくなる，減る，なくなる(cf. drop off [自] (2)). (2) 1滴ずつしたたる. (3) → [自] **4, 8**.

dróp ín [自] (1) ひょいと〔人を〕訪ねる〔*on*〕；ひょいと〔場所に〕立ち寄る〔*at*〕‖ *drop in on* him [*at* his house] 彼[彼の家]をひょいと訪れる《◆「パーティー」の場合は on, at のいずれも可: *drop in on* [*at*] the party. at の場合受身不可》. (2) 〔…を求めて〕立ち寄る〔*for*〕‖ *drop in for* a cup of coffee 立ち寄ってコーヒーを飲む《◆call in より (略式)》. (3) 〔人に〕偶然出会う〔*with*〕‖ *drop in with* a friend 友人に偶然出会う《◆come across の方がふつう》.

dróp óff [自] (略式) (1) 〖意識のかすれた状態に(off)急になる(drop). cf. drop [自] **6**；off [副] **8**〗居眠りを始める，こっくりする(→ [自] **6**). (2) 次第に立ち去る，減る，衰える. —[他] (略式) → [他] **6**. —[自⁺] [～ *off* **A**] → [自] **2**.

***dróp on* [*upòn*] A** (1) …を運よく偶然に見つける. (2) 〈人〉を〔…に/…するように〕選ぶ，指名する〔*for / to* do〕.

****dróp óut*** [自] (1) 〔…から〕立ち去る，消える，なくなる(→ [自] **5**)；〔…を〕やめる，**退学**[退部]**する**；(略式) 〔体制側から〕(反体制側へ)離脱する〔*of, from*〕. (2) (競技で)落後する. (3) 〔ラグビー〕ドロップアウトする.

***dróp to* A** (1) → [自] **3, 4, 6, 7**. (2) (略式) …をかぎつける，知る.

***lèt dróp* A** (1) …を落とす. (2) 〈言葉など〉をふともらす. (3) 〈話・仕事など〉をやめる，打ち切る.

dróp gòal 〔ラグビー〕ドロップゴール.

drop-dead /drάpdèd | drɔ́p-/ [副] (略式) (男・女が)人目を引くほど，とても，非常に.

drop-off /drάpɔ(ː)f | drɔ́p-/ [名] [U] 急斜面.

—[形] (車から荷物などを)降ろす場所に指定された ‖ The school is a *drop-off* point for donations of clothing for the refugees. 学校が避難者に対する衣料品の救護物資を降ろす場所になっている.

drop·out /drάpàut | drɔ́p-/ [名] [C] **1** (略式) 脱退(者)，落後[落第](者)，中退(者). **2** (体制社会からの)離脱[逃避](者).

drop·pings /drάpiŋz | drɔ́p-/ [名] [複数扱い] (鳥・動物などの)落としもの，糞(ふん).

drop·sy /drάpsi | drɔ́p-/ [名] [U] 〔医学〕水腫，浮腫.

dross /drάs, (米+) drɔ́ːs | drɔ́s/ [名] [U] 〔冶金〕(主に酸化による)浮きかす，不純物；(略式) 無価値なもの.

†**drought** /dráut/ [名] [U] [C] 干ばつ，日照り続き，雨の降らない[少ない]天気.

drouth /dráuθ/ [名] (詩・スコット・アイル・米ではしばしば) = drought.

***drove**[1] /dróuv/ [動] drive の過去形.

drove[2] /dróuv/ [名] [C] **1** [集合名詞] ぞろぞろ動いて行く家畜の群れ([関連] → flock[1]). **2** (略式) [通例 ～s; 集合名詞] ぞろぞろ動く人の群れ ‖ in *droves* 群れをなして，束になって.

drov·er /dróuvər/ [名] [C] 〔歴史〕家畜の群れを追う人；家畜商.

†**drown** /dráun/ [発音注意] [動] [自] 〈人・動物が〉おぼれ死ぬ，溺死(できし)する，水死する ‖ His friend *drowned* in the river. 彼の友だちは川で溺死した.

> [語法] [自] [他] とも「おぼれ死ぬ」ことを表すので単に「おぼれる」は nearly *drown* / be nearly *drowned* のようにいう必要がある. ×He was drowned to death. は意味が重複しているので不適.

—[他] **1** 〈人が〉〈人・動物〉を溺死(できし)させる；[～ oneself / be ～ed] 溺死する ‖ Somebody had *drowned* her in the bathtub. 何者かが彼女を浴

槽で溺死させていた / The broken-hearted girl *drowned* herself in the river. 失恋した少女は川に身を投げた. **2**(正式)…を水浸しにする(soak), ずぶぬれにさせる(drench) ; (料理などで)〈物〉を〔…に〕浸す〔*in, with*〕 ‖ streets and houses *drowned* by the flood 洪水で水浸しになった街路と家々 / I *drowned* my pancakes in syrup. ホットケーキをシロップに浸した. **3**〈騒音が〉〈小さい音〉をかき消す(+ *out*) ; 〈人が〉うとうとして過ごしてしまう(+ *away*). ‖ The enthusiastic applause of the audience *drowned* (*out*) the pianist's voice. ピアニストの声は聴衆の熱狂的な拍手で喝采にかき消された. **4**〈心配・悲しみなど〉を酒でまぎらす ‖ *drown* one's sorrows 悲しみを酒でまぎらす.
drówn óut 〖他〗 (1) 〈人〉を洪水で水浸しにして(drown **2**)追い出す(out 副 **14**)〔通例 be ~ed〕(洪水で)〈人〉が立ち退く. (2) → **3**.

drowse /dráuz/ 動〖自〗**1** 眠気がさす, うとうとする(+ *off*). **2** ぼんやりしている, 活気がない. ━〖他〗〈人〉を眠くさせる ; 〈時〉をうとうとして過ごしてしまう(+*away*). ━〖名〗[a ~] うとうとすること ; 眠気 ‖ in a *drowse* まどろんで.

†drow·si·ly /dráuzili/ 副 眠そうに ; うとうとと.

†drow·sy /dráuzi/ 形 (**--si·er, --si·est**) **1**〈人が〉眠い, うとうとしている(sleepy) ‖ The medicine made him *drowsy*. 薬を飲んで彼は眠気を催してきた. **2**〈物・事が〉眠気を誘う ‖ a *drowsy* lecture 眠くなる講義. **3**〈動作などが〉のろい, 不活発な. **4** 眠ったように静かな, 活気のない.

drów·si·ness 名 うとうと眠いこと ; ものうさ.

drub /dráb/ 動 (過去・過分 **drubbed**/-d/; **drub·bing**) 〖他〗(略式) **1**…を〔棒などで〕(何度も)強く打つ, 〔むちで〕打つ〔*with*〕. **2** 〈試合などで〉〈相手〉を決定的に負かす, 大敗させる.

drúb·bing 名 C (略式) 完敗.

drudge /drʌdʒ/ 名 C (単調で骨の折れる仕事に)こつこつ〔あくせく〕働く人. ━〖自〗〔いやな仕事に〕こつこつする, あくせく働く〔*at*〕.

†drudg·er·y /drʌ́dʒəri/ 名 U (単調でいやな)骨折り仕事, つまらぬ仕事.

drug /drʌ́g/ 〔原音〕 drag /drǽg/) 〖「薬」が原義であるが, 最近では「麻薬」の意味で用いられることが多い〗 ━〖名〗 (複 ~**s**/-z/) C **1** 麻薬 ; (俗) dope) ; 麻酔剤 ; 興奮剤 ; [比喩的に] 麻薬, 中毒を引き起こす物 ‖ a hard *drug* 中毒性の強い麻薬〈ヘロイン・モルヒネなど〉 / a soft *drug* 中毒性の弱い麻薬〈マリファナなど〉 / *drug* abuse 麻薬乱用 / do *drugs* 麻薬を常習する / a drúg àddict 麻薬常用者 / be *on drugs* 麻薬中毒である.
2 薬, 薬品, 薬剤(◆ この意味では medicine がふつう) ‖ prescribe a *drug* 薬を処方する / a new *drug* for headaches 新しい頭痛薬.
━〖動〗(過去・過分 **drugged**/-d/; **drug·ging**) 〖他〗 **1**〈飲食物〉に薬物を入れる. **2**〈人・動物〉に麻酔をかける ; …に麻薬〔毒薬〕を与える ; …に麻薬を飲ませて眠らせる. **3**〔…で〕〈人〉を中毒させる〔*with, by*〕 ; 〈人・体・感覚など〉を麻痺(ホ)させる.

†drug·get /drʌ́gət/ 名 C ドラゲット〈インド産の敷物用織物〉 ; C ドラゲット絨毯(シュタン).

†drug·gist /drʌ́gəst/ 名 C **1**(米・スコット)薬剤師, 調剤師(→ chemist). **2**(米) drugstore の経営者. **3** 薬屋の店(◆ druggist's ともする. (英) chemist('s)).

†drug·store /drʌ́gstɔ̀ːr/ 名 C (米) ドラッグストア.
[事情] 薬の処方・販売のほか, 化粧品・タバコ・雑誌・新聞・本なども売り, 軽い飲食もできるカウンター(soda fountain)がある. (英) chemist's shop は主に薬品・化粧品を扱う.

*drum /drʌ́m/ ━〖名〗 (複 ~**s**/-z/) C **1** 太鼓 ; 〈宣戦・合図などの象徴〉, ドラム ; ドラム奏者 ; [the ~s] (ジャズバンドなどの)ドラム(のパート) ‖ play [beat] the [a] *drum* 太鼓をたたく[鳴らす] / play the *drums* in a dance band ダンスバンドのドラムを受持つ / a báss drúm 大太鼓.
2 [a/the ~] 太鼓(のような)音 ‖ the *drum* of the rain on the tin roof トタン屋根を打つ雨の音. **3** (形が)太鼓に似たもの ; (機械の)ドラム ; ドラム缶 ; (ワイヤロープを巻きつける)鼓胴.
━〖動〗(過去・過分 **drummed**/-d/; **drum·ming**) 〖自〗 **1** 太鼓を打つ. **2**〔…を/指などで〕(律動的に)トントン打つ, コツコツたたく〔*on, at / with*〕 ;〈指・雨などが〉〔…を〕たたく, 打つ〔*on, against*〕.
━〖他〗 **1**〈曲〉を太鼓で演奏する. **2**〔指などで〕〔…を〕トントン打つ, コツコツたたく〔*on*〕 ;〈物〉をドンドン鳴らす ;〈太鼓のような音〉をたたいて出す ‖ *drum* one's *fíngers* 指先で[机などを]コツコツたたく(◆いらだちのしぐさ). **3**〈人〉を太鼓を鳴らして集める(+*up*). **4**〈考え・事実など〉を〔人・頭に〕繰り返し叩き込む〔*into*〕 ‖ He *drummed* the idea *into* his son [son's head] that he had to win. 勝たねばならないのだということを彼は息子に教え込んだ.

drúm bràke (自動車などの)ドラムブレーキ.

†drum·mer /drʌ́mər/ 名 C ドラマー, ドラム奏者.

drum·stick /drʌ́mstɪk/ 名 C **1** 太鼓のばち. **2**(食用に料理した)鶏〈アヒル, 七面鳥など〉の脚の下半分.

*drunk /drʌ́ŋk/ 動 drink の過去分詞形, 〈古〉過去形.
━〖形〗〈◆ 法律関係以外では名詞の前で用いる場合は drunken〉**1**〈酒などに〉酔った, 酔っ払って〔*with, on*〕〈◆「二日酔いだ」は(略式) hàve a hángover ;「ほろ酔いだ」は(略式) be típsy〉 ‖ be very *drunk* on beer ビールで酔っ払っている / drive *drunk* (略式)飲酒運転する / as *drunk* as a skunk [lord] ぐでんぐでんに酔っ払って. **2**〔喜び・成功などに〕酔いしれて, 夢中になって〔*with*〕 ‖ *drunk* with ecstasy 歓喜に酔いしれて. **3**(略式)=drunken **3**.
━〖名〗 C (略式) **1**酔っ払った人. **2**=drunkard.

†drunk·ard /drʌ́ŋkərd/ 名 C (正式) 大酒飲み, 飲んだくれ, アル中.

†drunk·en /drʌ́ŋkn/ 動 (古) drink の過去分詞形.
━〖形〗 **1**〈補語として用いる場合は drunk〉**1**酒に酔った, 酔っ払った(↔ sober) ‖ a *drunken* driver 酔っ払い運転手. **2** 大酒飲みの, 飲んだくれの. **3** 酒の上での, 酔ったあげくの ‖ a *drunken* brawl 酒のけんか / *drunken* [(米) drunk] driving 酔っ払い運転, 飲酒運転(◆ 法律用語では DUI, DWI という).

drúnk·en·ly 副 酔って. **drúnk·en·ness** 名 U 泥酔.

drunk·om·e·ter /drʌŋkámətər | -5m-/ 名 C (米) 飲酒検知器.

**dry /drái/ 〖「水分がなく乾いた」が本義〗
━〖形〗(**dri·er, dri·est; dry·er, dry·est**) **1** 乾いた, ぬれていない, 水かけのない, 湿気のない ; 水を加えない(↔ wet) ‖ Wipe your hands with [on] a *dry* towel. 乾いたタオルで手をふきなさい / The paint is not *dry* yet. ペンキはまだ乾いていない / He cooked the meat *dry*. 彼は水を加えないで料理した, 彼は料理して肉の水気をとった.

2 雨の降らない, 雨の少ない, 乾燥した ‖ a dry season 乾季 / This is the driest summer we've had in ten years. 今年はこの10年間で一番雨の少ない夏です / I hate this humid weather. I wish I could live in a dry place. こういうじめじめした天候はきらいだ. 雨の少ない場所に住めたらいのですが.
3 ⟨川などが⟩水のかれた, 干上がった; 水につかっていない ‖ a dry well 水がかれた井戸 / The well has rùn [gòne] drý. 井戸の水がかれてしまった.
4 涙[痰], 血など]の出ない; ⟨牛などが⟩乳の出ない ‖ a dry cough 空(か)せき / a dry wound 血の止まった傷 / dry weeping 空泣き / After the show there was not a dry eye in the house. そのショーのあと劇場ではだれもが(悲しくて)涙を出していた.
5 [名詞の前で] 液体を用いない, ⟨シャンプーが⟩水なしで用いる; ⟨ひげそりが⟩電気かみそりを用いる. **6** (略式) ⟨人が⟩のどの渇いた; ⟨仕事などが⟩のどの渇く ‖ My throat went dry with fright. 恐怖のあまり私はのどがからからになった. **7** [名詞の前で] ⟨トースト・パンなどが⟩(バター・ジャムなどを)何もつけない; ⟨パンが⟩古くなった (↔ fresh). **8** ⟨ワインなどが⟩辛口の, 甘くない (↔ sweet). **9** (a) dry white wine 辛口の白ワイン. **9** 固体の, 乾物の ‖ dry foods 固形食品. **10** 飾り気のない, あからさまの(plain) ‖ a dry way of expressing one's opinion 率直な意見の述べ方. **11** [通例補語として] 無味乾燥な, 退屈な(dull). **12** 温かみのない, 冷淡な ‖ a dry answer そっけない返事.
【表現】「割り切った」の意の「ドライな」はbusinesslike に当たる. **13** ⟨ユーモア・ジョークなどが⟩まじめで, 平静をよそおって言う ‖ a dry wit にこりともせずに言われた機知. **14** (略式)⟨国・法などが⟩禁酒の, 禁酒法実施の (↔ wet) ‖ a dry town [state] 酒類販売禁止の町[州] / a dry party アルコール抜きのパーティー / gò drý 禁酒する, 禁酒法を敷く.
(as) drý as a bóne → bone 名1用例.
(as) drý as dust → dust 名.
—— 動 (dries/-z/; 過去・過分 dried/-d/; ~·ing)
—— 他 **1** ⟨人・太陽などが⟩⟨物・人の体などを⟩乾かす(+ off, up)⟨ぬれてかぶっているものを乾かす場合は dry out); [dry A (on B)] ⟨人が⟩A⟨物⟩を(B⟨タオルなど⟩で)ふく ‖ dry the dishes 皿を乾かす, 皿をふく / dry one's téars [eyes] 涙をふく / drý onesélf with a towel タオルで体をふく. **2** ⟨太陽・干ばつなどが⟩⟨川・池などを⟩干上がらせる(+up). **3** ⟨食品を⟩干して貯蔵する ‖ dry fish 干魚にする.
—— 自 ⟨ぬれた物・液体が⟩乾く; ⟨水が⟩蒸発する(+off, out); ⟨川・池が⟩干上がる(+up) ‖ Nothing dries sooner than a tear. (ことわざ) 涙ほどすぐ乾くものはない; 悲しみはすぐ忘れる / The river dried úp last month. 先月川が干上がった. ⇒コーナー "What gets wetter as it dries?" "A towel." 「乾くほどぬれるのは何?」「タオル」⟨◆手が乾くのに従ってタオルはぬれるから. 答えは dry を「乾かす」(→ 他)ととっている).
drý úp /自/ (1) → 自. (2) (英) (洗った)皿をふく. (3) ⟨考え・想像・資源・供給などが⟩枯渇する. (4) (略式) ⟨役者などが⟩⟨せりふなどを⟩忘れる, (あがったりして)話すことができない. (5) (俗) [通例命令文で] 黙れ(shut up). ——/他/ → 他.
—— 名 (複 ~s) **1** Ⓒ 乾いているもの, 乾燥地; Ⓤ 干上がった. **2** Ⓒ (米略式) 禁酒主義者.
drý bàttery [cèll] 乾電池.
drý cléaner ドライクリーニング屋[業] ⟨◆drý cléaner's ともいう⟩; ドライクリーニング剤 ⟨ベンジン・ナフサなど⟩.

drý cléaning ドライクリーニング.
drý èye 〖医学〗ドライアイ ⟨コンピュータの画面などを長時間見続けることなどによって涙の出なくなる症状⟩ (cf. 形 **4**, dry-eyed).
drý fárming 乾地農業.
drý góods [単数・複数扱い] ⟨主に米⟩ (金物・食料雑貨などに対する)織物類, 繊維製品((英) drapery), (英) 穀類(soft goods).
drý íce [時に D~ I-] ドライアイス.
drý lànd (川・池などに対して) 陸地, 地上.
drý láw (米) 禁酒法, 酒類販売禁止法.
drý mílk ドライミルク, 粉ミルク.
drý mòuth 〖医学〗(唾液の分泌がなくなって起こる)口腔障害症.
drý·ness 名 Ⓤ 乾燥(状態); 日照り続き; 無味乾燥; (酒の)辛口; 禁酒の状態.
dry·ad /dráiəd, -æd/ 名 [時に D~] Ⓒ 〖ギリシア神話〗 ドリュアス⟨木と森の精⟩.
Dry·den /dráidn/ 名 ドライデン ⟨John ~ 1631-1700; 英国の詩人・劇作家・批評家⟩.
dry-dock /dráidɑk | -dɔk/ 動 自 ⟨船が⟩ドックに入る. —— 他 ⟨船を⟩乾ドックに入れる.
dry·er /dráiər/ 名 = drier.
dry-eyed /dráiáid/ 形 **1** 泣いていない, 悲しみを表していない. **2** 〖医学〗ドライアイの, ⟨コンピュータ画面の見すぎなどで⟩涙の出なくなった (cf. dry eye).
dry·ing /dráiiŋ/ 名 Ⓤ 乾燥 ‖ do the drying 皿をふく. —— 形 乾燥させる; 日干しにしてしまう.
†dry·ly, dri- /dráili/ 副 **1** 冷淡に, そっけなく. **2** さりげなく, 皮肉的に. **3** 露骨に.
'dst /-dst/ wouldst, hadst の短縮形.
DTP 〖コンピュータ〗desktop publishing.
†du·al /d(j)úːəl/ 形 (同意) duel) **1** 二つの部分から成る; 二重の; 二元的な ‖ dual nationality 二重国籍 / dual ownership 二重所有, 共有. **2** 2の, 2を表す; 二者の. **dúal cárriageway** (英) 中央分離帯を付設した道路((米) divided highway).
du·al·ism /d(j)úːəlizm/ 名 Ⓤ 二重性, 二元性; 二元論.
dub¹ /dʌb/ 動 (過去・過分 dubbed/-d/; dub·bing) 他 **1** (文・古) ⟨国王が⟩⟨剣で肩を軽くたたいて⟩⟨人⟩にナイト爵位を与える. **2** (正式) ⟨人に⟩あだ名を付ける.
dub² /dʌb/ 動 (過去・過分 dubbed/-d/; dub·bing) 他 〖映画・放送〗…を追加録音する(+in); …を⟨他の言語に⟩吹き替えする[into]; …をダビングする, 複製する ‖ dub a film into English 映画を英語に吹き替える.
dub·bing /dʌ́biŋ/ 名 Ⓒ (映画) **1** 吹き替え, アテレコ. **2** ダビング, 合成録音, ミキシング.
†du·bi·ous /d(j)úːbiəs/ 形 (正式) **1** ⟨人が⟩(…について) (漠然と)疑わしいと思う, 疑っている[of, about, as to] ⟨◆doubtful は「はっきりと疑っている」⟩ ‖ I'm dubious about your chances of success. 私は君の成功の見込みを疑っている / I feel dubious (as to) what to say. どう言ったらよいか迷っている. **2** ⟨人・行為などが⟩いかがわしい, 怪しげな ‖ a dubious scheme for making money 金もうけの怪しげな計画. **3** ⟨言葉などが⟩真意のはっきりしない, あいまいな(ambiguous); ⟨結果などが⟩不明な, 疑わしい, 心もとない ‖ a dubious answer はっきりしない返事 / His reason for not going is still dubious. 彼の行けない理由がなおはっきりしない (⇨文法 12.4).
dú·bi·ous·ly /-li/ 副 疑わしげに; あいまいに.
†Dub·lin /dʌ́blin/ 名 ダブリン ⟨アイルランド共和国の首都. (略) Dub.⟩.

bum・ble・bee /bʌ́mblbìː/ 名 〔昆虫〕マルハナバチ.
†**bump** /bʌ́mp/ 名 C **1** 打撃, 衝突(の音) ‖ The block of snow fell with a loud *bump*. 雪のかたまりが大きなドスンという音とともに落ちた. **2** (ぶつかってできた)こぶ ‖ I have a *bump* on one's head 頭にこぶができている. **3 a** 隆起, ふくらんでいるところ ‖ a road full of *bumps* でこぼこだらけの道路. **b** (車の速度を落とさせるために作った)バンプ.
――動 自 **1** 〈車などが〉がたがた通る(+*along*). **2** 〈人・物が〉〈人・物に〉ドシンと当たる(+*together*)〔*into*, ˣ*against*〕. ――他 〈物を〉ぶつかる; …にぶつける〔*against*, *on*〕.
búmp into **A** (略式) (1) ― 自 **2**. (2) 〈知っている人〉と偶然出会う, …にばったり出くわす.
búmp óff (1) [~ **A** *off* **B**] ぶつかって **A** 〈物〉を **B** から落とす. (2) (略式) 〈人〉を殺す.
búmp úp [他] (略式) 〈点数・価格などを〉上げる. (2) [通例 be ~ed] (うまく)昇進する.
――副 ドスンと, バタンと ‖ go *bump* バタンと音がする.
†**bump・er** /bʌ́mpər/ 名 C (英) (自動車の)バンパー, 緩衝器((主に米) fender) (図 → car); (米) (鉄道の)緩衝器((英) buffer).
bump・er-to-bump・er /bʌ́mpərtəbʌ́mpər/ 形 副 〈車が〉じゅずつなぎの[に], 渋滞の[で]. ――動 自 渋滞した中をのろのろ進む.
bump・kin /bʌ́mpkin/ 名 C (略式) 無骨者, いなか者.
†**bump・y** /bʌ́mpi/ 形 (-i・er, -i・est) **1** 〈道が〉でこぼこの, 上下に揺れる, がたつく ‖ a *bumpy* flight 上下の揺れの多い飛行. **2** (略式) 〈人生などが〉浮き沈みのある(rough).
bum・sters /bʌ́mstərz/ 名 [複数扱い] 股上(まん)の短いズボン.
bun /bʌ́n/ 名 C **1** (米) (丸い)ロールパン《♦(ham-)burger roll としてよく用いられる. もと神への供物とされう干しぶどう入り》[語法] この種のパンは bread とは呼ばない. **2** (後頭部で丸くまとめたふつう女性の)束髪(まげ).
†**bunch** /bʌ́ntʃ/ 名 C [通例 a ~ of …] **1** (果物などの)房; (同一種類のものの)束, 山; 群れ; (英) [~es] 2つにが分けて結んだ髪 ‖ two *bunches* of grapes ブドウ2房 / a *bunch* of keys [papers, flowers] かぎ[書類, 花]1束[1山] / Bananas grow in *bunches*. バナナは房になって実る. **2** (略式) [単数・複数扱い] (人の集まり(group); 一味 ‖ The players are a great *bunch*. その選手らはすごいやつらだ / a good *bunch* of girls すてきな女の子の一団.
――動 他 〈物を〉束にする; 〈家畜などを〉一団に集める; 〈衣服〉にひだをつける(+*up*, *together*). ――自 一団[束]になる, かたまる, 丸まる, こぶになる(+*up*, *out*).
†**bun・dle** /bʌ́ndl/ 名 C **1** (手紙・衣類などの)束, 包み《♦花・かぎなどの束は bunch》‖ a *bundle* of sticks 1束の木切れ / a *bundle* of 10,000-yen notes 1万円の札束. **2** (植) 維管束. **3** (略式) [a ~ of …] [比喩的に] かたまり, 組 ‖ She was *a bundle of* nerves last night. 昨夜彼女は神経が高ぶっていた.
――動 他 〈物を〉包む[束]にする(+*up*, *together*). **2** 〈人・物を〉ぞんざいに[…の中へ]押し込む[*into*]; …を放り出す(+*away*, *out*) ‖ *bundle* one's shirts into a drawer 乱雑にシャツをたんすに詰め込む. **3** (略式) 〈人〉を[…へ/…から]追い立てる(+*away*) [*off to* / *out of*]. ――自 (略式) さっさと立ち去る(+*away*, *off*, *out*); […に]どやどやと[束になって]入る, 乗り込む

〔*in*, *into*〕.
búndle (*onesélf*) *úp* [毛布・オーバーなどに]暖かくくるまる[*in*]; 暖かい服を着る.
bung /bʌ́ŋ/ 名 C (樽(たる)の)せん(stopper), 樽口.
――動 他 **1** 〈せん口・穴に〉[…に]せんをする, をふさぐ(+*up*, *in*)〔*with*〕. **2** [be ~ed] 〈鼻・管などが〉詰まっている(+*up*).
†**bun・ga・low** /bʌ́ŋgəlòu/ 名 C バンガロー; (米) 小さな家(cottage); (英) 平屋(建て).
bún・gee jùmp /bʌ́ndʒi-, -dʒiː-/ バンジージャンプ.
bun・gle /bʌ́ŋgl/ 動 他 〈仕事などを〉しくじる, へまをする. ――自 (仕事などで)しくじる, へまをする.
――名 C 不器用, へま.
máke a búngle of **A** 〈物を〉だめにする.
†**bun・ion** /bʌ́njən/ 名 C (足の親指にできる)腫(は)炎, 底豆.
†**bunk** /bʌ́ŋk/ 名 C (船・列車内等の壁に作りつけの)寝棚, 寝台; =bunk bed. ――動 自 (略式) (寝台に)寝る, ごろ寝[仮眠]する(+*down*); 泊まる, 同宿する.
búnk bèd (子供用の)2段ベッド.
bunk・er /bʌ́ŋkər/ 名 C **1** (船内の)燃料庫, (戸外の)石炭置場. **2** 〔ゴルフ〕バンカー((米) sand trap)《ゴルフコースの砂・凹地などの難所》. **3** 〔軍事〕掩蔽壕(えんぺいごう). ――動 他 〔ゴルフ〕[通例 be ~ed] 〈人が〉バンカーに打ち込む, 〈ボールが〉バンカーに打ち込まれる.
†**bun・ny** /bʌ́ni/ 名 C (小児語) うさ(ぎ)ちゃん(bunny rabbit) ‖ (as) cute as a *bunny* (ウサギちゃんみたいに)かわいい.
búnny ràbbit =bunny.
bunt /bʌ́nt/ 動 他 自 **1** 〈牛・ヤギなどが〉角・頭で(…を)突く, 押す. **2** 〔野球〕〈ボールを〉バントする. ――名 C 頭突き, 押し; 〔野球〕バント.
†**bun・ting**¹ /bʌ́ntiŋ/ 名 C 〔鳥〕ホオジロ(類).
bun・ting² /bʌ́ntiŋ/ 名 **1** U (正式) 旗・幟(のぼり)等用の布地; (国旗の色の)たれ布, 吹き流し; 万国旗. **2** C (乳児の)おくるみ.
Bun・yan /bʌ́njən/ 名 **1** バニヤン《**John** ~ 1628-88; 英国の説教師. *Pilgrim's Progress* の著者》. **2** バニヤン《**Paul** ~ 米国の民話に伝わる怪力の巨人》.
†**bu・oy** /búːi, bɔ́i | bɔ́i/ [発音注意] [同音] ˣboy 名 C **1** ブイ, 浮標. **2** 救命浮袋(life buoy).
――動 他 (1) 〈物に〉ブイを付ける; …をブイを付けて示す. **2** (ブイを付けて)…を浮かす(+*up*).
buoy・an・cy /bɔ́iənsi/ 名 U **1** [時に a ~] **1** 浮力. **2** (打撃などからの)回復する力, 快活さ.
†**buoy・ant** /bɔ́iənt/ 形 **1** 〈物が〉浮力のある. **2** 〈液体が〉浮揚性のある. **3** 〈精神が〉元気な, 快活な, 楽天的な.
Bur・ber・ry /bə́ːrbəri/ 名 UC (商標) バーバリ《英国の Burberrys 社製造のコート類の商標》.
†**bur・den** /bə́ːrdn/ 名 C **1** (正式) 荷(物), 重荷(load) ‖ carry a heavy *burden* up the hill 重い荷を丘の上に運ぶ. **2** C (正式) (精神的な)重荷, 負担 ‖ lay a heavy *burden* of taxation on the people 人々に重税を課す. **3** U (船の)積載量 ‖ a ship of 300 tons *burden* 300トン積みの船.
be a búrden to [*on*, *for*] **A** 〈人〉の負担になる.
――動 他 (正式) [*burden* **A** *with* **B**] 〈人が〉**A** 〈人・動物など〉に **B** 〈重荷・負担〉を負わせる(↔ disburden) ‖ be *burdened* with a home loan 住宅ローンで苦しむ.
búrden shàring 責任分担.
bur・den・some /bə́ːrdnsəm/ 形 (正式) (心身の)重荷[負担]となる, やっかいな.
†**bu・reau** /bjúərou/ 名 (複 ~s /-z/, ~x /-z/) C **1** [通

bu·reauc·ra·cy /bjuərɑ́krəsi | -rɔ́k-/ 名 ① 1 [集合名詞; 単数扱い] 官僚, (企業の)官僚的な人. 2 官僚政治; 官僚主義[制度], お役所的手続.

bu·reau·crat /bjúərəkræt/ 名 ⓒ 官僚(主義者), 権力志向者.

bu·reau·crat·ic /bjùərəkrǽtik/ 形 官僚政治の; 官僚的な, お役所的な.

bu·reaux /bjúərouz/ 名 bureau の複数形.

bu·rette, (米ではしばしば) **-ret** /bjurét/ 名 ⓒ (化学) ビュレット《液体を滴下し, その量を測定するための, 目盛りとコックがついたガラス管》.

burg·er /bɚ́ːrgər/ 名 1 (略式) =hamburger. 2 [複合語で] (…)バーガー《◆ hamburger が原型で, ham-の代わりにいろいろな材料がくる》‖ a cheeseburger チーズバーガー.

†**burgh·er** /bɚ́ːrgər/ 名 ⓒ (古) (中世の)市民, 商人, (特に中産階級の)市民; (正式) 堅実な市民.

†**bur·glar** /bɚ́ːrglər/ 名 ⓒ 強盗, (特に)夜盗 ‖ The robbery looks like the work of a professional *burglar*. その強盗はプロの仕業のようだ.

bur·glar·ize /bɚ́ːrgləràiz/ 動 他 (建物などに)盗みに入る; 侵入して(人に)強盗を働く.

bur·gla·ry /bɚ́ːrgləri/ 名 1 ⓤ 不法目的侵入罪. 2 ⓒ 不法目的侵入(事件), 押し込み.

†**Bur·gun·dy** /bɚ́ːrgəndi/ 名 1 ブルゴーニュ《フランス南東部地方》. 2 [しばしば b~] ⓤ (ブルゴーニュ産)ワイン; (一般に)ワイン.

†**bur·i·al** /bériəl/ [発音注意] 名 1 ⓤⓒ 埋葬; 土葬《◆(1) 英米では火葬(cremation)も多いが主流は土葬. (2) 時に埋葬自体が葬儀を兼ねる》‖ aerial *burial* 空葬 / water *burial* =a *burial* at sea 水葬. 2 [比喩的に] 葬り去られること, 忘れられること. 3 埋葬地, 墓所; 墓《◆ 主に学術用語》.

búrial gròund [plàce] 墓所, 墓地《◆「共同墓地」は graveyard, cemetery. 「教会の墓地」は churchyard》.

búrial sèrvice 埋葬式; 葬儀.

†**bur·lesque** /bəːrlésk/ 名 1 ⓒⓤ (文学作品·言動などの)茶化し, 戯画, パロディー. 2 ⓤ (もと米) ボードビル《ふつうストリップショーを含む下品なコメディーショー》.
— 動 他 ふざけた, 茶化した.
— 動 他 …をパロディー化する, ふざけてまねる.

†**bur·ly** /bɚ́ːrli/ 形 (人が)体の大きくて頑丈な, たくましい. 2 無骨な, ぶっきらぼうな.

búr·li·ly 副 たくましく; 無骨に.

Bur·ma /bɚ́ːrmə/ 名 ビルマ《Myanmar の旧名》.

Bur·mese /bəːrmíːz/ 形 ビルマの; ビルマ人[語]の.
— 名 (複 **Bur·mese**) ⓒ ビルマ人; ⓤ ビルマ語.

⁑burn /bɚ́ːrn/ [同音 barn /báːrn/]
— 動 (~s/-z/; 過去·過分 ~ed/-d/ or burnt /bɚ́ːrnt/; ~ing) 《『燃える』が本義》《◆ ふつう (米) では ~ed, (英) では 自 と比喩的意味の場合には ~ed, その他では burnt を用いる. 形容詞ではともに burnt. → burnt》.
— 自 1 〈火·物が〉**燃える**, 焼ける, 焦げる; 火がつく; 〈ヒーターなどが〉燃焼する ‖ *burn* low 下火になる / Paper *burns* easily. 紙は火がつきやすい / The house *burned* to the ground. その家は焼け落ちた.
2 〈光が〉輝く; 〈灯が〉ともる ‖ The sun was *burning* bright in the sky. 太陽は空で明るく輝いていた / The lights in the kitchen *burned* all night. 台所の明かりは一晩中ともっていた.
3 〈物が〉焦げる; 〈人の(皮膚)〉が日焼けする; 〈考えなどが〉[…に]焼き付く[*into*] (→ cook 他 1 関連) ‖ My toast burns. トーストが焦げちゃう / *burn* black 黒焦げになる / The fire of ambition *burned* within her. 彼女の胸の内には野心の火がめらめら燃えた.
4 〈舌·傷口·薬などが〉ひりひりする; 〈体の一部·物が〉燃えるように熱く感じられる; 〈人が〉[…で]ほてる[*with*] ‖ He was *burning* with fever. 彼の体は熱でほてっていた / The vodka *burns* in your throat. このウォッカは飲むとのどが焼ける.
5 [be ~ing] […で]かっとなる, 立腹する, 興奮する; 〈顔·ほおが〉赤くなる[*with*]; […を/…したい]と熱望する[*for / to do*] ‖ She was *burning* with anger [shame]. 彼女は怒りに燃えていた[恥ずかしさで真っ赤になっていた] / He *burned* for his moment of triumph. 彼は勝利の瞬間を待ちわびた / She was *burning* to tell the secret. 彼女は秘密を打ち明けたくてうずうずしていた.
— 他 1 〈人が〉〈物を〉**燃やす**, 焼く, 焼却する; 〈車などが〉〈ガソリンなどを〉燃料とする; 〈ガス·ろうそくなどを〉ともす ‖ *burn* the trash ごみを焼く / Ten people were *burned* to death in the train. 10人が列車で焼死した.
2 〈料理を〉焦がす, 焦げつかす (→ cook 他 1 関連); 〈人·体の部分を〉焼けどさせる; 〈傷を〉焼灼(しゃく)する; 〈皮膚を〉日焼けさせる; 〈口·舌·喉などを〉ひりひりさせる ‖ Don't *burn* the toast to a crisp. トーストをカリカリに焼かすな / She *burned* John with a hot poker. 彼女は熱い火かき棒でジョンにやけどをさせてしまった / *burn* one's finger with a match マッチで指をやけどする.
3 〈印·銘などを〉[…に]焼きつける[*in, into, on*]; 焼いて[…に]〈穴をあける〉[*in*]; 〈炭·れんがなどを〉焼く; 〈物をあ焼き〉[…に]〈を作る〉[*into, to*] ‖ *burn* clay [wood] *to* bricks [charcoal] 粘土[木]を焼いてれんが[炭]を作る / His cigarette *burned* a hole in her dress. 彼のタバコの火で彼女の服に穴があいた.
4 〈米俗〉〈人を〉怒らせる, かっとさせる, 燃えたたせる. 5 〈エネルギー·精力などを〉消費する.

búrn awáy 自 燃え尽きる; 焼け落ちる, 燃え続ける.
— 他 〈ペンキ·皮膚などを〉焼き落とす; 〈家などを〉焼き払う.

búrn dówn 自 (1) 全焼する. (2) 下火になる.
— 他 〈家などを〉全焼させる; 〈地域などを〉焼き払う.

búrn into A [自⁺] (1) 〈酸などが〉〈金属などを〉腐食する. (2) 〈事が〉〈心などに〉焼きつく. — 他 [~ A *into* B] (1) 〜する《◆ A is burnt into B》A 〈印象などが〉B〈心に〉強く焼きつく.

búrn óff [他] 〈ペンキなどを〉焼き落とす; 〈茂み·畑などを〉焼き払う; 〈カロリーなどを〉燃焼する.

búrn oneself **óut** (1) (米略式) 〈人が〉精力[体力]を使い果たす. (2) 〈物が〉燃え尽きる.

búrn óut 自 (1) 〈火·ランプなどが〉燃え尽きる. (2) 〈ランプなどが〉輝く, 光る. (3) 〈怒り·熱意などが〉さめる, なくなる. (4) 〈エンジンなどが〉オーバーヒートする. — [他] (1) 〈建物·地域などを〉焼き尽くす; 焼いて中をからにする. (2) [通例 be burnt] 〈人が〉[…から]火事

で焼き出される(of). (3) 〈燃料など〉を使い果たす. (4) 〈エンジンなど〉をオーバーヒートさせる.

búrn úp [自] 〈炎などが〉燃え上がる; 燃え尽きる. ― [他] (1) 〈物〉を焼き尽くす; 〈地域〉を焼き払う.

――[名] C **1** [...の]やけど, 焼け; 焦げ跡(in, on); 焼き印. 日焼け(のひりひり)(sunburn)《◆熱湯によるやけどは scald, 健康的な日焼けは suntan》‖ a burn on the finger 指のやけど / a burn in the tablecloth テーブル掛けの焦げ跡. **2** (れんがなどの)ひと焼き; (ロケットエンジンの)噴射, 点火.

burned-out /bə́ːrndáut/ [形] **1** 燃え尽きた; 焼け出された. **2** 〈機械が〉使い果たした.

†**búrn·er** /bə́ːrnər/ [名] C **1** 燃やす人. **2** (ランプ・ストーブなどの)火口, 燃焼部, バーナー; [俗用的に] 燃焼器.

-burn·er /-bə̀ːrnər/ [語要素] →語要素一覧(1.4, 1.5).

búrn·ing /bə́ːrnɪŋ/ [形] **1** 燃えている, ともって[燃え]ている. **2** 熱い, ほてる. **3** 〈欲望・怒りなどが〉激しい, ひどい, 強烈な; (のどのかわきが)激しい. **4** 〈問題などが〉たいへん重要な, 緊急の. **5** (略式) [形容詞の前で; 副詞的に] 焼けつくように[ほど] ‖ It's burning hot. 焼けつくように暑い.

†**búr·nish** /bə́ːrnɪʃ/ [動] 他 (正式) (こすって)〈金属など〉を磨く, …のつやを出す(polish); 〈人・物・〈イメージ〉をよくする ‖ burnish copper [brass] 銅[真鍮(しんちゅう)]を磨く / burnish the image of the people 選挙民へのイメージをよくする. ―[様態副詞を伴って] 磨きがかかる; つやが出る. ――[名] U **1** 磨き, 光り. **2** 光沢, つや. **búr·nish·er** [名] C 磨き用具.

burn-out /bə́ːrnàut/ [名] C **1** やけど(のあと), 焦げ跡. **2** (ロケットの)燃料終了. **3** (エンジンなどの)オーバーヒート. **4** 倦怠(けんたい), 虚脱感.

Burns /bə́ːrnz/ [名] バーンズ《Robert ~ 1759-96; スコットランドの農民詩人》.

burn·sides /bə́ːrnsàɪdz/ [名] (米) [複数扱い] (あごの部分をそって口ひげとつないだ)ほおひげ.

†**burnt** /bə́ːrnt/ [動] burn の過去形・過去分詞形. ――[形] **1** 焼けた; 焦げた; やけどした ‖ the burnt paper 焦げた紙 / A [The] burnt child dreads the fire. 《ことわざ》にこりにこりた子供は火を恐れる; 《顔料が》焼いて作った.

burnt-out /bə́ːrntáut/ [形] =burned-out.

burp /bə́ːrp/ [動] 自 (略式) げっぷをする. ――[他] 〈赤ちゃん〉に(授乳後)げっぷをさせる. ――[名] C げっぷ.

†**burr**[1] /bə́ːr/ [名] C **1** (金属の)荒い削り目. **2** (外科・歯科用)バー, きり.

burr[2] /bə́ːr/ [名] C **1** [通例単数形で] ブンブン[ギギー]という音(を出す). **2** (音声) (スコットランド・北イングランド地方の)喉音(こうおん) r.

bur·ro /bə́ːrou/ [名] (複 ~s) C (米) (荷物運搬用の)小型ロバ(cf. donkey).

†**bur·row** /bə́ːrou/ [bʌ́r-/ [名] C **1** (ウサギ・モグラなどの)れ住む地中の)穴, 巣; 塚(domus), **2** 隠れ場, 避難所. ――[自] 〈動物が〉[...に]穴を掘る(in); [...に]もぐり進む, [...に]もぐりこむ(into, through, under) ‖ Moles burrow into the ground. モグラは地面に穴をあける. **2** 穴に住む, 隠れる. **3** [...を]突込んで調査する(into), [場所を]あさる(in) ‖ burrow into mysteries 神秘をさぐる. ――[他] 〈動物が〉〈穴を掘る; 〈道〉を掘り進む ‖ burrow one's way through the sand 砂の中を掘り進む. **2** 〈頭など〉をつっこむ, もぐらせる; [~ oneself] 隠れる, もぐる.

***burst** /bə́ːrst/ 『「破裂する」が本義』
――[動] (~s/bə́ːrsts/; 過去過分 burst; ~·ing)
――[自] **1** 〈爆弾・ボイラーなどが〉**爆発する**, 破裂[炸裂]する(+up) ‖ The water pipes burst in the cold weather. 寒い天気で水道管が破裂した. **2 a** 〈ダム・土手などが〉決壊する; 〈はれもの・縫い目などが〉張り錄る; 〈シャボン玉・クリなどが〉はじける; [...から]急に飛び出す(from) ‖ The racing cars burst away from the starting line. レーシングカーはスタートラインから矢のように飛び出して行った. **b** (正式) [開く ~ open] 〈つぼみが〉ほころびる; 〈ドアなどが〉急に(ぱっと)開く ‖ The door burst open. ドアがぱっと開いた. **3** [be ~ing] 〈容器・人(の心)などが〉〈物・感情などが〉いっぱいで, はち切れそうになる(with) ‖ I'm (full to) bursting! 腹いっぱいではち切れそうです / Her suitcase is so full that it is bursting at the seams. 彼女のスーツケースはいっぱいになりすぎて縫い目の所がはち切れそうだ / She was bursting with health. 彼女は健康ではち切れそうだった. **4** (略式) [be bursting to do] 〈...したくて〉うずうずしている ‖ My son was bursting to go out to play. 私の息子は遊びに行きたくてうずうずしていた. **5** 〈あらし・拍手などが〉急に起こる[現れる].

――[他] **1** 〈人・物・事が〉〈物〉を**爆発させる**, 破裂させる; 〈服などを〉引き裂く[ちぎる]; 〈戸・錠などを〉こわす; 〈川(の水)が〉〈土手〉を**決壊させる** ‖ The river burst its left bank because of the heavy rain. 大雨のために川の左岸が決壊した / He burst the balloon with [on] a pin. 彼はピンで風船を破裂させた《◆ with だと「ピンを風船に近づけて」, on だと「風船をピンに近づけて」という感じ》.
2 [burst A C] 〈人が〉A〈物〉を押し破って C にする ‖ They burst the door open. =They burst open the door. 彼らはドアを押し開けた(→ open [形] **1** push the door open 注).

búrst ín [自] (1) 〈ドアが〉ぱっと内側に開く. (2) 口をはさむ. (3) 〈人が〉飛び込む; 〈水などが〉流れ込む. (4) 〈人が〉突然話す. ――[他] 〈ドアなど〉を内側に押し開ける.

búrst ín on [upon] A 〈人の〉話に割って入る, 〈話・考えなど〉を中断させる.

***búrst ínto** A (1) 〈部屋など〉に乱入する, なだれ込む, 飛び込む. (2) 〈泣き・笑いなど〉を**突然始める** ‖ burst into flower [bloom, blossom] ぱっと咲き出す / burst into flames 急に燃え上がる / burst into view [sight] 突然見え始める / She burst into tears [laughter, song]. 彼女は突然泣き[笑い, 歌い]出した(=She suddenly began to cry [laugh, sing].)

búrst oneself 無理をして体をこわす.

búrst óut [自] (1) [...から]飛び[逃げ]出す; 湧(わ)き出る(of, from). (2) [be ~ing] 〈服が〉張り裂けそうなほど〈人が〉大きくなる(of). (3) 〈好ましくないことが〉突発する. (4) [...と]突然叫ぶ(that節). (5) 〈行為を〉突然始める(doing); [状態に]突然なる(in, into) ‖ She burst out crying [laughing (= into laughter)]. 彼女は急に泣き[笑い]出した(= She suddenly began to cry [laugh].) / They burst out into a storm of abuse. 彼らは激しくののしり始めた.

búrst thróugh A [自] 〈人込み・ドアなど〉を押し分けて[破って]通る; 〈雲・割れ目などが〉突然現れる. ――[他] [~ A through B] B〈壁など〉に A〈穴など〉をぶちあける.

――[名] C **1** 爆発, 破裂; 破裂箇所, 裂け目 ‖ a burst of gunfire 一斉射撃 / a burst of a tire [water pipe] タイヤ[水道管]の破裂. **2** 突発, 激発; 噴出, ほとばしり; 一奮発, 一気 ‖ a burst of laughter [applause] どっと起こる笑い[拍手] / at

bur·y /béri/ [発音注意] [同音] berry; [類音] very /véri/ 「「(埋めて)隠す、守る」が原義」 派 burial (名)
── 動 (--ies/-z/; 過去・過分 ~ied/-d/; ~·ing)
── 他 **1a** 〈人が〉〈人〉を埋葬する《◆「火葬する」は cremate》;〈牧師が〉…の葬式をする ‖ *bury* a sailor at sea 水夫を水葬にする. **b** 〈人が〉〈家族〉をなくす ‖ She has *buried* her husband. 彼女は夫に先立たれた《◆ Her husband died. の遠回し表現》.
2 a 〈人が〉〈物〉を埋める;埋蔵する ‖ *bury* treasure 宝を埋蔵する / The coal miners were *buried* alive. 炭坑夫は生き埋めにされた. **b** [比喩的に]…を埋もれさす ‖ The facts are *buried* in a few old books. その事実はいくつかの古い文献の中に埋もれている.
3 [比喩的に] **a** …を葬り去る,忘れる ‖ *bury* old hatred 昔の憎しみを水に流す. **b** [~ oneself / be buried]〈人が〉辺鄙な所に行く;〈建物などが〉辺鄙な所にある(+*away*) ‖ *bury* oneself on the country いなかに引きこもる.
4〈顔などを(覆い)隠す;…をうずめる ‖ *bury* one's *face in* [×with] one's *hands* (恥ずかしさ・悲しみを隠すため)両手で顔を隠す / *bury* one's *hands in* one's *pockets* ポケットに手を突っ込む.
5 [通例 ~ oneself]〈人が〉〈…に〉没頭する[*in*] ‖ *bury oneself in* one's *studies* 研究に没頭する.
búrying gròund [**plàce**] =burial ground [place].

: bus /bʌ́s/ [[omnibus (すべての人のために)の短縮語. 20世紀初頭まで omnibus が用いられた]]
── 名 (複 ~·es/-iz/, (米で時に) ~·ses/-iz/) Ⓒ バス ‖ I'll go to Shibuya by *bus*. 渋谷にはバスで行きます《文法 16.3⑸》 / I sometimes feel sick when I go on a *bus*. バスでは時々気分が悪くなります / *get on* [*off, out of*] *the bus* バスに乗る[バスから降りる]《◆タクシーなど小さな乗物では take (out of)》 / cátch [míss] the *bús* バスに間に合う[乗り遅れる];好機を捕える[逃がす] / Take「(a) *bus* number 7 [(a) number 7 *bus*] as far as Seventh Street. 7番バスに乗って7番街まで行きなさい.

[関連] [いろいろな種類の bus]
airport *bus* 空港バス / city *bus* 市内バス / long-distance *bus* 長距離バス / school *bus* 通学バス / tour *bus* 観光バス.

── 動 (過去・過分 ~ed or (主に米) bussed/-t/; ~·ing or (主に米) bus·sing) 他 **1**〈乗客〉をバス輸送する,…をバスで運ぶ. **2** (米)〈児童〉を〈他の校区へ〉バス通学させる《人種差別解消のため》. **3**〈使用後の食器などを〉ワゴンに載せる[片付ける](cf. busboy).
── 自 […へ]バスで行く[*to*]《◆(略式)では 他 で bus it》.
bús cònductor バスの車掌.
bús guide バスの路線案内.
bús làne (英) バス専用車線《(米) busway》.
bús locàtion sýstem バス接近標示装置.
bús sèrvice バスの便.
bús stàtion [**dèpot, tèrminal**] バスターミナル.
bús stòp バス停(留所).
bús tòur [**trìp**] バス旅行.
bus·boy /bʌ́sbɔ̀i/ 名 Ⓒ (食堂の)給仕の助手《◆女性は busgirl. 「バスガール」は girl bus conductor, bus conductress》.

* bush /bʊ́ʃ/
── 名 (複 ~·es/-iz/) **1** Ⓒ 灌(^{かん})木, 低木《◆ tree より背が低い. 根元で多くの枝に分かれている(a shrub)》.
2 Ⓒ [しばしば the ~] 灌木の茂み, やぶ《◆竹やささの「やぶ」ではない. 手入れをすれば hedge (生垣)となる》.
3 [the ~] (アフリカ・オーストラリアなどの)未開地,奥地 ‖ a *bush* fire (奥地の)山火事.
béat aròund [(英) *abòut*] *the bùsh* (1) やぶのまわりをたたいて獲物を駆り立てる. (2) (略式) [しばしば否定命令文で] 遠回しに言う,なかなか要点に触れない;(相手に)さぐりを入れる.
béat the bùshes (主に米) [人・物を] (心当たりを捜した後) くまなく捜す[*for*].
búsh tèlegraph (太鼓やのろしによる)ジャングル通信;(英略式) (情報・うわさの)速い伝達;うわさ,口コミ.
Bush /bʊ́ʃ/ 名 **1** ブッシュ《George (Herbert Walker) ~ 1924- ; 米国の第41代大統領(1989-93)》. **2** ブッシュ《George (Walker) ~, Jr. 1946- ; 米国の第43代大統領(2001-). 1の子》.
bushed /bʊ́ʃt/ 形 やぶに囲まれた.
†bush·el /bʊ́ʃəl/ 名 Ⓒ **1** ブッシェル《穀物計量の最大単位(略) bu.》. **a** 体積単位: =4 pecks, 8 gallons ((米) 約35*l*, (英) 約36*l*). **b** (米) 重量単位: 小麦 60 pounds, 大麦 48 pounds, オート麦 32 pounds, ライ麦・トウモロコシ 50 pounds》. **2** ブッシェルます. **3** (米略式) [a ~, ~s] 多量 ‖ a *bushel* of love あふれる愛情.
bush·man /bʊ́ʃmən/ 名 (複 -men) **1** (豪) 未開[奥]地の住民《(PC) inhabitants of the Australian bush》. **2** [the B~] Ⓒ ブッシュマン族(の人)《アフリカ南部の背の低い狩猟民族》. **3** [B~] Ⓤ ブッシュマン語.
†bush·y /bʊ́ʃi/ 形 (--i·er, ~·i·est) **1**〈場所が〉灌(^{かん})木の茂った. **2** 毛がふさふさ[もじゃもじゃ]した.
†bus·i·ly /bízəli/ 副 忙しく, せっせと, 熱心に, 活発に ‖ She is *busily* working. 彼女は忙しく働いている(=She is busy working.).

: busi·ness /bíznəs/ [発音注意] [[「手がふさがっている(busy)こと」が原義]]
── 名 (複 ~·es/-iz/) **1** Ⓤ [経済] 商取引,売買;商況 ‖ *do good business* 商売が繁盛する / a *business* opportunity ビジネスチャンス《◆ ×a business chance とはいわない》 / We *do business with*「the firm [China, the city] 我々はその会社[中国, 市]と取引をしている《◆ We have *business* dealings with … ともいえる》 ‖ *Business is business.* (ことわざ) 商売は商売;「情[や]寛容は禁物」 / The restaurant has a lot of *business*. あのレストランははやっている.
2 Ⓤ Ⓒ 職業,商売,仕事;事業,実業;実務,業務,営業 ‖ the family *business* 家業 / the tailoring *business* 仕立職 / the leg *business* (俗) バレエ / a man of *business* 実業[事業]家 / *go into* [*enter*] *business* 実業界に入る;商売を始める / *be out of business* 失業[廃業]している / *be in business* 商売して[(再び)実業について]いる / *Business as usual.* (掲示) 平常どおり営業致します / *Open* [*Closed*] *for business.* (掲示) 営業中[閉店] / *What's your business?* =What (line of) *business* are you in? あなたの商売は何ですか(=What do you do?)《◆(1) What are you? は失礼になることもある. (2) How is (your) *business?*

「商売はいかがですか」》.

> 語法 (1) one's business は自分の経営している事業・商売をさすので, 単に自分の従事している仕事をいう場合は one's job を用いる: I like my job. 仕事が気に入っています.
> (2) 単に「やるべき事, 仕事」の意味で business を用いない: Do you have anything [×any business] to do this evening? 今晩仕事がありますか.
> (3) 数えるときは *a piece* [*bit*] *of business*.

3 C 企業, 会社, 商社；店舗, 店, のれん ‖ open [close] a *business* 開店[閉店, 廃業]する / My father owns [runs] a small *business* in Fukuoka. 父は福岡で小さな店を持っています.
4 U [通例 one's ~] 本分, 務め(duty)；[否定文で] かかわり合いのあること, 干渉する権利, […する]権利 [doing, (英) *to do*] ‖ It's a student's *business* to devote his time to study. 勉強に専念することが学生の本分である / *Everybody's búsiness is nóbody's bùsiness.* (ことわざ) 共同責任は無責任 / *Mínd your (ówn) búsiness!* = *Nóne of your bùsiness.* (略式) 余計なことはするな, 君の知ったことか / You have no *business* doing [*to do*] it. 君にはそんなことをする権利はない / It's nóne of *mý bùsiness*. ぼくにはかかわりのないことだ(=I want no part of it.).
5 U (課せられた)用務, **用事**, 用件；議事日程 ‖ the *business* of the meeting 会議の議事日程 / Excuse me, but do you have some *business with* me? 失礼ですが私に何か用事ですか / *do* one's *búsiness* 用事をする；(略式) [遠回しに] 用を足す《◆犬を散歩させて「ウンチさせる」意にも用いる》.
6 [a ~] 事件, 出来事；(略式) (予期に反して) やっかいな[不愉快な]こと, しろもの, たぐい ‖ Learning Latin grammar is *quite a* [*a sticky*] *business*. ラテン語の文法の勉強をすることはやっかいなことだ / Driving on an icy street is a *dángerous bùsiness*. 凍結した道路での運転は危険だ / This tipping *business* always makes us uneasy. チップという面倒なことでいつも落ち着かない《◆tipping と business は同格》.
7 U (演劇) しぐさ, 所作, 表情.

cóme [*gét* (*dówn*)] *to búsiness* まじめに[本腰を入れて]仕事に取りかかる, 本論に入る.
gó [*bé*] *abóut* one's *búsiness* (1) 自分のすべきことをする. (2) [命令形で] とっとと出て行け.
Góod búsiness! よくやった, でかした.
like nóbody's búsiness [副] (やや古風式) たいへん速く[上手に]；とっても.
máke it one's *búsiness to dó* 責任を持って…する.
méan búsiness (略式) 本気である, 本気で取り組む, 真剣である.
on búsiness 用事で, 商用で(↔ for pleasure).
tálk búsiness 商売の[まじめな]話をする.
búsiness àddress 勤務先の住所.
búsiness administrátion (米) 経営(学).
búsiness càrd 業務用名刺《◆米英では日本人ほど使わない》‖ 日本発» Japanese businessmen usually carry business cards [*meishi*] to introduce themselves when they meet people for the first time. 日本のサラリーマンは, 初対面の人に会った時に自己紹介するためふつう名刺を持っている.

búsiness còllege (速記・簿記などを教える)実務[実業]学校.
búsiness Énglish 商業英語.
búsiness hòurs 営業[執務]時間.
búsiness lètter 商業通信文.
búsiness lúnch ビジネスランチ《商談目的の食事会》.
búsiness magazìne 経済誌《*Fortune, Economist* など》.
búsiness pràctice 商慣習.
búsiness replỳ màil (米) 商用返信郵便物《(英) freepost》《あて名が印刷された受取人払いの封筒 (business reply envelope)が用いられる》.
búsiness schòol 実業学校；(米) 経営学大学院《ふつう3年；日本の「ビジネススクール」とは異なる》.
búsiness sùit (主に米) 背広((英) lounge suit).

†búsi·ness·like /bíznəslàɪk/ 形 事務[能率]的な, てきぱきした, きちょうめんな；ドライな(↔ sentimental) 《◆日本語の「ビジネスライク」と違って「冷たい」という含みはない》‖ a *businesslike* person きちょうめんな人 / She solved the math problem in a *businesslike* way. 彼女は数学の問題をてきぱきと解いた.

†búsi·ness·man /bíznəsmæn, -mən/ 名 (複 **-men**) C 実業家《◆原則として経営者・企業主をさす. ふつうの会社員は office worker, company employee などという. ただし (米)ではよく会社員・サラリーマンをさす》；実業家 ‖ a *businessman's* risk (株式など)かなりの危険を伴う投資.

búsi·ness·per·son /bíznəspə̀ːrsn/ 名 C 実業家 《◆男女両方を含む性差のない語が好まれる》.

búsi·ness·wom·an /bíznəswùmən/ 名 C 女性実業家；女性実業家.

bús·man /básmən/ 名 (複 **-men**) C バスの運転手［車掌]((PC) bus driver).
búsman's hóliday (略式) [通例 a ~] (バス運転手のドライブなど)自分の仕事と同じ事をして過ごす休暇 ((PC) bus driver's holiday).

buss /bás/ 名 (古・米略式) C (大きな音の)キス.

†bust¹ /bást/ 名 **1** C 胸像, 半身像《◆「全身像」は figure, 「頭・手足のない胴体像」は torso》. **2** U 上半身；(衣服を通してみる女性の)胸部(の形)；[遠回しに] (女性の)胸囲, バスト(cf. chest) ‖ She has a full *bust*. 彼女は豊かな胸をしている.

bust² /bást/ 動 (過去・過分) **~ed** or **bust** (略式) (他) **1** (無理に)…をこわす；…をだめにする(+*up*)；…を破産させる. **2** …をなぐる. — (自) **1** 破裂する, 破れる (burst). **2** つぶれる；こわれる(+*up*).
bust úp (略式) (自) (1) → (他) **2**. (2) (米) […と]仲たがいする；絶交する, 離婚する(*with*). — (他) (1) → (他) **1**. (2) (米) …を仲たがい[絶交, 離婚]させる.
— 名 C **1** (略式) 破裂；こわれること. **2** (主に米略式) [a ~] なぐること, 殴打.
— 形 (略式) **1** だめになった. **2** 破産した ‖ go *bust* 破産する.

bust·er /bástər/ 名 C **1** (略式) 並はずれた物；破壊的な力を持つ物. **2** [通例 B—] (米略式) おい, お前(fellow)《◆男性への呼びかけ》. **3** (米俗) [the (baby) ~s] バスター時代《ベビーブームの後の世代》(↔ the baby boomers).

–bust·er /-bástər/ (語要素) →語要素一覧(1.4, 1.5).

†bus·tle /básl/ 動 (自) **1** せかせか動き回る(+*about*, *around*)；(ばたばたと)急ぐ(+*up*) ‖ She is *bustling about* cooking supper in the kitchen. 彼女は台所で夕食の支度で大わらわである / *Bústle úp*, you boy(s)! (英) さあ君たち急いで! **2** (略式) 《場所などが》《活気などに》あふれている〔*with*〕‖ a

bus・way /bʌ́swèi/ 名C (米) バス専用車線((英) bus lane).

:bus・y /bízi/ [発音注意] 『「手がふさがっている」が本義. cf. business』派 busily (副)
——形 (--i・er, --i・est) 1〈人が〉手が空いていない(↔ free) ;〈人が〉〈…するのに/…で〉忙しい〔(in) doing / about, at, on, over, with〕; いつも動いて[働いて]いる ‖ She is (as) busy as a bee. (略式) 彼女はとても忙しい《◆主語が複数だと They are as busy as bees. のように bees》/ He is busy at [with] his homework. 彼は宿題で忙しい / She is busy (in) typing the reports. 彼女は報告書の入力で手がふさがっています(=She is busily typing …)《◆ in は省略されるのがふつう》. 語法 反語的にも用いる: He is busy loafing on the job. あいつはのらりくらりの仕事にお忙しいことだ.
2〈場所が〉にぎやかな, 人[車]が多い;〈時間・生活などが〉多忙な ‖ a busy day [morning] 多忙な1日[朝] / a busy street 交通量の多い通り;繁華街.
3 (米)〈電話が〉話し中で[の];〈部屋が使用中で[の]〉((英) engaged) ‖ a busy signal [tone] (米) 電話で「話し中」の信号 ((英) engaged signal [tone]) / The line [phone] is busy. 話し中です(=(英) The line [number] is engaged.). **4**〈模様が〉ごてごてした.

gét búsy (略式) 仕事にかかる, 〔…し〕始める〔doing〕.
——動他 [~ oneself / (まれ) be busied]〔…するのに〕忙しい〔(in) doing / about, at, by, in, with〕‖ The teacher búsied himsélf with marking the exam papers. その先生は答案を採点するのに忙しかった《◆「ほかに何もできなかった」という含みがある》.

búsy wòrk =busywork.
bús・y・ness /bízinəs/《◆ business と発音も異なる. 混同しないこと》名U 忙しさ;にぎやかさ.
bus・y・bod・y /bízibὰdi | -bɔ̀di/ 名C (略式) おせっかい[出しゃばり]屋, 世話焼き.
bus・y・work /bíziwə̀ːrk/, **búsy wòrk** 名U (米) 忙しいだけで価値のない仕事, 時間つぶしの仕事[勉強].

:but /(弱) bət, (強) bʌ́t/ (同音 butt; 類音 bat /bǽt/)《◆元来は「除いて」という意の副詞・前置詞で, それより接続詞の用法が生じた》《◆接・前・副の品詞区分については必ずしも明確には定めがたい点もある》

index
接 1 しかし 2 (…ではなく)て(むしろ) 6 …を除いて(は) 7 …ということがなければ 8 …しないでは(…ない) 9 …ではないと 10 …と
前 …を除いて
代 …しないところの
副 ほんの

——接
I [等位接続詞]
1a [対立関係にある語・句・節・文を結合して] **しかし**, だが, けれども ‖ He is poor (↘), but (he is) happy. 彼は貧しいが幸せだ.

語法 (1) この例のように譲歩の意を含む場合は, (al)though または yet を用いて Although he is poor (↘), he is happy., He is poor, yet he is happy. と書き換えられる. ただし His wife likes opera, but he doesn't.(妻はオペラが好きだが彼は嫌いだ)のように, 譲歩の意味でなく肯定―否定という明確な対立関係にある場合は不可.
(2) but に先行する節に譲歩の意味を明示する may, indeed, it is true などを含んでいたり, 仮定法が用いられたりすることがある: Indeed, he is poor, but he is satisfied with his present life. 確かに彼は貧しいが現在の生活に満足している.
(3) 意味内容から前後の節で論理的に対立関係になければ but は用いられない: My car is black, and [×but] yours is yellow. 私の車は黒だが君のは黄色だ.
(4) He is poor. But he is happy. のように but を文頭に用いるのは間違いではないが避けた方がよいとされる.

b [but then で] (前述のことはある程度は認めるが) しかしながら, とはいえ(however), (そうはいうものの) 一方では; (前述の理由を述べて) というのも ‖ He liked Ann, but then his parents didn't. 彼はアンが好きだったのだが, 両親の方はそうでもなかった.
2 [先行する not と関連して] (…でなく)て(むしろ) ‖ This is not green (↘) but blue. これは緑ではなく青です / She didn't come to help, but to hinder us. 彼女は我々を手伝いに来たというより, じゃまをしに来たようなものだ.

語法 (1) but の前にふつう休止は置かない. 語(句)が並列されることが多いが, 次のような成句的表現もある: It's not that I hate reading, but that I have no time to read. 読書が嫌いというのではなく, 時間がないのだ.
(2) 前に not があっても **1** の意のこともある. この場合, but の前にふつう休止は置かれ, 主語もくり返される: I didn't wánt his hélp (↘), but I hád to accept it. 私は彼の援助を望んではいなかったが, 受けざるをえなかった.

3 [間投詞・感嘆詞などの後で]《◆反対・意外などの気持ちが加わるがほとんど意味がなく, 後に続ける重要な内容に対してクッション的な役割をするつなぎ語》‖ My, but you're nice. まあ, すばらしいわ / Whew! But I am tired. やあ, 疲れちゃった / Sorry, but you must have the wrong number. (電話) お気の毒ですが, 番号違いです.
4 [文頭で] **a** (主に女性語) いや, でも;おや, まあ《◆不同意, 驚きなどを表す》‖ But how lovely! (↘) まあ, なんてかわいい. **b** まったく, 本当に(positively). **c** ところで《◆(1) 新しい話題を導く. (2) but に強い強勢を置く》‖ Bút now to our next topic. さて次の話題に移ろう / But then, who are you? それにしても, 君はだれだ.
5 [理由] …だから(because)《◆ but I really don't have to say this, because … のような語句の省略》‖ I'm sorry I am late, but there's been a lot of work to do. 遅くなってすみません. やることがたくさんあったものですから.
II [従位接続詞]
6 [除外を表す副詞節を導いて] …を除いて(は), …以外に, …のほかには ‖ Nobody went there but mé

[(正式) I]．私以外だれもそこへ行かなかった(=Nobody but me [(正式) I] went there.).
7《文》[条件を表す副詞節を導いて]〈…〉ということがなければ，…しなければ(unless)《◆(1) but の代わりに but that,《略》but what を用いることがある．(2) 主節は仮定の帰結する表現を用いるが，節は事実を述べるので直説法》‖ I would buy the car bùt I am poor. 貧乏でなければその車を買うのだが(=… if I were not poor.) / He would have gone bùt he was tired. もし疲れていなかったら彼は行っていただろう(=… if he had not been tired.).
8《文》[否定文の後で結果を表す副詞節を導いて][後ろから訳して]…しないでは(…ない)(without doing); …しないほど(…ない)(that … not)《◆この場合 but の前に so, such が先行する》;[前から訳して]…すれば必ず(…)‖ It néver ráins bùt it póurs.《ことわざ》降れば必ずどしゃ降り; 「2度あることは3度ある」《◆(1) When it rains, it pours. がふつう．(2)「災難・不幸が重なる」の意の他に，好ましいことに用いることもある》/ Scárcely [Hárdly] an hour goes by bùt I think of you with love. 1時間もあなたを恋しく思わないでいることはできない．
9[名詞節を導いて] …ではないと(that … not)《◆否定文の後で but はその代わりに用いられ前の否定を強調している》‖ I don't doubt but you're telling the truth. あなたが真実を言っているということは確かです[決して疑っていない] / I can't say bùt that I agree with you. 君に賛成だとしか言えない．
10[名詞節を導いて] …と(that)《◆deny, doubt, question, wonder などの否定的意味を持つ動詞の否定文・疑問文の後で用いる．(2) 今日では that がふつう》‖ I don't doubt bùt she will recover. 彼女はきっと回復するだろう．

[語法] 名詞 doubt, question などについても同様に用いる．この場合も今日では that がふつう: There is no doubt [question] bùt he was murdered. 彼が殺されたことは疑いの余地がない．

—前 /bət/ …を除いて，…以外に，…のほかは(except,《正式》save)．**1**[every, any, no (およびその合成語); all, none; who, what, where などの後で用いて]《◆文頭には用いない》‖ I ate nóthing but bread and butter. バターを塗ったパン以外何も食べなかった / She thinks of nóthing but making money. 彼女は金もうけのことしか考えない / Everyone but me [(正式) I] was tired. 私以外はみな疲れていた《◆I を用いれば but は ➔ 前 **6**》.
2[主に英][first, last, next の後で] …を含まないで((米) except)‖ (the) last | but one 最後から2番目．**3**[原形・to不定詞を伴って]‖ She did nóthing | but complain. 彼女は不平ばかり言っていた(=All she did was (to) complain.) / We have no choice | but to go. 我々は行くより仕方がない(=We cannot choose but (to) go.)《◆do nothing but の後は原形がくるが，but のみのときは to 不定詞も用いる》/ I cannót but láugh.《文》笑わざるをえない / I cannót hélp but láugh. ともいうが I cannót hélp láughing. が最も一般的だ．

—代 [関係代名詞]《文》[否定文中の語を先行詞として通例主格で] …しないところの(that [who, which] … not)‖ There is not one of us but wishes to succeed. 成功を望まない人はだれ一人としていない．

—副《文》**1**ほんの，たった，ただ; [can を伴って]少なくとも，とにかく…するだけ(only)‖ He is but a child. 彼はほんの子供だ(=He is nothing but a child.) / I heard it but [just] now. たったそのことを聞いた / We can but try. とにかくやってみるだけのことだ．**2**(米式)[副詞を強めて]非常に，絶対に(absolutely); しかも‖ Go there but now! そこへ行け，しかも今行くんだ．

—名 ⓒ **1**「しかし」という言葉‖ But—and it's a big but—…．しかし…この「しかし」が問題なのだが，…．**2**《略》[通例 ~s] 異議(objection); 疑問《通例次の句で》‖ ifs and [or] buts → if 名 成句 / Do as I tell you, nó bùts about it. とやかく言わずに私の言うようにしなさい．

—動 他 〈人に〉「しかし」と言う‖ Bùt me nó bùts.《文・まれ》何回もしかし，しかしと言うのはやめてください; もう議論[弁解]はよしてください《◆最初の but は動, 後の but は名》．

all but … → all 代
*bùt for A《正式》(1) [仮定法で] …がなければ(if it were not for, without); …がなかったら(if it had not been for, without)《⮕文法 9.5(3)》‖ I couldn't do it but for her help. 彼女の援助がなければこれはできないだろう(=I needed her help to do it. Without her help, I couldn't have done it.) / But for the storm, I would have arrived earlier. あらしがなかったらもっと早く着いていただろう(=Because of the storm, I didn't arrive earlier.). (2) [直説法で] …を別とすれば(except)‖ The words 'dog' and 'fog' are spelled alike but for one letter. dog と fog という語は1字を除いてつづりは同じである．

but tóo 残念ながらあまりにも．
nót but that [what] もっとも…でないというのではないが‖ I can't go, not but that I want to. 私は行けないね，もっとも行きたくないのではないが．

*butch・er /bútʃər/『『雄ヤギの肉を売る人』が原義．cf. buck¹』
—名 (複 ~s/-z/) ⓒ **1**肉屋(の主人)(meat shopkeeper)‖ the butcher('s) shop 肉屋((英) the butcher's)《◆(1)(米)では meat market ともいう．(2) 魚も売られることが多い》/ a butcher [(英) butcher's] knife 肉切り包丁 / I bought it at the new butcher's (shop). それを新しい肉屋で買った．**2**食肉処理業者; 食肉市場従業員．**3**(米) [列車・競技場などの]「街頭の物売り」は vendor)．**4**虐殺者, 大量殺人犯．
—動 他 **1**〈家畜などを〉(不必要に)殺す．**2**〈人を〉虐殺する．**3**《略》…をだいなしにする．
bútcher's mèat 獣肉《◆鳥肉・狩猟肉・ベーコンは除く》．
butch・er・y /bútʃəri/ 名 ⓒ《主に英》食肉処理場; ⓤ 食肉処理(業); 虐殺．
†**but・ler** /bátlər/ 名 ⓒ 執事, 召使い頭‖ a butler's pantry 食器室《台所と居間の中間にある》．
†**butt¹** /bát/ 名 [同音] but) ⓒ **1a** (武器・道具の)大きい方の端‖ the butt of a rifle 銃の台尻．**b** (植物の)根元．**2**残り, 使い残し, 切れ端; (タバコの)吸いさし．**3**切り株, しり, けつ(→ buttock).
butt² /bát/ 動 〈獣が〉〈人・物を〉角で突く, 頭で押し出す‖ butt him in the stomach 彼の腹を突く．
—自 **1**[…に]頭[角]で突く(at, against). **2**[…に]突き当たる, ぶつかる(against, into). **3**[…に]突き出る(on, against).
bùtt ín [自]《略》[話などに](さしでがましく)口出しする, 干渉する(on, to).

――名 C 頭突き.

butt³ /bʌt/ 名 C (物笑い・批判などの)的(になる人[物]).

†butte /bjúːt/ 名 C (米西部・カナダ)ビュート《山頂は平らでまわりが絶壁の孤立丘. mesa がさらに侵食されて小さくなったもの》.

:but·ter /bʌ́tər/ (類音) batter /bǽtər/) 《「牛のチーズ」が原義》
――名 U **1** バター《◆昔, 西欧ではバターとはちみつは客をもてなすぜいたく品だった》‖ three pounds of butter バター3ポンド / a butter and honey [syrup] waffle バターとはちみつ[シロップ]を塗ったワッフル / spread butter on bread =spread bread with butter パンにバターを塗る. **2** [複合語で] (パンに塗る)バター状のもの ‖ ápple bùtter リンゴジャム / cócoa bùtter カカオ脂《薬用・化粧品の原料》.

bútter would [will] nòt mélt in one's **móuth** 『口の中ではバターも溶けないほどに』《略》[しばしば look as if に続けて] ネコをかぶっている, よい子ぶっている.

spréad the bútter thíck =**láy ón the bútter** 《略》やたらとほめる.
――動 他 《パンなどに》バターを塗る;…をバターで調理する ‖ buttered beets [squash, Brussels sprouts] ビート[カボチャ, 芽キャベツ]のバターいため / buttered toast バタートースト.

bútter úp 《略》自 《人に》おべっかを言う, おだてる 〔to〕. ―他 《人が》目上の人にごまをする.

†but·ter·cup /bʌ́tərkʌ̀p/ 名 C 〖植〗キンポウゲ, ウマノアシガタ《黄色い花が咲く有毒多年生植物》.

but·ter·fat /bʌ́tərfæ̀t/ 名 U バター脂《牛乳中の脂肪分》.

but·ter·fin·gered /bʌ́tərfíŋɡərd/ 形 《略》そそっかしい.

but·ter·fin·gers /bʌ́tərfíŋɡərz/ 名 C 《略》[単数扱い] [しばしば呼びかけとして] (そそっかしくて)物をよく落とす人, 不注意な人, へぼな野球選手;へま.

but·ter·fly /bʌ́tərflài/ 名 **1** C 〖昆虫〗チョウ(蝶) 《◆優雅さよりも, むしろせわしさ・落ち着きのなさを連想させる語》. **2** C 移り気な人, 浮気(うゎき) 女. **3** U 〖水泳〗=butterfly stroke.

háve [**gét**] **bútterflies** (**in** one's **stómach** [**túmmy**]) 《略》《人が》不安で落ち着かない, はらはらする;あがってしまってうまく話せない.

bútterfly stròke [the ~] バタフライ(cf. breaststroke, crawl (stroke)).

but·ter·milk /bʌ́tərmìlk/ 名 U バターミルク《バター採取後のどろっとした酸味のある牛乳. 健康食品》.

but·ter·scotch /bʌ́tərskɑ̀tʃ/ 名 U バタースカッチ《バターと赤砂糖で作ったあめ・カラメル》.

but·ter·y /bʌ́təri/ 形 (時に -i·er, -i·est) **1** バターのような;バターを塗った[含んだ]. **2** 《略》お世辞たらたらの.

but·tock /bʌ́tək/ 名 C 《正式》[通例 ~s] (人・動物の)しり, 臀(でん)部 《《米式》butt》 《◆(1) hip に対し, しりの肉の方を全部をさす. 図》→ back, body. (2) 遠回しに butt, behind, rear, bottom, arse, prats, derrière という》.

·but·ton /bʌ́tn/ 動 (~s/-z/) C **1** (衣服の)ボタン《◆日本語の「ボタン」はポルトガル語に由来》; (主に米) えり章, (選挙運動などでスローガンが書いてある)バッジ《◆badge とはあまりいわない》 ‖ fasten [undo, sew] buttons on a coat 上着のボタンをかける[はずす, つける] / wear a police buttons 警察バッジをつけている / The top button has come off my blouse. ブラウスの一番上のボタンがとれた.

2 《ベル・機械などの》押しボタン, キー ‖ press [push, touch] the button ボタンを押す;物事を始める, (大事件の)口火を切る / hit the delete button 削除キーをたたく.

on the bútton 《米俗》当を得て[た], ちょうど適切な(時に);ぴったり[と], きっかり[と].
――動 **1** 〈衣服などの〉ボタンを掛ける(+up) (↔ unbutton); 〈物を〉[…に]ボタンをしてしまい込む〔into, in〕. **2** 〈人の〉〈衣服など〉にボタンをつける.
――自 〈衣服などが〉ボタンで留まる(+up, down) ‖ button through 〈コートなどが〉ボタンで前開きである / This dress buttons (up [down]) at the back; it won't button (up [down]. このドレスは背中にボタンがあるが, どうも掛からない.

bútton úp 自 (口を)つぐむ. ―他 《略》[通例 be ~ed] (1) 〈人が〉無口である, 口が堅い. (2) 〈仕事などが〉片づく, 終る.

but·ton-down /bʌ́tndàun/ 形 〈えりが〉ボタンでとめる(方式の); 〈人が〉ボタンダウンの; 〈服装・行動が〉型にはまった;月並みな.

†but·ton·hole /bʌ́tnhòul/ 名 C **1** ボタン穴. **2** 《英》(正装の折りえりのボタン穴につけす) 飾り花《(米) boutonniere》. ――動 他 《略》〈人を〉(無理に)引き止めて長話する.

bux·om /bʌ́ksəm/ 形 〈女性が〉肉付きのよい, 胸が豊かな;ピチピチした.

:buy /bái/ (同音) by) 《「金を出して(物を)手に入れる」が本義》 派 buyer (名)
――動 (~s/-z/; 過去・過分 bought/bɔ́ːt/; ~·ing)
――他 **1a** 〈人が〉〈物を〉買う, 購入する (↔ sell) 《◆ purchase は堅い語でふつう大きな取引に用いる》 ‖ I bought this book for 2,000 yen. 私はこの本を2000円で買った《◆この for は交換を表す》/ I bought those pens at ¥100 a piece. 私はそのペンを1本100円で買った《◆単位当たりの値段には at を用いる》/ He bought the car cheap [new, second-hand]. 彼はその自動車を安く[新品で, 中古で]買った 《◆ cheap の代わりに at a low price といってもよい》/ I bought this bicycle from her. この自転車は彼女から買った / We must buy a new carpet for this room. この部屋用に新しいじゅうたんを買わねばならない / He didn't have money to buy even a slice of bread (with). 彼はパン1切れさえも買うお金がなかった《◆ with は省略も》/ We buy and sell antiques. (掲示) 骨董(とう)品売買いたします 《◆日本語との順序の違いに注意》.

b [buy **A B** =buy **B for A**] 〈人が〉〈人に〉〈B〈物〉を買ってやる, おごる《◯文法 3.3》‖ I'll buy you lunch. 昼食をごちそうしよう(=Let me treat you to lunch.) / He bought her the hat. =He bought the hat for her. 彼は彼女に帽子を買ってやった《◆受身形は The hat was bought for her. がふつう. 人を主語にする She was bought the hat (by him). は(まれ)》.

2 〈金が〉〈商品に〉値する, 相当する; …を買える, 得られる ‖ $4,000 will buy the car. その自動車は4000ドルで買える(=The car costs $4,000.) / One hundred yen doesn't buy much these days. このごろ100円ではあまり多くのものを買えない[使いでがない] / Money can't buy happiness. 金では幸せは

買えない. **3**〈人など〉を買収する(bribe)(+*off*); 〈人〉をかなりの金を出して雇う ‖ *buy* votes 票を買う / try to *buy* a public official 役人の買収を図る. **4** [通例 be bought]〈人が〉〈勝利・名声などが〉[…で]獲得される, 得られる(with, at the cost [expense] of). **5** (米略式)〈説明・意見などを〉信じる, 同意する ‖ I don't *buy* your reasoning. 私はあなたの推理に賛成しません.
――自 買物をする; 商品を仕入れる.

búy báck [他]〈売った物〉を買い戻す.
búy ín [他]〈商品〉を仕入れる.
búy óff [他](略式)〈人〉を[…で]買収する;〔金で〕追い払う, 厄介払いする(*with*).
búy óut [他]〈会社・事業〉を買い取る;〈人〉の権利[株]を買い上げる.
búy óver [他]〈人〉を買収する.
búy úp [他]〈物〉を買い占める;〈会社・土地などを〉接収する.
I búy thát. (米略式) 賛成だね, 君の言う通りだよ.

――名 ⓒ (略式) [通例 a ~] 買物(すること); 格安品, 掘出し物 ‖ The coat was *a* good [bad, sensible, excellent] *buy* at 40 dollars. そのコートは40ドルでは得な[つまらない, 気のきいた, すばらしい]買物であった.
Búy Américan pòlicy (米ドル防衛のため)米国品優先買付政策.

†**buy·er** /báiər/ 名 ⓒ **1** 買手, 消費者(↔ seller). **2** 仕入係, バイヤー.
buyer's [buyers'] market /—́— [—́—] / [a/the ~] 買手に有利な市場《需要より供給が多い経済状態》(↔ seller's [sellers'] market).
búyers' stríke 消費者不買同盟; 不買運動.

†**buzz** /bÁz/ 動 自 **1**〈ハチ・機械などが〉ブンブンという, 低くうなり声を立てる;〈場所・集団が〉[…で]ざわつく[*with*];〈人々がやがやいう,〈耳がブンブンと耳鳴りがする,〈うわさが〉とびかう ‖ The room *buzzed* with excitement. 部屋が興奮でざわめいた / The rumor *buzzed* round the town. うわさが町中に広がった. **2** 忙しく動きまわる(+*about, around*). **3** […を呼ぶために]ブザーを鳴らす(*for*). ――他 **1**〈羽などを〉ブンブン鳴らす. **2**〈うわさなどを〉ささやく, 広める. **3**〈人〉をブザーで呼ぶ. **4**〈飛行機〉を…をかすめて飛ぶ. **5**(略式)〈人〉に電話をかける(telephone).
――名 ⓒ **1**(ハチ・機械などの)ブンブンという音, 低いうなり. **2**(略式)(人の)ざわめき, うわさ. **3** ブザーの音[合図]. **4**(略式)〔a ~〕電話をかけること(phone call). ‖ Give me *a buzz* tomorrow morning. 明朝電話をくれよ. **5**(略式)興奮, わくわくすること ‖ get *a buzz* わくわくする.

†**búz·zard** /bÁzərd/ 名 ⓒ **1**(英)(鳥)ノスリ《ユーラシア産のタカ科の鳥. タカの中では劣等な鳥というイメージがある》.

buzz·er /bÁzər/ 名 ⓒ **1** ブーブー鳴る電気器具;(玄関の)ベル, ブザー; サイレン; 汽笛; ブンブンうなるもの《ハチ・虫(*)など》. **2** H の音《ブーンブーン・ブンブン・ジリジリなど》.

buzz·word /bÁzwə̀ːrd/ 名 ⓒ (略式)〔素人にはわかりにくいもったいぶった〕専門用語; 宣伝文句, キャッチフレーズ.

BVDs /bìːvíːdíz/ 名 (略式) [複数扱い] 男性用下着《◆商標名から》.

bx, bx. (略) bxs.) (略) *box*.
BX *base exchange* (米)空軍基地の売店.

‡**by** /前 bai; 副 名 bái/ (同音)*buy*) 【「もののそばに位置する」が本義で, 運動動詞と結びついて通過・経由・時間を表し, 種々の比喩的意味を発達させている】

index 前 **1** …によって **2** …を使って **4** …の(すぐ)そばに **5** …に従って **6a** …を **b** …に関しては **7** …にかけて **8** …のそばを通って **9** …だけ **10 b** …で決めて **12** …を通って **13** …までに(は)
副 **1** 通り過ぎて **2** そばに

――前
Ⅰ [手段]
1 [動作主] …によって, …による《◆主に受身形と共に用いる》‖ a novel (written) *by* Tolstoy トルストイの小説 / The city was destroyed *by* the fire. その町は火災で焼け野原になった / She was surprised *by* the new method. 彼女はこの新しい方法に驚いた《◆この by を **3** の意味にとれば「彼女は(だれかに)新手を使って驚かされた」という意味になる. cf. Somebody surprised her by the new methods.》.

[語法] 受身のとき, by は行為の主体を, with は道具を表す. The window was broken *by* a stone. (石が当たって窓ガラスが割れた)は A stone broke the window. に対応するが, The window was broken *with* a stone. (石を使って窓ガラスが割られた)は Somebody broke the window *with* a stone. に対応する.

2 [運搬・伝達の手段] …を使って, …で《◆うしろの名詞は無冠詞. ➡文法 16.3(5)》‖ *by* e-mail [post, letter, cell phone, telephone, telegram] Eメール[郵便, 手紙, 携帯電話, 電話, 電報]で / return *by* land [sea, air] 陸路[海路, 空路]で帰国する / go *by* train [ship, air [(air)plane], bus] 列車[船, 飛行機, バス]で行く.

[語法] (1) 「by ＋単なる交通手段」では個体としての乗物は意識されていないので無冠詞. 特定的・具体的な場合は冠詞を伴う: *by* [on] *an* early train / *by* [on] *the* 5:30 train.
(2) 個体としての乗物が意識される場合には on a train [ship, bus, plane], in a car [taxi] (→ on 前 **7**).

3 [手段・方法・理由] …によって, …で;[…することに]よって[doing] ‖ *by* mistake 誤って / *by reason of* his illness 彼の病気のために / read *by* lamplight ランプの光で読書する / the old engine driven *by* steam 蒸気で動く古い機関車 / She passed the examination *by* working hard. 彼女は一生懸命勉強して試験にパスした / He failed *by* playing all the time. 彼はいつも遊んでいたために落第した.

Ⅱ [位置]
4 [平面的・空間的位置] **a** …の(すぐ)そばに[で, の], …の近くに, …のわきに(beside, at the side of)《◆near より接近》; [through] come, keep など]…の手元に(持って) ‖ a tree *by* [beside] the house 家のそばにある木《◆by は前後・左右の位置を, beside は主として左右な[横]の位置関係を表す》/ She is standing *by* [at] the window. 彼女は窓のそばに立っている《◆by は漠然とそばにいることを示すが, at はより接近した地点を表し, ふつう何かをする[している]ことを暗示する》/ You should always have a good dic-

tionary by you. 常に座右によい辞書を置いておきなさい. **b** [方位] …寄りの ∥ North by East 東寄りの北, 北微東 (◆北と北東の間). **c** [対象] 〈人〉に対して(toward) ∥ do well by a friend 友だちによくしてやる / do one's duty by one's parents 両親に本分を尽くす.

5 [準拠] …に従って, …に基づいて, …によって ∥ by your leave [consent] あなたの許し[同意]を得て; [皮肉に] 失礼ですが / work by the rules 規則に従って働く / a person by the name of Smith スミスという名の人(=a person whose name is Smith) / Don't judge (a person) by appearances. 人を外見で判断してはいけない / By my watch it is 5 o'clock. 私の時計では5時です / A tree is known by its fruit. → know 他 10.

6 [全体の部分を示して] **a** [動作を受ける主体部分(身体・物)の]…を(つかんで・引っ張ってなど) (◆ふつう定冠詞を伴う) ∥ *seize* the hammer *by the* handle ハンマーの柄を握る (→文法 16.2(3)) / He *caught* me *by the* arm. 彼は私の腕をつかんだ. **b** [関連] …に関しては (◆うしろの名詞は無冠詞), …は ∥ an Italian *by birth* 生まれはイタリア人 / a lawyer *by profession* 職業は弁護士 / It's all right *by* [with] me. 私はこれでけっこうだ (◆*by* を用いるのは(主に米)) / I *know* her *by name*(\), but not *by sight*. 彼女の名前は知っているが顔は知らない.

7 [誓言] 〈神の前で, …にかけて(before)〉 ∥ I swear *by God* that I will speak the truth. 神にかけて真実を語ることを誓う.

III [通過]

8 [通過] …のそばを通って〈向こうへ〉 (◆ *past* がふつう) ∥ The car sped *by* the house. 車は家のそばを走り過ぎて行った / He went *by* me without (saying) a single word. 彼は一言も言わずに私のそばを素通りした (◆止まらずに行くことからしばしば無関心さを暗示する).

9 [程度・差異] **a** …だけ, …の差で ∥ The number of car accidents should be cut *by* half. 自動車事故の数は半分に減らすべきである / escape *by* a hairbreadth 間一髪のところで助かる / miss the train *by* five minutes 5分のところで列車に乗り遅れる / He is older than Jane *by* two years. 彼はジェーンより2歳だけ年上だ(=He is two years older than Jane.) (◆後者の方がふつう). **b** [乗除・寸法] ∥ multiply [divide] 8 *by* 2 8に2を掛ける[8を2で割る] / a 3-*by*-4 card 縦3インチ横4インチのカード / a room 12 (feet) wide *by* 18 feet long 間口が12フィート奥行が18フィートの部屋.

10 a [連続] …ごとに, …ずつ(→文法 16.3(3)) ∥ *óne by óne* 1つずつ / *stép by stép* 一歩一歩 / *day by day* 1日1日. **b** [単位] [by the …] …単位で…決めで; …ごとに ∥ *by the hour* 時間決めで / *by the thousand* 1000単位で / sell eggs *by the* dozen 卵を1ダース単位で売る / They are paid *by the* day [week, result(s)]. 彼らは日給[週給, 能率給]だ / Potatoes are sold *by the* sack. ジャガイモは1袋単位で販売される (◆具体的な数値をいうときは in 5-kilo sacks (5キロ詰め1袋)のようにいう).

11 [come, drop などと共に] 〈人の家などに〉[へ](立ち寄)(to, at) ∥ *Drop by* my office this evening. 夕方会社にお立ち寄りください.

IV [経由]

12 [経由] …を通って, …を経由して ∥ *by way of* Siberia シベリアを経由して(=via Siberia) (◆この意味では *by* を単独で用いるのはまれ) / She came by the nearest road. 彼女は一番近い道を通って来た / The thief came in by the back door. 泥棒は裏口から侵入した.

V [時間]

13 [限界] …**までに[は]**; …(のとき)にはすでに(…してしまっている) ∥ The ship will arrive *by five o'clock*. 船は5時までには着くだろう / I shall have finished it *by tomorrow*. 明日までには[明日にはすでに]それを終えてしまっているだろう (◆実質的には「今日中に終える」の意) / *By the time* (*that*) he was 38, he had six children. 彼は38歳になるまでに6人の子供ができた (◆*that* はふつう省略) / It will be dark *by* the time we finish it. 終えるときにはもう暗くなっているだろう (◆*time* の後の節が未来を表す場合は現在形を用いる. →文法 4.1(4)).

> **✓使い分け** [*by* と *until*]
> (1) *by* は「〈未来のある時〉までに」完了することを示すのに対し, *until* は「〈未来のある時〉まで」継続することを示す.
> He will come *by* [×*until*] noon. 彼は正午までには来るだろう.
> I slept *until* [×*by*] noon. 私は正午まで寝ていた.
> (2) 否定文では両者とも可能だが, 意味内容に相違がある. He will not come *by* [*until*] 5 o'clock. (彼は5時までには来ないだろう)で, *by* では「5時以降のある時」に, *until* では「5時きっかり」に来ることがふつう暗示される.

> **語法** [*by* と *before*]
> We got home *by* [*before*] 5 o'clock. では, *by* では5時ぎりぎりに帰ったことが暗示されるのに対し, *before* では漠然と「5時前に」という意味.

14 [期間] …の間に(during) ∥ *by* daylight 明るいうちに / *by* moonlight 月の明かりで; 月夜に / work *by* day 昼に働き, *sleep by* day 夜に働き, 昼間に眠る (◆ *by* night は「夜陰にまぎれて」の意を表すことがある).

—— 間 /bái/ **1** [通過] (そば・前を) **通り過ぎて**; 〈時が〉過ぎ去って ∥ in years gòne *bý* 昔は / as time gòes *bý* 時がたつにつれて / A dog ràn *bý*. 犬が走り過ぎた.

2 [位置] そばに, 近くに ∥ stànd *bý* そばに立つ, 傍観する / He revealed the secret to her when nobody was *bý*. そばにだれもいない時に彼は秘密を彼女に打ち明けた.

3 [通例 lay, put, set と共に] (備えのために)わきへ, 取りのけて(aside) ∥ pùt money *bý* for an emergency いざという時のためにお金を蓄える.

4 [主に略式] [come, call, drop, stop などと共に] (人の家などに)立ち寄って ∥ stòp *bý* for a little talk on one's way home 帰る途中ちょっと話をしに立ち寄る.

***by and bý** [副] 〈やや古〉 **やがて, まもなく**(soon, before long); あとで(later).

by and lárge [副] (1) 概して, 一般的に; 全般的に見て. (2) 風に向かったり追われたりして.

—— 間 =bye.

by- /bái-/ [語要素] →語要素一覧 (1.7).

by-and-by /báiənd bái/ [名] [the ~] 近い将来(の出来事); 来世.

bye, by /bái/ [間] (略式) =bye-bye.

bye-bye /báibái; 間 báibái, bəbái/ 名 ⓤ ⓒ《小児語》[しばしば ~s] おねんね ‖ go to *bye-bye(s)* ねんねする. ── 間《略式》バイバイ, じゃあね.
by(e)-e·lec·tion /báiilèkʃən/ 名 ⓒ《主に英》補欠[補充]選挙.
Bye·lo·rus·sia /bjèlourʌ́ʃə/ 名 =Belarus.
†**by·gone** /báigɔ̀ːn/ 形《文》過去の(past) ‖ in *bygone days* 過ぎし日々に. ── 名 ⓒ 1《略式》[~s] 過去(の不快なこと) ‖ *Let bygones be bygones.*《ことわざ》過去(の事)は水に流せ. 2《今では使用されない》家庭用品.
by·line /báilàin/ 名 ⓒ《新聞·雑誌記事の》執筆者名を記す行; 署名入り記事. **bý·lined** 形 署名入りの.
by·pass /báipæs | -pɑːs/ 名 ⓒ 1 バイパス, 迂(ウ)回路《自動車用》. 2 [比喩的に] ‖ 迂回方法. 3 (ガス·水道の)側管, 補助管. ── 動 他 1〈町など〉を迂回する. 2 …にバイパス[側路]をつける. 3〈直接の上司〉を飛び越す; …を出し抜く;〈意見·問題など〉を回避する, 無視する.
býpass sùrgery《心臓などの》バイパス手術.
by·path /báipæ̀θ | -pɑ̀ːθ/ 名 (徸 ~s/-ðz/) ⓒ 私道; わき道, 間道(byway); 裏話. ── 動 他 …を避けて通る, 迂回する.
by·play /báiplèi/ 名 ⓤ《主に米》《主役に対する》わき役の演技.
†**by-prod·uct** /báiprɑ̀dəkt, -ʌ̀kt | -prɔ̀dʌkt/ 名 ⓒ 1 副産物. 2 副作用.
by·road /báiròud/ 名 ⓒ《正式》わき道(side road).
†**By·ron** /báiərən/ 名 バイロン《George Gordon ~ 1788-1824; 英国ロマン派の詩人》.
By·ron·ic /bairɑ́nik | -rɔ́n-/ 形 バイロン(風)の《ロマン的で風刺的な作風》.
by·stand·er /báistæ̀ndər/ 名 ⓒ 傍観者, 見物人.
byte /báit/ 名 ⓒ〔コンピュータ〕バイト《コンピュータ処理の単位. 通常8ビット.(略) B》.
†**by·way** /báiwèi/ 名 ⓒ 1《正式》わき道, 横道(bypath). 2 近道. 3 [通例 the ~s of …] (…の)わき道, (あまり知られていない)側面(↔ highway) ‖ *the byways of* learning 学問の未開拓分野.
by·word /báiwə̀ːrd/ 名 ⓒ 1(…の)見本, 代名詞, 物笑いの種(for). 2 ことわざ, 決まり文句.
†**Byz·an·tine** /bízəntìːn, -taìn | bizǽntàin/ 形 1 ビザンティウムの; ビザンツ帝国の. 2〔建築·美術〕ビザンツ様式の. 3 [時に b~]《文》迷路のように複雑な; 権謀術数の.
Byzántine Chúrch 東方教会, ギリシア正教会.
Byzántine Émpire [the ~] ビザンツ[東ローマ]帝国.

C

:c, C /síː/ 名 (穫 c's, cs; C's, Cs/-z/) **1** ⓒⓊ 英語アルファベットの第3字. **2** → a, A **3** ⓒⓊ 第3番目(のもの); 〔論理〕第3の仮定者[物]; (品質が)C級. **4** 〔教育〕可(→ grade 名 4 関連). **5** Ⓤ (ローマ数字の)100(→ Roman numerals). **6** Ⓤ〔音楽〕ハ音, ハ調. **7** ⓒ《米俗》100ドル.

C (略) calorie; Celsius; constant; 〔化学〕carbon; Celsius; centimeter(s); circa.

c. (略)〔野球〕catcher; cent(s); center; century; chief; cloudy; commander; copyright; cost; cubic.

C. (略) Cape; Catholic; centime; College; Conservative.

Ⓒ 〔記号〕 copyright 著作権, 版権《◆著作権の表示に用いる. 著作権の所有者名と発行年が後に続く》.

Ca 〔記号〕〔化学〕calcium.

C/A 〔商業〕 credit account; current account.

*****cab** /kǽb/ 〔類語〕 cub /kʌ́b/
―名 (穫 ~s/-z/) ⓒ **1**《主に米》タクシー(taxicab) (事情 → taxi) ‖ I took a *cab* to the station. = I went to the station by *cab*. 私はタクシーに乗って駅まで行った《⇒文法 16.3⑤》/《対話》 "Could you call me a *cab*, please?" "Certainly."「タクシーを呼んでいただけますか」「かしこまりました」. **2**(列車の)乗務員室,(バス・トラック・クレーンなどの)運転席.
cáb rànk《英》= taxi stand.

†**cab·a·ret** /kæ̀bəréi| -´-_-《フランス》名 **1** ⓒ キャバレー 《ショーを見ながら食事ができるレストラン兼ナイトクラブ》. **2** ⓒⓊ《英》= cabaret show.
cabarét shòw (ナイトクラブ・レストランの)ショー.

*****cab·bage** /kǽbidʒ/
―名 **1** ⓒⓊ〔植〕**キャベツ**;Ⓤ(料理した)キャベツ(の葉)《◆(1) 中心の固い部分は head, heart.(2) 細かく刻んでマヨネーズ・ドレッシングであえたものは coleslaw》 ‖ (meat-)stuffed *cabbage* ロールキャベツ《◆ ˟roll(ed) cabbage》.

> 語法 数えるときは two heads [pieces, 時に head] of *cabbage* などというが,《略式》ではしばしば two *cabbages* とする. cauliflower, lettuce など他の球状の野菜も同様.

2 ⓒ《英俗式・侮蔑》植物人間.
cab·by, -bie /kǽbi/ 名 ⓒ《略式》タクシーの運転手(cabdriver).
cab·driv·er /kǽbdràivər/ 名 ⓒ タクシーの運転手.

*****cab·in** /kǽbin/
―名 (穫 ~s/-z/) ⓒ **1** (丸太造りの)小屋(log cabin)《◆米国では log cabin は Lincoln 大統領を連想させる語》. **2**〔通例複合語で〕小さな家〔建物〕‖ a tourist *cabin* 旅行者用の簡易宿泊所. **3** (寝台付きの)船室,(軍艦の)士官室. **4** (飛行機などの)機室〔操縦室・客室・荷物室〕;(宇宙船の)船室.
cábin bòy (士官・船客付きの)ボーイ.
cábin clàss (客船の)特別2等《first class と tourist class との間》.
cábin crùiser (居室付きの)行楽用のモーターボート〔ヨット〕.
cábin fèver《米》閉所性発熱《戸外へ出たくて落ち着かない気分》.

†**cab·i·net** /kǽbənət/ 名 **1** ⓒ(貴重品などの保管・陳列用の)飾り棚(び), 陳列棚, 戸棚; 保管庫, 整理棚;(テレビ・ラジオ・ステレオ用のプラスチック・木製・金属製の)キャビネット ‖ a médicine *cabinet*(トイレの洗面台の上にある)薬品棚《◆ 洗面台の下に取り付けたものは báth *cabinet* と呼ぶ》/ a fíling *cabinet* 書類整理用キャビネット. **2** 〔しばしば the C~〕内閣;〔集合名詞; 単数・複数扱い〕閣僚;《米》(大統領の)顧問団;〔形容詞的に〕内閣の ‖ a coalition *cabinet* 連立内閣 / a *cabinet* cóuncil 閣議 / a *cabinet* mínister [mémber] 大臣, 閣僚.
Cábinet Óffice 〔the ~〕(日本の)内閣府.

†**ca·ble** /kéibl/ 名 **1** ⓒⓊ(針金・繊維などをよって作った)太綱(ぢ)(→ rope);〔電気〕ケーブル線 ‖ 'a sùbmarine càn ùnderwàter) *cable* 海底ケーブル. **2** ⓒⓊ 海底電信, 海外電報, 外電《正式》cablegram);(略)電報(telegram). **3** Ⓤ = cable television [TV].
―動 他 (cable A to do = cable A that節)〈人が〉A〈人〉に…するように[…だと](海外)電報を打つ;[cable A B = cable B to A]〈人〉がA〈人〉にBを電報で送る,送金する;…を海底ケーブルで送る ‖ *cable* her the result(s) of the exam = *cable* the result(s) of the exam to her 彼女に試験の結果を電報で知らせる / She *cabled* (us) *that* she was coming. 彼女は来ると電報を打ってきた.
cáble càr ケーブルカー《◆「ロープウェイ」を含む》.
cáble ràilway《英》ケーブル鉄道.
cáble télevision [**TV**] 有線テレビ(放送), ケーブルテレビ(cf. CATV).
ca·ble·cast /kéiblkæ̀st| -kὰːst/ 動 (過去・過分 **ble·cast**) 他 自 (番組を)ケーブルテレビで送信する.
―名 ⓒ ケーブルテレビ放送番組.
ca·boose /kəbúːs/ 名 ⓒ《米》(貨物列車最後尾の)乗務員室, 制動車室《英》guard's van).
Cab·ot /kǽbət/ 名 カボット《John ~ 1450?-98; イタリアの航海家. 北米大陸に到達(1497)》.
ca·ca·o /kəkάːou, -kéiou/ 名 (穫 ~s) = cacao bean;〔植〕カカオ(cacao tree, chocolate tree).
cacáo bèan カカオの実《ココア・チョコレートの原料》.
cache /kǽʃ/ 名 ⓒ《正式》(食料・武器・貴重品などの)隠し場(所);貯蔵所;〔コンピュータ〕= cache memory.
―動 他 …を秘密の場所に隠す.
cáche mèmory キャッシュ・メモリー《頻繁に用いるデータを一時的に蓄える高速メモリー》.
ca·chet /kæʃéi| -´-_-《フランス》名 ⓊⓒⓊ《正式》威信, 名声, 高い社会的地位.

†**cack·le** /kǽkl/ 動 自 **1**〈めんどりが〉(卵を産んだ後)コッコッと鳴く(→ cluck). **2**〈人が〉キャッキャッと笑う. **3** ぺちゃくちゃしゃべる. ―他 …をぺちゃくちゃしゃべる.
―名 **1** Ⓤ 〔通例 the ~〕(めんどりが)コッコッと鳴く

こと[声]. **2** Ⓤ (略式)(人の)くだらないおしゃべり. **3** Ⓒ キャッキャッという笑い声.
Cut the cackle. (英略式)くだらないことを話すのをやめろ.
cáck·ler 名 おしゃべりな人.
ca·coph·o·ny /kəkáfəni | -kɔ́f-/ 名 ⓊⒸ (正式)不協和音；不快な音調[口調](↔ euphony).
†**cac·tus** /kæktəs/ 名 (複) ~**es**, **--ti**/-tai/) Ⓒ [植]サボテン. **cáctus dáhlia** [植]カクタス咲きのダリア.
cad /kæd/ 名 Ⓒ (古略式)下劣な男, 育ちの悪い男.
CAD /kæd/ (略) computer-aided design コンピュータ利用によるデザイン.
ca·dav·er /kədǽvər, -dɑ́:v-, -déiv-/ 名 (正式)[医学](主に解剖用の人間の)死体, (一般に)死体.
ca·dav·er·ous /kədǽvərəs/ 形 (正式)死人のような；青ざめた, やせこけた.
cad·die, **--dy**[1] /kǽdi/ 名 Ⓒ [ゴルフ] **1** キャディー. **2** =caddie cart [car]. ── 動 キャディーとして働く. **cáddie càrt** [**càr**] (クラブを運ぶ)手押し車, ゴルフカート.
cad·dy[2] /kǽdi/ 名 Ⓒ (英)茶筒(tea caddy)；物入れ.
†**ca·dence** /kéidns/ 名 ⓊⒸ (正式) **1** 拍子, リズム；(詩の朗読の)声の抑揚；[軍事]歩調 ‖ the *cadence* of a drum 太鼓の連打. **2** (文末などで)声の調子を下げること. **3** [音楽](楽章の)終止(法).
ca·den·za /kədénzə/ [イタリア] 名 Ⓒ (正式)[音楽]カデンツァ《独奏者[者]の即興的な演奏の楽節》.
ca·det /kədét/ 名 Ⓒ **1** (陸・空軍の)兵学校生徒；士官[軍部]候補生；警察官幹部候補生. **2** 教育実習生, 業務研修生.
cadge /kædʒ/ 動 他 〈物を〉ねだる, 物ごいする.
Cad·il·lac /kǽdəlæk/ 名 Ⓒ **1** [商標] キャデラック《米国製高級自動車》. **2** (米略式)最高級品.
cad·mi·um /kǽdmiəm/ 名 Ⓤ [化学] カドミウム《金属元素. (記号) Cd》. **cádmium pòisoning** カドミウム中毒.
cad·mi·um-pol·lut·ed /kǽdmiəmpəlù:tid/ 形 カドミウム汚染の.
cad·re /kǽdri, kɑ́:drei | kɑ́:də/ 名 Ⓒ (正式)(通例 ~s; 集合名詞)(新部隊編制・訓練に必要な)基幹人員；(政党などの)中核グループ；(その)一員.
†**Cae·sar** /sí:zər/ 名 **1** カエサル, シーザー《*Gaius* /géiəs/ *Julius* ~ 100–44B.C.；ローマの将軍・政治家・歴史家》. **2** Ⓒ ローマ皇帝《*Augustus* 帝から *Hadrian* 帝までの称号》. **3** [しばしば c~] Ⓒ (一般に)皇帝. **4** [時に c~] ⓊⒸ =Caesarean operation.
Cae·sar·e·an, **--i·an**, (米ではしばしば) **Ce-** /sizéəriən/ 形 カエサルの；ローマ皇帝の；専制君主的な. ── 名 **1** カエサル派の人. **2** [時に c~] ⓊⒸ (略式)=Caesarean operation [section].
Caesárean operátion [**séction**] [医学]帝王切開(術)《*Caesar* がこの方法で生まれたという伝説から》.
cae·si·um /sí:ziəm/ 名 (主に英) =cesium.
cae·su·ra, **ce--** /siz(j)úərə -zjúərə/ 名 (複 ~**s**, **--rae**/-ri:/) Ⓒ [詩学]行間[語間]休止；[音楽](楽節中の)休止, 中間休止.
†**ca·fé**, **ca·fe** /kæféi | kǽfei/ 名 Ⓒ **1** カフェ, (酒類を出す)軽食堂；(英)(酒類は出さない)食堂(tea shop) ‖ drop in at a *cafe* for a beer 軽食堂に立ち寄ってビールを飲む. **2** Ⓒ [コンピュータ] インターネットカフェ；電子会議室《電子メールを利用してネット上で行なわれる共通の興味を持つ人たちが互いに意見を述べる場所》.

3 Ⓤ コーヒー. **4** Ⓒ (小さな)コーヒー[喫茶]店. **5** Ⓒ (米)酒場, バー, ナイトクラブ.
***caf·e·te·ri·a** /kæfətíəriə/ Ⓒ [コーヒーの(cafe)店(teria)]
── 名 (複 ~**s**/-z/) Ⓒ カフェテリア《セルフサービスの食堂》, 学生[社員]食堂 ‖ 対話 "Let's eat lunch at the *cafeteria*." "Yes, let's." 「カフェテリアでお昼を食べましょう」「はい, そうしましょう」(▶︎文法 **16**.(2)).
cafetéria plàn (米) 選択型福祉厚生制度.
caf·fein(e) /kæfí:n | -/ 名 Ⓤ [化学] カフェイン《コーヒーや茶などに含まれるアルカロイド》.
caf·tan, **kaf-** /kǽftən | -tæn/ 名 Ⓒ カフタン《女性用の長くゆったりとしたドレス》.
*‡**cage** /kéidʒ/ [「くぼみ」が原義. cf. cave, cavern]
── 名 (複 ~**s**/-iz/) Ⓒ **1** 鳥かご；(獣の)おり ◆拘留(うㇾうし)・結婚などの象徴. **2** (エレベーターの)箱, (鉱山の)ケージ, (立坑の)昇降台；(銀行などの)窓口. **3** (略式)捕虜収容所；獄舎. **4** (ホッケーなどの)ゴール.
── 動 (**cag·ing**) 他 (正式)…をかご[おり]に入れる[入れておく], 監禁する(+*in, up*).
cáge bird かごに入れた鳥.
cag(e)·y /kéidʒi/ 形 (略式)〔…のことに〕用心深い, 自分の意見を表に出さない, 抜け目のない(*about*).
cag·ing /kéidʒiŋ/ 動 → cage.
ca·goule /kəgú:l/ 名 Ⓒ (英) カグール《フード付きの長くて軽いジャケット》.
ca·hoots /kəhú:ts/ 名 Ⓤ 共同, 共謀《◆次の成句で》.
be in cahoots (略式)〔…のことで/…と〕共謀して[ぐるになって]いる(*over*/*with*).
go (***in***) ***cahoots*** (略式)〔…と〕山分けする(*with*).
CAI computer-*a*ssisted[-*a*ided] *i*nstruction コンピュータ利用の教授学習システム.
†**Cain** /kéin/ (同音) cane) 名 **1** [旧約] カイン《*Adam* & *Eve* の長男. 嫉妬(しっと)心から弟 Abel を殺した(創世記)》. **2** Ⓒ 殺人者(murderer).
ráise Cáin (俗)怒る；大騒ぎを起こす.
cairn /kéərn/ 名 Ⓒ **1** ケルン, 石づか《道標標などにするために石を積みあげたもの》. **2** =cairn terrier.
cáirn térrier [動] ケアンテリア《スコットランド産》.
†**Cai·ro** /káiərou/ 名 カイロ《エジプトの首都》.
ca·jole /kədʒóul/ 動 他 …を甘言でだます；(おだてだまして, 説得して)〈人〉に〔…〕させる〔*into doing*〕, 〔…を〕やめさせる〔*out of doing*〕《◆coax, persuade より堅い語》；〈物〉を〈人から〉だまし取る〔*out of*〕.
ca·jol·er·y /kədʒóuləri/ 名 ⓊⒸ 甘言, おべっか, 口車.

*‡**cake** /kéik/ [「平たいパン」が原義]
── 名 (複 ~**s**/-s/) **1 a** Ⓒ ◆一定の形をした1つの大きなものは Ⓒ, それを切ったものは Ⓤ. ケーキ, 洋菓子《カステラ風の菓子の総称. pudding や pie は cake とはいわない》‖ bake a birthday *cake* 誕生祝いのケーキを焼く / *a piece* [*slice*] *of cake* ケーキ 1 切れ / ***You can't have your cake and eat it*** (***too***). 「(ことわざ)同じもの一度に2つのうまいことはできない」《(1)「ケーキを持っていると同時に食べることはできない」が原義. (2) can't は「have … and eat … を否定》. **b** Ⓒ [通例複合語](平たく薄い)焼き物；(野菜・魚などの)だんご, かぼまこ ‖ cráb càkes カニ揚げだんご.
2 Ⓒ (一定の形の)**固まり** ‖ a *cake* of soap [ice, mud] 石けん 1 個[氷塊 1 個, 泥の固まり]
a piece of cáke → **1a**. **(2)** (主に英略式) 朝めし前のこと, お茶の子さいさい(のこと)《◆返答で用いる場

a [one's] **slíce** [**cút, sháre**] **of the cáke** (略式)〈当然の〉利益[分](金)の分け前.
tàke the cáke = take the BISCUIT.
—— 動 (**cák·ing**) 他 《be ~d》 […が] こびりつく《with, in》 ‖ be caked with mud 泥がこびりつく. —— 自 固まる; こびりつく.
cak·ing /kéikiŋ/ 動 → cake.
cal (記号) calorie.
CAL, Cal (略) Computer-aided[-assisted] learning コンピュータ援用学習.
Cal·ais /kælei/ ニ/ 名 カレー《Dover 海峡に臨むフランス北部の都市》.
cal·a·mine /kæləmain/ 名 U = calamine lotion.
cálamine lòtion カラマインローション《日焼けにつけるピンク色のローション》.
†**ca·lam·i·tous** /kəlæmətəs/ 形 災難[不幸]をもたらす; 悲惨な, 痛ましい. **ca·lám·i·tous·ly** 副 悲惨にも.
†**ca·lam·i·ty** /kəlæməti/ 名 UC (地震・洪水・火事などの)大災害; (失明・失聴などの)災難; (一般に)不幸, 苦難 (misery).
cal·ci·fy /kælsəfai/ 動 自他 (…を)石灰(質)化する; (…を)硬化する.
†**cal·ci·um** /kælsiəm/ 名 U 《化学》カルシウム《アルカリ土類金属. 記号 Ca》 ‖ calcium hydroxide 水酸化カルシウム, 消石灰. **cálcium càrbonate** 炭酸カルシウム.
†**cal·cu·late** /kælkjəleit/ -kju-/ 《「石を用いて数える」が原義》派 calculation (名)
—— 動 《~s/-leits/動 過分》 ~~d/-id/; **~·lat·ing**》 —— 他 **1**〈人が〉〈費用などを〉計算する, 算出する(compute)《◆ count より堅い語. → add, subtract, multiply, divide》; […を]算出[算定]する《that 節, wh節, wh句》 ‖ calculate the cost of repair 修理代を計算する / calculate how many days there are from now to Christmas 今からクリスマスまであと何日か数える. **2** …を〈推理によって〉決める, 判断[推定]する; […だと]判断[推定]する《that 節》 ‖ calculate the time needed to make the trip 旅行するのに必要な時間を推定する. **3** 《通例 be ~d》意図されている, […に]適している《for》; […することが]計画されていて, […しそうである《to do》 ‖ The text is calculated for beginners. このテキストは初心者向きにできている / The president's speech was calculated to ease world tensions. 大統領の演説は世界の緊張緩和を意図したものだった / a plan calculated to fail 失敗しそうな計画. **4** (米略式) […と]思う, 推測する《that 節》 ‖ I calculate it's a good idea. それはいい考えだと思う《◆ that はふつう省略》.
—— 自 **1** 計算する ‖ The computer can't have calculated wrongly. コンピュータが計算ミスしたはずがない. **2** […を/…することを]当てにする; […することに]依存する《on, upon / doing》《◆ depend on より堅い語》.
cal·cu·lat·ed /kælkjəleitid | -kju-/ 形 **1** 算出[算定]された; 見積もられた, 推定の. **2** 計画的な, 計算ずくの. **cál·cu·làt·ed·ly** 副 算定上, 綿密に考えて, 計画的に.
cal·cu·lat·ing /kælkjəleitiŋ | -kju-/ 形 **1** 計算できる; 計算用の ‖ a cálculating machine 計算器(= a calculator)《簡単なものは adding machine という》. **2** 抜け目のない, 打算的な; 利己的な.
†**cal·cu·la·tion** /kælkjəléiʃən | -kju-/ 名 《正式》**1** U 計算; C 計算(の結果) (関連) addition 足し算 / division 割り算 / multiplication 掛け算 / subtraction 引き算》 ‖ Do the calculations. 計算をしてください. **2** UC 見積もり; 予測, 推定. **3** UC 事前の考慮, 熟慮; 慎重な計画. **4** U 打算, たくらみ.

> (関連) [読み上げ計算の一例]
> 15×31はふつう次のように(声に出して)計算する:
> (1) 1 times 5 is 5. (put down 5)
> (2) 1 times 5 is 1. (put down 1)
> (3) (Next line) (put down 0) (4) 3 times 5 is 15. (put down 5 and carry (the) 1) (5) 3 times 1 is 3, and 1 are 4. (put down 4) (6) (The addition) 5 and 0 is 5 ; 1 and 5 is 6, put down 5. (7) (Total) 465 (four hundred and sixty five).
>
>   1 5
>   × 3 1
>   1 5
>   4 5 0
>   4 6 5

†**cal·cu·la·tor** /kælkjəleitər | -kju-/ 名 C **1** (小型の)計算器, 電卓; 計算者 ‖ Add up the figures on your calculator. 電卓で数字を合計しなさい. **2** 計算表.

cal·cu·lus /kælkjuləs | -kju-/ 名 《複 1 で **~·li**/-lài/, 2 で **~·es**》 **1** C 《医学》結石《胆石・尿石など》. **2** 《数学》U 微積分学; 《特殊な記号体系を使う》計算法 ‖ differential [integral] calculus 微分[積分]学.

Cal·cut·ta /kælkʌ́tə/ 名 カルカッタ《インド東部の都市 Kolkata の旧称》.

Cal·e·do·ni·a /kæ̀lidóuniə/ 名 カレドニア《ブリテン島北部のローマ名. またスコットランドの雅称. cf. Albion》.

✱ cal·en·dar /kæləndər/ 《アクセント・つづり注意》《「ついたち(calends)に支払う利子の台帳」が原義》 —— 名 《複 ~s/-z/》 C **1** カレンダー, 暦; 暦法 ‖ the solar [lunar] calendar 太陽[太陰]暦 / the Gregorian calendar グレゴリオ暦 / the Julian calendar ユリウス暦 / consult a desk calendar 卓上暦を繰る / a gardener's calendar 園芸ごよみ / a wall calendar 壁かけカレンダー / "an advertising [a publicity] calendar 広告つきカレンダー. **2** 《英》日程表. **3** 《米》日記. **4** 年間行事表.
cálendar mónth 暦月; 丸1か月.
cálendar yéar 暦年《1月1日から12月31日まで. cf. academic year, fiscal year》.

†**calf¹** /kæf | káːf/ [発音注意] 名 《複 **calves**/kævz | káːvz/》 **1** C 子牛《◆肉は veal》(→ cow (関連)). **2** C (ゾウ・クジラ・アザラシ・カバなどの)子.
in [**with**] **cálf**〈動物が〉子をはらんで.

calf² /kæf | káːf/ [発音注意] 名 《複 **calves**/kævz | káːvz/》 C ふくらはぎ (図) → body) (cf. shin).

cal·i·ber, 《英》 **-bre** /kæləbər/ 名 **1** C (円筒状のもの・弾丸などの)直径; 弾径 ‖ a 22-caliber gun 22 口径の銃《◆ a .22 と略記される》; (銃砲の)口径. **2** U 《正式》[時に a ~] 能力; 度量; 特質, 特色.

cal·i·brate /kæləbreit/ 動 他 **1** …の口径を測定する. **2** 〈計量器などの〉目盛りを調整する[つける].

†**cal·i·co** /kælikòu/ 名《「インドのカリカット (Calicut) 産の布」が原義》名 UC **1** 《英》白い平織り綿布》(《米》 muslin). **2** 《米》さらさ《色模様をプリントした綿布》. **3** = calico cat.
cálico cát 《米》三毛ネコ.

ca·lif /kéilif, kæ-/ 名 = caliph.

Calif. (略) *California*.

†Cal·i·for·ni·a /kæləfɔːrnjə|-niə/ [名] カリフォルニア《米国太平洋岸の州. 州都 Sacramento.《愛称》the Golden State.《略》Cal., Calif., 〔郵便〕CA》; **the Gulf of ~** カリフォルニア湾. **Califórnia póppy** 〔植〕ハナビシソウ.

†Cal·i·for·ni·an /kæləfɔːrnjən|-niən/ [形] [名] [C] カリフォルニアの(人).

cal·i·per, 《英》**cal·li·-** /kæləpər/ [名] [C] 〔通例 a pair of〕 ~s〕 **1** カリパス, パス(caliper compasses)《内径・外径・厚さなどを測る両脚器》, 測径器. **2** = calliper splint.
cálliper splint 《英》〔医学〕副(ぎ)え木(《米》brace)《歩行を助ける》.

†ca·liph, ca·lif /kéilif, kæ-/ [名] 〔時に C-〕[C] カリフ《Mohammed の継承者. イスラム教宗教界の指導者》.
ca·li·phate /kæləfèit, -fət/ [名] [U][C] カリフ(caliph)の地位[職, 統治, 領地].
cal·is·then·ics, 《英》**cal·lis·-** /kæ̀lisθéniks/ [名] [U] 《米》**1** 〔複数扱い〕美容[柔軟]体操 ‖ do *calisthenics* 美容体操をする. **2** 〔単数扱い〕美容体操法.
calk /kɔːk/ [動] =caulk.

‡**call** /kɔːl/ 〔類音〕*coal* /kóul/ 〕〔「(大声で)呼ぶ」が本義〕
[動] (~s/-z/; 〔過去・過分〕~ed/-d/; ~·ing)

index [動] [他] **1** 電話をかける **2** (大声で)呼ぶ **5** …と呼ぶ **6** みなす
[自] **1** 電話をかける **2** 呼ぶ **3** ちょっと訪れる
[名] **1** 呼び声 **2** 電話をかけること **3** 短い訪問

― 〔他〕

I [大声で呼ぶ]

1 〈主に米〉〈人が〉〈人・場所・番号〉に電話をかける(《主に英》ring)〈人に電話で〉話す〔on〕‖ Please *call* me *at* this number [123-4567]. この番号[123-4567]に電話ください / He decided to *call* her apartment. 彼は彼女のアパートに電話する決心をした / I tried to *call* him but he was not in. 彼に電話をかけたがいなかった(=I tried to give him a *call* but …).

2 a 〈人が〉〈人・名前・動物など〉を(大声で)呼ぶ, …に呼びかける(+out); …と叫ぶ;〈名簿・リストなどの名前〉を呼ぶ ‖ She *called* her friend's name. 彼女は友だちの名前を呼んだ / She *called* (out) to the children, "Everyone, come downstairs." 彼女は子供たちに「みんな, おりて来なさい」と叫んだ. **b** [call **A** to do] 〈人・名前〉を…せよと呼ぶ ‖ I *called* him *to* stop. 彼に止まれと呼びかけた. **c** 〈人〉を呼び出す[寄せる]; …を召喚する; 〈会などを〉招集する《◆ summon は堅い語》‖ *call* the Diet 国会を招集する / She *called* the pupils into the room. 彼女は生徒たちに部屋に入るように言った. **d** [call **A B** =call **B** for **A**] 〈人が〉〈人に〉**B**〈車など〉を呼んでやる ‖ *Call* me a taxi. =Call a taxi *for* me. タクシーを呼んでください.

3 a 〈動物〉を(鳴き声をまねて)呼び寄せる. **b** 〈動物が〉〈動物〉に鳴き声をあげる. **c** 〈人〉を引きつける ‖ The islands [mountains] are *calling* me. 島[山]が私を呼んでいる.

4 〈眠っている人〉を(呼び)起こす ‖ I'd like to be *called* in the morning at seven o'clock. 朝7時に起こして欲しいのです《◆モーニングコールの依頼》.

II [声を出して告げる]

5 [call **A C**] 〈人が〉**A**〈人・物〉を **C** と呼ぶ, 名づける, 称する《◆ **C** は名詞・形容詞》‖ My name is Richard, but *call* me Dick (for short). 私の名前はリチャードですが(簡単に)ディックと呼んでください / We *called* him Thómas ・àfter his grándfather. 祖父にちなんで彼をトーマスと名づけた / 'Bara' is *called* '(a) rose' in English. バラは英語では rose と呼ばれる / What is that shop *called*? =What do you *call* that shop? その店の名は何ですか《◆ What is the name of that shop? よりふつう》.

〔ジョーク〕 "What does a cannibal *call* a telephone book?" "A menu." 「人食い人種は電話帳を何と呼ぶ?」「メニュー」

6 [call **A C**] 〈人が〉**A**〈人・物・事〉を **C** とみなす, 考える, 思う, 見積もる ‖ A cheeseburger and a coke — we don't *call* that a meal. チーズバーガーとコーラなんて食事とみなさない.

7 …を命令する, 指令する ‖ *call* a strike ストライキを指令する(cf. call off). **8** 〈開始された試合〉を(大量得点・雨・日没などのため)中止(を宣言)する. **9** 〔スポーツ〕…を(…と)判定する, 宣する ‖ The chief umpire *called* the ball foul. 主審はそのボールをファウルと判定した / The runner was *called* out at third. 走者は3塁でアウトになった.

― 〔自〕 **1** 〈人が〉電話をかける(《英》ring)‖ Who's *calling*, please.〔電話で〕どなた様ですか / 〔対話〕 "Is Alan there?" "No, he isn't. Can I take a message?" "No, thank you. I'll *call* again." 「アランはいますか」「いや, いません. 伝言はありますか」「いいえ, また電話します」.

2 〈人が〉(大声で)呼ぶ《◆方向の副詞(句)を伴う》; [call **to A** to do] 〈人に〉…するように呼ぶ;〈動物・鳥が〉鳴く ‖ I *called to* a man across the street. 道路の向こう側の人に呼びかけた / I *called* (out) *to* [《米式》for] him to come and help me. 来て手伝ってくれるように彼に大声で言った.

3 〈主に英〉〈人が〉ちょっと訪れる, 立ち寄る(visit)《◆主に call at, call on, call in, call round の成句で》;〈商人が〉[…を販売・配達のために]定期的に訪れる〔for〕;〈物・事が〉来る ‖ A Mr. Ono *called* to see you. あなたに会いに小野さんという方が立ち寄られました.

cáll áfter A 後ろから〈人〉に呼びかける;〈人〉を呼びとめる.

*cáll at **A** 《主に英》〈人が〉**A**〈場所〉にちょっと立ち寄る(drop in);〈公用・商用で〉〈警察・クリーニング屋など〉〈場所〉を訪れる;〈列車などが〉〈駅などに〉停車する;〈船が〉〈港〉に寄港する ‖ I'll *call at* her house tomorrow. 明日ちょっと彼女の家に寄ってみます(cf. CALL on [upon] (1)).

cáll awáy [他] 〔〈人〉を用事で呼びつけて(call [他] **2 c**)持ち場から離れさせる(away)〕〈人〉を呼び出す ‖ He was *called away* on business. 彼は用事で呼び出された.

*cáll báck [自] (1) 折り返し電話をする;あとで電話する. (2) 〈セールスマンなどが〉もう一度訪問する. (3) 大声で返事をする. (4) 〈英〉戻ってくる. ― [他] (1) 〈人〉を**呼び戻す**, 召喚する;〈物〉を回収する ‖ *Call back* the milkman. 牛乳屋さんを呼び戻しなさい. (2) 〈人〉に折り返し電話をする. (3) 〈言葉〉を取り消す. (4) 〈元気など〉を取り戻す. (5) 〈顔など〉を思い出す.

cáll bý [自] 《主に英略式》[…に]通りがかりに立ち寄る〔at〕.

cáll dówn [他] (1)《正式》〈天恵・天罰などを〉[…に]下すように祈る(on). (2)《米略式》〈人を〉[…のことで]ひどくしかる(for). (3)《俗》…をこきおろす. (4)《主に米俗》〈人〉にけんかをいどむ(《英俗》call out). (5)〈人〉に降りて来るように言う.

*__cáll for__ A (1) …を声を大にして求める;[比喩的に]…を(声を大にして)求める, 要求する(demand) ∥ call for help 助けてくれと叫ぶ / call for lower prices 値下げを求める. (2) 〈物・事が〉…を必要とする, …に値する ∥ This situation calls for immediate action. この状況では即座に行動することが必要だ. (3)《英》…を誘い[取り]に立ち寄る;〈医者などに〉電話して来るように依頼する;(電話でなく直接に)…を呼びに行く, 迎えに行く. (4) (選挙などで)…を公約として挙げる.

cáll fórth [他]《正式》〈物・事が〉〈勇気・抗議などを〉奮い起こす;〈才能などを〉発揮させる;〈記憶などを〉呼び起こす.

*__cáll ín__ [自] (1)《主に英略式》[…に]ちょっと立ち寄る(《略式》drop in)(at, on) ∥ call in ⌈on him [at his house] 彼[彼の家]をちょっと訪れる《◆on の後は「人」, at の後は「場所」》∥ During your trip, please call in once a day. 旅行中, 1日に1回は電話をしてください. —[他] (1)〈医者・専門家・警察など〉を呼ぶ;〈医者などに〉連絡する. (2)〈通貨・欠陥商品など〉を回収する. (3)〈金などの支払い〉を要求する. (4)《米》…を招待する.

*__cáll óff__ [他]〔催し物を中止と(off 圖6)叫ぶ〕(1)〈予定の催しを〉中止する;〈約束など〉を取り消す(cancel). (2)〈犬など〉を呼んで去らせる[追跡などを止めさせる].

*__cáll ón [upón]__ A (1)《正式》〈人など〉に[…してくれと](正式に)頼む, 訴える, 求める(appeal to)(for / to do);(授業で)〈生徒〉にあてる ∥ He called on me for my support. 彼は私に支持を求めた / I wonder why Professor Ando calls on me all the time. 安藤先生はなぜ私ばかり当てるのかしら. B (2) 〈人〉を(ちょっと)訪れる ∥ He called on Mrs. Winslow at her townhouse. 彼はウィンズロウ夫人を都会の別邸に訪ねた (cf. CALL at). (3) 〈力など〉に訴える.

cáll óut [自] 大声で叫ぶ[言う, あいさつする](→ 圖 2). —[他] (1) …を大声で叫ぶ[呼ぶ](→ 圖 2). (2) 〈軍隊・消防隊など〉を出動させる, 召集する. (3) 〈才能など〉を引き出す. (4)《英》〈労働者〉にストライキを指令する. (5)《英俗》=CALL down [他] (4). (6) → 9.

cáll óver [自] ふらっと立ち寄る. —[他] (1) 〈人〉を呼び寄せる. (2) (点呼で)〈名簿など〉を順に読み上げる.

cáll róund [自]《主に英略式》[…に]ちょっと立ち寄る(at).

*__cáll úp__ [自] (1)《主に米》電話をかける(《英》ring up). (2) 通信を送る. —[他] (1)《主に米》〈人・場所・番号〉に電話をかける. B 〈人〉を電話に呼び出す(《英》ring (up)). (2) 〈事・物・音などが〉〈記憶・過去のことなど〉を呼び起こす;〈人が〉…を思い出す. (3)《英》〈人〉を(軍隊に)召集する(《米》draft). (4) 〈証人など〉を召喚する. (5) 〈力・勇気など〉を呼び起こす;〈軍隊など〉を動員する. (6) 〈情報など〉をコンピュータで呼び出す.

cáll upon A =CALL on.

Dón't cáll us, we'll cáll yóu.《略式》必要な時にはこちらからお知らせします《◆就職試験で不採用の決まり文句》.

—— 图(圈)~s/-z/ⓒ **1 a** (ふつう目的のある)呼び声, 叫び;呼ぶこと;呼び起こすこと ∥ a loud call for help 助けを求める大きな叫び声 / The dog came at my call. 犬は私が呼ぶとやって来た / I want a call at six. 6時に起こしてください. **b** 〈動物の〉鳴き声. **c** (らっぱ・太鼓などによる)音, 合図;(動物をおびき寄せる)呼び笛.

2 [通例 a ~] 電話をかけること, 通話 ∥ màke [plàce, pùt ín] a (phóne) cáll 電話をかける / Give me a (telephone) call when you get back.《略式》お帰りになったら電話をください / I had [received, got] two (telephone) calls from her. 彼女から2回電話があった. 関連 collect call (米) コレクトコール, 料金受信人払い通話 / international call 国際電話 / local call 市内電話 / long-distance call 長距離電話.

3 [… への]短い訪問;公式訪問;(職業上の)訪問;(列車の)停車;(船の)寄港(on, at) ∥ I paid [made] him a call. 彼を訪問した《◆I called on him. の方がふつう》/ The doctor made six house calls in the afternoon. 医者は午後6軒往診した.

4 [… への]招集, 招待;要請(for, to) ∥ respond to the call for equality 平等な扱いをとの要請に応じる. **5** [… への]天職, 使命;神のお召し(to) ∥ a call to the ministry 牧師へのお召し. **6** 《正式》[the ~]魅力, 誘惑(attraction) ∥ the call of the sea 海の魅力. **7 a** [… への]要求, 要望(on) ∥ The job put a call on my time. その仕事で時間がとられた. **b** [通例否定文で]〔ある製品への〕需要(for) ∥ There is little call for school caps these days. 近頃では制帽の需要があまりない. **8** [主に否定文・疑問文で]〔…に対する/…する〕必要, 理由, 根拠(for / to do) ∥「She had no call [There was no call for her] to worry. 彼女はくよくよする必要はなかった. **9** [スポーツ]審判の判定.

at [on] cáll (1) 〈人が〉呼び出しにいつでも応じられる. (2) 〈借金が〉請求次第支払える. (3) 〈物がいつでも〉使用できる.

cáll sìgnal with mélodies (携帯電話の)着メロ.

within cáll (1) 呼べば[叫べば]聞こえる所に. (2) (電話・テレビなどに)連絡のとれる範囲内に.

cáll bòx (1) (英) 公衆電話ボックス((米) pay station). (英) telephone booth, telephone box, phone booth, phone box ともいう). (2) (米) (屋外の)非常用電話.

cálled gáme コールド=ゲーム.

cáll gìrl コールガール.

cáll nùmber (図書館の)図書整理番号.

cáll sìgn [lètters] (放送局・無線局の)コールサイン, 呼び出し符号[信号].

cáll wàiting キャッチホンの着信音.

cáll・back /kɔ́ːlbæ̀k/ 图 ⓒ (欠陥商品の)回収(recall);コールバック《低料金の電話サービス》.

†**cáll・er** /kɔ́ːlər/ 图 ⓒ **1** (商用など短時間の公式)訪問者(→ customer);(短期の)宿泊客. **2** 呼出し人, 招集者;電話をかけている人;電話をかけた人《◆(英)では交換手から発信者への呼び分けにも用いる》.

cal・lig・ra・pher /kəlígrəfər/ 图 ⓒ 能筆[達筆]家, 書家.

cal・lig・ra・phy /kəlígrəfi/ 图 Ｕ 能書, (日本の)書道《◆Japanese calligraphy ともいう》;筆跡, 習字(法), カリグラフィー.

call-in /kɔ́ːlìn/ (米) 图 圈 視聴者電話参加番組(の)((英) phone-in)《◆call-in show ともいう》.

†**call·ing** /kɔ́:liŋ/ 图 ⓒⓊ **1**《正式》天職(vocation), 職業(profession)‖ *miss one's calling*(進むべき)道を間違える. **2** 招集, 召喚, 呼び出し. **3** 神のお召し, 召命. **4** 呼ぶこと, 叫び.
cálling càrd《米》名刺《英》visiting card)(→ card **3**).

cal·li·per /kǽləpər/ 图《英》=caliper.

cal·lis·then·ics /kæ̀lisθéniks/ 图《英》=calisthenics.

†**cal·lous** /kǽləs/ 囮 **1**《医学》皮膚が硬くなった, たこになった. **2**《…に》無感覚な《to》; 人情味のない; 冷淡な, 無情な. **cál·lous·ly** 副 冷淡に.
cál·lous·ness 图 Ⓤ 冷淡, 無情.

cal·low /kǽlou/ 囮 (時に ~·er, ~·est) **1**《鳥が》まだ羽毛の生えていない. **2**《文》人・行動が》未熟な, 未経験の. **cál·low·ness** 图 Ⓤ 未熟さ.

call-up /kɔ́:lʌp/ 图 Ⓒ《英》徴兵, 召集(令)《米》draft);召集期間; 徴兵数. **cáll-up pápers** 召集令状.

cal·lus /kǽləs/ 图 Ⓒ《医学》皮膚硬結, たこ, まめ.

***calm** /kɑ́:m/,《米+》kǽlm/ [発音注意]《(真昼の暑さを)避けるための)休息→静止, 静穏》
── 囮 (通例 ~·er, ~·est) **1**《人・気分・態度などが》冷静な, 動揺を静めた;《社会・政情などが》平穏な‖ remain [stay, keep] *calm* during the disturbance 騒動の間ずっと平穏を保つ / He was quite *calm* [×placid] just a few minutes ago. ほんの数分前は彼は冷静だった.《♦ placid は「性格的に冷静な」の意).
2《天候・海などが》穏やかな, 静かな, 風のない(↔ stormy)(使い分け → mild 囮 1)‖ a *calm* sea 穏やかな海 / The water was so *calm* (that) it looked like a mirror. 水面はとても穏やかで鏡のように見えた.
── 图 (穆 ~·s/-z/) **1** Ⓤ [通例 a ~] 静けさ, 平穏, 穏やかさ‖ There was a sudden *calm* as the wind dropped. 風がおさまると急に静かになった / It was the *calm* before the storm. あらしの前の静けさだった. **2** Ⓤ Ⓒ 無風状態, 凪(なぎ);《気象》静穏《風速0.2m以下. → wind scale》‖ an area of *calm* 無風地帯. **3** Ⓤ《心・態度などの》冷静, 平静, 落ち着き.
── 動 他 …を静める, 落ち着かせる, なだめる(+*down*)‖ The police tried to *calm* the excited crowd. 警察は興奮した群衆を落ち着かせようとした.
── 自《海・気分・社会状態などが》静まる;《人が》落ち着く(+*down*).

†**calm·ly** /kɑ́:mli/ 副《ふつうでない・重大なことを行なうのに)落ち着いて, 平然[従容(しょうよう)]として.

†**calm·ness** /kɑ́:mnəs/ 图 Ⓤ 静けさ; 冷静, 落ち着き.

Cál·or gàs /kǽlə-/《英商標》キャラーガス《家庭用ブタンガス》.

ca·lor·ic /kəlɔ́:rik/ 囮 熱の; カロリーの.

†**cal·o·rie, -ry** /kǽləri/ 图 Ⓒ **1**《物理・化学》カロリー《**a** 1g の水を1°C高めるのに要する熱量(small calorie)(記号) cal. **b** 1 kg の水を1°C高めるのに要する熱量(large calorie). 現在では物理的な単位としては joule を用いる(記号) cal). **2**《栄養》カロリー《1 kilo calorie に相当する栄養値》‖ Fewer [Less] *calories* a day. 1日のカロリーを控え目に.
cálorie bàsis 熱量換算.

cal·o·rif·ic /kæ̀lərífik/ 囮 **1**《食物が》高カロリーの. **2** 熱を出す; 熱の; カロリーの.

cal·um·ny /kǽləmni/ 图 Ⓤ Ⓒ《正式》悪口; 罪人[犯人]呼ばわり; 中傷.

cal·va·dos /kǽlvədɔs, -dɑ́s/ |-dɑ́s/ 图 Ⓤ カルバドス《リンゴ酒から作るブランデー》.

Cal·va·ry /kǽlvəri/ 图 **1**《聖書》カルバリ《キリストはりつけの地. Jerusalem 近くの丘. Golgotha のラテン語訳). **2** [c~] Ⓒ《ふつう野外にある》キリストはりつけの像.

calve /kǽv | kɑ́:v/ 動 他《ウシ・ゾウ・クジラなどが》(子を)産む;《氷河などが》(氷塊を)分離する.

calves /kǽvz | kɑ́:vz/ calf[1,2] の複数形.

Cal·vin /kǽlvin/ 图 **1** カルビン《男の名》. **2** カルバン《John ~ 1509-64. フランス生まれの宗教改革者》.

ca·ly·ces /kéilisì:z, kǽ-/《複》calyx の複数形.

ca·lyp·so /kəlípsou/ 图《穆 ~·s, ~·es》Ⓒ **1** カリプソ《Trinidad 島の先住民の間に起こった時事を風刺する即興の歌》. なダンス. **2**《複》ホテイラン.

Ca·lyp·so /kəlípsou/ 图《ギリシア神話》カリュプソー《Odysseus をオギュギア島に7年間引き止めた海の精》.

ca·lyx /kéiliks, kǽ-/ 图《穆 ~·es, ~·ly·ces/-lisì:z/) Ⓒ《植》(花の)がく (sepal)(図 → flower).

cam /kǽm/ 图 Ⓒ《機械》カム《回転軸に取り付けて回転運動を上下・前後などの直線運動に変える装置》.

ca·ma·ra·de·rie /kæ̀mərɑ́:dəri/ 图 Ⓤ 友情, 仲間意識.

cam·ber /kǽmbər/ 图 Ⓒ《道路・甲板などの水をはけるための中高の反り(り). ── 動 他 …を上り反りにする. ── 自 上り反りになる.

Cam·bo·di·a /kæmbóudiə/ 图 カンボジア《東南アジアの共和国. 首都 Phnom-Penh》.

†**cam·bric** /kéimbrik/ 图 Ⓤ 上質かなきん《薄地の白い麻・綿布. 主にハンカチ用》.

†**Cam·bridge** /kéimbridʒ/ [発音注意] 图 **1** ケンブリッジ《イングランドの東部 Cambridgeshire 州の州都. Cambridge 大学の所在地》. **2** ケンブリッジ《米国 Massachusetts 州東部の都市. Harvard, MIT 両大学の所在地》.
Cámbridge blúe《英》淡青色(light blue).
Cámbridge Univérsity ケンブリッジ大学《13世紀に創立された英国の大学. cf. Oxford University》.

cam·cord·er /kǽmkɔ̀:rdər/ 图 Ⓒ ポータブルビデオカメラ.

***came** /kéim/ 動 come の過去形.

†**cam·el** /kǽml/ 图 Ⓒ ラクダ‖ *It's the last straw that breaks the camel's back.*《ラクダの背を折るのは最後の一本のわらだ》《ことわざ》荷物を積みすぎると最後の一本のわらでも命取りになる; 不運[苦境]が重なるとついにはちょっとしたことでも耐え切れなくなる.
cámel càr =carrier car.
cámel('s) hàir (**1**) ラクダの毛《の織物》.(**2**) リスの尾の毛《油絵の絵筆用》.

ca·mel·li·a /kəmíːliə, -mél-/ 图 Ⓒ《植》ツバキ.

Cam·e·lot /kǽməlɑt | -lɔt/ 图 **1** カメロット《Arthur 王の宮廷があったという英国の伝説上の町). **2**《米》魅力的な場所, 雰囲気.

Cam·em·bert /kǽməmbèər/《フランス》图 = Camembert cheese. **Cámembert chéese** カマンベール《濃厚な味の柔らかいチーズ》.

cam·e·o /kǽmiòu/ 图《複 ~·s》Ⓒ **1** カメオ《メノウ・大理石・貝がらなどに横顔を浮き彫りした装身具》; カメオ細工. **2**《正式》《映画などの》印象的な描写, 名場面, さわり(short play);《一場面だけの》名優の登場 (cameo role).

****cam·er·a** /kǽmərə/《「丸天井の《暗い》部屋」→「暗箱」. cf. chamber》

cameraman

―名 (複 ~s/-z/) C カメラ, 写真機; (映画の)撮影機; テレビカメラ.

> **関連 いろいろな種類の camera**
> automatic *camera* オートフォーカスのカメラ / compact *camera* コンパクトカメラ / digital *camera*, 《略式》digicam /dídʒikæm/ デジタルカメラ / disposable *camera* 使い捨てカメラ / hidden *camera* 隠しカメラ / movie *camera* ムービーカメラ / security *camera* 防犯カメラ / still *camera* スチールカメラ / TV *camera* テレビカメラ / video *camera* ビデオカメラ.

in cámera (1) 〔法律〕裁判官の私室で; 非公開審理で. (2) 《正式》ひそかに, 秘密に.
off cámera テレビカメラに写っていないところで, 放送されていないときに(cf. off the record).
on cámera テレビカメラに写っているところで, 放送中に(cf. on the record).

cam·er·a·man /kǽmərəmæn/ 名 C (映画・テレビの)撮影技師; 報道カメラマン(PC) photographer, camera operator).
cam·er·a·shy /kǽmərəʃài/ 形 写真嫌いの.
cam·er·a·work /kǽmərəwə̀rk/ 名 U 写真・映画などをとること, 撮影技術[技法].
Cam·er·oon, --oun /kæmərúːn/ 名 カメルーン《西アフリカにある連合共和国》.
cam·i·sole /kǽmisòul/ 名 C 《主に米》キャミソール《短い女性用下着》.
cam·o·mile, 《主に米》 **cham-** /kǽməmàil/ 名 C 〔植〕カミツレ, カモミール; U 乾燥したその花と葉《健胃剤》.
†**cam·ou·flage** /kǽməflɑ̀ːʒ/ 名 C|U 1 〔軍事〕カムフラージュ, 偽装, 迷彩; 迷彩服. 2 ごまかし, 見せかけ, 変装. ― 他 …をカムフラージュ[偽装]する; …をごまかす[隠す]. **cámou·flage nét** 〔軍事〕偽装網.

***camp**¹ /kæmp/ 〖「野原」が原義. cf. *campaign*〗
―名 (複 ~s/-s/) 1 C キャンプ場, (軍隊・登山隊・旅行者などの)野営地; U キャンプ, 野営 ‖ There is a Boy Scout *camp* by the pond. 池のそばでボーイスカウトがキャンプしている / We returned [came back] to (the) *camp* before dark. 日暮れ前にキャンプに戻った. 2 C 〔しばしば集合名詞〕野営テント, 仮設小屋 ‖ *pitch* [*set up*, *make*] **cámp** テントを張る《◆無冠詞に注意》/ *strike* [*break* (*up*)] **cámp** テントをたたむ. 3 C 〔集合名詞〕野営隊, キャンプする人たち. 4 C (難民・貧者などの)収容[仮泊]施設《テント・小屋など》, (捕虜・受刑者などの)収容所 ‖ a refugee *camp* 難民キャンプ / a concentration *camp* 強制収容所. 5 〔集合名詞〕(主に政治的・宗教的)同志たち, 仲間; 同じ立場.
―動 (~s/-s/; 過去・過分 ~ed/-t/; ~ing)
―自 1 〈人が〉キャンプする, 野営する(+*out*) ‖ *camp* (*out*) every summer 毎夏キャンプする / 「go *camping* [go to *camp*] in [*to] the woods 森へキャンプに行く. 2 テントを張る(+*down*).
―他 〔通例 be ~ed〕〈軍隊・兵士などを〉野営する.
cámp úp 〔他〕〈役などを〉おおげさに[派手に]演じる.
cámp béd 《英》折りたたみ式簡易ベッド(《米》cot).
cámp cháir 折りたたみ式いす.
Cámp Dávid キャンプデービッド《米国 Maryland 州にある米国大統領の別荘》.
cámp fòllower (軍隊に随行する)民間人《売春婦・

洗濯婦・商人など》.
cámp site =campsite.
camp² /kæmp/ 形 《略式》1 (わざと)めめしい; 同性愛の. 2 《服装などが》こっけいなほど風変わりな[気取った, 古めかしい].
***cam·paign** /kæmpéin/ 〖「野原」→「戦場」→「戦い」→「(政治的・社会的)活動」〗
―名 (複 ~s/-z/) C 1 《正式》(政治的・社会的)運動, 組織的活動, キャンペーン; (米)選挙運動, 遊説 ‖ a *campaign* of smiles 微笑外交 / a sales *campaign* 大売出し / a *campaign* against smoking 禁煙運動 / launch a *campaign* for equal rights for women 男女同権運動を始める / an advertising *campaign* 宣伝活動 / a *campaign* to raise funds 募金運動. 2 〔軍事〕(一連の戦略的)軍事行動, 方面作戦, 会戦.
―動 自 […に賛成して/…に反対して]運動に参加する, 運動を起こす〔*for*/*against*〕; 《米》[…に]出馬する〔*for*〕.
cam·paign·er /kæmpéinər/ 名 C 1 従軍者; 老練兵. 2 (社会・政治などの)運動家.
cam·pa·ni·le /kæ̀mpəníːli/ 名 C (ふつう他の建物とは独立した)鐘楼(bell tower) (cf. belfry).
cam·pa·nol·o·gy /kæ̀mpənɑ́lədʒi | -nɔ́lədʒi/ 名 U 《正式》鐘学.
†**camp·er** /kǽmpər/ 名 C 1 キャンプする人, キャンパー; サマーキャンプ参加の少年[少女]. 2 《主に米》キャンピングカー《◆"camping car" とはいわない》.
camp·fire /kǽmpfàiər/ 名 C 1 キャンプファイアー. 2 《米》キャンプファイアーを囲む集まり〔親睦(☆)会〕.
camp·ground /kǽmpgràund/ 名 C 《主に米》キャンプ地[場] (campsite).
cam·phor /kǽmfər/ 名 U ショウノウ(樟脳).
camp·ing /kǽmpiŋ/ 名 U キャンプ(すること) ‖ go on a *camping* trip キャンプ旅行する.
camp·site /kǽmpsàit/, **cámp site** 名 C キャンプ場[地].
camp·stool /kǽmpstùːl/ 名 C (携帯用の)折りたたみいす.
***cam·pus** /kǽmpəs/ 〖「野原」から「(大学の)構内へと場所が限定された」〗
―名 (複 ~·es/-iz/) 1 U C (大学などの)構内, キャンパス ‖ on *campus* 学内で / *campus* life 学園生活 / a *campus* riot 学園紛争 / *campus* police 《米》大学警察《正規の警官が勤務する》. 2 U C 大学生活. 3 C 《米》(大学の)分校.
cam·shaft /kǽmʃæft | -ʃɑ̀ːft/ 名 C カム軸《機械の部品をつなぎ合わせるカムをとりつけた棒》.
Ca·mus /kæmúː/ 名 カミュ《Albert /ǽlbeːr/ ~ 1913-60; フランスの小説家・劇作家》.

***can**¹ /(弱) kən, kn; /k/,/ɡ/,/ŋ/の前で kŋ, (強) kǽn/ 〖原義「知っている(know)」から「能力(…できる)」が本義. そこから「可能性(…できる, しうる)」「許可(…できる, してよい)」の2つが派生〗

> **index**
> 1 …できる 3 …できる 5 …ではありえない
> 6 …した[であった]はずない 8 …してもよい

―助 (過去 **could**/(弱) kəd, (強) kúd/)《否定形》**cannot**, (略式) **can't**《◆《古詩》の変化形は〔二人称単数〕現在 (thou) canst, 過去 (thou) couldst》
I 〔能力〕
1 [can do] 〈人・動物が〉(内在的能力により)…できる

‖ The four-year-old child *can* read *kanji*. その4歳の子供は漢字が読める / 【対話】 "*Can* he speak Japanese?" "Yes, he has a good command of the language. He's married to a Japanese." 「彼は日本語を話せますか」「ええ, かなり自由に話せますよ。日本人と結婚していますから」《◆相手に直接聞く場合は can は露骨に響くので *Do you speak ...?* がふつう》.

【語法】(1) [*can* と *be able to*] → able 形1 【語法】.
(2) ✓ [*can* と未来時制] *can* の未来時制は will [shall] be able to であるが, if節内では未来のことをいっていても can を用いる: If you *can* [˟will be able to] use this computer perfectly in a month, you may keep it. もし1か月でこのコンピュータを完全に使いこなせるようになるなら, 君の物にしておいてもかまいません.
(3) [能力の *can* と文脈的意味] 現実の場面では「…できる」から「…してあげましょう」,「(…できるのなら)…してください」のように, 勧誘・依頼の意を含むことが多い: I *can* use a computer. コンピュータを使えます(→操作してあげましょう) / *Can* you use a computer? コンピュータを使えますか(→(使えるのなら私のために)操作してください).
(4) [*can* と物・事主語] 物・事主語についても能力があるみたいな場合には can は自由に用いることができる: *This* car *can* run faster than that one. この車はあの車よりスピードが出る / *This* hotel *can* accommodate two hundred guests. 当ホテルは200人の客を収容できます.

2 [*can* + 知覚動詞(see, hear, feel など)] 〈人・動物〉に…が見えて[聞こえて, 感じて, など]いる 《◆知覚動詞はふつう進行形は不可だが [*can* + 知覚動詞] はその代用表現に近い》(➡文法 3.4) ‖ I *can* see the moon. 月が見えている《◆˟I am seeing the moon. の代用表現》 / Will you speak louder? I *can't* héar you. もっと大きい声で話してください. 聞こえません《◆˟I am not hearing you. の代用表現. 聴力を否定してはいるのではない》.

Ⅱ 可能性・推量

3 [*can* do] **a** 〈人が〉(外的要因により)…できる; 〈人・事が〉…でありうる《◆後者の意ではふつう疑問文となる. 話し手の確信度については → might[1] 助1》 ‖ I *can* see you tomorrow. 明日お目にかかりましょう / You *can't* see him because he is engaged. 彼は仕事中なので面会はできません / This game *can* be played by young children. このゲームは幼い子供にもできる.
b [通例疑問文で]〈人・事が〉…でありうる(否定文は→5)] ‖ 【対話】 "There's someone at the door." "Who cán it be at this late hour?" 「だれか玄関のところにいるよ」「こんな遅い時間にいったいだれかしら」《◆ *can* が強勢を受けると話し手の困惑・いらだちが暗示される》 / *Can* she still be at the station? 彼女はまだ駅にいるでしょうか.

4 [*can* do] 〈人・事・物が〉(時に)…することがある, 時には…しかねない ‖ A fussy referee *can* ruin a bout. 規則にうるさいレフェリーは試合を台なしにしかねない(=Sometimes a fussy referee will ...) / Driving *can* be dangerous if traffic rules are ignored. 交通ルールを守らないと車の運転は危険なものになる / My father *can* be terribly childish, but he means well. 父は時には子供じみた事を言ったりしたりします. 悪気はないのですが.

【語法】(1) [*can* と *may*] 両方とも可能性を表し, 日本語で訳し分けることは難しいが, ニュアンスは多少異なる: That child *may* reach the table. あの子はテーブルに手が届くかもしれない(し, 届かないかもしれない)《◆単なる推量》 / That child *can* reach the table. あの子は(その身長に達しているなどの理由で)テーブルに手が届くだろう《◆理論上の可能性をいう》.
(2) [How *can* **A** do?] 単に可能性を問う文から転じて「よく平気で…できますね」といった驚き・意外を表す: How cán you stand all these noises? よくこの騒音に耐えられますね《◆非難・あざけりを表す場合は How dare ...?: *How dare* you call me a liar? よくもぬけぬけとうそつき呼ばわりできるね》. (cf. Hów càn [còuld] **A** do? (→ how 副 成句))

5 [通例 *can't be* **C**] 〈人・物・事は〉**C** のはずがない, **C** ではありえない; [通例 *can't do*] …であるはずがない 《◆ *do* は状態動詞》 ‖ It *can't* be true. それは本当であるはずがない(=It is not possible that it is true.)《◆「本当のはずだ」は肯定文の ˟It *can* be true. でなくて, It *must* be true.》 / If the car is gone, he *can't* be at the office. もし車がないのなら, 彼は事務所にいるはずがない《◆推量の根拠を if節で示す》 / This *can't* happen. こんなことは起こりえない / She *can't* be studying at this late hour. 彼女はこんな遅い時間に勉強しているはずがない.

6 [通例 *can't have done*] 〈人・物・事が〉(過去に・これまで)…した[であった]はずがない(➡文法 8.3) ‖ He *can't* have told a lie. 彼がうそをついたはずがない(=It is not possible that he (has) told a lie.).

7 [*can have done*] [疑問文・間接疑問文で] …したかもしれない(➡文法 8.3) ‖ Where *can* she have gone? 彼女はいったいどこへ行ったのでしょうか / I don't think she *can* [could] have gone home yet. 彼女はまだ家に帰っていなかったかもしれない《◆以上の2例とも could の方がふつう》.

Ⅲ 許可

8 [略式] [*can* do] 〈人は〉…してもよい, さしつかえない ‖ You *can* smoke here. ここでタバコを吸ってもかまいません《◆禁煙の掲示がないとか引火の恐れがないという外的理由により「吸ってもよい」. You *may* smoke here. (=I allow you to smoke.)だと「私が許可するから吸ってもよい」》 / You *can't* stay here. ここにいてはいけません / No visitor *can* remain in the hospital after nine p.m. 面会人は午後9時以降本病院に留まることはできません《◆病院の規則》 / 【対話】 "*Can* I borrow your car?" "Sure. But will you return it in an hour?" 「君の車を借りてもいいですか」「いいですよ. でも1時間したら返してくれますか」《◆ *Can* I possibly borrow ...? のように possibly を加えるとよりていねい》.

✓【語法】[*can* と *may*]
(1) 許可を求める場合 Can I ...? より May [Might, Could] I ...? の方がていねい: "*Can* I have one?" the boy asked. "*May* I have one," his mother *corrected* him. 「ひとつもらってもいい?」と男の子が尋ねた.「ひとつもらっていいですか, でしょ?」と母親が訂正した. 許可をする場合, "Yes, you *can* [*may*]." / "Yes, of course." / "Certainly." などを用いる.
(2) can の主語は無生物のこともある: Pencils *can* be red. 鉛筆は赤でもよい.

9 (略式) [Can you ...?] …してくれますか《◆Could you ...? の方がていねい》∥ *Can* you come with me? 一緒に来てくれませんか《◆*Can* you possibly come ...? のように言うとよりていねい》.
10 [Can't you ...?] …できないというの?, …してくれないの?《◆Can't you help me? 手伝えないというのかい《◆相手に対するいらいらした気持ちを表す》.
11 [can do] …しなさい∥ You *can* sit here if you like. よろしかったらここに座ってください.
as ∴ as (…) **can be**《[…という言葉が表しうる…状態の極みをもって]この上なく…である》∥ She is *as* poor *as* (poor) *can be*. 彼女は貧乏のどん底だ.
cán but do …しかできない.
cánnot but do → but 前 3.

*****can**² /kǽn/ [「コップ(cup), 容器」が原義]
― 名 ~s/-z/ **1a** [しばしば複合語で] (液体を入れるふつう取っ手・ふた付きの金属・プラスチック製の) かん;(米) (金属製のごみ入れ((英) bin)∥ a mílk càn ミルクかん / a wátering càn じょうろ / a trásh càn (乾いたくず用の)ごみ入れ / a garbage *can* (米) 生ごみ入れ. **b** (金属性の)ジョッキ, 大コップ(tankard). **c** (映画の)フィルムを入れる箱.
2 (もと米) かん詰めの(のかん)((英) tin)∥ two *cans* of beer かんビール2本 / serve a *càn* of péas for lunch 昼食に豆のかん詰めを出す.
3 (俗) [the ~] 監獄(prison)∥ in the *can* ブタ箱に入って. **4** (米俗) [the ~] 便所; 尻(し).
cárry [táke] the cán (báck)《軍隊で仲間のためにかんビールを運んだことから》(英略式)(人の代わりに, 過失のために)責任をとらされる(*for*).
in the cán(1) → 名. (2) (略式) 〈フィルム・ビデオテープが編集[撮影]が終わって, 上映できる状態で. (3) (略式) 〈契約などが〉締結されて, 〈仕事が〉完成して.
― 動 (~s/-z/; 過去・過分) canned/-d/; canning)
― 他 **1** 〈人などが〉〈食物を〉かん詰め[びん詰め]にする((英) tin)∥ We eat all we can (✓) but what we can't (↘) we *cán*. 食べられるだけ食べますが食べきれないものはかん詰めにします. **2** (米俗) …を首にする; …を退学させる. **3** (米俗) …をやめる.
cán òpener かん切り((英) tin opener).

Can. 略 Canada.
†**Ca·naan** /kéɪnən/ 名 **1** (旧約) カナーン《ヨルダン川と地中海の間の土地で現在の Palestine に当たる. → promised land》. **2** © 約束[理想]の地, 天国.

*****Can·a·da** /kǽnədə/ 《アメリカ先住民族の「集落」から》派 Canadian (形)
― 名 カナダ《北米大陸北部にある国. 首都 Ottawa. 略 Can.》.
Cánada Dáy カナダの自治領制定記念日《1867年7月1日. 法定記念日(7月1日)》.
Cánada góose (鳥) カナダガン《北米産》.

*****Ca·na·di·an** /kənéɪdiən/ [発音注意]《→ Canada》
― 形 カナダ(人)の.
― 名 (複) ~s/-z/ © カナダ人《語法》 → Japanese》.
Canádian bácon (米) カナダ風ベーコン《豚の背・腰肉を材料に使う》.
Canádian Frénch 《特に Quebec 州で用いられる》カナダ=フランス語.
Ca·na·di·an·ism 名 U|C **1** カナダ人の習慣[国民性, 文化]. **2** カナダ英語語法.

*****ca·nal** /kənǽl/ [アクセント注意] 名 (複) ~s/-z/ ©
1 [しばしば C~] 運河, 水路, 掘割り∥ the Suez [Panama] Canal スエズ[パナマ]運河. **2** (解剖・植) (導)管, 脈管∥ the alimentary *canal* 消化管 / the semicircular *canal* 三半規管.
Canál Zòne [the ~] パナマ運河地帯《パナマ運河とその両岸の地域. 米国がパナマから租借していたがパナマ条約(1977)により1999年12月に返還》.
ca·nal·boat /kənǽlbòʊt/ 名 © (運河用の)細長い船.
ca·nal·ize /kǽnəlàɪz, (米+) kənǽlaɪz/ 動 他 (正式) **1** …に運河[水路]を切り開く; …を運河とする. **2** …を[…の方向に], つぎ込む[*into*].
càn·a·li·zá·tion 名 U **1** 運河開設, 運河化. **2** 運河[水路]系統.
can·a·pé /kǽnəpi, -peɪ/ 《フランス》名 © カナッペ《食パンの小片やクラッカーにチーズ・キャビアなどをのせた前菜》.
ca·nard /kənɑ́ːrd, kǽnɑːd/ 《フランス》名 © (新聞などによる)虚報, 作り話; デマ.
ca·nar·y /kənéəri/ [アクセント注意] 名 **1** © (鳥) カナリア. **2** U =canary yellow. **3** [the Canaries] =the C~ Islands カナリア諸島《アフリカの北西岸沖にあるスペイン領の群島. 島名は「犬(canine)の多い島」の意》. **4** © (米俗) 密告者.
canáry yéllow カナリア色 (淡い鮮黄色).
can·as·ta /kənǽstə/ 名 U (トランプ) カナスタ《ラミーに似た遊び》.
Can·ber·ra /kǽnbərə/ 名 キャンベラ《オーストラリアの首都》.
can·can /kǽnkæn/ 《フランス》名 [the ~] カンカン踊り《女性が足を高くけり上げてスカートを振る派手なダンス》.

*****can·cel** /kǽnsl/ [「格子状に線を引く」が原義]
― 動 (~s/-z/; 過去・過分) ~ed/-d/, (英) can·celled/-d/; ~·ing or (英) -cel·ling)
― 他 **1** 〈人が〉〈予約・注文・行事などを〉取り消す, 無効にする, 撤回する(call off) ∥ *cancel* one's appointment [hotel reservation] 約束[ホテルの予約]を取り消す. **2** 〈借り〉を償う, 相殺(そうさい)する, 埋め[つり]合わせる(+*out*). **3** 〈切手・小切手などに〉消印を押す∥ *canceled* stamps 使用済切手. **4** (印刷) 〈文字などを〉線で消す, 削除する(+*out*). **5** (数学) 〈分数などを〉(共通因数で)約す, 約分する(+*out*);〈方程式の左右の〉〈共通項を〉[…で]消去する[*by*].
― 自 **1** 相殺[中和]し合う. **2** (数学) […で]約せる, 消せる[*by*].
†**can·cel·la·tion** /kǽnsəléɪʃən/ 名 **1** U 取り消し, 解消, キャンセル; 消去. **2** © 取り消した物. **3** © 消印(された物)∥ the *cancellation* on a stamp 切手の消印.

*****can·cer** /kǽnsər/ [「カニ」が原義]
― 名 (複) ~s/-z/ **1** U|C がん(癌);(医学) 癌腫(がんしゅ)《◆遠回しに tumor (腫瘍(ようしゅ))、または long illness (長わずらい), the Big C (大きいC)ともいう》∥ She developed *cancer* in her breast. 彼女は乳がんになった / be diagnosed with *cancer* がんと診断される / terminal *cancer* patients 末期がんの患者 / an anti-*cancer* drug 抗がん剤.

> 関連 [いろいろな種類のがん]
> breast *cancer* 乳がん / cervical *cancer* 子宮頸部がん / colon *cancer* 結腸[大腸]がん / liver *cancer* 肝臓がん / lung *cancer* 肺がん / skin *cancer* 皮膚がん / throat *cancer* 咽喉がん / uterine *cancer* 子宮がん.

cancerous 229 **canned**

2 ⓒ (正式)(社会などの)がん; 害悪, 弊害 ‖ The use of illegal drugs is a *cancer* on society. 不法な薬物の使用は社会にはびこるがんだ. **3** [C~] (天文)かに座《北天の星座; the Crab》; (占星)巨蟹(ঠ)宮, かに座(cf. zodiac); ⓒ 巨蟹宮生まれの人《6月22日-7月22日生》. **4** [C~] 北回帰線(the Tropic of *Cancer*)《⇒ earth》.

cáncer relief 除痛《がんの痛みを緩和すること》.

cáncer pàin がんの痛み.

can·cer·ous /kǽnsərəs/ 形 がんの, がんにかかった.

can·de·la /kændíːlə/ 名 ⓒ カンデラ《光度のSI基本単位.(記号) cd》.

can·de·la·brum /kændələbrəm/ 名 (複 -bra /-brɑ/, -brums, -bras) ⓒ (2本以上立てられる)装飾的な枝付け燭(ঠ)台.

†can·did /kǽndɪd/ 形 (more ~, most ~; -er, -est) **1** (聞き手に不快なほど)率直な, 遠慮のない, 包み隠しのない ‖ a *candid* opinion 率直な意見 / to be pérfectly cándid with you ざっくばらんに言わせてもらえば(⇒文法11.3(3)). **2** (写真などで)ポーズをとらない, 気取らない.

cándid cámera スナップ用小型カメラ《隠し撮り用》.

cándid phótograph スナップ写真.

cán·did·ly 副 率直に, 腹蔵なく; 公正に; [文全体を修飾] 率直に言えば. **cán·did·ness** 名 Ⓤ 率直 [公平]さ.

†can·di·da·cy /kǽndədəsi/ 名 Ⓤⓒ (正式)〔…への〕立候補(資格, 期間)〔for〕.

†can·di·date /kǽndədèɪt, -dət/ 名 ⓒ **1**〔職·地位などに対する〕立候補者, 推薦候補〔for〕,〔…に〕適している人〔物〕〔for〕‖ a presidential *candidate* 大統領候補 / How many *candidates* are running for governor? 何人の人が知事に立候補していますか / a *candidate* for the Nobel Prize for physics ノーベル物理学賞候補. **2** 〔…に対する〕志願者, 志望者; 受験者〔生〕〔for〕; (正式) (applicant) ‖ twenty *candidates* for the job その仕事に対する20名の応募者. **3** 〔…に〕なりそうな人〔for〕‖ a *candidate* for greatness 偉くなりそうな人.

cándidate site 候補地.

can·di·da·ture /kǽndədətʃʊər | kǽndɪdətʃə/ 名 (主に英正式) = candidacy.

can·died /kǽndid/ 形 **1** 砂糖煮〔漬け〕の. **2** 砂糖状に結晶した. **3** 〈言葉などが〉(うわべだけの)甘い.

cándied frúit 砂糖漬けの果物菓子.

*can·dle /kǽndl/ 《輝く(cand)もの(le)》
── 名 (複 ~s /-z/) ⓒ ろうそく《◆光·祝祭の象徴》‖ light a *candle* ろうそくに火をつける / blow out a *candle* ろうそくの火を吹き消す.

be nót wòrth the cándle 《暗い室内でトランプなどをするための照明用ろうそくほどの価値もない》《仕事·計画などが》割に合わない, 骨折り損のくたびれもうけだ《◆ the game を主語にすることが多い》.

búrn the [a, one's] cándle at bóth ènds (略式) 朝早くから夜遅くまで働く, 精力を使い果たす, 無理をする.

cán't [be nót fít [áble] to] hóld a cándle to A 〔相手に手助けになるようろうそくを照らしてやることもできない〕 (略式) <人が><人>よりもはるかに劣る, …の足元にも及ばない.

†cándle·light /kǽndlláɪt/ 名 Ⓤ **1** ろうそくの光 ‖ read by *candlelight* ろうそくの光で読書する. **2** (古) 薄暗い人工照明.

can·dle·lit /kǽndllɪt/ 形 ろうそくで照らされた.

†can·dle·stick /kǽndlstɪk/ 名 ⓒ (ふつう1本用の)ろうそく立て, 燭(ঠ)台 (cf. candelabrum).

can·dle·wick /kǽndlwɪk/ 名 **1** ⓒⓊ ろうそくの芯(ঠ)《◆単に wick ともいう》. **2** Ⓤ キャンドルウィック刺繍(ঠ).

can-do /kǽndúː/ 形 (略式) やる気のある ‖ He has a *can-do* attitude. 彼はやる気のある態度を示している.

†can·dor, (英) **-dour** /kǽndər/ 名 Ⓤ **1** (言葉·行為·表現などの)率直さ; 誠実さ, 正直さ. **2** 公平, 公正.

C and [&] W 略 country-*and*-western.

‡can·dy /kǽndi/ 名《「砂糖」が原義》
── 名 (複 -dies /-z/) **1** (米) Ⓤ キャンディー《◆「何種類かのキャンディー」のときは candies》, ⓒ (1個の)キャンディー《(英) sweet(s)》《◆ chocolate なども含まれ日本語のキャンディーより範囲が広い》‖ two pieces of *candy* (同種の)キャンディー2個 / mixed [asórted] *cándies* 各種詰め合わせキャンディー / take a *candy* from the box 箱からキャンディーを1つとる / I like *candy* [×*candies*]. キャンディーが好きだ / Don't eat too much *candy*. 甘い物を食べすぎるな. **2** (英) Ⓤ 氷砂糖; ⓒ (1かけの)氷砂糖《(米) súgar cándy》《◆ róck cándy》.

cándy ápple (米) キャンディー=アップル《リンゴをあめでくるんで棒にした菓子》《(英) toffee apple》.

cándy cáne (米) キャンディー=ケイン《紅白の杖(ঠ)の形のあめ. クリスマス用》.

cándy stòre (米) 菓子屋《(英) sweet shop》《◆清涼飲料水·新聞·タバコなども売る》.

cándy striper (米略式) ボランティアで働く10代の女性の看護助手《◆ 赤白のしま柄の制服を着ている》.

can·dy·floss /kǽndiflɔːs/ 名 Ⓤ (英) 綿菓子《(米) cótton cándy》. **2** ⓒ あやふやな計画, みかけ倒し.

cane /kéɪn/ 名 **1** ⓒ (トウ·竹·サトウキビなどの)茎(ঠ); サトウキビ(sugar cane). **2** Ⓤ トウ(藤)《家具などの用材》;[形容詞的に]トウの, トウでできた ‖ a cáne cháir トウいす《◆「トウ細工(品)」は cáne-wòrk》. **3** ⓒ 杖(ঠ); [通例 the ~] (体罰用の)むち ‖ get [give him] *the cane* (体罰として)むちで打たれる[彼をむちで打つ]. **4** ⓒ 園芸用の支柱(竹).
── 動 (cán·ing) 他 **1** (まれ) <人>をむちで打つ; …をむちで打って〈…〉を教え込む〔into〕. **2** …をトウで作る, トウを用いて…を作る.

cáne súgar 甘蔗(ঠ)糖 (cf. beet sugar).

†ca·nine /kéɪnaɪn, kæ-/ 形 (正式) イヌの(ような), イヌ科の ‖ *canine* madness 狂犬病. ── 名 ⓒ **1** イヌ; イヌ科の動物《イヌ·オオカミ·キツネなど》. **2** = canine tooth. **cánine tòoth** 犬歯(図 → tooth).

can·ing /kéɪnɪŋ/ 動 → cane.

can·is·ter /kǽnəstər/ 名 ⓒ **1** (ふた付きの)かん《茶·コーヒー·タバコなどを入れる》. **2** (ガスを入れる)金属性の筒, ボンベ ‖ a cooking-gas *canister* 調理用ガスボンベ.

†can·ker /kǽŋkər/ 名 **1** Ⓤⓒ (主に口腔(ঠ)·唇などの)潰瘍(ঠ). **2** Ⓤⓒ (植)(果樹の)癌腫(ঠ)病. **3** Ⓤⓒ (獣医) 蹄癌; (イヌ·ネコなどの)慢性外耳炎. **4** ⓒ (正式) [通例 a ~] (社会などに)蔓(ঠ)延する悪, 害毒. **cánker sòre** 口内炎.

can·na·bis /kǽnəbɪs/ 名 Ⓤ **1** インド大麻. **2** カンナビス《マリファナより弱くハシシより強い麻薬》.

canned /kǽnd/ 形 **1** (米) かん[びん]詰めにした《(英) tinned》‖ *canned* beer かんビール《◆ ×can beer は誤り》. **2** (略式) 録音[録画]された(recorded); 〈演説などが〉あらかじめ準備された ‖ *canned* music

レコード(などによる)音楽(↔ live music) / canned laughter (テレビ番組に挿入する)録音済みの笑声. **3** (俗)酔った.

cánned góods かん詰め製品.

can·ner·y /kǽnəri/ 名 C かん詰め工場；(米俗)拘置所(jail).

Cannes /kǽn, kænz/ 名 カンヌ《フランス南東部の避寒地．毎年ここで Cannes Film Festival (カンヌ国際映画祭)が開かれる》.

†**can·ni·bal** /kǽnəbl/ 名 C **1** 人食い人種；[比喩的に] 鬼．**2** 共食いする動物．── 形 人食い人種[共食いする動物]の(ような)．**cán·ni·bal·ism** 名 U **1** 人食い[共食い](の風習)．**2** 残忍さ，野蛮な行為．

can·ni·bal·is·tic /kæ̀nəbəlístɪk/ 形 〈人が〉人食いの；共食い性の；残忍な．

can·ni·bal·ize /kǽnəbəlàɪz/ 動 他 (他の物の修理用の部品を取り出すために)〈機械・車などを〉壊す，解体する．

can·non /kǽnən/ (同音) canon) 名 C **1** (軍用機の)機関砲；(古)(射角45度以下のカノン)砲《榴(ǻ)弾砲，迫撃砲》．**2** (一般に)大砲《◆現在では gun がふつう》．(俗)ピストル，はじき．── 動 自 〔…に〕激しく衝突する，ぶつかる〔against, into, with〕．

cánnon fódder (略式)大砲の餌食(ﾞ)；消耗品とみなされる兵士たち．

cánnon salúte 礼砲．

can·non·ade /kæ̀nənéɪd/ 名 C **1** 連続砲撃．**2** (言葉による)攻撃．

can·non·ball /kǽnənbɔ̀ːl/ 名 C **1** (旧式の)砲弾，砲丸《◆今は shell がふつう》．**2** (米略式)特急[弾丸]列車．

can·not /kǽnɑt, -nət, (米+) kænάt, kən-ǀ kǽnɔt, -nət/ can の否定形．

> **語法** (略式)では can't がふつう．「…のはずがない」の意では [正式] でも can't とすることが多い．2語にした can not は強調・対照・修飾・その他特別の場合を除いて用いられない．

cannot but do → **but** 前 3．

can·ny /kǽni/ 形 (-ni·er, -ni·est) **1** (金銭の面でまたは政治的に)抜け目のない，ずるい(shrewd)．**2** 利口な，見聞の広い．**3** 〈スコット・北イング〉すてきな，よい．

***ca·noe** /kənúː/ [アクセント注意]
── 名 (複 ~s/-z/) C カヌー《paddle でこぐ丸木舟の総称．cf. kayak》‖ **by canoe** =**in a canoe** カヌーで(⇨文法 16.3(5))／**paddle [×row] a canoe** カヌーをこぐ．

páddle one's **ówn canóe** (略式)自立する，独力でやっていく．
── 動 自 (正式)カヌーをこぐ，カヌーで行く．

ca·noe·ist /kənúːɪst/ 名 C カヌーのこぎ手．

†**can·on** /kǽnən/ (同音) cannon) 名 C **1** 《キリスト教》(教会の)戒律，法規．**2** [しばしば ~s] 《正式》 (行動・思想などの)規範，規準，基準(standard)．**3** 《音楽》カノン，輪唱曲．**4** 《文学》(偽作に対して)真作(品)，作品リスト．**5** 《キリスト教》大聖堂[司教座聖堂]参事会員．

cánon láw 教会法．

ca·non·i·cal /kənɑ́nɪkl ǀ -nɔ́n-/ 形 **1** 聖書正典の，聖書正典と認められた．**2** 教会法上の，教会法に基づく．**3** 権威のある；公式に認められた；正統(派)の．**4** 数学的にもっとも単純な形の．

can·on·ize /kǽnənàɪz/ 動 他 **1** 〈死者を〉聖者の列に加える，列聖する(cf. beatify)．**2** …を正典に含める；…を正典と認める．**càn·on·i·zá·tion** 名 C U 列聖(式)；正典と認めること．

†**can·o·py** /kǽnəpi/ 名 C **1** 天蓋(ﾞ)《寝台・王座・入口などの上部を覆う装飾》．**2** (飛行機の操縦席上の透明な)天蓋．**3** 《文》天蓋のような覆い；日陰(shade)．

†**cant** /kǽnt/ (同音) can't (米)) 名 C **1** 《正式》(主に宗教・道徳に関する)不まじめな話；偽善的な決まり文句，御託(ﾞ)．**2** 一時的な流行語，決まり文句．**3** (新聞記者・弁護士などの)専門語，特殊用語，隠語(jargon)．

***can't** /kǽnt ǀ kάːnt/ (同音) (米) cant) (略式) cannot の短縮形 [語法] → cannot．

Can·ta·brig·i·an /kæ̀ntəbrídʒiən/ 形 **1** 《(英)》ケンブリッジ(大学)の．**2** (米)Massachusetts 州のケンブリッジの；(同地にある)ハーバード(Harvard)大学の．── 名 **1** ケンブリッジ生まれの人[住民]．**2** (略式われ) ケンブリッジ[ハーバード]大学の学生[卒業生]．

can·ta·loupe, --loup /kǽntəlòʊp ǀ -lùːp/ 名 C U カンタロープ《マスクメロンの一種》．

can·tan·ker·ous /kæntǽŋkərəs, kən-/ 形 (略式)怒りっぽい，けんか好きな；付き合いにくい，つむじ曲がりの．**can·tán·ker·ous·ly** 副 怒りっぽく．

can·ta·ta /kəntɑ́ːtə ǀ kæn-/《イタリア》名 C 《音楽》カンタータ《独唱，重唱，合唱からなる声楽曲》．

†**can·teen** /kæntíːn/ 名 C **1** (軍人・キャンパー用)水筒．**2** (工場・学校などの)食堂；社員食堂；(緊急用の仮設)въ設施設]食堂．**3** (英) 箱に入ったナイフ・フォーク・スプーンのセット．

†**can·ter** /kǽntər/ 名 C [通例 a ~] **1** キャンター《馬のゆるい駆け》(⇨ gait 2) ‖ **win a [at] in a canter** (競走馬が)楽勝する．**2** キャンターで駆ける馬への騎乗．**3** 短い行程[距離]．── 動 自 〈馬が〉キャンターで駆ける．── 他 〈馬を〉キャンターで駆けさせる．

†**Can·ter·bur·y** /kǽntərbèri ǀ -bəri/ 名 カンタベリー《イングランド南東部 Kent 州にある都市．アングリカンチャーチ総本山の所在地》．

Cánterbury Táles [the ~] 『カンタベリー物語』《Chaucer の作》．

can·ti·cle /kǽntɪkl/ 名 C 聖歌，賛美歌．

can·ti·le·ver /kǽntlìːvər/ 名 C (バルコニー・棚などを支える)梁(ﾞ)．

†**can·to** /kǽntoʊ/ 名 (複 ~s) C 《正式》(長詩の)編，巻《◆小説の chapter (章)に当たる》．

Can·ton /kæntάn ǀ -tɔ́n/ 名 **1** カントン(広東)《中国南東部の海港》．**2** カントン《米 Ohio 州北東部の都市》．

can·tor /kǽntər ǀ -tɔː-/ 名 C **1** (聖歌隊の)先唱者．**2** [ユダヤ教] 先詠者，朗詠者．

†**can·vas** /kǽnvəs/ (同音) canvass) 名 **1** U (テント・帆・靴など)用のキャンバス地，ズック；C [集合名詞としても用いて] テント，帆 ‖ **canvas shoes** ズック靴．**2** C U カンバス，画布；C 油絵(oil painting)；U (歴史・小説などの)背景．**3** C [通例 the ~] (ボクシング・レスリングの)リングの床，マット．

†**can·vass** /kǽnvəs/ (同音) canvas) 動 他 **1** 〈町・地区などを〉(支持・注文・寄付などを頼んで)回る，遊説する〔for〕；〈一定の問題〉を世論調査する ‖ **canvass the whole block for subscriptions to evening papers** 夕刊の予約購読の勧誘に町内を残らず回る．**2** 〈計画など〉を念入りに調べる，…を検査する；〈問題・提案など〉を徹底的に議論する．── 自 **1** 投票[支持，注文，寄付]を頼む，遊説する．**2** 討論[議論]する．

── 名 C **1** (商品販売などの)勧誘；(投票依頼を

の)戸別訪問；世論調査. **2** 討論, 議論.
cán·vass·er 名 © 勧誘員, 注文取り, セールスマン；(選挙の)運動員, 遊説者.

†**can·yon** /kǽnjən/《スペイン》名 © (川のある)深い峡谷 (図) → valley)；(地面などの)深い割れ目 ‖ The Grand Canyon グランドキャニオン《米国 Arizona 州北西部の Colorado 川流域の大峡谷》.

can·zo·ne /kænzóuni/ -ts·u- /《イタリア》名 (履 **-ni** /-ni/, **~s**) © 《音楽》 **1** カンツォーネ《愛·美をたたえるイタリアの叙情詩·歌曲》. **2** イタリア民謡風歌曲.

‡**cap** /kǽp/ [顕音] **cup** /kʌ́p/《「頭(head)」が原義. cf. **capital**》
— 名 (履 **~s**/-s/) © **1 a** (縁なしの)**帽子**《◆縁のあるのは hat》‖ *touch* one's *cap* 帽子に手をやる《敬意·あいさつなどを表す動作》. **b** [通例複合語で] (職業·階級などを示す)制帽, 式帽 ‖ a cárdinal's càp 枢機卿(誇)の帽子 / a cóllege [squáre] càp 大学帽 / a núrse's càp 看護師の制帽.
2 [時に複合語で] 帽子状の物；(びん·万年筆·カメラのレンズなどの)ふた, キャップ；(キノコの)かさ；雷管《正式》percússion càp), (おもちゃのピストルの)紙火薬, (靴の)つま先(tóe càp), (ひざの)さら(knéecap)；《建築》柱頭 ‖ a cáp pistol (紙火薬を使う)おもちゃのピストル. **3** [the ~] 頂上；最高 ‖ the *cap* of a wave 波頭. **4** [予算·値段などの]上限(on) ‖ impose a 9 percent *cap* on pay increases this year 今年の支払い増加に9パーセントの上限を設ける.
cáp in hánd [『帽子を手にして』より]《正式》うやうやしく ‖ go *cap* in hand (お金や許しを乞(こ)うて)敬意を表する, かしこまって行く.
If the cap fits(, wear it).《略式》もし思い当たる節があるなら, その批判を受けとめよさい.
sét one's *cáp for* [《英》*at*] **A** 帽子を横か斜めにして《異性》の気をひいて心を射止めようとする.
— 動 (**~s**/-s/; 過去·過分 **capped**/-t/; **cap·ping**)
— 他 **1** ···に帽子をかぶせる；(名誉·階級などの象徴として) ···に帽子を与える, 《スコット·ニュージーランド》···に学位を授ける；《英》(選手などを与えて)《選手》を国の代表チームに加える. **2**《器具などに》*ふたをかぶせる*[取り付ける]；···の頂上を覆う ‖ the hills (which are) *capped* with [by] snow 雪で-*capped* hills 雪をいただいた山々. **3** (相手の言った言葉に)〔さらに輪をかけた言い回しで〕追い打ちをかける(*with*). **4** (特に地方自治体の)徴収税率や支出に上限を設定する. **5** [···で]···を仕上げる, 完成するクライマックスに持っていく(*with*) ‖ She *capped* her career *with* a victory. 彼女は勝利で自分の生涯をしめくくった.
(and) to cáp it áll [『今まで話した悪い[よい, おかしな]ことすべてのさらに上手を行く(cap 他 **3**)』]《略式》[接続詞的に](ひどい状態などの)あげくの果てに, とどのつまり.

†**ca·pa·bil·i·ty** /kèipəbíləti/ 名 回 © **1** [···の, する]力, 才能(*for*)；[the capability of [in] doing / to do] ···できる力, 才能, 手腕《◆capacity より堅い語》‖ I have *the capability of* dealing [*the capability to* deal] with difficult problems 難問を処理する能力がある. **2** (物質の)(処理などに)耐える能力,〔···に対する〕性能(*for*)；(国家の)戦闘能力. **3** [capabilities] (今後伸びる)素質, 才能；潜在能力, 将来性.

*‡**ca·pa·ble** /kéipəbl/《← capacity》
— 形 (more ~, most ~；時に **~r, ~st**) **1** [be capable of **A** = be capable of *do*ing] **a**〈人·物が〉**A**〈事〉の[···する](潜在)能力がある, 才能[資質]を秘めている ‖ The computer *is capable of* stor-ing millions of pieces of information. コンピュータは何百万という情報をストックできる(=The computer is able to store ...). / The airplane *is capable of* supersonic speeds. その飛行機は超音速で飛べる / He *is capable of* keeping a secret when he wants to. 彼はその気になれば秘密を守ることができる(=He is able to keep ...). **b**〈人かが〉(望ましくないこと)をやりかねない, ···をする可能性の(かなり)ある ‖ a guy (who is) *capable of* murder 殺人を犯しかねないやつ / The man *is quite* [*fully*] *capable of* telling lies. 奴はうそをつきかねない男だ. **c**〈事·物が〉〈改善など〉を[···されること]を受け入れる余地がある, 受容能力がある ‖ The situation *is capable of* improvement [being improved]. 状況は改善の余地がある.
2 [···に] 必要な能力 [資格] のある[*for, in*]；(人が) (専門職などで) 有能な, 敏腕の ‖ a *capable* lawyer 腕ききの弁護士 / He's *capable* as a lawyer. 彼は弁護士として有能だ.
cá·pa·bly 副 巧みに, 上手に. **cá·pa·ble·ness** 名 回 能力があること.

†**ca·pa·cious** /kəpéiʃəs/ 形《正式》収容[収納]力の大きい；広々した(spacious). 大きい(large)；〔記憶力などが〕大きい.

†**ca·pac·i·ty** /kəpǽsəti/ 名 **1** © 回 [しばしば a ~] (潜在的な)能力, 才能；[the [a] capacity for doing / to do] (将来の可能性も含めて)···できる能力(↔ incapacity) ‖ He is a man *of great capacity* but of little ability. 彼は偉大な才能を秘めた人物だが, やり手ではない / She has a remarkable *capacity for* learning languages. 彼女にはすばらしい語学の才がある / The book is *beyond* [*within*] my *capacity*. その本は私に理解できない[できる]. **2** 回 [しばしば a ~] 〔···を〕受け入れる[包含する]能力[*for*], 受容[収容]能力, (建物などの)定員；容積, 容量《◆形容詞は capacious》；[形容詞的に]満員の；〈仕事などか〉能力いっぱいの ‖ The theater was filled *to* [*beyond*] *capacity*. 劇場は満員[超満員]だった《◆『満員の観客には *capacity crowd*》/ a *capacity for* hard work 重労働に耐えられる能力 / The tank has a fifty-gallon *capacity*. =The tank has a *capacity of* [*to* hold] fifty gallons. タンクの容量は50ガロンだ / The room has a seating *capacity* of 200. = The seating *capacity* of the room is 200. 部屋の収容人員は200人だ / at full *capacity* フル操業で / a *capacity* production フル操業の生産. **3** © 《正式》(時に一時的な)資格, 立場(position)；《法律》法定資格 ‖ *in the capacity of* chairman =in one's *capacity* as chairman 議長として《◆単に as chairman ということも多い》.

†**cape**[1] /kéip/ 名 © **1** 回 みさき(岬) (headland)《◆しばしば C~で地名として使われる》‖ *Cape* Erimo 襟裳(絵)岬. **2** [the C~] **a** =Cape Cod. **b** =the C~ of Good Hópe 喜望峰. **c** 南アフリカ Cape Province の南西地域.
Cápe Ca·náv·er·al /-kənǽvərl/ ケープ=カナベラル《米国 Florida 州東海岸の岬. ミサイル·人工衛星の実験基地. 一時 **Cápe Kénnedy** と呼ばれた》.
Cápe Cód → Cod.
Cápe Cólored =colored 名 **2**.
Cápe Hórn → Horn.
Cápe Tówn → 見出し語.

†**cape**[2] /kéip/ 名 © (婦人服の)ケープ；(軍服などの)肩マント《円形のそでなし外衣の総称. cf. manteau》.

†**ca·per**¹ /kéipər/ 動 (正式) (陽気に)はね[飛び]回る(+*about*). ── 名 **1** (陽気な)はね[飛び]回り. **2** (在・英品味)悪ふざけ. **3** (俗) 犯罪行為.
cút cápers [**a cáper**] (1) 悪ふざけをする. (2) (うれしくて)飛び回る.

ca·per² /kéipər/ 名 C [通例 ~s] ケイパー《セイヨウフウチョウボクの花のつぼみの酢づけ》.

†**Cape Town, Cape·town** /kéiptáun/ 名 ケープタウン《南アフリカ共和国の都市. 立法府所在地》.

†**cap·il·lar·y** /kǽpəlèri | kəpíləri/ 形 毛(状)の, 毛管(現象)の ‖ *capillary* action [phenomenon] 毛管作用[現象] / a *capillary* tube [vessel] 毛細血管. ── 名 C 毛細管;[解剖] [通例 capillaries] 毛細血管.
cápillary attráction 毛管引力.

cap·i·tal /kǽpətl/ [同音] capitol) 《「主要なもの」が本義》 派 capitalism (名), capitalist (名)

index 名 1 首都 2 資本(金) 3 大文字
形 1 大文字の 2 最も重要な

── 名 (複 ~s/-z/) **1** C **首都**, 首府, 州都;(産業などの)中心地;[形容詞的に]首都の, 首府の(略 cap.) ‖ Washington, D.C. is the *capital* of the USA. ワシントン DC はアメリカ合衆国の首都です / the financial *capital* of the world 世界金融の中心地 / ショウカ "What is the *capital* of America?" "The letter A" 「アメリカの首都は?」「A の文字」 《◆ *capital* 3 (大文字の)のしゃれ》.
2 U [時に a ~] **資本(金)**, 資産, 元金(↔ interest) (cf. working capital) ‖ They have enough *capital* to build a second factory. 彼らはもう1つの工場を建設するだけの資本を持っている / Her business was started with (*a*) *capital* of $2,000. 彼女の事業は資本金 2000 ドルで始められた.
3 C **大文字**, 頭文字 (capital letter)(↔ small letter);[~s] 大文字で書く[印刷する]こと, 大文字体 ‖ Write only your family name in *capitals* [*capital* letters]. 姓だけを大文字で書きなさい / English sentences begin with a *capital* (letter). 英文は大文字で始まる.
4 U [集合名詞] 資本家(階級).
make cápital (óut) of A …を利用する, 食いものにする.

── 形 [通例名詞の前で] **1 大文字の** ‖ a *capital* letter 大文字 / He is an activist *with a capital A*. 【頭文字を大文字で書けばその語が強調されることから】彼は本当の意味での政治活動家だ(=He is truly an activist.) 《◆ A は前の activist の頭文字. feminist なら F となる》. **2 最も重要な**, 主要な, 主な ‖ be of *capital* importance 非常に重要である. **3** (米・英古) すぐれた, すばらしい, 一流の ‖ What a *cápital* idea! なんていい考えだ / He's a *capital* fellow. 彼はいい人だ. **4** 死刑の, 死刑に値する.
cápital ássets 固定資産.
cápital gáin [[英ではしばしば] **gáins**] 資本利得, キャピタルゲイン《株や土地売買による所得》.
cápital góods 資本財.
cápital létter = 名 3.
cápital lóss 資本損失.
cápital púnishment 死刑.

cap·i·tal-in·ten·sive /kǽpətlinténsiv/ 形 [経済] 資本集約的な.

†**cap·i·tal·ism** /kǽpətəlìzm/ 名 U 資本主義(制度).

関連 「共産主義」は communism, 「社会主義」は socialism.

†**cap·i·tal·ist** /kǽpətəlist/ 名 C **1** 資本家. **2** 資産家, 金持ち. **3** 資本主義者.

†**cap·i·tal·is·tic** /kæ̀pətəlístik/ 形 **1** 資本を有する [操作する]. **2** 資本主義の, 資本主義に基づく, 資本主義を擁護する. **càp·i·ta·lís·ti·cal·ly** 副 資本主義的に.

cap·i·tal·ize /kǽpətəlàiz/ 動 他 **1** …を大文字で書く[印刷する, 始める]. **2** …を資本化[現金化]する;…に出資する, 投資する. **3** 株価 [株の利益額] に基づいて(企業の)資産価値を計算する. ── 自 (…を)利用する, (…に)つけ込む(*on*).

càp·i·tal·i·zá·tion /-zéiʃən/ 名 **1** U 資本化(すること). **2** [a ~] 資本総額. **3** U 大文字を使用すること.

cap·i·ta·tion /kæ̀pətéiʃən/ 名 **1** U (税・料金などの)均等割, 頭割. **2** C 均等割税[料金], 人頭税.

Cap·i·tol /kǽpətl/ 名 **1** (米) [the ~] 国会議事堂 (the United States Capitol)《◆日本の国会議事堂は the Diet Building, 英国のは the Houses of Parliament》;[通例 c~] C 州議事堂《◆各州の州都にある》. **2** [the ~] (古代ローマの)カピトリヌス丘 [神殿]. **3** = Capitol Hill. ◆ 米国議会 (Congress)《◆ the Hill ともいう》. **Cápitol Híll** (米) キャピトル = ヒル《Washington, D.C. の国会議事堂のある丘》.

†**ca·pit·u·late** /kəpítʃəlèit/ -tju-/ 動 自 **1** (正式) (…に)降伏[屈服]する(*to*). **2** (反対の態度を改めて)同意[容認]する.

ca·pit·u·la·tion /kəpìtʃəléiʃən/ -tju-/ 名 **1** U 降伏; C 降伏文書. **2** C 要項, 要約.

cap·let /kǽplit/ 名 C 長円形の錠剤薬の入ったカプセル.

ca·po /kápou/ 名 C (俗) マフィアの大物.

ca·pon /kéipən | -pən/ 名 C (食用の)去勢おんどり.

cap·puc·ci·no /kæ̀pətʃíːnou | kæpətʃíːnou/ 名 U カプチーノ《エスプレッソコーヒーに熱いミルクを入れたもの》.

Ca·pri /kǽpriː, kɑːpríː | kəpríː/ 名 カプリ島《イタリアのナポリ湾入口の島. 観光地》.

†**ca·price** /kəpríːs/ 名 **1** CU (正式) 気まぐれ, むら気;(運命などの)気まぐれ. **2** U 気まぐれな性格.

ca·pri·cious /kəpríʃəs/ 形 気まぐれな;衝動的な;信頼できない.

Cap·ri·corn /kǽprikɔ̀ːrn/ 名 **1** [天文] やぎ座《南天の星座, the Goat》. **2** [占星] 磨羯(まかつ)宮, やぎ座;磨羯宮生まれの人《12月22日-1月19日生》. **3** 南回帰線, 冬至線 (the Tropic of Capricorn) (図 ◆ earth).

cap(s). 略 *capital* letter(s).

cap·si·cum /kǽpsikəm/ 名 C トウガラシ;その実.

cap·size /kǽpsaiz | -´-/ 動 他 (船)を転覆させる. ── 自 (船が)転覆する. 《◆ 沈没の意を含むことがある》

cap·stan /kǽpstən/ 名 C **1** [海事] キャプスタン, 車地(しゃち)《錨(いかり)などを巻き上げる装置》. **2** キャプスタン《テープレコーダーのテープを送る回転軸》. ── 名 C 転覆.

†**cap·sule** /kǽpsl | -sjuːl/ 名 C **1** 小さな容器[袋, 箱];(特に薬の)カプセル. **2** (宇宙船の)カプセル (spáce capsule). **3** (植物の種を包む)袋.

Capt. 略 Captain.

:cap·tain /kǽptn | -tin/ 《「頭(かしら)になる人」が原義》

── 名 (複 ~s/-z/) C (略 Capt.) **1** [呼びかけにも用いて] **船長**, 艦長, 機長 ‖ *Captain* Armstrong

アームストロング船長《◆米国の宇宙飛行士. 1969年Apollo 11号で人類で初めて月面に降り立った》. **2** (集団などの)**長**; 指導者, 長; 首領; 大立物 ‖ a cáptain of índustry 産業界の大立物, 大実業家. **3** (運動チームの)**キャプテン**, 主将;《英》(学校の)級長; 生徒[自治]会長 ‖ He is (the) *captain* of the team. 彼はチームの主将だ《◆無冠詞がふつう. ➡文法 16.3(4)》. **4** 陸軍[空軍]大将; 海軍大佐《◆呼びかけも可》. **5**《米》(ホテル・料理店などの)ボーイ長.

cáptain géneral《複》~s general, ~ generals》 総司令官.

Cáptain Kídd → Kidd.

cap·tain·cy /kǽptnsi | -tin-/《名》U|C《正式》captain の地位[役目, 任務].

cap·tion /kǽpʃən/《名》C **1**《米》(新聞記事・章・公式文書などの)見出し, 表題, タイトル. **2** (イラスト・写真に添えた)短い説明文, 記述, キャプション. **3** (映画・テレビの)字幕(subtitles) (cf. closed caption).

†**cap·ti·vate** /kǽptəvèit/《動》他《正式》(美・才能・興味などで)〈人などを〉(一時的に)魅惑する, うっとりさせる (enchant);〈人〉の心を奪う, 捕える (capture).

càp·ti·vá·tion /-véiʃən/《名》U 魅惑(すること), 魅力.

†**cap·tive** /kǽptiv/《名》C **1** 捕虜, 人質, 囚人(prisoner). **2** (美・恋などの)とりこ(になっている人) ‖ a *captive* of love 恋のとりこ.
—《形》**1** (主に戦争により)捕虜になった; 閉じ込められた;《文》監禁[束縛]の ‖ a *captive* bear 捕らえられたクマ / the *captive* soldiers 捕虜になった兵士たち / take [hold] him *captive* 彼を捕虜にする[しておく]. **2** (美・恋などの)とりこになった, 魅惑された; 心を奪われた.

cáptive áudience とらわれの聴衆[視聴者]《乗り物などで自分の意志と関係なく何かを聞かされる人々》.

†**cap·tiv·i·ty** /kæptívəti/《名》U とらわれの身[状態], 監禁状態[期間]; 束縛.

†**cap·tor** /kǽptər/《名》C《正式》(人・動物を)捕える人.

・**cap·ture** /kǽptʃər/
—《動》 ~s /-z/;《過去・過分》~d /-d/; **-tur·ing** /-tʃəriŋ/
—《他》**1**〈人・動物〉を(力ずくで)**捕える**《◆ catch より堅い語》; …を逮捕する; …を捕獲する;《陣地要塞などを》攻撃[占領]する ‖ She was *captured* trying to steal jewelry. 彼女は宝石類を盗もうとして捕えられた / There are some *captured* cicadas in the jar. びんの中につかまえたセミが何匹か入っています. **2**〈人の心・注意などを〉捕える, 引きつける ‖ The help-wanted column *captured* her attention. 求人広告欄が彼女の注意を引いた. **3**〈賞品など〉を獲得する, 取る. **4**《正式》(映画・文字などで)〈捕えにくい〉物などを保存[表現]する(preserve) ‖ The artist *captured* the charm of the lady. 画家はその婦人の魅力をうまく捕えた. **5**《コンピュータ》〈画像・映像データ〉を取り込む, 入力する, 集積する. **6**《チェス》〈駒〉を取る.
—《名》**1** U 捕獲[逮捕, 占領]する[される]こと. **2** C 捕獲物, ぶんどり品; 捕えられた人.

‧‧car /kάːr/《「走る」→「物を運ぶ2輪馬車」が原義. cf. carry, chariot》
—《名》《複》~s /-z/》C **1** (ふつう自家用の)**自動車**, 乗用車《図》→次ページ》《◆**(1)**《主に米》automobile,《米略式》auto, 《英式・今は米》motorcar の一般語. **(2)** bus, taxi, truck などは含まないが, 形容詞的に用いられる場合はそれらを含む: a *car* dealer 自動車販売店 / a *car* accident 自動車事故. **(3)** しばしば《略式》では transportation, machine が代用語として用いられる》➡文法 16.3(5)》
(1)「彼の車でドライブする」は in: go for a drive in [×by] his *car*. **(2)** by *car* は by train, on foot と対比して用いるので,「車で熱海に行った」はふつう We drove to Atami. という / get in(to) [out of] the *car* 車に乗る[車から降りる]《◆《1)》×get on [off] the *car* は不可. **(2)** 幼児などには get の代わりに climb を用いることがある》/ drive a *car* 車を運転する / Have you ever been in a sports *car*? スポーツカーに乗ったことがありますか / 日本発》 Cars run on the left side of the road in Japan as they do in the UK. 日本ではイギリスと同じように車は左側通行となっています.

関連 (1) [いろいろな種類の car]
electric *car* 電気自動車 / estate *car*《英》ステーションワゴン / patrol [police] *car* パトカー / racing *car* レーシングカー / saloon *car* セダン型自動車 /《米》sedan / sports *car* スポーツカー / used *car*, secondhand *car* 中古車.
(2) [いろいろな車の用語]
accelerator アクセル / directional [turn] signal, blinkers,《英》winkers ウインカー, 方向指示器 / flat tire, puncture パンク / foot brake ブレーキ / gas,《英》petrol ガソリン / headlight ヘッドライト, 前照灯 / hood,《英》bonnet ボンネット / horn クラクション / parking brake, hand brake サイドブレーキ / rear-view mirror バックミラー / seat belt シートベルト / side-view mirror,《英》wing mirror サイドミラー / stalled engine エンスト / steering wheel ハンドル / wiper ワイパー.

2 (市街)電車《◆《米》streetcar,《英》tramcar などの略》.
3 (複合語で)(列車の)**車両**, (…)車;《米》客車, 貨車(《英》goods wagon) ‖ a Púllman càr プルマン車両 / a first-class *car* 1等車 / a buffet [díning] càr 食堂車 / a dóme càr 展望車 / a freight *car* 貨車 / a sleeping *car* 寝台車.
4 (ロープウェイの)ゴンドラ; (飛行船・気球などの)つりかご;《米》(エレベータの)箱(cage).

cár bèd 幼児用携帯寝台《車の後部に置く》.
cár bòmb 駐車中の車に仕掛けられた爆弾.
cár còat カーコート《スポーティな七分丈コート》.
cár exhàust 排気ガス.
cár fèrry **(1)** カーフェリー《鉄道車両・車などを運ぶ船. ferry(boat) ともいう》. **(2)** カーフェリー《車を運ぶ飛行機》.
cár lícense (車の)登録番号, ナンバープレート.
cár navigàtion sýstem カーナビゲーション装置.
cár pàrk《英》駐車場《(主に米》parking lot》.
cár phòne 自動車電話.
cár pòol カープール(のメンバー)《通勤者などの, 自家用車の輪番相乗り》‖ do *car* pooling 相乗りする《cf. motor pool》《◆金を出し合ってタクシーに乗る場合にも用いる》.

ca·rafe /kəráf, -ráːf/《名》C (水・ワイン用の)ガラス製卓上びん, カラフ; その1杯分の量.

†**car·a·mel** /kǽrəml | -mèl/《名》**1** U =caramel sauce. **2** C キャラメル(1個).

cáramel sáuce カラメル《砂糖を煮つめたもの》.

car·a·pace /kǽrəpèis/《名》C (亀の)甲ら, 背甲

car (labeled diagram)

- (米) windshield / (英) windscreen
- seat and back seat
- roof
- window
- (米) antenna / (英) aerial
- (米) hood / (英) bonnet
- (米) trunk / (英) boot
- (米) fender / (英) wing
- headlight
- wheel
- (米) tire / (英) tyre
- (米) fender / (英) bumper
- door lock
- grille
- door handle
- (米) license plate / (英) number-plate
- direction indicators
- hubcap
- (米) side mirror / (英) wing mirror
- rearview mirror
- (米) turn signal lever / (英) indicator switch
- speedometer
- steering wheel
- wiper
- glove compartment
- horn
- (米) window roller / (英) window winder
- seat belt
- door lock
- radio
- clutch
- door handle
- armrest
- brake
- accelerator
- (米) gearshift / (英) gear lever

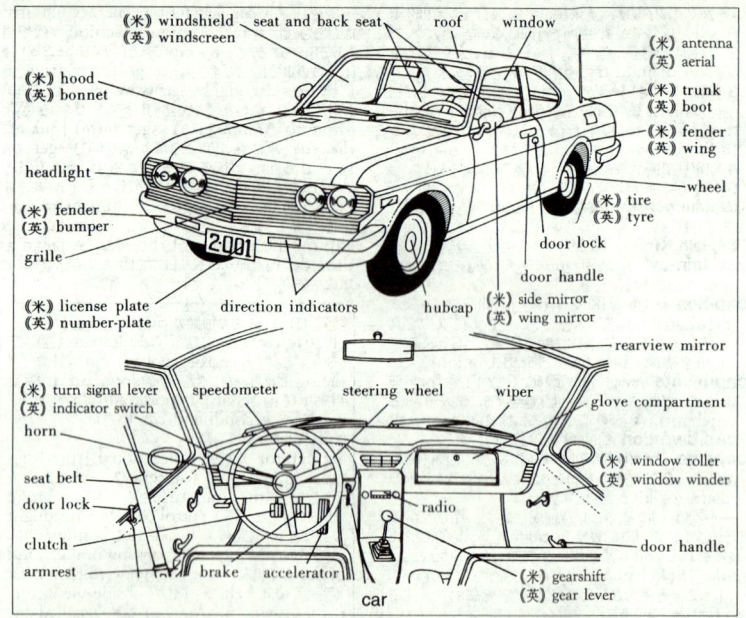

(甲殻); (甲殻類の)甲殻.

car·at /kǽrət/ 名 © **1** カラット《宝石の重量単位. = 200 mg. 略 c., ct.》. **2** =karat.

†**car·a·van** /kǽrəvæn/ 名 © **1** (古)(砂漠の)隊商, キャラバン隊; 巡礼隊. **2** (屋根付きの)荷物運搬車; (ジプシーなどの)幌馬車(van, (英) wagon). **3** (英) 移動住宅, トレーラーハウス((米) trailer).

cáravan sìte (英) トレーラーハウスキャンプ場.

†**car·a·way** /kǽrəwèi/ 名 © 〔植〕キャラウェー, ヒメウイキョウ; 〔集合名詞〕その実.

cáraway sèed キャラウェーの実《パン・ケーキの香料》.

car·bine /káːrbiːn|-bain/ 名 © カービン銃.

†**car·bo·hy·drate** /kàːrbouháidreit|kàːbəu-/ 名 Ⓤ 〔化学〕炭水化物, 含水炭素;(略式)〔通例 ~s〕でんぷん食品.

†**car·bol·ic** /kɑːrbɑ́lik|-bɔ́l-/ 形 〔化学〕コールタール性の ‖ carbólic ácid 石炭酸.

†**car·bon** /káːrbən/ 名 **1** Ⓤ 〔化学〕炭素《非金属元素. 記号 C》. **2** © 〔電気〕(電池・アーク灯などの)炭素棒[板]. **3** Ⓤ © (1枚の)カーボン紙; © その写し.

cárbon cópy (カーボン紙による)写し(略 cc, c.c.); (略式) 生き写し, うり二つ.

cárbon dàting 放射性炭素年代測定法.

cárbon dióxide 〔化学〕二酸化炭素, 炭酸ガス.

cárbon 14 炭素14(記号 ¹⁴C).

cárbon monóxide 〔化学〕一酸化炭素.

cárbon pàper カーボン紙《複写用》.

cárbon tàx (自動車の排出する二酸化)炭素税《◆ greenhouse tax ともいう》.

†**car·bon·ate** 名 káːrbənèit|-nit; 動 -nèit/ 名 Ⓤ © 〔化学〕炭酸塩[エステル];〔化合物名で〕炭酸… ‖ cálcium cárbonate 炭酸カルシウム / carbonate of soda 炭酸ソーダ. ── 動 他 **1**《飲み物に》炭酸ガスを含ませる ‖ carbonated drinks [beverages] 炭酸飲料. **2** 〔化学〕…を炭酸塩化する. **càr·bon·á·tion** 名 Ⓤ 炭酸化作用.

†**car·bon·ic** /kɑːrbɑ́nik|-bɔ́n-/ 形 〔化学〕炭素の, 炭素を含んだ ‖ carbónic ácid 炭酸.

cár-boot sàle /káːrbuːt-/ (英)(車のトランクなどにあった不要物の)ガレージセール.

car·boy /káːrbɔi/ 名 © カルボイ《酸などを入れるため破損を防ぐ木わく箱入りのガラスびん》.

car·bun·cle /káːrbʌŋkl/ 名 © **1** 〔医学〕よう(癰), ちょう(疔)《悪性の吹き出物》. **2** カーバンクル《宝石の一種》.

car·bu·re·tor, (英) --ret·tor /káːrbəreitər|kàːbjəréta/ 名 © (内燃機関の)キャブレター(図 → motorcycle).

†**car·cass, --case** /káːrkəs/ 名 © **1** (動物の)死骸(~); (肉用)屠殺(~)体《人の死体は body》. **2** (俗)(人の)死体; (生きている)人体. **3** (車・建物などの)腐朽した外面.

car·cin·o·gen /kɑːrsínədʒən, -ːːː/ 名 © 発がん物質. **car·cin·o·gen·ic·i·ty** /kàːrsinədʒənnísəti/ 名 Ⓤ 発がん性. **càr·cin·o·gén·ic** 形 発がん性の.

****card** /káːrd/ 類語 curd /káːrd/ 《「パピルスの葉」が原義》 ── 名 (複 ~s/káːrdz/) © **1a** 〔しばしば複合語で〕(厚紙・プラスチック製の)カード, 券 ‖ The commutation tickets (which are) used by the subway are small, light green *cards*. その地下鉄の定期券は小さな薄緑のカードです.

関連 [いろいろな種類の card]
boarding card (英)(飛行機の)搭乗券 / busi-

cardamom / **care**

ness card 業務用名刺 / calling card, (英) visiting card (私的な)訪問用名刺 / cash card (銀行などの)キャッシュカード / check card, (英) banker's card (銀行発行の)クレジットカード / credit card クレジットカード / debit card デビットカード, 即時決済カード (略) DC) /donor card ドナーカード / identity [ID] card 身分証明書 / index card 索引(カード / membership card 会員券 / red card 〔サッカー〕レッドカード / yellow card 〔サッカー〕イエローカード.

b クレジットカード(credit card) ‖ 〖対話〗 "Do you accept (credit) cards?" "Sorry, we accept cash only." 「カードで支払いができますか」「あいにく現金しかお受け取りできません」/ pay the check with one's American Express card アメリカンエキスプレスで勘定を払う.

2 はがき《◆正式には postcard, post card, postal card という. → postcard》; あいさつ状, 賀状, 案内状.

3 名刺((英)) vísiting [(米) cálling) càrd)《◆英米では名刺の交換は日本ほど日常的ではない. name card は「名札」》.

4 トランプ札, カルタ((正式)) pláying càrd)《◆ trump は「切り札」(trump card)の意》; [~s; 通例単数扱い] トランプ遊び ‖ a pack [(主に米) deck] of cards 1組のトランプ / deal (out) the cards トランプ札を配る / cut the cards カードを切る / Let's ╔play cards 〔×do trumps〕. =Let's have a game of cards. トランプをしよう / He's good at cards. 彼はトランプがうまい.

5 《やや古・略式》他人を笑わせる人, 変わった人; [形容詞を伴って] 人, やつ ‖ a knowing card 抜け目のないやつ / He is ╔a real [quite a] card. 彼は本当に面白い[変わった]やつだ.

6 〔スポーツの〕プログラム, 番組, カード;〔クリケット・ゴルフの〕スコアカード;〔サッカーの〕イエロー[レッド]カード.

7 〔コンピュータ〕 プリント配線基板, プリント板.

a cárd up one's *sléeve* 奥の手, もう1つの決め手.
be in [(英) *on*] *the cárds* 〔トランプ占いから〕(略式)〈物事が〉ありそうである ‖ It's *in the cards* for her to [that she will] buy a car soon. 彼女はもうすぐ車を買いそうだ.
gèt one's *cárds* (英) クビになる.
hóld áll the cárds (略式) 絶対的に有利な立場にいる.
hóld [*kéep, pláy*] one's *cárds clóse to* [*néar*] one's [*the*] *chést* (略式) 秘密にしておく, 手の内を見せないでおく.
pláy one's *bést* [*stróngest, lást*] *cárd* 切り札を出す, 最上[最後]の策をとる.
pláy one's *cárds wéll* [*ríght, próperly, wísely*] (略式) 物事をうまく処理する.
pút [*láy* (*dówn*), *pláce*] (*áll*) one's *cárds* [*hánd*] *on the táble* =*shów* one's *cárds* 手の内を見せる, 計画[意図]を明かす.

cárd càtalog [**file**] (図書館の)カード目録.
cárd gàme トランプ(遊び).
cárd index (英) カード索引(cf. card-index).
cárd pùnch 〔コンピュータ〕 =key punch.
cárd tàble (折りたたみ式の)トランプ台.

car·da·mom, --mum /káːdəməm/, **--mon** /-mɑn/ 名 ⓒ 〔植〕 カルダモン, ショウズク; その果実《◆種子は薬用・香辛料》.

†**card·board** /káːdbɔːrd/ 名 Ⓤ 厚紙, 板紙, 段ボール

(corrugated paper); [形容詞的に] 厚紙(製)の.
——形 非現実的な, 実質のない, 不自然な ‖ a cardboard smile 作り笑い.

card-car·ry·ing /káːdkæriɪŋ/ 形 正式の(会員[党員])の; 会員証を持った, 正真正銘の.
cárd-carrying mémber 正式の会員[党員, 団員].
car·di·ac /káːdiæk/ 形 心臓(病)の.
——名 ⓒ **1** 心臓病患者. **2** 強心剤.
cárdiac fáilure [arrést] 心臓麻痺(ᵇ).
Car·diff /káːdif/ 名 カーディフ《Wales 南東部の港町・首都》.
car·di·gan /káːdɪɡən/ 名 ⓒ カーディガン《◆これを愛用した伯爵の名より》.
†**car·di·nal** /káːdnl|-dinl/ 形《正式》 **1** 非常に重要な; 主要な, 基本的な. **2** 深紅色の, 緋(ʰ)色の.
——名 **1** [しばしば C~] ⓒ 〔カトリック〕枢機卿(ᵇᵛ)《ローマ教皇の最高顧問. 深紅色の帽子と衣を着ける》. **2** Ⓤ 深紅色, 緋色. **3** ⓒ 〔鳥〕 ショウジョウコウカンチョウ.
4 ⓒ =cardinal numbers.
cárdinal númbers 〔正式〕基数《one, two ... など》(↔ ordinal numbers).
cárdinal póints 基本方位《◆ north, south, east, west の順にいう》.
cárdinal vírtues 基本徳目〔道徳〕《◆古代哲学では justice(正義), prudence(分別), temperance(節制), fortitude(忍耐)の自然徳, キリスト教ではこれに faith(信仰), hope(希望), charity(博愛)を加える》.
cár·di·nal·ly 副 基本的に; 抜群に.
card-in·dex /káːdìndeks/ 動 他 (英) ...のカード索引を作る(cf. card index).
car·di·ol·o·gy /kɑːdiɑ́lədʒi|-ɔ́lədʒi/ 名 Ⓤ 心臓(病)学.
card·play·er /káːdplèiər/ 名 ⓒ トランプをする人.

‡**care** /keər/ 〖『注意をして気を使うこと』が本義. cf. caution〗派 careful (形), careless (形)

index 名 **1** 世話 **2** (細心の)注意 **3** 心配
動 自 **1** 気づかう **2** 反対する
他 **1** 気にする **2** ...たいと思う

——名 (複 ~s/-z/) **1** Ⓤ **a** 世話, 介護; 管理, 監督 ‖ the care of ╔the children [the elderly] 子供[高齢者]の世話[介護] / She left her dog *in the care of* a friend. 彼女は友人に犬を預けた (➡文法 14.4) / The children are *under the care of* a trained nurse. 子供たちは正看護師に見てもらっている. **b** 手入れ, ケア; 保護 ‖ *proper care* of a printer プリンターの適切な手入れ / skin *care* 肌の手入れ.

2 Ⓤ (細心の)注意, 用心(深さ); 努力 ‖ treat the glass *with great care* 十分注意してそのガラスを取り扱う(→ carefully) / You should give a lot of *care* to your work. 仕事には十分気を配りなさい.

3 (文) **a** Ⓤ 心配, 気苦労, 気がかり; 不安, 懸念; (古) 悲しみ ‖ Care aged my father. 心配で父は老けてしまった / He is free from *care*. 彼には何の心配もない / Her only *care* is the safety of her children. 彼女がただ一つ気がかりなのは子供たちの安全のことだ. **b** [通例 ~s] 心配事, 苦労の種 ‖ She is troubled by the *cares* of raising a large family. 彼女は大勢の子供を養育するのに苦労している.

4 ⓒ [(主に正式)] 関心事, 注意すべき事[人], 責任を持つ事[人].

cáre of A …方, 気付《◆あて名ではふつう c/o, c.o. と書く》‖ Send this parcel to him *care of* his company. 会社気付で彼にこの小包を送ってください / Mr. John Brown, *c/o* Mr. Green グリーン様方ジョン=ブラウン様.

in cáre of A (米) ＝CARE of.

***tàke cáre** [自] [(…に)]気をつける, 注意する[*about, over, with, in*]《◆(米)では次のように別れるときにあいさつ代わりに用いる》 **《対話》** "*Take care* and don't forget to keep in touch.""Yes, I will." 「気をつけて. 忘れずに連絡してね」「はい」/ *Take care* when you cross the street. 道路を横断する時は気をつけなさい / They took great *care* (in) choosing what was right for him. 彼らは非常に気を配って彼にふさわしいものを選んだ. ─[他] [(…するように)]気をつける(*to do*, (*that*)節)《◆ふつう that は省略され, 節中には未来を示す助動詞を用いない(→ SEE to it that)》‖ *Tàke cáre* [*not to* [(*that*) *you don't*] *bréak the éggs*. 卵を割らないように注意しなさい.

***tàke cáre of A** (1) …の世話をする, 面倒を見る, …を介護する(look after) ‖ He *takes* good *care of* his little brother. 彼は弟をとてもかわいがっている / Can I be *taken care of*? (店で)ご用はうかがっていますか(＝Can I help you?). (2) …に気を配る, …を大事にする ‖ *Tàke cáre of* yoursélf. おからだをお大事に / Let them *take care of* themselves. 彼らのことは放っておけ. (3) (略式) …を責任をもって引き受ける ‖ Will you *take care of* gathering materials for the climb? 登山に必要なものを責任をもって集めてくれないか. (4) (略式) …を処理する, さばく.

> **語法** 2通りの受身にできるが(1)の方がふつう.
> (1) **A** を主語にして: They will *be taken* good *cáre óf*. 彼らはちゃんと面倒を見てもらえるでしょう.
> (2) 形容詞＋care を主語にして: (正式) Good *cáre* will *be táken of* them.

tàke A ìnto cáre 〈子供などを〉施設に引取る.
with cáre 注意深く, 用心深く(→**2**, carefully).

─ [動] (~s/-z/; [過去・過分] ~d/-d/; cár·ing /kέərɪŋ/)
─ [自] **1** [care (*about* A)] 〈人が〉〈A 〈人・物・事〉を〉気づかう, 心配する, (…に)関心がある《◆しばしば否定文・疑問文で用いる. 平叙文では a lot, greatly などの程度の副詞を伴うことが多い》 **《対話》** "What do you want for dinner tonight?""Oh, I don't *care*." 「きょうの夕食に何が食べたい?」「何でもいいよ」/ She *cares* a lot *about* her personal appearance. 彼女は自分の身なりにとても気をつかっている / He doesn't *care about* anyone but himself. 彼は自分以外のだれのことも気にしない / I didn't know you *cared*! (友人間で)気をつかって[心配して]くれてどうも / A ((略式) *fat*) *lot you cáre!* かまうもんか.
2 [通例否定文・疑問文で; 比較級の than の節中で; if節を伴って] **反対する**, いやと思う ‖ He won't *care if* you use his car. あなたが彼の車を使用しても彼は何とも思わないでしょう / **《対話》** "*Do you care if* I smoke?(↗)""Yes, please don't." 「タバコを吸ってもいいですか」「いえ, 吸わないでいただきたいが」.
─ [他] **1** [通例否定文・疑問文で] [care **wh**節・

care **whether**節 / care **that**節] 〈人が〉…か[…ということを]**気にする, 心配する, …に関心がある** ‖ I don't *care* a dámn what people think of me. 人が私のことをどう思おうとまったく気にしない / Who *cares* when she will marry?(略式) 彼女がいつ結婚しようがだれがかまうものか(＝No one *cares …*) / I don't *care whether* he stays or leaves. 彼がいようと行ってしまおうと私は平気だ / She helped me *not* even *caring that* she was hurt. 自分がけがをしていることも気にしないで彼女は私を助けてくれた.
2 (正式) [通例疑問文・否定文・条件節で] [care **to** do] 〈人・動物が〉…したいと思う(wish) ‖ I don't *care to* have coffee after breakfast. 朝食のあとにコーヒーは飲みたくない / Come with us *if you care to*. もし来たければ, 私たちと一緒に来なさい / **《対話》** "*Would you care to* go for a walk?""No, not right now." 「散歩はいかがですか」「いや, 今はやめておくよ」.

***cáre for A** (正式) (1) [well などの副詞を伴って] …**の世話をする**(look after) ‖ I will *care for* your kitten during your absence. 留守中子ネコの世話は任せてください. (2) [通例否定文・疑問文・条件節で] …を**好む** ‖ He didn't *care* much [*much care*] *for* swimming. 彼は水泳があまり好きではなかった. (3) [通例否定文・疑問文・条件節で] …を**望む, …が欲しい**(like) **《対話》** "*Would you care for* some more soup?""No, thank you. It's delicious, but I've had enough." 「スープをもう少しいかが」「いいえ結構です. おいしいですが, 十分いただきましたので」. (4) …を**心配する, …に関心がある**.

còuldn't cáre léss [これより少なく気にしようとしてもできない(→まったく気にしない)] まったくかまわない, 全然気にしない《◆(米略式)では同じ意味で couldn't を could とすることがある. どちらも突き放した表現で投げやりな態度を示す》‖ I couldn't [could] *care less* (*about*) what they say. やつらが何と言おうが知ったことか.

for áll A cáres [A が気にしているごくわずかなことを考慮すると(for 前 **11**)] (略式) [副詞的に] A はかまわない《◆can, could, may, might などを用いた文の頭・文尾のいずれにも用いる》.

cáre attèndant (英) [(社会福祉)] ホームヘルパー.
cáre càrd ケアカード《個人の医療記録が載っている》.
cáre mànager (日本の)介護支援専門員.
cáre wòrker 看護人, 世話人, 保護者.

ca·reen /kərín/ [動] [自] **1** (海事) 〈船が〉(風などで)傾く. **2** (主に米) 〈車が〉(左右に)揺れながら疾走する(+*along*) (cf. career); 〈車が〉急にそれる. ─[他] (海事) 〈船〉を傾かせる; (海事) 〈船〉を(修理・清掃のため)片舷に傾ける.

***ca·reer** /kəríər/ [アクセント注意] [「競走するための道路」から「道に沿って人が進むこと」「(生涯の)仕事」の意が生まれた]
─ [名] (複 ~s/-z/;) **1** ⓒ **生活手段**;(生涯の, または専門的な)**職業, 仕事** ‖ make nursing one's life's *career* ＝take up nursing as one's life's *career* 看護を生涯の職業とする.
2 [形容詞的に] 職業的な, 専門職の《◆比較変化しない》‖ a *career* teacher 根っからの教師 / a *career* military man 職業軍人.
3 ⓒ (一生の)**経歴, 生涯, 履歴** ‖ She started her *career* as an actress. 彼女は女優として人生のスタートを切った / the *careers* of great men 偉人たちの生涯 / have a long *career in* politics 政治家

として長い経歴がある.
4 ⓤ [しばしば full ~] 速力(speed); 疾走 ‖ *at* [*in*] *full career* 全速力で.
— 動 自 　疾走[突進]する《◆about, along, down, past, through などを伴う》.
caréer cènter 《米》就職あっせん所.
caréer díplomat はえぬきの[キャリアの]外交官.
caréer gírl [**wòman**] （生涯の職を持つ）職業婦人, キャリアウーマン《◆今では古風でかつセクシズムであると見なされる. (PC) worker》.
caréer màn 出世第一主義の男.
ca·reer·ist /kəríərist/ 名 Ⓒ 出世第一主義の人.

†**care·free** /kéərfríː/ 形 **1** 心配のない, 楽しい ‖ a *carefree* life 何の屈託もない生活. **2** 無責任な.

‡**care·ful** /kéərfl/ [→ care] 派 carefully (副)
— 形 (more~, most ~; 時に ~·er, ~·est) **1** 〈人が〉注意深い, 慎重な, 用心深い（↔ careless）; [be careful *of*, *in*] 〈人が〉〈人・物・事〉に気をつける; [be careful to do / (that)節] 〈人が…するように気をつける《◆ふつう that は省略, 節中には未来を表す助動詞は用いない（→ SEE to it that)》; [be careful *with* A] 〈人が〉〈人・物・事〉の扱いに気をつける 類語 cautious, prudent) ‖
対話 "Is Debby a *careful* driver?" "Far from it! She is reckless." 「デビーは運転が慎重ですか(=Does Debby drive *carefully*)」「とんでもない, 荒っぽいわよ.」 / *Be careful of* 「those steps [your health]. 階段[健康]に気をつけなさい / *Be careful* 「*with* your ID card [*in* your choice of words]. 身分証明書の扱いには[言葉を選ぶ時は]注意しなさい / You'd better *be careful about* going to her house. 彼女の家へ行くのは気をつけた方がいいよ / She *was careful* (*in* [*about*]) opening the drawer. 彼女は注意して引き出しをあけた《◆in, about は省略されることが多い(=She opened the drawer *carefully*.) / You must *be careful* that she doesn't fall over the cliff. 彼女がけがから落ちないよう気をつけなくてはいけません / She *was careful* not *to* break the glasses. 彼女はコップを割らないように気をつけた《◆「割らなかった」という結果までを含意する》/ She *was careful* not *to* leave the front door unlocked. 彼女は玄関のかぎをかけ忘れないように気をつけた. / *Be careful* (*about* [*of*]) what you say. 注意して物を言いなさい《◆ふつう wh節の前では前置詞は省略. ⊃文法 21.4(2)》.
2 [補語として]〔…を〕気遣う, 心配する;〔…の〕世話をする[*of*, *for*] ‖ She is very *careful for* her children. 彼女は子供の面倒をとてもよくみる. **3** [通例名詞の前で] 〈行為などが〉念入りな, 完全な; 良心的な; 丹精こめた ‖ *careful* research 徹底した調査.
cáre·ful·ness 名 Ⓤ 注意深いこと, 慎重; 入念; 苦心.

‡**care·ful·ly** /kéərfli/ [→ careful]
— 副 注意深く, 慎重に, 気をつけて; 入念に, ていねいに（↔ carelessly）‖ a *carefully* prepared speech 注意深く準備されたスピーチ / Drive *carefully*! 運転に注意(=Drive with care.) / You should have listened to him more *carefully*. 彼の話をもっとよく聞くべきでしたね(=You should have been more *careful* (in) listening …).

‡**care·less** /kéərləs/ [→ care]
— 形 (more ~, most ~) **1** 〈人が〉不注意な, 軽率な, うかつな（↔ careful）; [be careless *about* [*in*] A] 〈人が〉〈人・物・事〉に不注意である; [A is careless to do=it is careless *of* A *to* do] …するとは A〈人は〉不注意だ; [be careless *with* A] 〈人が〉〈人・物・事〉の扱いに不注意である ‖ *Careless* drivers have accidents. 不注意な運転者は事故を起こす /「*It was careless of* me [*I was careless*] *to* take the wrong bus. バスを乗り間違えるなんて私はどうかしていた(=I *carelessly* took the wrong bus.)《⊃文法 17.5》 / The maids *were careless about* [*in*] leaving all the windows open. お手伝いたちは不注意にも窓を全部あけたままだった.
2 〈文〉 [be careless *of* [*about*] A] 〈人が〉〈人・物・事〉に無頓着(とんちゃく)である, …を気にかけない(unconcerned) ‖ He *was careless about* [*of*] his health. 彼は自分の健康は気にしなかった.
3 [通例名詞の前で] **a** 〈仕事などが〉ぞんざいな, 不正確な, 不完全な; 〈言動・誤りなどが〉不注意[無分別]から生じる ‖ a *careless* mistake [error] うっかりミス / *Careless* driving causes accidents. 不注意運転が事故をもたらすことになる. **b** 〈優雅さなどが〉ありのままの, 自然な. **4** (まれ) [名詞の前で] のんきな, 心配のない; 快活な ‖ a *careless* life 気楽な生活.

†**care·less·ly** /kéərləsli/ 副 [しばしば文全体を修飾] 不注意にも, ぞんざいに; 無頓着にも; 気楽に（用例→ careless 1).

†**care·less·ness** /kéərləsnəs/ 名 Ⓤ 不注意, 軽率; 無頓着; のんき, 気楽さ.

ca·rer /kéərər/ 名 Ⓒ（病人や老人を自宅で無報酬で）介護する人.

†**ca·ress** /kərés/ 名 Ⓒ 愛撫(ぶ), 抱擁; キス.
— 動 他 …を（優しく）愛撫[抱擁]する, 優しくなでる《◆fondle より上品な語》.

car·et /kǽrət/ 名 Ⓒ（校正用の）挿入記号《∧》.

care·tak·er /kéərtèikər/ 名 Ⓒ（建物・地所などの）管理人;（子供・病人などの）世話をする人.

care·worn /kéərwɔ̀ːrn/ 形 〈文〉心配[責任]でやつれた.

†**car·go** /kɑ́ːrgou/ 名 (複 ~es, 〈主に米〉 ~s/-z/) Ⓤ Ⓒ **1** 船荷 (freight),（飛行機・列車の）積み荷;《米》（トラックの）荷. **2**（一般に）荷; 重荷.
cárgo bòat [**plàne**] 貨物船[機].

Car·ib·be·an /kærəbíːən/ 形 カリブ人[海]の; the ~ (Sea) カリブ海.

†**car·i·bou** /kǽribùː/ 名 (複 ~s, [集合名詞] **car·i·bou**) Ⓒ 〔動〕カリブー《北米産の野生のトナカイ(reindeer)》.

†**car·i·ca·ture** /kǽrikətʃər/ 名 **1** Ⓒ (人物の特徴・物の欠陥を誇張した)風刺もの, 風刺画[文], 戯画[文] /「一コマの政治漫画 (political cartoon)など》. **2** Ⓤ 風刺画[戯画]化の技法》.
— 動 他 …を漫画化する; …を風刺的に描く.

cár·i·ca·tùr·ist 名 Ⓒ 風刺画家, 漫画家.

car·i·es /kéəriz/ 名 Ⓤ 〔医学〕カリエス, 骨疽《骨質の腐食》‖ dental *caries* 虫歯.

car·il·lon /kǽrəlàn | kəríljən/ 名 Ⓒ カリヨン《教会の鐘楼の組み鐘》; 組み鐘による演奏(曲).

car·ing /kéəriŋ/ 動 → care.

car·i·ous /kéəriəs/ 形 〔医学〕カリエス性の(decaying); 虫歯になった(decayed).

car·load /kɑ́ːrlòud/ 名 Ⓒ《米》貨車1両分の人[貨物].

Car·lyle /kɑːrláil/ 名 カーライル《Thomas ~ 1795-

1881；英国の評論家・歴史家》.
car·mak·er /kάːrmèikər/ 图 自動車製造業者.
Car·men /kάːrmən| -men/ 图 カルメン《Bizet 作のオペラ．そのヒロインの名》.
car·mine /kάːrmin| -main/ 图 U形 深紅色(の).
car·nage /kάːrnidʒ/ 图 U《正式》(ふつう戦場での)大虐殺, 殺戮(殻)；〔集合名詞〕(大量の)死体.
car·nal /kάːrnl/ 形《正式》**1**《法律》性欲の, 色情的な. **2** 欲望[世俗]的な.
car·na·tion /kɑːrnéiʃən/ 图 **1** C《植》カーネーション(の花)《◆(1) → Mother's Day. (2) 米国 Ohio 州の州花》. **2** U 淡紅色.
†**Car·ne·gie** /kάːrnéigi/ 图《名詞の前で用いるときはふつう /kάːrnəgi/》 图 カーネギー《Andrew ~ 1835-1919；米国の製鉄業者・慈善家》. **Carnégie Háll** カーネギーホール《ニューヨークにある演奏会場》.
†**car·ni·val** /kάːrnəvl/ 图 **1** U カーニバル, 謝肉祭.
[文化] カトリック教国で四旬節(Lent)の直前3日間の祝祭. 四旬節はキリストの断食苦行にならい肉食を断つので, その前にたらふく肉を食べ楽しく遊ぼうという行事. リオのカーニバル(Rio de Janeiro's carnival)が有名. **2** C 〔一般に〕お祭り(騒ぎ)；行事, 大会, 催し物 ‖ a winter sports *carnival* 冬季スポーツ祭 / a school *carnival* 学園祭.
car·ni·vore /kάːrnəvɔːr/ 图 C 肉食動物.
car·niv·o·rous /kɑːrnívərəs/ 形 肉食性の；食虫性の(cf. herbivorous, omnivorous).
†**car·ol** /kǽrəl/ 图 **1** C 聖歌, 賛美歌；祝い歌 ‖ Christmas *carols* クリスマスキャロル. **2**《詩》(鳥の)さえずり. ―動(過去・過分)~ed or 《主英》 car·olled; ~·ing or 《主英》 ·ol·ling) 圓 **1** 家から家へ聖歌を歌ってまわる. **2**《文》楽しそうに歌う(+ *away*). ―他…を祝い[たたえて]歌う.
cár·ol·(l)er 图 C クリスマスキャロルを歌う人.
†**Car·o·li·na** /kӕrəláinə/ 图 カロライナ《米国の North Carolina, South Carolina の2州》；[the ~s] 南北カロライナ州.
Car·o·line[1] /kǽrəlàin, -əlin/ 图 キャロライン《女の名. 愛称》Carrie》.
Car·o·line[2] /kǽrəlàin, -əlin/ 图 英国王チャールズ1世[2世](時代)の(1625-49；1660-85).
Cároline Íslands [the ~] カロリン諸島《フィリピン南東》.
Car·o·lin·gi·an /kӕrəlíndʒiən/ 图形 [the ~s] カロリンガ王朝(の)《フランク王国の王朝. 751-987》.
car·o·tene /kǽrətìːn/ 图 U《化学》カロテン, カロチン.
ca·rot·id /kərάtid| -rɔ́t-/ 图 C 形 頸(〓)動脈.
ca·rouse /kəráuz/ 動 圓《正式》大酒盛りをして楽しむ.
car·ou·sel,《米ではしばしば》**car·rou-** /kǽrəsèl/ 图 C **1**《米》回転木馬(merry-go-round). **2**《主に米》(流れ作業式の)円形[旋回式]コンベアー, (空港の)カルセル(手荷物取引き渡し用ベルトコンベアー).
carp[1] /kάːrp/ 图 (複 **carp,**《種類》~s) C《魚》コイ《◆「うす汚い(よどみにすむ)魚」という連想を伴う》.
carp[2] /kάːrp/ 動 圓《けなして》〔人に〕(つまらないことで)とがめだてて[あら探し]する(+*out, on*)《*at; about*》.
car·pal /kάːrpl/ 图 C 形 手根(〓)骨(の) ‖ have a *carpal* injury 手首をけがしている.
†**car·pen·ter** /kάːrpəntər/ 图 C 大工《◆《米》では joiner(建具屋)を含む》；[形容詞を伴って]大工仕事が…な人 ‖ a Súnday [hóme] *cárpenter* 日曜大工《◆ do-it-yourself ともいう》 / the *carpenter's* son《文》大工の息子《イエス=キリストのこと》/ He is a good *carpenter*. 彼は腕のいい大工だ；(余技として)彼は大工仕事がうまい.
cárpenter ànt《昆虫》オオアリ.
car·pen·try /kάːrpəntri/ 图 **1** U 大工職；大工仕事. **2** U 木工, 木工細工；U 木工品.
†**car·pet** /kάːrpit/ 图 **1** U C じゅうたん, カーペット, 毛氈(〓)《◆(1) 床・階段に敷きつめたもの状態のものは用. (2) rug は床の一部に敷くじゅうたん, マット》‖ a full roll of *carpet* カーペット1巻き / [*put down* [*lay*] *a* Persian *carpet* ペルシャじゅうたんを敷く. **2** C《正式》[比喩的に] じゅうたん, 一面の広がり ‖ a *carpet* of flowers 花のじゅうたん.
on the cárpet (1)《英俗式》〈計画などが〉検討中で. (2)《略》[call, have, put, be と共に用いて](使用人などを[が])間違いや失敗のため呼びつけて[つけられて].
―動 他 **1**〔部屋など〕にじゅうたんを敷く[敷きつめる]. **2**〔じゅうたんを敷きつめたように〕…を覆う. **3**《主に英略式》〈使用人などが〉呼びつけられてしかられる.
car·pet·bag /kάːrpitbæ̀g/ 图 C (じゅうたん地製の古風な)旅行かばん.
cárpet·bàg·ger 图 C《米》**1** 渡り者《特に南北戦争後 carpetbag に財産を詰めて南部に渡った北部人》. **2** 無節操な候補者；渡り政治屋.
car·pet·ing /kάːrpitiŋ/ 图 U 敷物材料, じゅうたん地；〔集合名詞〕敷物類.
car·pool /kάːrpùːl/ 動 圓《米》交代で車を使う；金を出し合ってタクシーに乗る(→ car pool).
car·port /kάːrpɔ̀ːrt/ 图 C カーポート《◆ garage と違い, 差しかけ屋根のみの簡易車庫》.
car·riage /kǽridʒ/ 图 **1** C (主に4輪)馬車；乗物, 車 ‖ a *carriage* and pair [four] 2頭[4頭]立て4輪馬車. **2** C《英》(鉄道)客車, 車両(railway carriage；《米》car)《貨車は《英》(goods) wagon, 《米》freight car) ‖ the third *carriage* from the front of the train 列車の前から3両目. **3** C 砲架(gún càrriage)；(タイプライターの)キャリッジ. **4** (+)《米》/kǽridʒ/ U 運送, 輸送；運送[輸送]費. **5** U《古》[通例 a/the ~] 身のこなし, 立居ふるまい(bearing). **6** C =baby carriage.
cárriage clòck (昔の)旅行用時計(traveling clock).
cárriage fòrward《英》運賃後〔着〕払い(で).
cárriage frèe《英》運賃無料(で).
cárriage pàid《英》運賃先払い(で).
cárriage tràde [the ~]《古》金持ち, 富裕階級の人々《特に劇場・高級レストランの上客をいう》.
car·riage·way /kǽridʒwèi/ 图 C《英》自動車道(線)《◆昔は「馬車道」のことをいった》.
†**car·ri·er** /kǽriər/ 图 C **1** 運ぶ人 ‖ a máil *cárrier*《米》郵便配達員《◆ mailman, 《英》postman の(PC)語》. **2** 運送・運輸業者[会社]《common carrier》《バス・鉄道・汽船・航空などの旅客会社も含む》. **3** 輸送車(船・機)；航空母艦(aircraft carrier) ‖ a nuclear *carrier* 原子力空母. **4** 運搬装置；(自動車・自転車などの)荷台. **5**《医学》病原菌媒介体, 保菌者 ‖ an AIDS *carrier* エイズ感染者. **6** =carrier pigeon.
cárrier bàg《英》(紙またはポリエチレン製の)買物袋《《米》shopping bag》.
cárrier càr 自動車運搬トラック《◆ラクダのような格好から camel car ともいう》.
cárrier pigeon 伝書バト(homing pigeon).

cárrier ròcket 運搬ロケット.
car·ri·on /kǽriən/ 名 U 腐肉.
Car·roll /kǽrəl/ 名 キャロル《Lewis ~ 1832-98; 英国の数学者・小説家. 本名 Charles Lutwidge Dodgson. *Alice's Adventures in Wonderland* (不思議の国のアリス)の作者》.
†**car·rot** /kǽrət/ 名 C U 〔植〕ニンジン《◆米英では celery と同じく生で食べるものというイメージが強い》.
　the cárrot and stíck あめとむち《◆馬やロバの好物であるニンジンといやがるむちから》.
car·rou·sel /kæ̀rəsél/ 名《米》= carousel.

‡**cár·ry** /kǽri/ (類語 curry /kə́:ri | kʌ́ri/)『「身につけて持って行く」が本義』派 carriage (名), carrier (名)

index 動 他 1 運ぶ 2 輸送する 3 行かせる
　　　　　　4 a 伝える b 通す 5 持ち歩く
　　　　　自 1 届く

—動 (--ries/-z/; 過去・過分 --ried/-d/; ~·ing)
—他
I [運ぶ]
1〈人が〉〈人・物〉を運ぶ, 持って行く《◆(1) 主語・目的語共に移動する. 方向・場所・手段を表す副詞(句)を使う. (2) bear より口語的》‖ Don't pull the box along. Carry it on your back. その箱を引っ張って行って[来て]はだめだ. 背負って運びなさい / carry a child in one's arms 子供を抱いて行く / The injured girl was *carried* to the ambulance on a stretcher. けがをした少女は担架で救急車に運ばれた / She *carried* the box to Bob. 彼女は箱をボブの所へ持って行った.
2〈乗物・風などが〉〈人・物〉を運ぶ, 輸送する, 運送する (transport)《◆主語は媒体・手段. →文法 23.1》‖ A bus *carried* her to the airport. バスで彼女は空港へ行った (=She went to the airport「by bus [on a bus].) / A tanker *carries* oil. タンカーは石油を運ぶ.
3《◆修飾語(句)は省略できない》**a**〈物・事が〉〈人〉を(ある程度・距離まで)**行かせる**, 前進させる《◆無生物主語は動機・能力を表す. →文法 23.1》‖ Ten liters of petrol *carried* me ninety kilometers. 10リットルのガソリンで 90 キロ行けた / His capability *carried* him to the position of head master. 彼は手腕を発揮して校長の地位に昇った. **b**〈建造物〉を拡張する;〈戦争などを〉広げる‖ *carry* the road [war] *into* the mountains 道路[戦争]を山中にまで延長[拡大]する.
4 a〈新聞などが〉〈記事などを〉**伝える**, 報道する (print, broadcast)‖ The public hearing will be *carried* by all networks. 公聴会は全放送網で放送されるだろう. **b**〈管・ワイヤーなどが〉〈水・電気などを〉通す‖ Lead does not *carry* electricity. 鉛は電気を通さない. **c**〈生物などが〉〈病気〉を人から人へうつす (spread)‖ Some pets *carry* diseases. ペットには病気を伝染させるものがいる. **d**〈人が〉…の保菌[感染]者である‖ *carry* the HIV virus エイズウイルスの感染者である.
II [身につけている]
5〈人が〉〈物〉を**持ち歩く**, 携行する (+ *about*, *around*)‖ I always *carry* a cellphone. 私はいつも携帯電話を持っています / You are supposed to *carry* your identity card with you at all times. 身分証明書はいつも所持することになっています /

A female kangaroo *carries* its young in its pouch. カンガルーの雌は子供を腹の袋に入れて動く.
6 …を収容(して運ぶ)ことができる‖ a traveling bag *carrying* a week's worth of clothes 1週間分の衣類が入る旅行かばん《◆主語に elevator などそれ自体が動くものはよいが, room などそれ自体が動かない物は不可》.
7 a〈商品〉を在庫として持っている‖ Do you *carry* bandages? お宅の店には包帯がありますか. **b**〈意味・重みなどを〉持つ;(結果・属性として)…を伴う, 生じる (involve);…を含む (imply)‖ *carry* great responsibility 大きな責任を負っている / Each crime *carries* a punishment (with it). 犯罪には処罰が伴う.
III [支える]
8《略式》〈物が〉〈物〉を支える,〈人などが〉〈人・社会など〉を支える, 維持する (support)‖ Six columns *carry* (the weight of) the roof. 6本の柱が屋根(の重み)を支えている / *carry* the farm through hard times 不況を乗り切って農場を維持する / The firm *carried* the sick employee. 会社は病気の従業員を援助した.
9《正式》〈人が〉〈体の一部〉を(ある姿勢に)保つ (bear);[carry oneself …] …にふるまう (behave)《◆修飾語(句)は省略できない》‖ He *carries* his right shoulder slightly high. 彼は右肩が少し上がっている / She *carried herself* with grace. 彼女は優雅な身のこなしだった.
10〈聴衆などを〉[…に]引きつける (*with*), …の支持を得る《◆受身は不可》‖ The candidate *carried* the crowd *with* him. = The candidate's speech [words] *carried* the crowd. 立候補者は群衆を味方につけた.
—自 **1**〈声・弾丸などが〉(ある程度・距離まで)**届く**, 伝わる《◆修飾語(句)は省略できない》‖ Her voice did not *carry well* over the noises. 彼女の声は騒音でよく届かなかった. **2** 持って行く, 物を運ぶ, 運べる.

be [gét] cárried awáy〈人が〉(正常な判断・行動ができなくなるほど)夢中になる, 興奮する‖ She got *carried away* when arguing with her husband. 彼女は夫と言い争いをしていて逆上した.
***cárry** A **abóut [aróund]**〈物〉を**持ち歩く** (→ 他 5)‖ I always *carry* small change *about* with me. 私はいつも小銭を持ち歩いている.
cárry áll [éverything] befóre one《英》〈軍隊などが〉無敵である,〈人が〉大成功を収める.
cárry alòng =CARRY A *about*.
***cárry awáy** [他] (1)〈物〉を運び去る;〈洪水などが〉〈物〉を押し流す‖ The gardeners *carried* fállen trées *away*. 植木屋たちが倒れた木を運び去った. (2) [通例 be/get/become carried] 〈正常な判断・行動ができなくなるほど〉〈人が〉**夢中になる**, 興奮する‖ Don't be [get, become] *carried away*. 興奮するな, 落ち着いて. (3)〔海事〕〈あらしなどが〉〈帆柱など〉を折ってさらって行く. (4) = CARRY *off* (1), (2).
***cárry** A **báck** (1)〈物・事・人〉〈人〉に[過去の出来事を]思い出させる(*to*) 《→文法 23.1》‖ The small madeleine *carried* me *back* to my childhood. 小さなマドレーヌケーキを見ると幼い頃が思い出された. (2)〈人・物〉を元の所へ戻す.
cárry dówn [他] (1)〈人・物〉を運びおろす. (2) [通例 be carried]〈考えなどが〉後世に伝わる[残る].
cárry fórward [他]〈人・物〉を前進させる.
cárry ín [他]〈人・物〉を運び込む‖ Carry in the

carryall

child. その子を中に運びなさい.

***cárry A ínto B** (1) A〈計画など〉をB〈実行〉に移す ∥ carry a plan *into* action [practice] 計画を実行に移す. (2) A〈人・物〉をB〈建物など〉に運び込む (cf. carry in).

***cárry óff** [他]『運び去る(off 副 2)』(1)〈賞・名誉など〉を**勝ち取る**(win) ∥ He *carried off* two trophies. 彼はトロフィーを2つ得た. (2)〈病気などが〉〈人・物を〉**奪う** ∥ Epidemics often *carried off* half or more of the villagers. 伝染病が村人の半分もしくはそれ以上の命を奪うことがたびたびあった. (3)〈不法に・力ずくで〉〈人・物〉をさらって行く. (4)〈困難な状況〉をうまく切り抜ける.

***cárry ón** [自] (1)〈人が〉〈仕事などを〉(がんばって)**続ける**, 再開続行する(continue)〔*with*〕∥ He *carried on with* his experiment. 彼は実験を続けた. (2)《略式》〔…に対して〕取り乱す, 乱暴[奇妙]なふるまいをする〔*about*〕. (3)《略式》〔通例 be ~ing〕〔人に〕がみがみ言う〔*at*〕;〔…のことで〕がみがみ言う〔*about*〕;〔やや古〕〔異性と〕いちゃつく, 浮気する〔*with*〕. (4)〈文章・行が〉(次ページ・次項へ)続いている. ─[他] (1)〈仕事などを〉(がんばって)**続ける**〔…し〕続ける(continue)〔*doing*〕∥ I tried to *carry on* the investigation on my own. 私は独自にその調査を進めようとした / They *carried on with* their work. 彼らは働き続けた(=They *carried on with* their work.). (2)〈商売などを〉営む, 維持する. (3) …を行なう; …に参加する.

***cárry óut** [他] (1)〈人・物を〉**外へ運び出す** ∥ *carry out* the victims of the fire 火事の犠牲者を外へ運び出す. (2)〈実験・調査などを〉**行なう**(perform) ∥ Where are chemical experiments *carried out*? 化学実験はどこで行なわれますか. (3)〈計画・約束・義務・命令などを〉(指定[要請]通りに)**実行[実現]する**, 遂行する, 果たす(execute) ∥ The attack is to be *carried out* tonight. 攻撃は今夜決行されることになっている.

cárry óver [自]〔…に/…から〕移る, 引き継がれる〔*to, into* / *from*〕. ─[他]〈仕事〉を延期する, 後に回す.

***cárry thróugh** [自] 存続する, 生き残る(persist). ─[他]『首尾よく(through 副 2)運ぶ』《正式》(1)〈困難にもかかわらず〉〈計画・目的などを〉達成する(accomplish) ∥ *carry through* one's end 目的を達する. (2)〈勇気などが〉〈人に〉**やり続けさせる**, 困難を切り抜けさせる ∥ His support *carried* my father *through*. 彼の援助で私の父は難局を切り抜けた.

cárry A tóo fár〈言葉・態度などの〉度が過ぎる, …をやり過ぎる ∥ He was scolded for *carrying* his trick *too far*. 彼はいたずらが過ぎてしかられた.

cárry A wíth one (1)〈物〉を持って歩く(→ 他3). (2) → 他 10. (3)〈出来事・印象などを〉記憶している, 心に留める.

─[名] **1** [U]〔しばしば a ~ of …〕(銃・ミサイルなどの)射程;〔ゴルフ〕(打球の)飛行距離. **2** [C]〔軍隊・消防隊などの〕所定の携帯動作. **3** [U]〔時に a ~〕運搬.

cárrying capácity〔車両の〕積載能力;〔電線の〕送電能力, 許容電流;〔牧草地などの〕扶養能力.

car·ry·all /kǽriɔ̀ːl/ [名] [C] 大きな手さげ袋;旅行用大かばん.

car·ry·cot /kǽrikɑ̀t | -kɔ̀t/ [名] [C] 《主に英》(赤ん坊用)携帯ベッド.

car·ry·ings-on /kǽriŋzɑ́n | -ɔ́n/ [名]《略式》〔複数扱い〕おふざけ, ばか騒ぎ;不正直[不道徳]な行為.

car·ry-on /kǽriɑ̀n | -ɔ̀n/ [名] **1** [U]《英略式》〔通例 a ~〕=carryings-on. **2** [C] 飛行機内持ち込み手荷物.

car·ry-out /kǽriàut/ [名] [C] [形]《米・スコット》持ち帰り式の(軽食堂);(持ち帰り用の)料理, テイクアウト(式)の((米)takeout,《英豪》takeaway) ∥ a *carryout* (food) box 持ち帰り弁当.

car·ry-o·ver /kǽriòuvər/ [名] [C]〔簿記〕〔a/the ~〕繰越, 持越品. **2** [C]〔…からの〕居残り〔*from*〕.

car·sick /kɑ́ːrsìk/ [形] 自動車[列車, バス]に酔った.

cár·sick·ness [名] [U] 乗物酔い.

†**cart** /kɑ́ːrt/ [名] [C] **1** (2輪[4輪]の)荷馬車《◆「4輪の荷馬車は wagon》;農耕車(farm cart). **2** (2輪の)1頭立て軽装馬車. **3** (米)小型運搬車, 手押し車《◆ 食料雑貨運搬車(grocery cart), ゴルフ道具運搬車(golf cart)》.

in the cárt《英俗》困って.

pùt the cárt befòre the hórse 本末を転倒する. ─[動] [他] **1** (荷[馬]車で)…を運ぶ(+*away*) ∥ *cart* products to market 製品を市場に出す. **2**《略式》…を(乱暴[無理]に)運ぶ(carry) (+*off*); …を(手で)運ぶ(+*around*).

carte blanche /kɑ̀ːrt blɑ́ːnʃ | -blɑ́ːnʃ/《フランス》[名]《複》**cartes blanches** /kɑ̀ːrts-/ [C] 白紙委任状;[U]《正式》〔…の〕白紙委任〔*in*〕, 自由裁量権.

car·tel /kɑːrtél/ [名] [C]《正式》〔経済〕カルテル, (国際的)企業連合;政党連合.

Car·ter /kɑ́ːrtər/ [名] カーター《James Earl ~, Jr. [Jimmy ~] 1924– ;米国の第39代大統領(1977–1981)》.

Car·te·sian /kɑːrtíːʒən | -ziən/ [形] デカルト(Descartes)(学派, 説)の. ─[名] [C] デカルト主義者.

Car·thage /kɑ́ːrθidʒ/ [名] カルタゴ《アフリカ北岸にあった古代都市国家》.

†**Car·tha·gin·i·an** /kɑ̀ːrθədʒíniən/ [形] [C] カルタゴ(人)の;カルタゴ人.

cart·horse /kɑ́ːrthɔ̀ːrs/ [名] [C] 荷馬車馬.

car·ti·lage /kɑ́ːrtəlidʒ/ [名] [U] [C]〔解剖〕軟骨(組織). **càr·ti·lág·i·nous** /kɑ̀ːrtəlǽdʒənəs/ [形]〔生化学〕軟骨質の.

cart·load /kɑ́ːrtlòud/ [名] [C] 荷馬車1台の荷;〔時に a ~〕大量.

car·tog·ra·phy /kɑːrtɑ́grəfi | -tɔ́g-/ [名] [U] 地図作成(法). **car·tóg·ra·pher** [名] [C] 地図製作者.

†**car·ton** /kɑ́ːrtn/ [名] [C] **1 a** 1カートン, 大箱. **2 a** 厚手のボール紙箱. **b**(牛乳・タバコなどの)紙[プラスチック]の大型容器 ∥ a *carton* of milk 牛乳1カートン《◆小・中型の紙箱は《米》package,《英》packet》.

car·toon /kɑːrtúːn/ [名] [C] **1** 時事風刺漫画《ふつう1コマ》;《英》(新聞などの)数コマの漫画(cartoon strip)《◆ comic strip がふつう》;漫画映画, アニメ《《正式》animated cartoon》∥ draw *cartoons* 漫画を描く. ─[動] [他] 〔…を〕漫画化する, 漫画[下絵]を描く. **car·tóon·ist** [名] [C] 漫画家.

†**car·tridge** /kɑ́ːrtridʒ/ [名] [C] **1** 弾薬筒;発破用火薬筒 ∥ a ball [blank] *cartridge* 実弾[空弾]包. **2** (万年筆用インクの)カートリッジ.

cártridge bèlt 弾薬帯.

cart-road /kɑ́ːrtròud/, **-track** /-træ̀k/ [名] [C] でこぼこ道, 荷馬車道.

cart·wheel /kɑ́ːrthwìːl/ [名] [C] **1** (荷車の)車輪. **2** 〔通例 ~s〕横とんぼ返り, 側転(cf. somersault) ∥ turn [do] *cartwheels* 側転する. ─[動] [自] **1** 側転をする. **2** くるくる回転して動く.

***carve** /kɑ́ːrv/《類音》curb /kɑ́ːrb/, curve

/kάːrv/)〖「刻み目をつける(notch)」が原義〗
——動 (~s/-z/; 過去・過分 ~d/-d/; carv·ing)
——他 1〈人が〉〈物を〉彫る》, 刻む, 彫刻する《◆目的語には材料・作品いずれも可》∥ We *carved* our initials「on the tree [in the bark]. 私たちはイニシャルを木に［樹皮に］刻んだ / a casket (which is) *carved* with flowers 花柄が彫ってある手箱 / *carve* marble into a figure ＝*carve* a figure from [out of] marble 大理石を刻んで像を作る.
2［carve A B＝carve B for A］〈人が〉A〈人〉にB〈物〉を彫ってやる∥ I'll *carve* you a brooch [*carve* a brooch *for* you] from this wood. この木切れで君にブローチを彫ってあげよう. **b**（食卓で）〈主に主人が〉A〈客〉にB〈肉〉を切って分ける∥ *carve* the turkey *for* the guests 客に七面鳥を切り分ける.
——自（食卓で）肉を切り分ける.
cárve óut［他］（略式）〈名声・地位・職などを〉努力して得る(achieve)∥ *carve out* a nice job for oneself ＝*carve* oneself (*out*) a nice job 立派な仕事を自らの努力で得る.
cárve úp［他］（1）（略式）（自分の都合のよいように）〈土地・もうけなどを〉分ける, 分割する(divide). （2）（英格式）〈他の人・事を〉(おどかして)急速度で追い越す.
†**carv·er** /kάːrvər/ 名 ❶ 肉切りナイフ(carving knife) ; [~s] （1組の）肉切りナイフと大型フォーク. **2**（食卓で）肉を切り分ける人《◆一家の主人》. ❸ 彫刻をする人.
†**carv·ing** /kάːrviŋ/ 動 → carve. ——名 ❶ C 彫刻作品; U 彫刻(術). **2** U（食卓で主人が）切り分けること.
cárving fòrk [knìfe]（食卓用大型）フォーク[ナイフ].
car·wash /kάːrwɑ̀ʃ|-wɔ̀ʃ/ 名 C（主に米）洗車機（付きの洗車場）.
car·y·at·id /kæ̀riǽtəd/ 名 (復 ~s, --i·des /-ǽtidiːz/) C 【建築】（着衣）女人像柱.
Cas·a·no·va /kæ̀zənóuvə | kæ̀sə-/ 名 ❶ カサノバ《Giovanni Jacopo/dʒouvάːni jάːkoupou/~ 1725-98; イタリアの作家》. **2**［しばしば c~］C 女たらし, プレイボーイ.
†**cas·cade** /kæskéid/ 名 ❶（狭義）小滝,（大滝や段々滝の一部の）分かれ滝 ;（庭園などの）人工滝 ;（広義）滝《◆waterfall, fall より堅い語》. **2**〈文〉滝状のもの《レース飾り・髪など》. ——動（水などが滝のように）落ちる ;〈文〉〈髪が滝のようにされる(+*down*).

‡**case**[1] /kéis/〖「入れ物」が原義〗
——名 (復 cas·es /-iz/) C ❶ 箱, 容器, 袋; [複合語で］…入れ[ケース];（英）旅行かばん(suitcase)∥ a leathery jewel *case* 革の宝石箱.

関連 いろいろな種類の case
attaché *case* アタッシュケース / bookcase 本箱 / briefcase 書類かばん / pencil *case* 筆入れ / pillowcase まくらカバー / showcase ショーケース / vanity *case* 携帯用化粧箱道具入れ.

2（1ダース入りの）1箱（分）∥ a *case* of eggs 卵1ケース / buy bourbon by the *case* バーボンをケース単位で買う.
3 1組(set); 1対(pair). **4**（窓・戸の）外枠 ;（陳列用）ガラスケース;（時計の）側(*がわ*). **5**（米俗）1ドル.
——動 (cas·ing) 他（俗）(盗みに入るため)〈家・場所を〉下調べしておく.

cáse knìfe（主に米）さや付きナイフ, 食卓用ナイフ.

‡**case**[2] /kéis/〖「特定的な個々の出来事・事情」が本義〗

index **1**実例 **2**症例, 患者 **6**場合 **7**真相

——名 (復 cas·es /-iz/) C
Ⅰ［個々の事例］
1 実例, 事例(instance) ∥ a typical *case* of careless driving 不注意運転の見本 / *the case in point* 適例 / It's *a case of* out of sight, out of mind. それはまさに去る者は日々うとし(ということ わざ)の実例だ[というところだ].
2 ［修飾語を伴って］（…の）症例, 病状,（…の）患者∥ There were three *cases* of rabies last month alone. 先月だけで狂犬病患者が3人出た / emergency *cases* 急患《◆重点は「症例」にあるので, ふつうの患者・病人には patient を用いる》.
3（警察などの専門の調査・援助を要する）事件, 問題（の人）, 該当者 ∥ a *case* of murder ＝a murder *case* 殺人事件 / a *case* of honor 名誉にかかわる問題 / a welfare *case* 生活保護者.
4【法律】訴訟, 事件, 裁判∥ bring [drop] a *case* against … …に対する訴訟を起こす[取り下げる].
5（略式）まぬけ, 変人.
Ⅱ ［一般的・特定的事例］
6 場合∥《対話》 "Mom, I'm not feeling so well." "*In that case*, you'd better stay home from school."「お母さん, 気分がよくないの」「それだったら学校を休んで家にいた方がいいわ」/ *in éither cáse* どちらにしても / There are many *cases where* [×that] our discussion degenerates into an exchange of insults. 議論がののしり合いになるという場合がよくある.
7（正》［通例 be the ~］真相, 事実, 実情(fact)∥ *That is not the cáse.* それは本当ではない(＝That is not true.) / That's always *the case* with him. 彼はいつもそうだ / *Is it the cáse* that he has met with an accident? 彼が事故にあったのは事実ですか(＝Is it true …) / Most women emigrated together with men. *Such was the cáse* | throughout New England. 女性のほとんどは男性と共に移住した. ニューイングランドの至る所で事情はそのようであった.
8 ［通例 a ~］事実の申し立て, 主張; 証拠∥ have *a (good) case for* … …に対するもっともな言い分がある.
9 C U ［文法］格 ∥ the nominative [possessive, objective] *case* 主[所有, 目的]格.
as is óften the cáse 〖それが(as 代 **2 a**) しばしば実情(case 名 **7**)であるが〗（正》（人の場合には）よくあることだが[with] ∥ As is often the case with students, those two borrow each other's notebooks. 学生によくあることだが, あの2人はノートを貸し借りしている 《those … 以下の内容を受ける関係代名詞. ➡文法 20.9》.
as the cáse may bé 〖（複数の選択肢を先行詞にして）実際（case 名 **7**）はどちら(as 代 **2 a**)であろうとも(may 譲歩)〗事情に応じて, 場合場合で, ケース＝バイ＝ケースで.
as the cáse stánds こういうわけで.
cáse by cáse 〖場合ごとに(by 前 **10**)〗（正》一件一件（慎重に）《◆日本語の「ケース＝バイ＝ケースで」は on a case-by-case basis, as the case may be や according to the situation などに相当》.

*in ány cáse [文全体を修飾] (1) どんな場合があるにせよ, ともかく, どのみち, いずれにせよ (anyway) ‖ *In any case* (↘), serious job-seekers had better turn to an employment agency for help. どんな場合でも, まじめに職を捜している人は職業安定所に当たってみるべきです. (2) 少なくとも (at least) ‖ The influence of education, or in *any case* the influence of teachers, is great. 教育の影響あるいは少なくとも教師の影響が大きい.

*in cáse [接] (1) 〈主に米〉…の場合には, もし…ならば (if) ‖ *In case* I miss the train, don't wait to start. 私が列車に乗り遅れた場合は待たずに出発してください《＊"In case I will miss the train, …"は不可. ➡文法 22.3(1)》. (2) …だけいけないから, …の場合に備えて《◆ふつう主節の後に置く》‖ You must take your sweater *in case* it *should* snow [snows]. 雪になるといけないからセーターを持って行きなさい《◆予測される事態の実現度がやや低いと話し手が感じる場合には should が用いられる. should の代わりに will や would は用いない》. (3) …だといけないから言って[聞いて]おくが ‖ *In case* you don't know who he is, he's the one who founded this hospital. 彼がだれなのか君が知らないといけないので言うが, 彼はこの病院を創設した人です.
— [副] =(just) in CASE.

*in cáse of A (1) 〔正式〕〔通例文頭で〕A〈事故など〉の場合の, …が起こったら ‖ *In case of* (an) earthquake, turn off the gas at the main. 地震の際はガスの元栓をしめてください《◆注意書き・掲示など》 (=If there is an earthquake, …). (2) 〔通例文尾で〕〈事故など〉に備えて, …の用心のために ‖ She always wears a seat belt in the car *in case of* (an) accident. 彼女は事故に備えて車ではいつもシートベルトを締めている《◆(1) (2) とも目的語が普通名詞であっても a, an をふつうつけない》.

(in) níne cáses òut of tén 十中八九まで.

*in nó cáse [通例文頭または文中で] どんな場合であっても…ない (never), 決して…ない ‖ *In no case* are you allowed to play baseball in this park. いかなる場合でもこの公園内で野球をしてはいけない《◆文頭に置くと倒置構文がふつう. ➡文法 23.3》.

*in the cáse of A 〈人・物〉の場合には, …の件については言えば, …に関しては ‖ *in the case of* Bill ビルに関しては(=in Bill's *case*).

*(jùst) in cáse (1) 万一…の場合に備えて ‖ It doesn't look like rain, but you should take an umbrella *just in case*. 雨は降りそうにないが, まさかのことを考えてかさを持って行きなさい.

màke (òut) a [one's] cáse 自分の主張の正しさを証拠立てて述べる; 〔…に賛成の/…に反対の/…という〕論を唱える 〔*for*/*against*/*that*節〕.

pùt the cáse (1) 事情を述べる. (2) 〔…だと〕仮定する〔*that*節〕.

such [this] béing the cáse [副] こういう事情なので 《➡文法 13.7》.

cáse hístory 〈ケースワーク(casework)のための〉個別〈症病〉事歴, 病歴録, 病歴.

cáse láw 〔法律〕判例法 (cf. statute law).

cáse stúdy 〈適切な社会活動・人間関係回復をめざす個人と事例〉の事例研究.

case·book /kéisbùk/ [名] [C] 〈法律・医学などの〉事例[症例]集.

†case·ment /kéismənt/ [名] [C] 1 =casement window. 2〈詩〉窓. 3 枠組, 覆い. **cásement wín-dow**〔建築〕開き窓(の枠).

case·work /kéiswə̀ːrk/ [名] [U] 〔社会〕ケースワーク《個人・家族の問題の相談・援助などの社会福祉活動. cf. social work》. **cáse·wòrk·er** [名] [C] ケースワーカー.

*cash /kǽʃ/《「金(㊎)箱」が原義》
— [名] [U] 1 現金《紙幣 (note) と硬貨 (coin)》‖ Please *pay* (*by* [*in*]) *cash*, not by credit card. クレジットカードではなく現金でお願いします《◆前置詞は in がふつう. この例では credit card と対比させているので by が好まれる》/ hárd cásh〈略式〉現なま.
2 〈つけ・延べ払いに対して〉即金, 現金《略式》ready money》〈◆手形・小切手などによる支払いも含む》‖ I don't have any *cash* with me. あいにく現金の持ち合わせがありません / ◀対話▶ "*Cash* or charge?" "*Cash*, please." 「現金ですか, カードですか」「現金でお願いします」/ net *cash*〔商〕正味現金払い《即金で割引なし》.
3〈略式〉お金.
cásh dówn 即金払い(で).
cásh on delívery〈英〉商品到着時現金払い《略 c.o.d., COD》〈米〉collect on delivery》.
in cásh 現金を持って.
òut of cásh 現金を切らして.
shórt of cásh 現金不足で.
— [動] [他] 〈人から小切手などを〉現金に換える; [cash B for A] A〈人〉に B〈手形など〉を現金に換えてやる ‖ *Cash* this check *for* me, please. この小切手を現金にしてください.
cásh ín [自]〈米略式〉〈チップ・資産などを〉現金に換える; 清算する;〈米俗〉死ぬ, くたばる. — [他]〈小切手など〉を現金に換える.
cásh ín on A〈米略式〉…でもうける, …につけこんでもうける.
cásh accóunt〔簿記〕現金勘定.
cásh bàr 1人1人支払うバー.
cásh càrd〈主に英〉キャッシュカード.
cásh còw 高い利益をもたらすビジネス[商品].
cásh dèsk〈英〉勘定台, レジ.
cásh díscount 現金割引(高).
cásh dispènser〈銀行の〉現金自動支払機 (ATM).
cásh flòw 〔時に a~〕収支.
cásh machíne =cash dispenser.
cásh príce 現金正価.
cásh règister レジスター, 金銭登録器.

cash·book /kǽʃbùk/ [名] [C] 金銭出納簿, 現金出納帳.

cash·box /kǽʃbɑ̀ks|-bɔ̀ks/ [名] [C] 〈一時的な〉現金保管箱.

cash·ew /kǽʃuː, -ʃúː/ [名] [C] 〔植〕カシュー《熱帯アメリカ原産のウルシ科の木. 油を採る》; =cashew nut.
cáshew nút カシューの実, カシューナッツ《食用》.

†cash·ier /kæʃíər/【アクセント注意】[名] [C] 1〈店・ホテルなどの〉勘定係, レジ係《◆「勘定台」は cash desk》‖ work at a convenience store as a *cashier* コンビニでレジ係として働く. 2〈会社の〉会計係;〈米〉〈銀行の〉出納係《小切手を扱う》;〈英〉〈銀行の〉出納係 ‖ a *cashier*'s chéck〈米〉自行あて銀行小切手.

cash·less /kǽʃləs/ [形] 現金のない[いらない] ‖ *cashless* society キャッシュレス社会.

cash·mere /kǽʒmiər|kǽʃ-/ [名] 1 [U] カシミヤ毛(織物)《インド Kashmir 原産ヤギ (Cashmere goat) からとる》; カシミヤ風毛織り. 2 [C] カシミヤ製ショール[衣

†**cas·ing** /kéisiŋ/ → case¹. ── 名 1 ⓤ 包装(すること). 2 ⓤ 包装の材料；(ソーセージの)皮《動物の腸》；タイヤの外皮. 3 ⓒ (窓や扉の)外枠(frame)；額ぶち.

ca·si·no, ca·si·- /kəsí:nou, (英+) -zí:-/ 名 (複 ~s) 1 ⓒ カジノ《賭博(とばく)をはじめダンスもできる娯楽場》. 2 ⓤ 〖トランプ〗カジノ.

†**cask** /kæsk | kɑ́:sk/ ⓒ (ワインなどの)貯蔵だる《◆一般的の「たる」は barrel》；[a ~ of ...] 1たるの量の….

†**cas·ket** /kǽskət | kɑ́:s-/ ⓒ 1 (宝石などを入れる)小箱. 2 (米) ひつぎ《◆ coffin の遠回し語》.

Cas·pi·an /kǽspiən/ 形 the ~ Sea カスピ海.

Cas·san·dra /kəsǽndrə/ 名 1 〖ギリシア神話〗カサンドラ《Troy の女予言者で, 滅亡を予言したが無視された》. 2 ⓒ (世に認められない)凶事の予言者.

cas·sa·va /kəsɑ́:və/ 名 1 ⓒ 〖植〗キャッサバ. 2 ⓤ キャッサバでんぷん(tapioca); それで作ったパン.

†**cas·se·role** /kǽsəròul/ 名 1 ⓒ (ふた付きの)蒸し焼きなべ, キャセロール. 2 ⓤ 蒸し焼きなべ料理. キャセロール《なべごと天火で焼いてテーブルに出す》. en /ɑːŋ/ **cásserole** (メニュー) なべごと(出す), なべ焼きの.

✱**cas·sette** /kəsét, kæs-/ 〖小さい (-ette) 箱 (case)〗

── 名 (複 ~s/-éts/) ⓒ (録音用・録画用)カセット(テープ); 〖写真〗(ロールフィルムの)パトローネ ‖ *a cas-sette* player [recorder, deck] カセットプレーヤー[レコーダー, デッキ].

Cas·si·o·pe·ia /kæ̀siəupí:ə, kæsiə-/ 名 〖ギリシア神話〗カシオペア; 〖天文〗カシオペア座《北天の星座》.

cas·sock /kǽsək/ 名 ⓒ 〖教会〗カソック《聖職者の着るすその長い平服》.

†**cast** /kæst | kɑ́:st/ (同音 caste) 動 (過去・過分 cast) ⓣ (やや古風な文語) 1 〈人·物が〉〈物を〉投げる, ほうる ‖ *cast* "a stone [the dice]" 石[さいころ]を投げる / *cast* a net 網を打つ / *cast* one's ballot [vote] for Mr. Smith スミス氏に投票する(→ ballot) / The die is *cast*. さいは投げられた；もう後へは引けない. 2 (正式) 〈人が〉〈視線·非難などを向ける〉；〈物が〉〈光·影などを〉投げかける ‖ *cast* "an eye [one's eyes]" over the paper (略式) 新聞にざっと目を通す / She cast me an envious glance [look] at me. =She *cast* me an envious glance [look]. 彼女はうらやましそうな目つきで私を見た. 3 〖映画·演劇〗〈俳優〉に […の]役を割り当てる(as); 〈映画などの俳優を決める〉 ‖ *cast* him in the role of Hamlet =*cast* him as Hamlet 彼にハムレットの役を与える. 4 〈生物が〉〈古くなった皮·角などを〉落とす(+*off*); 〈子〉を早産する ‖ When does a snake *cast* its skin? ヘビはいつ脱皮するか. 5 〈像などを〉[…で]鋳造(ちゅう)する(*in*); …を鋳(い)って […を]造る(*into*) ‖ *cast* a torso in bronze =*cast* a bronze *into* a torso ブロンズでトルソーを作る《◆ *cast* a bronze torso も可》.

be cást awáy 難破してたどり着いた島[海岸]に取り残される.

be cást dówn 意気消沈[がっかり]している.

cást abóut [(a) róund] 〖手〗1 言い訳·解決法を)急いで見つけ出す「思いっこう]とする《◆受身不可》.

cást asíde [他] (1) 〈衣服〉を脱ぎ捨てる. (2) 〈友などと〉関係を絶つ. (3) 〈不安などを〉振り払う.

cást awáy [他] (1) 〈不安·偏見などを〉退ける. (2) 〈物を〉捨てる, 浪費する.

cást dówn [他] (1) 〈視線などを〉下に向ける. (2) 〈人·物を〉打ち破る, 破壊する. (3) [通例 be cast] 〔…に〕落胆する(*by*).

cást óff [自] (1) 〖海事〗〈船が〉もやい綱を解かれて出航する. (2) (編み物の)目を留める. ── [他] (1) 〖海事〗〈船〉をもやい綱から解く. (2) 〈人〉を見捨てる; 〈いやな事などを〉振り払う. (3) (編み物の目)を留める. (4) → 4.

cást ón [自] (編み物の)最初の1段を編む. ── [他] (編み物の)最初の1段の目を立てる.

cást óut [他] 〈人·不安などを〉〔…から〕追い払う(*of*).

cást úp [他] 〈海草などを〉打ち上げる.

── 名 1 ⓒ (正式) 〈さいころ·投網·釣糸·視線などの〉ひと投げ, 投げる[投げられる]こと；投げる距離 ‖ *within a stóne's cást* 石を投げれば届くほどの所に. 2 ⓒ 投げ[捨て]られたもの；(釣針などで)さいころの目; (ヘビなどの)抜けがら; (ミミズなどの)盛った土【ふん】. 3 ⓒ (正式) [通例 the/a ~] 様子, 格好, 気質. 4 [a ~] 色合い, 気味 ‖ a green dress with *a* blue *cast* 青味がかった緑のドレス. 5 ⓒ 〖映画·演劇〗 [the ~; 集合名詞; 単数・複数扱い] 出演者全員(の名と役), 配役, キャスト ‖ an opera with an all-star *cast* スター総出演のオペラ. 6 ⓒ 鋳型(いがた); 鋳造(物). 7 ⓒ 〖医学〗ギブス(包帯) ‖ have [put] an arm in a *cast* 腕にギブスをはめている[はめる].

cást íron 鋳鉄.

cást nèt 投(とう)網《◆ casting net ともいう》.

cas·ta·net /kæ̀stənét/ 名 ⓒ 〖音楽〗[通例 ~s] カスタネット ▷ ショウコウ "What kind of musical instruments can you use for fishing?" "The *castanet*." 「魚を捕るのに使える楽器は何?」「カスタネット」《◆ cast a net (網を投げる)のしゃれ》.

cast·a·way /kǽstəwèi/ 名 ⓒ kɑ́:st-/ 形 ⓒ 世間から見捨てられた(人); 難破漂流した(人).

†**caste** /kæst | kɑ́:st/ (同音 cast) 名 1 ⓤ 身分制度, カースト《僧·士族·庶民·奴隷の4階級を基本とするインドヒンドゥー社会の身分制度》‖ *caste* systems 階級制度. 2 ⓒ 社会的階級(social class). 3 ⓤ (正式) 社会的地位[威信](social position) ‖ lose *caste* 社会的地位[面目]を失う.

cas·tel·lat·ed /kǽstəlèitid/ 形 城郭風の; 城の多い, 城のある.

†**cast·er** /kǽstər | kɑ́:st-/ 名 ⓒ 1 投げる人. 2 キャスター《いすなどの脚に付けた車[こま]》. 3 (食卓用)薬味容器《塩·コショウなど (cruet). 4 鋳造工.

cáster sùgar (英) 精製糖, グラニュー糖.

cas·ti·gate /kǽstigèit/ 動 ⓣ (正式) 1 …を懲戒する. 2 …を酷評する.

†**cas·ti·ga·tion** /kæ̀stigéiʃən/ 名 ⓤⓒ (正式) 懲戒, 譴(けん)責; 酷評.

†**Cas·tile** /kæstí:l/ 名 カスティリア《スペインの一地方, また昔の王国の名》.

cast·ing /kǽstiŋ | kɑ́:st-/ 名 1 ⓤ 投げること; 投げ釣り, キャスティング. 2 ⓒ 鋳物; ⓤ 鋳造. 3 ⓤ 〖演劇〗配役, キャスト.

cásting nèt =cast net.

cásting vóte 決定票《賛否同数のときふつう議長が投ずる票. 「キャスティング・ボートを握る」のような意味ではない. → have the (final) say (say 名 3 用例)》.

†**cast-i·ron** /kǽstiaiərn/ 形 1 鋳鉄製の. 2 鉄のような, 頑強な, びくともしない; 確固たる; 厳正な.

✱**cas·tle** /kǽsl | kɑ́:sl/

── 名 (複 ~s/-z/) ⓒ 1 城, 城郭《◆ ヨーロッパ中世の町は領主の castle を中心に形成され, 町の外側を城壁(walls)が囲んでいた》‖ Windsor *Castle* (英国

の)ウィンザー城 / ***An Englishman's house [home] is his castle.*** (ことわざ) 英国人の家は城である; 家庭での私的生活は他人の侵入を許さない《◆英国人はプライバシーを尊重することを言い表したもの》/ [日本発] Osaka *Castle* was the principal residence of Toyotomi Hideyoshi (1537 - 1598), who first unified Japan. 大坂城は初めて日本を統一した豊臣秀吉の居城でした. **2** (中世の城郭風の)大邸宅. **3** 〔チェス〕城将, ルーク(rook).

build a cástle [***cástles***]「***in the áir*** [***in Spáin***]」空中楼閣を築く, 非現実的な空想にふける.

cás·tled [形] =castellated.

cast·off /kǽstɔ̀(ː)f/ [形] 脱ぎ捨てられた; 〈物が〉捨てられた, 不要な; 〈人が〉見捨てられた. ——[名] [C] 《略式》[通例 ~s] 古着; 捨てられた物[人].

cas·tor¹ /kǽstər | kɑ́ːs-/ [名] [U] 海狸香(かいりこう), カストリウム《beaver の分泌物で香水・薬品の原料》.

cástor bèan ヒマの種.

cástor óil ヒマシ油.

cas·tor² /kǽstər | kɑ́ːs-/ [名] =caster **1, 2, 3**.

cas·trate /kǽstreit | ‐́‐/ [動] [他] **1** 〈動物〉を去勢する. **2** 〈人〉の気力をそぐ. **3** …を骨抜きにする.

cas·tra·tion /kæstréiʃən/ [名] [U] [C] **1** 去勢. **2** (不適当な箇所の)削除訂正.

Cas·tro /kǽstrou/ [名] カストロ《**Fidel** /fiːdél/ ~ 1927 - ; Cuba の首相》.

***cas·u·al** /kǽʒuəl/ 〘「計画的・意図的でない」が本義〙 ——[形] **1** 〈態度・雰囲気などが〉**うちとけた**; 〈服装が〉略式の, カジュアルな(↔ formal) ‖ Don't be too *casual with* me tonight. 今夜はなれなれしくしないで / *casual* wear [clothes] ふだん着.

2 おざなりの, **無頓着(むとんちゃく)な**; うわべだけの, 表面的な ‖ He took a *casual* glance through the documents. 彼は書類にざっと目を通した / She is *casual about* her clothes. 彼女は服装に無頓着だ.

3 [通例名詞の前で] 〈事が〉**偶然の**, 思いがけない (accidental) ‖ a *casual* discovery [meeting] 偶然の発見[出会い].

4 [名詞の前で] **思いつきの**, 出まかせの, 何気ない ‖ *casual* comments でまかせの批評 / This spelling mistake is obvious even to a *casual* observer. このスペルミスはちょっと見ただけでも明らかだ.

5 [名詞の前で] 不定期の, 臨時の《◆比較変化しない》‖ *casual* expenses 臨時的経費.

——[名] [C] **1** =casual laborer [worker]. **2** [~s] ふだん着(casual wear), 軽装; =casual shoes.

cásual dày 《主に米》平服の日《カジュアルな服で出勤する日》.

cásual láborer [**wórker**] 臨時雇い労働者.

cásual shóes ふだんばき.

cas·u·al·ly /kǽʒuəli/ [副] 偶然に, 思いがけなく; 不用意に, 何気なく; (服装が)略式で, ふだん着で, 形式ばらずに.

cas·u·al·ty /kǽʒuəlti/ [名] [C] **1** 《広義》(事故・災害などの)死傷者, 被害者; [casualties] 死傷者数[規模]; 《狭義》〔軍事〕死傷病兵; 消耗兵; 損耗人員《戦闘に役立たない兵》; 人員整理の対象者 ‖ heavy *casualties* 多数の死傷者. **2** 大事故, 惨事.

cásualty insùrance 傷害保険.

cas·u·ist·ry /kǽdʒuəstri | kǽzjuistri/ [名] **1** [U] 〔哲学〕決疑論. **2** [C] 《正式》詭(き)弁, こじつけ.

‡cat /kǽt/

——[名] (複 ~s/kǽts/) **1** [C] **ネコ**; 〔動〕ネコ科の動物 ‖ a wild [street] *cat* のらネコ / have a *cat* as a pet ペットとしてネコを飼う / He is a *cat* person. =He likes *cats*. 彼はネコ好きだ / Lions belong to the *cat* family. ライオンはネコ科の動物だ / ***When the cat's away, the mice will play.*** (ことわざ) ネコのいない間にネズミが遊ぶ; 「鬼のいぬ間に洗濯」/ ***(Even) a cat may look at a king.*** (ことわざ) ネコでも王様が見られる; 卑しい人にも相応の権利がある《◆「マザーグース」から》.

> [関連] (1) 英米でもイヌとともに代表的なペット.
> (2) ***A cat has nine lives.*** ((ことわざ) ネコには命が9つある)といわれ, 執念深く長寿とされる. 関連: ***Care killed the*** [***a***] ***cat.*** (ことわざ) (命が9つあるという)ネコでさえも心配のために死んだ; くよくよするな, 「心配は身の毒」/ ***Curiosity killed the cat.*** (ことわざ) せんさく好きは身を滅ぼす.
> (3) 魔女を連想させ, 予言能力があるとされる.
> (4) 鳴き声は mew, 「のどを鳴らす」は purr.
> (5) 「雄ネコ」は he-cat, tomcat, 「雌ネコ」は she-cat, 「ぶちネコ」は tabby, 「三毛ネコ」は tortoiseshell cat; 「子ネコ」は kitten, 「ネコちゃん」《小児語》は pussy.
> (6) エジプトでは神聖, キリスト教では好色・怠惰の象徴.

2 [U] ネコの毛(皮). **3** [C] 《略式》意地悪女, 陰口を言う女.

(***as***) ***sléek as a cát*** ネコのように光沢のある毛をした; (ネコのように)とても人当たりのよい.

béll the cát 《略式・やや古》進んで難局に当たる《◆長詩 *Piers* (*the*) *Plowman* (『農夫ピアズ』)などに出てくる賢いネズミの寓(ぐう)話から》.

fíght like cát and dóg とことん闘う.

It's ráining cáts and dógs. 《略式》ひどいどしゃぶりだ《◆時に raining の代わりに coming down, pouring も用いる》‖ [ジョーク] "The weather was beastly last night." "Yes, *it rained cats and dogs*. I know because I stepped in a poodle." 「昨夜の天気はひどかったね」「うん, どしゃぶりだったね. プードルを踏んづけたくらいだから」《◆beastly (獣のように), cats and dogs のあとに, poodle と puddle (水たまり)のしゃれ》.

lèt the cát òut of the bág 《略式》ついうっかり[誤って]秘密をもらす.

like a cát on 「***a hót tín róof*** [《英》***hót brícks***]」《略式》そわそわ[びくびく]して.

pláy 「***cát and móuse*** [***a cát-and-móuse gáme***]」 ***with*** A 《略式》〈人〉をなぶる, もてあそぶ; 〈人〉をやっつけるチャンスを待つ.

pút [***sét***] ***the cát amóng the pígeons*** [***canáries***] 《英略式》〈人が〉(発言・行動によって, 秘密などがばれて)面倒[騒ぎ]を引き起こす.

cát's cràdle あやとり(遊び).

CAT /kǽt/ [名] 〘computerized axial tomography〙 コンピュータ(X線)体軸断層撮影(装置).

CÁT scànner 《◆/sìːèitíː-/ とも発音する》 X線体軸断層撮影装置《◆CT scanner ともいう》.

cat. [略] catalog(ue); catechism.

cat·a·clysm /kǽtəklìzm/ [名] [C] 《正式》**1** 大洪水; 地震. **2** (政治的・社会的)大変動.

càt·a·clýs·mic [形] 大変動の.

cat·a·comb /kǽtəkòum | -kùːm/ [名] [C] [通例 ~s] (古代ローマの)地下埋葬所.

Cat·a·lan /kǽtələn | -læn/ [形] カタロニア(Catalonia)の; カタロニア人[語]の. ——[名] [C] カタロニア人;

Ⓤ カタロニア語.

†**cat·a·logue,** 《米ではしばしば》**-log** /kǽtəlɔ(ː)g/ 图 (櫃 ~s/-z/) ① 1 a カタログ; 《ふつうアルファベット順の》目録, 便覧 ‖ the 2005 *catalogue* of new model cars 2005年の新型車のカタログ. **b** 図書館の(所蔵)目録; 一覧, 列挙. **2** 《米》大学要覧《英》calendar). ── 動 他 (…の)カタログを作成する; (…を)カタログに入れる.
cát·a·lòg(u)·er 图 カタログ製作者.
Cat·a·lo·ni·a /kæ̀tǝlóunia/ 图 カタロニア《スペイン北東地中海沿岸地方. 形容詞は Catalan》.
ca·tal·y·sis /kǝtǽlǝsɪs/ 图 (櫃 -ses/-siːz/) ⓊⒸ 1 《化学》触媒作用[現象]; 接触反応. 2 誘因.
cat·a·lyst /kǽtəlɪst/ 图 Ⓒ《化学》触媒.
cat·a·lýt·ic convérter /kæ̀təlítɪk-/ (自動車の)触媒式排気ガス浄化装置.
cat·a·ma·ran /kæ̀təmərǽn/ 图 Ⓒ 双胴船; いかだ.
cat-and-dog /kǽtənddɔ̀(ː)g/ 形《略式》犬猿の仲の, 仲が悪い; 《俗》《株などが》投機性が強くて危ない.
cat-and-mouse /kǽtənmáus/ 形 ① 1 なぶり殺しの. 2 追いつ追われつの; チャンスをうかがう.
†**cat·a·pult** /kǽtəpʌlt/ 图 Ⓒ 1 《歴史》石弓《投石[投矢]用武器》. 2 《英》ぱちんこ《Y型のおもちゃ》《米》slingshot. 3 (空母からの)飛行機射出装置, カタパルト; グライダー[ミサイル]射出装置. ── 動 他 《飛行機などを》カタパルトで射出する; 《英》…をぱちんこで打つ, 飛ばす. ── (発射されたように)勢いよく動く[飛び出す].
†**cat·a·ract** /kǽtərækt/ 图 Ⓒ 1 《正式》瀑布(ぼう), 大滝; 《通例 ~s》急流. 2 豪雨, 洪水. 3 《医学》白内障.
ca·tarrh /kətáːr/ 图 ⓊⒸ《医学》カタル《鼻ののどの粘膜の炎症》; かぜ. **ca·tárrh·al** 形 カタル性の.
†**ca·tas·tro·phe** /kətǽstrəfi/ 图 Ⓒ 1 大異変, 大災害, 大惨事. 2 ⒸⓊ 不幸, 災難; 《悲劇の》大詰め, 結局. **catástrophe théory**《数学》カタストロフィ理論.
cat·a·stroph·ic /kæ̀təstráfɪk -strɔ́f-/ 形 壊滅的な, 大異変の; 悲劇的な; 《略式》ひどく悪い.
càt·a·stróph·i·cal·ly 副 破滅的に.
cat·bird /kǽtbə̀ːrd/ 图 Ⓒ《鳥》ネコマネドリ《北米・中米のマネシツグミの類》.
cat·call /kǽtkɔ̀ːl/ 图 Ⓒ (劇場などで不満を表す)ネコの鳴き声(のやじ, ひやかし. ── 動 他 (…を)やじる.

‡**catch** /kætʃ/ ‖【「意識的にまたは偶然に, 動くものを追いかけてつかむ」が本義. cf. take】

index 動 他 1 つかまえる 2 乗る 3 その場で聞いて[見て]わかる 6 目撃する 7 a くらう b 命中する 8 a 感染する b 襲う 9 ひっかける
自 1 ひっかかる

── 動 (~·es/-ɪz/; 過去·過分 caught /kɔːt/; ~·ing)《進行形はまれ》

Ⅰ [意識的につかむ]

1a〈人が〉〈人・動物などを〉(追いかけて)**つかまえる**, 捕獲する;〈人が〉〈ボール・機会などを〉とらえる, つかむ《(1) 目的語は逃げ(ようと)しているもの. (2) 道具・手段を表す副詞(句)を伴う》‖ *catch* crabs in a net 網でカニをとる / Why do cats *catch* mice? ネコがネズミをつかまえるのはなぜだろうか. **b** [catch A C] A〈動物など〉を C の状態でつかまえる《◆C は形容詞》‖ *catch* a mole alive モグラを生けどりにする. **c** [catch A by the B = catch A's B]〈人が〉A〈人〉の B〈体の部分〉をつかむ(⊃文法 16.2(3)) ‖ She nearly fell forward, but I *caught* her *by the arm*. 彼女は危うく前のめりに倒れるところだったが私は彼女の腕をつかまえた《◆「人」に焦点があり, 相手の腕をつかまえることによってその人の動きを止めたり, 支えたりすることが含意される》/ I *caught* her arm. 私は彼女の腕をつかんだ《◆「腕」だけに焦点があり, つかまえた行為がふつう体全体に波及しない》.

関連 [同様の2通りの構文をとる動詞]
seize [take] him by the arm 彼の腕をつかむ
shake him by the shoulder 彼の肩を揺さぶる
look [stare] him in the eye 彼の目を見る
hit [pat, strike] him on the head 彼の頭を打つ
---

d [catch A B = catch B for A]〈人が〉A〈人〉に B〈魚などを〉捕ってやる(⊃文法 3.3) ‖ I *caught* him some shrimps. = I *caught* some shrimps *for* him. 私は彼にエビを捕ってやった《◆受身形は Some shrimps *were caught for* him. で, for がなければ不可》. **2** [catch A B]〈人が〉A〈人〉に B〈殴打〉を与える. **3**〈人が〉〈列車などに〉(間に合って)**乗る**, 間に合う(⇔ miss);〈人が〉〈事を〉未然に止める;〈人が〉〈人と〉連絡がつく ‖ **対話**"Can I *catch* the 8 o'clock train?" "You can if you hurry."「8時の電車に間に合いますか」「急いだら間に合いますよ」《◆定期運行する交通機関に用いる》/ *Catch* the Woodstock bus here. ウッドストック行きのバスにはここから乗りなさい《◆「乗る(get on, board)」の意にも用いられることがあるが,「乗って行く」は take, go by の方がふつう》/ The bathtub nearly ran over, but I *caught* it just in time. 浴槽は今にも水があふれそうだったが, かろうじて間に合った[止めた].

4a〈人が〉〈言葉・文字などを〉その場で聞いて[見て]**わかる**; [catch wh節] …かを理解する ‖ I didn't *catch* your name. Repeat it, please. お名前が聞きとれませんでした, もう一度言ってください / Did you *catch* what the notice said? 掲示板に何と書いてあったか読めましたか / *catch* the reflection of oneself in the mirror 鏡に映った自分の姿が目に入る. **b**〈人・写真などが〉〈特徴・雰囲気などを〉(作品などに)正確に描写[再現]する; …を録音[録画]する ‖ *catch* … on video tape …をビデオに録画する.

5《略式》〈映画・放送番組などを〉(期日・時間に遅れず)見る, 聞く.

Ⅱ [偶然につかむ]

6 [通例 catch A doing]〈人が〉(偶然に)〈人など〉を(ふつうよくないことをしている最中に)**目撃する**, 見つける, 押さえる《◆ (1) (偶然)現場を見つめるだけで実際につかまえるかどうかは不明. (2) 進行形にしない》‖ I *caught* my son (in the act of) sneaking out of the room. 私は息子がこっそり部屋を抜け出そうとしているところを見つけた(= I *caught* my son while [just as] he was sneaking …) / You won't *catch* me sleeping 'on the job [at work]!《略式》二度と仕事中に居眠りはしません / She has never been *caught* in her night clothes. 彼女は寝巻姿でいるところを見られたことがない.

7a〈人が〉〈殴打〉を**くらう**;〈帆などが〉〈風などを〉受ける《◆目的語は近づいて来るもの》‖ *Catch* rain in this bucket. 雨をこのバケツで受けなさい / He *caught* a blow on the chin. 彼はあごに1発くらっ

た / The sail *caught* the wind. 帆が風をはらんだ. **b**《ボール・殴打などが》《人(の体の一部)》に命中する; 《風などが》《帆などに》当たる ‖ The stone *caught* 「my arm [me on the arm]. 石が私の腕に当たった《◆後者は「人」に焦点を当てた言い方で, よろけるなどその衝撃が体に及ぶことを含意. cf. 他1c》/ The heavy punch *caught* him in the stomach. 強烈な一撃が彼の腹部に命中した / The wind *caught* the sail. 風が帆に当たった《◆主語と目的語を逆にしても(**7 a**の第3例)文全体の意味は変わらない》. **8 a**《人が》《伝染病・雰囲気などに》感染する, かかる ‖ *catch* measles [(a) cold] はしか［かぜ］にかかる《◆目的物は the mumps, diphtheria など伝染する病気. したがって a headache, an illness などには suffer from を用いる》/ There are some diseases [×illnesses] which are usually *caught* in childhood. 病気の中にはふつう幼児期にかかるものがある / *catch* the cheerful mood of the party パーティーの陽気な雰囲気に染まる. **b**《雰囲気・ほらしなどが》《人》を襲う;《炎に》《物に》燃え移る ‖ The storm *caught* her just before she reached the shore. 彼女が岸に着く直前にあらしが襲った / The flames *caught* the ceiling. 炎が天井に燃え移った.
9《人が》《服・指などを》《くぎ・戸などに》ひっかける, はさむ {in, on};《くぎ・戸などが》《人・服などを》ひっかける, はさむ; …を […の間で] 板ばさみ (の状態) にする {between}《◆修飾語(句)は省略できない》‖ He *caught* his thumb in the closing door. 彼は閉まるドアに親指をはさんだ / She *caught* her sleeve on the knob. =The knob *caught* her sleeve. 彼女はそこを取ろうに引っかけてしまった《◆Her sleeve *caught* on the knob. ともいえる. → 自1》.
── 自 **1**《服・指などが》《くぎなどに》ひっかかる {on, in} ‖ Her foot *caught* on the curb. 彼女は歩道の縁石につまずいた (=She *caught* her foot ...). **2**《物が燃える》;《炎が燃え移る》;《エンジンがかかる》;《病気がかかる》;《錠がかかる》;《声・息が》詰まる. **3**《野球》キャッチャーをする.
*be cáught by A (1)《甘言・うそなどに》ひっかかる ‖ No one will *be caught by* his flattery. 彼のお世辞にはだれものらない. **(2)** = be caught in.
*be cáught in A (1)《雨などにあう》‖ I *was caught in* the traffic jam. 交通渋滞につかまった.
be cáught úp in A (1)《事件・興奮などに巻き込まれる》‖ *be caught up in* 「a crime [the frenzy of the concert] 犯罪[コンサートの熱狂]に巻き込まれる. **(2)**《物・事に没頭[熱中]する》‖ He *was* so *caught up in* the game that he forgot what time it was. 彼は試合にあまりに夢中になっていたので時間を忘れていた.
cátch at A (1)《物》をつかみにいく, つかもうと手を伸ばす, …に飛びつく《◆ catch と異なり実際につかめるかどうかが不明. → shoot 自1》‖ *catch at* a ball ボールを取ろうとする《◆自分の方へ飛んでくるボールを受けるのは catch a ball》/ A drowning man will *catch at* a straw.《ことわざ》おぼれる者はわらをもつかむ. **(2)**《機会など》に飛びつく ‖ *catch at* an offer 申し出に飛びつく.
cátch ín 他 (1)《人》を《自宅などで》うまくつかまえる, …に連絡がつく. **(2)**《服》を《ウエスト部などで》詰める.
cátch ít [héll] for A《略式》…で目玉を食う, 罰を受ける;…で困ったことになる ‖ You'll *catch it* for breaking the window. 窓ガラスを割ったしかられるぞ《◆ふつう子供について用い, 過去形は用いない》.

*cátch ón《略式》**(1)**《どんどん》(on 副**5 a**)広がる (catch 自**2**);《考え・服装などが》《人に》流行する, 受け入れられる {with} ‖ Miniskirts *caught on with* young people quickly. ミニスカートはたちまち若い人に受けた《◆ Young people caught on to miniskirts. ともいえる》. **(2)**《しっかり》(on 副**2**) 捕える;《人が》《意味・冗談などを》その場で理解する, 気づく {to} ‖ I didn't *catch on to* her joke. 彼女の冗談がわからなかった.
cátch onesélf 思いとどまる, 体を支える.
cátch óut 他《人の誤り[うそなど]を見破る, …を窮地に陥れる》;《事》を見破る.
*cátch úp 自 追いつく, 遅れずについて行く, 遅れを取り戻す ‖ Go ahead. I'll *catch up* soon. 先に行ってください, すぐに追いつきますから《◆文脈上明らかなので with you を省略したもの. cf. CATCH up with, CATCH up on》. ── 他 **(1)**《主英》《人・車・会社など》に追いつく, 遅れずについて行く《◆He couldn't *catch up* the leader. 彼は先導者に追いつけなかった (=《米》He couldn't *catch up with* the leader.)》. **(2)**《子供・幼児など》をすばやく拾い上げる.
*cátch úp on A **(1)**《略式》《勉強などの》不足[遅れ]を取り戻す ‖ I must *catch up on* my reading [sleep]. 読書[睡眠]不足を取り戻さねばならない《◆ on の代わりに with も用いられるが on の方がふつう》. **(2)**《新しい考え方・流行・情報などに》精通する, 遅れについて行く.
*cátch úp with A《人・車・国などに》追いつく《◆(1) overtake のように「追い越す」意はない. (2) 空間的に も, 勉強・進歩などの程度にも用いる》‖ I ran as fast as possible to *catch up with* her. 彼女に追いつこうと私はできるだけ速く走った《◆《米》では with のほかに to も用いられる.《英》ではまた with を用いない用法もある. cf. CATCH up 他**(1)**》/ *catch up with* Japan in technology 科学技術で日本に追いつく.
Cátch you láter.《略式》また後で.
── 名 **1**ⓒ 捕えること, 捕球 ‖ miss a *catch*(ボールを)受けそこなう / make a fine [nice] *catch* 見事に捕球する. **2**ⓒ 捕獲物[量] ‖ a large [poor] *catch* of herring ニシンの大[不]漁. **3**ⓒ (戸・バッグなどの)留め金, ホック. **4**ⓒ《略式》(問題・計画などの)落とし穴, かま, わな(trick);ⓒ [形容詞的に] ひっかかりやすい (catchy). **5**ⓒ《略式》掘出し物(財産・地位・容姿などから見て)結婚したい(ような)相手.
pláy cátch キャッチボールをする《◆ ×play catchball は誤り》.
cátch cròp《農業》間作物.
cátch lìne キャッチフレーズ.
catch-all /kǽtʃɔːl/ 名 **1**ⓒ《もと米》がらくた入れ. **2**[形容詞的に] 包括的な.
catch-as-catch-can /kǽtʃəzkǽtʃkǽn/ 名 U《レスリング》[the ~] フリースタイル. ── 形 手当たり次第の[に].
†catch·er /kǽtʃər/ 名 ⓒ **1** 捕える人[道具]. **2**《野球》捕手, キャッチャー.
catch·ing /kǽtʃiŋ/ 形《略式》《病気・くせなどが》感染する, うつりやすい.
catch·ment /kǽtʃmənt/ 名 **1**Ⓤ (雨水の)集水(量). **2**ⓒ 貯水池. **3**ⓒ《英》=catchment area. cátchment àrea 通学[通院]路.
catch·phrase /kǽtʃfreiz/ 名 ⓒ うたい文句, キャッチフレーズ.

catch-22 /kǽtʃtwèntitúː/ 〖J. Heller の同名小説から〗图 [しばしば C~] U《略式》どっちに転んでも勝算のない不合理な状況, 板ばさみ.

catch・up /kǽtʃəp, kétʃ-/ 图=ketchup.

catch・word /kǽtʃwə̀ːrd/ 图C **1**(政党などの)標語, うたい文句. **2**(辞典などの)欄外見出し語; せりふのきっかけ.

catch・y /kǽtʃi/ 形 (cátch・i・er, ~・i・est) **1**〈曲などが〉楽しくて覚えやすい. **2**〈問題などが〉間違いやすい; ぺてんの.

cat・e・chism /kǽtəkìzm/ 图 **1** C(キリスト教の)教義問答集, 教義要覧. **2** C(一般の)問答式教本[入門書]; U 問答式教授法. **3**《正式》[a/one's ~] 連続的質問 ‖ put her *through a catechism* 彼女を質問攻めにする. **cát・e・chist** 图C 伝道師.

cat・e・chize /kǽtəkàiz/ 動他 **1**〈人に〉問答形式で教義(など)を教授[説明]する. **2**〈人を〉質問攻めにする; …に詰問する.

cát・e・chìz・er 图=catechist.

cat・e・gor・i・cal /kæ̀təɡɔ́(ː)rikl/ 形《正式》**1** 断定的な, 無条件の; [論理]断言的な (cf. hypothetical). **2** 分類別の, 範疇(はんちゅう)に属する.

cat・e・gór・i・cal・ly 副 断定的に, 頭から.

†**cat・e・go・ry** /kǽtəɡɔ̀ːri | -ɡəri/ 图 C 範疇(はんちゅう), 種類, 区分, 部門《◆ class より堅い語》.

†**ca・ter** /kéitər/ 動自 **1**〈人が〉〖宴会などの〗料理をまかなう〖for, at〗‖ Weddings and parties *catered* for at our hotel.《広告》当ホテルでは婚礼・宴会のご用承ります. **2**〖正式〗〈人の要求・要望に〉応ずる (supply); 〈娯楽・食事などを〉供する, 〖…に〗迎合する〖to, for〗《◆《英》では for がふつう》‖ restaurants *catering* to [for] working men 労働者相手のレストラン / The official was accused of *catering* to big business. その役人は大企業の便宜を図ったかどで告発された. ──他《主に米》〈宴会などの〉料理を〈代金をとって〉まかなう.

ca・ter・er /kéitərər/ 图C(宴会などの)仕出し屋, 宴会業者; (ホテルなどの)支配人, 宴会係.

ca・ter・ing /kéitəriŋ/ 图U 仕出し業, ケータリング.

†**cat・er・pil・lar** /kǽtərpìlər/ 图C **1** イモムシ, 毛虫《チョウ・ガの幼虫》. **2** [C~]《商標》無限軌道式トラクター (Caterpillar tractor,《略式》cat); キャタピラー.

cat・er・waul /kǽtərwɔ̀ːl/ 動自 **1**〈(交尾期の)ネコが〉ギャーギャー鳴く. **2**《略式》〈そのネコのように〉わめく, けんかする, いがみ合う.

†**cat・fish** /kǽtfìʃ/ 图 (複 → fish 語法) C〖魚〗ナマズ(類).

cat・gut /kǽtɡʌ̀t/ 图C ガット《ヒツジの腸から作り, テニスラケット・バイオリン・ギターなどの弦に用いる》.

Cath.《略》Cathedral; Catherine; Catholic.

ca・thar・sis /kəθɑ́ːrsis/ 图(複 ~・ses/-siːz/) UC**1**《正式》〖美術〗カタルシス《芸術作品, 特に悲劇による鑑賞者の精神浄化作用》. **2**(一般に)心のモヤモヤがすっきりすること.

ca・thar・tic /kəθɑ́ːrtik/ 形 **1**《正式》精神浄化作用のある. **2** 排便作用のある. ──C 下剤.

†**ca・the・dral** /kəθíːdrəl/ 图C 大聖堂, 司教[主教]座聖堂, カテドラル《カトリック・アングリカンなどの司教[主教] (bishop) の法座 (cathedra) がある聖堂》.

Cath・e・rine /kǽθərin/ キャサリン《女の名. 愛称 Cathy, Kate, Kitty》.

cath・e・ter /kǽθətər/ 图 C〖医学〗カテーテル《体内に挿入して液を注入・排出させるための管》.

cath・ode /kǽθoud/ 图 C〖電気〗(電池の)正極, (電子管・電解槽などの)陰極(↔ anode).

cáth・ode-rày tùbe /kǽθoudrèi-/〖電気〗陰極線管, ブラウン管((まれ) Braun tube)(略 CRT.

†**Cath・o・lic** /kǽθəlik/ 〖アクセント注意〗形 **1**(ローマ)カトリックの《「カトリック教(徒)の」ということをいうのに, カトリック教徒自身は単に Catholic, 非カトリック教徒は Roman Catholic という》. **2**《新教 (Protestant) に対して》旧教の. **3** [c~]《正式》普遍的な, 全般的な (universal); 〈趣味などが〉広汎(こうはん)な, 〈人が〉(趣味などの点で)幅の広い ‖ a man with *catholic* tastes 趣味の広い人 ‖ She was brought up as a strict *Catholic*. 彼女は厳格なカトリック教徒として育てられた.

Ca・thol・i・cism /kəθɑ́ləsìzm | -θɔ́l-/ 图U **1**(ローマ)カトリック教; カトリックの教義[信仰]. **2** [c~] = catholicity.

cath・o・lic・i・ty /kæ̀θəlísəti/ 图U《正式》(理解・関心などの)寛大さ, 包容性; 普遍性.

cat・kin /kǽtkin/ 图 C〖植〗尾状花序《ネコの尾の形に垂れて咲くヤナギなどの花穂(かすい)》.

cat・mint /kǽtmìnt/ 图=catnip.

cat・nap /kǽtnæ̀p/ 图C《略式》うたた寝.

cat・nip /kǽtnip/ 图〖植〗イヌハッカ《ネコが好む香りのするソソ科の多年草》.

†**Ca・to** /kéitou/ 图 カトー《Marcus Porcius /mɑ́ːrkəs pɔ́ːrʃiəs/ ~ **1** 大カトー (the Elder, the Censor) 234-149B.C.; ローマの政治家. **2** 小カトー (the Younger) 95-46B.C.; ローマの政治家・哲学者. 1 の孫》.

cat's-eye /kǽtsài/ 图C **1** 猫目石, キャッツアイ《宝石の一種》. **2** 夜間反射装置《ヘッドライトで照らすと光る道路標識(ひょうしき)や自動車の反射部材》.

cat's-paw /kǽtspɔ̀ː/ 图C《略式》手先[道具]《(として使われる人)《◆『イソップ物語』でサルが焼き栗を拾うのにネコの手を借りたことから》‖ make a *cat's-paw* of ... …をだしに使う.

cat・suit /kǽtsùːt/ 图C《英》ジャンプスーツ《体にぴったりしていて, 首から足までおおう服》.

cat・sup /kǽtsəp, kétʃəp, kǽtʃəp/ 图《米》=ketchup.

***cat・tle** /kǽtl/ 〖『財産』が原義〗──图 [集合名詞; 通例複数扱い] 畜牛, ウシ《cow, bull, heifer, bullock, calf の総称. → cow 関連》《◆ ˣa cattle, ˣcattles とはいわない》‖ The *cattle* were dying because they had no water. 水がなかったので, 牛の群れは死にかけていた / forty (head [ˣheads] of) *cattle* 40 頭の牛 / béef càttle 食用牛 / dairy *cattle* 乳牛 / a *cattle* ranch 牛を飼っている牧場 / raise *cattle* ウシを飼育する / run *cattle* ウシを放牧する.

cat・tley・a /kǽtliə/ 图 C〖植〗カトレア《熱帯アメリカ原産のランの一種》.

cat・ty /kǽti/ 形 (通例 ~・ti・er, ~・ti・est) **1** ネコのような, 忍びやかな. **2**《略式》〈主に女性が〉意地の悪い, 悪口好きの.

cat・ty-cor・nered /kǽtikɔ̀ːrnərd/ 形副 対角線の[的に], 斜めの[に].

CATV《略》community antenna television 共同アンテナテレビ; cable TV 有線[ケーブル]テレビ.

cat・walk /kǽtwɔ̀ːk/ 图C キャットウォーク《鉄橋や機関室などに設けてある橋状の狭い通路》; (ファッション)の客席につき出た細長いステージ.

Cau・ca・sia /kɔːkéiʒə, -ʃə | -ziə/ 图 カフカス, コーカサス(地方)《黒海とカスピ海の間にある》.

Cau・ca・sian /kɔːkéiʒən, -ʃən | -ziən/ 图形 **1** カフ

Caucasoid 248 **cautious**

カス(Caucasus)地方[山脈](の). **2** コーカサス人(の); Ⓤ コーカサス諸語(の). **3** =Caucasoid.

Cau·ca·soid /kɔ́:kəsɔ̀id/ 名形 コーカソイドの(人), 白色人種の.

Cau·ca·sus /kɔ́:kəsəs/ 名 **1** [the ~] カフカス[コーカサス]山脈(the Caucasus Mountains). **2** =Caucasia.

cau·cus /kɔ́:kəs/ 名 Ⓒ [the ~; 集合名詞] **1**(政党の)執行部, 幹部会. **2** 執行委員会, 幹部会.

cau·dal /kɔ́:dl/ 形 [動·解剖] **1** 尾の, 尾部の; 尾状の. **2** (体の)後端の, 後端にある.

*****caught** /kɔ́:t/ 同音 court〈英〉; 類音 coat/kóut/) catch の過去形·過去分詞形.

caul·dron /kɔ́:ldrən/ 名 Ⓒ 大なべ.

†**cau·li·flow·er** /kɔ́:liflàuər, kɑ́:li-/ 名 Ⓒ [植] カリフラワー, 花キャベツ(語法 → cabbage); Ⓤ (料理された)カリフラワー(の花床).

cáuliflower éar (ボクサーの)つぶれた耳.

caulk, calk /kɔ́:k/ 他 〈すきま·船板などを〉〔槇肌(まいはだ)などで〕詰める〔with〕.

caus·al /kɔ́:zl/ 形 **1** 原因である, 原因となる, 因果関係を示す || a causal relationship 因果関係. **2** 〔文法〕原因[理由]を表す.

cau·sal·i·ty /kɔ:zǽləti/ 名 Ⓤ 因果関係, 因果律.

cau·sa·tion /kɔ:zéiʃən/ 名 Ⓤ 原因として働くこと. **2** 因果関係.

caus·a·tive /kɔ́:zətiv/ 形 **1** 原因である, 原因として働く. **2** 〔文法〕使役を表す.

*****cause** /kɔ́:z/ 名 同根 corps 〈英〉; 類音 course, coarse /kɔ́:rs/) 〖「偶発的に結果としてある事態を引き起こすこと」が本義〗

— 名 (複 caus·es/-iz/) **1** Ⓒ (通例悪いことの)原因, 種, もと[of]; 原因となる人[物] || cause and effect 原因と結果, 因果 / 対話 "Did you see the fire in that building?" "Yeah, I wonder what the cause was." 「あのビルの火事は見ましたか」「うん, 原因は何だったんだろう(=I wonder what caused it.)」 / The cause of the bird's death was a lack of care. 〈正式〉世話をしなかったので小鳥が死んだ原因だ / ジョーク The biggest cause of divorce is marriage. 離婚の最大の原因は, 結婚である.

2 Ⓤ 〔…の/…する/…という〕理由, わけ, 根拠, 動機(reason)〔for / to do / that節〕 || for [without] good cause 正当な理由があって[なくて] / I have no cause 「for complaint [to complain]. 不平を言う理由は何もありません.

3 Ⓒ (個人や社会の掲げる)主義, 目標, 理想, (…)運動; 福祉 || in the cáuse of world peace 世界平和をめざして / She is working for the refugees' cause. 彼女は難民の福祉のために働いている.

4 Ⓒ 〔法律〕訴訟理由, 訴訟(事件) || plead a cause 訴訟理由を申し立てる.

máke cómmon cáuse with A 〈正式〉(主義·運動などで)〈人·国などと〉協力[提携]する, …を支援[弁護]する.

— 動 (~s/-iz/; 過去·過分 ~d/-d/; caus·ing)
— 他 **1** 〈人·事が〉〈事·苦痛などの〉原因となる; …を(結果として)引き起こす || Each movement of my fingers caused stabbing pain. 指を動かすたびに刺すような痛みが走った / He caused our failure. 彼が原因で私たちは失敗した(=He is the cause of our failure.).《主語の意図は含意なし》/ The flood caused much damage. 洪水で大被害が出た.

2 [cause A B / cause B to [for] A] 〈人·事が〉A〈人〉に B〈苦痛·損害など〉をもたらす, 与える || Your letter will cause him a great deal of distress. 君の手紙に彼はひどく苦しむことになるだろう / We were caused much worry. 私たちはとても心配した.

3 [cause A to do] 〈人·事が〉A〈人·事〉に…させる(原因となる), (結果的に)…させる(◆ make や have が意識的な使役を表すのに対し, は偶発的·無意図的なので, deliberately, intentionally などと共に用いることはできない. ➔ 文法 3.5)|| Her behavior caused me to laugh. 彼女のしぐさに私は笑ってしまった(◆ Her behavior made me laugh. がふつう. Her behavior caused my laughter. と言ってもよい).

(')cause /kɔ́z; (強) kʌ́z | kɔ́z/ 接〈俗〉=because.

cause·less /kɔ́:zləs/ 形 **1** 原因のない, 原因不明の; 偶発的な. **2** 正当な理由のない. **cáuse·less·ly** 副 偶発的に, 正当な理由もなく.

†**cause·way** /kɔ́:zwèi/ 名 Ⓒ **1**(低湿地·浅い川に作った)土手道, あげ道. **2**(車道より高い)歩道.

caus·ing /kɔ́:ziŋ/ 動 → cause.

†**caus·tic** /kɔ́:stik/ 形 **1** 〔化学〕苛性(かせい)の, 腐食性の || caustic soda 苛性ソーダ. **2** 〈正式〉批判などが〉辛辣(しんらつ)な, 痛烈な. **cáus·ti·cal·ly** 副 痛烈に, 辛辣に.

cau·ter·ize /kɔ́:təràiz/ 動 他 **1** 〔医学〕〈傷口などを〉焼灼(しょうしゃく)する. **2** 〈良心などを〉麻痺(まひ)させる.

*****cau·tion** /kɔ́:ʃən/ 〖「危険に対して注意すること」が本義〗 派 cautious (形)

— 名 (複 ~s/-z/) **1** Ⓤ 用心, 警戒 || use [exercise] caution 用心する / Cross the busy street with caution. 交通量の多い通りを渡る時は用心しなさい. **2** Ⓒ (特に警官などによる法的な)警告, 注意(◆ warning より軽い)|| He was given a caution for parking in front of the gate. 彼は門の前に駐車したことで警告を受けた.

— 動 (~s/-z/; 過去·過分 ~ed/-d/; ~·ing)
— 他 **1** 〈人が〉〈人に〉[…のことで/…に対して]警告を与える, 注意する[about / against, for] || He cautioned us about the icy roads. 道路が凍結しているので用心するようにと彼は私たちに注意してくれた / I cautioned her against overdrinking. 酒を飲みすぎないよう彼女に忠告した.

2 [caution A to do] 〈人が〉〈人に〉…するように忠告する, 戒める || I cautioned her not to drink too much. 酒を飲みすぎないよう彼女に忠告した.

3 [caution (A) that節] 〈人か〉〈人に〉…であると事前に注意[警告]する(warn) || I must caution (you) that you have been speeding. 注意しておきますがスピードの出しすぎですよ(=I must caution you about [for] speeding.).

4 〈英〉[caution A for B] 〈警察が〉A〈人〉に B〈違反などの〉ことで(次回は罰せられると)警告する.

— 自 […しないように]注意する, 警告する[against].

cau·tion·ar·y /kɔ́:ʃənèri | -ʃənəri/ 形 〈正式〉警戒[注意]を促す, 警告的な.

†**cau·tious** /kɔ́:ʃəs/ 形 [be cautious of [about, with] A / doing] 〈人が〉A〈人·物·事〉について[…することに]注意深い, 用心深い, 慎重である(⇔ incautious); [be cautious not to do] (…しないよう)用心している(◆ careful より堅い語)|| a cautious investor [attitude] 慎重な投資家[態度] / Be cautious when [in] crossing the road. 道路を

横断するときは用心しなさい / She *is cautious of* [*about*] *telling secrets.* =She *is cautious not to tell secrets.* 彼女は秘密をもらさないよう注意をしている(⊃文法 11.7).
cáu・tious・ness 名U 用心深さ.
†**cáu・tious・ly** 副 用心[警戒]して, 慎重に.
†**cav・al・cade** /kævlkéid/ 名C 〖正式〗(儀式などの)騎馬[馬車]行進, (一般に)大パレード.
†**cav・a・lier** /kævəlíər/ [アクセント注意] 名C **1** 騎士道精神の持ち主《特に女性に礼をつくす男》; 女性のエスコート. **2** 〖古〗騎士, 騎馬武者. ――形 騎士気どりの; 尊大な(offhand). **càv・a・líer・ly** 副形 大柄(歳)[に]な, 傲慢(歳)[に]な.
†**cav・al・ry** /kævlri/ 名 [the ~; 集合名詞; 通例複数扱い] **1** 騎兵[隊] || 500 *cavalry* 騎兵500名. **2** (米)装甲機動部隊, ヘリ機動隊.
***cave** /kéiv/ 〖「へこむ」が原義〗
――名 (複 ~s/-z/) C (絶壁・山腹・地下にできた)洞窟(祭), ほら穴, 横穴 || hollow より大きく cavern より小さい. 心・安全などの象徴》.
――動 (cav・ing) 他 …にほら穴[横穴]を掘る(+ *out*); 〈屋根・地盤など〉を陥没させる; 〈帽子・壁など〉をへこませる(+*in*).
cáve ín 自 (1) 〈建物・洞窟など〉が〔…の上に〕崩れ落ちる; 陥没する〔*on*〕. (2) 〈帽子・ほおなど〉へこむ, 落ちこむ. (3) 〖略式〗〈事業など〉が失敗する, 破産する. (4) 〖略式〗〈人〉が〔…に対して〕へばる, 降参する, 屈する〔*to*〕. ――他 → 他.
cáve dwèller 1 =caveman **1**. **(2)** 〖略式〗(大都市の)アパート居住者.
cáve・at /kéiviæt, ká:vi-|kǽviæt, kéivi-/ 名C 〖正式〗〔…しないようにとの〕警告〔*against*〕.
cáveat émp・tor /-émptɔːr/ 〖商業〗買手危険負担.
cave-in /kéivin/ 名C **1** (鉱山の)落盤[陥没](箇所). **2** 堕落; 失敗.
cave・man /kéivmæn/ 名 (複 --men) C **1** (石器時代の)穴居(*g*)人((PC) cave dweller). **2** 〖略式〗(特に女性に対して)粗野な男.
cav・er /kéivər/ 名C (スポーツとして)洞窟(祭)探検をする人.
†**cav・ern** /kævərn|kǽvn/ 名C 〖正式〗**1** 大洞窟(→ cave). **2** 空洞(筍)(結核などによる肺の)空洞.
cav・ern・ous /kævərnəs/ 形 〖正式〗洞穴のような.
†**cav・i・ar, --are** /kǽviɑ̀ːr, ⌐ˈ/ 名U キャビア《チョウザメの卵の塩づけ. 通好みの珍味とされる》.
cáviár(*e*) *to the géneral* 〖文〗俗受けしない逸品; 猫に小判.
cav・il /kævl/ 動 (過去·過分 ~ed or (英) cav・illed; ~・ing or (英) --il・ling) 自 〔…に〕難癖をつける〔*about, at*〕.
cav・ing /kéiviŋ/ 名 → cave. ――名U 洞窟(祭)探検(spelunking).
†**cav・i・ty** /kævəti/ 名C 〖正式〗**1** 空洞, 穴(hole). **2** 〖医学〗腔(氵); 虫歯 || the nasal *cavity* 鼻腔.
cávity wàll (断熱防音作用のある)空洞壁.
ca・vort /kəvɔ́ːrt/ 動 〖略式〗**1** 〈馬が〉おどり[暴れ]はねる(+*about, around*). **2** 〈人〉が浮かれ騒ぐ.
†**caw** /kɔ́ː/ 〖同音 core (英), corps (英)〗 名C (カラスなどの)鳴き声, カーカー. ――動自 〈カラスなどが〉カーカー鳴く(+*out*).
Cax・ton /kækstən/ 名 カクストン《**William** ~ 1422?-91; 英国最初の活版印刷業者》.
cay・enne /kaién|kei-/ 名U =cayenne pepper.
cayénne pépper 粉末トウガラシ, カイエンヌペッパー《薬味》; C 〖植〗 cayenne の実).
CB 〖略〗〖通信〗citizen's band.
CBS 〖略〗(米) Columbia Broadcasting System コロンビア放送会社.
cc, c.c. 〖略〗 carbon copy 《◆手紙の末尾や電子メールに cc: Mr. Beck とあれば, 差出人と受取人以外の第三者である「Beck 氏にも写しを送った」ということ》.
cd candela.
Cd 〖記号〗〖化学〗cadmium.
CD 〖略〗 Civil Defense; Corps Diplomatique; compact disc; cash dispenser.
CD-R /síːdíːɑ́ːr/ 〖compact disc-recordable〗名C 〖コンピュータ〗シーディーアール《最初のデータの書き込みのあと追記のみ可能な CD》.
CD-ROM /síːdíːrɑ́m|-rɔ́m/ 〖compact disc read-only memory〗名C 〖コンピュータ〗シーディーロム《コンパクトディスクを使う読み出し専用記憶装置》.
CD-RW /síːdíːɑ́ːrdʌ́bljuː/ 〖compact disc-rewritable〗名C 〖コンピュータ〗シーディーアールダブリュ《何度も書き込みと消去が可能な CD》.
Ce 〖記号〗〖化学〗cerium.
***cease** /síːs/
――動 (~s/-iz/; 過去·過分 ~d/-t/; ceas・ing) 〖正式·文〗
――自 〈続いていることが〉**終わる**, 途絶える(stop) || The terrible noise *ceased* at last. ひどい騒音がついにおさまった《◆動くものが「止まる」の意には用いない: The car stopped [×*ceased*]》.
――他 〈人·物が〉〈活動など〉を**止める**, 中止する; [cease doing] …することを止める, 中止する; [cease to do] (次第に)…しなくなる || *Cease* fire! 〖号令〗撃ち方止め! (=Stop shooting.) (cf. cease-fire) / The Ming dynasty *ceased* to exist [×existing] in 1644. 明王朝は1644年滅亡した《◆状態を表す動詞が続く場合は to do のみ》 / He *ceased* writing in 1950. 彼は1950年に作家活動に終止符を打った.
――名U 〖正式·文〗終止《◆次の句で》|| without *cease* 絶え間なく.
cease-fire /síːsfáiər/ 名C 〖軍事〗停戦, 休戦; 戦闘中止; 撃ち方止めの号令.
†**cease・less** /síːsləs/ 形 〖正式〗絶え間ない, 不断の.
cease・less・ly 副 絶え間なく.
Cec・il /síːsl/ 名 セシル《男の名》.
Ce・cile /sesíːl/ 名 セシール《女の名》.
Ce・cil・i・a /səsíːljə/ 名 セシーリア《女の名》.
ceas・ing /síːziŋ/ 動 → cease.
†**ce・dar** /síːdər/ 名C 〖植〗シーダー, レバノンやヒマラヤスギ《◆ヒンドゥー教徒の神木》; ヒマラヤスギに似た針葉樹《◆日本のスギなど》|| U その材 || the *cedar* of Lebanon レバノンスギ.
†**cede** /síːd/ 動他 (敗戦などで)〈権利·領土など〉を〔他国に〕割譲する(give up)〔*to*〕.
ce・dil・la /sədílə/ 名C セディーユ《フランス語などで c の字の下に添える符号(,). 例: français》.
Ce・dric /séːdrik|séd/ 名 セドリック《男の名》.
ceil /síːl/ 動他 **1** 〈天井〉を板張りにする, …にしっくいを塗る; 〈部屋〉に天井を張る. **2** 〈船〉を内張りにする.
ceil・idh, ceil・i /kéili/ 名C 《主にスコット·アイル》(歌や踊りなどの)集い.
***ceil・ing** /síːliŋ/ 〖同音 sealing〗
――名 (複 ~s/-z/) C **1** [通例 the ~] (建造物の)天井(の板) (↔ floor); 天井に似たもの || *from floor to ceiling* 床から天井まで《◆対句のためふつう無冠詞》 / The house shook, and *the ceiling* of the living room fell piece by piece. 家が

揺れ, 居間の天井の板が1枚1枚落ちてきた / a fly on the *ceiling* 天井にとまったハエ. **2** [航空] (飛行機の)上昇限度; [気象] 雲高. **3** (ふつう法定による)賃金・価格などの最高限度 ‖ put a *ceiling* on the spending 支出の上限を設定する. **4** [形容詞的に]天井の; 最高限度の.

hít [gó thróugh] the céiling =hit the ROOF.

†**cel·an·dine** /séləndàin/ 名C [植] クサノオウ; キンポウゲ.

ce·leb /səléb/ 名C (略式) =celebrity 1.

Cel·e·bes /séləbìz | səlíːbiz/ 名 セレベス島《インドネシア語名スラウェシ島 (Sulawesi)》.

†**cel·e·brant** /séləbrənt/ 名C **1** ミサ執行司祭. **2** 儀式[典礼]執行者. **3** 祝賀者.

***cel·e·brate** /séləbrèit/ 『[特定の日や事柄の重要性を示すために儀式や祝い事をする]が本義』派 celebration (名)
―動 (~s/-brèits/; 過去・過分 ~d/-id/; -·brat·ing)
―他 **1** 〈人が〉〈特定の日・めでたい事を〉[…で]祝う, 祝賀する(with)《◆目的語が人の場合は congratulate を用いる: congratulate him on his promotion 彼の昇進を祝う》‖ *celebrate* 'the victory [her promotion] *with* a party 勝利[彼女の昇進]をパーティーを開いて祝う / He *celebrated* his 90th birthday. 彼は90歳の誕生日を祝った《◆人から祝ってもらう場合にも用いる》. **2** 〈儀式・祝典などを〉挙行する, 執り行なう ‖ *celebrate* a wedding 結婚式を挙げる / The priest *celebrates* Mass. 司祭はミサを行なう. **3** (正式)〈人を〉ほめたたえて〈世に知らせる〉; 〈物・事を〉賛美する(praise) ‖ *celebrate* heroes in poems 詩で英雄をたたえる.
―自 **1** 祝う, 式を挙げる, 祝典を開く. **2** (略式) 陽気に騒ぐ.

cel·e·bra·to·ry /séləbrətɔ̀ːri | séləbréitəri/ 形 お祝いの.

†**cel·e·brat·ed** /séləbrèitəd/ 形 **1** […で/…として]名高い, 有名な(for, as) 《◆famous より堅い語》 ‖ a restaurant *celebrated* for its wines ワインで知られているレストラン / a *celebrated* critic =a person *celebrated* as a critic 著名な批評家. **2** [the ~] 名士たち.

†**cel·e·bra·tion** /sèləbréiʃən/ 名 **1** U 祝賀, 賞賛. **2** C 祝賀会[式典] ‖ hold a *celebration* 祝賀会を開く. **in celebrátion of A** 〈事〉を祝って.

cel·e·bra·tor /séləbrèitər/ 名 =celebrant.

†**ce·leb·ri·ty** /səlébrəti/ 名 **1** C 有[著]名人, 名士. **2** U 名声, 知名度.

ce·ler·i·ty /səlérəti/ 名U (正式) 機敏, 敏捷(びんしょう).

†**cel·er·y** /séləri/ 名U [植] セロリ, オランダミツバ《◆スープに入れたり, 生でチーズの付け合わせとして食べる》.

> **語法** 数えるときは, セロリの株は a head [bunch] of *celery*, 食卓でのセロリ1本は a stick [stalk] of *celery* という.

†**ce·les·tial** /səléstʃəl | -tiəl/ 形 (正式) **1** 天(体)の, 空の(↔ terrestrial) ‖ *celestial* bodies 天体 / *celestial* navigation 天測航法 / a *celestial* globe 天球儀. **2** 天上界の, 神聖な(heavenly) ‖ a *celestial* beauty 絶世の美人 / a *celestial* visitant 天の御使(い).

celéstial equátor [天文] [the ~] 天の赤道.
celéstial sphére [天文] 天球.

cel·i·ba·cy /séləbəsi/ 名U (正式) (特に宗教上の誓いによる)独身[禁欲](主義).

cel·i·bate /séləbət/ 形 (特に宗教的理由で)独身[禁欲]を誓った. ―名C 独身者(主義)者.

†**cell** /sél/ 名C (同音 sell) **1** (大組織の基本組織; [生物] 細胞; [軍家] 班, チーム; [単数・複数扱い](秘密結社・政党の)細胞 ‖ cancer *cells* がん細胞 / communist [terrorist] *cells* 共産党の支部[テロリストの下部組織]. **2** 電池《◆ battery は cell の集合体》‖ a drý *cèll* 乾電池. **3** 小区分, 小部屋; ハチの巣穴; (整理棚などの)区, 欄; [コンピュータ] セル(表計算シートの1マス). **4** (大修道院の)付属修道院, (修道院の)独居房; (刑務所などの)独房, 監禁室.

céll division [生物] 細胞分裂.
céll mèmbrane [wàll] [生物] 細胞膜.
céll phòne =cellphone ‖ ジョーク "What do prisoners call each other?" "*Cell phones*." 「囚人同士が電話するとき, 何を使う?」「携帯電話」《◆ cell には「独房」という意味もある》.

†**cel·lar** /sélər/ 名C (同音 seller) **1** (食糧・燃料などの)地下貯蔵庫, ワイン貯蔵室(wíne cèllar) (cf. basement). **2** C (ある人が蓄えている)ワインの蓄え ‖ keep a good [small] *cellar* ワインの蓄えが多い[乏しい]. **3** [the ~] 最下位.

cél·lar·er 名C (修道院の)食糧保管係.
cel·lar·age /séləridʒ/ 名U [時に a ~] (貯蔵用の)地下室の面積[収容力].
cel·list, 'cel·- /tʃélist/ 名C チェロ奏者.
cell·mate /sélmèit/ 名C 独房の共用者, 独房に入っている仲間.
cel·lo, 'cel·- /tʃélou/ 名 (複 ~s) C [音楽] チェロ《正式》violoncello); (略式) [通例 ~s] (楽団のチェロ奏者.
cel·lo·phane /séləfèin/ 名U セロファン《◆もと商標》. **cél·lo·phàned** 形 セロファンの, セロファンで包まれた.
cell·phone /sélfòun/, **céll phòne** 名C (米) =cellular phone.
cel·lu·lar /séljələr/ 形 **1** 細胞(状)の. **2** 〈布地が〉目の粗い. **3** 多孔性の; 吸湿性の.
céllular phóne (米) 携帯電話((英) mobile phone, (米) cellphone).
cel·lu·loid /séljəlɔ̀id/ 名(米+) sélə-/ 名U **1** (商標)セルロイド. **2** (文) 映画(フィルム) ‖ on *celluloid* 映画で.
†**cel·lu·lose** /séljəlòus/ 名U (樹木などの)繊維素; [化学] セルロース ‖ *cellulose* silk 人造絹糸繊維素.
Cel·si·us /sélsiəs/ 形 摂氏度, 百分度(*水点を0度, 沸点を100度とする温度計測法*. スウェーデンの天文学者セルシウスの名に由来. 記号 C. cf. Fahrenheit) ‖ 30°C《◆ thirty degrees Celsius と読む》.
―名 =centigrade.
Celt /kélt, sélt/ 名C ケルト人; [the ~s] ケルト族《古代ヨーロッパにいた種族. 現在の Irish, Gaels, Welsh, Bretons はその子孫. Kelt ともいう》.
†**Celt·ic** /kéltik, sélt-/ 形 ケルト語[族]の.
―名 ケルト語(略 Celt., C.).
†**ce·ment** /səmént/ 名U セメント(cf. concrete); (一般に)接着[接合]剤; [歯科] (虫歯の穴の)充塡(てん)材 ‖ plastic *cement* プラスチック接着剤. ―動他 **1** 〈物を〉セメントで接着する[固める](+together); …にセメントを塗る ‖ *cement* the blocks *together* to form a wall ブロックをセメントでくっつけて塀を造る. **2** 〈友情などを〉固める.
cemént mìxer コンクリートミキサー(concrete mixer).

†**cem·e·ter·y** /sémətèri | -ətri/ 图 ⓒ (教会に所属しない)共同墓地(burial ground).

cen. (略) central; century.

cen·o·taph /sénətæf | -tɑ̀ːf/ 图 ⓒ 《正式》(戦)死者をいたむ記念碑; [the C~] (London の Whitehall にある)第一次世界大戦戦没者記念碑.

†**cen·sor** /sénsər/ (同音) censer) 图 ⓒ **1** 検閲官; 検閲係. **2** 《英》大学の学生監. ── 動 他 〈出版物・映画などを〉検閲する; ──〈を〉(検閲して)削除[修正]する.

cen·so·ri·ous /sensɔ́ːriəs/ 形 《正式》検閲官のような, あら捜しの好きな, [...に]口やかましい[*of, about*].

†**cen·sor·ship** /sénsərʃìp/ 图 Ⓤ 検閲官の任務; 検閲(制度).

cen·sur·a·ble /sénʃərəbl/ 形 非難されるべき, とがめを受けるべき.

†**cen·sure** /sénʃər/ 《正式》图 Ⓤ Ⓒ 非難, 酷評; 不信任, 譴責(ﾂｾｷ) ‖ a *censure* motion 問責動議.
── 動 他 〈権力のある人などが〉〈人・行為を〉[...のことで]非難[酷評]する[*for*]; 譴責する.

†**cen·sus** /sénsəs/ 图 Ⓒ (主に人口の)一斉調査; 国勢[市勢]調査 ‖ a *census* taker 国勢調査員 / a traffic *census* 交通量調査.

☆**cent** /sént/ (同音) scent, sent) 『「100(分の1)」が原義. cf. century, percent』
── 图 ~s/sénts/) **1** Ⓒ セント《米・豪・カナダ・ニュージーランド・ホンコン・シンガポール・EU などの貨幣単位. 1ドル[EU では1ユーロ]の1/100. (略) c., ct., (記号) ¢. $と異なり数の後に置く: 50¢》‖ two dollars sixty-five *cents* = two dollars (ánd) sixty-five = (略式) two sixty-five 2ドル65セント; $2.65. **2** Ⓒ セント銅貨; (略式)はした金; 《米》[a ~; 否定文で; しばしば一文字(も)... ない》‖ He doesn't give *a* (red) *cent* for his appearance. 彼は外見をちっとも気にしない. **3** Ⓤ (単位としての)100 ‖ per *cent* 100 につき(→ percent).

cent. (略) centered; centigrade; centimeter; central; century.

Cent. (略) centigrade.

†**cen·taur** /séntɔːr/ 图 **1** Ⓒ 『ギリシア神話』ケンタウロス《上半身は人間で下半身は馬の怪獣》; 半人半馬の怪獣. **2** [the C~] 『天文』ケンタウルス座《南天の星座》.

cen·ta·vo /sentɑ́ːvou/ 图 (複 ~s) Ⓒ センターボ《メキシコ・アルゼンチンなどの補助貨幣単位で, 基本貨幣単位の1/100》.

cen·te·nar·i·an /sèntənéəriən | sèntɪ-/ 形 Ⓒ 100歳(以上)の(人).

cen·te·nar·y /senténəri, sèntənèri | sentíːnəri/ 《主に英》图 Ⓒ 100周年(祭, 記念)(の)(《米正式》centennial).

cen·ten·ni·al /senténiəl/ 形 《米正式》100周年の, 100年(間)の. ── 图 Ⓒ 《米》100周年(祭, 記念)(《英》centenary).

centénnial annivèrsary 100年記念(の年).

Centénnial Státe 《愛称》[the ~] 100年州の州(→ Colorado).

☆**cen·ter,** 《英》-**tre** /séntər/ (類音) cent*aur* /séntɔːr/) 『「円・球の中心点」が本義』 派 central (形)
── 图 (~s/-z/) **1** [the ~; Ⓒ] 中心, 中央, まん中 ‖ *at the center of* a circle 円の中心に / *in the center of* the room 部屋の中央に(cf. middle &1) / *center* of gravity 重心; 最も重要な物[人].

2 Ⓒ **a** [しばしば of 句を伴って] (場所・人・物などがその)活動・人気などの)**中心的存在**, 中核, 中心地 ‖ a *center* of commerce [government] 商業[政治]の中心地 / She is always the *center* of attention at a party. 彼女はパーティーでいつも注目的な存在. **b** [通例複合語で] (施設としての)...センター, 中央施設 ‖ a medical *center* 中央総合医療施設, 医療センター, 病院《◆固有名詞として用いるときはふつう the をつける》.

[関連] [いろいろな種類の center]
commúnity cènter 市民センター / héalth cènter 保健所[医療センター] / léisure cènter レジャーセンター / shópping cènter ショッピングセンター / spáce cènter 宇宙センター / spórts cènter スポーツセンター.

3 [主に the C~] 『政治』穏健派, 中道派《the Left と the Right の間》. **4** [the ~] 『アメフト・バスケットボールなど』センター, 中堅(手)(図)→ American football); 『軍事』中央部隊, 本部隊.
── 動 (~s/-z/; 過去・過分 ~ed/-d/; ~ing/-təriŋ/)
── 他 **1** 《正式》[通例 be ~ed] 〈関心・話題などが〉[...に]**集中する**(focus) [*on, upon*] ‖ His interests *were centered* on the spoken language. 彼の関心は話し言葉に集中していた. **2** 〈物を中央に置く〉; 〈文字などを〉(行・ページの)中心に置く. **3** 〈物事〉の中心をなす.
── 自 《正式》〈関心・話題などが〉[...に]**集中する**[*on, upon, (a)round, in, at, about*] 《◆修飾語(句)は省略できない》‖ Our topic *centered* on [around] the murder case yesterday. 我々の話題は昨日の殺人事件に集中した / The lives of colonial women and men tended to *center* around farm and family. 植民地の人々の生活は農園と家庭を中心とする傾向があった.

cénter fíeld 『野球』センター, 中堅.
cénter fíelder 『野球』センター, 中堅手.
cénter fíeld fénce [scréen] 『野球』バックスクリーン.
cénter fórward 『ホッケーなど』前衛中堅(《英略式》striker).
cénter mídfielder → 見出し語.
cen·ter·board /séntərbɔ̀ːrd/ 图 Ⓒ (帆船の)垂下竜骨(keel).
cen·tered /séntərd/ 形 **1** 中心にある, 中心をもつ. **2** [複合語で] ...中心の.
cen·ter·fold /séntərfòuld/ 图 Ⓒ (雑誌などの)中央見開きページ; (全面写真などの)大型折り込みページ.
cen·ter·half /séntərhǽf | -hɑ́ːf/ 图 Ⓒ 『サッカー』センターハーフ, 中衛.
cen·ter mid·field·er, cen·ter·mid·field·er /séntərmídfìːldər/ 图 Ⓒ 『サッカー』センターミッドフィールダー; (特に)トップ下(の選手) ‖ a left [right] *center midfielder* 左[右]のボランチ《◆a defensive midfielder(守備的ミッドフィールダー)ともいう》(図 → soccer).
cen·ter·piece /séntərpìːs/ 图 Ⓒ **1** (テーブルの)中央に置く装飾品《生花・テーブルセンターなど》. **2** [the ~ of ...] ...の最も重要なもの, 目玉.
cen·tes·i·mal /sentésɪml/ 形 100分の1の; 百進法[分法]の.
cen·ti- /séntə- | séntɪ-/ (語要素) → 語要素一覧(1.1).
†**cen·ti·grade** /séntəgrèid | séntɪ-/ [しばしば C~] 图 Ⓤ 百分度; (温度の)百分度, 摂氏度(略 cent.)(→

centigram 百分度の, 摂氏度の ‖ the *centigrade* thermometer 摂氏温度計.

cen·ti·gram, (英ではしばしば) **-gramme** /séntəgræm | sénti-/ 名 © センチグラム《1/100グラム. (記号) cg》.

cen·ti·li·ter, (英) **-li·tre** /séntəlì:tər | sénti-/ 名 © センチリットル《1/100リットル. (記号) cl》.

cen·time /sá:nti:m | sɔ́n-/ 『フランス』 名 © サンチーム《補助貨幣単位. フランスなどで1/100 franc》. 1サンチーム貨.

†**cen·ti·me·ter,** (英) **-me·tre** /séntəmì:tər | sénti-/ 名 © センチメートル《(記号) cm》‖ The table is 「fifty *centimeters* [50cm] wide. そのテーブルは幅50センチだ《◆ cm の場合は50 cm のように数字を用いる》.

†**cen·ti·pede** /séntəpì:d/ 名 © 【動】ムカデ, ゲジ.

****cen·tral** /séntrəl/ 〖→ center〗
—— 形 (通例 more ~, most ~) **1 a** [名詞の前で] 中央にある, 中心の《◆比較変化しない》‖ the *central* part of the area その地域の中心部. **b** [補語として] 〔…に〕行きやすい, 近くて便利がよい〔*for*〕‖ The theater is very *central*. その劇場は地の利がよい[市の中央にある].
2 〔…にとって〕主要な, 中心をなす〔*to*〕(↔ peripheral) ‖ the *central* point of the discussion 議論の中心点 / Humanism was *central* to her way of life. 人道主義が彼女の生き方の中核をなすのであった / the *central* character in the movie その映画の主要登場人物.
3《組織・機構・権力などの》中心的な, 中核の ‖ a *central* office 本社 / the *central* committee 中央委員会.

Céntral África 中央アフリカ《共和国(人)》(の).

Céntral África Repúblic [the ~] 中央アフリカ共和国《首都 Bangui》.

céntral áir condítioning 集中冷暖房(装置).

Céntral América 中央アメリカ, 中米.

Céntral Ásia 中央アジア.

céntral bánk 中央銀行.

céntral héating 集中暖房(装置).

Céntral Intélligence Ágency [the ~] 《米国》中央情報局 《(略) CIA》.

céntral nérvous sýstem 中枢神経系.

Céntral Párk セントラルパーク《New York 市 Manhattan の公園》.

céntral prócessing únit 〖コンピュータ〗中央処理装置《(略) CPU;《略》 **céntral prócessor** ともいう》.

Céntral (Stándard) Tíme 《米国》中部標準時.

cén·tral·ly 副 中心に[となって].

cen·tral·ism /séntrəlìzm/ 名 U 中央集権主義.

cen·tral·i·za·tion /sèntrələzéɪʃən | -laɪ-/ 名 U **1** 集中(化). **2** 中央集権(化). **3** 中央に集められること.

cen·tral·ize /séntrəlàɪz/ 動 (正式) 他 **1** …を中心に集める. **2** …を中央集権化する. —— 自 中央に集まる.

:**cen·tre** /séntə/ 名 =center. —— 動 (~s /-z/, -d /-d/; -tr·ing /-tərɪŋ/) =center.

cen·trif·u·gal /sentrífjəgəl | sentrifjúgl/ 形 遠心性の, 遠心力の, 遠心力を利用した (↔ centripetal).

centrífugal fórce 遠心力.

cen·tri·fuge /séntrɪfjù:dʒ/ 名 © 遠心分離機.

cen·trip·e·tal /sentrípɪtl/ 形 求心性の, 求心力の, 求心力を利用した (↔ centrifugal).

centrípetal fórce 求心力.

cen·trist /séntrɪst/ 名 © 形 中道〔穏健〕派 (の).

cen·tu·ri·on /sent(j)úəriən/ 名 © 《古代ローマの》百人隊 (century) の隊長.

****cen·tu·ry** /séntʃəri/ 〖100 (cent) の単位 (ury). cf. centenary〗
—— 名 (複 **-ies** /-z/) © **1** [序数詞 + ~] **a** [the ~; 時に C~] 世紀《略》c.; in the twelfth [12th] *century* 12世紀に / during the last *century* 前世紀[この100年]の間に / around the turn of the *century* 世紀の変わり目の頃に / The 20th *century* runs from 1901 to 2000. 20世紀は1901年から2000年までにわたる《◆(1) nineteen hundred and one to two thousand と読む. (2) 俗に 1900-1999年を20世紀とする見方もある》. **b** [無冠詞で; 序数詞 + ~] …世紀のもの, …世紀に属するようなもの ‖ This sword is sixteenth *century*. この刀は16世紀のものだ. **c** [形容詞的に] …世紀の ‖ (in) 14th-*century* Italy 14世紀のイタリア(で) / a 18th-*century* temple 18世紀の寺院. **2**《任意の》100年間 ‖ in half a *century* 50年後に / during the past *century* この100年[前世紀]の間に《◆ during this *century* は「今世紀の間に」. →1》 / This tower was built three *centuries* ago. この塔は300年前に建てられた / a quarter of a *century* =a quarter *century* 四半世紀, 25年.

CEO《略》chief executive officer.

ce·ram·ic /sərémɪk/ 形 《正式》陶芸[窯業]の; 陶製[陶磁器]の ‖ *ceramic* tile (陶製の)タイル.
—— 名《通例 ~s》 **1** [集合名詞; 複数扱い] 陶磁器, 陶芸品. **2** U [単数扱い] 陶芸; 〖工業・化学〗窯業製品, セラミックス.

cer·a·mist /sérəmɪst, sərémɪst/ 名 © 陶芸家.

Cer·ber·us /sɑ́:rbərəs/ 名《ギリシア神話・ローマ神話》ケルベロス《頭が3つで尾がヘビの犬. 地獄の門を守る》. *a sóp to Cérberus*《番人などを手なずける》わいろ, えさ.

†**ce·re·al** /síəriəl/《同音》serial》名《通例 ~s》**1** © 穀物《barley, wheat, oats, rice, maize《米》corn), millet, sorghum など》; 穀草類. **2** © U《朝食用の》穀類加工食品, シリアル《◆ oatmeal, cornflakes など》.

cer·e·bel·lum /sèrəbéləm/ 名 (複 ~s, **-bel·la** /-bélə/) © 〖医学〗小脳.

cer·e·bel·lar /-lər/ 形 小脳の.

ce·re·bral /sérəbrəl/ 形 〖医学〗(大)脳の ‖ *cerebral* palsy 脳性小児麻痺 / *cerebral* cortex 大脳皮質 / a *cerebral* hemisphere 大脳半球. **2**《正式》知的な, 理性的な ‖ Go is a *cerebral* game. 囲碁は知的なゲームだ.

cer·e·brum /sərí:brəm/ 名 (複 ~s, **-bra** /-brə/) © 〖医学〗大脳.

†**cer·e·mo·ni·al** /sèrəmóuniəl/ 形 儀式[祭式]の, 儀礼的な, 儀式用の ‖ a *ceremonial* occasion 祭典行事 / a *ceremonial* visit 公式訪問 / a *ceremonial* hat 式典用帽子. —— 名 **1** U《宗教の》儀式次第; 儀礼. **2** © 儀式.

cèr·e·mó·ni·al·ism 名 U 儀礼[形式]尊重 (主義).

cèr·e·mó·ni·al·ly 副 儀礼的に.

†**cer·e·mo·ni·ous** /sèrəmóuniəs/ 形《正式》**1**《人・態度などが》儀式ばった, 仰々しい, 儀礼にうるさい ‖ a *ceremonious* call 改まった訪問. **2** 儀礼を尽くした, 正式の; ばかていねいな ‖ His greetings were rather *ceremonious*. あの人のあいさつはばかていねいだった.

cèr·e·mó·ni·ous·ly 副 儀式ばって, 仰々しく.

****cer·e·mo·ny** /sérəmòuni | sérəməni/ 〖「ローマに

近い Caere の町の聖なる儀式」が原義〕
―名(複) -‑nies/-z/) 1 ⓒ儀式, 祭式, 式典 ‖ religious [church] *ceremonies* 宗教[教会]の儀式 / *an awards [a wedding, a funeral] ceremony* 表彰[結婚, 葬]式 / *perform [hold] a launching ceremony* 進水式を挙行する.

> 関連 [いろいろな種類の ceremony]
> closing *ceremony* 終業式 / entrance *ceremony* 入学式 / graduation *ceremony* 卒業式 / opening *ceremony* 始業式.

2 Ⓤⓒ (正式)礼儀, 作法; 堅苦しさ, 形式ばること; 虚礼(formality) ‖ *Please don't stánd on céremony (with me)!* (堅苦しいあいさつは抜きにして)気楽にしてください.
máster [místress] of céremonies (1)《主に米》(社交会・ショーなどの)司会者(略 MC) (《略式》emcee). (2)《式典・宴会などの》式部官, 典儀.

†**Ce·res** /síəri:z/ ((同音)series) 名〔ローマ神話〕ケレス《豊穣(ほうじょう)の女神でギリシア神話の Demeter に相当》;〔天文〕ケレス《小惑星》.

ce·rise /sərí:s, -rí:z/ 名 Ⓤ 形 サクランボ色(の).

†**ce·ri·um** /síəriəm/ 名 Ⓤ〔化学〕セリウム《貴土類金属. (記号) Ce》.

CERN, Cern /sə́:rn/《フランス語 Conseil Européen pour la Recherche Nucléaire から》名 セルン, 欧州共同原子力核研究機関.

cert /sə́:rt/ 〔certainty の短縮語〕名 Ⓒ《英略式》確実な事.

cert. (略) *certificate, certificated, certification*.

*****cer·tain** /sə́:rtn/〔「客観的に確かな」が本義. cf. certify〕(派)ascertain (動), certainly (副)
―形(more ~, most ~; 時に ~·er, ~·est)
1a [be certain of A]〈人が〉〈事〉を確信している, 疑いないと思っている; [be certain that 節 / be certain of doing] …だと確信している《◆主語は「確信している」人. → **2**》(⇔ uncertain) ‖ He *is certain of* her recovery. =He *is certain (that)* she will recover. 彼女がきっと回復するものと彼は信じている / I *was certain of* being elected as chairman. =I *was certain (that)* I would be elected … 私は議長に選ばれるものと確信していた. **b** [be certain **wh**節・句]〔通例否定文・疑問文で〕…かを確信している ‖ They *were* not *certain* 「*which* way they should take [*which* way to take]. 彼らはどちらの道をとればよいか自信がなかった.

> 🔲 [certain の構文]
> He *is certain of* A. 彼は A を確信している. (1)
> He *is certain to do*. 彼は間違いなく…する. (2)
> It *is certain that*… …ということは確かである. (3)

2 [be certain to do]〈人・物・事は〉間違いなく…する,〈人・物・事が〉…するのは疑いない《◆**1**と違って「確信している」人は話し手であって主語ではない》‖ He *is certain to* win. 彼は必ず勝つ(と私は思います) (=*It is certain that* he will win. / He will *certainly* win.) / I am *certain of* his winning》《◆ *It is certain for him to win.* は不可》 / This medicine *is certain to* work on you. この薬はきっとあなたに効きます / It *is certain to* snow [have snowed]. 雪が降る[降った]のは間違いない(➡文法 10.1).

3 [it is certain (that)節 /wh節]…ということ[…

か]は確かである, 明白だ, 疑いがない《◆「確信している」人は話し手》‖ It *is certain that* he will pay in cash. 彼が現金で払うのは間違いない(=He *is certain* to pay in cash. / He will *certainly* pay in cash.) / *It is certain that* she went there. 彼女がそこへ行ったのははっきりしている(➡文法 10.1). (=She is *certain* to have gone there. / *Certain*ly she went there.) / *It is* not *certain that* she knows it. 彼女がそれを知っているかは確かでない / *It is* not *certain* when and where he was born. 彼がいつどこで生まれたのか確かでない.

4 [名詞の前で]〔話し手にはわかっているが何らかの理由ではっきり言わない〕ある…, 例の, あの(→ some 形 **3**) ‖ in a *certain* sense ある意味では / a *certain* disease ある病気; 性病 / *certain* professors ある教授たち / a *certain* other secret pleasure あるもう1つのひそかな楽しみ《◆他の形容詞と用いる場合は一番最初の位置. また the と用いる》 / a *certain* Charlie Muffin チャーリー=マフィンという人.

5 [名詞の前で] [a ~] いくぶんかの, ある程度の; かなりの ‖ of a *certain* age〔遠回しに〕かなり年配の / in a *certain* amount of time ある程度の時間内に / What you say is true *to a certain* extent. 君の言うことはある程度まで本当です.

6 [名詞の前で]特定の, 一定の, 限定された; ある種の ‖ at a *certain* hour 決められた時刻に / perform *certain* jobs linked with social development 社会の発展にかかわりのある特定の仕事をする.

7 〔正式〕不可避の, 必ず起こる《補語としての用法は主に **2**》‖ a *certain* winner =a person who is *certain* to win 必ず勝つ人 / *certain* success [death] 必ずやってくる成功[死].

*****for cértain** 〔通例動詞の後で〕確かに(は), はっきりと (は) (for sure) ‖ He will succeed *for certain*. 彼はきっとうまくやる(=He will *certainly* succeed.) / I don't know *for certain*. はっきりとは知らない《◆否定語と用いると部分否定》.

*****máke cértain** [自] (1) [事などを]確かめる (make sure) 〔*of*, *that*節, *wh*節〕‖ *Make certain where* she is now. 彼女が今どこにいるのか確かめてください. (2)〔事・仕事などを〕確実に手に入れる〔*of*〕. (3)〔…するように〕取りはからう, 手配する, 必ず〔…するように〕する〔*of doing*, *that*節〕《◆ *that*節内の時制については → SEE to it that》‖ I'll *make certain (that)* they meet you at the station. 彼らが駅でお出迎えするように手配しておきます. (4)〔…だと〕確信している〔*that*節〕. ―[他]〈物・事〉を確実なものにする.

―代〔正式〕[~ of +Ⓒ 名詞複数形; 複数扱い]…の中のいくつか ‖ *Certain* of the passengers were injured. 乗客のうち数人が負傷した.

cer·tain·ly /sə́:rtnli/〔→ certain〕

―副《◆疑問文には用いない》**1** [文全体を修飾]確かに, 疑いなく, きっと ‖ He will *cértainly* give in. =He *certainly* will give in. 必ず彼は降参するよ (=*It is certain that* he will give in.) / My camera *certainly* does not need fixing. ぼくのカメラは修理する必要がないのは明らかだ / He *is certainly* from Hawaii. 彼はきっとハワイ出身さよ 《対話》"Isn't he a funny boy?" "He *certain*ly is." 「彼ってひょうきんな子だね」「確かにそうですね」.
2 [質問・依頼への返答として] もちろん, 承知しました, その通り(→ absolutely, definitely) ‖《対話》"May I talk to her?" "*Certainly.* 〜"「彼女

と話してもいいですか」「もちろんですとも」/ "Shall I ring up the police?" "Police? *Cértainly nót.*"「警察へ電話しましょうか」「警察? とんでもない」《◆前文が肯定文・否定文にかかわらず certainly not は否定を強調する》/ "This book is not worth reading." "*Cértainly nót.*"「この本は読む価値がない」「まったくその通りだ」.

3 [強意語として] 実に, まったく(very) ‖ He was *certainly* lazy. 彼はまったく怠け者だった.

cer·tain·ty /sə́ːrtnti/ 名 **1** ⓤ 確かさ, 確信;〔…の/…という〕確実性, 確かな見込み〔*of/that*節〕(↔ uncertainty) ‖ There is little certainty [*that* he will resign [*of* his resignation]]. 彼が辞職するという見込みはほとんどない. **2** ⓒ 確かなもの, 疑いのない事実 ‖ It is a *certainty* (that) she will pass the exam. 彼女が試験に合格することは確実だ.
for a cértainty 確かに, 間違いなく.
with cértainty 確信を持って.

cer·ti·fi·a·ble /sə̀ːrtifáiəbl/ 形 **1** 証明できる. **2** 精神異常者と認定できる.

†**cer·tif·i·cate** /sərtífikət; 動 -kèit/ 名 ⓒ **1** 証明書 ‖ a *bírth certificate* =a *certificate* of birth 出生証明書 / a *déath* [*héalth*] *certificate* 死亡[健康] 診断書 / an examination *certificate* 試験合格証書. **2** 免状, 修了証書 ‖ a *téaching* [*téacher's*] *certificate* 教員免許状. ── 動 他 …に証明書[免許状]を与える.

cer·tif·i·cat·ed /sərtífikèitid/ 形 《主に英》免許の, 有資格の.

cer·ti·fi·ca·tion /sə̀ːrtifikéiʃən/ 名 **1** ⓤ 証明[保証] (すること). **2** ⓒ 証明書[保証]書.

cer·ti·fied /sə́ːrtifàid/ 形 証明された, 公認の, 証明書[免許証]を有する.
cértified chéck 《英》*chéque* 支払い保証小切手.
cértified máil 《米》配達証明郵便 《英》recorded delivery).
cértified mílk 《主に米》(公定衛生基準に合格した酪農場で生産された)品質保証牛乳.
cértified públic accóuntant 《米》公認会計士《略 CPA》.

†**cer·ti·fy** /sə́ːrtifài/ 動 《正式》他 **1** 〈物・事〉を(文書で)証明[保証]する;《米》〈銀行が〉〈小切手の支払いを〉保証する(declare) ‖ *certify* his marriage 彼の結婚を文書で証明する. **2** 〔…だということを〕正式に証明する, (検査の結果) 〈人〉を〔…だと〕認定する〔*as, to be, that*節〕 ‖ This is to *certify* that …《証明書》本状は…であることを証明する. **3** 〈医者が〉〈人〉を精神異常と認定する. **4** 〈人〉に証明書[免許状]を与える. ── 自〔…を〕保証[証明]する〔*to*〕.

cer·ti·tude /sə́ːrtət(j)ùːd/ 名 ⓤ 《正式》(盲信的[主観的]な)確信, 確実(性).

Cer·van·tes /sərvǽntiːz | sə-/ セルバンテス《Miguel de/migél də/ ~ 1547-1616; スペインの作家. *Don Quixote* の作者》.

cer·vi·cal /sə́ːrvikl | səváikl/ 形 【解剖】 **1** 首の, 頸(ﾂ)部の. **2** 〈特に〉子宮頸部の.

cer·vix /sə́ːrviks/ 名 (複 ~·es, -vi·ces/-visiːz, sərváisiːz/) ⓒ 【解剖】首; (子宮などの) 頸部.

Ce·sar·e·an, -i·an /sizéəriən/ 《米》形 名 = Caesarean.

ce·si·um 《主に英》**cae-** /síːziəm/ 名 ⓤ 【化学】セシウム《アルカリ金属. 記号 Cs》.

†**ces·sa·tion** /seséiʃən/ 名 ⓤ ⓒ 《正式》停止; 中断 ‖ a month-long *cessation* of arms 1か月停戦.

ces·sion /séʃən/ 名 ⓤ ⓒ (権利・財産・土地などの)譲渡, 譲与; 引き渡し; (条件に基づく)領土割譲.

cess·pit /séspit/, **-pool** /-pùːl/ 名 ⓒ (便所・流しなどの)汚水溜(ﾂ)め, 汚水槽; 不浄の場所, 悪の巣.
césspit clèaner trúck バキュームカー《◆ ×vacuum car とはいわない》.

ce·su·ra /sizú(ə)rə | -zjúərə/ 名 = caesura.

†**Cey·lon** /silɑ́n | -lɔ́n/ 発音注意 名 セイロン(島)《◆ Sri Lanka のある島. また Sri Lanka の旧名》.

Cé·zanne /seizǽn | sizǽn/ セザンヌ《Paul ~ 1839-1906; フランス後期印象派の画家》.

†**cf.** /kəmpɛ́ər, síːéf, kənfə́ːr/ 名【ラテン】confer (= compare) 比較せよ, …を参照.

CFC 略 (複 CFCs) chlorofluorocarbon.

CFE 略 College of Further Education 職業学校.

CGI 略 【コンピュータ】 computer generated imagery.

ch., Ch. 略 chapter.

Chab·lis /ʃæblíː/ 名 ⓤ シャブリ(ワイン) 《フランス産のドライ白ワイン》.

cha-cha(-cha) /tʃɑ́ːtʃɑ̀ː(tʃɑ̀ː)/ 名 ⓒ チャチャ(チャ)《南米起源の mambo に似た舞踏(曲)》.

Chad /tʃæd/ 名 チャド《アフリカ中央部の共和国》.

†**chafe** /tʃéif/ 動 他 **1** 〈手足などを〉(手で)こすって暖める ‖ *Chafe* your feet right away. すぐ足をこすって暖めなさい. **2** 〈物が〉〈皮膚などを〉すりむく, …にすり傷をつくる. **3** 《正式》〈事が〉〈人〉をいらいらさせる. ── 自 **1** 〈皮膚などが〉すりむける. **2** 《正式》〈人が〉〔…に/…を被って〕いらだつ, じりじりする〔*at, against / under*〕.

†**chaff**[1] /tʃæf | tʃɑ́ːf/ 名 ⓤ **1** もみがら; (飼料用の)切りわら, まぐさ. **2** 《文》かす, くず, 無用の物 ‖ separate the wheat from the *chaff* → wheat / be caught with *chaff* たやすくだまされる.

chaff[2] /tʃæf | tʃɑ́ːf/ (やや古風式) 名 ⓤ (悪意のない)からかい, 冷やかし. ── 動 自 他 〈人を〉〔…のことで〕からかう, 冷かす〔*about*〕.

chaf·finch /tʃǽfintʃ/ 名 ⓒ 《英》【鳥】ズアオアトリ《ヨーロッパ産の鳴き鳥》.

†**cha·grin** /ʃəgrín | ʃǽgrin/ 発音注意 名 ⓤ 《正式》(失敗による)無念, くやしさ ‖ to one's *chagrin* 残念にも / feel *chagrin* at losing the game 試合に負けてくやしがる. ── 動 他 [通例 be ~ed] 〈人が〉〔…のことで〕くやしく思う〔*at, by*〕.

*****chain** /tʃéin/
── 名 (~s/-z/) **1** ⓒ ⓤ 鎖, チェーン ‖ keep one's dog *on a chain* for the night 夜間犬を鎖でつないでおく / a bícycle *cháin* 自転車のチェーン《◆このような循環鎖を an endless chain ともいう》/ a watch and /an/ *chain* 鎖付き時計. **2** ⓒ [通例 ~s] 束縛[拘束]するもの, 鎖 ‖ be put *in chains* 鎖でつながれ(てい)る / He was freed from his *chains*. 彼は束縛を解かれた. **3** [a ~ of +複数名詞] (…の)連鎖; 一続き(の…) ‖ a *chain* of events 一連の事件 / a *chain* of mountains 連山, 山系(=a mountain chain). **4** ⓒ (レストラン・スーパーマーケット・ホテルなどの)連鎖店, チェーン ‖ a hotel *chain* =a *chain* of hotels ホテルチェーン.
── 動 他 〈人が〉〈人・動物などを〉〔…に〕鎖でつなぐ〔*to*〕;〔ドアなどに〕鎖をかける(*+up, down, together*) ‖ *Chain* your dog (*down*) *to* the kennel. 犬を犬小屋につないでおけ / With a sick child, he is *chained* (*down*) *to* the house all day. 病気の子供がいるので, 彼は1日中家に縛られている.

cháin gàng (米)(1本の)鎖につながれた囚人たち.
cháin lètter 連鎖手紙《受取人が順次同じ内容の手紙を数名の人に出すよう要求される. 日本の「幸福の手紙」など》.
cháin reàction 連鎖反応 ‖ a 17-car *chain reaction* 17台の玉突き衝突.
cháin sàw チェーンソー, 鎖のこ.
cháin smòker =chain-smoker
cháin stitch 〔服飾〕チェーン=ステッチ《刺繡(しゅう)のステッチの一種》, 鎖編み《かぎ針編の一種》.
cháin stòre チェーンストア《◆(英)では multiple shop [store] ともいう》.
chain-smoke /tʃéinsmòuk/ (動)(自)(他) (タバコを)立て続けに吸う.
chain-smok・er /tʃéinsmòukər/, **cháin smòker** (名)(C) たて続けにタバコを吸う人.

***chair** /tʃéər/ 〘「いす」から転じて「議長席」「教卓の席」を表し, さらにそこに座る人, 人の職・地位をも示す〙
—(名) ~s/-z/) (C) 1 (1人用で背のある)いす《◆ひじ掛けの付いたものもある. 背のないものは stool, 2人以上掛けるのは bench, sofa. 総称は seat》 ‖ a deck *chair* デッキチェア / a rocking *chair* 揺りいす / a swivel *chair* 回転いす / *take a chair* 座る / *sit on [in] the chair* いすに腰かける(→ sit (自)1a) / You go and bring a *chair* for her. いすを持ってきてあげなさい.
[文化] (1)英米では, いすがないとき男性は女性のためにいすを持ってくるのが礼儀とされる.
(2)すでにいすがあるときは, 女性が座りやすいように, 男性がいすを引き, 押す.

2 [通例 the ~] **議長席[職]**, 会長席[職] ; (主に米)議長, 司会者(cf. chairman [語法]) ; (英)市長の職[任期] ; (米)大統領[知事]の職 ‖ *below* [*above*, *past*] *the chair* (英)(市参事会議員が)市長の経歴のない[ある] / *be in the chair* (米まれ)議長席に着く ; 議長[司会]を務める / *leave* [*take*] *the cháir* 議長席を去る[に着く], 閉会[開会]する / *appeal to the chair* 議長の裁決を求める / *páss the cháir* 議長[市長, 会長など]の任期を終える.
3 (大学の)講座 ; **大学教授の職** ; (米)〈遠回しに〉主任教授, 学科長(chairman) ‖ *hold the* [a] *chair of chemistry at the university* 大学で化学の講座を担当する.
4 (米略式) [the ~] 電気いす(electric chair) ‖ *get* [*go to*, *be sent to*] *the chair* 死刑になる.
—(動)(他) **1** 〈会〉の議長[司会]を務める, 〈部・局〉を統轄(かつ)する **2** 主にジャーナリズム英語)用.
cháir bèd (折りたたみ式の)寝台兼用いす.
cháir lìft (チェアリフト(ski lift).
cháir skì 〖スキー〗(障害者のための)座席の付いたスキー.

†**chair・man** /tʃéərmən/ (名)(複 ~**men**/-mən/) (C) **1 a** 議長, 司会者(→ chair (名)2) ; **b** 呼びかけでは, 男性には Mr. *Chairman*, 女性には Madam [Ms.] *Chairperson*. 英米の下院議長は the Speaker (of the House) という. **b** 委員長, 《(会社などの)会長, 社長. **2** (米) (大学の)主任教授, 学科長.

[語法] (1) chairman は生前は男女兼用であるが, -man を含有のある婦人解放運動家によって1970年代に chair*person* という語が生まれた. しかし, chairman ＝男性, chairperson ＝女性のような使い分けが生じてきて, 中立語としての機能を失いつつあり, (米)では男女両用として chair が用いられるよう

になった.
(2) 特に女性であることを明示したい場合は chair*woman* を用いる.
chair・man・ship /tʃéərmənʃìp/ (名) **1** (C) [通例 a ~] chairman の職[任務, 地位, 期間]. **2** (U) chairman の才能[手腕, 素質].
chair・per・son /tʃéərpə̀ːrsn/ (名) → chairman [語法].
chair・wom・an /tʃéərwùmən/ (名) → chairman [語法].

†**chaise** /ʃéiz/ [発音注意] (名)(C)〔歴史〕1頭立て軽装2輪馬車, 2頭立て4輪馬車《1人または2人乗り》.
cháise lòngue /-lɔ́ːŋ/ (複 *chaises longues*/~/) (安楽)長いす.
Chal・de・a /kældíːə/ (名) カルデア《Babylonia 南部の古名. 新バビロニア王国(626-538B.C.)があった》.
cha・let /ʃæléi/ /〘フランス〙(名)(C) (~s/-z/) シャレー《スイス山地の独特の家, 建て方》; シャレー風の家[別荘].
†**chal・ice** /tʃǽlis/ (名)(C)〔正式〕**1** (キリスト教会でブドウ酒を入れる)グラス, 聖餐(さん)杯. **2** 〔植〕杯状花.

***chalk** /tʃɔ́ːk/ 〔類音〕choke (tʃóuk) 〘「石灰(lime)」が原義〙
—(名) ~s/-s/) **1** (U) 〔地質〕(化石化した貝殻よりなる)白亜(質), チョーク《◆英国南部海岸は白亜の絶壁で有名. → Albion》. **2** (U) チョーク, 白墨 ‖ a long *piece* [*stick*] *of chalk* 1本の長いチョーク / *tailor's* [*French*] *chálk* (洋裁用の)チャコ / You have *chalk* all over your clothes. 君の服はチョークだらけになっている / He drew pictures on the blackboard *with* (a *piece*) *of chalk*. 彼はチョークで黒板に絵を描いた.
(**as**) **dífferent as chálk and** [**from**] **chéese** (英略式)外見だけ似て内容の違う, 似て非なる.
by a lóng chálk ＝**by** (**lóng**) **chálks** (英略式)はるかに, ずっと(by far) ; [否定文で] まったく(…でない)((米) by a long shot).
—(動)(他) **1** 〈得点など〉をチョークで書く[記す](+*up*). **2** …にチョークを塗る[なすりつける] ; …を(チョークで)白くする.
chálk óut [他] (1) (チョークで)〈図形などの輪郭を描く. (2) 〈計画など〉の概要を作る[説明する].
chálk úp [他] (1) →(他) **1**. (2) 〈得点・勝利など〉を得る ; 〈記録〉を達成する. (3) (略式)〈物〉を(…)のつけにする(to). (4) 〈事〉を(…)のせいにする(to, *against*).
chalk・board /tʃɔ́ːkbɔ̀ːrd/ (名)(C) (米)(明るい色の)黒板.
chalk・y /tʃɔ́ːki/ (形) (時に **-i・er**, **-i・est**) 白亜(質)の, もろい, チョークのような ; 〈人・顔〉が青ざめた.

***chal・lenge** /tʃǽlindʒ/ 〘「権利の主張(claim)」が原義〙
—(名) ~s/-iz/) **1** (C) (やりがいのある)**課題**, 難問, 難題 ; (U) やりがい, 覚悟 ‖ a task with more *challenge* もっとやりがいのある仕事 / Real arms control is one of today's *challenges*. 実質的軍縮こそ今日の課題のひとつだ.
2 (C) 〔競技などへの/…しようという〕**挑戦** (to / to do) ‖ I accept a *challenge* to play chess チェスの試合の申し込みに応じる / a *challenge cup* [*flag*] 優勝杯[旗].
3 (C) (U) (妥当性・資格への)挑戦, 疑念, 説明要求 ; 異議, 拒否 ; 〔法律〕(陪審員への)忌避(き). **4** (C) 〔軍事〕誰何(すいか) 《名を問いただすこと》.

challenged

——動 (~s/-iz/; 過去・過分 ~d/-d/; ~·leng·ing)
——他 **1** 《正式》〈陳述・資格などに〉対して(その妥当性を)問題にする, 疑う(question); 異議を唱える, たてつく ‖ *challenge* the juror [array] 《法律》陪審員[全陪審の]を忌避(き)する.
2〈関心・論議などを〉喚起する,〈説明などを〉要求する.
3〈人が〉〈人に〉[試合などを(…するように)]挑む *[to / to do]*《dare **3**》〈人・能力などを〉試す,〈…する〉気を起こさせる *[to do]*《修飾語(句)は省略できない》‖ She *challenged* me [to a judo bout [to have a judo bout]. 彼女は私に柔道の試合を申し込んできた / The problem *challenged* me to tackle it. その問題は私に取り組む気を起こさせた.

日英比較「試みる」の意味での「チャレンジする」に challenge は使えない: try to climb Mt. Fuji 富士山にチャレンジする《◆スポーツの世界を除いては ×challenge Mt. Fuji は不可》/ try to pass the entrance exam 入試にチャレンジする《◆ ×challenge the entrance exam は不可》.

4〔軍事〕〈…を〉誰何(は)する.

chal·lenged /tʃǽlindʒd/ 形《米》[副詞を伴って](…の点で)ハンディを負った, 障害を持った ‖ mentally *challenged* 知的障害のある / optically *challenged* 盲目の / physically *challenged* 身体に障害のある《◆ disabled [handicapped]の遠回し表現》.

chal·leng·er /tʃǽlindʒər/ 名 C (スポーツなどの)挑戦者(↔ defender **2**).

chal·leng·ing /tʃǽlindʒiŋ/ 形 **1**〈仕事・考えなどが〉興味をそそる, やりがいのある, 挑発的な ‖ Life as a teacher seems very *challenging* to me. 教師としての生活は私には非常にやりがいがあるように思われる.
2〈人・things〉魅力的な. **chál·leng·ing·ly** 副 興味をかきたてるように, 挑発的に.

†**cham·ber** /tʃéimbər/ **発音注意** 名 C **1** (協会などの)会議所, 会館(hall); その機関 ‖ a *chamber* of commerce 商工会議所. **2** [しばしば C~; the ~]議院《立法機関, またはその議場》‖ *the* Upper and Lower *Chambers* 上院と下院. **3** [通例複合語で](建物の)特別室, 間(ま)》‖ audience *chamber*(宮廷の)拝謁(はい)室. **4** [~s] 判事執務室《◆公判に至らぬ事件が処理される》;《英》(the Inns of Court 内の)弁護士事務室. **5**《古》寝室(bedroom), 私室(room). **6** (生物体内・機械の)空間;(心臓の)心室, 心房;(銃の)薬室(図)→ revolver);(エンジンの)空気室(air chamber).

chámber còncert 室内楽演奏会.
chámber mùsic 室内楽.
chamber òrchestra 室内管弦楽団.

†**cham·ber·lain** /tʃéimbərlin/ 名 C **1** (王室の)侍従, 式部官 ‖ the Lord *Chamberlain* 侍従長. **2** (貴族の)執事.

†**Cham·ber·lain** /tʃéimbərlin/ 名 **1** チェンバレン《(Arthur) Neville /névil/ ~ 1869-1940;英国の政治家, 首相(1937-40)》. **2** チェンバレン《Sir (Joseph) Austen ~ 1863-1937; 英国の政治家. **1**の兄》. **3** チェンバレン《Basil Hall ~ 1850-1935;明治初年に来日した英国の言語学者》.

cham·ber·maid /tʃéimbərmèid/ 名 C (ホテルの)部屋係の女性.

cha·me·le·on /kəmíːliən/ 名 C **1**〔動〕カメレオン《トカゲの類で背景によって体色を変える》. **2** 無節操な人, 気まぐれな人, 日和見主義者.

cha·me·lé·on·ic /-ánik/ 形 無節操な.

cham·ois /ʃǽmi, ʃæmwɑ́ː | ʃǽmwɑː; **2** ʃǽmi,《英+》ʃǽmwɑː/《動 **cham·ois**/-z, ~/》**1** C〔動〕シャモア《ヨーロッパの高山に生息する野生のヤギ》. **2** U C = chamois leather. **chámois lèather** セーム皮, シャミ皮《シャモア・ヒツジ・シカなどの皮. ガラス磨き用》.

cham·o·mile /kǽməmàil/ 名 《主に米》= camomile.

†**champ**[1] /tʃǽmp/ 動 他〈馬が〉〈はみ・くつわを〉(いらだって)かむ;〈人が〉…をむしゃむしゃ食う. ——自 **1**〈馬が〉〈はみ・くつわに〉かみつく *(at, on)*. **2**《略式》[be ~ing]〈人が〉〈…したくて〉いらいら[うずうず]する*(to do)*.

champ[2] /tʃǽmp/ 名 C《略式》**1** = champion. **2** [呼びかけに用いて](やあ)だんな, 大将.

†**cham·pagne** /ʃæmpéin/《フランス》名 **1** U シャンパン《フランス Champagne 地方原産》. **2** シャンパン色《緑黄色または黄褐色》.

*****cham·pi·on** /tʃǽmpiən/
——名 《複 ~s/-z/》C **1** (競技の)優勝者[チーム], 選手権保持者, チャンピオン《略式》champ);(品評会で)優勝出品物;他よりすぐれた人[動物]‖ a tennis *champion* テニスの選手権保持者. **2** (主義・主張などの)擁護者, 闘士, (弱者などの)味方(になってくれる人)‖ a *champion* of democracy 民主主義の擁護者.

——動 他〈主義などを〉擁護する, …のために戦う.

——形 **1** 優勝した, 選手権獲得の ‖ the *champion* team 優勝チーム. **2**《略式・方言》この上ない, すばらしい.

*****cham·pi·on·ship** /tʃǽmpiənʃip/
——名《複 ~s/-s/》**1** C [しばしば ~s] 選手権試合, 優勝[決勝]戦.
2 C 優勝(者の地位, 名誉), 選手権 ‖ win the world golf *championship* 世界ゴルフ選手権を獲得する.
3 U (人・主義などの)擁護, 支持 ‖ *championship* of women's rights 女性の権利の擁護.

Champs Ély·sées /ʃɑ̀ːnzeilizéi | ʃɔ̀nzəlizéi/ [(the) ~] シャンゼリゼ《Paris の大通り》.

:**chance** /tʃǽns | tʃɑ́ːns/《「(好ましい)偶然」が本義.「好ましくない偶然」は accident》

index 名 **1** 見込み **2** 機会 **4** 偶然
      動 **1** たまたま…する

——名《複 ~s/-iz/》**1** C U [(…の/…する/…だという)見込み] 公算, 可能性《of / of doing / that節》;[~s] 形勢 ‖ There is a good *chance* [of his being elected. [that he will be elected]. = He has a [good [fair, ×high] strong, ×high] *chance* of being elected.《◆(1) He has a good *chance* to be elected. とすることもあるが, ふつうではない. (2) 可能性が低い時は good に代えて little, slight, slim などを用いる》a 50 percent *chance* of passing the examination 試験に合格する50パーセントの見込み / I stand no *chance* against her. 私は彼女に勝ち目がない / **◁対話▷** "Can I marry you?" "*Nó* [*Nót a*] *chánce.*"《略式》「結婚してくれる?」「いやよ」/ There are ten *chances* to one against his getting a date with Ann. = (The) *chánces áre ten to óne* (that) he won't get a date …《略式》彼がアンとデートできる見込みはまずない / (The) *Chances are that*(,) it will rain before we get home. ひょっとすると家に着く前に雨

にあうかもしれません.
2 ⓒ [(…の/…する)] 機会, 好機 (of, for / to do) 《肯定文では 余分 than よりも偶然性が強い》‖ I didn't have [get] a chance to talk to him. 彼と話す機会がなかった / She never misses a chance to play tennis. 彼女は機会をのがさずテニスをやる / let the chance go [slip by] 好機を逃す / the chance of lifetime またとない好機 / Give me a chance! 私にやらせてください, まともに勝負させてください.
3 ⓒ 冒険, 危険, 賭(か)け ‖ take a chance いちかばちかやってみる.
4 Ⓤ 偶然; 運(命); めぐり合わせ; ⓒ 偶然の出来事 ‖ Do you have any spare postcards by any chance? 余分のはがきをひょっとしてお持ちですか / by ill [(a) lucky, a fortunate] chance 運悪く[よく] / as chánce would [will] háve it 《略式》偶然に(も) / a chance in a million きわめてまれなこと / You must léave nóthing to chánce. 何事も運任せにしてはいけない.
5 ⓒ 富くじ(の札).
*_by_ (sheer) chánce (まったく)偶然(に), たまたま (by accident) (↔ on purpose) ‖ I met him by chance on my way home. 家に帰る途中で彼に偶然出会った.
by sóme chánce 何かのひょうしで.
_Nó_ [_Nót a_] _chánce!_ 《略式》(残念ながら)その見込みはないよ, 無理だね(用例→1).
on the (_off_) _chánce_ ⌈_of_ _do_ing ⌈_that_ … _may_ _dó_⌉ もしかすると…できると期待して.
táke a chánce =_táke chánces_ 運にまかせて〔…〕する, 〔…する/…に〕危険を冒す〔_of_ _do_ing / _on_〕.
take one's chánces 好機をとらえる.
──形 [名詞の前で] 偶然の, 思いがけない《比較変化なし》‖ a chance child 私生児.
──動 (~s/-iz/; 過去・過分 ~d/-d/; chanc·ing)
──自 **1**《文》[chance to do] たまたま…する ‖ I chanced to see her. 偶然彼女に会った(=It so chanced that I saw her.). **2**《正式》[…に] 偶然見つける, 〔…に〕ふと出会う (come across) [on, upon].
──他《略式》…を運任せにやってみる; [chance do·ing] 運任せに…する ‖ chance it 〔失敗を覚悟で〕思い切ってやってみる / I won't chance driving in this blizzard. この大ふぶきに車の運転などできない.

chan·cel /tʃǽnsl | tʃάːn-/ 图 ⓒ (教会堂の)内陣《司祭や合唱隊の席で, 教会堂の東端にある》.
chan·cel·ler·y /tʃǽnsləri | tʃάːn-/ 图 Ⓤ chancellor の地位[官庁].
†**chan·cel·lor** /tʃǽnsələr | tʃάːn-/ 图《しばしば C~》ⓒ **1** 長官, 大臣, 〔英〕大臣; 〔ドイツなどの〕首相;〔大使館の〕高官, 1等書記官;〔貴族などの〕秘書《呼びかけも可》‖ the Chᬫncellor of the Exchéquer〔英国の〕大蔵大臣◆日本の財務大臣は the Minister of Finance, 米国の財務長官は the Secretary of the Treasury. **2**〔米〕〔一部の大学の分校の〕学長◆この場合, 大学全体の〔学長, 総長〕はふつう President; 〔英〕名誉学長〔総長〕◆王族などが就任. 実務上の学長〔総長〕は Vicechancellor》. **chán·cel·lor·ship** 图 Ⓤ chancellor の職[任期].
chan·cer·y /tʃǽnsəri | tʃάːn-/ 图 ⓒ **1**〔米〕衡平法裁判所. **2** [the C~]〔英〕大法官庁《裁判所》〔高等法院 (High Court of Justice) の一部で大法官 (Lord Chancellor) が主管する法廷〕.

be in cháncery 絶体絶命〔ピンチ〕である.
chanc·ing /tʃǽnsɪŋ/ 動 chance の変化形.
chanc·y /tʃǽnsi/ 形 (**-i·er**, **-i·est**)《略式》偶然の, 〔結果の〕不確実な; 危険な.
†**chan·de·lier** /ʃæ̀ndəlɪ́ər/ 图 ⓒ シャンデリア.

‡**change** /tʃeɪndʒ/ 图「全面的に変える・別のものに替える」が本義. 派 changeable (形)

index 動 他 **1** 変える **2** 取り替える
自 **1** 変わる
图 **1** 変化 **4** つり銭

──動 (~s/-iz/; 過去・過分 ~d/-d/; chang·ing)
──他 **1**〈人・物・事〉を〔…に〕変更する, 変更する, 変える; [change **A** into [to] **B**] 〈人・事〉の **A**〈人・物・事〉を **B**〈人・物・事〉に変える, 変えてしまう ‖ change one's plan 計画を変更する◆alter one's plan は「計画の一部を変更する」こと / She changed her hairdresser [doctor]. 彼女は行きつけの美容院[かかりつけの医者]を変えた / change one's attitude toward him 彼に対する自分の態度を変える / His wife's death changed him into another man. 妻を亡くして彼は別人のようになった(➔文法23.1).
2 [change **A** for **B**]〈人が〉**A**〈物〉を〔**B**〈物〉と〕 取り替える (substitute); [change **A** (with **B**)]〈人が〉〔**B**〈人〉との間で〕**A**〈物〉を交換する《◆ **A** が ⓒ 名詞の場合は複数形》‖ change one dress for another 服を別の服と交換する / change the oil in one's car 車のオイルを替える / change the sheets〔ベッドの〕シーツを変える / change the bed ともいう / change one's dress 服を着替える[改める] 《◆alter one's dress は「服を手直しする」》 / change one's jobs 転職する / change planes [trains, buses] 飛行機[列車, バス]を乗り換える《◆この場合の乗物は複数形》(→ train 图 **1**) / change seats [cars] with him 彼と席[車]を交換する《◆change one's seat は「別の席に座る」》 / change sides in an argument 議論で立場を変える.
3〈お金〉を〔…と〕両替する; …を〔…に〕くずす (break) [for, into, to] ‖ change one's dollars for [into] pounds ドルをポンドに替える《対話》 "Could you change this ten-dollar bill?" "What would you like?" "Ten one-dollar bills, please." 「この10ドル紙幣をくずしていただけますか」「どういたしましょうか」「1ドル紙幣を10枚お願いします」.

──自 **1**〈人・事〉が 変わる, 変化〔変容, 変貌(ひょう)〕する, 〔…から/…に〕変わる〔from / to, into〕‖ changed (from a shy person) into a fine statesman〔内気な人間から〕堂々たる政治家に変貌する / The grapes changed from sour to sweet. ブドウはすっぱい味が抜けて甘くなった / Winter changed to spring. 冬から春になった / He has [《文》is] changed 'a lot [so much] since he became rich. 金持ちになってから彼はずいぶん人が変わった.
2 (服を) 着替える, 改める; 〔…に/…に〕着替える, はき替える《_from, out of / into_》; 〔乗物を〕〔…に行きに〕乗り換える《_to, for_》‖ change into flat-heeled shoes かかとの低い靴にはき替える / change from train to bus 列車からバスに乗り換える / All chánge! (バス・電車で) 終点です; 皆様お乗り換え願います.
3 〔人と〕交換する〔_with_〕‖ If you need a sharp-

er knife, I'll change with you. もっと切れるナイフが必要でしたら，私のと交換しましょう．
chánge óver [自] =CHANGE round (1)-(3).
— [他] (1) …を［…へ］転換する〔*to*〕． (2) 〈語句など〉を入れ替える．
chánge róund [自] (1) 〈人が〉〈嗜(*し*)好品・常用品などを〉［…から／…へ］切り替える〔*from*/*to*〕‖ *change round from* coffee *to* tea for breakfast 朝食のコーヒーを紅茶に変える． (2) 〈装置・制度などが〉切り替わる． (3) 〈2人が場所［役職，地位］を交替する；〈スポーツ〉コートを交替する． (4) 〈風が〉〈…から／…へ〉変わる〔*from*/*to*〕．

— [名] (極) ~s/-iz/) **1** [U][C] […の]**変化**，変動；変更，修正；変遷；変節〔*in*, *of*〕‖ a sudden *change* in the weather 天気の急激な変化／a *change* for the better [worse] 改良［改悪］／máke a *chánge in* plans [programs] 計画［番組］の変更をする．
2 [C] 〈…の〉差し替え；乗り換え；交替，移動〔*of*〕‖ a *change* of clothes 着替え(の衣服) ／a *change* of sheets シーツの交換／Rinse it in three *changes* of water. 水を3回替えてゆすぎなさい．
3 (略式) [通例 a ~] 転地(療養)；気分転換‖ *for* a *chànge* (*of áir*) 気分転換に，転地療養に／A *change* is as good as a rest. (ことわざ) 目先を変えてみると骨休めになる．
4 [U] つり銭；[しばしば small ~] 小銭，くずした金，両替‖ carry *small change* loose in one's pocket ポケットに小銭をばらで入れておく／*Keep your* [*the*] *change*. おつりはいいよ．／〈対話〉 "Can you give me *change* for a dollar?" "In dimes and quarters?" "That's fine." 「1ドルをくずしてくれませんか」「10セントと25セントにしましょうか」「それでいいですよ」．

a chánge of páce (米) (1) (何か続けてやった後の)気分転換‖ You've been studying a long time. Why don't you listen to music 「for a *change of pace* [×for a *change*]? 長時間勉強してきたから，気晴らしに音楽でもどう？ (2) 〈野球〉= change-up.
change of life 更年期．
***for a chánge** (1) → 名3． (2) いつもと違って，マンネリを避けて，たまには(◆ふつう文尾に置く) ‖ Let's dine out *for a change*. (いつも家だから)気分転換に外で食事をしよう(→ a CHANGE of pace (1) 用例)．
gèt nó [*líttle*] **chánge óut of** A (英略式) 〈人〉から情報［援助，よい回答］を得られない；〈仕事・議論など〉で〈人〉に勝てない．
gíve A (A's) **chánge** (略式) (1) 〈人〉のために尽くす． (2) 〈人〉に仕返しする．
chánge gèar (自動車などの)チェンジギア．
chánge machìne 両替機．
change·a·bil·i·ty /tʃéindʒəbíləti/ [名][U] 変わりやすさ．
†**change·a·ble** /tʃéindʒəbl/ [形] **1** 〈天候が〉変わりやすい；〈政策などが〉変更可能な． **2** [しばしば (as) ~ as weather] 〈人の性質が〉移り気の，気まぐれな． **3** 〈絹布などの外観・色が〉(角度などで)変化して見える．
chánge·a·bly [副] 変わりやすく．
change·less /tʃéindʒləs/ [形] (正式) 変化のない；一定不変の (constant); 不動の．
change·ling /tʃéindʒlɪŋ/ [名][C] (文)(神話) (民話で)妖(*よう*)精が子供をさらい，代わりに残す醜い［ばかな］取替えっ子；すり替えられた子．
change·o·ver /tʃéindʒòuvər/ [名][C] **1** (設備・組織

などの)転換；(内閣などの)改造；(形勢の)逆転． **2** 〈競技〉バトンタッチ．
chang·er /tʃéindʒər/ [名][C] 意見の決まらない人；〈物を〉取り替える人，取り替える物；(レコード・CDなどの)自動交換装置．
change-up /tʃéindʒÀp/ [名][C] 高速ギアへの切りかえ；〈野球〉チェンジアップ．
chang·ing /tʃéindʒɪŋ/ [動] → change.
***chan·nel** /tʃǽnl/ 【発音注意】【「水管」が原義】
— [名] (極) ~s/-z/) [C] **1** (ラジオ・テレビの)**チャンネル**；周波数帯；(電信の)通信路‖ turn [switch] to *Channel 3* [×3 *channel*] 第3チャンネルに変える／TV may be seen on six *channels* in that city. その都市では6つのチャンネルでテレビを見ることができる．
2 [しばしば ~s] (情報などが流れる)**経路**，ルート，道筋‖ through official *channels* 公式ルートから．
3 海峡(◆ strait より広い)‖ the (English) *Channel* 英仏海峡．
4 (船が通れる)**水路**，澪(*みお*)(〈流れのある深いところ〉)；(道路の)排水路，側溝；溝．
5 流氷，川底．
6 (思考・行動の)方向，路線；活動分野‖ find a suitable *channel* for one's abilities 自分の能力を生かせる分野を見つける．

— [動] (過去・過分) ~ed or (英) **chan·nelled**; ~·ing or (英) ~**nel·ling**) [他] (正式) **1** …を水路で運ぶ；…を［…に］向ける，注ぐ，集中する〔*into*〕‖ *channel* one's energies into research 研究に打ち込む． **2** …に水路を開く，…に溝を掘る．

Chánnel Íslands [the ~] チャネル諸島(イギリス海峡にある英領諸島）．
chan·son /ʃɑːnsɔ́ːn, ʃǽnsən | ʃɔ̃ːsɔ́ːn/《フランス》[名][C] シャンソン．
†**chant** /tʃǽnt | tʃɑːnt/ [名][C] **1** 詠唱(歌)；単調［詠唱的］な歌；（鳥の)さえずり． **2** シュプレヒコール，唱和．
— [動] [他] 1〈聖歌・詩歌を〉詠唱する(recite). **2** …を(大声で)繰り返し言う(repeat)，…をシュプレヒコールする． — [自] 詠唱する．
chan·try /tʃǽntri | tʃɑːn-/ [名][C] **1** (寄進者の冥(*めい*)福を祈るミサのための)礼拝堂． **2** (寄進で建立した)礼拝堂．
†**cha·os** /kéɪɑs | -ɔs/ [名] 【発音注意】**1** [U] 無秩序，大混乱(cf. disorder, confusion) ‖ The big fire left the whole town *in* (a state of) *chaos*. 大火事のため町全体が大混乱となった／The earthquake brought [caused] *chaos*. 地震は大混乱をもたらした． **2** [U] (詩) 天地創造以前，混沌(*こんとん*) (↔ cosmos[1]).
†**cha·ot·ic** /keɪɑ́tɪk | -ɔ́t-/ [形] 混沌とした；無秩序の，混乱した． **cha·ót·i·cal·ly** [副] 混沌として．
†**chap**[1] /tʃǽp/ [名][C] (主に英略式・男性語) [親しみをこめて] やつ(◆ boy, fellow)；(米) では主に boy, fellow)；[呼びかけで] やあ，おい ‖ Hey, *old chap*. やあ，君．
chap[2] /tʃǽp/ [動] (過去・過分) **chapped**/-t/; **chap·ping**) [自] 〈手足などが〉ひび割れする．
chap. (略) chaplain; chapter.
cha·peau /ʃæpóʊ/《フランス》[名] (極) ~s, ~x/-z/) 帽子．
†**chap·el** /tʃǽpl/ [名][C] **1** (学校・病院・刑務所・船などに付設の)簡易礼拝堂［室］(cf. parish church)；教会付設小礼拝堂． **2** (主にイングランド・ウェールズ)(非国教，特にプロテスタントの)教会［礼拝］堂 (→ church 1)；(スコット) カトリック教会． **3** [U] [時に a ~] (chapel での)礼拝(式)．
†**chap·er·on, ~one** /ʃǽpəroun/ [名][C] (主に古) (社

交場に出る未婚女性の)介添え役中年女性；(パーティーなどでの若い男女の)お目付役《♦男でもよい》. ——[動] [他]〈未婚女性〉の介添えをする. ——[自] 介添え役をする.
cháp·er·òn·age /-ðunidʒ/ [名][U] 付添い.
†**chap·lain** /tʃǽplin/ [名][C] (chapel の)司祭, 牧師；(軍・病院などの)施設付き司祭, (刑務所の)教戒師 ([略] chap.).
cháp·lain·cy /-si/ [名][C] chaplain の礼拝所；[U] chaplain の地位[仕事].
chap·let /tʃǽplit/ [名][C] **1** 頭飾り, 花冠. **2** 〔カトリック〕小数珠(じゅず)《rosary の1/3の長さ》.
Chap·lin /tʃǽplin/ [名] チャプリン《Charlie [Charles Spencer] ~ 1889-1977；英国生まれの俳優.「喜劇王」》.
chaps /tʃǽps/ [名] [複数扱い] (カウボーイの)革ズボン.
***chap·ter** /tʃǽptər/ 〚「頭部(head)」が原義〛
——[名] ([複] ~s/-z/) [C] **1** (書物などの)章([略] chap., ch., Ch.) ‖ in the first *chapter* =in Chapter 1 第1章で《♦アラビア数字と共に用いる場合はふつう大文字で始める》. **2** (歴史・人生などの)**区切り**, 時代, 時期；事件 ‖ The invention of the steam engine opened a new *chapter* in the history of civilization. 蒸気機関の発明は文明の歴史に新しい1章を開いた. **3** (米) (協会・組合などの)**支部**, 分会.
a chápter of áccidents (英) 不運[不幸]の連続.
chápter and vérse 〚聖書の正確な引用ということから〛(正式) 情報[知識]の正確な出典[典拠], 虎の巻；[副詞的に] 詳細に.
chápter hòuse 参事会会場；(米) (大学クラブ・同窓会などの)支部会館.
†**char**[1] /tʃɑ́ːr/ [動] ([過去・過分] charred/-d/; char·ring) [他]〈火・熱が〉〈木など〉を炭にする, …を黒焦げにする. ——[自] 炭になる, 黒焦げになる.
char[2] /tʃɑ́ːr/ (英古) [動] ([過去・過分] charred/-d/; char·ring) [自] (日給・時間給雇いで)〈女性が〉清掃婦をする. ——[名][C] **1** (英古) =charwoman. **2** 家事, 雑用. **3** [~s] (日給・時間給の)雑役.
char[3] /tʃɑ́ːr/ [名] ([複] char, ~s) [U][C] 〔魚〕イワナ, カワマス.
char[4] /tʃɑ́ːr/ 〚中国〛[名][U] (英古・略式) 茶(tea).
***char·ac·ter** /kǽrəktər/ 〚「刻みつけられた印」が原義〛[派] characteristic (形)

index 1性格 4登場人物 7個性 8文字

——[名] ([複] ~s/-z/)
I [人の性格]
1 [U] (人・場所の)性質, **性格**；精神力；[C] (…の性格の)人《♦ふつう形容詞を伴う》‖ a (man of) weak [firm] *character* 意志薄弱[強固]な人.
2 [U] 徳性, 品位；[C] 高潔な人 ‖ develop [elevate] (one's) *character* 修養を積む[品位を高める] / have little *character* 品性がない / a (man of) *character* 人格者.
3 [U] (正式) 評判《♦名声にも悪名にも用いる》；有名人.
4 [C] (劇・小説・映画・漫画などの)**登場人物**, 配役, キャラクター ‖ play the leading [main] *character* 主役を演じる / cartoon *characters* of children's goods 子供用品に用いられた漫画のキャラクター.
5 [C] (略式) 個性の強い人, 奇人, 変わり者；こっけいな人；(一般に)人, 人物 ‖ You're a real *character*! 君はまったく役者だよ / He's quite a *character*! あいつは変わり者だ；たいしたやつだ.
6 [in one's ~ as [in the ~ of] ...] …の地位, 身分 ‖ *in one's character as* an ambassador 大使の肩書で.
II [一般的な特徴]
7 [U] (総合的な)**個性**, **特性**；[C] 特徴 ‖ the French *character* フランス人気質 / assume a political *character* 政治色を帯びる.
III [文字]
8 [C] **a** 表意文字(ideograph)《漢字など. 表音文字は phonogram, アルファベット文字は letter》；(一般に, 数字・記号を含めて)**文字**, 活字([使い分け] → letter [名]**5**)；〔神学・カトリック〕秘跡の印号；〔数学〕(群の)指標 ‖ Chínese *cháracters* 漢字 / musical *characters* 楽譜記号 / 日本発》 Japanese use four different types of *characters* to write their language; these are *kanji, hiragana, katakana* and *romaji*. 日本人は4種類の文字, すなわち, 漢字, ひらがな, カタカナ, ローマ字を使います. **b** 書体, 字体 ‖ italicized *characters* イタリック体の文字.
in cháracter (1)〔…に〕調和した, ぴったりした, ふさわしい〔*with*〕. (2) その人にふさわしい.
òut of cháracter (1)〔…に〕合わない, ふさわしくない〔*with*〕. (2) その人にふさわしくない.
cháracter àctor [**àctress**] 性格俳優.
cháracter skètch (小説などの)性格描写；人物寸評.
chár·ac·ter·ful [形] 個性に富んだ.
***char·ac·ter·is·tic** /kæ̀rəktərístik/ 〚→ character〛
——[形]〔…に〕**特有の**, 特徴的な〔*of*〕；[it is characteristic of A to do] …するのは A の特徴である(cf. typical) ‖ Garlic has a *characteristic* smell. ニンニクは独特の臭いがする / The smell is *characteristic of* garlic. その臭いはニンニク特有のものだ / *It is characteristic of* Australians *to* pronounce "today" as "to die."「トゥデイ」を「トゥダイ」と発音するのはオーストラリア人の特徴だ.
——[名] ([複] ~s/-s/) [C] **特性**, **特色** ‖ Traffic jams are a *characteristic* of large cities. 交通渋滞は大都会の特徴だ.
char·ac·ter·is·ti·cal·ly /kæ̀rəktərístikəli/ [副] 特徴的に, 特質上；[文全体を修飾] いかにも(…らしい) ‖ *Characteristically*, he said so. そう言ったのはいかにも彼らしい.
†**char·ac·ter·i·za·tion** /kæ̀rəktərəzéiʃən | -tərai-/ [名][U][C] (特性・人柄などの)説明, 評価；(文・劇中の人物・俳優の)性格描写, 演技 ‖ her *characterization* of him as a coward 彼の本性は臆(おく)病者だとする彼女の解釈.
†**char·ac·ter·ize** /kǽrəktəràiz/ [動][他] **1** 〈人・物・事〉を〔…であると〕述べる, 描く, みなす(describe)〔*as*〕‖ He *characterizes* her *as* [to be] an angel. 彼に言わせれば彼女は天使だ. **2** …を特徴づける ‖ An elephant is *characterized* by its long trunk. ゾウは鼻の長いのが特徴だ.
char·ac·ter·less /kǽrəktərləs/ [形] 平凡な.
cha·rade /ʃəréid | -rɑ́ːd, -réid/ [名] **1** [~s; 単数扱い] シャレード《ジェスチャーゲームの一種》. **2** [C] (身振り・謎(なぞ)詩などで表す)謎言葉；(正式) みせかけ.
†**char·coal** /tʃɑ́ːrkòul/ [名] **1** [U] 木炭, 炭 ‖ a stick [piece] of *charcoal* 木炭1片 / a *charcoal* burner 木炭こんろ；炭焼人. **2** [C] =charcoal drawing. **3** [U] =charcoal gray.
chárcoal dráwing 木炭画.
chárcoal gráy チャコールグレー《濃灰色》.

C

chard /tʃɑːrd/ 图 ⓊⒸ 〖植〗フダンソウ.

*charge /tʃɑːrdʒ/〖原義「車に荷を積む」から「支払い・責任などの」負担を負わせる」. cf. *car, carry, chariot*〗

index
動 他 1 請求する 2 つける 3 ゆだねる
4 指令する 5 責める 6 充電する
自 1 支払いを請求する 3 充電される
图 1 料金 3 責任 6 非難

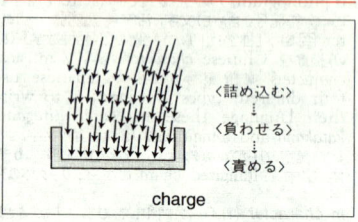

〈詰め込む〉
↓
〈負わせる〉
↓
〈責める〉

charge

── 動 (~s/-iz/; 過去・過分 ~d/-d/; charg・ing)
── 他
Ⅰ [支払い・任務などを負わせる]
1a [charge (A) B]〈人が〉〈A〈人〉に〉〔…の代金として〕B〈金額〉を**請求する**;[charge (A) B]〈A〈人〉に〉〔…の代金を〕B〈金額〉請求する(*for*) ‖ *charge* (him) 12p *for* a pint of milk 牛乳1パイントの代金として12ペンスを(彼に)請求する / They *charged* me (twelve dollars) for the broken window. 窓の破損料を(12ドル)請求された.

語法「人」が主語の場合は charge, そうでない場合は cost: It *cost* [ˣ*charged*] me twelve dollars to have the broken window repaired. こわれた窓を直すのに12ドルかかった.

b〈税などを〉〔人・物・土地などに〕課す(*on, upon, to*);〈人・物・土地などに〉〔税などを〕課す(*with*) ‖ *charge* tax *to* [*on*] her estate =*charge* her estate *with* tax 彼女の地所に税金を課す.

2〈人が〉〈商品・費用などを〉〔…の勘定に〕**つける**, つけで買う(*up*) (*to, against*);〈人を〉(負債として) 借方に記入する(+*off*);〈借用物を〉〔…の言い出しに〕記録する〔*to*〕 ‖ *charge* the meal [expenses] (*up*) *to* the company('s account) 食事[費用]を会社のつけにする / Could you *charge* it on my credit card, please? それはカード払いにしてください.

3〖正式〗[charge A with B]〈人が〉A〈人〉にB〈責任・仕事・世話などを〉**ゆだねる**, 負わせる, 託す, 頼む ‖ *charge* oneself「*with* the care of [*with* looking after] the children 子供の世話を引き受ける.

4〖正式〗〈人が〉〈人に〉(権威をもって)〔…するように〕**指令する**(*to do*);〈裁判官・司教が〉…に説論する ‖ The judge has *charged* the jury to make a fair decision in the case. 判事はその事件について公正な評決を下すよう陪審に指示した.

5a [charge A with B]〈人が〉A〈人〉をB〈罪・失敗など〉のかどで**責める**〈◆accuse より強い語〉;〖正式〗[charge *that*節] …だと(公然と)非難する ‖ He was *charged with* [ˣ*for*] assault and battery. 彼は暴行罪で告発された(=He was accused of ...) / The senator *charged that* I had distorted the data. 上院議員は私がデータをゆがめたと告発した. **b**〈過去・事故・罪などを〉〔人・事などの〕せいにする, 〔…に〕負わせる〔*on, to, against*〕,〖米〗〈成功などを〉

〔…の〕結果と考える(+*off*)〔*to*〕 ‖ *charge* his failure *to* my negligence 彼の失敗を私の怠慢のせいにする.

Ⅱ [入れ物を満たす]
6a〖文〗〈物・容器・頭などを〉〔…で〕**満たす**, …に〔…を〕積む[*with*];〈蓄電池に〉**充電する**(+*up*);〖物理〗…に帯電させる;〖古文〗〈銃〉に装填(ᵗᵉⁿ)する(*with*) ‖ *charge* his glass *with* wine 彼のグラスにワインをつぐ. **b**〈水・空気などを〉〔…で〕飽和[充満]させる;〈場の雰囲気などを〉〔感情・恐怖などで〕みなぎらせる(*with*) ‖ The scene was *charged with* dramatic tension. その場面は劇的な緊張に満ちていた.

── 自 **1** [charge for A]〈人が〉〈物・事の〉**支払いを請求する**, …につけて買う ‖ The restaurant does not *charge for* delivery. その食堂は出前料金を取らない[無料で配達してくれる]. **2**〔…に〕突進する, かけ寄る(*at, toward, into*) ‖ *charge* off〖略式〗走り去る. **3**〈蓄電池が〉**充電される**.

── 图 (複 ~s/-iz/) **1** ⓊⒸ [しばしば ~s] [サービスに対する] **料金**, (諸)経費, 使用料, 手数料[*for*]; 借方記入, つけ, クレジット(カードによる支払い) ‖ the *charges for* electricity and gas 電気代とガス代 / the hotel *charges* ホテル代 / goods (which are [were]) delivered「*free of* [*without, at no*] *charge* 無料配達される[された]商品 / at one's own *charge*(*s*) 自費で.

2 Ⓒ 〔…に課せられた〕負担, 負債; 課税金〔*on*〕.

3 Ⓤ **責任**, 義務; 世話, 保護; 管理, 監督, 運営 ‖ a person in *charge* 責任者 / She is *in chárge of* the sales department. =The sales department is *in* her *chárge*. 彼女は販売部の責任者だ(=She is responsible for the sales department.) / tàke [hàve] *chárge of* the class クラスを担任する.

4 Ⓒ 〖正式〗(医者・乳母などに)託された人, 預り物; (牧師の受け持ちの)教区(信者).

5 ⓊⒸ 〖正式〗〔…するようにとの〕**命令**(*to do*); (判事の)〔…への〕**訓示**(*to*).

6 Ⓒ 〔…に対する…という〕**非難**, 罪; 告発, 告訴(*against/that*節) ‖ màke [bring] a *chárge* of theft *against* her 窃盗罪で彼女を告発する.

7 Ⓒ 攻撃, 突撃 ‖ return to the *charge* 突撃[議論]をやり直す.

8 ⓊⒸ (銃1発分の)装填(ᵗᵉⁿ)(量); (容器1杯の)分量, 荷; (燃料1回分の)積込み(+*up*); 迫力, 余韻, 蓄積; 〖略式〗(薬1回分の)服用(量); 〖略式〗1杯の酒; 〖俗〗麻薬注射(1回分の量). **9** ⓊⒸ 〖電気〗電荷; 充電.

gèt a chárge out of A〖米〗〈人・物・事に〉スリル[喜び]を得る, 感じる.

gìve A in chárge (1) 〖主に英〗〈人〉を警察に引き渡す. (2)〈人〉を〔…に〕預ける〔*to*〕.

*in chárge of A → 3.

in the chárge of A =*in A's chárge*〈人〉に預けられて,〈人〉が世話をして ‖ leave the child *in his charge* 子供を彼に預ける.

on (**the** [**a**]) **chárge of A** …の罪で, …のかどで〈◆〖米〗では1つの罪でも on *charges* of のように複数形を多用〉.

tàke chárge (1) 〖略式〗〈物・事が〉(悲惨な結果を伴い)手に負えなくなる,〈車が〉暴走する. (2) → **3**.

chárge accòunt〖米〗掛売り(勘定), つけ((英) credit account).

chárge càrd [**plàte**] (主に1つの店またはチェーン店でのみ使えるクレジットカード.

charge・a・ble /tʃɑːrdʒəbl/ 形 **1**〈責任・罪が〉〈人の〉

負わねばならない[on, upon, to]；〈人が〉[…で]責任を負うべき[with, for] ‖ She is *chargeable* with murder. =The murder is *chargeable* to her. 彼女は殺人罪に問われるべきだ. **2**〈費用・負担が〉〈人の〉負わねばならない[on, upon]；〈人・勘定に〉つけられるべき[to]；〈人〉〈…に〉課せられる[on, upon, against]；〈品物が〉〈税を〉課せられる[with].

charged /tʃɑ́ːrdʒd/ 形 **1**〈物理〉帯電[荷電]した. **2**〈演説などが〉熱のこもった, 感動に満ちた；〈評論などが〉反論[議論]を招きそうな.

char·gé d'af·faires /ʃɑːrʒéi dæfέər | ʃɑːʒei dæfέəz/《フランス》名 (複 **chargés d'affaires**/~, ʃɑːrʒéiz-|ʃɑːʒéiz-, -dæféəz/) C 代理大使[公使].

†**charg·er** /tʃɑ́ːrdʒər/ 名 C **1**〈炉などに〉仕込む人[物]；(銃の)装填(ｿｳﾃﾝ)手；〔電気〕充電器. **2** 突撃する人.

charg·ing /tʃɑ́ːrdʒiŋ/ 動 → charge.

Chár·ing Cróss /tʃέəriŋ-/ チャリングクロス《London の Trafalgar Square 近くの繁華街》.

char·i·ot /tʃǽriət/ 名 〔歴史〕(1人乗り)2輪馬車《古代では戦闘・競技・凱旋(ｶﾞｲｾﾝ)に用いた2頭[4頭]立て馬車. 太陽の車・神の乗り物とみなされた》.

cha·ris·ma /kərízmə/ 名 (複 **-ta**/-tə/, **~s**) **1** C〔神学〕カリスマ《神から授けられた超能力》. **2** U《正式》人々を心服させる強い特殊な魅力, カリスマ的才能.

char·is·mat·ic /kæ̀rizmǽtik/ 形 カリスマ的な.

chàr·is·mát·i·cal·ly 副 カリスマ的に.

†**char·i·ta·ble** /tʃǽritəbl/ 形 **1**〈人が〉〈貧しい人など〉に惜しまず施しをする, 慈悲[情け]深い；寛大な[to, toward]. **2**〈団体などが〉慈善(事業)の.

chár·i·ta·bly 副 慈悲深く.

charity /tʃǽrəti/
—— 名 (複 **-ties**/-z/) **1** U 慈善, 施し；C U 施し物, 救助金[品]‖ *charity* for orphans 孤児への施し / live on [off] *charity* 施し[生活保護]を受けて生活する / be (as) cóld as *cháriy* [皮肉的に] とても冷淡である《時に慈善が形式に流れることから》. **2** C 慈善団体[施設, 組織, 協会, 基金]；[charities] 慈善行為[事業]. **3** U 慈悲心, 思いやり, 同情, 親切；[人の行動に対する]寛容さ[toward]‖ She cared for the children òut of [with] *cháriy*. 彼女はかわいそうに思って愛情をもってその子の面倒をみた. **4** U〔キリスト教〕(神の)慈愛；(神・人に対する)愛, 人間[隣人]愛 ‖ *Charity* begins at home. 《ことわざ》愛はまず身内から. **5**《形容詞的に》慈善の, (社会的な)共済活動の ‖ a *charity* ball [concert] 慈善舞踏会[演奏会].

char·la·tan /ʃɑ́ːrlətn/ 名 C《正式》香具師(ﾔｼ), ペテン師；にせ医者. **chár·la·tan·ìsm**, **chár·la·tan·ry** /-ri/ C U 知ったかぶり, はったり；いかさま.

†**Char·le·magne** /ʃɑ́ːrləmein, (英+) -mèin/ 名 シャルルマーニュ, カール大帝(Charles the Great)《742-814；フランク王国の王》.

†**Charles** /tʃɑ́ːrlz/ 名 **1** チャールズ《男の名. 愛称 Charley, Charlie》. **2 ~ I a** チャールズ1世(~ Stuart 1600-49；英国王(1625-49). 清教徒革命で処刑された). **b** =Charlemagne. **3 ~ II** チャールズ2世《1630-85 ~ I の子, 英国王(1660-85)》. **4** ~《王子》《1948-；Elizabeth II の第1王子》. **5 ~ the Great** =Charlemagne.

†**Charles·ton** /tʃɑ́ːrlztən/ 名 **1** チャールストン《米国 South Carolina 州の都市. West Virginia の州都》. **2** C チャールストン(ダンス)《1920年代に流行》.

Char·ley, **--lie** /tʃɑ́ːrli/ 名 チャーリー《男の名. Charles の愛称》.

chár·ley hòrse /tʃɑ́ːrli-/《米略式》筋肉のけいれん.

Char·lotte /ʃɑ́ːrlət/ 名 シャーロット《女の名. 愛称 Lottie, Lotty》.

charm /tʃɑ́ːrm/《「まじない」が原義》派 charming (形)
—— 名 (複 **~s**/-z/) **1** C U 魅力, 感じがよい点；[~s] (女の)色香, 器量(のよさ) ‖ cultivate mental *charms* 知的魅力を培う / Her warm personality adds *charm* to her beauty. 彼女のあたたかい人柄が美貌(ﾋﾞﾎﾞｳ)を一層際立たせる. **2** C […に対抗する]まじない(の行為, 言葉), 魔除け, お守り[against] ‖ recite a *charm* against evil spirits 悪霊よけの呪文(ｼﾞｭﾓﾝ)を唱える / carry a rabbit's foot as a *charm* 幸福のお守りにウサギの足を身につけている. **3** C (腕輪・首飾りなどにつける)飾り.
—— 動 (**~s**/-z/；過去分詞 **-ed**/-d/；**~·ing**)
—— 他 **1**〈物・事・人が〉〈人〉を[美しさ・楽しさなどで]魅了する[with] (cf. attract) ‖ They were all *charmed* by [with] her song. みんな彼女の歌に聞きほれた / *I'm charmed to see you.*《英略式》お目にかかれてうれしく存じます◆*I'm pleased [glad] to see you.* よりもていねい. **2** 他〔人・動物など〕を操(ｱﾔﾂ)る, […の状態になるよう]誘惑する[into, to]；〔秘密などを〕〈人から〉〔魔術のように〕引き出す[out of] ‖ *charm* the code number out of her 彼女をたぶらかして暗証番号を聞き出す. **3**〈怒り・悲しみなど〉を魔力で[魔法のように]除く, 和らげる(+away) ‖ Her pain was *charmed* away. 彼女の痛みはすうっと消えた.

chárm bràcelet 飾り付き腕輪.

chárm schòol《主に米》チャーム=スクール《社交上の作法を教える》.

charmed /tʃɑ́ːrmd, (詩) -id/ 形 魔法で保護されている(かのような), 不死身の ‖ a *charmed* circle 特権エリートグループ / He has [bears, leads] a *charmed* life. やつは不死身だ.

charm·er /tʃɑ́ːrmər/ 名 C **1**《略式》(男性にとって)人好きのする人, 人気者. **2** 魔法をかける人；ヘビ使い.

charm·ing /tʃɑ́ːrmiŋ/ 派 ~ *charm*
—— 形 (**more ~**, **most ~**；時に **~·er**, **~·est**) [他動詞的に]〈人・物・事が〉(うっとりするほど)魅力的な；(社交上)感じがよい, 愛嬌(ｷｮｳ)がある；すばらしい(→ attractive)◆(1) 主に女性語. 上から下の者に用いる. (2) 必ずしも性的魅力がある(sexy)ということではない. 男にも用いると〈人あたりがよい〉「物腰が柔らかい」の意をもつ)‖ a *charming* young man 人あたりのよい青年 / She gave me *charming* embroideries. 彼女からすばらしい刺繍(ｼｼｭｳ)をもらった.

chárm·ing·ly 副 魅力的に.

chart /tʃɑ́ːrt/《「紙」が原義》
—— 名 (複 **~s**/-ts/) **1** C 図表；[複合語で]…図 ‖ a wéather [témperature, sáles] *chárt* 天気[気温, 販売]図 / show on a *chart* 図で表す. **2** [the ~s] (よく売れるレコードの)曲目表, ヒットチャート, 週間[月間]順位表. **3** 海図, 水路図；空図(→ map) ‖ make [draw] a *chart* of Osaka Bay 大阪湾の海図をつくる.
—— 動《正式》**1** …を図に記す. **2** …の地図[海図]を作る, …を図表で表す. **3** …のおおまかな(行動)計画を立てる(+out). **4** …を記録する.

†**char·ter** /tʃɑ́ːrtər/ 名 **1** [通例 the C~] C 憲章, 宣言；綱領 ‖ *the Great Charter*《英》大憲章, マ

グナカルタ(Magna Charta) / *the Charter* of the United States 合衆国憲章. **2** ⓒ〖正式〗〈政府や大学・会社などに与える〉設立認可(状);支配ậ許可;特権, 特許;譲渡証書, 証文. **3** ⓤⓒ 用船契約(書, 期間);〈飛行機・バス・船などの〉チャーターし, 借切り;〔形容詞的に〕借り切りの, チャーターした(chartered) ‖ *a charter plane [flight]* チャーター機[便].

— 動 ⓣ **1**〈人が〉〈飛行機・バス・船などを〉借り切る, チャーターする ‖ *charter a boat to go fishing* 船をチャーターして魚釣りに行く. **2**〈船を〉(用船契約で)雇う, 用船する. **3** …を認可する, …に認可状を与える.

chárter mémber〈米〉創立委員(〈英〉founder member).

char·tered /tʃɑːrtərd/ 形 **1** 特許[免許]を受けた, 公認の ‖ *a chartered accountant*〈英〉勅許会計士(〈米〉a certified public accountant) / *chartered rights* 特権. **2** 貸切りの, 用船契約をした ‖ *a chartered flight* チャーター便.

char·wom·an /tʃɑːrwùmən/ 名 ⓒ〈ビルなどの〉日雇い雑役〖掃除〗婦(〈PC〉 char, charworker, cleaner).

char·y /tʃéəri/ 形 (時に ~·i·er, ~·i·est)〖正式〗**1** 用心深い, 細心な. **2**〈…に対して〉用心深い, 〈…しよう〉とはしない〖*of*〗. **chár·i·ly** 副 用心深く.

Cha·ryb·dis /kəríbdɪs/ 名〈シチリア島沖の〉大渦巻. **2**〈ギリシア神話〉カリュブディス《Poseidon と Gaea の娘で大渦巻の神》.

†**chase¹** /tʃéɪs/ 動 ⓣ ⓘ **1**〈人が〉〈人・物・事を〉(すばやく, しつこく)追いかける, 追跡する(pursue); 〈流行・恋人などを〉追い求める; …を捜し求める(+*down, up*); 〖主に英〗〈事柄・人などを〉調査する(+*up*) ‖ *The three policemen chased the thief.* 3人の警察官がその泥棒を追跡した(=*…gave chase to the thief.*) / *chase deer* シカ狩りをする / *He's always chasing girls.*〖略式〗彼は女の子の尻(ぱ)ばかり追いかけている (◎文法 5.3(4)). **2** …を〖…から〗追い立てる〖払う〗(+*away, off, out*)〖*from, out of*〗 ‖ *Chase the cat (away) from [out of] the kitchen.* 台所からそのネコを追い出してくれ. —— ⓘ 〖略式〗走り回る, 〈…を〉追いかける(+(*a*)*round, about, off*)〖*after, for*〗; 〈…を〉得ようと努力する〖*after*〗 ‖ *The girls chased about after the singer.* 女の子たちはその歌手の後を追いかけ回った.

—— 名 ⓒ ⓤ 追跡, 追求, 追撃(pursuit);〖映画〗追跡〖追撃〗場面 ‖ *give chase* 追跡する / *They finally caught the lion after a long chase.* 彼らは長い追跡してやっとのことでライオンを捕まえた / *in (full) chase* (of the thief)(泥棒を)(全力で)追って. **2** ⓤ〖正式〗〔the ~〕狩猟(hunting);ⓒ 捕獲〖追跡〗の対象, 獲物;〈英〉(私有)狩猟場.

léad a mérry cháse〈人などの〉追跡から逃げ回って逃げる.

chase² /tʃéɪs/ 動 ⓣ …に彫金〖浮彫り〗を施す;ネジを切る.

chas·er¹ /tʃéɪsər/ 名 ⓒ **1** 追撃者, 狩猟家;障害物競走の馬;〈米俗〉女の尻(ぱ)を追う男. **2**〖略式〗チェーサー《強い酒の直後かその間に続けて飲む飲み物(水・ビール・コーヒーなど)》;弱い酒の後に飲む強い酒.

chas·er² /tʃéɪsər/ 名 ⓒ 彫金師, 彫金する人.

†**chasm** /kǽzm/ 名 ⓒ **1** 大きな〖深くて広い〗裂け目, 亀裂(と), 小峡谷(gorge). **2**〖正式〗〖比喩的に〗裂, 〈感情・意見の〉食い違い.

chas·sis /tʃǽsi/〈フランス〉名 ⓥ chas·sis/-z/) ⓒ **1**〈自動車などの〉車台, シャシー. **2**〈ラジオ・テレビの〉シャシー, セット台.

†**chaste** /tʃéɪst/ 形 (通例 ~**r**, ~**st**)〖正式〗**1**〈言動・精神が〉〈性的に〉汚(ぱ)れのない, 純潔な(pure);〈女性が〉貞淑な(virtuous);〈趣味・文体などが〉洗練された;簡素な. **cháste·ly** 副 汚れなく.

†**chas·ten** /tʃéɪsn/ 動 ⓣ 〖正式〗**1**〔be ~ed〕〈人が〉〈…に〉懲りる〖*by*〗;〈人を〉〈矯正のため〉懲らしめる, 〈苦難・失敗などが〉〈人を〉鍛練する. **2**〈精神を〉鍛える, 〈感情などを〉抑える, 和らげる. **3**〈文体などを〉洗練する.

chas·tise /tʃæstáɪz/〈アクセント注意〉動 ⓣ 〖正式〗〈人を〉〔…の科(ぱ)で〕折檻(*)する〖*for*〗.

†**chas·tise·ment** /tʃæstáɪzmənt/ 名〖正式〗ⓤ 折檻すること;ⓒ 体罰.

†**chas·ti·ty** /tʃǽstəti/ 名 ⓤ **1** 純潔, 貞節. **2**〈言動・精神などの〉純正, 清純. **3**〈趣味・文体などの〉簡素, 上品さ.

chas·u·ble /tʃǽzjubl/ 名 ⓒ 〖カトリック〗カズラ《司祭の羽織るそでなしのミサ服》.

*****chat** /tʃǽt/

——動 (~s/tʃǽts/; 過去・過分 chat·ted/-ɪd/; chat·ting)

——ⓘ〖略式〗**1**〈人と〉…を話題に〖…を飲み〖食べ〗ながら〗おしゃべりをする, 談笑する(+*away*)〖*to, with, about, of, on, over*〗《◆親しい人同士の打ちとけた軽い会話をいう》(→ chatter 動 **2**) ‖ *Over coffee, she chatted (away) with her friends about the football game.* 彼女はコーヒーを飲みながらフットボールの試合について友人と歓談した / ⓒ対話 "What are you two talking *about*?" "Nothing special. We're just *chatting about* things." 「あなたたち2人何を話しているの」「別に何も. いろんなことをおしゃべりしているだけよ」.
2〔コンピュータ〕チャットする.

——ⓣ〖略式〗…に言い寄る, …を口説く(+*up*).

——名 〖略式〗ⓤ おしゃべり, 談笑, むだ話;ⓤ しゃべること;ⓒ〔コンピュータ〕チャット ‖ *They had a long chat over the old days.* 彼らは長々と昔話をした / *She has too much chat about herself.* 彼女は自慢が過ぎる.

chát ròom〔コンピュータ〕チャットルーム, 電子談話室《インターネットで, メンバー同士がリアルタイムのメッセージ交換ができる場所》.

chát shòw〈英〉〔テレビ・ラジオ〕(有名人の)対談番組 (〈米〉talk show).

†**cha·teau, châ~** /ʃætóu/〈=//〈フランス〉名 (⑲ ~**s, ~x**/-z/) ⓒ **1**〈フランスの〉城;大邸宅. **2**〔C~〕シャトー《フランス Bordeaux 地方の自営のブドウ畑と醸造所のある邸宅》 ‖ *Chateau wine* シャトーものワイン《譲造元手作りのワイン》.

chat·tel /tʃǽtl/ 名 ⓒ 〖法律〗動産(personal property);〔~s〕資財 ‖ *goods and chattels* 人的財産《個人の全動産(家財道具一切)》.

†**chat·ter** /tʃǽtər/ 動 ⓘ **1**〈鳥が〉ピーチクパーチク鳴く;〈サルが〉キャッキャッと鳴く(+*away*);〈木の葉などが〉サラサラと音を立てる;〈歯・機械などが〉ガタガタと音を立てる ‖ *My teeth chattered with [from] the cold.* 寒くて歯がガチガチ鳴った. **2**〈人が〉〈人と/…について〉ぺちゃくちゃしゃべる, ぺらぺらよくしゃべる(+*away, on*)〖*with, to, about, over*〗《◆「やかましく〖くだらない話で〗うるさい」という非難の含みがある. chat にはこのような含みはない〗.

——名 ⓤ **1**〈小鳥・サルなどの〉鳴き声;〈木の葉・川などの〉サラサラという音;〈機械・歯などの〉カタカタ〖カチカチ〗という音 ‖ *Listen! Can you hear the chatter of monkeys?* 静かに, サルの鳴き声が聞こえるかい》. **2**

(やかましい)しゃべり声, おしゃべり.
chát・ter・er /名/ⓒ ぺちゃくちゃしゃべる人;〔鳥〕チャタラー《アフリカ産ヤブチメドリの一種》.
chat・ter・box /tʃǽtərbɑks | -bɔks/ 名ⓒ(略式)おしゃべりな人《◆主に女性・子供についていう》.
chat・ty /tʃǽti/ 形 (時に **--ti・er**, **--ti・est**)(略式)おしゃべりな; 話しやすい; 話好きの;(語り口が)打ち解けた, くだけた.
†**Chau・cer** /tʃɔ́ːsər/ 名 チョーサー《Geoffrey ~ 1340?-1400; 英国の詩人,「英詩の父」. *The Canterbury Tales* の著者》.
†**chauf・feur** /ʃóufər, ʃoufə́ːr/(発音注意)〔フランス〕名((女性形) **chauf・feuse**/-fəːz/)(会社の車・自家用車の)お抱え運転手《◆(1) bus や taxi の運転手には用いない. (2) driver は一般に車を運転する人》.
—/動/他 お抱え運転手として働く; …を自動車で連れていく[案内する](+*around*, *about*). —/自/ お抱え運転手として働く.
chau・vin・ism /ʃóuvənìzm/ 名ⓤ(熱狂的)愛国心[主義],(狂信的)身びいき; 同属偏愛[偏重]思想 ‖ male *chauvinism* 男性優越[女性蔑(ｹﾞﾝ)視]主義.
cháu・vin・ist 名ⓒ 排外主義者. **chàu・vin・ís・tic** 形 排外主義的な.

‡**cheap** /tʃíːp/(同音) cheep)〖「よい商い」が原義〗
—/形/(**~・er**, **~・est**) **1**〈品物が〉(思ったより)値段が安い;〈店などが〉商品が安い;〈ホテルなどが〉費用が少なくてすむ(⇔ expensive, dear);〈英〉〈運賃・切符などが〉割引の(使い分け)⇔ low /形/ 1 ‖ a *cheap* store [restaurant] 安い店[レストラン] / This dress was *cheap*. このドレスは安かった(=The price of this dress was low [×cheap]. → 語法) / a *cheap* and nasty bottle of wine 〔英〕安かろう悪かろうのびん詰めワイン.

☑ 語法 cheap には「安物の, 安っぽい」の含みがあるので inexpensive, economical, moderate, reasonable を用いることが多い: *inexpensive* but not *cheap* 値段は安いが品物は悪くはない.

2〈小説・紙などが〉安っぽい;〈細工などが〉見かけ倒しの;〈人・行動などが〉誠意のない, 下品な ‖ a *cheap* joke つまらない冗談 / *make* oneself (too) *chéap* 自分の品位を下げる(すぎる) / *hòld* him *chèap*(正式)彼を低く評価する.
3〈勝利などが〉楽に手に入る. **4**〈通貨が〉(インフレで)価値の低い;〈客などが〉購買力が低い. **5**(主に米式)〈人が〉けちん坊の;(古風)気分が悪い.
fèel chéap (1)(略式)(…について)恥ずかしく思う〔*about*〕. (2)(俗)気分が悪い.
—/副/(略式)安く;安っぽく ‖ sell [get, buy] the book *cheap* 本を安く売る[得る, 買う]《◆上の連language では *cheaply* より好まれる》/ Lemons are going *cheap* now. 今レモンが安い / áct *chéap* 安っぽくふるまう.
gét òff chéap (1) ふつうより安くすむ. (2) 罰が軽くすむ.
—/名/(英略式)[the ~] 廉価本[版].
on the chéap (略式)安く, 割り引いて(cheaply) ‖ a hotel that is run *on the cheap* 安あがりに運営されているホテル.
chéap shòt 相手を傷つける(不正な)批判.
chéap・ish 形 安値ぎみの. **chéap・ness** 名ⓤ 安価; 安っぽさ.

†**cheap・en** /tʃíːpən/ /動/他〈品物〉を安くする, …の値を下げる;(…で)〈人・物〉の品位を落とす, …を安っぽくする〔*with*〕; …を軽視する. —/自/〈品物〉が安くなる, 値が下がる.
†**cheap・ly** /tʃíːpli/ /副/ 安く; 安っぽく, 下品に; 楽に; 軽蔑(ｹﾞﾝ)的に ‖ *get off cheaply* 罰が軽くてすむ.
cheap・skate /tʃíːpskèit/ 名ⓒ(米式)しみったれ, けちん坊.

*__**cheat**__ /tʃíːt/
—/動/他(**~・s**/-ts/;(過去・過分) **~・ed**/-id/; **~・ing**)
—/他/ **1**〈人が〉(自分の利益のために)〈人〉をだます, 欺く(deceive);〈人〉から[…を]だましとる[(*out*) *of*] ‖ *cheat* the customs 税関をごまかす / be *cheated* 「by appearance [on the price] 外見で[値段を]ごまかされる / *cheat* him (*out*) *of* his money 彼のお金を巻き上げる.
2〈人〉をだまして[…]〈させる〉(mislead)〔*into*, *into* doing〕‖ He was *cheated into* accepting [(the) acceptance of] the forged check. 彼は偽小切手をつかまされた.
—/自/ **1**〈人が〉[…で]不正をする, ごまかす, カンニングをする〔*at*, *in*, (米式) *on*〕‖ *cheat at* [*in*] cards トランプでいんちきをする / *cheat on* one's income tax 所得税をごまかす / *cheat at* [*in*, (米式) *on*] an examination 試験でカンニングをする.
2(主に米略式)〔…をあざむいて〕浮気をする〔*on*〕.
—/名/ **1**ⓒ 詐欺師, いかさまをする人 ‖ Get out, *cheat*. 出て行け, いかさま野郎. **2**ⓒ にせ物. **3**ⓤⓒ ごまかし, 不正行為; カンニング《「カンニング・ペーパー」は(略式)a chéat [críb] shèet. cf. cunning》;〔法律〕詐取, 詐取.
cheat・er /tʃíːtər/ 名ⓒ 欺く人; 詐欺師.

*__**check**__ /tʃék/(同音) Czech)〖「正しいかどうか調べる」が本義〗

index /動/他 **1**調べる **2**止める **3**照合の印をつける
/自/ **1**調べる
/名/ **1**照合 **3**小切手 **4**伝票 **5**抑制

—/動/(**~s**/-s/; (過去・過分) **~ed**/-t/; **~・ing**)
—/他/ **1a**〈人〉〈人・物・事〉を(正しいか, よい状態か)調べる, 調査する, 検査する(+*over*, *through*, (主に米)*out*)《◆ inspect より手早く簡単な調査》;〈物・事〉を〔物・事と〕照合する〔*against*, *with*, *by*〕‖ *check* the copy *against* [*with*] the original コピーを原文と照合する / *check* the engine エンジンの調子をみる / *check* the boat for leaks ボートに水が浸水してきていないか調べる. **b**〈人が〉〈物・事〉を(調べて)確かめる, [check that 節 [wh 節]] …を[…かを]確かめる《◆ふつう受身不可》‖ *check* the figures 数字が正しいか確かめる / *check* (*through*) the draft for spelling mistakes スペルの誤りはないかとその原稿を(丹念に)調べる / He *checked* that [*whether*] all the doors were safely shut. 彼はドアがすべて安全に閉まっているかどうか確かめた.
2〈人・物〉を(急に, 力ずくで)〈人・物・事の動き・進行〉を止める, 阻止する《◆ stop より堅い語》; …を遅らせる; …を抑制する; …を妨害する ‖ The doctor *checked* the flow of blood from the wound. 医者は傷からの出血を止めた / *check* one's anger 怒りを抑える / The rope *checked* her fall. ロープによって彼女は転落をまぬがれた.
3(米)〈人が〉〈物〉に照合[チェック]の印〈✓〉をつける((英) tick)(+*off*)《◆ ✓印は日本での○または×に相

checkbook / cheek

当する.《×印のようなマイナスのイメージはない》‖ *check off* a list 表に照合の印をつける / *Check* the correct answer. 正解に✓印をつけよ.
4(米)〈所持品〉を(クロークなどで合札と交換に)一時預ける[預かる];〈荷物〉を(空港・駅などで出発前に)預ける[預かる], チッキする(+*in*)《◆ふつう客と同便で送られる》‖ *check* one's bag through to Boston 旅行かばんをボストンまでチッキで直送する.
—ⓐ **1**〔…を〕調べる〔(*up*)*on*〕, チェックする ‖ *check on* when the train leaves 列車の出発時間を確かめる /《対話》"Is your schedule full next Sunday?" "Let me *check*. =I'll *check*." 「次の日曜日あなたのスケジュールは詰まっていますか」「(ちょっと)調べてみます」.
2(主に米)〈物・事〉と一致[符号]する(correspond)((略式)+*out*)〔*with*〕‖ My accounts *check* (*out*) with hers. 私の計算は彼女とぴったりだ. **3**(米)〔口座に〕小切手を振り出す〔*on*, *upon*〕. **4**〈人・車〉などに急に止まる.

chéck ín ⓐ 〔ホテルで〕宿泊手続きをする;〔空港で〕搭乗手続きをする;〔タイムレコーダーを押して〕〔会社に〕出勤する〔*at*〕(cf. checkin). —ⓗ (1)〈荷物〉を〔空港で〕預ける(→ⓗ**4**). (2)(主に米)〈物〉を手続きして返す[借り出す]. (3)〈人〉に〔ホテルの〕部屋を予約してやる〔*at*〕.

chéck óff ⓐ (会社が定時に)終業となる. —ⓗ (1)(従業員の給料から)〈労働組合費など〉を天引きする(cf. checkoff). (2)→ ⓗ **3**.

chéck ón ⓐ (会社が定時に)始業となる. —ⓗ[ⓐ+] [~*on* A] → ⓐ **1**, **3**.

chéck óut ⓐ (1)(手続きしてホテル・スーパーなどを)出る;(タイムレコーダーを押して)退社する ‖ *check out of* a hotel ホテルをチェックアウトする. (2)(略式) → ⓐ **2**. —ⓗ (1)(主に米)…を調べる;確かめる ‖ *check out* a fact 事実を調べる. (2)(興味をもって)…をじろじろ見る ‖ He was checking out the girls in line. 彼は並んでいる女の子をじろじろ見ていた.《主に米》(合札と交換に)〈物〉を受け取る;(手続きして)〈物〉を持ち出す;…を借り出す ‖ *check out* a book from the library 図書館の本を手続きして借りる. (4)(米)〈銀行の косые〉を小切手で引き出す.

chéck úp ⓗ (1)〈物・事〉を調べる. (2)…の健康診断をする.

chéck with A (1) → ⓐ **2**. (2)〈人〉に相談する, 問い合わせる ‖ *check with* one's parents 両親に相談する.

—名(複 ~s/-s/)
Ⅰ [比較照合]
1 Ⓒ 照合;(照合・検査の)基準;調査, 検査, チェック;検診;監督;(米)チェックの印《✓》(→ ⓗ **3**) ‖ run a *check* on the computer コンピュータのテストをする / the airport's security *check* 空港の安全チェック.
2 Ⓒ (米)預り札;チッキ ‖ a bággage *chéck* (米) 荷札の合札((英) luggage ticket).
3 Ⓒ (米)小切手((英) cheque) ‖ pay by *check* 小切手で払う / a tráveler's *chéck* トラベラーズチェック, 旅行者用小切手 / a rubber [bounced] *check* 不渡り小切手.
4 Ⓒ (米・スコット)伝票, 勘定書((英) bill)《対話》"May I have the *check*, please?" "Right away." 「お勘定をお願いします」「ただいま」《◆単に "*Check* please!" ともいう》.

Ⅱ [阻止]
5 Ⓤ [時に a ~]〔…に対する〕(突然の)停止;抑制;妨害(restraint)〔*on*〕‖ kèep [hóld] the enemy *in check* = kèep [pùt, plàce] a *chéck on* the enemy 敵を阻止する.
6 Ⓒ 止める[抑制する]者[物]‖ a *check* for wheels 車輪止め.

Ⅲ [その他]
7 Ⓤ 格子(ミネ)じま(の1ます);チェック柄の布 ‖ a *check* suit チェックのスーツ. **8** Ⓤ 〔チェス〕王手.

chécks and bálances 互いの権限を制限するシステム.

chécking accòunt (米) (銀行で小切手で引き出す)当座預金((英) current account).

chéck lìst =checklist.

check·book /tʃékbùk/ 名 Ⓒ (米)小切手帳((英) chequebook).

checked /tʃékt/ 形 格子(ミネ)じまの, チェック模様の.

† **check·er**¹,(英) **cheq·uer** /tʃékər/ 名 Ⓒ **1** 格子じま(の1ます). **2** (米)チェッカーのこま(draftsman);[~s; 単数扱い]チェッカー((英) draughts).

check·er² /tʃékər/ 名 Ⓒ **1** 照合[点検]する人. **2** (米)(スーパーなどの)レジ係. **3** クローク係.

check·er·board /tʃékərbɔ̀rd/ 名 Ⓒ **1** (主に米)チェッカー盤《◆2色交互64までの盤で, チェスにも使える. cf. chessboard》. **2** 格子じま模様のもの.

check·ered /tʃékərd/, (英) **cheq·uered** 形 /tʃékərd/ **1** 色とりどりの;〔正式〕変化に[波瀾(ほらん)]に富んだ ‖ a *checkered* life [career] 波瀾万丈の人生. **2** 格子じまの.

check-in /tʃékin/ 名 Ⓒ チェックイン(↔ checkout)《(ホテルでの)宿泊, (空港での)搭乗, (会議の)出席・出勤などの手続きをすること, またはその場所》.

chéck lìst, chéck lìst (照合・確認用の)照合表, 一覧表《商品カタログ・選挙人名簿など》.

check·mate /tʃékmèit/ 名 Ⓒ Ⓤ **1** (チェス)チェックメイト, 「将棋の「詰み」」‖ *Checkmate*! チェックメイト!《◆はふつう Mate!》. **2** (広義)(計画などの)行き詰まり;完敗. —動 ⓗ **1** (チェス)〈相手のキング〉を詰める. **2**《広義》…を打ち負かす;…を挫折させる, 阻止する.

check·off /tʃékɔ̀(ː)f/ 名 Ⓤ Ⓒ チェックオフ《給料からの労働組合費などの天引き》.

check·out /tʃékàut/ 名 Ⓒ **1 a** Ⓒ チェックアウト(↔ checkin)《ホテルで勘定を済ませて出ること》. **b** Ⓒ = checkout time. **2** Ⓒ (スーパーなどでの買物の)精算.

chéckout tìme チェックアウトの時刻《これを過ぎると超過料金を払わなければならない》.

check·point /tʃékpɔ̀int/ 名 Ⓒ (通行者・車の)検問所.

check·room /tʃékrùːm/ 名 Ⓒ (主に米)(ホテル・劇場などの)携帯品預り所, クローク(cloakroom);(駅などの)手荷物一時預り所((英) left-luggage office).

check·up /tʃékʌ̀p/ 名 Ⓤ Ⓒ 照合;(詳しい)検査, 点検;(略式)健康診断(physical [medical] check-up).

ched·dar /tʃédər/ 名 [しばしば C~] Ⓤ チェダー=チーズ(cheddar cheese)《もと英国 Cheddar 原産の最も有名なチーズの一種》.

* **cheek** /tʃíːk/〖「あご(jaw)」が原義〗
—名(複 ~s/-s/) **1** Ⓒ ほお ‖ kiss her *on* the *cheek* 彼女のほおにキスする(→ 文法 16.2(3))/ puff out one's *cheeks* (不満で)ほおをふくらませる / Her *cheeks* are (as) red as roses. 彼女のほおはバラ色だ / dance *cheek* to *cheek* チークダンスを踊る. **2** (器具の)側面, (万力の)あご.

3 Ⓤ《略式》ずうずうしさ(impudence); **生意気な態度[言葉]** ‖ give him *cheek* 彼に生意気なことを言う / have much [plenty of] *cheek* 非常に生意気だ / He ***hád the chéek to*** object to it. 彼は厚かましくもそれに反対した / ***None*** [***No more***] ***of your cheek!*** 生意気なことを言うな / What (a) *cheek*! =Of all the *cheek*! 何と厚かましいんだ.
4《略式》[~s] けつ.
bíte [***súck***] ***one's chéeks*** 笑いをかみ殺す.
chéek by jówl 〔…と〕ぴったりくっつき合って, 〔…と〕親密に[で]〔*with*〕《◆「ほお」と「あご」が接していることから》.
túrn the óther chéek 〚聖〛(攻撃・軽蔑(けいべつ)などの)仕打ちを寛大に許す, 仕返しをしない《◆「右のほおを打たれたら, 左のほおを向けよ」とキリストが説いたことから》(→ (an) eye for (an) eye (eye 成句)).
——動 他《英略式》〈人〉に生意気[無礼]な態度をとる[口をきく](+*up*).
chéek it《英略式》ずうずうしく押し通す.

cheek·bone /tʃíːkbòun/ 名 Ⓒ ほお骨.

-cheeked /-tʃíːkt/ (語要素) →語要素一覧(1.2).

cheek·y /tʃíːki/ 形 (**--i·er, --i·est**)《略式》生意気な, 厚かましい. **chéek·i·ly** 副 生意気に, 厚かましく. **cheek·i·ness** 名 Ⓤ 生意気(なこと).

cheep /tʃíːp/ 動 自〈ひな鳥が〉ピヨピヨ鳴く;〈子ネズミが〉チュウチュウ鳴く. **——**名 [a ~] ピヨピヨ[チュウチュウ]鳴く声.

***cheer** /tʃíər/ 〚「顔」が原義〛 派 cheerful (形)
——名 (複 **~s**/-z/) **1** Ⓒ 歓呼, **かっさい**, 万歳; **声援**, 応援《◆ "hurrah!" とか "rah! rah! rah!"》‖ take the *cheers* of the crowd 群衆の歓呼にこたえる / give ***three cheers for*** the king 王のために万歳三唱をする《◆ Híp, híp, hurráh [hooráy, hurráy]! を(Hip, hip はリーダーが, hurrah は全員で)3回繰り返す》/ two *cheers* うわべだけの応援[賛同]. **2** Ⓤ 励まし, 激励 ‖ words of *cheer* 激励の言葉 / bring *cheer* to a sick child 病気の子をなぐさめる. **3** Ⓤ《文》気分, 機嫌; 元気, 陽気, 喜び;(やや古) 幸福 ‖ ***with good cheer*** 喜んで, 元気よく / be ***of good cheer*** 希望にあふれている. **4** [Cheers!; 間投詞的に]《英略式》(健康を祝して)乾杯!《◆ To your health! / To your very good health! ともいう》;《英》(サービスに対して)ありがとう(Thank you!)《◆/tʃiz/ と発音する》;《英略式》(特に電話で)さようなら(Good-bye);《英》すみません《◆ 人にぶつかった時などに》.
——動 (**~s**/-z/; (過去・過分) **~ed**/-d/; **~·ing** /tʃíəriŋ/)
——他 **1**《略式》〈人・物が〉〈人〉を**元気づける**, 活気づける, 慰める(+*up*) ‖ The good news *cheered* her *up*. その朗報に彼女は慰められた.
2〈人が〉〈人・物〉に**声援を送る**, …を歓呼して迎える(+*on*); [cheer oneself …] かっさいして…の状態になる ‖ *cheer* his favorite horse (*on*) 彼のひいきの馬を応援する / *cheer oneself* hoarse 声援して声がかれる.
——自 **1**《略式》〈人が〉**元気づく**(+*up*) ‖ *Chéer úp!* がんばれ, くよくよするな. **2**〈人が〉〔…に〕歓呼する〔*for, at, over*〕‖ *cheer over* the victory 勝利にかっさいする.

***cheer·ful** /tʃíərfl/ 〚→ cheer〛
——形 (通例 **more ~, most ~**) **1**〈人・動物・表情などが〉(気質的に)**機嫌のいい**, 快活な ‖ a *cheerful* girl 元気な少女 / (対話) "You look happy. What happened?" "Nothing. I just feel *cheerful* today." 「うれしそうだね. 何があったの」「別に. きょうは気分がうきうきするだけよ」. **2** [通例名詞の前で]〈人を〉**気持ちよくさせる**, 楽しい; [反語的に] すてきな ‖ That's a *cheerful* remark.《反語》それは結構なお言葉ですこと. **3** [通例名詞の前で]〈人・事が〉心からの, 進んでする ‖ a *cheerful* worker 喜んで仕事をする人 / *cheerful* labor [obedience] 自発的な労働[服従].

†**cheer·ful·ly** /tʃíərfəli/ 副 快活に; 進んで.

†**cheer·ful·ness** /tʃíərflnəs/ 名 Ⓤ 上機嫌, 愉快, 気持ちよさ.

†**cheer·i·ly** /tʃíərəli/ 副 元気よく, 陽気に.

cheer·ing /tʃíəriŋ/ 形 名 Ⓤ 激励(の).

cheer·i·o /tʃìərióu/ 間《主に英略式》**1** [↗] さようなら, じゃあまた(good-bye). **2**《まれ》(乾杯で)ご健康を祝して, おめでとう(cheers).

cheer·lead·er /tʃíərlìːdər/ 名 Ⓒ《主に米》(女性の)応援団員, チアリーダー, チアガール《◆ ×cheergirl とはいわない》.

†**cheer·less** /tʃíərləs/ 形《正式》陰気な, わびしい, もの寂しい(gloomy)《◆ 人には用いない》(↔ cheerful).
chéer·less·ly 副 陰気に.

†**cheer·y** /tʃíəri/ 形 (**--i·er, --i·est**)《略式》〈人・気分・声などが〉上機嫌の, 陽気な;〈音楽などが〉元気づけるような. **chéer·i·ness** 名 Ⓤ 元気のよさ.

***cheese** /tʃíːz/
——名 (複 **chees·es**/-iz/) Ⓤ **チーズ**; Ⓒ (特定の形にした)チーズ(1個)《◆ 英国では食事の終わりによくクラッカーと共に出される(→ course 名 **5**). ネズミ捕り用の典型的なえさ》‖ ***a slice*** [***piece***] ***of cheese*** チーズ1切れ / I like French *cheese*. Camembert is a French *cheese*. 私はフランスのチーズが好きです. カマンベールはフランスのチーズの一種です《◆ 種類をいうときはⒸ》/ a selection of *cheeses* 各種チーズの品ぞろえ《◆ 複数形は「数種類」を表す》/ buy two *cheeses* at the grocery 食料雑貨店でチーズを2個買う《◆ two *cheeses* は「2種類のチーズ」よりも「2個のチーズ」という意味の方がふつう》.
Sày chéese! はい笑って《◆ 写真を撮る人が言う》.
chéese càke =cheesecake.

cheese·board /tʃíːzbɔ̀ːrd/ 名 **1** チーズボード《チーズを上で切って食卓に出す板》. **2** (食事に出される)チーズの盛り合わせ.

cheese·burg·er /tʃíːzbə̀ːrgər/ 名 Ⓒ Ⓤ チーズ=バーガー.

cheese·cake /tʃíːzkèik/, **chéese càke** 名 Ⓤ Ⓒ チーズケーキ.

cheese·cloth /tʃíːzklɔ̀(ː)θ/ 名 Ⓤ 目の粗い薄地の綿布《もとチーズを包んだ. 今はガーゼの衣服・カーテン・包帯用》.

chees·y /tʃíːzi/ 形 **1** (味・においが)チーズのような. **2**《米俗》安っぽい.

chee·tah, che·tah /tʃíːtə/ 名 Ⓒ〔動〕チータ.

†**chef** /ʃéf/ 〚フランス〛 名 Ⓒ (ホテル・レストランなどの)コック長, シェフ; コック ‖ *chef's* special(ty) [suggestions]《メニュー》料理長のおすすめ料理 / Give my compliments to the *chef*. 料理長においしかったとお伝えください《◆ 料理が気に入ったときウエイターに言う表現》. **chéf's sàlad** シェフズサラダ《レタス, 刻んだハム・チーズのサラダ》.

chef-d'oeu·vre /ʃèidʌ́v | ʃèidɔ́ːvrə/ 〚フランス〛 名 (複 **chefs-**/ʃèi-/) Ⓒ《正式》(特に美術・音楽・文学の)(最高)傑作, 名作.

Che·khov /tʃékɔ(ː)f/ 名 チェーホフ《**Anton Pavlovich** /ɑːntɔ́ːn pɑːvlɔ́ːvitʃ/ ~ 1860-1904; ロシア

の劇作家・短編作家》.
Chel·sea /tʃélsi/ 图 チェルシー《英国 Kensington and Chelsea 自治区の一部. かつて文人・画家が多く住んだ》.
Chel·ten·ham /tʃéltənəm/ 图 チェルテナム《イングランド西部の町. 名門パブリックスクールの所在地》.
chem. (略) chemical; chemist; chemistry.

***chem·i·cal** /kémikl/ [alchemy (練金術) より]
── 形《名詞の前で》**化学の**; 化学作用の; 化学薬品の, 化学薬品による《比較変化しない》‖ a *chémical* expériment 化学実験 / a *chemical* reaction [weapon] 化学反応[兵器] / *chemical* products [goods] 化学製品 / a *chémical* fire extínguisher 化学(薬品を詰めた)消火器 / *chémical* and biológical wárfare (化学生物兵器を用いる)化学生物戦争《略》CBW》.
── 图 (複) ~s/-z/) C 化学製品[薬品]‖ fine *chemicals* (少量単位で扱う)精製薬品 / heavy *chemicals* (大量単位で扱う)農工業用薬品.
chémical enginéering 化学工学[工業].
chémical óxigen demànd 化学的酸素要求量《河川の汚染度を示す指標; 略》COD》.
chémical wárfare 化学兵器戦争.
chem·i·cal·ly /-kəli/ 副 化学的に, 化学作用によって;《文全体を修飾》化学的見地から見ると.

†**che·mise** /ʃəmíːz/ 图 C **1** =chemise dress. **2** (旧式の)シュミーズ(cf. slip¹ 图 3).
chemíse dréss シフトドレス.

†**chem·ist** /kémist/ 图 C **1** 化学者. **2**《英》薬剤師(《正式》pharmacist);薬屋(《米・スコット》druggist); =chemist's shop. **chémist's (shóp)** 薬局, 薬屋の店(《米》pharmacy, 《米》drugstore)《◆化粧品なども売る》.

***chem·is·try** /kémistri/ 图 (複 -**tries**/-z/) **1** U 化学‖ orgánic [inorgánic] *chemistry* 有機[無機]化学 / physical *chemistry* 物理化学. **2** U (物質の)化学的性質[反応, 作用, 結合]‖ the *chemistry* of iron 鉄の化学的性質. **3** U (化学反応に似た)不思議な反応[作用]‖ the *chemistry* of nature 自然の神秘. **4** U《略式》(人と人との間の)相性, 共通点‖ The *chemistry* is right for us. =Our *chemistry* is right.《略式》お互い相性がいい / My *chemistry* with her is terrible. 彼女とは生理的にてんで合わないんだ.

chem·o·ther·a·py /kìːmoʊθérəpi, kèmou-/ 图 U 〔医学〕化学療法.
che·nille /ʃəníːl/ 图 U シェニール, 毛虫糸《刺繍(しゅう)・ふち飾り用》, シェニール織物《敷物・カーテン・ベッドカバー用》.
Chen·nai /tʃénai/ 图 チェンナイ《インド南東部の都市. 旧称 Madras》.

†**cheque** /tʃék/ 图《英》=check 图 3.
cheque·book /tʃékbʊk/ 图《英》=checkbook.
chequ·er /tʃékər/ 图《英》=checker.
chequ·ered /tʃékərd/ 形《英》=checkered.

***cher·ish** /tʃériʃ/ [「自分の所有するものの真価を認め誇りに思い愛情を注ぐ」が本義]
── 動 (~·es/-iz/; 過去·過分 ~ed/-t/; ~·ing)
── 他《正式》**1**〈人が〉〈人・動物・物〉を**大事にする**(take good care of); …を(愛情をこめて)世話をする[育てる]‖ He still *cherishes* his old car. 彼はいまだに古い車を愛用している / *cherish* freedom 自由を愛する / *cherish* a pet [child] ペット[子供]を かわいがる[大切に育てる]. **2**〈人が〉〈望み・考え・感情など〉を(大切に)心に抱く[持ち続ける](keep)‖

cherish the memory of his dead wife 亡き妻のことを懐かしむ / *cherish* a grudge against the criminal 犯人に対して恨みを抱く.
Cher·o·kee /tʃérəkiː/ 图 (複 ~s, [集合名詞] **Cher·o·kee**) **1** C チェロキー族《北米先住民の一部族》. **2** U チェロキー語.

che·root /ʃərúːt/ 图 C 両切り葉巻き(タバコ).

†**cher·ry** /tʃéri/ 图 C **1** C サクランボ. **2** U サクラ材; C サクラ(の木)(cherry tree)《◆「サクラの花」は cherry blossom [flower]. 日本を象徴する「サクラの花」は欧米ではバラの花(rose)に当たる》‖ 日本発≫ *Cherry blossoms are the harbingers of spring. When the cherry trees are in full bloom, the Japanese go out for flower-viewing parties.* 桜は春の訪れを告げる使者です. 桜が満開になると, 日本人は花見に出かけます. **3** U サクランボ[鮮紅]色. ── 形 **1** サクラ材の. **2** サクランボ色の.
chérry bòb《英》(柄のつながった)2個のサクランボ.
chérry pìe チェリーパイ.

†**cher·ub** /tʃérəb/ 图 **1** では ~s, **cher·u·bim** /-əbim/, **2** では --**u·bim**, **3** では ~s) C **1**〔神学〕智天使, ケルビム《天使の9階級の第2位. 知識を司る. → angel》. **2**〔美術〕ケルビムの絵《◆翼のはえた丸々とした愛らしい子供として表される》. **3**《略式》愛らしい人[子供].

che·ru·bic /tʃərúːbik/ 形 ケルビムの; ケルビム[天使]のような;《やや文》無邪気な;ふくよかな.
cher·u·bim /tʃérəbim/ 图 cherub の複数形.
cher·vil /tʃə́ːrvil/ 图 C U チャービル《庭で育つハーブ》. その葉を乾燥した香味料.
Ches·a·peake /tʃésəpìːk/ 图 ~ **Bay** チェサピーク湾《米国東部の大西洋岸最大の入り江》.
Chesh·ire /tʃéʃər/ 图 **1** チェシャー《イングランド西部の州.《略》Ches.》. **2** U =Cheshire cheese.
Chéshire chéese チェシャーチーズ《Cheshire 産の黄白色の堅いチーズ》.

†**chess** /tʃés/ 图 U チェス, 西洋将棋‖ play (at) (×the) *chess* チェスをする.
chéss pìece =chessman.

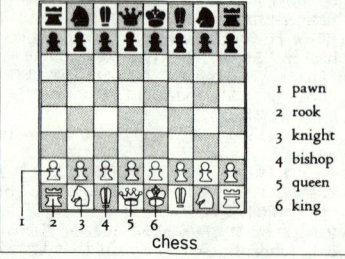

1 pawn
2 rook
3 knight
4 bishop
5 queen
6 king

chess

chess·board /tʃésbɔ̀ːrd/ 图 C チェス盤《8×8=64ますの盤. cf. checkerboard》.
chess·man /tʃésmæn/ 图 (複 -**men**) C チェスのこま《◆ king, queen 各1, bishop, knight, rook [castle] 各2, pawn 8の計16個をそれぞれが持つ》.

†**chest** /tʃést/ 图 C **1**(男/女の)**胸(部)**(図 → body)《肋(ろっ)骨と胸骨に囲まれ, 心臓・肺のある箱状の部分. breast は胸の前部, bust は女性の胸》; 肺; U 胸部の寸法‖ a cold *in* [*on*] the *chest* =one's *chest* cold せきかぜ / hair on one's *chest* =one's *chest* hair 胸毛 / have a pain *in* the *chest* 胸が痛い(➡文法 16.2⑶) / have a weak *chest* 胸が弱い,

せきが出やすい, かぜを引きやすい.

> 関連 [chest に関するジェスチュア]
> ráise [pláce, pùt] a hánd to one's chést (敬意・忠誠を示して)胸に手を置く / thrów [stíck] one's chést óut (自信・自慢で)胸をそらす[張る] / béat one's chést hónchōしてをたたいて悲しがる / póint at one's chést with one's thúmb (自分のことを)親指で胸をさす《◆日本での人さし指で鼻をさす動作に当たる》.

2 ⓒ (ふつう木のふたつきの丈夫な)衣類・道具・金・薬などの保存用の大きな箱, ひつ; 容器 ‖ a carpenter's [sailor's] chest 大工道具[船員の]箱 / a médicine chèst 薬箱 / a chest of dráwers (英)(寝室・化粧室の)たんす《(米)では bureau, dresser》. **3** [a ~ of ...] (…の)1箱分 ‖ a chest of clothes [tea] 1箱分の衣服[茶]. **4** Ⓤ (略式)胸の中, 心(bosom) ‖ gét the sécret óff one's chést 秘密を打ち明けてさっぱりする / I have sómething on one's chést 気になることがある.
── 動 他 《サッカー》〈ボール〉を胸で受ける(+down).

chést protèctor (野球の審判などの)胸当て, プロテクター.
chést tròuble [disèase] (慢性の)肺病.
chést vòice (低音域の)胸声.
-chest・ed /-tʃéstid/ 《重要語》→語要素一覧(1.2).
ches・ter・field /tʃéstərfìːld/ 图 ⓒ **1** チェスターフィールド《隠しボタン片前の外套付きオーバー》. **2** (背とひじ掛けのある)寝台兼用大型ソファー.
Ches・ter・ton /tʃéstərtn|-tən/ 图 チェスタトン《Gilbert Keith/kíɪθ/ ~ 1874-1936; 英国の評論家・小説家・詩人. 警句と逆説を得意とした》.

+**chest・nut** /tʃésnʌt, -nət/ 【発音注意】图 **1** ⓒ クリ(の類); クリの木(chestnut tree); その実. **2** Ⓤ クリ材; [形容詞的に] クリ材の. **3** Ⓤ くり色; [形容詞的に] くり色の ‖ chestnut hair くり色の髪. **4** ⓒ くり毛の馬. **5** (略式) [通例 an old ~] 陳腐な話; 古くさい冗談.

chest・y /tʃésti/ 形 **1** (俗)胸のでかい, 巨乳の. **2** (英略式)胸を患った ‖ a chesty cough ゴホゴホしたせき.
che・tah /tʃíːtə/ 图 =cheetah.
Chev・i・ot /tʃéviət | tʃíːv-, tʃév-/ 图 **1** ⓒ (動) チェビオット種のヒツジ《Cheviot Hills 原産の剛毛の食用用ヒツジ》. **2** /tʃéviət | tʃévjət/ [c~] ⓒ チェビオット羊毛織物《スーツ・コート用のツイード》. **Chéviot Hílls** [the ~] チェビオット丘陵《England と Scotland の境界》.
Chev・ro・let /ʃèvrəléi | -´--/ 图 《商標》シボレー《米国製大衆向け自動車》.
chev・ron /ʃévrən/ 图 ⓒ **1** (軍服・警察服の)山形袖章(しょう)章《年功・階級を示す》. **2** 急カーブを知らせる道路標識.

*****chew** /tʃúː/ 【『何度もかむ』が原義】
── 動 (~s/-z/; 過去・過分 ~ed/-d/; ~・ing)
── 他 **1** 〈人・動物が〉〈食物〉をかんで食べる, かみこなす[砕く], 咀嚼(そしゃく)する(+up)(⇒ 〔比曲〕 bite), ...をかみちぎる(+up) ‖ Chew [×Bite] your food well. 食物はよくかみなさい. **2** (略式)…をじっくり考え, 議論する(+over).
── 自 **1** 〜 (もぐもぐ)かむ, かみ[食べ]続ける(+away) [at, on], かみ砕く; (略式)かみタバコをかむ. **2** (略式)…を熟考する[over, on].
chéw óut [他] (主に米略式)〈人〉をひどくしかる, どなりつける.
chéw úp [他] **(1)** (英俗) =CHEW out. **(2)** (米略式) [通例 be ~ed] […のことを]気に病む(about).
── 图 **1** [a ~] かむこと ‖ Give your meat a good chew. 肉をよくかみなさい(=Chew your meat well.). **2** (略式) (甘い味の)かむ[かまれる]物; (かみタバコの)ひとかみ分.
chéwing gùm チューインガム《◆ 単に gum ともいう》 ‖ a piece [stick] of chewing gum ガム1つ[1枚].
chéwing tobàcco かみたばこ.
chew・a・ble /tʃúːəbl/ 形 かめる, チュアブルな.
Chey・enne /ʃaién | -ǽn/ 图 (複) ~s, [集合名詞] **Chey・enne** シャイアン《北米先住民の一部族》; Ⓤ シャイアン語.
chi /kái/ 图 Ⓒ Ⓤ キー, カイ《ギリシアアルファベットの第22字(χ, X). 英字の ch に相当. cf. Xmas. → Greek alphabet》.
Chiang Kai-shek /tʃíæŋ kàiʃék, dʒiǎːŋ-/ 图 蒋介石《1887-1975; 台湾総統(1950-75)》.
Chi・an・ti /kiáːnti | -ǽn-/ 图 Ⓤ キャンティ《イタリア産の辛口赤[白]ワイン. しばしばわらで包んだびんに入っている》.
chi・a・ro・scu・ro /kiàːrəskjúərou/ 《イタリア》 图 (複 ~s) Ⓤ 〔美術〕(絵画の)明暗の配合; 明暗法, キアロスクーロ《光の明暗の対比によって物体の立体感を出す技法》.
chic /ʃíːk/ 《フランス》形 《正式》〈女・服装が〉粋(いき)な, あかぬけした, シックな(cf. smart). 图 Ⓤ 上品.
+**Chi・ca・go** /ʃikáːgou, -kɔ́ː-/ 【『タマネギ』が原義】 图 シカゴ《米国 Illinois 州 Michigan 湖畔にある米国第3の都市》.
chi・can・er・y /ʃikéinəri/ 图 《正式》Ⓤ うまく言ってだますこと, 詭(き)弁; Ⓒ Ⓤ (法律行為における)ごまかし.
Chi・ca・no /tʃikáːnou, ʃi-, -kǽ-/ 图 (複 ~s, (女性形) Chi・ca・na /-nə/) Ⓒ (米) メキシコ系米国人.

+**chick** /tʃík/ 图 Ⓒ **1** (ニワトリの)ひよこ; (一般に)ひな《鳴き声は cheep》. **2** (古・俗)娘, 若い女, 魅力的な女[娘]《◆男が女性のいない所で使うしばしば軽蔑(べつ)的な言葉》.
chick・a・dee /tʃíkədìː/ 图 ⓒ 〔鳥〕チッカディー, アメリカコガラ《シジュウカラ科の鳥》.

∗∗chick・en /tʃíkin, -kən/ 【『小さい雄鳥』が原義】
── 图 (複) ~s/-z/) **1** ⓒ (ニワトリの) **ひよこ**《◆ chick より大きい》, ひな鳥《◆雄雌共に用いる. 焼肉用は broiler》 ‖ Which came first (↘), the chicken (↗) or the egg? (↘) ニワトリと卵ではどちらが先か《◆(1) 見方によりどちらともいえるので結論が出ないような問題についていう. It's (a cáse of) the chícken and [or] the égg. ともいう. (2) このような『因果関係の決めがたい事態[問題]』を a chicken and egg situátion [próblem] という》/ Don't count your chickens (before they (are) hátch(ed))! (略式) (ことわざ)(かえる前に)ひなを数えるな; 「とらぬタヌキの皮算用(をするな)」.

> 関連 **(1)** おんどり (米) rooster, (英) cock, めんどり hen. **(2)** 鳴き声: おんどり crow, めんどり cackle, cluck, ひよこ cheep.

2 ⓒ (米) ニワトリ(fowl)《◆ 雄, 雌, ひな, 成鳥に関係なしに使う》‖ The chickens pecked at the food. ニワトリはえさをついばんだ.

chicken

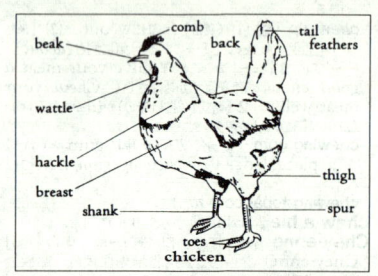

[図] chicken の各部名称: comb, beak, wattle, hackle, breast, shank, toes, back, tail feathers, thigh, spur

3 ⓤ とり肉, チキン ‖ I like *chicken* better than pork. 私は豚肉よりチキンが好きだ.
4 ⓒ 《略式》《通例 no ~》若い人, 青二才;《略式》魅力的な娘 ‖ be nò (spring) *chícken* もう小娘じゃない.
5 ⓒ 《俗》臆(<おく>)病者《◆子供が悪口を言うときに用いる》.
6 《形容詞的に》とり肉の; 小さい;《俗》《補語として》臆病な.

gò to béd with the chíckens 《米略式》夜早く寝る《◆「ニワトリと同じ時に寝る」の意から》.

── 動 圓 《略式》《弱気・恐怖心のため》おじけづく, しりごみする(+*out*), [...から]逃げる(*out of*).

chícken fàrm 養鶏場.
chícken fèed 《略式》家禽(<きん>)のえさ; はした金.
chícken pòx /-pàks/ | -pòks/《医学》水ぼうそう, 痘.
chick·en·heart·ed /tʃíkinhàːrtəd/ 形 自信のない, 小心な; 臆病な. **chíck·en-hèart·ed·ness** 名 ⓤ 自信のないこと; 臆病なこと.
chick·en-liv·ered /tʃíkinlívərd, tʃíkən-/ 形 = chicken-hearted.
chick·pea /tʃíkpíː/ 名 ⓒ《植》《通例 ~s》ヒヨコマメ; その実《食用》.
chick·weed /tʃíkwìːd/ 名 ⓤ《植》ハコベ.
chíc·le (gùm) /tʃíkl-/ 名 ⓤ チクル《中米熱帯樹 sapodilla から採れる生ゴムで, チューインガムの原料》.
chic·o·ry /tʃíkəri/ 名 ⓒ《植》チコリー, キクニガナ; ⓤ《集合名詞》その葉《サラダ用》; その根《ひいてコーヒーの代用品とする》.
†**chide** /tʃáid/ 動 (過去 **chid** /tʃíd/ or《米》**chid·ed**, 過分 **chid·den** /tʃídn/ or **chid** or《米》**chid·ed**; **chid·ing**)《正式》圓 (おだやかに)しかる, たしなめる (*scold*). ── 圓〈人〉を[...の理由で/...のことで], ...に小言を言う(*for*/*with*).

**chief /tʃíːf/ 《「頭(かしら)」が原義》
── 名 (複 ~s/-s/) ⓒ **1** (集団・組織・団体などの)長, かしら, チーフ; (官職の)長官; (部族の)首長, 族長《◆「校長」は principal》‖ the *chief* of (the) police (department) 警察署長 /《対話》"Who's the *chief* around here?" "Just a minute and I'll get her." 「ここの責任者はだれですか」「ちょっとお待ちください. 呼んでまいります」/ the *chief* of state 元首 / a bránch *chíef* 支店長. **2**《俗》ボス, 上司.

in chief **(1)** 《名詞の後で》最高位[長官]の(《主に英》-in-chief) ‖ the éditor *in chíef* 編集長. **(2)**《文》とりわけ, 特に, 主として.

── 形《◆比較変化しない》《通例名詞の前で》《通例 the ~》**1** (階級・権限などの)最高(位)の, 長官の ‖ the *chief* priest [cook] 祭司[コック]長 / the *chief* engineer 機関技師長.
2 《最も》重要な, 主要な ‖ the *chief* cause of disease 病気の主原因 / the *chief* concern today 現在の我々の最大関心事 / Our *chief* problem is money. 我々の先決問題は金だ.

chief cónstable《英》警察部長.
chief exécutive [the ~] **(1)**《米》**a)** [C- E-] 大統領. **b)** 行政長官《州知事・市長など》. **(2)** = chief executive officer.
chief exécutive òfficer [the ~] (大会社の) 最高経営責任者《社長・会長などの監理部門とは別に実務部門の最高責任者. 社長などを兼ねる場合が多い》. 《略》CEO.
chief inspéctor《英》警部.
chief jústice [the ~] **(1)**《法律》首席裁判官, 裁判長. **(2)** [C- J-]《米》最高裁判所長官.
chief·less 形 首長のいない.

***chief·ly** /tʃíːfli/ 《← chief》
── 副 **1** 主として, 主に (*mainly*) ‖ I bought the car *chiefly* because it was cheap. 安いということが主な理由でその車を買った / This drink is made up *chiefly* of fruit juice. この飲み物の主な材料はフルーツジュースです. **2** まず第一に, 何よりも, 特に (*especially*).
── 形 (首)長の, (首)長にふさわしい.

†**chief·tain** /tʃíːftən/ 名 ⓒ《正式》(部族などの)首領, かしら; 首長.
chif·fon /ʃifán, ʃifən | ʃífɔn/《フランス》名 ⓤ シフォン《絹・ナイロン製の透けるような布》. ── 形 軽くてふんわりした.
chif·fo·nier, ‑fon‑ /ʃifəníər/ 名 ⓒ **1**《米》西洋だんす《《英》tallboy》《ふつう鏡付きで丈が高い》. **2**《英》(低い)食器戸だな.
chi·gnon /ʃíːnjan, ʃiːnjɔːn/《フランス》名 ⓤⓒ シニヨン《後頭部にまげを結う女性の髪型》.
Chi·hua·hua /tʃiwáːwɑː, -wə/ 名 ⓒ《動》チワワ《メキシコ原産の超小形犬》.
chil·blain /tʃílblèin/ 名 ⓒ《通例 ~s》しもやけ《frostbite より軽い症状》.
chíl·blàined 形 しもやけのできた.

:**child** /tʃáild/《「子宮の産物」が原義》派 childhood (名), childish (形)
── 名 (複 **chil·dren** /tʃíldrən/) ⓒ **1** (大人に対して)子供 (↔ *adult*)《◆ふつう14歳以下. boy, girl はふつう18歳以上. 《略式》は kid》; 児童; [*my* ~] 《呼びかけ》坊や, ぼく, お嬢ちゃん ‖ *from a child* 子供のころから (= since childhood) / The *child* is crying, isn't it [he]? あの子は泣いているのではありませんか《◆性別が不明のとき, 子供一般についていうときは it か he, he or she で受ける》/ What a *child*! 何という子供だ!《◆よい意味にも悪い意味にも用いる》; 何て子供っぽいんだ (= How childish!).

【語法】「子供というのは」という総称的な言い方では the children を用いる: *The children* [×*The child*] like to play. 子供というのは遊び好きだ.

【文化】英国の伝統的な厳格なしつけとして *Children should be seen and not heard*. (子供は大人の前に出てもよいが, 自分の方から口をきいてはいけない)というのがある. 今では古いという人もいる.

【表現】日本の「子供の日」は Children's Day とする.

childbearing

〖児童憲章〗は The *Child's* Charter. **2**(親に対して)子,子供,子女《代名詞は常に he か she》(↔ parent)‖ an only *child* ひとりっ子《甘やかされ,円滑な対人関係ができないというイメージがある》/ have a grówn-ùp *child* 成年に達した子供でいる. **3**〔通例 children〕子孫(↔ fathers)‖ the *children* of Israel イスラエルの子孫たち《ユダヤ人のこと》. **4** 子供じみた人, 幼稚な人‖ be a *child* about money 金銭に対してはまるで子供である / be such a *child* in worldly affairs 世事にとてもうとい. **5**〔人・神などの〕崇拝者, 信奉者;弟子〔of〕‖ a *child* of God 神の子;信者, 善人 / a *child* of the Devil 悪魔の子;悪人. **6**〔時代・風潮・作用・土地(柄)などの〕生み出した人間, 落とし子〔of〕‖ a *child* of the Renaissance ルネッサンスが生んだ人物 / a *child* of nature 自然児 / a *child* of the age of high technology ハイテク時代の申し子〔で生んだもの〕. **7**〔作用などの〕結果, 所産, 産物〔of〕‖ one's brain *child* (人の)頭脳の産物 / a *child* of fancy 空想の産物.
with child(古)妊娠して《◆pregnant の遠回し表現》‖ get her *with child* 彼女を妊娠させる / be great 〔heavy〕*with child* 出産が近い.
child abúse 子供(の)虐待.
child bénefit(英)児童手当.
child càre(1)育児. (2)(英)〔保護者のいない児童に対する地方自治体による一時的〕児童保護.
child lábo(u)r 年少者労働《特に法令で定めた年齢に達しないもの》.
child pródigy 天才児, 神童 (infant prodigy).
child's pláy (略式)簡単なこと, 朝飯前‖ be like *child's play* 児戯(じ)に等しい.
child·bear·ing /tʃáildbèəriŋ/ 名 U 出産.
child·bed /tʃáildbèd/ 名 U 産褥(じょく);分娩(ぶん)‖ *childbed* fever 産褥熱 / *in childbed* 分娩中に.
child·birth /tʃáildbə̀ːrθ/ 名 U〔正式〕出産, 分娩(ぶん)‖ 出産率 ‖ die in *childbirth* 出産のときに死ぬ.
child·free /tʃáildfríː/ 形 子供のいない.
*child·hood** /tʃáildhùd/ 〖→ child〗
——名 U〔時に a ~〕子供時代, 児童期;子供の身分《◆infancy と youth の間》(↔ adulthood)‖ *from*〔*since*〕*early childhood* 子供のときから / in my *childhood* 子供時代には(=〔略式〕as a *child* / when I was a *child*) / have a happy *childhood* 楽しい子供時代を過ごす / (be) in one's [*a*] second *childhood*(もうろくして)童心に返っている), 子供みたことをする / enjoy one's [*a*] sécond *childhood* 童心にかえって楽しむ.
childhood friénd 幼なじみ.
*child·ish** /tʃáildiʃ/ 〖→ child〗
——形 (more ~, most ~) **1** 子供の, 児童の;子供らしい‖ a *childish* coat 子供らしいふさわしい上着. **2** 子供っぽい, おとなげない, 幼稚な;ばかげた (cf. childlike)‖ a *childish* remark ばかげた意見 / Don't be *childish*. ばかげたことを言うな.
child·ish·ly 副 子供っぽく. **child·ish·ness** 名 U 子供っぽさ;幼稚.
†**child·less** /tʃáildləs/ 形 子供のない, 子無しの.
†**child·like** /tʃáildlàik/ 形《大人が子供らしい,《大人が)子供のように》純真な, 率直な (cf. childish)‖ a *childlike* faith in people 人々に対する純真な信頼.
child·mind·er /tʃáildmàində*r*/ 名 C (英)(特に両親が共働きの)子供を預かる人 (baby-sitter).
child-proof /tʃáildprúːf/ 形 子供が操作できない〔さわってもこわせない〕ようになっている.

chime

*chil·dren** /tʃíldrən/ 名 child の複数形.
chil·e /tʃíli/ 名 =chili.
†**Chil·e, Chil·i** /tʃíli/ 名 チリ《南アメリカにある共和国 (the Republic of Chile). 首都 Santiago》.
Chil·e·an, Chil·i·an /tʃíliən/ 形 C チリ人.
——形 チリ(人)の.
chil·i, chil·e,(主に英)**chil·li** /tʃíli/ 名 **1** U C〔植〕トウガラシ(の木);その実《香辛料にする》《(米)chili pepper》. **2** U =chili con carne.
chíli còn cár·ne /-kɑ̀n kɑ́ːrni | -kɔ̀n-/ /チリコンカルネ《チリのきいた豆とミンチ肉のシチュー. メキシコ料理》.
chíli sàuce チリソース.
Chil·i /tʃíli/ 名 =Chile.
*chill** /tʃíl/
——名 (複 ~s/-z/) C **1**〔通例 a/the ~〕(肌を刺す)冷たさ, 冷気《◆cold ほどではないが不快な冷たさ》‖ *the chill* of the night 夜の冷えこみ / take *the chill off* the milk 牛乳を少し温める / There was a *chill* in the air yesterday evening. きのうの晩は肌寒かった. **2** C〔通例 a ~〕(恐れなどによる身震いを伴う)寒け;(主に英)(悪寒を伴う)かぜ‖ *have* [*feel*] *a chill* 寒けがする / The sight sent *chills* of delight up [down] my spine. それを見てうれしくて背すじがぞくぞくした / He *caught* [*took, got*] *a chill* because he went out in the rain. 雨の中を出かけたので彼はかぜをひいた / fevers and *chill* 熱と悪寒. **3**〔正式〕〔通例 a ~〕冷淡(な態度);興ざめ, 陰気な感じ;恐怖‖ *cást* [*thrów*] *a chill over* [*on*] the párty パーティーに水をさす.
——形〔文〕〔通例名詞の前で〕冷たい;冷淡な《◆chilly の方がふつう》.
——動 (~s/-z/; 過去・過分 ~ed/-d/; ~·ing)
——他 **1** …を冷やす, 低温保存する《◆freeze までいかない》;〈人〉を寒がらせる,(やや文)ぞっとさせる (frighten)‖ The host *chilled* the wine before serving. 主人はそのワインを出す前に冷やした / *chill* his blood 彼に血も凍る思いをさせる / I was *chilled* to the bone [marrow]. 骨の髄まで冷えた〔ぞっとした〕. **2**〔正式〕〈興・熱意など〉をさます, そぐ.
——自〈物が〉冷える;〈人が〉寒がれする.
chilled /tʃíld/ 形 冷却された, 冷蔵の‖ *chilled* beef 冷蔵牛肉《◆冷凍牛肉 (frozen beef)より風味がよい》.
chill·er /tʃílə*r*/ 名 C **1** ぞくぞくさせる物〔人〕;(略式)スリラー〔サスペンス〕映画〔小説〕. **2** 冷却装置.
chil·li /tʃíli/ 名 (主に英) =chili.
chill·ing /tʃíliŋ/ 形 **1** 冷たい. **2** おそろしい(frightening). **3** 憂うつにさせる.
*chill·y** /tʃíli/
——形 (通例 --i·er, --i·est) **1**(不快なぐらい)うすら寒い, ひんやりとした;(寒さで)ぞくぞくする《◆cold ほど冷たくはない. → cool 形1》‖ a *chilly* wind ひんやりした風 / a *chilly* room うすら寒い部屋 / *feel chilly* 寒けがする. **2**(略式)冷淡な, よそよそしい (unfriendly)‖ a *chilly* welcome すげない出迎え. **3**(恐怖・不安で)ぞっとする.
——副 うすら寒く, ひんやりと;冷淡に.
chill·i·ness 名 U うすら寒さ;寒さ;冷淡.
chi·maer·a /kaimíərə, ki-/ 名 =chimera.
†**chime** /tʃáim/ 名 **1**〔しばしば ~s〕**a**《種々の音が出るよう組み合わされた1組の》鐘, 〔音響〕調律した鐘を並べた打楽器》‖ a *chime* of bells 1組の鐘. **b** 鐘の音;鐘の奏でる音楽‖ ring [listen to] the *chimes* 鐘を鳴らす〔鐘の音を聞く〕. **2** C (玄関・時計の)チャイム(装置).

——動 ⑯ **1**〈人がか〉鐘などを〉鳴らす，…で音楽を奏でる．**2**〈鐘などが〉鳴って〈時刻を〉知らせる‖ The clock *chimed* noon. 時計が正午を告げた．——⑲ **1**〈鐘・時計が〉鳴る‖ The bells *chimed* as the couple left the church. 2人が教会を出て行く時鐘が鳴り響いた．**2**(略式)〈物・事が〉〈物・事と〉調和[一致]する(+*in*, *together*)(*with*)‖ Do her ideas *chime* (*in*) *with* yours? 彼女の考えは君と同じですか．

chíme ín 〘自〙(略式) (1) 合づちを打つ，口をはさむ；〔歌・議論などに〕調子を合わせて加わる(*on*). (2) → ⑲2.

chi·mer·a, --maer·- /kaiˈmɪərə, ki-/ 〘名〙 **1** [the C~]〔ギリシャ神話〕キメラ《頭はライオン，胴はヤギ，尾はヘビで火を吐く怪獣》；〘C〙(一般に)怪物．**2** 〘C〙(奇怪な)幻想，実現しそうもない考え．

chi·mer·i·cal, --ic /kaiˈmɛrik(l), ki-/ 〘形〙 怪物のような；想像上の；奇想天外な；空想にふける．

†**chim·ney** /ˈtʃɪmni/ 〘名〙〘C〙 **1** 煙突《◆暖炉から屋根に通じる全体をさすが，ふつうには屋根の上の部分だけをいう．(図) → house》‖ He smokes like a *chimney*. 彼はとてもたくさんタバコを吸う / a short [thick] *chimney* 低い[太い]煙突．**2** (ランプの)ほや．**3** (登山) チムニー《岩・かけの縦の裂け目》．

chímney brèast (主に英)炉胸《暖炉で部屋に突き出た壁の部分》．

chímney còrner [nòok] (主に英)(旧式の暖炉の)炉隅，炉火に近い居心地のよい場所；炉ばた(fireside)《◆煙突の隅ではない》．

chímney pòt (主に英)通風用の煙出し《陶器・金属製》；(米略式)シルクハット．

chímney swèeper [(略式) **swèep**] 煙突掃除人[道具]．

chimp /tʃɪmp/ 〘名〙(略式) =chimpanzee.

chim·pan·zee /ˌtʃɪmpænˈziː, ‑, (英+) ‑pən‑/ 〘名〙〘C〙 チンパンジー，(略式) chimp).

†**chin** /tʃɪn/ 〘名〙〘C〙 (人の)下あご，あご先《(図) → body》《◆あご(jaw)の先端．jaw と共に不屈の意志や挑戦的な態度をさすときによく用いられる》《使い分け》⇒ jaw **1**)‖ stick [thrust] one's *chin* out (挑戦・反抗・決意を示して)あごを突き出す / rub [stroke] one's *chin* あごをなでる《◆機嫌よくものを考えているときの動作》．

chín in áir あごを突き出して．

Chín úp! (略式)がんばれ．

kéep one's ***chín úp*** (略式)〔しばしば命令形で〕(難局にも)勇気を失わない，元気を出す(cf. Chin up!).

táke 〔**A**〕 ***on the chín*** (略式) (1) [**A** がit の場合](失敗[大失敗]する；苦難を覚悟する．(2) (失敗・苦難などにじっと耐える《◆ボクシングに由来》．

úp to the [one's] ***chín*** [英略式]〔…に〕深くはまり込んで[in].

wág one's ***chín*** (略式)べらべらしゃべる．

chín dìmple あごにできたえくぼ．

chín rèst (バイオリンの)あご当て．

chín whìskers あごひげ(beards).

Chin. (略) China; Chinese.

chin·less /ˈtʃɪnləs/ 〘形〙(英略式) 意志が弱い．

†**chi·na** /ˈtʃaɪnə/ 〘名〙〘C〙 **1** 磁器；磁器製品(chinaware)《◆ porcelain の日常語》‖ *a piece of china* 1個の磁器 / a *china* vàse 磁器の花びん．**2** 〔集合名詞〕陶磁器類，瀬戸物；(女性語) 皿，食器類 ‖ a collection of *china* 陶磁器のコレクション．

chína clày 陶土．

chína clòset (ガラス張りの)瀬戸物(陳列)戸だな．

‡**Chi·na** /ˈtʃaɪnə/ 〘中国最初の統一王朝「秦(Ch'in)」の名から〙⑯ Chinese 〘形・名〙

——〘名〙 中国《現在は正式名 the People's Republic of China 中華人民共和国．首都 Beijing [Peking] (北京). (別称・愛称) Chinese Republic, Flowery Kingdom, the Middle Kingdom. (古) the Celestial Empire, (古) Chinese Empire. (俗称) Communist China, Red China》《◆「中華民国」は the Republic of China. cf. Taiwan》；〔形容詞的に〕中国(産)の‖ a *China* aster 〔植〕エゾギク / the *China*-Japan Friendship Association 中日友好協会．

Chína sýndrome (原子炉の)破局的事故《◆「米国で溶融した炉心が地球の反対側の中国まで達するほど強力な」の意》．

Chína téa 中国茶．

Chína wàtcher 中国問題の専門家，中国通．

China·man /ˈtʃaɪnəmən/ 〘名〙(複 **-men**) 〘C〙(侮蔑)中国人((PC) Chinese (person)).

China·town /ˈtʃaɪnətaʊn/ 〘名〙〘C〙 (時に the ~) (中国以外の都市にある)中国人街，中華街，チャイナタウン．

china·ware /ˈtʃaɪnəˌwɛər/ 〘名〙〔集合名詞〕陶磁器(食器)類．

chin·chil·la /tʃɪnˈtʃɪlə/ 〘名〙 **1** 〘C〙〔動〕チンチラ《南米産のリスに似た小動物》；〘U〙その毛皮《柔らかで灰色の高級毛皮》．**2** 〘U〙(米)チンチラ織り《コート用の厚い毛織物》．

chine /tʃaɪn/ 〘名〙〘C〙 **1** (動物の)背骨(backbone). **2** (料理用の)背骨つきの肉．

‡**Chi·nese** /ˌtʃaɪˈniːz, ‑/《◆ 名詞の前で用いるときは発音はふつう /ˈ‑/: a *Chínese* boy》《→ China》

——〘形〙 中国の；中国人[語]の‖ *Chinese* medicine 漢方医学 / *Chinese* classics 中国古典，漢文学．

——〘名〙 **1** (複 **Chi·nese**) 〘C〙 中国人《類語》Chinaman)；(the ~；複数扱い) 中国国民《語法》→ Japanese). **2** 〘U〙 中国語《略》Chin., Ch.).

Chínese cábbage [léaves] 白菜．

Chínese cháracter 漢字．

Chínese Cómmunist Párty [the ~] 中国共産党．

Chínese lántern (1) (紙張り)ちょうちん《野外パーティーの装飾などに用いる》. (2) 〔植〕ホオズキ．

Chínese Revolútion [the ~] 辛亥(シンガイ)革命．

Chínese Wáll (1) [the ~] 万里の長城(the Great Wall of China). (2) [a ~ wall] 越えがたい障壁．

†**chink**[1] /tʃɪŋk/ 〘名〙〘C〙 すき間；割れ目，裂け目《(すき間からもれる)光》‖ a *chink* in the curtains カーテンのすき間 / a *chink* of light 一条の光 / a *chink* in the [one's] armor 弱点．

chink[2] /tʃɪŋk/ 〘名〙 [a/the ~] (硬貨・ガラス器の)チャリンと鳴る音．——⑯〈硬貨などが〉チャリンと鳴る．——〈硬貨などを〉チャリンと鳴らす．

chi·no /ˈtʃiːnoʊ/ 〘名〙(複 ~**s**) 〘C〙 [~s] 綿あや織りのカーキ色のズボン．

Chi·no- /ˈtʃaɪnoʊ‑/ 〘語要素〙 ⇒ 語要素一覧(1.3).

Chi·nook /ʃəˈnʊk, tʃɪˈnʊk/ 〘名〙(複 ~**s**, 〔集合名詞〕**Chi·nook**) 〘C〙 チヌック族《北米太平洋岸先住民の一部族》；〘U〙 チヌック語．**Chinóok Státe** (愛称) [the ~] チヌック族の州《Washington 州》．

chin-strap /ˈtʃɪnstræp/ 〘名〙〘C〙 (帽子などの)あごひも．

†**chintz** /tʃɪnts/ 〘名〙〘U〙 チンツ《カーテン・クッション・家具

†du·cal /djúːkl/ 形 《正式》公爵(duke)の; 公爵領の.

†duch·ess /dʌ́tʃis/ 名 [しばしば D~] © **1** 公爵夫人 [未亡人]. **2** ≒ duke の妻. **3** 《口語》(公国の公妃).

†duch·y /dʌ́tʃi/ 名 [しばしば D~] © **1** 公国, 公爵領 (dukedom) 《duke または duchess の領地》. **2** 英国の両公国 (Cornwall および Lancaster).

*duck¹ /dʌk/ 名 『「水にもぐるもの (diver)」が原義』
―名 (複 ~s/-s/, [集合名詞] duck) **1** © 《広義》アヒル, カモ 《◆ おしゃべり・あざむきなどの象徴》‖ a domestic duck アヒル / a wild duck 野ガモ 《◆ 鳴き声は quack》. **2** © 《狭義》雌ガモ, アヒルの雌 (⇔ drake). **3** Ⓤ カモ[アヒル]の肉. **4** © 《英略式》かわいい子[人] 《◆ 男から子供や, 女からはだれにでも呼びかけとして用いる. ducky, ducks ともいう》.

dúcks and drákes 水切り遊び 《石を投げて水面にとばす遊び》.

dúck sòup 《米略式》たやすいこと; 朝飯前.

duck² /dʌk/ 動 **1** (見られないように, 打たれないように) ひょいとかがむ, 頭をひょいとひっこめる [水に入れる]. 先端がひょいとひっこむ (+down). **2** (急いで)隠れる, 逃げる. ―他 **1** (頭・体などをひょいとひっこめる, …を[水に]沈める[in]. **2** …をひょいとかわす; 《略式》(責任・困難などから)のがれる.

dúck óut (自) 《略式》(…の)責任をかわす[of].
―名 © ひょいとかわすこと; 急に水にもぐること.

duck³ /dʌk/ 名 Ⓤ ズック(水兵服・テント用布地); [~s; 複数扱い] (白い)ズック製のズボン.

duck·bill /dʌ́kbil/ 名 © 《動》カモノハシ (platypus).

duck·ing¹ /dʌ́kiŋ/ 名 Ⓤ カモ猟.

duck·ing² /dʌ́kiŋ/ 名 **1** Ⓤ © 水中に突っ込むこと; ずぶぬれ. **2** Ⓤ ひょいと頭を下げる[体をかがめる]こと; 《ボクシング》ダッキング.

duck·ling /dʌ́kliŋ/ 名 © 《鳥》子ガモ, アヒルの子.

duck·weed /dʌ́kwiːd/ 名 Ⓤ 《植》アオウキクサ.

duck·y /dʌ́ki/ 《英略式》名 《女性からの呼びかけ》あなた. ―形 (-i·er, -i·est) [反語的に] すばらしい, すてきな, かわいい.

duct /dʌkt/ 名 © **1** 送水管, 通気管. **2** 《解剖》導管, 輸送管. **3** 《植》導管, 脈管. **4** 《建築》ダクト, 暗渠(きょ); 《電気》ダクト, 線溝.

duc·tile /dʌ́ktil | -tail/ 形 **1** 《金属などが》打ち伸ばせる, 延性のある. **2** 《粘土などが》どんな形にもなる. **3** 《正式》《人・行動が》柔順な.

duct·less /dʌ́ktləs/ 形 導管のない.

dúctless glánd 《解剖》内分泌腺.

dud /dʌd/ 名 Ⓤ 《略式》役に立たない人[もの].

†dude /djuːd/ 名 © **1** めかし屋. **2** 《米俗》野郎, やつ, 人. **3** 《やや古》(西部の牧場で休日を過ごす)《米国東部などの》都会人.

dúde rànch 《米》(西部の)観光用牧場 《開拓時代の cowboy の生活を見せる》.

*due /djuː/ [同音] dew] [『当然そうあるべき』が本義] 派 duly (副)

index 形 **1** 到着予定で **2** 当然支払われる[支払う]べき **3** 支払い期日の来た **4** 当然の

―形 《◆比較変化しない》**1** [補語として] 〈人・乗り物が〉(場所に/時間に)到着予定で [at, in / at]; 〈人・物が〉〈…する〉ことになって [to do], 〈…の/…の〉はずで [to do / for] ‖ He is due to arrive today. 彼はきょう着くはずだ / The train is due (to arrive) in London at 5:30. 列車は5時30分にロンドン到着の予定だ / I am due for (a) promotion this spring. 私は今年の春昇進の見込みだ.

2 《正式》[補語として] 〈金銭・報酬などが〉〈人に〉当然支払われる[支払う]べき; 〈賞賛・尊敬などが〉〈人に〉当然与えられるべき (deserving) [to] 《◆米略式では to をはしばしば省略される, to のない due は前置詞とみなすことができる》; 〈人が〉〈報酬などを〉当然与えられるべき ‖ the honor (which is) due (to) her 彼女に与えられるべき名誉 / When are my wages due? 給料の支払い日はいつですか / Money is due (to) him for his work. 彼の仕事に対して当然金を払うべきだ / The automobile tax is due by the end of next month. 自動車税は来月末日が納入期限です / Remember that your debt is due for payment on Jan. 15. あなたの借金の支払い期日は1月15日であることを忘れないでください.

3 〈手形などが〉支払い期日の来た, 満期の; 〈提出物などが〉期限切れの, 〈返却物などが〉返却期限が来た ‖ the due dàte 支払い期日, 満期日; 予定日 / fàll [becòme] dúe (手形などが)満期になる / a bill due today きょう満期の手形.

4 《正式》[名詞の前で] **当然の**, 正当な, しかるべき (proper); 十分な ‖ in due fórm 正式に / drive with due care 十分注意して運転する / due reward for good work よい仕事に対するしかるべき報酬.

*dúe to A (1) → **2**. (2) [be 動詞・名詞の後で] …の理由[原因]で, …のために ‖ His absence was due to illness. 彼が休んだのは病気のためだ (=He was absent because he was ill.) / mistakes due to cárelessness 不注意による間違い. (3) 《略式》[副詞的に] …のために (because of) ‖ 対話 "Why was the game cancelled?" "It's due to the rain, I believe." 「試合はなぜ中止になったのですか」「雨のためだと思います」.

at the dúe tíme =in due COURSE (2).

―名 **1** Ⓤ © [通例 one's ~] 当然支払われる[与えられる]べきもの. **2** [~s] (クラブなどの)会費, 使用料, 手数料, 税, 料金, 賦課金 ‖ club dues クラブの会費 / membership dues 会費.

gíve A A's dúe 《正式》〈(好ましくない)人〉の能力[優れた点]を正当に評価する.

―副 [方位を示す副詞の前で] 正確に, 真(まっ)…に (exactly) 《◆比較変化しない》 ‖ go due west 真西へ行く.

†du·el /djúːəl/ [同音] dual] 名 © **1** 《歴史》決闘, 果たし合い 《◆介添人 (second) をつけ剣やピストルにより二者間で行なう》 ‖ fight a duel with one's rival lover 恋がたきと決闘する. **2** [二者間の]闘争, 争い (between) ‖ a verbal duel 論戦 / a duel of wits とんち比べ. ―動 (過去・過分) ~ed or 《主に英》du·elled/-d/; ~ing or 《主に英》-el·ling (自) 《歴史》[…と]決闘する (with).

dú·el·(l)er, **dú·el·(l)ist** /-ist/ 名 © 決闘する人.

dú·el·(l)ing 名 Ⓤ 決闘.

du·et /djuːét/ 《イタリア》名 © 《音楽》二重奏[唱], デュエット; 二重奏[唱]曲 (duo) (⇔ solo).

duff /dʌf/ 名 © ダフ 《小麦粉のかたいプディング》.

duf·fel, **duf·fle** /dʌ́fl/ 名 Ⓤ ダッフル 《粗毛ラシャの一種》.

dúffel bàg ダッフル=バッグ 《衣類・持ち物を入れる大きなズック製の雑嚢(のう)》.

dúffel còat ダッフル=コート 《フード付きの短いコート》.

duff·er /dʌ́fər/ 名 © 《古・略式》へたな人 [at]; ぼけ気味の老人.

duf·fle /dʌ́fl/ 名 =duffel.

†dug¹ /dʌg/ 動 dig の過去形・過去分詞形.

dug[2] /dʌg/ 名C (牛・ヒツジ・ヤギなどの)乳房; 乳首 (teat).

du·gong /dúːgɑŋ, (米+) -gɔːŋ|-gɔŋ/ 名C [動] ジュゴン (sea cow).

†dug·out /dʌ́gàut/ 名C **1** 防空[待避]壕(ごう). **2** [野球] ダッグアウト, ベンチ《選手の控え場所》. **3** 丸木舟 (canoe).

DUI (略) [法律] driving under influence (of alcohol) 飲酒運転.

duke /djúːk/ 名C **1** [しばしば D~] 公爵《◆尊称は Your [His] Grace (Marquess 以下は Lord). 称号では D~; 《女性形》duchess》(cf. prince) ‖ a royal *duke* 王族の公爵 / the *Duke* of Gloucester グロスター公爵.

[関連] [英国の貴族 (peerage) の階級]
	男性	女性
公爵	duke	duchess
侯爵	marquess	marchioness
	(英以外 marquis)	(英以外 marquise)
伯爵	earl	countess
	(英以外 count)	
子爵	viscount	viscountess
男爵	baron	baroness
	(cf. baronet, knight)	

2 (ヨーロッパの小公国(duchy)の)君主, 公; 大公.

†duke·dom /djúːkdəm/ 名 **1** C 公国, 公爵領 (duchy). **2** 公爵の位[身分].

dul·cet /dʌ́lsit/ 形《文》〈音が〉甘美な.

dul·ci·mer /dʌ́lsəmər/ 名C [音楽] ダルシマー《2本のつちで打ち鳴らす梯(はしご)形の金属弦の楽器》.

Dul·cin·e·a /dʌ̀lsəníːə, dʌlsíniə/ 名 ドルシネア《Don Quixote があこがれた田舎娘の名》; [d~] C 恋人.

*dull /dʌ́l/ (類音) doll /dɑ́l|dɔ́l/) 『「切れ味の悪い」が本義』
──形 (~·er, ~·est) **1** 〈本・話・パーティーなどが〉面白くない, 退屈な(boring), 飽き飽きする, 単調な ‖ What a *dull* sermon [speech]! なんと退屈な説教なんだ.
2 〈色・光・表面などが〉明るくない, 輝いていない(↔ bright) ‖ a *dull* red くすんだ赤色.
3 頭の鈍い, のみ込みの悪い(stupid) (↔ bright, sharp, keen) ‖ He is a *dull* pupil and slow to learn. 彼は頭が鈍い生徒で, ものわかりが遅い / She is *dull* of mind. 彼女は鈍い頭をしている.
4 《正式》〈刃物・刃などが〉(使用したため)切れ味の悪い, なまくらの; 〈鉛筆・先などが〉とがっていない(blunt) (↔ sharp) ‖ I can't write with this *dull* pencil. この先の丸くなった鉛筆では書けない.
5 〈音が〉はっきりしない(↔ clear), 低い(low); 〈味が〉さえない. **6** 〈天気・空・日などが〉曇った(cloudy), どんよりした, うっとうしい (↔ sunny). **7** 〈人・感覚が〉鈍い, 鈍感な; 〈目・耳などが〉よく機能しない ‖ be *dull* of hearing 耳が遠い. **8** [名詞の前で] 〈痛みなどが〉鈍い(↔ sharp). **9** 〈人・動物が〉あまり気のない, 活力のない, 気乗りのしない. **10** 〈商売などが〉沈滞した, 不振の(↔ busy); 〈商品・株式が〉売れ行きの悪い.
──動(~s/-z/; 過去・過分 ~ed/-d/; ~·ing)
──他 〈人・物・事が〉〈人・物・事を〉鈍くする 《(米) + *up*》; 〈痛みなどを〉和らげる; 〈感覚などを〉ぼんやりさせる ‖ *dull* the appetite 食欲をそぐ / Television can *dull* our creativity. テレビは創造力を鈍らせる力がある.

dull·ard /dʌ́lərd/ 名C 《古》ばか, のろま ‖ Yóu

dúllard! このばかめが!

†dul(l)·ness /dʌ́lnəs/ 名U **1** 鈍さ, 鈍感. **2** 不活発. **3** (色・音などの)さえないこと.

†dul·ly /dʌ́l(l)i/ 副 **1** 鈍く, のろく. **2** ぼんやりと. **3** 不活発に. **4** 単調に, 退屈そうに.

†du·ly /djúːli/ 副 **1** 《正式》正当に, 適切に. **2** 十分に. **3** 時間通りに; しかるべき時に. [◆形容詞は due]

Du·mas /djuːmɑ́ː|´-/ 名 **1** デュマ《Alexandre /æleksɑ̀ːndrə/ ~ 1802-70; フランスの小説家・劇作家》; (通称) Dumas père /-peə́r/ 大デュマ. **2** デュマ《Alexandre ~ 1824-95; フランスの劇作家. 1の息子》; (通称) Dumas fils /-fíːs/ 小デュマ.

*dumb /dʌ́m/ [発音注意] (類音) dam /dǽm/) 『「愚かな」が原義』
──形 (~·er, ~·est) **1**《略式》ばかな, 頭の悪い (stupid).
2 [驚き・恐怖などで] (一時的に)物も言えない(speechless) 《*with*》 ‖ be struck *dumb* with horror こわくて物も言えない
3 (発音器官の障害により)物の言えない, 口のきけない《◆(1) mute は生来の聴力器官障害によって音声を聞いたことがない人について用いる. (PC) speech-impaired. (2) 比較変化しない》 ‖ a school for the deaf and *dumb* 聾唖(ろうあ)学校. **4**《文》[通例補語として] 黙して語らない; 無口な(silent) ‖ remain *dumb* 黙ったままでいる. **5** [名詞の前で] 〈物・行為が〉音[声, 言葉]を出さない; 無言の.

dúmb shów 無言の身振り; パントマイム, 無言劇.

dúmb·ness 名U **1** 口のきけないこと. **2** 沈黙, 無言.

dumb·bell /dʌ́mbèl/ 名C **1** [通例 ~s] (木製・鉄製の) 亜鈴, ダンベル ‖ a pair of *dumbbells* 亜鈴1対. **2**《米略式》のろま, ばか《ふつう男性に》.

dumb·found /dʌ̀mfáund/ 動 他 [通例 be ~ed] 〈人が〉…に[…ということに] (一時的に)物も言えないほど驚く《*at, by / that* 節》.

†dumb·ly /dʌ́mli/ 副 (主に言うことが考えられないために)黙って, 無言で.

dum·found /dʌ̀mfáund/ 動《米》=dumbfound.

†dum·my /dʌ́mi/ 名C **1** (洋服屋などの)人台(だい), マネキン人形, 飾り人形; (射撃練習用の)標的人形; (フットボールなどの)練習用人形; 贋造(がんぞう)品術などの人形 ‖ The policeman shot at a crash-test *dummy* in order to test-fire the new pistol. 警察官は新しいピストルの試し撃ちのため, 標的の人形をねらって撃った. **2** (展示・広告用の)型見本, 模型, 模造品. **3**《英》(赤ん坊の)おしゃぶり, ゴム製乳首 (《米》pacifier). **4**《米略式》ばか者, とんま. **5**《俗》口のきけない人 (dumb); 無口な人. **6**《略式》何も発言[行動]しない人, かかし的人物; (他人の)手先, ロボット. **7** [トランプ] =dummy hand. **8** [コンピュータ] ダミー《機能は果たさないが形式上必要なデータ・ドライブなど》.

dúmmy còmpany 幽霊会社, ペーパーカンパニー.

dúmmy hànd (ブリッジの)ダミー《切り札の宣言者(declarer)のパートナーのことで, 自分の手札を卓上にさらし宣言者にプレーさせる》; ダミーの手.

dúmmy rùn 予行練習, 試験的攻撃[上陸], 試走.

†dump[1] /dʌ́mp/ 動 **1** 他《略式》…を(ぞんざいに)どさっと落とす[降ろす] ‖ *dump* a heavy shopping bag on the table 重いショッピングバッグをテーブルにどさっと降ろす. **2** (ひっくり返したり傾けたりして)〈車・容器などを〉からにする, 〈車, 容器から〉〈積荷や液体を〉あける; 《略式》〈人〉を車から降ろす. **3**《略式》〈ごみなどを〉捨てる, 処分する; 〈恋人などを〉捨てる, 見限る ‖ No *dumping* (here). 〔掲示〕ごみを捨てるな. **4**〔商

業)〈過剰商品〉を投げ売りする, (特に海外市場に)ダンピングする. **5**〖コンピュータ〗…をダンプする, 印字[表示]する. ──⾃ **1** どさっと落ちる. **2** 積荷[中味]を降ろす; ごみを捨てる.

dúmp on A〖人を目がけて〗(on **11**)ごみを捨てる(dump **2**)〖《略式》〗〈人〉をけなす;〈人〉に悩みなどを聞かせる.

──名 Ⓒ **1** ごみ捨て場(《英》tip). **2** ごみの山. **3** 《略式》汚い[みすぼらしい, 乱雑な]場所. **4** 〖コンピュータ〗ダンプ《記憶領域の内容を印字[表示]すること》.

dúmp trùck《米》ダンプカー(《米》dumper truck, 《英》dumper)◆×dump car とはいわない》.

dump² /dʌmp/ 名《略式》[~s] 憂うつ.
(*dówn*) *in the dúmps*《略式》ふさぎ込んで, 意気消沈して, 憂うつで.

dump·er /dʌ́mpər/ 名 Ⓒ《英》=dumper truck.
dúmper trùck《米》ダンプカー.

dump·ing /dʌ́mpɪŋ/ 名 Ⓤ **1**(ごみ・有害物などの)投げ捨て, 廃棄. **2**《商業》投げ売り, ダンピング.

dump·ling /dʌ́mplɪŋ/ 名 Ⓒ Ⓤ **1**(肉入り)ゆでだんご《スープ・シチューなどの煮込み料理用》;(リンゴ入り)焼きだんご《デザート用》.

dump·y /dʌ́mpi/ 形(-i·er, -i·est)《略式》〈人が〉ずんぐりむっくりの.

dun /dʌn/ 名 Ⓒ 形 《略式》こげ茶色の(馬).
Dun·can /dʌ́ŋkən/ 名 **1** ダンカン《*Isadora*/ɪzədɔ́ːrə/ ~ 1878-1927; 米国の女性舞踊家》. **2** ダンカン《Shakespeare 作 *Macbeth* 中の王の名》.

†**dunce** /dʌns/ 名 Ⓒ **1** 劣等生, できの悪い生徒. **2** のろま, うすのろ, ばか者.

Dun·dée càke /dʌndíː-/(主に英)(アーモンドで飾りつけた)フルーツケーキ.

†**dune** /djuːn/ 名 Ⓒ(風に吹かれて盛り上がった)砂の小山, 砂丘(sand dune).
dúne bùggy(砂丘走行用の)小型軽量自動車(beach buggy).

†**dung** /dʌŋ/ 名 Ⓤ(牛・馬などの)ふん, くそ;(家畜による)肥料, こやし.

dun·ga·ree /dʌ̀ŋɡərí:/ 名 **1** Ⓤ ダンガリー布《インド産粗製綿布》. **2** [~s] ダンガリー製ズボン《作業服》.

†**dun·geon** /dʌ́ndʒən/ 名 Ⓒ **1**《歴史》(城内の)土牢(ろう), 地下牢. **2** 天守閣, 本丸.

dung·hill /dʌ́ŋhɪl/ 名 Ⓒ(家畜の)ふんの山.

dunk /dʌŋk/ 動 他《略式》(パンなどを)〔飲み物に〕ちょっと浸して食べる(*in*, *into*).
dúnk shòt〖バスケットボール〗ダンクシュート.

Dun·kirk /dʌ́nkɜːrk/ 名 ダンケルク《フランス北部の海港. 第二次世界大戦で英軍がこの港から奇跡的撤退をした》.
Dúnkirk spírit ダンケルク魂, 不屈の精神.

dun·no /dənóʊ/(俗)=(I) don't know.

duo /djúːoʊ/ 名(~**s**)Ⓒ **1**〖音楽〗二重奏[唱](者);二重奏[唱]曲(duet). **2**《略式》2 人組(couple).

†**dupe** /djuːp/ 名 Ⓒ **1** だまされやすい人, ぼんやり者, 間抜け. **2**(人・権力などの)手先, お先棒. ──動 他〈人〉をだます;…をかついで[…]させる〖*into doing*〗.

du·plex /djúːpleks/ 形 **1** 2 倍の, 二重の;2 部分をもつ. **2**《機械》複式の. ──名 Ⓒ **1** =duplex apartment. **2** =duplex house.
dúplex apártment《米》(高級な)複式アパート《1 戸が上下 2 階に部屋をもつ》.
dúplex hóuse《米》2 世帯用住宅.

†**du·pli·cate** /djúːplɪkət; 動 -kèɪt/ 形 **1**(他のものと)まったく同じの, 複写の. **2** 二重の, 対の;(cf. triplicate).
──名 Ⓒ **1**(同一のものの)写し, 複製, 複写;副本;複製物. **2**(他のものと)まったく同じもの.
in dúplicate《正式》《正副》2 通りに.
──動 **1** …の写し[コピー]を作る, …を複製[複写]する;…をまねる ‖ *a duplicating machine* 複写機. **2** …を 2 倍[二重]にする. **3** …を繰り返す.

du·pli·ca·tion /djùːplɪkéɪʃən/ 名 Ⓤ 2 倍, 二重, 重複. 2 Ⓒ 複製, 複写; Ⓒ 複製物, 複写物, コピー.

du·pli·ca·tor /djúːplɪkèɪtər/ 名 Ⓒ 複写機;複写者.

du·ra·bil·i·ty /djùərəbíləti/ 名 Ⓤ 耐久性, 耐久.

†**du·ra·ble** /djúərəbl/ 形《正式》**1**〈衣服・材料・色などが〉長持ちする, 耐久力のある. **2**〈協定・平和・友情などが〉永続性のある(lasting). ── 名 Ⓒ =durable goods. **dúrable góods** 耐久消費財《自動車・冷蔵庫など》◆ しばしば consúmer dùrables ともいう》.

dú·ra·bly 副 永続的に, 丈夫に.

du·ral·u·min /djuræljəmən/ 名 Ⓤ ジュラルミン《軽くて丈夫なアルミニウム合金》.

†**du·ra·tion** /djuəréɪʃən/ 名 Ⓤ《正式》[the ~](時間の)継続;(ふつう事柄の)存続[持続]期間.
for the durátion《略式》(1) 当分の間, 長い期間に(わたって). (2)〔…の〕間中(ずっと)〖*of*〗.

du·ress /djuərés/ 名 Ⓤ《正式》《法律》(不法な)強迫, 強要, 強制 ‖ *ùnder duréss* 強迫[強制]されて.

Dur·ham /dɔ́ːrəm | dʌ́rəm/ 名 **1** ダラム《イングランド北東部の州. その州都》. **2** Ⓒ〖動〗ダラム州原産の食用牛.

dur·ing /djʊ́ərɪŋ, djʊ́ərɪŋ | djʊ́ərɪŋ/《類音》dar-ing)〖続く(dure)間(ing). cf. endure〗

──前 **1**[期間]〈ある特定の期間〉の間じゅう(ずっと)《◆ for と交換不可. during は「いつ」起こるか, for は「どのくらい長く」続くのに言及する》‖ *during* [×for] my stay in London ロンドン滞在中ずっと《◆ 文脈により「滞在中のある時に」の意味で用いられることもある. → 2》/ This street is very noisy *during* [×for] the day. この通りは昼間はたいへん騒がしい / The doors remained shut *during* [×for] the concert. 演奏中ドアは閉められていた.

2[時点]〈特定の期間〉のある時に, …の間に ‖ She went to Hong Kong *during* [in] May. 彼女は 5 月に香港へ行った《◆ in がふつう》/ I was in (the) hospital for two weeks *during* [in, ×for] the summer. 私は夏 2 週間入院していた / She left *during* [×in, ×for] my lecture. 彼女は私の講義中に出て行った《◆ 活動を暗示する場合は in は不可》/ 〖ジョーク〗 "What's the difference between the school bell and a cell phone?" "One rings between lessons, the other *during* them."「学校のチャイムと携帯電話の違いは?」「前者は授業の合い間に鳴り, 後者は授業中に鳴る」.

語法 (1) during は定冠詞・指示代名詞に導かれた語句と共に用いることが多い. ただし the last [past, next] two years などでは for も during も可.
(2) **1**, **2** ともに接続詞を用いて言い換える場合は when ではなく while.
(3) **1**, **2** ともに ×during doing は不可: He hit a great idea while [×during] taking a bath. 彼は風呂に入っている時にいい考えが浮かんだ.
(4)「始めから終わりまでずっと」の意では through, throughout.

†dusk /dʌ́sk/ [名][U] **1** (文) 夕暮れ時, たそがれ(↔dawn)《◆ twilight の暗い時》‖ *Dusk* is falling. 夕やみが迫っている / *at dúsk* 夕暮れに / *àfter dúsk* 日が暮れてから. **2** (詩)(薄)暗がり ‖ in the *dusk* of the evening 夕やみに.

†dusk·y /dʌ́ski/ [形] (--i·er, --i·est) **1** 薄暗い. **2** 薄黒い, 黒ずんだ. **3** 陰気な, 憂うつな. **4** (やや古) 皮膚が黒い, 黒人の《◆ dark(e)y の遠回し語》‖ the *dusky* races 黒人種.

†dust /dʌ́st/ [名][U] **1** ちり, ほこり《細かいごみ・砂・土・灰・花粉・胞子など. 掃除や使用の状況と結びつけて考えられる語》‖ a desk covered thick with *dust* ほこりが厚く積もった机 / Wipe the *dust* off the table. テーブルのほこりを拭(ふ)き取りなさい. **2** [a ~] 立ちのぼるほこり[土ぼこり, 砂ぼこり](a cloud of dust); ちり[ほこり]を払うこと ‖ The speeding car *raised* [made] quite *a dust* behind it. スピードを出して走っている車はものすごい土ぼこりを立てた. **3** [通例複合語で] 粉末, 粉 ‖ coal *dust* 石炭粉 / góld *dust* 砂金. **4** (古・文) 遺骨, なきがら, (死体が元に戻ってできる)ちり. **5** [the ~] (埋葬地としての)土, 地面 ‖ be *in the dust* 死んでいる. **6** 不名誉, 屈辱. **7** つまらぬもの[人] ‖ treat him like *dust* 彼をちりあくたのように扱う. **8** (略式) [a ~] 混乱, 騒動 ‖ *kick úp* [*màke, ráise*] *a dúst* (about ...) (…のことで)ごたごたを起こす; 文句を言って騒ぐ. **9** (英) 灰; (家庭から出る)ごみ, くず.

(as) drý as dúst 〈人・本などが〉まったく面白くない; 〈人が〉とてものどの渇いた.

bíte* [*éat, kíss, líck*] *the dúst (略式) (1) (主に戦争で)死ぬ, 殺される; 落馬する, 負傷する. (2) (試合などで)完敗する.

dúst and áshes がらくた; つまらぬもの.

***whèn the dúst séttles* [*has séttled*]** 騒ぎがおさまると, ほとぼりが冷めると.

——[動][他] **1** [dust **A** with **B** =dust **B** on [onto, over] **A**] 〈人が〉**A**〈物〉に**B**〈粉など〉を振りかける, まく; 〈物〉に粉をかける ‖ *dust* a cornfield *with* an insecticide =*dust* an insecticide *on* a cornfield トウモロコシ畑に殺虫剤をまく. **2** 〈人が〉〈人・物〉のほこりを(ブラシをかけて[拭(ふ)いて, 掃(は)いて, たたいて])〔…から〕とる(+*off, down*)〔*from*〕‖ *dust* the furniture 家具のほこりを払う / *dúst* onesèlf *dówn* [*off*] (手で軽くはたいて[ブラシをかけて])体[服]のほこりをきれいに払う. **3** …にほこりをまき散らす.

——[自] (家具などの)ほこりを払う, 掃除をする.

dúst dówn [他] (1) →[他] **2**. (2) (略式) 〈人〉を厳しくしかる.

dúst óff [他] (1) →[他] **2**. (2) 〈長く放置していた物・技術など〉を再び用いる.

dúst bàth (鳥の)砂浴び.

dúst bòwl (砂あらしの吹く)黄塵(じん)地帯; [the D~ B-] (1930年代砂あらしの被害を受けた)米国中南部の乾燥平原地帯.

dúst còver (1) (家具の)ほこりよけカバー. (2) =dust jacket.

dúst jàcket (紙の)ブックカバー《◆ 単に jacket ともいう》.

dúst shèet (英) =dust cover (1).

dúst stórm (乾燥地帯の)砂塵(じん)あらし.

dust·bin /dʌ́stbìn/ [名][C] (英) (戸外に置かれる)大型の)ごみ[ちり]箱((米) ashbin, ash can, garbage [trash] can).

dust·cart /dʌ́stkɑ̀ːrt/ [名][C] (英) ごみ収集車((米) garbage truck).

dust·cloth /dʌ́stklɔ̀(ː)θ/ [名][C] ぞうきん.

dust·er /dʌ́stər/ [名][C] **1** ふきん, ぞうきん; はたき, ブラシ. **2** (薬剤)散布器. **3** ほこりを払う人[物], 掃除人[機]. **4** (米) ダスターコート《◆ ×duster coat とはいわない》; (女性用のゆるくて長い)家庭着.

dust·ing /dʌ́stiŋ/ [名] **1** [U] (粉などを)振りかけること. **2** [U][C] ほんの1握りの量 ‖ a *dusting* of ice ほんの少しの氷.

dust·less /dʌ́stləs/ [形] ほこり[粉]のない; ほこりの立たない.

dust·man /dʌ́stmən/ [名] ([複] --men) [C] (英) ごみ収集人((PC) cleaner; (米) garbage collector).

***dust·y** /dʌ́sti/

——[形] (--i·er, --i·est) **1** ほこりまみれの, ほこりをかぶった; ほこりっぽい ‖ piles of *dusty* books in the room 部屋に山と積まれたほこりまみれの本. **2** ほこりのような, 粉末状の. **3** (色が)灰色がかった, くすんだ. **4** 無味乾燥な; はっきりしない; 生気のない.

dúst·i·ly [副] ほこり[ちり]まみれで. **dúst·i·ness** [名][U] ほこりだらけ; あいまいさ.

***Dutch** /dʌ́tʃ/ 〖もと「ドイツの(deutsch)」を意味したがオランダ独立後, 今の意となる〗

——[形] **オランダの**《◆ 国名をいう場合は the Netherlands, Holland》; **オランダ人[語]の**; オランダ製[産]の; オランダ式[流, 風]の.

[事情] 17-18世紀にオランダが貿易などで英国の競争相手であったことから, 軽蔑(べつ)的な意味を含む成句・複合語が多い.

***gò Dútch* (with A)** (略式) 各自が自分の金額を払う, (人と)割勘にする《◆ オランダ人に対しては失礼な表現. split the bill が好まれる》‖ Shall we go *Dutch* for supper? 夕食は割勘にしましょうか.

——[名] **1** [the ~; 集合名詞; 複数扱い] **オランダ人[国民]**《◆ 個人は a Dutchman, a Hollander. [語法] → Japanese》. **2** [U] オランダ語.

béat the Dútch (米略式) 〈人が〉あっというようなことをする; 〈物・事が〉人のどぎもを抜く.

dóuble Dútch (1) (英略式) 〔人に〕到底理解できない話[言葉]; ちんぷんかんぷん〔*to*〕‖ It's *double Dutch to* me. 私にはまったくわけがわからない. (2) ダブルなわとび《2本の長い棒を使う》.

***in Dútch with* A** (俗) 〈警察など〉ともめ事を起こして; 〈上役など〉とうまく行かなくて.

Dútch chéese オランダチーズ《オランダ産の小さくて丸い固い種々のチーズ. 特に Edam, Gouda など》.

Dútch dáting (略式) 費用各自持ちのデート.

Dútch dóor ダッチドア, 二段戸《上下二段に仕切られ別々に開閉できる. 台所などで使われる》.

Dútch Èast Índies [the ~] オランダ領東インド諸島《インドネシア共和国の旧称》.

Dútch óven (1) 圧力なべ《シチューなどを作るのに使う》. (2) (前部が開いている)肉焼き器.

Dútch tréat (略式) 割勘の食事[パーティー].

Dútch úncle (略式) 歯に衣を着せずものを言う人 ‖ talk to him like a *Dutch uncle* 彼にこんこんと諭す.

†Dutch·man /dʌ́tʃmən/ [名] ([複] --men/-mən/) [C] オランダ人(Hollander) ((PC) Dutch person; [複] Dutch people) ([語法] → Japanese).

du·ti·a·ble /d(j)úːtiəbl/ [形] (正式) 〈商品が〉関税を課せられる, 有税の.

†du·ti·ful /d(j)úːtifl/ [形] **1** 〈人・行為が〉〔…に〕本分を尽くす, 義務を果たす, 忠実な, 従順な〔*to*〕. **2** 礼儀正しい, うやうやしい. **dú·ti·ful·ly** [副] 忠実に; 礼儀正しく. **dú·ti·ful·ness** [名][U] 忠実, 従順; 礼儀正しさ.

du・ty /djúːti/ [[「負うべきこと」が本義]]
— 名 (-・ties/-z/) **1** ⓊⒸ〔…する/…に対する/…としての〕(正義感・道徳・心・良心・法などによる)義務, 本分; 義理〔*to do* / *to* / *as*〕◆外的な事情から生ずる義務は主に obligation〕‖ a sense of *duty* 義務感 / **dó** one's *duty* 本分を尽くす / a *duty* to earn money for one's family 家族のために金をかせぐ義務 / It is a scholar's *duty* to devote himself to study. 研究に専念することが学者の本分です.
2 Ⓒ 職務, 任務, 職責(task) ‖ One of the *duties* of a policeman is giving directions to tourists. 警官の職務の1つは旅行者に道を教えることだ.
3 ⒸⓊ [しばしば duties]〔…の〕税金, 関税〔on〕‖ impose a *duty* on imported cars 輸入車に税金を課す / I had to pay *duty* on the watch I brought from Canada. カナダから持ち帰った時計の関税を払わねばならなかった. **4** Ⓤ 軍務, 兵役. **5** Ⓤ (教会の)礼拝式の勤め.
dó dúty for [(米) **as**] A 〈物が〉〈物〉の代わりとなる.
óff dúty (警官・看護師などが)非番で, 勤務時間外で.
on áctive dúty (米)=on active SERVICE.
on dúty (警官・看護師などが)当番で, 勤務時間内で.
duty-free /djúːtifríː/ 形 関税なしの, 免税の[で].

DVD /díːvìːdíː/〈主に米〉[digital versatile [video] disk] 名 ディーブイディー, デジタルビデオディスク.

Dvo・rák /dvɔ́ːrʒɑːk | -ʒæk, -ʒek/ 名 ドボルザーク《**Antonín** /ɑːtɔːnjìːn/ ~ 1841-1904; チェコの作曲家》.

†**dwarf** /dwɔ́ːrf/ 名 (~**s**, **dwarves**/dwɔ́ːrvz/) Ⓒ
1 小人, 一寸法師(↔ giant). **2** (同種のふつうサイズよりずっと)小さい動物[植物]. **3** (童話などの)魔力を持つ醜い小びと(= midget).
— 形 ふつうよりずっと小さい; 小型の.
— 動 他 **1** …の発育[成長]を妨げる, …を小さくする; …を小さく見せる ‖ *dwarfed* trees 盆栽. **2** …を小さく見せる.
dwárf・ish 形 小びとのような, けたはずれて小さい.

†**dwell** /dwél/ 動 (過去・過分 **dwelt**/dwélt/ or ~**ed**) 自 **1** 〈文〉〔…に〕住む, 居住する(live)〔*in, at, on* など〕‖ *dwell in* the country 田舎に住む / *dwell among* foreigners 外国人にまじって暮らす. **2** 〔ある状態で〕暮らす, 〔ある感情を〕抱く〔*in*〕‖ *dwell in* happiness 幸福に暮らす.
***dwéll on** [**upòn**] A (1) 〈事〉について長々と話す[書く]; …を強調する ‖ He often *dwells on* the problems of the poor. 彼はしばしば貧しい人たちの問題について詳しく述べます. (2) 〈事〉をくよくよ考える, …にこだわる ‖ Don't *dwell on* your past mistakes. 過去の間違いをくよくよ考えるな.
†**dwell・er** /dwélər/ 名 Ⓒ 居住者, 住人.
—**dweller** [語要素]〈語素〉〜語要素一覧(1.5).
†**dwell・ing** /dwélɪŋ/ 名 Ⓒ (小さく貧相な)住居, 住宅, (自分の)家(house)《◆自分の家を謙遜(ぱん)していうのに用いる》‖ a model *dwelling* モデル住宅. **2** Ⓤ 居住.
dwélling plàce 居所, 住居, 家.

dwelt /dwélt/ 動 dwell の過去形・過去分詞形.

DWI〈法律〉[driving while intoxicated] 飲酒運転.

†**dwin・dle** /dwíndl/ 動 自 **1** だんだん小さく[少なく]なって消滅する); 縮まる(+*away, down*). **2** 〈名声などが〉衰える, 〈品質などが〉低下する; やせる; 重要性を失う. — 他 …を小さく[少なく]する, 縮める, 減らす.

***dye** /dái/ (同音 die)
— 名 Ⓤ **1** 染料 ‖ acid [basic, synthetic] *dyes* 酸性[塩基性, 合成]染料. **2** 染め色, 色合い.
— 動 (~**s**/-z/; 過去・過分) 〜**d**/-d/; ~**ing**)◆dyeing (← die¹)との混同に注意》
— 他 [dye A (Ⓒ)]〈人が〉A〈布・服などを〉(Ⓒ 色に)染める; [比喩的に]…を色づける, …に色をしみ込ませる ‖ These days more and more young people are *dyeing* their hair. 最近は髪の毛を染める若者が増えている / *dye* blue on [over] yellow 黄色の上から青を染める / The sky (which is) *dyed* red by the sunset 夕焼けで真っ赤に染まった空.
— 自〈布・染料などが〉染まる《◆人には用いない. 「悪に染まる」は take on bad habits》‖ This dress *dyes well* [red]. この服はよく[赤く]染まる.
dýes wéll [**red**]. この服はよく[赤く]染まる.

dy・er /dáɪər/ 名 Ⓒ 染色師[屋].

dye-stuff /dáistʌf/ 名 Ⓒ [しばしば ~s] 染料.

†**dy・ing** /dáɪɪŋ/ (同音 **dyeing**) 動 ⇒ die¹.
— 形 **1**〈人・動物が〉死にかけている; 〈無生物が〉消えかけている, すたれつつある ‖ the *dying* 死にかけている人々《複数扱い》(= the deceased) / the *dying* móon [yéar] 沈みかけている月[暮れゆく年]. **2** [one's ~] 臨終の ‖ one's *dying wish* いまわの願い / one's *dying words* 辞世の言葉 / one's *dying oath* (死にぎわのような)厳粛な誓い / *to* [*till*] one's *dying day* 死ぬまで, 生きている限り.

dyke /dáik/ 名 Ⓒ (主に英) 〈卑〉 =dike.

†**dy・nam・ic** /daɪnǽmik/ [発音注意] 形 **1** 動力の, 動的な(↔ static); 動態の(↔ potential). **2** 〔物理〕力学上の, 動力学の. **3** エネルギーを生じる, 起動的な; 強力な(forceful). **4** 活動的な, 精力的な, ダイナミックな ‖ a *dynamic* personality 活動的な性格. **5** 〔文法〕〈動詞・形容詞などが〉動作を表す(↔ stative) ‖ *dynamic* verbs 動作動詞.
dy・nám・i・cal 形 =dynamic. **dy・nám・i・cal・ly** 副 (動)力学上, 動的に; 精力的に.

†**dy・nam・ics** /daɪnǽmiks/ 名 **1** Ⓤ 〔物理〕[通例単数扱い] 力学, 動力学. **2** [複数扱い] (物理的・精神的な)原動力, 活動力, エネルギー.

†**dy・na・mism** /dáɪnəmìzm/ 名 Ⓤ **1** (ある体系の)発展[運動]の過程[仕組み]. **2** 活発さ, 力強さ.

†**dy・na・mite** /dáɪnəmàɪt/ 名 Ⓤ **1** ダイナマイト. **2**〈略式〉〈潜在的に〉危険な人[もの]; 大きなショック[驚き, 賞賛]を起こす人[もの]. — 他 **1** …をダイナマイトで爆破[破壊]する. **2** …にダイナマイトを仕掛ける.
dý・na・mìt・er /-ər/ 名 Ⓒ ダイナマイトを使う人.

†**dy・na・mo** /dáɪnəmòʊ/ 名 (複 ~**s**) Ⓒ **1** 発電機(generator). **2** 〈略式〉 精力家, 活動家.

dy・nast /dáɪnæst, -nəst | dínəst/ 名 Ⓒ **1** (歴代王朝の, 世襲の)君主, 帝王. **2** 支配者, 統治者, 主権者.

dy・nas・tic /daɪnǽstik | dɪ-/ 形 王朝の, 王家の.

†**dy・nas・ty** /dáɪnəsti | dí-/ 名 Ⓒ **1** 〔正式〕王朝, 王家; その統治期間 ‖ the Tudor *dynasty* チューダー王朝.

dyne /dáin/ 名 〔物理〕 ダイン《力の単位の1つ》.

d'you /djuː, dju, djə, dʒu/ do you の短縮形.

dys・en・ter・y /dísəntèri | -tri/ 名 Ⓤ 赤痢.

dys・lex・i・a /dɪsléksiə/ 名 Ⓤ 〔精神医学〕 難読症.

dys・pep・si・a /dɪspépʃə | -siə/ 名 Ⓤ 〔正式〕〔医学〕消化不良(症).

dys・pep・tic /dɪspéptɪk/ 形 **1** 〔正式〕〔医学〕消化不良の, 消化不良になった. **2** (略式) 憂うつな; 悲観的な; 機嫌の悪い.

dz. (略) dozen(s).

‡**e, E** /iː/ 名 (複 →**e's, es; E's, Es**/-z/) **1** ⓒⓤ 英語アルファベットの第5字《関連 → alphabet》. **2** → a, A. **3** ⓒⓤ 第5番目(のもの). **4** ⓒ 《米》《教育》条件つき合格(→ grade 名 **4**《関連》). **5** ⓤ 《音楽》ホ音, ホ調. **É nùmber** =E-number.

e 〖記号〗〔数学〕自然対数の底《♦約2.71828》.

e, E, e., E. 〖略〗*east; eastern.*

ea. 〖略〗*each.*

‡**each** /iːtʃ/

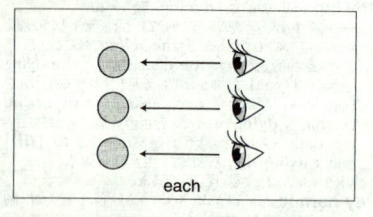

each

index 形 それぞれの 代 おのおの 副 それぞれ

—— 形 《♦比較変化しない》[C] 単数名詞の前で **それぞれの, おのおのの, めいめいの**《2つ[2人]以上に用いる》‖ There are some trees on *each* side [×sides] of the street. 道路の両側に木がある(=... on 「both sides [either side] of the street.)《図 → all》.

〖語法〗(1) [**数と性**] a) 「*each* + 名詞」は常に単数扱い. 代名詞は, 性差に言及しない場合, 堅い書き言葉では he, he or she などを用いるが, それ以外では they (their, them) を用いるのがふつう. 特に主格の場合は they が原則: *Each* student has [×have] received their [his] diploma. 学生はめいめい卒業証書を受け取った.
b) *Each* の後に名詞が2つ以上続いても単数扱い: *Each* senator *and* congressman was [×were] allocated two seats. 上下両院議員は座席が2つずつ割り当てられていた.
(2) [**each** と **every**] a) *each* は「個別的」, *all* は「包括的」, *every* は *each* と *all* の意味を合わせもつ: *Every* television is guaranteed for one year. *Each* set is inspected and tested before it leaves the factory. どのテレビも1年間の保証付きです. 出荷前に1台1台, 厳重にチェックされます.
b) *every* は3つ以上のものに用いる: with *each* [×every] hand 両手で.
c) *every* には代名詞はない: *each* [×every] of us 私たちの1人1人《×èvery óne of us は可》.
d) *each and every* は *each* の強調形で後の名詞は単数扱い. ×*every and each* とはいわない: *Each and every* student has [×have] a personal computer. 各学生がみんなパソコンを持っている.

—— 代 [しばしば ~ of + the [these, my, etc.] + 複数名詞]《ある特定のグループの》**おのおの, めいめい**‖ *Each of the* girls was [were] dressed neatly. どの女の子もきれいな服装をしていた(=The girls were *each* dressed neatly.)《(1) ×The *each* girl ... / ×*Each* the girl ... は不可. (2) 文脈から明らかな場合は *of* 句は省略できるが, *each one* とする方がふつう: *Each* was dressed neatly. (3) 単数動詞が原則であるが *girls* に引かれて複数動詞を用いることもある. (4) 代名詞の呼応は → 形 〖語法〗》.

〖語法〗[**each** と**否定語**] *each* の後に否定語をおくことは不可: ×*Each* of them did not have an umbrella. → Neither [None] of them had an umbrella. 彼らのうちのどちらも[だれも]傘を持っていなかった.

—— 副《♦比較変化しない》**1** [主語修飾; be 動詞・助動詞の後, 一般動詞の前で] **それぞれ, おのおの**‖ They will *each* get a prize. 彼らはおのおの入賞するでしょう / The girls were *each* dressed neatly. 女の子たちはみな小ぎれいな服装をしていた / Those flowers cost 10p *each*. その花は1本10ペンスだ(= *Each* of those flowers *costs* 10p.)《♦金額では具体的な数字があるときはその直後に置く》.

2 [目的語修飾, 目的語の後で] **それぞれ, おのおの**‖ I sent them *each* a present. 彼らにそれぞれプレゼントを贈った(=I sent *each* of them a present.).

〖語法〗(1) ふつう直接目的語の後にはこない: ×I kissed them *each*.《♦*each* を用いて I kissed *each of* them.《彼らに1人ずつにキスした》とする》.
(2) 複数主語の後にくる場合は複数扱い: We *éach* hàve our own car. 私たちはめいめい自分の車を持っています(cf. *Each of* us *has* our own car.).
(3) [**A and B each** と数] 複数扱いがふつう: My brother and sister *each give* freely to charity. 私の兄も姉もそれぞれ慈善事業に寄付する. ただし **A, B** を個々に見る気持ちが強いときは単数扱い: The rural south and the industrial north *each has* its attraction for the tourist. 農村地帯の南部と工業地帯である北部はそれぞれ観光客を引きつける魅力を備えている.

***èach óther** 代 **お互い(に), 相互に**《♦従来は2つのものに *each other*, 3つ以上に *one another* とされてきたが, 現在では3つ以上に *each other* も一般的》‖ The three neighbors helped *each other*. 3人の隣人はお互いに助け合った / The twins often wore *each other's* [×others'] clothes. その双子はよく服のとりかえっこをしていた《♦ *each other's* の後の名詞は複数形がふつう》.

〖語法〗(1) *each other* は「お互いに」と訳すが, 英語では副詞ではなく代名詞なので, 自動詞の後では「前置詞

+ each other」となり, 他動詞の後では前置詞なしで目的語となる: They smiled at èach óther. 彼らはほほえみ合った《◆×They smiled each other. は不可》/ They tálked with [to] èach óther. 彼らは話し合った《◆×They talked each other. は不可》.
(2) each other はふつう主語にこない: Each emails the other. =They each email the other. =They email each other. 彼らはお互いにメールを出し合っている.

*éach tíme (1) いつも, 毎回. (2) [接続詞的に] …するごとに, …すれば必ず《◆whenever より口語的》‖ Each [Every] time I see you, my love for you deepens. 君に会うたびに君への愛が深まり.

*ea・ger /íːɡər/ 派 eagerly (副)
── 形 (more ~, most ~; 時に ~・er/íːɡərər/, ~・est/íːɡərɪst/) 1 [be eager for [about] A] 〈人が〉A〈物・事〉を熱望している; [be eager to do] 〈人が〉…したいと思う, やる気十分である (→文法 17.6(1)); (まれ) [be eager that節] …であるように熱望する ‖ I'm really eager [anxious, dying] to go to London. 私は本当にロンドンに行きたくてたまらない《◆dying が最も口語》/ She was intensely eager for fame. 彼女は名声を強く求めていた.
2 [行為・表情・人などが] 熱心な; […に] 熱心である [in] ‖ an eager collector of stamps 熱心な切手収集家 / an eager look 熱心な顔つき / The foreign student is very eager ˈin her studies [in studying]. その留学生は非常に勉強熱心だ.
éager béaver (略式) 仕事の虫, ガリ勉の人.

*ea・ger・ly /íːɡərli/
── 副 熱望して; 熱心に, ひたむきに; しきりに ‖ study eagerly 熱心に勉強する.

†ea・ger・ness /íːɡərnəs/ 名 U (時に an ~) 熱心, 熱望; […に対する/…したいという] 熱望 (for / to do); […に対する] 熱心さ (about); […であることを] 願うこと [that節] ‖ with eagerness 熱心に (eagerly) / She was all eagerness to win first prize. 彼女はとても優勝したがっていた.

*ea・gle /íːɡl/ 名 (複 ~s/-z/) C 1 ワシ. 2 (旗・紋章などの) ワシ(印)《◆bald eagle (ハクトウワシ) は米国の国章》. 3 (ゴルフ) イーグル《par より2打少ない. → par 関連》.
ea・gle-eyed /íːɡláɪd/ 形 観察眼の鋭い.
ea・glet /íːɡlət/ 名 C ワシの子, 子ワシ.
-e・an /-íːən, -iən/ 語要素 → 語要素一覧(2.3).

‡ear¹ /íər/ [類音] year /jíər | jə́ː, jíə/
── 名 (複 ~s/-z/) 1 C 耳《◆しばしば「耳のあたり」の意を含む》 ‖ Rabbits have big [long] ears. ウサギは耳が大きい [長い] / pull him by the ear 彼の耳を引っ張る (→文法 16.2(3)) / stop [cover] one's ears (聞きたくないことに) 耳をふさぐ [覆う] / stuff one's ears with cotton wool 耳に綿をつめる / Are your ears burning? =Do you feel your ears burning? (略式) だれか君のうわさをしていると思わないか《◆うわさされている人の耳が熱くなるということから》/ Can I have [put] a word in your ear? ちょっと内緒でいいか.
2 [聴覚器官としての耳] U [通例 an ~] a 聴覚, 聴力; [音を] 聞き分ける力 [for] ‖ a keen [nice] ear 鋭い聴力 / You have an [no] ear for music. 君は音楽がわかる [わからない]. b 耳を傾けること, 注意

∥ give (an) ear to what she says (正式) 彼女の言うことに耳を傾ける (=lend [bend] ˈan ear [one's ear(s)] to …) / listen with all one's ears 聞き手をたてる.
3 C 耳状の物; (水差しの) 取っ手.
be áll éars 《全身を耳にしている》(略式)(人が言おうとすることに) 一心に耳を傾ける, 熱心に [興味をもって] 聴く.
belíeve one's éars [主に否定文で] 耳を信じる ‖ I couldn't believe my ears when I heard the news of his death. 彼が死んだという知らせを聴いた時, 耳を疑った.
cátch [réach, fáll on, cóme to] A's éars 〈人〉の耳に入る, 〈人〉に聞こえる.
cúp [pút] one's hánd behìnd one's éar (よく聞こえるように) 耳の後ろに手を当てる.
éasy on the éar (略式) (耳で) 聞いて快い.
for A's prívate éar …ということは秘密の, 内緒の.
from éar to éar 両耳に届くほど (口をにんまりさせて) ‖ smile [grin] from ear to ear にんまり笑う, 満面に笑(ゑ)みを浮かべる.
go ín (through) óne éar and óut (of) the óther =go ín (at) óne éar and óut (at) the óther (略式) 〈物・事が〉印象 [記憶] に残らない; 〈命令が〉effectがない.
háve A's éar =háve the éar of A (正式) 〈人〉に言いたいことを聞いてもらう.
héad over éars =over héad and éars =up to the EARs.
pláy A by éar …を聞いて覚えて演奏する.
pláy it by éar (略式) 臨機応変にやる, 出たとこ勝負でやる.
príck (úp) one's [its] éars (1) 〈犬などが〉耳をぴんと立てる ‖ The dog pricked (up) his ears. 犬は (感じられて) 耳をぴんと立てた. (2) (略式) 〈人が〉[…に] 聞き耳をたてる (to).
túrn a déaf éar to A (略式) …に少しも耳を貸さない; 〈人〉に耳を貸さない.
úp to the [one's] éars (略式) (窮地に陥って) 身動きできない [in]; […で] 手がいっぱいの, 多忙の [in, with] ‖ I'm up to my ears in debt. =I'm in debt up to my ears. 私は借金で首が回らないよ.
éar shèll (貝類) アワビ (abalone).

†ear² /íər/ 名 C (麦などの) 穂; (米カナダ) (トウモロコシの皮つきの) 実 ‖ be in (the) ear 穂が出ている / ten ears of corn トウモロコシ10本 / come into ear 穂を出す.
ear・ache /íəreɪk/ 名 C [時に (米) an ~] 耳の痛み.
ear・drop /íərdrɑp | -drɔp/ 名 C (耳にぶら下げる) イヤリング.
ear・drum /íərdrʌm/ 名 C 鼓膜 (tympanic membrane); 中耳 (middle ear).
eared /íərd/ 形 1 耳のある, 耳状物のある. 2 穂のある. 3 [複合語で] …の耳をした, …の穂のある.

†earl /ə́ːrl/ 名 C (英国の) 伯爵 (→ duke 関連)《◆(1) 尊称は Lord … (2) 女性は countess》.
†earl・dom /ə́ːrldəm/ 名 (英) 1 C 伯爵領. 2 C 伯爵の位 [身分, 称号]. 3 [集合名詞] 伯爵.
ear・li・ness /ə́ːrlinəs/ 名 U (時期・時間などが) 早いこと.

‡ear・ly /ə́ːrli/
── 副 (--li・er, --li・est) 1 (時期・時間がある期間の中で) 早く; 早い時期に, 初期に; ずっと昔に ‖ early in my teens 10代の初めに / 《対話》"How ear-

ly are you open every day?" "Nine in the morning." 「毎朝何時から開いていますか」「朝の9時からです」◆「何時まで…」は How late are you ...?〉/ We set out *early* in the morning. 私たちは朝早く出発した（◆in the *early* morning よりふつう）/ The sun sets *early* in winter. 冬には太陽は早く沈む（◆in *early* winter は「初冬には」の意）/ As *early* as (ˣin) the 17th century, Newton dreamed of an artificial satellite. 早くも17世紀にニュートンは人工衛星を夢想していた（◆in を入れるのは不可．これは as late as, as recently as などにもあてはまる．cf. In the 17th century, Newton ...) / Could you come *earlier*? もっと早く来ていただけますか? / Her parents had died four years *earlier* before that. 彼女の両親はそれより4年前に亡くなった．

2 (時刻が定刻より) 早く，早めに (↔ late) ‖ They came to the show *early*. 彼らは（開演時刻から見て）早めにショーに来た / The bus left three minutes *early*. バスは3分早く出た / I got up *earlier* than usual. いつもより早く起きた．

éarlier ón [later on, from now on の類推から] もっと早い時期[段階]で; 先に, 前に (↔ later on).

early in the day → day.

éarly ón (もと英) 初期に, 早期に．

──形 (--li·er, --li·est) **1** (時間が定刻より) […には] 早い (for); (植物が) 早生の(ˢ) ‖ We had an *early* lunch. 私たちは早めに昼食をとった (= We had lunch *early*.) / I was a little *early* for the appointment. 約束(の時間)には少し早かった / grow *early* rice 早生の稲を栽培する．

2 (時期・時節がある期間の中で) 早い; [名詞の前で] 初期の, 始めの; 昔の, 古代の(ancient) ‖ in the *early* part of the book 本の始めのところで / in the *early* 1920s 1920年代初頭に / My mother is still in her *early* forties. 母はまだ40代の初めです / She is **an éarly ríser**. 彼女は早起きです (= She gets up *early*.) / Your fax arrived in the *early* hours [ˣtimes] of the morning. あなたからのファックスは午前中の早い時間に届きました / *Early* man learned to use stone tools. 人類は早くから石器を用いるようになった．

3 [名詞の前で] 近い将来の, すぐさまの（◆比較変化しない）‖ I'll be waiting for your *early* answer. 折返しのご返事をお待ちしています．

at (the) éarliest [しばしば否定文で] 早くとも, 早くて (↔ at the latest).

keep early [good] hours → hour.

éarly bìrd (略式) 早起きの人; (下心があって) 他の人より早く来る人．

éarly clósing (dày) (英) (1) 午後閉店. (2) 午後閉店日.

éarly wárning sỳstem 早期警報システム《敵機・ミサイルなどの接近時のほか大気汚染・薬の副作用などの危険についても用いる》．

ear·mark /íərmɑ̀ːrk/ 名 C 耳印(メミル); 《家畜の耳につけた所有を示す》.

ear·muff /íərmʌ̀f/ 名 C [通例 ~s] (防寒用)耳覆い．

*****earn** /ɚ́ːrn/ (同音) urn) [「(正当な報酬として)得る」が本義]
──動 (~s/-z/; 過去・過分 ~ed/-d/; ~·ing)
──他 **1** 〈人が〉(働いて)〈金などを〉かせぐ, 得る; 〈生計を〉立てる ‖ *earn* 25 dollars a day 1日25ドルかせぐ / Bill *earns* a high salary as an account-

ant. ビルは会計士として高給を得ている / She *earns* her living (by) giving piano lessons. 彼女はピアノを教えて生計を立てています．

2 〈人が〉(当然の報いとして) 〈信用・名声・地位・悪評などを〉得る; [earn A B] 〈事が〉A〈人に〉B〈信用・名声・悪評など〉をもたらす ‖ *earn* a reputation as a good doctor 名医としての評判を得る / His success *earned* him respect and admiration. 彼は立身出世して尊敬と賞賛を受けた．

3 [感謝・報酬などを] 得るに値する[足る] ‖ Take a rest. You've *earned* it. ひと休みしろよ. よくやったからな. **4** 〈利子などを〉生む, もたらす (produce).

éarned íncome 勤労所得《salary, wages など》 (↔ unearned income).

éarned rún [野球] 自責点．

éarned rún àverage [野球] 防御率《略 ERA》．

earn·er /ɚ́ːrnɚ/ 名 C [通例修飾語を伴って] 稼ぐ人 ‖ a wage *earner* 賃金労働者．

*****ear·nest** /ɚ́ːrnɪst/ 形 **1** まじめな, 真剣な; くそまじめな ‖ an *earnest* student まじめな学生. **2** (正式) 熱心な, 熱烈な (eager); [...に]熱心である (over, about) ‖ They are *earnest* about their children's education. 彼らは子供の教育に熱心だ / an *earnest* Catholic 敬虔(ワネス)なカトリック教徒．
──名 U まじめ, 本気．

in éarnest まじめに[な], 本気に[で], 真剣に[な]; 本格的に[な] ‖ be in *earnest* to do 本気で…したいと思っている / It began raining in real [dead] *earnest*. 雨は本降りになってきた．

*****ear·nest·ly** /ɚ́ːrnɪstli/ 副 真面目に, 本気で, 真剣に.

*****ear·nest·ness** /ɚ́ːrnɪstnəs/ 名 U まじめ, 本気, 熱心．

*****earn·ings** /ɚ́ːrnɪŋz/ 名 [複数扱い] **1** 所得, 給料, 賃金 ‖ the country's export *earnings* その国の輸出収入. **2** 事業所得(収益).

Earp /ɚ́ːrp/ 名 アープ《Wyatt/wάɪət/~ 1848-1929; 米西部の保安官. 「OK牧場の決闘」で有名》．

ear·phone /íərfòun/ 名 C [~s] ヘッドホン;《耳に当てる》イヤホーン ‖ put on the *earphones* イヤホーンをつける．

ear·piece /íərpìːs/ 名 C (耳にさし込む)イヤホーン．

*****ear·ring** /íərrɪŋ/ 名 C [通例 ~s] イヤリング, 耳飾り ‖ pierced *earrings* 耳たぶに穴をあけて通すイヤリング, ピアス / clip-on *earrings* 耳たぶをはさんでつけるイヤリング．

ear·shot /íərʃɑ̀t | -ʃɔ̀t/ 名 U 声の届く範囲《◆通例次の句で》‖「out of [within] *earshot* of ... …の聞こえない[聞こえる]所に．

*****earth** /ɚ́ːrθ/ (発音注意) 派 earthly (形)
──名 (派) ~s/-z/
I [地球全体(場所・人・大地)]

1 [(the) ~; 時に (the) E~] 《◆ the *earth* が最も一般的. 他の惑星 Mars などと対比させるときは (the) Earth》 (他の天体と対比しての)地球《◆ globe は球体を強調した「地球」; (図) → 次ページ》 ‖ The *earth* goes around the sun. 地球は太陽の周りを公転している / The space shuttle safely returned to *earth*. スペースシャトルは無事地球に戻った《◆前置詞の後では小文字・無冠詞で使うことができる》.

2 [the (whole) ~; 集合名詞] 地球上[全世界]の人々, 地球の全住民, 全世界 ‖ The whole *earth* rejoiced at the safe return of Apollo 13. 全世界の人々がアポロ13号が無事地球に生還したことを喜んだ．

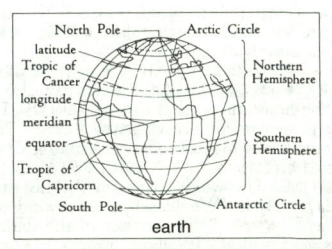

[Figure: earth — globe diagram labeled with North Pole, Arctic Circle, latitude, Tropic of Cancer, longitude, meridian, equator, Tropic of Capricorn, South Pole, Antarctic Circle, Northern Hemisphere, Southern Hemisphere]

3 Ⓤ（空に対して）**大地**, 地, 地面, 地上；（海に対して）陸地(land) ‖ The paper plane fell slowly to *earth*. 紙飛行機はゆっくり地上に落ちた / Coal is dug out from below the *earth*. 石炭は地中から採掘される.

∥ **大地にかかわるもの**∥

4 Ⓤ（岩石に対して）**土**, 土壌(soil) (→ dirt **2**) ◆植物を育てる土を含意） ‖ the *earth* in the pot 鉢の土 / Cover the seeds with a little *earth*. 種の上に少し土をかぶせなさい.
5 Ⓒ [通例単数形で]（土の中に作ったキツネなどの）穴, 隠れ家. **6** Ⓒ（英）【電気】[(the) ~]アース(線), 接地(線)（米）ground).

còme dówn [**báck**] **to éarth** (**with a búmp** [**báng**]) 夢から現実に戻る.

dówn to éarth 〈性格・行動が〉正直で率直な.

*****on éarth** (1)（略式）[疑問詞を強調するため, その直後に置いて]**いったい(全体)**(in the world) ‖ Who *on earth* do you think you are? 一体自分は何様だと思っているんだ. (2)[形容詞の最上級を強調して]**世界中で** ‖ He is the happiest man *on earth*. 彼なこの世で一番の幸せ者だ. (3)[否定を強調して]全然, ちっとも. (4) 地上で, この世で.

──**動 他**（英）【電気】〈回路・器具など〉を接地する ((米) ground).

Éarth Dày（米）地球の日《地球環境保全のための日 (4月22日). 1970年設置》.

éarth science 地球科学《地質学・気象学など》.

Éarth Sùmmit [the ~] 地球サミット.

†**earth·en** /ə́ːrθn/ 形《正式》〈床などが〉土製の；〈くつぼなどが〉陶製の.

†**earth·en·ware** /ə́ːrθnwèər/ 名Ⓤ[集合名詞]（きめのあらい）陶器, 土器(crockery).

†**earth·ly** /ə́ːrθli/ 形 **1**《文》**a**〈天・天国に対して〉この世の, 地上の(↔ heavenly)；世俗的な ‖ Eating is one of life's *earthly* joys. 食べることは人生の喜びの一つです / an *earthly* paradise 地上の楽園. **b** 地球上の(↔ extraterrestrial) ‖ *earthly* life 地球上の生命.
2（略式）[疑問文・否定文を強調して]**いったい, この世にあり得る**；少しも ‖ There's *no earthly* reason for her to resign. 彼女が辞職する理由なんかまったくない.

éarth·li·ness 名Ⓤ 世俗的なこと.

*****earth·quake** /ə́ːrθkwèik/【大地(earth)が揺れる(quake)こと】

──**名**（複 ~s/-s/）Ⓒ **1 地震**（略式）quake) ‖ ⌈There was [We had] an *earthquake* last night. =An *earthquake* occurred [happened, came, struck] last night. 昨夜地震があった / The city was hit [struck] by a ⌈major [severe, strong] *earthquake*. 市は強い地震に襲われた / an *earthquake* of magnitude 7.5 =an *earthquake* with a magnitude of 7.5 マグニチュード7.5の地震 / the Great Hanshin-Awaji *Earthquake* 阪神淡路大震災《◆the Hanshin *Earthquake*, the Kobe *Earthquake* ともいう》/ 〖日本発〗Japan is famous for having lots of *earthquakes*. 日本は地震多発国で有名です. **2** 社会的・政治的変動.

earth·quake-proof /ə́ːrθkwèikprùːf/ 形 免震の.
earth·quake-re·sist·ant /ə́ːrθkwèikrizìstənt/ 形 耐震の.

earth·ward /ə́ːrθwərd/（米）形 地球の方へ（向いた）.

earth·wards /ə́ːrθwərdz/ 副《英》=earthward.

earth·work /ə́ːrθwə̀ːrk/ 名 **1**【歴史】[通例 ~s]（敵から守るための）土塁. **2** Ⓤ 土工事.

†**earth·worm** /ə́ːrθwə̀ːrm/ 名Ⓒ ミミズ(worm).

earth·y /ə́ːrθi/ 形 (**-i·er**, **-i·est**) **1**（略式）土の, 土質の；〈色・感触などが〉頑健な, たくましい；世俗的な；〈言葉・ユーモアなどが〉粗野な, 洗練されていない. **éarth·i·ness** 名Ⓤ 土質；粗野.

*****ease** /íːz/【名 形】**1**（精神的な）気楽さ, 安心, 安らぎ；（肉体的に）楽であること ‖ live a life of *ease* のんびりと暮らす. **2** [通例 with ~] 容易さ, たやすさ(↔ difficulty) ‖ Our team won the game with gréat *éase*. 私たちのチームは楽勝した (=... very easily.) / The *ease* with which he did it quite surprised us. 彼がそれをやってのけた仕方には私たちは驚いた(⇨文法 20.2(2)). **3**（態度などが）ゆったりしていること；自然さ ‖ He greeted us with *ease*. 彼は気取らずに我々にあいさつした.

*****at** (one's) **éase** (1) **気楽な[に]** ‖ Put [Set] your mind at (your) *ease*. ご安心ください / I am [I feel] quite *at ease* among [with] strangers. 私は知らない人の中にいても[と同席しても]全然緊張しない. (2)【軍事】休めの姿勢で[の] ‖ **At éase!**〈号令〉休め / stánd *at éase* 休めの姿勢を取る(↔ stand at attention).

ìll at éase（人前で）不安な, 落ち着かない ‖ The transfer student felt *ill at ease* in the new class. 転校生は新しいクラスにいて落ち着かなかった.

tàke one's **éase**《正式》くつろぐ.

──**動 他 1**《正式》〈物・事から〉痛み・心配・緊張・重圧・混雑などを取り除く, 和らげる ◆この意味では〈人〉を目的語にしない. cf. comfort, console[1]〗‖ This medicine will *ease* your headache. この薬は頭痛に効きます / Her calm manner *eased* our fears. 彼女の落ち着いた態度は私たちの恐怖をなくしてくれた. **2**〈物・事が〉〈心・体などを楽にする；[ease **A** (off **B**)]（**B**〈苦痛・重荷など〉を取り除いて）**A**〈人〉を安心させる；〈人が〉**A**〈人〉から**B**〈金など〉を（だまして）奪う ‖ The news *eased* his mind. その知らせが彼女の心をほっとさせた / A night's sleep will *ease* your tired limbs. 一晩眠れば足の疲れはとれます / I *eased* Kate's suffering. 私はケイトの苦しみを取り除いてやった. **3**〈物〉の緊張[束縛, 抑圧]をゆるめる；…を容易にする；〈市況など〉を緩和する. **4**〈物〉を［…に］ゆっくり動かす(+*round*, *out*) [*into*] ‖ *ease* the door shut ドアをそっと閉める.

──**自**〈痛み・圧迫・利率などが〉ゆるむ, 和らぐ(+*off*).

éase óff [自]（略式）(1)〈人〉が気をゆるめる, のんびりやる. (2)〈人に対して〉指導や圧力をゆるめる, 気をつけて扱う；〔物に対して〕圧力をゆるめる[*on*]. (3)〈痛み・緊張・圧迫などが〉ゆるむ, 和らぐ. (4) 速度を落とす.

──[他]〈物〉をゆっくり取りはずす.

éase úp [自] (1) =EASE off. (2) 席を詰める.
ea・sel /íːzl/ [名] [C] 画架, イーゼル; (黒板などの)支え台.

‡eas・i・ly /íːzəli│íːzili/ [[→ easy]]
— [副] **1** [通例文尾または修飾する動詞の前で] 容易に, 楽に; 努力しないで ‖ 《対話》 "Did you have any trouble solving the math problem?" "No, I solved it *easily*." 「その数学の問題を解くのに手こずった?」「いや, 簡単に解けたよ.」」 / Wooden houses *easily* catch fire. 木造家屋は燃えやすい / Tom is *easily* deceived. トムはすぐだまされる(=Tom is easy to deceive.) / You said that too *easily*. 簡単に言うね, 言うは易しだよ. **2** [最上級・比較級などを強めて] 疑いもなく, 明らかに, 断然 ‖ She is *easily* the fastest runner in the class. 彼女は走ることにかけては断然クラス一だ. **3** [can, may, could, might と共に] たぶん, おそらく ‖ She may *easily* come tomorrow. 彼女はおそらく明日来るだろう. **4** 気楽に, 安楽に; すらすらと, なめらかに. **5** (略式) [数の前で] 少なくとも, 優に.

eas・i・ness /íːzinəs/ [名] [U] **1** 容易さ, 平易さ. **2** 気楽さ. **3** 落ち着き. **4** のんきさ.

‡east /íːst/ 〖本来は [副] で [名] は後から生まれた. [形] は [名] の形容詞的用法〗 [派] eastern ([形]), eastward ([副])
— [名] [しばしば E~] [the ~] **1** 東, 東方, 東部 (略 E, E, e.) ◇「東西南北」は英語では north, south, east and west の順がふつう (cf. north, south, west) ‖ The sun rises *in* [×from] *the east*. 太陽は東から上る / He went *to the east*. 彼は東へ行った ◇ to the east の to は しばしば省略されて副詞的に用いる》 / The drifter came *from the east*. その流れ者は東から来た / Japan is (*to the*) *east of* China. 日本は中国の東方にある.

〖語法〗 (1) A is [lies] (to the) east of B. (A は B の東にある) は, A と B が隣接している場合にも離れている場合にも用いる.「隣接」をもっとはっきりさせるには England is on the *eastern* border of Wales. または England adjoins [bounds] Wales *on the east*. という. England is on the *east of* Wales. とはあまりいわない.
(2) Tokyo is *in the east* of Japan. (東京は日本の東部にある) は (主に英) で, (米) ではふつう Tokyo is *in the eastern part* of Japan. / Tokyo is *in eastern* Japan. という.

2 [通例 the E~] **a** 東部地方; [the E~] (米) 東部(地方), 東部諸州《東西の分かれ目は Mississippi 川); (特に) 東北地方, ニューイングランド(地方). **b** (欧州からみた) 東方諸国; 東洋(the Orient) ‖ the Far *East* 極東 / the Middle *East* 中東. **c** [しばしば the E~] (やや古風式) 東側(諸国) 《旧ソ連・中国など》, 共産圏(↔ (the) West).

báck East (米略式) (西部から見て) 東部で[に] ◇ 米国では東から西に向かって開拓が進んだのでこう呼ぶ. (東部から見た)「西部で[に]」は out west》.
dówn East (米) ニューイングランドで, に) ◇ 特に Maine 州などか》.
óut East (英) 東洋で[に].

— [形] ◇ 比較変化しない》 [しばしば E~] **1** 東の, 東にある, 東部の(→ eastern [語法]) ‖ the *east* side 東側 / the *east* coast 東海岸. **2** 東へ向いた[へ行く]; (風が)東から来る ‖ the *east* gate 東門 / the *east* wind 東風 ◇ 英国では寒風》 (cf. easterly 2).

— [副] [しばしば E~] 東へ[に], 東方へ[に]; (風が)東へ ◇ 比較変化しない》 (cf. eastern, easterly) ‖ The house faces the *east*. 家は東向きだ / He is going *east* tomorrow. 彼はあす東に行く / The wind is blowing *east* today. 今日は風は東へ ◇ (古)から]吹いている ◇ 次の場合は常に「東から吹く風(東風)」の意: The wind is *east* [*in the east*] today. =「It is [We have] an *east* wind today.》 《対話》 "How far *east of* the station is your house?" "It's about 5 miles." 「あなたの家は駅からどのくらい東のところにありますか」「約5マイルです」.

Éast Ásia 東アジア《中国・日本・朝鮮半島・ロシアの東シベリア地域》.
Éast Berlín 東ベルリン《ベルリン東部地区の旧称. 旧東ドイツの首都》.
Éast Chína Séa [the ~] 東シナ海.
Éast Énd [the ~] イースト・エンド《ロンドンの東部地区. 低所得者層の住む地域. ここの住民は **East Ender** という》.
Éast Gérmany 東ドイツ《公式名 the German Democratic Republic. 1990年西ドイツと統一》.
Éast Índia Còmpany [英式] [the ~] 東インド会社《1600-1874; 英国の東洋進出のための機関》.
Éast Índies [the ~] (1) 東インド諸島《もとオランダ領東インド諸島, 今のインドネシア. マライ群島をさすこともある》. (2) (俗用的に) 東インド《インド・インドネシア・マライ群島を含むアジア東南部地域. **East India** ともいい, ここの住民は **East Indian** という》.
Éast Síde [the ~] イーストサイド《New York 市 Manhattan の東部地区. 低所得者層の住む地域. the Lower East Side ともいう. ここの住民は **East-Sider** という》.

*Eas・ter /íːstər/
— [名] **1** (キリスト教) 復活祭, イースター《キリストの復活を祝う祭》 ‖ How does your family celebrate *Easter*? あなたの家族のみなさんはどのようにイースターを祝いますか. **2** =Easter Day [Sunday].
Éaster bùnny 復活祭のウサギ(→ Easter egg).
Éaster càrd (米) イースターカード《復活祭に送る挨拶状. ウサギ・ひよこなどが描かれる》.
Éaster Dáy [**Súnday**] 復活祭の祝日《3月21日以降の満月の日のあとにくる最初の日曜日. 英米の学校ではこの前後1-3週間の休日(Easter holidays [vacation])がある》.
Éaster ègg 〖復活祭の前夜にウサギ(bunny)が卵をもってくるという言い伝えから》復活祭の卵. [文化] 復活祭では, 彩色したニワトリの卵またはチョコレートで作った卵を, 生命の象徴として贈り物や飾りにする.
Éaster Wéek 復活祭の日に始まる1週間.

east・er・ly /íːstərli/ [形] **1** 東の; 東への, 東方への (eastward) ‖ in [×to] an *easterly* direction 東の方へ. **2** (風が)東からの ◇ east に比べ大体の方向をさす》 ‖ an *easterly* wind 東風.

*east・ern /íːstərn/
— [形] ◇ 比較変化しない》 [しばしば E~] [名詞の前で] **1** 東の, 東方の, 東にある ‖ the *eastern* sky 東空 / Tokyo is in the *eastern* part of Japan. 東京は日本の東部にある(→ east [名] 1 [語法]).

〖語法〗 East, North, South, West は政治的に区分がはっきりしている場合に, Eastern, Northern,

Southern, Western ははっきりしていない場合に用いるのがふつう: East Malaysia / *Eastern* countries. したがって *South France などとはいわない (cf. Southern France 南フランス).

2 東へ行く[向かう]; 東向きの ‖ the *eastern* window 東向きの窓 / an *eastern* course 東回りの航路.
3 ⟨風が⟩東からの ‖ an *eastern* breeze 東からのそよ風.
4 東部の; [E~] ⟨米⟩ 東部地方の ‖ *Eastern* Europe 東ヨーロッパ, 東欧 / *Eastern* habits (米国)東部の習慣 / the *Eastern* States (米) 東部諸州.
5 a 東洋の(Oriental). **b** ⟨やや古風で⟩東側(諸国)の, 共産圏の.

Éastern Hémisphere [the ~] 東半球.
Éastern (Órthodox) Chúrch [the ~] 東方(正)教会(Orthodox Church).
Éastern (Róman) Émpire [the ~] 東ローマ帝国⟨395-1453⟩.
Éastern Shóre [the ~] (米国 Chesapeake Bay の)東部沿岸地方.
Éastern (Stándard) Time [the ~] 東部標準時(→ Standard Time).

†**east·ern·er** /íːstərnər | íːstnə/ 名 C **1** 東部地方(生まれ)の人. **2** [E~] ⟨米⟩ 東部地方(生まれ)の人(→ east 名 2 a), (特に)ニューイングランド地方(生まれ)の人.

east-north-east /íːstnɔːrθíːst/ 名 [the ~] 東北東(略) ENE. ── 形副 東北東の[に]; ⟨風が⟩東北東から(の).

east-south-east /íːstsáuθíːst/ 名 [the ~] 東南東(略) ESE. ── 形副 東南東の[に]; ⟨風が⟩東南東から(の).

†**east·ward** /íːstwərd/ 副 ⟨主に米⟩ 東へ[に]; 東方へ[に]; 東方へ向かって. ── 形 東(へ)の, 東方(へ)の; 東向きの. ── 名 [the ~] 東(方).
éast·ward·ly 副形 東向きの[に]; ⟨風が⟩東から(の).

east·wards /íːstwərdz/ 副 ⟨主に英⟩=eastward.

eas·y /íːzi/ 派 easily (副)
── 形 (**-i·er, -i·est**) **1** ⟨物・事・人が⟩[人に(とって)]容易な, やさしい, 簡単な(for, to)(↔difficult); [it is easy to do **A** =**A** is easy to do] **A**⟨人・物・事⟩を…するのは容易だ ‖ (as) *easy* as ABC [pie, anything, winking] ⟨略式⟩ とても容易な / an *easy* question *for* me =a question (which is) *easy* *for* me 私には簡単な質問 (⊃文法 17.1) / *It is easy* *for* me *to* solve the problem. =The problem is *easy* *for* me *to* solve. その問題を解くのは私には簡単だ(=I can easily solve the problem.) (⊃文法 17.4) / The cave is *easy* of access. その洞穴には近づきやすい / The story is written in *easy* English. その物語はやさしい英語で書かれている / He is *easy* to get along with. 彼は付き合いやすい⟨◆He is *easy*. ともいえる. 男性が女性に関して She is *easy*. と言うと「彼女はだれとでもすぐ寝る」の意に解されやすい⟩.
2 ⟨人・生活などが⟩安楽な, 心配[苦労]のない(↔ uneasy); [名詞の前で] ⟨態度などが⟩ゆったりとした, ほっとする, くつろいだ ‖ lead an *easy* life 安楽な暮らしをする / with an *easy* mind 安心して, 気軽に / an *easy* manner 気取らない態度.
3 ⟨人が⟩[…に]寛大な, 甘い(on, with, about)(↔

hard); ⟨条件・規則などが⟩[…に]厳しくない, きつくない, ゆるい(on) ‖ Between you and me, Mr. Smith is too *easy* *with* John. 内緒だがスミス先生はジョンに甘すぎるよ / an *easy* promise 安請合い.
4 =easygoing. **5** ⟨衣服などが⟩ゆったりした, きつくない. **6** [補語として] ⟨市場が⟩緩慢な(↔ tight). **7** ⟨英略式⟩ [補語として] ⟨人が⟩こだわらない, どちら[どう]でもよい ‖ I'm *easy* with either going to the movies or staying at home. 映画に行こうと家にいようとどっちでもかまわない.

── 副 (**-i·er, -i·est**) ⟨略式⟩ 楽に, 容易に, たやすく; 気楽に, のんきに; ゆっくり慎重に ⟨◆以下の用例・成句を除いてふつうは easily を用いる⟩ ‖ rest *easy* 心配しない / *Easy*! ゆっくり[そっと]やれ, 気をつけて.

Éasy cóme(,) éasy gó. ⟨ことわざ⟩ 得やすいものは失いやすい; 「悪銭身につかず」.
Éasy dóes it. ⟨米略式⟩ ゆっくりやれ, 気をつけろよ; 落ち着け ⟨英略式⟩ Gently does it.
gó éasy on [**with**] **A** ⟨略式⟩ [通例命令文で] (1) ⟨物・事⟩を加減して使え[行なえ]; ⟨調味料・飲み物など⟩をほどほどにしなさい. (2) ⟨人⟩を大目にみなさい, 寛大に扱え. (3) ⟨事⟩をうまく取り扱いなさい[処理せよ].
(**It** [**That**] **is**) **éasier sáid than dóne.** ⟨ことわざ⟩ (そうは言うが)実際は見た目[思った]より難しい; 「言うは易く行なうは難し」.
tàke it [**things**] **éasy** 【事態を気楽に受けとめる; cf. take 他 23】⟨略式⟩ (1) […を]のんびりやる, あまり力まない[on]. (2) [命令文で] (なだめて)興奮するな, そうむきになるなよ. (3) ⟨米⟩ [通例 Take it easy.] [別れの軽いあいさつ] それじゃまた(⟨英⟩ take care); [人を励まして] ⟨気楽に構えて⟩頑張れよ, しっかりね ⟨◆こういう場面で日本語的に Work hard. などとはいわない⟩.

éasy cháir (大きな)安楽いす.
éasy déath 安楽死.
éasy lístening イージーリスニング ⟨快い響きの聞きやすいポピュラーミュージック⟩.
éasy márk [**víctim, préy, tárget,** ⟨英⟩ **méat, gáme**] だまされやすい人, かも.
éasy móney 楽に手に入る金, あぶく銭; 悪銭.

†**eas·y·go·ing** /íːzigóuiŋ/ 形 のんきな; のんびりした; […に]むとんちゃくな(about) ⟨◆ふつう日本語の「イージーゴーイング」のように悪い意味の含みはない⟩ ‖ He is *easygoing*. He is an *éasygòing* man. 彼はのんびり屋だ ⟨◆時に He is a bum. (彼はぐうたらだ)の遠回し表現にもなる⟩.

eat /íːt/
── 動 (~s/íːts/; 過去 **ate**/éit | ét, éit/, 過分 **eat·en**/íːtn/; ~·ing)
── 他 **1 a** ⟨人・動物が⟩⟨(固形の)食物⟩を食べる, ⟨スープ⟩を(スプーンで)飲む ⟨◆遠回しには have, ⟨英⟩ take⟩ ‖ *eat*「good food [a good meal] 美食する[おいしい食事をする] ⟨◆目的語が単に food や a meal のときは省略されて 自 1 となる⟩ / She only *eats* organically-grown vegetables. 彼女は有機野菜しか食べない / Is there anything you don't *eat*? (宗教上の理由などで)何か召し上がらないものがありますか / I couldn't *eat* another bite [thing]. もうこれ以上食べられません.
b [*eat* **A** to **B**] **A** を **B** の状態で食べる ⟨◆ **C** は形容詞⟩ ‖ *Eat* your soup hot [chilled]. スープは熱いうちに[冷やして]飲みなさい (→ soup).
2 a ⟨虫・酸などが⟩⟨衣類・金属など⟩を食い荒らす, 腐食

eatable

する；〈波などが〉〈土地〉を浸食する；〈車などが〉…を(大量に)消費する；〈病気・苦労などが〉〈人・心〉をむしばむ (+*up*, *out*) ‖ iron fences eaten (*away*) by rust さびに(次第に)腐食された鉄柵 / An old car *eats* gas. 古い車はガソリンを食う / She was eaten (*up*) by cancer. 彼女はがんのためにやつれ(果て)た. **b**〈虫・酸などが〉穴などを[…に]あける[*into*, *in*, *through*].

3〈人・生物が〉十分食べて[食い荒らして]〈人・物〉を…の状態にする ‖ The insect *ate* the peach hollow. 虫に食い荒らされてモモは中空になっていた / She *ate* herself sick [*into* a sickness] on ice cream. 《略式》彼女はアイスクリームを食べすぎて気持ち悪くなった.

—自 **1**〈人が〉**食事をする**，〈物を〉食べる；〈人・動物が〉〈皿などから〉**食べる**(*off*, *from*, *out of*) ‖ You can't *eat* here. ここで物を食べてはいけません / We will *eat* at seven tonight. 今日の夕食は7時です / *eat* 'off a dish [*off* one's fingers, with chopsticks] 盛り皿からとって[手で，はしで]食べる / *eat* in 家で食事をする / *eat* between meals 間食する / I exercise and *eat* right [《英》properly] and get plenty of sleep. 運動して，よく食べ，よく寝ます / *eat* heartily =*eat* to one's heart's content 腹いっぱい食べる / He *eats* well [a lot, 《略式》like a horse]. 彼は大食漢だ(=He is a good [big, heavy] eater.)《◆小食は eat 'a little [lightly, like a bird] / a light [small] *eater* という》.

2〈神経・心痛などが〉…を〔徐々に〕破壊する，むしばむ (*into*, *in*, *at*, *through*)；〔貯えなどに〕食い込む (*into*) ‖ *eating* cares 心をむしばむ心配事.

éat awáy [自] (1) どんどん食べる．(2) 〔…を〕浸食する (*at*). —[他] ⇨ **2 a**.

éat óut [自] 外食する(↔ eat in(自**1**用例)). —[他] ⇨ **2 a**.

éat úp [自] 食物を(さっさと)残さず食べる《◆命令形で子供に対してよく用いる》. —[他]〈物〉を(たちまち)残さず食べる；〈金・時間など〉を使い果たす；〈火などが〉〈町など〉をなめつくす(⇨ **2 a**) ‖ He *ate up* his fortune by gambling. 彼は賭事で財産を食いつぶした.

What's éating you?《略式》どうしたの，何を悩んでいるの.

eat·a·ble /íːtəbl/ [形] 〔しばしば否定文で〕(どうにか)食べられる(状態の)《◆ edible は「食用に適する」》. —[名]C《略式》〔通例 ~s〕(生の)食用品 ‖ *eatables* and drinkables 飲食物《◆ふつうこの語順》.

*eat·en /íːtn/ [動] eat の過去分詞形.

†eat·er /íːtər/ [名]C **1** 食べる人 ‖ You are a good [big] *eater*. 食欲旺盛ですね《◆子供にいう場合はほめ言葉だが，大人にいうと「大食漢」というニュアンスを伴う. → eat自**1**》. **2**《英略式》生で食える果実，(特に)リンゴ.

†eat·ing /íːtiŋ/ [名]U 食べること；食物(food)；[形容詞的に]〈果物などが〉生で食べられる；食事用の ‖ an *éating* àpple 食用リンゴ《◆料理用は a cóoking àpple》.

éating disòrders 摂食障害.

eau de Co·logne /óu da kəlóun/《フランス》《water of Cologne (ケルンの水)》オーデコロン《◆単にcologne ともいう》.

†eaves /íːvz/ [名] 〔通例複数扱い〕(家の)軒，ひさし.

eaves·drop /íːvzdrὰp | -drɔ̀p/ [動](過去・過分) **eaves·dropped**/-t/; ~·**drop·ping** [自]〔…を〕立ち聞き[盗み聞き]する (*on*).

éavesdropping devìce 盗聴器.

éaves·dròp·per [名]C 立ち聞きする人，盗聴者.

†ebb /éb/ [名]U 〔通例 the/an ~〕**1** 引き潮；flood (tide), flow)《◆「干潮」は low tide》 ‖ the *ebb* and flow of the sea [tide] 海[潮]の干満 / The tide is *on the ebb*. 引き潮である．**2**(文) 退潮, 衰退；退潮[衰退]期 ‖ Her popularity is *at a lów ébb*. 彼女の人気は下り坂である / the *ebb* and flow of life 人生の盛衰. —[動][自] **1**〈潮が〉引く(↔ flow). **2**(文) 退潮[衰退]する (+*away*) ‖ Her enthusiasm slowly *ebbed away*. 彼女の関心はだんだん薄れていった.

ébb tìde 引き潮.

E·bo·la /ibóulə/ [名] **1** =Ebola disease. **2** =Ebola virus.

Ebóla disèase〔医学〕エボラ病《国際伝染病の1つ. 当初の名は Ebola hemorrhagic virus (エボラ出血熱)》.

Ebóla vìrus〔医学〕エボラウイルス《ウイルス性出血熱の病原体. 1976年に確認された》.

eb·o·nite /ébənàit/ [名]U エボナイト，硬質ゴム.

†eb·o·ny /ébəni/ [名]C〔植〕コクタン；U コクタンの木.

eb·ul·li·tion /èbəlíʃən/ [名]U《正式》**1** 沸騰. **2** C (感情などの)ほとばしり，激発；(戦争などの)勃(ぼ)発.

EC (略) [the ~] European Community.

†ec·cen·tric /ikséntrik/ [形] **1**〈人・行動が〉常軌を逸した，一風変わった．**2**〈軸などが〉中心をはずれた；〔数学〕〈円が〉同心でない (*to*). —[名]C 変人，奇人.

†ec·cen·tric·i·ty /èksəntrísəti | èksen-/ [名]U (服装・行為・好み・趣味などの)風変わり，奇抜，奇異. **2**〔eccentricities〕風変わりな行為；〔癖〕，奇行，奇癖.

Ec·cle·si·as·tes /ikliːzziæstiːz/ [名]〔旧約〕伝道の書《旧約聖書の一書. (略) Eccl(es).》.

†ec·cle·si·as·ti·cal /ikliːzziæstikl/ [形] (キリスト教)教会の，(キリスト)教会に関する；聖職者の，聖職者に関する.

ech·e·lon /éʃəlὰn | -lɔ̀n/ [名] **1** U C 〔軍事〕梯(てい)形編成，梯陣《軍隊・船・飛行機・戦車のはしご状配列》 ‖ fly in *echelon* 梯列で飛ぶ．**2** C〔通例 ~s〕(組織の)段階, 階層.

*ech·o /ékou/ [「反響」から「(おうむ返しの)繰り返し」「模倣」と意味が拡大]

—[名] (複 ~**es**/-z/) C U **1** こだま，反響；反響音 ‖ The boys shouted loudly in the cave so that they could hear the *echoes* of their voices. 男の子たちは声の反響を聞くためほら穴の中で大声で叫んだ．**2** [比喩的に] 反響，共鳴；〔時に ~es〕影響，なごり ‖ the *echoes* of the French Revolution フランス革命の影響. **3**《正式》(他人の意見・言葉・服装などの)模倣(imitation)；模倣者(imitator). **4**〔音楽〕エコー．**5** [E~]〔ギリシア神話〕エコー《Narcissus に恋してこがれ死に，声だけ残ったニンフ》.

—[動](~**es**/-z/; 過去・過分) ~ed/-d/; ~·**ing**)

—[他] **1**《正式》〈場所が〉〈音・声〉を**反響させる**，〈こだまを返す(send back) ‖ This tunnel easily *echoes* our voice. このトンネルは反響しやすい.

2〈人が〉〈人の言葉など〉をおうむ返しに繰り返す，〈人の行為など〉をまねる；〈人の意見など〉に共鳴する ‖ *echo* his words 彼の言った言葉をまねる.

—[自]〈音などが〉〔場所に〕反響する〔*with*, *to*〕，〈音などが〉反響して返る (+*back*)，〈音などが〉〔場所に〕反響する (*through*, *in*) ‖ The house *echoed with* her laughter. =Her laughter *echoed through* [*throughout*] the house. 彼女の笑い声が家にこだ

ました.
écho chéck 〔コンピュータ〕返送照合.

é・clair /eikléər | ikléə/ 〔《フランス》〕名 C エクレア《◆chocolate éclair ともいう》.

é・clat /eiklá:, éikla:/ 〔《フランス》〕名 U 1 はなばなしい成功[結果]. 2 名声; 栄光. 3 喝采(%), 歓呼, 賞賛.

ec・lec・tic /iklέktik/ 形 《正式》1 (種々の材料・学説・流派などから)取捨選択する(selecting); 取捨選択による. 2 折衷主義の, 折衷的な.
── 名 C 折衷主義者.
ec・léc・ti・cal・ly 副 折衷的に.
ec・léc・ti・cism /-sìzm/ 名 U 折衷主義.

†**e・clipse** /iklíps/ 名 1 C 〔天文〕(太陽・月の)食(ょく); 食の継続時間 ‖ a sólar [lúnar] *eclipse* 日[月]食 / a partial *eclipse* 部分食 / a total *eclipse* 皆既食 / an annular *eclipse* 金環食. 2 C U (一般に) 光の消滅[喪失]. 3 C U 《正式》(名声などの)失墜, 没落. **in eclipse** (1) 〈太陽・月が〉欠けて. (2) 光彩を失って, 〈権力・名声が〉陰りが出て. (3) 〈鳥が〉求愛用の羽を失って.
── 動 他 〔天文〕〈天体が〉〈他の天体〉を食する.
── 自 〈権力・名声などが〉衰える, 陰りが出る.

e・clip・tic /iklíptik/ 名 〔天文〕[the ~] 黄道.

ec・logue /éklɔ:g/ 名 C 田園詩, 牧歌(詩).

ec・o- /í:kou-, ék-, 《英+》-kə-/ 〔語要素〕→語要素一覧 (1.6).

ec・o・cide /ékəsàid | í:kəu-/ 〔ecology + genocide〕名 U 《米》環境破壊, 生態系破壊.

ec・o・friend・ly /í:koufréndli/ 形 生態系[環境]にやさしい.

ec・o・log・i・cal, ‑log・ic /èkəládʒik(l) | ì:kəldʒ-/ 形 生態学(的)の, 生態(上)の; 〈政策・製品などが〉環境にやさしい, 環境を損わない(略 ecol.).
èc・o・lóg・i・cal・ly 副 生態学的に; [文全体を修飾]生態学的見地から言えば.

†**e・col・o・gy** /ikálədʒi, 《英+》ì:k5l-/ 名 U 1 生態《生物同士あるいは生物と環境との関係》; 《略式》自然環境. 2 生態学, エコロジー; 人間生態学(human ecology). **e・cól・o・gist** 名 C エコロジスト, 生態学者.

*__ec・o・nom・ic__ /èkənámik | ì:kən5m-/
── 形 1 [名詞の前で] 経済(上)の; 経済学(上)の《◆比較変化しない》‖ *economic* [*×economical*] reform [development] 経済改革[発展] / Japán's económic pólicy 日本の経済政策 / an *economic* power 経済大国 / ease *economic* sanctions 経済制裁を緩和する. 2 《英》〈賃貸料などが〉採算のとれる, 利益になる(profitable)(↔ uneconomic); 実利的な.
económic blockáde 経済封鎖.
económic grówth ràte 経済成長率.
económic perfórmance 経済[景気]動向.
económic wáters [zóne] 経済水域.
económic white páper 経済白書.

*__ec・o・nom・i・cal__ /èkənámikl | ì:kən5m-/
── 形 1 〈物・事が〉(…の点で)経済的な, 〈物が〉徳用の[on](↔ uneconomical) ‖ an *economical* use of fuel 燃料の経済的な使い方 / A small car is very *economical* [*×economic*] *on* gas. 小型車は低燃費でとても経済的である.
2 〈人が〉節約する, 倹約する(frugal), 〈人・機械などが〉〈…を〉浪費しない[*of*]《◆けなしている場合は stingy, mean, ほめている場合は thrifty. economical は中立的な語》‖ *economical* shoppers 買物じょう

ずな客.

†**ec・o・nom・i・cal・ly** /èkənámikəli | ì:kən5m-/ 副 1 経済的に, 節約して ‖ *economically* disadvantaged 経済的に不利な[恵まれない]. 2 [文全体を修飾]経済的見地からいえば.

†**ec・o・nom・ics** /èkənámiks | ì:kən5m-/ 名 U 1 [単数扱い] 経済学 ‖ I have a major in *economics*. 私の専攻は経済学です. 2 [複数扱い] 経済面[問題, 状態].

†**e・con・o・mist** /ikánəmist | -k5n-/ 名 C 経済学者; 《古》倹約家.

†**e・con・o・mize**, 《英ではしばしば》**‑mise** /ikánəmàiz | -k5n-/ 動 自 《時間・金・物・資源などを節約する.
── 他 〈…を〉節約する[on].

e・cón・o・miz・er 名 C 倹約家.

***e・con・o・my** /ikánəmi | -k5n-/ 派 economic (形), economical (形), economics (名)
── 名 (複 ‑mies/-z/) 1 [しばしば the ~] U 〔国家・社会などの〕経済(状態), 財政; 〔国家の〕経済組織; 〔経済〕国 ‖ a capitalist [market] *economy* 資本主義[市場]経済 / household *economy* 家庭経済, 家計 / the advanced industrial *economies* 先進工業国. 2 U C 《正式》[しばしば economies] 〔…を〕節約すること(*of*, *in*); C 節約, 倹約(の事例) ‖ practice *economy* 倹約する / a man of *economy* 節約家 / We must *make economies in* buying clothes. 衣服を買うのを節約しなければならない.
3 U =economy class.
── 形 [名詞の前で] 安価な, 〈価格が〉低廉な《◆cheap の遠回し語》;〈サイズなどが〉徳用の; 経済的な; 割安の《◆比較変化しない》‖ an *economy* drive 節約運動.

económy clàss 《主に飛行機の》エコノミー=クラス《◆tourist class ともいう》.

ec・o・sys・tem /ékousìstim | í:k-/ 名 C 〔生態〕生態系, エコシステム.

e・co・tour・ism /í:koutúərizm | -k5n-/ 名 U エコツーリズム, 生態系保護観光《自然環境保護を意識した観光》.

†**ec・sta・sy** /ékstəsi/ 名 U C 1 無我夢中, 有頂天 ‖ in an *ecstasy* of delight [grief] 喜び[悲しみ]に我を忘れて / 'be in [gó ìnto, be thrówn into] *écstasy* [*ecstasies*] over one's success with the examination 試験に合格して有頂天になる. 2 《正式》狂喜, 歓喜(great joy). 3 《俗》エクスタシー《幻覚誘発薬の通称》.

†**ec・stat・ic** /ekstǽtik | ik-/ 形 《正式》1 有頂天の, 狂喜した. 2 恍惚(ミ゙)の.
ec・stát・i・cal・ly 副 有頂天で; うっとりして.

ECU /eikú: | èkju:/ 〔European Currency Unit〕名 C ECU C ヨーロッパ通貨単位, エキュ《EU の共通基準通貨. 流通通貨としては euro に変更》.

Ec・ua・dor /ékwadɔ:r/ 名 エクアドル《南米北西部の共和国. 首都 Quito》.

ED /i:dí:/ 〔医学〕erectile dysfunction 勃起(ぽ)障害.

ed. 〔略〕edited; edition; editor; educated.

†**‑ed** /(d 以外の有声音の後) -d; (t 以外の無声音の後) -t; (d, t の後) -id, -əd/ 〔語要素〕→語要素一覧 (2.1, 2.4).

Ed・da /édə/ 名 [the ~] エッダ《北欧の神話・詩歌集》.

†**ed・dy** /édi/ 名 C 1 小さな渦巻き. 2 〈霧・煙・ほこりなどの〉渦巻き. ── 動 自 渦を巻く.

e・del・weiss /éidlvàis/ 〔《ドイツ》〕名 U 〔植〕エーデルワイス《キク科の高山植物》.

†**E·den** /íːdn/ 名 **1** エデンの園(the Garden of Eden)《Adam と Eve が住んでいた楽園》. **2** ⓒ 楽土, 楽園; 極楽の状態.

Ed·ger /édgər/ 名 エドガー《男の名.《愛称》Ed, Eddie, Eddy, Ned》.

*__edge__ /édʒ/
—名 (穫 ~s/-ɪz/)
I 縁・端
1 ⓒ [通例 the ~] (物の)へり, 縁, かど; 端, (町などの)はずれ, (湖などの)ほとり, (峰などの)背, (屋根の)むね (→ border 名 4) ∥ *the edge* of a table テーブルの縁 / at *the edge* of the water = at *the* water's *edge* 水ぎわで.

II 刃・鋭さ
2 ⓒ (ナイフ・刀などの)刃, 刃先 (→ knife 関連); [the/an ~] 刃の鋭さ ∥ a knife with *a* very sharp *edge* 大変よく切れるナイフ / feel *the edge* of the sword with one's finger 指で剣の刃先をさわってみる.
3 [the/an ~] (欲望・言葉・皮肉などの)鋭さ, 激しさ, 熱意(zest) ∥ give *an edge* to [set *an edge* upon] one's appetite 食欲をそそる.

__be on édge__ いらいら[興奮]している; […]したがっている(*to do*)《◆ 強調表現は *be all* on edge》.
__hàve [gèt] the [an] édge on [òver]__ Ⓐ 《略式》〈人・物が〉…よりまさる, 優勢である.
__on the édge of__ Ⓐ (1)…の縁[端]に. (2) ほとんど…で; まさに[…]しようとして[*doing*].
__tàke the édge òff__ Ⓐ (1)〈刃物〉の切れ味を悪くする. (2)〈食欲・興味・力など〉をそぐ, 鈍らせる.

—動 (~s/-ɪz/; 過去・過分 ~d/-d/; *edg·ing*)
—他 **1** [通例方向の副詞句と共に] …を斜めに[少しずつ, 注意して]動かす ∥ She *edged* her chair nearer *to* the gas stove. 彼女はいすをガスこんろの方へ少しずつ近づけた / He *edged* himself *into* our conversation. 彼は私たちの話に少しずつ割り込んできた. **2** …に[…で]縁を付ける, …を縁どる; …を仕切る [*with*] ∥ a white handkerchief *edged with* red 赤色で縁どった白いハンカチ / *edge* the garden *with* flagstones 敷石で庭を仕切る. **3** 〈刃物の刃を立てる[研ぐ]; …を鋭くする(sharpen).
—自 [通例方向の副詞句を伴って] 斜めに[少しずつ, 注意して]進む, 動く (+*away, along, back, up* など) ∥ *edge through* a crowd 人込みの中を少しずつ進む.

†**edg·ing** /édʒɪŋ/ 動 → edge. —名 ⓒ 縁飾り, 縁取り; Ⓤ 縁取りをすること.

†**ed·i·ble** /édəbl/ 形 《正式》(毒性がなくて)食べられる, 食用に適する(↔ inedible)(cf. eatable).

†**ed·i·fice** /édəfɪs/ 名 ⓒ **1** 《正式》(宮殿などの)大きな堂々たる)建物, 大建造物. **2** 複雑な組織, 体系.

Ed·in·burgh /édnbɜːrə, -bərə/ 名 **1** エディンバラ《スコットランドの首都》. **2** *the* Duke *of* ~ エディンバラ公《1921‒; 英国女王 Elizabeth II の夫君》.

†**Ed·i·son** /édɪsn/ 名 エジソン《Thomas Alva/ǽlvə/ ~ 1847‒1931; 米国の発明家》.

†**ed·it** /édɪt/ 動 —他 **1** 〈作品・本・フィルム・テープ・ラジオ番組・テレビ番組など〉を編集する;〈原稿など〉を校訂する. **2** 〈新聞・雑誌などの〉編集主幹になる. **3** 《コンピュータ》〈データ〉を編集する.

__édit óut__ 他〈語句・文・シーンなど〉を[…から]削除する(*of*).

edit. 《略》 *edited; edition; editor.*

†**e·di·tion** /ɪdíʃən/ 名 ⓒ **1** (本などの)版《略》 ed.); (同じ版による本・新聞などの)全発行部数; (ある版の) 1 冊, 1部《◆ 同じ版組で, 印刷する時が違うものは impression, printing 参》∥ *the* first [a revised] *edition* 初版[改訂版] / The dictionary「went through six *editions* [reached its sixth *edition*]. その辞書は6版を重ねた. **2** [修飾語を伴って] a pocket [two-volume, paperback, hardcover] *edition* ポケット[2巻本, 紙装, 堅表紙]版 / a pirate [Paris] *edition* of the book その本の海賊[パリ]版 / an *edition* de luxe = deluxe *edition* 豪華版. **3** (新聞の)版; (特定の日の特別の)版; (連続番組の)1回分 ∥ *the* evening [Sunday] *edition* of the newspaper その新聞の夕刊[日曜版].

†**ed·i·tor** /édətər/ 名 ⓒ **1** 編者, 校訂者《略》 ed.) ∥ The introduction to this book was written by its *editor*. この本の序文は編者の執筆によるものである. **2** = EDITOR in chief. **3** 《コンピュータ》エディター《テキスト・プログラム編集ソフト》.

__éditor in chíef__ (新聞・雑誌の)編集責任者, 主筆, 主幹.

†**ed·i·to·ri·al** /èdɪtɔ́ːriəl/ 形 **1** 編集の; 編集(者)に関する ∥ an *editorial* office 編集室 / *editorial* policy 編集方針 / an *editorial* staff [集合名詞的に]編集部員 / He worked as an *editorial* assistant. 彼は編集助手として動いた. **2** 社説の, 論説の ∥ an *editorial* comment 社説の論評. —名 ⓒ (新聞・雑誌の)社説, 論説《◆ 《英》では leader, leading article ともいう》∥ An *editorial* is a statement of opinion. 社説は意見の表明である.

ed·i·to·ri·al·ly /èdɪtɔ́ːriəli/ 副 編集(者)として; 編集上; 社説で.

ed·i·tor·ship /édətərʃɪp/ 名 Ⓤ 編集(者)の地位[職務, 権限, 指示].

Ed·mund, Ed·mond /édmənd/ 名 エドモンド《男の名》.

__ed·u·cate__ /édʒəkèɪt | édju-/ アクセント注意 派 education (名), educational (形)
—動 (~s/-kèɪts/; 過去・過分 --cat·ed/-ɪd/; --cat·ing)
—他 **1** 〈人・団体が〉〈人〉を教育する, 啓発する《◆ 家庭で「作法などをしつける」は bring up》∥ *educate* oneself 独学[修養]する; (1人で)練習する. **2** 〈子供〉を学校でやる;〈人〉に[…で/…の]学校教育を受けさせる〔*at*, (英) *in* / *in, on*〕∥ He was *educated* in economics *at* Harvard. 彼はハーバードで経済学の教育を受けた / It costs a lot to *educate* children. 子供を教育するのは高くつく. **3** 〈主に英〉〈人〉を[…を専門にするよう]仕込む〔*for*〕;〈人〉を[ある状態に]しつける〔*to*〕;〈人〉を[…するよう]しつける〔*to* do〕∥ be *educated for* the medical profession [*to* be a doctor] 医者になるよう教育を受ける.

†**ed·u·cat·ed** /édʒəkèɪtɪd | édju-/ 形 **1** (ふつう以上の)教育を受けた; 教養のある (↔ uneducated) (cf. well-behaved) ∥ *educated* usage 教養のある人々の語法. **2** 熟達した ∥ an *educated* ear for classical music クラシック音楽に通じた耳.

__ed·u·ca·tion__ /èdʒəkéɪʃən | èdju-/
—名 Ⓤ **1** [時に an ~] 教育(をする[される]こと)《◆ 具体的な科目の教育はふつう teaching : English language teaching (ESL/EFL としての) 英語教育 / English language *education* (ふつう英語母語話者を対象にした)英語教育》∥ compulsory *education* 義務教育 / *the education of* children

子供の教育《of は目的格関係を表す. educate children の名詞化表現. ➡文法14.4》/ All people have the right to receive an equal *education*. 人はみな等しく教育を受ける権利を有する / the Ministry of *Education*, Culture, Sports, Science and Technology 文部科学省《米国では the Department of *Education*》.

関連 [いろいろな種類の education]
adult *education* 成人[社会人]教育 / bilingual *education* 二言語使用教育 / higher *education* 高等教育 / lifelong [continuing] *education* 生涯教育 / physical *education* 体育 / public *education* 公教育, 学校教育 / special *education* 特殊教育《◆ special ed ともいう》.

2 [時に an 〜] (受けた)教育, **教養**, 知識 ‖ She has an [a good] *education*. 彼女は教養がある / people without *education* 教養のない人たち.
3 教育学, 教授法 ‖ get an A in a course in *education* 教育学の科目でAの成績を取る.

†**ed·u·ca·tion·al** /èdʒəkéiʃənl | èdju-/ 形 **1** 教育の, 教育上の ‖ an *educational* [ˣeducative] policy [system] 教育方針[制度] / Our school's *educational* programs have been vastly improved. 本学の教育カリキュラムは著しく進歩してきた. **2** 教育を施す, 教育的な, 有益な ‖ an *educational* speech 有益なスピーチ.

educátional télevision (学校などの)教育用テレビ; (非商業的)教育テレビ(public television).
ed·u·ca·tive /édʒəkèitiv | édjukə-, -kèi-/ 形 教育に役立つ; 教育の.
ed·u·ca·tor /édʒəkèitər | édju-/ 名 **1** 教育者《◆ teacher の上品語法》. **2** (米)教育学者.
e·duce /idjú:s/ 動 他《正式》**1** 〈能力·性能など〉を引き出す(bring out). **2** 〈結論など〉を〔資料·情報などから〕推論する〔from〕.

†**Ed·ward** /édwərd/ **1** 名 エドワード《男の名. (愛称) Ed, Eddie, Ned, Neddy》. **2** 〜 the Confessor ざんげ王[証聖王]エドワード《1004?-66; 最後のアングロサクソン王》. **3** エドワード《イングランドの皇太子 1330-76; 通称 the Black Prince (黒太子)》. **4** エドワード《イングランド[英国]王の名. 1世から8世まで》.

Ed·ward·i·an /edwɔ́ːrdiən/ 形 **1** (英国の)エドワード7世時代(1901-10)の. **2** (エドワード7世時代の)生活様式[建築, 服装]の(に関する); 華美で自己満足的な. ──名 C エドワード7世時代の人.
-ee /-í:/ 〈語尾〉 →語尾一覧(2.1).
EEC 略 [the 〜] European Economic Community.

†**eel** /í:l/ 名 (複 〜s, eel) C **1** ウナギ(の類の魚) ‖ (as) slippery as an eel ウナギのように(つるっとして)つかみにくい; とらえどころのない. **2** すべすべしたもの; (略式)巧みにのがれる人.
-eer /-íər/ 〈語尾〉 →語尾一覧(2.1, 2.2).
ee·rie, ee·ry /íəri/ 形 (-·ri·er, -·ri·est) 〈場所·雰囲気などが〉無気味な, ぞっとするような.
EEZ 略 exclusive economic zone 200マイル経済(選管)水域.

†**ef·face** /iféis, ef-/ 動 他《正式》**1** 〈文字など〉を消す, 削除する(rub out). **2** 〈記憶·印象など〉を〔…から〕ぬぐい去る, 消し去る(remove)〔from〕. **3** [通例 〜 oneself] 人目につかないようにする.

*__ef·fect__ /ifékt/ 〔類音 affect /əfékt/〕 派 effective (形)

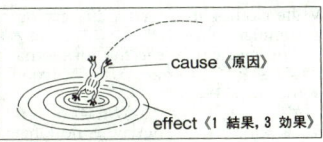

cause 〈原因〉
effect 〈1 結果, 3 効果〉

──名 (複 〜s/-ékts/)

Ⅰ **[結果にかかわるもの]**
1 C U (効果·影響の)**結果**, (原因の直接的な)結果 (↔ cause)《◆ result は最終的結果》‖ cause and effect 原因と結果 / She is suffering from the *effects* of hot weather. 彼女は暑さ負けをしている / We hope [trust] it will produce a good *effect*. それがよい結果を生むことを期待しています.
2 [〜s] 動産, 個人資産(property) ‖ one's personal *effects* 身の回り品.

Ⅱ **[効果にかかわるもの]**
3 C U (…への/…する)(結果を引き起こす)**効果**, 影響 [on, upon / of doing]; (薬などの)ききめ, 効能; U (法律などの)効力《◆ 動詞形は affect》‖ I could feel the *effects* of the thin mountain air. 山の薄い空気の影響を感じた / be of no *effect* 効果がない, むだである / Our advice had no *effect* on him. 私たちの忠告は彼には効果がなかった(=Our advice didn't *affect* him.) / This new medicine did not have much (of an) *effect*. この新薬はあまりききめがなかった / The new law goes into *effect* next month. 新しい法律が来月実施される.
4 C U (色·形·音などの)配合, 印象, 趣き, 感じ; 効果; [〜s] (劇·映画·放送などの)効果(装置) ‖ sound *effects* 音響効果 / The picture gives an *effect* of moonlight. その絵は月の光の感じが出ている.

bring [carry, put] A into efféct 〈法律など〉を実施する; 〈計画など〉を実行する.

for efféct 見せかけの[で], 効果をねらって ‖ Her tears were just for *effect*. 彼女の涙はほんの見せかけであった.

give efféct to A 《正式》〈法律など〉を実施する; 〈計画など〉を実行する.

in efféct (1) 〈法律·規則などが〉有効な. (2) [副詞的に] 実際には; 実質上, 事実上; 基本的には ‖ His silence was, in *effect*, a refusal of our offer. 彼の沈黙は事実上我々の申し出を断るものであった.

*__take efféct__ (1) 効果が生じる, 効いてくる ‖ She lay quietly waiting for the sleeping pills to *take* (ˣan) *effect*. 彼女は静かに横になって睡眠薬がきくのを待った. (2) 〈法律など〉が発効する.

to góod efféct 効果的に.
to líttle efféct ほとんど効果なく.
to nó efféct 何の効果もなく.
to the efféct that … 《正式》…という趣旨で[の] ‖ a scribbled note *to the effect that* she will divorce her husband 彼女が離婚するという旨の走り書き.
to thís [thát] efféct 《正式》この[その]趣旨で[の].
to the sáme efféct 《正式》同じ趣旨で[の].

──動 (〜s/-ékts/; 過去·過分 〜·ed/-id/; 〜·ing)
──他 《正式》〈人·物·事〉が(結果として)〈事〉をもたらす; 〈目的など〉を達成する.

*__ef·fec·tive__ /iféktiv/
──形 **1** 〈物·事が〉〔…に〕**効果的である**〔in〕; 〈薬·療法などが〉〔…に〕ききめがある〔for〕(↔ ineffective) ‖

White clothes are *effective in* keeping cool in summer. 白い服は夏を涼しく過ごすのに効果的だ / This medicine is *effective* for toothaches. この薬は歯痛に効く《◆ふつうは … is good for toothaches. という》.

2 [補足として]〈法律などの〉**効力を発する**, 実施される《◆比較変化しない》 ‖ The law is no longer *effective* [in *effect*]. その法律はもう無効である / The new law will be [become] *effective* [*as of* [*on*] April 1. 新しい法律は4月1日より実施される《◆次のようにもいえる: The new law will [*come into effect* [*take effect*, *be in effect*] *as of* April 1.》.

📝 使い分け [**effective** と **valid**]
effective は「〈法律などが〉実施される」.
valid は「〈法的に〉有効な」.
My passport is valid [×effective] for 10 years. 私のパスポートは10年間有効です.
Effective [×Valid] immediately, smoking is prohibited in all parts of the building.《公的掲示で》(法律が)実施されればただちに, 喫煙は建物内部すべての場所で禁止です.

3 感銘を与える, 印象的な. **4** [名詞の前で]〈名目上でなく〉実際の, 事実上の《◆比較変化しない》.

*ef·fec·tive·ly /ifέktivli/《→ effective》
——副 **1 効果的に**; 有効に ‖ how to learn English *effectively* 効果的な英語を学ぶ方法.

📝 語法 「能率的に」は efficiently : do one's work *efficiently* [×*effectively*] 仕事を能率的にする. 次例では少しニュアンスは異なるが両者可能: use one's time *effectively* [*efficiently*] 時間を効率的[能率的]に使う.

2 実際上は, 実質的には, だいたい ‖ The score is 10 to 1. The game is *effectively* finished. スコアは10対1です. 試合は事実上終わったも同然.

†ef·fec·tive·ness /ifέktivnəs/ 图 Ⓤ 有効性.
†ef·fec·tu·al /ifέktʃuəl/ 形《正式》**1** [しばしば否定文で]〈物・行為が〉効果的な; 〈行為などが〉適切な(effective) ‖ make an *effectual* search 適切な捜索をする. **2** 〈協定などが〉法的な力を持つ, 有効な(valid).
ef·féc·tu·al·ness 图 Ⓤ 効果のあること, 有効性.
ef·fec·tu·al·ly /ifέktʃuəli/ 副 効果的に, 有効に; 適切に.
ef·fec·tu·ate /ifέktʃueit/ 動 他《正式》〈事〉を引き起こす(effect); 〈行為などを〉首尾よく成し遂げる.
ef·fem·i·na·cy /ifémənəsi/ 图 めめしさ, 柔弱.
†ef·fem·i·nate /ifémənət/ 形《正式》〈男(の行為)が〉女のような, めめしい.
ef·fer·vesce /èfərvés/ 動 ⓐ **1**《正式》〈炭酸水などが〉泡立つ. **2** 〈人が〉熱狂する, はしゃぐ.
ef·fer·ves·cence, --cen·cy /èfərvésns(i)/ 图 Ⓤ 沸騰, 泡立ち; 興奮, あふれるような活気.
ef·fer·ves·cent /èfərvésnt/ 形〈液体が〉沸騰性の; 興奮して, 生き生きした.
ef·fete /ifíːt, ef-/ 形《正式》**1**〈制度・組織などが〉時代遅れの. **2**〈人が〉精力[活力]のない, 衰えた.
ef·fi·ca·cious /èfikéiʃəs/ 形《正式》〈主に薬・療法などが〉[…に/…に対して]効きめのある, 有効な(effective) [in/for]. èf·fi·cá·cious·ly 副 有効に, 効果的に.

ef·fi·cac·i·ty /èfikǽsəti/ 图 =efficacy.
†ef·fi·ca·cy /éfikəsi/ 图 Ⓤ《正式》効きめ, 有効性, 効果.

*ef·fi·cien·cy /ifíʃnsi/
——图(耄 --cies/-z/) **1** Ⓤ 能率,《効果的な仕事をする》能力 ‖ work *with* great *efficiency* 非常に能率的に働く. **2** Ⓤ《機械などの》効率, 仕事率. **3** Ⓒ《米》=efficiency apartment.
efficiency apàrtment《バスと台所付きの1部屋の》簡易アパート《《英》bed-sitting room》.

†ef·fi·cient /ifíʃnt/ [アクセント注意] 形 **1**〈人が〉に有能な, 敏腕な, 頭が切れる[*in, at, about*]《↔ inefficient》; [it is efficient *of* A *to do*] …すると A〈人〉は要領[手際]がよい ‖ an *efficient* doctor 有能な医師 / be very *efficient at* [*in*] one's work 仕事にとても有能である / He's *efficient about* picking locks. 彼は錠をこじあけるのがうまい. **2**〈機械・道具・行為・組織などが〉[…に]能率的な, 効率がよい[*for*] ‖ The Japanese telephone system is highly *efficient*. 日本の電話網は非常に能率がよい.

†ef·fi·cient·ly /ifíʃntli/ 副 能率的に, 効率的に ‖ use one's time *efficiently* 効率的に時間を使う.
ef·fi·gy /éfidʒi/ 图 Ⓒ《正式》**1** 肖像, 彫像, 画像. **2**《憎い人に似せて作った》人形(ﾆﾝｷﾞｮｳ), 偶像.
ef·flo·res·cence /èfləɾésns, -lɔː-/ 图 Ⓤ《正式》開花(期).
ef·flu·ence /éfluəns/ 图 Ⓤ《光・電気・磁気などの》流出, 放出, 発散; 流出物 = affluence》.
ef·flu·ent /éfluənt/ 形 流出[放出, 放散]する.
——图《正式》**1** Ⓒ《川・湖・池などからの》流出水, 流れ. **2** ⓤⓒ《工場などの》廃水, 廃液.

*ef·fort /éfərt/
——图(耄 ~s/-ərts/) **1** Ⓤ 努力すること; Ⓒ[しばしば ~s]《…しようとする》(精神的・肉体的な)**努力**《*to do*》,《…に対する》骨折り, 奮闘, 頑張り, 取組み《*at (doing), toward (doing)*》《◆endeavor, attempt より口語的》 ‖ I put a lot of time and *effort* into it. それには多大な時間と努力を注ぎました / màke [×*do*] èvery *éffort to* master English 英語をマスターしようとあらゆる努力をする / Writing in Kanji would be quite an *effort* for the American. 漢字で書くことはその米国人にとってかなり骨の折れることでしょう《◆would は仮定法過去. 「その米国人が漢字で書くとしたら…」という気持ち. ➡文法 9.5(4)》/ The runner broke the world record without (any) *effort* [×*efforts*]. その走者は楽に世界記録を破った / She made an *effort at* joking [telling a joke] but it fell quite flat. 彼女は冗談を言おうと努力したが, うまくいかなかった / They made no *effort toward* assisting her. 彼らは彼女を助ける努力をまったくしなかった. **2** Ⓒ《略式》[通例複合語で]努力の成果;《芸術上の》作品, 業績 ‖ a great literary *effort* 偉大な文学作品 / That's a good [bad, poor] *effort*! 立派な[話にもならない]できばえだ.
ef·fort·less /éfərtləs/ 形 努力を要しない, 楽な, 簡単な. **ef·fort·less·ly** 副 楽に, すいすいと.
ef·fron·ter·y /ifrʌ́ntəri, ef-/ 图《正式》**1** Ⓤ 厚かましさ《↔ modesty》. **2** Ⓒ[しばしば effronteries] 厚かましい行為.
ef·fuse /ifjúːz, ef-/ 動《正式》他 …を放出[発散]する. ——ⓐ 発散する; にじみ[流れ, 吹き]出る.
ef·fu·sion /ifjúːʒən, ef-/ 图《正式》Ⓤ《液体, 特に血などの》激しい流出; Ⓒ 流出物. **2** Ⓤ《感情などの》

ef·fu·sive /ifjúːsiv, ef-/ 形 ⟨感情などが⟩あふれるばかりの, おおげさに表現された.

EFL /íːɛ́fél/ 〖English as a foreign language の略〗 名 U 外国語としての英語(学習[教授]法) (cf. ESL).

eft /éft/ 名 C 動 イモリ(newt)◆気味悪い, 軽蔑(ぜ)すべき小動物と見られる. 黒焼きは媚(び)薬.

†**e.g.** /íːdʒíː, (米+) ìːdʒíː, ǽmpl, (英+) -áːm-/ 略 〖ラテン〗 exempli gratia (=for example) たとえば ‖ domestic animals, *e.g.* horses, cows and sheep 家畜, たとえば馬, 牛そして羊.

‡**egg** /ég/
—— 名 (複 ~s/-z/) C **1** 卵; 鶏卵 ◆(1) 生命の象徴とされる(→ Easter egg). (2) 「料理した卵の一部分」の意では U (→ 最終例). (3) 卵の大きさの等級は Grade A, AA, AAA の順で小さくなる) ‖ a carton of fresh [newly-laid] *eggs* 新鮮な[生みたての]卵1カートン ⟨12または6個⟩ / stale [rotten] *eggs* 古い[腐った]卵 / *lay* [*ˣbear*] *an egg* 卵を産む / brood [sit on] *eggs* ⟨鳥が⟩卵を抱く / *break an egg* 卵を割る / a question of which came first, the chicken or the *egg* ニワトリが先か卵が先かの問題 / ⦅対話⦆ "How would you like your *eggs*?""Three-minute *eggs*, please." (ホテルなどで)「卵はどのようにしますか」「3分ゆでにしてください」. **2** U (料理として出された)卵, 卵の中身 ‖ I spilled *egg* on the floor. 私は床に卵をこぼした / You have *egg* on your chin. あごに卵がついているよ.

⦅関連⦆ **いろいろな種類の卵料理**
bacon and *eggs* ベーコンエッグ / boiled *egg* ゆで卵 ⟨hard-boiled *egg* (固ゆで卵), soft-boiled *egg* (半熟卵)⟩ / *egg* (tipped) over 両面焼きの目玉焼き ◆Two *eggs*, over easy [hard], please. (卵2個を両面を軽く[よく]焼いた目玉焼きにしてください)のように注文する / fried *egg* 焼き卵[目玉焼き・いり卵など] / ham and *eggs* ハムエッグ / poached *egg*(s) 落とし卵 / shirred *egg* 皿に落とし天火で焼いた目玉焼き / a sunny-side up *egg* 片面焼きの目玉焼き.

⦅語法⦆ 料理した卵でも複数形になることがある: scrambled *egg*(s) and bacon スクランブルエッグとベーコン.

3 =egg cell; ⦅俗⦆ アリの'卵'⦅実際はまゆ⦆. **4** ⦅略式・古風⦆ [bad, odd, old, good などを伴って] …なやつ(guy) ‖ He's a good *égg*. 彼はいいやつだ.
háve égg on [**áll óver**] *one's* **fáce** ⦅英略式⦆恥をかく.
égg àpple =eggplant.
égg cèll (生物) 卵子, 卵細胞(ovum).
égg cùp ゆで卵立て, エッグ・カップ.
égg fòo yóung /-fùː-jáŋ/ フーヨーハイ⟨中華風のオムレツ⟩.
égg whìte 卵の白身 (cf. yolk).
égg-and-spóon ràce /égənd-spúːn-/ スプーン=レース⦅卵をスプーンにのせて運ぶ⦆.
égg-beat·er /égbìːtər/ 名 C ⦅主に米⦆泡立て器.
égg·head /éghèd/ 名 C ⦅略式⦆知識人; インテリぶる人 ‖ the *eggheads* 知識階級.

égg·plant /égplænt/ 名 C ⦅主に米⦆ 〖植〗 ナス(の木); U C ナスの実 ⟨egg apple, ⦅主に英⦆ aubergine⟩ ◆米英のナスは日本のナスよりかなり大きい.

égg·shell /égʃèl/ 名 C 卵の殻 ; [形容詞的に]⟨陶磁器などが⟩薄手の, ⟨塗料などが⟩つや消しの.

eg·lan·tine /égləntàin, -tìːn/ 名 C U 〖植〗 エグランタイン, ノバラ.

†**e·go** /íːgou, égou/ 名 (複 ~s) ⦅正式⦆ **1** U C [しばしば the ~] 〖哲学〗 自我; 〖精神分析〗 自我, エゴ. **2** U 自信, うぬぼれ; 自尊心(pride).

e·go·cen·tric /ìːgousɛ́ntrik, ègou-/ 形 ⦅正式⦆ 自己中心の.

†**e·go·ism** /íːgouìzm, égou-/ 名 U **1** 利己主義, 自己本位. **2** うぬぼれ, 自負心.

e·go·ist /íːgouist, égou-/ 名 C **1** 利己的な人, 自分の利益をまず考える人. **2** =egoist 1.

e·go·is·tic, --·ti·cal /ìːgouístik(l), ègou-/ 形 **1** 利己主義的な (↔ altruistic); 自己本位の, わがままな. **2** うぬぼれた. **è·go·ís·ti·cal·ly** 副 利己的に; うぬぼれて.

e·go·tism /íːgətìzm, égəu-/ 名 U **1** 自己中心癖 ⟨I, my, me などを使いすぎること⟩. **2** 自己本位, わがまま. **3** うぬぼれ (self-conceit).

e·go·tist /íːgətist, égəutist/ 名 C **1** 自分本位の人, 目立ちたがり屋 (cf. egoist). **2** =egoist 1.

e·go·tis·tic, --·ti·cal /ìːgətístik(l)/ 名形 自己中心的な. 利己的な. **è·go·tís·ti·cal·ly** 副 利己的に.

e·gre·gious /igríːdʒəs, -dʒiəs/ 形 ⦅正式⦆ 実にひどい, はなはだしい.

e·gress /íːgres/ 名 U 〖法律〗 (建物・囲まれた場所からの)囲繞(いにょう)通行(権) (↔ ingress).

e·gret /íːgrət, ég-/ 名 C 〖鳥〗 シラサギ, アマサギ(の類); その羽毛, 羽毛飾り.

***E·gypt** /íːdʒipt/ 〖「パンを食う人々」が原義〗
—— 名 エジプト⦅現在の正式名 Arab Republic of Egypt. 首都 Cairo⦆.

†**E·gyp·tian** /idʒípʃ(ə)n/ 形 エジプトの; エジプト人[語]の.
—— 名 C エジプト人(語) (→ Japanese). **2** U (3世紀まで使われていた)エジプト語.

***eh** /éi, (米+) éi/ 間 ⦅略式⦆ えっ(何ですか)?, もう一度言って ◆上昇調で用い, 驚きや疑いを示したり, 相手に繰り返し・同意を促す.

EHF ⦅略⦆ extremely high frequency.

ei·der /áidər/ 名 C 〖鳥〗 =eider duck.
éider dùck ケワタガモ⟨北極海に住む大ガモ⟩.

ei·der·down /áidərdàun/ 名 **1** U ケワタガモの綿毛. **2** C その毛の羽ぶとん.

†**Éif·fel Tówer** /áifl-/ 〖設計者の名から〗[the ~] エッフェル塔⟨パリにある鉄塔. 高さ315 m⟩.

‡**eight** /éit/ ⦅同音⦆ ate ⦅米⦆)
—— 名 (複 ~s/éits/) ◆名形 とも用例は → two⦆
1 U C [通例無冠詞] (基数の)8 ◆序数は eighth. 復活・再生をを表す数とされる. octa=, octo-⦆. **2** [代名詞的に; 複数扱い] 8つ, 8個; 8人. **3** U 8時, 8分; 8ドル[ポンド, ペンス, セントなど]. **4** U 8歳. **5** C a 8の記号(数字, 活字)⟨8, VIII など⟩. **b** 8の字形(のもの). **C** C 〖トランプ〗 8の札. **7** a C [単数・複数扱い] 8つ[8人]1組のもの; 8人乗りボート(の乗員), エイト. **b** [the Eights] ⦅英⦆ (春テムズ川で行なう)オックスフォード・ケンブリッジ大学対抗ボートレース.
—— 形 **1** [通例名詞の前で] 8つの, 8個の; 8人の. **2** [補語として] 8歳の.

éight báll《米》〖ビリヤード〗8と書いた黒球《◆持ち玉を落としきる前にこれを玉受け(pocket)に入れると負けになる》.

*eigh·teen /éitíːn/
——名 (複 ~s/-z/)《◆名形とも用例は → **two**》**1** ⓊⒸ [通例無冠詞] (基数の)18《序数は eighteenth》. **2** Ⓤ [複数扱い;代名詞的に] 18個;18人. **3** Ⓤ 18時(午後6時),18分;18ドル[ポンド,ペンス,セントなど]. **4** 18歳. **5** Ⓒ 18の記号[数字,活字]《18, xviii, XVIII など》. **6** Ⓒ 18個[人]1組のもの.
——形 **1** [通例名詞の前で] 18の, 18個の;18人の. **2** [補語として] 18歳の.
18 〖記〗《英》〖映画術〗成人向き(の), 18歳未満入場禁止(の) → film rating).

†eigh·teenth /éitíːnθ/《◆18th とも書く》形《◆形名とも用例は → **fourth**》**1** [通例 the ~] (序数の)第18番目の(= first 形1). **2** [an ~] 18分の1の.——名 **1** Ⓤ [通例 the ~] (順位・重要性で)[…する]第18番目[18位]の人[もの](to do). **2** Ⓤ [通例 the ~] (月の)第18日(→ first 名2). **3** Ⓒ 18分の1(→ third 名5).

†eighth /éitθ, éit/《米》éit/《◆8th とも書く》形《◆形名とも用例は → **fourth**》**1** [通例 the ~] (序数の)第8の, 8番目の(語法 → first 形1). **2** [an ~] 8分の1の.——名 (複 ~s) **1** Ⓤ Ⓒ [通例 the ~] (順位・重要性で)[…する]第8番目[8位]の人[もの](to do). **2** Ⓤ [通例 the ~] (月の)第8日(→ first 名2). **3** Ⓒ 8分の1(→ third 名5). **4** Ⓒ 何分の1の,オクターブ(octave).
éighth nóte《米》〖音楽〗8分音符《英》quaver).

éight·i·eth /éitiiθ/《◆80th とも書く》形《◆形名とも用例は → **fourth**》**1** [通例 the ~] (序数の)第80番目の(= first 形1). **2** [a ~] 80分の1の.——名 **1** Ⓤ [通例 the ~] (順位・重要性で)[…する]第80番目[80位]の人[もの](to do). **2** Ⓒ 80分の1(→ third 名5).

*eight·y /éiti/
——名 (複 -ies/-z/)《◆名形とも用例は → **two**》**1** ⓊⒸ [通例無冠詞] (基数の)80《序数は eightieth》. **2** Ⓤ [複数扱い;代名詞的に] 80個;80人. **3** Ⓤ 80ドル[ポンド, ペンス, セントなど]. **4** 80歳. **5** Ⓒ 80の記号[数字, 活字]《80, LXXX など》. **6** Ⓒ 80個[人]1組のもの. **7** [one's eighties; 複数扱い] (年齢の)80代. **8** [the eighties] (世紀の)80年代, (特に)1980年代(温度・点数などの)80台.
——形 **1** [通例名詞の前で] 80の, 80個の;80人の. **2** [補語として] 80歳の.

eight·y- /éiti-/(語素的) →語要素一覧(1.1).
Ein·stein /áinstain/ 名 アインシュタイン《Albert ~ 1879-1955;ドイツ生まれの米国の物理学者。相対性原理の提唱者》.
Eir·e /ɛ́ərə/ 名 エール《アイルランド共和国(The Republic of Ireland)のゲール語名》.
Ei·sen·how·er /áizənhàuər/ 名 アイゼンハウアー《Dwight/dwáit/ David ~ 1890-1969; 米国の将軍。第34代大統領(1953-61)》.

‡ei·ther /íːðər, áiðər | áiðə, íːðə/

| index | 形 **1**どちらかの | 代 いずれか |
| | 副 **1**AかBか **2**…もまた |

——形《◆比較変化しない》[単数名詞の前で] **1** (2つのうち)どちらかの, いずれか一方の《◆both + 複数名詞では「2つ[両者]とも」;肯定文での…でも、ど

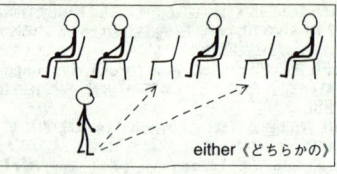

ちらでも任意の; [疑問文・否定文で] どちらの…も ‖ *Either* day is OK. どちらの日でも結構です / Is *either* ticket available? どちらの切符も手にはいりますか / I don't know *either* boy [ˣ*boys*]. どちらの少年も知らない(= I know *neither* boy.)《◆(1)両方をも否定される。(2) I don't know *both* boys.《\》では「2人とも知らない」(部分否定)の意》. **2**《正式》 [通例 side, end, hand など2つで1対になっている語と共に] 両方の《◆この意味では both + 複数名詞, each + 単数名詞の方がふつう》‖ at *either* end of the table テーブルの両端に(= at both ends …/ at each end …)/ on *either* side of the road 道路の両側に(= on *both* sides …).
éither wáy どちらにしても, どっちみち.
——代 [(2つの…のうち)いずれか](both)[(of)]; [否定文で] (2つのうち)どちらも(…でない) ‖ Either of the students may fail the exam. どちらの学生が試験に落ちるかもしれない《◆either of の後には複数の代名詞・複数名詞がくる》/《対話》"Which would you like, tea or coffee?" "*Either* will do."「紅茶とコーヒー, どちらをお飲みになりますか」「どちらでもいいです」/ *Either* (one) of you is right. 君たちのどちらの言うことも正しい《◆(1) either one の one は冗語的と感じられるためふつうは省略される。(2)「君たちのうちどちらかの言うことが正しい」という意味もあるが, この意味では主に次のように言う: One of you is right.》/ I offered him whisky or gin, but he didn't want *either*. 彼にウイスキーかジンをすすめたが, 彼はどちらもいらないと言った.

語法 (1) 3つ[3者]以上については any, any one/éni wʌn/ の of を用いる: *any one* of us 我々のうちだれでもひとり.
(2) either は《正式》ではふつう単数扱いだが,《正式》以外では *of 句の複数(代)名詞(的)*に引かれてしばしば複数扱い。特に否定文・疑問文ではふつう複数扱い: I don't think *either* of them *are* at home. 彼らのどちらも家にいないと思います.
(3) [either と not の位置] any と同じく, either の後には not は不可. → any 形**2**語法(3): Neither of them came. 2人とも来なかった(ˣ*Either* of them did *not* come.).

——副 **1** [either A or B] A か B か, A か B かのどちらか(2人または2つの名詞的の人称・数に呼応)(→ neither 副**1**語法) ‖ *Either* she *or* I am at fault. 彼女か私かどちらかが間違っている《◆呼応のわずらわしさを避けるため *Either* she is at fault *or* I am. ということもある》.

語法 (1) A と B は原則として同一品詞または文法的に同等の要素がくる。したがって She went *either* to London *or* Paris. は不適で She went to *either* London *or* Paris. か She went *either* to London *or* to Paris. がよいとされる.

either(どちらかの)

(2)《略式》では3つの要素がくる場合もある: The ALT is either an American, an Australian, or an Englishman. その ALT がアメリカ人か, オーストラリア人かイギリス人のいずれかである.

2 [否定文の後で] …もまた(…ない) ‖ He isn't coming *either*. 彼も(また)来ない / 〈対話〉 "Bob can't drive a car." "No, Tom can't do that(,) *either*." 「ボブは車を運転できないんだって」「うん, トムもできないんだ」(=Nor [Neither] can Tom do that.)(♦ too を使えば Tom, too, is unable to do that. / Tom is unable to do that, too となる).

使い分け [also, too, either]
「…もまた」は肯定文では also, too.
否定文では either.
I'm cold,「and I'm *also* hungry [and I'm hungry, *too*]. ぼくは寒いし, おなかもへっている.
Tom can't swim, and Bob can't, *either*. トムは泳げないし, ボブもまた泳げない(×Tom can't swim, and Bob also can't.).

語法 either は hardly, seldom を含む準否定文の後でも用いられる: He speaks little French; he hardly speaks (any) English, *either*. 彼はほとんどフランス語を話さない. 英語の方もほとんど話さない / I don't see her often; you seldom see her. 私は彼女をたびたびは見かけない. あなたもめったに彼女を見かけない.

3《略式》[肯定文の後で前述を反復・修正して] その上, それに(moreover) ‖ She likes singing, and she doesn't have a bad voice, *either*. 彼女は歌うのが好きだ, それに声も悪くはないし / Bill, behave, and I'm *not* joking, *either*. ビル, 行儀よくなさい, 本気で言っているのよ.

†e‧jac‧u‧late /idʒǽkjəlèit/ 動 他 **1**《正式》…を不意に叫ぶ, 絶叫する. **2**〈精液〉を射出する.

e‧jac‧u‧la‧tion /idʒækjəléiʃən/ 名 **1** U 不意に叫ぶこと. **2** CU 射精.

†e‧ject /idʒékt/ 動 他 **1**《正式》〈人などを〉(…から)追い出す,〈場所などから〉立ち退かせる〔*from*〕. **2**〈液体・煙などを〉突然[激しく]噴出[排出]する.

e‧jec‧tion /idʒékʃən/ 名 **1** U 放出; UC 放出物, 噴出物. **2** UC (土地・家屋からの)放逐, 追い出し.

†eke /íːk/ 動 他《古》…を増す, 伸ばす; 長持ちさせる.
éke óut [他] (1)〈不足分〉を〔…で〕補う〔*with, by*〕.
(2)〈生計〉をかろうじて立てる.

†el /él/ 名 C **1**〔*elevated railroad* より〕《米略式》[通例 an/the ~] 高架鉄道《♦ L とも書く》. **2** =ell².

†e‧lab‧o‧rate /形 iláebərət; 動 -əreit/ 形 手のこんだ, 精巧[精緻]な; 詳細な; 入念な, 苦心して作り上げた,〈微笑などが〉わざと作った(↔ simple, plain) ‖ Tell me what happened, but don't go into *elaborate* detail. 何が起こったか話してください. ただし細かすぎることは結構ですから. ── 動《正式》他 …を念入りに作る, 苦心して仕上げる; …を精巧に作り上げる;〈計画など〉を練る,〈文章〉を推敲(すい)する. ── 自〔…について〕詳しく述べる[説明する]〔*on, upon*〕.

†e‧lab‧o‧rate‧ly /iláebərətli/ 副 精巧に; 苦心して, 入念に; わざと ‖ *elaborately* courteous ばかていねいな.

e‧lab‧o‧ra‧tion /iláebəréiʃən/ 名 U 念入りに作る[仕上げる]こと;〈文章の〉推敲(すい); 精巧; 詳細, 詳述; C 苦心の作, 労作.

†e‧lapse /iláeps/ 動 自《正式》〈時が〉たつ, 経過する.
elápsed tíme 経過タイム《自動車・ボートなどのコース走行時間》.

†e‧las‧tic /iláestik/ 形 **1** 弾性の(ある), 伸縮自在の《♦ もとの形に戻ることを強調する. cf. flexible》(↔ inelastic) ‖ an *elastic* bandage 伸縮性の包帯. **2**〈考え方・規則・計画などが〉融通[順応]性のある;〈人・性質などが〉屈託のない, すぐに元気を取り戻す;〈動作などが〉軽やかな, しなやかな. ── 名 **1** U ゴム入り生地; ゴムひも;〔服飾〕伸縮性の素材 ‖ a piece [strip] of *elastic* ゴムひも1本. **2** C =elastic band.

elástic bánd《英》輪ゴム, ゴムバンド(《米》rubber band).

e‧lás‧ti‧cal‧ly 副 弾力的に, 伸縮自在に.

†e‧las‧tic‧i‧ty /iláestísəti | ìːlæs-/ 名 U **1** 弾力性, 伸縮性;〔物理〕弾性. **2** 融通性, 順応性, 適応性.

e‧late /iléit/ 動 他 **1**《文》…を元気づける. **2** [通例 be ~d]〔…で/…ということに〕意気があがる〔*at, by* / *to do / that* 節〕.

e‧lat‧ed /iléitid/ 形〔…に〕意気盛んな, 大得意の〔*at*〕.

†e‧la‧tion /iléiʃən/ 名 U 意気揚々; 喜び, 得意.

El‧ba /élbə/ 名 エルバ島《イタリア領の小島. ナポレオン1世が流された所(1814-15)》.

Elbe /élb, élbə/ 名 [the ~] エルベ川《チェコからドイツを通って北海に注ぐ》.

*el‧bow /élbou/
── 名 (~s /-z/) C **1** ひじ;(いすの)ひじ掛け ‖ Keep an English-English dictionary *at your elbow*. 英英辞典をいつもそばに置いておきなさい / an *élbow chàir* ひじ掛けいす / Don't put your *elbows* on the table. テーブルにひじをついてはいけません.

表現「彼にひじ鉄を食わす」は《略式》give [show, turn] the cold *shoulder* to him などとする. give him the *elbow* は《略式》「彼をそでにする」.

2 ひじ状[L字形]の物;(川・道などの)急な曲がり, ひじ形煙突;〔建築〕ひじ管, ひじつぎて, 呼び樋(とい).
úp to the [*one's*] **élbows**〔仕事などが〉ひじの高さまでたまって〔仕事などに〕没頭した〔*in, with*〕.
── 動 他〈人〉をひじで突く[押す]〔+*in, out, aside*〕; [~ *one's way*]〈人々〉をひじで押し分けて進む〔*through*〕(→ way¹ 5 関連) ‖ *elbow* him *aside* 彼を押しのける.

*el‧der¹ /éldər/《*old* の比較級. cf. eldest》
── 形《♦ 比較変化しない》[通例名詞の前で] **1**《英》〈兄弟[姉妹]のうち〉年上の, 年長の(《米》older, big)(↔ younger)《♦ 米英では兄弟姉妹の年の上下を問題にすることはまれで, ふつう単に brother, sister を用いる》‖ I have two *elder* [older, big] sisters. 私には姉が2人います / She is the *elder* of the two daughters. 2人の娘のうち彼女が年上です.

語法 (1) than 構文では用いない: He is two years older [×elder, ×bigger] than Mary. =He is older [×elder, ×bigger] than Mary by two years. 彼はメリーより2歳年上だ.
(2) elder には far, much, still などの強意語をつけない: ×a far [much, still] elder brother of mine. ただし a far [much, still] older brother of mine は可.

elder

2 [the ~; 人名の前[後]で] 大…《◆同名の人（ふつう息子）と区別するのに用いる》(↔ the younger) ‖ *the elder* Pitt =Pitt *the elder* Pitt 大ピット[父親の方のピット]. 3 上位の；先輩の．

—名 (複 ~s/-z/) C 1 [正式] [one's ~] (2人のうち)年長の人；[one's ~s] 年長者, 年配の人；(古)老人, 高年者 ‖ You should respect *your elders*. 年上の人は尊敬すべきだ. 2 [通例 the ~s] (部族などの)長老, 古老；[しばしば E~] (長老教会派の)長老.

el·der[2] /éldər/ 名 C [植] (セイヨウ)ニワトコ；その実.

el·der·ber·ry /éldərbèri/ 名 C [植] (セイヨウ)ニワトコ(の実)《◆子供がニワトコ鉄砲を作って遊ぶ》．

***el·der·ly** /éldərli/ [→ elder]
—形 1 〈人が〉(かなり)年配の, 初老の, 中年過ぎの《◆old, aged の遠回し[ていねい]な表現》‖ an *elderly* lady かなりの年配の婦人. 2 旧式の ‖ an *elderly* Ford 旧式のフォード車. 3 [the ~; 複数扱い] [しばしば遠回しに] (かなりの)年配の人たち ‖ a home for the *elderly* 老人ホーム．

él·der·li·ness 名 U かなりの年配, 初老．

***el·dest** /éldist/ [old の最上級. cf. elder[1]]
—形 (英) [通例名詞の前で] (3人以上の兄弟[姉妹]のうちで)最年長の, 一番年上の(oldest, biggest)《◆比較変化しない》‖ my *eldest* brother 私の一番上の兄.

El Do·ra·do /èl dərɑ́:dou/ [スペイン] 名 1 エルドラド《南米アマゾン河畔にあると想像された黄金国[都市]》. 2 [e-d~] C (一般に)宝の山．

El·ea·nor /élənər/ 名 エリナ《女の名. (愛称) Nell, Nellie, Nelly, Nora》．

***e·lect** /ilékt/ [原動 erect /irékt/] 選び(lect) 出す(ex). cf. select, collect] 関 election (名)
—動 (~s/-kts/; 過去・過分 ~ed/-id/; ~ing)
—他 1 〈人々が〉〈大統領・議長などを〉(投票で)選ぶ, 選挙する, 選出する ‖ *elect* a mayor every four years 市長を4年ごとに選挙する.
2 [elect A (as to be)] C] 〈人々が〉A〈人〉を C〈役職など〉に選挙で選ぶ；[elect A to B] 〈人〉を B〈役職・地位に〉選任する；[elect A to do] 〈人〉を…してもらうように選ぶ ‖ The committee *elected* [×selected] him (as [to be]) chairman. 委員会は彼を委員長に選んだ《◆C の役職が同時に1 名に限られる場合は無冠詞. ⇒文法 16.3(4)》/ Clinton was *elected* to the presidency [×president] in 1992. =Clinton was *elected* president in 1992. クリントンは1992年に大統領に選ばれた / We *elected* her to approach our teacher on the matter. その事で先生に掛け合ってもらうように彼女を選んだ.
3 [正式] 〈方針などを〉選ぶ, 決定する；[elect to do] …することに決める(choose) ‖ *elect* [select] carpentry as a career (一生の)職業に大工を選ぶ / After careful thought, I *elected* to stay at home. よく考えた末, 私は家にいることに決めた．
—自 選ぶ；決定する．
—形 [正式] 1 [名詞の後で；(米)ではふつうハイフン付きで] (まだ就任しての)選ばれた, 当選した ‖ the mayor-*elect* 市長当選者. 2 [名詞の後で] 特に選ばれた, よりすぐりの ‖ the bride *elect* いいなずけ．
—名 C [the ~; 複数扱い] 選ばれた人たち；えり抜きの人たち.

***e·lec·tion** /ilékʃən/ [→ elect]
—名 (複 ~s/-z/) C U 1 (選挙で)選ぶ[選ばれる]こと；[…を選ぶ]選挙, 投票 [for]；[…への]当選 [to]；[形容詞的に] 選挙の ‖ her *election to* the governorship 彼女が知事に当選したこと / lose (in) the presidential *election* 大統領選挙に負ける / an *election* campaign 選挙運動 / an *election* administration committee =(米) an *election* board 選挙管理委員会 / We are holding [having] a general *election* next spring. 来春には総選挙がある. 2 (一般に)選ぶ[選ばれる]こと, 選択；(正式)選択権.

e·lec·tion·eer /ilèkʃəníər/ 動 自 [通例 be ~ing] 選挙運動をする. —名 C 選挙運動員．

e·lec·tive /iléktiv/ 形 1 選挙の, 選挙に関する《◆ election を形容詞的に用いる方が多い》. 2 (正式) 〈役職・役人などが〉選挙で選ばれる[決められる]. 3 選挙権を有する．

***e·lec·tor** /iléktər/ 名 C [正式] 1 選挙人, 有権者. 2 (米) 大統領[副大統領]選挙人．

***e·lec·tor·al** /iléktərəl/ 形 選挙(人)の．

e·lec·tor·ate /iléktərət/ 名 C 1 [時に the ~; 集合名詞；単数・複数扱い] 選挙民, 有権者. 2 C 選挙区．

E·lec·tra /iléktrə/ [ギリシア神話] エレクトラ《Agamemnon と Clytemnestra の娘. 弟 Orestes に母とその情夫を殺させ, 父のかたきを討った》．

***e·lec·tric** /iléktrik/ 閣 electrical (形), electricity (名)
—形 1 [名詞の前で] 電気の；電気を帯びた《◆「電気に関する」は electrical》‖ This car runs on *electric* power. この車は電力で動く；この車は電気自動車です(=This car is *electrically* powered. / This is an *electric* car.) / an eléctric cúrrent 電流 / an *electric* wire 電線．
2 [通例名詞の前で] 電気で動く[働く], 電動の ‖ *electric* motor 電動機 / an *electric* shaver 電気かみそり / an *electric* blanket 電気毛布．

eléctric capácity [物理] 電気[静電]容量．
eléctric cháir 電気いす；[the ~] 電気いすによる処刑；その判決．
eléctric éel [魚] デンキウナギ《南米産の淡水魚》．
eléctric guitár エレキギター．
eléctric shóck 感電, 電撃．
eléctric tórch (英) =flashlight.

***e·lec·tri·cal** /iléktrikl/ 形 1 電気の, 電気に関する ‖ Henry is an *electrical* [×electric] engineer. ヘンリーは電気技師です. 2 電撃的な, 興奮させる．

***e·lec·tri·cal·ly** /iléktrikəli/ 副 電気を用いて, 電気によって．

***e·lec·tri·cian** /ilèktríʃən/ 名 C 電気技師；電気工, 電気工事[修理]人．

***e·lec·tric·i·ty** /ilèktrísəti, i:lek-/
—名 U 電気, 電力 ‖ dynamic [static] *electricity* 動[静]電気 / The machine runs on [works by] *electricity*. その機械は電気で動く / The *electricity* was off for a whole hour this morning. 今朝丸1時間停電した《◆(1) 停電(電力供給の停止)は (a) power failure. (2) 逆の「電気が戻った」は The *electricity* is back on.》．

e·lec·tri·fi·ca·tion /ilèktrəfikéiʃən/ 名 U 1 感電；帯電. 2 電化. 3 急激な興奮．

***e·lec·tri·fy** /iléktrəfài/ 動 他 〈物〉に電気を流す[通す]；〈地域・工場などに〉電力を供給する；…を帯電させる, …に充電する；〈鉄道などを〉電化する．

e·lec·tro- /iléktrou-/ [語要素] →語要素一覧(1.6).
e·lec·tro·car·di·o·gram /ilèktroukɑ́:rdiougræm/ 名 C [医学] 心電図《(略) ECG》．

e·lec·tro·car·di·o·graph /ilèktrouká:rdiougræf|-grà:f/ 名 C 〖医学〗心電計(略 ECG).

e·lec·tro·chem·i·cal /ilèktroukémikl/ 形 電気化学の.

e·lec·tro·cute /ilèktrəkjù:t/ 動 他 …を感電死させる; …を電気いすで処刑する. **e·lèc·tro·cú·tion** 名 C U 感電死; 電気いすによる処刑.

e·lec·trode /iléktroud/ 名 C 〔しばしば ～s〕電極.

e·lec·trol·y·sis /ilèktrɑ́ləsis, i:lek-|-trɔ́lə-/ 名 (複) **-ses**/-si:z/ U C 〖物理〗電気分解; 〖医学〗電気分解治療〈腫瘍(しゅよう)・毛根などの除去〉.

e·lec·tro·lyte /iléktrəlàit/ 名 U C 〖物理〗電解液; 電解質.

e·lec·tro·lyze /iléktrəlàiz/ 動 他 〖物理〗…を電気分解する.

e·lec·tro·mag·net /ilèktroumǽgnit/ 名 C 電磁石.

e·lec·tro·mag·net·ic /ilèktroumægnétik/ 形 電磁石の; 電磁気の.

electromagnétic wáve 電磁波.

*__**e·lec·tron**__ /iléktrɑn|-trɔn/
── 名 (複) ～s/-z/) C 〖物理・化学〗電子, エレクトロン.

eléctron microscope 電子顕微鏡.

*__**e·lec·tron·ic**__ /ilèktrɑ́nik, i:lek-|-trɔ́n-/
── 形 1 電子の, 電子による; 〈楽器が〉電子[電気]の働きで音の出る. 2 〔通例名詞の前で〕**電子工学の**, エレクトロニクスの ‖ *electronic* industries エレクトロニクス産業.

electrónic bánking 〔コンピュータ〕電子取引, 電子銀行業務.

electrónic bráin 〔略式〕電子頭脳.

electrónic cómmerce 〔コンピュータ・経済〕電子商取引, eコマース(e-commerce).

electrónic cónference 電子会議 〈ネットワーク上で行なう会議〉.

electrónic dáta prócessing 電子情報処理(略 EDP).

electrónic désktop cálculator 電卓.

electrónic díctionary 電子辞書《◆コンピュータ上で使うオンライン辞書, CD-ROM 辞書, 〈携帯〉IC 電子辞書(hand-held electronic dictionary)などを指す》.

electrónic gàme =video game.

electrónic màil 電子メール(e(-)mail).

electrónic músic 電子音楽.

electrónic órgan 電子オルガン.

electrónic órganizer 電子手帳.

electrónic óven 電子レンジ.

electrónic públishing 電子出版〈情報をデジタル化し, 読者が端末から取り出す出版方式〉.

electrónic tráding 電子取引, 〈コンピュータネットワークによる〉株式売買.

electrónic vírus 〔コンピュータ〕コンピュータウイルス.

electrónic vóting 電子投票.

†**e·lec·tron·ics** /ilèktrɑ́niks, i:lek-|ilèktʃɔ́n-/ 名 U 〔単数扱い〕電子工学[工業], エレクトロニクス.

e·lec·tro·stat·ic /ilèktroustǽtik/ 形 静電気の, 静電気学の.

e·lec·tro·stat·ics /ilèktroustǽtiks/ 名 U 〔単数扱い〕静電気学.

e·lec·trum /iléktrəm/ 名 U 琥珀(こはく)金〈古代に装飾品として用いた金と銀の自然合金〉.

†**el·e·gance, –gan·cy** /éləgəns(i)/ 名 U 〔しばしば an ～〕優雅, 上品, 気品. 2 C 優雅な事[もの],

上品な言葉[作法]. 3 U (科学的な)正確さ, 簡潔さ.

†**el·e·gant** /éləgənt/ 形 1〈人・態度・服装・計画・方法などが〉(洗練された)上品な, 優雅な(⇔ inelegant)《◆「自然に内から出る上品さ」は graceful》; 〈芸術・文体などが〉格調の高い, 優美な ‖ *elegant* in one's manners 身のこなしに気品のある / an *elegant* style of speaking 格調の高い話し方. 2 〔考え・処理などが〕(科学的)的確な; 簡潔な ‖ an *elegant* argument あざやかな論証. 3 〔米略式女性語〕見事な, すてきな. **él·e·gant·ly** 副 優雅に, 上品に.

el·e·gi·ac /èlədʒáiæk/ 形 哀歌〔挽歌〕形式の.

†**el·e·gy** /élədʒi/ 名 C 1 哀歌, 挽歌(ばんか), 悲歌, エレジー. 2 哀歌[挽歌]風の詩.

*__**el·e·ment**__ /éləmənt/ 飛 elementary (形)
── 名 (複) ～s/-mənts/)

I [要素にかかわるもの]

1 C (基本的な)(構成)要素, 要件, 成分 ‖ Diligence is an important *element* of [(まれ)in] success. 勤勉は成功の重要な要素だ.

2 〔複雑な総合体の構成要素〕**a** 〔an ～ of +U 名詞〕少量, 気味(trace) ‖ There is always an *element* of sarcasm in what he says. 彼の言うことにはいつも皮肉がいくぶんこめられている. **b** C 〔しばしば ～s〕(特殊な人の)一団, 一分子《◆しばしば政治的な意味を含む》; 〔軍事〕小部隊, 分隊.

II [化学・自然などの要素]

3 C 〔化学〕元素(cf. compound) ‖ Hydrogen is lighter than any other *element*. 水素は他のどの元素よりも軽い.

4 〔自然界を構成する基本要素〕 C **a** 〔古〕(古代・中世の宇宙論で宇宙を構成すると考えられた)四大(しだい)の1つ, 基本元素(earth, air, fire, water). **b** 〔正式〕〔the ～s〕自然力, 風雨, 〈風・雨・寒さなどの〉悪天候 ‖ We braved *the elements* to walk to the station. 風雨をものともせず駅まで歩いた.

be in one's *élement* 〔本来の場所にいる〕あるべき所にいる; 本領を発揮できる ‖ He is in his *element* when singing karaoke. カラオケで歌っているとき彼は水を得た魚だ.

be óut of one's *élement* あるべき所にいない; 本領を発揮できない.

†**el·e·men·tal** /èləméntl/ 形 1 〔主に米〕基本的な, 根本的な, 初歩的な. 2 〔正式〕自然力の, 自然現象の.

*__**el·e·men·ta·ry**__ /èləméntəri/ 〔アクセント注意〕
── 形《◆比較変化なし》1 〔問題などが〕**単純な**, 簡単な. 2 〔名詞の前で〕**初歩の**, 初等の(→ advanced) ‖ *elementary* mathematics 初等数学 / *elementary* human rights 基本的人権. 3 〔化学〕元素の.

eleméntary párticle 〔物理〕素粒子《原子を構成する陽子・電子・中性子など》.

eleméntary schóol 〔米正式〕小学校《6-3-3制の最初の6年, 8-4制では4年のハイスクールの前の8年をさす. 一般には grade school というのがふつう. 英国でも以前は現在の primary school の呼び名として用いられた》.

èl·e·mén·tar·i·ly 副 基本的に, 初歩的に.

*__**el·e·phant**__ /éləfənt/ 〔「牙(こ)を持つ動物」が原義〕
── 名 (複) ～s/-fənts/, 〔集合名詞〕**el·e·phant**) C 1 **ゾウ(象)**《◆記憶力がよいとされる. 米国では共和党の象徴(cf. donkey). 鳴き声は trumpet》 ‖ a herd of *elephant(s)* ゾウの群れ / ride an African *elephant* アフリカ象に乗る.

関連 bull [cow] *elephant* 雄[雌]ゾウ / ele-

phant calf 子ゾウ / **trunk** ゾウの鼻 / **ivory** 象牙.
2 =white elephant.
el·e·phan·tine /èləfǽntiːn, -tain | èlifǽntain/ 形 象のような, 大きくてのそりした.

†**el·e·vate** /éləvèit/ 動 他 《正式》**1**〈人・物・事が〉〈精神などを〉[…のレベルまで]高める, 高揚させる[to] ‖ A child should be given books which *elevate* his (or her) mind. 子供には精神を高める書物が与えられるべきだ. **2** 《正式》〈人が〉〈声・視線などを〉上げる(raise) ‖ He *elevated* his voice so as to make himself heard. 彼は届けとばかりに声を張り上げた. **3**〈物を〉持ち上げる, 〈土地を〉隆起させる《◆raise, lift より堅い語》. **4**〈人を〉[…に]〈実力以上に〉 昇進させる[to].

†**el·e·vat·ed** /éləvèitid/ 形 **1** 《正式》〈考え・言葉などが〉高尚な, 気高い. **2**〈地位などが〉高い, 昇進した. ━名 C《略式》=elevated railroad [railway].
élevated ráilroad [**ráilway**] 高架鉄道《(主に米略式) el, (英) overhead railway》.

†**el·e·va·tion** /èləvéiʃən/ 名 **1** U C〈…を〉高める[られる]こと, […への]昇進[to] ‖ *elevation* of the people's minds 国民の精神を高めること《◆elevate the people's minds の名詞化表現》. **2** U《正式》(精神・表現などの)高尚さ, 崇高. **3** C《正式》高所, 高台. **4** U [時に an ~] 高度, (地上における)海抜(cf. altitude); 仰角 ‖ *at an elevation of 1,000 meters* =1,000 meters *in elevation* 高度1000メートルで. **5** C 正面図, 立面図.

:**el·e·va·tor** /éləvèitər/ 《アクセント注意》
━名 (複 ~s/-z/) C **1** (主に米) エレベーター, 昇降機《(英) lift》 ‖ take the *elevator* to the 5th floor 5階までエレベーターに乗る / "Does this *elevator* stop at the 4th floor?" "This is an express *elevator*, so it doesn't stop there." 「このエレベーターは4階に止まりますか」「これは直通エレベーターですから4階には止まりません」《◆「各階止まり」は local》. **2** (米) 揚穀(ﾖｳｺｸ)機[装置], (揚穀装置のある大型)穀物倉庫. **3**〔航空〕(飛行機の後尾の)昇降舵(ダ)《図》→ airplane.
élevator càr (米)エレベーターの箱《(英) lift car [cage]》.

:**e·lev·en** /ilévn, ə-/ 《10に残り(leven)1つ(e). cf. *twelve*》
━名 (複 ~s/-z/)《◆名形 とも用例は → *two*》 **1** U C [通例無冠詞] (基数の)11《◆序数は eleventh. 完全性からはみ出したものを表す》. **2** U [代名詞的に; 複数扱い] 11個; 11人. **3** U 11時, 11分; 11ドル[ポンド, ペンス, セントなど]. **4** U 11歳. **5** C 11の記号[数字, 活字]《11, xi, XI など》. **6** C 11個[11人]1組のもの; [集合名詞; 単数・複数扱い] (アメリカンフットボール・サッカー・クリケット・ホッケーなどの)11人チーム, イレブン(cf. *nine* 7). **7** [the E~] キリストの11使徒《12使徒(the Apostles)から Judas を除く. cf. *twelve* 名 7》. **8** (英)[~s/~ses; 通例複数扱い](朝11時ごろの)おやつ, 軽食.
━形 **1** [通例名詞の前で] 11の, 11個の; 11人の. **2** [補語として] 11歳の.
e·lev·en·ses /ilévnziz/ 名 → eleven 8.

†**e·lev·enth** /ilévnθ, ə-/《11th とも書く》形 **1**《◆形名 とも用例は → *fourth*》[通例 the ~] (序数の)第11の, 11番目の(語法 → *first* 形 1). **2** [an ~] 11分の1の. ━名 **1** U [通例 the ~] (順位・重要性で)[…する]第11番目[11位]の人[もの][to do]. **2** U [通例 the ~] (月の)第11日(→ *first* 名 2). **3** C 11分の1(→ *third* 名 5).
eléventh hóur [the ~] (もうこれ以上待てない)ぎりぎりの時間, きわどい時《◆形容詞的にも用いる》 ‖ *at the eleventh hour* きわどいところで, どたん場で.

†**elf** /élf/ 名 (複 **elves**/élvz/) C **1** (ゲルマン神話の)小さい妖精. **2** わんぱく小僧, いたずらな子. **3** 小びと.
elf·in /élfin/ 形 **1** =elfish. **2** 小さい, ちっぽけな. **3** 不思議な魅力のある.
elf·ish /élfiʃ/ 形 **1** 小妖精の(ような). **2** 不思議な, こびのものでない.

†**e·lic·it** /ilísət/ 《同音》illicit 動 他《正式》…を[…から]引き出す, 誘い出す, 聞き出す(draw)[from].
el·i·gi·bil·i·ty /èlidʒəbíləti/ 名 U 適任(性), 適格(性); 被選挙資格.
†**el·i·gi·ble** /élidʒəbəl/ 形 [職務・地位などに]ふさわしい[for, as](↔ ineligible); […する]資格のある[to do]; (夫・妻として)適当な; 〈女性が〉適齢の ‖ He is *eligible* to live in Japan permanently. 彼は日本に永住する資格がある. **2** (法的に)適格の; (採用・選択などに)値する, 適任の; 望ましい[for].
él·i·gi·bly 副 選ばれるのにふさわしく, 適任で.
E·li·jah /iláidʒə/ 名 [旧約] エリヤ《紀元前9世紀のヘブライの預言者》.

*°**e·lim·i·nate** /ilímənèit/
━動 (~s/-nèits/,《過去・過分》~d/-id/, -·nat·ing)
━他 **1** 《正式》〈人から・人・物・事を〉[…から]除去[削除]する(exclude)[from] ‖ *eliminate* slang words *from* one's writings 著作から俗語を削除する. **2** 《略式》…を殺す, 消す《◆kill の遠回し語》. **3** …を〈競技などから〉失格させる, 脱落させる[from].

†**e·lim·i·na·tion** /ilìmənéiʃən/ 名 C U **1** 《正式》除去, 削除, 排除(exclusion). **2** 〔競技〕予選.

El·i·ot /éliət/ 名 **1** エリオット《男の名》. **2** エリオット《George ~ 1819-80; 英国の女性小説家. 本名 Mary Ann Evans》. **3** エリオット《T(homas) S(tearns) ~ 1888-1965; 米国生まれの英国の詩人・随筆家・批評家》.

e·lite, **é·lite** /ilíːt, ei-/《フランス》名 **1** C [通例 the ~; 集合的に; 単数・複数扱い] 選ばれた者, 精鋭, エリート, (社会・組織などの)中枢 ‖ He is one [a member] of *the elite*. 彼はエリートだ. **2** U (タイプライターの)エリート活字《10ポイント》.
e·lit·ism, **é·--** /ilíːtizm, ei-/ 名 U エリート[精鋭](養成)主義; エリート意識.
e·lix·ir /ilíksər/ 名 **1** C 《文》錬金薬《卑金属を金に変えると信じられた》. **2** (不老長寿の)霊薬(elixir of life).

†**E·liz·a·beth** /ilízəbəθ/ 名 **1** エリザベス《女の名. 愛称 Bess, Bessie, Bessy, Beth, Betty, Eliza, Elsie, Lizzie, Lizzy》. **2** ~ I エリザベス1世《1533-1603; イングランドの女王(1558-1603)》. **3** ~ II エリザベス2世《1926-; 英国の女王(1952-)》.
†**E·liz·a·be·than** /ilìzəbíːθən/ エリザベス1世時代の, エリザベス朝の. ━名 C エリザベス女王時代の人[作家].

†**elk** /élk/ 名 (複 ~**s**, **elk**) C [動] (ユーラシアの)ヘラジカ《北米の moose と同種でシカ類では最大. (米)時に wapiti という》.
ell[1] /él/ 名 (英古)エル《布地用の長さの単位. 45インチ》 ‖ *Give him an inch and he'll take an ell.* 〔ことわざ〕1インチ与えると1エル取りたがる; 「親切に

してやればつけあがる」《◆今は ell の代わりに yard, mile とする》.

ell[2] /él/ 名 C **1** L の字; L字形のもの. **2** 《米》《建物の主部に対して》L字形に建増しした部分.

El·len /élən/ 名 エレン《女の名. Helen の別称.《愛称》Nell, Nellie, Nelly》.

el·lipse /ilíps/ 名 C 《幾何》長円, 楕(だ)円(形).

†**el·lip·sis** /ilípsis/ 名 (複 -ses/-si:z/) U C **1** 《文法》省略《例: If (it is) possible》. **2** 《印刷》省略符号《..., ***, など》.

el·lip·tic, **-ti·cal** /ilíptik(l)/ 形 **1** 《幾何》長円(楕)(だ)円(形)の(ような). **2** 《文法》省略(法)の.

elliptic òrbit 《宇宙》楕円軌道.

el·líp·ti·cal·ly 副 長円(楕円)形に; 省略して.

†**elm** /élm/ 名 C 《植》ニレ (elm tree); U ニレ材《棺おけの材料にされるので墓場を連想させることがある》‖ *To ask pears of an elm tree.*《ことわざ》ニレの木にナシを求める;「無いものねだり」.

El Ni·ño /el níɲjou/ 名「『神の子(キリスト)』が原義. クリスマス近くになると異常に暖かい海流が見られることから」名 U 《気象》エルニーニョ(現象) (→ **La Niña**).

el·o·cu·tion /èlǝkjúʃn/ 名 U 《正式》演説法, 朗読法, 発声法, 雄弁術. **èl·o·cú·tion·ist** 名 C 〖朗読〗法の専門家; (詩などの)プロ朗読家.

†**e·lon·gate** /iló:ŋgeit, í:lɔŋgèit/ 動《正式》他 …を長くする, 引き伸ばす. ――自 長くなる, 伸びる.

è·lon·gá·tion 名 U 伸長; C 伸長部, 延長線.

†**e·lope** /ilóup/ 自 **1**〈男女が〉駆け落ちする;〈女が〉[…と] 駆け落ちする (with). **2** 〔…を持って〕逃げる (with). **e·lópe·ment** 名 U C 駆け落ち.

el·o·quence /élǝkwǝns/ 名 U 《正式》**1** 雄弁, 能弁; 雄弁術, 修辞法 ‖ *a man of eloquence* 雄弁家. **2** 強い[効果的な]言葉.

†**el·o·quent** /élǝkwǝnt/ [アクセント注意] 形 《正式》**1**〈人が〉雄弁な, 能弁な;〈演説などが〉聴衆に強く訴える, 感銘を与える ‖ *an eloquent speaker* 雄弁家. **2**〈目などが〉表情豊かな;〈物・事が〉[感情などを]よく表している [*of*] ‖ *Eyes are more eloquent than lips.*《ことわざ》目は口ほどにものを言う.

él·o·quent·ly 副 雄弁に.

El Sal·va·dor /el sǽlvǝdɔ̀:r/ 名 エル=サルバドル《中米西部の共和国. 首都 San Salvador》.

**else /éls/
―― 副 **1** そのほかに[の], 代わりに《◆ 疑問詞(ただし which, whether および通例 when を除く), any-, every-, some-, no- で始まる語や -body, -one, -thing, -where で終わる語, all, much, little の後で用い, それ以外の(代)名詞の後では用いない》‖ Let's go sómewhere *élse.* どこかほかへ行こう / Is ányone *élse* coming? ほかにだれか来るのですか / Whó *élse* did you see, apart from Tom and Mary? トムとメリーは別にして, ほかにだれに会いましたか / 〖対話〗"Mom, what *else* did my teacher say about my school record?""He said nothing *else.* That's all." 「お母さん, 先生は私の学校の成績についてほかに何か言ってた?」「ほかに何もしゃらなかったわ. それで全部よ」 / Is there anything *else* I can do for you? 何かほかにございますか《◆ What *else* do you want? だと「ほかに何が欲しい」という感じ》 / Little *else* is known of her life. 彼女の生涯についてはそれ以外ほとんど知られていない / I'm telling you nothing *else* than the truth. 君に言っているのは事実だけです (=... nothing but the truth) / 〖ジョーク〗"Adam, do you love me?" "Who

else, Eve?" 「アダム, 私のこと愛している?」「ほかに誰がいる, イブ?」《◆ エデンの園にはアダムとイブしかいない》.

〘語法〙[*else* の所有格] *else* に apostrophe 《'》 + *s* を付けた *else's* で発音は /élsiz/: I don't want to breathe someone *else's* smoke. 人の吐き出すタバコの煙を吸い込みたくない. また独立的に This is not my book but somebody *else's.* (これは私の本ではなくだれかほかの人のです)のようにも用いられる.

2 [*or* ~] **a** [接続詞的に] さもないと (otherwise) ‖ Hurry, *or else* you'll be late. 急ぎなさい, でないと遅れるよ (=Hurry, *or* you'll ...)《◆ *or* の省略は《非標準》》. **b** (略)〖通例命令文のあとで単独で用い〕そうしないと(ひどい目にあうぞ)《◆ おどし・警告》‖ Don't move (↘)(,) *or else* (↘)! 動くな! さもないと….

Whát élse is néw? (略式)ほかに何か新しいことは, もうそんなに聞きあきたよ.

***else·where** /élshwèǝr/ ~/ ―― 副 どこかほかの所で[へ]《◆ (1) somewhere *else* より堅い語. (2) 比較変化しない》‖ The dialect is still spoken in the Southern States and *elsewhere.* その方言は南部諸州とその他の州で今でも話されている.

ELT (略) English Language Teaching (英語を母国語としない人たちに対する)英語教育(法).

e·lu·ci·date /ilú:sidèit/ 動 他《正式》…を解明[説明]する. **e·lù·ci·dá·tion** 名 U 《正式》解明.

†**e·lude** /ilú:d/ 動 他《正式》**1**〈巧みに身をかわして〉…をのがれる (escape), 避ける (avoid). **2**〈意味などが〉〈人〉に理解できない;〈名前などが〉〈人〉に思い出せない.

†**e·lu·sive** /ilú:siv/ 形 《正式》**1**〈巧みに〉逃げる, 捕えにくい. **2** 理解[説明]しにくい, 捕えどころのない, 思い出せない ‖ an *elusive* answer とらえどころのない答弁.

elves /élvz/ 名 elf の複数形.

E·ly·sée (Pálace) /èili:zéi- | eili:zei-/ 名 [the ~] エリゼ宮《パリにあるフランス大統領官邸》; フランス政府.

E·ly·si·an /ilíʒǝn | -ziǝn/ 形 **1** Elysium の. **2** 至福の, この上なく幸せな; 楽しい.

E·ly·si·um /ilíʒiǝm, -ziǝm | -ziǝm/ 名 **1**《ギリシア神話》極楽浄土, エーリュシオン. **2** C 《文》理想郷; 至福.

†**'em** /ǝm/ 代 (略) =them ‖ Pick 'em up. それを拾い上げなさい.

†**e·ma·ci·ate** /iméiʃièit, (英+) imǽsi-/ 動 他《正式》〖通例 be ~d〗やせ衰える, やつれる.

e·má·ci·àt·ed 形 《正式》やせ衰えた.

e·mà·ci·á·tion 名 U 《正式》衰弱.

†**e·mail, e-mail, E·mail, E-mail** /í:meil/ 名 U C 電子メール, E メール (electronic mail) (cf. snail mail) ‖ by [via] *email* 電子メールで / There is some *email* for you (from abroad). あなたあての(海外からの)電子メールが何通かありますよ / I have just received *email* from him. 私は今しがた彼から電子メールを受け取ったところだ.

〘関連〙 [いろいろな **email** 用語]
attachment 添付ファイル / BCC (blind carbon copy の略) ブラインド=カーボン=コピー / CC (carbon copy の略) カーボンコピー / emoticon 顔文字 / forward 転送(略 FW) / in-box 受信トレイ / junk mail ジャンクメール / mail account メールアカウント / mail address メールアドレス / mail box メールボックス / mailing list メ

—リングリスト / Re [(時に) RE] 《◆(1) 受信メールに直接返信する時件名の冒頭につく. (2) regarding ((受信メール)に関しての)の略. response の略ではない》/ sent item 送信済アイテム / spam mail 迷惑メール / subject 件名.
——動 他〈人・会社などに〉電子メールを送る, …を電子メールで送る‖ email him [his firm] 彼[彼の会社]に電子メールを送る / email one's order to … 電子メールで…に注文する.
é·màil·er 名 C 電子メールを送る人.

†**em·a·nate** /émənèit/ 動 自《正式》**1**〈考え・命令などが〉(…から)出る, 発する(come);〈うわさなどが〉広まる (spread out) [from]. **2**〈ガス・光などが〉(…から)出る, 生ずる[from]. ——他 …を出す, 発する.
èm·a·ná·tion 名《正式》U 放射; C 放射物.

†**e·man·ci·pate** /imǽnsəpèit/ 動 他《正式》〈人〉を〔圧迫・束縛・支配などから〕解放する, 自由にする[from] ‖ emancipate women from old restrictions 古い拘束から女性を解放する.

†**e·man·ci·pa·tion** /imǽnsəpéiʃən/ 名 UC《正式》**1**〈奴隷の身分・束縛などからの〉解放, 釈放 ‖ the emancipation of black people from racism 黒人の人種差別からの解放《◆emancipate black people from racism の名詞化表現》. **2** 解放[釈放]された状態; 自由.
Emàncipátion Proclamátion《米史》[the ~]奴隷解放宣言《1863年1月1日》.
e·màn·ci·pá·tion·ist 名 C 解放論者;(特に)奴隷解放論者.

e·mas·cu·late /imǽskjəlèit/ 動 他《正式》**1** …を去勢する. **2** …を無気力にする, 弱くする;〈文章・法律など〉を骨抜きにする.

†**em·balm** /embάːm | im-/ 動 他 **1**〈薬品・香油などで〉〈死体〉に防腐処置を施す, …をミイラにする. **2**《正式》…を(記憶に)留める(in).

em·bank /embǽŋk | im-/ 動 他 …を堤防[土手]で囲む.

†**em·bank·ment** /embǽŋkmənt | im-/ 名 **1** U 堤防を築くこと; C 堤防, 築堤, 盛り土. **2** [the E~]エンバンクメント《London on Thames 川沿いの通称》.

em·bar·go /embάːrgou | im-/ 名 (~es) C **1**〈商船に対する政府の〉出入港禁止(命令). **2** 通商禁止 ‖ an embargo on the sale of arms to warring countries 交戦中の国々に対する武器輸出禁止. **3**〈広義〉禁止, 抑制.
láy [pút, pláce] an embárgo on A = **láy [pút, pláce] A ùnder (as [the]) embárgo**〈商船などの出入港を禁止する〉;〈貿易など〉を停止する;(一般に)…を禁止する(↔ lift [raise, remove] an embargo on [from]).
——動 他 …の出入港[貿易]を禁止する;〈船舶・貨物〉を没収する.

†**em·bark** /embάːrk | im-/ 動 自 **1**〔…に〕乗船する[on] (↔ disembark);〔…へ〕船出する[for] ‖ embark for San Francisco at Kobe 神戸で乗船してサンフランシスコに向かう. **2**〔…に〕開始する,〔…に〕乗り出す[on, in],《正式》upon ‖ embark on an expedition to the Antarctic 南極探検に乗り出す. ——他 …を乗船させる;〈船荷〉を積み込む.
em·bar·ka·tion /èmbɑːrkéiʃən | im-/ 名 UC **1** 乗船, 積み込み. **2**〔事業などへの〕進出, 乗り出し, 門出[on, upon].

*__em·bar·rass__ /embǽrəs | im-/ 〖中に(em)障害物を置く(bar)〗 ——動 (~·es/-iz/,過去·過分 ~ed/-t/; ~·ing)
——他 **1**〈人〉に(人前で)恥ずかしい思いをさせる, …をまごつかせる;…を〔…したことで〕困らせる(about doing) (↔ disembarrass)(使い分け→ ashamed 形 **2**) ‖ I am always embarrassed when I see people kissing in public. 公共の場で人がキスをしているのを見ると私はいつも恥ずかしい気がする / The mother was embarrassed by [at, about] her child's bad behavior. 母親は子供の行儀の悪さにきまりの悪い思いをした(➔文法 7.3). **2**《正式》[通例 be ~ed]〈人が〉財政困難になる, 借金を負う. **3**〈問題など〉を複雑にする, こじらせる;〈政府・行動など〉を妨害する.

em·bar·rass·ing /embǽrəsiŋ | im-/ 形 [他動詞的に]〈人〉をまごつかせるような;やっかいな ‖ That's embarrassing. 当惑させる話だね.

†**em·bar·rass·ment** /embǽrəsmənt | im-/ 名 **1** U 当惑, 困惑, きまり悪さ ‖ To his great embarrassment, his cap blew off in the wind. 彼が大変困ったことに, 帽子が風で飛んでしまった. **2** C [通例 an ~] 当惑させる物[人], じゃまな物[人]. **3** C [通例 ~s] 財政困難, 窮迫. **4**《正式》[an ~] 過多, 過剰 ‖ an embarrassment of riches あり余って困るほどの財産.

†**em·bas·sy** /émbəsi/ 名 [しばしば E~] C **1** 大使館, 大使官邸(cf. consulate, legation) ‖ The Japanese Embassy in Paris パリの日本大使館. **2** [集合名詞] 大使と大使館職員《◆公使館員(legation)より上位》.

em·bat·tled /embǽtld | im-/ 形 **1**〈軍隊〉が戦闘隊形をとった. **2**〈町〉がとりでで固めている. **3**〈多くの〉難問にさらされる.

†**em·bed** /embéd | im-/ 動 (過去·過分 ~·bed·ded /-id/; ~·bed·ding) 他 [通例 be ~ded] **1**〔岩石などに〕埋め込まれる, はめ込まれる(in);〔…で〕ぎっしりと取り囲まれる(with) ‖ a bullet embedded in his arm 彼の腕に食い込んだ弾丸. **2**《正式》〈心・記憶などに〉深くとどまる(in).

†**em·bel·lish** /embéliʃ | im-/ 動 他《正式》…を〔…で/…して〕(飾り)美しくする, 飾る(with / by doing).
em·bél·lish·ment 名 UC 装飾(品).

†**em·ber** /émbər/ 名《正式》**1**〈石炭·薪などの〉燃えさし, 燃え残り; [通例 ~s] 残り火(ashes). **2** 余燼(じん), 余韻.

em·bez·zle /embézl | im-/ 動 他〔会社·基金などから〕〈金など〉を使い込む, 横領[着服]する[from].
em·béz·zle·ment 名 UC 横領, 着服, 使い込み.

†**em·bit·ter** /embítər | im-/ 動 他《正式》〈人〉につらい思いをさせる;〈感情など〉を害する.

em·bla·zon /embléizn | im-/ 動 他《正式》**1** …を(派手に)飾る, 美しく描く. **2** …を賞賛する, ほめあげる.

†**em·blem** /émbləm | im-/ 名 C **1** 象徴, 表象(symbol) ‖ The dove is an emblem of peace. ハトは平和の象徴である《◆symbol と交換可. emblem は視覚的なもの, symbol は抽象的なものをさす》. **2** 象徴的な模様, 記章, 紋章, 標章.
em·blem·at·ic, -·i·cal /èmbləmǽtik(l), -blim-/ 形《正式》象徴的な;〔…を〕表象する(of).

†**em·bod·i·ment** /embάdimənt | imbɔ́d-/ 名《正式》**1** U 具体化, 体現. **2** C 〈思想·性質などの〉具体化されたもの, 化身 ‖ She is the embodiment of kindness. 彼女は親切そのものだ.

†**em·bod·y** /embάdi | imbɔ́d-/ 動《正式》《◆進行形不可》**1**〈精神〉に形態[肉体]を与える, …を肉体化する. **2** [通例 be embodied]〈思想·感情などが〉〔…

で)具体化される, 具現される, 具体的に表現される〔in〕(cf. disembodied) ‖ The new theory *is embodied in* his latest paper. その新しい理論は彼の最近の論文で具現化されている.

em·bold·en /embóuldən | im-/ 動 他 《正式》〈人〉を大胆にさせる, 勇気づける.

em·bo·lism /émbəlìzm/ 名 U **1** 〔医学〕塞栓(ｿｸｾﾝ)症. **2** 〔暦に〕閏(ｳﾙｳ)を挿入すること.

em·bos·om /embúzm | im-/ 動 他 《詩》…を〔…で〕囲む, 包む〔in, among〕.

†**em·boss** /embɔ́ːs | -bɔ́s/ 動 他 〈図案・模様など〉を〔…に〕浮き上がらせる, 浮き出しにする, 打ち出す〔on〕;〈紙など〉を〔浮き出し模様で〕飾る〔with〕.

†**em·brace** /embréis | im-/ 動 他 《正式》**1**〈人〉が〈人〉を(愛情をこめて)抱きしめる, 抱擁する((略式 hug)) ‖ She *embraced* her daughter tenderly. 彼女は娘をやさしく抱きしめた. **2**〈考え・申し出・機会など〉に喜んで応ずる(accept willingly);〈主義など〉を採用する;〈教義など〉を奉ずる;〈信仰など〉に帰依(ｷｴ)する. **3**〈物・事が〉…を包含する, 含む(contain) ‖ The cat family *embraces* [×*is embracing*] cats, leopards, jaguars, and the like. ネコ科にはネコ・ヒョウ・ジャガーとそれに類する動物を含んでいる. ― 自 抱き合う. ― 名 **1** 抱擁; 抱き合うこと. **2** 包囲, 取り囲むこと.

†**em·broi·der** /embrɔ́idər | im-/ 動 他 **1** …を〔布など に〕刺繍(ｼｭｳ)する〔on〕, …に〔模様や糸などで〕刺繍する〔with/in〕 ‖ *embroider* one's initials on a shirt pocket = *embroider* a shirt pocket *with* one's initials シャツのポケットに頭文字を刺繍する. **2**〈物語など〉を潤色する, 脚色する. ― 自 **1** 刺繍する. **2**〔…を〕潤色する〔upon, on〕.

em·bróid·er·er 名 C 刺繍業者, 刺繍をする人.

†**em·broi·der·y** /embrɔ́idəri | im-/ 名 **1** U 刺繍(ｼｭｳ) (法). **2** U C 〔物語などの〕潤色 [脚色] (したもの).

em·broil /embrɔ́il | im-/ 動 他 《正式》…を〔紛争・口論・難局など〕に巻き込む〔in〕; …を〔…と〕反目させる〔with〕.

em·brown /embráun | im-/ 動 他 《正式》…を茶色にする; …を陽やけさせる; …を薄黒くする.

†**em·bry·o** /émbriòu/ 名 C **1** 胎児(ﾀｲｼﾞ)《人間の場合受精後8週未満の生体. それ以後を「胎児」(fetus)という》;〔動·植〕幼虫, 胚(ﾊｲ). **2**《正式》萌芽(ﾎｳｶﾞ), 始まり, (発達の)初期《通例次の句で》‖ Our plans are still in *embryo*. 計画はまだ進んでいない.

émbryo sàc 〔植〕胚嚢(ﾊｲﾉｳ).

em·bry·ol·o·gy /èmbriálədʒi | -51-/ 名 U **1** 発生学. **2** 胚(ﾊｲ)の発生・生育.

èm·bry·ó·lo·gist 名 C 発生学者.

em·bry·on·ic /èmbriánik | -5n-/ 形 《正式》**1** 胎児の; 胚芽の, 胚に関する. **2** 未発達の, 初期の.

†**em·er·ald** /émərəld/ 名 **1** C U エメラルド《◆5月の誕生石で「愛」「成功」を表す》; [形容詞的に] エメラルド (製)の, エメラルド入りの. **2** = emerald green.

émerald gréen エメラルド色, 鮮緑色.

Émerald Ísle (愛称) [the ~]《草木の美しい》エメラルド島 (→ Ireland).

***e·merge** /imə́ːrdʒ/
― 動 (~·**merg·es** /-iz/; 過去·過分 ~d /-d/; ~·**merg·ing**)
― 自《◆ come out より堅い語》**1**〈問題・事実など〉が現れる, 明らかになる ‖ After long and hard study a possible solution *emerged*. 長い熱心な研究の結果解決の道が明らかとなった / It later *emerged that* the student had bought his way into college. その学生は大学に裏口入学したことがわかって判明した.
2〈人·物〉が〔水中·暗闇などから〕出て来る, 現れる;〈太陽など〉が昇る〔from, out of〕‖ When I was looking at the sea from a boat, a diver suddenly *emerged from* the water. 船から海を見ていたら突然ダイバーが水中から出てきた.
3〈人が〉〔貧困·苦境など〕から身を起こす, 抜け出す〔from〕‖ She *emerged from* her ordeal with dignity. 彼女はきびしい試練から堂々と抜け出た / She *emerged* victorious in the struggle. 彼女はその闘争で勝利を収めた《◆この *victorious* は補語》.

emerge〈現れる〉

emergency《緊急事態》

e·mer·gence /imə́ːrdʒəns/ 名 U 《正式》出現 (appearance), 脱出.

***e·mer·gen·cy** /imə́ːrdʒənsi/
― 名 (複 -**cies** /-z/) U C 《火事·地震·洪水などの》非常の場合, 非常時(しない) 緊急事態《◆予期される緊急事態は contingency, 対策を必要とするものは exigency》; 突発事件 ‖ I had a family *emergency*. 身内に急なことがあってね《◆遅れた時などの言い訳のとき》/ declare a state of *emergency* 非常事態を宣言する / Ring the alarm「*in an emergency* [in case of *emergency*]. 危急の際には非常ベルを鳴らせ.

emérgency bràke 非常ブレーキ.
emérgency càse 急患; 救急箱.
emérgency èxit 非常口.
emérgency hòspital 救急病院.
emérgency nùmber 緊急電話番号《(米) nine-one-one, 911》《警察·消防署·救急車を呼び出すための番号》, 緊急連絡先.
emérgency lànding 緊急着陸.
emérgency ròom (米)(病院の)緊急治療室.
emérgency stàirway 非常階段.

e·mer·gent /imə́ːrdʒənt/ 形 《正式》**1**〈人·物〉が現れ出る. **2** 緊急の; 不意の ‖ an *emergent* leader (地震が起きた際の)非常事態に現れるリーダー. **3** 新興の, 新しく独立した ‖ the *emergent* [emerging] countries of Africa アフリカの新興諸国.

e·mer·i·tus /iméritəs/ 形 [しばしば E~; 時に名詞の後で]〈教授〉が名誉退職の ‖ a professor *emeritus* 名誉教授《◆人名に冠するときは *Emeritus* Professor Yoshida (吉田名誉教授) とする》.
― 名 (複 -**ti**/-tāi, -ti:/) C 名誉教授 (professor emeritus).

Em·er·son /émərsn/ 名 エマソン《Ralph Waldo /wɔ́ːldou/~; 1803-82; 米国の随筆家·詩人》.

†**em·er·y** /éməri/ 名 U [通例複合語で]《研磨用》金剛砂.
émery bòard (マニキュア用)つめやすり.
émery clòth 布やすり.
émery pàper 紙やすり.

e·met·ic /imétik/ 形 **1** C U 催吐(ｻｲﾄ)剤. **2** [形容詞的に] 嘔吐(ｵｳﾄ)を催させる.

†**em·i·grant** /émigrənt/ 名 **1** C 〔自国からの/他国への〕移民, 移住者〔from/to〕(↔ immigrant) ‖ *emigrants* from Japan *to* Hawaii ハワイの日本移

民《◆ハワイからみれば immigrant: immigrants to Hawaii from Japan》. **2** [形容詞的に] (他国へ)移住する ‖ *emigrant* laborers 移民労働者.

†**em·i·grate** /émɪgrèɪt/ 動 **1** 〈自国から/他国へ〉移住する, 出稼ぎに行く[*from*/*to*] (cf. immigrate) ‖ *emigrate from* Britain *to* America 英国からアメリカへ移住する. **2** (略式) 転居する. ── 他 〈人〉を〔自国から/他国へ〕移民[移住]させる[*from*/*to*].

†**em·i·gra·tion** /émɪgréɪʃən/ 名 UC **1** (他国などへの)移住, 移民 (cf. immigration). **2** 移民(団) ‖ *emigration* laws 移民法.

ém·i·gré /émɪgrèɪ/《フランス》名 C **1** 移住者. **2** (フランス革命時の)亡命王党員, (ロシア革命時の)亡命者.

E·mi·ly /éməli/ 名 エミリー《女の名. 愛称》Emmy.

†**em·i·nence** /émənəns/ 名 U (地位・身分が)高いこと, 名声, 著名; 卓越, 傑出 ‖ win [achieve, gain] *eminence* as a scholar 学者として名声を得る.

†**em·i·nent** /émənənt/ 形 **1** 〈人が〉〔…で/…として/…の分野で〕著名な, 高名な [*for*/*as*/*in*] ‖ a scientist *eminent for* his great discoveries いくつもの大発見で有名な科学者 / *eminent* as a sculptor 彫刻家として著名な. **2** すぐれた, 卓越した ‖ *eminent* good sense 際立った良識.

†**em·i·nent·ly** /émənəntli/ 副 際立って, 著しく ‖ an *eminently* fair decision きわめて公平な判定.

e·mir /əmíər | e-/ 名 C **1** (イスラム教国の)君主, 首長. **2** ムハンマドの子孫の尊称. **3** トルコの高官の称号.

e·mir·ate /əmɪ́rət, (米+) əmɪ́rəɪt, -eɪt, (英+) e-/ 名 **1** U イスラム教国首長の権限[身分]. **2** C 首長の国.

em·is·sar·y /éməsèri | -əri/ 名 C **1** (正式) 使者, 特使. **2** 密偵, スパイ.

e·mis·sion /ɪmɪ́ʃən/ 名 **1** CU (正式)(ガス・光・熱などの)放出, 放射, 放出物 ‖ *emissions* of CFC [CO_2] フロンガス[二酸化炭素]の排出. **2** C 放出[放射]物.

†**e·mit** /ɪmɪ́t/ 動 (<u>過去・過分</u>) **--mit·ted**/-ɪd/; **--mit·ting**) 他 (正式) **1** 〈熱・光・におい・音〉を出す, 放つ (send out) ‖ The factory chimney *emitted* clouds of smoke. その工場の煙突は煙をもうもうと出した. **2** 〈言葉など〉を口に出す (utter) ‖ *emit* a few curses 少し悪態をつく.

Em·my /émi/ 名 (複 ~s, **-mies**) C **1** (米) エミー賞《米国テレビ優秀番組・演技賞》. **2** エミー《女の名. Emily の愛称》.

e·mol·u·ment /ɪmɑ́ljəmənt, -mɔ́l-/ 名 C (正式) (通例 ~s) (職務から得る)給与, 報酬 (pay).

·**e·mo·tion** /ɪmóʊʃən/ 派 **emotional** (形)
── 名 (複 ~s/-z/) **1** UC 強い感情, 情緒《love, hate, anger, jealousy, sorrow, fear, despair, happiness, joy などの総称》‖ blind *emotion* 盲目的感情 / a creature of *emotion* 感情に左右される生き物 / have an effect on children's *emotions* 子供の感情に影響を及ぼす. **2** U 感動, 感激 ‖ a voice shaking with deep *emotion* 感動にうち震える声.

·**e·mo·tion·al** /ɪmóʊʃənl/
── 形 **1** [通例名詞の前で] 感情の, 情緒の; 感情に基づく《◆比較変化しない》 ‖ *emotional* support 心情的な支持 / Our judgment should be rational rather than *emotional*. 我々の判断は感情ではなくて理性に基づいてなされるべきである. **2** 〈人・気質が〉**感情的な**, 感激しやすい (↔ unemotional) ‖ He easily gets *emotional* about money. 彼はお金のことで感情的になりやすい. **3** 〈人の〉心を動かす, 感動的な ‖ an *emotional* scene in a movie 映画の感動的な場面.

e·mó·tion·al·ism 名 U 感情的傾向, 感情に訴えること; (過度に)感情を表すこと; 情にもらいこと.

e·mó·tion·al·ist 名 C 感情論者; 感情家.

e·mó·tion·al·ly 副 感情的に; 感情に動かされて; [文全体を修飾] 感情面から言えば.

e·mo·tion·less /ɪmóʊʃənləs/ 形 無感情の; 感動しない (↔ emotional).

e·mo·tive /ɪmóʊtɪv/ 形 (正式) **1** 感情の[と関係した]. **2** 〈語などが〉感情を表す. **3** 〈演説・言葉などが〉感動的な, 感情に訴える.

Emp. 略 *Emperor*; *Empire*; *Empress*.

em·pale /empéɪl/ 動 = impale.

em·pan·el /empǽnl/ 他 動 (<u>過去・過分</u>) ~ed or (英) **--pan·elled**/-d/; **-~ing** or (英) **--el·ling**) = impanel.

em·pa·thy /émpəθi/ 名 C (心理) [しばしば an ~] 感情移入, 〔人への〕共感 *with*). **em·páth·ic** 形

†**em·per·or** /émpərər/ 名 [通例 the E-~] C 皇帝《◆女性形は empress), (日本の)天皇(Mikado)《◆(帝政時代の)ロシア皇帝は Czar》‖ (the) *Emperor* Napoleon 皇帝ナポレオン《◆英国民からみて外国の皇帝[天皇]の名の前の称号にはふつう the を冠する》/ His Majesty the *Emperor* 皇帝[天皇]陛下 / the *Emperor* Showa 昭和天皇 / 日本発》The Japanese Constitution defines *the Emperor* as a "symbol" of the nation with no political authority. 日本国憲法で天皇は国の「象徴」と規定されており, 政治的権限はありません.

*****em·pha·sis** /émfəsɪs/【アクセント注意】
── 名 (複 **-ses**/-sìːz/) C〔…の〕**強調**, 重要視, 主眼点〔*on*, *upon*〕‖ In this English course, we place [put] (a) special *emphasis on* oral communication. この英語コースでは特にオーラルコミュニケーションを重視しています《◆通例 ..., we stress oral communication. のようにいう》. **2** [音声] 強勢, 強調.

*****em·pha·sise** /émfəsàɪz/ 動 (英) = emphasize.

*****em·pha·size,** (英ではしばしば) **--sise** /émfəsàɪz/ 派 **emphasis** (名)
── 動 (**--siz·es**/-ɪz/; <u>過去・過分</u> ~**d**/-d/; **--siz·ing**)
── 他 **1** 〈人などが〉〈事実など〉を**強調する**, 力説する (stress), 重要視する; [emphasize *that* 節] …だと力説する (stress) ‖ We *emphasized* the importance of his cooperation. =We *emphasized that* his cooperation is [was] important. 我々は彼の協力の重要性を強調した(⇒ 文法 10.3). **2** 〈語句〉を強めて言う, 強調する ‖ *Emphasize* "democracy," the first word in the sentence. その文の最初の単語 'democracy' に力を入れて発音しなさい. **3** 〈色・音・形など〉を目立たせる.

†**em·phat·ic** /emfǽtɪk | ɪm-/ 形 **1** 強調された, 語気の強い (↔ unemphatic); 〈人が〉〔…に/…だと〕強調して〔*about*/*that* 節〕‖ Her answer to my proposal was an *emphatic* "Yes." 私のプロポーズに対する彼女の返事はきっぱりした「はい」であった. **2** 〈信念などが〉強い ‖ It is my *emphatic* opinion that we should be against any war. 我々はどんな戦争にも反対すべきだというのが私が確信をもって言える意見です. **3** 著しく目立つ ‖ an *emphatic* success [victory] 大成功[圧勝]. **4** [音声] 強勢を有する.

†**em·phat·i·cal·ly** /emfǽtɪkəli | ɪm-/ 副 **1** 強調して, 力強く. **2** 断然, 徹底的に.

†**em·pire** /émpaiɚ/ 图 **1** [しばしば the E~] U C 帝国, 帝王の領土 (◆元首は emperor) ‖ *the* Roman *Empire* ローマ帝国. **2** C (1個人・1グループの支配する)企業帝国, 大企業 ‖ a publishing *empire* 出版帝国.

Émpire Cíty (米)(愛称) [the ~] エンパイア=シティー (→ New York **1**).

Émpire Státe (米)(愛称) [the ~] エンパイア=ステート (→ New York **2**).

Émpire Státe Búilding (米) [the ~] エンパイアステート=ビル《ニューヨークにある102階建てビル. 1972年まで世界一の高さを誇った》.

em·pir·ic /empírik/ 图 C **1** 経験主義者. **2** やぶ医者. ━━形 = empirical.

em·pir·i·cal /empírikl/ 形 **1** 経験[実験, 観察]による ‖ *empirical* knowledge 経験から得た知識. **2** 経験[実験]上の. **em·pír·i·cal·ly** 副 経験的に; 実験的に.

em·pir·i·cism /empírəsìzm/ 图 U 経験主義.

*****em·ploy** /emplɔ́i | im-/ 派 employee (名), employer, employment (名)
━━動 (~s/-z/; 過去過分 ~ed/-d/; ~·ing)
1 [employ A (as B)] 〈人・店が〉(賃金を払って) A〈人〉を(Bく役職の人〉として)雇う, 雇用する(↔ discharge, fire); [employ A を] A〈人〉を…してもらうように雇う; [be ~ed] 〔会社などに〕雇われている, 勤めている[in, at]《◆ hire は一時的で個人的な場合が多い》‖ *employ* a student *as* a mail carrier = *employ* a student *to* carry mail 郵便配達のために学生を雇う / *the employed* [集合名詞的に] 従業員(=the *employees*) / *be employed by* the Macy Stores メーシー百貨店に入社する《◆この意味で enter the Macy Stores は不可》/ *be employed*「*in* a lawyer's office [*at* the factory]」弁護士事務所[工場]に勤めている.
2 (正式)〈仕事などが〉〈人・時間などを〉要する(require) ‖ Collecting curios *employs* a lot of her time. 骨董(ちょう)品の収集に彼女は多くの時間をあてる.
3 (正式) **a** 〈物・技能など〉を〈事に/…するために〉使用する, 利用する(make use of)[for, in / to do] ‖ *employ* skill in one's work 自分の仕事に手腕をふるう / *employ* powerful measures [*for* [*to get*] one's ends 目的達成のため強力な方策をとる. **b** 〈人が〉〈時間・精力などを〉〔…に〕費やす(spend)[in] ‖ She *employs* all her free time (*in*) golfing. 彼女は自分の自由時間をすべてゴルフにあてる(= Golfing *employs* all her free time.).
4 (正式) [~ oneself / be ~ed] 〔仕事などに〕従事する[している](occupy)[on, in] ‖ *émploy oneself on* research [a project] 研究[計画]に専念する / She is busily *employed* (*in*) operating a computer. 彼女は忙しそうにコンピュータを操作している(◆ 後に動名詞が続く場合, (略式)では in の省略可能).

━━图 U (正式) 雇用(employment) ‖ have him in my *employ* 彼を雇っている / *be in the employ of* the government = be in the government's *employ* 官庁に勤めている.

em·ploy·a·ble /emplɔ́iəbl | im-/ 形 C 雇用対象者. ━━形 雇用できる, 雇用価値のある.

*****em·ploy·ee**, (米ではしばしば) **-ploy·e** /implɔ́iiː, èmplɔ́iíː/
━━图 (複 ~s/-z/) C 従業員, 雇われている人; 社員, 公務員 (↔ employer) ‖ a permanent *employee* 正社員 / a Government *employee* = an *employee* of the Government 国家公務員.

*****em·ploy·er** /emplɔ́iɚ | im-/
━━图 (複 ~s/-z/) C 雇い主, 社長; 企業主 (↔ employee) ‖ My *employer* is a small, local firm. 私の雇い主は地元の小さな会社です.

*****em·ploy·ment** /emplɔ́imənt | im-/
━━图 (複 ~s/-mənts/) **1** U (人の)雇用(数), 雇う[われる]こと; 勤務, 勤め (↔ unemployment) ‖ part-time *employment* パートタイム / *in* [*out of, without*] *employment* 就職[失業]して / the system of career long *employment* = the *employment*-for-life system 終身雇用制度.
2 U C (正式)(雇われてする)仕事(work); 定職業務 ‖ find *employment* at the grocery store 食料雑貨店に就職する.
3 U (正式)(道具・乗物などの)使用, 利用, 〔…を〕使うこと(use)[of] ‖ the *employment* of force by the police 警察の実力行使.

emplóyment àgency (英) (民間の)職業紹介所, 人材銀行.

emplóyment bùreau (米) 職業安定所.

em·po·ri·um /empɔ́ːriəm/ 图 (複 ~s, **-ri·a**/-riə/) C (正式)商業中心地; 百貨店, 大規模小売店.

†**em·pow·er** /empáuɚ/ 動 (正式)〈人〉に〔…する〕権限[機能, 能力]を与える[to do].

†**em·press** /émprəs/ 图 C **1** [通例 the E~] 女帝; 皇后(略 Emp.). (→ emperor) ‖ *the Empress* of Russia ロシアの女帝. **2** (略式) [比喩的に] 女帝.

†**emp·ti·ness** /ém(p)tinəs/ 图 U **1** から, 空虚(さ). **2** (頭が)からっぽ; 無意味. **3** 空腹; (文)(広い)空所.

*****emp·ty** /ém(p)ti/ 『「中味がからの」が原義』
━━形 (**-ti·er**, **-ti·est**)(◆ **2 b** 以外は比較変化しない) **1 a** 〈容器・乗物などが〉からの, 中身のない (↔ full); 〈手がり物を持っていない ‖ 「an *empty* [˟a vacant] bottle [purse] あきびん[からの財布] / I found the box *empty*. その箱をあけてみたらからっぽだった.

> 使い分け [**empty** と **vacant**]
> *empty* はからっぽで中身のない状態.
> *vacant* は人[物]が一時的にいない[ない]状態.
> 「a *vacant* [˟an empty] room 空き部屋《◆ an *empty* room は「家具がなくがらんとした部屋」》. ただし使用中かどうかを尋ねる場面では *vacant* と *empty* は交換可能: Is the bathroom *vacant* [*empty*]? トイレは空いていますか = Is this seat *vacant* [*empty*]? この席は空いていますか(→ seat).

b 空虚な, むなしい ‖ *empty* Christmas holidays だらだらと過ごすクリスマス休暇 / She felt *empty* after her family left her. 家族が出て行ったので彼女は心がからっぽになった.
2 a 〈家などが〉空いている, 人の(住んで)いない; 家具のない ‖ an *empty* room 空室, 人のいない部屋《◆ a *vacant* room は「空室」の意のみ》/ Don't leave the house *empty*. 家を留守にするな. **b** 〈道が〉人通りのない ‖ an *empty* street 人通りのない通り.
3 [通例名詞の前で] 口先だけの, 無意味な ‖ *empty* promises から約束 / an *empty* threat こけおどし.
4 (myth) 腹のへった ‖ I feel *empty*. 腹ぺこだ, すき腹 (◆「むなしく思う」という意味(**1 b** の意味)にもなる) / on an *empty* stomach すき腹をかかえて, すき腹に《◆ 特に朝食を食べていない時に用いる》.
(*be*) *émpty of* **A** (正式) …を欠いた, …がない (with-

empty-handed / **encircle**

out) ‖ words *empty of* meaning 無意味な語句 / streets *empty of* traffic 往来の途絶えた通り.
── 動 (--ties/-z/; 過去・過分 ~tied/-d/; ~ing)
── 他 1 〈容器・中味〉をからにする (↔ fill) ‖ *Empty* the trash. ごみを捨てて. 2 [empty A from [out of] B = (正式) empty B of A] 〈人が〉〈中味〉をB〈容器〉から出す, 取り出す ‖ *empty* the water *out of* the tub ふろおけから水をぬく / *Empty* the drawer *of* its contents. 引き出しの中をからにしなさい. 3 …を(すっかり)〔…に〕移す〔取り出す〕(+ out) [into, onto] ‖ *empty* the contents *into* boiling water 中味を全部熱湯の中にあける.
── 自 1 〈物が〉からになる ‖ The tank *empties* in five minutes. タンクは5分でからになる. 2 〈川が〉〔…に〕注ぐ(*into*) ‖ The Volga *empties* into the Caspian Sea. ボルガ川はカスピ海に注いでいる.
── 名 C (略式) (通例 empties) あき箱[びん, かん]; 空車.

émpty sèt 〔数学〕空集合 (null set).
emp·ty-hand·ed /émptihændid/ 形 から手で, 手ぶらで, なんの収穫もなく.
emp·ty-head·ed /émptihédid/ 形 (略式) 愚かな, ばかな.
em·py·re·an /èmpərí:ən, -pai-, empíriən/ 名 [しばしば E~] C (文) [通例 the ~] 1 (古代宇宙論の)最高天 ; [形容詞的に] 最高天の. 2 天空.
EMS (略) European Monetary System ヨーロッパ通貨制度; (米) 〔郵便〕Express Mail International Service 国際速達郵便 《米国のどの地域からも期定日に配達される, cf. IPA》.
e·mu /í:mju:/ 名 (複 ~s, e·mu) C 〔鳥〕エミュー 《オーストラリア産の大型の飛べない鳥》.
EMU, Emu (略) Economic and Monetary Union 経済通貨同盟 《EU 域内で EMS を基礎に金融面での統合を図ろうとするもの》.
em·u·late /émjəleit/ 動 他 (正式) 1 …と競う, …に(負けまいと)張り合う. 2 …を見習う, (劣らないように)まねる (imitate). 3 …に匹敵する. 4 〔コンピュータ〕…をエミュレートする, …のように機能させる 《仕組みの異なるプログラムを他のシステム上でも動くようにする》.
†**em·u·la·tion** /èmjəléiʃən/ 名 U 競争, 張り合うこと; 〔コンピュータ〕エミュレーション ‖ in *emulation* of each other お互いに競争で.
em·u·lous /émjələs/ 形 (正式) 1 競争心の強い. 2 […に]負けまいとする, …を熱望する(*of*). 3 (古) ねたんで. **ém·u·lous·ly** 副 競って.
e·mul·si·fi·ca·tion /imʌlsifikéiʃən/ 名 U 乳化.
e·mul·si·fy /imʌlsifai/ 動 他 …を乳状[乳剤]にする.
e·mul·si·fi·er /imʌlsifaiər/ 名 C 乳化剤, 乳化する人[物].
†**e·mul·sion** /imʌlʃən/ 名 C U 1 〔化学〕エマルション, 乳濁液. 2 〔写真〕感光乳剤. 3 (略式) = emulsion paint. ── 動 他 (英略式) 〈物〉にエマルションペイントを塗る.
emúlsion pàint エマルションペイント.
en /én/ 名 C 形 1 N, n の字. 2 〔印刷〕半角(の) (cf. em).
en- /in-, én-/ (語要素) → 語要素一覧 (2.1).
-en /-ən/ (語要素) → 語要素一覧 (2.1, 2.2, 2.4).
*****en·a·ble** /enéibl | in-/ (頻音) unable /ʌnéibl/ (~-s/-z/; 過去・過分 ~d/-d/; --bling)
── 他 (正式) 1 [enable A to do] 〈事が〉A〈人・物・事〉に(必要な権限[手段])を与えて…することを可能にさせる (➡ 文法 23.1) ‖ Her help will *enable* me

to do the job sooner. 彼女が手伝ってくれれば, もっと早く仕事を済ませられるのですが (= Her help will make it possible for me to do … / (略式) If she helps me, I'll be able to do …). 2 〈事が〉〈事〉を可能[容易]にする; 〈法律が〉〈事〉を認める ‖ the *enabling* legislation 権能賦与法 《特に合衆国に新しい州の加入を認める法律》. 3 〔コンピュータ〕〈機器〉にスイッチを入れる, …を動作可能にする.
†**en·act** /enǽkt | in-/ 動 他 (正式) 1 〈法案〉を立法[法律]化する, 〈法律〉を制定する; [it is enacted that 節] (法律で)…と規定されている ‖ A law was *enacted* to limit the number of immigrants. 移住者の数を制限する法が制定された. 2 〈劇などを〉上演する; 〈…の役〉を演じる (◆ act の方がふつう).
en·ác·tive /-iv/ 形 立法権のある.
†**en·act·ment** /enǽktmənt | in-/, **en·ac·tion** /enǽkʃən | in-/ 名 (正式) 1 U (法律を)制定する[される]こと, 立法; C 法令, 条令. 2 C 上演.
†**e·nam·el** /inǽml/ 名 1 U C エナメル (塗料), ほうろう, (陶器の)上薬 (うわぐすり); (米) マニキュア液 (nail varnish). 2 〔歯科〕エナメル質. ── 動 (過去・過分 ~ed or (英) ~nam·elled; ~ing or (英) ~·ling) 他 〈物〉にエナメルを塗る, ほうろう引きする.
e·nam·el·ware /inǽmlweər/ 名 U ほうろう鉄器.
†**en·am·or** /inǽmər/ (英) **--our** /inǽmər/ 動 他 (正式) 〈人〉を魅惑する; [be [become] ~ed] 〈人〉が[…に]夢中になる (*of, with*).
en·am·ored, (英) **--oured** /inǽmərd/ 形 夢中になった, 魅惑された.
†**en·camp** /enkǽmp | in-/ 動 自 (正式) 野営する, キャンプする (camp) (↔ decamp). ── 他 〈軍隊などを〉野営[露営]させる; [be ~ed] 〈軍隊などが〉野営[露営]する. **en·cámp·ment** 名 U C (正式) 野営(地), [集合名詞] 野営している人たち.
en·case /enkéis | in-/ 動 他 (正式) …を[…に]入れる[包む] (*in*).
-ence /-əns/ (語要素) → 語要素一覧 (2.1).
en·chain /entʃéin | in-/ 動 他 (文) 1 …を[鎖で]つなぐ (*in, with, by*). 2 〈注意など〉を引きつける.
†**en·chant** /entʃænt | intʃɑ́:nt/ 動 他 1 (正式) 〈人・物・事が〉〈人〉を[…で]うっとりさせる, 魅了する, 喜ばせる (fascinate) [*with, by, at*] (↔ disenchant) ‖ He *was enchanted by* the beauty of the word. 彼はその言葉の美しさに魅せられた / She *was enchanted at* the proposal. 彼女はその提案に大喜びした. 2 (古) …に魔法をかける ‖ an *enchanted* old castle 魔法のかかった古い城 《◆童話などに出てくる》.
en·chant·er /entʃǽntər | intʃɑ́:ntə/ 名 C 魔法使い; 魅惑する物.
†**en·chant·ing** /entʃǽntiŋ | intʃɑ́:nt-/ 形 魅惑的な, 魅ばれするような; 非常に美しい.
en·chánt·ing·ly 副 魅惑的に.
†**en·chant·ment** /entʃǽntmənt | intʃɑ́:nt-/ 名 U C (正式) 1 魔法にかける[かかる]こと; 歓喜; (古) 魔法 ‖ a look of *enchantment* on one's face 大喜びの顔つき. 2 魅惑(するもの) (charm) ‖ the *enchantment(s)* of a garden city 田園都市の魅力.
†**en·chant·ress** /entʃǽntrəs | intʃɑ́:nt-/ 名 C 魔法使いの女, 魔女; 魅力的な女 ((PC) enchanter).
†**en·cir·cle** /ensə́:rkl | in-/ 動 他 (正式) 1 〈物〉を取り囲む (surround); [be ~d] 〈物が〉[…に]取り囲まれる [*by, with, in*] ‖ Low bushes *encircled* the garden. やぶがその庭を取り囲んでいた / an old castle (which is) *encircled by* [*with*] a moat 堀

†en·cir·cle·ment /enkíːrklmənt/ 名U 包囲, 孤立化；1周.

†en·close /enklóuz/ in-/ 動 他 《正式》 1 〈人 が〉〈土地・建物など を〉(垣・壁などで)囲む(surround)；[be ~d] 〈土地・建物などが〉[…で]囲まれている[with, by] ‖ enclose common land 公有地を囲む / a garden (which is) enclosed with [by] a wall 塀(☆)をめぐらした庭. 2 〈写真・小切手などを〉[封筒・手紙・小包などに]同封する, 封入する[with, in] ‖ I enclose [I am enclosing] a check for $50 [with this letter [in this envelope]. この手紙に50ドルの小切手を同封します(◆進行形は《略式》 / "We have enclosed [We are enclosing]..." [商業] …を同封しました(◆ Enclosed, please find ... は今は非常に堅い言い方).

†en·clo·sure /enklóuʒər/ in-/ 名 1 U 《正式》 包囲, 囲うこと；同封, 封入. 2 C 同封されたもの. 3 C 囲われた土地, 構内. 3 C 囲うもの, 塀, 壁.

en·code /enkóud/ in-/ 動 他 〈通信文・データなどを〉符号化[コード化]する(↔ decode).

en·cód·er /-ər/ C 符号器, エンコーダ.

†en·com·pass /enkʌ́mpəs/ in-/ 動 他 《正式》 1 (攻撃などを)(すっかり)取り巻く(surround)；[be ~ed] 〈人・物が〉[…で]取り囲まれる[with, by] ‖ be encompassed with [by] doubts 疑念に包まれている. 2 …を包含する.

†en·core /ɑ́ŋkɔːr/ ɔ́ŋkɔː/ 《フランス》 間 (主にクラシックで)アンコール!, もう一度！ ─ 名 C 1 アンコール, 再演希望 ‖ "call for [demand] an encore (of the song [from the pianist])" (その歌の[そのピアニストに])アンコールを求める. 2 アンコール曲；(アンコールに応じての)再演奏. ─ 動 他 〈演奏者などに〉〈曲〉のアンコールを求める.

*en·coun·ter /enkáuntər/ in-/ [ぶつかって(counter)中へ入る]
─ 動 (~s/-z/; 過去・過分 ~ed/-d/; ~ing /-tərɪŋ/)
─ 他 《正式》 1 〈困難・危険などに〉あう, 直面する ‖ encounter many difficulties 多くの困難に直面する. 2 〈人が〉〈人・考えなどに〉偶然出会う, 出くわす(come across [upon]) ‖ She encountered an old friend on the street. 彼女は道でばったり旧友に出会った. 3 〈敵〉と遭遇する, 交戦する.
─ 名 C 《正式》 1 […との/…の間の]〈危険・敵意をはらんだ〉出会い, 遭遇；邂逅(かいこう)[with/between]. 2 (敵との)交戦(battle).

*en·cour·age /enkə́ːrɪdʒ/ in-/
─ 動 (~s/-ɪz/; 過去・過分 ~d/-d/; --ag·ing)
─ 他 1 [encourage A (to do)] 〈人・賞賛などが〉A〈人〉を(…するように)励ます, けしかける《◆ to do はこれからすること》; [encourage A in B] 〈人が〉A〈人〉に B〈事〉をさらにするように勇気づける, 仕向ける(↔ discourage) ‖ I feel encouraged by [at] her praise. 彼女にほめられて自信がついた気がする / The good marks on the exam encouraged him to study harder. 試験の成績がよかったので彼はさらに熱心に勉強する励みになった / His father's business success encouraged the son in [to] his extravagance. 父の商売の成功で息子の浪費がいっそう助長された. 2 〈事・人が〉…を促進する(promote); 〈学問・行為などを〉奨励する(stimulate); 〈信念などを〉強める ‖ encourage domestic industries 国内の産業を奨励する / Good health encourages clear thinking. 健康だと思考も冴(さ)える.

†en·cour·age·ment /enkə́ːrɪdʒmənt/ in-/ 名 1 U 激励(する[される]こと), 〔…するための〕奨励；助長, 促進 [to do] (↔ discouragement) ‖ Since money fell in value, there was no encouragement to save. お金の価値がなくなってきたのでためる張合いがなくなった. 2 [an ~] […に]激励となるもの [to] ‖ My advice acted as an encouragement to her. 私の忠告は彼女に刺激された.

en·cour·ag·ing /enkə́ːrɪdʒɪŋ/ in-/ 形 激励の, 励みとなる, 元気づける, 好意的な.
en·cóur·ag·ing·ly 副 激励して.

†en·croach /enkróutʃ/ in-/ 自 《正式》 1 〈海などが〉[陸地を]浸食する[on, upon]. 2 〈海賊などが〉[領土などを]侵略する[on, upon]. 3 [人の権利などを]侵犯する[on, upon] ‖ Such an action encroaches on one's right to privacy. そんな行為は人のプライバシーを侵害するものだ.

†en·croach·ment /enkróutʃmənt/ in-/ 名 《正式》 […に対する]浸食, 侵略, 侵犯[on, upon]; C 侵略[侵食]地.

en·crust /enkrʌ́st/ in-/ 動 他 [通例 be ~ed] 〈物が〉[殻・装飾品で]覆われる[with, in].

en·crus·ta·tion /enkrʌstéɪʃən/ in-/ 名 =incrustation.

en·crypt /enkrípt/ in-/ 動 他 〔コンピュータ〕…を暗号化する ‖ the encrypted password 暗号化されたパスワード.

en·cryp·tion /enkrípʃən/ 名 U 〔コンピュータ〕(情報の)暗号化.

†en·cum·ber /enkʌ́mbər/ in-/ 動 他 《正式》 1 …を妨げる, じゃまする ‖ Her clumsy shoes encumbered her as she ran. はき具合のよくない靴のせいで彼女は走りにくかった. 2 〈人に〉〔債務・借金などを〕課する；[be ~ed] 〈人が〉〔債務・重荷などを〕負う[with] ‖ He is encumbered with [by] housing loans. 彼は住宅ローンにあえいでいる. 3 [be ~ed] 〈場所が〉〔じゃまな物で〕いっぱいである[with].

en·cum·brance /enkʌ́mbrəns/ in-/ 名 C 1 《正式》 邪魔物; 邪魔な人, 足手まとい. 2 扶養家族.

-en·cy /-ənsi/ 〔語尾素〕→ 語尾素一覧 (2.2).

†en·cy·clo·pe·di·a, --pae·di·a /ensàɪkləpíːdiə/ in-/ 名 C 百科事典, 百科全書；専門事典[辞典]; [the E~] フランス百科全書《18世紀》 ‖ Look it up in your encyclopedia. 百科事典でそれを調べなさい / I bought a complete set of the Encyclopaedia Britannica. 私は『ブリタニカ百科事典』の全巻を買った.

en·cy·clo·pe·dic, --pae·dic /ensàɪkləpíːdɪk/ in-/ 形 百科事典的な；博学な.

en·cy·clo·pe·dist, --pae·dist /ensàɪkləpíːdɪst/ in-/ 名 C 百科事典編集者；[E~] フランス百科全書編者.

:**end** /énd/ (類音 and /ənd, ænd/) 派 endless (形)

index 名 1 終わり 2 端 4 限界 5 目的
動 他 1 終わらせる
自 1 終わる, 終わりが…になる

─ 名 (複 ~s/éndz/) 《◇関連形容詞 final, terminal》 C

I [時間的に到達するところ, 端]
1a (期間・行為・本などの)終わり, 最後, 末期 (↔ beginning) ‖ at the end of the week 週末に / I'll finish it by the end of the day. 今日中に

end

それを終えます / 対話 "How was the movie you saw yesterday?" "It was thrilling *from beginning to end*." 「昨日の映画はどうでしたか」「初めから終わりまでスリリングでした」→ 文法 16.3(3) / fight bravely to the (bitter [very]) *end* 最後(の最後)まで勇敢に戦う / begin [start] at the wrómg *énd* 反対側から始める / bring our árguments *to an énd* = *bring an énd to* our árguments 議論を終わらせる / The month is dráwing to an *énd*. 月末に近づいている / There's an *end* of it. それだけのことだ. **b** (手紙・本などの)末尾, 結末 ‖ the *end* of a chapter 章の終わり. **c** 存在の終わり, 終局 ; 終焉(^{えん})(状態の終わり[人]). **d** (正式)最期(^ご), 死(因) ; 死にざま(◆ death の遠回し語) ; 破滅(のもと) ; 廃止 ‖ meet a violent [bad, sticky] *end* 非業(^{ごう})の(みじめな)最期をとげる / be néaring [near] one's *end* 死期に近づいている[近い] / The bribe was *the end* of the governor. わいろがその知事の命取りだった. **e** 電話口.

Ⅱ[細長いものの端]

2 a (通例 the ~) (空間的に見て) (細長い物の)端, 先端 ; (広がりを持つものの)末端部 ; (中心からはずれた)周辺地域 ; [形容詞的に] 端の, はずれの ‖ The *end* of the line is back there. 列の最後尾はあちらです《◆割り込みされた時の注意》 / 対話 "Who is the person on the other *end* of the phone?" "It's Mr. Brown." 「電話の相手はだれですか」「ブラウン氏です」/ the *end* room 突き当たりの部屋 / the *end* result 最終結果 / *end* users 末端消費者 / The husband and wife were sitting at opposite *ends* of the table. 夫婦は食卓の両端に座っていた / *at a déad end* 行き止まりで / The bus broke down at one *end* of the bridge. バスが橋のたもとで動かなくなった《◆この場合[橋のたもと]に foot [edge] を用いるのは不可: *at the foot [edge] of the bridge》. **b** [しばしば ~s] (物の部分を指して)無用となった先端部分 ; 残り物, はぎれ, くず ‖ cándle *ends* ろうそくの燃え残り / a cigarette *end* タバコの吸いがら. **3**(略式)(事業などの)一部門, 方面 ; 側, 部分 ‖ the advertising *end* 広告部門 / at the deep *end* (仕事の)一番難しい部分で / There is no problem at his [this] *end*. 彼の方[こちら]では何も困ったことはない.

Ⅲ[数量・力などが行きつくところ, 端]

4(略式)[通例 the ~] **a**(力・数量などの)限界, 限度(limit) ‖ *at the end* of one's strength [pátience, resóurces] 体力[忍耐, 財源]の限界に達して / There is no *end* to the troubles in that family. その家族のもめごとはきりがない. **b** 我慢のならない人[物](limit) ‖ The naughty boy really is *the* (absolute) *end*! そのいたずらっ子には全く我慢がならない. **c**(主に米俗)最高のもの, 極致.

Ⅳ[意図・行動の到達点としての端]

5(正式)[しばしば ~s](究極的な)目的(purpose), 目標(aim) ; 存在理由 ; 〔哲学〕究極目的 ‖ *for* [*to*] *this end* この目的のために / gain [win, achieve, reach, fulfill] one's *end*(s) 目的を達成する / For the athlete, participation in the tournament was an *end* in itself. そのアスリートにとって競技に参加すること自体が目的であった.

6〔スポーツ〕(攻撃や守備の)サイド ; (ボウリングなどの)1 試合 ; 〔アメフト〕エンド(の位置)(図) → Américan fóotball).

at an énd ⟨仕事などが⟩終わって ; ⟨忍耐⟩が尽きて.

at lóose énds (米) = *at a lóose énd* (英)〔〔なわの端がきちんと縛られていない ; cf. loose 形2〕〕(1)⟨人が⟩何もすることがなくて ; 何をしてよいかわからなくて ; 定職なくて. (2)⟨人が⟩無計画で ; ⟨人・物が⟩混乱して ; ⟨物事が⟩未決状態にして.

at the énd of the dáy (英・豪)(いろいろ議論したが)結局は((米)when all is said and done).

cóme to an énd 終わる.

énd for énd [一方の端の代わりに他方の端を]反対向きに, 逆に.

énd ón 先をまっすぐに, 端を先にして ; 端と端を寄せて[ぶつけ合って].

énd to énd [一つの端に次の物の端をくっつけて ; cf. to 前10]端と端を接して, 縦につないで ; 徹底的に.

gó óff (at) the déep énd [プールのいちばん深い所(deep end)に飛び込む](略式)前後の見境をなくす, かっとなって我を忘れる.

in the énd (望ましい事態にならずに)ついに, 最後には(finally, at last), (考えぬくえ)つまるところ《◆文頭または文尾に用いる》(使い分け)→ at LAST).

kéep [*hóld*] *one's énd úp* 〔〔クリケットで打者がアウトにならないでいる〕〕(略式)(困難にめげず)責任を果たす ; 勇敢にふるまう.

máke an énd of A (正式)(けんか・うわさなどを)終わらせる ; (悪習など)を除く, 廃止する ; (動物など)を殺す.

máke (bóth [twó]) énds méet 〔〔一年の初めと終わりの勘定を合わせる〕〕収入内でやりくりする, 収支を合わせる《◆今は both, two を省略するのがふつう》.

nó énd (際限なく)(副)(略式)とても, ずいぶん ; 絶えず.

nó énd of ... (1)(略式)多数[多量]の...(2)すてきな...‖ *no end of letters* たくさんの手紙. (2)すてきな...‖ have *no end of* a time すばらしい時を過ごす. (3)大規模な, 途方もない...‖ *no end of* a genius 途方もない天才.

on énd [細長い物がその端の上に乗って](1)直立して ‖ His hair stood *on end*. (略式)(恐怖・驚きで)彼は身の毛がよだった. (2)続けて, 立て続けに ‖ It rained four days *on end*. 4日続けて雨が降った.

pút an énd [*stóp*] *to A* (正式) = make an END of.

The énds jústify the méans. (ことわざ)目的は手段を正当化する,「うそも方便」.

the énd of one's *rópe* (主に米)(体力・能力などの)限界, 極限.

to nó énd むなしく, むだに(in vain).

to the énd that ... = in ORDER that ...

withóut énd 果てしない[く], 際限のない[なく].

—— 他 (~s/éndz/ ; ~ed/-id/ ; ~ing)

—— 他 **1 a** ⟨人が⟩⟨物・事⟩を[…で]終わらせる, 終える(+ *up*) [*with*] ; ⟨講演など⟩を[…することで]結ぶ(*by doing*) (類語) close, conclude, finish, complete, terminate) ‖ I *ended* the supper (*up*) *with* fruit. 夕食を果物で終えた / He *ended* the show by singing 'My Way.' 彼は「マイウェイ」を歌ってショーをおしまいにさせる ‖ *end* our quarrel [friendship] 我々のけんか[友情]にけりをつける. **2** ⟨人・生命など⟩を絶つ, 殺す, 破壊する《◆ kill の遠回し語》.

—— 自 **1** ⟨人・事⟩が[…で/…することで]終わる, 済む [*with* / *by doing*]《◆行為主が動作を表さない場合は be over を用いる》 ; 終わりが[…に]なる, […の]結果になる[*in*] ‖ The play *ends with* the héro-ine's death. その劇は女主人公の死で終わる / She will *end by* marrying the young man. 彼女は結局その若者と結婚することになるだろう / He *ended* as a drunken man. 彼はついに飲んだくれになってしまった / The struggle *ended in* a satisfactory settlement. 闘争は満足のいく和解に終わった.

>(使い分け) **[end と be over]**
end は「政権や制度が終わる」．
be over は「活動や行事が終わる」．
When did the military regime *end*? 軍事政権はいつ終わりましたか(×When was the military regime *over*?).
Don't worry. It will *be over* [×end] before you know it. 心配はいりませんよ. あっという間に終わりますよ(♦ 歯医者で歯を抜く時などに患者に言う言葉).

>(語法) end には「事が終わればあとはなくなる」という含みがあるので「誕生パーティーは大成功に終わった」を×The birthday party ended in a great success. とはいえない. The birthday party was a great success. などとする.

2 (古)(ついに)死ぬ.
énd óff [自]〈道などが〉とぎれる, 終わる. ―[他]〈話・物語などを〉終える, やめる ‖ *end* the work *off* with a drinking party その仕事の打ち上げに宴会を催す.
***énd úp** [自](1) ついには[…することに]なる[(by) doing] ‖ He *ended up* (by, ×in) telling his wife everything. 彼は結局妻に何もかも話すことになった 《♦ by は省略するのがふつう》. (2) **最後には**[…に]なる[なり果てる][*as*] ‖ *end up* (*as*) a mayor [thief] 結局最後に市長[泥棒]になる. (3) […で]終わる[*with*] ‖ The game has *ended up* with the singing of 'Auld Lang Syne.' 試合は「ほたるの光」を歌って終わった(→[自]**1**). (4) 最後には[…に]入る[行く, 着く]ことになる[*in*] ‖ She *ended up in* (the) hospital. 彼女はしまいには入院するはめになった.

énd consúmer =end user (1).
énd táble (米)〈いす・ソファーの横の〉サイドテーブル, 小卓.
énd úser (1) 末端使用者, 最終消費者. (2) 〈コンピュータ〉エンドユーザー, 末端利用者.

†**en·dan·ger** /endéɪndʒər | in-/ [動][他] (正式) …を危険にさらす(put in danger) ‖ *endanger* one's health by working too hard 働きすぎて健康を損なう.

en·dan·gered /endéɪndʒərd | in-/ [形]〈動植物が〉絶滅の危険にさらされた ‖ *endangered* species 絶滅危惧[(ぐ)]種.

†**en·dear** /endíər | in-/ [動][他] (正式)〈行為・言葉などが〉〈人〉を[人に]慕われる, いとしいと思わせる[*to*]; [~ oneself] […に]慕われる[*to*] ‖ His generosity *endeared* him *to* everyone. 彼は気前がよいので皆から慕われていた(→文法 23.1).
en·déar·ing [形] かわいらしい. **en·déar·ing·ly** [副] かわいらしく. **en·déar·ment** [名][U][C] 愛情の言葉[表示].

†**en·deav·or**, (英) **-our** /endévər | in-/ [動] (正式)〈人が〉[…しようと]努める(attempt, try)[*to do*] ‖ You should *endeavor to* be more considerate of others. もっと他人のことを思いやるように心がけなさい.
―[名][C][U] (正式)〔…しようとする〕(真剣な)努力, 試み(effort)[*to do, at doing, that* 節] ‖ He made every *endeavor* to win her friendship. 彼は彼女に仲よくしてもらおうとあらゆる手を尽くした. **2** [Endeavour] エンデバー号《米国のスペースシャトル》.

en·dem·ic /endémɪk | in-/ [形] (正式)〈病気が〉一地方特有の, 〔地方・民族・集団に〕特有で[*in, to*]. **2**〈動植物が〉その土地特産の. ―[名] =endemic disease. **endémic disèase** 地方病, 風土病.

†**end·ing** /éndɪŋ/ [名][C] **1** 終結, 終止; 〈話・劇・映画などの〉最終部分, 大詰め ‖ have a happy [sad] *ending* 幸せな[悲しい]結末で終わる. **2** [文法] 屈折語尾.

en·dive /éndaɪv | -dɪv/ [名][植] **1** [C] キクヂシャ, エンダイブ《サラダ用》. **2** (米) =chicory.

***end·less** /éndləs/
―[形] (*more* ~, *most* ~) **1** 終わりのない, 永遠の; 無限の, 際限のない(類語) eternal, everlasting) ‖ an *endless* desert 果てしなく続く砂漠. **2** (略式) 無数の, 数えきれない(innumerable) ‖ *endless* interruptions 数限りない妨害. **3**〈演説・討論などが〉長々しい; 〈要求・小言などが〉絶え間のない, とめどない. **4** [名詞の前で] 継ぎ目[切れ目]のない, 循環の ‖ an *endless* tape エンドレステープ.
énd·less·ly [副] 果てしなく; 絶え間なく.

en·do·crine /éndəkrɪn | éndəu-/ [形][医学] 内分泌の. ―[名][C] =endocrine gland.
éndocrine disrúptor [医学] 内分泌攪乱[(かくらん)]物質, 環境ホルモン(environmental hormone).
éndocrine glánd 内分泌腺, 内分泌物, ホルモン(ductless gland).

†**en·dorse** /endɔ́ːrs | in-/ [動][他] **1 a**〈書類・手形などに〉裏書きする. **b** (正式)〈計画・提案・声明・要求などを〉是認する, 〈人〉を支持する, (主米)〈候補者〉を支持する; (宣伝などで)〈商品〉をほめる, 〈人〉に謝礼をもらって推薦する. **2** (主英) [通例 be ~d] 〈運転免許証などが〉違反事項が書き入れられる.
en·dórs·er [名][C] 裏書き人.
en·dorse·ment /endɔ́ːrsmənt | in-/ [名][U][C] **1** 是認, 支持. **2** 裏書き; (主英) (免許証に書かれた) 交通違反事項.

†**en·dow** /endáʊ | in-/ [発音注意] [動][他] (正式) **1 a**〈人などが〉〈大学・病院などに〉基金を寄付する, 〈…などを〉寄付する ‖ *endow* a hospital 病院に基金を寄付する / *endow* a scholarship 奨学基金を寄付する. **b**〈人に〉[…を] 遺贈する(*with*) ‖ The tycoon *endowed* each son *with* ten million dollars. その大事業家は息子それぞれに1000万ドルを残した. **2**〈自然などが〉〈人に〉〔才能などを〕授ける, 賦与する(*with*); [通例 be ~ed]〈人などが〉〔才能などを〕生まれながらに持っている(*with*)《♦ endue と違って物にも用いる》‖ She *was endowed with* both a sound mind and a sound body. =Nature *endowed* her *with* …. 彼女は生まれながらに健全な精神と肉体に恵まれていた / be highly [richly] *endowed* 天分豊かである / India is well *endowed with* a large variety of fruit. インドにはいろいろな果物が豊富にある.

†**en·dow·ment** /endáʊmənt | in-/ [名] **1** [U] (基金の)寄付(をすること). **2** [C] [通例 ~s] 寄付金; 遺産; (正式) (生まれつきの)才能, 資質 ‖ natural *endowments* 天賦[(ぶ)]の才.
endówment insùrance [(英) **assùrance**] 養老

endówment pòlicy 養老保険(証券).

end·pa·per /éndpèipər/ 名 C (製本) (本の)見返し (図→ book).

†**en·due** /endjúː| in-/ 動 他 (正式)〈自然などが〉〈人〉に〈よい資質などを〉授ける, 賦与する(provide)〔with〕; [be ~d]〈人が〉生まれながら〈よい資質など〉を持っている〔with〕.

en·dur·a·ble /endjúərəbl | in-/ 形 (正式)〈痛みなどが〉耐えられる, 我慢できる.

†**en·dur·ance** /endjúərəns | in-/ 名 U 1 (機械などの)耐久(性, 力); (慣習などの)継続, 持続; (航空)航続時間. 2 忍耐(力), 辛抱《◆ patience より長期にわたる我慢をいう》‖ The physical pain is almost *beyond endúrance*. その肉体的苦痛はほとんど我慢できないほどだ / her *endurance* for [ˣwith] the pain 彼女の痛みに耐えるカ《◆ She endures the pain. の名詞化表現》/ 〈対話〉 "Does a triathlon call for great *endurance*?" "Yes, it really does. Not everyone can take part in one." 「トライアスロンは大変な忍耐力が必要ですか」「はい, 本当に必要です. だからだれでも参加できるわけではありません」.

endúrance tèst 耐久試験; 難事.

*__en·dure__ /endjúər | in-/
——動 (~s /-z/; ~d /-d/; 〈過去・過分〉 --dur·ing /-djúəriŋ/)
——他 1 (正式) [しばしば cannot, could not と共に] a〈人が〉〈苦痛・寒さ・困難など〉に耐える(bear, put up with), [語と語の結びつき → stand) ‖ I can no longer *endure* that noisy rock music. あのうるさいロックには我慢がならない. b [endure doing / endure that節]〈人が〉…することを(長期にわたって)辛抱する, 我慢する ‖ He cannot *endure* seeing her treated unkindly. 彼は彼女が冷たく扱われるのを見ることに耐えられない / He couldn't *endure* having the facts deliberately distorted. 彼はその事実が故意にゆがめられたことに我慢できなかった. 2〈物が〉嵐などに持ちこたえる;〔通例否定文で〕〈物が〉解釈などを許す.
——自 1 (正式)〈物・命が〉持ちこたえる, 長持ちする;〈名前・名声などが〉続く(last) ‖ How many days will her life *endure*? 彼女の命は何日もつだろうか. 2〈人が〉我慢する, 耐える ‖ *endure* through sad troubles 辛苦に耐え抜く.

en·dur·ing /endjúəriŋ | in-/ 形 不朽の, 恒久(永久)的な;〈性質などが〉辛抱強い. **en·dúr·ing·ly** 副 恒久的に.

end·wise /éndwàiz/, (主に英) **-ways** /-wèiz/ 副 端を前[上]向きにして;縦に;両端を接して.

ENE (略) east-northeast.

en·e·ma /énəmə/ 名 (複 ~s, ~·ta/-tə/) C U (医学) 1 浣(ﾆ)腸. 2 浣腸剤[液].

*__en·e·my__ /énəmi/
——名 (複 --mies/-z/) C 1 敵, かたき, 敵対者(↔ friend)《◆「好敵手・競争相手」は rival がふつう》‖ a natural *enemy* 天敵 / a mortal [sworn] *enemy* 不俱戴天(ﾀﾞｲﾃﾝ)の敵 / make an *enemy* of him 彼を敵にまわす[彼の恨みを買う] / play into the hands of the *enemy* = play into the *enemy*'s hands みすみす敵の術中に陥る.
2 a 敵兵[敵艦], 敵国(民); [the ~; 集合名詞;単数・複数扱い] 敵軍, 敵艦隊 ‖ The *enemy* were [was] forced to retreat from the city. 敵軍はその都市から退却せざるをえなかった. **b** [形容詞的に]

敵国の ‖ *enemy* aircraft 敵機 / *enemy* ships 敵艦. 3 […を]害するもの, […の]敵〔of, to〕‖ an *enemy of* freedom [democracy] 自由[民主主義]の敵 / He is his own (worst) *enemy*. 彼はわれとわが身を損なっている / the Old Enemy 悪魔(the Devil) / Environmental pollution is the *enemy* of mankind. 環境汚染は人類の敵である.

†**en·er·get·ic** /ènərdʒétik/ 形〈人・行動などが〉精力的な, エネルギッシュな(cf. vigorous)《◆日本語の「エネルギッシュ」はドイツ語から》.

*__en·er·gy__ /énərdʒi/ [発音注意]
——名 1 U 精力, 活力, エネルギー ‖ be full of *energy* 元気いっぱいである / have no *energy* to spare 余力が残っていない. 2 C U 活動力, 能力;指導力 ‖ She applied [devoted] all her *energy* [*energies*] to the examination. 彼女はその試験に全精力を傾けた. 3 U (物理) エネルギー ‖ kinetic [mass, radiant] *energy* 運動[質量, 放射]エネルギー / *energy*-saving measures 省エネ(ルギー)対策 / the *energy* of the sun = solar *energy* 太陽エネルギー / supply *energy* for the entire city 市全域に電力を供給する.

énergy chàrge 電力料金.

énergy crìsis エネルギー危機, オイルショック.

en·er·vate /énərvèit/ 動 他 …の力を弱める.

en·fant ter·ri·ble /ɑːnfɑːn terìːblə | ɑ̃nfɑ̃ terìbl/ (フランス) 名 (複 **enfants terribles**/~/) C 1 (文) (型破りの言動で)当惑させる人《◆原義は「恐るべき子供」》. 2 思慮のない人, 無責任な人.

en·fee·ble /enfíːbl | in-/ 動 他 (正式)〈人〉を弱める.

†**en·fold** /enfóuld | in-/ 動 他 (正式) 1〈子供〉を(腕に)抱く〔in〕. 2〈人など〉を〔毛布などに〕…でくるむ, 包む〔in/with〕.

†**en·force** /enfɔ́ːrs | in-/ 動 他 (正式) 1〈人・政府などが〉〈法律・規則など〉を施行する, 守らせる ‖ The law was *enforced* immediately [to the letter]. その法律は直ちに[文字どおりに]実施された. 2〈行為・状態など〉を〈人に〉押しつける, 強要する〔on, upon〕. 3〈意見・議論など〉を強化する, 論拠を補強する.

en·fórce·a·ble 形 執行[強制]できる.

en·fórc·er 名 C 執行者.

†**en·force·ment** /enfɔ́ːrsmənt | in-/ 名 U 1 (法律などの)施行, 実施. 2 強要, 強制.

en·fran·chise /enfrǽntʃaiz | in-/ 動 他 (正式)〈人〉に選挙[投票]権を与える(↔ disfranchise).

en·fránchise·ment 名 U 参政権賦与.

Eng. (略) England, English.

*__en·gage__ /engéidʒ | in-/ 動 engagement (名)

▎**index** 動 他 **1** 引き入れる **2 a** 従事させる **b** 忙しい, 使用中である **c** 取る **3** 雇う **5** 婚約している[する]
自 **1** 従事する

——動 (~s/-iz/; 〈過去・過分〉 ~d/-d/; --gag·ing)
——他
I [時間・注意などを拘束する]
1 (正式)〈人が〉〔会話などに〕〈人〉を引き入れる, 誘い込む〔in〕;〈事・物が〉〈注意・関心・人〉を引きつける, よび起こす ‖ Her attention *was engaged* by the pearl necklace. 彼女はその真珠のネックレスに興味を引かれた.
2 (正式) **a**〈事が〉〈人〉を従事させる, 没頭させる;[通例 be ~d]〈人が〉[仕事などに]従事している[する], 忙

engaged

頭している[する](occupy)〔*in*, *on*, *upon*〕《◆特定の分野のときは on》‖ Tom *is engaged* in business [(*in*) writing a novel, *on* some task]. トムは仕事に[小説を書くのに, ある任務に]没頭している / My friend *engaged* me *in* argument. 友人が私を議論に引き込んだ. **b** [be ~d]〈人が〉[…で]忙しい(be busy), 面会中である, 手がふさがっている〔*with*〕; 〈電話・トイレなどが〉使用中である; 〈席・場所が〉予約済みである(be reserved) ‖ *be engáged with* a vísitor 客と面談中である / *The line* [*number*] *is engaged*. (英)(交換手の言葉) お話し中です(=(米)The line is busy.). **c** 〈仕事などが〉〈時間などを〉取る, 要する ‖ Reading *engages* her spare time. 彼女の余暇は読書でふさがっている(=Her spare time *is engaged with* reading.).

II [契約・約束などで拘束する]

3 (正式)〈人が〉〈人〉を(雇用契約して)〔…として〕雇う, 契約する(employ)〔*as*〕‖ *engage* two new employees 新しい従業員を2人雇う / *engage* him (to act) *as* a guide 彼を案内人として雇う.

4 (正式)〈乗物〉を雇う(hire); 〈部屋・座席など〉を予約する(reserve, (英) book).

5 [通例 be ~d] (契約の一種で)〔…と〕婚約している[する]〔*to*〕‖ John *is engaged to* [ˣ*with*] Ann. =John and Ann *are engaged* (to be married). ジョンはアンと婚約している / He got *engaged to* Lucy last year. 彼はルーシーと去年婚約した《◆自動詞 engage には「婚約する」という意味はふつうないので, ˣHe engaged to … は不可》.

III [剣を交えて相手などを拘束する]

6 (正式)〈敵〉と交戦する(fight) ‖ The troops *engaged* the enemy. その軍隊は敵と戦った.

IV [歯車などを固定させて拘束する]

7 (機械)〈歯車〉をかみ合わせる; 〈歯車が〉〈他の歯車〉とかみ合う ‖ *engage* the clutch クラッチを入れる.

──自 **1** 〈人〉が〔仕事に〕従事する〔*in*〕‖ *engage* in politics 政治にたずさわる. **2** (正式)〔敵軍〕と交戦する(fight)〔*against*, *with*〕. **3** (機械)〈歯車が〉〔…と〕かみ合う〔*with*〕‖ The two gears *engaged*. 2つの歯車がかみ合った.

engáge for A (正式)〈物・事〉を保証する; …の責任をとる《◆受身不可》.

engáge upon A (正式)〈仕事など〉を新たに始める.

†**en·gaged** /ɪnɡéɪdʒd | ɪn-/ 形 **1** 婚約中の ‖ an *engaged* couple 婚約中の2人. **2** 〈人が〉忙しい; 〈電話・トイレなどが〉使用中で; 〈座席などが〉予約済みで ‖ an *engaged* signal [tone] (英)(電話で)話し中の信号((米) busy signal).

*en·gage·ment /ɪnɡéɪdʒmənt | ɪn-/
──名 (複 ~s/-mənts/) **1** ⓒ [人との]婚約〔*to*〕‖ announce one's *engagement* 婚約を発表する / I broke off my *engagement* to my fiancée. 私は婚約者との婚約を破棄した.
2 ⓒ (正式)[…との](会合などの, 特に文書での)約束, 取り決め(appointment)〔*with*〕‖ I have a previous *engagement* on Tuesday. 火曜日には先約があります / a social [prior] *engagement* (面接・招待などの)予定.
3 ⓒ 用事, 用務. **4** Ⓤ 〔…との〕(積極的な)かかわり(involvement)〔*with*〕. **5** ⓒⓊ (正式)雇用(されること), 雇用期間(employment). **6** [商業] [~s] 債務, 契約. **7** ⓒ (正式)交戦(battle). **8** Ⓤ (機械)(歯車などの)かみ合わせ.

engágement ring 婚約指輪《◆ ˣengage ring》.

†**en·gag·ing** /ɪnɡéɪdʒɪŋ | ɪn-/ 形 (正式)人を引きつける, 愛嬌のある(attractive).

en·gág·ing·ly 副 愛想よく.

En·gels /éŋɡlz/ 名 エンゲルス《Friedrich /fríːdrɪk/ ~ 1820-95; ドイツの社会主義者》.

†**en·gen·der** /ɪnʤéndər | ɪn-/ 動 他 (正式)…を生じさせる, 発生させる.

*en·gine /énʤɪn/ 名 engineer (名)
──名 (複 ~s/-z/) ⓒ **1a** エンジン, 機関, 原動[発動]機 ‖ an internal-combustion *engine* 内燃機関 / a diesel *engine* ディーゼル機関 / The *engine* managed to catch. エンジンがやっとのことでかかった / The *engine* stalled. エンストした《◆ The *engine* stopped. ともいえるが, stalled の方がふつう. 「エンスト」(名詞)は engine failure [stall] という. ˣengine stop とはいわない》. **b** 原動力, 牽引力.
2 (コンピュータ)[複合語で] …エンジン ‖ a search *engine* 検索エンジン.
3 蒸気機関(steam engine); (主に米)(鉄道の)機関車(locomotive) ‖ My father drives an *engine*. 父は機関車を運転しています.
4 消防車(fire engine).
──動 他 …に(蒸気)機関を据えつける.

éngine driver (英)(機関車の)機関手((米)engineer).

éngine room 機関室.

‡**en·gi·neer** /èndʒɪníər/ [アクセント注意] 派 engineering (名)
──名 (複 ~s/-z/) ⓒ **1** 技師, エンジニア; 工学者 ‖ *eng*. (英) technologist ‖ ˈa civil [an electrical, a mining] *engineer* 土木[電気, 鉱山]技師. 語法 職業を上品に示す用法がある: a landscaper 庭師 → a landscape *engineer* 造園技師.
2a (陸軍の)(土木)工兵; (海軍の)機関将校 ‖ the Royal *Engineers* 英国工兵隊. **b** (汽船・航空機の)機関士; (米)(列車の)機関士手((英)engine driver). **3** (主に米)(電話・工場の機器)修理人; エンジン製作者 ‖ the *Engineers*' Union 機械工労働組合.
──動 他 **1** [通例 be ~ed]〈工事など〉が設計[建設, 監督]される ‖ The bridge *was* very well *engineered*. 架橋工事が見事に施工された. **2** (略式)…をうまく処理する; …を画策する; …の手はずを整える. **3** …の遺伝子を操作する ‖ genetically *engineered* wheat 遺伝子組み換え小麦.

†**en·gi·neer·ing** /èndʒɪníərɪŋ/ 名 Ⓤ **1** 工学; 機関学 ‖ aeronautical [chemical, electrical] *engineering* 航空[化学, 電気]工学 / the school of *engineering* (大学の)工学部. **2** 工学技術(の駆使); 土木工事.

‡**Eng·land** /íŋɡlənd, íŋlənd/ 〔『アングル族(the Angles)の国』が原義〕派 English (形・名)
──名 **1** イングランド《Great Britain 島からスコットランド(Scotland)とウェールズ(Wales)を除いた地方. 首都 London. 略 Eng.》.
2 (広義)英国, イギリス《◆元来の意味「イングランド」が拡大されたもの. ただし, ウェールズやスコットランドを無視してイングランドが英国を代表した方となるため, この用法は誤用とされることもある. したがって 'the United Kingdom [the UK] または (Great) Britain を用いる方が望ましい. → English 名**1**》‖ (the) *England* of the 17th century 17世紀のイギリス《◆特定の時期を示す of 句に修飾される時は国名の前に the を冠するのがふつう》.

Eng·lish /íŋgliʃ, íŋliʃ/ 〖→ England〗 ㊆ Englishman (名)
——形 **1** イングランドの, イングランド人の ‖ an *English* town イングランドの町 / He is *English*, not Irish. 彼はイングランド人で, アイルランド人ではない.
2 (広義) イギリスの, 英国の; イギリス人の, 英国人の《◆この意味では British を用いるのが正しい》‖ an *English* teacher 英国人の先生 (cf. 图 **2** 例) / She is very *English*. 彼女はいかにもイギリス人らしい.
3 [名詞の前で] 英語 で書かれた [話された] ‖ an *English* text 英語の本文.
——名 **1** [the ~; 複数扱い] イングランド人; (広義) イギリス人, 英国民 (語法 → Japanese)《◆ Welsh, Irish, Scots は the English の名で一括されることを快く思わないので, the English は「イングランド人」に限定して用いるのが正しい. Englishman も同じ.「イギリス人, 英国民」の意味では the British を用いるのがよい》‖ *The English are* [×is] *a conservative people*. 英国人は保守的な国民である《◆ 正しくは The British are [×is] ...》(→ Englishman).
2 Ⓤ (言語としての) 英語 (the English language), (学科としての) 英語 (English language) ‖ present-day *English* 現代英語 / written *English* 書き言葉の英語 / colloquial [spoken] *English* 話し言葉の英語 / American *English* アメリカ英語, 米語 / British *English* (アメリカ英語に対して) イギリス英語 / the King's [Queen's] *English* (王[女王]が使うような) 純正イギリス英語《◆これに対して純正アメリカ英語は the President's English と呼ぶ》/ Biblical *English* 聖書の英語《◆対話》"Do you understand Masao's *English*, Bill?" "It is broken, but passable." 「正夫の英語は分かりますか, ビル」「ブロークンだけど通じます」/ *translate* [put, turn] *this into English* これを英語に訳す / *What is this called in English?* これは英語で何といいますか / "Book" *is the English for (the Japanese)* "hon". book は (日本語の) 「本」に当たる英語だ《◆特定の語 [句] をさす場合は the をつける》/ *I got a* C *in English again*. 英語 (の成績) はまた C だった / *a teacher of English* 英語の先生 (=an *English* teacher) (cf. 形 **2** 例) / 《日本電》 *English-language teaching in Japan begins in the first year of junior high school*. 日本では中学 1 年から英語教育が始まる.

in plàin English 〖「暗号でなく平文 (ひらぶん) で」が原義〗 やさしい英語 [言葉] で; 平たく [きっぱり] 言えば.

Énglish [**Brítish**] **bréakfast** 英国式朝食《ベーコンエッグ・マーマレードつきのトースト・紅茶またはコーヒーなどが出る. cf. continental breakfast》.
Énglish Chánnel [the ~] イギリス海峡, 英仏海峡《◆英国では単に the Channel ともいう》.
Énglish diséase [the ~] (**1**) (略式) 英国病《労働者の怠業・経営合理化の立遅れによる生産能率・慢性的経済不振の状態. **English síckness** ともいう》. (**2**) 気管支炎 (bronchitis).
Énglish hórn (主に米) 〖音楽〗 イングリッシュホルン, コールアングレ《オーボエ属の木管楽器》.
Énglish múffin (米) イギリス風マフィン《イースト入りのマフィンで, 焼いてから食べる》.
Énglish Revolútion [the ~] イギリス革命, 名誉革命 (the Bloodless Revolution)《1688-89》.

‡**Eng·lish·man** /íŋgliʃmən, íŋliʃ-/ 〖→ English〗

——名 (複) ~**·men**/-mən/; 〖女性形〗 ~**·wom·an** Ⓒ
1 (男の) イングランド人《◆ Scotsman, Welshman, Irishman と区別していう. cf. John Bull》.
2 (広義) (男の) 英国人, イギリス人 ‖ I met two *Englishmen* at the party. パーティーで 2 人の英国人と知り合いになった《◆正しくは two men from Britain, two British people など》.

┌──────────────────────────────────┐
│ 語法 (1) (広義) に用いる用法は Scots, Welsh, │
│ Irish にとっては侮辱的 (→ English 名 **1**). │
│ (2) Englishman は女性を含めてイングランド人をさすこ │
│ とがある: *An Englishman's house* [*home*] *is his │
│ castle*. (ことわざ) イングランド人にとっては家は │
│ 城である. → castle. │
│ (3) 男女の区別をしないときには English [British] │
│ person. │
│ (4) 子供だけのときには使えない: ×*That boy is an* │
│ *Englishman*. │
└──────────────────────────────────┘

Eng·lish-speak·ing /íŋgliʃspíːkiŋ/ 形 英語を (母語として) 話す, 英語圏の.
†**Eng·lish·wom·an** /íŋgliʃwùmən/ 名 (複) ~**·wom·en**/-wimin/ → Englishman.
†**en·grave** /engréiv | in-/ 動 他 **1** 〈文字・意匠などを〉[木・金属・石・ガラスなどの表面に] 彫る, 刻む (on), 〈木などの〉表面に [文字などを] 彫る (with)《◆ grave³ よりふつうの語. ~ carve》‖ *engrave* one's initials on a ring =*engrave* a ring *with* one's initials イニシャルを指輪に彫る. **2** …を版面で印刷する. **3** 〈物事を〉[心・記憶などに] 深く刻み込む (in, on).
†**en·grav·er** /engréivər | in-/ 名 Ⓒ 彫刻師, 版画家.
†**en·grav·ing** /engréiviŋ | in-/ 名 **1** Ⓒ Ⓤ 彫刻法 [術]. **2** Ⓒ 版画, 印刷物.
†**en·gross** /engróus | in-/ 動 他 **1** 〈時間・注意〉を奪う; 〈人〉を […に] 専心 [没頭] させる (absorb) [in]; [be ~ed] 〈人が〉[…に] 夢中になる [in] ‖ He *was* completely *engrossed in* (reading) the book. 彼は読書にひたりきっていた. **2** 〖法律〗〈法律文書〉を正式な書式で書く.
en·gróss·ing 形 (正式) 〈物・事が〉心を奪うような, 夢中にさせる. **en·gróss·ment** 名 Ⓤ 専心, 没頭; 清書.
†**en·gulf** /engʌ́lf | in-/ 動 他 (正式) 〈波・戦争・火などが〉…を飲み込む, 巻き込む ‖ Bad smog *engulfed* the city. 町はひどいスモッグに包まれた.
†**en·hance** /enhǽns | inhɑ́ːns/ 動 他 (正式) 〈価値・力・美・可能性・地位・評判・効率など〉を高める, 増す. **en·hánce·ment** 名 Ⓒ Ⓤ 高揚; 増進.
e·nig·ma /inígmə, e-/ 名 (複) ~**s**, ~·**ta**/-tə/) Ⓒ (正式) **1** なぞ. **2** なぞめいた言葉 [人, 出来事].
†**en·join** /endʒɔ́in | in-/ 動 他 **1** (正式) 〈沈黙・従順など〉を 〈人に〉課す (on, upon); 〈人〉に [… するように] 命ずる (order) (to do). **2** 〈人〉に […せよと] 言いつける (to do, that 節). **3** (米) 〖法律〗〈人〉に [事 - する こと] を禁ずる (from) ‖ *enjoin* him *from* selling alcohol 彼にアルコール販売を禁ずる.

‡**en·joy** /endʒɔ́i | in-/ 〖「何かから楽しみを得る」が本義〗
——動 (~**s**/-z/; 過去・過分 ~**ed**/-d/; ~**·ing**)
——他 **1a** 〈人が〉〈遊戯などを〉楽しむ; 〈食物・酒など〉を味わう, 満喫する; [enjoy doing] …して遊ぶ ‖ *enjoy* baseball *more* [×*better*] *than* football フットボールより野球を楽しむ《◆ like では like baseball *more* [*better*] *than* football》/ *I enjoyed*

the seaside very much. 海岸は楽しかった(=I had a very good time at the seaside.) (→VERY much 語法(3)(4)) / We really [quite] *enjoyed* danc*ing* [×to dance, ×having danced] with her. 我々は彼女とダンスをしてとても楽しんだ / ◆対話◇ "How did you *enjoy* the *tempura*, George?" "Very much. I'd like to eat it again." 「天ぷらはどうでしたか、ジョージ」「とてもおいしかったです。もう一度食べたいです」/ I *enjoyed* be*ing* with you. ご一緒できて楽しかったです.

☑ 語法 ○enjoy doing
×enjoy to do

語法 (1) 意味を強めるためには really, quite などの副詞を用い、ふつう enjoy の前に置く.
(2) 「きのう泳ぎに行って楽しかった」を I *enjoyed* swimming yesterday. のようにいうのは泳ぎを「楽しんだ」点を特に強調するとき以外は唐突すぎるので, I went swimming yesterday, and I *enjoyed* it very much. などの方が適切な場合が多い.
(3) ふつう受身は不可だが, 動名詞を主語とする次のような型は可能: Skiing *is enjoyed by* many people. スキーは多くの人に楽しまれている.
(4) 単に「…が好きだ」の意でも用いられる: I *enjoy* [like] skiing. スキーが好きだ.

b [~ oneself] 楽しく[愉快に]過ごす(have a good time) ‖ *enjóy oneself* (by) pláying gólf ゴルフを楽しむ(=enjoy playing golf).

語法 (1) by はふつう省略される. (2) Are you *enjoying yourself*? は How are you? に近い質問なので返答はふつう Yes, thank you.

2 〈人が〉〈特権・有利なものなど〉を持っている、享受している;…を経験する ‖ She *enjoys* a high salary. 彼女は給料をたくさんもらっている / This area *enjoys* rain in summer. この地方は夏には雨に恵まれている / ◆対話◇ "How is your grandfather?" "Very well. He still *enjoys* good health." 「おじいさんはお元気ですか」「たいへん元気です. まだ健康に恵まれています」.

en·joy·a·ble /endʒɔ́ɪəbl│in-/ 形 **1** [他動詞的に]〈本・休暇などが〉愉快な, 面白い;楽しめる(↔ unenjoyable) ‖ have a very *enjoyable* weekend 楽しい週末を過ごす(=enjoy a weekend very much) / The party was very *enjoyable*. パーティーはとても楽しかった(=We enjoyed the party very much.) (◆ ×We were [felt] very enjoyable at the party. は誤り). **2** 享有[享受]できる.
en·jóy·a·bly 副 愉快に, 楽しく.

†**en·joy·ment** /endʒɔ́ɪmənt│in-/ 名 **1** Ｕ〔…を〕楽しむこと〔*of*〕, 享楽;〔…にとっての〕喜び, 楽しみ;Ｃ〔正式〕楽しいもの[こと]〔*for, to*〕(◆ pleasure の方がふつう) ‖ *take* [*find*] *enjoyment in* one's work 仕事を楽しむ, 嬉しがって仕事をする / His visits are a great *enjoyment for* her. 彼の訪問すると彼女は大変喜ぶ. **2** 〔正式〕[the ~] 享受, 恩恵にあずかること;〔法律〕〈権利の〉享有.

en·kin·dle /enkíndl│in-/ 動 他 **1** 〈文〉〈怒り・欲望〉をかきたてる. **2** 〈火〉を燃えたたせる.

*****en·large** /enlɑ́ːrdʒ│in-/
——動 (~s/-iz/; 過去·過分 ~d/-d/; -·larg·ing)

——他 **1a** 〔正式〕〈人が〉〈建物·事業など〉を大きくする, 拡大する;〈範囲など〉を広くする ‖ The hotel will be *enlarged* to accommodate more guests. そのホテルは収容能力を増やすために増築されることになっている. **b** 〈写真·書類など〉を引き伸ばす;〈本〉を増補する ‖ Please *enlarge* this photo to triple [three times] its size. この写真を3倍に拡大してください. **2** 〈見解·心など〉を広くする, 視野を広くする.
——自 **1** 〈物が〉(さらに)大きくなる, 広がる;〈写真が〉引き伸びてくる ‖ This photograph will *enlarge* well. この写真は引き伸ばしがきくでしょう. **2** 〔正式〕〔…について〕詳しく話す[書く]〔*on, upon*〕 ‖ Will you *enlarge on* this point? この点について詳しくお話しくださいますか?
en·lárg·er 名 Ｃ〔写真〕引き伸ばし機.

†**en·large·ment** /enlɑ́ːrdʒmənt│in-/ 名 **1** Ｕ〔正式〕[時に an ~] 拡大[増大](する[される]こと) ‖ EU *enlargement* EU 拡大. **2** ＵＣ〔写真〕引き伸ばした写真.

†**en·light·en** /enláɪtn│in-/ 動 他 **1** 〈人·物が〉〈人〉を啓発する, 啓蒙(いう)する, 教化する ‖ We were greatly *enlightened* by the dean's lecture. 我々は司祭の講話に大いに啓発された. **2** 〔正式〕〈人〉に〈物事について〉教える, 知らせる〔*about, on, as to, in regard to*〕.

en·light·en·ment /enláɪtnmənt│in-/ 名 Ｕ **1** 〔正式〕教化, 啓発(cf. education). **2** [the E~] (主に18世紀ヨーロッパの)啓蒙(いう)運動.

†**en·list** /enlíst│in-/ 動 他 **1** 〈人〉を軍隊に入れる;〈兵〉を徴募する. **2** 〔正式〕〈人〉に〈事業·主義などのために/…してくれるように〉協力を求める, 〈人の援助·賛同〉を得る(obtain) 〔*in / to do*〕. ——自 **1** 〔軍隊に/兵として〕(自分から)入隊する〔*in / for, as*〕. **2** 〔主義·運動などに〕協力[参加]する〔*in, under*〕.

†**en·liv·en** /enláɪvn│in-/ 動 他 〔正式〕…を明るく[にぎやかに]する, 活気づける.

en·mesh /enméʃ│in-/ 動 他 **1** …を網で捕える. **2** [通例 be ~ed] 〈人が〉〔…に〕巻き込まれる〔*in*〕.

†**en·mi·ty** /énməti/ 名 ＵＣ〔…に対する/…の間の〕敵意, 悪意, 憎しみ〔*with, toward, against / between*〕 ‖ be at *énmity with* one's neighbors 隣人と不和である. **2** Ｃ 敵対[憎しみの]感情.

†**en·no·ble** /enóʊbl│in-/ 動 他 〔正式〕**1** …に爵位を授ける. **2** 〈人·品位など〉を高尚[高貴]にする.
en·nó·ble·ment 名 Ｕ 気高くすること.

en·nui /ɑːnwíː; (英+) ɔ́nwiː; 〔フランス〕/ 名 ＵＣ〔文〕倦怠(状), 退屈(boredom).

E·noch /íːnək│-nɔk/ 名 **1** イーノック《男の名》. **2** 〔旧約〕**a** エノク《Methuselah の父》. **b** エノク《Cain の長男》.

e·nor·mi·ty /ɪnɔ́ːrməti/ 名 **1** Ｕ〔正式〕極悪, 非道;Ｃ〔通例 enormities〕大罪, 非道な行為. **2** Ｕ〔通例 the ~〕(仕事·問題·責任の)重大さ, 巨大さ.

†**e·nor·mous** /ɪnɔ́ːrməs/ 形 異常に大きい, 巨大な;莫(ば)大な ‖ an *enormous* elephant 巨大なゾウ / an *enormous* appetite すごい食欲 / an *enormous* fortune 莫大な財産.

†**e·nor·mous·ly** /ɪnɔ́ːrməsli/ 副 非常に, 法外に ‖ *enormously* rich 非常に金持ちの.

☆**e·nough** /ɪnʌ́f, ə-/ 〖発音注意〗〖「不足がなく足りている」が本義〗
——形 〈◆ 比較変化しない〉**1** [名詞 + enough / enough + 名詞] (数量的に)(不足がなくて足りているので)**十分な**, 必要なだけの〈◆ 名詞は ＣＵ いずれも可だ

が, © では常に複数形: *enough* bread / *enough* books [×book]) (→ adequate, sufficient) (使い分け → 副) ‖ pay *enough* attention to his intention 彼の意図に十分注意を払う《◆名詞を含む慣用句では enough は名詞の前に置く: ×pay attention enough to it》/ There isn't *enough* wine. ワインが十分にない《◆×The wine isn't enough. とはしない. ただし数量語をつけた Six bottles of wine isn't enough. (ワイン6本では十分ではない)は可》/ I don't have *enóugh* ápples [ríce]. リンゴ[米]が十分にない / That's *enough* talking. おしゃべりはもうたくさんだ / There are *enough* good books. よい本が十分ある.

2 [名詞 + enough / enough + 名詞 + for [to do]] ...に対する[...するに]足りる, 十分な, 不足のない ‖ There is 「*enough* bread [bread *enough*] for all of you. 君たち全員に足りるだけのパンがある / There are not *enough* doctors to give proper care to the children. 子供たちに適した健康管理をしてやるのに十分な医者がいない / He was 「man *enough* [×enough man / ×a man enough] to try it. 彼は男らしくそれを試みた(=He was 「manly *enough* to try it. / He was *enough* of a [×the] man to try it.)《◆fool, child, coward も man と同様に形容詞的に用いられる》.

—名 ⓤ **1** [...に対する[...するだけの]]十分な数[量] [for / to do] ‖ There is *enough* for all of you. 君たち全員に足りるだけの分がある《◆文脈から明らかなときや, 名詞 + enough / enough + 名詞 + for を略したもの》/ *Enough* has been said here on this subject. この主題についてはすでにここで十分議論しました. **2** [~ of + the [this, my, *etc*.] + 名詞] (うんざりするほど)十分な... ‖ That's *enough* of this folly! こんなばかげたことはもうたくさんだ《◆That's を省略して *Enóugh* of this folly! のようにいうことも多い》/ We've had *enough* of América! アメリカはもうたくさんだ / I've had *enough* of this never-ending rain! この果てしない長雨にはごめんだよ《◆単に *Enough*! だけでもこの気持ちを表すことができる》.

... enough and to spare → spare 動.
Enough is enough. もうたくさん, それで止めにしよう《◆That's enough. ともいう》.
Enough said.（略式）(君の話はよくわかったので)もう十分だ.
I've had enough. (1)（お代わりを勧められて）もう結構, 十分いただきました ‖ (対話) "Would you like to have some more cookies?" "I've had *enough*, thank you." 「もっとクッキーを食べませんか」「ありがとう. 十分いただきました」(2) [しばしば I've had enough of it.] (言い訳などに対しても)もう結構, 飽き飽きする《◆うんざりした気持ちを表す》.
móre than enóugh 十二分に[の](too much).

—副《◆比較変化しない》
Ⅰ [相関的用法]
1 [形容詞・副詞 + enough for A [to do]] ...に対して[...するに]十分に(足りる)‖ She speaks 「clearly *enough* [×enough clearly] to be understood. 彼女ははっきりした口調でしゃべるのでよくわかる / He is 「wise *enough* [×enough wise] *not to* do such a thing. そんなことをしないだけの分別が彼にはある / She has recovered *enough* to walk around. 歩き回れるほど彼女は回復している《◆enough は形容詞・副詞の後に置くが, 比較級の場合には前に置く. → 使い分け》/ He is 「a soldier brave

enough [a brave *enough* soldier] to attempt it. 彼はそれをやってみるような勇敢な兵士だ / She was kind *enough* to show me the way. 彼女は親切にも道を教えてくれた(=She kindly showed me the way.) / The desk is light *enough* for anyone to carry (it). その机はだれでも運べるほどの軽さだ《◆it はふつう省略される》.

(使い分け) **[副詞の enough と形容詞の enough]**
副詞の enough は形容詞副詞の後に置く.
形容詞の enough は名詞の前に置く.
This hotel is 「large *enough* [×enough large] to accommodate 100 guests. このホテルは100人の客が宿泊するのに十分な大きさです. There aren't *enough* books. 十分な(数の)本がない(×There aren't books enough.).

(語法) **[形容詞 + enough to do と so + 形容詞 + that 節]** The room is large *enough* to seat all the workers. (この部屋は労働者を全部収容できるだけの広さがある)に対して, 次の文では部屋自体が広いことを強調する: The room is so large that it can seat all the workers. その部屋はとても大きいので労働者を全部収容できる.

Ⅱ [独立用法]《◆for A, to do 句を省略した形》
2 十分に, まったく ‖ Boy, it's sure cold *enough* today. うーん, 今日はやけに寒いな《◆どの程度かを示す for 句, to do 句を省いたもの》/ We have *little enough* time. (残念ながら)時間はほんのわずかしかない《◆little, few を修飾することは可能だが, much, many は不可》. **3** [文全体を修飾する副詞を作る]《◆この enough には「十分に」の意はない》‖ óddly [cúriously, stránge(ly), absúrdly] *enough* 奇妙なことに / likely [náturally] *enough* 当然のことだが / She said she would fail her examination (↘), and súre enòugh she did. (略式) 彼女は自分は試験に失敗するだろうと言ったが, 果たしてその通りになった. **4** まあまあ, どうにか ‖ Oh, she's honest *enough*, I guess (↗). うん, まずまず彼女は正直だろうね / He is respectable *enough* but very snobbish. 彼はまあまあ立派だが鼻もちならないね.

cannót [can néver] dó enóugh〚十分にすることはできない〛いくら...しても...しすぎることはない ‖ I cannot praise you *enough*. 君をいくらほめてもほめきれない / I can't thank you *enough*. お礼の申しようがありません.
enough for ánything (英略式) [形容詞の後で] とても, 大変.
wéll enóugh かなり上手[立派]に.

—間 もういい, もうたくさんだ.

†**en·quire** /ɪnkwáɪər | ɪn-/ 動 =inquire.
†**en·quir·y** /ɪnkwáɪərɪ, énkwərɪ | ɪn-/ 名 =inquiry.
†**en·rage** /ɪnréɪdʒ | ɪn-/ 動 (正式) 〈人・事が〉〈人〉をひどく怒らせる; [be ~d] 〈人が〉〈事に/人に/行為に〉ひどく怒る (by/with/at).
en·rapt /ɪnrǽpt | ɪn-/ 形 うっとりしている, 有頂天の.
en·rap·ture /ɪnrǽptʃər | ɪn-/ 動 ⊕ (正式) ...をうっとりさせる, 有頂天にさせる; [be ~d] 〈人が〉〈...に〉有頂天になる (by, with, at, over).

*__en·rich__ /ɪnrítʃ | ɪn-/〚豊か(rich)にする(en)〛
—動 (~·es/-ɪz/; 過去·過分 ~ed/-t/; ~·ing)
—⊕ (正式) **1 a** 〈人が〉〈心・生活などを〉豊かにする |

Reading will *enrich* your mind. 読書をすると心が豊かになる. **b** …を〔…によって〕**質的に向上させる** (improve)〔*with, by*〕‖ *enrich* the soil *with* manure 肥料で土地をこやす.
2 〈物・事が〉〈人・国〉を(一層)**豊かにする**, 富ませる ‖ The discovery of oil *enriched* the country. 石油の発見でその国は裕福になった.
en·rích·ment [名][U] 豊かにする[される]こと, 強化; [C] 豊富にするもの, 強化物; 装飾.

en·rich·ed /enrítʃt/ [形] [しばしば複合語で] 豊富な; 濃縮された ‖ *enriched* uranium 濃縮ウラン / *enriched* milk 栄養強化ミルク

+en·roll, (主に英) **-·rol** /enróul | inrə́ul/ [動][他] **1** 〈氏名〉を〔…として〕名簿に記載する〔*as*〕. **2** 〈人〉を〔会・学校・軍隊などに/会員・受講生・兵隊などとして〕登録する, 入会[入学]させる〔*in, at* / *as*〕‖ He *enrolled* his son *in* a four-year college. 彼は息子を4年制大学へ入れた / After moving to the suburbs, her parents *enrolled* her *in* acting school. 郊外へ引っ越してから両親は彼女を俳優養成所へ入学させた. ──[自]〔…に/…として〕入会[入学]する, 入隊する〔*in, at, for* / *as*〕‖ She *enrolled in* the design products course at the art college. 彼女は芸術大学のデザイン・製作コースに登録した.
en·róll·ment [名][U] 入隊, 入学, 入会; [C] [通例 an ~] 登録[在籍]者数.

en route /ɑ̃:n rú:t, (英+) ɔ̃n-/ 〖フランス〗 [副] 〔…からの/…への〕旅行中に, 途中[途上]で〔*from* / *to, for*〕.

en·sconce /enskɑ́ns | inskɔ́ns/ [動][他] (正式) **1** [~ oneself] 身を隠す. **2** …を〔…に〕安置する; [be ~d / ~ oneself] 〈人が〉落ち着く.

+en·sem·ble /ɑ:nsɑ́:mbl, (英+) ɔnsɔ́mbl/ 〖フランス〗 [名] ([複] ~s/-blz, -bl/) [C] **1** (正式) 全体(の感じ); 全体的効果[調和] ‖ be in an effective *ensemble* = make an effective *ensemble* しっくりとけあっている. **2** (正式) (婦人服の)そろい, アンサンブル. **3 a** [しばしば E~; 単数・複数扱い] (小人数の)合奏[合唱, 劇, 舞踊]団. **b** その合奏[合唱]曲.

en·shrine /enʃráin | in-/ [動][他] (正式) **1** …を〔宮に〕祭る, 安置する〔*in*〕. **2** …を(神聖なものとして)大事にする, 〔心に〕秘める〔*in*〕.

en·shroud /enʃráud | in-/ [動][他] (正式) …を見られないように(すっぽりと)包みかくす(cover).

+en·sign /énsain, **2** は énsn/ [名][C] **1** 旗, 軍旗, (国籍を示す)艦旗, 国旗. **2** 〔米海軍〕海軍少尉. **3** 記章.

+en·slave /ensléiv | in-/ [動][他] **1** 〈人〉を奴隷にする. **2** 〈人〉をとりこ[中毒]にする.
en·sláve·ment [名][U] 奴隷状態.

en·snare /ensnéər | in-/ [動][他] (文) 〈人・生物〉を〔わなに〕かける, 〔…で〕誘惑する〔*by*〕; 〈人など〉を〔…に〕陥れる〔*in, into*〕.

+en·sue /ens(j)ú: | in-/ [動][自] (正式) 〈事が〉〔…の結果として〕続いて起こる, 続く〔*from*〕.

+en·sure /enʃúər | inʃɔ́:/ [動][他] **1** (正式) 〈物・事が〉〈成功など〉を保証する, 確実にする(make sure); [ensure **that**節] …ということを保証する ‖ We can't *ensure that* the package will arrive on time. 荷物は時間どおりに着くという保証はできない《◆that節内の時制については → SEE (to it) that》/ Please *ensure that* you eat less food high in cholesterol. コレステロールを多く含む食物の量を必ず減らすようにしなさい / The novel *ensured* her fame. その小説は彼女の名声を確立した. **2** [ensure **A B**] **A** 〈人〉に **B**〈物・事〉が手に入るようにする ‖ The agreement *ensured* him a fixed income. その協定で彼は定収入を得られることになった.

-ent /-ənt/ [語要素] → 語要素一覧 (2.2, 2.3).

+en·tail /entéil | in-; [名] (米+) ´-/ [動][他] 《◆進行形不可》(正式) 〈物・事が〉〈事件・行為など〉を伴っている[引き起こす](require); 〔論理〕(論理的必然として)…を含意する; 〈費用・労力など〉を〔人に〕課す〔(英) *on, upon,* (米) *for*〕‖ Writing a master's thesis *entails* a great deal of hard work. 修士論文を書くことは大変な仕事である. ──[名]〔法律〕 **1** [U] 限嗣(げんし)相続. **2** [C] 限嗣相続財産.
en·táil·ment [名][U]〔法律〕相続人限定; [C] 世襲財産.

+en·tan·gle /entǽŋgl | in-/ [動][他] **1** 〈人・動物が〉〈糸・網・髪など〉を〔…に〕もつれさせる, からませる〔*among, in, with*〕(↔ disentangle) ‖ My foot *entangled* itself *in* the net. 片足が網にからまった. **2** (正式) 〈人・事が〉〈人〉を巻き込む ‖ become *entangled in* the murder case. その殺人事件に巻き込まれる.

+en·tan·gle·ment /entǽŋglmənt | in-/ [名] **1** [U] もつれ(させること). **2** [C] もつれさせるもの; [しばしば ~s] 〔…との〕ごたごた, もつれた状況〔*with*〕; 困難な状況. **3** [C] [しばしば ~s] 鉄条網.

en·tente /ɑ:ntɑ́:nt, (英+) ɔntɔ́nt/ 〖フランス〗 [名] **1** [C][U] (国家間の)協約, 協商. **2** [時に E~; 集合名詞; 単数・複数扱い] 協商国.

:en·ter /éntər/ [派] entrance (名), entry (名)
──[動] (~s/-z/; [過去・過分] ~ed/-d/; ~·ing /-təriŋ/)
──[他] **1 a** 〈人・物が〉〈場所・物〉に**入る**, 入り込む《◆(略式) では go [come, get] in(to)》‖ *enter* [get into, come into] Japan illegally 日本に密入国する / *enter* the dining room *from* the playroom 娯楽室から食堂へ入る《◆「部屋に入る」は enter (×into) a room といい, enter into … は比喩的に「…に入る」. → [自] **3, 4**, 成句》/ The nursery can *be entered* through the living room. 子供部屋は居間から入れる.

> [語法] ○enter the room
> ×enter to the room
> ×enter into the room

> [語法] 特定の人が行為者とみなされる文脈では受身不可: ×The nursery was entered by Tom. ただし, 押し入ってその痕跡が問題になるような文脈では可: The room *was* ⌈*entered* [broken into] through the window. その部屋は窓から侵入された.

b 〈考えなどが〉〈頭・人〉に**浮かぶ** ‖ Such an idea never *entered* my mind [head]. そのような考えは一度も思い浮かばなかった.
2 (正式) …に**加わる**; …の一員となる; …に加入[入学, 入会]する(join); 〈仕事・職〉につく; …を始める; 〈新時代など〉に入る《◆受身不可》([使い分け] → apply [自] **1**) ‖ *enter* a contest 競技に参加[コンテストに応募]する / *énter* ⌈(a) cóllege [a university] 大学に入学する(=get into ⌈(a) college [a university]) / *enter* the market 市場に参入する / *enter* the Navy 海軍に入る / *enter* the church 聖職につく《◆「教会の建物の中に入る」という意味もある》/ *enter* his employment 彼に雇われる / My work

entered a new phase. 仕事が新しい局面に入った.

語法 (1)「雇用される」の意味での「(会社などに)入る」は be employed by, get a job at, start working for など: When did you *get a job at* [×*enter*] this company? この会社にいつ入社しましたか.
(2)「野球チームに入る」は join a baseball team で enter は不可.

3〖正式〗〈かぎなどを〉〖…に/…の間に〗差し込む〖*into, in / between*〗∥ *enter* a wedge 「*into* a fence [*between* boards] さくに[板の間に]くさびを打ち込む.
4〈人・動物など〉を〖競技などに〗出場させる, 登場させる〖*for, in*〗; 〈人〉を〖学校・会などに〗入学[入会]させる〖*in, at*〗∥ I *enter*ed a car in a race 車をレースに参加させる / *enter* him in [*at*, ×*into*] a private school 彼を私立学校に入れる / *énter* onesélf for the examination 試験の申し込みをする.
5〈名前・項目・金額など〉を〖帳簿・日記などに〗記入する, 記録する(register)〖*in, on*〗; ∥ *enter* Japanese loanwords *into* an English dictionary 日本語からの借用語を英語の辞書に収録する《◆前置詞が後に来る場合,前置詞は to : The goods *were entered to* her. その品物は彼女の注文品として記入された》.
6〖コンピュータ〗〈情報・データ・プログラムなど〉をコンピュータなどに〗**入力する**〖*into*〗〈システムなどに入る,ログインする.
—⃝自 **1**〈人・物が〉〖…から〗**入る**〖*at, by, through*〗∥ *enter* at [by, through] the front door 表玄関から入る. **2**〖演劇〗登場する(↔ exit, leave, go off)∥ *Enter* Macbeth. =Macbeth *enters* [comes in]. 〖脚本のト書きで〗マクベス登場. **3**〈考え・計画などが〉〖頭に〗浮かぶ;〖口調から〗〈声に〉出る;〈感情が〉〖心に〗わいてくる〖*into*〗∥ An angry tone *enter*ed into his voice. 彼は怒った口調になった. **4**〖…に〗入学[入会]する〖*at*〗;〖競技などに〗参加の申し込みをする, 登録する〖*into*, 〈英〉*for*〗∥ To *enter*, send your name, address and phone number to … お申し込みは, お名前, 住所, 電話番号を…へお送りください.

*énter into **A**〈◆「建物に入る」の意味では用いない〉
(1) → ⃝自 **3, 4**. (2)〈契約・同盟など〉を結ぶ. (3)〈交渉・事業・会話・文通など〉に入る, …を始める∥ *énter into* a debáte 討論を始める. (4)〈問題・詳細など〉を考察する, 論じる. (5)〈(人の)計画・計算・解釈・個人的感情など〉に入っている;〈事の要素[一部分]〉になる《◆受身不可》∥ The price did not *enter into* our consideration. 値段のことは我々の考えに入っていなかった.

énter on [upón] **A**〖正式〗〈新生活・大仕事・新任期など〉を始める;〈話題など〉を取り上げる, 扱う.

en·ter·ic /entérik/ 彫 腸の∥ *enteric* fever 腸チフス.

†**en·ter·prise** /éntərpràɪz/ 〖アクセント注意〗名 ⃝ C **1**〈困難[冒険的]な, 団体の〉事業,(努力を要する)企て (cf. undertaking, venture)∥ a dangerous *enterprise* 危険な事業. **2** ⃝ U 進取の気性, 冒険心∥ show great *enterprise* in studying for the entrance exam 受験勉強に大いにやる気をみせる. **3** ⃝ C 〖しばしば複合語で〗企業, 会社∥ large [smaller] *enterprises* 大[中小]企業 / a private *enterprise* 民間企業. **én·ter·prís·er** 名 ⃝ C 企業家.

†**en·ter·pris·ing** /éntərpràɪzɪŋ/ 彫 進取の気性に富んだ, 商魂たくましい, 冒険する.

†**en·ter·tain** /èntərtéɪn/ 〖アクセント注意〗動 ⃝ **1**〈人が〉〈人〉を〖…で〗楽しませる, 慰める〖*with, by*〗〈◆ amuse は「愉快な気持ちにさせる」の意〉∥ be *entertained by*〈宴会など〉a show [tricks] ショー[手品]を楽しむ / *entertain* oneself *by* reading books 本を読んで楽しむ. **2**〈人が〉〈家で食事を出して〉〈人〉をもてなす,〈顧客など〉を接待する;〈人〉を〖客として〗〈晩餐(ばん)などに〉招待する〖*at, for*, 〈英〉*to*〗;〈自分のグラウンド・コートで〉〈相手チーム〉と試合をする∥ *entertain* her *at* [*to*] lunch 彼女を昼食に招待する / *entertain* some friends 「*at* an outdoor party [*for* drinks] 友だちを野外パーティー[お酒]に招待する. **3**〖正式〗〈◆進行形不可〉〈希望・疑惑など〉を心に抱く(hold in the mind);〈提案・考えなど〉を〈好意的に〉受け入れる, 考慮する∥ a proposal (which is) too ridiculous to be *entertained* ばかばかしくて話にならない提案.
—⃝自 客を招待する, もてなす;人を楽しませる.

en·ter·tain·er /èntərtéɪnər/ 名 ⃝ C 〈客を〉楽しませる人;接待する人;芸(能)人, エンタテイナー.

†**en·ter·tain·ing** /èntərtéɪnɪŋ/ 彫〈話・人・晩餐などが〉面白い, 愉快な. **èn·ter·táin·ing·ly** 副 面白く, 愉快に.

***en·ter·tain·ment** /èntərtéɪnmənt/
—名 ⃝ (⃝複 ~s/-mənts/) **1** ⃝ U ⃝ C **娯楽**, 気晴らし∥ a place [house] of *entertainment* 娯楽場 / The film [cinema] is a form of popular *entertainment*. 映画は大衆娯楽の一つです / greatly [much] to the *entertainment* of my family … 家族がとても楽しんだことには….
2 ⃝ U **歓待[する]こと**, もてなし; ⃝ C 宴会, パーティー∥ a lakeside hotel (which is) noted for its good *entertainment* サービスのよいことで有名な湖畔のホテル / an *entertainment* allowance 接待費 / The *entertainment* of the guests exhausted her. 来客の接待で彼女はへとへとに疲れた.
3 ⃝ U ⃝ C 余興, 演芸; ⃝ C (人を)楽しませるもの,(娯楽用の)軽い読み物[小説]∥ the world of *entertainment* 芸能界 / an *entertainment* district 歓楽街.

†**en·thrall, 〈主に英〉 -thral** /enθrɔ́ːl | in-/ 動 (⃝過去・過分) ~**thralled**/-d/; ~**thral·ling** ⃝他〖文〗〈人〉を〖話などで〗魅了する, 夢中にさせる〖*by, with*〗.

†**en·throne** /enθróʊn | in-/ 動 ⃝他〖正式〗〈人〉を王位につかせる;〖教会〗〈人〉を司教の座につかせる.

en·thuse /enθ(j)úːz | in-/ 動 ⃝自〖略式〗〖…に〗熱狂[感激]する, 熱狂[興奮]して話す〖*about, over*〗.

†**en·thu·si·asm** /enθ(j)úːziæ̀zm | in-/ 〖アクセント注意〗名 ⃝ C ⃝ U 〖…に対する〗熱狂, 熱中, 強い興味〖*for, about, at*〗∥ He has a great *enthusiasm for* sumo. 彼は大の相撲狂だ / wrestle a math problem *with* great *enthusiasm* 非常な熱心さで数学の問題に取り組む(= wrestle a math problem very *enthusiastically*).

†**en·thu·si·ast** /enθ(j)úːziæ̀st | in-/ 名 ⃝ C 〖…に〗熱中している人,〖…の〗虫, 熱狂者, マニア〖*about, for*〗∥ He is a baseball *enthusiast* [〖略式〗buff]. 彼は熱狂な野球ファンだ〈◆ He is crazy about baseball. のようにいうのがふつう〉.

***en·thu·si·as·tic** /enθ(j)ùːziǽstɪk | in-/
—彫 **熱狂的な**,〖…に〗熱心な, のぼせている;乗り気になっている〖*about, over, for, at*〗∥ She *is enthusiastic about* the new teaching methods. 彼女は新教授法に熱心だ / an *enthusiastic* Giants

fan 熱狂的なジャイアンツファン.

†en·thu·si·as·ti·cal·ly /ɪnθ(j)ùːziǽstɪkəli | ɪn-/ 副 熱狂的に(with enthusiasm).

†en·tice /ɪntáɪs/ 動 他《正式》**1**《甘い言葉などで釣って》…を〔…から/…に〕誘惑する, 誘う, 《動物をおびき寄せる》((away) from / into) ‖ entice him away from home 彼を家からおびき出す. **2**〈人を〉(巧みに)そそのかして〔…〕させる(into doing, to do) ‖ entice the boy 「into doing [to do] something wrong 少年をそそのかして悪い事をさせる.

en·tice·ment 名 **1** ⓤ (性的)誘惑; 魅力. **2** ⓒ [しばしば ~s] 誘惑するもの. **en·tic·ing** 形 誘惑的な. **en·tic·ing·ly** 副 気を引くように.

†en·tire /ɪntáɪər | ɪn-/ 形 **1**〈余すところなく〉全体の,〈丸ごと〉全部の(♦ whole より強意的)(↔ partial) ‖ the entire job 仕事全体 / The entire population of Japan is well over one hundred million. 日本の総人口はゆうに1億を越す. **2**〈物が〉無傷で; 全部そろっている(↔ incomplete);(ムード・調子の点で)切れ目のない, 連続した ‖ an entire set of china cups 全部そろった磁器茶わん一組. **3**〈支持・同意などが〉(100パーセント)完全な, この上ない; まったくの, 徹底的な ‖ be in entire agreement 全面的に賛成している / entire absence of light 光りがまったくないこと.

en·tire·ness 名 ⓤ 完全(であること).

*en·tire·ly /ɪntáɪərli/
—— 副 [通例文尾または修飾語の前で] まったく(completely), すっかり(…であろう); もっぱら, ひたすら《♦ 望ましい内容の語句を修飾することが多い. cf. utterly》 ‖ I entirely agree with you. 全面的にあなたに同意します / He devoted his life entirely to medical research. 彼はもっぱら医学研究に生涯を捧げた / The explanation is not entirely satisfactory. (﹨) その説明は必ずしも完全に納得のゆくものではない(♦ 部分否定(⊃文法2.2⑵)で, 下降上昇調がふつう) / He had never entirely recóvered from the shóck. (﹨) 彼はショックから決して完全に回復していたわけではなかった.

en·tire·ty /ɪntáɪərti | ɪntáɪərəti/ 名《正式》**1** ⓤ 完全, そっくりそのままの(状態). **2** [the ~]〔…の〕全体, 全部; 全額(of).

†en·ti·tle /ɪntáɪtl | ɪn-/ 動 他 **1**〈人・物などが〉〈人に〉〔…する〕資格[権利]を与える(to do);[be ~d]〈人が〉〔…する/…の〕資格[権利]がある(to do / to) ‖ They are entitled to enter the laboratory. 彼らには研究所に入る権利が与えられている(=They have the right to enter …) / Women are entitled to work outside the home, too. 女性も家を出て働くことができる / You are entitled to a 40-day paid vacation. あなたは40日間の有給休暇をもらえる権利がある. **2**《正式》[通例 be ~d]〈本・劇などに〉〔…〕と題を付けている ‖ The book is entitled "Love Story". その本の書名は『ラブストーリー』だ(♦ The book is titled "Love Story". がふつう). **3**〈人に〉〔…を〕得る権利を与える(to) ‖ This ticket entitles you to free drinks. この券があれば, 無料で飲み物が飲めます. **en·ti·tle·ment** 名 ⓒ 資格[権利]の授与.

en·ti·ty /ɪ́ntəti/ 名 **1** ⓒ《正式》実在する物, 存在物, 実体; 統一体 ‖ a distinct entity 別個の物. **2** ⓤ 存在, 実在.

en·tomb /ɪntúːm | ɪn-/ 動 他《文》**1**〈人を〉〔…に〕葬する(in, among). **2**〈場所が〉〈人の〉墓となる.
en·tómb·ment 名 ⓒⓤ 埋葬; 埋没.

en·to·mol·o·gy /èntəmɑ́lədʒi | -mɔ́l-/ 名 ⓤ 昆虫学. **èn·to·mól·o·gist** 名 ⓒ 昆虫学者. **èn·to·mo·lóg·i·cal, èn·to·mo·lóg·ic** /-məládʒɪk(l) | -lɔ́dʒ-/ 形 昆虫学の.
èn·to·mo·lóg·i·cal·ly 副 昆虫学上.

en·tou·rage /ɑ̀ːntʊrɑ́ːʒ | ɔ̀ntuə-/《フランス》名《正式》**1** ⓒ[集合名詞; 単数・複数扱い] 側近の人たち. **2** ⓤⓒ (家などの)周囲, 環境《植込みなど》.

†en·trails /éntreɪlz/, 《米＋》éntrəlz/ 名[複数扱い] (動物の)内臓, 腸.

*en·trance¹ /éntrəns/
—— 名(複 ~s/-ɪz/) **1** ⓒ〔…の〕入口, 戸口, 玄関 《(主に米) entry; to, of》(↔ exit) ‖ The entrance to the cinema [tunnel] is very narrow. その映画館[トンネル]の入口はとても狭い《♦ to は「…に入る」意であり of は「…に属する」意: the front entrance of a school 学校の表口》.
2 ⓤⓒ《正式》(自ら進んで)〔…に〕入ること; 入場, 入学, 入会(to, into);〔舞台への〕(俳優の)登場(on, upon);〔…の〕開始, 着手;〔…への〕就任, 就職, 参入(on, upon, into)《♦ entry も「入る行為」を意味するが, entrance は主に儀式, 演技, 入る権利について述べる場合に用いる》 ‖ entrance into negotiations 交渉の開始 / entrance into high school 高校入学 / The robber forced entrance into the bank. 強盗は銀行に押し入った(=The robber broke into the bank.) / There was silence during the queen's entrance. 女王が入場する間あたりはシーンとなった / make one's second entrance (onto the stage) (舞台へ)2回目の登場をする / be denied entrance to the meeting 会への入場を拒否される.
3 ⓤⓒ〔人から許可を受けて〕〔…に〕入れること, 入場許可[権, 手段, 機会] (entry)(into, to); 入場料, 入学[入会]金(entrance fee) ‖ Entrance free《掲示》「入場無料」/ apply for entrance to (a) univérsity 大学に出願する[願書を出す].

éntrance examinátion 入学[入試]試験.
éntrance fée 入場料; 入会[入学]金.

en·trance² /entrǽns | -trɑ́ːns/ 動 他 [通例 be ~d]〈人が〉〔…に/して〕有頂天になる, うっとりする(at, by, with / to do, that節).
en·tránc·ing 形 うっとりさせる.
en·trance-mon·ey /éntrənsmʌ̀ni/ 名《英》= entrance fee.

en·trant /éntrənt/ 名 ⓒ **1** 新しく入った人;(名簿などに)載った人. **2**〔競技への〕参加者, 参加動物(for).

en·trap /ɪntrǽp, en-/ 動 (過去·過分 **en·trapped** /-t/, **~·trap·ping**) 他《正式》**1**〈人を〉〈わなに〉かける(by, in, into). **2**〈人を〉だまして〔…〕させる(into).

†en·treat /ɪntríːt | ɪn-/ 動 他《正式》**1**〈物・事を〉請う, 懇願する, 嘆願する;〈人に〉〔…するように〕懇願する[to do, that節]《♦ 今は不定詞の方がふつう》 ‖ He entreated the judge not to sentence him to death. 彼は裁判官に死刑の判決を下さないように懇願した. **2**〈人に〉〔…を〕懇願する, 請う[for]; …を〔人に〕請う(of) ‖ entreat the king for mercy =entreat mercy of the king 王に慈悲を請う(= entreat the king to show mercy).

en·treat·ing·ly /ɪntríːtɪŋli | ɪn-/ 副 懇願するように.
†en·treat·y /ɪntríːti | ɪn-/ 名 ⓤⓒ《正式》懇願[嘆願, 要請]((すること).

en·trée, en·tree /ɑ́ːntreɪ, -́ | 5n-, 5ːn-/《フランス》名《正式》**1** ⓤⓒ〔入りにくい所への〕入場(権),〔宮廷などへの〕(特別)入場許可(into, to) ‖ give him (an

en·trench /entrént∫/ |in-/ 動 他 1 …を塹壕(ぢぅ)で囲む; …に塹壕を掘る. 2 《正式》 [~ oneself / be ~ed] 〈人が〉塹壕を掘って〔…に対して / …の後ろ / …の中に〕身を隠す, 堅固に身を守る《against/behind/in》.

en·trench·ment 名 C 塹壕, とりで; U 塹壕掘り.

†**en·trust** /entrʌ́st | in-/ 動 他 《正式》 …を〔人に, 人の世話などに〕任せる, ゆだねる《to》; 〈人などに〔…を〕任せる《trust》《with》 ‖ *entrust* a task *to* him = *entrust* him *with* a task 彼に仕事を任せる.

***en·try** /éntri/ 名 (複 ~·tries/-z/) 1 UC 《正式》〔…に〕入ること;〔…への〕入場, 入学, 入会; 加入, 参戦《into, to》;〔…の〕開始《upon》《◆ entrance より堅い語》(↔ exit) ‖ British *entry* to [into] the European Community 英国のヨーロッパ共同体への加入 / *entry* into the spirit of the occasion その場の雰囲気にひたること.
2 UC〔…に入れること;〔…への〕入場権〔許可, 手段, 機会〕《to》‖ a "No *Entry*" sign「立ち入り〔進入〕禁止」の標識 / gain *entry* to the library 図書館への入館許可を得る.
3 C 《主に米》〔…の〕入口; 玄関, 戸口; 河口《to, of》;《英》〔建物への〕細い小道, 路地(*entry way*)《to》.
4 UC〔帳簿などへの〕記載〔記入〕《事項》; 登記〔登録〕《事項》《in, on》;〔辞書の〕見出し〔語〕, 見出し項目;《コンピュータ》入力 ‖ double [single] *entry* 複式[単式]記入 / make three *entries in* one's account book [*on* a list] 会計簿[表]に3つの事項を記入する / This dictionary has 40,000 *entries* in it. この辞書は見出し語が4万語ある.
5 C 〔競技などへの〕参加者; 出品物《for》; [集合名詞] 総出場者[出品者]《名簿, 一覧表, 数》‖ a large *entry* [fifty *entries*] for the examination 多数[50人]の受験申請者.

éntry fèe = entrance fee.
éntry fòrm (レース・競技の) 参加申し込み書.
éntry pèrmit 入国許可.
éntry vìsa 入国査証.
éntry wòrd (辞典の) 見出し語.

En·try·phone /éntrifoun/ 名 《商標》(ビル・玄関などの) インターホン《ビル入口で入居者と話すための電話》.

en·twine /entwáin | in-/ 動 他 《正式》〈物〉を〔…にからませる〕《+ together》《about, round》.

E-num·ber /í:nʌ̀mbər/, **É númber** 名 C 《英》(EU 認可の) 食品添加物コード番号 《E200のように特定の食品添加物を表示する》.

†**e·nu·mer·ate** /in(j)ú:mərèit/ 動 他 《正式》 …を列挙する, 数えあげる. **e·nú·mer·à·tive** /-ðitiv, -ətiv/ 形 計算上の.

e·nu·mer·a·tion /in(j)ù:məréi∫ən/ 名 1 U 数え上げること, 列挙. 2 C 目録, 一覧表.

e·nun·ci·ate /inʌ́nsièit, -∫i-/ 動 《正式》自 他 1 〈言葉・音〉を明確に発音する. 2 〈考え・意見・理論などを〉明確に述べる, 表明する. **e·nùn·ci·á·tion** 名 1 U 発音の仕方. 2 C 〈考え・意見などの〉表明.

†**en·vel·op** /envélɔp | in-/ 動 他 《正式》〈人・物〉を〔毛布・霧などで〕すっぽり包む, 覆う《in》.

en·vél·op·ment 名 U 包むこと.

†**en·ve·lope** /énvəloup, á:n- | én-, ɔ́n-/ 名 C 1 封筒 ‖ This *envelope* is wrongly addressed. この封筒には間違ったあて名が書かれている. 2 包み;《文》包み隠すもの. 3 (気球などの) 気嚢(ぅ).
púsh the énvelope [比喩的に] 限界を広げる.

en·vi·a·ble /énviəbl/ 形〈人・事などが〉うらやましがるほど; 人がうらやむ(ような), ねたましい (ほどに)《◆「他人に envy を感じさせる」という意味. cf. envious》(↔ unenviable) ‖ an *enviable* woman うらやましがられる〈生活をしている〉女性 / She has a very *enviable* position. 彼女はとてもうらやましい地位についている. **en·vi·a·bly** 副 うらやましいほどに.

†**en·vi·ous** /énviəs/ 形〈人が〉〈しばしば悪意を伴って〉〔…を〕うらやむ; ねたむ《of》;〈人・事などが〉しっと[ねたみ]深い(cf. jealous)《◆「本人が envy を感じている」ということ》‖ an *envious* look on one's face うらやましそうな顔つき / She is *envious* of my success. 彼女は彼女の成功をねたんでいる.

en·vi·ous·ly 副 うらやんで, ねたんで.

en·vi·ron /enváiərn, -váiərən | invaiərən/ 動 他 1 〈人・物が〉〈人・物〉を〔…で〕取り巻く, 囲む《by, with》. 2 [be ~ed]〈場所が〉〔…で〕囲まれている《by, with》‖ a lake (which is) *environed* by [*with*] woods 森に囲まれた湖.

***en·vi·ron·ment** /enváiərnmənt, -váiərən-| váiərən/ 【アクセント注意】
——名 (複 ~s/-mənts/) 1 [the ~]《自然》環境《空気・水・土地・植生など》; 自然環境保護 ‖ protect the global *environment* from [against] pollution 汚染から地球環境を守る.
関連 Ministry of the Environment (日本の) 環境省. Environment Protection Agency (米国の) 環境保護庁. (略) EPA. The Department of Environment (英国の) 環境庁.
2 UC (人の感情・考え方に影響する) 周囲の状況, 環境(cf. surroundings) ‖ a happy home *environment* 幸せな家庭環境.

en·vi·ron·men·tal /enváiərnméntl, -váiərən-| invàiərnméntl/ 形 周囲の, (自然) 環境上の; 環境保護の, 環境にやさしい ‖ *environmental* adaptation 環境への適応 / *environmental* destruction 環境破壊 / *environmental* assessment 環境アセスメント, 環境事前調査 / *environmental* pollution [contamination] 環境汚染, 公害.

environméntal hórmone (*éstrogen*) 環境ホルモン[エストロゲン] = endocrine disruptor.

en·vi·ron·mén·tal·ist 名 C 環境保護論者; 環境問題専門家. **en·vi·ron·mén·tal·ly** 副 環境保護に関して, 環境保護の立場から.

en·vi·ron·ment-con·scious /enváiərnmentkán∫əs, -váiərən- | invàiərnmentkɔ́n-/ 形 環境 (保護) を意識した.

en·vi·ron·ment-friend·ly /enváiərnmentfréndli, -váiərən- | invàiərən-/ 形 環境にやさしい.

†**en·vi·rons** /enváiərənz, -váiərnz | inváiərənz/ 名《正式》[複数扱い] (都市の) 近郊, 郊外(outskirts).

†**en·vis·age** /envízidʒ | in-/ 動 他 《正式》 …の(将来) を〔…として〕心に描く《as》; …を(ある見地から) 考察する; …することを〔…ということを〕予想する《doing; that 節》.

en·vi·sion /envíʒən, in-/ 動 他 《米》 = envisage.

†**en·voy** /énvɔi, á:n- | én-/ 名 C 1 (特命全権) 大使《公使》;《政府・大統領などの》特使《身分は大使級》. 2 外交使節; 使者 ‖ a goodwill *envoy* 親善使節.

***en·vy** /énvi/ 〖上を(en)見る(vy). cf. invidious〗
派 envious (形)
——名 1 Ｕ〔他人(の所有物)に対する〕ねたみ,〔…と同じ物を手に入れたい気持ち, しっと；うらやましさ, 羨(せん)望〔*of, toward,* (英) *at*〕《◆ jealousy はうらやみから相手への憎しみや憤慨までを含む》‖ be gréen with énvy ひどくうらやんでいる / His envy ˈat my success [*of* his brother] is obvious. 彼が私の成功[=自分の兄]をうらやましく思っていることは明白だ(= Obviously he is *envious of* ˈmy success [his brother].).
2 [the ~]〔人の〕羨望の的〔*of*〕‖ His lottery prize was the envy of the neighborhood. 彼が当たった宝くじの賞金は近所の人のねたみの的であった.
***out of envy (of** ...)(…への)しっとから, (…を)うらやんで.
——動 (--vies/-z/; 過去過分 --vied/-d/; ~·ing)
——他〈人が〉〈人を〉〔…で〕うらやましく思う；ねたむ, そねむ〔*for*〕《◆「ねたむ」の意では be envious of の方がふつう》；〔envy (A) B〕〈人が〉〈A〈人〉に対して〉〈B〈物〉をうらやましく思う》‖ People envied (him) his wealth. 人々は彼の財産をうらやましかった《◆次のようにも言える：People envied him for [*on account of, because of*] his wealth.》/ I really envy you your good luck! 君の幸運が本当にうらやましい / I envy you. うらやましいなあ《◆うらやましい気持ちを軽く伝える》.
én·vy·ing·ly 副 うらやましく思って.
en·wrap /enrǽp/ in–|動 (過去過分 **en·wrapped** /-t/; **~·wrap·ping** /-iŋ/) **1** …を[…に]すっかり包む, くるむ〔*in*〕. **2** …の心を奪う.
en·zyme /énzaim/ 名 Ｃ〖生化学〗酵素(cf. yeast).
E·os /íːɑs|-ɔs/ 名 〖ギリシア神話〗エオス《暁の女神. ローマ神話の Aurora に相当》.
Ep. 略 Epistle.
EPA 略 Environment Protection Agency (米国の)環境保全庁; Economic Planning Agency (日本のかつての)経済企画庁.
ep·au·let(te) /épəlèt, -́-̀/ 名 Ｃ (将校の)肩章.
e·phem·er·a /ifémərə/ 名 Ｃ〖複数扱い〗短命な(はかない)もの; (一般に破棄される)パンフレット・チラシの類.
e·phem·er·al /ifémərəl/ 形〖正式〗**1** 1 日限りの. **2** つかのまの, 短命の.
E·phe·sian /ifíːʒən/ 名〖新約〗[the ~s; 単数扱い] エペソ人への手紙(略 Eph.).
Eph·e·sus /éfəsəs/ 名 エペソス《小アジアにあった古代ギリシア都市》.
†**ep·ic** /épik/ 名 Ｃ 叙事詩(cf. lyric)《*Odyssey, Beowulf* など》.——形 **1** 叙事詩の, 叙事体の. **2** 勇壮な, 勇ましい ‖ *epic* deeds 勇ましい行為.
ep·i·cure /épikjùər/ 名 Ｃ〖正式〗美食家(gourmet). **2** =epicurean.
ep·i·cu·re·an /èpikjuríːən/ 形〖正式〗快楽主義的；食道楽の. ——名 Ｃ 快楽主義者；[E~] エピクロス主義奉者. **èp·i·cú·re·an·ism** /-ìzm/ 名 Ｕ 快楽主義；[E~] エピクロス主義.
Ep·i·cu·rus /èpikjúərəs/ 名 エピクロス《342?-270 B.C.》ギリシアの哲学者》.
†**ep·i·dem·ic, --i·cal** /épidémik(l)/ 形〈病気が〉伝染性の ‖ an *epidemic* disease 伝染病. **2** 〈伝染病の〉流行している. ——名 Ｃ **1** (広い地域に流行する)伝染病《◆ さらにひどいのは plague). **2** (病気・思想・風俗などの)流行 ‖ control an *epidemic* of cholera =control a cholera *epidemic* コレラの流行を抑える.

ep·i·de·mi·ol·o·gy /èpidi:miάlədʒi/ 名 Ｕ 疫学, 流行病学.
ep·i·der·mis /épidə́ːrmis/ 名 Ｕ Ｃ〖医学・生物〗表皮, 上皮.
èp·i·dér·mal, èp·i·dér·mic 形 表皮の.
†**ep·i·gram** /épigræm/ 名 Ｃ (機知を含む)警句, エピグラム, 短い風刺(詩).
ep·i·gram·mat·ic /èpigrəmǽtik/ 形 **1** 警句の(ような). **2** 人が〉警句好きの.
èp·i·grám·ma·tist /-grǽmətist/ 名 Ｃ 警句家.
ep·i·graph /épigræf|-grɑ̀ːf/ 名 Ｃ **1** (建物・像・記念碑などの)碑銘, 碑文. **2** エピグラフ, (巻頭・章頭の)題辞, 銘句.
ep·i·lep·sy /épəlèpsi/ 名 Ｕ〖医学〗てんかん.
èp·i·lép·tic 形 名 Ｃ てんかんの(患者).
ep·i·logue, 《米ではしばしば》**ep·i·log** /épəlɔ̀ːg|-lɔ̀g/ 名 Ｃ **1** (文芸作品・劇・映画・テレビ番組などの)結語, 結末；(事の)結末, 終局. **2** (劇の)エピローグ, 納め口上；納め口上を述べる役者.
†**E·piph·a·ny** /ipífəni/ 名〖キリスト教〗[the ~] 公現日《キリスト生誕の際に東方の 3 博士(Magi)が Bethlehem を訪れたのを記念する 1 月 6 日の祭日》.
e·pis·co·pa·cy /ipískəpəsi/ 名 Ｕ **1**〖正式〗(教会の)監督[管理]制度. **2** 主教[司教]の職[地位, 任期]. **3** [the ~; 集合名詞；単数・複数扱い] 主教団, 司教団.
†**e·pis·co·pal** /ipískəpl/ 形 **1** (教会)監督の, 主教[司教]の. **2** [the E~] 監督派の.
*****ep·i·sode** /épəsòud/ 〖『中に入れられたもの』が原義〗
——名 (複 ~s/-sòudz/) Ｃ **1** (人生・休暇中での)1 つの出来事[経験] ‖ an *episode* from her childhood 彼女の子供の頃のエピソード / a well-known *episode* in his life. 彼の生涯についてよく知られているエピソード(cf. edition 3) / a painful *episode* in his life 彼の人生での辛い出来事 / He became a witness to a tragic and little-known *episode* of the recent American history. 彼は近代アメリカ史の悲劇的なそして世にほとんど知られていない出来事の目撃者となった. **2** (劇・小説などの中の)エピソード, 挿話, (連続小説[番組]の) 1 回分.
èp·i·sód·ic, èp·i·sód·i·cal /-sάdik(l)|-sɔ́d-/ 形 挿話的な.
†**e·pis·tle** /ipísl/ 名 Ｃ〖正式〗(主に長い重要な)書簡；書簡体小説；[しばしば the Epistles]〖聖書〗(新約聖書中の)使徒の書簡.
epístle side [しばしば E~]〖教会〗[the ~] 祭壇の右側 (↔ gospel side).
e·pis·to·lar·y /ipístəlèri|-təlӕri/ 形〖正式〗〖おおげさに〗書簡の, 手紙の；書簡[手紙]による.
†**ep·i·taph** /épitæf|-tɑ̀ːf/ 名 Ｃ **1** 墓碑銘. **2** 碑文体の詩.
ep·i·the·li·um /èpəθíːliəm/ 名 (複 **·li·a**/-liə/, ~s) Ｃ〖解剖・植〗上皮, 表皮, 皮膜組織.
†**ep·i·thet** /épəθèt, -θət/ 名 Ｃ **1** (人・物の重要な特性を表す)形容詞(句); あだ名, 通り名. **2** ののしり言葉, 口汚い言葉.
e·pit·o·me /ipítəmi/ 名 Ｃ **1**〖正式〗[the ~] 典型, 縮図, 権化. **2** (古) 要約, 大意.
e·pit·o·mize /ipítəmàiz/ 動 他 …を縮図的に示す.
†**ep·och** /épək|íːpɔk/ 名 Ｃ **1** [しばしば an ~] 新時代, 新紀元《(重大な事件の起こった)時代《◆ era の幕開けが epoch》；画期的な事件(event) ‖ The theory made [marked, formed] an *epoch* in physics. その理論は物理学に新時代を開いた. **2**

ep·och·al /épəkl│épəkl, i:pɔkl/ 形 新時代〔紀元〕の. **1** epoch-making.

ep·och-mak·ing /épəkmèikiŋ│í:pɔk-/ 形 (正式) 新時代を開く, 画期的な; (俗用的に) 非常に重要な.

ep·si·lon /épsəlɑn, -ələn│epsáilən/ 名 エプシロン 《ギリシャアルファベットの第5字 (ε, Ε). 英字の e, E に相当. → Greek alphabet》.

EPOS, Epos, epos /í:pɑs│í:pɔs/ 略 electronic point of sale (電子式)販売時点情報管理システム.

Ep·som /épsəm/ 名 エプサム《ロンドン南方の町. 鉱泉と競馬場 (the Derby が行なわれる) で有名》.

EQ 略 〔心理〕 emotional quotient 心の知能指数 (cf. IQ, AQ).

eq·ua·ble /ékwəbl, í:k-/ 形 (正式) **1** 〈温度・気候などが〉変化のない, 安定した (steady). **2** 〈人・気質などが〉おだやかな, 落ち着いた. **èq·ua·bíl·i·ty** 名 ⓤ 均等, 平静さ. **éq·ua·bly** 副 一様に, 平静に.

*★**e·qual** /í:kwəl/《アクセント注意》《「2つあるいはそれ以上のものが等しい」が本義》派 equality (名), equalize (動), equally (副)

―― 形 (more ~, most ~) **1** [be equal to 〔with〕 A in B]〈人・物が〉B〈数量・大きさ・価値・程度・地位など〉の点で A〈人・物〉と等しい (↔ unequal); B〈価値・能力など〉の点で A〈人・物〉に匹敵する; 〈数学で〉等しい; 同値の 《◆比較変化しない》 ∥ *on equal terms with …* …と対等(の条件)で / *One inch is almost equal to 2.5cm*. 1インチはほぼ2.5cm に等しい / *two boxers of equal weight* 同じ体重の2人のボクサー / *Twice four is equal to eight.* 4の2倍は8だ(=Four multiplied by two is eight.)《◆数式で表すと2×4となる. 日本とは掛ける数と掛けられる数が逆になる》/ *I am quite equal to 〔with〕 her in ability.* 手腕については私は彼女と互角だ(=In ability, I am her equal.).

2〈権利・給料などが〉**平等な**, 一様な《◆比較変化しない》∥ *an equal mixture* 同じ割合の混合物 / *All Japanese are equal under the Constitution.* すべての日本人は憲法のもとでは平等である / *equal pay for equal work* 同一労働に対する同一賃金.

> 語法 「平等により近い」の意でも比較級は用いないで次のようにするのがよいとされる: *a more nearly equal distribution* より平等に近い配分.

3 [be equal to A]〈人・能力・機転などが〉〈仕事・状況など〉に対応できる, …に耐えられる; [be equal to doing] …することに耐えられる ∥ *The patient's health is not equal to working.* その患者のからだの状態では仕事に耐えられない《◆ふつうは *The patient isn't well enough to work.* という》.

other 〔*all*〕 *things being equal* 他の事(条件)が同じであれば….

―― 名 〜s/-z/ ⓒ [能力・地位などの点で]同等の人, 対等の人 (in); 同量; […に]匹敵する人〔物〕(of, with); 等しい数〔量〕; [〜s] 等しいもの ∥ *treat him as an equal* 彼を対等に扱う / "*In spelling* [*As a teacher*] *Mary has* 'no *equal* [*few equals*].' 語のつづりの正確さにかけては[教師として]メリーに匹敵する人は(ほとんど)ない" / *Tom is not 'John's equal* [*the equal of John*] *in strength.* トムは腕力に関してはジョンにかなわない(=John is stronger than Tom.).

―― 動 (~s/-z/; 過去・過分 ~ed or (英) e·qualled /-d/; ~·ing or (英) --qual·ling)

―― 他 **1**〈物・人などが〉〈数量・大きさなどの点で〉…に等しい (be equal to); …に匹敵する (in, as) ∥ *Five minus three equals two.* 5引く3は2(=Three from five leaves two.) / *No one equals her in intelligence.* 知力で彼女に及ぶ者はいない(=She is equaled by no one in intelligence.) / *Nobody is as intelligent as she.* というのがふつう).
2〈人・チームが〉〔…で〕…の基準に達する, …と対等のことをする (in) ∥ *equal the world record in the bicycle race* 自転車競走で世界タイ記録を作る.

équal(s) sígn 〔**márk**〕 等号《=》.

*★**e·qual·i·ty** /ikwɑləti│-kwɔl-/ 名 ⓤ **1** [時に an 〜] 等しいこと〔状態〕, 同等; 平等, 均等; 〔…で/…の間の〕対等の立場, 互角 (with/between) (↔ inequality); 〔数学〕相等; 等式 ∥ *racial* (*sexual*) *equality* 人種〔男女〕間の平等 / *the equality of human rights* 人はみな平等であるということ. **2** (運動などの)均一性, 一様性.

Equálity Státe (愛称) [the 〜] 平等の州 (→ Wyoming).

e·qual·i·za·tion /ì:kwəlizéiʃən│-lai-/ 名 ⓤ 同等〔平等〕化; 均一化 (する〔なる〕こと).

*★**e·qual·ize** (英ではしばしば) **-ise** /í:kwəlàiz/ 動 他 …を[…と]等しくする, 対等にする, 均一[一様]にする (to, with). ―― 自 等しく〔平等に〕なる《主に英》(競技で)同点になる.

*★**e·qual·ly** /í:kwəli/

―― 副 **1** [語を修飾して] 等しく, 同様に; […の間で]平等に (between, among); 均一に (↔ unequally) ∥ *divide the cake equally between* [*among*] *them* 彼らの間で平等にケーキを分け合う / *He and I can skate equally well.* 彼と私は同じくらいスケートがうまい(=I can skate as well as he can.). / *I can skate equally as well as he can.* ともいうが冗漫的のが普通のようです).

2 [文全体を修飾] 同様に; とはいうものの; さらに ∥ *The new house brought him a more comfortable life, but equally the heavy burden of a housing loan.* 新居は彼により快適な生活をもたらしたが, 同時に住宅ローンの重い負担をもたらした.

e·qua·nim·i·ty /ì:kwənímət̬i│è-/ 名 ⓤ (正式)《緊急時の》平静, 落ち着き《運命に対する》あきらめ.

e·quate /ikwéit/ 動 他 〈事・物〉を〔事・物〕と同等とみなす, 同一視する (with); …を〔…と〕等しくする (to).

*★**e·qua·tion** /ikwéiʒən, -ʃən/ 名 **1** ⓤ (正式) [the equation of A with 〔and〕B] A〈物・事〉と B〈物・事〉を同一視すること (identification); 等しくすること, 同一化; ⓒ 平衡(状態); ⓒ 同一視するもの ∥ *his equation of love with* 〔*and*〕 *friendship* 彼が愛と友情を同一視していること / *make easy equations of* 〔*between*〕 *things* 物事をたやすく同一化する. **2** ⓒ 〔数学・物理・化学〕方程式, 等式; 〔天文〕均差, 誤差 ∥ *a linear equation* 一次方程式.

*★**e·qua·tor** /ikwéit̬ər/ 名 [the 〜 or the E〜]《地球・天体の》赤道 (図) (→ earth); 赤道地域 《対話》"*Where are we now?*" "*Our plane is right over* 〔*on, under*〕 *the equator now.*"「今どこを飛んでいますか」「飛行機はただ今赤道直下を飛んでいます」.

*★**e·qua·to·ri·al** /ì:kwətɔ́:riəl│è-/ 形 **1** 赤道(付近)の; 赤道直下の. **2** 酷暑の.

Equatórial Guínea 赤道ギニア.

e·ques·tri·an /ikwéstriən/ 形 (正式) 馬術の, 乗馬の.

e·qui- /íːkwi, ékwi-/ 〖語素〗→語素一覧(1.7).
e·qui·dis·tant /ìːkwədístənt/ 形〔空間・時間の点で〕〔…から〕等距離の〔from〕.
e·qui·lat·er·al /ìːkwəlǽtərəl/ 形〔数学〕〔図形が〕等辺の; 正多面体の《双曲線が直角の》.
†**e·qui·lib·ri·um** /ìːkwəlíbriəm/ 名 ⓤ〔正式〕**1** つり合い, 平衡(balance). **2**〔心の〕平静.
e·quine /íːkwain/ ék-/ 形〔正式〕馬の, 馬のような.
e·qui·noc·tial /ìːkwənɑ́kʃl/ -nɔ́k-/ 形 **1** 春分〔秋分〕(頃)の. **2** 赤道(地域)の.
†**e·qui·nox** /íːkwənɑ̀ks/ -nɔ̀ks/ 名 **1** 昼夜平分時, 分〔秋分〕;〔天文〕昼夜平分点 ‖ the spring [vernal] *equinox* 春分(点) / the autumnal *equinox* 秋分(点) / 日本発 ▸ An old Japanese proverb says, "No heat or cold lasts beyond the *equinox*." 日本には「暑さ寒さも彼岸まで」という古いことわざがある.
†**e·quip** /ikwíp/ 動 〖語形変化〗 **e·quipped** /-t/; **e·quip·ping** 他 **1**〈人が〉〈船・人などに〉〔必要なものを〕備えつける, 装備する〔with〕; 〔…のために〕装備する〔to do / for〕《◆ supply に比べて特定の装備を表す》‖ The soldiers *were equipped* with weapons. 兵士は武器を身につけていた / a jeep *equipped for* off-the-road driving 道路外でも走れるように装備されたジープ. **2**〔通例 ~ oneself〕〔…のために〕身にたくわする, 心の準備をする;〈人が〉素養を身につける〔for〕‖ *equip* one*self* for a tásk 仕事の身にたくわする, 仕事ができるだけの力をつける. **3**〈事が〉〈人に〉〔…するだけの〕素養を与える〔to do〕;〈人に〉〔知識などを〕身につけさせる〔with〕‖ She *was* never *equipped* to be a scholar. 彼女には学者になるだけの実力が身についていなかった / *equip* him *with* a good education 彼に立派な教育を受けさせる.
eq·ui·page /ékwəpidʒ/ 名 ⓒ **1**〔船・軍隊などの〕用具; 備品, 設備. **2** 家庭〔台所〕用品. **3** 身の回り品《化粧品など》.
†**e·quip·ment** /ikwípmənt/ 名 **1** ⓤ〔正式〕〔…に〕備える〔取り付ける〕こと〔with〕; 準備した, こと. **2** ⓤ〔a piece of / the ~;〔集合名詞〕〔船・軍隊などの〕装備(outfit);〔…の〕備品, 機器(tools)〔for〕《◆ 複数形は今は使わない》‖ The factory makes electric *equipment* [*instruments*]. その工場は電気器具を作っています《*equipment* は比較的大きな器具で, *instruments* は電動歯ブラシのように小型のもの》 / a hotel with modern *equipment* 近代設備のととのったホテル. **3** ⓤ〔仕事などの〕知識, 技能〔for〕‖ the *equipment* for the job 仕事の心得.
e·qui·poise /íːkwəpɔ̀iz/ 名〔正式〕⓾ ⓤ **1**〔重さ・力などの〕つり合い. **2** ⓒ 平衡おもり; 対抗勢力.
†**eq·ui·ta·ble** /ékwətəbl/ 形〔正式〕〈分配・決定などが〉公平な, 公正な(fair); 正当な(just); もっともな(↔ inequitable).《◆ *just* の方が厳格な意味を持つ》.
éq·ui·ta·bly 副 公平に.
†**eq·ui·ty** /ékwəti/ 名〔正式〕⓾ ⓤ **1** 公平, 公正, 正当, 公明正大. **2** ⓒ 公正〔公平〕な行為〔決定〕. **3**〔法律〕衡平法, エクイティ;〔時に *equities*〕衡平法上の権利〔要求〕. **4**〔もと英〕〔*equities*〕普通株(式)⓾ ⓤ common stock); 普通株主権.
†**e·quiv·a·lent** /ikwívələnt/ 形〔大きさ・価値・重要度などの点で〕同等の, 同価値の; 同義の, 等しい〔in〕《◆ equal より強い; 人・物・事柄に…に/…のように》‖〔*to*, 〔まれ〕*with* / *to doing*〕‖ a fine *equivalent* to weekly pay 週給に相当する罰金 / The two books are *equivalent* in value. その

2冊の本は同じ価値がある. **2**〔数学〕同等の; 等積の; 同値の. —— 名 ⓒ **1**〔…と〕同等な〔同質〕のもの; 相当物;〔文法〕相当語句〔*in*, *for*, *of*, *to*〕‖ two thousand dollars or its *equivalent* in pure gold 2000ドルまたはその価格の純金 / 対話 ▸ "What is the English *equivalent* of *itadakimasu*?" "There is no proper English *equivalent*." 「『いただきます』に相当する英語は何ですか」「うまく対応する英語はありません」**2**〔数学〕同等値の.
e·quiv·o·cal /ikwívəkl/ 形〔正式〕**1**〈語句・陳述などが〉両義にとれる. **2**〈結果・態度・状況などが〉はっきりしない, 決定的でない《◆ ambiguous と違ってあいまいにしようとする意図を含む》(↔ unequivocal). **3**〈人・評判・行動が〉いかがわしい, 疑わしい.
e·quiv·o·cate /ikwívəkèit/ 動 圓〔正式〕《真実を隠すため》〈人をだますような〉あいまいな言葉を言う, ぼかす, ごまかす.
e·quiv·o·cá·tion 名 ⓤ ⓒ《人をだますような》あいまいな言葉〔言い〕;〔論理〕多義性による虚偽.
er /ə˞ː, ɚ̀ː/ 間〔主に英〕えー, あー, うー;〔主に米〕uh《◆ 言葉につかえた時の声》.
ER〔略〕emergency room.
†**-er** /-ə˞/ 〖語素〗→語素一覧(2.1, 2.2, 2.3, 2.4, 2.5).
*★**er·a** /íːrə, éərə | íərə/
—— 名《復》~s/-z/ ⓒ **1**〔しばしば the ~〕〔歴史上重要な〕時代, 時期《◆ふつう age より短い》(cf. epoch) ‖ the Elizabethan [Meiji] *era* エリザベス朝〔明治〕時代. **2**〔重要な出来事で特色づけられた〕年代, 時期 ‖ The invention of the artificial satellite opened a new *era* of space exploration. 人工衛星の発明は宇宙探索に新時代を開いた. **3**〔the ~〕紀元;〔地質〕代《◆ *era* の下位区分は period「紀」, epoch「世(ℓ)」の順》‖ the Christian *era* 西暦紀元 / the Mesozoic *era* 中生代.
†**e·rad·i·cate** /irǽdikèit/ 動 他〔正式〕**1**〜を根絶〔撲滅〕する, 根こそぎにする(get rid of). **2**〈汚れ・しみなど〉をとる, 消す.
e·rád·i·cà·tor 名 ⓒ 根絶する人〔物〕; ⓤ インク消し, しみ抜き, 除草剤.
e·ràd·i·cá·tion 名 ⓤ 根絶, 撲滅.
†**e·rase** /iréis/ iréiz/ 動 他 **1a**〔正式〕〈文字など〉を〔消しゴム・黒板ふきなどで〕〔…から〕消す;〔記録内容・データ〕を〔磁気テープ・コンピュータの記憶装置などから〕消去する〔*from*〕‖ *erase* pencil marks *from* the book 本に鉛筆でつけた印を消す. 語法 ▸「壁の落書きを消す」は remove [*x*erase] the graffiti from the wall《◆「ごしごしこすって消す」場合は rub the graffiti off the wall》. **b**〔米〕〈黒板〉を消す;〈磁気テープ〉を消す, 消磁する. **2**〔項目〕を〔リストから〕削除する〔*from*〕. **3**〔出来事など〕を〔記憶などから〕ぬぐい去る〔*from*〕.
†**e·ras·er** /iréisə˞/ iréizə/ 名 ⓒ **1**〔主に米・英式〕消しゴム(《英》(India) rubber). **2** 黒板ふき《米》blackboard eraser).
E·ras·mus /irǽzməs/ 名 エラスムス《**Desiderius** /dèsidíəriəs/ ~ 1469?-1536; オランダの人文学者》.
e·ra·sure /iréiʃə˞ /-ʒə/ 名〔正式〕**1** ⓤ 消すこと, **2** ⓒ 削除箇所, 消し跡.
†**e·rect** /irékt/ 形 **1**〈姿勢などが〉直立した, まっすぐな ‖ stand *erect* 直立する / hold one's body and head *erect*「気をつけ」の姿勢をとる. **2**〈髪・毛がった,〈ペニスが〉勃起(ぼっ)した.

—動 **1** 〖正式〗〈家・像・碑・壁など〉を建てる，〈橋〉をかける(build) ‖ *erect a monument* 記念碑を建てる. **2** 〖正式〗…を立てる，直立させる(put up) ‖ *erect a tent* テントを張る / *erect a flagstaff* 旗ざおを立てる. —自〈ペニスが〉勃起する.

e・réct・ly 副 まっすぐに. **e・réct・ness** 名C 直立, 垂直.

†**e・rec・tion** /irékʃən/ 名 **1** U〖正式〗建設, 直立 ‖ the *erection* of a statue 像の建設. **2** C〖正式〗建造物. **3** CU (ペニスの)勃起(ぼっき).

er・go /ə́ːrgou, éərgou/〖ラテン〗副 それゆえに(therefore).

Er・ie /íəri/ 名 **1** Lake ~ エリー湖《北米五大湖の1つ》. **2** エリー《エリー湖畔の都市》.

Er・is /íəris | éːr-/ 名《ギリシャ神話》エリス《争い・不和の女神》.

erm /əːrm, ɚːrm/ 間《主に英》= er.

†**er・mine** /ə́ːrmin/ 名(複 ~s, er・mine) **1** C〖動〗オコジョ, エゾイタチ《冬に毛が白くなる》; U その毛皮. **2** [the ~] 裁判官の職[身分], 貴族の地位《◆ **1**の毛皮のついた服を着ることから》.

Er・nest /ə́ːrnest/ 名 C アーネスト《男の名》.

e・rode /iróud/ 動 自 **1**〈金属などが〉腐食する. **2**〈地形などが〉浸食される. —他 **1**〈金属など〉を腐食する. **2**〈地形など〉を浸食する.

Er・os /éros, éras | íərɔs, érɔs/ 名《ギリシャ神話》エロス《Aphrodite の息子で恋愛の神. ローマ神話のCupid に当たる》. **2** [しばしば e~] U 性愛.

†**e・ro・sion** /iróuʒən/ 名 U (川・波・風・雨などによる土地の)浸食, (力・権力などが)衰えること.

e・rot・ic /irátik | irɔ́t-/ 形〈作品などが〉性愛の, 性愛を扱った; 好色な[の]; 官能的な(cf. pornographic).

e・rót・i・cal・ly 副 官能的に.

e・rot・i・ca /irátikə | irɔ́t-/ 名 [集合名詞; 単数扱い] 性愛文学[絵画].

e・rot・i・cism /irátəsizm | irɔ́t-/ 名 U 好色, 色情傾向, エロティシズム; 性欲; 異常性欲.

†**err** /ə́ːr, éər/ (米+) 同意 (米) △air, △are, △heir 動 自 **1**〖正式〗人が〈…するという〉間違いをする〔in / in doing〕;〈陳述・計算などが〉…で誤る〔in〕 ‖ It's better for a driver to *err* on the safe side. ドライバーは安全に関してはかなり慎重な方がよい / *err* by less than a hundredth 100分の1以下の誤差を生ずる / You *erred in* believing such a salesman. 君がそのようなセールスマンを信じたのが間違いだった.

To érr is húman, to forgíve divíne. 〈ことわざ〉過つは人の常, 許すは神の心《◆英国の詩人 Pope の言葉から》.

†**er・rand** /érənd/ 名 C **1** (買物・伝言・配達などの)使い, 使い走り ‖ *sénd* him *on an érrand* 彼を使いに出す / *gó on* [*rùn, dò*] *érrands* [*an érrand*] *for her* 彼女の使い走りをする / 〖対話〗"May I ask you to *go on an errand* for me?" "Sure, no problem." 「ちょっと使いに行ってくれませんか」「お安いご用です」/ **2** (使いの)用向き, 任務 ‖ *accómplish* one's *errand* 自分の任務を果たす. *gò* [*be sént*] *on a fóol's érrand* むだ骨をおる. **érrand bòy** (商店・会社の)走り使い少年.

†**er・rant** /érənt/ 形《正式》 **1** 誤った, 逸脱した; 不貞の. **2**《冒険を求めて》遍歴する ‖ *an errant knight* 武者修行の騎士. **er・rant・ry** /-ri/ 名 U 武者修行.

†**er・rat・ic** /irǽtik/ 形 **1** 一定しない, 不規則な. **2**〈人・行動が〉とっぴな, 風変わりな ‖ *erratic behavior* 風変わりな行動.

er・rát・i・cal・ly 副 気まぐれに.

†**er・ro・ne・ous** /əróuniəs, er-/ 形〖正式〗〈事が〉誤った, 間違った. **er・ró・ne・ous・ly** 副 誤って, 間違って.

***er・ror** /érər/ (類音) era /íərə, érə | íərə/)
—名(複 ~s /-z/) **1** C〔…での〕(基準から逸脱した)誤り, 間違い;(行為などの)過ち, 手違い, しくじり〔in〕《◆ mistake より堅い語》類語 mistake, blunder, slip] ‖ *an error* [×*a mistake*] *of judgment* 判断ミス / *make* [*commit*, ×*do*] *an error in* (adding up) the bill 勘定書の(計算)を間違える / Correct the *errors*, if any. 誤りがあれば訂正せよ / 〖対話〗"Are there any spelling *errors* on this page?" "I hope not." 「このページにつづりの誤りがありますか」「ないと思います」/ The accident was caused by the driver. It was human *error*. その事故の原因はドライバーにあった. 人災です.

2 U〖正式〗考え違い, 思い違い, 誤信, 誤解(misunderstanding) ‖ dó it *in érror* 誤ってそれをする(=do it by mistake) / He was *in error* in assuming that she would accept his proposal. 彼女が自分のプロポーズを受け入れるだろうと思ったのは彼の勘違いであった.

3 C〔計算の〕誤り;〔計器の〕誤差〔in〕;〔コンピュータ〕(プログラム・システムの)エラー.

4 C〔野球〕エラー, 失策 ‖ *commit three errors in a game* 1試合で3つのエラーをする.

érror mèssage 〔コンピュータ〕エラーメッセージ.

er・u・dite /érjədàit | éruː-/ 形〖正式〗博学[博識]な, 学問的な(scholarly).

èr・u・dí・tion /-díʃən/ 名 U 学識.

e・rupt /irʌ́pt/ 動 自 **1**〈火山が〉噴火する;〈溶岩・熱湯などが〉噴出する ‖ The volcano *erupted* [*×exploded*]. 火山が爆発した. **2**〈抑えていた感情・暴力が〉爆発する. **e・rúp・tive** /-iv/ 形 爆発性の.

†**e・rup・tion** /irʌ́pʃən/ 名 **1** UC (火山の)噴火, (溶岩などの)噴出; C 噴出物. **2** (感情の)爆発 ‖ the sudden *eruption* of Mt. Aso 阿蘇山の突然の噴火 ⇨ Mt. Aso *erupts* [*erupted*, will erupt, *etc.*] suddenly. の名詞化表現. ⇨文法 14.4). **2** U C (伝染病などの)発生. **3** C 発疹(ほっしん).

-ery /-əri/ 接尾辞 → 語要素一覧 (2.1, 2.2).

†**-es** /-iz, -əz, -z/ 接尾辞 → 語要素一覧 (2.2, 2.4).

E・sau /íːsɔː/ 名《旧約》エサウ《Isaac と Rebecca の息子で, 弟 Jacob に相続権を売った》.

es・ca・la /èskəléid/ 名 CU 動く歩道《城を攻めるための》はしごのぼり.

es・ca・late /éskəlèit/ 動 自 (…に)段階的に拡大[増大, 上昇]する, エスカレートする〔into〕. —他〔…に〕段階的に拡大[増大, 上昇]させる, エスカレートさせる〔into〕.

†**es・ca・la・tion** /èskəléiʃən/ 名 U (段階的な)増大, 拡大, 上昇, エスカレーション.

es・ca・la・tor /éskəlèitər/ 名 C《米》(商標)エスカレーター(moving stairway [《英》staircase]).

es・ca・pade /éskəpèid/ 名 C **1** 乱暴ないたずら[行為, 冒険]. **2** (束縛・制約からの)脱出, 脱線.

***es・cape** /iskéip, es-/
—動 (~s/-s/; 過去・過分) ~d/-t/; ~・cap・ing)
—自 **1a**〈人・動物が〉〔…から〕逃げる; 脱出する〔*from, out of*〕《◆ avoid, elude, evade》‖ *escape from* [*out of*] the búrning hóuse 燃えさかる家から逃げ出す / *escape* in the crowd 人ごみにまぎれて逃げる / The suspect *escaped* to a for-

eign country. 容疑者は外国へ逃げた.

[語法] 次のような「閉じこめられていた場所から」という意味を含まないときは run away: He ran away when he saw a policeman. 警官を見て彼は逃げた.

b 〈人が〉〔…から〕のがれる;〔…を〕**まぬがれる**〔*from*〕‖ The criminal can't *escape from* the death penalty. 犯人は死刑をまぬがれることはできない.

✓[語法] *escape from* capture [prison] は「捕われの状態から逃げる」(収容されていた)刑務所から脱獄する],*escape* capture [prison] は「逮捕されないですむ[刑務所入りをまぬがれる]」の意 (cf. 图1).

2〈物・事が〉〈注意・記憶などから〉もれる,消える;〈ため息などが〉〔唇などから〕もれる《◆この意味では他動詞用法がふつう. →(他)2, 3). **3**〈光・気体・液体が〉〔…から〕漏れる,流出する(leak)〔*from*〕‖ Oil *escaped from* the pipe. 油がパイプから漏れた.

——(他) **1**〈人・動物が〉〈病気・危険・死・人〉を**のがれる**《◆受身不可》. → (自) **1 b** [語法];[escape *doing*] …することをうまく避ける‖ narrowly *escape* death [being drowned] あやうく死[溺(*ĩ*)死]をまぬがれる《◆「間一髪」を強調するため,しばしば barely, miraculously, perilously などの副詞を伴う》/ The unlicensed driver somehow *escaped* a traffic check. その無免許のドライバーはどういうわけか検問にひっかからなかった / She successfully *escaped* her pursuers. 彼女はうまく追跡者たちからのがれた.
2〈人名・題名・日付などが〉〈注意・記憶など〉にとまらない,〈人〉の記憶に残らない,注意されない‖ His name *escaped* me [my memory]. 彼の名前が思い出せなかった / No error *escaped* the proofreader. どんなミスもその校正係は見落とさなかった.
3〈言葉・嘆息・微笑などが〉〈人・唇〉から(無意識に)もれる‖ A cry [sigh] *escaped* her lips. 泣き声[嘆息]が彼女の唇から思わずもれた.
——图 (復 ~s/-) **1**〔(U)〔危険・困難な状況からの〕**逃亡**, 脱出;[an ~] 〔現実・心配などからの〕**逃避**,回避〔*from*, *out of*〕;[形容詞的に] 逃亡(のための),逃避の‖ (an) *escape from* prison 刑務所からの脱走;刑務所入りをまぬがれること / The plane crashed into the sea, but the pilot *had a narrow escape from* death. 飛行機は海に墜落したが,パイロットは間一髪で死をのがれた(=…, the pilot barely *escaped* death.). **2** ©のがれる手段;逃げ口‖ a fire *escape* 火災避難ばしご,非常階段 / have one's *escape cut off* 逃げ道をたたれる. **3** ©〈ガス・水などの〉漏れ‖ an *escape* of gas (from the line [pipe]) ガス漏れ.
máke góod one's **escápe** 無事に逃げおおせる.
escápe àrtist 手錠・縄抜けの曲芸師;牢破りの名人.
escápe ròute 避難経路.
es·cape·ment /iskéipmənt, es-/ 图 © **1** 〔機械〕(時計などの)のがし止め. **2** (タイプライターの)文字送り装置.
es·cap·ism /iskéipizm/ 图 (U) 現実逃避(主義,癖,手段). **es·cáp·ist** 图 © 現実逃避主義者.
es·car·got /èskɑːrgóu/ |iskɑ́ːgou/ 〖フランス〗图 (復 ~s/-, -z/)© エスカルゴ〖食用カタツムリ〗.
es·carp·ment /iskɑ́ːrpmənt, es-/ 图 © 〔正式〕急斜面,崖(*がけ*).
es·chew /istʃúː, es-/ 動 (他) 〔正式〕…を(意図的に)避

ける(avoid),控える.

†**es·cort** /图 éskɔːrt; 動 iskɔ́ːrt, es-/ 图 **1** © (女性に)付き添う男,エスコートする人‖ He was Mary's *escort* to the party. パーティーへは彼がメリーに付き添った. **2** © [集合詞;単数・複数扱い] **a** (保護・儀礼上の)護衛者[団],付添い;護送者‖ an *escort* of 50 policemen 50人の警官からなる護衛団. **b** 護衛艦[機,車](隊). **3** (U) 護衛;護送‖ send a prisoner with [under] heavy *escort* 厳重に囚人を護送する‖ **3** 分節は e·scort) 图) **1** (保護・儀礼上の)〈男性が〉〈女性に〉(パーティーなどへ)付き添う〔*to*〕;〈人が〉〈人〉を〔…から/…へ〕送り届ける〔*from* / *to*〕‖ The host *escorted* the guests to the dining room. 主人は客を食堂に案内した. **2**〈人・船などを〉護衛する.

ESE (略) east-southeast.

-ese /íːz, (米+) -íːs/ [語要素] →語要素一覧(2.1).

†**Es·ki·mo** /éskəmòu/ 〖「生肉を食べる人」が原義〗 图 (復 Es·ki·mo, ~s) **1** © エスキモー人《◆今はこの語を避けて Inuit を用いる》. **2** (U) エスキモー語.
——形 エスキモー人[語]の.
Éskimo dòg エスキモー犬;そり犬.

ESL /íːɛsél, íːɛsèl/ 略 〖English as a second language の略〗图 (U) 第二言語としての英語学習[習得,教授] (cf. EFL).

e·soph·a·gus /isɑ́fəgəs | iːsɔ́f-/ 图 (復 ~·gi /-dʒài, -gài/) (米) 〔解剖〕食道.

es·o·ter·ic /èsətérik, (英+) èsou-, iː-/ 形 〔正式〕 **1** 難解な,深遠な. **2** 秘義の,奥義の.

espec. (略) especially.

†**es·pe·cial** /ispéʃəl, es-/ 形 〔正式〕特別な,特有の(special);きわだった,著しい《◆一般的には *special* を用いる. *especial* は強意的にしばしば古雅な感じを伴う》‖ for her *especial* benefit 特に彼女のために / an *especial* friend 無二の親友 / treat it with *especial* care 特別に注意してそれを扱う.

†**es·pe·cial·ly** /ispéʃəli, es-/
——副〔正式〕(同種の中でも)**特に, 特別に**, とりわけ《◆ particularly より強意的》;きわだって,著しく(markedly)‖ She is *especially* good at figures. 彼女はとても計算が得意だ / I like persimmons, (most) *especially* ripe ones. 私は柿,とりわけ熟したのが好きだ《◆(略)では ripe ones *especially* の語順可》/ Tom likes all sports, but he is *especially* fond of tennis. トムはスポーツなら何でも好きだが,とりわけテニスが大好きだ / There is always a lot of traffic on this road, *especially* at weekends. この道路はいつも交通量が多い. 特に週末はそうだ《◆対話》 "Do you like baseball?" "Not *especially* (😏)." 「野球が好きですか」「いや,別に」《◆部分否定.「好きであるが,特に好きであるわけではない」》.

[語法] 上例のようにふつうは修飾する語(句)の直前にくるが,焦点が主語であるときは直後にくる: The statesman *especially* is involved in the crime. 特にその政治家がその犯罪にかかわっている.

[日英比較] [especially と「特に」] *especially* は日本語の「特に」と違って,ふつう文頭には用いない.
He loves fruits. ×Especially he likes kiwis.
He *especially* likes kiwis.
彼は果物が好きです. 特にキーウィが好きです.

Es·pe·ran·to /èspərǽntou | -rǽn-/ 〖「希望する人」が原義〗 图 (U) エスペラント(語)《ポーランド人 L. L. Za-

Ès·pe·rán·tist /名/ © エスペラント使用者[学者].

es·pi·o·nage /éspiənɑ̀ːdʒ, -nidʒ/《フランス》/名/ Ⓤ スパイ活動; スパイを使うこと.

es·pla·nade /ésplənɑ̀ːd | èsplənéid/名/ ⓒ (海・湖・川沿いの)遊歩道, ドライブ道.

es·pous·al /ispáuzl, es-/名/ Ⓤ Ⓒ《正式》(主義などの)支持, 採用[of].

†**es·pouse** /ispáuz, es-/動/ 他《正式》〈(政治的)主義などを〉支持する, 採用する.

es·pres·so /esprésou/《イタリア》/名/ (優~s) 1 Ⓤ Ⓒ =espresso coffee. 2 Ⓒ エスプレッソコーヒー店[装置]. **esprésso cóffee** エスプレッソコーヒー《イタリア式の濃いコーヒー》.

†**es·prit** /esprí:/《フランス》/名/ Ⓤ 機知, 才気, エスプリ. **esprit de córps** /-də kɔ́ːr/《正式》団体精神《愛校心・愛社精神など》, 団結心.

†**es·py** /ispái/動/ 他《古》〈遠くの物・意外な物〉を見つける; 〈欠点など〉を見出す.

†**Esq., Esqr.** (略) *Esquire.*

-esque /-ésk/ (語要素) →語要素一覧(2.1).

†**es·quire** /éskwáiər | is-/名/ 1 [E~] Ⓤ …殿, 様.

[語法] (1) 手紙のあて名や公式文書で用いる敬称. 姓名(名は頭文字のみでも可)の後につける.
(2)《米》では弁護士に用いる以外は Mr. (など)がふつう.
(3) ふつう Esq., Esqr. と略す: John Frost, *Esq.* ジョン=フロスト殿.

2 Ⓒ《英》郷士(ごうし)《knight (騎士)に次ぐ紳士階級の身分の人》. 3 Ⓒ《中世の》騎士志願者.

†**-ess** /-is, -əs, -ès/ (語要素) →語要素一覧(2.1).

***es·say** /名/ ései, 《英+》ési; 2 では 《米+》eséi; eséi/『『試み』が原義』

—/名/ (優 ~s/-iz/) Ⓒ 1 […についての]随筆, エッセー; 評論, 小論[on]《◆ふつう短くて thesis のような厳密さはない》‖ She wrote *an essay on* travel. 彼女は旅行についての随筆を書いた. 2《正式》[…の/…する]試み, 企て(attempt)[*at, in* / *to* do].

—/動/ /eséi/ 他《正式》…を試みる; [essay to do] …しようとする(try) ‖ *essay* a difficult climb 難しい登山を試みる.

es·say·ist /éseiist, 《英+》ésiist/名/ Ⓒ 随筆家; 評論家.

***es·sence** /ésns/『『存在するもの』→『本質的に不可欠なもの』が本義』(派) essential (形・名), essentially (副)

—/名/ (優 ~s/-iz/) 1 Ⓤ《正式》本質, 真髄(nature), 最も重要な特質[部分] (core) ‖ Freedom of speech is the *essence* of democracy. 言論の自由は民主主義の根幹である. 2 Ⓤ Ⓒ (植物などから抽出した)エキス, 精, エッセンス; 香水, 精油 ‖ meat *essence* 食肉エキス.
in éssence《正式》本質的には, 本当は.
of the éssence《正式》[…に]不可欠な, きわめて重要な(vital) (essential)[*of, in*].

***es·sen·tial** /isénʃl, es-/ (アクセント注意)《→ essence》

—/形/ 1 [通例補語として] […に対して]不可欠な, (絶対に)必要な, きわめて重要な(vital)[*to, for*]《◆ necessary より強意的》‖ Gòod wáter *is esséntial to* [*for*] gòod sáke. よい日本酒にはよい水が不可欠だ / It *is essential for* you *to* hand in your papers today. =It *is essential that* you (*should*) hand in your papers today. 君がレポートを今日提出することが必要である《◆ that 節内に仮定法現在(→文法 9.3)を用いるのは(主に米), should を用いるのは(主に英)》.

2 [名詞の前で] 本質的な, 根本的な(fundamental) ‖ Everyone knows her *essential* kindness. 彼女が根っから親切なのをみんな知っている.

3 [名詞の前で] エキスの《比較変化しない》‖ *essential* oil 精油《植物から抽出される香水の原料》.

—/名/ (優 ~s/-z/) Ⓒ [通例 ~s] 本質的要素, 主要点; 不可欠なもの ‖ First aid is an *essential* for the injured man. 応急手当がそのけが人にとって一番肝心なことです / the *essentials* of English grammar 英文法の基礎[重点].

†**es·sen·tial·ly** /isénʃəli, es-/副/ 本質的に(は); 本来(は); ぜひとも; [否定文で] 必ずしも(…でない)(necessarily) ‖《対話》"What do you think of the new political party?" "My opinion is *essentially* the same as yours." 「新しくできた政党についてどう思いますか」「私の意見は本質的には君のと同じです」.

Es·sex /ésiks/名/ エセックス《イングランド東南部の州》.

EST (略) Eastern Standard Time.

est. (略) established; estate; estimated; estuary.

†**-est** /-ist, -əst/ (語要素) →語要素一覧(2.3, 2.5).

estab. (略) established.

***es·tab·lish** /istǽbliʃ, es-/ (派) establishment (名)

—/動/ (~·es/-iz/ (過去・過分)~ed/-t/; ~·ing)

1〈人〉が〈政府・学校・会社など〉を設立する, 設置[創立]する(set up, found) ; 〈関係など〉を築く, 打ち立てる, 作る ‖ *establish* a national university 国立大学を設立する / *establish* friendly relations with China 中国と友好関係を樹立する / *Established* (since) 1660. 1660年設立[創業]《◆ホテル・店舗などの看板. Est. 1660 と略すこともある》.

2〈法律など〉を制定する, 〈制度など〉を設ける.

3〈人・物〉が〈人〉を[地位・場所などに]落ち着かせる, 定着させる, 任命する(settle)[*in*] ; [~ itself] 〈夕闇(やみ)・考えなどが〉浸透する, 深まる ‖ *establish* oneself (*in* business) *as* a furrier 毛皮商として身を立てる[を開業する] / His novel *established* him *as* a national hero. 彼は小説で国民的英雄としての地位を固めた / He is now *established* in his new house. 彼は今新居に落ち着いている / Mr. Johnson has been *established as* governor of the state. ジョンソン氏は州知事のいすに納まっている.

4〈人が〉〈名声・先例・慣習・信念などを〉[…で/…として]確立する, 〈事実など〉を認めさせる[*in/as*] ‖ She *established* a reputation *as* a good dentist. 彼女は腕のよい歯医者という評判を得た / *establish* one's claim to the estate 不動産に対する要求を受け入れさせる.

5〈学説・動機などを〉証明する, [establish *that* 節/ establish *wh*- 節]…ということを[…かを]立証する(prove) ‖ *establish* a hypothesis 仮説を証明する / We *established* 「her guilt [*that* she was guilty]. 我々は彼女が有罪だと立証した.

es·tab·lished /istǽbliʃt, es-/形/ (公に)認められた, 既定[既成]の; 立証された ‖ *established* usage 確立した語法.

†**es·tab·lish·ment** /istǽbliʃmənt, es-/名/ 1 Ⓤ 設立[創立, 設置](する[される]こと); (…の)制定; 立証, 確立; [関係・記録などの]樹立[*of*] ‖ the *establish-*

ment *of* an organization 組織[機構]の創設 / the *establishment of* the theory of relativity by Einstein アインシュタインによる相対性理論の確立. **2** [C]《正式》設立[制定, 確定]されたもの《学校・病院・会社・店舗・ホテル・食堂・法律など》; 制度, 秩序; [the ~; 集合名詞] 施設[事業所]の構成員 ‖ This company is one of the oldest *establishments* in town. この商社は町で最古の会社の1つだ. **3** [U]《正式》(行政上の)官庁, 政党;《英》[集合名詞] (官庁・軍隊などの)常置人員[定員], 常備編成 ‖ peace [war] *establishment* 平時[戦時]編成 / the army [naval] *establishment* 陸軍[海軍] / the civil service *establishment* 一般官庁(定員). **4** [the E~]《主に英》[単数・複数扱い] (既成の)(政治)体制, 権力機構[組織]; 支配層, 支配階級(ruling class); (企業などの)上部管理者, 当局, 官憲 ‖ *The Establishment* is [are] opposed to rapid change. 支配層は急激な変化に反対している.

†**es·tate** /istéit, es-/ [名] **1** [C] **a** (ふつう邸宅のあるいなかの広大な)地所, 土地(land); 屋敷 ‖ have a large *estate* 大きな地所を持つ / He lives on his country *estate*. 彼はいなかの屋敷に住んでいる. **b** 大農園. **2** [U][C]〔法律〕**a** (ある人のすべての)財産; 財産権(cf. property) ‖ réal *estàte* 不動産 / pérsonal *estàte* 動産. **b** 遺産. **3** [C]《主に英》地区; (造成)団地 ‖ an industrial *estate* 工業地区 / a housing *estate* 住宅団地. **4** [時に E~] [C]《古》(社会・政治上の)階級, 身分 ‖ the three *estates* of the realm 封建国家の3階級《聖職者(clergy), 貴族(nobles), 庶民(commoners)》.

estáte àgency 《英》不動産業.
estáte àgent 《英》不動産業者(《米》realtor, real estate agent); 不動産管理人.
estáte càr 《英》=station wagon.
estáte tàx 《米》遺産税.

†**es·teem** /istí:m, es-/ [動][他]《正式》《◆ 進行形不可》**1** 〈人が〉〈人・物〉を〔事のために〕尊重する, 尊敬する(value)〔*for*〕; …を高く評価する《◆ respect より堅い語》‖ *esteem* him *for* his skill =*esteem* his skill 彼の技量に感心する / Her opinion *was* highly *esteemed* among her colleagues. 彼女の意見は同僚たちの間で高く買われた. **2**《正式》[esteem **A** (as) **C** =esteem **A** (to be) **C**] 〈人が〉**A**〈人・物・事〉を **C**〈物・事〉と[…であると]思う, 考える(consider)《◆ **C** は形容詞・名詞》; [esteem **that**節] …だと思う ‖ I will *esteem* it (*as*) a great honor to receive this award. =I will *esteem that* it is a … この賞をいただくことはまことに光栄に存じます.
——[名] [U]《正式》[時に an ~]〔…に対する〕尊敬, 尊重(respect); 好意的な意見; 名声〔*for*〕‖ ***hold*** ⌈his ability [him] ***in high*** [low] ***esteem*** 彼の能力[彼]を重んずる[軽んずる].

es·ter /éstər/ [名] [U]〔化学〕エステル.
Esth. [略] Esther.
Es·ther /éstər/ [名]〔聖書〕エステル《古代ペルシア王の妻》; エステル記《旧約聖書の一書. [略] Esth.》.
es·thete /ésθi:t | í:s-/ [名]《米》=aesthete.
es·thet·ic /esθétik | i:s-/ [形]《米》=aesthetic.
es·thét·ics [名] =aesthetics.
Es·tho·ni·a /estóuniə, esθóu-/ [名] =Estonia.
es·ti·ma·ble /éstəməbl/ [形]《正式》〈人・行為が〉尊敬[尊重]すべき, 立派な.

***es·ti·mate** /[動] éstəmèit; [名] éstəmət/ [アクセント注意]〖「価値を見積もる」が原義. cf. esteem〗

[index] [動][他] **1** 見積もる **2** 評価する
[自] 見積もりをする
[名] **1** 見積もり(額) **3** 評価

——[動] (~s/-mèits/; [過去・過分] ~d/-id/; -·mat·ing)
——[他] **1** [estimate **A** at **B**] 〈人が〉**A**〈費用・損害など〉を **B**〈金額・数量など〉と**見積もる**; [estimate (that) **A** is **C**] 〈人が〉**A**〈価値・人数など〉を…であると推定[概算]する; [be estimated to do] …すると推定されている ‖ We ***estimated*** his annual income ***at*** $100,000. =We *estimated* (*that*) his annual income would be $100,000. 我々は彼の年収を10万ドルと見積もった / Sales in 2003 *are estimated to* reach about $10 million. 2003年の販売は約1千万ドルに達すると推定される / There are an *estimated* 100,000 copies. およそ10万冊ある《◆ ふつう複数扱い》.

[語法] estimate は「概算」の意を含んでいるので We *estimate* his annual income at [to be] *about* $100,000. のように about を用いるのはくどく響くため避けた方がよい.

2 〈人が〉〈人・能力・性格など〉を(おおまかに個人的に)**評価する**, 判断する《◆ 進行形不可. cf. appraise》‖ *estimate* the merit of literary works 文学作品の価値を評価する / Her prose poetry was highly *estimated* among her contemporaries. 彼女の散文詩は同時代の人々に高く評価されていた.
——[自] [estimate **for A**] 〈人が〉〈事〉に対して**見積もりをする**.
——[名] /-mət/ ([複] ~s/-məts/) [C] **1 見積もり(額)**, 概算 ‖ at a róugh [móderate] *éstimate* ざっと[内輪に]見積もって / ***by estimate*** 概算で / ***make*** [form] ***an*** exact ***estimate of*** the time 時間を正確に見積もる / give an *estimate* of $400 ⌈for the job [painting the house] その仕事[家のペンキ塗り](の費用)を400ドルと概算する.
2 [しばしば ~s] (仕事の)見積もり[概算]書 ‖ get two or three *estimates* before setting up a school 学校を設立する前に2, 3の見積もり書を手に入れる.
3《正式》**評価**, 判断(judgment), 見解(opinion); 〔…という〕推定, 見積もり〔*that*節〕‖ in my *estimate* 私の意見では / form an *estimate* of her charm 彼女の魅力を評価する.

†**es·ti·ma·tion** /èstəméiʃən/ [名] [U] **1**《正式》評価, 判断, 意見(opinion) ‖ Which team, ***in*** your ***estimation***, will win the game? あなたの見るところではどのチームが優勝しますか. **2** [時に an ~] 概算, 見積もり ‖ a careful *estimation* of the risks 危険を注意深く察知すること. [表現]「…を見積もる」は make an estimate of … で, ×make an estimation of … とはいわない.
Es·to·ni·a /estóuniə, -njə/ [名] エストニア《バルト海沿岸の共和国. 首都 Tallinn》. **Es·tó·ni·an** [形][名] [C] エストニア(人)の; エストニア人.
†**es·trange** /istréindʒ, es-/ [動][他]《正式》〈事が〉〈人〉を〔…と〕仲たがいさせる〔*from*〕; [be ~d]〔…と〕疎遠になる, 別居している〔*from*〕(↔ unite).
es·tránge·ment [名] [C][U]〔…から〕離れること, 〔…からの〕離反〔*from*〕; 〔…との/…の間の〕仲たがい〔*with*/*between*〕.

E

es·tro·gen /éstrədʒən│íːs-/ 名 U〖生化学〗エストロゲン《発情ホルモンとして働く物質の総称》.

†**es·tu·ar·y** /éstʃuèri│-tjuri/ 名 C 1〖正式〗(潮の干満のある大河の)河口. **2** 入り江(inlet).
　Éstuary Énglish《英》河口域英語《イングランド南部に広がっている Cockney と標準英語の混交語》.

ET〖略〗Eastern Time; elapsed time; extraterrestrial 異星人.

-et〖語要素〗→語要素一覧(2.2).

e·ta /éitə│íːtə/ 名 C イータ《ギリシャアルファベットの第7字(η, H). 英字の長音の e に相当. → Greek alphabet》.

ETA, eta〖略〗estimated time of arrival 推定[予定]到着時刻(↔ ETD).

et al. /ét æl, -ɑːl, -ɔːl/〖ラテン〗〖略〗**1** *et alii* およびその他の者《◆ and others なので3人以上の共著者の場合に用いる. 2人では不可》. **2** *et alibi* およびその他の箇所で《◆ふつう論文・法律文以外ではおどけて聞こえる》.

***etc., etc, & c.** /etsétərə, ət-, (非標準) ekséterə/《◆(米)では and so forth と読むこともある》〖ラテン語 *et cetera* の略〗…など、その他《◆人間には用いない. cf. et al.》.

　〖語法〗(1) 主に商業文・専門書などで用い、それ以外では etc. の代わりに and so on [forth], and「the rest [the like]と書くことが多い.
　(2) 前にコンマをつけ、and は用いない. 前が1語だけの時はコンマは不要: I like apples, oranges, etc. リンゴ、オレンジなどが好きだ《◆会話では … *and other fruits.* がふつう》/ The size etc are [×is] not important. 大きさなどは重要ではない.
　(3) etc, etc.《以下省略》のように重ねるのは《略式》.
　(4) Yours *etc.* は親友間の手紙の結びの言葉.
　(5) etc. と such as [such … as] との併用は避ける.
　(6) 後にくるものがだいたい予測できる場合に用いる. そうでない場合は a grinder, a conveyer and *other machinery*(グラインダー、コンベアーなどの機械)のように工夫するのがよい.

et·cet·er·a /etsétərə, ət-/ 名 (複 ~s) C その他種々の物[人]; [~s] 余分の物[人].

†**etch** /étʃ/ 動 他 **1 a**《銅[ガラス, 石]板などにエッチングする. **b**《絵で》エッチングで描く [on, onto, in]. **2**〖通例 be ~ed〗〖心・記憶などに〗刻みつけられる[on, in].

†**etch·ing** /étʃiŋ/ 名 **1** U エッチング, 食刻法, 腐食法. **2** C《エッチングによる》絵, 図. **3** C 腐食銅版.

ETD, etd〖略〗estimated time of departure 推定[予定]出発時刻(→ ETA).

†**e·ter·nal** /itə́ːrnl/ 形〖時に E~〗〖正式〗始めも終わりもなく永遠の、永久の(cf. endless)(↔ temporary); 〖真理・法律などが〗不変の、不滅の; 時を越えて存在する ‖ He is my *etérnal* friend. 彼は永遠の友だ(=He is *eternally* my friend.) / People wish for *eternal* peace. 人々は恒久平和を望む. **2** [the ~; 〖名詞的〗] 永遠なるもの; [the E~] 神. **3**《略式》不平・議論などがたびたびの, 絶え間ない, 果てしのない.
　Etérnal Cíty《愛称》[the ~] 永遠の都《Rome のこと》.

†**e·ter·nal·ly** /itə́ːrnəli/ 副 永遠に, 永久に《◆言い換え例 → eternal 1》;《略式》絶え間なく, いつも(always); しばしば ‖ I'll be [I am] *eternally*

†**e·ter·ni·ty** /itə́ːrnəti/ 名 **1** U〖正式〗永遠(性), 永久, 無限; 不滅, 不朽(の名声); 〖正式〗永遠の存在[状態] ‖ *through all eternity* 永久に, とわに. **2** U〖正式〗(死後の)永遠の世界[未来], 来世(the after [next] world) ‖ send him to *eternity* 彼をあの世に送る《◆ kill him の遠回し表現》. **3** [the eternities] 永遠[不変]の真理[事実]. **4**《略式》[an ~](果てしのない)長い時間 ‖ wait *an eternity* for him うんざりする程長い時間彼を待つ.
　etérnity ring 宝石をまわりにはめこんだ指輪《◆永遠を象徴する》.

ethh.〖略〗ethical; ethics.

†**-eth** /-iθ, -əθ/〖語要素〗→語要素一覧(2.1).

eth·ane /éθein│íːθ-/ 名 U〖化学〗エタン.

eth·a·nol /éθənɔ̀ːl, -nòul│-nɔ̀l, íːθ-/ 名〖化学〗エタノール(= alcohol 2).

†**e·ther, ae-** /íːθər/ 名 **1**〖化学〗エーテル《溶剤・麻酔剤》. **2**〖詩〗[the ~](雲の上の澄んだ)大空.

†**e·ther·e·al** /iθíəriəl/ 形 **1**〖正式〗微妙な、霊妙な、この世のものと思えない(exquisite). **2** 空気のような、きわめて軽い(airy). **3**〖詩〗天空の.

eth·ic /éθik/ 名 **1** U 道徳, 倫理, 行動規範; 道徳[倫理]的価値体系. ── 形 =ethical.

†**eth·i·cal** /éθikl/ 形 **1** 倫理的, 道徳的の ‖ an *ethical* problem 倫理上の問題 ‖ Modern technology has raised many *ethical* questions. 現代の科学技術は多くの倫理上の問題を提起してきた. **2**[しばしば否定文で](ある社会・職業集団の)道義にかなった, 道徳的に正しい. **3**〈薬品が〉医師の処方によってのみ販売される.

éth·i·cal·ly 副 道徳的に; [文全体を修飾] 道徳的見地から言えば.

†**eth·ics** /éθiks/ 名 **1** U〖通例単数扱い〗倫理学; C 倫理学書. **2** U〖通例複数扱い〗(個人・ある社会・職業で守られている)道義, 道徳(律), 倫理(観)(≒ moral); 道徳的に正しいこと ‖ medical [professional] *ethics* 医師の[職業]倫理.

E·thi·o·pi·a /ìːθióupiə/ 名 エチオピア《アフリカ東部の国. 首都 Addis Ababa》. **E·thi·ó·pi·an** 形 名 C エチオピア(人)の; エチオピア人.

eth·nic /éθnik/ 形 **1** 民族の, 民族(学)的な, 人種的な《◆ racial よりも広く、文化・言語・宗教の共通性を含む》‖ *ethnic* minorities(ある社会の)少数民族集団. **2** 民族特有の, 魅惑的に風変わりな.
　éthnic gróup(少数)民族(集団).
　éthnic néighborhood 特定民族の居住地域.
　éthnic púrity(単)民族[人種]的同質性.

eth·ni·cal /éθnikl/ 形 =ethnic.

eth·nic·i·ty /eθnísəti/ 名 U 民族性, 民族的背景.

eth·no·cen·tric /èθnousέntrik (英+) èθnə-/ 形 自民族[自国民]中心主義の; 自集団中心主義の.

eth·nol·o·gy /eθnάlədʒi│-nɔ́l-/ 名 U 民族学.

eth·nól·o·gist 名 C 民族学者.

e·thos /íːθɑs│-θɔs/ 名〖正式〗(ある文化などの本質的な)特性, 精神, 主潮;(集団・個人の)気質, 特質; 〖芸術〗エトス.

eth·yl /éθl; **1**(英+) íːθail/ 名 U〖化学〗エチル(基). **2** エシル《アンチノック液の一種》.
　éthyl álcohol〖化学〗エチルアルコール(= alcohol 2).

eth·yl·ene /éθəlìːn/ 名 U〖化学〗エチレン.

†**et·i·quette** /étikət, ètikὲt, -/〖フランス〗名 U 礼儀, 作法, エチケット《◆人について「行儀のよい[悪い]」をいう場合は He has good [bad] *manners*. といい, ×He has good [bad] *etiquette*. とはいえない》‖ It is

poor *etiquette* to belch in public. 人前でげっぷをすることは不作法です / a breach of *etiquette* 不作法.

Et·na /étnə/ 名 Mount ~ エトナ山《イタリア Sicily 島の活火山》.

E·ton /íːtn/ 名 **1** イートン《ロンドン西方の都市》. **2** = Eton College.

Éton blúe イートンブルー, 淡青色《Eton College のスクールカラー》.

Éton cóllar イートンカラー《幅広の堅いカラー》.

Éton Cóllege イートン校《1にある有名な男子のpublic school》.

Éton jácket [cóat] イートン上着《イートン校制服の[に似た]上着》.

E·trur·i·a /itrúəriə/ 名 エトルリア《古代イタリアにあった国》.

-ette /-ét/ 〔語要素〕→語要素一覧 (2.1, 2.2).

é·tude, e·tude /éitjuːd, -/〔フランス〕名 C〔音楽〕練習曲, エチュード;〔美術·文学〕習作.

ETV *educational television*.

et·y·mol·o·gy /ètəmɑ́lədʒi|-mɔ́l-/ 名 **1** U 語源学. **2** C (ある語の)語源, 語源の説明.

EU (略) the *European Union* ‖ *EU* enlargement *EU* 拡大.

eu·ca·lyp·tus /jùːkəlíptəs/ 名 (複) **~·es, ··ti** /-tai/) **1** C (~ tree, blue gum)《オーストラリア原産で芳香性. 樹液を分泌するのは gum tree ともいう. その葉はコアラのえさ》. **2** U = eucalyptus oil. **eucalýptus òil** ユーカリ油《かぜ薬·虫下し·石けんの香料》.

Eu·cha·rist /júːkərist/ 名《キリスト教》[the ~] **1** 聖餐(式)《キリストの最後の晩餐を記念する儀式》. **2** (聖餐式の)聖体《パンとぶどう酒》;聖体拝領.

Eu·clid /júːklid/ 名 **1** ユークリッド, エウクレイデース《紀元前300年ごろのギリシアの数学者》. **2** U ユークリッド幾何学. **Eu·clíd·e·an, -i·an** /-iən/ 形 ユークリッド(幾何学)の.

eu·gen·ic /juːdʒénik/ 形 **1** 優生(学)の(↔ dysgenic). **2** 優秀な子孫を残す.

eu·gen·ics /juːdʒéniks/ 名 U [単数扱い] 優生学.

eu·lo·gize /júːlədʒàiz/ 動 他《正式》…をほめたたえる, …に賛辞を呈する.

eu·lo·gy /júːlədʒi/ 名 C《正式》〔人·性格などについての〕称賛の言葉(演説), 賛辞[*on, of, to*];U 称賛, 賛美.

éu·lo·gist /-dʒist/ 名 C 称賛者, 賛辞を述べる人.

eu·nuch /júːnək/ 名 **1** 去勢された男;〔歴史〕宦官(かん). **2**《略式》無能な[いくじなしの]男.

eu·phe·mism /júːfəmìzm/ 名 U 婉(えん)曲語法;C […の]婉曲語(句), 遠回し表現[*for*] ‖ ʻSenior citizenʼ is a *euphemism* for ʻold personʼ. 「お年寄り」というのは「老人」の婉曲語だ.

èu·phe·mís·tic 形 婉曲(的)な.

èu·phe·mís·ti·cal·ly 副 婉曲的に, 遠回しに.

eu·pho·ny /júːfəni/ 名 U《正式》(言葉の)音調のよいこと(↔ cacophony).

Eu·phra·tes /juːfréitiːz/ 名 [the ~] ユーフラテス川《トルコに発しペルシア湾に注ぐ. 流域は古代文明の発祥地》.

eu·phu·ism /júːfjuːìzm/ 名 U **1** ユーフュイズム, 誇飾体《16-17世紀英国で流行した美文調の文体》. **2** 華麗な文体;美辞麗句.

Eur. (略) *Europe; European*.

Eur·a·sia /juəréiʒə, -ʃə, (英) +-ʒiə/ 〔*Europe* + *Asia*〕名 ユーラシア(大陸). **Eur·á·sian** /-n/ 形

名 C ユーラシアの;欧亜混血の(人).

eu·re·ka /juəríːkə/〔ギリシア〕間 わかった, 見つけた《I have found it. の意. アルキメデスが王冠の金の純度を測る方法を発見した時の叫び声》.

Eu·rip·i·des /juərípidìːz/ 名 エウリピデス《480?-406 B.C.;ギリシアの悲劇詩人》.

Eu·ro /júərou/ 名 (複 ~s) C **1** ユーロ債;ユーロダラー. **2** [e~] ユーロ《EU の共通通貨単位. 1999年から実施. (記号) €》.

Eu·ro- /júərou-, juərə-/〔語要素〕→語要素一覧 (1.3).

Eu·ro·bond /júərəbànd|-bɔ̀nd/ 名 C ユーロ債《欧州以外の国が欧州市場で発行する外貨建て公社債》.

‡Eu·rope /júərəp/ (派) *European* (形·名)
——名 **1** ヨーロッパ, 欧州《◆英国では the British Isles と区別して ヨーロッパ大陸 (the Continent) をさす場合がある.(略) *Eur.*》‖ Northern [Southern] *Europe* 北[南]欧 / tour *Europe* ヨーロッパを旅行する. **2** (英) ヨーロッパ連合(the European Union).

*Eu·ro·pe·an /jùərəpíːən/ 【アクセント注意】
——形 **1** ヨーロッパ(人)の, 欧州(人)の;全欧的な‖ an actor of *European* fame ヨーロッパにその名が高い俳優 / Is the custom of shaking hands common in *European* countries? 握手する習慣はヨーロッパの諸国では共通ですか. **2**(英)〈人が〉ヨーロッパ共同体主義の.
——名 (複 ~s/-z/) C **1** ヨーロッパ人, 欧州人‖ Continental *Europeans*(英国に対して)大陸のヨーロッパ人. **2**(英)ヨーロッパ連合支持者.

Européan Commúnity [the ~] ヨーロッパ共同体《EEC などが統合したもの. EU の前身. (略) EC.》.

Européan Económic Commúnity 《正式》[the ~] ヨーロッパ経済共同体(略) EEC.

Européan Mónetary Sỳstem [the ~] ヨーロッパ通貨制度(略) EMS.

Européan Pàrliament 欧州議会《EU の議会》.

Européan plàn 〔米〕[the ~] (ホテルの)ヨーロッパ方式《食事代と部屋代を別勘定にする. cf. American plan》.

Européan Únion [the ~] ヨーロッパ連合《(略) EU》.

Eu·ro·pe·an·ism /jùərəpíːənìzm/ 名 U ヨーロッパ主義;ヨーロッパ的特質[精神, 気風].

Eu·ro·pe·an·ize /jùərəpíːənàiz/ 動 他 …をヨーロッパ化[風]にする.

Eu·ro·star /júərəstɑ̀ːr/ 名《商標》ユーロスター《Eurotunnel を経由して London とヨーロッパの都市を結ぶ高速列車》.

Eu·ro·tun·nel /júərətʌ̀nl/ 名 ユーロトンネル《ドーバー海峡の海底を通り英仏を結ぶトンネル. the Channel Tunnel ともいう》.

Eu·ryd·i·ce /juərídəsiː/ 名《ギリシア神話》エウリュディケ《Orpheus の妻》.

eu·tha·na·si·a /jùːθənéiʒə|-ziə/ 名 U **1** 安楽死(術)(mercy killing). **2** 安らかな死.

E·va /íːvə/ 名 エバ《女の名. Eve の別称》.

†e·vac·u·ate /ivǽkjuèit/ 動 他 **1**〈人〉を〔危険な所から/安全な所へ〕避難させる, 疎開させる[*from/to*]. **2**〈場所などを〉明け渡す, …から立ちのく. **3**〔軍事〕〈占領地など〉から撤退する;〈兵隊など〉を[…から]撤退させる[*from*]. **4**《正式》〈便など〉を〈体などから〉排泄(ば)[排出]する[*of*].

†e·vac·u·a·tion /ivæ̀kjuéiʃən/ 名 U C **1** 避難. **2**〔軍事〕撤退, 撤兵. **3** からにすること. **4** 排泄(ば)

†**e·vade** /ivéid/ 【動他】《正式》 **1** 〈攻撃・敵などを〉(巧みに)逃れる, 避ける. **2** 〈義務・責任・問題・納税・兵役などを〉回避する; 〔…することを〕忌避する(doing) ‖ *evade* (paying) taxes 脱税する. **3** 〈質問などを〉そらす, はぐらかす.

e·val·u·ate /ivǽljuèit/ 【動他】《正式》 …の価値[量, 質]を見きわめる, 数値を出す; …を評価する.

e·val·u·a·tion 【名】C U

ev·a·nes·cent /èvənésnt | ìːv-/ 【形】《正式》消えていく; つかのまの, はかない.

èv·a·nés·cent·ly 【副】 はかなく.

èv·a·nés·cence 【名】U はかなさ.

e·van·gel /ivǽndʒəl | -dʒel/ 【名】C **1** 《英古》〈キリスト教の〉福音(gospel). **2** 〈通例 E~〉《聖書》福音書(Gospel).

†**e·van·gel·i·cal**, **-ic** /ìːvændʒélik(l), èvən-/ 【形】 **1** 福音(書)の. **2** 〈しばしば E~〉福音主義の. **3** 福音伝道者の. **e·van·gél·i·cal·ism** 【名】〈しばしば E~〉U 福音主義《形式的儀式よりも信仰を重視》.

e·van·gel·ism /ivǽndʒəlìzm/ 【名】U **1** 福音の伝道. **2** 伝道的熱意. **3** = evangelicalism.

†**e·van·gel·ist** /ivǽndʒəlist/ 【名】C **1** 〈通例 E~〉福音書の著者《Matthew, Mark, Luke, John》. **2** 福音伝道者.

†**e·vap·o·rate** /ivǽpərèit/ 【動自】 **1** 〈液体・固体が〉蒸気になる, 気化する; 水分が抜ける ‖ Alcohol easily *evaporates*. アルコールは蒸発しやすい. **2** 《正式》〈希望・自信などが〉霧消する(disappear); 消えうせる, 死ぬ. ── 【他】…を蒸発させる; 〈果物などを〉乾燥させる. **eváporated mílk** 無糖練乳, エバミルク.

e·váp·o·ra·tor 【名】C 蒸発装置, 蒸発乾燥器.

e·vap·o·ra·tion /ivæpəréiʃən/ 【名】U **1** 蒸発(作用); 蒸発乾燥〈濃縮〉. **2** (希望などの)消滅(状態).

†**e·va·sion** /ivéiʒən/ 【名】 **1** U (義務などの)のがれること. **2** UC (義務などの)回避, 忌避; 言いのがれ, 逃げ口上 ‖ tax *evasion* 脱税《◆「節税」は tax avoidance》.

e·va·sive /ivéisiv/ 【形】 回避的な, 責任のがれの, ごまかしの.

†**eve** /iːv/ 【名】C **1** 〈通例 E~〉(祝祭日などの)前夜(祭), 前日 ‖ on Christmas [New Year's] *Eve* クリスマス[大みそか]に. **2** 〈the ~〉(重要な事の)直前 ‖ on the *eve* of the outbreak of war 開戦直前に. **3** 《古詩》夕方, 晩(evening) ‖ 〈ジョーク〉"When was Adam created?" "A little before *eve*." 「アダムはいつ創られたの?」「夕方の少し前」《◆ Eve とのしゃれ. アダムが創られたのはイブの少し前(a little before Eve)》.

Eve /iːv/ 【名】 **1** イブ〈女の名. Eva の別称〉. **2** 〈旧約〉イブ, エバ〈神が創造した最初の女性. Adam の妻〉.

Eve·lyn /ìːvlin/ 【名】 イーブリン, エブリン〈女・男の名〉.

⁑**e·ven**¹ /íːvn/
── 【副】 《◆比較変化しない》 **1** 〔例外的な事がらを強調して〕 …(で)さえ, …すら, …だって, …までも ‖ She didn't *even* ópen the letter. 彼女はその手紙を(読むどころか)開きもしなかった《◆ letter に強勢を置けば「その手紙をさえ読まなかった」となる》 / *Even* a chíld can understand it. 子供でもそんなことはわかる(ぐらいだから大人なら当然わかる) / I could see she was in a hurry. She didn't *even* say hello. 見るからに彼女は急いでた. ハローさえも言わなかった.

語法 [even の文中での位置]
(1) 主に修飾する語句の直前に置く.

(2) 主語となる名詞(句, 節)を even が修飾する場合, その直前に置くか, 次のように形容詞(など)の前に置く. 主部末尾で下降調になる: The man (↘) is *even* sad. あの男でさえ悲しんでいる.
(3) 前置詞句の場合, 2 通りの位置が可能: *even* for a month / for *even* a month たとえ 1 か月間でも.
(4) 最上級にこの even が用いられることもある.
⊃**文法** 19.5.

2 〔比較級を強めて〕さらに, なおさら, 一層(still, yet) ‖ Your grades are *even* better than mine. 君の成績は私のよりさらによい《My grades are good. という前提がある. →次例の注》 / Jack is *even* older than Bill. ビルも年をとっているがジャックはさらに年をとっている《◆ Bill is old. という前提がある. 一方 even の代わりに much を使った場合はそのような前提はない: Jack is much older than Bill. ジャックはビルよりもはるかに年上である. ビルが何歳かを大きいと言っているだけで, ビルが何歳であってもよい》.

3 〔略式〕〔一層強調して〕それどころか, 実に(indeed) ‖ My exam results were not poor, but *even* satisfactory to me. 私の試験の成績は悪くなかった. いやそれどころか, 私にとって満足のいくものであった.

éven as … 【接】《正式・古》〔同一性・同時性を強調して〕ちょうど…の時に ‖ *Even as* I came home, it began to rain. 帰宅したとたん, 雨が降り始めた.

*⁑**éven if** [《正式》**though**] … 【接】 たとえ…でも ‖ *Even if* you can't solve the problem, hand in your paper. その問題が解けなくとも答案を出しなさい(→ if 【接】4, though 【接】2).

*⁑**éven nów** (1) 〔通例否定文で〕今でも; 今ても ‖ *Even now* I can't believe her. 今でさえ[それでも]彼女の言うことが信じられない. (2) 《正式》〔進行形で; しばしば be 動詞の後に置いて〕ちょうど今, 今まさに.

*⁑**éven só** (1) 〔略式〕たとえそうでも; それにしても(nevertheless) 《◆ふつう2つの事柄の対照が明らかなときに用いる. 修辞上の効果をねらって話し手と聞き手の意見が一致していることを表すこともある》 ‖ I worked on the math problem for two hours, but *even so* I couldn't solve it. その数学の問題に2時間取り組んだが, それでも解けなかった. (2) まさにその通り.

éven thén 〔通例否定文で〕たとえそうでも; その時でさえ ‖ The doctors made every possible effort to save the child, but *even then* the operation was not successful. 医師団はその子の命を救うためにあらゆる努力を重ねたが, それでも手術はうまくいかなかった.

éven whén … 【接】 たとえ…でも ‖ He jogs here *even when* it rains [×will rain]. 雨が降っても彼はジョギングする.

⁑**e·ven**² /íːvn/

index 【形】 **1** 平らな **2** 同じ高さの **4** むらのない **7** 規則正しい

── 【形】 (more ~, most ~; 時に ~·er, ~·est)

I 〔物の表面が平らな〕

1 〈表面・板などが〉平らな, 水平の(↔ uneven); 〈海岸線などが〉出入りのない, でこぼこのない《◆ level, flat, smooth より堅い語》 ‖ an *éven* flóor なめらかな床 / Hang the picture more *even*. もっと水平になるように絵を掛けなさい.

2 [補語として]〔…と〕同じ高さの; 同一面[線]上の, 平行した[with] ‖ Soon the tree grew *even with* height of the child. やがてその木はその子供の身長と同じくらいの高さに成長した.

II [数・量・大きさなどが同じである]

3 つり合いの[均衡の], 〔…に〕対等[同等]の (equal); 五分五分の[with] ‖ an *éven* fight 互角の戦い / *even* money 同額の賭(ポ)金; 五分五分の勝ち目(英)では evens ともいう / *even* odds 五分五分の見込み[確率] / Can you cut the bread into three *even* slices? そのパンを3等分できるかい / It's *even* chances that she will get well. =She has an *even* chance of getting well. 彼女が回復する見込みは五分五分だ.

4 〈色彩・きめ・質・量などが〉むらのない, 均一の ‖ an *even* application of paint 一様に塗ったペンキ.

5 (略式)[補語として]清算済みの;〔…と〕貸し借りのない; 損得のない[with] ‖ Give her two dollars, and you will be [get] *even with* her. 彼女に2ドル返済すれば君は彼女に借りがなくなる.

6 〈数が〉偶数の(↔ odd); 偶数番の;〈金・時間などが〉ちょうどの, 端(は)数のない《◆比較変化しない》‖ an *even* 2,000 yen =2,000 yen *even* ちょうど2000円(=2,000 yen exactly)《◆(1) an を付けたのは「形容詞＋基数詞」で「一種の」の意の修飾語句と捉えたため(→ a 5). (2) even が名詞の後にくれば副詞とも考えられる》.

III [精神的に同じである]

7 規則正しい《◆ regular, steady より堅い語》;〈音・生活などが〉単調な, 平凡な ‖ a strong, *even* pulse 力強くリズミカルな脈拍(ポ) / an *even* flow of work 整然とした仕事の流れ.

8 [名詞の前で]〈気質・性格・気分などが〉落ち着いた, 平静な(calm).

be [*gét*] *éven* (*with* A)〈貸し借りのない状態になる〉《もと米略式》(1)〈人〉に仕返しをする ‖ We've got to *get even*. 仕返しをしなくては. (2) → **5**.

bréak éven 〈商売などが〉損得なしになる.

——動 (~s/-z/; 過去・過分 ~d/-d/; ~·ing)

——他 **1**(正式)…を平らにする(smooth); …を平坦(な)にする(+*out, off*) ‖ *even* (*out*) the ground 地面のでこぼこをならす. **2** …を平等[均一]にする(+*up, out*); …を清算する, …の収支を合わせる(+*up, off*); …の変動[むら]をなくする(+*out*) ‖ *even out* the trade imbalance 貿易不均衡をなくす / His home run in the 9th inning *evened* (*up*) the score. 9回に彼のホームランで同点になった.

——自 …なる(+*off, up, out*);〈物価格などが〉安定する(+*out*); 平衡する, つり合いがとれる(+*up, out, off*).

éven úp on [*with*] A《主に米》〈人〉に仕返しをする[報いる]《◆受身不可》.

e·ven[3] /íːvn/ 图 ⓤⓒ(古・詩)夕べ(evening).

e·ven·hand·ed /íːvnhǽndid/ 形 公平な.

éven·hánd·ed·ly 副 公平に.

eve·ning /íːvniŋ/ [cf. eve]

——名 (圈 ~s/-z/) **1** ⓤⓒ 夕方, 夕暮れ, 晩《◆ふつう日没から就寝時刻までをいう. → night》;[形容詞的に]夕方の, 晩の ‖ this [tomorrow, yesterday] evening 今[明, 昨]晩(→ last¹ 形 **1**) / in [during] *the evening* 夕方に, 晩に / early [late] in *the evening* 夕方早く[遅く]《◆in the early [late] evening よりふつう》/ *on the evening of* the 6th 6日の晩に《◆「特定の日の夕方に」は on. ただし, last や next がある場合は前置詞不要 ⊙文法

21.6⑴》: The earthquake occurred *last* Wednesday *evening*. その地震はこの前の水曜日の夕刻に起こった》/ *evening* calm 夕なぎ / *evening* glow 夕焼け / an *evening* person 夜型人間.

2 ⓤⓒ 夜会, 夕べ(の催し) ‖ a musical *evening* 音楽の夕べ.

3 [the ~]晩年; 末期.

évening cláss 夜間学校.

évening còat 夜会服《男子の礼服》.

évening drèss ⑴ⓤ 夜会服《男・女の礼服》. ⑵ⓒ(すその長い女性用)イブニングドレス.

évening gòwn =evening dress ⑵.

évening méal 夜食.

évening néws 夕方のニュース.

évening pàper 夕刊.

Évening Práyer 【アングリカン】夕べの祈り(evensong).

évening prímrose 【植】マツヨイグサ.

évening schòol 夜間学校(night school).

évening stár [the ~]宵(よ)の明星《夕方に西の空に現れる Venus (金星)》.

†**e·ven·ly** /íːvnli/ 副 **1** 平等に, 均等に; 公平に. **2** 冷静に, 落ち着いて. **3** むらなく, 平らに.

e·ven·ness /íːvnnəs/ 名 ⓤ **1** 均一(性), 均等; 平等, 公平. **2** 平静, 落ち着き. **3** 平坦, 水平, 平らな(こと).

e·ven·song /íːvnsɔ̀(ː)ŋ/ 名【しばしば E~】ⓤⓒ【アングリカン】夕べの祈り;【カトリック】晩課(vespers).

*e·vent** /ivént/ 【アクセント注意】【結果として外に(e)出ること(vent). cf. prevént】⑯ eventually(副)

——名 (圈 ~s/ivénts/) ⓒ **1**(重要な)出来事, (注目すべき)(大)事件, (年中の)行事, 催し, イベント《◆in·cident は event に付随的に起こる小さな出来事の他, 大きな犯罪事件もさす. accident は好ましくない偶然の出来事》‖ do [put up] an *event* 催しをする / ten chief *events* of the last year 昨年の10大事件 /「an annual [a yearly] *event* 年中行事 / The most important historical *event* in [of] 2003 was the fall of the Hussein regime. 2003年の最も重大な歴史的事件はフセイン政権の崩壊であった / school *events* 学校行事 / Going abroad is (quite) an *event* for me. 海外へ行くことは私にとっては重大事件だ / Thunder and lightning are two separate *events*. 雷と稲光は2つの別々の現象である.

2 [the ~](事の)結果, 成り行き《◆in the *event* で用いる以外は(古)》; 場合; 訴訟の結果 ‖ in that *event* その場合には, そうなれば.

3 (競技・番組の)種目, 1試合, 1勝負, 賭(か)け勝負 ‖ the *event* for eight-year-old swimmers 8歳児対象の水泳競技 / win (the) first prize in the long jump *event* 走り幅跳びの種目で1等賞をとる / a [the] main *event* メインイベント(主要試合).

Fóols are wíse àfter the evént. (ことわざ)愚者は事が起こったあとで賢くなる; けがの後知恵.

in ány evènt =*at áll evènts* とにかく, いずれにしても, 何が起ころうとも(in any case).

in éither evènt (2つのうち)いずれにせよ, どっちみち.

in the evént ⑴《主に米》[…する]場合には〔(that)節〕; in the EVENT of. ⑵《主に英正式》結局, (見かけ・予想とは違って)実際は; 折しく.

in the evént of A (正式)…の場合には ‖ *in the event of* rain [his death] (万一)雨が降った[彼が死んだ]場合には(=《主に米》*in the event* (*that*)

「it rains [he dies])《◆(1) if, in case の方がふつう. (2) that節では仮定法も可》/ in the event of an error being made 間違いがなされた場合には.
in the (**nátural** [**nórmal**, **úsual**]) **cóurse of evénts** ふつうなら, 物事がふつうに運べば, 事の(自然の)成り行きで.

e·vént·less 形 平穏な.
e·ven·tem·pered /íːvntèmpərd/ 形 平静な, 落ち着いた.
†**e·vent·ful** /ivéntfl/ 形 **1** (面白い)出来事の多い, 多事な, 波乱に富む ∥ He had an *eventful* life. 彼の人生は波乱に富んでいた. **2** 重大な(結果を生む).
†**e·ven·tide** /íːvntàid/ 名 Ⓤ《古・詩》夕方, 晩.
†**e·ven·tu·al** /ivéntʃuəl/ 形《正式》(障害・困難などが解決されたあと)結果として起こる, いつかは生じる; 最後の, 終局の《◆ final は連続したものの「最後の」》∥ **e·vèn·tu·ál·i·ty** /-ǽləti/ 名 Ⓒ《正式》不慮[不測]の事件; 万一の場合.
‡**e·ven·tu·al·ly** /ivéntʃuəli/《 → **event**》
— 副 結局は, ついに(at last, in the end); ゆくゆくは, いつかは《◆否定文には用いない》∥ The human race will *eventually* be destroyed by the environmental pollution it produces. 人類は結局自らが生み出した環境破壊により滅びるだろう.

‡**ev·er** /évər/《経験の有無を話題にして「かつて」の意が本義》
— 副《◆(1) ふつう強勢を受ける. (2) 比較変化しない》
1 [疑問文で](経験の有無を問題にして)**かつて**, これまでに; いったい一度でも ∥ **対話** "*Have* you *ever been* to Mexico?" "No, never [Yes, I have]". 「メキシコへ行ったことがありますか」「いや一度も[はいあります]」《◆(1) 多少強調の意味が含まれるだけなので日本語では訳されないことが多い. 答えは Yes, for two months back in 2003. (うん, 2003年に2か月ほどね)のように具体的に答えるのがふつう. ×Yes, I have ever., ×Yes, I've. とはいわない. (2) 否定の答えは No, I haven't. または No, never.》/ "Do you *ever* travel abroad?" "Yes, sometimes". 「海外旅行をするときがありますか」「はい, ときどき」《◆頻度副詞(◎文法 18.2)で答えるのがふつう》.

語法(1) しばしば相手を詰問する場合に用いる: Do your trains *ever* run on time? いったい君(たち)の乗る電車は時刻通り走ったためしがあるのか.
(2) 肯定文では用いない: ×I have ever been to Mexico. (cf. I have been to Mexico before. かつてメキシコに行ったことがある.)

2 [否定文(および否定を含意する節・句)で] これまでに(一度も…しない) ∥ I haven't *ever* been there. そこへ一度も行ったことがない《◆I've *never* been there. の方がふつう》/ I don't remember *ever* seeing him there. 彼にそこであったことなど覚えていない《◆ever を前に移行して I don't *ever* remember seeing ... ともいう》.
3 [no, nothing, never などの強調]《略式》どんなことがあっても, 絶対に ∥ You must promise never *ever* to do it again. 決して絶対に二度と再びやらないと約束しなさい.
4 [肯定文の if節で] **いずれ**, いつか; とにかく ∥ Come and see me *if* you are *ever* in Osaka. 大阪へもしおいでになることがありましたらぜひお立ち寄りください.
5 [肯定文で] **a** **ずっと**, 常に, 絶えず《◆ *ever* since

[after], as ... as *ever* など特定の連語・成句以外では《古》. →成句》∥ He has *ever* kept his word. 《古》彼は常に約束を守ってきた《◆He has *always* kept his word. の方がふつう》. **b** [人の性質を述べる文で; 形容詞・名詞の前に置いて] いつでも ∥ A mother is *ever* ready to help her children. 母というものはいつでも子供に手を差し伸べるようにしているものだ.

6 a《略式》[最上級・比較級の強調] かつて, 今までに ∥ This is the scariest movie that I have *ever* seen. これは今まで見た中で最も恐い映画です / This is the fastest plane *ever*. これほど速い飛行機は今までなかった(=This is the fastest plane that *ever* flew.) / That's *more* people than I've *ever* seen. =That's the *most* people I've *ever* seen. あのような人出は私には初めてです. **b** [比較級を直接修飾して] ますます, さらに ∥ play an *ever* more important role ますます重要な役割を果たす.
7 [疑問詞を強調して] いったい, そもそも, とにかく ∥ Why *ever* did you say so? いったいどうしてそんなこと言ったのよ / What *ever* have you been doing all this while? 今までいったい何をしていたの.

語法(1)《略式》では ever の代わりに on earth, the hell, in the world, in heaven's name なども用いられる.
(2) whatever, whoever などのように1語にもつづれる(各項参照). ただし ×whyever は不可.

(as) ... as éver **(1)** 相変わらず…で ∥ He is (*as*) idle *as ever*. 彼は相変わらずぶらぶらしている. **(2)** [... ~ you can] とにかく(できるだけ) ∥ Come *as* fast *as ever* you can. 大至急来なさい. **(3)**《文》[... ~ lived] 古来まれな, 並はずれた《◆最上級の意味になっている》∥ He is *as* great a scholar *as ever* lived. 彼はきわめてすぐれた学者だ(=He is a very great scholar.)《◆He is the *greatest* scholar that *ever* lived. は「彼は古今最大の学者だ」となる》.

Did you éver?《主に女性語略式》(驚いて, 信じられないという様子で)えっ本当?, それは初耳だわ《◆Did you ever see or hear the like? などの短縮表現》.
éver áfter それ以後ずっと ∥ They lived happily *ever after*. それから2人はずっと幸せに暮らしました《◆おとぎ話の冒頭の Once upon a time there lived ... に呼応するしめくくりの決まり文句》.
éver and agáin《詩》時々(sometimes).
éver since それ以来ずっと(→ since 副 **1**).
éver so《主に女性語英略式》[形容詞・副詞の前で; 動詞の後で] とても, 大変.
éver so múch《主に女性語》[動詞の後で] とても ∥ Thank you *ever so much*. ほんとにありがとう.
for éver《主に英》=forever《(米)では1語つづりがふつう.《英》でも「常に」の意では時に1語つづりにする》.
if éver [挿入的に用いて] もし…だとしたら, たとえ…だとしても ∥ She has rárely [séldom], *if éver*, spoken in public. 彼女はまずめったに人前でしゃべったことがない; 彼女はたぶん一度も人前でしゃべったことはないだろう.
than éver (**befóre**) [形容詞・副詞の比較級の後で] ますます, 以前にもまして ∥ News is more important *than ever*. ニュースは以前にもまして重要だ(=

News is more and more important.)◆ ×News is more and more important than ever. (←").

†**Ev·er·est** /évərist/ 〖イギリス人のインド測量長官の名から〗**Mount ~** エベレスト山, チョモランマ《ヒマラヤ山脈にある世界最高峰. 8848 m》.

†**ev·er·green** /évərɡrìːn/ 名C 常緑樹;〔~s〕《装飾用の》常緑樹の枝. ── 形 常緑の(↔ deciduous); いつまでも新鮮な. **Évergreen Státe**《愛称》〔the ~〕常緑州《Washington 州》.

†**ev·er·last·ing** /èvərlǽstiŋ│-lɑ́ːst-/ 形 **1**《正式》(未来へ)永遠に続く, 不滅の(endless) (↔ transitory) ‖ for *everlasting* peace 恒久の平和のために. **2** 絶え間のない;《略式》あいも変わらぬ, いつもの調子の, いつ終わるとも思えない.

†**ev·er·last·ing·ly** /èvərlǽstiŋli│-lɑ́ːst-/ 副 **1**《正式》永遠に, 絶えることなく. **2**《略式》いつも, あいも変わらず.

ev·er·more /èvərmɔ́ːr/ 副 **1**《正式》いつも, 常に (for ever). **2**《古》今後(ずっと) ‖ for *evermore* 永久に.

‡**eve·ry** /évri/

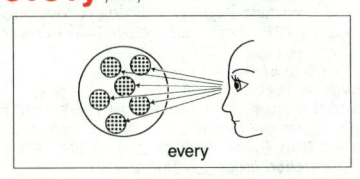

every

index 1 あらゆる **3** …ごとに, 毎…

──形《◆(1) ふつう強勢を受ける. (2) 比較変化しない》〖名詞の前で〗〖C〗 単数名詞を修飾して》《語法 → each 形》 **1** あらゆる, ことごとくの, どの…もみな《◆「*every* + 名詞」は単数扱い; 圏 → all》‖ *Every* book [×books] *was* written by a well-known author. どの本もある有名作家が書いたものだった(= All the books were …) / *Every* reporter sent *his* [*their*] stories with the least possible delay. どの記者も即刻ニュースを送った《◆複数の記者が念頭にあるために *their* となることがある. → they 語法》/ *Every* man, woman, and child *was* [×were] happy to hear the news. 男も女も子供も全員がニュースを聞いて喜んだ《◆*every* の後に名詞が2つ以上続いても単数扱い》.

語法 (1) 部分否定と全否定については→ everybody 語法 (3).
(2) each of とはいうが, every of … とはいわない: Each [×Every] of the girls was dressed neatly. 次のようにすればよい: *Every* one of the girls was … (→ everyone 語法).

2 〖C U 名詞を修飾して; 時に ~ possible [conceivable]〗 **可能な限りの全部の**, あらんかぎりの, すべての《◆名詞は intention, reason, kindness, sympathy, opportunity, success, hope, change などの抽象名詞》‖ We have *every* reason to believe that she is guilty. 彼女が有罪であると信じる理由は十分にある / I have *every* intention of going on to college. 私は大学に進学する意志が大いに

ある.

3 〖数詞·other·few 句の前で〗…ごとに;〔day, week などの前に置いて図を作って〕*every other day* 1日おきに, 2日ごとに(=*every second day*); 毎日のように / Come once *every* two weeks. 2週に1度いらっしゃい / *every* day [week, year] 毎日[毎週, 毎年]《◆ ×on every day / ×in every week [year] は不可. ➔文法 21.6(1)》.

évery bít → bit¹.

évery lást … 最後まですべての… ‖ spend *every last* penny 最後の1ペニーまで(あり金全部)使い果たす.

évery lást [síngle] óne (of A) (…の)どれもこれも, 残らず《◆ every one の強調形》.

Évery mán hàs his príce.《ことわざ》人には皆それぞれ値段がある;「わいろの額次第で不正を働く」.

every now and again [then] → now 副.

every one (1) /-́-/《まれ》だれもかれも, みんな《◆ everyone と1語につづるのがふつう》. (2) /-́-́/ → everyone 語法.

*every time (that) (1) /-́-/《略式》毎回, いつも. (2) 〖接続詞的に〗…する時は《必ず》((まれ) everytime)《◆ whenever より口語的》‖ She says something *every time* I come to her house. 私が彼女の家へ行くと彼女はいつも文句を言う.

‡**eve·ry·bod·y** /évribɑ̀di│-bɔ̀di/ 代《ふつう強勢を受ける》〖単数扱い〗(グループ·世の中の) **みんな**, すべての人, だれでも《使い分け → all 代 2》‖ *Everybody* made up「*their* minds [*his* [his or her, his/her] mind]. だれもが決心した《◆代名詞については → 語法》/ *Everybody* was expected to bring their [his] lunch. だれもが昼弁当を持ってくることになっていた《◆この場合は *their* でも *his* でも目的語(lunch)の数は不変. → each》/ Make yourselves at home, *everybody*. みなさんくつろいでください《◆呼びかけで用いられているのでmakes とはしない》/ She is *everybody's* friend. 彼女は八方美人だ.

語法 (1) 〖数と性〗 ❷ 常に単数扱い. 呼応する代名詞は, 性差に言及しない場合, 堅い書き言葉では he, he or she などを用いるが, それ以外では they (their, them) で受けるのがふつうになってできる. 特に次のような付加疑問や応答では they による呼応がふつう: *Everybody* is coming, aren't *they* (↘). みんな来ますね / "Does *everybody* like him?" "Yes, *they* do." 「みんな彼が好きですか」「うん」.
(2) [everybody に呼応する動詞] 複数代名詞で受けた場合でも動詞は常に単数を受ける形: *Everybody* is [×are] coming, aren't they? (↗) みんな来ますね. (↗)
(3) [部分否定と全否定] *Everybody* [*Every student*] didn't answer. (↘) は「すべての人[学生]が答えたわけではない」(=Not *everybody* [*every student*] answered.)《◆ふつうだが, answer に強勢を置き, 下降調 (↘) をとるときは「すべての人[学生]が答えなかった」(=*Nobody* [*No student*] answered.)《全否定》の意となる(cf. all 形 4 語法).
(4) [everybody と every one] everybody の後に of them [us, you] を続けることは不可: ×everybody of them [us, you]. every one

of them [us, you] は可.
(5) every を代名詞の前に用いるのは不可: All [×Every] this is important to me. これが私にとって大切です.

★nòt éverybody [部分否定] すべての人が…する[である]わけではない(→文法 2.2(1)) ‖ *Not everybody* (╲) can be a poet. だれもが詩人になれるというわけではない(=It is *not* true that *everybody* can be a poet.)◆(1) not は文全体を否定している. (2) *Don't everybody*(╱) listen to him! だれも彼の言うことに耳を傾けるな! この場合は Everybody, don't listen to him. の意で, not は do にかかり everybody にかかるのではない).

★eve・ry・day /évridèi/
—形 [名詞の前で] 毎日の, 日々の; 日常の, ありふれた ‖ wear one's *everyday* clothes ふだん着を着る (cf. Sunday best [clothes]) / *an everyday incident* 日常のありふれた出来事.
語法 副詞的に用いる場合は évery dáy と 2 語につづる. 強勢の置き方にも注意.

:eve・ry・one /évriwÀn/
—代 [単数扱い] =everybody 《◆用例と語法は → everybody》.

語法 [everyone と every one]
(1) of 句が続く場合はふつう every one で, everyone は用いない:「*Every óne* [×*Everyone*] of them *has* passed the exam. 彼らは 1 人残らず試験に合格した(→ not, everybody).
(2) 物をさす場合も常に every one: She bought a dozen apples, and 「*évery óne* [×*everyone*] (of them) *was* bad. 彼女はリンゴを 12 個買ったがどれも腐っていた.
(3) every one, everyone は, 2 人の人または 2 つのものには使えない:「×*every one* [×*everyone*] of the two girls / each (one) of the two girls その 2 人の女の子のどちらも

†eve・ry・place /évriplèis/ 副 《主に米略式》 =everywhere.

:eve・ry・thing /évriθìŋ/
—代 1《◆ふつう強勢を受ける》[ ] 単数扱い] すべてのこと[もの], あらゆること[もの], なにもかも, 万事; 現況, 生活一般;《略式》たくさん ‖ That explains *everything*. なるほどそういうわけですか, どうりで / *Everything* is [×*are*] up to you. すべては君次第です / *Everything has* gone well, hasn't it? 万事OKですね《◆ everybody, everyone と違って, …, haven't they? のようにして受けることはできない. cf. everybody 語法》/ Have you got *everything*? 忘れ物はありませんか《◆帰るときなどに言う》/ Thank you for *everything*. いろいろどうもありがとう
《対話》 "How's *everything*?" "Oh, (only) soso." 「調子[景気]はどうですか」「まあまあです」. **2**[人にとって]もっとも重要な物[人], かけがえのない物[人][*to*] ‖ Money is [means] *everything* to the old man. その老人には金が一番大切な物だ / You are *everything* to me. あなたは私に最も大切な人だ /
《対話》 "Her husband is always working late." "Yes. Work is *everything* to him." 「彼女の夫はいつも残業ばかりしています」「はい. 彼には仕事がすべてです」.

and éverything《略式》(列挙して)そしてその他のもろもろ, 何もかも.
cóme befòre éverything élse〈物・事が〉最優先である.
líke éverything《米略式》猛烈に, 激しく, 全力で.
nòt éverything[部分否定] すべてではない, …というわけではない(→文法 2.2(1)) ‖ Money is *not everything*. 金がすべてではない; 金が唯一重要なものではない / *Not everything* is logical. すべてが理屈通りにいくわけではない / You can't have *everything*. (╲) すべてがめでたしとはいかないからね.

:eve・ry・where /évrihwèər/
—副《◆比較変化しない》**1** いたるところで[を], あらゆるところで[に], どこにも, どこにでも (《主に米略式》= everyplace) / *éverywhere* élse 他のどの場所にも《◆every other place よりふつう》/ I looked (×for) *everywhere* for the letter. 手紙を見つけようとしてその辺をくまなく捜した / There was broken glass *everywhere*. あたり一面ガラスの破片が飛び散っていた / You can't find this species of dragonfly *everywhere*. この種のトンボはどこでも見つかるわけではない《◆部分否定》. **2** [接続詞的に] どこへ[で]…しても ‖ *Everywhere* I go (╲), the dog follows me. どこへ行っても, その犬は私について来る (=Wherever I go, …).
—名 (略) あらゆる場所(every place).

evg. evening.
e・vict /ivíkt/ 動 他《正式》…を〔…から〕(法的手段によって)立ちのかせる〔*from*〕.
e・vic・tion /ivíkʃən/ 名 Ⅰ C 立ちのかせること, 追いたて. **evíction órder** 立ちのき命令.

★ev・i・dence /évidns/ 派 evident (形)
—名 (複 ~s/-iz/) **1** Ⅰ 〔…の/…するための〕証拠〔*of*, *for* / *to do*〕,〔…という〕根拠〔*that* 節〕(= proof) ‖ a piece of *evidence* 1 つの証拠 / Scientists have been searching for *evidence* for the existence of life on other planets. 科学者たちは他の惑星に生命が存在する証拠を追い求めてきた / I have enough *evidence* (of her guilt) to arrest her. 彼女を逮捕するための(犯罪の)証拠が十分ある / The police found conclusive *evidence that* it was murder rather than suicide. 警察はそれが自殺ではなく殺人であるという確実な証拠を見つけた / Is there any *evidence against* the accused? 被告に不利な証拠がありますか / *On the evidence of* her diligence so far (╲), she will do well. 彼女の今までの勤勉ぶりからすると, きっとうまくいくだろう.

2 Ⅰ [時に ~s] 〔…の/…という〕しるし, 形跡〔*of*/*that* 節〕‖ This room *béars* [*gíves, shóws*] *évidence of* a struggle.《正式》この部屋には争った形跡がある / There is *evidence that* someone has searched the house. =There is *evidence of* someone having searched the house. だれかがその家を物色した形跡がある.

in évidence (1) 証人として, 証拠物件として. (2)《略式》はっきり見えて[存在して]. (3) 目立って ‖ He hasn't been much *in evidence* recently. 彼は最近あまり目立たない[目につかない].

★ev・i・dent /évidənt/ 派 evidently (副)
—形《正式》[…にとって/…から](証拠があって)明白な (clear)〔*to/from*〕,〔…の点で〕明らかな, はっきりした (*in*)《◆ apparent より視覚的で確実性が強く, obvious より弱い. → evidently》‖ with *evident*

pride [satisfaction] いかにも得意[満足]そうに / *It is* quite *evident* ⌈*to* everyone [*from* her manner] *that* she has misunderstood me. 彼女が私を誤解していたことはだれの目にも[彼女の態度で]まったく明らかだ / His failure is *evident in* his disappointment. 彼の失敗は落胆ぶりを見れば確かだ.

†**ev·i·dent·ly** /évidəntli, (米+) -dènt-/, (米+) -dènt-/ 《◆強調するとき (米) ではしばしば /èvidéntli/》 副 **1** [文全体を修飾] (証拠があって) 明らかに, 確かに《◆ apparently より確実性が強く, obviously より弱い》‖ ⌈*Evidently* (↘) she is [She is ⌊ *evidently*] in the wrong. 彼女が間違っているのは明白だ(= It is *evident* that she is ...). **2** 見たところ…らしい《◆この意味では It is evident that ... に言い換え不可》 <対話> "Is he going to be late?" "*Evidently.*" 「彼は遅れて来るのでしょうか」「たぶんね」.

***e·vil** /íːvl/ [発音注意]
—— 形 (more ~, most ~ ; 時に ~·er or (英) -·vil·ler, ~·est or (英) -·vil·lest) 《正式》 **1** 有害な, 害を与える(harmful) ‖ an *evil* plan [idea] 有害な計画[考え] / an *evil* habit 悪い習慣.
2 (道徳上)悪い, 邪悪な(wicked), 悪質な(bad) ‖ *evil* men 悪人 / *evil* deeds 悪行 / an *evil* tongue 毒舌 / He leads an *evil* life. 彼は堕落した生活をしている.
3 不吉な; 不運な, 不幸な(unlucky) ‖ an *evil* omen 凶兆 / *evil* news 凶報.
—— 名 (複 ~s/-z/) 《正式》 **1** ⓒ [通例 ~s] 害悪; 災害; 悪事 ‖ social *evils* 社会悪 / the *evils* of war 戦争のもたらす害悪 / remove famine, disease and other *evils* 飢饉(%)その他の害悪をとり除く / the *evils* of smoking タバコの害 / a necessary *evil* 必要悪.
2 Ⓤ (道徳上の)悪, 悪事, 悪行, 邪悪さ(↔ good) ‖ return good *for evil* 悪に報いるに善をもってする.
Héar nò évil, sée nò évil, spéak nò évil. (ことわざ) 見ざる, 言わざる, 聞かざる《◆語順に注意》.
Ídleness is the róot of áll évil. (ことわざ) 怠惰は諸悪の根源である.
—— 副 《文》 悪く(ill)《◆次の句で》‖ spéak évil *of* him 彼の悪口を言う.
évil éye [the ~] 邪視なまなざし, 白眼《◆にらまれると災いが起こるという》.
e·vil·ness /íːvəlnəs/ 名 Ⓤ 邪悪; 害悪; 不吉.
e·vil·do·er /íːvldùːər/ 名 ⓒ 《正式》 悪事を行なう人, 悪人.
e·vil·do·ing /íːvldùːɪŋ/ 名 Ⓤ 悪事, 悪行(↔ well-doing).
e·vince /ɪvíns/ 動 他 《正式》 …を明らかに示す.
†**e·voke** /ɪvóʊk/ 動 他 《正式》 ‖ His joke *evoked* a laugh. 彼の冗談は笑いを誘った. **2** 《記憶・感情・驚き・同情などを呼び起こす》 The music *evokes* (memories of) the past. その音楽を聞くと昔のことを思い出す.
3 〈霊魂などを〉[…から]呼び出す(*from*). **4** …を(想像によって)再現する(reproduce).
†**ev·o·lu·tion** /èvəlúːʃən |ìːvə-/ 名 Ⓤ **1** Ⓤ (議論・劇の筋などの)発展, (徐々の)進展, 展開《◆ growth, development より堅い語》; ⓒ 発展したもの ‖ the *evolution* of democracy *from* feudalism 封建制度から民主主義への発展. **2** Ⓤ (生物) 進化, 進化論 (the theory of evolution); ⓒ 進化したもの ‖ human *evolution* = the *evolution* of man 人間の進化.

ev·o·lu·tion·al /-ʃənl/ 形 発展の; 進化(論)の.
ev·o·lu·tion·ism 名 Ⓤ (生物) 進化論.
ev·o·lu·tion·ist 名 ⓒ 進化論者.
ev·o·lu·tion·ar·y /èvəlúːʃənèri |ìːvəlúːʃənəri/ 形 《正式》 = evolutional.
†**e·volve** /ɪvɑ́lv |ɪvɔ́lv/ 動 他 《正式》 **1a** 〈計画・論理などを〉[…から](徐々に)発展させる, 展開させる(develop) (*from, out of*); 〈計画などを〉練る. **b** 〈結論・法則などを〉導き出す(draw). **2** 《生物》 …を進化[発達]させる. —— 自 […から/…に](徐々に)発展[進化]する(develop) (*out of, from / into*).
e·volve·ment 名 Ⓤ 発展; 進化.
ewe /júː/ (同音) △you, yew) 名 ⓒ (成長した)雌ヒツジ(cf. ram) (→ sheep). **éwe làmb** 雌の子ヒツジ; (聖) [one's ~] 最も大切にしているもの.
tew·er /júːər/ (同音) △your) 名 ⓒ 広口の水差し《水道のない寝室の洗面用》 ‖ a *ewer* and basin 水差しと洗面器.

ex /éks/ (略) 名 ⓒ 先夫[妻]; 前任者. —— 形 かつての.
ex. (略) example; excluding.
ex– /éks-/ (語要素) = 語要素一覧 (1.7).
ex·ac·er·bate /ɪɡzǽsərbèɪt, eksǽs-/ 動 他 《正式》 …を悪化させる.
†**ex·act** /ɪɡzǽkt, eɡz-/ 形 (more ~, most ~ ; ~·er, ~·est) **1** 〈時刻・重量・寸法などが〉正確な, 的確な, ぴったりの《[話と語の結びつき]→ correct》; まさにその ‖ an *exact* [ˣaccurate] replica 寸分の違いのない写し / the *exact* opposite [spot] まさに正反対のもの[その場所] / <対話> "What was the *exact* [ˣaccurate] time of his death?" "It was 7:25 yesterday evening." 「彼が亡くなった正確な時刻はいつですか」「きのうの夜の7時25分です」 / Your memory is very *exact*. 君の記憶はまったく正確だ.

> <使い分け> [accurate と exact]
> accurate は〈知識・観察・判断・計算・話などが〉「正確で間違っていない」.
> exact は〈時刻・重さ・長さ・量などが〉「細部にいたるまで正しい」.
> The *exact* [ˣaccurate] time is ten minutes past three. 正確な時間は3時10分です.

2 厳密な, 精密な; 綿密な(precise); 〈人が〉[…の点で]きちょうめんな[*in*] ‖ *exact* minds 緻密(Ҫ)な心の持ち主 / The teacher *is exact in* enforcing (the) school rules. 先生は校則を細かく厳正に守らせる. **3** 〈規則などが〉厳格な(severe, strict) ‖ *exact* instructions 厳しい指令.
to be exáct 厳密に言うと.
—— 動 他 《正式》 〈税金などを〉[…から]取り立てる; 〈服従・犠牲などを〉強要[要求]する(force) (*from*, (まれ) *of*) ‖ *exact* an apology *from* [ˣto] him 彼に謝罪を迫る.
exáct scíence(s) 精密科学.
ex·áct·ness 名 = exactitude.
†**ex·act·ing** /ɪɡzǽktɪŋ, eɡz-/ 形 《正式》 **1** 厳格な (strict), 苛酷(ʓ゙)な; 《略式》 […に]口やかましい, きちょうめんな[*about, in*]. **2** 骨の折れる, 厄介な, 注意を要する.
ex·ac·tion /ɪɡzǽkʃən, eɡz-/ 名 《正式》 Ⓤ (強制)取り立て; 強要; ⓒ 強制料金, 強要される物.
ex·ac·ti·tude /ɪɡzǽktɪtjùːd, eɡz-/ 名 Ⓤ 《正式》 正確さ, 厳密さ; 厳格 ‖ with great *exactitude* 非常に精密に.

ex·act·ly /ɪgzǽktli, egz-/
──副 **1**〔通例数量を表す名詞・前置詞・疑問詞の前に置いて〕**正確に**, 厳密に; 精密に; ちょうど; きっかり《「ちょうど, きっかり」の意味では比較変化しない》‖ That's *exactly* what I want. うん, まさにそれが欲しかったんだ / It is *exactly* [×*just*] 10 o'clock. ちょうど10時です(→ *just* 副 **1**) / The bank is *exactly* across from the station. 銀行は駅の真向かいにあります / *Exactly* ten people were present. ちょうど10人出席していた.

2〔同意して〕そうです, おっしゃるとおり(quite, right, so))‖ ◆対話◇ "Do you like it?" "*Exactly*." 「お好きですか」「好きです」.

nót exáctly [部分否定] (◆文法 2.2(1)) (1) (厳密に言うと)必ずしも…でない, 少し違って ‖ I don't know *exactly* (◇) when I will be back. いつ帰れるかあまりよくはわからない《◆ *exactly* の直前にポーズを置けば「いつ帰れるか正確な時間はわからない」の意》. (2) (略式)…ではないか)) ‖ Well, she isn't *exactly* beautiful. そうだね, 彼女は美人というわけではないな《◆ *exactly* をつけることによって好ましくない話題の語調をやわらげるが真意は「全然…でない」》. (3) [Not ~.] [ていねいに] (略式)ちょっと違いますね, そういう訳でもないのです《◆ No の穏やかな言い方》‖ ◆対話◇ "Is this the way you want it?" "*Not exactly* (◇)." 「こんな風にして欲しいのですね」「うーん, ちょっと違いますね」.

ex·ag·ge·rate /ɪgzǽdʒərèɪt, egz-/ 発音注意
──動 (~s/-rèɪts/; 過去過分 ~d/-ɪd/; **-rat·ing**)
──他 **1**〈人が〉〈事・物〉を(実際よりも)**おおげさに言う**[考える], **誇張する** ‖ The report *exaggerated* the number of fatalities in the accident. その報告書ではその事故による死者の数が誇張されている / *exaggerate* one's own importance うぬぼれる. **2** …を強調する, きわだたせる; …を拡大する ‖ Her new dress *exaggerates* her tallness. 彼女の新しい服は背の高さをきわだたせている.
──自 おおげさに言う[考える], **誇張する** ‖ You're *exaggerating*. 大げさじゃない《◆ You're overstating. がふつう》.

ex·ag·ge·ra·tor 名 C おおげさに言う人.
ex·ag·ge·rat·ed /ɪgzǽdʒərèɪtɪd, egz-/ 形 誇張された, 誇大な ‖ an *exaggerated* claim 誇大広告.

ex·ag·ge·ra·tion /ɪgzædʒəréɪʃən, egz-/ 名 **1** U おおげさに言う[考える]こと, 誇張 ‖ It is no *exaggeration* to say that … …と言っても過言ではない. **2** C 誇張した言い方[表現].

ex·alt /ɪgzɔ́ːlt, egz-/ 動 他 (正式) **1**〈人〉を〔地位に〕昇進させる(promote)〔to〕. **2**〈人・神〉を〔歌などで/…のことで〕(非常に)賛美する(praise)〔*in/for*〕‖ *exalt* the hero in song 歌の中で英雄をたたえる / *exalt* him to the skies 彼をほめそやす.

ex·al·ta·tion /ègzɔːltéɪʃən, èks-/ 名 U (正式) **1** (地位・文化などを)高める[られる]こと; 昇進; 賞賛(praise). **2** (感情の)高揚, 大得意, 有頂天.

ex·alt·ed /ɪgzɔ́ːltɪd, egz-/ 形 **1** 地位の高い; 高貴な. **2** 高尚な. **3** 有頂天の. **ex·ált·ed·ly** 副 高尚に; 意気揚々と.

ex·am /ɪgzǽm, egz-/ 《*examination* の短縮語》名 C **1** 試験《◆今はこの意味では *examination* よりふつう》‖ I got 95 points [percent] in [on] the English *exam*. 英語の試験で95点取りました / cheat on [in] an *exam*. 試験でカンニングをする. **2** (米) 問題用紙(→ *examination paper*).

ex·am·i·na·tion /ɪgzæmənéɪʃən, egz-/

──名 (複 ~s/-z/) **1** C (正式) 〔…の〕**試験**(をする[される]こと), テスト, 考査 〔*in, on, for*〕; 試験問題[答案](exam) ‖ the entrance *examination* of [*for, to, at*] A University A 大学の入学試験《◆ *for* のあとはふつう地位や試験の目的を表す語: the *examination for* a teacher's license 教員免許取得の試験》/ **fail an examination** 試験に落ちる / **take an examination in** [*on*, ×*of*] mathematics 数学の試験を受ける《◆ college や school での試験についての表現. 話し言葉では take a mathematics *examination* とすることが多い》.

【関連】 [いろいろな試験]
final examinations 期末試験 (finals) / graduation examination 卒業試験 / interview 面接試験 / machine-graded test マークシート式試験 / midterm examinations 中間試験 (midterms) / mock examination 模擬試験 / multiple-choice examination 選択式試験 / oral examination 口頭試験(orals) / written examination 筆記試験.

【語法】 (1) 「〈試験〉を受ける」を表す動詞は take 以外に undergo, have, do, go in for, (英) sit (for)など.
(2) an *examination* of students は「学生を試験すること」の意. examine students の名詞化表現(→ examine 他 **3**).
(3) an *examination on* history は「(専門的な)歴史に関する試験」.

2 U C **a**〔…の〕**検査**, 調査; 検討〔吟味〕(する[される]こと), 考察〔*of, into*〕‖ On [Upon] closer [further] *examination*, the picture was found to be a real Cézanne. さらに詳しく調べてみると, その絵は本物のセザンヌであることがわかった / be under *examination* 調査[検討]中である / make a close [careful] *examination* of accounts 勘定を念入りに調べる. **b** 診察 ‖ carry out [undergo] a medical *examination* 健康診断を実施する[受ける].
3 U C (正式) 〔法律〕審問, 尋問; 審理; (記録などの)調査 ‖ *examination* of a witness 証人尋問.

examinátion còuch (病院での)診察台《精神分析医用》.

examinátion pàper [**shèet**] (正式) 試験用紙 (test paper [sheet])《◆1枚の紙に問題と解答欄があるもの. 別々になっている場合は, 問題用紙は a question [×*questioning*] sheet, (米) an exam, 解答用紙は an answer [×*answering*] sheet という》.

ex·am·ine /ɪgzǽmɪn, egz-/ 派 examination (名)
──動 (~s/-z/; 過去過分 ~d/-d/; **-in·ing**)
──他 **1**〈人が〉〔…を求めて〕〈物・事〉を**調査する**, 審査する, 鑑定する〔*for*〕《◆より精密な調査をするのは inspect, investigate》; 〔…かどうか〕吟味[考察]する〔*wh* 節〕‖ *examine* how the car accident happened = *examine* the cause of the car accident 自動車事故の原因を調査する / The police *examined* her bag *for* physical evidence. 警察は物的証拠がないかと彼女のカバンを検査した.

【語法】 次例では examine は不可: "Look up [×*Examine*] this word *in* the dictionary.

辞書でこの語を調べてみなさい.

2〈人が〉〈人・体〉を**診察する**《◆ふつう目で見える部分についていう. 心電図で見る heart なども可能》‖ You need (to have) your knees *examined*. 君はひざを診察してもらう必要がある / She was minutely [thoroughly] *examined*. 彼女は綿密な診察を受けた(=She had a minute [thorough] *examination*.) / You should have yourself *examined* regularly for signs of stomach cancer. 君は胃がんの兆候がないか定期的に診てもらうべきだ.

3《正式》[examine **A** in [on] **B**]〈人が〉**A**〈学生など〉に**B**〈学科・知識・能力などの〉筆記[口頭, 実技]**試験をする**(test)《◆ on はふつう学科以外の特定事項》‖ We will be *examined in* grammar next week. 来週文法の試験がある / He *examined* the foreign students *on* their ability to speak Japanese. 彼は留学生に日本語を話す能力を試験した / *examine* candidates *for* employment 就職志願者に対して試験をする.

4《法律》〈証人などを〉[…について]**審問**[尋問]する[*on*];〈事実などを〉(正式に)調査する.

ex·am·i·nee /ɪgzæməníː, egz-/ 图Ⓒ《正式》調査される人; 受験者.

✝**ex·am·in·er** /ɪgzǽmɪnər, egz-/ 图 調べる人;[…の]**試験官**[*in*]; 検査官; 証人尋問官;[…の]調査官[*for*].

***ex·am·ple** /ɪgzǽmpl, egz-/ -áːm-/
—图 (𝟅 ~s/-z/-áːm-/) **1**Ⓒ[通例 an ~] **a**〈ある種類の代表的な〉**例**, 実例《◆ instance, sample, specimen, case のうちで最も一般的な語》‖ Answer the following questions according to the *example*. 例に従って次の質問に答えなさい / I'll [Let me] give you an *example*. 例をあげましょう / *to give* [*take*] *an example*[独立不定詞]一例をあげれば(⊃文法 11.3(3)) / an *example* sentence (辞書の)用例. **b**(数学などの)例題. **c** 前例.

2Ⓒ **見本**, 標本(specimen)‖ He is *a* typical *example of* a corrupt politician. 彼は堕落した政治家の典型的な見本だ / an *example of* an endangered species 絶滅に瀕している種の見本.

3Ⓒ[U]**a**〔人にとって〕〈見習う価値のある〉**模範**, 手本(model)[*to, for*]‖ an *example for* the class クラスの手本. **b**[通例 an/one's ~]〔人にとって〕〈善悪にかかわらず人がまねる〉**手本**, 見本[*to, for*]‖ Sèt a góod exámple for your children. 子供によい手本を示しなさい(=Set your children *a* good *example*.)《◆ set の代わりに give は不可. give a góod exámple to your children は「(説明するために)あなたの子供によい例をあげる[示す]」. → **1**》/ fóllow his exámple =tàke exámple by him 彼を見習う / Her diligence is *a* good *example* to us all [*for* us to follow]. 彼女の勤勉さは私たち皆の[皆が見習うべき]良い手本だ《◆不定詞が続くと前置詞は for(⊃文法 11.4(2))).

4Ⓒ[通例 an ~]〔人への〕みせしめ, 戒め[*to*]‖ màke an exámple of him =make him *an example* to you. この失敗を戒めにしなさい.

beyónd [**withóut**] *exámple* 前例のない.

by wáy of exámple 例として.

Exámple is bétter than precépt.《ことわざ》実例は教訓にまさる;「論より証拠」.

***for exámple** [文頭・文中・文尾で]〈例をあげて〉**たとえば**((略) e.g.)《◆ for instance は「具体的な論拠として」取り上げる場合》‖ Japan is full of beautiful cities: Kyoto and Nara, *for example*. = …. *For example* (\,), Kyoto and Nara. 日本には多くの美しい都市がある. たとえば京都, 奈良だ.

✝**ex·as·pe·rate** /ɪgzǽspərèɪt, egz-/,《英+》-áːs-/ 動 他〈事が〉〈耐えがたいほど激しく〉〈人〉を**怒らせる**《◆ annoy, irritate より堅い語》;[be ~d]〈人が〉〔事に〕憤慨する[*by, at*]. **2**〈人〉を怒らせて[…]させる[*to do*];〈人〉を刺激して[…する[*to*]‖ *exasperate* him *to* anger 彼を怒らせる(=《略》get him mad).

ex·ás·pe·ràt·ed·ly 副 憤激して.

ex·ás·pe·ràt·ing 形 腹立たしい.

ex·ás·pe·ràt·ing·ly 副 腹立たしく, 腹立たしいほど.

ex·as·pe·ra·tion /ɪɡzæspəréɪʃən, egz-/,《英+》-áːs-/ 图Ⓤ《正式》憤激, 激怒; 悪化‖ in *exasperation* 怒って.

✝**ex·ca·vate** /ékskəvèɪt/ 動《正式》**1a**〈地面など〉を掘る(dig);〈穴・塹壕(𝅘𝅥𝅮)など〉を掘る, 掘って作る. **b**〈土などを〉掘り出す(dig out). **2**《考古》…を発掘する. —自 穴掘り[発掘]をする.

éx·ca·và·tor 图Ⓒ《正式》**1** 穴掘り人;発掘者. **2** 掘削機, パワーシャベル.

✝**ex·ca·va·tion** /èkskəvéɪʃən/ 图 **1**Ⓤ[]Ⓒ 穴掘り; 発掘. **2**Ⓒ (掘ってできた)穴. **3**Ⓒ [通例 ~s] (発掘した)遺跡.

✝**ex·ceed** /ɪksíːd, ek-/ 動 他 **1**〈人・物・事が〉[数量・技能などで]〈人・物・事〉を**超える**, …にまさる[*in*];…(だけ)上回る[*by*]《◆(1) surpass と違って大きさ・量について多用する. (2) ふつう進行形不可》‖ Our success *exceeded* our hope. 期待以上にうちょれいった / Japan *exceeds* [*ˣis exceeding*] Britain *in* population. 日本は人口で英国を上回っている / My test score *exceeded* the average *by* 10 points. 私のテストの得点は平均点より10点高かった(=My test score was 10 points above the average.). **2**《正式》〈人が〉〈限度・制限など〉を超える》‖ *exceed* the speed limit 制限速度を越える / She *exceeded* her authority. 彼女は越権行為をした.

✝**ex·ceed·ing** /ɪksíːdɪŋ, ek-/ 形《正式》**非常な**; 過度の; 異常な (unusual).

✝**ex·ceed·ing·ly** /ɪksíːdɪŋli, ek-/ 副《やや古》**非常に, とても**《◆ very の強調形. excessively と違い「過多」の意しない》.

✝**ex·cel** /ɪksél, ek-/ 動 (過去・過分 **ex·celled**/-d/; **--cel·ling**)《正式》他 〈人・物が〉〔性質・技能などで〕〈人・物〉よりすぐれている, …にまさる[*in, at*]《◆(1) be better than, surpass より堅い語. (2) 性質には in, 運動・行為には at が多い. (3) 他 自 ともにふつう進行形・完了形不可》‖ She *excels* her class 「*in* music [*at* tennis]. 彼女は音楽[テニス]ではクラスのだれよりすぐれている / *excel oneself* いつも[以前]よりうまくやる. —自 〈人・物が〉〔性質・技能などで/…として〕ひいでている[*in, at / as*]‖ He *excels* 「*in* history [*at* chess, *as* a writer]. 彼は(教科[科目]としての)歴史が[チェスが, 作家として]すぐれている.

✝**ex·cel·lence** /éksələns/ 图Ⓤ […における/…としての]**優秀さ, 卓越**[*in, at, of / as*]‖ her *excellence in* [*at*] cooking =her *excellence as* a cook 彼女のすばらしい料理の腕前.

✝**ex·cel·len·cy** /éksələnsi/ 图[E~]Ⓒ **閣下**《◆大使・知事・司教など高官・高僧・その配偶者に対する敬称》‖ Your *Excellency* (直接に呼びかけて)閣下(夫人)(=you)《◆(1) 三人称単数扱い. (2) 他 は Your

Excellencies》/ His [Her] *Excellency* (間接にさして)閣下(夫人) (=he, him [she, her])《◆は Their Excellencies》.

*ex·cel·lent /éksələnt/ 〖アクセント注意〗
— 形 〖…に〗非常にすぐれた, 優秀な, 高品質の;〈評点が〉秀のの (*in, at*) (略) 〖◆ふつう比較変化しない〗 (→ grade 名**4** 関連) ‖ *Excellent!* すごい, すばらしい / She *is excellent in* English. 彼女は英語がとてもよくできる.

†ex·cel·lent·ly /éksələntli/ 副 すばらしく, 見事に.

ex·cept /iksépt, ek-/ 〖類音〗accept /əksépt/ 〖「他を入れなくて排他的に」が本義〗派 exception (名)

— 前 (1) 〖修飾する語の後で〗**…を除いて**, …以外は, …のほかは《◆(1) 主として全体を表す every, any, no (およびその合成語)や all, whole, each などの後に用いる. (2) but よりも除外の意味が強い. (3) but と同様文頭には用いず except for を用いる. (4) besides と except については→ 使い分け》‖ *Everyone except* me knew it. 私以外のすべての人がそれを知っていた (=*Only I did not know it.*)《◆ *Everyone but* me knew it. は「すべての人がそれを知っていた」ことに焦点があるが, except を使った場合は「私がそれを知らなかった」ことに焦点がある》/ She did nothing *except* (to) complain all the time. 彼女はずっと不平ばかり言っていた《◆主に to 不定詞が用いられるが, 特に do が前にきたときは to のない形がふつう》/ 対話 "Who has passed the test?" "Everybody in the class *except* Bill." 「だれがテストに合格しましたか」「ビルを除いてクラス全員です」

📘 **使い分け** [besides と except]

いずれも「…以外に」と訳せるが, 用いるのは besides はあるものに何かを追加する場合, except はすべてからあるものを除外する場合.
Besides [×Except] France, we visited Germany and Italy. 私たちはフランス以外にドイツとイタリアも訪れた.
Everyone is here *except* [×besides] John. ジョン以外のすべての人はここにいる.

---

2 〖前置詞句·wh節を導いて〗…の場所[時など]を除いて ‖ She is never cross *except* when she is tired. 彼女は疲れた時以外は決して怒らない / The weather was good, *except* in the south. 南部を除いて天気はよかった.

*excèpt for ... (1) 〖直説法で〗(→ 文法 9)〗〖文尾·文頭で〗…を除いたほかは, …という点以外では, …は別として《◆(1) except は語を修飾するのに対し, except for は文全体を修飾する. (2) 文尾では前に, 文頭では句の後にコンマを置いて用いることが多い》‖ This is a good report, *except for* this mistake. =*Except for* this mistake(→), this is a good report. この間違いを別にすればこの報告書はよくできている. (2) 〖仮定法で〗(→ 文法 9.5(3))〗 …がなければ, …がなかったならば(but for) ‖ *Except for* my dental appointment, I would go to his birthday party. 歯医者の予約がなければ, 彼の誕生パーティーに行くのだが.

— 接 (1) 〖except (that) 節〗 …ということを除いて(but)《◆ that はしばしば省略される》‖ We had a pleasant time, *except that* the weather was cold. 寒かったことを除いて, 我々は楽しい時を過ごした / I would buy it, *except that* it costs too much. そんなに高くなければそれを買うんだが. **2** (米略式)…でなければ(unless).

— 動 (~s/-sépts/; 過去·過分 ~·ed/-id/; ~·ing)
— 他 〖正式〗…を〖…から〗除く, 除外する(exclude) 〖*from*〗‖ *except* his name *from* the list リストから彼の名前をはずす / Everyone was tired, Mary *excepted*. メリーを除いてみな疲れていた (=Everyone *except* Mary was …) / present company *excepted* ここにおられる方々は別にして(→ present[1] 形).

— 自 〖法律〗〖意見·証人などに〗反対する, 異議を唱える〖*to, against*〗.

ex·cept·ing /ikséptiŋ, ek-/ 前 〖正式〗…を除いて《◆ except (for) と同意だが, 主に文頭(時に文尾)または not, without, always の後に用いる》‖ Everyone was present, *not excepting* Tom. トムを含めて全員出席した / *Excepting* the last paragraph, this essay is finished. 最後の節を除いてこのエッセーはできあがっている.

*ex·cep·tion /iksépʃən, ek-/ 〖→except〗派 exceptional (形)

— 名 (複 ~s/-z/) **1** C 〖…に対する〗**例外**(となるもの [人]), 特例〖*to*〗‖ I usually get up early in the morning, but Sunday is an *exception*. いつもは朝早く起きるが日曜日は例外だ (=… *except* Sunday.) / There are *exceptions to* every rule. どんな規則にも例外があるものだ. **2** U 〖正式〗異議, 反対(objection);〖法律〗異議(申し立て); 除外規定.

by wày of excéption 例外として.
màke an excéption (of [for] A) 《〈人·物〉を〉例外扱いする.
màke no excéption(s) (of [for] A) 《〈人·物〉を〉特別扱いしない.
tàke excéption to A (1) 〈言葉など〉に強く異議を唱える. (2) 〈言葉など〉に腹を立てる.
The excéption próves the rúle. (ことわざ) 例外は原則のある証拠.
without excéption 例外なく.
with the excéption of A 〖*that* …〗〈人·物〉を〖…ということを〗除く(except).

ex·cep·tion·a·ble /iksépʃənəbl, ek-/ 形 〖正式〗〖通例否定文で〗非難の余地がある.

†ex·cep·tion·al /iksépʃənl, ek-/ 形 **1** (ふつうではなく)例外的な, 特別な; 異常な ‖ Such rain is *exceptional* for August. そのような雨は8月にしては異常だ. **2** 特別すぐれた, 優秀な ‖ *exceptional* beauty 並はずれた美しさ.

†ex·cep·tion·al·ly /iksépʃənəli, ek-/ 副 例外的に, 特別に, 非常に.

†ex·cerpt /éksə:rpt/ 名 C 〖正式〗〖本·映画·音楽などからの〗引用(句), 抜粋, 抄録(quotation);〖学会誌などの〗抜き刷り〖*from*〗.

*ex·cess /iksés/《◆**2**は /ékses/ ともする》名 〖正式〗**1** 〖しばしば an ~〗〖…の/…に対する〗超過, 過剰; 超過量[度]〖*of*/*over*〗‖ an *excess of* income over expenditure 支出に対する収入超過. **2** 〖形容詞的に〗超過した, 余分の(extra) 《◆第1音節に強勢のある名詞の前では /ékses/》‖ *éxcess* bággage [lúggage] (機内持ち込み制限)超過手荷物;〖比喩的に〗お荷物 / an *éxcess* fáre 乗り越し料金;〖上等車への〗乗り換え割増金. **3** U 〖しばしば an ~〗過多, 過剰, 多すぎること ‖ an *excess* of enthusiasm 熱意過剰. **4** U 〖しばしば ~es〗不節制; 暴飲, 暴食 ‖ He died young because of his *excesses*. 彼

は暴飲暴食のため若死にした. **5** ⓒ 〘通例 ~es〙乱暴, 乱行《通例次の句で》‖ commit *excesses* 乱暴を働く.
in excéss of A〘正式〙〈物・量〉より多く, …を超過して(more than).
to [〘まれ〙in] excéss 過度に‖ drink [go, run] *to excess* 飲み[やり]すぎる《◆drink too much がふつう》.

†**ex·ces·sive** /iksésiv, ek-/ 形 度を越した, 過度の, 極端な(extreme, too much)(↔ moderate)‖ *excessive* payment of tax 税金の払いすぎ / *Excessive* indulgence spoiled the child. 過保護でその子供はだめになった. **ex·cés·sive·ness** 名 Ⓤ 過度.

†**ex·ces·sive·ly** /iksésivli, ek-/ 副 過度に, はなはだしく;〘略式〙〘強意語として〙非常に(◆ very の強調語) (cf. extremely).

*****ex·change** /ikstʃéindʒ, eks-/
── (~s/-iz/; 過去・過分 ~d/-d/; ~chang·ing)
── 他 **1**〈人が…に〉〈他の物と〉取り替える, **交換する, 両替する**(*for*);…を捨てて[…を]取る[*for*]‖ If you don't like it, we'll *exchange* it (for another). 気に召さなければ(別のと)お取り替えいたします /〘対話〙"Can I *exchange* marks *for* [ˣwith] yen here?" "Sure." 「ここでマルクを円に交換できますか」「はい」/ *exchange* honor for immediate pleasures 当面の快楽と引き替えに名誉を手放す.
2〘正式〙…を〈人と〉**取りかわす**, やり取りする, 交換する(change);…を〈人と〉交換[交易]する(*with*)《◆(1) 目的語はふつう複数名詞. (2) jobs, planes, trains, one's clothes などは change を用いる》‖ *exchange* blows [(angry) words] *with* him 彼と殴り合う[口論する] / Tom *exchanged* ideas *with* Jane. = Tom and Jane *exchanged* (their) ideas. トムはジェーンと意見を交換した.
── 名 (複 ~s/-iz/) **1** Ⓤ Ⓒ […との/…間の]**交換**, 取り替え; やり取り, (学生・社員などの)交換訪問, 交流(制度); 交易[*for, with / between*];〘正式〙言葉のやりとり, 会話(conversation), 口論, 論争(dispute);〘短い〙交戦‖ a frank *exchange* of views「*with* him [*between* two leaders] 彼と[2人の指導者間での]率直な意見の交換 / an *exchange* of tears for smiles 泣き笑い / *Exchange* is no robbery. (不当な交換を要求するときに用いる論法として)交換は強奪ではない.
2 Ⓒ […との]取替え品, 交換物[*for*].
3〘しばしば E~〙Ⓒ 商品[証券, 株式]取引所‖ the grain [〘英〙corn] *exchange* 穀物取引所.
4〘しばしば E~〙Ⓒ 電話交換局.
5 Ⓤ 為替(ᵏᵃʷᵃˢᵉ)(相場, 制度), **両替**(手数料),〘通例 ~s〙小切手, 為替手形‖ a bill of *exchange* 為替手形.
6〘英略式〙公共職業安定所.
in exchánge […と]交換で, […の]代わりに[*for, of*].
exchánge màrket 為替市場.
exchánge ràte [the ~] (外国)為替相場, 為替レート.
exchánge stùdent 交換学生.
ex·change·a·ble /ikstʃéindʒəbl, eks-/ 形〈品物が〉…と〉交換[交易]できる, 取り替えられる[*for*].
ex·chànge·a·bíl·i·ty 名 Ⓤ 交換[交易]できること; 交換価値.
ex·chang·er /ikstʃéindʒər, eks-/ 名 Ⓒ **1** 交換する人[物]; 両替屋. **2** 交換器.

†**ex·che·quer** /ékstʃekər | ikstʃékə/ 名 **1** [the E~]〘英〙の大蔵省(the Ministry of Finance, (米) the Department of Treasury)‖ *the* Chancellor of *the* Exchequer 大蔵大臣. **2**〘正式〙[the/an ~] 国庫(national treasury); 金庫.

ex·cise /éksaiz/ 名 Ⓤ Ⓒ =excise tax [duty].
éxcise tàx [dùty] 〘タバコ・酒などに課す〙物品税, 消費税;〔ある種の営業に課す〕免許税[*on*] (cf. customs〘名 **3**〙).

ex·cit·a·ble /iksáitəbl/ 形〈人・動物が〉興奮しやすい;〘生理〙刺激に敏感な.
ex·cit·a·bíl·i·ty 名 Ⓤ 興奮しやすさ, 敏感(性).

†**ex·ci·ta·tion** /èksaitéiʃən | -si-/ 名 Ⓤ 刺激(作用); 興奮;〘電気〙励磁(ⁱʲⁱ);〘物理〙励起(ⁱʲⁱ).

†**ex·cite** /iksáit, ek-/ 動 他 **1**〈物・事が〉〈人〉を興奮させる, (感情的に)刺激する; [be ~d / ~ oneself]〈人が〉興奮する‖ *be* [get] *excited* 「*at* the thought of the party [*over* the news] パーティーのことを考えると[そのニュースを聞いて]うきうきする / The seesaw game *excited* the spectators. そのシーソーゲームは観客を興奮させた.〘語法〙よい意味で「興奮する」とは限らない: Don't get all *excited*! そんなにかっかするなよ. **2**〘正式〙[excite A to B]〈人・事が〉A〈人〉を刺激して B〈感情・反応など〉を起こさせる(cause, stimulate);〈人の〉〈好奇心・恐怖・ねたみ・疑い・興味などを〉かきたてる(*in*); [excite A to do] A を刺激して…させる‖ *excite* him「*to* anger [*to* get angry] 彼を怒らせる / His lecture *excited* my interest in psychology. 彼の講義で心理学に対する興味がわいた.

*****ex·cit·ed** /iksáitid, ek-/
── 形〈人が〉[…に]**興奮した**, のぼせた, うきうきした[*at, about, over, by, that*節]‖ an *excited* [ˣexciting] audience エキサイトした観衆.

†**ex·cit·ed·ly** /iksáitidli, ek-/ 副 やっきとなって; 興奮して.

*****ex·cite·ment** /iksáitmənt, ek-/
── 名 (複 ~s/-mənts/) **1** Ⓤ […の]**興奮**(すること), 感情の高ぶり[*at, about, over*], (心の)動揺; 騒動, 暴動‖ The winner jumped **with** *excitement*. 勝者は興奮して飛び上がった / childlike *excitement* at the snow 雪を見た時の子供のような興奮 / wait for the *excitement* to die down ほとぼりがさめるのを待つ / What is all this *excitement* about? この騒ぎは一体何だね. **2** Ⓒ〘正式〙興奮させる出来事[物], 刺激(物)‖ the *excitements* of one's holiday 休日のにぎわい.

*****ex·cit·ing** /iksáitiŋ, ek-/
── 形〘他動詞的に〙〈人・物・事が〉〈人にとって〉**興奮させる**(ような), 胸をわくわくさせる(ような), 刺激的な[*to*]‖ an *exciting* [ˣexcited] game わくわくさせる試合 / It is always *exciting* for me to shoot rapids on a raft. いかだで急流を下ることはいつも私をわくわくさせる /〘対話〙"What's so *exciting* about haiku?" "Well, it's difficult to explain, but just try to make one." 「俳句のどこがそんなに面白いのですか」「うーん, 説明するのは難しいね. まあ1つ作ってみてください」 / The proposition is not overly *exciting* to me. その案にはあまり感心しない.

†**ex·claim** /ikskléim, eks-/ 動〘正式〙⾃ **1** […に](興奮して突然)**叫ぶ**, (語気を強めて)言う(shout)[*at, on, upon*];〘驚きなどで〙叫ぶ(*in, with*)‖ He *exclaimed* (in astonishment) *at* her beauty. 彼は彼女の美しさに(驚いて)感嘆の声をあげた. **2**〘不正などに対して〙強く反対する, 非難する(protest)

(*against*). ― 他 〈人が〉[…だと]突然叫ぶ; 言う [*that*節, *wh*節] ‖ He *exclaimed* what a beautiful girl she was. ="*What* a béautiful girl (↷) she ís!" he *exclaimed*. なんと彼女は美しいのだろうと彼は叫んだ.

†**ex·cla·ma·tion** /èkskləméiʃən/ 图 **1** [正式] Ⓤ (驚き・怒り・喜び・苦痛などで興奮して叫ぶこと, 絶叫, 感嘆 (shout); Ⓒ 叫び声, 叫んだ言葉. **2** Ⓒ [文法] 感嘆文; 感嘆詞, 間投詞.
 exclamátion pòint [[英] màrk] 感嘆符 ⟨!⟩.

ex·clam·a·to·ry /iksklǽmətɔ̀ːri, eks-|-təri/ 形 詠嘆的な, 感嘆の ‖ an *exclamatory* sentence [文法] 感嘆文.

†**ex·clude** /ikskluːd, eks-/ 動 他 [正式] **1** 〈人が〉〈これから入ろうとする〉人・物を[場所・組織などから]締め出す, 中へ入れない (shut out) [*from*] (↔ include) ‖ They *excluded* the press *from* the meeting. 会議から報道陣を締め出した. **2** 〈人・物を〉[…から]除外する; 排除する (keep out) [*from*]. **3** 〈可能性などを〉考慮に入れない; 〈見込み・疑いなどを〉不可能にする, …の余地を与えない ‖ The police investigator *excluded* [ruled out] the possibility of foul play. 警察の取り調べ官は殺人の可能性を否定した.

ex·clud·ing /ikskluːdɪŋ, eks-/ 前 …を除いて.

†**ex·clu·sion** /ikskluːʒən, eks-/ 图 Ⓤ […からの]除外, 排除, 追放 [*from*] (↔ inclusion).
 to the exclúsion of A (正式) …を除外して, 除外するように.
 with the exclúsion of A …を除いて.

*****ex·clu·sive** /ikskluːsɪv, eks-/ 副 exclusively (副)
 ― 形 **1** 独占的な; […に]専用の [*to*] ◆ 比較変化しない ‖ an *exclusive* interview 単独会見 / the *exclusive* right to sell the book その本の独占販売権 / The car is for her *exclusive* use. その車は彼女の専用です(=… is *exclusively* for her use.) / Letters must be *exclusive* to our newspaper. 投稿は当新聞にだけしてください[二重投稿はやめてください].
 2 a 〈組織・集団・会などが〉排他的な, 特権階級に限られた (↔ open) ‖ an *exclusive* clúb 会員制の(高級)クラブ / an *exclusive* school 金持ちなどしか入れない排他的な学校. **b** 〈人が〉気位の高い ‖ He is *exclusive*. 彼は高くとまっている.
 3 [補語として] 〈複数の話・考えなどが〉矛盾する, あいいれない ‖ These two suppositions are mutually *exclusive*. この2つの仮説は互いに矛盾する. **4** それだけに限られた, 専一の; 唯一の ‖ He gave his *exclusive* attention to tennis. 彼はテニスに専念した. **5** 〈ホテル・商店・地域などが〉高級な, 一般大衆向きではない; 高価な ‖ an *exclusive* shop 高級品店. **6** [英] [数詞などの後で] 除外して **7** (from) 5 to 9 *exclusive* 5と9を除いて5から9まで, 5より上で9未満.
 ***exclúsive of** A ◆ (↔ inclusive of) ‖ This book has 252 pages *exclusive* of illustrations. この本は挿絵を除いて252ページある.
 ― 图 (複 ~s/-z/) Ⓒ **1** (新聞・雑誌などの)独占記事[商品], 特ダネ記事, スクープ. **2** 独占(販売)権.

ex·clú·sive·ness 图Ⓤ **1** 除外; 排他. **2** 独占.

†**ex·clu·sive·ly** /ikskluːsɪvli, eks-/ 副 もっぱら, …のみ; 排他的に ‖ This car is *exclusively* for the use of the physically disabled. この車は身体障害者専用です.

ex·com·mu·ni·cate /èkskəmjúːnɪkèit/ 動 他 [宗教]〈教会などが〉〈人〉を破門[除名]する.

ex·cre·ment /ékskrəmənt/ 图 Ⓤ [正式] 排泄(%)物; 糞便(%%); [医学] feces.

ex·cres·cence /ikskrésns, eks-/ 图 Ⓒ [正式] 異常生成物 (いぼ・こぶなど); (動植物の)突出物 (象の鼻など).

ex·crete /ikskriːt, eks-/ 動 他 …を排出する (cf. secrete). ― 自 排出される. **ex·cré·tion** 图 Ⓤ [正式] 排出(作用); Ⓒ [通例 ~s] 排出物. **ex·cre·to·ry** /ékskrətɔ̀ːri | ikskríːtəri/ 形 排出の(ための). ― 图 Ⓒ 排出器官.

ex·cul·pate /ékskʌlpèit, ekskʌlpeit/ 動 他 [正式] …を無罪にする.

*****ex·cur·sion** /ikskɚːrʒən, eks-|-ʃən/ [発音注意] [外へ(ex)走り出る(cur)こと(sion). cf. current]
 ― 图 (複 ~s/-z/) Ⓒ [正式] **1** (行楽のためのふつう団体の)[…への]小旅行, 遠足(trip) [*to*, *into*] ‖ a school *excursion* 学校の遠足, 修学旅行 ◆ school trip は《くだけた言い方》 / We will 'go on [*make*] *an excursion to* the mountains next Sunday. 次の日曜日に山へ遠足に行く. **2** (買物などへ)出かけること ‖ a shopping *excursion* 買物のための外出. **3** [正式] […の]体験, 試み [*into*].
 excúrsion tìcket 割引遊覧切符, 周遊券.

ex·cur·sion·ist /ikskɚːrʒənɪst, eks-/ 图 Ⓒ 遠足に来た人, 周遊旅行者.

ex·cur·sive /ikskɚːrsɪv, eks-/ 形 **1** 〈話などが〉本題からそれる; 散漫な. **2** 放浪的な, うろつき回る.

ex·cus·a·ble /ikskjúːzəbl, eks-/ 形 許される, 申し訳の立つ, 無理もない (↔ inexcusable).

ex·cuse /動 ikskjúːz, eks-; 图 -kjúːs/ [[「義務や責任の遂行を免ずる」が本義で, 責任を問わないと「許す」, 自分の過ちの責任を問わないと「言い訳する」の意となる]]

index 動 他 **1** 許す **2** 言い訳をする
 图 **1** 言い訳

― 動 (~s/-ɪz/; 過去過分 ~d/-d/; -cus·ing)
― 他 **1** 〈人・事を〉許す; [excuse A for B] 〈人が〉Bを〈行為など〉について A〈人〉を許す, 容赦する; [excuse A's doing] 〈人が〉…するのを大目にみる; [excuse A to do] 〈人が〉…したことを大目に見る ◆ forgive よりも軽い違反・違反を弁解して許す意. pardon は目上の者が許す場合 ‖ We will not *excuse* the crime. 私たちはその犯罪を許さない / Please *excuse* me (*for*) visiting you so late at night. = Please *excuse* my visiting you so late at night. こんなに夜遅く訪問して申し訳ありません 《◆略式》では最初の文の for は省略されることがある》 / Please *excuse* my hastily written note. 乱筆をお許しください.
 2 [excuse oneself for A] 〈人が〉 A〈誤りなど〉の言い訳をする; …の弁明をする; [excuse oneself for doing] …したことの弁明をする; [通例否定文・疑問文で] 〈物・事が〉〈人・行為〉の弁解となる ‖ He *excused* himself for "his bad behavior [interrupting me]. 彼は自分の不作法[私のじゃまをしたこと]を弁解した / Nothing can *excuse* your bad school record. 君の悪い学校の成績の言い訳となるものは何もない.
 3 [通例 A is excused (from) B] A〈人が〉B〈義務・罰など〉を免除される ◆ 《英》では from の省略可能》 ‖ The foreign student *is excused from* the entrance exam. その留学生は入学試験を免除

されています / Bill, you *are excused from* doing your homework because you have a bad cold. ビル、君はひどいかぜをひいているから宿題をしなくてよろしい / May I *be excused from* the Chinese class? 中国語の授業を休んでもいいですか.
4〈人に〉の退出を許す; 〔~ oneself〕〔…から〕中座する〔*from*〕‖ *excuse oneself* to go to one's study 退出して自分の書斎に行く / *excuse oneself from* the party パーティーを中座する / *Will you excuse me?* (↗) (中座する時に)ちょっと失礼します; (辞去する時に)そろそろこのへんで失礼いたします / *Can [May] I be excused?* (↘) (英略式)失礼してもいいですか《◆授業中に生徒がトイレに立つ時の遠回し表現》.

Excuse me. (↗) [しばしば 'Scuse me /skjúːzmiː/] **(1)**(米)ごめんなさい, すみません, 失礼しました((I'm) sorry)《◆相手に触れたり、中座したり、人の前を通るとき、またくしゃみが出たりなどした場合》‖ *Excuse* me, could I get past? ちょっと失礼、通していただけますか《◆(米)では Párdon me. (↗)は *Excuse* me. より上品だが堅い言い方. I bég your párdon. (↘)と完全な文で言う方がていねい》. **(2)** [but や if 節の前で] 失礼ですが, …《◆見知らぬ人に話しかけたり、異議を唱えたり、言葉遣いの誤りを訂正する場合など》(Pardon me.) ‖ *Excuse me*, (*but*) where is the post office? すみませんが、郵便局はどちらでしょうか.

語法 **(1)** *Excuse* me. の応答としては That's all right., OK. (どういたしまして), *Excuse* mé. (こちらこそ), Certainly., Of course., Sure(ly)., Yes. などがあるが、何も言わないことも多い.
(2) 相手の言うことが聞き取れない場合も (米) で *Excuse me?* (↗) (もう一度おっしゃってください)と言うことがある.(英) では Sórry. (↗)がふつう.
(3) 感謝の意の「すみません」は Thank you: 「*Thank you* [×*Excuse me*] for seeing me off. お見送りいただいてすみません.
(4) (英) で、人の話をさえぎるときや人の注意を引きたいときに用いる.

── 名 /ikskjúːs, eks-/【発音注意】(複 ~s/-iz/) **1** ⓊⒸ […に対する / …することに対する〕言い訳, 弁解(行為); 口実《◆ justification, explanation より (略式)》; 〔…の / …することに対する〕理由〔*for* / *to* do〕‖ *in excuse of* one's late arrival 遅刻の弁解として / *make a poor excuse for* cutting school 学校をさぼるのにへたな言い訳をする / 〈対話〉 "Did you do your best in the exam?" "Yes, so *I have no excuse for* my poor marks." 「最善を尽くしたのかい」「はい、成績が悪いのは弁解のしようがありません」/ The student made his stomachache an *excuse not to* attend club activities. その生徒は腹痛を口実にクラブ活動に参加しなかった / That's just[an *excuse* for [×a reason]. (君に)いつも言い訳ばかりだね / 〈対話〉 "You are late for school again." "I overslept this morning." "Oversleeping is no *excuse* for being late."「また遅刻したね」「今朝寝過ごしました」「朝寝坊は遅刻の言い訳にならないよ」.
2 Ⓒ (米) 〔…からの〕欠席届〔*from*〕‖ bring a written *excuse from* one's parent 親の欠席届をもってくる.
3 〔通例 ~s〕(出席できないときなどに人に託す)悪く思

わないで[よろしく]という言葉 ‖ Please make (my) *excuses* for my absence to your mother. お母さんに欠席の件をどうぞよろしくおわびしてください.
ex‧e‧cra‧ble /éksəkrəbl/ 形 (正式) **1** ひどく悪い[へたな]. **2** 嫌悪すべき, いまわしい.
ex‧e‧crate /éksəkrèit/ 動 (文) …を嫌悪する.
†**ex‧e‧cute** /éksəkjùːt/【アクセント注意】動 ⓞ **1**(正式)〈人が〉〈命令・計画・作戦・犯罪など〉を実行する, 実施する, 〈義務・職務などを遂行する; 〈令状・法律など〉を〔人に〕執行する〔*on, upon*〕;〈契約など〉を履行する;〈演技など〉を行なう, やってのける ‖ *execute* a will 遺言状(の指定)を執行する / The secretary *executed* the president's order promptly. 秘書は社長の命令をすみやかに実行した. **2**〔団体が〕〈人〉を〔…で / …として〕死刑にする〔*for/as*〕‖ The criminal was *executed* for murder. 犯人は殺人罪で死刑にされた. **3** (正式)〈計画に従って〉〈芸術品など〉を制作する;〈楽曲〉を〈コンサートで〉演奏する;〈役〉を演じる;〈ダンス〉を行なう;〈ステップ〉を踏む. **4** [コンピュータ]〈プログラム・ルーチンなど〉を実行する.
†**ex‧e‧cu‧tion** /èksəkjúːʃ(ə)n/ 名 **1** Ⓤ (正式)(義務・計画・政策・目的などの)実行, 遂行(すること[される]こと);(法律・判決などの)執行;(財産などの)強制執行[令状], 差し押え;身柄の拘禁;(約束の)履行;[コンピュータ](プログラムの)実行 ‖ in (the) *execution* of one's duties 義務の遂行中に / put [carry] a scheme *into execution* 計画を実施する. **2** ⓊⒸ 処刑, 死刑執行 ‖ The murderer's *execution* was by hanging. 殺人者の処刑は絞首刑であった. **3** Ⓤ (正式) **a**(芸術作品の)制作,(楽曲の)演奏;(俳優の)演技. **b** 制作技術, 手法, できばえ;演奏ぶり.
†**ex‧e‧cu‧tion‧er** /èksəkjúːʃ(ə)nər/ 名 Ⓒ 実行者;死刑執行人.
†**ex‧ec‧u‧tive** /igzékjətiv, egz-/【発音注意】名 Ⓒ **1**(官庁などの)行政官, 高官; 実行委員 ‖ the (Chief) *Executive* 最高行政官《大統領・州知事など》. **2** [the ~;単数・複数扱い](政府の)行政部, 行政府 (cf. legislature, judiciary);(団体などの)執行部, 実行委員会. **3**(企業などの)重役, 取締役, 会社役員, 経営幹部(略 exec.) ‖ an *executive* in [of] an insurance company 保険会社の経営陣 / He is the Chief *Executive* Officer. 彼は社長です / Mr. Brown is one of the top *executives* at the company. ブラウン氏はその会社の最高幹部の一人です.
── 形 **1** 実行する(上での), 実施[事務](上)の ‖ a secretary of great *executive* ability 大した事務処理[事務]能力を持つ秘書. **2** 行政上の, 行政部の,(法律・公務の)執行権のある (cf. legislative, judicial) ‖ *executive* powers [authority] 行政権[当局]. **3** 行政官のための;幹部(用)の.
†**ex‧ec‧u‧tor** /igzékjətər, egz-/ 名(女性形) **-trix** /-triks/ Ⓒ **1** (法律) 遺言執行者. **2**(芸術品の)制作者. **ex‧éc‧u‧tor‧ship** /-ʃip/ Ⓢ Ⓤ 遺言執行人の資格[職務].
ex‧e‧ge‧sis /èksədʒíːsis/ 名 (複 -ses/-siːz/) ⓊⒸ (正式)(特に聖書の)釈義, 評釈, 解釈, 注釈.
ex‧em‧plar /igzémplər, egz-, -plɑːr/ 名 Ⓒ (正式) **1** 模範(となる人[物]), 手本. **2** 典型;類例. **3** 原型.
ex‧em‧pla‧ry /igzémpləri, egz-/ 形 (正式) **1** 模範的な, りっぱな. **2** みせしめの, 戒めの. **3** 好例となる.
†**ex‧em‧pli‧fy** /igzémpləfài, egz-/ 動 ⓞ (正式)**1**〈人が〉…を例証する;[be exemplified]〈事が〉〔…の形で〕例示されている〔*in*〕‖ Her ability *was exemplified in* her handling of the whole situa-

ex·èm·pli·fi·cá·tion /-fikéiʃən/ 名 U 例証, 実証; C 実例, 好例.

†**ex-empt** /igzémpt, egz-/ 《正式》 他〈人・事が〉〈人・物の〉〈義務・兵役・税・支払いなどを〉免除する〔from〕《◆ふつう進行形・完了形不可》‖ The teacher *exempted* him *from* the test. 先生は彼の試験を免除した.
── 形 〈義務・兵役・税・支払いなどを〉免除された,(…)のない〔from〕‖ The goods are *exempt from* taxes. その商品は免税品です《◆「免税品」は duty-free [tax-free] goods》.

†**ex·emp·tion** /igzémpʃən, egz-/ 名 UC 《正式》〈義務・兵役・税・支払いなどの〉免除(する[される]こと)〔from〕.

:**ex·er·cise** /éksərsàiz/ [「訓練を目的とした運動, 体を動かすこと」が本義]

index
名 1 運動 2 練習 3 練習問題
動 1 働かせる 2 訓練する

── 名 (複 ~s/-iz/) 1 U (主に訓練を目的として身体を)動かすこと,(健康のための)**運動**《◆楽しみのために行なう運動は sport(s)》;(個々の)体操〈C〉‖ gymnastic [physical] *exercises* 体操 / lack [want] of *exercise* 運動不足 / outdoor [indoor] *exercise* 野外[屋内]運動 / get [[英ではしばしば] take,〈英で時に〉have, do] (some) *exercise* (適度な)運動をする《◆ do は修飾語を伴う場合は自由に用いられる: do deep-breathing *exercises* 深呼吸運動をする / do aerobic *exercise* エアロビクスをする》. cf. 2, 3》/ Swimming is a healthy *exercise*. 水泳は健康によい運動だ.
2 〔通例 ~s〕(習得した技能をみがく)**練習**, けいこ, 実習《◆技能習得のための練習は practice》; 訓練; (軍隊の)演習, 教練(drill) ‖ spelling *exercises* スペリングの練習 / *exercises* for the piano =piano *exercises* ピアノのけいこ / finger *exercises* for [on] the harp ハープの指の練習 / do *exercises* in French pronunciation フランス語の発音練習をする.
3 C 〔…の〕**練習問題**, 課題; 練習曲〔in〕‖ arithmetical [composition] *exercises* =*exercises* in arithmetic [composition] 算数[作文]の練習問題 / do [work at] one's *exercises* 課題を勉強する, 練習曲をひく.
4 U〔通例 the ~〕〔精神力・能力などを〕働かせること;〔職権・権力などの〕行使, 執行〔of〕‖ Writing science fiction novels requires *the exercise of* one's imagination. SF小説を書くには想像力を働かせることが必要です / *the exercise of* the president's power 大統領の職権行使.
5 C 礼拝;《米》〔~s〕式, 儀式 ‖ commencement [graduation] *exercises* 卒業式 / opening *exercises* 開会式.

── 動 (~s/-iz/;〔過去・過分〕~d/-d/; ~cis·ing)
── 他 **1** 《正式》〈精神力などを〉**働かせる**, 用いる;〈能力などを〉発揮する(use);〈権力・権利などを〉行使する, 遂行する ‖ *exercise* one's imagination 想像力を発揮する / *exercise* one's right to freedom of the press 出版の自由の権利を行使する.
2〈人・動物などを〉〔…で〕**訓練する**, 運動[練習]させる〔in〕‖ *exercise* one's dog 犬を運動させる / *exercise* the children *in* mental arithmetic 子供たちに暗算の練習をさせる.

|**関連**| 「〈運動などを〉練習する」は practice: practice [×exercise] judo 柔道の練習をする.

3〈影響などを〉〔…に〕及ぼす, 与える〔on, upon〕‖ Christianity *exercised* a great influence *on* the Japanese writer. キリスト教はその日本人作家に大きな影響を与えた / *exercise* pressure *on* him 彼に圧力を加える. **4** 《正式》〔通例 be ~d〕〈人が〉〈…のことで〉悩む, 心配する(trouble)〔about, by, over〕.
── 自 運動をする; 練習する ‖ The doctor advised me to *exercise* more every day. 医者は私に毎日もっと運動するようにと言った.

éxercise bìcycle [bìke] エクササイズ用バイク《(室内運動用の)固定型自転車》.
éxercise bòok 《主に英》練習帳.
éxercise wàlking 運動のためのウォーキング.

ex·er·cis·er /éksərsàizər/ 名 C 運動する人[物]; 運動器具.

†**ex·ert** /igzə́ːrt, egz-/ 【発音注意】他 《正式》**1**〈人・物が〉〔…に/…するために〕〈力・圧力・権力などを〉使う, 働かせる, 及ぼす(use)〔on, upon / to do〕‖ *exert* all one's strength 全力を出す / My father *exerted* an [his] influence *on* me *to* change my mind. 私の決心を変えさせたのは父の影響であった. **2** 〔~ oneself〕〈人が〉〔…するために〕努力する〔to do〕; 〔…のために〕尽力する〔for〕‖ She *exerted* herself to please her mother. 彼女は母親を喜ばせようと懸命になった.

†**ex·er·tion** /igzə́ːrʃən, egz-, -ʒən/ 名 UC 《正式》**1** (体力を消耗させる一時的な)努力(をすること), 尽力, ほねおり《◆ effort より強意的》‖ use [make] *exertion* 努力する / in spite of her *exertions* 彼女の努力にもかかわらず. **2** 激しい活動 ‖ avoid *exertion* 激しい活動をさける. **3**〈権力・権威などの〉行使, 発揮 ‖ *exertion* of authority 権力の行使.

ex·e·unt /éksiənt, -ʌnt, -ʌnt/【ラテン】動《脚本の下書き》〈2人以上が〉退場する《◆1人のときは exit²》(↔ enter) ‖ *Exeunt* Romeo and Juliet ロメオとジュリエット退場 / *exeunt omnes* /ɑ́mniːz/ 一同退場.

ex·ha·la·tion /èkshəléiʃən, èksə-, èɡzə-/ 名《正式》**1** UC (息などを)吐き出すこと(↔ inhalation); 発散; 蒸発. **2** C 呼気; 発散物; 蒸発気体.

†**ex·hale** /ekshéil, ekséil, egzéil/ 動《正式》他〈人が〉〈息などを〉〔…から〕吐き出す(breathe out)〔from〕(↔ inhale) ‖ *exhale* clouds of smoke タバコの煙を吐き出す. ── 自 息を吐く.

*****ex·haust** /igzɔ́ːst, egz-/ 【発音注意】 派 exhaustion (名), exhaustive (形)
── 動 (~s/-ɔ́ːsts/;〔過去・過分〕~·ed/-id/; ~·ing)
── 他 **1a** 《正式》〈事が〉〈人・動物を〉(くたくたに)**疲れさせる**(tire out); 〔exhaust oneself by [with] A / be exhausted from [by] A〕〈人が〉A で疲れ切る ‖ He *exhausted* himsèlf (*by*) skíing [*by* hard work]. 彼はスキーで[一生懸命働いて]疲れ果てた《◆ ing 形が続くと前置詞はしばしば省略》/ He *was exhausted from* [*by*] the marathon. 彼はマラソンでへとへとに疲れた / The leader of the party was quite *exhausted* when they reached the summit. その一行のリーダーは頂上に着いたときくたくたに疲れていた. **b**〈国を〉疲弊させる.
2 《正式》〈人が〉〈蓄え・資金・体力などを〉**使い果たす**(use up) ‖ We *exhausted* our funds. 私たちは資金を使い果たした / The disobedient boy ex-

hausted his mother's patience. そのいたずらっ子には母親の忍耐も尽きた.
3《正式》〈研究題目などを〉論じ[書き, 研究し]尽くす.
━━名 **1** ⓤ 排出, 排気. **2** ⓤ ＝exhaust gas.
exháust gàs (自動車の)排気ガス.
exháust pìpe 排気管.

†**ex·haust·ed** /iɡzɔ́ːstid, eɡz-/ 形《正式》**1** 疲れ切った, へとへとの (tired out; (略式) dead tired) ‖ completely [absolutely, *very] *exhausted* 完全に疲れ切って / When he reached the goal, the runner was tired but *not* exhausted. ゴールインしたとき, ランナーは疲れてはいたがへばってはいなかった. **2** 使い尽くされた.

ex·haust·ing /iɡzɔ́ːstiŋ, eɡz-/ 形〔他動詞的に〕心身を疲れさせる, 骨のおれる.

†**ex·haus·tion** /iɡzɔ́ːstʃən, eɡz-/ 名 ⓤ **1**(肉体的・精神的な)極度の疲労. **2**《正式》使い尽くす[される]こと, 枯渇.

†**ex·haus·tive** /iɡzɔ́ːstiv, eɡz-/ 形《正式》〈調査などが〉徹底的な. **ex·háus·tive·ly** 副 徹底的に, 余す所なく. **ex·háus·tive·ness** 名 ⓤ 徹底(的であること).

†**ex·hib·it** /iɡzíbit, eɡz-; 《英+》éɡzibit/ 【発音注意】動 **1**〈人が〉〈作品・品物などを〉〔場所に〕展示する, (販売のため)陳列する[*in, at*]; …を公開する[〈♦show, display より堅い語〕‖ Her picture *is being exhibited in* [*at*] the Boston Museum. 彼女の絵はボストン美術館に展示されている(＝Her picture is on exhibit ...). **2**《正式》〈人が〉…を〈人前で〉見せる, (感情などに)表す(show); …を明示[説明]する ‖ *exhibit* signs of distress 苦悩の徴候を示す / *exhibit* a great talent for painting in one's childhood. 子供時代にすばらしい絵の才能を発揮する.
━━名 **1** ⓒ (美術館などの)展示[出品, 陳列]品. **2** ⓤ ⓒ (主に)提示, 公示, 陳列; (行儀の)あらわれ, 披露[展示]会〈♦ exhibition より口語的) ‖ *on exhibit* 陳列[出品]されて. **3** ⓒ《法律》証拠物件[書類] ‖ *exhibit* A 証拠物件 A; 最も重要な証拠[証人].

*****ex·hi·bi·tion** /èksəbíʃən/【発音注意】
名 (複 ~s/-z/) **1** ⓒ (美術品・製品などの)展覧会, 展示《共進, 公演会》〈♦ (略式)では show. 大規模な場合は exposition〉‖ an international (trade) *exhibition* 万国(貿易)博覧会. **b** (スポーツの)エキシビション《公式な試合ではなく技能を披露するもの》; 《米》学芸会 ‖ a karate *exhibition* 空手演武.
2 ⓤ〔時に an ~〕(技能などの)発揮, 発露, 表明; (感情などの)表出, 表明; ⓤ ⓒ (本・絵などの)展示[陳列](品), 公開; 見もの; (書類などの)提示, 提出 ‖ *on exhibition* 展覧[出品, 公開]されて / the *exhibition* of one's dramatic talent. 演劇の才能を発揮すること / **màke an exhibítion of onesélf**(恥じさらしになるような)ばかなまねをする, 笑いものになる.
3〔形容詞的に〕展覧[陳列](用)の; 〈試合が〉模範の. **exhibítion gàme** 非公式試合;〈プロ野球の〉オープン戦.

†**ex·hib·i·tor** /iɡzíbitər, eɡz-/ 名 ⓒ **1** 出品者[団体]. **2**《米》映画館の支配人.

†**ex·hil·a·rate** /iɡzíləreit, eɡz-/【発音注意】動 他《正式》〔通例 be ~d〕〈人が〉〔…で〕うきうきする, 陽気[快活]になる(*by, at*〕. **ex·híl·a·rat·ed** 形 元気にさせる, うきうきさせる. **ex·híl·a·rat·ing·ly** 副 陽気にするように. **ex·híl·a·rá·tion** 名 ⓤ うきうきした気分, 陽気, 快活.

†**ex·hort** /iɡzɔ́ːrt, eɡz-/【発音注意】動 他《正式》(理性に訴えて)〈事を〉うながす, 〈人に〉[…するよう/…を]熱心に勧める[説く], 強く忠告する[*to do / to*].
ex·hórt·er 名 ⓒ 勧める人, 忠告する者.

†**ex·hor·ta·tion** /èɡzɔːrtéiʃən, èks-/【発音注意】名《正式》ⓤ ⓒ 熱心な勧め(をすること), 奨励.

ex·hu·ma·tion /èkshjuːméiʃən/ 名 ⓤ (死体の)発掘.

ex·hume /iɡzjúːm, iks-|ekshjúːm/ 動 他《正式》〈死体を〉(検死のために)墓から掘り出す(dig up).

ex·i·gen·cy, --gence /éksidʒənsi/ 名《正式》**1**(対策を必要とする)緊急(事態), 危急, 急場(→ emergency) ‖ in this exigency この危急の際に. **2**〔しばしば exigencies〕(差し迫った)必要性.

ex·i·gent /éksidʒənt/ 形《正式》差し迫った, 急迫した(urgent).

†**ex·ile** /éɡzail, éksail/ 名 **1** ⓤ〔時に an ~〕(政治的理由による)(母国・故郷からの)追放〔*from*〕, 〔…への〕国外追放〔*to*〕; 亡命; (長期の)国外[異郷]生活[滞在]‖ the traitor's *exile* from his homeland 反逆者を祖国から追放すること〈♦ exile the traitor from his homeland の名詞化表現〉. **2** ⓒ 追放された人; 亡命者; (異国を)さすらう人.
be sént into éxile 追放される.
gó into éxile 追放の身になる.
in éxile 追放されて, 追放の身で.
━━動 他〔通例 be ~d〕〈人を〉〔母国・故郷から/…へ〕追放される(be banished)〔*from/to*〕‖ éxile onesélf で追放する.

*****ex·ist** /iɡzíst, eɡ-/【発音注意】〔外に出て(ex)立つ(sist). cf. consist, resist〕派 existence 〈名〉
━━動 (~s/-ists/; 過去・過分 ~ed/-id/; ~ing)
━━自 **1**〈人・物が〉**存在する**, ある〈♦ 命令形・進行形不可〕‖ Does God *exist*? 神は実在するか / I don't believe that ghosts *exist*. 幽霊が存在するとは思わない(＝I don't believe in (the existence of) ghosts.).
2《正式》**a**〈生物が〉**生存する**, 生きる;〈人が〉〔食物・金などで/…によって〕生きていく(live)〔*on* / *by*〕‖ Nobody can *exist* 'without food *on* such low wages, *by* hope alone'. だれも食物なしに[こんな低賃金, 希望だけ]では生きられない. **b**〈制度などが〉存在する.
3《正式》〈生物・事が〉〔ある場所に〕いる, ある(be found); 〔ある状態で〕現れる〔*in*〕〈♦ 命令形・進行形不可〕‖ Such a custom *exists* only in Japan. そのような習慣は日本にしかない.

ex·íst·ing 形 存在[現存]する, 既存の; 現在の.

*****ex·ist·ence** /iɡzístns, eɡ-/ 名 (派 ⇒ exist)
1 ⓤ **存在**(すること), 実在 ‖ He tried to prove the *existence* of God. 彼は神の存在を証明しようと試みた.
2 ⓤ 生存, 生きていること ‖ the struggle for *existence* 生存競争.
3 〔an ~〕(特に困難な)生活(状況), 暮らし(ぶり) ‖ lead an unhappy *existence* 不幸な生活をする(＝ live unhappily).
bríng [**cáll**] **A into exístence** 〈物・事を〉生じさせる, 成立させる.
*****còme into exístence** 〈人・物が〉**生まれる**, 出現する ‖ I wonder when the universe *came into existence*. 宇宙はいつ誕生したのかしら.
gó òut of exístence 〈生物・物が〉滅びる.
*****in exístence** 現存の, 存在して〈♦ しばしば最上級と共に用いる〉‖ the oldest temple *in existence*

ex·ist·ent /iɡzístnt, eɡz-/ 《正式》現存[生存]する, 既存の; 現在の.

ex·is·ten·tial /èɡzisténʃəl/ 形 **1**《正式》存在の. **2**〔哲学〕実存(主義)の; 経験主義の.

èx·is·tén·tial·ism 名 U〔哲学〕実存主義.

èx·is·tén·tial·ist 名 C 形 実存主義者(の), 実存主義の.

†**ex·it**¹ /éɡzit, éksit | éksit, éɡzit/ 名 C **1**(公共の建物・乗物などの)出口《◆「出口」の標示は(米)は Exit, (英)は Way Out がふつう》(↔ entrance); (米)(高速道路の)出口(freeway exit) ‖ an emergency exit =a fire exit 非常口. **2** 出ていくこと, 退去; (舞台からの俳優の)退場 ‖ màke an [one's] éxit 退出する. **3**〔コンピュータ〕(プログラム操作の)終了, 出口. ── 動 **1** 立ち去る, 退去する; 〈俳優が〉舞台から退場する. **2**〔コンピュータ〕(プログラム・システムを)終了する.

éxit pèrmit 出国許可(証).

éxit pòll 出口調査《投票所の出口で投票を終えたばかりの人に対して行なわれる世論調査》.

éxit vìsa 出国ビザ.

ex·it² /éɡzit, éksit | éksit, éɡzit/〔ラテン〕動 ⓘ〔脚本の書〕《1人の人物が》退場する《◆主語の前に置き, 三人称単数現在形でも -s は不要. cf. exeunt》(↔ enter) ‖ Exit Caesar シーザー退場.

Exod. Exodus.

ex·o·dus /éksədəs/ 名 **1**《正式》[an/the ~]〔…から/へ〕(多数の人が同時に)出て行くこと, 大移動; (移民団などの)出国, 移住〔from/to〕. **2**〔旧約〕[E~]出エジプト記《旧約の一書. 略 Exod., Ex.》; [the E~](イスラエル人の)エジプト脱出[出国].

ex·on·er·ate /iɡzánərèɪt, eɡz- | -5nə-/ 動 ⑪《正式》〈人〉を〔責任・責めなどから〕免除する〔from〕.

ex·or·bi·tant /iɡzɔ́ːrbətnt, eɡz-/ 形《正式》〈値段・要求などが〉途方もない, 法外な.

ex·or·cism /éksɔːrsizm/ 名 U C 悪魔払い(の儀式). **éx·or·cist** 名 C 悪魔払いの祈祷(ξ_σ)師.

ex·or·cize /éksɔːrsàɪz/ 動 ⑪ **1**(祈祷(ξ_σ)・魔術などによって)〔…から〕追い払う〔from, out of〕, …から〔…を〕追い出す〔of〕. **2**〈悪い記憶・感情〉を取り除く.

†**ex·ot·ic** /iɡzɑ́tik, eɡz- | -5tik/ 形 **1**《略式》めずらしい, 風変わりな(unusual); 魅力的な. **2**〈植物・言葉などが〉外来の, 外国(産)の(↔ indigenous). **3** 異国ふうの, エキゾチックな.

exótic dáncer ストリッパー.

ex·ót·i·cal·ly 副 異国ふうに; 外来的に.

ex·ót·i·cism 名 U **1** 外国趣味; 異国ふう. **2** 外来物; 外来語.

†**ex·pand** /ikspǽnd, eks-/ 動 ⑪ **1**〈人が〉〈大きさ・数量・重要度など〉を〔…へ〕広げる, 拡張[拡大]する〔into〕; 〈金属・タイヤなど〉を膨張させる(↔ contract) ‖ The gorilla expanded its chest. ゴリラは胸を張った / Reading expands our knowledge. 読書は知識を増やす / expand one's business into new areas 商売を新しい地域へ広げる. **2**〈話題・議論などを〉〔…へと〕発展[展開]させる〔into〕 ‖ expand one's experiences into a novel 経験を小説にする.

── ⓘ **1**〈川・町などが〉〔…へと〕広がる, 拡大する〔into, to〕; 〈心などが〉発展[発達]する(develop); 〈花弁などが〉開く; 膨張する(↔ contract) ‖ Every gas expands with heat. すべての気体は熱で広がる / The literary society expanded into a world organization. その文学の会は発展して世界的な組織になった. **2**(主に文)〈人・心〉が〔…で〕なごむ, 打ち解ける(relax); 〈顔が〉ほころぶ〔in, with〕. **3** 詳細に話す〔書く〕.

ex·pánd·er 名 C 広げる人[物]; 〔機械〕エキスパンダー《管を広げる工具》.

†**ex·panse** /ikspǽns, eks-/ 名 C《正式》**1a**[しばしば ~s](果てしない)〔…の〕広がり(stretch); 広々とした場所[空間]〔of〕《◆ふつう形容詞を伴う》‖ a vast [wide] expanse of sand 広大な砂地. **b**[the ~]天空. **2** 膨張, 拡張(expansion).

*****ex·pan·sion** /ikspǽnʃən, eks-/
── 名 **~s**/-z/) **1** U C 拡張, 拡大(する[される]こと); 発展, 伸長; 〔翼などを〕広げること〔of〕‖ a rapid expansion in the population 人口の急速な増大 / the expansion of the factory 工場の拡張. **2** U C (気体・通貨などの)膨張; 膨張度[量].

ex·pán·sion·ism 名 U 拡張論[政策].
ex·pán·sion·ist 名 C (領土)拡張論者.

†**ex·pan·sive** /ikspǽnsiv, eks-/ 形 **1** 膨張力[性]のある; 〈町・産業などが〉発展的な; 拡張的な. **2**《正式》広々した, 広範囲の; 包括的な; 〈生活(様式)などが〉豊かな, 壮大な. **3** ゆったりした, 開放的な; 打ち解けて口が軽くなった.

ex·pa·tri·ate 動 ekspéɪtrieɪt | -pǽ-, -péɪ-/ 名 形 -triət, -trieɪt/ 動 ⑪ **1**〈人〉を国外に追放する(↔ repatriate). **2**[~ oneself]故国を去る; 国籍を捨てる.
── 形 名 C 追放された(人); 国外在住の(人); 国籍を捨てた(人). **ex·pà·tri·á·tion** 名 U 国外追放.

‡**ex·pect** /ikspékt, eks-/『「良いこと・悪いことにかかわらず何かを予期して待つ」が本義』派 expectation(名)
── 動 **~s**/-pékts/; 過去·過分 **~ed**/-id/; **~ing**)
── ⑪ **1a**〈人などが〉〈人・事・物〉を(十分な理由があって)〈よいことを〉予期する, 待ち受ける(cf. look forward to); 〈悪いことを〉覚悟する ‖ We expect a good crop this fall. 今年の秋は豊作になりそうだ / She's as well as can be expected. 思っていたとおり彼女は元気だ / I'll expect [×wait for] you at exactly nine. 9時ちょうどに来られるのをお待ちします / I didn't expect you so soon. こんなに早く来るとは思わなかった《◆いつも遅刻して来る人に対する皮肉にもなる》/〘対話〙 "Hello. This is Bill. I'd like to speak to Jane." "I'm afraid she is not in." "When is she expected back?" "もしもし, ビルです. ジェーンさんはいますか" "あいにく, ご留守です" "いつお帰りになりますか".

b [expect **A** to do / expect (that) **A** will do]〈人が〉〈人・事〉が…するだろうと思う《◆よいことも悪いこともある. hope は起こってほしいと思うこと》; [expect to do]〈人が〉…するつもりである, …しようと思う, …すると思っている ‖ He expects the flight to be canceled because of the typhoon. =He expects that the flight will be canceled because of the typhoon. 彼は台風のためにその便が欠航になると思っている / She expects to have finished this work by next Friday. =She expects (that) she will have finished … 彼女は来週の金曜日までにこの仕事を終えてしまうつもりでいる (⇒ 文法 11.5) / I expected to have visited her. (まれ)彼女を訪問しようと思っていたのだができできなかった (=I expected to visit her, but I couldn't. =I had expected to visit her.)《◆過去完了形では過去の希望・期待が実現しなかったことを表す. ⇒ 文法 6.2

(5)》/ It *was expected* there *would* be a rainstorm. =There *was expected to* be a rainstorm. 暴風雨が予想されていた / It can hárdly *be expected (that) she will* be púnctual. =*That she will* be punctual can hardly *be expected*. 彼女が時間を守るなどとはほとんど考えられない.

語法 I *expect* you to … は期待よりもむしろ軽い命令を表す: I *expect you to* work hard. (当然のことながら)一生懸命働いてくれますね.

2 [expect **A** of [(略式) from] **B**]〈人が〉**B**〈人・事〉に **A**〈物・事〉を(当然のこと・義務・権利として)期待する, 当てにする(cf. anticipate); [expect **A** to do / expect (**that**) **A** (**will**) do]〈人が〉**A**〈人〉に…してほしいと思う, …することを求める ‖ Some Southeast Asian countries *expect* the economic cooperation of Japan. 東南アジアの国々の中には日本からの経済的協力を期待している国がある / The boss *expects* her to work on Sunday. =The boss *expects that* she *will* work on Sunday [she works on Sunday]. 上司は彼女に日曜日も当然働くことを期待している / You *are expected to* pay back your debt to me. 君はぼくに借金を返すべきです[返してください]《◆穏やかな強制を表す be supposed より要求はきびしく確定的》/ Don't *expect too much* [a lot] *of* [from] your only son. 一人息子にあまり期待をかけすぎるな.

3《主に英略式》[expect (**that**節)] …だと思う(assume), 想像[推定]する(suppose) ‖《ふつう進行形不可》‖ I *expect* (*that*) you haven't handed in your paper yet. 君はまだレポートを提出していないようだね《◆ ×I *expect* you not to have handed in … は不可》/ I *rather expect* (*that*) he's tired. きっと彼は疲れていると思う《◆ rather は自信のある態度を表す》/《対話》"Will he be coming?" "I *expect so* [(正式) not]." 「彼は来るだろうか」「来ると[来ないと]思う」.

4《略式》(通例 be ~ing)〈女が〉〈赤ん坊〉を産む予定である ‖ She is *expecting* a baby [child]. 彼女にもうすぐ赤ん坊が生まれる《◆《略式》または婉曲的表現では a baby [child] を省いて自動詞として用いる. → 自》.

─自《略式》[be ~ing]〈女が〉おなかが大きい, おめでたである《◆ be pregnant の遠回し語》.

as might have been expécted 思った通り(よくなかった), やっぱり(だめだった).

expéct △ báck〈人が〉戻ると思う ‖ I *expect* him *back* soon. 彼はすぐ戻るはずです.

Whát do you expéct? 何を期待しているの, そんなの当たり前のことでしょう.

ex·pec·tan·cy /ikspéktnsi | eks-/, **--tance** /-tns/图UC 予想[期待](されるもの) ‖ The patient's life *expectancy* is about three months. 患者の余命は約3か月です.

†**ex·pec·tant** /ikspéktnt | eks-/形 **1**(正式)〈群衆・目つき・顔などが〉期待を示す; (…を)予期する(hopeful)(*of*) ‖ *be expectant of* praise 賞賛を待ちかねている. **2** 妊娠中の《◆ pregnant の遠回し語》;〈男が〉もうすぐ父親になる.

†**ex·pec·tant·ly** /ikspéktntli/副 期待[予期]して, 心待ちに ‖ He waited *expectantly*. 彼は心待ちに待っていた.

†**ex·pec·ta·tion** /èkspektéiʃən/图 **1**UC 予期[確信](される[する]こと); (通例 ~s) 予想される事情; 予期[期待]される状態(anticipation) ‖《対話》"What are you going to buy when you get a bonus?" "I've already bought a car *in expectation* of it."「ボーナスをもらったら何を買うつもりですか」「ボーナスを見越してもう車を買ってしまいました」/ *Beyònd [Agàinst, Cóntrary to] all expectations*, our school festival was a great success. 予想以上に[予想に反して]文化祭は大成功であった / a large sum of money *in expectation* 入ると予想している金 / *còme* [*líve, méasure*] *úp to* (her) *expectátions*(彼女の)期待に添う / The party wasn't a failure, but it *fell* [*came*] *short of* (our) *expectations*. パーティーは失敗ではなかったが, (私たちの)期待したほどのものでなかった. **2**UC [(…の/…である)可能性, 確信(度), 公算〔*of / that*節〕‖ life *expectation* 平均余命(life expectancy) / Do you *have* any *expectation*(s) *of* succeeding [*that* you will succeed]? 成功の公算はありますか(=Do you *expect* to succeed?). **3** [しばしば ~s] 将来の見込み, 希望; 〔…に対する〕期待〔*for*〕‖ a person with great *expectations* 将来性のある人 / My mother has great *expectations for* my future. 母は私の将来に大きな期待を寄せている.

ex·pect·ed /ikspéktid, eks-/形 予期[期待]された ‖ an *expected* guest 待っていた客.

ex·pec·to·rate /ikspéktərèit, eks-/動《正式》他自 (痰(たん)などを)せきをして吐き出す; つばを吐く《◆ spit の遠回し語》.

ex·pe·di·en·cy, **--ence** /ikspíːdiənsi, eks-/图(正式) **1**U 便宜, 好都合, 有利. **2**U 利己主義, ご都合主義; 私利. **3**C 便宜的なもの.

†**ex·pe·di·ent** /ikspíːdiənt, eks-/(正式)形 **1**(目的の達成に)役立つ, 都合のよい, 適切な; 当を得た(↔ inexpedient) ‖ *expedient* means 役に立つ手段 / It is *expedient* that he (should) change his major. 彼は主専攻を変えたほうが得策だ《◆ should は(主に英), (米)ではふつう仮定法現在を用いる》. **2**〔計画・方策・政策などが〕ご都合主義の, 利己的な; 方便的な. ─图C 急場しのぎの方法; 手段, 方策.

ex·pé·di·ent·ly副 便宜上; 方便として.

ex·pe·dite /ékspədàit/動《正式》他 **1** …を促進する, はかどらせる. **2** …を手早くかたづける.

*‡**ex·pe·di·tion** /èkspədíʃən/ ‖ [(捕えられた)足 (pedi)が自由に(ex)なること(tion)]

─图(複 ~**s** /-z/) **1**C 遠征, 探検, (ある目的のための集団の長い)旅行 ‖ a scientific *expedition* 研究旅行 / a shopping *expedition* 買物のため外出, 買出し / *make an expedition* 遠征に出る, 探検に出る / The party headed by Amundsen *went on an expedition to* the South Pole. アムンゼン隊は南極探検に出発した.

2C [単数・複数扱い] 遠征隊, 探検隊 ‖ They sent an *expedition* to Mount Everest. 彼らはエベレスト山へ遠征隊を送った.

3U《正式》迅速さ, 機敏さ ‖ with *expedition* 迅速に.

ex·pe·di·tion·ar·y /èkspədíʃənèri | -əri/形 遠征の, 探検の. *expedítionary ármy* [*fórce*] 派遣軍.

ex·pe·di·tious /èkspədíʃəs/形《正式》迅速な, 手早い(quick).

†**ex·pel** /ikspél, eks-/動(過去・過分 **ex·pelled**/-d/; **--pel·ling**)他《正式》**1**〈空気・水などを〉(容器などから)排出する(drive out), 吐き出す;〈弾丸〉を〔銃から〕発射する〔*from*〕. **2** [通例 be ~led]〈人が〉〔国・

学校・クラブ・組織などから〕追い出される, 除名される, 免職される〔*from*〕.

†**ex·pend** /ikspénd, eks-/ 動 他《正式》〈労力・時間などを〉(計画・問題などに)費やす, 使い果たす(use)〔*on*, *in*〕◆金銭の場合は spend が一般的).

†**ex·pen·di·ture** /ikspénditʃər, eks-/ 名 1 U《正式》〔…への〕支出, 消費〔*on*〕‖ *an expenditure of* $15,000 *on* [*for*] *a new car* 新車への1万5千ドルの支出 / *The experiment requires the expenditure of time and effort.* その実験は時間と努力を要する. **2** UC〔…に対する〕経費, 費用; 支出額, 消費量〔*for*〕◆cost, expense より堅い語); 〔国・地方自治体の〕歳出(↔ revenue) ‖ annual *expenditure* 歳出 / enormous *expenditures* of money *for* (the) national defense 巨額の国防費.

†**ex·pense** /ikspéns, eks-/ 名 1 UC《正式》〔…の〕費用, 物入り〔*of*, *for*〕; 〔比喩的に〕犠牲, 代価, 損失(cost); 〔古〕支出, 消費(expenditure) ‖ *at great* [*little*, *almost no*] *expense* 非常に費用をかけて[費用をほとんどかけずに]; 多大の犠牲を払って[ほとんど犠牲を払わずに] / *at ány expénse* いくら費用がかかっても; どんなに犠牲を払っても / *gò to ány expénse* =spare no *expense* 金を惜しまない. **2** 〔~s; 複数扱い〕経費, 実費, 支出金; 《略式》(給料外の)所要経費, 手当 ‖ *cut down on living expenses* 生活費を切り詰める / *pay one's traveling* [*holiday*] *expenses* 旅費[行楽費]を払う.

at the expense of A = *at* A's *expense* (1)〈人・団体の〉費用で, 負担で ‖ *study abroad at the expense of the government* 国費で留学する. (2)〈健康などを〉犠牲にして; 〈人を〉だしにして迷惑をかけて ‖ *The father tried to save his drowning daughter at the expense of his own life.* 父はおぼれかけている娘を自分の命を犠牲にして救おうとした.

expénse accòunt [**shèet**] (給料外の)必要経費, 交際[出張]費; 経費勘定.

*****ex·pen·sive** /ikspénsiv, eks-/ 形〈物・事が〉高価な, 値段が高い(high-priced), 費用のかかる(costly), ぜいたくな(↔ inexpensive, cheap)‖《法外に高い》は dear,《値打ちほどが高い》は costly) ‖ *This hat is less expensive* [×*more inexpensive*] *than that one.* この帽子はあの帽子より高くない / *It is expensive* [×*high*] *running this imported car.* =*This imported car is expensive to run.* この外車を維持するには高くつく(◆price, cost は high: 「a high [×*an expensive*] *price*).

ex·pén·sive·ly 副 高い金をかけて, 高価で.

*****ex·pe·ri·ence** /ikspíəriəns, eks-/ 【アクセント注意】

——名 (複 ~s/-iz/) **1** U〔…の〕経験, 体験〔*for*, *in*, *of*, *on*, *at*, *with*〕; 経験内容(skill)《経験で得た知識・能力・力》‖ *The party gained wide experience on their Antarctic expedition.* 一行は南極探検で幅広い経験を積んだ / *a job that requires experience* 経験を要する仕事 / *one's life experience* =*one's experience of life* 人生経験《前者がふつう》/ *learn a lot from experience* 経験により多くのことを学ぶ / *an expert pilot with 20 years' experience* 20年の経験をもつ熟練パイロット / *He has long* [*a lot of*] *experience* (*in*) *teaching.* 彼は教職の経験が豊富だ(=*He is an experienced teacher.*)◆《略式》では in はふつう省略する) / *Experience is the best teacher.* 《ことわざ》経験は最良の教師である / *I'm telling you this from my experience.* 経験をふまえてこう言っているんだよ / ショック *It takes a lot of experience to kiss like a beginner.* 初心者のようにキスをするには多くの経験を必要とする.

2 C (具体的に)経験したこと, 体験したこと; 〔~s〕体験談, 経験して得た知識〔技術〕‖ *have some unusual experiences as a pilot* 操縦士としていくつかの異常な体験をする / *one's* (*unpleasant*) *experiences in the jungle* ジャングルでの(苦い)経験 / *Have a wonderful eating experience.* すばらしい食事をご体験ください!

——動 (~s/-iz/; 過去・過分 ~d/-t/; -**enc·ing**)
——他《正式》〈人が〉〈困難・喜び・空腹などを〉経験する(live through), 感じる(feel)(◆undergo は主に不愉快・危険・苦痛などの経験に用いる) ‖ *experience religion* 回心する, 精神的な体験をする.

†**ex·pe·ri·enced** /ikspíəriənst, eks-/ 形〔…の〕経験を積んだ, 知識豊富な, 経験豊かな, 老練な〔*in*, *at*〕(↔ inexperienced) ‖ *have an experienced eye* 目が肥えている / *He is experienced in* 〔*repairing cars* 〔*legal matters*〕. 彼は自動車修理〔法律問題〕のベテランだ.

ex·pe·ri·en·tial /ikspìəriénʃl/ 形《正式》経験に基づく, 経験(上)の(empirical).

*****ex·per·i·ment** 名 ikspérəmənt, eks-; 動 -mént/ 動 experimental(形)
——名 (複 ~s/-mənts/) UC〔研究・科学上の〕(の)実験; (実地の)試み〔*in*, *with*, *on*〕◆trial より手順が組織的で, はっきりした意図を持つ) ‖ *conduct experiments in traffic regulation* 交通規制の実地の試みを行なう / *test out a theory*「*by experiment* 〔*through experiments*〕実験で理論を試す / *do* 〔*carry out*, *perform*〕 *experiments on animals* 動物実験をする / *James Watt made* 〔*conducted*〕 *many experiments with steam.* J. ワットは蒸気の実験を重ねた(=*James Watt often experimented with steam.*).

語法 in は実験の分野, with は実験に使う材料・方法など, on は実験される対象を示す: *an experiment in chemistry* 〔*electricity*〕化学〔電気〕の実験 / *The experiment with new methods* 〔*chemicals*〕 *was successful.* 新しい方法〔化学製品〕の実験はうまくいった / *an experiment on frogs* 〔*human beings*〕カエル〔人体〕の実験.

——動 /-mént/ (~s/-ménts/; 過去・過分 ~ed/-id/; ~·ing)
——自〔…の〕実験をする, 〔…を〕試みる〔*with*, *on*, *in*〕‖ *experiment on rats* 〔*plants*〕ネズミ〔植物〕に実験を施す / *experiment with a new drug* 新薬を実験する.

ex·per·i·ment·er 名 C 実験者.

†**ex·per·i·men·tal** /ikspèrəméntl, eks-/ 形 **1** 実験の, 実験的な; 実験用の〔的な〕‖ *experimental data* 実験データ / *experimental farm* 〔*theater*〕実験農場〔劇場〕/ *experimental flights* 試験飛行 / *an experimental satellite* 実験衛星. **2** 経験に基づく, 経験主義的な ‖ *experimental philosophy* 経験哲学.

ex·pèr·i·mén·tal·ism 名 U 実験〔経験〕主義.
ex·pèr·i·mén·tal·ist 名 C 実験〔経験〕主義者.

ex·pèr·i·mén·tal·ly 副 実験的に, 実験で.
ex·per·i·men·ta·tion /ɪkspèrəməntéɪʃən, eks-/ 名 (U) (正式) [in, on]; 実験(法).
***ex·pert** /ékspə:rt/ 形 [補語として] ɪkspə́:rt, [名詞の前で] ékspə:rt/
—— 名 (複 ~s/-pə:rts/) C [...に]熟練した人, 専門家, 権威, 玄人(^(くろうと)), プロ; 名人 [on, at, in, with] 《皮肉にも用いる》‖ an *expert* in [at, on] teaching small children 幼児教育のベテラン / an *expert* 「on lies [at lying] うそつきの名人.
—— 形 [補語として] ɪkspə́:rt, [名詞の前で] ékspə:rt/ (more ~; most ~) [...に]熟達した [at, in, on]; 専門的知識[技量]のある‖ *expert* testimony [witness] 専門家による証言 / *expert* knowledge 専門的知識 / an *expert* photographer 腕のよい写真家 /《対話》"He easily beats me at chess." "Yes. He is *expert* at chess." 「彼にチェスで簡単に負かされるよ」「そうだね. 彼はチェスがうまい」(= Yes. He is an *expert* chess player.)
éxpert sýstem [コンピュータ] エキスパートシステム《知識ベースを元に専門家のような判断をするシステム》.
éx·pert·ly 副 うまく, 専門的に. **éx·pert·ness** 名 (U) 熟練, 熟達.
ex·pi·ra·tion /èkspəréɪʃən/ 名 (U) (正式) (契約・契約などの)終了, 満期, 満了; 呼気, 息を吐き出すこと.
expirátion dáte (クレジットカードなどの)有効期限.
†**ex·pire** /ɪkspáɪər, eks-/ 動 (自) 1 (正式) (契約・休暇などが)終了する, 満期になる(end); (切符などが)期限切れで無効になる‖ Your subscription *expires* with the June issue. あなたの定期購読予約は6月号で切れます. 2 (文) 息を引き取る(◆die の遠回し語). —— 他 (息)を[...から]吐き出す(from).
ex·pi·ry /ɪkspáɪəri, eks-, (米+) ékspəri/ 名 (U) (正式) ((賃借)契約・クレジットカード・運転免許証などの)終了, 満了, 失効, 期限切れ.
***ex·plain** /ɪkspléɪn, eks-/ 派 explanation (名)
—— 動 (~s/-z/; 過去・過分 ~ed/-d/; ~·ing)
—— 他 1 a [explain A (to B)] (人)が A(物・事)を(B(人)に)説明する; 明らかにする; (人)の言動[思想など]を(B(人)に)説明する(◆expound, elucidate, interpret よりくだけた語)‖ *explain* Chomsky チョムスキーの学説を解説する / I'd like you to *explain* something to me. あなたに何か説明してもらいたいのですが(◆ ×... *explain* me something. は不可).
b [explain (to A) that節 [wh節, wh句]] (人)が(A(人)に)...と[...かを]説明する‖ He *explained* (to me) that he could not attend the meeting. 彼は(私に)彼女がその会に出席できないと説明した.《◆(1) ×He *explained* me that ... は不可. (2) it を主題にした受身も可能: It was *explained* (to me) that she could not attend the meeting.》/ Could you *explain* in detail how to use the computer in detail? コンピュータの使い方を具体的に説明していただけませんか.
2 (人)が...(の理由)を弁明[釈明]する‖ Can you *explain* why you are late? 遅刻の理由を言ってください.
3 (物・事)が...の原因を説明する, ...の説明となる‖ That *explains* her silence. それで彼女の沈黙の理由がわかる(=(略式) That's why she is [was] silent.).
—— 自 [...に/...について]説明[弁明]する (to/about).
expláin awáy 他 (誤り・過失などを)弁明[正当化]する.
expláin onesélf 自分の考え[立場, 意図など]をはっきりと説明する[弁明]する.

***ex·pla·na·tion** /èksplənéɪʃən/ 名 (複 ~s/-z/) 1 (U)(C) [...の/...に関する]説明, 弁明; 説明となる言葉[事実, 理由, 状況] [of, for / as to]; [...という]解説 [that節]‖ by wáy of *explanation* 説明のつもりで / He quit university without (any) *explanation*. 彼は(何の)説明もなしに大学を中途退学した / She gave [offered] a poor *explanation* for [of] being late. 彼女は遅刻の理由をうまく説明できなかった《◆ふつう of は理由の内容まで説明すること》. 2 (C) (秘密・事件の)真相, 原因; 意味, 解釈 [of, for].
in explanátion of A ...の説明[弁解]として.
ex·plan·a·to·ry /ɪksplǽnətɔ̀:ri, eks-/ -tɔ̀ri/ 形 (正式) (注釈などが)説明的な; [...の]説明に役立つ(of); (口調などが)弁明の.
ex·ple·tive /ékspləṭɪv/ ɪksplí:tɪv/ 形 (正式) 1 補足的な; 添加的な; 付け足しの, 感情的な. —— 名 (C) (言語) 助辞, 虚辞(It's raining. の it など); 間投詞 (ugh, ouch など), ののしり言葉 (swearword) (damn など).
ex·pli·ca·ble /éksplɪkəbl, ɪksplík-/ 形 (正式) [しばしば否定文で] 説明の可能な (↔ inexplicable).
†**ex·plic·it** /ɪksplísɪt, eks-/ 形 (正式) 明白な, 明確な, 明示的な; 公然の, ずばりの; (描写などが)露骨な, どぎつい; (人が)腹蔵のない (↔ implicit).
†**ex·plode** /ɪksplóʊd, eks-/ 動 (他) 1 (人が) (物)を爆発させる, 爆破する, 破裂させる‖ *explode* firecrackers 爆竹を鳴らす. 2 ...を論破する, 覆(^(くつがえ))す‖ The old theory was *exploded* by his genius. 古い理論は彼の才能によって覆された. —— (自) 1 (物が)爆発する, 破裂する; (文)(物が)大きな音をたてる‖ A time bomb *exploded* [×erupted] in front of the White House. 時限爆弾がホワイトハウスの前で爆発した. 2 (感情などが)爆発する; (人が)突然[...]しだす(in, into, with)‖ *explode* into láughter どっと笑い出す(=burst [break] into laughter) / His anger *exploded*. =He *exploded* with [in] anger. 彼の怒りが爆発した. 3 (人口が)爆発的に増加する, 急増する.

†**ex·ploit**[1] /ɪksplɔ́ɪt, eks-/ 動 (他) 1 (正式) ...を(十分に効果的に)利用[活用]する(make good use of); ...を開発する; (鉱山)を掘る. 2 (人)を私的目的で使う; (人)を不当に扱う.
ex·ploit[2] /éksplɔɪt, (米+) ɪksplɔ́ɪt/ 名 (C) (通例 ~s) 偉業; 功績, 手柄‖ military *exploits* 軍功.
†**ex·ploi·ta·tion** /èksplɔɪtéɪʃən/ 名 (U) 1 開発, 開拓, 利用. 2 搾取, 私的利用.
†**ex·plo·ra·tion** /èksplərèɪʃən, -plɔ:-/ 名 1 (U) 探検, 実地踏査; (C) 探検旅行‖ the *exploration* of space 宇宙探検. 2 (U) (...の)調査, 探求, 吟味 (investigation) (into).
ex·plor·a·to·ry /ɪksplɔ́:rətɔ̀:ri, eks-, -tɔ̀ri/ 形 (正式) 探検の(ための), 調査の; 予備の.
†**ex·plore** /ɪksplɔ́:r, eks-/ 動 (他) 1 (人が)...を探検する, 探査する‖ *explore* an uninhabited island 無人島を探検する. 2 (正式) ...を(詳しく)調査[探究]する(examine)‖ fully *explore* the cause of the fire 火事の原因を十分に究明する.
†**ex·plor·er** /ɪksplɔ́:rər, eks-/ 名 (C) 探検家; 調査者.
†**ex·plo·sion** /ɪksplóʊʒən, eks-/ 名 (C) 1 爆発, 破裂; 爆発音‖ a loud *explosion* 大爆発. 2 (怒り・笑いなどの)爆発, 突発, 激発‖ an *explosion* of laughter 爆笑. 3 [通例 an ~] (人口の)激増, 急

†ex·plo·sive /iksplóusiv, eks-/ 形 爆発性の；爆発しやすい；一触即発の；危険な ‖ an *explosive* gas 爆発性のガス / an *explosive* subject 〔意見の〕衝突を起こしやすい話題. ── 名 ⓒ 爆発物，爆発性のもの. **ex·plo·sive·ly** 副 爆発的に.

ex·po /ékspou/ 〚*exposition* の短縮型〛名 (複 ~s) ⓒ 〔略式〕 (万国) 博覧会，エキスポ.

†ex·po·nent /ikspóunənt, eks-/ 名 ⓒ〔正式〕**1** 解説する人 (commentator)；説明となるもの. **2** 主唱者, 支持者. **3**〔数学〕指数 (power, index).

＊ex·port 動 ikspɔ́ːrt, ékspɔːrt; 名 ⓒ ékspɔːrt /〚「外へ (ex) 運ぶ (port). cf. *portable*〛
── 動 (~s/-pɔːrts/; 過去・過分 ~ed/-id/; ~ing)
── 他 〈…へ〉輸出する《*to*》(↔ import) ‖ Jamaica *exports* bananas *to* France. ジャマイカはフランスにバナナを輸出している.
── 名 (複 ~s/-pɔːrts/) Ⓤ 輸出 (↔ import)；ⓒ 〔通例 ~s〕 輸出品；輸出高〔額〕；〔形容詞的に〕輸出の ‖ Wheat is a major *export* of Canada. 小麦はカナダの主要輸出品です.
ex·pórt·a·ble 形 輸出できる[向きの].
ex·pórt·er 名 ⓒ 輸出業者.

†ex·por·ta·tion /èkspɔːrtéiʃən/ 名 Ⓤ〈…の〉輸出 《*to*》；ⓒ (主に米) 輸出品 ‖ the *exportation* of corn *to* Asia アジアへのトウモロコシの輸出.

†ex·pose[1] /ikspóuz, eks-/ 動 他 (人・物・事がく人・物〉を〔物・事・危険・批評・放射能などに〕さらす；〈人〉を〔物・事に〕触れさせる, 向ける〔to〕‖ [be ~d]〈人〉が〔考えなどに〕接する〔to〕‖ get sunstroke from *exposing* one's head to the hot sun 照りつける太陽にさらして日射病にかかる / Students should *be exposed* *to* good teachers. 学生にはよい先生があてがわれるべきだ. **2** 〈人・事などが〉犯罪・欠点・不正・秘密などを〔…に〕暴露する, すっぱ抜く (reveal)〔to〕；〈悪党などの〉正体をあばく；〈遺跡などを〉掘り出す ‖ *expose* the mayor's scandal to the press 市長のスキャンダルを記者団に暴露する. **3**〈品物を〉陳列する, 店頭に出す《♦display より堅い語》. **4**〔写真〕〈フィルム・感光板〉を露光する, 感光させる.

ex·po·sé, ex·po·se[2] /èkspouzéi, -´--/〔フランス〕名 ⓒ〔正式〕(醜聞などの) 暴露〔記事〕, すっぱ抜き.

ex·posed /ikspóuzd, eks-/ 形 〈場所などが〉風雨〔危険, 攻撃, 批評など〕にさらされた；〈線・梁など〉がむき出しの.

†ex·po·si·tion /èkspəzíʃən/ 名〔正式〕**1** ⓒ (万国) 博覧会《♦ふつう *exhibition* より規模が大きい. 略expo. 1, 2 に対応する動詞は expose》. **2** Ⓤ 展示[陳列]する[される]こと. **3** ⓤⓒ (詳しい) 論評, 説明；解説的論文[談話] (♦ 動詞は expound).

ex·pos·i·tor /ikspázətər, eks-|-pɔ́z-/ 名 ⓒ (主に本などの) 解説[説明] 者.

ex·pos·tu·late /ikspástʃəlèit, eks-|-pɔ́stju-/ 動 自〔正式〕〈人〉に忠告する《*with*》；〔…について/…しないよう〕さとす《*on, with / against*》.

†ex·po·sure /ikspóuʒər, eks-/ 名 ⓤⓒ **1**〔風雨・危険などに〕(身を)さらすこと, さらされること；〔放射能の〕被爆(げ)；〔影響などを〕受ける[させる]こと；〔講義・真実などに〕接する[接しむる]こと〔to〕‖ The homeless man died of *exposure*. そのホームレスの男は風雨にさらされて亡くなった / my first *exposure to* the language その言語に初めて接すること. **2** 暴露, 発覚, あばくこと ‖ the newspaper's *exposure* of the plot 新聞による陰謀の摘発. **3**〔写真〕露光(時間)；露光部分；〔フィルムの〕1こま. **4**(商品の)陳列；(テレビ・新聞などでの)(自己)提示, (人前に)姿を見せること, (傷・体などの)露出 ‖〘対話〙 "Is he a popular TV personality?" "He never used to be. But he has a lot of *exposure* on TV these days." 「彼は人気のあるテレビタレントですか」「昔はそうではなかったのですが, 最近よくテレビに出ています」.
expósure làtitude〔写真〕露出寛容度.
expósure mèter〔写真〕露出計.

†ex·pound /ikspáund, eks-/ 動 他〔正式〕〈教義・教典などを〉解義[釈義]する. ──〔…を〕詳説する《*on, (*まれ) *about*》.

†ex·pres·i·dent /èksprézədənt/ 名 ⓒ (生存している) 前大統領[会長, 社長, 学長] (→ ex-).

＊ex·press /iksprés, eks-/ 〚「表に押し出す」が本義〛
── 動 (~es/-iz/; 過去・過分 ~ed/-t/; ~ing)
── 他 **1**〔正式〕〈人が〉〈思想・感情・意見などを〉(言動・表情などで) 表現する；〈…を〉(人に) 述べる〔to〕；[express wh節] …かを表現する ‖ *express* 〔`say〕 one's opinion 自分の意見を言う / His pale face *expressed* fear. 青ざめた顔は恐怖を表していた / I can't *express* (to you)「how happy I am now [*what* I mean]. 言葉で言えないくらいうれしい[自分の言いたいことが表現できない]《◆that節は用いない：`I can't *express* that I'm very happy now.》. **2** [~ oneself](言葉・身振りで) **自分の考え**[感情]を述べる；(芸術・創作などで) 自己を表現する；[~ itself]〈感情が〉外に出る ‖ The student from Brazil *expressed* himself in good Japanese. ブラジルからの留学生は立派な日本語で自分の考えを述べた / Her grief *expressed itself* in tears. 彼女の深い悲しみは涙となって現れた. **3** 〈符号・記号などの〉を表す. **4** (英)〈手紙などを〉速達で送る.
── 名 (複 ~es/-iz/) **1** ⓒ **急行列車** (express train)；急行バス (express bus) (↔ local)《◆「特急」は special [limited] express,「準急」は semi-express》‖ take the 9:30 a.m. *express* to Tokyo 午前9時30分発東京行急行に乗る. **2** Ⓤ (英) 速達(便) (express delivery), (米) special delivery) ‖ send a letter *by express* 手紙を速達で出す. **3** ⓒ (貨物の速達)運送便；= express company. **4** ⓒ (英)特使, 急使.
── 形《♦比較変化しない》[名詞の前で] **1**〔正式〕はっきりした, 明示された (clearly stated) ‖*express* orders はっきり書かれた[明示された]命令 (→ explicit) / My *express* wish was for a genuine picture by Gogh. 私がぜひ欲しかったのは本物のゴッホの絵です. **2** 急行の, 直通の (↔ local), (英) 速達(至急)便の；(米) (急配)運送便の ‖ an *express* letter 速達の手紙 / an *express* agency 急行運送便特約店. **3** 高速用の ‖ an *express* highway 高速道路 ((主に米) expressway).
── 副 急行で；(英) 速達で；(米) (急配)運送便で《♦比較変化しない》‖ send a package *express* 小包を速達[急配便]で送る.
expréss bùs 急行バス (cf. 名 1).
expréss còmpany 急行運送会社.
expréss delívery = 名 2.
expréss èlevator 急行エレベーター.
expréss tràin 急行列車 (cf. 名 1).

＊ex·pres·sion /ikspréʃən, eks-/〚→ express〛
── 名 (複 ~s/-z/) **1** ⓤⓒ〔正式〕(言動などの) **表現**(する[される]こと)；(性質・感情の外への)現れ ‖ an *expression* of thanks 感謝のしるし / Her perfor-

expressionism

mance was excellent *beyond* [*past*] *expression*. 彼女の演奏は言葉では言い表せないほどすぐれていた / *give expression to* one's thoughts 思考を表現する / His wife's hatred found *expression* in loud cursing. 妻の憎しみは大声の悪態となって現れた.

2 UC〈顔などの〉**表情**(look);〈声の〉調子, 抑揚; U表現力[態度]∥ a bóred [pléased] *expréssion* 退屈した[うれしそうな]表情∥ Put more *expression* into your playing. 演奏[演技]にもっと感情をこめなさい.

3 C 言い回し;語句∥ use slangy [rude] *expressions* 俗語的な[乱暴な]表現を用いる.

ex·pres·sion·ism /ikspréʃənìzm, eks-/ 名 [しばしば E~] U (絵画·音楽·文学·映画·演劇などの)表現主義.

ex·pres·sion·less /ikspréʃnləs, eks-/ 形〈声·顔·人が〉無表情の, 表情の乏しい.

†**ex·pres·sive** /iksprésiv, eks-/ 形 **1**《正式》〔感情·思想などを〕表現する, 示す〔*of*〕∥ a look *expressive of* hostility 敵意を表す顔つき. **2**〈声·音調·目つきなど〉表現[表情]に富む∥ an *expressive* silence [smile] 意味ありげな沈黙[笑み].

ex·prés·sive·ly 副 表情たっぷりに. **ex·prés·sive·ness** 名 U 表情に富むこと, 表現性[力].

†**ex·press·ly** /iksprésli, eks-/ 副 **1**はっきりと, 明確に(clearly). **2** わざわざ, 特別に(specially).

*[**ex·press·way**] /iksprésswèi/
——名 (~s/-z/) C 〔主に米〕**高速道路**(〔英〕motorway)〈◆〔掲示〕では Xpwy と略すことが多い.

†**ex·pul·sion** /ikspʌ́lʃən, eks-/ 名 UC〔本·記録·一覧表から〕排除する[される]こと, 〔…からの〕駆逐;追放, 除籍〔*from*〕.

ex·punge /ikspʌ́ndʒ, eks-/ 動 他 …を〔…から〕抹消 [削除]する〔*from*〕(cf. cross off [out]).

ex·pur·gate /ékspərgèit, (英+) -pə-/ 動 他《正式》〈本などから〉不適切な箇所を削除する;〈不適切な箇所·場面などを〉〔…から〕削除する〔*from*〕.

expwy. (略) 〔主に米〕expressway.

†**ex·qui·site** /ikskwízit, ékskwizit/ 形 **1**この上なくぐれた, 賞賛に値する, 立派な(出来の), 申し分のない, すばらしい, こった《◆"Did you enjoy his birthday party?""Yes, the dinner was absolutely *exquisite*."「彼の誕生日パーティーは楽しかったですか」「ええ, 食事が本当においしかったです」/ *exquisite* manners 優雅な身だしなみ. **2**《正式》〈痛み·喜びなどが〉強烈な. **3**《正式》〈感覚などが〉鋭敏な∥ *exquisite* sense こった感覚.

ex·quí·site·ness 名 U 絶妙, 優美さ. **ex·quí·site·ly** /ikskwízitli, ékskwizitli/ 副 優美に;こって;非常に.

ex·ser·vice·man /èkssə́ːrvəsmən/ 名 (複 -men) 〈女性形〉 **-wom·an** C 〔英〕退役軍人(〔米〕veteran, (PC) ex-service member, ex-soldier).

ext. (略) extension (number).

†**ex·tant** /ékstənt, ekstǽnt | ekstǽnt, ékstənt/ 形《正式》〔しばしば still ~〕〈古文書·書類·記録などが〉(まだ)現存している.

ex·tem·po·ra·ne·ous /ikstèmpəréiniəs, eks-/ 形《正式》 =extempore.

ex·tèm·po·rá·ne·ous·ly 副 即席に.

ex·tem·po·rar·y /ikstémpərèri, eks- | -pərəri/ 形《正式》 =extempore. **ex·tém·po·rar·i·ly** 副 即席に.

ex·tem·po·re /ikstémpəri, eks-/《正式》副形 用意なしで[の] (off hand)《◆ impromptu と違って多少の準備をする》;即席に[の].

ex·tem·po·rize /ikstémpəràiz, eks-/ 動 他《正式》…を即席[即興]でやってのける(ad-lib). ——自 原稿なしで話をする.

*[**ex·tend**] /iksténd, eks-/
——動 (~s/-tɛ́nz/;[過去·過分] ~·ed/-id/; ~·ing)
——他 **1a**〈訪問·休暇などの(期間)〉を延ばす;〈鉄道·道路などを〉〔…まで〕**延長する**〔*to*, *into*〕;〔軍事〕〈軍勢·兵列の〉間隔を広げる∥ *extend* the railway *to* the next city 鉄道を隣の街まで延長する / I *extended* my stay in London for another week. 私はロンドン滞在をもう1週間延長した / Cleaning *extends* the life of a carpet. クリーニングはじゅうたんの寿命を延ばす. **b**〈区域·勢力·意味·考え·商売などを〉〔…まで〕**広げる**, 拡張する〔*to*, *over*〕∥ *extend* one's research in this new field この新しい分野での研究範囲を広げる / *extend* welfare services 福祉事業を拡大する / National authority has been *extended* over the new territories. 国家権力が新領土にまで及んだ. **c**《正式》〈手足·体などを〉**伸ばす**(stretch out)∥ *extend* one's body on the ground 地面に大の字になる / a water bird with its wings *extended* 羽を広げた水鳥.

2《正式》[extend A to B=extend B A]〈人が〉A〈親切·歓迎などを〉B〈人〉に示し, 施す;〈祝辞·謝意·弔意などを〉B〈人〉に述べる(give, offer)∥ I'd like to *extend* my personal apologies for his absence. 彼が欠席したことについて個人的におわび申し上げたく存じます.

——自 **1**〈道·土地などが〉〔…まで〕**伸びる**, 広がる(stretch);〈関心·知識などが〉及ぶ, 届く〔*to*〕∥ The prairie *extends* to the horizon. 草原は地平線まで広がっている. **2**〈天候·会などが〉〔…まで〕(ずっと)続く〔*to*, *into*〕∥ The meeting has *extended* late into the night. 会議は夜遅くまで継続した / The cold weather *extended* into April. 4月になっても寒い天気が続いた.

†**ex·tend·ed** /iksténdid, eks-/ 形 **1**伸ばされた, ぴんと張った. **2**〈帝国·光源などが〉広大な;広範囲の;〈話·休暇などが〉延長した, 長期の.

exténded fámily (両親·子供以外に祖父母·おじ·おば·いとこから成る)拡大家族(↔ nuclear family).

†**ex·ten·sion** /iksténʃən, eks-/ 名 U 広げる[広げられる]こと, 広がること;〈道路などの〉拡張, 延長∥ the *extension* of his powers 彼の権力の拡大 / by *extension* 延長として, 転じて. **2** U〈影響·知識などの〉範囲, 限度(extent). **3** C 〔…まで〕広げた部分, 拡張[延長]部分, 追加部分〔*to*〕;〔時間〕〔*to*〕;〔…の〕増築, 建て増し〔*to*〕∥ an *extension* of 10 miles to the highway 高速道路の10マイル延長箇所. **4** C (電話の)内線, 連結線 (telephone extension)∥ *Extension* 567, please. 内線の567番をお願いします. **5** C〔コンピュータ〕拡張子;拡張機能.

by exténsion 拡大解釈すると, 転じて.

exténsion còurses (大学の)公開講座《二部·通信コースなど. 市民へのサービスとしての公開講座は open classes. cf. Open University》.

exténsion nùmber 内線番号(略 Ext.).

†**ex·ten·sive** /iksténsiv, eks-/ 形 **1**〈場所が〉広い, 広大な《「部屋など(囲いのある場所)」が広い」は spacious)∥ Our college has an *extensive* campus. 私たちの大学のキャンパスは広々としている. **2**〈知

識・変化・調査・被害・修理などが広範囲にわたる(↔ intensive) ‖ He has extensive knowledge of Sanskrit. 彼はサンスクリット語についての幅広い知識をもっている.

†**ex·ten·sive·ly** /iksténsivli, eks-/ 副 広範囲に, 広く; 大規模に.

***ex·tent** /ikstént, eks-/
—名 (複 ~s/-ténts/) **1** U [時に an ~] 程度, 範囲, 限界(degree) ‖ to sóme [a cértain] exténtある程度まで / to a gréat [lárge] extént 大いに / Are you reaching the extent of your physical strength? もうそろそろ体力の限界ですか / You can be in debt to the extent of $100,000. あなたは限度いっぱいの10万ドルまで借金できます / She was angry *to such an extent that* she could not speak. 《正式》口がきけないほど彼女は立腹していた(=She was so angry that she couldn't speak.) / *To whát extent* can I trúst him? 《正式》どの程度まで彼女は信頼できるか(=How múch can I trúst him?). **2** UC (森・国・知識などの)広さ, 広がり, 広い地域(◆長さに重点を置いた広がりをいう. 平面的な広がりを強調すれば expanse) ‖ the great extent of his knowledge 彼の広い知識 / a vast extent of grassland =a grassland of vast extent 広大な草原 / The extent of the wheat field was increased. 麦畑の面積が広げられた(=The wheat field was made more extensive.).

ex·ten·u·ate /ikstényueìt, eks-/ 動 他 《正式》〈罪・罰〉を軽くする.

ex·ten·u·a·tion /ikstènyuéiʃən, eks-/ 名 UC 情状酌量(しゃくりょう)(すべき点) ‖ in extenuation of the theft 盗みの弁解理由として.

†**ex·te·ri·or** /ikstíəriər, eks-/ 形 **1** (建物・車などの)外(側)の, 外面の; 外(用)の; [...の]外側で[to](◆outer, outside より堅い語. cf. external)(↔ interior) ‖ the exterior walls of a house 家の外壁. **2** 外観上の; 外界の.
—名 UC 《正式》[単数形で] **1** (建物などの)外面, 外側; 外観. **2** (人の)外見; [~s] (物・事の)外観(ぎ), 外形.

†**ex·ter·mi·nate** /ikstə́ːrmənèit, eks-/ 動 他 《正式》〈種(族)〉を絶滅させる(destroy);〈思想・疾病など〉を撲滅する ‖ しばしば kill の遠回し語.

†**ex·ter·mi·na·tion** /ikstə̀ːrmənéiʃən, eks-/ 名 U 根絶, 絶滅, 駆除.

ex·tern, --**terne** /ékstəːrn/ 名 C 通学生;(米)(病院の)通勤医師(cf. intern[2]).

†**ex·ter·nal** /ikstə́ːrnl, eks-/ 形 **1** 《正式》外部の, 外的な(↔ internal); 外からの; 第三者的立場の;〔医学〕身体の;〔哲学〕外界の, 現象外の ‖ external evidence 外的証拠 / the external ear 外耳 / a salve for external use only 外用専用の軟膏(ぎ) / external reality 外界の現実 / Her injuries were only external. 彼女の傷は外傷だけだった. **2** 〈要素・行為など〉表面[外形]上の, 形式的な;〈事情などが〉偶然[付帯]的な ‖ an external expression of gratitude うわべだけの感謝. **3** 外国の, 対外的な ‖ the external policies [policy] of Japan 日本の外交政策.

extérnal mémory 〔コンピュータ〕外部記憶装置.

ex·tér·nal·ly 副 外面的に; 外部から.

†**ex·tinct** /ikstíŋkt, eks-/ 形 **1**〈火・光などが〉消えた; 死火山の(cf. dormant) ‖ an extinct volcano 死火山; 隠居の人. **2**〈望みなどが〉絶えた(dead). **3**〈種族・家系などが〉絶えた, 絶滅した 《◆対話》"I want to keep a dinosaur, Dad.""Dinosaurs are long extinct."「パパ, 恐竜を飼いたいな」「恐竜はずっと昔に絶滅しているよ」.

†**ex·tinc·tion** /ikstíŋkʃən, eks-/ 名 U 《正式》**1** 消す[消される]こと, 消火, 消灯. **2**〈種族・家系などの〉根絶, 絶滅; 死滅 ‖ be threatened with extinction =be in danger of extinction =be on the edge [point, verge] of extinction 絶滅の危機に瀕(ひん)している.

†**ex·tin·guish** /ikstíŋgwiʃ, eks-/ 動 他 《正式》**1**〈火・光など〉を消す(put out) ‖ extinguish one's cigarette タバコの火を消す / The fire was soon extinguished. 火事はまもなく鎮火した(◆×The fire soon extinguished. は不可). **2** [比喩的に] ...を消す, 失わせる, 消滅させる;〈種族・家系〉を絶滅させる ‖ All his hope was extinguished by his failure in the entrance exam. 入試の失敗で彼の希望はすべて失われた / extinguish a debt 借金を完済する.

ex·tin·guish·er /ikstíŋgwiʃər, eks-/ 名 C **1** 消す物[人]. **2** 消火器(fire extinguisher); ろうそく消し.

ex·tol, (米ではしばしば) **ex·toll** /ikstóul, eks-/(過去・過分) ex·tolled/-d/; --tol·ling 他 《正式》〈人・行為〉を激賞する.

ex·tort /ikstɔ́ːrt, eks-/ 動 他 《正式》...を[...から]ゆすり取る, だまし取る [from, (まれ) of, out of]; ...を[...から]強引に引き出す[from].

†**ex·tor·tion** /ikstɔ́ːrʃən, eks-/ 名 《正式》**1** U 強奪, 強要, ゆすり(blackmail); C 強奪した物[金品]; [~s] 金をだまし取る行為. **2** U 〔法律〕恐喝罪; 財物強要. **3** U 法外な値[高料]をふっかけること.

ex·tor·tion·ate /ikstɔ́ːrʃənət, eks-/ 形〈要求など〉が無理じいの, 過度な;〈価格が〉法外な, 暴利をむさぼる.

***ex·tra** /ékstrə/ 〔ラテン〕
—形 (通例名詞の前で) 必要以上の, 余計な, 余分の; 特別の, 割増しの(◆以上の意では additional がふつう); 臨時の, 増刊の(◆比較変化しない) ‖ extra pay for extra work 超過勤務に対する割増給 / The soccer game will go into extra time. そのサッカーの試合は延長戦に入るだろう / an extra number of a magazine 雑誌の増刊号.
—副 (略式)ふつう以上に;[名詞の後で] 割増して, 別に, 余計に, 余分に(◆比較変化しない) ‖ work extra hard 格別まじめに働く.
—名 (複 ~s/-z/) C **1** 余分の物; [~s] (自動車などの)付属物, (米) 極上の物, 上等品. **2** チップ; 割増料金. **3** 号外, 特別号, 臨時増刊; 番外 ‖ an extra of the Asahi Shinbun 朝日新聞の号外. **4** 〔映画〕エキストラ, 群集; (略式) 臨時雇い.

ex·tra-- /ékstrə-/ 〔要素〕→語要素一覧(1.7).

†**ex·tract** /動 ikstrǽkt, 名 ékstrækt/ 動 他 《正式》**1**〈人などが〉〈句・文〉を[...から]抜粋する, 引用する(quote)[from](◆主に新聞用語)‖ The newspaper extracted several passages from the speech. 新聞はその演説の内容を数か所引用していた. **2**〈物〉を[...から](力を入れて)引き出す, 引き抜く((略式) pull out), 取り[掘り, 絞り]出す[from] ‖ I have a wisdom tooth extracted 親知らずを抜いてもらう / extract juice from lemons レモンのジュースを絞る. **3**〈情報・約束・告白・真理など〉を〔人から〕(無理やり)引き出す;〈楽しみなど〉を[...から]引き出す[from] ‖ extract a confession from a suspect 容疑者から自白を引き出す. —名 **1** UC 抽出した物, 濃縮物, 精, エキス. **2** C [本・詩・音楽などからの]抜粋,

引用章句[節], 抄録[*from*].
ex·tráct·a·ble 形 引き出せる.
†**ex·trac·tion** /ɪkstrǽkʃən, eks-/ 图 (正式) **1** ⓤ 引き抜くこと, 抽出される[する]こと, 〈鉱物の〉採取 ‖ the *extraction* of a tooth 抜歯(ば?). **2** ⓒ 抽出されたもの; エキス, 血統.
ex·trac·tive /ɪkstrǽktɪv, eks-/ 形 取り[引き]出せる; 抽出(性)の; エキスの.
ex·trac·tor /ɪkstrǽktər, eks-/ 图 ⓒ **1** 抜きとる人[物]. **2** (抜歯)鉗子(か?), ピンセット. **3** =extractor fan. **extráctor fàn** 〈窓・壁にはめこめられた〉換気扇, ファン.
ex·tra·cur·ric·u·lar /èkstrəkərɪ́kjələr/, **‑lum** /‑ləm/ 形 教科課程外の, 教科外の ‖ I am involved in many *extracurricular* activities. 私は多くの課外活動に参加している.
ex·tra·dite /ékstrədàɪt/ 動 他 (正式) 〈国外逃亡犯人〉を[…から/管轄国・州へ]引き渡す[*from*/*to*]; 〈犯人〉の引き渡しを受ける.
ex·tra·di·tion /èkstrədɪ́ʃən/ 图 ⓤ 逃亡犯人引き渡し. **extradítion tréaty** 犯人引き渡し条約.
ex·tra·ne·ous /ɪkstréɪniəs/ 形 (正式) **1** 外来種の; 異質の(foreign). **2** […と]無関係な[*to*]; 非本質的な.
†**ex·traor·di·nar·i·ly** /ɪkstrɔ́ːrdənérəli, eks-|ɪkstrɔ̀ːdənərəli/ 副 並でなく, 非常に; 奇妙(なこと)に.

*‎**ex·traor·di·nar·y** /ɪkstrɔ́ːrdənèri, eks-|‑dənəri/
───形 **1** 並はずれた, 驚くべき; 並々ならぬ; 異常な, 妙な; 途方もない ‖ a woman of *extraordinary* beauty [talents] まれにみる美人[非凡な才能の女性] / *extraordinary* happenings 異常事態 / *extraordinary* weather 異常気象 / What an *extraordinary* car! なんとへんてこな車だ / Even for a Great Dane, the dog is of *extraordinary* size. グレートデン種としても, あの犬の大きさは特別だ. **2** (正式) [通例名詞の後で] 特派の, 特命の《◆ 比較変化しない》 ‖ an envoy *extraordinary* 特派使節. **3** (正式) [名詞の前で] 臨時の《◆ 比較変化しない》 ‖ an *extraordinary* session of the Diet 臨時国会.
ex·tra·ter·res·tri·al /èkstrətərɛ́striəl/ 形 (正式) 地球(圏)外の; 宇宙(から)の. ───图 ⓒ 地球外生物, 宇宙人(略 ET).
†**ex·trav·a·gance** /ɪkstrǽvəgəns, eks-/ 图 **1** ⓤ (金の)浪費(癖); ⓤⓒ ぜいたく(物) ‖ 対話 "He is spoiled." "Yes. He is an only child, and his mother loved him with [to] *extravagance*." 「彼は甘やかされています」「そうです. 彼はひとりっ子で母親は彼を溺愛(ぺ?)しました」 / A car used to be an *extravagance*. 車は昔ぜいたく品だった. **2** ⓤ (行動・言葉の)行きすぎ, 無節制; ⓒ 突飛な言行.
†**ex·trav·a·gant** /ɪkstrǽvəgənt, eks-/ 形 **1** 〈人・組織などが〉[…に]金遣いの荒い, 〈習慣などが〉ぜいたくな, 浪費の(wasteful)[*in*] ‖ *extravagant* with money at the horse races 競馬に金を使いすぎる. **2** 過度な, むちゃな; 〈値段・要求が〉法外な(excessive); 〈考え・言葉・行動などが〉仰々しい; 〈服装がけばけばしい; 〈考えが〉非現実的な, ばかげた ‖ be *extravagant* in the use of flattery お世辞の使いすぎ / an *extravagant* price 目の飛び出るような値段.
ex·tráv·a·gant·ly 副 ぜいたくに.
ex·trav·a·gan·za /ɪkstrævəgǽnzə, eks-/ 图 ⓒ 狂詩文, 笑劇; 狂言, 金のかかる壮麗なショー.

*‎**ex·treme** /ɪkstríːm, eks-/ 形《◆ 名詞の前で用いるときはふつう /‒́‒/》徹 *extremely* 副
───形 **1** [通例名詞の前で] 極端な, 極度の; 極限の 《◆ 比較変化しない》 ‖ I am in extreme poverty. 私は赤貧状態にある / pay the *extreme* penalty (正式) 極刑[死刑]に処される.
2 〈とも・人・思想などが〉過激な, 急進的な; 〈服装・流行などが〉最先端の(↔ moderate) ‖ the *extreme* political right 政治上の極右派 / She is *extreme* in her views. 彼女の意見は行きすぎだ.
3 [名詞の前で] (位置的に)最果ての, 末端の《◆ 比較変化しない》 ‖ the *extreme* south of the country その国の最南端.
───图 (徹 ‑s/‑z/) **1** ⓤⓒ 極端, 極度; 過度; [通例 ~s] 極端な状態[行為, 手段] ‖ be happy *in the extréme* (正式) この上なく幸せである (=be extremely happy) / kindness (which is) carried to extremes [the *extreme*, an *extreme*] 行きすぎた親切 / gò [be dríven] to extrémes =run to an *extreme* 極端に走る. 極端に出る[言う]. **2** [the ~] 両極端の一方; [~s] 両極端 ‖ the *extremes* of sadness and joy 悲しみと喜びの両極端 / go to the other [opposite] *extreme* =go from one *extreme* to another [the other] 正反対の行動をとる / *Extremes meet.* (ことわざ) 両極端は相通ずる.
ex·tréme·ness 图 ⓤ 極端であること.

*‎**ex·treme·ly** /ɪkstríːmli, eks-/
───副 極度に, 極端に, (略式) [形容詞・副詞を強調して] とても (very)《◆ (1) excessively と違って必ずしも悪い含みはない. (2) 比較変化しない》 ‖ She is an *extremely* careful driver. =She drives *extremely* carefully. 彼女は非常に注意深く運転する.
†**ex·trem·ist** /ɪkstríːmɪst, eks-/ 图 ⓒ 形 (政治での)過激論者(の). **ex·trém·ism** 图 ⓤ 極端な性質[状態]; (政治・宗教での)極端({?})主義.
†**ex·trem·i·ty** /ɪkstrémət̬i, eks-/ 图 (正式) **1** ⓒ (胴体から遠い)四肢(?)の1つ(limb); [extremities] 手足《◆ 時に鼻・耳・あごの先端をさす》 ‖ numbness in the *extremities* 手足のまひ. **2** ⓒ 難局, 窮境 ‖ be in *extremities* [an *extremity*] 窮地にある, 死にひんしている. **3** [an/the/one's ~] 極端, 極度, 限度 ‖ On the *extremity* [the *extremities*] of despair 絶望の極み. **4** ⓒ [通例 extremities] 極端な手段[罰], 過激な言動 ‖ go [resort, be forced, be driven, proceed] to *extremities* [the *extremity*] 最後の手段に訴える. **5** ⓒ (国・島などの)先端, 最端(point).
ex·tri·cate /ékstrɪkèɪt/ 動 他 (正式) …を[…から]解放する, 救い出す[*from*].
ex·tro·vert /ékstrəvə̀ːrt, ‑trou‑/ (心理) 形 图 ⓒ 外向性の(人), 社交的な(人).
ex·u·ber·ant /ɪɡz(j)úːbərənt, eɡz‑/ 形 (正式) **1** 〈植物が〉繁茂した. **2** 〈人・行動が〉元気にあふれた.
ex·ú·ber·ance 图 ⓤ 豊富, 横溢(?); 活力, 生気; 繁茂.
ex·ude /ɪɡz(j)úːd, eɡz‑/ 動 (正式) 自 〈樹液・汗・においなどが〉しみ出る. ───他 〈汗・においなど〉を出す.
†**ex·ult** /ɪɡzʌ́lt, eɡz‑/ 動 (正式) […に]歓喜[狂喜]する, 有頂天になる(*at*, *in*, *over*).
†**ex·ult·ant** /ɪɡzʌ́ltənt, eɡz‑/ 形 (正式) 歓喜した, 有頂天の, 勝ち誇った.
†**ex·ul·ta·tion** /èɡzʌltéɪʃən, èks‑/ 图 ⓤ (正式) […に対する]歓喜, 有頂天; 勝ち誇った気持ち(*at*); [~s] 喜びの声, 歓声.
‑ey /‑i/ (語要素) →語要素一覧(2.1).

eye

eye /ái/ (同音) I, aye)

index 名 1 目　2 視覚　3 目つき　4 監視の目, 眼識

——名 (複) ~s/-z/) **1** ⓒ **目**《◆英米では正直な人は相手の目をまっすぐに見つめるとされ, 相手の目を避けるのは不正直という印象を与えることがある》‖ blue [brown, dark] eyes 青い[茶色の, 黒い]目 / She threw a glance at me out of the corner of her eye. 彼女は横目で私をちらっと見た / Most of the stars can't be seen with the naked [×bare] eye. 大部分の星は肉眼では見えない《◆単数形に注意》/ big [large] eyes 大きな目, ぱっちりした目《◆big の方がふつう》/ an éye dòctor (略式) 眼科医 (oculist, ophthalmologist) / narrowed eyes 細めた目《◆相手の心を読み取る敵意・疑いの目》/ a girl with lovely eyes かわいい少女 / goggle one's eyes (驚いて)目を丸くする / roll one's eyes up 目をくるくるさせる / screw one's eyes up (まぶしくて)目をぎゅっと閉じる / squint one's eyes (まぶしさ・近視などで)目を細める / hit him in the eye 彼の目のあたりをなぐる (→ catch 他 1ⓒ) / give him a black eye 彼の目のまわりにあざをつける《◆black eye は「(殴られたりなどして)まわりにあざができている目」のこと. 日本人などの黒い目は brown [dark] eye》/ Her eyes popped out. (驚き・喜びで)彼女の目玉は飛び出んばかりだった / Eyes right [left, front]! (号令) かしら右[左, 中]! / Where are your eyes? (注意を促して)どこに目がついているんだ / Your eyes are 「bigger than [too big for] your stomach. (食事中, 子供をたしなめて)欲ばっても食べきれないよ.

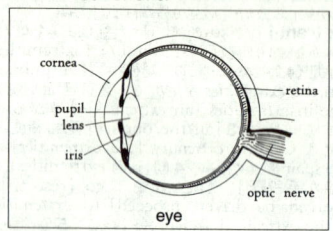

[図: eye]
cornea — retina
pupil
lens
iris
optic nerve
eye

2 ⓒ [しばしば ~s] **視覚, 視力** ‖ have sharp [weak] eyes 視力がよい[悪い] / lose one's eyes 失明する / see things as they are with one's own eyes 自分の目で物をあるがままに見る / I could hardly believe my eyes. (意外な光景に)自分の目が信じられなかった / as far as the eye can reach [see] 見渡す限り (→ reach 自 1).

3 ⓒ [しばしば ~s] **目つき, まなざし, 視線** ‖ angry [heavy] eyes 怒った[眠そうな]目 / dull [sparkling] eyes どんよりした[きらきらした]目 / a green [jealous] eye しっとの目 / The suspect was afraid to meet the policeman's eye. 容疑者は恐くて警官と目を合わすことができなかった.

4 [an/one's ~] **監視の目, 注視; 眼識**, […を]見分ける力 (for)《◆この意味では目の「働き」が問題になっているので単数形》‖ cast [run] an [one's] eye over [through] a paper 論文[レポート]に目を通す / catch [strike, take] his eye (略式)〈人・物〉が彼の目にとまる / She has an eye for beauty. 彼女には審美眼がある《◆主語が複数形になっても eyes とはならない: They have 「an eye [×eyes] for beauty.》.

5 ⓒ [しばしば ~s] **観点, 見方, 判断** ‖ in my eyes 私の見解では / You and the president are equal in the eyes of the law. 君も大統領も法律からみれば平等だ.

6 ⓒ 《物・事の》中心, 眼目; (渦巻・花・回転などの)中心; (ジャガイモの)芽; (鳥・昆虫などの)尾羽の斑点; (針の)目; (ホックの)留め穴; 輪(わ).

(**an**) **éye for** (**an**) **éye** (聖) 目には目を(でする報復) (tit for tat)《◆この後に turn the other cheek (→ cheek 成句)と続く》.

befòre A's (**véry**) **éyes** 〈人〉の目の前で; 公然と.

cást gréedy éyes upòn [**on**] A 〈物〉を欲しそうに眺める.

cást (**shéep's**) **éyes at** A (略式)〈異性〉に(おどおどしながら)色目を使う.

cláp éyes on A = lay EYEs on.

clóse one's **éyes to** A …を見て見ぬふりをする, 無視する.

crý one's **éyes óut** (略式) 目を泣きはらす, ひどく泣く.

éasy on the éye [(米) **éyes**] (略式) 見て快い; 器量のよい, 美人の.

féast one's **éyes on** [**upòn**] A …を見て目を楽しませる, …で目の保養をする.

give an éye to A 〈人・物・事〉に注目する.

hàve an éye on [**upòn**] A = **hàve** one's **éye**(**s**) **on** [**upòn**] A (略式)〈人・物〉を(不都合なことが起らないように)注意深く監視する; …に目をつける.

hàve an [one's] **éye óut** [**ópen**] = **hàve** one's **éyes péeled** [**skínned**] = keep an EYE out.

hàve an éye to A (1)〈物・事〉に注意する. (2)〈物・事〉を目当てにする.

hàve éyes ónly for [**for ónly**] A = **ónly hàve éyes for** A 〈人〉だけに関心がある;〈物〉だけを欲しく思う.

in the [one's] **mínd's éye** 心の中で, 想像で.

in the públic éye 世間で注目[注視]されて; 広く知られて (↔ out of the public eye).

kéep an éye on [**upòn**] A = **kéep** one's **éye**(**s**) **on** [**upòn**] A 〈人・物〉を(安全である[取られない]ように)じっと見守る ‖ Please keep an eye on my suitcase till I come back from the bathroom. トイレから帰ってくるまで私のスーツケースから目を離さないでください.

kéep an éye óut [**ópen**] = **kéep** one's **éyes** [**both**] **éyes** (**wíde**) **ópen** = **kéep** one's **éyes péeled** [**fíxed, skínned**] (略式) […を]油断なく見張っておく[警戒する], 目を皿のようにして探す (for).

láy éyes on A (英略式)〈人・物〉を(初めて)見る, …に目を留める《◆ never, first, next などと共に, また as soon as の節などで用いる》.

líft úp one's **éyes to** A (文) …を見上げる.

lóok A (**stráight** [**ríght**]) **in the éye**(**s**) [**fáce**] (きまり悪がらず)〈人〉を正視する.

méet A's **éye** (1)〈物が〉〈人〉の目にとまる. (2)〈人〉の目を直視する.

ópen A's **éyes to** B A〈人〉に B〈真相・正体など〉を気づかせる[わからせる].

sèe éye to éye (**with** A) (略式) (1) (〈人〉に)面と向かって対面する. (2) [通例否定文で] (〈人〉と)(問題などについて)意見が一致する {on, over, about}.

sèt éyes on A = lay EYEs on A.

shút one's **éyes to A** =close one's EYEs to A.
tàke one's **éyes óff A** [通例否定文で]〈人・物〉から目を離す.
ùnder A's (**véry**) **éyes** =before A's (very) EYEs.
úp to the [one's] **éyes** =up to the EARs.
with an éye to A [doing]〈事〉を目的として, …をしようとして.
with drý éyes 泣かないで; 平然と.
with one's **éyes ópen** (1) 目を開けて. (2)《略式》事情を知りながら, 待ち受ける困難[問題, 結果]を十分知りつつ.
with one's **éyes shút** [**clósed**] (1) 目を閉じて. (2) 容易に, 努力しないで.
───動 (ey(e)・ing) 他 1〈人が〉〈悪意・疑い・好奇心・願望から〉〈人〉をじろじろ[注意深く]見る ‖ The policeman *eyed* me from top to toe. 警官は私を頭のてっぺんからつま先までじろじろと見た《◆ふつう疑い・悪意の目で見ることを意味する》. 2〈物に〉目[穴]をあける.

éye bànk アイバンク, 角膜銀行.
éye chàrt 視力検査表.
éye còntact (話し相手と)視線を交わす[目を合わせる]こと《ふつうの場面での eye contact は3秒ぐらいが適当でそれを超えると stare となる》‖ I had [made] *eye contact* with her. 私は彼女と視線を交わした.
éye pàl《略式》(空港などの)案内係, 相談員.
éye pàtch 眼帯.
éye shàdow アイシャドー.
eye・ball /áibɔːl/ 名 C 眼球, 目玉. **éyeball to éyeball**《略式》怒って, 面と向かって《…と)顔をつき合わせて (face to face), にらみ合って〔with〕.
†**eye・brow** /áibrau/ 名 C まゆ, まゆ毛 ‖ shaggy [heavy, thick] *eyebrows* もじゃもじゃした[濃い]まゆ毛 / knit [draw] one's *eyebrows* まゆをしかめる《◆困惑・不機嫌の表情》/ raise [lift, arch]「an *eyebrow* [one's *eyebrows*] (at …)《(…に対して)(驚き・軽蔑(ミミ)・非難などで)抗議するように》まゆをあげる, まゆをひそめる / *raised eyebrows* 非難, 顰蹙(ﾋﾝｼｭｸ).
úp to the [one's] **éyebrows** 〔仕事に〕没頭して〔in〕.
éyebrow flàsh (あいさつとして)まゆを上げて合図すること.
éyebrow pèncil (ペンシル型の)まゆ墨.

eyed /áid/ 形 1 眼状斑紋[点]のある; 目[穴]のある. 2 [複合語で] …の目をした ‖ a *one-eyed* monster 一つ目の怪物 / *blue-eyed* 青い目をした.
eye・glass /áiglæs/ -glɑːs/ 名 C 1 めがねの片レンズ; 片めがね; 接眼レンズ[鏡]. 2《米》 [~es] めがね (glasses) ‖ an *éyeglass* fráme めがねのフレーム. 3 洗眼コップ.
†**eye・lash** /áilæʃ/ 名 C まつ毛; [集合名詞; ~es] まつ毛(全部) ‖ She wears false *eyelashes*. 彼女はつけまつげをしている.
nót blìnk an éyelash 眉ひとつ動かさないで, びくともしないで.
eye・let /áilət/ 名 C 1 (皮・布地にあけた)ひも通しの穴, はと目. 2 穴飾り(刺繍(ﾄﾞﾑ)); 穴飾りをした布. 3 小さい目.
†**eye・lid** /áilid/ 名 C まぶた《単に lid ともいう》‖ a double-[single-]edged *eyelid* 二重[一重]まぶた.
eye-open・er /áioupnər/ 名 C《略式》目を見張らせる[驚くべき]事[物], びっくりするような発見.
eye-pop・ing /áipɑpiŋ/ -pɔpiŋ/ 形《略式》〈値段などが〉目の玉が飛び出すほどの.
eye・shade /áiʃeid/ 名 1 (テニス選手などがかぶる)日よけ, まびさし. 2 =eye shadow.
eye-shot /áiʃɑt/ -ʃɔt/ 名 U 視界, 視野 (eyesight).
beyònd [**òut of**] **éyeshot** 〔…の〕目の届かないところで〔of〕.
in [**within**] **éyeshot** 〔…の〕目の届くところで〔of〕.
†**eye・sight** /áisait/ 名 U 視力; 視界, 視野 ‖ have good [poor] *eyesight* 視力がよい[弱い] (=have sharp [weak] *eyes*).
eye・sore /áisɔːr/ 名《略式》[an ~; a real ~] いやな[目ざわりな, 見苦しい]物[建物].
eye・strain /áistrein/ 名 U (疲労・読書・コンピュータ画面などの凝視による)目の疲れ.
eye・tooth /áituːθ/ 名 (複 --teeth) C 犬歯, 糸切り歯.
eye・wash /áiwɑʃ/ -wɔʃ/ 名 U 1 洗眼液, 目薬. 2《略式・やや古》ごまかし; おべっか; ナンセンス, たわごと.
eye・wit・ness /áiwìtnəs/ 名 C〔…の〕目撃者〔of, to〕.
Ezek. (略)〔旧約〕 *Ezek*iel.
E・ze・ki・el /izíːkiəl/ 名〔旧約〕エゼキエル《紀元前6世紀のユダヤの大預言者》; エゼキエル書 (略 Ezek.).
†**Ez・ra** /ézrə/ 名〔旧約〕エズラ《紀元前5世紀のユダヤの律法学者》; エズラ書.

F

‡f, F /éf/ 名 (複 f's, fs; F's, Fs/-s/) **1** CU 英語アルファベットの第6字. **2** → a, A 2. **3** CU 第6番目(のもの). **4** C (米)(教育)不可, 落第点(failing, failure) (→ grade 名 4 関連). **5** U (音楽)ヘ音, へ調.

f nùmber (写真) f ナンバー《レンズの明るさを表す》.

f (略)(音楽) forte.

F (略)(化学) fluorine; fine〈鉛筆が〉細字の; Fahrenheit; French; failure.

f. (略) female.

F. (略) Fahrenheit; France; French; Friday.

fa /fáː/ 名 CU (音楽) ファ(fah)《ドレミファ音階の第4音. → do²》.

FA (略) Football Association (英国)サッカー協会.

FAA (略) (米) Federal Aviation Administration 連邦航空局.

‡fa‧ble /féibl/ 名 **1** C 寓(ぐ)話, たとえ話‖ *Aesop's Fables* イソップ物語. **2** U〔集合名詞; 単数扱い〕伝説, 神話; C (個々の)伝説, 神話‖ Greek *fables* ギリシア神話(cf. myth). **3** CU 作り話, うそ(↔fact)‖ I can't believe his story. I think it a mere *fable*. 彼の話が信じられません. それは単なる作り話だと思います.

fa‧bled /féibld/ 形 **1** 伝説[神話]上で名高い[有名な], 伝説的な. **2** まゆつばの, 作りごとの.

Fa‧bre /fáːbər/ 名 ファーブル《**Jean Henri** /ʒɑ̃ː ɑ̃ŋríː/ ~ 1823-1915; フランスの昆虫学者》.

‡fab‧ric /fǽbrik/ 名 **1 a** CU 〈織った・編んだ〉布地, 織物《◆ cloth より堅い語》; [形容詞的に] (leather に対する)織物の, 編み物の, 布製の‖ a *fabric* with many wrinkles たくさんのしわのよった布地 / woolen [silk, cotton] *fabrics* 毛[絹, 綿]織物. **b** U 織り方. **2** U (正式)(建物・社会などの)構造, 骨組み, 組織(structure); 組み立て方‖ the *fabric* of society 社会組織.

fab‧ri‧cate /fǽbrikèit/ 動 他 (正式)くろう・言い訳・証拠などを)作りあげる, 捏造(ねつぞう)する.

fàb‧ri‧cá‧tion 名 CU 偽造; うそ.

‡fab‧u‧lous /fǽbjələs/ 形 **1** (正式)伝説[神話]上の; 架空の, 想像上の. **2** (正式)信じがたい, とてつもない, 驚くべき. **3** (女性語形式)すばらしい, わくわくする; [F-~]! すごい!《◆類例: Superb!, Gorgeous!, Fantastic!, Wonderful!》 **fáb‧u‧lous‧ly** 副 信じられないくらい.

‡fa‧cade, fa‧çade /fəsɑ́ːd, fæ-/ (フランス) 名 C (正式)(建築)(建物の)正面, 前面, ファサード(front); [比喩的に] 前面; 外見‖ just a *facade* 見かけ倒しで.

‡face /féis/

index
名 1 顔 2 顔つき 3 表面
動 他 1 面する 2 直面する 自 向いている

―名 (複 ~s/-iz/)

I [人の顔]

1 C 顔, 顔面 (図 → body) ‖ a boy with a sun-burnt *face* 日焼けした少年 / I was unable to *look* her *in the face*. (恥ずかしさ・やましさなどで)彼女の顔をまともに見ることができなかった (→文法 16.2(3)) 《◆ **look at her** *face* は単に「彼女に目を向ける」意味, **look in her** *face* は「(医者が診察のためなどに)顔をよく見る」の意味》 / **hit him** *in the face* 彼の顔をなぐる / a round [square] *face* 丸い[四角い]顔.

> **使い分け** [face と head]
> face は「目・鼻・口のある頭部の前面」.
> head は「首から上の部分全体」.
> You should not stick your *head* [×*face*] out of the window. 窓から顔を出してはいけません.
> There is a boy with a sun-tanned *face* [×*head*]. 日焼けした顔の男の子が1人います.

2 C [一時的な顔の状態] **a** …の顔, 顔つき, 顔色 ‖ 'a sad [an angry] *face* 悲しそうな[怒った]顔つき / **kèep a stráight fáce** = keep one's *face* straight (建物の正面(おかしさを押さえて)真顔(まがお)でいる / **pùll, wéar, pùt òn** a lóng fáce 浮かぬ顔をする, 失望の表情を浮かべる / His *face* lit up when I mentioned her name. 彼が彼女の名前を出すと彼の表情が明るくなった / Her *face* fell [darkened], and I thought she might burst into tears. 彼女の表情が暗くなり, 泣き出すのではないかと思った. **b** [しばしば ~s] しかめつら ‖ **màke [pùll] fáces** [a *face*] at him 彼にしかめつらをする, 顔をゆがめる.

II [物の表面]

3 C (物の)表面, 表(おもて), 正面; (道具の)使用面; (印刷)活字の字面(じづら), 字体‖ the *face* of a building 建物の正面(おかしさを押さえて)真顔 / on the *face* of the report 報告書の文面では / the right [wrong] *face* 表[裏] / climb the north *face* of a mountain 山の北面を登る.

blúe in the fáce (顔が青ざめるほど)疲れ果てて, 疲れ切って.

fáce dówn 顔を下げて; (カードなどの)表を下にして.

*fáce to fáce 〔…と〕近くで向かい合って, 相対して〔**with**〕(→文法 16.3(3))‖ The cancer patient came *face to face* with death. がん患者は死と直面した.

fáce úp 顔を上げて; (カードなどの)表を上にして.

hàve the fáce to dó (英略式)厚かましくも…する.

híde one's **fáce [héad]** 恥じて顔をそむける[隠れる]; 恥じる.

in A's fáce (1) まともに ‖ The rain was falling in my *face*. 雨がまともに私に降り注いでいた. (2) 〈人〉の面前で; 公然と(to A's *face*) ‖ laugh in A's *face* 〈人〉を面と向かって嘲笑(ちょうしょう)する.

in (the) fáce of A (1) 〈人〉の面前で. (2) …をものともせず, …にもかかわらず.

It's wrítten áll òver your fáce. (略式)顔にそう書いてあるよ, 見ればわかるよ.

lóse fáce メンツを失う.

間としての尊厳を傷つけたという事実は残る / My failure is due to the [×a] fact that I was lazy. 私が失敗したのは怠慢のせいだ / In spite of the fact that the work is hard, he never complains. 仕事はきついのだが，彼は不満を言ったことがない《◆前置詞の後に that節は用いられない(→文法 21.6(2))ので，the fact that で代用する.「…ということ」くらいの意》. **b** Ⓤ（想像・理論などに対する）**事実**，真実，真相（reality）(↔ abstraction) ∥ *Fact is stranger than fiction.*（ことわざ）事実は小説よりも奇なり. **2**〘法律〙[the ~] **犯行**；Ⓤ[時に ~s]（犯罪などの）事実(問題) ∥ after [before] *the fact* 犯行後[前]の(→ accessory 名2) / make a finding of *fact* 事実認定をする.
a fáct of lífe 厳しい現実《◆死など好ましくない事に用いる》.
(as a) mátter of fáct → a MATTER of (1).
*in (áctual) fáct **(1)**［前言を補足して］(見かけとは違って)**実際は，事実上に**；その証拠に ∥ He said he was ill in bed, but, *in fact*, I visited him only to find him fit as a fiddle. 彼は病気で寝ていると言った，ところが実は彼を訪ねてみると元気であることがわかった. **(2)**［前言を要約して］文頭で］**つまり，要するに**(in short) ∥ His thesis is too long and complicated. *In fact*, it's above my head. 彼の論文は長すぎて複雑です. 要するに私には理解できません. **(3)**［前言を強調して］**(…と言ったが)いや実際は**，それどころではなく(さらに)，(思い切って)はっきり言えば ∥ I didn't like him much. *In fact*, I hated him. 私は彼があまり好きでなかった，それどころかむしろ憎んでさえいた.
The fáct (of the mátter) is that ... ［前言を補足強調して］だが実際は…，実は…(in actual) FACT(1)) ∥ They said that she was an advocate of feminism, but *the fact (of the matter) was (that)* she despised the movement. 彼女はフェミニズムの主張者だと言われたが，実はその運動をひどく嫌っていたのだ(=(略式) ... of feminism. Fact is(,) she despised ....
the fácts of lífe（親が子に話す）人生の現実，現状《◆性の営み・出産などの詳細》.

†**fac‧tion**[1] /fǽkʃən/ 名 **1** Ⓒ（政治）の派閥；(少数で不満を持つ)徒党. **2** Ⓤ（組織内部の）内輪もめ，派閥争い，党派心.

fac‧tion[2] /fǽkʃən/ [*fact* + fiction] 名 Ⓤ 実話小説，ドキュメンタリー小説[映画].

fac‧tion‧al /fǽkʃənl/ 形 派閥[徒党]の；党派心の強い.

fác‧tion‧al‧ism 名 Ⓤ 派閥主義，党派心；派閥争い.

fac‧tious /fǽkʃəs/ 形 派閥的な；党派心の強い；〈精神・要素などが〉派閥）争いの好きな；扇動的な.

fac‧ti‧tious /fæktíʃəs/ 形 〘正式〙人為[人工]的な，まがいの；〈笑い熱情などが〉見せかけの，わざとらしい.

†**fac‧tor** /fǽktər/ 名 Ⓒ **1**［…という結果をもたらす］要因，要素［in］∥ The nearness of the apartment to the station was the main *factor* in my decision to rent it. 駅に近いことがそのアパートを借りるのを決める際の主要な要因でした. **2**〘数学〙因数，因子. ─ 動 Ⓣ …を計算に入れる(+in).

fac‧tor‧ize /fǽktəràɪz/ 動 Ⓣ **1**〘数学〙…を因数分解する. **2**〘…に〙…を要因として盛り込む[in, into].

fàc‧tor‧i‧zá‧tion 名 Ⓤ〘数学〙因数分解.

***fac‧to‧ry** /fǽktəri/
─ 名（徰 ~‧ries/-z/) Ⓒ **1**（機械で大量生産する）工場，製造[製作]所（類語）「近代設備の整った大工場・製造場」は plant,「原料を加工して新たな素材にする工場」は works, これをもとにして製品を作るのが factory. mill は原料を製造する工場）∥ He works at a car *factory*. 彼は自動車工場で働いている / She runs a spinning *factory*. 彼女は紡績工場を経営している. **2**〘軽蔑〙規格品を大量生産する所；(俗)の温床. **3**［形容詞的に］工場の ∥ *factory* hands（単純労働の)職工.

fac‧tu‧al /fǽktʃuəl/ 形 事実の；事実に基づく，事実を含む.

†**fac‧ul‧ty** /fǽkəlti/ 名 Ⓒ **1**〘教育〙**a**［しばしば F~］(大学の)学部(department) ∥ the *faculty* of law [theology, letters] 法学[神学, 文学]部. **b**［時に F~；集合名詞；単数複数扱い］(主に米)（大学の)学部教授陣［教員］；［形容詞的に］全教員の ∥ The *faculty* are [is] meeting this afternoon. 今日の午後教授会[職員会議]が開かれる.

語法 (1)（米）では時に学生を含めた学部全体をさしたり，一大学［一学科］の全教員，また高校の全教員をさすこともある.
(2)（英）では staff の方がふつう.
(3)（米）ではふつう単数扱い．（英）では団体とみるときは単数扱い，構成員を考えるときは複数扱い．
(4) 数える場合は，不定冠詞や数詞は a *faculty* のように用いず，a member of (the) *faculty* / a *faculty* member のようにいう. faculties は教員の複数の集団について用いる.

c（米）［集合名詞］(大学・学校の)（教員と職員からなる) 全教職員(→ **1b** 語法 (3)). **2**〘正式〙（身体器官・精神の)機能，能力(function) ∥ the *faculty* of sight [hearing, speech] 視覚[聴覚, 言語能力] / My elderly grandfather is still in full possession of all his *faculties*. 私の年配の祖父はまだかくしゃくとしている. **3**〘正式〙［単数形で］［…の/…する］(ある分野の)先天的・後天的な)才能，能力，力(ability) [*for, of /* for [of] *doing*]《◆芸術的才能をいう talent, gift に対し，知的才能・如才なさなどをさす》∥ She *has* a great *faculty for* mathematics. 彼女は数学のすぐれた才能がある / develop the *faculty of* getting along with others 他人とうまくやっていく才能を身につける.

†**fad** /fæd/ 名 Ⓒ (略式) 気まぐれ，物好き；(熱狂的な)一時的流行[興味].

fad‧dish /fǽdɪʃ/ 形 (略式) 気まぐれな；物好きな，一時的流行を追いたがる；一時的流行の.

fad‧dy /fǽdi/ 形 (~‧di‧er, ~‧di‧est) (略式) =faddish.

†**fade** /feɪd/ 動 Ⓘ **1**〈力・記憶・名声・健康などが〉（徐々に）衰える；〈人・群集・物が〉（いつのまにか）姿を消す，見えなくなる(+*away, out*) ∥ Our memory of bloody war is gradually *fading away*. 血なまぐさい戦争の記憶は次第に薄れている. **2**〈色があせる(+*away*)；〈光・音などが〉（次第に）薄れる，消えていく(+*away, out*) ∥ This shirt has *faded* from washing. このシャツは洗うと色が落ちた / The low sounds of the plane *faded away* into darkness. 飛行機の低いうなり声が暗闇(ɴ)に消えていった. **3**〈花などが〉しぼむ，しおれる ∥ a *faded* flower しおれた花. ─ 動 Ⓣ〈花〉をあせる；…の色をあせさせる ∥ The sun *faded* the lettering on the sign. 日光で看板の文字があせた.

fáde ín［自］(映画・放送)〈画面・音が〉次第にはっきり

on one's *fáce* うつぶせに(↔ on one's BACK) ‖ lie *on* one's *face* うつぶせに横たわっている.
sáve one's **fáce** メンツを保つ.
sée A *in* one's **fáce** 表情でわかる ‖ They were glad she was there. She could *see it in their faces*. 彼らは彼女がそこにいてうれしかった. 彼女には彼らの表情でわかった.
sét one's **fáce to** [**toward**] **A** 〈人・場所〉の方に向かう; 〈仕事・目的など〉に着手する; …を志す.
shoot óff one's **fáce** =shoot off one's MOUTH.
stáre A *in* the **fáce** (1) 〈人〉の顔をじっと見る. (2) 《略式》〈事が〉〈人〉に明らかである, 〈悪い事が〉〈人〉の身近に迫る; 〈物が〉…の目前にある ‖ Bankruptcy stared him *in the face*. 彼の破産は時間の問題だった.
to **A's fáce** 〈人〉に聞こえるように面と向かって, 公然と (↔ behind **A**'s back).

——動 (~s/-iz/《過去・過分》~d/-t/; fac·ing)
——他 **1** 〈人・物が〉〈人・物〉に**面する**, …に向かう ‖ *Facing* each other, the couple remained calm. 恋人たちは落ち着いてお互いの方を向いていた / The hotel *faces* [×is facing] the sea. ホテルは海に面している.
2 a 〈人・危険など〉に臆(ᡤ)せず立ち向かう; 〈困難•いやな事〉に**直面する**, …を正視する; 〈問題など〉を〔人と〕正面から話し合う(*with*) ‖ *face* an enemy bravely 敵に勇敢に立ち向かう / *face* facts [troubles, death] 事実[心配事, 死]に直面する / Let's *face* it. それに立ち向かおう. **b** 〈人が〉〈危険など〉…の身に迫る, 現れる; [be ~d] 〈人が〉〈災難などに〉直面している(*with, by*) ‖ He *is faced with* a difficult problem. 彼は難問に直面している《◆〈人〉を主語にして》He *faces* a difficult problem. も可能(→ **a**)》 / These species of butterfly *are faced with* extinction. この種のチョウは絶滅に瀕している. **c** 〈人がく〉〈人〉を〔…に〕直面させる(*with*). **d** [can't *face doing*] …する勇気がない, …する気になれない ‖ I couldn't *face* seeing him. どうしても彼に会う勇気がなかった.
3 〈壁など〉に〔材料で〕上塗りする, 上張りする; 〈石材などを〉〔…で〕みがく; 〈衣服など〉に〔…で〕へり[飾り]をつける[*with*] ‖ a coat *faced with* gold braid 金モールでふちどりされた上衣 / *face* a wall *with* plaster 壁をしっくいで上塗りする.

——自 〈人・物が〉〔…の方向に〕**向いている**[*to, toward* など]; 〔場所に〕**面している**[*on, onto*] 〈◆修飾語[句]は省略できない》 ‖ The house *faces*「*to* the south [*on*(*to*) a lake]. 家は南向きだ[湖に面している]. **2** 進行形不可.

fáce úp to A 〈人・難局など〉に大胆に対処する[立ち向かう]; 〈事実など〉を直視する《◆単に face より意味が強い》.

fáce càrd 《米》(トランプの)絵札《キング・クイーン・ジャック》《英》court-card.
fáce màsk (1) フェイスマスク《アメリカンフットボール・アイスホッケーなどでつける》. (2) =face pack.
fáce pàck 化粧パック.
fáce pòwder おしろい.
face value (1) /=/ (貨幣・証券などの)額面価格. (2) /=/ [比喩的に] 額面, 文字通りの意味 ‖ I foolishly tóok her promise at *fáce válue*. 私は愚かにも彼女の約束を額面通りに受け取った.

face·cloth /féiskl(ɔ́)θ/ 《英》(~s/-ðz|-θs/) C (洗面用)手拭(ᡤ), タオル.
–faced /-féist/ 〈語要素〉→語要素一覧(1.2).

fac·et /fǽsit; 《英》féis-/ C **1** (多面体, 特に宝石の)一面, 切り子面. **2** 《正式》(心・問題などの)面, 様相.
fa·ce·tious /fəsí:ʃəs/ 〈言葉など〉(時宜を得ず)こっけいな; ふざけた; 〈人などが〉ひょうきんな, おどけた《◆ funny より堅い語》. **fa·cé·tious·ly** 副 こっけいに; ふざけて.
face-to-face /féistəféis/ 形 差し向かいでの, 面と向かっての. ——副 〔…と〕差し向かいで, 〔…に〕面と向かって; 〔…に〕直面して.
fa·cial /féiʃəl/ 形 **1** 顔の, 顔面の ‖ a *facial* expression 顔の表情 / *facial* dew 顔面の玉のようなしずく《◆ *sweat, perspiration*)の遠回し表現》. **2** 顔に用いる, 顔用の.
fac·ile /fǽsl|-ail/ 形 《正式》**1** (手応えのないほど)容易な; 容易に手に入った. **2** 〈口・筆など〉すらすら動く, 軽薄な; 〈話し手が〉流暢(ᡤ)な; 器用な.
fa·cil·i·tate /fəsílətèit/ 動 他 《正式》〈物・事が〉…を容易にする; …を促進する. **fa·cíl·i·tà·tor** C 容易にする[促進する]人[物]; (会などの)進行係, 司会者.

***fa·cil·i·ty** /fəsíləti/

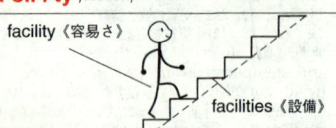

facility 《容易さ》

facilities 《設備》

——名 (複 --ties/-z/) **1** C 〔…のための〕便, 便宜, 手段(means); [facilities; 複数扱い] **設備, 施設**, 機関, 部屋, 建築物[*for*] ‖ *facilities* for travel 交通機関, 交通の便 / monetary *facilities* 金融機関 / the *facilities* of a library 図書館の設備 / He was afforded every *facility for* pursuing his research. 彼に研究のためのあらゆる便宜が与えられた.
2 《正式》**a** U (行動の)**容易さ**, たやすさ(ease) (↔ difficulty) ‖ The child can operate a computer with great *facility*. その子は楽々とコンピュータを操作できる. **b** U (熟練などによる)〔…の/…する〕**器用さ, 手際(ᡤ)のよさ**(skill); 流暢(ᡤ)さ; C 〔…の〕才能, 能力(talent) 〔*for, in,* 或は / *for* [*in*] *doing*〕 ‖ show [have] (a) great *facility in* (learn*ing*) languages 語学習得のすぐれた才能を示す[持っている].
3 C 《略式》[通例 facilities] 手洗い, トイレ《◆ lavatory の遠回し語》.

fac·ing /féisiŋ/ 動 → face. ——名 **1** U C (壁・家などの)表面[化粧]仕上げ(面). **2** U (衣服の補強・装飾のための)へり取り(材料).
fac·sim·i·le /fæksíməli/ [アクセント注意] 名 《正式》**1** C U (写真・書類などの)複写, 複製. **2** C ファクシミリ, ファックス(fax) ‖ by *facsimile* ファックスで.
in facsímile 複写で[の]; 原物どおりに[の].

***fact** /fǽkt/
——名 (複 ~s/fǽkts/) **1 a** C 〔…という〕**事実**; 現実 〔*of*, (*that*) 節〕 ‖ That's a *fact*. 《もと米略式》本当だよ / The *fact that* he has been sick recently should not be disregarded. 彼は最近病気だったという事実は無視されてはならない / The [×A] *fact* (of the matter) *is* (*that*) I can't get enough work to do. 実は私のやる仕事が十分に手に入らないのです《=《略式》*Fact* is(,) I can't get …》 / The *fact* remains *that* Japan did hurt our dignity as human beings. 日本が我々の人

する, 溶明する. ━[他] …を次第にはっきりさせる, 溶明させる (cf. fade-in).

fáde óut [自]〖映画・放送〗〈画面・音が〉次第に消える, 溶暗する(→ 1, 2). ━[他] …を次第に消す, 溶暗させる (cf. fade-out).

fade-in /féidìn/ [名] [U]〖映画・テレビ〗フェードイン, 溶明, 〖ラジオ・録音〗フェードイン(↔ fade-out).

fade-out /féidàut/ [名] [U]〖映画・テレビ〗フェードアウト, 溶暗, 〖ラジオ・録音〗フェードアウト(↔ fade-in).

fa·e·rie, ‑y /féiəri, féəri/ [名] [古]語 **1** 妖(ǎ)精の国; おとぎ話の世界. **2** 妖精(→ fairy). **3**[形容詞的に] 妖精の(ような); 幻想的な, 魅惑的な.

†**fag¹** /fǽg/ [動] (過去・過分) **fagged**/-d/; **fag·ging**) [他] **1** [略式] [通例 be ~ged /~ oneself]〈人などが〉へとへとに疲れる(+out). **2** (英) (public school で)〈上級生が下級生を〉雑用に使う. ━[自] [英略式]〈人が〉へとへとになるまで働く(+away); 〖面白くない仕事を〗熱心にやる(+away)[at]. ━[名] **1** [U] [英略式][しばしば a ~] つらくていやな仕事; 疲労 ‖ It's too much (of a) fag. それは余りにもやっかいすぎる. **2** [C] (英) (public school で) 上級生の雑用をする下級生.

fag² /fǽg/ [名] [C] [米俗] [侮蔑] 男性同性愛者, ホモ.

fag·got¹ /fǽgət/ [名] = fag².

†**fag·ot, (主に英) fag·got²** /fǽgət/ -got- [名] [C] **1** [古] (燃料用の) まき束, 粗朶(ē)束. **2** (英) [通例 ~s] ファゴット 《豚肉ミンチとパンくずのミートボールを焼いた[揚げた]もの》.

Fah., Fahr. [略] Fahrenheit (thermometer).

*__Fahr·en·heit__ /fǽrənhàit, fɑ́r-/ ━[形] 華氏(温度計)の(記号) F. Fah., Fahr.) (cf. Celsius, centigrade) ‖ Normal body temperature is 98.6°F. 平常体温は華氏 98.6度である《98.6°F は ninety-eight point six degrees *Fahrenheit* と読む》/Water freezes at 32°F and boils at 212°F. 水は華氏 32度で凍り, 212度で沸騰する.
[事情] (1) 英米では日常生活にふつう華氏を用いるが, 摂氏も次第に使われつつある. (2) 摂氏への換算式: C = (F−32) × 5÷9.
━[名] [U] 華氏 ‖ in *Fahrenheit* 華氏で.

Fáhrenheit scále 華氏目盛り《氷点 32度, 沸点 212度》.

Fáhrenheit thermómeter 華氏温度計.

‡**fail** /féil/ 〖「期待されていたあるべき状態にならない」が原義〗[名] failure (名).
━[動] (~s/-z/; 過去・過分 ~ed/-d/; ~·ing)
━[自]
Ⅰ [期待された目的に達しない]

1a〈人が〉[…に] **失敗する** [in, at]; 〈計画などが〉うまくいかない ‖ Peace talks between the two countries have failed. 2国間の平和に向けての話し合いは失敗に終わった / fail in [at] the lumber business 製材業に失敗する. **b** [fail to do] …しようとしてできない (⇔[他] 1) ‖ He *failed* to solve the problem. 彼は(やってみたが)問題は解けなかった.

Ⅱ [期待された状態に至らない]

2〈人が〉〈努力・誠実さなどに〉欠けている [in] ‖ fail in one's duty 義務を怠る.

3〈収穫・供給などが〉**不足する**, なくなる; (略式)〈健康・視力・人などが〉衰える, 弱る; 〈家系などが〉絶える; 〈におい・光などが〉消える; 〈予言がはずれる〉‖ The crop *failed* last year because of the drought. 昨年は干ばつのため不作だった / The patient's health is *failing* day by day. 患者の健康は日ごとに衰えてきている.

━[他] **1**〈人などが〉…を**怠る**; [fail to do] …するのを怠る, …できない, …しそびれる (fail) 《◆ 主語が一人称では卑屈な感じを与えるので避けられる》‖ She *failed* to hit the target. 彼女は的を射ることができなかった《◆ 何度試みてもだめだったという含みがある. She missed hitting the target. は単に試みて失敗したことをいう》/ "Don't *fail* [×Fail not] to keep your word. (まれ) 必ず約束を守ってくれ《◆ 高圧的な言い方なのでこのような命令文はまれ》. Don't forget to keep … / Be sure to keep … がふつう.

📖 語法 [don't fail to と never fail to]
前者は 1回きりの行為に, 後者は習慣的・非一時的行為に用いる: She 「never *fails* [×doesn't *fail*] to prepare for the next day's lessons after supper. 彼女は夕食後必ず翌日の授業の予習をする《◆ *never fail to* は always と同義になる. ➔文法 18.2》.

2〈人が〉〈学科・試験〉に**落ちる**, …の単位を落とす《主に米略式》flunk) (↔ pass); 〈教師が〉〈試験で〉〈学生を〉**落第させる** ‖ If I *fail* the next English exam, I won't be able to go into the second year. 今度の英語の試験を落としたら 2年に上がれない / She *failed* (×in) chemistry [her chemistry test]. 彼女は化学のテストに落ちた《◆ She *failed* a test in chemistry. ともいう》/ The teacher *failed* half the class in English. 先生は英語でクラスの半分に落第点をつけた.

3〈物・事・人が〉〈いざという時に〉〈人〉の**役に立たない**, …を失望させる(disappoint), 見捨てる; 不足する, 十分でない ‖ Her sight [courage] *failed* her. 彼女は視力を失った [どうしても勇気が出なかった] / Our food will *fail* us shortly. 我々の食物はすぐに尽きてしまうだろう / I won't *fail* him this time. 今度は彼をがっかりさせないつもりだ.

━[名] [C] [英略式]〖試験・学科の〗失敗, 落第(者)[in] ‖ get a *fail* in English 英語を落とす.

*__without fáil__ 必ず, いつも ‖ He writes to his parents every week *without fail*. 彼は必ず毎週両親に手紙を書く.

failed /féild/ [形]〈人・事などが〉失敗した, 不成功の ‖ He is a *failed* musician. 彼は音楽家として成功しなかった.

†**fail·ing** /féiliŋ/ [名] [C] **1** (性格上の) 欠点, 弱点, 短所; 欠陥《◆ fault の遠回し語》‖ know one's own *failings* 自分自身の短所を知っている. **2** 失敗.
━[前] …がない場合には; …がないので ‖ *Failing* instructions(\\)〈, I did what I thought best. 指示がなかったので自分が最善と思うことをやった.

*__fail·ure__ /féiljər/ 〖← fail〗━[名] (~s/-z/) **1** [U] […での] **失敗**, 不首尾[in, of] (↔ success); [C] [通例 a ~] 失敗[落選]者; 失敗した企て, 失敗作 ‖ fear *failure* 失敗を恐れる / She is a *failure* as a mother. 彼女は母親としては失格だ / The experiment was a complete *failure*. その実験は見事に失敗した / The launching of the space shuttle ended [resulted] in *failure*. スペースシャトルの打ち上げは失敗に終わった. **2** [U] [C] […の]怠慢, 不履行 [in]; […を]しない[できない, し忘れる]こと[to do] ‖ *failure* in design 構想ができていないこと / Her *failure* to reply is worrying. 彼女から返事のないのは心配だ. **3** [U] [C] […の]不足, 欠乏; 不作[of] ‖ crop *failures* =failure of crops 不作. **4** ⓊⒸ (重要機能の)損傷, 衰弱;機能停止, 故障 ‖ an electric power *failure* 停電 / renal [heart] *failure* [医学]腎不全[心臓麻痺(ᴴ)] / *failure* of eyesight 視力低下. **5** Ⓒ (銀行などの)倒産, 破産. **6** Ⓒ (試験での)落第(者);落第点, 不可(の(記号) F).

†**faint** /féint/ 形 **1** 〈音・光・色・輪郭などが〉かすかな, ほのかな ‖ a *faint* smell of burning 物の燃えるかすかなにおい / *faint* lines (ノートなどの)薄罫(ᵏ)線. **2** [しばしば ~est] 〈考え・記憶などが〉ぼんやりした, おぼろな;〈希望・機会などが〉わずかな, かすかな ‖ I「don't have [haven't] the faintest [foggiest] idea (of) what she looks like. (略式) 彼女がどんな人なのかまるで見当がつかない(→ idea **3**)《❶文法 19.5》. **3** 〈呼吸・体力・声などが〉弱々しい ‖ Doctor, the patient's pulse is getting very *faint*. 先生, 患者の脈拍がたいへん弱ってきています / *faint* breathing 虫の息. **4** 〈人が〉[…で]気が遠くなりそうな, ふらふらして[with, from, for] ‖ be *faint* from [with] hunger and heat 空腹と暑さでへとへとする《from, for は原因・理由, with は結果・同時性を強調》. **5** 〈試み・賞賛などが〉心のこもらない, 気のない.

── 動 ⾃ 〈人が〉[貧血・痛み・暑さ・ショックなどで]失神する, 卒倒する(+*away*)(*from, with*)《使い分け》→ KNOCK out (1) ‖ Bob's wife *fainted*[×lost consciousness] when the police phoned about his accident. ボブの奥さんは警察から夫の事故の電話を受けて気を失った《◆ lose consciousness は頭に打撃を受けた場合に使われることが多い》.
── 名 [通例 a ~] 気絶, 卒倒 ‖ fall down *in a* (dead) *faint* 失神して倒れる.

faint·**ness** 名 かすかなこと, 弱さ;失神.
faint·**heart**·**ed** /féinthɑ́ːrtid/ 形 (正式) 臆(ᵒ)病の, 意気地のない, 気の弱い.
†**faint**·**ly** /féintli/ 副 かすかに, 少し;力なく;意気地なく.

fair¹ /féər/ 同音 fare 派 fairly (副)

index 形 **1** 規則にかなった **2** 公正な **3** かなりの **5 b** 天気のよい **6** 色白の, 金髪の **7** 汚れのない 副 **1** 公正に

── 形 (~·er/féərər/, ~·est/féərist/)

Ⅰ [度が過ぎることのない]
1 a 規則にかなった, 論理にかなった《◆比較変化しない》 ‖ a *fair* tactic 理にかなった戦法. **b** 〈価格などが〉適正な, 正当な.
2 [...に対して]公正な, 公平な, 平等な, 対等な(*to, with, toward*) 類語 just, impartial. (↔unfair) ‖ by *fair* means or foul 手段を選ばず / a *fair* field and no favor 公平無私, 対等の立場 / Teachers should be *fair* to [*with*] every student. 教師はすべての生徒に公平であるべきである / a *fair* share 公平な分配 / *All's* ***fair*** *in love and war*. (ことわざ) 恋と戦争では手段を選ばない《「ふつうでは悪いとされる手段でも恋と戦争では許される」の意》.
3 《◆比較変化しない》[通例名詞の前で] **a** (略式) かなりの, 相当の ‖ a *fair* number of job applicants かなりの数の求職者 / The politician has a *fair* income. その政治家はかなりの収入を得ている. **b** 〈試み・仕事などが〉まあまあよい, ふつうの ;〈評点が〉可の(→ grade 名 **4**) ‖ a *fair* understanding of the work 仕事に関するまずまずの理解.
4 有望な(promising);見込みのある ‖ She is in a *fair* wáy 「to lósing her jób [to benefit]. 彼女は失業[利益を得る]可能性が十分ある.

Ⅱ [澄みきってきれいな]
5 a 〈海事〉〈風・潮流が〉(航行に)好都合の, 順調な(favorable);〈天候が〉よい(good), 天気のよい(fine and dry)《◆〈気象〉では clear(快晴), fair(晴), cloudy(曇り)を区別するが, 天気予報では fine も含めて fair という》 ‖ *fair or foul* 晴雨にかかわらず / *Fair* to *rainy* [shower]. (天気予報で)晴から雨.
6 〈皮膚が〉色白の, 〈髪が〉金髪の(blond), 〈人が〉色白で金髪の(fair-haired)(cf. dark **3**) ‖ The new film star is a *fair* girl. その映画界の新人は金髪で色白の女性です.

Ⅲ [汚点のない]
7 〈名声などが〉汚れのない, きれいな;〈筆跡が〉はっきりした ‖ write in a *fair* hand はっきりした文字で書く. **8** [野球] フェアの(↔foul). **9** [名詞の前で] 〈約束などが〉うわべの, まことしやかな.

Fáir enóugh! (略式) [通例用投詞的に;しばしば肩をすくめて] (↘) まあいいでしょう, そりゃ結構, ごもっとも (all right);これは見事(↗) これでいいですか.

── 副 (~·er, ~·est) **1** [play, fight, act] ~] 公正に;規則に従って ‖ The team *played fair*. チームは公正に戦った. **2** まともに, まっすぐに;ちょうど ‖ strike him *fair* in the face 彼の顔をまともにたたく. **3** きれいに, はっきりと ‖ write [copy] it out *fair* 清書する.

fáir and squáre (略式) 公明正大に[な], 正々堂々と;まともに, ちょうど;まちがいなく, 確かに.

── 名 Ⓒ (古) **1** 女性;(男からみて)恋人. **2** 美しい[貴重な]物, 美人.
for fáir (米俗) 完全に, 十分に, 確かに.
nó fáir 規則に反すること, ルール違反.
fáir báll [野球] フェアボール(↔ foul ball).
fáir pláy (1) 正々堂々と戦うこと, フェアプレー. (2) 公明正大な態度[行動] ;公正[平等]な扱い ‖ Turnabout is *fair play*. 仕返しは正当だ;それでおあいこだ.
fáir séx [the ~;集合名詞的に] 女性, 婦人.

***fair**² /féər/
── 名 (複 ~·s/-z/) Ⓒ **1** (大規模な)博覧会, 見本市 (exposition) ‖ There is a famous book *fair* in Frankfurt every year. 毎年フランクフルトで有名な書籍見本市がある. **2** (農・畜産物などの)品評会, 共進会《◆ふつう戸外. 余興・屋台も出されお祭りの雰囲気がある》 ‖ a cattle *fair* 家畜[牛]品評会 / One of our pigs won first prize at the county *fair*. 郡の家畜品評会でうちのブタが1等賞を取った. **3** バザー, 慈善市.
a dáy àfter the fáir (略式) 好機に遅すぎて[の]《「好機に早すぎて」は a day before the fair》.
fair·**ground** /féərgràund/ 名 Ⓒ [しばしば ~s;時に単数扱い] 市・縁日・催し物などに使用する広場;博覧会場.
fair-**haired** /féərhéərd/ 形 金髪の(fair);(米式) お気に入りの.

***fair**·**ly** /féərli/
── 副 (more ~, most ~) **1** [形容詞・副詞を修飾して] かなり, 相当に;いくらか, いくぶん, ある程度に《quite, rather, pretty より意味の弱い語》 ‖ The test was *fairly* easy. テストはかなりやさしくてよかった《「適度に」という含みがある. rather では「あまりやさしすぎて不満だ」を含意する》 / He is no genius. He's

fair-minded

fairly intelligent and he works hard. 彼は決して天才ではない。しかしかなり聡明でかつ勤勉だ / He should arrive here *fairly* soon. 彼はかなり早くここに着くべき[はず]だ.
2〔修飾して〕**公平に**, 公正に(justly), 正直に(honestly); 合法的に, 正当に; ふさわしく(↔ unfairly) ‖ *fairly* priced goods 適切な値段の付いた品物 / be *fairly* treated 公平に扱われる.
3《英文》〔動詞を修飾して〕**まったく**, すっかり(completely); 本当に, 実際に(really), ほとんど《◆この意味では fairly に強勢を置く》‖ He was *fairly* caught in the trap. 彼はまんまとわなにかかった / She *fairly* jumped for joy. 彼女は喜びのあまり跳び上がらんばかりだった.
fáirly and squárely =FAIR¹ and square.

fair-mind·ed /féərmáindid/ 形 (判断の点で)公正な, 公平な.

†**fair·ness** /féərnəs/ 名 Ⓤ 公正, 正直; 金髪; (皮膚の)白さ ‖ in (common) *fairness* (まあ)公平[正直]なところ.

†**fair·y** /féəri/ 名 Ⓒ 妖(よう)精, 精《超自然的な魔力を持ち, 魔力のある架空の生き物. 女性の姿をしていることが多く, りこうで踊りやいたずらが好きでとばしば人間に好意的》
‖ 《対話》 "I was nearly drowned in the sea." "Some good *fairy* must have protected you."「私は海で溺死するところでした」「どこかのよい妖精が君を守ってくれたにちがいない」.—— 形 **1** 妖精の.
2 妖精のような; 優美な; 小さくてかわいい.

fáiry stòry [tàle] /-/ 妖精物語, おとぎ話 ジョーク 》 "Mommy, do all *fairy* tales begin with 'Once upon a time'?" "No. Nowadays, lots of them start with 'If I am elected as president of the United States'."「お母さん, おとぎ話はいつも『昔々あるところに』で始まるの?」「いいえ, 近頃は『もし私が合衆国大統領に選ばれたら』で始まるのが多いのよ」《◆そういうのは (2)》. **(2)** (子供による)作り話, うそ; 信じられないような話.

†**fair·y·land** /féərilænd/ 名〔しばしば F~〕Ⓒ 妖(よう)精, おとぎの国, 仙境; 不思議の国, 桃源郷.

†**fair·y-tale** /féəritèil/ 形 おとぎ話の(ような); 信じられないほど美しい[優雅な]; 神秘的な; 幸運な.

***faith** /féiθ/ 発 faithful (形)
—— 名 (複 ~s/-s/) **1** Ⓤ 〔人・物・事に対する〕(理屈を超えた心情的な)**信頼**, 信用〔in〕(cf. fidelity)《◆ trust は「親子・兄弟間などの信頼」》‖ *lóse fáith in* [ˣto] him 彼を信用しなくなる / With so much pollution everywhere, I don't have *faith* in the future of the earth. どこを見ても公害だらけだから, 私は地球の未来を信じない / Don't *put* your *faith in* this new medicine. この新薬を信用してはいけない.
2 Ⓤ Ⓒ 〔しばしば a/one's ~〕〔…に対する/…という〕**信仰心**, 信念; 確信, 自信(confidence)〔in/that 節〕‖ an unwavering *faith* 確固たる信仰 / Her *faith in* God [winning] is unshaken. 神に対する彼女の信仰[勝利の確信]はゆるぎない.
3 Ⓒ **a** 信条, 教義; 宗教; 〔the ~, the F~〕真正の宗教, キリスト教 ‖ the Protestant *faith* 新教. **b** 〔集合名詞〕信者たち, 宗派 ‖ people of every *faith* あらゆる宗派の人々.
4 Ⓤ 約束, 誓約(promise) ‖ *kèep* [*brèak*] *fáith with* him 彼との約束を守る[破る] / *gìve* [*plèdge*] *one's fáith to* the king 王に約束を誓う.
5 Ⓤ 義務の)遵守; 信義, 誠実(loyalty) ‖

in good [*bad*] *fáith* 誠実に[裏切って] / a token of one's good *faith* 信義[善意]のしるし. *in one's fáith* 信念をもって(→ sincerity).

***faith·ful** /féiθfl/ 発 faithfulness (名), faithfully (副)
—— 形 (more ~, most ~) **1**〔人・約束・主義などに〕**忠実な**, 信義の厚い; 信心深い〔to, in〕《◆ in は言動の場合》; 〔名詞の前で〕〔人・動物・車などが〕信頼のおける; 〔夫婦が〕〔相手に〕貞節で〔to〕(↔ faithless) ‖ be *faithful in* word [service] 言葉[仕事ぶり]にうそがない / Guide dogs are trained to be *faithful* to their masters. 盲導犬は主人に忠実であるように訓練されている.
2〔案内・説明などが〕**正確な**, 信じられる; 真に迫った ‖ a *faithful* translation (原本に)忠実な翻訳.
—— 名 〔the ~; 集合名詞; 複数扱い〕**1** 忠実な(宗教)信者たち, (特に)イスラム[キリスト]教徒. **2**(ある団体[政治運動])の忠実な支持者[信奉者].

†**faith·ful·ly** /féiθfəli/ 副 **1** 忠実に[誠実に]; 正確に; 注意深く ‖ Copy the native speaker's pronunciation *faithfully*. 本国人の発音を正確にまねなさい. **2**〔略式〕堅く, 断固として ‖ promise *faithfully* はっきり約束する.
Yóurs fáithfully =《米》*Fáithfully* (*yóurs*) 敬具《◆ Dear Sir [Madam] で始まるやや堅い事務的な手紙の結び. cf. yours **3** 関連》.

†**faith·ful·ness** /féiθflnəs/ 名 Ⓤ 忠実, 貞節, 信義; 正確.

†**faith·less** /féiθləs/ 形〔文〕**1**〔…に〕不誠実な, 不貞な〔to〕(↔ faithful). **2**〔人・道具などが〕当てにならない. **fáith·less·ly** 副 不誠実に. **fáith·less·ness** 名 Ⓤ 不誠実.

†**fake** /féik/ 発 動 他 **1**〔略式〕〔人が〕〈話などを〉(もっともらしく)**見せかける**, でっちあげる, 捏造(ねつぞう)する; 〈芸術作品などを〉偽造[模造]する(+up). **2** 〔ごまかして〕〈物・事の〉見てくれをよくする; 〈事実に反して〉〈筋書きなどに〉手を加える, …を潤色する(+up). **3**〔略式〕…のふりをする, …を装う(pretend) ‖ *fake* illness 仮病を使う. —— 自 偽造する; 〔略式〕見せかける, ふりをする.
—— 名 Ⓒ〔略式〕**1**(芸術作品などの)にせ物, 偽造[模造]品. **2** ぺてん師, 詐欺師(fraud).
—— 形〔略式〕〈物がにせの, 偽造[模造]の(counterfeit); 〈人が〉にせの, いんちきの.

fak·er /féikər/ 名 Ⓒ〔略式〕**1** 偽造者; 捏(ねつ)造者. **2** ぺてん師, 詐欺師.

†**fal·con** /fɔ́ːlkən, 《米+》fǽl-/ 《◆ タカ狩りでは /fɔ́ːlkən/ が一般的》名 Ⓒ 〔鳥〕ハヤブサ《◆ タカ狩りに用いる》; ハヤブサ科の鳥. **fál·con·er** /-ər/ 名 Ⓒ 鷹匠(たかじょう), 鷹使い.

fal·con·ry /fɔ́ːlkənri, 《米+》fǽl-/ 名 Ⓤ タカ狩り; タカの訓練[飼育]法.

‡**fall** /fɔ́ːl/

index 動 自 1 落ちる 2 垂れ下がる 6 ころぶ 7 陥落する 8 襲ってくる 11 下がる 12 なる
名 1 落下 2 下落 3 秋 4 転倒 5 陥落 6 滝 8 降雨(量), 降雪(量)

—— 動 (~s/-z/; 過去 fell/fél/, 過分 fall·en /fɔ́ːlən/; ~·ing)
—— 自
I〔落ちる〕
1〈物・人が〉〔…から/…に〕(引力で)**落ちる**, 落下する(+ *down, over*)〔*from, off, out of / into, on, onto*〕

fall

(↔ rise);〈雨・雪などが〉**降る**;〈幕などが〉降りる;〈髪が〉抜ける ‖ His wig *fell* [dropped] *off* his head. 彼の頭からかつらが落ちた / Leaves were *falling* [×*dropping*] *from* the trees. 木の葉が舞い落ちていた《◆ drop は葉がひらひら落ちる描写には不適. drop は The shot bird dropped like a stone. (撃たれた鳥は石のように落下した)のように急激な落下をいう文脈で好まれる》/ The snow was *falling* steadily. 雪がしんしんと降っていた(=It was snowing steadily.) / She *fell down* the stairs. 彼女は階段からころげ落ちた.

2〈…が〉**垂れ下がる**;〈土地が〉**傾斜する**(+*away*);〈川が〉[…に]注ぐ[*into*]‖ Her hair *fell* over [upon] her shoulders. 彼女の髪は肩にたれていた / The land *falls* to the north. 土地は北へ傾斜している / This river *falls into* the Pacific Ocean. この川は太平洋に注いでいる.

3〈視線・嫌気などが〉[…に]向けられる, 注がれる[*on*];〈目・顔などが〉下を向く, がっかりした[悲しい, 恥ずかしい]表情になる ‖ Her eyes *fell on* the baby. 彼女の視線は赤ん坊に注がれた / Her face *fell* at the news. その知らせを聞いて彼女の顔はがっかりした表情になった.

4〈文〉〈言葉が〉漏れる ‖ Not a word [sound] *fell* from her lips. 彼女はひとことも言わなかった.

5〈動物が〉生まれる.

‖ **[倒れる]**

6 ころぶ(+*down, over*)《◆話し言葉ではふつう副詞をつけて用いる》; ひざまずく;〈文〉(戦場などで)死ぬ(= die, be killed の遠回し語); 傷ついて倒れる ‖ *fall* to [on] one's knees ひざまずく / He *fell* in battle. 彼は戦死した / The bank robber *fell* to the policeman's pistol. 銀行強盗は警官のピストルで射殺された / slip on the icy road and *fall down* 凍った道路で滑ってころぶ.

7〈要塞などが〉〈攻撃などに〉**陥落する**[*to*];〈国・政府などが〉勢力を失う, 滅びる ‖ The city *fell to* [*into*] the hands of the enemy. その都市は敵の手に落ちた / The king *fell* from his subjects' favor. 王は臣下の支持を失った.

‖ **[ある状態になる, 陥る]**

8〈正式〉〈夜・季節などが〉来る, 訪れる(come);〈災難などが〉[…を]**襲ってくる**[*on, over, upon*]‖ Night *fell*, and stars appeared. 夜になり星が出た / A hush quickly *fell over* the audience. 観客はすぐに静まり返った.

9〈正式〉〈遺産・名誉などがたまたま〉[…の]ものになる, […に]与えられる[*to*];〈責任・義務が〉[…の]肩にかかってくる[*on, to*]; [it falls *on* [*to*] Ⓐ *to do*] …する責任[義務]がⒶ〈人〉にふりかかる ‖ The estate *fell to* her. その屋敷は彼女のものとなった / The expense will *fall on* him. 費用は彼の負担となるだろう / It *fell to* [*on*] me to take care of the baby. 〈正式〉その赤ん坊の面倒を私が見なければならなくなった.

10〈記念日などが〉〈曜日に〉あたる;〈アクセントなどが〉〈音節などに〉くる, ある[*on*]‖ The accent of "guitar" *falls on* the second syllable. "guitar"のアクセントは第2音節にある / New Year's Day *falls on* a Saturday next year. 来年の元旦は土曜日になる.

11〈温度・値段などが〉**下がる**, 減少する;〈声・水位などが〉低くなる;〈風が〉静まる, 弱まる;〈潮が〉ひく;〈元気・勢力などが〉衰える(↔ rise)‖ Her voice *fell* to a whisper. 彼女の声はささやき声になった / The temperature *fell* (by) seven degrees. 温度が7度下がった / My mark in math *fell* to a C this term. 私の数学の成績は今学期Cに落ちた.

12 [fall Ⓒ] (急に)Ⓒ(の状態)に**なる**, 陥る; Ⓒの状態で倒れる ‖ *fall ill* [silent] 病気[静か]になる / He *fell asleep* watching TV. 彼はテレビを見ながら寝入ってしまった / She *falls* (a) victim to fashion. 彼女はいつも流行にとらわれている《◆ このようにⒸには名詞もくる》/ *fall dead* 死んで倒れる, 倒れて死ぬ.

fall abóut 《(木の葉がひらひら落ちるように)あたりを歩く. cf. about 圖**2 b**》よろこばれる.

fáll abóut (**láughing** [**with láughter**])〈略式〉笑いころげる.

fáll apárt 〔自〕〈物が〉ばらばらになる;〈事が〉失敗に終わる;〈夫婦などが〉別れる.

fáll awáy 〔自〕(1)〈物が〉[…から]落ちる[*from*]. (2)〈群衆が〉散る;〈人が〉[友人・信仰などから]離れていく[*from*]. (3)〈生産・数などが〉[…まで]徐々に減る, 落ち込む[*to*].

fáll báck 〔自〕[…まで]後退[退却]する[*to*].

fáll báck on [**upón**] 〔他〕〈人・金・計画などに〉頼るを最後のよりどころとする《◆受身不可》.

fáll báckward =FALL over oneself.

fáll behínd 〔自〕(1)〈仕事などで〉遅れる[*in, with*]. (2)〈税金などを〉滞納する, 滞(ﾁﾞｬｳ)らせる[*in, with, on*]. —〔他＋〕[~ *behind* Ⓐ]〈人〉より遅れる, 後れを取る.

fáll dówn 〔自〕(1) 〔場所の上に〕倒れる, 崩れる[*on*]. (2)〈略式〉〈人が〉〈試験・仕事などに〉失敗する, […を]しくじる[*on*]. (3)〈略式〉〈議論・計画・組織などが〉[…の点で]うまくいかない[*on*]. (4) → 圖**1, 6**.

fáll for Ⓐ〈略式〉(1)〖人が物を求めて〗つまずく. cf. for 前**3**〗宣伝などにだまされる, ひっかけられる. (2)〖人が物や人に対して〗ほれる; cf. for 前**2**〗〈人・テニスなどに〉夢中になる, ほれ込む, しびれる.

fáll ín 〔自〕(1)〈川などに〉落ちる. (2)〈建物・壁などが〉内側へくずれる. (3)〈兵隊が〉整列する ‖ *Fall in!* 全員集合. —〔他〕(1)〈契約などの〉期限がくる. (2)〈意見などに〉折れる. (3)〈兵隊〉を整列させる.

fáll ín for Ⓐ〈同情・非難などを〉受ける.

fáll ínto Ⓐ (1) → 圖**1, 2, 7**. (2)〈会話などを〉始める ‖ She *fell into* conversation with her neighbors. 彼女は近所の人たちと口をきき始めた. (3)〈わななどに〉落ちる;〈悪い癖などが〉つく.

fáll ín with Ⓐ (1)〈人〉と偶然出会う[一緒になる]. (2)〈人・意見・計画・提案などに〉一致する, 同意する(agree to);〈物に似合う〉〈事実〉と符合する.

fáll óff 〔自〕(1)(離れて)落ちる. (2)〈数・量が〉減少する;〈質が〉低下する;〈健康などが〉衰える ‖ Theater attendance usually *falls off* in summer. 劇場の観客は夏にはたいてい減る. —〔他＋〕[~ *off* Ⓐ] → 圖**1**.

fáll on [〈正式〉**upón**] Ⓐ (1) → 圖**3, 6, 8, 9, 10**. (2)〈敵などに〉猛烈に襲いかかる;〈食べ物〉をむさぼり食う. (3)〈つらい時期などを〉経験する ‖ *fall on* "hard times [evil days]" 不幸な目にあう, 落ちぶれる.

fáll óut 〔自〕(1) 外側へ落ちる. (2)〈略式〉[…と/…のことで]けんかをする[*with* / *over, about*]. (3)〈歯・毛などが〉抜ける;〈放射性物質が〉流出する. (4)〈正式〉起こる, …の結果となる ‖ Everything *fell out* as I expected. すべて期待どおりになった / It *fell out* that he was hired. 彼が雇われることにな

fallacious / **falter**

った. ━[他]〈兵隊〉を解散させる.
fáll óver [自]〈大きな物・長い物など〉が倒れる ‖ The telegraph pole *fell over*. 電柱が倒れた.
fáll óver onesélf (略式) あわてて転ぶ;〔…しようと/…を求めて〕躍起になる〔*to do* / *for*〕.
fáll thróugh [自] (1) 抜け落ちる. (2)〈計画など〉が失敗に終わる, だめになる.
fáll tó [自]〔文〕(1)〈ドアなど〉がひとりでに閉まる. (2) 食べ始める;けんか[仕事]を始める.
fáll to A (1) ━[自] 2, 6, 7, 9, 11. (2)〈地面など〉に落ちる. (3)〔文〕〈仕事・議論など〉に取りかかる, …し始める (begin) ‖ They *fell to* quarreling again. 彼らはまたけんかを始めた.
fáll únder A (1) …の分野に入る; …の支配[管轄]に入る. (2) …を受ける ‖ *fall under* her spell 彼女に魅せられる.
lét fáll [他] (1)〈物〉を落とす, 倒す. (2)〈情報など〉をうっかり漏らす《◆しばしば let it fall that … の構文で》.

━[名] (複 ~s/-z/) **1** [C]〔通例単数形で〕〔…からの〕**落下**, 墜落;落ち方;落下距離〔*from*〕 ‖ the *fall* of leaves 落ち葉 / The *fall from* the ledge broke his leg. 岩棚から落ちて彼は脚の骨を砕いた.
2 [C]〔…の〕**下落**, 降下, 減少〔*in*〕(↔ rise) ‖ There was a sudden *fall* in temperature [prices]. 温度[物価]が急に下がった.
3 [U]C](米) **秋**《◆葉が落ちる季節 (fall of leaves) の意から》(autumn) / 〔形容詞的に〕秋の, 秋向きの ‖ **in (the) *fall*** 秋には / in the *fall* of 2004 2004年の秋に / *fall* weather 秋の天気 / 対話 "What season do you like?" "I like (the) *fall*." 「どの季節が好きですか」「秋が好きです」.
4 [C] **転倒;倒壊;(戦)死** ‖ She *had a* bad *fall* on the ice. 彼女は氷の上でひどいころびかたをした.
5 [the ~] (都市などの) **陥落**;敗北;没落, 滅亡, 崩壊 ‖ the *fall* of the Soviet Union ソビエト連邦の崩壊.
6 [~s;単数・複数扱い] **滝** ‖ The *falls* attract(s) a great number of visitors. たいへん多くの観光客がその滝を訪れる《◆固有名詞と共に用いられるときは単数扱いが多い》‖ Niagara *Falls* is one of the greatest waterfalls in the world. ナイアガラの滝は世界で指折りの大きな滝です.
7 [C]〔レスリング〕フォール;一勝負 ‖ try a *fall* with him 彼と一勝負する.
8 [C] **降雨(量), 降雪(量)** ‖ We had a heavy *fall* of rain yesterday. こちらはきのうはたいへんひどい雨でした (=It rained heavily here yesterday.).
9 [U]〔しばしば the/a ~〕**堕落;罪** ‖ Adam's *fall* アダムの罪 / the *Fall* (of Man) 人類の堕落;アダムとイブの原罪.

fal·la·cious /fəléɪʃəs/ [形]〔正式〕**1** 誤った推論に基づく (wrong). **2** 人を惑わす, 当てにならない;虚偽の.
†**fal·la·cy** /fǽləsi/ [名] (…という) (一般に抱きがちな) 誤った考え, 誤信, 謬(びゅう)見〔*that*節〕;誤り (mistake). **2** [U]C]〔正式〕誤った推論;〔論理〕錯誤, 詭(き)弁, こじつけ.

†**fall·en** /fɔ́ːlən/ fall の過去分詞形. ━[形] **1** 落ちた, 倒れた ‖ *fallen* leaves 落葉(らくよう)(cf. the fall of leaves → **fall 1**)《◆ *falling leaves* は「落ちてくる葉」》/ a *fallen* rock 落石. **2** (正式) 死んだ ‖ the *fallen* 戦死者《複数扱い》. **3** 陥落した, 滅亡した ‖ a *fallen* city 陥落した都市.

fal·li·ble /fǽləbl/ [形]〔正式〕誤りに陥りがちな;誤りのありうる, 必ずしも正確でない.

fall·ing /fɔ́ːlɪŋ/ [名] [U] 落下;(物価などの) 下降;転倒.
fálling stár (略式) 流れ星 (shooting star).
fálling stóne〔天文〕隕(いん)石.

fall·out /fɔ́ːlàʊt/ [名] [U] **1** (核爆発後の) 放射性下降物, 死の灰,〔軍事〕フォールアウト ‖ a *fallout* shelter 核シェルター. **2** (affect, 副産物);[affect, 好ましくない] 結果. **3** (仕事などの) 放棄者(数);[形容詞的に] 脱落者の, 落後者の.

†**fal·low** /fǽlou/ [名] [C]〔普通 a ~〕(耕地の1年間・1期間にわたる) 休閑;休閑地.
fál·low dèer /fǽlou-/ (複 **fal·low deer**)〔動〕ファロージカ, ダマジカ.

***false** /fɔ́ːls/ 〔発音注意〕
━[形] (~**r**, ~**st**) **1a** 誤った, 間違った, 事実に反する;不正確な;不法な《◆ wrong と違って他人をだます意図があることを暗示》(↔ true) ‖ a *false* conclusion 誤った結論 / hàve a *false* impréssion of Japan 日本について誤った印象を持っている[得る, 与える] / màke a *false* stép つまずく;へまをやる / It is *false that* she is weak of purpose. 彼女は意志が弱いというのは正しくない. **b** 誤解に基づいた, いわれのない ‖ *false* pride [shame] 愚かな自尊心[羞(しゅう)恥心]. **c** [限定] 軽率な ‖ màke a *fálse* móve (重大局面で) 軽率な行動をとる.
2 うそを言う,〈人が〉虚偽を述べる;〔証言などが〕虚偽の ‖ bèar [give] *false* wítness 偽証する.
3〔正式〕〈人が〉〔人・約束などに〕**不誠実な**,〔…を〕裏切る (not loyal)〔*to*〕‖ a *false* friend 不信の友 / **be *false* to** one's word [**in** word and deed, **of** heart] 約束を守らない[言行不一致である, 誠意がない].

4a [通例名詞の前で] **人造の**, 人工の《◆ artificial より口語的》‖ a *false* eye 義眼 / *false* eyelashes つけまつげ. **b** (ふつう人をだます目的で) **本物でない**, にせの;偽造の (↔ genuine) ‖ a *false* prophet にせ予言者 / a *false* coin 偽造硬貨. **c** 見せかけの, うわべだけの;不自然な, わざとらしい ‖ *false* modesty うわべだけの謙遜(さ).
━[副]〔やや古〕不誠実に, 裏切って《◆通例次の成句で》.
play A ***fálse*** 〈愛している人〉をだます, 裏切る.
fálse stárt (1)〔競技〕フライング. (2) 出だしの失敗.
fálse téeth (略式)[複数扱い] 入れ歯, 義歯 (dentures).
fálse·ly [副] 誤って;偽って;不誠実にも.
fálse·ness [名] [U] 誤り;虚偽;不誠実, 裏切り (falsehood).

†**false·hood** /fɔ́ːlshʊd/ [名]〔正式〕**1** [C] (やむを得ない) 虚言, 偽り, うそ《◆ lie と違って人を欺く意図はない》(↔ fact, truth). **2** [U] 欺瞞(ぎまん), うそをつくこと (lying);虚偽, 誤り (↔ truthfulness). **3** [C] 誤った考え[信念, 理論].

fal·set·to /fɔːlsétoʊ/ [名] (複 ~**s**) [U]C] (男性の) 裏声, 作り声;〔音楽〕(テノール歌手の) ファルセット, 仮声.
━[形][副] 裏声 [ファルセット] の[で].

fal·si·fy /fɔ́ːlsɪfàɪ/ [動][他]〔正式〕**1**〈書類など〉に不正に手を加える, …を偽造する, 変造する (make false). **2**〈事実など〉を曲げて伝える, 偽る. **fàl·si·fi·cá·tion** [名] [U] 偽造;(事実の) 曲解.

Fal·staff /fɔ́ːlstæf | -stɑːf/ [名] フォールスタフ《Sir John ~》《Shakespeare の劇に登場する陽気でほら吹きの肥満騎士》.

†**fal·ter** /fɔ́ːltər/ [動][自] **1a**〈人が〉〔…を見て・知って/決意・信念などに〕(勇気がないために) ためらう, たじろぐ, しりごみする〔*at/in*〕《◆ hesitate がふつう》. **b**〈勇気・決心

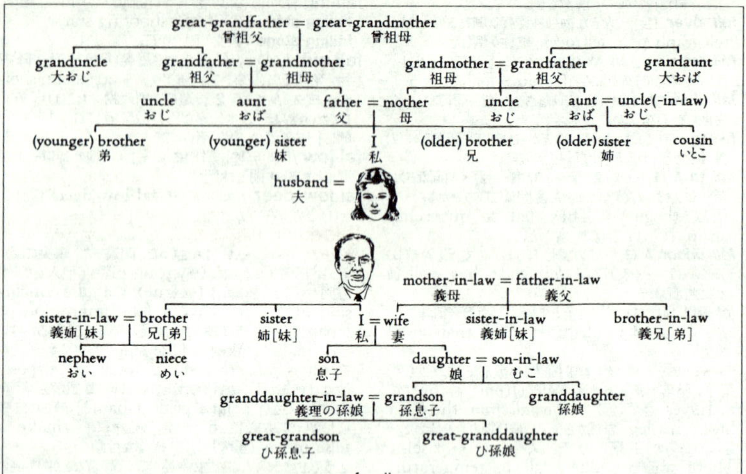
great-grandfather = great-grandmother
曾祖父
曾祖母
granduncle
大おじ
grandfather = grandmother
祖父
祖母
grandmother = grandfather
祖母
祖父
grandaunt
大おば
uncle
おじ
aunt
おば
father = mother
父
母
uncle
おじ
aunt = uncle(-in-law)
おば
おじ
(younger) brother
弟
(younger) sister
妹
I
私
(older) brother
兄
(older) sister
姉
cousin
いとこ
husband =
夫
mother-in-law = father-in-law
義母
義父
sister-in-law = brother
義姉[妹]
兄[弟]
sister
姉[妹]
I = wife
私
妻
sister-in-law
義姉[妹]
brother-in-law
義兄[弟]
nephew
おい
niece
めい
son
息子
daughter = son-in-law
娘
むこ
granddaughter-in-law = grandson
義理の孫娘
孫息子
granddaughter
孫娘
great-grandson
ひ孫息子
great-granddaughter
ひ孫娘
family

F

などが〉〔…に〕くじける, ゆらぐ〔*at*〕. **2** 〈人が〉口ごもりながら話す, どもる(+*out*) ; 〈声・言葉が〉つかえる, つまる. **3** 〈人・車などが〉ふらつく, よろける. ━[他] …を口ごもり[どもり] ながら言う ; …をためらいながら言う(+*out*).

fál·ter·ing·ly [副] ためらいがちに ; 口ごもって ; よろめきながら.

†fame /féim/ [名][U] 名声, 有名(なこと) ‖ a scholar of worldwide *fame* 世界的に高名な学者 / lustrous *fame* 輝かしい名声 / his *fame* as an actor 俳優としての彼の声望 / ***fame and fortune*** 富と名声 / ʳ***cóme to*** [***ríse to, gáin, wín, attáin, achíeve, acquíre, éarn***] ***fáme*** 有名になる.

†famed /féimd/ [形] 〔…で/…として〕有名な, 名高い〔*for*/*as*〕《◆ 新聞の見出しで famous の代わりによく用いる》.

***fa·mil·iar** /fəmíljər | -iə/ 〔アクセント注意〕

━[形] **1** 〈物・事が〉〔人に〕**よく知られた**, ふつうの, 見[聞き]覚えのある〔*to*〕(↔ unfamiliar) ‖ a voice ***familiar to*** me 聞き慣れた声 / a *familiar* sight よく目にする光景 / a *familiar* face 顔なじみ / Bowing is a *familiar* custom in Japan. おじぎをすることは日本ではよく見かける習慣です / That name sounds *familiar*. その名前は聞き覚えがある.

2 [補語として] 〈人が〉〔物・事(の内容)に〕**精通している**, 身近な存在として知っている〔*with*〕 ‖ I *am* quite ***famíliar with*** this high-speed computer. 私はこの高速コンピュータをよく知っています / I am not *familiar with* Islam. イスラム教のことはよく知りません.

3 〈態度・関係などが〉打ち解けた, 気楽な ; 〈文体などが〉くだけた ; 〔人と〕**親しい**, 心安い〔*with*〕《◆ しばしば **4** の含みを持つ》 ‖ We are *familiar with* [ˣto] each other. 我々は互いに親しい間柄だ.

4 《正式》〈人が〉〔目上・初対面の人などに〕**なれなれしい** (too friendly) ; 〔…と〕性的関係のある〔*with*〕; 〈行動などが〉無遠慮な ‖ He is getting far too *familiar with* my wife. 彼は私の妻になれなれしすぎる.

†fa·mil·iar·i·ty /fəmìliǽrəti, 《米+》-mìljǽr-/ [名] **1** [U] 〔…との〕親しさ, 親交(関係)〔*with*〕 ‖ be on ʳterms of *familiarity* [familiar terms] *with* her 彼女と親しい間柄だ / ***Familiarity breeds contempt.*** 《ことわざ》親しさも度がすぎると(相手に対して)侮(あなど)りのもとになる ; 親しさもほどほどに. **2** [U] 〔…に対する〕ずうずうしさ, 無遠慮〔*to, toward*〕; [C] [しばしば familiarities] なれなれしい言動 ; [遠回しに] みだらな関係 ‖ He treated his guests ***with familiarity***. 彼は客になれなれしく接した / the *familiarities* of a stranger 見知らぬ人の厚かましい行為. **3** [U] 〔…に〕精通していること, 〔…を〕よく知っていること〔*with*〕; 〔…が/…に〕よく知られていること〔*of*/*to*〕 ‖ his ***familiarity with*** the subject その話題に関して彼がよく知っていること.

†fa·mil·iar·ize, 《英ではしばしば》**-·ise** /fəmíljəràiz | -iər-/ [動][他] **1** 《正式》〈人〉を〔物・事に〕慣れさせる, 習熟させる ; [～ oneself] 〔…に〕精通する〔*with*〕 ‖ ***famíliarize onesèlf with*** the social code 社交上の慣例を詳しく知る(=máke onesèlf famíliar ...) / *familiarize* the foreign student *with* the school rules 留学生を校則になじませる. **2** 〈物・事〉を〔人・世間に〕普及させる, 広める〔*to*〕 ‖ a song *familiarized* by her 彼女が広めた歌.

fa·mil·iar·ly /fəmíljərli | -iə-/ [副] **1** 親しく, 打ち解けて ; なれなれしく. **2** 俗に, 通例.

**fam·i·ly /fǽməli/

index [名] **1** 家族 **2** 子供たち **3** 一族 **6** 語族

━[名] (複 --lies/-z/) **1a** [C] [one's [a] ～ ; 集合名詞] **家族**, 一家《◆ (両)親とその子供を含む》; (同居人・使用人, 時にペットを含む)家中の者, 所帯 ‖ Her *family* is large [small]. 彼女のところは大家族[彼女の家族は少人数]です / How many people are (there) in your *family*? ご家族は何人ですか / A *family* of four live(s) in the house. 4人家族の世帯がその家に住んでいる《◆ four *families* では

famine / **fan**

/ 「4世紀」. → **1b** / All my *family* are early risers. 私の家族は皆早起きです /◆all を伴う場合は英米とも複数扱い (1) / I'm taking my *family* to the amusement park next Sunday. 私は家族を来週の日曜日に遊園地に連れていきます / The flat is not big enough for a *family*. そのアパートは所帯持ちには狭すぎる / a one-parent *family* = a single-*family* 片親家庭[家族].

> 語法 (1) 単数扱いが原則だが, 1人1人をさす時は(英)では一般に複数扱い: "Where is [(英) are] your *family*?" "They [My *family*] are all in Kobe." 「ご家族の方はどこにいらっしゃいますか」「みんな神戸にいます」/◆My family では me を含まないから we ではない. →第4例).
> (2) 祖父母はふつうの家族の中に加えない: There are four people in my *family*: my parents, my sister and me. My grandparents also live with us. 私のところは4人家族です. 両親と私です. 祖父母も一緒に住んでいます.

b ⓒ [通例 *families*] 世帯(数) ‖ Four *families* live in the apartment house. 4世帯がそのアパートに住んでいる / All *families* with children get special rates. 子供のいる家族はみな特別料金です.
c [形容詞的に] **家族の**, 家庭の ‖ a *family* home 実家 / a *family* car ファミリーカー / *family* trouble [crisis] 離婚の危機 / a purely *family* affair 純粋に家族の問題 / in a *family* way 家族的に, くつろいで(cf. 成句 in the [a] FAMILY way).
2 Ⓤ[時に a ~] (一家の) (幼い)**子供たち** ‖ 〈対話〉 "Do you have any *family*?" "Yes, we have three sons." 「お子さんはいらっしゃいますか」「はい, 息子が3人います」/ I have a *family* of three. 3人の子供がいる / Give my best regards to your wife and *family*. 奥さんやお子さんによろしく.
3 Ⓤ **一族**, 一門, 親族; Ⓤ 家(ゲ) ‖ the Kennedy [*Kennedy's] *family* ケネディ一族 / a *family* which traces its history back to [from] the Norman Conquest 家系をノルマン人の征服までたどれる一族.
4 Ⓤ (主英) [通例 good ~] 家柄, 名門 ‖ young daughters of [(米) from] good *family* 良家の若い娘たち.
5 ⓒ (同genre の人・物の)集団, 一群; (共通の信念を持つ)団体, 同志 ‖ a *family* of musical instruments (同属の)楽器のグループ / the *family* of nations 国家群.
6 ⓒ [言語] 語族; (生物) (分類上の)科(→ classification); (化学) (元素の)族; (数学) 族, 群, 集合 ‖ the Indo-European *family* of languages インド＝ヨーロッパ語族 / 〈ショーゴ〉 "Name four members of the cat *family*." "The father cat, the mother cat and two kittens." 「ネコ科のメンバーを4つあげなさい」「父親ネコ, 母親ネコ, それに2匹の子ネコ」/◆the cat *family* は「ネコの家族」の意(→**1a**)にも取れる.

in the [(米時に) *a*] **fámily wày** (略式) 妊娠して 《pregnant の遠回し表現. cf. **1c**.》
fámily círcle 身内の人たち; (主米) (劇場などの割安の)家族席.
fámily dóctor (略式)ホームドクター, かかりつけの医者.
fámily màn (1) 家族生活を大切にする人((PC) family-centered [oriented] person). (2) 妻と子供のある男.

fámily náme 姓, 名字(surname) (→ name).
fámily plánning (避妊(法)による)家族計画, 産児制限.
fámily tradítion [the ~] 家風(カフゥ).
fámily trée (略式) 家系(図); [集合名詞的に] (ある家族の)先祖と子孫.

†**fam·ine** /fǽmin/
— 名 (-s/-z/) **1** ⓤⓒ (ある地域・期間の) **飢饉**(キキン); [形容詞的に] 飢饉による[の] ‖ *Famine* is sometimes caused by a long period without rainfall. 飢饉は長い間雨が降らないことによって引き起こされることがある / *famine* prices 飢饉相場 / 品不足による高値. **2** Ⓤ [時に a ~] (物資の)たいへんな不足, 欠乏, 払底 ‖ a water [petrol] *famine* ひどい水[ガソリン]不足.

†**fam·ish** /fǽmiʃ/ 動 他 (略式) [通例 be ~ed] 〈人が〉〔…に〕飢えている〔for〕 ‖ I'm *famished*. 私は腹ペコだ.

⁂**fa·mous** /féiməs/
— 形 (**more** ~, **most** ~) 〈人・物が〉(広い領域・長期間にわたって)〔…で〕(よい意味で) **有名な**, 名高い〔for/as〕‖ a once-*famous* theory かつて有名であった理論 / a world-*famous* ship manufacturer 世界的に有名な造船会社 / a nationally *famous* jurist 全国に知られた法学者 / an actor (who is) now *famous* 今よく知られている俳優 / 〈対話〉"What *is* Atami *famous for*?" "It's *famous* for (its) hot springs." 「熱海は何で有名ですか」「温泉で有名です」《◆(略式) では所有格代名詞 its などは省略されることが多い》 / Karuizawa *is famous as* a summer resort. 軽井沢は避暑地として有名である(= Karuizawa is a *famous* summer resort.) / He **became** *famous* **for** singing not just jazz, but almost any kind of music. 彼はジャズだけではなくほとんどどんな音楽を歌うことで有名になった.

類語 [**famous, infamous, notorious, well-known**] **infamous** は「不名誉な, 悪名の高い」, **notorious** は「(悪い意味で)よく知られた」, **well-known** はすぐれた性質とは関係なく単に「よく知られた」の意.

> 語法 「〈事が〉よく知られた」の意味では well-known のみ: It is well-known [*famous] that Japan produces excellent semi-conductor chips. 日本は優秀な半導体チップを生産することで有名だ.

†**fan**¹ /fǽn/ 名 ⓒ **1a** 扇, 扇子; うちわ ‖ a folding *fan* 扇子. **b** 扇風機, 送風機, ファン; (ラジエーターの)冷却ファン; [形容詞的に] ファン式の ‖ An electric *fan* was running. (電気)扇風機が回っていた / a ventilating *fan* 換気扇. **2** 扇形のもの; 鳥の尾〔翼〕; (風車の)扇形翼. **3** 〔野球〕三振.
— 動 (過去・過分 **fanned**/-d/; **fan·ning**) 他 **1** …に〔扇などで〕風を送る〈顔などを〉あおぐ; [~ oneself] (…で)あおぐ〔*with*〕. **2** 〈煙・ハエなどを〉〔…から〕あおいで払う〔+*away*〕〔*from*〕;〈火・石炭などを〉あおいで(大きな炎に)燃え立たせる〔*into*〕‖ *fan* the coals *into* a brisk blaze 石炭をあおいで勢いよく燃え立たせる. **3** 〈人が〉〈感情・けんか・うわさなどを〉〔言動などで〕(故意に)あおる, かき立てる〔*with*〕; (文)〈言動・マスメディアなどが〉〈感情などを〉〔ある状態に〕あおり立てる〔*into*〕‖ *fan* the mob's fury *with* an emotive speech

感情的な演説で暴徒の怒りをあおる / Bad treatment *fanned* his dislike *into* hate. ひどい仕打ちに彼の嫌悪感は憎しみに変わった. ── 圓 扇形に広がる(+ *out*);〔軍事〕〔軍隊が〕散開する,展開する;〔野球〕三振する.

fán bèlt ファン=ベルト《ラジエーターの冷却ファンを回すベルト》.

fán hèater ファンヒーター.

†**fan**[2] /fǽn/ 名 C 1 (略式) (有名人・チームなどの)ファン,熱烈な支持者; (娯楽・スポーツなどの)ファン,熱心な愛好者; [複合語で] …狂, …びいき ‖ a báseball fán = a fan of baseball 野球ファン / a Presley fan プレスリーファン 《◆クラシック音楽などのファンは admirer: a Mozart *admirer* モーツァルトファン》.

fán clùb ファンクラブ, 後援会.

fán lètter (1通の)ファンレター.

fán màil [集合名詞的に; 単数扱い] ファンレター.

†**fa·nat·ic** /fənǽtik/ 名 C (…の)狂信者; 熱狂的な愛好者[支持者], マニア(*about, on, for*) 《◆ enthusiast と違って主に宗教・政治に関して用いる》.

†**fa·nat·i·cal** /fənǽtikl/ 形 (…について)狂信的な, 熱狂的な; …に熱烈に愛好[支持]している(*about, on*). **fa·nát·i·cal·ly** 副 狂信的に; 熱狂的に.

†**fa·nat·i·cism** /fənǽtəsìzm/ 名 (正式) U 狂信, 熱狂; [C型] 熱狂[熱狂]的言動.

fan·ci·er /fǽnsiər/ 名 [複合語で] (動植物などの)愛好家; (職業的)飼育[栽培]家; 目きき, 鑑定家 ‖ a pigeon(-)fancier ハト愛好家.

†**fan·ci·ful** /fǽnsifl/ 形 (正式) 1 〈人・心などが〉空想にふける, 気まぐれな. 2 〈話・考えなどが〉架空の, 想像上の(imaginary) (↔ realistic). 3 〈絵・装飾などが〉奇抜な, 凝った.

fán·ci·ful·ly 副 空想的に, 気まぐれに.

***fan·cy** /fǽnsi/ [fantasy の短縮形]
── 名 (-cies /-z/) 1 CU (英略式) (…に対する)(短期的な)気まぐれな好み, 愛好, 嗜好(*to, for*) ‖ take [have] a big *fancy to* [*for*] that house その家がたちまち好きになる[である] / This blue shirt has taken [caught] his *fancy*. 彼はこの青いシャツが気に入った.

2 C (単なる思いつき; (ちょっとした)気まぐれ (whim); (漠然とした)感じ ‖ a passing *fancy* 一時の気まぐれ / have a sudden *fancy* 'to buy [for buying] a new dress 新しい服を急に買いたい気になる.

3 UC 〔自由で気まぐれな〕〔…という〕空想, 想像, 幻想 〔*that* 節〕; (文) (詩人などの)空想[想像]力 (imagination) ‖ The unicorn is a creation of human *fancy*. 一角獣は人間の空想の産物です / indulge in flights of *fancy* 奔放(ほう)な空想にひたる. **to** [*after*] A's *fáncy* A の気に入った.

── 形 (-ci·er, -ci·est) 《◆ ふつう比較級・最上級は用いない》 [通例名詞の前で] 1 (略式) 〈値段などが〉法外な, 途方もない, ぜいたくな ‖ *fancy* prices 法外に高い価格.

2 〈レストラン・ホテル・車などが〉高級な, 一流の ‖ a *fancy* restaurant 高級レストラン (↔ a casual restaurant).

3 (略式) 装飾的な, 手のこんだ, 変わり模様の ‖ a *fancy* hairdo 凝った髪型 / The pattern is too *fancy* for me. その模様は私には派手すぎる.

4 空想に基づく(imagined); (略式) 〈考え・説明などが〉気まぐれな, とっぴな.

5 (米) 〈食物・果物・野菜などが〉極上の, 特選の (choice); かん詰めの ‖ a *fancy* grade of tuna 最高級のマグロかん詰め.

── 動 (-cies /-z/; 過去・過分 -cied /-d/; ~·ing) ── 他 1 (主に英略式) …を好む, 望む; (fancy doing) …することを好む; 〈人〉が気に入る(like); …が欲しい ‖ I *fancy* eating out tonight. 今夜は外で食事がしたい / All the girls *fancied* Bill. 女の子は皆ビルにしびれていた / I *fancy* a cup of coffee. コーヒーを1杯飲みたい.

2 [しばしば疑問文・否定文で] 〈人が〉〈事〉を心に描く; [fancy A as [to be] C] A を C と考える ‖ I can't *fancy* your [(略式) you] doing it. 君がそんなことをやるなんて考えられない / I can't *fancy* a life without electricity. 電気のない生活は想像できない / Can you *fancy* her '(to be) a doctor [as a doctor]? 君は彼女が医者だと考えられるか.

3 (正式) [fancy (*that*) 節] (確信はない)…だと思う, …の気がする(think) ‖ I *fancied* (*that*) the clock struck one. 時計が 1 時を打った気がした / 〈対話〉 "Will she win the match?" "I *fancy* so [not]." 「彼女は試合に勝つのだろうか」「勝つと思う[勝たないと思う]」.

4 (英略式) [~ oneself] 〔…と〕うぬぼれる, (うぬぼれて) 〔…と〕思い込む 〔*as, to be*〕 ‖ She *fáncies* hersélf (*as* [*to be*]) an áctress. 彼女は女優だとうぬぼれている.

5 (主に英) [通例命令文で驚きを表して] …を考えてごらん, 想像してごらん; …するなんて ‖ *Fancy* (his [(略式) him]) believ*ing* that! (彼が)そんなことを信じるとは! 《◆ not: Jùst *fancy*!, Fáncy thát! ともいう》 / *Fáncy* if he'd done that to her! 彼が彼女にそんなことをしたなんて 《◆ if節以外で that節も可》.

fáncy cáke ケーキ 《客に出すためのちょっと凝ったケーキの総称》.

fáncy dréss (仮装舞踏会での)仮装服; 奇抜な衣装 ‖ a *fancy dress* ball 仮装舞踏会.

fáncy gòods (英) [複数扱い] 小間物((米) notions); 風変わりな特選品, ぜいたく品.

fan·cy·work /fǽnsiwə̀ːrk/ 名 U 手芸(品), 刺繍(しゅう), 編み物.

fan·dan·go /fændǽŋgou/ [スペイン] 名 (複 ~(e)s) C ファンダンゴ(の曲)《スペイン系の舞曲》; ばかげたこと.

fan·fare /fǽnfeər/ [フランス] 名 1 C (音楽) ファンファーレ. 2 (略式) (はでな)誇示, 虚勢; 宣伝, 広告 ‖ with a lot of *fanfare* 鳴り物入りで.

†**fang** /fǽŋ/ 名 C 1 (肉食動物の)きば; 犬歯. 2 (ヘビの)毒牙(が).

fan·light /fǽnlàit/ 名 C 〔建築〕(戸・窓の上の)扇形明かり窓; (英) (戸・窓の上の長方形の)欄間(らん)窓((米) transom).

Fan·nie, --ny /fǽni/ 名 ファニー《女の名. Frances の愛称》.

fan·tail /fǽnteil/ 名 C 1 扇形の尾(端). 2 (鳥) クジャクバト; オウギヒタキ. 3 (魚) 扇の形をしたキンギョの尾びれ.

fan·ta·si·a /fæntéiʒə/ -ziə, -tǽzːə/ [イタリア] 名 C 〔音楽〕幻想曲, ファンタジア(fantasy); (有名な旋律を編曲してつなぎ合わせた)接続曲.

***fan·tas·tic, --ti·cal** /fæntǽstik(l)/
── 形 1 (略式) すばらしい, すてきな(excellent); 〈量・額が〉大きい; 法外な, とんでもない ‖ Look. What a *fantastic* view! 見て, 何とすばらしい眺めでしょう / 〈対話〉 "I got a perfect score on the math test." "*Fantastic*!" 「数学のテストで満点をとったよ」「まあ, すてき」《主に女性の表現》. 2 〈物・事が〉想像上の; 根拠のない; 〈考え・計画などが〉現実離れ

した，非現実的な；ばかげた，不合理な《◆imaginary より現実離れしていることを強調》‖ *fantastic* plans (実行できそうにない)奇想天外な計画． **3 a** 〈物事が〉(とりとめなく)空想的な，奇想天外な ‖ a quite *fantastic* idea とても空想的な考え． **b** 〈人・考え・気分・行動などが〉ふつうでない，突拍子もない． **c** 〈形・意味などが〉風変わりな，異様な，怪奇な ‖ *fantastic* designs 風変わりな模様 / weave a *fantastic* story 奇妙な話を作り上げる．
That's fantastic. (招待などに対して)ええ喜んで《◆主に女性の表現》．
fan·tás·ti·cal·ly 副 異様に；空想的に；《略式》すばらしく．
†**fan·ta·sy** /fǽntəsi, -zi/ 图 **1** ⓤⓒ (途方もない)空想，夢想，ファンタジー．〔形容詞的に〕空想の，夢想的な． **2** ⓒ (非現実的な・異様な)心象，幻想；幻覚．〔心理〕白日夢，空想． **3** ⓒ 気まぐれ，気まま． **4** ⓒ 〔文学〕=fantasy fiction；〔音楽〕幻想曲，ファンタジー(fantasia)． **fántasy fiction** 幻想性の作品．
FAQ /éfèikjú/ 《◆/fǽks/と発音することも多い》〔*frequently asked questions*〕图 ⓒ 〔コンピュータ〕エフエーキュー，よく出る質問とその回答集(の文書・ファイル)．

*   **far** /fɑ́ːr/ 《題音》fur /fə́ːr/)

index 副 **1** 遠くに **3** はるかに 形 **1 a** 遠い

――副 (**far·ther** /fɑ́ːrðər/ or **fur·ther** /fə́ːrðər/, **far·thest** /fɑ́ːrðist/ or **fur·thest** /fə́ːrðist/) **1** 〔場所・空間〕遠くに[へ，から，まで]，はるかに (↔near) ‖ go *far* away [off] 遠方に行く / *far* above in the sky 空のはるか上に / I didn't go *far*. 遠くまで行かなかった / Five miles is too *far* for little children to walk. 5マイルは小さい子供には遠すぎて歩けない / 〈対話〉"Do I have to take a taxi to get to the station?" "No, you don't. It's not so *far*. You can walk there."「駅に行くのにタクシーに乗らなければなりませんか」「乗らなくてもいいです．そんなに遠くないので，歩いていけます」．

〔語法〕(1) far は疑問文・否定文ではしばしば単独で用いるが，肯定文では a long way などがふつうで，far を用いるときは very, away, too, so, terribly などの副詞や前置詞句を伴うのが原則．ただし，特に《米》では肯定文で far を単独で用いることも多い: He went "a long way [*far*]. 彼は遠くまで行った / I live "a long way [*far*] from the station. 私は駅から遠いところに住んでいる．
(2) ✓ 具体的に距離が明示される場合は far を用いない: ˣI live ten miles *far* from here. I live ten miles (away) from here. は可．
(3) far を使って「…は遠くない」は次の3通りの主語が可能: Nara is not *far*. / It is not *far* to Nara. / To Nara is not *far*.

2 〔時間〕(現時点から)遠く，ずっと，はるかに ‖ work *far* into the night 夜ふけまで働く / The scene is set *far* in the future. その場面ははるか未来に設定されている．
3 〔程度〕〔形容詞・副詞の比較級，形容詞の最上級，一部の副詞・動詞・修飾語句の前で〕はるかに，大いに，ずっと《◆(1) much より口語的． (2) 比較変化しない》‖ He's "a *fár* [much, ˣa great deal] nícer companion than I expected. 彼は思っていたよりずっといい仲間だ / It's *fár* tòo hót in this house. この家はすごく暑い / That bridge is (**by**) *far* the longest. あの橋はずば抜けて長い / I would *far* prefer to stay at home. 家にいる方がよほどましだ．

〔語法〕(1) far は動詞を修飾するときは prefer, exceed, exaggerate のような比較の意味を含む動詞の前でのみ用いる: I would *far* prefer [ˣlike] to be tried now.
(2) 比較級を強める far は 否定文中では不可: The food was [ˣwasn't] *far* better than I expected. 食べ物は思ったよりずっとよかった．
(3) far は the least の前では不可: much [ˣfar] the least interesting.

***as** [**so**] **fàr as** 《米式》**fàr as** (1) 〔距離〕…まで《◆否定文に限り so far as も可》‖ I went *as fàr as* Kyóto by train. 列車で京都まで行った《◆to Kyoto だと京都は最終目的地になるが，as far as では京都からさらに別の目的地に進むことを含意》． (2) 〔接続詞的に〕…と同じ(遠い)距離まで ‖ I didn't go so [as] *far* as he did. 彼と同じほど遠くへは行かなかった． (3) 〔限界〕…の及ぶ限りでは，…に関する限りでは ‖ There was nothing but sand *as far as* the eye could see. 地平線に至るまで(見渡す限り)砂ばかりだった / *as fàr as* we can judge 我々の判断できる限りでは / *as fàr as* that goes それに関して言うと，実際に；ところで，反対に．
as fàr as** A **is concérned → concern 成句．
***by fár** (1) たいへん，とても ‖ too hot *by fár* あまりに暑すぎる． (2) 〔比較級・最上級を強めて〕はるかに，ずっと ‖ This one is better *by far*. =This one is *by far* the better. (2つのうちで)こちらがはるかによい / This novel is *by far* more interesting than that one. この小説はあれよりずっと面白い / She works "*by fár* the hardest [the hardest *by fár*] of anyone in my office. 彼女は私の事務所で飛び抜けてよく働く．
***carry** A **too far** → carry 動．
fár and awáy 《略式》〔比較級・最上級の前で〕はるかに，断然，疑いなく．
fár and wíde [（ややまれ）**néar**] =**néar and fár** 遠く広く，あちこちと．
fàr as → as FAR as.
***fár from ...** (1) 〔距離〕〔通例否定文・疑問文で〕…から遠い《◆(1) …には(代)名詞がくる． (2) 肯定文ではふつう a long way from》． (2) 決して…でない，…にはほど遠い ‖ His novel is *far from* (being) satisfactory. 彼の小説には満足どころかまったく不満だ(=His novel is not satisfactory at all.) / … is "anything but [by no means, not in the least] satisfactory.)《◆being はしばしば省略．…には名詞・動名詞・形容詞がくる》． (3) 〔文頭で〕…することか(instead of)《◆so far from ともいう》．
Fár from it! 《略式》〔通例先行の否定文や反対の意を強めて〕とんでもない！ その反対だ！ (not at all) ‖ 〈対話〉"Is he lazy?" "*Far from it.* He works late every night."「彼は怠け者かい」「とんでもない．毎晩遅くまで働いていますよ」．
from fár and wíde あらゆる所から．
from fár awáy [**óff**] はるか遠方から．
gó fár 《さまざまな尺度に関して，遠くにまで至る》《略式》(1) 〈人が〉うまくやる，成功[出世]する． (2) 〔通例否定文で〕〈お金が〉物をたくさん買える；〈食物などが〉(なくなるまで)長く続く ‖ A dollar does *not* go

so *far* nowadays. 当節は1ドルではそれほど物が買えない. (3)〈物・事が〉[…するのに]大いに役立つ(*to, toward*) ‖ His contribution *went far toward* building the new hall. 彼の寄付は新しいホールの建設に大いに役立った.

go so [**as**] **far as to** *do* → go 動.

gó tóo fár 〈略式〉〈冗談・無作法などが〉[…に]度を越す(*in*).

*****Hòw fár …?** [距離・程度] どのくらい(まで) ‖ 〈対話〉"*How far is it from here?*" "It's a five-minute [five minutes'] walk." 「ここからどのくらいですか」「歩いて5分です」〈◆必ずしも距離で答えない〉/ *How far* do you believe him? どの程度まで彼を信用していますか / *How far* are you going? (車などで)どこへお出かけですか.

in so [**as**] **far as, fár as** 〈英〉=insofar.

só fár =**thùs fár** (1) [通例現在完了形, 時に現在形・過去形と共に] 今までのところでは, 今のところ ‖ We haven't lost a match *so far*. 今までのところ1試合も落としていない / She has done very well *so far*; I hope she keeps it up. これまでのところ彼女の上出来だ. この調子でやってほしい. (2) この点[時, 場所]まで ‖ I can only go *so far* on three dollars. 3ドルではそこまで(行ける)だけだ[そこまでだ](=There is a limit on three dollars.).

so fár as → as FAR as.

só fár from *dóing* …するよりむしろ, …の代わりに(rather than).

Só fár(,) sò góod. 〈略式〉これまでのところは順調だ.

táke ▲ tóo fár =CARRY ▲ too far.

── 形 (**far·ther, fur·ther; far·thest or fur·thest**) [通例名詞の前で] **1** 〈文〉 **a** [距離]〈国などが〉遠い, 遠くの(↔ near) ‖ a *far* country 遠い国. **b** [時] 遠い〈過去や[先の]〉; 先見の明がある ‖ the *far* past 遠い昔 / take a *far* view 遠大な計画を抱く. **2** [名詞の前で] [通例 the ~] (2つのうち)遠い方の〈◆比較変化しない〉‖ the *far* side of the hill 丘の向こう側.

be (féw and) fár betwéen ごくまれである.

Fár Éast [the ~] 極東《日本・中国・朝鮮半島など》.

Fár Éastern 極東の.

Fár Wést [the ~] 〈米〉の極西部地方《◆今はふつう Great Plains 以西》.

Far·a·day /færədèi, -dei/ 名 ファラデー《**Michael** ~ 1791-1867; 英国の物理・化学者》.

*****far·a·way** /fáːrəwèi/
── 形 [名詞の前で] **1**〈文〉〈場所的・時間的に〉遠い, 遠方の; 昔の(far-off)‖ a *faraway* sound of a foghorn 遠くから響く霧笛. **2**〈目つきなどが〉夢見るような(dreamy).

†**farce** /fɑːrs/ 名 **1 a** C (一編の)笑劇, 道化芝居, ファース. **b** U 〈文学の部門としての〉笑劇《comedy の最も簡単で卑俗な形》. **2** C 茶番(劇).

far·ci·cal /fáːrsikl/ 形 **1** 笑劇の. **2** ばかげた.

*****fare** /feər/ 〈同音〉fair〉
── 名 (複 ~s/-z/) **1** C [しばしば複合語で] (交通機関の)運賃, 料金〈◆遊園地などの乗物の料金には How much is one ride? といい fare は用いない〉‖ a táxi [bús] *fáre* タクシー[バス]料金 / a reduced [bargain, discounted] *fare* 割引料金で / "All [Exact] *fares*, please." 〈バスの車掌〉「料金を[つり銭のないように]お願いします」/ 〈対話〉"*What* [*How much*] *is the fare* from Kobe to Tokyo?" "It's about 15,000 yen."「神戸から東京までの運賃はいくらですか」「約15000円です」.

〈関連〉[いろいろな種類の「料金」]
charge (ホテルなどの)費用・付加料金 / fare (バス・電車・飛行機などの)運賃 / fee (入場・入会・入学・授業などの)手数料, 弁護士への報酬・謝礼 / postage 郵便料金 / rate (水道や電話など, 基準により算定される)使用料.

2 C 〈正式〉(バス・タクシー代などを払う)乗客. **3** U 〈正式や古〉(食卓に出された)食べ物 ‖ good [fine] *fare* ごちそう / a bill of *fare* メニュー(=a menu). **4** (娯楽としての)出し物, (テレビなどの)番組.

── (**far·ing**) 自〈正式〉[様態の副詞(well, badly, ill)を伴って]〈人が〉暮らす, やっていく ‖ How did you *fare* in your project? 計画の進み具合はいかが / *You may go farther and fare worse.*〈ことわざ〉進むほどに道はけわしくなるもの; 現状に満足しなさい.

fáre adjústment óffice [the ~] 運賃精算所.

†**fare·well** /fèərwél/ 〈文〉間 さらば, さようなら, ご機嫌よう《◆ good-by(e) より古風で, 長旅など長い別れのあいさつに用いる》. ── 名 〈正式・文〉 **1** C U 別れ, いとまごい ‖ a farewéll párty 送別会(=〈略式〉a good-by party) / I bade [said] *farewell* to my parents. =I bade my parents *farewell*. 私は両親に別れを告げた. **2** C 別れのあいさつ, 告別の言葉 ‖ make one's *farewells* 別れのあいさつをする. 〈関連〉→ good-by.

far-fetched /fáːrfétʃt/ 形〈略式〉〈話・説明などが〉信じ難い, こじつけの, 無理な.

far-flung /fáːrflʌ́ŋ/ 形〈文〉広範囲にわたる; 遠方の; 分布した.

far-gone /fáːrgɔ́(ː)n/ 形 〈略式〉非常に古い; ひどく酔った, 借金のある, 狂気の; 病状の進んだ.

far·ing /féəriŋ/ 動 → fare.

:farm /fɑːrm/ 〈類音〉firm /fɜːrm/ 派 farmer (名)
── 名 (複 ~s/-z/) C **1 a** 農場, 農園《ふつう田畑(fields)と住居・納屋などを含み, 広大な広がりをもつ》‖ work *on* [*at*] *the farm* (雇われて)農場で働く / run [keep] a *farm* 農場を経営する. **b** [通例複合語で] 養殖場, 飼育場; …農場(主に〈米〉ranch) ‖ a fish *fàrm* 養魚場 / a pig *fàrm* 養豚場 / a dairy *fàrm* 酪(?)農場 / a fruit *fàrm* 果樹園 / a poultry *fàrm* 家禽(きん)農場《養鶏が中心》/ a truck *fàrm*〈米〉(市場向け)野菜栽培農場. **2**〈主に英〉=farmhouse. **3**〈主に米〉〔野球〕=farm team [club].

── 他〈土地〉を耕作する; 〈作物・家畜などを〉農場で栽培[飼育]する; …を養殖する.
── 自 耕作する; 農業(経営)をする.

fárm óut 他 (1)〈土地〉を賃貸する, 〈略式〉〈仕事〉を[…に]下請に出す(*to*). (2)〈子供など〉を(金を払って)[個人に]預ける, 委託する(*on, to*).

fárm tèam [**clùb**] ファーム, 二軍.

:farm·er /fɑ́ːrmər/ 〔「地代を払う人」が原義〕
── 名 (複 ~s/-z/) C 農場経営者, 農業に従事する人《社会的地位がかなり高く, 労働者(farm laborer)を雇う. 自ら労働することはまれ. 米国の農場は広大

なので farmer には rich なイメージが伴う》(cf. agriculturist, peasant) ‖ a landed [tenant] *farmer* 自作[小作] 農家 / a large *farmer* 大農場主《「大柄な農夫」ではない》/ He was born the son of a rich Niigata *farmer*. 彼は新潟の裕福な農家の息子として生まれた.

fármer [fárm] chèese (米) ファーマーチーズ《cottage cheese より固くて酸味の弱いプレスチーズ》((英) farmhouse cheese).

†**farm·house** /fάːrmhὰus/ 图 ⓒ 農場内の家屋《農場主の家》;[形容詞的に] (工場でなく)農場で作られた. **fármhouse chéese** (英) =farmer cheese.

†**farm·ing** /fάːrmiŋ/ 图 Ⓤ 農業, 農場経営《◆ agriculture より口語的》;養畜.

farm·land /fάːrmlænd/ 图 Ⓤ 農地, 農業用地.

farm·stead /fάːrmstèd/ 图 ⓒ 《主に米式》農場《建物とその近辺の土地を含む. 農場の一画のみをさすこともある》.

farm·yard /fάːrmjὰːrd/ 图 ⓒ 農家の庭《農場の建物に囲まれた[隣接した]場所. barnyard ともいう》.

far-off /fάːrɔ́(ː)f/ 形 =faraway 1.

far·out /fάːrάut/ 形 《古風式》 1 とっぴな, 途方もない. 2 すばらしい, いかしている.

far·ra·go /fərάːgou, -réi-/ 图 (圈 ~(e)s) ⓒ 《正式》寄せ集め;ごたまぜ.

†**far-reach·ing** /fάːrríːtʃiŋ/ 形 〈影響・結果などが〉広範にわたる[将来に]わたる;〈計画などが〉遠大な, 広く応用できる.

far·row /fǽrou/ 图 ⓒ 1 《豚の》分娩(%). 2 ひと腹の豚の子.

†**far-see·ing** /fάːrsíːiŋ/ 形 遠くが見える;先見の明のある, 明敏な.

†**far-sight·ed** /fάːrsáitid/ 形 1 遠目のきく;《主に米》遠視の((英) longsighted). 2 先見の明のある, 思慮分別のある(↔ nearsighted). **fár·síght·ed·ness** 图 1 Ⓤ 《主に米》遠視. 2 先見の明.

***far·ther** /fάːrðər/ 同音 (英) father

——副 1 [距離] 《主に米》もっと遠くに[先に];さらに向こうへ《◆ (英)では further の方がふつう》《 go *farther* into the forest さらに深く森へ入る / I can't walk any *farther*. もうこれ以上先には歩けません. 2 [程度・範囲] (まれ) もっと, さらに上に;さらに先の(further). **fárther ón** もっと先に[後に].

——形 1 もっと遠い, さらに向こうの;(2つのうち)遠い方の《◆ (英)ではこの意味でも further も用いる》‖ the *farther* bank of the river 川の向こう側の土手 / The trip was *farther* than I expected. その旅は思ったより遠かった. 2 もっと進んだ;さらに後の. 3 (まれ) それ以上の, その上の(additional, further).

【語法】(1) 堅い書き言葉や (米) では, farther はふつう距離に関して, further は程度・範囲などの比較的意味に用いられるが, 今では特に (英) ではどちらの場合にも further が使用される傾向にある: Sendai is *farther* [further] from Osaka than Tokyo is. 大阪から仙台は東京よりも遠いところにある.

(2) ✗ 比較的の意味のとき, (米) でも further がふつう. farther は用いない: Do you have any *further* [×*farther*] questions? さらに質問がありますか.

†**far·thest** /fάːrðist/ 形 最も遠くの;最も長い《◆ 距離の意味では furthest よりふつう》‖ What is the *farthest* country from Japan? 日本から最も遠い国はどこの国ですか. ——副 最も遠くに;最も, 最大限に ‖ The athlete threw the hammer (the) *farthest*. その選手はハンマーを一番遠くに投げた. **at (the) fárthest** (いくら)遠く[遅く]とも;せいぜい.

†**far·thing** /fάːrðiŋ/ 图 ⓒ ファージング銅貨《1/4ペニーの英国硬貨で最小単位. 1961年以降廃貨》.

fas·ci·a /fǽʃiə | féiʃiə/ 图 (圈 ~s, -ci·ae/-ʃiiː/) ⓒ 1 帯状のもの;バンド. 2 (英古) =fascia board [panel]. **fáscia bòard [pànel]** (自動車などの)計器盤.

†**fas·ci·nate** /fǽsənèit/ 動 他 1 〈人〉を…で[魅了]する, とりこにする, …の興味をそそる[with];[be ~d] 〈人が〉[…に]うっとりする, ひきつけられる[by, with, at]. 2 (略式) 〈ヘビが〉〈小動物を〉すくませる.

†**fas·ci·nat·ing** /fǽsənèitiŋ/ 形 [他動詞的に] 〈人を〉魅了する, うっとりさせる[to] ‖ The story is *fascinating* to me. その話はたいへん面白い(=I am *fascinated* with the story.)

fás·ci·nàt·ing·ly 副 魅惑的に.

†**fas·ci·na·tion** /fæ̀sənéiʃən/ 图 1 Ⓤ 魅惑;うっとりした状態 ‖ in *fascination* うっとりして. 2 [a ~] […に対する]魅力(のある物)[for, with, in] ‖ "Top of the World" has [holds] a special *fascination* for the Carpenters fans. 「トップ・オブ・ザ・ワールド」はカーペンターズファンにとっては特別な魅力がある.

fas·cism /fǽʃizm, -si-/ 图 [しばしば F~] Ⓤ ファシズム《1922-43年イタリアのムッソリーニ下の反共・極右の国家主義的政治体制. また一般に極右的国家主義》.

fas·cist /fǽʃist, -si-/ 图 [時に F~] ⓒ ファシスト党員;(広義)ファシズム支持者.

***fash·ion** /fǽʃən/ 圏 fashionable (形)
——图 (圈 ~s/-z/) 1 a ⓒⓊ (ある時代・ある地域の)流行, 一時的な風習. b Ⓤ 流行のもの(特に服装・髪型)(→ trend) 類語 style, mode, vogue) ‖ fóllow [kèep úp with] (the) *fáshion* 流行を追う / léad [sèt] the [a] *fáshion* for miniskirts ミニスカートの流行の先駆けとなる[流行を作り出す] / go [gèt, dróp] óut of *fáshion* はやらなくなる / Long hair has **come into** *fáshion* again. 長髪がまた流行してきた / Jeans are **in** [**òut of**] *fáshion*. ジーンズが流行している[すたれている]《◆「インフルエンザが流行している」は There is a flu going around [about].》/ Paris *fashions* for young people 若者向きのパリの流行の服装 / the latest [newest] *fashion*(s) in men's clothing 男性服の最新流行型. b Ⓤ [通例 the ~;単数・複数扱い] 流行を追う人たち, 上流社会, 社交界 ‖ all the *fashion* of the city 町の上流階級の人々すべて.

2 《正式》a Ⓤ [時に a ~] (外見上の)やり方, 流儀(way, manner) ‖ make ceremonial tea **in** one's **ówn** *fáshion* 自己流にお茶をたてる / dance in (a) graceful *fashion* 優雅な身のこなしで踊る. b [複合語で;副詞的に] …流[風]に(-wise) 《◆ 無冠詞の名詞につける》‖ sit tailor *fashion* あぐらをかく / run one's fingers comb-*fashion* through one's hair くしのように指で髪をすく. c Ⓤ つくり, 様式, 型, 方法 ‖ in 「a computerized [an automated] *fashion* コンピュータ化[自動化]された方法で.

àfter [in] a fáshion どうにか, 曲がりなりにも, いちおう(の) ‖ The hut kept the rain and dew out *after a fashion*. その小屋はどうにか雨露をしのげた.

àfter [in] the fáshion of A 《正式》〈人など〉をまねて, …にならって.

be áll the fáshion (略式) 大流行である.

——動 他 (文) 〈物・性格などを〉[…で/…に/…に合わ

せて/…を手本にして〕(手で)形造る, 創り出す(make) 〔*out of, from / into / to / after, (up)on*〕∥ *fashion* a miniature of the castle *out of* matches =*fashion* matches *into* a miniature of the castle マッチ棒で城の小型模型を作る / *fashion* oneself *after* [(*up*)*on*] one's father 父親を模範とする.

fáshion desìgner ファッション=デザイナー.

fáshion plàte 最新流行服装図;《略式》常に最新流行の服装をする人.

†**fash·ion·a·ble** /fǽʃənəbl/ 形 **1**〈服装などが〉流行の, いきな;〈人が〉流行を追う(↔ unfashionable) ∥ It's *fashionable* among young ladies to paint their nails green. 若い女性の間でつめを緑色に塗るのがはやっている. **2**〈店・ホテル・リゾート地などが〉上流人向きの, 高級な;流行[社交]界の,〈小説などが〉上流社会を扱った ∥ a *fashionable* hotel 高級ホテル.

fash·ion·a·bly /fǽʃənəbli/ 副 流行を追って, いきに;上流社会風に.

fash·ion-con·scious /fǽʃənkɑ̀nʃəs | -kɔ̀n-/ 形 流行を気にする ∥ Teenagers are very *fashion-conscious*. 10代の若者は大いに流行を気にする[追いたがる].

‡**fast**[1] /fæst | fɑ́ːst/ (類音) first /fə́ːrst/) 派 fasten (動)

index 形 **1 a** 速い **2** 進んでいる **4** 固定して動かない **5 a** あせない **b** 不変の
副 **1** 速く **2** 進んで **b** しっかりと

――形 (~·er, ~·est)

Ⅰ［速度が速い］

1 a 〈人・物が〉(持続的な運動・動作の速度が一定で)速い, 敏速な;性急な《◆ rapid は「動作が速い」, early は「時間的に早い」》(↔ slow)(類語) quick, swift, speedy) ∥ a *fast* speaker 早口の人 / a *fast* thinker 頭の回転の速い人 / a *fast* train 急行列車《◆ a fast-moving train は「速い列車」》/ *fast* music テンポの速い音楽 / *fast* sports (サッカーなど)動きの速いスポーツ / He is *fast* with his hand. 彼はすぐに手を出す, けんかっ早い.
b 短時間でなされる;〈薬が〉即効の ∥ a *fast* trip 駆け足旅行 / a *fast* buck《米俗略式》あぶく銭.

2 [通例補語として]〔数詞の後で〕〈時計が〉進んでいる (↔ slow) ∥ My watch is two minutes *fast*. 私の時計は2分進んでいる(cf. gain 動 **3**, 自 **2**).
3 ふしだらな.

Ⅱ［しっかり固定した］

4《正式》〈物が〉固定して動かない, 固着した (firm) (↔ loose) ∥ a ship (which is) *fast* on the rocks 暗礁に乗り上げて動きのとれない船 / a *fast* knot 固い結び / a *fast* door ぴたりと締まった戸 / tàke (a) *fást* hóld on [of] his arm 彼の腕にしがみつく (=hold fast to [by] his arm) / make a boat [rope] *fast* to the wharf 岸壁にボート[ロープ]をしっかりつなぐ (=*fasten* a boat [rope] *to* the wharf).

5 a〈色・染料があせない;[通例複合語で] 耐…性の ∥ a dye *fast* to sunlight 日光で色あせしない染料 (=a sun*fast* dye). **b** [名詞の前で]〈友情・規則など〉不変の, ゆるがない ∥ a *fast* friend 長年の友人.

――副 (~·er, ~·est) **1** 速く(↔ slow(ly));次から次へ, どんどん ∥ How *fast* time passes! なんて時のたつのは速いのだろう / The stomach cancer is spreading very *fast*. 非常な速さで胃がんが転移している / The deadline is *fast* approaching. 締め切りは刻々と近づいている / Tears fell *fast*. 涙がとめどもなく流れ落ちた.
2〈時計が〉進んで (↔ slow) ∥ The clock is running *fast*. その時計は進んでいる.
3《文》しっかりと(tightly), かたく(hard) ∥ a door shut *fast* ぴたりと閉ざされた戸 / stick [stand, hold] *fast* to one's cause 自分の主義をあくまで堅持する / Fast bind, fast find.《ことわざ》締まり堅ければ失せものなし《◆ あとの *fast* は **1** の意》/ They were *fast* at his heels. 彼らは彼のすぐあとに迫っていた.

*__**fást asléep**__ 熟睡して ∥ fall *fast* asleep 熟睡する.

fást fílm 高感度フィルム.

fást fóod《米》ファーストフード《注文してすぐ食べられる簡易食品(short order food)で, 持ち帰り(takeout, takeaway, carryout)も可能. 米国の hot dogs, (ham)burgers, fried chicken, 英国の fish'n chips, 日本の立食いそばなどが代表格. pop food, road food, junk food ともいう. cf. fast food》[日本発]∥ Onigiri is a traditional Japanese *fast food*. おにぎりは日本の伝統的なファーストフードだ.

fást wórker 仕事の速い人.

fast[2] /fæst | fɑ́ːst/ 動 自 (宗教的[健康]の理由で, または抗議のため)断食する. ――名 C **1** 断食(期間) ∥ break one's *fast* 断食をやめる;朝食をとる / go on a *fast* 断食する. **2** =fast day. **fást dày** 断食の日. **fást·ing** 名 U 断食, 絶食.

fast·ball /fǽstbɔ̀ːl | fɑ́ːst-/ 名 C 〔野球〕直球, ストレート, 速球《◆ 今はふつう straight ball とはいわない》.

†**fas·ten** /fǽsn | fɑ́ːsn/ (発音注意) 動 他 **1**〈人が〉〈物を〉〔物・場所に〕(くぎ・のり・ひも・鋲などで)しっかり固定する (+*up, together, on*)〔*to, on, in*〕;〈人・動物を〉〔…に〕閉じ込める (*in*) (↔ unfasten) ∥ *fasten* a badge (*on*) *to* a lapel バッジを折りえりにつける / *fasten* the ends of a rope *together* ロープの両端を結び合わす / Fasten your seat [safety] belts!《機内アナウンス》座席ベルトを締めてください;《略式》いかいく》/ Can you *fasten up* (the buttons of) my dress? =Can you *fasten* my dress? 服(のボタン)を留めてくれる. **2**《正式》〈視線・注意・思いなどを〉〔人・物・事に〕注ぐ;〈責任・あだ名などを〉〔人に〕(押し)つける〔*on, upon*〕∥ The policeman *fastened* his eyes *on* the stranger. その警官は見知らぬ人をじっと見つめた. ――自 **1**〈服・戸・留め具などが〉しっかり留まる, 締まる (↔ unfasten) ∥ The gate *fastens* with a latch. 門は掛け金で締まるようになっている. **2** つかまる, しがみつく ∥ The dog *fastened on* my knee. 犬は私のひざにとりついた. **3**〈人・考えなどに〉目をつける, 白羽の矢をたてる;〔…を〕やり玉にあげる〔*on, upon*〕∥ He *fastened on* the excuse.《万策尽きた》彼はその言いわけにとびついた. **4**〈注意・視線などが〉集中する.

fas·ten·er /fǽsnər | fɑ́ːsnə/ 名 C (戸・服などの)締め具, 留め具《lock, hook, zipper, chip など》∥ Do up the *fastener* on the side of your skirt. スカートの脇の留め具を留めてください.

fast-food /fǽstfùːd | fɑ́ːst-/ 形《米》ファーストフード専門の(cf. fast food) ∥ *fást-food* rèstaurants [plàces] ファーストフード=レストラン《米国の McDonald's, Colonel Sander's Kentucky Fried

Chicken, Jack in the Box, Taco Bell, 英国のWimpy Chain などが主なもの》.

fast-grow・ing /fǽstgròuiŋ | fɑ́ːst-/ 形 成長の早い.

†**fas・tid・i・ous** /fæstídiəs, fəs-/ 形 **1** […に]細心の注意を払う, 厳格な〔*about, in*〕‖ with *fastidious* care 細心の注意を払って. **2** [...に]気難しい, 口うるさい〔*about, in*〕;潔癖主義の. **fas・tíd・i・ous・ly** 副 気難しく. **fas・tíd・i・ous・ness** 名 U 潔癖.

†**fast・ness** /fǽstnəs | fɑ́ːst-/ 名 **1** C 〔主に文〕要塞 (ようさい);〔接近困難な〕避難所. **2** U 固定;〔色・染料の〕定着.

***fat** /fǽt/ 類 fatten (動)
—形 (fát・ter, fát・test) **1a**〈人が〉〔まるまると〕太った, ずんぐりした, でぶの《◆遠回し語は (a little) overweight, chubby, large, stout, strong, portly, plump, ample. 医者は好まない》(↔ lean, thin, slender) ‖ (as) *fat* as a pig 非常に太った / a *fát* báby まるまるとした赤ん坊 / gèt *fát* tíる / *Laugh and grow fat.*〔ことわざ〕「笑う門(かど)には福来たる」. **b**〈食用・展覧会用に〉太らせた ‖ *fat* stock 屠(ほふ)殺用家畜.
2〈肉が〉脂肪の多い;〈料理が〉油っこい(fatty) (↔ lean) ‖ *fat* meat あぶら肉 / You shouldn't have a high *fat* diet. 君は高脂肪の食事はすべきではない.
3 太くて短い;**分厚い**;〔印刷〕〈書体などが〉肉太の ‖ *fat* legs 大根足《◆遠回しには heavy legs》/ a *fat* book 分厚い本 / a *fat* wallet たんまりお金の入った札入れ / a *fat* check 高額の小切手. **4** 地味の肥えた(fertile);〔略式〕〈仕事などが〉実入りのある, 有利な ‖ a field *fat* with grass 牧草が豊かに生えた野原 / a *fat* year (for crops) 豊年 / a *fat* part in the play その芝居の見せ場の多い役.
fát chánce〔略式〕〔皮肉的に〕起こる可能性がほとんどない ‖ 対話 "I'm going to win the lottery this week." "*Fat* chance!"「今週は宝くじを当てるんだ」「見込み薄だね」.

—名 U **1** 脂肪;〔食用の〕油脂(cf. lard) ‖ animal [vegetable] *fat* 動物[植物]性油 / cut down on excess *fat* 余分な脂肪を減らす / put on *fat* 脂肪がつく, 太る. **2** 皮下脂肪, 脂肪組織, あぶら身;肥満 ‖ *fat* incline [run] to *fat* 太り気味になる[太りすぎる]. **3** 余分なもの, むだ ‖ trim [cut] (the) *fat* from ... ...からぜい肉をとる, むだを省く.
chéw the fát おしゃべり[うわさ話]をする.

***fa・tal** /féitl/
—形 (more ~, most ~) **1**〈物・事が〉〔生物にとって〕〔必ず〕**命取りになる**, 致命的な;〔頭語〕deadly, mortal);〔比喩的に〕〈人の将来・健康・計画などに〉致命的な〔*to*〕‖ She took a *fatal* dose of sleeping pills. 彼女は致死量の睡眠薬を飲んだ / a *fatal* accident 死亡事故 / a *fatal* blunder 取り返しのつかない大失敗 / a *fatal* injury 致命的な傷 / The bribery proved (to be) *fatal to* the official. わいろ事件はその役人の命取りになった.
2〔正式〕〔時などが〕〈悲劇的な〉**運命を決する**, 決定的な, 一か八かの(→ fateful) ‖ make a *fatal* decision 重大な決断をする.

fátal sísters〔しばしば F- S-〕[the ~] 運命の三女神(→ fate **4**).
fátal thréad [shéars] 〔運命の女神が紡ぐ糸, その糸を切るはさみの〕[the ~] 寿命, 死.
fa・tal・ism /féitəlìzm/ 名 U 運命論, 宿命論.
fa・tal・ist /féitəlist/ 名 C 運命論者, 宿命論者.
fà・tal・ís・tic 宿命論の.

†**fa・tal・i・ty** /feitǽləti | fə-/ 名〔正式〕**1** C〔通例 fatalities〕〔事故・戦闘などによる〕不慮の死, 死亡者(数);〔死を伴う〕事故, 災難 ‖ bathing *fatalities* 水難事故死亡者(数). **2** U 致死性 ‖ diseases with a high *fatality* rate 死亡率の高い病気. **3** U〔時に a ~〕〔運命によって定められた〕必然, 因縁, 不可避性;宿命性, 破滅的傾向 ‖ by a mysterious *fatality* 不思議な因縁で.
fatálity ráte =death rate.

†**fa・tal・ly** /féitəli/ 副 **1** 致命的に ‖ He [His fame] was *fatally* injured. 彼[彼の名声]は致命傷を受けた. **2**〔文全体を修飾〕不運[不幸]にも. **3** 宿命的に;永遠に.

fat・back /fǽtbæ̀k/ 名 U ブタの背のあぶら身《◆ふつう塩づけにする》(図) → pork).

***fate** /féit/ 類 fatal (形), fatality (名)
—名 (覆) ~s/féits/) **1** C〔通例 one's ~〕〔個人・集団の〕**運命**, 運 ‖ accept one's *fate* 成り行きに任せる, あきらめる / Who can decide his *fate*? だれが彼の運命を決めることができようか(いやだれにもできない)《修辞疑問文. ➔文法 1.6》/ leave [*abandon*] him *to* his *fate* 彼を見捨てる / suffer a *fate* 運命に苦しむ.
2 U 〔人知を越えた絶対不可避の〕**運命の力**《◆ destiny, doom より口語的の; [F~] 運命の女神 ‖ by the irony of *fate* 運命のいたずらにより / (*as*) *súre as fáte* 絶対確実に[な] / Finally, Fate deserted the cancer patient. ついに運命の女神はガン患者を見放した.
3 C〔通例 a/one's ~〕〔人・法案などの〕究極の運命, 末路;死, 破滅 ‖『*go to [meet]* one's *fate* 最期を遂げる, 破滅する. **4** [the Fates]〔ギリシア神話・ローマ神話〕運命の三女神(the fatal sisters)《◆生命の糸を紡ぐ Clotho, 糸の長さを決める Lachesis, 糸を切る Atropos》.

fat・ed /féitid/ 運命づけられた, 宿命的な ‖ He was *fated* to go into exile. =It was *fated* that he (should) go into exile. 彼は流刑の身となる運命にあった.

†**fate・ful** /féitfl/ 形〔正式〕**1** 運命を決する, 重大な《◆ fatal と違って必ずしも不幸な結果を含意しない》. **2** 運命に支配された ‖ a *fateful* encounter 宿命的な出会い. **3** 致命的な, 破滅的な.
fáte・ful・ly 副 決定的に, 宿命的に;致命的に.

****fa・ther** /fɑ́ːðər/ (同音 farther (英))
—名 (覆 ~s/-z/) **1a**〔しばしば F~〕C **父**, 父親, お父さん《◆(1) 関連形容詞 paternal. (2) 子が呼びかける場合は Dad, Daddy がふつう (➔ mother). ‖ a [the] *father* of two children 2児の父 / *Like father, like son*.〔ことわざ〕「この父にしてこの子あり」;「息子は父に似るものだ」《◆(1)「父も父なら息子も息子」というように悪い意味に用いられることもある. 女性の場合は Like mother, like daughter. (2) 彼女は「...に似た」という意味の前置詞の like² 前1a》/ Will *Father* be back soon, Mother? お母さん, お父さんはすぐ帰るの《◆身内の間では one's *father* の代わりに固有名詞的に *Father* ということが多い》/ He is the [a] proud *father* of a baby boy [girl]. 彼は子供が生まれて鼻高々だ / be one's *father*'s son [daughter]〔やること・性格が〕父親そっくりだ. 関連〔小児語〕は dad, daddy,〔やや幼児〕は papa, pa, pappy, poppa, pop. **b** [the ~] 父性愛.
2 [F~]〔C〕**神父**, 祖師, 僧侶, 師父《◆主にカトリックの聖職者に対する尊称・呼びかけ》‖ *Father* Smith ス

ミス神父 / the Right Reverend *Father* in God 司教, 主教 / the Most Reverend *Father* in God 大司教, 大主教.
3 ⓒ (略式) 義父; 養父, 継(ﾏﾏ)父.
4 ⓒ (正式)〔通例 ~s〕(男の)祖先, 父祖 ‖ sleep with one's *fathers* 先祖代々の墓に眠る.
5 ⓒ 父親同然の人; 父親的任務を果たす人; 守護者 ‖ a *father* to the handicapped 障害者の慈父.
6 〔しばしば F~〕ⓒ〔呼びかけ〕(老人に向かって)おじさん.
7 〔the ~〕〔学問などの〕創始者, 生みの親, 元祖 ((PC) founder); 発明者((PC) inventor)〔*of*〕‖ *the father of* modern drama 近代演劇の父 〈Ibsen のこと〉/ the Father of English poetry 英詩の父〈Chaucer のこと〉/ *the father of* his country 国父〈米国では G. Washington〉/ *the Father of* History 歴史の父〈Herodotus のこと〉.
8 ⓒ〔しばしば無冠詞〕〔事態などの〕始まり, 源, 起源 (source)〔*of, to*〕‖ the *father of* criticism 非難の材料 / The child is *father of* [*to*] the man. (ことわざ)「三つ子の魂百まで」/ The wish is *father to* the thought. (ことわざ)願っているとその願い通りにいくと思うようになる.
9 ⓒ (主に英)〔通例 ~s〕長老, 最古参 ‖ city *fathers* 市の長老たち / the Father of the House of Commons 下院の最古参議員.
10 〔the/our F~〕(父なる)神(God)《◆ our Heavenly Father ともいう》.
── 動 他 (正式) **1**〈男の〉〈子〉をもうける. **2** =生み出す(create), …を作る, 始める(originate) ‖ *father* a bill 議案を作成する.
Fáther's Dày (米) 父の日《6月の第3日曜日》.
Fáther Tíme 時の翁《時の擬人化. 大鎌と砂時計を持つ》.
fa‧ther‧hood /fɑ́:ðərhùd/ 名 Ⓤ (正式) 父であること, 父の身分, 父性; 父としての責任(paternity).
†**fa‧ther-in-law** /fɑ́:ðərinlɔ̀:/ 名 (複 fathers-,〈英ではしばしば〉~s) **1** 夫[妻]の父, 義父, しゅうと. **2** (米まれ英略式) 継(ﾏﾏ)父(stepfather).
†**fa‧ther‧land** /fɑ́:ðərlæ̀nd/ 名 ⓒ **1** 故国, 母国 ((PC) homeland). **2** 先祖の故国, 祖国《◆ mother country がふつう》.
fa‧ther‧less /fɑ́:ðərləs/ 形 **1** 父のいない, 父が亡くなった. **2** 父に認知されていない.
fa‧ther‧like /fɑ́:ðərlàik/ 形 (主に文) **1** 父らしい.
†**fa‧ther‧ly** /fɑ́:ðərli/ 形 父らしい; 父親にふさわしい, 慈父の《◆ paternal よりくだけた語》‖ a *fatherly* attitude 父親にふさわしい態度.
fá‧ther‧li‧ness 名 Ⓤ 父親らしさ.
†**fath‧om** /fǽðəm/ 名 (複 ~s, (英) fath‧om) ⓒ ファゾム《水深測定単位で2 yards(約1.8 m). 略 fath., fm., fth.;「尋(ﾋﾛ)」に相当》.── 動 他 (正式)〔通例否定文で〕…を推測[理解]する(+*out*).
fath‧om‧less /fǽðəmləs/ 形 (主に文) **1** 測り知れないほど深い, 底の知れない. **2** 不可解な, 理解できない.
†**fa‧tigue** /fətí:g/ 発音注意 名 **1** Ⓤ (精神[肉体]的)疲労《◆ tiredness より堅い語》; 骨折り ‖ sleep off the *fatigue* of manual labor 肉体労働の疲労を眠っていやす / physical [mental] *fatigue* 肉体疲労[気疲れ]. **2** Ⓤ (生理) (器官の一時的)機能麻痺(ﾏﾋ). **3** Ⓤ 〔機械〕 (材質の)疲労 ‖ metal *fatigue* 金属疲労. **4** ⓒ〔通例 ~s〕(ゆったりした)軍服; (兵士が罰として課せられる)仕事.
── 動 他 (正式) …を〔…で〕疲れさせる(*with*).

†**fat‧ten** /fǽtn/ 動 他 **1**〔食肉用に〕〈家畜〉を太らせる (+*up*). **2**〈土地〉を肥やす, …を富ます. ── 自 太る, 肥える(+*up*).
†**fat‧ty** /fǽti/ 形 (‑‑ti‧er, ‑‑ti‧est) 脂肪質(状)の; 油っこい;〔医学〕脂肪過多(症)の ‖ *fatty* acid 脂肪酸.
†**fat‧u‧ous** /fǽtʃuəs | fǽtju‑/ 形 (正式) (ひとりよがりで)愚かな; 無意味な.
†**fau‧cet** /fɔ́:sət/ 名 ⓒ (米) (水道・容器などの)蛇口 (図 → bathroom), 注ぎ口, 飲み口(英) tap) ‖ Turn the *faucet* off. 水道を止めなさい.
***fault** /fɔ́:lt/ 発音注意
── 名 (複 ~s/fɔ́:lts/) **1** Ⓤ 〔通例 one's ~〕(誤り・落度の)責任, 罪 ‖ It's *my fault*. =The *fault* is mine. =The *fault* lies with me. それは〔他ならぬ〕私のせいです / 【対話】 "I am sorry. I could have avoided the accident." "No, it was nobody's *fault*. Don't worry."「すみません. 事故を避けようと思えば避けられたでしょう」「いや, それはだれのせいでもありません. 気にしないでください」.
2 ⓒ〔…の〕欠陥, きず, 短所〔*in, with*〕《◆ 必ずしも非難の意ではない. defect は身体的または精神的な障害を意味する》‖ There is a *fault in* [*with*] my car. 私の車には欠陥がある / Nobody is free from *faults*. 欠点のない人はいない.
3 ⓒ〔…の〕誤り(mistake)〔*in, of*〕; (ちょっとした)落度, 悪行(wrong) ‖ commit *faults in* [*of*] grammar 文法上の誤りを犯す.
4 ⓒ〔球技〕フォールト, サーブミス.
5 ⓒ〔地質〕断層 ‖ an active *fault* 活断層.
at fáult (1)〈人・記憶などが〉誤って;〈機械などが〉故障して ‖ Your memory is *at fault*. 君の記憶は間違っている / You are *at fault* in talking back to her. 彼女に口答えするなんて見当違いだ. **(2)**〔人が〕〔…に対して〕とがめられるべき〔*for*〕‖ Who is *at fault* for breaking the window? 窓を壊した犯人はだれか. **(3)** 途方にくれて.
find fáult in A Aのあらさがしをする《◆ 口に出して言うことまでは含意しない》.
***find fáult with A**〈人・事に〉(しつこく)文句を言う,〔…を〕(口に出して)非難する〔*with*〕《◆ (1) criticize, complain of [about] より堅い語. (2) fault は常に単数形で用いる》‖ No *fault* is *found with* his work. 彼の仕事にはけちのつけようがない / He *found fault with* every remark I made. 彼は私の発言のすべてに文句を言った.
to a fáult (主に長所について)極端に ‖ He is careful *to a fault* in his business dealings. 彼の商取引に際しての注意深さは度を越している.
fault‧find‧ing /fɔ́:ltfàindiŋ/ 名 Ⓤ あら捜し; とがめだて, 小言《◆ 有益または親切な行為のこともある》.
── 形 けちをつけたがる; 口やかましい.
†**fault‧less** /fɔ́:ltləs/ 形 欠陥[誤り]のない, 完璧(ﾍｷ)な《◆ perfect より堅い語》. **fáult‧less‧ly** 副 申し分なく. **fáult‧less‧ness** 名 Ⓤ 無疵.
†**fault‧y** /fɔ́:lti/ 形 (‑‑i‧er, ‑‑i‧est) 〈機械などが〉(作動・活動に際して)欠陥[欠点]のある〔多い〕; 誤った ‖ an accident caused by *faulty* [defective] brakes 欠陥ブレーキによる事故 / *faulty* reasoning 誤った推論. **fáult‧i‧ly** 副 誤って, 不完全に. **fáult‧i‧ness** 名 Ⓤ.
faun /fɔ́:n/ 名 ⓒ〔ローマ神話〕ファウヌス《ヤギの角と足を持った半人半獣の森や牧畜の神. ギリシャ神話では satyr》.
fau‧na /fɔ́:nə/ 名 (複 ~s, ‑‑nae/‑ni:/) Ⓤ ⓒ (ある

Faust /fáust/ 名 ファウスト《ドイツの伝説で若き・知識・魔力と交換に魂を売った男》;『ファウスト』《ゲーテ作》.

*fa·vor, (英) --vour /féivər/ 限 favorable (形), favorite (名・形)

index 名 1 親切な行為　2 好意　3 えこひいき
動 他 1 好む　2 賛成する

―名 (複 ~s/-z/) 1 [好意・支持の具体化] C [(自発的で特別な) 親切な行為; [通例 one's ~s] 忠勤, 尽力 ∥ Would [Could] you do me a favor? = I have a favor to ask. ちょっとお願いしたいことがあるのですが《◆ 具体的に頼む場合は Would you do me 「a favor by [the favor of] showing me around? (あちこち案内していただけますでしょうか)のようになる》.
2 [好意・支持] U [正式] (集団または目上の人が示す) 好意, 親切心; 是認(approval), 支持, 引立て ∥ lose [find] his favor = lóse [fínd] favor with him 彼の支持を失う[得る] / look on us [the plan] with great favor 私たち[その計画]をとても好意的にみる, 大賛成する.
3 [好意・支持の特殊化] U […に対する]偏愛, えこひいき(↔ disfavor); 情実[to] ∥ treat him with favor 彼をひいきにしてポブを雇った.

as a favor (to A) 〈人〉に対する)好意として ∥ He hired Bob as a favor to his father. 父親に対する恩義として彼にボブを雇った.

*in favor of A = in A's favor (1) …に賛成の[で]; …の方を選んで; …に味方して ∥ I'm very much in favor of cutting taxes. 私は減税に大賛成です. (2) 〈人〉に有利[利益]になるような[に] ∥ The bill works「in favor of the LDP [in the LDP's favor]. その法案は自民党に有利だ / Luck is turning in our team's favor 運が私のチームに向いてきた / The score is 6 to 2「in favor of the Tigers [in the Tigers' favor]. 6対2でタイガースが勝っている. (3) 〈小切手などが〉〈人〉を受取人として.

in fávor (with A) [正式] 〈人〉に気に入られて, 人気のある; 流行している ∥ a pupil in favor with the teacher = a pupil in the teacher's favor 先生に気に入られている生徒 / He is [stánds]「hígh in fávor [in hígh fávor] with [amóng] the youths. 彼は若者にたいへん人気がある(= He is a great favorite with [of] the youths).

óut of fávor (with A) [正式] 〈人〉に嫌われて, 人気のない; 流行しない.

túrn in fávor of A 〈人〉に好意を抱く.

―動 (~s/-z/; 過去・過分) ~ed/-d/; ~·ing /-vəriŋ/)
他 1 〈人・事が〉〈人・事を〉[…より]好む, ひいきする, 〈人〉に目をかける[over, above] ∥ Her policy favors poor men over rich. 彼女の政策は富者よりも貧者に恩恵を与える / Fortune favors the brave. (ことわざ) 運命の女神は勇者に味方する.
2 〈人が〉〈計画・考え・人などに〉賛成する, 好意を示す; 〈事が〉〈主張など〉を裏付ける ∥ He favors eliminating the law. 彼はその法律の廃止に賛成している(= He is in favor of eliminating the law.).
3 a [正式] (好意・親切から)〈人〉に[…を](して)あげる[してくれる][with]《◆ 主に give の敬語表現》∥ Please favor us with your orders. [商業] 御用命のほどお願いします《◆ Please give us your or-

ders. よりへりくだった依頼》. b 〈運動などが〉に[資金などを]与えて支持する(with).
4〈天候・状況などが〉…に好都合[有利]に働く, 促進する ∥ The moonless night favored the prisoner's escape. やみ夜が囚人の逃亡に幸いした.

*fa·vor·a·ble, (英) --vour·- /féivərəbl/
―形 1 [伝言・返事などが]好意的な, 承諾の;〈人・態度が〉[…に]賛成の;好意的な(to, toward) (↔ unfavorable) ∥ receive a favorable review 好評を博する(= be favorably reviewed) / Are you favorable to a five-day week? 週休2日制に賛成ですか(= Are you for [in favor of] a five-day week?).
2 〈物の(現況)などが〉[事のために/…にとって]好都合な, 有望な, 有利な[for / to, toward] ∥ favorable winds 順風 /「favorable soil [soil (which is) favorable] for the growth of wheat = soil (which is) favorable to wheat 小麦の(生育)に好適な土壌 / give a ruling favorable to the accused 被告に勝訴の判決を下す.
3 〈印象などが〉よい, 好感を得るような.

*fa·vor·a·bly, (英) --vour·- /féivərəbli/ 副 1 好意的に, 賛成して ∥ speak favorably of him [the plan] 彼のことをよく言う[その計画に賛成する]. 2 都合よく, 順調に; 優位に; 好ましく ∥ be favorably impressed by her 彼女からよい印象を受ける / Your work compares [contrasts] favorably with hers. あなたの作品は彼女の作品より優れている.

fa·vored /féivərd/ 形 1 気に入られている ∥ his (most) favored pupil 彼が(最も)かわいがっている生徒. 2 [長所・特典などに]恵まれた[with] ∥ women favored with good looks 美貌(び)に恵まれた女性たち / a most favored nation [国際法] 最恵国. 3 [通例複合語で] 顔が…の ∥ ill-[well-]favored girls 器量の悪い[よい]女の子.

*fa·vor·ite, (英) --vour·- /féivərət/
―名 (複 ~s/-its/) C 1 [人の]お気に入りの人[物]《◆ 人の場合は軽蔑(ぶ)的にも用いる》, 寵児(ちょうじ), [王・高官の]寵臣(ちょうしん)[of, with] ∥ Sushi is my favorite. 寿司は私の好物です / Fortune's favorite 幸運児 / have [máke, pláy] favorites えこひいきする / He was「a favorite with the king [a favorite of the king('s), the king's favorite]. 彼は王の寵臣であった. 2 (競馬の)本命, (競技の)優勝候補の筆頭(↔ outsider) ∥ Which teams are favorites to win the (champion's) cup? 優勝杯を手にしそうなのはどのチームか. 3 人気者.

―形 [名詞の前で] (最も)お気に入りの, ひいきの, いちばん好きな[得意の]《◆ふつう比較変化しない》.
【対話】 "What's your favorite subject?" "It's English." 「君の一番好きな教科は何ですか」「英語です」《◆ ×most favorite とはいわない》.

fa·vor·it·ism, (英) --vour·- /féivərətizm/ 名 U [正式] 情実, えこひいき.

*fa·vour /féivə/ (英) 名 動 = favor.
*fa·vour·a·ble /féivərəbl/ 形 (英) = favorable.
fa·vour·a·bly /féivərəbli/ 副 (英) = favorably.
*fa·vour·ite /féivərət/ (英) 名 形 = favorite.
fa·vour·it·ism /féivərətizm/ 名 (英) = favoritism.

Fawkes /fɔːks/ 名 フォークス《Guy ~ 1570-1606; James I を爆殺しようとした. cf. guy 2》.

†fawn[1] /fɔːn/ 名 1 C [動] (1歳以下の)子ジカ. 2 C 子ヤギ(kid). 3 U [しばしば a ~] 淡黄褐色; [形容詞的に] 淡黄褐色の.

fawn[2] /fɔ́ːn/ [動][自] **1** 〈犬などが〉〔人に〕じゃれつく，甘える〔*on, upon*〕．**2** 〈人が〉〔人に〕へつらう，おもねる〔*over, on, upon*〕．**fáwn·ing** [形] こびる；へつらう．

***fax** /fǽks/
——[名] ([複] ~·es/-iz/) [U] **ファックス**(のシステム)；[C] ファックス機，電送写真(装置)，ファックスの手紙[通信]《◆fucks /fʌ́ks/ との混同を避けるため話し言葉では telefax の方が好まれる》．
——[動][他] 〈印刷物など〉をファックスで送る(+*through*) ‖ Please *fax* the reply to me. 返事はファックスでお願いします《◆Please *fax* me the reply. ともいう》．

fay /féi/ [名][C] 《詩》妖精(fairy).

FBI [略] 《米》[the ~] Federal Bureau of Investigation.

FCO [略] 《英》[the ~] Foreign and Commonwealth Office.

FD [略] 〔コンピュータ〕floppy disk.

FDA [略] Food and Drug(s) Administration 米国食品医薬品局.

Fe [記号] 〔化学〕iron《◆ラテン語 ferrum より》．

F

†**fe·al·ty** /fíːəlti/ [名][C][U] 〔歴史〕(封建領主・土地に対する臣下の)忠誠(の言葉[義務])．

*‡***fear** /fíər/ [発音注意] [派] fearful (形), fearless (形)
——[名] ([複] ~s/-z/) [U] **1** [時に a ~] (危険・災難などへの)**恐怖感**；おびえ《◆dread, fright, terror, horror の方が強い恐怖》‖ tùrn white ***with*** [***from***] *féar* 恐怖で真っ青になる / rún awáy ***for*** [***from, out of, through***] *féar* 恐怖のあまり逃げる / feel sudden *fear* 急にこわくなる / I have *a fear* of heights. 私は高所恐怖症だ / I have no *fear* of death. 私は死の恐怖はない．
2 [しばしば ~s] 〔…ではないかという〕**不安**，懸念〔*of* (doing), *that*節〕；〔健康・人(の安否)などに対する〕**心配**，気づかい〔*for, of, about*〕‖ hopes and *fears* 期待と不安 / I understand your *fear(s)* ｢*of* discovery [*of* being discovered, *that* you may be discovered]. 見つかりはしないかというあなたの心配はわかります《◆that節内に may [might] を用いるのは文語的，will [would] や単純形は口語的》/ Grave *fears* are felt *for* [*about*] his safety. 彼の安否が大いに危ぶまれている《◆受身文では of は不可》．
3 〔悪いことが起こる〕**可能性**，恐れ〔*of* (doing), *that*節〕‖ (the) *fear of* bankruptcy 倒産の恐れ / There's no [not much, some] *fear of* rain. 《略式》雨の心配はない[あまりない，多少ある]．
***for féar ｢of A [that ...]** 《正式》…を[…することを]**恐れて**《◆(1) 節内の動詞については →**2** の第2例．(2) **A**が普通名詞の場合，無冠詞も可》‖ Insure your house ｢*for féar of* fire [*for féar* (that) there would be a fire]. 火災に備えて家に保険をかけなさい(=Insure your house *in case of* fire.) / He crept out of the room *for fear of* waking her. 彼は彼女を起こさないようにそっと部屋を出た(=... room *so as not to* wake her.).
in féar (of A) (…を)恐れて；(…の安全を)気づかって ‖ live [stand] *in fear of* [*for*] one's life 殺されはしまいかとおびえて暮らす[いる]．
——[動] (~s/-z/; [過去・過分] ~ed/-d/; ~·ing /fíəriŋ/)
——[他] 《正式》《◆ふつう進行形不可》**1** …を危ぶむ；[fear (that)[(文) lest]節] 〈人が〉…**ではないかと危ぶむ**，心配する《◆(1) be afraid that節より堅い表現．(2) ふつう進行形は不可》‖ *fear* the worst 最悪の事態を危ぶむ / The rescue party *feared that* the climber might be dead. 救助隊はその登山家が死んでいるのではないかと心配した．

> [語法] 上の用例では受身が不可であるが，They *fear that* he may be dead. では主語が不特定の人のため受身が可能: He *is feared* (to be) dead. / It *is feared that* he may be dead.

2 〈人が〉〈人・物・事〉を**恐れる**，こわがる《◆be afraid of より堅い語》；[fear to do / fear doing] …することを恐れる，こわがる ‖ He *feared* being [to be] left alone. 彼は一人になるのを恐れた《◆*fear* to do は「(結果を恐れて)…することをためらう，あえて…しない」の意味にもなる》/ The child *fears* water very much, because he was nearly drowned. その子は水をたいへん恐れます，なぜなら溺死しかけたから．
——[自] 恐れる；〔安否・将来などを〕気づかう，心配する〔*for*〕‖ Néver *féar*! =*Fear* not! 心配無用(=Hàve nó *féar*!) / *fear for* his health 彼の健康を心配する．
I féar (that) ... (遺憾ながら)…**ではないかと思う**《◆(1) 望ましくないことを伝えるときに用いる．(2) I'm afraid ... より堅い表現．挿入的に文中・文尾にも用いられる》(↔ I hope (that)) ‖ *I féar* (*that*) she will not get well. =She will not get well, *I féar*. 彼女はどうもよくなりそうにない《◆not を主節に移動して ×I don't fear (that) he will get well. とはいえない》/ "Were many people killed in the accident?" "*I féar* sò." 「その事故で多くの人が亡くなりましたか」「残念ながらそうです」《◆I'm afraid so. の方がふつう》．

***fear·ful** /fíərfl/
——[形] (**more ~, most ~**) **1** 《正式》[be fearful **of** [**about**] **A** / be fearful **of doing** / be fearful **that**[(文) **lest**]節] 〈人が〉〈事・物・人〉を[…することを]**恐れる**，心配する(afraid)；〔安否などを〕心配して〔*for*〕《◆afraid より堅い語》(↔ fearless) ‖ The employees were ***fearful*** ｢*of* dismissal [*of* being dismissed / *that* they would [might] be dismissed]. 従業員たちは解雇されはしまいかと心配していた．**2 a** 《やや古》〈事(の性質)が〉**恐ろしい**，ぞっとするような(terrible) ‖ a *fearful* crime 恐ろしい犯罪 / an accident *fearful* to remember 思い出すのもおぞましい事故．**b** 《英》[名詞の前で] **ひどい**，(悪い意味で)ものすごい ‖ What *fearful* manners! なんたる行儀だ．
féar·ful·ness [名][U] **1** 恐ろしさ，すさまじさ．**2** 怖がること，臆病；恐怖心．

†**fear·ful·ly** /fíərfəli/ [副] 《やや古》[強意語として] ひどく，とても ‖ *fearfully* rude [kind] すごく失礼な[親切な]．

†**fear·less** /fíərləs/ [形] 《正式》恐れを知らない，大胆な；[be fearless **of A** / be fearless **of doing**] 〈人が〉〈事・物・人〉を[…することを]恐れない(↔ fearful) ‖ a *fearless* fighter 大胆不敵な闘士 / He was *fearless of* (running) the risk. 彼は危険(を冒すこと)を何とも思っていなかった．
féar·less·ness [名][U] 大胆さ．

†**fear·less·ly** /fíərləsli/ [副] 恐れずに，大胆に．

fear·some /fíərsəm/ [形] 《正式》〈人・外見などが〉恐ろしい，(見て)ぞっとするような；《略式》ひどい．

fea·si·bil·i·ty /fìːzəbíləti/ [名][U] 《正式》実行できるこ

†**fea·si·ble** /fíːzəbl/ 形 **1** 実行できる, 可能な《◆possible より堅い語》‖ a *feasible* project 実行可能な計画. **2** […に]適した, ふさわしい(*for*). **3** (略式)もっともらしい, ありそうな(likely).

†**feast** /fíːst/ 名 C **1** 祝宴, 大宴会《◆banquet は「公式の祝宴」》; 大ごちそう; (通例 a ~) [目・耳などを大いに楽しませるもの](*for, to*) ‖ a wédding *feast* 結婚披露宴 / a *feast* fit for a king 山海の珍味 / These jewels are a *feast* for [to] the eyes. このような宝石は目の保養になる. **2** [時に F~] (宗教的)祝祭(日), 村祭(feast day)(cf. festival) ‖ movable *feasts* 移動祭日《◆復活祭など年によって日付が変わる祝日. Christmas のように固定している祝日は immovable *feast*》.
—— 動 自 [人と]大いに飲み食いする, ごちそうになる; […を]大いに楽しむ(*on, upon*).
féast dày =名 **2**.

†**feat** /fíːt/ (同音 feet) 名 C (正式) 偉業, 功績, きわたった行ない(achievement); 芸当, 妙技.

*****feath·er** /féðər/ (発音注意)
—— 名 (複 ~s/-z/) C (1本の)羽, 羽毛《◆風・速度・飛翔(ひしょう)などの象徴》‖ (as) light as a *feather* 羽のように軽い / Fine *feathers* make fine birds. (ことわざ)(やや古)すてきな羽毛はすてきな鳥を作る;「馬子(まご)にも衣装」/ Birds of a *feather* flock together. → bird **1**.
a féather in one's *cáp* …の誇り[名誉]となるもの.
—— 動 他 **1** [帽子などに[…で]羽飾りをつける, [矢に][…で]矢羽をつける(*with*). **2** (正式) …を羽毛で覆う; …をふさふさと覆う.
féather dúster 羽ぼうき, 羽のはたき.

feath·er·less /féðərləs/ 形 羽の(生えて)ない.
feath·er·weight /féðərwèit/ 名 C 形 **1** (ボクシング・レスリングなど)フェザー級の(選手)(→ boxing). **2** (略式)重量の軽い(人, 物); 重要でない[つまらない](人, 物).

†**feath·er·y** /féðəri/ 形 **1** 羽のある. **2** 羽のような, 柔らかい, 軽い.

*****fea·ture** /fíːtʃər/ [「作られたもの」が原義]
—— 名 (複 ~s/-z/) C **1** (目立つ)特徴, 特色(類語) characteristic, peculiarity ‖ geographical *features* 地理的特徴 ‖ Solitude is a *feature of* urban life. 孤独は都会生活の1つの特色である.
2 特集記事[読み物](feature article [story]) ‖ do [run] a *feature* on Japan 日本特集をする.
3 顔の造作(の1つ) [目・鼻・口など]; [~s] 顔立ち, 容貌(ぼう) ‖ a man of handsome [regular, poor] *features* 目鼻立ちのよい[整った, まずい]男 ‖ His nose is his worst *feature*. 彼の顔は鼻がいちばん見劣りする.
4 a =feature program. **b** (催し・売り出しなどの)目玉商品 ‖ The *feature* of the exhibit is Rodin's works. その展覧会の呼び物はロダンの作品だ. **c** 長編(劇)映画, 主要作品, 主要作品(feature film) ‖ a *double feature [two-feature]* program 2本立て.
—— 動 (~s/-z/; 過去・過分 ~d/-d/; --tur·ing /-tʃəriŋ/)
—— 他 **1** [記事・人などに][…で]呼び物にする; …を特集をする(*on, in*); …を主演させる ‖ The sad news *was featured* on TV by NHK. その悲報はNHKにより TV で大々的に取り上げられた. **2** …の(著しい)特色をなす, …を特徴づける; …の特徴を描く. **3** (米略式) …を心に描く, …を[…だと]思う(*as*) ‖ Can you *feature* me behind the president's desk? 社長の椅子に座っている私を想像できますか.
—— 自 […に]主演する, […の)主要な参加者[関係者]である(*in*).

féature àrticle [**stòry**] =名 **2**.
féature film =名 **4 c**.
féature prògram 呼び物, 特集番組.
fea·ture·less /fíːtʃərləs/ 形 (正式)特色のない, 平凡な.

Feb., Feb (略) February.
feb·rile /fíːbrəl, féb- | fíːbrail/ 形 (正式)(医学)熱の; 熱病の; 発熱による; 不安な.

*****Feb·ru·ar·y** /fébjuèri, febru-, fébru- | fébruəri, fébju-, fébruri, fébjuri/ [「浄罪(Februa)の月」が原義]
—— 名 U 2月; [形容詞的に] 2月の(略 Feb.) ‖ *February* has 29 days in a leap year. 閏(うるう)年には2月は29日ある 語法 → January).

fe·cund /fíːkənd, fé-, -kʌnd/ 形 (正式) 多産の; 肥沃(ひよく)な(fertile); 多作の, 創造に富んだ.
fe·cun·di·ty /fikʌ́ndəti/ 名 U (正式) **1** (子などの)多産; 肥沃(fertileness) **2** 知的な豊かさ.

fed /féd/ 動 feed の過去形・過去分詞形.

†**fed·er·al** /fédərəl/ 形 **1** (政府・国家が)連邦(制)の; 連合の, 連盟の(略 fed.) ‖ a *federal* state [government] 連邦国家[政府] / the *Federal* Republic of Germany ドイツ連邦共和国《ドイツ(および旧西ドイツ)の公式名》/ a *federal* organization of labor unions 労働組合連合機構.
2 [しばしば F~] (米)連邦政府[国家]の, 連邦政府を支持する, (州ごとでなく)合衆国(全体)の(↔ state) ‖ *federal* laws 連邦法 / the *Federal* Court (米)連邦裁判所 / *Federal* Air Quality Act (米)大気汚染防止法《◆通称 Muskie Act (マスキー法)》/ *federal* narcotics agents 連邦麻薬取締官 / the *Federal* Bureau of Investigation 連邦捜査局(略 FBI).
3 [F~] (米史) 連邦党(Federal(ist) Party)の,連邦党を支持する; 北部同盟(Union)(派)の(↔ Confederate) ‖ the *Federal* army 北(部同盟)軍.
—— 名 C **1** =federalist **1**. **2** [F~] (米史) 北部同盟支持者, 北軍兵(Unionist); =Federalist(→ federalist **2**).

Féderal Communicátions Commìssion 連邦通信委員会(略 FCC).
féderal dístrict [**tèrritory**] 連邦地域《連邦政府のある特別区; 米国では the District of Columbia》.
Féderal Pàrty =Federalist Party.
Féderal Resérve Bànk 連邦準備銀行《日本の日本銀行に相当し, 全米に12行ある》.
Féderal Stúdent Lòan (米) (連邦政府による)学生貸付金.
féd·er·al·ism 名 U 連邦主義[体制]; [F~] (米史)連邦党の主義. **féd·er·al·ly** 副 連邦制によって.

†**fed·er·al·ist** /fédərəlist/ 名 C **1** 連邦主義者. **2** [F~] (米史)連邦党の党員[支持者]. —— 形 連邦主義(者)の.
Féderalist Pàrty (米史) [the ~] 連邦党(the Federal Party)《米国憲法の採択と強力な国家主義を唱えた政党(1787-1816ごろ)》.

fed·er·ate /fédərèit/ 動 他 …を連邦体[連合体]にする. —— 自 連邦体[連合体]になる.

†**fed·er·a·tion** /fèdəréiʃən/ 名 C U 連邦[連合](にすること); C (組合の)連盟; 連邦政府[制度](略

fedn.) ‖ the *Federation* of Malaysia マレーシア連邦 / a *federation* of students 学生連盟 / Japan Business *Federation* 日本経団連.

*fee /fíː/
──名 (複 ~s/-z/) 1 ⓒ a [通例 ~s] [...に対する]謝礼, 報酬 [*for*] 《医者・弁護士・家庭教師などの専門職に対する料金》‖ a lawyer's [doctor's] *fee*(s) 弁護[診察]料. b [通例複合語で] (受験・入場・入会)料金(→ fare) ‖ an admíssion *fèe* 入場料, 入会金, 入学金.
2 ⓒ [通例 ~s] 授業料(school fee) ‖ high [low] *fees* 高い[安い]授業料.

†fee·ble /fíːbl/ 形 (通例 ~r, ~st) 1 〈体力が〉弱い 《◆ weak より強意的. 人に用いるときは, あわれ・軽蔑(<ﾞ)の意味を含む》‖ a *feeble* old man 弱々しい老人. 2 〈性格・知能が〉弱い ‖ a *feeble* mind 弱い心. 3 かすかな, 微弱な ‖ in a *feeble* voice かすかな声で. 4 〈力・勢い・効果などが〉弱い, 不十分な ‖ a *feeble* attempt 不十分な努力.
fée·ble·ness 名 ⓤ 弱さ; 薄弱さ; 微弱さ; 微力.
fee·ble-mind·ed /fíːblmáindid/ 形 1 知能の低い, 知的障害のある. 2 (略式) 愚かな《◆ foolish, stupid の遠回し語》.
fee·bly /fíːbli/ 副 弱々しく; 力なく; かすかに.

*feed /fíːd/
──動 (~s/-dz/; 過去・過分 fed/féd/; ~·ing)
──他 1a 〈子供・病人〉に食べ物を与える, 〈赤ん坊〉に乳をやる, 〈人が〉〈動物〉にえさを与える, …を飼う, 育てる 〈人などを〉養う, 扶養する; [~ oneself] 〈人の手を借りずに〉自分で食べる ‖ Did you *feed* the pigs? ブタにえさをやったか / Can your little boy *feed* himself yet? あなたの息子さんは1人で食事できますか / He *feeds* [supports] a large family. 彼は大家族を養っている / **Well fed, well bred.** (ことわざ)「衣食足りて礼節を知る」/ The valley *feeds* the whole region. その谷はその地域全体の食料をまかなっている / In this park you can *feed* the squirrels out of your hands. この公園では手からリスにえさを与えることができます.
b [feed A B =feed A with B] 〈人などが〉A〈人・動物〉にB〈食べ物〉を与える; [feed A on B] 〈食べ物で〉〈動物〉を飼う ‖ He *fed* her (*with*) the chicken soup from the stove. 彼女はこんろにかけてあったチキンスープを彼女に与えた / She *feeds* her horse on oats. 彼女はカラスムギを馬を育てている.
c [feed A to B] 〈人が〉〈B〈動物・人〉に A〈食べ物〉を与える《◆「動物にえさをやる」という文脈で用いる》‖ She *fed* peanuts *to* the monkey. 彼女はサルにピーナッツをやった.
2 (正式) …に[…に]を供給する(with); …を[…に](絶えず)供給する(give)(+in) [*to*, *into*] ‖ *feed* the fire with logs =*feed* logs *to* the fire 火に丸太をくべる / *feed* a computer *with* information =*feed* information *into* a computer コンピュータに情報を入れる. 3 〈川が〉〈湖〉に流れ込む ‖ The lake is *fed* by these little streams. 湖にはそれらの小川が流れこんでいる.
──自 1 〈動物が〉物を食べる; 〈赤ん坊が〉食事する ‖ The sheep were *feeding* in the meadow. ヒツジが牧草地で草をはんでいた. 2 〈動物が〉[…を]常食とする[*on*, *upon*] 《◆人の場合は live on》‖ Cattle *feed* chiefly *on* grass. 牛は主に草を食べて生きている.
be féd úp with [*about*, *of*] A (略式) …に飽き飽きしている《◆A が動名詞の場合前置詞はよく省略される. 前置詞の代わりに that 節がくることもある》‖ I'm *fed* up *with* this wet weather. この雨天にはうんざりしている.
féed úp [他] …を太らせる, …に飽きるほど食べさせる.
──名 1 ⓒ a (略式) (動物・赤ん坊などの)食事(meal). b [通例 ~] 食事するという行為; [a ~] (たっぷりの)ごちそう ‖ She seems to be having a good *feed* over there. 彼女は向こうでごちそうをぱくついているようだ. 2a ⓤ 飼料, かいば, まぐさ ‖ a bag of hen *feed* 1袋のニワトリのえさ. b ⓒ (1回分の)かいば ‖ two *feeds* of oats *for* a horse 馬用の2回分のカラス麦.
féed bàg (米) =nosebag.
feed·back /fíːdbæk/名 ⓤ 1 〔電気〕フィードバック, 帰還《出力の一部を入力側に戻すこと》. 2 〔生物・心理・社会〕フィードバック《ある行動の結果によりその後の行動を修正すること》. 3 (略式) (…についての)情報(を待つこと); (利用者などの)反応(を見ること) [*on*] ‖ I gave him some *feedback* about it. それについて彼に私の意見[感想]を述べた.

†feed·er /fíːdər/ 名 ⓒ 1 食物[えさ]を与える人, 飼い主. 2 [通例形容詞を伴って] …を食う動物[人], (肥料を)食う植物; ⓒ 肥育用家畜 ‖ a heavy [large] *feeder* 大食家. 3 (鉄道・航空の)支線.

*feel /fíːl/ 派 feeling (名)
index
動 他 1 知覚する 2 触ってみる 3 影響を受ける 4 …だと思う
自 1a 感触をもつ b 感じを覚える 2 手探りで捜す 3 同情する
名 1 感触; 雰囲気 2 手で触る[探る]こと

──動 (~s/-z/; 過去・過分 felt/félt/; ~·ing)
I [からだで感じる]
1 [肉体的・精神的知覚] a 〈人が〉〈物・事〉を知覚する, 感じる, …に気づく ‖ *feel* fear [hunger] 恐怖[空腹]を覚える / *feel* the approach of death =*feel* death approaching 死が迫るのを感じる / I (can) *feel* a stone in my shoe. 靴の中に石が入っているようだ《◆ can は「今まさに感じている」という知覚の状態を表し, 進行形の代用となる(→ can¹ 動 2)》.
b [知覚動詞] [feel A do / feel A doing] 〈人が〉A〈人・物〉が…する[…している]のを感じる《◆(1) ふつう do は知覚される動作の全過程, doing は動作の進行の途中に重点がある. (2) 文脈上明らかな do, doing が省略され, また続く修飾句が残る場合がある. 最終例, ➡文法 3.4)》‖ I *felt* my interest rising [rise]. 私は興味がわいてくる[わく]のを感じた / I *felt* leaves (brush) against my cheek. 私は木の葉がほおに触れるのを感じた.

語法 進行形は一時期の感覚をいう場合以外はふつう不可: I'm *feeling* pains in the back these days. このところ背中が痛む.

c [feel oneself done] 〈人が〉…されるのを感じる ‖ She *felt* herself torn apart. 彼女は自分自身が引き裂かれるような気がした.
d [feel A to be C] 〈人が〉A〈物〉を C であると感じる《◆ C は形容詞》.
II [指などで触れる]
2 [触覚] a 〈人が〉〈物・事・人〉を(指などで)触ってみる, 調べる; …を手探りで知る ‖ *feel* his pulse 彼の

feel.) / I háve a [the] féeling (that) I am a stranger here ここは初めてのような気がする.
6 Ⓤ 〔時に a ~〕〔…への〕思いやり, 同情, 愛情〔for〕∥ háve a déep féeling [dón't have múch féeling] for (the sufferings of) others 他人（の苦しみ）にたいへん思いやりがある[あまり思いやりがない].
7 〔時に a ~〕〔…に対する〕感受性, 情緒（芸術的）情感〔for〕∥ háve a féeling for music 音楽の素質がある, 音楽が好きである / play with great [much] féeling 大いに情感をこめて演奏する.
── 形 〔正式〕〔名詞の前で〕〈人・心が〉感じやすい, 思いやりのある; 〈行為が〉心のこもった(→ unfeeling).
féel·ing·ly 副 感情をこめて[むきだしにして].

†**feet** /fíːt/ 名 (同音 feat) foot の複数形.

†**feign** /féin/ 動 (同音 fain) 他 〔正式〕…のふりをする, …を装う(pretend) ∥ feign illness 仮病をつかう / She feigned indifference. 彼女は無関心を装った.

feint /féint/ 名 Ⓒ **1** 〔スポーツ〕フェイント攻撃. **2** 〔正式〕見せかけ, 〔…の/…する〕ふり〔of, at / of [at] doing〕∥ make a féint of working 働くふりをする.
── 動 自 〔…に〕フェイントをかける〔at, upon, against〕.

féld·spar /féldspɑːr/ 名 Ⓤ 〔鉱物〕長石.

fe·lic·i·tate /fəlísitèit/ 動 他 〔正式〕〔おおげさに〕〈人〉を〔…のことで〕祝う〔on, upon〕.

fe·lic·i·tous /fəlísitəs/ 形 〔正式〕〈表現が〉適切な; 幸運な. **fe·líc·i·tous·ly** 副 適切に.

†**fe·lic·i·ty** /fəlísəti/ 名 〔正式〕**1** Ⓤ 至福, 幸運. **2** Ⓒ 吉事, 慶事. **2** Ⓤ (表現の)適切さ, 巧みさ; Ⓒ 適切な表現.

†**fe·line** /fíːlain/ 形 **1** ネコ科の. **2** ネコのような. **3** ずるい, 陰険な. ── 名 Ⓒ ネコ科の動物〈ネコ, トラなど〉.

†**fell**[1] /fél/ 動 (同音) fall の過去形.

fell[2] /fél/ 動 **1** 〈樹木〉を切り倒す, 伐採する. **2** 〔正式〕〈敵〉を打ち倒す, 殺す.

fell[3] /fél/ 名 Ⓒ 〔正式〕（毛のついたままの）獣皮, 毛皮 (pelt).

†**fel·low** /félou/ (関 fellowship (名))
── 名 (複 ~s/-z/) Ⓒ **1** 〔略式・英では古〕〔通例形容詞を伴って〕〔…な〕男, 人, 少年, やつ〔◆親しみ・軽蔑(ﾊﾞｲ)の気持ちをこめて man, boy の意で用いる. 呼びかけも可〕∥ He's a good fellow. 彼はいいやつだ / Help me, old [good, dear] fellow. おい君, 手伝ってくれ / He was killed in the accident, poor fellow. かわいそうに, あいつは事故死した.
2〔形容詞的に〕同僚の, 仲間の; 同行する ∥ a fellow student 学友 / a fellow music-lover 音楽愛好家仲間 / He is popular with his fellow workers. 彼は同僚に人気がある〔◆ co-worker(s) が性差のない語〕.
3〔通例 one's ~s; しばしば複合語で〕仲間, 同僚, 友だち((PC) colleague, friend)∥ fellows at school =school fellows 学校仲間 / fellows in crime 共犯者たち.
4〔主に英〕**a** フェロー《大学の教官・評議員［理事］》. **b** フェロー《fellowship をもらっている大学院学生・研究員》.
5〔通例 F~〕（学術団体の）特別会員 ∥ a Fellow of the Royal Society（英国）王立協会会員.

†**fel·low·ship** /félouʃìp/ 名 Ⓤ **1**（利害・経験などを）分かち合うこと; 共同, 協力 ∥ fellowship in misery 共に不幸であること. **2** Ⓒ〔単数・複数扱い〕（共通の利害・目的で結成された）団体, 組合, 協会;（宗教団体の）団体, 講社. **3** Ⓒ **a**〔英〕フェロー(fellow **4 a**)の地位. **b**（大学院学生・研究員に与えられる）特別奨学金; 特別奨学金給費生の地位. **c** 研究奨学金給付財団. **4** Ⓤ〔古〕友情; 親交, 親睦(ﾐﾝ)∥ offer him the hand of fellowship 彼に友情の手を差しのべる.

†**fel·on** /félən/ 名 Ⓒ〔法律〕（殺人・強盗などの）重罪犯人.

fe·lo·ni·ous /fəlóuniəs/ 形〔法律〕重罪（犯）の; 邪悪な.

fel·o·ny /féləni/ 名 Ⓒ Ⓤ〔法律〕（殺人・放火などの）重罪.

fel·spar /félspɑːr/ 名〔主に英〕=feldspar.

†**felt**[1] /félt/ 動 feel の過去形・過去分詞形.

felt[2] /félt/ 名 Ⓤ フェルト; Ⓒ フェルト製品 ∥ a felt hat フェルト帽 / a félt-tip(ped) pén =a félt tip [pen] サインペン.

fem. 略 female; feminine.

†**fe·male** /fíːmeil/ 形 **1** 女の, 女性の(↔ male)∥ the female sex 女性 / female gentleness [charm] 女の優しさ[魅力] / This office has a lot of female employees. この会社にはたくさんの女性社員がいる. **2**（動物の）雌の ∥ A doe is a female deer. doe は雌のシカのことです.
── 名 Ⓒ 女性; 雌性植物 ∥ 略 f, F, fem.).

†**fem·i·nine** /fémənin/ (↔ masculine) 形 **1** 女性の, 女の, 女性らしい, 女性用の, 女性特有の〔◆ 単に性を示す female と異なり, 女性の優しさ・繊細さなどの意を含む〕∥ a feminine voice 女性（のような）声 / She is very feminine. 彼女はとても女らしい / feminine curiosity 女性特有の好奇心. **2**〈男が〉めめしい, 柔弱な, 女の気取みる. **3**〔文法〕女性の(略 f, fem.) (cf. gender). ── 名〔文法〕**1** Ⓤ =feminine gender. **2** Ⓒ 女性形（の語）.

féminine gènder〔the ~〕女性.

†**fem·i·nism** /fémənìzm/ 名 Ⓤ 女性解放〔主義〕, 男女同権論〔主義〕, フェミニズム.

féminism mòvement 女権(拡張)運動.

fem·i·nist /fémənist/ 名 Ⓒ 女性解放論者, 男女同権主義者, フェミニスト〔◆ 男女に関係なく用いる〕;〔形容詞的に〕女性解放論[男女同権主義]の.

fe·mur /fíːmər/ 名 Ⓒ (複 ~s, **fem·o·ra** /fémərə/) Ⓒ〔解剖〕大腿骨(部); 〔昆虫〕腿節.

†**fen** /fén/ 名 Ⓒ〔しばしば ~s〕沼地, 沼沢(ﾉﾀﾞ)地, 湿地; 〔the Fens〕イングランド東部の沼沢地帯.

FEN /éfìːén/ 略 Far East Network (米軍の)極東放送(網)〔◆ 現在は AFN〕.

†**fence** /féns/
── 名 (複 ~s/-iz/) Ⓒ (侵入・逃亡を防いだり, 地所を区分[区画]するために木や針金で作った) 囲い, 柵(ﾂﾞ), 垣, 塀(ﾍﾞｲ);〔◆ 石垣・鉄柵・れんが塀や生け垣(hedge)も含む. 英米では日本のように家の周囲を取り巻いていることは少なく, 道路側にはないことが多い〕;（馬術などの）障害物 ∥ put a board [wire, stone] fence around the garden 庭のまわりに板塀[針金の柵, 石垣]をめぐらす / a snów fénce 防雪囲い.
còme dówn on the ríght síde of the fénce（形勢を見て）旗色のよい方に味方する.
sít [stánd] on the fénce = stráddle the fénce〔垣根の上に座ってどちら側にも降りない〕日和(ﾖﾘ)見的な態度をとる.
── 動 (~s/-iz/; 過去過分 ~d/-t/; **fenc·ing**)
── 他〈人が〉〈場所〉に囲いをめぐらす, 柵[塀]をめぐらす, …に［…で］囲いをする(+around) [with];〈動物を締め出す(+ out). ∥ His farm is fenced with barbed wire. 彼の農場は有刺鉄線で囲まれている.
── 自 フェンシングをする.

をとる; 彼の気持ちを慎重に探る / *féel* one's *wáy*（暗やみを）手探りで進む; 慎重に行動する. **b** [feel if [wh]節]…であるかを触ってみる ‖ *Feel* (my forehead to see) if I have a fever. 熱があるか（確かめるために額に）触ってみてちょうだい.

Ⅲ 〖心で感じる〗

3〚精神的知覚 + 心的影響（感動・被害感など）〛〈人・物が〉〈事・物を〉（知覚し何らか）の**影響を受ける**, …が身にしみる(→ **1**語法)；…に感じ入る, 感動する；…の感じが（しみじみと）わかる ‖ make one's presence *felt* 周りの人に影響〔存在感〕を与える / *feel* the heat [insult] badly 暑さが［侮辱されて］ひどくこたえる / *feel* (the beauty of) the sunset その日没（の美しさ）に感動する / The oil crisis is still being *felt* by the motor industry. 石油危機はいまだに自動車産業に影響を与えている / She *felt* [could *feel*] the role in the play. 彼女は劇のその役柄の感じをつかんだ(◆ could は知覚に伴う努力を暗示する).

4〚受動的認知〛[feel (that)節 / feel A to be C] 〈人・物・事が〉 C だと**思う**, …という感じをうける (sense)(◆(1) think より根拠が弱い, または控え目な表現. (2) C は名詞・形容詞. (3) 進行形不可) ‖ I *felt* (that) he was a good doctor. 彼はよい医者のように思えた / He *felt* it better to start at once. 彼はただちに出発する方がよいと思った(◆ 仮目的語 it の後では *to* 不定詞がふつう省略される). 語法 主語 + feel 単独で挿入句としても用いる: The plan is useless, I *feel*. その計画はむだのようだ.

—自 **1a** [feel C]〈物・事が〉C な**感触をもつ**；[feel like A] 〈物・事が〉A のような感触をもつ(◆(1) 進行形不可. can もつかない. (2) C は形容詞, A は名詞. →成句 feel like. (3) 語法 →他**1**) ‖ *How* does the paper *feel*? = *What* does the paper *feel like*? その紙はどんな手触りがしますか / The cloth *feels* vélvety [*like* velvet]. この布はビロードのような手触りがする / It *feels* good (to me) to be home. 家にいると気が休まる / It *feels like* rain. 雨になりそうだ / This room *feels* very cold. =I *feel* very cold in this room. この部屋はとても寒い(◆ I *feel* very cold in this room. (**1b**) がふつう. いずれも重点が人でなく部屋にある言い方).

b [feel C]〈人〉が C の感じを覚える. 心地よい(◆ C は形容詞(句)か形容詞化された過去分詞, 〈体の部分が〉…の感じがする ‖ *feel* at a lóss とまどう / *feel* very surprised とても驚く / *feel* proud [ashamed] 肩身が広い［狭い〕/ I *feel* bád [wéll] today. 今日は（体の）調子が悪い［よい］(◆ I'm *feeling* … としても意味はほぼ同じ) / I *feel* bad about your losing your son. 息子さんを亡くされてお気の毒です(◇ 対話) "How do you *feel* now that you've won first prize?" "I *feel* great." 「1等賞をとった気分はどうですか」「最高の気分です」/ I *feel* (like) a complete fool. われながらまったくばかだなあと思う(◆ like の省略は《主に英》) / *feel* easy [at ease] (…について) 安心する.

c [feel as if節 / feel as though節 / 〈略式〉 feel like節]〈人・物・事が〉…であるかのような気がする(◆節内は仮定法が原則であるが, 〈略式〉では直説法のこともある) ‖ I *feel* as if [as though] my heart were bursting. = My heart *feels* as if it were bursting. 心臓がはり裂けそうな気がする(➡文法9.1).

2 a [feel for [〈略式〉after] A]〈人・手などが〉手探りで A 〈物〉を**捜す**〈事〉をあてもなく捜す［調べる］(+ *about, around*)(◆場所を表す副詞(句)を伴う) ‖ I *felt* in my pocket *for* a quarter. ポケットをさぐ

って25セント硬貨を探した. **b**《米略式》[…を]ちょっと触ってみる(*of*).

3《正式》[feel for A]〈人〉が A〈人・事〉に**同情する** (pity) ‖ I *feel* deeply *for* [*with*] him in his distress 悲嘆にくれる彼に深く同情する / I *feel for* their plight 彼らの窮状に同情する.

4 〚副詞(句)を伴って〛[…に対して] (主観的な)意見〔感想〕をもつ(*about, on, toward*) ‖ Try to *feel* more strongly *about* [*on*] the issue. その問題にもっと関心を持ちなさい / Hów do you *feel* to-ward [*about*] him? 彼のことをどう思いますか(= What do you think of him?).

5〈人・手などが〉感覚がある.

féel frée to do 《略式》遠慮なく…する(◇ 対話) "May I ask you another question?" "*Feel free!*" 「もう1つ質問していいですか」「どうぞ遠慮なく」(◆ 文脈から不適切な場合は訳し換えること).

*féel like A 《略式》(1) …を飲みたい［食べたい］気がする ‖ I really [sure] *feel like* some ice cream. アイスクリームを食べたい. (2) [しばしば ~ *like* dó-ing]…**したい気がする** ‖ I *feel like* (taking) a rest. ちょっと休憩したい / I don't *feel like* going to work today. 今日は働きたくない気がする. (3) …のような気がする (→他**1c**). (4) …の手触り(ぎわ)がある (→自**1a**).

féel (quite [《米》 *like*]) onesélf [通例否定文で]いつもと変わらず元気［平静］である.

—名 **1** [a/the ~] **感触, 手触り(ぎわ); 感じ, 雰囲気** ‖ the satisfying *feel* of triumph 勝利の満足感 / a *feel* of home = a homely *feel* 家庭的な雰囲気 / It's silky *to the feel*. =It has a silky *feel*. それは絹のような手触りがする (=It *feels like* silk). / I know this is wool *by the feel*. 手触りからこれがウールだとわかる / Do you like the *feel* of this material? この素材の感触は好きですか.

2 [a ~] 手で触る［探る］こと ‖ hàve a *féel* in one's pocket ポケットの中を探る.

gèt the féel of A 《略式》…に慣れてコツを飲み込む, …の勘どころがわかる.

†**feel·er** /fíːlɚ/ 名 © [通例 ~s] 触角, 触手;《略式》(意向・情勢などを知るための)探り ‖ put out (some) *feelers* [a *feeler*] about … について探り(を入れる.

***feel·ing** /fíːlɪŋ/

—名 (複 ~s/-z/) **1** ⓤ **感情, 反感, 敵意**；[…に対する]興奮, 動揺 (*over*) ‖ good [bad, ill] *feeling* 好感［悪感情］/ anti-British *feelings* 反英感情 / a man of strong *feelings* 感情の激しい人 / *Feel-ings* over the festival ran high. 祭りの気分が盛り上がった.

2 [~s] (理性に対する)**感情, 気持ち** (◆ emotion は「(態度に表れた)強い感情」) ‖ hurt his *feelings* の感情を害する (=offend him) / Nó hàrd *feel-ings*! 悪く思わないでくれ；もう何とも思っていないからね《けんか・口論の相手に対する和解の言葉》.

3 ⓒ [通例 a/the/one's ~] **(主観的な)考え, 感想**, (全体的な)意見 ‖ What is *your feeling* toward [about, on] the mátter? その問題をどう思いますか (=How do you *feel* about it?).

4 ⓤ **感覚, 触覚；予感** ‖ I've lost all *feeling* in my arm. 腕の感覚をまったくなくしてしまった.

5 ⓒ [通例 a/the ~s ~] *a feeling of* hunger [inferiority, happiness] 空腹［劣等, 幸福］感 / I know the *feeling*. その気持ちはよくわかる (=I know how you

fenc・er /fénsər/ 名 © フェンシングの選手, 剣士, 剣客.
fenc・ing /fénsiŋ/ 動 → fence. ── 名 ① 1 フェンシング, 剣術《◆剣は foil, épée, saber の3種がある》. 2 垣根, 塀(の材).
fend /fénd/ 動 他 〈攻・打撃・質問などをかわす, 受け流す〉(+off) ‖ *fend off* blows 打撃を受け流す. **fénd for** onesélf 自活する, 独力で生活する.
†**fend・er** /féndər/ 名 © 1 (米)(自動車・馬車・自転車などの)泥よけ, フェンダー(mudguard, (英) wing) 《図 → car》; (主に米)(機関車・電車・自動車の前の)排障器, 救助網, 緩衝装置, バンパー. 2 (暖炉の前の)炉格子, ストーブの囲い.
fen・nel /fénl/ 名 ① 〖植〗ウイキョウ, フェンネル; その実《食用・医薬品用・採油用》.
†**fer・ment** 動 farmént; 名 fɚ́ːrment/ 動 他 1 …を発酵させる. 2 (正式)〈感情・騒動などを〉沸き返らす, かき立てる, 興奮させる. ── 自 1 発酵する;〈感情などが〉沸き返る, 騒ぐ. ── 名 1 © 酵素, 酵母. 2 ① 発酵. 3 ①〖時に a ~〗(沸き返るような)大騒ぎ, 興奮, 動乱, 政治〖社会〗的不安定 ‖ *in a* (state of) *ferment* 大騒ぎで.
fer・ment・a・ble /fərméntəbl/ 形 発酵性の.
†**fer・men・ta・tion** /fɚ̀ːrməntéiʃən/ 名 ① 1 発酵(作用). 2 (沸き返るような)騒ぎ, 興奮, 動揺.
fern /fɚ́ːrn/ 名 © ① 〖植〗[集合名詞]シダ(類) ‖ *fern* seed シダの胞子 / royal *fern* ゼンマイ.
†**fe・ro・cious** /fəróuʃəs/ 形 1 獰猛(どうもう)な,(血に飢えたように)残忍な, 凶暴な(fierce) ‖ a *ferocious* dog 獰猛な犬. 2 [強意語として] すごい, ひどい.
fe・ró・cious・ly 副 獰猛に; 残忍に; ひどく.
fe・ró・cious・ness 名 ① 獰猛, 激しさ.
†**fe・roc・i・ty** /fərásəti | -rɔ́s-/ 名 1 ① (正式)獰猛(どうもう)さ, 残忍性. 2 © 残忍な行為, 蛮行.
fer・ret /férət/ 名 © 〖動〗フェレット《ケナガイタチの飼育種で白毛. ウサギやネズミを穴から追いだすために飼育する》. ── 動 他 1 〈ウサギ・ネズミなどを〉(フェレットを使って)追い〖狩り〗出す (+out). 2 (略式)〈秘密・犯人などを〉捜し出す, 探り出す (+out). ── 自 〈フェレットを使って〉ウサギ狩りをする. 2 (略式)〖…を〗捜し回る(+about, around)〖for〗.
fer・ric /férik/ 形 1 =ferrous. 2〖化学〗第二鉄の, 鉄(III)の ‖ *ferric* oxide 酸化第二鉄, 酸化鉄(III).
Fér・ris whèel /féris-/ (米)(風車状の)大観覧車((英) big wheel).
fer・rite /férait/ 名 ① © 〖冶金・化学・鉱物〗フェライト.
fer・rous /férəs/ 形 1 鉄の, 鉄を含む. 2〖化学〗第一鉄の, 鉄(II)の (cf. ferric) ‖ *ferrous* chloride 塩化第一鉄, 塩化鉄(II).
fer・rule /férl | -rul, -rəl/ 名 © 1 (つえ・こうもり傘などの)石突き〖先端の金具〗;(鉄管の接合部を補強する)はばき金(がね), 金環;(ボイラー管の)口輪.
†**fer・ry** /féri/ 名 © 1 渡し船, フェリー(ボート)(ferry-boat) ‖ cross the river *by* 〖on a〗*ferry* = take a *ferry* across the river フェリーで川を渡る / a car *ferry*《◆車のまま乗り込めるフェリーとは a drive-on ferry. 日本語の「フェリー」はふつうこの意味で使う. 英語の ferry は連絡船や人力の渡し船も含む》. 2 渡し場, フェリー乗り場 ‖ 〈対話〉"Will we find the *ferry* near the lighthouse?" "Yeah, you can find it easily." 「灯台の近くに渡し場がありますか」「はい簡単に見つかりますよ」. 3 定期空輸 (air ferry); 自力現地輸送. 4 宇宙船フェリー. ── 動 他 1 〈人・車・貨物〉を船で渡す. 2〈川を〉フェリーで渡る. 3〈飛行機で〉…を空輸する;…を(車などで)運ぶ.
fer・ry・boat /féribòut/ 名 © フェリー(ボート), 渡し船, 連絡船《人・車・列車・貨物などを運ぶ. 単に ferry ともいう》.
fer・ry・man /férimən/ 名 (複 --men) © 1 渡船業者. 2 フェリー乗組員《船長を含む》; 渡船夫((PC) ferry operator).
†**fer・tile** /fɚ́ːrtl | -tail/ 形 1〈土地が〉肥えた, 肥沃(ひよく)な (↔ barren, infertile) ‖ This area is blessed with *fertile* soil. この地域は肥沃な土地に恵まれます. 2〈人・動植物が〉多産の, 繁殖〖受精〗力のある, よく実を結ぶ;〖…を〗多く産する (of, in) (↔ sterile) ‖ a *fertile* dog 多産系の犬 / a woman no longer *fertile* もう子供を産めない女. 3〈人・心が〉〖…の点で/…に対して〗創造力に富む〖in/with〗‖ That small child has a *fertile* imagination. あの小さな子供は豊かな想像力を持っている.
Fértile Créscent [the ~] 肥沃半月弧《パレスチナ地方からペルシア湾に及ぶ地帯》.
†**fer・til・i・ty** /fɚːrtíləti | fɑː-/ 名 ① 1 土地が肥えていること, 肥沃(ひよく)さ (↔ sterility). 2 多産, 繁殖〖受精〗力のあること;〖しばしば形容詞的に〗多産の, 繁殖〖受精〗させる. 3 (創造力などの)豊かさ.
fertility drùg 排卵誘発剤.
fertility pìlls ピル, 排卵抑制剤《避妊用》.
†**fer・ti・lize** , (英ではしばしば) --lise /fɚ́ːrtəlàiz/ 動 他 1〈土地を〉肥沃(ひよく)にする,〈土に〉肥料をやる. 2〖生物〗〈動植物を〉受精〖受胎〗させる ‖ a *fertilized* egg 受精卵.
fèr・ti・li・zá・tion 名 ① 土地を肥やすこと, 施肥; 多産化;〖生物〗受精, 受胎.
†**fer・ti・liz・er**, (英) --lis・er /fɚ́ːrtəlàizər/ 名 ① © 肥料, 化学肥料.
fer・ven・cy /fɚ́ːrvənsi/ 名 ① (正式)熱情, 熱意.
†**fer・vent** /fɚ́ːrvənt/ 形 1 (古)〈願いが〉熱い, 燃えさかる. 2 (正式)〈人・願望などが〉熱烈な, 強烈な, 誠意を込めた.
fér・vent・ly 副 熱烈に.
fer・vid /fɚ́ːrvid/ 形 (正式)(しつこいほど)熱烈な, 熱情的な; 燃えるような. **fér・vid・ly** 副 熱烈に.
†**fer・vor**, (英) --vour /fɚ́ːrvər/ 名 ① (正式) 1 (変わらぬ)熱情, 熱烈. 2 白熱(状態), 炎熱.
fess /fés/ 動 他 (米略式)白状する, 打ち明ける (confess) (+up).
†**fes・tal** /féstl/ 形 祭りの, 祭らしい; 陽気な. **fés・tal・ly** 副 祭のように, 陽気に.
fes・ter /féstər/ 動 自〈傷などが〉膿(う)む, ただれる.
*****fes・ti・val** /féstəvl/
── 名 (複 ~s/-z/) 1 [しばしば F~] © (年1回の定期的な文化行事の)催し, 催し物シーズン, …祭.

─────
関連 **[いろいろな種類の festival]**
art *festival* 芸術祭 / athletic *festival* 運動会 / autumn *festival* 秋祭り / Bean-Throwing *Festival* 節分 / the Boys' *Festival* 端午の節句 / campus *festival*, school *festival* 学園祭 / cultural *festival* 文化祭 / (the Cannes〖Venice〗) film *festival*(カンヌ〖ベネチア国際〗)映画祭 / the girls *festival*, Doll *Festival* 桃の節句, ひな祭り / harvest *festival* 収穫祭 / job *festival* 就職説明会 / lantern *festival*, Obon *festival* お盆 / music *festival* 音楽祭 / the Seven-Five-Three *Festival* 七五三 / sports *festival* スポーツの祭典 / Star *Festival* 七夕 / summer *festival* 夏祭り.
─────

2 © 祭り, 祝祭, 祝い; 祝日, 祭日 ‖ the New Year's *festival* 正月の祝い / 日本発》 The Gion

Festival is a splendid Shinto celebration held each year from the 17th to the 24th of July at Yasaka Shrine in Kyoto. 祇園(ぎおん)祭は毎年7月17日から24日に行なわれる京都の八坂神社の豪華絢爛(けんらん)な祭礼です。 **3** UC 浮かれ騒ぎ, 祝いの喜び; 饗宴(きょうえん) ‖ **hóld** [**kéep, máke**] *a féstival* 饗宴をはる.

†**fes・tive** /féstiv/ 形 《正式》祭の, 祝いの; お祭り気分の, 酒宴の; 陽気な(merry) ‖ *a festive season* 祭りの季節《クリスマスなど》/ The colorful decorations helped create a very *festive* atmosphere. 色とりどりの飾りがとてもお祭りらしい雰囲気を作り出すのに役立った. **fés・tive・ly** 副 お祭り気分で.

fes・tiv・i・ty /festívəti/ 名 《正式》 **1** U (祝いの)喜び, 浮かれ騒ぎ(merrymaking). **2** C [festivities] 祝いの催し[行事] ‖ wedding *festivities* 結婚の祝宴.

†**fes・toon** /festúːn/ 《正式》名 C **1** 花綱(飾り)《花・葉・リボンなどをひも状にした飾り》. **2** 〔建築〕花綱装飾. ━━動 他 **1** [通例 be ~ed] …が[…に]花綱状にされている, 花綱状に飾られている(*with*) ‖ the streets *festooned with* flags 旗で花綱状に飾られた通り. **2** <花などを>花綱にする.

†**fetch** /fétʃ/ 動 他 **1** 《主で英》〈人が〉〈人・物を〉(行って)〔…から〕連れて来る, 取って来る〔*from*〕 ‖ *Fetch* the doctor. 医者を呼んで来なさい / *Fetch* my watch *from* my study! 書斎から時計を取って来てくれ! / *Fetch* the cháir in. いすを中に入れて行って来なさい.

[語法] (1) go (and) fetch は意味が重複するので, ふつう避けられる. (2)《米》では fetch は(まれ)で, go (and) get, bring, get などを用いる.

2 [fetch **A** **B** =fetch **B** for [to] **A**] 〈人が〉〈人〉に〈B物〉を(行って)取って来てやる ‖ I taught my dog to *fetch* the newspaper (*for* me). 飼い犬に新聞を取って来るように教えた / *Fetch* me my shirt. =*Fetch* my shirt *for* [*to*] me. ワイシャツを取って来てくれ《◆ A を主語にした受身形は不可 ×I was fetched my shirt.》. **3**《略式》〈商品が〉〈値段〉で売れる, …を呼ぶ; [fetch (**A**) **B**] 〈A〈人〉に〉B〈収益〉をもたらす ‖ This will *fetch* a good price. これはよい値で売れるだろう. **4**《古》〈ため息など〉を漏らす(give);〈水・血・涙・笑いなど〉を引き出す, 誘い出す ‖ *fetch* a sigh [groan] ため息をつく[うめき声を立てる]. **5**《略式》〈聴衆などを〉魅了する, 引きつける(attract)(+*in*). **6**《略式》〈人に〉〈一撃など〉を加える ‖ *fetch* him a blow [crack] on the chin 彼のあごに一撃を加える.

━━自 **1** 行って物を取って来る. **2**〔狩猟〕〈猟犬が〉行って獲物を取って来る《◆しばしば犬への命令として用いる》.

fétch and cárry《英や略式》[自]〔人のために〕使い走りをする, 雑用をする〔*for*〕.

fétch úp [自]《偶然に》〔…へ〕着く(*in, at, on*), 止まる; 終わる; 〔…を〕得る(*with*).

†**fete, fête** /féit/ 同音 fate 《フランス》名 C **1** 祭り, 祝典, にぎやかな市[催し]《戸外で催され, 時に寄付を集める》. **2** 祭日, 祭日, 誕生日(fete day) ‖ *a* national *fete* 国の祝祭日. **3** 祝宴, パーティー. **4** 聖名祝日《カトリックで自分の名を取った聖人の祝日》. ━━動 他 《正式》[通例 be ~d]〈人が〉宴をはって祝う, …を祝う.

féte dày = 名 **2**.

†**fet・ish, --ich** /fétiʃ, fíːt-/ 名 C (ぞん), 呪物(じゅぶつ) 《霊が宿り, 魔力があるとして崇拝される木像・石片など》, 盲目的崇拝物, 迷信の対象.

fet・ish・ism /fétiʃizm, fíːt-/ 名 U **1** 物神[呪物]崇拝. **2** 盲目的崇拝;《心理》フェティシズム, 拝物愛《異性の体の一部(毛髪など)や衣類などを性愛の対象とする心理》.

fet・lock /fétlɑk|-lɔk/ 名 C **1**(馬などの)球節《ひづめの上の後部で, けづめ毛の生える部分《図》→ horse》. **2** けづめ毛.

†**fet・ter** /fétər/ 名 C 《正式》[通例 ~s] 足かせ(shackle), 足をつなぐ鎖; [比喩的に] 足かせ, 束縛, 拘束(するもの). ━━動 他 〈人・動物など〉に足かせをする; 《正式》…を束縛する.

fet・tle /fétl/ 名 U (心身の)状態, 調子《◆通例次の成句で》. **in fíne** [**góod**] **féttle** 元気いっぱいで, 快調で(in fine shape).

fet・tuc・ci・ne, fet・tu・ci・ni /fetətʃíːni | fetu-/ 《イタリア》名 C フェットゥッチーネ《幅のせまいリボン状のパスタ》; C それを用いた料理.

fe・tus, foe-- /fíːtəs/ 名 C 《妊娠9週以後の》胎児 (→ embryo).

†**feud** /fjúːd/ 名 CU (長期にわたる2者間の)確執, 激しい反目; 争い.

†**feu・dal** /fjúːdl/ 形 **1**〔歴史〕封建制の ‖ the *féudal sýstem* 封建制度 / *feudal times* =the *feudal age* 封建時代 / *a feudal lord* 領主, 大名. **2**〈関係・行為などが〉封建的な.

féu・dal・ism /-izm/ 名 U 封建制度. **fèu・dal・ís・tic** 形 封建制度の, 封建主義的な. **feu・dál・i・ty** /-dǽləti/ 名 U 封建制[主義]; C 領地.

***fe・ver** /fíːvər/
━━名 **1** U [時に a ~] (病気による)熱, 発熱 ‖ *a* slight [high] *fever* 微熱[高熱]《◆平熱は normal temperature》/ My baby ran *a fever*. 私の赤ちゃんが熱を出した / *a fever* of 37 degrees 37度の熱 / I *have a fever*. 私は(少し)熱がある(=I am *feverish*.)《◆I have (the) *fever*. は「流感などにかかって熱がある」場合》/ She doesn't have much *fever*. 彼女はあまり熱はない[たいした熱はない]. **2** UC 熱病《◆病名のときは U》‖ scarlet *fever* 猩(しょう)紅熱 / typhoid *fever* 腸チフス. **3** [a ~] 興奮状態, 熱狂 ‖ in a *fever* of anxiety ひどく不安になって / karaoke *fever* カラオケ熱.

be át [**réach, ríse to**] **féver pítch** ひどく興奮している[する].

in a féver (1) 熱に浮かされて. (2) 熱狂[興奮]して.

fe・vered /fíːvərd/ 形 **1** =feverish 1, 3. **2** 不自然なほどの, 大変な.

†**fe・ver・ish** /fíːvəriʃ/ 形 **1**(微)熱のある, 熱っぽい(fevered) ‖ in a *feverish* condition 熱っぽい状態で / I was *feverish* with embarrassment. 私はきまりが悪くて体がほてった. **2** 熱病の, 熱からくる ‖ *a feverish* dream 熱にうなされて見る夢. **3** ひどく興奮した, 熱狂的な; 大わらわの(fevered) ‖ *a feverish* imagination 熱にうかされた空想. **4**〈土地などが〉熱病の多い, 熱病にかかりやすい. **fé・ver・ish・ly** 副 熱狂的に.

fé・ver・ish・ness 名 U 発熱状態, 興奮状態.

:**few** /fjúː/

index 形 **1** 少しの **2** ほとんどない
代 **1** 少数の人[物] **2** ほとんど…しかない人[物]

——形 (~·er, ~·est)

> 語法 a few ...　　少し(ある)
> 無冠詞 few ...　　ほとんどない

1 [a ~; C 名詞を修飾して]((「有る」ことに焦点を当てて)少しの, いくらかの, 多少の《◆比較変化しない》‖ There are *a few* apples in the basket if you'd like *one*. もし召しあがるのでしたら, かごにリンゴが入っています《◆ U 名詞の場合は a little, some: There is *a little* wine in the kitchen if you'd like *some*.》/ Christmas comes *a few* days before New Year. クリスマスは新年の数日前にやってくる.

2 [無冠詞で; C 名詞を修飾して]((「無い」ことに焦点を当てて)**ほとんどない**, わずかしかない,《正式》[通例名詞の前で] ごく少数の(↔ many) ‖ He had *féw* friends and little money. 彼は友だちも金もほとんどなかった(=He had neither many friends nor much money.) / There were *few* spectators at the football match on Tuesday. 火曜のフットボール試合の観客はわずかしかいなかった《◆「予想・期待よりずっと少なかった」の意. 実際の数は, 10人いたかもしれないし100人かもしれない.》/ Children have *fewer* teeth than adults. 子供は大人より歯が少ない.

——代 [複数扱い]
1 [a ~] ((「有る」ことに焦点を当てて) 少数の人[物]《◆具体的に何をさすかは文脈による;《略式》数杯の酒 ‖ *Only a féw* (of them) came to help me. (彼らのうち)私を助けに来てくれたのはほんの一握りの人々だった / go into a pub and have *a few*. パブに入って何杯か飲む / 〈対話〉 "How many were there?" "Just *a few*." 「何人くらいいた?」「うん, ほんの少し」.

2 [無冠詞] ((「無い」ことに焦点を当てて) ほとんど…しかない人[物](↔ many) ‖ 〈対話〉 "Betty must have a lot of friends." "You are wrong. She has *véry féw*."「ベティには友だちがたくさんいるに違いない」「勘違いしていますよ. 彼女には友だちはほとんどいません」.

3 [the ~; 複数扱い] 少数派(the minority), エリート(↔ the many) ‖ *the* discriminating [wealthy] *few* 少数特権[金持ち]階級.

féw and fár betwèen きわめてまれな, 珍しい.

not a féw (まれ) quite a FEW.

ònly [jùst] a féw (...) =(文) *bùt féw* (...) ほんのわずかの(の)《◆ ×but a few, ×only few とはいわない》.

*****quíte a féw** (...) =(主に英) *a góod féw* (...) かなり多数(の), 相当数の(の)《◆ few を修飾するか, 名詞として単独で用いられる》‖ We ate several, but *a good few* were still left. いくつか食べたが, かなり残った / *Quite a few* students haven't registered. かなりの学生が登録していない《◆予想よりも多くのという含みがある》.

sòme féw (...) (1)少数(の), いくつか(の). (2)《米略式》相当数(の).

†**few·er** /fjúɚ/ 形 […より]少ない, 少数の[than](↔ more) ‖ I have *féwer* márbles than Jim (does [has]). 僕はジムよりもたまの数が少ない《◆ I don't have so [as] many marbles as Jim (does [has]). の方がふつう》. ——代 [複数扱い] (予想より)少数の人[物] ; (他と比較して)より少数の人[物] ‖ *Fewer* were there than we had hoped. 我々が望んでいたよりも人数は少なかった《◆ There were not so many *as* we had hoped. / The audience was smaller than we had hoped. の方がふつう》 / She has few books in Latin and even *fewer* in Greek. 彼女はラテン語の本は少ししか持っていないしギリシア語の本はなおさらである.

nò féwer than ... [数詞を伴って] …もの多くの(as many as ...)《◆数が意外に多いことを強調》‖ *No fewer than* thirty people were present. 30人もの人が出席した(=At least thirty people were present.).

nòt féwer than ... [数詞を伴って] 少なくとも…(at least) ‖ *not fewer than* thirty books 少なくとも30冊の本.

fez /féz/ 名 (複 ~·(z)es) C トルコ帽《イスラム教徒の男がかぶるバケツ型の赤いフェルト帽. 今のトルコでは着用しない》.

FF, ff, ff. 〔記号〕《音楽》 fortissimo.

ff., ff 〔f.の複数形〕 folios; (and the) following (pages, lines, etc.)《◆ see p.35*ff*. (35ページ以下を見よ)のように用いる》.

fi·an·cé, 《女性形》 **-·cée** /fìːɑːnséi | fiɔ́nsei, -ɑːn-/ 〔フランス〕 名 (複 ~s/-z/) C 婚約者, 婚約中の男[女].

fi·as·co /fiǽskou/ 名 (複 ~s, 《米》 ~es) CU (計画・演劇などの)完全な失敗, 不面目な失敗.

†**fib** /fíb/ 名 C《略式》たわいない[罪のない]うそ《◆ lie の遠回し語》. ——動 (過去・過分 fibbed/-d/; fib·bing) 目 たわいないうそをつく.

†**fi·ber,** 《英》 **-bre** /fáibɚ/ 名 **1 a** [集合名詞] (織物などの材料としての)繊維, U (布の)生目(き) ‖ cotton [hemp] *fiber* 綿[麻]繊維 / cloth of coarse *fiber* 目の粗い布. **b** C (動植物・鉱物の)繊維(の1本) ; (各種の)合成繊維 ; U 繊維組織, 繊維質 ‖ muscle *fibers* [*fiber*] 筋肉繊維[組織] / glass *fibers* ガラス繊維. **2** U(C) (人の)性質, 素質 ; 精神力 ; 迫力 ‖ a man of fine [coarse] *fiber* 繊細[粗野]な人. **3** U(C) (健康増進のための)繊維(質)食品, 食物繊維 ‖ Nutritionists recommend eating *fiber*-rich foods (like celery). 栄養士は(セロリのように)繊維質の多い食品の摂取をすすめている.

fíber glàss =fiberglass.

fíber óptics (内視鏡などに用いる)光学繊維束;[単数扱い]繊維光学.

fi·ber·glass /fáibɚɡlæs | -ɡlɑːs/, **fíber glàss** 名 U ファイバーグラス, 繊維ガラス《◆《商標》Fiberglas より. cf. glass fiber》.

fi·ber·scope /fáibɚskoup/ 名 C ファイバースコープ《光ファイバーによって臓器内部の映像を送る内視鏡》.

†**fi·bre** /fáibə/ 名《英》=fiber.

fi·bril /fáibril/ 名 C 小繊維.

fi·brin /fáibrin/ 名 U 〔生理〕線維素, フィブリン《凝血の際にできる繊維状タンパク質》.

†**fi·brous** /fáibrəs/ 形《正式》繊維の; 繊維質[状]の ‖ *fibrous* meat すじ肉 / *fibrous* roots ひげ根.

fib·u·la /fíbjələ/ 名 (複 **··lae**/-liː/, ~s) C **1** 〔解剖〕腓骨. **2** 〔考古〕ブローチ, 留め金.

-fic /-fík/ 〔語要素〕→語要素一覧(2.3).

-fi·ca·tion /-fikéiʃən/ 〔語要素〕→語要素一覧(2.1).

†**fick·le** /fíkl/ 形《正式》**1**〈人・気分・愛情などが〉気まぐれの, 変わりやすい. **2**〈天候・運命などが〉変わりやすい, 一定しない.

†***fic·tion** /fíkʃən/ ——名 (複 ~s/-z/) **1** U [集合名詞] 小説, フィクション, 創作(cf. nonfiction) (➔文法14.3(2)) ‖ several pieces of science [detective] *fiction* 数編の空想科学[推理]小説 / Truth [Fact] is stran-

fictional 572 **field**

ger than fiction.（ことわざ）「事実は小説よりも奇なり」. **2** ⓒⓊ 作りごと, 作り話（↔ fact）; 虚構, 捏造;〔…という〕仮説, 空論〔*of*, *(that)*節〕► *Distinguish fact from fiction.* 事実と作りごととを区別せよ / *That's (a) complete fiction.* それはまったくの作り話だ.

fic·tion·al /fíkʃənl/ 形 作りごとの, 架空の, 小説的の, 虚構の（↔ factual）. **fíc·tion·al·ly** 副 虚構的に, 小説風に.

†**fic·ti·tious** /fiktíʃəs/ 形〔正式〕**1**〈物語が〉架空の, 作り話の, 想像上の. **2**〈名前などが〉偽りの, うその, 仮構の(false). **fic·tí·tious·ly** 副 想像上; 偽って. **fic·tí·tious·ness** ⓊⓊ 作りごと, 虚構.

†**fid·dle** /fídl/ 名 ⓒ **1**（略式）バイオリン(violin); それに類した楽器《チェロ・ビオラなど》‖ *the first fiddle* 第1バイオリン. **2**（略式）ぺてん, 詐欺.
(as) fit as a fíddle（略式）きわめて健康で.
háve a fáce as lóng as a fíddle ひどく陰鬱(ｳｯ)な顔をしている.
pláy fírst fíddle to A《第1バイオリンを弾く》（略式）〈人〉に対し主役を務める, 〈人〉の上に立つ.
pláy sécond fíddle to A《第2バイオリンを弾く》（略式）〈人〉に対し脇役を務める, 〈人〉の下につく.
— 動 ⓘ（略式）**1** バイオリンを弾く. **2**〔物を〕いじくる, 弄(ﾓﾃ)ぶ〔+*around*,（英）*about*〕〔*with*〕;〔他人の物などに〕勝手に触(ｻﾜ)る〔*with*〕‖ *The child is fiddling with your word processor.* その子供はあなたのワープロをいじっています. **3**（あてもなく）ぶらぶら過ごす〔+*about*, *around*〕. — 他（略式）〈勘定などを〉ごまかす;…を不正な手段で得る, 不正に売買する.

†**fid·dler** /fídlɚ/ 名 ⓒ（略式）**1** バイオリン弾き. **2** ぺてん師, 勘定をごまかす人.

fid·dle·stick /fídlstik/ 名 ⓒ（略式）バイオリンの弓.

†**fi·del·i·ty** /fidéləti, fai-/ 名 Ⓤ〔正式〕**1**〔指導者・主義・宗教などに対する〕忠誠, 忠実;〔夫・妻への〕貞節〔*to*〕. **2**（複写・報告などが）〔原物・事実に〕そっくりなこと, 正確さ, 迫真性〔*to*〕. **3**（通信）（再生音の）忠実度 ‖ *a high-fidelity tape recorder* 高性能ハイファイ)テープレコーダー.

†**fidg·et** /fídʒət/ 動 ⓘ **1**（落ち着かず）もじもじする,（人の気に障るほど）そわそわする;〔…のことで〕気をもむ. **2**〔…を〕弄ぶ〔+*about*〕〔*with*〕. — 他〈人〉をそわそわさせる. — 名（略式）**1**〔*the* ~s〕そわそわすること, 落ち着きのなさ ‖ *háve [gét] the fídgets* そわそわする / *give him the fídgets* 彼をそわそわさせる. **2** ⓒ 落ち着きのない人.

fidg·et·y /fídʒəti/ 形（略式）落ち着きのない, そわそわする, 不安な; 気難しい.

Fi·do /fáidou/ 名 ファイドー《♦犬によくある名前》.

-fied /-fáid/（語要素）→語要素一覧(2.1).

ˑfield /fíːld/《「ある目的のために割り当てられた領域」が本義》

index 名 **1** 畑 **2** 分野 **3** 競技場 **4** 野原 **5** 一面の広がり **9** 現場

— 名（複 ~s/fíːldz/）ⓒ **1**（ふつう垣・溝などで仕切られた）畑, 田, 牧草地（→ farm **1a**）‖ *a field of corn*（米）トウモロコシ畑;（英）麦畑（=a cornfield）/ *a rice field* 稲田 / *work in the field(s)* 野良仕事[畑仕事]をする.
2 ⓒ（研究・活動などの）分野, 領域(area) ‖ *the field of art* 芸術の分野 / *That's completely outside my field.* それはまったく私の専門外です.
3〔通例複合語で〕ⓒ **競技場** ‖ *in [on] the playing field* 運動場[競技場]で / *a football field* フットボール競技場. **b**〔競技〕フィールド（↔ track event）. **c**〔野球・クリケット〕球場, 内外野《♦正確には infield, outfield》;〔グラウンド;〔*the* ~; 単数・複数扱い〕守備側 ‖ *be in the field* 守備についている / *take to the field* 野で守備につく.
4（広々とした）**野原**, 原, 野 ‖ *the flowers of the field* 野の花（=the *field* flowers）/ *hunt in [on] the field* 野で狩りをする.
5〔通例 a ~〕（氷・雪などの）**一面の広がり** ‖ *a field of clouds* 雲海 / *a field of ice* =*an ice field* 氷原 / *a field of snow* =*a snow field* 雪原.
6〔通例複合語で〕（天然資源の）産出[採掘]地帯 ‖ *a gold field* 金鉱地, 採鉱地.
7〔通例複合語で〕（ある目的のための）使用地, 地面, 広場 ‖ *a flying field* 飛行場.
8〔*the* ~; 集合名詞; 単数・複数扱い〕全競技者, 全出走馬.
9〔*the* ~〕**a 現場**, 実地の場 ‖ *study … in the field* 実地に…を学ぶ(cf. fieldwork). **b**（本社などに対し）作業場, 工場現場;（取引がなされる）出先 ‖ *a salesman in the field* 出先のセールスマン.
10〔文〕戦場 ‖ *the field of Waterloo* ワーテルローの戦場 / *be killed on [in] the field* 戦死する.
11〔図案などの〕地 ‖ *a red lion on a white field [on a field of white]* 白地に赤色のライオンのデザイン. **12**〔物理〕（電気・磁気などの）場（field of force）‖ *a magnetic field* 磁場[界]. **13**〔望遠鏡などの〕視界 ‖ *one's field(s) of vision [view]* 視界.
hóld [kéep] the fíeld〔…に対して〕陣地を保持する; 戦いに[努力]を続ける; 支配的である〔*against*〕.
in the fíeld (1) 戦場にいて, 出征中で（→ **10**）. (2) 競技に参加して. (3) 立候補して. (4) → **3 a**, **3 c**, **4**, **9 b**.
lóse the fíeld 陣地を失う, 敗北する.
pláy the fíeld〔全出走馬に賭ける; cf. play 他 **6**〕; field 名 **8**〕（主に米略式）多くの異性と付き合う（↔ go steady）; 多方面の（活動）に手を出す.
táke the fíeld 戦闘[競技]を開始する.
wín the fíeld 陣地を得る, 勝利する.
— 動 他 **1**〔野球・クリケット〕〈ボール〉を取る, さばく ‖ *field the ball and throw it back* ボールをさばいて投げ返す. **2**〈選手〉を守備につける;〈チーム〉を出場させる. **3**〈難しい質問など〉にうまく答える.
— ⓘ（野手として）守備につく; 球をさばく.

fíeld dày (1)（米）（学校の）運動会[体育祭]の日（（英）sports day）（= athletic **2**）; 野外の集会, 遠足. (2)（軍）野外演習日, 観閲式の日. (3) すばらしい出来事の日, 楽しい日［一時(ﾂﾞ)〕; 大収穫の日; 重要案件討議日 ‖ *have a field day* 大いに楽しむ, 大成功を喜ぶ. (4)（野外）実地研究[調査]の日.

fíeld evènt フィールド競技[種目].

fíeld góal (1)〔アメフト〕フィールドゴール《プレースキックまたはドロップキックによる得点(3点)》. (2)〔バスケットボール〕フィールドゴール《フィールドからのシュートで得た得点(2点)》.

fíeld hòspital〔陸軍〕野戦病院.

fíeld spòrts (1) 野外スポーツ《銃猟・魚釣り・乗馬など》. (2) =field event.

fíeld tèst 野外試験.

fíeld trìp（生徒の）校外見学（旅行）;（学者の）実地[現地]調査旅行;（業務上の）出張.

fíeld wòrk =fieldwork.

fielder /fíːldər/ 名 C〔野球・クリケット〕野手.
　fielder's chóice〔野球〕野選, フィルダーズ=チョイス.
field·work /fíːldwə̀ːrk/ 名 U (測量・地質学などの)野外作業, (生物学などの)野外採集, (社会学などの)現場訪問, 実地調査〔研究〕, フィールドワーク.
　field·wòrk·er 名 C 実地研究者, フィールドワーカー.

†**fiend** /fíːnd/ 名 C **1**〔文〕悪魔, 悪霊, 悪鬼(demon); [the F~]魔王(the Devil, Satan). **2** 鬼のようなやつ, 残忍な人 ∥ *Yóu fiend!* この悪魔め. **3**〔略式〕…狂,〔仕事などの〕凝りや, 中毒者〔for〕;〔…の達人〔at〕∥ a golf *fiend* ゴルフ狂 / a dope *fiend* 麻薬中毒者 / a *fiend* for work 仕事の鬼 / a *fiend at* arithmetic 計算の達人.
　fiend·ish /fíːndɪʃ/ 形 **1** 悪魔のような, きわめて残忍〔冷酷〕な. **2**〔略式〕〈天候などが〉ひどい, 険悪な;〈仕事などが〉困難な;〈ふるまい・考えなどが〉巧妙な. **3**〈ふるまいたくらみなどが〉巧妙な, ずる賢い.

†**fierce** /fíərs/ 形 **1**〈人・動物・気性・行動などが〉獰猛(ようもう)な, 荒々しい, 残忍な ∥ a *fierce* dog 猛犬 / a *fierce* look ものすごい顔つき. **2**〈風雨・戦いなどが〉激しい, すさまじい;〈感情・痛みなどが〉強烈な, 激しい ∥ the *fierce* heat [cold] 炎暑[酷寒] / *fierce* winds 激しい風 / *fierce* hatred 激しい憎しみ / Competition is very *fierce*. 競争はきわめて激しくある.
　fíerce·ness 名 U 獰猛さ(ようもう)に, 猛烈に.
　fierce·ly /fíərsli/ 副 獰猛(ようもう)に, 猛烈に.

fi·e·ri·ly /fáɪərɪli/ 副 火のように(激しく).

†**fi·e·ry** /fáɪəri/ 形〔つづり注意〕(more ~, most ~; -i·er, -i·est) **1** 火の, 燃えさかる, 火炎の ∥ a *fiery* furnace 燃えさかる炉. **2** 火のような, 火のように赤い[熱い], 燃えたつような《◆必ずしも火の「赤さ」を思わせるとは限らない》∥ *fiery* greenness 燃えたつような緑 / a *fiery* sunset 燃えるような夕焼け / *fiery* eyes ぎらぎら光る目. **3**〈演説・言葉などが〉火のように激しい, 熱烈な,〈性格・感情が〉激しやすい;〈馬が〉元気のよい, 気の強い ∥ a *fiery* dispute 激しい言い合い / a *fiery* temper 激しやすい気質. **4**〈はれものなどが〉炎症を起こした. **5**〈食べ物が〉辛い, ぴりっとした,〈アルコールが〉度が強い.
　fi·er·i·ness 名 U 火のような激しさ, 激烈さ.

fi·es·ta /fiéstə/ 名〔スペイン〕名 C **1** (南欧・南米のカトリック諸国の宗教上の)祝祭, 聖日. **2** (一般に)祝祭.

FIFA /fíːfə/〔フランス語 Fédération Internationale de Football Association から〕名 国際サッカー連盟(International Federation of Association Football).

†**fife** /fáɪf/ 名 C (主に軍楽隊の)横笛 ∥ a *fife* and drum band 鼓笛隊. — 自 横笛を吹く. — 他〈曲〉を横笛で吹く.

***fif·teen** /fɪftíːn/
　— 名(複 ~s /-z/)〈名形 とも用例は → two〉**1** C〔通例無冠詞〕(基数の)15《◆序数は fifteenth》. **2** U〔複数扱い; 代名詞的に〕15個; 15人. **3** U 15時(午後3時), 15分; 15ドル[ポンド, ペンス, セントなど]. **4** U 15歳. **5** U 15の記号[数字, 活字]《15, xv, XV など》. **6** C 15個[人]1組のもの. **7** C〔ラグビー〕(15人の)チーム, フィフティーン ∥ a Rugby *fifteen* ラグビーチーム. **8** C〔テニス〕フィフティーン, (ゲームの)1点目(→ tennis 関連).
　— 形 **1**〔通例名詞の前で〕15の, 15個の; 15人の. **2**〔補語として〕15歳の.
　15〔記号〕(英)(映画の)15歳未満入場禁止(の)(film rating).

†**fif·teenth** /fɪftíːnθ/《◆ 15th とも書く》形《◆形名 とも用例は → fourth》**1**〔通例 the ~〕第15の, 15番目の(語法 → first 形1). **2** [a ~] 15分の1の. — 名 **1** C〔通例 the ~〕(順位・番号の)第15番[15位]の人[もの]〔to do〕. **2** C〔通例 the ~〕(月の)第15日(→ first 名2). **3** C 15分の1(→ third 名5).

*‡**fifth** /fífθ/《◆ 5th とも書く》
　— 形《◆名形 とも用例は → fourth》**1**〔通例 the ~〕(序数の)第5の, 5番目の(語法 → first 形1). **2** [a ~] 5分の1の. **3**〔音楽〕第5度(音程)の.
　— 名(複 ~s /-s/) **1** C〔通例 the ~〕(順位・重要性で)〔…する〕第5番目の人[もの], 第5位の人[もの]〔to do〕. ∥ Beethoven's *Fifth* (Symphony) ベートーベンの第5(交響曲). **2** C〔通例 the ~〕(月の)第5日(→ first 名2). **3** C 5分の1(→ third 名5) ∥ A *fifth* of the students are girls. 学生たちの5分の1が女生徒です. **4** C〔音楽〕第5度(音程).
　Fífth Améndment [the ~]《米国憲法修正第5条》∥ take [plead] *the Fifth* (Amendment) 黙否権を行使する, ノーコメントである.
　Fífth Ávenue 5番街《New York 市 Manhattan の繁華街. 略 the がつかない》.
　fìfth generátion compúter 第5世代コンピュータ《現在の超 LSI による第4世代の次に現れると予想されたコンピュータ》.

†**fifth·ly** /fífθli/ 副 第5に, 5番目に.

†**fif·ti·eth** /fíftɪəθ/《◆ 50th とも書く》形《◆形名 とも用例は → fourth》**1**〔通例 the ~〕第50の, 50番目の(語法 → first 形1). **2** [a ~] 50分の1の. — 名 **1** U〔通例 the ~〕(順位・重要性で)〔…する〕第50番[50位]の人[もの]〔to do〕. **2** C 50分の1(→ third 名5).

*‡**fif·ty** /fífti/〔→ five〕
　— 名(複 -ties /-z/)《◆名形 とも用例は → two》**1** U C〔通例無冠詞〕(基数の)50《◆序数は fiftieth. しばしば不特定多数を表す. → 形3》. **2** U〔複数扱い; 代名詞的に〕50個; 50人. **3** C 50ドル[ポンド, ペンス, セントなど]. **4** U 50歳. **5** C 50の記号[数字, 活字]《50, L など》. **6** C 50個[人]1組のもの. **7** [one's fifties; 複数扱い] (年齢の)50代. **8** [the fifties] (世紀の)50年代, 1950年代(温度・点数などの)50台. **9** C〔略式〕**a** (米)50ドル紙幣. **b** (英)50ポンド紙幣; 50ペンス硬貨.
　— 形 **1**〔通例名詞の前で〕50の, 50個の; 50人の. **2**〔補語として〕50歳の. **3** (不特定)多数の, たくさんの(cf. twenty).

fif·ty- /fífti-/(語要素)→ 語要素一覧(1.1).

fif·ty-fif·ty /fíftifífti/〔略式〕形副 五分五分[に], 半々の[に] ∥ on a *fifty-fifty* basis 五分五分で[に] / divide the food *fifty-fifty* 食糧を半々に分ける / go *fifty-fifty* with [on] ...…と分け前を[で費用を]半々にする.
　fífty-fífty chánce [a ~] 五分五分の見込み.

†**fig** /fíg/ 名 C **1** イチジク(の実);〔植〕イチジク(fig tree). **2** (やや古略)[a ~;否定構文で]ごくわずか, 少し ∥ not worth *a fig* とるに足らない / I dón't cáre [gíve] *a fíg* [fígs] *for*] (for) what they sáy. 彼らの言うことなど私は全然気にしない.
　fíg lèaf (1) イチジクの葉. (2) (男子像の局部を覆う)イチジクの葉形彫刻. (3) 不正を隠すもの[手段].

†**fig.**〔略〕figurative(ly); figure(s).

*‡**fight** /fáɪt/
　— 動(~s /fáɪts/;〔過去・過分〕**fought** /fɔːt/;

~·ing)
—@ **1a** 〈人などが〉〔…と〕戦う, 戦闘する〔*with, against*〕《(1) fight with は よりも against の方が敵対の意味が強い. (2) fight with **A** は「**A** に味方して戦う」の意味にもなる》‖ Japan fought with [*against*] the US in World War II. 第二次世界大戦で日本は米国と戦った / Britain fought with France *against* Germany. 英国はフランスに味方してドイツと戦った / fight with one's back to the wall 背水の陣で戦う◆ この with は付帯状況の with → with 前**10**) / fight or fly → fly¹ @ **6**. **b** 〈人などが〉〔…のために〕戦う〔*for / to do*〕;〔誘惑・絶望などと〕戦う〔*against*〕‖ fight for freedom [one's country] 自由[祖国]のために戦う / fight *against* temptation [despair] 誘惑[絶望]と戦う.

> **使い分け [fight と argue, quarrel]**
> argue, quarrel は「言い争う」.
> fight は文字通りに「なぐり合う, 武器を持って戦う」.
> 名詞の場合も同様.
> They often *argue* [*quarrel*, have arguments, have quarrels, ×*fight*, ×have a fight] about their son's education. 彼らはよく息子の教育のことでけんかする.

2 [主語は複数形で]〈人・動物などが〉〔…を得ようと/…のことで〕格闘する, 取っ組み合う, 張り合う〔*for / about, over*〕‖ Ken and Ted were fighting *over* Mary. ケンとテッドはメリーのことで張り合っていた◆〈勉強・スポーツで「張り合う」は compete). **3**〈人が〉〔…のことで〕口論[激論]する〔*about, over*〕. **4**(プロとして)ボクシングをする.
—@ **1**〈人などが〉敵・病気・貧困・弾圧などと戦う; …を克服[阻止]するために戦う;〈賞などを〉得ようとして争う‖ fight 「an enemy [a disease] 敵[病気]と戦う / It's no use *fighting* old age. 年齢に逆ってもむだだ / fight a prize [minutes] 賞[1分]を争う. **2**〈戦いをする〉‖ fight a duel 決闘をする / fight a fierce battle 激戦を交える / fight a losing battle (→ battle 图 句) / fight the good fight 最後まで立派に戦う;(教義・慣習を守って)人生を生き抜く. **3**〈犬・ニワトリなどを〉戦わせる;〈軍隊・艦船などを〉指揮する, 操縦する‖ fight dogs 犬を戦わせる / fight the troops 軍隊を指揮する.
fight báck [自] 抵抗する(resist);戦って元[の…]に戻る〔*to*〕. —[他] (1)〈人などに〉抵抗する(resist). (2)〈感情・行動・涙などを〉抑える, 抑制する.
fight dówn [他]〈略式〉〈感情・行動などを〉抑える, 抑制する.
***fight it óut** 最後まで戦う, 戦い抜く.
fight óff [他] …を撃退する.
fight ón [自] 戦い続ける.
—图 (⑧ ~s/fáits/) **1** ⓒ なぐり合い, 格闘‖ have a *fight* against him 彼となぐり合いをする / Are you looking for a *fight*? 君はけんかを売っているのか / a *fight* over the issue その問題についての激論.
2 ⓒ 〔…に対する/…のための〕戦い, 戦闘, 闘争〔*against / for*〕〔類語〕 battle, combat, contest, struggle, war) ‖ a **fight against** the enemy [disease] 敵[病気]との戦い / a snowball *fight* 雪合戦 / put up a **fight for** freedom [lower taxes] 自由[減税]を求めて闘う.

3 Ⓤ 闘争心, ファイト;戦力;気概 ‖ show *fight* 戦意[闘志]を示す / 「He had [There was] no *fight* left in him. 彼は戦意を喪失していた.
4〈主に米〉〔人との/…のことでの〕口論, 口げんか〔*with / over, about*〕. **5** Ⓒ ボクシングの試合.
pùt úp a bád [*póor*] *fight* 苦戦する.
pùt úp a góod *fight* 善戦する.
†**fight·er** /fáitər/ 图 Ⓒ **1** 戦う人, 戦士, 闘士, 武人. **2** =fighter plane. **3** プロボクサー.
 fighter pilot 戦闘機のパイロット.
 fighter pláne (軍事) 戦闘機.
fight·er-bomb·er /fáitərbámər | -bɔ́m-/ 图 Ⓒ (軍事) 戦闘爆撃機.
fight·ing /fáitɪŋ/ 图 Ⓤ **1** 戦い, 戦闘, 闘う. **2** なぐりあい, 格闘. **3** [形容詞的に] 交戦中の, 好戦的な, 戦闘的な, けんか腰の.
 fighting chánce 努力しだいで得られるわずかな成功[勝利]の見込み.
 fighting spírit 闘争心, 闘志(fight).
 fighting wórds 〈略式〉(けんかの)売り言葉.
fig·ment /fígmənt/ 图 Ⓒ 〈正式〉作り事, 空想事 ‖ That's just a *figment* of your imagination. それは君の空想の産物にすぎない.
†**fig·u·ra·tive** /fígjərətɪv | fígərə-/ 形 〈正式〉 **1**〈語(句)が〉比喩的な, 文字通りでない(略 fig.).(↔ literal) ‖ *figurative* language 比喩的な言葉. **2** 修飾[比喩]の多い,〈文体が〉華やかな ‖ a *figurative* style 美文体. **fíg·u·ra·tive·ly** 副 比喩的に, 象徴的に(略 fig.)
***fig·ure** /fígjər | fígə/ 名 《「線によって形づくられたもの」が原義. cf. feign, fiction》

index 图 **1a** 数字 **b** 計算 **2a** 人の姿 **b** 体つき **3** 有名人 **5** 図形
 動 他 **1** 考える **2** 計算する

—图 (⑧ ~s/-z/) Ⓒ **1a** (0から9までの)数字, 数, (数字の)位, けた;〈略式〉〔~s〕(公表された)統計額[数];〔通例形容詞を伴って;単数形で〕価格, 値段 ‖ the *figure* 8 数字8 ◆ the *figure* of 8 は「8の字の形」/ add up *figures* 数を合計する / My annual income runs into six *figures*. 私の年収は6けたになります《10万(ドル, ポンド)以上だ》/ at a high [low] *figure* 高[低]価格で / omit the *figure*(s) after the decimal fractions 小数点以下を切り捨てる. **b**〈略式〉〔~s〕計算, 算数 ‖ do *figures* 計算する / The girl *is* good [poor] *at figures*. =The girl has a [no] head for *figures*. その少女は計算がうまい[不得意]だ.
2a〔輪郭でわかる〕人の姿, 物の姿,(はっきりしない)人影 ‖ I saw a *figure* in the dark. 暗やみの中に人の姿が見えた. **b**〈主に女性の〉体つき, プロポーション, 体形, 風采(ふうさい) ‖ a *figure* sàlon 美容体操教室 / She *has a* good [poor, terrible] *figure*. 彼女はスタイルがよい[悪い].
3〔通例形容詞を伴って〕(…の)有名人, 大立物, 名士 ‖ a public *figure* 著名人 / a political *figure* 政界の大立物.
4a 形態, 形状. **b**(絵画・彫刻などの)人物[動物]の像, 画像, 肖像. **c** 表象, 象徴, 典型.
5〔幾何〕図形;図, 図解, 挿絵(略 fig.);図案, 模様 ‖ See Fig. 2. 第2図を見よ / geometrical *figures* 幾何学模様.
6〔舞踊〕フィギュア, 一連の動作, 一旋回;〔スケート〕フィギュア《氷上を滑りながら描く図形》. **7**〔修辞〕

cút [màke] a (...) fígure (1) 頭角を現す, 異彩を放つ. (2) 〈人が〉…の印象を与える ‖ cut [make] a fine [good] figure よい印象を与える, 風采がよい / cut a poor [sorry] figure 愚かな印象を与える, みすぼらしい姿に見える.

fígure of spéech =figure 名 7.

──動 (~s/-z/; 過去・過分) ~d/-d/; **-ur·ing**)

──他 **1**《主に米国式》〔…と〕**考える**, 結論する, 決定する〔(that)節·wh節〕; [figure **A (to be) C**]〈人が〉**A**〈人·物·事〉を **C** だと思う《◆ **C** は名詞·形容詞》‖ ▶対話◀ "What mark do you figure you will get in the math test?" "I figure I'll get about a 70." 「数字のテストで何点を取れると思いますか」「70点ぐらいだと思います」/ They figured it (to be) the best plan. =They figured (that) it was the best plan. 彼らはそれが最善の計画だと結論した. **2** …**を計算する**, 合計する(+up). 《米》…を計算に入れる(+in) ‖ figure up a total 計算をして合計を出す. **3** …を〔図案·模様で〕飾る〔with〕‖ a cloth (which is) figured with a floral pattern 花模様の布地.

──自 **1** 〔…で〕異彩を放つ, 目立つ〔in〕‖ His name figures in history. 彼の名は歴史上有名だ. **2**《主に米国式》[it, that を主語にして]期待通りである, 筋道が通っている ‖ That [It] figures. それは当然だ, 思ったとおりだ.

fígure ón A [A doing] 《主に米国式》 (1) …を〔…が…するのを〕当てにする(count on). (2) …を考慮に入れる. (3) …の計画を立てる.

fígure óut [他]《主に米国式》 (1) …を計算する. (2) …を理解する, …がわかる. (3) …を解決[解答]する.

fígure skàting フィギュアスケート.

-fig·ure /-fígjər/-fígə/[数字を伴って] …けたの数字の ‖ a 5-figure income 5けたの額の収入.

fig·ure·head /fígjərhèd | fígə-/ 名 C《海事》(昔の船の)船首像. **2** 名目上の指導者[かしら, 長].

fig·u·rine /fìgjərí:n | fígəri:n/ 名 C《正式》(木·金属などで作られた)小立像.

Fi·ji /fí:dʒi:/ 名 **1** フィジー《南太平洋上の国. 首都 Suva》. **2** C フィジー(諸島)の住民.

Fi·ji·an /fí:dʒiən, fidʒí:ən | fídʒi:ən/ 形 フィジー(諸島)の; (諸島)人の; U フィジー語の.

†fil·a·ment /fíləmənt/ 名 **1**《電球などの》フィラメント, (白熱)繊条. **2** 細糸, 繊維, (紡織繊維の)単繊維. **3**《植》(雄しべの)花糸(⇨ 図 → flower).

fil·bert /fílbərt | -bət/ 名《植》ハシバミ(の実)の木.

filch /fíltʃ/ 動 他《略式》…をこっそり失敬する, くすねる.

‡file¹ /fáil/

──名 (複 ~s/-z/) C **1** (整理した書類·記録などの)とじ込んだ書類[資料], とじ込み, **ファイル** ‖ the file of The Times 『タイムズ』紙のとじ込み / place the papers in a file 書類をとじ込みにしておく. **2** (書類などの)とじ込み帳, 書類差し, フォルダー, (書類の)整理だな[箱] ‖ Please keep the important papers in this file. 重要書類をこのファイルに保存しておいてください. **3** (人·動物·物の)縦の列, 列, 《軍事》伍(ご), 縦列(↔ rank) ‖ in (a) single file 縦1列になって. **4**《コンピュータ》**ファイル**《◆ ひとまとめにして扱われるデータの集まり》‖ open [close] a file ファイルを開く[閉じる] / delete a file ファイルを削除する / save [download] a file ファイルを保存[ダウンロード]する.

fíle by fíle 続々と, 一組また一組と.
in fíle 伍をなして, 2列縦隊で; 次々と.
on fíle とじ込んで, 整理されて《◆ on the files, on A's files の形でも用いる》.

──動 (~s/-z/; 過去・過分) ~d/-d/; **fil·ing**)

──他 **1** 〈人が〉〈書類など〉をとじ込みにする(+away), 整理保存する ‖ Please file away the latest data on the noise pollution. 騒音公害に関する最新の資料をファイルしておいてください. **2** 《正式に》〈告訴·申請書など〉を提起する, 提出する ‖ She filed a suit for divorce against him. 彼女は彼に対して離婚訴訟を起こした.

──自 **1** 1列を作って行進する(+off, away), 列をなして 〔…に〕くり込む〔in〕. **2** 〔…の〕申込み[申請]をする, 《米》〔…に〕候補の登録をする〔for〕‖ file for a job 仕事の申込みをする.

fíle clérk《米》文書整理係.
fíle nàme《コンピュータ》ファイル名.
fíle phòto 資料〔保管〕写真.

file² /fáil/ 名 C **1** やすり, 2 [the ~] 磨き上げ, 仕上げ; 推敲(こう). ──動 他 **1** 〈つめなど〉をやすりで磨く[とぐ, 削り落とす] (+away, down, off).

fi·let /filéi, ˊ-| fílei, fílit/《フランス》名 **1** U =filet lace. **2** C《米》《料理》=fillet.
filét láce 糸(かせ)編目のレース.
filét mignón /-mi:njó:ŋ/ (複 ~s mignons) フィレミニョン《フィレ肉から取ったステーキ用の肉》.

†fil·i·al /fílíəl/ 形《正式》子としての, 子としてふさわしい ‖ filial obedience 子としての服従.

fil·i·bus·ter /fíləbÀstər/《主に米国式》名 U C (長い演説による)議事妨害; C 議事妨害者. ──動 自 (長い演説などで)議事の進行を妨害する. ──他 〈法案〉の通過を妨害する.

†fil·ing¹ /fáilıŋ/ 名 U C やすりかけ; [~s] やすりくず.
fil·ing² /fáilıŋ/ 動 → file¹. ──名 U (書類の)とじ込み, 書類整理, ファイリング.
fíling càbinet 書類整理だな[キャビネット].
fíling clèrk 文書整理係.

†Fil·i·pi·no /fìləpí:nou/《スペイン》名 (複 ~s; 《女性形》 --na/-nə/) C フィリピン人. ──形 =Philippine.

‡fill /fíl/『『容器·場所を満たす』が本義. cf. full』

──動 (~s/-z/; 過去・過分) ~ed/-d/; ~·ing)

──他 **1a**〈人·物·事が〉〈場所·容器·時間など〉をいっぱいに占める, …に**充満する**(↔ empty)‖ The pupils filled the hall. 生徒が講堂にあふれた / The job filled every minute of her day. 彼女はまる1日その仕事に追われた. **b** 〈感情が〉〈心·表情〉にあふれる ‖ Joy filled her heart. 彼女の胸は喜びでいっぱいになった(cf. 自 **2**).

2 a [fill **A with B**]〈人·物が〉**A**〈場所·容器·時間など〉を **B**〈物·人·事〉で**満たす**;《主に米》〈処方薬〉を調合する; 〈注文品〉を調達する ‖ I filled the photo album with my family pictures. 私はそのアルバムに家族の写真をいっぱい貼った / He filled a glass to the brim. 彼はコップになみなみとついだ / Could you have this prescription filled for me? この処方薬を調合していただけませんか. **b** [fill **A with B**]〈人·物·事が〉**A**〈人·心など〉を **B**〈感情〉でいっぱいにする ‖ The news filled him with [×of] sorrow. 知らせを聞いて彼の心は悲しみでいっぱいになった(=The news made him full of sorrow.). **c** [fill **A C**] **A**〈容器など〉を満たして **C** にする ‖ Don't fill the bath too full. 浴槽に湯[水]を入れすぎな.

3 (人のために)〈容器など〉を〔飲み物などで〕満たす〔with〕‖ Fill this glass (with wine) for me. このグラスに(ワインを)いっぱいについでくれ.

4〈地位〉を占める;〈役〉を務める ‖ fill the office

of mayor 市長を務める / *fill a vacancy* 欠員を補充する. **5** 《主に米正式》〈需要・要求などを〉満たす, …に応じる〈satisfy〉;〈約束などを〉果たす〈carry out〉. **6**《海事》〈風が〉〈帆〉をふくらませる;〈風受けのように〉〈帆桁(沼)〉を調節する. ━━ 自 **1**〈場所・物が〉〈人・物で〉満ちる, いっぱいで, 充満する〈with〉‖ The hall *filled* rapidly 〈with people〉. ホールはすぐに（人で）満員になった / Her eyes *filled* with tears. 彼女の目は涙でいっぱいになった. **2**〈心などが〉〈感情で〉いっぱいになる〈with〉‖ Her heart *filled* with joy. 彼女の胸は喜びでいっぱいになった.

*__fill in__ ━━ 自 《略式》（短期間）〈人の〉**代理をする**, 代行する〈for〉‖ I'll find someone to *fill in* for you. 君の代行者を見つけよう. ━━ 他 **1**〈書類を〉**完成する**, …に必要事項を記入する〈fill out〉‖ *Fill in this form*, please. この用紙に必要事項を記入してください. **2**〈穴・池などを〉埋める, 埋め立てる, ふさぐ;〈歯〉を充塡〈する〉‖ They *filled the hole in*. 彼らは穴をふさいだ. **3**〈氏名・職業などを〉書き込む‖ *Fill in* your name and address here. ここに名前と住所を書きなさい. **4**《略式》〈人に〉〈…について〉詳細〈最新の情報〉を知らせる〈on〉. **5**〈時間〉をつぶす.

fill óut ━━ 自 **(1)**〈帆・タイヤなどが〉ふくらむ. **(2)**〈人が〉肥える, 太る;〈顔・ほおなどが〉大きく丸くなる. ━━ 他 **(1)**《米》=FILL IN 他 **(1)**. **(2)**〈帆・タイヤなどを〉ふくらませる.

fill úp ━━ 自 **(1)**〈川・池などが〉満水する,〈泥などで〉いっぱいになる〈with〉;〈劇場などが〉満員になる. **(2)**〈車を〉〔ガソリンで〕満タンにする〈with〉. ━━ 他 **(1)**〈川・池などを〉満水にする. **(2)**〈容器・タンクなどを〉満たす / *Fill* her ['er] *up!*〔ガソリンスタンドで〕満タンにしてくれ!《◆ her は男性語で「車」を指す》.

━━ 名 **1** [one's ~] 十分; 存分‖ *eat* [*drink*, *weep*] *one's fill* 思う存分食べる[飲む, 泣く]. **2**《英》[a ~] 容器一杯の量, 一服, 一盛り‖ *a fill of tobacco* タバコ一服. **3** ⓒ 盛り土.

hàve one's fíll of A《略式》〈事・物を〉いやというほど味わう, …を堪能する.

-filled /-fíld/ 〖語要素〗 [名詞に付けて]…を入れた, …でいっぱいの.

fill・er /fílər/ 名 ⓒ **1** 満たす人[物]; 注入器. **2**《時に a ~》充塡物, 充塡剤, 混ぜ物;《新聞・雑誌などの》埋め草記事;《放送番組との間の》時間つなぎの音楽放送[スポットアナウンス, など]. **3** つなぎ語[言葉]《er, well, you know など》. **4** Ⓤ《時に a ~》《ルーズリーフ用の》ばら紙.

†**fil・let** /fílit/《◆《米》では filet /filéi, ⁓/ともする》 名 Ⓤ《肉・魚の》骨のない切り身, ヒレ; =fillet steak / *cod fillets* =fillets of *cod* タラの切り身. ━━ 動 他〈肉〉を切り身にする,〈魚〉を3枚におろす.

fíllet stèak ヒレ肉.

†**fill・ing** /fíliŋ/ 名 ⓒ 充塡〈『元』〉(物),（歯の）詰め物;（パイなどの）詰め物;（サンドイッチの）具.

fílling stàtion《米》ガソリンスタンド《《米》gas [《英》petrol] *station* という。修理をする所には repair または service station といって区別することがある。米英ではセルフサービスの無人スタンドが多い》.

fill・ip /fílip/ 名 **1** 指で軽くはじくこと. **2**《正式》勇気づけるもの, 刺激. ━━ 動 他 **1** …を指ではじく. **2** …を刺激する.

Fíll・more /fílmɔːr/ 名 フィルモア《**Millard** /mílərd | -lɑːd/ ~ 1800–74;米国の第13代大統領(1850–53).

1853年, Perry を日本に派遣した》.

fil・ly /fíli/ 名 **1** 雌の子ウマ[ロバ, ラバ]《ふつう4歳未満のもの》(↔ colt). **2**《略式》生きのよい小娘, おてんば娘.

*__film__ /fílm/ ━━ 名 〈~s /-z/〉 **1a** [the ~s; 集合名詞] 映画; [~s] 映画界[産業]‖ *go to see the films* 映画を見に行く / *work in the films*《英》映画界で働く(=《米》*work in the movies*) / *watch* [*see*] *a film* 映画を見る / *appear* [*star*] *in a film* 映画に出演[主演]する / *show* [*screen*] *a film* 映画を上映する **b** ⓒ《主に英》(1本の) 映画《《米》でも新聞・雑誌でよく用いる》; [形容詞的に] 映画の‖ *máke* [*shóot*] *a film* 映画を製作[撮影]する / *a foreign film* 外国映画 / *a film addict* [*fan*] 映画狂[ファン] / *a film version*（小説などの）映画化されたもの. **2** ⒸⓊ **フィルム**, 感光膜‖ Is there *film* in your camera? 君のカメラにはフィルムは入っているのか / *a roll* [《米》*spool*] *of color film* カラーフィルム1本 / I want this *film* developed. このフィルムを現像してもらいたい / *fast film* 高感度フィルム / *35mm film* 35ミリフィルム / *X-ray film* X線フィルム / *black-and-white film* 白黒フィルム. **3** [通例 a ~] 薄膜, 薄皮; 皮膜‖ *a film of oil* 油の薄い膜.

━━ 動 他 **1** …を〈映画に〉撮影する;〈小説などを〉映画化する‖ This novel is hard to *film*. この小説の映画化は難しい(=It is hard to *film* this novel). ⇨文法 17.4). **2** …を〈薄膜・もやなどで〉覆う. ━━ 自 **1**《正式》〈薄膜・もやなどで〉覆われる; かすむ, ぼやける〈+over〉〈with〉‖ Her eyes *filmed over* with tears. 彼女の目は涙で曇った. **2**〈様態の副詞を伴って〉〈人などが〉映画向きである;〈小説などが〉映画になる, 映画化される‖ She [The scene] *films* well. 彼女[その場面]は映画向きである. **3** 映画を製作[撮影]する.

fílm féstival 映画祭《◆ Venice, Cannes のものが有名》.

fílm líbrary 映画図書館, フィルム貸出し所.

fílm nóir /-nwɑ́ːr/ フィルム=ノアール, 暗黒映画《サスペンス・ミステリー・犯罪・汚職などを扱った映画》.

fílm premiére /fílm primíər | -méə/『フランス』映画の封切り.

fílm ràting 映画の入場者指定表示《◆(1)《米》PG (parental guidance) 保護者の指導が望ましい; PG13 13歳未満は保護者の指導が望ましい; R (restricted) 保護者同伴で入場可; G (general) 一般向き; NC-17 17歳未満入場禁止(《古》X). (2)《英》PG (parental guidance) 保護者の指導が望ましい; 15 15歳未満入場禁止; U (universal) 一般向き; 18 成人映画(18歳未満入場禁止)》.

fílm stàr 映画スター《《米》movie star》.

fílm tèst（映画俳優志望者の）カメラ=テスト.

film・y /fílmi/ 形 (**--i・er, --i・est**) **1** 薄膜[薄皮]状の. **2** 薄い, かすかな. かすんだ.

†**fil・ter** /fíltər/ 名 ⓒ **1** 濾過(ｶ)器[装置], 濾紙, 水こし, フィルター;〔写真〕フィルター,〔光学〕濾光器,〔無線〕濾波器. **2** 吸着性多孔性物質《布・木炭・砂・紙など》. **3**〔コンピュータ〕フィルター《入力を加工して出力するプログラム. 特定の条件に合致するデータを選別するプログラム》. ━━ 動 他 **1**〈液体・ガスなどを〉濾過する, こす; 濾過して…を取り除く〈+out, off〉‖ *filter oil* 油をこす / *filter out the dirt* in the water 水を濾過してごみを除く. ━━ 自 **1**〈水・光などが〉〈…を通して / …へ / …から〉しみ出る, 通る, 浸透する, 洩れる〈through /

into / *out of*〕‖ The sun's rays come filtering *through* the clouds. 太陽の光が雲を通って射してくる. **2**〈うわさなどが〉〔…に〕徐々に行き渡る〔*through, out*〕〔*to*〕,〈思想が〉〔…に〕しみ込む〔*into*〕. **3**〈英〉〈車が〉(赤信号で直進できないときに矢印に従って)左折[右折]する.

filter pàper 濾過紙, こし紙.
filter tip フィルター(付きのタバコ).

†**filth** /fílθ/ 名 Ⓤ **1**(いやな)汚れ, 汚物, 汚物(なもの). **2** 卑猥[ひわい]な言葉[思い, 考え, 文学, 雑誌, 絵画], のののしり; 不道徳(なもの).

†**filth·y** /fílθi/ 形 (**-i·er, -i·est**) **1** 汚れた, 不潔な, 汚い《◆*dirty* よりも汚らしさの度合いが強い》. **2** 卑猥[ひ]な(obscene), 下品な, けがらわしい, 堕落した, 不正な. ―― 副 《略式》非常に ‖ *filthy* rich とても金持ち.

filthy lú·cre /-lúːkər/ (不净の)金, 悪銭.
filth·i·ly 副 汚らしく, けがらわしく. **filth·i·ness** 名 Ⓤ 汚さ, 不潔; 下品.

†**fin** /fín/ 名 Ⓒ **1**(魚の)ひれ, (アザラシなどの)ひれ状器官《the dorsal [pectoral, ventral, caudal, anal] *fin* 背[胸, 腹, 尾, しり]びれ》. **2**〔通例 ~s〕ひれ状のもの, (潜水具の)ひれ足(flipper), (飛行機などの)垂直安定板, (自動車の)走行安定板.

fin. 略 financial; finance; finish;《ラテン》*finis*.
Fin. 略 Finland; Finnish.

*****fi·nal** /fáinl/《終わり(fin)の(al)》 語源 finally《副》
―― 形 《◆比較変化しない》 **1**〔名詞の前で〕〔順序が〕最後の, 最後の幕 ‖ the *final* act of a play 劇の最後の幕 / get into the *final* countdown stage 秒読みの段階に入る / the *final* chapter of a book 本の最終章.

類語 last が単に順序の終わりを示すのに対し, final はそれで完結することを強調する. 「最終列車」は the last [×final] train.

2〔通例補語として〕決定的な, 変更できない ‖ *a final decision* 最終的な決定 / The judgment is *final*. その判決は最終的なものである / the *final ballot* 決選投票.
―― 名 Ⓒ **1**〔しばしば ~s〕決勝戦 ‖ play in the *finals* 決勝戦で競技する《◆準決勝, 準々決勝はそれぞれ semifinal, quarterfinal》. **2**〔通例 ~s〕《米》期末試験,《英》(大学の)最終試験.

fi·na·le /finάːli |-nάːli, -nάːli/《イタリア》 名 Ⓒ **1**《音楽》終楽章, 終曲, フィナーレ;《演劇》最後の幕, 大詰め. **2** 終局, 大団円.

fi·nal·ist /fáinəlist/ 名 Ⓒ 決勝戦出場選手.

†**fi·nal·i·ty** /fainǽləti/ 名 Ⓤ《正式》最終的[決定的]なこと[状態, 行為, 言葉], 終局 ‖ speak with (an air) of *finality* きっぱりとした態度で言う.

†**fi·nal·ize** /fáinəlàiz/ 動 他《正式》〈計画・取り決めなど〉を完結させる, …に決著をつける; …を仕上げる.

*****fi·nal·ly** /fáinəli/ 副《◆比較変化しない》 **1**〔通例文頭, 動詞の前で〕(長く待ったあげく)ついに, やっと(のことで), ようやく; 結局は《使い分け → at LAST》‖ *Finally* the suspect confessed (to) his crime. 容疑者はついに自分の罪を認めた.
2〔通例文頭で〕〔列挙・話などの〕最後に ‖ *Finally*, I wish to thank you all for your kind attention. 終わりにあたりご静聴を感謝いたします.
3 最終的に, 決定的に, きっぱりと ‖ The matter was *finally* settled. その問題ははっきりとかたがついた.

†**fi·nance** /fənǽns, fáinæns/ 名 ‖ ; 動 ‖ , ‖ ‖ / 名 Ⓤ 財政, 財務; 財政学 ‖ an expert in *finance* 財政(学)の専門家 / the Minister of *Finance* (日本の)財務[大蔵]大臣《=(英) the Chancellor of the Exchequer) / the Ministry of *Finance* (日本の)財務[大蔵]省《=the Exchequer). **2**〔~s; 複数扱い〕(政府・会社などの)財源; 財政状態 ‖ My family *finances* are low these days. 私の家族の金回りは最近悪い. ―― 動 他《正式》…に資金を融通する, 融資する, 金を出す(provide money for).

finance còmpany [hòuse] 金融会社, 信販会社.

*****fi·nan·cial** /fənǽnʃəl | fai-/〔アクセント注意〕
―― 形 財政上の, 財務の, 金融上の, 財界[金融関係者]の《◆ふつう比較変化しない》‖ face *a financial crisis* 財政危機に直面する / *a financial adviser* 財務顧問 / *financial circles* =the *financial world* 財界, 金融界.

fináncial institùtion 金融機関.
fináncial státements 財務諸表.
fináncial yéar《英》〔the ~〕会計年度《4月6日から4月5日まで;《米・カナダ》fiscal year》.

†**fi·nan·cial·ly** /fənǽnʃəli | fai-/ 副 財政[金銭]的に, 財政[金銭]上.

†**fi·nan·cier** /fìnənsíər, fài- | fainǽnsiər, fi-/ 名 Ⓒ《正式》財政家, 財務官; 資本家, 大投資家; 金融業者; 金のやりくりのうまい人.

finch /fíntʃ/ 名 Ⓒ《鳥》フィンチ《一般にアトリ科の小鳥の総称. bullfinch, goldfinch など》.

*****find** /fáind/〔「(隠されていた, または失ったものを)努力してあるいは偶然に見つける」が本義〕
―― 動 (~**s**/fáindz/; 過去・過分 **found**/fáund/; ~·**ing**)
―― 他 **1a**〈人が〉(捜して)〈人・物など〉を見つける, 発見する ‖ I can't *find* [×*find out*] my pen! 私の万年筆が見当たらない! / The missing boy has not been *found* yet. その行方不明の少年はまだ見つかっていない.
b〔*find* A B =*find* B for A〕〈人〉に〈物・事〉を見つけてやる《◆ 受身形は常に B be found for A の形をとる》(➡ 文法 3.3)‖ Tom *found* me a taxi. =Tom *found* a taxi for me. トムが私にタクシーを見つけてくれた.
c〔*find* A C〕〈人が〉〈人・物〉が C であるところを見つける[見かける]《◆ C は形容詞・分詞など》‖ She was *found* dead [dying, injured] the next morning. 彼女は翌朝亡くなって死んで[瀕[ひん]死の状態で, けがをして]いるのがみつかった《◆ 書き言葉では The next morning *found* her dead [dying, injured]. ともいう》/ John *found* the girl *studying* in the library. ジョンはその少女が図書館で勉強しているところを見つけた《◆「図書館で勉強している少女を見つけた」(→ **1a**)とも解される》/ She *found* him *driving* her car. 彼女は彼が自分の車を運転しているところを見つけた《◆ この構文では A には所有格をとらない. また知覚動詞ではないので C に動詞原形をとらない: ×She *found* him drive her car.).
2〈人が〉(偶然に)〈物〉を見つける;〈人・事〉に出会う
類語 come across [upon], hit upon ‖ She *found* a ten-dollar bill on the sidewalk. 彼女は歩道で10ドル札を1枚見つけた / We *found* trouble everywhere. 私たちはいたるところでつらい目にあった /〔対話〕 "How did you get the new part-time job?" "I *found* it in a help-wanted ad."

「どうやってその新しいアルバイトを見つけたのですか」「求人広告で見つけました」.

3〈人が〉〈捜せば〉〈人・物・事を〉**見いだせる**, …が見つかる《◆目的語が存在しているという事実を述べる. この語義では一般的な人を表す one, you などが主語になり, there is [are など] の構文に書き換えられる.「存在」に重点が置かれるので進行形・命令形は不可》‖ *You find* koalas [Koalas are *found*] in Australia. コアラはオーストラリアにいる / You won't *find* many students studying Latin these days. いまどきラテン語を勉強している学生はあまりいないだろう.

4〈人が〉(経験または努力の結果)〈人・物・事を〉**見つける**, 手に入れる, 作り出す ‖ I *find* a cure [remedy] for cancer ガンの治療法を見つける / I'll manage to *find* the money for the trip. なんとか旅費を工面しよう / How do you *find* time to read? どうしたら読書の時間が作れるのですか / At last she *found* the courage to speak. ついに彼女は思い切って話をした.

5 a [find A (to be) C] 〈人が〉(偶然に, 経験・試みによって) A〈人・物・事〉を C と判断する, 思う, 感じる《◆ (1) 主観的判断を表す. ふつう進行形不可. (2) C は名詞・形容詞・分詞など. ふつう to be は略される》; [find (that) 節] …だとわかる ‖ I *found* him (to be) a kind man. (話してみると) 彼は親切な人だとわかった / Checking the file, I *found that* she was Australian. ファイルをチェックしてみて, 彼女がオーストラリア人だということがわかった《◆この文脈では主観的な判断を示す》I *found* her (to be) Australian. *も可*. →**語法** (1) / When the drunkard woke up, he *found* himself in a police box. 酔っ払いが目を覚ますと交番にいた. 《◆**対話**》"How did you *find* the bed?" "I *found* it comfortable." 「(英) そのベッドの寝ごこちはどうでしたか」「寝ごこちはよかったです」《◆ (米) のようにどのようにベッドを見つけたかの意味になる. 上の意味は (米) では "How did you like the bed?" で表す》/ Every morning *found* John jogging in the park. 毎朝ジョンは公園でジョギングをしていた《◆このように無生物主語構文で用いるのは書き言葉に限られる》.

b [find A to do] …するのは C だと思う《わかる》《◆ it は形式目的語》‖ I *find* it impossible *to* believe you. 君の言うことはとても信じられない.

語法 (1) find A (to be) C の構文では, 文脈により肉体的知覚(「目で見る」= see) を表すときと精神的知覚(「わかる」= learn, understand) を表すときがある : I *found* him working very hard. (行ってみると) 彼は熱心に働いていた / 彼が (妻子のために) 熱心に働いているのがわかった.

(2) find A (to be) C は断定を弱める働きがある : That's strange. それは変だ (断定的) / I *find* it strange. (他の人は別の意見かもしれませんが) 私には奇妙に思われます.

6〈人が〉(研究・計算・調査によって)〈未知の事実などを〉**探り出す**, 発見する(discover); [find *wh*句・節] …かを調べる(+*out*) ‖ Let's try to *find* the answer to the question. その問題の解答を一緒に考えてみよう / ***Find*** **(*out*)** *how* to get there. そこへ行く方法を調べておく / Newton *found out that* there was [is] a law of gravity. ニュートンは重力の法則を発見した.

7〔法律〕〈陪審員が〉…を (有罪・無罪) と評決する《◆進行形不可》《◆**対話**》"How do you *find* the defendant?" "We *find* the defendant not guilty." 「被告をどう評決しますか」「被告を無罪と評決します」.

──**自**〔法律〕(…に有利に/…に不利に) 評決する (*for/against*) ‖ The jury *found for* [*against*] the plaintiff. 陪審員は原告に勝訴 [敗訴] の評決をした.

fínd it in one**sélf** [one's héart] **to** *do* (正式・やや古) [通例否定文・疑問文で ; can を伴って] …する《◆残酷だ》気持ちになる ‖ I *cannot* **find** *it* in myself [my heart] to refuse her. 彼女を拒絶する《ほど残酷な》気持ちになれない.

***fínd** one**sélf** (1) (気がつくと)〈ある場所・状態に〉ある, いる《*in, with*》‖ In the end, he *found* himself alone *with* no friends to borrow money from. 最後には彼はお金を借りる友人もなく一人になっていた. (2)(英)〈衣食住などを〉自弁する《*in*》. (3)(正式)〈…としての〉自分の天職 [天分] を発見する.

***fínd óut** ─**自**(努力の末, 調べて) 探り出す, 気がつく, 知る, 〔…について〕調べる. 情報 [真相] を得る《*about*》. ─**他**(1) →**他 6**《◆単に人・物を見つける場合には用いない : I *found* (×*out*) my lost bag. 私はなくしたかばんを見つけた》. (2)〈人・事が〉〈人の〉**正体を見破る**, …を暴露する ;〈なぞを〉解く ‖ The police *found* him *out*. 警察は彼の正体を見破った.

使い分け [find out, see と know]
know は「すでに知っている」状態.
「わかる」の意の「知る」は find out, see.
I went to the window to ⌈*find out* [*see*, ×*know*] what was happening outside. 外で何が起きているか知ろうとして窓のところまで行った.
I *know* [×*find out*] little about the man in question. 問題の男性についてほとんど知りません.

──**名** C **発見** ; (興味深い・貴重な・役に立つ) 発見物 ; (a (lucky) ~) めっけ物, 掘り出し物.

find·er /fáindər/ **名** C **1 発見者, 拾得者. 2**〔写真〕(カメラの) ファインダー ;〔物理・天文〕(大望遠鏡に付属した) 補助望遠鏡. **3** [複合語で] …を見つける人 [器具].

†**find·ing** /fáindiŋ/ **名 1** U 見つけたこと, 発見 ; C [通例 ~s] 発見 [拾得] 物 ; (調べて) 明らかになったこと [結論]. **2** C [通例 ~s] (裁判官・検死官・学者などによる) 結論, 評決, 答申.

fine¹ /fáin/ 〖「終わり(fin)」から「完成度が高くて申し分ない」が本義〗

index **1** すばらしい **2** 元気な **4** 細かい, 細い
5 晴れた **6** 微妙な **7** 洗練された

──**形**《~r, ~st》**1** [通例名詞の前で] (並々以上に) **すばらしい**, 立派な, 見事な, けっこうな ; きれいな, 美しい (**類語** choice, elegant, exquisite, good, nice) ‖ She has grown up to be a *fine* girl. 彼女は成長して美しい娘になった / a *fine* house [view] すばらしい家 [眺め] / a *fine* play ファインプレー / That's a *fine* excuse. [しばしば皮肉として] それはお見事な言い訳だよ / That's a *fine* thing (to say). [皮肉で] そりゃ結構なことだね.

2 [通例補語として] [通例質問への返答で] 〈人が〉**元気な**, 健康な(well) ;〈場所などが〉健康によい, 快適な

fine

(comfortable)《◆比較変化しない》‖ 〖対話〗 "How's your wife?" "She's *fine*, thank you." 「奥さんは元気ですか」「おかげさまで,元気です」.

> 〖関連〗 **[Hòw áre you? に対する答え]** (1) 元気なとき: I'm [ˣvery] fíne [vèry wéll indéed] (, thánk you). / Fíne(, thánks). / Véry wéll [All ríght] (, thánk you). / Oh, (I'm) on tóp of the wórld. など. (2) それほど元気でないとき: Só-so [OK, Nót tòo bád, Prétty fáir, Pretty well] (, thánks). / Mústn't grúmble. / Cán't compláin. / Survíving(, thanks). など. [◆→ Hów are you? 〖語法〗(3)]

3 〈物・事が〉申し分ない ‖ I don't want beer. A glass of water is ***fine*** for me. ビールはいりません.水で結構です.
4 〖通例名詞の前で〗〈粒などが〉**細かい**;〈糸・毛髪などが〉細い;〈織物・肌などの〉きめの細かい (↔ coarse) ‖ *fine* sugar [dust] 粒か細かい砂糖 [ちり] / Sand is *finer* than ballast. 砂はじゃりより粒が細かい / *fine* rain [snow] 小ぬか雨 [粉雪] / a *fine* hair 細い髪 / a *fine* pen 先の細いペン / a *fine* skin きめ細かい肌.
5 〈英〉〈天気・日が〉**晴れた**, 好天の;雨でない《◆〈米〉では天気・日などにはふつう nice, beautiful を用いる》‖ It turned out *fine* again in the afternoon. 午後には晴れた / on a *fine* winter morning ある晴れた冬の朝に(→ on 前19).
6 〖正式〗〖通例名詞の前で〗**微妙な**(subtle), 繊細な(delicate);鋭敏な ‖ a *fine* eye for color 色彩に対する鋭い目 / a *fine* adjustment 微調整.
7 〖通例名詞の前で〗**a** 洗練された, 完成された, 上品な;上品ぶった ‖ *fine* manners 洗練された作法 / a *fine* gentleman [lady] (労働や家事を卑しむ)上品な[ぶった]紳士 [淑女] / call him by *fine* names 〈英〉彼におせじを言う. **b** 〈文体・話し方などが〉飾り立てた, はでな;〈仕事に入念な ‖ *fine* writing 美文 / *fine* phrases 美辞麗句 / *fine* workmanship 入念な細工.

óne fíne dáy [副] ある日, いつの日にか《◆天候に無関係. 過去にも未来にも用いる》. **óne fíne mórning** ともいう. ➡〖文法〗21.6(1)).
We're [I'm] *fine*. もう結構です《◆No thank you. よりも柔らかい言い方》(→ 形 2).

──〖名〗〖U〗晴天, 上天気;[~s] 細粒子 ‖ (in) rain or fine 晴雨にかかわらず / in *fines* 細かく.
──〖副〗 (~r, ~st) **1** =**finely 2**. **2** 〖略式〗見事に(very well) ‖ She's doing *fine* in school. 彼女は学校でよくやっている. **3** [F~] 〖略式〗うん, そうだね;いいよ;そりゃ結構(OK) ‖ 〖対話〗"How about going to see *Titanic* tomorrow evening?" "*Fine.* I have something to do tomorrow afternoon. But the evening will be all right." 「明日の夜〖タイタニック〗を見に行かない」「うん, いいね. 明日の午後用事があるけど, 夜は大丈夫だ」.

cut it fine → cut 動.

──〖動〗(**fin·ing**) 〖自〗**1** 〈物が純良になる. **2** 〈物が〉細かに[薄く, 小さく, 正確に]なる(+*down, away, off*).
──〖他〗**1** 〈物〉を純良にする. **2** 〈物〉を細かく[薄く, 小さく, 正確に]する.
fíne árt [the ~] 美術品;(一般に)芸術作品.
fíne árts [the ~] 美術 《主に絵画・彫刻・建築》.

†fine² /fáin/ 〖名〗〖C〗[…に対する] 罰金, 科料 (*for*) ‖ pay a $10 *fine* =pay a *fine* of $10 10ドルの罰金を払う《◆読むときは ten dollars のように言う》.
──〖動〗〖AB〗〈人〉を〖金額〗の罰金に処する [*for*] ‖ *fine* him heavily 彼に重い罰金を科す / They *fined* her £5 *for* speeding. 彼女はスピード違反で5ポンドの罰金を科せられた《◆(1) A を主語にした受身形 A *is fined* B も可. (2) They は police をさす》.

fi·ne³ /fíːnei/ 〖イタリア〗〖名〗〖U〗〖C〗〖音楽〗フィーネ, 終止.
fine-grained /fáingréind/ 〖形〗〈木材・なめし皮〉解説・説明などがきめの細かい.
†fine·ly /fáinli/ 〖副〗**1** 〖正式〗(道徳的に)立派に;上品に, しゃれて. **2** 細かく, 細く;微妙に, 繊細に.
†fine·ness /fáinnəs/ 〖名〗〖U〗**1** 立派さ[見事さ]であること;(金属の)純度. **2** 細かさ, 細さ.
fin·er·y /fáinəri/ 〖名〗〖U〗(高価で)華美な衣服と装飾品.
fi·nesse /finés/ 〖フランス〗〖名〗〖U〗**1** 〖正式〗巧妙な処理, 手ぎわのよさ. **2** 細やかさ, 精巧さ.

fin·ger /fíŋɡər/ 〖発音注意〗

──〖名〗(複 ~s/-z/) 〖C〗**1** (手の)**指**《◆ふつう親指 (thumb) を除く》‖ *fingers* and toes 手足の指 / His *fingers* are (*áll*) *thúmbs.* = He is [feels] all (*fingers* and) *thumbs*. 〖略式〗彼はとても不器用だ《◆「指がすべて親指」という意味から. 後者には緊張・あせりなどのため「今指がうまく動かない」の意もある》 / Finger lickin' good. 指についた残りまでなめたくなるほどおいしい《◆Kentucky Fried Chicken の広告文句》/ cróss one's *fíngers* =kéep [hàve] one's *fíngers* cróssed 〖略式〗(主に背中に回した手の中指を人さし指に重ねて)幸運を祈る《◆魔よけ・願いごとのしぐさ》/ sháke one's *fínger* at him 彼に向かって人さし指を(前後左右に)振る《◆非難・警告のしぐさ》/ drum one's *fingers* on a desk 指で机をコツコツとたたく / dig one's *finger* through one's háir 髪をかきむしる《◆緊張・当惑のしぐさ》/ rúb one's *thúmb and índex finger togéther* 親指と人さし指をこすり合わす《◆金の請求のしぐさ》/ sháke [wág] one's *fínger* at him 彼に向かって人さし指を(左右に)振る《◆非難・警告のしぐさ》/ póke a *fínger* at him 彼を指さす[あざける] / pút a [one's] *fínger* to one's lips =have [lay] a [one's] *fínger* on one's lips シーッと口に指を当てる.

> 〖関連〗**[いろいろな指の言い方]**
> the index [first] *finger* 人さし指(forefinger) / the middle [second] *finger* 中指 / the ring [third] *finger* 薬指 / the little [fourth] *finger* 小指 / thumb 手の親指 / toe 足の指.

2 (手袋・グローブの)指. **3** 指状の物;(時計・計器などの)指針, 指示物;指形のパン[ケーキ].

búrn one's *fíngers* =**gèt** [**hàve**] one's *fíngers* búrnt 《あせっかせて》手を焼く, 痛い目にあう.
hàve a at one's *fínger*(*s'*) *ènds* [*típs*] 〈物・事〉に精通している.
hàve cléan *fíngers* [hánds] (金銭・選挙などで)やましいところがない, 潔白である.
láy [pùt] one's *fínger* **òn a** (1) 〖略式〗〈原因・誤り・問題など〉を的確に指摘する. (2) 〈場所〉を突きとめる.
not líft a *fínger* 少しも[…する]労をとらない, 横のものを縦にもしない (*to* do).
Pàrdon my *fíngers*. (食べ物を指でつまんだりしたと

きに)指で失礼.

***póint a* [*the*, one's] *fínger at* A** 〈人〉を名指しで非難する.

slíp through* A's *fíngers 〈チャンス・金などが〉〈人〉から逃げる.

snáp* one's *fíngers (1) 指をパチンと鳴らす《◆人の注意を引いたり,「しめた!」というしぐさ》. (2) 〔人を〕さげすむ, 軽蔑(ぶ)する〔*at*〕.

wórk one's fíngers to the bone 骨身を惜しまず働く.

——[動] [他] …を指で触れる[いじる] ‖ *finger* a walnut クルミを指でもてあそぶ.

——[自] 〔…を〕指で触れる〔*with*〕.

fínger àlphabet (ろうあ者用の)指文字(cf. finger-spelling).

fínger bòwl [glàss] フィンガーボール《デザートのあと指を洗う食卓用の鉢で, 中の水は飲んではいけない》.

fínger hòle (電話のダイヤル・管楽器などの)指穴.

fínger lànguage 手話(法, 言語) (→ language [名] 7).

fínger pàinting フィンガーペインティング, 指頭画(法)《指や掌に絵の具をつけて描く絵》.

fínger tip =fingertip.

fínger wàve 〔美容〕フィンガーウェーブ《指による整髪》.

fin·ger·board /fíŋgərbɔ̀ːrd/ [名][C] 〔音楽〕(弦楽器の)指板([図] → guitar); (ピアノなどの)鍵盤(けんばん)(keyboard).

fin·ger·ing /fíŋgəriŋ/ [名] **1** [U] 指でいじること, つまぐり. **2** 〔音楽〕[U] (特にピアノの)運指法; [C] 運指記号.

†**fin·ger·nail** /fíŋgərnèil/ [名][C] 指のつめ ‖ paint one's *fingernails* red 赤のマニキュアをする.

to the fíngernails 指の先まで, 完全に, すっかり.

†**fin·ger·print** /fíŋgərprìnt/ [名][C] [通例 ~s] [動][他] (…の)指紋(をとる).

†**fin·ger·tip** /fíŋgərtìp/, **fínger tìp** [名][C] **1** 指先 ‖ touch the paint with one's *fingertip* 指先で(塗った)ペンキにさわる. **2** 指サック.

háve* A *at* one's *fíngertips …に精通している, …をすぐ利用できる, …がすぐ手に入る.

to* one's [*the*] *fíngertips 《主に英》指先まで, 完全に, どうみても.

fin·ing /fáiniŋ/ [動] → fine.

fin·is /fínis, fáin-/ 〖ラテン〗 [名] [the ~] **1** 終わり, 完《本・映画などの終わりを示す》. **2** (一般に)終わり, 結末, 死.

***fin·ish** /fíniʃ/ 〖「始めたことを立派に仕上げて終える」が本義〗

——[動] (~·es/-iz/; [過去・過分] ~ed/-t/; ~·ing)

——[他] **1** 〈人が〉〈物・事〉**を終える**, すます(+*off, up*); …を完成する(complete) (↔ begin); 〈飲食物〉を**食べ[飲み]終える**; 〈物〉を使い切る(+*off, up*); [finish doing] …するのを終える ‖ *finish* a task 仕事をすます / *finish* a painting 絵を描き終える / *finish* a work of art 芸術作品を完成する / *finish* one's life 一生を終える / *finish* a book =***finish*** read*ing* [writ*ing*] a book 本を読み[書き]終える《◆(1) いずれの意味かは文脈による. (2) ×finish to read [write] a book は不可. (3) ×finish having read [written] は不可》 / [対話] "John, the school bus will be coming soon." "All right, Mom. I'll just hurry up and *finish* this milk." 「ジョン, もうすぐスクールバスが来るわよ」「ママ, わかった. 急いでこのミルクを飲んでしまうよ」.

2 〈人が〉仕上げをする; 〈木材・金属など〉に〔…で〕仕上げ塗りをする, 磨きをかける(+*off*)〔*with*〕 ‖ *finish* a table *with* varnish テーブルにニスをかけて仕上げる / furniture that has not been *finished* 仕上げ塗りを済ませていない家具.

3 《略式》 **a** 〈人・生き物〉をやっつける, 殺す, …にとどめをさす(+*off*); 〈事が〉…の命取りとなる; 《略式》〈人〉を参らせる, くたくたにさせる(+*off*) ‖ *finish* an enemy 敵を負かす / The fever almost *finished* her (*off*). 熱病で彼女はもう少しで死ぬところだった / The scandal *finished* her career. スキャンダルで彼女は一生を棒に振った. **b** [be ~ed] 〈人が〉だめになる, 再起不能になる, 運が尽きる ‖ He survived the accident but *was finished* as a jockey. 彼は事故で一命をとりとめたが騎手としては再起不能となった.

——[自] **1** 〈劇・戦いなどが〉**終わる**, すむ(↔ begin) ‖ The concert *finished* at nine. コンサートは9時に終わった. **2 a** 〈人が〉〔仕事などを〕し終わる, 片づける(+*off, up*)〔*with*〕; 〔…で/…して〕終わる〔*with* / *by* doing〕; 〔場所に〕結局行きつく(+*up*)〔*in, at*〕, (競走で)決勝点に着く ‖ *finish* ˹*by* singing [*with*] the national anthem 最後に国歌を歌って解散する / Have [Are] you ***finished with*** the newspaper? もう新聞はおすみですか《◆finish the newspaper に比べて,「もう用がなくなった」の意が強い. → **b**》 / She *finished* third in the race. 彼女は競走で3着だった. **b** [be ~ed] 〈事が〉終わる; 〈物が〉なくなる; 〈人が〉〔…を/…することを〕終える, 仕上げる〔*with*/doing〕 ‖ ***Are*** you ***finished***? もうおすみですか(→ **a**).

——[名] ([複] ~·es/-iz/) **1** [a/the ~] **終わり**, 終結; 最後の段階; (競走の)ゴール, フィニッシュ ‖ ***from start to finish*** 始めから終わりまで / *a* close *finish* in the race 競走で接戦のゴールイン / a fight to *the* [*a*] *finish* どちらかが倒れるまでの戦い, 決戦 / stay to *the finish* of the game 試合の最後までいる. **2** [U][C] 仕上げ, 仕上がり, みがき; 洗練, あかぬけ ‖ (a) smooth [wax] *finish* すべすべした[ろうの]仕上げ / give a *finish* to the story 物語の最後の仕上げをする.

†**fin·ished** /fíniʃt/ [形] **1** 完成した, 仕上がった(↔ unfinished). **2** 洗練された, 完全な. **3** → finish [動][他] **3 b**, [自] **2 b**.

fi·nite /fáinait/ [発音注意] [形] 限定[制限]された, 限界のある, 有限の(↔ infinite) ‖ at a *finite* speed 制限速度で.

fínite vérb 〔文法〕定(形)動詞《主語の人称・数・時制・法によって形が変わる動詞形》.

fí·nite·ness [名][U] 限りがあること, 有限性.

Fin·land /fínlənd/ [名] フィンランド《北欧の共和国. 首都 Helsinki. 形容詞は Finnish》 ‖ [ジョーク] "Where do goldfish come from?" "*Finland*." 「金魚はどこからやって来た?」「フィンランド」《◆fin land (ヒレの国)とのしゃれ》.

†**Finn** /fín/ ([同音] fin) [名][C] **1** フィンランド人. **2** フィン人《ロシア・米国などに住んでフィンランド語を話す人》; [the ~s] フィン族.

finned /fínd/ [形] ひれのある, ひれ状の; [複合語で] (…の)ひれのある ‖ long-*finned* ひれの長い / red-*finned* 赤ひれの.

Finn·ish /fíniʃ/ [形] フィンランド(人, 語)の; フィン族の.

——[名][U] フィンランド語.

fin·ny /fíni/ [形] (--ni·er, --ni·est) ひれのある, ひれ状の.

†**fiord, fjord** /fjɔ́ːrd, fiɔ́ːrd/ [名][C] フィヨルド, 峡湾《ノルウェーの海岸に多く見られる高いがけの間の入江》.

fire・ball /fáiərbɔ:l/ 名 C **1** 火の玉, 火球《核爆発時に生じる特殊の燃えるガス・大流星・太陽・球形の稲妻など》. **2** 〔野球〕速球, スピードボール.

fire・bomb /fáiərbɑ̀m |-bɔ̀m/ 名 C 焼夷(しょうい)弾; 火炎びん.

fire・box /fáiərbɑ̀ks|-bɔ̀ks/ 名 C （蒸気機関などの）火室.

†**fire・brand** /fáiərbræ̀nd/ 名 C たいまつ, 燃え木; (暴動・紛争などの)扇動者, 火つけ役.

†**fire・break** /fáiərbrèik/ 名 C (山火事の延焼を防ぐ)防火帯.

fire・brick /fáiərbrìk/ 名 U C 耐火れんが.

fire・crack・er /fáiərkrækər/ 名 C 爆竹, かんしゃく玉(cracker).

†**fire・fight** /fáiərfàit/ 名 C 〔軍〕銃撃戦.

†**fire・fly** /fáiərflài/ 名 C 〔昆虫〕ホタル《(米) firebug》.

fire・house /fáiərhàus/ 名 C (米) =fire station.

†**fire・light** /fáiərlàit/ 名 U (暖炉・かがり火の)火明かり.

fire・lock /fáiərlɑ̀k |-lɔ̀k/ 名 C 火打石銃, 火縄銃 (flintlock).

†**fire・man** /fáiərmən/ 名 (複 **--men**) C **1** 消防士[団員]((PC) fire fighter). **2** (炉・機関車などの)かまたき((PC) stocker), 機関助手((PC) driver's assistant). **3** 〔野球〕リリーフエース, 火消し役.

†**fire・place** /fáiərplèis/ 名 C **1** (部屋の壁に取り付けた煙突付きの)暖炉 ‖ All the family are sitting in front of the *fireplace*. その家族全員は暖炉の前に座っています / Please warm yourself by the *fireplace*. 暖炉のそばであたってください. **2** 野外炉.

fire・plug /fáiərplʌ̀g/ 名 C (米)消火栓(water plug, (英) fire hydrant).

†**fire・pow・er** /fáiərpàuər/ 名 U 〔軍事〕射撃能力, 火力(量).

†**fire・proof** /fáiərprù:f/ 形 耐火[耐熱, 防火]性の, 不燃性の. ─ 動 他 …を耐火[不燃]性にする.

†**fire・side** /fáiərsàid/ 名 C **1** [通例 the ~] 炉ばた, 炉辺《◆家庭生活の楽しさを表すと考えられている所》. **2** [しばしば the ~] 家庭(生活), 一家だんらん. **3** (米略式) [形容詞的に] うちとけた, 家庭の.
fíreside chàt 炉辺談話《◆米国大統領 F. D. Roosevelt はラジオでの fireside chat の形でニューディール政策を発表した》.

fire・wall /fáiərwɔ̀:l/, **fíre wàll** 名 C **1** 防火壁[板]. **2** 〔コンピュータ〕ファイアウォール《インターネットに接続されたネットワークを, 外部からの不法な侵入から守るシステム》.

†**fire・wood** /fáiərwùd/ 名 U まき, たきぎ;《(英)たきぎ《木っぱなど》.

†**fire・work** /fáiərwə̀:rk/ 名 C **1** 花火;[~s] =firework(s) display ‖ light *fireworks* 花火に火をつける / 日本発》 During the summer, *firework* displays are held throughout Japan. 夏には日本各地で花火大会が行なわれます. **2** (略式) [~s] (機知などの)ひらめき;(感情の)激発;怒りの言葉.
fírework(s) displày 花火大会.

fir・ing /fáiəriŋ/ 動 ⇒ fire.

*
firm¹ /fə́:rm/ 名 (類語 farm /fɑ́:rm/)《『物が固定して, しっかりしている』が本義. そこから「容易にこわれない, 動かない」の意が生じた》派 *firmly* (副), *firmness* (名)
─ 形 (**~・er**, **~・est**)
I [容易にはこわれない]
1 (構造・組織の)堅い, 堅固な, 身の引き締まった(↔ soft) (類語 solid, hard, stiff) ‖ a *firm* green apple かたい青リンゴ / a *firm* texture 詰んだ織り目.

II [物がしっかり固定している]
2 <土地・土台などが>しっかり固定された, ぐらつかない, 安定した(stable) ‖ *firm* foundations 堅固な土台 / a tree (which is) *firm* in the earth 地面にしっかり立っている木 / the *firm* date of her marriage 彼女の結婚式の確定した日取り / a *firm* voice [handshake] 力強い声[握手] / be on *firm* ground しっかりした大地[基礎, 事実]に立つ.

III [抽象的に信念・態度などが動かない]
3 <信念・主義などが>堅い, 不変の;<人が><…の点で[…に関して]>確固たる(*in/about*) ‖ a *firm* belief [faith, friendship] 堅い信念[信仰, 友情] / a *firm* decision ゆるぎなき決定 / I was *firm* *about* traveling by air. 私は空の旅をしようと堅く心に決めていた.
4 <態度・動作が>断固[決然]とした, 強硬な;<人が><…に対して[…に関して]>断固とした態度で(*with*/*about*) ‖ a *firm* command [reprimand] 厳しい命令[叱責(しっせき)] / be *firm* *with* the students 生徒に厳しい態度をとる. **5** 〔商業〕<物価・市況などが>変動しない, 手堅い, 安定した ‖ The yen is still *firm* against the dollar. 円はまだドルに対して手堅い.

─ 副 (**~・er**, **~・est**) 堅く, しっかりと(firmly).
hóld [stánd] fírm (1) <物価などが>しっかりしている. (2) <人が>(攻撃・説得にも)断固として譲らない.
hóld fírm to A (1) <物>をしっかりとつかんでいる. (2) <信念・主義・理論など>に固執する.
─ 動 他 …を堅くする, 固める;<物価など>を安定させる(+*up*). ─ 自 堅くなる, 固まる;<物価など>が安定する(+*up*).

†**firm²** /fə́:rm/ 名 C **1** [単数・複数扱い] (2人以上の合資の)商会, 商店, 商社, 会社《『類語』company, corporation》 ‖ His *firm* is in Ginza. 彼の会社は銀座にある / the *Firm* of Mason and Dixon メイソン=ディクソン商会. **2** (病院の)医師団.

†**fir・ma・ment** /fə́:rməmənt/ 名 (文・古) [the ~] 大空, 天空.

†**firm・ly** /fə́:rmli/ [→ firm¹]
─ 副 (**more ~**, **most ~**) 堅く, 堅固に, しっかりと;断固として ‖ She *firmly* turned down his proposal. 彼女はきっぱりと彼のプロポーズを断った.

†**firm・ness** /fə́:rmnəs/ 名 U 堅さ, 堅固なこと;断固としていること.

firm・ware /fə́:rmwèər/ 名 C 〔コンピュータ〕ファームウェア《ROM に記憶させてハードウェア化されたソフトウェア》.

‡**first** /fə́:rst/ (発音注意) (類語 fast /fǽst | fɑ́:st/)
《『時間・位置・重要性において1番』が本義》
─ 形 **1** [通例 the ~] (序数の)第1の, 1番目の《◆1st とも書く》; 最初の(↔ last) ‖ the *first* snow of the year 初雪 / at the *first* opportunity 機会ありしだい / the *first* man from the right いちばん右の人 / the *first* door to the left 左の最初のドア / He won [got] *first* *prize*. 彼は1等賞をとった / She is in (the) *first* grade. 彼女は小学1年生です / The *first* thing (that [which]) I bought was this book. 私が最初に買ったのはこの本だった《◆先行詞に first がつくと関係代名詞は that がよいとされるが, 実際には which が使われることも多い》/ She was *the first* foreigner 「to climb

†**fir** /fə́ːr/ (同意) fur 名 C 〖植〗 モミ(fir tree)《◆クリスマスツリーにする》; U モミ材.
fír còne モミの実《松かさ状》.

ːfire /fáiər/ 派 fiery (形)

index
名 1 火 2 火事 4 射撃
動 他 1 発射する 2 火をつける 3 解雇する
自 発射する

——名 (複 ~s/-z/)
I [具体的な火]
1 U 火, 火炎《◆太陽・権威などの象徴》‖ *There is no smoke without fire.* (ことわざ)「火のない所に煙はたたぬ」(→ smoke 名 1).
2 C U 火事, 火災 ‖ *A fire broke out in the boiler house yesterday.* = *There was a fire in the boiler house yesterday.* 昨日ボイラー室で火事が起こった / start a fire 火事を起こす.
3 C **a** (料理・暖房用の)火, 炉火, 炭火, たき火; かがり火《◆タバコの「火」は light: Do you have a light? 火を貸してくれませんか》‖ It's cold outside. Let's make [build] a fire. 外は寒い. 火を起こしましょう / Let's sit by the fire and warm ourselves. 火のそばに座って暖まりましょう / a false fire (敵を欺く)おとり火 / light a fire 火をたきつける《◆本来燃やすための物以外の物に過失や故意に「火をつける」ときはふつう set を用いる: set fire to the house = set the house on fire 家に放火する》/ put out a fire 火を消す. **b** (英) (ガス・電気の)暖房器, ヒーター (heater) (cf. stove) ‖ 「an electric [a gas] fire 電気[ガス]ヒーター.
4 U (銃砲の)射撃, 発射, 銃火, 砲火 ‖ open fire on the enemy's camp 敵陣に射撃を始める / cease fire 射撃をやめる / take fire 射撃される.
II [抽象的に火のようなもの]
5 [通例 a ~] (言葉による)激しい集中攻撃 ‖ put a fire of questions to him 彼に矢継ぎ早の質問をする / a running fire of criticism 非難の集中攻撃. **6** U (文) **a** 激情, (燃えるような)熱情, 熱意, 熱心(enthusiasm); 興奮, 激怒 ‖ fan the fire 情熱をあおり立てる / a man full of fire 熱意にあふれた人.

***cátch (on) [gó on] fíre** (1) 火がつく, 燃え上がる ‖ Dry wood *catches* (on) *fire* easily. 乾いた木には簡単に火がつく. (2) 興奮する, 躍起になる.
háng fíre (1) 〈銃砲が〉遅発する. (2) 〈計画・決定などが〉手間どる.
on fíre (1) 燃えて(いる)(→ 3 a). (2) (正式) 興奮して[躍起になって](いる).
ópen fíre (質問の)口火を切る.
pláy with fíre [しばしば比喩的に] 火遊びをする, 軽率に危険を冒す.
sét a on fíre = sét fíre to A (1) → 3 a. (2) 〈人〉を興奮[熱中]させる.
strike fire [マッチなどで]火をつける(from).
únder fíre (集中)砲火で[略式] 非難)を浴びて.

——動 (~s/-z/; 過去・過分 ~d/-d/; fir・ing /fáiəriŋ/)
——他 **1** 〈人が〉〈銃・弾丸などを〉[…めがけて]発射する, 発砲する(at, into, on, upon) ‖ fire a rifle ライフル銃を発射する / fire a bullet [missile] 弾丸[ミサイル]を発射する / fire a salute 礼砲を放つ / fire one's gun at 「the Prime Minister [the crowd] 総理大臣[群衆]に向かって発砲する / The policeman *fired* his gun *into* the air. その警官は空に向かって拳銃を発射した.
2 (正式) **a** 〈人が〉〈物に〉火をつける, …を燃やす, …に点火する(set on fire) ‖ fire a haystack [house] 干草の山[家]に火をつける / fire a rocket engine ロケットエンジンに点火する. **b** (正式) 〈人・感情を〉燃えたたせる, …を〈感情で〉かきたてる(inspire) 〔with〕; 〈人〉をたきつけて[…]させる〔into〕‖ Her story *fired* my imagination. 彼女の話は私の想像力をかきたてた.
3 (略式) 〈人〉を[…から]解雇する, くびにする(dismiss) (from) ‖ fire him from the job 彼をその仕事から解雇する.
4 (略式) [〈に〉]〈ボールなどを〉投げつける; 〈質問・非難などを〉浴びせる〔at〕; (野球)〈ボールを〉矢のように投げる ‖ fire a rock 石を投げつける / fire questions at the witness 証人に質問を浴びせる.
5 〈陶器などを〉焼く, 焼いて作る; 〈茶・タバコの葉を〉ほうじる, 煎る(°) する.
——自 〈人が〉[…めがけて]発射する, 発砲する(at, on, into); 〈銃・砲が〉発射される ‖ He *fired at* us. 彼は我々に発砲した / *fire* on a ship [fort] 船[とりで]めがけて発砲する / *fire into* the crowd 群衆に向かって(催涙弾などを)撃ち込む / My gun didn't *fire*. 私の銃は不発に終わった / *Fire*! 撃て!

be in the line of fire いちばん攻撃[非難]されやすい場所にいる.
fíre awáy [自] […めがけて]撃ち続ける[始める]〔at〕. ——他 (1) 〈弾丸などを〉[…めがけて]撃ち続ける〔at〕; …を撃ち尽くす. (2) (略式) 〈話・質問〉を始める; 〈論点などを〉言い始める.
fíre óff [他] 〈弾丸などを〉発射する[発射し尽くす].
fíre úp [自] (ボイラーなどに)点火する. ——他 (1) 〈エンジンなど〉を始動させる. (2) 〈想像力などを〉かきたてる.
fíre alàrm 火災警報[報知器].
fíre brigàde (英) = fire department (2).
fíre chief [commissioner] 消防署長.
fíre depártment (米) (1) 消防局. (2) [単数・複数扱い] 消防隊[団].
fíre drìll 消火演習[訓練]; 火災避難訓練.
fíre èngine [pràctice] 消防車.
fíre escàpe 非常階段, 火災避難装置[用具]《はしご・シュート・ロープなど》.
fire extínguisher 消火器.
fíre fìghter (山火事を消す)消防士[団員](→ fireman).
fíre fìghting 消防[消火](活動); (機械や組織などの)故障[障害]除去(活動).
fíre hòse 消火用ホース.
fíre hỳdrant (英) = fireplug.
fíre insùrance 火災保険.
fíre ìrons 暖炉用道具《火ばし・火かき棒・スコップなど》.
fíre official [òfficer] = fire fighter.
fíre sèrvice (英) 消防隊[団]《◆ fire brigade の公式名. (米) fire department》.
fíre stàtion 消防署, 消防隊[団]員詰所((米) firehouse, station house, (カナダ) fire hall).
fíre stòrm 大火災[原爆, 大爆撃]によって生じる旋風, 嵐.
fíre trùck (米) = fire engine.
fíre wàll = firewall.
†**fire・arm** /fáiərɑ̀ːrm/ 名 C (正式) [通例 ~s] 小火器《pistol, rifle, shotgun, revolver, machine gun

[that [who] climbed] the mountain. 彼女はその山に登った最初の外国人だった / *The first man to see is John.* =The first man (that [whom, 《略式》who]) we must see is John. 最初に会わなくてはならない人はジョンだ / *It was the first time she had seen snow.* 彼女は雪を見たのはそれが初めてであった.

[語法] first は the を冠するのがふつうであるが「いくつかあるうちの1つ」の意で不定冠詞をとることもある: *a first film* 封切映画 / *a first language* 母語 / *A first attempt was made.* 最初の試みがなされた / *take a first class flight* ファーストクラスで空の旅をする.

2 最も重要な, 主要な, 一流の, 最高の, 一級品の ‖ *a matter of (the) first importance* 最も重要なこと / *The first thing is our health.* 一番大切なのは我々の健康だ(=Our health comes first.) / *The first question is,* (↘) "what can you do?" 一番の問題は君に何ができるかということだ.

at first hánd =firsthand 圏.
First things first. 最初にやるべきことは最初にやるべきだ.
***for the first time** 初めて(→ 副 3) ‖ I left Japan *for the first time* in ten years [in my life]. 10年ぶりに[生まれて初めて]日本を離れた.
on a first náme básis =**on first náme térms** (first name では互いに呼び合うほどごく親しい間柄で(→ first name)) ‖ They are *on a first name basis.* 彼らはとても親しい間柄だ(=They are on good terms with each other.).
***(the) first thing (in the mórning)** 《略式》まず第1に; (特に朝)いの一番に《◆ the の省略がふつう》 ‖ Come to me *first thing* on Monday morning. 何はさておき月曜日の朝一番にいらっしゃい.
(the) first time 《◆*at the first time* とはいわない》(1) 初めは(at first). (2) [接続詞的に] 初めて…するときは ‖ *The first time* I saw him, he was a boy. 初めて会ったときは彼は子供だった(=When I first saw him, …).

─ 副 **1** [通例文頭・文尾で] (何よりも)まず第一に, まず最初に, まっさきに《◆強意形は first of all, first and foremost (→ 成句)》 ‖ He came *first*. 彼が最初に来た(=He was the *first* (man) to come.) / *Responsibility comes first.* 責任が第一である《◆重要事項の順位として第一番目ということ; *First* comes responsibility. の倒置でも可》/ *First (of all)*, apologize to her. (何よりも)まず彼女にあやまりなさい / *First* she looked at me *and then* smiled. 彼女はまず私を見つめ, それから微笑した《◆ then との呼応に注意》/ *First cóme, first sérved.* 先着順; 順番に並ぶこと(line-up); (ことわざ)早い者勝ち《◆「えこひいきなし」の意. → firstcome, first-serve(d) basis》.

[使い分け] **first と at first**
「まず第一に」の意では first.
at first は「最初のうちは」の意で, later(後で)と対照的に用いる.
First [*At first*], put the coin in the slot and press the button. 最初に料金投入口にお金を入れて, ボタンを押してください.
At first [At the beginning, Initially, *×First*], she seemed cool, but I found that she was a good person. 初めのうちは彼女は冷たい人に見えたが, よい人であることがわかった.

2 [通例文頭・文尾で] (順序・重要性が)1番目に, 第1位に; [列挙して通例コンマを伴って] 第1には《◆強調形は in the first place》‖ *stand first* トップに立つ / *She reached the goal first*, and I came in sécond. 彼女が1位でゴールに入り私が2位だった / I have two objections: *first*(↗), she is too old, and, sécond(↗), she is sick. 私には反対する理由が2つある. 第1に彼女が年をとりすぎていること, 第2は病身であることだ.
3 [通例文中で] 初めて《◆強調形は for the first time (→ 圏 成句)》‖ I shall never forget the day we *first* mét. 私たちが初めて会った日のことを決して忘れません.
4 《略式》[文尾で] (…するよりは)むしろ, いっそのこと(rather)《◆ふつう意志を表す助動詞と共に》‖ Surrender? I will die *first*. 降伏だって? それよりいっそのこと死を選ぶよ. **5** =first-class.
first and fóremost 《正式》=FIRST of all.
***first of áll** 何よりもまず, まず第1に(→ 圏 1).
first óff 《略式》まず第1に.

─ 名 (複) ~s/fˈɚːsts/) **1** Ⓤ [通例 the ~] **a** (順序・重要性で) 第1の, 最初の人[もの], …する最初の人[もの] {to do} (↔ the last) ‖ He was *the first* to raise his hand. 彼が最初に手をあげた(=He raised his hand *first*.《◆主語を複数にしても the first は変化しない》: They were the *first* [*×firsts*] to raise their hands. 彼らが最初に手をあげた》/ This tape recording is the *first* of its kind. このテープ録音はこの種のものの最初である. **b** 初め, 始まり》That is *the first* I have heard of it. それがそれについて聞いた初めである.
2 Ⓤ [通例 the ~] (月の)第1日 ‖ *the first of May* =May (the) *first* 5月1日《◆(1)ふつう May 1 [1st]と書き (the) first と読む. (2)《英》では 1(st) May と書くのがふつう》.
3 [the F~; 人名の後で] 1世《◆本来は形容詞》‖ *Elizabeth the First* エリザベス1世《◆ふつう Elizabeth I と書く》. **4** Ⓤ 《略式》その種の最初のもの[行為], 初めてなされたもの[事]. **5** Ⓒ **a** (競技などの)1位, 1等賞; 優勝者. **b** 《英》(大学の優等試験の)〔…で〕第一[最上]級の成績(の学生)〔in〕‖ a *double first* 《英》(大学の)2科目最優秀成績(者).
***at first** 最初は, 初めは《◆「しかし後にはそうではなかった」意を含み, but 節, then, later, afterward などが続くのがふつう》(使い分け) → 圏 1; ↔ at last) ‖ *At first,* I didn't want to go, *but then* I changed my mind. 最初は行きたくなかったが, やがて気が変わった / *At first*, I didn't like him, *but in the end* we became good friends. 最初は彼が好きでなかったが, 最後には仲良しになった.
first pást the póst (1) 《英》(競走で)ゴールポストを最初に通過した人が1着に. (2) (選挙で)絶対多数を得た人[党]が当選の (cf. proportional representation).
from first to lást 初めから終わりまで, 終始 (❷文法 16.3(3)).
from the (véry) first (いちばん)最初から.
first áid 応急手当 (cf. first-aid) ‖ *give a person first aid* =*administer first aid to a person* 応急手当をする.
first báse [野球](1) [通例無冠詞] 1塁, ファースト

first báseman 〔野球〕1塁手《◆単に first ともいう》.

first báseman's glóve 〔野球〕ファーストミット.

first cláss (cf. first-class) (1) 〔乗物の〕1等 ‖ travel in the first class 1等で旅行する(→ class 名 5). (2) 〔郵便〕(米)第1種; (英)翌日配達.

first flóor [the ~] (1) (米)1階((英) ground floor). (2) (英)2階((米) second floor).

first géar [spéed] 〔自動車のギアの〕第1段, ローギア《◆単に first ともいう》‖ shift into first (gear) ローに切り換える.

first lády [the ~] (1) [しばしば F- L-] 米大統領 [州知事]夫人. (2) (ある芸術・知的職業の世界などの)トップレディ.

first náme (姓に対する)名《(1) given [Christian, baptismal] name, forename ともいう. (米)では last name に対する語としてこの方が好まれる. (2) first name には愛称(nickname)がある(= given name, name). 米国人は親しくなると愛称で呼び合うことが多い》(→ on a FIRST name basis).

first níght 〔劇・オペラ・映画・ショーなどの〕(公演)初日(の舞台).

first pérson [the ~] (1) 〔文法〕(第)一人称《I, my, me; we, our, us》. (2) 一人称の物語形式.

first violín 〔音楽〕(オーケストラの)第1バイオリン(奏者, 声部).

first violínist 〔音楽〕(室内楽の)第1バイオリン奏者.

Fírst Wórld Wár (主に英) [the ~] = World War I /wán/.

first-aid /fə́ːrstéɪd/ 形 応急の(cf. first aid) ‖ a first-aid kit 救急箱.

†**first-born** /fə́ːrstbɔ̀ːrn/ (古) 形 〈子供が〉最初に生まれた ‖ one's firstborn son 長男. ──名 C 最初に生まれた子, 第1子, 長女[長女].

first-choice /fə́ːrsttʃɔ́is/ 形 第一志望の.

†**first-class** /fə́ːrstklǽs | -klɑ́ːs/《◆名詞の前で用いるときは /=/. cf. first class》形 1 一流の, 最高級の, 最上の, 〈航空機などの〉ファーストクラスの ‖ a first-class hotel 一流のホテル / The weather was first-class. 天気はすばらしかった. 2 〈乗物などで〉1等の ‖ a first-class ticket 1等の切符. 3 〔郵便〕(米)第1種の《封書類》; (英)翌日配達の《優先的に原則として翌日配達される便》.
──副〔乗物などで〕1等で; 〔郵便〕(米)第1種で; (英)翌日配達で.

fírst-còme, fírst-sèrve(d) básis /fə́ːrstkʌ̀m fə́ːrstsə́ːrvd-/ [a ~] 〈次の句で〉‖ on a first-come-first-serve(d) basis 先着順に, 早いもの勝ちで《◆「えこひいきなしで」の意. → first 副 1》.

first-de·gree /fə́ːrstdɪgríː/ 形 (米)〔法律〕〈犯罪が〉第1級の, 最も重い ‖ be convicted of first-degree murder 第一級殺人の判決を受ける.

first-hand /fə́ːrsthǽnd/ 形[副] 直接の[に], じかに[の]《◆副詞は at first hand となる》.

†**first·ly** /fə́ːrstli/ 副 〔文頭で〕まず第一に.

語法 (1) first より堅い語. (2) 列挙する場合にのみ用いる. (3) secondly, thirdly などと共に用いるが, この場合も first (→ first 副 2), in the first place の方がふつう.

†**first-rate** /fə́ːrstréɪt/《◆名詞の前で用いるときは /=/》形 1 一流の, 一級の, 最上の ‖ a first-rate writer 一流の作家. ──副 すばらしく, 見事に ‖ You've done it first-rate. お見事でした.

firth /fə́ːrθ/ 名 C 〔主にスコット〕入江, 湾; 河口.

†**fis·cal** /fískəl/ 形 (正式) 1 国庫の, 国税収入の ‖ a fiscal stamp 収入印紙. 2 財政上の, 会計の ‖ fiscal policy 財政政策による景気政策 / in fiscal 2005 2005年会計年度で.

físcal crísis 財政危機.

físcal yéar (米)会計年度《10月1日から9月30日まで. (英) financial year》.

fís·cal·ly 副 財政上.

**fish /fíʃ/ 動 fishing (名), fisher(man) (名)
──名 (複 fish, (まれ)個別的に, また種類をいうときは ~·es /-ɪz/ (→ 語法))

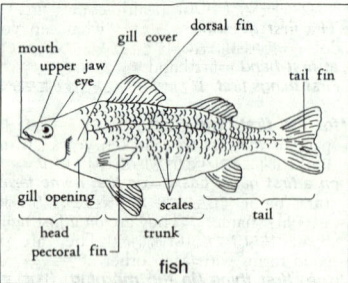

[図: dorsal fin, gill cover, mouth, upper jaw, eye, tail fin, gill opening, scales, tail, head, pectoral fin, trunk — fish]

語法 [fish と複数形]
(1) three fish (3匹の魚)というときは, 同種の魚3匹でも, 種類の異なる魚3匹でもよい.
(2) 特に種類が異なることを強調する場合は three fishes ともいうが, three kinds [varieties] of fish などを用いるのがふつう.
(3) ただし, (英)では同種の魚をさすときでも three fishes ということがある.

1 C 魚, 魚類《◆キリスト教徒の象徴》‖ saltwater [freshwater] fish 海水[淡水]魚 / We had a great [good] catch of fish today. 今日は大漁だった / He caught three fish. 彼は魚を3匹釣った (→ 語法) / There are plenty of fish in this river. =This river is rich in fish. =This river is teeming with fish. この川には魚が多い / **All's fish that comes to the [his] net.** (ことわざ)網にかかる物は皆魚だ; 利用できるものは何でも利用する / **The best fish smell when they are three days old.** (ことわざ)よい魚も3日たてば臭くなる, 珍客も3日いれば鼻につく / ショーク "What fish do you meet in space?" "Starfish." 「宇宙で出会うのはどんな魚?」「ヒトデ」《◆ starfish は「星の魚」の意》.

2 U 魚肉, (食物としての)魚 ‖ dried [salted] fish 干し[塩]魚 / wet fish 鮮魚《◆刺身は slices of raw fish となる》/ Cats often eat raw fish. 猫はよく生魚を食べる / We had fried fish for supper. 夕食に魚のフライを食べた.

3 C 〔複合語で〕水産物, 魚介《◆例: shellfish 貝, 甲殻類《カニ・エビなど》/ starfish ヒトデ. -fish で終わ

る複合語の複数形は fish の場合に準じる).
4 ⓒ (略式) **a** 水中の大きな生き物《サメなど》. **b** [形容詞を前につけて] 人, やつ / an odd [a queer] *fish* おかしなやつ, 変わり者 / a cool *fish* ずうずうしいやつ.

drínk like a físh (略式)(常習的に)大酒を飲む.
fish and chíps → 見出し語.
like a fish òut of wáter まるで陸(?)に上がったカッパのような[に]; 場違いな.

──動 (~es/-ɪz/ 過去・過分) ~ed/-t/; ~·ing)
──自 **1** (網などで)魚をとる, (…を求めて)釣りをする (for) ‖ go *fishing* at [in, *to] a nearby river = go to a nearby river to *fish* 近くの川へ釣りに行く / *fish* for trout マス釣りをする / *fish* for a living 暮らしのために魚をとる / Most Inuit people in Alaska still hunt and *fish* for their food. アラスカに住むイヌイットの人の多くは今でも狩猟と釣りで食べ物を得ている. **2** (略式)(物を)(手さぐりで)捜す, 探る (+*about*, *around*) (for) ‖ I *fished* in my pocket for my car key. 私はポケットをさぐって車のキーを取り出そうとした. **3** (略式)(それとなく誘いをかけて)(お世辞・情報などを)得ようとする, 探り出そうとする (for) ‖ *fish* for information (それとなく)情報を引き出そうとする / She is always *fishing* for compliments. 彼女はいつも人に賞めてもらいたがっている.

──他 **1** (古)〈人が〉〈(特定の)魚を〉とる, 釣る《◆魚一般の場合は catch》;〈川などで〉釣りをする ‖ *fish* trout マスを釣る《◆fish for trout がふつう. →自 **1**》/ He *fished* the river all day. 彼は終日その川で釣りをした. **2**〈物を〉(水中・懐中などから)引き上げる (+*up*), 取り出す, 捜し出す (+*out*)《*from*, *out of*》‖ *fish* (*out*) a coin *out of* one's pocket ポケットから1枚の硬貨を取り出す.

fish in tróubled [múddy] wáters 混乱に乗じて得をする, 漁夫の利を得る.
fish óut 〔他〕(1) …から魚をとり尽くす. (2) (略式)→ 〔他〕**2**. (3) (略式)〈情報などを〉探り出す.

fish fàrm(ing) 養魚場(経営者).
fish shòp (米)魚屋《(英) fishmonger's》; (英)フィッシュアンドチップスの店《◆fried-fish shop よりふつう》.
fish stòry (米略式)ほら話, まゆつばもの.
fish and chíps, fish-and-chíps /fíʃntʃíps/, **fish'n chíps** [名](単数扱い《◆個々の構成品を考えるときは複数扱い. → and 形 **2**》)(英)フィッシュアンドチップス《魚(主にタラ)のフライと棒型ポテトフライの組み合わせ. 英国の大衆的な fast food で(塩や酢をかけて)紙に包んで売られ, 歩きながら食べる》.

†**fish·er** /fíʃər/ [名] **1** ⓒ 漁船. **2** ⓒ 魚食性動物,(特に) 魚食いテン《北米産のテンの一種》; Ⓤ その毛皮.
†**fish·er·man** /fíʃərmən/ [名] (複 ~·men) ⓒ 漁民, 漁師 ((PC) fisher); (趣味の)釣り人 ((PC) angler) ‖ He is a good *fisherman*. 彼は釣りがうまい.
†**fish·er·y** /fíʃəri/ [名] **1** Ⓤ 漁業, 水産業; 漁獲高; [通例 fisheries] 水産学 ‖ inshore [deep-sea] *fisheries* 沿岸[遠洋]漁業. **2** ⓒ [通例 fisheries] 漁場, (カキ・真珠などの)養殖場.

fish-èye léns /fíʃài-/ 魚眼レンズ《超広角の凸レンズ》.
fish·hook /fíʃhùk/ [名] ⓒ 釣り針《◆単に hook ともいう》.
†**fish·ing** /fíʃiŋ/ [名] Ⓤ 魚釣り, 魚とり《◆(1) (英)ではしばしば trout-fishing をさす. (2) angling は趣味の釣り》; 漁業 ‖ My hobby is *fishing*. 私の趣味は釣りです / We enjoyed a good day's *fishing*. 私たちはたっぷり1日釣りをして楽しんだ / coastal [deep-sea] *fishing*. 沿岸[遠洋]漁業.

fishing line 釣糸《◆(fish)line ともいう》.
fishing ròd [(米) pòle] 釣りざお.
fishing tàckle 釣り道具.
fish-line /fíʃlàɪn/ [名] ⓒ = fishing line.
fish·mon·ger /fíʃmɑ̀ŋɡər | -mʌ̀ŋ-/ [名] ⓒ (英) 魚屋(の主人), 魚売り《◆米国では魚はふつう butcher('s) shop で売っている》.
fish'n chíps /fíʃntʃíps/ = fish and chips.
fish-tail /fíʃtèɪl/ [名] ⓒ 魚の尾. ──動 (自)〈飛行機が〉(着陸前に速度を落とすため)尾翼を左右に振る,〈車が〉(スリップして)後部を左右に振れる.
fish·wife /fíʃwàɪf/ [名] ⓒ (略式) 粗野で口ぎたない女, がみがみ女.
fish·y /fíʃi/ [形] (**-i·er, -i·est**) **1** 魚のにおい[味]がする, 魚の(ような), 生臭い; 魚の多い. **2** (略式)〈話などが〉疑わしい, 怪しい, うさんくさい.
fis·sion /fíʃən/ [名] **1** Ⓤ ⓒ 分裂. **2** Ⓤ 〔生物〕(細胞などの)分裂, 分体. **3** Ⓤ 〔物理〕(原子核の)分裂 (↔ fusion) ‖ nuclear *fission* 核分裂.
fission bòmb 原子爆弾 (atom bomb).
fís·sion·a·ble [形] 核分裂する.
†**fis·sure** /fíʃər/ [名] ⓒ (正式) **1** (岩や大地の)深い裂け目. **2** (意見・見解の)不一致.
***fist** /físt/ 〖『叩(?)くために握りしめた5本 (five) の指』が原義〗

──[名] (複 ~s/fɪ́sts/) ⓒ 握りこぶし, げんこつ ‖ clénch [dóuble] one's *fists* (怒り・苦悩で)両こぶしを固める / Father shóok his *físt* at me in anger. 父は怒って私にこぶしをふった.
fist·ed /fístɪd/ [形] **1** 握りしめた, 握りこぶしを作った. **2** [複合語で] 握りの…な ‖ close-[tight-]*fisted* 堅く握りしめた; けちな.
fist·ful /fístfùl/ [名] ⓒ 一握り, ひとつかみの〔…〕(of) ‖ a *fistful* of nuts ひとつかみの木の実.

***fit**¹ /fít/ 〖『物・事が目的・条件に適し, 大きさ・形にぴったり合う』が本義〗

──[形] (**fit·ter, fit·test**) **1** [通例補語として](…に対して/…するのに)(規則的な運動によって)体の調子がよい (for / to do);〈運動選手・競走馬などが〉よいコンディションで ‖ **◀対話▶** "How do you keep *fit*?" "I keep *fit* by jogging." 「どのようにして健康を維持していますか」「ジョギングをしています」/ She's still *fit* 「for work [to work]. 彼女はまだ仕事ができるくらい元気だ.

2〈物・事・人が〉(ある目的・条件などに…に)ぴったりの, 適している, ふさわしい;(正式)〈人が〉(…に対する/…する)資格[能力]のある (for / to do) (↔ unfit) [類語] suitable, proper, appropriate, apt ‖ a *fit* place 「for whiling away [to while away] one's time 時間つぶしにかっこうの場所 / This river is not *fit* to swim in. この川は泳ぐのに適さない / books (which are) *fit* for girls 少女向きの本 / the survival of the *fittest* 適者生存 / a man (who) is not *fit* to lick my shoe 私にとって(靴をなめるにも値しない)虫けら同然の人 / You're not *fit* to be seen! その身なりでは人前に出られませんよ.

3 (まれ)〈行為などが〉(社会通念上)当を得た, 穏当な ‖ It is not *fit* for a teacher to overly favor certain pupils over others. 教師たる者が一部の生徒を過度にえこひいきするはよくないことだ.

4 a [通例補語として]〈人・乗物が〉いつでも〔…の/…す

fit

る)用意ができている[for / to do] ‖ I'm *fit to* start swimming 今すぐ泳ぎ始められます. **b** 〘略式〙[ံ語として][~ to do] …しそうな;〘副詞的〙;後に不定詞を伴って]…するばかりに ‖ The marathon runner ran so hard (that) he was *fit to* drop. マラソン選手は一生懸命走ったので今にも倒れそうであった / cry *fit to* burst (oneself) 胸も張り裂けんばかりに泣く,大いに泣く.

sée [**thínk**] **fít** (**to** *do*) (…するのが)適当と思う,適当と思って…する;(ふつうばかな事をすることに)決める,決めてする«◆ 不定詞の行為の結果まで含意する» ‖ I saw *fit* to avoid additional burdens. 私はそれ以上の負担を避けるのが適当だと思った(そして避けた).

— 動 «~s/fits/; 過去・過分 **fit·ted**/-id/ or 〘米〙**fit; fit·ting**»«⊕ **1** では〘米〙〘英〙とも過去形・過去分詞形は fitted»

— ⊕ **1a**〈着物などが〉〈人・物に〉〈大きさ・型が〉合う«◆ ふつう受身・進行形は不可.「色・柄が人に似合う」は become, suit.「色・柄が他の部分の色・柄に合うは match, go with»〔使い分け〕→ suit ⊕ **2** ‖ The jacket *fits* you well. ジャケットは君の(体)にぴったりだ / This key doesn't *fit* the lock of the door. このかぎはドアの錠に合わない. **b**〈人・容貌・行動などが〉〈地位・名前などに〉合う,ふさわしい(→ suit ⊕ **3 b**) ‖ She *fits* this role well. 彼女にはこの任務にぴったりだ(=She is quite *fit* for this role. → 形 **2**).

2 a [*fit* **A** *into* **B** = *fit* **B** (*up*) *with* **A**]〈人が〉**A**〈物などを〉[寸法・目的などで]**B**〈物などに〉合わせる,〈部品などを〉はめ込む(+*together*), 備え付ける«◆ *into* の代わりに in, to, on, through なども用いる» ‖ *fit* a picture *into* a frame = *fit* a frame *with* a picture 絵を額に入れる / *fit* the suit *on* him 彼のスーツの仮縫いをする / *fit* the music *to* the words 歌詞に合わせて曲をつける / The car is *fit·ted with* a radio. =The car has a radio. その車にはラジオが取り付けてある. **b**〘正式〙〈人・経験・性格などが〉〈人などを〉[仕事などに…するのに]適する[耐えうる]ようにする[for, to] ‖ The course *fits* you 「for teaching [to be a teacher]». このコースは教職につくための訓練である.

— ⊕〈物・事が〉[…に](大きさ・数・型が)合う,はまる;〈人などが〉[…に]向いている,うまくとけ込む[into, in, to, with] ‖ *fit* perfectly 「*into* life [*with* people」 in the country いなかの生活[人々]にすっかりとけ込む.

fit ín [⊕] **(1)** [...と]うまく調和する;[人と]([内容・好みなどが]一致する[*with*]) ‖ Your plan must *fit in with* mine. あなたの計画を私のに合わせなさい. **(2)** ぴったりはまる. — ⊕ **(1)** 〈人・物・事を〉(時間的・空間的に)はめ込む,割り込ませる;〈人と〉会う時間を確保する ‖ *fit* the bookcase in under the stairs 階段の下に本箱をはめ込む / I'll manage to *fit* you in tomorrow. 明日ならなんとかお目にかかりましょう. **(2)** 〈予定などを〉[…に]合わせる(*with*).

fit ón [⊕] 〈ふたなどが〉うまくはまる. — ⊕ 〈服を〉(仮縫いして)着てみる;…を取り付ける,うまく付ける.

fit óut [⊕] 〈船・人・探険などの装備をする;…に[必要な物を(すべて)]備えつける,調達してやる[*with*] ‖ *fit out* a ship for a voyage 船を航海用できるように艤(ぎ)装する / *fit* the soldiers *out with* all needed supplies 兵士たちに必要な補給品をすべて調達してやる.

fit úp [⊕] 〈場所などに〉整える(*as*) ; …に

---

five

〈家具などを〉備えつける(→ ⊕ **2a**); 〘英俗〙〈人に〉[仕事などを]あてがう[*with*] ‖ *fit up* an attic 「*as* a study [*with* shelves] 屋根裏を書斎に模様替えする[屋根裏に棚を取り付ける].

— 名 Ⓤ ぴったり合うこと;[しばしば a ~] 〈衣服などの〉合い具合;[a + 形容詞 + ~] 合い具合の…であること ‖ The *fit* of this coat is perfect. =This coat is *a* perfect *fit*. このコートは(体に)ぴったりだ(=This coat *fits* perfectly.) / a good [poor, tight, easy] *fit* 体に合う[合わない,窮屈な,ゆったりした].

†**fit²** /fít/ 名 Ⓒ **1** (通例 a ~)(感情などの)一過性の激発;一時的興奮;気まぐれ ‖ He cursed at her in *a fit* of anger. 彼はかっとなって彼女をののしった. **2** [通例 a ~](病気の)発作;ひきつけ,差し込み[*of*]; 気絶 ‖ a *fit* of coughing = a coughing *fit* せきの発作, せき込み / an epileptic *fit* てんかんの発作«◆ *a fit* of epilepsy, an epileptic seizure ともいう» / have *a fit* of asthma ぜんそくの発作を起こす / have *fits* = go into *fits* 卒倒[気絶]する.

by [**in**] **fíts** (**and stárts**) 時々思い出したように,断続的に.

gíve ⚠ **a fít** 〈人〉を怒らせる;…をびっくりさせる.

háve [〘略式〙**thrów**] **a fít** 〘略式〙びっくりする,ぞっとする,かっとなる,ショックを受ける.

†**fit·ful** /fítfl/ 形 〘正式〙発作的な,断続的な,気まぐれな;落ち着かない ‖ (a) *fitful* sleep 途切れがちな眠り / a *fitful* breeze 時おり吹くそよ風.

fit·ful·ly 副 発作的に,気まぐれに.

fit·ly /fítli/ 副 **1** 〘正式〙うまく,ぴったりと;適時に,都合よく. **2** [文全体を修飾] 適切に.

†**fit·ness** /fítnəs/ 名 Ⓤ **1** 適当[適切]であること,[…に]対する[…する]適合(性),適切さ[*for* / *to do*]. **2** 健康(状態);元気(であること).

fit·ted /fítid/ 形 […]付きの[*with*];[仕事などに]向いている[*for, to*];〈部屋が〉家具・備品付きの.

fit·ter /fítər/ 名 Ⓒ **1** (仮縫いなどの)着付け係. **2** (機械・建具などの)取り付け工. **3** (装具などを)調達する人.

†**fit·ting** /fítiŋ/ 形 〘正式〙[…に]ふさわしい[*for*](↔ unfitting) ‖ *fitting* clothes *for* the wedding 結婚式にふさわしい服装. — 名 **1** Ⓤ (物を)合わせること,調整,取り付け. **2** Ⓒ (通例 a ~)仮縫い(の着付け);試着. **3** [~s] 家具類,調度品,付属器具類 (cf. fixture). **4** [電] electrical *fittings* 電気器具.

fitting róom 試着室.

fit·ting·ly 副 [文全体を修飾] ふさわしいことに,適当なことには.

Fitz·ger·ald /fitsdʒérəld/ 名 フィッツジェラルド «Francis Scott ~ 1896-1940; 米国の小説家. 主著 *The Great Gatsby*».

‡**five** /fáiv/

— 名 (複 ~s/-z/)«名 形 とも用例は→ two» **1** Ⓒ (通例無冠詞)(基数の)**5**«序数は fifth. 五芒(ぼ)星形・交差三角形などの形で表される. 関連接頭辞 penta-» ‖ Read line *five*. 5行目を読みなさい(=Read the fifth line.). **2** Ⓤ [複数扱い][代名詞的] 5つ, 5個; 5人 ‖ 〖対話〗"How many students are there?" "*Five* are absent today." 「生徒は何人いますか」「今日は5人休んでいます」. **3** Ⓤ 5時, 5分;5ドル[ポンド, ペンス, セントなど]. **4** Ⓤ 5歳. **5** Ⓒ 5の記号[数字,活字]〈5, v, Vなど〉. **6** Ⓒ [トランプ] 5の札.(さいころの)5の目. **7** Ⓒ 5つ[5人]1組のもの;(バスケットなどの)5人チーム. **8** Ⓒ 5番[号]サイズの物;[~s] 同サイズの靴[手袋など].

tàke fíve 《略式》(仕事などを)5分間休む, 小休止する (→ take TEN).

―― 形 **1** [名詞の前で] 5つの, 5個の；5人の. **2** [補語として] 5歳の.

fíve W's [the ～；複数扱い] 5つのW《情報に不可欠な who, what, when, where, why の要素》.

five-and-dime /fáivənddáim/ 名 C = five-and-ten.

five-and-ten /fáivəntén/ 名 C 《米》(昔の)〔安物の〕日用雑貨店《◆ five-and-ten-cent store, one-and-dime store, ten-cent [dime] store などをもいう》.

fíve-dày wéek /fáivdèi-/ [a ～]《ふつう月曜日から金曜日までの》週5日〔労働〕制, 週休2日制《◆「学校週5日制」は a five-day school week》.

five·pence /fáivpəns, -pèns/ **1** C 《単数・複数扱い》《英国》の5ペンスの〔金額〕. **2** C 5ペンス貨(→ coin).

five·pen·ny /fáivpèni | fáifpəni/ 名 = fivepence 2. ―― 形 5ペンスの.

fiv·er /fáivər/ 名 C 《米略式》5ドル紙幣／《英略式》5ポンド紙幣,〔合計で〕5ポンド(five).

fives /fáivz/ 名 U 《英》[単数扱い] ファイブズ《2-4人で壁に球を当てて競う球技》.

five-star /fáivstɑ̀ːr/ 形 〔階級・品質を表す〕5つ星の；《広義》最高の ‖ a five-star hotel 超一流ホテル.

fíve-stár géneral 《米略式》陸軍元帥.

*****fix** /fíks/ 《「目指した場所・状態に固定する」が本義. 事前に目指した結果に対し, こわれているものがあり,「修理して目指したい状態にする」の意が生じた》

index 動 他 **1**修理する **2**定める **3**整える **4**しっかり固定する **5**留める **6**じっと向ける **8**用意する

―― 動 (～·es/-iz/; 過去・過分 ～ed/-t/; ～·ing)

―― 他 **1**《略式》〈人〉が〈物〉を修理する,〈病人〉を治す(+up,《米》over)《◆ repair, mend のいずれの意味でも用いる》‖ *fix* a watch 時計を直す.

2〈人〉が〈日時・場所・会合など〉を[…に]定める,〔会合などの〕〈日時・場所〉を決める(+up)〔*for*〕;〈価格〉を[…に]決める(+up)《◆ set, determine より口語的》‖ *fix*「the date of departure [the meeting] *for* Monday 出発日[会合]を月曜日に決める／ I haven't *fixed* where to stay yet. どこに泊まるかまだ決定していない.

3《主に米略式》〈人〉が〈服装・髪など〉を整える,〈場所〉を整頓(せい)する;〔事の〕手はずを整える(arrange)(+up)‖ *fix* the table 食卓の用意をする／ *Fíx* yoursélf úp. 身なりを正しなさい／ If you want to meet him, I'll *fix* it up. 彼に会いたいなら段取りしてあげよう.

4〈人〉が〈物〉を[…に]しっかり固定する, 留める(fasten)〔to, in, on〕; …を取り付ける, 据え付ける(+up, on)《◆ affix, attach より口語的》;〈人〉を[…に]落ち着かせる(into, at)《◆ settle より口語的》‖ *fix* a stake firmly in the ground くいをしっかり地面に固定する／ *fix* a mirror *to* the wall 鏡を壁に取り付ける.

5 a〈人〉が〈事〉を[心・記憶に]留める, とどめる[in]‖ *Fix* this lesson *in* your *mínd* [bráin]. この教訓をよく覚えておきなさい. **b**〈人〉が〈物〉を〈考え・習慣・制度など〉を**定着させる**, 確立する《◆ establish より口語的》‖ This custom was *fixed* by a long tradition. この習慣は長い伝統によって確立された.

6 a〈人〉が〈目・注意・愛情など〉を[人・物・事に]じっと向ける, 凝らす[on, upon];〈物〉が〈注意など〉を引きつける ‖ I *fixed* my *attention* on the sight. = The sight *fixed* my attention. 私の目はその光景にくぎ付けになった. **b**《正式》[*fix* **A** *with* **B**]〈人〉が**A**〈人〉を**B**〈目・視線〉でじっと見る, 見すえる ‖ She *fixed* me *with* an angry stare. 彼女は怒って私を見つめた. **c**〈人〉が〈表情〉を堅くする, こわばらせる.

7〈責任・罪など〉を[人に]負わせる, 着せる[on, upon].

8《米略式》[*fix* **A** (for **B**) / *fix* (**B**) **A**]〈人〉が〈食事・食べ物・飲み物など〉を(**B**のために)**用意する**, 作る(prepare)‖ He is good at *fixing*「×cooking] sandwiches. 彼はサンドイッチを作るのがうまい／ On Sundays my father *fixes* breakfast *for* us. = On Sundays my father *fixes* us breakfast. 日曜日には父が私たちのために朝食の用意をする《◆ *fix* a meal とはいうが, ×*fix* fish とはいわない》.

9《略式》〈人〉を買収する;〈試合・選挙など〉を(不正に)有利に運ぶ ‖ *fix* a horse race 競馬で八百長を仕組む. **10**《略式》〈人〉に[…の]仕返しをする〔*for*〕; …をこらしめる(punish). **11**《ネコ・イヌなど》を去勢する, …の卵巣を除去する.

―― 自 **1**〈物〉が[…に]**固定される**, 定着する;〈人〉が[…に]定住する(+down)《◆ 場所を表す副詞(句)を伴う》;〈注意など〉が[…に]留まる[on, to]. **2**〈人〉が[…を]〈明確に〉決める, [事に]〈決定する[on, upon], […を/…に]選ぶ[on, upon / as](→ 他 **2**)‖ *fix* ʻon starting next Sunday [on when to start] 次の日曜に出発することに[いつ出発するかを]決める／ *fix on* $10,000 for the used car その中古車の価格を1万ドルに決める／ They've *fixed* on me to do the work. 私をその仕事をするのに私になった. **3 a**〈人〉が[…の]手はずを整える(to do)‖ We've [We're] *fixed* *to* go there. そこへ行くことになった. **b**《米方言》[be fixing to do]〈人・物が〉…する予定である ‖ It's *fixing* to rain. 雨が降りそうだ(= It's going ...).

fíx úp [自]《米略式》[…のために]正装する(to do). ―― [他] (1)(人)a) → ● **3**. b)〈人〉を宿泊させる;〈人〉のために〔必要な物・適当な人〕を手配[世話]する[with]‖ My roommate *fixed* me *úp* with his cousin. ルームメイトは彼のいとこを〔デートのため〕私に世話した／ *fix* him *up* with a job 彼に職をあてがう. (2) → ● **1**, **2**, **4**. (3)〈争いなど〉を解決する.

―― 名 C **1**《略式》苦しい[困った]立場, 板ばさみ《通例次の句で》‖「be in [gèt oneself into] a (bad [real, terrible] *fix* (ひどく)苦しい立場に立っている[陥る]. **2**(船・飛行機の)位置(の決定) ‖ a rádio *fix* 電波探知. **3**《略式》[a ～]買収, 贈賄(ぞう). **4**解決策. **5**麻薬の1回分.

fix·a·tion /fiksèiʃən/ 名 U C **1**固定[定着](状態). **2**[人・物への]執着, 強い関心, 強迫観念[on, about, with]. **3**〔写真〕定着.

fix·a·tive /fíksətiv/ 形 固定性の. ―― 名 C U 〔写真〕定着剤, (染色・絵画の)色留め剤.

*****fixed** /fíkst/ 形 (more ～, most ～) **1 a**〈物が〉固定した;据え付けられた, 配置された. **b**〈考えなどが〉固着した;〈決心などが〉確固たる;〈価格・日時などが〉一定の, 不変の;〈視線などが〉動かない ‖ a *fixed* idea 固定観念／ a *fixed* price 定価／ a man with no *fixed* address 住所不定の男. **2**《略式》内密〔不正〕に仕組まれた ‖ a *fixed* trial 八百長裁判. **3**《米略式》必要な物[金]を支給された, [お金などが]準備のある[*for*]《通例次の句で》‖ be well [comfort-

fixedly

ably] *fixed* 不自由なく暮らしている(=be well off).
4 〈表情・笑み・しかめ面などが〉不自然な, こじつけの.
fíxed asséts 固定資産.
fíxed stár 〔天文〕恒星(cf. planet).
†**fix・ed・ly** /fíksidli/ 圖 (正式) しっかりと, 固定して; 確定して; 熱心として; じっと ‖ *stare fixedly* at him 彼をじっと見つめる(=fix one's stare at him).
fix・er /fíksər/ 图 ⓒ フィクサー, 黒幕; 調停者; 仲介者.
fix・i・ty /fíksəti/ 图 (正式) Ⓤ 固定, 定着, 不動(性); 永続(性); ⓒ 固定物.
†**fix・ture** /fíkstʃər/ 图 ⓒ (場所・建物などに)固定された[取り付けられた]物, (特に)(家屋内の)作り付け備品, 設備(◆動かせない風呂・トイレなどの備品をいう. cf. fitting **3**〕‖ a kitchen *fixture* 台所設備.
fizz /fíz/ 图 〈炭酸飲料などが〉シュシュと音を立てて泡立つ(+*up*). ── 图 **1** Ⓤ [時に a ~] シュシューという音. **2** Ⓤ ⓒ (略式) 発泡性[炭酸性]飲料, (英略式) シャンパン.
fiz・zle /fízl/ 圖 〈飲み物などが〉かすかにシュシュと音を立てる.
fjord /fjɔ́ːrd, fiɔ́ːrd/ (英) fiɔ́ːd/ 图 =fiord.
FL (略) 〔郵便〕Florida.
fl. (略) floor; florin; flourished; flowers; fluid.
Fl. (略) Flanders; Flemish.
Fla. (略) Florida.
flab・ber・gast /flǽbərgæst | -gɑ̀ːst/ 圖 他 (略式) [通例 be ~ed]〔…に〕(口がきけないほど)びっくり仰天する(*at*, *by*).
flab・by /flǽbi/ 形 (-bi・er, -bi・est) (略式) **1** 〈筋肉などが〉たるんだ. **2** 〈性格・意志などが〉気力のない.
fláb・bi・ly 圖 たるんで, だらしなく. **fláb・bi・ness** 图 Ⓤ たるみ; 軟弱.
flac・cid /flǽksid/ 形 (正式) **1** 〈筋肉・茎などが〉たるんだ. **2** 〈意志などが〉軟弱な.

flag
── 图 (複 ~s/-z/) ⓒ 旗 《◆自己主張・愛国心・勝利などの象徴. 信号・合図としても用いられる. 類語 banner, colors, ensign, jack, pendant, pennant, pennon, placard, standard, streamer》 ‖ the national *flag* of Japan 日本の国旗 / a signal *flag* 信号旗 / The astronaut planted the American *flag* on the surface of the moon. その宇宙飛行士は月面に星条旗を立てた / the Red Cross *flag* 赤十字の旗 / *with flags* flying 旗を翻(ひるがえ)して, 威風堂々と(→ with 前 **10**) / flý [shów, wáve] a *flág* 旗を掲げる.

┌─────────────────────────────────┐
│ 関連 (1) [信号・合図の旗] a black *flag* 海賊旗; 死刑執行合図の黒旗 / a green *flag* 安全を示す緑旗 / a red *flag* 危険・警告の赤旗; 革命の赤旗 / a white *flag* 休戦・降伏の白旗. │
│ (2) [国旗の呼称] 米国: the Star Spangled Banner, the Stars and Stripes (星条旗) / 英国: the Union Jack / 日本: the (Rising-) Sun flag (日の丸). │
└─────────────────────────────────┘

flý [**shów, wáve**] **the flág** (1) → 图. (2) (運動・政党などの)支持を表明する.
kéep the flág flýing 自国[自分のグループ]を代表して闘う, 自分の主張を曲げない.
lówer [**stríke, hául dówn**] **the** [one's] **flág** (1) 〈艦隊が〉〈敬意・降伏の印に〉艦旗を降ろす, 降伏する; 〈将官が〉退任する. (2) (議論などに)降参する.

ùnder the flág of A …の旗のもとに(仕えて, 守られて).
── 動 (過去・過分) flagged/-d/; flag・ging) 他 **1** 〈場所〉に旗を掲げる[立てる]; …を旗で飾る[示す] ‖ *flag* a street 街頭を旗で飾る. **2** 〈情報・命令〉を旗[手]などを振って伝達する(◆that節も可); 〈乗物・運転手〉に(手を振って)合図して止める(+*down*) ‖ *flag* a message 手旗信号で通信を送る / *flag down* a taxi =*flag* a taxi *down* 手をあげてタクシーを呼ぶ.

Flág Dày (米国の)国旗記念日《6月14日. 1777年のこの日国旗が制定された》.
flag・eo・let /flædʒəlét, -léi/ 图 ⓒ 〔音楽〕**1** フラジオレット《リコーダーの類の高音の縦笛》. **2** 〈弦楽器の〉フラジオレット奏法《倍音を響かせて **1** に似た音を出す》.
flag・ging /flǽgɪŋ/ 形 〈力が〉弱められて; しおれた; 疲れた; だれた; 衰える, 弱まる (↔ unflagging).
flag・man /flǽgmən/ 图 (複 -men) ⓒ **1** 〔鉄道〕信号手, 踏切り番; (交通整理の)信号手((PC) signaler). **2** (レースなどの)旗手((PC) flag bearer).
†**flag・on** /flǽgən/ 图 ⓒ (食卓・聖餐式用細口)大型ブドウ酒びん(に1杯の量)〈ふた・注ぎ口・取っ手付き》.
flag・pole /flǽgpòʊl/ 图 ⓒ 旗ざお(flagstaff).
†**fla・grant** /fléigrənt/ 形 (正式) 〈悪行が〉目にあまる, 破廉恥な, 悪名高い; 罪の意識のない ‖ a *flagrant* foul 〔バスケットボールなど〕目にあまる反則.
flá・grant・ly 圖 破廉恥にも.
flag・ship /flǽgʃìp/ 图 ⓒ 旗艦, 将官艇; (ホテル・会社・製品などで)最もよい[重要な]もの; 本社, 本店; [形容詞的に] 代表的な, 主要な.
flag・staff /flǽgstæf | -stɑ̀ːf/ 图 (複 ~s, -staves /-stèɪvz/) 旗ざお(flagpole), 旗棒.
flag・stone /flǽgstòʊn/ 图 ⓒ 敷石; [~s] 敷石の道.
flail /fléɪl/ 图 ⓒ (麦などの脱穀に用いた)からざお.
── 動 他 **1** (麦などを)からざおで打つ. **2** (手足などを)激しく揺り動かす(+*about*, *around*).
flair /fléər/ 图 Ⓤ [時に a ~] 〔…の〕天賦の才能, 直感(*for*).
†**flake** /fléɪk/ 图 ⓒ **1** [しばしば複合語で] (雪・雲・羽毛など)柔らかい木の葉状の一片, 薄片 ‖ *flakes* of snow 雪片 / *flakes* of dandruff ばさばさのふけ. **2** (堅い物のはげ落ちた)一片, 破片, 薄片; 薄い層 ‖ *flakes* of rock 岩の破片. **3** フレーク《薄片状にした食品. cornflakes など》. ── 動 〈ペンキなどが〉はげ落ちる(+*off, away*). ── 他 …をはがす(+*off*), …を薄片にする.
fláke óut 自 (略式) (1) 気絶する. (2) しくじる. (3) (疲れ果てて)眠り込む.
flak・y /fléɪki/ 形 (-i・er, -i・est) **1** 薄片状の, 薄片でできた. **2** (米俗) いかがわしい, 風変わりな.
flam・boy・ant /flæmbɔ́iənt/ 形 (正式) **1** けばけばしい; 燃えるような. **2** 〈人・行為が〉華やかな; 大胆な.
†**flame** /fléɪm/ 图 **1** Ⓤ ⓒ [しばしば ~s] (舌のような形をした)炎, 火炎 (cf. blaze) ‖ the Olympic *flame* オリンピックの聖火 / The petrochemical complex is *in flámes* now. 石油化学コンビナートは今火の海です / The truck *búrst into flame*(s). トラックがぱっと燃え上がった / This chemical gives off an orange *flame*. この薬品は(燃えると)オレンジの炎を出す / commit rubbish to the *flames* ごみを焼却する. **2** ⓒ 炎のような(赤・オレンジ色の)燃え立つような光彩 ‖ the *flames* of sunset 燃えるような夕映え. **3** ⓒ 〔文〕情熱, 激情, 燃えるような思い (passion) ‖ the *flame* of love [anger] 炎のような愛[怒り] / fan the *flame*(s) 情熱をあおり立て

flamenco / **flash**

——動 ⓐ **1** 炎をあげて燃える(+*out*, *up*) ‖ The fire *flamed* (*up*) brightly. 火は赤々と燃えた. **2** 〈空などが〉〔…で〕照り映える,〈顔などが〉〔…で〕さっと赤らむ〔*with*〕;〈人が〉〔…に〕かっとなる(+*up*)〔*at*〕,〈感情が〉燃え上がる(+*out*) ‖ His face *flamed* (red) *with* joy. 彼の顔は喜びで赤らんだ / Her anger *flamed out*. 彼女の怒りは燃え上がった.

fláme gùn 〔雑草を焼き払う〕火炎放射器.

fla‧men‧co /fləménkou/ 〖スペイン〗名(複 ~s) UC フラメンコ;フラメンコのギター曲.

flaménco dáncer フラメンコの踊り子.

†**flam‧ing** /fléimiŋ/ 形 **1** 燃えている,火を吐く;燃えるように暑い. **2** 燃え立つように赤い,鮮やかな. **3** 〘英式〙情熱に燃えている,目がぎらぎらした,〈怒りなどが〉激しい. **flám‧ing‧ly** 副.

†**fla‧min‧go** /fləmíŋgou/ 名(複 ~es, ~s) ⓒ 〘鳥〙フラミンゴ,ベニヅル《南欧・アフリカ・アジア中部・中南米産の水鳥》.

flam‧ma‧ble /flǽməbl/ 形 可燃性の,燃えやすい(↔nonflammable) ‖ *Flammables* (掲示) 引火物注意,火気厳禁.

Flan‧ders /flǽndərz | flɑ́ːn-/ 名 フランドル,フランダース《現在のベルギー西部・フランス北部・オランダ南部などを含み,北海に臨む地方. 第一次大戦の激戦地. 形容詞は Flemish》.

flange /flǽndʒ/ 名 ⓒ 〘機械〙フランジ;(車輪の)輪縁(ふち),(レールなどの)突縁,(管の端の)つば,耳.

†**flank** /flǽŋk/ 名 ⓒ **1** 横腹,わき腹(図) (→ horse);〈牛などの〉わき腹肉(図) (→ beef) ‖ *flánk stéak* ステーキ用の牛わき腹肉. **2** (建物・山などの)側面;〘進撃中の部隊・艦隊・アメリカンフットボールチームの〙翼(ᴾ) ‖ attack them *in flank* [*on both flanks*] 彼らを側面[両翼]から攻撃をする.
——動 他 …の側面に〔…を〕配置する〔*with*, *by*〕 ‖ a road *flanked with* ginkgo trees 両側にイチョウ並木のある道.

flank‧er /flǽŋkər/ 名 ⓒ 〘ラグビー〙フランク=フォワード,フランカー(→ rugby);〘アメフト〙フランカー《ボール保有資格者》.

†**flan‧nel** /flǽnl/ 名 **1** U フランネル,フラノ;〘米〙=flannelette. **2** [~s] フランネル製品,フラノ製ズボン《主にスポーツ用》. **3** ⓒ 毛織の防寒肌着,綿ネルの肌着. **3** ⓒ 〘英〙小型浴用タオル(〘米〙washcloth).

flan‧nel‧et(te) /flǽnlét/ 名 U 綿ネル.

†**flap** /flǽp/ 動 (過去・過分 **flapped**/-t/; **flap‧ping**)
ⓐ **1** 〈旗・帆などが〉パタパタ揺れる;はためく;〈翼が〉パタパタ動く《◆*flap* は wind にバタがたり,*flutter* は breeze にひらひらと揺れる意》 ‖ The flags of all nations *flapped* in the wind. 万国の旗が風にはためいていた. **2** 〈鳥が〉翼をバタバタさせて(ゆっくりと)飛ぶ,羽ばたいて飛び回る[去る]. **3** 〈人が〉(平たくしなう物で)〈物を〉(軽く)ピシャッと打つ,たたく〔*at*〕 ‖ She *flapped* at a fly with a newspaper. 彼女は新聞でハエをピシャッとたたいた(= She *flapped* a newspaper at the fly.). **4** 〘略式〙 [しばしば be ~ing] あわてふためく(+*about*, *around*).——他 **1** 〈風などが〉〈旗・帆などを〉揺らす,はためかす;〈鳥が〉〈翼を〉バタバタ動かす,羽ばたかす;〈人が〉〈腕・物などを〉パタパタ動かす ‖ The wind *flapped* the shutters. 風で雨戸がパタパタ揺れた. **2** 〈人が〉(平たくしなう物で)〈物・人を〉ピシャッとたたく,〈明かりを〉プッと消す(+*out*) ‖ *flap* flies away [*off*] ハエをたたいて追い払う.
——名 ⓒ **1** パタパタする動き,羽ばたきの音 ‖ He cooled himself with several *flaps* of his folding fan. 彼は扇子で数回パタパタして涼んだ. **2** 片方が固定されて垂れ下がったふた,たれ蓋(trapdoor);(ポケット・封筒・テントの)垂れぶた(図);jacket;(テーブルの)垂れ板(leaf);(帽子の)垂れ縁,垂れ耳覆い;(弁の)舌;(製本)折り返し(→book);(菌類)(キノコの)開いたかさ;〘空軍〙下げ翼,フラップ(図) → airplane. **3** 〘略式〙 [a ~] 狼狽(ろうばい)[パニック]状態(panic) ‖ *in a flap* はらはらして / *in(to) a fláp* あわててふためく.

flap‧per /flǽpər/ 名 ⓒ **1** パタパタ音を立てる物[人],ハエたたき(flyflap). **2** ぶらぶら垂れた平たい物.

†**flare** /fléər/ 動 ⓐ **1a** 〈炎が〉ゆらめく,(炎の)赤々と輝く(+*out*, *away*) ‖ The torch *flared* in the wind. たいまつの炎が風にゆらめいた. **b** ぱっと燃え上がる(+*up*);〈人が〉かっとなる,語気が荒くなる;〈感情・騒ぎ・病気などが〉突然再燃[再発]する,突発する(+*up*, *out*). **2** 〈スカートが〉フレアがある,〈ズボンが〉らっぱになっている(+*out*).
——名 **1** ⓒ [時に a ~] (暗やみに突然)ゆらめく炎,赤々と輝く(光(flame). **2** ⓒ (闇に)ぱっと燃え上がる(光)[光ること. **3** ⓒ (戸外の)照明装置;=flare bomb. **4** ⓒ [時に a ~] (スカートなどの)朝顔形のその広がり ‖ a skirt with (much) *flare* フレアの(たくさん)あるスカート(=a (very) *flared* skirt). **5** 〘略式〙[~s] らっぱズボン.

fláre bòmb 照明弾;(海上などの)火炎信号.

flared /fléərd/ 形 燃え上がった,(風に)バタバタひらめいた,〈スカートなどフレアの(付いた,〈ズボンが〉らっぱになっている.

†**flash** /flǽʃ/ 名 ⓒ **1a** (光・炎の一瞬の)きらめき,閃(せん)光,閃光 [類語] glance, glare, gleam, glimmer, glint, glisten, glitter, glow, shimmer, spark, sparkle, twinkle ‖ a *flash* of lightning 電光のひらめき,稲(いな)光 / *a flásh of lìght* from the mirror きらっと輝く鏡の反射光 / (*as*) *quíck as a flásh* 〘略式〙即座に. **b** (信号用の)光の一瞬のまたたき,(旗の)一振り. **2** (考え・感情などの)ひらめき,霊感 ‖ a *flash* of inspiration [*wit*, *intuition*] 霊感[機知,直感]のひらめき. **3** [a ~] 瞬間;一瞥(べつ) ‖ *in* [*like*] *a flásh* 〘略式〙あっという間に. **4** (テレビ・ラジオ・新聞などの)(短い)ニュース速報. **5** 誇示;[形容詞的に]派手な. **6** 〘映画〙フラッシュ,瞬間場面. **7** ⓒU =flashlight **1, 3**.
——動 ⓐ **1** 〈物や光が〉光る,ぱっと燃える;〈稲妻が〉ひらめく;〈火薬が〉発火する;〈照明などが〉ぱっとつく(+*on*);〈目・刀などがきらりと光る;〈人の〉顔がさっと赤くなる ‖ *flashing* headlights of a car 明るく光っている車のヘッドライト / His eyes *flashed* with anger. 彼の目は怒りでぎらっと光った. **2** 〈考えなどが〉〈心に/人に〉ぱっと浮かぶ[*into / on*, *upon*] ‖ An idea *flashed* in [*across*, *through*] my mind. =An idea *flashed on* [*across*, *into*, *through*] me. ある考えがぱっとひらめいた. **3** 〈人・物が〉ぱっと現れる(+*forth*, *out*) ‖ The sun *flashed* from behind the cloud. 太陽が雲影から突然顔を出した. **4** 〈時・車などが〉さっと過ぎる,通過する(+*by*, *past*) ‖ The time *flashed by*. 時間があっという間に過ぎた.
——他 **1** 〈光・炎を〉〔…に〕ぱっと発する;〈照明など〉をぱっとつける;〈目・刀などをきらりと光らせる;〈感情など〉を放つ〔*at*〕 ‖ The police *flashed* a searchlight *at* the escaped prisoner. 警察は脱獄囚にサーチライトをあてた / Her eyes *flashed* fire. 彼女の目は火のようにかっと燃えた. **2** 〈情報・ニュースを〉

を〈ラジオ・テレビ・コンピュータ・通信衛星などで〉速報する, 打電する；〈灯台が〉〈信号〉を送る ‖ The news was *flashed* all over the world. ニュースはたちまち世界中に伝わった. **3**〈光・微笑・視線などを〉[…に]投げかける, ちらっと向ける[*at*] ‖ *flash* a smile *at* him = *flash* him a smile 彼にほほえみかける.

flásh báck [自] (1) […に]照り返す[*at*]. (2)〈記憶・画面などが〉[…へ]急に戻る, フラッシュバックする[*to*]. ― [他] (1)〈物が〉〈光〉を反射する. (2)〈人が〉〈視線などを〉すばやく返す ‖ *flash back* defiance 挑戦的ににらみ返す.

flásh óut [自] (1) → 画 **3**. (2)[言葉などに]かっとする, [人に]激しく言う[*at*].
― 形 (略式) けばけばしい; 派手な; (英略式) 現代風の (modern), かっこいい.

flásh bòlt フランス落とし《止め金具》.
flásh càrd (教材用) フラッシュカード.
flásh flóod (豪雨後の)鉄砲水.
flásh mèmory 《コンピュータ》フラッシュメモリー《コンピュータ内でデータの消去・書き込みができ, 電源を切っても内容が消えないメモリー》.

flash·back /flǽʃbæ̀k/ 名 U C フラッシュバック《映画・小説・劇などの, 過去の回想場面への瞬間的な切り返し》; その場面 (cf. cutback).

†**flash·light** /flǽʃlàit/ 名 C **1** (米)懐中電灯((英)electric torch) ‖ The policeman pointed his *flashlight* at the dead body. その警官は死体に懐中電灯を向けた. **2** U (灯台・信号機などの)閃(*せん*)光, 閃滅光. 3 回転灯. **3** U C 《写真》フラッシュ(装置).

flash·y /flǽʃi/ 形 (-i·er, -i·est) (俗) 華美で安っぽい, けばけばしい; 人が派手な.

†**flask** /flǽsk | flɑ́ːsk/ 名 C **1** (実験用の)フラスコ; フラスコ 1 杯の量. **2** (枝編み細工で覆ったワインの)びん; [a ~]びん 1 杯の量. **3** (ウイスキーなどを携帯する平らな)懐中びん, 水筒. **4** (英) 魔法びん.

＊flat¹ /flǽt/
― 形 (**flat·ter, flat·test**)
Ⅰ [形状が平らな]

1〈物の表面に凹凸が(少)なく〉**平らな**, 平坦な, 起伏のない (level)《◆面が水平とは限らない》; 水平な (horizontal) ‖ a *flat* wall でこぼこのない壁 / *flat* land (丘や谷のない)平坦な土地 / The earth is round, not *flat*. 地球は丸く, 平らではない.
2 a〈身を〉平らに伏して(prostrate);〈立っている物が〉ばったり倒れて ‖ fall *flat* on one's face [back] うつ伏せに[あお向けに]ばったり倒れる / The earthquake laid the city *flat*. 地震でその都市は倒壊した. **b**〈面と〉ぴったり接して[*against*] ‖ the ladder *flat against* the wall 壁面にぴったり立てかけたには. **c**〈くだんで[巻いて]ある物が〉平らに広げられて ‖ spread the map out *flat* on the floor 地図を床に広げる.
3〈物が〉〈厚み・深さなどが〉平たい, 薄い;〈足が〉偏平なの ‖ a *flat* nose 低い[ぺしゃんこの]鼻 / a *flat* plate 浅い皿 / (as) *flat* as a páncake (略式) 平べったい.
4〈タイヤが〉空気の抜けた (cf. 名 **4**).

Ⅱ [変化がない]

5〈価格・料金などが〉均一の (uniform).
6〈数が〉きっかりの (exact) (cf. 副 **4**). **7** [拒否・決心などが]まったくの ‖ a *flat* denial [refusal] 断固とした否定[拒絶]. **8 a** (略式) 元気[生気]のない;〈生活・話などが〉単調な, 退屈な (dull);〈市場が〉不活発な;〈冗談が〉不発の ‖ feel *flat* 気が抜ける / a *flat* tone of voice 一本調子の声. **b**〈食物が〉味のない;〈ビールなどが〉気の抜けた ‖ This coke has gone completely *flat*. このコーラは完全に気が抜けてしまった. **c**〈電池が切れた, 〈バッテリーが〉あがった. **9**〈絵・写真〉〈色調・明暗が〉平板な, 単調な;〈塗料の〉光沢のない;〈色が〉明暗のない. **10**《音楽》**a**〈音・人(の声)が〉正常な音より低い, 半音低い, 変音の (↔ sharp **13**) ‖ B *flat* 変ロ音.

fall flát (1) ばったり倒れる (→ **2 a**). (2)〈企て・意図・ジョーク・演技などが〉完全に失敗に終わる (fail completely) ‖ Her joke *fell flat*. 彼女の冗談はだれにも受けなかった.

― 名 (**~s**/flǽts/) C **1 a** [the ~] 平らな部分 [面] ‖ the *flat* of the hand [sword] 手[刀]のひら. **b** 平面. **2 a** 平地, 低地; [しばしば ~s] 湿地, 沼地, 浅瀬 ‖ on the *flat* (坂ではなく)平らな所で, 平地で. **b** 《競馬》[the ~] 平地 ‖ *flat* racing [race]. **3** 平たい物;〈苗木用の〉浅い木箱; = *flat*boat; 《建築》陸屋根, (舞台背景用の)わく張り物, フラット. **4** 《主に米略式》パンクしたタイヤ (flat tire) ‖ I [My car] got [had] a *flat* (tire). 車がパンクした (= The tire went *flat*.). **5** [通例 ~s] (女性用の)かかとの低い靴. **6** 《音楽》変音(記号), フラット《♭》 (↔ sharp).

― 副 **1** 平らに; ばったり (flatly). **2** きっぱり, 断然《◆flatly よりきつい》‖ tell him *flat* 彼にはっきり言う. **3** (略式) 完全に (completely); [be *flat* (英) stony] broke [out of money] まったく無一文である. **4** ちょうど, きっかり (exactly) ‖ He ran 100 yards in 10 seconds *flat*. 彼の 100 ヤード走は 10 秒フラットだった! **5** 《音楽》半音下げて.

flát ràcing [**ràce**] 《競馬》(障害物のない)平地競走.
flát ràte [**fèe**] 均一料金.
flát tíre = 名 **4**.
flát·ness 名 U 平らなこと; 単調さ, 退屈さ; きっぱりした態度.

†**flat²** /flǽt/ 名 C **1** (英) アパート, フラット《同一階の居間・食堂・台所・寝室・浴室など数室から成る 1 世帯用住居.《米》ではふつう apartment (これには 2 つの階にまたがるものもある)》‖ My family lives in four-room *flat*. 私の家族は 4 室のアパートに住んでいます / Do you live on the 3rd floor of this block of *flats*? あなたはこのアパートの 3 階に住んでいますか.

[関連] *flat* の集合から成る 1 個の建物を *flats* ((米) apartment house) といい, a block [two blocks] of *flats* と数える. これは日本の「マンション」に当たることも多い (→ mansion, service flat).

2 (米) 安アパート.

†**flat-boat** /flǽtbòut/ 名 C 《歴史》大型平底船《運河などでの貨物運搬用》.
flat-bot·tomed /flǽtbɑ̀təmd | -bɔ̀t-/ 形〈船が〉平底の.
flat·foot /flǽtfùt/ 名 **1** (複 --feet) 偏平足(状態). **2** (複 ~s, --feet) (俗) 巡査《◆歩行巡回するため偏平足になるという考えから》.
flat·foot·ed /flǽtfútid/ 形 **1** 偏平足をした. **2** (略式) 〈拒否などが〉きっぱりした;〈信念・態度などが〉断固とした. **3** (略式) 油断して ‖ cátch him *flátfoot·ed* 彼に不意打ちをくらわせる.

Flat·head /flǽthèd/ 名 (複 Flat·head, ~s) C フラットヘッド《子供の時に頭を平らにする習慣のあった北米先住民. チヌック族 (Chinook), チョクトー族 (Choctaw) など》;(特に)セイリッシュ (Salish) 族の

人)《米国 Montana 州の先住民》; Ⓤ セイリッシュ語.

†**flat·ly** /flǽtli/ 副 **1** きっぱりと, はっきりと. **2** 元気なく, 気がはれて. **3** 平らに, ぺたっりと.

†**flat·ten** /flǽtn/ 動 他 **1** 〈でこぼこの物〉を平らにする; 〈曲がった・しわのよった物〉を伸ばす(+*out*). **2** [音楽] 〈音〉を(半音)下げて歌う[演奏する]. **3** (略式)〈ゲーム・議論など〉…を打ちのめす, 倒す, 圧倒する.
— 自 **1** 〈物〉が平らになる(+*out*); ばったり倒れる. **2** [音楽]〈音〉が(半音)下がる.

†**flat·ter** /flǽtər/ 動 他 **1** 〈人〉が(気に入られようと)〔…について〕〈人〉をおだてる[本心からでなく]ほめる, …にお世辞を言う, へつらう〔*about, on*〕; 〈人〉をおだてて〔…〕させる(*into* (*doing*)) (cf. flatter oneself) ‖ I *flattered* her *on* [*about*] her cooking. 料理をほめて彼女のご機嫌をとった / 〈対話〉"You have good handwriting." "You *flatter* me!"「字がきれいですこと」「お口がお上手ですね!」/ The man is easily *flattered*. その男はおだてにのりやすい / *flatter* him *into* sing*ing* 彼をおだてて[歌うことを]得意がらせる; [通例 be ~ed]〈人〉が[…を/…ということを]うれしく[光栄に]思う〔*at, by* / *to do*, (*that*)節〕‖ I am [feel] *flattered at* [*by*] the invitation. ご招待いただいて光栄です [= *Your* invitation is very *flattering*.]. **3** 〈写真・服装・髪型など〉〈人〉を実物以上によく見せる ‖ The picture *flatters* me. この写真の私はよく撮れている. — 自〈人〉がお世辞を言う.

flátter one**sélf**〔…について/…だと〕都合よく思い込む, うぬぼれる〔*on* (*that*) 節〕‖ He *flatters himself* (*that*) he will win. 彼は勝てると自信満々だ.

†**flat·ter·er** /flǽtərər/ 名 Ⓒ お世辞のうまい人; うれしがらせる人(cf. apple-polisher) ‖ Yóu *fláttərer*! うまいことを言って(もだめですよ).

†**flat·ter·ing** /flǽtəriŋ/ 形 **1** お世辞での; 〈事が〉喜ばせる, うれしがらせる ‖ How *flattering*! まあおじょうずなおっしゃること 《主に女性表現. ふつうには It's good of you to say so.》. **2** 実物以上によく見せる ‖ The folk costume is *flattering* to her figure. その民族衣装は彼女を実際よりも引きたてている.

flát·ter·ing·ly 副 お世辞で.

†**flat·ter·y** /flǽtəri/ 名 Ⓤ お世辞を言うこと, ご機嫌とり, ごますり; Ⓒ 甘い言葉, お世辞(cf. compliment) ‖ *Flattery* didn't work with the boss. 上司にお世辞を言ってもむだだった / *Flattery* will get you nowhere. お世辞を言っても無駄ですよ.

Flau·bert /floubéər/ 名 フローベール《*Gustave* /gústɑːv/ gúst-/ ~ 1821-80; フランスの小説家》.

†**flaunt** /flɔ́ːnt/ (米+) fláːnt/ 動 他 **1** これ見よがしに誇示する. **2** 誇らしげに翻(ひるがえ)る. **3** …を見せびらかす(show off). — 名 ⓊⒸ 見せびらかし, 誇示.

***fla·vor**, (英) **-vour** /fléivər/
名 (֊~s/-z/) **1** ⓊⒸ (食べ物・飲み物に特有の)風味, 味(→ taste **1**); Ⓒ 香味料 ‖ natural [artificial] *flavors* 天然[人工]香味料 / *give flavor to* food 食べ物に味をつける / 〈対話〉"They sell ice cream in several *flavors* at the store." "What kind of *flavor* do you like best?" "I'd like vanilla best."「その店ではいくつかの種類のアイスクリームを売っています」「どの味のアイスクリームが一番好きですか」「バニラが一番好きです」. **2** ⓊⒸ 趣, 風味, 気味, 感じ ‖ an autumn *flavor* 秋の気配 / a garden with a Victorian *flavor* ビクトリア朝風の庭園.

— 動 (~s/-z/; 過去・過分 ~ed/-d/; -vor·ing

/-vəriŋ/)
— 他 **1** 〈人が〉〈食べ物〉に〔…で〕風味を添える, 味付けする〔*with*〕‖ cake *flavored with* lemon レモンの風味をつけたケーキ(= lemon-*flavored* cake). **2** 〈生活・話などに〉趣を添える ‖ Wit *flavored* her speech. 彼女の演説にウィットが利いていた.

fla·vored /fléivərd/ 形 **1** 風味をつけた. **2** [複合語で]…の風味をもった.

†**fla·vor·ing** /fléivəriŋ/ 名 ⓊⒸ 香味料, 調味料; Ⓤ 風味付け.

***fla·vour** /fléivə/ (英) 名 動 = flavor.

†**flaw** /flɔ́ː/ ⟨同音⟩ floor (英) 名 Ⓒ **1** 〈宝石・陶器などの〉傷, ひび, 割れ目〔*in*〕. **2** 〔性格などの〕欠点, 弱点〔*in*〕. **3**〈文書・手続き・議論の〉不備, 欠陥.
— 動 他〔通例 be ~ed〕損なわれる.

flaw·less /flɔ́ːləs/ 形〈宝石など〉が傷のない; (正式)〈作品など〉が完全な, 欠点のない.

†**flax** /flǽks/ 名 Ⓤ **1** [植] アマ(亜麻). **2** その繊維, 亜麻布, リネン(linen).

flax·en /flǽksn/ 形 亜麻(製)の, 亜麻のような; (文)〈主に髪が〉亜麻[淡黄]色の.

†**flay** /fléi/ 動 他 **1** 〈死んだ獣〉の皮をはぐ, 〈樹皮・果皮〉をむく. **2** (文) …を激しくむち打つ. 〈人〉を酷評する, こきおろす.

†**flea** /flíː/ 名 ⟨同音⟩ flee Ⓒ [昆虫] ノミ; ノミのように跳ぶ小虫.

a fléa in A's éar「耳にノミの入った犬が暴れ回ることから」(略式)苦言, いやみ ‖ send him away [off] *with a flea in his ear* いやみを言って彼を追い払う.

fléa màrket (略式) のみの市, フリーマーケット《街頭の安売りの(中)古市. cf. free market》‖ "Where are dogs scared to go?" "The *flea market*."「イヌが行くのを怖がる場所は?」「のみの市」.

fleck /flék/ 名 Ⓒ **1** (皮膚の)斑(はん)点, そばかす (freckle); (色・光線などの)斑点, 斑紋(spot). **2** (固体の)小片, (液体の)滴(しずく). — 動 他 〔通例 be ~ed〕〈物〉が〔…で〕まだらになる〔*with*〕.

flecked /flékt/ 形 斑点のある, まだらの.

fled /fléd/ 動 flee, fly¹ の過去形・過去分詞形.

fledg(e)·ling /flédʒliŋ/ 名 Ⓒ **1** 羽の生えたての[飛ぶことを習い始めた]若鳥, 飛ぶ練習中の若者, 青二才;[形容詞的に]〈国家・機関・組織・会社など〉が出来立ての, 新興の.

†**flee** /flíː/ ⟨同音⟩ flea 動 (過去・過分 **fled** /fléd/) (正式) ◆ (英) では flee, fleeing は (文). 代わりに fly, flying を用いる 自 **1** 〈人などが〉〔危険などから〕(急いで)逃げる(run away) 〔*from*〕; 〔安全な所へ〕避難する〔*to, into*〕‖ The enemy *fled* in disorder *from* the battlefield. 敵は戦場からちりちりに逃げ去った. **2** 〈霧などが〉消えうせる, 飛ぶ; 〈時間などが〉速く経過する. — 他 〈人・場所〉から逃げる, …を捨てる.

†**fleece** /flíːs/ 名 Ⓤ 羊毛, フリース; Ⓒ (1頭一刈分の) 羊毛. — 動 他 〈ヒツジの毛を刈る; (略式) 〈人〉から〔金品〕をだまし取る〔*of*〕‖ *fleece* a traveler of every cent he has 旅行者から1銭残らず巻き上げる.

†**fleec·y** /flíːsi/ 形 (**-i·er, -i·est**) 羊毛の(ような).

†**fleet**¹ /flíːt/ 名 Ⓒ [集合的に] **1** (1人の司令官の率いる)艦隊(cf. flotilla, squadron); [the ~] 全艦隊, 海軍 ‖ the British [Sixth] *fleet* 英国[第6]艦隊. **2** 船隊, 船団 ‖ a whaling *fleet* 捕鯨船団.

†**fleet**² /flíːt/ 形 (文) **1** 〈動物などが〉(動き・足が)速い, すばやい ‖ He is *fleet of foot*. 彼は足が速い(= He is *fleet*-footed.). **2** = fleeting.

fléet·ly 副 すばやく. **fléet·ness** 名 Ⓤ すばやさ.

fleet-foot·ed /flíːtfútid/ 形 足の速い.

†**fleet·ing** /flíːtiŋ/ 形 (文)はかない，短い束(%)の間の ‖ Happiness is *fleeting*. 幸せははかないものだ.
fléet·ing·ly 副 すばやく；はかなく.

Fleet Street /flíːt-/ 1 フリート街《主要な新聞社が集まっていたロンドンの街》. 2 英国の新聞業界(の影響力).

†**Flem·ing**[1] /flémiŋ/ 名 © フランドル[フランダース] (Flanders)人；フラマン語を話すベルギー人.

Flem·ing[2] /flémiŋ/ 名 1 フレミング《Sir Alexander ~ 1881-1955；英国の細菌学者．ペニシリンを発見》. 2 フレミング(**Ian**/íːən/ ~ 1908-64；英国の小説家．James Bond 物の作者》.

†**Flem·ish** /flémiʃ/ 形 フランドル[フランダース] (Flanders)の；フラマン人[語]の；[美術]フランドル派の.
── 名 1 [the ~, 集合名詞] フランドル[フランダース]人. 2 Ⓤ フラマン語《オランダ語のベルギー方言. フランス語と並びベルギーの公用語》. (略 Flem.).

***flesh** /fléʃ/ (同音 fresh /fréʃ/)
── 名 1 Ⓤ (人・動物の)皮・骨に対する)肉, 身《◆物質的生活の象徴》；(やや古)(魚肉・鳥肉と区別して)(食用にしない)獣肉(cf. meat)．(植物の皮・種子における)果肉, 葉肉, 身 ‖ *flesh*-eating animals =*flesh* eaters 肉食動物 / fish, *flesh* and fowl 魚獣鳥肉 / *flesh* and bones 骨身 / "I want a pound of Antonio's *flesh*." 「私はアントニオの肉を1ポンド欲しいのです」《◆ *The Merchant of Venice* の中のせりふ》.
2 Ⓤ (余分な)肉づき ‖ lose [put on, grow in] *flesh* やせる[太る]《◆ lose [put on] weight がふつう》.
3 **a** (文) [the ~] 肉体(↔ spirit, soul). **b** (肉体に伴う)獣性；肉欲 ‖ the sins of the *flesh* 肉欲の罪, 不貞の罪.

flésh and blóod (1)(血の通う)肉体，(生身の)人間；(文)人間性, 人情 ‖ This heat is more than *flesh and blood* can bear [stand]. この暑さは生身の人間にはとても耐えられない. (2) [one's (own) ~] 肉親, 同族.

in the flésh まのあたりに見る，実物で[の](in person), 生きている ‖ I have seen him on TV but not in the *flesh*. テレビで見たことはあるが直接本人を見たことはない[本人に会ったことはない].

flesh·ly /fléʃli/ 形 (文)肉欲的な，官能的な.
flesh·pot /fléʃpɑt|-pɔt/ 名 © 肉欲, 享楽.

†**flesh·y** /fléʃi/ 形 (-i·er, -i·est) 1 肉の, 肉質の, 肉のような. 2 でぶの, よく太った(fat)(↔ lean). 3 《果実や葉が》やわらかい；多肉質の.

***flew** /flúː/ (同音 flu, flue) 動 fly[1] の過去形.

flex /fléks/ 動 他 (ふつう準備運動として)〈手足〉を曲げる，〈筋肉〉を動かす. ── 自 〈手足が〉曲がる.
── 名 Ⓤ © (主英) (電気の)コード(米 cord).

flex·i·bil·i·ty /flèksəbíləti/ 名 Ⓤ 1 曲げやすいこと, 柔軟性. 2 適応性, 融通性.

***flex·i·ble** /fléksəbl/ [曲げ(flex)られる(able)]
── 形 1 融通のきく ‖ a *flexible* attitude 柔軟な態度. 2 すなおな, 順応性のある；(人の)言いなりになる(with), 〈物が〉曲げやすい, しなやかな《◆曲げても折れず, また必ずしももとに戻らない. cf. elastic》(↔ inflexible) ‖ a *flexible* cord 自由に曲がるコード.
fléx·i·bly 副 柔軟に.

flex·i·time /fléksətàim/ 名(英) = flextime.
flex·time /flékstàim/ 名 Ⓤ (米)自由勤務時間制, フレックス=タイム制(flexible [gliding, sliding] time) ‖ work *flextime* フレックス=タイム制で働く.

flex·ure /flékʃər/ 名 Ⓤ © (正式)屈曲, たわみ.

†**flick** /flík/ 名 © [通例 a ~] 1 (むちで)軽くひと打ちすること；(指で)ひとつとばじくこと；(すばやい)一振り．(鋭い)パチン[ピシッ]という音. 3 [本・雑誌などに]さっと目を通すこと[through].
── 動 他 1 〈むち・指で〉〈むち・指で〉ピシッと打つ, はじく(with)；〈むちなど〉を[…に]当てる(at) ‖ *flick* the horse *with* a whip = *flick* a whip *at* the horse 馬にむちをひと当てる / *flick* the switch on and off スイッチを入れたり切ったりする. 2 〈ごみなど〉を[…から]払い落とす, はじき飛ばす(+away, off)[off, from, with].
── 自 〈物が〉さっと動く.

†**flick·er** /flíkər/ 動 自 1 〈灯・炎などが〉明滅する, ちらちら揺れる；〈希望などが〉ちらちら見える；〈憎しみなどが〉徐々に消える(+out). 2 〈木の葉・ヘビの舌などが〉揺れる, 震える；〈翼が〉羽ばたく；〈鳥が〉羽ばたく. 3 目が[…に]ちらっと盗み見する(at). ── 他 〈灯など〉を明滅させる, 〈物〉を震わせる.
── 名 © [通例 a ~] (消えかけた)明滅する光, (光像の)ゆらめき；(希望の)ひらめき；(興味・絶望感・悔悟・罪悪感などの)出現, 兆し.

flied /fláid/ 動 fly[1] 7 の過去形・過去分詞形.

***fli·er, fly·er** /fláiər/ 名 © 1 空を飛ぶもの《鳥・飛行機など》；飛行士；(飛行機の)利用客, 乗客. 2 足の速い動物；高速列車[船, バス, 車]. 3 (米略式)ちらし(広告), 広告(ビラ).

***flight**[1] /fláit/ (同音 fright /fráit/) [→ fly[1]]
── 名 (働 ~s/fláits/) 1 © Ⓤ 定期航空便(の飛行機), フライト ‖ a non-stop *flight* 直行便 / a connecting *flight* 乗り継ぎ便 / a domestic [an international] *flight* 国内[国際]便 / *Flight* 019 019便(の飛行機) / take the 7-o'clock p.m. *flight* to Boston ボストン行き午後7時の便に乗る / How long is the *flight* to New York? ニューヨークまで空路で(時間は)どのくらいかかりますか(= How long does it take to fly to ...?).

2 Ⓤ 飛ぶこと, 飛行(能力)；移動 ‖ He shot down a bird *in flight*. 彼は飛んでいる鳥を撃ち落とした / the art of *flight* 飛行術 / the *flight* of a space shuttle スペースシャトルの飛行[飛行の仕方].

3 © 《鳥・飛行機などの1回の》飛行距離(経路) ‖ a straight *flight* toward the nest 巣までの直線飛行距離.

4 [a ~] (飛ぶ鳥の)群れ；飛行中の一群(→ flock[1])；(米空軍)飛行中隊；(英空軍)飛行小隊(= squadron) ‖ a *flight* of swallows 空を飛んで行くツバメの群れ / a *flight* of arrows 一斉に発射された矢.

5 © 飛行機旅行；(ロケットでの)宇宙旅行 ‖ I hope you have a good *flight* home. 帰郷のためのよい空の旅をお楽しみください.

6 [a ~ of 名詞] (想像・空想の)高まり, 高揚；(才知の)ほとばしり ‖ a *flight* of fancy 飛翔(ﾌ)する空想, 非現実的な考え / a *flight* of wit ほとばしる才知.

7 © (階段の)一続き；(階と階[踊り場]との間の一続きの)階段 ‖ go up a *flight* of stairs [steps] 一続きの階段を上る.

8 Ⓤ 時の速い経過 ‖ the *flight* of time 時間が速くたつこと.

flight attendant 機内サービス係, (旅客機の)客室乗務員《◆性別を明示する stewardess などの語を避けるための表現》.

flight recòrder [航空]フライトレコーダー(black box)《飛行データ自動記録装置》.

flight simulator フライトシミュレーター《飛行機の模

擬操縦装置).
flíght tíme 飛行所要時間.

†**flight**² /fláit/ 名 UC 〖正式〗**逃走**, 逃亡, 敗走; 脱出《◆通例下記の成句で》.
pút A to flíght〈やっと〉〈軍隊などを〉敗走させる.
táke (to) flíght〈人が〉逃走する.

flight・y /fláiti/ 形 (‑i・er, ‑i・est)〈主に女性が〉気まぐれな, 移り気な, 軽薄な; 〈行動などが〉突飛な.

†**flim・sy** /flímzi/ 形 (‑si・er, ‑si・est) 1〈材料・生地などが〉軽くて薄い, 〈物が〉もろい, こわれやすい. 2〈口実・理由などが〉薄弱な; 取るに足りない. ── 名 C (複写用の)薄紙. 2 Ⓤ 通信原稿.
flím・si・ly 副 軽薄に, かよわく. **flím・si・ness** 名 Ⓤ 薄っぺらなこと, もろさ.

†**flinch** /flíntʃ/ 動 自 1〖義務・危険などから〗身を引く, しりごみする〔from〕; (危険・恐怖で)〈物事に〉たじろぐ, ひるむ〔at〕.

†**fling** /flíŋ/ 動 (過去・過分 **flung** /fláŋ/) 他 **1a**〈人が〉〈物・事を〉(乱暴に・怒って)〔…に〕投げつける, 投げ飛ばす, ほうり出す〔+about, around, away, off, out〕〔at, on(to), over, to〕《◆throw より激しく敵意さえ込めて投げること》(類語)throw, cast, pitch, hurl》‖ She flung a dish on the floor. 彼女は皿を床に投げつけた. **b**〈衣服〉を脱ぎちらかす〔+about, around〕; …を無視する, …と関係を断つ〔+aside〕; 〈束縛など〉をかなぐり捨てる〔+away, off〕‖ fling off all restraint 慎みをまったくかなぐり捨てる. **2**〈人が〉〈体(の一部)・全体(oneself)〉を〔場所に〕突然力強く動かす〔on, around, at, in, into, upon〕, 急に伸ばす〔+up, out, about〕‖ fling out one's hand 片手を伸ばす / The girl flung her arms around him. 少女は彼に抱きついた / He flung his head back. 彼は(いばって)そり返った《◆笑い・怒りなどのしぐさ》/ The tired girl flung herself onto the bed. 疲れた少女はベッドにどっと倒れた. **3**〈人が〉〈人〉を(刑務所に)(正当な理由なく・裁判を受けず)放り込む〔into〕‖ She was flung into prison. 彼女は投獄された. **4** [fling A C]〈人が〉A〈物〉を急に強く押して C(の状態に)にする‖ fling the door open =fling open the door 戸を荒々しく開ける.
──自〈人が〉突進する, 飛びかかる, (かっとなって)飛び出す〔+away, forth, off, out〕.
fling onesélf ínto A …に精を出す; → 他 2.
── 名 C 〖通例 a ~〗**1** 投げること, 一投げ, 一振り《◆shot の方がふつう》‖ give it a fling それをひょいと投げる. **2** 突進, 一気にすること‖ in a fling 猛勢として. **3**〖略式〗(無責任に)したい放題のことをすること[時]‖ have one's [a] fling したい放題にする.

†**flint** /flínt/ 名 **1** Ⓤ 火打石, フリント〈石英の一種〉; C 火打の道具‖ a flint and steel 火打石と打ち金. **2** C (ライターの)石, 発火石.
flint‑lock /flíntlɑ̀k/ 名 C (昔の)火打石銃.
flint・y /flínti/ 形 (‑i・er, ‑i・est) **1** 火打石, 火打石のように堅い. **2**〈人・心が〉冷酷な, 頑固な.

†**flip** /flíp/ 動 (過去・過分 **flipped**/‑t/; **flip・ping**) 他 **1**〈コインなどを〉(指先などで)ピンとはじく, はじき落とす〔+off〕; ひょいと〔すばやく〕投げる(toss)‖ We flipped a coin to see who would go first. 最初に行く人を決めるためコインを投げた. **2**〈ページ・カードなどを〉パッとめくる, 〈レコードなど平たいもの〉をひっくり返す, 裏返す〔+over〕. **3**〈電気器具のスイッチ〉をポンと押して切り換える〔+on, off〕.
── 自 **1**〖指先で〕〔…を〕はじく, (むちで)〔…を〕打つ〔at〕, 〔ページなどを〕すばやくめくる〔through〕. **2**〈テレビのチャンネルなどを〉〔…に〕切り替える〔to〕.

flíp úp [自]〖(物事を決めるために)硬貨を指ではじき上げる.
── 名 C Ⓤ **1**〖通例 a ~〗(空中でコインなどをひっくり返すために指先で)軽く打つ[はじく]こと‖ give the nickel a flip 5セント硬貨をはじく. **2**(体操などの)とんぼ返り.

flip‑flop /flípflɑ̀p/ 名 C〖(英)〖通例 ~s〗=flip‑flop sandals. ── 動 (過去・過分 **flip‑flopped** /‑t/; **‑flop・ping**) 自〖(米式)〔…について〕(方針・態度などを)突然変える, 方向転換する〔on〕.
flíp‑flop sándals サンダルの(米) thong.

flip・pan・cy /flípənsi/ 名 Ⓤ 軽薄, 軽率, ふまじめ; C 軽薄な言葉[行為].

†**flip・pant** /flípənt/ 形〖…に対して〕軽薄な, 軽率な, ふまじめな〔about〕. **flíp・pant・ly** 副 軽薄に, ふまじめに.

flip・per /flípər/ 名 C **1**(アザラシ・カメ・イルカ・ペンギンなどの)ひれ足, 水かき, (ペンギンの)翼. **2**(足につける潜水用の)ゴム製の水かき〔fin〕.

†**flirt** /flə́ːrt/ 動 自 **1**〖…と〕ふざける, いちゃつく〔with〕. **2**〖正式〗〔考えを〕もてあそぶ, 〔危険などを〕軽く扱う, 面白半分に〔…に〕手を出す〔with〕‖ I flirted with the idea of opening a bookstore. 書店でも開こうかと冗談半分に考えた. ── 名 C 浮気女[男], 恋をもてあそぶ女[男].
flir・ta・tion /flə̀ːrtéiʃən/ 名 **1** Ⓤ(男女の)いちゃつき; C 浮気. **2** C〖正式〗一時的興味[関心].
flir・ta・tious /flə̀ːrtéiʃəs/ 形〖正式〗**1** いちゃいちゃしている, 浮気な. **2** 軽薄な, うわついた.

†**flit** /flít/ 動 (過去・過分 **flit・ted** /‑id/; **flit・ting**) 自〈鳥・コウモリ・チョウなどが〉(場所から場所へ)すいすい[すばやく]飛ぶ, ひらひら飛ぶ, 飛び回る〔+about, by, to and fro〕; 〈人が〉軽やかに行き交う.

*****float** /flóut/
── 動 (~s/flóuts/; 過去・過分 ~・ed/‑id/; ~・ing)
── 自 **1a**〈物・人が〉〔水面・水中・空中に〕**浮かぶ**, 浮く〔+down〕〔on, in〕(↔ sink)‖ The raft floated on the stream. いかだは流れに浮かんだ / Wood floats, but iron sinks. 木は浮くが鉄は沈む. **b**〈物・人が〉〔水面・水中・空中を〕(流れに沿って)漂う, 浮漂する(drift, sail)〔across〕; 〖略式〗〈人が〉軽やかに動く; あてもなくさまよう〔+about, (a)round〕‖ The boat floated with the tide. 船は潮流のまにまに漂った / The hot‑air balloon floated across the ballpark. 熱気球が野球場を横切って飛んでいった / float from job to job =float round [about] 職を転々と変える.
2 a〖略式〗〈考えなどが〉心に浮かぶ〔in, through〕‖ Ideas [Visions] floated 'through my mind [before my eyes]. 考え[幻想]が次々と心に浮かんだ. **b**〖通例 be ~ing〗〈うわさ・思想などが〉〔場所に〕広まる, 流布する〔about, (a)round〕, 〔人々の〕どこかにそこにある〔+about, around〕. **3**〖金融〗〈通貨が〉変動相場制である, 変動相場制を取る.
── 他 **1a**〈人・物が〉〈物を〉〔水面・空中に〕**浮べる**, 浮かせる〔on, in〕‖ He floated the raft on the stream. 彼はいかだを流れに浮かべた. **b**〈物・人が〉〈物・人〉を〔…へ〕浮漂させる, 流す〔to〕‖ The current floated the logs to the shore. 潮に乗って丸太が岸に流された. **2**〖金融〗〈通貨〉を変動相場制にする(↔ fix).
── 名 C **1**(パレードなどの)山車(だし), (家畜・貨物運搬用)台車. **2** 浮かぶ[浮かばせる]物《いかだ(raft)・浮漂(buoy)・(釣糸の)浮き・救命袋・(魚の)浮き袋・(水上飛行機の)フロート・(水槽の水量調節用)浮球な

floater

ど》; =paddle **1a**. **3**《米》[通例複合語で] フロート《アイスクリームを浮かべた飲料》.

float·er /flóutər/ 图 ⓒ **1** 浮かぶ人[物], いかだ; 救命具, (魚の)浮き袋, (釣糸の浮き)(cf. float). **2**《略式》住所[職業]を転々と変える人, 浮浪者.

float·ing /flóutiŋ/ 形 **1**《物が》(水面・空中などに)浮いている. **2** 浮動的な, 変動する.

flóating exchánge ráte sýstem〔経済〕変動為替相場制.

flóating populátion 流動人口.

flóating vòte 浮動票;[集合名詞的に] 浮動票(投票者).

flóating vòter 浮動票投票者.

†**flock**¹ /flák | flɔ́k/ 图 ⓒ [単数・複数扱い] **1** [a ~ of ＋複数名詞] (主にヒツジ・ヤギ・アヒルなどの)群れ ‖ *a flock of* sheep ヒツジの群れ / *a flock of* wild ducks 野ガモの群れ / *flocks and herds* (財産としての)ヒツジと牛.

[関連][群れを表す語] a *herd* of cattle (牛の群れ) / a *drove* of geese (ガチョウの群れ) / a *flight* of sparrows (ツバメの群れ) / a *pack* of wolves (オオカミの群れ) / a *swarm* of ants (アリの群れ) / a *covey* of partridges (ウズラの群れ) / a *school* of sardines (イワシの群れ) / a *troop* of monkeys (サルの群れ).

2《略式》**a** 人の群れ, 〔…の〕一団, 一群〔*of*〕‖ A *flock* of reporters surrounded the TV star. 新聞記者の一団がそのテレビタレントを取り囲んだ. **b** [~s] 大勢, 多数 ‖ The old friends came *in flocks*. 昔の友だちが大勢やって来た.
―― 動 (人・動物・鳥などが)〔場所に〕群がる, 集まる〔*in, to, into*〕‖ People *flocked* to the football match. サッカーの試合にぞくぞくと人が集まった. / Birds of a feather *flock* together. (→ bird **1**).

flock² /flák | flɔ́k/ 图 ⓒ 一房の羊毛[毛髪, 綿]; [通例 ~s] (クッションなどに詰める)毛くず, 綿くず.

floe /flóu/ 图 ⓒ《しばしば ~s》(海上に浮いている)氷原; 浮水(ice floe)(cf. iceberg).

†**flog** /flág, flɔ́g | flɔ́g/ 動 (過去・過分 **flogged**/-d/; **flog·ging**) ⑱ (特に体罰として)〈人〉をむち打つ, 〈馬などを〉むちで打って駆り立てる ‖ be *flogged* for stealing the money 金を盗んだかどでむち打たれる.

flóg a déad hórse《略式》済んだ問題を論じる, むだ骨を折る.

†**flood** /flʌ́d/ [発音注意]
―― 图 (複 ~s /flʌ́dz/) **1** [しばしば ~s; 単数扱い] (河川の氾濫(はんらん)による)**洪水**, 大水 [類語] deluge, inundation; [the F~] 〔旧約〕ノアの洪水 (Noah's Flood) ‖ The bridge was washed away by the *flood*. 橋は洪水で押し流された / These dams prevented *floods*. これらのダムのおかげで洪水が防げた.
2 [a ~ of] 《物・人の》洪水[殺到, 充満]; [a ~ of ＋ⓤ [複数] 名詞で] 多数[多量](の物・人) ‖ *a flood of* questions 質問の洪水 / *floods of* fire 火の海 / *a flood of* life みなぎる[ほとばしる]生気 / A *flood of* protest phone calls inundated the mayor. 抗議の電話が市長のもとに殺到した.
in flóod 〈川が〉氾濫して, 〈土地が〉水浸しで.
in fúll flóod どっと, 猛烈に.
―― 動 (~s /flʌ́dz/; 過去・過分 ~·ed/-id/; ~·ing)
―― ⑱ **1** 〈川や〉〈地域〉を**水浸しに**する, 〈堤防など〉をあふれさせる; 〈大雨などが〉〈川など〉を氾濫(はんらん)させる;

〈人が〉〈容器など〉を水であふれさせる, …に多量の水を注ぐ; 〈土地〉を灌漑(かんがい)する ‖ *flood* a burning house with water 燃えている家に多量の水をかける / The river *was flooded by* [*with*] the heavy rain. その川は大雨で氾濫した / a *flooded* area 浸水地帯 / He was careless enough to *flood* the glass with milk. 彼は不注意にもグラスにミルクを注ぎすぎてあふれさせた.
2 a〈多くの物・人が〉〈場所・人〉に**どっと押し寄せる, 殺到する**; …にあふれる(+*out*) ‖ New Year's cards *flood* our mailbox every year. 毎年年賀状が郵便受けにどっと届く / Tears *flooded* her eyes. ＝ Her eyes were *flooded with* tears. 彼女の目に涙があふれた. **b**〈人が〉〈場所・人〉を〈物で〉あふれさせる〔*with*〕‖ The market was *flooded with* foreign goods. 市場は外国製品であふれた.
―― 圓 **1** 〈多くの物・人が〉〔…に〕**どっと押し寄せる**, 殺到する(+*in*) [*into, to*]; 〈◆場所を表す副詞(句)を伴う〕‖ Every summer people *flooded into* this summer resort. 毎年夏になると人々はこの避暑地にどっと押し寄せた. **2** 〔…から〕あふれ出る(*out of*); 〈河川が〉あふれる, 〈土地が〉水浸しになる; 〈潮が〉満ちる.

be flóoded óut (洪水で)〈人が〉〈家・土地などから〉立ちのく, 追い出される〔*from, of*〕.

flood contròl 治水, 治水対策《ダム・植林・水路変更などによる調節》.

flóod tìde [the ~] 満ちてくる潮, 上げ潮(↔ ebb tide); [満潮] ⓘ high tide; [比喩的に] 最高潮, 絶頂期(peak).

flood·light /flʌ́dlàit/ 图 ⓒⓤ [しばしば ~s] ライトアップ, 投光照明(の光); 投光照明器《建物の外部・劇場のステージや競技場・飛行場など広域用の照明(灯). cf. spotlight》.
―― 動 (~·lit または ~·ed) ⑱ …をライトアップする.

＊**floor** /flɔ́ːr/ [同音]《英》flaw; [類音] flour, flower /fláuər/) ⓘ [「平面 (flat) の原義」]
―― 图 (複 ~s /-z/) **1** [通例単数形で] (屋内の)**床**(ゆか) (↔ ceiling), 床板 (flooring) ‖ sit on the *floor* 床に座る《◆欧米ではいすに座るのが習慣なので, この表現は特別な動作》/〈対話〉"His wig fell off his head by accident." "He must have wanted to *sink through the floor* (with shame)!"「彼のかつらが偶然落ちたんですよ」「彼は恥ずかしくてできうことなら入りたいぐらいにちがいない」《◆英語では「床に沈む」という》.
2 (建物の個々の)**階**(略 **fl.**) 《◆ story は「…階建て」という全体の建物の高さを示す》; [集合名詞; 単数・複数扱い] (ある)階の住人 ‖ Stockings are sold on the second *floor*. 靴下の売場は2階《英》3階]です.

[事情] [建物の階の呼びかた]

	《米》	《英》
3階	the third floor	the second floor
2階	the second floor	the first floor
1階	the first floor	the ground floor
地下1階	the first basement	
地下2階	the second basement	

このように米英では数え方が1階ずつずれる. ただし米国でもホテルなどでは英国式の場合もある. stor(e)y には ふつう米英の違いはない.

3 (海・谷などの)底, (トンネル・ほら穴などの)平らな底; (構築物の)底部, (橋などの)路面; 船底(船底の平らな部分); 《略式》地面. **4** [通例単数形で] (ある目的のために設けられた)平らな場所; (取引所内の)立会場

a dance floor ダンスフロア / a threshing floor 脱穀場. **5** [the ~]《議会・討論場の》議員席, 参加者席(cf. platform²);《議員などの》発言権;[集合名詞]《席についている》議員, 参加者 ‖ questions from the floor 議員席[参加者, フロア]からの質問 / May I have [get, hold, take] the floor? 発言したいんですが / give him the floor 《議長が》彼に発言を許す / be on the floor 討議中である. **6**《賃金・価格の》最低額, 底値(↔ceiling).

táke the flóor《正式》(ダンスフロアで)立ち上がって踊りに加わる.

——動 他 **1**〈場所〉に[…で]床を張る[with] ‖ floor a kitchen with tiles 台所の床をタイル張りにする. **2**《略式》〈人が〉〈人〉をたたきのめす, なぐり倒す(knock down). **3**《略式》〈難問・議論などが〉〈答えが出せなくて〉〈人〉を参らせる, 閉口させる(defeat);〈ニュースなどが〉〈人〉を困惑させる(confuse);[be ~ed]〈人が〉[…なのに]閉口する[that節] ‖ He was floored by the question. 彼はその問題にお手上げだった(=He could not answer the question at all.).

flóor làmp《米》(床に置く足長の)フロアスタンド《《英》standard lamp》.

flóor mànager《米》**(1)** フロアマネージャー《政党大会などの議場指導者》. **(2)** フロアマネージャー《テレビ番組の》ディレクターの補佐役》. **(3)** フロアマネージャー《デパートなどの売場監督》《英》shopwalker》.

flóor shòw フロアショー《キャバレー・ナイトクラブ・バーの, stage ではなく floor での歌・ダンスなど》.

floor·board /flɔ́ːrbɔ̀ːrd/ 名 Ⅽ 床板;[通例 ~s]《自動車の》床.

†**floor·ing** /flɔ́ːrɪŋ/ 名 **1** Ⅾ 床張り材, 床板. **2** Ⅽ 床(floor);[集合名詞] 床, 床張り(floors).

floor-shift /flɔ́ːrʃɪ̀ft/ 名 Ⅽ フロアシフト《自動車の床に取り付けたレバーでギアを操作する変速装置》.

†**flop** /flɑ́p | flɔ́p/ 動 (過去過分 flopped/-t/; flop·ping) **1**〈人がそのそと不格好に歩く,〈魚・物が〉バタバタ動く[揺れる](+about, around) ‖ The drunkard is flopping along the street. 酔っ払いがのその通りを歩いている. **2**〈人が〉[…に]ドスンと倒れる, 落ちる[into];ばったり座り込む(+down) ‖ flop down on one's knees がっくりひざまずく. **3**《略式》〈計画・映画・本などが〉完全に失敗する.

——名 Ⅽ **1** [a ~] ドスンと倒れる[落ちる]音[こと]. **2**《略式》完全な失敗(作)(failure).

flop·py /flɑ́pi | flɔ́pi/ 形 (--pi·er, --pi·est) **1**〈衣服などが〉柔らかくて〉ばたばたしている. **2** だらだらした, 締まりのない. ——名 Ⅽ =floppy disk.

flóppy dísk《コンピュータ》フロッピーディスク《略 FD》《◆ diskette ともいう》.

Flor.《略》Florida.

†**flo·ra** /flɔ́ːrə/ 名 (複 ~s, --rae/-riː/) Ⅾ Ⅽ《ある地域・時代の》植物相, フローラ(cf. fauna);植物区系 ‖ flora and fauna 動植物相(=plants and animals).

Flo·ra /flɔ́ːrə/ 名《ローマ神話》フローラ《花と春の女神》.

†**flo·ral** /flɔ́ːrəl/ 形《正式》花のような, 花[植物(群)]の, 花で覆われた;[F~] 花の女神 Flora の.

flóral wédding 花婚式《結婚7周年記念式[日]》.

fló·ral·ly 副 花のように, 花模様に.

†**Flor·ence** /flɔ́ːrəns/ 名 Ⅽ **1** フィレンツェ, フローレンス《イタリア中部の都市. イタリア北中部の中心地. イタリア語名 Firenze》. **2** フローレンス《女の名. 愛称 Flo, Florrie》.

†**Flor·en·tine** /flɔ́ːrəntìːn | flɔ́rəntàɪn/ 形 **1** フィレンツェの;《美術》フィレンツェ派の. **2**《料理》《魚・卵料理》で》ホウレンソウを使った. ——名 Ⅽ **1** フィレンツェ人. **2** [f~] Ⅾ フロレンティーン《チョコレートをまぶしたクッキー》.

flor·id /flɔ́ːrɪd/ 形 **1**〈顔色が〉赤らんだ, 血色のよい, 桜色の. **2**《正式》〈様式・文体などが〉けばけばしい, 華麗な(cf. flowery). **3**《正式》〈音楽などが〉派手な.

†**Flor·i·da** /flɔ́ːrɪdə/ 名 〖「花」が原義〗フロリダ《米国南東端の州. 州都 Tallahassee.《愛称》the Alligator State, the Everglade State, the Flower State, the Peninsular State, the Sunshine State など.《略》Flor., Fla.,《郵便》FL》.

†**flor·in** /flɔ́ːrɪn/ 名 Ⅽ フロリン銀貨《1849年以後英国で流通した2シリング銀貨で, 1971年2月より10ペンス貨として通用》.

†**flor·ist** /flɔ́ːrɪst/ 名 Ⅽ 花屋(の主人);草花栽培者 ‖ a florist's 花屋の店.

†**floss** /flɔ́ːs/ 名 Ⅾ =floss silk;(刺繍(ししゅう)用などの)かま糸 ‖ waxed (dental) floss 歯と歯の間を掃除するろうを塗った糸, デンタルフロス.

flóss sìlk 繭(まゆ)綿, 真綿.

floss·ing /flɔ́ːsɪŋ/ 名 Ⅾ (歯間)フロッシング(dental flossing)《歯と歯の間の掃除》.

flo·ta·tion, floa· /floʊtéɪʃən, 《英+》 flə-/ 名 **1** Ⅾ 浮揚(flotage). **2** Ⅾ Ⅽ《会社などの》設立, 発足.

flo·til·la /floʊtílə,《英+》 flə-/ 名 Ⅽ 小艦隊.

flot·sam /flɑ́tsəm | flɔ́t-/ 名 Ⅾ 《海事》(難破船の)浮き荷, 漂流貨物.

flounce¹ /flaʊ́ns/ 動 自 (怒って)[…から]飛び出す(+off, out, away)[out of], […に]飛び込む(+in)[into].

flounce² /flaʊ́ns/ 名 Ⅽ (スカート・そでロなどの)ひだ飾り. **flóunc·ing** 名 Ⅽ (スカートの)ひだ飾り;Ⅾ その材料.

†**floun·der¹** /flaʊ́ndər/ 動 自 **1**(沈まないように)もがく, (泥[水]の中を)のたうちまわる(+about);(雪・吹きだまりの中を)もがき[あえぎ]ながら進む. **2**(驚き・混乱・知識不足のため)まごつく, へまをする, 口ごもる(+about); 〈仕事を〉苦労しながらする,〈言葉を〉つかえつかえ話す(through).

†**floun·der²** /flaʊ́ndər/ 名 (複 floun·der) Ⅽ《魚》フラウンダー《ヨーロッパ産カレイ類の一種》.

*****flour** /flaʊ́ər/ 発音注意 [同音] 題音 floor /flɔ́ːr/ 〖「(小麦の)最良の部分」が原義. もとは flower の異つづり〗

——名 Ⅾ **1** 小麦粉, メリケン粉 ‖ a cup of sifted flour ふるいにかけた小麦粉カップ1杯 / Mix flour with milk. 小麦粉とミルクを混ぜ合わせなさい. **2** (小麦粉以外のふるいにかけた)穀粉(→ meal²);粉末食品 ‖ rye flour ライ麦粉.

——動 他 …を(小麦)粉にまぶす;〈小麦など〉を粉にする.

flóur mìll 製粉機;製粉所.

†**flour·ish** /flɔ́ːrɪʃ | flʌ́rɪʃ/ 動 自 **1**〈植物が〉繁茂する, 〈仕事などが〉繁盛する, 栄える, 〈人が〉元気でいる(be active [well]) ‖ These flowers flourish in tropical countries. これらの花は熱帯の国々でよく育つ / My family flourished four generations ago. 私の一族は4世代前に繁栄した. **2**〈人が〉活躍する, 在世する ‖ Shakespeare flourished in the reign of Elizabeth I. シェイクスピアはエリザベス1世の治世に活躍した. ——他《正式》〈人が〉〈武器・むち〉を[…めがけて](脅しのため)振り回す[at];注意を引くため〈腕・ハンカチなど〉を打ち振る(wave) ‖ flourish the sword angrily 怒って刀を振り回す.

——名 **1** Ⅽ[通例 a ~]《武器などを》振り回すこと, す

floury

ばやく回すこと. **2** ⓒ 見せびらかし; Ⓤ 派手さ ‖ *with a flourish* 仰々しく, 華々しく. **3** ⓒ (彫刻などの)唐草風の装飾曲線, (署名などの)飾り書き. **4** ⓒ (音楽)装飾楽句; トランペットの華やかな吹奏, ファンファーレ.
flóur·ish·ing·ly 副 繁茂して, 栄えて, 元気に.
flour·y /fláʊəri/ 形 (小麦)粉の(ような).
flout /fláʊt/ 動 他自 (規則などを)破る, (習慣などに)逆らう.

* **flow** /flóʊ/ (類音 flaw /flɔ́ː/)
  ── 動 (~s/-z/; 過去・過分 ~ed/-d/; ~·ing)
  ── 自

I [液体・気体が流れる]

1 〈液体・気体が〉[…へ]**流れる**, 注ぐ[*to*, *into*] (類語 gush, pour, spout, spurt, stream)《◆「液体が流れる」の一般的な語. 速さ・勢い・量に特に限定はなく, 絶えず流れて流れることを強調する》‖ tears *flowing down* his cheeks 彼のほおを流れる涙 / The river *flows into* [*to*] the sea. その川は海に注ぐ / The river *flowed over* its banks. 川が氾濫して堤を越えた(= The river *overflowed* its banks.) / The Thames *flows through* London. テムズ川はロンドンを貫流している.
2 〈血・電気などが〉めぐる, 流れる (circulate).

II [人・物が流れる]

3 a 《(多くの)人・物・事が》〈絶え間なく〉**流れるように動く**》‖ The crowds *flowed down* the street. 群集は通りをそぞろ歩いた / Brilliant scholars *flowed into* foreign universities. 優秀な学者は外国の大学に流れた / His talk *flowed on*. 彼の話は流れるように続いた. **b** [正式]〈衣服・髪などが〉(優雅だらりと)たれる(hang loosely)《◆方向・場所の副詞(句)を伴う》‖ Her long hair *flows* (*down*) over her shoulders. 彼女の長い髪は肩にふさふさと波打っている.

III [言葉・情報などが流れる]

4 〈会話・言葉などが〉**すらすらと進む[出る]**; 〈考えなどが〉よどみなく生まれる[出る]; 〈自信などがわき起こる.
5 〈涙・血・潮などが〉〈場所から〉わき出る(+*out*); 〈河川が〉[…に]源を発する; 〈事が〉〈事が原因で〉生じる; 〈命令などが〉〈場所から〉出る[*from*] ‖ blood *flowing from* the wound 傷口から流れている血 / Wisdom *flows from* experience. 知恵は経験から生まれる.

── 名 (複 ~s/-z/) **1 a** [the/a ~] 〈液体の絶え間ない〉**流れ**(類語 current, flood, tide, flux); 〈気体の〉流動(力); 〈人・物・交通などの〉(よどみない)流れ, 流れるような動き; 〈思想などの〉方向, 思潮(cf. inflow, outflow) ‖ *the gentle flow* of the river 静かな川の流れ / *a flow of* population into Tokyo 東京への人口流入(⇒文法 14.4) / *a rapid flow of* speech 流暢(ちょう)な弁舌. **b** [a ~] 〈液体・気体・血液が〉どっと流れ出ること, 噴出; 〈言葉・涙の〉**ほとばしり** ‖ There was *a sudden flow of* tears from her eyes. 彼女の目から突然涙があふれ出た.
2 a [the ~] 〈液体・気体の〉流出[流入]率. **b** [a/the ~] 流出[流入](量), 供給(量) ‖ *a flow of* ten gallons a second 毎秒10ガロンの流出量. **3** [the ~] 満ち(てくる)潮, 上げ潮(↔ ebb) ‖ be on *the flów* 上げ潮である; 隆盛期[上り坂]にある.
gò agàinst the flów 流れに逆らう.
gò with the flów 流れにまかせる.
flów diagram [**shèet**] = flowchart.
flow·chart /flóʊtʃɑːrt/ 名 ⓒ フローチャート, 流れ(作業)図《コンピュータのプログラムの流れ・工場などの作業工程経路を図式化したもの. flow diagram [sheet]

ともいう》.

‡**flow·er** /fláʊər/ (同音 flour; 類音 floor /flɔ́ːr/)
── 名 (複 ~s/-z/) **1** ⓒ **花**; [植] 花《通常は種子植物の有性生殖器官をさす》; 草花, 花の咲く植物 (類語 blossom, bloom) ‖ wild *flowers* 野生の花 / artificial *flowers* 造花 / *Flowers* produce seeds. 花は種子を生じる. 《対話》"What is the national *flower* of Japan?""It's the cherry blossom." 「日本の国花は何ですか」「桜です」.
《事情》[国花] オランダ: tulip / スイス: edelweiss / イタリア: daisy / インド: poppy / メキシコ: cactus / 英国: (イングランド: rose / スコットランド: thistle / ウェールズ: daffodil, leek) / 米国: rose / アイルランド: shamrock.

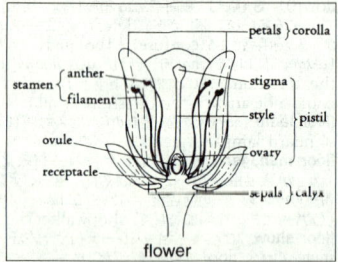

petals · corolla
anther
stamen
filament
style · pistil
ovule
ovary
receptacle
sepals · calyx
flower

2 Ⓤ 開花, 花ざかり ‖ *còme into flówer* 開花する / The roses are *in flówer*. バラが満開だ. **3** (文)[the ~] 精華, 精髄, 鑑(かがみ), 手本 ‖ *the flower of* civilization 文明の精華 / *the flower of* poetry 詩の精髄[本質] / *the flower of* the nation 国の鑑(となる人たち). **4** (文)[the ~] (元気の)盛り ‖ *in the flower of* youth [one's age] 若い盛りに.

Nó flówers (*by requést*). (死亡広告で)御供花辞退申し上げます.

── 動 (~s/-z/; 過去・過分 ~ed/-d/; ~·ing)
── 自 **1** 〈花が〉**咲く**(bloom) ‖ Some roses *flower* late in summer. 夏の末に咲くバラもある. **2** (文)栄える.

flówer arràngement 生け花 ‖ lessons in *flower arrangement* 生け花のけいこ / 日本発》Ikebana [*flower arrangement*] originated in the 15th century when the *tokonoma* [alcove] made its debut in Japanese living rooms. 生け花は日本の居間に床の間ができた15世紀に始まる.
flówer bèd 花壇.
flówer bùd 花芽, つぼみ(cf. leaf bud).
flówer chìldren [**pèople**] (俗)ヒッピー《◆平和と愛の象徴として花や鈴をつけている》; (理想ばかり追いかける)現実逃避の人, 甘ちゃん.
flówer gàrden 花園, 花畑, 大きな花壇.
flówer gìrl (米)(結婚式で花を運ぶ)付添いの少女; (英)(街頭の)花売り娘.
flówer hèad [植] (キク科などの)頭花, 頭状花序.
flówer pòwer [時に F~ P-] (俗)花の力《ヒッピーの唱えた平和と愛のスローガン》.
flow·er·pot /fláʊərpɑt -pɔt/ 名 ⓒ (草花の主に素焼きの)植木鉢.
†**flow·er·y** /fláʊəri/ 形 **1** 花模様の, 花で飾った. **2** 〈文体・話し方が〉美辞麗句を連ねた, 華やかな.
***flown** /flóʊn/ 動 fly¹ の過去分詞形.
†**flu** /flúː/ (同音 flew, flue) [influenza の短縮語] 名

Ⓤ《略式》[しばしば the ~] インフルエンザ, 流感 ‖ I'm coming down with a [the] *flu*. インフルエンザにかかった.

†**fluc・tu・ate** /flʌ́ktʃuèit, 《英+》-tju-/ 動 圓 《正式》〈水準・物価などが〉上がり下がりする, 変動する(change);〈人が〉(精神的に)動揺する ‖ The stock market will *fluctuate* upward over the long term. 株式市場は長期的には上昇するだろう / Prices *fluctuate* according to the law of supply and demand. 物価は需要と供給の法則によって変動する.

†**fluc・tu・a・tion** /flʌ̀ktʃuéiʃən, 《英+》-tju-/ 名 ⓊⒸ《正式》**1**〈物価などの〉変動;(精神的な)動揺. **2** 波動, うねり.

†**flue** /flúː/ (同音) flew, flu) 名 Ⓒ **1**(煙突の)煙道. **2**(暖房の)熱気送管;ガス送管;(ボイラーの)炎管, 炎路.

flu・en・cy /flúːənsi/ 名 Ⓤ(言語・文体の)流暢(ちょう)さ, なめらかさ ‖ speak English *with fluency* 英語を流暢に話す(→ fluent **1** 用例).

†**flu・ent** /flúːənt/ 形 〈(外国の)言語・文体が〉流暢(ちょう)な;〈人が〉[外国語などを]すらすらと話せる[書ける, 弾ける][*in*] ‖ He speaks *fluent* English. = He *is fluent in* (speaking) English. = He is a *fluent* speaker of English. 彼は英語を流暢に話す(= He speaks English *fluently* [*with fluency*].) / a *fluent* liar すらすらうそが出る人. **2**〈曲線・動き・楽器の演奏などが〉なだらかで美しい.

flu・ent・ly 副 流暢に, すらすらと.

†**fluff** /flʌ́f/ 名 Ⓤ〈羊毛・羊毛などの〉けば, 綿毛;Ⓒ(綿毛のように)軽くふわふわした物. ——動 他 **1**〈髪・羽毛などを〉けば立てる,〈枕などを〉(たたいて)ふわりとふくらませる(+*up, out*). **2**《略式》~を間違える,〈せりふなどを〉とちる, 忘れる;〈捕球などを〉失敗する.

†**fluff・y** /flʌ́fi/ 形 (-i・er, -i・est) 《正式》けばの(ような), 綿毛の;〈食物が〉(空気をはらんで)ふわふわした, 柔らかい.

†**flu・id** /flúːid/ 名 ⓊⒸ《化学》流体, 流動体《液体(liquid)・気体(gas)の総称》(↔ solid);《略式》水分, 飲み物. ——形 《正式》流動体の, 流動性の(↔ solid) ‖ a *fluid* diet for two weeks 2週間の流動食. **2**〈約束・計画・意見・状況などが〉変わり得る[やすい], 流動的な, 不安定な ‖ The political situation is *fluid*. 政情は流動的な[不安定]だ.

fluke /flúːk/ 名《略式》[a ~] **1**〔ビリヤード〕フロック, まぐれ当たり. **2** 幸運, まぐれ当たり;幸運な出来事.

flume /flúːm/ 名 Ⓒ **1**(水が流れる)深くて狭い渓谷. **2**(木材運搬・水力供給用などの)人工水路, 用水路.

flung /flʌ́ŋ/ 動 fling の過去形・過去分詞形.

†**flunk** /flʌ́ŋk/ 動《米略式》**1**〈試験などを〉しくじる, 失敗する(fail) (↔ pass) ‖ He *flunked* his driving test three times. 彼は免許試験に3度失敗した. **2**〈学生などに〉〔学科で〕落第点をつける[*in*], ~を落第させる. ——自 **1**〔試験などに〕失敗する, 単位を落とす[*in*]. **2** …を断念する;…から手を引く. ——名 Ⓒ(試験などの)失敗, 落第(点).

flunk・y, -ey /flʌ́ŋki/ 名 Ⓒ おべっか使い.

flu・o・res・cence /fluərésns | flɔː-/ 名 Ⓤ〔物理〕蛍光, 蛍光性.

flu・o・res・cent /fluərésnt | flɔː-/ 形 蛍光を発する, 蛍光性の ‖ a *fluorescent* light [lamp] 蛍光灯.

flu・o・ride /flúəràid | flɔː-/ 名 ⓊⒸ〔化学〕フッ化物;[化合物名で] フッ化….

flu・o・rine /flúəriːn, 《英+》flɔː-/ 名 Ⓤ〔化学〕フッ素《気体のハロゲン元素. 記号 F》.

flu・o・rite /flúəràìt, 《英+》flɔː-/ 名〔鉱物〕ホタル石.

†**flur・ry** /fləˊːri | flʌ́ri/ 名 Ⓒ **1** [a ~](突然の)動揺, 狼狽(ばい), 混乱;興奮 ‖ *in a flurry* あわてて. **2** [a ~ of …](たくさんのことが)同時に起こること ‖ *a flurry of* crimes 同時に多発した犯罪. ——動 他《略式》

†**flush**[1] /flʌ́ʃ/ 動 圓 **1**〈人が〉(怒り・興奮・運動などで)(さっと)赤く染まる(+*up*),〈顔などが〉(ぱっと)赤くなる, 紅潮する(+*up*) [*with*]《◆「(恥じて, 当惑して)赤面する」は主に blush》;〈血が〉[…に, *into, to*];〈光などが〉赤く輝く ‖ She [Her face] *flushed* (red) *with* anger. 彼女は怒って顔を真っ赤にした / Blood *flushed into* her face. 彼女の顔が紅潮した. **2**〈水が〉[…を]どっと流れる[*through*];〈物が〉洗い流される. ——他 **1**(通例 be ~ed)〈顔などが〉(熱などで)紅潮する[*with*];〈人が〉[…で]興奮する[*with*] ‖ Embarrassment *flushed* her cheeks. どぎまぎして彼女のほおは真っ赤になった / His face *was flushed with* fever [whisky]. 熱のために[ウイスキーを飲んで]彼の顔は紅潮した. **2**〈水を〉どっと流す;〈便所・溝などを〉水をどっと流して洗う(+*out*);〈ごみなどを〉水で洗い流す(+*away, down, out*) ‖ *flush* the toilet トイレの水を流す. **3**〈動物・犯人などを〉狩り出す, 追いたてる(+*out*). ——名 **1** Ⓒ [通例 a ~](顔の)紅潮, 赤面;(光・色の)輝き. **2** [a ~](水が)どっと流れる[流す]こと;《英》(管・便所などの)排水, 洗浄(器), 水洗 ‖ give the floor *a flush* 床一面にさっと水を流す. **3** Ⓤ [通例 the ~](突然わきおこる)感激, 興奮, 盛り, 大得意;激怒 ‖ *in the flush of* victory 勝利の感激に酔って. **4** Ⓤ [通例 the first ~] はつらつとしていること, 盛り;若葉(のもえ出ること) ‖ *the first flush of* grass 草の新芽 / *in the first [full] flush of* youth 青春の盛りに.

†**flush**[2] /flʌ́ʃ/ 形 **1**[…と]同じ高さの, 同一の平面の[*with*];[…と]接触している[*against*]. **2** 《略式》〈人が〉[…を]たくさん持っている[*with*];〈人が〉金持ちで, 気前がよい;〈金が〉たくさんある.

flush[3] /flʌ́ʃ/ 名 Ⓒ〔トランプ〕フラッシュ《ポーカーなどで同種の札がそろうこと》.

flus・ter /flʌ́stər/ 動 他 …を騒がし, 混乱[狼狽(ばい)]させる. ——圓 騒ぐ, 混乱[狼狽]する. ——名 Ⓤ《英》[時に a ~] 動揺, 狼狽.

†**flute** /flúːt/ 名 Ⓒ **1** フルート;横笛 (cf. recorder) ‖ play [×blow] the *flute* フルートを吹く / Will you play me a tune on the *flute*? フルートで1曲吹いて聞かせてくれませんか. **2**(オルガンの)笛音音栓.

flut・ing /flúːtiŋ/ 名 Ⓤ **1** フルート吹奏;フルートのような音を出すこと. **2**〔建築〕[しばしば ~s](柱などの)溝彫り;縦溝装飾.

flut・ist /flúːtist/ 名 Ⓒ《米》フルート奏者.

†**flut・ter** /flʌ́tər/ 動 圓 **1**〈鳥・チョウなどが〉(飛ばずに)羽ばたきする;(わずかな距離を)パタパタ[ひらひら]飛ぶ;〈木の葉・紙切れが〉舞う(+*about*) ‖ A butterfly is *fluttering* among the cherry blossoms. チョウが桜の花から花へと飛んでいます. **2**〈旗などが〉はためく (flap), 翻(ひるがえ)る ‖ The curtain was *fluttering* in the soft breeze. カーテンがそよ風で揺れていた. **3**〈脈・心臓が〉[…のために]激しく不規則に打つ, 震える, どきどきする[*with*] ‖ My heart *fluttered with* excitement. 心臓が興奮でどきどきしていた. **4**〈人が〉そわそわする, […を]うろうろする[*about*]. ——他 **1**〈鳥が〉〈羽を〉パタパタさせる ‖ It's funny to see penguins *fluttering* their wings. ペンギンが翼をパタパタさせているのを見るのはこっけいだ. **2**〈旗・ハンカチな

どを翻す, 振る. ⟨まぶた・まつげなど⟩をぴくぴくさせる ‖ She quickly *fluttered* (through) the pages of a phone book. 彼女は急いで電話帳のページをぱらぱらめくった. **3** ⟨人⟩をそわそわさせる, 狼狽(ぶ)させる.
— 名 **1** Ⓤ〔通例 a/the ~〕羽ばたき; はためき; (心臓の)動悸(ぎ); (まぶた・まつげなど)ぴくぴくさせる ‖ There was a *flutter* of wings in the bush. 茂みの中で羽ばたきがした. **2** 〔略式〕〔a ~〕(心)の動揺, おののき, 興奮; 〔通例 the 大騒ぎ〕 ‖ be in a *flutter* 動揺している / fall into a *flútter* どぎまぎする ‖ *pút* [*thrów*] him *in* [*into*] *a flútter* 彼をはらはらさせる, どぎまぎさせる / *màke* [*càuse*] *a flútter* 世間を騒がせる. **3** 〔英略式〕〔通例 a ~〕(小額の)賭(か)け, 投機〔*at, on*〕 ‖ have a *flutter* [at bridge [on the horses] ブリッジ[馬]に賭ける. **4** Ⓤ **a** (録音の)再生ムら; (テレビの)画像のちらつき. **b** (飛行機の)自励振動. **5** Ⓒ〔医学〕(心臓の)粗動.
6 Ⓒ〔水泳〕=flutter kick.
flútter kíck ばた足.

flux /flʌks/ 名 〔正式〕 **1** 〔a ~〕(水の)流れ, 流動; (言葉などが)とうとうと流れ出ること. **2** Ⓤ(潮の)流入, 上潮. **3** Ⓤ絶え間ない変化, 転変; 不安定.

‡**fly**[1] /flái/ 〔類音〕fry /frái/〕〔『空中を飛ぶ』が本義〕
発 **flight**[1] (名)
— 動 (**flies** /-z/; 過去 **flew** /flúː/, 過分 **flown** /flóun/, ~**ing**)〔◆自 6 では過去形・過去分詞形は **fled**/fléd/, **7** では **flied**〕
— 自 **1** ⟨人が⟩飛ぶ, 行く (go by plane)〔*by, with*〕, ⟨鳥・昆虫・飛行機などが⟩飛ぶ; 飛行機を操縦する; (弾丸・ボールなどが)[…に]飛ぶ(*to, toward*); 飛んで行く, 頭上[上空]を飛ぶ(+*by, over*)〔類語〕flit, flutter, hover, soar〕 ‖ I *flew from* London *to* New York (「in a plane [×by plane」〕. / A jet plane is *flying* south. ジェット機が南に向かって飛んでいる / *fly over* the fence 垣根を飛び越える / *fly* business class ビジネスクラスで行く〔◆この意義では副詞的用法〕.
2 a ⟨人・動物が⟩飛ぶように走る, 駆ける; ⟨時間などが⟩飛ぶように過ぎる(+*by, past*); ⟨金が⟩飛ぶようになくなる ‖ He *flew* (out) to meet his mother. 彼は母親を迎えに駆けて行った / *Time flies* (*when you're having fun*). (ことわざ) 楽しい一時(どき)はあっという間に過ぎる / *máke* the mòney *flý* 金を湯水のように使う. **b** (略式)⟨人が⟩急いで出かける.
3 (風などで)⟨旗が⟩翻(る)る; ⟨髪が⟩なびく, ばさばさに立つ(+*away*); ⟨火花・軽いものが⟩飛び散る, 舞い上がる; ⟨言葉が⟩飛び交う; ⟨物が⟩[…から]はずれる(*off*) ‖ The glass *flew* apart [to bits, into pieces]. グラスが粉々にくだけ散った. **4** 〔fly Ⓒ〕⟨ドアなどが⟩突然(動いて) Ⓒ の状態になる〔◆ Ⓒ は形容詞〕‖ The door *flew* open. ドアがぱっと開いた. **5** 突然〔…に〕なる(burst)[*into*] ‖ *fly into* a rage [passion, temper] 突然怒り出す. **6** 〔国・危険から〕急いで逃げる(*off*) [*from*] 〔◆ この語義では過去形・過去分詞形は fled〕 ‖ *fight* or *fly* 戦うか逃げるか〈敵と出会ったときの戦術〉 / *fly* for one's life 命からがら逃げる. **7** 〔野球〕フライを打つ〔◆名詞 fly ができてから動詞が生まれたため, この語義では過去形・過去分詞形は flied〕‖ Matsui *flied* out to right. 松井はライトフライでアウトになった.
— 他 **1** ⟨飛行機などを⟩操縦する, ⟨人・商品を⟩飛行機で運ぶ; ⟨特定の航空会社を⟩利用して旅行する ‖ Terrorists *flew* planes into the World Trade Center. テロリストは飛行機を操縦して世界貿易センターに突っ込んだ / This airline *flies* more than 5,000 passengers weekly. この航空路は毎週5000人以上の乗客を運んでいる / I always *fly* Japan Airlines to Hawaii. 私はハワイへ行くときいつも日本航空で旅行します. **2** ⟨人が⟩⟨鳥などを⟩飛ばす, 放つ; ⟨たこ・気球などを⟩揚げる; ⟨旗⟩を掲げる(raise) ‖ a ship *flying* [which *flies*] the French flag フランス国旗を掲げている船. **3** ⟨海・山・長距離⟩を飛び越える ‖ We *flew* the Atlantic in a few hours. 私たちは大西洋を2, 3時間で飛んだ.

flý at [*úp*)*on*] Ⓐ (1) ⟨人⟩を急に激しく攻撃する, のしる. (2) ⟨獲物などに⟩急に飛びかかる.
— 名 (複 **flies**) Ⓒ **1** 飛ぶこと, 飛行 (flight). **2** 〔野球〕=fly ball. **3** 〔しばしば flies〕〔英略式〕(ズボンの)前チャック(Ⓡ)〔→ pants〕‖ Your *fly's* open [undone]. 君, 「社会の窓」があいてるよ.
on the flý (1) 飛行中の〔で〕‖ catch a ball *on the fly* フライのボールを捕る. (2) 〈略式〉大急ぎの〔で〕.

flý báll フライ, 飛球.

†**fly**[2] /flái/ 名 Ⓒ **1** ハエ ‖ the fish covered in *flies* ハエが一面にたかっている魚 〈ショウブン〉"Let's flee, *fly*." "Let's fly, flea." 「ハエくん, さあ逃げよう」「ノミさん, 飛んで行こう」〔◆ flee (逃げる) と flea (ノミ), fly[2] (ハエ) などのごろ合わせ〕. **2** 〔通例複合語で〕飛ぶ昆虫〈例: dragonfly, butterfly, firefly〉.
3 Ⓒ (釣り用の)蚊ばり, 毛ばり.
a [**the**] **flý in the óintment** (略式)〔聖〕玉にきず, (楽しみの)ぶちこわし.
Thére are [**is**] **nó flíes** [**flý**] **on** [**in**] ... Ⓐ.〔利口で元気な馬はハエを止まらせないことから〕⟨人⟩に欠点がない; ⟨人など⟩には欠点がない.

fly·a·way /fláiəwèi/ 形 (衣服・髪などが)風になびいて; ひらひらする.
fly-by-night /fláibainàit/ 形 〔略式〕⟨人・会社などが〕信頼できない, 怪しげな; (金銭面で)無責任な; 営利主義の.
fly·catch·er /fláikætʃər/ 名 Ⓒ **1** ハエ取り器. **2** 〔鳥〕ヒタキ; 〔米〕タイランチョウ. **3** 〔植〕ハエジゴク, ハエトリソウ《モウセンゴケ科の食虫植物》.
†**fly·er** /fláiər/ 名 =flier.
fly·ing /fláiiŋ/ 形 **1** 飛んでいる, 飛ぶことのできる. **2** 飛ぶように動く; 速い. **3** 大急ぎの, あわただしい. **4** 飛行機[飛行家](用)の. — 名 Ⓤ 飛行; 飛行機で旅行すること.
flýing bírd 〔鳥〕ハチドリ (hummingbird).
flýing càrpet (行きたいところに飛んで行ける)魔法のじゅうたん.
flýing dóctor (遠隔地へ)飛行機で往診する医師.
flýing físh 〔魚〕トビウオ(類).
flýing sáucer (他の惑星から飛来すると考えられる)空飛ぶ円盤 (cf. UFO).
flýing stárt (1) 〔競技〕助走スタート《◆ スタートラインの前で助走し, そのままスタートする. 「フライング」は premature start, breakaway が普通》. (2) (一般に)好スタート, 急速なスタート ‖ get off to a *flying start* 好調なスタートを切る.
fly·leaf /fláilìːf/ 名 (複 **~leaves**) Ⓒ 〔製本〕見返しの遊び.
fly·o·ver /fláiòuvər/ 名 Ⓒ **1** 〔米空軍〕空中分列式, 儀礼飛行隊, 低空飛行隊. **2** 〔英〕高架道路 (〔米〕overpass).
fly·weight /fláiwèit/ 名 〔ボクシング・レスリング〕名 Ⓒ 形 フライ級の(選手) (→ boxing[1]).

fly・wheel /fláihwìːl/ 图 C 【機械】はずみ車.
fm (略) fathom(s); from.
FM (略) 〔電子工学〕 frequency modulation.
fn., f.n. (略) footnote.
foal /fóul/ 图 C 馬[ロバ, ラバ]の子, 子馬(→ horse 関連). **in [with] fóal** (雌馬が)子をはらんで.
— 動 他 (子馬を)産む.

†**foam** /fóum/ 图 U 1 泡, (口からふく)泡つばき; (馬・犬などの)泡汗(→ bubble) (cf. froth) ‖ gather *foam* 泡が立つ. 2 (略) =foam rubber.
— 動 自 1 〈ビール・流れなどが〉泡立つ(+*up*)‖ Beer *foams* easily. ビールは簡単に泡立つ / *foam away* [*off*] 泡となって消える. 2 〈人・動物が〉(病気で)〔口から〕泡を吹く(*at*); (略) 〈人〉が激怒する‖ *foam with anger* [*rage*] =*foam at the mouth* 口から泡をとばして[かんかんに]怒る(◆後の表現が powerロ語的.「口角泡をとばして(論じる)」との違いに注意).

fóam polystýrene 発泡スチロール.
fóam rúbber (枕・クッション用の)気泡ゴム, フォームラバー.
foam・y /fóumi/ 形 (--i・er, --i・est) 泡だらけの, 泡立つ, 泡のような.
fob¹ /fáb | fɔ́b/ 图 C 1 =fob chain; (懐中時計の鎖の先につける)小物飾り. 2 (ズボン・チョッキの)時計入れポケット.
fób cháin 懐中時計の鎖[リボン].
fób wátch 懐中時計.
fo・cal /fóukl/ 形 焦点の.
fócal léngth [dístance] 焦点距離.
fócal pláne 焦点面, 焦平面.
fócal póint (1) 焦点. (2) (活動・話題などの)中心点[部, 地].
fo・ci /fóusai, (英+) -ki:/ 图 〔正式〕 focus の複数形.

*****fo・cus** /fóukəs/
— 图 (複 ~・es/-iz/, 〔正式〕 fo・ci/-sai, (英+) -ki:/) ① U C 1 焦点(距離), フォーカス; 焦点整合‖ come into *focus* ピントが合う; 明確になる / Your face is *in* [*òut of*] *fócus* in this picture. この写真ではあなたの顔は焦点が合っている[いない] / *bring* 'a cámera [one's idéa] *into fócus* カメラのピントを合わせる[考えを明確にする] / the main *focus* of this chapter 本章の主要な焦点. 2 (通例 the ~) (興味・活動などの)中心, まと; 震源地; 台風の目‖ She was *the focus of* our attention. 彼女は我々の注目のまと[中心]だった / The *focus is on* A. 焦点[中心]は A にある.
— 動 (過去・過分) ~ed/-t/ or (主に英) fo・cussed/-t/; ~・ing or (主に英) --cus・sing) 他 〈写真など〉を焦点に合わせ鮮明にする; 〈カメラ・レンズなど〉の焦点を[…に]合わせる; 〈注意・努力など〉を[…に]集中させる[*on, upon*] ‖ *Focus* your telescope *on* Saturn. 望遠鏡のピントを土星に合わせなさい / Try to *focus* your attention on the lecture. この講義に精神を集中させなさい.
— 自 〈…に〉焦点が合う; 〈…に〉重点的に取り扱う; (略) 〈…に〉精神を集中させる(+*in*)[*on, upon*].

†**fod・der** /fádər | fɔ́d-/ 图 U 1 家畜の飼料, かいば〘hay, oats など〙. 2 〖略〗人の食物.

†**foe** /fóu/ 图 C 〔詩〕 敵, かたき (enemy).
foehn /féin | fɔ́:n/ 〔ドイツ〕 图 U C 〘気象〙 フェーン〘山地を吹き下ろす暖かい乾燥した風〙.
foe・tus /fíːtəs/ 图 =fetus.

†**fog** /fɔ́g | fɔ́g/
— 图 (複 ~s/-z/) U C 1 霧(ぽ), もや, 濃霧〘◆ mist より濃い霧〙‖ Planes cannot land in heavy [thick, dense, ×deep] *fog*. 濃霧で飛行機の着陸ができない(→ dense 1b) / The light *fog* will soon lift [clear]. この薄い霧はすぐ晴れるでしょう. 2 (一面に立ちこめた)煙, ほこり, しぶき. 3 もやもやした状態, 混乱, 当惑; 不明確, あいまいさ‖ *in a fóg* (略) 当惑していて(はっきりわからない), 途方にくれて; 五里霧中で; ぼうっとして.
— 動 (過去・過分) fogged/-d/; fog・ging) 他 1 …を霧[もや]で覆う[包む](+*up*). 2 …を曇らせる, 暗くする(+*up*). 3 (略) …を混乱[当惑]させる, くれさせる; (通例 be ~ged) 〈人が混乱[当惑]する, 途方にくれる. 4 〈問題点・論点など〉をぼかす.
— 自 1 霧[もや]がかかる[立ちこめる](+*up, over*). 2 曇る, ぼやける.
fóg làmp (主に米) **líght** (自動車の)霧灯, フォグランプ.
fóg sìgnal 濃霧信号.

†**fog・gy** /fɔ́(ː)gi/ 形 (-gi・er, -gi・est) 1 霧の多い[深い], 霧[もや]の立ちこめた‖ a *foggy* night 霧の深い夜 / Tokyo is *foggy*. =It is *foggy* in Tokyo. 東京は霧だ. 2 [しばしば foggiest で] 〈考えなどが〉ぼんやりした; 混乱した‖ I haven't *the foggiest* idea (of) what she means. (略) 彼女が何のことを言っているのかまったくわからない(→ idea 3). 3 〔写真〕 〈陰画・陽画が〉曇った, かぶっている.

fog・horn /fɔ́(ː)ghɔ̀ːrn/ 图 C 〔海事〕 濃霧号笛.
foi・ble /fɔ́ibl/ 图 C 〔正式〕 (性格上の愛嬌(ぁ)のある)弱点, 欠点, 短所 (weak point); うぬぼれている点.

†**foil¹** /fɔ́il/ 動 他 〔正式〕 〈人・計画などを挫折(ざっ)[失敗]させる (defeat); 〈人〉〔の計画〕をくじく[*in*]; …の裏をかく‖ *foil* his attempt =*foil* him *in* his attempt 彼の企てをくじく.

foil² /fɔ́il/ 图 1 U (食物包装用の)金属の薄片, 箔(ぺ); (料理用の)ホイル‖ gold *foil* 金箔(ぺ). 2 C 〔正式〕(比較・対照により)〈他との〉引き立て役(となる人[物])〔*for, to*〕.

foil³ /fɔ́il/ 图 C 〔フェンシング〕 1 [しばしば ~s] フルーレ〘フェンシング競技の一種〙. 2 フルーレに用いる剣.

foist /fɔ́ist/ 動 他 〈にせ物など〉を〈人〉〔に〕つかませる, 押しつける(+*off*)〔*on (to), upon*〕; 〈物〉を〈人〉につきつける〔*at*〕.

fol. (略) folio; following.

*****fold¹** /fóuld/ (類音 hold /hóuld/)
— 動 (~s/fóuldz/; (過去・過分) ~・ed/-id/; ~・ing)
— 他 1 〈人が〉〈紙・布など〉を折りたたむ (+*up, away*), 折り重ねる(+*in, over, together*), 折り曲げる[返す](+*down, back*); 〈翼など〉をすぼめる(+*up*)(↔ unfold)‖ *Fold* the letter and put it in the envelope. 便せんを折りたたんで封筒に入れなさい / *fold down* the corner of a page ページの隅を折り曲げる(→ dog-ear) / *fold up* an umbréllà かさをすぼめる / *fold* one's lègs under onesèlf 正座する / *fold up* the bottom of the trousers ズボンのすそを折り曲げる.
2 〈人が〉〈手・腕など〉を組む‖ *with* one's *arms folded* =*with folded* arms 腕組みして; 手をこまねいて.
3 [fold A **in** [**into**] B =fold A **around** [**about**] A] 〈人などが〉A〈人・物・事〉を B に包む, 抱きかかえる; A に B を巻きつける(+*up*) ‖ hills *folded in* mist もやに包まれた丘 / She *folded* a kilt *around* her. 彼女はキルトを身にまとった / She *folded* her baby *in* her arms. 彼女は赤ん坊を両腕に抱きしめた.
4 〈卵など〉を〔練り粉などに〕ざっくり混ぜ込む(+*in*)

-fold

〔into〕‖ fold nuts in [into] the batter 木の実を練り粉に混ぜ込む.
— 動 1 折り重なる;（持ち運ぶのに・しまっておくのに）折りたためる（+back, up, down, away）‖ This bed folds (away [up]) flat. このベッドは平たくたためる / He folded up into the rear seat. 彼は体を2つに折り曲げて後部席に座った. 2〈略式〉〔劇〕上演中止になる;〈事業・商売・組織などが〉つぶれる;〈人が〉へこたれる, 参ってしまう（+up）.
— 名（複 ~s/-z/）C 1 折り目, 折りじわ, ひだ, 折りたたみ（返し）の部分;（本など）丸めた内側‖ get the folds out of the dress 服の折りじわをとる. 2 〔地質〕地層の褶(しゅう)曲;（主に米）〔地形の〕くぼみ, 谷の屈曲部‖ a fold of hills 山並.

-fold /-fóuld/ (語要素) →語要素一覧(2.1, 2.3).

†fold·er /-fóuldɚ/ 名 C 1 折りたたむ人[器具]. 2 折りたたみ印刷物[パンフレット・時間表・地図など]. 3 紙［書類］ばさみ, フォルダー. 4〔コンピュータ〕フォルダ《ファイルを収納しておく場所》.

fold-out /fóuldàut/ 名 C（雑誌などの）折り込みページ.

†fo·li·age /fóuliidʒ/ 名 U〈正式〉〔集合的に〕(1本または多くの木全体の）葉, 群葉(leaves);（絵画・建築の）葉・枝・花を集めた装飾.
fóliage léaf 〔植〕普通葉.
fóliage plánt 観葉植物.

†fo·li·o /fóuliòu/ 名（複 ~s）1 C U 2つ折り紙[判], フォリオ判《4ページ分》. 2 C U 2つ折り判の本[稿本]《最大の判》. 3 C（写本・刊本の表にだけページ数を付け）1葉.

*folk /fóuk/ (類音) fork /fɔ́ːrk/
— 名 （複 ~s/-s/）1〔複数扱い〕（特定地域の, 特定の生活様式をもつ）人々《《米略式》ではしばしば ~s. people より古風で感傷的な語》‖ country [town] folk 田舎[町]の人たち / They're just (plain) folks. 彼らは気取らない人たちだ.
2〈略式〉〔one's ~s; 複数扱い〕家族;〔主に米〕両親, 親族;〔時に親しい呼びかけで〕みなさん‖ Good luck, folks. みなさん, 幸運を祈ります.
3 C 国民, 民族, 種族;〔形容詞的に〕民族の《◆比較変化しない》.
4 U〈略式〉=folk music.

fólk dànce 民族舞踊(曲)《◆「フォークダンス」は単にdance とする》.
fólk dàncer 民族舞踊家.
fólk mùsic 民族音楽, フォーク（ミュージック）.
fólk ròck フォークロック《民族音楽とロックンロールが結びついたポピュラーミュージック》.
fólk sìnger フォークシンガー, 民謡歌手.
fólk sòng フォークソング, 民謡.
fólk tàle [（まれ）stòry] 民話.

†folk·lore /fóuklɔ̀ːr/ 名 U 民間伝承;民俗学;〔服飾〕民族調, フォークロア.

:fol·low /fɑ́lou | fɔ́l-/ (派) follower (名), following (形·名)

index 動 他 1 後について行く[来る] 2 尾行する
3 次に来る[起こる] 5 従う
7 従事する 8 言うことを理解する
自 1 後から行く[来る] 2 次に起こる

— 動（~s/-z/）（過去·過分）~ed/-d/; ~·ing）
— 他
I ［空間的に人の後について行く］
1〈人·動物が〉〈人·動物·車·行列などの〉後について行く[来る];〈人に〉付き添う, 随行する‖ follow him in [out, up]彼について入る[出る, 上がる] / I followed my girlfriend home. ガールフレンドの家までついていった．(ショーク) "What always follows a dog?" "Its tail." 「いつもイヌの後をついて行くのは何?」「しっぽ」
2〈人を〉尾行する（類語）chase, pursue）;〈猟犬が〉〈獲物を〉追跡する;〈知識などを〉得ようとする, 求める‖ The suspect was being followed by a detective. 容疑者は刑事に尾行されていた.
3〈道などを〉進んで行く,〈川などに〉沿って行く;〈道などが〉〈鉄道など〉と平行して走る‖ Let's follow this track to the station. この線路伝いに駅まで行こう.

II ［時間的にある事柄の後について行く］
4〈事が〉〈事の〉次に来る[起こる], …に続く;〈人の〉後を〔…として〕継ぐ（as）‖ Spring follows winter. 春は冬のあとにやってくる / Who will follow Bush as President? ブッシュ大統領の後をだれが継ぐのでしょうか / The heavy rain was soon followed by [×with] floods. 大雨のあとですぐ洪水が起こった.

III ［相手の話す内容など抽象的なことの後について行く］
5〈人が〉〈忠告·良心·方針·標識·指示など〉に従う,〈命令など〉を守る,〈例·慣習など〉に習う;〈流行などを〉追う, まねる‖ This custom is followed in most Japanese households. この慣習はたいていの日本の家庭で守られています / Don't follow other people's advice blindly. 他人の忠告に盲目的に従うな.
6〈人·動物·物（の動き）を〉注意深く目で追う, 見守る;〈言葉に〉注意深く耳を傾ける‖ I followed the rocket with my eyes as it disappeared into the sky. 私はロケットが空高く消えていくのを目で追った.
7〈人が〉〈仕事〉を営む, …に従事する‖ follow the law [plow, stage, sea] 弁護士[農業, 俳優, 船乗り]を職業とする.
8〈人が〉〈人の〉言うことを理解する;〈人の（言葉）·話の筋など〉を理解する‖ Can you follow what she is saying? = Can you follow her? 彼女が言っていることがわかります.

— 自 1〈人などが〉後から行く[来る], 〔…の〕後について行く[来る]（after）‖ You go and I'll follow. 先に行ってください. 後からついて行きます / I'll follow you. ともいえる / We followed close behind. 我々はすぐ後からついて行った.
2〈事が〉（結果として）次に起こる[来る], 続く‖ If you drink too much, dizziness will follow. 飲みすぎると目まいを起こすよ / There followed a long silence. あとに長い沈黙が続いた.
3〔…から〕起こる, 結果が生じる（from）‖ That does not follow. そんなことにはならない.

as fóllows（列挙して）次の通りで[に]《◆ as it follows から it を省略したものと解される》‖ The results are as follows: 結果は次の通りである.

fóllow ón〔自〕(1) 追い続ける. (2)〔…からの〕続きである;〔…続に〕続く（from）. — 〔他〕[~ on A] (1)〈事〉の後に起こる. (2) …から生じる, が原因である《◆受身不可》.
fóllow suit → suit 名.
fóllow thróugh〔自〕(1)〔…で〕攻撃を続ける,〔…を〕努力してやり抜く（with, on）. (2)〔ゴルフ·テニス·野球〕クラブ[ラケット, バット]を振りきる. — 〔他〕〔議論·計画など〕を最後までやり抜く［続ける］,〈約束など〉を果たす‖ follow the argument through to a [its] conclusion 結論に達するまでとことん議論する.
fóllow úp〔自〕引き続いて〔…を〕行なう（with）;〔…

を徹底的に究明する[on]. ――[他] (1) → 名 1. (2) 〈提案など〉に従う. (3) 〈手がかりなど〉を求める; 〈人・動物など〉を追跡する, 追いつめる.
It fóllows that ... 必然の結果として…ということになる ‖ *It follows* from what she says *that* he is guilty. 彼女の言うことから判断すると彼は有罪ということになる.

†**fol·low·er** /fáloʊɚ | fɔ́l-/ 名 C [主義・学説などの]信奉者, 支持者; [人の]弟子, 門下 [*of*] ‖ Gandhi had many *followers* throughout the world. ガンジーには世界中に多くの支持者がいた.

*__fol·low·ing__ /fáloʊɪŋ | fɔ́l-/
――形 《比較変化しない》[名詞の前で] **1** [the ~] (後に続く)次の, 次に来る; 下記の, 次に述べる(↔ *previous*)《◆ *next* は時間や順序について用いる》 ‖ They met the *following* day. 彼らは次の日に会った / *The following* people attended the meeting. 次の人々が会に出席した.
2 追い風の; 〈潮が〉順流の ‖ a *following* wind [tide] 順風[潮].
――名 U **1** [集合名詞; 通例 a ~; 単数扱い] 従者たち; 門下; 信奉者, 支持者(supporters) ‖ The actress have a large *following*. その女優にはファンが多い. **2** [the ~; 単数・複数扱い] 下記のもの, 次に述べるもの《◆ the は時に省略される》 ‖ *The following* were invited to the party. 次の方々がパーティーに招待された / *The following* is worth noticing. 次のものは注目に値する.
――前 …のあとで, …に引き続いて《◆主に新聞英語》(after) ‖ *Following* the fall of the dollar, prices rose sharply. ドルの下落に続いて物価が急騰した.

fol·low-up /fáloʊʌp | fɔ́l-/ 名 U [略式] [時に a ~] 追跡; 追跡調査[検査]; [ニュースなどの]続報.

†**fol·ly** /fáli | fɔ́li/ 名 **1** U [正式] 愚かさ, 愚劣(foolishness); C [許] 愚かな考え, ばかげたこと ‖ It would be the *height* of *folly* to sail out in this storm. この嵐の中を出航するなら愚の骨頂です. **2** C [ばかげたほど費用のかかる事業[企て]; [歴史] (実用性のない)ばかげた大建築.

fo·ment /foʊmént, (英+) fə-/ 動 他 [正式] 〈不和・反乱などを〉助長[扇動, 誘発]する.

fo·men·ta·tion /fòʊmɛntéɪʃən/ 名 U [正式] 助長, 誘発.

*__fond__ /fánd | fɔ́nd/
――形 (more ~, most ~; ~·er, ~·est) 《◆名詞の前で用いるときは後者が好まれる》 **1** [be fond of A] 〈人が〉〈人・物・事〉が大好きである 《◆ *like* よりくだけた語で強意的. 米国の男性はあまり用いない》 ‖ She *is fond of* jokes [company, watching TV]. 彼女は冗談[交際, テレビを見ること]が好きです / grow [become] *fond of* him 彼が大好きになる.

[語法] 強調副詞 very は fond の前に置く: I am *very fond of* dogs. / ×I am fond of dogs (very) much.

2 [略式] […する]悪いくせがある [*of* doing] ‖ He *is* extremely *fond of* find**ing** fault with others. 彼は他人のあらさがしをしてひどく楽しむ悪いくせがある. **3** [名詞の前で] **a** 優しい, 情深い; 〈目が〉愛する, 甘やかす ‖ a *fond* mother 甘い母親; 優しい母親 《◆「好きな母」ではない》. **b** 好意的な ‖ a *fond* look [smile] 好意的な視線[微笑].

4 [名詞の前で] 〈望みなどが〉たわいもない, 盲信的な; 〈野望などが〉実現しそうもない.

fon·dle /fándl | fɔ́n-/ 動 他 〈人・動物など〉をかわいがる, 愛撫する, 抱き締める; 〈体の一部など〉をやさしくなでる.

†**fond·ly** /fándli | fɔ́nd-/ 副 **1** やさしく, かわいがって, 愛情をこめて. **2** たわいなく, あさはかにも, 愚かにも.

†**fond·ness** /fándnəs | fɔ́nd-/ 名 U [···に対する]愛情, 愛着; 溺(诸)愛 [*for*] ‖ Her *fondness for* her daughter was reciprocated. 彼女の娘を思う気持ちは報いられた. **2** [a ~] […に対する]好み, 趣味 [*for*] ‖ She *has a fondness for* argument. 彼女は議論好きだ.(=She *is fond of* argument.).

fon·due, fon·du /fɑndú: | fɔ́ndju:/ 名 U 【フランス】 【日本発】フォンデュ《溶かしたチーズ・ワイン・バターなどで作ったソースにパンをからめて食べるスイス料理》.

font[1] /fánt | fɔ́nt/ 名 C **1** (教会の)洗礼盤, 聖水盤. **2** (ランプの)油つぼ.

font[2] /fánt | fɔ́nt/ 名 C (米) [印刷] フォント《同一書体の活字のひとそろい》. [コンピュータ] (文字)フォント, 書体 (英) fount).

*__food__ /fú:d/ [発音注意] [類語] hood /húd/)
――名 /fú:d/~z/ U **1** (人間の)食物, 食糧 [類語] provision, ration) / (飲食物に対する)食べ物, 固形食品類, 料理 ‖ vegetable [animal] *food* 植物性[動物性]食品 / bad [coarse, plain, poor] *food* 粗食 / a staple *food* 主食《日本人にとっての米など》 / *fóod* and *drínk* 飲食物 / nátural [(米) organic] *fóods* 自然食品 / frozen food 冷凍食品 / processed food 加工食品 / canned [(英) tinned] food かん詰め / health food 健康食品 / French food フランス料理 / Liver is a rich [nourishing] *food*. レバーは栄養のある食物だ / *food, clothing and shelter* 衣食住 《◆ふつうこの語順》 / an article [a piece] of *food* 食品 1 点 《◆数えるときにこの言い方をする》. 《日本発》Many foreigners have taken an interest in Japanese *food* because it is well-balanced and healthy. 日本食は栄養のバランスがとれていて体にいいので, 多くの外国人が関心をもっている. **2** [動物の]えさ, えじき; [植物の]肥料 [*for*] ‖ rabbit *food* ウサギのえさ; (略式・小児語) 生野菜 / become *food for* fishes [worms] 魚[ウジ虫]のえじきになる, 水死する[死ぬ]. **3** [心の糧(氵)]; [思考の材料] [*for, of*] ‖ *food for* thought 考える糧, 考える材料.

fóod àdditive 食品添加物.

fóod chàin [生物] 食物連鎖.

fóod pòisoning 食中毒 ‖ get *food poisoning* 食あたりする[している].

fóod pròcessor フードプロセッサー《肉や野菜を細かく刻んだり, 混ぜ合わせたりする電気器具》.

†**food·stuff** /fú:dstʌf/ 名 C [正式] [しばしば ~s] (原料としての)食品; [法識] 食糧, 食料品.

†**fool**[1] /fú:l/ 名 C **1** ばか者, 愚人; ばかにされる[かつがれる]人; (一般に)人 ‖ *Children* and *fools speak the truth.* 子供とばか者は本当のことを言う (*There's*) *no fool like an old fool.* (ことわざ) (女に夢中になって)年寄りのばかは手がつけられない / *A fool and his money are soon parted.* (ことわざ) ばかとお金は縁がない / He is being a *fool*. 彼はばかなことをしている[ばかなふりをしている] [◯文法 5.2 (3)] 《◆ He is a fool. は [彼は(生まれつきの)ばかだ]》 / a big *fool* 大ばか者. **2** [歴史] (王侯・貴族にかかえられ)道化師. **3** […に]熱狂している人, […に]目のない人 [*for*] ‖ She is a *fool for* stamp-collect-

ing. 彼女は切手収集に夢中になっている.
áct the fóol (1) 道化役をする. (2) 〔…に対して〕ばかなまねをする; 愚かなことをする《with》.
be fóol enóugh to do 愚かにも…する ‖ She *was fool enough to* accept his proposal. 彼女は愚かにも彼のプロポーズを受け入れた.
be nó [nóbody's] fóol 《略式》抜け目がない, 簡単にはだまされない.
fórm the fóol ばかなまねをする.
***máke a fóol of A** 〈人〉をばかにする, かつぐ, 〈人〉にばかなまねをさせる ‖ *Don't make fools of* the boys. その少年たちをばかにするな《◆of のあとに複数名詞がくると fools となる》.
máke a fóol of onesélf ばかなことをして物笑いになる[ばつが悪い].
pláy the fóol =act the FOOL.
──形《米略式》ばかげた, 愚かな.
──動 **1** ばかなまねをする; 〔…と〕おどける, ふざける(+*about, around*)《*with*》; 〔…で〕無為に過ごす;(仕事をせずに)遊ぶ;《米略式》〔既婚の異性と〕性的関係を持つ, 浮気する(+*about, around*)《*with*》;《米》のんびり行く(進む)(+*along*) ‖ He was *fooling around [about]* the whole day. 彼は 1 日中ぶらぶらしていた. ──他 **1** 〈人〉をばかにする. **2** 〈人〉を〔…で〕かつぐ, だます(deceive);〈人〉をだまして〔…を〕奪う(*out, of*);〈人〉をだまして〔…〕させる(*into doing*) ‖ Don't be *fooled by* substitutes. (広告)類似品にご注意 / He tried to *fool* me *out of* my money. 彼はぼくをだまして金を巻き上げようとした / She *fooled* me *into* giving her the money. 彼女にだまされてその金を渡した.
fóol's páradise 幻想的幸福, ぬか喜び ‖ be [live] in a *fool's paradise* ぬか喜びにひたっている.
fool² /fúːl/ 名 U 《英》フール《煮つぶした果物に生クリームやカスタードを混ぜた冷菜》.
fool·er·y /fúːləri/ 名 U 《正式》(習慣的な)愚かなふるまい;《通例 fooleries》(個々の)愚かな行為,(特に)いたずら.
fool·har·dy /fúːlhɑ̀ːrdi/ 形 《正式》向こう見ずな, 無鉄砲な, 無謀な.

:**fool·ish** /fúːliʃ/

──形(*more* ~, *most* ~; 時に~·**er**, ~·**est**)愚かな, ばかげた, 思慮[分別, 良識]のない(↔ wise);当惑した, めんくらった, きまりの悪い(→ silly, stupid) ‖ *Penny wise (and) pound foolish.*(ことわざ)1 ペニーをけちって 1 ポンドを失うこ, ささいなことにこだわって大事なことを見失う / Dón't be *fóolish!*(↘) ばかなことを言うな[するな] / Ann was being rather *foolish.* アンはかなり愚かなことをしていた《◆be 動詞の進行形で一時的な行為を表す = Ann was behaving rather *foolishly.*)/ He is *foolish* to meet her again. =*It is foolish of* him *to* meet her again. =《略式》He is *foolish* meeting her again. 彼女にまた会うなんて彼はばかだ《➡文法 17.5》 / It would be *foolish* (for him) to do it. (彼が)それをするのはばかげているだろう.
fóol·ish·ness 名 U ばかさ, 愚行.
†**fool·ish·ly** /fúːliʃli/ 副 [動詞修飾] 愚かにも; [文全体を修飾] 愚かにも, ばからしくも ‖ She *foolishly* came late for the entrance exam. 彼女は愚かにも入試に遅刻した (=She was *foolish* to come late for ... / It was *foolish* of her to come late for ...).

fool·proof /fúːlprùːf/ 形 〈規則・やり方などが〉間違えようのないほど簡明な;《略式》〈機械などが〉きわめて簡単に操作できる.

:**foot** /fút/ [発音注意]

〖「人の足」の機能面から「歩行」, 形状面から「(器物の)あし」「(山の)ふもと」などの意が生じた〗
──名(複 **feet** /fíːt/) **1** C 足《◆くるぶし以下の部分. leg はふつうももからくるぶしまで.《図》→ body》 ‖ *hàve a sóre fóot* 足が痛い / *stánd on óne fóot* 片足で立つ / *stámp one's fóot* 足で床を踏み鳴らす《怒り・威嚇(ぃ)などのしぐさ》.

> 関連 [いろいろな足の部分]
> ankle くるぶし / arch 土踏まず / heel かかと / instep 足の甲 / sole 足の裏.

2 《足の長さから》C (長さの単位の)フィート, フット《1/3 yard, 12 inches (30.48 センチ)》.《記号》'(例: 5').《略》ft., F., f.》 ‖ *a fóot* by *foot* 1 フィートずつ, 次第に / He is five *feet* 《略式》*foot*) tall. 彼の身長は 5 フィートだ / ショーク "In this box, I have a 10-*foot* snake." "You can't fool me. Snakes don't have feet." 「この箱の中に 10 フィートのヘビがいるよ」「だまされないぞ. ヘビに足があるもんか」《◆10-*foot* snake は「10 本足のヘビ」とも取れる》.

> 📕 語法 [foot と feet]
> (1) あとにインチを示す数詞を伴う場合は foot がふつう: He is five *foot* two. 彼は身長が 5 フィート 2 インチだ.
> (2) あとに数詞や tall を伴わないときや「数詞 + inch(es)」を伴うときは feet: six feet [×foot].
> (3) 複合語では常に単数形: a five-*foot*-deep river 深さ 5 フィートの川.

3 C [the ~ of ...] **a** 足状の物,(寝台・テーブルなどの)足部;(器物の)あし;(コップなどの)台足 ‖ *the foot of* a boot 靴のくるぶしから下の部分. **b** 物の基底部,(山の)ふもと,(活字の)足,(はしご・階段などの)最下部 ‖ *at the foot of* the page [list] ページ[表]の下の部分. **c** (位置・地位などの)最下位, 末席, 最後(↔ head) ‖ *the foot of* a class クラスの最後.

4 U C (足の機能に重点を置いての)歩行, 足どり (step) ‖ be fleet [swift, light] *of foot* 《文》足が速い / gó at a *foot's* pace 歩行の速度[なみ足]で行く / have light [leaden] *feet* 足が軽い[重い].

5 C 〖詩学〗詩脚, 韻脚.
at A's fèet =**at the féet of A** (1) 〈人〉の足元に. (2) 〈人〉に服従[師事]して; 〈人〉の言いなりになって ‖ sit at his *feet* 彼の教えを受ける, 彼の門下に入る / throw oneself *at* her *feet* 彼女に服従[心酔]する.

drág one's féet [héels] (1) 足を引きずる. (2) 《略式》わざとのろのろ[ぐずぐず]する, 手間どる.
gèt [háve] cóld féet 《略式》おじけづく, 気力を失う.
***on fóot** (1) 徒歩で ‖ go *on foot*《主に英》歩いて行く《◆(1)《米》では単に walk という. go by foot は《略式》.(2)「歩いて登校する」は walk to school がふつう》.(2)〈物・事が〉〔…を目ざして〕着手されて〔*for*〕 ‖ set a plan *on foot* 計画を実行する.
on one's féet 《体が両足の上に乗った状態で》(1) 立っている状態で[の]; 立ち上がって ‖ be dead on

one's feet [heels]（略式）くたくたに疲れている / drop [fall, land] on one's feet（猫のように）足から着地する．(2)〈人が〉健康で[の]，（病気）元になって[た]‖ get him back on his feet 彼に健康[自信]を取り戻させる．(3)〈人・会社などが〉(財政的に)独立して；(不振後)立ち直って‖ set [put] him on his feet 彼を一人立ちさせる．

regáin one's féet [fóoting, bálance, légs]〈転んだ人が〉起き上がる，〈転びかけた人が〉体勢を直す．

sèt fóot in [on, upon] A〈場所〉に足を踏み入れる，到着[到達]する．

stand on [upon] one's own (two) feet [legs] → leg 名.

swéep A óff A's féet (1)〈波などが〉〈人〉の足をさらう．(2)〈愛情・幸福感・情熱・説得力などで〉〈人〉を夢中[有頂天]にさせる，熱中させる，とりこにする．(3)〈人〉に大いに影響を与える．

to one's féet 立っている状態に ‖ gét [cóme,（文）ríse] to one's féet ぱっと立ち上がる / hélp him to his féet 手を貸して彼を立ち上がらせる / júmp [spríng, léap, stárt] to one's féet ぱっと跳び上がる / ráise [bríng, gét, sét] him to his féet 彼をぱっと立ち上がらせる / táke to one's féet 歩いていく / stágger [strúggle] to one's féet よろよろと[やっと]立ち上がる．

ùnder A's féet (1)〈人〉の足元に．(2)〈人〉に屈伏して．(3)〈人〉の邪魔になって．

ùnder fóot 足元に，地面に《◆比喩的にも用いる》‖ tread [trample] a person under foot 人をしいたげる[踏みにじる]．

──動 他 1〈場所・距離〉を歩く．2（略式）〈勘定などを支払う（+up）．

fóot bràke 足ブレーキ．

fóot wàrmer 足温器．

foot·age /fútidʒ/ 名 ⓊⒸ 1（フィートで表した[測った]）長さ，距離．2（映画フィルムなどの）フィート数．

foot·ball /fútbɔːl/

──名（複 ~s/-z/）1 Ⓤ フットボール，蹴(し*)球《（米）ではふつうアメリカンフットボール（American football），（英）ではサッカー（association football, soccer）またはラグビー（rugby (football)）をいう》；[形容詞的に]フットボール（用）の ‖ football boots サッカーシューズ（（米）soccer shoes） / a football fan フットボールのファン / We enjoyed watching a football game on television.（米）私たちはフットボールの試合をテレビで見て楽しんだ《◆英国で「サッカーの試合」というときは a game of football か a football match がふつう．米国で「サッカーの試合」は a soccer game》．2 Ⓒ フットボール用ボール．3 Ⓒ（フットボール用ボールのように）道具として（粗末に）取り扱われる人[物，問題]，物議をかもす問題．

foot·ball·er /fútbɔːlər/ 名 Ⓒ（プロの）フットボール選手．

foot·board /fútbɔːrd/ 名 Ⓒ（乗物の）乗降用踏み台，ステップ．

foot·bridge /fútbridʒ/ 名 Ⓒ（川や谷間にかけられた）歩道橋《◆日本の道路にみられる「歩道橋」は pedestrian bridge》．

foot-drag·ging /fútdrægiŋ/ 名 Ⓤ（略式）（意図的な）対応の遅れ；遅延．

foot·ed /fútid/ 形 足のある，足のついた；[複合語で]…本足の，足が…の ‖ a four-footed animal 四足獣 / bare-footed はだしの，素足の．

foot·fall /fútfɔːl/ 名 Ⓒ 1 歩み，足取り．2 足音．

foot·gear /fútɡiər/ 名〔集合名詞〕足にはく物（footwear）．

†**foot·hill** /fúthil/ 名 Ⓒ[通例 ~s]（山すその）小さな丘．

†**foot·hold** /fúthould/ 名 Ⓒ[比喩的にも用いて]足がかり．

†**foot·ing** /fútiŋ/ 名 Ⓤ [時に a ~] 1（確かな）足もと，足どり‖ lóse [míss] one's fóoting バランスを失って転ぶ（の）．2 足がかり，（特に競走路としての）コンディション．3 地位，身分，資格；[…との]間柄，（相互）関係（with）‖ be on a friendly footing with him 彼と親しい関係にある．4（物事の）確固たる地歩；基盤，基礎．

regáin one's fóoting = regain one's feet (→ foot 名).

foot·less /fútləs/ 形 1 足のない．2 支え[実体]のない．

foot·light /fútlàit/ 名〔演劇〕[複数扱い] 1 フットライト，脚光．2 [the ~]役者稼業；舞台，劇場．

†**foot·man** /fútmən/ 名（複 -men）Ⓒ（制服を着た）従僕《来客の案内・食卓の給仕・車のドアの開閉・使い走りなどをする》(PC) valet).

foot·mark /fútmɑːrk/ 名 Ⓒ（泥のついた，ぬれた）足跡；（検証用の）足型（footprint）．

foot·note /fútnòut/ 名 Ⓒ 脚注（略 fn.）．

†**foot·path** /fútpæθ | -pɑːθ/ 名 Ⓒ 1（野原の）小道，人道 (cf. footway)．2（英）（車道と区分され舗装された）歩道（cf. pavement,（米）sidewalk）．

†**foot·print** /fútprint/ 名 Ⓒ [通例 ~s] 足型，足跡；足跡が．

foot·race /fútrèis/ 名 Ⓒ 駆けっこ，徒歩競走．

†**foot·step** /fútstèp/ 名 Ⓒ 1 [通例 ~s] 足音；足跡 ‖◆対話 "Can you hear the footsteps on the stairs?" "Yeah, it might be Daddy."「階段の足音が聞こえますか」「はい，お父さんかもしれません」/ follow the criminal's footsteps in the snow 雪の上に残された犯人の足跡をたどる．2 歩み，足取り；歩幅．3 階段，踏み段．

fóllow [tréad] (in) A's fóotsteps〈人〉の例にならう，〈人〉の志を継ぐ．

†**foot·stool** /fútstùːl/ 名 Ⓒ（座っているときに用いる）足のせ台《◆単に stool ともいう》．

foot·wear /fútwèər/ 名 Ⓤ（正式）〔集合名詞〕はき物《靴・スリッパ・ストッキングなど》．

foot·work /fútwɜːrk/ 名 Ⓤ〔スポーツ〕フットワーク，足さばき；巧妙な処置能力．

fop /fáp | fɔ́p/ 名 Ⓒ しゃれ男，めかし屋，気取り屋．

fop·per·y /fápəri | fɔ́p-/ 名 ⓊⒸ（男の）おしゃれ，きざな態度．

fop·pish /fápiʃ | fɔ́p-/ 形（古）〈男（の服装）が〉おしゃれの，きざな．

for /（弱）fər, fr;（強）fɔ́ːr, 母音の前で（英+）fɔr/

同音 ᐃfore, ᐃfour 『『前に(fore)』という原義から主な意味として目的・交換・理由・関連・範囲を表す』

index
〔前〕1 ～のあての 2 ～に向かって 3 ～のためにに[の] 5 ～に賛成して 6 ～を記念して 7 ～の代わりに[の] 8 ～と交換に 9 ～として 10 ～が原因[理由]で 11 ～にもかかわらず 12 ～に関して 13 ～に適した 14 ～にとって(は) 16 ～の間（ずっと）
〔接〕というのは…だから

— 前

I [目標の対象を指して]

1 [受容者]〈手紙などが〉〈人〉あての, …への; [目的語を2つとる動詞の間接目的語を導いて]〈人のために〉‖ There's a phone call *for* you. 君に電話だよ / This is just something small *for* you. これはつまらないものですが, どうぞ / I bought a new dress *for* her. 彼女に新しい洋服を買ってやった(=I bought her a new dress.) / ジョーク "Can I have a goldfish *for* my son?" "Sorry, we don't do swaps."「息子に金魚, いいかしら」「申し訳ありません. 交換はしておりませんので」(◆ **8** の意味に取った).

2 [方向・目的地・対象]〈ある場所に向かって,〈列車など〉…方面行きの;〈感情・好み・才能などの対象として〉…に対して〈対する〉‖ pity *for* the poor 貧者に対する同情 / dash *for* the door ドアに向かって突進する / the train *for* London ロンドン方面行きの列車(◆「ロンドン行き」は *to* London)/ have a taste *for* music 音楽が好きだ / They left London *for* New York. 彼らはロンドンを発ってニューヨークへ向かった.

3 [目的・目標]…のために[の];[動詞の後で]…を求めて, …を得ようとして‖ work *for* one's living 生活のために働く / Do you have any medicine *for* diarrhea? 下痢の薬はありますか / have an operation *for* cancer がんの手術を受ける / **What** is this used *for*? これは何のために使われるのですか / I went there *for* the summer. 夏を過ごすためにそこへ行った(→ **16** 語法).

4 [準備]…に備えて, …のために‖ prepare *for* an examination 試験の準備をする / get ready *for* supper 夕食の準備をする.

5 [支持・賛成]…に賛成して, …に味方して, …を擁護[弁護]して,〈…の側に〉(↔ against)‖ vote *for* a measure 議案に賛成投票をする / stand up *for* women's rights 女性の権利を擁護する / Are you *for* or *against* the proposal? その提案に賛成ですか, それとも反対ですか(◆ *for* or [and] against は目的語を省略しても用いられる)/ **be all** *for* her suggestion 彼女の提案に大賛成である.

6 [敬意・記念](米正式)…を記念して, …に敬意を表して(in honor of);(米)…にちなんで(after)‖ give a party *for* a new ambassador 新任大使のためにパーティーを開く / She was named *for* [after] her aunt. 彼女はおばの名をとって命名された.

II [関係の対象を指して]

7 [代理・代表・意味]…の代わりに[の]《◆ on behalf of は堅い言い方》; …を表す, …を意味する, …を代表する‖ speak *for* the accused 被告に代わって話す / the member *for* Manchester マンチェスター選出の下院議員 / substitute margarine *for* butter マーガリンをバターの代用品に用いる / **What's the word** *for* "ship" *in* Spanish?「船」をスペイン語でどういいますか.

8 [交換・代償・等価]…と交換に,〈ある金額〉で; …の償い[報い, 報酬]として; …に対して; …につき(per)‖ a check *for* £20 20ポンドの小切手 / give blow *for* blow なぐったらなぐり返す(➡文法 16.3(3))/ reward him *for* his services 彼の仕事に対して報酬を与える / I paid five pounds *for* the book. = I bought the book *for* five pounds. その本に5ポンド支払った / We sold our car *for* $1,000. 自動車を1000ドルで売った / *For* one enemy he had seventy friends. 彼には1人の敵に対して70人もの味方がいた.

9 [資格・特性]…として(as)‖ use coal *for* fuel 石炭を燃料として使う / I had eggs *for* breakfast. 朝食に卵を食べた / Do you *take* me *for* a fool? 君はぼくをばかだと思っているのか / They chose him *for* their leader. 彼らは彼をリーダーに選んだ / 対話 "How old is the child?" "He is ten." "He could pass *for* a junior high school student."「その子はいくつなの」「10歳です」「中学生でも通るね」.

III [判断の観点となる対象を指して]

10 [原因・理由・結果](正式)…が原因[理由]で, …のために; …の結果として‖ *for this reason* この理由のために / *shout for joy* うれしさのあまり大声を上げる / a city (which is) *known for* its beauty 美しさで知られている町 / I could hardly *see* (anything) *for* (a) thick mist. 濃霧のためにほとんど(何も)見えなかった / My stockings are *the worse for* wear. 私の靴下はよくはいたためにいたんでいる.

> 語法 上記以外の連語では for はふつう不可; The game was canceled because of [×for] (the) bad weather. 試合は悪天候のため中止された.

11 [通例 ~ all]…がある[…を持っている]にもかかわらず(in spite of)(→ **all** 形 成句); …を考慮しても(considering)‖ *For all* his skill, he has achieved very little. 彼は腕が立つのにほとんど成果があがっていない(=Despite his skill, …. / Though he is skillful, ….).

12 [関連]…に関して, …について‖ *for my part* 私としては(=as for me) / Walking is good *for* your health. 歩くことは健康によい / be hard up *for* money お金に困っている / *For* further details, see vol. 4. これ以上の詳細については第4巻を見よ / "So much *for today*!" said the teacher hastily.「今日はこれまで」と先生はあわただしくいった.

13 [適否]…に適した, …にふさわしい; …の目的[必要]にかなう‖ a weekly magazine *for* go players 碁打ちのための週刊誌 / a dress *for* the occasion その場にふさわしい服 / He is the (right) man *for* the job. 彼はその仕事に(最)適任だ.

14 [観点・基準][しばしば too, enough と共に]…にとって(は); [形容詞と関連して]…のわりには‖ It's *too* early *for* supper. 夕食は早すぎる / *For* a foreigner, he speaks good Japanese. 彼は外国人にしては日本語がうまい / It's (very) hot *for* this time of year. 今ごろにしては(とても)暑い.

15 [不定詞の意味上の主語を示して]…が[の](…する)(➡文法 11.4(2))‖ It is important *for* you *to* go at once. 君はすぐ行くことが重要だ(=It is important that you (主に英) should) go at once.) / The idea *is for* us to meet tomorrow. その思いつきというのは明日会おうじゃないかということだ / There's no need *for* us to hurry. 我々は急ぐ必要はない(=We need not hurry.) / They arranged *for* her to come here. 彼らは彼女がここへ来るように取りはからった(◆同じ構文をとる動詞は, ask, call, long, plan, wait など).

IV [時間の流れを指して]

16 [期間・距離]…の間(ずっと), …にわたって‖ walk (*for*) five miles 5マイル歩く / I「have been [×am] here (*for*) six weeks. 私は6週間ここにいる(◆期間が発話の時点まで継続している場合は完了形を用いる(➡文法 6.1(3)). I lived in Kobe *for* two years. (私は神戸に2年間住んだ)は過去の一時点とみなすので単純過去形.

語法 [特定の期間をさす場合の for]
(1) 特定の期間をさす場合,原則として for は不可: *during* [×*for*] *the six weeks* その(特定の)6週間.
(2) ただし past, coming, following, next, last などや序数詞に限定される場合は可(→ during 前 2 語法).
(3) 次の表現でも可: *for the day* きょうは(for today); その日は / *for the weekend* 週末は / *for the summer* 夏は. なお, 「…を過ごすために」の意味では → **3**.

17 [時] (ある決まった日時)に; (ある行事の場合)に ‖ make an appointment *for* five o'clock 5時に約束をする / wear black *for* funerals 葬式に喪服を着る / hold special services *for* Christmas クリスマスに特別の礼拝を行なう.
18 [each, every, 数詞の前で] …ごとに, …に対して ‖ There were 109 divorced people *for every* 1,000 married ones in 1983. 1983年には既婚者1000人に対して離婚した人が109人だ.
19 [雇用] この従業員として, この選手として ‖ My father works *for* a computer company. 私の父親はコンピュータ会社に勤務している.

for éver → forever.
will [*shall*] *be* (*all* [*in*]) *fór it* [主に英略式] 罰せられる[しかられる]ことになる ‖ You'*ll be in for it* when your mother comes home! お母さんが帰って来たらしかられるよ.

——接 [正式] [主節の内容のことを主張する根拠を述べて] というのは…だから《◆ for は主節の後に置き, ふつうコンマで区切られるので軽い休止が置かれる. 独立文として も用いられる. cf. because》‖ It was just twelve o'clock, *for* the church bell was ringing. ちょうど12時かだ, (どうしてこのように言うかというと)教会の鐘が鳴っていたから.

fo·ra /fɔ́:rə/ 图 forum の複数形.
†**for·age** /fɔ́:ridʒ/ 图 動 **1** ① (牛馬の)飼料, かいば, まぐさ. **2** ⓤⓒ 食糧さがし. ——動 国 **1** 〈動物などが〉食糧をあさる. **2** (略式) […を]捜し回る, (引っかき回して)〈…を〉捜す(search)(+*about*) [*for*].
for·as·much as /fɔ̀ːrəzmʌ́tʃ əz, fɑr-│fɔr-, fɔ̀ːr-/ 接 (古) [法律] …であるから(because).
for·ay /fɔ́:rei/ (正式) 图 働 圓 (主に少数での)敵陣急襲[略奪] (をする).
†**for·bade** /fərbǽd, fɔ:r-, -béid/, **for·bad** /fərbǽd, fɔ:r-/ 動 forbid の過去形.
†**for·bear**[1] /fɔ:rbéər/ ((過去) --**bore**, (過分) --**borne**) 働 [正式] …を自粛する, 自制する ‖ *forbear* one's wrath 怒りを抑える / I could not *forbear* pleading [to plead] for her. 彼女の肩をもたずにはいられなかった. ——国 [正式] [〈…することを〉自制する] (*from doing*) ‖ *forbear from* cursing her 彼女に悪態をつくのを慎む.
for·bear[2] /fɔ́:rbeər/ 图 =forebear.
†**for·bear·ance** /fɔ:rbéərəns│fər-/ 图 ⓤ (正式) 辛抱, 自制, 寛容(patience).
for·bear·ing /fɔ:rbéəriŋ│fər-/ 形 (正式) 自制心のある, 寛容な.
†**for·bid** /fərbíd, fɔ:r-/
——動 (~s/-bídz/; (過去) --**bade**/-bǽd, -béid/ or --**bad**/-bǽd/, (過分) --**bid·den**/-bídn/) (--**bid·**

ding)
——働 [正式] 〈人·事情が〉…を禁ずる, …を許さない; [*forbid doing*] …することを禁じる; [*forbid* **A** *to do* =*forbid* **A** *from doing*] 〈人〉に…することを禁ずる, 許さない (類語) ban, inhibit, prohibit)(↔ permit, allow) ‖ The doctor *forbade* me from drink**ing** [coffee]. 医者は私に飲酒[コーヒー]を禁じた / She *forbade* adding anything to the soup. 彼女はスープに何も加えさせなかった《×She *forbade* that anything ((主に英) should) be added to the soup. は不可》/ She *forbade* me to join the party. =She *forbade* me *from* joining the party. 彼女は私がその仲間に加わるのを禁じた.
Gód [*Héaven*] *forbíd* (*that* …)*!* (⤵) (略式) とんでもない(そんなことがあるものか), 断じて(…でない)《◆仮定法なので forbids とはしない. that節内では should か仮定法現在を用いる》.
†**for·bid·den** /fərbídn/ 動 forbid の過去分詞形. ——形 (宗教で)禁じられた; (一般に)禁制の, 許されない.
forbídden frúit [旧約] [the ~] 禁断の木の実《Adam と Eve が食べることを神から厳禁されていた Eden の園の知恵の木の実》; 不義の快楽.
for·bore /fɔ:rbɔ́:r, fər-/ 動 forbear[1] の過去形.
for·borne /fɔ:rbɔ́:rn, fər-/ 動 forbear[1] の過去分詞形.

*****force** /fɔːrs/ (類音) fourth, forth /fɔːrθ/)

index 形 **1** 軍隊; 軍事力 **2** 力, 暴力 **3** (物理的な)力 **4** 影響力
動 **1** 強制する **2** 押し進める

——图 (複) ~s/-iz/ **1** ⓒ [the ~s; しばしば the Forces] 軍隊, 部隊, 艦隊; [通例 the ~] 軍事力, 兵力, 武力; 勢力 ‖ *the* Air *Force* 空軍《◆陸軍は the Army, 海軍は the Navy》/ *the* (armed) *forces* (一国の)陸海空軍 / peace-keeping *forces* (数か国の軍人から成る)平和維持軍.
2 ⓤ (人間の肉体的·精神的な)力, 体力, 腕力; 気力; 暴力 ‖ by sheer *force* of will 気力だけで / with áll one's *fórce* 全力をあげて / by [with] *force* and árms 暴力によって / use *force* to get into the house 力ずくで家に押し入る.
3 a ⓤ (物理的な)力, 強さ, 勢い ‖ the *force* of gravitation [gravity] 重力 / magnetic *force* 磁力 / electric *force* 電力 / The speeding car collided with the utility pole with great *force*. 猛スピードの車が電信柱にものすごい勢いでぶつかった. **b** ⓒ [数詞の前で] 風力 ‖ a *force* five wind 風力5の風.
4 ⓤ 支配力, 影響力(を持つ人[物]); (議論などの)説得力, (文章などの)迫力 ‖ by [from, out of] *force* of habit いつもの習慣で / There is *force* in what she says. 彼女が言うことには説得力がある.
5 ⓒ [単数·複数扱い] 集団, 団体, 一団, 一隊 ‖ the police *force* 警官隊; (警官の集団としての)警察 / a *force* of doctors and nurses 医者と看護師の一団. **6** ⓤ (正式) (法律などの)効力, 強制力; 施行, 実施 ‖ cóme into *fórce* 〈法律·規則が〉効力を発する / pùt [bring] a law into *fórce* 法律を施行する.

by fórce (正式) 力ずくで, 暴力によって.
by (*the*) *fórce of* **A** …の力で, …によって.
in fórce (1) 大挙して. (2) (正式) 〈法律·規則が〉施

join [**combine**] **fórces** 〔…と/…するために〕力を合わせる〔*with* / *to* do〕.

――動 〈~s/-iz/; 過去・過分〉~d/-t/; forc·ing

――他 **1** [force **A** to do / force **A** into doing]〈人・事が〉**A**〈人〉に…することを**強制する**[強いる](→ compel) ‖ I was *forced* 'to confess [*into* confess*ing*] my crime. 私は無理やり罪を白状させられた / Bad weather *forced* us to call off the picnic. 悪天候のため我々はピクニックを中止せざるをえなかった《♦ We were *forced* to call off the picnic because of bad weather. がふつう》/ No one is *forcing* you. だれも無理にとは言っていない(いやならいやでいいんだよ).

2 …を押し進める(+on); 〈物を〉〔…に〕押し込む, 〈飲食物〉を無理に〔口に〕入れる〔*into*, *through*〕‖ *fórce* one's *wáy* through a crowd 群衆を押し分けて進む / Don't *force* my underwear *into* the suitcase. 私の下着をスーツケースに無理に押し込まないでくれ.

3 〈仕事・考えなど〉を〔…に〕押しつける〔*on*, *upon*〕‖ The boss *forced* overtime work *on* us. 上司は我々に超過勤務を強要した.

4 [force **A** **C**] 〈人が〉**A**〈物〉を強く押して **C** (の状態)にする ‖ 〈金庫・戸・錠などを〉こじあける(+*open*); 〈物価など〉を押し上げる[下げる](+*up* [*down*]); …を外へ押しやる(+*out*) ‖ The robbers 'forced the safe *open* [*forced open* the safe]. 強盗は金庫をこじあけた. **5** 〈物・城〉を奪い取る; 〈女性〉を強姦(ごうかん)する《♦ rape の遠回し語》‖ The policeman *forced* the gun from his hand. 警官は彼の手から銃をもぎ取った. **6** 〈声・涙・笑顔など〉を無理に出す; 〈事実など〉を〔…から〕引き出す〔*from*, *out of*〕‖ The TV drama *forced* tears *from* my eyes. そのテレビドラマに私は思わず涙が出た. **7** 〈植物〉を促成栽培する; 〈子供〉の早期教育をする.

fórce óut 〔野球〕 =forceout.
fórce pláy 〔野球〕フォースプレー.

forced /fɔːrst/ 形 **1** 強制された, 無理じいの ‖ *forced* labor 強制労働. **2**〈戸などこじあけられた. **3** 不自然な, 無理のある, 作り笑い ‖ *forced* laughter 作り笑い.
fórc·ed·ly /-idli/ 副 強制的[無理に]に.

†**force·ful** /fɔːrsfl/ 形 力強い; 説得力のある(↔ forceless); 印象的な; 効果的な, 有効な.
fórce·ful·ly 副 力強く. **fórce·ful·ness** 名 U 力強さ.

force·less /fɔːrsləs/ 形 力のない, 無力な(↔ forceful).

force·out /fɔːrsàut/, **fórce óut** 名 C 〔野球〕フォースアウト, 封殺.

for·ceps /fɔːrsəps| -seps/ 名 [複数扱い] 物をはさむ器具の通称 ‖《ピンセット・鉗子(かんし)など》.

†**for·ci·ble** /fɔːrsəbl/ 形 〔正式〕 **1** 強制的な, 暴力的な. **2** 〈議論などが〉説得力のある, 有力な.

†**for·ci·bly** /fɔːrsəbli/ 副 〔正式〕 **1** 強制的に, 力ずくで《♦ 主に法律用語》. **2** 力強く, 強烈に.

forc·ing /fɔːrsiŋ/ 動 → force.

†**ford** /fɔːrd/ 名 C 〈川・潮などの〉浅瀬, 歩いて[馬・自動車などで]渡れる部分〔場所〕. ――動 〈川などの浅瀬〉を渡る.

†**Ford** /fɔːrd/ 名 **1** フォード《Henry ~ 1863–1947; 米国の自動車王》. **2** フォード《Gerald Rudolph /rúːdəlf/~ 1913– ; 米国の第38代大統領(1974–77)》. **3** フォード《John ~ 1895–1973; 米国の映画監督》. **4** C フォード型自動車.

†**fore**¹ /fɔːr/ 形 〈乗物・動物の〉前部の, 前の, 前方の(↔ back, hind). ――副 前方に; 〔海事〕船首の(方)に(↔ aft). ――名 [the ~] **1** 前部, 前面. **2** 〔海事〕船首.

†**fore**² /fɔːr/ 間 〔ゴルフ〕(球が)そっちへいくぞ! 気をつけろ!

fore– /fɔːr–/ 〔語要素〕 → 語要素一覧(1.7).

†**fore·arm** /fɔːrɑːrm/ 名 C 前腕〈ひじから手首まで〉(図) → body) ‖ grasp each other at the *forearms* 前腕を握り合う《♦ 手首とひじの間を内側から握り合う古代ローマ人の握手》.

fore·bear, for- /fɔːrbèər/ 名 C 〔正式〕 [通例 ~s] 先祖.

fore·bode /fɔːrbóud/ 動 他 〔正式〕〈物事が〉…の前兆[警鐘]となる.

†**fore·bod·ing** /fɔːrbóudiŋ/ 名 U C 〔正式〕 凶事の前兆, 不吉な予感, 虫の知らせ.

*****fore·cast** /fɔːrkæst|-kɑːst/
――動 〈~s/-kæsts|-kɑːsts/; 過去・過分 fore·cast or 〈時に〉~·ed/-id/; ~·ing〉
――他 〈人が〉〈事を〉**予言する**, 予報する; [forecast that節 / forecast wh節] 「…かを」予言する, 予報する ‖ Can you *forecast* 'the winner [*who* will win]? 優勝者を予想することができますか / The weatherman has *forecast* that the typhoon will hit this area tonight. 予報官は台風が今晩この地域を襲うであろうと予報した / A storm was *forecast* to hit the island. 暴風がその島を襲うと予報されていた.
――名 〈~s/-kæsts|-kɑːsts/〉 C 〔…の/…について/…という〕**予報**, 予想〔*for* / *of*, *about* / *that*節〕‖ make a *forecast* of rain 雨を予想する / Today's weather *forecast* is for rain. 本日の天気予報は雨だ.

fore·cast·er /fɔːrkæstər|-kɑːst-/ 名 C 予測する人; 天気予報係.

fore·cas·tle /fóuksl/ [発音注意] 名 C 〔正式〕〔海事・歴史〕船首楼(→ poop).

†**fore·close** /fɔːrklóuz/ 動 自 〔法律〕〔…を〕抵当流れ処分にする〔*on*〕.

fore·clo·sure /fɔːrklóuʒər/ 名 U C 〔法律〕 抵当物受け戻し権喪失手続; 質流れ.

fore·court /fɔːrkɔːrt/ 名 C **1**《ホテル・ガソリンスタンドなどの》前庭. **2** 〔テニス〕フォアコート(図) → tennis).

†**fore·fa·ther** /fɔːrfɑːðər/ 名 C [通例 ~s] 祖先, 先祖《♦ 主に男性をさす. ancestor より堅い語》《(PC) ancestor, forerunner, forebear》(↔ descendant).

Fórefathers' Dày《米》父祖[清教徒]米大陸渡来の日《12月22日; 1620年 Pilgrim Fathers が上陸した日》.

†**fore·fin·ger** /fɔːrfiŋɡər/ 名 C 人さし指(first [index] finger).

fore·foot /fɔːrfùt/ 名 〈複 --feet〉 C〈動物の〉前足.

†**fore·front** /fɔːrfrʌnt/ 名 〔正式〕 [the ~]〈物の〉最前部[面]; 〈戦闘などの〉最前線, 先鋒(せんぽう); 〈活動・関心・研究の〉中心, 第一線《♦ 通例次の句で》‖ be in [at] *the forefront* of the battle action 戦いの最前線[中心]にいる.

†**fore·go**¹ /fɔːrɡóu/ 動 〈過去 --went, 過分 --gone〉他 〔古〕…の先に行く, …に先行する.

fore·go² /fɔːrɡóu/ 動 =forgo.

†**fore·go·ing** /fɔːrɡóuiŋ/ 名|→ 形 〔正式〕 **1** [the ~] 先行の, 前[上]述の(↔ following) ‖ *the foregoing*

foregone

chart 上記の図表(=the chart above). **2** [名詞的に;the ~;単数・複数扱い] 前記のこと[もの].

†fore·gone /[動] fɔːrgóun/ [形] ⌒/[動] forego の過去分詞形. —— [形] 決着済みの;〈結果・結論などが〉予想された;前の,過去の.

†fore·ground /fɔ́ːrgraund/ [名] [the ~] **1** (絵画・写真・景色の)前景(↔ background). **2** 最前部.

fore·hand /fɔ́ːrhænd/ [名] C =forehand stroke. —— [形] フォアハンドの.

fórehand stróke (テニスなどで)フォアハンド,フォア(↔ backhand).

fore·hand·ed /fɔ̀ːrhǽndid/ [形] **1** (米)将来への備えがある;たくわえのある. **2** 〔テニスなど〕フォアハンドの.

*fore·head /fɔ́ːrhèd, (米+) fɔ́rəd/ [発音注意]
—— [名] (複 ~s/-idz, -hèdz/) C 額(ﾋﾀｲ) (brow) (図→body), (物の)前部,前面 ‖ tap one's *forehead* (自分の頭がおかしいのではないかと)額をコツコツたたく.

*for·eign /fɔ́rən | fɔ́rən/ [発音注意] (派) foreigner (名)
—— [形] (◆比較変化しない) **1** 外国の;外国産の;外国行きの;外国からの;対外的な(↔ domestic, home) ‖ Have you ever been [gone] to a *foreign* country？ 外国に行ったことがありますか(=Have you ever been [gone] abroad?) / *foreign* money 外貨 / She speaks five *foreign* languages. 彼女は5つの外国語を話す / a *foreign* car 外国の車;外車(◆ *imported car* がふつう) / *foreign* travel 外国旅行 / *foreign* students 外国の学生;留学生《◆後者の意では foreign の持つ疎外感を避けるため students from abroad, international [overseas] students が好まれる》/ the Ministry of *Foreign* Affairs (日本の)外務省 / the *Foreign* and Commonwealth Office (英国)外務省 (略) FCO / the Mínister of *Foreign* Affairs 外務大臣 / *foreign* policy 外交政策 / *foreign* trade 外国貿易.
2 (正式) [名詞の前で] 異質の,外から入ってきた,有害な; [婉語として] 〔…と〕無関係な,合わない,無縁の〔*to*〕‖ a *foreign* object [body] in the eye 目に入った異物 / Don't throw in *foreign* articles. (トイレの掲示)異物を投げ入れないこと / Frankness is *foreign* to his nature. 彼には率直さが生来欠けている.

fóreign affáirs 外務.
fóreign áid 対外(資金)援助.
fóreign exchánge 外国為替(取引).
fóreign invéstment 海外投資, 外資.
fóreign mínister 外務大臣.
Fóreign Óffice [the ~] (英国のかつての)外務省 (略) FO (◆ the *Foreign* and Commonwealth Office (→ **1** 用例)の旧名).
Fóreign Sécretary (英)外務大臣.

for·eign–born /fɔ́rənbɔ́ːrn | fɔ́rən-/ [形] 外国生まれの.

*for·eign·er /fɔ́rənər | fɔ́rənə/
—— [名] (複 ~s/-z/) C **外国人**,外国の人 ‖ Many *foreigners* live in this city. この町にはたくさんの外国人が住んでいる.

語法 しばしば「よそ者」といった感じを伴うので,目の前で You're a *foreigner*. などというのは避けられる. 「アメリカ人」(an American) などと呼べばよいが,国籍が不明の時は,形容詞を使って a *foreign* student [visitor, resident] (外国人学生[訪問客,住民])とするか, a person from another country などとする. an alien (もとは「よそ者」の意)は居所形容詞で時に冷たい感じを与える.

fore·knowl·edge /fɔːrnɑ́lidʒ, ⌒⌒ | fɔːnɔ́lidʒ/ [名] U (正式) 予知, 先見の明(ﾒｲ).

fore·la·dy /fɔ́ːrlèidi/ [名] (米) =forewoman (→foreman).

fore·land /fɔ́ːrlænd | -lənd/ [名] C 岬(ﾐｻｷ) (cape).

fore·leg /fɔ́ːrlèg/ [名] C (動物・昆虫の)前肢(ﾏｴｱｼ),(いすの)前脚.

fore·limb /fɔ́ːrlìm/ [名] C 前肢;(前肢に相当する)翼, ヒレ.

fore·lock /fɔ́ːrlɑ̀k | -lɔ̀k/ [名] C (動物の)前髪(図→horse).

†fore·man /fɔ́ːrmən/ [名] (複 --men;(女性形) --wom·an) C **1** (職人・職場などの)監督, 班長 ((PC) supervisor). **2** 〔法律〕陪審長 ((PC) jury supervisor, chair).

fore·mast /fɔ́ːrmæst | -mɑ̀ːst/ [名] C 〔海事〕前檣(ｼｮｳ) (→ mast).

fore·most /fɔ́ːrmòust/ [形] [the ~] 一番先[前]の;第一位の,最も有名[重要]な ‖ Japan's *foremost* authority on international politics 国際政治学の日本随一の権威. —— [副] まっ先に ‖ first and *fóremost* 何はさておいて,何よりもまず,いの一番に.

†fore·noon /fɔ́ːrnùːn/ [名] C 午前(夜明けから正午まで. 特に早朝に対して午前の後半を指すこともある).

fo·ren·sic /fərénsik/ [形] (正式) 法廷の, 法廷における.
forénsic médicine 法医学.

fore·or·dain /fɔ̀ːrɔːrdéin/ [動] (正式) …をあらかじめ決める, 運命づける ‖ be foreordained to do …するよう運命づけられている.

fore·part /fɔ́ːrpɑ̀ːrt/ [名] C (正式) [the ~] 前の部分, 先端;初期.

fore·paw /fɔ́ːrpɔ̀ː/ [名] C (イヌ・ネコなどの)前足.

fore·run /fɔ̀ːrrʌ́n/ [動] (過去) --ran, (過分) --run; --running) 他 …の先駆けをする, …に先立つ;…の前ぶれをする. **fore·rún·ner** /⌒⌒ | ⌒⌒/ [名] C **1** 先駆け, 前兆. **2** 先駆者;先祖.

fore·sail /fɔ́ːrsèil/ [名] C 〔海事〕(縦帆船の)前檣(ｼｮｳ)帆, (横帆船の)前檣大横帆.

†fore·see /fɔːrsíː/ [動] (過去) --saw, (過分) --seen; ~ing) 他 〈人が〉〈事〉を予感する, 予見する, 見越す;[foresee *that*節 / foresee *wh*節] …だと予見する ‖ We can't *foresee* [(略式) tell] when such a big earthquake will occur again. いつそのような大地震が再び起こるかだれも予測できない / Only she *foresaw* 'his success [*that* he would succeed]. 彼女だけが彼の成功を予見していた.

fore·see·a·ble /fɔːrsíːəbl/ [形] (正式) 予見できる(↔ unforeseeable) ‖ in [for] the *foreseeable* future 近い将来に[当分の間].

fore·seen /fɔːrsíːn/ [動] foresee の過去分詞形.

fore·shad·ow /fɔːrʃǽdou/ [動] 他 (文) …の前兆となる, …を予示する.

fore·short·en /fɔːrʃɔ́ːrtn/ [動] 他 〔絵画〕…を(奥行きを出すため)短縮法で描く.

†fore·sight /fɔ́ːrsàit/ [名] **1** U **先見(の明), 洞察力** ‖ a man of *foresight* 先見力のある人. **2** U 深慮遠謀, 慎重さ. **3** 見通し, 展望.

fore·sight·ed /fɔ́ːrsàitid/ [形] 先見の明のある;深慮のある.

for·est /fɔ́rəst | fɔ́rst/

—名 (複 ~s/-əsts/) 1 C 森林, 山林; U 森林地帯 《wood より大きく, 野生の動物がいる天然の大森林または密林》∥ **can't see the fórest [(主に英) wóod] for the trées** 木を見て森を見ない; 部分に気をとられて全体が見えない / a tropical rain *forest* 熱帯雨林 / My father has ten acres of *forest*. 父は10エーカーの森林をもっています / 日本発 Nearly 65% of the land in Japan is *forest*. 日本は国土のほぼ65%が森林です. **2** [a ~ of + 複数名詞] 林立する… ∥ a *fórest* of TV anténnas 林立するテレビアンテナ.

fórest fire 森林火災, 山火事.

†**fore·stall** /fɔːrstɔ́ːl/ 動 他 (正式) …に先んじる, …の機先を制する (prevent) ∥ She *forestalled* me in the debate. 論戦で彼女は私の出鼻をくじいた.

for·est·a·tion /fɔ̀rəstéɪʃən | fɔ̀rəst-/ 名 U 植林, 造林.

†**for·est·er** /fɔ́rəstər/ 名 C 森林監督官, 林務官, 森林労働者.

†**for·est·ry** /fɔ́rəstri/ 名 U 林学; 林業, 森林管理.

fore·taste /fɔ́ːrteɪst/ 名 [a ~ of + 名詞] (…を) 前もって味わうこと, (…の) 予感, 前触れ.

fore·tell /fɔːrtél/ (過去·過分) --**told**) 動 他 …を予言する, 予告する 《that 節·wh 節も可能. predict より堅い語》∥ I *foretell* the future by the stars 私は星占いで将来を予言する / She *foretold* the volcano's eruption. 彼女は火山の噴火を予言した.

fore·thought /fɔ́ːrθɔ̀ːt/ 名 U (正式) 深慮, 用心 (prudence); 見通し.

†**fore·told** /fɔːrtóʊld/ foretell の過去形·過去分詞形.

†**for·ev·er,** (主に英) **for ev·er** /fərévər, fɔːr-/
《◆ 2 では (英) でも forever》
—副 **1a** 永久に, 絶えることなく 《◆ふつう比較変化しない》∥ May peace last *forever*! 平和が永遠に続きますように. **b** (略式) (終わりがないと思われるくらい) 長い間, えんえんと∥ She took *forever* to make up her mind. 彼女は決心をするのに気が遠くなるくらいの時間をかけた. **2** ひっきりなしに∥ She *was forever* scolding her children. 彼女はときたらいつも子供をしかってばかりいた.

foréver and éver [*a dáy*] とこしえに, 未来永劫 (ごう) までも 《◆forever の強調形》.

nót … foréver 永久に [いつまでも] …というわけではない《◆部分否定. ⇒文法 2.2(2)》.

for·ev·er·more, for e·ver·more /fərèvərmɔ́ːr/ 副 (文) 未来永劫までも 《◆forever の強調形》.

fore·warn /fɔːrwɔ́ːrn/ 動 他 (文) [通例 be ~ed] 〈人が〉(…のことで/…をせぬよう) 警告 [通告] される 《*of, about / against*》; (…するよう) 警告 [通告] する 《*to do, that* 節》.

†**fore·went** /fɔːrwént/ 動 forego の過去形.

fore·word /fɔ́ːrwɚːd/ 名 C (主に著者以外の人による) 序文, 緒言, はしがき (cf. preface, afterword).

†**for·feit** /fɔ́ːrfət/ 名 U (懲罰·制裁としての) (権利·名誉などの) 剥 (は) 奪, 没収, 喪失; C 没収物, 罰金 (fine); (犠牲となるもの, [~s; 単数扱い] 罰金遊びの抵当物). —動 他 (正式) …を (罰として) 失う (lose); 〈自由·権利など〉を剥奪される.

for·fei·ture /fɔ́ːrfətʃər/ 名 U (財産の) 没収, (権利·名誉·地位などの) 喪失; C 没収物; 罰金.

for·fend /fɔːrfénd/ 動 他 (米) …を予防する (cf. forbid 成句) ∥ *forfend* oneself from … …から守る.

for·gath·er /fɔːrgǽðər/ 動 自 (正式) **1** 寄り集まる (gather). **2** (…と) 親交する 《*with*》.

†**for·gave** /fərgéɪv/ 動 forgive の過去形.

†**forge**¹ /fɔːrdʒ/ 動 自 **1** 〈船が〉徐々に進む; 〈走者が〉急にスピードを上げて走る, (努力して) […で] 長足の進歩をとげる (*+ahead*); 〔…で〕一歩先んじる.

†**forge**² /fɔːrdʒ/ 名 C 鍛冶 (かじ) 炉 (furnace); 鍛冶場, 鉄工所. —動 他 **1** 〈鉄などを〉 鍛えて [・・・を] つくる 《*into*》∥ *forge* an iron bar *into* a sword = *forge* a sword *out of* an iron bar 鉄の延べ棒で刀をつくる. **2** 〈計画などを〉 案出する. **3** 〈紙幣·硬貨·パスポートなど〉を偽造 [模造, 捏 (ねつ) 造] する. —動 自 **1** 偽造する. **2** 鍛冶屋をする.

forg·er /fɔ́ːrdʒər/ 名 C **1** 偽造者. **2** 鍛 (か) 鉄工.

†**for·ger·y** /fɔ́ːrdʒəri/ 名 U 偽造 (罪); C 偽造物, 模造品.

for·get /fərgét/

—動 (過去 --**got**/-gát/ -gɔ́t/, 過分 --**got·ten**/-gátn/ -gɔ́tn/, --**get·ting**)

—他 **1a** 〈人が〉〈名前などを〉忘れ (てい) る, 思い出せない, 失念する (↔ remember) ∥ I'll make you pay for this. And don't you *forget* it. この償いはしてもらうからな. おぼえておけ / I'm *forgetting* names nowadays. 私は近頃人の名前をよく忘れる 《◆習慣的·反復的動作を表す場合には進行形となる. ⇒文法 5.2(3)》/ He's *forgetting* his English. 彼は英語を忘れかけている 《◆徐々に忘れることを意味する場合. また軽い非難としても使われる場合もある》Are you *forgetting* your table manners? 食事の作法はどうしたのですか》/ Before I *forget* (*it*)〘(^)〙, I'll tell you what to do. 忘れないうちに (言っておくが), どうしたらよいか教えてあげよう / Haven't you *forgotten* something? 何か忘れていませんか 《◆貸したお金の催促など》.

b [*forget doing*] [通例疑問文·否定文で] …したことを忘れる ∥ I shall *never forget* visit*ing* China last summer. 去年の夏中国へ行ったときのことは決して忘れないだろう 《◆動名詞を目的語にとるときは否定の未来時制で用いることが多い》.

c [*forget to do*] …するのを忘れる [怠る], 忘れ (てい) …していない ∥ *Don't forget to* meet me at the station. 忘れずに駅へ迎えに来てください (= Remember to meet …).

d […であることを] 忘れ (てい) る 《(*that*) 節·wh 節》∥ I completely *forgot* [×*was forgetting*] *that* she was coming today. 彼女が今日来るということをすっかり忘れていた.

2 〈人が〉〈物を〉持って来る [持って行く, 買うなどの行為をする] のを忘れる 《◆forget to bring [take, buy, …] の不定詞が省かれたもの》;〈人が〉何かをするのを忘れる, 〈人が〉〈物を〉買って来るのを忘れる, 置き忘れる ∥ I *forgot* my umbrella. かさを置き忘れた; かさを持って来る [持って行く, 買うなどの行為をする] のを忘れた / I'm *forgetting* my umbrella. かさを忘れるところでした 《◆かさを手にする前にいう》I almost *forgot* my umbrella. (もう少しでかさを忘れるところでした) は出かける直前に思い出したときに使う.

使い分け [**forget と leave**]
(1) 具体的に置き忘れた場所をいう場合は leave を用いる:

I *left* my umbrella on the train. 列車にかさを置き忘れた.
(2) I *forgot* my umbrella on the train. は I *forgot* to take my umbrella with me on the train〔列車にある自分のかさを持って来るのを忘れた〕の意で忘れたことがある.
(3)「置き忘れてある状態」は forget で表現できる: Her jacket lay *forgotten* on the swing. 彼女の上着がぶらんこに置き忘れてあった.

3 〈人・物・事〉を無視する, …のことに目もくれない;〈職務など〉を怠る;〈意見の相違など〉を水に流す;〈計画などを〉あきらめる ‖ We should not *forget* the Constitution when we discuss peace. 平和を論ずる場合には憲法を無視してはいけない.
—⾃ 〈…のことを〉**忘れる**〔*about*〕‖ He *forgot about* going to the bank. 彼は銀行へ行くのを忘れていた《◆文脈により「銀行に行ったことを忘れた」の意にもなる》〔ジョーク〕A pessimist forgets to laugh, but an optimist laughs to *forget*. 悲観主義者は笑うことを忘れているが, 楽観主義者は忘れるために笑う.

📝 **語法** [I forget と I forgot]
(1) 忘れて思い出せない時は forget または have forgotten. 忘れたための結果・状態を表す現在形で用いる方がふつう: "What was the title of the movie you saw yesterday?" "I *forget* [have *forgotten*]."「きのう見た映画の題は何だった?」「忘れたよ」.
(2) 忘れていて思い出した場合は forgot: "Did you shut the window?" "Oh, I *forgot*."「忘れずに窓を閉めた?」「あっ, 忘れてた」.

Forgét (*about*) *it*! (╲)〔略式〕放っておけ!;〔言い訳に対して〕もう言うな!, 気にするな!;〔礼に対して〕どういたしまして!;〔慰めて〕あきらめなさい!;〔依頼に対して〕だめです!;〔聞き取れなくて聞き返したときに〕何でもないよ!
forget and forgive =*forgive and forgét* 過去のことはさらりと水に流してしまえ.
forgét onesèlf 〔正式〕(1) 他人のことだけ考える, 利他的になる. (2) 自制を失う, 身のほど知らずのことをする[言う]. (3) 放心状態になる; 意識を失う.
not forgétting A …も含めて, …もまた.

†**for·get·ful** /fərgétfl/ 形 **1**〈人が〉忘れっぽい, 忘れやすい, 物覚えが悪い ‖ I'm so *forgetful* that I have to make a note of everything. 私はすごく忘れっぽいのでなんでもメモを取っておかなければならない. **2** 〔…を〕忘れて, 〔…を〕怠りがちな〔*of*〕‖ Don't be *forgetful of* your duties. 自分の本分を忘れてはいけない. **for·gét·ful·ly** 副 忘れっぽく, うっかり失念して.
†**for·get·ful·ness** /fərgétflnəs/ 名 U 健忘症; 怠慢.
for·get-me-not /fərgétmɪnàt | -nɔ̀t/ 名 〔植〕ワスレナグサ.
for·get·ta·ble /fərgétəbl/ 形 忘れてもよい; 忘れられがちな.
forg·ing /fɔ́ːrdʒɪŋ/ 名 U 鍛〔*s*〕造; C 鍛造物.
for·giv·a·ble /fərgívəbl/ 形 〈事が許される, 大目に見られる.

*****for·give** /fərgív/
—動 ~s/-z/; (過去) for·gave /-géɪv/, (過分) for·giv·en /-gívn/; for·giv·ing /◆ふつう進行形は不可》
—他 **1**〈人・神が〉〈人〉を許す; [forgive A for B =

forgive **A B**]〈人・神などが〉A〈人〉のB〈罪などを〉許す《類語》pardon, excuse}. May God *forgive* us our sins.〔聖〕神よ, 我らの罪を許したまえ《◆God *forgave* us our sins. では2つの受身形が可能: We were *forgiven* our sins. / Our sins were *forgiven* us.》; They *forgave* him *for* his crimes. 彼らは彼の罪を許した / He *forgave* me *for* breaking [having broken] my promise. =〔正式〕He *forgave* me my breaking [having broken] my promise. 彼は私が約束を破ったことを許してくれた《◆He *forgave* me that I had broken my promise. にも言い換え可能だが, あまり好まれない》. **2**〔正式〕〈事〉を許す ‖ Please *forgive* my carelessness. どうか私の不注意をお許しください.
—⾃ 許す ‖ *forgive and forget* → forget 成句.
†**for·giv·en** /fərgívn/ 動 forgive の過去分詞形.
†**for·give·ness** /fərgívnəs/ 名 U 〔…を〕許される[する]こと〔*of*〕; 〔…に対する〕容赦〔*for*〕; 寛大さ, 寛容さ.
for·giv·ing /fərgívɪŋ/ 形 〈人が〉許す[容赦する]ような; 〈性質などが〉寛大な. **for·giv·ing·ly** 副 寛大に.
†**for·go, fore-** /fɔːrgóʊ/ 動 (過去) --went, (過分) --gone) 他〔正式〕〈楽しみなど〉を差し控える, …なしで済ませる; …を割愛する, やめる《◆過去形は(まれ)》.
*****for·got** /fərgɔ́t | -gɔ́t/ 動 forget の過去形・過去分詞形.
*****for·got·ten** /fərgɔ́tn | -gɔ́tn/ 動 forget の過去分詞形《◆「忘れ物」は lost [*forgotten*] things》‖ This picture is one of his *forgotten* works. この絵は彼の忘れられた作品の1つです.

⁑**fork** /fɔ́ːrk/ 〔類音〕folk /fóʊk/)
—名 ~s/-s/ ⓒ **1**〈食卓用の〉**フォーク**《◆フォークを食卓から落とすと女の訪問客があるという俗信がある》‖ eat with (a) knife and *fórk* ナイフとフォークで食べる(→ and **2**) / a *cárving fórk*〈肉を切り分ける〉大型フォーク. **2**〈農業用の〉くま手, さすまた《◆女のほうきに対し, 男の典型的な仕事用具. ふたまたのものは死の象徴》. **3** 分岐した物;〈道・川の〉分岐点, 分かれ道の1つ, 支流;〈木・枝の〉また;〔音楽〕音叉(*s*) (tuning fork); 叉状電光; [しばしば ~s]〈自転車などの〉前輪支柱(図) → bicycle》‖ take the right *fork* of the road 分かれ道を右手に行く.
—動 他 **1** …をフォーク[くま手]で持ち上げる;〈土〉をかき起こす(+*over*);〈肥料〉をまたくわで埋める(+*in*). **2** …をフォークの形にする ‖ *fork* one's fingers V サインを出す.
—⾃〈道・川・木など〉が分岐する;〈人が〉分かれ道を曲がる ‖ *fork* right for London 分岐路を右にとってロンドンに向かう.
fórk óut [*óver, úp*]〔略式〕[自・他]〈金などを〉〔人に/物・事で〕(しぶしぶ)手渡す, 負担する〔*to* / *for, on*〕.
fork·ball /fɔ́ːrkbɔ̀ːl/ 名 U〔野球〕フォークボール.
forked /fɔ́ːrkt/ 形 ふたまた(以上)に分かれた; あいまいな, どちらともとれる ‖ a *forked* road ふたまた道 / *forked* lightning 叉(*s*)状電光 / a three-*forked* socket みつまたソケット / speak with a *forked* tongue 2枚舌を使う.
fork·lift /fɔ́ːrklɪ̀ft/ 名 =forklift truck.
fórklift trùck フォークリフト, フォークリフト車《◆forktruck ともいう》.
†**for·lorn** /fərlɔ́ːrn/ 形 (時に ~·*er*, ~·*est*)〔文〕**1** あわれな, (ひとりぼっちで)わびしい《◆lonely より堅い語》;〈場所がさびれた. **2** 〔…に〕見捨てられた, 〔希望などの〕ない〔*of*〕. **3**〈望みなどが〉実現しそうにない ‖ a *forlorn* hope はかない望み.

for·lórn·ly 副 わびしく.

⁑form /fɔ́ːrm/ (類音 foam /fóum/) 〚「(具体的・抽象的な)形」が本義. cf. in*form*, re*form*〛 派 formal (形), formation (名), formula (名)

index 名 **1** 種類 **2** 形 **3** 型 **6** 書式
動 他 **1** 結成する **2** 形作る **3** 作り上げる
自 **1** 形を成す

━━名 (複 ~s/-z/) **1** Ⓒ [しばしば a ~ of + 名詞] **形態**, 様態; 方法; **種類** 《◆ kind, sort, type より堅い語》; 同種類の生物集団 ‖ Ice is ***a form of*** water. 氷は水の一形態である / Whipping is *a form of* punishment. むちで打つのは処罰の一形態である / The sea contains many *forms* of life. 海にはさまざまの種類の生物がいる.

2 ⒸⓊ **形**, 形状; Ⓒ 外形, 外観; 姿, 体; (運動選手の)フォーム; 人影, 物影; マネキン人形 ‖ A *form* appeared in the darkness. 暗闇(やみ)の中に人影が見えた / Her running *form* is very good. 彼女のランニングのフォームはたいへんよい / The dress fitted her *form* [shape]. そのドレスは彼女の体にぴったりだった.

3 Ⓒ (建物などの) **型**, 原型; (コンクリートを流し込む)枠, 枠組; (機械などの)骨組; 《主に米》〔印刷〕組版(活字); Ⓤ 結晶形 ‖ a *form* to pour plaster into 石膏(せっこう)を流し込む型.

4 ⓊⒸ (文学・音楽・詩の)表し方, 表現形式, スタイル; (絵画の)構図 ‖ He wrote a novel ***in the form of*** a diary. 彼は日記体の小説を書いた.

5 ⓊⒸ (古) 型にはまったやり方, 慣行, 慣例; 儀礼, 礼儀作法 ‖ a *form* of marriage 型にはまった結婚式 / ***in due form*** 型どおりに, 正式に / as a mátter of fórm [文頭・文尾で] 形式的に / It's bad *form* to belch in public. 人前でげっぷをすることは不作法だ 《◆ 英米人は放屁(ほうひ)よりも下品と考える》.

6 Ⓒ (文書の)ひな型, **書式**; 申込用紙 ‖ fill in [up, out] an applicátion fòrm 申込用紙に記入する.

7 Ⓤ [通例 in ~] (身心の)健康状態, 体調, コンディション(《略式》 shape); 元気(spirits); (演奏・演技などの)調子 ‖ be *in* bád fórm =be òff [òut of] fórm 調子が悪い / be *in* góod fórm =be *in* [(主に英) on] fórm 調子がよい.

8 Ⓒ 《英》学級, クラス, 学年(《米》 grade) ‖ the *form* room 教室 / They are in the 5th *form*. 彼らは5年生である(=They are 5th-formers.) (cf. sixth form).

9 ⓊⒸ 〔文法〕形態, 語形 ‖ the plural [possessive, past] *form* 複数[所有, 過去]形.

10 Ⓒ 〔コンピュータ〕(プリンター用紙による)帳票; (表計算ソフト用の)フォーム.

tàke fórm (正式) 〈事・物が〉形を成す, 具体化する.

━━動 (~s/-z/; 過去・過分 ~ed/-d/; ~·ing)

━━他 **1** 〈人が〉〈クラブ・内閣・組合・委員会・機関など〉を**結成する**, 組織する; 〈文など〉を**構成する**, 組み立てる ‖ *form* a correct sentence 正しい文を作る / *form* a new political party 新しい政党を結成する.

2 〈人が〉〈物〉を**形作る**; 〈手本・基礎など〉となる; [form **A** into **B** =form **B** out of [from] **A**] **A**〈物〉で **B**〈物〉を作る ‖ She *formed* the clay *into* a cup. =She *formed* a cup *out of* the clay. 彼女は粘土で茶わんを作った / Water *forms* ice when it is frozen. 水は凍ると氷になる.

3 (正式) …を形成する; 〈人・人格など〉を発達させる, **作り上げる**; 〈同盟・友情など〉を結ぶ ‖ We should *form* good habits when we are young. 我々は若いうちによい習慣を身につけなければならない.

4 〈計画など〉を練り上げる; 〈考え・意見など〉をまとめる ‖ *form* the impression that ... …という印象を得る.

5 (正式) 〈人・連隊〉を〔…に〕整列させる(+*up*); 〈列・隊形など〉を〔縦隊などに〕作る(organize)〔*into*〕 ‖ She *formed* the children *into* two rows. 彼女は子供たちを2列に並ばせた.

━━自 **1** 〈物が〉〔…から〕**形を成す**, 発生する, 現れる〔*from*〕; 〔…に〕なる〔*into*〕 ‖ A beautiful rainbow *formed* in the sky. 美しい虹が空にかかった / The water *formed into* icicles. その水はつららとなった. **2** 〈計画・考えなどが〉生ずる, 生まれる, でき上がる ‖ A new theory slowly *formed* in his mind. 新しい理論が彼の心の中でゆっくりと形をなしてきた. **3** (正式) 隊形を作る, 整列する(+*up*) ‖ *form* into a line 1列に並ぶ.

***for·mal** /fɔ́ːrml/ 〚→ form〛

━━形 (more ~, most ~) **1** 〈契約などが〉**正式の**, 正規の ‖ a *formal* dance (夜会服を着ての)正式舞踊会 / There has been an inquiry, but no *formal* offer. 問い合わせはあったが正式の申し出はまだない.

2 〈訪問・手紙などが〉儀礼的な, 慣習に従った, **格式ばった**, 〈衣服などが〉改まった, 正装の(↔ informal); 〈人・態度などが〉〔…に〕堅苦しい, 冷淡な, よそよそしい〔*to*, *with*〕 ‖ a *formal* visit 儀礼的訪問 / *formal* clothes 正装 / Please don't be so *formal with* me. 私に対してそんなに堅苦しくしないでください.

3 〈表現・言葉が〉**公式的な**, 堅い, 形式ばった, 文語的な 《◆ 本辞典では (正式) として表示してある》 (cf. informal) ‖ Use *formal* expressions here in your letter. 君の手紙のここでは堅苦しい表現を使いなさい.

4 《◆ 比較変化しない》 **a** **形式的な**, 表面的な, うわべだけの, 心のこもっていない ‖ They exchanged *formal* greetings. 彼らは形だけのあいさつを交わした. **b** 形の, 外形の.

for·mal·de·hyde /fɔːrmǽldəhàid/ 名 Ⓤ 〔化学〕ホルムアルデヒド《防腐剤・消毒剤》.

for·ma·lin /fɔ́ːrməlin/ 名 Ⓤ 〔化学〕ホルマリン《formaldehyde を37%以上含んだ溶液》.

for·mal·ism /fɔ́ːrmlìzm/ 名 Ⓤ **1** (芸術・宗教の)形式主義. **2** 形態心理学; ゲシュタルト心理学.

†for·mal·i·ty /fɔːrmǽləti/ 名 **1** Ⓤ 形式にこだわること, 堅苦しさ(↔ informality) ‖ ***without formality*** 四角ばらずに, 気楽に. **2** Ⓒ 形式ばった行為, 儀礼的行為, 形だけの手続き.

†for·mal·ly /fɔ́ːrməli/ (同音 formerly (英)) 副 **1** 正式に. **2** 礼儀正しく, 堅苦しく. **3** 形式的に, 形式上.

for·mat /fɔ́ːrmæt/ 名 Ⓒ **1** (書籍・雑誌などの)判, 型; 体裁. **2** (テレビ・ラジオ番組・会議などの)構成, 進め方, 計画. **3** 〔コンピュータ〕フォーマット, ディスクの初期化; 書式; データの配列, ファイル形式 ‖ in MS Word *format* マイクロソフト=ワード形式で. ━━動 他 **1** 〈書籍・雑誌など〉の体裁を整える. **2** 〔コンピュータ〕〈データ〉を配列する; …をフォーマット[初期化]する.

fór·mat·ter 名 Ⓒ 〔コンピュータ〕初期化プログラム.

†for·ma·tion /fɔːrméiʃən/ 名 **1** Ⓤ 構成, 編成, 成立, 設立; ⓊⒸ 構造, 形態; Ⓒ 構成物 ‖ the *formation* of labor unions 労働組合の結成 / the *formation* of character 人格の形成 / the *forma-*

formative 611 **fortify**

tion of the heart 心臓の構造. **2** ⓤⒸ〔軍事〕隊形, 編隊;〔球技〕選手の隊形, 布陣, フォーメーション ‖ battle *formation* 戦闘隊形 / fly in *formation* 編隊飛行をする. **3** Ⓒ〔地質〕岩層, (岩石層序区分の)累層.

for·ma·tive /fɔ́ːrmətiv/ 形 造形の; 形成の, 発達の ‖ the *formative* arts 造形美術 / a child's *formative* period [years, stages] 子供の人格形成期 / *formative* tissue 形成組織.

*__**for·mer**__ /fɔ́ːrmɚ/ 同音 formerly (副)
——形《◆比較変化しない》(正式)〔通例名詞の前で〕**1** (時間的に)前の, 先の; 昔の, 初期の ‖ a [the] *former* mayor 元[前]市長 / in *former* times [days] 昔は / a *former* member of the tennis club テニス部のOB[OG]. **2** [the ~]〔2つのうちの順序的〕前の, 初めの;〔代名詞的に〕前者(↔ latter) ‖ I prefer the *former* plan to the *latter*. 前の計画の方が後のより好ましい.

> 語法 先行する名詞(句)が複数形のときは複数扱い《◆ ×the formers は不可》: I prefer letters to phone calls. Because the *former* don't have to be answered quickly. 私は手紙が電話よりも好きだ. なぜなら前者ははやく返事する必要がないから.

–form·er /-fɔ́ːrmɚ/ 語要素 →語要素一覧(2.1).

†**for·mer·ly** /fɔ́ːrmɚli/ 同音 formally (英) formally 副 以前は, 昔は, かつて(→ latterly)《◆漠然とした過去を表す語であるが現在〔過去〕完了と共に用いられることもまれにある》‖ I saw [have seen] him drunk *formerly*. 昔彼が酔っ払っているのを見たことがある / He was *formerly* the principal of this high school. 彼は以前この高校の校長でした(=He is the former principal of this high school.).

for·mic /fɔ́ːrmik/ 形 アリの.

fórmic ácid〔化学〕ギ酸.

For·mi·ca /fɔːrmáikə/ 名〔時に f~〕Ⓤ〔商標〕フォルマイカ《家具などの合成樹脂塗料》.

†**for·mi·da·ble** /fɔ́ːrmidəbl, (英+) fəmídəbl/ 形 (正式) **1** 恐ろしい, ぞっとするような(frightening) ‖ a *formidable* Halloween mask ぞっとするようなハロウィーンの仮面. **2**〔敵・問題・仕事などが〕手におえない ‖ a *formidable* opponent 手におえない相手. **3** 恐ろしくたくさんの(大きい).

fór·mi·da·bly 副 恐ろしく; 手ごわく.

form·less /fɔ́ːrmləs/ 形 **1** 形のない, 定形のない; 実体のない;〈服などが〉不恰好な. **2** 組織だっていない, 雑然としている.

For·mo·sa /fɔːrmóusə/ 名〔「美しい(島)」が原義〕名 台湾《◆ Taiwan の旧称》.

For·mo·san /fɔːrmóusən/ 形 台湾の; 台湾人[語]の. ——名 Ⓒ 台湾人, Ⓤ 台湾語(cf. Taiwanese).

†**for·mu·la** /fɔ́ːrmjələ/ 名 (複 ~s/-z/, 《正式》--lae /-liː/) Ⓒ **1** (儀式などの)式文, 祭文; (手紙・あいさつなどの)決まり文句; […の]決まったやり方[手段], 慣習的な方式(for). **2** […を]決まってもたらすもの(for) ‖ a *formula* for trouble 決まって問題を引き起こすもの. **3**〔数学・化学〕[…の]式, 公式〔for〕‖ The molecular *formula* for carbon dioxide is CO_2. 二酸化炭素の分子式は CO_2 です. **4**〔薬・飲食物などの〕製法, 調理法, 処方せん;〔計画などの〕解決策(for). **5** Ⓤ (米) ミルク状のベビーフード. **6** (レーシングカーの)公式規格, フォーミュラ.

fórmula cár《正式》レーシングカー.

Fórmula Óne フォーミュラワン《公式規格の最高の排気量を持つ車の分類》《略》F1》.

for·mu·lar·y /fɔ́ːrmjəlèri | -ləri/ 名 Ⓒ **1**〔誓い・祈りなどの〕決まり文句; 式〔祭〕文集. **2**〔薬学〕処方書. ——形 公式的な; 型にはまった; 融通のきかない.

†**for·mu·late** /fɔ́ːrmjəlèit/ 動 他 **1** (正式)〈事を〉公式化する;〈考え・問題などを〉明確に[組織的に]述べる;〈政策・計画などを〉[…に]練り上げる[組み立てる]〔into〕‖ Don't *formulate* an opinion without due consideration. 軽率に意見を述べてはならない.

for·mu·la·tion /fɔ́ːrmjəléiʃən/ 名 Ⓤ 公式化; 組織立て; Ⓒ 明確[組織的]な記述[表現].

†**for·sake** /fɚséik, fɔːr-/ 動 (過去) **-sook**/-súk/, (過分) **-sak·en**/-séikən/) 他 (文)〈人が〉〔(以前大切だった)人を〕と縁を断つ, 〈友などを〉[…のために]見捨てる; 〈宗教・習慣・主義などを〉[…のために]やめる〔for〕《◆give up より堅い語》(→ desert² 他 **1**).

for·sak·en /fɚséikən, fɔːr-/ 動 forsake の過去分詞形. ——形 見捨てられた.

for·sook /fɚsúk, fɔːr-/ 動 forsake の過去形.

for·sworn /fɔːrswɔ́ːrn/ 形 偽証した.

for·syth·i·a /fɔːrsíθiə, fɚr- | -sáiθ-/ 名 Ⓤ〔植〕レンギョウ.

†**fort** /fɔ́ːrt/ 同音 (英) fought 名 **1** Ⓒ とりで, 要塞(ようさい) (cf. fortress). **2** [F~] (米)〔軍事〕常設駐屯地《◆一時的な駐屯地は Camp》.

hóld the fórt とりでを守る; 留守を守る, 留守中管理する.

forte¹ /fɔ́ːrt | fɔːtei, -ti, -/ 名 Ⓒ (正式) 得意なもの, 強み;〔one's ~〕得手(え).

for·te² /fɔ́ːrtei | -ti/〔イタリア〕〔音楽〕形 副 フォルテ[強音]で(の) (↔ piano²). ——(略 f) 名 強音部.

†**forth** /fɔ́ːrθ/ 同音 fourth) 副 (文·古) **1**〔主に動詞と結合して〕**a** 外へ, 現れて(out) ‖ put *forth* new leaves 新しい葉を出す / bring a new plan *forth* 新しい計画を提案する. **b** 前へ, 前方へ(forward) (↔ back) ‖ come *forth* to make a speech 演説をするために前に出る. **2** 〔時間・順序〕先へ, …以後(の) ‖ from that day *forth* その日からずっと.

and so forth → and.

†**forth·com·ing** /fɔ̀ːrθkʌ́miŋ, (名詞の前で用いるときはしば) ニ/-́--/ 形 (正式) **1** やがて来る[出現する] ‖ a *forthcoming* book 近刊書(=a book soon to come out). **2** (略式) 〈人が〉[…について]協力的な〔about〕;〔通例否定文で〕用意されている, 利用できる (↔ unforthcoming) ‖ a *forthcoming* man 愛想のよい人 / Further assistance is not *forthcoming*. これ以上の援助は望めない.

fórth·right 形 率直な; 直進の. ——副 =forthrightly.

fórth·right·ly 副 まっすぐに, 率直に; すぐに.

†**forth·with** /fɔ̀ːrθwíð, -wíθ/ 副 (文) 直ちに, 至急に.

†**for·ti·eth** /fɔ́ːrtiəθ/《◆40th とも書く》形《◆形名とも用例は → fourth》**1**〔通例 the ~〕(序数の)第40の, 40番目の(→ 語法 = first 形). **2** [a ~] 40分の1の. ——名 **1** Ⓒ〔通例 the ~〕[…は]第40番目[40位]の人[もの](to do). **2** Ⓒ 40分の1(→ third **5**).

†**for·ti·fi·ca·tion** /fɔ̀ːrtəfikéiʃən/ 名 **1** Ⓤ (都市などの)要塞化, 防備; Ⓒ〔通例 ~s〕防御施設; 防備工事. **2** Ⓤ (アルコール分・栄養価の)添加, 強化.

†**for·ti·fy** /fɔ́ːrtəfài/ 動 他《正式》**1**〈攻撃などに対して〉〈…を〉要塞(ようさい)化する, …の防備を強化する〔against〕‖ *fortify* the city *against* (the [an]) enemy attack 敵の攻撃に備えて町の防備を固める. **2** …を

fortissimo 612 **forward**

(…に対して/…で)強化[補強]する《against/with》∥ *fórtify* onesélf 元気づける, 強健にする / *fórtified* bread with vitamins ビタミン強化のパン.

for·tis·si·mo /fɔːrtísəmòu/〖イタリア〗〖音楽〗形副 フォルティッシモの[で], きわめて強い[強く]《記号 FF, ff, ff.》(↔ pianíssimo). ─名 C 最強音部.

†**for·ti·tude** /fɔ́ːrtət(j)ùːd/名 U〖正式〗不屈の精神, 剛毅(ᵍ), 堅忍. ∥ with *fortitude* 毅然として.

†**fort·night** /fɔ́ːrtnàit/名 C〖主に英〗〖通例単数形で〗2週間 ∥ a *fortnight*'s holiday 2週間の休暇《米》a two(-)week vacation》/ Derby Day is Wednesday *fortnight*. ダービー競馬の日は2週間後の水曜日だ.

fort·night·ly /fɔ́ːrtnàitli/〖主に英〗形副 2週間ごとの[に](biweekly) ∥ a *fortnightly* payment 隔週払い / pay *fortnightly* 隔週に支払う.

FORTRAN, Fortran /fɔ́ːrtræn/〖Formula Translation〗名 U〖コンピュータ〗フォートラン《主に科学技術計算用のプログラム言語》.

for·tress /fɔ́ːrtrəs/名 C (*fort* より大規模な)要塞(ಬ್), 要塞都市; 堅固な場所.

for·tu·i·tous /fɔːrt(j)úːətəs/形〖正式〗偶発的な, 思いがけない(accidental).

†**for·tu·nate** /fɔ́ːrtʃənət/形 **1**〈人が〉〖…の点で/…するということで〗運のよい, 幸運な, しあわせな《in / in doing, to do》(◆ lucky より永続的で, 重大なことについていう) (↔ unfortunate) ∥ He *is fortunate to* have such a good wife. =He *is fortunate* (*in*) hav*ing* such a good wife. =He *is fortunate* that he has such a good wife. あんなすてきな奥さんがいるなんて彼はしあわせ者だ(=Fortunately, he has such a good wife.) ∥ the *fortunate* 幸運な人たち(→ 形 8 a). **2** 幸運をもたらす, さい先のよい ∥ a *fortunate* day 縁起のよい日.

†**for·tu·nate·ly** /fɔ́ːrtʃənətli/
─副〔人にとって〕**幸運にも**《for》, 運よく;〔文全体を修飾〕幸いなことに, ありがたいことには (↔ unfortunately) ∥ *Fortunately*(⌣), she was not seriously injured. 幸いなことに彼女のけがは命にかかわるものではなかった(=It *is fortunate* that she was not …).

†**for·tune** /fɔ́ːrtʃən/ -tʃəm, -tʃən/名 **1** U C 富; 財産, 資産, C〖略式〗多額の金 ∥ a *man of fortune* 財産家 / *make* a [one's] *fortune* 一財産つくる / come *in*to [*inherit*] a *fortune* 財産を相続する. **2** U C 運; 運勢, 運命;〖通例 ~s〗人生[運命]の浮沈;〖F~〗運命の女神 ∥ *by góod* [*bád*] *fórtune* 幸[不]運にも / *trý* one's *fórtune* 運だめしをする / through all one's *fortunes* 紆余(ᴇᶻ)曲折をへて / I hàd the góod *fórtune* to survive the entrance exam. 私は幸運にも入学試験にぎりぎりで合格した / have one's *fortune* told with cards トランプで運勢を占ってもらう / *Fortune favors the brave*. (ことわざ) 運命の女神は勇者に味方する / *Fortune* smiled on him. 彼に運が向いてきた /〘日本発〙 *Omamori* [talismans]—pieces of wood or paper upon which a prayer, the name of a deity or shrine or temple is written—are said to summon good *fortune* and drive off evil. お守りは, 小さな木片や紙片に神の名や祈願文, 寺院名などが書き込まれたもので, 幸運を呼び入れ, 邪悪を追い払うといわれています. **3** U 幸運, C (↔ misfortune), 果報; 成功; 繁栄 ∥ *máke* one's *fórtune* 立身出世する / *séek* one's *fórtune*〖文〗立身出世を求める / *háve fortune* on one's *side* 幸運に恵まれる.

a smáll fórtune 〖略式〗大金, 一財産.
márry a fórtune 金持ちの女と結婚する.
fórtune hùnter 金持ちになろうとする人, 財産目当てに結婚する人.

for·tune·tell·er /fɔ́ːrtʃəntèlər/ -tʃuːn-, -tʃən-/名 C 易者, 占い師 (◆ふつう女性).

for·tune·tell·ing /fɔ́ːrtʃəntèliŋ/ -tʃuːn-, -tʃən-/名 U 占い, 易断, 運勢判断.

***for·ty** /fɔ́ːrti/〖つづり注意〗
─名 (❀ -·ties/-z/) (◆形 とも用例は→ two) **1** U C〖通例無冠詞〗(基数の)40《◆序数は fortieth. キリスト教では神聖な数とされる》. **2** U〖複数扱い〗代名詞的に〗40個; 40人. **3** C 40ドル[ポンド, ペンス, セントなど]. **4** U 40歳. **5** C 40の記号《数字, 活字《40, XL など》. **6** C 40個[人] 1組のもの. **7** 〖one's forties〗(年齢の)40代. **8** 〖the forties〗(世紀の)40年代, (特に)1940年代;(温度・点数などの)40台. **9** U〖テニス〗フォーティ, (ゲームの)3点目《→ tennis 関連》.
─形 **1**〖通例名詞の前で〗40の, 40個の; 40人の. **2**〖補語として〗40歳の.
fórty wínks〖略式〗〖単数・複数扱い〗(食後の)昼寝, うたた寝 ∥ càtch [hàve, tàke] *forty wínks* 昼寝する.

for·ty- /fɔ́ːrti-/ 〖語要素〗→語要素一覧(1.1).

for·ty-five /fɔ́ːrtifáiv/名 **1** U C〖略式〗45口径のピストル《◆ふつう .45 と書く》. **3** C〖略式〗45回転のレコード《◆ふつう 45, 45rpm と書く》.

for·ty-nin·er /fɔ́ːrtináinər/名〖時に F~,N~〗《米》1 49年組《1849年の gold rush 時にカリフォルニアに行った人》. **2** 熱狂的な採鉱者.

***fo·rum** /fɔ́ːrəm/名 (❀ ~s, fo·ra /fɔ́ːrə/) C フォーラム, 公開討論(の場); 公共広場, 〖the F~〗フォルム, フォーラム《古代ローマの公共広場》∥ convéne a *fórum* on the issue その問題について公開討論会を催す / a néwspaper *fórum* 新聞の読者欄で.

***for·ward** /fɔ́ːrwərd/形〖「前に向かって」が原義〗
─形 (*more* ~, *most* ~; 時に ~·*er*, ~·*est*)

I〖前に向かって〗

1〖通例名詞の前で〗**前方の**, 前部の; 前方への, 前進の《◆比較変化しない》(↔ backward) ∥ the *forward* path 前方の小道 / a *forward* look 先見.

II〖時間的に前である〗

2 (ふつうより)**早い**;〈子供が〉早熟の, 大人びた;〖補語として〗〈植物などが〉早なりの, 早咲きの;〖しばしば否定文で〗〈仕事・計画などが〉はかどっている《with, in》∥ a *forward* spring 例年より早い春 / a *forward* child 早熟の子供 / be well *forward with* one's work 仕事がかなりはかどっている.

III〖抽象的に〗〖精神的に〗**先である**〗

3〈意見などが〉**進んだ**, 前進的な, 急進的な.

4〖正式〗〈人が〉〖…に対して〗**なれなれしい**, 厚かましい, 生意気な, うぬぼれた《with》; 〖it is forward *of* A *to* do〗…するとは〈人〉はずうずうしい[でしゃばりだ] ∥ I hope you won't think *it forward of* me to ask whether or not you are married. こんなことをお聞きするのはずうずうしいかもしれませんが, あなたは結婚しているのですか (→ think 動 他 3).

─副 (時に ~·*er*, ~·*est*) **1**〖しばしば forwards〗〖空間〗**前へ**, **前方へ**, 先へ; 船首(の方)へ[に] (↔ backward) ∥ step *forward* 歩み出る, 前進する / *Forward*(⌣), my mén! 前へ進め! / I hàve not got any *fórwarder*.〖略式〗これ以上進めない[進歩がない]. **2**〖時〗先へ, …以後; 将来に向かって; (日取りなどを)繰り上げて ∥ put the clock *forward* [on] ten minutes 時計を10分進ませる / *from that day forward* その日から(ずっと) / bring *forward* the date of departure from Friday to Monday 出発の日を金曜日から月曜日に繰り上げる. **3** 外へ, 現れて ‖ pút onesèlf fórward 出しゃばる / bring [put] forward new evidence (正式)新たな証拠を提出する. **4** 〔商業〕先払い[先渡し]として.

lóok fórward (1) 前方を見る. (2) 将来を考える.

*****look forward to A** → look 動.

—名 CU 1 〔サッカー〕フォワード, トップ, 〔~s〕ツートップ(のポジション); 〔ホッケー・バスケットボールクリケットなど〕フォワード, 前衛(略 fwd); 〔アメフト〕ラインマン; 〔コンピュータ〕転送(略 FW).

—動 他 1 〈人などが〉〈郵便物〉を〔…へ〕転送する〔to〕;〔コンピュータ〕〈メール〉を転送する ‖ Please *forward* my mail to the address below. 郵便物は下記の住所へ転送してください. **2**(正式)〈品物など〉を〔…に〕送る(send)〔to〕. **3**(正式)〈計画・運動など〉を進める, 促進[助長]する(promote) ‖ *forward* an anti-abortion movement 中絶反対運動を推し進める.

fórward páss 〔アメフト・ラグビー〕フォワードパス《相手のゴール方向へのパス》.

for‧ward‧ness /fɔ́ːrwərdnəs/ 名 U 1 熱心, 積極性. **2** ずうずうしさ. **3** 時期が早いこと, 早熟.

†**for‧wards** /fɔ́ːrwərdz/ 副 =forward《◆「前方へ」の意味以外はふつう forward》.

for‧went, fore-‧‧ /fɔːrwént/ 動 forgo の過去形.

†**fos‧sil** /fɑ́sl | fɔ́s-/ 名 C 1 化石 ‖ The coelacanth is a living *fossil*. シーラカンスは生きた化石だ. **2**(略式)[通例 an old ~]時代遅れの人[物, 制度]. ——形 1 化石化した, 化石の ‖ a *fossil* shell [ivory]化石化した貝(がら)[象牙]/ *fossil* fúel(s) 化石燃料《石油・石炭など》. **2** 時代遅れの.

fos‧sil‧ize /fɑ́slàɪz | fɔ́s-/ 動(正式)他 …を化石化する. ——自 化石化する.

*****fos‧ter** /fɔ́ːstər | fɔ́stə/

——動(~s/-z/;過去・過分 ~ed/-d/; -‧ter‧ing /-tərɪŋ/)

—他 1(正式)〈人が〉〈才能など〉を**育成する**, 助長する(encourage) ‖ *foster* imports 輸入を促進する / His musical ability was *fostered* in Vienna. 彼の音楽の才能はウィーンではぐくまれた.

2 〈他人の子供〉を**養育する**(cf. adopt);〈小犬など〉を育てる;〈病人など〉を世話する.

fóster bróther 乳兄弟.
fóster chíld 里子.
fóster fáther 男の里親, 養父.
fóster hóme 里子・病人などを預かる家庭, 養家.
fóster móther 女の里親, 養母.
fóster párent 里親, 養い親.
fóster síster 乳姉妹.

Fos‧ter /fɔ́ːstər, (米+) fɑ́s-/ 名 フォスター《Stephen ~ 1826–64;米国の作曲家》.

*****fought** /fɔːt/ [同音] fort (英) 動 fight の過去形・過去分詞形.

†**foul** /fául/ [発音注意] [同音] fowl) 形(通例 ~‧er, ~‧est) 1 〔…で〕(極度に)不潔な, 汚い, 汚れた(↔ clean)〔with〕‖ foul air 汚れた空気 / *foul*-smelling 悪臭のする / a *foul*-tasting いやな味の. **2** 不正な, 悪い, 邪悪な(◆evil, wicked より堅い語);〔言葉が〕汚い ‖ a *foul* deed 邪悪な行為 / use *foul* language 下品な言葉を使う / *foul* talk わい談. **3** 〈天候などが〉悪い, 荒れた, 暴風雨の ‖ *foul* weather 悪天候. **4**(略式)ひどい, 不愉快な, いやな.

5〔競技〕規則に反した, 反則の ‖ a *foul* blow(ボクシングの)反則打. **6**〔野球〕ファウルの(↔ fair)‖ a *foul* ball [fly, grounder] ファウルボール[フライ, ゴロ]. **7** 〈管などが〉詰まった; 〈道が〉泥だらけの;〈船底が〉貝殻・海藻などで汚れた ‖ a *foul* chimney 詰まった煙突.

—副(通例 ~‧er, ~‧est) **1** 不正に, 違法に. **2** 反則で;〔野球〕ファウルになるように.

crý fóul 反対を叫ぶ.

fáll [rún] fóul of A (1)〈船が〉〈船〉に衝突する. (2)(正式)〈人が〉〈人・警察・組織など〉とごたごたを起こす.

pláy A fóul 〈人〉を裏切る.

—名 C 1 〔競技〕反則. **2** 〔野球〕=foul ball.

through fáir and fóul =**through fóul and fáir** よかれ悪しかれ, どんな場合にも.

—動 他 (正式) 1 〈物・名声など〉を汚す, 汚くする(+ up)‖ Exhaust fumes *foul* the air. 排気ガスは空気を汚す. **2**〔海事〕〈綱など〉をもつれさせる, からませる(+ up). **3** 〔スポーツ〕…に反則行為をする.

—自 1 汚れる, 汚くなる;詰まる. **2** 〔海事〕〈綱などが〉もつれる, からまる.

foul one's **nest** → nest.

fóul úp [他] (1)(主に米略式)〈事〉をめちゃめちゃにする, 台なしにする. (2) 他 1, 2.

fóul báll ファウル.

fóul plày (1) 〔競技〕反則(↔ fair play). (2)(正式)不正行為, 暴行, 殺人.

fóul‧ness 名 1 U 不潔, みだら. **2** U (天候の)険悪. **3** CU 汚れ物.

*****found**[1] /fáund/ 動 find の過去形・過去分詞形 ‖ a thing *found* 発見されたもの(◆ ×a found thing とはいわない).

*****found**[2] /fáund/ 源 foundation (名)

—動(~s/fáundz/;過去・過分 ~ed/-ɪd/; ~‧ing)

—他 1 〈会社・学校など〉を**設立する**, 創立する, 創設する;〈病院・学校・研究機関など〉を基金で建てる《◆ establish は found を含み永続性を含意する》‖ Our college was *founded* in 1900. わが大学は1900年に創立された. **2** …を〔…に〕建てる;…を〔…に〕**基づいて作る**[展開させる]〔on,(正式)upon〕‖ *I found* a house *on* solid rock 堅い岩盤の上に家を建てる / Her argument was *founded on* fact. 彼女は事実に基づいて議論を展開させた.

*****foun‧da‧tion** /faundéɪʃən/ 名 〔「基礎」が本義〕

—名(複 ~s/-z/) **1** C [通例 ~s](建物の石・れんが・コンクリートの)**土台**, 基礎;(物事の安定した)**基礎**, 基盤 ‖ the *foundation*(s) of a house 家の土台 / He laid the *foundation* for modern medical science. 彼は近代医学の基礎を築いた.

2 [しばしば固有名詞の一部として F~] C 基本金, 維持基金;(基金によって運営される)施設, 財団 ‖ the Ford *Foundation* フォード財団.

3 U 設立[創立, 創設](する[される]こと), **建設**(する[される]こと) ‖ The *foundation* of our university dates back to the late Meiji era. わが大学の創立は明治後期にさかのぼる.

4 UC(報道などの)根拠,(主義・考えなどの)よりどころ〔for〕‖ The rumor had no *foundation* in fact. =The rumor was without *foundation*. そのうわさは事実に基づくものではなかった.

5 UC 絵の具の下塗り;=foundation cream; = foundation garment.

foundátion crèam ファンデーション《化粧下クリーム・乳液》.

foundátion gàrment ファンデーション《体の線を整え

の下着．コルセット・ガードル・ブラジャーなど》．
foundátion stòne (1) 礎石, 土台石, 基石. (2) 基礎; 基453本原理.

†**found·er** /fáundər/ 名 ((女性形) **‑ress**) ⒞ 創設[設立, 設立]者; 基金寄付者.

†**found·ry** /fáundri/ 名 **1** ⓤ 鋳造(業, 法); [集合名詞] 鋳物類. **2** ⓒ 鋳造場, 鋳物[ガラス]工場.

†**fount**¹ /fáunt/ 名 ⓒ **1** (詩)泉;源 ‖ a *fount* of all wisdom 知恵の源泉. **2** (ランプの)油つぼ; インクつぼ.

fount² /fáunt/ 名 (英) = font².

*****foun·tain** /fáuntn/ ‑tin/
— 名 (複 ~s/‑z/) ⒞ **1** 噴水(装置, 設備); 泉, 湧き水, 水源《♦死・誕生・予知・英知などの象徴》‖ Look. The *fountain* is shooting very high. 見てごらん. 噴水がすごく高く出ているよ. **2** (文・古) [比喩的に] […の]泉, 起源(source) [*of*] ‖ the *fountain* of beauty 美の源泉. **3** (米) = soda fountain.
the Fóuntain of Yóuth 不老の泉《青春がよみがえらせると考えられている伝説上の泉》．
fóuntain pèn 万年筆.

foun·tain·head /fáuntnhèd/ ‑tin‑/ 名 ⒞ (文) 通例 a/the ~] 源泉; 典拠.

⁝**four** /fɔ́ːr/ 同音 fore, △for)
— 名 (複 ~s/‑z/) 《◆名形 とも用例は → two》**1** ⓤⓒ[通例無冠詞] (基数詞の)4《♦序数は fourth. 立方体・4との関連で四則演算・理知[知的]などを表す. 関連接頭辞 quadri-, tetra‑》.
2 ⓤ [複数扱い] [代名詞的に] 4つ, 4個; 4人.
3 ⓤ 4時, 4分; 14ドル[ポンド, ペンス, セントなど]; 4歳. **5** ⓒ 4の記号[数字, 活字]《4, iv, IVなど》. **6** ⓒ [トランプ] 4の札;(さいころの)4の目. **7** 4つ[4人]1組のもの; 4人乗りのボート(の乗員), フォア. **8** ⓒ 4番[号]サイズの物; [~s] 同サイズの靴[手袋など]. **9** ⓤ 4頭の馬 ‖ a coach [carriage] and *four* 4頭立ての馬車.
on áll fóurs (1) 〈人が〉四つんばいで; 〈獣が〉四足で. (2) 「…に]ぴったり合って[相当して] [*with*].
— 形 **1** [名詞の前で] 4つの, 4個の; 4人の. **2** [補語として] 4歳の.

four·fold /fɔ́ːrfòuld/ (正式) 形 4倍の, 四重の; 4要素[4部分]のある. — 副 4倍に, 四重に.

four‑foot·ed /fɔ́ːrfútid/ 形 四足の ‖ *four-footed* beasts 四足獣.

Fóur‑H [4‑H] Clùb /fɔ́ːrréitʃ‑/ 4‑Hクラブ《head, heart, hands, health の向上を目的とする米国農村青年教育機関》．

4‑H'er /fɔ́ːréitʃər/ 名 ⓒ 4‑Hクラブ員 (cf. Four‑H Club).

fóur‑lèaf(ed)[‑lèaved] clóver /fɔ́ːrlíːf(t)[líːvd]‑/ 四つ葉のクローバー《♦見つけた者に幸運が訪れるとされる》．

fóur‑lèt·ter wórd /fɔ́ːrlètər‑/ 四文字語《4文字からなる卑猥(ひわい)な語 (fuck, shit など). 遠回しにこういう》．

four·post·er /fɔ́ːrpóustər/ 名 ⓒ = fourposter bed.
fóurpóster bèd 四柱式寝台《4すみの柱が天蓋を支えるカーテン付の寝ベッド》．

†**four·score** /fɔ́ːrskɔ́ːr/ (文) 形 ⓤ 80(の), 80歳の《♦ score は「20」の意》‖ *fourscore* and seven years ago 87年前《♦ Lincoln の Gettysburg Address の冒頭の言葉》．

four·some /fɔ́ːrsəm/ 名 ⓒ [ゴルフ] フォーサム《4人が2人ずつの組に分かれ, 各組が1個ずつのボールを交互に打つプレー》．

four·square /fɔ́ːrskwéər/ 形 **1** 正方形[四角]の. **2** 〈建物などが〉堅固な, しっかりした. **3** 率直な; 勇敢で断固とした.

four‑star /fɔ́ːrstɑ́ːr/ 形〈ホテルなどが〉一流の, 優秀な.

*****four·teen** /fɔ́ːrtíːn/
— 形 ⒞ とも用例は → two] **1** ⓤⓒ [通例無冠詞] (基数詞の)14《♦序数は fourteenth》. **2** ⓤ [複数扱い; 代名詞的に] 14個, 14人. **3** ⓤ 14時(午後2)時), 14分; 14ドル[ポンド, ペンス, セントなど]. **4** ⓤ 14歳. **5** ⓒ 14の記号[数字, 活字]《14, xiv, XIV など》. **6** ⓒ 14個[人]1組のもの.
— 形 **1** [通例名詞の前で] 14の, 14個の; 14人の. **2** [補語として] 14歳の.

†**four·teenth** /fɔ́ːrtíːnθ/《♦ 14th とも書く》形《◆名 とも用例は → fourth》**1** [通例 the ~] 第14の, 14番目の(語法) ⇒ **first** 形 **1**). **2** [a ~] 14分の1の.
— 名 ⓤ [通例 the ~] (順位・重要性で) […する]第14番目[14位]の人[もの] [*to do*]. **2** ⓤ [通例 the ~] (月の)第14日(→ **first** 名 **2**). **3** ⓒ 14分の1(→ **third** 名 **5**).

*****fourth** /fɔ́ːrθ/《同音 forth)《◆ 4th とも書く》
— 形 《◆ 名 とも用例は → two》**1** [通例 the ~] (序数の)第4の, 4番目の(語法) ⇒ **first** 形 **1**) ‖ the *fourth* lesson 第4課 (=Lesson 4) / Who was the *fourth* shogun of the Tokugawa Shogunate? だれが徳川幕府の4代目の将軍でしたか / She is in (the) *fourth* grade. 彼女は小学4年生です. **2** [a ~] 4分の1の ‖ a *fourth* share of the profits 利益の4分の1の分け前. **3** [音楽] 第4度(音程)の.
— 名 (複 ~s/‑s/) **1** ⓤ [通例 the ~] (順位・重要性で) […する]第4番目の人[もの], 第4位の人[もの] [*to do*]《♦単数形ではあるが省略された名詞によって複数扱いの場合もある》．
2 ⓤ [通例 the ~] (月の)第4日 ‖ the *fourth* of May = May the *fourth* 5月4日(→ **first** 名 **2**). **3** ⓒ 4分の1《♦ quarter より堅い語》(→ **third** 名 **5**) ‖ a [one] *fourth* 4分の1 / three *fourths* 4分の3.
4 [the F~] = the Fourth of July(→成句). **5** ⓤ (自動車のギアの)第4段, フォース. **6** ⓒ [音楽] 第4度(音程).
the Fóurth of Julý (米国) 独立記念日《7月4日; Independence Day とも単に the Fourth ともいう》．

fóurth diménsion〔数学・物理〕[the ~] 第次元.
fourth·ly /fɔ́ːrθli/ 副 第4に, 4番目に.
fóur‑whèel drìve /fɔ́ːrhwíːl‑/ 4輪駆動(車) (略) FWD, f.w.d.》．

†**fowl** /fául/《同音 foul) 名 (複 ~s/‑z/, [集合名詞] **fowl**) **1** ⓒ [狭義] 鶏(にわとり), (特に) めんどり (hen); (広義) 家禽(きん)《♦ duck, goose, turkey, pheasant, partridge など》. **2** ⓤ 鶏肉, 鳥肉. **3** ⓤ [複合語で; 集合名詞] 鳥類 ‖ wild *fowl* 野鳥 / a flock of water *fowl* 一群の水鳥. **4** ⓒ (古・詩) (一般に) 鳥 (bird) ‖ the *fowls* of the air 『聖』空の鳥.

*****fox** /fáks / fɔ́ks/
— 名 (複 ~·es/‑iz/, [集合名詞] **fox**) **1** ⓒ キツネ, (特に) 雄ギツネ《◆ (1) 人に化けるという連想では古いものとされる. (2) [雌ギツネ] は vixen》‖ the *fox*'s wedding キツネの嫁入り, 日照りの雨 / The *fox* is known by his brush. キツネは尾で

かる；人にはめいめい特徴がある / Can you hear a *fox* barking far off? どこか遠くでキツネがほえているのが聞こえますか. **2** Ⓤ キツネの毛皮. **3** Ⓒ (略式)〔しばしば old ~〕ずるがしこい人, 狡猾(ਖ਼ਰ)な人 ‖ That politician is a sly [crafty] *old fox*. あの政治家は海千山千だよ.
── 他 (略式)〈人〉をうまく欺く, だます, かつぐ；〈問題などが〉〈難しくて〉〈人〉に理解できない ‖ The question *foxed* me completely. その質問は私にはまったく理解できなかった.

fóx húnting キツネ狩り.

fóx térrier 〔動〕フォックス=テリア《英国原産の小型テリア犬》.

†**fox·glove** /fάksglʌ̀v|fɔ́ks-/ 名 Ⓒ 〔植〕ジギタリス (digitalis).

fox·hound /fάkshàund|fɔ́ks-/ 名 Ⓒ フォックスハウンド《キツネ狩り用の猟犬》.

fox·hunt /fάkshʌ̀nt|fɔ́ks-/ 名 動 自 キツネ狩り(をする).

fóx húnt·ing 名 Ⓤ =fox hunting 《◆ (英)では単に hunting ともいう》.

fox·y /fάksi/ 形 (通例 --i·er, --i·est) **1** (略式)〈顔つきが〉キツネのような；狡猾(ਖ਼ਰ)な. **2** 黄褐色のしみで変色した. **3** 〈米略式〉〈女性が〉(肉体的に)魅力がある, セクシーな.

foy·er /fɔ́iɚ, fɔ́iei | fɔ́iei/ 〔フランス〕名 Ⓒ (劇場・ホテル・マンションの)ロビー, ホワイエ, 休憩室.

Fr, Fr. (略) Father; Franc; France; French; Friday.

fr. (略) franc(s); from.

Fra /frάː/ 〔イタリア〕名 …師 《敬称として修道士(friar; monk)の名の前に用いる》.

fra·cas /fréikəs, fræk-|frǽkɑː/ 〔フランス〕名 (複 ~·es/-iz/, (英) **fra·cas**/-z/) Ⓒ (正式)騒ぎ, けんか.

†**frac·tion** /frǽkʃən/ 名 Ⓒ **1** (全体に対して)一部, 小部分, 断片, 破片, 端数 (small part); はんぱ物 ‖ a *fraction* of land [sympathy] わずかな土地[同情] / crumble *into fractions* 崩れてこなごなになる / The prisoner escaped in a *fraction* of a second. その囚人はあっという間に脱出した / He didn't budge by even a *fraction*. 彼は微動だにしなかった. **2** 〔数学〕分数；(数の)比. **3** 〔化学〕フラクション, 留分.

frac·tion·al /frǽkʃənl/ 形 **1** (正式)小部分の, 断片的な；わずかな. **2** 〔株式〕端株の ‖ *fractional* currency 小額通貨. **3** 〔数学〕分数[小数]の (cf. integral) ‖ *fractional* functions 分数関数.

†**frac·ture** /frǽktʃɚ/ 名 Ⓒ Ⓤ **1** 〔医〕骨折(break) ‖ a compound [simple] *fracture* 複雑[単純]骨折 / set [suffer] a *fracture* 骨をつぐ[折る]. **2** (固いものが)砕けること；破損, 裂け目[割れ]目, 破面, 断口 ‖ a *fracture* in the pipe 管の裂け目.
── 動 他 **1** (正式)〈骨〉を折る；〈物〉を砕く, 壊す (break). **2** (米俗)〈人〉をおいおい笑いにさせる. ── 自 (正式)折れる, 砕ける, 壊れる.

†**frag·ile** /frǽdʒəl|-ail/ 形 **1** 壊れ[割れ]やすい, もろい；(略式)〈人・体質が〉虚弱な (↔ tough) ‖ *Fragile*(!) 壊れ物, 破損注意《◆小包などの表示》. **2** はかない, つかの間の；(主に米)(飲み過ぎで)気分が悪い, 元気がない ‖ *fragile* love [happiness] つかの間の恋[幸福] / feel *fragile* (飲み過ぎで)気分がよくない.

fra·gil·i·ty /frədʒíləti/ 名 **1** (正式)Ⓤ 壊れやすさ, もろさ；虚弱. **2** Ⓒ 壊れやすい物.

frag·ment /名 frǽgmənt/ 動 frægmént/ frægmént/

名 Ⓒ **1** 破片, 断片, かけら；小部分, 少量 ‖ be injured by a *fragment* of broken glass 割れたガラスのかけらでけがをする / The vase *burst* [*bróke*] *into fragments*. 花びんはこなごなに砕けた / overhear *fragments* of a conversation 会話をとぎれとぎれに聞く. **2** 未完成品, 不完全なもの；(詩・文などの)断章 ‖ a *fragment* of a novel [drama] 未完の小説[劇]. ── 動 (正式)自 ばらばらになる. ── 他 …をばらばらにする.

frag·men·tar·y /frǽgməntèri|-təri/ 形 (正式)破片[断片]の；断片でできた；未完の.

frag·men·ta·tion /frǽgməntéiʃən/ 名 Ⓤ Ⓒ 分裂 [崩壊](状態)；(爆弾になどの)破砕.

fragmentátion bómb 破砕性爆弾.

†**fra·grance** /fréigrəns/ 名 Ⓤ Ⓒ よいにおい[かおり], かんばしさ ‖ the *fragrance* of roses バラのかおり.

†**fra·grant** /fréigrənt/ 形 (正式)〔…の〕よいにおいの(する), よい香りの〔with〕 ‖ a garden which is *fragrant* with flowers 花のよい香りがたちこめている庭.

†**frail** /fréil/ 形 **1** 〈体・人が〉(体質的に)弱い, ひ弱な 《◆ weak, delicate より堅い語》 ‖ a girl of *frail* constitution 虚弱体質の女の子 / the *frail* look of the old man's hands 老人のひ弱そうな手. **2** 〈物や壊れやすい《◆ fragile の方がふつう》；〈幸福などが〉はかない, 一時的な ‖ too *frail* a love もろすぎる愛 (→ too **1 語法**).

†**frail·ty** /fréilti/ 名 (正式) **1** Ⓤ 弱さ；もろさ；はかなさ；誘惑されやすいこと；意志薄弱 ‖ *Frailty*, thy name is woman! 〔Shak.〕弱き者, それが女の宿命なのだ. **2** Ⓒ 弱点, 短所, 過失 (fault).

*****frame** /fréim/
── 名 (~s/-z/) **1** Ⓒ a (窓・ドアなどの)枠；額縁 (温室などの)枠組，[~s] 眼鏡の縁，(記事などの)枠 ‖ a window [picture] *fráme* 窓枠[絵の額縁] / put a photo *into* a *frame* 写真を額に入れる. **b** 枠台，刺繍(ぬ)の台分；〔印刷〕植字台.
2 a Ⓒ (建物・船・車・機械・家具などの)骨組み(structure) ‖ the *frame of* a gymnasium [plane] 体育館[飛行機]の構造. **b** Ⓒ (社会・政治などの)機構；(理論などの)構成；体制, 組織《◆ framework の方がふつう》‖ the *frame of* government [society] 政治[社会]機構. **c** Ⓒ Ⓤ (正式)〔通例単数形で〕(人・動物の)体格, 骨格(body) ‖ a man of strong [weak] *frame* がっしりとした[ひ弱な]体格の人《◆ with を用いた場合は a man with a strong [weak] *frame*》 / Sobs shook the girl's *frame*. すすり泣きなどで少女の体を震わせた；その少女は体を震わせて泣いた.

3 Ⓒ (正式)〔通例 a ~ of mind〕気分, 気持ち, 感情 ‖ in a míserable [góod] *fráme* of mind みじめな気持ち[上機嫌]で. **4** [a ~]背景, 環境. **5** Ⓒ 〔映画〕(フィルムの)こま；〔コンピュータ〕フレーム(画面の仕切り)；〔テレビ〕フレーム《走査線で送られる1つの完成した映像》；〔ボウリング〕フレーム《1ゲーム10回分の1つ》.

a fráme of réference (1) (判断・分析などのための)基準[知識]体系, 知的枠組；見解, 理論；(判断・分析・行動などの)枠, 範囲, 関連事項；視点. (2) 〔数学・物理〕座標系.

── 動 (~s/-z/, 過去・過分 ~d/-d/; **fram·ing**)
── 他 **1** 〔通例 be ~d〕〈絵画・写真などが〉枠にはめられる, 縁[枠]を付けられる(+*up*) ‖ The farm *is framed* in a forest. その農場は森に囲まれている.
2 〈人が〉〈建物などを〉**組み立てる**, 形作る，〈計画・理論などを〉工夫[立案]する《◆ form より堅い語》；〈人・

物・事)を(…に対して/…するように)作る(for / to do) ‖ frame「a plan [an idea] 計画[考え]を練る / a building (which is) framed「for cold [to resist cold] 耐寒用に造られた建物 / He is framed for hard work. 彼は重労働に向いている.
3 〈言葉・質問・返答などを〉言う, 書き表す(express) ‖ frame an answer to the question 質問に答える / frame a typical excuse いつもの弁解をする. **4** (俗)〈計画・不正などを〉でっちあげる(+up); 〈人を〉[犯罪などの]わなにかける, 陥(#2)れる(+up) [for].

frame-up /fréɪmʌp/ [名] ⓒ (略式)(人を罪に陥れる)でっちあげ, たくらみ; 八百長.
†frame·work /fréɪmwɜːrk/ [名] ⓒ **1** 骨組み, 枠組み, 構造物. **2** 機構, 構造, 組織, 体制; 構想, 骨子 (→ frame) ‖ a social [political] framework 社会 [政治]体制 / judge him within the framework of his achievements 業績の枠内で彼を判断する.
fram·ing /fréɪmɪŋ/ [動] ◎ → frame.
†franc /fræŋk/ [名] ⓒ フラン《スイスなどの貨幣単位. 略 fr., f., Fr, Fr.》.

France /fræns | fraːns/ [固] French (形・名).
—[名] フランス《現在の正式名 the French Republic. 首都 Paris.《別称・愛称》 the lands of the Franks, La (belle) France》.
Fran·ces /frǽnsɪs | fraːn-/ [名] フランシス《女の名. 愛称》 Frankie, Frannie, Franny》.
†fran·chise /frǽntʃaɪz/ [名] **1** [正式] [the ~] 公民権, 市民権(citizenship); 参政権, 選挙権(suffrage). **2** ⓒ (主に米)(官庁が個人・会社に与える)特権, 許可[for / to do]; (プロ野球などの)フランチャイズ(権)《本拠地での独占的興行権など》 ‖ a franchise for a bus service バス運行の認可.
Fran·cis /frǽnsɪs | fraːn-/ [名] フランシス《男の名. 愛称》 Frank, Frankie》.
†Fran·cis·can /frǽnsɪskən/ [形] 聖フランシス(St. Francis)の; フランシスコ修道会の. —[名] ⓒ フランシスコ修道会会員.
Fran·co /frǽŋkou/ [名] フランコ《Francisco /frænsiskou/ ~ 1892-1975; スペインの総統(1939-75)》.
Fran·co- /frǽŋkou-/ [語要素] → 語要素一覧(1.3).
†frank /fræŋk/ [形] (~·er, ~·est; more ~, most ~) **1** 〈人・言動などが〉[人に/…について]率直な, 淡白な, ざっくばらんな, 腹を割った (類語) candid, plain, blunt, open, outspoken》[with/about]; 〈物・事が〉明らかな, 疑う余地もない ‖ a frank opinion 率直な意見 / To be fránk (with you)〈⤴〉, you are to bláme. 《やきれ》率直に言うと君が悪い(➜ 文法 11.3(3)). **2** 〈物・事が〉あからさまな, 公然の ‖ a frank mistake 明らかな誤り / a frank secret 公然の秘密.
Frank¹ /fræŋk/ [名] フランク《男の名. Francis の愛称》.
†Frank² /fræŋk/ [名] ⓒ フランク族の人; [the ~s] フランク族《西ゲルマンの一部族. 5世紀にフランク王国を建国》.
Frank·en·stein /frǽŋkənstaɪn/ [名] **1** フランケンシュタイン《Mary Shelley 作の小説の主人公. 自分の造った怪物によって身を滅ぼした若い医学生》. **2** ⓒ **a** 自分の造ったものに滅ぼされる人. **b** =Frankenstein('s) monster.
Fránkenstein('s) mònster 自分の創造物を滅ぼすもの.

Frank·fort /frǽŋkfərt | -fɑːt/ [名] **1** フランクフォート《米国 Kentucky 州の州都》. **2** (まれ) =Frankfurt.
Frank·furt, --fort /frǽŋkfərt | -fɑːt/ [名] フランクフルト《ドイツの都市. 正式には Frankfurt am Main》.
frank·furt(·er), --fort(·er) /frǽŋkfərt(ər) | -fət(ə)/ [名] フランクフルト=ソーセージ《(米式) frank》.
fran·kin·cense /frǽŋkɪnsens/ [名] Ⓤ 乳香《一種の樹脂で, 燃やすと芳香を放つ. 主に祭式で用いる》.
frank·lin /frǽŋklɪn/ [名] ⓒ 〔英史〕(14-15世紀の貴族出身でない)自由土地保有者《gentry と yeomanry との中間》.
†Frank·lin /frǽŋklɪn/ [名] **1** フランクリン《男の名》. **2** フランクリン《Benjamin ~ 1706-90; 米国の政治家・作家・発明家》.
*fránk·ly /frǽŋkli/
—[副] (more ~; most ~) 率直に, ありのままに, あからさまに; [文全体を修飾] (失礼になるかもしれませんが, ご存じでないようなので)率直にいうと, [疑問文を伴って]率直に尋ねる[聞く]が ‖ She frankly admitted her guilt. 彼女は率直に罪を認めた / Fránkly (spéaking)〈⤵〉, I found the movie boring. 率直に言って映画は面白くなかった◆(1) (略式)では speaking がよく省かれる. (2) Speaking frankly とはふつういわない. / To speak frankly ともいう / Fránkly, do you like our homeroom teacher? 率直に聞くけど担任の先生は好きかい◆「率直に言ってもらいたいのだが」という意味もある.
frank·ness /frǽŋknəs/ [名] Ⓤ 率直(であること).
†fran·tic /frǽntɪk/ [形] **1** 〈人が〉〈恐怖・苦痛・心配・喜びなどで〉気も狂わんばかりの; 熱狂した, 逆上した[with] ‖ The mother who lost her only son was frantic with sorrow. 1人息子をなくした母親は悲しみで気も狂わんばかりであった. **2** (略式)[強意語として]ものすごい(extreme); 大急ぎの, 大あわての.
†fran·ti·cal·ly /frǽntɪkəli/ [副] 半狂乱で, 逆上して.
†fra·ter·nal /frətɚːnl/ [形] (正式) **1** 兄弟の(ような)(brotherly), 友愛の, (PC) friendly) ‖ fraternal affection 兄弟愛. **2** (米) 友愛組合の.
fratérnal twín 二卵性双生児(の1人).
fra·tér·nal·ism [名] Ⓤ 友愛, 友愛主義.
fra·tér·nal·ly [副] 兄弟のように, 友愛的に.
†fra·ter·ni·ty /frətɚːnəti/ [名] **1** Ⓤ (正式) 兄弟関係, 兄弟愛, 同胞愛((PC) friendship, companionship). **2** ⓒ (米)(男子大学生の)社交クラブ[友愛会] (cf. sorority). **3** [the ~; 集合名詞; 単数・複数扱い] 協同団体, 宗教団体, 同業組合((PC) organization); 同業者[同好者]仲間, (PC) common-interest group) ‖ the medical fraternity 医師会[仲間].
frat·er·nize /frǽtɚrnaɪz/ [動] ⓘ (正式) [...と]親しくなる; 〈占領軍が〉[敵と]親しくなる[with].
fràt·er·ni·zá·tion [名] Ⓤ 親しくなること; 親睦(数).
†Frau /fraʊ/ [ドイツ] [名] (働 ~s, ~·en/-ən/) ドイツの(既婚)婦人, ...夫人, ...さん《英語の Mrs. に当たる敬称》.
†fraud /frɔːd/ [名] **1** Ⓤ 詐欺, 欺瞞(誂) ‖ get money by (resorting to) fraud 金を詐取する. **2** ⓒ 詐欺行為, 不正手段. **3** ⓒ (略式) 詐欺師, ぺてん師; [しばしば old ~] 詐欺師(みたいなやつ), 偽善家; [通例 a ~] 偽物, まやかし物.
†fraud·u·lent /frɔːdʒələnt | frɔːdjuː-/ [形] (正式) 詐欺(行為)の ‖ by fraudulent means 不正手段で.
fráud·u·lent·ly [副] だまして, 不正に.

fráud·u·lence 名U (正式) 詐欺(行為), 不正.

†**fraught** /frɔ́ːt/ 形 **1** (略式) 〈人が〉心配して(anxious), 緊張して(tense) ‖ wear a *fraught* expression 緊張した表情を浮かべる. **2** 〔…に〕満ちた, 〔…を〕はらんだ(full)〔*with*〕 ‖ an expedition (which is) *fraught with* danger 危険をはらんだ遠征.

Fräu·lein /frɔ́ilain/〖ドイツ〗名 (複 ~(s)) **1** ドイツの未婚女性; …嬢 《英語の Miss に当たる敬称》. **2**C (主に英) ドイツ人女性の家庭教師.

†**fray** /fréi/ 動 他 **1** 〈人・事が〉〈衣服・ひもなど〉を(こすって・着すぎて)すり切れさせる, ほつれさせる ‖ The *frayed* cuffs are beyond repair. そのすり切れたそで口は繕いがきかない. **2** 〈神経〉をすり減らす. ― 自〈衣服・ひもなどが〉(こすって・着すぎて)すり切れる, ほつれる(+*out*); 〈神経が〉すり減る.

†**freak** /fríːk/ 名 C **1** 奇形; 奇形の人[動植物]; 異常な出来事 ‖ a *freak* of nature 造化の戯れ, できそこない, 突然変異, 異常気象. **2** 気まぐれ(な行動・考え) ‖ òut of mére fréak ほんの気まぐれから. **3** (略式) 変人, 奇人. **4** (略式) 〔複合語で〕…狂, …に夢中になる人; 麻薬常用者[中毒者](drug freak) ‖ a jazz *freak* ジャズ狂.
― 形 異常な, 風変わりな ‖ a *freak* circumstance 異常な状況 / a *freak* typhoon 迷走台風.
― 動 (略式) (麻薬などで)幻覚体験をさせる; 〈人を〉興奮させる(+*out*).
fréak shòw 奇形の人間や動物を呼び物にした見せ物.
freak·ish /fríːkiʃ/ 形 (略式) 異常な, 筋の通らぬ, 風変わりな.
freck·le /frékl/ 名 C 〔しばしば ~s〕そばかす; 〔医学〕夏日斑(なつびはん); しみ, 小斑点.
freck·led /frékld/ 形 そばかす[しみ]のある.
Fred /fréd/, **Fred·dy** /frédi/ 名 フレッド, フレディ《男の名. Alfred, Frederick の愛称》.

†**Fred·er·ick** /frédərik/ 名 **1** フレデリック《男の名. (愛称) Fred(dy)》. **2** ~ the Great フリードリヒ大王[2世]《1712–86; プロシア王(1740–86)》.

free /fríː/ (類語) flee, flea /fliː/) 「社会的圧力や因習に拘束されていない」「時間的・場所的に拘束されず, ひまな」の意となる. 金銭的にしばられないと「無料の」の意となる》 freedom (名), freely (副).

index 形 **1** 無料の **2** 自由な, 自由主義の **3** 自主的な **4** ひまな **5** くつろいだ **6** 固定していない **7** 〈人が〉…に 《語》 **8** 物惜しみしない
動 他 自由にする

―形 (~r, ~st) **1a** 無料の, ただの, 無税の《◆この意味では比較変化しない》; 〔補語として〕〔…の〕束縛のない, 負担のない; 〔不快なもの・心配・苦痛などの〕ない, 〔…に〕悩まされない(*of, from*); 〔料金・税金などが〕免除された〔*of*〕 ‖ *free* advice [delivery, imports] 無償の助言[無料配達, 無関税輸入品] / sugar-*free* coffee 砂糖のきいていないコーヒー / a face (which is) *free of* make-up 化粧をしていない顔 / a man (who is) *free from* prejudice [care, fear] 偏見[心配, 不安]のない人 / gèt a *frée* ríde ただ乗りする / She is *free of* [*from*] debt. 彼女には借金がない / *There's no such thing as a free lunch*. (ことわざ) 『ただのご馳走というようなものはない』ただほど高いものはない (必ず裏がある). **b** 〈道が〉自由に通れる ‖ a *free* road 自由に通れる道.
2 〈人が〉自由な, 自由の身の; 監禁されていない; 解放[釈放]された(↔ captive); 〈国・国民が〉自由主義の《◆ふつう比較変化しない》 ‖ a *free* people 自由国民 / a *free* country 自由国家 / a *free* nation 独立国家 / *free* citizens 自由市民 / feel (*as*) *free as air* [*a bird, the wind*] (略式) まったく自由な気がする / gèt [gó] frée 自由になる / sèt [màke] the prisoner *frée* 囚人を自由にする.
3 〈人・意志・言動などが〉(干渉・束縛を受けずに)自主的な, 自発的な; [be free to do] 〈人が〉自由に…することができる《◆比較変化しない》 ‖ a *free* action 自発的な行動 / *free* press [speech] 出版・報道[言論]の自由 / He *is free* to spend his money. 彼は自由に金を使うことができる / *Please feel free* to use my bicycle. 遠慮なく私の自転車をお使いください / Every student has *free* access to the computer room. すべての学生はそのコンピュータルームを自由に利用できる.
4 〈人が〉ひまな, 仕事から解放された(↔ busy); 〈部屋・席が〉あいている, 使用されていない〈手・足が〉ふさがっていない《◆比較変化しない》 ‖ Is this seat *free*? この席はあいていますか / Do you have any apartments *free*? あいているアパートはありますか / She is always *free* in the afternoon. 彼女は午後いつも手があいている / *The line is free.*《電話で》(回線があいているので)おつなぎできます.
5 〈人が〉くつろいだ; 〈作品・文体などが〉形式・規則にとらわれない; 〔動作が〕のびのびした, 軽快な〔*in*〕 ‖ a *free* composition 自由作文 / a *free* translation 意訳(↔ a literal translation) / be *free in* one's gait 足のびのびとした足取りである.
6 〈物が〉固定していない, ゆるい《◆比較変化しない》 ‖ get his arm *free* 彼の腕を振りほどく.
7 〈人が〉〔人に/言動に〕だらしのない〔*with/in*〕; 〈人が〉率直な, くだけた, うちとけた; なれなれしい, 礼儀を欠く ‖ be *free with* her *free* in one's behavior ふるまいがしだらである / be *free with* her 彼女になれなれしい.
8 〈人が〉〔物・金を〕物惜しみしない〔*with, of*〕; 気前のよい; 〈物が惜しみなく〔豊富に〕与えられた ‖ be *free with* [*of*] one's money [advice] 惜しげなく金を出す[忠告する] / a *free* spender 気前よく金を使う人.

for frée (米略式) 無料[無償]で.
frée and éasy (名) (喫煙・飲酒ができる)音楽会; 懇談会. ― [形・副] (略式) (1) (英) 打ちとけた[て], のんきな[に]. (2) (人に)厳しくない[なく]; 〈金を〉自由に使う.
màke frée with A (1) 〈物〉を勝手に使う; …を自由に飲食する. (2) 〈人〉になれなれしくする(cf. **7**).
― 副 (~r, ~st) **1** 自由に(freely); ゆるんで(→ 形 **6**). **2** 無料で ‖ Children are admitted *free*. 子供は入場無料.
― 動 (~s/-z/; 過去·過分 ~d/-d/; ~·ing)
― 他 〈人が〉〈人・国などを〉〔…から〕自由にする, 解放[釈放]する〔*from*〕; 〈人・場所〉から〔束縛・苦しみ・邪魔物〕を取り除く〔*from, of*〕 (類語) liberate, release, emancipate, discharge) ‖ *free* a clogged drain 詰まった排水管を直す / My retirement pay *freed* me 「*from* debt [*from* my debts, *of* my debts]. 退職金のおかげで借金が払えた / Try to *free* yourself *from* your prejudice. その偏見を払いのけなさい / *free* a room *of* clutter 部屋を片付ける.
frée ágent (プロの)自由契約選手, フリーエージェント; 自由行為者.

Frée Chúrch [通例 F~ Churches] (英) 非国教派(プロテスタント)教会《◆特に長老派教会をさす》.

frée hánd (a ~) 自由裁量, 行動の自由(cf. free-hand) ‖ give [allow] him *a frée hánd* 彼に行動の自由[裁量権]を与える / give [spend] money with *a frée hánd* 金を気前よく使用する[費やす] / have [get] *a frée hánd* 行動の自由を得る.

frée lànce 自由契約の作家[寄稿家, 俳優], フリーランサー(free-lancer)(cf. free-lance).

frée lóve (古) 自由恋愛, フリーセックス(sexual freedom).

frée márket 自由市場.

frée páss (鉄道・娯楽施設などの)無料乗車[入場]券.

frée spéech 言論の自由.

Frée Státe (1) [米史] 自由州《南北戦争前に奴隷制を禁止した州》. (2) (愛称) [the ~] 自由州(→ Maryland, South Carolina).

frée thrów (バスケットボール) フリースロー.

frée wíll (1) 自由意志[選択] (cf. freewill) ‖ of one's own *free will* 自由意思で. (2) (哲学) 自由意志説.

frée wórld (主に米) [the ~] (共産圏に対して) 自由世界.

-free /-frí:/ (語要素) →語要素一覧(1.2).

free·bie, -by /frí:bi/ (名) (C) (略式) 無料の物, 景品, 優待券; 優待券 ‖ on a *freebie* 無料で, 優待で.

freed·man /frí:dmən, -mæn/ (名) (複) -men /(女性形) -wom·an/ (C) (奴隷の身分から解放された) 自由民(人) ((PC) freed slave, ex-slave).

***free·dom** /frí:dəm/
──(名) (複) ~s /-z/) **1** (U) (C) (すでに享有する) 自由 (の状態), 束縛のないこと; (政治的・国家的) 自主, 独立; 〔言動などの/…する〕自由 (of / to do) ‖ academic *freedom* 学問の自由 / *freedom* of speech [thought] 言論[思想]の自由 / the *freedom* of the seas 公海の自由航行権 / fight for *freedom* of religion [the press] 信仰[出版]の自由のために戦う / give a slave his *freedom* 奴隷を解放する / We *have* (the) *freedom* to do what we think right. 私たちは正しいと思っていることをする自由がある.

(類語) freedom は制約・抑圧のない状態で積極的な自由. liberty は以前の拘束状態を暗示し, 現在の解放状態に重きを置いた自由で消極的である.

2 (U) 〔規則・負担・義務などからの〕解放, 免除; 〔…が〕ないこと 〔from〕‖ *freedom* from charge 無料 / *freedom* from care [anxiety] 心配[不安]のないこと / enjoy *freedom* from danger [fear] 危険[恐怖]のない生活を楽しむ / give him his *freedom* (裁判沙汰にせず) 彼の離婚の求めに応じる.

3 (U) (C) (言動の) 自由自在, 気安さ; 率直さ; なれなれしさ, 気まま; 無遠慮 ‖ speak with *freedom* 腹蔵なく言う / take [use] *freedoms* with her 彼女になれなれしくする.

4 (U) 特権; 名誉市民[会員]権; [the ~] 〔…の〕出入[使用]の自由 〔of〕‖ give him the 「*freedom* of [keys to] the city 彼を名誉市民にする / *have the freedom of* a theater [bed] 自由に劇場に出入り[ベッドを利用]できる.

freed·wom·an /frí:dwùmən/ (名) → freedman.

free-for-all /frí:fərɔ̀:l/ (名) (C) (略式) 参加[飛び入り]自由の競技[討論]; 乱闘.

free·hand /frí:hænd/ (形) (定規・コンパスなどを使わず) 手で書いた[て], フリーハンドの[で] (cf. free hand).

free·hand·ed /frí:hændid/ (形) **1** 気前のいい, 大まかな. **2** =freehand. ──(副) =freehand.

free·hold /frí:hòuld/ (法律) (形) (不動産の自由保有権 (of, on); (C) 自由不動産. ──(形) 自由土地保有の.

free·lance /frí:læns | -lɑ:ns/ (形) (副) 〈作家・俳優などが〉自由契約[寄稿]の[で], フリーランサーの[で] (cf. free lance). ──(動) (自) 自由契約で働く.

free·làncer (名) =free lance.

***free·ly** /frí:li/
──(副) (more ~, most ~) **1** 自由に, 障害なしに; 進んで, 喜んで, 率直に ‖ criticize the proposal *freely* 提案を自由に批判する / This foreign magazine is *freely* available in Japan. この外国の雑誌は日本で自由に入手できます.

2 気軽に, のんびりと ‖ Drop in at my house *freely*. 気軽に私の家にお立ち寄りください.

3 気前よく, ふんだんに, 大まかに ‖ He gave his money *freely* to his only son. 彼はお金を一人息子に惜しみなく与えた.

†**free·man** /frí:mən, -mæn/ (名) (複) -men (C) (奴隷でない) 自由民; 自由市民, 公民 (cf. freedman) ((PC) citizen).

Free·ma·son /frí:mèisn/ (名) (C) フリーメーソンの会員《友愛と相互扶助が目的の秘密結社》.

Free·ma·son·ry /frí:mèisnri/ (名) (U) フリーメーソンの主義[慣行, 制度].

free·si·a /frí:ʒə | -ziə/ (名) (C) (植) フリージア.

free·stone /frí:stòun/ (名) (U) 軟石《砂岩・石炭岩など, どんな方向にも細工できる石目のない石》.

free·style /frí:stàil/ (名) (形) (副) (水泳) 自由形 (の, で); (レスリング) フリースタイルの(で).

free·think·er /frí:θíŋkər/ (名) (C) (宗教上の) 自由思想家; 無神論者. **frée·thínk·ing** (名) (U) (形) 自由思想(の).

free·ware /frí:wèər/ (名) (U) (コンピュータ) フリーウェア, 無料ソフト.

free·way /frí:wèi/ (名) (C) (米) 高速道路((英) motorway).

free·will /frí:wíl/ (形) 自由意志の, 自発的な (cf. free will).

†**freeze** /frí:z/ (同音) frieze (動) (過去) froze /fróuz/, (過分) frozen /fróuzn/) (自) **1** 〈液体などが〉凍る, 固化する (+*up, over*); 〈物が〉〔…に〕凍りつく 〔to〕‖ The laundry *froze* to the line. 洗濯物が物干し綱に凍りついた / The river has *frozen* over. 川が一面に凍った / Water *freezes* (into ice) at 32°F [0°C]. 水は32°F [0°C]で凍る / The jelly *froze* solid. ゼリーはかちかちに凍ってしまった. **2** [it を主語として] 氷が張る, 凍るほど寒い ‖ It *froze* hard last night. 昨夜はひどく凍(こお)っていた / It's *freezing* tonight, isn't it? 今夜は底冷えしますね. **3** (略式) 〈人・足などが〉凍るほど寒く感じる; 〈植物が〉(寒さで) 霜枯れする 〔with〕; 〈部屋が〉とても寒い ‖ *freeze to death* 凍死する (= be *frozen* to death) / I'm *freezing*. お寒い. **4** (略式) 〈人が〉〈恐怖・興奮などで〉ぞっとする, 突然止まる, 動け[しゃべれ]なくなる (+*up*) 〔with〕; 〈人が〉冷淡[冷酷]になる (+*up*); 〈表情などが〉こわばる ‖ *Freeze!* (銃などを向けて) 動くな / *freeze up* in public 人前でこちこちになる. **5** 〈物が〉冷凍保存できる. **6** (コンピュータ) (画像が)動かなくなる, フリーズする. ──(他) **1** 〈人・物・事が〉〈液体・物などを〉凍らせる, 固化させる (+*up, over*); …を冷凍する (+*up*) ‖ She *froze* the jelly solid. 彼女はゼリーをかちかちに凍らせてしまった. **2** (略式) [be frozen] 〈人が〉凍死する, 凍傷になる

-friend·ly /-fréndli/ (語要素) →語要素一覧(1,2).

✱friend·ship /fréndʃip/
— 名 (複 ~s/-s/) UC 友だち関係, [...との](真の)友情, 友愛(関係), 親睦(⁀)[with] ‖ for friendship's sake 友だちのよしみで / feel friendship for him 彼に親しみを感じる / have [begin] a friendship with him 彼と交際している[交際を始める] / live (together) in friendship 仲よく暮らす / maintain [break] a friendship of five years 5年の交友を続ける[断つ] / We deepened [strengthened] our friendship. 我々は友情を深めた.

friendship pin (友情のしるしとしての)ブローチ《女の子が男の子に与える》.

Friendship Treaty 友好条約.

frieze /fríːz/ 名 C【建築】**1** フリーズ《装飾のある横壁. (図) → entablature》. **2** 装飾帯.

frig /fríg/ 名 C (英略式) = fridge.

frig·ate /frígət/ 【発音注意】 名 C **1**【歴史】(3本マストの木造)快速帆船《1750-1860年代頃の軍艦》. **2** (高速の)フリゲート艦《英》小型駆逐艦, 《米》中型戦艦》.

Frigg /fríg/, **Frig·ga** /frígə/ 名 《北欧神話》フリッグ, フリッガ《Odin の妻. 愛の女神》.

✝fright /fráit/ 名 **1** U (突然の激しい)恐怖, 驚き (fear)《◆「恐怖感」は U, 「恐怖の経験」は C》‖ She was in such a fright (that) she could hardly speak. 彼女はあまりにぎょっとしたのではとんどしゃべれなかった / die of [from] fright ショックのあまり死ぬ / give him a fright 彼をびっくりさせる / hàve [gèt] a fríght びっくりする / tàke fríght at darkness 暗闇(%)にとてもおびえる. **2** C (略式) (通例 a~) おびえさせる[醜い, 異常な, おかしな]人[物, 事] ‖ What a fright she looks in that dress! あの服を着ると彼女は見られたものじゃない.

✱fright·en /fráitn/
— 動 (~s/-z/; 過去・過分 ~ed/-d/; ~ing)
— 他 〈人・物・事が〉〈人〉を(突然, 一時的に)ぎょっとさせる, ぞっとさせる (類語) alarm, scare, startle, terrify); [be ~ed] 〈人が〉[...に]ひどく驚く〈at, by, with〉; [...に]こわく思う〈to do〉; [...ではないかと]心配する〈that 節〉‖ be frightened out of one's wits [life] 驚いて肝をつぶす / A flash of lightning frightened me. =I was frightened at [to see, ˣof seeing] a flash of lightning. 稲妻を見てぎょっとした / I was frightened that he had failed. 彼が失敗したことを知ってひどく驚いた. **b** (略式) [be ~ed] 〈人が〉[...を/...することを](習慣的に)こわく感じる〈of / of doing〉《◆ be afraid の代用》‖ I am frightened of dogs. 犬にこわい / I am frightened ˡof walking [ˣto walk] in the darkness. こわく暗闇(%)を歩けない. **2 a** [副詞(句)を伴って]〈人・物・事が〉〈人・動物〉をおどして追い払う(+away, off, out)‖ She frightened the mouse out of its hiding place. 彼女はネズミをおどして隠れ場から追い出した. **b** [frighten **A** into doing] 〈人〉をおどして…させる; [frighten **A** out of [from] doing] 〈人〉をおどして…させない ‖ The robber frightened the housewife into handing over her money. 強盗が主婦に金を出せとおどした.

fríght·en·ing 形 [他動詞的に] ぎょっとさせるような, 恐ろしい. **fríght·en·ing·ly** 副 (強調語) びっくりするほど, 恐ろしいほど.

fright·ened /fráitnd/ 形 [...に]おびえた, ぎょっとした (afraid) 〈about, at, of〉‖ a frightened cat おびえた猫.

✝fright·ful /fráitfl/ 形 **1** 〈物・事が〉ぞっと[ぎょっと]するような, 恐ろしい; 驚くべき; 非常に醜い ‖ a frightful wave [accident] ものすごい波[事故] / a frightful dress ぶかっこうな服. **2** (英式)〈物・事がまったく不愉快な, いやな(unpleasant)‖ hàve a fríghtful tìme いやな目に合う. **3** (略式) [強意語として] 非常な, すごい; たくさんの ‖ a frightful bore ひどく退屈な人 / a frightful debt ものすごい借金.

fríght·ful·ness 名 U 恐怖; 醜さ.

✝fright·ful·ly /fráitfəli/ 副 **1** 恐ろしく, ぞっと[ぎょっと]するほど. **2** (英略式・主に女性語)[強意語として]すごく, 非常に.

✝frig·id /frídʒid/ 形 **1** (正式)寒冷な, 極寒の ‖ a frigid climate 極寒の気候. **2** (正式)無感動[無表情]な; 冷淡な, 無関心な; 堅苦しい ‖ a distinctly frigid attitude まぎれもなく冷淡な態度. **3**〈女が〉性的不感症の.

Frígid Zòne [the ~] 寒帯 ‖ the North Frigid Zone 北寒帯.

fríg·id·ly 副 冷たく; 冷淡に; 堅苦しく.

fríg·id·ness 名 U 寒冷; 冷淡, 堅苦しさ;〈女の〉性的不感症.

fri·gid·i·ty /fridʒídəti/ 名 = frigidness.

✝frill /fríl/ 名 C **1** 〈服・カーテンなどの〉へり飾り, フリル; (骨付き肉の骨の端につける)紙製ひだ飾り. **2** (略式) [通例 ~s] 余分なもの, 装飾的なもの; (態度・文体などの)気取り, 虚飾; 余計の利益 ‖ put on (one's) frills 気取る / No frills. (機内での)サービスなし. **3** (鳥などの)えり毛.

frilled /fríld/ 形 = frilly ‖ a frilled lizard エリマキトカゲ《オーストラリア産》.

frill·y /fríli/ 形 (--i·er, --i·est) 多くのひだ飾りの(ついた), フリルのついた.

✝fringe /fríndʒ/ 名 C **1 a** (掛け布・カーテン・カーペットなどの)ふさ飾り ‖ the fringe on a shawl 肩掛けの縁飾り. **b** ふさ飾り状のもの; (主に英)〈女性の〉切り下げ前髪(《米》bangs)‖ a fringe of trees around a park 公園の周囲を縁取る木々 / a fringe of hair on her brows まゆにかかる前髪. **2 a** [しばしば ~s] (場所の)周辺部; (学問・運動などの)周辺, ほんの初歩;(重要性において)二次的なもの ‖ on the fringe(s) of a city 町のはずれに. **b** [集合名詞] = fringe group. **3**【光学】(光の干渉などによる)縞(º)模様.
— 動 他 (文) ...にふさ飾りを付ける; ...を[...で](ふさ飾りのように)縁取る, 囲む〈with, by〉‖ a garden fringed with roses 周囲をバラで縁取った庭園.

frínge àrea 受信[受像]不良地域.

frínge bènefit(s)【経営】付加厚生給付《年金・健康保険など》; (米略式) (給料に上乗せされる)所得.

frínge gròup (社会・政党などの)反[非]主流派, 過激派.

frip·per·y /frípəri/ 名 **1** U けばけばしい服飾; C [通例 fripperies] 安ぴかの服飾品[服]. **2** U (文体・態度などの)気取り, 虚飾.

Fris·bee /frízbi/ 名 C 《商標》フリスビー《ゲームとして投げ合うプラスチック製の受け皿型の円盤》.

Fris·co /frískou/ 名 (略式) = San Francisco.

✝frisk /frísk/ 動 (文)〈子供・動物が〉はね回る(jump about), じゃれる. — 他 (略式) (搭乗前に)〈人〉のボディーチェックをする.

frisk·y /fríski/ 形 (--i·er, --i·est) (略式) 活発な, よ

fri·a·ble /fráiəbl/ 形 《正式》砕けやすい、もろい.
　fri·a·bíl·i·ty 名Ⅱ もろさ.
†**fri·ar** /fráiər/ 名C 〖カトリック〗托鉢(なっ)修道士(cf. monk¹).
fri·ar·y /fráiəri/ 名C 修道院, 修道会.
fric·as·see /fríkəsi, fríkəsèi/ 〖フランス〗名UC フリカッセ《細切り肉の煮込み》.
†**fric·tion** /fríkʃən/ 名 **1** U《正式》摩擦(まっ)(の力) ‖ the coefficient of friction 摩擦係数 / Friction produces heat. 摩擦によって熱が生じる. **2** UC [(…の間の)不和, いさかい(between)] ‖ political friction between the two nations 2国家間の政治的あつれき / trade friction 貿易摩擦.
　fríction tàpe 絶縁用テープ.
＊**Fri·day** /fráidei, -di/
　——名 (複 ~s/-z/) UC 金曜日(略 Fr., Fri.); [形容詞的・《米略式》副詞的に] 金曜日に[の] 〖語法〗→ Sunday》《(1) キリストが十字架にかけられた日なのでキリスト教国では不幸の日とされる(→ Good Friday). (2) (土曜・日曜休みの)週休2日制の場合, 仕事から解放される日. TGIF(=Thank God it's Friday. ありがたい, 金曜だ) という言葉もある》‖ Today is Friday the 13th. 今日は13日の金曜日です.
　girl [mán] Fríday 忠実な召使い 《◆Robinson Crusoe の忠僕の名から》.
　make it a Friday night 金曜日の夜のように楽しくやる.
fridge, frig /frídʒ/ 〖refrigerator の短縮語〗名C 《略式》(主に家庭用)冷蔵庫.
fridge-freez·er /frídʒfrì:zər/ 名C 《英》(大型の)冷蔵庫.
†**fried** /fráid/ 動 fry¹ の過去形・過去分詞形. ——形 油でいためた[揚げた] ‖ fried eggs 焼き卵《目玉焼き・いり卵など》/ breaded fried fish =breaded fish fried whole 魚のフライ.
　fried tomáto 《主に英》トマトを(輪切りにして油で)いためたもの(cf. breakfast 事情).
fried·cake /fráidkèik/ 名UC 揚げ菓子《ドーナツなど》.

:friend /frénd/ (派 friendly (形), friendship (名)
　——名 (複 ~s/fréndz/) C **1** (親しい)友だち, 友人, 仲よし《◆(1) 愛犬などにも用いる. (2) acquaintance は単なる「知人」》〖類類〗acquaintance, associate, companion, comrade 〗 ‖ a friend of mine =one of my friends 私の友だち(の中の1人)《◆my friend は「私の唯一の友だち」に相当し, 特に話題になった友だちを念頭に置いた表現》/ an old friend 古くからの友人 / a lifelong friend 生涯の友 / I am a friend of Susie('s). 私はスージーと仲よしです《◆'s を省略するのは《米》》/ Be my friend. 仲よくして, いっしょに遊ぼうよ / your friend Steve =Steve, your friend 君の友人スティーブ《◆コンマの有無についてはそれぞれ your friend who is Steve / Steve, who is your friend と考えればよい》/ a writer friend of his 彼の友人である作家 / a friend of some years back 数年前からの友人 / Your (loving) friend (手紙の結び文)敬具, あなたの親友より / You should choose you friends very carefully. 友だちを選ぶときは慎重に. / What's a few dollars between friends? (略式) 2, 3ドルくらい何だ, 友だちじゃないか / What are friends for? 友だちは何のためにあるのか; 友だちじゃないか(気にするな) / A friend in need is a friend indeed. (ことわざ) 「まさかの時の友こそ真の友」《単に A friend in need. ともいう》/ After a violent quarrel we parted (as) friends. 激しい口論のあと仲よく別れた.

〖関連〗[いろいろな friend]
best friend 無二の親友 / boy [girl] friend 男[女]友だち, 恋人 《◆boyfriend, girlfriend ともつづる》/ childhood friend 幼なじみ / close [good, great] friend 親友(→ intimate¹ 形) 1) / cyber friend メル友(e-pal) / everybody's friend 八方美人 / lifelong friend 昔ながらの友だち / mutual friend 共通の友だち / sworn friend 誓い合った友 / true friend 真の友.

2 [慈善事業・主義・組織などの] 支持者, 後援者, 共鳴者(supporter)[of, to]; 味方(↔enemy, foe); 《正式》役に立つ[助けになる]もの ‖ a friend of the poor 貧乏人の味方 / a friend to [of] peace 平和の支持者 / be a good friend to him 彼に親切にする / You will always find a good friend in me. いつでもお力になります.
3 (同じ考え・興味を持っている) 仲間, 同志; 同国人; 〖スコット〗[~s] 親類, 身内 ‖ The boy is popular with his friends. その少年は仲間に人気がある《◆friends の代わりに group, circle としても可》.
4 [呼びかけ・引き合いに用いて] 友, 連れ ‖ my (good) friend ねえ君.
5 [F~] フレンド会(the Society of Friends)の信者, クエーカー教徒.
　be [kéep] friends with A =**be [kéep] a friend of A** 〈人〉と親しい, 仲良しである, 親しくしている.
　máke friends with A =**máke a friend of A** 〈人〉と親しくなる, 友だちになる.
　máke friends with A agáin =**máke friends again with A** 〈人〉と仲直りする.
†**friend·less** /fréndləs/ 形《正式》友のない.
　friend·less·ness 名U 友のないこと.
†**friend·li·ness** /fréndlinəs/ 名U 友情(を持っていること), 好意, 親愛.
＊**friend·ly** /fréndli/
　——形 (**-li·er, -li·est**) **1** 親しみのある, 友人にふさわしい, 友情[親しみ]のある, 人なつこい; 〈人が〉[…に]やさしい, 好意的な; 〈場所が〉居心地のよい[to, toward]; 親善の, 友好的な ‖ friendly advice 友情のこもった忠告 / in a friendly way 好意的に / Everyone is friendly to [toward] her. みんな彼女に親切です.
2 [補語として] […に] 好意的な(to)(↔ hostile); 《略式》[補語として] […と] 仲のよい(with) 《◆異性間に用いると性的ニュアンスを含む》, […と] 友好的な (with); 味方の (↔ unfriendly) ‖ a friendly match [game, contest] 親睦(ぼく)試合 / a friendly nation 友好国 / be friendly to her plan 彼女の計画に賛成する / I am friendly with her. = I am on friendly terms with her. 彼女と仲がよい.
3 […に] 役に立つ, 好都合な[to] ‖ a friendly wind 追風, 順風. **4** [F~] フレンド会の, クエーカー教徒の.
　friendly bómbing [fíre] 友軍内[味方からの]砲撃, 誤爆.
　friendly mátch 《米略式》親善試合(《米》exhibition game).
　friendly socíety (しばしば F~ S~) 《英》=benefit

かる, 非常に寒く感じる; 〈植物が〉寒さで枯れる ‖ She *was* nearly *frozen to death* in the snow. 彼女は雪の中でほとんど凍死するところだった (cf. ⓐ 3) / *be frozen stiff* 身動きできないほど寒い / *be frozen to the marrow* [bone] 骨の髄までこごえる. **3** 〈人・事が〉〈人・感情などを麻痺〉させる, どきっとさせる; (略式)〈恐怖などが〉〈人〉を身動きできなくさせる, 〔人・物に〕しりごみ[まごつ]かせる((on) *to*, *onto*); 〈表情などを〉こわばらせる(+*up*) ‖ She *froze* me in [with] her stare. 彼女ににらみつけられてぞくぞくした / Fear *froze* me (*on*) *to* the door. 恐怖のあまりドアにくぎづけになった. **4** (略式)〔財政〕〈資産・賃金・物価などを〉くぎづけ[くぎづけに]する; 〈原料・製品などの〉製造[販売]を禁じる.

fréeze ín [他] 〈場所・船などを〉氷で閉ざす ‖ The boat was *frozen in*. ボートは氷に閉じ込められた.

fréeze óff [他] (略式)〈人・要求に〉冷たい態度を示す.

fréeze (**on**) **to** [**onto**] **A** (略式) (1) → ⓗ **3**. (2) …にこだわる, 執着を持つ.

fréeze óut [自]〈植物などが〉霜枯れする. ― [他] (1)(米略式)〈人を〉〈冷遇・策略などで〉締め[追い]出す. (2) (米)〈人を〉寒さのあまりいたたまれなくする; 〈事を〉寒さでできなくさせる.

― 名 [a/the ~] **1 a** 氷結(状態, 期); 寒波, 霜. **b** (米) (夜間の)冷えこみ, (英) [a ~] 寒期. **2** 〔物価・賃金・製造・販売などの〕凍結, くぎづけ, 据置き. **3** (略式)冷蔵庫(refrigerator). **4** 〔コンピュータ〕フリーズ《システムが停止状態になること》.

freez·er /fríːzər/ 名 ⓒ 冷凍庫, (冷蔵庫の)冷凍室; アイスクリーム製造機.

†**freez·ing** /fríːzɪŋ/ 形 **1** 凍るような; 氷点に近い; 酷寒の; 冷凍するための ‖ a *freezing* morning 凍りつくような朝. **2** 冷淡な, よそよそしい; ぞっとするような ‖ a *freezing* scene ぞっとするような場面 / one's *freezing* looks 冷淡な顔つき. **3** (略式)〔形容詞の前で, 副詞的に〕凍るように, 凍るほどに ‖ It's *freezing* cold outside. 外は凍るように寒い. ― 名 ⓤ 冷凍, 氷結, 凍結; 〔資産・物価などの〕凍結 ‖ *below freezing* 氷点下で.

fréezing compàrtment (冷蔵庫の)冷凍室.

fréezing pòint 氷点 (略 fp.) (cf. boiling [melting] point) ‖ *below freezing point* 氷点下.

fréez·ing·ly 副 凍るように, 冷ややかに.

†**freight** /freɪt/ 〖発音注意〗 名 **1** ⓤ (陸・海・空による長距離の)貨物運送, 普通貨物便《◆(英)ではふつう陸上輸送には用いない. 「急行便」は express》 ‖ send export goods by air *freight* 輸出品を航空貨物便で送る. **2** ⓤ (米・カナダ)〔陸・海・空による〕運送貨物, (主に英)船荷, 空輸貨物 《◆(英)では陸上輸送は主に goods》 ‖ *freight* transport 貨物輸送. **3** ⓤ =freight rates. **4** ⓒ =freight train. **5** ⓒ (正式・詩)重荷, 負担.

― 動 他 **1** 〈主に船〉に〔…を〕積む(*with*) ‖ a ship *freighted with* wheat 小麦を積んだ船. **2** (主に米)…を運送する.

fréight càr (米) 貨車 ((主に英) goods wagon).

fréight ràtes 貨物運賃, 運送料 ((英) carriage).

fréight tràin (米) コンテナ貨物列車 ((主に英) goods train).

freight·er /fréɪtər/ 名 ⓒ **1** 貨物船[列車, 飛行機]; (米) 貨車. **2** 船積人, (貨物の)荷主, 託送人.

****French** /frénʧ/

― 形 フランスの; フランス人[語]の; フランス風[流]の

‖ *French* literature フランス文学 / *French* wines フランス産のワイン / a *French* lesson フランス語の授業 / My wife is *French*. 私の妻はフランス人です.

― 名 **1** ⓤ フランス語 ‖ Do you know the word for "water" in *French*? "water"にあたるフランス語は何か知っていますか. **2** [the ~; 集合名詞; 複数扱い] フランス人, フランス国民(→ Frenchman) (語法 → Japanese) ‖ *The French* love their own language. フランス人は自国語を愛する.

Frénch bréad フランスパン.

Frénch dóors ((主に米)) =French windows.

Frénch dréssing フレンチドレッシング(→ dressing).

Frénch fríes (米) (フレンチ)フライドポテト((英) potato chips)《細長く切ってから揚げにしたポテト》.

Frénch hórn フレンチホルン.

Frénch Revolútion [the ~] フランス革命.

Frénch séam 袋縫い.

Frénch tóast フレンチトースト《卵と混ぜた牛乳のなかに浸して軽く油で焼いたパン》.

Frénch wíndows フランス窓《窓兼用の全面ガラスのドア. French doors ともいう. 中開き・観音開きとなっているので複数形で用いる》.

†**French·man** /frénʧmən/ 名 (複 --men; (女性形) --woman) ⓒ (男性の)フランス人; (一般に)フランス人((PC) French person) (語法 → Englishman).

†**French·wom·an** /frénʧwùmən/ 名 (複 --women) ⓒ (女性の)フランス人.

fren·zied /frénzid/ 形 熱狂した, とり乱した.

†**fren·zy** /frénzi/ 名 ⓤ [時に a ~] 熱狂, 逆上; 狂乱, とり乱し ‖ *in a frenzy of* hate 憎悪で逆上[逆上]して / *drive* [get] him *to* [*into*] *frénzy* 彼を熱狂[逆上]させる / *wórk* onesèlf *into a frénzy* かっとなる. ― 動 [他] 〔通例 be frenzied〕〈人が〉〔…で〕逆上する(*with*).

Fre·on /fríːɑn | -ɔn/ 名 ⓤ (商標)フレオン《フロンガス. 冷凍剤などに用いる. 日本での通称はフロン. → CFC》.

freq. 略 frequent(ly); frequentative.

fre·quence /fríːkwəns/ 名 =frequency.

***fre·quen·cy** /fríːkwənsi/

― 名 (複 --cies /-z/) **1** ⓤⓒ 頻度(数); 〔脈拍(数), 訪問, 乗物の運搬などの〕回数 ‖ The *frequency* of traffic accidents is higher this year. 交通事故の頻度は今年は以前より高い. **2** ⓤⓒ しばしば起こること[状態]; 頻発, 頻繁 (ぎ) (⇔ infrequency) ‖ The *frequency* of her visits bothered us. 彼女がたびたびやってきて私たちは困った / *with* (increasing) *frequency* (ますます)頻繁に. **3** ⓒⓤ 〔物理〕振動, 周波数, 〔数学・統計の〕度数, 頻度 ‖ (a) high [low] *frequency* 高周波[低周波] / *frequency* distribution 度数分布 / *frequency* waves 周波《◆*frequent waves* はたびたびやってくる波》.

fréquency modulátion 〔電子工学〕 (1) 周波数変調. (2) FM 放送 (略 FM) (cf. amplitude modulation).

†**fre·quent** /fríːkwənt/ 形, 動 frikwént, (米+) fríːkwənt/ (*more* ~, *most* ~; ~·*er*, ~·*est*) **1** たびたびの; 頻繁(はんぱん) に起こる, 頻繁に…する(⇔ infrequent); (短い間隔で)存在する ‖ a *frequent* pulse 速い脈搏(はく) / màke *frequent* érrors たびたび失敗する / Her absences are *frequent* in winter. 彼女は冬によく欠席する / She is a *frequent* visitor to India. 彼女はインドをしばしば訪れる. **2** 常習的な, いつもの, ふつうの ‖ a *frequent*

frequently

latecomer よく遅刻する人. ── 動 他 《正式》〈人などが〉〈場所〉へしばしば行く; …と交際する, よく一緒にいる ‖ Kyoto is *frequented* by many tourists all (the) year around. 京都は一年中観光客でたいへんにぎわっている.

fre·quent·ly /fríːkwəntli/ 〖アクセント注意〗
── 副 しばしば, たびたび, 頻繁(に)〈◆ often より堅い語〉(↔ infrequently) ‖ I *frequently* can't sleep a wink all night. 一晩中一睡もできないことがよくある〈◆ I can't *frequently* sleep all night. は「一晩中眠れるということはありえない」という意味.
⇨文法 2.2(2).

†**fres·co** /fréskou/ 〖イタリア〗 名 (複 ~es, ~s)〖絵画〗 ⓤ フレスコ画法《塗りたてのしっくいに水彩で描く画法》. ⓒ フレスコ壁画.

※**fresh** /fréʃ/ 〖類音〗 flesh /fléʃ/ 〖「できたばかりで新鮮さを保った」が本義〗 派 freshen (動), freshly (副)

── 形 (~·er, ~·est) **1** 新しい, 〈食物が〉新鮮な; […から]できた[手に入れた]ばかりの, 着いた[来たばかり]の (from, out of)〈◆…ばかりの の意味では比較変化しない〉⇨ new (類1) ‖ *fresh* information about [on] the hijack ハイジャックについての最新の情報 / *fresh* coffee いれたてのコーヒー / *fresh* meat [fish] 生肉[鮮魚] / 未加工の肉[魚] / an egg (which is) *fresh* from the hen 生みたての卵 / Our teacher is *fresh* out of [from] college. 私たちの先生は大学を出たばかりです / *Fresh* Paint.《掲示》ペンキ塗り立て(=《米》 Wet Paint).
2 斬新な; [通例名詞の前で] 新規[追加]の; 未使用の「新規の」未使用の の意味では比較変化しない〉 ‖ a *fresh* idea 斬新な考え / break *fresh* [new] ground 新分野を開拓する, 新事実を発見する / make a *fresh* start 再出発する / try a *fresh* approach 独創的なやり方を試す.
3〈人・体力などが〉生き生きとした, 元気[活発]な ‖ a *fresh* complexion 若々しい顔色 / a *fresh* student 元気いっぱいの学生 / feel *fresh* every morning 毎朝さわやかな気分がする / (as) *fresh* as a daisy《略式》(疲れないで)元気に活動して.
4〈出来事・経験などが〉〈印象・記憶に〉鮮やかな, 生々しい(in) ‖ The earthquake is still *fresh* in my memory [mind]. その地震はまだ記憶に新しい.
5 [通例名詞の前で]〈水・バターなどが〉無塩の, 〈食物が〉人工的に保存されていない〈◆比較変化しない〉 ‖ *fresh* butter 無塩のバター. **6**《略式》[名詞の前で]〈風などが〉さわやかな;《気象》〈風が〉涼しくてかなり強い ‖ *fresh* air さわやかな空気 / in the *fresh* air 戸外で. **7**〈人が〉未熟な, うぶな, 新米の〈◆比較変化しない〉 ‖ a *fresh* hand 未熟者 / green and *fresh* 青二才の / be *fresh* at a job 仕事に慣れていない.
8《略式》[補語として]《主に男が》《女に》なれなれしい(with); […に対して] 生意気な, 厚かましい(to)〈◆比較変化しない〉 ‖ Don't be [get] *fresh* with me. なれなれしくしないでよ.

frésh from [óut of] A (1) → **1**. (2)《主に米略式》〈品物が〉A を〈少し前に〉売り[に]尽くした[ばかりで].

── 副 [通例複合語で] 新たに, 新しく;《主に米略式》[…を]切ったばかりで (out of) ‖ *fresh*-baked bread 焼きたてのパン / a *fresh*-laid egg 産みたての卵.

frésh blóod → **blood** 成句.
frésh brééze [**wínd**] 〔気象〕疾風《秒速 8.0-10.7 m. → **wind scale**》.
frésh gále 〔気象〕強風《秒速 17.2-20.7 m. → **wind scale**》.
frésh wáter 淡水, 真水; 新鮮な水(cf. freshwater).

†**fresh·en** /fréʃən/ 動 他 …を新しく[新鮮に]する, …を元気づける(+up) ‖ A sound sleep *freshened* him *up*. ぐっすり寝て彼は元気を回復した. ── 自 **1** 新しく[新鮮に]なる; 元気づく(+up);《略式》(入浴・休息・着替えなどで)さわやかになる(+up) ‖ I'll take a shower and *freshen up*. シャワーを浴びてさっぱりします. **2**〈気分が〉さわやかになる(+up);〈風が強くなる(+up).

fresh·er /fréʃər/ 名《英略式》=freshman.
fresh·et /fréʃət/ 名 ⓒ **1**《詩》(海に注ぐ)淡水の流れ. **2** (大雨・雪解けによる急な)増水, 出水, 洪水; (手紙・感情の)洪水.

†**fresh·ly** /fréʃli/ 副 新たに, 最近〈◆ふつう過去分詞の前におく〉; 新鮮に, 生き生きと, はつらつと;《略式》生意気に.

†**fresh·man** /fréʃmən/ 名 (複 -·men) ⓒ **1** (大学・高校の男女の)新入生, 1年生《英略式》fresher, (PC) first-year student》〈◆《英》ではふつう大学のみに用いる〉 ‖ a high school *freshman* a *freshman* in [at a] high school 高校1年生 / a *freshman* in college 大学1年生〈◆固有名詞の前では at: a *freshman* at Kyoto University〉.

> 関連《米》4年制大学・高校の1-4年は freshman, sophomore, junior, senior; 3年制高校の1-3年は freshman, junior [時に sophomore], senior.

2 初心者, 新人 (PC) beginner, newcomer).

†**fresh·ness** /fréʃnəs/ 名 ⓤ 新鮮さ, 新鮮味, 生々しさ, はつらつとしていること; 鮮明.

fresh·per·son /fréʃpɜːrsn/ 名 ⓒ → freshman.
fresh·wa·ter /fréʃwɔːtər/ 形〈湖などが〉淡水(性)の, 真水の;〈生物が〉淡水産の(↔ saltwater) (cf. fresh water) ‖ *freshwater* fish 淡水魚.

†**fret**¹ /frét/ 動 (過去・過分 fret·ted /-id/; fret·ting) 自 **1**〈人が〉[…のことで]やきもきする, 不機嫌である, いらいらする, 思い悩む (worry) (about, over, at, for) ‖ *fret* and fume やきもきしてかっかする / You needn't *fret* over such trifles. そんなささいなことにくよくよする必要はない. **2**《正式》〈水面が〉波立つ, 騒ぐ. ── 他〈人・心〉を[…のことで]いらいらさせる, やきもきさせる, 悩ます (about, over, at, for) ‖ Don't *fret* yourself *about* the exam. 試験のことでいらいらするな.

── 名《略式》[a/the ~] いらだち, 焦燥; 不機嫌, 不安 ‖ in a *fret* =on the *fret* いらだち, 不満.

fret² /frét/ 名 ⓒ 〈弦楽器の〉フレット (圖 → guitar).
fret³ /frét/ 動 (過去・過分 fret·ted /-id/; fret·ting) 他 〈…を〉雷文で飾る, 格子模様にする.
frét·ted 形 雷文のある.

†**fret·ful** /frétfl/ 形 いらだちやすい; 悩んでいる.
frét·ful·ly 副 いらいらして, 不満そうに.
frét·ful·ness 名 ⓤ いらだち, 不満.
fret·work /frétwɜːrk/ 名 ⓤ (雷文(らいもん)などの)透かし彫り, 引き回し細工; 《天井などの》雷文細工; ⓒ [通例 a ~] 雷文模様のもの.

Freud /frɔ́id/ 名 フロイト《Sigmund /sígmənd/ ~ 1856-1939; オーストリアの医師. 精神分析の創始者》.

Fri. 略 Friday.

frith /fríθ/ 名 C 入り江, 河口 (firth).
frit·ter /frítər/ 名 C フリッター《果物・肉などの薄切りの衣揚げ》∥ apple *fritters* リンゴのフリッター.
†**fri·vol·i·ty** /frivάləti | frivɔ́l-/ 名 **1** U 軽率, 浅薄. **2** C (通例 frivolities) 軽薄な言動; つまらないこと.
†**friv·o·lous** /frívələs/ 形 **1**《人・性格が》軽率[軽薄]な, ふまじめな (↔ serious). **2** くだらない.
frív·o·lous·ly 副 軽率に, 面白半分に.
frív·o·lous·ness 名 U 軽薄, 浅薄, 面白半分.
frizz /fríz/ 動 他《毛髪がちぢれる. ━他《毛髪》をちぢれさせる (+*out, up*). ━名 [a ~] ちぢれ, ちぢれ髪. **fríz·zy** 形 ちぢれ髪の.
friz·zle /frízl/ 動 (略式)《油・肉などが》ジュージュー音を立てる; 日に焼ける.
fro /fróu/ 副《古》向こうへ (away), 逆戻りして.
to and fro → **to** 副.
†**frock** /frάk | frɔ́k/ 名 C **1**《そでが広くすその長い》修道服, 僧服. **2**《画家・昔の農夫などの》仕事着, 上っ張り. **3** = frock coat.
fróck còat フロックコート《19世紀の男性の礼服》.
Froe·bel, Frö·bel /fréibl | frǿbl/ フレーベル《Friedrich /frídriç/; ~1782-1852; ドイツの教育家. 幼稚園の創始者》.
*frog /frάg, frɔ́:g | frɔ́g/ 頭音 flog /flάg, fl5:g | fl5g/)
━名 (複 ~s/-z/) C **1** カエル《(1) ふつう toad (ヒキガエル) 以外のカエルに言う. (2) 鳴き声は croak》. **2**《上衣を装飾的に止める》飾りボタン. **3** [時に F~]《軽蔑》フランス人《◆カエルをよく食べると思われたことから》.
(as) cóld as a fróg 非常に冷たい.
háve a fróg in *one's* **thróat**《略式》(のどを痛めて) しわがれ声である.
†**frol·ic** /frάlik | frɔ́l-/ 動 (過去過分) ~ked; --ick·ing) /frάlik/《正式》《子供・子犬などが》はしゃぎ回る, 遊び戯れる.
frol·ic·some /fláliksəm | fl5l-/ 形《正式》陽気な, 浮かれ騒ぐ, 遊び戯れる.

*from /(弱) frəm; (強) frάm, frɑ́m | frɔ́m/《ある一点からの出発点を示す「…から」の意が本義》《略 fm., fr.》
━前 **1** [起点] [しばしば到着点を示す句と相関的に用いて] **a** [場所] …から ∥ I'll take the second one *from* the left. 左から2番目のをください / go *from* shop *to* shop 店から店を見て歩く《◆ from … to … で同一名詞や対句などのように密接に関連した名詞が用いられる場合はふつう無冠詞 (→文法 16.3(3)): *from* head *to* foot (→ head 名 成句) / *from* place *to* place あちこちに, ほうぼうに》.

語法 [from と out (of)]
(1) He came *from [out of]* the room. (彼は部屋から出て来た) では, from は部屋を起点としてとらえているのに対し, out of は「(部屋の) 中から外へ」の意を表す.
(2) 目的語が文脈上明らかで省略される場合, He came out [×from]. となる.

使い分け [from, off と out of]
from はある点から, off はある面や線から, out of は容器の中から外への動きを表す.
ten miles *from* the coast 海岸から10マイル.

We were ten miles *off* the coast. 私たちは海岸から10マイルの所にいた.
He walked *out of* the house. 彼は家から出て散歩した.

b [時] …から ∥ I'll be back two hours *from* now. 今からおよそ2時間後に帰ってきます / a month *from* today 来月の今日 / We stayed there *from* May to [till, until] July. 我々は5月から7月までそこで滞在した (→ to 前 **5 b**) / I'll be on holiday *from* August 1 (*onward*). 8月1日から休暇をとります《◆しばしば強意のため副詞が添加される: *from* the ground *up* (→ ground 成句)》 / The shop will be open *from* 9 o'clock. その店は9時開店だ《◆ start, begin, commence など「始まり」の意味の動詞ではふつう from は用いられない: School *begins*「at 9 o'clock [on September 1]. 学校は9時に[9月1日から]始まる → at 前 **4**》/ I have known him "*from* a child [*from* childhood]. 私は子供のときから彼を知っている《◆最もふつうの言い方は I have known him since childhood. で, since a child は比較的まれ》.
c [順序・階級・価格・数量] …から ∥ These shoes start *from* 8 pounds. この靴は8ポンドから各種ある / There were *from* 50 to 60 present. 50人から60人ぐらいが出席していた.
2 [出所・起源] …から(の); …出身(の) ∥ light *from* the sun 太陽の光線 / passages (quoted) *from* Shakespeare シェイクスピアからの引用句 / He comes [*is*] *from* Hawaii. 彼はハワイ出身だ / The word derives *from* Chinese. その語は中国語起源だ.
3 [変化・推移] [通例結果を示す to 句と相関的に用いて] …から (cf. **1a**) ∥ The weather is going *from* bad to worse. 天候はますます悪くなってきた / He rose *from* office boy *to* manager of the company. 彼は給仕からこの会社の支配人になった (◎ 文法 16.3(3)).
4 [原料] …から, …で ∥ Miso is made *from* soybeans. みそは大豆から作られる《◆(1) 材料が原形をとどめていない場合は from, その形状をとどめる場合は of [out of] を用いるのが原則: The bridge is made *of* stone. その橋は石造りだ. ただし, この区別をしない英米人もいる. (2) 材料の一部は with で表す: You make a cake *with* eggs. 卵でケーキをつくる》.
5 [原因・動機] …から, …で, …によって ∥ I suffer *from* a bad cold ひどいかぜで苦しむ / die *from* starvation 餓死する《◆ of との比較は → die[1] 動 **1**》/ act *from* a sense of guilt [duty] 罪悪[義務]感から行動する / She is tired *from* overwork. 彼女は働きすぎて疲れている / She became deaf *from* the explosion. その爆発で彼女は耳が聞こえなくなった.
6 [観点・根拠] …から, …に基づいて; …から判断して ∥ *from* the [a] political *point of view* 政治的見地からみると / speak *from* experience [memory] 経験[記憶]に基づいて話す / a picture drawn *from* life 実物をモデルにして描かれた絵 / We can tell *from* [by] the clouds that it is going to rain. =(*Judging*) *from* the clouds, it is going to rain. 雲の様子からするとたしかに雨が降りそうだ.
7 [隔たり・不在・休止・免除] [しばしば away ~] …から(離れて・差し控えて・除かれて) ∥ refrain *from* smoking 喫煙を控える / stay *away from* school

(わざと)学校を休む / He is *away from* home. 彼は家を留守にしている / The town is two miles (*away*) *from* the coast. その町は海岸から2マイル離れたところにある.

8 [分離・除去・防御・制止] [動詞＋目的語＋from ... 構文で]〜から; ...しないように ‖ expel an invader *from* a country 侵入者を国から追い払う / save a child *from* drowning 子供が溺(おぼ)れているところを助ける / subtract 5 *from* 8 8から5を引く / take the knife (*away*) *from* the boy 少年からナイフを取り上げる / keep the matter *from* others そのことを他人に秘密にしておく.

9 [相違・区別] [know, tell, different などと共に]...から, ...と(違って) ‖ know [tell] right *from* wrong 正邪を区別する / She is different *from* her sister in every way. 彼女は姉とは性格がまったく違う.

10 ...ほか, 上は...から ‖ *from* the prime minister on down 首相以下.

語法 [**from** の目的語] from はしばしば前置詞・副詞(句)を目的語とする(➡**文法** 21.1(3)): *from above* [*below*] 上[下]から / *from behind* the door ドアの後ろから / *from inside* the church 教会の中から / *from under* the table テーブルの下から / choose *from among* these books この本の中から選ぶ《◆choose *from* these books, choose among these books も可》/ *from after* the war until the present time 戦後から現在に至るまで / The birds came *from over* the sea. その鳥は海を渡って来た / Her voice seemed to come *from very far away*. 彼女の声はとても遠く離れた所から聞こえたように思えた. ただし, from in, from on の連語は(まれ)なので次の例ではそれぞれ後者の文がふつう: She came *from in* the room. → She came [*out of*] the room. / The book fell *from on* the desk. → The book fell *from* [*off*] the desk.

---

from A *to* A A ごとに, A により ‖ Customs vary *from* country *to* country. 習慣は国ごとに[国により]異なる.

frond /fránd | frɔ́nd/ [名] [C] [植] (海草・地衣類などの)葉状体; (シダ・ヤシなどの)葉.

*front /fránt/ 〔発音注意〕
— [名] (復 〜s/fránts/) **1** [C] [通例 the 〜] **a** (...の)**前方**, 前部, 前面, 表面(*of*) (↔ back, rear) 《◆1つの物に「前部」「表面」などはそれぞれ1つしかないので the をつける》‖ the *front* of a shirt シャツの前 / sit *in* [*at*] the *frónt* of the church 教会内の正面に座る《◆before the church は(漠然と)教会の前に)》/ on the *front* of an envelope 封筒の表に / lóok to the [one's] *front* 前方を見る / read a book from *frónt* to back 本を始めから終わりまで読む(➡**文法** 16.3(3)).
b (建物などの)**正面**, 表 ‖ pass the *front* of the museum 博物館の前を通る.

2 [C] [通例複合語で] (道・川・海などに面した)土地; [主に英] [the 〜] (海・湖・川などの)遊歩道 ‖ a ríver *front* 河畔, 河沿いの歩道 / walk along the sea *front* 海岸通りを散歩する.

3 [C] **a** [軍事] 最前列, 先頭; [通例 the 〜] **最前線**, 戦地 ‖ a cousin at the *front* 戦地にいるいと

こ / the home [(略式)] domestic] *front* 銃後 / the news from the *front* 戦地だより / gó [be sént] to the *frónt* 戦地へ赴(おもむ)く, 出征する. **b** (政治・社会的な)**協力**, 戦線, 活動 ‖ the peace *front* 平和運動 / on all *fronts* あらゆる局面で / present [form, show] a united *front* against [*to*] ... ...に共同戦線を張る.

4 [C] (略式) (会社などが知名度をあげるための)表看板的名士; [人の目を欺くための)**隠れみの**(*for*); [単数形で] 見せかけ, 外見(上の態度) ‖ a calm *front* 一見平静な態度 / a *front* for a crime 犯罪の隠れみの / keep up a *front* 体裁を保つ / 'put on [show, present] a bold [brave] *front* 大胆な態度をとる / put on a good *front* 表向きを飾る, 本当の気持ちを隠す.

5 [C] [気象] **前線** ‖ a cold [warm] *front* 寒冷[温暖]前線.

6 [形容詞的に] **前の**, **正面の**; **表の**; 重要[顕著]な; 表看板な; [音声] 母音が)前舌の (↔ back; cf. palatal) ‖ be [stand] in the *front* rank 有名[重要]である / have a *front* view 正面を眺める / take a *front* seat (米略式) 重要な位置を占める / write one's name on the *front* cover of the exercise book 問題集の表紙に名前を書く.

at the frónt [正面[前面]の[で](cf. **1a**). (2) → **3a**. (3) 〈関係などが)表だった[で]. (4) 〔...の)先頭[前部]の[に] (*of*).

cóme [*be*] *to the frónt* 前面に出てくる, 顕著[有名]になる.

in frónt (1) 正面[前方, 前面]に; 最前列に ‖ Please go *in front*. お先にどうぞ. (2) = in the FRONT.

*in frónt of A 〈人・物〉の正面の[で, に], 面前で (↔ behind) (cf. **1a**) ‖ My children behaved themselves *in front of* the guests. 私の子供たちは客の前では行儀よくふるまった / 'in frónt of [(米略式) *front of*] the station 駅の表で / The cat came right out *in front of* the bus and was run over. ネコがバスの真正面に出てきてひかれた / There's a bank *in front of* the hotel. そのホテルの前に銀行がある.

使い分け [**in front of** と **ahead of**]
in front of は「静止」以外にも「移動」の意味を含む文脈で用いられるが, ahead of は「移動」の意味をもつ文脈でしか使われない.
There is a big park ⌈*in front of* [˟*ahead of*] our office. 私たちの事務所の前に大きな公園があります.
⌈*In front of* [*Ahead of*] us we saw another tall building. 前方にまた高いビルが見えた《◆バス・車などに乗っていた状況》.
[**in front of** と **in the front of**] → in the FRONT.
[**in front of** と **before**] → before [前] **1**

---

*in the frónt (1) [(同一物内)の)**前の部分の**[で, に] [*of*] (↔ in the back) (→ **1a**) ‖ This skirt zips *in* (*the*) *front*. このスカートは前の部分で開け閉めする / The driver sits *in the front* (*of* the bus). 運転手は(バスの)前の席に座る (cf. in FRONT of A の第3例) / 〔**対話**〕 "Where is Tom?" "He is sitting *in the front of* the class." 「トムはどこですか」「クラスの最前列に座っています」. **語法** 第1例のように of ... を続けないときは the の省略可. (2) 〔...

の)最も重要な位置[地位]に(of).

> **使い分け** [in front of と in the front of]
> in front of は他のものとの位置関係で「前」の意.
> in the front of はそれ自身を前後に分割した場合の前の席(など)を指す.
> That student always sits *in the front of* [ˣin front of] the bus. その生徒はいつもバスの前の方に座る.
> The teacher stood *in front of* the bus. 先生はそのバスの前に立った.

――動 (~s/frʌnts/, 過去・過分 ~ed/-id/; ~ing)
――他 〈人・物・場所などが〉…に面する, …の正面[前面]にある[なる]; …の前面[正面]に[…を]つける[張る](with) ‖ front a house *with* a pond [lawn] 家の前に池をつける[芝を張る].
――自 (正式)〈…に〉面する, 立ち向かう(face)(*to, on (to), upon, toward*) ‖ My house *fronts* 「on the street [*toward* the south]. 私の家は通り[南]に面している.
frónt désk (ホテルの)フロント, 受付((英) reception desk)(◆「その」人」は frónt dèsk clérk).
frónt dóor 玄関の入口.
frónt línes [the ~](戦場・仕事などの)最前線 ‖ She's still active in [at, on] *the front lines*. 彼女はいまも第一線で活躍している.
frónt màn(略式)表看板((PC) front); 楽団の指揮者((PC) leader); TV 番組の提供者((PC) TV program presenter).
frónt pàge(本の)扉; (新聞の)第一面(cf. front-page).
frónt rúnner[スポーツ]先頭の走者[馬]; 優勝候補選手;(選挙の)下馬評トップの候補者.
front·age /frʌ́ntɪdʒ/ 名 1 (建物の)正面, 前面(front); 間口, 向き. 2 (川・道などに面した)土地, あき地 ‖ a *fróntage* ròad =service road.
fron·tal /frʌ́ntl/ 形 1 (正式) 正面[前面]の. 2 (気象)前線の. 3 (解剖)前額(ﾌﾞﾝ)の.
†**fron·tier** /frʌntɪ́ər, frʌn-|frʌ́ntɪə, frɔ́n-/ 名 1 (正式)〔2国間の/他国との〕国境(地方)(border)(*between/with*);〔米・カナダ〕the ~〕辺境《開拓地と未開拓地の境界地帯》, フロンティア ‖ the Chinese *frontier* with Mongolia 中国のモンゴル国境地帯(◆中国を中心にした言い方. the Chinese *frontier* of Mongol は「モンゴルの中国国境地帯」の意でモンゴルが中心》/ Music recognizes no *frontiers*. 音楽に国境なし. 2 [形容詞的に] 国境[辺境]の ‖ a *frontier* incident [dispute] 国境事件[論争] / a *frontier* river 国境の川 / the *frontier* spirit 開拓者精神. 3 (正式)[しばしば ~s] 限界(limit); [学問などの]最先端(分野), 未開拓の分野(*of*) ‖ the *frontiers* of knowledge 知識の限界 / the latest *frontiers* of medicine 医学の最新の研究分野.
fron·tiers·man /frʌntɪ́ərzmən|--/ 名(複-men) C 辺境の住民[開拓者]((PC) frontier settler, pioneer).
fron·tis·piece /frʌ́ntəspɪ̀ːs, frʌ́n-/ 名 C (本の)口絵.
front·let /frʌ́ntlət/ 名 C 1 (鳥獣の)前額部. 2 額縁用の飾りひも.
front-page /frʌ́ntpèɪdʒ/ 形 (略式)〈記事が〉新聞の第一面にふさわしい, 重要な(cf. front page) ‖ *front-page* news トップ記事.
†**frost** /frɔ(ː)st, (米+) frɑ́st/ 名 1 U 霜; C 霜が降りること, 降霜 ‖ 「There was [We had] some *frost* this morning. 今朝霜が降りた / a heavy [hard, sharp] *frost* ひどい霜 / 「a late [an early] *frost* 遅[早]霜. 2 U 「時に a ~」 結氷; 霜の降りるほどの寒さ;(英) 氷点下 ‖ *frost* flowers 窓につく霜の花 / feel a *frost* in one's bones 寒さが骨身にしみる.
――動 1 (通例 be ~ed] 霜で覆われる[傷つく, 枯れる]; くもる(*+over, up*). 2 〈ガラス・金属など〉のつや消しにする. 3 (米)〈ケーキ〉に糖衣をかぶせる.
――自 霜が降りる; 〈物が〉凍る(*+over, up*).
frósted gláss すり「つや消し」ガラス.
Frost /frɔ(ː)st, (米+) frɑ́st/ 名 フロスト《Robert Lee ~ 1874-1963; 米国の詩人》.
frost·bite /frɔ(ː)stbàɪt, (米+) frɑ́st-/ 名 U (鼻・指などにできる)霜やけ, 凍傷, 凍瘡(ｿｳ); ‖ chilblain よりも重症.
――動(過去 --bit, 過分 --bit·ten)他 …を霜で傷つける, …を霜やけ[凍傷, 凍瘡]にからせる.
frost·ing /frɔ(ː)stɪŋ, (米+) frɑ́st-/ 名 U C 1 (米)(菓子などの)糖衣(icing). 2 (ガラス・金属の)つや消し; (装飾細工用の)ガラス粉.
†**frost·y** /frɔ(ː)sti, (米+) frɑ́sti/ 形 (-i·er, -i·est) 1 霜の降りる[ほどの寒さ]の(◆cold と icy の中間の寒さ); 霜で覆われた. 2 〈人・態度が〉[…に]冷淡な[*to*]; 〈髪などが〉霜のような; 老爺(ｵｳ)の.
froth /frɔ(ː)θ, (米+) frɑ́θ/ 名 U 1 〈時に a ~〉(ビールなどの消えやすい)泡;(馬・狂犬などの)泡沫(◆foam より口語的で意味範囲が狭い》. 2 くだらないもの[話, 考え].
――動 自 泡を吹く; 泡立つ(*+up*).
froth·y /frɔ(ː)θi, (米+) frɑ́θi/ 形 (-i·er, -i·est) 1 〈ビールなどが〉泡の多い; 泡立った, 泡だらけの. 2 〈主に文〉(泡のように)軽い;〈内容が〉たわいない, くだらない.
frot·tage /frɑtɑ́ːʒ/(=|『フランス』名 U〈紙にクレヨンなどをこすりつけて下に置いた木・布などの模様を出す美術技法》.
†**frown** /fráʊn/ 動 自 1〈人が〉[…に]しかめっらをする, まゆを寄せる(*about, at*); 顔をしかめて[…を]見る(*at, over*)(◆怒り・当惑・思慮の表情)(↔ smile) [類語] scowl, glower, grimace) ‖ She *frowned* at the noisy boys. 彼女は顔をしかめて騒々しい少年たちを見た. 2〈人が〉〈事に〉まゆをひそめる;[事を]好まない, 認めない[*on*, (正式)*upon*] ‖ *frown on* her behavior 彼女のふるまいにまゆをひそめる / Mother *frowns upon* us eating between meals. 母は私たちが間食をするのを好まない. 3〈山などが〉威圧的な姿を示す.――他 1〈不賛成・嫌悪など〉を顔をしかめて示す ‖ *frown* disapproval [disgust] 渋い顔で不賛成[嫌悪]を示す. 2〈人・反対などを〉厳しい[怒った]顔で退ける(*+off, away*), (主に米)〈人〉を顔をしかめて黙らせる(*+down*);〈人〉に怖い顔をして[…]させる[*into*] ‖ *frown* the children *away* にらみつけて子供たちを引っ込ませる / She *frowned* him *into* silence. 彼女は怖い顔をして彼を黙らせた.
――名 C 1 しかめつら, 渋面, 真剣な顔付き; まゆを寄せること ‖ A *frown* appeared on her face when she heard the news. そのニュースを聞いたとき彼女はしかめつらをした. 2 (まゆを寄せた時の)額のしわ(◆怒り・不満を表す).
frow·zy, --sy /fráʊzi/ 形 (--zi·er, --zi·est) 1〈人・服装などが〉だらしない, きたならしい. 2 手入れがされてない; いやな臭いのする, むっとする.
froze /fróʊz/ 動 freeze の過去形.
†**fro·zen** /fróʊzn/ 動 freeze の過去分詞形.
――形 1 凍った, 氷結[冷凍]した; 極寒の, 凍傷[凍枯れ]にあった ‖ *frozen* fish 冷凍魚 / a *frozen* plant 霜枯れの植物. 2〈人・言動などが〉冷淡な, ひややかな

‖ a *frozen* heart 冷淡な心. **3** 《略式》〈資産・物価などが〉凍結[くぎづけ]された;〈制度などが〉固定された. ‖ *frozen* loans 焦げつき借金. **4**〈人が〉〔恐怖などで〕身動きできない〔*with*〕‖ be *frozen* to the spot *with* horror 恐怖で身動きできない.
frózen fóod 冷凍食品.

frs. (略) francs.

fruc·ti·fy /frΛktəfài/ (動)《正式》(自)〈植物が〉実を結ぶ;〈土地が〉肥える;〈努力が〉実る.—(他)〈植物に〉実を結ばせる;〈土地を〉肥やす;〈努力を〉実らせる.

†**fru·gal** /frúːgl/ (形)《正式》**1**〈生活ぶりが〉つましい《◆ thrifty より強意的》,〈人が〉(過度に)倹約する. **2**〈食事が〉金のかからない;簡素な,貧弱な.
fru·gál·i·ty /-gǽləti/ (名) U C 倹約;質素.
fru·gál·ly (副) 倹約して;つましく.

∗∗fruit /frúːt/ (類音) flute /flúːt/ (派) fruitful (形)
— (名) (複 ~s/frúːts/; 〔集合名詞〕 fruit) **1** U C 果物《◆ふつう総称的の意味では集合名詞として C, 特に種類を表すときは C, 食品としては U で, 数えるときは a piece [fragment] of fruit などという》‖ fresh *fruit* 新鮮な果物 / feed on *fruit* 果物を常食とする / *fruit* and vegetables 果物と野菜, 野菜果物 / Would you like some *fruit*? 果物を召し上がりませんか / The carrot is a vegetable, not a *fruit*. ニンジンは野菜であり, 果物ではない.
2 U C 〔植〕〔種子をもつ〕**果実**, 実《◆豊穣(ジョ゛ク)・起源などの象徴》‖ the simple [collective, multiple] *fruit* 単[集合, 複]果 / a tree in *fruit* 実のなっている木 / A tree is known by its *fruit*. → know **10**.
3 C〔文〕〔通例 ~s〕〔野菜・果実・穀物などの〕農産物 ‖ the *fruits* of the earth 大地の賜物.
4 C〔しばしば ~s〕**成果**, 報い ‖ the *fruit*(s) of industry [idleness] 勤勉の成果[怠惰の報い].
∗**béar [prodúce] frúit**〈植物が〉実を結ぶ;〈努力が〉成果を挙げる ‖ Your efforts will surely *bear fruit*. ご努力は必ず実を結ぶでしょう.
—(動)(自)《正式》〈植物が〉果実をつける;〈努力が〉実を結ぶ ‖ This tree *fruits* early. この木は早く実をつける.
frúit knife 果物ナイフ.
frúit sàlad《米》フルーツゼリー;《主に英》フルーツサラダ.
fruit·cake /frúːtkèik/ (名) U C フルーツケーキ《干しブドウやナッツの入ったケーキ》.
as nútty as a frúitcake《俗》まったくイカれている.
fruit·er·er /frúːtərər/ (名) C《主に英正式》果物商, 果物屋 ‖ at a *fruiterer*('s) 果物屋で.

∗**fruit·ful** /frúːtfl/
— (形) (more ~, most ~; 時に ·-ful·ler, ·-ful·lest) **1**《正式》実りの多い, 有益な;〔…という〕よい結果を生む(profitable)〔*of*〕 (↔ fruitless) ‖ a *fruitful* discussion 実りある討論. **2**〔文〕〈木などが〉よく実のなる;〈動植物が〉多く産む.
frúit·ful·ly (副) 実り豊かに;効果的に, 有利に.
frúit·ful·ness (名) U 実りの多いこと;有効;多産.
fru·i·tion /fruːíʃən/ (名) U《正式》〔計画・目標などの〕達成, 実現, 成功;〔努力の〕成果 ‖ còme to *fruition* 成就する ‖ bring one's plans to *fruition* 計画を実現させる.

†**fruit·less** /frúːtləs/ (形) **1**《正式》〈努力などが〉成果のあがらない, 無益な(useless) (↔ fruitful) ‖ It is *fruitless* to press him further. これ以上彼を責め立ててもむだだ(= It is 「no use [no good] pressing him further.) / My efforts were all *fruit-*

less. 私の努力はすべて無になった. **2**〔植〕〈植物が〉実を結ばない;〈土地が〉不毛の(barren). **frúit·less·ly** (副) 無益で, 非効果的に. **frúit·less·ness** (名) U 無益(であること), 実りのないこと.
fruit·y /frúːti/ (形) (·-i·er, ·-i·est) 果物のような;果実の味[におい]のする.

frump /frΛmp/ (名) C《略式》流行遅れのやぼったい服装の人《◆主に女性》.

∗**frus·trate** /frΛstreit/, -́-/〔「裏をかく」が本義〕(派) frustration (名)
— (動) (~s/-treits/; 〔過去・過分〕 ~d/-id/; ·-trat·ing)
— (他) **1**〈事が〉〈人〉を**失望させる**, …に挫折(サ゛セ゛ツ)感を与える《◆ disappoint, discourage, upset より堅い語》‖ Her constant complaints *frustrated* him deeply. 彼女が絶えず不満をもらすことに彼はがっかりした.
2〈人・事物が〉〈計画など〉を**だめにする**, 挫折させる;〔裏をかいて〕〈人〉を〔…で〕失敗させる〔*in*〕〔類語〕 thwart, baffle, foil, balk, defeat) ‖ be *frustrated in* one's attempt 企てをはばまれる.
frus·trat·ed /frΛstreitid/, -́-/ (形) **1**〈人が〉欲求不満の. **2**〔性的に〕欲求不満の. **3** 挫折した, 失意の, がっかりした.
frus·trat·ing /frΛstreitiŋ/, -́-/ (形)〔他動詞的に〕失望させる. **frús·trat·ing·ly** (副) がっかりさせて, 期待はずれで.

∗**frus·tra·tion** /frΛstreiʃən/〔⇒ frustrate〕
— (名) (複 ~s/-z/) **1**〔計画・願望などの〕**挫折**(サ゛セ゛ツ);**失望**, 落胆 ‖ in [with] *frustration* がっかりして / He found only *frustration* in searching for a new job. 彼は新しい職を探した時には挫折しかなかった《彼は新しい職を見つけられなかった》. **2** U〔心理〕フラストレーション;要求阻止;欲求不満[阻止] ‖ *Frustration* is building up lately. 最近欲求不満が高まってきている / break a vase to pieces *in frustration* 欲求不満で花瓶を粉々に割る.

∗**fry**[1] /frái/ (類音) fly /flái/
— (動) (fries/-z/; 〔過去・過分〕 fried/-d/; ~·ing)
— (他)〈人が〉〈魚・肉・野菜など〉を油を使って加熱調理する (panfry, sauté) (+*up*) (→ cook **1** 関連) ‖ *fry up* cold rice 冷やご飯をいためて温める, 焼き飯にする / Fry some chicken for me. 鳥肉を揚げてくれ《◆ Fry me some chicken. の型も可》/ 日本発 Tempura is a typical Japanese dish. Fish, shrimp, vegetables and other foods are dipped into a batter made from wheat flour dissolved in water and then *fried* in hot cooking oil before being dipped in a special broth and eaten. てんぷらは日本の代表的な料理の1つです. 魚やえび, 野菜などに小麦粉を水で溶いた衣を付けて, 熱した植物油の中に入れて揚げ, 専用のつゆにつけて食べます.
— (自) **1**〈肉・魚などが〉いため[揚げ]られる ‖ The potatoes are *frying*. ジャガイモを揚げているところだ. **2** ひどく日焼けする.
frý pàn《主に米》= frying pan.
fry[2] /frái/ (名) (複 fry) C 稚魚, 幼魚;(ハヤやカエルなどの)子.
fry·ing pan, 《米ではしばしば》 **fry·ing·pan** /fráiiŋpæn/ (名) C フライパン《◆《米》では fry pan とも skillet ともいう》.
jùmp [léap] òut of the frýing pàn (and) into the fíre 小難をのがれて大難に陥る.

ft, ft. (略) foot (feet).

FTP (略) [コンピュータ] file transfer protocol ファイル転送プロトコル.

fuch·sia /fjúːʃə/ 图 C [植] フクシア; U 赤紫色.

+fuck /fʌk/ [4文字語 (four-letter word) の代表] (性俗) (→ taboo words, f-word) 動 他 …と性交する. ━自 1 交尾する. 2 (…に) 干渉する (with).
  fúck abóut [aróund] [自] (主に英) ふざける, いいかげんにやる, ばかなまねをする. ━他 〈人〉をいいかげんにあしらう, ぱかに扱いする.
  Fúck it! くそったれめ!, ちくしょう!, やめろ! [類句] To hell with it!).
  Fúck me if ... (略式) 絶対に…するもんか.
  fúck úp [他] 〈仕事・計画など〉をへまをやってだいなしにする.
  Fúck you! くたばれ!, とっととうせろ!, くそくらえ!
━图 C 1 (通例 a ~) 性交. 2 [the/a ~; 強意語として] 〈語気を強めるために用いるだけで特に意味はない〉 ‖ Where *the fuck* is the hammer? 金づちはどこにいきやがったた? [対話] "Mary's mad with you." "I don't give [càre] *a fuck*." 「メリーがかんかんに怒ってるぞ」「かまやしねぇよ」.
━間 くそっ! ちくしょう! ‖ Oh, *fuck*! The bloody car won't start! ちくしょう, 車のやつ動かねえ.

fud·dle /fʌ́dl/ 動 他 [~ oneself] 〈酒などが〉〈人・思考など〉を酔わせる, ぼーっとさせる.
━图 (略式) [a ~] 泥酔; 朦朧(も)状態.

fudge /fʌdʒ/ 图 U 1 ファッジ《柔らかくとても甘いキャンデー》. 2 C 作り話; たわごと. ━動 (略式) 自他 (…を)でっち上げる (+up), ごまかす; (…を)いい加減に扱う, はぐらかす (on) ‖ *fudge* (the count) on one's age by two years 2歳サバを読む.

★fu·el /fjúːəl/ [「炉 (focus)」が原義]
━图 (複 ~s/-z/) U C (…の) 燃料 (for); 核燃料 (nuclear fuel); (エネルギー源の) 食物 ‖ Cars use gasoline as *fuel*. 車は燃料にガソリンを使う / Wood, coal and oil are *fuels*. 木材, 石炭, 石油は燃料だ.
  ádd fúel to the fláme(s) [fíre] (略式) 激情をあおり立てる, 「火に油を注ぐ」.
━動 (過去過分) ~ed or (英) fu·elled/-d/; ~·ing or (英) ~·el·ling) 自 燃料を補給する (+up).
━他 1 …に燃料を補給する. 2 …をたきつける, 奨励する.
  fúel cèll 燃料電池.

+fu·gi·tive /fjúːdʒətɪv/ 图 C [官憲・危険などからの] 逃亡者; 避難民, 亡命者 (from) 《♦ refugee より堅い語》 ‖ a *fugitive* from justice 逃亡犯人.
━形 1 逃亡中の, 逃亡した ‖ *fugitive* slaves 逃亡奴隷. 2 (正式) 変わりやすい (fading), はかない ‖ *fugitive* pleasures つかの間の快楽.

fugue /fjúːg/ 图 1 C [音楽] フーガ, 遁(とん)走曲. 2 U フーガ形式の作曲.

füh·rer /fjúərər/ [ドイツ] 图 C 指導者; [der /der F-~] 総統 《Nazis の指導者としての Hitler の称号》.

+-ful /-fl/ (語要素) → 語要素一覧 (2.2, 2.3)

Ful·bright /fúlbràɪt/ 《米国の議員の名から》 图 C 1 =Fulbright scholarship. 2 =Fulbright student [scholar, professor].
  Fúlbright schòlarship フルブライト奨学金.
  Fúlbright stùdent [schòlar, proféssor] フルブライト奨学金で留学した学生 [教授].

ful·crum /fʌ́lkrəm, fúl-/ 图 (複 ~s, ··cra/-krə/) C 1 (てこの) 支点; てこ台. 2 支え, 支柱.

+ful·fill, (主に英) **··fil** /fʊlfíl/ 《「十分に」(ful)満たす (fill). cf. full, fill》
━動 (~s/-z/; (過去過分) ~filled/-d/; ~·fill·ing)
━他 (正式) 〈人など〉が〈義務・約束・契約など〉を果たす, 実行する (carry out); [通例 be ~ed] 〈予言・希望など〉実現する (realize); 〈命令・法律など〉に従う (obey) ‖ *fulfill* a duty [promise] 義務 [約束] を果たす / *fulfill* his instructions 彼の指示に従う. 2 〈要求・目的など〉を満たす, …にかなう (satisfy). 3 [~ oneself] 自分の資質 [能力] を十分発揮する.

+ful·fill·ment, (主に英) **ful·fil·-** /fʊlfílmənt/ 图 U C 遂行, 実行; (仕事などの) 終了; 実現, 成就, 達成 (する [された] こと).

:full /fʊl/ 《「容器がいっぱいの」が本義. そこから「完全な」「(内容の)豊かな」などの意が生じた. cf. fill》 派 ful·ly (副)

index
形 1 いっぱいの 3 人の [物] でいっぱいの
4 富む 5 十分の 6 満腹した
图 十分

━形 (~·er, ~·est) 1 〈容器などが〉 (…で) (ほどよく) いっぱいの, 満ちた (of) (↔ empty); [比喩的に] 〈頭・頭が〉 (…で) いっぱいの (of) ‖ The concert hall is two thirds *full*. コンサートホールは3分の2埋まっている / Today is a *full* day. 今日はすることがいっぱいある / I have a very *full* schedule this week. 今週はスケジュールがいっぱいだ / a gláss (which is) *fúll* of wáter 水がいっぱいのグラス (=a glass (which is) *filled* with water) / spéak with one's móuth *fúll* 口に物を入れたままじゃべる (→ with 前 10 a) / Her heart was *full* of jóy. 彼女の胸は喜びにあふれていた.

2 〈容器などが〉 (…で) あふれるほどいっぱいの, ぎっしり詰まった (+up) (of, with) 《♦ 比較変化しない》 ‖ The tub's *full up*. ふろおけはあふれている / The drawer is *full up* ¦ *with* odds and ends. 引き出しはがらくたでいっぱいだ.

3 〈場所が〉人 [物] でいっぱいの, 満員の (+up) ‖ a *full* train 満員電車 / The hall's *full (up)*. ホールは満員だ.

4 [補語として] 〈場所・物・人が〉 (…に) 富む (of) 《♦ abundant より口語的》; 〈人が〉 (…のこと) しか考え [話さ] ない, (感情 で) いっぱいである (of) ‖ The field's *full* of cattle. 野原は牛でいっぱいだ / He's *full* of complaints. 彼は不平だらけだ / He's *full* of himself. 彼は自分のことしか考え [話さ] ない. / He's *full* of hope [humor]. 彼は希望に満ちている [ユーモアたっぷりである].

5 [通例名詞の前で] 十分の, 全部の, まる (まる); 完全な, 詳細な 《♦ 比較変化しない》 ‖ a *full* six miles まる6マイル / The cherry trees are in *full* bloom. 桜の花が満開である / a *full* report 詳細な報告 / Make *full* use of your talents. 自分の能力を十分に利用しなさい / My life has been *full*. 私の人生は充実していた / fall [lie] (at) *full* length バタッと倒れる [大の字に横たわる].

6 (略式) 満腹な (well fed), 満足した (+up) ‖ No more, thanks. I'm *full up*. 満腹ですのでもう結構です / on a *full* stomach 満腹で.

7 [名詞の前で] 最大 [最高] 限度の 《♦ 比較変化しない》 ‖ at *full* speed [gallop] =in *full* career 全速力で (=as fast as possible).

8 同じ両親から生まれた ‖ *full* sisters 実の姉妹 (cf.

fullback

half sister). **9** [名詞の前で]すべての特権をもつ;最高の地位をもつ《◆比較変化しない》‖ a *full* member 正会員 / a *full* professor (米)正教授. **10** 〈衣服の一部が〉ゆったりとした, だぶだぶの(↔ tight); 〈形・体あるいはその一部が〉ぽっちゃりした, 盛り上がった; […が]太った, 肉づきのよい(in)《◆fat の遠回し語》‖ a *full* skirt ゆったりとしたスカート / The coat's *full* in front. その上衣は前がだぶついている / *full* lips ふっくらした唇 / a girl with *full* round breasts 豊満な胸の娘. **11** [名詞の前で]〈色・光・におい・味・音量などが〉濃い, 強烈な, こくのある, 豊かな.

── 名 **1** Ⓤ [通例 the ～] 十分;完全;真っ盛り, 絶頂‖ the *full* of the moon 満月(時) / The tide [moon] is at the [its] *full*. いま満潮[満月]である. **2** Ⓒ〔スキー〕(エアリアルの回転で)ひねりを入れること‖ a double *full* 2回ひねり.

in full (正式) (1) 全部, 省略せずに(completely) ‖ present [perform] *Hamlet in full* カットなしで『ハムレット』を上演する. (2) 全額‖ pay *in full* 全額払う.

***to the full* [*fullest*]** (正式) 十分に, 心ゆくまで(as much as possible)‖ We enjoyed ourselves *to the full(est)*. 我々は心ゆくまで楽しんだ.

── 副《◆比較変化しない》**1** まともに, まっすぐに(straight);じかに(directly)‖ I hit him *full* on the chest まともに彼の胸をなぐる. **2** 非常に(very);まったく(quite);十分[完全]に‖ I know it *full* well. それは百も承知だ.

fúll óut (まれ) 全(速)力で.

fúll bóard (ホテルの)宿泊と全食事付き(の).

fúll dréss 正装, 礼装;夜会服(cf. full-dress).

fúll fáce 丸顔;正面向きの顔.

fúll hánd =full house.

fúll hóuse (1)〔トランプ〕フルハウス《ポーカーで同位札3枚と別の同位札2枚から成る手》. (2) (劇場・競技場・ホールなどの)大入り, 満員.

fúll márks (英) 満点, 最高賞.

fúll móon 満月(時), 満月の時(cf. half-moon).

fúll náme (省略しない)氏名, フルネーム‖ ジョーク A *full name* is what you call your child when you are mad at him or her. フルネームとは子供をしかるときに呼ぶためのものです(→ name 名1語法(6)).

fúll nélson 〔レスリング〕フルネルソン《首固めの一種で「はがい締め」に当たる》.

fúll síze 実物大.

fúll stóp [póint] (主に英)終止符, ピリオド(主に米) period, point);(英略式)[間投詞的に]発話の終わりを強調して‖ 以上, 終わり((米略式) period)‖ come to a *full stop* 完全に止まる[終わる].

fúll tílt [spéed] 全(速)力で.

fúll tíme 全時間(従事)の, (フットボールなどの試合の)終了(cf. full-time).

full-back /fúlbæk/ 〜 名 Ⓒ サッカー・ラグビー・ホッケー・アメフト] フルバック, 後衛《図》→ American football, rugby).

full-dress /fúldrés/ 形 **1** 正装[礼装](着用)の, 正式の(cf. full dress) ‖ a *full-dress* dinner 礼装着用の晩餐(た)会. **2** 完全な, 徹底的な, 本格的な‖ a *full-dress* investigation 徹底的な調査 / a *full-dress* rehearsal (衣装を付けての)総稽古.

full-fledged /fúlfledʒd/ 形 (米) **1** 羽毛の十分生えそろった. **2** 十分に発育[成長]した, 一人前の.

†**full-grown** /fúlgróun/ 形 (米) 十分成長した;成熟した.

†**full-length** /fúlleŋθ/ 形 **1** 〈絵画・鏡など〉等身[実物]大の;〈スカート・ドレス・カーテンなどが〉地面に届く. **2** 〈劇・ама・本などが〉原作のままの.

†**full·ness, ful-** /fúlnəs/ 名 Ⓤ **1 a** (正式) いっぱい, 満ちていること;豊富;十分, 完全‖ in the *fullness* of time (正式) 時満ちて, ついに / in the *fullness* of one's joy (正式) 喜びのあまり. **b** 満腹;充実, 満足‖ a feeling of *fullness* after eating 食後の満腹感. **2** (体の)ふくよかさ;(衣服の一部の)ゆとり;(色・音量の)豊かさ.

†**full-time** /fúltáim/ 形 全時間(従事)の, 常勤の, 専任の(↔ part-time) (cf. full time) ‖ a *full-time* job 全時間労働の仕事;(略式) 骨の折れる仕事 / a *full-time* student 全日制の生徒 / a *full-time* teacher 専任教師.

── 副 フルタイムで, 常勤[専任]で(↔ part-time) ‖ She works *full-time* here. 彼女はここの正社員[専任]です.

fúll-tím·er 名 Ⓒ 常勤者, 専任者, 正社員.

***ful·ly** /fúli/ 《→ full¹》

── 副 (more ～, most ～) 十分に, 完全に(completely);[強調的に]数詞の前に置いて]まるまる, 少なくとも《◆数詞の前では比較変化しない》‖ I'm not *fully* satisfied with the test results. 試験の結果に完全に満足しているわけではない《◆否定語のあとにきて部分否定になる. →文法 2.2(2)》/ a *fully*-trained teacher 十分に訓練を受けた教師 / *fully* six miles まる6マイル.

ful·ly-fledged /fúlifledʒd/ 形 (英) =full-fledged.

ful·ly-grown /fúligróun/ 形 (英) =full-grown.

ful·mi·nate /fʌlməneit, (米+) fúl-/ 動 ⓘ (正式)[…を/…に]声高に非難[脅迫, 抗議]する (against / at).

ful·ness /fúlnəs/ 名 =fullness.

ful·some /fúlsəm/ 形 (正式) **1** 〈ほめせじ・説明などが〉(過度のために)あきあきさせる, 鼻につく, 度を越した. **2** 豊富な.

Ful·ton /fúltn/ 名 フルトン 《Robert ～ 1765–1815;米国の技師. 蒸気船の発明者》.

†**fum·ble** /fʌmbl/ 動 ⓘ **1** (不器用に)手さぐりする[…を]手さぐりで捜し回る (+about, around) [for];[言葉を]見つけようとする (for);[…を]うまく扱えない (with) ‖ *fumble* about in one's handbag *for* a key ハンドバッグの中のかぎを手さぐりで捜す. **2** へまをやる, しくじる. **3**〔スポーツ〕球を取りそこなう, ファンブルする.── ⓣ **1** …を不器用に扱う;手さぐりで…をする. **2**〔スポーツ〕…をファンブルする.

── 名 Ⓒ〔スポーツ〕ファンブル.

fúm·bler 名 Ⓒ 手さぐりする人, へまをする人.

†**fume** /fjúːm/ 名 Ⓒ [通例 〜s] ガス, 煙, 蒸気《◆強臭を発し, しばしば有毒なもの》‖ exhaust *fumes* 排気ガス. ── 動 ⓘ **1** (略式) 〈人が〉[事・人に]ぷりぷりする (get angry), いらだつ (at, about, over) ‖ *fume* and fret (腹だたしくて)いらいらする. **2** 〈煙突などが〉ガス[煙, 蒸気など]を発する.

fu·mi·gate /fjúːməgeit/ 動 ⓣ …を燻蒸(ह人)消毒する. **fù·mi·gá·tion** 名 Ⓤ 燻蒸消毒.

*†**fun** /fʌn/《頭音》 fan /fæn/》 Ⓖ funny (形)

── 名 Ⓤ (略式) 楽しみ, 面白み;ふざけ, 慰み;面白い事[物, 人] ‖ have *fun* with language [him] 言葉で楽しむ[彼をからかう] / have *fun* at the picnic ピクニックを楽しむ(=enjoy oneself at the picnic) / Did you do it *just for fun*? それを面白半分で[ふざけて]やったのですか / What do you do 'for fun [for the fun of it]? 趣味は何ですか(→hobby) / Skiing is good [great] fun. スキーはとても楽しい / I had fun making [*to make] the movie. その映画を作って面白かった / Have fun!《遊びに出かける人に》行ってらっしゃい / She is a lot of fun to talk [be] with. 彼女と話しているといっしょにいると]とても楽しい / It is good [great] fun 'to walk [walking] in the woods. 森を散歩することは実に楽しい / My kitten is full of fun. 私の子猫はふざけてばかりいる / What fun! 何と楽しいこと / What's the fun? 何がそんなにおかしいの / Growing old is no fun. 年をとるのは面白くない.

fún and gámes（略式）[複数扱い］（1）楽しいパーティー(時，活動).（2）困難，骨折り《◆反語用法》.（3）《米》ペッティング，性交.

in [for] fun (1) 本気でなく ‖ go downtown for fun 町へ遊びに行く(cf. 名第4例). (2) ふざけて，冗談に(cf. 名第3例).

like fún（略式・やや古）[皮肉的に］(1)〔文頭で〕決して…でない(not at all) ‖ Like fun he went there. まさか！ 彼がそこへ行ったはずがない《◆相手の発言に不快・怒り・不同意を表す》. (2)〔動詞の後で〕面白いように，勢いよく，大いに ‖ sell like fun どんどん売れる.

*máke fún of A（正式）**=póke fún at A**（略式）A〈人・物〉を**からかう**，からかって笑う(mock) ‖ Don't make fun of him because he cannot write his name. 名前が書けないからといって，彼をからかってはいけない《◆受身は be made fun of のみ可》.

――形（略式）**愉快な**，楽しみを与えてくれる；風変わりな《◆funny との意味の違いに注意. ⊃文法 14.5》‖ a fun party [person] 楽しいパーティー[人] / It's very fun. とても楽しい(=It's a lot of fun.).

――動（過去・過分）**funned**/-d/; **fun·ning**（自）（略式）ふざける，冗談を言う.

*func·tion /fʌ́ŋkʃən/
――名（複）~s/-z/ C **1**（正式）〈人・物・事の本来の〉**機能**，働き，作用，効用(use)；〔通例 ~s〕職務，役目，役割(duty) ‖ digestive functions 消化機能 / the economic function of trade 貿易の経済的役割 / the function of the brain 脳の機能 / fulfill [carry out] the functions of a statesman 政治家の職務を果たす / have the function of doing …する機能をもっている. **2**（社会的・宗教的）儀式，祭典，（公式の）行事；（略式）（公式の）大会合，宴会 ‖ charity functions 慈善的催し物. **3**〔数学〕関数；〔文法〕機能(cf. form 9). **4**〔コンピュータ〕ファンクション《コンピュータの各種の機能》.

――動（自）（正式）**1**〈人・物・事が〉〔…の〕機能を果たす，役目[役割]を果たす(serve)〔as〕‖ This sofa can function as a bed. このソファーはベッドとしても機能する. **2**〈機械などが〉〔…に基づいて〕作動する，働く(work)〔on〕.

fúnction kèy〔コンピュータ〕ファンクションキー.

fúnction wòrd〔文法〕機能語《前置詞・接続詞・助動詞・冠詞・関係詞など．「内容語」は content word》.

func·tion·al /fʌ́ŋkʃənəl/ 形（正式）**1** 機能[職務]上の ‖ a functional disease [disorder] 機能的疾患 / a functional organ 機能器官. **2** 機能を果たせる，作動できる；〈人が〉働くことができる. **3** 機能本位の，便利な ‖ a modern desk made after functional principles 実用本位に作られた現代の机. **4**〔数学〕関数の.

fúnctional fóod（健康増進・長命のための）機能性食品.

fúnc·tion·al·ly /-ʃənəli/ 副 機能上，職務上.

func·tion·ar·y /fʌ́ŋkʃəneri | -əri/ 名 C 職員，役人(official). ――形 機能[職務]の.

*fund /fʌnd/【類音】fond /fɑnd/）【派】fundamental（形）
――名（複）~s/-z/ C **1**〔しばしば ~s〕〔…のための〕**基金**，資金[for]（cf. capital）‖ a scholarship [reserve] fund 奨学資金[積立金] / funds permitting 資金が許せば / raise [collect] a relief fund 救済資金を募る.

2（略式）[~s] **所持金**；財源，資源；（英）[the ~s] 公債，国債 ‖ be in [out of] funds 金を持って[切らして]いる / She has 500 pounds in the (public) funds. 彼女は国債で500ポンド持っている /"No funds"（銀行からの通知）預金残高ありません ⦅ジョーク⦆ A college student wrote home: "I have no friends or funds." His dad wrote back: "Make friends." ある大学生が家に手紙を書いた―「友だちもいないし，お金もない」． 父親の返事―「では友だちを作れ」《◆「友だちを作ってお金を借りろ」というジョーク》.

3 [a ~ of + 名詞] …の**蓄え**，豊富な…‖ a fund of goods [learning] 商品の在庫[豊かな学識].

――動他 **1** …に基金を出す；（英）〈資金〉を公債に投資する. **2**〈金〉を利子支払いに蓄える；〈借入金〉を長期公債に切り換える. **3**〈知識・経験など〉を蓄える.

*fun·da·men·tal /fʌ̀ndəméntl/【派】（正式）〔…にとって〕**基本的な**，根本的な[to]，基礎[土台]となる(basic)；たいへん重要な，〔…にとって〕必須の(essential)［to］；生来の ‖ fundamental colors 原色 / fundamental numbers 基数 / fundamental principles [human rights, rules] 基本的原理[人権，法則] / Respect for the law is fundamental to our society. 法の尊重が我々の社会の基本だ.

――名 C（正式）〔通例 ~s〕**基本**，根本，原理，原則 ‖ the fundamentals of economics [education] 経済[教育]の基本.

fun·da·men·tal·ism /fʌ̀ndəméntəlìzm/ 名〔時に F~〕U 根本[原理]主義《天地創造など聖書の記述をすべて事実だとする20世紀初期の米国新教運動》. cf. modernism》. **fùn·da·mén·tal·ist** 名 C 形 根本[原理]主義者(の).

*fun·da·men·tal·ly /fʌ̀ndəméntəli/ 副 基本[根本]的に，まったく，本来.

fund·ing /fʌ́ndiŋ/ 名 U（ある目的のための）基金(の額)，資金 ‖ the severe funding limitation 厳しい予算の限度.

fund-raise /fʌ́ndrèiz/ 動他《慈善団体・政党が》〈人〉を集める，〈資金〉を調達する.

fund-rais·ing /fʌ́ndrèiziŋ/ 名 U C 形 基金[資金]募集(の)，カンパ活動(の).

*fu·ner·al /fjúːnərəl/
――名（複）~s/-z/ **1** C （…の）**葬式**，葬儀，告別式，（米）弔いの礼拝［of, for］；〔通例 the/a ~］葬列 ‖ attend [go to] her funeral 彼女の葬儀に参列する / The late president received a state funeral. 前大統領のために国葬が行なわれた. **2** [形容詞的に] 葬式[葬儀，葬列]の ‖ a funeral ceremony [service] 葬儀 / a funeral column 死亡欄 / a funeral march [song] 葬送行進曲[歌] / a funeral oration [address] 弔辞 / a funeral procession [train] 葬列. **3** C （略式）〔通例 one's ~〕かかわりのある問題 ‖ "I'm going to quit

fúneral diréctor 《正式》葬儀屋《◆(米) mortician, (英) undertaker の遠回し表現》.
fúneral hòme 《主に米》葬儀場, 遺体安置所.
fúneral pàrlor =funeral home.
fu・ner・ar・y /fjúːnərèri|-əri/ 形 葬式[埋葬]の ‖ a *funerary* urn 骨つぼ.
fu・ne・re・al /fjuníəriəl/ 形 《正式》葬式[葬送]の; しめやかな, 悲しい, 陰うつな(mournful).
fun・gi /fʌ́ŋgai, -dʒai/ 名 fungus の複数形.
fun・gous /fʌ́ŋgəs/ 形 菌の(ような); (菌類のように)にわかに発生する, 一時的な; はかない.
†**fun・gus** /fʌ́ŋgəs/ 名 (複 **~・es, ~・gi**/-gai, -dʒai/(英+) -gi:, -dʒi/) **1** CU 菌類《カビ・キノコなど》. **2** U [時に a ~] (菌類のように)にわかに発生するもの(いやなもの). **3** U《医学》ポリープ, 菌状体(ニん), 真菌, 菌, かび.
funk[1] /fʌ́ŋk/ 名 (複 ~s) **1** U《略式》[時に a ~] おびえ(fear), しりごみ; 《米》意気消沈 ‖ be in *a* (blue) *funk* (about [over] ...) (…のことで)おののいている.
— 動 他 …をこわいと思う, こわくて[…することを]避ける[doing]; …をこわがらせる.
funk[2] /fʌ́ŋk/ 名 U =funky music.
funk・y /fʌ́ŋki/ 形 (**--i・er, --i・est**) 《米俗》《ジャズで》ファンキーな, ブルースのような素朴さがある; もの悲しい.
fúnky mùsic ファンキー・ミュージック《Art Blakey に代表される1950年代のジャズ. ポップ=ロックについてもいう》.
fun-lov・ing /fʌ́nlʌ̀viŋ/ 形 遊び好きな.
†**fun・nel** /fʌ́nl/ 名 Cじょうご(漏斗); 漏斗状のもの《通風筒・採光孔など》.

☆**fun・ny** /fʌ́ni/
— 形 (**--ni・er, --ni・est**) **1** (笑いをさそうほど)面白い, こっけいな; [名詞の前で] [~ old で] 楽しく愉快な, すばらしい《◆子供が使ったり, 子供に対して使う》‖ a *funny* tale おかしな話 / What's (so) *funny*? (開き直って)何が(そんなに)おかしいのか / Don't get angry at him. He is just being *funny*. 彼に腹を立てるな. 彼は冗談を言っているだけなんだ《◯文法 5.2 (3)》 / He is always doing *funny* things. 彼はいつもおかしなことをやっている《◆1回限りの行為では do something funny》.

> **✓ 使い分け** [**funny** と **interesting**]
> funny は「面白くて笑いを誘う」.
> interesting は「面白くて興味や関心をそそる」.
> The scientists made some *interesting* [×*funny*] discoveries. 科学者たちはいくつかの面白い発見をした.
> His story was so *funny* [×*interesting*] that we couldn't stop laughing. 彼の話はとても面白かったので私たちは笑いをこらえられなかった.

2《略式》奇妙な, 不思議な(strange, funny-peculiar); [補語として]〈気分・体調が〉少しすぐれない; [遠回しに]〈頭のおかしい〉《気分がすぐれない》「頭のおかしい」の意味では比較変化しない》‖ feel [go all] *funny* 気分が悪くなる, 気がふれる / It is *funny for* him *to* say so. =It is *funny* that he should say [says] so. 彼がそう言うなんて変だ(→ should 助 9 a).
3《略式》疑わしい, いかがわしい, ずるい, 人をだます《◆比較変化しない》‖ a *funny* look いぶかるような目つ

き / There is nothing *funny*「*about* him [*in* his behavior]. 彼[彼のふるまい]には少しもやましい点がない.
— 名 C **1** 《略式》おかしい[面白い]話. **2** おかしな[面白い]人. **3** 《米略式》[the funnies] 連続漫画, (新聞の)漫画欄.
fún・ni・ness 名 U おかしさ, こっけいさ; 奇妙さ.

*†**fur** /fə́ːr/ [同音] fir; [類音] far /fɑ́ːr/ 【「さや, おおい」が原義】
— 名 (複 ~s/-z/) **1** C (加工した1頭分の)毛皮, U (毛皮製品用の)毛皮(→ pelt[2]); C [通例 ~s] 毛皮製品— [形容詞的に] 毛皮(製)の ‖ a fox *fur* キツネの毛皮(製品) / a lady in [wearing] a *fur* (coat) 毛皮のコートを着ている婦人 / Furriers sell *furs*. 毛皮商は毛皮を販売する. **2** U (毛皮獣の)柔らかい毛, にこ毛(関連→ skin). **3** U [時に a ~] (湯わかしなどの)湯あか, 水あか《(米) scale》.
— 動 (過去・過分 **furred**/-d/; **fur・ring**) 他 [通例 be ~red] 〈湯あか〉水あか〉が生じる(+up).
— 自 湯あか[水あか]が生じる(+up).

fúr séal 〔動〕オットセイ《◆単に seal ともいう》.
*†**fu・ri・ous** /fjúəriəs/
— 形 **1** [補語として] 〈人・事・言動に〉ひどく立腹した, 怒り狂った〔*about, at, with, that*節〕‖ be in a *furious* mood =be *furious* at what she says 彼女の言うことに激怒している / I got *furious at* [《英》*with*] her *about* [*over*] the debt. 借金のことで彼女にひどく立腹した.
2 《正式》[名詞の前で] 〈活動が〉激しい; 〈風・海・嵐などが〉荒れ狂う(violent) ‖ a *furious* wind 荒れ狂う風 / at a *furious* pace [speed] ものすごい勢いで / have a *furious* temper 気性が激しい.
fu・ri・ous・ly /fjúəriəsli/ 副 もの狂おしく; 猛烈に, 猛烈な勢いで.

furl /fə́ːr/ 動 《古・文》〈旗・帆などを〉巻き上げる(↔ unfurl). — 自〈旗・帆などが〉巻き上がる.
*†**fur・long** /fə́ːrlɔːŋ/ 名 C ファーロング, ハロン《長さの単位. =1/8 mile (約201 m)》.
fur・lough /fə́ːrlou/ 名 CU **1** 《正式》(主に海外勤務の公務員・軍人などの)休暇, 賜暇(しか) [leave] ‖ be [go] on *furlough* 休暇中である. **2** 休暇認可証.
*†**fur・nace** /fə́ːrnəs/ 名 C 炉, 暖房炉《建物に暖房用スチームを送る》; 溶鉱炉(blast furnace); 陶器用かまど.
*†**fur・nish** /fə́ːrniʃ/ 動 他 **1** 〈人が〉〈場所に〉必要な物を備える; 〈人が〉〈(移動可能な)家具などを〉〈家などに〉入れる[*with*] ‖ His apartment is poorly [well, luxuriously] *furnished*. 彼のアパートは家具の備えが貧弱です[よく家具が備わっています, ぜいたくな家具が備わっています] / The room is *furnished with* two beds. その部屋は寝台が2台備えられている / I *furnished* the kitchen *with* a cupboard. 台所に食器棚を取り付けた. **2** 《正式》〈人などが〉〈必要な物を〉供給する; [furnish **A** with **B** for [to] **A**] 〈人・会社などが〉〈人・会社などに〉〈Bを必要な物・事を〉供給する, 与える(supply)《◯文法 3.3》‖ *furnish* an army 軍隊に装備する / *furnish* relief goods *for* starving children in Africa アフリカの飢えている子供たちに救援物資を提供する / A pamphlet will be *furnished* upon request. ご請求がありしだい, パンフレットは差し上げます / The volunteers *furnished* the victims *with* clothes.《◆《米》では with を省略することがある》=The volunteers *furnished* clothes *for* [*to*]

the victims. ボランティアの人々は被災者に衣類を与えた.

†**fur·nished** /fə́ːrnɪʃt/ 形 家具付きの(↔ unfurnished) ‖ a fully *furnished* model house すべて備え付けられたモデルハウス / *Furnished* House ('to Let [(米) for Rent]') (広告) 家具付き貸家《◆単に To Let, *Furnished* ともいう》.

fur·nish·ing /fə́ːrnɪʃɪŋ/ 名 [~s; 集合名詞; 複数扱い] 備え付け家具, 備品《◆furniture より範囲が広い》. 2 (米) 装身具, 服飾品.

***fur·ni·ture** /fə́ːrnɪtʃər/ 名 ⓊⒸ[集合名詞; 単数扱い](ふつう移動可能な) **家具**, 調度品, 備品 ‖ rearrange the *furniture* 家具を並べ換える / There is ˈa lot of [much] *furniture* in his room. 彼の部屋には家具が多い《◆ˣThere are ˈa lot of [many] *furnitures*. は不可. 「家具が少ない」は ˈThere is little *furniture* [ˣThere are few *furnitures*]. → 文法 14.2⑸》/ ˈAll this *furniture* was [ˣAll these furnitures were] my grandfather's. この家具はすべて私の祖父のものでした.

語法 furniture は Ⓤ. 数える時は 「*a piece* [*an article, an item*] *of furniture*」のようにいう.

事情 日本語の「家具」より範囲が広く, 次のようなものを含む: bed, bookcase, carpet, clock, (clothes) dryer, dishwasher, drapes, picture, rug, tapestry, etc.

fu·ror /fjúərər, -rɔːr/ fjúərɔː/, (英で主に) **–ro·re** /fjuərɔ́ːri/ 名 Ⓤ […への] 熱狂; 熱狂的興奮 [賞賛, 大流行] [over].

furred /fə́ːrd/ 1 〈動物が〉柔毛を生やした. 2 毛皮製の; 毛皮の縁飾り [裏] の付いた. 3 毛皮の衣服を着た. 4 湯あかのついた; 舌ごけの生じた.

fur·ri·er /fə́ːriər | fʌ́r-/ 名 Ⓒ 1 毛皮(製品) 商人. 2 毛皮加工業者.

†**fur·row** /fə́ːrou | fʌ́r-/ 名 Ⓒ 1 (すきでつけた) あぜ溝; (詩) 耕地. 2 船などが通った平らな土地. 2 筋状のすじ (船の通った) 跡; わだち; (顔・額の) 深いしわ. ── 動 他 1 〈畑などを〉(すきで) 耕す, …に溝 [うね] をつける. 2 (正式) 〈顔に〉しわを寄せる.

fur·ry /fə́ːri/ 形 (--ri·er, --ri·est) 1 毛皮(製) の; 毛皮の縁飾りの付いた. 2 〈動物が〉柔毛で覆われた; 毛皮を着た. 3 毛のように柔らかい. 4 湯あかの付いた; 舌ごけの生えた.

†**fur·ther** /fə́ːrðər/ (cf. farther) 副 1 (距離) さらに遠くに[へ], もっと先に《◆ (米正式) では farther が用いられる》 ‖ I can't walk any *further*. もうこれ以上先に歩けない / You could go (a lot) *further* and fare (a lot) worse. (ことわざ) (略式) 進むほど道はわずらわしる, やりすぎると損をする(→ 自⑴). 2 (程度・時間・範囲) **a** さらに進んで [深く], それ以上に ‖ speak *further* on the subject その話題についてさらに続けて話す《◆*further*. → farther 語法⑵》. **b** (文頭・節の前で; 接続詞的に] さらに言えば《◆ I will *further* say の短縮語》.

── 形 1 さらに遠い; (2つのうち) 遠い方の (farther) ‖ the *further* side of the mountain その山の向こう側. 2 さらに進んだ; それ以上の, さらにつけ加えた (additional) 《◆ farther と交換不可》 ‖ the *further* two possibilities さらに加わった2つの可能性《◆ another より堅い語》 / *further* education (英) (義務教育修了後社会に出る人がさらに受ける) 職業補習教育, 成人教育《(米) adult education》 / until [till] *further* notice [orders] (正式) 追って通知のあるまで / For *further information*, see page 16. さらに詳しくは16ページ参照.

fúrther to A (正式) (商業文で) …にさらに付け加えると, 付言すると.

── 動 他 (正式) …を促進[助長]する, さらに進める.

fur·ther·ance /fə́ːrðərəns/ 名 Ⓤ (正式) 促進, 助長, 推進 (すること) ‖ Ⓒ 促進 [援助] する人 [物] ‖ in *furtherance* of world peace 世界平和を促進するために.

†**fur·ther·more** /fə̀ːrðərmɔ́ːr | ˋ—ˊ/ 副 (正式) [しばしば and ~; 次に述べられる新しい情報に注意を引いて] おまけに, その上に (besides) ‖ It was getting dark, *and furthermore* it had begun to rain. 暗くなってきていた. その上雨も降り出していた.

fur·ther·most /fə́ːrðərmoust/ 形 […から] 最も遠い (furthest) [*from*] (cf. farthermost).

†**fur·thest** /fə́ːrðɪst/ 形 副 =farthest.

†**fur·tive** /fə́ːrtɪv/ 形 (正式) 〈人・動作が〉人目を気にした, […の点で] こそこそ [そわそわ] した [*in*].

fur·tive·ly /fə́ːrtɪvli/ 副 ひそかに, こっそりと.

Furt·wäng·ler /fúərtvɛŋlər/ 名 フルトベングラー《Wilhelm ~; 1886–1954; ドイツの指揮者》.

†**fu·ry** /fjúəri/ 名 1 Ⓤ Ⓒ [通例 a ~] 激しい怒り, 憤激の爆発《◆ rage より強い》 ‖ an outburst of *fury* 怒りの爆発 / He looks pale with *fury*. 彼は怒りで顔が青白く見える / He talked back to me *in a fury*. 彼は激怒して私に口答えした / **flý** [**gèt**] *into a fury* 烈火のごとく怒る. 2 Ⓤ (嵐・波・戦争・病などの) 激しさ, 猛威, 狂暴(性) (violence) ‖ the *fury* of the elements 暴風雨 / the *fury* of passion 情熱の激しさ. 3 [the Furies] (ギリシャ神話・ローマ神話) フリアエ《3人姉妹の復讐(ⁿ)の神》. 4 Ⓒ (略式) (狂暴で) 手に負えない人[女].

like fúry (略式) 猛烈に; やたらに; 猛スピードで.

furze /fə́ːrz/ 名 Ⓒ (植) ハリエニシダ.

†**fuse**¹ /fjúːz/ 動 他 1 〈金属などを〉(高熱で) 融かす. 2 〈金属など〉を融け合わす (+*together*); (正式) [比喩的に] …を融合させる (blend). ── 自 1 (高熱で) 融ける. 2 (正式) 〈2つ以上のものが〉融合[合同]して〈1つに〉なる (combine) [*into*] ‖ *fuse into* a new party 合同して新政党となる.

†**fuse**², (米で主に) **fuze** /fjúːz/ 名 Ⓒ 1 (電気) ヒューズ ‖ The *fuse* has blown. ヒューズが飛んだ. 2 (略式) [a ~] ヒューズの飛ぶこと. 3 導火線; 起爆装置, 信管, 雷管. ── 動 他 1 〈電気器具の〉ヒューズを飛ばす. 2 …に信管 [導火線, ヒューズ] をとりつける. ── 自 ヒューズが飛ぶ.

fúse bòx [**càbinet**] ヒューズボックス.

fúse wìre ヒューズ線.

fu·se·lage /fjúːsəlɑːʒ, -lɪdʒ | fjúːzɪlɑːʒ, -zə-/ 名 Ⓒ (飛行機などの) 胴体, 機体 (図 → airplane).

fu·sil·lade /fjúːsəleɪd, -lɑːd, -zəl- | fjùːzəléɪd/ 名 Ⓒ (正式) 1 一斉射撃 (による大量処刑). 2 (非難などの) 連発.

†**fu·sion** /fjúːʒən/ 名 1 Ⓤ 融解; 融合 ‖ the point of *fusion* =the *fusion* point 融点. 2 Ⓒ 融解物. 3 Ⓒ Ⓤ (正式) (人種・言語などの) 融合 (blending), 混合(物); (政党・党派などの) 合同(体) (union), 連立, 提携 (coalition) ‖ a *fusion* of various races さまざまな人種の融合. 4 Ⓤ (物理) 核融合 (nuclear fusion) (↔ fission). 5 Ⓤ (音楽) フュージョン《ジャズとロックなど他の音楽形式との混合 (crossover)》.

fúsion bòmb 核融合爆弾《♦hydrogen bomb の別名》.

fú·sion·ism 名 U〔政治〕連合主義.

fú·sion·ist 名 C〔政治〕連合論者[主義者].

†**fuss** /fʌs/ 名 1 U〔時に a ~〕[ささいな事での]大騒ぎ, やきもち[about, over] ‖ *Don't máke* so much (of *a*) *fúss about* trifles [nothing]. つまらない事でそんなに騒ぐな. 2 [a ~][ささいな事で]気をもむこと; せかせかすること[about, over] ‖ *gét into a fúss about* a private matter 個人的な問題でできもきする. 3 [a ~] 苦情, 不満, 強い抗議; ひと騒動, 口論 ‖ *máke* [*cáuse*] *a fúss about* [*over*] the bad service 《略式》サービスの悪いことに文句を言う / make a fúss with the employer 雇用主ともめる.

máke a fúss over [《英》*of*] A 〈人〉をちやほやする, 〈物・事〉をもてはやす.

──動 自 1 [...を]騒ぎたてる, 心配しすぎる[about]; [...のことで]やきもき[そわそわ]する[about, over]. 2 [...を]ちやほやする[over].

──他 〈人〉をやきもき[いらいら]させる.

†**fuss·y** /fʌsi/ 形 (--i·er, --i·est) 1〈人が〉[ささいなことに]うるさい, 気難しい; 気にする[about]. 2〈人・行動・性格が〉神経質な. 3〈衣服・家具・文体・デザインなどが〉凝った, ごてごてした. 4〈仕事などが〉細かい神経を要求する. **fúss·i·ly** 副 やきもきして.

fúss·i·ness 名 U こうるさいこと.

fus·tian /fʌstʃən/ -tian/ 名 U 1《今はまれ》1 ファスチャン織り《コールテンの類》. 2 おおげさな言い回し(の文章・話); [形容詞的に] おおげさな, 仰々しい.

fus·ti·gate /fʌstɪgeɪt/ 動 1 ...をこん棒で打つ. 2 ...を酷評する.

fust·y /fʌsti/ 形 (--i·er, --i·est) 1〈部屋・衣服などが〉カビ臭い, むっとする. 2《略式》〈知識・人などが〉古くさい, 時代遅れの.

fut. (略) future.

†**fu·tile** /fjúːtl | -taɪl/ 形《正式》1〈行為が〉[望んだ結果が得られず]むだな(useless); 無益な; 不首尾に終わった ‖ make a *futile* attempt むだな試みをする. 2〈人〉の無能の.

†**fu·til·i·ty** /fjuːtɪləti/ 名《正式》1 U 無益, むだ(uselessness); 無意味さ, くだらなさ ‖ an exercise in *futility* むだな行為. 2 C 無益[むだな, 無意味な]事物.

:**fu·ture** /fjúːtʃər/
──名 (複 ~s/-z/) 1 C U [通例 the ~] 未来, 将来; 将来起ころうとすること[存在する物] (cf. present, past) ‖ a train of the *future* 未来の列車 / 「*In* ((米) *the*) [*For the*] *future* (🔊), please remember that ... これから先[今後]どうか...ということを忘れずに / *in the* (distant) *future* (遠い)将来 / 「*in the néar* [*in the nót tòo dístant*] *future*

近いうちに (soon) / *be afraid of what the future may bring* = *fret about the future* 取越し苦労する / *foresee the future* 将来を予見する.

2 U《略式》〈有望な〉将来性, 前途; [否定文・疑問文で]〔...が〕(うまくいく)見込み[*in*] ‖ a student with a (great [bright, promising]) *future* 前途有望な学生 /「He has a big *future* [There is a big *future* for him] in baseball. 彼は野球で将来十分見込みがある.

3 U C〔文法〕[通例 the ~] 未来時制.

4 [形容詞的に] a 未来[将来, 今後]の; 死後[来世]の ‖ one's *future* wife [husband] 未来の妻[夫] / He is a *future* doctor. 彼は医者の卵だ (cf. a would-be doctor 医師志願者). b〔文法〕未来(形)の ‖ the *future* perfect 未来完了(時制).

5〔商業〕[~s] 先物契約 (futures contract) ‖ the *futures* market 先物市場.

fútures cóntract = 5《♦future contract は「将来の契約」 (→ 4)》.

fúture shòck 未来の衝撃, フューチャー=ショック《社会変化に対する心理的・肉体的衝撃》

fu·tur·ist /fjúːtʃərɪst/ 名 1 [F~] C 未来派の芸術家. 2 C〔神学〕未来信者[学者]. 3 [形容詞的に] 未来派の; 《略式》奇をてらった.

fu·tur·is·tic /fjùːtʃərɪstɪk/ 形《略式》未来の; 今まで見たこともないような; [通例 F~] 未来派の.

fu·tur·is·tics /fjùːtʃərɪstɪks/ 名 未来学.

fu·tur·i·ty /fjuːt(j)ʊərəti, (米+) -tʃʊr-/ 名《正式》1 U 未来, 将来; 来世. 2 U [集合名詞的] 後世(の人々), 子孫. 3 U [時に futurities; 単数扱い] 未来の状態[可能性, 出来事].

fuze /fjúːz/ 名《米》= fuse².

fuzz /fʌz/ 名 U《略式》1 軽くふわふわしたもの, 綿毛, 毛羽, 綿ぼこり. ──動 自 綿毛のようになる, けば立つ.
──他 ...を綿毛のようにする, けば立たせる.

fuzz-word /fʌzwəːrd/ 名 C《米》(故意の)あいまいな言葉(遣い).

fuzz·y /fʌzi/ 形 (--i·er, --i·est)《略式》1〈物質・生地・鳥獣などが〉綿毛[毛羽, にこ毛]のような, 綿毛で覆われた, 毛羽立った, ほぐれた. 2〈輪郭・思考・音などが〉ぼやけた, 不明瞭な ‖ *fuzzy* images ぼやけた心像[映像]. 3〈毛髪が〉縮れた; うぶ毛の生えた.

fúzzy thèory ファジー理論, あいまい理論.

fwd (略) forward (サッカー・バスケットボールなどの)フォワード, 前衛.

FW (略)〔コンピュータ〕forward 転送.

FWD, f.w.d. (略) four-wheel drive 4輪駆動; front wheel drive 前輪駆動.

F-word /éfwəːrd/ 名 [the ~; 単数形で] fuck の遠回し語).

FX (略)〔軍事〕fighter experimental 次期戦闘機.

-fy /-faɪ/〔語素〕→語素一覧 (2.4).

FYI (略) for your information ご参考までに.

two minutes a week. 私の時計は1週間に2分進む《♦ My watch *gains* two minutes ... の方がふつう》.

使い分け [gain と advance]
gain は自動詞で,「時計が進む」の意.
「時計を進める」という意の他動詞は advance.
This watch *gains* [×*advances*] one second every month. この時計は毎月1秒進む.
Your watch is slow. You should *advance* [×*gain*] it two minutes. 君の時計は遅れている. 2分進めるべきだ.

gáin gróund [自] 進む; 進歩する; [...に]迫る[on].
gáin on [**upon**] A (1) ...に近づく, 追いつく. (2) (競争で)...を引き離す.
—名 ～s/-z/.

I [物・利益を得ること]

1 U 得ること, 利益, 利得(profit)(↔ loss); [～s] (ふつうあくどい方法で得た)収益(金), 得点 ‖ His efforts yielded great *gains*. 彼は努力した結果得るものが大にあった / **No *gains* without pains.** = **No pain(s), no *gain(s)*.** (ことわざ)骨折りなくして利得なし;「苦は楽の種」.

II [数量を得ること]

2 C [量・価値・富などの]増加, 進歩[in, to] ‖ a *gain* in profit(s) [knowledge] 利益[知識]増進 / a *gain* of ¥10 on [against] the dollar 対ドル10円高.

for gáin 利益を得るために.

gain·er /géinər/ 名C 獲得[利得, 勝利]者(↔ loser) ‖ come off a *gainer* もうける, 勝つ.

gain·ful /géinfl/ 形 [正式] **1** 利益のある, 有利な. **2** 職の有給の.

†**gain·say** /gèinséi/ 動 (過去・過分) **--said** 他 [正式] [主に否定文・疑問文で; ～ing形で] (事)を否定する, [...であること]を否定する(deny)[*that*節]; 〈人〉に反対する.

†**gait** /géit/ (同音) gate) 名C [通例 a ～] **1** 足どり. **2** [馬の]足並み.

関連 [馬の足並み]
walk (並足), amble (アンブル), trot (早足), pace (側対速歩), canter (駆け足), gallop (ギャロップ)の順に速くなる.

gai·ter /géitər/ 名C [通例 ～s] ゲートル, きゃはん〈ひざまたは足首まで覆う布または皮. 日本のように巻くことはしない. cf. legging).

gal[1] /gǽl/ 名C [(略式) (若くて活発・陽気な)女の子, ギャル(girl) 《♦ (1) gal と言われることを不快に思う女性もいる. (2) (米)では知的職業に従事している男性が my *gal* と言うときは自分の秘書かアシスタントを指し, my *girl* (自分のガールフレンド[娘])と区別することがある》.

gal[2] /gǽl/ 名C ガル《加速度のCGS単位》.

gal. 略 gallon(s).

Gal. 略 Galatians.

†**ga·la** /géilə, gǽlə | gá:-, géi-/ 名C [時に形容詞的に] お祭り, 祝祭, にぎやかな催し物.

ga·lac·tic /gəlǽktik/ 形 大星群[星雲]の, 銀河(系)の, 天の川の.

Ga·la·ti·a /gəléiʃiə, -ʃiə/ 名 ガラテヤ《古代小アジアの国》.

Ga·la·ti·an /-n/ 形 ガラテヤ(人)の. —名 **1**C ガラテヤ人. **2** 【新約】 [the ～s; 単数扱い] ガラテヤ人への手紙《新約聖書の一書. St. Paul による. 略 Gal.》.

†**gal·ax·y** /gǽləksi/ 名 **1**C (銀河系外)星雲, 小宇宙. **2** [the G～, our ～] **a** 銀河系. **b** 銀河, 天の川. **3** [a ～] きら星(のような集まり).

†**gale** /géil/ 名C **1** 強風《breeze より強く storm より弱い. 気象学では秒速13.9-28.4mの風. → wind scale》‖ *gale* force 強風の強さ[速さ]. **2** (やや文) [しばしば ～s] (笑いなどの)突発 ‖ *gales* of laughter 爆笑.

Gal·i·le·an /gǽləlí:ən/ 形 ガリラヤ(人)の. —名 **1**C ガリラヤ人. **2**C キリスト教徒. **3** [the G～] ガリラヤびと《キリストの別称》.

†**Gal·i·lee** /gǽləlì:/ 名 ガリラヤ《イスラエル北部地方. キリストの初期の伝道活動の地》.

†**Gal·i·le·o** /gǽləlí:ou, -lí:-/ 【アクセント注意】 名 ガリレオ《～ Galilei/gǽləléii:/; 1564-1642; イタリアの天文・物理学者》.

†**gall**[1] /gó:l/ 名 **1** U (古) 胆汁(bile); C 【解剖】 胆嚢(たんのう) (gall bladder). **2 a** (文) ひどく苦い[いやな]もの; [...に対する]ひどい苦々しさ[悪意, 遺恨][on]. **b** (略式) (極端な)厚かましさ.

gall[2] /gó:l/ 名C (皮膚の)すり傷《馬の背の》くらずれ.

gall. 略 gallon(s).

†**gal·lant** 形 gǽlənt, 3 は gəlǽnt; 名 gəlǽnt | gǽlənt, gəlǽnt/ 形 (文) **1** 勇敢な, 勇ましい, 雄々しい(brave) ‖ a *gallant* soldier [adventure] 勇敢な兵士[冒険]. **2** (船・馬などが)堂々とした, 立派な, 華美な ‖ a *gallant* horse 飾り立てた馬. **3** (女に)親切[いんぎん]な; 色事の. —名C **1** 勇敢な人. **2** (文) しゃれ[だて]男.

†**gal·lant·ly** /gǽləntli, 2 は gəlǽntli, (米+) -lá:nt-/ 副 **1** 勇敢に, 雄々しく. **2** (男が)(女に)やさしく, 親切に.

†**gal·lant·ry** /gǽləntri/ 名 **1** U [正式] 勇ましさ; C 勇敢な行為. **2** U (文) (男の)(女に対する)親切.

gal·le·on /gǽliən/ 名C 【歴史】 ガレオン船《15-18世紀のスペインの大型帆船で3本マスト》.

†**gal·ler·y** /gǽləri/ 名 **1** C 画廊(art gallery); 《主に英》美術館《米 museum》, 絵画陳列室(picture gallery); [集合名詞] 陳列美術品 ‖ the Nátional Gállery (ロンドンの)国立美術館. **2** 柱廊, 回廊. **3** (教会・ホール・講堂などの)(2階)桟敷(さじき); (議会などの)傍聴席 ‖ the press *gallery* 新聞記者席. **4** (劇場の)天井桟敷; [the ～; 集合名詞; 単数・複数扱い] 天井桟敷の観客, 大向こう; (芸術の鑑賞眼のない)一般大衆 ‖ be placed in the upper *gallery* about that そのことに関して何も聞かされていない. **5** [軍事・鉱山] 地下道; 横坑道; (モグラなどの)地下道.

pláy to the gállery 大向こうの趣味にこびた人気取り演技をする; (一般に)俗受けをねらう.

†**gal·ley** /gǽli/ 名C **1** ガレー船《古代ギリシア・ローマ時代や中世に地中海で軍船・商船として使われた大型帆船. 奴隷や囚人にこがせた》. **2** (艦船・飛行機の)調理室. **3** 【印刷】 ゲラ《活字組版を入れる盆》; = galley proof.

gálley pròof [通例 ～ proofs] ゲラ[校正]刷り.

gálley slàve ガレー船をこぐ奴隷[囚人]; 苦役をする人.

Gal·lic /gǽlik/ 形 **1** ガリア[ゴール](Gaul)の; ゴール人の. **2** フランス(人)の.

gall·ing /gɔ́:liŋ/ 形 [正式] [...にとって]いらだたしい[*to*].

gal·li·um /gǽliəm/ 名U 【化学】 ガリウム《記号 Ga》.

gal·li·vant /gǽləvænt/ /ˌ-ˈ-, ˈ-ˌ-/ 動自 (やや略式) [be [go] ～ing で] (刺激・快楽を求めて)遊びまわる,

G

:g, G /dʒíː/ 名 (複 g's, gs; G's, Gs/-z/) **1** CU 英語アルファベットの第7字. **2** → a, A **2**. **3** CU 第7番目(のもの). **4** U 〖音楽〗ト音, ト調. **5** U (ローマ数字の)400.

Ǵ cléf 〖音楽〗ト音記号.

Ǵ Éight, G8 先進8か国(Group of Eight Countries)《もと G Seven [G7]. 1997年にロシアが加入して G8 となった》.

g (記号) 〖物理〗acceleration of gravity 重力加(速)度; gram(s).

G (記号) 〖General より〗《米》(映画が)一般向き(の) (→ film rating); 《米》〖教育〗good 良; guilder(s).

g. (略) gauge; genitive; grain; gram(s).

Ga (記号) 〖化学〗gallium.

GA (略) General Assembly; 〖郵便〗Georgia.

gab /ɡǽb/ (略式) 名 U むだ口, おしゃべり(chatter). ——動 (過去・過分) gabbed/-d/; gab·bing) 自 〈人と/…のことで〉おしゃべりする, むだ話をする(+on) (with/about).

†gab·ar·dine, gab·er·dine /ɡǽbərdìːn/ 名 U ギャバジン(布) ‖ 目の細かいあや織り地.

gab·ble /ɡǽbl/ 動 自 〈…のことを〉早口で(不明瞭に)しゃべりまくる(+away, on)(about). ——他 …を早口で(不明瞭に)しゃべる(+off, out) ‖ gabble (out) one's explanation 早口で説明する. ——名 U [(the) ~] 早口でのおしゃべり.

†ga·ble /ɡéibl/ 名 C 〖建築〗切り妻, 破風(は).——動 他 …を切り妻造りにする.

gáble róof 切り妻屋根.

gáble wíndow 切り妻窓.

Ga·bri·el /ɡéibriəl/ 名 〖新約〗天使ガブリエル《◆マリアに懐胎を予告した》.

†gad[1] /ɡǽd/ 動 (過去・過分) gad·ded/-id/; gad·ding) 自 (古・略式) 〈快楽・興奮を求めて〉ほっつき回る(+about, abroad, around, out).

gad[2] /ɡǽd/ 名 C 〖鉱業〗たがね.

†gad·a·bout /ɡǽdəbàut/ 名 C (略式) 遊び人, 遊び歩く人; 金ぴら棒引き, 広め屋.

gad·fly /ɡǽdflài/ 名 C 〖昆虫〗(家畜を刺すアブ科の) ハエ類.

†gadg·et /ɡǽdʒit/ 名 C (略式) ちょっとした(便利な)機械装置[仕掛け]; 気のきいた小道具 《◆しばしば新奇な名前や用途のわからないものについて用いる》 ‖ kitchen gadgets 台所用小道具 / high-tech gadgets ハイテク機器.

Gael /ɡéil/ 名 C ゲール族の人《スコットランド・アイルランド・マン島のケルト系住民. 特にスコットランド高地人》.

Gael·ic /ɡéilik/ 名 U 形 ゲール語(の); ゲール人の.

gaff /ɡǽf/ 名 C 魚かぎ, かぎざお.

gaf·fer /ɡǽfər/ 名 C (略式) [呼びかけ] (田舎の)じいさん.

†gag /ɡǽg/ 名 C **1** さるぐつわ. **2** (略式) ギャグ《コメディアンの場当たりのこっけいなせりふや所作》; 冗談, 悪ふざけ; ごまかし, ペテン ‖ pull a gag 悪ふざけをする. ——動 (過去・過分) gagged/-d/; gag·ging) **1** 〈人の口などに〉さるぐつわをはめる. **2** 〈言論などを封じる《◆主に新聞用語》. ——自 **1** 〈…が詰まって〉吐き気を催す. **2** 〈食べ物・言葉などを〉(のどに)つまらせる(on).

gág strip ギャグ漫画.

†gage[1] /ɡéidʒ/ 名 C 挑戦; 挑戦のしるし《騎士が挑戦のしるしに投げた手袋など》 ‖ throw down the gage 挑戦する.

gage[2] /ɡéidʒ/ 《米》動 名 = gauge.

gag·gle /ɡǽɡl/ 動 自 〈ガチョウが〉ガアガア鳴く.
——名 C ガアガアいう声; ガチョウの群れ.

†gai·e·ty /ɡéiəti/ 《米ではしばしば英古》**gay·—** 名 U 陽気, 楽しさ, にぎやかさ; (服装などの)華やかさ, はでさ.

†gai·ly, gay·— /ɡéili/ 副 陽気に, 楽しく; 華やかに.

:gain /ɡéin/ 〖『耕す』が原義〗
——動 (~s/-z/; 過去・過分) ~ed/-d/; ~·ing)
——他

Ⅰ [物を得る]

1a (正式) 〈人が〉(努力・競争で)〈(有利な, ためになる, 欲しい, 必要な)物・事を〉得る(get, obtain); 〈人・物・事を〉〈物・事によって/人から〉(骨を折って)手に入れる(by, through / from) ‖ gain a victory 勝利をかちとる / gain the upper hand 優位に立つ / gáin one's living 生計を立てる / gain some secret information 秘密情報を少し入手する / gain fame [by one's novel [through one's diligence] 小説[勤勉]で有名になる.

〖類語〗gain は自分が望む望まないにかかわらず有益なものや必要なものを手に入れること, win と earn はかなりの努力をした結果, 能力や運によって手に入れること.

b [gain A B =gain B for A] 〈物・事が〉A〈人〉にBを得させる ‖ This book has gained him worldwide attention. この本で彼は世界の注目を集めた(=He has gained worldwide attention for this book.).

Ⅱ [利益を得る]

2 …をかせぐ, もうける(↔ lose) ‖ She gained $5,000 through [on] the stock exchange. 彼女は株取引で5000ドルもうけた.

Ⅲ [数量を得る]

3 〈人・物が〉〈重さ・速度などを〉増す, 加える; 〈時計が〉… 秒[分, 時間]進む(↔ lose) ‖ gain wealth [knowledge] 富[知識]を増やす / 〈対話〉 "Oh, my God!" "What's up?" "I've gained three kilograms. I've got to go on a diet." 「わー, たいへん」「どうしたの」「3キロも太っちゃったの. ダイエットしなきゃ」 / My watch gains three seconds a day. 私の時計は1日に3秒進む.

——自

Ⅰ [利益を得る]

1 〈人・物・事が〉〈…で〉利益を得る, もうける(by, from); よくなる, 進歩する; 〈価値・力・人などが〉〈…の度合いを〉増す(in) ‖ gain by [from] losing 損をして得をとる / gain in weight 目方が増える《◆gain weight, put on weight の方がふつう》 / gain by comparison [contrast] 比較[対比]で一層目立つ.

Ⅱ [数量を得る]

2 〈時計が〉進む(↔ lose) ‖ My watch gains by

遊びに行く(+*off*).

†**gal·lon** /gǽlən/ 名 **1** ガロン《液量単位: 8 pints ((米))約3.8*l*; ((英))約4.5*l*)》. **2** ガロン(((米)) gal., gall.)《乾量単位: 1/2 peck ((米))約4.4*l*; ((英))4.5*l*)》.

†**gal·lop** /gǽləp/ 名 © [a ~] ギャロップ《馬が1歩ごとに4脚とも離れる最も速い走り方. → gait 関連》; ギャロップでの乗馬 ‖ Let's go for *a gallop*. ギャロップに出かけよう. **at a gállop** = **at fúll gállop**
(1) ギャロップで ‖ go *at a gallop* ギャロップで駆ける.
(2) ((略式))全速力で.
—動 自 **1** 〈馬などが〉ギャロップで駆ける, 〈人などが〉ギャロップで馬を走らせる. **2** ((略式))急いで行く(+*off*); 〈…を〉大急ぎで仕上げる(+*off*)〔*through*〕 ‖ *gallop through* 「a letter [one's work] 大急ぎで手紙を読む[仕事を終える]. —他 〈人が〉〈馬を〉ギャロップで駆けさせる.

gal·lop·er /gǽləpər/ 名 © 馬をギャロップで走らせる騎手.

†**gal·lows** /gǽlouz/ 名 ((複)) **gal·lows**) © 絞首台《◆もともと複数形だが今日では単数扱い》: There 「was a *gallows* [were two *gallows*] on the hill. となる》 ‖ get [be hanged on, be sent to] the *gallows* 絞首刑になる.

Gállup pòll /gǽləp-/ ⸍⸍, ⸍⸍ ((商標))ギャラップ調査《米国の Gallup 機関による調査》世論調査.

ga·lore /ɡəlɔ́ːr/ 形 ((略式))〔名詞の後で〕たくさんの, 豊富な.

ga·losh·es /ɡəlɑ́ʃ—lɔ́ʃ/ 名 [通例 ~es] ガロシュ《半長のゴム製オーバーシューズ》.

Gals·wor·thy /ɡɔ́ːlzwəːrði/ 名 ゴールズワージー《John ~ 1867-1933; 英国の小説家・劇作家》.

gal·van·ic /ɡælvǽnik/ 形 **1** ガルバーニの, 直流電気の ‖ a *galvanic* cell ガルバーニ電池. **2** 感電したかのような, 衝撃を受けた, 突発的な; びっくりさせる.

gal·va·nism /gǽlvənìzm/ 名 Ⓤ **1** [電気]直流電気, 動[流]電気; 動電気学. **2** [医学] (直流)電気療法.

†**gal·va·nize**, ((英ではしばしば)) **-·nise** /gǽlvənàiz/ 動 他 **1** [電気]…に電気を通す; …を電気で刺激する. **2** 〈鉄板などに〉亜鉛メッキをする ‖ *galvanized* iron 亜鉛引き鉄板, トタン板. **3** ((正式))〈人などが〉衝撃[驚き]を与える(与えて〔…〕させる)(stimulate)〔*into* (doing)〕‖ *galvanize* him *into* his homework 彼に急いで宿題をやらせる.

gal·va·nom·e·ter /gælvənɑ́mətər—nɔ́m-/ 名 © [電気](微少電流を測定する)検流計.

Ga·ma /gɑ́ːmə | gáːmɑ/ 名 (バスコ=ダ=)ガマ《**Vasco da** /vǽskou dɑ, vɑ́ːskou—/ ~ 1469?-1524;ポルトガルの航海者. 喜望峰経由のインド航路の発見者》.

Gam·bi·a /gǽmbiə/ 名 [(the) ~] ガンビア《アフリカ西海岸の共和国. 首都 Banjul》. **Gám·bi·an** 名 形 ガンビアの; ガンビア(人)の.

†**gam·ble** /gǽmbl/ 動 自 **1 a** 賭(か)け事をする ‖ *gamble* heavily ギャンブルにふける / *gamble* at mahjong 麻雀で賭ける / *gamble on* [*at*] a boat race 競艇で賭ける. **b** 投機をする; 一か八かの冒険をする ‖ *gamble on* the stock exchange [in steel stocks] 株[鉄鋼株]に投機する《◆株の種類をいうときは in》 / *gamble with* one's life 命をはった冒険をする. **2** あてにして行動する ‖ *gamble on* his honesty 彼の誠実さに賭ける.
—他 **1** 〈金などを〉〔…に〕賭ける〔*on*〕. **2** 〔…すると〕賭け, 期待する〔*that* 節〕‖ She *gambled that* he would fall in love with her. 彼女は彼が

と自分に恋すると賭けた.
gámble awáy 他 賭け事で〈金など〉を失う ‖ He *gambled away* all his money on horse races. 彼は競馬で全財産をすってしまった.
—名 © **1** [a ~] 一か八かの冒険, 危険な賭け[企て] ‖ take *a gamble on* … …に一か八かの冒険をする. **2** 賭け事, ばくち.

Gámbling Tówn ((米俗))((愛称))ギャンブルの町(→ Las Vegas).

gam·bler /gǽmblər/ 名 © 賭博(とばく)師, ばくち打ち; 投機家, 相場師, 賭け事好き.

†**gam·bol** /gǽmbl/ 名 © [通例 ~s][子供・ヒツジなどが戯れに]はね[飛び]回ること, ふざけること.
—動 自 (過去・過分) ~ed or ((英)) **gam·bolled**/-d/; ~·ing or ((英)) **-·bol·ling**) 自 ((正式))[…に]はね[飛び]回る(jump)〔*about*〕; ふざける.

★**game** /géim/ 〖「遊戯・楽しみ・戯れ」が原義〗
名 (複 ~s/-z/)

Ⅰ [競技・試合を楽しむこと]
1 © (チーム間で行なわれる)**試合**, 競技; (試合の一部の)勝負, ゲーム; [~s] (古代ギリシア・ローマの)競技会; ((英))(学校の)運動会 ‖ play in a *game* 試合に出る / The Tigers won ten straight *games*. タイガースは10連勝した / play a good [poor] *game* 勝負がうまい[へただ] / play a losing [winning] *game* 勝つ見込みのない[ある]勝負をする, 損[得]なことをする / play a waiting *game* ((略式))持久戦に出る / the Olympic Gámes オリンピック大会(= the Olympics) / no *game* [野球]無効試合 / a *game* of chance 運まかせの勝負.

関連 [いろいろな種類の game]
called *game* コールドゲーム / close *game* 接戦 / drawn *game* 引き分け(試合) / exhibition *game* 公開試合, オープン戦, エキシビジョンゲーム / night *game* ナイター《◆ nighter とはふつういわない》 / one-sided *game* 一方的な試合.

類語 [game と match]
(1) ((米))ではふつう -ball のつく球技は game を用い, boxing, wrestling などは match を用いる. ((英))では一般に match を使うことが多い.
(2) テニスでは game の集まりが set, set の集まりが match (→ tennis 関連).

2 [試合のやり方] Ⓤ© 勝負の形勢, 試合ぶり[運び]; 勝利に必要な得点, 中間得点 ‖ The *game* is yours. (この試合は)君の勝ちだ / beat [play] him at his own *game* ((略式))相手の得意の手で逆にやっつける, 裏をかく / win five *games* 「in the first half [in the final set] 前半[最終セット]で5点とる / How is [goes] the *game*? 勝負の形勢がどうだい / The *game* is three all. 得点はスリーオールだ / The Mets put the *game* away with two more runs in the seventh. メッツは7回にもう2点加えて試合の大勢を決めた.

Ⅱ [遊びを楽しむこと]
3 © (ルールのある)**遊び**, 娯楽, 遊戯, ゲーム《◆友だち同士などで体や頭を使ってやる遊びで tag (鬼ごっこ), hide-and-seek (かくれんぼ), cops-and-robbers (泥棒ごっこ)など. 単なる気晴らしのための「遊び」は play》; 楽しい[面白い]出来事 ‖ a ball *game* 球技 / What a *game*! わぁ, 面白い; まあ, つまらない《反語用法》 / It's not serious; it's just a *game*. 真剣でなく, ほんのお遊びなのだ / 日本発》 Contempo-

rary children's *games* exemplified by video *games*, are more often played indoors than out. 現在の子供の遊びは戸外より室内中心になっていますが、テレビゲームもその最たるものです.

関連 [いろいろな種類の game]
board *game* ボードゲーム《◆チェスなど》/ card *game* トランプゲーム / video *game* ビデオ[テレビ, コンピュータ]ゲーム.

4 ⓊⒸ 冗談, 戯れ ‖ speak in *game* 冗談に言う.

Ⅲ [スポーツとしての狩り]

5 Ⓤ 〔集合的〕 猟の獲物(の肉);〔追求・攻撃の〕目標, 対象 ‖ fair *game* 捕えても違反にならない鳥獣 / fair *game* for criticism 格好の批判の対象 / forbidden *game* 保護鳥獣 / winged *game* 猟鳥類 / shoot five head [×heads] of *game* 獲物を5頭[5羽]仕留める / She is always easy *game* for playing mahjong. 彼女はマージャンをやるといつもいいカモになる.

Ⅳ [駆け引きを楽しむこと]

6 Ⓒ 〔略式〕 〔通例単数形で〕 計画, 計略(trick), 意図, うまい手;(商売などの)競争, 駆け引き ‖ the *game* of war [politics] 戦略[政略] / have a *game* with him 彼をだます / play a dangerous [double] *game* 危ない芝居[表裏両様の手]を打つ / play a deep *game* 念入りにたくらむ / 〔see through [discover] his *games* 彼の手口を見抜く / None of your (little) *games*! 〔文〕その手に乗らないぞ / *The gáme is úp.* 〔略式〕 計画が失敗した[ばれた], 万事休す;年貢の納め時だ / The *game* isn't worth the candle. 〔主に英略式〕 その計画は労力[金, 時間]をかけてもむだだ.

ahéad of the gáme [「試合で先行して」の意から] 〔米略式〕 他の者よりまさって, 有利に;定刻より早く.

háve the gáme in one's *hánds* 勝利のかぎを握っている.

óff one's *gáme* [自分の(いつもの)試合ぶり(game 图 2)からはずれて(off 副 5)]〈人が〉いつもの出来より下で;不利な情勢で.

on one's *gáme* 〈人が〉いつもの出来以上で;有利な情勢で.

pláy gámes with A …をおもちゃにする, …をからかう ‖ Stop *playing games with* me. もう冗談はよせ.

pláy A's gáme = *pláy the gáme of A* 〔通例命令・否定文で〕 無意識に〈人〉の利益になることをする.

pláy the gáme 〔略式〕 〔通例命令文・否定文で〕 正々堂々と行動[競技, 試合]する.

spóil the gáme せっかくの骨折りをむだにする.

What's the [A's (*little*)] *gáme*? 〔略式〕いったい何事を しているのだ, 〈人〉はどうしたのか.

— 形 (~r, ~st) **1** 〔シャモのように〕勇敢な, くじけない;元気のよい ‖ a *game* fight 闘志のある戦い / die *game* 最後まで闘争する, 奮戦して死ぬ. **2** 〔略式〕〔補語として〕〔…する〕勇気[元気, 意志]がある〔*for*, to do〕 ‖ She's *game* for [to do] anything impossible. 彼女にはどんな不可能なことにでも立ち向かう勇気がある.

— 動 (**gam·ing**) 国 〔文〕ばくちを打つ(gamble).

gáme bàg (狩の)獲物袋.
gáme bìrd 狩猟鳥《◆winged game は猟鳥類》.
gáme fìsh (釣りの対象になる)釣魚.
gáme fòwl (闘鶏用の)シャモ;狩猟鳥.
gáme làws 狩猟法.
gáme lìcense [〔英〕licence] 狩猟鑑札.

gáme plàn 〔米〕戦略, 作戦.
gámé pòint (テニスなどの)ゲームの決勝点.
gáme presèrve [resérve, pàrk] 禁猟区.
gáme shòw (テレビの)クイズ番組.
gámes màster [místress] 〔英〕 体育教師[女教師].
gámes ròom 競技室《◆ game room は「ゲーム室」》.
gáme(s) théory [the ~] ゲーム理論《最大の利益・最小の損失を追求する数学理論》.
gáme wàrden 猟区管理人.

game·cock /géimkàk | -kɔ̀k/ 图 闘鶏, シャモ.
game·keep·er /géimkì:pər/ 图 狩猟番人.
games·man /géimzmən/ 图 (⑤ -men) Ⓒ (スポーツなどに)反則すれすれのプレーをする選手((PC) games player).
gámes·man·shìp 图 Ⓤ 〔略式〕 反則すれすれのプレー[手段].
game·ster /géimstər/ 图 ⓒ 賭博(と ば く)師(gambler).

gam·in /gǽmin/ 〔フランス〕 图 Ⓒ 街をほっつき歩く少年;街のわんぱく小僧;浮浪児.
gam·ing /géimiŋ/ 動 → game. — 图 Ⓤ (やや略)賭(か)け事, 投機.
gam·ing-table /géimiŋtèibl/ 图 Ⓒ 賭博用テーブル.
gam·ma /gǽmə/ **1** Ⓤ ガンマ《ギリシアアルファベットの第3字(γ, Γ). 英字の g, G に相当》. → Greek alphabet. **2** [G~] 〔天文〕 ガンマ星《星座の中で3番目の明るさの星》. **3** Ⓒ 〔物理〕 = gamma ray.
gámma rày 〔通例 ~ rays, 複数扱い〕 ガンマ線 (gamma radiation).
gam·mon /gǽmən/ 图 Ⓒ 〔主に英〕ガモン《後脚・腹下部のベーコン用豚肉》;燻(くん)製ハム.
gam·ut /gǽmət/ 图 〔通例 the ~〕 (感情・物事などの)全領域, 全範囲 ‖ When I was at college, I *ran* the whole *gamut* of sports. 私は大学にいたころありとあらゆるスポーツを経験した《◆…, I tried my hand at all sports. の方が自然》.

†**gan·der** /gǽndər/ 图 Ⓒ 〔鳥〕 ガチョウ[ガン]の雄 (male goose) (↔ goose).
Gan·dhi /gɑ́:ndi | gǽndi/ 图 **1** ガンジー《**Mohan·das**/móuhəndɑ̀:s/ K. ~ 1869-1948;インド民族独立運動の指導者. Mahatma Gandhi (偉人ガンジー)とも呼ばれる》. **2** ガンジー《**Indira**/indírə, índərə/ ~ 1917-84;インドの政治家・首相(1966-77, 1980-84)》.
Gan·dhi·an /gɑ́:ndiən | gǽn-/ 形 ガンジー(提唱)の.

*****gang** /gǽŋ/
— 图 (~ s/-z/) Ⓒ 〔単数・複数扱い〕 **1** 〔略式〕 (悪漢・犯罪者などの)一団, 一味;ギャング, 暴力団《◆ 1人の場合は a member of a gang》 ‖ Unfortunately, he got mixed up with a *gang*. 残念なことに彼は暴力団の仲間になった.
2 (囚人・奴隷・労働者などの)群れ, 仲間.
3 〔略式・小児語〕 遊ぶ友だち;(排他的な)仲間 ‖ a motorcycle *gang* 暴走族グループ / Can I join your *gang*? ぼくも仲間に入れてよ.

— 動 国 〔略式〕集まる(+*together*);集団で行動する〔襲う〕(+*up*);〔…と〕団結する,〔…に〕加わる(+*up*)〔*with*〕 ‖ *gang up* to strike 団結してストライキをする / Why do you want to *gang up* on [against] a little child? 小さい子供をよってたかって襲う[いじめる]もんじゃないよ / The twins *gang up* with each other. その双子は互いに行動を共にしている(=The twins behave in the same way.).

Gan·ges /gǽndʒi:z/ ⓝ the ~ (River) ガンガー川, ガンジス川.
gan·gling /gǽŋgliŋ/ 形 〈人が〉やせて背の高い, ひょろひょろした.
gan·gli·on /gǽŋgliən/ 图 ⓟ **··gli·a**/-gliə/, **~s**) ⓒ 1 〔解剖〕神経節. 2 〔医学〕(結)節腫瘍.
gang·plank /gǽŋplæŋk/ 图 ⓒ〔海事〕(船の)タラップ《◆「タラップ」はオランダ語から. 飛行機の場合は ramp》.
gan·grene /gǽŋgri:n, (米)-́-/ 图 ⓤ〔医学〕壊疽(え), ばい毒. (道徳的)腐敗. ── 自 壊疽になる; 腐敗する.

†**gang·ster** /gǽŋstər/ 图 ⓒ ギャング(の一員), やくざ, 暴力団員《◆集団・グループは gang》‖ a *gangster* movie [film] ギャング映画 / speak like a *gangster* チンピラのような口のきき方をする.

†**gang·way** /gǽŋwèi/ 图 1 (建物・船・列車内の)通路‖ a central *gangway* (列車・船の)中央通路. 2 (英)(劇場・講堂などの座席間の)通路(米) aisle; 〔英議会〕(幹部議員席と平議員席を分ける)通路‖ members above [below] the *gangway* 幹部[平]議員. 3〔海事〕舷門《舷梯(ぶ)の出入口》; =gangplank.

gant·let /gǽntlət, gɔ́:nt-/ 图 =gauntlet.
gan·try /gǽntri/ 图 ⓒ 移動起重機, ガントリークレーン;(それが走る)構台.
†**gaol** /dʒéil/ 图〔英古風〕(英正式)图 動 =jail.
gaol·er /dʒéilər/ 图(英) =jailer.

*__gap__ /gǽp/〖「壁や生垣のすき間」が原義. cf. gape〗
── 图 (~s/-s/) ⓒ
Ⅰ〔物理的開口部〕
1〔壁・塀・生け垣などの〕**すき間**, 破れ目, 割れ目, 切れ目〔in, between〕‖ a *gap* in the fence [between] the curtains) 塀[カーテン]のすき間.
Ⅱ〔隔たり〕
2 a 〔連続的なものの〕**とぎれ**, 切れ目, 空白; 欠陥, 欠落〔in〕‖ a *gap* in the traffic 車の流れのとぎれ / The neighbor's dog got in through a *gap* in the hedge. 隣の犬が生け垣のすき間から入った. b 〔時間・空間の〕隔たり〔of〕‖ For the newly-married couple, a *gap* of three years is too long. その新婚夫婦にとって3年間の隔たりはあまりにも長すぎる.
Ⅲ〔抽象的な隔たり〕
3〔意見・性格などの〕**相違**, 不一致〔between〕; (貿易などの)不均衡‖ the generation *gap* 世代の断絶 / a credibility *gap* 不信感; 断絶感 / a trade *gap* 輸入超過.
brídge [clóse, fíll, stóp, supplý] the [a] gáp〔…の〕すき間をふさぐ, 不足を補う〔in〕.

†**gape** /géip/ 動 1 (正式) (飲み込んだりするために)大きく口を開ける. 2 (驚きで口を開けて) 〔…を〕ぽかんとして見る (gaze) 〔at〕‖ make people *gape* 人を驚かせる. 3 (正式) 〈傷口・地殻・衣服などが〉大きく開いている〔開く〕(gape open).

gap-fill /gǽpfìl/ 图 ⓒ (テストの)穴埋め形式, 空所補充形式.
*__ga·rage__ /gərɑ́:dʒ | gǽrɑ:dʒ, -ridʒ/〔発音注意〕《◆英国人は米音を好まない》〖「避難所」が原義〗
── 图 (~s/-iz/) ⓒ 1 **ガレージ**, (自動車の)車庫‖ a house with a *garage* ガレージつきの家 / put the car in the *garage* ガレージに車を入れる / drive the car out of the *garage* ガレージから車を出す. 2 (自動車の)修理[整備](販売)工場; (英)ガソリンスタンド (service station).
── 動 他 …をガレージ[修理場]に入れる.

garáge sàle(米) ガレージ=セール《引っ越しなどに伴って自宅(特にそのガレージ)で行なう不要中古家具・衣類などの安売り. cf. tag sale, yard sale》.
garáge shòp(米) ガレージ=ショップ《ガレージを改造したような小工場》.

†**garb** /gá:rb/ 图 (文) 1 ⓤ 身なり, 衣服 (clothes); (職業・時代・民族などを表す)服装. 2 ⓒⓤ 外観, 外形. ── 動 他 (通例 be ~ed / ~ oneself) 〔…の〕服装をする〔in〕.

*__gar·bage__ /gá:rbidʒ/〖「動物の内臓」が原義〗
── 图 1 ⓤ (主に米)〔台所・調理室から出る〕**生ごみ**, くず (refuse, rubbish). 2 (略式)〔比喩的に〕がらくた, ばかげたこと[もの], つまらぬもの〔考え〕‖ This report is just *garbage*. この報告書はくず同然だ. 3〔コンピュータ〕不要データ.
gárbage càn(米)(生)ごみ入れ(英) dustbin.
gárbage chàracters 文字化けした文字.
gárbage colléction〔コンピュータ〕ごみ集め, 不要データの整理《メモリー内の不要なデータを削除し, その記憶領域を再度利用できるようにする操作》.
gárbage colléctor [màn](米)ごみ収集人((英) dustman)《◆(米)では遠回しに sanitation engineer ともいう》.
gárbage dispósal(米)生ごみ粉砕機 (英) waste disposal.
gárbage trùck [wàgon](米)ごみ収集車(英) dustcart.

gar·ble /gá:rbl/ 動 他 1 (うっかり)…を取り違える; …を誤って伝える. 2 (故意に)歪曲する.── 图 ⓒⓤ 1 歪曲(されたもの). 2〔コンピュータ〕文字化け.
gar·bled /gá:rbld/ 形 1 誤って伝えられた, 歪曲した. 2〔コンピュータ〕文字化けした‖ *garbled* e-mail 文字化けした電子メール.

gar·çon /ga:rsóun | gá:sɔn/〔フランス〕图 (~s) ⓒ 1 〔呼びかけ〕(レストランの)ボーイ(さん). 2 (未婚の)若者; 少年.

*__gar·den__ /gá:rdn/〖「囲い地」が原義〗 ⓡ gardener (名)
── 图 (~s/-z/) 1 ⓒⓤ **庭**, 庭園; 果樹園;(野)菜園《◆ふつう植木・草花・果物・野菜を植えてある庭.(米・豪)ではこの意味で garden も使う. cf. yard²》‖ a bit [much] of *garden* 狭い[広い]庭 / have a large [small] *garden* 大きい[小さい]庭がある / I want to make [grow] a *garden* in front of my new house. 私は新築した家の前に庭を作りたい / 日本紹介» *Karesansui* refers to a Japanese *garden* made exclusively of stones and white sand. 枯山水は, 石と白い砂だけで造られた日本庭園である.

> 使い分け [garden と yard]
> *yard* は「敷地内の, 家屋の周りの空き地」の意.
> *garden* は「草木を植えたりする場所」の意.
> They are playing badminton in the *yard* [ˣ*garden*]. 彼らは庭でバドミントンをしている.
> There are many flowers in the *garden* [ˣ*yard*]. 庭にはたくさんの花が咲いている.

2 ⓒ 〔しばしば Gardens〕**公園**, 遊園地; 屋外の軽飲食店‖ botanical [zoological] *gardens* 植物[動物]園 / Kew Gardens キュー王立植物園《◆ London 郊外にある》/ If you have any free time tonight, would you like to go to a béer gàrden? もし今夜暇でしたらビアガーデンに行きませんか.

3 [Gardens] [地名に続いて] …街, …広場(略 Gdn(s)) ‖ Sússex Gárdens サセックス街. **4** [形容詞的に] 庭の, 庭に植えてある; (略式) ありふれた ‖ gárden apártments 庭に囲まれたアパート / gárden plants 園芸植物.

léad [down] the gárden páth 「人を迷路のような庭園に案内する」(略式)〈人〉を迷わす, だます.
── 動 (自) 庭を作る, 園芸[庭いじり]をする.

gárden cénter 園芸用品販売所.
gárden cháir = lawn chair.
gárden cíty [súburb] 田園都市[住宅地].
gárden párty (英) 園遊会((米) lawn party).
gárden páth 庭園の小道.
Gárden Státe (愛称) [the ~] ガーデン州(→ New Jersey).
gárden stúff (英) (菜園栽培の) 野菜類.
gárden trówel 移植ごて.

†**gar·den·er** /gáːrdnər/ 名 Ⓒ **1** 植木屋, 庭師 [庭いじり]をする[の好きな]人 ‖ a skillful gardener 腕のいい庭師. **2** (俗) [野球] 外野手.

gar·de·ni·a /gɑːrdíːnjə, -niə/ 名 Ⓒ [植] クチナシ; その花.

†**gar·den·ing** /gáːrdniŋ/ 名 Ⓤ 造園[園芸](術), ガーデニング; 庭師の仕事 ‖ My father's hobby is gardening. 父の趣味は園芸です / do the gardening 庭いじりをする.

G

Gar·field /gáːrfiːld/ 名 ガーフィールド《James A. ~ 1831-81; 米国の第20代大統領(1881)》.

gar·gan·tu·an /gɑːrgǽntʃuən, -tjuən/ 形 [フランスの小説 Gargantua の主人公, 巨大で大食漢の Gargantua から] 形 [時に G~] 巨大な; ものすごい量の.

gar·gle /gáːrgl/ 動 (自) […でうがいをする]; (with). **2** がらがら声で言う[歌う]. ── 動 (他) **1** 〈のど・口〉をうがいする.
── 名 **1** Ⓒ Ⓤ うがい薬. **2** [a ~] うがい(をすること).

gar·goyle /gáːrgɔil/ 名 Ⓒ **1** ガーゴイル, 樋嘴(ひぐち)《ゴシック式教会の屋根などにある怪獣の形をした雨水の落とし口》. **2** 奇怪な形の彫像.

Gar·i·bal·di /gærəbɔ́ːldi/ 名 **1** ガリバルディ《Giuseppe /dʒuːsépi, -zépi/~ 1807-82; イタリア統一運動の志士》. **2** [g~] Ⓒ (ガリバルディの軍服の赤シャツをまねた) 女性・子供用のゆったりとしたブラウス.

gar·ish /gǽəriʃ/ 形 **1** まぶしい, ぎらぎら輝く(glaring). **2** けばけばしい, どぎつい, はでな.
gár·ish·ly 副 はでに.

†**gar·land** /gáːrlənd/ 名 Ⓒ **1** (頭や首につける) 花輪, 花冠(wreath). ── 動 (他) を花輪で飾る.

†**gar·lic** /gáːrlik/ 名 Ⓤ [植] ニンニク(の球根)《◆昔魔よけに用いられた》 ‖ a clove of garlic ニンニクの1片.

†**gar·ment** /gáːrmənt/ 名 Ⓒ (正式) 衣服 (の一品) 《ドレス・上着など. 特にメーカーの用語》; [~s] 衣類, 着物(clothes) ‖ a sports garment スポーツ着 / She wore a loose garment. 彼女はゆったりとした上衣を身につけていた.

gárment bàg 衣装袋《背広などをハンガーにつるしたまま運ぶ袋》.
Gárment Cènter [the ~] ガーメント=センター《衣類が製造・卸売りされる New York 市の一地域》.

†**gar·ner** /gáːrnər/ 動 (他) **1** …を収穫して穀物倉に蓄える(+up, in). **2** (情報などを) 集める, 蓄積する.

†**gar·net** /gáːrnit/ 名 **1** Ⓤ Ⓒ [鉱物] ざくろ石, ガーネット《◆1月の誕生石》. **2** Ⓤ ガーネット色, 深紅色.

†**gar·nish** /gáːrniʃ/ (正式) 動 (他) **1** 〈物・事〉を […で]装飾する, 飾る(with). **2** 〈料理〉に […を]添える(料理に […を]添える)(with). **3** (装飾.
── 名 **1** Ⓒ (料理の) つま, つけ合わせ. **2** Ⓒ Ⓤ 装飾

(文章の) 美辞麗句.

†**gar·ret** /gǽrət/ 名 Ⓒ (正式) 屋根裏; (小さな, 汚い) 屋根裏部屋(cf. attic).

†**gar·ri·son** /gǽrisn/ 名 Ⓒ **1** [集合名詞; 単数・複数扱い] 守備隊, 駐屯軍 ‖ on garrison 守備について.
2 (守備隊が守る) 要塞(さい), 駐屯地. ── 動 (他) (正式) **1** …に守備隊を置く; 〈軍隊・兵士〉を守備隊として駐屯[配置]させる. **2** 〈軍隊・兵士などが〉要塞・都市などを占拠する.

gárrison státe 軍事[軍人]国家.
gárrison tówn 守備隊駐屯地.

gar·ru·lous /gǽrjələs/ 形 (正式) おしゃべりな.
gar·ru·li·ty /gərúːləti/ 名 Ⓤ おしゃべり.

†**gar·ter** /gáːrtər/ 名 **1** Ⓒ (主に米) [通例 ~s] ガーター, 靴下留め; (英) suspenders); (ワイシャツのそでを押えておくための) ゴムバンド. **2** [the G~] (英) ガーター勲章《英国のナイトの最高勲章. ガーターは男子は左ひざ下, 女子は左腕に付ける. その他首飾り・星章から成る》; ガーター勲位(the Order of the Garter); ガーター勲章受勲者 ‖ a Knight of the Garter ガーター勲爵士(略) KG).

gárter bèlt (米) ガーターベルト((英) suspender belt)《ウエストで締める女性用靴下留め》.
gárter snàke [動] ガータースネーク《北米産のヘビ》.

*****gas** /gǽs/ 《chaos「大気」からの造語》
── 名 (~·es, (米ではしばしば) ~·ses/-iz/) **1** Ⓤ 気体(→ fluid) ‖ Hydrogen is a lighter gas than oxygen. 水素は酸素より軽い気体である.

2 Ⓤ (空気以外の) 気体ガス; (灯用・燃料用の) ガス, 石炭ガス; 毒[催涙]ガス; (略式) 麻酔ガス; (坑内の) 爆発ガス; (米) (腹の中の) ガス ‖ Be careful. In this bottle, there is a mixture of gases. 気をつけて. このビンの中にはガスの混合物が入ってますよ《◆複数形は「数種類のガス」を表す》/ light the gas ガスに火をつける / put a pot on the gas ガス台にポットをかける / tùrn ón [óff, dówn] the gás (栓をひねって) ガスをつける[止める, 小さくする].

> [関連] [いろいろな種類のガス]
> fuel gas 燃料ガス / natural gas 天然ガス / laughing gas 笑気ガス / poison gas 毒ガス / tear gas 催涙ガス.

3 Ⓤ (主に米式) ガソリン《◆ gasoline の短縮語. (英) petrol》 ‖ I stopped the car for gas at the local filling station. 私はガソリンを入れるためにその地方のガソリンスタンドで車を止めた. **4** (米式) [the ~] (自動車の) アクセル. **5** Ⓤ (米) むだ[自慢]話, ほら.

I'm [I've run] out of gas. 疲れてくたくただ, ガス欠だ.

stép [trámp, tréad] on the gás = **gíve it the gás** (略式) アクセルを踏む, スピードを出す; 急ぐ, 行動を早める.

── 動 (過去・過分 gassed/-t/; gas·sing) (他) **1** …にガスを供給する; (米式) 〈車・飛行機などに〉ガソリンを入れる (+up). **2** [be ~sed] 〈人が〉ガス中毒になる, ガス中毒で死ぬ, ガスで攻撃される; (俗) 酔っ払う. **3** …をガスで処理する[焼く]; …のけばを焼く. **4** (略式) […について] 長いあいだ話をする (+on) (about).

gás bùrner ガスの火口, ガスバーナー; ガス燃焼器.
gás chàmber ガス処刑室.
gás còoker = gas-cooker.
gás èater = gas guzzler.
gás èngine ガス内燃機関.

gás fire ガスの火；(英) =gas heater.
gás fitting ガス工事(業)；[~s] ガス器具(類).
gás gùzzler (ガソリン消費の多い)大型自動車.
gás hèater ガスヒーター.
gás hèlmet [màsk] 〔軍事〕防毒マスク((英) respirator).
gás làmp ガス灯.
gás lèak ガスもれ.
gás lìghter ガス点火器；ガスライター.
gás màin ガス本管.
gás òven (料理の)ガスオーブン；ガス処刑室.
gás pòker (炉の)点火棒.
gás rìng ガスこんろ.
gás stàtion (米略式)ガソリンスタンド((英) petrol station)《◆*gasoline stand* は誤り. → filling station》.
gás stòve [(米) rànge] (料理用)ガスレンジ, ガスこんろ《◆(英) gas-cooker ともいう.「ガスストーブ」に当たるのは gas heater, (英) gas fire》.
gás tànk ガスタンク(gasometer)；(米)ガソリンタンク.
gás tàr コールタール(coal tar).
gás wèll 天然ガス井(%).
Gas·con /gǽskən/ 图C **1** (フランス南西部の)ガスコーニュ地方(Gascony)の(人)《◆ほら吹きだとされる》. **2** [g~] 大ぼら吹き(の), 自慢屋(の).
gas-cook·er /gǽskùkər/, **gás còoker** 图C =gas stove.
†**gas·e·ous** /gǽsiəs, (米)-ʃəs, (英)-ɡiəs, -ɡēiz-/ 形 **1** ガス(体)の, ガス状の ‖ *gaseous* matter 気体. **2** (略式)実体のない, はっきりしない；不安定な.
gas-fired /gǽsfàɪərd/ 形 ガスの火の, ガスストーブの.
†**gash** /ɡǽʃ/ 图C **1** (体・物の)長く深い切り傷 [*in, on*] ‖ a *gash on* [*in*] one's cheek ほおの深い傷. **2** (地面の)深い割れ目. ──動他 …を深く傷つける, 深く裂く.
gas·hold·er /gǽshòʊldər/ 图C ガスタンク(gasometer).
gas·house /gǽshàʊs/ 图C =gasworks.
gas·i·fi·ca·tion /gǽsəfɪkéɪʃən/ 图U ガス化, 気化；(未採掘石炭の)ガスの地下発生.
gas·ket /gǽskɪt/ 图C ガスケット《液体・気体の漏れ止めの金属・ゴムなど》.
gas·light /gǽslàɪt/ 图 **1** UC ガス灯の光. **2** C ガス灯；ガスの火口.
gas·man /gǽsmæ̀n/ 图 (複 **-men**) C (略式)ガス会社員, ガス検針人；ガス集金人((PC) gas company employee, (gas) meter reader).
***gas·o·line,** (英ではしばしば) **-lene** /gǽsəlìːn, (米)ˌ-ˈ-/ 〔ガス(gas)オイル(oline)に〕──图U (主に米) ガソリン((主に英略式) gas, (英) petrol) ‖ My car doesn't use much *gasoline*. 私の車はあまりガソリンを食わない. 関連 regular レギュラーガソリン / unleaded /-léd-/ 無鉛ガソリン.
gas·om·e·ter /ɡæsɑ́mətər /-ɔ́m-/ 图 **1** ガス計量器[貯蔵器]. **2** ガスタンク(gasholder, gas tank).
†**gasp** /ɡǽsp | ɡɑ́ːsp/ 動自 **1** 〈人が〉〔驚き・恐怖・苦痛などで〕はっと息をのむ, 息がとまる〔*at / with, in*〕‖ I *gasped in* [*with*] surprise *at* the horrible picture of the starving people. 飢えた人たちの悲惨な写真にはっと息がのんだ. **2** 〈人が〉〔空気などを〕求めてあえぐ, あえあえと言う, (略式) [be ~ing]〔物, 特に飲み物やタバコなど〕をとても欲しいと思う〔*for*〕‖ Jane *was gasping for* water after she ran in the marathon race. ジェーンはマラソンを走

ったあとでとても水を欲しがった. ──他 〈人が〉〈言葉など〉をあえぎながら言う(+*out, forth*) ‖ *gasp* (*out*) a few words あえいで二言三言いう / "I can't walk any farther," he *gasped*. 「もう歩けない」と彼はあえいで言った《◆ ×He gasped that he couldn't walk any farther. のように間接話法に用いるのは不可》.
──图C (驚きなどで)はっとすること, あえぎ, 息切れ ‖ give a *gasp* of surprise 驚いて息をのむ.
at one's *lást gásp* (略式) (1) 死にかかって. (2) 終わりかけて. (3) へとへとに疲れて.
to the lást gásp 息をひきとるまで, 最期まで.
gas·sy /gǽsi/ 形 (**-si·er, -si·est**) ガス状の；ガスの充満した.
gas·tric /gǽstrɪk/ 形 〔医学〕胃の, 胃部の.
gas·tron·o·my /ɡæstrɑ́nəmi | -trɔ́n-/ 图U (正式) **1** 美食術[学]；料理学. **2** (特定地域の)料理法.
gas·tro·pod /gǽstrəpɑ̀d | -pɔ̀d/ 图C 腹足類の動物《ナメクジ・カタツムリなど》. ──形 腹足類の.
gas·works /gǽswə̀ːrks/ 图C [単数・複数扱い] ガス工場[製造所].

gate /ɡéɪt/ (同音) gait)〔「開いている所・穴」が原義〕

──图 (複 ~s/ɡéɪts/)

I [門]

1 C 門；とびら, 木戸；出入口, 城門《◆ 両開きの場合は gates》 ‖ enter at the *gate* 門から入る / go [pass] through the *gate* 門をくぐり抜ける / a main [back] *gate* 正門[裏門].

II [門に似た形状のもの]

2 C 門に似た狭い通路；(運河・ダムなどの)水門, 弁, バルブ；(空港の)ゲート；〔電子工学・コンピュータ〕ゲート.

III [比喩的な門]

3 C [比喩的に]〔…への〕門(戸)〔*to, for*〕；(俗)(人の)口 ‖ a *gate* to success 成功への道 / open「a *gate* [*the gate*(*s*)] *for* … …に門戸を開く, 機会を与える, 便宜を図る.

IV [門から出入りするもの]

4 U (英) (競技会, 特にサッカー・ラグビーなどの)入場者(数)；入場料(の総額).

at the gáte(*s*) *of* **A** …のすぐ近くに.

gáte mòney (略式)(競技会の)入場料(の総額) (→ 图 **2**).

gate·keep·er /ɡéɪtkìːpər/ 图C 門番, 門衛；踏切番.

gate-leg(ged) /ɡéɪtlèɡ(d)/ 形 折りたたみ(式)の.
gáte-lèg(ged) tàble 折りたたみテーブル.

gate·post /ɡéɪtpòʊst/ 图C 門柱(→ between 前 成句).

†**gate·way** /ɡéɪtwèɪ/ 图C **1** (塀(%)などの)扉・木戸で開閉できる)出入口, 通路；門構え. **2** [the ~；比喩的に]〔…への〕入口, 通路〔*to*〕；〔…への〕道, 手段〔*to*〕.

gath·er /ɡǽðər/〔「一緒になる」が原義〕

──動 (~s/-z/；過去・過分 ~ed/-d/；~·ing/-ərɪŋ/)
──他

I [物をひとまとめにする]

1 〈人・物が〉〈人・物〉を**集める**(collect), ひきつける；…をあちこちからかき[拾い]集める(+*in, together, up*)；…を蓄積する(↔ separate) → collect 使い分け 1) 類語 accumulate, amass) ‖ *Gather* the toys into the toy box. おもちゃをおもちゃ箱にまとめておきなさい / *gather* books *for* a term paper 学

期末のレポートを書くために文献を集める / *gather the team members around [about] the captain* 主将の周り[そば]に部員を集める / *Naples gathers many tourists.* 多くの観光客がナポリに押しかける / ***A rolling stone gathers no moss.*** (ことわざ)「転石苔(ﾆ)むさず」《◆「職をよく変える人は成功し[金持ちになれ]ない」というのが本来の意．(米)では「活動する人は常に新鮮である」の意にも用いる》．
2 〈人が〉〈農作物など〉を**取り入れる**, 収穫[採取]する(+*up, in*) ‖ *gather strawberries up* イチゴ摘みをする / *gather some flowers into a basket* かごに花を摘む / ***Gather Roses while you may.*** (ことわざ)若いうちに青春を楽しめ．
3 …を**巻く** ‖ *gather a muffler around one's neck* マフラーを首に巻く．
4 …にしわを寄せる；…を縮める；…にひだ[ギャザー]をとる(+*in, up*) ‖ *gather the brows* まゆをひそめる / *gather one's hair into a ponytail* 髪をまとめてポニーテールにする / *a skirt gathered* (*in*) *at the waist* 腰のあたりにひだをよせたスカート．

‖ [情報など抽象物を集める]
5 (正式)〈人が〉〈事〉を(…から)(観察して)**知る**(*know*), わかる(*learn*)(*from*)《◆文の主語は省略できない》; [*gather that*節]…だと(…から)推測する, 結論を下す(*from*) ‖ *from what I can gather* =*as far as I can gather* 察するところ / *I gather from what I hear that your business is doing well.* 聞くところによればあなたの商売はうまくいっているようですね / *I gathered from her words that her business is not doing well.* 私は彼女の言葉から彼女の商売がうまくいっていないと判断した．
6 〈速度・勢い・経験など〉を増す, 加える；〈力・思考など〉を集中する, 回復する(+*up*) ‖ *gather experiences* 経験を積む / *gather speed* [*pace*] 速度を増す / *gather volume* 大きくなる / *gather breath* (ひと休みして)息をつく / *gather oneself up* [*together*] 緊張する / *gather one's senses* [*wits*] 気を落ち着ける． **7** …を選び出す(+*out*)．

─ 自 **1** 〈人・物が〉(…の周りに)(寄り)**集まる**(+*round*)〔(*a*)*round, about*〕, たまる, かたまる ‖ *gather round* 集まる《◆ *gather together* は避けられる》 / *The children gathered around the teacher.* 子供たちが先生の周りに集まった / *Tears gathered in his eyes.* 彼の目に涙がたまった．
2 〈速度などが〉増大する, 増加する, 次第に募る．
─ 名 C (通例 ~s) (布などの)ひだ, ギャザー．

†**gath·er·ing** /gǽðəriŋ/ 名 **1** C 集まる[集める]こと, 集めたもの；(正式)集まり, 集会；群衆；U 採集, 収集；寄付 ‖ *a large gathering of scientists* 多くの科学者の集まり． **2** C (布の)ひだ, ギャザー．

GATT /gǽt/ 〖General Agreement on Tariffs and Trade〗 ガット《1948年に発効した関税と貿易に関する一般協定．→ Uruguay Round》．

gauche /góuʃ/ 〖フランス〗形 (正式) (社交的に)いたらない, 気がきかない, ぎこちない．

gau·cho /gáutʃou/ 〖スペイン〗名 (複 ~s) C ガウチョ《南米パンパスに住むカウボーイ．先住民とスペイン人の混血》．

gaud /gɔ́ːd/ 名 C (文) 安ものの装飾品[装身具], 安ぴか物；[~s] お祭り騒ぎ, はでな儀式．

†**gaud·y** /gɔ́ːdi/ 形 (--i·er, --i·est) 派手で；けばけばしい． **2** 美文調の, 飾りすぎた．
gáud·i·ness 名 U けばけばしさ；俗悪美．
gáud·i·ly 副 けばけばしく．

†**gauge**, (米ではしばしば) **gage**[2] /géidʒ/ [発音注意] 名 **1**

C U 標準寸法, 規格《◆針金の太さ・金属板の厚さ・弾丸の直径などの規格》‖ *38-gauge wire* 38番ワイヤー． **2** C (評価・判断の)尺度, 基準；手段, 方法 ‖ *a gauge of her ability* 彼女の能力を知る尺度． **3** C [しばしば複合語で] 計器, ゲージ ‖ *a rain gauge* 雨量計 / *a wire gauge* 針金ゲージ[測り] / *a tire pressure gauge* タイヤの空気圧計． **4** U 容積[量]；範囲． **5** C 銃のゲージ, 番径 (cf. caliber) ‖ *a 12-gauge shotgun* 12ゲージの散弾銃． **6** C U 〖鉄道〗(レールの)軌間 ‖ *stándard gáuge* 標準軌間《56.5インチ, 1435 mm》．
táke the gáuge of A 〈人・物〉の能力・価値・寸法などを計る[判断する, 見積もる]．
── 動 他 **1** (正式) (計器で)…を正確に計る ‖ *gauge the speed of the wind* 風速を計る． **2** 〈価値・性格・損害など〉を評価する；…を判断する；…を見積もる；…を推測する (*estimate*)．

gáuge·a·ble 形 測定[評価]できる．

Gau·guin /gougǽŋ/ 〖-/〗 名 ゴーギャン《Paul ~ 1848-1903；フランスの画家》．

†**Gaul** /gɔ́ːl/ 名 **1** U 〖歴史〗ガリア, ゴール《今のフランス・ベルギーなどを含むローマ帝国の一部．形容詞は Gal·lic》． **2** C 古代ガリア人；(戯) フランス人．

†**gaunt** /gɔ́ːnt/ (米+) gɑ́ːnt/ 形 **1** 〈人が〉(病気・飢え・心配などで)やせこけた；やせ衰えた, やつれた． **2** (正式) 〈土地・建物が〉荒涼とした, 陰うつな；気味の悪い．

†**gaunt·let** /gɔ́ːntlət/ (米+) gɑ́ːnt-/ 名 **1** (◆ *gantlet* ともいう) 〖中世の騎士の〗こて (籠手)． **2** 〈乗馬・バイク用などの厚手の〉長手袋．
táke [**pick**] **úp the gáuntlet** (1) 挑戦に応じる． (2) 弁護に立つ．
thrów [**fling, láy**] **dówn the gáuntlet** 挑戦する．

gáunt·let·ed 形 こてをつけた．

gauss /gáus/ 名 C 〖電気〗ガウス《磁束密度の CGS 電磁単位．(記号) G》．

Gau·ta·ma /gáutamə, góu-, (米+) gɔ́ː-/ 名 ゴータマ《シャカ (Buddha) の姓》．

†**gauze** /gɔ́ːz/ 名 U **1** (絹・綿などの) 薄織, 紗(ｼ), 絽(ｼ)；ガーゼ, (米) 包帯． **2** (正式) (細線の) 金網． **3** (正式) 薄もや, 薄がすみ．

gauz·y /gɔ́ːzi/ 形 (--i·er, --i·est) 紗(ｼ)のような, 薄く透き通った．

*****gave** /géiv/ 動 give の過去形．

gav·el /gǽvl/ 名 C **1** (議長・裁判官・競売人などが静粛を促すときに卓上をたたく) 小槌(ﾂ)． **2** 石工槌．

gawk·y /gɔ́ːki/ 形 (--i·er, --i·est) ぎこちない, 不器用な；不格好な；はにかみやの．

gawp /gɔ́ːp/ 動 自 (英略式) ぽかんと口をあけて見る (*gape*)．

†**gay** /géi/ 形 **1** (略式) 同性愛の, ホモ[レズ]の《◆同性愛者および彼らを支持する人たちが用い, 軽蔑(ﾂ)的な含みはない》‖ *a gay singer* ホモの歌手《◆「ふつう陽気な歌手」という意味にはならない》． **2** (古) (うきうきとして) 陽気な, 快活な, 明るい, 楽しい(↔ *sad*) ‖ *the gay voices* [*songs*] *of children* 子供たちの楽しげな声[歌] / *in the gay nineties* はなやかな1890年代に． **3** (文) 〈色・服装などが〉はでな, 鮮やかな ‖ *gay colors* はでな色．

── 名 C (略式) 同性愛者, ホモ, レズ．

gáy bár (同性愛者の集まる) ゲイ・バー．

gáy liberátion [G~ L~] 同性愛者擁護運動 (略 gay lib)．

gáy·ness 名 U 同性愛であること；陽気, 楽しさ；華やかさ．

gay·e·ty /géiəti/ 名 (米・英古) =gaiety.

gender 男[女, 中, 通]性.
gene /dʒíːn/ 图〔遺伝〕遺伝(因)子, ジーン, ゲン.
 géne bànk 遺伝子銀行.
 géne recombinàtion 遺伝子組み換え.
 géne technòlogy 遺伝子工学.
 géne thèrapy 遺伝子治療.
ge·ne·a·log·i·cal /dʒìːniəládʒikl, dʒèni-│-lɔ́dʒ-/ 形〔正式〕系図(上)の; 家系[血統]の.
gè·ne·a·lóg·i·cal·ly 副 系図上, 系図的に.
ge·ne·al·o·gy /dʒìːniǽlədʒi, dʒèni-│-ǽl-/ 图〔正式〕**1** Ｕ (人の)家系, 血統, 血筋; (動植物・言語などの)系統, 系譜. **2** Ｃ 家系図, 系譜; 系統図(◆family tree より堅い語). **3** Ｕ 系図[系譜]学.
gen·er·a /dʒénərə/ 图 genus の複数形.
***gen·er·al** /dʒénərəl/ 〔「種族(gen)を導く人」が原義. cf. genus〕派 generally (副), generalize (動)
 ――形〔◆**1** を除いて比較変化しない〕[通例名詞の前で]
 I [おおよその]
 1 概略の, 漠然とした, 大ざっぱな(↔ detailed) ‖ a *general* idea [concept] 一般概念 / *general* principles 原則 / *general* rules 総則 / bear a *general* resemblance to the original 原本にほぼ似ている / speak in *general* terms 大ざっぱに言う.
 II [全体の]
 2 (部分的でなく)**全体的な**, 全般的な, 全体が参加する; 世間一般の, ふつうの; 大多数の人[場所]に共通する(↔ partial, particular) ‖ a *general* catalogue 総目録 / a *general* custom 世間一般の慣習 / the *general* opinion 世論 / the *general* public [単数・複数扱い] 一般大衆 / This word is still *in general use*. この単語はまだ広く使われている / work for the *general* welfare 公共の福祉のために働く.
 III [一般的な]
 3 (専門的でなく)**一般的な**, 雑多な(↔ special) ‖ *general* affairs 庶務 / English as a *general* education course (大学の)一般教養の英語.
 IV [全体を総括する人]
 4 将官級の, 高い地位の; [官職名の後で; しばしば G～] 長……, ……長官 ‖ a governor *general* 総督 / a *general* manager 総支配人 / a *general* editor 編集主幹.
 as a géneral rúle =*in a géneral wáy* 一般に, 概して.
 ――图(複 ～s/-z/) Ｃ〔軍事〕**大将**, (一般に准将以上の)将官; 将軍; 軍司令官(◆通例将官は General Eisenhower (アイゼンハウアー将軍)のように姓の前に General を付けて呼ぶ. 呼びかけも可) ‖ a brigadier [major, lieutenant] *general* 陸軍准将[少将, 中将] / a (full) *general* 陸軍大将.
****in géneral*** (1) 一般に, たいてい ‖ *In general*, she is an early riser. 彼女は普段早起きだ《◆generally より堅い表現》. (2) [名詞の後で] *in general*, たいていの(↔ in particular) ‖ people *in general* 一般の人々《◆most people より堅い表現》.
 Géneral Américan 一般アメリカ英語; 標準米語《中西部方言の古い名称》.
 géneral anesthésia〔医学〕全身麻酔(法).
 Géneral Assémbly [the ～] (1) (米国の)州議会. (2) 国連総会(略 GA). (3) (長老派教会の)大会. (4) (ニュージーランド)立法府, 国会.
 géneral cóntractor 総合建設請負業者, ゼネコン.
 géneral delívery〔米〕局留め郵便; 局留め郵便課

((主英) poste restante).
 géneral eléction〔米〕一般選挙(↔ primary election);〔英〕総選挙(↔ local election).
 Géneral Eléction Dày〔米〕総選挙日; 4年目ごとの11月の第1月曜日の次の火曜日.
 géneral héadquarters〔米軍事〕[通例複数扱い] 総司令部(略 GHQ).
 géneral hóspital 総合病院; 陸軍病院.
 géneral knówledge 一般的な[広い]知識; 周知のこと.
 géneral méeting 総会.
 Géneral Mótors ゼネラルモーターズ《米国の自動車会社. 略 GM》.
 géneral póst òffice [the ～] (1) [G～ P- O-] ロンドン中央郵便局, 郵政省. (2)〔米〕郵便本局(略 GPO).
 géneral práctice (専門診療に対して)全科診療.
 géneral practítioner〔英〕→ practitioner (略 GP).
 géneral reléase (映画などのロードショーの)封切り, 一般公開.
 géneral sèrvant 雑役婦[夫].
 géneral stàff [時に G～ S～]〔軍事〕[the ～; 集合名詞的に; 単数・複数扱い] 参謀幕僚.
 géneral stóre [[英] **shóp**] 雑貨店, よろず屋(→ variety store).
 géneral stríke ゼネスト, 総罷(ʰ)業.
 géneral térm (1)〔論理〕一般名辞;〔数学〕一般項. (2) [-s] 概括的な言葉.
gen·er·a·lis·si·mo /dʒènərəlísəmòu/『〔イタリア〕』(複 ～s) Ｃ (米来以外の)大元帥, 総司令官.
gen·er·al·ist /dʒénərəlist/ 图 Ｃ 多方面に能力・才能のある人, 万能選手; (官庁・企業での)一般[総合]職(◆jack-of-all-trade の〈PC〉語としても使われる)(↔ specialist).
†**gen·er·al·i·ty** /dʒènərǽləti/ 图〔正式〕**1** Ｕ 一般[普遍]性. **2** Ｃ [しばしば generalities] 一般法則, 概略 ‖ speak in *generalities* 大ざっぱに言う. **3**〔文〕 [通例 the ～; 複数扱い]〔……の〕大部分[多数]〔of〕.
gen·er·al·i·za·tion /dʒènərələzéiʃən│-lai-/ 图 **1** Ｕ 一般[普遍]化; 総合, 概括 ‖ make hasty *generalizations* 速断する. **2** Ｃ 一般概念, 通則; 帰納的結果.
†**gen·er·al·ize**,〔英ではしばしば〕**-ise** /dʒénərəlàiz/〔正式〕他 ……を概括[一般化]する;〔結論・法則などを〕〔……から〕引き出す, 帰納する〔*from*〕.――自 **1**〔……について〕〔漠然と〕概括[帰納]する〔*about/from*〕. **2** 一般的に[漠然と]話す;〈病気が〉身体全体に広がる.
***gen·er·al·ly** /dʒénərəli/『→ general』
 ――副 **1** 一般に, 広く; 概して, 大体 ‖ The theory is *generally* accepted. その理論は一般に認められている. **2** ふつうは, たいてい ‖ He *generally* [usually, ordinarily] gets up at seven. 彼はふつう7時に起きる.
 gènerally spéaking → speak 圈.
gen·er·al-pur·pose /dʒénərəlpɔ́ːrpəs/ 形 多目的の.
gen·er·al·ship /dʒénərəlʃìp/ 图 Ｕ **1** 大将に足る器量[手腕]; 兵法; 指揮[管理]能力. **2** 将官の職[地位, 身分].
†**gen·er·ate** /dʒénərèit/ 動 他 **1**〔正式〕……を発生させる(◆produce より堅い語);〈電気〉を起こす;〈考えなど〉を引き起こす. **2**〔数学・言語〕……を生成する, 記述[説明]する.

gay·ly /géili/ 副 =gaily.

†gaze /géiz/ 動 自 〈人が〉(賞賛・驚きの感情、興味をもって)…をじっと見つめる、凝視する〔at, into,〕(正式)〔on〕(cf. look) 類語 stare, gape)｜ She *gazed at* the fighting dogs with surprise. 彼女は驚いて犬をじっと見つめた / *gaze away* (*at* the sea) (海を)いつまでも見続ける; 遠く(の方)を見つめる / He *gazed* after his daughter until she was out of sight. 彼は娘の姿が見えなくなるまで見送った / Mary was *gazing* in wonder at her first snow scene. メリーは初めての雪景色を驚嘆して見つめていた.
――名〔単数形で〕注視、凝視｜with a *gaze* of admiration 感心した目で.
at gáze（驚いて）じっと見つめて.

gáz·er 名 じっと見つめる人.

ga·zelle /gəzél/ 名 〜**s**, 〔集合名詞〕**ga·zelle** ⓒ 〔動〕ガゼル〈小型のアンテロープの総称〉.

ga·zette /gəzét/ 名 ⓒ **1** 〔G〜; 新聞名に用いて〕…新聞. **2** 〔主に英〕官報〈◆英国では the London [Edinburgh, Belfast] *Gazette* の3つがあり、週2回発行で任命・破産などを公示する〉. 略 gaz.

gaz·et·teer /ˌgæzətíər/ 名 ⓒ 〔固有〕地名辞典; 地名索引.

GB 略 Great Britain. 〔野球〕game(s) behind ゲーム差.

GB 〔記号〕〔コンピュータ〕gigabyte ギガバイト《10⁹バイト》.

GCE 略 General Certificate of Education〈英国の中等教育修了証明書[試験]《GCSE, A/S level, A level の3段階がある》.

GCM 略 〔数学〕greatest common measure 最大公約数.

GCSE 略 General Certificate of Secondary Education〈英国の一般中等教育修了証[試験]《◆ふつう16歳で受ける.→ GCE》.

gd 略 good; guard.

GDI 略 gasoline direct injection（車の）筒内噴射ガソリンエンジン《よりクリーンな省エネエンジン》.

GDP 略 gross domestic product.

gds. 略 goods.

Ge 〔記号〕〔化学〕germanium.

GE 略 General Electric (Company) ジェネラル＝エレクトリック(社)《米国の電機メーカー》.

ge- /dʒi:/ 〔語要素〕→語要素一覧 (1.6).

†gear /gíər/ 名 〔「装置・用具」が本義〕
――名 (複 〜**s**/-z/) **1** ⓒ U 〔しばしば複合語で〕（車の）ギア、歯車; U 〔機械〕歯車装置、伝動装置｜low [high] *gear* (米) ロー[トップ]ギア / (英) bottom [top] *gear* / a car with four *gears* 4段ギアの車《前進3段(1st [bottom, low], 2nd, 3rd [top, high])と後進(reverse) 1段の4段》/ change [switch, shift] *gear* 変速する; 話し方[やり方]を変える / go [change] into second *gear* セカンドに入れる.

2 ⓒ 〔複合語で〕…装置｜the lánding *gear* (米)（航空機の）着陸装置. **3** U 〔略式〕〔集合名詞; 複合語で〕道具、用具一式; 家庭用品; 〔略式〕（若者向きの）服装(品)｜fishing *gear* 釣具.

in [into] *gear* (1) ギアが入って｜put the car *into gear* 車のギアを入れる. (2) 調子よく.

óut of gear (1) ギアが入っていないで[はずれて]. (2) 調子が狂って.

shift *one's* **géars** やり方[作戦]を変える.
――動 他 **1** 〔通例 be 〜ed〕〈車、機械などが〉…に連動される、ギアが入る〔to〕｜The car *was geared* up [down]. 車のギアを高速[低速]にした. **2** …にアを取り付ける. **3** …を〔…に〕適合させる〔to, for, toward〕｜*gear output to current demand* 生産を今の需要に合わせる.

géar·up /-ʌp/ 自 〔…のため/…するために〕準備を整える〔for / to do〕. ――他 (1) …を他 **1**. (2)〔通例 be 〜ed / 〜 oneself〕〔…のする〕準備をする〔for / to do〕｜*gear oneself up for* the big game 大試合にのぞんで体調を整える.

géar chànge [lèver, stìck] 名 =gearshift.

gear·ing /gíəriŋ/ 名 U 〔機械〕伝動装置; ギアの取り付け(方法、技術). **2** (英)（株式）ギアリング.

gear·shift /gíərʃìft/ 名 ⓒ (米) （主に自動車の）変速レバー、ギア転換装置 (英 gear change).

geck·o /gékou/ 名 (複 〜(e)s) ⓒ 〔動〕ヤモリ.

†gee¹ /dʒi:/ 間 （馬に向かって）**1** 急げ、はいはい. **2** 右へ(行け) (↔ haw). **gée hó, gée úp**（馬に向かって）急げ、はいはいし.

†gee² /dʒi:/ 間 =gee whiz.

gée whíz 〔主に米国用法〕〔軽い驚き・賞賛を表して〕おやまあ、へえ、うわー〈◆ Jesus の遠回し表現. 主に女性が用いる語で、これに対する男性語は by God〉.

geek /gí:k/ 名 ⓒ 〔米 俗〕熱中している人｜a computer *geek* コンピュータおたく.

†geese /gí:s/ 名 goose の複数形.

Ge·hen·na /gihénə/ 名 〔旧約〕ゲヘナ〈*Jerusalem* の近くの Hinnom の谷〉; 〔新約〕地獄、ゲヘナ.

Géi·ger-Múl·ler còunter /gáigərmjú:lər-/ ガイガー＝ミューラー計数管《放射能測定器. ふつう Geiger-counter》.

gei·sha /géiʃə/ 〔日本〕名 (複 gei·sha, 〜**s**) ⓒ = geisha girl. **géisha girl** 芸者、芸妓.

gel /dʒél/ 名 U ⓒ **1** 〔化〕ゲル、ジェル. **2** ゼリー状物質. **3** ゼリー状石けん〔整髪料〕.
――動 （過去・過分 gelled/-d/; gel·ling）自 **1** ゲル化する、ゼリー状になる. **2** （英）〈考えなどが〉固まる ((米) jell)｜うまくいく.

†gel·a·tin /dʒélətn/ -tin/, -tine /dʒélətn/ dʒélətín/ 名 ⓒ U **1** ゼラチン(状の物質)、精製にかわ｜vegetable *gelatin* 寒天 (agar-agar). **2** ゼラチンを主成分とするゼリー製品.

ge·lat·i·nous /dʒəlǽtənəs/ -tinəs/ 形 〔正式〕**1** ゼリー(質)の; 粘着性の. **2** ゼラチンの、ゼラチンを含む、ゼラチンに似た.

geld·ing /géldiŋ/ 名 ⓒ 去勢された動物、去勢馬.

†gem /dʒém/ 名 ⓒ **1** （特にカットして磨いた）宝石、宝玉 (jewel) ｜A very valuable *gem* was exhibited. とても高価な宝石が出品された. **2** ⓒ 〔略式〕（宝石のように）美しくて貴重なもの[人]、珠玉、逸品.
Gém Státe 〔愛称〕 〔the 〜〕宝石州 (→ Idaho).

Gem·i·ni /dʒémənài, -nì:/ 名 〔単数扱い〕 **1** 〔天文〕ふたご座、双子座《北天の星座》. **2** 〔占星〕双子宮、双子座 (cf. zodiac); ⓒ 双子宮生まれの人《5月21日-6月21日生》.

gemmed /dʒémd/ 形 〔宝石(のようなもの)で〕飾られた〔with〕.

gen. 略 gender; general(ly); generator; generic; genitive; genus.

Gen. 略 General; Genesis; Geneva.

†gen·darme /ʒɑ́:ndɑ:rm / ʒɔ́n-/ 〔フランス〕名 ⓒ **1** （フランス・ベルギーなどの）憲兵. **2** 〔地質〕ジャンダルム《主峰の前にそそり立つ耳状の岩峰》.

gen·der /dʒéndər/ 名 ⓒ U **1** （文化的・社会的役割としての）性｜*gender differences* [*distinctions*] 性差. **2** 〔文法〕（名詞・代名詞の）性（の区分）｜the masculine [feminine, neuter, common]

gen·er·a·tion /dʒènəréiʃən/ 〚生み出す(generate)こと→生み出されたもの〛
——名 (複 ~s/-z/)
I ［同時代に生み出されたもの］
1［集合名詞；単数・複数扱い］**同世代の人々** ‖ the present [past, coming] *generation* 現代[前代, 次代]の人々 / the rising *generation* 青年層.

II ［同じ元から生み出されたもの］
2 C **世代**, 一世代《子供が親と代わるまでの約30年間》；(親族中の)同一年齢層の人々 ‖ the younger [older] *generation* 若い[年輩の]世代の人々 / *from generation to generation* = *generation after generation* 代々.

III ［生み出すこと］
3 U 《正式》出産, 生殖；(電気・熱・ガスなどの)発生.
generátion gàp 世代の断絶.

†**gen·er·a·tor** /dʒènəréitər/ C 発生させる人[物]；《英》発電機《米》dynamo；(ガス蒸気などの)発生器.

ge·ner·ic /dʒənérik/ 形 **1**〘生物〙属の；属に特有な(略 gen.). **2** 一般［包括］的な；《文法》総称的な(↔ specific). **3** 無印の, ノーブランドの ‖ *generic* paper towels 無印のペーパータオル. ——名 [~s] ノーブランド商品 ‖ *Generics* are a more cost-effective option. ノーブランドの商品の方がより経済的できます.

ge·nér·i·cal·ly 副 属に関して, 一般［総称］的に.

†**gen·er·os·i·ty** /dʒènərásəti/ -5sati/ 名 **1** U〔…に対して〕物惜しみしないこと〔to, toward〕, 寛大, 寛容, 気前のよさ ‖ show *generosity in* dealing with criminals 犯人を寛大に扱う. **2** C [通例 generosities] 寛大な行為, 気前のよい行為.

†**gen·er·ous** /dʒénərəs/ 形 **1**〔…に人に対して〕気前のよい, 物惜しみしない, 寛大な〔with, in, about, over / to, toward〕(↔ stingy, ungenerous)；[A is generous to do = it is generous of A to do] A〈人〉が気前よく…する(⇒ 文法 17.5) ‖ a *generous* nature 鷹揚(おう)な性質 / a *generous* judge 寛大な裁判官 / He is *generous to* [*with*] his friends. 彼は友人に対して気前大だ / They are *generous* ⌈*with* their money [*in* helping others]. 彼らは金離れがよい［気前よく人を援助する］ / ⌈*It is generous of* you [You *are generous*] *to* donate so much money. そんなに多額の金を寄付するとは君は気前がよい / 〈対話〉"Let me pay for the lunch." "Oh, you're *generous* today. Thanks."「昼食は私におごらせて」「えっ, 今日は気前がいいなあ. ありがとう」《◆ しばしば you're *too generous* のように too を伴う》. **2** 〈物などが〉豊富な, たくさんの ‖ a *generous* helping of rice 山盛りのごはんのお代わり.

†**gen·er·ous·ly** /dʒénərəsli/ 副 **1** (物惜しみせず)気前よく, 寛大に；[文全体を修飾] 寛大にも. **3** 豊富に.

†**gen·e·sis** /dʒénəsis/ 名 (複 --ses/-sì:z/) **1** [G~]〘旧約〙創世記《旧約聖書冒頭の書. 略 Gen.》. **2** U C《正式》[通例 the ~] 起源, 発生, 創始.

†**ge·net·ic, –i·cal** /dʒənétik(l)/ 形 **1** 発生の, 起源の, 起源に関する ‖ a [the] *genetic* process 発生過程. **2** 遺伝子[学]の, 遺伝子[学]に関する.
genétic códe〘生化学〙[the ~] 遺伝暗号[情報].
genétic engineéring 遺伝子工学.
genétic informátion 遺伝子情報.
ge·nét·i·cal·ly 副 発生的に；遺伝学的に.
ge·net·ics /dʒənétiks/ 名 U [単数扱い] 遺伝学.

†**Ge·ne·va** /dʒəní:və/ 名 **1** ジュネーブ《スイス西南部の都市》. **2** ジュネーブ州. **3** Lake ~ = **the Lake of** ~ ジュネーブ湖《別名 Lake Leman》.
Genéva Convéntion [the ~] ジュネーブ条約《1864-65年 Geneva で決められた戦時傷病者の看護などに関する国際協定》.
Genéva cróss 赤十字章 (Red Cross).

Ge·ne·van /dʒəní:vən/, **Gen·e·vese** /dʒènəví:z/ 形 ジュネーブ(人)の；カルバン派の. ——名 (複 --vans [--vese]) C ジュネーブ人；カルバン派の人[信者].

Gen·ghis Khan /dʒéŋgis ká:n, gèŋ-/ 名 チンギス=ハン(成吉思汗)《1162?-1227；モンゴル帝国の始祖》.

†**gen·ial** /dʒí:njəl | -iəl/ 形 《正式》〈人・態度などに〉にこにこと愛想のよい, 朗らかで好感をもてる, 親切な (kindly) ‖ *genial* party 気楽なパーティー.
gén·ial·ly 副 愛想よく, 親切に. **gè·ni·ál·i·ty** /-niæl-/ 名 U 愛想のよさ, 親切.

gen·ic /dʒénik/ 形〘生物〙遺伝子の.

ge·nie /dʒí:ni/ 名 (複 ~s, **-ni·i**/-niài/) C (イスラム神話の)精霊, 妖精, 魔神 (jinn).

ge·ni·i /dʒí:niài/ 名 genius 4 と genie の複数形.

gen·i·tal /dʒénətl/ 《正式》形 生殖(器)の, 生殖(器)に関する. ——名 C 生殖器.

gen·i·tive /dʒénətiv/ 〘文法〙形 属格の. ——名 U = **genitive case**. **génitive cáse** 属格《◆ 英文法でいう所有格のこと. 英語では形式的には「名詞 + '(s)」と「of + 名詞」の2種類の所有格がある》.

***ge·nius** /dʒí:njəs/ 名 (複 ~·es/-iz/, 4 では **-ni·i**/-niài/) **1** U (生まれつきの創造的)**才能**, 天分；[a ~]〔技芸などの〕非凡な才能〔*for*〕《類語》genius は talent よりも意味が強く, 非常に特異な能力とその能力を持つ人物を意味する. talent は特別な能力だけを指す》‖ a man of *genius* 天才 / have a *genius for* music 音楽の才能がある / show *genius* in painting 絵の才能を見せる /〈ジョーク〉"Do you know the difference between *genius* and stupid?" "*Genius* has its limits." 「天才とばかの違いってわかる?」「天才には際限がある」.

2 C〔…の〕**天才**〔*at, in, with*〕‖ Jespersen was a *genius in* (the field of) linguistics. イェスペルセンは言語学の天才であった(= Jespersen had a *genius* for linguistics.).

3 U [通例 the ~] (時代・国民・言語などの)特質, 精神, 真髄 ‖ The *genius* of the rococo period is gorgeousness. ロココ調時代の特徴は絢爛(けんらん)豪華なことである. **4** [しばしば the G~] C (人・土地などの)守り神, 守護神；(人の運命を支配する)霊；人に強い影響を与えうる人 ‖ one's good [evil] *genius* 人にさちをもたらよい[悪い]感化を与える人.

génius lò·ci /-lóusai, -kai, -ki/ 〘テン〙[the ~] (その土地の)守護神；土地の気風, 土地柄.

genl., Genl.《略》general, General.

Gen·o·a /dʒénouə, -ní-/ 名 ジェノバ《イタリア北西部の港町》.

Gen·o·ese /dʒènoʊí:z/ 名 (複 Gen·o·ese) C ジェノバ人. ——形 ジェノバ(人)の (Genovese).

ge·nome /dʒí:noum/ 名 C 〘遺伝〙ゲノム《単体の配偶子または細胞核の中にある染色体の1組およびその全遺伝情報》‖ a human *genome* ヒトゲノム.
génome pròject ゲノム計画.

gen·re /ʒɑ́ːnrə, 《英》ʒɔ́ːnrə/ 〘フランス〙名 **1** C (主に絵画・文学・音楽の)ジャンル, 類型, 様式. **2** U 風俗画；風俗画の写実的画風. **génre pàinter** 風俗画家.

gens /dʒénz/ 名 (複 **gen·tes**/-dʒénti:z/) C **1** (古代ロ

gent /dʒént/《**gentleman** の短縮形》图C **1**《古格式》紳士, えせ紳士;《商業用語》男 ‖ gents' underwear 男子用肌着. **2**《通例 the/a Gents('), ~s(')》《英略式》《単数扱い》男子用(公衆)トイレ《主に米》men's room).

†**gen·teel** /dʒentí:l/ 图 (時に ~·er, ~·est)《古》《人・態度・言葉などが》いやに上品〔上流〕ぶった, いやに気取った ‖ live in genteel poverty 貧乏くせに上流気取りの生活をする. **gen·téel·ism** 图 C 上品ぶったきざな言葉〔行為, 事物〕. **gen·téel·ly** 副 上品ぶって.

gen·tes /dʒéntiːz/ 图 gens の複数形.

gen·ti·an /dʒénʃən/ 图C《植》リンドウ(類); U ゲンチアナ《リンドウの一種の根・根茎から採った強壮剤》.

géntian víolet メチル=バイオレット《染料》.

gen·tile /dʒéntail/ 图 **1**《時に G~》《ユダヤ人から見て》非ユダヤ人(の), 異邦人(の),《特に》キリスト教徒(の). **2**《G~》《一般に》異教(徒)(の). **3** 氏族〔部族, 民族〕の.

gen·til·i·ty /dʒentíləti/ 图 **1** U《英古》良家の出, 上流階級の身分; 〔the ~; 集合名詞的〕上流〔紳士〕階級(の人々). **2** UC〔しばしば皮肉的に〕立派かな礼儀作法, 上品(ぶり);〔通例 gentilities〕上品ぶった行為.

***gen·tle** /dʒéntl/《『同じ家族〔子孫〕(gen)の』→「名門の, よい育ちの」が原義》関連 **gentleman**(名), **gently**(副), **gentry**(名)
　—图 (**~·r, ~·st**) **1**〈人・性質が〉[…に対して](意識的に)優しい, 親切な(kind) 《with, to》;〈言動などに〉寛大な, 厳しくない; 《古》礼儀正しい, 丁重な[in](↔ mild) (↔ rough, harsh) ‖ a gentle heart [punishment] 寛大な心[罰] / be gentle in manners 物腰がやわらかい / The nurse was gentle with the sick. その看護師は病人に優しかった / gentle reader《著者の呼びかけ》寛大な読者よ.

> 語法 相手に対する心遣いを含めて「優しい」は **kind**: The stranger was very kind [×gentle] to me. 見知らぬ人は私にとても優しかった.

2〈風などが〉穏やかな, 静かな, ゆるやかな(↔ violent) 《◆ mild よりさらに温和さを強調》;〈薬・酒などが〉強くない ‖ a gentle slope ゆるやかな斜面 / a gentle voice 物静かな声.

3〈動物が〉おとなしい(↔ violent) ‖ a gentle dog おとなしい犬.

géntle árt [**cráft**] 〔the ~〕釣り(競技).

géntle brèeze そよ風;《気象》軟風《秒速3.4-5.4 m. → wind scale》.

géntle péople [G~ P-]《ヒッピーなどの》非暴力主義の人々;《方言》妖精たち.

géntle séx《今はまれ》〔the ~; 集合名詞的に; 単数・複数扱い〕女性.

gen·tle·folk(s) /dʒéntlfòuk(s)/ 图〔やや古〕〔複数扱い〕良家の〔身分ある〕人々.

gen·tle·man /dʒéntlmən/ 《→ **gentle**》
　—图 (覆 --men/-mən/) C **1** 紳士《教養・礼儀・思いやりがあって社会的地位の高い男性; cf. lady》‖ play the gentleman 紳士ぶる / A true gentleman would not do such a thing. 真の紳士ならそんなことをしないよ《◆ would は仮定法. **◉文法 9.5 (4)**》.

2〔ていねいに〕男のかた, 殿方 ‖ Please pass this gentleman the salt. こちらのおかたに塩を回してあげてください《◆ このように主に本人がいる場合に用いられる》.

3 [-men] **a** 諸君, みなさん《◆ 集会・会合での男性の聴衆への呼びかけ》‖ Gentlemen, please be quiet. みなさん,お静かに《◆ 男性だけには Ladies and Gentlemen という》. **b**〔会社あての手紙の冒頭で〕拝啓(Dear Sirs).

4《英》[-men; 単数扱い]〔掲示〕男子用トイレ《米 men,《英略式》Gents》(cf. Ladies).

géntleman fármer 趣味で農業をする人;〔働く必要のない〕大地主.

géntleman's C 甘くみても「良」の成績.

géntleman's [**géntlemen's**] **agréement** 紳士協定, 暗黙の協定《(PC) informal agreement, handshake, oral contract》.

gen·tle·man·ly /dʒéntlmənli/ 图 紳士らしい, 紳士的な; 礼儀正しい; 貴族の.

†**gen·tle·ness** /dʒéntlnəs/ 图U 親切, 優しさ; 穏やかさ.

†**gen·tle·wom·an** /dʒéntlwùmən/ 图 (覆 --wom·en) C **1**《古》上流婦人, 貴婦人;《英史》侍女. **2**《米》〔the ~〕《上院・下院の》婦人議員.

†**gent·ly** /dʒéntli/《（発音） gentry /dʒéntri/》副 **1** 育ちよく, しつけよく, 上品に ‖ be gently born [bred] 生まれ[しつけ]がよい. **2** 穏やかに, 静かに; 優しく, 親切に ‖ speak gently 穏やかに言う / She gently nursed the patient. 彼女は優しく患者を看病した. **3** 徐々に, ゆるやかに ‖ She turned gently to her father. 彼女はゆっくりとお父さんの方向を向いた.

†**gen·try** /dʒéntri/ 图U〔通例 the ~; 複数扱い〕**1**《英》紳士階級の人々, ジェントリー《貴族のすぐ下の階級》; 貴族と平民の中間の階級. **2** 連中, 手合い ‖ these gentry こういうやから.

†**gen·u·ine** /dʒénjuin/, 《米》-/dʒénjuəin/《アクセント注意》图 **1**〈物が〉本物の, にせ物でない(authentic); 真の(↔ false) ‖ the genuine article 本物 / a genuine signature of the president 大統領直筆の署名 / a genuine picture by Goya ゴヤの描いた本物の絵. **2**〈感情・人などが〉心からの, 真の, 見せかけでない; 誠実な(↔ insincere) ‖ genuine affection 心からの愛情 / He was genuine in his desire to be a doctor. =He had a genuine desire … 彼は本当に医者になりたかった. **3**〈血統が〉純粋な,《ある動物が》純(血)種の ‖ a genuine Hawaiian 生粋のハワイ人 / a genuine poodle 純粋プードル. **4**《医学》真正の ‖ a genuine case of smallpox 真正天然痘の症例.

†**gén·u·ine·ness** 图U 正真正銘, 本物.

†**gen·u·ine·ly** /dʒénjuinli/, 《米》-/dʒénjuəin-/ 副 純粋に;〔強意語として; 動詞の前で〕本当に, 心から.

†**ge·nus** /dʒíːnəs/ 图 (覆 **gen·e·ra** /dʒénərə/, **~·es**) C《生物》《分類上の》属;《一般に》部類, 類.

Geo.《略》George.

ge·o- /dʒíːou-,《英+》dʒíː-ə-/《語要素》→語要素一覧(1.6).

ge·o·cen·tric /dʒìːouséntrik/ 图 地球中心の ‖ a geocentric theory (of the universe) 地球中心説, 天動説.

ge·o·det·ic, -·i·cal /dʒìːədétik(l)/ 图 測地(学)の. **geodétic sàtellite** 測地衛星.

ge·og·ra·pher /dʒiːɑ́grəfər|dʒiːɔ́g-/ 图C 地理学者.

†**ge·o·graph·ic, -·i·cal** /dʒìːəgrǽfik(l)/ 图 地理学(上)の, 地理的な. **geográphic míle** 地理マイル《赤道の経度 1 分の長さ. 約 1852 m》.

gè·o·gráph·i·cal·ly 副 地理的に.

†**ge·og·ra·phy** /dʒiːɑ́grəfi/, /dʒíː5g-, dʒə5g-/《アク

geol. 〖セント注意〗〖名〗**1** 〖U〗地理学；地理 ‖ linguistic [historical, human, political] *geography* 言語 [歴史, 人文, 政治]地理学. **2** 〖the ~〗 (近くの)地理, 土地の様子〔◆ *the geography* (of the house) 〖英約式〗(家の)間取り〔◆ Will you show me the *geography* (...)? で遠回しに「トイレはどこですか」の意味にもなる〕.

geol. 〖略〗 geologic(al); geologist; geology.

†**ge·o·log·ic, —·i·cal** /dʒìːəládʒik(l), -ləds-/ 〖形〗地質学(上)の. **gè·o·lóg·i·cal·ly** 〖副〗地質学的に.

†**ge·ol·o·gist** /dʒiálədʒist/ 〖名〗地質学者.

†**ge·ol·o·gy** /dʒiálədʒi/ -lə-/ 〖名〗 **1** 〖U〗地質学；宇宙地質学, 月地質学. **2** 〖U〗〖C〗地質(の特質), 岩石(構造).

ge·o·met·ric, —·ri·cal /dʒìːəmétrik(l)/ 〖形〗 **1** 幾何学(上)の；〈模様などが〉幾何学的な ‖ a *geometric* design 幾何学模様. **2** 〖しばしば G~〗〖美術〗〈彫刻・絵などが〉幾何学様式の.

geométric progréssion 〖数学〗等比数列 (cf. arithmetical progression).

geométric séries 等比級数, 幾何級数.

†**ge·om·e·try** /dʒiámətri/ dʒiːɔm-, dʒɔm-/ 〖名〗 〖U〗幾何学；〖C〗幾何学書.

†**George** /dʒɔːdʒ/ 〖名〗 **1** ジョージ《男の名》. **2** ジョージ《英国王の名. 1世から6世まで》. **3 a** St. ~ 聖ジョージ《?-303?；イングランドの守護聖人》. → Saint George's Cross [Day]. **b** 〖C〗《ガーター勲章の》聖ジョージの宝石像.

by Géorge 〖英俗・略式〗いやはや, 本当に, よし, ちくしょう〔◆驚き・疑い・当惑・決意などを表す〕.

Géorge Cross [Médal] 〖英〗ジョージ勲章《1940年ジョージ6世制定の勲章》. 〖略〗 GC, GM.

George·town /dʒɔːdʒtàun/ 〖名〗 **1** ジョージタウン《ガイアナの首都》. **2** ジョージタウン《米国 Washington, D.C. の居住区》.

Geor·gette /dʒɔːdʒét/ 〖名〗〖時に g~〗 〖U〗ジョーゼット《薄地の絹またはレーヨンのクレープ》.

Geor·gia /dʒɔːdʒə/ 〖名〗 **1** ジョージア《米国南東部の州. 州都 Atlanta. 〔愛称〕 the Cracker State. 〖略〗 Ga., 〖郵便〗 GA》. **2** グルジア（共和国）《Caucasia 地方の国. 首都 Tbilisi》.

†**Geor·gian** /dʒɔːdʒən/ 〖形〗 **1** 〖英史〗ジョージ王朝(時代)の《1714-1830》. **2** 〖英史〗ジョージ5世時代の；〈文学が〉ジョージ5世時代前半の. **3** (まれ)《米国》ジョージア州(人)の. **4** グルジアの；グルジア人[語]の.

ge·o·sta·tion·ar·y /dʒìːousteíʃənèri/ 〖形〗地球静止軌道上にある ‖ a *geostationary* satellite 〖orbit〗静止衛星〖軌道〗.

Ger. 〖略〗 German; Germany.

†**ge·ra·ni·um** /dʒəréiniəm/ 〖名〗〖C〗〖植〗ゼラニウム, テンジクアオイ.

†**germ** /dʒɜːm/ 〖名〗 **1** 〖C〗細菌, ばい菌, 病原菌 ‖ spread *germs* はい菌をまき散らす. **2 a** 〖C〗(幼)胚(はい), 芽, 胚種；原基 ‖ wheat *germ* 小麦の胚芽. **b** 〖C〗 = germ cell. **3** 〖the ~〗(考えなどの)萌(ぽう)芽, (発達の初期段階[形態], 根源 ‖ the *germ* of a new theory 新しい理論の原型.

gérm cèll 生殖細胞, 胚細胞；精原[卵原]細胞.

gérm plàsm -plæzm/ **(1)** 生殖(細胞)質. **(2)** [集合名詞的に] 生殖細胞. **(3)** 遺伝要素, 染色体と遺伝子.

gérm wárfare 細菌戦, 生物戦争.

ger·man /dʒɜːmən/ 〖形〗〖複合語で〗同(祖)父母から生まれた ‖ a brother-[sister-] *german* 実の兄弟[姉妹].

***Ger·man** /dʒɜːmən/ 〖「隣人」が原義〗〖派〗 Germany 〖名〗
—〖形〗 **1** ドイツの.
2 ドイツ語の；ドイツ風[式, 製]の.
—〖名〗 (複 ~s/-z/) **1** 〖C〗ドイツ人〖語法〗→ Japanese）；〖the ~s；集合的に〗ドイツ国民 ‖ *The Germans are* said to be a frugal people. ドイツ人は質素な国民といわれる.
2 〖U〗ドイツ語 ‖ My French wife can speak *German*. 私のフランス人の妻はドイツ語が話せる.

Gérman Dèmocrátic Repúblic 〖the ~〗ドイツ民主共和国《旧東ドイツの正式名称. 1990年10月統一ドイツとなる》 (→ East Germany).

Gérman méasles 〖単数扱い〗風疹(じん), 三月はしか〔◆今は rubella がふつう〕.

Gérman sílver 洋銀《亜鉛・銅・ニッケルの合金》.

ger·mane /dʒɜːméin/ 〖形〗〖正式〗〈…と〉密接な関係がある, 〈…に〉適切[妥当]な〈to〉.

Ger·man·ic /dʒɜːmǽnik/ 〖形〗 **1** ドイツ(人)の；ドイツ的な. **2** ゲルマン民族[語]の. —〖名〗〖U〗ゲルマン語(派). 〖略〗 Gmc.》.

ger·ma·ni·um /dʒɜːméiniəm/ 〖名〗〖U〗〖化学〗ゲルマニウム《金属元素. ただし単体は半導体. 〖記号〗 Ge》.

Ger·man·ize /dʒɜːmənàiz/ 〖動〗〖自〗ドイツ風になる. —〖他〗…をドイツ風にする, ドイツ化する.

***Ger·ma·ny** /dʒɜːməni/ 〖→ German〗 〖名〗 ドイツ《第二次大戦後西ドイツ(West Germany) と東ドイツ (East Germany) に分離されたが, 1990年10月統一された. 現在の正式名 the Federal Republic of Germany. 首都 Berlin. ドイツ語名 Deutschland》.

ger·mi·cide /dʒɜːrməsàid/ 〖名〗〖C〗〖U〗殺菌剤[液].
gèr·mi·cíd·al /dʒɜːrməsáidl/ 〖形〗殺菌(性)の.

†**ger·mi·nate** /dʒɜːrmənèit/ 〖動〗〖自〗〈種が〉芽を出す；成長する, 発達する；〖正式〗〈考えなどが〉芽生える. —〖他〗〈種〉を発芽させる；…を生じさせる, 発達させる.

†**ger·mi·na·tion** /dʒɜːrmənéiʃən/ 〖名〗〖U〗発芽；発生, 発達.

ger·on·tol·o·gy /dʒèrəntálədʒi/ dʒèrəntɔ́l-, gèr-/ 〖名〗〖U〗老人学《老化・老人問題などの研究》.
gèr·on·tól·o·gist 〖名〗〖C〗老人学者.

ger·ry·man·der /dʒèrimǽndər, gèr-/ 〖《米国マサチューセッツ州知事 Gerry が改定した選挙区の形がsalamander に似ていたことから》〖動〗〖他〗 **1** 〈選挙区〉を自党に有利なように勝手に改変する. **2** 〈規則など〉を都合よく変える, 改ざんする.

Gersh·win /gɜːʃwin/ 〖名〗ガーシュイン《George ~ 1898-1937；米国の作曲家》.

Ger·trude /gɜːrtruːd/ 〖名〗ガートルード《女の名. 〔愛称〕 Gert, Gertie, Gerty》.

†**ger·und** /dʒérənd/ 〖名〗〖C〗〖文法〗動名詞；《ラテン文法の》動詞の中性名詞.
ge·run·di·al /dʒərʌ́ndiəl/ 〖形〗動名詞的の.

ge·stalt /gəʃtɑːlt/ -ʃtǽlt/ 〖ドイツ〗〖名〗(複 ~s, -stalten/-tn/) 〖時に G~〗 〖U〗〖C〗〖心理〗ゲシュタルト, 形態.

Gestált psychólogy 〖時に g~〗 ゲシュタルト心理学.

Ge·sta·po /gəstɑ́ːpou/ ge-/ 〖ドイツ〗 〖the ~；集合名詞；単数・複数扱い〗ゲシュタポ《ナチスドイツの秘密国家警察》.

ges·tic·u·late /dʒestíkjəlèit/ 〖動〗〖正式〗〖自〗活発な[興奮した]身ぶりをする. —〖他〗…を活発な[興奮した]身ぶりで表す.

ges·tic·u·la·tion /dʒestɪkjəléɪʃən/ 名 © U 活発な[興奮した]身ぶり[手まね].

＊ges·ture /dʒéstʃər/『「伝える, 運ぶ(carry)」が原義』
── 名 (複 ~s/-z/)

I [身ぶり]

1 © 身ぶり, 手ぶり, (劇などの)しぐさ ‖ Communication by *gestures* is nonverbal communication. 身ぶりによる意志伝達は非言語コミュニケーションです / *make a gesture of* good-by(e) = wave a good-by(e) *gesture* さよならの合図をする. **2** ©U 身ぶり[手ぶり]をすること ‖ Japanese people usually do not use as「*much gesture* [*many gestures*] as Americans. 日本人はふつうアメリカ人ほど身ぶりが派手でない.

II [身ぶりの効果]

3 ©(効果をねらった)**意思表示**(の行為・言葉), 感情表現;〈そぶり, みせかけ, 思わせぶり ‖ hold out one's hand「*in a gesture of* welcome [*as a gesture of* friendship]歓迎の意を表して[友情の印に]手を差し出す / He said he'd help, but it was only a *gesture*. 彼は手伝おうと言ったが, それはジェスチュアにすぎなかった.

── 動 圓 身ぶりをする;[…に/…に]手ぶりで示す(gesticulate)〈*at* / *to, toward*〉‖ *gesture at* a chair to sit 座るようにいすをさし示す / *gesture for* [*to*] him to come back 彼に戻って来るように合図する.

── 他〈同意など〉を身ぶり[手ぶり]で表す.

:get /ɡét/『「ある状態に達する」が本義. これから 他 の「所有するようになる」「ある状態にする」と 圓 の「ある状態になる」の意が生じた』

index
他 1受け取る 2得る 3取ってくる 4a つかまえる 5かかる 10わかる 13する 14させる 16aしてもらう bされる cしてしまう
圓 1着く 2なる 3される

── 動 (~s /ɡéts/;過去・過分 got /ɡάt | ɡɔ́t/; ~·ting)〖◆「持っている」の意味や have got to の場合を除き, 過去分詞に（主に米略式）got·ten /ɡάtn | ɡɔ́tn/ も用いられる〗

── 他

I [物・事を手に入れる]

1a〈人が〉〈贈り物・手紙・金・許可など〉を(自分の意志と関係なく)受け取る, もらう, 得る《(1) 受身・命令形不可. (2) receive より口語的》‖ I got an e-mail from my friend yesterday. 私は昨日友人から電子メールをもらった / *get* information 情報を得る / *get* an idea ある考えが浮かぶ / *get* a high salary 高給をとる / Nowadays we can *get* the latest news instantaneously on the Internet. 最近はインターネット上で瞬時にして最新のニュースが読める / 対話 "What did you *get* for your Christmas present?" "A bike."「クリスマスプレゼントは何をもらったの?」「自転車だよ」.

b [動作名詞を目的語として]《◆ get は時制・人称・数の文法的機能にになうだけで, 実質的意味は名詞にある. 受身不可》‖ *get* rest 休息する(=rest) / *get* possession of a house 家を所有する(=possess a house) / *get* a glimpse of him 彼の姿がちらっと目に入る(=glimpse him) / *get* a good look at his face 彼の顔をよく見る(=look at his face closely).

2a〈人が〉〈物・事〉を(自分の意志で)得る, 手に入れる;〈金などをかせぐ;〉…を買う;〉(計算などで)〈答〉を得る《(1) 受身不可. (2) earn, gain, obtain, acquire より口語的》‖ Mr. Oe Kenzaburo *got* the Nobel prize for literature. 大江健三郎氏はノーベル文学賞を受賞した / I *got* some money because I worked part-time. アルバイトをしたのでお金を少しかせいだ / *get* a new car 新車を買う / *get* a good grade on the test テストでよい点を取る / Here in Niigata we *get* a lot of snow every year. ここ新潟では毎年雪がよく降る / If we divide 15 by 5, we *get* 3. 15を5で割れば3になる / 対話 "I *got* one hundred on my exam." "What subject did you *get* one hundred in?" "Fifty in math and fifty in English."「テストで100点とったよ」「何の科目で?」「数学で50点, 英語で50点」.

b [*get* A B = *get* B *for* A]〈人が〉A〈人〉にB〈物〉を手に入れて[買って]やる《⇒文法3.3》‖ She *got* me a camera. = She *got* a camera *for* me. 彼女は私にカメラを買ってくれた.

使い分け [get と take]
get は「(報償・許可・成績などを)取る」の意.
take は「(差し出された物・新聞・雑誌・学科目などを)取る」の意.
She *got* (*took*) her driver's license when she was 18. 18歳のときに彼女は運転免許を取った.
I am *taking*「*getting*」Italian this semester. 今学期はイタリア語を取っている.

3〈人が〉〈物〉を取ってくる, 〈人〉を呼んでくる;[*get* B = *get* B *for* A]〈人が〉A〈人〉にB〈物〉を取ってきてやる, A〈人〉にB〈食事・飲み物など〉を準備してやる, 作ってやる, A〈人〉にB〈人〉を呼んで[連れて]きてやる《◆受身不可》《⇒文法3.3》‖ I'll *get* the car [door]. 私が車を出そう[ドアをあけよう] / Please *go* (and) *get* a doctor. 医者を呼んできてください / *Get* me a drink. = *Get* a drink *for* me. 私に飲み物を持って来てください / 対話 "Do you want Mr. Wada? I'll *get* him *for* you."「和田さんにご用ですか. 呼んで来てさしあげましょう」.

4a〈人が〉〈人・動物など〉をつかまえる, つかむ;〈癖・習慣などが〉〈人〉につく;〈病気が〉〈人〉を圧倒する;[通例 have got]〈議論などで〉〈相手〉を負かす(⇒catch, defeat, arrest より口語的);〈ラグビー〉〈選手〉にタックルする ‖ *get* him *by the* arm 彼の腕をつかむ / The habit *got* me. その習慣にそまった / Her illness finally *got* her. 彼女はついに病気にやられた / The police finally *got* her. 警察はついに彼女を逮捕した.

b〈人が〉〈列車など〉に間に合う(catch);〈乗り物〉に乗る ‖ *get* the last train 最終列車に間に合う / Where can I *get* a taxi and which way should I go? タクシー乗り場はどっちの方向ですか.

5〈人が〉〈損害・打撃・敗北など〉を受ける, こうむる;〈病気〉にかかる;（略式）〈罰として〉〈懲役期間〉をくらう《受身不可》‖ *get* a surprise びっくりする / *get* a blow on the chin あごに一撃をくらう / *get* three years in prison for stealing 窃盗で3年の刑に処せられる / John *got* a cold from his wife. ジョンは妻にかぜをうつされた(=His wife gave John a cold.).

6《略式》〈弾丸・打撃などが〉〈人〉(の〈体の部分〉)に当

たる; 〈人が〉〈人などの〉(体の部分に)物を当てる[in, on] ‖ `The bullet got him [He got a bullet] in the right arm.` 彼は右腕に弾を受けた.
7 (略式) 〈人が〉〈動物などを〉殺す, やっつける(kill); [野球]〈ランナー・バッター〉をアウトにする; 〈人が〉〈人に〉[…のことで](報復する(ⅰ°) [報復]する[for] ‖ `The hunter got two birds.` ハンターは鳥を2羽射止めた / `I'm going to get you sooner or later.` そのうちやっつけてやるからな / `I'll get you for this someday.` いつかこのかたきはうってやるぞ.
8 〈人が〉(電話・無線などで)〈人・場所〉と連絡をつける; 〈テレビ・ラジオ・放送など〉を受信[受像]する《◆受身・命令形不可》‖ `You can get me on the [by] telephone.` 電話で私に連絡してください / `We get Seoul on [over] the radio.` ラジオでソウルの放送がはいった / `Can you get me 06 2626, please?` (電話で)06の2626につないでください《◆この文は give A B》.
9 (略式) 〈人・物・事が〉〈人〉を感動させる, …の心をとらえる; 〈人〉をいらいらさせる(annoy, irritate); [通例 have got] 〈人〉を戸惑わせる《◆受身・進行形・命令形不可》‖ `This puzzle has got me.` このパズルには閉口した / `That music really got me.` あの音楽にはうっとりした / `Her remarks often get me.` 彼女の発言にはよく腹が立つ.

II [理解して手に入れる]

10 (略式) 〈人が〉〈言葉など〉を聞き取る, 聞く; 〈言葉などが〉わかる, …を理解する(understand); [通例命令文で]〈表情・観察など〉をじっと見よ, 観察せよ ‖ `get the point` 意味がわかる, 何のことかわかる / `Did you get all that?` わかりましたか《◆確認するときの言い方》/ `I don't get you [your meaning].` 君の言おうとしていることがわからない(=I don't know what you mean.) / `Please don't get me wrong.` どうか誤解しないでください / `I didn't quite get your name.` 君の名前がよく聞き取れなかった.
11 〈人が〉〈科目など〉を[…から]習得する, 学ぶ, 覚える[out of, from] ‖ `I got the grammar lesson without difficulty.` 文法の授業が難しくなかった.

III [状態を手に入れる]

12 〈人が〉〈人・物など〉を…に動かす, 持って[連れて]行く《◆場所・方向の副詞(句)を伴い, 多くの成句を作る》; 〈事が〉〈人〉を…に導く《◆somewhere, nowhere, very far などの副詞(句)を伴う》‖ `get him home` 彼を連れて帰る / `get the piano upstairs` ピアノを2階へ上げる / `Deceit will get you nowhere.` だましても何にもならないよ / `They tried to get the strikers back to work.` 彼らはストをしている者を職場に復帰させようとした.
13 [get **A** C] 〈人が〉**A**〈人・物〉を **C**(の状態)に(自分の意志で)する《◆**C** は形容詞》‖ `get the children ready for school` 子供たちに学校へ行く支度をさせる / `His words got me angry.` 彼の言葉で私は怒った.
14 [get **A** doing] **a** 〈人が〉〈人・物〉を…**させる** ‖ `I got the machine running.` 機械を始動させた / `get the business going` 仕事をスタートさせる. **b** (略式) [let [you] ～ で] 〈人・物〉が…**している** ‖ `These days we get a lot of women playing an active part in many fields.` 最近さまざまな分野で多くの女性が活躍している.
15 (英略式) [get **A** to do] 〈人が〉(説得などして) **A**〈人〉に…**させる**, してもらう; 〈人が〉(何らかの方法で) **A**〈物〉を…にする ‖ `I couldn't get him to stop smoking.` 彼にタバコをやめさせられなかった / `The United Nations got the two countries to stop the war.` 国際連合はその二つの国に戦争をやめさせた / `He got his wife to mend his shirt.` 彼は奥さんにシャツを繕ってもらった(=He got his shirt mended by his wife. / He had his wife mend …).
16 [get **A** done] **a** (使役) [get に通例強勢を置いて] 〈人が〉**A**〈物・人〉を…**してもらう, させる** ‖ `Gét your muddy shoes wáshed.` 泥だらけの靴を洗ってもらいなさい《◆**15** の Get someone to wash your muddy shoes. に対応する言い方》/ `I must gét my shirt ménded.` シャツを繕ってもらわねばならない / `get everyone excíted` 皆を興奮させる. **b** [被害] (略式) [done に通例強勢を置いて] 〈人が〉**A**〈自分の物〉を…**される** ‖ `He got his arm bróken while playing rugby.` 彼はラグビーをしている時に腕を折った《◆`He broke his arm …` といってもよい》. **c** [完了] (略式) [done に通例強勢を置いて] 〈人が〉**A**〈物・事〉を**してしまう** ‖ `She worked hard to get the work dóne.` 彼女はその仕事を終わらせようと一生懸命働いた《◆to finish the work の方がふつう》. **d** (略式) 〈人が〉〈人に〉…**させる**《◆done は自動詞》‖ `get him stárted` 彼を出発させる(→ GET started).

━━(自) [自動詞用法の本義は「ある状態に達する」]

1 [場所を表す副詞(句)を伴って]〈人・乗物が〉(場所に)**着く, 行く**[to]《◆arrive at より口語的》; …へ動く; 〈人・事が〉(成功・不成功などに)行きつく ‖ `get home` 家に帰る /《略式》"`How can I get to Sado Island?`" "`The only way to get there is by ferry.`" 「佐渡島へはどうすれば行けますか」「フェリーで行くしかありません」/ `Where has my book got to?` 本はどこへ行ってしまったのかな / `She won't get anywhere with her plan.` (略式) 彼女の計画は成功しないだろう.
2 [get (to be) C] 〈人・物・事が〉(自然に・自分の意志で) C (の状態)に**なる**《◆become より口語的. C は形容詞・形容詞化した過去分詞で, 名詞は不可. →**4 b**》‖ `get old` [wet, angry, nervous] 年をとる[ぬれる, 怒る, いらいらする] / `get tired` [excited, drunk] 疲れる[興奮する, 酔う] / `He got well again.` 彼は健康を回復した / `These days it is getting colder and colder.` 最近日ごとに寒くなってきています / `How did you get acquainted with him?` どうして彼と知り合ったのですか.
3 (略式) [get done] [受動態の一種] 〈人・物が〉…**される**《◆ふつうの受身の be done が状態と動作のいずれも表すのに対し, get done は一時的な動作のみを表す. ▶文法 7.12》‖ `get hurt` [punished, arrested] けがをする[罰せられる, 逮捕される].

> **語法** (1) この受身形はしばしば「主語自らが原因で」という意を含む: `He got fired.` 彼は(自分の不始末で)解雇された.
> (2) by 句を伴うことはほとんどない.
> (3) 比較的最近のことを言うのに用いられる: `He got run over last week.` 彼は先週車にひかれた. (cf. `He was run over ten years ago.`).

4 [get to do] **a** 〈人が〉…**するようになる**《◆(1) do は状態を表す hear, know, feel, own, see, like, realize など. (2) come to do より口語的》; (主に米略式) 〈人が〉うまく…**する**[できる, するのが許される](be able to, can, manage to)《◆do は動作動詞》; …させてもらえる ‖ `We got to know each other.`

私たちは互いに知り合いになった《◆「成長して…するようになる」では grow と交換できる》: He grew [got] to be more like his father. 彼は大きくなってますます父親に似てきた / Did you *get* to see the famous actress without an appointment? あなたはあの有名な女優に予約なしで会えましたか / I *got* to see all the new summer releases. 新しい夏休み映画は全部見せてもらえる.

b [get to be C]〈人が〉C になる(become) ‖ He soon *got to be* my best friend. 彼はすぐに私の一番の親友になった.

5 [get doing] …し始める《◆(1) do は go, move, talk, chat, work, crack など一部の動詞. (2) begin to do [doing] より口語的》‖ We *got* talking. 我々は話を始めた / *Get* góing [móving, wéaving] on your homework. 早く宿題を始めなさい / I have to *get* going. もうそろそろおいとましなくては.

6 [got] →成句 have got.

*gèt abóut [自] (1)〈あちこち〉**動き回る**, 歩き回る, 《略式》旅行する ‖ Do you *get about* much in your job? 仕事でよくあちこち回りますか. (2)〈人が〉(病後に)起きて出歩ける. (3)〈ニュース・うわさが〉(口伝えで)広まる ‖ The rumor *got about* quickly. そのうわさはすぐに広まった.

gèt abóve onesélf → above 前.

*gèt acróss [自] (1)〈向こう側へ〉**横断する**, 渡る. (2)《略式》〈話・意味などが〉〈聴衆などに〉理解される, 通じる(to)‖ Her speech *got across* to the crowd. 彼女の演説は群衆によくわかった. ─[他] (1)〈人・荷物などを〉(向こう側へ)渡す, 運ぶ ‖ *get* her *across* 彼女を向こう側へ渡らせる. (2)《略式》〈話・しゃれなどを〉〈大勢の人に〉わからせる, 理解させる(to)‖ *get* one's meaning *across* to the audience 自分の言いたいことを観客にわからせる. ─[自⁺] [~ acròss **A**]〈川・道などを〉**渡る** ‖ *get across* the river 川を渡る. (2)《略式》〈人を〉怒らせる, いらだたせる《◆受身不可》.

gèt áfter A (1)〈人・物の後を追う. (2)〈人を〉(…のことで)責める, しかる(for); 〈人に〉(…するよう)せがむ, 〈人を〉せきたてて(…)させる(to do).

gèt ahéad [自] (1) 成功する, 出世[昇進]する ‖ *get ahead* in the business world 実業界で成功する. (2)〈仕事などが〉うまく進む(in, with). (3)〔競争者などを〕追い越す, しのぐ(of)‖ He finally *got ahead of* the others in his class. 彼はついにクラスの他の者を抜いた.

*gèt alóng [自] (1)〔…を使って, …のおかげで/…なしで〕**なんとかやっていく**, 暮らす(with/without)‖ I can *get along without* your help. あなたの援助していただかなくてもなんとかやっていけます. (2)〔仕事などに関して〕**うまくいく**, はかどる(get on)(with, in)‖ How are you *getting along* in your new job? 新しい仕事はうまくいっていますか. (3)〔人と〕仲よくやっていく(with)‖ They are *getting along* very nicely [well] *with* each other. あの2人はとてもうまが合う. (4)《略式》《通例 be ~ting》立ち去る, 帰る(leave)‖ I must be *getting along* now. そろそろおいとましなければ.

Gèt alóng with you!《略式》(1) 向こうへ行って. (2) ご冗談でしょう, 正直言ってよ《◆主に女性使用》.

gèt (a)róund [自] (1) =GET about. (2)〈障害物などを〉避けて通る. ─[他]〈人の意識を回復させる, 〈人を〉正気づける; 〈人を〉うまく説き伏せる. ─[自⁺] [~ (a)ròund **A**] (1)《略式》〈障害物・困難な

ど〉を避ける, 克服する; 〈法律など〉のがれる, くぐる ‖ *get around* the difficulties 困難を克服する / *get around* paying one's taxes 脱税する. (2)〈人〉にうまく取り入る, …を言いくるめる.

gèt (a)róund to A《略式》〈事をする(時間的)余裕を見つける, …に手が回る, …するに至る ‖ I don't know when I'll *get around to* visiting her. いつ彼女を訪問できるかわからない.

*gèt at **A** (1)《略式》〈ある[いる]所〉に**達する**, 届く; 〈人・物など〉に近づく《◆受身可》‖ He is a hard man to *get at*. 彼は近づきにくい人だ ➡文法17.4 / Put the medicine where children can't *get at* it. 薬は子供の手の届かない所に置きなさい. (2)〈物・事〉を手に入れる ‖ *get at* the information 情報を入手する. (3)《英》〈真実など〉をつかむ, 知る, 理解する ‖ *get at* the truth 真実をつかむ. (4)《略式》《be ~ting; 通例疑問文で》〈事〉をほのめかす, 暗示する ‖ What he is *getting at*, you know, is good advice. 彼の言おうとしていることこそが, 大切な忠告なんですよ. (5)《略式》《通例 be ~ting》(繰り返し)〈人〉を批判する, …に文句を言う《◆受身可》. (6)〈仕事などに取りかかる, 専念する《◆受身不可》. (7)《英略式》買収する, 脅迫する.

*gèt awáy [自] (1) **逃げる**, 逃走[脱走]する; [否定文で]〔事実などから〕のがれる(escape) [from] ‖ The police used dogs to chase the robber, but he still *got away*. 警察は泥棒を追いかけるのに犬を使ったが, それでも犯人は逃走した. (2)《略式》〔場所・仕事・人などから〕離れる; 休暇を取る(from); 出発する ‖ I couldn't *get away from* school till seven o'clock. 私は7時まで学校から帰れなかった. ─[他] (1)《略式》〈物〉を〈人などから〉取り上げる, 取り去る(from); 〈人〉に〈仕事など〉を休ませる(from)‖ *get* that letter *away from* her 彼女からその手紙を取り上げる. (2)〈人〉を持ち去る, 〈人〉を連れ去る; 〈物〉をひったくる. (3)《略式》〈物〉を送り出す; 〈手紙などを〉出す(post).

Gèt awáy!《主に英略式》= away 間.

gèt awáy from it áll《略式》〈仕事・悩みなどを忘れて〉旅行[休暇]に出かける, 日々のわずらわしさからのがれる.

gèt awáy with A (1)〈物を〉(まんまと)持ち逃げする. (2)《略式》〈悪事などを〉(罰せられずに・見つけられずに)うまくやってのける; 〈軽い罰など〉でのがれる, すむ ‖ You'll never *get away with* it! そうは問屋がおろすものか. (3)〈飲食物を〉平らげる. (4)〈…を考えつく〉.

Gèt awáy with you! =GET along with you!

gèt báck [自] (1)〔…から/…へ〕戻る, 帰る(from / to, into)‖ *get back from* vacation 休暇が明ける. (2)《主に英》〈政党が〉(政権の座に)返り咲く(+in). (3)(後方へ)下がる. ─[他] (1)〈物を〉(もとの所へ)返す; 〈人を〉復帰させる. (2)〈失った物・貸した物〉を取り返す[戻す] ‖ I *got back* a lost memory. 私はなくした記憶が戻った / *get back* one's strength 体力を回復する.

gèt báck at [on] A〈人を目がけて(at 前6, on 前11)戻る(get back (1))〉《略式》〈人〉に仕返しをする, 復讐(ﾌｸ)する《類語》 get even with, 《正式》take [have] revenge on).

gèt behínd [自] (1) 後ろに隠れる. (2)〔…が〕遅れる(in, with)‖ *get behind with* [in] one's work 仕事が遅れる / *get behind with* one's payments 支払いが滞(ﾄﾄｺｵ)る. ─[自⁺] [~ behìnd **A**] (1)〈物などの後ろに隠れる. (2)〈人〉を支

gèt bý〖物のそばを通って(by 前8, 副1)進む(get 自)〗〖自〗(1)(障害物を避けて)通る, 通り抜ける‖Can I *get by*? 通してくれませんか. (2)《略式》〈仕事などが〉まあまあ容認できる;〈検問などを〉通る. (3)《略式》〔for〕〜どうにかうまく行く;〜なんとか暮らす〔in, on, with〕‖I just got *by* on the test. テストに何とか合格した. ―〖自⁺〗〔〜 *by* **A**〕(1)〈物などの〉そばを通り過ぎる;〈検問所など〉を通る. (2)〈人〉の目をのがれて通り過ぎる;〈人〉をだます.

*****gèt dówn** 〖自〗(1)(高い所・はしご・馬などから)**降りる**〔from〕‖The boy got *down* from the tree. 少年はその木から降りた. (2) かがむ, ひざまずく‖*get down* on one's knees ひざまずく. (3)《主英》〈子供が〉(食後に)〔テーブルを〕離れる〔from〕. ―〖他〗(1)〈物を**降ろす**;〈物価値などを下げる‖*get* the book *down* from the shelf 棚から本を降ろす. (2)〈鳥・飛行機など〉を撃ち落とす. (3)〈薬・食物など〉を(何とかして)飲み込む. (4)〈事など〉を書き留める. ―〖自⁺〗〔〜 *down* **A**〕〈はしご・階段など〉を降りる.

gèt dówn to A〔*do*ing〕〖仕事の方を向いて(to)腰をおろす(get down)〗〈仕事など〉に(真剣に)取りかかる, 本腰を入れて取り組む.

*****gèt ín** 〖自〗(1)(中へ)**入る**;〈車などに〉乗り込む‖The sun got *in* through the window. 日光が窓から差し込んだ. (2) 駅[空港・港]に到着する《◆目的語を伴うときは get at 〔*into, to*〕**A**〕;〈家に〉戻る. (3) (試験を受けて)学校[会社など]に入る. (4) 〈議員などが〉当選する;〈政党が〉政権を取る. (5)《略式》〈人と〉親しくなる, 〈人に〉取り入る〔*with*〕. ―〖他〗(1)〈物〉を中へ入れる;〈作物などを〉取り入れる. (2)〈人〉を入学させる;〈貸し金など〉を回収する;〈税金〉を徴収する‖*get* the washing *in* 洗濯物を中へ入れる / *get* the taxes *in* 税金を徴収する. (2)〈言葉〉を差し挟む;〈医者・修理屋など〉を(家に)呼ぶ‖*get* a doctor *in* 医者を呼ぶ.

*****gèt ínto A**〖自⁺〗(1)〈場所の**中へ入る**《◆(1)何らかの困難を伴うことが含意される. (2) **A**を省略すると get in となる. (3) 〜 get in〔自〕);〈車などに〉乗り込む‖*get into* the house through the window 窓から家の中へ入る / *get into* the car [taxi, boat] 車[タクシー, ボート]に乗り込む《◆*get in* a car ともいうが, 前者は単に「乗り込む」に対し, 後者は「乗って(どこかに)行く」. (2) bus, train, car など大きい車場合は, ship, plane の場合は on》. (2)〈目的地などに〉到着する‖The train got *into* London. 列車はロンドンに着いた. (3)〈衣服など〉を**身につける**, 着る. (4)《略式》〈ある**状態**に〉**なる**, 陥る, …を起こす‖*get into* a temper かんしゃくを起こす / *get into* bad habits 悪習がつく. ―〖他〗〔〜 **A** *into* **B**〕(1)〈物〉を〈物〉の中へ入れる. (2)〈人など〉を〈ある状態〉に陥れる‖*get* him *into* trouble 彼を困らせる《◆*get* a woman [girl] *into* trouble《略式》は「女性を妊娠させる」の意》.

gét it (1)《略式》〔…のことで〕しかられる, 罰せられる〔*for*〕《◆主に子供に関して用いられる》. (2) わかる, 理解する. (3) (電話・ベルなどに)出る.

Gét it?〔↗〕わかった?, いいかい?《◆Do you *get it*? の省略表現で, 特にジョークを言ったあとで用いる. → GET it (2)》.

gèt néar (**to**) **A**〜に近づく.

gèt nówhere〖どこにも到達しない〗〖自〗《略式》〈人・事が〉成功しない, 目的を達しない, 進歩がない. ―〖他〗〔〜 **A** *nowhere*〕〈事・物が〉〈人〉に効果[利益]をもたらさない.

*****gèt óff**〖場所から離れるように(off 前1, 副 4)物や人を動かす(get 他 12)〗〖自〗(1)(列車・バス・馬などから)**降りる**‖They got *off* at the next bus stop. 彼らは次のバス停で降りた. (2)《略式》出発する;去る, 帰る‖*get off* on time 時間通りに出発する. (3)《略式》〈軽い罰・けがなどで〉すむ〔*with*〕‖He got *off* with (just) a warning. 彼は警告ですんだ. (4)(郵便物が)発送される. ―〖他〗(1)〈人〉を送り出す;〈郵便物〉を発送する‖*get* the children *off* to school 子供を学校へ送り出す.〈物〉を取りはずす;〈しみなどを〉取り除く;〈服などを〉脱ぐ‖*get* the cover *off* そのふたを取りはずす. ―〖自⁺〗〔〜 *off* **A**〕(1)〈汽車・バスなど〉から**降りる**(⇔*get on*)‖*get off* the bus [train, plane, ship] バス[列車, 飛行機, 船]を降りる《◆car, taxi, boat の場合は get out of》. (2)〈場所〉から離れる;〈仕事・話題など〉をやめる‖Let's *get off* this subject. この話題はやめよう / *get off* the phone 電話を切る. (3)〈事〉をのがれる, 逃げる‖*get off* doing the dirty work いやな仕事をうまくのがれる.

gèt óff with A (1)〈物〉を持って逃げる. (2)《英略式》〈異性〉と親しくなる, …をひっかける《◆しばしば性関係を含意する》.

*****gèt ón**〖場所の**上に**(on 前1, 副1)物や人を動かす(get 他 12)〗〖自〗(1)(バス・馬などに)**乗る**(⇔*get off*)(使い分け)→ ride (他 2) When the bus stopped, we got *on*. バスが止まり我々は乗った. (2)〔通例 〜 in life [the world]〕**成功する**, 出世する(get ahead). (3)〔通例 be 〜ing〕なんとかやっていく, 暮らす《◆主に, あとに副詞がくるか, how で始まる疑問文で用いられる》‖How are you *getting on*? いかがお過ごしですか. (4)〈事などで〉**うまくいく**, 進行する(get along)〔*in, with*〕《◆(1)主にあとに副詞がくるか, how で始まる疑問文で用いられる. (2) 命令形不可》‖How are you *getting on with* your work? 仕事のはかどり具合はどうですか. (5)《略式》〔人と〕**仲よくやっていく**〔*with*〕‖They *got on* very well (together). 2人はたいへん仲がよい. (6)《略式》立ち去る, 帰る;急ぐ. (7)〔be 〜ting〕〈時が〉たつ, 遅くなる;《略式》〈人が〉年をとる‖Time is *getting on*. 時がどんどんたつ. (8)《略式》〔be 〜ting〕〔(遅い)時刻・高齢に〕近づく(be close to)〈《主英》*for*, 《主米》*toward*〕‖She is *getting on for* eighty. 彼女は80歳になろうとしている. (9)〔仕事などを〕(中断後)続ける〔*with*〕‖*Get on with* the work. 仕事を続けなさい. ―〖他〗〔〜 **A** *on*〕(1)〈服など〉を身につける, 着る, 〈ある状態は have **A** on / wear [be wearing] **A**〕‖She got her coat and hat *on*. 彼女はコートを着て帽子をかぶった. (2)〈調理などの〉準備をする. (3)〈人・物など〉を〈乗り物に〉乗せる‖*get* him *on* the horse 彼を馬に乗せる. ―〖自⁺〗〔〜 *on* **A**〕(1)〈バス・自転車など〉に**乗る**‖She got *on* the 9:30 a.m. plane for New York. 彼女は9時30分発のニューヨーク行きの飛行機に乗った. (2)《略式》〈人〉をしかる, とがめる. (3)〈チームなど〉に加わる, 加入する.

gèt ón to [*ónto*] **A** (1)〈不正・秘密・人の悪事など〉を見つける, 見破る;《略式》…がわかる, 理解できる. (2)《略式》〈電話・手紙などで〉〈人・会社〉と連絡をとる.

*****gèt óut**〖場所の外へ(out 副1)人や物を動かす(get 他 12)〗〖自〗(1)**出る**, 出て行く;逃げる, 脱出する;乗物から降りる‖*Get out!* 出て行け!類語 《略式》*Get lost*!) / The lion got *out*. ライオンが逃げた. (2)〈秘密など〉が漏れる, 知られる. ―〖他〗(1)〈物など〉

を取り出す;〈栓・しみなど〉を抜き取る ‖ get the dog out 犬を外に出してやる. (2)〈言葉〉を努力して出す, 述べる. (3)〈本〉を出版する.

*gèt óut of A [(自)⁺] (1)〈場所〉から出る, 逃げる;〈車など〉から降りる ‖ get out of bed ベッドから出る, 起床する / get out of the car [taxi, boat] 車[タクシー, ボート]から降りる《◆ bus, train, (大きい) plane, ship の場合は get off》/ Get out of the way! そこをどけ. (2)〈…の範囲〉の外側へ行く ‖ get out of sight 見えなくなる. (3)〈責任・義務など〉をのがれる, 避ける ‖ get out of paying taxes 税金をのがれる. (4)(略式)〈悪習など〉をやめる, 捨てる ‖ get out of the habit of biting one's nails つめをかむ癖をなおす.

gèt A óut of B [他](1)〈場所〉から A〈物など〉を取り出す, 引き抜く;(略式)〈人〉から A〈真相など〉を引き出す ‖ get a new theory out of his latest paper 彼の最新の論文から新しい理論を読み取る. (2)(略式)〈人〉に B〈責任などをやめさせる;A〈人〉に B〈悪習などをやめさせる ‖ get him out of difficulty 彼を苦境から救う. (3) B〈取引など〉から A〈利益など〉を得る.

Gèt óut of here! (1)(ここから)出て行け. (2) そんなばかな!, まさか!

*gèt óver [自] (1)〈へいなど〉を乗り越える;〈川などを〉渡る. (2)(考えなど)〈相手〉にわからせる(to). —[他] (1)〈人・物〉を向こう側へ渡らせる. (2)(略式)〈面倒などしなければならないこと〉を済ませてしまう, 終わりにする ‖ Let's get it over (with). —Let's get it over and done with. それを片づけてしまう. —[(自)⁺] [~ over A] (1)〈へいなど〉を乗り越える;〈川などを〉渡る ‖ get over the wall 塀を乗り越える. (2)〈障害物・困難など〉を乗り切る, 克服する(overcome) ‖ She got over her difficulties. 彼女は困難に打ち勝った. (3)〈ショック・不幸などから立ち直る, …を忘れる;〈病気など〉から回復する(recover from) ‖ get over a cold かぜが治る / I cannot get over the shock. 私はそのショックから立ち直れない. (4)〈距離〉を行く ‖ get over five kilometers 5キロ進む.

gèt A ríght [stráight] 〈事〉をはっきり理解する;はっきりさせる ‖ Let's get one thing right. 1つだけはっきりさせておこう.

gèt róund =GET around.

gèt stárted (略式) [自] [仕事など]を始める(on, upon, in) ‖ Let's get started. さあ始めよう / Getting Started (書物・冊子などの冒頭で)初めに当たって. —[他] [~ A started]〈人〉に〈仕事を〉始めさせる ‖ He gave me a small sum of money to get me started. 彼は私に仕事を始めさせるために少し金をくれた.

gèt thére (1) そこへ着く. (2)(略式)成功する, 目的を達する, 任務を果たす ‖ We have not finished yet, but we are getting there. まだ終わっていないか, もう少しだ. (3) わかる.

*gèt thróugh [自] (1) 通り抜ける, 切り抜ける;[目的地などに]到達する(to) ‖ The water got through. 水がしみた. (2)〈仕事など〉を終える. (3)(試験に)合格する(succeed);〈法案〉が可決される. (4)〈人〉に自分の言うことをわからせる, 〈人〉と話が通じる ‖ I couldn't get through to the foreigners at all. 私は外国人と全然話が通じなかった. (5)〈人・場所に〉電話連絡する, 電話が通じる(to) ‖ I couldn't get through to London. ロンドンに電話がつうじなかった. —[他] (1)〈物〉を通す;〈物〉を[…

へ]送り届ける(to);〈人〉に〈窮地などを〉切り抜けさせる ‖ get the thread through 糸を通す. (2)〈人〉を〈試験に〉合格させる;〈法案〉を議会を通過させる. (3)(略式)〈話など〉を〈人〉にわからせる(to) ‖ I can't get the message through to her. その伝言を彼女にわからせることができない. (4)〈交換手など〉が〈人〉に電話をつなぐ. (5) [~ A through B] A〈人〉を B〈試験〉に合格させる; A〈法案〉を B〈議会〉を通過させる. —[(自)⁺] [~ through A] (1)〈場所の中〉を通り抜ける ‖ We had difficulty getting through the crowd. 人混みの中を通り抜けるのに苦労した. (2) A〈仕事など〉を終える, すます(finish);〈本〉を読み終える ‖ get through a great deal of homework 非常に多くの宿題をすませてしまう. (3)〈金などを〉全部使う;〈飲食物〉を平らげる《◆受身可》‖ get [go] through all one's money あり金を全部使う. (4)(略式)〈試験に〉合格する(pass);〈法案が〉〈議会など〉を通過する ‖ get through the exam 試験にパスする.

gèt thróugh with A (主に米) (1)〈仕事など〉を終える, 仕上げる. (2)〈言葉・暴力で〉〈人〉をやっつける.

*gèt to A (1)〈場所〉に着く, 到着する (arrive at, reach) ‖ How can we get to the station? 駅にはどのように行けばいいでしょうか《◆ A を明示しないときは get in → get in [to] (2)》/ I wonder where she's got to. 一体彼女はどこへ行ってしまったんだ. (2)〈人・場所〉に連絡がつく. (3)〈事〉を始める ‖ get to work 仕事にかかる / She got to thinking about it. 彼女はそのことを考え始めた. (4)〈事が〉〈人〉を怒らせる, いらいらさせる.

gèt togéther [自]〈人が〉集まる, […と]会う(with) ‖ We got together and discussed it. 我々は集まってそれを論じた / Let's get together soon. またお目にかかりましょう. (2)(略式)[…について]意見がまとまる, 合意する(on) ‖ get together on the plan その計画について意見がまとまる. —[他] (1)〈人〉を集める;〈物・情報など〉を寄せ集める. (2) [~ oneself together] (略式) 自己を抑制する, 落ち着く.

gèt únder A [(自)⁺]〈テーブルなど〉の下に入る[隠れる]. —[他] (1) [~ A under]〈暴動など〉を鎮圧する;〈火〉を消す. (2) [~ A under B] A〈物〉を B〈物〉の下に入れる.

*gèt úp [自] (1) 起きる, 起床する《◆「目を覚ます」は wake (up)》 ‖ 対話 "What time are you going to get up tomorrow?" "At seven." 「明日は何時に起きますか」「7時です」/ It is「time to get up. もう起きる時間だよ. (2) 立ち上がる, 起き上がる;登る ‖ She got up to protest. 彼女は抗議のために立ち上がった. (3)〈風・火・波などが〉強くなる, 〈海が〉荒れる. (4) [馬・自転車などに]乗る(on) ‖ get up on the horse 馬に乗る. (5) [命令文で](馬に呼びかけて) 進め. —[他] (1)〈人〉を起床させる, 立ち上がらせる;〈人に〉(病後)床を離れさせる ‖ She got me up at 6 a.m. 彼女は私を朝の6時に起こした. (2)〈物〉を上に持って来る, 持ち上げる ‖ get the piano up to the room ピアノを部屋へ運び上げる. (3)〈人〉を〈自転車・馬に〉乗せる(on). (4)〈速度〉を増す;〈蒸気〉を起こす;〈感情・勇気など〉を起こさせる ‖ get up speed 速度を上げる / get up the nerve 勇気をふるい起こす. (5)〈本〉を装丁する. (6)(英)〈科目など〉を(特に)勉強する, 覚える. (7)(略式) [~ oneself / be put] 着飾る, 化粧する;[…に/で] 扮(ふん)装する(as/in) ‖ She got herself up in a new dress. 彼女は新しいドレスを着めかしこんだ《◆ 年齢とか顔に合わない意を含むことが多い》. —

getaway / giant

[(自)⁺] [~ *up* A] 〈木・階段・坂など〉を登る ‖ Let's *get up* the hill. その丘に登りましょう.

gèt úp agàinst A (1) 〈物〉のすぐ近くに立つ[座る, 群がる]. (2) 〈地位の上の人〉を怒らせる; …と対立する, 仲が悪くなる.

gèt úp to A (1) 〈人・場所など〉に近づく, 追いつく. (2) 〈ある所〉まで達する, 進む ‖ *get up to* the last page 最後のページまで進む. (3) 《略式》〈いたずらなど〉をしでかす, する《◆受身不可》‖ *get up to* mischief いたずらをする.

have gót, 've gót 《主に英略式》=have (動) 1-3, 6, 7.

> 語法 (1) 短縮形は have got → 've got, has got → 's got. 非常にくだけた言い方では 've, 's が脱落してしまうこともある: She *got* an expensive watch. 彼女は高価な時計を持っている.
> (2) 過去の意味を表す had got は《米》では用いない.《英》でも稀.
> (3) have got は助動詞の後や命令文には用いられない: He may *have* (*got*) no money. 彼は金を持っていないかもしれない.
> (4) 否定文・疑問文については → have (動) 語法 (1) (2).
> (5) have got ... の形の句は got なしの形 (have (動) 成句) 参照.

have gót to dó 《略式》=HAVE to do (1), (2) (動) 成句).

> 語法 (1) 短縮形は have got to → 've got to, has got to → 's got to. くだけた言い方では 've, 's が脱落した got to /gátə/gətə/ となり, gotta とつづられることもある: You *got to* be kind to her. 彼女にやさしくしなくちゃ.
> (2) 過去形の had got to は《米》では用いない.《英》でも稀.
> (3) 不定詞形や動名詞形はない: We regret *having* (*got*) to refuse your kind offer. あなた方の親切な申し出を断らねばならないのを残念に思っています.
> (4) 否定文・疑問文は have got と同じ(→ have (動) 語法 (1). cf. HAVE to 語法 (2)).《英》では「習慣的」と「特別的」な場合を区別することがある(→ HAVE to 語法 (3). cf. have (動) 語法 (2)).

***Yoù've gót me* (*there*)!** 《略式》参った! 《♦スポーツ・トランプ・議論・なぞなぞなどで負けた時の決まり文句. 受身不可》.

── (名)ⓒ 1 (動物の)子, 子をもうけること. 2 (テニスなどで)巧みな返球.

get·a·way /gétəwèi/ (名)《略式》[a/one's ~] 1 (犯行後の)逃走, 脱出. 2 (レースなどの)スタート.

Geth·sem·a·ne /ɡeθsémənì/ (名)《新約》ゲツセマネ《Jerusalem の近くの庭園. キリストが捕えられた地》; [g~] ⓒ 苦難(の地[時]).

get-out /gétàut/ (名)ⓤ《略式》脱出(の手段). ***like* [*for*] *àll gét-out*** 《略式》ものすごく.

get-to·geth·er /géttəɡèðər/ (名)ⓒ 《略式》(非公式な)集まり; 懇親会.

Get·tys·burg /gétizbə̀:rɡ/ (名) ゲティスバーグ《米国 Pennsylvania 州南部の町. 南北戦争の激戦地》.

Géttysburg Addréss [the ~] ゲティスバーグの演説《1863 年 Lincoln 大統領の演説. "government of the people, by the people, for the people" (人民の, 人民による, 人民のための政治)の句で有名》.

get-up /gétʌp/ (名)ⓒ《略式》[a ~]《風変わりな・奇抜な》服装, 身なり.

gew·gaw /ɡjú:ɡɔ:/ (名)ⓒ 安ぴかの(物), 見かけ倒しの(物).

gey·ser /1 ɡáizər, 2 ɡí:zər/ (名)ⓒ 1 間欠泉. 2 《英略式》(台所・風呂などの)自動湯沸かし器《米》water heater).

Gha·na /ɡá:nə, 《米+》ɡǽnə/ (名) ガーナ《アフリカ西部の国. 公式名 the Republic of Ghana. 旧名 the Gold Coast》.

†**ghast·ly** /ɡǽstli/ (形)《通例 --li·er, --li·est》1 《正式》青ざめた, 死人のように血の気のない(very pale) ‖ look *ghastly* 青ざめている. 2 身の毛のよだつほど恐ろしい, すごい(horrible) ‖ a *ghastly* scene from a horror film 恐怖映画の身の毛のよだつような場面. 3 《略式》〈物・事が〉とても悪い, 不満な, 嫌な, 醜態ぶり ‖ a *ghastly* mistake ひどいへま. 4 《略式》気分がとてもすぐれない; 気が転じる ‖ I feel *ghastly* 気分が非常に悪い[動転している]. ── (副) ぞっとするほど; 恐ろしく ‖ *ghastly* pale 死人のように青ざめて.

gher·kin /ɡə́:rkin/ (名)ⓒ (ピクルス用の)若いキュウリ; その草木.

ghet·to /ɡétou/ 《イタリア》(名)(複 ~(e)s) ⓒ 1 《歴史》(ヨーロッパ各地にあった)ユダヤ人(強制)居住地区, ゲットー; (ある都市の)ユダヤ人街. 2 少数民族のスラム街《米国では主に黒人・プエルトリコ人のスラム街. cf. Harlem》.

***ghost** /ɡóust/《発音注意》
── (名) ~s/ɡóusts/ⓒ 1 幽霊, 亡霊, 死者の霊, お化け《略式》spook);(幽霊のような)やせこけた[青ざめた]人《類語》apparition, specter, spirit) ‖ lay [raise] a *ghost* 亡霊を追い払う[呼ぶ] / The man in the costume looked like a *ghost*. その衣装の男は幽霊のように見えた. 2 [the ~] 影, 幻; 影[幻]のようなもの, わずかな痕跡[可能性](trace);[a/the ~ of a ...] わずかな… ‖ with the *ghost* of a smile わずかに微笑を浮かべて / The realization of the project doesn't have the [a] *ghost* of a chance. 《略式》そのプロジェクトはほとんど実現の可能性がない. 3 《テレビ・光学》ゴースト《二重像のうちの弱い方の画像》. 4 《略式》代作者(ghostwriter).

gìve úp the ghóst 《略式》死ぬ《◆die の遠回し表現》; あきらめる.

── (動)(他)《略式》…をゴーストライターとして書く.

ghóst stòry 怪談;《米略式》ほら話.

ghóst tòwn ゴーストタウン.

†**ghost·ly** /ɡóustli/ (形) (--li·er, --li·est) 1 幽霊の(ような), ぼんやりとした, 影のような. 2 《古》霊的な; 宗教的な; 精神的な. 3 代作の. **ghóst·li·ness** (名)ⓤ ぼんやりしたこと.

ghost·writ·er /ɡóustràitər/ (名)ⓒ 代作者, ゴーストライター.

ghoul /ɡú:l/ (名)ⓒ 1 (イスラム教伝説の)墓をあばき死肉を食う悪霊. 2 墓場荒らし;(死体愛好など)残虐趣味の人.

GHQ (略) General *Headquarters*.

GI[1] /dʒí:ái/ (名) (複 **GI's, GIs**) ⓒ 《略式》《米陸軍》兵士; 徴募兵, 下士官兵; 退役軍人.

GI[2] (略) government *issue*.

***gi·ant** /dʒáiənt/《ギリシャ神話の巨人 Gigas(ギガス)の複数形 Gigantes より》
── (名) (複 ~s/-ənts/) ⓒ

Ⅰ [肉体的・物理的巨大さ]

1 巨人, 巨漢, 大男(↔ dwarf); 巨大な動物[植物, 企業, 組織]《ギリシア神話》ギガス《地から生まれた巨人》‖ a corporate *giant* 大企業.
2 [形容詞的に] 巨大な(huge)(↔ tiny); 偉大な, 非凡な ‖ a *giant* hospital 巨大病院.

Ⅱ [精神的巨大さ]

3 非凡な才能・知力などを備えた人, 巨匠, 偉人 ‖ Einstein is said to be a *giant* of science. アインシュタインは科学の巨匠と言われている.

gíant pánda ジャイアント=パンダ《◆単に panda ともいう》.
gíant sequóia [植] セコイアオスギ(big tree).
gíant slálom [スキー] 大回転(競技).
gíant('s) stríde 回旋ぶらんこ.

gib·ber /dʒíbər/ [動] 自 (激怒・恐怖などで)訳のわからないことを早口にしゃべる. **gibber awáy** [自] 《猿などが》キャッキャッと言い続ける; 《人が》間断なくぺちゃくちゃしゃべる. ━━[他] =gibberish.
gíbbering ídiot (略式) まぬけ, ばか者.

gib·ber·ish /dʒíbəriʃ, gíb-/ [名] **1** 早口で訳のわからないしゃべり, ちんぷんかんぷん. **2** 理解できないちんぷんかんぷんの言葉[話, 文章].

†**gib·bet** /dʒíbit/ [名] **1** C (昔の)絞首台(gallows); (絞首刑者の)さらし柱. **2** [the ~] 絞首刑. ━━[他] **1** 《罪人》を絞首刑にする. **2** 《絞首刑者》をさらし柱にする. **3** 《人》を衆目の笑い物にする, さらし者にする.

gib·bon /gíbən/ [名] C [動] テナガザル《東南アジア産》.
gibe, jibe /dʒáib/ [名] C (人に対する)嘲り笑い, (悪意のない)冷やかし《about, at》. ━━[動] 自 《人などが…の理由で》あざける, ばかにする《at/for》.

gib·lets /dʒíblɪts/ [名] [複数扱い] (鶏・家禽(カキン)の食用の)臓物, もつ.

Gi·bral·tar /dʒibrɔ́:ltər/ [名] **1** ジブラルタル(the City of Gibraltar). **2 the Strait of ~** ジブラルタル海峡《Spain と Morocco の間》. **3** [時に g~] C 難攻不落の地[要塞].

Gib·son /gíbsən/ [名] C (米) ギブソン《酢づけの小粒玉ねぎをあしらったドライマティーニ=カクテル》.

†**gid·dy** /gídi/ [形] (--**di·er**, --**di·est**) **1** 《人が》目まいがする(dizzy). **2** 《場所などが》目まいを起こさせるような; 《変化などが》目まぐるしい. **3** (古) 《人などが》軽薄な, 浮ついた; 移り気の, 衝動的な.
be gíddy with A …で大喜びする ‖ He *was giddy with* all the attention. 彼は皆にちやほやされて有頂天だった.
gíd·di·ly [副] 目まいがして, 気まぐれに.
gíd·di·ness [名] U

Gide /ʒíːd/ [名] ジード《**André** /ɑ́ːndrei ǀ ɔ́ndrei/ ~ 1869-1951; フランスの小説家・批評家》.

Gid·e·on /gídiən/ [名] **1** [旧約] ギデオン《イスラエルの士師. ミディアン人の圧制からイスラエルを解放した》. **2** C 国際ギデオン協会員; [~s] =Gideons International.
Gídeons Internátional [the ~] 国際ギデオン協会《聖書寄贈活動をする超教派の団体. 旧名 the Gideon Society》.

⁑**gift** /gíft/ [『「与える(give)」が原義』]
━━[名] (複 ~s/gífts/)
Ⅰ [人から与えられたもの]
1 C (…に対する)贈り物, 寄贈品, プレゼント; (人に買ってくる)みやげ物《*to, for*》(cf. souvenir)《◆堅い語で, しばしば「施し物」という冷たさが感じられるので present が好まれることが多い》‖ a Christmas *gift*

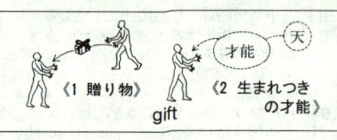

《1 贈り物》 gift / 《2 生まれつきの才能》 才能 天

to him 彼へのクリスマスの贈り物 / send a midyear [year-end] *gift to* him 御中元[御歳暮]を彼に送る / a *gift for* a birthday = a birthday *gift* 誕生日の贈り物 / a free *gift* おまけ, 景品 / make a good [ideal] *gift* よい[理想的な]贈り物になる / I have a *gift for* you. プレゼントがあります / The survey found that many women want travel *as a gift*. 調査によると多くの女性は旅行を贈り物にしてもらいたがっている.

Ⅱ [天から与えられたもの]

2 C (…の/…に対する)生まれつきの才能《*for, of / with*》‖ a man of many *gifts* 多才の人 / the *gift* of ((米) the) gab (略式) おしゃべりの才 / He has a *gift for* languages. 彼には語学の才能がある.
3 (主に英略式) [a ~] 簡単にできる事[物]; 割安なもの ‖ The test was a *gift*. その試験はやさしかった.
a gíft from the Góds 神からの恵み, 幸運.
━━[動] [他] **1** (正式) 《人》に《物》を贈る《with》; 《人》に与える《to》; [be ~ed] 《才能など》に…の才能に]恵まれている《with/in》 ‖ She *is gifted with* a great talent [*in* mathematics]. 彼女はすぐれた才能[数学の才能]に恵まれている.

gíft certíficate [(英) cóupon] 商品券.
gíft hórse 贈り物の馬 ‖ *look a gift horse in the mouth* (略式) [全面否定文で] もらい物のあら探しをする《◆馬はその歯を見れば年齢がわかることから》.
gíft shòp みやげ物店.
gíft tòken [vóucher] (英) 進物用商品券《◆ ×*gift card* とはいわない》.

gíft-bòok /gíftbùk/ [名] C 贈り物用の(美装)本.
†**gift·ed** /gíftid/ [形] 天賦の才能のある; (…の)すぐれた才能[知能]のある《*with*》‖ a *gifted* pianist 才能に恵まれたピアニスト / a man *gifted with* the art of persuasion 説得の才に長けた人.
gíft-wràp /gíftræp/ [動] (過去・過分 **gift-wrapped** or **gift-wrapt**/-t/; **~·wràp·ping**) [他] 《物》を贈り物用に包装する.
gíft-wràp·ping /gíftræpɪŋ/ [名] U 贈り物用包装材料.

†**gig** /gíg/ [名] C **1** [歴史] 1頭立て軽装無蓋2輪馬車, ギグ. **2** 船載小型ボート《船長専用》.

gig·a- /gígə-/ [語要素] →語要素一覧(1.1).
†**gi·gan·tic** /dʒaigǽntik/ [形] **1** 巨人のような. **2** 巨大な, 激しい, 膨大な.

†**gig·gle** /gígl/ [名] C **1** (略式) [しばしば the ~s] (主に子供や若い女性の)くすくす笑い, 忍び笑い《◆下品な笑いとされる》. **2** (略式) [a ~] 面白い人[物], 冗談 (事). ━━[動] [自] くすくす笑う(→ laugh [関連]) ‖ *giggle at* [*over*] him 彼をくすくす笑う.
gíggle awáy [自] くすくす笑い続ける. ━━[他] 《時》をくすくす笑って過ごす.

Gil·bert /gílbərt/ [名] C ギルバート《**Sir William S.** ~ 1836-1911; 英国の劇作家・ユーモア詩人・喜歌劇台本作者》.
Gil·ber·ti·an /gilbə́ːrtiən/ [形] W. S. Gilbert の喜歌劇風の; 滑稽な, とんちんかんの.

†**gild**¹ /gíld/ [動] (同音 guild) (過去・過分 **~·ed** or **gilt**/gílt/) [他] **1** …に金[金箔(ハク)]をかぶせる, 金めっきを

する；…を金色に塗る ‖ *gild* a metal toy with gold leaf 金属製のおもちゃに金箔で金めっきする. **2** 〘文〙〈太陽などが〉〈山などを〉明るく魅力的に見せる；…をよく見せる；…をねじまげる ‖ *gild* a lie うそを粉飾する / *gild* the truth 真実をねじまげる. **gíld·er** /-ər/ 〘名〙Ⓒ 金箔師，めっき師.

gild² /gíld/ 〘名〙 =guild.

†**gild·ed** /gíldid/ 〘形〙 **1** 金めっきした，金箔をかぶせた. **2** 色を金色に塗られた. **3** 粉飾された，うわべだけ立派な. **4** 金持ちの.

gild·ing /gíldiŋ/ 〘名〙Ⓤ **1** 金箔(ﾊｸ)［金めっき］の技術［方法］. **2** 塗金材料，金箔，金粉. **3** 金箔［金粉］をつけた表面. **4** うわべだけの飾り，粉飾，ごまかし.

†**gill¹** /gíl/ 〘名〙Ⓒ〘通例 ~s〙**1**〈魚などの〉えら. **2**〈鶏・七面鳥などの〉肉垂れ.

be rósy about the gílls 元気そうに見える.

be white [pále, gréen] about the gílls 〘略式〙〈恐怖などで〉顔色が青ざめている.

gill² /dʒíl/ 〘名〙Ⓒ ジル〈液量単位．1/4 pint〘米〙約 0.12*l*, 〘英〙約 0.14*l*〉.

gil·ly·flow·er /dʒíliflàuər/ 〘名〙Ⓒ〘植〙**1** ナデシコ. **2** ストック，アラセイトウ.

gilt /gílt/ 〘動〙gild の過去形・過去分詞形. ━━〘形〙金箔(ﾊｸ)をかぶせた，金色に塗った ‖ a *gilt* edge 金縁 / a *gilt* top 天の金. ━━〘名〙Ⓤ **1** 金箔，金粉，金泥(ﾃﾞｲ), 金色塗料 ‖ The *gilt* is coming off. 金箔がはげかけている. **2** うわべだけの飾り，虚飾.

gilt-edged /gíltédʒd/ 〘形〙 **1**〈書籍・紙など〉金縁の.

gílt-èdged secúrities 優良株［証券］.

gílt-èdged sháres [stóck(s)] 優良株［証券］.

gim·let /gímlit/ 〘名〙Ⓒ **1**（Ｔ字型の柄の付いた）ねじ錐(ｷﾘ), 木工錐. **2** Ⓤ Ⓒ ギムレット〈ジン［ウォツカ］とライムジュースのカクテル〉.

gímlet èye 鋭いまなざし，鋭い視線.

gim·me /gími/ 〘動〙give me の短縮形.

gimp /gímp/ 〘名〙Ⓒ **1**（衣服・カーテンなどの縁飾り用）打ちひも，組みひも. **2** しんに銅線を入れた絹の釣糸. **3**（レース編みで浮き模様作りに使う）目の粗い糸.

gin¹ /dʒín/ 〘名〙Ⓒ **1** 綿繰り機. **2**（獣・鳥・魚をとる）わな，網.

†**gin²** /dʒín/ 〘名〙Ⓤ ジン〈穀物・麦芽を原料とし杜松(ﾈｽﾞ)(juniper) で香りをつけた無色の蒸留酒〉‖ a *gin* and tonic ジントニック.

gín mìll 〘主に米略式〙一杯飲み屋.

gín slìng 〘米〙ジンスリング〈ジンに甘味・香料・水などを加えた飲み物. 単に sling ともいう〉.

†**gin·ger** /dʒíndʒər/ 〘名〙Ⓤ **1**〘植〙ショウガ；その根茎〈香辛料・薬用〉. **2**〘略式〙元気，活力，刺激. **3** ショウガ色，赤［黄］褐色，（頭髪の）赤毛色. ━━〘動〙〘略〙 …にショウガで味つけをする；〘略式〙…を活気づける(+*up*).

gínger àle [〘略式〙**póp**] ジンジャーエール〈ショウガで味つけをした甘い味の清涼飲料．ごく少量のアルコールを含むものもある〉.

gínger bèer ジンジャービール〈発酵させたショウガを用いた清涼飲料．ごく少量のアルコールを含むものもある〉.

gínger nùt 〘英〙ショウガ入りクッキー（〘米〙 gingersnap）.

gin·ger·ade /dʒìndʒəréid/ 〘名〙Ⓤ〘英〙=ginger beer.

†**gin·ger·bread** /dʒíndʒərbrèd/ 〘名〙Ⓤ ショウガパン〈ケーキ〈ショウガ味を加えた〉.

†**gin·ger·ly** /dʒíndʒərli/ 〘形〙〘副〙非常に慎重に[の]；極めて用心深く[く]，恐る恐る.

gin·ger·snap /dʒíndʒərsnæp/ 〘名〙Ⓒ〘米〙ショウガ入りクッキー.

†**ging·ham** /gíŋəm/ 〘名〙Ⓤ ギンガム《棒じま または格子柄の平織りの綿布》.

gink·go, ging·ko /gíŋkou/〘中国語銀杏(ｲﾁｮｳ) から〙〘名〙(複 **~(e)s**) Ⓒ〘植〙イチョウ ‖ a *ginkgo* nut 銀杏(ｷﾞﾝﾅﾝ).

Gio·con·da /dʒoukándə, dʒìə-|dʒóukɔ́n-/〘〘イタリア〙〙〘名〙 **1 La** /lɑː/ 〜 ラ・ジョコンダ〈モナリザ (Mona Lisa) の別名〉. **2**〘形容詞的に〙(微笑が)謎めいた，神秘的な.

Giot·to /dʒátou|dʒɔ́t-/ 〘名〙ジョット ー《1266?-1337；イタリアの画家・建築家》.

Gip·sy /dʒípsi/ 〘名〙〘主に英〙=Gypsy.

gi·raffe /dʒəræf|dʒərɑ́ːf/ 〘名〙 **1** Ⓒ〘動〙キリン. **2** [the G~] 〘天文〙きりん座（北天の星座）.

†**gird** /ɡə́ːrd/ 〘動〙〘過去・過分〙**~·ed** or **girt** /ɡə́ːrt/) (Ⓣ)〘古〙**1**〈帯などを〉締める(+*up*)；〈腰などを〉〈帯・ベルトなどで〉締める〘*with*〙；〈ひもなどを〉巻きつける(+*round*). **2**〈衣服〉を帯で締める；〈剣などを〉帯びる(+*on*). **3** [~ oneself]（重大な意義・危険・困難などに備えて）身構える(+*up*) 〘*for*〙；〘…する〙心構えをする(*to do*).

†**gird·er** /ɡə́ːrdər/ 〘名〙Ⓒ〘土木・建築〙ガーダー, 桁(ﾊｼﾞ), 大梁(ﾊﾞﾘ).

†**gir·dle** /ɡə́ːrdl/ 〘名〙Ⓒ **1** 腰帯, ベルト, 帯《昔は武具》. **2** ガードル〈下に靴下止めのついたゴム入りコルセット．女性用下着の一種〉. **3**〘正〙（周囲を）帯状に取り巻くもの, 輪 (circle) ‖ a *girdle* of trees round the pond 池を囲む木立ち.

hàve [*hóld*] *A ùnder one's gírdle* 〘正〙…を支配する, 服従させる.

━━〘動〙 **1**〘Ⓣ〙…を帯で締める；…を [中で] 帯状に囲む, 取り巻く(+*about*, *around*)〘*with*〙. **2** …を1周する.

girl /ɡə́ːrl/〘『（男女の）子供』が原義〙

━━〘名〙(複 **~s**/-z/) Ⓒ **1** 女の子, 少女；未婚の女（↔ boy）(cf. gal) 〔◆ふつう 9-12 歳まで, 大きくても 15 歳以下の女の子をさして用いる. → **4** 注〕；〘略式〙娘 (daughter) ‖ She goes to a *girls'* high school. 彼女は女子高に通っています 〔◆**a** *girl's* [a *girls*] high school とも書く〕 / a young *girl* 〈ふつう 10 代の）少女 〔◆9 歳以下については *a* young *girl* of five などとはいわない. cf. *a little girl* of five) / *Girls* will be *girls*. 女の子はやっぱり女の子 (→ **boy 1**).

2 お手伝い, 女店員, 女事務員；女優.

3 [one's 〜]（男性にとっての）恋人, 愛人, ガールフレンド；〘略式〙[the 〜s; 複数扱い]（年齢を問わず）女友だち.

4〘略式〙（年齢・既婚・未婚を問わず）女性 〔◆時に woman より精神的未熟さを暗示する. 大人の女性が自分のことを girl と称することがあるが, 他人が大人の女性を girl と呼ぶのはふつう失礼になる〕；[〜s; 複数扱い] おねえさん 〔◆店員などの女性が客用の用語いる〕；みなさん 〔◆友だち・同僚などの女性への親しみを込めた呼びかけ〕‖ my dear *girl*〈たしなめて〉おまえ / Hello, *girl* 〈うふ〉, what will you have? お客様, 何にいたしましょうか〈◆〘米〙では madam, ma'am, lady ていねいな呼びかけ. girl, honey は親しみを込めたくだけた呼び方. 〘英〙では deary という〕.

gírl Frídaỳ → Friday 成句.

gírl friénd =girlfriend.

gírl guíde (1) [the G~ Guides] ガールガイド《1910 年英国で創設. 米国の Girl Scouts に相当》.

girlfriend / give

(2) ガールガイドの一員.

girl scóut 《米》(1) [the G~ Scouts] ガールスカウト《1912年米国で創設. cf. Girl Guides》. (2) ガールスカウトの一員.

girl・friend /gə́:rlfrènd/, **girl friend** 图 ⓒ 《略式》(女性の) 友だち; [通例 one's ~] (男性にとっての) 愛人, 恋人; ガールフレンド《◆日本語のガールフレンドより親密度が高い》‖ I am getting married to my *girlfriend* soon. ぼくは恋人同士ともうすぐ結婚します《◆深い仲になっている特定の女性を指すので, She is a girlfriend of mine. は, ふつう女性が友人についていう場合の言い方. 男性がふつうの女友だちをいうときは She is a friend (of mine). が無難. cf. boyfriend》.

†**girl・hood** /gə́:rlhùd/ 图《正式》少女であること; 少女時代; [集合的名詞] 少女たち.

†**girl・ish** /gə́:rliʃ/ 形 **1** 少女の(ような), 少女時代の; 少女らしい, 無邪気な. **2**《少年が》女の子のような.
girl・ish・ly 副 少女らしく.

girt /gə́:rt/ 動 gird の過去形・過去分詞形.

†**girth** /gə́:rθ/ 图 **1** ⓤⓒ《正式》(円筒形物体の)周囲の寸法; (人の)胴回り‖ a tree 2 meters in *girth* 周囲が2メートルの木. **2** ⓒ (馬などの)腹帯; バンド, 帯 (girdle).

Gis・sing /gísiŋ/ 图 ギッシング《George (Robert) ~ 1857–1903; 英国の小説家》.

†**gist** /dʒíst/ 图 **1** [the ~]《話・記事などの》要点, 要旨, 主旨‖ I *got* the *gist* of his lecture. 私は彼の講義の要点はわかった. **2** ⓒ《法律》訴訟の要旨[基礎], 訴因.

‡**give** /gív/ 《「一方から他方へ」(物を)移動して(人に)持たせる」が本義. これから具体的な物を「(無償で)与える, 渡す」「(有償で)与える, 渡す」の意のほか, 比喩的に「与える, 渡す」の意が生じた》

index
他 **1** 与える **2** 渡す **7** 授ける **9** 述べる
10 伝える **14 a** 生じさせる **16** 加える
17 催す **18** 発する
自 **1** 物を与える **2** たわむ **4** 屈する

— 動 (~s/-z/; 過去 gave /géiv/, 過分 giv・en /gívn/; giv・ing)

— 他
I [「(無償で)与える (所有権が移動)」]
《◆「有償で与える, (金を)払って与える」意の sell, pay と対立》

1 [give (A) B =give B (to A)]〈人が〉〈人(に)〉B〈物・金〉を〈無償で〉与える, あげる, やる, 贈る, 寄付する《◆ offer, present, contribute などより口語的》(➡文法 3.3)‖ *give* a Christmas present クリスマスプレゼントをあげる / *give* a daughter in marriage (*to* that man) (あの男のところに)娘を嫁にやる / I *gave* Bill the book. =I *gave* the book *to* Bill. ビルに本をやった[渡した(→ **2**)]《◆(1)両者とも意味は同じだが, 前者は彼に「何を」与えたか, 後者は本を「だれに」与えたかに焦点を置いた言い方. (2) 受身形については ➡文法 7.8》/ She *gave* two hundred dollars *to* the Red Cross. =She *gave* the Red Cross two hundred dollars. 彼女は赤十字に200ドル寄付した.

II [「(無償で)渡す, 預ける (所有権は移動しない)」]

2 [give (A) B =give B (to A)] (無償で)〈人が〉〈人(に)〉B〈物などを〉(手)渡す, 預ける, 委託する《◆ hand (over) の代用語》‖ *give* the porter one's bag ポーターにバッグを預ける / Please *give* this envelope *to* our teacher. この封筒を先生に渡してください《◆文脈によっては「与える」の意にもなる. → **1**》.

III [「(有償で)渡す (所有権が移動)」]《◆ sell, pay と同義》

3 [give (A) B =give B (to A)]〈人が〉〈人(に)〉B〈物〉を[…と交換に](売り)渡す《◆ sell の代用語》, 〈人(に)〉B〈金〉を支払う《◆ pay の代用語》[*for*]‖ She *gave* $5,000 for that painting. 彼女はその絵に5千ドル払った / I *gave* my old bicycle *to* him *for* $20. 私は自分の古い自転車を彼に20ドルで売った / How much must I *give* you to repair of my car? 私の車の修理にいくらかかるんですか.

IV [「(無償で)渡す」の拡大用法]

4 [give (A) B =give B to A]〈人が〉〈人(に)〉B〈手などを差し出す〉《正式》extend); 〈米〉〈交換手が〉〈人(に)〉B〈人・内線などを〉つなぐ‖ *Give* me extension 20, please. 内線20につないでください / *Give* me Mr. Smith. スミスさんに代わってください / She *gave* her hand to shake. 彼女は握手をしようと手を差し出した.

V [「(無償で)与える」の拡大用法]

5 [give (A) B] (自然または物理的作用の結果として)〈生物・物・事が〉〈人(に)〉B〈物・事を〉生み出す, 供給する《◆ supply, provide, produce より口語的》‖ The sun *gives* heat and light. 太陽は熱と光を与えてくれる / Hens *give* us eggs. めんどりは我々に卵を産んでくれる / Five into ten *gives* two. 10割る5は2 / The research *gives* the following conclusion. この研究から次のような結論が導き出せる.

VI [「与える, 渡す」の比喩的用法]

[許可・機会]

6 [give (A) B =give B (to A)]〈人が〉〈人(に)〉B〈機会・許可などを〉与える; 〈人(に)〉B〈時間・仕事などを〉割り当てる《◆ issue, assign より口語的》‖ *give* permission 許可を与える / *give* homework *to* us 我々に宿題を出す / *Give* me one more chance. もう一度だけ機会を与えてください / The teacher *gave* him three days to finish his assignment. その先生は彼に宿題を終わらせるのに3日間の猶予を与えた / You'd better *give* yourself an hour to get there. そこへ行くのに1時間はみておいたほうがいいよ.

7 [give (A) B =give B (to A)]〈人・事が〉A (〈人〉に) B〈名誉・地位などを〉授ける, 与える《◆ grant, offer より口語的》; 〈人(に)〉B〈信頼などを〉寄せる‖ *give* a title 称号を授ける / *give* him the place of honor 彼に名誉ある地位を与える / *give* the Naoki Prize to the writer その作家に直木賞を授与する / I *give* him my confidence. 彼を信用している.

8 [give (A) B]〈人が〉〈人(に)〉B〈論点・試合などを〉譲る, 認める‖ I'll *give* you that. その点は認めよう; それはその通りだ / Don't *give* me that. 《略式》そんなこと信じるものか.

[伝達・言葉]

9 [give (A) B =give B (to A)]〈人が〉〈人(に)〉B〈意見・理由・助言・祝福・言い訳・たわごとなどを〉述べる, 言う《◆ express より口語的》; 〈人(に)〉B〈物・事を〉提出する《《正式》submit》; 〈裁判官が〉〈人(に)〉B〈判決などを〉言い渡す; 〈人が〉〈人(に)〉B〈約束などを〉誓う‖ *give* advice 忠告する / *give* orders 命令を出す / *give* thanks 感謝を述べる / *give* an alibi アリバイを提出する / *give* evidence in court 法廷で証言する / *Give* me your name and ad-

give

dress, please. 名前と住所をおっしゃってください / Can you *give* me your opinion on this? これについての君の意見を聞かせてください / Please *give my best wishes* [*regards*] *to* your family.《正式》ご家族の皆様によろしくお伝えください(=(略式) Please say hello to your family for me.).

10 [give (A) B =give B (to A)]〈人が〉〈(A〈人〉に)〉B〈情報・知識・真相など〉を**伝える**, 告げる;〈新聞などが〉〈(A〈人〉に)〉B〈記事など〉を載せる ∥ *give* the signal to start スタートの合図をする / *give* a true account of the accident その事故の真相を伝える / Can you *give* me「her telephone number [more information]? 彼女の電話番号[もっと情報]を教えてくれませんか / The dictionary doesn't *give* [*carry*] this word. その辞書にはこの語は載っていない.
[例示・描写]

11 a [give A B]〈司会者が〉A〈聴衆〉に B〈話し手など〉を**紹介する**;〈人が〉A〈聴衆など〉にB〈人・事〉のために乾杯するように求める ∥ We *give* you the victory of our team. チームの優勝に乾杯しましょう(=Here's to the victory of our team!).
b〈乾杯〉をする ∥ *give* a toast 乾杯をする.

12 [give (A) B =give B (to A)] **a**〈人が〉〈(A〈人〉に)〉B〈例など〉を示す, あげる;〈事が〉B〈兆候など〉を示す;〈計器が〉B〈度数〉を示す;〈人が〉〈(A〈人〉に)〉B〈日時〉を指定する ∥ The house *gives* no sign of life. その家には人の住んでいる気配がない(=There is no sign of life about the house.) / They *gave* us the date for [of] the meeting. 彼らは会合の日を指定した / You should *give* a good example *to* your children. 子供たちによい手本を示すべきだ / The thermometer *gives* [shows] 25℃ in the room. 温度計は室内で25度を示している. **b**〈作者などが〉〈(A〈人〉に)〉B〈人間・風景など〉を描く ∥ Shakespeare *gives* us human nature in various forms. シェイクスピアは我々にさまざまな人間性を見せてくれる.
[傾倒・専心]

13 a [give B to A]〈人が〉B〈精力・時間など〉を A〈仕事など〉にそそぐ, 傾注する《◆ devote より口語的》;[~ oneself] […に]専念[没頭]する(+*up, over*)[*to*] ∥ *give* oneself (*up* [*over*]) *to* one's research 研究に没頭する / *give* a night *to* our wedding anniversary party 夜は私たちの結婚記念パーティーのために空けておく / The professor gave all her life to the study of apes. その教授は彼女の人生をすべて猿の研究に注いだ. **b**《正式》[be given]〔酒など好ましくないことに〕ふける, 身を任せる;[…の/…をする]癖がある(+*up, over*)[*to* / *to doing*] ∥ She *is given to boasting*. 彼女には自慢する癖がある. **c**〈人が〉〈生命・人などを〉[危険・大義などのために]捧げる;犠牲にする(+*up*) [*for, to*]《◆ sacrifice より口語的》∥ *give* one's life in war 《正式》戦争で命を捨てる.
[負荷を与える]

14 a [give (A) B]〈人・物・事が〉〈(A〈人など〉に)〉B〈心配・喜び・印象など〉を**生じさせる**, 起こす《◆ cause より口語的》∥ Music *gives* most people pleasure. 音楽はたいていの人に喜びを与える《◆ give の主語が物・事の場合, 受身不可. ˣMost people are given pleasure by music. /ˣPleasure is given (to) us by music.》/ He *gave* us a lot of trouble. 彼は我々にたいへん面倒をかけた / Does your back *give* you pain? 背中が痛みますか / Could you

give me a discount? もっと安くしてくれませんか. **b** [give A B =give B to A]〈人が〉A〈人に〉B〈責任などを〉帰する ∥ *give* him the blame the 責任を彼にかぶせる. **c**《正式》[give A to do]〈人が〉〈(情報などを与えて)〉〈人〉に…させる《◆(1) しばしば受身で用いる. (2) to do は believe, think, know, understand などで主に間違って信じ込まされたりする時に使う》∥ I *was given to* understand that she was ill. 私は彼女が病気だと思い込まされた.

15 [give A B]〈人が〉A〈人〉にB〈病気〉をうつす ∥ You've *given* me your cold. 君にかぜをうつしたよ.

16 a [give (A) B]〈人が〉〈(A〈人・物〉に)〉B〈動作・行為〉を**加える**, する《◆ B は動詞から派生した名詞. give は時制・人称・数の文法的機能をになうだけで, 実質的意味は B にある》∥ *give* him a kiss 彼にキスする(=kiss him) / *give* him an answer 彼に返事をする(=answer him) / 《対話》"You seem to be in trouble.""Yes, my car is [got] stuck in the mud. Will you *give* it a strong push?" 「お困りのようですね」「はい, 車がぬかるみにはまってしまいました. 力いっぱい押してくれませんか」.

> 語法 He kicked the door. =He *gave* the door a kick. (彼はドアをけった)のように2つの表現が平行することが多いが, 例外もある: He broke the door. (彼はドアをこわした)に対して ˣHe gave the door a break. は不可.

b [give A B]〈人が〉A〈人〉に(罰として) B〈労働など〉を課する ∥ *give* the boy a whipping その少年をむちで打つ / We *gave* him six months' labor. 彼に6か月の重労働を課した(=《正式》We imposed six months' labor on him.).

VII「「与える」より転じて「…する」]

17 [give (A) B =give B (for A)]〈人が〉〈(A〈人〉のために)〉B〈パーティー・コンサートなど〉を**催す**, 開く《◆ hold, organize より口語的》; B〈劇など〉を上演する; B〈授業・演技など〉を行なう / *give* a party for Tom をホームのためにパーティーを開く / *give* a lecture 講義[講演]をする / Give us a song. 1曲歌って聞かせてください / We are *giving* 「Tom a party (a party *for* Tom) for his birthday. 我々はトムのために誕生パーティーを開く予定だ.

18〈人・物が〉〈声・音など〉を**発する**;〈人が〉〈身振り〉を示す;〈物が〉〈運動〉をする《◆目的語は動詞から派生した名詞. give は時制・人称・数の文法的機能をになうだけで, 実質的意味は目的語にあり, 目的語は常に強勢を受ける》∥ *give* a láugh 笑う(=laugh) / *give* a shóut 叫ぶ(=shout) / The child gáve a súdden crý. その子供は突然泣き出した(=The child cried suddenly.) / The car *gave* a jólt. 車はがたがた揺れた(=The car jolted.) / She gáve a shrúg of her shoulders. 彼女は肩をすくめた(=She shrugged her shoulders.).

—自 I [give A to B の A の省略]

1 与える ∥ Many people think that it is better to *give* than to take. 多くの人々は, 取るよりも与える方がよいと考えている.

2 [give to B]〈人が〉B〈貧者など〉に**物を与える**, 寄付[贈物]をする ∥ *give* generously *to* the poor 貧しい人々に物を気前よく恵む《◆ B は charity《慈善団体》, the poor [needy] などに限る. それ以外では直接目的語が必要: ˣgive generously to Mary / *give money generously to Mary*》.

‖ [give oneself [way]] (負ける)の省略表現]
3 〈物が〉[圧力などに]**たわむ**, しなう, (圧力に)負ける; へこむ, くずれ落ちる《◆collapse より口語的》; (関節などの)力が抜ける ‖ The bamboo *gave* but did not break. その竹はしなったが折れなかった.
4 [しばしば ~ comfortably] 〈いすなどが〉弾力がある, はずむ 〈座る人の体重に負けてくれないから〉.
5 屈する, 譲歩[妥協]する ‖ Her courage will never *give*. 彼女の勇気は決してくじけないだろう.
6 〈気候が〉ゆるむ, 和らぐ《◆霜などが〉融ける》.
Ⅲ [その他]
7 〈窓などが〉[道路などに]面している, 〈ドアが〉[…に]通じている〔on, onto, upon〕《◆受身不可》‖ The window *gives* on [faces] the park. その窓は公園に面している. **8** [命令文で] 言え ‖ Okay now, *give*! さあ, 言うんだ.

gíve and táke (1) 互いに譲歩[妥協]する. (2) 意見を交換する(cf. give-and-take).

give as góod as one géts [パンチを受けたと同じだけ打ち返す] 《略式》 (けんか・議論で)負けずにやり返す.

*give awáy [他] (1) 〈物を〉[…に]**ただでやる**; 〈物を〉 […に]安く売る[*to*]; …を寄付する ‖ He *gave away* all his money to those people. 彼は途中にあり金を全部くれてやった. (2) 〈賞品・贈り物など〉を配る, 渡す ‖ *give away* the prizes 賞品を配る. (3) [結婚式で]〈父親が〉〈新婦〉を新郎に引き渡す. (4) 〈秘密など〉を[…に]うっかりもらす, ばらす[*to*]; 〈話し方などが〉〈人〉の正体を思わず現す; 〈人〉を裏切る ‖ *give* her accent *gave* her *away*. 言葉のなまりで彼女のお里が知れた. (5) (怠慢・不注意などで)〈機会など〉をふいにする, 逃す, 〈試合などで〉好機を逸して負ける ‖ *give away* one's last chance 最後のチャンスをふいにする. (6) =give WAY (3).

give báck [自] 退く, 退却する. ― [他] (1) 〈物を〉[…へ]返す[*to*]; 〈侮辱など〉をやり返す ‖ *give* the books *back* to the library 本を図書館に返す(= *give* the library *back* the books / *give* the library the books *back*). (2) 〈音・光〉を反射させる.

give fórth [他]《文》(1) 〈音・においなど〉を発する. (2) 〈考えなど〉を公にする, 公表する.

*give ín [自] 〖*give* (oneself) *in*(自らを凹んだ状態に(in)する); cf. give ⓗ **3, 5**〗[…に]**降参する**, 屈服する(yield)[*to*]; 〈*give in* to him [his views]〉彼[彼の意見]を受け入れる ‖ We finally *gave in* to the enemy's attack. 我々は結局敵の攻撃に降参した. ― [他] 〈書類など〉を[…に]提出する, 手渡す[*to*] ‖ *give* [hand] the examination papers *in* to the teacher 先生に答案用紙を提出する.

give it to A [*hót* [*stráight*]] 《俗》〈人〉をきびしくしかる, 責める, やっつける.

Gíve me A. (1) 〈物・事〉の方がよい ‖ *Give me* the good old times. 懐かしい昔よもう一度. (2) → ⓗ **4**.

give óff [他] 〖においなどを(それ自身から)離れて(off ⓟ **4**)〈周りに〉与える(give)〗〈煙・におい・光・熱など〉を発する ‖ The gas *gave off* a strong smell. そのガスは強いにおいを発した.

give or táke A 〈量・時間〉の多少の増減を伴って ‖ It will take an hour, *give or take* a few minutes. 数分の違いがあるかもしれないが, 1時間かかるだろう.

give óut [自] 〖*give* (oneself) *out*(自らを出し尽くす); cf. out ⓟ **7, 16**〗《略式》〈供給・力・我慢などが〉尽きる(come to an end); 〈人が〉疲れ果てる ‖ At last our food *gave out*. ついに我々の食料は尽きた. (2) 〖*give* (oneself) *out*; cf. out ⓟ **3, 6**〗《略式》〈エンジン・モーターなどが〉故障で止まる (break down); 〈物が〉つぶれる, だめになる ‖ The engine *gave out* (on him). エンジンが故障した. ― [他] (1) 〈ニュースなど〉を発表する, 放送する; [~ *out that*節] …と発表する ‖ The examination date was *given out*. 試験日時が発表された. (2) [~ *oneself out*] […と]言い立てる, 名乗る(to be, as for). (3) 〈物〉を〈複数の人に〉配る[*to*] ‖ 「*give out* handouts [*give* handouts *out*] to those who attend the meeting 集会出席者に資料プリントを配る.

*give óver [自] 《英略式》[しばしば命令文で] やめる (stop), 静かにする; 〈雨などが〉やむ ‖ Dó *give over*! いいかげんにやめろ. ― [他] 〖人や物を所有権を移して(over ⓟ **10 a**) 他に与える(give)〗 (1) 〈物・人〉などを〈…に〉引き渡す, 預ける, 委託する ‖ *give* the thief *over* to the police その泥棒を警察に引き渡す / *give* the key *over* to the caretaker 鍵を管理人に預ける. (2) [通例受身で] (特定の目的のために) 〈時間・場所など〉が[…に]あてられる, 取っておかれる[*to*] ‖ That evening was *given over* to discussion. その晩は討論にあてられていた. (3) → ⓗ **13 a, b**. ― [自⁺] 《英略式》 [~ *over* A] 〈事・習慣など〉をやめる《◆A は主に動名詞》‖ *Give over* fighting. けんかはやめろ.

*give úp [自] あきらめる, やめる; 降参する ‖ I *give up*. もうやめた; もうまいった《◆なぞなぞ・質問などの答えがわからないときの言葉》. ― [他] (1) 〈悪習など〉を**やめる**, 放棄する《◆目的語は doing》‖ She finally *gave up* smoking [×to smoke]. 彼女はとうとうタバコをやめた. 〘ジョーク〙"Dave, your homework is getting much better." "I know ― my father *gave up* helping me." 「デイブ, 君の宿題のできがとてもよくなってきているよ」「うん, お父さんが手伝うのをあきらめたよ」. (2) 〈考え・希望・勉強など〉を**捨てる**, あきらめる(doing); 〈患者〉を見放す; 〈人〉を(来ないと)あきらめる, 〈人との関係〉を絶つ; 〈物〉を手放す ‖ *give up* the ideas その考えを捨てる / *give up* trying [×to try] to help him 彼を助けようとするのをあきらめる. (3) 〈人・物・場所・権限など〉を[…に]引き渡す, 渡す, 譲る[*to*]; 〈地位など〉を去る, 手離す ‖ Please *give up* this seat if an elderly or handicapped person needs it. 《掲示》お年寄りや身体の不自由な方に席を譲りましょう / *give up* the presidency 大統領の職を辞す / *give* oneself *up* to the police 警察に自首する. (4) → ⓗ **13 a, b, c**.

give up on A 《略式》〈人・事〉に見切りをつける《◆受身不可》.

give way → way¹.

What gíves? 《略式》何が起こったんだ(=What's going on?).

Whát wòuldn't I gíve 「for A [to do]! 《略式》…を手に入れる[…する]ためにはどんなことでもしたい(=I would give anything [a lot, my right arm] 「for A [to do]).

― 名 Ⓤ (物の)弾力(性), たわみ, のび, ゆるみ; (心な どの)柔軟性, 適応性.

give-and-take /gívəndtéik/ 名 Ⓤ **1** 互譲, もちつもたれつ. **2** (なごやかな)意見の交換[やりとり]《◆ふつう無冠詞で用いる》.

give·a·way /gívəwèi/ 《名》C《略式》**1** [a ~]《秘密などを》うっかり漏らすこと; 明白な証拠《◆ give oneself away (馬脚を現す)より》‖ *a dead giveaway* 動かぬ証拠. **2** たやすくできる事柄; 買い得品. 《米》景品, サービス品.

*__giv·en__ /gívn/
━━動 give の過去分詞形 ‖ *a given necklace* 贈られたネックレス.
━━形 **1**《名詞の前で》**定められた**, 一定の, 既知の, 特定の《 within the given time 定められた時間内に / 〖ショウク〗"How many cigarettes do you smoke a day?" "Oh, any given amount." 「あなたは1日に何本タバコを吸いますか?」「ええと, 決められた数ですよ」《◆ given is give の過去分詞形と取れば「もらっただけ」の意味になる》. **2**《正式》《しばしば前置詞・接続詞的に》(計算・推論の根拠として) …が与えられると, [given (that)節] …と仮定すると(if) ; (であることを)考慮に入れると (considering)《◆条件を表す分詞構文が慣用化したもの》‖ *Given this evidence, we must regard John as a criminal.* このような証拠が与えられれば我々はジョンが犯人であると認めなければならない / *Given health, we can do anything.* 健康だと, 私たちは何でもできます. **3**《正式》〈公文書が〉作成された ‖ *Given under my hand and seal on the 2nd (day) of May.* 5月2日自署捺印(%)して作成.
━━名 C《正式》自明な事実; 既成事実 ‖ *take it as a given* それを既成の事実[当たり前のこと]と考える.

gíven náme《米》(姓に対して)名 (→ first name, name).
〔事情〕[代表的な given name (( )内は nickname)]
(1) 女性: Barbara (Babs); Elizabeth (Beth, Liza, Eliza, Betty); Frances; Gillian (Gill, Jill); Lesley; Margaret (Maggie, Meg, Peggy, Peg); Patricia (Pat); Rosemary; Shirley.
(2) 男性: Brian; David (Dave, Davy); Edward (Ed, Eddie, Ned, Ted, Teddy); John (Johnny, Jack); Peter; Robert (Bob, Bobby, Robin, Bert); William (Will, Willie, Bill, Billy).

†**giv·er** /gívər/ 《名》C 与える人, 贈与者, 寄贈者.
giv·ing /gívin/《動》→ give.
Gi·za, Gi·zeh /gíza/《名》ギーザ《エジプトのカイロ付近の都市. 近くにピラミッドとスフィンクスがある》.
giz·zard /gízərd/《名》C **1**〈鳥の〉砂嚢(%), 砂袋. **2**《略式》内臓, 胃; のど (throat).
GK., GK《略》Greek.
gla·cé /glæséi/ 〔-/《フランス》〕形 **1**〈菓子などが〉砂糖をかけた, 砂糖づけの. **2**〈革・布などが〉なめらかでつやのある.
†**gla·cial** /gléiʃəl,《英+》-siəl, glæ-/《形》**1** 氷の, 氷河の. **2** しばしば G~》氷河時代[期]の. **3** 氷河の作用による; 進行ののろい, 遅々とした ‖ *at a glacial speed* きわめて遅いスピードで. **4**《略式》氷のように冷たい, 厳寒の;〈態度などが〉冷淡な.
glácial èpoch [èra]〔地質〕[the ~] 氷期.
gla·cial·ly /gléiʃəli/《副》氷のように冷たく.
†**gla·cier** /gléiʃər|glæsiə/《名》C 氷河.

‡**glad** /glæd/〖「平らな, 滑らかな」が原義〗
━━形 《通例 glad·der, glad·dest》
‖気持ちが輝くこと‖
1《補語として》〈人が〉(…を/…ということを/…して)**うれしく思う**(about, for, of, at / that節 / to do)《◆ happy より積極的な喜び》(↔ sad) ‖ *I am glad for your coming over to see me.* 会いに来ていただいて光栄です / *I am glad (that)* her son passed the examination. 彼女の息子が試験に合格してうれしい / *I am glad to* hear the news. = *I am glad of* [*about, at*] the news. その知らせを聞いて喜んでいる《◆ … glad to hear … の形》/ *I am glad to meet you.* 初めまして《=How do you do?》 (→ how 成句) / *I am glad to* help them. 彼らを助けることができてうれしく思っている.
2《通例 will be ~》〈人が〉**喜んで**(…)**する**(to do)《比較変化しない》‖ *I will be glad to* help you. 喜んであなたをお助けしましょう《◆ happy より glad の方がていねいな表現》.
3《名詞の前で》〈表情・声などが〉うれしそうな.
‖気持ちを輝かせるもの‖
4《通例・機会などが》喜ばしい, 楽しい; 〈光線・朝などが〉明るい, 晴れやかな.
glád ràgs《略式》[one's ~]《特に女性の》晴れ着; 夜会服.
†**glad·den** /glǽdn/《動》他《正式》…を楽しませる, 喜ばせる; 勇気づける (please) (↔ sadden).
†**glade** /gléid/《名》C **1**《文》林間のあき地. **2**《米》湿地, 沼沢地 (everglade).
glad·i·a·tor /glǽdièitər/《名》C **1**(古代ローマの)剣闘士, 剣奴(%). **2** 論争者, 論客. **3** 懸賞拳闘選手.
glad·i·o·lus /glǽdióuləs/《名》(傘 --li/-lai, -li:/, 時に ~·es)C〔植〕グラジオラス.
†**glad·ly** /glǽdli/《副》喜んで, うれしそうに (↔ sadly).
†**glad·ness** /glǽdnəs/《名》U 喜び, うれしさ (↔ sadness).
Glad·stone /glǽdstòun/《名》グラッドストーン《**William Ewart** /júːərt/; ~ 1809-98; 英国の政治家》.
glair(e) /gléər/《名》U **1** 卵白, どうさ《ふつう製本などに用いる》. **2**(卵白から作った)うわ薬. ━━動 他 …に卵白 [どうさ]を塗る.
†**glam·our**,《米ではしばしば》**-or** /glǽmər/《名》U うっとりさせる魅力 [美しさ];魅力《◆しばしば不健全な肉体的な魅力を含意》; (女性の)性的魅力 (cf. glamourous) ‖ the *glamour* of foreign countries 外国の魅力.
†**glam·our·ous**,《米ではしばしば》**-or·ous** /glǽmərəs/《形》〈人・仕事などが〉魅力に満ちた, 魅惑的な《◆男性にも用いる. 女性に用いた場合でも必ずしも大柄で性的魅力のある女性を意味しない. 「グラマー(な女性)」に相当するのは a voluptuous woman》‖ *a glamourous job* [*girl*] 魅力的な仕事 [女性].
glám·our·ous·ly《副》魅力的に.

†**glance** /glǽns|glɑːns/《名》C **1**《通例 a ~》(…を)(意図的に)ちらりと見ること, (…への)一瞥(%)《at, over, into》(→ glimpse) ‖ *give* [*take*] *a glance at* the report 報告書にさっと目を通す / *She threw* [*cast*] *a disapproving glance at me.* 彼女は不満そうに私をちらっと見た.
at a (single) glánce = *at first glánce* ひと目見て, 一見して; すぐに (at once).
━━動 自 **1**〈人が〉(…を)(意図的に)ちらっと見る (at) (cf. glimpse);(…に)さっと目を通す (down, over, through);(…を)さっと見回す (a)round》‖ *The marathon runner glanced at* his watch. マラソン選手はちらっと腕時計を見た / *glance through* [*over*] the book その本にざっと目を通す. **2**〈光などが〉(反射して)きらめく (flash); 〈物が〉きらりと光る. **3**〈弾丸・打撃などが〉斜めに当たってそれる[はね返る],(…を)かすめる (off) ‖ *The ball glanced off*

glanc·ing /glǽnsiŋ | glɑ́ːns-/ 形 さっとかすめる ‖ the *glancing* blow 軽い一撃.

glánc·ing·ly 副 それて.

†**gland** /glǽnd/ 名 C [解剖・植]腺(セン) ‖ the sweat [endocrine] *glands* 汗[内分泌]腺.

glan·ders /glǽndərz/ 名 U [獣医][単数扱い] 鼻疽(ソ)病《馬の伝染病》.

glan·du·lar /glǽndʒələr | -dju-/ 形 腺 (gland)(状)の; 異常から生じる.

glándular féver [医学]腺熱, 感染性単核症.

†**glare** /gléər/ 名 1 U [通例 the ~] (太陽などの)ぎらぎらする光, まぶしい光 ‖ in the *glare* of the spotlight スポットライトのぎらぎらする光の中で. 2 C [通例 a ~] 怒ってにらみつけること ‖ look at him with a *glare* 彼をにらみつける (=*glare* at him).
――動 自 1 《太陽などが》ぎらぎら光る, (不愉快なほど)まぶしく輝く ‖ The sun *glared* down on us. 太陽はぎらぎらと我々に照りつけた. 2 《…を》(怒って)にらみつける [at] (cf. stare) ‖ The bus driver *glared at* us for shouting. 騒いでいたので バスの運転手は我々をにらみつけた. ――他 《人を》にらみつけて《怒り・敵意などを表す》[at] ‖ The man *glared* defiance [hate] *at* me. その男は反抗[憎しみ]の目を私に投げかけた (=The man gave me a *glare* of defiance [hate].).

glar·ing /gléəriŋ/ 形 1 ぎらぎら輝く, まぶしい. 2 《色が》けばけばしい, 派手な. 3 《誤り・不正などが》目立つ, まぎれもない, 誰にもわかる. 4 にらみつけるような.

glár·ing·ly 副 ぎらぎらと, まぶしく; にらみつけて.

Glas·gow /glǽskou, -gou, glǽzgou | glɑ́ːzgou, glɑ́ːs-/ 名 グラスゴー《スコットランド南西部の都市》.

glass
/glǽs | glɑ́ːs/ (類音 grass /grǽs | grɑ́ːs/)
【「輝く」が原義】
――名 (複 ~·es /-iz/)
I [材質としてのガラス]

1 U ガラス《◆純粋・はかなさの象徴》; UC ガラス状の物 (➔文法 14.3) ‖ two panes [sheets] of *glass* 2枚の窓ガラス / *glass* of lead 鉛ガラス.

II [ガラス製品]

2 C グラス, コップ《◆ cup と異なり, ふつう取っ手がなくて冷たい液体を入れて飲む》; コップ1杯(の量) (➔文法 14.3(2)) ‖ sherry-*glasses* シェリーグラス / We drank a *glass* to our son's birthday. 私たちは息子の誕生日を祝って飲んだ / a friendly *glass* 気の合う者同士の一杯 / take a social *glass* 付き合いに1杯やる / raise a [one's] *glass* to him (略式) 彼のために乾杯する / a *glass* of water [milk] 水[牛乳]コップ1杯.

3 U [集合名詞] ガラス製品 ‖ give *glass* as a wedding present 結婚式の贈り物としてガラス器をあげる. **4** C [主に英やや古風式][通例単数形で] 鏡 (looking glass) ‖ look (at) oneself *in the glass* 鏡(の自分)を見る. **5** [~es] めがね (spectacles, eyeglasses); (小型)双眼鏡 (binoculars, field glasses); オペラグラス ‖ a [one] pair of *glasses* めがね1つ《◆めがねの片側のみを指す場合は lens などを用いる》/ a girl with (-rimmed) *glasses* メタルフレームのめがねをかけた女の子 / polish one's *glasses* めがねを磨く / 'These *glasses* are ['This glasses is] for writing. このめがねは書き物用です《◆「めがね2個以上」という解釈も可能. 1個の場合 This pair of *glasses* is for ... も可》.

6 a C 窓ガラス; (拡大)レンズ; 望遠鏡; 顕微鏡; 温度計; [the ~] 晴雨計(の気圧); 砂時計 (sandglass); (火災報知器など時計のガラスぶた); (額の)ガラス板; (動物園のガラスフレーム. **b** U (英) (栽培用の)温室 ‖ melons grown under *glass* 温室栽培のメロン.
――動 他 …にガラスをはめる[入れる]; …をガラスで覆う (+*in*, *over*); (保存のため)…をガラス容器に密封する.

gláss cáse ガラスケース, ガラス製陳列箱.

gláss céiling (米) ガラスの天井《企業内で女性が昇進できる最高レベル. 上級職には女性はなかなか就けないという目に見えない壁》.

gláss cùtter ガラス切り(具); ガラス切り職人; ガラス細工人.

gláss fíber グラスファイバー, ガラス繊維.

gláss harmónica [音楽] (18世紀に使われた)グラスハーモニカ, グラスハープ《◆ *harmonica*, musical *glasses* ともいう》.

gláss páper (研磨用)紙やすり.

gláss wóol ガラス毛[綿]《濾過(ロカ)・絶縁・パッキングに使用》.

glass·ful /glǽsful | glɑ́ːs-/ 名 C コップ[グラス]1杯(分).

glass·house /glǽshàus | glɑ́ːs-/ 名 C 1 ガラス工場. 2 (主に英) 温室 (greenhouse); ガラス張りの家 ‖ *People (who live) in glasshouses should not throw stones*.《ことわざ》ガラスの家に住む人は石を投げてはいけない; すねに傷持つ者は他人の批評などしない方がよい.

glass·ware /glǽswèər | glɑ́ːs-/ 名 U [集合名詞] ガラス製品[食器].

glass·work /glǽswə̀ːrk | glɑ́ːs-/ 名 1 ガラス(器)製造(業); [集合名詞] ガラス製品[細工]. 2 ガラスの取り付け[裁断].

†**glass·y** /glǽsi | glɑ́ːsi/ 形 (-i·er, -i·est) 1 ガラス質の, ガラスのような. 2 《水面が》鏡のように穏やかな. 3 《目などが》生気のない; 無表情な.

†**glaze** /gléiz/ 動 他 1 《窓・ドアなど》にガラスをはめる, 《建物など》にガラス窓をつける. 2 …にうわ薬(上塗り)をかける (+*over*); 《革・紙など》に光沢剤を塗る. 3 《食物》に照り[焼き色]をつける. 4 《目》をどんよりさせる, かすませる. ――自 1 ガラス状になる; つやがでる. 2 《目が》《涙などで》どんよりする, かすむ (+*over*) [*with*].
――名 1 UC (焼き物などの)光沢のある表面; 光沢, つや, 釉薬(ウワグスリ). 2 C うわ薬, 光滑剤; (画面に塗る)うわ薬の絵の具; [料理](食物の)照り, グレイズ.

glázed 形 ガラスをはめた, うわ薬をかけた; 無表情な.

†**gleam** /glíːm/ 名 C 1 かすかな光「輝き, きらめき」(cf. glimmer, glow) ‖ the *gleam* of a car's headlights in the fog 霧の中の自動車のかすかなライト. 2 [通例 a ~] (感情・機知・希望などの)ひらめき, かすかな兆し (trace) ‖ a *gleam* of hope かすかな希望.
――動 自 1 (文) (かすかに・鈍く・白く)光る[輝く] ‖ the moon *gleaming* on the water 水面に光る月. 2 《希望・感情など》がひらめく, 現れる.

†**glean** /glíːn/ 動 他 1 (古) 《落ち穂など》を拾う, 拾い集める; 《畑など》から刈り残しを集める. 2 (正式) 《事実・情報・ニュースなど》を〈…〉から少しずつ〈こつこつ〉収集する [*from*] ‖ *glean* information *from* the newspaper 新聞から情報を集める. ――自 1 (古) 落ち穂拾いをする. 2 (正式) 情報を少しずつ収集する.

gléan·ing 名 1 U (古) 落ち穂拾い. 2 [~s] (古) 落ち穂; (正式) (事実の)断片的集録, 選集, 拾遺集.

†**glee** /glíː/ 名 1 U 喜び, 歓喜, 歓楽; (他人の不幸などをみて)ほくそえむこと ‖ shout [laugh] with [in]

glee わっと歓声をあげて喜ぶ[笑う]. **2** Ⓒ〔音楽〕グリー合唱曲《3部またはそれ以上の無伴奏合唱曲》.
glée clùb 男性合唱団, グリークラブ.
†**glee·ful** /ɡlíːfl/ 形 大喜びの, 上機嫌の, 陽気でにぎやかな. **glée·ful·ly** 副 大喜びで, 楽しそうに.
†**glen** /ɡlén/ 名 (主にスコット·アイルランド) 峡谷, 谷間.
Glenn /ɡlén/ 名 **1** グレン《男の名》. **2** グレン《John ~ 1921- ; 地球を周回飛行した米国の宇宙飛行士で後に上院議員となる》.
†**glib** /ɡlíb/ 形 (glib·ber, glib·best) **1**〈人が〉口の達者な, ぺらぺらしゃべる. **2**〈言葉·態度が〉口うわべだけの. **glíb·ly** 副 ぺらぺらと. **glíb·ness** 名 Ⓤ おしゃべり.
†**glide** /ɡláɪd/ (glid·ing) 自 **1**〈人·物などが〉(空中·水上·地上を)すべる, すべるように動く[流れる](→ slide) ‖ A bird can *glide* through the air without moving its wings. 鳥は翼を動かさずに空中を滑空できる. **2**〔航空〕滑空[滑降]する, グライダーで飛ぶ. **3**〈時がいつの間にか過ぎ去る(+*along, away, by, on*);次第に[…に]なる, 変わる[*into*] ‖ Precious time *glided by*. 貴重な時間が流れていった.
—名 Ⓒ **1** すべること, すべり. **2**〔航空〕滑空, 滑走. **3** (米) すべり台[球], 滑走[進水]台. **4**〔音楽〕滑唱, 滑奏, スラー. **5**〔音声〕わたり音, 半母音.
glíde pàth グライドパス《地上レーダーで指示される着陸降下進路》.
†**glid·er** /ɡláɪdər/ 名Ⓒ **1** すべる人[もの]. **2** グライダー.
glid·ing /ɡláɪdɪŋ/ 動 → glide. —名Ⓤ グライダー飛行[競技].
†**glim·mer** /ɡlímər/ 動 自 (文) **1** ちらちら光る, かすかに光る[輝く](→ sparkle). **2** ぼんやりと[かすかに]現れる. —名 Ⓒ **1**(文) ちらちらする光; かすかな光(faint light)《◆ gleam よりかすかでゆれている光》. **2**(希望などの)わずかなしるし, おぼろげな感知.
Not a glímmer! (英略式) さっぱりわからないね!《◆ *Not a glimmer* of an idea. の省略表現》.
*****glimpse** /ɡlímps/ /「かすかな光(gleam)」が原義. cf. glimmer.
—名 (複 ~s/-ɪz/) Ⓒ **1** […が]ちらりと見えること[*of*], ひと目, 一見 ‖ give a *glimpse* into the room 部屋の中をちらっとのぞく / 〈対話〉"Do you remember the face of the thief?" "Not really. Unfortunately, I only *caught* a *glimpse* of him, and it was so dark." 「泥棒の顔を覚えてますか」「いいや, 残念ながらちらっと見えただけでしたし, もうかなり暗かったので」《◆ 意図的にちらっと見ることは glance》. **2** ちらっと感ずる[気づくこと], かすかに現れること ‖ There was a *glimpse* of truth in her words. 彼女の言ったことにはわずかに真実性があった.
—動 (~s/-ɪz/; 過去·過分 ~d/-t/; glimps·ing)
—他 《正式》〈人·物をちらりと見る ‖ I *glimpsed* our teacher shopping at the department store. 私たちの先生がデパートで買物をしているのを, 私はちらりと見かけた《◆ I *caught* a *glimpse* of our teacher …と言い方が自然》.
glimps·ing /ɡlímpsɪŋ/ 動 → glimpse.
†**glint** /ɡlínt/ 動 自 (明滅して) きらきら光る[反射する]. —名 Ⓒ Ⓤ **1** きらめき, 閃光. **2** かすかな[瞬間的な]現れ, ほのかの色, 気味(trace).
†**glis·ten** /ɡlísn/ 動 自 《正式》[…で濡れて[みがかれて]]ぴかぴか光る[*with*]《◆乾いた輝きは glitter》; 〈雲などが〉(反射して)白く輝く(shine).

†**glitch** /ɡlítʃ/ 名(略式) 突然の故障; 軽い事故.
†**glit·ter** /ɡlítər/ 動 自 **1**〈物が〉(反射して断続的に)ぴかぴか光る, きらきら光る, きらめく(*with*)《◆ glare より弱い光. 反射していろいろな光を出すものに用いる. → glisten, sparkle》 ‖ *All is not gold that glitters.* = *All that glitters is not gold.* (ことわざ)光るものすべてが金とは限らない(**→文法** 2.2(1)). **2**〈服装などが〉[…で]派手[きらびやか]である, 人目を奪う[*with*].
—名 Ⓤ **1**[通例 the ~]きらめき, 輝き ‖ The *glitter* of the Christmas tree excited the children. きらきら輝くクリスマスツリーを見て子供たちははしゃいだ. **2** うわべだけのきらびやかさ, 華麗さ; 人目を引くこと, 魅力(glamour).
glít·ter·ing 形 **1** きらきら輝く. **2** 輝かしい.
†**gloat** /ɡlóʊt/ 動 自 […に]喜んで[いい気味だと思って]ながめる, […に]ほくほくしている[*over, on*]. —名Ⓤ [a ~](しめしめという)満悦, ニンマリすること.
gloát·ing·ly 副 はればれとして, うっとりと.
***glob·al** /ɡlóʊbl/
—形 **1** 全世界の, 世界的な, 地球規模の; 国際的な, グローバルな ‖ *global* travel [warfare] 世界旅行[戦争]. **2** 全体的な, 包括的な. **3** 球状の, 球形の.
glóbal stándard (規格·規則などの)国際(的)標準.
glóbal wárming 地球温暖化.
glób·al·ly 副 全世界から見て; 全体的に, 包括的に.
glob·al·i·za·tion /ɡlòʊbələzéɪʃən | -aɪzé-/ 名Ⓤ (市場·企業などの)国際化, 世界化, グローバル化; 世界基準.
glob·al·ize /ɡlóʊbəlàɪz/ 動 他 …を世界化する, 地球の規模にする.
†**globe** /ɡlóʊb/ 名Ⓒ **1** 球, 球体(ball) ‖ The earth is not a true *globe*. 地球は完全な球体ではない. **2** [the ~](人の住む世界としての)地球《◆ 丸いことを強調. cf. earth》; 世界; 天体 ‖ travel all over [around] the *globe* 世界中を旅行する. **3** 地球儀, 天体儀. **4** 球状の物; 球形のガラス器《ランプのかさ[ほや]·電球·金魚鉢など》.
—動 自 球状になる. —他 …を球状にする.
glob·u·lar /ɡlɑ́bjələr | ɡlɔ́b-/ 形 《正式》球状の, 球形の《◆「(完全に)球形の」は spherical》; 小球体から成る ‖ a *globular* cluster 球状星団.
glob·ule /ɡlɑ́bjuːl | ɡlɔ́b-/ 名Ⓒ《正式》小球体; 小滴; 血球.
glo·cal /ɡlóʊkl/ /[global + local] 形〔経済〕(市場·取引において)地域性も考慮に入れながら地球的視野に立った.
†**gloom** /ɡlúːm/ 名 **1** Ⓤ《正式》[the ~]薄暗がり, 薄暗やみ《◆ darkness よりやや明るい状態》‖ the damp *gloom* of the basement 地下室のじめじめした暗がり. **2** Ⓤ[時に a ~]陰気, 憂うつ; 深い悲しみ ‖ a feeling of *gloom* 憂うつな気持ち / cast a *gloom* over … …に暗影を投じる. **3** Ⓒ(詩)[時に ~s](薄)暗い場所.
†**gloom·i·ly** /ɡlúːmɪli/ 副 **1** 暗く, 薄暗く. **2** 陰気[憂うつ]に ‖ think *gloomily* of … …を考えてうんざりする.
†**gloom·y** /ɡlúːmi/ 形 (通例 **-i·er, -i·est**) **1** 薄暗い ‖ the *gloomy* morgue 薄暗い死体置き場. **2** 憂うつな, 陰気な(cf. dismal) ‖ a *gloomy* mood [man] 陰気な雰囲気[人]. **3** 悲観的な, 希望のない ‖ Don't feel *gloomy* about the future. 将来を悲観するんじゃないよ.
glo·ri·a /ɡlɔ́ːriə/ 名 **1**[the G~](ミサでの)栄光の賛歌; その音楽. **2** Ⓒ (特に芸術での)後光, 光輪(模

glo·ri·fi·ca·tion /ɡlɔ̀ːrəfikéiʃən/ 名 **1** ⓤ 神の栄光をたたえること；賛美［称賛］すること. **2** ⓒ (略式) 美化［誇張］されたもの［話］；(英略式) 祝賀会.

†**glo·ri·fy** /ɡlɔ́ːrəfài/ 動 他 (正式) **1** (礼拝で)〈神〉の栄光をたたえる. **2** …を称賛する；…に栄光を与える；…に光彩を添える. **3** (実際以上に)…をよく見せる，美化する.

†**glo·ri·ous** /ɡlɔ́ːriəs/ 形 **1** 光栄ある，栄誉に満ちた(↔ inglorious) ‖ a glorious deed [achievement] 輝かしい行為［業績］. **2**〈景色・色などが〉光り輝く，燦(き)然たる；壮麗；華麗［美］な ‖ a glorious sunset 壮麗な日没. **3** (略式) すばらしく愉快な，楽しい；すてきな ‖ be glorious fun 実に面白い.

Glorious Revolution [英史] [the ~] 名誉革命 (English Revolution)《1688-89》.

†**glo·ri·ous·ly** /ɡlɔ́ːriəsli/ 副 光り輝いて；はなばなしく；荘厳に；すばらしく，立派に；(略式) 愉快に，上機嫌で.

glo·ry /ɡlɔ́ːri/ 名 (複 -ries/-z/)

Ⅰ [栄誉なこと]

1 ⓤ 〈…に対する〉栄光，誉れ[for] ‖ glory for academic achievements (その)学問上の業績に対する栄誉 / be covered in glory = cover oneself with [in] glory 栄光に輝く.

2 ⓤⓒ [しばしば複数形] 〈…にとって〉名誉［誇り］となるもの［人］(to)；米国国旗(Old Glory) ‖ Her activity on the student council is a glory to her class. 彼女の生徒会での活躍は彼女のクラスにとって名誉となるものだ / to the (greater) glory of … …を(大いに)たたえて.

3 ⓤ (神に対する)感謝，賛美；(神の)栄光，恵み；天上の至福，天国 ‖ the saints in glory 天国にある聖人［人々］ / give glory to God 神を賛美する.

Ⅱ [栄光がもたらすもの]

4 ⓤⓒ [通例 the ~] 壮観，荘厳；はなばなしさ ‖ the glory of the royal wedding parade 王室の結婚パレードの壮観さ / the glory of gothic architecture ゴシック建築の荘厳さ.

5 ⓤ (略式) 繁栄，全盛，栄華；得意の絶頂 ‖ the glory of Napoleon's reign ナポレオン統治時代の栄華.

Glóry (be)! うれしい！, ありがたい！; まあ！, これは驚いた！《◆Glory be to God の略》.

gò to glóry (略式) 天国へ行く，死ぬ.

sénd [blów] A to glóry (略式) 〈人〉を天国へ送る，殺す《◆kill の遠回し表現．爆弾を使う場合は blow》.

── 動 自 〈…〉を喜ぶ，誇りにする[in, in doing]；〈…〉を鼻にかける[in] ‖ glory in having a good son …いい息子がいることを喜ぶ.

glóry hòle (1) (英略式) 雑多な物をしまう部屋［戸な］. (2) [海事] (船尾の)食料貯蔵室.

Glos. (略) Gloucestershire.

†**gloss**¹ /ɡlɑ́s, ɡlɔ́s| ɡlɔ́s/ 名 **1** ⓤ 光沢，つや，(絹などの) ‖ ⓒ 光沢面 ‖ silk with a good gloss つやのよい絹. **2** [a/the ~] 見せかけ，虚飾，うわべの飾り. ── 動 他 **1** …のつやを出す；…に光沢をつける；〈絹などを〉練る. **2** …のうわべを飾る，…をうまく言いのがれる(+over). **glóss páint** つや出し仕上げ用塗料.

gloss² /ɡlɑ́s, ɡlɔ́s| ɡlɔ́s/ 名 ⓒ **1** (本文の行間・余白・巻末などに付けられた)語句注釈，注解. **2** 解説，こじつけ，曲解. **3** = glossary. ── 動 他 **1** …に注釈をつける，…を注解［注釈］する. **2** …をもっともらしく説明する(+over). ── 自 〔…に〕注解［注釈］をつける[on, upon].

glos·sa·ry /ɡlɑ́səri| ɡlɔ́s-/ 名 ⓒ (専門語・難語・特殊語などの)用語一覧表［解説集]，語彙(ﾞ)集.

†**gloss·y** /ɡlɑ́si, ɡlɔ́si| ɡlɔ́si/ 形 (通例 -i·er, -i·est) **1**〈滑らかで〉光沢[つや]のある，つやつやした《◆金属製の物の光は shiny》．**2** もっともらしい，体裁のよい. ── 名 ⓒ (略式) **1** (英) = glossy magazine. **2** [写真] グロッシー.

glóssy magazíne (ファッションなどカラー写真入りの高価な)光沢紙の雑誌 (米) slick).

Gloucester /ɡlɑ́stər, ɡlɔ́s-| ɡlɔ́s-/ [発音注意] 名 **1** グロスター《イングランド南西部の都市》. **2** = Gloucestershire. **3** グロスター産チーズ.

Gloucester·shire /ɡlɑ́stərʃər, ɡlɔ́s-, -ʃər| ɡlɔ́s-/ 名 グロスターシャー《イングランド南西部の州》.

glove /ɡlʌ́v/ [発音注意] [類音] grove /ɡróuv/

── 名 (複 ~s/-z/) ⓒ **1** (各指が分かれている)手袋 (cf. mitten)《◆力・保護の象徴》 ‖ a pair of gloves 1対の手袋 / with gloves on 手袋をはめたままで(→ with 前 **10 a**) / Excuse my gloves. 手袋のままで失礼します《女性が手袋を取らないで握手するときの言葉》．**2** [野球] グローブ (baseball glove)；[ボクシング] グラブ (boxing glove). **3** (米俗) ボクシング.

bíte one's **glóve** 復讐(ｼｭｳ)を誓う.

fít (A) like a glóve 〈人に〉ぴったり合う.

hándle [tréat] A with kíd glóves …を優しく扱う，慎重に扱う；如才なく扱う.

hándle [tréat] A without glóves …を手荒に扱う，容赦なく取り扱う.

tàke óff the glóves to A …と本気になって議論する[戦う].

tàke úp the glóve 挑戦に応じる.

The glóves are óff! さあ，戦闘［議論］開始だ.

thrów (dówn) the glóve 挑戦する.

with the glóves óff 本気で，容赦することなく.

glóve compàrtment [(主に英) **bòx**] (自動車の計器板横の)小物入れ.

glóve pùppet 指人形《◆ puppet ともいう》．

†**glow** /ɡlóu/ 名 [単数形で] **1** (煙・炎の出ない)白熱，赤(ﾐ)熱；冷光；〈白熱などの〉光を放つ ‖ the sun's evening glow (文) 太陽の夕暮れ時の真っ赤な輝き / a glow in one's eyes 目の中の明るい輝き. **2** 燃えるような色，(色の)あざやかさ，明るさ ‖ the glow of the red [yellow] leaves of autumn 秋の鮮やかな紅［黄］葉 / the glow of salmon roe イクラのまばゆいばかりの色. **3** (身体の)ほてり；[a ~] (ほおの)赤らみ，紅潮 ‖ in a glow after a bath ふろあがりにほてって. **4** 満足［幸福］感；熱心，熱気 ‖ a glow in one's heart for a lover 愛する人に対する燃えるような思い / a glow of interest in fishing 釣りに対する熱烈な興味.

── 動 自 **1**〈火などが〉白熱して輝く；〈炎・煙を出さずに〉真っ赤に燃える；〈ホタルなどが〉光を放つ(+ away, on, out)；〈目・顔・頬などが〉興奮・怒り・誇りなどで〉輝く[with, at] ‖ When she got up, her eyes glowed at the sight of the Christmas present. 彼女は起きてきたとき，クリスマスプレゼントを見て目がぱっと輝いた．**3 a** (正式) 〈日没・木などが〉〔…で〕赤く輝く(shine)[with] ‖ The mountain glows with the sunset tints. 山は夕焼け色で燃えるようだ． **b** 〈人・顔が〉〔健康・活気などで〕紅潮する，ほてる，燃える[with].

glów lámp [電気] グロー放電管.

✝glow·er /ɡláuər/ [発音注意] 動 自 〈怒って・軽蔑(;)して〉〔…に〕にらみつける, 〔…に〕顔をしかめる〔at〕.
glów·er·ing 形 怒った. **glów·er·ing·ly** 副 怒って.

glow·ing /ɡlóuiŋ/ 形 1 白熱[赤熱]した. 2 〈色・物などが〉あざやかな, 明るい. 3 〈ほおなどが〉赤らんだ, 紅潮した. 4 〈説明・批評などが〉熱のこもった; 賞賛に満ちた ‖ in glowing terms 非常に賞賛して. 5 [副詞的に] 燃えるように, 赤々と.
glów·ing·ly 副 白熱して; 紅潮して, 熱烈に.
glow·worm /ɡlóuwə̀:rm/ 名 C 〔昆虫〕 ホタル科の幼虫(の総称).

glu·cose /ɡlúːkous | -kauz/ 名 U 〔化学〕 グルコース, ブドウ糖.

*** glue** /ɡlúː/ [語源] grew /ɡrúː/ 《「鳥もち・にかわ」が原義》
──名 U 1 接着剤, のり ‖ fix [mend] a broken glass with glue 割れたガラスを接着剤でくっつけて直す. 2 にかわ.
──動 (~s/-z/; 過去・過分) ~d/-d/; glu(e)·ing)
──他 1 …を接着剤[にかわ]で〔…に〕つける, のりづけする(+together, down) 〔(on)to〕 ‖ fix the vase by gluing the pieces back together かけらを接着剤でくっつけて花びんを直す. 2 (略式) [通例 be ~d] 〈目・耳などが〉〔…から〕離れないで〔to〕; 〔~ oneself〕 〔…に〕注意を集中する〔to〕 ‖ be glued to the TV テレビにくぎづけになる / glue oneself to one's book 読書に集中する.
glu·ing /ɡlúːiŋ/ 動 ← glue.

✝glum /ɡlʌ́m/ 形 (glum·mer, glum·mest) (略式) つまらなそうな, 憂うつな. **glúm·ly** 副 つまらなそうに.

glut /ɡlʌ́t/ 動 (過去・過分) glut·ted/-id/; glut·ting) 他 1 〈人〉を〔…で〕満腹にさせる, 〈食欲・欲望など〉を満たす〔with〕. 2 〈人〉を〔…で〕あきあき〔うんざり〕させる〔with〕; 思う存分…する. 3 〈市場〉に〔商品などを〕過剰に供給する〔with〕.
──名 C [通例 a ~] 十分な供給.

glu·ta·mate /ɡlúːtəmèit/ 名 U 〔化学〕 グルタミン酸塩[エステル] [化合物名で] グルタミン酸….

glu·ten /ɡlúːtn/ 名 U 〔化学〕 グルテン, 麩(ふ)質.
glúten bréad グルテンパン 《デンプンの大部分を除いた麦粉で作ったパンで糖尿病患者用》.

✝glut·ton /ɡlʌ́tn/ 名 1 (意地汚い) 大食家, 暴食する人. 2 (略式) 熱中する[熱心な]人; [苦痛・不快な仕事などに] じっと耐えられる人〔for, of〕 ‖ She is a glutton for punishment. 彼女はどんな環境でも耐えられる人だ《◆「あんな環境でよく我慢できるものだ」といった含みも持つ》. **glút·ton·y** /-i/ 名 U 大食[暴飲暴食]の習慣; 食(しょく)欲.

glut·ton·ous /ɡlʌ́tnəs/ 形 1 食いしんぼうの, 大食の. 2 〔…に〕貪(どん)欲な〔of〕. **glút·ton·ous·ly** 副 がつがつして.

glyc·er·in /ɡlísərin/, (英ではしばしば) **-ine** /-in, -i:n/ 名 U 〔化学〕 グリセリン.

GM (略) general manager; guided missile; General Motors (Co.) ゼネラル=モーターズ(社)《米国の自動車会社》.

G-man /dʒíːmæn/ 名〖Government Man の略〗 C (米略式まれ) ジーメン《FBI (連邦捜査局) の捜査官》.

GMF (略) genetically modified foods 遺伝子組み換え食品.

GMT (略) Greenwich Mean Time.

gnarled /ná:rld/ [発音注意] 形 (文) 〈木・手などが〉ふしくれだった; 〈性格が〉ねじれた; 〈人・顔の外見が〉ごつごつした.

✝gnash /nǽʃ/ 動 自 歯ぎしりする. ──他 〔…に対して〕(苦痛・怒りなどのため)〈歯〉をきしませる〔at〕.
──名 C 歯ぎしり.

✝gnat /nǽt/ 名 C 〔昆虫〕 ハエ類《ヌカカ・ガガンボ・ユスリカなど. (英) ではカ(蚊)も含む》.

✝gnaw /nɔ́ː/ 動 (過去) ~ed or (まれ) gnawn/nɔ́ːn/; (過分) ~ed or (まれ) gnawn/nɔ́ːn/) 他 1 〈ネコ・ネズミなどが〉〈固いものなど〉をかじる, …をかみ切る, かじり取る(+away, off). 2 〈穴・道など〉を〔…を〕かじって作る〔through, in(to)〕.
──自 1 〔…を〕かじる, 絶え間なくかむ(+away)〔at〕. 2 (正式) 〈人・良心などを〉苦しめる, 悩ます〔at〕.

gnaw·ing /nɔ́ːiŋ/ 形 1 かじる[かむ]こと. 2 [通例 ~s] (絶え間ない) 苦痛, 鈍痛; (飢えの) 苦しみ.

gnome /nóum/ 名 C 1 〔神話〕 (地下に住み地中の宝を守る)地の神[精], 小鬼, 石の石像. 2 (醜い)小人. 3 (略式) [通例 ~s] 国際的な銀行家[金融業者], 国際金融の黒幕《大物》.

gno·mon /nóumɑn | -mɔn/ 名 C 1 (日時計の) 指柱. 2 〔幾何〕 グノモン《平行四辺形の1つの角から, それと相似の平行四辺形を除いたもの》.

GNP (略) gross national product.

gnu /núː, njúː/ 名 (複 ~s, gnu) C (動) ヌー(wildebeest)《南アフリカ産のウシ科の動物》.

*** go**¹ /ɡóu/ 〖発話が行なわれた時点または発話の中で示された時点に, go の主語が話し手[聞き手]の所から他の場所に「行く」というのが本義. 「行く」と「至る」の2義に分けられる(↔ come). cf. take II〗

index 自 1 行く 3 去る 4 動く 6 至る 7 及ぶ 10 なる 12 a 進行する 19 なくなる 20 過ぎる

──動 (~es/-z/; 過去 went/wént/, 過分 gone /ɡɔ́ːn/; go·ing)

(他動詞 send との対応関係については → send 他 2 囲み記事. take については → take 他 II の注記)

I [具体的に移動する]

1 a 〈人・車などが〉**行く**, 進む, 向かう, 出かける ‖ go to school [church] 学校[教会]へ行く[通う, 通っている]《◆ 学校・教会などは本来の目的のために行くときは無冠詞》 / go for a wálk [swím, drive] 散歩[泳ぎ, ドライブ]に行く / gó on a jóurney [tríp] 旅行に出かける / go the shortest way いちばん近道を行く / Which bus goes downtown? ダウンタウンへ行くバスはどれですか / Who goes there? だれだ 《番兵の誰何(すいか)》.

> **語法** I've got to [I have to, I must] go. の意味: I've got to go. i) 行かねばなりません; おいとまし なければなりません 《◆ もっとていねいには I'm afraid I must be going now. など. ii), iii) の意味と区別するため進行形にするのがふつう》; ii) トイレはどこでしょうか, トイレをお借りしたいのですが 《◆ I've got to go to the bathroom. の遠回し表現. Excuse me, but where can I go? なども同様》; iii) ちょっとすみません 《◆ トイレへの中座する時の言葉. トイレの位置を聞いているのではない》.

> **日英比較** 「行く」と go は必ずしも一致しない: "Come here!" "OK, I'm coming [×going]. (ハイ)" 「ここへ来なさい!」 「うん, すぐ行くよ」 / (招待者に向かって) I'll be glad to come [×go] to your party. パーティーには喜んで行かせていただきます. →

≡come.
b [go and do] …をしに行く；《略式》[have gone and done]（愚かにも）…する ∥ *Gò and shút the door.* 行ってドアを閉めてくれ《◆(1) Go *to* shut … より口語的. (2)《米略式》では Go shut … のように and は však 脱落する. (3) go の変化形の後ではこの構文は不可. cf. COME and do》/ *You've gòne and dóne it.* 君はとんだへまをしたものだね.

2 [go doing] **a**〈人が〉…しに行く》∥ *gò swímming in* [*to] *the river* 川へ泳ぎに行く《◆ go to the river for swimming は不自然》/ *Let's gò skíing at Daisen.* 大山にスキーに行こう.

[語法] (1) ✓ go doing の後の前置詞は方向の前置詞 to でなく場所の前置詞 in, on: *gò skáting on* [*to] *the lake*《◆ go to + skate on the lake の結びつき》.
(2) 訳す場合必ずしも「行く」とする必要はない: *gò sightseeing in Kyoto* 京都見物をする / *I wènt físhing yesterday.* きのう, 釣りをした.
(3) go doing の do には, 以下のようにスポーツ・気晴らしに関する動詞がくる《✕go studying [working, teaching] などは不可》: *gò sáiling* 帆走に行く / *gò cámping* キャンプに行く / *gò dáncing* ダンスに行く / *gò húnting* 狩りに行く / *gò shópping* 買物に行く《◆ go to shop (for) については → shop 自》/ *gò ríding* 乗馬に出かける / *gò wálking* 散歩に行く / *gò jógging* ジョギングに行く.
(4) doing に目的語をとることができる: *He has gone hunting for bears.* 彼はクマ狩りに行った. cf. ✕*He has gone hunting bears.*

b《略式》《通例否定の命令文で》《好ましくないことを》するな《◆非難の意を含む》∥ *Dón't gò sáying that!* そんなことを言うな.

3〈人・車などが〉**去る**(leave), 出かける, 出発する∥ *The train has just gone.* 列車は今出たところだ / *I think I must be going now.* そろそろおいとましなければなりません / *One, two, three, go!* 用意, ドン《◆ 競技の出発合図. Ready, set 〔英〕steady], go! ともいう》/ *Go now, pay later.* お出かけは後でお支払いは後での広告. Buy now, pay later. （今買ってお支払いは後で）をまねた言い方.

Ⅱ [作動する]

4 a〈機械などが〉**動く**(work), 作動する；〈心臓・脈が〉鼓動する∥ *This watch won't go.* この時計はどうしても動かない《◆ *This watch won't run.* の方が自然》/ *A windmill goes by the wind.* 風車は風で動く. **b**〈鐘・銃・時計などが〉鳴る, 打つ；〈動物などが〉鳴く《◆修飾語(句)は省略できない》∥ *The gun wènt 'báng'.* 銃がズドンと鳴った / *Ducks gò 'quáck'.* アヒルはガアガアと鳴く.

5〈人が〉〈身ぶりなどを〉する, ふるまう《様態を表す修飾語(句)を必ず伴う》∥ *When she shook hands, she wènt like this.* 彼女は握手をするとき, こんなふうにした.

Ⅲ [到達する]

6〈道路・物・郵便物などが〉…に**至る**(reach), 届く, 達する〔*to*〕《◆修飾語(句)は省略できない. 進行形不可》∥ *The stairs gó to the básement.* その階段は地下に通じている / *This belt won't gó ròund my waist.* このベルトは短くて私の腰に回らない.

7 [比喩的に]〈物・事が〉（ある範囲に）**及ぶ**(extend)；〈人が〉〈困難などに〉至る〔*to*〕；〈人などが持ちこたえる, 続く《◆修飾語(句)は省略できない. 進行形不可》∥

The rift between the couple wènt déep. その夫婦の間の断絶は深刻になった / *My memory doesn't gó thát fár.* 私はそんな昔のことまで覚えていない / *She wènt to gréat páins* [*tróuble, léngths*] *to pass the bar examination.* 彼女は司法試験に合格しようとすごい努力をした.

8〈人などが〉[…の手段・法などに]訴える, 頼る〔*to*〕∥ *gò to cóurt* [*láw*] 訴訟を起こす / *gò to wár* 武力に訴える, 戦争を始める.

9〈物が〉〈場所に/…の間に〉置かれる, 納まる〔*in, into, on, between*〕；〈数が含まれる, […になる〔*to, into*〕《◆修飾語(句)は省略できない. 進行形不可》∥ *The dictionary 'can gó [goes] on the shelf.* その辞書は棚に納まる / *Where does this desk go?* この机はどこに置いたらよいのですか / *Six into twelve goes twice* [*two times*]. ＝*Six goes into twelve twice.*《略式》12を6で割れば2.

10 [go C]〈人・物が〉C（の状態）に**なる**(turn, become)《◆(1) ふつう正常な状態からの逸脱を表し, 遠回しに好ましくない意味で用いる. (2) C は形容詞・過去分詞・前置詞＋名詞》∥ *gò mád* 気が狂う / *gò sóft in the head* 頭が鈍くなる / *gò astráy* 道に迷う / *gò Consérvative* 保守派(政権)に変わる / *gò out of prínt* 絶版になる / *The milk 'wènt sóur* [*wènt óff*]. 牛乳が腐った / *He is gòing blínd.* 彼は目が見えなくなっていく / *The child is góing wild.* その子供は手に負えなくなってきている.

[語法] go と共に用いるその他の形容詞: bad, wrong, insane, dead, white, bankrupt, mad, pale など. ill, old, tired などは不可.

11 [go C]〈人・物が〉C（の状態）である[暮らす]《◆(1) 主に習慣・恒常的な状態を表す. (2) C は形容詞・反対の動作を表す接頭辞 un- のついた過去分詞・前置詞＋名詞》∥ *gò náked* いつも裸でいる / *gò in rágs* ぼろをまとっている / *His advice wènt unnóticed.* 彼の忠告は無視されたままだった《◆ ✕*Her complaints didn't go noticed.*》/ *When the crops fail, the people gò húngry.* 不作だと人々は飢える.

Ⅳ [事の進行・結果]

12 a〈事が〉〈…に〉**進行する**, 運ぶ；…という結果になる《修飾語(句)は省略できない. 様態の副詞(句)を伴う》∥ *How did the exam go?* 試験の出来はどうでしたか / *Everything is going wéll with our plan.* 我々の計画は万事うまくいっている / *How are things going?*《略式》How is it going? どんな具合ですか, 調子はどうですか, 景気はどうですか. **b**《略式》〈事が〉成功する, うまくいく∥ *make the party go* パーティーを成功させる.

13 [as A goes] 世間一般の A〈人・物・事〉としては∥ *as the world goes* 世間並に / *She is a good teacher, as teachers go.* 彼女は一般の先生と比べればよい先生だ.

14〈遺産・勝利などが〉〈人に〉与えられる, […のものと]なる〔*to*〕∥ *The championship wènt to the Giants.* 優勝はジャイアンツだった / *The estate went to his daughter when he died.* 彼が死ぬとその財産は娘のものになった.

15 a〈金などが〉…に[…するのに]費やされる〔*for, on, to, toward* ／ *in(to)* (*doing*)〕∥ *Most of the time went for my graduation thesis.* 時間の大半は卒業論文のために費やされた / *Her free time goes (into) playing golf.* 彼女は暇さえあればゴルフ

だ(=She spends her free time playing golf.).
b [go to do] 〈事が〉…するのに役立つ, 資する ‖ The phenomenon just *goes* to prove that the theory is quite right. その現象はまさにその理論が まったく正しいということを証明している.
16 〈物が〉〔値段で/…に〕売れる, 売られる〔*for, at / to*〕; 〈物が〉〔の値で〕売れる ‖ My old camera *went for* [*at*] $50. 古いカメラが50ドルで売れた. The house *went* cheap. その家は安く売られた.
17 a 〈貨幣などが〉流通〔通用〕している; 〈うわさなどが〉広まる; 〔…の名で〕知られている〔*by, under*〕‖ The news *went* around on the Internet. そのニュースはインターネット上であっという間に広まった / She *went* by the name of Bess. 彼女はベスという名で通っていた. **b** (略式)〈主張などが〉受け入れられる, 権威をもつ; 有効である《◆進行形不可》‖ Anything *goes* here. ここでは何をしてもよい / Whatever she says *goes*. 彼女の言うことは何でも通る.
18 a 〈話・ことわざなどが〉…と言っている; 〈文句・調子などが〉…となっている《◆進行形不可》‖ *as the saying goes* ことわざにもあるように / How does that song *go*? その歌はどんな歌詞ですか / *That's the way it goes.* それはそんなものですよ. よくあることですよ.
b 〈歌などが〉〔曲に〕合う〔*to*〕.
V 行ってしまった結果なくなる
19 [通例 be gone] 〈物・事が〉なくなる, 消える(disappear); [must, can, have to の後で]〈人・物・事が〉取り除かれる, 廃止される ‖ All my money *is* [*has*] *gone*. 私のお金が全部なくなった / This car must go. この車を処分しなければならない / He *has to go*. 彼をくびだ《◆I'll fire him. の遠回し表現》.
20 〈時が〉過ぎる, 経つ(pass); (文) [be gone] 過ぎ去った(have gone)《◆結果に重点がある》‖ The hours *went* quickly. 時間はどんどん過ぎていった / Winter *is gone*. 冬は過ぎ去った.
21 〈機能・視力などが〉衰える, 弱る; 〈物が〉崩れる, 壊れる, 折れる; (略式)〈人が〉死ぬ《◆die の遠回し語》‖ My hearing *is going*. 耳が遠くなりつつある / He's *going*, Doc. 先生, 彼は死にかかっています / The bridge *went* under the pressure. 橋が重みで落ちた.

── 他 **1** [通例否定文で]…に耐える, 我慢する ‖ I can't *go* the noise. その騒音には耐えられない. **2** 〈金を〉[勝負などに]賭(ｶ)ける(bet), 払う〔*on*〕‖ I *go* ten dollars on the first race 第1レースに10ドル賭ける. **3** 〈話などが〉…と言っている ‖ The story *goes* that he was murdered. 彼は殺されたという話だ(=*They say* [*It is said*] *that* …).

*****be góing to** do《◆(1) くだけた話し言葉では be gonna do となることがある. (2)「行く」の原義が忘れられて, 単に未来時制を示すようになって be going to come [to go] のようにもいうか, 単に be coming [going] というほうがふつう》.
(1) [主語の意図・話し手の確信]〈人が〉(すぐに・近いうちに)…するつもりである, しようと思っている ‖ I'm *going to go* on a picnic tomorrow. 私は明日ピクニックに行くつもりです《◆主語と話し手が一致する場合は話し手自身の意図. →(3)》/ She *is going to* visit her old friends when she stops by New York City. 彼女はニューヨークに立ち寄ったときに昔なじみの友だちに会うつもりだ《◆主語と話し手が一致しない場合は, 主語の意図に対する話し手の確信》.

|語法| be going to はあらかじめ考えられていた意志を表すので, 次のような文脈では不可:（電話が鳴っていて）All right. I'll [×I'm going to] answer it. はい私が出ます.

(2) [現在の徴候などに基づく未来の予測]〈人が〉(まさに)…しようとしている; 〈物・事が〉…しそうである ‖ Look! It's *going to* rain. ごらん, 雨が降りそうだ / Don't sit on that rock. It's *going to* fall. その石に座ってはいけません. (今にも)落ちそうですから《◆It'll fall. だと,「もし座ったら」という条件を含む》/ She's *going to* have a baby in July. 彼女の出産予定は7月だ《◆確定的な予期なので ×She'll have … は不可》. (3) [未来]…するだろう《◆この意味では will の方がふつう》‖ She *is going to* be a good teacher. 彼女はいい先生になるだろう《◆「なるつもりだ」のように(1)の意味にもとれる》. (4) [話し手の意志・おどし・約束]…させる《◆主語は二・三人称》‖ You *are* not *going to* cheat me. だまされはしないぞ / My homework *is going to* be finished soon [on time]. 私の宿題はすぐに[時間どおりに]終わります.

gét góing [自] 始める, スタートする; 出かける ‖ Let's *get going*. さあ出かけよう, 始めよう / I think I'd better *get going*. そろそろ失礼いたします.

***gò abóut** [自](1)〈人が〉歩き回る, 動き回る ‖ *go about* together 一緒に行動する. (2) [通例 be going]〈うわさ・うわさ・病気などが〉広まる ‖ A rumor is *going about* that … といううわさが広まっている. (3)(略式)〔異性と〕付き合う, 交際する〔*with*〕. (4)〈船が〉針路を変える. ── [他+]〔*go about* A〕**A**]〈仕事などに〉取りかかる, …に精を出す(+*up*) ‖ *go about* one's business 仕事に精を出す / *go about* getting the information 情報を集めにかかる.

***gò áfter** A (1)〈犯人などを〉追いかける, 追跡する; 〈女を〉追い回す ‖ *go after* the escaped prisoner 脱走犯を追跡する. (2)〈名声・仕事などを〉求める.

gó agàinst A (1)〈人が〉…に反対する, 従わない. (2)〈事が〉〈主義・良心などに〉反する, 合わない. (3)〈裁判・戦争などが〉…に不利に働く ‖ The case *went against* her. 彼女は敗訴した.

go ahead → ahead.

gò alóng [自](1) 進んで行く; やっていく[いる]. (2)〔…と〕一緒に行く〔*with*〕‖ *go along* to the party *with* him 彼と一緒にパーティーに行く. (3) [命令文で] 出て行け, 立ち去れ.

gò a lóng wày =go far.

Gò alóng (with [**on**] **you)!** (略式)(1) あっちへ行け. (2)《英》(不信などを表して) 冗談でしょう, まさか, ばかな.

gò aróund [自]〈船が〉〈岩などに〉乗り上げる, 座礁する(*on*); → go (a)round (次項).

go (a)róund [自](略式)(1) =GO about [自](1), (2), (3). (2)〈食物などが〉みんなに行き渡る《◆進行形・命令形不可》‖ Are there enough oranges to *go around*? みんなに行き渡るだけのミカンがありますか. (3) 回って行く, 回り道をする. [〈…の家を〉ちょっと訪れる(*to*). ── [他+]〔*gó* (*a*)*róund* **A**〕(1)…の回りを回る ‖ The earth *goes around* the sun. 地球は太陽の回りを回る. (2)〈仕事などに〉従事する, 精を出す.

gó as fàr as to do =GO so far as to do.

gó at A《◆受身不可》(1)…に襲いかかる, …を攻撃する;〈問題などを〉激しく議論する. (2)〈仕事などに〉(真剣に)取り組む;〈食事を〉猛烈な勢いで食べ始める. (3) → 他 **16**.

go awáy [自] (1) 立ち去る；(主に休暇で) 出かける；(田舎などに) 引きこもる《◆ go out より留守をする期間が長い》‖ Let's *go away* from home for a change. 気分転換のために旅行に行きましょう (= Let's go somewhere for a change.)《◆ 出かけて留守になった状態は be away》. (2) =GO off [自] (2). (3) 〈苦痛などが〉とれる，〈下痢などが〉治る；〈夢・におい などが〉消えてなくなる. (4) 〈競走で〉先頭を走る. (5) 〈主に花嫁が〉新婚旅行に行く. (6) (略式)〔間投詞的に〕ばかなことを言うな.

go báck [自] (1) 帰る，〈元の所・状態に〉戻る；退却する ‖ I'll *go back* to my office by five o'clock. 5時までには会社に戻ります 《日本発》 During the Bon Festival and the New Year holidays, many Japanese *go back* to their home town by train, car, or airplane. 盆と正月には多くの日本人が列車，車，飛行機でふるさとへ帰省します. (2) 〔過去に〕さかのぼる，〔話題などに〕戻る，〔…を〕思い出す〔to〕‖ I went *back* to my youth. 青春時代を思い起こした.

go báck on [*upón*] Ⓐ 〔約束に関して〕(on 前 12) 元の〈約束が成立する前の〉状態に戻って (back 副 1) 行く(go)] 〈受身は оれ〉〈人が〉〈約束などを〉破る；〈人を〉裏切る ‖ *go back on* one's word [promise] 約束を破る.

go befóre [自] (1) 先に行く，〔遠回しに〕死ぬ. —[他]⁺ [*go before* Ⓐ] (1) …に先行する，…の前に起こる ‖ *Pride goes before destruction.* (ことわざ) 高慢の後に没落が来る；「おごる者久しからず」. (2) …の前に出頭する；〈問題などが〉〈委員会などに〉提出される，かけられる.

go behínd Ⓐ 〈言葉・証拠などの〉真意をつかむ，隠された意味をとる.

go beyónd Ⓐ 〈…の範囲〉を越える；…にまさる ‖ *go beyond* a joke 冗談ではすまない.

go bý [自] (1) 〈人・車などが〉通り過ぎる；〈時が〉経過する(pass) ‖ as time *goes by* 時の過ぎゆくままに. (2) 〔通例 let A *go by*〕〈過失などを〉見のがす；〈機会〉をのがす. (3) 〈事などが〉ちょっと立ち寄る. —[他]⁺ [*go by* Ⓐ] (1) …のそばを通り過ぎる ‖ I *go by* the school every morning. 私は毎朝その学校のそばを通ります. (2) (略式) …によって行動[判断]する，に頼る ‖ Don't *go by* what my son says. 私の息子の言うことだけで判断しないでください. (3) → 他 17 a.

go dówn [自] (1) 降りる，下へ行く；〈道などが〉下りになる ‖ My husband *went down* to lock the door. 夫はドアにかぎをかけるために下へ降りて行った. (2) 〈物価・温度などが〉下がる；〈物の質が〉低下する；〈風などが〉おさまる ‖ Prices are *going down*. 物価が下がっている. (3) 〈月・太陽などが〉沈む；〈船などが〉沈没する；〈物が〉落ちる ‖ The moon has *gone down*. 月が没した. (4) 〈人などが〉倒れる，ひざをつく，しゃがむ，〔…に〕敗れる，屈服する〔to, before〕 ‖ After a loud explosion, the big building *went down* with a crash. 大きな爆発のあとで，その大きな建物は大きな音を立てて倒れた. (5) 〈タイヤなどの〉空気が抜ける；〈潮・腫(゚)れなどが〉ひく. (6) (略式) 〈食物などが〉飲み込まれる，のどを通る. (7) (略式) 〈考え・演説・人などが〉〈人に〉受け入れられる，気に入られる，納得される〔*with*〕‖ His speech *went down* well *with* the audience. 彼の演説は聴衆の好評を博した. (8) 〔歴史的に〕記録される〔*in*〕；〔後世に〕伝えられる〔*to*〕‖ This event will *go down in* history. この事件は歴史に残るだろう. (9) 〈…の範囲)が〉〔…まで〕及ぶ〔*to*〕‖ This book only *goes down to* World War Ⅱ. この本は第二次大戦までしか扱っていない. (10) (英) 〈流行性の〉〈病気に〉かかる〔*with*〕‖ *go down with* influenza 流感にかかる. (11) 南方へ行く；(英) 〈首都・主要都市から〉〔田舎へ〕行く〔*to*〕. (12) (英格式) 〈卒業・休暇・退学で〉大学を去る.

go fár (1) 遠くへ行く. (2) 〈物・事が〉〔…に〕大いに立つ〔*to, toward*〕. (3) 〔通例否定文・疑問文で〕〈金・食物などが〉十分である ‖ £5 doesn't *go far* nowadays. 近ごろ5ポンドでは何も買えない.

go for Ⓐ 《◆ 受身不可》 (1) …を攻撃する，襲う；〈人〉を批判する，ののしる ‖ The dog went *for* the postman. その犬は郵便配達人に飛びかかった. (2) 〈賞・仕事などを〉得ようと努める，…になりたいと思う ‖ *go for* good marks in English 英語でいい点を取ろうと努力する. (3) 〈物〉を**取りに行く**，買いに行く；…を呼びに行く，迎えに行く ((英) call for) ‖ *go for* help 助けを呼びに行く《◆「人をやらせる」場合は send for》. (4) (略式) 〔しばしば疑問文・否定文で〕…が〈ひどく〉好きである；…を〈大いに〉支持する ‖ I don't *go for* men of his type. 彼のような タイプの男性は嫌いだ. (5) (略式) 〔通例現在時制で〕〈事が〉…に適用される，あてはまる. (6) (略式) …と考えられている，…で通っている. (7) → 他 15 a, 16.

Go for it 〔目標に向かって進む〕 (米略式) (とにもかくにも)さあやるんだ.

go for nóthing 〈努力・献身などが〉何の役にも立たない，むだである，水泡に帰す.

go fórth [自] (1) 出て行く，出発する；旅立つ. (2) (文) 〈命令などが〉出される，発令[発布]される.

go fórward [自] (1) 前へ進む. (2) 〔様態の副詞を伴って〕〈事が〉進む. (3) 〈計画などを〉進める〔*with*〕.

go ín [自] (1) 〔…を通って〕中に入る〔*through*〕(↔ go out) ‖ She *went in* to get it. 彼女はそれを取りに中へ入って行った. (2) 〈太陽・月などが〉雲に隠れる. (3) 〈競技などに〉参加する. —[他]⁺ [*go in* Ⓐ] (1) …の中へ入る. (2) 〈物が〉…に合う大きさである ‖ This wallet won't *go in* my pocket. この札入れば ぼくのポケットに入らない. (3) → 他 15 a.

go ín for Ⓐ (1) 〈競技などに〉参加する；〈試験などを〉受ける ‖ *go in for* the race レースに参加する. (2) 〈趣味などとして〉〈スポーツなどを〉始める，する；〈職業として〉…をやる，…に携わる ‖ *go in for* stamp collecting 切手の収集を始める. (3) …を好む ‖ I don't *go in for* that sort of thing. そんなことは嫌いだ.

Góing! góing! góne! いいですか，もうありませんか，は い決まり《◆ せりの最後に競売人が言う言葉》

go ínto Ⓐ (1) …に入る (↔ go out of) ‖ *go into* a room 部屋に入る. (2) 〈木・壁などに〉ぶつかる，衝突する ‖ With a crash, the car *went into* the wall. 大きな音をたててその車は壁にぶつかった. (3) 〈職業などに〉入る，つく ‖ *go into* politics [business] 政界[実業界]に入る. (4) 〈ある状態に〉なる ‖ *go into* hysterics ヒステリーを起こす. (5) …を〈徹底的に〉調べる，説明する (investigate)《◆ 受身可》‖ The doctor *went into* the cause of the disease. その医者はその病因を徹底的に調べた. (6) → 他 9.

go ít (略式) (1) 猛烈に[むちゃくちゃ，即席]にやる；元気でやる. (2) 〈車などが〉猛烈なスピードで飛ばす.

go it alóne (略式) 独力で[ひとりで]やる.

go óff [自] (1) 〔誰にも言わずに〕**立ち去る**；〈俳優が〉退場する ‖ He *went off* without saying good-by. 彼はさようならも言わずに立ち去った / *Off we go!* (略式)さあ出かけよう. **(2)**〔…を〕持ち逃げする; 〔…と〕駆け落ちする〔*with*〕‖ *go off with* all the money 有り金全部を持ち逃げする 類語 get away [off]. **(3)**〈銃などが〉発射される; 〈爆弾などが〉爆発する; 〈警報などが〉鳴る‖ The bomb *went off*. 爆弾が爆発した. **(4)**〈様態の副詞(句)を伴って〉〈事が〉進む, 行なわれる, 〈事が〉起こる, 生じる‖ The party *went off* well. パーティーはうまくいった. **(5)**〈主に英〉〈食料品などが〉悪くなる, 腐る(→(自) **10**); 〈腕・質などが〉衰える, 鈍る, 落ちる‖ The meat has *gone off*. 肉が腐った. **(6)**〈電灯・ガスなどが〉止まる; 〈主に英〉〈痛み・効果などが〉なくなる‖ The light *went off*. 明かりが消えた.

*ɡò ón〈継続した状態で〉(on **5 a**)行く(go)〉[自] **(1)**進み続ける;〈事が〉続く‖ The party *went on* until midnight. パーティーは深夜まで続いた. **(2)**〔事を〕続ける(continue)〔*with*〕; [go on *doing*] …し続ける‖ I *went on* reading all through the night. 私は昨夜徹夜で本を読み続けた / *Don't speak*. *Go on with* your work. おしゃべりしないで, 仕事を続けなさい《◆ Get [carry] on with your work. の方が自然》. **(3)** [go on to *do*] 続けて…する; [go on to **A**] 次の話題などに移る‖ He *went on to* say that … 彼は続けて…と言った《◆He *went on* saying. は反復を示唆させた》/ Let's now *go on to* the next subject. では次の話題に移ることにしよう. **(4)**〈時が〉経過する, 経つ‖ Time *went on*. 時間は過ぎていった. **(5)**(略式)[主に be going]〈事が〉起こる, 行なわれる‖ What's *going on* here? ここで何が起こっているのだ; どうしたのだ, 何事かね. **(6)**(略式)〈人が〉(ふつう悪く)ふるまう, 行動する‖ Don't *go on* like that. そんなふるまいはよせ. **(7)**〔…のことを〕話し[しゃべり]続ける〔*about*〕;〔…を〕ののしる, 〔…に〕がみがみ言う〔*at*〕‖ My parents *went on at* me for coming home late. 私の両親は私が遅く帰って来たことでがみがみ言った. **(8)**〈電気・水道などが〉つく, 出る. **(9)**〈人が〉うまくやっている, 暮らす; 〈事が〉進む. **(10)**〈英略式〉〈人が〉どうにかやっていく,〔物を〕やりくりする〔*for*〕. —(自)* [ɡó on **A**] **(1)**〔疑問文・否定文で〕…に基づく, よる〈受身不可〉‖ The police have few clues [nothing] to *go on* in this case. この事件では警察はほとんど[何も]手がかりがない. **(2)**《米略式》〈事が〉気に入る. **(3)**《略式》〈失業手当・生活保護などを〉受け始める.

ɡò ón for **A**〈英略式〉[通例 be going]〈時間・年齢・数に〉近い, 近づく‖ She *is going on* (*for*) 35. 彼女はそろそろ 35 歳だ.

Gò ón (with you)!〈略式〉 **(1)**さあ続けて!《◆はげましたり, せかしたりするとき》. **(2)**冗談はよせ!, まさか!, ばかな!‖ Oh, *go on*! 冗談はいいかげんにしろ.

*ɡò óut [自] **(1)**出て行く, 外出する《◆ go away より留守をする期間が短い》(↔ go in) ‖ I'm just *going out* for a walk. ちょっと散歩に行ってくる《◆出かけて留守になっている状態は be out》/ Let's *go out* for dinner. 食事に出かけましょう. **(2)**(社交で)出歩く; (略式)〔異性と〕〈結婚を前提として〉付き合う, 交際する〔*with*〕(cf. GO with **(5)**)‖ I've been *going out with* her for months. 何か月か彼女と交際している. **(3)**〔外国へ〕出て行く, 移住する〔*to*〕; 〈女性が〉〔女中などとして〕働きに出る〔*as*〕‖ I *go out to* Canada to find a job カナダへ出稼ぎに行く. **(4)**〈火・電灯などが〉消える‖ Lights *went out*. 停電した. **(5)**[通例 have gone]〈服装などが〉流行しなくなる, すたれる(↔ come in)‖ Miniskirts have *gone out*. ミニスカートはすたれている. **(6)**内閣が退陣する.

*ɡò óut of **A (1)**…(の中)から出て行く(↔ go into)‖ *go out of* the room 部屋から出て行く《◆命令文ではふつう Get out (of the room)! のように get out》. **(2)**…から消える, 消滅する‖ The fury *went out of* her speeches. 彼女の話しぶりから怒りの調子が消えていった. **(3)**…からはずれる, …でなくなる.

*ɡò óver [自] **(1)**〔…へ〕渡る, 越える〔*to*〕‖ He *went over to* France. 彼はフランスへ渡った. **(2)**〔近以所へ〕行く〔*to*〕‖ *go over to* the window 窓の所へ行く. **(3)**〔…から/他の党派・思想・好み・習慣・宗教などに〕変わる, 転向する, 身を投じる〔*from/to*〕‖ She has *gone over to* the other side. 彼女は転向した. **(4)**〈車などが〉ひっくり返る, 倒れる. **(5)**[通例様態の副詞(句)を伴って]〔…に〕受け入れられる〔*with*〕;〈事が〉成功する, うまくいく. —(自)* [ɡó óver **A**] **(1)**…を渡る, 越える‖ *go over* a mountain 山を越える. **(2)**…を(綿密に)調べる(examine), 捜索する; …を下見[視察, 検分]する‖ *go over* the exam questions we have made 我々が作成した試験問題をよく吟味する. **(3)**(せりふ・説明などを)繰り[読み]返す; …を繰り返して練習する(review)‖ *go over* the notebooks before the exam 試験の前にノートを見直す. **(4)**〈欠点などを〉取り上げて話す, 話に持ち出す.

ɡò róund 〈英〉=GO around.

*ɡó so [as] fár as to *do* [*doing*]〔行為にまで も(as far as)およぶ(go); cf. as far as〕…しさえする‖ I won't *go so far as to* say that sentence is ungrammatical. 私はこの文が非文法的だとまでは言わない.

*ɡò thróugh [自] **(1)**通り抜ける, 通過する‖ Excuse me. Can I *go through*? すみません, 通してください. **(2)**〈法案などが〉議会を通過する, 可決される;〈申請などが〉承認される;〈交渉・取引などが〉まとまる. **(3)**〈衣服・靴などが〉すり切れる. —(自)* [ɡó through **A**] **(1)**…を通り抜ける, 通過[貫通]する. **(2)**〈法案などが〉議会会議を通過する‖ The law has *gone through* Parliament. その法律は国会を通過した. **(3)**〈苦しみなどを〉受ける,〈治療などを〉受ける, 経験する(experience)‖ *go through* hardships 苦痛を味わう. **(4)**〈手続・課程などを〉終える, ふむ;〈儀式などを〉行なう, …に参加する‖ *go through* the marriage procedure 結婚手続きをとる.

ɡò thróugh with **A** (しばしば困難を伴って)〈事を〉やり遂げる, 成し遂げる(accomplish)‖ I'm going to *go through with* the work in spite of many difficulties. 多くの困難はあるけれども私はその仕事をやり通すつもりだ.

*ɡò togéther [自] **(1)**〈色などが〉よく調和する;〈人が〉気が合う‖ The carpet and curtains *go* well *together*. そのじゅうたんとカーテンはよくつり合っている. **(2)**(略式)〔決まった異性と〕付き合う, 交際する〔*with*〕. **(3)**〈事が〉相伴う, 同時に起こる.

ɡó to it〈略式〉[通例命令文で] どんどんやれ, 勢いよく始めよ.

ɡò tòo fár 行き過ぎだ; やり[言い]すぎる.

ɡò únder《◆ go under the waves の省略表現》[自] **(1)**〈船などが〉沈む. **(2)**〈事業・会社などが〉失敗する, 倒産[破産]する;〈人などが〉落ちぶれる, 破滅する. **(3)**〔…に〕負ける, 屈服する〔*to*〕. —(自)* [ɡó únder

go — 666 — **goatsucker**

A) (1) → 圄 **17 a**. (2) …の下を通る, 下に沈む.

*gó úp [自] (1) 上がる; 登る; 〔舞台の〕〈カーテンが〉あく, 上がる; 〈歓声などが〉わき起こる ‖ go [come] up in the world 出世する / The plane went up. 飛行機が上昇した. (2) 〔…の〕方へ行く, …に近づく〔to〕 ‖ He went up to her and shook hands. 彼は彼女に近寄って握手をした. (3) (略式)〈物価・温度などが〉上がる; 〈価値・質などが〉よくなる ‖ Hamburger has gone up this week. 今週ハンバーガーが値上がりした. (4) (略式)爆発する, (爆発で)炎上する ‖ The house went up in flames [smoke]. その家が炎上した. (5) (略式)〈建物などが〉建てられる, 建つ. (6) 北方へ行く; (英)〔首都・主要都市へ〕行く〔to〕◆(1) 時に単に「…へ行く」の意でも用いられる. (2) 「上京する」には必ずしも当たらない. ─ 圄+] [gó úp A] …へ登る ‖ go up a hill 丘を登る.

gó úp for A = GO in for (1).

*gó with A (1) …と一緒に行く, 同行する. (2) …に付属する, …に伴う; …付きで売られる〈◆進行形・命令形不可〉 ‖ A large garden went with the home. その家には大きな庭がついていた. (3) (略式)〈人・意見などに〉賛成[支持, 同意]する〔on, about〕 ‖ We can't go with him on that point. その点で彼の意見に賛成できない. (4) …と調和する(→fit 圄[5]) ‖ Red wine goes well with meat. 赤ワインは肉とよく合う / This tie goes with my new suit [×me]. このネクタイは私の新しいスーツに似合う〈The tie and my dress go together.〉. (5) (略式・俗)〈異性と〉付き合う, 交際する; 性的な関係をもつ(cf. GO out (2)).

*gó withóut (A) (物・事を)なしですます, (我慢して)やっていく(do without)〈◆主に can, have to と共に使われる〉 ‖ He had to go without food for days. 彼は何日も何も食べずに過ごさねばならなかった.

háve góne → have 圄.

let go → let¹ 動.

to gó [名詞の後で] (1) 〔時間・距離などが〕残りの, 残っている ‖ We have five days to go before the Halloween party. ハロウィーンパーティーまであと5日ある. (2) (米略式)〔飲食物が〕持ち帰りの((英) to take out) ‖ Is this to eat here, or to go? = Is this for here or to go? ここで召し上がりますか, お持ち帰りですか.

─名 (複 ~es) 1 U 行くこと, 進行 ‖ the come and go of the tide 潮の満ち引き. 2 U 元気, 精力(energy), 熱情; 活気 ‖ He is full of go. = He has plenty of go. 彼は元気いっぱいだ. 3 C (略式)試み, ためし(attempt); 機会 ‖ at one go 1回で / hàve a gó at … = gìve … a gó …をやってみる. 4 (略式) [a ~] 成功(success) ‖ màke a gó of the business 事業を成功させる. 5 (英略式) [a ~] 成り行き, 事態; 困ったこと ‖ What a go! = Here's a go! 困ったことになった. 6 C (略式)(酒などの)ひと飲み, 一杯. (4)(略式)[通例 a ~]〔ゲームなどの〕順番. 8 C (略式)決まったこと, (成功した)取引 ‖ It's a go. それで決まった.

áll the gó (略式)〈服などが〉非常に流行して.

(always) on the gó (略式)〈人が〉(常に)忙しく働いて, 活動して, 〈子供がじっとしていないで.

from the wórd go (略式)初め[最初]から.

It's áll gó. (英略式)大忙しである.

(It is) nó gó. (略式)むだである, どうしようもない.

néar gó (略式)危機一髪(narrow escape).

─形 (略式) [補語として] 用意ができて, 正常に機能して ‖ All planes are go. 離陸準備完了 / All engines (are) go. (ロケットなどの)打ち上げ準備完了; (一般に)準備完了!

Go Kart → 見出し語.

go² /góu/ 名 U 碁, 囲碁.

Go·a /góuə/ 名 ゴア《インド南西岸の旧ポルトガル領. 1961年にインド領になった》.

†**goad** /góud/ 名 C **1** (家畜を追うための)突き棒, 刺し棒. **2** (人を行動に)駆り立てるもの, 刺激[激励]するもの. ─ 動 他 **1** 〈家畜などを〉突き棒で突く[駆り立てる]. **2** (正式)〈人・動物を〉駆り立てる(+on); 〈人を〉刺激[扇動]して[…]させる(provoke)〔into (doing), to, to do〕.

go-ahead /góuəhèd/ 形 **1** 前進する. **2** (略式) 進取的な, 野心的な. ─ 名 **1** (略式) [通例 the ~] 進行許可[合図, 命令]; 青信号 ‖ get the go-ahead ゴーサインを得る〈◆×go sign は誤り〉. **2** U 進取の気性, 元気; C 進取的な人.

***goal** /góul/ 名 [「境界線」が原義]

─ 名 (複 ~s/-z/) C

I [目標・目的]

1 [one's ~] (野心・努力などの)目標, 目的 ‖ In life, it is best to set realistic goals. 人生では実現可能な目標を立てることが最もよい / To discuss solar energy is our goal for this class. 太陽エネルギーについて話し合うのがこの授業の目的です.

2 [one's ~] (旅行などの)目的地, 行き先 ‖ The goal of our honeymoon is Australia. 私たちの新婚旅行の目的地はオーストラリアです.

II [ゴール・得点]

3 〔サッカー・ホッケーなど〕ゴール; (ゴールに球を入れて得る)得点(cf. point) ‖ We won the game by three goals to one. 我々は3対1で試合に勝った.

4 〔スポーツ〕ゴール, 決勝点 ‖ reach the goal ゴールインする, 決勝点に達する.

gèt [**kíck, màke, scóre**] **a góal** ゴールに成功する, 1点を得る.

góal difference 〔サッカー〕得失点差.

góal kick = goal-kick.

góal line 〔サッカー・ラグビー〕ゴールライン(図 → rugby)(cf. touchline).

góal post = goalpost.

góal·keep·er /góulki:pər/ 名 C 〔サッカーなど〕ゴールキーパー((米) goaltender).

góal-kick /góulkìk/, **góal kìck** 名 C 〔サッカー〕ゴールキック.

góal·mouth /góulmàuθ/ 名 C 〔サッカー・ホッケー〕ゴールマウス《goalpost で囲まれた場所》.

góal·post /góulpòust/, **góal pòst** 名 C 〔競技〕[通例 ~s] ゴールポスト, 決勝柱.

go-as-you-please /góuəzjupli:z/ 形 気ままな, 勝手な.

†**goat** /góut/ 名 **1** C ヤギ《悪魔は goat の姿をとるといわれる. cf. sheep》; U ヤギ皮. 関連 a he-[billy-]goat 雄ヤギ / a she-[nanny-]goat 雌ヤギ「子ヤギ」は kid. 鳴き声は baa, bleat》. **2** C (略式)(年をとった)好色漢 ‖ an old goat 助平じいさん.

téll [**séparate, divíde**] **the shéep from the góats** 〔聖〕ヤギとヒツジを見分ける; 悪人と善人を区別する.

goat·ee /goutí:/ 名 C (下あごの)ひげ, ヤギひげ.

goat·herd /góuthə̀:rd/ 名 C ヤギ飼い.

goat·skin /góutskìn/ 名 U ヤギ皮; C ヤギ皮製品《上着・酒を入れる》袋など》.

goat·suck·er /góutsʌ̀kər/ 名 C 〔鳥〕ヨタカ.

(nightjar).

†gob·ble¹ /gábl | gɔ́bl/ 動自 〈七面鳥が〉ゴロゴロとのどを鳴らして鳴く; 〈人が〉そのような鳴き声を立てる.

gob·ble² /gábl | gɔ́bl/ 動他自 (…を)がつがつ食べる (+*down, up*).

gob·bler /gáblər | gɔ́b-/ 名 C (略式)雄の七面鳥.

go-be·tween /góubitwìːn/ 名 C 仲介者, 仲立ちをする人; 仲人(なこうど).

Go·bi /góubi/ 名 [the ~]ゴビ砂漠.

gob·let /gáblət | gɔ́b-/ 名 C ゴブレット《金属またはガラス製の足付きグラス》.

†gob·lin /gáblin | gɔ́b-/ 名 C 1 [伝説] 《人間にいたずらを働く》小人, 小鬼, 小妖精. 2 幽霊, 化け物.

go·by /góubi/ 名 (複 **go·by**, **-bies**) C [魚]ハゼ(類).

go-cart /góukà:rt/ 名 C 1 (主に英古) (幼児の)歩行器(英) baby-walker. 2 (主に米)うば車, ベビーカー; 手押し車(handcart). 3 = Go Kart.

god /gád | gɔ́d/ [「お祈りされる人」が原義]

— 名 (複 ~s/gádz | gɔ́dz/; 《女性形》~·dess) 1 [G~] U 《特にキリスト教の》神, 創造主, 造物主, 万有の神《♦ (1) 代名詞は He, Him(大文字で始める). (2) 関連形容詞 divine》|| Let's pray to *God*, and He will answer our prayers. 神に祈りましょう. そうすれば私たちの祈りをかなえてくださるでしょう / *God's* book 聖書(the Bible) / *God's earth* 全世界 / *God's* gift = godsend / *God's will* = the will of God 神の意志 / It's in *God's hands*. それは神の手にゆだねられている.

2 C 《多神教で, 特定の属性を持つ》神; 《特にギリシア・ローマ神話の》男神《♦ 女性形は goddess》 || a feast [sight] [fit] for the *gods* (神々にもふさわしい)すばらしいごちそう[光景]《♦反語的にも用いる》/ swear by 「all the *gods* [Almighty *God*] that ... (略式)神かけて…を誓う.

関連 [ギリシア・ローマ神話の主な god]

the *god* of agriculture 農耕の神(Cronos, Saturn) / the *god* of day; the sun *god* 太陽神(Apollo) / the *god* of fire 火の神(Vulcan) / the *god* of heaven 天の神(Zeus, Jupiter) / the *god* of hell 地獄の神(Pluto) / the *god* of love; the blind *god* 恋愛の神(Eros, Cupid) / the *god* of the sea 海の神(Poseidon, Neptune) / the *god* of war 戦争の神(Mars) / the *god* of wine 酒の神(Dionysus, Bacchus).

3 C 神像, 偶像(idol);〔…にとって〕神とあがめられる[あがめられる]人[物]; (他の人より)〔…にとって〕影響力[資質]のある人〔*to*〕|| make a *god* of one's work 自分の仕事を崇拝の対象とする, 自分の仕事のことばかり考える / He is a (little) tin *god*. (略式)彼はみかけ倒しの人間[うぬぼれ屋]だ.

4 《英式》 [the ~s] (劇場の)天井さじき(の観客), 大向こう《♦この席が天空(heaven)に近いところから》.

5 [G~] [驚き・感嘆・のっしりなどを表し;全能の神《Heaven(s), goodness は God の遠回し語》|| (Gód) bléss you! → bless / (Gód) bléss me [my soul, my life, us]! → bless / Gód dámn you! この畜生 / Gód gránt ...! きっと…でありますように / Gód hélp him! まああわいそうに / Óh (my) Gód! = (Mý) (Góod) Gód [驚き・苦痛・悲しみなどを表して] ああ困った, さあ大変; おやおや; けしから

ん, なんてこった, 悲しいかな《♦ (1) 主に男性がよく使う語. これに対する女性がよく使う語は (My) Gósh [Gúsh]!, My Goodness! (2) God (almighty!) ともいう / Thánk Gód! [挿入的に] やれやれありがたい, しめた.

by Gód (:) 神かけて, きっと, 本当に.
for Gód's sàke → sake.
Gód forbíd! → forbid.
Gód (only) knóws → know 動.
Gód Sáve the Kíng 国王陛下万歳(→ GOD Save the Queen).
Gód Sáve the Quéen 女王陛下万歳《英国国歌の題名》《♦ save は仮定法現在形で祈願を表す》.
Gód willing = **pléase Gód** 《文》神意登[天意]にかなえば, 事情が許せば.
on Gód's éarth [wh疑問文で]世界中に; いったいぜんたい; [否定文で]全然, ちっとも《♦ on earth の強調形》.
pléase Gód 《正式》[間投詞的に]神のおぼしめしなら, うまくいけば(I hope).
with Gód 死んで(天国に).

god·child /gádtʃàild | gɔ́d-/ 名 (複 **··chil·dren**) C [通例 one's ~] 名付け子.

†god·dam(n) /gádǽm | gɔ́d-/, 一/一/ 間 《主に米男性略式》くそっ, しまった, 参った《God damn》《♦のっしりや怒り・困惑・驚き・感嘆などの発声》|| Goddam(n) it! いまいましい!, しまった!, うわぁ!《♦ **goddamnit, goddammit** ともつづる》. — 形 damned **3** = 《英》ではふつう goddamned という. いらだち・強調を表し, 間投詞的に用いられる || It's your own *goddam(n)* fault. くそっ, おまえのせいだ. — 副 = damned 《英》ではふつう goddamned という.

†god·damned /gádǽmd | gɔ́d-/, 一/一/ 《英》形 副 = goddam(n).

god·daugh·ter /gáddɔ̀ːtər | gɔ́d-/ 名 C 名付け娘 (→ godchild).

†god·dess /gádəs | gɔ́d-, 《英+》 -des-/ 名 C 1 《特にギリシア・ローマ神話の》女神(cf. god), 《the *goddess* of liberty 自由の女神《♦ New York の「自由の女神像」は the Statue of Liberty》.

関連 [ギリシア・ローマ神話の主な goddess]

the *goddess* of corn 五穀の女神(Demeter, Ceres) / the *goddess* of the hearth かまどの女神(Vesta) / the *goddess* of heaven 天の女神(Hera, Juno) / the *goddess* of hell 地獄の女神(Proserpina) / the *goddess* of hunting [moon] 狩猟[月]の女神(Artemis, Diana) / the *goddess* of love 愛の女神(Aphrodite, Venus) / the *goddess* of wisdom 知恵の女神(Athene, Minerva).

2 崇拝される女性; 絶世の美女.

†god·fa·ther /gádfà:ðər | gɔ́d-/ 名 C (男の)名付け親, 教父, 代父(cf. godmother, godparent); 後見人, 育成者; 《米》黒幕, マフィアのボス.

god·fear·ing /gádfìəriŋ | gɔ́d-/ 形 [通例 G~]《正式》神を恐れる; 信心深い.

god·head /gádhèd | gɔ́d-/ 名 U 《正式》[通例 the ~] 神格, 神性; [the G~] 神(God).

Go·di·va /gədáivə/ 名 Lady ~ ゴダイヴァ夫人《1040?-80; 英国マーシア伯 Leofric の妻. 夫の課した重税を廃止させる目的で Coventry の町を裸で馬に乗って回ったという. cf. Peeping Tom》.

god·less /gádləs | gɔ́d-/ 形 《正式》 1 神の存在しない;

godlike

神を認めない；不敬な. **2** [俗用的に] 邪悪な，不道徳な ‖ a *godless* life 罪深い生活.

†**god·like** /gάdlàik/ [形] 神のような，威厳のある.

godly /gάdli/ [形] (**-li·er, -li·est**) [正式] **1** 信心深い. **2** [the ~；名詞的に] 信心深い人々《しばしば反語用法》.
gód·li·ness [名] U

†**god·mo·ther** /gάdmʌðər/ [名] C (女の)名付け親，教母，代母 (cf. godfather, godparent)；(女の)後見人；(米) マフィアの女のボスの妻.

god·par·ent /gάdpèərənt/ [名] C [通例 one's ~] 名付け親，教父[母]，代父[母].

god·send /gάdsènd/ [名] [略式] [a ~] 思わぬ幸福[幸運，出来事]，天のたまもの.

god·son /gάdsʌ̀n/ [名] C (男の)名付け子，教子 (ﾎﾞｰｲ) (cf. godchild).

go·er /góuər/ [名] C **1** 速く行く人[物]；[略式] (新しいことに)積極的に取り組む人. **2** [複合語で] …によく行く人.

Goe·the /géitə/ /gɔ́:tə/ [名] ゲーテ 《Johann Wolfgang von-/ jóuhɑ:n wúlfgæn vɑn-/ ~ 1749-1832》；ドイツの詩人・劇作家．

gog·gle /gάgl/ /gɔ́gl/ [動] (自) [略式] (驚いて)(…に)目をむく，目を見張る，[…を]目を張って見る[*at*].
—[名] [~s] (風・ちり・光線・水よけ) 大めがね，ゴーグル．

gog·gle-box /gάglbὰks/ /gɔ́glbɔks/ [名] C [英略式] テレビ．

gog·gle-eyed /gάglàid/ /gɔ́gl-/ [形] [略式] 出目の，ぎょろ目の，(驚いて)目を丸くした[丸くして]．

Gogh /góu/ /gɔ́f/ [名] → van Gogh.

go-go /góugòu/ [名] (複 ~s) ゴーゴー(ダンス)．
—[形] **1** ゴーゴーダンスの[を踊る]. **2** 活発な，エネルギッシュな，現代風の．

†**go·ing** /góuiŋ/ [名] **1** U C [しばしば one's ~] 行くこと；去ること，出発；(人の)死 ‖ the comings and *goings* of people [略式] 人々の出入り[行き来]. **2** U 進みかた，進行速度；(事の)進行ぶり，状況 ‖ find the *going* hard 状況が厳しいことがわかる / It was tough [heavy] *going* during the exams. 試験中はなかなか大変だった. **3** U [the ~] 道路[走路・地面など]の状態；状況 ‖ while the *going* is good 足元が悪くならないうちに. **4** [通例 ~s] 行為，ふるまい．
—[形] **1** 〈機械などが〉運転[運行]中の. **2** 営業中の；もうかっている ‖ a *going* business もうかっている商売. **3** 現在行なわれている，現行の ‖ the *going* rate 相場. **4** [略式] [最上級の形容詞＋名詞の後で] 現にある；得られる (available) ‖ the best car *going* 現在最高級の自動車．

in góing órder (異状のない)使用できる状態に．

Go Kart, go-kart /góukɑ:rt/ [名] C [商標] ゴーカート．

:**gold** /góuld/ 《「黄色，こがね色」が原義》 派 **gold·en** (形)
—[名] U

I [金の属性]

1 金 (ｷﾝ) (記号 Au)；黄金 《◆不朽・純粋・高貴などの象徴》 ‖ the *gold* of Sado Island 佐渡島の金．

2 [集合名詞] 金製品，金貨；C 金メダル ‖ I didn't win the *gold*. I won the silver and that's fine. 私は金メダルを取らなかった．銀メダルを取ったが，それで満足だ / *Gold will not buy everything*. (ことわざ) 金で何でも買えるというわけではない．

3 ＝gold standard.

4 U C 金色，こがね色 ‖ the *gold* of Kinkakuji Temple 金色の金閣寺 / Leaves turn to *gold*. 葉が山吹色になる．

5 [形容詞的に] 金(のような)；金製の；金本位の；金平価で計算した ‖ a *gold* certificate 《米》金証券 / a *gold* medal 金メダル．

> [使い分け] [**gold** と **golden**]
> **golden** は「金色の」の意味なのに対し, **gold** は形容詞的に用いられるとふつう「金製の」の意で, 特に髪の色の意では用いない．
> My girlfriend has *golden* [×*gold*] hair. 僕のガールフレンドは金髪です 《◆ *gold* hair は「金でできた髪」の意味》．
> John has a *gold* [×*golden*] watch. ジョンは金時計を持っている．

II [金のようなもの]

6 (金のように)貴重[高価]なもの；美しい[純真な]もの ‖ a voice of *gold* 美声 / a heart of *gold* 親切で，思いやりの，寛大な心[人]．

(*as*) **góod as góld** [略式] とても親切な；(子供が)非常に行儀がよい；(約束などが)十分信頼できる．

góld cárd ゴールドカード 《年収が多い人などを対象にしたクレジットカード》．

Góld Còast [the ~] (ガーナの)黄金海岸 《旧英領ゴールドコースト》(= Ghana)；[the g~ c~] 《米略式》(都市の)高級住宅地域．

góld dúst 砂金；小さな黄色い花を多くつける植物．

góld fèver 黄金[金鉱]熱．

góld fóil 金箔(ﾊｸ) ‖ *gold leaf* より厚い．

góld léaf (薄い)金箔 (→ gold foil).

góld mìne 金山，金鉱；宝庫，ドル箱，富の源．

góld pláte [集合名詞的に] 金製の食器類；(電気)金めっき．

góld rùsh ゴールドラッシュ 《◆ 1849年の米国 California 州のが有名. cf. forty-niner》．

góld stàndard (sýstem) [the ~] 金本位(制)．

gold·beat·er /góuldbì:tər/ [名] C 金箔(ﾊｸ)師．

gold·bug /góuldbʌ̀g/ [名] C コガネムシ；金本位制支持者．

*:**gold·en** /góuldn/ 《→ gold》
—[形] 《比較変化しない》

I [金の属性的]

1 〈髪・太陽などが〉金色の，山吹色の (使い分け → *gold* [形] **5**) ‖ a *golden* corn 黄金色のトウモロコシ / The girl has *golden* hair. その少女は金髪である．
2 [文] 金(製)の 《◆ *gold* がふつう》．

II [金のようなもの]

3 [通例名詞の前で] (金のように)貴重な (precious)，すばらしい；非常に幸運な；見事な ‖ *golden* opinions すぐれた意見 / Now, there's a *golden* opportunity for peace. 今こそ平和の絶好の機会である．

4 [名詞の前で] 全盛の，繁栄した；活力にあふれたとても美しい ‖ *golden* years 全盛時代；[遠回しに] 老齢期 / *golden* hours またとなく楽しい時間 《◆「ゴールデンアワー」は prime (TV) time, peak viewing time など》．

5 [略式] [名詞の前で] 〈人が〉将来有望な，きっと成功する (promising) ‖ a *golden* boy [girl] 成功間違いなしの人；人気者．

Gólden Áge (**1**) 《ギリシャ神話・ローマ神話》 [the ~] 黄金時代．(**2**) [the g~ a~] (国・芸術・商業などの)最盛期．(**3**) ラテン文学の偉大な古典時代．(**4**) [the g~ a~] 老年 《◆ old age の遠回し表現》．

gólden áger ＝golden-ager.

gólden annivérsary (結婚などの)50周年記念日.
Gólden Àrches [the ~] 黄金の矢《McDonald'sの看板》.
gólden cálf [旧約] [the ~] (イスラエル人の崇拝した)金の子牛の偶像; 富, 金.
Gólden Fléece 〔ギリシア神話〕 [the ~] 金の羊毛 (→ *Jason*).
Gólden Gáte [the ~] (San Francisco 湾の)金門(海)峡《◆ここにかかる橋は **Gólden Gàte Brídge** (金門橋)》.
gólden góose 金の卵を産んだガチョウ《◆ *Aesop's Fables* より》.
gólden hámster [動] ゴールデンハムスター《◆ペット・実験用》.
Gólden Hórn [the ~] ゴールデンホーン《トルコの Istanbul の海港》.
gólden júbilee [the ~] 50年記念日〔祭〕.
gólden méan [the ~] (**1**) 中庸, 中道. (**2**) = golden section.
gólden retríever [動] ゴールデン・レトリーバー《黄金色の毛をした猟犬》.
gólden rúle [新約] [the ~] (キリストの山上の垂訓中の)黄金律; 行動の基本原理, 〔数学〕 三の法則《比例式の外項の積と内項の積は等しいという法則》.
gólden séction [美術] [the ~] 黄金分割(golden mean).
Gólden Státe (愛称) [the ~] 金の州(→ California).
Gólden Tríangle 黄金の三角地帯《タイ・ラオス・ミャンマーの国境でヘロイン供給地として有名》.
gólden wédding (annivérsary) 金婚式《結婚50年目》.
gold·en·a·ger /góuldnèidʒər/, **gólden áger** [名] (米略式) お年寄り《◆ *old person* の遠回し語法》.
gold·en·rod /góuldnràd | -rɔ̀d/ [名] ⓒ [植] アキノキリンソウ, アワダチソウ.
gold–filled /góuldfíld/ [形] 〈宝石細工などが〉金張りの.
gold·finch /góuldfìntʃ/ [名] ⓒ [鳥] オウゴンヒワ《ヨーロッパ・北米産》.
gold·fish /góuldfìʃ/ [名] (複 → fish [語法]) ⓒ (ペット用) 金魚.
gold–plat·ed /góuldpléitid/ [形] 金めっきの.
†**gold·smith** /góuldsmìθ/ [名] ⓒ 金細工職人[商].
*‎**golf** /gɑ́lf, gɔ́:lf | gɔ́lf/ 〖球を打つ棒》が原義〗
―― [名] Ⓤ ゴルフ ∥ She plays *golf* every weekend. 彼女は毎週末ゴルフをする.
―― [動] ⓘ ゴルフをする ∥ go *golfing* ゴルフに行く.
gólf bàg ゴルフバッグ.
gólf bàll ゴルフボール.
gólf càrt ゴルフカート《ゴルファー・ゴルフバッグを運ぶ車》.
gólf clùb (**1**) (ゴルフの)クラブ. (**2**) ゴルフクラブ; その施設.
gólf còurse [**lìnks**] ゴルフ場.
gólf wídow (俗)ゴルフウイドー《ゴルフに夢中の夫をもつ妻》(→ widow [名] **2**).
golf·er /gɑ́lfər, gɔ́:lf- | gɔ́lf-/ [名] ⓒ ゴルフをする人, ゴルファー.
Gol·go·tha /gɑ́lgəθə | gɔ́l-/ [新約] ゴルゴタ《Jerusalem 付近の丘でキリストはりつけの地. ラテン名 Calvary》.
Go·li·ath /gəláiəθ/ [名] **1** [旧約] ゴリアテ《David に投石器で殺されたペリシテの巨人戦士》. **2** [通例 a g~] ⓒ 巨人; きわめて力の強い人; 大企業.

Go·mor·rah, – rha /gəmɔ́:rə, (米+) -mɑ́r-/ [名] **1** [旧約] ゴモラ《住民が邪悪であるため Sodom と共に神に焼き滅ぼされた町》. **2** ⓒ (一般に) 邪悪と腐敗で有名な町.
–gon /-gɑn | -gən/ [語要素] → 語要素一覧(2.2).
†**gon·do·la** /gɑ́ndələ | gɔ́n-/ [名] ⓒ **1** ゴンドラ《Venice などの長い平底船》. **2** (高い窓・壁での作業用の) つりかご. **3** (リフト・気球などの) つりかご, ゴンドラ.
*‎**gone** /gɔ́:n | gɔ́n/ 〖(米+) gɑ́n〗
―― [動] *go* の過去分詞形.
―― [形] (**more** ~, **most** ~) 《◆成句を除いて比較変化しない》 **1** 過ぎ去った, 過去の (→ *go* [自] **19, 20**); [補語として] 「遠回しに」死んだ ∥ in days long *gone* とっくの昔に. **2** (お金などを)使い切った; [名詞の前で] 弱り切った, 衰弱した, (気力が)めいった ∥ a *gone* feeling めいった気分. **3** [名詞の前で] 見込みのない, 絶望的な ∥ a *gone* case 絶望的な事態; 見込みのない人. **4** (略式) [週・月などの期間を表す語の後] 妊娠…で ∥ She is eight mònths *góne* (with chíld). 彼女は妊娠8カ月だ.
be fár góne (略式) (**1**) 〈病気などが〉深く進んでいる; 〈人が〉酔っている, 気が狂っている; 疲れ切って[死にかけて]いる. (**2**) 〈物が〉古くなっている, ポンコツである.
be góne on [óver] A (略式) 〈人〉にほれ込んでいる, 〈事〉に夢中である.
gon·er /gɔ́:nər, (米+) gɑ́nər/ [名] ⓒ (略式) 死者, 死にかけている人, 落ちぶれた人, 見込みのない人[もの].
gon·fa·lon /gɑ́nfəlɑn/ [名] ⓒ (中世イタリア都市国家などで用いた)横木につるす旗, 吹き流し.
†**gong** /gɔ́:ŋ, (米+) gɑ́ŋ/ [名] ⓒ **1** (食事の合図などの)どら, ゴング. **2** =gong bell. **3** (英略式) メダル, 勲章.
góng bèll ゴング(ベル)《皿形の鐘》.
gon·na /(弱) 子音の前 gənə, 母音の前 gənu; (強) gɔ́:nə, (米+) gɑ́nə, (英+) gɔ́nə/ (米式・英非標準) = going to (→ be GOing to do).

G

*‎**good** /gúd/ 〖源〗 goodness (名) 《◆副詞は well》

index [形] **1** よい **2** 適した **3** 立派な **5** 行儀のよい **7** 十分な **8** 熟達した **10** 楽しい **11** 親切だ **14** 健康な
[名] **1** 役に立つこと **2** よいところ **3** 善

―― [形] (**better** /bétər/, **best** /bést/) (↔ **bad**)
I [よい]
1a (質・量・程度などの点で)よい, 上等な, 申し分ない, すぐれた ∥ *good* points 長所 / Kenroku-en is a *good* example of a Japanese garden. 兼六園は日本式の庭園の好例です / This wine is *good* to the taste. このワインは味がよい. **b** 〈評点が〉良の(略 G) (→ grade [名] **4** 関連).

II [適切な]
2 [...に]適した, 望ましい, 役立つ; 好都合の〔*for, on*〕; [...するのに]ふさわしい (*suitable*) 〔*to do*〕 ∥ What is a *good* time *for* you? = When is *good for* you? 都合のいいのはいつですか (= When is it convenient for you?) / This will hóld góod *for* language at large. このことは言語一般にあてはまる / This mushroom is not *good to* eat. このキノコは食べられない (➜文法17.4) / That sweater looks very *good on* you. そのセーターは君にとてもよく似合っている / *It is* not *good* [*for* her *to* live alone [that she lives alone]. 彼女が1人で暮らすのはよくない.

III [人・物の品格・特徴がよい]

3 [名詞の前で] 〈人・行為が〉(道徳的に)**立派な**; 公正な, 正しい(correct); 忠実な(loyal); 〈時計が〉時を正しく刻む ‖ *good* men and true 立派で誠実な人たち, 陪審員 / lead a *good* life 高潔な生活を送る / do a *good* deed 善行にふるまう.

4 [通例名詞の前で] 名声[地位]のある, 立派な; 教養のある ‖ a woman of a *good* family 良家の婦人 / a member in *good* standing 身分のある会員, 正会員.

5 〈子供が〉**行儀のよい**, おとなしい(well-behaved) (↔ *naughty*) ‖ Help me do the dishes. There's [That's] a *good* girl. いい子だから, お皿を洗うのを手伝ってね《◆大人の場合にも使われる》.

6 〈人・物が〉信頼できる; 確かな, 安全な; 本物の, 実際にある; [通例補語として] [...の期間]有効な, もつ; [続式] [...に]応ずる能力[価値, 時間]のある[for]《◆「有効な」「能力のある」の意味では比較変化しない》 ‖ a *good* debt 確実に返済できる負債 / a *good* investment 有利な投資 / a *good* likelihood [chance, possibility] 十分ありうる可能性 / Are you *good* for a game of ping-pong? 卓球を一勝負する時間があるか / This novel is *good* for a laugh. この小説は笑いを誘う / She [Her credit] is *good* for £1,000. 彼女は1000ポンドの支払い能力がある[彼女の信用では1000ポンドの融資が受けられる].

7 [名詞の前で] [a ~] (量的に)**十分な**, たっぷりな; 相当な, かなりの(enough); 完全な(complete)《◆(1) [続式]では形容詞や副詞を強調することもある.(2) 比較変化しない》 ‖ a *good* income 相当の収入 / She has a *good* many friends here. 彼女はここにたくさんの友だちがいる《◆many *good* friends は「多くの親友」の意》 / give him a *good* beating [telling-off] 彼をさんざんなぐる[しかりつける] / a *good* while [way] [続式] かなりの間[道のり] / If you drive to Tokyo from Niigata, it will take a *good* four hours. もし新潟から東京まで車で行けば, たっぷり4時間はかかるでしょう / I'll give the room a *good* clean. その部屋をすみずみまできれいにしましょう.

8 [...に]熟達した, 巧みな《◆対応する副詞は well》; [続式] 抜け目のない(at, with, in, on)《◆ふつう at は技術, in, on は領域, 分野, with は扱いを示す》; 〈人が〉**有能な**, 器用な; 適任の ‖ be *good* with children [horses] 子供[馬]を扱うのがうまい / be *good* on the organ [American Revolution] オルガンが上手だ[アメリカ独立革命に詳しい] / She is *good* at [×in] swimming. =She is a *good* swimmer. 彼女は泳ぎが上手だ(=She swims well.)《◆類例は → cook 名, carpenter 名, doctor 名 1 など》 / She is *good* at [×strong] at mathematics. 彼女は数学に強い / He is no *good* as a lawyer. 彼は弁護士として無能だ.

9 [名詞の前で] 〈理由・判断・証拠などが〉もっともな(proper); 注意深い(careful) ‖ a *good* criticism of the book その本の妥当な批評.

IV [快適な]

10 〈物・事が〉**楽しい**, 愉快な(pleasant); 目を楽しませる, 魅力的な ‖ *Good* to see you again. またお会いしましたね / Those were the *good* old days! 昔はよかったよな / The girl has *good* proportions. その女の子は美しいプロポーションをしている / be in a *good* mood [frame of mind] 上機嫌である / The air feels *good* to [on] my face. そよ風が顔に心地よい / 《対話》 "Have a *good* time!" "Thank you, I will." 「いってらっしゃい」「ありがとう, じゃあね」.

11 [A is *good* to do =it is *good* of A to do] ...するとは A〈人〉は **親切だ**《◆kind より堅い語》《○文法 17.5》; [...に対して/...について] 心の優しい, 寛大な[to/about] ‖ He was *good* to me. 彼は私に親切だった / It is very *good* of you to visit me. =You are very *good* to visit me. 訪ねてくださってどうもありがとう(=Thank you for visiting me.) / Would you be 「*good* enough to [as *good* as to] dance with me? どうか私と踊ってくださいませんでしょうか.

12 [名詞の前で] 〈人が〉非常に親しい ‖ *good* friends 親友.

13 [正式] [名詞の前で] [呼びかけ] 親愛なる《◆(1) 賞賛や親しみ, 時におどけ・皮肉・怒り・横柄さを含意する.(2) 比較変化しない》 ‖ my *good* friend [man, sir, girl] きみ, あなた / one's [the] *good* man [lady] ご主人[奥様] / *Good* old Bill, he's ready to help her. ビルのやつ, 彼女を助けようとしているぞ.

V [健全な]

14 《略式》 [通例名詞の前で] 〈人が〉**健康な**, 元気な, 丈夫な(well) ‖ *good* eyesight 健全な視力 / I feel *good* this morning. 今朝は体の調子[気分]がよい.

15 [健康に]よい, 適した; 〈薬が〉〈病気などに〉効く[for]; [通例 *good* for a fever [against the flu] 熱[流感]に効く薬 / Cheese is *good* for [×to] his health [him]. チーズは彼の健康によい.

16 〈食物が〉腐っていない(↔ *rotten*), 新鮮な; 味のよい《◆比較変化しない》 ‖ This meat stays [keeps] *good* in cold weather. 寒かったでこの肉は悪くなっていない.

*__as *good* as__ ... 《ふさわしさの程度において》...という言葉と同じぐらいだ; cf. *good* 形 2》(1) [形容詞・副詞・動詞の前で] ...も同様(practically) ‖ The car looked (as) *good* as new. その車は新品同然に見えた. (2) ...と同じ(ほどに[よく]) ‖ motorbikes that move as *good* as they look 外観が決まると同時によく走るオートバイ.

*__*góod* and__* /ɡúdn/ ... (もと米続式) [形容詞・副詞を強調して] 非常に, ひどく; すっかり《◆very の強調形.→ NICE 形》 ‖ kick him *góod* and hárd 彼を思い切りけとばす / He was *góod* and mád by that time. 彼はその時までにすっかり頭にきていた.

*__*Good* for yóu!__* でかした; うまいぞ, えらいですね.

*__*Góod* Gód (grácious, gríef, Héavens, Lórd, (主に豪) íron)!__* おや, あっ驚いた!, あきれた!, まいった! (→ God 5).

*__*Góod* óne.__* 《略式》 なかなかよい.

*__máke *good*__* [自] 《もと米》 [目的・約束を] 果たす[on]; 《略式》 [...で/...として] 成功する[in/as]. — [他](1) 《正式》 [損害などを補う, 埋め合わせる] ‖ *make good* part of the debt 負債の一部を支払う. (2) 〈約束など〉を履行する, 果たす; 〈逃亡・進歩など〉を成し遂げる ‖ *make good* (on) one's commitments 約束を果たす, 公約を具体化する.

*__tóo múch of a *góod* thing__* ありがた迷惑(なもの).

──名 □ 1 [しばしば some, any, no と共に] **役に立つこと**, 価値(のあること), 利益, ため(になること)《◆ use より口語的》; 幸福 ‖ work hard for the *good* of the earthquake victims 地震の被害者のために一生懸命働く / The scandal did his reputation no *good*. そのスキャンダルは彼の評判を悪くした / "What *good* is [What's the *good* of] buying] a book if you don't read? 読まなければ本は[本を買っても]何の足しになるか / This old computer is no góod (to me) any more. この古いコンピュータはもう(私には)役に立たない / *It's nó good (my) argu*ing* with her. =*There is no good (in)* argu*ing* with her. 彼女と議論してもむだだ(=It is useless to argue …) / Will it do me *any good* to care for my divorced wife? 別れた妻の世話をしても何か益があるだろうか.

2 よいところ, 長所; よい[望ましい]事[物]; 親切 ‖ The nurse did a lót of *góod* for the patient, but in vain. その看護師は患者のためにいろいろしてあげたがむだだった / It is very important to sèe the góod in people. 人々の美点を知ることはとても大事なことだ / *dò* góod *to* her =*dò* her góod 彼女に親切にする / *It is nó good* go*ing* too far with anything. 何事も行きすぎはよくない.

3 善, 美徳(↔ evil); 高潔; 〔時に G~〕徳を成し遂げる力 ‖ good and evil 善と悪 / good at work in the world 世の中で影響を及ぼす善[美徳]の力 / For human beings, a great power for *good* is love. 人類にとって善に誘う大きな力が愛である.

be [*get*] *in* góod *with* A 〈米略式〉(1)〈人〉とうまくいく, 〈人〉に好かれる. (2)〈物〉の扱いがうまい.

còme to nó góod 失敗[不幸]に終わる; 堕落する; 役立たなくなる.

for góod (*and áll*) 〈略式〉(1) これを最後に, きっぱり(と finally) ‖ I've left him *for good*. これを最後に彼と縁を切った. (2) 永久に(permanently) ‖ It seems that he's staying with us *for good*. 彼はどうやらいつまでも私の家にいるようだ.

for góod or íll よかれ悪しかれ.

to the góod〈略式〉(1) [通例数値の後で] 黒字で, もうかって; 勝ち越しで. (2) [しばしば all の後で] 有利[有益]になって.

——副〈米略式・英非標準〉上手に, うまく《◆well の代用》‖ You know my mama real *good*? ママをよく知ってるの?(=… really well?).

——間〔(Very) G~!〕(満足・賛成・喜びを表して)よろしい!, いいぞ!, わかった! 《◆*Well! とはいわない》.

good afternoon →見出し語.

góod chéer (1) 元気, 上機嫌; 勇気. (2) 祝宴(騒ぎ); ごちそう.

good day →見出し語.

góod déal〈略式〉[a ~] たくさん, 多量(→ deal[1]).

good evening →見出し語.

Góod Fríday (復活祭の前の) 聖金曜日, キリストの受難記念日.

Góod Hópe [the Cape of Good Hope] 喜望峰《アフリカ南端の岬(忠)》.

góod húmor 快活, 上機嫌.

góod lífe [通例 the ~] 有徳の生活; (物質的に)豊かな生活.

góod lóoker〈略式〉美人, べっぴん; 美しいもの[動物].

góod lóoks 〔複数扱い〕美貌(ぼう).

good morning →見出し語.

góod náture 温厚, 気立てのよさ.

good night →見出し語.

góod óffices〔複数扱い〕あっせん, 尽力, 調停; 影響力 ‖ through the *good offices* of … …のあっせんで.

góod péople〈略式〉[the ~] 妖精たち.

Góod Samáritan [時に g~ S~]〔新約〕よきサマリア人《困っている人に情け深い人》.

góod sénse 分別, 良識(common sense).

Góod Shépherd〔新約〕[the ~] よき羊飼い《◆キ

リストのこと》.

góod will =goodwill.

góod wòrk(s) 慈善行為.

*good afternoon

——間《◆午後のあいさつ》**1** /==/ こんにちは. **2** /==(↗)/《正式》さようなら(good-by(e)).

*good-by, 《主に英》**-bye** /ɡùdbái/《◆《米》(↘), 《英》(↗), 《米》『God be with you [ye]. の短縮形 godbye と good night などとの混交形』》

——間 さようなら; (電話などで軽く) じゃまたね.

┌─────────────────────────┐
│ 関連 [「さようなら」の表現]   │
│ "Bye now." / "Bye Bye." / "See you again │
│ [around, later, soon.]" / 《主に米略式》 │
│ "Have a nice day." /《主に米略式》"So long." │
│ "See you." /《英》"Cheers." / "Cheerio." │
└─────────────────────────┘

——名 (複 ~s/-z/) ⓤⓒ 〔…に対する〕別れのあいさつ, いとまごい〔*to*〕‖ a *goodby* kiss 別れのキス / a *good-by* party 《略式》お別れ会(=《正式・文》a farewell party) / *say good-by to* Mary メリーにさようならを言う.

†**good day** 間《◆日中のあいさつ》**1** /==/《米・豪・英古》こんにちは(Good morning, Good afternoon, Hello). **2** /==(↗)/《主に英古》さようなら.

*good evening

——間《◆夕方・晩のあいさつ》**1** /==/ こんばんは《◆ hello より改まったあいさつ》. **2** /==(↗)/《正式》さようなら《◆ good-by, good night の方がふつう》.

good-for-naught [-noth·ing] /ɡúdfərnɔ̀ːt [-nʌ̀θɪŋ]/ 《略式》ⓒ 役立たずの(人, 物), ぐうたら(の), ろくでなし(の).

good-heart·ed /ɡúdhɑ́ːrtɪd/ 形 親切な, 寛大な.

good-hu·mored /ɡúdhjúːmərd/ 形 上機嫌の, 愛想のよい, 陽気な(↔ ill-humored).

góod-hú·mored·ly 副 愛想よく.

good·ie, -y /ɡúdi/ 間《小児語》わあすごいや.

good·ish /ɡúdɪʃ/ 形 かなり[まあ]よい, 悪くない.

†**good-look·ing** /ɡúdlúkɪŋ/ 形《略式》〈人〉の顔立ちのよい, 美しい《◆ beautiful よりは劣る (cf. looker)》; 〈着物などが〉よく似合う.

*good morning

——間《◆午前中 (および時に午後1時頃まで)のあいさつ》**1** /==/ (↘) / おはよう (ございます) 《◆《略式》では単に morning. ともいう》. **2** /==(↗)/《正式》さようなら《◆ good-by の方がふつう》.

†**good-na·tured** /ɡùdnéɪtʃərd/ 形 気立てのよい, 親切な, 温厚な, 気さくな; 〈行為などが〉人のよい(↔ ill-natured). **góod-ná·tured·ly** 副 悪気なしに, 気さくに.

†**good·ness** /ɡúdnəs/ 名 ⓤ **1** よい状態, 良好; (質の)よさ, 優秀. **2** (人柄の)善良さ, 有徳; 優しさ, 親切(心), 寛大 ‖ do it out of sheer *goodness* まったくの親切心からそれをする / Have the *goodness* not to drink too much. どうぞお願いですから飲み過ぎにはご注意ください. **3**《正式》[the ~] よいところ, 美点, 長所; 精髄; (食品の)滋養分, 風味 ‖ Children will lose their *goodness*, unless their parents treat them with great care. 子供というものは両親が細かい気配りを持って接していかないとだめになってしまう. **4**《正式》神《◆God の遠回し表現》‖ *Goodness* (me)! =My *goodness*! =*Goodness*

good night /gùdnáit/
──間 **1**《◆夜間のあいさつ。寝る前・別れ際にいう》おやすみ(なさい)《◆ (米)では(↘)、(英)では(↗)となることが多い》∥ *Good night, my son.*(息子に向かって)おやすみ / *She kissed her mother good night.* 彼女はお母さんにおやすみのキスをした《◆ここでは名詞的に使われている》. **2**《驚き・喜び・怒りなどで》おや!, あきれた!, ああうれしい!, いやはや!《◆ good grief! ともいう。Good God! の遠回し表現》.

goods /gúdz/
──名《◆ふつう複数扱い。数詞の修飾は不可だが, many, some などは可能》

I[物・所有物]
1 商品, 品物《◆ merchandise より口語的》∥ *goods in stock* 在庫品 / *goods ordered* 注文品 / *a large variety of excellent [well-made, superior] goods* さまざまなすぐれた商品《◆ *good goods* は聞こえがよくないので避けられる》/ *sporting goods* 運動用品 / *My job is to display new goods in this shop.* この店で私の仕事は新商品を並べることです.
2 家財, 財産, 所有物, (特に)動産(movable);《経済》財(property) ∥ *góods and cháttels*《法律》全財産 / *free goods* 自由財《空気・日光など》.
3(米)服地, 織物, 反物(ᠷᠨ)∥ *imported goods for women's dresses* 婦人服用に輸入された布地.
4(主英)《鉄道輸送の》貨物(米・カナダ freight).

II[抽象化された物の属性]
5(略式)[the ~] **a** 本物;必要なもの, 資質[力量](を持つ人). **b** 約束事, 期待された物.

deliver* [*còme úp with*] *the góods 《契約した商品をきちんと届ける。cf. 名5》(主に米俗)実績をあげる, 約束を果たす, 期待どおりにする.

góods tràin(主に英)=freight train.
góods vàn(主英)=delivery truck.
góods wàgon(主に英)=freight car.

good-sized /gúdsàizd/形 (かなり)大きい, たっぷりした.

good-tem·pered /gúdtémpərd/形 温厚な, 気立ての.

†**good·will** /gúdwíl/, **góod will** 名U **1**《…への》好意, 善意(↔ ill will);親善, 友好(*toward*). **2** 快諾. **3** (店の)のれん, 株;好評, 信用, 得意;営業権.

good·y /gúdi/名 **1** (略式)[しばしば *goodies*] **1** 菓子, キャンデー. **2** 楽しい[魅力ある]もの. **3** 英雄.
──間 =goodie.

good·y-good·y /gúdigúdi/(略式)形名C 善良《信心家》ぶった(人);めめしい(男).

†**goose** /gúːs/名 (複 **geese** /gíːs/) **1** C (雌の)ガチョウ;(野生の)ガン(wild goose)《◆高貴な swan に対して, goose は従順で愛嬌があるが不器用であるとされ,「とんまの代名詞にもなる」》U ガチョウの肉 ∥ *All his geese are swans.*《ことわざ》自分のガチョウはみなハクチョウ;「自分のものなら何でも最高」/ *kill the goose that lays* [*laid*] *the golden egg*(s)《ことわざ》金の卵を生むガチョウを殺す, 目先の利益のために将来の利益を犠牲にする《◆ *Aesop's Fables* から》関連 雄 gander / 雌 goose / ひな gosling / 鳴き声 gabble, gaggle, honk. **2** C (やや小・略式) ばか, まぬけ, ばかな女[人] ∥ *màke a góose of …* …をばかにする / *You goose!* このばかめ(が).

cóok A's góose 《人にガチョウ[成功の機会]を料理して[だめにして]しまう》(略式)《人》の計画を台なしにする.

gíve A góose skín〈人〉に鳥肌を立たせる.
góose ègg ガチョウの卵;(米略式)ゼロ, 零点.
góose pímples [(米) **búmps**] =gooseflesh.

†**goose·ber·ry** /gúːsbèri, gúz-|gúzbəri/名 **1** C《植》グズベリー(の実), セイヨウスグリ. **2** U グズベリー酒.

goose·flesh /gúːsflèʃ/名U (寒さ・恐怖などで起こる)鳥肌(goose pimples [(米) bumps]).

†**go·pher** /góufər/名 **1** C《動》ホリネズミ《北米の草原に生息する》. **2** C《動》ツチガメ, アナホリガメ《米国南部産》. **3** [G~] (米) Minnesota 州の人.

Gópher Státe(愛称)[the ~] ジネズミの州(→Minnesota).

Gor·ba·chev /gɔ́ːrbətʃɔ̀ːf, ˌ--ˈ-/名 ゴルバチョフ《Mikhail Sergeyevich /mikáil seərgéijivitʃ/ ~ 1931-;ソ連共産党書記長(1985-91)。ソ連大統領(1990-91)》.

Gor·di·an /gɔ́ːrdiən/形 (古代フリギア王)ゴルディオスの.

Górdian knòt [the ~] (1) ゴルディオスの結び目《アジアを支配する者だけがこの結び目を解くといわれたが Alexander は剣でこれを切断して難題を解決した》. (2) 複雑[不可解]な問題 ∥ *cút the Górdian knót*(非常手段により)難問題を一挙に解決する, 快刀乱麻を断つ.

Gor·don /gɔ́ːrdn/名 ゴードン《Charles George ~ 1833-85;英国の将軍・行政官。中国の太平天国の乱を鎮定したため Chinese Gordon として知られる》.

†**gore**¹ /gɔ́ːr/名U《文》血のり, 血のかたまり.
gore² /gɔ́ːr/名C《服飾》ゴア《はぎ合わせてスカート・ほなどを作る細長い三角形の布》, まち, おくみ;三角形の地所.
gore³ /gɔ́ːr/動他 **1**《牛などが》…を角[きば]で突く[突き刺す]. **2** …を(とがったもので)突き刺す[傷つける]. **3**〈岩や〉船腹などを突き破る.

gorge /gɔ́ːrdʒ/名 **1** C (両側が絶壁の)峡谷, 山峡(図)(→ valley). **2** C 胃, 胃の中身;胃を満たす食物. **3** C《築城》要塞(さい)の後部の入口[通路]. **4** C (米)(通路を)ふさぐ物, 集積物《氷のかたまりなど》. **5** U 不快感. ──動他 [通例 ~ oneself]《食物を》がつがつ腹一杯に詰め込む(*with*, *on*).

†**gor·geous** /gɔ́ːrdʒəs/形 **1** 豪華な, 華美な, 華麗な(splendid) ∥ *a gorgeous dress* 豪華なドレス / *The peacock has truly gorgeous feathers.* クジャクは本当に目のさめるような美しい羽毛をしている. **2**(主に女性語)見事な, すてきな, すばらしい ∥ *gorgeous scenery* すばらしい景色 / *Gorgeous!* すごい, すばらしい! **gór·geous·ly** 副 豪華に, 華麗に, すばらしく.

gor·get /gɔ́ːrdʒit/名 **1**(よろいの)のど当て, 首よろい. **2** 飾りえり.

Gor·gon /gɔ́ːrgən/名 **1**《ギリシア神話》ゴルゴーン《頭髪はヘビで巨大な歯と真ちゅうの手をもつ三姉妹 Stheno, Euryale, Medusa の1人。見る人は恐怖のあまり石になったという》. **2** [g~] C (略式)恐ろしい[醜い]女.

†**go·ril·la** /gərílə/名 (同音 guerrilla) 名 **1**《動》ゴリラ. **2**(俗)醜い粗暴な男;暴漢;ごろつき.

Gor·ki, **--ky** /gɔ́ːrki/名 ゴーリキー《Maxim ~ 1868-1936;ロシアの小説家・劇作家・随筆家》.

gorse /gɔ́ːrs/ 名 U《主に英》《植》ハリエニシダ ‖ a *gorse* bush ハリエニシダの茂み.

gor·y /gɔ́ːri/ 形 (-i·er, -i·est) **1**《文》血だらけの, 血みどろの. **2** 流血の; 殺人的な. **3** 恐ろしい; 血に飢えた, 残忍な.

gos·hawk /gáshɔ̀ːk/ 名 C《鳥》オオタカ.

gos·ling /gázliŋ/ 名 C **1** ガチョウのひな. **2** 未熟者, 青二才; ばか者.

go-slow /góuslòu/ 名 C《英》(労働者の)サボタージュ, 怠業(《米》slowdown).

†**gos·pel** /gáspl/ 名 **1** [the ~] 福音《キリストとその使徒たちの教え. 主として救世主の到来・贖いによる救い, 神の国についての教え》. **2** [the G~] C 福音書《新約聖書の最初の4書 Matthew, Mark, Luke, John, またはのいずれか1つ》; 福音文《礼拝中に読まれる福音書の一部》. **3** U《略式》絶対的真理 ‖ What he says is (taken as) *gospel*. 彼の言うことは絶対正しい(と受け取られる). **4** C 信条, 主義(principle). **5** = gospel music.

góspel mùsic ゴスペル《米国南部の教会で始まった黒人の宗教音楽》.

góspel óath 福音書による宣誓.

góspel sìde [the ~] 福音書側《福音文を読む側で, 祭壇に向かって左側. cf. epistle side》.

góspel trúth 完全に本当の事.

gos·sa·mer /gásəmər/ 名 **1** UC (草の葉や木の間の)小グモの巣[糸]. **2** U (クモの巣のように)軽く繊細なもの. **3** U 紗(しゃ), 薄い木綿布地, ガーゼ. **4**《米》《女性用極薄の》レインコート; U 防水布.

†**gos·sip** /gásəp/ 名 **1** U (人の)うわさ話, 悪口, 陰口; (新聞・雑誌などの)ゴシップ(記事) ‖ Don't believe idle *gossip*. いいかげんなうわさ話を信じるな. **2** C 打ち解けた話, むだ話, 世間話(chat). **3** C うわさ話の好きな人.
── 動 圓 〔…を/…について〕うわさ話をする, むだ話[雑談]をする〔*with/about*〕; 〔…について〕しゃべり歩く, ゴシップ風に[ゴシップ風の文体で]書く〔*about*〕.

góssip còlumn (新聞/雑誌の)ゴシップ欄《◆この欄を担当するのは góssip còlumnist》.

gos·sip·y /gásəpi/ 形 **1** うわさ話[ゴシップ]の好きな. **2** 《話などが》ゴシップに満ちた.

*†**got** /gát | gɔ́t/ 動 get の過去形・過去分詞形.

Goth /gáθ | gɔ́θ/ 名 C ゴート人; [the ~s] ゴート族《3–5世紀にローマ帝国を侵略したゲルマン民族》.

Goth. = Gothic.

†**Goth·ic** /gáθik/ 形 **1** ゴート人[族]の(ような); ゴート語の. **2**《建築・絵画・彫刻などが》ゴシック様式の《◆ 12–16世紀の西ヨーロッパ諸国で隆盛》. **3** 〔時に g~〕《18–19世紀の文学がゴシック派の《怪奇・超自然などを特徴とする》. **4**〔印刷〕ゴシック体の.

Góthic nóvel ゴシック小説.

got·ta /gátə | gɔ́tə/ → have got to do (have 動成句). (略式) = have [has] got to a.

*†**got·ten** /gátn | gɔ́tn/ 動《主に米略式》get の過去分詞形.

gouache /gwáːʃ | guáːʃ/《フランス》名 U《美術》グワッシュ画法[絵の具]; C グワッシュ画.

Gou·da /gáudə/ 名 U ゴーダチーズ《オランダ産》. **2** ハウダ《オランダ西部の都市》.

gouge /gáudʒ/ 名 C 丸のみ, 丸たがね. ── 動 他 **1** …を(丸のみで)丸くえぐる; …に穴を掘る[溝を作る]. **2**《目玉・石などを》えぐり出す(+ *out*).

gou·lash /gúːlɑːʃ, -læʃ/ 名 UC グーラッシュ《牛肉と野菜をパプリカで味付けしたハンガリー風のシチュー》.

†**gourd** /gɔ́ːrd, gúərd | gúəd/ 名 **1**《植》ヒョウタン(類) ‖ a snake *gourd* カラスウリ / a Spanish *gourd* カボチャ / a sponge *gourd* ヘチマ. **2** ヒョウタンの実《酒・水などの容器にする》.

gour·mand /guərmáːnd | gúəmənd/《フランス》名 C 食い道楽の人, 食通, グルメ《◆ gourmet の方がていねいな語》. **gour·mánd·ism** 名 U 美食主義; 食い道楽.

gour·met /guərméi, -´-| -´-/《フランス》名 C《正式》食通, 美食家, グルメ; グルメ通.

gout /gáut/ 名 U《医学》痛風. **góut·y** 形 痛風の, 痛風にかかっている.

gov., Gov. (略) government; governor.

†**gov·ern** /gávərn | gávn/ 動 他 **1**《人・国家が》《国・国民などを》治める, 統治する《◆専制的な力の行使を暗示する rule と異なり govern は中立的な意味で使われる》 ‖ India was *governed* by Great Britain for many years. インドは長年にわたって英国に統治されていた. **2**《人などが》《銀行・教会・学校など》を管理[運営]する, 取り締まる;《とりてなどが》軍の指揮下におく. **3**《正式》《事が》《人・動機・結果などを》左右する, 決定する, …に影響する;《価格などを》決める,《義務などを》規定する ‖ Whether the annual school festival will be held or not is *governed* by the opinions of the students. 例年の学校文化祭が行われるかどうかは生徒たちの意見に左右される. **4**《人が》《欲望・怒りなど》を抑制する; 制御する, コントロールする ‖ *govern* oneself 自制する / You must learn to *govern* your temper. 自制できるようにならばならない. **5**《文法》…を支配する. ── 圓《王・君主などが》治める; 支配[管理, 運営]する; 左右する.

†**gov·ern·ess** /gávərnəs | gávnəs/ 名 C (昔のふつう住み込みの)〔…の〕女性家庭教師〔*to, for*〕((PC) tutor, private teacher, child mentor).

*†**gov·ern·ment** /gávərnmənt | gávnmənt, gávmmənt/《つづり注意》〔→ govern〕
── 名 (複 ~s/-mənts/)

I [統治者]

1 [しばしば the G~] C [集合名詞: 単数・複数扱い] 政府, 統治機関, (英国などの)内閣(cabinet,《米》administration)(略 Govt., govt., gov't) ‖ form a *government*《英》組閣する / a *government* agency 政府機関 / The Japanese *government* decided to raise the consumption tax rate. 日本政府は消費税率を引き上げることを決定した.

語法 《米》では単数扱い,《英》ではしばしば複数扱い: a *government* which *has* broken all *its* campaign promises《米》=《英》a *government* who *have* broken all *their* campaign promises 選挙の公約をすべて破った政府.

2 C 政府機関, 関係官庁.

II [統治・管理]

3 U 政治, 行政; 治めること; 統治[支配]権, 政体 ‖ democratic *government* 民主政治 / tyrannical [republican] *government* 専制[共和]政治 / *government* by law 法治 / *government* by party 党政政治 / *Government* of a big city is full of difficulties. 大都市を治めることは難しい / Representative democracy is one form of *government*. 代議民主制は1つの政治形態である. / → Gettysburg Address. **4** U (学校などの)管理, 運営; (一般に)支配, 統制 ‖ the *government* of students by the school 学校側の生徒の管理.

góvernment bònd 国債.
Góvernment Hòuse (英) [the ~] (英連邦の)総督官邸.
góvernment íssue [しばしば G~ I-] (主に米) 官給の; GI.
góvernment párty [the ~] 政府与党 (↔ opposition party).

†**gov·ern·men·tal** /ɡʌ̀vərnméntl/ ɡʌ̀vn-, ɡʌ̀vm-/ 形 政府の; 政治(上)の; 国営の.

*__gov·er·nor__ /ɡʌ́vənər/ 《→ govern》
──名 (複 ~s/-z/) © **1** [時に G~] (米) (州)知事 《◆ 略ぴかけも可》; (英) (昔の植民地の)総督. **2** 支配[統治]者 (ruler); (要塞の)防衛司令官; (主に英) (官庁・学校・病院・銀行などの)長(官), 理事(長), 頭取, 総裁; (米) 刑務所所長 ((米) warden) ‖ the board of governors of a club クラブの理事会 / Governor of the Federal Reserve Board (米) 連邦準備局長. **3** /ɡʌ́vnər/ 雇い主; (略式) boss; [呼びかけ] だんな (sir). **4** (機械) (自動の)調速機, (ガス・蒸気などの温度・圧力の)調整器.

govérnor géneral (複 ~s general, ~ generals) [通例 G~ G~] (主に英) (英連邦の)総督; (副知事・副長官など補佐役のいる大地域の)知事, 長官.

gov·er·nor·ship /ɡʌ́vənərʃìp/ 名 ｕｃ 知事[長官など]の地位[職, 任期].

Govt., govt., gov't 略 government.

†**gown** /ɡáun/ 名 © **1** ガウン (dress) 《女性用の長い正装ドレス》‖ an evening gown (女性の)夜会服. **2** (男女の)室内着, 化粧着, 寝巻き (cf. nightgown). **3** (職業・身分を示す)正服, ガウン; 法服; 白衣; 文官服; 古代ローマのトーガ.

GP (略) Grand Prix; (音楽) general pause 総休止; general practitioner (→ practitioner 1).

GPA (略) (米) Grade Point Average 学業平均値.

GPO (略) general post office; (米) Government Printing Office 印刷局.

gr. (略) grade; grain(s); gram(s); grammar; gravity; great; gross; group.

Gr. (略) Grecian; Greece; Greek.

*__grab__ /ɡrǽb/ (類語 grub /ɡrʌ́b/) 《「手でつかむ」が原義》
──動 (~s/-z/; 過去・過分 grabbed/-d/; grabbing)
──他 **1** 〈人が〉〈物・人〉を不意につかむ, ひっつかむ, ひったくる (+away); (略式) …を素早く食べる[飲む]; …に素早く乗る (take); …を急いで行って取ってくる (snatch) ‖ He grabbed me by [in] the collar. (けんかで)彼は私の胸ぐらをつかんだ (→ catch 他 1 c) / Just a minute. I'll grab my bag. ちょっと待ってください. バッグを取ってきますから. **2** 〈人〉を捕える, 逮捕する 《◆ arrest の新聞用語》. **3** (略式) …を横取り[着服]する; …を強引に手に入れる.
──自 〈…を〉ひっつかむ, ひったくる [at, for, onto] ‖ I finally grabbed at the opportunity to display my talent in this new job. 私はついにこの新しい仕事で自分の能力を発揮する機会をつかんだ.
Hów does thát gráb you? (略式) そのことをどう思う (=What do you think (about that)?).
──名 © **1** [通例 a ~] ひっつかむこと, ひったくり; 略奪, 強奪, 横領 ‖ màke a gráb at [for] … …をひったくる[つかもうとする]. **2** ひったくった物, 強奪品, 横領品. **3** 物をつかみ取る機械, グラブ.
gráb bàg (1) (米) 宝捜し袋, 福袋 ((英) lucky dip).

(2) (米略式) 種々雑多な寄せ集め.
gráb hàndle [ràil] (乗物などの)手すり.

*__grace__ /ɡréis/
──名 (複 ~s/-iz/) **1** ｕ (形・動作などの)優美, 上品, 気品, しとやかさ, 優雅さ ‖ She danced with grace. 彼女は優雅に踊った (=She danced gracefully.). **2** ｕ (文体・表現などの)美しさ, 洗練. **3** ｕ 好意, 善意, 親切, 厚情; 恩恵, 引き立て, 愛顧, ひいき. **4** ｕ (古) (宗教) 恩恵, 容赦, あわれみ; (法律) 恩恵, 猶予. **5** ｕｃ (遅延・義務などに対する)猶予; 支払い猶予(期間) ‖ a week's grace 1週間の猶予. **6** ｕ (神学) 恩寵 (ﾁｮｳ), 神の恵み; 美徳. **7** ｕ (正式) 品位, 体面; 潔い態度, 礼儀正しさ, たしなみ; (他人への)思いやり ‖ have all the social graces 社交上のしなみはすべて身についている. **8** ｕｃ (食前・食後の)感謝の祈り ‖ say (a) grace 食前[食後]のお祈りをする 《◆そのお祈りの言葉は「いただきます」「ごちそうさまでした」に近い》. **9** ｕｃ (通例 ~s) 長所, 美点; 魅力, 愛嬌 (ｷｮｳ). **10** [Your [His, Her] G~] ｕ 閣下[夫人] 《◆ 公 爵 (夫 人)・大 司 [主] 教 の 敬 称》‖ Your Grace [呼びかけて] 閣下 / His [Her] Grace 閣下[夫人].

by (the) gráce of A …のおかげで, 力によって.
by [through] the gráce of Gód 神の恩寵[恵み]によって 《◆ 特に公文書で国王の名に添える》.
hàve the (góod) gráce to do …する礼儀をわきまえている; 潔く…する.
in A's bád gráces (やや古) 〈人〉に嫌われて.
in A's góod gráces (やや古) 〈人〉に気に入られて.
Thére but for the gráce of Gód gò Í. [ただ神のお恵みのおかげでのみ私は(この世に)存在する]神のおかげで助かった 《◆ 不運な人と同じ目にあわなくて幸運だというときに用いる》.
with (a) bád gráce しぶしぶ.
with (a) góod gráce 進んで.
──動 他 (正式) **1** …を優美[優雅]にする, 飾る (decorate). **2** …に[…で] 名誉[光彩]を与える [by, with].

†**grace·ful** /ɡréisfl/ 形 **1** 〈人・動作・形などが〉優美な, 上品な, 優雅な, しとやかな (↔ graceless) ‖ the graceful tone of a [the] violin バイオリンの優美な音色 / graceful behavior 気品のある物腰. **2** (正式) 〈言葉などが〉率直な ‖ a graceful apology 率直な謝罪. **gráce·ful·ness** 名 ｕ 優美さ, 上品さ.

†**grace·ful·ly** /ɡréisfli/ 副 優美に, 上品に, しとやかに ‖ lose gracefully (勝負などで)いさぎよく負ける.

grace·less /ɡréisləs/ 形 **1** 優雅さのない, 品のない, 見苦しい. **2** 不作法な, 礼儀をわきまえない, 野卑な.
gráce·less·ly 副 下品に, 見苦しく.
gráce·less·ness 名 ｕ 下品さ, 品のなさ.

†**gra·cious** /ɡréiʃəs/ 形 **1** (目下の者に対して)やさしい, 親切な 《◆ kind より堅い語》; (人に)礼儀正しい, 愛想がよい [to] ‖ a gracious smile 慈愛にみちたほほえみ / "It was gracious of you [You were gracious] to accept my invitation. 私の招待をお受けくださり幸甚です (→ 文法 17.5). **2** (正式) 〈神が〉恵み深い; 〈国王などが〉慈悲[情け]深い (merciful) ‖ be gracious enough to invite us もったいなくも招待してくださる. **3** 〈生活などが〉優雅な, ゆったりした. ──間 (やや古・主に女性用) おや, まあ, しまった 《驚きを表す》‖ Gracious! = Good(ness) Gracious! = Grácious me! (やや古) まあ, 驚いた.
grá·cious·ness 名 ｕ 優しさ, 優雅さ.

†**gra·cious·ly** /ɡréiʃəsli/ 副 愛想よく, 丁重に; 慈悲深く

grack·le /grǽkl/ 图 © 〖鳥〗クロムクドリモドキ, キュウカンチョウ.

grad /grǽd/ 〖*graduate* より〗图 © (略式) (各種の学校, 特に大学の)卒業生 《◆主に新聞の見出し用語》.

†**gra·da·tion** /greidéiʃən/ 图 1 Ü© (正式) (色彩·光などの)ぼかし, 色の推移; (彫刻の)表面[明暗]の変移. **2** Ü© 徐々に変化すること, 漸次的変化[移行] ‖ express every *gradation* of feeling from joy to sorrow 喜びから悲しみへのあらゆる感情の推移を表現する. **3** © (通例 ~s) (変化·推移の)段階, 順序, 過程; 等級, 階級.

***grade** /gréid/ 〖「段階(step)」が本義〗派 gradual (形), gradation (名)

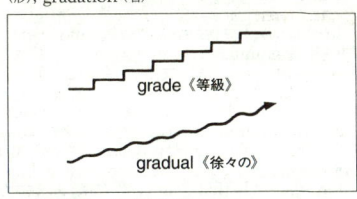

grade《等級》
gradual《徐々の》

――名 (複 ~s/gréidz/) ©

I [等級·階級]

1 (価値·質などの)**等級**; (過程·進歩の)段階, 程度; 《主に米》 (軍などの)階級, 身分 ‖ That store sells an excellent *grade* of fruits. あの店は最高級の果物を売っている / 〈対話〉 "Oh, you have good handwriting, don't you? Have you studied calligraphy?" "Yes, I have studied it for ten years, and I am a holder of the fifth *grade* (in calligraphy)." 「いやあ, あなたは字が上手ですね, 書道を習っていたんですか」「はい, 私は10年間習っていまして (書道)五段なんです」.

2 同一階級[品質, 程度, 等級]に属する物[人].

II [学年]

3《米》**a** [the/one's ~] (小·中·高校まで通しての)**学年**, 年級 《◆ 6-3-3, 6-6, 8-4制などがあり1年生から12年生まである》 《(英) form》 ‖ He is in「*the* seventh *grade* [*grade* 7]. 彼は7年生だ 《◆日本での中学1年生に相当》.

語法 (1)《米》では, the の代わりに my, his, her などを用いることが多い. 飛び級や留年などがあり生徒が選び取っていくことが多いからと考えられる.
(2) 高校·大学の学年は year: My son is in the [his] second *year* [*grade] in [of] high school [college]. 私の息子は高校[大学]2年だ. 大学の学年をいうのは in the first [second, third, fourth] *year* が普通《(英)》. 《(米)》 については → freshman **1** 関連.

b [the ~] ある学年の全生徒[1年間の学業]. **c** [the ~s] 小学校.

III [成績]

4 (生徒の)**成績**, 評価, 評定《◆ ふつうは総合評価をさし, 具体的な点数には mark 用いるが《米》では grade で点数を表すこともある》 ‖ She got「good *grades* [a good *grade*] in English. 彼女は英語でよい成績を取った / get a *grade* of eighty-five on [in] the test テストで85点(の評価)をとる 《◆ point は成績の点数にはあまり使われない》 / She is a *grade*-conscious mother. 彼女は教育ママだ.

関連 [米国の成績評価の段階]
Excellent (A, 優); Good (B, 良); Fair, Passing, Satisfactory, Average (C, 可); Below Average (D, 可); Failing, Failure (F, 不可). ただし, 州によるは違いが大きく, またこのほかに Conditionally passed (E, 条件付き合格) を設けるところもかなり多い.

IV [勾配]

5《米》 [通例 the ~] (道路·鉄道などの)勾(ɡ)配, 傾斜度《(英式) gradient》; 坂, 斜面 ‖ on *the* down [up] *grade* 下り[上り]坂で; 下降[向上]して.

at gráde《米》(鉄道と道路の交差が)同一平面[傾斜]で; (浸食と沈下によって)同じ高さで.

màke the gráde『機関車が急勾配を乗り切ることから』《もと米式》規定の水準に達する; (障害を克服して)成功[合格]する.

ùp the gráde (品質が)基準に合った, かなり上等の.

――動 (~s/gréidz/; 過去·過分 ~d/-id/; grad·ing) 《◆ 名詞は gradation》

――他 **1** 〈人が〉〈物などを〉 [···により/···で] 等級に分ける, 段階別にする; ···を格付けする [*according to* / *by*] ‖ She was *graded* up. 彼女は格上げされた / The eggs were *graded* according to weight and size. 卵は大きさと重さによって選別された. **2** 《米》〈生徒〉に成績をつける; 〈答案〉を採点する (mark).

gráde cròssing《米》 (鉄道の)平面交差(点), 踏切 《(英) level crossing》.

gráde schòol《米》 小学校《(英) primary school》 (→ elementary school).

gráde separàtion《米》立体交差.

grad·ed /gréidid/ 形 段階的な.

grad·er /gréidər/ 图 © **1** 等級を付ける人[機械]; 《米》採点者. **2**《米》 [序数詞と共に] ···学年生 《(英) former》 ‖ a 10th-*grader* 10年生 (=a 10th-grade people). **3** (工事用)地ならし機.

gra·di·ent /gréidiənt/ 图 © **1**《英式》(道路·鉄道などの)勾配, 傾斜(度); (気温·気圧·明るさなどの)勾配, 傾斜.

grad·ing /gréidin/ 動 → grade.

***grad·u·al** /grǽdʒuəl, 《英+》 -djuəl/ 〖→ grade〗派 gradually (副)

――形 **1** 徐々の, 漸進的な (↔ sudden) ‖ make *gradual* progress 徐々に進展していく. **2** 〈勾配が〉ゆるやか[なだらか]な (↔ steep).

***grad·u·al·ly** /grǽdʒuəli, 《英+》 -djuəli/ 〖← gradual〗 副 だんだんと, 次第に, じわじわと ‖ The wind *gradually* died down. 風は次第におさまった.

***grad·u·ate** 《動》 grǽdʒueit, 《英+》 grǽdju-; 《名》 grǽdʒuət, -eit, 《英+》 -dju-/ 〖「学位を取る」が原義. cf. grade〗派 graduation (名)

――動 (~s /-èits/; 過去·過分 ~d /-id/; --at·ing)
――自 (**graduate from A**) 〈人が〉〈大学〉を**卒業する**《◆(1)《米》では大学以外の小·中·高校にも用いる (cf. finish). (2) 英国の中等学校では単に leave (school) という. (3) out の用法は from よりも学校から一般社会に出るといった感じが強い. 《主に英》は at を用いる》 ‖ She *graduated from* high school last month. 彼女は先月高校を卒業した / She *graduated in* English linguistics *at* Cambridge. 《主に英》彼女はケンブリッジで英語学を専攻して卒業した.

――他 **1**《米式》〈大学など〉が〈学生〉を卒業させる, ···

に学位を与える; (やや古) [通例 be ~d] (人が) [...を] **卒業する** [*from*] ‖ *be graduated from college* 大学を卒業するのがふつう. (◆(1) 今は *graduate from college* とするのがふつう. (2) *graduate college* (大学を卒業する) は (米略式) で用いられるが、未だ確立した用法ではない). **2** [正式] (ある尺度により)…に段階 [等級] を付ける; (税(制))を累進的にする. [正式] (温度計・計器などに目盛りを付ける ‖ *a ruler* (which is) *graduated in inches* インチの目盛りが付いた定規.
—名 /grǽdʒuət, -ɪt, (英+) -dju-/ [C] **1** (大学の/学科の)**卒業生**, 学士 [*of, from / in*] (cf. undergraduate); (米) [各種の学校の]卒業生 ((略式) grad) [*of, from*] ‖ *a graduate of Osaka University* 大阪大学のOB[OG] / *a Yale graduate* = *a graduate from Yale* エール大学の出身者 / *She is a college graduate*. 彼女は大学を出ている / *She is a graduate from the same school*. 彼女は同窓生だ. **2** (米) =graduate student. **3** (米) [化学] 目盛り付き容器.
gráduate núrse (米) (看護師養成機関を卒業した)学士看護師 ((英) trained nurse) (→ 事情).
gráduate stúdent 大学院生.

*grad·u·a·tion /grædʒuéɪʃən, (英+) -dju-/ [[→ graduate]]
—名 (複 ~s/-z/) **1** [U] (米) (小・中・高校の)**卒業**, (英) (大学の)卒業; [C] =graduation ceremony. **2** [U] [正式] (定規・温度計の)目盛り付け (division); [~s] 目盛り. **3** [U] 等級付け, 配列, 分類; [U][C] 等級, 階級.
graduátion céremony 卒業式 (commencement ceremony; (米) 学位取得 [授与] (式).
graf·fi·ti /ɡrəfíːti/ [名] graffitoの複数形.
graf·fi·to /ɡrəfíːtoʊ/ [[イタリア語]] (複 --ti/-ti/) [C] **1** [考古] (柱や壁に傷をつけて描いた)掻き文字 [絵]. **2** [通例 -ti] (壁・便所などの)落書き.
†**graft**[1] /ɡræft, ɡrɑːft/ [動] [他] **1** [園芸] (若枝・芽などを)接ぎ木する (+*together*); (果実・花などを)接ぎ木して増やす [*on, onto*]. **2** [医学] …を (…に) 移植する [*on, onto*]. **3** (接ぎ木のように)…を差し込む, 合体 [融合]させる. —[自] **1** […に]接ぎ木する, 接ぎ木される [*on*]. **2** 接ぎ木手術をする.
—[名] [C] **1** 接ぎ穂 [枝, 芽]; 接ぎ木(法). **2** 接ぎ木 [芽] した箇所. **3** [医学] (皮膚・骨などの)移植片.
gráft·er [名] 接ぎ木をする人.
graft[2] /ɡræft, ɡrɑːft/ [名] [U][C] (主に米略式) 汚職; 収賄(品) (事件) (◆ *corruption* の新聞用語); 不正利得物 [金].
gra·ham /ɡréɪəm, (米+) ɡræm/ [形] (主に米) (ふすまを取らない)全麦の, グラハム粉で作った.
Grail /ɡreɪl/ [名] **1** [the ~] 聖杯 (Holy Grail). **2** [時に g~] 長期の努力目標.
†**grain** /ɡreɪn/ [名] **1** [C] (穀物の)粒, 穀粒 ‖ *a grain of rice* 米粒. **2** [集合名詞] 穀物, 穀類 ((英) corn); [形容詞的に] 穀物の ‖ *grain imports* 穀物の輸入 / *a cargo of grain* 穀物の船荷. **3** [通例 a ~ of + [U]名詞; 主に否定文で] 少量, ほんの少し, 微塵(ﾐｼﾞﾝ) ‖ *There isn't a grain of truth in the story.* その話には真実性のかけらもない. **4** [C] (砂・塩などの)1粒, 粒子 ‖ *a grain of sand* [*salt*] 砂[塩]の1粒. **5** [C] グレイン (衡量の最低単位: 0.0648グラム. (略) gr.). **6** [the ~] (木材・なめし皮・岩などのきめ, はだ, 木目(ﾓｸﾒ)); 石目.
be [*go*] *agàinst the* [*one's*] *gráin* 「木目に反して削ることから. → **6**] 性分に合わない, 意に反する.

gráin àlcohol エチルアルコール.
grained /ɡreɪnd/ [形] **1** [通例複合語で] 粒が…の. **2** 木目 [石目] のある; 木目塗りの. **3** 粒状の; 面がざらした.
grain·field /ɡréɪnfìːld/ [C] [名] 穀物畑.

†**gram**, (英+) **gramme** /ɡræm/ [名] [C] グラム (質量の単位; (略) gm., gr., (記号) g) ‖ *two hundred grams of sugar* = 200g of sugar 200グラムの砂糖 (◆数字と共に用いる場合は後者のように g を用いるのがふつう).
grám mòlecule [化学] グラム分子 (分子量の値にグラムをつけた量).
gram. (略) grammar; grammarian; grammatical.
-gram /-ɡræm/ [語要素] →語要素一覧 (2.2).

*gram·mar /ɡrǽmər/ (つづり注意) [類音] glamour /ɡlǽmər/ (◆『書くこと』が原義. glamour はこの異形) [派] grammatical [形]
—[名] (複 ~s/-z/) **1** [U] **文法**; 文法学 [研究], 文法体系; 文法論 [規則]; (文法にかなった) 語法; (個人の) 言葉づかい ‖ *He teaches English grammar at a high school.* 彼は高校で英文法を教えている / *Her grammar is London dialect.* 彼女の言葉づかいはロンドンなまりがある (= *He has a London accent*.) / *Is that grammar?* (略式) あの言い方は正しいの? **2** [C] = grammar book. **3** [C] = grammar school.
grámmar bòok 文法書, 文典.
grámmar school (1) (英) グラマースクール (public school と並ぶ大学進学コースの公立中等学校); 古典文法学校 (グラマースクールの前身で16世紀に創立された. ラテン語・ギリシア語を主要教科とした). (2) (米十) 初等中学校 (elementary school と high school の中間).
gram·mar·i·an /ɡrəmé(ə)riən/ [名] [C] [正式] 文法家, 文法学者.

*gram·mat·i·cal /ɡrəmǽtɪk(ə)l/ [[→ grammar]]
—[形] **1** [名詞の前で] **文法(上)の**, 文法に関する (◆比較変化しない) ‖ *grammatical rule* 文法規則 (動詞の活用変化など). **2** 文法的に正しい.
grammátical génder [文法] (自然の性別に対して)文法的性 (cf. natural gender).
grammátical méaning [言語] 文法的意味 (cf. lexical meaning).
gram·mat·i·cal·ly [副] 文法的に, 文法上正確に.
gram·mat·i·cal·ness [名] [U] 文法的に正しいこと.
gram-mo·lec·u·lar /ɡrǽmməlékjələr/ [形] [化学] 1グラム分子の.
grám-molécular wéight = gram molecule.
gram·o·phone /ɡrǽməfòʊn/ [名] [C] (英) 蓄音機 (record player; (米) phonograph).
gram·pus /ɡrǽmpəs/ [名] [C] [動] ハナゴンドウ; (古) シャチ.
gran /ɡræn/ [名] [しばしば G~] (英略式・小児語) おばあちゃん; (略式) granny (◆呼びかけも可).
Gra·na·da /ɡrənɑ́ːdə/ [名] グラナダ (スペイン南部の地方・都市).

†**gra·na·ry** /ɡrǽnəri, (米+) ɡréɪ-/ [名] [C] **1** 穀倉, 穀物倉. **2** 穀類を多量に産する地方.

†**grand** /ɡrænd/ [形] **1a** (大きさ・程度・範囲の点で)壮大な, 雄大な; 豪壮な (magnificent), 盛大な, 壮麗な (splendid); [皮肉的に] ご立派な, お見事な; [the ~; 名詞的に] 壮大なもの ‖ *This is a grand coronation* (*ceremony*). これは立派な戴冠式ですね / *live in grand style* ぜいたくに暮らす / *go out in grand dress* ご大層な服装をして出かける. **b** (略式)

すばらしい, 快適な, 楽しい(pleasant) ‖ a *grand party* 申し分のないパーティー / *have a grand day* 楽しい1日を過ごす / *I feel grand* この上なくよい気分だ. **2** 威厳のある, 気品のある, 堂々とした(dignified); 偉大な, 高遠な(stately) ‖ *grand gestures* 貫禄(?)のある身ぶり / *a grand idea* 崇高な考え / *His prose is written in a grand style.* 彼の散文は荘重な文体で書かれている. **3**《人・物・事が重要》[主要]な(main), 著名な, 尊敬される; [通例 G~]《階級・称号について》‖ *a grand committee* 重要な委員会 / *She is a grand professor of English literature.* 彼女は英文学において尊敬に値する教授だ / *a grand concert hall* 大きなコンサートホール. **4**《人・態度などが》もったいぶった, うぬぼれた, 尊大な ‖ *put on a grand manner* 気取る.
── 名 ⓒ **1**《略式》= grand piano. **2**（働grand)《米略式》1000ドル,《英略式》1000ポンド. **3**（クラブなど）の会長.
Gránd Canál [the ~] **(1)** 大運河《Venice の重要な水路》. **(2)** 大運河《北京から杭州まで走る世界最長最古の水路》.
Gránd Cányon [the ~] グランドキャニオン《米国 Arizona 州北西部の Colorado 川流域の大峡谷》.
Gránd Cányon Státe (愛称) [the ~] グランドキャニオン州(→ Arizona).
Gránd Céntral (Términal) グランドセントラル《ニューヨークの中央駅》.
gránd fínal 決勝戦, 総合優勝決定戦.
gránd máster チェスの名人《最優秀選手》; [通例 G~ M~]《秘密結社・騎士団などの》長, 会長.
Gránd Nátional [the ~] グランドナショナル《毎年 Liverpool で開かれる大障害競馬》.
Gránd Óld Párty《米》[the ~]共和党《Republican Party の愛称.（略）GOP》.
gránd ópera グランドオペラ, 正歌劇.
gránd piáno グランドピアノ(cf. upright piano).
gránd slám **(1)**〖ブリッジ〗グランドスラム《13組全部取ること. cf. small slam》. **(2)**〖野球〗満塁ホームラン. **(3)**〖テニス・ゴルフ〗年内の大競技での優勝独占《テニスでは全米・全豪・全仏オープンとウィンブルドン大会に勝つこと》. **(4)**《略式》大成功.
gránd tóur (1)〖the G~ T~〗[the ~]《英》《昔の上流子弟の》《ヨーロッパ》大陸巡遊旅行. **(2)**《惑星などの》大旅行;《教育的》視察旅行.
grand- /grǽnd-/《要素》→語要素一覧(1.7).
gran·dad /grǽndæd/ 名 ⓒ《略式》おじいちゃん《◆ Grandad で呼びかけ可》(cf. grandpa).
grand·aunt /grǽndæ̀nt/ 名 ⓒ 大おば《祖父母の姉妹》(great-aunt).
†**grand·child** /grǽn(t)ʃàild/ 名 (働 **~·chil·dren**) ⓒ 孫(cf. grandson, granddaughter).
†**grand·daugh·ter** /grǽn(d)dɔ̀ːtər/ 名 ⓒ 女の孫, 孫娘 (cf. grandchild, grandson).
†**gran·deur** /grǽndʒər,《米+》-dʒuər,《英+》-djuə/ 名 ⓤ《正式》雄大, 雄大さ. **2** 偉大, 重々しさ.
✱**grand·fa·ther** /grǽn(d)fɑ̀ːðər/
── 名 (働 **~s/-z/**) ⓒ **1** [しばしば G~] 祖父《略式》grandpa) (cf. grandmother); [呼びかけ] おじいさん《◆一般の男性老人にもいう. 固有名詞扱いについては → father》‖ *one's grandfather on one's mother's side* = *maternal grandfather* 母方の祖父. **2** [しばしば ~s]《男の》祖先. **3** = grandfather('s) clock.
grándfather('s) clóck《人の背より高い振子式の》大型箱時計((PC) floor clock, tall clock).

gran·dil·o·quence /grændílǝkwǝns/ 名 ⓤ《正式》大言壮語, 大ぼら(bombast).
gran·dil·o·quent 形 大言壮語する; 仰々しい, 誇大な.
gran·di·ose /grǽndiòus/ 形 気取った, おおげさな.
grand·ly /grǽndli/ 副 壮大に, 堂々と; 崇高に; もったいぶって.
†**grand·ma** /grǽnmɑ̀ː, grǽmmɑ̀ː, grǽnd-/, †**gránd·mà(m)·ma** /-mɑ̀ːmǝ|-mɑmǝ/ 名 ⓒ《略式》おばあちゃん《◆呼びかけも可》(cf. grandpa).
✱**grand·moth·er** /grǽnmʌ̀ðǝr, grǽmmʌ̀ðǝr, grǽnd-/
── 名 (働 **~s/-z/**) ⓒ **1** [しばしば G~] 祖母(cf. grandfather); [呼びかけ] おばあさん, おばあちゃん《略式》grandma)《◆一般の女性老人にもいう. 固有名詞扱いについては → father》‖ *one's grandmother-in-law* 義理の祖母. **2** [しばしば ~s]《女の》祖先.
teach one's grandmother to suck eggs《略式》釈迦(しゃか)に説法する.
grándmother('s) clóck《振子式の》大型箱時計((PC) floor clock, tall clock)《grandfather('s) clock の 2/3 ぐらいの大きさ》.
grand·neph·ew /grǽndnèfjuː/ 名 ⓒ 甥(おい)[姪(めい)]の息子; 兄弟[姉妹]の孫息子(cf. grandniece).
grand·niece /grǽndnìːs/ 名 ⓒ 甥[姪]の娘; 兄弟[姉妹]の孫娘(cf. grandnephew).
†**grand·pa** /grǽnpɑ̀ː, grǽmpɑ̀ː, grǽnd-/, †**gránd·pà·pa** /-pɑ̀ːpǝ|-pɑpǝ/ 名 ⓒ《略式》おじいちゃん《◆呼びかけも可》(cf. grandma).
grand·par·ent /grǽn(d)pɛ̀ǝrǝnt/ 名 ⓒ 祖父, 祖母.
grand prix /grɑ̀ː prí:|grɔ̃n-/《フランス語》名（働 **grands prix** /~/）ⓒ 大賞, 最高賞, グランプリ; [G~ P~] グランプリレース《国際的自動車[競馬]レース》.
†**grand·son** /grǽn(d)sʌ̀n, grǽnd-/ 名 ⓒ 男の孫, 孫息子 (cf. grandchild, granddaughter).
grand·stand /grǽn(d)stæ̀nd/ 名 ⓒ **1**《競馬場・競技場の》正面特別観覧席. **2** [単数・複数扱い] 特別席の観衆. ── 動 ⓘ《米略式》スタンドプレーをする, はでなプレーをする.
grandstand fínish 観客をわかす最終場面.
grándstand pláy《米略式》スタンドプレー《◆×stand play は誤り》; はでな演技.
grand·un·cle /grǽndʌ̀ŋkl/ 名 ⓒ 大おじ《祖父母の兄弟》(great-uncle).
†**grange** /gréindʒ/ 名 **1** ⓒ《主に英》農場, 農園;《特に豪農の》田舎屋敷. **2** [the G~]《米》農民共済組合, その地方支部.
grang·er /gréindʒǝr/ 名 ⓒ **1** 農夫; 農場管理人. **2** [G~]《米》農民共済組合員.
†**gran·ite** /grǽnit/ 名 ⓤ **1** 花崗(こう)岩, 御影(みかげ)石 ‖ *(as) hard as granite* 石のように堅い, 頑固な / *bite on granite* むだ骨を折る. **Gránite Státe** (愛称) [the ~] 花崗岩の州(→ New Hampshire).
†**gran·ny**, **--nie** /grǽni/ 名 ⓒ《略式》= grandmother《◆ Granny で呼びかけ可. cf. gran》.
gránny glàsses《ふつう老婦人用》丸ぶちのめがね.
†**grant** /grǽnt|grɑ́ːnt/ 動 ⓣ **1**《正式》[grant A B = grant B to A] **a**《人が》A《人に》B《願いなど》をかなえてやる;《人が》要求など》を聞き入れる(accept) ‖ *grant him permission* 彼に許可を与える(=《略式》*give him permission*). **b** A《人に》《請求に応じて》B《金品・権利など》を与える, 譲渡する(give) ‖ *The 19th Amendment granted women the right*

to vote. 米国憲法の第19修正条項は女性に投票権を与えた. **2**〈人が〉〈人・物・事〉を(仮に)認める, 容認する；[grant **(A)** that節]〈**(A)**〈人に〉〉…であることを(仮に)認める《◆ admit に比べると堅い語なので that の省略は不自然. 進行形は不可》‖ I *grant* his sincerity. = I *grant* (you) that he is sincere. =He's a sincere man, I *grant* you (that). 彼が誠実なことは認める / The request was *granted*. 要求は認められた. **3**[Granted(!)]なるほどその通りだが…《◆ but と共に用いる》. **4**[granting **A**]〈意見・議論などを〉認めるとして.

*grán·ted *(that)* ... =(まれ) grán·ting *(that)* ... 仮に…としても(even if)‖ *Granted that* you are right, we still can't approve of you. あなたの言う通りだとしても我々はそれでもあなたに賛成できない《◆ that節内は仮定法にしない》.

*táke **A** for gránted《◆ 受身可》(1) …をがいつでもい[ある]ものと期待[当てに]する《◆ **A**(とそれと関連する語)が長い場合は take for granted **A** の語順になる》‖ We *take* for *granted* the right to vote as a citizen's right. 我々は選挙権を当然の権利だと考えている. (2) …〈長期にわたる所有・権利・存在など〉を当然のこととしておろそかにする, 軽視する, 気にかけない；…に慣れっこになってもはや重宝がらない(特別に注意しない).

*táke it for gránted that ... (よく考えもしないで)…だということが真実[妥当, 正常]だと思う《◆ (略式)では that を, 時に it も省略することがある》‖ My co-workers *take* it for *granted* (that) we will marry. 私の同僚たちは私たちが結婚するのは真実[妥当]だと思っている.

—图 ⓒ 授与された物〈金品・特権・権利・土地など〉；奨学[補助]金.

gránt·er 图 ⓒ 許容する人, 授与者, 譲渡者.

Grant /grænt | grɑːnt/ 图 グラント《Ulysses S(impson) ~ 1822-85；米国第18代大統領(1869-77). 南北戦争の北軍総司令官》.

grant·ee /græntíː | ɡrɑːntíː/ 图 ⓒ **1**[法律]被譲与者. **2**(補助金などの)受領者.

grant-in-aid /ˈɡræntiéid/ 图 (圈 grants-) ⓒ 補助[交付]金.

gran·u·lar /ɡrǽnjələr/ 厖 粒から成る.
grà·n·u·lár·i·ty 图 Ⓤ 粒状(性).

†**gran·u·late** /ɡrǽnjəlèit/ 動 他〈人が〉…を粒(状)にする,〈物の表面〉をざらざらにする‖ *granulated* sugar グラニュー糖. —圊〈物が〉粒(状)になる, ざらざらになる.

grape /ɡréip/
—图 (圈 ~s/-s/) **1** ⓒ **ブドウ**《◆ 酔い・祭り・歓待・豊饒(ぼう)・快楽などを連想させる. 緑色のものは 'white', 暗紫色のものは 'black' と呼ばれる. cf. vine, raisin》‖ This wine is made from good *grapes*. このワインは良質のブドウから作られる / *sour grapes* すっぱいブドウ；(欲しいが入手できないものについての)負け惜しみ《◆ *Aesop's Fables* に出てくるキツネの話から. That's just *sour grapes*. のようにふつう be 動詞に続く》.

> 語法 grape はブドウの粒をいい, ふつう房になっているので複数形をとる. 数えるときは a bunch [cluster] of *grapes*(1房のブドウ)という.

2 ⓒ ブドウの木.
grápe sùgar ブドウ糖.

†**grape·fruit** /ɡréipfrùːt/ 图 ⓒ **1**〔植〕グレープフルーツ；ⓒ その木《◆ 実がブドウの房状になることからだという》‖ I have *grapefruit* for breakfast 朝食にグレープフルーツを食べる《◆ 果肉をさす場合は個数に関係なく Ⓤ》.

grape·vine /ɡréipvàin/ 图 **1** ⓒ 〔植〕ブドウの木[つる]. **2** [the ~] (秘密)情報[うわさ]のルート；秘密の情報源.

***graph** /ɡrǽf | ɡrɑːf/ 〚類音〛 gruff /ɡrʌ́f/ 〚graphic formula の短縮語〛
—图 (圈 ~s/-s/) ⓒ **グラフ**, 図式, 表‖ This *graph* shows how the population has increased since the 1950s. このグラフは1950年代から, いかに人口が増えたかを示している.

gráph pàper グラフ用紙, 方眼紙.
-graph /-ɡrǽf | -ɡrɑːf, -ɡrǽf/ 〚語要素〛→語要素一覧(1.4, 1.5).
-graph·er /-ɡrəfər/ 〚語要素〛→語要素一覧(1.5).

†**graph·ic, -i·cal** /ɡrǽfik/ 厖 **1** 図式[グラフ]による. **2**(正式)〈言葉・書き方が〉生き生きとした. **gráphic árts** グラフィック・アート. **gráph·i·cal·ly** 副 絵を見るように, 生き生きと；グラフで.

graph·ics /ɡrǽfiks/ 图 **1** Ⓤ[単数扱い] 製図法；グラフ算法. **2**[複数扱い] =graphic arts.

†**graph·ite** /ɡrǽfait/, (英+) ɡréif-/ 图 Ⓤ 黒鉛, 石墨(lead)《◆ 鉛筆のしんの材料》.

-gra·phy /-ɡrəfi/ 〚語要素〛→語要素一覧(1.6).

†**grap·ple** /ɡrǽpl/ 動 圊〈人と〉つかみ合う(+together)；〈問題など〉に一生懸命取り組む(*with*).
grápp·ling hòok [**íron**] 引っかけ道具.

***grasp** /ɡrǽsp | ɡrɑːsp/ 〚「手探りする」が原義〛
—動 (~s/-s/；圖去・圖分) ~ed/-t/；~·ing)

Ⅰ〚物をつかむ〛
1a〈人が〉〈人・物〉を(手でしっかりと)**つかむ, 握る**《◆ take よりカを入れて握ること. → snatch》‖ The drowning man *grasped* the rope. おぼれている人はロープをしっかりと握った. **b**〈機会など〉を**つかむ**, とらえる‖ *Grasp* the opportunity [chance]! 機会をのがさず捕らえなさい.

Ⅱ〚抽象的につかむ〛
2〈人が〉〈意味など〉を十分**理解する**；[grasp that 節 / grasp wh 節・句]…であることを[…かを]十分**理解する**‖ I *grasped* the point of his speech. 私は彼の演説の論旨を理解した.
—圊[grasp at [for] **A**]〈人が〉〈物〉をつかもうとする,〈機会など〉に飛びつく‖ The opportunity was *grasped at* immediately. 絶好の機会とばかりに飛びついた.

—图 Ⓤ[通例単数形で] **1** 握ること, つかむこと；届く距離‖ *within* one's *grásp* 手の届く範囲に / *gèt a grásp* on the rópe ロープをつかむ.
2 理解(力)‖ The new theory «is beyónd [excéeds] my *grásp*. その新しい理論は私には理解できない / *hàve* [*gèt*] *a góod grásp* of the plán 計画をよく理解している[理解する].
3 統御, 支配‖ I gòt [tóok] a *grásp* on my anger toward my rival. 私は競争相手に対する怒りを抑えた.
grásp·ing 厖 **1** つかむ, 握る. **2** 握り屋の, 貪(どん)欲な.

grass /ɡrǽs | ɡrɑːs/ glass /ɡlǽs/ 〚類音〛 〚「生える(grow)もの」が原義〛
—图 (圈 ~·es/-iz/) **1** Ⓤ **草**, 牧草；芝《◆ 謙虚

はかなさを象徴し, weed のような悪いイメージはない〉‖ two blades [leaves] of *grass* 草の葉2枚 / This *grass* needs cutting. この芝は刈らなければならない / *The grass is (always) greener (on the other side of the fence [hill]).* (ことわざ) 隣の芝は青い; 他人のものはよく見える.
2 ⓤ 草地, 牧草地; [通例 the ~] 芝生‖ sit on *the grass* 草原[芝生]に座る《◆ sit in the grass では草の丈が高いことを暗示する》/ *Keep off the grass.* 《掲示》芝生に入るな《◆「おせっかい無用」の意にも用いる》.
3 ⓒ 〔植〕イネ科の植物《◆ ムギ・イネ・トウモロコシ・竹など. 1と区別して true *grasses* ともいう》. **4** ⓤ〔俗〕マリファナ(marijuana) ‖ blow [smoke] *grass* マリファナを吸う. **5** ⓒ〔英俗〕(犯罪に関する)情報屋, 密告者.
(as) gréen as gráss 青々とした;《略式》〈人が〉未熟な.
lèt the gráss grów ùnder *one's* **féet** 《略式》[通例否定文で] ぐずぐずして好機をのがす[時間を浪費する].
run (óut) to gráss =*be (óut) at gráss* (1)〈動物が〉草を食べている. (2)『退役馬が牧草地に放たれることから』《略式》〈人が〉(高齢などのために)仕事をやめる; 休暇中である《◆ 他動詞用法は put [turn, send] **A** out to grass》.
──動 他〈土地〉に草を生やし, 芝を張る(+*over*).
──自《英俗》〈人を〉警察に密告する, タレ込む(*on*).
gráss roots =grassroots.
gráss·hop·per /grǽshɑ̀pər | grɑ́shɔ̀pə/ 名 ⓒ〔昆虫〕キリギリス; バッタ, イナゴ (cf. cricket¹).
grass-roots /grǽsrúːts/, **gráss ròots** 名《略式》[単数・複数扱い; the ~] (文化・政治の源流をなす)一般大衆, 庶民, 「草の根」, 〔政治〕有権者; 農村地帯, 地方.
†grass·y /grǽsi | grɑ́ːsi/ 形 (**-i·er, -i·est**) 草の多い, 草で覆われた, 草のような, 草色の.
†grate¹ /gréit/ (同音 great) 名 ⓒ **1** (暖炉の)火床, 火格子. **2** 暖炉(fireplace).
†grate² /gréit/ 動 自〈戸・車輪・ちょうつがいなどが〉〔…とこすれて〕きしむ, 〈人の声などが〉(キーキーという)音を立てる(*on, against*). ──他〈食物を〉(おろし金(ᵍᵃ)で)おろす. **grát·er** 名 ⓒ おろし金, おろし器具.
†grate·ful /gréitfl/ 形 **1a** [be grateful to **A** for **B**]〈人が〉**A**〈人〉に**B**〈行為など〉に対して**A**〈人〉に感謝する; [be grateful to **A** that節] …であることを**A**〈人〉に感謝する《◆ thankful の方が強意的》(↔ ungrateful)‖ I'm most [deeply] *grateful* to you「for your advice [for your help, for (ˣyour) helping me]. = I'm most *grateful* to you that you advised [helped] me. ご忠告に[手伝ってくださって]とても感謝しています. **b**〔…して/…であることを〕ありがたく思う, うれしく思う《*to do / that* 節》‖ I feel *grateful* to hear that the operation on my wife was successful. 私は妻の手術がうまくいったと聞いてうれしく思う. **2** 謝意を表す‖ a *grateful* look [letter] 感謝のまなざし[礼状].
gráte·ful·nèss 名 ⓤ 感謝の(気持ち).
†grate·ful·ly /gréitfəli/ 副 感謝して, 喜んで.
†grat·i·fi·ca·tion /grǽtəfikéiʃən/ 名《正式》**1** ⓤ (人・願望などを)満足させること, 喜ばせること; 満足感, 喜び. **2** ⓒ [通例 a ~]〔…に〕喜びを与えるもの(*to*).
†grat·i·fy /grǽtəfài/ 動 他《正式》**1**〈事が〉〈人〉を喜ばせる(please), 満足させる(satisfy); [be gratified 〈人が〉[事に/…であることに]満足する, 喜ぶ(*at, with, by* / *to do / that*節)‖ The news *gratified* us. = We were *gratified* at [with, by, to hear] the news. その知らせを聞いて私たちは喜んだ. **2**〈欲望・衝動などを〉満足させる,〈目・耳などを〉楽しませる‖ On the desert island, we had to *gratify* our hunger by drinking water. 無人島で私たちは水で飢いをいやさなければならなかった.
grat·i·fy·ing /grǽtəfàiiŋ/ 形 (精神的に)〔…に〕満足を与える, 愉快な(*to*)‖ Your success is most *gratifying* to me. あなたのご成功をとてもうれしく存じます.
grat·in /grǽtn | grǽtæŋ/ 名〔フランス〕ⓒ グラタン料理.
†grat·ing¹ /gréitiŋ/ 名 ⓒ (窓・排水口などの)格子.
†grat·ing² /gréitiŋ/ 形 耳ざわりな; 気にさわる.
grát·ing·ly 副 きしって, キー(キー)と.
†gra·tis /grǽtəs, gréi-, 〈英〉grɑ́ː-/《正式》副 形 無料で[の]; 無報酬で[の](free).
†grat·i·tude /grǽtətj(uː)d/ 名 ⓤ〔事に対する/人への〕感謝の気持ち; 報恩の念《*for / to, toward*》(↔ ingratitude) ‖ This is a token of my *gratitude*. これはお礼のしるしです / in [out of] *gratitude* 感謝の気持ちから; 恩返しに / I owe you a debt of *gratitude* for your cooperation. ご協力いただき感謝しています.
gra·tu·i·tous /grət(j)úːətəs/ 形《正式》**1** 無料の (free); 無報酬の. **2** よけいな; 根拠のない, 不当な.
gra·tú·i·tous·ly 副《正式》無料で, 無償で.
gra·tu·i·ty /grət(j)úːəti/ 名 ⓒ《正式》**1** 心付け, チップ‖ No *gratuity* accepted.《掲示》お心付けは辞退いたします. **2**〈主英〉退職金, (除隊の際の)賜金.
†grave¹ /gréiv/ 名 ⓒ (人・動物の)墓穴;《広義》墓所《◆ tomb より一般的》; [比喩的に] 墓場, 死に場所‖ visit one's ancestor's *grave* 先祖の墓に参る / a *grave* of reputations 名声の墓場《多くの人が名声を失った場所〈状況, 原因〉》/ Sómeone「is wálking [has júst wálked] òver [on] my *gráve*.《略式》自分の墓地になる所をだれかが歩いている《◆ 不意にぞっとしたときの文句》. **2** [詩] [the/a ~] 死‖ beyònd [(on) this side (of)] the *gráve* あの世[この世で[に]] / èat and drink oneséĺf into an éarly *gráve* 暴飲暴食で若死にする.
(as) silent [quiet] as the gráve 〈秘密に関して〉口を堅く閉ざして.
(as) still as the gráve 〈場所などが〉きわめて静かな.
díg one's ówn gráve《略式》自ら墓穴を掘る.
drive [sénd] **A** *to an éarly gráve*〈人〉を早死させる.
from the cradle to the grave → cradle 名.
hàve óne fóot in the gráve《略式》(老齢・病気で)片足を棺桶につっこんでいる, 死にかけている.

*grave² /gréiv/ 形 grav·er, grav·est;《「重い」(heavy) が原義》他 gravity (名)
──形 (**~r, ~st**) **1**〈人・顔つき・言動などが〉**厳粛**な, 重々しい, 威厳のある《◆ serious よりも深刻な問題や重責の自覚を含む》‖ a *grave*, humorless man くそまじめな人 / with a *grave* voice 重々しい口調で / wear a *grave* expression 深刻な表情をしている. **2** [名詞の前で]〈物・事が〉重大な(↔ trivial); ゆゆしい, 危機をはらんだ《◆ serious よりも深刻な事態を暗示する》‖ a *grave* responsibility 重い責任 / a patient in a *grave* condition 重態の患者 / have *grave* concerns about …… に大きな関心を持っている. **3**〈色が〉くすんだ, 地味な. **4**〔音声〕低音の《◆ 比較変化しない》.

grave ―名 /gréiv, gráːv | gráːv/ ⓒ =grave accent.
gráve áccent [音声] 低[重]アクセント記号《`》.
gráve·ness 名 U まじめさ, 重大な, 重大さ.
grave³ /gréiv/ 動 (過去 ~d, 過分 grav·en /gréivn/ or ~d) (古文) …を[…に]彫る; …を[心・記憶などに]刻む, 銘記する[on, upon, in].
grave-dig·ger /gréivdìgər/ 名 ⓒ 墓掘り人夫.
†**grav·el** /grǽvl/ 名 U 1 [集合名詞] 砂利, バラス《◆ shingle より小さい》‖ a *gravel* path [road] 砂利道. 2 [鉱物] (砂金を含む)砂礫(され)層.
――動 (過去・過分) ~ed or (英) grav·elled /-d/; ~ing or (英) ~el·ling 他 …に砂利を敷く.
gráv·el·ly 形 1 砂利の多い; 砂利のような. 2 〈声が〉耳ざわりな.
†**grave·ly** /gréivli/ 副 厳粛に, 重々しく; 深刻に, 重大に‖ The teacher advised the lazy students *gravely*. その先生は威厳ある態度でその怠けている生徒たちを指導した.
grav·en /gréivn/ 動 grave³ の過去分詞形.
――形 (古文) 彫られた, 刻み込まれた; 感銘を与えた.
grave·stone /gréivstòun/ 名 ⓒ 墓石, 墓碑 (tombstone).
grave·yard /gréivjàːrd/ 名 ⓒ 1 (共同)墓地 (cemetery)《◆ 今は(米)では遠回しに memorial park という》(cf. churchyard, burial ground). 2 廃棄物集積場‖ an auto *graveyard* 廃車場.
gráveyard shìft [主に米略式] (1) (三交替制の)深夜勤《ふつう午前0時から8時. cf. day shift, swing shift》. (2) [集合名詞的] 深夜勤の労働者.
grav·i·tate /grǽvətèit/ 動 自 [正式] 1〈物体が〉[…に]引力で引きつけられる; 沈下する (sink) [*toward, to*]. 2〈人々・関心・生物などが〉[自然に]引き寄せられる [*toward, to*]. **gráv·i·tà·tive** /-tèitiv/ 形 重力[引力]の; 重力[引力]作用を受ける.
†**grav·i·ta·tion** /grǽvətéiʃən/ 名 U [正式] 1 (人々・生物などが自然に)引き寄せられること. 2 [物理] 引力, 引力作用‖ the law of *gravitation* [gravity] 引力の法則‖ terrestrial [universal] *gravitation* 地球[万有]引力.
grav·i·ta·tion·al /grǽvətéiʃənl/ 形 重力[引力]の, 重力[引力]作用の‖ a *gravitational* field [物理]重力場.
*****grav·i·ty** /grǽvəti/ [→ grave²]
――名 U [正式] 1 [物理] 重力, 地球引力, (一般に)引力 (gravitation)‖ the center of *gravity* 重心; (物事の)核心‖ specific *gravity* 比重‖ zéro *gràvity* 無重力状態.
2 (態度・性格・ふるまい・話し方の)厳粛さ, まじめさ, 沈着‖ behave with *gravity* at a funeral 葬式で厳粛にふるまう.
3 (事態の)重大さ (↔ triviality), (病気・罪などの)重いこと‖ due to the *gravity* of ⌈his illness [this situation] 彼の病気の重さのために[この状況の重大さのために].
†**gra·vy** /gréivi/ 名 U (肉を焼く際に出る)肉汁; (肉・ジャガイモなどにかける)肉汁ソース, グレイビー‖ a bowl [spoonful] of *gravy* ボール1杯[スプーン1杯]のグレイビー‖ Would you like some more *gravy*? グレイビーをもう少しいかがですか.
grávy bòat (船形の)(肉汁)ソース入れ.
grávy tràin (俗) [通例 the ~] うまい汁が吸える職[地位, 機会].

☆**gray** (主に米), (主に英) **grey** /gréi/
[事情] 米国では gray がふつうのつづりであるが, 犬のグレイハウンド (greyhound)とバス会社のグレイハウンド (Greyhound)だけは例外的に grey が用いられる.
――形 (~·er, ~·est)
Ⅰ [灰色]
1 灰色の, 鉛色の, ネズミ色の, グレーの《◆ 灰・曇り空の色を連想させる色. 日本語とややしばしばというイメージを暗示. 老年・陰気・病的な青白さを示す. black の遠回し表現としても用いられる》‖ a dark *gray* suit ダークグレーのスーツ / The road was *gray* with dust. 道路はほこりで灰色になっていた.
2〈髪の毛・人が〉(老齢・心配などで)白髪(まじり)の (gray-haired)《◆ 比較変化しない》‖ have *gray* hair 白髪頭をしている / My father is going [becoming] *gray*. 父は白髪がまじってきた.
3〈顔・皮膚などが〉(病気・不安・疲労などで)青ざめた.
Ⅱ [灰色に思える性質]
4 活気のない (dull), 憂うつな (dismal); どんより曇った‖ have a *gray* life 灰色の人生を送る.
――名 (~s /-z/) 1 U ⓒ 灰色, 鉛色, グレー‖ There was a big earthquake in the *gray* of dawn. 灰色に曇っていた夜明けに大きな地震が起こった. 2 U ⓒ 灰色の(制服)[制服]; [しばしば G~] (米) 南軍の(兵士)(↔ blue). 3 U ⓒ 灰色の絵の具[染料].
――動 他 …を灰色にする‖ Suffering and anxiety *grayed* her hair. 彼女は苦労と心配のあまり髪が白くなった (=Her hair *grayed* with suffering and anxiety.).
――自 1 灰色になる. 2〈人が〉白髪になる.
gráy área [zóne] あいまいな部分, グレーゾーン.
gráy pówer 老人パワー.
gráy wólf [動] (北米産の)シンリンオオカミ.
Gray /gréi/ 名 グレー《Thomas ~ 1716-71; 英国の詩人》.
gray·head·ed, (主に英) **grey-** /gréihédid/ 形 白髪まじりの, 老齢の.
gray·ish, (主に英) **grey-** /gréiiʃ/ 形 灰色がかった.
gray·lag, (主に英) **grey-** /gréilæg/ 名 ⓒ [鳥] ハイイロガン.
gray·ling /gréilin/ 名 (圏 gray·ling, ~s) ⓒ 1 [魚] グレイリング《サケ科の数種の魚》. 2 [昆虫] タカネジャノメ類.
†**graze**¹ /gréiz/ 動 自 1〈家畜が〉生草を食う, [牧草を]食う [*on*]‖ the cows *grazing* on the clover クローバーをはんでいる牛. 2 テレビのチャンネルを次々に切り替える. ――他 1〈家畜に〉生草を食わせる. 2〈草地などを〉家畜に食わせる, 牧場として使う;〈家畜に〉(牧場の草を)食う.
sénd *a* **to gráze**〈人〉に暇を出す, 〈人を〉追い出す.
†**graze**² /gréiz/ 動 他 1 …に軽く触れて通る, …をかする, かすめる‖ The bullet *grazed* his shoulder. 弾丸は彼の肩をかすめた. 2〈皮膚などを〉[…にこすってすりむく [*on, against*]. ――自 1〈物を〉かすめて通る [*along, by, past*]; […に]触れてすりむく [*against*].
――名 1 U かすめること. 2 [a ~] かすり傷.
graz·ing /gréizin/ 名 U 1 放牧. 2 牧草(地).
grázing lànd 放牧地.
Gr.Br., Gr.Brit. 略 Great Britain.
GRE 略 Graduate Record Examination《米国の一般大学院入学資格試験》.
†**grease** /gríːs; 動 + gríːz/ (同音) Greece) 名 U 1 (柔らかい)獣脂, グリース. 2 (常温で溶けない)油脂 (《潤滑・頭髪用》(cf. oil)‖ put *grease* on [in] one's hair 髪に油をつける. 3 脱脂していない生羊毛; 羊毛の脂肪分. 4 [狩猟] 《次の句で》‖ (in pride [prime] of) *grease*〈獲物が〉脂(ðのり

切った. **in the grease** 〈羊毛などが〉脱脂していない, 刈り取ったままの. ━━**動** **他** **1** …に油を塗る. **2** …に油をさす〈油をさして〉…の動きを滑らかにする.

grease pencil (クレヨンに似た)光沢のある面に書ける鉛筆.

grease・paint /gríːspèint/ **名** U ドーラン《俳優の化粧用.「ドーラン」はドイツの社名より》.

greas・er /gríːsər, gríːzər/ **名** C (英)油差し器, 油を差す人.

†**greas・y** /gríːsi, gríːzi/ **形** (**-i・er**, **-i・est**) **1** 油[脂]で汚れた, 油[脂]を塗った, 油でつやのある ‖ *greasy* fingers 油で汚れた指. **2** 〈食物が〉脂肪分の多い. **3** すべすべ〈つるつる〉する. **4** (略式) 〈言葉・態度などが〉調子のよい, お世辞たらたらの ‖ I don't like John, because he is [has] a *greasy* character. ジョンはぺたぺたした性格なので好きになれない.

gréasy spóon (米俗)〈揚げ物を出す〉粗末な安食堂.
gréas・i・ly **副** 油っこく; お世辞たらたらと.

great /gréit/ (同音) grate/ 〖「(価値・規模・数量・程度が)大きい」が本義〗**派** greatly (副), greatness (名)

index **形** **1** 大きな **2** 大の **3** 多い **4** すばらしい **5** 偉大な **8** 重要な

━━**形** (**~・er**, **~・est**)

I [程度が大きい]

1 [通例名詞の前で] (程度の)**大きな**, 非常な《◆副詞の very に対応する》‖ a *great* surprise [mistake] 大きな驚き[失策] / live to a *great* age 高齢まで生きる.

> **語法** 否定文では much が好まれる: The news is of *great* importance. そのニュースはとても重要だ / The news is not of *much* importance. そのニュースはあまり重要ではない.

2 [程度表示の可能な, 人を表す名詞の前で用いて] **大の**, 真にその名にふさわしい ‖ *great* friends 親友 / a *great* scoundrel 大悪党 / She is a *great* talker. 彼女は大のしゃべり[雄弁家]である.

II [数量が大きい]

3 [名詞の前で] 〈数量の〉**多い**, 大なる;〈時間・距離の〉長い ‖ a *great* [big, large] crowd 大群衆 / the *great* majority [body, part] 大部分 / the *great*est common measure [divisor, factor] [数学] 最大公約数 / a *great* while ago だいぶ以前に / of *great* height [depth] たいへん高い[深い].

4 (略式) **すばらしい**, とてもよい ‖ What a *gréat* wedding ceremony! なんてすばらしい結婚式だろう / I hear you're getting married. (Thát's) Gréat! 結婚するんだってね, よかったね. / It's *great* to see you. お会いできてうれしいです.

III [価値が大きい]

5 [名詞の前で] **偉大な**, 卓越した; 有名な, 著名な ‖ a *great* achievement in the field of biotechnology バイオテクノロジーの分野における偉大な業績 / *Great* hopes make *great* men. 大きな希望は偉大な人物を作る.

6 (略式) **a** [補語として]〔…が〕上手で, 得意で(good) 〔*at*, *on*, *with*〕; 〔…に〕精通している 〔*on*〕. **b** 熱烈に, 〔ある活動に〕熱中している, 凝っている 〔*on*, *at*, *for*, *in*〕 ‖ a *great* baseball fan 熱烈な野球ファン / He's *gréat at* playing the guitar. 彼はギターに夢中だ.

IV [大きさが大きい]

7 a [名詞の前で] (規模・形の)**とても大きな**, 巨大な《◆ big に対する硬い語で, large が物理的な大きさ・広さを客観的にいうのに対して, 程度・重要度の大きさにも用い, 種々の感情的要素を含んでいる. cf. 図法》‖ the *Great* Wall (of China) 万里の長城. **b** (同種の中で)大きい方の, 大型種の《比較変化しない》(cf. greater).

V [重要性が大きい]

8 [名詞の前で] **重要な**; [the ~] 主要な《◆「主要な」の意味では比較変化しない》‖ a *great* occasion 祝祭日 / the *Greatest* Show on Earth (米) 地上最大のショー《◆サーカスの宣伝文句》/ the *great* house (村一番の)お屋敷; (農園の)母屋(§§).

9 [名詞の前で] 身分[地位]の高い ‖ a *great* family 名門 / the *great* world 上流社会. **10** 〈考え・行為などが〉高潔な ‖ *great* deeds 崇高な行為. **11** [名詞の前で] 好んで使われる ‖ a *great* trick of hers 彼女の常套(ミ)手段.

━━**副 1** (米略式)とてもうまく, 都合好くに ‖ go *great* うまくいく. **2** (英略式)とても, すごく《◆ (1) 名詞の前にきて大きさを示す形容詞を強調. (2) 比較変化しない》‖ *gréat* thick légs すごい大根足 / a *gréat* fát bóy ひどいでぶ.

━━**名** C 要人, 名工, 大家; 重要なもの; [正式] the ~; 集合名詞; 複数扱い] おえら方, 高貴な人々; [the G~] …大王[大帝, 皇帝] ‖ the nation's *greats* その国の要人 / Alfred the *Great* アルフレッド大王.

gréat and smáll 貴賤(ホ)を問わずすべての人々.

(Gréat) Bárrier Rèef [the ~] グレート=バリア=リーフ《オーストラリア Queensland 州海岸沖の世界最大のサンゴ礁》.

Gréat Básin [the ~] グレート=ベースン《米国 Sierra Nevada 山脈と Rocky 山脈の間に広がる大盆地》.

Gréat Béar [天文][the ~] おおぐま座《北天の星座》.

Great Britain → 見出し語.

Gréat Chárter [the ~] =Magna C(h)arta.

Gréat Dáne [動] グレートデン《ドイツ産の短毛で大型の使役犬》.

Gréat Depréssion [the ~] (1929 年からの)大恐慌.

Gréat Divíde [the ~] 大分水嶺(^れ)《◆ the Rockies の別称. the Continental Divide ともいう》.

Gréat Lákes [the ~] 五大湖《Superior, Michigan, Huron, Erie, Ontario の 5 湖》.

(Gréat) Pláins [the ~] グレート=プレーンズ《米国・カナダの Rocky 山脈の東に広がる台地》.

Gréat Pówers [the ~; 複数扱い] 世界列強.

(Gréat) Sált Láke グレートソルト湖《米国 Utah 州にある塩水湖》.

Gréat Séal [the ~] (1) [g~ s~] (重要公文書に押す)国璽(ミ), 国印. (2) (英) 国璽尚書(の職).

Gréat Wáll [the ~] → great **形** **7 a**.
Gréat Wár [the ~] =World War I.
gréat white shárk [魚] ホオジロザメ.

Gréat Whíte Wáy [the ~] 不夜城街《New York の Broadway の劇場街区の俗称》.

great- /gréit-/ (語素) →語要素一覧 (1.7).
great-aunt /gréitǽnt/ **名** =grandaunt.

Great Britain /gréit brítn/ **1** 大ブリテン島《England, Scotland, Wales のある英国の主島. North-

ern Ireland は含まない》. **2** [俗ini的に] 英国(the United Kingdom)《◆英国ではふつう単に Britain という. → England》.

great·er /gréitɚ/ 形 [時に G~] **1** [英] 〈都市が〉近郊を含む, 大…; 〈国が〉属領を含む ‖ the *greater* metropolitan area 大首都圏. **2** (同一の種の中で)大型種の(↔ lesser) ‖ *greater* yellowlegs オオキアシシギ.

Gréater Lóndon 大ロンドン《the City of London と32の自治区(borough)から成る地域》.

great·heart·ed /gréithɑːrtid/ 形 **1** 寛大な, 度量の大きい. **2** 非常に勇敢な; 高潔な.

*great·ly /gréitli/ 《→ great》
—— 副《◆比較変化しない》**1** (程度で)大いに, 非常に《◆ふつうよい意味をもつ動詞・分詞・形容詞の比較級の前に用いる. cf. utterly》 *greatly* appreciate his favor 彼の好意がとても身にしみる / *greatly* superior to my paper 私の論文よりはるかにすぐれている. **2** [動詞の後で] 偉大に; 寛大に; 高潔に ‖ She carried herself *greatly* in the field of immunology. 彼女は免疫学においてすぐれた働きをした.

†**great·ness** /gréitnəs/ 名 Ⓤ **1** 偉大さ, 卓越; 著名; 高貴 ‖ The *greatness* of Churchill as statesman was known to the world. チャーチルの政治家としての偉大さは世界中で知られていた. **2** (形・規模の)大きいこと, 巨大, 広大; 多大. **3** 重大さ, 重要.

great-un·cle /gréitʌŋkl/ 名 =granduncle.

grebe /griːb/ 名 Ⓒ 〔鳥〕カイツブリ.

†**Gre·cian** /gríːʃən/ 形 (古代ギリシア(風)の, 古代ギリシアの(Greek) 《◆建築・顔だちに用いる以外は主に分離複合語に用いられる》. —— 名 Ⓒ (古) **1** ギリシア人(Greek). **2** 〔古〕(ギリシア)学者.

Grécian gíft =Trojan horse (1).

Grécian knót (英) ギリシア結び《古代ギリシアの女性の髪の結い方をまねた結髪法》.

Grécian nóse ギリシア鼻.

Grécian slíppers (英) レバントスリッパ《低い緑の柔らかいスリッパ》.

Gre·co-, Grae·co- /gríːkou-, gréikou-/ 《語要素》語要素一覧(1.3).

Gre·co-Ro·man /gríːkouróumən, gréikou-/ 形 (古代)ギリシア・ローマの.

†**Greece** /griːs/ 《同音》grease) 名 ギリシア《現在の正式名 Hellenic Republic. 首都 Athens. 略) Gr.; 形容詞形は Hellas. 形容詞は Greek, Grecian》.

†**greed** /griːd/ 名 Ⓤ 〔食物・富・権力に対する〕貪(ﾄﾞﾝ)欲, 欲張り〔for〕.

†**greed·i·ly** /gríːdili/ 副 欲張って, 貪(ﾄﾞﾝ)欲に.

***greed·y** /gríːdi/ 形 《「(要求などの点で)がつがつした」が本義》
—— 形 (-i·er, -i·est) **1** [名詞の前で] 食い意地のはった ‖ The *greedy* little child ate all the food. 食い意地のはった少年は料理を全部たいらげた. **2** [補語として] 〔…に〕貪(ﾄﾞﾝ)欲である, 欲深い; 〔…を〕切望する〔for, of, over〕; 〔…することを〕切望する〔to do〕《類語》acquisitive, grasping ‖ Don't be so *greedy*! (しばしば親が子をたしなめて)そんなにがつがつしないの / be *greedy* for gain [power] 金銭に利得[権力]を求める / She was *greedy* for love. 彼女は愛を切望していた / Don't put your *greedy* hands on my money. 私の金に意地汚く手を出すな.

gréed·i·ness 名 Ⓤ 貪欲.

†**Greek** /griːk/ 形 ギリシアの, ギリシアに関する; ギリシア人[語]の(略) Gk, Gr.) ‖ *Greek* civilization [philosophy] ギリシア文明〔哲学〕/ *Greek* myths [mythology] ギリシア神話. —— 名 **1** Ⓒ ギリシア人. **2** Ⓤ (現代・古代)ギリシア語. **3** Ⓒ (略) わけのわからない言葉, ちんぷんかんぷん ‖ It's (all) *Greek* to me. それは私にはさっぱりわからない(=I cannot understand it at all.)

Gréek álphabet [the ~] ギリシアアルファベット, ギリシア文字.

[Greek alphabet]

Α	α	alpha	Ι	ι	iota	Ρ	ρ	rho
Β	β	beta	Κ	κ	kappa	Σ	σ ς	sigma
Γ	γ	gamma	Λ	λ	lambda	Τ	τ	tau
Δ	δ	delta	Μ	μ	mu	Υ	υ	upsilon
Ε	ε	epsilon	Ν	ν	nu	Φ	φ	phi
Ζ	ζ	zeta	Ξ	ξ	xi	Χ	χ	chi
Η	η	eta	Ο	ο	omicron	Ψ	ψ	psi
Θ	θ	theta	Π	π	pi	Ω	ω	omega

Gréek gíft =Trojan horse (1).

Gréek (Órthodox) Chúrch [the ~] ギリシア(正)教会.

***green** /griːn/ 〔grass (草)と同語源〕
—— 形 (~·er, ~·est)

Ⅰ [緑色の]

1 緑の, 緑色の; 緑の草木で覆われた, 青々とした《◆活気のある若さ・未熟さ・しっと深さなどを暗示する》;〔略式〕青野菜の ‖ *green* paint 緑色のペンキ / a *green* [white] Christmas 〔米〕雪のない〔降る〕クリスマス / The grass is (always) *greener* (on the other side of the fence [hill]). → grass 1 / 〈ｼﾞｮｰｸ〉 "A red house is made of red bricks. What's a *green* house made of?" "Glass." 「赤い家は赤レンガでできています. では緑の家は?」「ガラス」《◆greenhouse は「温室」》.

〔日英比較〕「緑」と **green**

green is yellow と blue の間の色で, 時に blue も含む. 一方, 日本語の「青」は広義には「緑」も含むので, green =「青い」となることが多い: *green* fields 青々とした野原 / The light went *green*. 信号が青になった(→ 7).

Ⅱ [未熟な]

2 〈果物などが〉青い, 未熟の(↔ ripe) ‖ *green* apples 青リンゴ.

3 (略式)未経験の, 未熟な(↔ mature), 世間知らずの;〔…に〕不慣れの〔at, in〕(↔ experienced) ‖ a *green* crew on a ship 新米の船員.

〔表現〕 日本語で「青」と結びつく: He is (as) *gréen as gráss*. 彼はまったくの青二才だ.

4 〈木材が〉乾燥していない(↔ dry); 〈肉などが〉未加工の, 生の;〈レンガなどが〉焼いていない ‖ *green* wood 生木.

Ⅲ [比喩的に]

5 活気に満ちた, 元気な(vigorous);〈記憶などが〉生き生きした, 鮮明な ‖ live to a *gréen óld áge* 老いてなお元気に生きる / keep his memory *green* 亡くなった彼のことを忘れないでいる. **6** [通例補語として] (恐れ・しっと・病気などで)青ざめた(pale)〔with〕; [補語として] 〔…のことを〕うらやんで(about)〕‖ John is *green with envy* [jealousy] about [over] my honor". ジョンは私の名声を(顔色が青くなるほど)ねたんでいる. **7** 青信号の, ゴーサインの出た;〈主に米〉〈機械装置などが〉作動準備完了の. **8** [時に G~; 通例名詞の前で] 環境保護(主義)の;〈製品が〉環境にやさ

greenback

しい, 環境を損なわない (ecological, environment-friendly) ‖ *green* politics 環境保護政治 / a *green* activist 環境保護活動家 / *green* products 環境にやさしい製品[産物].

—名 (複 ~s/-z/) **1** UC 緑, 緑色, 青 (→形1 日英比較, 3 表現) ‖ The lights changed to *green*. 信号が青になった.

2 U 緑色の服; UC 緑色の絵の具[染料].

3 C U 草地, 草の生えている公有地;〔ゴルフ〕[通例 the ~] パッティンググリーン;〔ゴルフコース で〕 a village *green* 村の共有緑地 / through the *green*〔ゴルフ〕ティーとグリーンの間のフェアウェイやラフで.

4 [~s] (クリスマスなど装飾用の)葉, 枝《モミの木・ヒイラギなど》; (略式) (食用になる)葉, 茎; 野菜, 青物《ホウレンソウ・レタス・カブなど》.

in the gréen 血気盛んで.

—動 他 …を緑色にする. — 自 緑色になる.

gréen béan〔植〕インゲンマメ, サヤインゲン

Green Berét (略式) (米国の)グリーンベレー[陸軍特殊]部隊員《◆緑のベレー帽を着用することから》.

gréen cárd (米) (米国国民以外の人への)労働許可証; (英) (ドライバーの)国際保険証.

green dráke〔昆虫〕カゲロウ (mayfly).

gréen fíngers (主英略式) =green thumb.

gréen lábeling (包装の)環境保護表示.

gréen líght 青信号; (略式) [the ~] 許可, ゴーサイン ‖ give the [a] *green* light to a plan 計画実施の認可を与える.

gréen mán 異星人《◆ little green man ともいう》.

Gréen Móuntain Státe (愛称) グリーン山脈の州 (→ Vermont).

green ónion (米) 青タマネギ ((英) spring onion).

Gréen Páper (英) 諮書《政府発行の政策書》.

Gréen Párty [the ~] (**1**) (英国の)緑の党《環境保護を目指す》. (**2**) [g~ p~] 環境保護政党の党員.

gréen pépper〔植〕アマトウガラシ (sweet pepper), ピーマン.

gréen revolútion [the ~] 緑の革命《発展途上国における農業生産性の改革》.

gréen sálad 生の緑色野菜のサラダ.

gréen(s) fée〔ゴルフ〕グリーンフィー.

gréen téa 緑茶.

gréen thúmb (米略式) [a ~] 園芸の才[技術] ‖ have *a green thumb* 庭いじりが好きである.

gréen túrtle〔動〕アオウミガメ.

gréen végetable 青物野菜《キャベツ・ホウレンソウなど》.

gréen·ness 名 U 緑(色); 新鮮; 未熟, 未経験.

†**green·back** /ɡríːnbæk/ 名 C (米略式) ドル紙幣《◆裏が緑色をしていることから》.

green·belt /ɡríːnbèlt/ 名 C U (主に英) (都市周辺の)緑地帯.

Greene /ɡríːn/ 名 グリーン《Graham ~ 1904-91; 英国の作家》.

green·er·y /ɡríːnəri/ 名 U [集合名詞] (装飾用の)緑の木, 青葉.

green-eyed /ɡríːnàid/ 形 **1** 緑色の目をした. **2** しっと深い.

green·gage /ɡríːnɡèidʒ/ 名 C〔植〕セイヨウスモモ《ジャムの材料》.

green·gro·cer·y /ɡríːnɡròusəri/ 名 C (英) 青物屋, 八百屋.

green·horn /ɡríːnhɔ̀ːrn/ 名 C (略式) **1** 世間知らず, 青二才. **2** 初心者, うぶ, かも. **3** (主米・今は廃) 新着移民.

gremlin

†**green·house** /ɡríːnhàus/ 名 C 温室《◆ a *gréen* hóuse は「緑色の家」》.

gréenhouse èffect〔気象〕[通例 the ~] 温室効果《大気中の二酸化炭素・フロンなどの増加による地表の温度上昇》.

gréenhouse gàs 温室効果ガス《特に二酸化炭素》.

gréenhouse tax =carbon tax.

†**green·ish** /ɡríːniʃ/ 形 緑がかった.

Green·land /ɡríːnlənd/ 名 グリーンランド《デンマーク領》.

Green·peace /ɡríːnpìːs/ 名 [the ~] グリーンピース《環境保護や核兵器廃絶を唱える国際的な団体》.

Green·wich /ɡréniʧ, ɡrín-, -idʒ/ 名 グリニッジ《London 郊外の Thames 川沿いの町. もとグリニッジ天文台があり, そこが経度 0° となった》.

Gréenwich (méan) tíme [しばしば ~ M- T-] グリニッジ標準時《略 GMT》.

Gréenwich Víllage グリニッチビレッジ《New York 市の Manhattan の芸術家が多い地区》.

†**green·wood** /ɡríːnwùd/ 名 C (文) [the ~] (春・夏の)緑林, 緑の森林.

†**greet** /ɡríːt/ 動 他 **1 a**〈人が〉〈人〉に〔口頭・動作・書面で〕あいさつをする; […で]迎える〔*with*〕‖ salute より一般的的》‖ I *greeted* our teacher on the street leading to the school. 私は学校に行く途中の道で私たちの先生にあいさつした / He *greeted* us 「*with* open arms [*by saying* "Hello!"]. 彼は私たちを温かく[「こんにちは」と言って]迎えた / My cat *greets* me when I get home. 家に帰るとネコが迎えてくれます. **b** (正式)〈人が〉〈人・提案など〉に[…で]反応する (react)〔*with*〕;〈態度・反応などが〉〈事〉に対して起こる ‖ The audience *greeted* her performance *with* loud cheers. 観衆は彼女の演技に割れるような拍手を送った. **2** (やや文)〈光景・音などが〉(不意に)〈人・目・耳など〉に知覚される ‖ A smell of garlic *greeted* 「our noses [us]. ニンニクのにおいが鼻をついた.

*****greet·ing** /ɡríːtiŋ/

—名 (複 ~s/-z/) **1** C U あいさつ(の言葉・しぐさ) ‖ exchange *greetings* あいさつを交わす / *say* [*give*] *some greetings to* the guests 客にあいさつをする.

2 C [通例 ~s] (クリスマス・誕生日などの)あいさつ《Happy New Year!, Merry Christmas! など》; (手紙などの)よろしくとの伝言; =greeting card ‖ with the *greetings* of the season =with the season's *greetings* 時候のあいさつを添えて《◆贈り物に添えるカードの文句》/ *Send my greetings to* Helen! ヘレンによろしくお伝えください / a *greetings* telegram (誕生日などの)お祝い電報.

gréeting càrd あいさつ状. 日本発》Nengajō [New Year's cards] are *greeting cards* (which are) sent out at the beginning of each new year. 年賀状とは新年のあいさつの書状です.

gre·gar·i·ous /ɡriɡéəriəs, (英+) -ɡǽər-/ 形 **1** 動 群居する;〔植〕群生する. **2** (正式) 社交的な.

Gre·go·ri·an /ɡriɡɔ́ːriən, (英+) ɡre-/ 形 ローマ教皇グレゴリウス (Gregory) の.

Gregórian cálendar [the ~] グレゴリオ暦《現行の太陽暦. Gregory XIII が制定》.

Gregórian chánt グレゴリオ聖歌.

Greg·or·y /ɡréɡəri/ 名 **1** グレゴリウス《ローマ教皇. ~ I, ~ VII, ~ XIII など》. **2** グレゴリー《男の名》.

grem·lin /ɡrémlin/ 名 C (略式) [通例 ~s] グレムリン《飛行機・機械などに突発的な故障をもたらすという目に見

えない小悪魔》.
Gre·na·da /grənéidə, gre-/ 图 グレナダ《西インド諸島 Windward Islands の一島》.
†gren·a·dier /ɡrènədíər/ 图 ⓒ **1** [歴史] 選抜歩兵; 手榴(ﾘｭｳ)弾兵. **2** [the Grenadiers] =Grenadier Guards.
Grenadíer Guárds (英) [the ~] 近衛歩兵第1連隊.
Gresh·am /gréʃəm/ 图 グレシャム《Sir Thomas ~ 1519-79; 英国の財政家》.
Grésham's láw [経済] グレシャムの法則《「悪貨は良貨を駆逐する」》.
Gret·na Green /grétnə grí:n/ グレトナ=グリーン《スコットランド南部 Dumfriesshire の村. 駆け落ちしてきたカップルが結婚する土地として有名だった》.
***grew** /grú:/ 動 grow の過去形.
grew·some /grú:səm/ 形 =gruesome.

grey /gréi/ (主に英) 形 图 動 =gray.

†grey·hound /gréihàund/ 图 ⓒ **1** [動] グレイハウンド《足の速い猟犬. ドッグレースに用いる》. **2** (大洋の)快速船(ocean greyhound). **3** [G~] グレイハウンドバス会社(the Greyhound Corp.)《その長距離バス ◆航空機と違って都心から出発するので便利》.
grey·ish /gréiɪʃ/ 形 (主に英) =grayish.
grid /gríd/ 图 ⓒ **1** [しばしば複合語で] 格子(grating) ‖ a cattle *grid* 牛を入れる格子. **2** 焼き網(gridiron). **3** (自動車の屋根の)格子状荷台. **4** [しばしば G~] [電気] 配電網. **5** (英) [the ~] 高圧線配電網. **6** (街路・地図の)碁盤目.
grid·dle /grídl/ 图 ⓒ **1** 焼き板《ホットケーキなどを焼く円い厚い鉄板》. **2** (選鉱用の)ふるい.
gríddle càke(s) ホットケーキ, パンケーキ((米) pancake).
grid·iron /grídàiərn/ 图 ⓒ **1** (肉・魚を焼く)焼き網(grid, grill). **2** (米) フットボール競技場.
†grief /grí:f/ 图 [正式] **1** Ⓤ (災難・不幸による短期間の)[…に対する]深い悲しみ, 悲嘆 (great [deep] sorrow) [*at, over, about, for*] (↔ joy) ‖ suffer [feel] *grief* at the sad news その悲報に接して悲嘆にくれる / *Time tames the strongest grief*. 《ことわざ》時はどんな悲しみをもやわす. **2** [a ~] 嘆き[心痛]の種 ‖ Their only son's delinquency is *a* (source of) *grief* to them. 一人息子の非行は彼らの嘆きの種に.
cóme [(まれ) **be bróught**] **to gríef** (略式)〈計画などが〉失敗に終わる; 〈人などが〉ひどい目にあう, 事故にあう.
Góod [**Gréat**] **gríef!** (略式) おやまあ, やれやれ 《嫌悪・驚きの表現》. grief is God の遠回し).
†griev·ance /grí:vns/ 图 ⓒ 〈労働条件・不当な扱いなどに対する〉不平, 苦情; 不満[抗議]の原因(と考えられる状況) [*against*] ‖ nurse [have, harbor, cherish] a *grievance against* the management 経営者側に対して不平[不満]をいだいている.
griévance commìttee (労働協約に関する)苦情処理委員会.
†grieve /grí:v/ 動 (自) [正式] **1** 〈人が〉[死者を/死などを]深く悲しむ, 悲嘆にくれる(feel great sorrow) [*for, over, at, about*] (◆ be sad [sorry] より文語的で意味が強い) ‖ The mother was still *grieving over* [*about*] her child's death. = ... still grieving for her dead child. その母親は子供の死をいまだに深く悲しんでいた《◆ over は「いつまでも

くよくよする」という含みをもつ》/ *grieve at* [*to* hear] the sad news その悲報を聞いて悲嘆にくれる. **2** 〈人が〉深く後悔する [*at, about, over*] ‖ Don't *grieve about* your past errors. 過去の誤りをあまり後悔するな. —— (他) 〈事が〉〈人〉を深く悲しませる; [be ~d] 〈人が〉[…を/…して/…ということで]悲しむ [*at / to do / that*] (◆ 受身がふつう) ‖ I am much [deeply] *grieved at* [*to* hear of] your misfortune. ご不幸を[聞いて]たいへんお気の毒に存じます.
†griev·ous /grí:vəs/ 形 [正式] **1** 〈人を〉悲しませる, 嘆かわしい. **2** 重大な; 目にあまる. **3** 〈傷・痛みなどが〉耐えがたい, 激しい. **gríev·ous·ly** 副 [動詞の前で]ひどく; 悲しむべきほどに. **gríev·ous·ness** 图 Ⓤ 悲惨さ; 重大性; 悲しさ.
grif·fin /grífɪn/, **grif·fon, gryph·on** /grífn/ 图 ⓒ [ギリシア神話]《頭部・前足はワシで翼をもち, 胴体・後足はライオンの姿をした怪獣で, 黄金の宝をつるといわれる》.
†grill /gríl/, (同音) grille) 图 ⓒ **1** 焼き網(gridiron); (英) グリル装置; (米) broiler). **2** (英) 網焼き料理 ‖ a mixed *grill* 網焼き肉の取り合わせ.
—— 動 (他) **1** (主に英)〈肉など〉を網焼きにする《◆ (米) では broil の方が好まれる》. → cook [関連]. **2** 〈太陽が〉〈人〉をじりじり焼く ‖ The desert sun *grilled* him. 砂漠の太陽が彼にじりじり照りつけた. **2** (略式)〈警察などが〉…を厳しく(ぶっ通しで)尋問[詰問]する. —— (自) 〈肉などが〉網焼きにされる, 焼ける; 〈人が〉日に照りつけられる.
grille /gríl/ 图 ⓒ **1** (門・窓の)格子. **2** (銀行・切符売り場の)格子窓口. **3** (自動車エンジンの)放熱格子(図) → car).
grill-room /grílrù:m/ 图 ⓒ グリル(ルーム) (grill)《ホテルの中で網焼き料理を出すレストラン, またはその中の部屋》.
†grim /grím/ 形 (grim·mer, grim·mest) **1** 厳格な, 厳しい, 断固とした; 残酷な, 無慈悲な, 恐ろしい; 〈表情・態度が〉険しい, こわい ‖ *grim* and ruthless 残酷で情け容赦がない / the *grim* reality 厳しい現実. **2** 〈真理などが〉動かし難い; 〈決心などが〉不屈の. **3** (略式) 気味の悪い(ghastly), 不愉快な ‖ a *grim* smile ぞっとするような笑い.
grím·ness 图 Ⓤ 残忍, 気味悪さ.
†gri·mace /gríməs, grəméis/ 图 ⓒ (心配・苦痛による)しかめつら. —— 動 (自) [… を見て / … で]しかめつらをする(*at/with*).
†grim·ly /grímli/ 副 厳格に; 残忍に, 気味悪く.
Grimm /grím/ 图 グリム《Jakob/já:kəp/ ~ 1785-1863, Wilhelm/wílhelm/ ~ 1786-1859》ドイツの言語学者・童話編集者の兄弟》.
Grímm's láw [言語] グリムの法則《インド=ゲルマン語の子音変化の法則》.
†grim·y /gráimi/ 形 (--i·er, --i·est) あかで汚れた, 汚い.
†grin /grín/ 動 (過去・過分) **grinned**/-d/; **grin·ning**) (自) **1**〈人・動物が〉[…に/…で](歯を口を開けて)歯を見せて笑う, にっこり笑う, にやりとする(smile) [*at, with*]. **2** […に](苦痛・怒り・嘲(ﾁｮｳ)笑などで)歯をむき出す [*at*]. —— (他) 歯を見せて…を示す ‖ I said I would marry his daughter, and he *grinned his approval*. 私は彼の娘と結婚すると言った. 彼はにっこり笑って同意した.

> [語法] grin 自体の意味は中立的で, 日本語の「にやにや笑う」に伴うような悪い意味は持たない. どのような笑いかは文脈による: *grin happily* 楽しそうににこにこ

笑う / grin cynically あざけるようににやっと笑う / grin obscenely 卑猥(ひわい)ににたっと笑う.

grin from ear to ear → ear¹ 成句.
── 名 C 歯を見せて笑うこと ‖ a broad grin 大笑い / Take [Wipe] that grin off your face! 私の(言う)ことをそんなににやにや笑うのはよせ.

†**grind** /gráind/ 動 (過去・過分) ground /gráund/ 他 **1** 〈人・機械などが〉〈穀物などを〉〔粉・小片に〕ひく, 砕く (+up, down) [into, to]; ひいて〔粉・小片]を〔…から〕作る (from) ‖ double ground meat 二度びきのひき肉 / grind corn into meal =grind meal from corn トウモロコシをひいてあら粉を作る《ショウテン》"When is coffee like the surface of the earth?" "When it is ground." 「コーヒーが地球の表面に似るのはどんなときか」「◆ground¹ (地表) とのしゃれ」. **2** 〈人などが〉〈物を〉研(と)ぐ (+down), 磨(みが)いて〔…に〕する (to); …を摩滅させる (+away) ‖ grind an ax on a grindstone 砥石(といし)でおので刃を研ぐ. **3** 〈歯を〉ギシギシこすり合わせる (+together); 〈物を〉[…に]こすりつける, 押しつける [into]; …を〔足下に〕踏みつける (under); 〔通例 be ground〕〈物が〉(動かないように)押し〔はめ〕こまれている (+in) ‖ grind one's teeth (together) [in one's sleep [in anger]] 睡眠中に[怒って]歯ぎしりする. **4** 〈くるすなどの柄を持って〕回す; 〈風琴など〕回して鳴らす (+out) ‖ grind a coffee mill コーヒーミルを回す. **5** 〔通例 be ground〕 (圧制・貧困などで)〈人などが〉苦しめ, 打ち砕かれる (+away) ‖ grind the faces of the poor 〔聖〕貧民を虐待する〔酷使する〕. **6** 〈知識などを〉〈人に〉たたき込む (into); 〈人に〉〈知識などを〉たたき込む (in) ‖ grind discipline into the troops =grind the troops in discipline 軍隊に規律をたたき込む.
── 自 **1** 〈穀物などが〉ひける; 砕ける; 〈刃物・レンズなどが〉研がれる, 磨ける (+down); 〈人・製粉所が〉粉をひく (+away, down); 研ぐ, 磨く ‖ The wheat has ground fine [(down) to flour]. 小麦はひかれて細かく〔粉に〕なった《他動詞用法の受身 has been ground …がふつう》. **2** 〈物が〉ギシギシ鳴る, きしむ, こすれる ‖ The old car ground to a halt at last. その古い車はついにぎしぎし音を立てて止まった / The boat ground on [against] the rocks. その船は岩礁に乗り上げて〔ぶつかって〕ガリガリ音を立てた. **3** 〔主に米略式〕〈為に/…のために〕こつこつ〔長く〕勉強〔仕事〕する 〔英略式〕(+away) [at, on / for] ‖ grind away for one's exam [at one's math] こつこつ(長い間)試験勉強する〔数学に精を出す〕.

grind ón 自 〈機械・手続きなどが〉(容赦なく)どんどん進む; 〈話・季節などが〉長々と続く.

grind óut 他 (1) 〔略式〕〈人・バンド・レコードなどが〉〈つまらない著作・音楽などを〉機械的に(次々に)作り出す; 〈曲を〉単調に演奏し続ける; 〔英〕〈曲を〉骨折って弾く, ひねり出す. (2) 〈曲を〉〔バレル・オルガンで〕ひく ‖ grind out music on a hand organ 手回しオルガンで音楽をかなでる. (3) 〔言葉を〕歯をきしらせて言う.

── 名 **1** 〔略式〕[a/the ~] 骨の折れる退屈な仕事〔勉強〕; 長くつらいレース《マラソンなど》‖ the examination grind 試験勉強. **2** C 〔米〕がり勉学生. **3** U ひく〔すり砕く, こする〕こと; C 〔米〕(粒のひき具合》‖ a coarse grind of coffee あらびきのコーヒー / drip grind coffee ドリップ用の〔にひいた〕コーヒー.

grind·er /gráindər/ 名 C **1** 粉砕〔研磨〕機. **2** 〔複合語で〕すり砕く〔磨く, 研ぐ〕人. **3** 〔略式〕臼歯(きゅうし) (molar).

†**grind·stone** /gráindstòun/ 名 C 回転砥石(といし), 研磨機.

keep [have] one's [A's] nóse to the grindstone 〔略式〕あくせく働く〔〈人〉をこき使う〕.

†**grip** /gríp/ 動 (過去・過分) gripped or gript /gípt/; grip·ping 他 **1** 〈人が〉〈人・体の部分・物を〉(手・歯・器具などで)しっかりつかむ〔握る, 締める〕, 〈タイヤが〉〈路面を〉しっかりとらえる 《◆grasp より強意的》‖ The dentist gripped the tooth and pulled it out. 歯医者は歯を(ペンチで)しっかりはさんで引き抜いた. 〈物・事・人が〉〈人・注意などを〉引きつけてそらさない ‖ His farewell lecture gripped (the attention of) the audience. 彼の最終講義は聴衆の心をつかんだ. ── 自 〈人・物が〉〔…に〕しっかりつかむ〔締めつける〕 (on) ‖ The car's tires failed to grip on the wet road. 車のタイヤはぬれた路面でスリップした.
── 名 **1** U [時に a ~] **a** 〔…を〕しっかりつかむこと〔握ること〕(on, of, onto, around) ‖ have [get, take] a good grip on a rope ロープをしっかりつかんでいる〔つかむ〕 / let go of one's grip on [of] the stick つえを握っていた手を放す / Urashima Taro saved the turtle from the grip of some mischievous boys. 浦島太郎はいたずらっ子にとらえられていたカメを助けた. **b** 握力 《刀・スポーツ用具などの》握り方, グリップ ‖ have a strong grip 握力が強い / shorten [lengthen] the grip (バットなどの)握りを短く[長く]持つ. **2** U 〔しばしば a ~〕**a**〔人・場所などに対する〕支配(力), 制御(力) (on, of, over) ‖ gèt [tàke, kèep] a grip [hóld] on oneself 〔略式〕自分の(感情)を抑える, 気をひきしめる / gèt [tàke, kèep] a grip on the most strategic piece of real estate in the world 世界で最も戦略的に重要な地域を握る〔握っている〕 / He 'got into [was in] the grip of her love. 彼は彼女の愛情からのがれられなくなった〔のがれられないでいた〕. **b**〔人・注意などを〕引きつける〔とらえる〕力 (on) ‖ He hàs a gríp on the girls in his class. 彼は同じクラスの女の子たちの気をそらさない. **3** U 〔略式〕〔しばしば a ~〕〔問題などに対する〕理解力, 把握力 (understanding) (on, of); (仕事などの)処理能力, 気力 ‖ hàve a góod [póor] gríp on [of] English grammar 英文法をよく理解している〔いない〕. **4** C (器具・装置の)グリップ; (用具などの)取っ手, 握り ‖ a háir grip 〔英〕髪止め/〔米〕bobby pin / the léather gríp of a clúb (ゴルフのクラブの皮製の握り). **5** C 〔主に米〕(ふつう大型の)旅行カバン (gripsack). **6** [the ~] インフルエンザ.

be at grìps 〔人と〕取っ組み合いのけんかをしている; 〔困難・問題などと〕真剣に取り組んでいる, 〔…を〕理解している (with).

còme [gèt] to gríps 〈人と〉取っ組み合いのけんかをする; 〔困難・問題などと〕真剣に取り組む, 〔…を〕理解する (with).

lóse one's gríp 手を放す; 調子が狂う; 理解力を失う; 気力をなくす.

†**gripe** /gráip/ 動 他〈腹を〉きりきり痛ませる. ── 自 〔略式〕〈人に/物事に〉(絶えず)不平を言う (complain) [at/about]. ── 名 **1** C 〔略式〕[the ~s; 複数扱い] 激しい腹痛. **2** C 〔略式〕不平.

gris·ly /grízli/ 形 (-li·er, -li·est) **1**〈顔などが〉(ぞっとするほど)恐ろしい. **2** 不快な.

grís·li·ness 名 U 恐ろしさ; 不快.

†**grist** /gríst/ 名U (古) 製粉用の穀物; ひいた穀物 ‖ *All is grist that comes to his mill.* (ことわざ) 彼の製粉所に来る物はすべて製粉用の穀物である; 彼は何事でも必ず利用する.

gris·tle /grísl/ 名U (食用肉中の) すじ.

grist·mill /grístmil/ 名C 製粉所.

†**grit** /grít/ 名U 1 [集合名詞] 砂, 小石. 2 砂岩. 3 (略式) (どんな苦難にも耐える) 根性, 気骨.
—動 (過去・過分 **grit·ted**/-id/; **grit·ting**) 他〈歯などを〉ぎしぎしさせる ‖ *grit* [clámp, clénch] one's téeth (怒り・恐れ・失望などを抑えて) 歯をくいしばる.

grit·ty /gríti/ 形 (**-ti·er**, **-ti·est**) じゃりの入った; 砂のような; (米略式) 勇気 [根性] のある.

†**griz·zled** /grízld/ 形〈髪などが〉白髪まじりの; 灰色の.

†**griz·zly** /grízli/ 形 (**-zli·er**, **-zli·est**) =grizzled.
—名C =grizzly bear. **grízzly bèar** (動) ハイイログマ《北米ロッキー山脈など西部高地にいるヒグマ》.

groan /gróun/ (同音 grown) 動 (自) 1〈人が〉[苦痛・悲嘆・失望などで/…を聞いて] うめく, うなる (+out) [with, in / at]; (古) […を求めて] うめく (for) ‖ *groan* (out) *with* pain 〈人が〉[不満・怒りなどで/…のことで] ブーブー言う (+on) [with / about, over]. 3〈物が〉きしむような音を立てる, […で] きしむ (with); [比喩的に] 重くてうなるほど […で] いっぱいである (with) ‖ *a shelf (which is) groaning with books* ぎっしり本の乗っている本だな / *The roof of the hut groaned under the weight of the snow.* 小屋の屋根は雪の重みでミシミシと音を立てた. 4〈人が〉[…の重圧に] あえぐ, 苦しむ (under, beneath) ‖ *groan under injustice* 不当な仕打ちで苦しむ.
—名C 1 (低く短い) うめき声, うなり声 (→ moan) ‖ give a *groan* of despair 絶望してうめく. 2 (通例 ~s) 不平 [嘲笑] の声.

†**gro·cer** /gróusər/ 名C 食料雑貨店主 [店員] 《grocery (store) の経営者またはそこで働く人》‖ *Will you get me some salt at the grocer's* (shop)? 食料雑貨店で塩を買ってきてくれませんか.

* **gro·cer·y** /gróusəri/ [卸売りをする (groc) 人 (er) の店 (y)]
—名 (複 **-ies**/-z/) 1 C (主に米) =grocery store. 2 C [groceries; 複数扱い] (grocery store で売られる) 食料雑貨類 《flour, coffee, sugar, rice, matches, soap など》 ‖ *a bag* [*box*] *of groceries* 1袋 [1箱] の食料品. 3 U 食料雑貨販売業.

grócery stòre 食料雑貨店 ((英) grocer's (shop)) 《乾物・かん詰め・日用雑貨類などを売る. cf. green-grocery》.

grog /grág | gr5g/ 名U グロッグ 《ラム・ウイスキーなど強い酒の水 [湯] 割り》; (豪略式) (一般に) アルコール飲料.

grog·gy /grági | gr5gi/ 形 (通例 **-gi·er**, **-gi·est**) (略式) (疲労・病気・衝撃・睡眠不足で) 足元がふらつく, グロッキーの; 意識がもうろうとして.

†**groom** /grúːm, grúm/ 名C 1 新郎, 花婿 (bridegroom). ‖ *the bride and groom* 新郎新婦 《◆ふつうこの語順》. —動 他 1〈髪などを〉きれいに整える; 〈動物が〉…の毛づくろいをする ‖ *a well-*[*ill-*]*groomed young man* 身だしなみのよい [よくない] 若者. 2〈馬・庭などを〉手入れする. 3 (略式) 〈人を〉 […として/身分・地位につけるように] 準備させる, 仕込む (*as / for, to do*) ‖ *My parents have groomed me* [*as a doctor* [*for the medical profession*]*.* 私の両親は私を医者になるように教育した.

groom·ing /grúːmɪŋ/ 名U (皮膚・髪などの) 手入れ, 世話; (動物の) グルーミング.

grooms·man /grúːmzmən/ 名 (複 **-men**) C (英古) (結婚式の) 花婿付添い人 《◆ 付添い人が数人の時主要な人を best man という. 花嫁付添い女性は bridesmaid》.

†**groove** /grúːv/ 名C 1 (敷居などの) 溝, (レコードの) 溝, わだち, 車の跡. 2 決まりきったやり方 [生活]; 慣例, しきたり. —動 他…に溝を彫る ‖ *a grooving plane* 溝切りかんな.

†**grope** /gróup/ 動(自) (文) **1a**〈人が〉〈物を〉手探りで捜す (feel) (+*about*) [*for, after*]. **b**〈人が〉〈場所へ〉手探りで進む; […を] 模索する [*to, toward*]. 2〈人が〉〈事を〉探究する, 捜し求める [*for, after*].
—名C 手探り (すること).

* **gross** /gróus/ (類音 gloss /gl5(:)s/)
—形 1 [名詞の前で] **総計の**, 全体の (total), 全部の, 風袋込みの 《◆ (1)「正味の」は net. (2) 比較変化しない》 ‖ *gross sales* 総売上高 / *gross demand* 総需要 / *a gross prófit* 総利益 / *the gross weight* 総重量. 2 (正式) [通例名詞の前で] [強意語として] **ひどい**, はなはだしい (very bad), まぎれもない 《◆ 好ましくない意の名詞を修飾》 ‖ *a gross mistake* ひどい誤り / *The accident was caused by her gross carelessness* [*negligence*]*.* その事故は彼女のまったくの不注意によるものだった. 3 肥満体の (very fat). 4 [通例名詞の前で] 〈人・言葉・態度などが〉粗野な, 荒い, 下品な (rude); 無知な, 野蛮な.
—名 (複 1で ~·es, 2で gross) **1** (正式) [the ~] 総計, 合計. 2 C グロス 《12ダース, 144個. (略) gr.》 ‖ *two gross of pencils* 鉛筆2グロス / *I ordered five gross of nails.* 私はくぎを5グロス注文した.
by the gróss (1) グロス単位で. (2) 卸で; 大量に. (3) 全体として, 一般に.
in ((米)) **the) gróss** =by the GROSS (2), (3).
—動 他 (経費込みで) …の総収益をあげる ‖ *The company grossed $2 billion.* その会社の総収益は20億ドルだった.

gróss doméstic próduct 国内総生産 (略 GDP).

gróss nátional próduct 国民総生産 (略 GNP).

gross·ness /gróusnis/ 名U 1 はなはだしさ. 2 粗野, 下品. 3 肥大. 4 愚鈍.

gross·ly /gróusli/ 副 1 たいへん, ひどく 《◆ 好ましくない意の形容詞を修飾》. 2 (正式) 粗野に, 下品に.

†**gro·tesque** /groutésk, (英+) grə-/ 形 (時に ~·st) (正式) 怪奇な, 異様な, 風変わりな (strange-looking) 《◆ 不自然に形がゆがみ, 恐れまたは笑いをさそうものに用いる》 ‖ *a grotesque sight* 異様な光景.
—名 1 C 怪奇 [異様, こっけい] な人 [もの]. 2 [the ~] (美術) グロテスク模様 《人間・動植物などを異様にゆがめた模様》; (文学) グロテスク風 (悲劇と喜劇を複雑に織りまぜたもの).

gro·tesque·ly 副 (悪い意味の形容詞を修飾して) 異様に; こっけいに. **gro·tésque·ness** 名U 怪奇; こっけい.

†**grot·to** /grátou | gr5-/ 名 (複 ~(e)s) C (正式) ほら穴, 小洞窟 (どう) (small cave).

grouch /gráutʃ/ (略式) 名C 1 (通例 a/the ~) 不平, ぐち; 不機嫌 (grumble). 2 (主に米) 不平屋.
—動 (自) […について] 不平を言う (*about*); 不機嫌である.
gróuch·y 形 不平を言う, 不機嫌な.

‡**ground**¹ /gráund/ (類音 grand /gráend/)
[『土地』が本義]

ground

index 名 1 地面 2 運動場, 用地 4 根拠
動 他 1 地面に置く

―― 名 (複 ~s/gráundz/)
I [土地の表面]
1 Ⓤ [しばしば the ~] 地面, 地表; 土地(land); 土, 土壌 ‖ **on** [**over, in, under**] *the ground* 地面に[地面を覆うように, 地中に, 地下に] / *a small piece of ground* =*a bit* [*patch*] *of ground* 小さな土地.

II [目的を持った土地・場所]
2 Ⓒ [しばしば ~s] 運動場, グラウンド;[複合語で](特定の目的に用いられる)場所, 用地, 敷地 ‖ *a play ground* 遊園地 / *a picnic ground* ピクニック場 / *a baseball ground* 野球場 / *hunting grounds* 猟場.

3 [~s; 複数扱い] (建物の周囲にある塀・生垣に囲まれた)庭, 庭園, 構内 ‖ Keep off the *grounds* [*premises*]. 敷地内に入るべからず.

III [根拠・土台]
4 Ⓤ Ⓒ [しばしば ~s] […の/…という/…する]根拠, 理由, 原因 [*for* / *that* 節 / *to do*]; 基礎, 基盤, 前提 ‖ **on** (**the**) **ground**(**s**) **of** her illness =*on* (*the*) *ground*(*s*) *that* she is ill 彼女は病気であるという理由で(=because she is ill) / You have no *grounds for* accusing Mary of breaking your new CD player. 新しいCDプレーヤーを壊したといってメリーを責める理由は君にはない.

IV [見地]
5 Ⓤ 立場, 見地, […という]意見 [*that* 節] ‖ common *ground* 共通の立場 / shift [change] one's *ground* 立場を変える / take the *ground that* …という意見を持つ. **6** Ⓤ (研究の)領域, 分野; 話題, 問題 ‖ forbidden *ground* 触れてはならない話題.

V [比喩的な地面]
7 Ⓒ (絵の)下塗り, 下地;(織物の)地. **8** Ⓤ 海底, 浅瀬 ‖ take [touch] *ground* 浅瀬に乗り上げる. **9** Ⓤ Ⓒ (米)(電気)アース, 接地((英) earth). **10** [~s; 複数扱い] (コーヒーなどの)かす(coffee grounds).

be abòve gróund 生きている.
be belòw gróund 死んでいる.
bréak gróund (1) 土地を耕す. (2) […の]建築を始める, くわ入れをする [*for*]; 事を始める ‖ *break fresh* [*new*] *ground* 新発見をする; 処女地を耕す; 新生面を開く.
cóver (**the**) **gróund** (1) ある距離を行く; 旅行する. (2) [野球] (選手が)守備範囲が広い. (3) ある範囲に及ぶ;(仕事などが)はかどる ‖ We have a lot of *ground* to *cover*. 話し合わねばならないことがたくさんある.
fàll [**be dáshed**] **to the gróund** 〈計画などが〉だめになる, 失敗する.
from the gróund úp 『建物の土台から上まで』初めから, 一から; 初めから終わりまで, 完全に, 徹底的に.
gáin gróund (1) 前進する, 敵を後退させる;[…に]追いつく[*on*]. (2) 成功する; 進歩する;〈病人が〉元気になる. (3) 支持[人気, 力]を得る.
gèt óff the gróund [自] (1) 〈航空機が〉離陸する. (2) (略式) 〈計画などが〉うまくスタートする. ― [他] [*get* A *off the* ~] 〈計画などを〉実行に移す.
gíve [**lóse, yíeld**] **gróund** […に]後退する, 退却する; 屈する[*to*]; 議論に負ける.
hít the gróund rúnning 活動を開始する.

hóld [**kéep, stánd**] **one's gróund** […に対して/…のため]自分の立場[主張, 意見]を固守する, 一歩も退かない[*against* / *for*].
lóse gróund (1) =give GROUND. (2) 健康状態が悪くなる. (3) 人気[力]がなくなる.
on one's **ówn gróund** (1) 自分の専門分野で. (2) ホームグラウンドで; 住み[働き]慣れたところで.
on the gróund (1) 現場で, その場で. (2) 大衆(の間)に.
rún [**drív e**] **A into the gróund** 『人や物を走らせてついには地面にへばらせる; cf. into 前 4』〈事〉をやりすぎる,〈物〉を徹底的に使う,〈人〉を徹底的にやっつける[疲れさせる].
rún A to gróund 『動物などを住みかの穴に走らせて追い詰める』〈人・物〉を探し出す.
stánd one's **gróund** =hold [keep] one's GROUND.

―― 形 [名詞の前で] **1** 地面の, 地上の. **2** 基礎の, 根本の. **3** 〈動物が〉穴居する;〈植物が〉地面に繁茂する.

―― 動 (~s/gráundz/; 過去・過分 ~·ed/-id/; ~·ing)
―― 他
I [土地の表面]
1 〈物・人〉を地面に置く;[通例 be ~ed]〈航空機が〉飛行中止する, 着陸する;(略式)パイロットに地上勤務になる ‖ *ground* arms 武器を地面に置く; 降伏する / He *grounded* his opponent. 彼は相手をノックアウトした / The plane *was grounded* because of the fog. 飛行機は霧のため離陸できなかった.
2 〈船〉を座礁させる.
3 (米)〈線〉をアースする, 接地する((英) earth).

II [根拠・土台]
4 〈人〉に[…の]基礎を教え込む[*in*] ‖ She *grounded* her students thoroughly [well] *in* English grammar. 彼女は学生に英文法の基礎を徹底的に[十分に]教え込んだ.
5 (正式) [ground A on [in] B] 〈人などが〉A〈事〉の基礎[根拠]を B〈事〉に置く(base);〈理論など〉を確立する ‖ My argument is *grounded on* facts. 私の議論は事実に基づいている.
6 (米略式) 〈人〉に[…のことで]外出を禁ずる[*for*].

―― 自 **1** 〈船が〉座礁する; 海底に達する. **2** [野球] ゴロを打つ; ゴロを打ってアウトになる(+*out*) ‖ *ground out* to shortstop ショートゴロでアウトになる.

gróund clòth (米)(キャンプなどで)地面に敷く防水布 ((英) groundsheet).
gróund contròl (航空機・宇宙船などの)地上操作[管制](員)〈全体〉.
gróund còver 地面に繁茂する植物.
gróund crèw (米)(飛行場の)地上整備[勤務]員〈全体〉; グランド[競技場]整備員〈全体〉((英) ground staff).
gróund flóor (1) 1階(first floor) ‖ My office is *on the ground floor*. 私のオフィスは1階にあります. (2) (略式) 第1段階から参加しての有利な立場 ‖ get [be] in *on the ground floor* 最初から加わって有利な立場に立つ[ある].
gróund operàtion [軍事] 地上作戦.
gróund pollùtion (埋めたゴミによる)土壌汚染.
gróund rùle dóuble [野球] エンタイトル=ツーベース 《*entitled two-base hit* とし ない》.
gróund stàff (英) =ground crew.
gróund stròke [テニスなど] グランドストローク《地面ではずんだ球を打つこと》.
gróund zéro (核爆弾の)爆心地.

ground² /gráund/ 動 grind の過去形・過去分詞形.
— 形 **1** ひいて粉にした ‖ *ground* rice 米の粉. **2** すった, 研いだ; すってざらざらした.

gróund gláss すりガラス. (研磨材料用の)ガラスの粉.

ground·break·ing /gráundbrèikiŋ/ 名 ⓤⓒ くわ入れ(式), 起工式. — 形 パイオニア的な, 斬新的な.

ground·er /gráundər/ 名 ⓒ [野球・クリケット] ゴロ.

ground·hog /gráundhɔ̀:g/ 名 ⓒ (米) (動) ウッドチャック.

Gróundhog Dày 聖燭(せいしょく)節の日(2月2日. ウッドチャックが冬眠から覚め, この日を境にして春が来るとされ「啓蟄」に当たる.

ground·less /gráundləs/ 形 (正式) 根拠[理由]のない, 事実無根の ‖ Your fear is *groundless*. あなたの不安は杞憂(きゆう)にすぎませんよ.

ground(s)·keep·er /gráund(z)kì:pər/ 名 ⓒ (米) 球場[公園, 墓地]管理人(英) ground(s)man).

ground(s)·man /gráun(z)mən/ 名 (英) = ground(s)keeper.

ground·wa·ter /gráundwɔ̀:tər, -wɔ̀:tər | -wɔ̀:tə/ 名 ⓤ 地下水.

ground·work /gráundwɜ̀:rk/ 名 ⓤ **1** [the ~; 主に比喩的に] 基礎, 土台, 第一段階 ‖ lay the *groundwork* for ... …の基礎を築く. **2** (絵などの)下地.

G **ːgroup** /grú:p/ [『束』が原義]
— 名 (複 ~s/-s/) ⓒ **1集団**, 集まり, 群れ, グループ; [a ~ of + 複数名詞; 単数・複数扱い] 一団の(人・物など) (→文法 14.2(5)) ‖ How many (are there) in your *group*? (レストランなどで)ご一行は何名様ですか / A *group* of boys was [were] playing in the park. 少年の一団が公園で遊んでいた 《◆ there 構文ではふつう単数動詞で呼応: There was a *group* of boys playing …》 / They formed themselves in *groups* of ten. 彼らは10人ずつのグループに分かれた. **2** [複合語で] …グループ, 派, 分派, ポップグループ, 同系列の会社.
— 動 他〈人が〉〈人・物〉を一団[集団]にする, 一箇所にまとめる(+*together*); …を[…と]一緒にする(*with*); …を[…に]分類する(*into*) ‖ The captain *grouped* the members of his team around him. そのキャプテンはチームのメンバーを自分のまわりに集めた.
— 自 〔…の回りに〕群がる(*around, round*); 一箇所にまとまる(+*together*).

gróup càptain [しばしば G~ C-] (英) 空軍大佐(略 Gp. Capt.) ((米) colonel) (◆呼びかけも可).

gróup insùrance 団体保険.

gróup práctice (専門の違う医師が共同で行なう)グループ診療(チーム).

gróup thérapy [医学] (精神病などの)集団療法.

group·ie /grú:pi/ 名 ⓒ **1** グルーピー(ロックグループなどについて回る少女親衛隊), (有名人につきまとう)ファン. **2** (主に米略式) 「…グループ(Group)」の名をもつ企業体, 事業団.

group·ing /grú:piŋ/ 名 ⓤ (通例 a/the ~) グループ分け, 分類; ⓒ グループ.

†**grouse** /gráus/ 名 (複 grouse, [種類] ~s) ⓒ (鳥) ライチョウ (◆(英)では猟鳥として北部の荒野にいる red grouse を指す); ⓤ その肉.

*****grove** /gróuv/
— 名 (複 ~s/-z/) ⓒ (文) **1** 小さな森, 木立ち (◆ふつう下草を刈り取ったあと, 遊びなどに適したところで, 一般に wood(s) より小さい. 妖精が住むとされる) ‖ a picnic *grove* ピクニック向きの木立ち. **2** (主に柑橘(かんきつ)類の)果樹園 (◆ 主に非柑橘類の果樹園は orchard という) ‖ an orange *grove* オレンジ園. **3** [通例 G~] [通りの名称として] …並木道路.

†**grov·el** /grʌ́vl, grɑ́:vl | gró:vl, grʌ́vl/ 動 (過去/過分) ~ed or (英) grov·elled/-d/; ~ing or (英) ~el·ling) 自 **1**〈人が〉(へりくだって, 恐れて, 許しを求めて)〔人の前に/人の足もとに〕ひれ伏す, 屈服する(*before/at*). **2**〈人が〉〔人〕にぺこぺこする, 卑屈にふるまう(*before, to*).

ːgrow /gróu/ (類音) glow /glóu/) [『植物が生長する』が原義. cf. grass] (派) growth (名)
— 動 (~s/-z/; 過去 grew/grú:/, 過分 grown /gróun/; ~·ing)

I [増える]
1 〔…の点で〕**増える**(*in*); 〔…に〕発展する, 発達する(*into*); 〈心配などが〉つのる; 〈友情・勢力などが〉強くなる ‖ Tom has *grown* in strength. =Tom has *grown* stronger. トムは体力がついてきた.

II [大きくなる]
2 〈人・動植物などが〉〔…から/…に〕**成長する**, 生長する, 大きくなる, 育つ (*from / into, to*); 〈草木が〉生い茂る, 生える; 〈つめ・髪などが〉伸びる; 〈種子が〉発芽する (+*out*) ‖ The Japanese cypress *grows* only in Japan. ヒノキは日本にしか自生しない / My son *grew* 5 inches last year. うちの息子は去年身長が5インチ伸びた / Her hair *grew back*. 彼女の髪は元の長さまで伸びた / Love is the rich soil from which good education *grows*. 愛とはよい教育が育つ豊かな土壌である / Money doesn't *grow* on trees. (主に英略式)金は木にはならない; 金は手に入れにくい.

III [ある状態になる]
3 〔(正式)[grow C]〈人・物・事が〉〈C(の状態)になる (become) 《◆ C は主に cold, faint, fat, dark, loud, thin, calm, old, tall などの形容詞》; [grow to be C / grow to do (次第に) …**するようになる** ‖ Her face *grew* pale when she heard the news. 彼女はその知らせを聞いたとき, 顔が真っ青になった / Redwood trees can *grow* to be more than one-hundred meters high. セコイアの木は100メートル以上の高さになる / You will *grow to* like her. あなたは彼女が好きになるだろう 《◆ get to do より堅い言い方》.

> 使い分け [**grow to be** と **grow up to be**]
> *grow to be* は *get to be* と同じで単に「…になる」意.
> *up* がつくと「大人になって」の意を含む.
> He *grew to be* a very unsociable man. 彼は人付き合いがとても悪くなった.
> He *grew up to be* a very unsociable man. 彼は大人になると人付き合いが悪くなった.

— 他 **1**〈人が〉〈農作物〉を**栽培する**, 育てる, 産出する; 〈髭・ひげなど〉を伸ばす, 生やす; 〈植物〉が〈根〉を張る; 〈ヘビなど〉〈新しい皮〉に抜け替わる ‖ He *grew* a beard [moustache] during his first semester at college. 彼は大学の前期の間にひげ[口ひげ]を生やした. **2** [be grown]〈場所に〉〔…が〕生い茂っている (*with*) ‖ The garden *was grown* over *with* weeds. 庭には雑草が生い茂っていた. **3**〈習慣など〉を身につける.

grower

grów dównward [自] (1) 下の方に伸びる. (2) 減少する.
grów ín [自] 内側へ伸びる；〈髪などが〉元の長さで伸びる；[…に]食い込む[to].
grów into A (1) → 他 1, 2. (2) 〈人が〉〈服〉などに合うほどに大きくなる[成長する]. (3) 〈仕事など〉に慣れる, 適するようになる.
grów on [**upòn**] A [〈人(の心)〉に育つ →] しだいに大きくなって人の心に迫ってくる; cf. on 前 11] (1) 〈習慣などが〉〈人〉にだんだん募って[高じて]くる. (2) 〈人〉が気に入るようになる, 心を引くようになる 《◆受身不可》‖ I didn't like mathematics at first, but it has *grown* on me. 最初数学が嫌いだったがだんだん好きになってきた. (3) → 自 2.
grów òut of A (1) 〈人が大きくなって〉〈服〉が着られなくなる. (2) 〈人が〉成長して〈癖などが〉なくなる. (3) [~ *out of doing*]…しなくなる. (4) …から生じる[起こる]《◆受身不可》.

***grów úp** [自] (1) **成長する**, 大人になる；大きくなって…になる[*into, to* be] 使い分け → 自 3》 《◆対応する他動詞は bring up》‖ *Grow* up! 大人になさい, 子供じみたまねはもうやめなさい / What do you want to be when you *grow* up? 大人になったら何になりたいかい / Peter Pan is a boy who never *grows* up. ピーターパンはまったく大きくならない男の子だ. (2) 〈友情などが〉芽生える, 〈習慣などが〉生じる. (3) 上へ伸びる.

grówing pàins [複数扱い] (1) 成長期の手足の痛み. (2) (新計画などの) 初期の苦しみ[困難]. (3) 青春の悩み.

†**grow·er** /ɡróuər/ 名 ⓒ [通例複合語で] **1** 〈市場に出す〉野菜・穀物の〉栽培者, 農場主 ‖ an apple-*grower* リンゴ栽培者. **2** …生植物 ‖ a slow [fast] *grower* 晩[早]生植物.

†**growl** /ɡrául/ 動〈動物が〉[…に向かって](ウゥッと)うなる[*at*], 〈人が怒ってがみがみ言う, […に]がみがみ(不平などを)言う[*at*] (cf. grunt); 〈雷・腹などが〉ゴロゴロ[グーグー]鳴る, とどろく ‖ be *growling* with hunger 空腹でお腹がごろごろ鳴っている. ― 他 […に]怒った声で言う, どなる(+*out*)[*at*] ‖ *growl* (*out*) a command どなりつけて命令する.
― 名 ⓒ [通例 a ~] うなり声, ほえ声; どなり声, 不平の声 ‖ give an angry *growl* 怒り声を立てる.

*****grown** /ɡróun/ 同音 (groan)
― 動 grow の過去分詞形.
― 形 [名詞の前で] 大人の (adult), 成長した; [複合語で] …の生い茂った; …栽培の 《◆比較変化しない》‖ a *grown* man 大人 / a weed-*grown* garden 雑草の生い茂った庭.

*****grown-up** /ɡróunʌ́p/
― 形 [通例名詞の前で] **成人した**, 成人向きの; 大人らしい ‖ My *grown-up* son is studying abroad now. 私の成人した息子は留学しています.
― 名 (複 ~s/-s/) ⓒ 成人, 大人《◆ adult よりくだけた語. 特に子供に向かって, または子供によって用いられる》.

*****growth** /ɡróuθ/ [→ grow]
― 名 (複 ~s/-s/)

I [進展・増加]
1 Ⓤ **発展, 発達**; [a/the ~] **増加**, 増大; 拡張, 伸び ‖ the *growth* of Japan's population 日本の人口の増加 / the economic *growth* rate 経済成長率 / 日本発》 Japan's high economic *growth* between 1955 and 1973 made it possible for the country to become a leading industrial nation. 日本は1955年から73年ごろの高度経済成長によって先進工業国の仲間入りを果たしました.

II [育つこと]
2 Ⓤ **成長**, 生長, 発育, 成熟 ‖ The *growth* of my son is my whole life. 息子の成長が私の人生のすべてである / To observe the *growth* of tomatoes is my homework during the summer vacation. トマトの生長を観察するのが夏休み中のぼくの宿題です《◆ the *growing* of tomatoes は [トマトの栽培] 》 文法 14.4》 / reach (one's) full *growth* 十分に成長する.

III [ものの生育]
3 Ⓤ 栽培, 産出 ‖ bananas of foreign *growth* 外国産のバナナ.

IV [育ったもの]
4 Ⓒ [通例 a ~] 茂る, 生えた[伸びた]もの〈草木・髪・ひげ・つめなど〉; [医学] 腫瘍(しゅよう) ‖ a week's *growth* of beard 1週間伸びたあごひげ.

grówth hòrmone 成長ホルモン.
grówth industry [còmpany] 成長産業[会社].
grówth recèssion 不景気, 成長率の鈍化.
grówth stòck(s) [shàres] 成長株.

†**grub** /ɡrʌ́b/ 名 **1** ⓒ (コガネムシ・カブトムシなどの)幼虫, 地虫. **2** Ⓤ (略式) 食物 (food).
― 動 (過去・過分) grubbed/-d; grub·bing) 他〈根など〉を掘り出し, 取り除く(+*up, out*); 〈地面〉を掘り返す, 〈土地〉を掘って根株をとる. ― 自 土地を掘り返す, 根を掘り出す(+*on, along, about, around, away*); 土地を掘って[…を]捜し回る[*for*].

grúb scrèw 止めねじ.

grub·by /ɡrʌ́bi/ 形 (--bi·er, --bi·est) (略式) **1** 汚い; だらしない. **2** ウジのわいた.

†**grudge** /ɡrʌ́dʒ/ 動 **1 a** [grudge A B] 〈人が〉〈人〉に B 〈物〉を与えるのを惜しむ, しぶしぶ与える. **b** 〈人が〉〈物〉を惜しむ; [grudge *doing*] …することを惜しむ ‖ My father *grudged* me nothing. 父は私に何も惜しまなかった. **2** …をねたむ; [grudge A B = grudge B to A] 〈人が〉 A 〈人〉 の B 〈物・事〉をねたむ, ねたんで憎む.
― 名 ⓒ (侮辱などに対して抱く) [人に対する] 恨み, 怨(えん)恨, 悪意[*against*](→ malice).
béar [**hàve, hárbor, núrse,** (米) **hòld**] **a grúdge agàinst** A = **béar** [**òwe**] A **a grúdge** 〈人〉に恨みを抱く.

†**grudg·ing·ly** /ɡrʌ́dʒiŋli/ 副 いやいやながら, しぶしぶ.

gru·el /ɡrúːəl/ 名 Ⓤ (湯または牛乳で料理した)薄いかゆ, (主に病人用の)オートミールがゆ.

gru·el·(l)ing /ɡrúːəliŋ/ 形 へとへとに疲れさせる, 厳しい.

grue·some, grew· /ɡrúːsəm/ 形 ぞっとするような, 恐ろしい. **grúe·some·ly** 副 ぞっとさせて, 恐ろしく.

†**gruff** /ɡrʌ́f/ 形 **1** 〈声が〉しわがれた, どら声の. **2** 〈人・態度が〉荒々しい, 粗野な.
grúff·ness 名 Ⓤ 粗暴さ; ぶっきらぼう.
grúff·ly /ɡrʌ́fli/ 副 荒々しく; ぶっきらぼうに.

†**grum·ble** /ɡrʌ́mbl/ 自 **1** (怒って小声でぶつぶつと) 〈人が〉[人に/物・事に(ついて)]不平を言う, 不満[苦情]をもらす[*to, at / about, at, over*] (cf. complain) ‖ My parents *grumbled at* me about my poor grade(s) in English. 私の両親は私の英語の悪い成績に文句を言った《◆ grade は1ごとの悪い成績も, grades (複数形) は繰り返された悪い成績を意味する》. **2** (文) 〈雷・腹などが〉ゴロゴロ[グーグー]鳴る ‖ I was so hungry that my stomach *grumbled*. 私はとてもおなかがすいていたので胃がグーグー鳴っ

た. ― 他 〈人が〉〈…だと〉不平を言う〔that節〕;〈人が〉…を不平がましく言う(+out) ‖ *grumble* (*out*) a reply 不満そうに返事をする. **2** [the/a ~] ゴロゴロ[グーグー]いう音.
grum·bler /grʌ́mblər/ 名 © 不満を言う人, 不平屋.
grump·y /grʌ́mpi/ 形 (-i·er, -i·est) 《略式》機嫌の悪い, 気難しい.
grúmp·i·ly 副 むっつりと, 不機嫌に.
Grun·dy /grʌ́ndi/ 《Thomas Morton 作の喜劇中の人物から》名 [通例 Mrs. ~] 世間的なしきたりにやかましい人;世間(の口).
Grún·dy·ism 名 ⓤ 《主に英》世間体を気にすること.
†**grunt** /grʌ́nt/ 動 © **1**〈ブタ・ラクダなどが〉ブウブウ鳴く;〈物が〉ブウブウ音を立てる. 関連 [鳴き声の表現] ウマ neigh / ウシ low / ヒツジ・ヤギ baa, bleat. **2**〈人が〉ぶうぶう言う, 不平を言う[〈がみがみ言う〉は growl〕. ― 他〈人が〉…を[…だと]ぶうぶう言う(+out)〔that節〕. ―名 © (ブタ・人の)ブウブウいう声[不平].
grúnt·er 名 © 不平を言う人;ブウブウいう動物, 豚.
grúnt·work /grʌ́ntwə̀ːrk/ 名 ⓤ 《米略式》退屈で骨の折れる仕事[=donkeywork].
gryph·on /grífn/ 名 =griffin.
G-string /dʒíːstrìŋ/ 名 © **1** 《音楽》(弦楽器の)G線, ゲー線. **2** Gストリング《後部がひも型のショーツ》.
Gt Br., Gt Brit. Great Britain.
gtd. (略) guaranteed.
Guam /gwáːm/ 名 グアム島《Mariana 諸島中の最大の島. 米国領》.
†**guar·an·tee** /gærəntíː/ 名 **1 a** © 《品質・物事の危険・損害などに対する/…する/…という》保証(となるもの) 〔*for, on* / *against* / *to do*〕;©ⓤ 保証契約 ‖ There is a year's *guarantee* on this toaster. このトースターには1年間の保証が付いている / I give you a *guarantee* that the train will arrive on time. 列車は間違いなく定刻に到着します. **b** © 保証書;担保(物件);《略式》〔結果などを〕保証するもの〔*of*〕 ‖ a written *guarantee* 保証書 / Fame is no *guarantee* of happiness. 名声は幸福を保証するものではない. **2** © 保証人, 引受人;被証人(guarantor) ‖ I will be [act as] your *guarantee*. 君の保証人になりましょう.
be [stánd] guarántee for A …の保証人である[になる].
― 他 **1**〈人が〉〈商品など〉を保証する;〈人に〉〈…に対する〉保証をする〔*against*〕;《略式》〔…すると〕約束する〔◆ *promise* より強意的〕〔*to do, that*節〕 ‖ We *guarantee* this toaster for a year. このトースターは1年間の保証付きです / Fame does not *guarantee* happiness. 名声は幸福を保証するものではない / He *guaranteed* his slaves freedom. = He *guaranteed* that he would free his slaves. 彼は奴隷を自由にしてやると約束した. **2** [guarantee A *to do*]〈人が〉A〈商品〉を…すると保証する;[guarantee A C] A〈商品〉が C であると保証する;[guarantee A B =guarantee B *to* A]〈人が〉A〈人〉にB〈事〉を約束する;《略式》[be guaranteed *to do*] きっと…する. ‖ I guarantee this watch to keep perfect time. この時計は絶対に狂わないと請け合いだ / The prisoner was fully *guaranteed* his liberty. 捕虜の自由は完全に保証された(=The prisoner's liberty was fully *guaranteed*).
†**guar·an·ty** /gǽrənti, -ti/ 名 **1** 保証, 請合い;保証契約. **2** 担保物件.
***guard** /gáːrd/ (発音注意)(類音) gird /ⓤ「守

る(人)」が本義〕 (略) guardian (名)
― 動 (~s/gáːrdz/;(過去・過分) ~·ed/-id/; ~·ing)
―他〈人・物〉を〔…から〕守る, 保護する〔*against, from*〕;〈人・場所・動物〉を見張る, 監視する ‖ The security police *guarded* the prime minister *against* [*from*] the attacks of the rowdies. 保安警察は首相を暴漢の襲撃から守った. **2**〈言葉〉を慎む, …に注意する;〈感情などを〉を抑制する.
― 自《正式》[guard against A]〈人が〉…に用心する, 警戒する《◆ 修飾語(句)は省略できない》 ‖ We must *guard against* infection from a bad cold. 私たちはひどいかぜに感染しないように用心しなければなりません.
― 名 (複 ~s/gáːrdz/)
I [守る人]
1 © 護衛者, 保護者;番人, 守衛, 監視人, ガードマン《◆ ×guard man とはいわない》;《米》看守《英》warder);《軍事》歩哨(ʃɔ́ː);[the ~;単数・複数扱い] 護衛兵[隊], 守備隊;[the Guards;複数扱い]《英国などの》近衛隊 ‖ the *guard* of honor =the honor *guard* 儀仗(gí) 兵.
2 © 《英》(列車の)車掌《《主に米》conductor);《米》(列車の)制動手(brakeman).
II [守ること]
3 ⓤ 見張り, 監視;[時に a ~]〔…に対する〕警戒, 用心〔*against*〕 ‖ be *únder clóse* [*ármed*] *gúard* 厳重に[武器で脅されて]監視されている / *kèep gúard on* 〔*over*〕 …を見張る.
III [守るための道具・手段]
4 © 保護[防護]物, 安全装置《刀のつば・暖炉の炉格子・時計の鎖など》 ‖ the *guard* of a sword 刀のつば / a catcher's shin *guard* 捕手のすね当て / a mud *guard* (自転車などの)泥よけ(➔文法14.5).
5 ⓤ 《スポーツ》ガード(姿勢);〔アメフト〕ガード(図) = American football.
móunt [stánd] gúard 〔…の〕見張りに立つ〔*on, over*〕.
*̀**off** (one's) **gúard** 〔攻撃などに〕油断して〔*against*〕 ‖ be caught *off guard* 不意をつかれる.
*̀**on** (one's) **gúard** 〔攻撃などに〕用心して〔*against*〕 ‖ You'd better stay *on your guard*. 油断してはいけません(=You'd better watch out.).
the Chánging of the Gúard《英国バッキンガム宮殿》の衛兵交替;[比喩的に] 政権(指導者)交替.
guárd bòat 監視〔巡視〕船.
guárd chàin (時計などの)留め鎖.
guárd dòg 番犬, 防犯犬.
guárd dùty 警備勤務.
guárd's vàn 《英》(貨物列車の最後尾の)乗務員車(《米》caboose).
guard·ed /gáːrdid/ 形 **1** 監視[保護]された. **2**〈人・言葉が〉〔…の点で〕慎重な, 用心[注意]深い〔*in*〕.
guard·house /gáːrdhàus/ 名 © **1** [通例 a/the ~] 衛兵[警衛]所. **2** 留置場, 営倉.
†**guard·i·an** /gáːrdiən/ 名 © **1** 保護者, 守護者;保管者, 管理者;〔法律〕(未成年者・禁治産者などの)後見人. **2** [the G~]『ガーディアン』《英国の新聞》.
guárdian ángel 守護天使;助けてくれる人.
guard·i·an·ship /gáːrdiənʃìp/ 名 ⓤ 時に a/the ~];(未成年者の)後見人の職務;保護.
guard·rail /gáːrdrèil/ 名 © 手すり, ガードレール.
guard·room /gáːrdrùːm/ 名 © 衛兵[警衛]所;留置場.
guards·man /gáːrzmən/ 名 (複 --men) © 《米》

Guatemala

Gua·te·ma·la /gwὰːtəmάːlə, (英+) gwæ̀-/ 图 グアテマラ《中米の共和国。首都 Guatemala City》.
Gùa·te·má·lan 形图C グアテマラ(人)の; グアテマラ人.

gua·va /gwάːvə/ 图C【植】グアバ, バンジロウ; その果実《生で食べたりジャム・ゼリー・ジュースなどにする》.

Guern·sey /gə́ːrnzi/ 图 (2, 3 で 複 ~s) 1 ガーンジー島《イギリス海峡の島》. 2 C【動】ガーンジー種の乳牛. 3 [g~] C ガーンジージャケット《主に水夫用の毛編みで厚手のセーターまたはシャツ》.

gue(r)·ril·la /gərílə/《区別するために /ɡerílə/ と発音することもある》 图C ゲリラ兵, 遊撃兵. **gue(r)rílla wár(fàre)** ゲリラ戦.

*** guess** /ɡés/ 『「得(get)ようとする」が原義』
——動 (~·es/-iz/; 過去·過分 ~ed/-t/; ~·ing)
——他
I [推測する]
1 〈人が〉〈年齢·高さなど〉を推測する; [guess that 節 / guess wh 節] …と[…かと]推測する ‖ Can you *guess* her age? =Can you *guess what* her age is? =Can you *guess how* old she is? 彼女の年齢を推測できますか / I *guess* his age at [as] 40. =I *guess that* he is 40. 彼は40歳だと思います.
2 〈人が〉〈なぞなど〉を解き当てる, …の答えを言い当てる; 〈答えなどを〉言い当てる, 考えつく ‖ *Guess* what I am. 私が何だか当ててごらん《◆なぞなぞの決まり文句》.
II [思う]
3 (米略式) [I ~] (根拠はないがなんとなく)[…だと]思う, (英) I (should) think) [that 節]《◆進行形不可》 ‖ I *guess* (*that*) it will rain tomorrow. あしたは雨が降るでしょう《◆明確な推測でなく, 軽く[なんとなく]そう思うこと》 / I *guess* not. (前言を受けて)そうではないでしょう《◆肯定は So I *guess*. / I *guess* so.》
——自 […を]推測する[*at, about*]; 言い当てる ‖ You've *guéssed* right [wróng]. あなたはずばり言い当てた[あなたの推測ははずれた] / I *guéssed at* her age. 彼女の年齢を当ててみようとした.
gùess whát (略式) (1) [話の切り出しに用いて] あのねえ, ほらあのことだけど ‖ 〘対話〙 "*Guess what*!" "What?" "John is sick." 「あのねえ」「うん?」「ジョンが病気なんだ」. (2) [挿入的に用いて] (びっくりするような話の前置きに使って) 想像してごらんよ, とんでもない事だけど ‖ He remarried, and *guess what*. He remarried his first wife. 彼はまた結婚したんだ. それもよりによって, 最初の奥さんとさ.
kéep A guéssing (略式) (情報を提供せずに)〈人〉を不安にして[はらはらさせて, 気をもませて]おく, 〈人〉に真実[計画]を知らさないでおく.
——图 (複 ~·es/-iz/) C […との/…という] 推測, 推量, 憶測[*at/about*] ‖ miss one's *guess* 推測[あて]がはずれる ‖ hàve [màke, tàke] a *guéss* [*at* his success [*that* he will succeed] 彼が成功するだろうと推測する / Your *guess* is as good as mine. (略式) あなたがわからないように私もわかりません / My *guess* is that Mary won't have a passing mark. メリーは合格点が取れないと思います (=I *guess* (that) Mary won't have …) / I will give you three *guesses*. 君に3回言ってよい.
ánybody's [**ányone's**] **guéss** (略式) 予測しがたいこと; (推測できても)断定できないこと ‖ What will happen tomorrow is *anyone's guess*. 明日何が起こるかだれにもわからない《◆ what は疑問詞》.
at a (**róugh wíld**) **guéss** (英略式)だいたいの見当では《◆主に数量を言うときに用いる》.
by guéss 推量で.
guess·work /ɡéswə̀ːrk/ 图U 当てずっぽう(の意見·判断).

*** guest** /ɡést/ (同音 guessed) 『「よその人」が原義』
——图 (複 ~s/ɡésts/) 1 (招待された)客(→ customer); (式などの)賓客, 来賓; (テレビなどの)特別出演者, ゲスト; (クラブなどの)臨時会員; 入場料[食事代]を(他人に)払ってもらう人 ‖ a *guest* singer ゲスト歌手 / make a *guest* appearance ゲスト出演する / We had *guests* for [to, at] dinner yesterday. 家ではきのう夕食に客を招待した. 2 (ホテル·下宿などの)泊まり客, 宿泊人 ‖ a paying *guest* 宿泊人, 下宿人.

> **使い分け** [guest, visitor, customer]
> guest は「もてなしを受ける個人の客やホテルの客」.
> visitor は「何らかの用があって訪れてくる人か泊まり客」.
> customer は「商店などの客, 買い物客」.
> We are expecting guests [visitors, ˣcustomers] this evening. 今夜はお客さんをお待ちしています.
> Kyoto has many visitors [ˣcustomers, ˣguests] in autumn. 京都は秋にはたくさんの観光客が来ます.
> The supermarket was crowded with customers [ˣvisitors, ˣguests]. スーパーは客で込んでいた.

Bé my guést! (略式) (1) [人から頼みを受けて快諾する言葉] どうぞご自由に, いいですとも, ご遠慮なく《◆使い[召し上がり]ください》 〘対話〙 "Can I ask for a second helping of soup?" "*Be my guest*!" 「スープのお代わりをいただいてもよろしいですか」「いいですとも, どうぞ」. (2) [レストランなどで人をもてなすときに] (勘定を)私が持たにさせてください. (3) (戸口などで)どうぞお先に.
guést of hónor 主賓.
——動自 (主に米)[ラジオ[テレビ]番組に]ゲストとして出演する[*on*].
guést bòok 宿帳, 宿泊者名簿; [コンピュータ] ゲストブック《ウェブサイトの閲覧者がコメントを書けるページ》.
guést night (クラブなどで)会員でない人を同伴してもよい夜のパーティー.
guést ròom 客室; 客用の寝室.
guést wòrker [遠回しに] (短期間滞在の)外国人労働者.
guest·house /ɡésthàus/ 图C 客用の離れ, 「迎賓館」.

Gue·va·ra /ɡəvάːrə, gei-/ 图 ゲバラ《Ernesto /eərnéistou/ ~ 1928-67; キューバの革命家. 通称 Ché Guevara》.

guf·faw /ɡʌfɔ́ː, ɡə-/ 图C ばか笑い, ゲラゲラ, ゲタゲタ. ——動自 […について]ばか笑いする[*at*].

GUI 略 [コンピュータ] graphical user interface グラフィカル=ユーザーインターフェース.

Gui·an·a /giǽnə, -άːnə, -énə, gai-/ 图 ギアナ《南米北東部大西洋岸の地方》.

†guid·ance /ɡáidns/ 图1U 案内, 指導, 手引き, 指図, 忠言; 学生指導, 補導, ガイダンス ‖ give him several words of *guidance* 彼をいろいろ指導する /

under the guidance of ... …の指導のもとに. **2** [a ~] 案内する[導く]もの. **3** ⓤ (レーダーなどによる)ロケット[ミサイル]の誘導.
guídance còunselor (生活指導の)カウンセラー.
guídance ràdar《軍事》ミサイル誘導レーダー.
guídance sỳstem (コンピュータによるミサイルなどの)誘導システム.

⁝**guide** /gáid/ 〖「世話する人」が原義〗⦅覆⦆ guidance (名)
—**動** (~s /gáidz/; 過去・過分 ~d /-id/; guiding)
—他
I [旅行などの案内をする]
1 〈人が〉〈人を〉(同行して)**案内する**, 道案内する《◆lead は「人の先に立って導くこと」》; 〈人・動物・乗物を〉[…へ]導く[*to*]; 〈人・船・国などに〉[…を]切り抜けさせる[*through*] ‖ *guide* him in [out, up] 彼を中[外, 上]へ案内する / She *guided* her business *to* success. 彼女は商売を成功させた.
II [指導する]
2 〈人の相談に乗る, 〈人を〉[…の点で]指導をする[*in*]; 〈手を〉取って書〔弾(ʰ)〕かせる ‖ My teacher *guided* me *in* my [the] choice of a university. 先生は大学選択の際に相談に乗ってくれた.
III [国を導く]
3 〈国を〉治める;〈国務を〉うまく処理する.
—**自** (道)案内する.
—**名** (複 ~s /gáidz/) ⓒ
I [指導]
1 道しるべ, 案内標識, 道標;[(…の)案内書, 手引書 (guidebook)[*to*];[(…の)点での]規準, 指導原理[*to/in*];(索引などの)見出し ‖ a *guide to* techniques and principles of English teaching 英語教育の技術と原理の手引き / Let your conscience be your *guide*. 君の良心に任せたらよい.
II [土地の案内]
2 (旅行・登山・狩猟などの)案内者, ガイド; 指導者, 教師; [通例 G~]《英》少女団員 (girl guide); ガイド《10-15歳のガールガイド指導員》 ‖ act as a *guide* 案内役をつとめる.
III [指導するもの]
3 (釣竿の)糸道(ᵗᵘ); (機械の)誘導装置.
guíded míssile 誘導ミサイル.
guíde dòg 盲導犬.
guíde ràil (窓などの)案内レール.
guíde ròpe (1)(クレーンの)抑え綱. (2)(気球などの)誘導索.
guíde wòrd (辞書の)欄外見出し語.
†**guide·book** /gáidbùk/ 名 ⓒ 旅行案内書, ガイドブック; 手引書.
guide·lines /gáidlàinz/ 名[複数扱い]〔政策・外交などの〕ガイドライン, 指針, 誘導指標[*for, on*] ‖ draw up *guidelines* ガイドラインを作成する.
guide·post /gáidpòust/ 名 ⓒ **1** 道標. **2** 指針.
Guid·er /gáidər/ 名 ⓒ《英》ガールガイド (the Girl Guides)の大人の指導者.
guid·ing /gáidiŋ/ 動 → guide.
†**guild, gild²** /gíld/ 名 ⓒ **1** (中世の商工業者の)同業組合, ギルド. **2** (一般に)同業組合; 団体, 会.
guíld sócialism ギルド社会主義《産業を国有化し労働者の代表が管理・運営するという英国20世紀初頭の社会主義思想》.
guil·der /gíldər/ 名 ⓒ ギルダー《オランダの旧通貨単

位.(略) G, GL. gulden ともいう》; ギルダー銀貨.
guild·hall /gíldhɔ́:l/ 二[名] ⓒ **1**[〔英〕時に G~] ⓒ (通例 a/the ~) (中世の)ギルド集会所. **2** ⓒ (英)(通例 a/the ~) 市役所, 町役場. **3** [the G~] ロンドン市庁.
†**guile** /gáil/ 名 ⓤ (正式) 狡猾(ᵏᵒ); 策略, たくらみ.
guile·ful /gáilfl/ 形 (正式) ずるい, 陰険な.
†**guil·lo·tine** /gíːlətin/ 名[動]+〖考案者のフランス人 J. J. Guillottin の名から〗名 ⓒ **1** [通例 the ~] ギロチン, 断頭台. **2** (紙などの)裁断機. **3** (英) [通例 the ~] (議会での)討論打ち切り (時短設定).
—**動**他 **1** 〈人を〉ギロチンで斬首する. **2** 〈紙などを〉裁断機で切る. **3** (英)〈議案の〉討論を打ち切る.
†**guilt** /gílt/ 同音 gilt) 名 ⓤ **1** 罪, 犯罪(行為), 非行; 有罪(↔ innocence) ‖ admit one's *guilt* 罪を犯したことを認める / establish the suspect's *guilt* 容疑者の有罪を確定する. **2** [(…に対する)]罪悪感, 自責, 責任, うしろめたさ[*for*] ‖ The criminal doesn't have a feeling [pang] of *guilt* at all. その犯人には全然罪の意識[苦悶]がない.
†**guilt·i·ly** /gíltili/ 副 罪を犯して; やましい[うしろめたい]気持ちで[様子で]; ばつの悪い顔をして.
†**guilt·less** /gíltləs/ 形 **1** [(…について)] 潔白な; 罪のない[*of*](⟹ guilty). **2** [(…の)知識[経験]がない;[…を欠いている, 持たない[*of*] ‖ He is *guiltless of* English. 彼は英語を知らない.
guílt·less·ly 副 潔白に.
⁎**guilt·y** /gílti/ 〖→ guilt〗
—**形** (-i·er, -i·est)
I [罪]
1 [(…のことで)]罪の意識がある, やましい[*about, that* 節] ‖ a *guilty* look 罪に覚えのあるような表情 / He felt *guilty* (*about*) telling a lie. うそをついたことで彼は気がとがめた / Who are the people *guilty*? だれか罪に覚えのある人がいるんじゃないか《◆ the *guilty* people は一般に「悪い人」》.
2 [(…で)]有罪の, [(…の)]罪を犯した[*of*](↔ innocent)《◆主に法律用語》 ‖ a *guilty* [non-*guilty*] verdict 有罪[無罪]判決 / He is *guilty of* stealing. 彼は窃盗の罪を犯している / pléad gúilty [nót gúilty] to a crime ある犯罪に対して有罪を認める[無罪をとなえる] / She was found *guilty*. 彼女に有罪の判決[評決]が下った / Gúilty. (陪審員の評決で)有罪《◆「無罪」は Nót guilty.》.
3 犯罪的な, 罪となるような; 非難すべき ‖ Her behavior appears to be *guilty*. 彼女のふるまいは非難されるように見える.
II [罪に似たもの]
4 [(へまなどを)]した, 犯した[*of*] ‖ She was *guilty of* a grave blunder. 彼女は重大な失策を犯した.
guílt·i·ness 名 ⓤ 有罪; やましさ.
guin·ea /gíni/ 名 ⓒ 〖英史〗ギニー《◆ 21シリング(今の 1.05ポンド)に当たる英国の通貨単位. 弁護士などの謝礼, 絵画などの値段の単位に用いる. 1971年廃止.(略) gns》; ギニー金貨《Guinea 産の金で作られた》.
Guin·ea /gíni/ 名 **1** ギニア《西アフリカの海岸地方》. **2** ギニア《西アフリカの共和国. 首都 Conakry》.
guínea hèn〖鳥〗(雌の)ホロホロチョウ.
guínea pìg〖動〗テンジクネズミ, モルモット (cavy)《◆ marmot とは別の》;(略式)実験台《実験に使われる人[物]》.
Guín·e·an 形 ギニア(人)の. —名 ⓒ ギニア人.
Guin·ness /gínəs/ 名 ⓤ〖商標〗ギネス《アイルランドの黒ビール》; ⓒ 1杯のギネス. *The Guinness Book*

†**guise** /gáiz/ 名 (正式) [通例 a/the ~] **1** [通例 in a +形容詞+~] (ごまかすために装った偽りの) 外観 (appearance). **2** 見せかけ, ふり《◆ guise は偽装の態度を, disguise は偽装に用いる道具をいう》.
in the guíse of A (1) 〈人〉に変装して (disguised as). (2) 〈事〉を装って.
únder the guíse of A 〈事〉を装って, …を口実に.

***gui・tar** /gitá:r/ 発音注意 『『琴(cithara)』が原義』
──名 (複 ~s/-z/) C ギター ‖ play (the) guitar ギターを弾く (→ piano¹ **1**).

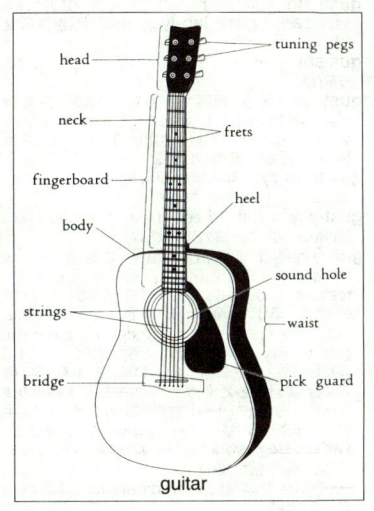

[guitar diagram with labels: head, tuning pegs, neck, frets, fingerboard, heel, body, sound hole, strings, waist, bridge, pick guard]
guitar

gui・tar・ist /-rist/ 名 C ギター奏者.
†**gulch** /gʌltʃ, (英+) gálʃ/ 名 C (米) (深く切り立った) 峡谷.
†**gulf** /gʌlf/ 名 C **1** 湾《◆ふつう bay より大きい. 略 g., G.》; [the G~] ペルシャ湾〈岸諸国〉‖ the Gulf of Mexico メキシコ湾 / the Persian Gulf ペルシャ湾《◆湾の名には the をつける》. **2** (地表などの) 深い穴 [割れ目], 深淵(はh); 渦巻き (whirlpool). **3** […の間の] (意見・理解・気持ちなどの) 大きな隔たり, 越えがたい溝・理解の相違 (between).
Gúlf Státes [the ~; 複数扱い] (1) 湾岸諸州《メキシコ湾に臨む米国の 5 州. Florida, Alabama, Mississippi, Louisiana, Texas》. (2) 湾岸諸国《ペルシャ湾岸沿いの 5 国. Kuwait, Bahrain, Qatar, Oman, United Arab Emirates》.
Gúlf Stréam [the ~] メキシコ湾流.
Gúlf Wár [the ~] 湾岸戦争《1990 年イラクのクウェート侵入により起こった. 91 年多国籍軍 (multinational force) の勝利により終結》.
†**gull** /gʌl/ 名 C [鳥] カモメ (seagull) 《カモメ科の鳥の総称》.
gul・let /gʌlət/ 名 C (略式) 食道; のど.
gul・li・ble /gʌləbl/ 形 だまされやすい.
Gúl・li・ver's Trávels /gʌlivərz-/ 『『ガリバー旅行記』 《英国の J. Swift 作の風刺小説》.
†**gul・ly, --ley** /gʌli/ 名 C **1** (流水でできた) 小峡谷.

2 (英) みぞ, 側溝.
†**gulp** /gʌlp/ 他 **1** 〈人が〉〈飲み物〉をごくっと [がぶがぶ, ごくごく] 飲む (+down) 《◆のどで鳴る音は gurgle》; 〈食物〉をがつがつ食べる (+down). ──自 **1** 〈飲み物〉をごくごく [がぶがぶ] 飲む (at, on). **2** はっと息をのむ, 息詰まる.
──名 **1** ぐっと飲むこと ‖ **in óne [at a] gúlp** 一気に, 1 口で. **2** (涙などを) 抑えること. **3** (飲み物の) 1 口の分量, 一気に飲む量. **4** [コンピュータ] ガルプ (byte)の集まり. 通例2バイト.

***gum¹** /gʌm/
──名 (複 ~s/-z/) **1** U (米) チューインガム (chewing gum); C (英) ガムドロップ ((米) gumdrop). **2** U ゴムのり, アラビアのり. **3** C =gum tree. **4** U C (粘性) ゴム, 生ゴム; 樹脂; 弾性ゴム (rubber).
úp a gúm trèe 『樹液のぬるぬるにべたべたした木の上に追い詰められて』 (英略式) 困り果てて, 進退きわまって.
──動 (過去・過分 **gummed**/-d/; **gum·ming**) 他 …にゴム (のり) を塗る; …をゴムで固める; …を 〔…に〕 ゴム (のり) でくっつける (+down, on, up) (to) ‖ gum something down あるものをゴムを塗って固める / gum the two pieces of paper together 2 枚の紙をゴム (のり) でくっつける.
gúm úp (他) (略式) …をだめ [台なし] にする《◆通例次の句で》‖ gum up the works 機械を止める; (へまをして) 仕事を台なしにする.
gúm ammóniac アンモニアゴム.
gúm árabic アラビアゴム.
gúm bòots (英) ゴム長靴《(主に英) Wellingtons》.
gúm rèsin ゴム樹脂《ゴムと樹脂の混合物》.
gúm trèe 〔植〕ゴムの木《ゴムを産する種々の木》.
gum² /gʌm/ 名 C [通例 ~s] 歯肉, 歯茎.
gum·bo /gʌmbou/ 名 (複 ~s) **1** C 〔植〕 オクラ. **2** U (米) オクラスープ.
gum·drop /gʌmdràp|-drɔ̀p/ 名 C (米) ガムドロップ《ゼラチンで作った固い透明なぜリー状のキャンディー. (英) gum》.
gum·my /gʌmi/ 形 (--mi·er, --mi·est) (略式) ゴム (性) の; 粘着性の; ゴムの付いた.
gump·tion /gʌmpʃən/ 名 U (略式) **1** 進取の気質. **2** 常識, 実務的才覚.

****gun** /gʌn/『大砲の名に用いた女性名 Gunnhildr より』
──名 (複 ~s/-z/) C
I [銃]
1 銃, 鉄砲; 猟銃, ピストル, 拳銃; (レースの) 出発合図用のピストル; 大砲 ‖ an air gun 空気銃 / fire a gun at … …をめがけて発砲する.

| 関連 [いろいろな種類の gun]
antiaircraft gun 高射砲 / carbine [hunting, sporting] gun カービン [猟] 銃 / machine gun 機関銃 / revolver 回転式連発拳銃 / shotgun 散弾銃《◆ 〔軍事〕 では「小銃類」を small arms, 「鉄砲類」を firearms という》.

II [銃による行為]
2 礼砲, 祝砲, 弔砲, 号砲 ‖ a 21-gun salute 21 発の礼砲.

III [銃の形状]
3 (銃のような) 注入 [吹付け] 器具 ‖ a spray gun (塗料などの) 吹付け器 / a grease gun グリース注入器.

a bíg [gréat] gún (略式) 大物, 有力者, 重要人物; 将校.

gíve A the gún ((アクセルを一杯に踏み込んで)乗り物に出発の合図(gun **1**)をする)(略式) ...をスタートさせる; ...のスピードを上げる.

hóld a gún to A's héad =hold a PISTOL to A's head.

júmp [béat] the gún (1) (スポーツ) 合図より先に跳び出す, フライングする. (2) (略式) 許可なく始める, 早くやりすぎる.

spíke A's gúns (人の銃に釘を打って発砲できなくする)(古) 〈人〉の計画をだめにする.

stick to [stánd by] one's gúns (略式) (戦い・議論などで)一歩も譲らない, 退かない.

till [untíl] the lást gún is fíred 最後の最後まで.
──(動) (過去·過分) gunned/-d/; gun·ning 他 **1** 銃を撃つ; 〈...の〉銃猟をする [for] ‖ go gunning for rabbits ウサギ狩りに行く. **2** (通例 be 〜ning) 〈人を〉攻撃[非難]する機会をうかがっている [for].
──(自) 〈鳥〉を撃ち落とす; 〈人·動物〉を銃で撃ち, 撃ち殺す(+down).

gún for A (1) → 自 **1, 2**. (2) (略式) [be 〜ning] (殺すために)〈人〉を探す.

gún contról 銃砲規制(法).

†**gun·boat** /gʌ́nbòut/ 名 C 小型砲艦.

gúnboat diplómacy 砲艦[武力]外交.

gun·fight·er /gʌ́nfàitər/ 名 C 銃を持って戦う人; (米式) (西部開拓時代の)無法者, ならず者, ガンマン.

gun·fire /gʌ́nfàiər/ 名 U 発砲(音), 砲火; 砲撃.

†**gun·man** /gʌ́nmən/ 名 (複 -men) C **1** 殺し屋, 無法者, ガンマン ((PC) killer, gunfighter). **2** 銃の名人, 早撃ちの名手 ((PC) sharpshooter).

gun·ner /gʌ́nər/ 名 C (英) 砲兵隊員; (空軍) 砲手, 射撃員; (米) 砲兵伍長; 掌砲長.

gun·ner·y /gʌ́nəri/ 名 U **1** 砲術; 砲撃. **2** (集合名詞) 銃砲. **3** 銃砲製造.

gúnnery òfficer (米海軍) 砲術将校.

gúnnery sèrgeant (米海兵隊) 1等軍曹 (略 Gy Sgt).

gun·ny /gʌ́ni/ 名 **1** U 黄麻(氵ᵘ)の粗布, ズック. **2** C =gunny bag [sack]. **gúnny bàg [sàck]** ズック製の袋, 麻袋, 南京袋.

†**gun·pow·der** /gʌ́npàudər/ 名 U 火薬. **2** gunpowder tea.

Gúnpowder Plót [the 〜] 火薬陰謀事件 (1605年11月5日に Guy Fawkes らが英国議事堂の爆破を企てて失敗した).

gúnpowder tèa 中国産の高級緑茶.

gun·shot /gʌ́nʃàt | -ʃɔ̀t/ 名 **1** C 発砲, 砲撃, 銃声. **2** C 発射された弾丸. **3** U 射程距離.

gun·smith /gʌ́nsmìθ/ 名 C 鉄砲(修理)工, 鉄砲かじ.

†**gun·wale** /gʌ́nl/ [発音注意] 名 C (海事) (通例 a/the 〜) (小さな船の)船べり, 舷(げ)縁 (舷側の上縁).

gup·py /gʌ́pi/ 名 C (魚) グッピー (カダヤシ科の観賞用淡水魚).

†**gur·gle** /gə́ːrgl/ 動 自 **1** 〈水などが〉ゴボゴボ[ドクドク]流れる [音を立てる]. **2** 〈赤ん坊などが〉喜びなどでのどをくっくと鳴らす [with]. ── 他 ...をゴロゴロ声で言う.
──名 C/U (通例 a/the 〜) ゴボゴボいう音; (人が)のどを鳴らす音 〈ゴクゴクなど〉.

gur·nard /gə́ːrnərd/ 名 (複 gur·nard, 〜s) C (魚) ホウボウ(類).

gu·ru /gúːru, (米+) -/ 名 C (ヒンドゥー教) 導師, 師家, 教師, グル; (略式) (運動·試走などの)指導者, 専門家.

†**gush** /gʌ́ʃ/ 動 自 **1** 〈水·血·言葉などが〉(...から)どくどく[どっと, とくとく]流れ出る, ほとばしる, 噴出する (flow) (+forth, out) [from, out of]. **2** 〈傷などが〉〈血などを〉ふき出す (with). **3** (略式) 〈主に女性が〉(...について)感傷的[おおげさ, うれしそう]にしゃべりたてる [書きたてる], とうとうとしゃべる [over, about].
──他 ...を噴出させる. ──名 C/U [しばしば a 〜] (油·水·感情などの)ほとばしり, 噴出. ──間 (女性語) [しばしば My 〜!] あら大変, おやまあ (My God!) (→ god **5**).

gush·er /gʌ́ʃər/ 名 C **1** 噴出油井 (氵ᵘ). **2** (略式) おおげさに感情をこめて話す人.

gush·ing /gʌ́ʃiŋ/ 形 **1** (正式) ほとばしる. **2** 感情をおおげさに表す. **gúsh·ing·ly** 副 おおげさに(感情をこめて).

gus·set /gʌ́sit/ 名 C (補強などに用いる)まち, 三角形の布 [皮].

†**gust** /gʌ́st/ 名 C (通例 a 〜) **1** 一陣の風, 突風 (◆ blast より強く短く弱い) ‖ a gust of wind 一陣の風. **2** (雨·火·煙などの)突然の噴出. **3** (感情などの)激発. ──動 自 〈風が〉急に吹く.

gus·ta·to·ry /gʌ́stətɔ̀ːri | -təri/ 形 (時におおげさに) 味覚の.

†**gust·y** /gʌ́sti/ 形 (-i·er, -i·est) **1** 突風がよく吹く, 風の強い. **2** 〈雨·風などが〉激しい.

†**gut** /gʌ́t/ 名 **1** U C 消化器官 (主に腸·胃) ‖ the blind gut 盲腸. **2** (略式) [〜s] 内臓, はらわた (intestines). **3** (略式) [〜s] (怖い[いやな]ことに対する)根性, 勇気 (courage), 決断力 (determination), ガッツ; 厚かましさ ‖ He doesn't have the guts to say no. 彼にはノーと言う勇気がない / (a) gut feeling 直感, 勘. **4** U C 腸線, ガット (動物の腸で作った楽器の弦·釣り糸·ラケットの糸·外科手術用の縫糸など). **5** (略式) [〜s] 重要な部分, 本質, 要点, 中身 (value). **6** (略式) [〜s] (機械などの)可動部分.

swéat [slóg, wórk] one's gúts òut (略式) 一心不乱に働く, 精根傾ける.
──形 (略式) 本質的な (fundamental), 本能的な; 容易な; 切実な.
──動 (過去·過分) gut·ted/-d/; gut·ting 他 **1** 〈魚·動物などの〉内臓を取る, はらわたを抜く. **2** 〈火事などが〉〈建物·都市〉を全焼[全壊]させる.

Gu·ten·berg /gúːtnbə̀ːrg/ 名 グーテンベルク (Johann/jóuhɑːn/ 〜 1398?-1468; ドイツの活版印刷術発明者).

†**gut·ter** /gʌ́tər/ 名 C **1** (道路の)みぞ, 排水路; 水路; (屋根の)とい(図) → house). **2** (ボウリング) (レーン両側の)みぞ, ガター. **3** (液·水·溶けたろうの)流れ跡. **4** [the 〜] 貧民街; どん底の生活状態.
──動 他 〈道路〉にみぞを掘る; 〈建物〉にといを付ける.
──自 〈ろうそくの炎が〉今にも消えそうに燃える, 明滅する.

gútter préss (英) [the 〜; 集合名詞的に; 単数·複数扱い] 扇情新聞 (⇔今はまれ) yellow press).

gút·ter·ing 名 U C みぞ [とい] を付けること; とい装置 [材].

gut·tur·al /gʌ́tərəl/ 形 **1** のどの. **2** のど音の, 耳ざわりな; (音声) (音声) 喉音.

guv /gʌ́v/, **guv(')nor** /gʌ́vnər/ 名 (英略式) =governor **3**.

†**guy** /gʌ́i/ 名 C **1** (略式) 男, やつ (fellow), 人 (◆ (主に米) で複数の相手に話しかける時の you guys は男女を問わず用いる) ‖ a great guy to be with 気のおけないいいやつ / a regular guy 気さくなやつ. **2** [しばしば G〜] (英) ガイ (=フォークスの)人形 (Guy

Fawkes Day(↓)に子供が町内を引き回して焼く》. **3**《主に英略式》変な服装の人. ──**動** 他《まれ》〈人・事〉を(ものまねなどで)からかう, あざける.

Gúy Fáwkes Dày [Night] /-fɔ́ːks-/ ガイ=フォークス祭《英国の火薬陰謀事件(Gunpowder Plot)記念日. 11月5日. cf. guy **2**; → Fawkes》.

guz·zle /gʌ́zl/ **動**《略式》他 圓 〈…を〉がぶがぶ飲む, がつがつ食う(+away, down).

***gym** /dʒím/ 〖gymnasium, gymnastics の短縮語〗
──**名**(複 ~s/-z/)《略式》**1** C 体育館, 屋内体操場, ジム ‖ Yesterday we exercised in the gym. きのう私たちは体育館で運動した. **2** U (学科としての)体操, 体育 ‖ a gym lesson 体操 / a gym teacher 体操教師(gymnast).
gým shòes [複数扱い] (ゴム底の)運動靴.
gým sùit 体操着.

✝**gym·na·si·um** /1 dʒimnéiziəm; 2 gimnɑ́ːziəm/ **名**(複 ~s, --si·a/-ziə, -zjə/) C **1** 体育館, 屋内体操場, ジム(《略式》gym). **2** ギムナジウム《ドイツの9年制高等学校. 大学進学のため古典教育を重視》.

gym·nast /dʒímnæst/ **名** C 体操選手, 体操教師.

gym·nas·tic /dʒimnǽstik/ **形 1** 体操の, 体育の ‖ *gymnastic* activity 体育活動. **2** 知的[精神]鍛練の. **gym·nas·ti·cal·ly** 副 体操上.

✝**gym·nas·tics** /dʒimnǽstiks/ **名** U **1** [複数扱い] 体操; 器械体操. **2** [単数扱い] (学科としての)体育, 体操(◆physical education [training] ともいう》.

gy·n(a)e·co·log·i·cal /ɡàinəkəládʒikl | ɡàinikəlɔ́dʒ-/ **形** 婦人科(医)学の.

gy·n(a)e·col·o·gy /ɡàinəkálədʒi, dʒì- | ɡàinikɔ́l-/ **名** U 婦人科医学.
gy·n(a)e·cól·o·gist **名** C 婦人科医.

gyp /dʒíp/ **動** 他《米略式》…をだます(cheat).

✝**gyp·sum** /dʒípsəm/ **名** U 石膏(こう). ギプス.

✝**Gyp·sy**, 《主に英》**Gip·-** /dʒípsi/ 〖Egyptian の変形; インドから来たのに Egypt から来たと誤解されたため〗**名 1** [しばしば g~] C ジプシー《◆彼らは Romany と自称する》; [しばしば g~; 形容詞的に] ジプシーの. **2** U ジプシー語(Romany). **3** [g~] C (外観・生活が)ジプシーのような人;《略式》放浪癖の人.

gy·rate /**動** dʒáireit | dʒàiəréit; **形** dʒáiəreit | dʒáiərət, -reit/ **動** 圓《正式》旋回[回転]する.

gy·ro·com·pass /dʒáiərəkʌ̀mpəs/ **名** C ジャイロコンパス, 回転羅針(しん)儀.

gy·ro·scope /dʒáiərəskòup/ **名** C ジャイロスコープ, 回転儀(《略式》gyro).
gỳ·ro·scóp·ic /-skápik | -skɔ́pik/ **形** ジャイロスコープの, ジャイロスコープを応用した.

H

h, H /éitʃ/ [名] (複 h's, hs; H's, Hs/-iz/) 1 [C][U] 英語アルファベットの第8字. 2 → a, A 2. 3 [C][U] 第8番目(のもの).
drop one's **h's** (**áitches**) (発音すべき語頭の) h 音を落として発音する(→ aitch).
H hour = H-hour.

h [記号] hour.

H [記号] [化学] hydrogen; [略] hard 《鉛筆の硬度》.

†**ha** /hάː/ [間] はあ, ほう《◆音調の変化により驚き・喜び・疑い・ためらい・得意などを表す. 繰り返すと笑い声》. ——[名] [C] はあ(という声). ——[動] [自] はあ[ほう]と言う.

ha [記号] hectare(s).

Hab·ak·kuk /hǽbəkək, -kʌk, həbǽkək/ [名] [旧約] ハバクク《ヘブライの預言者》; ハバクク書《旧約聖書の一書. [略] Hab.》.

hab·er·dash·er /hǽbərdæʃər/ [名] 1 [C] (英) 服飾小間物商人, 裁縫[洋裁]用品小売商; (米) 紳士用服飾品小売商人. 2 [時に ~'s] = haberdashery.

hab·er·dash·er·y /hǽbərdæʃəri/ [名] 1 [C] (英) 服飾小間物店[売場], 裁縫用品店[売場]; (米) 紳士用服飾品店.

‡**hab·it** /hǽbit/ 『「持つ(have)ようになったもの」が原義』 [動] habitual (形)
——[名] (複 ~s/-its/) 1 [C][U] (個人の直し難い, 無意識的な)**習慣**, 癖, 習癖 ‖ **by** [**òut of**] *hábit* = **from** (**force of**) *hábit* 習慣で, いつもの癖で(=as a rule) / **a creature of** *hábit* 習慣の奴隷であり容易に抜け出せないでいる人 / **fáll** [**gèt**] **into a bád hábit** 悪い癖がつく / **fáll** [**gèt**] **óut of a bád hábit** 悪い癖が抜ける / **màke a hábit of dóing** = **màke it a hábit to** dó …することにしている / **buying** [**spending**] *habits* 買い[消費]癖. 《対話》"I heard that you've been in the hospital a few weeks." "Yes, I had an operation on my stomach. I must get rid of this *habit* of eating heavily."「何週間か入院したんだって」「うん, 胃の手術をしたんだ. 大食いの習慣をやめなきゃいけないんだ」/ **gét him into** [**òut of**] **the** *hábit* **of dóing** 彼に…する習慣をつけさせる[やめさせる] / *Habit* **is** ((今古)) **a**) **second nature.** 《ことわざ》習慣は第二の天性(=Custom [Use] is …) / **She is in the habit of** jiggling her knee. = **She hàs a habit of** jiggling her … 彼女は貧乏揺すりの癖がある / My son has **fórmed the hábit of** rising early. うちの息子は早起きの習慣がついた.

《使い分け》[**custom** と **habit**]
custom は「団体・社会・国の習慣」の意.
habit は「個人の習慣」の意.
It took a long time for the new residents to get used to the local *customs* [×habits].
新しい住人がその土地の習慣に慣れるのに長く時間がかかった.
It is difficult to break the *habit* [×custom] of smoking. 喫煙の習慣をやめるのは難しい.

2 [U][C] [動・植] 習性. 《対話》"What animals have nocturnal *habits*?" "Owls do."「夜行性の動物は何ですか」「フクロウです」. 3 [C] [正式] 気質, 性質; 体質 ‖ a cheerful *habit* of mind 陽気な性質 / a woman of lean *habit* やせ型の女性 / It is a *habit* of hers to be nervous. 神経質なのは彼女の性格. 4 [C] [正式] [しばしば複合語で] (修道士[女]の)衣服; 婦人乗馬服 ‖ a monk's [nun's] *habit* 修道士[女]の衣服 / a riding *habit* 乗馬服.

†**hab·it·a·ble** /hǽbitəbl/ [形] [正式] 〈建物が〉住める, 住むのに適した.

†**hab·i·tat** /hǽbitæt/ [名] [C] (動物の)生息地, (植物の)生育地, 自生地.

†**hab·i·ta·tion** /hæ̀bitéiʃən/ [名] 1 [正式] [C] 住所, 住宅《◆house, home より堅い語》; [U] 居住. 2 [C] 植民地, 移住地.

hab·it-form·ing /hǽbitfɔ̀ːrmiŋ/ [形] 〈麻薬などが〉習性[中毒]となる.

†**ha·bit·u·al** /həbítʃuəl/ [アクセント注意] 《◆ (英) では /əbítʃuəl/ と発音されることがある. その場合, 直前の不定冠詞は an となる. a *habitual* liar (うそつきの常習者)のように an となる. cf. historic(al)》 [形] [正式] 1 習慣的な, 習慣の, いつもの(usual) ‖ My father took his *habitual* seat and began to watch TV. 父はいつもの席についてテレビを見始めた. 2 常習的な. 3 〈上品さなどが〉生まれつきの, 持ち前の.

†**ha·bit·u·al·ly** /həbítʃuəli/ [副] [正式] 習慣的に, いつも, きまって(usually).

ha·bit·u·ate /həbítʃuèit/ [動] [他] [正式] 1〈人〉を〈事に〉**慣らす**〔to〕‖ *habituáte* oneself *to* getting [ˣto get] up early 早起きに慣れる. 2〈場所によく行く. ——[自] 〈催眠薬・麻薬などが〉習慣となる, くせになる.

ha·bit·u·a·tion /həbìtʃuéiʃən/ [名] [U] 習慣化.

hab·i·tude /hǽbitjùːd/ [名] [正式] 1 [U][C] 習慣, 習性(habit). 2 [U] 体質; 気質, 性質.

†**hack**[1] /hǽk/ [動] [他] 1 (おのなどで)…をたたき切る, ぶち切る, 切り刻む; …を激しくける; …を(…に)切り刻む, ずたずたに切る(+*away, up, off*)(*into*); …を切り開いて進む(+*through*) ‖ *hack* a tree down 木を切り倒す. 2 [コンピュータ] 〈システム〉に不正に侵入する.
——[自] 1 […を]たたく, めった打ちする, […に]切りつける〔at〕. 2 (米略式) ぶらぶらする(+*around*). 3 [コンピュータ] 〈システム〉に不正に侵入する(*into*).
——[名] 1 [a ~] […を]ぶち切ること, 切り刻み(at); 荒切り口, 刻み目. 2 (米) (木につける)目印, 木印(blaze). 3 = hacking cough. 4 [コンピュータ] **a** 達人的なプログラム作成[コンピュータ操作]. **b** = hacking.
hácking cóugh (繰り返される短く強い)からせき.

hack[2] /hǽk/ 『*hackney* の略』 [名] [C] 1 (よく使われた)おいぼれ馬, やせ馬. 2 乗用馬; (英) (楽しみのための)乗馬. 3 あくせく働く人; 三文文士, 文筆家の下働き ; 金もうけ第一主義の人《医者・弁護士など》. 4 (米略式) タクシー, タクシーの運転手(cab(-driver)).
——[動] [他] (米) 〈馬〉に乗る; 〈馬〉を賃貸しする. ——[自] 1 (英) (楽しみに)馬に乗る. 2 (米略式) タクシーを運転

hack·er /hǽkər/ 名 C 《略式》〖コンピュータ〗ハッカー《他人のネットワークに不正侵入して情報を盗み取り、プログラムを使って変えたりする人をさす。「コンピュータのプログラミングの達人」が本来の意味》.

hack·ing 名 U 〖コンピュータ〗ハッキング、ハッカー行為《他人のネットワークに不正に侵入すること》.

hack·le /hǽkl/ 名 C **1** [~s; 複数扱い] (こわばったり怒った時に逆立てる鳥・犬などの)首まわりの毛、うなじ毛(図) → chicken). **2** (麻・亜麻などをすく金属性の)すき櫛(し).

hack·ney /hǽkni/ 名 C **1** 乗用馬; 馬車用の馬; ハックニー種《前ひざを高く上げて歩く馬》. **2** =hackney carriage [cab].

háckney càrriage [**càb**] 貸し馬車, 《正式》タクシー.

háck·neyed 形 《句・ことわざなどが》(使い古して)陳腐な, 紋切り型の.

‡**had** /(弱) həd, əd, 母音の後で d; (強) hǽd/
── 動 have の過去形・過去分詞形 ‖ be *had* → have 動 **21**.
── 助 have の過去形《◆過去完了・仮定法過去完了を作る。→ have 助 **2**》.
had as góod [**wéll**] dó …するのもよい; …した方がよい.
had bétter [**bést**] *do* → better 副 [best 副].
had (**júst**) **as sóon** … (**as**) … → soon.
had ráther [**sóoner**] … (**than**) … → rather [soon].

had·dock /hǽdək/ 名 (複 **had·dock**, **~s**) C 〖魚〗ハドック《タラ科の一種。北大西洋の食用魚でcod ほど大きくない》; U その肉.

†**Ha·des** /héidi:z/ 名 〖ギリシャ神話〗ハーデース、冥府の王; 地下界, 死者[よみ]の国.

†**had·n't** /hǽdnt/ had not の短縮形.

hae·mo- /hí:mə, -ou-, hé-/ (要素) →語要素一覧 (1.6).

†**hag** /hǽg/ 名 C 醜い[意地悪な]老婆.

Hag·ga·da(**h**) /həgá:də, hɑ:gɑ:dá:/ 名 **1** ハガダー《タルムード法典(Talmud)中のたとえ話》. **2** C (ユダヤ人の)過ぎ越しの祭りで用いる典礼[式文].

Hag·ga·i /hǽgiài, -gai, (英+) -geiai/ 名 〖旧約〗ハガイ《紀元前6世紀の預言者》; ハガイ書 (略 Hag.).

†**hag·gard** /hǽgərd/ 形 (心配・疲労・睡眠不足などで)目のおちくぼんだ, やつれた.

hag·gle /hǽgl/ 動 ⾃ (値段などを)値切る, [...のことで]言い争う(*over, about*); (人と)やりあう, かけあう(*with*).

Hague /héig/ 名 [The ~] ハーグ《オランダの行政の中心地。国際司法裁判所がある。The は固有名詞の一部なので The とはならない》.

ha-ha /há:hà:/ 間 名 C はは, あはは《笑い声・冷笑》; 《略式》冗談. ── 動 ⾃ ははと笑う.

hai·ku /háiku:/ 〖日本〗名 (複 **hai·ku**) C 俳句.

†**hail**¹ /héil/ 動 他 《正式》**1** 〈人〉を歓呼して迎える, 歓迎する(welcome); 〈物・事〉を受け入れる ‖ *hail* the winner 勝利者を歓呼して迎える. **2** 〈人か〉〈人〉を[…として]認める[ほめる](*as*) ‖ *hail* it *as* a work of art それを芸術作品と認める. **3** …に合図する, 声をかける; …を呼び止める ‖ *hail* a taxi タクシーを止める.
── ⾃ **1** (海事)[…に]合図を送る(*to*). **2** (港で「船はどこから来たか」と尋ねたことから)《主に米略式》[通例almgeる][…の]出身[育ち]である(come) 〈…船が[…から]出航する(*from*) ‖ What prefecture do you *hail from*? あなたは何県の出身ですか.
── 名 U あいさつ; 声での合図, 呼び声, 呼びかけ.
òut of háil […の]声の届かない所に[*of*].
within háil […の]声の届く所に[*of*].
Háil Máry =Ave Maria.

†**hail**² /héil/ 名 **1** U あられ, ひょう《◆1粒は hailstone / a piece [pellet] of *hail*》. **2** [a ~ of + C U 名詞] (…の)雨 ‖ a *hail of* bullets 銃弾の雨 / a *hail of* abuse 雨あられのような罵詈雑言(ばりぞうごん).
── 動 ⾃ [it を主語にして] あられ[ひょう]が降る; 〈物・事が〉〈人に〉あられのように降る(+*down*)(*on*).
── 他 …を[…に]雨あられと浴びせる, 投げつける (shower) (+*down*)(*on, upon*) ‖ *hail down* curses *on* him 彼に容赦なく毒舌を浴びせる.

**hair /héər/ (同音 hare) 〖「堅くごわごわと伸びたもの」が原義〗
── 名 (複 ~s/-z/) **1a** U [集合名詞] (人・動物の)毛, 体毛 ‖ *髪の毛*, 頭髪《◆活力・豊饒(じょう)の象徴》‖ shoulder-length *hair* 肩までの髪 / [dò (úp)] [dress] one's *hair* 髪を結う, 調髪する, 髪の手入れをする / dye one's *hair* 髪を染める / wave one's *hair* 髪にウェーブをかける / have a beautiful head of *hair* 美しい髪をしている / She has (ˣa) long *hair*. =Her *hair* is long. 彼女の髪の毛は長い《◆前者はふつうの言い方, 後者は髪の毛が話題になったときなどの言い方》 / She [have] [got] her *hair* cut [trimmed] short. 彼女は髪を短く刈ってもらった / part one's *hair* 「at the side [in the middle] 髪を横[真ん中]で分ける / pùt [tùrn] up one's *hair* =pùt [tùrn] one's *háir* úp (少女が成人して大人らしく髪を結う / wear one's own *hair* (かつらでなく)自分の髪である / pubic *hair* 陰毛 / facial *hair* ひげ.

関連 〖いろいろな種類の hair〗
(1) 〖色〗 brown *hair* 茶髪 / dark [black] *hair* 黒髪 / golden [fair, blond(e)] *hair* 金髪 / gray *hair* 白髪 / red [carroty] *hair* 赤毛.
(2) 〖形状・質〗 bristly *hair* 堅い髪, 剛毛 / close-cropped *hair* 短く刈りこんだ髪 / curly *hair* 巻き毛 / disheveled *hair* 乱れた髪 / glossy *hair* つやつやした髪 / kinky *hair* ちぢれ毛 / naturally curly [wavy] *hair* 天然パーマ / soft *hair* やわらかい髪 / straight *hair* 直毛 / thick [thin] *hair* 濃い[薄い]髪 / wild *hair* くしゃくしゃの髪 / woolly *hair* もじゃもじゃの髪.
(3) 〖いろいろな毛の種類〗
bristle (豚などの)剛毛 / down (鳥の)綿毛, (幼児の)うぶ毛 / feather 羽毛 / fur 獣の柔毛 / lock ひとふさ[全体]の髪 / tress (女性の)髪のひとふさ, 編んだ髪.

---

b C [~s / a ~] (1本の)毛 ‖ Waiter, there's a *hair* in my soup. Could you bring me another bowl? ボーイさん, スープの中に髪の毛が入っています。取り換えていただけますか / She has not a few gray *hairs*. 彼女には白くなりかけの髪がかなりある.

2 U 毛状の物; 毛状部分; 〖機械〗ひげぜんまい, 微動ばね; C 〖植〗(葉・茎の表面の)毛.

3 [a ~] 1本の毛ほどの(物), わずか(の差)‖ be not worth *a hair* 1文の価値もない / I was within *a hair of* being late. もう少しで遅れそうだった.

by a háir =by a háir's bréadth =by the túrn of a háir わずかの差で, 間一髪で.
gét in [into] A's háir〈近くにいて仕事の邪魔をして〉〈人〉をいらだたせる, 困らせる.
háng by a (síngle) háir [thréad]〖髪の毛1本でつられている〗〈命・運命などが〉非常に危険な状態にある.
máke A's háir cúrl〔略式〕=máke A's háir stánd (úp) on énd〔話〕〈事件などが〉〈恐怖で〉〈人〉をびっくり〔ぎょっと〕させる(cf. His *hair* stood on end. 彼は身の毛がよだった).
téar [púll] (óut) one's háir =téar [púll] one's háir (óut)〔略式〕〈悲しみ・怒り・いら立ちで〉髪の毛をかきむしる, いらいらする.
to (the túrn of) a háir〖髪の毛一本(の向き)に至るまで〗寸分たがわず, きっちり.
háir càre =haircare.
háir drier [drýer] ヘアドライヤー《◆単に drier ともいう》.
háir dỳe 毛髮染料.
háir moùsse ヘアムース.
háir nèt〔女性用の〕ヘアネット.
háir òil ヘアーオイル, 髪油.
háir restòrer 毛生え薬.
háir sàlon 美容院.
háir's bréadth =hairsbreadth.
háir sprày ヘアスプレー.
hair·breadth /héərbrèdθ, -brètθ/ 名 =hairsbreadth.
hair·care /héərkèər/, **háir càre** 名 Ⓤ ヘアケア, 髪の手入れ.
hair·cloth /héərklɔ̀(ː)θ/ 名 Ⓤ 馬巣(ず)織り《馬・ラクダなどの毛で織ったきめの粗い布地》.
hair·cut /héərkʌ̀t/ 名 ⓒ〔通例 a ~〕散髮,〈女性の髪の〉カット; Ⓤ〔主に〕男性のヘアスタイル《◆女性のヘアスタイルは主に hairdo》‖ gèt [hàve] a háircut 散髮をする / go for a haircut 散髮(してもらい)に行く.
hair·do /héərdùː/ 名 (耐 ~s, ~'s) ⓒ〔略式〕〈主に〉女性のヘアスタイル, 髪のセット〔カット, パーマ〕; 髮型.
†**hair·dress·er** /héərdrèsər/ 名 ⓒ 1 美容師;〔英〕理容師(barber). 2〔通例 ~'s〕美容院‖ I must go to the *hairdresser's* before the party. パーティーの前に美容院に行かなくては.

[関連]〔いろいろな美容院用語〕
blow dryer ドライヤー / conditioner リンス / cut 切る, 刈る / get a perm パーマをかける / straight permanent ストレートパーマ《◆「髪をそろえる」などは have one's hair trimmed という》.

hair·dress·ing /héərdrèsɪŋ/ 名 Ⓤ 理容〔美容〕業, 調髪, 整髪.
-haired /-héərd/〔語要素〕→語要素一覧(1.2).
hair·less /héərləs/ 形 はげの, 毛のない(bald).
hair·like /héərlàɪk/ 形〈髪の〉毛のような.
hair·piece /héərpìːs/ 名 ⓒ ヘアピース, かつら, 入れ毛.
hair·pin /héərpɪ̀n/ 名 1 ⓒ〔山道などの〕ヘアピン. 2 Ⓤ U字形(に曲がっているもの); =hairpin curve.
háirpin cúrve〔米〕**túrn**,〔英〕**bénd** ヘアピンカーブ.
hair·rais·ing /héərrèɪzɪŋ/ 形 身の毛のよだつ, ぞっとする;〈興奮して〉ぞくぞくする.
hairs·breadth /héərzbrèdθ, -brètθ/, **háir's bréadth** 名 1 Ⓤ〔しばしば a ~〕わずかな距離〔量〕; 毛幅ほどの間隔; 少差. 2〔形容詞的に〕危機一髪の, きわどい; かろうじての, 小差の‖ a *hairsbreadth* victory 僅差勝利.
hair·style /héərstàɪl/ 名 ⓒ ヘアスタイル, 髪型(cf. hairdo, haircut).
†**hair·y** /héəri/ 形 (-i·er, -i·est) 1〈胸・手・足などが〉毛むくじゃらの, 毛深い; 毛製の, 毛ざわりの荒い. 2〔略式〕困難な, 危険な.
háir·i·ness 名 Ⓤ 毛深いこと.
Hai·ti /héɪti/ 名 ハイチ《西インド諸島の共和国; 首都 Port-au-Prince》.
hake /héɪk/ 名 (耐 hake, ~s) ⓒ〔魚〕メルルーサ類《食用魚》.
ha·la·tion /heɪléɪʃən, hæ-|hə-/ 名 ⓤⓒ〔写真〕ハレーション.
hal·cy·on /hǽlsiən/ 名 1〔詩〕〔鳥〕カワセミ(kingfisher). 2 ハルシオン《冬至の頃, 波風を静めるとされた伝説上の鳥》.
†**hale** /héɪl/ (同音 hail) 形〈老人が〉強健な(sound).

*:**half** /hǽf|hɑ́ːf/〖「分割した(物)」が原義〗
— 名 (耐 **halves**/hǽvz|hɑ́ːvz/) 1 ⓤⓒ 半分, 2分の1《◆しばしば of の意を含む》; 半分にしたもの ‖ A month *and a half* has passed since we last met. 前に会ってから1か月半経った《(1) ... *and a half* は単数扱い. (2) *One and a half* months have passed ... ともいう. (3) 2以上の時は *two and a half months* のようにいい, *two months and a half* とはふつういわない》/ the smaller *half* of a cake ケーキの小さい方の半分 / *Half* of 8 is 4. 8の2分の1は4である / Two *halves* make a whole. 半分2つで1つになる / *Half* (of) this apple is [*are*] rotten. このリンゴの半分は腐っている《◆動詞の数は of の後の名詞に一致: *Half* (of) these apples are [*is*] rotten. これらのリンゴの半数は腐っている》.

[語法] (1) [**half of** と **half**] the, this, one's などのついた名詞の後にくる場合は両者ともに可だが, 後者がふつう(→**1**): *half* (of) *this apple* [*these apples*] / *half* (of) *my friends*. 代名詞を従える場合は of の省略不可: *half* of them [us] / *half them* [us]. 数量を表す不定の名詞を従える場合は常に half「*a mile* [*a dozen*]」のようにいい, *half of a mile* [*a dozen*] とはいわない.
(2) [**half** と **the half**] 単に「半分」は half で *the half* は不可: I gave him *half*. 前に other などが付けば the が必要: the other *half* / *other half* / the larger *half* of a pie パイの大きい方の半分.

2 Ⓤ 半時間, 30分; ⓒ〔英略式〕半パイント(のビール);〔米略式〕=half dollar;〔英略式〕=halfpenny ‖ He got up at *half* past six. 彼は6時半に起きた(=He got up at six thirty.).
3 ⓒ a〔試合などの〕前〔後〕半;〔野球〕〔回の〕半分《表, 裏》. b〔英〕(1学年2学期制の) 前〔後〕期.
4 ⓒ〔略式〕=halfback. 5 ⓒ〔英略式〕(バス・列車などの)〔子供用〕半額乗車券‖ Two (adults) and two *halves* to Victoria, please. ビクトリアまで大人2枚, 子供2枚.

by hálves〔略式〕〔通例否定文で〕不完全に, 中途半端に; ふまじめに, しぶしぶ ‖ Don't do anything *by halves*. 何事も中途半端にするな.
gò hálves [hálf and hálf] in [on] A〔略式〕...

の費用[支払いなど]を折半する.
gò hálves with A 《略式》〈人〉と費用[支払いなど]を折半する.
in hálf [(まれ) *hálves*] =*into hálves* 半分に, 2等分に《◆半分が2つできるから論理的には *halves*》‖ rip A *in* half〈物〉を2つに裂く[破る].
the hálf of it 最も重要なところ.

――形 [通例名詞の前で] **1** 半分の, 2分の1の(→ **1** 語法) ‖ a *half* pound 半ポンド / A *half* hour is thirty minutes. 半時間は30分です《◆ half an hour より堅い表現》 / a *half* dozen =*half a* dozen 半ダース, 6個《◆買物をする時以外は, about がなくてもおよそ6個を表すのに用いられる》 / (every hour) on the *half* hour 毎時30分に. **2** 不完全な, 不十分な, 部分的な ‖ a *half* answer 中途半端な答え. **3**〈兄弟・姉妹が〉片親だけ同じの.
hálf the tíme しょっちゅう《「持ち時間の半分も」という気持ちから》.

――副 **1** 半分だけ ‖ a *half*-empty bottle 半分からになったびん《◆文で表すと The bottle is *half* empty.》 / *half* seven 《英》7時半(=*half* past seven) / She *half* dragged, *half* carried the log. 彼女はその丸太を半ば引きずるように, 半ばかかえるようにして運んだ. **2** 不完全に, 不十分に, 部分的に ‖ I must have been *half* asleep. 私はうつらうつらしていたにちがいない. **3**《略式》[おおげさに] ほとんど (nearly) ‖ I was *half* dead from hunger. 私は空腹で死にそうだった.
hálf and hálf 半々に, 五分五分で ‖ Put in sake and soy sauce *half and half*. 酒としょうゆを同量ずつ入れなさい.
hálf as ... as A …の半分《◆ … は主に形容詞・副詞》 ‖ This park is *half as* large *as* that one. この公園はあの公園の半分の広さです.
hálf as mùch [*màny*] *agáin as* A …の1倍半 (→ again 成句).
nòt [*n't*] *hálf* (1) (半分も)…の状態[域]に達していない; 少しも…ない ‖ This is *not half* good (enough). これはよい状態の半分にも達していない, まったくよくない / This is *nòt half* bad. ◯ これは悪い状態の半分にも達していない, それほど悪くない, かなりよい《◆実質的だが古風な言い回しと同じ》. (2)《英略式》[反語的に] 半分どころではない, とても, ひどく ‖ We didn't *half* enjoy ourselves. とても楽しかった / ◯対話◯ "Did you enjoy yourself?" "*Nòt hálf*!◯" 「楽しかった?」「うん, とても!」/ She's *not half* attractive. 彼女はすごく魅力的だ.
not hálf as A …どころではない.

――間 確かに, 実際に, そのとおり.
hálf blòod 異母[父]兄弟[姉妹]; 混血児; 雑種の動物.
hálf bòot (ひざまでの)半長靴.
hálf bròther =half-brother.
hálf dóllar《米国・カナダ》50セント(銀貨)(→ coin 〔軍事〕).
hálf dózen 半ダース, 6個.
hálf nélson〔レスリング〕ハーフネルソン《腕を背後から相手のわきの下に入れて, 手を首の後ろに持っていく技. cf. full nelson》.
hálf nòte《米》〔音楽〕2分音符《英》minim).
hálf páy 給料の半分(の年金) / 《将校の休[退]職職給.
hálf pínt 半パイント.
hálf sister =half-sister.
hálf stèp《米》〔音楽〕半音(halftone, 《英》semi-

tone); 〔軍事〕半歩.
hálf tèrm《英》学期の中間(の短い休暇).
hálf tìme 半日勤務, (試合などの)中間の休み, ハーフタイム(cf. half-time).
half-back /hǽfbæk | hɑ́ːf-/ 名 Ⓒ 《サッカー・アメフトなど》ハーフバック(図) → American football, soccer).
half-baked /hǽfbéikt | hɑ́ːf-/ 形《パンなどが》生焼けの; 〈考えなどが〉不完全な.
half-breed /hǽfbrìːd | hɑ́ːf-/ 名 Ⓒ (時に侮蔑)(ふつう白人とアメリカ先住民との)混血の人《◆ half とはいわない》((PC) person with parents of different races); (動植物の)雑種. ――形 混血の; 雑種の.
†**half-broth·er** /hǽfbrʌ̀ðər | hɑ́ːf-/, **hálf bròther** 名 Ⓒ 異父[異母]兄弟, 種違い[腹違い]の兄弟.
half-caste /hǽfkæst | hɑ́ːfkɑ̀ːst/ 名 Ⓒ 形 (時に侮蔑)(ふつうヨーロッパ人とアジア人との)混血(の) (→ half-breed).
half-cooked /hǽfkúkt | hɑ́ːf-/ 形 [しばしば比喩的に] 生煮えの, 生焼けの, 半熟の.
half-done /hǽfdʌ́n | hɑ́ːf-/ 形 **1** 生煮えの, 生焼けの, 半熟の. **2** 未完成の, 不完全な, やりかけの.
half-heart·ed /hǽfhɑ́ːrtid | hɑ́ːf-/ 形 熱が入らない, 気乗りのしない(↔ wholehearted).
hálf-héart·ed·ly 副 いいかげんに.
half-hol·i·day /hǽfhɑ́lədei | hɑ́ːfhɔ́l-/ 名 Ⓒ 半休日, 半ドン.
half-hour /hǽfáuər | hɑ́ːf-/ 名 Ⓒ 形 半時間(の); (…時)30分.
hálf-hóur·ly 形 副 半時間(ごと)(の)[に].
half-mast /hǽfmǽst | hɑ́ːfmɑ́ːst/ 名 Ⓤ マストの中ほど; 半旗の位置. (*at*) **hálf-mást**〈旗が〉半旗の位置に《◆弔意を示す》.
half-moon /hǽfmúːn | hɑ́ːf-/ 名 Ⓒ 半月(の時); 半月形; つめ半月《つめのつけ根の白い半月形の部分》.
half-pence /héipəns | -pns/ 名 halfpenny の複数形.
†**half-pen·ny** /**1** hǽfpəni | hɑ́ːf-; **2**, **3** héipəni/ [発音注意] 名 (複 --pen·nies, **2** で --pence) Ⓒ **1** (英国の)半ペニー青銅貨(《英略式》half) 《◆ 1971-85 年に使用》(→ penny). **2** 半ペニーの金額. **3** 少量. ――形 半ペニーの.
†**half-sis·ter** /hǽfsistər | hɑ́ːf-/, **hálf sister** 名 Ⓒ 異父[異母]姉妹, 種違い[腹違い]の姉妹.
half-time /hǽftàim | hɑ́ːf-/ 名 **1** 半日制の, 半日勤務の. **2** (試合などの)中間の.
half-tone /hǽftòun | hɑ́ːf-/ 名 形 **1** Ⓤ 〔絵画・写真〕半調画(の). **2** Ⓒ 〔印刷〕網版(の). **3** Ⓒ 《主に米》〔音楽〕半音(の)(《米》 half step, 《英》 semitone).
†**half-way** /hǽfwéi | hɑ́ːf-/ 形 **1** 中間の, 中間にある ‖ the *halfway* point 中間地点. **2** 中途半端な, 不完全な, 部分的な ‖ *halfway* measures 中途半端な方策.

――副 **1** […の間の/…の]中間で, 途中で《*between* / *through*》, 中間[途中]まで ‖ Let's meet *halfway* between your house and mine. 君の家と私の家の中間で落ち合うことにしよう / I am *halfway* through this detective story. この推理小説はまだ半分ぐらいしか読んでいない. **2** 半分だけ; 不十分に, 部分的に; ほとんど; 多少とも, いくぶん ‖ The job is *halfway* finished. 仕事の半分は終わった.
méet A *hálfway* =*gò halfway to méet* A 〈人〉と[…のことで]妥協する《*on*》.
méet tróuble hálfway《面倒が襲いかかる前にこちらから途中まで出迎える》やる前から心配する, 取り越し苦

half-wit・ted /hǽfwítid | hɑ́ːf-/ 形 ばかな, まぬけな.

half-year・ly /hǽfjíərli | hɑ́ːf-/ 形 副 半年ごとの[に].

hal・i・but /hǽləbət/ (米+) hɑ́l-/ 名 (複 **hal・i・but**, 〔種類〕 ~s) C 〔魚〕タイセイヨウオヒョウ; オヒョウ(類); U その肉.

Hal・i・fax /hǽləfæks/ 名 1 ハリファックス《イングランド北部の都市》. 2 ハリファックス《カナダ南東部 Nova Scotia 州の州都》.

＊hall /hɔ́ːl/ [同音]haul; [類音]hole /hóul/
――名 (複 ~s/-z/) 1 C **玄関**(の広間) (hallway);《米・カナダ》廊下(corridor) ‖ Please leave your umbrella in the *hall*. かさは玄関に置いてください. 2 C (音楽会・講演会・コンサート・集会などのための)**ホール**, 集会所, 大広間; 娯楽場, 演芸場; [時に H~] **会館**, 公会堂; 本部, 事務所;（略式）[しばしば ~s] =music hall ‖ a *city* [*town*] *hall* 市役所, 役場;（正式）ホールの駅留所. ◀対話▶ "What's that new big building?" "It's the newly built concert *hall*."「あの新しい大きな建物は何ですか」「あれは新しく建てられたコンサートホールです」

関連 [いろいろな種類の hall]
assembly *hall* 集会場 / beer *hall* ビアホール / city [town] *hall* 市役所 / concert *hall* コンサートホール / dance *hall* ダンスホール / dining *hall* （大学などの）大食堂 / entrance *hall* 入りロホール / lecture *hall* 講堂 / public *hall* 公会堂 / wedding *hall* 結婚式場.

3 C (大学の)校舎, 寄宿舎; 学部; U (英) (大学の)大食堂(での会食) ‖ a *hall* of résidence 学寮《(米) dormitory / the students' *hall* (米)学生会館.

the Háll of Fáme (for Gréat Américans) 栄誉殿堂《ニューヨーク市にあり偉人の胸像などがある》.

háll bédroom (米)玄関わきの寝室《◆旅館などで一番安い部屋》.

Hal・ley /hǽli, héili/ 名 ハレー, ハリー《Edmund ~ 1656-1742; 英国の天文学者・数学者》.

Hálley's Cómet [cómet] 〔天文〕ハレー彗(芯)星.

hall・mark /hɔ́ːlmɑ̀ːrk/ 名 C 1 (金・銀などの)純度検証極印; 品質(優良)証明, 太鼓判; 保証するもの. 2 きわだった特徴, 特質; 目印 ‖ The church is the *hallmark*. 教会が目印だ. ――動 他 ...に純度検証の極印を押す; ...の品質を保証する; ...に折り紙をつける.

†**hal・lo(a)** /həlóu, hæl-/ 間 1《主に英》=hello, halloo 1 (→ hello). 2 =halloo 2. ――名 (複 ~s) C =hello. ――動 =halloo.

hal・loo /həlúː/ 間 1 おおい《注意喚起・驚きの叫び》. 2 しっ, それ行け《猟犬などを獲物へけしかける時の掛け声》. ――動 他 〈人〉に大声で呼びかける;〈猟犬〉を大声でけしかける. ――自 おおい[しっ]と叫ぶ(用例→ wood 3). ――名 C おおい[しっ]という声.

hal・low /hǽlou/ 動 他《文》[通例 be ~ed]〈土地など〉を[...で]神聖化された, 聖なるものとされている;〈思い出などが〉[...で]美化[理想化]されている [*by*]. **hál・lowed** 形《正式》神聖化された, 神聖な.

†**Hal・low・een, --e'en** /hǽləwíːn/ 名 C ハロウィーン, 万聖節(All Hallows, Hallowmas, All Saints' Day)の前夜祭《10月31日の夜, 死者の魂が墓から現れ出るとされる》《◆主に米国で仮装した子供が "Trick or treat!" (ごちそうくれなきゃ, いたずらするぞ!)と言って近所を回り, 近所の人は菓子・果物などを与える. 英国では Guy Fawkes Night (11月5日)の方が盛んな. → pumpkin 〔文化〕

hal・lu・ci・na・tion /həlùːsənéiʃən/ 名 UC 1 幻覚症状[状態, 体験]; 幻覚, 幻影. 2 妄想, 迷妄.

hal・lu・ci・no・gen /həlùːsənədʒén, hæˌluːsínədʒən/ 名 UC 幻覚剤.

†**hall・way** /hɔ́ːlwèi/ 名《米》1 玄関(の広間). 2 廊下.

†**ha・lo** /héilou/ 名 (複 ~s, ~es) 1 C 円光, 光輪; 後光, 光背. 2 U [比喩的に]後光, 栄光, 光輝, 神聖. 3 C (太陽・月の)かさ. 4 C 〔テレビ〕ハロー(現象). ――動 他 ...を後光で取り巻く.

†**halt¹** /hɔ́ːlt, hɑ́ːlt | hɔ́ːlt/ 名 C 1 [通例 a ~] (一時的・永久的な)停止, 休止; 中断《◆stop より堅い語》‖ **cáll** a **hált** to the arguments 議論に終止符を打つ / The train [soldiers] *càme to a hált*. 列車[兵士]は停止した. 2 《英》(駅舎のない)停車場, 駅;《正式》バスの停留所.

bring A to a hált ...を中止[中断, 停止]させる.
――動《◆stop より堅い語》自〈人が〉(場所で)(急に)立ち止まる, 停止する, 行軍をやめる[*at*] ‖ The troops *halted* (for) three days *at* Takada. その軍隊は高田に3日間止まった《◆ふつう stopped を用いる》. ――他 ...を中止[中断, 停止]させる.

hált sign 一時停止標識.

†**halt²** /hɔ́ːlt/ 動 自 1《文》ためらいながら歩く[話す]. 2 迷う, ぐらつく.

hal・ter /hɔ́ːltər/ 名 C 1 端綱(づな)《牛馬のおもがいではみ(bit)をつけないもの》. 2 〔服飾〕=halterneck.

hal・ter・neck /hɔ́ːltərnèk/ 名 C ホールター《首からひもでつるし腕と肩を露出した女性のブラウス》.

†**halve** /hǽv | hɑ́ːv/ [同音]²have 動 他 1〈物〉を2等分する, 2分の1にする;〈物〉を〈人と〉山分けする, 折半する〔*with*〕. 2〈時間・費用・価格など〉を半分にする. ――自 2等分する; 半分になる.

halves /hǽvz | hɑ́ːvz/ 名 half の複数形《◆halves を用いた成句は half の項参照》.

hal・yard, --liard /hǽljərd/ 名 C 〔海事〕ハリヤード, 動索《帆・旗などの上下索》.

†**ham** /hǽm/ 名 (複 ~s/-z/) 1 a UC ハム《1b を主に塩漬け・燻(え)製にしたもの》‖ a slice of *ham* ハム1切れ / buy two *hams* ハム2個[2本]を買う. b 豚のもも肉(図 → pork). 2 [しばしば ~s] (動物の)もも裏側, もも尻(の部分). 3 C ひざの裏側. 4 C《略式》(演技過剰の)大根役者. 5 C《略式》ハム, アマチュア無線家(radio ham)《◆amateur (アマチュア)の /æm/ と発音が似ているから》.

hám and éggs ハムエッグ《◆単数扱い》.
――動 (過去・過分 hammed/-d/; ham・ming) 他《略式》〈役〉をおおげさに演じる(+up).

Ham・burg /hǽmbəːrg/ 名 ハンブルク《ドイツ北部の都市》. **hámburg stèak** 《米》=hamburger 1.

＊**ham・burg・er** /hǽmbəːrgər/
――名 (複 ~s/-z/) 1 C ハンバーグステーキ, ハンバーグ《(米) hamburg steak》; U 《米》牛肉のひき肉[ハンバーグ用]. 2 C ハンバーガー《略式》burger).

†**ham・let** /hǽmlət/ 名 C (教会・学校のない)小村; 小集落, 村(village).

†**Ham・let** /hǽmlət/ 名 ハムレット《Shakespeare 作の悲劇; その主人公》.

＊**ham・mer** /hǽmər/ 〔「石の器具」が原義〕
――名 (複 ~s/-z/) C 1 金づち, つち(槌), ハンマー ‖ He used a *hammer* to break the lock. 彼は

の錠をこわすのにハンマーを使った. **2** ハンマーに似たもの；(議長・裁判官・競売人の)木づち；(ピアノの)ハンマー；(ベル・時計・ゴングの)打ち子，(木琴の)打棒；(銃の)撃鉄(図) → revolver；(陸上競技用の)ハンマー；[the ~] ハンマー投げ競技 ‖ throw the *hammer* ハンマーを投げる. **3** [解剖] (中耳の)槌骨(ৎ৵).

còme [**gó**] **ùnder the hámmer** 競売に出される.
the hámmer and síckle (共産主義の象徴としての)つちと鎌《◆旧ソ連の国旗の図柄．つちは労働者，鎌は農民を表す》．

── 動 他 **1**〈物〉をつちで打つ[たたく]；〈釘〉などを(物に)打ち込む(+in)(into)；〈箱のふたなど〉を打ちつける(+down)；〈物〉をつちで打って作る(+out)；…を金づちで打って[…の]作る(into) ‖ *hammer* the nail *into* the wood 木材に釘を打ち込む / *hammer* the metal flat 金属をたたいて平らにする. **2**〈物〉をたたく[打つ]；〈人〉をなぐる ‖ He *hammered* out a home run. 彼はホームランをかっ飛ばした. **3** (略式)〈敵・相手〉を激しく攻撃する，一方的に負かす(beat). **4**〈単語・思想など〉を[…に]たたき込む(+in)(into).

── 自 **1** …をつちで打つ；どんどんたたく(+away)(at, on) ‖ *hammer* at the keys ピアノの鍵(〷)盤をがんがんたたく.

hámmer (**awáy**) **at A** (略式) **(1)** …を一生懸命やる，勉強する. **(2)**〈人〉に繰り返し話す[強調する]. **(3)**〈人〉を激しく攻撃する. **(4)** → 自.
hámmer hóme [他] **(1)**〈くぎ〉を十分に打ち込む. **(2)**〈論点などを〉〈人に〉認識[理解]させる《ため主張[力説]する》(to).
hámmer óut [他] **(1)**〈金属のへこみなど〉をつちで打ち出す. **(2)**〈曲〉を[楽器で]弾く(on). **(3)**〈結論・政策・解決策など〉を徹底的に検討して出す；〈意見の相違など〉を徹底的に議論して取り除く. **(4)** → 動**1, 2**.

†**ham·mock** /hǽmək/ 名 C ハンモック，つり床《◆水葬で死者をくるむのに使われることもある》．
†**ham·per**[1] /hǽmpər/ 動 他 (正式) …の邪魔をする，阻止する，身動きをとれなくする.
Hamp·shire /hǽmpʃər, -ʃiər/ 名 ハンプシャー《イングランド南岸の州》．
ham·ster /hǽmstər/ 名 C [動] ハムスター．
ham·string /hǽmstrìŋ/ 名 C (人のひかがみの)腱，(四足獣の)後脚節の後腱. ── 動 (過去・過分 --strung or ~ed) 他 **1**〈人・動物〉の[膝を切って]足を不具にする. **2** …を妨害する，挫折させる(block).
Han /hɑ́ːn│hǽn/ 名 (中国の)漢(王朝) (Han Dynasty)《206 B.C.–A.D. 220》．

hand /hǽnd/ (𝔐) handful (名), handy (形)

index 名 **1** 手 **2** 針 **3** 方向 **4** 手助け **6** 所有
動 **1**(手)渡す **2** 手を貸して導く

── 名 (複 ~s/hǽndz/)
I [からだの部分としての手]
1 C 手《◆力・保護・勤労などの象徴. 図 → body》；(動物の)手，前足．(カニ・エビの)はさみ《◆ claw の方がふつう》《関連形容詞 manual》‖ the right [left] *hand* 右[左]手 / The baby is crawling on its *hands* and knees. その赤ん坊ははいはいしている / tàke him *by* the *hánd* 彼の手をとる《◆文法 16.2(3)》/ cláp one's *hánds* 拍手する《人を呼ぶため》手をたたく / clénch one's *hánds* [fists] (緊張して)手を握りしめる / lace one's *hands* behind one's head 頭の後ろで手を組む / hold up one's

hand (制止のため)片手を上げる / ráise one's *hánds* 両手を上げる《◆降参・お手上げを示す》/ If you have any questions, raise your *hand*. 質問があれば手を上げなさい《*hand* は片手．複数の人でも単数形がふつう》/ hóld [pút] one's *hand* òut (握手しようと・何かもらおうと)手を差し出す / cáll for a shów of *hánds* 挙手による採決を求める．
2 C 手のような形の物；(時計の)針；(方向・参照を示す)手のしるし《♪》‖ the *hour* [minute, second] *hand* (of a watch) 時[分, 秒]針．
3 C (手で示す)方向，方面，側(side) ‖ on all *hands* 各方面に[から] / on his *right* [left] *hand* 彼の右[左]側に《◆場所に重点を置くときは at his …》．

II [人助け・人手]
4 (略式) [a ~] […への]手助け(help)；参加，関与，役割《with, in, at》‖ gíve her *a hánd* [with her homework [at cooking] 彼女の宿題[料理]を手伝う / bèar [hàve, tàke] *a hánd* in the business その仕事に参加[関係]する / Lénd [Gíve] me *a* (*hélping*) *hánd*. 手を貸してください．
5 C (物事を遂行する)手，人手；[通例複合語で] 職人，労働者；(船の)乗組員 ‖ Our employer decided to lay off a few *hands*. 私たちの経営者は若干名の人員整理を決定した / be short of *hands* 人手不足だ / He is a cool *hand*. (俗) 彼はずうずうしいやつだ / All *hands* on deck! 全員甲板へ；ちょっと人が自分の持ち場で全力を尽くせ / **Many hands make light [quick] work.** (ことわざ) 人手が多ければ仕事は楽[早]い．

III [制御・管理]
6 C [通例 ~s] (所有・管理の象徴としての)手，所有；管理，支配，保護；権力 ‖ fall into the enemy's *hands* 敵の手中に落ちる / kéep one's *hánd* in personal affairs 人事権を握っている / leave a child *in good hands* 子供をよい保護者に託す / He has my fate *in his hands*. =My fate is *in his hands*. 彼が私の運命を握っている．

IV [その他]
7 C [通例 a/the ~] […をする]手練，腕前，能力《for, in, at》；[形容詞を伴って] […の]技量[腕前]を持った人《at》‖ a free *hand* 自由に決断[行動]のできる能力 / a *hand* for cakes ケーキを作る腕前 / a man of his *hands* 手先の器用な人 / 「a green [an old] *hand* 未熟な[老練な]人 / be a *good* [*poor*] *hand at* … …がうまい[へただ]《◆ be *good* [*poor*] *at* … の方がふつう》/ have a good *hand in riding* 乗馬が上手だ．
8 [one's/a/the ~] (信義・約束のしるしの)手，(文·や や古)(女性にささえる)婚約，誓約；(賛成・賞賛の)手，拍手《♦主に次の句で》‖ ask for a lady's *hand* =offer one's *hand* to a lady 女性に求婚する / win the *hand of* … …の夫[妻]となる / give him *my hand* [*word*] on the bargain 彼と契約を固く取り決める / gèt *a góod* [*bíg*] *hánd* 拍手かっさいを受ける / give him *a good* [*big*] *hand* 彼に拍手かっさいする．
9 [one's/a/the ~] 筆跡；(正式) 署名 ‖ in one's own *hand* 自筆で / write a good *hand* 字がうまい / set one's *hand* to a document 書類に署名する. **10** C ハンド《馬の体高さを測る単位. 1 hand は約4インチ》．**11** C (トランプ) **a** 持ち札，手 ‖ declare one's *hand* 手を知らせる；意図を打ち明ける．**b** 手札を持っている人；競技者 ‖ an elder [el-

hand

dest] hand 最初に札を出す人. **c** 勝負 ‖ play another hand もう1勝負する.
(at) fírst hánd 直接に, じかに(cf. (at) second HAND).
***at hánd** 《正式》[しばしば near, close と共に]《時間·位置的に》近くに[の], 近づいて ‖ Our school festival is near [close] at hand. 私たちの文化祭はもうすぐだ / have two dictionaries at hand 手もとに2冊の辞書を置いておく.
(at) sécond hánd 間接に, 人づてに(cf. (at) first HAND, secondhand).
at the hánd(s) of A =**at A's hánd(s)** 《人》(の手)から, …の手によって, …のおかげ[せい]で.
béar a hánd (1)〔…に〕手を貸す〔with〕. (2)〔…に〕参加[関係]する〔in〕.
be bórn with a hánd in hánd …を手にして生まれてくる, 生まれながらの…上手である.
bíte the hánd that féeds one 飼主の手をかむ, 恩をあだで返す.
by hánd (1)(機械でなく)手で; (印刷·ワープロでなく)手書きで ‖ a letter by hand 自筆の手紙. (2)(郵便でなく)手渡しで ‖ send him a letter by hand 使いに持たせて彼に手紙を渡す.
by the hánd(s) of A 〈人〉の手を経て; 〈人〉の力で.
chánge hánds 〈家·財産などが〉持ち主が変わる.
éat [féed] óut of A's hánd 〈人〉の手からえさをもらう; 〈人〉の言いなりになる.
from hánd to hánd 人の手から手へ, 次々に(➡文法 16.3(3)).
gíve a hánd =bear a HAND.
hánd and fóot (1) 手足が使えないように; 自由な行動ができないように; 完全に. (2)(人の手足となって)忠実に, まめまめしく.
hánd in [and] glóve 〔…と〕非常に親しく; 〔…と〕ぐるになって〔with〕.
hánd in hánd 手を取り合って; 〔…と〕協力して; 〔…と〕密接な関連を持って〔with〕(cf. hand-to-hand)(➡文法 16.3(3)).
hánd over hánd ➡文法 16.2(3) (1)(ロープを)たぐって, 手を交互に動かして. (2)《略式》どんどん, ずんずん ‖ She's making [earning] money hand over hand. 彼女はどんどん金をもうけている.
Hánds óff! (1)《掲示·命令》手を触れるな(=Don't touch!). (2)《略式》干渉するな, 手を出け.
Hánds úp. (1)《略式》手をあげろ《降伏の命令. ふつう銃口を向けて言う》. (2)(賛成として·答えがわかる人は)挙手を願います.
hánd to hánd 〈両者が〉(戦いで)接近して(➡文法 16.2(3)) ‖ fight hand to hand 白兵戦をする, つかみ合いをする.
háve cléan hánds =have clean FINGERS.
háve one's **hánds frée** 《略式》手があいている, 何でも自由にできる.
háve one's **hánds fúll** 《略式》〔…で〕手がふさがっている, 忙しい〔with〕.
háve one's **hánds tíed** 《略式》手がふさがっている, 何も自由にできない.
in hánd (1) 手元に[の], 手持ちの ‖ stock in hand 手持ちの在庫品. (2)《正式》進行中で[の], 考慮中で[の]. (3)(動物·感情などを)支配下に[の], 管理[制御]して[に].
jóin hánds (1) 両手を組む. (2) 結婚する. (3)(ある目的で)〔…と〕手を組む, 提携する〔with〕.
kèep one's **hánds óff A** 〈人·事〉に干渉しない.
láy (one's) **hánd(s) on A** (1)〈人·物〉をつかむ, 捕え

る, 手に入れる. (2)〈人〉に暴行する ‖ lay hands on oneself 自殺する. (3)(任命·堅信礼などで)〈頭など〉に手を触れて祝福する.
lénd a hánd =bear a HAND.
líe on A's hánd(s) (1)〈物が売れず[使われず]〈人〉の手元にある. (2)〈時間が〉〈人〉に持て余される.
líft one's **hánd** 誓う, 祈る.
líve (from) hánd to móuth 『手に入れた食べ物をたくわえずすぐ口に入れる生き方をする』その日暮らしをする; 備え[節約]をせず暮らす《◆ふつう貧乏暮らしを連想するか, 計画性のない気前のいい生活にも用いる》(➡文法 16.3(3)).
not líft [ráise] a hánd 『ある行為をしようと片手をあげる(というわずかな努力さえしない)』〔…しようと〕努力すらしない〔to do〕.
óff hánd 即座に, 準備しないで, 無造作に, 何気なく.
óff A's hánds 《略式》〈人〉の責任[管理]から離れて[た].
on hánd (1) 手持ちの[で]; 〈時間·品物などを〉持て余して. (2)〈事が〉間近に. (3)《米》近くにいあわせて, 出席して.
on [upón] A's hánds (1)〈人〉の自由になる[なって]. (2)〈人·事〉の責任[重荷]となる[なって]; 《略式》〈時間などが〉〈人〉の手に余って, 〈商品が〉売れ残って ‖ a patient on her hands 彼女が世話せねばならない患者 / find time on one's hands 時間を持て余す.
***on (the) óne hánd** 一方では《◆ふつう on the other hand と対になる》.
***on the óther hánd** [通例 on (the) one hand と呼応して] 他方では, これに対して, これに反して, 反対に《◆(1)1つの事柄を別々の見方をしてその異なる状況·可能性をわけさせる表現. どちらも真実で相互に矛盾しない場合に用いる. (2) 文の要素の一部を対比できる. これに対し, while は文全体をのみ対比する》 ‖ On one hand I do not like mathematics; but on the other (hand), it will be useful for me in the future. 一方では私は数学が嫌いだが, 他方では数学は将来私の役に立つであろう.
óut of hánd (1)《正式》即座に. (2) 手に負えない(で), 手に余った[余って](out of control). (3) 手[支配]を離れた[て]; 片付いた[て].
pút [sét] one's **hánd to A** (1)〈仕事など〉に着手する; 〈物〉をつかむ. (2)(書類などに)署名する. (3)〔…するように〕努力する〔to do〕.
ráise a hánd =lift a HAND.
***shake hands** → shake 動.
shów [revéal] (áll of) one's **hánd** (1)(トランプ)手の内を見せる. (2) 本心を打ち明ける.
sít on one's **hánds** (1)《米略式》(容易に)拍手しない, 賛意[熱意]を示さない. (2)《略式》手をこまねいている.
táke a hánd =bear a HAND.
táke A in hánd (1)〈仕事など〉を引き受ける, 試みる. (2)〈物·事〉を処理する. (3)〈人·物〉を世話[管理, 抑制]する.
thrów úp one's **hánds** =thrów one's hánds úp お手上げであるとあきらめる.
to hánd 《正式》(位置的に)手近に, 手の届くところに; 所有[入手]して.
trý one's **hánd at A** 〈物·事〉をやってみる.
túrn a hánd =lift a HAND.
túrn one's **hánd to A** =put one's HAND to.
únder one's **hánd** 手元に, すぐ使える[役立つ].
wásh one's **hánds** (1) トイレに行く. (2)《聖》〔…と〕手を切る; 〔仕事などから〕手を引く〔of〕《◆「足を

洗う」に近いが、その対象は悪事とは限らない》.

with a héavy hánd (1) きびしく, 断固として. (2) 不器用で[に].

—— 動 (~s/-ndz/; 過去・過分 ~-ed/-id/; ~-ing)
—— 他 **1** [hand A B =hand B to A] **a** 〈人が〉A 〈人〉にB〈物〉を(手)渡す(→文法 3.3) ‖ *Hand* me the wrench. そのスパナを取ってくれ / I *handed* Bill a map. =I *handed* a map *to* Bill. ビルに地図を手渡した.

> 語法 hand A B, hand B to A の構文は, A, B のいずれかを省略して hand A, hand B, hand to A ということはふつうできない.

b (食事中に)〈人〉に…を回す;〈人が〉…を手渡する(+ *back*, (*a*)*round*)《◆修飾語(句)は省略できない》‖ *hand* him the book *back* =*hand* him *back* the book =*hand* the book *back to* him 本を彼に返す / *hand* round the coffee and cakes コーヒーとケーキを配る[回す].

2 〈人が〉〈人〉に手を貸して[…へ/…から]導く(+*down, in, out, up*)[*into / from, out of*] ‖ She *hand*ed the disabled boy *up* into the bus. 彼女はその身体の不自由な男の子をバスに助け上げた《◆ helped の方が自然》.

hánd dówn [他] **(1)** 〈人〉を[乗物から]手を貸して降ろす[*from*](→ 他 **2**). **(2)** [通例 be ~ed]〈特性などが〉〈子〉に遺伝する,〈伝統が〉〈子孫〉に伝わる[*to*];〈服・本・靴などが〉お下がりになる. **(3)** …を公表する;〈判決など〉を言い渡す.

hánd ín [他] …を[…に]提出する((正式) submit)[*to*] ‖ *Hand* in your homework by next Monday. 宿題を来週月曜日までに提出しなさい.

hánd it to A [略式] [通例 have (got) to, must を伴って] 〈人〉にかぶとを脱ぐ, …の優越を認める.

hánd ón [他] **(1)** 〈物〉を[人に]回す, 回覧する;〈情報〉を知らせる[*to*]. **(2)** =HAND down (2). **(3)** = HAND over.

hánd óut [他] 〈物〉を[…に]配る, (略式)〈施し物・給付として〉分け与える(distribute);〈忠告・お世辞・罰〉を与える[*to*] ‖ *hand out* leaflets ちらしを配る.

hánd óver [他] **(1)** 〈物〉を[…に]手渡す,〈人〉を[…に]引き渡す[*to*]. **(2)** 〈財産・権限などを〉[…に]譲り渡す(transfer)[*to*] ‖ *hand over* the estate *to* him 彼に財産を譲る. **(3)** 〈命令など〉を[…に]申し送る[*to*].

hánd àx(e) 手おの.

hánd bàggage [(英) lùggage] 手荷物.

hánd glàss (1) 手鏡. **(2)** (柄付きの)読書用拡大鏡.

hánd lànguage 手話.

hánd òrgan 手回しオルガン.

hánd pùppet 手人形.

hánd tówel ハンドタオル, お手ふき; おしぼり.

hand·bag /hǽndbæg/ 名Ⓒ (女性用)ハンドバッグ ((米ではしばしば) purse, pocketbook); 旅行かばん.

hand·ball /hǽndbɔ̀ːl/ 名 **1** Ⓤ ハンドボール《◆日本でいうハンドボール(7人制)のほか, 壁にボールをぶつけて相手に受けさせる競技などがある》の球, ザボール. **2** Ⓒ Ⓤ 《サッカー》ハンド《手でボールに触れる反則》.

hand·book /hǽndbùk/ 名Ⓒ 入門書, ハンド[ガイド]ブック, 便覧《◆manual よりくだけた語》; 旅行[観光]案内.

hand·craft 名 hǽndkræft /-krɑ̀ːft/; 動 ニ/ 名 = handicraft. —— 動 他 …を手[手細工, 手仕事]で作る.

hand·cuff /hǽndkÀf/ 名Ⓒ **1** [通例 ~s; a pair of ~s] 手錠, 手かせ((略式) cuffs)《◆「足かせ」は fetter》 ‖ put *handcuffs* on him 彼に手錠をかける ‖ ショーク Wedding ring: the world's smallest *handcuffs*. 結婚指輪は世界で一番小さな手錠だ. **2** 制止, 抑制, 拘束. —— 動 他 …に手錠をかける; …を抑制する.

-hand·ed /-hǽndid/ 語素 →語素一覧(1.2).

Han·del /hǽndl/ 名 ヘンデル《George Frederick ~ 1685–1759; ドイツ生まれで英国に帰化した作曲家》.

†**hand·ful** /hǽndfùl/ 名 (複 ~s, hands·ful /hǽndzfùl/-/) Ⓒ **1** [a ~ of + Ⓤ 名詞] ひと握りの量 [数] ‖ Please give me a *handful* of nails [salt]. くぎ[塩]をひとつかみ取ってください. **2** (略式) [a ~ of Ⓒ 名詞] 少数, わずか(a small number)《◆ふつう only, just と連語して否定的意味で用いる》‖ Only a *handful* of people came to the party. パーティーに来たのはほんの数えるほどだった. **3** (略式) [a ~] やっかいな人[動物, 事], 問題児.

hand·grip /hǽndgrìp/ 名Ⓒ (自転車などの)ハンドル, 握り, (刀の)柄.

hand·held /hǽndhèld/ 形 手で握れる(大きさの), 手のひらに乗る(大きさの) ‖ a *hand-held* terminal (手のひらサイズの)携帯情報端末, モバイル. —— 名Ⓒ 手で持って扱えるほどの物, 小型電卓, (手のひらサイズの)携帯情報端末.

†**hand·i·cap** /hǽndikæ̀p/ 名Ⓒ **1** 《スポーツ》ハンディキャップ, ハンディ; ハンディキャップ付きの競技《競馬, 競走》. **2** 不利な条件, ハンディキャップ, 不利益 ‖ Poor eyesight is a *handicap* to [for] a sportsman. スポーツマンにとって視力が弱いのは不利だ. **3** Ⓤ 身体[精神]障害. —— 動 (過去・過分 -i·capped/-t/; --cap·ping) 他 〈人〉にハンディキャップを付ける; [be ~ped] 〈人が〉[…で]不利な条件を負っている(*by, with*) ‖ Beethoven was *handicapped* by poor hearing. ベートーベンは耳が不自由だった.

hand·i·cap·ism /hǽndikæ̀pizm/ 名Ⓤ 障害者差別(主義).

hand·i·capped /hǽndikæ̀pt/ 形 **1** (身体・精神に)障害のある《◆「ハンディを背負った」という負のイメージのある handicapped よりも, able-bodied ではないがハンディは負っていないという意味合いで現在では disabled がしばしば用いられる. → disabled》; [the ~; 複数扱い] 身体[精神]障害者たち ‖ *handicapped* children 身体[精神]障害児 / The Paralympics is a festival for *the handicapped*. パラリンピックは障害者の祭典です / He is physically [mentally, visually] *handicapped*. 彼は身体的[精神的, 視覚]障害がある. **2** 《スポーツ》ハンディキャップを付けられた.

†**hand·i·craft** /hǽndikræft /-krɑ̀ːft/ 名Ⓤ 手先の熟練[器用さ]; Ⓒ [通例 ~s] 手工芸品, 手細工品.

hánd·i·cràfts·man 名Ⓒ 手工芸家, 手職人 ((PC) handicraftperson).

hand-in-hand /hǽndinhǽnd/ 副 **1** (愛情・親しさで)手をつないで. **2** 協力して, 共に(together).

hand·i·work /hǽndiwə̀ːrk/ 名 **1** Ⓤ 手仕事[細工]; Ⓒ 手作り品, 手細工[工芸]品. **2** Ⓤ [皮肉に]しわざ, してかした事.

hand·ker·chief /hǽŋkərtʃìf, -tʃìːf/
[hand + kerchief]
—— 名 (複 ~s/-s/, --chieves -tʃìːvz/) Ⓒ [布[紙]製の]ハンカチ((略式) hanky, hankie)《◆英米では鼻をかむために使うことが多い》‖ a four-*handker-*

chief film お涙ちょうだい映画 / She blew her nose with her *handkerchief*. 彼女はハンカチで鼻をかんだ.

†**han･dle** /hǽndl/ 名 C ❶ (引き出し,カップなどの)取っ手, 柄, ハンドル(◆「自動車の『ハンドル』は (steering) wheel, 自転車の場合は handlebar」) ‖ The *handle* of the cup is broken. カップの取っ手がこわれている. ❷ (…の)機会, きっかけ, 口実, 理由(*for*) ‖ She gave him a *handle against* herself. 彼女は自分に不利になるような口実を彼に与えた. ❸ (略式)肩書, 名前(first name); (アマチュア無線・パソコン通信用の)ニックネーム, ハンドル ‖ have a *handle* to one's name 肩書がある.

flý óff the hándle 『おのを降り降ろした時にその頭部が急に柄から外れて飛んで行く』(略式)かっとなる, 自制心を失う(lose one's temper).

gét [háve] a hándle on A ⟨状況など⟩を掌握する, 理解する.

——動 ❶ ⟨人が⟩⟨物⟩に手を触れる, ⟨物⟩を手で持ち上げる[握る, 動かす] ‖ Please do not *handle* the exhibits. 展示品には手を触れないでください. ❷ ⟨人が⟩⟨問題など⟩を扱う, 論じる, 解決する, ⟨事⟩を処理する; ⟨人・動物⟩を扱う; ⟨道具など⟩を使う ‖ *handle* animals roughly 動物を手荒に扱う / I don't know how to *handle* children. 子供の扱い方がわからない. ❸ ⟨群衆⟩を統制[指揮, 指導]する; ⟨ボクサー⟩のセコンド役をつとめる; ⟨船など⟩を操縦する, あやつる. ❹ (略式)⟨物⟩を商う, 取り扱う.

——自 ⟨乗物⟩が操縦される; ⟨道具⟩が扱える ‖ This car *handles* well. この自動車は運転しやすい.

han･dle･bar /hǽndlbɑːr/ 名 C ❶ (通例 ~s) ❶ (自転車などの)ハンドル(図) → bicycle(→ handle 1). ❷ =handlebar mustache. **hándlebar mústache** 天神ひげ《両端が下に曲がったひげ》.

hand･made /hǽndméid/ 形 ⟨家具・衣服などが⟩手製の, 手作りの(↔ machine-made)(◆飲食物は homemade).

hand-me-down /hǽndmidàun/ 名 C (米俗)(通例 ~s) おさがりの[着古した, ぼろの]服, 中古衣料品.

hand-off /hǽndɔːf/ 名 C 【アメフト・ラグビー】ハンドオフ.

hand･out /hǽndàut/ 名 C ❶ (講演などの)配布資料, ハンドアウト, プリント (◆ *print* とはいわない). ❷ (新聞記事になる)声明, 発表, 情報, ねた. ❸ (略式)施し[めぐみ]物 ⟨お金・食物・衣類など⟩; [~s] (政府の)補助金. (◆ cf. hand out [動 成句]).

hand･rail /hǽndrèil/ 名 C (階段などの)手すり.
hand･set /hǽndsèt/ 名 C (電話の)送受話器.
hands-free /hǽndzfriː/ 形 手を使わずに操作できる.
hand･shake /hǽndʃèik/ 名 C 握手. ——自 (…と)握手する(*with*).

*‵**hand･some** /hǽnsəm/《「手で (hand) 扱いやすい (some)」》

——形 (通例 ~r, ~st) ❶a ⟨男性が⟩ハンサムな, 美男子の(◆⟨女性の美貌については⟩ beautiful, lovely, pretty がふつう. good-looking は性別年齢に関係なく使える) ‖ She only goes for *handsome* faces. 彼女は面食いだ / *Handsome is that [as] handsome does*. (ことわざ)立派な行ないの人は美しい;「見目より心」(◆ 後の *handsome* は ❺ の転用 = *Handsome* is he who does *handsomely*.). b ⟨女性が⟩体格もよく魅力的な容姿の(◆中年以上の女性についていう). ❷ ⟨物が⟩均整のとれた, 見ばえのする, 見事な; ⟨動物が⟩見た目の立派な ‖ a *handsome* room きちんと整った部屋. ❸ (正式)[名詞の前で] ⟨金額が⟩かなり大きな ‖ a *handsome* sum of money かなりの金額. ❹ (正式)⟨行為が⟩寛大な, 気前のよい, 物惜しみしない ‖ a *handsome* treatment 厚遇(⇨) / a *handsome* gift [tip] 気前のよい贈り物[チップ] / It's *handsome of* you to say so. そうおっしゃってくださるとはありがたい(◆ ×You are handsome to say so. は不可). ❺ 上品な, 礼儀正しい.

hánd･some･ly 副 気前よく; すばらしく, 大いに.
hánd･some･ness 名 U 美しさ.
hand-to-mouth /hǽndtəmáuθ/ 形 その日暮らしの ‖ live [lead] a *hand-to-mouth* existence その日暮らしをする(*from* hand *to* mouth).
hand-work /hǽndwəːrk/ 名 U 手仕事, 手細工.
hand-wo･ven /hǽndwóuvn/ 形 手織り機[ばた]で作られた.

†**hand･writ･ing** /hǽndràitiŋ/ 名 U (ペン・鉛筆を用いた)手書きの(文字), 筆跡, 自筆; [しばしば a ~] 書体, 字体 ‖ She has neat *handwriting*. 彼女は字がきれいだ.

†**hand･y** /hǽndi/ 形 (-i･er, -i･est) ❶ (略式)⟨(…の)扱い)が⟩上手な, 巧みな, 器用な[at, with, about, (a)round] ‖ The foreign student is very *handy with* chopsticks. その留学生ははしを使うのがとてもうまい. ❷ ⟨人に⟩便利な, 手ごろな; ⟨船・車などが⟩扱い[操縦し]やすい(*for*) ‖ *handy* tools 手ごろな道具(◆ the tools (which are) *handy* は「手近な道具」(⇨文法 17.3). → 3). ❸ (略式)⟨人の⟩手近にある, すぐ手に入る[利用できる][to]; (…の)近くにある, 近い(conveniently near) [*for*] ‖ The supermarket is quite *handy*. スーパーマーケットはすぐ近くにある.

còme in hándy (略式)いつか(…の)役に立つ[*for*].
hánd･i･ness 名 U 器用さ; 便利さ.

*‵**hang** /hǽŋ/ 『「上からたらす」が本義』

——他 ⟨~s/-z/; hung /hʌŋ/; ~ing/
他 ❺, 自 ❷ では 過去・過分 ~ed/-d/ or hung)
——他 ❶ ⟨人が⟩⟨物⟩を(…に/…から/…の上に)つるす, 下げる, 掛ける[*on/from/over*] ‖ They *hung* their heads in shame. 彼らは恥ずかしくてうなだれた / A woman was *hanging* the washing (out) on the line. 女の人が洗濯物をロープに掛けているところだった.
❷ ⟨場所に⟩ [(…を)掛けて飾る(*with*); ⟨壁紙・ポスターなど⟩を壁に張る, …を[…に/…で]取り付ける[*to/on*]; …を[…で]固定する[*by*]; ⟨スカートなど⟩のすそを調節する; [通例 be hung] ⟨絵などが⟩展示される(◆修飾語(句)は省略できない) ‖ *hang* a door *on* its hinges ちょうつがいで戸を取り付ける / The room *was hung with* a portrait. 部屋には肖像画がかかってあった.
❸ ⟨人が⟩⟨頭⟩を垂れる(+*down*).
❹ ⟨肉⟩を(食べごろになるまで)つるしておく.
❺ ⟨人が⟩⟨人など⟩を首つりにする[して殺す]; [犯罪のために]⟨人⟩を絞首刑にする[*for*] ‖ He was *hanged* for murder. 彼は殺人罪で絞首刑になった / He committed suicide by *hanging* himself. 彼は首つり自殺をした.
❻ (米)⟨陪審員⟩に評決させない.

——自 ❶ ⟨物が⟩掛かる, [(…から/…に)]ぶら下がる, 垂れ下がる(+*down*)[*from/on*]; ⟨花がしおれる⟩(+*down*); ⟨絵が⟩展示してある, ⟨肉が⟩(食べごろになるまで)つるしてある; ⟨スカート・ドレスなどが⟩長すぎる ‖

《対話》 "Where is my handkerchief?" "It's *hanging on the line*."「私のハンカチはどこ」「ロープにかかっているよ」/ Her stockings were *hanging* loosely on her legs. 彼女のストッキングはずり下がっていた / The hot sun made the flowers *hang down*. 暑さで花はしおれた / His hair *hung down* to his shoulders. 彼の髪は肩まで垂れ下がっていた. **2** 絞首刑になる; 首をつって死ぬ ‖ He will *hang* tomorrow. 彼は明日絞首刑になる; 首をつって死ぬだろう. **3**〈戸が〉〔ちょうつがいで〕自由に開閉する〔*by, on*〕; 〔…を〕しっかり握る〔*on*〕‖ The child *hung on* his mother's arm. 子供は母の腕にしっかりしがみついていた. **4**〈鳥が〉〔…の上に〕舞っている;〈煙などが〉〔…の上に〕漂っている;〔…より〕突き出る, 身を乗り出す;〈危険などが〉〔…に〕迫っている〔*over*〕. **5**〈人が〉〈場所で〉さまよう, ぐずぐずする〔*at*〕;〈人が〉〔…の間で〕ためらう, ちゅうちょする〔*between*〕‖ *hang between* life and death 生と死の間をさまよう. **6**〔コンピュータ〕フリーズする, ハングアップする(+*up*).

háng aróund 〔《主英》*abóut, róund*〕(略式) 自 (1) 近くにいる, 近くで待っている, うろつき回る, ぐずぐずする; 人につきまとう;〈病気・悪天候などが〉長びく. (2) 待つ, 中断する. ― 他[+] 〔~ *around*〔*about*〕**A**〕…の付近にたむろする;〈店など〉をひやかして歩く;〈人〉につきまとう.

háng báck 自 (1) 〔…を〕いやがる, しりごみする, ちゅうちょする〔*from*〕. (2) 人の後ろからのろのろとついて行く. ― 他 …をもとあった所へ掛ける.

háng héavy 〔*héavily*〕〔*on* **A**'s *hánds*〕〈時間が〉〈人〉になかなか過ぎない.

háng in thére 《米略式》あきらめない, がんばり通す.

Háng it (all) (略式) ちくしょう！《◆失望・いらだちを表す》(= I'll be *hanged*.) (→ 他 **5**).

háng ón (略式) 自 (1)〔…に〕つかまる, しがみつく;〔…を〕売らず〔捨てず〕に取っておく〔*to*〕‖ *Hang on* tight, please. 〔取っ手などに〕しっかりつかまってください. (2) 〔立ち止まって〕待つ; 電話を切らずにおく ‖ *Hang on* a minute. 〔そのままちょっとお待ちください〕. (3)〈病気が〉長びく, 治らない. (4) 〔…を〕続ける, がんばり通す〔*at, in, with*〕. ― 他[+] 〔~ *on* **A**〕(1) …次第である, …に依存している. (2) …に耳を傾ける ‖ *hang on* her lips〔*words*〕彼女の言うことを熱心に聴く.

***háng ónto* A** (1) …にしがみつく. (2) …に頼る. (3) …を維持する. (4) …に耳を傾ける.

háng óut 自 (略式) (1) …に住む〔*at, in*〕. (2) 〔…に〕ひんぱんに行く〔*at*〕. (3) ぶらぶらして時を過ごす. (4)〈犬の舌などが〉外に垂れる;〈人が体を…から〉外に乗り出す〔*of*〕. ― 他〈旗など〉を〔…から〕掲げる〔*from*〕;〈洗濯物〉を外に干す.

háng togéther 自 (1) 〈一緒に〉ぶら下がっている;一緒に絞首刑になる. (2) 手を握る, 団結〔協力〕する. **3** 首尾一貫している, つじつまが合う.

háng tóugh (米・カナダ俗) がんたして決心を変えない.

*****háng úp*** (米・カナダ俗) (1) 〔昔は受話器は柱・壁などに掛けてあったことから〕電話を切る,〔人との〕関係を一方的に切る《主英》ring off〔*on*〕‖ Please *hang up*. I'll call you back. 〔電話で〕電話をいったん切ってください《交換手の言葉》. (2) 〈乗り物が〉(溝などに)はまって動けなくなる. (3) → 他 **6**. ― 他 (1) 〈コートなど〉を〔…に〕掛ける;〈物〉を置く ‖ *Hang up* the phone and wait, please. 電話を切ってお待ちください. (2) (略式) 〈交渉など〉を中断する, 遅らせる. (3) (略式) [be *hung*] 〔…のことで〕悩んでいる〔*on, about*〕.

― 名 **1** U 〔しばしば the ~〕掛かり〔垂れ, 下がり〕具合. **2** (略式) 〔the ~〕扱い方, こつ;意味, 趣旨 ‖ *gét* 〔*have*〕 *the háng of* … のやり方〔使い方〕がわかる, 意味がわかる.

háng five [**tèn**] 〔サーフィン〕ハングファイブ〔テン〕《サーフボードの先端に片足〔両足〕の指を全部曲げてかけること》.

háng glider ハンググライダー(で飛ぶ人).

háng gliding ハンググライダーで飛ぶこと.

†**hang・ar** /hǽŋɚ, -ɡɚ/ 名 ⓒ 〔飛行機の〕格納庫.

hang・er /hǽŋɚ/ 名 ⓒ **1** つるす〔掛ける〕人. **2**〔服などを〕つるす〔掛ける〕もの, ハンガー, つり手;〔壁・服などに装飾として〕つるしたもの.

hang・er-on /hǽŋɚrán│-5n/ 名 (複 **hang・ers-on**) ⓒ ごますり, おべっか使い;寄食者, 居候;子分, 手下.

†**hang・ing** /hǽŋiŋ/ 名 **1** U つるす〔つるされる〕こと. **2** U ⓒ 絞首刑にする. **3** 〔正式〕〔~s〕壁紙, 壁掛け, 掛け布, カーテン. ― 形 **1** ぶら下がった;つり下げ用の ‖ a *hanging* basket ぶら下がったかご. **2** 絞首刑の, 絞首刑にする ‖ a *hanging* crime 絞首刑の罪. **3** 高い所〔急斜面〕にある. **4**〈岩などが〉突き出ている.

hang・man /hǽŋmən/ 名 (複 **-men**) ⓒ **1** 絞首刑執行人. **2** (PC) executioner). **2** ハングマン《単語の文字を当て合うゲーム. 間違うたびに棒線画が描き加えられ, 絞首刑の絵が完成すると負け》.

hang・o・ver /hǽŋòuvɚ/ 名 ⓒ (略式) 二日酔い ‖ have a *hangover* 二日酔いである. **2** (英) 〔…の〕後遺症;遺物, 残存物〔*from*〕 《米》holdover).

han・ker /hǽŋkɚ/ 動 自 (略式) **1** 〔しばしば be ~ing〕〔…に〕あこがれる, 〔…を〕欲しいと思う〔*after, for*〕;〔…〕してみたいと思う(long)〔*to do*〕.

han・ky, --kie /hǽŋki/ 名 ⓒ (略式) ハンカチ.

Han・ni・bal /hǽnəbl/ 名 ハンニバル《247-183 B.C.;カルタゴ(Carthage)の将軍》.

Ha・noi /hænɔ́i, hɑ-/ 名 ハノイ《ベトナムの首都》.

Han・o・ver /hǽnouvɚ/ 名 **1** ハノーバー《英国の王家(1714-1901)》(の人) ‖ the House of *Hanover* ハノーバー王家. **2** ハノーファー《ドイツ北部の都市, Lower Saxony 州の州都》.

Han・o・ve・ri・an /hænouvíəriən/ 形 名 ⓒ **1** ハノーバー王家(の支持者)(の). **2** ハノーファー(の人).

Hans /hænz/ 名 ハンス《男の名. John に対応するドイツ語形》.

Han・se・at・ic /hǽnsiǽtik, hǽnzi-/ 〔歴史〕形 ハンザ同盟(都市)の. ― 名 ⓒ ハンザ同盟都市.

Hanseátic Léague 〔the ~〕ハンザ同盟(the Hanse)《中世のドイツ北部都市の政治的・商業的同盟》.

Hán・sen's disèase /hǽnsənz-, hɑ́:n-/ 〔医学〕ハンセン(氏)病(leprosy).

†**hap・haz・ard** /hǽphǽzɚd/ 形 副 無計画の〔で〕, でたらめの〔に〕;偶然の〔に〕.

at [**by**] **haphazard** でたらめに;偶然に.

hap・haz・ard・ly 副 いきあたりばったりに, でたらめに;偶然に. **hap・haz・ard・ness** 名 U でたらめ, 偶然(性).

hap・pen /hǽpn/ (時に) -pm /偶然(hap) 起こる(en)/

― 動 (~s/-z/;過去・過分) ~ed/-d/; ~・ing)

― 自 **1** 〔計画されていない事が〕(偶然に)**起こる**, 生じる《◆(1) occur は *happen* より堅い語. (2) 計画された特定のことについてはふつう take place を用いる》‖ The accident *happened* at about 3:00 on

Sunday. 事故は日曜日の3時頃に起こった《●文法 21.3》/ **Whát's háppening?** いったいどうしたのだ; 何事だ!; (米略式)(あいさつとして)やあ, どうしている / ***Accidents will happen.*** (ことわざ)(相手をなぐさめたり, 自己弁護として)事故はどうしても起こるものだ(どうしようもない)(→ will 動 **6**).

2 [happen to **A**] 〈事が人・物・事〉にふりかかる, 起こる ‖ Something has *happened to* the engine. エンジンがどうかしている / What *happened to* her? 彼女の身に何があったのか.

|語法| die の遠回し表現としても用いられる: if anything *happens* to him 彼に万一のことがあれば.

3 [happen to do] 〈人・物・事〉が偶然…する, たまたま…する《◆(1) 進行形は不可. (2) 好運・不運にかかわりなく用いる. (3) 遠回しな発言・質問・依頼などにも用いられる》‖ I *happened* to meet him. 私は偶然彼に出会った / There *happened* to be a meeting on that day. その日はたまたま会合があった / If he *happens* [should *happen*] to phone me this afternoon, please tell him I'm busy. もしひょっとして彼から電話があったら忙しいと伝えてください《◆ should については, if A should do (if 接)》/ I *happen* to think she's right. 彼女は正しいと思うんですが / This *happens* to be my dictionary! これは僕の辞書だぞ《◆怒って感情的な発言》.

|日英比較| 「なぜ」と why
「なぜ」「どうして」は Why …? とは限らない: How did you *happen* to move here? どうして[どうしたことがきっかけで]ここへ引っ越して来られたのですか《◆ Why did you move here? だと「どうしてここへ引っ越して来たのか, 理由を言いなさい」という感じになる》, それを和らげる言い方になる.

as it (**so**) **háppens** [文頭・文尾で] [相手を牽制して] あいにく; 〈意外にも〉実は, 実際(actually); 折よく(by chance).

háppen (**up**) **on** [**upón**] **A** 〈文〉〈人・物〉に偶然出くわす; …をたまたま見つける.

Néver háppen! とんでもない, 絶対にだめです!

†hap·pen·ing /hǽpnɪŋ/ [名][C] **1** [しばしば ~s] 出来事, 事件, (学校などの)行事 ‖ the *happenings* of the day その日の出来事. **2** [主英] (集会などでの)ハプニング, (劇などの)即興的な演技.

*̇**hap·pi·ly** /hǽpəli/ [-pili/ 《→ happy》]
—[副] **1** [通例文中・文尾で] **幸福に**, 楽しく, 愉快で; 喜んで, 満足して《↔ unhappily》‖ He was *happily* married. 彼は結婚して幸せに暮らしていた / Must fairy tales end with "and they lived *happily* ever after." おとぎ話はたいてい「そのあと 2 人はずっと幸せに暮らしました」で終わる / She *happily* granted my request. 彼女は快く私の願いを聞いてくれた.

2 [文全体を修飾して] [通例文頭・文尾で] **幸いにも**, 運よく(luckily, fortunately)《●文法 18.6》‖ *Happily* (_), I escaped injury. = I escaped injury, *happily*. 幸いけがをせずにすんだ《 =It was a *happy* thing that …》《◆ *It was happy that … には言いかえられない》.

3 適切に, うまく.

*̇**hap·pi·ness** /hǽpinəs/ 《→ happy》
—[名][U] **1 幸福**, 幸せ; 喜び, 満足 ‖ a feeling of *happiness* 満足感 / Her marriage brought *happiness* to her parents. 彼女の結婚で両親は幸せ

であった. **2** 幸運 ‖ I wish you every *happiness.* ご多幸をお祈りします. **3** (表現などの)適切さ, 巧妙さ.

*̇**hap·py** /hǽpi/ [形 3 の「偶然(hap)の(y)(幸運による)」が原義で, それより **1**, **2** の意が生まれた] [派] happily.
—[形] (--pi·er, --pi·est) **1** [補語として] 〈人が〉[…のことで] **うれしい**〔about, at, with, over〕《◆(1)「聞いて」「見て」の意では at. (2) satisfied, content より口語的》; [be happy to do] 〈人は〉…して[するのが]うれしい, 喜んで…する; [be happy (in) doing] 〈人は〉…して[するのが]うれしい; [be happy (that)節] 〈人は〉…ということがうれしい《◆比較変化しない》《↔ unhappy》‖ Are you *happy with* your new secretary? 新しい秘書に満足していますか《◆ Are you *happy with* me? は「(授業などで)私の言っていることがわかりますか」の意. → with 前 **4 b**》/ I was so *happy about* her safe return that I wanted to cry. 彼女が無事に帰って来たことであまりにもうれしくて泣きたいぐらいだった / He was *happy at* [to hear] the news of her success. 彼女の成功の知らせで彼はうれしかった / He was *happy* ((正式) *in*) being a doctor. 彼は自分が医者であることを幸せに思った / I'll be *happy to* come. 喜んで参ります / She was *happy* to pass the exam. =She was *happy that* she passed the exam. 彼女は試験に合格してうれしかった《◆ *It was happy for her to pass … / *It is happy that she passed … とはいわない》.

2 〈人・行為などが〉**幸福な**, 幸せそうな, 楽しい ‖ a *happy* smile on her face 彼女の顔に浮かんだうれしそうなほほえみ / He seems (to be) *happiest* when he is with his grandchildren. 彼は孫と一緒の時が一番楽しそうだ《●文法 19.6》.

3 [正式] [名詞の前で] 〈出来事などが〉**幸運な**, めでたい(lucky) ‖ It was a *happy* chance that I found the key. キーが見つかったのは幸いであった(= *Happily* (_) I found the key.) / The story has a *happy* ending. その話はハッピーエンドで終わる《◆ *a happy end とはいわない》/ *Happy* Birthday! 誕生日おめでとう / *Happy* New Year! よいお年を; 新年おめでとう(→ new year) / *Happy* Christmas. (英)クリスマスおめでとう(=(米) Merry Christmas.).

4 [名詞の前で] 〈言動・考え方などが〉適切な, うまい, 巧みな ‖ a *happy* suggestion 的を射た提案. **5** 《略式》[複合語で] やたらに使いたがる; 夢中になった ‖ a trigger-*happy* guy すぐ発砲したがるやつ.

(**as**) **háppy as** ¦**a kíng** [**a lárk**, 《英》**Lárry, a sándboy, the dáy is lóng**] とても幸福な, うれしい.

háppy evént (略式) [遠回しに] 子供の出生.

háppy hòur (バーやレストランなどの)サービスタイム《飲み物や食べ物が割引になる時間帯》.

háppy médium [通例 the/a ~] 中庸, 中道.

hap·py-go-luck·y /hǽpigòulʌ́ki/ [形] 〈人・事が〉のんきな, 楽天的な, 運任せの, 日和見(ひよりみ)的な《◆ふつう軽蔑(けいべつ)の意味はない》.

Haps·burg, Habs-~ /hǽpsbɑːrg/ [名] **1** [the ~s; the House of ~] ハプスブルク家《近世ドイツの王家で, 神聖ローマ帝国・オーストリア・スペインなどの皇帝[国王]を出した》‖ a *Hapsburg* monarch ハプスブルク家出身の君主. **2** [C] ハプスブルク家の人.

har·a-kir·i /hɑ̀ːrəkíri | hǽrə-/ 《◆/hǽri kǽri/ のように発音する人が多い》[日本] [名][U] 切腹.

†**ha·rangue** /həréŋ/《正式》图C(群衆などに対する)大演説, (長時間の)熱弁, (長くて退屈な)お説教, 叱咤(と). ── 動 (群衆などに(…について))(長々と大声で)演説[説教]をする, 熱弁をふるう《*about*》. ── 圓 (長々と熱弁をふるう[説教する]).

†**ha·rass** /hærəs, həræs/ hærəs, hærəs/ 動 他 1〈人〉を〔厄介なこと・心配などで〕(絶えず)困らせる, 悩ます〔*with, by*〕《◆ *annoy* より強意的. → *tease*》‖ be sexually *harassed* 性的いやがらせを受ける. **2**《正式》〈敵〉(を)(繰り返し)攻撃する, 急襲する.

ha·rássed 形 1 [⋯で]疲れ切った〔*with*〕. **2**〈表情などが〉いらいらした.

ha·rass·ment /hærəsmənt | hærəsmənt/ 图 U《正式》悩ます[される]こと; 悩み(の種)‖ sexual *harassment* 性的いやがらせ.

har·bin·ger /hɑ́ː*r*bɪndʒə*r*/ 图C 前触れ, 前兆.

*__har·bor__**, 《英》—**bour** /hɑ́ː*r*bə*r*/《「軍事用避難所」が原義》── 图 (複 ~s/-z/) 1 C U 港《◆自然の地形を利用し, 人工の防波堤を備えた避難港. port は町を含む商業港.《図》→ **port**》‖ a natural [an artificial] *harbor* 天然[人工]の港 / Many ships are *in harbor*. 多くの船が入港している. **2** C U《正式》避難所, 隠れ場所‖ a *harbor* for criminals 犯罪者の隠れ家. **3** [H~; 地名として] 入江, 湾‖ Pearl *Harbor* (ハワイの)真珠湾. ──動 他《正式》1 …に隠れ場所を与える; …をかくまう(*protect and hide*)‖ It is against the law to *harbor* criminals. 犯人をかくまうと罪になる. **2**〈悪意・疑いなどを〉[人に]心に抱く (cf. *cherish*)〔*against*〕‖ *harbor* a plan for revenge on him 彼に仕返ししようと思う.

har·bor·age /hɑ́ː*r*bərɪdʒ/ 图 1 U 保護, 避難. **2** U C 避難所, 隠れ場所. **3** U C 停泊所, 港.

*__har·bour__** /hɑ́ː*r*bə/ 《英》图 動 =harbor.

*__hard__** /hɑ́ː*r*d/ 《類音》herd, heard /hɑ́ː*r*d/ 《「激しく, 猛烈に」が原義》派 harden (動), hardship (名), hardy (形).

index 形 1 かたい 2 難しい 5 熱心な 6 強力な
 副 1 熱心に 2 激しく 3 かたく

── 形 (~·er, ~·est)
Ⅰ [外からの力]
1〈物が〉**かたい**(*solid*), しっかりした(↔ *soft*)《◆固くてかみ切れない物には tough を用いる: tough [*×*hard] meat 固い肉》‖ boil an egg *hard* 卵を固くゆでる / The diamond is said to be the *hardest* gem. ダイヤモンドは最もかたい宝石といわれている / The ice is too *hard* to crack. その氷は硬くて割れない.
2〈問題・仕事などが〉〈人に〉難しい, 困難な, 厄介な〔*for*〕《◆ *difficult* より口語的》(↔ *easy*); [it is hard (for A) to do B =B is hard (for A) to do] (A〈人〉が) B を…するのは難しい(→文法 17.4)‖ The homework today is a little *hard* for us. 今日の宿題は私たちには少し難しいです / *It was hard for* him *to* live on his small pension. 少額の年金で生活するのは彼には困難であった《◆ *×*It was hard that he should live … は不可》/ She's *hard* [a *hard* pupil] *to* teach. =It's *hard* to teach her. 彼女は教えにくい(生徒だ).
3〈生活などが〉つらい, 耐えがたい, 苦しい, 苦難の‖ a *hard* life 苦しい生活 / He gave me a *hard* time. 彼にひどい目にあわされた.
4 [名詞の前で]〈天候・季節などが〉厳しい(↔ *mild*);〈雨などが〉激しい‖ a *hard* winter 厳冬 / a *hard* storm ひどいあらし.

Ⅱ [外への力]
5 [通例名詞の前で]〈人が〉**熱心な**, 勤勉な, 努力家の《◆動詞から派生した -er の名詞を修飾することが多い》‖ She is *a hard* worker. 彼女は努力家[働き者]だ(=She works *hard*.)《◆ *hard* work /⌐/ 懸命な勉強; /⌐¯/ 骨の折れる仕事[労働](→ **2**)》.
6〈運動・動作が〉強力な, 激しい;〈仕事などが〉力のいる, 骨の折れる‖ a *hard* blow 強打 / I gave her a *hard* hug. 私は彼女を強く抱きしめた.
7〈人・態度・罰などが〉[…に]厳しい, 無情な〔*on*〕‖ a *hard* judgment for the criminal その犯人にとって厳しい判決《◆ *harsh* の方がふつう》. **8**〈方針・取引などが〉妥協を許さない, 厳しい;〈顔つきなどが〉鋭い‖ a *hard* bargain 厳しい取引. **9** [名詞の前で]〈事実・証拠などが〉否定できない, 実際の, 真実の‖ *hard* facts 疑然とした事実. **10** [音声] **a** (英語の発音で) 〈c, g が〉硬音の《◆(1) c を /k/, g を /ɡ/ と発音すること. (2) 比較変化しない》. **b** (スラブ系言語で)〈子音が〉硬音の, 口蓋(⌐)化されていない. **11** 〈鉛筆(のしん)が〉硬い(略 H).

be hárd on A 〈人・事が〉〈人〉に厳しい, きつくこたえる;〈人が〉〈物〉を手荒に扱う.

hard of hearing ~ hearing.

hárd úp 《略式》(1) 金に困っている, 文無しの (*badly off*) (↔ *well off*). (2) 〔時間・物などを〕欠いている〔*for*〕.

── 副 (~·er, ~·est) **1** 熱心に, 懸命に‖ work *hard* 懸命に働く[勉強する] / He tried *harder* than I to get good marks. いい点を取ろうと彼は私より努力した.
2 激しく, 強く, ぐっと‖ laugh *hard* 大笑いする / stare *hard* at her きっとにらみつける / It rained *hard* yesterday. 昨日は雨が激しく降った / She hit the ball *hard* [*×*strongly]. 彼女はボールを強く打った.
3 かたく, しっかりと‖ She held my hand *hard*. 彼女は私の手をしっかりと握っていた.

be hárd préssed (1) ぴったりと追跡されている. (2) 〔時間・金などが〕なくて困っている〔*for*〕.

be hárd pút (to it) to *do* …するのにひどく困っている.

hárd on [upòn] A …のすぐ後で, …の間近に.

rún A hárd 〈人〉をぴったりと追跡する.

táke (it) hárd 深刻に悩む[受けとめる].

hárd cásh 《略式》(小切手などに対して)現金;(紙幣に対して)硬貨.

hárd còpy ハードコピー《磁気記録に対し, 紙などに印刷された記録》.

hárd cóurt ハードコート《グラスコートに対してアスファルトやコンクリートのテニスコート》.

hárd dísk [コンピュータ] ハードディスク.

hárd drínk (ウイスキーのような)度の強い酒《アルコール分22.5%以上》(↔ *soft drink*).

hárd drínker hard drink を飲む人; 酒豪, 大酒飲み.

hárd drúg(s) 中毒性の薬《ヘロイン・モルヒネなど》.

hárd féelings (人への)恨み‖ No *hard feelings*. (けんかの相手に)水に流そう, うらみっこなしだよ, 悪く思わないでくれ.

hárd léns ハード(コンタクト)レンズ.

hárd lúck 《略式》不運 (*tough luck*); [H~ luck!; 間投詞的に] 運が悪かったですね.

hárd ròck 《略式》[音楽] ハードロック.

hárd stúff 《略式》強い酒.
hárd stúff (1) 困難, 難儀, 難しい仕事 (→形3). (2) 《異性からの性的》拒絶. (3) [-s] 不景気.
hárd wáter 硬水.
hárd wórds (1) 難解な言葉. (2) 怒った口調.
hard-back /háːrdbæk/ 名 形 =hardcover.
hard-bit-ten /háːrdbítn/ 形 《略式》〈人が〉頑強な, 不屈の; 強情な; 現実的な.
hard-boiled /háːrdbɔ́ild/ 形 1〈卵が固ゆでの〉(↔ soft-boiled). 2《略式》〈人が感傷的でない, 無情な, ドライな;〈文体などが〉非情な, ハードボイルドの; 現実的な; 皮肉な.
hard-cov-er /háːrdkʌ̀vər/ 名 形 堅い表紙[ハードカバー]の(本) (↔ paperback).
†**hard-en** /háːrdn/ 動 他 1〈人・事・物が〉〈物を〉かたくする, 固める(+up) (↔ soften) ‖ He hardened clay by putting it in a fire. 彼は粘土を火に入れて固めた. 2〈人・事が〉〈人・心など〉を非情にする, 頑固にする; 〈通例 be ~ed〉〈人が〉〔…に対して〕無感覚になる(to) ‖ He hardened his heart against her. 彼女に対して彼は冷たくした / I became hardened to punishing pupils. 生徒を罰することを何とも思わなくなった. 3〈体などを〉強健にする, 鍛える.
— 自 1〈物がかたくなる, 固まって〕…に)なる(into) ‖ The snow hardened during the night. 雪は夜のうちに固まった. 2〈人・心などが〉〔…に対して〕頑固[冷酷]になる(toward). 3〈人が耐えられるようになる. 4〈人・体が強くなる. 5〈信念などが固まる; 〈反対などが〉強くなる.

hard-head-ed /háːrdhédid/ 形 抜け目のない, 実際的な; 計算にさとい; 《主に米》石頭の, 頑固な, 融通のきかない, 軟情をはさまない.
hard-heart-ed /háːrdháːrtid/ 形〈人・態度などが〉無情な, 冷酷な.
†**har-di-hood** /háːrdihùd/ 名 1 大胆さ, 向こう見ずなこと; ずうずうしさ, 厚かましさ. 2 強健, 頑丈さ.
Har-ding /háːrdiŋ/ 名 ハーディング《Warren Gamaliel /gəméiliəl/ ~ 1865-1923; 米国の第 29 代大統領 (1921-23)》.
*****hard-ly** /háːrdli/
— 副 (more ~, most ~) 1 [準否定語; 程度副詞] [しばしば can [could] ~] ほとんど…ない, 満足に…しない 《◆(1) scarcely の方が否定の度合いが強い (➡ 文法 2.1(3)). (2) hardly ever は頻度副詞 (→成句)》 ‖ He is no friend of mine; in fact I hardly know him. 彼は私の友人なんかではない. 私, はほとんど彼を知らないのだから / Could you speak up a little more, please? I can hardly hear your explanation. もう少し大きな声で言っていただけますか. あなたの説明がほとんど聞こえません / Hardly anyone agrees with her. ほとんどだれも彼女に賛成していない.
2 [遠回しに] とても…ない, どうみても…しない《◆ 断言を避けて表現をやわらげる》‖ I can hárdly wait any longer. もうこれ以上待てません / It is hardly surprising that he failed. 彼が失敗したのは別に驚くことではない.

hárdly [**scárcely**] **ány** ほとんど…ない《◆ few [little] よりも意味が強く, no, never よりは弱い. 《略式》ではそれぞれ almost no, almost never が好まれる》‖ There were hárdly ány seats left. 席はほとんど残っていなかった(=There were almost no seats left.).

hárdly [**scárcely**] **éver** [頻度を表して] めったに…しない ‖ In Miyazaki, it hardly ever snows. 宮

崎ではめったに雪が降らない《◆ 雪の降る頻度を表す. ever がないと降雪量》/ John has hardly ever gone to bed before midnight. ジョンは12時より前に床についたことはほとんどない《◆×John has hardly gone to bed … は不可》/ Hardly ever have we seen such a sight! そのような光景を目にするのは, まずまれだ《◆ 文周位は詠嘆的で劇的効果を与える時のみに用い, ふつう倒置が生じる》.

*****hárdly** [**scárcely**] … **when** … …するとすぐ … when の代わりに before を用いることもあるが when がふつう (➡ 文法 22.3) ‖ I had hárdly started 〈ˋ〉︙ when it began to rain. = 《文》 Hardly had I started 〈ˋ〉︙ when [before] it began to rain. 出発するかしないうちに雨が降り出した 《◆ (1) しばしば望ましくない事, 予想しない事が起こったことを含意. as soon as にはこのような含みはない. (2) no sooner … than … の類推で hardly [scarcely] … than … が用いられることもあるが, 確立した用法ではない》.

†**hard-ness** /háːrdnəs/ 名 U 1 かたいこと, かたさ. 2 (鉱物・金属・水などの) 硬度. 3 困難さ. 4 無情, 冷淡.

*****hard-ship** /háːrdʃip/ 〔→ hard〕
— 名 ⓒ 複 ~s/-s/) 1 U (耐えがたい) 苦難 (suffering), 困窮 ‖ They had to endure great hardship during the war. 彼らは戦争中非常な苦難に耐えねばならなかった. 2 Ⓒ 辛苦, 苦痛 (を与える物[事]) ‖ It was a hardship to work without breakfast. 朝食抜きは苦痛であった.

hard-top /háːrdtɒp/, -tɔ̀ːp/ 名 Ⓒ ハードトップ 《金属製の屋根で側面の中心の窓枠のない自動車》.
†**hard-ware** /háːrdwèər/ 名 1 [集合名詞] 金物類, 金属製品. 《形容詞的に》 金物の. 2 《コンピュータ》 ハードウェア 《コンピュータシステムを構成する要素のうちの機械装置・機器. cf. software》. 3 機械設備; 宇宙ロケットの本体.
†**hard-wood** /háːrdwùd/ 名 1 U 硬材 《ナラ・ブナ・トネリコ・カエデ・コクタン・チーク・マホガニーなど》 (↔ softwood); 《形容詞的に》 硬材(製)の. 2 Ⓒ (硬材になる) 広葉樹.

hard-work-ing /háːrdwə́ːrkiŋ/ 形〈人が〉勤勉な, よく働く [勉強する].
†**har-dy** /háːrdi/ 形 (--di-er, --di-est) 1 〈人・動物・体格などが〉がんじょうな, 我慢強い (tough, robust) ‖ Hardy young people like mountaineering. 元気な若者は山登りが好きである. 2 〈人・行為などが〉ずうずうしい. 3 〈動植物が〉耐寒性の.

hárdy ánnual (1) (露地で育成できる) 耐寒性 1 年生植物. (2) 定期的に持ち上がる問題.
hár-di-ness 名 U たくましさ, 頑健さ.
Har-dy /háːrdi/ 名 ハーディ 《Thomas ~ 1840-1928; 英国の小説家・詩人》.

*****hare** /héər/ 〔同音 hair〕 名 (複 ~s/-z/, [集合名詞] hare) Ⓒ ノウサギ 《◆ rabbit よりも大きく, 耳と後脚が長い. 野や畑に住み, 穴居性はない. 行く手を横切ると縁起が悪いとされる》‖ First catch your hare (then cook him). 《ことわざ》まず現物を手に入れよ 《料理はその後で》. [関連] **buck hare** 雄ノウサギ / **doe hare** 雌ノウサギ.

(as) mád as a (Márch) háre 《春の交尾期のウサギのように》狂気じみた, 乱暴な, 気むずかしな.
stárt a háre (1) ウサギを飛び出させる. (2) (議論に) わき道にそれる. 枝葉に走る.
the háre and tórtoise [単数扱い] ウサギとカメの競走 《地道な努力をした者の勝利で終わる仕事・ゲームな

harebell

と》. ――動 自《主に英略式》脱兎(だっと)のごとく走り去る(+ away, off).

hare·bell /héərbèl/ 名 C《植》イトシャジン((スコット) bluebell).

†**ha·rem** /héərəm, hæərəm | hɑ́:ri:m/ 名 C 1 ハーレム《イスラム国の婦人部屋》. 2〔集合名詞;単数・複数扱い〕ハーレムの女たち. 3〔単数・複数扱い〕(1人の男に従属する)女の群れ.

†**hark** /hɑ́:rk/ 動 自《文》〔主に命令文で〕〔人の話などに〕(注意して)耳を傾ける〔at, to〕‖ Hark at her!《主に英略式》彼女の言うことを聞いてごらん(あきれるから)!

hárk báck 〔自〕(1)〈猟犬が〉(失った臭跡を捜して)引き返す. (2)〈人が〉(話・思考などで)〔過去の事柄に〕戻る,再度言及する〔to〕;〈物・事が〉〔端緒・起源などに〕立ち返る〔to〕. ――〔他〕《英》〈人・犬などを呼び戻す.

†**Har·lem** /hɑ́:rləm/ 名 1 ハーレム《New York 市 Manhattan 区北部の黒人居住地区》. 2〔the ~〕ハーレム川《New York 市 Manhattan 区と Bronx 区の間》.

har·le·quin /hɑ́:rləkwin, -kin/ 名 C 1〔しばしば H-〕ハーレキン,アルレッキーノ《イタリアの即興喜劇や英国の無言劇の道化役》. 2 道化師,ひょうきん者.

*__harm__ /hɑ́:rm/〖「苦痛」が原義〗派 harmful (形), harmless (形)

――名 U 1(物質的・肉体的・精神的)損害,害,危害(cf. damage)‖ No *harm* will come to you. 君がひどい目にあうことはないよ / There is no *harm* in trying. ひどくもともとですよ,やってみたら(=It can't do (you) any *harm* to try. →成句).

2 悪意;〔…における〕不都合,さしつかえ〔in〕‖ I mean no *harm*. 私には悪意はありません / I see no *harm* in your going out alone this evening. 今晩あなたがひとりで外出してもかまわない.

cóme to nó hárm ひどい目にあわない,害を被らない.

*__dó A hárm__ =dó hárm to A《事が》〈人・物に〉危害を加える,損害を与える《◆A のない場合もある. → 1)》‖ Too much exercise will *do* (you) *harm*. 運動のしすぎは害になります.

in hárm's wáy《正式》危険な状況で[へ].

óut of hárm's wáy《正式》危険な状況から[の外へ].

――動(~s/-z/;過去・過分 ~ed/-d/;~·ing)

――〔他〕〈人・物・事が〉〈人・物・事を〉害する,傷つける,痛める‖ Beavers rarely *harm* people. ビーバーは人に危害を加えることはめったにない / It can *harm* your eyes to read in the sun's light. 日の当たるところで読書をすると目を痛めることがある.

*__harm·ful__ /hɑ́:rmfl/〖→ harm〗

――形(more ~, most ~)〈物・事が〉〔人に・物に〕有害な,害を及ぼす〔to, for / to〕(↔ harmless)‖ Air pollution is *harmful to* [×for] our health. 大気汚染は健康に害を及ぼす.

hárm·ful·ly 副 有害に. **hárm·ful·ness** 名 U 有害(であること).

*__harm·less__ /hɑ́:rmləs/〖→ harm〗

――形 1〈人・物・事が〉〔人に〕(ほとんど)害のない《虫などが〉無害の〔to, for / to〕(↔ harmful);損害を受けない‖ Most snakes on this island are *harmless*. この島にはたいていのヘビは無害である. 2〈人・冗談などが〉罪のない,悪意のない‖ a *harmless* question 無邪気な質問.

hárm·less·ness 名 U 無害;無邪気.
hárm·less·ly /hɑ́:rmləsli/ 副 無害に,害を与えずに.

har·mon·ic /hɑ:rmɑ́nik | -mɔ́n-/ 形 1 調和した. 2〔音楽〕(メロディ・リズムに対して)和声的な;倍音の.

†**har·mon·i·ca** /hɑ:rmɑ́nikə | -mɔ́n-/ 名 C 1《正式》ハーモニカ《◆ mouth organ ともいう》‖ play the *harmonica* ハーモニカを吹く / play a tune on the *harmonica* ハーモニカで曲を吹く. 2 =glass harmonica.

har·mon·ics /hɑ:rmɑ́niks | -mɔ́n-/ 名 U《音楽》〔単数・複数扱い〕和声学.

†**har·mo·ni·ous** /hɑ:rmóuniəs/ [アクセント注意] 形 1《正式》〈色などが〉〔…と〕調和のとれた,つり合った〔with〕. 2《正式》〈人が〉〔…と〕仲のよい〔with〕,関係などが〉和合した‖ a *harmonious* family 平和な家庭. 3〈音などが〉耳に快い,調子のよい.

har·mó·ni·ous·ness 名 U 調和していること;円満,調子のよさ.

†**har·mo·nize**,《英ではしばしば》**-nise** /hɑ́:rmənàiz/ 動 1《正式》…を〔…と〕調和[一致]させる〔with〕‖ *harmonize* a curtain with the carpet カーテンをじゅうたんと調和させる. 2〈歌・曲などが〉和声をつける. ――〔自〕 1《正式》〔…と〕調和[一致]する〔with〕‖ This picture *harmonizes* well *with* this room. この絵はこの部屋と調和している. 2 調和して歌う[演奏する].

har·mo·ni·zá·tion 名 U 調和する[される]こと,和合,一致. **hár·mo·niz·er** 名 C 調和するもの.

*__har·mo·ny__ /hɑ́:rməni/〖「結合」が原義〗派 harmonious (形), harmonize (動)

――名(複 -nies/-z/) 1 C U《音楽》ハーモニー,和声;和音法;和声学. 2 U C (行為・考え・感情・利益などの)〔…との/…の間の〕調和,一致,和合〔with/between〕;平和‖ live (together) in (perfect) *harmony* 仲よく暮らす / Her opinion is in [out of] *harmony with* mine. 彼女の意見は私と一致している[いない]. 3 C U(音・色などの)ハーモニー,調和,(全体の中での)バランス(↔ disharmony).

†**har·ness** /hɑ́:rnəs/ 名 U C 1〔集合名詞;単数扱い〕(馬車馬の)馬具(一式),引き具(一式). 2 引き具に似たもの;(パラシュートの)背負い革;(子供を連れて歩く時の)皮帯;(犬の首輪の代わりにつける)皮帯.

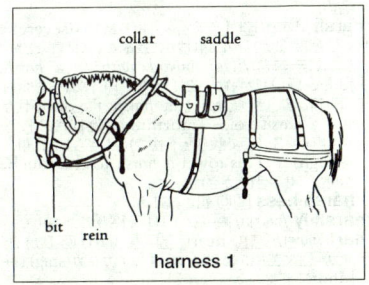

collar   saddle

bit
rein

harness 1

in dóuble hárness 結婚して;(2人で)協力して‖ work [run] *in double harness* 協力して働く;共働きする.

in hárness (1)〈馬が〉馬具をつけて. (2)平常の仕事に従事して;〔…と〕協力して〔with〕‖ die *in harness* 現職で[仕事中に]死ぬ.

――動〔他〕〈馬に〉馬具をつける(+up).

Har·old /hǽrəld/ 名 ハロルド《男の名;愛称 Hal》.

†**harp** /hɑ́:rp/ 名 1 C ハープ,竪(たて)琴《「天国」「天

使]を連想させる). **2** [the H~]《天文》こと座《北天の星座》.
――動他 **1** ハープを弾く. **2**《略式》〔主に不幸を〕繰り返し話す[書く], くどくど言う(+*on*)《*about, on, upon*》.

hárp·ist, hárp·er 名 C ハープ奏者.

har·poon /hɑːrpúːn/ 名 C (捕鯨用の)銛(もり).
――動他 …を銛でしとめる.
harpóon gùn 捕鯨砲.
har·póon·er 名 C 銛打ち.

harp·si·chord /hɑ́ːrpsikɔ̀ːrd/ 名 C ハープシコード, チェンバロ《ピアノの前身の鍵盤楽器》.

har·py /hɑ́ːrpi/ 名 C **1** [通例 H~]《ギリシア神話・ローマ神話》ハルピュイア, ハーピー《上半身が女で, 鳥の翼とつめを持つ貪欲な怪物》. **2**《文》強欲な人, 口うるさい女.

har·ri·er /hǽriər/ 名 C **1**《動》ハリヤー犬《ウサギ狩り用の猟犬. foxhound より小さい》. **2** [~s] ハリヤー犬の一群と猟師. **3** C クロスカントリーレースの走者.

Har·ri·et /hǽriət/, **-ot** /-ət/ ハリエット《女の名.《愛称》Hatty.《異形》Harrietta /hæriétə/》.

Har·ris /hǽris/ ハリス《Townsend /táunzend/ ~ 1804–78; 1856年日米通商条約を結んだ米国の外交官》.

Hárris póll《米》ハリス世論調査.
Hárris twéed [しばしば ~ T-]《商標》ハリスツイード《スコットランド Harris 島産の毛織物》.

Har·ri·son /hǽrisn/ 名 **1** ハリソン《William Henry ~ 1773–1841;米国第9代大統領(1841)》. **2** ハリソン《Benjamin ~ 1833–1901;米国の第23代大統領(1889–93)》.

†**har·row** /hǽrou/ 名 C まぐわ. ――動他 **1**〔土〕をまぐわでならす. **2**《正式》〔人など〕を悩ます, 苦しめる.
hár·row·ing 形《正式》痛ましい, 悲惨な.
Har·row /hǽrou/ 名 ハロー校《英国の古い public school》.

†**har·ry** /hǽri/ 動他《正式》**1** …を繰り返し攻撃する. **2**〔人〕を〔要求・質問などで〕苦しめる, 悩ます(*for*).
Har·ry /hǽri/ ハリー《男の名. Henry の愛称》.
Hárry Pót·ter /-pátər/, /-pɔ́t-/ 名 ハリー・ポッター《J. K. ローリング作の子供向けファンタジー小説の主人公の名前》.

†**harsh** /hɑːrʃ/ 形 **1**〈気候・条件が〉厳しい(severe);〈人・態度・罰が〉〔…に〕無情な, 残酷な;〈批評などが〉〔…に〕辛辣(ら)な(*to, toward, with*) ‖ a *harsh* judge 厳しい裁判官. **2**〔舌・鼻に〕不快な, どぎつい;〔耳・目などに〕さわる〔*to*〕 ‖ a *harsh* flavor 不快な味 / a *harsh* voice [murmur] 耳ざわりな声[さやき声]. **3**〔手で触ると不快で〕ざらざらした, 粗い(rough) ‖ This towel is *harsh* to the touch. このタオルは手ざわりが悪い.
hársh·ness 名 U 粗さ, 厳しさ.
†**harsh·ly** /hɑ́ːrʃli/ 副 荒く;耳[目]ざわりに;厳しく.

†**hart** /hɑːrt/ 〔同音〕heart〕名 (複 **hart**) C [動] 雄ジカ(主に英)(5歳以上の雄のアカシカ(stag). cf. hind²).
Hart·ford /hɑ́ːrtfərd/ 名 ハートフォード《米国 Connecticut 州の州都》.
harts·horn /hɑ́ːrtshɔ̀ːrn/ 名 雄ジカの角.

†**Har·vard** /hɑ́ːrvərd/ 名 **1** =Harvard University.　**2** ハーバード《John ~ 1607–38;英国の牧師でハーバード大学創立者の1人》.
Hárvard University ハーバード大学《Massachusetts 州 Cambridge 市にある米国最古の大学. 1636年創立》.

†**har·vest** /hɑ́ːrvist/ [[刈り取る]が原義]
――名 (複 ~s/-vists/) **1** C 収穫期, 取り入れ時《◆ふつう晩夏または初秋》 ‖ When the corn *harvest* comes, the farmer will be busy. トウモロコシの収穫期になると農夫は忙しくなるだろう / The weather was good at (the) *harvest*. 取り入れ時の天気がよかった.
2 C U 収穫, 取り入れ;《正式》収穫高;収穫物《◆海などから取れるものについてもいう》 ‖ The wheat is ready for *harvest*. 小麦はもう収穫できる / Thanks to fine [bright] weather, we hope for a large [rich] *harvest* of grapes this year. 好天に恵まれたので今年はブドウの豊作が期待される / The *harvest* of pearls was small. 真珠の収穫高は少なかった.
3《正式》[a/the ~;比喩的に] 結果, (行為・努力・労働などの)収穫, 産物, 報い ‖ She reaped a rich *harvest* from her study abroad. 彼女は海外での研究から豊富な成果を得た / reap the *harvest* of his mistakes 彼の失敗の尻ぬぐいをする.
――動他 **1**〈作物を〉収穫する, 取り入れる(crop). **2**〈畑などから〉作物を取り入れる. **3** …を〔努力・行為の結果〕得る. ――自 作物を収穫する.
hárvest féstival《英》(教会の)収穫感謝祭.
hárvest móon [the ~] 秋分の前後の月, 中秋の名月 [満月]《9月22, 23日頃》.

†**har·vest·er** /hɑ́ːrvistər/ 名 C 収穫者, 刈り取りする人;収穫農機具, 刈り取り機.

has /(弱) həz, əz, z, s;(強) hǽz/ 動助 have の三人称単数直説法現在形.

†**has-been** /hǽzbìn/ 名 [a person who *has been* is no longer great]《略式》過去の人[物], 盛りをすぎた人[物].

†**hash** /hǽʃ/ 名 **1** C U こま切れ肉料理《調理した肉と野菜を細かく切って煮直したもの》. **2** [a ~] 寄せ集め, ごたまぜ;混乱, 支離滅裂. **3** C《略式》焼直し, 改作.
màke a (complète) hásh of A《略式》〈物・事〉をめちゃめちゃにする, 台なしにする.
(sòon) séttle A's hásh《略式》(すぐに)〈人〉を黙らせる, …に有無を言わさない.
――動他 **1**〈肉などを〉細かく[切り]刻む(+*up*)‖ *hashed* (meat) and rice ハヤシライス. **2**《略式》〈物・事〉をまぜ返す, めちゃくちゃにする(+*up*).
hásh óut 〔他〕《肉や野菜を細かく切り刻むように》「決着がつくまで(out)」問題を詳細に論じる;cf. hash 他1《略式》〈問題・困難などを〉じっくり論じて解決する.
hásh hòuse 安食堂, 一膳(ぜん)飯屋.
hash·eesh /hǽʃiːʃ, -/, **-ish** /hǽʃiʃ, -iʃ, -/ 名 U ハシッシュ《大麻(cannabis)から作る麻薬》.

†**has·n't** /hǽznt/ has not の短縮形.

†**hast** /(強) hǽst;(弱) həst, əst, st/《古》動助 have の二人称単数直説法現在形.

†**haste** /héist/ 名 U **1** 急ぐこと, 急ぎ, 迅速《◆hurry より堅い語で目的に向かって急ぐ意味》 ‖ She left here *with (all) haste*. 彼女はあたふたとここを去った / with all due *haste* 大至急で / All my *haste* was in vain. 急いだことが水の泡だった. **2** あわてること, 性急, 軽率 ‖ *More haste, less speed.* (ことわざ)「急がば回れ」/ *Haste makes waste.* (ことわざ)「せいては事を仕損じる」/ In her *haste* to bring the tea, she knocked over the cup. あわててお茶を運ぼうとしたため, 彼女は茶わんをひっくり返した.

*in háste (正式) 急いで;(古・文) あわてて (hastily)
‖ Marry in haste and repent at leisure.
《ことわざ》→ marry 自1用例.
máke háste (文・古) [(…しようと)急ぐ(hurry)[to do, and do)].

†has·ten /héisn/ 《発音注意》動 @ 〈人が〉急ぐ,急いで行く《◆ hurry より堅い語》;急いで[…]する[to do]
‖ hasten home 急いで帰宅する / She hastened to change the lock on the door. 彼女は急いでドアのかぎを変えた《◆「ドアの所まで急いで行ってかぎを変えた」の意に解することも可能》.
— 他 〈人・物・事が〉〈人・事〉を急がせる,せきたてる;〈事〉の時期[速度]を早める(↔ delay) ‖ hasten one's steps 歩調を早める / hasten one's son on to school 息子を学校へせきたてる / The mistake hastened his retirement. その失敗が彼の引退を早めた.

*hast·i·ly /héistili/
— 副 急いで;あわてて;軽率に ‖ She dressed hastily. 彼女は急いで服を着た / Do not answer hastily. 軽率に答えるな.

†hast·y /héisti/ 形 (-i·er, -i·est) 1〈動作・変化などが〉急いだ,迅速な;せわしい《◆ quick, hurried より堅い語》‖ I ate a hásty lunch. 私は急いで昼食をとった《◆ eat lunch hastily よりもふつう》 / màke a hásty éxit あわてて退出する. 2〈判断・決定などが〉軽率な,早まった;〈人・性質などが〉[…するのに]せっかちな(in doing, to do) ‖ She regrets her hasty marriage. 彼女は早まった結婚を後悔している / Don't be so hasty in drawing conclusions. 結論を急いではいけません. 3 短気な ‖ a hasty temper 短気.

hásty púdding (米) コーンミールがゆ;(英) 即席プディング.

hást·i·ness 名 U 急ぐこと;あわてること;軽率.

*hat /hæt/ 《題意》hut /hʌt/,《「頭巾(ずきん)」が原義》
— 名 C (複 ~s/hæts/)(縁のある)帽子《男性用・女性用を問わない. cf. cap, bonnet》‖ típ [táke óff] one's hát to him 帽子をあげて[とって]彼にあいさつする / púll one's hát over one's bròws 帽子を目深にかぶる / cóck one's hát 気取って帽子を斜めにかぶる / hítch one's hát bàck 帽子をあみだにかぶる.

関連 [いろいろな種類の hat]
bowler hat (英) 山高帽 / (米) derby / cowboy hat カウボーイハット / hard hat (建設作業員などの)ヘルメット / straw hat 麦わら帽 / top hat シルクハット.

事情 [帽子のマナー]
女性は室内でもかぶったままでよい. 男性は室内では脱ぎ, 室外でも女性や目上の人の前では脱帽がふつう.

hát in hánd 帽子を手に;謙遜(けんそん)して,かしこまって.
Háts óff to A! …に脱帽.
páss [sénd] the hát (a)round = gó róund with the hát 《大道芸人が帽子を回して寄付を入れてもらったことから》寄付金を求めて回る.
under one's hát 秘密に,内密に ‖ Keep this information under your hat. この情報は内密にしておいてください.
hát trick [サッカー・ホッケーなど] ハットトリック《1人の選手が1試合に3点ゴールすること》.

hat·band /hætbænd/ 名 C 帽子のリボン;帽子に巻く黒い喪章.

†hatch¹ /hætʃ/ 名 C 1 [海事] (甲板)の昇降口;ハッチ;ハッチのふた. 2 床窓,天井窓;くぐり戸;(食堂と台所の仕切りに開けた)配膳窓.(上下に分かれた戸の)下扉,半戸. 4 水門.

under hátches (1)甲板下に;見えなくなって;非番で.(2)落ちぶれて,気落ちして;死んで;投獄されて.

†hatch² /hætʃ/ 動 — 他 1〈鳥が〉〈卵から〉〈ひな〉をかえす;〈卵〉をかえす,孵(ふ)化させる(+out);〈卵〉を抱く ‖ The hen hatched five eggs. そのメンドリは5個の卵をかえした. 2 (略式)〈陰謀・計画など〉をこっそりたくらむ,もくろむ(+up) ‖ hatch a wicked scheme while in prison 牢(ろう)にいる間に悪だくみを企てる.
— @ 1〈ひな・卵が〉かえる(+out). 2 (略式)〈計画などが〉うまく実行される(+out). — 名 C ひとかえり(のひな);U 孵(ふ)化.

hatch·back /hætʃbæk/ 名 C 形 ハッチバック(の)《後部に上開きのドアが付いた車》.

hatch·er·y /hætʃəri/ 名 C (魚・鶏の)孵(ふ)化場.

†hatch·et /hætʃit/ 名 1 C 手斧の;(アメリカ先住民の)いくさおの. 2 [形容詞的に] やせてとがった ‖ a hátchet fàce やせてとがった顔.
búry the hátchet 《アメリカ先住民は和解の印としていくさおの埋めたことから》和睦(わぼく)する,戦いをやめる.
díg [táke] úp the hátchet 戦いを始める.

hatch·ment /hætʃmənt/ 名 C 菱(ひし)形の死者の紋章.

hatch·way /hætʃwèi/ 名 =hatch¹ 1.

*hate /héit/ 《「怒り・悲しみ」が原義》@ hateful (形), hatred (名)
— 動 (~s/héits/; 過去・過分 hat·ed/-id/; hat·ing)
— 他《◆一時的な状態をいう場合以外は進行形不可. ⟹文法 5.5》1〈人・動物が〉〈人・物・事〉を[…のことで]ひどく嫌う,憎む(for);(略式)…が嫌いである(↔ love)《◆ do not like, dislike, hate, detest の順に嫌悪感が強くなる》‖ She hates carrots. 彼女はニンジンが嫌いだ / She hated a coward more than anything. 彼女は臆病(おくびょう)病者が何よりもいやだった.

2 (略式) [hate to do / hate doing]〈人が〉…することをいやに思う,嫌う;[hate A to do / hate A doing / (米) hate for A to do]〈人が〉A が…することを嫌に思う;[hate it when節 [if節,(やめ)ん]that節]]〈人が〉…ということを嫌う ‖ I hate going [to go] to the dentist's. 歯医者へ行くのはいやだ《◆(1)文脈によっては動名詞の場合は「いつでもいやだ」,不定詞の場合は「今はいやだ」の意になることもある. (2) ˣI hate that I (should) go …は不可》/ She hated [him to play [him (まれ)his) playing] the piano. 彼女は彼がピアノを弾くのがいやだった / I hate it when you yawn. 君があくびをするのがいやだ《◆ it は when節の内容を受ける》.

3 (略式) [hate to do / hate doing / hate (it) the fact) that節]〈人が〉…するのを残念に思う《◆ it / the fact を付ける方がふつう》;[hate A to do]〈人が〉〈人〉が…を残念に思う(regret) ‖ I hate to tell you, but you are utterly wrong. 申し上げにくいことですが,君は大いに間違っています / I hate「to mention [ˣmentioning] it, but you owe me some money. 言いたくはありませんが,君は私に借金がありますよ《◆動名詞については ⟹ 2》/ I hate for you to be alone. あなたが独りでいるのを気の毒に思う《◆ for を用いるのは(主に米略式)》(⟹ 文法 11.7).
— 名 U C 1 […に対する/…することに対する]憎悪

(念), 憎しみ(の念); 嫌悪〔*for, against, on* / *of doing*〕(↔ love) ‖ **have a hate for** [*against*] him 彼を嫌っている / She **has** great **hate for** dogs. 彼女は犬が大嫌いだ. **2** C (略式) 〔しばしば pet ~〕嫌われる人〔物, 事〕‖ Washing dishes is one of my *pet hates*. 皿洗いは私の嫌いなことの1つだ.

háte campàign 中傷活動.

háte crìme (特定の人種・国・宗教などに対する偏見・差別に基づく)憎悪〔憎しみ(ξξ)〕犯罪.

háte màil 〔集合的〕(ふつう匿名の)抗議〔いやがらせ〕の手紙.

†**hate·ful** /héitfl/ 形 〔やや古〕**1** 〔他動詞的に〕〈物・事が〉〈人にとって〉憎い, 憎むべき; ひどくいやな, 不愉快な〔*to*〕‖ The sight of him was *hateful to* her. 彼女は彼を見ているだけでもいやであった / *It was hateful of* him *to do* that. そんなことをするなんて彼はひどい(⊃文法 17.4⑵). **2** 憎しみに満ちた ‖ a *hateful* look 憎らしそうなまなざし.
háte·ful·ness 名 U 憎らしさ.

†**hath** /(強) hǽθ; (弱) həθ, əθ/ 助 (古) have の三人称単数直説法現在形.

hat·ing /héitiŋ/ 動 → hate.

ha·tred /héitrid/ 名 C U 〔正式〕〔しばしば a ~〕〔...に対する〕憎しみ, 憎悪, 嫌悪(ξξ)(の情)(extreme dislike)〔*of, for, toward*〕‖ control one's feeling of *hatred* 憎しみの感情を抑える / She looked at him with *hatred*. 彼女は憎しみをこめて彼を見た / There was (a feeling of) *hatred* between us then. あのころ我々は憎みあっていた.

hat·ter /hǽtər/ 名 C 〔正式〕帽子屋, 帽子製造人. **(as) mád as a hátter** まったく気が狂った.

†**haugh·ty** /hɔ́:ti/ 形 (**-ti·er, -ti·est**) 〔正式〕〈人・言動が〉傲(ξ)慢な, 横柄な.
háugh·ti·ly 副 高慢に, えらそうに.

†**haul** /hɔ́:l/ 動 他 **1**〈人・動物・物〉をぐいと引っ張る, 引きずる(+*up*)《◆ pull, draw, drag よりも強意的》‖ *haul* logs 丸太を引っ張る. **2**〈物を車〔貨車〕で運ぶ〕‖ be *hauled* by road and rail 自動車と鉄道で運搬される. **3**(略式)〈人〉を〔警察・法廷などへ〕引っ張って行く(+*up, off*)〔*before, in front of, to, into*〕. ― 自 〔...を〕引っ張る(+*away*)〔*at, on, upon*〕. ― 名 **1**〔通例 a ~〕引っ張ること. **2**〔a ~〕運送距離. **3**〔通例 a ~〕一網の漁獲(量); (略式)(主に盗品の)稼ぎ, もうけ.

hául·er 名 C 引っ張る人; 運搬人; (米) 高速度自動車, 〔特に〕改造自動車; (英) 運送会社.

haul·age /hɔ́:lidʒ/ 名 U **1** 引くこと; 運搬(作業). **2** 運賃.

haul·ier /hɔ́:liər/ 名 (英) =hauler.

†**haunch** /hɔ́:ntʃ/ 名 (米+) hɑ́:ntʃ/ 名 C 〔通例 ~es〕(人・四足獣の)臀部(ξ^), 尻(ξ) ‖ sit [squat] on one's *haunches* 尻をついて座る, しゃがむ. **2**(食用の動物の)後部, 脚ともものの部分.

†**haunt** /hɔ́:nt, (米+) hɑ́:nt/ 動 《◆進行形不可》他 **1**(略式)〈人〉〈場所〉へしばしば行く, 足しげく通う ‖ We *haunted* the café. 私たちはそのカフェへよく行った. **2**〈幽霊などが〉〈場所〉によく出る ‖ The house is said to be *haunted*. その家に幽霊が出るらしい. **3**〔通例 be ~ed〕〈人が〉〔いやな考え・思い出などに〕とりつかれる〔*by*〕‖ I *am haunted by* her last words to me. 彼女の最後の言葉が頭から離れない. ― 名 C (略式)〔しばしば ~s〕人がよく行く場所, たまり場 ‖ This bar is one of my favorite *haunts*. このバーは私が好んで行く場所の一つだ.

†**haunt·ed** /hɔ́:ntid/ 形 幽霊のよく出る.

haute cou·ture /òut ku:tjúər/ 〔〔フランス〕〕名 〔正式〕**1**〔集合名詞〕オートクチュール《高級婦人服を作る洋装店; そのデザイナー》. **2**(1で生まれた)高級ファッション.

Ha·van·a /həvǽnə/ 名 ハバナ《キューバの首都》. **2** C = Havana cigar.
Hávana cigàr ハバナ葉巻.

*:**have** /動 hǽv; 助 (弱) həv, əv, v; (強) hǽv/ 名 hǽv/ 〔〔一般動詞と助動詞としての用法がある. 一般動詞の主な意味: Ⅰ〔所有している〕Ⅱ〔手に入れる, 受け取る〕Ⅲ 使役動詞として「...させる」Ⅳ その他〕〕

index 動 **1** 持っている **5** 産む **7** 経験する **8** に...する **9** わかる **10** 受ける **11** 食べる **12** 催す **13** 行なう **14** 動かす **15** する **16** させる **18** a してもらう **b** される

《◆(1) 短縮形: 've(← have), 's(← has), 'd(← had); 否定短縮形: haven't, hasn't, hadn't《◆ 動 の短縮形は (英) のみ》. (2)(古)としての変化形: 二人称単数現在は hast, 三人称単数現在は hath, 二人称複数過去は hadst》.
― 動 /hǽv/ (**has**/hǽz/; 〔過去・過分〕 **had**/hǽd/; **hav·ing**)
― 他

語法〔否定文と疑問文〕
(1) have の否定文・疑問文は, **1 - 4, 6 - 8** では原則として次の3通りがある.
〔否定文〕(a) I *do* not *have* any money.
(b) I *have* not *got* any money.
(c) I *have* not any money.
(私はお金を持っていない)《◆ 実際には have not と書くことはまれ, haven't がふつう》
〔疑問文〕(a) *Do* you *have* any money? Yes, I *dó*.
(b) *Háve* you *got* any money? Yes, I *háve*.
(c) *Háve* you any money? Yes, I *have* [*háve got*]. / No, I *haven't* (*got*) any. (お金をお持ちですか. はい, 持っています/いいえ, 持っていません)
(a)型はもとは (米) だが, 今では (英) でもふつう. (b)型は 〔主に英式〕で, (a)と違って have が助動詞であることに注意(→ HAVE got 動 成句). (c)型は(英正式)で今ではややまれ, 特に過去形ではふつうではない: I *had* not *have* any money. → I *did* not *have* any money.
(2) (英) では「習慣的なこと」に(a)型, 「特定なこと」に(b)型, (c)型を用いて区別することがある(ただし(1) の(c)型の注参照): Do you *have* a headache? 頭痛持ちですか / *Have* you (*got*) a headache? (今)頭痛がするのですか《特定的》.
(3) **5, 7, 8, 10 - 21** では (米)(英) とも一般動詞扱いで, 否定文・疑問文には助動詞 do を用いる(つまり(a)型).

Ⅰ〔所有している〕
1(性質・属性として)〈人が〉〈特徴・物などを〉**持っている**;(部分として)〈物・事が〉〈物・事〉を有する, 含む《◆進行形・受身不可》‖ She dóesn't *háve* a góod memory. 彼女は記憶力がよくない / This coat *has*

no pockets. この上着にはポケットがない / A [The] year *has* twelve months. 1年は12か月からなる(=There are twelve months in a [the] year.).

> 語法 [have と there 構文]
> The box *has* many toys in it. (その箱にはおもちゃがたくさん入っている)は次のようにもいえる: There are many toys in the box. ◆Many toys are in the box. は不自然〟ただし，永続的に付随しているものには there 構文は使えない: She *has* blue eyes. (彼女は青い目をしている) / ×There are blue eyes on her.

2 a (物理的に)〈人が〉(手元に・身近に)〈物を〉**持っている**; 〈財産などを〉所有する, …がある《♦ possess, own より口語的. 進行形・受身不可》∥ 〈対話〉 "*Do* you *have* a car?" "Nó (↘), I dón't (↘)." "車をお持ちですか」「いいえ，持っていません」(=〈英〉"*Háve* you (got) a car?" "I háven't (↘)." / 'I *have* [×I am having, ×I've] a big house and farm. 私は農場つきの大きな家を持っています / He *had* a knife in his hand. 彼は手にナイフを持っていた / She *has* a scarf around her neck. 彼女は首にスカーフを巻いている / *Have* your driver's license with you at all times. いつも運転免許証は持っていなさい. **b** …をつかまえておく ∥ Now I *háve* you. さあ, つかまえたぞ.

> 語法 所有一般をいう場合には have と own は交換可能: Bill *has* [owns] two cars. ビルは車を2台所有している。特定の車を指でさしながら言う場合には have は不可: Bill owns [×has] that car. ビルはあの車を所有している。That car belongs to Bill. / That's Bill's car. のように言うこともできる.

3 (愛情・世話などが及ぶものとして)〈人が〉〈友人・親類などを〉持っている, 〈人を〉置いて[雇って]いる; 〈犬などを〉(ペットとして)飼う《♦進行形・受身不可》∥ He *has* a kind boss. 彼には親切な上司がいる / I want to *have* a dóg. 犬を飼いたい(→ keep 匣2) / How many bróthers *do* you *háve*? 兄弟は何人いますか / The college *has* a faculty of ninety. その大学は90名の教授陣を有する.

4 [have **A** to do] 〈人が〉…する(必要のある) **A**〈人・物が〉ある《♦進行形・受身不可》∥ I *háve* my wórk *to* dó. する仕事がある(cf. I *have* to do my work.) / He *has* a large family *to* support. 彼はおおぜいの扶養家族がいる.

5 〈人・動物が〉〈子を〉**産む**, もうける, 〈人・物・事などの〉結果などを〉生み出す《♦進行形は近い未来を表す(→文法5.2(2)). 受身不可》∥ She *had* a daughter by her first husband. 彼女は最初の夫との間に1人の娘をもうけた.

6 〈人が〉〈感情・慈悲・疑い・考えなどを〉[…に対して]**持っている**, 抱く, 示す(*on, for, against*)《♦進行形・受身不可. 目的語は多くが動詞と同形または動詞から派生した名詞》∥ *háve* píty on him 彼に同情する(=pity him) / I *háve* respéct for my parents. 私は両親を尊敬しています(=I respect my parents.) / I *háve* a líking for music. 音楽が好きだ(=I like music.) / Do you *háve* any quéstions? 何か質問がありますか / He *hàs* [bèars, hòlds] a grúdge *against* me. 彼は私に恨みを抱いている / I *have* nó idéa (↘) what she méans. (↘) 彼女の言うことがわからない(=I don't know

what ...).

7 〈人が〉〈病気・困難・楽しみなどを〉**経験する**《♦進行形・受身不可. experience, suffer from などよりくだけた語》∥ *have* a shock ショックを受ける / *have* an adventure 冒険をする / I *had* an accident. 事故にあった / We didn't *have* much difficulty (in) locating his house. 彼の家を見つけるのにあまり苦労はなかった / I've (got) a pain in the stomach. =I've (got) a stomachache. 胃が痛む / I *had* the flu last month. 先月インフルエンザにかかった.

8 [have the **A** to do] 〈人が〉**A**〈親切・勇敢などに〉も…する《♦進行形・受身まれ. **A** は ▣名詞》∥ The child *had* the ímpudence *to* answer back. その子供は生意気にも口答えした / He *had* the kindness *to* tell me the way. 彼は親切にも道を教えてくれた(=He was「kind enough [so kind as] to tell me the way. / He kindly told me the way.).

9 (やや古)〈人が〉〈言語などを〉**わかる**, …を知っている, …の知識がある《♦進行形・受身不可》∥ I *have* it by heart. 私はそれを覚えている / She *has* a little Arabic. 彼女はアラビア語が少しわかる.

∥【手に入れる】

10 〈人が〉〈物・事を〉**受ける**, 取る《♦ふつう進行形不可》; 〈物が〉登場し, 使用する[できる]; (通例 can be had)〈物が〉入手可能である ∥ *have* a holiday 休暇を取る / *Have* a seat, please (↗). どうぞお座りください / *have* English lessons 英語の授業を受ける / *have* visual aids for English lessons 英語の授業に視覚教材を使う / May I *have* this? これをもらっていいですか / Will you *have* sugar? お砂糖を入れますか / *have* the sofa in the room 部屋にソファーを置いている / She *had* a present from him. 彼女は彼からプレゼントをもらった / I'll *have* that white dress. あの白いドレスに決めよう / This used car *can be had* for $1,500. この中古車は1500ドルで手に入る.

11 〈人が〉〈物を〉**食べる**, **飲む**; 〈タバコを〉吸う《♦進行形・受身まれ. eat, drink, smoke の遠回し語》∥ I *have* ham and eggs for breakfast. 朝食にハムエッグを食べた / I *have* 20 cigarettes a day. 私は1日に20本タバコを吸う / He's just *having* dinner. 彼は夕食の最中です / Will you *have* another cup of tea? お茶をもう1杯どうですか.

12 〈パーティーなどを〉**催す**∥ *hàve* [give, hòld] a párty パーティーを催す.

13 (主に英)〈人が〉〈ある行為・行動を〉**行なう**, する《♦ (1)進行形・受身まれ. (2)目的語は「a+動詞から派生した名詞」. have は時制・人称・数といった文法的意味を加えるだけで, 実質的意味は目的語にあり, 目的語は常に強勢を受ける. (3) have の代わりに have got は使えない》∥ *háve* a rést 休息する(=rest) / *háve* a trý やってみる(=try) / *háve* a báth 入浴する(=bathe) / *háve* a drínk 飲む(=drink) / *háve* a sít-down 座る(=sit down) / *háve* a tálk 話をする(=talk) / Shall we *hàve* a swím? ひと泳ぎしましょうか / Did you *hàve* a góod sléep? よく眠れましたか.

> 語法 [have+a+名詞] と動詞は必ずしも交換できない. Bill and Mary *had* a chat. =Bill and Mary *chatted*. (ビルとメリーはおしゃべりした)はよいが, Bill and Mary chatted for hours. (ビルとメリーは何時間もおしゃべりした)は ×Bill and

Mary had a chat for hours. に言い換えられない.

III [させる] 《◆受身まれ》
14 [場所・方向の副詞(句)を伴って] 〈人が〉〈人・物などを〉…に動かす, 持って行く, 連れて行く;〈人を〉招く, もてなす ‖ *hàve* a trée *dówn* 木を切り倒す / *hàve* one's tóoth *óut* 歯を抜いてもらう / He hád the stúdents *out of* the róom. 彼は学生を部屋から退出させた / We're *háving* fìve gúests (*óver*) tonight. 今晩客を5人招く予定だ.

15 [have A C] 〈人が〉A〈人・物など〉を C にする《◆(1) 受身不可. (2) C は形容詞・名詞・副詞》‖ I want you to *have* this room clean and tidy. この部屋をきれいに片づけてほしい.

16 [have A doing] a [許容・認容]〈人が〉A〈人・物など〉を…させる;A〈人・物など〉が…するようにする[なる]《◆思い通りの結果や思わぬ成り行きを表す》‖ He hás the water running in the bathtub. 彼は浴槽に水を出したままにしている / I won't *have* you saying such things about my sister. 姉さんのことを君なんかにそんなふうに言わせてはおかないぞ(=I won't allow you to say …). **b** [体験・受難]〈人・物・事が〉A〈人・物・事に〉…の状態を引き起こす ‖ I *have* a headache coming on. 頭痛がしてきた / If you make too much noise, you'll *have* the neighbors complaining. もしとても大きな物音を立てると近所の人が苦情を言うだろう.

17 a [使役] [主に米·英正式] [háve A do] 〈人が〉A〈人に〉…させる[英略式では get A to do];〈人に〉…してもらう《◆make より弱く依頼も含む》(→文法3.5) ‖ You should *have* a mechanic check the engine before you buy this used car. 君はこの中古車を買う前に自動車工にエンジンの調子を見てもらうべきだ / I'll have to *have* a repairman *fix* the air-conditioner. エアコンを修理させねばなるまい(=I'll have to *have* the air-conditioner *fixed*.).

> **語法** A はしかるべき職業の人で, その人に料金を払って「ある仕事・サービスをさせる[してもらう]」, あるいは目上の者が目下の者に「…させる」という文脈で用いるのが基本的用法.

b [願望] [文] [will [would] háve A dó] 〈人に〉…してもらいたいと思う ‖ I would *háve* you knów (⤴); that I am ill. (⤵) いいかね, 私は病気なんだ, わかっているのか / I won't *have* you téll me (⤵) where to go. (⤵) どこへ行くべきかを君に指図されてたまるか. **c** [経験] (まれ) [通例 have A dó] 〈人が〉〈人に〉…される ‖ Bill *had* a man *rób* him last night. ビルは昨夜男に金を奪われた《◆(1) Bill was robbed by a man last night. がふつう. (2) I *had* my father *díe*. は今はふつう「父に死なれた」でなく「死なせた」の意になる(→ a).

18 [have A done] **a** [使役] [通例 have に強勢を置いて]〈人が〉(お金を払って) A〈物〉を…してもらう, させる《◆get A done と交換可能. ただし過去時制では had A done がふつう》‖ She hád her shóes *shíned*. 彼女は靴を磨いてもらった[磨かせた] / We ought to *have* our baby *exámined* by a doctor. 赤ん坊を医者にみてもらわねばならない(=We ought to *have* a doctor *exàmine* our baby. → **17 a**). **b** [被害] [通例 done に強勢を置いて]〈人・物が〉A〈自分の物〉を…される《◆get A done よ

り頻度が高い》‖ She *had* a book *stólen* from her library. 彼女は書斎から本を盗まれた / The house *had* its roof *ripped óff* by the gale. その家は強風で屋根をはぎ取られた / I *have* some taffy *stuck* in my teeth. タフィーが歯にはさまっている. **c** [完了] [通例 done に強勢を置いて]〈物・事を〉…してしまう ‖ *Have* the job *dóne* by tomorrow. 明日までにその仕事をしてしまいなさい《◆Finish the job … の方がふつう》.

19 [通例 won't [can't] ~; be not having]〈人が〉〈好ましくない行為・人などを〉許す, 我慢する ‖ We won't *háve* any mistake(s). どんな間違いも許さないぞ / I only *have* good children in my room. よい子だけしか部屋に入れないぞ.

IV [その他]
20 (略式) (競技・議論などで)〈相手〉に有利な立場に立ち, …を(打ち)負かす, やっつける;〈試合〉に勝つ《◆進行形不可》‖ I *had* him in that discussion. その議論で彼を論破した. **21** [通例 be had]〈人が〉だまされる, 欺かれる;失望する《◆進行形不可》‖ I'm afraid you've *been had* by her. 君はおそらく彼女にだまされたのだろう.

hàve báck [他]〈物〉を返してもらう, 取り戻す ‖ I want to *have* my book *back* earlier. もっと早く本を返してほしい.

hàve dówn [他]〈客〉を(別荘などに)招く, …に来てもらう《◆受身不可》.

have hád it [略式] (1) もうだめだ《◆文脈により死ぬ・負ける・失敗する・疲れた・役に立たないなどを表す》‖ This old coat *has had it*. この古い上着はもう着られない. (2)〈人が〉(話し手にとって)もう我慢できない, ……である《◆しばしば *with*》.

hàve ín [他]《◆受身不可》(1)〈客〉を家に招く;(仕事のために)〈大工・医者などを〉家に呼ぶ ‖ *have* some friends *in* for tea 数人の友だちを家人に招く. (2) [~ A *in*]〈物〉を家に貯蔵しておく《◆進行形不可》‖ *have* enough vegetables *in* for winter 冬に備えて野菜を十分ため込んでおく.

hàve it (1) 言う, …と言う[*that*節]《◆will を伴うと「主張する」の意(→will¹ 助 3 a)》進行形不可》‖ She will *have it that* the conditions are unfair. 彼女は条件が不公平だと言い張る / Gossip [Rumor] *has it that* she is getting married. うわさによれば彼女は結婚するそうだ. (2) (略式) 罰せられる, しかられる;銃で撃たれる ‖ Let him *have it*. 彼をこらしめてやれ. (3) 聞く, 知る ‖ I *have it* from Tom. トムから聞いた / I *have it* on the best authority *that* we will be paid for our work next week. 最も信頼すべき筋から聞いたところでは来週賃金が支払われそうだ. (4) (略式) [I を主語として] わかる, 思いつく ‖ I *have* (got) it! わかった.

hàve it ín for A (略式)〈人〉に悪意[恨み]を抱いている;〈人〉を困らせる.

hàve it ín one *to do* (略式) …する能力[素質]がある.

hàve it A óut (俗) 〈問題など〉を[…と]かた[決着]をつける, 徹底的に話し合う[*with*] ‖ I *had* the question *out with* him. 彼とその問題を徹底的に話し合った.

*hàve ón [他]《◆受身・進行形不可》(1)〈衣類など〉を身につけている, 履いて[かぶって]いる(wear)《◆have A on one's body [head] のように補って考えるとわかりやすい. ➡文法 18.7》‖ She *had* a new coat *on*. =She *had on* a new coat. 彼女は新

しい上着を着ていた《◆「着る」動作は put on a new coat / put a new coat on》. (2)《略式》〈会合・約束・仕事などへ〉の予定がある《◆ I have nothing on (for) tomorrow. 明日は何の予定もない.
hàve óut [他]《◆受身不可》(1) → **14**. (2) [通例 have it out] (話し合い・けんかで)〔人と〕問題にけりをつける〔with〕‖ I must *have out* with her. その件について彼女と話のかたをつけなければならない.
hàve Á óver with 〈いやな事〉が終わる.

*__háve to__ dó

語法 発音は次のようになる

	子音の前	母音の前
have to	/hǽftə/	/hǽftu/
has to	/hǽstə/	/hǽstu/
had to	/hǽttə/	/hǽttu/

(1)〈人が〉(客観的な情勢から)…しなければならない; [not have to do] …する必要がない(do not need to do);《略式》[しばしば just ~ で] …するより仕方がない‖ She *has to* finish it today. 彼女は今日それをしてしまわなければならない《現在》/ I *had to* study hard to enter (the) college. 私は大学に入るために一生懸命に勉強しなければならなかった《過去》/ If there are no taxis, we'll *have to* walk. もしタクシーがなければ歩くより仕方ないだろう《未来》.

語法 (1) must との比較は → **must** 助 **1a** 語法.
(2) You have to go. に対応する否定文・疑問文は次の(a)がふつう(→ 動 語法)だが,《英略式》では(b)の形も用いられる.
(a) You don't *have to* go.
　　 Does he *have to* go? Yes, he *does*.
(b) You haven't got to go.
　　 Has he got to go? Yes, he *has*.
(3)《英》では否定文・疑問文に関して「習慣的なこと」に(a),「特定的なこと」に(b)という区別をすることがある. (b)で got を省略することもあるがふつうは避ける: We don't *have to* work on Sundays. 日曜日は働かなくてよい《習慣的》/ We haven't (got) *to* work tomorrow. 明日は働かなくてよい《特定的》.
(4) 受身は不可だが不定詞の受身は可能: This watch *has to* be repaired. この時計は修理されなければならない.
(5) 未来形・完了形は可: The boy will *have to* study harder this semester. その少年は今学期もっと熱心に勉強しなければならない / I have *had to* listen to his complaints all day. 私は1日中彼の不平を聞いていなければならなかった.

(2) [主に be 動詞の前で]〈人・物・事が〉…にちがいない《◆(1) もと《米》であったが今は《英》でもふつう. (2)《英略式》では have got to be を用いる》‖ He *has to* be joking. 彼は冗談を言っているにちがいない.
háve to dó with B [have Á to do with B の Á の省略から]〈事〉と関係がある, …を扱う;〈人〉と交際がある‖ This letter *has to do with* you. この手紙は君に関係がある.
*__hàve Á to dó with__ B B〈人・事〉と Á の関係がある《◆ Á は something, anything, nothing, much, a lot, a great deal, little などで関係の度合いを表す》‖ I *have nothing to do with* her. 彼女と何の関係もない / Your remarks *have lit-tle to do with* the subject. 君の発言はその問題

とほとんど関係がない.
hàve úp [他] (田舎などから)〈人〉の訪問を受ける;〈階上の人が〉〈階下の人〉を上に呼ぶ.
háve yét to do 『依然として…しなければならない』 → yet **4 b**.
*__ónly hàve to__ do =__hàve ónly to__ dó (…には)…しさえすればよい, …するだけでわかる‖ You「*only have* [*have only*] *to* study hard. 君は一生懸命勉強しさえすればいいのだ.

語法 have to を強める場合は You only [just] have to study hard. の語順をとり,「ほかに何もする必要はない. ただ一生懸命にするだけでいいのだ」. only はすぐ後に来る語を修飾するのが原則であるから, only have to の方が have only to よりも「他に何もする必要がない」という意味を強調した言い方になる. しかし, 実際の文脈では only の修飾範囲は緩やかなので(→ **only** 副 **1**), 同じ意味に用いられるといってよく, 前者の方が使用頻度は高い.

── 助 /(弱) həv, əv, v; (強) hǽv/《過去分詞を伴って完了形を作る》(**has**/(弱) həz, əz, z, s; (強) hǽz/; 過去) **had**/(弱) həd, əd, -d; (強) hǽd/; **hav·ing**)

I [現在完了: have done] (**⊃文法 6.1**)
1 a [完了・結果] ちょうど…したところです《◆ふつう just, already, yet などを伴う》‖ The clock *has just struck* ten. 時計がたった今10時を打った / The bell *has already rung*. 鐘はすでに鳴ったよ /《対話》"*Have* you *finished* your homework yet?" "Yes, I *have* [No, I *haven't*]." 「もう宿題は終わりましたか」「はい, もう終わりました[いいえ, まだ終わっていません]」/ The two nations *have established* diplomatic relations. その2か国は外交関係を樹立した.
b [経験] …したことがある《◆ふつう ever, never, once, often, before, lately, recently などの副詞を伴う》‖ I *have* not *had* a cold *lately*. 私は最近かぜをひいたことがない / *Have* you *ever made* mayonnaise? マヨネーズを作ったことがありますか / I *have* never *eaten* escargot(s). 私はエスカルゴを食べたことはありません.
c [継続] (ずっと)…してきた, している《◆ for two years, since 2002 など期間を表す語句や since 節を伴う》‖ I *have known* her *since* childhood. 私は彼女を子供の時から知っている《know, like などの状態動詞は単純形》/ It *has been snowing for* a week. 1週間雪が降っています《◆動作動詞は現在完了進行形》.
d [未来完了の代用] [when節, if節内で] …し終わったら, したら‖ *When* you *have finished* the book, will you lend it to me? その本を読み終わったら貸してくれますか《◆ ×When you will have finished the book, … は不可》.

II [過去完了: had done] (**⊃文法 6.2**)
2 a [完了・結果] (それ以前に)…していた‖ The parcel *had* (already) *arrived* on May 1st. 小荷物は5月1日には着いていた.
b [経験] (それ以前に)…したことがあった《◆ before や before 節などを伴う》‖ *Had* they *been to* America *before*? 彼らはそれ以前にアメリカへ行ったことがあったのですか / I *hadn't seen* a lion *before* I was ten years old. 私は10歳になるまでライオンを見たことがなかった.
c [継続] (それ以前にずっと)…していた《◆ for two years, since 2002 など期間を表す語句や since 節を

haven ... **haystack**

伴う》‖ He *had stayed* in his father's firm *till* his father died. 彼は父親が亡くなるまで父親の会社にいた / He *had preached* in that church *for* fifty years. 彼はその教会で50年間説教をしていた / We *had been waiting* for an hour *when* the bus finally came. バスがやっと来た時には私たちは1時間ずっと待っていた《◆動作動詞の場合は過去完了進行形》.

d [大過去] …した (➡文法 6.2(4))‖ I *lost* the book that my father *had bought* for me the day before. 前日に父に買ってもらった本をなくした.

e [仮定法過去完了] [if A had done / (正式) Had A done]《あの時》…した[であった]ら(➡文法 9.2)‖ If she *had* [(正式) *Had* she] *helped* me, I would have succeeded. もし彼女が助けてくれていたら私は成功していただろう.

III [未来完了: will [shall] have done] (➡文法 6.3)

3 a [完了・結果] A《ある時》までに…して(しまって)いるだろう《ふつう by句を伴う》‖ *By* next Sunday, I'll *have moved* into the new house. 来週の日曜までには新居に引っ越しているだろう.

b [経験]《そのときまでに》…したことになるだろう《◆ twice, three times などの頻度の副詞(句)を伴う》‖ I *shall* [*will*] *have taken* the examination *three times* if I take it again. もう一度試験を受けると3回受けたことになる.

c [継続]《その時までずっと》…していることになるだろう《◆ for two years など期間を表す語句を伴う》‖ *By* the end of next month she *will have been* here *for five years*. 来月彼女はここに5年いることになる / It *will have been raining* a whole week if it rains tomorrow. 明日雨が降るとまる1週間降り続いたことになる《◆動作動詞の場合は過去完了進行形》.

***have been in** [**on**] A (1) [経験] …にいたことがある‖ I *have been in* New York for a short time. ニューヨークにちょっといたことがある. (2) [完了] (今まで) …にいた‖ The girls *have been on* the beach since morning. あの娘たちは朝から今まで浜辺にいた.

***have been to** A (1) [経験] …へ行ったことがある‖ I *have been to* Saipan. サイパン島へ行ったことがあります《◆(米式) では have gone to ともいう》. (2) [完了・往復] …へ行ってきたところである‖ I *have (just) been to* Tokyo Station to see him off. 彼を見送りに東京駅へ行ってきたところです.

have góne (1) [(…へ)行ってしまって(ここに)いない (*to*)] ‖ She *has gone* to Paris. 彼女はパリへ行ってしまった / I've *gone* to the station to meet Kerry. ケリーを迎えに駅へ行ってきます《◆伝言など》. (2) (米略式) [〔…へ〕行ったことがある(*to*)] ‖ *Has* he *gone* to China? 彼女は中国へ行ったことがあるのか / *Have* you *gone* to Sadogashima by boat? 佐渡島へ船で行ったことがありますか.

have gót, 've gót《主に英略式》= have (➡ 1-3, 6, 7) (語法 → get 成句).

have gót to do《略式》= HAVE to do (1), (2) (動 成句) (語法 → get 成句).

——名 /hǽv/ ⓒ《略式》 [通例 the ~s] (資産を)持っている人; (資源・核兵器を保有している国) ‖ *the háves* and *the háve-nòts* 持てる国と持たざる国; 有産者と無産者.

ha·ven /héivn/ 名《正式》避難所, 安息の地.

***have·n't** /hǽvnt/ have not の短縮形.

hav·ing /hǽviŋ/ 動 → have.

†**hav·oc** /hǽvək/ 名 Ⓤ《正式》(地震・台風などによる) 大破壊; 大損害‖ The big earthquake caused [created] *havoc* over [throughout] a wide area. その大地震は広い地域に大損害を与えた. **wreák hávoc on** [*in, among*] A = **pláy hávoc with** [*among*] A = **máke hávoc of** A …をむちゃくちゃにする.

haw /hɔ́ː/ 名 Ⓒ (植) サンザシ(の実) (hawthorn).

†**Ha·wai·i** /həwάːiː, -wάːjiː/ 《「伝説の島」が原義》名 **1** ハワイ《◆ 1959年合衆国の50番目の州となる. 州都 Honolulu. (愛称) the Aloha State. (略) Haw., (郵便) HI》; ハワイ諸島. **2** ハワイ(島)《ハワイ諸島中最大の島》.

†**Ha·wai·ian** /həwάiən, -wάːjən/ -wάiən/ 形 ハワイの, ハワイ人[島, 語]の; ハワイ諸島 (Hawaii). —— 名 Ⓒ ハワイ人; Ⓤ ハワイ語.

†**hawk** /hɔ́ːk/ 名 Ⓒ **1**《鳥》タカ(の類)《◆(1) falcon, kite などよりも. (2) 英語では鋭い目つきよりも《遠くからでも獲物を見つける》眼力》を連想させる. 鳴き声は scream》‖ *Hawks* prey on small animals. タカは小動物をえさにする. **2** タカ派の人, 強硬論者, 主戦論者 (↔ dove). **háwk·ish** 形 タカ派の, 好戦的な (↔ dovish); タカのような. **háwk·ish·ness** 名 Ⓤ タカ派であること, 好戦的であること.

hawk-eyed /hɔ́ːkàid/ 形 視力がよい; 目の鋭い; 油断のない.

Haw·king /hɔ́ːkiŋ/ 名 ホーキング《Stephen William ~ 1942-; 英国の物理学者》.

haw·ser /hɔ́ːzər, (米+) -sər/ 名 Ⓒ (海事) 太綱, 太索《◆ cf. cable, cord, rope》《停泊・曳航・曳航に用いる》.

†**haw·thorn** /hɔ́ːθɔːrn/ 名 Ⓒ Ⓤ (植) サンザシ (hawthorn tree [bush])《◆英国では may (tree) とも呼ばれ生け垣に用いられる. 米国 Missouri 州の州花. cf. haw》.

Haw·thorne /hɔ́ːθɔːrn/ 名 ホーソン《Nathaniel ~ 1804-64; 米国の小説家》.

†**hay** /héi/ 名 Ⓤ《家畜の飼料》‖ *Make hay while the sun shines.* (ことわざ) 日の当たっているうちに干し草を作れ; 好機をのがすな.

hít the háy (略式) 寝る (go to bed).

máke háy of A 〈場所・物事〉を混乱させる, めちゃめちゃにする.

háy fèver (医学) 枯草(ふゆ)熱, 花粉症.

hay·cock /héikɑk | -kɔk/ 名 Ⓒ (円錐状の)干し草の山 (→ haystack).

Hay·dn /háidn/ 名 ハイドン《Franz Joseph /frάːnts jóuzəf | frǽnts-/ ~ 1732-1809; オーストリアの作曲家》.

Hayes /héiz/ 名 ヘイズ《Rutherford Birchard /rʌ́ðərfərd bɔ́ːrtʃərd/ ~ 1822-93; 米国の第19代大統領 (1877-81)》.

hay·field /héifiːld/ 名 Ⓒ 干し草用の畑.

hay·loft /héilɔːft/ 名 Ⓒ (馬小屋・納屋の) 干し草置き場.

hay·mak·er /héimèikər/ 名 Ⓒ **1** 干し草を作る人. **2**《米略式》強烈な一撃. **3**《米俗》(芸人の)十八番.

hay·mow /héimòu/ 名 **1** = hayloft. **2** (納屋の) 干し草の山.

hay·rack /héirǽk/ 名 Ⓒ **1** (家畜の)まぐさ台. **2** (米) (荷車の)干し草棚.

hay·seed /héisìːd/ 名 Ⓒ **1** 干し草の種子. **2** 干し草のくず. **3**《米略式》田舎者.

hay·stack /héistæk/ 名 Ⓒ (戸外の)干し草の大きな山《◆ haycock を集めたもの》.

hay·wire /héiwàiər/ 名 U 干し草を束ねる針金.── 形 《略式》混乱した;〈人が〉狂った ‖ **go haywire**〈人が〉発狂する;〈機械が〉故障する;〈計画が〉台なしになる.

†**haz·ard** /hǽzərd/ 名 **1** C (偶然性の強い)危険;冒険;[…への]危険要素 [to] ‖ *a* héalth *hazard to* health =*a* héalth *hazard* 健康上有害なもの **2** U 偶然(の出来事), 運, 賭(*)け事 《さいころゲームなど》.
at áll házards 万難を排して,ぜひとも.
at [**by, in**] **házard** (1) 運任せで. (2) 危険に直面して.
── 動 他 **1** 《正式》〈生命・財産など〉を危険にさらす, …を賭ける(risk) ‖ *hazard* life *for* a friend 友だちのために命を賭ける. **2** 〈不確定要素の多い予想など〉を思い切って言う,「…」と思い切って言う;…を運任せにやってみる ‖ *hazard* a guess 当て推量を言ってみる.
házard màp (地震などの)被害予測図, 防災地図.

†**haz·ard·ous** /hǽzərdəs/ 形 《正式》冒険的な, 危険な(dangerous) ‖ Cigarette smoking is *hazardous to* your health. 喫煙は健康を害することがある《◆米国のタバコの箱にある表示》.
házardous wàste 有害廃棄物.

†**haze** /héiz/ 名 **1** C U もや, かすみ(→ mist). **2** [a ~] (精神の)もうろうとした状態.

†**ha·zel** /héizl/ 名 **1** C 【植】ハシバミ;その実; U その木材. **2** U ハシバミ色, 薄茶色.
ha·zel·nut /héizlnʌ̀t/ 名 C ハシバミの実(filbert)《食用》.

†**ha·zy** /héizi/ 形 (**-zi·er, -zi·est**) **1** かすんだ, もやのかかった ‖ a *hazy* sky かすんだ空. **2** 《略式》[…について]ぼんやりした, 不明確な(vague) [*about*] ‖ a *hazy* idea ぼんやりした考え / be *hazy about* … …がはっきりしない. **3** 《俗》酔っ払った.

Hb (略) 【生化学】hemoglobin.
HB (略) [アメフト・サッカー] halfback; hard black 《鉛筆の硬度. 中の硬さ》.
H-bomb /éitʃbɑ̀m | -bɔ̀m/ 名 C 《略式》水爆(hydrogen bomb)《◆「原爆」はA-bomb》.
hd, hd., Hd. (略) head.
hdbk, hdbk. (略) handbook.
HDD (略) 【コンピュータ】hard disk drive ハードディスクドライブ.
hdqrs, hdqrs. (略) headquarters.

***he** /(弱) hi, i, (強) híː/ [三人称単数主格の人代名詞](→文法 15.3(1))
──代 [単数] 所有格・所有代名詞 **his**, 目的格 **him**; [複数] 主格 **they**, 所有格 **their**, 所有代名詞 **theirs**, 目的格 **them**).
1 [先行する男性名詞, 文脈からそれとわかる男性, 目の前にいる男性をさして] 彼は, 彼が, その男が《◆(1) (弱)の場合「彼は」,(強) で「彼が」と訳せることが多い. (2) 名詞より先に出る語法については→文法 15.4》 ‖
《対話》 "Where's your brother?" "*He's* /(h)iːz/ now in London." 「お兄さんはどこにいますか」「(彼は)今ロンドンにいます」.
2 [擬人法] それは, それが《◆it の代用》 ‖ The sun shines, and *he* gives us heat and light. 太陽は輝き, 熱と光を我々に与えてくれる《◆sun, mountain, death, war, river などもしばしばhe で受ける》.
3 《やや古》[everybody, somebody, nobody などの不定代名詞, person, reader など性別不特定の語を総称的に受けて] (その)人.

語法 《正式》な書き言葉ではhe or she, she or he

がふつう《◆he/she とか s/he のように書くこともある》. それ以外では男女両性を兼ねた they がふつうになりつつある.(→they) : Everybody thinks '*he* (*or she*) has [《PC》they have] the answer. だれでも自分は答えがわかっていると思っている /
《対話》 "There's someone at the door." "What *does he* [《PC》do they] want?" 「玄関にだれか来ている」「何の用かな」.

4 (文) [he who [(まれ) that] …] (…する)人(はだれでも) [《PC》anybody who …] 《◆現代でもことわざ・引用句でしばしば用いられる》 ‖ *He who* would climb the ladder must begin at the bottom. はしごを登ろうと思う者は1段目から始めねばならない.
── 名 (複 **hes, he's**) **1** C 男, 雄 ‖ Is the baby a *he*? その赤ちゃんは男の子ですか《◆Is the baby a boy? がふつう》. **2** 《略式》[he-; 形容詞的に] 雄の(↔ she-) ‖ a *hé*-goat 雄ヤギ《◆人間の男性には boy, man などを用いる: a boy [man] student》.
He (記号) 【化学】helium.
HE (略) His [Her] Excellency.

:**head** /héd/
──名 (複 ~**s** /hédz/) C
I [からだの一部としての頭]
1 頭, 首; 頭の丈(*た*) ‖ 首(neck)から上の部分をさす. → 日英比較, 図 → body. 使い分け → face 名 **1**》 ‖ win *by a head* [競馬] 頭1つの差で勝つ / set [put] a price on his *head* 彼の首に賞金をかける / She beat me on the *head*. 彼女が私の頭をぶった(→文法 16.2(3)) / He had his *head* cút óff. 彼は首を切り落とされた / ジョーク "What has a *head* and a tail, but no body?" "A coin." 「頭としっぽはあっても体がないものは?」「コイン」《◆コインの表は head (→ **7**), 裏は tail というから》.

日英比較 [「頭」と *head*]
head は日本語の「首」「顔」に当たることが多い: nod one's *head* 首を縦に振る《◆賛成・承認の動作(→ yes 副 **1a** 語法). 拒否は shake one's *head*. 否定疑問に対する答えの場合, 英米と日本では動作もずれるので注意: She asked, "Don't you know the fact?" He nodded [shook] his *head*. 「あなたは事実を知らないのね」と彼女は尋ねた. 彼は, いや知っている[うん知らない]と答えた》/ duck [hold up] one's *head* 首をすくめる[まっすぐに起こす] / raise a hand to the back of one's *head* 首の後ろに手をやる《◆いらだちを抑える動作》(→ rub the back of one's NECK) / bury one's *head* in one's hands 両手で頭を抱える / incline one's *head* (疑い・不安で)首をかしげる / Don't put [stick] your *head* out of the window. 窓から顔を出すな.

II [頭によって生み出されたもの]
2 頭脳, 理性, 分別(intellect); [...に対する](実際的)才能, 能力(for) ‖ **have a (good)** *head* **for** chemistry [business] 化学[実務]の才がある / have no *head* for heights 高い場所が苦手である / fill one's *head* with formulas (数学などの)公式を頭に詰め込む / make a story up out of one's (own) *head* 自分の頭で話をでっちあげる / ***Two heads are better than one.*** 『2人の頭脳は1人にまさる』《ことわざ》《重要なことを決めるときにはだれかと相談するのがよい》「三人寄れば文殊(*もん*)の知恵」.
3 (主に英略式) [a ~] (二日酔いの)頭痛.
III [頭の形に似たもの]

4 頭状の物；〈くぎなどの〉頭；頭状花；結球 ‖ the *head* of a hill [boil] 丘の頂上 [おできの頭].

IV [頭にあたる位置を占めるもの]

5 [通例 the ~]（部局・組織・集団などの）長, 頭(かしら) 《◆(1) the については ➡文法 16.2(2), 無冠詞については 16.3(4). (2) chief はより大きな組織の長》; 指導的地位；(略式) 校長；[形容詞的に] 長の, 首位の ‖ a section [division, executive] *head* 課長 [部長, 社長] / the *head* of government 首相（the prime minister）/ 〈◆対話〉"Pardon me, could I speak to someone in charge?" "Yes, sir. I'm *the head* around here. What's the matter?" 「すみませんが責任者の方とお話がしたいんですが」「はい, 私がここの責任者です. 何かご用でしょうか」.

6 a [通例単数形で] 先端；(列などの)先頭；上部；（ページ・リストの）上部(↔ foot)；（機械・道具などの）ヘッド，（テープレコーダなどの）ヘッド（magnetic head）；（谷・坂・がけ・はしごなどの）最上端；（川の注ぎこむ）湖頭, 湾頭 ‖ the *head* of a bed ベッドの上部 / the *head* of a parade 行列の先頭 / Beachy Head ビーチ岬(みさき) / sit at the *head* of the table テーブルの上席に座る. **b** [通例単数形で]（川の）源；（ダム・滝などの）落差, 圧力. **c**（略式）（ビールの表面に浮く）泡；（英）牛乳の表面のクリーム. **d** 頭髪；鹿の枝角 ‖ comb one's *head* 髪をとかす / a reindeer of the first *head* 初めて角の生えたトナカイ. **e** 船首《◆昔は舟の船首にトイレがあったことから, the head は「トイレ」の意にもなる》.

7 [通例 ~s; 単数扱い]（硬貨の）表《◆表に王・女王の頭像があることから》(↔ tail) ‖ *Heads* I win, tails you lose. 表なら私の勝ち, 裏なら君の負け《◆「どっちみち私の勝ち」というジョーク》；一方的取り決め.

8（エッセー・講義などの）項目, 題目；（新聞の）見出し ‖ treat a question *under* three *heads* 問題を3項目に分けて取り扱う.

9〔言語〕[the ~] 主要語.

V [頭で人などを表す]

10（地位・能力から見た）人《◆「（労働から見た）人」は hand》；[a ~; 集合名詞]（数の面から）人,（家畜の）頭数, 群れ《◆この場合, 単複同形》；（俗）麻薬常習者 ‖ the price a [per] *head* 1人当たりの価格 / ten *head* [×*heads*] of cattle [複数扱い] 10頭の牛.

abòve [òver] A's héad =above the *head* of A（難しすぎて）〈人〉に理解できない ‖ Her lecture is *above* my *head*. 彼女の講義は私には難しすぎる.

***at the héad of A** (1)〈クラスなどの〉首席で[の]. (2)〈行列などの〉先頭に[の]. (3) → A 5.

béat A's héad òff〈人〉をこっぴどく打ち負かす；〈人〉に厳しく応じる.

be [stànd] héad and shóulders abòve A in B〈相手より頭と肩の分だけ勝っている; cf. above 前 4〉（略式）B〈能力など〉で A〈人〉よりもはるかに優れている.

bíte [snáp] A's héad òff〈人〉をしかりつける；〈衣類など〉が〈人〉の身体に食い込む.

bóther one's héad 頭を悩ませる, 心配する（bother oneself）.

bring A to a héad〈ある事態を〉（その進展過程における）最終段階に至らしめる〉(1)〈事態〉を危機に陥れる；〈行動の機〉を熟させる. (2)〈吹出物〉をうませる. (3)〈不確実なことなど〉をはっきりさせる.

cóme into [énter] A's héad [通例否定文・疑問文で]〈ある考えなどが〉人の頭に浮かぶ《◆ふつう肯定文では It comes into A's head that ... 構文で. (2) A が複数のときは heads》.

còme [dráw, gáther, gròw] to a héad〈ある事態が〉（その進展過程における）最終段階に至る〉(1)〈吹出物が〉化膿する. (2)〈事態が〉危機に陥る，〈行動の機〉が熟する, 山場を迎える.

***from héad to fóot [héel, tóe]** 頭のてっぺんからつま先まで, 全身；まったく〈➡文法 16.3(3)〉‖ She was covered with dust *from head to foot*. 彼女は全身ほこりまみれであった.

gèt A into B's héad〈事〉を B〈人〉に十分理解させる.

gèt it into one's héad〔…だと〕十分理解する, 気づく；信じ始める〔*that* 節〕.

háng [híde] one's héad うなだれる, 顔を伏せる, 恥ずかしく思う.

hàve [gèt] a swóllen [(米) swélled] héad うぬぼれる.

héad dówn 頭を下げて [垂れて].

héad fírst [fóremost] まっさかさまに；向こう見ずに.

héad ón《頭を前に向けて; cf. on 副 5 a》〈人が〉向かい合って；（船首・車の前部を）前にして, 正面から（cf. head-on）‖ The boats collided *head on*. 船が正面衝突した.

head over ears → ear.

***héad over héels = héels over héad** (1) まっさかさまに, もんどりうって ‖ She fell *head over heels* from the ladder. 彼女ははしごからまっさかさまに落ちる. (2) 深く, 完全に. (3) 急いで, あわてて.

héad(s) or táil(s) 表か裏か《◆硬貨を投げて回して順番・勝負を決めるときの言葉. → 7》.

Héads úp!（米略式）頭上に注意；気をつけろ.

head to head =HEAD on.

hóld one's héad hígh（人前で）堂々とふるまう, 毅然(きぜん)とした態度をとる.

kéep one's héad 落ち着いている（類語 keep [have] a level *head*, keep a cool *head*）.

knóck A on the héad (1)〈計画〉をたたきつぶす. (2)（まれ）〈人〉を殺す.

lày their [yóur, óur] héads togéther〈2人以上の人が〉額を寄せて相談 [密議] する.

líft one's héad 頭を上げる；頭角を表す；元気を取り戻す.

lóse one's héad (1) 首を切られる, 殺される. (2)〔…に〕落ち着きを失う, 夢中になる[over]；ばかなふるまいをする（↔ keep one's head）.

máke héad（困難なことを克服して）進む；〔…に〕立ち向かう [*against*].

óff one's **héad**（略式）気がふれて；無我夢中の, 有頂天の.

óff [òut of] the tóp of one's héad あまりよく考えずに, ふと思いつくままに.

one's héad òff（略式）[動詞に続けて] たいへん, ひどく；大声で《◆「頭が変になる」ことから》‖ laugh [cry, shout] *one's head off* 大声で笑う [泣く, 叫ぶ] / talk *one's head off* しゃべりまくる《◆ talk A's *head off* では「しゃべりすぎて〈人〉をうんざりさせる」》/ play *one's head off* 遊びほうける.

on [upòn] one's héad 逆立ちして.

on [upòn] A's (òwn) héad（略式）〈事・物が〉〈人〉の責任で, 災い・恵みなどが〉〈人〉の身にかかって ‖ Let it be *on your head*! 君の責任だぞ.

óut of one's **héad** = off one's HEAD; → 図 2.

óver A's héad =òver the héad of A (1) = above A's HEAD. (2)〈人〉の優先権にもかかわらず

‖ She gave it up as *over her head*. 彼女は優先権があるのでそれを断念した. (3) 〈人に〉相談もしないで; 頭越しに; 〈人の〉許可も得ないで. (4) 〈人に〉先んじて, 〈人より〉高い地位に ‖ She was promoted *over the heads of* her seniors. 彼女は先輩を追い越して昇進した.

pút A into B's héad A〈考え・計画など〉を B〈人〉にふき込む.

pút A out of B's héad A〈考え・計画など〉を B〈人〉にあきらめさせる, 忘れさせる.

pùt one's héad on the blóck (困難なことを) 失敗を承知でする.

pùt their [your, our] héads togèther =lay their [your, our] HEADs together.

quéer in the héad 頭がおかしい.

ríght in the héad (略式)〔通例否定文・疑問文で〕正常で, 正気で (↔ wrong in the head).

scrátch one's **héad** (1) どうしていいか途方にくれる;〔…の〕答えがわからない〔over〕. (2) 頭をかく《◆不満・自己嫌悪などのしぐさ. てれかくしではない》.

*sháke one's héad 〔人に/事に〕首を横に振る〔at/over〕《◆否定の返答 (→ 1 日英比較), 忠告・警告, 悲嘆・当惑・不服などを表す》.

stánd on one's **héad** 逆立ちする. (2)(略式) 全力を尽くす, できることをすべてやる.

táke it into one's **héad** 〔…しようと/…だと〕ふと思いつく[思い込む], 突然決心する〔to do / that節〕.

túrn A's **héad** 〈成功などが〉〈人〉の頭を変にさせる; 〈人〉をのぼせあがらせる.

wéak in the héad (略式) 頭が悪い, ばかな.

──動 (~s/-dz/, 過去・過分 ~ed/-id/; ~ing)
──他 1 …の先頭に立つ, …を率いる;〈…の〉頭（がしら）[長]である ‖ *head* a procession 行列の先頭に立つ / a cabinet (which is) *headed* by Mr. A A氏首班の内閣. 2 a〈乗物などを〉〔…の方へ〕向ける〔*for, toward*〕‖ The captain managed to *head* the ship *toward* the cape. 船長は船をどうにか岬の方へ向けた. b (米)〔通例 be ~ed〕〔場所・困難などに〕向かって進む〔*for*〕‖ Where are you *headed*? どこへ行くの. 3〈ピン・くぎなど〉に頭をつける;〈植物の〉頭を切る[取る] (+*down*). 4〈川・湖などの水源を〉迂回していく ‖ *head* a stream 流れの水源を迂回して進む. 5 (サッカー)〈ボール〉をヘディングする. 6 …に見出し[題名]をつける.

──自 (略式)〔…に向かって〕まっすぐ進む (+*off*)〔*for, toward*〕《◆しばしば比喩的に用いる》‖ The plane *headed* north(ward). 飛行機は北の方へ向かった / Our plan is *heading* for trouble. 私たちの計画は前途多難だ.

héad báck 〔他〕= HEAD off.

héad óff 〔自〕→ 自. ─〔他〕(1) (先回りして)〈人・乗物〉の進路を阻む; …を回避する;〈人・事〉などの方針をそらす, 思いとどまらせる〔(*from*) *doing*〕‖ I *headed* her *off* (*from*) marrying money. 彼女が金持ちと結婚しようとするのを思いとどまらせた.

héad óut 〔自〕(米略式) 出発する, 去る; 転機にさしかかる.

héad úp 〔自〕(米略式) (1)〈川・湖などが〉〔…に〕源を発する〔*in*〕. (2)〈人が〉〔…の方へ〕進む〔*to*〕. ─〔他〕(1)〈物〉にふたをする. (2)〈人・団体〉を指揮する.

héad còld 鼻かぜ.

héad cóunt (略式) 頭数を数えること; 人口[世論, 国勢]調査.

héad fámily 本家.

héad óffice (1) (企業の)本社. (2)〔単数扱い〕本社幹部.

héad stárt (米)〔…より〕(競技などの)有利な滑り出し〔*over, on*〕; 好調な出だし.

héad vóice [**nòte**] 頭声, うら声 (cf. chest voice).

héad wind 向かい風; 逆風《◆比喩的にも用いる》.

*****head·ache** /hédèik/
─名 (複 ~s/-s/) C 1 (絶え間ない)頭痛 (cf. stomachache, toothache) ‖ a slight [bad, splitting] *headache* 軽い[ひどい, 割れるような]頭痛 / I'm *suffering from* [I have] *a headache* today. 今日は頭痛がする《◆I suffer from *headaches*. (私は頭痛持ちです)は慢性的な場合に使う. 複数形がふつう》. 2 (略式) [a ~] 困った問題, 悩みの種 ‖ His son is *a real headache*. 彼の息子は本当に頭痛の種だ《◆この意味では ×a bad headache は不可》.

héad·band /hédbæ̀nd/ 名 C ヘアバンド, はち巻き《◆髪の垂れるのを防ぐ》;〔製本〕花ぎれ《上製本の背の上下両端に貼り付けた布》(図) → book).

héad·dress /héddrès/ 名 C かぶり物, 頭飾り; 髪の結い方.

héad·er /hédər/ 名 C 1 (略式) 逆さ飛び込み (dive). 2 (サッカー) ヘディング. 3 穂先を摘む機械.

héad-fírst /hédfə́ːrst/ 形副 まっさかさまの[に], 向こうみずの[に] ‖ a *head-first* sliding〔野球〕ヘッドスライディング《◆(1) ×*head* sliding は不可. (2)「ヘッドスライディングをする」は slide *head-first*. この *head-first* は副詞》.

héad·gear /hédgìər/ 名 U〔しばしば a ~〕かぶり物《帽子・かぶとなど》;(馬の)おもがい《頭部用具》.

héad·hunt /hédhʌ̀nt/ 動 C 1〈人〉の首狩りをする. 2〈優秀な[幹部級の]人材〉を引き抜く, スカウトする.

héad·ing /hédiŋ/ 名 C 1 頭, 前面となるもの. 2 C (章・節などの) 表題, 見出し, 項目. 3 C (手紙の頭書《差し出し人の住所と日付》. 4 C (船・飛行機などの) 方向, 向き. 5 U C (サッカー) ヘディング.

†**héad·land** /hédlənd/ 名 C 岬（みさき）, 突端.

héad·less /hédləs/ 形 1 頭[首]のない. 2 〔まれ〕指導者のない. 3 おろかな, 知恵のない.

†**héad·light** /hédlàit/ 名 C 〔しばしば ~s〕(車などの)ヘッドライト《図) → car, motorcycle) (↔ taillight).

*****head·line** /hédlàin/
─名 (複 ~s/-z/) C 1 (新聞・雑誌などの大文字の) 見出し, 表題. 2 (英) 上欄《題名・著者名・ページなどを記す》. 3 (英)〔通例 ~s〕(ニュース放送の) 主な項目の要約[要点] ‖ *go into* (the) *headlines* = *hit* [*make, reach*] the *headlines* (略式) 大見出しで報じられる; 評判になる.

─動 1 …に見出し[表題]を付ける. 2 …を大々的に宣伝する. 3 (主に米)〈ショー〉の主演をする.

†**héad·lòng** /hédlɔ̀ːŋ/ 副形 副形 1 まっさかさまに[の] ‖ *fall headlong* まっさかさまに落ちる. 2 まっしぐらに[の]; 向こう見ずに[な], 軽率に[な].

héad·man /hédmæn/ 名 C 頭（かしら）, (部族の)酋（しゅう）長 (PC) chief).

héad·mas·ter /hédmæ̀stər|-mɑ́ːs-/ 名 C ((女性形) ~·mis·tress)〔英〕小校長, (米) 私立学校の校長.

héad-ón /hédɔ́n|-ɔ́n/ 形副 形副 1 正面(から) の[に] ‖ a *head-on* car crash 車の正面衝突. 2 単刀直入的[に], 妥協のない[に].

héad·phone /hédfòun/ 名 C〔通例 ~s〕ヘッドホン.

héad·piece /hédpìːs/ 名 C 1 かぶと, かぶり物. 2 (略式) 頭, 頭脳; 知性; 知者.

head·quar·ters /hédkwɔ̀ːrtərz|-́-́/ 名 〔単数・複数扱い〕(略) hdqrs., h.q., HQ **1** 〈軍隊・警察などの〉本部, 司令部, 本署 ‖ He was taken to (the) police *headquarters*. 彼は警察本部に連れて行かれた. **2** 本拠, 本社 ‖ His firm's *headquarters* is [are] in Tokyo. 彼の会社の本社は東京にある. **3** 〔集合的〕本部員, 司令部員.

head·rest /hédrèst/ 名 C 〈歯科医院・理髪店・自動車などの〉いすについた枕.

head·room /hédrùːm/ 名 U 〔または a ~〕空き高 (clearance)《戸口・トンネル・橋・自動車内部などの頭上のスペース》.

head·set /hédsèt/ 名 C ヘッドホン.

heads·man /hédzmən/ 名 (複 -·men) C 首切り役人; 死刑執行人 ((PC) executioner).

head·stone /hédstòun/ 名 C 墓石; 〈建物の〉礎石.

head·strong /hédstrɔ̀ːŋ|-ɔ́ŋ/ 形 強情な, わがままな.

head·teach·er /hédtíːtʃər/ 名 C 校長.

head·wait·er /hédwéitər/ 名 C ボーイ長.

head·way /hédwèi/ 名 U 前進, 進行; 〈船の〉速度; 〈事の〉進展, 進歩 ‖ make (some) *headway* 前進[進歩]する.

head·word /hédwəːrd/ 名 C 〈辞書などの〉見出し語.

head·y /hédi/ 形 (-·i·er, -·i·est) **1**〈人・考え・行動が〉向こう見ずな, 性急な. **2**〔正式〕〈アルコールなどが〉酔わせる〔◆〕浮き浮きしてくwith〕.

†**heal** /híːl/ (同音 heel) 動 他 **1 a**〈薬などが〉〈人・傷などを治す (+*up*, *over*)〔◆病気・けがなどを治す一般的な語は cure. heal は外傷について用いることが多い〕‖ *heal* a wound 傷を治療する. **b**〈時などが〉〈悲しみ・悩みなどを〉いやす ‖ Time *healed* my sorrow. 時が私の悲しみをいやしてくれた. **2**〔正式〕〈人を〉〔病気などから〕救う〔*of*〕‖ *heal* him of a disease 彼の病気を治す〔◆今は cure がふつう〕.
—自 **1**〈傷などが〉いえる, 治る (+*up*, *over*) ‖ The wound will soon *heal* (*up*). 傷はすぐ治るでしょう. **2**〈不和・悩みなどが〉おさまる, 解決する (+*over*).

heal·er /híːlər/ 名 C **1** 治療する人[物]; 神霊治療家; 薬. **2**〈悩みなどを〉治すもの[人, 事], 「癒(いや)し」系 ‖ Time is a great *healer*. 時は(心の)傷の名医.

heal·ing /híːliŋ/ 名 U形 治療(の)(の), いやし(の).

héaling àrt (米) ヒーリングアート《心をいやす絵》.

héaling mùsic ヒーリングミュージック《心のいやしを目的とした音楽》.

:**health** /hélθ/ 『「健康なこと(whole)」が本義』
派 healthy (形)
—名 U **1**(心身の)健康, 健康[健全]であること〔◆ good health の意〕‖ I jog every morning to keep in good *health*. 健康を維持するために毎朝ジョギングをしています〔◆ stay healthy, keep fit のほうがふつう〕/ Here's to your *health*. Cheers! 君の健康を祈って乾杯! / be òut of héalth 健康がすぐれない / Sitting up late is not good for your [the] *health*. 夜ふかしは体によくない〔◆〔略式〕では for you) / *Health* is better than wealth. = *Health* comes before wealth. (ことわざ) 健康は富にまさる.
2〔形容詞を伴って〕(心身の)健康状態, 調子 ‖ *be in* [*have*] *good* [bad, poor, ill] *health* 健康である[ない].
3〈国・社会・文化などの〉健全な状態, 繁栄 ‖ the economic *health* of a nation 国の経済的繁栄.
dríŋk (to) Aʼs héalth =drínk a héalth to A =

drínk to the héalth of A 〈人〉の健康を祝して乾杯する.

nót ... for (the góod of) one's héalth 自分の物質的利益のためではない.

Your (very) góod héalth! 健康を祝って乾杯!

héalth càre 健康管理.

héalth cènter (米)学生健康相談センター;(英)保健所〔◆「ヘルスセンター」に当たる英語は recreation center, (health) spa, pleasure resort など〕.

héalth clùb ヘルス[フィットネス]クラブ《健康維持・増進のための機器を備えた民間の会員制クラブ》.

héalth fàrm 健康教室, 減量センター《肥満者の減量を行なう民間有料施設》.

héalth fòod(s) 健康食品, 自然食品.

héalth hàzard 健康上有害なもの, 有害食品.

héalth insùrance 健康保険.

héalth resòrt 保養地, 療養地.

héalth sèrvice 〔しばしば H~ S~〕公共医療サービス.

héalth spà (米略式)健康保養地《休日に行って運動したり食事したりする施設》.

héalth visitor (英) 保健師, 巡回看護師.

†**health·ful** /hélθfl/ 形 **1**(文)〈食物・場所などが〉健康によい, 健康を増進させる;〈道徳的・精神的に〉健全な ‖ *healthful* exercise 健康のための運動. **2**(まれ) =healthy. **héalth·ful·ly** 副 健康的に; 健全に.
health·i·ly /hélθili/ 副 健康で; 健全に.

†**health·y** /hélθi/ ⇨ health〕
—形 (-·i·er, -·i·est) **1**〈人・動植物・心・体などが〉健康な, 健全な;〈経済・社会などが〉健全な (↔ unhealthy) ‖ She's *healthy*. 彼女は健康です / She's in good *health*. がふつう) / maintain *healthy* government 健全な政治を維持する.
類語 (1) How are you? に対しては I'm fine [very well], thank you. のように fine, very well を用いる(→ HOW are you? 語法 (3)).
(2)「(病気が回復して)元気な」のように, ある特定の時における元気な状態を言うときには well: Are you quite *well*? もうすっかりよくなりましたか. fit は特に規則的な運動を行なった結果健康であることを暗示する: I keep *fit* by jogging every morning. 毎朝ジョギングして健康を維持しています.
2〈食物・場所などが〉健康によい, 健康を増進させる ‖ この意味では healthful の方がふつう ‖ a *healthy* climate 健康によい気候 / eat *healthy* foods 健康食品を食べる.
3〈態度・顔色・食欲などが〉健康そうな, はつらつとした; (精神的に)有益な; 自然の ‖ a *healthy* appetite 旺盛な食欲.

health·i·ness 名 U 健康であること; 健全さ.

†**heap** /híːp/ 名 C **1**〈寄せ集めて乱雑に重なった物の〉山, 塊, 堆積(たいせき)〔◆ pile は(1つ1つ積み重ねた)山〕‖ a sand *heap* = a *heap* of sand 砂の山. **2**(略式) [a ~ of + C U 名詞 / ~s of + C U 名詞]たくさんの…, 多数[多量]の…(a lot of)〔◆(1) C の時は複数形. (2)動詞はそのあとの名詞の数に一致〕‖ a *heap* of trouble 多くの困難 / There is [*are*] *heaps* of time. 時間はたっぷりある. **3**(略式)[~s; 副詞的に比較級を修飾して]たいそう, 非常に; ずっと ‖ I feel *heaps* better after a sound sleep. ぐっすり眠ったあとはずっと気分がよい.

àll of a héap (略式) (1) どさりと, ぐったりと. (2) まったく, すっかり ‖ be strúck [knócked] *all of a heap* 度肝を抜かれる. (3) 突然.

in a héap (1) =all of a HEAP (1). (2) 山積みに[の].

——動 他 1 〈物〉を積み上げる, 蓄積する(+*up, on, together*)∥ a *heaped* [(米) *heaping*] spoonful of sugar スプーン山盛り1杯分の砂糖 / *heap* (*up*) books [wealth, riches] 本を積み重ねる[富を築く] / *heap* trouble *up* ごたごたを起こす. 2 [heap A on B =heap B with A] a 〈人が〉B〈物〉にA〈物〉を山積みする. B〈人〉にA〈物〉をたくさん与える ∥ *heap* mashed potatoes on the plate =*heap* the plate *with* mashed potatoes 皿にマッシュポテトを山のように盛る. b 〈賞賛・批判などを〉Bに〈人・物〉にたくさん与える ∥ *heap* praises [insults] *on* him =*heap* him *with* praises [insults] 彼をほめちぎる[彼に数々の侮辱を加える].

hear /híər/ (同音 here)
——動 (~s/-z/; 過去過分 **heard** /hə́ːrd/; ~-ing /híərin/)
——他 1 〈人に〉〈音・声・人などが〉聞こえる《◆(1) ふつう進行形・命令形不可. (2) 「意識的に耳を傾けて聞く」の意では *listen* (*to*)》∥ I *heard* [could *hear*] the sound of a violin. バイオリンの音が聞こえた / I *hear* [can *hear*] the neighbor's television. 隣のテレビの音が聞こえる[聞こえている]《◆進行形にできないため can を付けることにより進行形の代用をしている》/ 〈対話〉 "Can you *hear* me?" "I can't *hear* you." 〈電話で〉「聞こえますか」「聞こえません(遠いです)」(→ can¹ 2). 2 [知覚動詞] [hear A do]〈人に〉A〈人・物〉が…するのが聞こえる; [hear A doing]〈人に〉A〈人・物〉が…しているのが聞こえる; [hear A done]〈人に〉A〈人・物〉が…されるのが聞こえる《◆(1) ふつう進行形・命令形不可. (2) 3つの構文の意味の違いについては⇒文法 3.4》∥ I *heard* him go out. 彼が出ていくのが聞こえた《◆受身はまれであるが可能: He was *heard* to go out. ただし、この場合彼が出て行くのを聞いたのは不特定のだれか(たとえば近所のだれか)であり, I *heard* him go out. に対応する受身ではない》/ I *heard* our dog barking all night. 夜通しうちの犬がほえているのが聞こえた《◆受身は Our dog was *heard* barking ...》/ Didn't you *hear* your name called? = Didn't you *hear* someone call your name? あなたは名前が呼ばれたのが聞こえなかったのですか.

3 〈人が〉〈事〉を耳にする,〈人から/…について〉聞いて知る(*from / about, of*); [hear (*that*) 節 / hear wh 節] …ということを[…かを]耳にする; [I [We] hear (*that*) 節] …とうわさに聞いている, …だそうだ《◆(1) that はふつう省略される. (2) ふつう進行形・命令形不可》∥ I *heard* the news *from* her. 彼女からその知らせを聞いた / Nothing has been *heard from* [*about*] him since. それ以後彼からは[彼については]何の音沙汰(誌）もない / We haven't *heard* whether they have arrived. 彼らが到着したかどうか聞いていない / I *was pleased to hear* (*that*) she had passed the exam. 彼女が試験に受かったと聞いてうれしかった /〈対話〉 "I *hear* you got a driver's license recently." "That's right. Now, I'm looking for a new car." 「最近運転免許を取ったんだって」「そうなんだよ、今、新車を探しているところなんだ」.

4 〈人が〉〈言いわけなどを〉聞く; [hear wh節] …かを聞く《◆(1) この意味では listen to と交換可能. (2) 進行形・命令形も可能》 ∥ *hear* a complaint 不平を聞いてやる / *Hear* what I have to say. 私の言い分を聞いてくれ.

5 〈事件などを〉(公式に)聞く;〈被告人から〉証言を聞く ∥ The judge *heard* the case. 裁判官はその事件を審理した. 6 〈祈りなどを〉かなえる.
——自 〈人・動物が〉耳が聞こえる ∥ I cannot *hear*; I am deaf. 私は耳が聞こえません,聾者(鳩)です / Do you think fish can *hear*? 魚は音が聞こえると思いますか.

héar abóut A (1)〈人・物・事〉について詳しく聞く《◆ hear of A よりふつう具体的な内容についていう》. (2) 〈人・物・事〉を知るようになる《◆A の後に doing を伴うこともある》∥ Have you *heard about* Jim going to bed with his shoes on? ジムは靴をはいたままベッドに入るっていうの聞いたかい.

héar from A (1)〈人〉から手紙[伝言,電話,返信]をもらう《◆ふつう進行形・命令形不可》∥〈対話〉 "When did you *hear from* him last?" "Last month." 「最後に彼から便りがあったのはいつですか」「先月です」. (2)〈米略式〉〈人〉にしかられる.

Héar! Héar! 《主に英》〈会議などで〉謹聴(窓ク)!; 賛成!, そうだそうだ《◆しばしば反語的・嘲(鸞)笑的に用いる》.

héar of A (1)〈人・物・事〉のこと[存在]を耳にする, うわさを聞く《◆完了形・疑問文・否定文で多く用いる. 受身可能》∥ Do you mean to say you have never *heard of* Beethoven? ベートーベンのことを聞いたことがないとおっしゃるおつもりですか. (2) [will [would, could] not ~]〈事〉を聞き入れる《◆《米略式》では hear to A ともいう》∥ I *will* not *hear of* you [your] going out alone after dark. 日が暮れてから一人で外出することは許しません. (3) [will ~ of]〈人〉のことについて聞く.

héar óut [*thróugh*] 〈他〉〈正式〉〈人・話などを〉最後まで聞く《◆受身まれ》.

héar sáy [*téll*] *of* A = *hèar sáy* [*téll*] *that* ... = *héar it sáid* [*tóld*] *that* ... 《略式・古》…(ということ)をうわさに聞く《◆ hear people say ... の省略形》.

Héy, have you héard? 《略式》ねえ, 聞いた《◆意外な話を切り出す時の前置きの言葉》.

*heard /hə́ːrd/ 動 hear の過去形・過去分詞形.

†hear·er /híərər/ 名 © 聞き手, 傍聴者, 聴衆の一人.

†hear·ing /híərin/ 名 1 回 聴力, 聴覚 ∥ His *hearing* is bad [poor]. = He is *hard of hearing*. 彼は耳が遠い(= He doesn't *hear* very well.)(→ 成句). 2 回 聞こえる距離[範囲] ∥ She's *out of hearing*. 彼女は聞こえないところにいる / She's playing *within* [*in*] our *hearing*. 彼女は私たちの聞こえる所で遊んでいる. 3 © 回 聞くこと, 聴取 ∥ at first *hearing* 最初に聞いた時に. 4 © 〈正式〉発言の機会 ∥ give him a fair *hearing* 彼の言い分を公平に聞いてやる / gáin [gét, obtáin] a *hearing* for one's opinion 自分の意見を聞いてもらう. 5 © 公聴会(public hearing). 6 © 〈法律〉審理, 審問; 聴聞.

hárd of héaring 〈人が〉耳の遠い, 耳が不自由な《◆しばしば deaf の遠回し表現》(→ 1); [the hard of ~; 複数扱い] 耳の遠い人.

héaring àid 補聴器《《英略式》deaf-aid》.

héaring tèst 聴力検査《◆「聞き取りテスト」はふつう listening comprehension test》.

hear·ing-im·paired /híərinimpèərd/ 形 〈正式〉聴覚障害の, 難聴の.

†**heark·en, hark·-** /hɑ́ːrkn/ 動 〈古〉[…に]耳を傾ける《*to*》, …を傾聴する.

Hearn /hə́ːrn/ 名 ハーン《Lafcadio /læfkɑ́ːdiòu/ ~ 1850-1904; アイルランド人を父, ギリシア人を母として

生まれた作家. のち日本に帰化(日本名小泉八雲).
hear・say /híərsèi/ 名U うわさ, 風聞, 風評.
hearse /hə́ːrs/ 名C 霊柩(きゅう)車《◆遠回しには professional car》.

heart /hάːrt/ [発音注意] [同音] hart; [類音] hurt /hə́ːrt/) 派 hearty (形)

index 1 心臓　2 a 心　b 愛情　c 勇気　4 中心

──名(複 ~s/hάːrts/)

I [体の器官]

1 C **心臓**; 胸部[関連形容詞 cardiac] ‖ the rapid beating of the *heart* 速く打つ心臓の鼓動《◆*at* だと「胸騒ぎ」: a slight beating at the *heart* 軽い胸騒ぎ》/ an artificial *heart* 人工心臓 / a tobacco [smoker's] *heart* タバコの吸いすぎで悪くなった心臓 / have a weak [strong] *heart* 心臓が弱い[強い] / My *heart* stood still. (恐怖・驚きで)心臓が止まるような気がした(=I almost had a *heart* attack.).

II [心に宿るもの]

2 a UC (文) (喜怒哀楽などの感情の宿る)**心**《◆知性・理性の宿る心は mind, 魂が宿る心は soul》, 感情, 気持ち, 精神; 魂《◆形容詞は hearty, cordial》
(使い分け) → **mind** 名 **1**)‖ a hard [stout, tender] *heart* 冷酷な[雄々(おお)しい, やさしい] 心 / *from* [*at*] the (bóttom of one's)*héart* 心の底から[で] 《◆ *in* one's *heart of hearts* は「心の奥底で」》/ *with* a light [heavy] *heart* 心も軽く[気が重く] / My old father *is yóung at* [*in*] *héart*. 私の年老いた父は気が若い / harden one's *heart* 心を鬼にする / search the [one's] *heart* 内省する / My *heart* bled for my son. (文) 息子のことで私は心が痛んだ《◆My *heart* bleeds for A. は皮肉的に日本語の「お気の毒様」といった意味でも用いられる》.

b UC **愛情, 人情** ‖ a man of *heart* 人情家(=a warmhearted man) / have (plenty of) *heart* 人情[人間味]がある《◆逆は have no *heart* / be heartless》/ She is all *heart*. 彼女はすごく優しい.

c U 〈時に a ~〉**勇気, 元気, 熱意** ‖ be of good *heart* 元気でいる / keep (a good) *heart* 勇気を失わずにいる / pluck up *heart* 元気を出す, 勇気を奮い起こす ‖ She has her *heart* [Her *heart* is] in music. 彼女は音楽に熱中している / She put *heart* into [in] me. 彼女が私を力づけた / My *heart* failed me. =My *heart* died within me. 私は勇気がくじけた / He put his *heart* and soul into his work. 彼は仕事に全霊を傾けた / How can you hàve the *héart* to say such a thing to her? よくもまあ冷酷[非情]にもあんなことが彼女に言えますね.

III [形が心臓に似たもの]

3 C 心臓状[ハート形]の物; ハート形の宝石(飾り); [トランプ] ハート(の札); [~s; 単数・複数扱い] ハートの組札.

IV [心臓に当たる位置を占めるもの]

4 [the ~] [物・事の]**中心, 核心, 本質** [*of*]; (キャベツ・レタスなどの)芯(し); ‖ *in* [*at*] the *heart of* the city [woods] 町[森]の中心で《◆*in* は単に地理的な中心を, *at* は活動の場をいう. →次例》/ That is at [*in*] the *heart of our controversy*. それが私たちの議論の中心だ / *gèt* [*gò*] *to the héart of* the próblem 問題の核心に触れる.

V [心臓で人を表す]

5 C 人; 元気者, 勇者; (親愛・感嘆の情をこめて)愛する人, あなた ‖ a reliable *heart* 頼もしい勇士 / Dear [Sweet] *heart*! 親愛な[愛する]人, おまえ.

***áfter** A's (**ówn**) *héart* 〈人〉の(一番に)気に入った(ように), 心にかなった(ように)‖ a girl *after my own heart* 私のめがねにかなった少女.

***at héart** [しばしば deep down at ~] **心に, 心の底では**;《正式》実際に[本当に]‖ He isn't a liar *at heart*. 彼は根っからのうそつきではない.

Bléss my héart! 《驚き・喜び》おやまあ, ややっ《◆主に女性語》.

bréak A's [*one's*] *héart* 〈人〉をひどく悲しませる, 〈人が〉ひどく悲しむ《◆A, one が複数のときは hearts》.

by héart そらで ‖ learn [know] it *by heart* それを(理解して)記憶する[している]《◆単に「(機械的に)暗記する[している]」は learn [know] by rote》.

cróss *one's héart* (*and hópe to díe*) 《略式》(自分の言葉が真実だと誓って)胸に十字を切る, 誓う《◆uncross one's heart は「(いったん誓った)誓いを引っこめる」の意》.

crý *one's héart óut* 【自分の心が変になるほど泣く; cf. cry one's eyes out (eye 成句)】《略式》(悲しみなどが)さめざめと泣く.

dó the [A's] héart góod 〈人〉を喜ばせる, 元気づける.

éat out *one's héart* =**éat** *one's héart óut* =**devóur** *one's héart* 【自分の心が変になるほど悩む; cf. eat 他 **2 a** ; out 副 **3**】《略式》(…のことで)(人知れず)くよくよする, 悲嘆にくれる [*over*] ; (…に)思いこがれる [*for*].

fínd it in *one's héart to do* → **find**.

gò to *one's* [*the*] *héart* 〈悲しみなどが〉胸にこたえる.

Hàve a héart. 《略式》なんとかお情けして, 勘弁してください, 冷たくしないで(=Don't be heartless.).

hàve at héart 《正式》〈物・事〉を切望している, …に熱心である; …を最優先にする.

hàve *one's héart in one's bóots* [*shóes*] (心臓が靴に入ってしまうほど)気がめいっている; びくびくしている.

hàve *one's héart in one's móuth* [*thróat*]《略式》(心臓が口(のど)に飛び出しそうなほど)非常にびくびく[どきどき]している, おびえている.

hàve the héart to do [can を伴って通例否定文・疑問文で] → **2 c**.

héart and sóul [*hánd*] 全身全霊を打ち込んで, 熱心に; まったく.

in góod héart (1) 〈人が〉元気よく. (2) 《主に英》〈土地が〉肥えて.

in (*one's*) *héart* (*of héarts*) 心の中で, 心の奥底で, ひそかに.

in póor héart (1) 〈人が〉元気なく. (2) 《主に英》〈土地が〉やせて.

láy A *to héart* =take A to HEART.

lòse héart がっかりする.

néar [*néarest*, *néxt*] (*to*) A's *héart* 〈人〉〈人〉にとって懐かしい[最も親愛な]; 〈物が〉〈人〉にとって大事[最も大切]な《◆A が複数のときは hearts》.

one's héart gòes óut to A 《略式》〈人・物・事〉をかわいそうに思う.

one's héart léaps into one's mouth (心臓がとび出るほど)びっくり仰天する, 寿命が縮む思いがする《◆状態は one's heart is in one's mouth》.

sèt *one's héart on* [*upón*] A …に望みをかける, …を欲しいと思う; …に熱中する; […]したいと思う [*do-*

***ing*].
sób one's **héart óut** (痛み・悲しみで)胸も張り裂けんばかりにしゃくり上げる.
táke héart (**from** [**at**]) A)〖正式〗〈〈物・事〉で〉気を取り直す, 元気を出す, 活気を取り戻す.
táke A **to héart** (1)〈不幸·不運など〉をひどく気にする. (2) …を肝に銘じる.
téar A's **héart óut** 〖人の心をおかしくなるまで引き裂く〗; cf. out 動3〗〈人〉を悲嘆にくれさせる.
téar óut one's **héart** = **téar** one's **héart óut** = eat out one's HEART.
***to** one's **héart's contént** 心ゆくまで, 存分に ‖ We talked over the matter *to our heart's [hearts'] content*. 我々はその問題を心ゆくまで論じた(◆ one が複数のときは hearts' となることもある).
wéar one's **héart on** [**upòn**] one's **sléeve** 〖騎士が女性にもらったリボンを袖につけてその人への思いを表したように〗心の内を(隠さずに)袖につける;思うことを隠さずに[あけすけに]言う;〈人が〉率直に行動する;たちまち恋に落ちる.
with áll one's [**with** one's **whóle**] **héart (and sóul**) 心から喜んで, 心をこめて;まったく.
with hálf a héart しぶしぶと.
héart attàck 心臓発作[麻痺(ひ)].
héart disèase 心臓病.
héart dònor 心臓提供者.
héart fàilure 心不全, 心臓麻痺.
héart ràte [one's ~] 心拍数.
héart's blòod =lifeblood.
héart trànsplant [**gràft**] 心臓移植.
†**héart·ache** /háːrtèik/ 名 U〖主に文〗心痛, 悲嘆.
héart·beat /háːrtbiːt/ 名 1 U 心拍. 2 C 心臓の鼓動.
héart·brèak /háːrtbrèik/ 名U [a ~] 悲嘆, 悲痛(の種). **héart·brèak·er** /-ər/ 名C 人〖異性〗の心を痛ませる人, 深い悲しみを与える人.
†**héart·brèak·ing** /háːrtbrèikiŋ/ 形 悲痛な思いにさせる.
héart·bro·ken /háːrtbròukən/ 形〖…で〗深く傷ついた, 悲嘆にくれた[*at*];悲しみに満ちた.
héart·burn /háːrtbə̀ːrn/ 名U 1 胸やけ. 2 不満, しっと.
-héart·ed /-háːrtəd/ 〘語要素〗→語彙素一覧(1.2).
†**héart·en** /háːrtn/ 動他〖正式〗…を励ます(encourage), 元気づける(+*up, on*)(↔ dishearten).
†**héart·felt** /háːrtfèlt/ 形〖正式〗同情などが心からの(sincere), 深く感じた, 偽りのない.
†**héarth** /háːrθ/〖発音注意〗名 1 C 炉床;暖炉の前, 炉辺〖レンガ·石作りの床〗 ‖ a fire burning in [on] the *hearth* 暖炉で燃えている火. 2 C〖文〗家庭(生活) ‖ *hearth* and home 家庭 / fight for *hearth* and altar 家庭と宗教のために戦う. 3 C〘冶金〙火床.
†**héarth·stone** /háːrθstòun/ 名 C 炉石.
†**héart·i·ly** /háːrtili, -əli/ 副 1 心から ‖ The host welcomed the guests *heartily*. その主人は招待客を心から歓迎した. 2 熱烈に, 元気よく. 3 たいへん(very), 完全に ‖ be *heartily* sick of this story この話にはほとほとうんざりしている. 4 たくさん, 食欲旺(おう)盛に, たっぷり ‖ eat *heartily* もりもり食べる.
héart·i·ness /háːrtinəs/ 名 U 1 誠意. 2 熱意, 元気のよさ.
†**héart·less** /háːrtləs/ 形〖人に〗冷酷な;思いやりのない;薄情な[*to*].
heart-rend·ing /háːrtrèndiŋ/ 形 胸を引き裂くよう

な, 悲痛な.
heart·sick /háːrtsìk/ 形 心を病んだ;しょげた, 気のめいった;ひどく不幸な.
heart·strings /háːrtstrìŋz/ 名 [複数扱い] 深い愛情[感情] ‖ touch [tug at, play upon, pull at] his *heartstrings*〖略式〗彼の心の琴線に触れる.
heart-to-heart /háːrttəháːrt/ 形 腹蔵のない, 率直な;誠意のある ‖ have a *heart-to-heart* talk with …と腹を割って話し合う. ——名 C〖略式〗腹を割った話し合い.
heart-wárm·ing /háːrtwɔ̀ːrmiŋ/ 形 心暖まる, 喜ばしい.
†**héart·y** /háːrti/ 形 (**--i·er**, **--i·est**) 1 心の暖かい;心からの ‖ I gave him a *hearty* welcome. 私は彼を心から歓迎した. 2 頑強な, 元気な;力強い, 激しい〖◆ strong より堅い語〗 ‖ still hale and *hearty* at ninety-five 95歳でまだかくしゃくとした. 3〈笑い声など〉腹の底からの. 4〈人が〉食欲旺(おう)盛な;〈食欲などが〉旺盛な ‖ have a *hearty* appetite 食欲旺盛である. 5 栄養豊富な;たっぷりある(substantial) ‖ a *hearty* soup 栄養たっぷりのスープ / eat a *hearty* breakfast 朝食をたっぷり食べる. 6〖主に英略式〗ご機嫌の(cheerful).
——名 C〘古風〙(主に船員間で)いい奴, 兄弟.

:**heat** /híːt/ 派 heater (名)
——名 (複) ~**s**/híːts/〈◆ 形容詞は hot〉
I〖熱·暑さ〗
1 U 熱, 熱さ(↔ cold);温度〈関連形容詞 thermal〉 ‖ make a good use of solar *heat* 太陽熱を活用する.
2 U [the a ~] 暑さ, 高温;[(the) ~] 暑い天気[気候, 季節] ‖ We went to Karuizawa to beat [escape] the summer *heat*. 私たちは軽井沢に避暑に出かけた.
3 U 体温(the heat of the body)〈体温計に計示される体温は temperature〉, (発熱·運動などによる)体のほてり, 上気〈◆ 病気による発熱は fever〉.
4 U (エネルギーとしての)熱(力) ‖ the earth's *heat* 地熱 / radiant *heat* 放射熱.
II〖激しさ〗
5 U [(the) ~] (興奮·怒りなどの)激しさ, 興奮, 情熱;(議論·闘争などの)最高潮 ‖ in *the heat of* the moment 時のはずみで / in *the heat of* anger 腹立たしさのあまり / discuss with great *heat* 激論を交わす.
6 C (競技の)1回, 予選 ‖ a trial *heat* 予選 / win the first *heat* 第1次予選を通過する. **7** U〈雌の動物の〉さかり, 発情(期) ‖ be at [(米) in, (英) on] *heat* さかりがついている. **8** U (香辛料の)辛さ〈◆「塩辛さ」は saltiness〉.
——動 (~**s**/híːts/; 過去·過分 ~**ed**/-id/; ~**ing**)
——他 **1**〈人·火などが〉〈物〉を熱する, 暖める(+*up*) ‖ *Heat* (*up*) the soup. スープを温めてくれ / The room is *heated* by electricity. この部屋は電気で暖房されている. **2**〈血など〉を燃やす. **3** [通例 be ~ed]〈人·想像力など〉を興奮する ‖ be *heated* by the debate 議論で興奮する.
——自 **1**〈物が〉熱くなる, 暖まる(+*up*) ‖ This room *heats* (*up*) easily. この部屋は暖まりやすい. **2**〈人など〉が興奮する.
héat ìsland ヒートアイランド《大都市·工業地帯などの高温域》.
héat wàve 猛暑の期間;熱波(↔ cold wave).
heat·ed /híːtid/ 形 **1** 熱くなった. **2**〈人·議論などが〉

興奮した, 激した. **héat・ed・ly** 副 興奮して, 激して.
†**heat・er** /híːtər/ 名 C 1 [通例複合語で] 暖房[加熱]器具, ストーブ《◆stove は台所にある調理用用加熱装置をさす》∥'a gas [an electric, an oil] *heater* ガス[電気, 石油]ストーブ / He left the room with the *heater* on. 彼は暖房をつけたままで部屋を出た / a water-*heater* 湯沸し器《日本発》◆ The Japanese *heater* called a *kotatsu* is used for keeping warm at home in winter. 冬の家庭ではこたつという日本式暖房器具が使われます. **2** (車の) ヒーター.

†**heath** /híːθ/ 名 **1** C U [植] ヒース《北イング》ling)《英国の荒野に自生するツツジ科の植物》木の一群, 紫・淡紅・白色の小さな釣鐘形の花をつける》. **2** C (英) ヒース荒野. 語法 **1**, **2** の意で heather ともいう.
hea・then /híːðən/ 名 (複 ~s, heathen) C (やや古) **1** (キリスト教[ユダヤ教, イスラム教]にとっての)異教徒 (→ pagan). (正式)[集合名詞; the ~; 複数扱い] 異教徒たち《◆heathens の方が口語的》. **2** 無宗教の人; 教養のない人; (略式) 礼儀知らず; 未開人, 野蛮人; [集合名詞] 野蛮人たち. ──形 **1** 異教(徒)の, 野蛮人の∥a *heathen* land 異教徒の国. **2** 無宗教の, 未開の; 教養のない.
héa・then・ish 形 異教徒(のような); 野蛮な, 未開の. **héa・then・ish・ly** 副 異教徒のように.
†**heath・er** /héðər/ 名 **1** C U [植] ヘザー《各種ヒースの総称》. **2** C ヒースの荒野. **3** C ヒース色《灰色がかった紫から紫がかった赤色まで》.
Héath・row Airport /híːθrouə-/ ヒースロー空港《Greater London にある国際空港》.
heat・ing /híːtɪŋ/ 名 U 暖房装置∥gas *heating* ガス暖房 / a *heating* cabinet 温蔵庫.
heat・less /híːtləs/ 形 熱のない; 暖房のない.
heat・proof /híːtpruːf/ 形 耐熱性の.
heat-re・sist・ant /híːtrɪzìstənt/ 形 =heatproof.
†**heave** /híːv/ 動 (過去分詞 ~d or (海事) hove /hóuv/) 他 **1** 〈重い物〉を力を入れて持ち上げる(+*up*)∥*heave* heavy boxes into the truck 重い箱をトラックに積み込む. **2** (略式)〈石など〉を力を入れて[…に]投げる(throw)(*at*). **3** (文)〈ため息・うなり声など〉を吐く, 重々しく発する(give)∥*heave* a groan うなり声を出す / 〈錨など〉を網で引き寄せる.
──自 **1** 〈波・地面などが〉うねる, 上下動を繰り返す(+*up*); 〈胸などが〉(激しい息づかいで)波打つ. **2** むかつく, 吐く.
héave to [自][海事]〈船が〉(風上に向いて)止まる.
──名 C **1** [しばしば a ~] (力を入れて)持ち上げる[たぐり寄せる]こと. **2** [the ~] 隆起, 上下動.

*heav・en /hévn/ 名 (『空』が原義) ® heavenly 形
──名 (複 ~s/-z/) **1** [しばしば H~] C U 天国, 極楽 (↔ hell)∥go to *heaven* 天国へ行く, 死ぬ / May his soul rest in Heaven. 彼のみたまが天国で安らかなることを.
2 C [主に文] [通例 the ~s] 天, (地球から見た)空 (sky)∥fly in the *heavens* 空を飛ぶ / *heaven* and earth 天地.
3 C U (略式)至上の幸福; 天国のような所, 楽園《◆ (a) *heaven* on earth ともいう》∥Our holiday in the country was (sheer) *heaven*. いなかでの休日で上なくすばらしいものであった / I was in *heaven* when he kissed me. 彼が私にキスしてくれた時は天にも昇る気持ちだった.
4 [H~] U 神《◆God, Providence の代用語として用いる》∥It was the 'will of Heaven [*Heaven*'s will]'. それは神のおぼしめしであった / Heaven helps those who help themselves. → HELP oneself (3).
By Héaven! (略式・やや古) [驚き・不信・いらだちなどを表して] おや, まあ, たいへんだ; 神かけて, 必ず.
(Góod) héavens! =**Héavens abóve!** (略式) =By HEAVEN!《◆女性は My (Good) Heavens! と my を付けることが多い》.
Héaven (ónly) knóws. → know 動.
in héaven's náme =in the NAME of (3).

†**heav・en・ly** /hévnli/ 形 **1** (主に女性語略式) すばらしい, とても楽しい, とても美しい∥Isn't that dress *heavenly*? あの服すてきじゃないですか. **2** 天の, 空の; 天国の (↔ earthly); 天来の, えもいわれない; 神聖な, 神々(ﾅﾉ)しい∥in *heavenly* peace 天国のように安らかに.
héavenly bódies (正式) [(the) ~] 天体《太陽・月・星など》.
Héavenly Cíty [しばしば ~ c-] [the ~] 天国, 楽園.
héav・en・li・ness 名 神々しさ.
heav・en・ward /hévnwərd/ (米) 形 副 天の方へ(向かう)∥lift [raise] one's eyes *heavenward* あきらめなどとして]天を仰ぐ.

*heav・i・ly /hévili/
──副
1 激しく, 厳しく; 多量に; 非常に∥borrow *heavily* from a bank 銀行からたくさん借金する / It rained *heavily* yesterday. きのう大雨が降った (=We had a *heavy* rain yesterday.) / He smokes [drinks] *heavily*. 彼はタバコ[酒]をたくさん吸う[飲む].
2 濃密に∥a *heavily* populated urban center 人口の密な都市中心地 / *heavily* polluted areas 高汚染地域.
3 重そうに, のろのろと; 重苦しく∥walk *heavily* 重い足どりで歩く / sit down *heavily* どっかと座る / Worries weighed *heavily* on her mind. 彼女の心に心痛が重くのしかかった.
4 重く, どっしりと∥a truck (which is) *heavily* loaded with stones どっしりと石が積まれているトラック.
†**heav・i・ness** /hévinəs/ 名 U **1** 重いこと, 重さ. **2** 無気力, 不活発; ぎこちなさ. **3** 重苦しさ, 重荷.

‡**heav・y** /hévi/ ® heavily (副)
──形 (--i・er, --i・est)
I [重い]
1 重い; 比重の大きい (↔ light)∥This desk is too *heavy* for a child to move (it). この机は重すぎて子供には運べない (=This desk is so *heavy* that a child can't move it.).
2 [補語として] (特定の)重さのある 《対話》 "How *heavy* is this parcel?" "It weighs five pounds." 「この小包はどのくらいの重さですか」(=What [How much] does this parcel weigh? / What is the weight of this parcel?) 「5 ポンドです」《◆*It is five pounds heavy. とはいわない》.
II [分量が多い]
3 〈物が〉[…で] 重みのかかった; […で]いっぱいの 〔*with*, *on*〕; (文)〈人が〉〈子を〉はらんだ 〔*with*〕; (略式) [補語として] 〈人が〉…をよく食べる[飲む] 〔*on*〕; 〈自動車が〉〔燃料などを〕たくさん消費する 〔*on*〕∥The tree is *heavy with* oranges. 木にはオレンジがたわわになっている / I'd like a burger, *heavy on*

the onions. 私はタマネギがいっぱい入ったハンバーガーを食べたい / This car is *heavy* on gasoline. この車はガソリンを食う(→ hog 图2).

III [負担が多い]
4 耐えがたい, つらい, 困難な; 《略式》[補語として]〈人が〉〈人に〉厳しい[on, with] ‖ a *heavy* tax on imports 重い輸入税 / Our music teacher is *heavy* on us. 音楽の先生は私たちに厳しい.
5 〈心・ニュースなどが〉悲しい; 〈目つきなどが〉悲しげな; 憂うつな ‖ a *heavy* heart 沈んだ心.
6 〈人が〉愚鈍な; 〈文体・芸術作品・ユーモアなどが〉退屈な, 面白くない; 〈本などが〉読みづらい, わかりにくい ‖ a *heavy* picture 肩のこる映画 / a *heavy* book on philosophy 難解な哲学の本.

IV [内容物が多い]
7 〈食物などが〉こってりした, 〈胃に〉もたれる[on]; 〈パンなどが〉ふくれていない ‖ a *heavy* lunch 腹もちのする[腹にもたれる]昼食.
8 〈土などが〉粘土質の; 〈地面などが〉歩きにくい; 〈海などが〉荒い; 〈坂が〉急な ‖ *heavy* seas 荒れた海.

V [程度が重い]
9 [通例名詞の前で]〈量・程度・力などが〉大きい, すごい, たっぷりの / 〈煙, 雨などが〉激しい; 〈交通が〉激しい; 〈眠りが〉深い; 〈時・時間表などが仕事がぎっしり詰まった〉 ‖ a *heavy* wound [cold] ひどい傷[かぜ] /◆「重病」is a serious ["heavy"] illness / She is a *heavy* drinker [smoker]. 彼女は大酒飲み[ヘビースモーカー]だ(=She drinks [smokes] *heavily*.) / There was a *heavy* snowfall last night. 昨夜は雪がたくさん降った / Today I've had a *heavy* day at the office. 今日は会社で仕事がぎっしり詰まっていた / Today the traffic is *heavier* than usual. 今日は普段よりも交通量が多い《◆「道路が主語だと busy: The street is busier [×heavier] ...》.
10 〈霧などが〉濃い; 〈服などが〉厚手の; 〈線・まゆなどが〉太い ‖ a *heavy* mist 濃霧 / a *heavy* growth of clover クローバーの群生 / a *heavy* overcoat 厚手のオーバー《◆ ×a thick (over)coat とはいわない》.
11 〈空が〉曇った, 〈雨が降りそうな〉暗い《◆雨が降りそうな場合に用いる》. **12** 〈音・響きなどが〉大きくて低い; 《俗》〈ジャズなどが〉重厚な. **13** [補語として]〈人・頭・動作などが〉重々しい, ぎこちない.
——副 =heavily ‖ It's snowing really *heavy*. すごい雪だ.
lie [*hàng*] *héavy* on [upòn] A 〈責任などが〉〈人に〉のしかかっている; 〈食物が〉〈胃に〉もたれる; 〈事が〉〈良心に〉重くのしかかる.
héavy índustry 重工業.
héavy métal 重鉛〔弾〕; 重金属; 手ごわい相手(の敵); 《略式》ヘビーメタル《重いビートを持つロック音楽》; 野蛮な手段を使う一味.
héavy óil 重油.
heav·y-du·ty /héividjù:ti/ 形 **1** 〈製品が〉じょうぶな, がんじょうな. **2** 《略式》緊張を強いる.
heav·y-hand·ed /hévihǽndid/ 形 **1** そんよくな, 荒っぽい. **2** 手きびしい; 高圧的な.
heav·y·weight /héviwèit/ 名 C **1** 〈騎手・レスリングなどで〉平均体重以上の人. **2** ヘビー級の選手《81 kg 以上. ~ boxing》; ヘビー級の重量挙げ選手《82.1 kg 以上》. **3** 影響力の大きい人, 有力者, 重要人物; 非凡な才能の持ち主. ——形《ボクシングなど》ヘビー級の.
He·be /híːbi/ 名 **1** 《ギリシャ神話》ヘベ《Hercules の妻. 青春の女神》. **2** 酒場の女.
He·bra·ism /híːbreiìzm, 《米》-brì-/ 名 U **1** ヘブライ人の風俗習慣;《聖書の》ヘブライ語法. **2** ヘブライズム《ヘブライ人の文化・宗教・思想》(cf. Hellenism). **3** ユダヤ教. **Hé·bra·ist** 名 C ヘブライ[文]学者; ヘブライ主義者; ユダヤ教信者.
†**He·brew** /híːbruː/ 名 **1** C ヘブライ人, ユダヤ人;《古代》イスラエル人(cf. Israelite). **2** U 古代ヘブライ語《旧約聖書の言語. Heb.》; 現代ヘブライ語《アラビア語と共に現代イスラエルの公用語》. **3**《新約》[the ~s; 単数扱い] ヘブル人への手紙《新約聖書の一書. 略 Heb.》.
——形 ユダヤ人の; ヘブライ語[人]の.
Heb·ri·des /hébrədìːz/ 名 [the ~;複数扱い] ヘブリディーズ諸島《スコットランド西方の群島》.
heck·le /hékl/ 動 他 **1**《選挙運動などで》〈演説(者)を〉(しつこく)やじる, じゃまする. **2**《麻・亜麻》をすきくしでむく. **héck·ler** 名 C《弁士などを》質問攻めにする人, やじり倒す人.
hec·tare /héktɛər,《英+》-taː/ 名 C ヘクタール《面積の単位. 10000 m², 100 ares.（記号）ha》.
†**hec·tic** /héktik/ 形 **1**《略式》たいへん忙しい, てんやわんやの, 大騒ぎの. **2**《医学》(熱のため)紅潮した; 消耗性の. ——名 U 紅潮; C 消耗熱患者.
hec·to·pas·cal /héktəpæskǽl/ 名 C《気象》ヘクトパスカル《気圧の単位.（記号）hPa》.
hec·tor /héktər/ 動《正式》他〈…を〉いじめる; 〈…を〉おどす; 〈…を〉(どなりつけて)〈…させる〉[into]. ——自 いじめる, いばる. ——名 C 弱い者いじめ.
Hec·tor /héktər/ 名《ギリシャ神話》ヘクトール《Achilles に殺されたトロイの王子》.
***he'd** /(弱) hid, id; (強) híːd/ he had, he would の短縮形.
†**hedge** /hédʒ/ 名 C **1** 生け垣, 垣根《庭・畑・家などの境として, 背の低い樹木を詰めて植え枝葉を切りそろえたもの》‖ Thick [Tidy] *hedges* surround his house. よく茂った[手入れのよい]生け垣が彼の家を取り囲んでいる. **2**《一般的に》境界(線). **3**《…に対する》防御物, 保護策[against].
——動 他 **1**〈…を〉生け垣で囲う; 〈…を〉〔規則などで〕束縛する[*in, about, around*][*with*]. **2**〈…を〉生け垣で分ける[*off*]. **3**《略式》〈投機などを〉掛けつないで丸損を防ぐ ‖ *hedge* one's bets 掛け金を分散して損失を防ぐ; 両方に顔をつなぐ. ——自 **1** 生け垣を植える, 生け垣の手入れをする. **2**《正式》〔…について〕言葉をにごす, はぐらかす〔*about, on*〕. **3**《略式》丸損を防ぐため両掛けする.
hédge in 他 (1) → 動 1. (2) [比喩的に] …をがんじがらめにする.
†**hedge·hog** /hédʒhɔ̀(ː)g/ 名 C《動》ハリネズミ;《米》ヤマアラシ.
†**hedge·row** /hédʒròu/ 名 C (田舎の)生け垣.
†**heed** /híːd/ 動《正式・やや古》他〈人が〉〈人・忠告などに〉注意する《◆ pay attention to より堅い語》, …を心に留める(listen to) ‖ She won't *heed* my warning [what I say]. 彼女は私の警告[私の言うこと]を聞く気はない. 忠告を払う, 心に留める.
——名 U 注意, 留意《◆次の句で》‖ Pày [Gìve] *héed* to her advíce. = Tàke *héed* of her advice. 彼女の忠告を心に留めなさいなさい.
heed·ful /híːdfl/ 形《正式》〔…に〕注意深い, 留意した[*of*].
†**heed·less** /híːdləs/ 形《正式》〔…に〕不注意な, 〔…を〕無視して[*of*]; 思慮のない, 気に留めない.
***heel**¹ /híːl/ (同音) heal)
——名 (複 ~s/-z/) C **1** (人の)かかと(↔ toe)(図→ body); 手のひらの手首よりの部分; [通例 ~s] (馬

heel

などの)後ろひづめ,(動物の)後足;(靴・靴下の)かかと((図)→ shoe);ハイヒール(high heels) ‖ sit on one's *heels* 正座する / She wears shoes with very high *heels*. 彼女はとてもかかとの高いハイヒールをはいている. **2** かかと状の物;〔ゴルフ〕クラブのヒール;(物の)端切れ,後部,後期;(船の帆柱などの)下端部 ‖ the *heel* of a session 会期の終わり / the *heel* of bread パンの切れ端. **3** (俗)(男の)卑劣漢,ろくでなし.

at A's **héels** =**at the héels of** A =**on** A's HEELS.
bríng A **to héel** [通例比喩的に]〈人〉をひざまずかせる, 従わせる.
còme to héel 〈犬が〉すぐ後についてくる;[比喩的に]〈人が〉ひざまずく, 服従する.
dówn at (the) héel(s) (1)〈靴が〉かかとのすり切れた. (2)〈人が〉すり切れたの靴をはいた;だらしない;おちぶれた身なりの.
drág one's **héels** =drag one's feet(→ foot [名]).
kíck one's **héels** (略式)(約束しているのに)長くされる.
kíck úp one's **héels** (1) (略式)〈人が〉はね回る, ふざけ回る;楽しく時を過ごす. (2) (俗)死ぬ.
on [upòn] A's **héels** =**on [upòn] the héels of** A〈人・事〉のすぐ後に(続いて)◆「すぐ後」をさらに強調する場合は hard [close, hot] on [at] A's heels].
táke to one's **héels** 走って逃げる.
túrn on [**upòn**] one's **héel(s)** 急に回れ右をする, ぷいと不機嫌に[くるっと回って]立ち去る.
ùnder the héel of A =**ùnder** A's **héel**〈人など〉に踏みにじられて, 支配されて.

—[動他] **1** …のすぐ後に続く. **2** 〈靴など〉にかかとを付ける.
—[自] **1** [通例命令文で]〈犬に〉後に続け. **2** [踊りなどで]かかとで地面[床]をける. **3** [ラグビー]〈スクラムを組んで〉球をかかとでけり出す(+*out*).

heel[2] /híːl/ [動] [海事] 他〈船が〉〈風や荷物の不均衡で〉傾く(+*over*) (cf. cant, tip[3]). —[他] 〈船〉を〈風や荷物の不均衡で〉傾ける.

heel-and-toe /híːləndtóu/ [形] [競技] ヒールアンドトウ走法の《後足の爪先が地面を離れないうちに前足がかかとを地面につける歩き方》‖ *heel-and-toe* walking 競歩.

heft /héft/ [名] ⓊⒸ **1** (英方言・米)重量(weight);重要性. **2** (米俗)大部分. —[動] 他 (持ち上げて)…の重さをはかる;(英方言・米)…を持ち上げる.

hefty /héfti/ [形] (--i·er, --i·est) (略式) **1** たくましい. **2** 強力な;〈物が〉大きくて重い;(たくさんの;高額な.

He·gel /héigl/ [名] ヘーゲル《Georg Wilhelm Friedrich /géːɔrk wílhelm fríːdrik/ ~ 1770-1831;ドイツの哲学者》.

he·gem·o·ny /hədʒéməni, hédʒəmòuni | hiɡéməni/ [名] ⓊⒸ (正式)(同盟国に対する政治的)指導権, 覇権, 支配権, 主導権. ヘゲモニー.

Heg·i·ra, Hej·i- /hidʒáiərə, hédʒərə/ [名] **1** [the ~] ヒジュラ, ヘジラ《紀元622年のムハンマドのメッカからメジナへの移住》. **2** [the ~] イスラム紀元.

heif·er /héfər/ [発音注意] [名] Ⓒ (3歳未満でまだ子を産まない)若い雌牛, 雌の子牛.

heigh-ho /héihóu, hói-/ [間] [通例軽い上昇調で] あ, やれやれ〈退屈・落胆・疲労などのため息〉; いいぞ, がんばれ〈歓喜・励ましの叫び〉.

***height** /háit/ [発音注意] 〖→ high〗
—[名] (覆 ~s/háits/) **1** ⓊⒸ 高さ, 高いこと;高度,

海抜(略) ht(.), hgt.)◆altitude よりくだけた語);身長(standing height)《「座高」は sitting height》‖ *at a height of* 6,000 feet 6000フィートの高度で / the *height* above (the) sea level 海抜 / *What is the height of* this mountain? この山の高さはどのくらいですか(=How high is this …?) / (対話) "What's his *height*? =How tall is he?""He is five feet nine inches *in height*. =His *height* is five feet nine inches."「彼の身長はどのくらいですか」「彼の身長は5フィート9インチです」(=He is five feet nine inches tall.).

2 Ⓒ (正式)(しばしば ~s;単数扱い)高い所, 高地, 丘, 高台(high place) ‖ look down from the *heights* at the town 町を高い所から見おろす / He is afraid of *heights*. 彼は高所恐怖症だ.

3 [the ~(s)] 絶頂, 極致, 最高潮, 最中 ‖ *at the height of* one's fame [popularity] 名声[人気]の絶頂期 / a lady (who is) dressed in *the height of* fashion 最新流行の服を着た婦人 / *in the height of* (the) summer 夏の盛りに / The tourist season is now at its *height*. 観光シーズンは今かきたけなわです / It's *the height* of madness to say so. そんなことを言うのは狂気のさただ.

†**height·en** /háitn/ [動] 他 **1** …を(並外より)高くする, 高める(↔ lower). **2** …を増す, 強める ‖ *heighten* his anger [fear] 彼の怒り[不安]をつのらせる. —[自] **1** 高くなる, 高まる. **2** 増す, 強まる.

Hei·ne /háinə/ [名] ハイネ《Heinrich /háinrik/ ~ 1797-1856;ドイツロマン派詩人・批評家》.

hei·nous /héinəs/ [形] (文)極悪の, 恥ずべき, 憎むべき (very wicked).

†**heir** /éər/ [発音注意] (同音) air) [名] Ⓒ **1** (遺産の)相続人, 跡取り(*to*)◆女性形は heiress であるが, heir ですますことも多い ‖ a son and *heir* /ʌnənéər/ 跡取り息子 / She is the (*heir*) *to* her father's fortune. 彼女は父親の財産の相続人である. **2** (王位・役職などの)継承者, 後継者(*to*) ‖ She was the (*heir*) *to* the throne. 彼女は王位継承者であった. **3** (伝統・思想・特質・伝統などの)継承者(*to, of*)◆(団体・物についても用いる).

[語法] **2, 3** の意味では男女とも heir.
fáll héir to A (正式)〈財産・性質・問題など〉を受け継ぐ(inherit).

héir appárent (覆 ~s apparent)(主に王位・称号の)法定推定相続人.

héir presúmptive (覆 ~s presumptive)推定相続人(presumptive heir).

†**heir·ess** /éəris | éərəs/ [名] Ⓒ (主に大財産を受ける)女子相続人((PC) heir).

†**heir·loom** /éərlùːm/ [名] Ⓒ **1** 先祖伝来の家財;家の伝統. **2** 法定相続財産.

Hej·i·ra /hidʒáiərə, hédʒərə/ [名] =Hegira.

hé·la cèll /héla-/ [通例 H~ c~] [生物] ヒーラ細胞《Henrietta Lacks という患者の子宮頸(ヒ)部から採取されたがん細胞に由来する永遠に生き続ける細胞. 研究用に培養されている》.

†**held** /héld/ [動] hold の過去形・過去分詞形.

†**Hel·en** /hélən/ [名] **1** ヘレン《女の名. 愛称》 Nellie, Nelly》. **2** 〔ギリシア神話〕ヘレネ《スパルタ王 Menelaus の妻. トロイの王子 Paris にさらわれ, トロイア戦争の原因となった. Helen of Troy ともいう》.

Hel·e·na /hélənə, həlíːnə/ [名] ヘレナ《米国 Montana 州の州都》.

Hel·i·con /hélikàn | -kn, -kɔn/ [名] 〔ギリシア神話〕ヘリコン山《ギリシア南西部の山》;詩想の源.

hel·i·cop·ter /héləkàptər│-kɔ̀p-/ 〖旋回する(helic)翼(pter)〗
—名 ⓒ (複 ~s/-z/) ヘリコプター((略式) chopper, (米略式) copter)《◆ ×heli とはいわない》‖ I'm a *helicopter* pilot. =I pilot a *helicopter*. 私はヘリコプターの操縦士です / Have you ever flown in a *helicopter*? ヘリコプターに乗ったことがありますか.

he·li(·o)- /híːlii(ou)-, -iə-/ 〖連要素〗→語要素一覧(1.6).

He·li·os /híːliàs│-ɔ̀s/ 名 〖ギリシャ神話〗ヘリオス《太陽神. 毎日戦車で東から西へ空を走る. ローマ神話の Sol に当たる》.

he·li·o·trope /híːliətròup, (英+) héliə-/ 名 ⓒ 〖植〗ヘリオトロープ, キダチルリソウ; Ⓤ その花から採った香水. **2** Ⓤ 薄紫色.

hel·i·port /héləpɔ̀ːrt, (米+) híːlə-/ 名 ⓒ (ビルの屋上などの)ヘリ発着所, ヘリポート.

he·li·um /híːliəm/ 名 Ⓤ 〖化学〗ヘリウム《希ガス. 記号》He).

*‡**hell** /hél/ 〖類音〗hill /híl/ 〖「隠されている所」が原義〗
—名 (複 ~s/-z/) **1** 〖しばしば H~〗 Ⓤ **地獄**(↔ heaven) ‖ He fell headlong down to the dark floor of *Hell*. 彼は地獄の暗い底へまっさかさまに落ちていった. **2** ⓒⓊ (略式)**この世の地獄**, 地獄のような場所[状態] ‖ My headache gave me *hell*. 頭痛がきたらそれはもう地獄の苦しみだった / The disaster-stricken area was *hell* on earth. 被災地はこの世の地獄だった. **3** 〖俗〗[the ~; 文脈で;副詞的に] …なんてとんでもない; 絶対に…ではない ‖ 〖対話〗"He knows what he says.""*The hell* he does." 「彼はわかって言っているのだ」「とんでもない」 / *The hell* you say. まさか. よく言うよ.

*a **héll** of a ... (略式)[強意語として]《◆ a helluva とも書く》**(1)** ひどい…, とても悪い… ‖ have *a hell of a* time ひどい目に会う. **(2)** 抜群に…, とても《◆ 形容詞 + 名詞の前に置く》‖ *a hell of a* good party すごくいいパーティー / *a hell of a* lot of money どえらい額のお金.

give (**mérry**) **héll to** A **=give** A (**mérry**) **héll** (略式) **(1)** 〈人〉をしかる, 罰する. **(2)** 〈人〉を悩ます, 苦しめる.

Gó to héll! (俗) うせろ, やめろ, ちくしょう.

*in **héll** =the **héll** (略式)[強意語として] **(1)** いったいぜんたい《◆ 疑問詞の直後に置く》‖ Where *the hell* are you going? いったいどこへ行くつもりなんだ. **(2)** ひどく, まったく《◆ 動詞と副詞の間に置く》.

(**just**) **for the héll of it** (略式) 面白半分で[に], 一時的に興奮して, 魔がさして.

like héll (1) (略式) [直前の語句を修飾して] 猛烈に, 死ぬほど ‖ He ran like *hell*. 彼は全力で走った. **(2)** (俗) [通例文頭で] …なんてとんでもない, 絶対に…ではない《◆ 単に the *hell* ともいう → **3**》‖ 〖対話〗"I'm skiing with my boyfriend.""*Like hell* you are."「ボーイフレンドとスキーに行くわ」「絶対にだめだ」.

pláy (**mérry**) **héll with** A (略式) **(1)** 〈物・事〉に大損害[影響]を与える. **(2)** 〈主に英〉〈人〉ひどく腹を立てる.

ráise (**mérry**) **héll (1)** 大騒ぎする. **(2)** (声高く)文句を言う.

—間 (俗) くそっ, ちくしょう, ちえっ(bloody hell)《◆ 主に男性語で怒り・不満などを表す下品な言葉》.

he'll /(弱) híl, il; (強) híːl/ 〖同音〗heel) he will [shall] の短縮形.

hell·bend·er /hélbèndər/ 名 ⓒ 〖動〗アメリカオオサンショウウオ.

hel·le·bore /héləbɔ̀ːr/ 名 ⓒ 〖植〗クリスマスローズ; Ⓤ その根から採る殺虫剤.

†**Hel·le·nic** /helénik│-líːnik/ 形 ギリシャの; 古代ギリシャ人[語, 文化]の. —名 Ⓤ (古代)ギリシャ語.

Hel·len·ism /hélənìzm/ 名 Ⓤ **1** ギリシャ人特有の語法[習慣]. **2** ヘレニズム文明[文化]《◆ 人間性の自由が伸展し, 知的精神の発達した時代とされる. cf. Hebraism》.

Hel·len·ist /hélənist/ 名 ⓒ (古代)ギリシャ語[文]学者.

Hel·len·is·tic /hèlənístik/ 形 Hellenist の;(アレクサンドロス大王以後の)ギリシャ文明[芸術, 建築]の.

Hel·les·pont /héləspànt│-pɔ̀nt/ 名 [the ~] ヘレスポント海峡《Dardanelles 海峡の古代名》.

hell·fire /hélfàiər/ 名 Ⓤ 地獄の火[苦しみ, 罰].

hell·ish /héliʃ/ 形 **1** 地獄の(ような). **2** (略式) たいへん困難な[不快な]. —副 (略式) ひどく, すごく.

*‡**hel·lo** /helóu, hə-, hél-│həláu, he-/ 〖hallow の変形〗《◆(主に英) hallo(a), hullo ともつづる》
—間 **1 a やあ, こんにちは**《◆ (1) 一日中いつでも使える気軽なあいさつ(cf. hi); good morning [afternoon, evening] の方がていねい. **(2)** [いらっしゃい] [お帰りなさい]の意味にもなる》‖ *Hello* (↘), Bill. (↗) こんにちは, ビル. 〖対話〗"*Hello* (↗), Mom! Is anybody home?""Oh, *hello* (↘), Jim. (↗)" 「ただいま, お母さん(=*Hello*, Mom! I'm home!)」「あら, お帰りなさい, ジム」《◆ (英) ではよく姓を呼び捨てにして親しさを表す: *Hello*, Peters.》.
b (電話で)もしもし《◆ かける方でも, 受ける方が言うのがふつう》‖ 〖対話〗"*Hello* (↗), (this is) Mrs. Smith (spèaking).""May I speak to Mr. Smith, please." 「はい, スミスの妻ですが」「スミスさんをお願いしたいのですが」.
2 [呼びかけ] あのう, ちょっと, おい ‖ *Hello*, there! おい, きみ. **3** (主に英) おや 《驚きの声》 ‖ *Hello* (↘), this looks like the hat I want. まあ, これは私の欲しい帽子に似ているわ.

—名 (複 ~s) ⓒⓊ hello というあいさつ, 呼びかけ ‖ Please say *héllo* to him. 彼によろしくお伝えください《◆ 親しい間柄で用いる. → regard 名 **3**》.

—動 他 〈人〉に hello とあいさつする, 呼びかける.

—自 hello という.

†**helm** /hélm/ 名 **1** ⓒ 〖海事〗かじ, 舵柄(☆), 舵輪; 操舵装置 (cf. tiller) ‖ put the *helm* down [up] =put down [up] the *helm* (船の)舵柄を風下[風上]に取る《◆ (号令)では Dówn [Úp] (with the) *hélm*!》. **2** [正式] [the ~] 支配, 指揮(権) ‖ be at the *helm* of ... …の実権を握っている, 指導者である / tàke the hélm of state 政権を握る.

†**hel·met** /hélmət/ 名 ⓒ **1** ヘルメット; 日よけヘルメット帽;〖フェンシング〗面;〖アメフト〗(皮製)ヘルメット. **2** 鉄かぶと; かぶと. **hél·met·ed** ヘルメットをかぶった.

helms·man /hélmzmən/ 名 (複 ~·men) ⓒ (主に英) 舵(手)手, 操舵手((PC) coxswain).

hélms·man·ship 名 Ⓤ 操舵術.

Hel·ot /hélət/ 名 ⓒ 〖歴史〗古代スパルタの奴隷《◆ 国家の所有. slave より位が上》; [h~] 農奴, 奴隷.

*‡**help** /hélp/ 派 helpful (形), helpless (形)

index
動 他 **1** 手伝う **3** 促進する, 役立つ **4** 助ける
自 **1** 手伝う

help

[名] 1 助け 2 役立つもの[人] 3 救済法 4 雇い人

――[動] (~s/-s/; [過去・過分] ~ed/-t/; ~・ing)
――[他]

I [助ける・手伝う]

1 ⟨人が⟩⟨人を⟩**手伝う**, 手助けする《◆aid は主に新聞用語. assist は help, aid より堅い語. → assist [他]①[語法]》; ⟨店員などが⟩⟨客⟩に用を聞く; [help (to) do] …するのを手伝う, 助ける; [help A (to) do] ⟨人が⟩A⟨人⟩が…するのを手伝う, 助ける, ⟨人を⟩助けて…させる《◆(1) to を省くのはもとは (米) だが, (英) でも今はふつう. assist, aid はこの構文では使えない. (2) 受動態では to は省略しない》∥ Are you being *helped*? ご用件は承っているでしょうか(=Are you being attended to?) / I *helped* (to) do the dishes after the meal. 食後に私は皿洗いを手伝った(=I *helped* with the dishes after the meal.).
2 a [help **A** with [in] **B**] ⟨人が⟩A⟨人の⟩B⟨仕事など⟩を**手伝う**《◆with はその時限りのあるいは日課のような仕事の場合に, in は困難で努力を要するような仕事や動名詞の場合に用いる》∥ *help* him *with* his homework =*help* him (*to*) do his homework 彼の宿題を手伝う《◆ ×help his homework は不可》/ *help* one's mother *in* preparing breakfast 母の朝食の準備を手伝う / They *helped* him *in* his escape. 彼らは彼の逃亡を助けた.
b ⟨人が⟩⟨人を⟩助けて…させる《◆修飾語(句)は省略できない》∥ He *helped* the old woman *across* the street. 彼は老婆が通りを渡るのを助けてあげた / She *helped* him ⌈*off with* [*out of*]⌉ his clothes and ⌈*on with* [*into*]⌉ warm pajamas. 彼女は彼が服を脱いで暖かいパジャマを着るのを手伝ってあげた.

3 ⟨物・事が⟩⟨物・事を⟩**促進する**, ⟨人に⟩役立つ; [help (to) do] ⟨物・事が⟩…するのに**役立つ**; [help **A** (to) do] ⟨物・事が⟩A⟨人・物・事⟩の**役立てる**∥ The railroad *helped* the development of the city. =The railroad *helped* the city (*to*) develop. 鉄道がその市の発展を促した / A magnifying lens *helps* you (*to*) read letters. 拡大鏡を使えば文字を読むのに役立つ.

4 ⟨人が⟩⟨人を⟩**助ける**, ⟨人⟩を(経済的に)援助する;⟨お金が⟩⟨人を⟩一時的に救う(+*over*)∥ *Help* (me)! 助けてくれ / The Red Cross *helped* the flood victims. 赤十字が洪水の被害者を救済した.

5 [正式]⟨人に⟩[料理などを]取ってやる, よそう[*to*]∥ *help* him *to* some potatoes 彼にポテトを取ってやる.

II [軽減する・妨げる]

6 ⟨薬などが⟩⟨病気などを⟩治す;⟨苦痛などを⟩和らげる; …の単調さ[欠点]を救う∥ This medicine will *help* your headache. この薬は頭痛にききます.

――[自] **1** ⟨人が⟩⟨仕事を⟩**手伝う**(*with*, *in*), […して]助ける(*by*)∥ He *helped* with the dishes. 彼は皿洗いを手伝った / He never *helps* at home. 彼は家で何の手伝いもしない / He *helped* by adding his knowledge to mine. 彼の情報を私の情報に付け足して彼は援助してくれた.
2 ⟨物・事が⟩助けになる, 役立つ∥ It won't *help* to complain. 文句を言っても役に立たない / It *helps* that he washes the dishes every day. 彼が毎日食器を洗ってくれるので助かる(=It is helpful that …). **3** 給仕する, よそう.

Càn [**Mày**] **I** *hélp* **you?** ⟨店で⟩何にいたしましょうか, いらっしゃいませ(=What can I do for you?).

*****cannòt *hélp* dóing** =(主に米略式) ***cannòt *hélp* but** dó (1) …せずにはいられない ∥ I *can't help* laughing at her. 彼女を笑わずにはいられない. (2) …するのは仕方がない ∥ She *couldn't help* but be a little vague. 彼女が少しあいまいな態度だったのはやむをえなかった.

cannót *hélp* A [**A's**] **dóing** ⟨人が⟩…するのは仕方がない ∥ I cannot *help* him [his] being lazy. 彼は怠け者なのは私にはどうしようもない《◆所有格, 目的格いずれも可. 目的格の方が通例》.

cán't *hélp* it […だとしても/…ということは]⟨人が⟩どうしようもない, ⟨人の⟩せいではない[*if*節/(*that*)節]∥ I *can't help it* (*that*) he doesn't like me. 彼が私を嫌うのはどうしようもない.

gíve [**lénd**] **A a** *hélping* **hánd** …を手伝う, 援助する(→ **hand** [名] 4).

*****hélp onesélf** (1) [食べ物・飲み物・パンフレットなどを]自分で取って食べる[飲む, 読む][*to*](→ Be my GUEST!) ∥ Please *help yourself* to the cáke. (ご遠慮なく)ケーキをお取りください《◆主語でなく次のような場合にも用いる: "May I use your stapler?" "Help yourself." 「ホッチキスをお借りしてもよろしいですか」「どうぞ」》. (2) (略式) ⟨物を⟩失敬する, 盗む, 横領する[*to*]《◆steal の遠回し表現》. (3) (略式) 困難[苦境]を切り抜けようと努力する; 自ら[他人に]頼らず]独立する ∥ Heaven *helps* those who *help themselves*. (ことわざ)天は自ら助くるものを助く. (4) (略式) [cannot と共に] 自分の感情を抑える ∥ He *couldn't help himself* and burst out crying. 彼はどうにもたまらなくなって突然泣き出した.

hélp óut (略式) [自] (一時的にまたはいくぶんか)[仕事を]手伝う[*with*]. ――[他] (主に必要な場合に)⟨人⟩を援助する;⟨人の⟩[仕事を]手伝わせる[*with*].

it cán't be hélped どうしようもない, 仕方ありませんね(→ can't HELP it).

móre than you can hélp しないですむ以上に[の], 必要以上に[の], 余計にな《◆(1) more の後ろに名詞がくることもある. (2) 主節は否定》∥ Don't make any *more* noise *than* you *can help*. 余計な物音を立てるな.

so *hélp* me (略式) (1) 誓って, 本当に. (2) こんなことを言って信じてもらえないだろうが, おかしいだろうが.

――[名] (複 ~s/-s/) **1** Ⓤ 助け, 助力, 救済《◆公的な援助はふつう aid》∥ I appreciate your kind *help*. あなたのご親切な助けに感謝いたします / learn French with the *help* of the TV テレビを活用してフランス語を勉強する / The dictionary *is* (of) much *help* to him. その辞書は彼に大いに役立つ(=The dictionary is very helpful to him.). **2** [a ~] [人に]**役立つもの[人]**, 助けになるもの[人] [*to*]∥ Her advice is always *a* great *help* to me. 彼女の忠告はいつもとても助けになります. **3** Ⓤ [否定文または否定的な意を含む文で] [病気などの]**救済法**, 逃げ道(*for*) ∥ There's no *help* for it but to wait. 待つよりほかはない / Her condition is beyond *help*. 彼女の状態は手の打ちようがない.

4 Ⓒ **雇い人**; 家政婦, お手伝い((米) helper); 農場労働者; Ⓒ Ⓤ (米) [しばしば the ~; 集合名詞; 複数扱い]従業員, 家政婦∥ a home *help* (英)家政婦 / a mother's *help* (英) 乳母 / factory *help* 工場労働者.

5 Ⓒ [コンピュータ] ヘルプ《ソフトの使用法を教える機能》.

Hélp Wánted (広告) 求人《◆「求人広告」は a help-wanted ad》.

hélp dèsk ヘルプデスク《パソコンのソフト[ハード]の会社などで, ユーザーの(主にトラブルについての)問い合わせに答える部門》.

†**help·er** /hélpər/ [名][C] **1** 助ける人, 助手《◆ふつう仕事で熟練者を手伝う未熟な人をいう》; お手伝い; 後援者. **2** 助けになるもの, 役立つもの.

***help·ful** /hélpfl/ 〖→ help〗

――[形] (more ~, most ~)〔人に〕**役立つ**(useful), 助けになる〔*to*〕; 〔…の点で〕有益な〔*in*〕‖ Your advice *is* always ***helpful to*** me. あなたの助言はいつも私の役に立ちます / ⌈***It was very helpful of*** you [You were very *helpful*]⌉ ***to*** bring the mail in for me. 郵便を中に持ってきてくれてとても助かりました(➔文法 17.5) / You have been very *helpful*. 大変助かりました(=You have been a big [great] help.).

hélp·ful·ness [名][U] 助けになること, 有用性.

help·ful·ly /hélpfəli/ [副] 助けになって, 役に立つように.

help·ing /hélpiŋ/ [名] **1** [C] (食べ物の)1杯, ひと盛り ‖ have a second *helping* (of the food) お代わりをする. **2** [U] 助力, 援助; 役に立つこと.

†**help·less** /hélpləs/ [形] **1** 〈病人·赤ん坊などが〉自分ではどうすることもできない, 自分で用の足せない ‖ The patient is (as) *helpless* as a new-born baby. その患者は生まれたばかりの赤ん坊同然で何もできない. **2** 〈人が〉〔敵·病気などに対して/…に〕無力の, お手あげの〔*against*/*at*〕; 〔…するのに〕無力の〔*to* do〕; 〈努力などが〉むだな ‖ She was *helpless against* her terminal cancer. 彼女は末期がんでどうすることもできなかった. **3** 〈人などが〉助け[保護]のない. **4** 〈表情·態度などが〉困惑した ‖ give a *helpless* glance 困ったような目つきでちらっと見る.

hélp·less·ness [名][U] どうしようもないこと; 無力.

†**help·less·ly** /hélpləsli/ [副] どうしようもなく; 力なく; 頼るものなく; 困惑して.

help·line /hélplàin/ [名][U][C] 悩み事相談電話, 命の電話.

help·mate /hélpmèit/, **-·meet** /-mì:t/ [名][C] 協力者, 仲間; 配偶者; 《文》(伴侶としての)妻.

Hel·sin·ki /hélsiŋki, ⌐⌐/ [名] ヘルシンキ《フィンランドの首都》.

hel·ter-skel·ter /héltərskéltər/ [副][形]《略式》あわてて[た]; 混乱して[た]. ――[名][C] **1** 《主に英》(遊園地の)らせん形すべり台. **2** [a ~] 混乱.

helve /hélv/ [名][C] (おの·ハンマーなどの)柄.

†**hem**[1] /hém/ [名][C] **1** (布の)へり; (衣服の)ヘム, へり《折り返して縫ったへりの部分》([図] → jacket) ‖ Can you take the *hem* up? すそ上げしてもらえますか. **2** 《正式》(一般に)へり, 縁(border).

――[動] ([過去·過分] **hemmed**/-d/; **hem·ming**) [他] **1** 〈布·衣服〉のへりを(折り返して)縫う, まつる; …の縁どりをする. **2** 《正式》…を囲む, 取り巻く, 閉じ込める; …を(精神的に)身動きできなくする, がんじがらめにする(surround) (+*in*, *around*, *about*).

†**hem**[2] /[間] mm, hm; [名][動] hém/ [間] ふん, へん《注意喚起·口ごもり·疑いなどを表す軽いせき払い》. ――[名][C] hem という声, せき払い. ――[動] ([過去·過分] **hemmed**/-d/; **hem·ming**) [自] 《主に米》せき払いする; 口ごもる(《英》hum).

hém and háw [***há***] 口ごもる; 確答を避ける.

hem·i-, hem- /hém(i)-/ [語要素] →語要素一覧(1.7).

Hem·ing·way /hémiŋwèi/ [名] ヘミングウェイ《Ernest ~ 1899-1961; 米国の小説家》.

***hem·i·sphere** /hémisfìər/

――[名] ([複] ~s/-z/) [C] **半球(体)**; (地球·天球の)半球(の地図) ‖ the Northern [Southern] *Hemisphere* 北[南]半球《◆この場合大文字がふつう》/ the right [left] *hemisphere* of the brain 脳の右[左]半球 / Magdeburg /mǽgdəbə:rg/ *hemispheres* マグデブルクの半球《大気圧の力を示す真ちゅう製の半球》.

†**hem·lock** /hémlɑ̀k | -lɔ̀k/ [名] **1** [C] 《主に英》〔植〕ドクニンジン; [U] それから採った毒薬. **2** =hemlock fir [spruce]. **hémlock fír** [**sprúce**] 〔植〕ツガ; ツガ材.

he·mo-, 《英》 **hae·mo-** /hí:mə-, -ou-, hé-/ [語要素] →語要素一覧(1.6).

he·mo·glo·bin, 《英》 **hae·-** /hí:məglòubən | ⌐⌐⌐/ [名][U] 〔生化学〕ヘモグロビン(《略》Hb).

hem·or·rhage, 《英》 **haem·-** /hémərìdʒ/ [U][C] **1** 〔医学〕(不意の)大出血. **2** (資産·頭脳などの)流出, 損失. ――[動][自] 多量に出血する.

†**hemp** /hémp/ [名][U] **1** 〔植〕アサ(麻), タイマ(大麻). **2** 麻繊維《なわ·織物用》. **3** 大麻《麻薬》.

Hémp Státe 《愛称》[the ~] アサ州(→ Kentucky).

hem·stitch /hémstìtʃ/ [動][他] …にヘムステッチをする. ――[名][U] ヘムステッチ《横糸を数本抜き, 縦糸を数本ずつかがってハンカチなどのへりを飾る縫い方》.

***hen** /hén/

――[名] ([複] ~s/-z/) [C] **1 めんどり**(↔ cock, 《米》 rooster)《◆女性[母親]らしさの象徴》; 雌のひよこ(female chicken); [~s] (雄·雌に関係なく)ニワトリ ‖ *Hens* lay eggs. ニワトリは卵を産む. [表現]「ニワトリが先か卵が先かの議論」は *hen*-versus-egg argument (cf. egg [名]**1**用例).

2 (一般に)雌の鳥; (エビ·カニ·サケなどの)雌; [形容詞的に] 雌の ‖ a *hen* sparrow 雌のスズメ《◆a hen-crab (雌ガニ), a peahen (クジャクの雌)のように合成語を作る》.

3 《略式》女, 口やかましい中年女.

hén pàrty 《略式》女性だけのパーティー(cf. stag party).

†**hence** /héns/ [副] 《正式》**1** それゆえに, したがって(so, therefore, consequently)《◆商業文·法律関係·契約書などに用いる》‖ *Hence*, we shall decide to cut the budget next year. それゆえ来年の予算の削除を決定せざるをえないだろう《◆しばしば動詞を省略して用いる: He said nothing, *hence* her anger. 彼は黙っていた. それで彼女が怒ったというわけだ》. **2** 今から(先)(later) ‖ Let's meet two days *hence*. 今から2日後に会いましょう.

†**hence·forth** /hènsfɔ́:rθ/ [副] 《正式》今後は, これからは.

hence·for·ward /hènsfɔ́:rwə:rd/ [副] =henceforth.

hench·man /héntʃmən/ [名] ([複] **-·men**) [C] **1** (政界·暗黒街のボスの)取り巻き, 子分(《PC》flunky). **2** 支持者(《PC》follower).

hen·coop /hénkù:p/ [名][C] 鶏舎.

hen·house /hénhàus/ [名][C] (ふつう木造の)鶏小屋.

hen·na /hénə/ [名][U] 〔植〕ヘンナ, シコウカ《ミソハギ科の熱帯植物》; ヘンナ染料《葉から採った赤褐色の染料. 毛髪·つめを染める》.

hen·peck /hénpèk/ [動][他] 《略式》(口うるさく言って)〈夫〉を尻(しり)に敷く(rule) ‖ a *henpecked* husband 恐妻家.

hen·pecked /hénpèkt/ [形] 《略式》〈夫が〉尻に敷かれた.

†**Hen・ry** /hénri/ 名 1 ヘンリー《男の名. 《愛称》Harry》. 2 ~ VIII ヘンリー8世《1491-1547；イングランド王(1509-47). Anglican Church を興した》.

he・pat・ic /hipætik/ 形 肝臓の, 肝臓に効く, 肝臓色の；〖植〗苔(ミ゙)類の. ── 名 ⓒⓊ 肝臓薬；ⓒ 苔類.

he・pat・i・ca /hipætikə/ 名 (複 ~s, --cae/-siː/) ⓒ 〖植〗ユキワリソウ；ゼニゴケ.

hep・a・ti・tis /hèpətáitəs/ 名 Ⓤ 〖医学〗肝炎.

Hep・burn /hépbəːrn, -bərn/ 名 1 ヘボン《James Curtis/kəːrtis/ ~ 1815-1911；米国の宣教師・医師. 日本に長く住み, ヘボン式ローマ字を考案》. 2 ヘプバーン《Audrey ~ 1929-93；ベルギー生まれの女優》.

Hep・ple・white /héplhwàit/ 形 《家具が》ヘップルホワイト様式の《優美な曲線が特徴》.

:**her** /(弱) hər, ər, ər；(強) həːr/〘she の目的格・所有格〙(⇒文法 15.3(2)(3))
── 代 1 〔目的格〕彼女を(に), 彼女に ‖ I met Jim's sister yesterday. You know *her*, don't you? きのうジムのお姉さんに会ったよ. 君, 彼女を知ってるよね.
2 〔目的格；擬人法〕それを[に]《it の代用》‖ Fill *her* up. (男性語)(ガソリンスタンドで)満タンにしてくれ(→ FILL up).
3 〔所有格〕彼女の ‖ Jane introduced me to *her* father. ジェーンは私を(彼女の)父親に紹介してくれた.
4 〔所有格；擬人法〕その, それの《◆ its の代用》‖ France regained *her* leadership. フランスはリーダーシップを取り戻した(→ she 代 2).

He・ra, He・re /híərə/ 名 〖ギリシャ神話〗ヘラ《Zeus の妻. しっと深さで有名. ローマ神話の Juno に当たる》.

Her・a・cles /hérəkliːz/ 名 =Hercules.

†**her・ald** /hérəld/ 名 ⓒ 1 〔歴史〕使者, 伝令官, お触れ役《国王の布告を民衆的伝えた人》；軍使, 勅使；(中世騎士の馬上試合の)進行係. 2 〔文〕先駆者；[a ~] 先(前)触れ(forerunner) ‖ Primroses are a *herald* of spring. サクラソウは春を告げるものである. 3 [H~] 新聞名として 布告者, 報道者 ‖ the Edinburgh *Herald* 「エジンバラ=ヘラルド」《英国の新聞》. 4 (英) 紋章官, 式部官 ‖ the *Herald's* College 紋章院.
── 動 他 《正式》…の先触れをする(+in), …を布告する.

her・ald・ry /hérəldri/ 名 1 Ⓤ 紋章学；紋章官の地位. 2 ⓒ 紋章, 家紋. 3 Ⓤ (貴族の)はでな儀式.

*herb /əːrb, həːrb | həːb/
── 名 (複 ~s/~z/) ⓒ 1 ハーブ, 薬草, 香料用〔薬用〕植物. 2 草, 草本. 3 (米俗)[時に the ~] マリファナ.
hérb bèer 薬草で作った飲み物.
hérb dòctor 漢方医.
hérb tèa [**wàter**] (薬草入り)せんじ薬, ハーブティー.

her・ba・ceous /həːrbéiʃəs, əːr- | hə-, həː-/ 形 草の, 草本の；草の葉状の；草が植えてある.
herbáceous bórder (庭などで)多年草花の植えてある場所.

†**herb・age** /ə́ːrbidʒ, hə́ːrb- | həːb-/ 名 Ⓤ 〖集合名詞〗草；葉肉がある食用の草.

herb・al /ə́ːrbl, hə́ːrbl | həːbl/ 形 草の, 草本の, 薬草の. **hérbal médicine** 薬草療法. **hérb・al・ism** 名 Ⓤ 薬草学〔療法〕.

Her・bert /həːrbərt/ 名 ハーバート《男の名. 《愛称》Bert》.

her・bi・cide /həːrbəsàid/ 名 Ⓒ 除草剤.

her・biv・o・rous /həːrbívərəs, əːr- | həː-, hə-/ 形 《動物が》草食性の(cf. carnivorous, omnivorous).

her・cu・le・an /həːrkjuːlíːən, -jə- | həːrkjúːliən/ 形 1 《正式》きわめて困難な, 《努力が》すさまじい. 2 〔しばしば H~〕(手腕・力・勇気の点で)ヘラクレスのような, 怪力無双の. 3 [H~] ヘラクレスの.

†**Her・cu・les** /həːrkjəliːz/ 名 1 ギリシャ神話・ローマ神話 ヘラクレス《Zeus の息子で怪力無双の英雄；ギリシア語名 Heracles》. 2 〔しばしば h~〕ⓒ 怪力無双の人.

*herd /həːrd/ 同音 heard；類音 hard /háːrd/
〘「牧童が監視する同一種類の家畜(特にウシ)の群れ」が原義〙
── 名 (複 ~s/həːrdz/) ⓒ 〔単数・複数扱い〕 1 (動物の)群れ《◆ ふつうウシ・ゾウ・シカなどの群れ. → flock¹ 関連》‖ A *herd* of cattle [cows] was grazing in the field. 牛の群れが野原で草を食べていた. 2 (共通点・つながりのある)人の群れ；群衆；[the (common) [vulgar]) ~], 〔単数・複数扱い〕大衆, 民衆 ‖ a *herd* of autograph seekers サインを求める人の群れ / a *herd* mentality 集団心理. 3 [a ~ of + ⓒⓊ 名詞] 多数の…, 大量の…《ⓒ の場合は複数形》‖ a *herd* of used cars たくさんの中古車.
── 動 自 […に]群れをなす(*with*), 群がる, 集まる(+*together*) ‖ They *herded* into the corner. 彼らは隅に寄り集まった.
── 他 〈家畜・人〉を集める, 駆り立てる(drive) (+*together*)；〈家畜〉の番をする.

herd・er /həːrdər/ 名 (米)牛〔羊〕飼い；家畜所有者 (英)herdsman).

†**herds・man** /həːrdzmən/ 名 (複 --men) (主に英) =(米) herder.

:**here** /híər/ 同音 hear；類音 hair, hare /héər/〘「話し手のなわ張り」が本義で, 指示代名詞 this に対応する. cf. there〙
── 副 《比較変化しない》 1 〔場所〕ここに, ここで, ここへ, こちらへ ‖ My cár is (right) *hére*. 私の車は(ちょうど)ここにある / Isn't the dóctor *hére*? 医者はここにおられませんか(以上⇒語法(4)) / Your seat is *hére*(↘), not there(↘). あなたの席はあそこではなくここですよ / Hére *he* is. 5時にここにいらっしゃい / Why did you call me *hére*? (↘) どうして私をここに呼んだのですか / (It's) Smith *hére*. (電話)こちらはスミスです(=(This is) Smith speaking.) / *Hére* 「people live on potatoes. ここではジャガイモを常食としています / 〖対話〗 "Mom, where are you?" "Don't worry. *Here* I am." 「ママ, どこにいるの」「心配ないわよ, ここよ」

語法 (1) 《略式》では強調のため名詞の後に置いて形容詞的に使うことがある：My friend *here* 「wants to sée you. ここにいる私の友人がお会いしたいと申しています / Ask 「thís màn *here* [thése mèn *here*]. この人[人たち]に聞きなさい.
(2) 次のようにまず here で大まかな位置を示し, あとに同格的に正確な位置を示すことがある：I am lívng *hère* 「in Kóbe. 私はここ神戸に住んでいます《◆ 「神戸のここに(in this part of Kobe)」ではない》/ The bág is *hère*(,) on the táble. そのバッグはここのテーブルの上にある.
(3) しばしば場所を示す副詞を前に置く(→ 名)：It's cóld *in hére*. (部屋などで)ここは寒いね / I am òut *hére*. (中にいる人に対して)ここにいるよ / It's ráining òver *hére*. (遠くにいる人を基準にして)こ

ちらは雨が降っている《◆自分を基準にする場合は over は用いない》.
2 [文頭・文尾で] ここで, この点で; 今(この時に), 現在; 現にこのように ‖ *Here,* she paused. ここで彼女は語るのをやめた / Let's stop *here* and read the rest tomorrow. ここでやめて残りはあす読みましょう / *Here* we agrée. この点で一致しますね. **3** この世で, 現世で ‖ *Here* below この世で / He is *here* no more. 彼はもはやこの世の人でない《◆He is dead. の遠回し表現》. **4** [間投詞的に] **a** [点呼の返事] はい(yes) ‖ *Here,* sir [ma'am]!(↗) はい. **b** [注意を引いたり警告するときに] さあ, ほら, おい ‖ *Here,* you take it. さあ君にやるよ. **c** [物を人に渡すとき] ほら, はい, さあどうぞ(=Here you are. / Here it is.).

be néither hére nor thére (略式)〈物事が〉見当はずれの, 問題外だ; 取るに足りない, たいしたことはない ‖ What you say is *neither here nor there.* 君の言うことは問題にならない.

hére and nów (1) 今この場で, 直ちに; 目下のところ《◆~now and here とはいわない》. (2) [the ~; 名詞的に] 今この場合の, 目下, 現時点.

*hére and thére [しばしば単数名詞と共に] あちこちに[で], ここかしこと《◆×there and here とはいわない》‖ I found holes [a hole] *here and there.* あちこちに穴があいていた.

Hére cómes A. ほら A が来た ‖ *Here comes* our teacher. (↘) ほら, 先生が来たぞ(=Our teacher is coming *here.*)《◆A が代名詞のときは倒置不可: *Hére* she cómes. (↘) ほら, 彼女がやって来たぞ(×Here comes she.)》.

Hére góes! (↗)(略式) さあやるぞ, それ《◆特に何か困難[危険]なことを始めるときにいう》.

Hére I ám. ただ今(帰りました); さあ着いた(→**1 ⓒ対話**).

Hére is A. ほらここに…がある ‖ *Here is* a book. (ほら) ここに本があるよ(cf. there **副 2**).

Hére it ís. (↘), (米+)(↗)(略式) =HERE you are. (1).

Hére's to A! (略式) …のために乾杯 ‖ *Here's to* you [your future]. 君のために[君の前途を祝して] 乾杯!

Hére's your … [人に物をすすめる] …をどうぞ ‖ *Here's your* coffee. コーヒーをどうぞ / *Here's your* keys. (家・部屋を借りたときなどに) はい, かぎをお渡しします.

hére, thére and éverywhere (略式) いたるところに, どこもかしこも; 絶えず動き回って.

*Hére we áre. (↘), (米+)(↗)(略式) (1) (我々の欲しかった物が)あった, ありました. (2) (目的地に)さあ着きました ‖ *Here we are* at the station! さあ, 駅に着いたよ. (3) =HERE you are. (4) [腰をおろす時に] ほら.

Hére we gó! (略式) さあ, 行くぞ.

Hére we gó agáin (↘). (略式) (繰り返し好ましくない事が起こった時に) ああ.

*Hére you áre [gó]. (↘), (米+)(↗)(略式) (1) [人に物を渡すときに] はいここにあります, さあどうぞ(=Here it is.)《◆(1) 前者は人に, 後者は物に重点があるが, 厳密に区別しない場合に用いる. 単に, Here. ということもある. 少し離れた所に置いたような場合は There you are [go]. / There it is.》‖ *Here you are,* sir. ご注文のお品でございます. (2) [挿入的に; 人の注意を引くために] I hear you're eager for a new video game, but, *here you are,* you already have five. 新しいテレビゲームを欲しがっていると聞いたけど, いいかい, もう既には5つ持っているじゃないか. (3) (略式) さあ, 君の番だよ.

*Lóok [Sée] hére! (やや古) [相手の注意を引くこと] おい, ねえ《◆文脈で使い分》.
━━**名** U [主に前置詞・他動詞の目的語として] ここ(→**副 1 語法** (3)) ‖ *from here* ここから / *up to here* ここまで / *near here* この近く[近所] / Get out of *here*! ここから出て行け / leave *here* ここを去る / *Here* is where we start. ここが出発点だ.

日英比較 [[ここ] と **here**]
「ここはどこですか」は Where ˈam I [are we]? で, ×Where is here? は不可. Where is this place? はふつう地図などを指して尋ねる場合に用いる.

✝**here·a·bout,** (主に英) **‑a·bouts** /híərəbáut(s)/ ─, ─/ **副** (どこか)この辺で[に].

✝**here·af·ter** /hìərǽftər, ‑áːf‑/ **副** (正式) 今後は, これから先; 将来は; 来世には ‖ Traffic accidents *hereafter* will increase. 今後(の)交通事故は増加するだろう / as stipulated *hereafter* 以下に規定するごとく. ━━**名** U **1** (正式) [通例 the ~] 将来, 未来. **2** 死後の世界, あの世.

✝**here·by** /hìərbái, ─/ **副** (正式) これによって, このようにして《◆行為の遂行を示す語. cf. herewith》.

✝**he·red·i·tar·y** /hərédətèri, ‑təri/ **形** (正式) **1** (法律) 世襲の; 相続権のある. **2** 遺伝(性)の ‖ a *hereditary* ability 先天的能力. **3** 代々の, 親譲りの; 伝統的な. **heréditary péer** (英) 世襲貴族.

he·rèd·i·tár·i·ly /‑tèrili/ **副** 遺伝的に.

he·red·i·ty /hərédəti/ **名** U 遺伝(形質); 遺伝傾向.

Here·ford /1 hɑ́ːrfərd; 2 héri‑ hérifəd/ **名** **1** C (動) ヘレフォード種の肉牛. **2** ヘレフォード《英国南西部の都市》.

✝**here·in** /hìərín, hìər‑/ **副** (正式) この中に, ここに.

here·of /hìərɑ́v, ‑ɔ́v/ **副** (正式) これに関して.

here's /‑z/ (略式) here is の短縮形.

her·e·sy /hérəsi/ **名** **1** C (キリスト教・定説などに対する) 異端[説], 反論. **2** U 異端信仰[行動].

✝**her·e·tic** /hérətik/ **名** C (特にローマ=カトリック教会から見て) 異教徒, 異端者; 反対論者.

he·ret·i·cal /hərétikl/ **形** (正式) 異教(徒)の; 異端(者)の, 正統でない.

✝**here·to** /hìərtúː/ **副** (正式) これ[この文書]に, ここに ‖ certificate attached *hereto* 添付の証明書.

✝**here·to·fore** /hìərtəfɔ́ːr, ─/ **副** (正式) これまで, 今まで(until now).

here·up·on /híərəpɑ̀n, ─ hìərəpɔ́n/ **副** (正式) **1** これに関して. **2** この時点で, ここにおいて, ここで.

✝**here·with** /hìərwíð/ **副** (正式) (商業) **1** (手紙などに) 同封して, これと共に. **2** =hereby.

✝**her·it·age** /hérətɪdʒ/ **名** C U (正式) **1** (法律) [通例 a/the ~] 相続財産. **2** [通例 a/the ~] (過去から) 伝わるもの; 文化的遺産, 伝統. **3** (生まれつきの) 地位, 境遇.

Her·mes /hə́ːrmiːz/ **名** (ギリシャ神話) ヘルメス《旅・商売・発明・雄弁・窃盗の神. ローマ神話の Mercury に当たる》.

✝**her·mit** /hə́ːrmit/ **名** C 世捨人.

✝**her·mit·age** /hə́ːrmitɪdʒ/ **名** C **1** 隠者の住居[生活]; 修道院. **2** (一般に) 隠れ家.

her·ni·a /hə́ːrniə/ **名** (複 ~s, ‑ni·ae/‑niː/) U C (医学) ヘルニア(rupture); 脱腸.

✝**he·ro** /híərou, híːrou/ /híərou/《「保護する人」が原義》**派** heroic (形)

──名 (複) ~es/-z/; (女性形) her・o・ine © **1** (勇気・高潔な行為で世間に知られる)英雄, 勇士 ‖ I'm no *hero*. (略式) 私はそんなに肝が太くはない / Ito Hirofumi was a national *hero* of the Meiji Restoration. 伊藤博文は明治維新の国民的英雄であった.
2 (小説・劇・詩などの男の)主人公 (↔ heroine) ‖ The *hero* of the story is Pip. その物語の主人公はピップだ.
3 (事件・分野などでの業績・貢献のある)偉人, 敬慕の的となる人 ‖ The music star is the teenagers' *hero*. その歌手はティーンエージャーのあこがれの的だ.
4 (ギリシア神話) 神人, 半神的な勇者. **5** (米) ~es or ~s) =hero sandwich.

héro sándwich (米) ヒーローサンドイッチ《ロールパンなどを縦に切り, レタス・肉・チーズなどをはさんだ大型のもの》.

Her・od /hérəd/ 图 ヘロデ《キリスト生誕時のユダヤの王. 残虐な独裁政治で有名》.

He・rod・o・tus /hərɑ́dətəs, (英+) he-|herɔ́d-/ 图 ヘロドトス《紀元前5世紀のギリシアの歴史家. 「歴史の父」と呼ばれる》.

✝**he・ro・ic** /hərɔ́uik, (英+) he-/ 形 **1** 英雄の, 英雄的な, 英雄にふさわしい; 〈人が〉大胆な, とても勇敢な, 高潔な(↔ cowardly) ‖ Beowulf is a traditional *heroic* story. ベオウルフは伝説的英雄物語です / She was saved thanks to his *heroic* efforts. 彼女は彼の勇敢な行ないのおかげで助けられた. **2** 〈言葉・様式などが〉おおげさな, けばけばしい; 高尚な. **3** (正式)〈詩などが〉英雄を扱った, 叙事詩の. **4** (美術)〈像などが〉実物より大きい.

heróic áge [the ~] (古代ギリシアの)英雄時代.

her・o・in /hérouən/ 图 U ヘロイン《モルヒネから作る鎮痛剤. 中毒性麻薬の一種》.

✝**her・o・ine** /hérouən/ (発音注意) 图 © **1** 英雄の女性, 女傑, 女丈夫(ぢょう). **2** ヒロイン, (女の)主人公 ‖ She played the *heroine* in Cinderella. 彼女は『シンデレラ』でヒロインを演じた. **3** (一般に) 敬慕の的となる女性 ‖ Himiko is a half legendary *heroine*. 卑弥呼は半伝説的な英雄的女性だ. **4** (ギリシア神話) 神女.

✝**her・o・ism** /hérouizm/ (発音注意) 图 U **1** 英雄的資質[条件]. **2** 英雄的行為, 勇気, 勇敢さ.

her・on /hérən/ 图 (複 ~s, **her・on**) © 〔鳥〕サギ《(英) アオサギ◆鳴きながら飛べば雨になるといわれる》.

her・pes /hə́ːrpiːz/ 图 U 〔医学〕ヘルペス, 疱疹.

Herr /héər/ 图 (ドイツ) (複 ~**en**/hérən/) **1** …氏, 様, 君 (◆ Mr., Sir に相当). **2** © ドイツ紳士.

✝**her・ring** /hériŋ/ 图 (複 **her・ring**, 〔種類〕 ~s) © 〔魚〕ニシン(類); U その肉 《◆幼魚は sardines としてかん詰めにされる》 ‖ kippered {smoke-cured} *herring* 燻製(くんせい)ニシン(cf. red herring).

hérring ròe 数の子.

her・ring・bone /hériŋbòun/ 图 U 杉あや[矢はず]模様の織り方[れんがの積み方]; この織り方で作った布地; (建築) 矢はず.

✝**hers** /hə́ːrz/ [she の所有代名詞] (➡文法 15.3 (4))
──代 **1** 彼女のもの 《◆ her + 先行名詞の代用》 ‖ Here comes Sue Young. This land is *hers*. ほらスー・ヤングが来るよ. この土地は彼女の(もの)だ.
2 [a {this, that etc.} + 名詞 + of ~] 彼女の ‖ I am *a friend of hèrs*. 私は彼女の友人です.

✝**her・self** /(強) hərsélf; (弱) hər-, ‑əːr-, ‑ər-/ [she の再帰代名詞] (➡文法 15.3(5))
──代 (複 **them・selves**) **1** [再帰用法] 彼女自身(を, に) ‖ She sáw *hersélf* in the mirror. 彼女は鏡で自分を見た.
2 [強調用法] 彼女自身 ‖ His wife greeted me *herself*. 彼の奥さん自身が私を迎えてくれた.
3 彼女 《◆her の強調代用形》 ‖ I wanted to speak to her father and *herself*. 私は彼女のお父さんと彼女に話したかった.
[♦成句は → oneself]

hertz /hə́ːrts, héərts/ 图 (複 **hertz**) © ヘルツ(cps.) 《振動数の単位. 記号 Hz》.

✝**he's** /(弱) hiz, iːz, iz; (強) híːz/ he is, he has の短縮形.

he/she /híːʃi, híːʃɪ/ 代 (正式) [everybody, nobody などの不定代名詞, person, reader などの性別不特定の語を総称的に受けて] (その)人.

hes・i・tant /hézɪtənt/ 形 […を/…するのを](恐れたりして)ちゅうちょする(*about, over, at | to do*); ためらいがちの, 煮えきらない; 気乗りしない; 口ごもる(cf. reluctant).

hés・i・tant・ly 副 ちゅうちょして, ためらいながら.

✝**hes・i・tate** /hézɪtèɪt/〖口ごもる〗が原義
──動 (~s/-tèits/; 過去過分 ~d/-ɪd/; ‑tat・ing)
──自 **1 a** 〈人が〉 […のことで]ためらう, ちゅうちょする, 二の足を踏む(*about, over, at, in*); 〈人が〉 […の]選択に迷う(*between*) ‖ She *hesitated* about [*over*] going. 彼女は行くのをためらった / *He who hesitates is lost*. (ことわざ) ちゅうちょする者は好機をのがす. **b** [*hesitate to do*] …するのをためらう, はずかしく思う(*to do*) ‖ I *hésitate to sáy*(◣); but … 言いにくいことですが…《◆相手に好ましくないことを言う際の決まり文句》 / If there's anything I can do for you, *please don't hesitate to ask*. もし何か私にできることがあれば遠慮なく言ってください.
2 口ごもる.

hes・i・tat・ing /hézɪtèɪtɪŋ/ 形 ためらう, ちゅうちょする; 口ごもる.

hes・i・tát・ing・ly 副 ためらいながら, 口ごもって.

✝**hes・i・ta・tion** /hèzɪtéɪʃən/ 图 ©U **1** […することの]ためらい, ちゅうちょ(*in*); 不決断; いや気 ‖ after some *hesitation* 少しためらった後に / without a moment's *hesitation* 一瞬たりともためらわずに. **2** 口ごもり.

Hes・per・i・des /hespérɪdìːz|his-/ 图 (ギリシア神話)[the ~] **1** [複数扱い] ヘスペリデス《Hera の金のリンゴの園を守る4人のニンフ》. **2** [単数扱い] ヘスペリデスの園. **3** 極楽島(Islands of the Blessed).

Hes・per・us /héspərəs/ 图 (詩) 宵(よい)の明星(evening star), 金星(Venus) (cf. Phosphor).

Hes・se /hésə/ 图 ヘッセ 《**Hermann** /hɑ́ːrmən/ ~ 1877‑1962; ドイツの小説家・詩人》.

het・er・(o)- /hétər(ou)‑, ‑(ə)‑/ 〖語要素〗→語要素一覧 (1.2).

het・er・o・dox /hétərədɑ̀ks|hétərədɔ̀ks/ 形 (正式) 異端の, 正統でない; 異説を奉ずる (↔ orthodox).

het・er・o・dox・y /hétərədɑ̀ksi|-dɔ̀ksi/ 图 ©U 異端; 異説.

het・er・o・ge・ne・ous /hètərədʒíːniəs/ 形 (正式) **1** 異種の, 異質の. **2** 異成分から成る, 混成の, 雑多な (↔ homogeneous).

het・er・o・sex・u・al /hètərəsékʃuəl/ 形 異性愛の; (生物) 異性の; 両性の (↔ homosexual).

heterosexuality　　　**hieroglyphic**

——名 C 異性愛の人.
het·er·o·sex·u·al·i·ty /hètərəsekʃuǽləti/ 名 U 異性愛.

†**hew** /hjúː, (米+) júː/ (同音 hue, whew) 動 (過去 ~ed, 過分) **hewn**/hjúːn, (米+) júːn/ or ~ed) (文) **1** …を(おの・剣などで)たたき切る, 切る(cut, chop); …を切り倒す(+*down*) ‖ *hew down* a *tree* 木を切り倒す. **2** …を切って[刻んで]作る(cut) (+*out*) ‖ *hew* a *statue* from [*out of*] *marble* 大理石を刻んで立像を作る(=*hew* marble *into* a *statue*). ——自 〔…を〕(おのなどで)切る(cut) (+*away*)〔*at*〕.
hewn /hjúːn, (米+) júːn/ 動 hew の過去分詞形.
——形 荒削りの, 切り倒された.
hex·a·gon /héksəgàn|-gən/ 名 C 六角形.
hex·ag·o·nal /heksǽgənl/ 形 六角形の;〔鉱物〕六方晶系の.
hex·am·e·ter /heksǽmətər/ 名 U C〔詩学〕6歩格(の詩).

*__hey__ /héi/
——間 《略式・主に男性語》おい, ちょっと, おや, ええ《◆注意喚起・驚き・喜び・質問・当惑などを表す発言. 女性はふつう hi を用いる》‖ *Héy*(↘),｜what's the mátter? おい, どうしたんだ.
hey·day /héidèi/ 名 U [the/one's ~] (若さ・元気・繁栄などの)盛り, 絶頂, 最盛期.
hf (記) half.
HF (略) high frequency; home fleet [forces].
Hg (記号)〔化学〕mercury《◆ラテン語 hydrargyrum より》.
hgt., hgt (略) height.
hgwy., hgwy, hgy (略) highway.
HH (略) His [Her] Highness; His Holiness《教皇に対する称》.
H-hour /éitʃàuər, H hòur〚H hour の h から〛名〔軍事〕行動開始時刻(cf. D-day).

*__hi__ /hái/ (同音 high, hie)
——間 **1** (主に米)《hello よりも(略式)》‖ *Hí*, there!(↘) やあ, こんにちは! / *Hí*, Tom. (↘) トム, こんにちは!《◆"Hi, Mr. (Thomas) Brown." のように正式スタイルの語(句)とは用いない》. **2** (略式・主に英女性語)ねえ, ねえちょっと《◆ *hey* よりやわらかで, 時に男性も用いる》;(驚きを示して)へえ.
HI (略) Hawaii.
HI (略) Hawaiian Islands; humidity index.
hi·a·tus /haiéitəs/ 名 (複 ~·es, hi·a·tus) C〔正式〕[通例 a/the ~] 1 大きな割れ目;(交渉・仕事などの)中断. **2** (文・語などの)脱落. **3**〔解剖〕裂孔.
†**hi·ber·nate** /háibərnèit/ 動 自 **1**〈動物が〉冬眠する(↔ *estivate*). **2**〈人が〉暖かい所で冬を過ごす, 避寒する; 活動しないでいる.
hi·ber·na·tion /hàibərnéiʃən/ 名 U 冬眠; 避寒.
hi·bis·cus /haibískəs, hi-/ 名 U〔植〕ハイビスカス《◆Hawaii の州花》.
hic·cup, --·cough /híkʌp/ 名 C 1 しゃっくり; [~ 単数扱い] しゃっくりの発作(cf. sneeze) ‖ gèt [hàve] (the) *híccups* しゃっくりが出る. **2** (主に英略式) (…の)(短時間の)中断, 故障.
——動 (過去過分) **hic·cupped** or (米ではしばしば) ~ed/-t/; --·cup·ping or (米ではしばしば) --·ing) 自 (他)しゃっくりをする; …をしゃっくりながら言う.
hick·o·ry /híkəri/ 名 1 C〔植〕ヒッコリー《主に北米産のクルミの類. その堅くて丈夫なところは米国人の精神を象徴する木として, 英国人の oak と対比される. → oak》;=hickory nut. **2** U ヒッコリー材; C その

杖[むち].
híckory nùt ヒッコリーの実.
*__hid__ /híd/ 動 hide の過去形・過去分詞形.
*__hid·den__ /hídn/ 動 hide¹ の過去分詞形.
——形 隠れた, 隠された; 秘密の ‖ a *hidden* meaning 隠れた意味 / a *hidden* door 秘密の出入口.
hídden táx 間接税.

*__hide__¹ /háid/
——動 (~s/háidz/; 過去 hid/híd/, 過分 hid·den /hídn/ or hid; hid·ing)
——他 **1**〈人・物からく人・物を〉[人から/場所に] **隠す**; 覆い隠す, 見えないようにする(+*away*)〔*from* / *in, under*〕《◆ *conceal* より口語的》‖ *hide* oneself 隠れる《◆ oneself を省いた 自 の方がふつう》/ *hide* one's face in shame 恥ずかしくて顔をそむける / The sun was *hidden* by the clouds. 太陽が雲に隠れた / We have to *hide* sharp things *from* our baby. 刃物は赤ん坊の手の届かない所に置かなければならない / It is not our intention to *hide* anything. 我々は何も隠すつもりはありません. **2** 〈人が〉〈情報・感情など〉を包み隠す, 〔人に〕秘密にする(+*away*)〔*from*〕‖ The government tried to *hide* the news *from* the people. 政府はそのニュースを人々に気づかれないようにした.
——自〈人・動物が〉〔…から/…のうしろに/場所に〕**隠れる**(+*away, out, up*)〔*from/behind/in*〕‖ The crocodile hid in the water. そのワニは水中に姿を隠した / All hid [not hid]! (かくれんぼ)もういいよ[まだだよ]!
hide oneself *from* ▲ 〈人・物〉から身を隠す; …から目をそらす, …を見ないふりをする.
——名 C (英) (野生動物狩り[観察, 写真撮影]のための)隠れ場所(=(主に米) blind).

†**hide**² /háid/ 名 C (獣の)皮 (関連 → skin); U (略式) (人の)皮膚(skin).
haven't seen híde or [nor] háir of ▲ (略式) 〈人〉をまったく見かけない.
tán [dréss, hàve] ▲'s **híde** (略式)〈人〉をむち打つ, 厳しくしかる.
hide-and- ((米ではしばしば) **go-**)**seek** /háidəngóusíːk/ 名 U **1** かくれんぼ. **2** ごまかすこと, 避けること. **plày (at) híde-and-sèek** かくれんぼをする; ごまかす, 避ける.
hide·a·way /háidəwèi/ 名 C (略式) 隠れ場所; 人目につかない小さなレストラン[娯楽場].
hide·bound /háidbàund/ 形〈家畜が〉骨と皮ばかりの;〈樹木が〉成長できないほど皮がしまった;〈人が〉狭量な.
†**hid·e·ous** /hídiəs/ 形 **1** 恐ろしい, ぞっとする; ひどく醜い. **2** (道徳的に)ひどく不愉快な, 忌わしい. **3** とてつもなく大きな. **híd·e·ous·ly** 副 恐ろしく, ぞっとするほど. **híd·e·ous·ness** 名 U 恐ろしさ.
hid·ing /háidiŋ/ 動 → hide. ——名 **1** U 隠す[隠れる]こと ‖ be [stày] in *híding* 隠れて[世を忍んで]いる / gó into *híding* 隠れる / còme óut of *híding* 姿を現す. **2** C =hiding place.
híding plàce 隠れ場所, 隠し場所.
hi·er·ar·chy /háiərɑ̀ːrki/ 名 C U **1a** 階層制度, 職階級, ヒエラルキー. **b** [集合名詞; 単数・複数扱い] 支配[権力]層. **c** 教階制度; 聖職者政治. **2** 天使の階級《天使の3大別の1つ》; [集合名詞; 単数・複数扱い] 天使団.
hi·er·o·glyph·ic /hàiərəglífik/ 形 **1** (古代エジプトの)ヒエログリフの, 象形文字(風)の, 絵文字の; 象形文

hi-fi /háifái/ 名 (略式) 1 ⓤ =high fidelity. 2 ⓒ ハイファイ再生装置.

hig・gle・dy-pig・gle・dy /hígldipígldi/ (略式) 形 副 乱雑な[に], めちゃくちゃな[に].

＊high /hái/ (同音 hi, hie) height (名), highly (副)

index 形 1 高い 2 高さが…の 4 高度の 7 高貴な
副 1 高く

— 形 (〜・er, 〜・est)

I [位置が高い]

1 高い (↔ low) 《◆ 地上・基部からの高さに重きを置く語. 人には用いない. 横幅と比べて高さがはるかに長いものには tall を用いる: a tall [×high] man [tree] (図→ 高い所にある, 高地にある; 高い所への[の]) ‖ a high [tall] building 高いビル《◆(1) この場合下から見上げる場合は tall, 建物の上から下を見下ろす場合は high. tower の場合も同じ. (2)「高い鼻」については → nose [関連] (1)》/ a high plateau 高原 / a high dive 高飛び込み / high flying [flight] 高空飛行 / shoes with high heels かかとの高い靴 / a room with a high ceiling 天井の高い部屋 / The book is too high for me to reach. その本は高い所にあるので手が届かない / Mt. Fuji is not as high as Mt. Everest. =(正式) Mt. Fuji is less high than Mt. Everest. 富士山はエベレスト山ほど高くない / (ジョーク) "Do you think an elephant can jump higher than a lamppost?" "Yes, a lamppost can't jump."「ゾウは街灯よりも高くジャンプできるとお思いですか」「はい, 街灯はジャンプできませんから」.

2 [数詞などと共に] 高さが…の 《◆ 身長を数字で表すときは He is six feet tall. のようにいうのがふつう. 極端に背の低い人をいう場合, He is only three feet [foot] tall [in height]. のように high を用いる傾向がある》 ‖ How high are we now? 今我々はどれ位の高さの所にいますか / Mt. Fuji is 3,776 meters high. 富士山は3776メートルです / This building is ten stories high. この建物は10階建てです (=This is a ten-story (high) building. / This is a ten-story building.).

II [程度が高い]

3 〈価格・給料・率などが〉高い; [名詞の前で]〈生活などが〉ぜいたくな; […の]含有量が多い[in] ‖ food high in fat [calories] 高脂肪[カロリー]の食物.

[語法]「〈物が〉高価な」は expensive: an expensive [×a high] car. cf. Prices are high [×expensive]. 諸物価が高い.

4〈程度が〉高度の, ふつう以上の, 並みでない; 激しい, 強い, 鋭い,〈声が〉甲(ヵ)高い; 高率の, 高性能の;〈車のギアが〉ハイの ‖ a high temperature 高熱 / a high wind 強風 / I have high blood pressure. 私は血圧が高い.

5 [通例名詞の前で] 主な, 主要な; 重要な, 重大な ‖ a high crime 大罪.

6 [名詞の前で] たけなわの, 最盛期の 《◆ 比較変化しない》‖ high summer 盛夏 / It's high time for us to go. もうとっくにおいとまする時間だ.

III [地位が高い・優秀な]

7 [通例名詞の前で]〈人(の身分・地位など)が〉高貴な, 高位の ‖ a high position [place] 高い地位 / a high official 高官 (=a highly placed official) / a man of high birth 高貴の生まれの人 / the Most High 神.

8 [通例名詞の前で] 崇高な, 高潔な, 高尚な, 高遠な; 高級な, 上等の;〈学問などが〉高度に進んだ, 高等の;〈評価が〉高い ‖ high ideals 崇高な理想 / high quality 上質 / higher animals 高等動物《◆higher は「絶対比較級」》.

IV [その他]

9〈態度などが〉横柄な, 傲慢(ﾏﾝ)な; 意気盛んな; 陽気な, 楽しい; 興奮した; 激昂(ｷﾞｮｳ)した; (略式)〔通例補語として〕〔麻薬・酒で〕酔った, うっとりした[on] ‖ be [get] high on marijuana マリファナでハイになっている[なる] / have a high time 楽しい時を過ごす. **10** (略式)〔補語として〕〈獲物の肉〉がちょうど食べごろになった, 腐りかかっている. **11**〈時代が〉現在から遠く離れた;〈緯度が〉赤道から離れた ‖ a high latitude 高緯度. **12** [音声] 〈母音が〉高舌の.

— 副 **1** (〜・er, 〜・est) (物理的に) 高く, 高い所に[で]《◆この意味では highly は用いない》‖ Birds are flying high [×highly] in the sky. 鳥が空高く飛んでいる. **2** 高い地位へ[に]‖ rise high in one's profession 昇格する. **3** 高額に; ぜいたくに ‖ live high ぜいたくな暮らしをする (cf. high living → living 名) / Prices rose high. 物価が高くなった. **4** [通例ハイフン付き複合語で] 高度に, 大いに; 激しく, 強く ‖ high-priced goods 高価な商品 / a high-pitched voice かん高い声.

— 名 **1** ⓒ 最高水準[価格, 記録] ‖ reach a new high 新記録を作る. **2** ⓤ 高い所; 丘; 空, 天 ‖ on high (文) 高い所に; 天に / from (on) high 高い所[天]から;〈命令が〉上から, 最高幹部から. **3** ⓒ (略式) (麻薬などによる) 恍惚状態. **4** ⓒ 高気圧(圏). **5** ⓤ (米) =high gear. **6** ⓤ (米略式) =high school. **7** [the H〜] (英略式) =High Street.

hígh atmosphéric préssure 〔気象〕高気圧.
hígh béam ハイビーム《道を遠くまで照らすヘッドライトの光線》.
hígh círcles 上流社会 (high society).
hígh cólor お肌い顔色.
hígh cóurt (英) 高等法院; (豪) 最高裁判所.
hígh dáy 祝日, 祭日 ‖ high days and holidays 祭日と休日.
híghest cómmon fáctor [the 〜] 最大公約数.
hígh fáshion 最新のデザイン; オートクチュール.
hígh fidélity ハイファイ[高忠実度(再生)]であること (cf. high-fidelity).
hígh fíve (主に米) ハイファイブ《スポーツなどで, 頭上に互いに上げた右手をパチンと合わせる祝福のあいさつ》.
hígh frequency (1) [電気] 高周波《3-30 メガヘルツの周波数をいう. (略) HF》. (2) (出現数・発生率などの) 高頻度.
hígh géar (1) (米) (自動車の) トップギア ((英) top gear). (2) 最高の状態[調子] ‖ go [move] into high gear 最高潮に達する.
hígh júmp [the 〜] (1) 走り高跳び. (2) (英略式) 厳しい罰 ‖ be for the high jump こっぴどくしかられる; 絞首刑になる.
hígh life 上流社会の(ぜいたくな生活).
hígh nóon (1) (文) 正午, 真昼 ‖ at high noon 正午に. (2) 絶頂.

high òld tíme (略式) たいへん楽しいひととき(cf. 形 9 用法).

high prófile 高姿勢.

high resolútion (1) 〖コンピュータ〗高解像度. (2) 鮮明.

high ríse 高層建築(物) (cf. high-rise).

high róad =highroad.

high schòol (1) (米) ハイスクール《第7-12学年の学校. senior high school (第10-12学年)の意味で用いられることが多い》. (2) (英) (主に女子の)中等学校.

関連 [いろいろな種類の high school]
agricultural *high school* 農業高校／commercial *high school* 商業高校／correspondence *high school* 通信制高校／full-time *high school* 全日制高校／junior *high school* (米)中学校／part-time *high school* 定時制高校／senior *high school* (米)高等学校／technical *high school* 工業高校／vocational *high school* 職業高校.

---

hígh séas (文) [the ~] 公海(the open seas).

hígh séason [(the) ~] 最も利用[観光]客が多い時期.

hígh socíety 上流社会.

hígh spòt (略式) 最も重要な部分[特徴].

Hígh Strèet (英) [(the) ~] (町の)本通り((米) Main Street).

hígh téa (英・豪) 午後遅くの[夕方早くの]食事.

hígh téch 高度先端(科学)技術, 先端(工業)技術, ハイテク(high technology) (cf. high-tech).

hígh technólogy =high tech.

hígh tíde (1) 満潮, 満潮時(の水位) (high water) ‖ set sail at high tide 満潮時に出帆する. (2) 絶頂, 最高潮.

hígh tíme (1) 楽しいひととき(→ 形 9). (2) → time 名 10.

hígh wáter 満潮, 満潮時(の水位).

hígh wíre (綱渡り用の)張り綱; はらはらさせるもの.

-high /-hai/ (連結形) =語要素一 high.

†**hígh·ball** /háibɔːl/ 名 C (米) ハイボール《ウイスキーやブランデーを水やソーダ水で割ったもの》《◆今は whiskey [bourbon] and soda などというのがふつう》.

†**hígh·boy** /háibɔi/ 名 C (米) 脚付きの高い洋だんす ((英) tallboy).

hígh·bred /háibréd/ 形 1 高貴の生まれの; 〈犬などが〉純血種の. 2 行儀のよい, 上品な.

hígh·brow /háibrau/ 名 C 知識人, 教養人; インテリぶる人(↔ lowbrow). ── 形 知的な, 教養のある; インテリ向きの.

hígh-class /háiklǽs/ -klɑ́ːs/ 形 1 高級な, 一流の. 2 地位の高い.

hígh-def·i·ní·tion télevision /háidefəníʃən-/ 〖電子工学〗高品位テレビ (略) HDTV.

hígh·er /háiər/ 形 副 1 high の比較級. 2 [絶対比較級として] 高等の.

hígher críticism 高等批評《文学作品, 特に聖書の科学的研究》.

hígher educátion 高等教育, 大学教育.

hígh-fi·del·i·ty /háifidéləti, -fai-/ 形 〈音響機器が〉ハイファイの, 高忠実度(再生)の(略) hi-fi) (cf. high fidelity).

hígh-grade /háigréid/ 形 1 高級の. 2 〈鉱石などが〉純度の高い.

hígh·jack /háidʒæk/ 動 名 =hijack.

†**hígh·land** /háilənd/ 名 1 UC [しばしば ~s] 高地, 高原, 台地. 2 [the Highlands] スコットランド高地地方(cf. Lowlands).

hígh·land·er /háiləndər/ 名 C 高地人; [H~] スコットランド高地人[高地連隊兵].

hígh-lev·el /háilévl/ 形 1 〈会議などが〉上層部の. 2 高い所に蔵する, 高い所で起こる, 高い所からの. 3 〈言葉・話が〉形式ばった, 専門的な.

hígh·light /háilait/ 名 C [通例 ~s] 1 〔写真・絵〕最も明るい部分. 2 [通例 ~s] 染めた髪の明るい部分. 3 (事件・催し物などの)ハイライト, 最も面白い[楽しい, わくわくする]部分, 呼び物, 目玉商品. ── 動 他 1 …に明るい光を当てる. 2 …を目立たせる, 強調する.

*__hígh·ly__ /háili/ [→ high]
── 副 (more ~, most ~)《◆ high 副1と異なり比喩的に「高く」の意に用いる》 1 [形容詞・過去分詞を修飾して] 非常に, 大いに; 高度に ‖ highly indignant [evident, intelligent] とても腹を立てた[明白な, 聡明な] 《◆単音節の日常的な語とは連語しない: ×highly mad [clear, bright, strange, wise, good, rich] / She is highly [×high] respected. 彼女はとても尊敬されている》.

2 [通例評価を表す動詞と共に] 大いにほめて, たいそう好意的に ‖ prize [value] it highly それを高く評価する / speak highly of … …を高く評価する, ほめる / think highly of … …を大いに尊敬する, 高く評価する.

3 [過去分詞を修飾して] 高位に, 高貴に; 高価に, 高給に ‖ a highly placed government official 政府高官 / a highly paid worker 高給取り.

hígh-necked /háinékt/ 形 ハイネックの, えりぐりの浅い.

†**hígh·ness** /háinəs/ 名 1 U 高いこと; 高価; 高度 ‖ the highness of the wall 壁が高いこと《◆ the height of the wall は「壁の高さ」》. 2 [H~] 殿下 ‖ His [Her] Highness 殿下[妃殿下]《◆ (1) 王族に対する敬称. 2人以上の場合には Their Highnesses となる. (2) 直接に呼びかける時は Your Highness(es)》.

hígh-oc·tane /háiɑ́ktein/, -ɔ́k-/ 形 1 〈ガソリンが〉高オクタン価の. 2 〈酒類が〉純度の高い, 強い.

hígh-pitched /háipítʃt/ 形 1 〈音・声が〉調子の高い, かん高い. 2 〈屋根などが〉急傾斜の. 3 〈議論などが〉激しい.

hígh-pow·er(ed) /háipáuər(d)/ 形 1 高性能の; 〔光学〕高倍率の; 馬力の大きい, 強力な(powerful). 2 〈人が〉有能な; 精力的な; 〈本の内容などが〉高度な.

hígh-pres·sure /háipréʃər/ 形 1 高圧の, 高気圧の(↔ low-pressure). 2 〈人(の行為)などが〉高圧的な, しつこい, 強引な.

hígh-priced /háipráist/ 形 高価な(expensive).

hígh-rise /háiráiz/ 形 高層の, 高層建築の(cf. high rise).

†**hígh·road** /háiroud/, **hígh ròad** 名 C 1 (主に英古) 主要(幹線)道路, 本街道(main road). 2 [通例 the ~] …への王道, 近道, 確実な道[方法](to).

hígh-speed /háispíːd/ 形 高速(度)の ‖ a high-speed bus 高速バス.

hígh-spir·it·ed /háispírətid/ 形 元気のいい, 活発な, 大胆な; 〈動物が〉気の立った ‖ a high-spirited horse 元気のいい馬.

hígh-strung /háistrʌ́ŋ/ 形 緊張した, 神経質な, 興奮しやすい.

†**hígh-tech** /háiték/ 形 高度先端技術の, ハイテクの

high・way /háiwèi/ /『公の(high)道路(way)』/
— 名 (複 ~s/-z/) ⓒ **1** (主に米) **幹線道路**, 主要道路, 街道, 街道(main road) (◆(1)(英)では trunk road. (2)「ハイウェイ(=高速自動車道)」は(米) expressway, throughway, thruway, freeway, (英) motorway》‖ His restaurant is on the busy *highway*. 私の家はにぎやかな幹線道路に面している.

【関連】**[米国の幹線道路]**
county trunk *highway* 郡主要道 / interstate *highway* 州にまたがる幹線道路 / provincial *highway* 地方道 / state *highway* 州道 / US *highway* 国道(→ route 事情)

【語法】数字を伴って特定の道路を示す場合はふつう大文字: US *Highway* 1 / Interstate *Highway* 465.

2 [...の](水陸の)主要ルート[経路] 〈*for*〉. **3** [...への]王道, 近道〈*to*〉‖ the *highway to* promotion 昇進への近道.

Híghway Códe (英) [the ~] (ドライバーのための公式の)交通規則(集).
highway róbbery =daylight robbery.
high・way・man /háiwèimən/ 名 (複 **-men**) ⓒ (昔, 馬に乗って公道に出没した)おいはぎ((PC) robber, bandit).
HIH 略 His [Her] Imperial Highness 殿下[妃殿下].
hi・jack, high-- /háidʒæk/ 動 ⓣ **1** 〈積荷などを〉[...から]強奪する;〈トラックなど〉から積荷を強奪する,〈人〉から持ち物を強奪する. **2** 〈飛行機など〉を乗っ取る, ハイジャックする. — ⓘ ハイジャックする, 飛行機を乗っ取る. — 名 ⓒ ハイジャック.
hí・jack・er 名 ⓒ ハイジャック犯人.
hí・jack・ing /háidʒækiŋ/ 名 ⓒⓤ ハイジャックすること, ハイジャック事件.
†**hike** /háik/ (略式) 動 ⓘ **1** 〈人が〉ハイキングをする, 田舎を歩き回る ‖ We went *hiking in [to] the country* yesterday. 私たちはきのう田舎にハイキングに行った「ハイキングをしながら田舎へ行った」(cf. I went fishing in [×to] the river.). **2** 〈スカートなどが〉引き上がる(+*up*);〈生活費などが〉上がる(+*up*). — ⓣ (米略式)〈人・ズボン・靴下などを〉引き上げる(+*up*);〈家賃・賃金・価格などを〉[...まで]急に引き上げる(+*up*)〈*to*〉. — 名 ⓒ **1** [通例 a ~] ハイキング, 徒歩旅行 ‖ *go on [for] a hike* in the hills [country] 山[郊外]へハイキングに行く. **2** (米略式)〈価格・給料などの〉大幅な引き上げ〈*in*〉.
hik・er /háikər/ 名 ⓒ ハイカー, 徒歩旅行者.
hík・ing /háikiŋ/ 名 ⓤ ハイキング, 徒歩旅行.
†**hi・lar・i・ous** /hiléəriəs, (米+) hai--/ 形 (正式) 陽気な, 楽しい(merry);浮かれ騒ぐ(joyous);とても面白い.
hi・lár・i・ous・ly 副 陽気に, 浮かれ騒いで.
hi・lar・i・ty /hilǽrəti, (米+) hai--/ 名 ⓤ (正式) 陽気, 愉快, 浮かれ騒ぎ.

:**hill** /híl/ (類音) hell /hél/) 『「隆起したもの」が原義』
— 名 (複 ~s/-z/) ⓒ **1** **丘**, 小山 (◆(英)では標高600メートルぐらいまでのものをいう. 日本語の「小山」に相当することも多い》‖ The tower stands on a *hill*. その塔は丘の上に立っている. **2** [the H~] = Capitol Hill. **3** 坂, 坂道(slope) ‖ *Hill Ahead* (掲示) 前方坂あり / go *up* [*down*] a steep *hill* 急な坂を上る[下る] / Don't park on a *hill*. 坂道に駐車してはいけません. **4** (アリなどの)塚.
híll státion 高原避暑地;(インドの役人の)夏季駐在地.
hill・bil・ly /hílbili/ 名 ⓒ (米略式) **1** 山岳地帯[奥地]の住人[出身者]. **2** =hillbilly music.
híllbilly músic ヒルビリー《南部の民謡》.
†**hill・ock** /hílək/ 名 ⓒ (正式) 小山; 塚.
†**hill・side** /hílsàid/ 名 ⓒ 丘の中腹, 丘の斜面.
†**hill・top** /híltɑ̀p/ 名 ⓒ 丘[小山]の頂上.
†**hill・y** /híli/ 形 (**--i・er, --i・est**) **1** 丘[小山]の多い. **2** 小山のような, 小高い;〈道が〉険しい.
†**hilt** /hílt/ 名 ⓒ (文) (刀剣の)柄(2), (道具・武器の)柄(え)(handle).

:**him** /(弱) him, im; (強) hím/ (同音) hymn) 『he の目的格』 (⊃文法 15.3(3))
— 代 (働) **1** 〈彼〉(を), 彼(に) ‖ Bob wants to know your address. Let *him* know when you're free. ボブは君の住所を知りたいそうだ. 手があいたら知らせてやってくれ. **2** (擬人法) それを[に] (◆*it* の代用. → he 2).
HIM 略 His [Her] Imperial Majesty 皇帝[皇后]陛下.
Him・a・la・ya /hìməléiə, himɑ́ːliə/ 『「雪の住まい」が原義』 名 [the ~s] =the ~ Mountains ヒマラヤ山脈.
Him・a・la・yan /hìməléiən/ 形 ヒマラヤ(山脈)の.
Himáláyan cédar (植) ヒマラヤスギ.

:**him・self** /(強) himsélf; (弱) im--/ 『he の再帰代名詞』 (⊃文法 15.3(5))
— 代 (働 themselves) **1** [再帰用法] 彼自身(を, に) ‖ He prides *himself* on having a beautiful wife. 彼は美人の妻を持っているのが自慢だ. **2** [強調用法] 彼自身 ‖ Why didn't Max come *himself*? なぜマックスが自分で来なかったのだ. **3** 彼 (◆*him* の強調代用形》‖ I'll ask his mother and *himself* to come over to our place. 彼の母親と彼に我が家に来てくれるよう頼もう.
[◆成句は → oneself].
†**hind**[1] /háind/ 形 後ろの, 後部の, 後方の (↔ fore) (◆前後が対をなすものに用いる. 一般に対でないものには hinder[2] を用いる》‖ the *hind* legs of a dog 犬の後脚 / the *hind* wheels 後部車輪 / the *hind* end (遠回しに) おしり.
†**hind**[2] /háind/ 名 (複 ~s) ⓒ (動) 雌ジカ (特に3歳以上のアカシカの雌》(↔ hart, stag).
†**hin・der**[1] /híndər/ 動 ⓣ **1** 〈人・事・物が〉〈事〉を妨げる, 遅らせる;〈人〉の〈仕事などを〉邪魔する〈*in*〉‖ The heavy rain *hindered* traffic. 大雨で交通が渋滞した / Nothing *hindered* (him in) his study. 彼の勉強を邪魔するものは何もなかった. **2** [hinder A (from) doing]〈人・事・物が〉〈人〉が...するのを妨げる, できないようにする (◆(1) stop, prevent より堅い語. 同じ構文をとる prevent に比べ,「じゃまをして遅らせたり止めたりする」ことを強調する. (2) from を省略するのは (略式)》‖ Illness *hindered* me from attending the party. 病気で私はそのパーティーに出席できなかった.
hínd・er[2] /háindər/ 形 後部の, 後方の.
Hin・di /híndi/ 名 ⓤ ヒンディー語 《印欧語系. インドの主要言語》.— 形 北部インドの; ヒンディー語の.

hind·quar·ter /háindkwɔ̀ːrtər, -kɔ̀ːr-/=́/ 名 **1** (獣肉の)後四半部《後脚と臀部(ﾃﾝ)》. **2** [~s] (獣の)体の後半部, 臀部.

†**hin·drance** /híndrəns/ 名 〖正式〗 Ⓤ〔…の〕妨害, 邪魔〔to〕;〔…の〕邪魔になる物[人]〔to〕, 障害物 (obstacle) ‖ without hindrance 無事に / a hindrance to development 発展の障害になる物.

†**Hin·du** /híndu:/ 名 -/ 名 **1** Ⓒ ヒンドゥー人《北部インドに住む》; ヒンドゥー教徒. **2** [~s] ~ 形 ヒンドゥー人の, ヒンドゥー教の; インド人の ‖ the Hindu religion ヒンドゥー教.

Hín·du·ism 名 Ⓤ ヒンドゥー教.

Hin·du·stan /hìndustǽn, -stɑ́ːn/ 名 **1** ヒンドゥスタン《インドのペルシア名. 特に Deccan 高原北部地方》. **2** ヒンドゥスタン《(イスラム教徒に対して)インドのヒンドゥー教地帯》.

Hin·du·sta·ni /hìndustɑ́ːni, -stǽni/ 名 Ⓤ ヒンドゥスターニー語《インドの公用語の1つ》(略) Hind.).

†**hinge** /híndʒ/ 名 Ⓒ **1** (開き戸などの)ちょうがい, 関節. **2** 要点, かなめ. **3** 〖郵趣〗 ヒンジ.
off the hínges (1) ちょうがいがはずれて. (2) (身体・精神の)調子が狂って.
── 動 他 …にちょうがいをつける. ── 自 **1** ちょうがいで動く. **2** 〖正式〗〔…〕次第である(depend) 〔on, upon〕《正式》〔…〕次第である (depend) 〔on, upon〕〔進行形不可〕 ‖ His decision hinges on it. 彼の決心はそれ次第だ.

*****hint** /hínt/ 〖『つかむ』が原義. cf. hunt〗
── 名 (~s/hínts/) Ⓒ **1 a** 〔…に関する〕ほのめかし, ヒント, 暗示; 手がかり〔about, on, as to〕;〔…という〕ヒント〔that節〕 ‖ a delicate [broad, clear] hint ほのかな暗示[露骨な, わかりやすいヒント] / drop [let fall] a hint 'to him [in his ear]' 彼にほのめかす / take a [the] hínt 〖略式〗 (ほのめかされて)それと感づく, ピンとくる / give a hínt as to his identity 彼がだれなのかヒントを与える / I gave her a hint that I did not want to approve the decision. その決定には賛成したくないということを彼女にほのめかした. **b** [しばしば ~s] 〔…のための〕〔…についての〕(簡単な)助言, 手引き, 心得, 指示〔for/on〕 ‖ hints on cooking 料理の心得 / useful hints for new students 新入生に役立つ手引き / hints for ˣabout, ˣto〕 further study さらに進んだ研究についての助言 [注意].
2 [a ~] 〔…の〕かすかな徴候; 微量, わずかな量〔of〕 ‖ a hint of pepper 少量のコショウ / There is a hint of fall in the air. 大気にはかすかな秋の気配が感じられる.
── 動 (~s/hínts/, 過去・過分 ~ed/-ɪd/; ~·ing)
── 他 〈人・事が〉〈事を〉〔人に〕ほのめかす, 暗示する〔to〕; [hint that節] …とそれとなく言う ‖ He hinted his disapproval to me. 彼は私にそれとなく不賛成の意を示した《◆ ˣHe hinted me his proposal. とはいわない》 / She hinted to me that my tie was not straight. 彼女は私のネクタイが曲がっているのをそれとなく教えてくれた.
── 自 〔…〕をほのめかす, それとなく言う, あてこする〔at〕;〈物・事が〉〔物を〕暗示する〔of〕 ‖ hint at her impoliteness 彼女の無作法をそれとなく注意する.

hin·ter·land /híntərlænd/ 〖ドイツ〗 名 Ⓒ **1** 〖正式〗 (通例 the ~] (沿岸地帯の)後背地;内陸地域. **2** [しばしば ~s] 奥地, 田舎, 地方.

†**hip** /híp/ 名 Ⓒ 腰, しり《臀(ﾃﾝ)部だけでなく, 腰の左右に張り出した部分の片方の意. そのため, しばしば hips として使われる. 日本語の「しり」に最も近いのは buttocks. 図 → back, body》; 〖解剖〗 =hip joint ‖ with one's hands on one's hips 両手を腰に当てて(→ akimbo) / fall on one's hips しりもちをつく.
híp bòot (漁師の)腰までの長靴.
híp flàsk (しりのポケットに入れる)携帯用の酒の小びん.
híp jòint 股(ﾏﾀ)関節.
híp pòcket (ズボンの)しりのポケット.
híp ròof 〖建築〗 隅棟屋根.
hip·bone /hípbòun/ 名 Ⓒ 〖解剖〗 **1** 寛骨, 無名骨, 座骨. **2** =ilium.
hipped /hípt/ 形 [通例複合語で] しり[腰]が…の.
hip·pie, -·py /hípi/ 〖略式やや古〗 名 Ⓒ 形 ヒッピー(族) (の).
hip·po /hípou/ 名 (複 ~s) 〖略式〗 =hippopotamus.
Hip·poc·ra·tes /hıpákrətìːz/ |-pɔ́k-/ 名 ヒポクラテス《460?-377? B.C.; ギリシアの医師. 「医学の父」と呼ばれる. Art is long, life is short. (芸術は長く人生は短し)は彼の言葉》.
Hip·po·crene /hípəkrìːn, hìpəkríːn/ |-pəu-/ 名 **1** 〖ギリシア神話〗 ヒッポクレーネ《Helicon 山のミューズの霊泉》. **2** Ⓤ 〖詩〗 詩的霊感.
hip·po·pot·a·mus /hìpəpátəməs/ |-pɔ́t-/ 名 (複 ~·es, -·mi/-mài/) Ⓒ 〖動〗 カバ(略式) hippo).

*****hire** /háiər/ 〖『給料』が原義〗
── 動 (~s/-z/; 過去・過分 ~d/-d/; hir·ing /háiəriŋ/)
── 他 **1** 〈人が〉〈人〉を雇う(employ)《◆ 〖英〗 では主に「一時的に・特定の目的で」の意》 ‖ hire a babysitter by the hour 時間給でベビーシッターを雇う / hire men on ability rather than family connections 縁故でなく能力で人を雇う / She hired a gardener to plant some trees. 彼女は庭師を雇って木を植えさせた.
2 (主に英〉〈人が〉〈物〉を〔人から〕(一時的に・特定の目的で) 賃借りする, …を〔損料を払って〕借りる(rent) 〔from〕(→ rent 他 **3** 語法〉 ‖ Tom hired a boat from Bill. トムはビルからボートを賃借りした / hire a car (運転手付きで)車を借りる《◆ 車だけを借りるのは rent a car》.
3 〈物〉を〔…に/金額で〕賃貸しする((米) rent) (+out) 〔to/for〕;〈人〉を〔…として〕雇いに出す;[~ oneself] 〔…として〕雇われる(+out) 〔as〕 ‖ Bill hired a boat to Tom. ビルはトムにボートを賃貸しした / I hired myself out as a housekeeper. 私は家政婦として雇われた.
híre A awày 〈人〉を〔…から〕引き抜く〔from〕.
── 名 〖主に英〗 **1** Ⓤ 借り賃, 使用料; 賃金. **2** Ⓤ (物の)賃借り[賃し]; (人の)雇用; Ⓒ 雇用者, 新入社員.
for [on] híre 賃貸しで(の); 賃金を取って((米) for rent); [For H~] 〈タクシーの表示〉 空車.

hir·ing /háiəriŋ/ 動 → hire.
hir·sute /hə́ːrsjuːt/ 形 〖正式〗 〈顔・体が〉毛深い (hairy); 〖正式〗 毛むじゃらの; 毛の, 毛質の.

‡his /(弱) hiz, iz; (強) híz/ 〖he の所有格・所有代名詞〗 ◎文法 15.3(2)(4)〗
── 代 **1** [名詞の前で] 彼の ‖ He took a gift for her out of his pocket. 彼は彼女への贈り物を(彼の)ポケットから取り出した.
2 [擬人法] その, そのその《◆ its の代用》 ‖ The sun began to cast his light upon us. 太陽は我々に光をそそぎ始めた.
3 彼のもの《◆ his + 先行詞名詞の代用》 ‖ My son

is in Tokyo and *hís* is in Kyoto. 私の息子は東京に, 彼の息子は京都にいる.
4 [a [this, that etc.] ＋名詞＋ of ～] 彼の ‖ Look at those followers of *his*. 彼のあの取り巻き連中を見てみろ.

†**hiss** /hís/ 動 ⾃ **1**〈蒸気・ヘビ・やかんなどが〉シュー[シュッ]と音を出す; 〈水などが〉(高熱の物に触れて)ジューと音を出す ‖ The steam [snake] *hissed*. 蒸気[ヘビ]がシューと音を立てた. **2**〈人などが〉(…に)〈非難・不賛成などを表して〉シーッと言う[*at*] ‖ *hiss* at 'a play [an actor] シーッと言って劇[俳優]をやじる. ━他 〈正式〉**1**〈非難・警告などを〉(役者・演説者などに)シーッと言って表す[*to*]; 〈怒って·あせって〉「…」とささやく, 〈人などを〉シーッと言ってしかる[制止する, 退ける]. **2**〈人・動物を〉シッシッと言って追い払う[やり倒す, 引っ込ませる](*boo*)(＋*away*, *down*, *off*) ‖ *hiss* a speaker *away* [*down*] 弁士をやじって去らせる[黙らせる]. ━名 **1** (蒸気·ヘビなどの)シューという音. **2** (非難・不賛成・怒りなどの)シッという声. **3** 〈音声〉歯擦音《特に /s, z/》.

his·tol·o·gy /hɪstɑ́lədʒi/ │-tɔ́l-/ 名 Ⓤ 組織学《顕微鏡的解剖学》.

†**his·to·ri·an** /hɪstɔ́ːriən/ ◆〈英〉では時に /ɪstɔ́ːriən/〉 名 Ⓒ **1** 歴史家, 歴史学者 ‖ He is a British *historian*. 彼は英国史家だ / an 18th-century *historian* 18世紀の歴史研究家. **2** 年代記編者.

*****his·tor·ic** /hɪstɔ́ːrɪk/ ◆**1** は〈英〉では /ɪstɔ́rɪk/ と発音されることがある. その場合, 直前の不定冠詞は an *historic* place のように an となる. また the も /ðɪ/ と発音される. これは historical, historian なども同じ》『→ history』━形 **1** 〔通例名詞の前で〕 歴史上重要な〈有名な〉‖ a(n) *historic* spot 名所旧跡 / a(n) *historic* battlefield 古戦場 / Ieyasu Tokugawa is a(n) *historic* figure. 徳川家康は歴史上重要な人物だ. **2**〈古〉＝historical **1, 2**.

históric présent〈文法〉〔the ～〕歴史的現在《過去の出来事を生き生きと描写するために用いる現在時制》.

históric times 有史時代(↔ prehistoric times).

*****his·tor·i·cal** /hɪstɔ́ːrɪkl/ ◆**1, 2** は〈英〉では時に /ɪstɔ́rɪkl/ ━形 ◆比較変化しない〔通例名詞の前で〕**1** 歴史の, 歴史に関する; 歴史的な; 〔言語〕通時的な ‖ *historical* research 歴史的研究 / a *historical* account 歴史的な説明. **2** 史実に基づく; 歴史上実在した ‖ a *historical* painting 歴史画 ◆a historic painting は「画期的な絵画」》/ a *historical* person 歴史上の人物. **3** ＝historic **1**.

históriçal présent ＝historic present.

his·tor·i·cal·ly /hɪstɔ́ːrɪkəli/ 副 歴史的に, 歴史上.

:**his·to·ry** /hístəri/『「過去を知ること」が原義』(派) historian (名), historic (形), historical (形) ━名 (複 ~·ries/-z/) **1** Ⓤ 歴史; (歴)史学; Ⓒ (歴)史書 ‖ British *history* 英国史《無冠詞に注意》/ the *history* of England イングランド史; 英国史 / take several courses in *history* 歴史の講義をいくつか履修する ‖ I read a *history* of Japan. 日本史の本を1冊読んだ / the first time in *history* 史上はじめて. **2** Ⓒ 〔通例 a/one's ～〕(人の)履歴, 経歴, 前歴; 〔医学〕病歴; 由来, 沿革 ‖ personal *history* 履歴(書) / a medical *history* 病歴 / He has a *history* of criminal activity.

彼には前科がある. **3** Ⓤ 過去のこと; 波乱に富んだ過去. **4** Ⓤ 〈歴史的〉記述 ‖ natural *history* 博物学. **5** Ⓒ 〈コンピュータ〉履歴, ヒストリー, 検索記録.

máke hístory 歴史に残るような重大なことをする.

his·tri·on·ic /hìstriɑ́nɪk│-ɔ́n-/ 形〈正式〉**1** 俳優の, 演技の. **2** 芝居じみた.

***hit** /hít/『「ぶつかる」が原義』━動 (～s/hits/; [過去·過分] hit; hit·ting) ━他 **1**〈人·物が〉〈人·物を〉(…で)打つ, たたく, なぐる〔*with*〕〈類語〉beat, strike〉;〈人·物に〉ぶつかる; 〈物を〉(…に)ぶつける[*on*, *against*]; 〈矢などが〉標的に命中する; 〈人が〉〈標的に〉命中させる ‖ *hit* the ball to right field ボールをライトへ打つ / He fell and *hit* his head *against* the wall 彼は倒れて壁に頭をぶつけた / She was *hit* *on* [*over*] *the head*. 彼女は頭を打たれた《◆「顔を打たれた」ならば She was *hit in the face*.》(→ catch 他 **1 c**) / She got *hit* by a car. 彼女は車にはねられた.

〈語法〉次の3つの文型に注意: He *hit* the vase *with* the stick. 彼はステッキで花びんをたたいた / He *hit* the stick *on* [*against*] the table. 彼はテーブルにステッキを打ちおろした / The stick *hit* the vase. ステッキが花びんに当たった.

2〔野球〕〈人が〉〈安打などを〉打つ; 〈投手が〉〈打者に〉デッドボールを与える; 〔クリケット〕〈得点を〉打って入れる ‖ *hit* three consecutive home runs 連続3本ホームランを打つ / He *hit* a double in the first inning. 彼は1回に2塁打を放った.
3〈事が〉〈人などに〉打撃[影響]を与える《◆しばしば hard, badly を伴う》; 〈人·場所などを〉襲う, 攻撃する; 〈人·作品などを〉厳しく批評する ‖ The bankruptcy of our company *hit* our family hard. 会社が倒産したことは私たちの家族にかなりの打撃を与えた / We were hard [badly] *hit* by 'the depression [the lack of rain]. 我々は不況[雨不足]のために大打撃を受けた / Typhoon No. 20 *hit* the Kii Peninsula. 台風20号は紀伊半島に上陸した.

〈使い分け〉 [**hit** と **attack**]
hit は「風·台風·地震などが襲う」の意.
attack は「敵·病気などが襲う」の意.
The soldiers *attacked* [×hit] the enemy at dawn. 兵士たちは夜明けに敵を襲った.
A big earthquake *hit* [×attacked] Japan. 大地震が日本を襲った.

4〈水準·程度などが〉達する ‖ *hit* a new high [low] 最高[最低]記録を更新する / This car can *hit* 120 miles an hour. この自動車は時速120マイルに出る. **5**〈略式〉〈場所に〉着く. **6**〈略式〉〈障害·困難·問題などに〉出くわす, 出会う;〈正しい道などを〉うまく[偶然]見つける;〈考えなどが〉〈人に〉思い浮かぶ. ━⾃ **1** (…に)ぶつかる[*against*]. **2**(…に)ぶつかる, たたく, なぐろうとする[*at*].

hit and rún (1) ひき逃げをする;〈爆撃機などが〉襲うとすぐに立ち去る. (2)〔野球〕ヒットエンドランをする(cf. 名 成句, hit-and-run).

hit báck 〔⾃〕〔人に〕仕返しをする, 反論する[*at*]; 〔人に〕抵抗する[*against*]. ━〔他〕〈人を〉なぐり返す.

hit it (1)〈略式〉うまく言い当てる. (2)〈俗〉演奏を始める.

hit it óff 〔…と〕(すぐに)仲よくなる, 意気投合する〔with〕.

hit on [〖正式〗**upón**] A …を思いつく, …に出くわす ‖ I hit on a good idea. いい考えが浮かんだ(=A good idea occurred to me.).

***hit óut** 〘自〙〔…に〕なぐりかかる;〔…を〕激しく非難〔攻撃〕する〔at, against〕.

—〘名〙(複 ~s/hits/) Ⓒ **1**〘略式〙(興行などの)**ヒット, 大成功; 幸運; ヒット曲; 人気者** ‖ a box-office hit (芝居・映画などの)大当たり / make a hit … …に大当たりする;〈人〉に気に入られる / She is a hit with us. 彼女は我々の人気者です.
2 打撃; 衝突; 〘~の〙命中〔on〕‖ make a hit at … …をなぐる / a hit by pitch〘野球〙デッドボール《♦ dead ball とはいわない》.
3〘野球〙**ヒット, 安打** ‖ get a hit ヒットを打つ《×hit a hit は不可》/ give up a hit ヒットを打たれる / scatter hits〈投手が〉集中安打を浴びない / spray hits〈打者が〉安打を左右に打ち分ける.

> 〘関連〙[いろいろな種類の hit]
> bunched hits 集中打 / clean hit クリーンヒット / infield hit 内野安打 / one-base hit 単打 / three-base hit 3塁打 / timely hit 適時打, タイムリーヒット / two-base hit 2塁打.

4 〔…に対する〕当てこすり, 酷評〔at〕. **5**〘コンピュータ〙ホームページの **a** ヒット《アクセス件数》. **b** ヒット《検索項目数》.

hit and rún ひき逃げ;〘野球〙ヒットエンドラン(cf. 〘成句〙, hit-and-run).

hit màn 殺し屋.

hit-and-miss /hítənmís/ 〘形〙〘形式〙運任せの.

hit-and-run /hítənrʌ́n/ 〘形〙**1** ひき逃げの;〈爆撃などが〉攻撃してすばやく引き上げる(→ hit 〘動〙〘名〙〘成句〙).
2〘野球〙ヒットエンドランの.

hít-and-rún dríver ひき逃げ運転手.

hít-and-rún pláy〘野球〙ヒットエンドラン.

†**hitch** /hítʃ/ 〘動〙他 **1** 〈かぎ・なわなど〉を引っ掛ける ‖ hitch a rope round a tree ロープを木に引っ掛ける. **2** 〈動物〉を〔…に〕つなぐ〔to〕;〈牛・馬など〉を車につなぐ〔+up〕‖ hitch a horse to a cart 馬を車につなぐ. **3** …をぐいと動かす〔引く, 引き寄せる〕〔+up〕‖ hitch up one's pants ズボン(ののぞ)を引き上げる. —〘自〙ヒッチハイクする(hitchhike)《♦ 米国では危険なので今は禁止している州が多い》.

hítch ón〘自〙(仲よく)一緒にやっていく.

—〘名〙Ⓒ **1** ぐいと引く〔動かす〕こと. **2**〘すぐほどけるように結んだ〕引っ掛け結び; 連結部, つなぎ; 引っ掛かり;〔計画などの〕延期, 障害, 中断〔in〕‖ without a hitch〘略式〙滞りなく.

hitch·hike /hítʃhàik/ 〘名〙Ⓒ〘動〙〘自〙ヒッチハイク(する)(→ hitch).

hitch·hik·er /hítʃhàikər/ 〘名〙Ⓒ ヒッチハイクする人.

hítchhiker's thúmb ヒッチハイカーの親指《♦ ヒッチハイクする人は親指を行きたい方向に立てて合図する》.

†**hith·er** /híðər/ 〘文〙〘副〙〘形〙ここへ(の), こちらへ(の).

†**hith·er·to** /híðərtúː/ 〘副〙〘正式〙〘通例(現在)完了時制で〙今まで, 従来(till now) / これまで(まだ)(so far) ‖ a land hitherto unknown to the world 今まで世界に知られていなかった土地.

Hit·ler /hítlər/ 〘名〙ヒトラー《**Adolf** /éidɔlf | ǽdɔlf/ ~ 1889–1945; ドイツの政治家. ナチスの指導者》.

Hít·ler·ism 〘名〙Ⓤ ヒトラー主義《ドイツ国家社会主義》.

hit·ter /hítər/ 〘名〙Ⓒ 打つ人;〘野球〙打者(batter); パンチ力のあるボクサー ‖ a .300 hitter 3割打者《♦ a three hundred hitter と読む》/ a leadoff hitter 1番打者.

HIV 〘略〙 human immunodeficiency virus ヒト免疫不全ウイルス, エイズウイルス ‖ be HIV positive [negative] HIV 陽性[陰性]である.

†**hive** /háiv/ 〘名〙Ⓒ **1** ミツバチの巣箱(beehive) ‖ The hive is swarming with bees. ミツバチの巣箱はミツバチで群れている. **2**〘単数・複数扱い〙(1つの巣の)ミツバチの群れ. **3**〘英〙忙しい人が多くいる所, 人込み, 群衆. —〘動〙他 **1**〈ミツバチ〉を巣箱に集める. **2**〈みつ〉を巣箱に蓄える; …を蓄える, ためる〔+up〕. —〘自〙**1**〈ミツバチ〉が巣箱に入る. **2**〈人〉が群居する.

HL 〘略〙 House of Lords〘英〙上院.

hm, hmm /hm/ 〘間〙〘略式〙**1**〘驚き・不同意・不信を表して〙 ふん! **2**〘聞き返して〙えっ, なんだって? ‖ 〘対話〙 "I've got a question for you." "Hm?" 「ちょっと聞きたいことがあるんだけど」「えっ, 何だって」《♦ 聞きとれなかったことを表す. "Well?" ならば「聞きたいことは何?」の意》. **3**〘ためらい・確信のなさを表す〙うむ. ふーむ ‖ Hm, I guess you are right. うーん, 君が正しいと思うけど.

HMS〘略〙His [Her] Majesty's Service [Ship] 英国陸海空軍〔軍艦〕

ho /hóu/ (hoe) 〘間〙〘文〙**1** ほう《驚き・喜び・賞賛・冷笑などの発声》, おおい《注意を引く叫び声; 方向・行先を示す語の後に置く》‖ Ho! Ho! Ho! ほほう《冷笑, また Santa Claus の笑い声》/ Ho (͡), there! (͡) おおいこら / What ho! ほう何だって / Land ho! おおい陸だぞ. **2** どう《馬などを止める声》.

Wéstward hó!〘海事〙おおい西行きだ.

†**hoard** /hɔ́ːrd/ (同音 horde) 〘名〙Ⓒ(金銭・財宝・食物などの)貯蔵, 貯蔵[退蔵]物; 買いだめ; (知識などの)蓄積, 宝庫 ‖ a hoard of gold 退蔵してある金. —〘動〙他 **1**〈財宝・食糧など〉を蓄える〔+up〕; …を買いだめする. **2**〈思い〉を胸に秘める. —〘自〙(ひそかに)蓄える.

hóard·er 〘名〙Ⓒ 貯蔵〔秘蔵〕している人.

hoar-frost /hɔ́ːrfrɔ̀ːst/ 〘名〙Ⓤ 白霜.

hoarse /hɔ́ːrs/ (同音 horse) 〘形〙(通例 ~r, ~st)〈声が〉しわがれた, かすれた;〈人・動物など〉がしわがれ声の ‖ The girls were hoarse from cheering. 少女たちは声援で声をからした. **2** 耳ざわりな, ざわめく.

hóarse·ness 〘名〙Ⓤ (声の)かれ; 耳ざわり.

hóarse·ly /hɔ́ːrsli/〘副〙しわがれ声で; 耳ざわりに.

hoar·y /hɔ́ːri/〘形〙(通例 -i·er, -i·est)〘文〙**1**〈頭髪が〉白い, 灰色の; 白髪の. **2** 昔の; 厳(ぎ)かな.

hob /háb | hɔ́b/ 〘名〙Ⓒ **1**〘英古〙壁炉の両側のたな (small shelf)《やかん・なべを載せる台》. **2**(輪投げなどの)的棒.

hob·ble /hábl | hɔ́bl/ 〘動〙〘自〙**1** 足を引きずって歩く. **2** たどたどしく行なう〔言う〕. —〘他〙**1** …に足を引きずって歩ませる. **2**〈馬などの両脚を縛る.

***hob·by** /hábi | hɔ́bi/《「小馬」が原義》

—〘名〙(複 --bies/-z/) Ⓒ〘仕事以外の〙**趣味, 道楽**《♦ 切手収集など職業以外の積極的・創造的な活動をいう. 単に気晴らしとしての行動は pastime》‖ His hobby is growing flowers. 彼は花作りが道楽だ / Do you have any hobbies? =What are your hobbies? 何か趣味はありますか《♦ What is your hobby? は相手に何か特定の趣味がひとつあることを前提にした質問になるので初対面の人には不適切》.

hóbby shòp 趣味の店.

hob·gob·lin /hábgàblin | hɔ́bgɔ̀b-/ 〘名〙Ⓒ (おとぎ話の中の)いたずらな小鬼, お化け, 妖(ぎ)怪.

hob·nail /hǽbnèil/ 名C (靴底に打つ)頭の大きいびょうくぎ.

hob·nob /hάbnɑb/ hɔ́bnɔ̀b/ (略) 動 (過去・過分) **hob·nobbed**/-d/; **-nob·bing** 自 〔…と〕親しく付き合う, 打ち解けて話す; 〔…と〕酒をくみ交わす(+together) (with). 懇談; 話し友だち.

ho·bo /hóubou/ (米俗) 名 (複 ~s, ~es) 浮浪者, ルンペン; (主英) tramp; 渡り労働者. ——動 自 ルンペンをする; 渡り労働者をする.

Ho Chi Minh /hóutʃìːmín/ 名 **1** ホーチミン《1890-1969; ベトナム民主共和国大統領(1945-69)》. **2** ホーチミン《ベトナム南部の都市. 旧称 Saigon》.

hock /hάk/ 名 **1** (馬・犬など四足動物の)飛節《ふつう後脚のかかと. 図》→ horse》. **2** ニワトリのひざ. **3** (ブタの)足肉.

†**hock·ey** /hάki/ 名U **1** (主英) ホッケー(field hockey). **2** (主米) アイスホッケー(ice hockey). **hóckey stick** (ホッケーの)スティック《◆単に stick ともいう》.

ho·cus-po·cus /hóukəspóukəs/ 名U (正式) (奇術師の)呪文, まじない; 手品; ごまかし, 作り話.

hod /hάd/ 名 **1** ホッド《れんが・しっくいなどを担いで運ぶ長い柄の付いた箱》. **2** 石炭入れ.

†**hoe** /hóu/ 名C くわ(鍬); (くわ形)除草器.

†**hog** /hɔ́ːg/ 名 **1** (米) (成長した)ブタ《◆正式には 120 pounds 以上のものをいう》; (英) (食肉用に去勢した)雄ブタ, 飼いブタ《◆(英) では主に直喩表現で用いる: eat like a hog ブタのようにがつがつ食う》(→ pig 類語). **2** (略式) 貪(ぎ)欲な人, 利己的な人, がつがつ食う薄汚い者, 消費の激しいもの ‖ This car is a gas *hog*. この車はガソリンをよく食う(→ heavy 形 3). ——動 (過去・過分) **hogged**/-d/; **hog·ging** 他 (略式) …をむさぼる, 独り占めする, 分け前以上に取る.

Ho·garth /hóugɑːr θ/ 名 ホーガース《William ~ 1697-1764; 英国の風刺画家・彫刻家》.

hog·back /hɔ́ːgbæk/ 名C (地質) ホグバック《対称的な横断面を持ち, 丸みのある山稜(ゲ)が列を成している丘陵地形》.

hog·gish /hɔ́ːgiʃ/ 形 (正式) **1** ブタのような. **2** 貪(ど)欲な; 利己的な; 不潔な.
hóg·gish·ly 副 ブタみたいに; がつがつと.

hogs·head /hɔ́ːgzhèd/ 名C **1** 大だる《ふつう 63-140 ガロン入り》. **2** ホッグスヘッド《液量単位. (米) 63 ガロン, (英) 52.5 ガロン. 約 240 リットル. (略) **hhd**.》

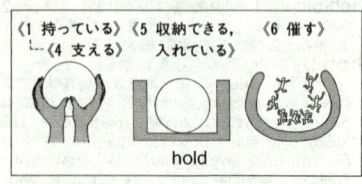

†**hoist** /hɔ́ist/, (米+) hάist/ 動 他 **1** (旗・帆などを)揚げる; (船荷を)(クレーンなどで)巻き[つり]上げる. **2** …を高く揚げる, 持ち上げる. ——名 **1** U©掲揚; 巻き[つり]上げ. **2** © (貨物の)昇降機.

:hold /hóuld/ (頭韻 fold /fóuld/)

〈1 持っている〉 〈5 収納できる〉 〈6 催す〉
〈4 支える〉 入れている〉

hold

——動 (~s /hóuldz/; 過去・過分 **held**/héld/; ~·ing)
——他 《◆1 以外ではふつう進行形は不可》

I [(手に)持つ・所有する]

1 〈人などが〉〈物〉を**持っている**, 握っている, 手にとって[くわ

えて]いる ‖ *hold* a pipe between one's teeth パイプをくわえている / She is *holding* a baby「in her arms [on her lap]. 彼女は赤ん坊を腕に[ひざの上に]抱いている / He *held* her sleeve. =He *held* her *by the* sleeve. 彼は彼女のそでをつかんでいた(→ catch 他 **1c**) / I will *hold* your shoulder bag while you put on your coat. コートを着る間ショルダーバッグを持っていてあげましょう.

2 〈物〉を所有する, 保管する; 〈物・部屋など〉を取っておく; 〈記録など〉を保持する; 〈役職・地位など〉に就く ‖ *hold* a mortgage [Ph.D.] 抵当権[博士号]を持っている / She *holds* the record for the breaststroke. 彼女は平泳ぎの記録保持者である / He has *held* the office of governor for 16 years. 彼は 16 年間知事の職にある.

3 〈意見〉〈考え・感情など〉を心に抱く; 〈人〉を〔…だと〕思う[考える]〔to be, to do, that 節〕; 〈人〉を…と判決する ‖ He *holds* a good opinion of you. 彼は君をたかく評価している / She is *held* in honor. 彼女は尊敬されている / He *holds* Japan dear. (文) 彼は親日家である / They *hold* me (to be) responsible for it. =They *hold* that I am responsible for it. その責任は私にあると彼らは思っている.

II [支える・含む]

4 〈屋根など〉を支える; 〈重さなど〉に耐える, 持ちこたえる ‖ The shelf won't *hold* these books. その棚はこれらの本を支えきれないでしょう.

5 〈容器・場所が〉…を収納[収容]できる; 〈物〉を含んでいる, 入れている(contain) ‖ These boxes *hold* [×are holding] balls. これらの箱にはボールが入っている / This car can *hold* six people. この車は 6 人乗りだ / How much oil will this bottle *hold*? このびんに油がどれくらい入るだろうか.

III [保つ・保持する]

6 〈会・式など〉を催す, 開く, 行なう, 開催する; (正式)〈クリスマスなど〉を祝う ‖ Our club will *hold* its monthly meeting next Wednesday. 私たちのクラブは次の水曜日に月例会を開きます.

7 〈領土など〉を保持する, 守る; 〈人〉を拘束する, 留置する《◆keep より積極的》; 〈人の(注意・関心など)〉を引きつける ‖ The thief was *held* by (the) police. その泥棒は警察に留置された.

8 (正式) [hold **A C**] 〈人が〉**A**〈人・物〉を **C** にしておく(keep); 〈物〉を〔…に〕固定する〔to, on〕 ‖ *hold* a door closed ドアを閉めておく / *hold* oneself erect 体をまっすぐに保つ / *hold* one's head up 頭を上げておく / *hold* oneself in readiness for … …の準備[覚悟]をしておく.

9 〈人・動物〉を抑える, 制する; 〈音など〉を出さないようにする; (料理) 〈塩分など〉を控える ‖ *hold* one's breath 息を止める / There is no *holding* her. 彼女は手に負えない[止めようがない].

——自 **1** 持ちこたえる, 耐える, もつ; (電話を切らずに)待つ ‖ Will the rope *hold* for another ten minutes? あのロープはもう 10 分もつだろうか / Would you like to *hold*? このまま お待ちになりますか《◆ Would you like to *hold on*? / Would you like to *hold the line*? ともいう》. **2** 〔…に〕つかまる〔to〕. **3** 〈天候などが〉続く, 持続する ‖ How long will this fine weather *hold*? この好天気はどれくらい続くだろうか. **4** [hold **C**] **C** (の状態)のままである ‖ The weather will *hold* clear. 引き続き晴れるだろう. **5** (正式) 〈法律などが〉〔…に〕有効である, 適用できる〔for, in〕; 〔…に〕あてはまる(be true)〔of〕 ‖ The same *holds* for you. あなたの場合も同じに

とが当てはまります / It holds good in all cases. そ れはあらゆる場合に適用できる / The conditions hold of the rule application. その条件はその規則の適用に当てはまる.

hóld agàinst A〔(自)+〕〈攻撃など〉に耐える. ―(他)〔~ A against B〕(1) A〈場所など〉を B〈攻撃など〉から守る. (2) A〈事〉で B〈人〉を責める.

hòld báck(自)控える;〔…を〕ちゅうちょする, ためらう〔from〕‖ *hold back from* giving one's opinion 自分の意見を差し控える. ―(他) (1)〈情報など〉を出し渋(しぶ)る, 秘密にしておく. (2)〈感情・涙など〉を抑える(control);〈波など〉を食い止める;〈群衆〉を引き止める. (3)〈人〉の発展[進歩]を妨げる.

hóld by A(正式)…に固執する;…に同意する.

hòld dówn(他) (1)(略式)〈1つの仕事〉を頑張って続ける;〈地位など〉を維持する. (2)〈価格など〉を低く抑制する. (3)〈人〉を支配する. (4)〈権利・自由など〉を抑圧する.

hóld ín(他)〈感情など〉を抑える, 抑制する.〈動物など〉を制する ‖ *hold* oneself *in* 自制する.

Hóld it [évery thing]!(略式)動くな!, 待て!, はい, そのままじっとして!

hòld óff(自) (1)〈雨・台風など〉が来ない. (2)〔…から〕離れている,〔…に〕近づかない〔from〕. (3)〔…を〕延ばす, ためらう〔on〕. ―(他) (1)…を延期する. (2)〈人・攻撃など〉を防ぐ.

hóld ón(自) (1)電話を切らないでおく ‖ ⦿対話⦿ "Is Mr. Suzuki in, please?" "*Hold on*, please."「鈴木さんいらっしゃいますか」「そのままでお待ちください」. (2)(略式)〔通例命令文で〕待て. (3)頑張る, 持ちこたえる, 耐える. (4)〈雨・習慣など〉が続く, 持続する. ―(他) 1…を固定しておく. 4➡(自)8.

hóld onesèlfじっとしている, 動かずにいる.

hóld ón to [ònto] A (1)…をつかんで放さない, …にしがみ[すがり]つく. (2)〈曲〉を歌い[演奏し]続ける.

hòld óut(自) (1)長持ちする. (2)〔…に〕耐える, 持ちこたえる〔against〕. (3)(略式)〔…へ〕我慢して待つ, あくまでも要求する〔for〕. ―(他) (1)〈希望・約束・機会・可能性など〉を与える, 提供する. (2)〈手など〉を差し出す, 伸ばす.

hòld óver(自)留任する. ―(他) (1)(米)〈人〉を留任させる. (2)…を延期する, 持ち越す. (3)〔~ A over B〕A を利用して B〈人〉をおどす.

hóld to A〔(自)+〕(1)➡(他)2. (2)(正式)〈主義・意見など〉に固執する. ―(他)〔~ A to B〕(1)➡(他)8. (2) A〈人〉に〈約束など〉を守らせる.

hòld togéther(自)ばらばらにならない;団結する. ―(他)…を一緒にしておく;…を団結させる.

hóld úp(自) (1)〈天気など〉が続く, 持続する. (2)耐える, 持ちこたえる. (3)真実であることがわかる. ―(他) (1)〈物を停止の状態に保つ; cf. up 圖 14 b〉〈出発などを遅らせる, 停滞させる(delay). (2)〈人や物を倒れないように立った状態で〉〈物〉を支える, 持ち上げる(→(他)8);〈人〉を支持する. (3)〈人・場所・乗客・銀行など〉を襲って強奪する.

―名 1 Ⓤⓒ〔a/one's ~〕握る〔つかむ〕こと ‖ *let go [lose]* (one's) *hold of* ……から手を放す / *Take [Keep] a firm hold on* the rope. ロープにしっかりつかまりなさい[つかまっていなさい]. 2 Ⓒ 持つ所;つかまる所;足場 ‖ There are few *holds* on this side of the cliff. がけのこちら側には足手を掛ける所がほとんどない. 3 Ⓤ〔a/one's ~〕〔…に対する〕支配力, 影響力〔on, upon, over〕;〔…についての〕把握力, 理解力〔of, on〕‖ His wife has *a hold on [over]* him. 彼は細君のしりに敷かれている. 4 Ⓤ(土地など)の保有.

cátch [séize, gráb] hòld of A…をつかむ, 握る.
gèt hóld of A (1)(略式)…を見つけ[借りて]使う. (2)…を理解する;…を学ぶ. (3)〈人〉と接触する, 連絡をとる. (4) =catch HOLD of.
làv [táke] hóld of [on] A (1)…を手に入れる. (2)…を支配する. (3) =catch HOLD of. (4)…を理解する.

†**hóld·er** /hóuldər/ 名 Ⓒ 1 所有[保有, 保持, 所持]者. 2 入れ物, 容器. 3 支える[握る]物. 4〔複合語で〕…を持っている人, …を入れる[握る]物 ‖ a stock*holder*（主に米）株主 / a kettle-*holder* やかんを握る物, なべつかみ.

hóld·ing /hóuldɪŋ/ 名 1 Ⓒ つかむ[握る, 支える]こと. 2 Ⓒ（農業用の）借地;小作地;所有地;持株;〔~s〕所有財産. 3 Ⓤ〔バレーボールなど〕《反則行為》. **hólding còmpany** 持ち株会社, 親会社.

hóld·o·ver /hóuldòuvər/ 名 Ⓒ（米）〔…の〕後遺症;残り物, 遺物;（英）hangover〔from〕.

†**hóld·up** /hóuldʌp/ 名 Ⓒ 1 強奪, 強盗（俗）stick-up）‖ a bank *holdup* 銀行強盗. 2 停止, 中止, 休止;延期;妨害;交通渋滞.

:**hole** /hóul/ [発音注意] [同音]whole;[類音]hall /hɔːl/)（「うつろの(hollow)」が原義）
―名 ⓐ ~s/-z/) Ⓒ 1〈穴;破れ目;くぼみ ‖ dig a *hole* in the ground 地面に穴を掘る / I've got a *hole* in my sock. 靴下に穴があいてしまった. 2〈動物の〉巣穴(burrow);土牢, 独房;（俗）（通例単数形で）むさ苦しい[汚い]場所. 3（略式やや古）〔a ~〕苦境;欠点, 欠陥 ‖ put him in a nasty *hole* 彼を（経済的に）窮地に陥れる / There is a *hole* in your argument. 君の論には1つ不満な点がある. 4〔ゴルフ〕ホール（◆（米）では cup ともいう）;得点;ティーからホールまでのコース ‖ get a *hole* in one ホールインワンする.

in hóles 穴だらけになって.
in the hóle (1) 借金して. (2)〔トランプ〕得点がマイナスになって ‖ go five point *in the hole* マイナス5点となる. (3)〔スポーツ〕追い込まれて, 窮地に立たされて.

―動(他) 1〈物〉に穴をあける;〈地面に〉穴を掘る;〈トンネルなどを〉掘り抜く ‖ *hole* a tunnel through a mountain 山にトンネルを掘る. 2〈動物〉を穴に追い込む;〔ゴルフ〕〈球〉をホールに打ち込む. ―(自) 1 穴を掘る. 2〔ゴルフ〕球をホールに打ち込む(+*out*) ‖ *hole* (*out*) *in* one ホールインワンを達成する.

hóle úp(自)〈動物が〉冬眠する. 2〔主に米略式〕〔…へ〕隠れる, 閉じこもる;立てこもる〔in〕. ―(他)（略式）…を隠す.

–hol·ic /-hɑːlɪk/-hɔːl-/〔語要素〕→語要素一覧(2.2)

:**hol·i·day** /hɑ́lədèɪ, -di | hɔ́lədɪ, -dèɪ/（「神聖な(holy)日(day)」）
―名 (ⓐ ~s/-z/) Ⓒ 1 休日, 休業日;公休日, 祭日, 祝日(↔ workday)（◆祝日の名称ではしばしば H~）‖ national *holidays* 国民の祝日 / during a week (which is) studded with *holidays* 飛び石連休に / We have three consecutive *holidays* this week. 今週は3連休がある / We'd like to invite you to dinner for the *holiday*. 今度の休日にあなたを夕食に招待したいと思っています（◆すぐ次の休日には the をつける）/ Tomorrow is my *holiday*. 明日は仕事は休みです（◆（米）では通例公休日で休みである」の意味だが,（英）では「個人の都合で

休む」の意味にもなる(→ **2**)》.

[関連] [米国の祝日(legal holidays)]
New Year's Day 元日(1月1日) / Martin Luther King Day キング牧師誕生日(1月の第3月曜日) / Lincoln's Birthday リンカン誕生日(2月12日; 州により2月第1月曜日) / Presidents' Day 大統領の日(2月の第3月曜日) / Good Friday 聖金曜日(復活祭の前の金曜日) / Memorial [Decoration] Day 戦没将兵記念日(5月の最後の月曜日) / Independence Day 独立記念日(7月4日) / Labor Day 労働者の日(9月の第1月曜日) / Columbus Day コロンブス祭(10月の第2月曜日)《◆この日を祝日としない州もある》/ General Election Day 総選挙日(11月の第1月曜日の翌日の火曜日) / Veterans Day 休戦記念日(11月11日) / Thanksgiving Day 感謝祭(11月の第4木曜日) / Christmas Day キリスト降誕祭(12月25日)《◆州により多少の違いがある》.
[英国の祝日(bank holidays)]
New Year's Day 元日(1月1日) / Good Friday 聖金曜日(復活祭の前の金曜日) / Easter Monday 復活祭明けの月曜日(復活祭の翌日の月曜日) / May Day 労働祭(5月1日) / Spring Bank Holiday (5月の最後の月曜日) / August Bank Holiday (8月の最後の月曜日) / Christmas Day キリスト降誕祭(12月25日) / Boxing Day クリスマスの贈り物の日(ふつう12月26日). 北アイルランドではさらに Saint Patrick's Day 聖パトリックの祭日(3月17日)と7月12日がある. スコットランドでは New Year's Day, 1月2日, Good Friday, 5月と8月の第1月曜日, Christmas Day の6日.
[日本の祝日の英語名]
New Year's Day 元日(1月1日) / Coming of Age Day 成人の日(1月の第2月曜日) / National Founding Day 建国記念の日(2月11日) / the Vernal Equinox Day 春分の日(3月21日ごろ) / Green Day みどりの日(4月29日) / Constitution Day 憲法記念日(5月3日) / Children's Day こどもの日(5月5日) / Marine Day 海の日(7月の第3月曜日) / Respect-for-the-Aged Day 敬老の日(9月の第3月曜日) / the Autumn Equinox Day 秋分の日(9月23日ごろ) / Physical Education Day 体育の日(10月の第2月曜日) / Culture Day 文化の日(11月3日) / Labor Thanksgiving Day 勤労感謝の日(11月23日) / the Emperor's Birthday 天皇誕生日(12月23日).

2《主に英》《しばしば the ~s》(会社・工場などで旅行・休息のため個人が取る)休み, 休暇(day off) / 《学校の授業のない》期間, 休暇《◆《米》では vacation を用いる. 軍隊などの休暇は英米とも leave》‖ We were home for the *holidays* last weekend. 先週末私たちは休暇で帰省した / the Christmas [Easter] *holidays* クリスマス[復活祭]休暇《◆いずれも2,3日間の休暇を指す. the Christmas [Easter] vacation は比較的長く, それぞれ冬[春]休みに相当する》/ take a paid *holiday* 有給休暇を取る / We are going abroad for our summer *holiday*(s). 私たちは夏休みに海外に行きます / 〈対話〉 "What are you going to do during the summer *holidays* [《米》 vacation]?" "I'm going to Scotland." 「夏休みはどうするんだい」「スコットランドに行くつ もりなんだ」《◆すぐ次の休暇には the をつける》/ 〈ジョク〉 A *holiday* is something that lasts a few weeks and takes one year to pay for. 休暇とは数週間取ることができ, かかった費用を支払うのに1年かかるものである.
máke hóliday 仕事を休む, 休暇を取る.
on hóliday =on one's *hólidays* 休暇を取って.
——[形]《名詞の前で》**1** 休日[祝日, 祭日]の[らしい, にふさわしい]‖ a *holiday* atmosphere のんびりした雰囲気. **2** 華やかな, よそ行きの ‖ *holiday* clothes よそ行きの服.
——[動](自)《主に英》《…で》休暇を過ごす《in》; 休暇の旅行をする.
hóliday càmp 休暇村.
hóliday cènter 行楽地.
hóliday lìterature 休日に読むような軽い読み物.
hol·i·day·mak·er /hάlədeimèikər | hɔ́lədi-/ [名]ⓒ 休暇を取っている人; (休日の)行楽客《(米) vacationer》.
†**ho·li·ness** /hóulinəs/ [名] **1** ⓤ 神聖. **2** [H~] 聖下《◆ローマ教皇の尊称. 直接に呼びかける時は Your *Holiness* を, 言及する時には His *Holiness* を用いる》.
hol·ing /hóuliŋ/ [動] ⇒ hole.
†**hol·la** /hάlə | hɔ́lə, həlάː/ [間] [動] =hallo(a).
†**Hol·land** /hάlənd | hɔ́l-/ [名] オランダ《正式名 the Netherlands. 首都は公式には Amsterdam, 事実上は The Hague》《◆形容詞は Dutch》‖ the windmills of *Holland* オランダの風車《◆一般的には the Netherlands より Holland が好まれる》.
†**Hol·land·er** /hάləndər | hɔ́l-/ [名] ⓒ オランダ人; オランダ船.
†**hol·low** /hάlou | hɔ́l-/ [形] (**more ~, most ~; ~·er, ~·est**) **1**《物(の中)が》空(から)の, うつろの, 空洞の(↔ solid)‖ a *hollow* tree 中がからんどうの木 / a *hollow* ball [pipe] 空洞のボール[パイプ]. **2**《物(の表面)が》くぼんだ, へこんだ, 落ち込んだ ‖ a man with *hollow* eyes and cheeks 目がくぼみほおのこけた男 / a *hollow* road くぼんだ道路. **3**《音・声などが》うつろな;《心が》空しい ‖ a *hollow* voice 弱々しい声. **4**《言葉・感情などが》うわべだけの, 実質[誠実さ]のない(↔ sincere).
——[名] ⓒ **1** くぼみ, へこみ; 穴; (木の幹・岩などの)うつろ ‖ a *hollow* in the ground 地面のくぼみ / the *hollow* of a hand 手のひら. **2** くぼ地, 盆地; 谷間 ‖ a ragged [wooded] *hollow* ごつごつした[木の茂った]谷間. **3**《心・気持ちの》空しさ.
——[動](他)…をへこます, …をえぐる, えぐり抜く(+*out*); …を《…から》くり抜いて作る(+*out*)《*of*》‖ *hollow* a log 丸太をくり抜く / *hollow* a canoe *out of* a log 丸太をくり抜いてカヌーを作る.
——[自] うつろになる, くぼむ.
——[副]《略式》(ゲームなどで)徹底的に(completely)‖ beat him (all) *hollow* (ゲームなどで)彼をこてんぱんにやっつける.
hól·low·ness [名] ⓤ **1** うつろなこと, くぼみ. **2** 空しさ. **3** 不誠実. **hól·low·ly** [副] うつろに.
†**hol·ly** /hάli | hɔ́li/ [名] ⓒ [植] モチノキ(holly tree [bush])《セイヨウヒイラギ(の類)》; ⓤ その赤い実のついた枝葉《クリスマスの装飾用》.
†**Hol·ly·wood** /hάliwùd | hɔ́li-/ [名] **1** ハリウッド《米国 Los Angeles の北西部にある映画製作の中心地》. **2** ⓤ 米国の映画界[産業]; アメリカ映画.
hol·o·caust /hάləkɔ̀ːst, hóulə- | hɔ́lə-/ [名] **1** ⓒ (ユダヤ教で)全燔(ぜんばん)祭の供え物《神前に供える獣の丸焼き》. **2** [the H~] (ナチスの)ユダヤ人大虐殺. **3** ⓒ《正式》

(特に火による)大虐殺, 大破壊, 全滅 ‖ a nuclear *holocaust* 核兵器による人類破滅.

Hol·stein /hóulstiːn, -stiːn | hɔ́l-/ 名 (米)ホルスタイン((英) Frisian)《オランダ原産の乳牛》.

†**hol·ster** /hóulstər/ 名 C (腰に下げる)ピストルの皮ケース.

***ho·ly** /hóuli/ (同音)*wholly*; (類音)*folly* /fɑ́li | fɔ́li/ 〖「完全な」が原義〗

——形 (**-·li·er**, **-·li·est**) **1** [通例名詞の前で] **神聖な**; 神聖にした; 神事のための《◆ *sacred* は「(人為の権威で)聖別された, 捧げられた」の意》‖ a *holy* vessel (神事に用いる)聖器 / a *holy* loaf 聖餐(%)式用のパン / We visited several *holy* places on [during] our tour of Jerusalem. エルサレムの旅で我々はいくつかの聖なる地を訪れた. **2** 信心深い; 気高い, 高徳な; 清らかな, 聖人のような ‖ live a *holy* life 信仰生活を送る. **3** (略式)[名詞の前で][遠回しに]ひどい, たいへんな.

——名 C 神聖な場所[物, 人].

the hóly of hólies (1) (最も)神聖な場所[物]. (2) ユダヤ教の神殿の至聖所《契約の箱が置いてある》.

Hóly Bíble [the ~] 聖書.

Hóly Cíty [the ~] (1) 聖都《宗教·宗派によりエルサレム·ローマ·メッカなど》. (2) 天国.

Hóly Commúnion 聖餐(%)式; 聖体拝領(のパンとブドウ酒).

hóly dày (宗教上の)祝祭日《Ash Wednesday, Good Friday など》.

Hóly Fámily [the ~] 聖家族《ふつう聖母マリア·夫ヨセフ·幼児イエスの3人家族を描いた絵》.

Hóly Fáther [the ~] ローマ教皇(the Pope).

Hóly Róman Émpire [the ~] 神聖ローマ帝国《962年から1806年までのドイツ国家の呼称》.

hom- /hóum-, hɑ́m- | hɔ́m-/ (語要素) → 語要素一覧 (2.2).

†**hom·age** /hɑ́midʒ, ɑ́mɪdʒ | hɔ́m-/ 名 U (正式) **1** 尊敬, 敬意(respect) ‖ pày *homage* to him 彼に敬意を表する. **2** (封建時代の)臣従の誓い, 忠誠の宣誓. **3** 臣下としての行為.

****home** /hóum/ (類音)*foam* /fóum/ 〖「住む所」が原義〗

index
名 **1** 家庭; 家 **3** 故郷
副 **1** わが家に, 故郷に

——名 (複 ~s/-z/)

I [人·動物の住みか]

1 C 家庭; U 家庭生活; U C 家, 自宅; 生家《◆ことわざに *Men make houses, women make homes.* (夫は家を作り, 妻は家庭を作る)とあるように, home は家庭生活のいる場所で, house は建物の意味に用いる. →第5例》‖ a happy *home* 幸せな家庭生活 / a broken *home* 欠損家庭《離婚などでこわれた家庭》/ make one's *home* in … …に住む / *There's no place like home.* わが家にまさる所はない(=East or west, *home* is best.) / This is the finest *home* in this city. (米)これがこの市で最もすてきな家です / Should moral education be given at school or in the *home*? 道徳教育は学校でなされるべきか, それとも家庭(内)でなされるべきか《◆学校などと対比して家庭という場合は the を付ける》.

2 C [しばしば複合語で] 療養所; 収容所; 宿泊所; (略式)精神病院 ‖ a *hóme* for the áged =an óld péople's [fólks'] *hòme* 養老院 / a núrsing *hòme* (医療を兼ねた)老人ホーム / a *hòme* for órphans =an órphans' *hòme* 孤児院 / an infant *hòme* 育児所.

3 U 故郷, 郷里; 本国, 故国《◆生まれ育った所だけでなく現在愛着な心を持って住んでいる所も含まれる. (英)では hometown の方が自然》‖ I live in Tokyo now, but my *home* is Hiroshima. 今は東京に住んでいますが, 郷里は広島です / Where is your *home*? お国はどこですか(=Where are you from?)《◆ ×Where is your country? といわない》.

4 C [通例 the ~] (動物の)生息地; (植物の)自生地 ‖ Australia is the *home* of the koala. オーストラリアはコアラの生息地である.

II [発祥地·中心地]

5 (物の)原産地; 発祥地, 本場 ‖ the *home* of jazz ジャズの発祥地.

6 C 本部, 基地, 本拠地.

III [スポーツ]

7 C 〚スポーツ〛本拠地での試合[勝利]; 決勝点; 〔野球〕本塁.

*at hóme (正式) (1) 在宅で(cf. 副 1). (2) 気楽に, くつろいで ‖ *feel* [*be*] *at home* くつろぐ / Please *make yourself at home.* どうぞお楽にしてください《◆しばしば命令文で使われる》. (3) […に]慣れて, 精通して(*in, on, with*) ‖ She is quite [very much] *at home* in English. 彼女は英語にとても堪(%)能である(=She is quite [very] familiar with …) / He is *at home* (*in*) playing jazz with friends. 彼は友人とジャズを演奏するのに慣れている. (4) 本国に[で](↔ abroad) ‖ affairs *at home* and abroad 国内外の問題. (5) 家[本拠地]で(行なわれる)(↔ away) ‖ The game is *at home*. その試合はホームグラウンドで行なわれる. (6) (やや古)在宅日で, 面会日で ‖ He is not *at home* to anybody today. 彼は今日はどなたにもお会いいたしません.

léave hóme 家を出る《◆日常的な外出にも, 家出にも, 親元を離れて独立する意でも用いる》.

——形 [名詞の前で] **1** 家庭(用)の; 自宅の; 故郷の; 本国の, 国内の(↔ foreign) ‖ *home* cooking 家庭料理 / The child has had a happy *home* life. その子供は幸せな家庭生活を送ってきた / *home* affairs 内務, 内政(↔ foreign affairs) / the *home* market 国内市場. **2** 本部の; 本拠地の ‖ a *home* game ホームグラウンドでの試合 / the *home* office of the company 会社の本店. **3** 急所を突く, 効果的な, 痛烈な ‖ a *home* thrust 効果的な攻撃.

——副 **1** [come など動作動詞と共に] **わが家に[へ]**; 故郷に[へ]; 自国に[へ]; (米) [be, stay など状態動詞と共に] 在宅で((英) at home) ‖ *come* [*go*] (*to) *home* わが家に[へ]帰る, 家に[へ]帰る / write *home* (to one's mother) わが家の(母)へ手紙を書く / I'm *on* my [the] *way home* from school. 私は学校から家に帰る途中です / Is Jane *home*? (米)ジェーンはいますか(=(英) Is Jane *at home*?) / Father *will be home* before six. 父は6時前に帰ってくるでしょう《◆「帰宅する」の意の be *home* は英米共通. この be は I'll be back in a few minutes. (すぐ戻ってきますよ)の be と同じ》/ 〘対話〙 "Could you give me a lift *home*?" "Sure, of course." 「家まで乗せていってくれる」「もちろん, いいとも」.

2 〔野球〕本塁へ; ゴールへ ‖ come [get, reach, cross] *home* ホームインする《◆ ×*home in* は不可》. **3** ねらった所へ, まともに, 十分に; 痛烈に ‖ strike [drive] a nail *home* くぎを深く打ち込む / Her story hit *home* with me. 彼女の話は私の胸にぐさりときた / The spear struck *home* to the lion's heart. やりはライオンの心臓にまともに突き刺さった.
bring [*drive, press*] **A** *hóme to* **B** =*bring* [*drive, press*] *home to* **B A**《**A** を **B**（の心）に痛切にもたらす; cf. home 副 3》‖ **A** に wh節も可. **A** を主語にして受身可《◆ The book *brought home to me* how important education is. その本を読んで私は教育がいかに大切かを痛感した.
còme hóme (略式) **(1)**〔…（の心）に痛切にくる; cf. home 副 3〕〈事実・危険などが〉〔…に〕痛切に感じられる, 十分明らかになる, 完全に理解される(*to*). **(2)**〔海事〕〈錨(${}^\text{いかり}$)が〉固定されていない. **(3)** → **1, 2**.
gó hóme **(1)** → **1**. **(2)**（略式）死ぬ, こわれる. **(3)**〈言葉などが〉〈相手に〉こたえる, 効く.
… go home! …帰れ!《反感を表すスローガン・シュプレヒコール》.
hóme báse =home plate.
hóme càre [**hèalth**] **àide**（米）=home help.
hóme compúter〔家庭用〕パソコン《◆家庭で使われる personal computer のこと》.
Hóme Cóunties [the ~] ロンドンを取り巻く諸州《◆ Essex, Kent, Surrey の 3 州に Hertfordshire と Sussex を含めることがある》.
hóme ecónomics〔通例単数扱い〕家政学(domestic science), 家事.
hóme hélp（英）〔病人・老人の世話をする自治体派遣の〕ホームヘルパー((米)home care [health] aide, personal care worker).
Hóme health vìsitor（米）在宅[訪問]看護.
Hóme Óffice（英）[the ~; 単数・複数扱い] 内務省.
hóme pàge =homepage.
hóme pláte〔野球〕[the ~] 本塁.
hóme phòne 家[自宅]の電話(cf. house phone).
hóme ròom =homeroom.
hóme rún〔野球〕ホームラン(による得点)((略式)homer) ‖ a game-ending *home run* さよならホームラン / a *home run* with the bases loaded 満塁ホームラン =(a grand slam) / a *home run* hitter [slugger, producer]〔野球〕ホームランバッター.
hóme scréen（米略式）テレビ.
hóme shópping ホームショッピング《郵便・電話・インターネットで注文して買物をすること》.
hóme úser〔コンピュータ〕ホームユーザー; 個人利用者.
home·bred /hóumbréd/ 形 **1** 本国育ちの; 国産の. **2** 洗練されていない, 粗野な, 幼稚な.
home·com·ing /hóumkÀmiŋ/ 名 C **1** 帰宅, 帰省, 帰郷, 帰国. **2** C（米）〔年1回新学期の始まる9月に開かれる〕大学の同窓会《◆大学祭・学園祭を兼ね, その催しのため, queen が選ばれ, アメリカンフットボールの試合などが行われる》.
home·land /hóumlænd/ 名 C **1** (文)自国, 母国, 故国. **2**（南アフリカ共和国の）バンツー族のための保留地.
†**home·less** /hóumləs/ 形 家のない; 飼い主のいない; [名詞的に; the ~; 複数扱い] 家のない人々, ホームレスの人たち.

†**home·like** /hóumlàik/ 形 わが家のような, 打ち解けた, 気楽な, 心安まる.
†**home·ly** /hóumli/ 形 (··li·er, ··li·est) **1**（米）〈女性などが〉容貌の平凡な(plain)(↔ attractive)《◆ ugly の遠回し語》. **2**〈雰囲気などが〉家庭的な;（英）〈食事などが〉質素な, じみな;〈人が〉素朴な, 気取らない. **3**〈表現などが〉ありふれた, 平凡な.
†**home·made** /hóumméid/ 形〔飲食物などが〕自家製の, 手作りの《◆家具・衣服については hand-made》.
†**home·mak·er** /hóummèikər/ 名（米）ホームメーカー; 主婦《◆ housewife の (PC) 語》, 主夫(househusband); 家政婦, ホームヘルパー.
home·mak·ing /hóummèikiŋ/ 名 U（楽しい）家庭作り; 主婦の仕事.
ho·me·op·a·thy /hòumiápəθi|-ɔ́p-/ 名 U〔医学〕ホメオパシー, 同毒[同種]療法.
home·page /hóumpéidʒ/, **hóme pàge** 名 C〔コンピュータ〕ホームページ《ウェブサイトの最初のページ. 全体の案内などが表示される》.
hom·er /hóumər/（米略式）名 C〔野球〕ホームラン ‖ an inside-the-park *homer* ランニングホーマー《◆ ×*running homer*》. ── 動 自〔野球〕本塁打を打つ.
†**Ho·mer** /hóumər/ 名 ホメロス《紀元前10世紀頃の古代ギリシアの詩人. *Iliad* と *Odyssey* の作者といわれる》‖ *Even Homer sometimes nods.*（ことわざ）ホメロスもしくじることがある;「弘法も筆の誤り」.
Ho·mer·ic /houmérik|həu-/ 形 ホメロス(風, 時代)の; 叙事詩風の; 雄大な.
Homèric láughter 高笑い, 哄(ʰ)笑.
home·room /hóumrù:m/, **hóme ròom** 名 U C〔正規の授業の前に行なわれる〕ホームルーム(の部屋[時間]).
†**home·sick** /hóumsìk/ 形 ホームシックの,〔…を〕恋しく思う, 故郷を懐かしむ〔*for*〕‖ feel [be] *homesick* ホームシックにかかる.
†**home·spun** /hóumspÀn/ 形 **1** 手織りの; 家で紡いだ, ホームスパンの. **2** 素朴な; あか抜けしない; 素朴な. ── 名 U **1** 手織りのラシャ, ホームスパン. **2** 手織りに似た粗い布地.
†**home·stay** /hóumstèi/ 名 C（米）〔留学生などの〕家庭滞在,ホームステイ; [形容詞的に] ホームステイの ‖ *homestay* accommodations ホームステイの宿泊施設《与えられる部屋, 滞在する家など》 / have a *homestay* (visit) ホームステイをする (=stay with a family)《◆ do a homestay も使われるようになってきた》.
†**home·stead** /hóumstèd/ 名 C **1** 家屋敷; 家; 由緒ある家庭;（豪）牧場主の住宅. **2**（付属建築物を含めた）農場;（米）1862年の Homestead Act によって（政府から）入植者に与えられた160エーカーの土地.
home·stretch /hóumstrétʃ/ 名 C（競走の）最後の直線コース(↔ backstretch);（仕事の）最後の部分［追い込み］.
†**home·town** /hóumtáun/ 名 C 故郷《◆ **(1)** 生まれたところとは限らず, 子供時代を過ごした所, 現在住んでいる所もさす. **(2)** 必ずしも town でなくても village, city でもよい: My *hometown* is Otsu City. 私の故郷は大津市である.
hómetówn decísion〔ボクシング〕ホームタウンディジョン《地元選手に有利に判定する傾向》.
†**home·ward** /hóumwərd/ 形 家路へ向かう, 帰途の ‖ *homeward* bound 帰途についている. ── 副 自宅[本国]へ向かって ‖ turn *homeward* 家路へ向かう.

home·work /hóumwə̀ːrk/
──名 U 1 宿題《◆《米》では assignment Cがふつう.《英》では homework assignment とするのがよいとする人もいる》(cf. housework) ‖ 対話 "Have you done your math *homework* yet?" "Almost. It'll take only a few minutes to complete it." 「数学の宿題をもうすませましたか」「ほとんどね, あと数分ですっかり終わりますよ」/ I have a lot of *homework*. 宿題がたくさんある《◆「×a lot of [×many] homeworks」は誤り. 数える時は「a piece [two pieces] of *homework* のようにいう》. 2 (格式)(討論会などの)下調べ, 準備.

hom·i·cid·al /hὰməsáidl | hɔ̀m-/ 形 (正式)殺人(犯)の; 殺人を犯す傾向のある.

†**hom·i·cide** /hάməsàid, hóumə- | hɔ́m-/ 名(正式)〔法律〕1 U 殺人. 2 C 殺人犯, 殺人者.

hómicide squàd (米)(警察の)殺人捜査課.

hom·i·ly /hάməli | hɔ́m-/ 名 C (正式)説教; 訓戒, お説教.

hom·ing /hóumiŋ/ 形 1 家へ帰る, 帰巣の ‖ the *homing* instinct 帰巣本能. 2 〈ミサイルなどが〉自動誘導式の. ──名 U 帰巣能力.

ho·mo /hóumou/ 〖*homosexual* の略〗(侮蔑)名(複 ~s)C 形 ホモ(の).

Ho·mo /hóumou/ 〖ラテン〗名(複 **Hom·i·nes** /hάməniːz | hɔ́mi-/)C U ヒト属《霊長目の一属》; 〔時に *h*-〕無區別に, 単独表して〕ヒト.

Hómo sá·pi·ens /-séipienz, -enz | -sǽpienz/ 〔しばしば~S-〕ヒト(現生人類の学名); 人間, 人類.

ho·mo- /hóumə-, hά- | hóumə-, hɔ́-/ 語要素 →語要素一覧(2.2).

ho·mo·ge·ne·ous /hòumədʒíːniəs, hɑ̀- | hɔ̀m-/ 形 (正式)同質の, 同種の(similar); 均質の(↔ heterogeneous); 〔数学〕同次の.

hò·mo·gé·ne·ous·ly 副 均質に.

ho·mog·e·nize /həmάdʒənàiz, hou- | həm5-/ 動 他 …を同質にする[均質]にする.

hom·o·nym /hάmənìm | hɔ́m-/ 名 C 〔通例 ~s〕1 同音異つづり〔異義〕語《◆ tail(尾)と tale(話)は同音異つづり語, school(学校)と school(群れ)は同音異義語》. 2 (正式)同名異人.

hom·o·phone /hάməfòun, hóum- | hɔ́m-/ 名 C 1 同音字《c /k/ と k など》. 2 異形同音異義語《air と hair, cue と queue など》.

ho·mo·sex·u·al /hòuməsékʃuəl, -sékʃl | hɔ̀uməu-, hɔ̀-, -sékʃuəl/ 形 名 C 同性愛の(人), ホモ(の)《(俗)homo, queer, gay》(↔ heterosexual).

hò·mo·sex·u·ál·i·ty /-ǽləti/ 名 U 同性愛, ホモ(略 homosex).

hon., Hon., Hon. (略) *Honorary*; *Hono*(u)r; *Hono*(u)rable.

Hon·du·ras /hɑndjúərəs | hɔn-/ 名 ホンジュラス《中米の共和国. 首都 Tegucigalpa》.

hon·est /άnəst | 5n-/ 〖「名誉な」が原義. cf. honor〗派 honesty (名)
──形 (more ~, most ~; 時に ~·er, ~·est) 1〈人・行為が〉[…の点で/人に]正直な, 誠実な, うそを言わない, 本当のことを言う(↔ dishonest)〔*in*/*with*〕; 立派な, 尊敬に値する; 実直そうな ‖ She is *honest* in all she does. 彼女はなすことすべてに正直だ / It is *honest* of [×for] you *to* admit your faults. =You are *honest* enough *to* admit your faults. 自分の過失を認めるとは君は正直者だ《◆ honest to do ではなく honest enough to do の構文で用いる》(●文法 17.5).

2 〈意見などが〉率直な, 腹蔵のない; 偽りのない, ごまかしのない; 〈商品などが〉混ぜ物のない, 本物の ‖ give *honest* weight [measure] 重さ[長さ]をごまかさない / If you want my *honest* opinion, … 率直に申し上げてもよろしければ…. 3 〔名詞の前で〕正当な(手段で得た), 正直に働いて得た ‖ *honest* profits 正当な利益 / turn [earn] an *honest* penny まじめに稼ぐ / earn [make] an *honest* living まじめに働いて生活費を稼ぐ.

to be (*quite*) *hónest* (*about it*) (↘) 〔文全体を修飾〕[…に対して]正直に言って, 正直のところ〔*with*〕(●文法 11.3(3)).

──副(略式)〔間投詞的に〕本当に, 間違いなく ‖ I really do like you, *honest*!(↘) 本当に君が好きだよ. うそじゃないよ.

†**hon·est·ly** /άnəstli | 5n-/ 副 1 〔語修飾〕正直に, 純粋に; 正当に, 公正に ‖ work *honestly* 正直に働く. 2 〔文全体を修飾〕正直に言って; 実際に, 本当に (●文法 18.6) ‖ *Honestly*(↘); he is diligent. 本当に彼は勤勉だ / I *honestly* don't know. 本当に知りません. ──間(略式)〔怒り・不信などを表して〕いやはや, まったく ‖ *Honestly*!(↘) You should have told me about it before! もっと早く私に話すべきだったよ, 本当に!

*hon·es·ty /άnəsti | 5n-/ 〖→ honest〗
──名 U 1 正直, 誠実(↔ dishonesty) ‖ *In all honesty*, you did steal the money, didn't you? 正直のところ, 君は金を盗んだんだろ / *Honesty is the best policy*.(ことわざ)正直は最良の策.

*hon·ey /hʌ́ni/ 〖「黄褐色」が原義〗
──名(複 ~s or hon·ies/-z/)1 U はちみつ, 花のみつ《◆神の食物といわれる》;〔形容詞的に〕はちみつ(のような)‖ a slice of bread with *honey* はちみつを塗ったパン1切れ / Bees make *honey* from the nectar of flowers. ミツバチは花のみつからはちみつを作る. 2 U 甘いもの, おいしいもの. 3 C 《主に米・アイル略式》[呼びかけで]いとしい人, おまえ(darling)《◆(1)(主に男性語で, 女性語の love, sweet に対する. (2)夫婦間・恋人同士で, また親子に対しても用いる》. 4 C (略式)一流品, すばらしい物[人].

hon·ey·bee /hʌ́nibìː/ 名 C 〔昆虫〕ミツバチ.

†**hon·ey·comb** /hʌ́nikòum/ 名 C U 1 ミツバチの巣, ハチの巣. 2 ハチの巣状〔六角形〕のもの;(金属, 特に砲のハチの巣状のきず; 亀甲模様; ハチ巣織り. 3 (反毛のひ類)の第二胃. ──形 ハチの巣状の; ハチの巣模様の. ──動 他 …を(ハチの巣状に)〔…で〕穴だらけにする〔*with*〕.

hon·ey·dew /hʌ́nidjùː/ 名 1 U(夏に木の葉・茎などから出る)みつ, 糖液. 2 U(英)甘露タバコ《みつで風味をつけたパイプ用タバコ》. 3 C =honeydew melon. **hóneydew mèlon** ハネデューメロン.

†**hon·ey·moon** /hʌ́nimùːn/ 名 C 1 新婚旅行; 新婚休暇 ‖ go on one's *honeymoon* 新婚旅行に行く. 2 蜜月(⁓ッ), (新任の大統領と国会など2者の関係が)幸福な期間. ──動 (正式)[…に]蜜月旅行をする〔*in*, *at*〕.

hóneymoon brídge 〔トランプ〕ハネムーン=ブリッジ《2人用のブリッジ》.

†**hon·ey·suck·le** /hʌ́nisʌ̀kl/ 名 U C 〔植〕スイカズラ,(特に)ニオイニンドウ.

†**Hong Kong** /hάŋkάŋ | hɔ̀ŋkɔ́ŋ/ 名 ホンコン(香港)

《中国南部の特別行政区。もと英国の直轄植民地》.

†honk /hάŋk, hɔ́ːŋk | hɔ́ŋk/ 名 C **1** ガンの鳴き声. **2** (自動車の)警笛の音./ガンが鳴く. **2** 〔…に〕警笛を鳴らす〔at〕;〈警笛が〉鳴る. **3** 《英俗》吐き出す. ── 他〈警笛を〉鳴らす.

honk・y-tonk /hάŋkìtɑ̀ŋk, hɔ́ːŋkìtɔ̀ːŋk | hɔ́ŋkìtɔ̀ŋk/ 名 C **1** (略式)安酒場, 安キャバレー《安酒場などで(ピアノ)演奏される》ラグタイム. ── 形 ラグタイム風の.

†Hon・o・lu・lu /hὰnəlúːluː | hɔ̀n-/ 名 ホノルル《米国 Hawaii 州の州都. Oahu 島の都市》.

＊hon・or, (英) **--our** /άnər | 5nɔ/《◆ 米国でも結婚式の招待状や他の社交上の儀礼的な場合はふつう honour を用いる》派 honorable (形)
── 名 (複 ~s/-z/)

Ⅰ [名誉]

1 U 名誉, 名声 (↔ dishonor); 信用, 面目, 体面; 道義(徳)心 ‖ a sense of *honor* 名誉を重んじる心 / He managed to preserve [save] his *honor*. 彼は何とか面目を保った / *win* [*gain*] *honor* 名声を得る / *lose* one's *honor* 信用を失う / fight for the *honor* of one's country 祖国の名誉のために戦う.

2 U 尊敬, 敬意 ‖ show him *honor* = show *honor* to him 彼に敬意を表する.

3 U 自尊心, 道義心, 体面;(女性の)貞節, 純潔 ‖ a man of *honor* 仁義に厚い(義理を重んじる)人 / defend [lose] one's *honor* 純潔を守る(失う).

Ⅱ [名誉の印]

4 [an ~,〔…の〕名誉となるもの, 誉れ〔to〕; [~s] 勲章; 叙勲; 儀礼, 礼遇 ‖ the last [funeral] *honors* 葬儀 / (full) military *honors* 軍葬の礼;《王族などに対する》軍の儀礼 / She is an *honor* to our school. 彼女は我々の学校の誉れである.

5 [~s] 〈学校の〉優等;《米》〈大学の〉優等課程;《英》〈大学の〉優等学位 ‖ graduate with *honors* 優等で卒業する.

Ⅲ [名誉な人・物]

6 [H~] 閣下《◆ 裁判官・市長などに対する尊称で, 言及する時は His [Her] *Honor*, 呼びかける時は Your *Honor* となる》‖ Would you please come this way, Your *Honor*? こちらへおいでください.

7 (トランプ) [~s] オナーカード《切り札の ace, king, queen, jack, ten》.

Ⅳ [光栄]

8 U (正式)《地位の高い人から好意を受ける》光栄, 特権 ‖ It is a distinct *honor* to meet you. お目にかかれることをたいへん光栄に存じます / I *hàd* the *hónor* 'of being [*to* be] invited to his párty. 光栄にも彼のパーティーに招待していただいた.

dò ⋀ *hónor* = *dò hónor to* ⋀ (正式)(1)〈人〉に敬意を表する. (2)〈人〉の名誉となる.

dò ⋀ *the hónor of dóing* [*to do*]…して〈人〉に面目を施すこと ‖ He *did* me *the honor of saying* that I was right. 間違ってはいないと私の名誉のために彼は言ってくれた.

gíve ⋀ *one's wórd of hónor* …〔だと〕名誉にかけて〈人〉に約束する〔*that* 節〕.

in hónor of ⋀ = *in* ⋀'*s hónor* (1)…に敬意を表して, …を祝して, 記念して ‖ A party was given *in honor of* the birth of their first child. 彼らの初めての子供の誕生を祝ってパーティーが行なわれた. (2)…のために, の代わりに.

on [(正式) *upòn*] *one's hónor* 誓って, 本当に ‖ On my *honor*, I didn't do that. 本当にそんなことはしておりません.

── 動 (~s/-z/, (過去・過分) ~ed/-d/, ~・ing/άnərɪŋ | 5n-/)

── 他 **1** (正式)〈人〉が〈人〉に[…の]栄誉を授ける 〔with〕; [be ~ed]〈人〉が[…の/…することを/…だと]光栄に思う〔*by, for* / *to do* / *that* 節〕‖ *hónor* him *with* a doctor's degree 彼に博士号を与える / I am most [highly, deeply] *honored* to be invited. ご招待にあずかり光栄の至りです(= Thank you for your kind invitation).

2 〈人〉を尊敬する;〈神〉をあがめる;〈国旗などに〉敬意を表す;(ダンスで初めと終わりに)〈相手〉におじぎをする.

3 (正式)〈手形など〉を受け取る, 支払う;〈約束・協定など〉を守る ‖ All credit cards are *honored* here. 当店ではどこのクレジットカードでもご利用になれます / In case of rain, the ticket will be *honored* the following day. 雨天の際には, このキップは翌日有効です.

hónor plàtform 表彰台.

†hon・or・a・ble, (英) **--our--** /άnərəbl | 5n-/ 形 **1** 尊敬すべき, 立派な, あっぱれな; 高潔な (↔ dishonorable) ‖ *honorable* deeds 立派な行為 / an *honorable* achievement すばらしい業績 / an *honorable* man. 彼は高潔な人物だ. **2** 名誉となる, 名誉ある, 高貴な ‖ *honorable* wounds 名誉の負傷. **3** [H~;通例 the ~] 閣下《◆(英)では伯爵の次男以下の息子, 子爵・男爵のすべての子, (米)では議員などに対する敬称. (略) Hon.》‖ the *Honorable* John Smith ジョン=スミス閣下.

†hon・or・a・bly, (英) **--our--** /άnərəbli | 5n-/ 副 立派に, 尊敬されるように.

†hon・or・ar・y /άnərèri | 5nərəri/ 形 [しばしば H~] 〈学位などが〉名誉として与えられる; 名誉(上)の, 肩書だけの, 無給の(略 Hon.) ‖ an *honorary* degree 名誉学位 / an *honorary* secretary 名誉幹事.
── 名 C 名誉学位(を持つ人).

＊hon・our /5nɔ/ 名 (英) = honor.
hon・our・a・ble /5nərəbl/ 形 (英) = honorable.

＊hood /húd/ 発音注意 語源 food /fuːd/ 〖「頭につける物」が原義〗
── 名 (複 ~s/húdz/) C **1** ずきん,(外套(がい)などの)フード ‖ a girl wearing a red *hood* on her head. 赤ずきんをかぶった女の子. **2** ずきん[フード]状のもの; 電灯・煙突のかさ, 炉のひさし, 自動車・乳母車の幌(ほろ), 発動機の覆い, レンズのフードなど;《タカ用の》頭の覆い;《米》ボンネット《自動車前部のエンジンの覆い. (図) → car》《英》bonnet). **3** 《大学式服の》背部の垂れ布《大学教授などの学位を色で表す》.
── 動 他 …にずきんをつける;…を[ずきん状のもので]覆う〔*with*〕‖ hills (which are) *hooded with* summer clouds 頂上が夏雲で覆われた山々.

†-hood /-hud/ 語要素 → 語要素一覧 (2.2).

hood・ed /húdɪd/ 形 フード付きの, フードをかぶった, フード状の ‖ a *hooded* jacket フード付きのジャケット / a *hooded* snake コブラ / *hooded* eyelids 半開きの目《上まぶたが垂れかぶさった状態》.

hood・wink /húdwìŋk/ 動 他 (略式)〈人〉をだまして[…]させる〔*into doing*〕, ごまかす. ── 名 C 目隠し.

†hoof /húf | húːf/ 名 (複 ~s/-s/, *hooves*/húvz/, húːvz/) C **1** (馬などの)ひずめ(図 → horse) ‖ an injured *hoof* 傷ついたひづめ. **2** (馬・牛などのひづめのある)足《◆ paw はかぎづめのある足》; ひずめを持つ動物. **3**《人間の》足.

on the hóof〈食用の家畜が〉生きている.

hoof・beat /húfbìːt | húːf-/ 名 U ひずめの音.

†hook /húk/ 名 C **1**《物を掛ける[引っ掛ける]ための》

3 《略》〈事が〉むだな, 無益な ‖ It is *hopeless* trying [to try] to build a fire with wet wood. ぬれた木で火を起こそうとするのはむだなことである. **4** 《略式》〈人が〉[…が]へたな, ふるわない[*at*] ‖ She is *hopeless at* English [tennis]. 彼女は英語[テニス]はへたである.

hópe·less·ness 图 ⓤ 絶望.

†**hópe·less·ly** /hóuplesli/ 副 絶望的に, どうしようもなく.

Ho·pi /hóupi/ 图 (圏 ~s, [集合名詞] **Ho·pi**) ⓒ ホピ族の人《アリゾナ州の北米先住民の部族》; ⓤ ホピ語.

hop·ing /hóupiŋ/ 動 ⇒ hope.

†**hop·per** /hápər | hɔ́pər/ 图 (圏 ~s) **1 a** ぴょんぴょん跳ぶ虫[動物]《バッタ・ノミ・《豪》カンガルーなど. ふつう複合語を作る: a grass*hopper*》. **b** 短い旅行をする人, (酒場を)飲み歩く人, ぴょんぴょん跳ぶ人. **2** ホッパー《穀物・石炭などを下に落とすためのじょうご状の器・装置》.

hop·scotch /hápskàtʃ | hɔ́pskɔ̀tʃ/ 图 ⓤ 石けり遊び ‖ play *hopscotch* 石けり遊びをする.

†**Hor·ace** /hɔ́ːrəs/ 图 ホラチウス《65–8 B.C.; ローマの詩人》.

Ho·ra·ti·o /həréiʃiòu/ 图 ホレーショウ《Hamlet の親友の名前》.

†**horde** /hɔ́ːrd/ (同音 hoard) 图 ⓒ **1** (動物などの)大群, 移動群(swarm); (乱暴な人などの)群れ, 群衆(crowd) ‖ 「a *horde* [*hordes*] of locusts イナゴの大群. **2** 大量, 多数 ‖ accumulate vast *hordes* of foreign currency 大量の外国通貨を蓄積する. **3** 遊牧民族, 漂泊民団.

hore·hound /hɔ́ːrhàund/ 图 ⓤ **1** 〖植〗 ニガハッカ. **2** (それから採る液で作った)せき止め薬; (ハッカ入り)キャンディー.

***ho·ri·zon** /həráizn/ [アクセント注意]

　　— 图 (圏 ~s/-z/) ⓒ **1** [the ~] 地平線, 水平線; 〖天文〗宇宙の地平(線) ‖ His ship is disappearing beyond the *horizon*. 彼の乗っている船は水平線のかなたに消えようとしている / The sun is going down below the *horizon*. 太陽は地平線に沈もうとしている. **2** 《正式》 [通例 ~s] (思考などの)視野, 展望; (知識・経験などの)限界, 範囲 ‖ The lecture opened up new *horizons* for us. その講義は我々に新しい展望を与えてくれた / Her *horizons* are narrow. 彼女は視野が狭い.

on [over] the horízon 兆(³)しが見えて, 起こりかけて.

†**hor·i·zon·tal** /hɔ̀ːrəzántl | -zɔ́n-/ 形 **1** 地平線(上)の, 水平線(上)の. **2** 水平の(↔ vertical); 横向きの ‖ *horizontal* stripes 横縞(⁵) / a *horizontal* engine 横形機関. —— 图 [the ~] 水平線, 水平面.

horizóntal bár (体操の)鉄棒; [the ~] 鉄棒競技.

†**hor·i·zon·tal·ly** /hɔ̀ːrəzántəli | -zɔ́n-/ 副 水平に, 横に, 水平方向に(↔ vertically) ‖ Japanese can be written vertically and *horizontally*. 日本語は縦にも横にも書ける.

hor·mo·nal /hɔːrmóunl/, **—·mon·ic** /-mánik, -móunik | hɔːm5-/ 形 ホルモンの.

hor·mone /hɔ́ːrmoun/ 图 ⓒ 〖生理〗 ホルモン.

hórmone crèam ホルモン入り化粧クリーム.

***horn** /hɔ́ːrn/

　　— 图 **1** (圏 ~s/-z/) **a** (ウシ・ヒツジ・ヤギ・サイ・シカなどの)角(²), 触手; (ミミズの)耳; 触角《昆虫》 ‖ A bull has two *horns*. ウシには角が2本ある. **2** ⓤ (細工もの材料としての)角, 角材. **3** ⓒ 角製の物(容器) ‖ a shoe*horn* 靴べラ / a powder *horn* 角製の火薬入れ / a drinking *horn* 角製の杯. **4** ⓒ 角笛, 〖音楽〗ホルン, フレンチホルン; 《俗》金管楽器《トランペット・ホルンなど》; (ラジオの拡声器の)らっぱ; 《俗》拡声器 ‖ a hunting *horn* 狩猟用の角笛. **5** ⓒ 警笛 [類語 siren]; [blow [sound] the (car) *horn* (車の)クラクションを鳴らす / Save [Sound] your *horn*. 〖掲示〗警笛禁止[鳴らせ]. **6** ⓒ 角の形に突き出したもの; 三日月の端; (鞍(⁶)の)前橋(†⁶); (砂州・岬(⁶)の)突端, 入江.

　　blów [tóot] one's ówn hórn 自画自賛する, 自慢する.

　　dráw [púll, hául] in one's hórns 〖(カタツムリがおびえて角を引っ込める)〗 《略式》弱気になる, 控え目になる, (前言などを)取り下げる; 《英》倹約する.

　　shów one's hórns 〖(悪魔が今まで隠していた)角を見せる〗 本性を表す; けんか腰になる.

Horn /hɔ́ːrn/ 图 [the ~] = **Cape** ～ ホーン岬(⁶)《南米大陸の最南端の岬. 悪天候で有名》.

horn·beam /hɔ́ːrnbìːm/ 图 ⓒ 〖植〗 シデ《◆生垣に用いる》; ⓤ その木材.

horned /hɔ́ːrnd/ 形 [しばしば複合語で]〈動物・鳥などが〉角のある ‖ a long-*horned* antelope 角の長いアンテロープ / the *horned* owl ミミズク.

†**hor·net** /hɔ́ːrnit/ 图 ⓒ 〖昆虫〗 スズメバチ《スズメバチ科の大形のハチの総称. 猛毒の針を持つ》.

horn·less /hɔ́ːrnləs/ 形 角のない(↔ horned); らっぱのない.

horn·pipe /hɔ́ːrnpàip/ 图 ⓒ **1** ホーンパイプ《昔英国の水夫たちが用いた角笛の一種》. **2** ホーンパイプダンス(の曲)《水夫たちの娯楽の1つ》.

horn·y /hɔ́ːrni/ 形 (-i·er, -i·est 形) **1** 角状の, 角のような, 突起のある, こわばった. **3** 角質の ‖ the *horny* coat (目の)角膜.

†**hor·o·scope** /hɔ́ːrəskòup/ 图 ⓒ 〖占星〗 [one's ~] 天宮図(上の位置), 運勢 ‖ cast a *horoscope* 天宮図を作る, 星占いをする / read his *horoscope* 彼の星占いをする / My *horoscope* for July says I'll become rich. 7月の私の運勢は金運が吉と出ている.

†**hor·ri·ble** /hɔ́ːrəbl/ 形 **1** 恐ろしい, 身の毛のよだつような ‖ a *horrible* accident [sight] 恐ろしい事故[光景] / I had a *horrible* dream last night. 昨夜は恐ろしい夢をみた《◆a terrible dream だと「いやな夢」》. **2** 《略式》ひどくいやな, とても不愉快[不快]な ‖ a *horrible* noise [smell] ひどく不快な音[におい] / The weather was *horrible* yesterday. きのうはたいへんひどい天気だった.

hór·ri·ble·ness 图 ⓤ 恐ろしさ, ものすごさ.

†**hor·ri·bly** /hɔ́ːrəbli/ 副 **1** 恐ろしく, ものすごく. **2** 《略式》[強意語として] ひどく《◆否定的内容の語と共に用いる》‖ *horribly* ominous とても不吉な / I'm *horribly* tired. ひどく疲れている.

†**hor·rid** /hɔ́ːrəd/ 形 **1** 恐ろしい, こわい, ぞっとするような. **2** 《略式》たいへんひどい[不愉快な].

hor·rif·ic /hɔːrífik, hə-/ 形 《略式》恐ろしい, ぞっとする.

†**hor·ri·fy** /hɔ́ːrəfài/ 動 〈人を〉ぞっとさせる, こわがらせる; 〈人〉にショックを与える ‖ She was *horrified* to hear [at, by] the news of the accident. 彼女はその事故の知らせにショックを受けた.

hór·ri·fy·ing 形 [他動詞的に]〈光景などが〉恐ろしい, ぞっとするような.

***hor·ror** /hɔ́ːrər/ 图 (圏 ~s/-z/) **1** ⓤ 恐怖, 恐ろしさ; ⓒ 恐ろしい[ぞっとする]人[物]《◆terror と違い嫌悪感を伴う恐怖》 ‖ the *horrors* of war 戦争の惨事 / *in hor*-

ror (of the sight) (その光景に)ぞっとして / *to one's **horror*** ぞっとしたことには / We looked with *horror* at the scene. 我々は恐怖を感じながらその光景を見た. **2** UC 憎悪, 嫌悪;(略式)[a ~] いやな[不愉快な, ひどい]物[事];いやなやつ, 手に負えない子供 ‖ He has *a horror* of spiders. =Spiders are his *horror*. 彼はクモが大嫌いだ.

the Chámber of Hórrors (ロンドンのタッソー蠟人形館の)恐怖の部屋.
hórror còmic ホラー[恐怖]漫画.
hórror fìction ホラー[恐怖]小説.
hórror fìlm [mòvie] ホラー映画, 恐怖映画.
hórror stòry (1)《略式》(経験などの)ひどい話. (2) 恐ろしい話;恐怖小説.
hors d'oeuvre /ɔːrdˈɜːrv/《フランス》名 C U オードブル, 前菜《食事の最初に出される味の強い少量の(冷たい)料理の盛り合わせ. 食欲をそそるために出る》.

horse /hɔːrs/ (同音 hoarse) 『「走るもの」が原義』

——名 (複 ~s/-ɪz/) **1** C 馬《◆従順・高貴な動物として尊重される反面, 好色・愚かさの象徴でもある》;(成長した)雄馬, ウマ科の動物《ass, donkey など》; U 馬の肉《◆英国では食べない》‖ a wild *horse* 野生の馬 / on a *horse* 馬で, 馬に乗って / with the *horse* and cart 荷馬車で《◆ ×cart and horse の語順は不可》/ I like to ride *horses*. 私は馬に乗るのが好きだ《◆ to ride (on) a *horse* よりも, この方がふつう》/ You may [can] take [lead] a *horse* to (the) water, but you cannot make him drink (it). 《ことわざ》馬を水際へ連れて行くことはできるが, 水を飲ませることはできない;その気のない者には, はたからどうすることもできない / You're beating a dead *horse*. 《ことわざ》死んだ馬にむちを入れている(みたいだ);成功の見込みがないのに努力している(ようだ)《◆「むだなことはよせ」と忠告するときなどに用いる》.

> 関連 (1)[種類] foal 特に0歳の子馬 / colt 4, 5歳までの雄の子馬 / filly 4, 5歳までの雌の子馬 / pony (体高が4.8 feet (1.468 m)以下の)小型の馬 / gelding 去勢馬 / mare 雌馬 / stallion 種馬 / steed 乗用馬, 軍馬.
> (2)[鳴き方] neigh ヒヒーン(と鳴く).

2 [the ~s] 競馬. **3** U《正式》[集合名詞;単数扱い] 騎兵(horsemen), 騎兵隊(cavalry) ‖ a troop of *horses* 騎兵隊 / light [heavy] *horse* 軽[重]騎兵 / *horse* and foot 騎兵と歩兵, 全力で, 全力をあげて. **4** C (体操用の)鞍馬(ﾐ); (米) side horse), 跳馬(vaulting horse);(人が乗る)馬の形をした物 ‖ a rocking *horse* (子供の)揺り木馬. **5** C **a** [通例複合語で] 物を掛ける台, 脚立(ﾀﾞ) ‖ a clothes *horse* 衣装掛け. **b** のこひき台, ひきわく (sawhorse). **6** C 人, やつ ‖ a willing *horse*《略式》骨惜しみせず[文句を言わず]働く人.

báck the wróng hórse《略式》(1) 負け馬に賭ける. (2) (誤って)負けている方を支持する;判断を誤る.
Dón't [Néver] lóok a gíft hórse in the móuth. 贈られたものにけちをつけるな《◆馬はその歯を見れば年齢がわかることから》.
éat like a hórse《略式》大食いする, もりもり食べる (↔ eat like a bird)《◆遠回しに have a good appetite (食欲旺(ﾏﾞ)盛である)とするのがふつう》.
That's [It's] a hórse of anóther [a dífferent] cólor. それは(まったく)別の事柄だ, 今の問題と別に考えるべきことだ.
the hórse and búggy àge [dàys]《略式》馬車時代, 昔.
wórk like a hórse《略式》馬車馬のように[元気に]働く.

——動 (**hors·ing**) 他 〈馬車〉に馬をつける, 〈人〉を馬に乗せる ‖ *horse* a carriage 馬車に馬をつける.
——自 **1** 馬に乗る, 馬に乗って行く. **2**《略式》ばか騒ぎする, 暴れ回る(+ *around, about*).
——形 馬の, 馬につける, 馬に関する.

hórse chèstnut〔植〕マロニエ, トチノキ;その実《◆英国では実をひもに通しぶつけ合って遊ぶ》.
Hórse Guàrds〔英〕[the ~] 近衛(ﾋ)騎兵(隊);その本部《London の Whitehall にある》.
hórse látitudes〔海事〕亜熱帯無風帯《北緯・南緯各30°の大西洋上》.
hórse ràcing 競馬.

> 関連[有名な競馬] 米国: Kentucky Derby, Preakness Stakes. 英国: Derby, Oaks, Ascot, Grand National.

hórse sènse《略式やや古》(日常的な)常識, 俗識.

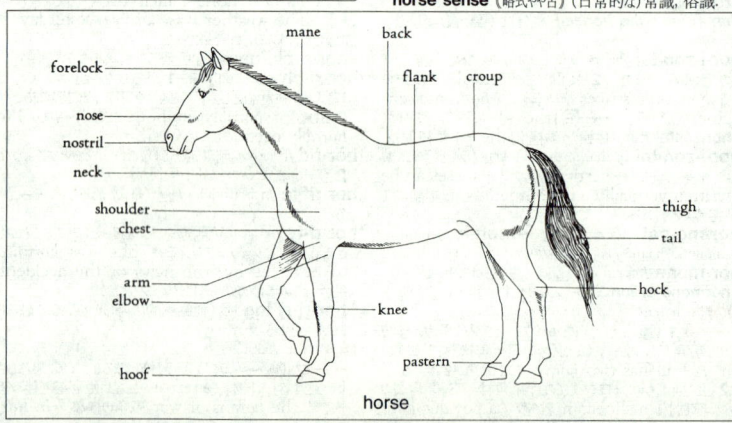

horse (部位図: mane, back, forelock, flank, croup, nose, nostril, neck, shoulder, chest, thigh, tail, arm, elbow, hock, hoof, knee, pastern)

ぎ；留め金，ホック；(電話の)受話器掛け ‖ a coat *hook* 洋服掛け / *hooks* and eyes (服の)かぎホック． **2** 釣り針；わな ‖ a *hook* and line 糸のついた釣り針． **3** かぎ形のかま． **4** かぎ状の物[記号]；〔音楽〕(音符の)旗；(文字･引用符などの)かぎ；動植物のかぎ形の器官． **5** (河川･道路の)屈曲部；かぎ形の岬(みさき)． **6**〔ゴルフ･テニスなど〕フック《ボールが利き腕の反対方向に曲がること》(↔ slice)；〔ボクシング〕フック．

by hóok or (by) cróok なんとかして；どんなことをしてでも．

hóok, líne and sínker (略式) 完全に．

òff the hóok (俗)〈受話器が〉はずれて；窮地を脱して．

――[動][他] **1** …をかぎ形に曲げる；…を曲げてつなぐ． **2** 〈物〉をかぎで引っ掛ける[留める]；…をホックで留める(+*up*)(↔ unhook) ‖ *hook* an umbrella over the back of the chair いすの背にかさを引っ掛ける / This dress is *hooked up* at [in] the front. このドレスは前で留めるようになっている． **3** [be ～ed]〔…に〕ひっかかっている〔*on*〕；(略式)〔人･物に〕病みつき[夢中]になっている(addicted to)〔*on*〕 ‖ *be hooked on* 「the long-haired girl [going to concerts] あの長い髪の女の子[コンサート通い]に夢中になっている． **4**〈魚など〉を釣り上げる ‖ *hook* a fish 魚を釣る． **5**〔野球〕〈ボール〉を(打者から離れるように)カーブさせて投げる；〔ゴルフ･テニスなど〕〈ボール〉をフックさせる；〔ボクシング〕〈相手〉にフックを入れる；〔ラグビー〕〈ボール〉をフッキングする《スクラム内のボールを後ろにサッと出す》．

――[自] **1** かぎ形に曲がる． **2** かぎ[ホック]で留まる(+*together, up*) ‖ The dress *hooks* at [in] the front. その服は前をホックで留める．

hóok it (俗) 逃げる，ずらかる．

hóok on [自] (1) かぎ[ホック]で〔…に〕くっつく〔*to*〕. (2)〔人と〕腕を組む〔*to*〕. ―[他] (1) …をホック[かぎ]で〔…に〕留める〔*to*〕. (2) → [他] **3**.

hóok úp [他] (1) → [他] **2**. (2)〈ラジオなど〉を組み立てる；〈電話など〉を〔…に〕つなぐ〔*to*〕. ―[自]〔…へ〕つなぐ ‖ *hook up to* the Internet インターネットに接続する．

***hóok úp with* A** (米) (1)〈人〉と会う. (2)〈他の団体〉との協力に同意する．

hooked /húkt/ [形] **1** かぎの形をした ‖ a *hooked* nose かぎ鼻(=an aquiline nose)． **2** (かぎ)ホックのついた． **3** かぎ針で編んだ．

hóoked schwá フックト=シュワー《発音記号 /ɚ/ の名称》．

hook·er /húkər/ [名][C] **1** ひっかける人[物]；〔ラグビー〕フッカー《スクラムの最前列にいてボールを後方へけり送る選手． [図] → rugby》． **2** (略式) ぺてん師． **3** (米略式) 売春婦．

hook·up /húkʌ̀p/ [名][C] **1** (放送の)ネットワーク，中継． **2** (主に米) (部品の)組み立て，接続(図)．

hook·worm /húkwə̀ːrm/ [名][C] 十二指腸虫；[U] 十二指腸虫病．

hoo·li·gan /húːligən/ [名] フーリガン《特にサッカー場など公共の場で暴れる若者》．

†**hoop** /húːp/ ([同音] whoop) [名][C] **1** (主に筒状のものを止める)輪，環帯，(たるの)たが． **2** (一般に)輪状のもの《フラフープの輪･サーカスで動物がくぐる輪など》；〔クローケー〕小門；〔バスケットボール〕ゴール，リング ‖ Rolling [Driving] a *hoop* is a lot of fun. 輪回し遊びは実に面白い． **3** (スカートの)張り輪．

gó [júmp] thróugh 「a hóop [the hóop(s)] 『サーカスで動物が火のついた輪をくぐる』(略式) 試練を受ける ‖ I'd *jump through a hoop* for you. 君のためならたとえ火の中水の中．

pùt* A *thróugh 「a hóop [the hóop(s)] 『サーカスで動物に火のついた輪をくぐらせる』(略式)〈人〉に試練を味わわせる．

hóop skìrt フープ=スカート《張り輪で広げる》．

hóop snàke (米)〔動〕ヒムネ(緋胸)ツチヘビ．

hoo·ray /hʊréi/ [間][名][動] =hurray.

†**hoot** /húːt/ [動][自] **1**〈フクロウが〉ホーホーと鳴く． **2**〈列車･サイレンなどが〉ブーブーと鳴る，〈車･運転手が〉ブーブーと鳴らす ‖ A car *hooted* (away) loudly through the town. 車がブーブー警笛を大きく鳴らしてその町を通り抜けた． **3** (略式)〔軽蔑(べつ)の笑いなどで/…を〕はやし立てる，ブーブーやじる〔*with/at*〕．

――[他] **1** (略式)〈人〉をやじる(+*down, off*)；〈人〉をやじって〔…から〕追い立てる[去らせる](+*away, out*)〔*off*〕． **2**〈不満･不賛成〉をワーワー言い立てる． **3**〈警笛〉を〔…に〕ブーブーと鳴らす〔*at*〕．

――[名][C] **1** (フクロウの)ホーホーと鳴く声． **2** (車･船の)警笛． **3** ワーワーやじる声，(不満･不賛成･軽べつの)叫び声，あざけり(の叫び声)． **4** (略式) 笑い(の原因)． **5** [a ～ / two ～s] (略式) ほんの少し；[否定文で] ちっとも(at all) ‖ He doesn't care [give] *a hoot* [*two hoots*] whether I am happy or not. 彼は私が幸せかどうかちっとも気にしない．

hoo·ver /húːvər/ (英略式) [名] [しばしば H～] [C] (商標) フーバー電気掃除機. ――[動][他] [時に H～]〈床･カーペットなど〉に電気掃除機をかける(+*up*)．

Hoo·ver /húːvər/ [名] フーバー《Herbert Clark /klɑ́ːrk/ ～ 1874-1964；米国の第31代大統領(1929-33)》．

hooves /húvz | húːvz/ [名] hoof の複数形．

***hop**[1] /hɑ́p | hɔ́p/ ([類音] hope /hóup/)

――[動] (～s/-s/; [過去･過分] hopped/-t/; hop·ping)

――[自] **1a**〈人が〉(片足で)**ぴょんぴょん跳(と)ぶ**，ひょい[ぴょん]と跳ぶ ‖ *hop* along ぴょんぴょん跳んで行く / *hop* over a ditch [fence] みぞ[へい]を跳び越す． **b**〈鳥･動物などが〉(足をそろえて)**ぴょんぴょん跳ぶ** ‖ The kangaroo *hopped* about [around] in the field. カンガルーが野原をピョンピョン跳び回った． **2** (略式)〈人･物･動物などが〉急に[ひょいと]動く ‖ *hop* into [in, on] a train (米) 列車に跳び乗る / *hop* out of bed ベッドから跳びおりる． **3** (略式) (飛行機で)飛び回る，小旅行をする(+*over*)；〈飛行機が〉離陸する(+*off*) ‖ *hop over* to Seoul ソウルへちょっと旅行する．

――[他] **1**〈人･動物が〉…をぴょん[ひょい]と跳び越す． **2** (主に米略式)〈(動いている)乗物など〉に(切符なしにひょいと)跳び乗る． **3** (略式)〈飛行機が〉…を横断する；…を飛行機で小旅行をする．

hóp to it (米略式) (すばやく)仕事にとりかかる；急ぐ．

――[名][C] **1** (人の)片足跳び，跳躍，(鳥･動物などの)両足跳び，カエル跳び；(ボールの)バウンド． **2** (略式) (長距離飛行の)一航程；短距離飛行，小旅行；(飛行機の)離陸． **3** (略式) 踊り；(略式の)ダンスパーティー．

on the hóp (略式) (1) (英) 不意に ‖ catch him *on the hop* ひょっこり彼に会う；彼の不意をつく. (2) (忙しく)動き回って；用心深い ‖ keep him *on the hop* 彼を(心配させて)忙しく[せわしく]させる；彼を用心[緊張]させておく．

the hóp, skip [stèp], and júmp 〔競技〕三段跳び《◆(米)では a hop, skip, and jump は「(ひと跳びの)短い距離」の意にも用いる》．

†**hop**[2] /hɑ́p | hɔ́p/ [名][C]〔植〕ホップ．

⁑hope /hóup/ (類音 hop /hάp | hɔ́p/) 派 hopeful (形), hopeless (形)

index 名 1 希望 2 見込み, 期待 3 希望を与えるもの[人]
動 他 1 望む 2 願う 自 望む

―名 (複 ~s/-s/) **1** U C 〔…に対する〕希望, 望み〔*for*〕(↔ despair) ‖ have [give up] *hope* 希望を持つ[捨てる] / my ***hope of*** winning the race レースに勝ちたいという私の望み《◆my *hope* to win … は《まれ》. cf. I *hope to* win the race.》/ ***While there is life, there is hope.*** 《ことわざ》生きている限り希望がある; 「命あっての物種」/ Her words gave me *hope*. 彼女の言葉が私に希望を与えてくれた.
2 U C 〔…の/…するという〕見込み, 期待, 可能性〔*of* / *of* doing, *that*節〕‖ ***pin*** [set, fix, build] one's *hopes* on … …に期待をかける / 「build up [raise] his *hopes* 彼に期待をいだかせる / be ***beyònd*** [***pàst***] ***hópe of*** recovery 回復の見込みがない / ***hàve nó*** [***some***] ***hópe of*** success 成功の見込みがまったくない[多少ある] / ***There is no hope of*** [《主に米》for, about] her success. =***There is no hope that*** she may succeed. 彼女が成功する見込みはない《◆ ×There is no hope for her to succeed. は不可》.
3 C [通例単数形で] 希望を与えるもの[人], 期待されるもの[人], 頼み, ホープ ‖ He is the *hope* of our team. 彼は我がチームのホープだ / He is my last *hope*. 頼みになるのは彼しかいない.
bùild [***gèt***] ***A's hópe úp*** 〈人〉の希望がかないそうにする[思う].
dásh [***shátter***] ***A's hópes*** 〈人〉の〔…する〕希望をくじく〔*of* doing〕.
hàve hígh hópes 〔…への/…する/…である〕大望を抱く〔*for* / *of* doing / *that*節〕.
hópe agàinst hópe (見込みがないのに)〔…を/…であると〕希望し続ける〔*for*/*that*節〕.
in hópe(s) 希望を抱いて; 〔…を〕期待して〔*of*, *that*節〕‖ live *in hope(s) of* … 《主に英》…の望みを抱いている.
in the hópe 〔…することを/…であることを〕希望して〔*of* doing / *that*節〕.

―動 (~s/-s/; 過去・過分 ~d/-t/; hop·ing)
―他 **1** [hope to do] 〈人が〉…することを望む, 希望する, …したいと思う《◆wish と意味はほぼ同じ》‖ We ***hópe to*** sée you(↘) | at our next annual meeting. 来年の例会でお会いしましょう / I *hope to* have read this book by next Tuesday. = I *hope* (*that*) I will have read this book by next Tuesday. 次の火曜日までにはこの本を読み終えたいと思っている.
2 [hope (that)節] …であることを願う《◆ ☑ that節を伴う場合, wish は「可能とは思わないが望む」の意で仮定法で用いるが, hope は「可能と信じて望む」の意で直説法をとる. 不定詞が後にくる場合は両者とも意味はほぼ同じ》‖ (I) *hópe you*('ll) like this. (プレゼントなどを渡す際に)気に入っていただければよいのですが《◆この場合は 'll を略すのがふつう》/ I *hope* you will give us some advice. 私たちに何か助言をいただければと考えております《◆依頼としては I'm *hoping* … の方がていねいで適切. ➲文法 5.2(5)》/ 「We *hope* [It is *hoped*] *that* you'll come a little earlier. 少しばかり早目においでいただければと思います《◆ ×You are hoped to come … は不可》/ I *hope* it won't [doesn't] rain tomorrow. 明日雨が降らなければいいのですが《◆(1) 後続する that 節では現在時制も可能. 否定陳述では従節の中で打ち消す: ×I don't hope it will rain tomorrow. (→ not 副 7 注 (2)). (2) よい結果を望むのは I hope, 悪い結果を心配する時は I'm afraid を用いる》/ 対話 "Do you think it will rain tomorrow?" "I ***hópe sò*** [***nòt***]." = "I ***hópe*** it will [will nót]." 「明日雨が降ると思いますか」「降って[降らないで]ほしいですね」.
3 [had hoped to do / hoped to have done] …したいと思っていたが(実現しなかった) (➲文法 6.2(5)) ‖ 「I'd *hoped to* have [I *hoped to have* had] these walls re-papered. この壁紙を張り替えたいと思ってはいましたが《◆そう思っていたのだが実現しなかった (I *hoped* to have these walls re-papered, but I didn't [couldn't].) という意味を含む》.
―自 〈人が〉〔物・事を〕望む, 〔人に〕期待する〔*for*〕‖ There is nothing to be *hóped for*. 望むものは何もない, まったく満足である / I ***hope for*** John ***to*** come. ジョンが来ることを望んでいる《◆(1) I *hope* John will come. がふつう. (2) ×I hope John to come. は不可. I want [wish, expect] John to come. は可能》/ I'm *hoping for* promotion. 私は昇任を期待しています(=I'm hoping to be promoted.).
I hópe you're gòing to ***dó*** …していただきたく存じます《◆ていねいな依頼》‖ *I hope you're going to* help me with this project. このプロジェクトに手を貸していただければと思います.

***hope·ful** /hóupfl/ 〚希望(hope)にあふれた(ful)〛
―形 (**more** ~, **most** ~) **1** [通例補語として] 〈人が〉〔…に〕望みを抱いている, 〔…を/…だと〕希望[期待]している〔*of*, *about* / *that*節〕; 希望に満ちた(↔ hopeless) ‖ The doctor is very ***hopeful about*** the sick baby's recovery. 病気の赤ん坊の回復については医者はたいへん楽観している / We are ***hopeful of*** her winning the prize. =We are ***hopeful that*** she will win the prize. 我々は彼女が賞をとれるものと期待している《◆We *hope* that she will win the prize. より堅い表現》. **2** 〈人・事が〉有望な, 見込みがある(↔ hopeless) ‖ There is a *hopeful* sign of his recovery. 彼が回復する見込みはありそうだ / a *hopeful* scientist 有望な科学者.
―名 C 前途有望な人; 希望を持っている人.
hópe·ful·ness 名 U 希望に満ちていること; 見込みのあること, 有望(↔ hopelessness).

⁺hope·ful·ly /hóupfəli/ 副 **1** [通例動詞を修飾] 希望を持って, 希望して ‖ He was waiting *hopefully* for her to come. 彼は彼女が来るのを期待して待っていた. **2** [文全体を修飾] うまくいけば, できれば《◆この用法を認めない人もいる》(➲文法 18.6) ‖ *Hopefully*(↘), | it will not rain tomorrow. 明日は雨は降らなければいいが(=We *hope* that it will not …).

***hope·less** /hóupləs/ 〚希望(hope)がない(less)〛
―形 (**more** ~, **most** ~) **1** 〈人が〉〔…に〕絶望して, 望みをなくした〔*of* (doing)〕(↔ hopeful) ‖ I feel *hopeless* about my prospects of passing the examination. 試験に合格する見込みはないと思います.
2 どうにもしようのない; 〈病気が〉治らない《◆比較変化しない》‖ a *hopeless* illness 不治の病 / a *hopeless* liar どうしようもないうそつき.

H

hórse tràde 馬市(%); 抜け目のない取引[駆引き].

†horse·back /hɔ́ːrsbæk/ 名 U 馬の背;《主に米》[形容詞的に] 馬の背の ‖ a man on horseback《米》(軍人で独裁的傾向の強い) 国民的指導者; 独裁者 / They arrived on horseback. 彼らは馬に乗ってやって来た. —— 副《主に米》馬に乗って ‖ ride horseback 馬に乗って行く.

horse·car /hɔ́ːrskɑ̀ːr/ 名 C《米》 1 馬匹(ぼつ)運搬(貨)車, 馬運車(英) horsebox). 2 鉄道馬車.

horse·flesh /hɔ́ːrsflèʃ/ 名 U 1 馬肉, さくら肉. 2 《略式》[集合名詞](乗馬・競馬用の)馬.

horse·fly /hɔ́ːrsflài/ 名 C〖昆虫〗ウマバエ; アブ.

†horse·man /hɔ́ːrsmən/ 名（複 ~·men） C 1 騎手, 馬術選手(PC) (horseback) rider)《◆「職業としての(競馬)騎手」は jockey》‖ He is an expert horseman. 彼は騎手です. 2 [形容詞句を伴って] 馬に乗るのが…な人((PC) (horseback) rider) ‖ He is a good [poor] horseman. 彼は馬に乗るのが上手[下手]だ《◆単に horseman だけで good horseman を意味することが多い》.

horse·man·ship /hɔ́ːrsmənʃìp/ 名 U 1 馬術. 2 馬術選手としての技術((PC) riding skills).

horse·play /hɔ́ːrsplèi/ 名 U 馬鹿騒ぎ.

†horse·pow·er /hɔ́ːrspàuər/ 名（複 horse·power) C U 馬力《仕事率の単位. 1 馬力は約745.7 watts.》（略）hp,（記号）HP》‖ a twenty horsepower engine 20馬力のエンジン.

horse·rad·ish /hɔ́ːrsrædìʃ/ 名 U〖植〗ワサビダイコン, セイヨウワサビ, ホースラディッシュ; その根茎《◆おろしてローストビーフに添える》.

†horse·shoe /hɔ́ːrsʃùː/ 名 C 1 蹄(ひづめ)鉄《◆魔よけ幸運の力があるとされる》. 2 [~s; 単数扱い] 蹄鉄投げ遊び《輪投げの一種》. 3 馬蹄[U字]形のもの.

hórseshoe cràb《米》〖動〗カブトガニ((英) king crab).

hórse·shòe·er /hɔ́ːrsʃùːər/ 名 C 蹄鉄工.

horse·tail /hɔ́ːrstèil/ 名 C 1〖植〗スギナ, トクサ(の類). 2 馬の尾.

horse·whip /hɔ́ːrshwìp/ 名 C (馬に用いる)むち. —— 動（過去・過分）horse·whipped/-t/; ~·whip·ping)他《馬》をむちで打つ.

horse·wom·an /hɔ́ːrswùmən/ 名（複 ~·wom·en) C horseman の女性形((PC) (horseback) rider).

hors·ing /hɔ́ːrsɪŋ/ 動 → horse

hor·ti·cul·tur·al /hɔ̀ːrtəkʌ́ltʃərəl/ 形 園芸(学, 術)の.

†hor·ti·cul·ture /hɔ́ːrtəkʌ̀ltʃər/ 名 U《正式》園芸(学, 術). hòr·ti·cúl·tur·ist 名 C 園芸家.

†ho·san·na /houzǽnə/ həu-/ 間 名 C ホシャンナ, ホサナ《神をほめる叫び[言葉]》.

†those /hóuz/ 名[発音注意] 名 1 U《正式・古》[集合名詞; 複数扱い] 靴下類《ストッキング・ソックス類の総称》‖ half hose ソックス / silk hose 絹の靴下. 2 U《主に米》[複数扱い] (昔の男子用)タイツ(tights); (主にひざまでの)ズボン(cf. doublet). 3 C U ホース((英) hosepipe) ‖ a fire hose 消火用ホース / a rubber hose ゴム管[ホース]. —— 動 他《ホース》で水をまく(+out); …をホース水で洗う(+down, out).

Ho·se·a /houzíːə| -zíə/ 名〖旧約〗ホセア《紀元前8世紀のヘブライの預言者》; ホセア書《旧約聖書の一書.（略）Hos.》.

†ho·sier·y /hóuʒəri| -ziəri/ 名 U《正式》 1 [集合名詞] 靴下類;《主に英》男子用洋品店. 2 靴下販売業.

hos·pice /hɑ́spɪs | hɔ́s-/ 名 C ホスピス《主に癌(が)末期患者に温かい医療・看護を施す施設》.

†hos·pi·ta·ble /hɑ́spɪtəbl | hɔ́spɪtəbl, ≠́---/ 形 1《客を》親切に手厚くもてなす(to, toward)(↔ inhospitable) ‖ a hospitable reception 歓待 / He is always hospitable to me. 彼はいつも私を歓待してくれる. 2《米》(意見などに)寛容な,〔…を〕快く受け入れる(to). 3《米》〈環境などが〉快適な,〔…に〕適した(to). hós·pi·ta·bly 副 手厚く.

*hos·pi·tal /hɑ́spɪtl | hɔ́s-/〖「主人が客をもてなす所」が原義. cf. host, hostel, hotel〗慼 hospitality (名)

—— 名（複 ~s/-z/) C 病院《◆1) 入院・退院に関しては《米》では the を付けるが,《英》では無冠詞となる(⊘文法 16.3⑥). (2) 大きな総合病院をさす. 専門医院・診療所は clinic》‖ be in [òut of] (the) hóspital 入院[退院]している / léave [énter, gò (ín)to] (the) hóspital 退院[入院]する / be táken to (the) hóspital for treatment 治療のため入院する / gó to the hóspital to sée one's friend 友だちを見舞いに病院へ行く / He runs a children's hospital. 彼は小児科の病院を経営している.

【関連】[いろいろな種類の hospital]
animal hospital 動物病院 / children's hospital 小児科病院 / general hospital 総合病院 / maternity hospital 産院 / private hospital 私立病院 / public hospital 公立病院 / state hospital 州立病院 / university hospital 大学病院.

†hos·pi·tal·i·ty /hɑ̀spɪtǽləti | hɔ̀s-/ 名 1 (私宅) 親切なもてなし, 歓待, 厚遇 ‖ a feeling of hospitality 温かい雰囲気 / We were shown a great deal of hospitality when we visited her. 彼女を訪ねた時にはたいへん歓待された. 2《英》無料の食事付き宿泊.

hos·pi·tal·i·za·tion /hɑ̀spɪtləzéɪʃən | hɔ̀spɪtəlai-/ 名 U 入院; 入院期間. 2 =hospitalization insurance. hospitalizátion insùrance 入院保険.

*host¹ /hóust/〖「客」が原義〗慼 hostess (名)

—— 名（複 ~s/hóusts/) C 1《女性形は hostess だが, 最近ではいずれの意味でも, 女性にも host を使う傾向がある》 1 [しばしば無冠詞で]《客を接待する》主人(役), 主催者(to)(↔ guest); [形容詞的に] 主催の ‖ act as host at a party パーティーで主人役を務める《◆常に無冠詞》/ be host to an international conference 国際会議を主催する[のホスト役を務める](⊘文法 16.3⑷) / He played host to us. 彼が私たちを接待した / Japan was the host country for the Winter Olympics in 1998. 日本は1998年の冬季オリンピックの開催国であった. 2《米》(ホテルの)支配人;《英古》宿の亭主(innkeeper). 3 (テレビ・ラジオ番組の)司会者. 4〖生物〗寄生動[植]物(parasite)の宿主《◆比喩的に人間にも用いる》.

—— 動 他《正式》〈会など〉を主催する;（テレビなどで）〈番組〉を司会する ‖ host a TV show テレビのショーの司会をする.

—— 自〔客を〕接待する(for, to) ‖ She hosted for us. 彼女が私たちの接待役だった.

hóst fámily ホストファミリー《ホームステイの外国人留学生を受け入れる家族》.

†host² /hóust/ 名 C 1 [通例 a ~ of + C 名詞; 単数・複数扱い / ~s of + 複数名詞] …の大勢, 多数の

… ‖ The youth has a host of possibilities. 若い人たちには多くの可能性がある / We have to cope with hosts of difficulties. 我々は幾多の困難を克服しなければならない. **2**（詩）［聖書］［通例 ~s］軍勢.

†**hos·tage** /hástidʒ | hɔ́s-/［名］**1** ⓒ 人質；ⓤ 人質の状態 ‖ **hóld, kéep**) him (as a) *hóstage* 彼を人質にとる［とっておく］/ *be in hóstage* 人質となっている. **2** ⓤⓒ（まれ）抵当, 質.
give hóstages to fórtune [**hístory, tíme**]（文）将来めんどうになるかもしれないものを引き受ける《◆特に「妻子を持つ」ことをさす》.

hos·tel /hástl | hɔ́s-/［名］ⓒ **1**（青年旅行者用の）ホステル, 簡易宿泊所（youth hostel）. **2**（主に英）（看護師・学生の）寄宿舎；少年感化院 ‖ a college [university] *hostel* 大学寄宿舎.

*****host·ess** /hóustəs/［名］（愛）~·es/-iz/）ⓒ《◆ host¹ の女性形であるが, 最近では **1, 2, 3, 5** の意味では女性にも host¹ を使う傾向がある》**1**（家庭で客(guest)をもてなす）（女）主人(役)‖ *Who will act as hostess at the dance?* ダンスパーティーでだれが女主人役をつとめますか. **2**（米）（ホテルの）（女）支配人；宿屋の主人の妻；（英古）宿屋のおかみ. **3**（レストランの）（女）支配人, 女性接客係の長《客のテーブルへの案内, 注文などの相談にのる》((PC) social director). **4**（社交場の）ホステス《会話・ダンスなどの相手をする》；（交通機関の）旅客サービス係((PC) tour guide). **5**（テレビ・ラジオ番組の）（女）司会者.

*****hos·tile** /hástl | hɔ́stail/［形］**1**［…に］敵意のある, 反感をもった；非友好的な, 冷淡な［to, toward］‖ *hostile* criticism 敵意に満ちた批判, 非難 / He was *hostile* to the plan. 彼はその計画に反対であった. **2**［正式］［名詞の前で］敵の, 敵国の, 敵軍の ‖ *hostile* troops 敵軍 / a *hostile* spy 敵国のスパイ.

†**hos·til·i·ty** /hastíləti | hɔs-/［名］**1** ⓤ（態度に表れた）敵意, 反感 ‖ *have* [*show*] *hostility to* … …に敵意をいだく［示す］. **2**［正式］[hostilities] 戦闘(行為), 武力衝突（battles）‖ *open* [*stop*] *hostilities* 開戦［停戦］する / *during hostilities* 戦時中に.

⁑**hot** /hát | hɔ́t/（［類音］hut /hʌ́t/) 〚→ heat〛

index ［形］**1** 暑い, 熱い **2** 激しい **3** 辛い **5** 新しい

——［形］(hot·ter, hot·test)
I［温度の高さ］
1 暑い, 熱い《◆一般に, cold, cool, warm, hot の順に温度が上がる》；熱帯(地方)の；体がほてる, 熱のある ‖ a *hot* day 暑い日 / *hot* weather 暑い天気 / a *hot* country 熱帯地方の国 / ［対話］"Will you have *hot*（🔈）or iced tea?（🔈）" "*Hot* tea please."「紅茶はホットですか, アイスですか」「ホットをお願いします」/ The difficult climb has made me *hot*. 難しい登りだったので体がほてっている / It is really *hot* today. =Today is very *hot*. 今日は本当に暑いですね.

II［激しさ］
2 激しい, 激烈な；議論をかもしている ‖ a *hot* contest 激しい競争 / exchange *hot* words over … …について思いやりとりをする / have a *hot* argument about it そのことについて激論する.

［語法］この意味ではふつう人には用いない：He got heated [ˣhot] about her words. 彼は彼女の言葉に怒った. hot を用いると「(性的に)興奮した」の意(**7**)になることが多い.

3 辛い, ひりひりする（spicy）(↔ mild) ‖ *hot* pepper (mustard) 辛いコショウ［カラシ］/ a *hot* curry 辛いカレー.
4（略式）［…に］熱心な, 熱狂的な［for, on］.

III［新しさ］
5（略式）〈ニュースなどが〉新しい, ホットな, 入手したばかりの；〈出版物が〉出版［発行］されたばかりの；〈食物が〉(できてて)あたたかい ‖ This book is *hot* off [from] the press. この本は出版されたばかりだ.

IV［その他］
6（略式）［…が〕うまい, 上手な［at, in］；（略式）［補語として〕〈人について〉よく知っている［on］, 〈チームが〉勝ちそうな ‖ He's really *hot in* English. 彼は本当に英語がうまい. **7**（略式）〈人が〉好色な；〈動物が〉さかりのついた；〈体などが〉刺激的な. **8**〈臭跡・足跡などが〉強く［はっきり］残っている. **9**（俗）〈盗品が〉盗んだばかりの, 足がつきやすい；〈人が〉指名手配になって, 警察が捜している；〈状況などが〉危険な. **10**〈ジャズが〉たいへんリズミカルで激情的な(曲を演奏する). **11**（俗）放射能のある；放射性物質を扱う. **12**（主に米式）〈電線などが〉(高圧の)電流が流れている. **13**（米俗）すばらしい, かっこいい ‖ John is so *hot*. ジョンは超かっこいい.

gèt hót 正解に近づく ‖ You're *getting hot!*（クイズで）もう少しで正解です.
gó hót and cóld (病気のため)体がほてったり寒けがしたりする.
hót and hót 〈料理が〉できたばかりの；突然心配する［おびえる］.

——［副］(hot·ter, hot·test) **1** 熱く, 暑く. **2** 激しく；怒って；熱心に.

——［動］(過去・過分) hot·ted/-id/; hot·ting) ⓣ **1**（略式）〈食物を〉温める, 熱する(+*up*). **2** …を激しくする.
——ⓘ **1**（略式）温まる, 熱くなる(+*up*). **2** 激しくなる, 危なくなる(+*up*).

hót áir (1) 熱気. (2)（略式）くだらない話, 自慢話 ‖ talk [blow, ˣspeak] *hot air* むだ口をたたく.《◆ hot-air》
hót bùtton（選挙を左右する）重要問題, 引き金.
hót càke ホットケーキ, パンケーキ《◆ pancake の方が一般的》‖ *séll* 〜 *like hót càkes*（略式）飛ぶように売れる.
hót chócolate ココア(cocoa).
hot dog /⸗⸗/⸗⸗/ (1) ホットドッグ. (2) フランクフルトソーセージ. (3)《米略式》［間投詞的に］よくやった, でかした.
hót láb 放射能研究［実験］室.
hót line (1) 緊急用直通電話(線), ホットライン. (2) 身の上相談電話,「命の電話」.
hót pèpper トウガラシ(chili pepper).
hót plàte 料理用鉄板；食物保温器；《主に米》(携帯用の料理)電気［ガス］こんろ.
hót pòt ヒツジ肉・ジャガイモ・タマネギのシチュー.
hót potáto (1)（英）焼きジャガイモ. (2)（略式）難問題, 難局.
hót spríng［通例 -s］温泉.
hót tùb（水泡噴射できる）温水浴槽《医療または屋外レクリエーションに使用》.
hót wár 本格的な戦争 (↔ cold war).
hót wáter (1) 湯 (cf. hot-water). (2)（略式）困難 ‖ *be in* [*gèt into*] *hot wáter* 困っている［まずい

hót·ness 名 U 熱さ, 暑さ; 熱心, 熱烈, 激怒.

hot-air /hǽtɛər | hɔ́t-/ 形 熱気の, ほら吹きの (cf. hot air) ‖ a *hot-air* balloon 熱気球.

hot·bed /hátbèd | hɔ́t-/ 名 C 1 (植物を育てる) 温床. 2 (悪の) 温床 ‖ a *hotbed* of crime [disease] 犯罪[病気]の温床.

*__hotel__ /houtél/ 【発音注意】《◆《英》では /outél/ と発音することがある. *an* [ˣ*a*] hotel → historic》 〖→ hospital〗
—— 名 (複 ~s/-z/) C ホテル, 旅館 ‖ Our *hotel* can accommodate 150 guests. 当ホテルは150名宿泊できます / If you stay at a big *hotel*, you can use *their* [*its*] swimming pool. 大きなホテルに泊まると, そこのプールを利用することができる《◆ホテルの経営者・従業員を含めて複数の their で呼応するのがふつう》.
[語法] ホテル名には the が付くのがふつうであるが, Hotel ~ は無冠詞: *the* Hilton *Hotel* / *Hotel* Victoria.

ho·tel·keep·er /houtélkìːpər/ 名 C ホテル経営者.
hot·foot /hátfùt | hɔ́t-/ 副《略式》大急ぎで; 熱心に.
—— 動 自《次の成句で》. *hótfoot it*《略式》〔…へ〕大急ぎで行く〔*to*〕. —— 名 C 人の靴にこっそりマッチを入れて点火させるいたずら.
hot·head·ed /hátédid | hɔ́t-/ 形 せっかちな, 性急な; 怒りっぽい, 激しやすい.
hot·house /háthàus | hɔ́t-/ 名 C 1 (植物を育てる) 温室. 2 (悪い)を助長するもの. —— 形 温室で育てる, 温室育ちの; もろい, ひ弱な.
hóthouse plànt 温室育ちの植物[人].

†**hot·ly** /hátli | hɔ́t-/ 副 1 熱く, 暑く. 2 激しく; 怒って; (懸命に) 迫って, 肉薄して.

hot·pants /hátpænts | hɔ́t-/ 名《複数扱い》ホットパンツ《女性用のぴったりしたショートパンツ》.
hot·spur /hátspə̀ːr/ 名 C 性急[向こう見ず]な人.
hot·tem·pered /hátɛmpərd | hɔ́t-/ 形 怒りっぽい, 短気な.
Hot·ten·tot /hátntàt | hɔ́tntɔ̀t/ 名 (複 Hot·ten·tot, ~s) C 形 1 ホッテントット(の)《◆ 自称はコイコイン (khoi-khoi(n)) (人間中の人間)》. 2 U ホッテントット語(の).
hot-wa·ter /hátwɔ́ːtər | hɔ́t-/ 形 湯の, 熱湯の (cf. hot water). **hót-wáter bòttle** [《米》**bàg**] 湯たんぽ《ふつうゴム製》.

hound /háund/ 名 C 1 〔しばしば複合語で〕猟犬, (一般に) 犬《◆《英》では, ふつうキツネ狩りの犬 fox-hound をさす. 鳴き声は bay》(cf. greyhound, bloodhound) ‖ Can you train a *hound* to hunt? あなたは猟犬を調教できますか. 2 《古・略式》いやしむべき男, 卑劣漢. —— 動 他 1 《獲物》を猟犬で狩る. 2 〈人〉を追いつめる (+*down*); 〈人など〉を〔…で〕激しく追い出す (+*out*) 〔*of, from*〕, しつこく悩ます.

*__hour__ /áuər/ 【同音】our)
—— 名 (複 ~s/-z/) C 1 1 時間, 60分《記号》h,《略》h., hr) ‖ ˈhalf an [《米》a half] hour 半時間, 30分 / an hour and a half 1時間半 / *hour by hour* 1時間ごとに, 時々刻々《◆文法 16.3(3)》/ *hour after hour* 毎時間, 何時間も続けて / (twenty-four) *hours* a day (一日中) いつでも / wait for an *hour* or so [two] 1時間かそこら待つ / work ˈfor *hours* (and *hours*) [*for* *hours* *together*] 何時間も(続けて)働く / She will be back in a quarter of an *hour*. 彼女は15分もすれば帰ってくるだろう / It is (a) three *hours*' walk [drive] from here to the station. =It takes three *hours* to walk [drive] from … ここから駅まで歩いて[車で]3時間かかる / a ten-*hour* trip 10時間の旅《◆ ˣa ten hours trip とはいわない》.

2 〔通例単数形で〕(授業などの) 時間, 時限《使い分け → period 3》; [~s]（勤務・生活などの）時間 ‖ school [business, office] *hours* 授業[営業]時間 / after *hours* 勤務時間後に, 放課後に / out of *hours* 勤務[規定]時間外で / The *hour* [lunch *hour*] lasts 50 minutes. 1時限[昼食時間]は50分です.

3 a 時刻; [通例 ~s] (ある一定の) 時間, 期間 ‖ tell [ask] him *the hour* 彼に時刻を知らせる[尋ねる] / at ˈan early [a late] *hour* 早い[遅い]時刻に / at all *hours* (of the day and night) 《略式》いつでも, 時を選ばず / rúsh *hour*(s) (朝・夕の)ラッシュアワー / in the small [early, wee] *hours* (1時から3時ごろの)真夜中で《◆数字の小さいことから》/ The [Our] breakfast] *hour* is 6:30《英》6.30). 時刻[私たちの朝食]は6時30分です《◆ 6:30 は six thirty または half past six と読む》.

[語法] 軍隊や交通機関では24時間制が用いられ, hours で時刻を表す堅い言い方をする. a.m., p.m. と共には用いない (→ o'clock): 1500 *hours* 15時, 午後3時 (3 p.m.) 《◆ fifteen hundred [nothing] (hours) と読む》/ attack at 0700 *hours* (午前)7時に攻撃《◆ (o (oú/-) séven húndred (hóurs) と読む》/ You'll be landing at Bahrain at 20:30 *hours* local time. 《機内放送》当機は現地時間20時30分にバーレーンに着陸の予定でございます《◆ twenty (hundred) thirty と読む》.

b [the ~] 正時 (しょう)《分などの端数のつかない時刻》‖ on *the hour* (→成句) / The train leaves at half past the *hour*. 列車は毎時30分に出発します.

4（ある特別な）時, おり, ころ; [通例 the ~] 現在, 当代; [one's ~] (重要な) 時, 死期 ‖ the happiest [finest] *hours* of one's life 人生の一番楽しい[最良の]時 / the question [problem] of the *hour* 当面の問題 / *the man of the hour* 時の人 / *in one's hour* of need 《正式》 まさかの時に / *in a good* [*happy*] *hour* 運よく / *in an evil* [*ill*] *hour* 運悪く / Her *hour* has come. 彼女の死期[重要な]時がきた. **5** 1時間の距離[行程]‖ The city is an *hour* away [distant] from here. 町はここから1時間の所にある.

by the hóur (1) 時間単位で ‖ hire a boat *by the hour* 1時間単位でボートを借りる. (2) [文修飾] 何時間も(続けて) ‖ study *by the hour* together 何時間も勉強する. (3)《米》時間ごとに, 1時間1時間と.

(**évery hóur**) **on the hóur**《毎》正時に.
in an évil hóur [**dáy**] 悪い時に, 運悪く.
kéep éarly [**góod**] **hóurs** (1) 早く仕事を始める[終える]; 早く帰宅する. (2)《まれ》早寝をする, 早起きをする; 早寝早起きをする.
kéep láte [**bád**] **hóurs** (1) 遅く仕事を始める[終える]; 遅く帰宅する. (2)《米・英まれ》夜ふかし[朝寝]を

house

Labels on diagram: crest, valley, skylight, chimney, gutter, cornice, window, rail, drip stone, terrace, porch, threshold, door, house

する.
kéep régular hóurs 規則正しい生活を送る；早寝早起きをする.
to an [the] hóur (1時間と違わずに)きっかり.
hóur hànd (時計の)短針《◆「分[秒]針」は minute [second] hand》.

hour・glass /ˈaʊərɡlæs | -ɡlɑːs/ 名 C (主に1時間用)砂[水銀]時計；[形容詞的に] 腰細の ‖ an *hourglass* figure ウエストのくびれた体.

†**hour・ly** /ˈaʊərli/ 形 **1** 1時間ごとの, 1時間に1度の, 1時間当たりの ‖ an *hourly* wage of $2 時給2ドル. **2** 頻発する, たび重なる. ── 副 **1** 1時間ごとに (every hour). **2** たびたび, 絶えず ‖ expect him *hourly* 今か今かと彼を待つ.

**house /名形 háus/; 動 háuz/
── 名 (複 **hous・es** /ˈhaʊzɪz, (米+) -sɪz/) C

I [個人の家]

1 家, 家屋, 住宅, 屋敷, 邸宅, 人家 [類義] home, residence, mansion ‖ a ready-built *house* 建て売り住宅 / a custom-built *house* 注文住宅 / a duplex *house* (米) 2世帯住宅 / a detached *house* 一戸建て住宅 / have a *house* of one's own マイホームを持つ / This *house* has six rooms. この家は6部屋ある / drop in at John's *house* [(略式) place] ジョンの家にひょっこり立ち寄る / I built my *house* last year. =I had my *house* built last year. 去年マイホームを建てた《◆自分自身で建てていなくても前者の表現を使ってよい》/ sell (*from*) *house* to *house* 一軒一軒売り歩く (⇒文法 16.3(3)).
2 [the ~; 通例単数扱い] 家庭, 家族；[しばしば the H~] (貴族・王室などの)家系, 一族 ‖ *the* Imperial *House* 帝室, 皇室 / the Royal *House* 王室 / *the House* of David デイビッド家 / The whole *house* was ill in bed. 家族全員が病気で寝ていた.

II [公共の建物]

3 [通例複合語で] (特定の目的のための)建物, …小屋, …置き場 ‖ a hen *house* 鶏小屋.
4 劇場, 演芸場；興行；[集合名詞；通例単数扱い] 観衆, 聴衆 ‖ a movie [picture] *house* 映画館 / a full [thin] *house* 大入り[不入り] / The first *house* starts at 10 o'clock. 第1回興行は10時に始まる. **5** (学校の)寮；寮生；(英)(大学の)学寮. **6** [複合語で] …店, 商店；商社, 会社 ‖ a publishing *house* 出版社. **7** 旅館；酒場.

III [議院]

8 [the H~] 議院, 議事堂；議会 (parliament)；[集合名詞] 議員；(米) 下院 ‖ *the* Upper [Lower] *House* 上[下]院 / enter *the House* 議員になる.

> **関連** [米国] 下院 the House of Representatives / 上院 the Senate. [英国] 下院 the House of Commons / 上院 the House of Lords《◆議員は選挙によらずに選ばれる》. [日本] 衆議院 the House of Representatives / 参議院 the House of Councilors / 貴族院 the House of Peers.

bring dówn the hóuse =**bring the hóuse dòwn** [拍子で屋根が抜け落ちる]《略式》酒場の大かっさいを浴びる.
kéep a góod hóuse (1) ぜいたくな生活をする. (2) 客を歓待する.
kéep hóuse […のために]家事を切り盛りする (*for*).
kéep (to) the hóuse (病気のため)外出しない, 家にとじこもる.
on the hóuse 〈飲食物が〉経営者のおごりで；無料で (free) ‖ This drink is *on the house*. この飲み物は店のおごりです.
pláy hóuse ままごとをする.
pút [sét] one's hóuse in órder (1) 家の中を整える. (2) 自分の問題を片づける；自分の行ないを正す.
the Hóuses of Párliament (英) 国会議事堂.

── 形 [名詞の前で] 家の；〈雑誌などが〉社内向けの.
── 動 /haʊz/ (~s/-ɪz/; 過去・過分 ~d/-d/; hous・ing)
── 他 《正式》**1** 〈人・建物が〉〈人〉を**収容する**, 泊める,

…に住宅を与える ‖ I shall be happy to *house* you for the night. 喜んでお泊まりいたします. **2**〈物〉を[…に]入れる,含む(contain)〔*in*〕.
──⑲ 住む;避難する.
be hóused úp (米)(病気で)家に閉じ込められる.
hóuse àgent (英)家屋周旋業者(◆(英) estate agent は「不動産業者」.
hóuse arrèst 自宅監禁, 軟禁 ‖ be under *house arrest* 外出を禁じられている.
hóuse càll (医者の)往診.
hóuse cricket → cricket¹.
hóuse dòg 番犬.
hóuse guèst (主に女性語)泊まり客.
hóuse húnting 貸家[売家]探し.
hóuse nùmber 家屋番号(◆欧米の家には1軒1軒に番号があり, 通りの名と組み合わせて住所を表す. → number 名**2**).
hóuse phòne ビル[館内]の電話(◆「家[自宅]の電話」は home phone).
hóuse sùrgeon (1)病院の住込み外科医. (2)研修中の外科医.
house・boat /hάʊsbòʊt/ 名C (住居を兼ねた)平型屋形船. (米)(宿泊設備付きの)ヨット.
house・bound /hάʊsbὰʊnd/ 形 (病気などのため)外出できない, 家に引きこもった.
house・dress /hάʊsdrès/ 名C (家事用の)家庭着, ホームドレス◆×home dress とはいわない).
house・fly /hάʊsflὰɪ/ 名C 〔昆虫〕 イエバエ.
†**house・hold** /hάʊshòʊld, hάʊsòʊld/ 名C 〔単数・複数扱い〕(雇い人を含めて)家中の者, 家族(全員・全体);世帯, 家庭 ‖ There are five people in our *household*. わが家では5人家族です. **2** [the ~] 王室, 皇室. ──形 **1** 家族の, 家事の. **2** よく知られた, ありふれた. **3** (主に英) 王室[皇室]の.
hóusehold accòunts 家計簿.
hóusehold gòods (英) =housewares.
hóusehold nàme よく知られている人[名前].
hóusehold wòrd よく知られている言葉[文句].
†**house・hold・er** /hάʊshòʊldər/ 名C **1** 家長, 戸主. **2** 家屋所有者, 持ち家居住者.
house・hus・band /hάʊshʌ̀zbənd/ 名C (妻が働きに出るとか入院したりする時の)主夫.
†**house・keep・er** /hάʊskìːpər/ 名C (職業としての賃金を支払われる)家政婦, ハウスキーパー(cf. housewife);〔形容詞を伴って〕家事の切り盛りのうまい人 ‖ Mother is a good *housekeeper*. 母は家事の切り盛りがうまい / When my wife got sick, I had to hire a part-time *housekeeper*. 妻が病気になったとき, 私はパートタイムの家政婦を雇わなければならなかった.
†**house・keep・ing** /hάʊskìːpɪŋ/ 名U **1** 家政, 家事;(略式)家計費. **2** 会社の経営[管理].
hóusekeeping mòney 家計費.
house・less /hάʊsləs/ 形 宿なしの;人家のない.
house・maid /hάʊsmèɪd/ 名C 女中, お手伝いさん((PC) household helper).
hóusemaid's knée 〔医学〕中年女中膝, 家政婦膝 (◆ひざをついて床の掃除をするために起こるひざの炎症).
house・sit /hάʊssìt/ 動 (過去過分 ~-sat, ~-sitting) ⑲ (米略式)留守番をする(cf. baby-sit).
†**house・top** /hάʊstὰp/ -tɔ̀p/ 名C 屋根.
procláim [*crý*, *públish*, *shóut*] **A from the hóusetops** [*róoftops*] …を公(おおやけ)にする, 公表する.
house・wares /hάʊswèərz/ 名 (米)〔複数扱い〕家

庭[台所]用品((英) household goods).
house・warm・ing /hάʊswɔ̀ːrmɪŋ/ 名C 新築祝い, 新居移転祝い.
***house・wife** /hάʊswὰɪf/《**2** では〈古〉/hʌ́zɪf/ ともする》──名 (複 --wives/-wὰɪvz/) C **1** (主に専業の)主婦(◆ house に隷属する女性というイメージがあるためこれを避けて (PC) homemaker, householder, home manager を用いる傾向がある). **2** (主に英) 裁縫箱.
house・wife・ry /hάʊswὰɪfəri | -wɪ̀fəri, 〈古〉hʌ́zɪfri/ 名U 家事, 家政.
†**house・work** /hάʊswɜ̀ːrk/ 名U 家事 ‖ do a lot of *housework* たくさんの家事を片付ける.
house・wreck・er /hάʊsrèkər/ 名C (米)家屋解体業者.
†**hous・ing** /hάʊzɪŋ/〔発音注意〕 動 → house. ──名 **1** U 住宅;住宅供給;〔集合名詞;単数扱い〕家. **2** C 覆い, 保護する物.
hóusing devèlopment (米)住宅団地.
hóusing estàte (英)住宅団地.
hóusing pròblem 住宅問題.
hóusing pròject (米)(低所得者のための)公営住宅団地.
Hous・ton /hjúːstn/ 名 ヒューストン《米国テキサス州南東部の工業都市. NASA 宇宙センターの所在地》.
Hou・yhn・hnm /huːɪnəm, hwɪnəm | húɪnəm/ 名 フーイナム《Swift 作 *Gulliver's Travels* に出てくる理性をもった馬》.
hove /hóʊv/ 動 heave の過去形・過去分詞形.
†**hov・el** /hʌ́vl | hɔ́vl/ 名C 家畜小屋, 物置小屋;あばら屋.
†**hov・er** /hʌ́vər | hɔ́və/ 動 ⑲ **1**〈鳥・昆虫・ヘリコプターなどが〉[…の上で]空中の(一点)に止まる〔*over*, *on*, *above*〕‖ A kestrel *hovered* overhead. チョウゲンボウが頭上にじっと浮いていた / Helicopters can *hover*. ヘリコプターは一定のところに浮遊できる. **2**〔…のそばを〕うろつく〔*around*, *about*〕,〈恐怖などが〉[人に]つきまとう〔*over*〕‖ She *hovered* over my shoulder as I wrote. 書いている私のうしろから彼女は離れようとしなかった. **3**(正式)〔…を〕さまよう, 行きつ戻りつする, 決めかねる〔*between*, *on*〕‖ *hover* between life and death 生死の境をさまよう.
──名U ホバリング;徘徊(はいかい).
hóv・er・er /hʌ́vərər/ 名 浮留するもの;うろつく人.
Hov・er・craft /hʌ́vərkræ̀ft | hɔ́vəkrὰːft/ 名 (複 Hov・er・craft, ~s)〔商標〕ホバークラフト《水陸両用. cf. hydrofoil》;[h~] C (一般に)ホバークラフト(型の乗物).
hov・er・fly /hʌ́vərflὰɪ | hɔ́və-/ 名C 〔昆虫〕ハナアブ.

**how /hάʊ/

index 副 **1** どのようにして **2** どれほど **3** どんな状態[具合]で **4** どうして **5** なんと **8** 方法

──副 **1** 〔方法・様態〕**どのようにして**, どんな方法で[具合に, ふうに](➡文法 1.3(2))‖ How does that song go [begin]? あの歌の出だしはどうでしたか / *Hów* *éver* did she master the difficult language? (英略式)彼女はいったいどんなふうにその難しい言語を身につけたのか(◆ ever は how を強調. → however 3) / *How* is Bill doing? ビルはどうしてますか / I taught him *hów to* swim. 彼に泳ぎ方

を教えた《◆how がない場合は「教えて泳げるようにした」の意》/ Tell me how you passed the bar examination. どうやって司法試験に合格したのかを教えてください / This is exactly what I wanted. **How did you know?** (プレゼントされて)これがまさしく欲しかったものです. どうしてご存知でしたか / **How came you** to miss the train? どうして列車に乗り遅れたの《◆ How did you come to …? の意味の決まり文句. 古い英語の名残り》/ **How** [×What] *do you say it in* English? それを英語ではどう言いますか《◆次の構文では疑問詞は is called の主語だから how は不可: What [×How] is this called in English?》.

2 [how + 形容詞・副詞] [程度] **どれほど**, どれくらい ‖ **Hów óld** is John? ジョンは何歳ですか《◆ Hów óld …? ではジョンが年をとっていること(John is old.)が前提にある》/ **Hów lóng** is that bridge? あの橋はどれくらいの長さですか / **How many** presidents were there before Bush? ブッシュは何代目の大統領ですか / **Hów múch** (móney) does this personal computer cost? このパソコンはいくらですか / How long are you going to stay here? いつまでここにご滞在ですか / **Hów fár** (away) is Paris? =**Hów fár** is it to Paris? パリまでどのくらいの距離ですか / **Hòw óften** have you been to London this year? 今年は何回ロンドンに行きましたか / Ask him *how* much soup he wants. 彼にどれくらいスープが欲しいのか聞いてみなさい / How deep is the fresh snow? 新雪はどのくらいの深さに積もりましたか.

3 [補語として] [状態] **どんな状態[具合]で**《◆健康・天候・感覚などの一時的状態を尋ねる》‖ *Hów's* the weather today? 今日の天気はどうですか《◆ What's the weather *like* …? の方がふつう → **What is A like?**》/ (like² 前 成句) / *How* is your mother? お母さんはいかがですか / *Hów's* life? =「How are [How's] thíngs (with you)? 調子はどうですか《◆ life も things も健康・職業・生活などいろいろのものを指す》/ *How* would you like (to have) your money? [銀行などでの両替時に] お金(紙幣と硬貨)をどのようにいたしますか《◆相手の好みを聞く》/ *I know how you feel.* あなたの気持ちはよくわかります.

4 [理由] **どうして**, どういうわけで ‖ I can't see *how* she divorced her husband. 彼女がどうして離婚したのか理解できない.

5 [感嘆] **なんと**, いかに《◆多くの場合, 形容詞・副詞を伴う》(→文法 1.9) ‖ *How* hót it is today!(↘) 今日はなんて暑いんだろう / *How* cléarly you speak!(↘) あなたはなんとはっきりお話しになることか / *How* prétty this flower is!(↘) この花はなんてきれいなんだろう(=What a pretty flower this is! /《正式》How prétty a flower this is!)《◆複数名詞の場合には「What pretty flowers [×How pretty flowers] these are!」という》/ *How* I háte him! 彼がどれほど憎いことか / *How* unwíse (it was) of you to go there alone! =*How* unwise you were to …! ひとりでそこへ行くなんてあなたはなんと分別のなかったことか《◆上の文で it was はまれに you の後に置くこともある》/ *How* you've grown! 大きくなったね!

語法 (1) what 感嘆文と同じく how 感嘆文は話し言葉には堅苦しく気取ったものと感じられるので, ふつうは平叙文の形で強調したい箇所を強く言う: Say, it's véry hót! / It's véry hót, isn't it?

(2) what 感嘆文と同じく男性より女性の言葉に多い.

(3) a) *How* kind it is of you to come! b) *How* kind of you to come! c) *How* kind of you! d) *How* kind! もとの型は a) だが実際の会話で使われるのは b)— d) である.

6 [意図] **どういう意味で, どういうつもりで** ‖ *Hów do you méan* that?(↘) どういうおつもりなのですか(=What do you mean by that?).

7 《英略式》**a** [動詞の目的語となる節を導いて] …(する)ということ《◆(1) that に相当し接続詞とみることもできる. (2) ふつう命令形は say, talk, tell, remember など》. **b** [it is + 形容詞 + how節で] …するということ《◆(1) that に相当し接続詞と見ることもできる. (2) ふつう形容詞は funny, odd, strange など》.

8 [関係副詞(無強勢)で; 先行詞を含んで] (…する)**方法, (…である)ということの次第[様子, ありさま]**《◆名詞節を導く》(→文法 20.4) ‖ I took the subway. *This is how* I was in time. 地下鉄を利用しその通りで間に合ったのです.

語法 この how は the way (that) または the way in which で言い換えられる(the way how とはふつういわない): How [The way] she spoke to us was suspicious. 彼女の私たちへの口の利き方は疑い深げであった.

9 (…する)**どんなやり方でも** ‖ You can swim *how ever* [*in any way which*, ×*in any way how*] you like. どんな泳ぎ方でもよいから好きなように泳いでよろしい.

ánd hów《略式》(1) [文尾で] **大いに, とても**《◆自分の言ったことの真実性を強調する》. (2)《主に米》**本当にその通りだ**《◆単独に用いて強い同意を示す》.

***Hów abóut A?**《略式》《◆A は名詞・動名詞》(1) [提案・勧誘] …(をして)はどうですか《◆ Why don't you …? より緩やかな言い方》‖ *Hów abòut* (going for) a wálk?《主に英》What about (going for) a walk? (=What do you say to (going for) a walk?) / *Hów abòut* anóther piece of cáke? ケーキをもう1ついかがですか. (2) [相手の意見・説明を求めて] …についてどう思いますか, …はどうですか (=What about …?) ‖ *How about* your picnic? ピクニックはどうでしたか. (3) [非難を示して] …はどうなのか ‖ *How about* your manners? お行儀よくしなさい(=Where are your manners?). (4) [依頼] …を(貸して)いただけませんか.

***Hòw áre you?**(↘)(1) **こんにちは, お元気ですか**(→ fine¹ 形 2 関連).(2) **初めまして**《◆きわめてだけ場合に用いる. 正式は How do you do?》.

語法 (1) are に強勢を置く.

(2) 返答は I'm fine, thank you. How are yóu?(↘) が決まり文句. 単なるあいさつの表現なので, 具合が悪くても I'm not feeling well. などと特に言うことはない.

(3) あまりにも紋切型なのでくだけた文脈では How are you? の代わりに How are you doing? / How is it going? / How's everything going? などを, I'm fine. の代わりに Not bad at all. / Really good. / Pretty good. などを用いるのがふつう.

Hów are you dóing?《略式》**調子はどう, 元気か**

How are you? よりくだけた言い方. [類例] How is everything? / How are things?).

Hów càn [could] A dó?(↘) [遺憾・驚きを示して] なんで(そんなことを)する[した]の ‖ *How can you say* such a foolish thing? そんなばかなことを言うもんじゃないよ.

Hów [(略式・非標準) **Hów's**] **còme ...?**(↘) (略式) [驚きを示して] なぜ[どうして]… ‖ *How come* you aren't taking me? どうして私を連れてってくれないの(= Why aren't you taking me?).

> 語法 (1) why ...? より口語的.
> (2) why と異なり平叙文の語順を続けなければならない.
> (3) How *come*? と単独に用いることもある.
> (4) How *cóme*(↘)と発音すると相手に対する不満を表す.
> (5) Why don't you shut up? (黙ったらどうなんだ)のような「提案・勧誘」を表す用法は How come ...? にはない.

***Hòw do you [d'ye] dó?** (1) 初めまして《◆初対面のあいさつで, 返答も同じ》[頻語] It's nice to know you. / I'm glad to meet you. / Nice to meet you. / Glad to meet you). (2) こんにちは.

Hòw do you like A?〈人・物〉を気に入りましたか.

Hów is it (that節**)?**(略式) どうして…なのだ (cf. 4) ‖ *How is it that* you are always late for school? いつも学校に遅れるのはどういうわけだ.

Hów's about A? (俗) = How about A?

Hòw só? どうして(そうなの)か, なぜですか.

Hòw's thát? (1) (米式) それはどういうわけ[こと]ですか. (2) (米略式) それについてどう思うか. (3) (米略式) 何と言われましたか, もう一度言ってください 《◆最後に again をつけることもある》.

Hów thèn? これはどうしたことか.

Thàt's hòw it ís with A. …とはそういうものだ.

This is hów ... → 8.

This is [Thàt's] hów it ís. 次に申し上げること[すでに申し上げたこと]がその理由なんですよ.

—名 C **1** [the 〜] 方法, しかた. **2** 「どうして」という質問.

How·ard /háuərd/ 名 ハワード《男の名》.

how·dah, hou·dah /háudə/ 名 C (象の背にもうけた)天蓋付き客かご《◆インドによくみられる》.

how-e'er /hauéər/ 副 (詩) = however.

***how·ev·er** /hauévər/ アクセント注意

— 副 **1** [接続詞的に; 先に述べられたことと対照させて] しかしながら, けれども, それにもかかわらず《◆(1) 対照の感じは but より弱い. (2) 文頭・文中・文尾いずれにも用いられるが, 書く場合はふつうコンマで区切る. (3) 同一の話題内で話が進展していることを表したり, しばしば文頭で用いられて, 別の話題へ移ることを示す(→最後の例)》‖ He didn't want to go;「*however*(↘), ¦ he wént [he wént, *however*].(↘) 彼は行きたくなかったのに行った《◆前の文でいったん切って ... go. He, however, went. としてもよい》 / Air travel is fast; sea travel is, *however*, ¦ restful. 飛行機の旅は速いが船旅は落ち着く / The results are not clear. *However*(↘), let's consider the intentions of the organizers. 結果ははっきりしません. とりあえず主催者の意図を検討してみよう.

2 [譲歩節を導いて] (正式) **a** [however + 形容詞・副詞] どんなに…(しよう)とも, どれほど…で(あって)も《◆(1) 譲歩節中には may をよく用いるが, (略式)では省いて直説法を用いることが多い. (2) (略式)では no matter how がふつう》‖ *Hówever láte* you are [may be](↗), be sure to phone me. どんなに遅くても必ず電話しなさいよ / *Hówever gréat a setback* she suffered(↗), ¦ she never gave up.(↘) どんな不幸にあっても彼女は決してくじけなかった / Every driver(↘), ¦ *however skillful* (he is [may be])(↘), ¦ must not drink and drive. 運転する人は, たとえどんなに腕がよくても, 飲酒運転をしてはならない《◆譲歩節が主節内に入り込むこともあるし, 主語と be動詞が省略されることもある. →文法 23.5》 (2) / *Hówever gréat* the pitfalls(↘), ¦ we must do our best to succeed. 危険がどんなに大きくても, 成功するよう全力を尽くさねばならない《◆however の修飾する形容詞が be動詞の補語で, その主語が抽象的な名詞句の場合, be動詞が省略されることがある》. **b** どんな方法で[どんなふうに]…(しよう)とも ‖ *Hówever* we (may) gó(↘), ¦ we must get there by six. どんな方法で行くにしても, 6時までにここに着かねばならない.

3 (略式)[疑問詞] いったいどのようにして《◆(1) how の強調形で how ever とつづることもある. (2) 驚き・不信・当惑の感じを表す》‖ *Hówever* did you find me in this large crowded room? いったいどういうふうにしてこの大勢の人ごみの部屋で私たちを見つけたのですか.

†**howl** /hául/ 発音注意 動 自 **1**〈犬・オオカミなどが〉[…に]遠ぼえする[*at*], 〈風がヒューヒューうなる ‖ The wind was *howling* all night. 風がひと晩中ヒューヒュー鳴っていた / Can you hear a wolf *howling* at the moon? オオカミが月に向かって遠ぼえしているのが聞こえますか《◆文法 3.4》. **2**〈人が〉[苦痛・悲しみなどで]うめく, うなる, わーわー泣く;〔笑い声を〕響かせる[*with*] ‖ *howl with* [in] pain 痛くておいおい泣く / *howl with* laughter わっはっはと笑う.

— 他 **1** (略式)…を(人に)(わめいて, どなって)言う(+ *out*)[*at*]. **2**〈人〉をどなって黙らせる[追い払う](+ *down*, *off*)‖ They *howled down* the speaker. 彼らはわめいて演説者を黙らせてしまった.

— 名 C **1** (犬・オオカミなどの)遠ぼえ, (風の)うなり. **2** (苦痛・怒りなどの)わめき声 ‖ give a *hówl* of pain 苦痛の叫び声をあげる / The dog gave a long *howl* just now. その犬はちょうど今長く遠ぼえをした. **3** (軽蔑〈ミ⟩の)高笑い, 冷笑.

howl·er /háulər/ 名 C **1** ほえたてる獣; わめきたてる人; 泣き屋. **2** (古・略式)(大笑いするような)ばかげた間違い; 冗談.

howl·ing /háuliŋ/ 形〈犬などが〉遠ぼえする,〈風・あらし〉がヒューヒューとうなる; 荒涼とした.

how-to /háutú:/ 形 (実際的な)やり方を教える, 手引きの ‖ a *how-to* book 実用的な手引書.

hp (略) horsepower.

h.p., HP (略) high-power(ed); high pressure; hire-purchase; horsepower.

HQ, h.q. (略) headquarters.

hr (略) hour.

Hr (略) Herr.

HR, h.r. (略) home run.

HR (略) House of Representatives.

hrs (略) hours.

HS (略) high school.

HT (略) half time; halftone; hardtop; high tide; 〖ラテン〗 *hoc tempore* (= at this time); 〖ラテン〗 *hoc titulo* (= under this title).

ht(.) 〔略〕height; heat.
HTLV 〔略〕〔医学〕human T-cell lymphotropic virus ヒトT細胞好リンパ性ウイルス《白血病やエイズの原因となるウイルスもこの一種》.
HTML 〔略〕〔コンピュータ〕Hyper Text Markup Language ハイパーテキスト=マークアップ言語.
Hts, Hts. 〔略〕heights.
http, HTTP 〔略〕〔コンピュータ〕hyper text transfer protocol ハイパーテキスト伝達規約.
hub /hʌ́b/ 名 C 1 〔車輪の〕ハブ, こしき(nave) (図⇒bicycle) ‖ a front *hub* 前輪ハブ / a *hub* brake (自転車の)ハブブレーキ. 2 中心地[点], 中枢. 3 〔コンピュータ〕ハブ《LAN を構築するときに使う接続用集線機器》.
húb àirport 拠点[ハブ]空港.
†**hub·bub** /hʌ́bʌb/ 名 [a/the ~] 1 どよめき, ワイワイガヤガヤ. 2 混乱, 騒動.
hub·cap /hʌ́bkæp/ 名 C (タイヤの)ホイールキャップ (図⇒car).
huck·le·ber·ry /hʌ́klbèri|-bəri/ 名 C 1 〔植〕ハックルベリー《ツツジ科の低木, 北米産》. 2 その実《青または黒色で食用》(cf. bilberry).
Huck·le·ber·ry Finn /hʌ́klberi fín/ 名 ハックルベリー=フィン《米国の作家マーク=トウェイン(Mark Twain)の小説『ハックルベリー=フィンの冒険』の主人公の少年の名前》.
huck·ster /hʌ́kstər/ 名 〔女性形〕**--stress**〕 C 〔古〕行商人.
†**hud·dle** /hʌ́dl/ 動 ⓘ 1 密集する, 〔…に〕寄り合う (*together, up*) 〔*against, to*〕‖ They *huddled* (*up*) *together* for warmth. 彼らは暖をとるため体を寄せ合った. 2 体を丸める(+*up*) ‖ She *huddled* near the stove. 彼女はストーブのそばでちぢこまっていた. ── 1 〔通例 be ~d〕 寄り集まる (+*up, together*). 2 [~ oneself] 体を丸める (+*up*). ── 名 〔略式〕 1 C 群衆, 寄せ集め; U 〔しばしば a ~〕混乱, 乱雑. 2 C 秘密会議; 〔アメフト〕作戦会議 ‖ go [get] into a *huddle* 〔略式〕秘密会談に入る, ひそひそ話し合わせる.
†**Hud·son** /hʌ́dsn/ 名 1 ハドソン《Henry ~ ?-1611; 英国の探検家》. 2 ~ Bay ハドソン湾《カナダ北東部の湾. 1にちなむ》. 3 the ~ (River) ハドソン川《米国 New York 州東部を流れ New York Bay に注ぐ. 1にちなむ》.
†**hue** /hjúː/ 〔同音〕 hew; whew〕 名 C 1 〔文〕(種別としての)色 (◆*color* と違って主に中間色をさす); 〔美術〕色相 ‖ the *hues* of a rainbow [in the spectrum] 虹の[スペクトルの]色. 2 C 〔同系統の色の濃淡[明暗], 色調, 色合(tone). C 色調の度合い ‖ a warm *hue* 暖かい色合 / dark in *hue* 色調の暗い. 3 C 〔正式〕(一般に)傾向, 特色.
huff /hʌ́f/ 動 ⓘ 1 ハーハーと呼吸する; 〔風がヒューヒュー吹く〕(cf. puff) ‖ *huff* and *puff* 〔略式〕息を切らす; 不平を言う. 2 ぷーっとふくれ面をする, 憤慨する. [be ~ed] 〔人が頭に来て〕ぷんぷん怒る. 2 〔チェス〕〈相手のコマ〉を取る. ── 名 〔略式〕 [a ~] 憤慨 ‖ in a [the] *huff* ぷんぷんおこって.
†**hug** /hʌ́g/ 動 〔過去・過分〕**hugged**/-d/; **hug·ging** ⓘ 1 〈人が〉〈人・物を〉(両腕で)しっかりと抱きしめる; 〈クマが〉〈人を〉前足で抱え込む(cf. bear hug). 2 〈信念などを〉固く守る, …に固執する(cherish) ‖ *hug* an opinion ある考えに執着する. 3 …に沿って進む; 〔正式〕…のそばから離れない(keep close to) ‖ Mark and *hug* him. (スポーツなどで)彼にぴったりくっついてマークしろ / This car *hugs* the road very well. この車はロードホールディングがよい. ── ⓘ 〈人などが〉抱き合う; 寄り添う.
húg *oneself* (*with pleasure* [*delight*]) *on* [*for, over*] A …に大喜びする.
── 名 C (愛情・友情を表す)抱擁(ほうよう) ‖ give him a *hug* 彼を抱きしめる.
***huge** ── 形 (~r, ~st) 1 巨大な, 莫大な(↔ tiny) ˣふつう very huge とはいわない〔類語〕 colossal, gigantic; enormous, immense, tremendous, vast) ‖ a *huge* tanker 巨大タンカー / *huge* quantities of … 莫大な量の…. 2 〔略式〕でっかい, たいした(◆ *big* の誇張表現) ‖ a *huge* success 大成功. 3 無限の.
húge·ness 名 U 巨大さ.
Hu·go /hjúːgou/ 名 (米+) jú-/ ユーゴー《Victor ~ 1802-85; フランスの詩人・小説家・劇作家》.
†**Hu·gue·not** /hjúːgənɑt, -nət|-nòu/ 名 〔歴史〕ユグノー教徒《16-17世紀フランスのカルバン派の新教徒》.
†**huh** /hʌ́/ 間 〔略式〕 1 〈米〉〔文尾で〕(念をおすように)どうなんだい, そうだろう《◆くだけた言い方では付加疑問の代用として用いる》‖ "Great day(↘), huh(↗)?" 「いい日だね」. 2 〔驚いて, 皮肉を表して〕へー, ほー; 〔聞き返して〕えっ? なんといった? 3 〔不信・非難を表して〕ふん, ほうら.
hu·la /húːlə/ 名 C フラダンス(音楽)《ハワイなどポリネシアの民族舞踊[音楽]. *hula-hula* ともいう》.
húla hòop /-hùːp/ 〔商標〕 Hula-Hoop《フープ》.
†**hulk** /hʌ́lk/ 名 C 1 老朽船, 廃船の船体); 〔通例 ~s〕 牢獄用廃船; 廃建築, 廃車両. 2 図体ばかりが大きい船[物, 人], ウドの大木.
†**hull** /hʌ́l/ 名 C 1 (穀物・果物・種子の)外皮, 殻(だ), (豆の)さや, (イチゴなどの)へた. 2 覆い; 〔~s〕 衣服. ── 他 〈の外皮[殻]を除く, さや[へた]をとる ‖ *hulled* corn (米) 皮をむいたトウモロコシ.
hul·la·ba·loo /hʌ́ləbəlùː/ 〔=/-lúː/〕 名 (複 ~s, **hul·la·ba·loos**) C 〔略式〕〔通例 a ~〕 大騒ぎ; ガヤガヤ.
hul·lo /hʌlóu, hʌ́l-/ 間 〔主に英〕 =hello.
†**hum** /hʌ́m/ 動 〔過去・過分〕**hummed**/-d/; **hum·ming** ⓘ 1 〈ハチ・機械などが〉ブンブン音をたてる, 〔…で〕うなる(buzz) 〔with〕‖ The bees were *humming* round the hive. ハチが巣箱のまわりをブンブンうなっていた / The newly-opened shop *hummed* with activity. 新しく開店した店は活気でみなぎっていた. 2 〈人が〉鼻歌を歌う, ハミングする; 〈聴衆などが〉がやがや言う, ざわざわする; 〈英〉(不満・いらだちに)ぶつぶつ言う[むにゃむにゃ言う](米) hem ‖ *hum* to oneself ひとり鼻歌を歌う. 3 〔略式〕 〔しばしば進行形で〕〈仕事・会社などが〉〔…で〕景気がよい, 活気づく 〔with〕‖ Things are *humming* at this office. この事務所では何もかも活気がある. ── 他 〈英〉…を(口の中で)もぐもぐ言う(米) hem) ‖ *hum* one's displeasure 不快感をぶつぶつつぶやく. 2 〈歌を〉ハミングする ‖ *hum* a tune to oneself メロディーをひとり鼻歌で口ずさむ.
húm and háw [há] 〔主に英略式〕口ごもる; ちゅうちょよる.
── 名 U C 〔通例 a/the ~〕 1 ブンブン, ブーン ‖ the *hum* of the machines 機械のブーンとうなる音. 2 ざわめき, がやがや, ざわざわ ‖ voice the *hum* of conversation がやがや言う人声.
── 間 うむ, ふーむ 《ためらい・不同意・困惑・思案などを表すあいまい音》.
húmming tòp うなりごま.

hu·man /hjúːmən, (米+) júː-/ 🅰 humanity (名)
——形 (**more ~, most ~**) **1** [名詞の前で] 人間の(↔ divine) ; 人間に関する ; 人間の《◆比較変化しない》‖ *human* society 人間社会 / the *human* body 人体 / *human* letters 人文字 / It is beyond *human* power. それは人間の力ではできない / Talking is a *human* ability. 言葉を使うのは人間に特有の能力である. **2** (神・動物・機械などと対比して) 人間らしい ; 同情的な, 人情(味)のある《◆「神に対して」「欠点のある」,「動物・機械に対して」「思いやりのある」の意を表す. 人間味のうちでも特に優しさ・親切さを強調する場合は humane》(↔ inhuman) ‖ a *human* disposition 人間味あふれる性質 / I can't do everything. I'm only *human*. 何でもできるわけじゃない. 神ならぬ身なのだから.
——名 C (略式) [通例 ~s] 人, 人間(human animal)《◆ふつうは human beings》 使い分け → people 名 1).
húman béing 人, 人間《◆総称的にいう場合は *human* beings. → mankind 語法》‖ feel a little like a *human being* 人心地がつく.
húman cháin (バケツリレーをする)人の列.
húman ecólogy 人間生態学.
húman engineéring 人間工学 ; 人間管理.
Húman Génome Próject [the ~] ヒトゲノム計画《ヒトのすべての遺伝子の解明計画》.
húman ínterest (新聞記事などで)読者の興味をそそる事物 ‖ *human interest* stories 三面記事.
húman náture (1) 人間性, 人間共通の特性. (2) (社会) 人間的自然, 人間性《人間が本質的に持つ諸特性を総称していう語》.
húman ráce [the ~] 人類(mankind).
húman relátions [通例単数扱い] 人間[対人]関係.
húman resóurces [通例単数扱い] (会社・組織の)人的資源, 人事部.
húman ríghts [複数扱い] 人権.
húman scíence [複数扱い] 人間[人文]科学.
húman shíeld 人間の盾《盾として使う敵側の民間人》.

†**hu·mane** /hjuːméin, (米+) juː-/ 形 (時に **~r, ~st**) **1** 思いやりのある, 心の優しい, 慈悲深い《◆ kind より堅い語. cf. human 形 2》‖ a *humane* man [attitude] 思いやりのある人[態度]. **2** 苦痛を与えない ‖ a *humane* killing 安楽死.
humáne socíety [しばしば H- S-] 動物愛護協会.
hu·máne·ly 副 慈悲深く.

†**hu·man·ism** /hjúːmənìzm/ 名 U **1** 人本[人間]主義《◆日本語の「ヒューマニズム」は人道・博愛に重きを置くので humanitarianism に近い》. **2** (まれ) 人間性(humanity). **3** (時に H~) (ルネサンス期の)人文主義.
hu·man·ist /hjúːmənɪst/ 名 C **1** 人本[人間]主義者. **2** = humanitarian. **3** (時に H~) (ルネサンス期の)人文主義者 ; 人文学者.

†**hu·man·i·tar·i·an** /hjuːmæ̀nətéəriən, (米+) juː-/ 形 人道[博愛]主義の. ——名 C 人道[博愛]主義者, ヒューマニスト. ジョーク If a vegetarian eats only vegetables, what does a *humanitarian* eat? 菜食主義者は野菜だけを食べる人. では人道主義者は何を食べる?
†**hu·man·i·tar·i·an·ism** /hjuːmæ̀nɪtéəriənìzm/ 名 U 人道[博愛]主義, ヒューマニズム.

*★**hu·man·i·ty** /hjuːmǽnəti, (米+) juː-/ アクセント注意 [→ human]
——名 (複 **~·ties**/-z/) U **1** [集合名詞 ; 通例無冠詞 ; 単数・複数扱い] 人間, 人類 ‖ Advances in science can bring all *humanity* only death and destruction. 科学の進歩は人類全体に単に死と破壊をもたらすこともある.
2 博愛, 慈悲, 人情, 親切《◆ kindness より堅い語》(↔ inhumanity) ‖ Every criminal, however serious the crime (is), should be treated with *humanity*. どんな犯罪者も, たとえその犯罪がどんなにひどいものであったとしても人道的に扱われなければならない.
3 人間であること ; [humanities] 人間らしさ ‖ War is a crime against *humanity*. 戦争は非人道的犯罪だ / They denied the *humanity* of slaves. 彼らは奴隷が人間であることを否定した.
4 [the humanities] 人文学, 人文科学 ; ギリシア・ラテン語学[文学] ; (スコットランドの大学の)ラテン語学.

hu·man·ize /hjúːmənàɪz/ 動 (正式) 他 **1** …を人間らしく(慈悲深く, 親切に)する ; …を教化する. **2** …を人間化にする ; …に人間的性格を与える. ——自 **1** 人間的になる, 慈悲深くなる. **2** 人間化する.
hù·man·i·zá·tion 名 U 人間化.

†**hu·man·kind** /hjúːmənkàɪnd/ 名 U (正式) [集合名詞 ; 単数・複数扱い] 人間, 人類(→ mankind 語法).

hu·man·ly /hjúːmənli/ 副 **1** 人間らしく, 人間的に. **2** 人間の力で(は) ; 人間的見地から ; 人情から ‖ *humanly* speaking 人間の立場から言うと / It is *humanly* impossible. それは人間の力では不可能だ(= It is beyond human power.)

†**hum·ble** /hʌ́mbl/ 形 (**~r, ~st**) **1**《(人の行為)が》〔…について〕つつましやかな, 謙遜した, 丁寧な(polite)《about》《◆ modest と異なり, しばしば卑屈さを含む》(↔ proud) ‖ a *humble* attitude 謙虚な態度. **2** (正式) 卑しい, 地位[身分]が低い ‖ a man of *humble* birth 生まれの卑しい人. **3** 質素な, 粗末な ; [卑下して] つまらない, 重要でない ‖ a *humble* job つまらない仕事 / in my *humble* opinion 私見[卑見]では《◆ 強調的またはユーモラスな表現》/ your *humble* servant 敬具《◆ 形式ばった手紙の結びの言葉》/ It was a *humble* but comfortable house. 質素でありながら快適な家だった / ***be it ever so humble*** いかにみすぼらしくても.
——動 他 (正式) **1**〈自分〉を卑下する ; …を謙虚にする ‖ *humble* oneself 謙遜する. **2**〈人〉を卑しめる ;〈プライド・地位など〉を落とす(lower).
húm·ble·ness 名 U 謙遜, 卑下.

†**hum·bly** /hʌ́mbli/ 副 **1** 謙遜[して] ‖ May I *humbly* request that …? …をお願いできますでしょうか《◆ 卑屈さを含むので》(まれ). **2** 貧しく, みすぼらしく.

hum·drum /hʌ́mdrʌ̀m/ 形 (正式) 単調な, 退屈な(dull) ; 平凡な.

hu·mer·us /hjúːmərəs, (米+) júː-/ 名 (複 **--mer·i** /-məràɪ/) C (解剖) 上腕(骨), 上腕[肩] 骨《肘から肩までの骨》.

hu·mid /hjúːmɪd, (米+) júː-/ 形 (不快なほど)湿気の多い, (高温)多湿の, 湿っぽい (類語 → damp) ‖ It's really *humid* today. 今日は本当にムシムシするね.

hu·mid·i·fy /hjuːmídəfàɪ/ 動 他 …を湿らせる. **hu·mid·i·fi·er** 名 C 加湿機, 給湿機.

†**hu·mid·i·ty** /hjuːmídəti/ 名 U 湿気, 湿度 ‖ 対話 "How *high* [×much] is today's *humidity*?" "It's 85 per cent." 「今日の湿度は?」「85パーセントだ」/ 日本発 >> The reason Japanese

humiliate   760   **hundred**

summers feel so hot is the high *humidity*, which prevents perspiration from evaporating. 日本の夏をとても暑く感じる理由は、湿度が高いので汗をかいても蒸発しないからです.

†**hu·mil·i·ate** /hjuːˈmɪliˌeɪt/ 動 他 《正式》〈人〉に(公衆の面前で)恥をかかせる, 屈辱を与える(shame) ‖ *humíliate* oneself 恥をかく / feel *humiliated* [《略式》ashámed] 恥ずかしい思いをする.

hu·míl·i·àt·ing 形 屈辱的な, 不面目な.

†**hu·mil·i·a·tion** /hjuːˌmɪliˈeɪʃən/ 名 U C 恥をかかせる[かかされる]こと, 屈辱, 不面目.

†**hu·mil·i·ty** /hjuːˈmɪləti, 《米+》juː-/ 名 U 謙遜(ヘンソン), 謙虚, 卑下(↔ arrogance); [humilities] 謙遜した態度 ‖ a man of great *humility* たいへん謙遜な人 / With *humility* he spoke of his experience. 彼は謙遜して体験談を語った.

hum·ming·bird /ˈhʌmɪŋˌbɜːrd/ 名 C 〘鳥〙ハチドリ《北米から南米産》.

hum·mock /ˈhʌmək/ 名 C 小高い地形, 丘.

***hu·mor**, 《英》 -**mour** /ˈhjuːmər, 《米+》juː-/ 〘「湿ったもの, 体液」が原義〙家族 *humorous* (形)

——名 (複 ~s/-z/) 1 U ユーモア, こっけい, おかしみ; ユーモアのある話[文章, 行為]; ユーモアをよく解する[表現する]力◆「健全な人がもっている人間味あふれたおかしさ」をいう. 気味の悪い, または人を冷笑するのは black humor. cf. wit《知的なおかしさ》 ‖ hàve a sénse of húmor ユーモアをよく解する心がある / She saw no *humor* in his remark. 彼女は彼の言葉のおかしさがわからなかった / He has no sense of *humor* at all. 彼は少しもユーモアを解さない.

2 U C 《や古・正式》 [通例単数形で] (変わりやすい)気分, 機嫌(mood); 気まぐれ ‖ be in a good *humor* 上機嫌である / be out of *humor* =be in *a bad* [*an ill*] *humor* 不機嫌である(cf. temper 名 1) / I am in no *humor* ˈto work [for work, for working]. 仕事をする気にならない(=I don't feel like working).

3 U C 気質, 気性 ‖ Every man has [in] his *humor*. 〘ことわざ〙十人十色.

4 U 〘生理〙液, 分泌物; 水様(スイヨウ)液; 硝子(ガラス)体液; C 《古》[the (four) ~s] 体液◆blood, phlegm, yellow bile, black bile の4液が肉体的・精神的状態を決定すると考えられた.

——動 他〈人の〉言いなりになる, 好きなようにさせる; …に調子を合わせる, 同調する ‖ She *humored* her sick child. 彼女は病気の子供の言うようにしてやった.

hu·mor·ist /ˈhjuːmərɪst/ 名 C ユーモアのある人; ひょうきん者; ユーモア作家[俳優].

***hu·mor·ous** /ˈhjuːmərəs, 《米+》juː-/ 〘→ humor〙

——形 1〈物事が〉こっけいな, おどけた, ユーモアのある《funny, amusing より堅い語》(↔ humorless) ‖ She told us a *humorous* story, and we all laughed. 彼女は私たちにこっけいな話をしたのでみんな笑った. 2〈人が〉ユーモアを解する; ユーモアに富んだ ‖ a *humorous* writer ユーモア作家.

hú·mor·ous·ly 副 こっけいに.

hú·mor·ous·ness 名 U.

***hu·mour** /ˈhjuːmə/ 《英》 名 動 =humor.

†**hump** /hʌmp/ 名 1 C (人の背中の)こぶ, (ラクダの)背こぶ. 2 C 低い円丘; (道路の)盛り上がり.

——動 他 1〈背〉を丸くする[曲げる]‖ The cat *humped* its back in anger. 猫が怒って背を丸くした. 2 《英略式》…を背負って運ぶ(+*about*).

——自 丸く盛り上がる.

hump·backed /ˈhʌmpbækt/ 形 背部が丸く盛り上がった, かまぼこ状の; ねこ背の, 亀背の(hunchbacked).

†**humph** /mm, mʔmm, hʌmf/ 間 ふん, ふふん《疑い・不満・軽蔑などを表す; 唇を閉じて出す鼻音; h'm ともつづる》. ——動 自 ふん[ふふん]と言う.

Hum·phrey /ˈhʌmfri/ 名 ハンフリー《男の名》.

Hump·ty-Dump·ty /ˌhʌmptiˈdʌmpti/ 名 [しばしば humpty-dumpty] C 1 ハンプティーダンプティ《nursery [Mother Goose] rhymes に登場する卵を象徴する人物》. 2 (卵のように)一度こわれたら元通りにならない物. 3 (卵のように)ずんぐりむっくりの人.

†**hu·mus** /ˈhjuːməs, 《米+》juː-/ 名 U 《正式》腐植(土), 腐葉土.

Hun /hʌn/ 名 C 〘歴史〙フン族の人; [~s] フン族《4-5世紀に欧州を侵略したアジア系遊牧民族. 形容詞は Hunnish》.

†**hunch** /hʌntʃ/ 名 C 1 (ラクダや人の背の)こぶ(hump), 肉の隆起. 2 厚いかけ切れ, 固まり. 3 《略式》直感, 予感, 勘, 虫の知らせ《◆ hunchback にさわると幸運がくるという伝えから》 ‖ play one's *hunch* 勘で行動する / I had a *hunch* [My *hunch* was] (that) he might fail. 《略式》彼は失敗するのではないかという気が私はした. ——動 他 1〈背など〉を丸くする(+*up*). 2 《米略式》 […という]予感がする [that 節].

——自 背を丸くする, 身をかがめる; 丸く盛り上がる(+*up*).

†**hunch·back** /ˈhʌntʃbæk/ 名 C 亀背の人; 〘医学〙脊柱(セキチュウ)後湾(コウワン)(症). **húnch·bàcked** 形 亀背の, ねこ背の, かまぼこ状の.

‡**hun·dred** /ˈhʌndrəd/ 〘「100(hund)の数(red)」〙

——名 (複 ~s/-drədz/)〈名 形 とも用例は → two〙1 C (基数の)100, 百《序数は hundredth. 関連接頭辞 centi-, hecto-. しばしば不特定多数を表す. → 形 3》 ‖ a [one] *hundred* 100《◆ one の方が強意的》/ the *hundred* and first 第101番 / one in a *hundred* 100につき1つ, $^{1}/_{100}$.

〘語法〙(1) hundred, thousand, million は数詞または数量形容詞を伴うときは -s をつけない: two *hundred* 200 / several *thousand* 数千 / some [about a] *hundred* [*thousand*] 約100[1000].
(2) 100 の次に10 以下の数が続くときは and を入れる. 100台では100との間には and を入れないが, 100の位が 0 のときは and を入れる. ただし, いずれの場合も and は《米式》ではしばしば省略する: three *hundred* (and) forty-one 341 / five *thousand* (and) sixty-one 5061.
(3) 年号や24時間制の時間をいうとき: seventeen *hundred* 1700年; 17時《◆ 1700 と書くのがふつう. seventeen nothing とも読む》/ eighteen *hundred* and five 1805年; 18時5分《◆ 1805 と書くのがふつう. eighteen o /oʊ/ five とも読む》.

2 U [複数扱い; 代名詞的に] 100個; 100人 ‖ The first *hundred* can enter the park at once. 最初の100名様は今すぐ入場できます.

3 U 100ドル[ポンド, ペンス, セントなど].

4 U [時に a ~] 100度.

5 C 100 の記号 [数字, 活字]《100, C など》.

6 C 100個[人]1組のもの.

7 C 《略式》 **a** 《米》100ドル紙幣. **b** 《英》100ポンド紙幣.

8 [~s; 数詞と共に] …百年代 ‖ in the early nineteen *hundreds* 1900年代初頭に.
9 (略式) [~s of + C 名詞] 何百という…; (略式) 非常に多数の《◆ thousands of, tens of thousands of, hundreds of thousands of, millions of の順に多くなる》‖ *Hundreds* of people were injured in the fire. その火事で何百人もの負傷者がでた / *hundreds of* times 何百回となく.

a húndred to óne 九分九厘, ほとんど確実に《◆用例・説明・否定的文脈については → TEN to one》.
by húndreds = *by the húndred(s)* 何百というほど, たくさん.
by the húndred 100単位で.
húndreds and thóusands (1) 無数[多数](の…)[of]. (2) (菓子などにふりかける)あられ砂糖.

── 形 **1** [通例名詞の前で] 100の, 100個の; 100人の ‖ There are at least seven *hundred* students here. ここには少なくとも700人の学生がいる / 7 *hundred* hours 午前7時(=7:00 a.m.). **2** [一語として] [a ~] 100歳の ‖ live to be *a hundred* (years old) 100歳まで生きる. **3** [a ~] (不特定)多数の, たくさんの ‖ *a hundred* times 100回も, 何度も.

a húndred and óne 非常にたくさんの《◆ *a thousand and one* の方が強意的》.
húndred percént [a/one ~] 100パーセントの[に]; (略式)完全な[に].
Húndred Yéars(') Wár [the ~] (英仏間の)百年戦争(1337-1453).

✝**hun·dredth** /hʌ́ndrədθ, -drətθ/ 《◆ 100th とも書く》形 《◆ 形 名 とも用例は → *fourth*》**1** [通例 the ~] 第100の, 100番目の (語法) [a ~] 100分の1の. ── 名 **1** Ｕ [通例 the ~] (順位・重要性で)[…する]第100番目[100位]の人[もの][*to* do]. **2** Ｃ 100分の1(→ *third* 名 **5**).

> (語法) 第101以下は a hundred and first (第101), a hundred and twenty-first (第121)のようにいうが, (米略式)では and を省略することがある.

hun·dred·weight /hʌ́ndrədwèit/ 名 (複 ~s) Ｃ 数British の後では -s 《◆》ハンドレッドウエイト《重量の単位. (米)では100ポンド(約45.36kg), (英)では112ポンド(約50.8kg)》.

✝**hung** /hʌ́ŋ/ 動 *hang* の過去形・過去分詞形.
✝**Hun·gar·i·an** /hʌŋgɛ́əriən/ 形 ハンガリーの(人・語)の. ── 名 **1** Ｃ ハンガリー人 (語法) → Japanese). **2** Ｕ ハンガリー語.
✝**Hun·ga·ry** /hʌ́ŋgəri/ 名 ハンガリー《ヨーロッパ中部の国. 現在の正式名 Hungarian Republic. 首都 Budapest. cf. *Magyar*》.

✝**hun·ger** /hʌ́ŋgɚ/ 《原義》「空腹, のどの渇き」が原義》 派 *hungry* (形)
── 名 (複 ~s/-z/) **1** Ｕ 空腹, ひもじさ; 飢え, 飢餓 ‖ Ｃ Ｕ die of *hunger* 餓死する / suffer from constant *hunger* 絶えずひもじい思いをする / satisfy one's *hunger* 空腹を満たす / She was faint with *hunger*. 彼女は空腹のあまりふらふらしていた / Tom's *hunger* made him eat too fast. トムは腹がへっていたのでかっかと食べた / *Hunger is the best sauce.* 《ことわざ》空腹は最上のソース; 「空腹にまずい物なし」. **2** (正式) [a ~] […に対する]飢え, 渇望[*for*, (まれ) *after*] ‖ The orphan has *a hunger for* love. その孤児は愛情に飢えている.
── 動 自 **1** (まれ)腹がへる, 空腹を感じる. **2** (文)

[…を/…することを]切望する, 渇望する[*for*, (まれ) *after* / *to* do] ‖ A good student *hungers after* knowledge. よい学生は知識欲に燃えている.
húnger cùre 絶食療法, 断食療法.
húnger màrch [**màrcher**] (特に失業者の)飢餓行進[行進者].
húnger strike ハンガーストライキ, ハンスト ‖ go [be] on (a) *hunger strike* as a protest against … …に抗議してハンストをする[している].
húnger strìker ハンストをする人.

✝**hun·gri·ly** /hʌ́ŋgrəli/ 副 **1** ひもじそうに, がつがつと. **2** 熱心に ‖ read *hungrily* むさぼるように本を読む.

hun·gry /hʌ́ŋgri/ [→ *hunger*]

── 形 (**-gri·er**, **-gri·est**) **1** 〈人・動物が〉空腹の, 飢えた; [通例名詞の前で] 〈表情などが〉ひもじそうな; [名詞の前で] 〈仕事などが〉腹のへる《◆ この意で *famished*, *starved* を用いるのはおおげさ》‖ I felt *hungry* after the [a] long walk. 長く歩いてきたので空腹を感じた / go *hungry* 空腹[食べない]で暮らす[いる], 飢えている / (as) *hungry as a bear* [fox-hound, hawk, horse, hunter, shark] 腹ぺこで / The girl had a *hungry* look. その少女はひもじそうな顔をしていた. **2** (正式) [名詞として] […を]渇望して[*for*, (まれ) *after*] ‖ be *hungry for* affection 愛情に飢えている / The child is *hungry for* a playmate. その子は遊び友だちを欲しがっている.

hunk /hʌ́ŋk/ 名 Ｃ (略式) (パン・チーズ・肉などの)厚切り, 大きな塊(lump).
Hun·nish /hʌ́niʃ/ 形 **1** フン族(語)の. **2** (時に h-〜) 野蛮な, 破壊的な.

✴**hunt** /hʌ́nt/ [→ *hint*] 派 *hunter* (名)

── 動 (~s/hʌ́nts/; 過去・過分 ~ed/-id/; ~·ing)
── 他 **1** 〈人・動物が〉〈鳥・獣などを〉狩る, 狩猟する《◆ (米)では鳥・獣に用いる. (英)では獣のみに用い, 鳥の場合は shoot》‖ *hunt* deer [foxes] シカ[キツネ]狩りをする / I want to *hunt* big game. 大物(ライオン・トラなど)狩りをしたい.
2 (英) 〈場所を〉狩りしてまわる, 狩り立てる《◆ 特にキツネ狩りで猟犬を用いる場合にいう》.
3 (英) 〈馬・犬などを〉狩りに使う, 狩猟に使う.
4 〈人が〉〈犯人・真相などを〉追う, 追跡する; …を[…から]追い出す(+*away*)[*from*, *out of*] ‖ *hunt* the truth 真相をつきとめる / *hunt* a murderer 殺人犯を追う / He is being *hunted* by the police. 彼は警察に追われている(→ 文法 7.5).
5 a 〈人が〉〈物などを〉捜す(+*down*) ‖ We *hunted down* the lost ball. なくしたボールを捜した. **b** 〈場所を〉〈物を求めて〉捜索する, くまなく捜す[*for*] ‖ The police *hunted* the house for drugs and guns. 警察は麻薬と銃を見つけようと家中を捜した《◆ ふつう searched という》.

── 自 **1** [場所で]狩りをする, 狩猟する[*in*]; […の]狩りをする[*for*] ‖ go (out) *hunting* in the forest 森へ狩りに出かける《◆ (英)ではふつうキツネ狩りをさす》.
2 〈エンジンが〉速くなったり遅くなったりする. **3** (略式) 〈人が〉〈物・人などを〉捜し求める, 捜す[*for*, *after*] ‖ *hunt* for a missing person 行方不明者を捜す.
húnt dówn [他] (1) 〈人・動物を〉追いつめる; …を捕殺する. (2) 〈人を〉追跡して逮捕する.
húnt óut [他] (1) 〈動物を〉狩り出す. (2) (略式) 〈長く使っていなかった物などを〉捜し出す.
húnt úp [他] (略式) 〈情報・詳細などを〉[書類・蔵書の中で]捜し求める, 捜し出す[*in*].

—名 (穐) ~s/hʌnts/) ⓒ 1 [しばしば複合語で] 狩り, 狩猟《◆(英)ではふつうキツネ狩りをさす》‖ go on a duck *hunt* カモ狩りに行く. **2**（略式）[a/the ~]〔…の〕**探求**, 捜索, 捜し求めること (=search) 〔for〕‖ I must *have* [*make*] *a hunt for* the lost ring. なくした指輪を捜さねばならない.
3（主に英）[集合名詞; 単数・複数扱い]（キツネ狩りの）狩猟家たち; その狩猟地.

hunt·ed /hʌ́ntid/ 形〈表情などが〉〈追われて〉おびえたような‖ his *hunted* expressions おびえたような彼の表情.

†**hunt·er** /hʌ́ntər/ 名 ⓒ **1** 狩りをする人《◆英国ではライオン・象など大きな獲物をねらう人をさす》; 猟師 (huntsman);〔擬人的に〕（他の動物を捕食する）猛獣. **2** 狩猟訓練された動物《キツネ狩り用猟馬》, ハンター犬 ‖ The cheetah can be trained to be a good deer *hunter*. チーターはシカ狩り用のよい猟犬に訓練できる. **3**〈富・名声などの〉探求者, 利をあさる人〔after, for〕‖ a *hunter* after glory 名誉欲の強い人 / job *hunters* 求職者たち / a fortune *hunter* 財産目当ての求婚者. **4** ハンター時計《二重ぶた懐中時計》.

húnter's móon [通例 the ~] ハンター（満）月, 狩猟月《harvest moon の次の満月》.

†**hunt·ing** /hʌ́ntiŋ/ 名 ⓤ **1** 狩猟, 狩り《◆(英)では特にキツネ狩り (fox hunting)》. **2** 捜索, 探求 ‖ book *hunting* 本さがし, 本あさり.

†**hunts·man** /hʌ́ntsmən/ 名 (複 ~·men) ⓒ 狩猟家, 猟師; (PC hunter); (英)（キツネ狩りの）猟犬係.

†**hur·dle** /hə́ːrdl/ 名 ⓒ **1 a**（競技用の）ハードル, 障害物 ‖ clear a *hurdle* ハードルを越える. **b** [the ~; 単数扱い] =hurdle race. **2** （一般に）障害物, 困難. —動 他〈人が〉〈障害・困難などを〉飛び越す, 乗り越える. —自 ハードルを越える.

húrdle ràce ハードルレース, 障害物競走.

húr·dler /-ər/ 名 ⓒ ハードル競走選手; 編み垣作りの人.

hur·dy-gur·dy /hə́ːrdigə̀ːrdi/ 名 ⓒ **1** （略式）（大道芸人などが使う）手回しオルガン. **2** （歴史）手回し式リュート《中世の楽器》.

†**hurl** /hə́ːrl/ 動 他 **1**〈物を〉〔…に〕強くほうる, 投げつける (+*away*) 〔*at*〕《◆throw より力強く投げる》‖ *hurl* the disc 70 meters 円盤を70メートル投げる. **2** [~ oneself]〔…に〕体当たりする, 飛びかかる〔*against, at, on*〕. **3**〈悪口雑言を〉〈人に〉あびせる〔*at*〕. —名 ⓒ 投擲（とうてき）.

hurl·y-burl·y /hə́ːrlibə̀ːrli/ 名 ⓤ [通例 a/the ~] 喧噪（けんそう）, 大騒ぎ, ガヤガヤ, 騒々しい.

Hu·ron /hjúərən/ 名 **1** Lake ~ ヒューロン湖《五大湖の1つ》. **2** (複 Hu·ron, ~s) [the ~(s)] ヒューロン族《北米先住民の一部族》; ⓤ ヒューロン語.

†**hur·ray** /hərέi/ 間 (=今は古風) ばんざい, フレー (hooray) 《歓喜・賞賛・激励などの叫び》‖ *Hurray* for the King! 王様ばんざい《◆「…ばんざい」という時前置詞は for》/ *Hurray*! It's a hit! やったそ, ヒットだ / Hip, hip, *hurray*! ヒップ, ヒップ, フレー《かっさい》. —名 ⓒ ばんざい, 歓声.

†**hur·ri·cane** /hə́ːrəkèin | hʌ́rikən/ 名 ⓒ **1** (気象) ハリケーン《主に西インド諸島付近で発生する米国を襲う暴風雨. cf. cyclone, typhoon》; 颶（ぐ）風《秒速 32.7 m 以上. → wind scale》; (広義) 大暴風 ‖ The *hurricane* devastated the Mississippi coast. そのハリケーンはミシシッピ州沿岸に大きな被害をもたらした. 語法 公に命名されたハリケーンをいう場合は大文字: *Hurricane* Hazel. **2** [比喩的に] あらし,

激発 ‖ a *hurricane* of applause 賞賛のあらし.

†**hur·ried** /hə́ːrid | hʌ́r-/ 形 **1** 〈人が〉せきたてられた, 急いでいる. **2** 大急ぎの, 急いでなされた[作られた] ‖ a *hurried* tour あわただしい旅行.

†**hur·ried·ly** /hə́ːridli | hʌ́r-/ 副 大急ぎで, せかせかと ‖ speak *hurriedly* 早口でしゃべる.

*★**hur·ry** /hə́ːri | hʌ́ri/《「走る」が原義. cf. hurl》
—名 ⓤ **1** 急ぐこと, 大あわて（†haste）‖ In his [ˣa] *hurry* to catch the train，he forgot his overcoat. 彼は電車に間に合おうと急いでいたのでコートを忘れてきた. **2** [疑問文・否定文で] 急ぐ必要 ‖ There's no *hurry* about 〔*for*〕it. それは急ぐ必要はない / Is there any *hurry*? 何か急がねばならないことでもあるのですか / Stop pushing! What's the *hurry*? (略式) 急がなくちゃ. なぜそんなに急ぐんだ.

in a húrry (1) 急いで, あわてて, 早まって ‖ *Nothing* is ever done in *a hurry*.《ことわざ》せいては事を仕損じる / Don't eat *in a hurry*. Chew well. あわてて食べないで. よくかんで食べなさい. (2) 〔…を〕したがって〔*to do*〕‖ He was *in a hurry* to see his son. 彼は息子に会いたがっていた. (3)（英略式）[通例 won't, wouldn't を伴って; 皮肉的に] 簡単に（は）; すぐに（は）‖ You *will* not beat him *in a hurry*. 君は彼を簡単には負かせないだろう《◆「簡単どころか, とても負かせまい」の気持ち》. (4)（略式）[通例 won't, wouldn't を伴って; 皮肉的に] 喜んで, 快く ‖ She *will* not ask me to a dance again *in a hurry*. 彼女はもう二度とぼくをダンスパーティーに喜んで誘うことはなかろう《◆「喜んでどころか, いやいやでも誘ってくれまい」の気持ち》.

in nó húrry〔…を〕〜するのを急がないで〔*for, to do*〕‖ I'm *in no hurry* 〔*for* it〔*to do* it〕〕. 別にそれを急いではいません. (2)〔…を〕したがらない〔*to do*〕‖ She is *in no hurry* to return the book to me. 彼女はあの本をぼくになかなか返そうとしない.

—動 (--ries/-z/; 過去・過分 --ried/-d/; ~·ing)
—自〔…へ〕急ぐ (rush)〔*to*〕; 急いでする (+*up*);〔…を〕急ぐ〔*over*〕;〔…するのを〕急ぐ〔*to do*〕‖ I *hurried* to the bus stop. ぼくはバス停へ急いだ / *Hurry up* with your homework. 宿題を急いでしなさい / He *hurried over* finishing the job. 彼は急いで仕事を終えた / She *hurried over* her meal. 彼女はあわただしく食事をした / Don't *hurry* (ˣup). There's a lot of time. 急がなくてもよい. 時間はたっぷりあるから《◆否定文ではふつう hurry up とはしない》/ He *hurried* (*to* go) out of the house. 彼は急いで家から出た.

—他〈人が〉〈人・馬などを〉**急がせる**, せきたてる;〈人・物を〉〔…へ〕急いで運ぶ〔*to*〕;〈仕事などを〉急いでする;〈歩調などを〉早める ‖ *hurry* him into marriage 彼をせきたてて結婚させる / *hurry* him to a hospital [doctor] 彼を急いで病院[医者のところ]へ運ぶ[連れて行く] / Don't *hurry* the cook or she'll spoil the dinner. コックをせきたてるな, 夕食の味がまずくなるから.

húrry alóng 〔自〕急ぐ, 急いで行く.
húrry ín 〔自〕急いで入る.
húrry A **óut** 〈人〉を急いで外に出す.
húrry thróugh A 〈食事などを〉急いで済ます.
húrry úp 〔自〕急ぐ. —〔他〕〈人〉を急がせる;〈仕事などを〉急いでさせる.

★hurt /hə́ːrt/ [発音注意] （類音）*heart* /háːrt/《「武器で打つ」が原義》

hurtful

——動 (~s/hə́ːrts/; 過去・過分 hurt; ~・ing)
——他 1 〈人・物・事が〉〈人・動物の体〉を**傷つける**, …にけがをさせる (言い分け) → damage 他 1, wound 他 1; 〈靴などが〉〈人の足など〉に痛みを与える ‖ He hurt his leg. 彼は脚をけがした《◆ ×He was hurt in the leg. は不可》/ "I fell down the stairs." "Did you *hurt* yourself?" 「階段でころびました」「けがをしましたか」/◆ Did I *hurt* you? だと 3 の意味になり「お気に障りましたか」の意味》/ She was seriously [badly, heavily, ×very] *hurt* in a traffic accident. 彼女は交通事故で重傷を負った.

> 関連 [類似表現]《◆ it は体の部分をさす》It hurts [aches]. 痛む / It tingles. しびれる / It itches. かゆい / It burns. ひりひりする / It throbs. ずきずきする / It prickles [scratches]. ちくちくする.

2 (まれ)〈物〉に損傷[損害]を与える;〈事〉を妨げる, 損なう(damage) ‖ The frost did not *hurt* the fruit. 果物は霜でやられなかった.
3 〈発言などが〉〈人〉の**感情を害する**;〈感情・評判など〉を害する ‖ I didn't want to *hurt* his feelings. 私は彼の気分を害したくなかった / She was very (much) [badly, ×seriously] *hurt* to hear him say so. 彼がそう言うのを聞いて彼女はとても気分を害した《◆ この文脈では badly を不可とする人もいる》.
4 (略式)［通例 it won't [wouldn't] *hurt* A to do］…するのは〈人など〉にとって問題とはならない, たいしたことではない ‖ It won't [wouldn't] *hurt* you to be more friendly. もっと親しくしてくれても損はしないでしょうに.

——自 1 〈体の部分が〉**痛む**;〈注射などが〉痛みを与える;〈物が心を痛める, 切ない気持ちにさせる;（米）〈人が〉痛む ‖ Where do you *hurt*? どこが痛いの / My head *hurts* [is *hurting*]. 頭が痛む(= I have「a pain in my head [a headache].) /《対話》"Hey, what's wrong with you?" "My wisdom tooth *hurts* a lot [awfully]." 「どうしたの」「親知らずがひどく痛むんだ」. 2 [it won't *hurt* to do] …してもかまわない, 問題ではない.

——名 (複) ~s/hə́ːrts/(正式) 1 © [通例 a ~] **傷**, けが(injury) ‖ receive *a hurt* on the head 頭に傷を受ける / He suffered no *hurt* in the accident. 彼はその事故でけがはしなかった. 2 Ⓤ [時に a ~]〈人〉に対する**傷**, （精神的な)**苦痛**(to);打撃(harm) ‖ It was *a hurt* to his pride. それで彼はプライドを傷つけられた / It will do [cause] you no *hurt* to do so. そうしても君は痛くもかゆくもないだろう.

——形 1 〈人（の体)が〉**傷ついた**, けがをした《◆ 名詞の前で用いるときは injured を用いるのがふつう》‖ He came home with a *hurt* knee. 彼はひざにけがをして帰ってきた. 2 […で]**感情を害した**[at, by] ‖ one's *hurt* look 傷ついた表情 .

hurt・ful /hə́ːrtfl/ 形 **感情を傷つける**, 〔…に〕有害な[to] ‖ say *hurtful* things 感情を傷つけるようなことを言う / Smoking is *hurtful* to the health. 喫煙は健康によくない.

hurt・less /hə́ːrtləs/ 形 **無害な**; 無傷の.

Hus (略) [医学] hemolytic uremic syndrome 溶血性尿毒症候群.

hus・band /házbənd/ 『[「一家の主人」が原義]』

——名 (複) ~s/-bəndz/) © **夫** (cf. wife) (略式) hub(by)) ‖ *husband* and wife 夫婦《◆ (1) 無冠詞の場合が多い. (2) ×wife and husband とはふつういわない. cf. bride and groom) / He is a devoted *husband*. 彼は愛妻家だ《◆「恐妻家」は a henpecked *husband*) / Bill will make (her) a good *husband*. ビルならば彼女のよい夫になるでしょう.

——動 (正式)〈時間・金・資源・力など〉を節約する(save), 〈…〉をたいせつに使う ‖ She *husbands* her small savings. 彼女は少ない貯金を大切に使う.

†**hus・band・ry** /házbəndri/ 名 Ⓤ (正式) 1（技芸・学問としての）**農業**; 畜産 ‖ dairy *husbandry* 酪農業. 2 家計のやりくり. 3 節約, 倹約.

†**hush** /hʌ́ʃ/ 動 他 1 ［しばしば命令文で］〈人か〉〈人〉を**黙らせ**, **静かにさせる**(+up) ‖ Go and *hush* the noisy children. 行ってあのうるさい子供らを静かにさせなさい. 2 …を**落ち着かせる**, なだめる ‖ *hush* one's conscience 良心の苛責(か)を静める / *hush* a baby to sleep 赤ん坊をあやして寝つかせる. 3 〈事実などを〉口止めする, 秘密にしておく, もみ消す(+up). ——自 ［しばしば命令文で］**黙る**, **静かになる**(+up). ——名 Ⓤ［a/the ~］1 **静けさ**, (略式)**沈黙** ‖ A *hush* fell over the house. 家は静まりかえっていた. 2 [音声] =hushing sound. ——間 [H~]! しっ!, 静かに!

húshing sòund [音声] シュー音 [歯擦音 /ʃ, ʒ/].

húsh mòney (略式) 口止め料.

hush-up /hʌ́ʃʌp/ 名 Ⓒ [時に a ~] もみ消し.

husk /hʌ́sk/ 名 Ⓒ ［しばしば ~s] 1（穀類・クルミなどの）乾いた**殻**(ﾋﾞ), 皮. 2 (ものの)無価値な**外**殻.

†**husk・y**[1] /hʌ́ski/ 形 (--**i・er**, --**i・est**) 1〈人か〉**ハスキーな声の**;〈声か〉ハスキーな,〔…のために〕しゃがれた[from]. 2 **殻**(ﾋﾞ)(のような); 殻の多い.

husk・y[2] /hʌ́ski/ 名 Ⓒ ハスキー犬, カラフト犬.

hus・sar /həzɑ́ːr/ 名 Ⓒ 軽騎兵; [Hussars; 集合的詞] 騎兵隊《◆（米）では特にきらびやかな軍服を着ているとのイメージがある》.

hus・sy /hʌ́si, hʌ́zi/ 名 Ⓒ (古) あばずれ [尻軽]女.

†**hus・tle** /hʌ́sl/ 動 自 1［…に]**急ぐ**; 押し進む[to] ‖ *hustle* against him 彼に突き当たる / *hustle* through a street 通りを押し分けて通る. 2 (米)精を出す, ハッスルする ‖ *hustle* for a living がむしゃらに生きる. 3（米略式)不正手段で金もうけする, 押し売りする;〈娼婦(ﾋﾞ)が〉客引きをする. ——他 1 …を乱暴に押す ‖ I was *hustled* into [out of] the room. 無理に部屋に押し入れられた[部屋から押し出された]. 2〈人〉をせきたてて[…]させる[into (doing)] ‖ *hustle* him into (making) a decision 彼に決断をせまる. 3 (主に米略式)〈事〉を精力的に迅速に運ぶ(+through, up);〈議論などを〉急いで[結論などに]持っていく[to] ‖ H*ústle* it úp. がんばって片付けてしまいなさい. 4（米俗）〈人〉を〔…の〕カモにする;〈物〉を押し売りする.

——名 Ⓤ [時に a ~] 1 雑踏, 押し合い ‖ There's always a *hustle* in the students' cafeteria. 学生食堂はいつも混んでいる / *hustle* and bustle 雑踏. 2 (略式) ハッスル ‖ Get a *hustle* on, you all. みんな, 張り切っていこう! 3 (俗) あくどい商売, 詐欺, いかさま賭博(ﾄｳ).

hus・tler /hʌ́slər/ 名 Ⓒ 1 (略式) やり手, モーレツ商売人. 2 (主に米略式) 香具師(ﾔｼ), ぺてん師; 賭博師.

†**hut** /hʌ́t/ 名 Ⓒ 1 (主に木造の)**小屋**, 簡易住居, バンガロー《ふつう平屋・1部屋で, cabin よりも粗末な小屋. cf. bungalow) ‖ a bamboo *hut* 竹造りの小屋 / They sheltered in a little *hut*. 彼らは小さな小

屋で雨やどりした. **2** 〔軍事〕仮兵舎 ‖ a Quonset *hut*（米軍特有の）かまぼこ形仮兵舎.

hutch /hʌ́tʃ/ 图ⓒ **1**（小動物を飼う）おり；ウサギ小屋；小さな家. **2**（穀物貯蔵用などの）容器，ひつ；（パン屋の）こねいれ；簡易食器棚（ひき出し部の上に戸のない棚がある）. ━━動 他 …をしまい込む.

Hux·ley /hʌ́ksli/ 图 **1** ハクスリー《**Aldous**/ɔ́ːldəs/ (**Leonard**) ~ 1894-1963；英国の批評家・小説家》. **2** ハクスリー《(**Sir**) **Julian** (**Sorell**) ~ 1887-1975；1 の兄で生物学者》. **3** ハクスリー《**Thomas** (**Henry**) ~ 1825-95；1, 2 の祖父で生物学者, 進化論推進者》.

Hwang Ho, Hwang·ho /hwǽŋhóu/ 图〔the ~〕黄河《◆the Yellow River ともいう》.

hwy, hwy. 略 highway.

†**hy·a·cinth** /háiəsinθ/ 图 **1** ⓒ〔植〕ヒヤシンス（の花〔球根〕）. **2** Ⓤ ヒヤシンス色, 青紫色.

hy·ae·na /haiíːnə/ 图 =hyena.

†**hy·brid** /háibrid/ 图ⓒ **1**（動・植物の）交配種, 雑種；混血児；混成物；他の機械の部品を使った機械 ‖ A mule is a *hybrid* of [between] a horse and a donkey. ラバは馬とロバの交配種である. **2**〔言語〕混成語《語源の異なった言語の結合から成る語. 例: talkative (talk はゲルマン系, -ative はラテン系)》. ━━形 雑種の, 混血の；混成の, 混成の；ハイブリッドの ‖ a *hybrid* car ハイブリッドカー.

hý·brid·ism 图Ⓤ 雑種[交配]性；その現象.
hý·brid·ist 图ⓒ 交配させる人.

Hyde /háid/ 图 **Mr.** ~ ハイド氏《二重人格者の悪の面. cf. Jekyll》.

Hýde Párk /háid-/ ハイドパーク《London の大公園》.

hydr- /haidr-/ 語要素 →語要素一覧(1.6).

hy·dra /háidrə/ 图 **1**〔H~〕〔ギリシャ神話〕ヒュドラ《Hercules に殺された9つの頭を持ったウミヘビで, 1つを切るとそのあとに2つの頭ができたといわれる》. **2** ⓒ 根絶しにくい災害, 手に負えない難問. **3** ⓒ〔動〕ヒドラ《刺胞動物》.

hy·drant /háidrənt/ 图ⓒ（公共用の）水道栓, 消火栓.

†**hy·drau·lic** /haidrɔ́ːlik/ 形 **1** 水力(式)の；水圧[油圧](式)の ‖ a *hydraulic* pówer plànt 水力発電所 / *hydráulic* brákes 油圧式ブレーキ. **2** 水硬化性の, 水中で硬くなる ‖ *hydraulic* cement 水硬セメント.

hy·drau·lics /haidrɔ́ːliks/ 图Ⓤ[単数扱い] 水力学；[土木]（空気力学(aerodynamics)に対して）水理学, 水工学.

hy·dride /háidraid/ 图ⓊⒸ 水素化合物.

hy·dro- /háidrou-, háidrə-/ 語要素 →語要素一覧(1.6).

hy·dro·car·bon /hàidrəkɑ́ːrbən/ 图ⓊⒸ〔化学〕炭化水素.

hy·dro·chlo·ric /hàidrəklɔ́ːrik/ 形〔化学〕塩化水素の.
hydrochlóric ácid 塩酸.

hy·dro·cy·an·ic /hàidrəsaiǽnik/ 形〔化学〕シアン化水素の.
hydrocyánic ácid 青酸.

hy·dro·e·lec·tric /hàidrouiléktrik/ 形 水力発電[電気]の ‖ a *hydroelectric* pówer plànt 水力発電所.

hy·dro·flu·or·ic /hàidrəflúːrik, -flúrik-, -flɔ́ːrik/ 形〔化学〕フッ化水素の.
hydrofluóric ácid フッ化水素酸.

hy·dro·foil /háidrəfɔil/ 图ⓒ 水中翼船(hydrofoil craft)；その翼 ‖ by *hydrofoil* 水中翼船に乗って.

†**hy·dro·gen** /háidrədʒən/ 图Ⓤ〔化学〕水素《気体元素. 記号 H》‖ Which element is lighter, *hydrogen* or helium? 水素とヘリウムとではどちらが軽いですか.

hýdrogen bòmb 水素爆弾.
hýdrogen bònd〔化学〕水素結合.
hýdrogen íon〔化学〕水素イオン.
hýdrogen peróxide〔化学〕過酸化水素.

hy·dro·gen·ate, --i·cal /háidrədʒənèit, haidrɑ́dʒəneit | -dr5-/ 動他 …を水素化する, 水素添加する.
hỳ·dro·ge·ná·tion 图Ⓤ 水素添加.

hy·dro·graph·ic, --i·cal /hàidrəgrǽfik()/ 形（海洋・湖沼・河川などの）水界地理(学)の；水路[水位]測量術の ‖ a *hydrographic*(*al*) chart 海図《などの水界図》. **hỳ·dro·gráph·i·cal·ly** 副 水界地理(学)的に.

hy·drom·e·ter /haidrɑ́mətər | -dr5m-/ 图ⓒ 液体比重計.

hy·dro·pho·bi·a /hàidrəfóubiə/ 图Ⓤ **1**〔医学〕狂犬病, 恐水病(rabies). **2** 恐水症.

hy·dro·plane /háidrəplèin/ 图ⓒ **1**（競艇用などの）平底の高速モーターボート. **2** 水中翼船(hydrofoil). **3**〔英では古〕水上飛行機. **4**（潜水艦の）水平舵[昇降舵].

hy·dro·scop·ic /hàidrəskɑ́pik | -sk5p-/ 形 水中透視（望遠鏡）の.

hy·drox·ide /haidrɑ́ksaid | -dr5ks-/ 图ⓒ〔化学〕水酸化物；水酸化物名に用い〕水酸化…

hy·dro·zo·an /hàidrəzóuən/ 動ⓒ形 ヒドロ(類)(の)《クラゲなどの類》.

†**hy·e·na, hy·ae·na** /haiíːnə/ 图ⓒ **1**〔動〕ハイエナ《ほえ声は悪魔の笑い声にたとえられる》‖ laugh like a *hyena* 気味の悪い笑い方をする. **2** 残酷な人, 強欲な人.

Hy·ge·ia /haidʒíːə/ 图〔ギリシャ神話〕ヒュギエイア《健康の女神》.

†**hy·giene** /háidʒiːn/ 图Ⓤ〔正式〕衛生学, 健康法；衛生(の)(cleanliness) ‖ public *hygiene* 公衆衛生.

hy·gi·en·ic /hàidʒiénik, -dʒén- | -dʒíːnik/ 形 衛生的な, 衛生(学)に関する(↔ unhygienic).

hy·gi·en·ics /hàidʒiéniks, -dʒén- | -dʒíːniks/ 图Ⓤ[単数扱い] 衛生学.

hy·gien·ist /háidʒiːnəst | háidʒi:nist/ 图ⓒ 衛生学者, (米) 衛生技師.

hy·gro- /háigrou-, háigrə-/ 語要素 →語要素一覧(1.7).

hy·grom·e·ter /haigrɑ́mətər | -gr5m-/ 图ⓒ 湿度計.

hy·men /háimən | -men/ 图ⓒ **1**〔医学〕処女膜. **2**〔H~〕〔ギリシャ神話〕ヒューメン《婚姻の(男)神》.

†**hymn** /hím/ 图ⓒ 発音注意 同音 him **1** 賛美歌, 聖歌(anthem)；賛歌 ‖ sing *hymns* in church 教会で賛美歌を歌う.
━━動 他〔詩〕〈神〉を賛美歌でたたえる；〈感謝など〉を〔…に〕賛美歌で表す(to). ━━自 賛美歌を歌う.

hýmn bòok 賛美歌集.

hyp- /hip-/ 語要素 →語要素一覧(1.6).

hype /háip/ 图ⓒ **1**（主に麻薬の）皮下注射(器, 針)(cf. hypodermic). **2** 麻薬常習者；麻薬の売人. **3**（略式）誇大宣伝(の対象)；いんちき. ━━動 他（俗）[通例 ~ up]（人）を（麻薬注射などで）興奮させる. **2** …を誇大にこっちあげる；…に一杯食わせる.

hy·per- /háipər-/ 語要素 →語要素一覧(1.7).

hy·per·bo·le /haipə́ːrbəli/ 图ⓊⒸ〔修辞〕誇張法(の例);誇張.

hy·per·bol·ic, -·i·cal /hàipərbálik(l) | -bɔ́l-/ **形 1** 〖修辞〗誇張法による;おおげさな. **2** 〖数学〗双曲線の. **hy·per·bol·i·cal·ly** 副 おおげさに.

hy·per·bo·re·an /hàipərbɔ́ːriən/ 名C 形 **1** [H~] 〖ギリシア神話〗ヒュペルボレオス人(の)《北方の常春の地の住人》. **2** [時に H~] 北国人, 極北人.

Hy·pe·ri·on /haipíəriən/ 名〖ギリシア神話〗ヒュペリオン《Uranus と Gaea の子, Helios (日の神)の父. しばしば Apollo と混同される》.

hy·per·link /háipərlìŋk/ 名U C 〖コンピュータ〗ハイパーリンク《ネットワークのある箇所から他の参照個所へ即座に移動できること. その箇所》.

hy·per·text /háipərtèkst/ 名C 〖コンピュータ〗ハイパーテキスト《ハイパーリンクが埋め込まれている文章》.

†hy·phen /háifn/ 名 ハイフン《-. 符号. 句読記号の1つ, または, つづり字上のくふうのための便宜符号. cf. dash 名》.

> 〖語法〗 **ハイフンの主な用法**
> (1) 2 語以上の単語, または接頭辞, self などのついた単語を 1 つの語 (複合語) として表記する: an up-to-date dictionary 最新の辞書 (cf. This dictionary is up to date.) / fifty-two 52 / self-service セルフサービス / two-thirds 2/3 / anti-American 反米の.
> (2) つづりを分割して構成要素や発音の手がかりを明示する: re-elect 再選する / re-cover 再びおおう (cf. recover).
> (3) 行末で語のつづり字を分割する必要が生じたとき, 音節の切れ目で分割し, 前の部分に付して行末とする 《◆本辞典の見出し語では, 行末で分割可能な切れ目を「·」で表示してある》.
> (4) 意味のあいまいさを避けるため: three-hundred-year-old trees 樹齢 300 年の木々 / three hundred-year-old trees 樹齢 100 年の木 3 本 / three hundred year-old trees 1 年前に植えた 300 本の(苗)木.
> (5) その他の用法: B-B-Bill me, please. つ, つ, つけにしておいてくれ《吃(ś)音の表記》/ Hyphen is spelled h-y-p-h-e-n. ハイフンのつづりは h-y-p-h-e-n だ / for 10-15 minutes 10 ないし 15 分の間 (このときは to と読む. この - は正しくは en dash という).

hy·phen·ate /háifənèit/ 動他 …をハイフンで連結する. **hýphenated Américan** 外国系米国人.

hyp·not·ic /hipnátik | -nɔ́t-/ 形 **1** 催眠(術)の ‖ (a) hypnotic suggestion 催眠暗示. **2**《人が》催眠術にかかりやすい; 催眠状態の; 催眠作用のある.
——名C **1** 催眠薬. **2** 催眠術にかかりやすい人.

hyp·no·tist /hípnətist/ 名C 催眠術をかける人.

†hyp·no·tize, (英ではしばしば) -·tise /hípnətàiz/ 動他 **1** …に催眠術をかける; …に催眠術をかけて (…)させる

[to do]. **2** …を魅了する, 驚嘆させる.

hýp·no·tìz·er 名 =hypnotist.

hy·po¹ /háipou/ 名U 〖略式〗〖写真〗ハイポ《定着剤》.

hy·po² /háipou/ 名 (複 ~s/-z/) C 〖略式〗皮下注射(器) (hypodermic).

hy·po– /háipou-, 《米+》hàipə-/ 〖語要素〗→語要素一覧 (1.6, 1.7).

hy·po·chon·dri·a /hàipəkándriə | -kɔ́n-/ 名U 〖医学〗心気症. **hy·po·chón·dri·ac** /-æk/ 〖医学〗形 C 心気症(の患者).

†hy·poc·ri·sy /hipákrəsi | -pɔ́k-/ 名 **1** U 偽善, 見せかけ. **2** C 偽善的な行為.

†hyp·o·crite /hípəkrit/ 名C 偽善者 ‖ play the hypocrite ねこをかぶる.

†hyp·o·crit·i·cal, -·ic /hìpəkrítik(l)/ 形 見せかけの, 偽善(者)的な. **hyp·o·crít·i·cal·ly** 副 偽善的に.

hy·po·der·mic /hàipədə́ːrmik/ 形 **1** 皮下の, 皮下にある; 皮下注射の ‖ a hypodermic syringe 皮下注射器. **2** 元気づける. ——名C 皮下注射(器, 針).

hy·pot·e·nuse /haipátənjùːs | -pɔ́tənjùːz/ 名C 〖数学〗(直角三角形の)斜辺.

hy·po·ther·mi·a /hàipəθə́ːrmiə/ 名U 〖医学〗**1** 低体温(症). **2** (心臓手術などで行なう)体温低下(法).

†hy·poth·e·sis /haipáθəsis | -pɔ́θ-/ 名 (複 -·ses /-siːz/) C 〖正式〗仮説, 前提, 仮定 ‖ At last his hypothesis was proved. ついに彼の仮説は立証された.

hy·poth·e·size /haipáθəsàiz | -pɔ́θ-/ 動 〖正式〗自 仮説を立てる. ——他 …を (…だと) 仮定する (that 節).

†hy·po·thet·i·cal, -·ic /hàipəθétik(l)/ 形 **1** 〖正式〗仮定[仮説](上)の, 仮想の (↔ actual). **2** 〖論理〗仮言的な (cf. categorical).

hys·sop /hísəp/ 名C 〖植〗**1** ヒソップ, ヤナギハッカ《ハーブなどで利用》. **2** 〖聖書〗ヒソップ《◆その枝はヘブライの清めの儀式で用いられた》.

hys·ter·ec·to·my /hìstəréktəmi/ 名U C 〖医学〗子宮摘出(術).

†hys·te·ri·a /histíəriə/ 名U **1** 〖医学・心理〗ヒステリー《神経症の一種》. **2** (一般に)病的興奮(状態).

hys·ter·ic /histérik/ 形 =hysterical. ——名C ヒステリー性の人.

†hys·ter·i·cal /histérikl/ 形 **1** ヒステリー状態の, 狂乱状態の. **2** ヒステリーを引き起こす. **3** 〖略式〗腹の皮がよじれるほどおかしい.

†hys·ter·i·cal·ly /histérikəli/ 副 狂乱状態で; 〖略式〗非常に.

†hys·ter·ics /histériks/ 名U 〖単数・複数扱い〗ヒステリーの発作; 〖略式〗突然の笑い[泣き]出し ‖ go [fall] into hysterics ヒステリー(状態)になる / have [be in] hysterics ヒステリーを起こしている.

Hz 略 hertz.

I

i, I /ái/ 名 (複 **i's, is; I's, Is**/-z/) **1** CU 英語アルファベットの第9字. **2** → a, A **3** CU 第9番目(のもの). **4** U (ローマ数字の)1(→ Roman numerals). **5** U〔論理〕特殊肯定命題.

dót one's [**the**] **í's and cróss** one's [**the**] **f's** 〖i の字に点を打ち, t の字の横線を引く〗(略式) 細かい点に注意を払う.

I /ai/ (米)では時に (弱) ə/ (同音 aye, eye) 〖一人称単数主格代名詞〗(→文法 15.3(1))

——代 ([単数] 所有格 **my**, 所有代名詞 **mine**, 目的格 **me**, 再帰代名詞 **myself**; [複数] 主格 **we**, 所有格 **our**, 所有代名詞 **ours**, 目的格 **us**, 再帰代名詞 **ourselves**).

私は, 私が, ぼくは[が]‖*I am* [(略式) *I'm*] Roy Smith. 私はロイ=スミスです〖◆電話での自己紹介は *This is* Roy Smith (speaking).〗.

> 語法 (1) 常に大文字で書く〖◆見落とされたり隣の語にくっついてしまうのを避けるため〗.
> (2) 〖付加疑問〗I am right, *am I not*? (私は間違っていませんね)は堅く響くので, (略式)では *aren't I*? がふつう. *ain't I*? は(非標準), *amn't I*? は (まれ).
> (3) 他の代名詞や名詞と並べる場合, 二・三・一人称の順にし, ふつう I は最後に置く: You [He, She, Tom] and *I* are to blame. あなた[彼, 彼女, トム]と私が悪いのです〖◆(略式) では You and me ... のようにいうことが多い〗.
> (4) be 動詞の後にくる場合は, It's *I*. / It is *I* that is to blame. より It's *me*. / It's *mé* that *is* to blame. がふつう.

——名 (複 **I's**) 〔哲学〕[the ~] 自我.

I 〔記号〕〔化学〕iodine.
IA 〔郵便〕, **Ia.** Iowa.
IAEA 略 the International Atomic Energy Agency.
I·a·go /iágou/ 名 イアーゴー 《Shakespeare 作 *Othello* 中の悪役》.
i·am·bic /aiæmbik/ 〔詩学〕名 C 形 弱強格(の); [通例 ~s] 弱強格の詩.
i·am·bus /aiæmbəs/ 名 (複 ~·es, -·bi/-bai/) C 〔詩学〕弱強格.
I·ber·i·a /aibíəriə/ 名 =Iberian Peninsula (→ Iberian).
I·ber·i·an /aibíəriən/ 名 形 イベリア(半島)の; C イベリア人(の); U 古代イベリア語(の); **the ~ Península** イベリア半島《スペイン・ポルトガルのある半島》.
i·bex /áibeks/ 名 (複 ~·es, **ib·i·ces**/íbəsì:z, ái-/, [集合名詞] **i·bex**) C 〔動〕アイベックス 《湾曲した角(ﾂﾉ)のある野生ヤギ》.
†**i·bid.** /íbid/〖ラテン語 *ibidem* の略〗副 [しばしばイタリック体で] 同じ箇所に; [同書[同章, 同節, 同ページ]に.
i·bis /áibis/ 名 (複 ~·es, [集合名詞] **i·bis**) C〔鳥〕**1** トキ. **2** (特に)アメリカトキコウ.
-i·ble /-əbl/ (語素) →語素一覧(2.3).

IBM 略 International Business Machines Corporation《米国のコンピュータ会社. そのブランド名》.
Ib·sen /íbsn/ 名 イプセン《**Henrik**/hénrik/ ~ 1828-1906; ノルウェーの劇作家・詩人》.
IC 略 〔電子工学〕integrated circuit.
-ic /-ik/ (語素) →語素一覧(2.2, 2.3).
-i·cal /-ikl/ (語素) →語素一覧(2.2).
-i·cal·ly /-ikəli/ (語素) →語素一覧(2.1).
Ic·ar·us /íkərəs, áik-/ 名 〔ギリシャ神話〕イカロス《**Daedalus** の子. 蝋(ﾛｳ)付けの翼で Crete 島から脱出したが, 太陽に近づきすぎて蝋が溶け, 海に落ちて死んだ》.
ICBM 略 intercontinental ballistic missile.

‡**ice** /áis/ 派 **icy** (形)

——名 (複 ~·s/-iz/) **1** U **氷**‖ *a piece of ice* 氷の1片[塊] / *a block of dry ice* ドライアイスのかたまり / *a wonderful piece of sculpture in ice* すばらしい氷の彫刻作品 / The wind today is like *ice*. 今日の風は氷のように冷たい(=... (as) cold as *ice*).
2 a C (米) 氷菓《果汁を凍らせて作ったシャーベットな ど》(water ice); (英) アイスクリーム‖ eat an *ice* アイスクリームを食べる. **b** C (菓子の)糖衣.
3 U [通例 the ~] (川・池などの)**氷面** C アイスホッケー場‖(対話) "How thick is the *ice* here?" "It's about a foot thick." 「ここの氷はどれぐらいの厚さがあるのかな」「1フィートぐらいの厚さがあるね」 / fish through a hole in *the ice* 氷上で穴釣りをする / Don't try to skate here. *The ice* is not thick enough yet. ここでスケートをしてはいけません. まだ氷は厚くありませんから / Fire on ice! (アイスホッケーの応援で)氷の上で燃えろ!
4 C (米俗) ダイヤモンド; (廣義) 宝石.

bréak the íce 〖氷を砕いて船が通れるようにする〗(1) (パーティーなどで)話の口火を切る, 座を打ち解けさせる. (2)〔困難![危険]なことの解決の〕糸口を見つける.

cút íce 〖アイススケートの刃が氷を切るとうまく滑れる〗 〔...に〕影響[効果]がある〔with〕〖◆否定文・疑問文・条件文で用いることが多い〗.

on íce (1)(ワインなどが)氷で冷やされて. (2)(略式)〖問題などが保留されて〗 I'll have to put [keep] this plan *on ice* for a while. この計画はしばらくお預けにしなければならない. (3)〈ショーなどが〉氷上での. (4)(米略式)〈試合が〉勝ったも同然で‖ The Tigers have the game *on ice*. タイガースが試合に勝つことは間違いない.

skáte [**tréad, stánd, wálk**] **on thín íce** (略式) 薄氷を踏む(思いがする); 危険を冒す.

——動 (**ic·ing**) 他 **1** 〈飲み物などを〉氷[冷蔵庫]で冷やす. **2** ...を凍らす, 氷で覆う(+*over, up*);...を氷で囲む(+*in*). **3**〈ケーキに〉糖衣をかける(cf. icing 1).

——自 **1** 氷のように冷たくなる. **2** 〈川・道路・窓などが〉凍る, 氷で覆われる(+*over, up*).

íce àge [しばしば I~ A~] [the ~] 氷河時代.

ice ax [《英》**axe**] (登山用の)砕氷おの, ピッケル.
ice bag (1) 《米》氷嚢(ｳ)(=《英》ice pack). (2) 氷を運ぶ丈夫な袋.
ice bùcket アイスバケット《ワインなどを冷やす容器》.
ice càp 氷嚢; [通例 the ~] (南極・北極などの)氷原.
ice còffee アイスコーヒー(→ iced 1).
ice cream →見出し語.
ice cùbe (冷蔵庫で作った)角氷.
ice field (海に浮かぶ)氷原.
ice hòckey アイスホッケー(《米》hockey).
ice mílk (ミルク・バター・砂糖で作った)氷菓, アイスミルク.
ice pàck 大浮氷群; 《英》=ice bag (1).
ice pick アイスピック, 氷割り用きり.
ice shòw 氷上ショー.
ice skàte [通例 -s] アイススケート靴(のエッジ)《◆単に skate ともいう》(cf. ice-skate).
ice skàting アイススケート.
ice stòrm ひょうを伴う暴風.
ice tèa アイスティー(→ iced 1).
ice trày (冷蔵庫の)製氷皿.
ice wàter (1) 《主米》(冷蔵庫で)冷やした水. (2) 氷が解けた水.
†**ice·berg** /áisbə:rg/ 名 © **1** 氷山 ‖ The *Titanic* hit an big *iceberg* and sank. タイタニック号は大きな氷山にぶつかって沈没した / (only) the típ of the [ăn] an *iceberg* 氷山の一角; 《略式》ほんの一部分. **2** 《略式》冷静[冷淡]な人 ‖ Don't mistake me for an *iceberg*. 間違えては困るよ, ぼくとて木石(㎞)じゃないぞ.
ice-boat /áisbòut/ 名 © 《米》**1** 氷上ヨット. **2** 砕氷船(icebreaker).
ice-bound /áisbàund/ 形 氷に阻まれた[閉ざされた].
ice-box /áisbàks|-bɔ̀ks/ 名 © (米》(氷で食べ物を冷やす)冷蔵庫; 《米古》電気冷蔵庫; 《英》(冷蔵庫の)冷凍室.
ice-break·er /áisbrèikər/ 名 © 砕氷船; 砕氷器.
ice-cold /áiskóuld/ 形 氷のように冷たい.
ice-cream /áiskrì:m/ 形 アイスクリームの.
ice-cream còne (アイスクリーム)円錐形のウェーハー.
ice-cream sóda (アイス)クリームソーダ《◆単に soda ともいう》.
***ice cream** /áis krì:m/ ~s/-z/ ©|U **アイスクリーム**《◆米国では特にデザートとして好まれる》‖ Two *ice creams*, please. アイスクリーム2つください. / 〔対話〕"What kind [flavor] of *ice cream* will you have?" "Chocolate." 「アイスクリームは何にする」「チョコレートがいい」.
†**iced** /áist/ 形 **1** (飲み物が)氷で冷やした ‖ *iced* coffee [tea] アイスコーヒー[ティー]《◆ ice coffee [tea] ともいう》. **2** (物が)氷で覆われた. **3** (ケーキが)糖衣をかけた.
Ice·land /áislənd, 《米+》-læ̀nd/ 名 アイスランド《北大西洋の共和国. 首都 Reykjavik》.
Ice·land·er /áisləndər/ 名 © アイスランド人.
Ice·lan·dic /àislǽndik/ 形 アイスランドの; アイスランド人[語]の. ── 名 Ⓤ アイスランド語.
ice·man /áismæ̀n/ 名 © 《米》氷屋; 氷配達人(《PC》ice deliverer).
ice rink /áisriŋk/ 名 © アイススケート[アイスホッケー]場.
ice-skate /áisskèit/ 動 ⓘ アイススケートをする(cf. skate).

ice·skat·er /áisskèitər/ 名 © アイススケートをする人.
ich·neu·mon /iknjú:mən/ 名 **1** 〔動〕エジプトマングース《◆ワニの卵を食べるとされる》. **2** 〔昆虫〕=ich-neumon fly.
ichnéumon flỳ ヒメバチ.
-i·cian /-íʃən/ 〔要要素〕→語要素一覧(2.1).
†**i·ci·cle** /áisikl/ 名 © つらら ‖ *icicles* hanging from the roof 屋根から垂れ下がっているつらら.
i·ci·ly /áisəli/ 副 よそよそしく, 冷淡に; 冷たく.
ic·ing /áisiŋ/ 動 → ice. ── 名 Ⓤ **1** 《主英》アイシング(《主米》frosting)《砂糖・卵白に香料などを混ぜ合わせたもの. ケーキなどに塗る糖衣》. **2** 〔航空〕(翼に付着する)薄い氷.
ícing sùgar 《英》アイシング用粉砂糖.
ick·y, ick·ie /íki/ 形 (**-i·er, -i·est**) 《米俗》**1** 不快な, いやな; ねばねば[べとべと]する. **2** いやになるほど感傷的な[甘い]. **3** 古くさい.
i·con /áikan|-kɔn/ 名 © **1** (絵・彫刻の)像, 肖像; 偶像; 〔東方教会〕イコン, 聖画像, 聖像《◆ ikon とも書く》. **2** 〔言語・記号〕アイコン, 類似記号, 図像; 〔コンピュータ〕アイコン.
ícon mémory 〔心理〕視覚情報の一時的保存.
i·con·o·clast /aikánəklæ̀st|-kɔ́n-/ 名 © 像破壊者《特に 8-9 世紀の東方教会での聖像使用反対者》; 因習打破主義者.
ICU 〔略〕〔医学〕intensive care unit 集中治療室[病棟]; International Christian University (日本の)国際基督教大学.
†**i·cy** /áisi/ 形 (**i·ci·er, i·ci·est**) **1** 氷の, 氷でできた; 氷で覆われた ‖ Drive carefully. The roads are *icy*. 運転には注意しなさい. 道路が凍結しているから. **2** 氷のような, たいへん冷たい[滑りやすい] ‖ an *icy* day [room] たいへん冷える日[部屋]. **3** 〈態度・声などが〉冷淡な, よそよそしい(《friendly》‖ She gave him an *icy* look. 彼女は彼を冷淡な目で見た.
ícy súrface 〔スキー〕アイスバーン《◆frozen surface ともいう》.
id /íd/ 名 〔ラテン〕〔精神分析〕[the ~] イド《本能的衝動の源泉》.
ID 〔略〕《米》identification; 〔郵便〕Idaho.
ID bràcelet =identification bracelet.
ID càrd =identification [identity] card.
Id., Ida. 〔略〕Idaho.
I'd /áid/ I would, I had, I should の短縮形.
I·da /áidə/ 名 アイダ《女の名》.
I·da·ho /áidəhòu/ 名 アイダホ《米国北西部の州. 州都 Boise. (愛称) the Gem State. 〔略〕Id(a)., 〔郵便〕ID》.

‡**i·de·a** /aidí:ə | aidíə/ /〔発音注意〕〚「物の形」が原義〛

index 1 思いつき 2 考え 3 見当 4 観念

── 名 (複 ~s/-z/)
I 〔一時的なもの〕
1 © 《…に対する》**思いつき**, 着想, 創意工夫, アイディア《*for*》; [the/one's ~] 《…しようという》計画, もくろみ《*of doing*》‖ Who gave you that *idea*? だれの入れ知恵だい / Do you have any *idea*(s) for your summer vacation? 何か夏休みの計画はありますか / Her *idea* was for us to start immediately. 我々を直ちに出発させようというのが彼女の計画だった(➡ 文法 11.4) / Give me some *idea*. (何を選んでよいかまたはどうしてよいかわからないときに意見を

求めて）何かヒントになることを教えていただけませんか.
2 [C]〔…についての/…という〕**考え**, 意見, 見解〔*of*, *about*, *on* / (*that*)節〕([類語] concept, thought) ‖ come up with an *idea* ある考えを思いつく / Don't force your *ideas* on me. 私に自分の考えを押しつけないでくれ / Have you shaped your ***ideas about*** it yet? もうそれについての考えをまとめましたか / He's my older brother. Don't get the wrong *idea about* us. あれは私の兄よ. 気を回さないでよ / Her ***idea of*** education is very different from mine. 彼女とぼくは教育についての考えがまるっきり違う / [対話] "What's your *idea of* a good husband?" "One who helps with the housework." 「あなたの理想の夫像は?」「家事を手伝ってくれる人よ」.
II［体系的なもの］
3 [U] [an ～; 主に否定文・疑問文で]〔…についての/…という〕**見当**, 想像, 漠然とした感じ〔*of*, *about*, *as to* / *that*節〕《◆wh節が続く場合, 前置詞はしばしば省略》‖「***I hàve*** [***I've***] ***nó idéa.*** 知りません; そんなことわかるもんですか《◆(1) 強調形は I don't have [haven't] the slightest [faintest, (略式) foggiest, first, remotest, least] *idea* … (➔文法 19.5) (2) Haven't the slightest. (さっぱりわかりません)のような省略表現も可. (3) 上の (1) (2) のような場合 (米) でも感情が高揚するときはしばしば haven't》/ I ***hàve nó idéa*** (*as to*) what the origins of Japanese are. 私は日本語の起源が何なのか見当もつかない / I ***hàve an idéa*** (that) he is ill. 彼は病気ではないかしら.
4 [C] **観念**, 思想 ‖ Western *ideas* 西洋思想 / a fíxed *idéa* 固定観念 / The housewife has no *idea* of money. その主婦は経済の観念がない.
5 [C] 知識, 認識, 理解 ‖ fórm an *idéa* of the children's ability 子供の能力を評価する / I have a good *idea* about what it is. それが何であるか十分理解できます.
6 [C]〔プラトン哲学〕イデア, 原型;〔カント哲学〕イデー, 純粋理性概念;〔ヘーゲル哲学〕絶対的実在.
gèt idéas into *one's* ***héad*** 実現できないことを望む[期待する], 勝手に思い込む《◆(略式) ではしばしば get ideas に短縮される》.
gèt the idéa (しばしば間違って)〔…と〕思い込む〔*that*節〕.
hàve idéas いろいろ考える; 奇抜な考えをおこす; とんでもないことを考える.
(***nót***) *one's* ***idéa of*** **A** (略式) 理想的な…(の正反対), 好みの…(の正反対の)タイプ.
pùt idéas in [***into***] **A**'s ***héad*** 〈人〉に実現できないことを期待させる.
Thát's an idéa. (略式) それは(よい)思いつきだ.
Thát's the idéa. (略式) それでよい, その調子だ.
The (***véry***) ***idéa!*** = ***The idéa of it!*** = ***Whát an idéa!*** (略式) [驚き・不満を表して] なんてばかな, とんでもない.
the yóung idea 若者, 弱年層; 子供の考え.
Whát's the (***bíg***) ***idéa?*** (略式) どうしたんだ; 何をしようとしているのか; なぜそんなことをするんだい《◆しばしば好ましくないことについて尋ねるのに用いる》.
idéa [(英) **idéas**] **màn** アイディアマン《◆しばしば /áidiə-/ と発音する》((PC) a person of many ideas).

***i·de·al** /aidí:əl | aidíəl/ [アクセント注意]〖考え(idea)の中にある〗
——[名] ([複] ～s/-z/) [C] **1** [しばしば ～s]〔…の〕**理想**, 究極的な目標; [通例単数形で] 理想的な人[物, こと], 典型, 手本〔*of*〕‖ *réalize* one's *idéals* 理想を実現する / Florence Nightingale is her *ideal*. フローレンス=ナイチンゲールが彼女の理想像だ. **2** 空想, 観念的にのみ存在するもの.
——[形]《◆比較変化しない》**1**〔…にとって〕**理想的な**, 申し分のない〔*for*〕‖ This is an *ideal* day *for* a picnic. 今日はピクニック日和(びより)だ. **2** 想像上の, 観念的にのみ存在する, 非現実的な(↔ real). **3**〔哲学〕イデア的な; 観念(論)的な.

†**i·de·al·ism** /aidí:əlìzm | aidíəl-/ [名] [U] **1** 理想主義, 理想化傾向. **2**〔美術〕観念主義(↔ realism). **3**〔哲学〕観念論, 唯心論(↔ materialism).

i·de·al·ist /aidí:əlist | aidíəl-/ [名] [C] **1** 理想主義者. **2**〔美術〕観念主義者. **3**〔哲学〕観念論者.
——[形] =idealistic.

i·de·al·is·tic /aidì:əlístik | aidìəl-/ [形] **1** 理想主義(者)の. **2** 観念論(者)の.

†**i·de·al·ize,** (英ではしばしば) **-·ise** /aidí:əlàiz | aidíəlàiz/ [動] [他] (正式) …を理想化する, 理想的なものと考える[として描く].

i·dè·al·i·zá·tion [名] [U] [C] 理想化(されたもの).

i·de·al·ly /aidí:əli | aidíəli/ [副] **1** 理想的に, 申し分なく; [文全体を修飾] 理想を言えば ‖ *Ideally* all nations should live together in peace. 理想としてはすべての国が平和共存すべきだ(=It would be *ideal* if all nations would …) (➔文法 18.6). **2** 観念的に, 理論上.

†**i·den·ti·cal** /aidéntikl, idén-/ [形] **1** [the ～] 同一の, まったく同じ《◆same **2** より堅い語. cf. same **1**》‖ This is *the identical* hotel where we stayed before. これは私たちが以前泊まったホテルです. **2**〔…と〕同一の, 等しい〔*with*, *to*〕; (あらゆる点で)似ている, 酷似している(↔ different) ‖ Those twins are *identical*, so I can't tell them apart. あの双子はうりふたつなので区別できない.
idéntical twíns 一卵性双生児.
i·dén·ti·cal·ly [副] まったく同じに.

i·den·ti·fi·a·ble /aidéntəfàiəbl, idén-/ [形] 身元を確認できる;〔…と〕同一のものと確認できる〔*as*〕.

†**i·den·ti·fi·ca·tion** /aidèntəfikéiʃən, idèn-/ [名] **1** [U] 身元確認; 同一[本人]であることの確認[証明]; 鑑識. **2** [U] [C] 同一[本人]であることの証明となるもの; 身分証明書(identification [identity, ID] card) ‖ Do you have any *identification* (on you)? 何か本人であることを証明するものをお持ちですか. **3** [U]〔心理〕〔…との〕同一視, 同一化; 一体感;〔…に対する〕共鳴(して行動を共にすること)〔*with*〕.
identificátion bràcelet 名前を刻んだ小さな板を付けた腕輪.
identificátion càrd = **2**.
identificátion paràde (英) =line-up **2**.

†**i·den·ti·fy** /aidéntəfài, idén-/ [動] [他] **1**〈人が〉〈人・物〉がだれ[何]であるかわかる, …が同一物であると認める, …を同定する, …の身元を特定する;〈人・物〉を〔…であると/…によって〕確認する, 認定する〔*as*/*by*〕‖ The body was *identified* at once. 死体は直ちに身元が確認された / Cinderella *identified* the glass

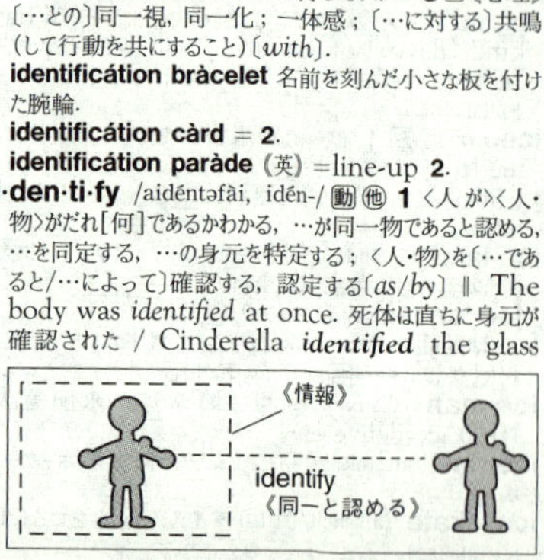

shoe *as* hers. シンデレラはそのガラスの靴が自分のものであることを確認した / The policeman told the man to *identify* himself. 警官はその男に名を名のれと言った. **2**〔正式〕〈人が〉〈人・物・事〉を〔…と〕同一視する, 同一のものとみなす, 結びつける(*with*) ‖ He *identified* himself *with* the middle class. 彼は自分は中流階級だと考えた / I haven't got any intention of *identifying* my future with that of my company. 私は会社に骨をうずめるつもりはない(=I am not going to stay loyal to my company for life.).
― 自 〔…と〕自分を同一視する, 一体と考える, 〔…に〕同情する(*with*) ‖ She *identified with* the heroine of the novel. 彼女はその小説の女主人公の身になりきった.
becóme [**be**] **idéntified with A** =IDENTIFY oneself with A.
idéntify onesélf with A(1)…に賛同する, …を支持する; …に共感する, …と行動を共にする ‖ Which one of Japan's historical figures do you *identify yourself with*? 日本の歴史上の人物であなただれに共感しますか. ⇒ 他 **2**.

*i・den・ti・ty /aidéntəti, idén-/
― 名 (複 -ties/-z/) **1** ⓤ **a** 本人であること, 同一物であること; ⓤ ⓒ 身元, 正体 ‖ conceal [reveal] one's *identity* 身元を隠す [明かす] / Fingerprints established the murderer's *identity*. 指紋で殺人犯の正体があばかれた / 〈対話〉 "Do you have any idea who did this?" "Not immediately. The criminal's *identity* is a mystery." 「だれがこのことをしたか思いつくかい」「いや, すぐにはわからない. 犯人の正体は謎だね」. **b** ⓒ 〔略式〕 =identity card [certificate].
2 ⓤ 〔正式〕〔…と〕同一である [類似している] こと, 一体性, 〔…との〕同一性(*with*); ⓒ 一致点(↔ difference).
3 ⓒ アイデンティティ, 個性, 独自性, 固有性, 主体性.
idéntity càrd [**certificate**] 身分証明書(identification [ID] card).
idéntity crisis (思春期における)自己認識の危機, ノイローゼ.
idéntity disc 〔軍事〕(首にかける氏名・番号などを刻んだ金属製の)認識票.
id・e・o・gram /ídiəgræm, áidiə-, ídiou-, áidiou-/, **-graph** /-græf /-grɑːf/ 名 ⓒ **1** 表意文字《漢字など》(cf. phonogram). **2** 表意記号《$, %など》.
i・de・ol・o・gy /àidiɑ́lədʒi, ì-/ -ɔ́l-/ 名 **1** ⓒ イデオロギー, 観念形態. **2** ⓤ 〔古〕〔哲学〕観念論. **3** ⓤ 空理, 空論.
id・i・o・cy /ídiəsi/ 名 **1** ⓤ 非常に愚かな状態. **2** ⓤ 〔心理〕白痴(の言行)(cf. idiot).

*id・i・om /ídiəm/ 〖『その人独自の話し方』が原義〗
― 名 (複 ~s/-z/) **1** ⓒ 〔狭義〕**慣用句, 熟語, 成句**, イディオム《個々の単語の意味からは全体の意味が類推できない語句・表現. 例: give in (屈服する)》‖ Do you know this English *idiom*? あなたはこの英語のイディオムを知っていますか.
2 ⓤ (個人・学派・時期などの芸術的)作風, 表現形式, 特徴; (グループ の)専門語, 用語 ‖ the *idiom* of Chaucer チョーサーの作風 / medical *idiom* 医学用語. **3** ⓒ ⓤ 〔広義〕(一言語の特質的)語法, 慣用法(usage); (一民族の)言語; (地域・階級の)なまり, 方言(dialect).
id・i・o・mat・ic /ìdiəmǽtik/ 形 **1** 慣用語にかなった, 慣用的な; (ある言語の)特徴を示す, そ の言語らしい(↔ unidiomatic). **2** (芸術などで)特徴のある; (あるグループ・個人・時代に)独特の.
id・i・o・mát・i・cal・ly 副 慣用的に, (いかにも)その言語らしく.
id・i・o・syn・cra・sy /ìdiəsíŋkrəsi, -sín- | ìdiəu-/ 名 ⓒ **1** 〔正式〕(個人の好み・動作・意見などの)特異性, 性癖. **2** 〔医学〕特異体質.

†**id・i・ot** /ídiət/ 名 ⓒ **1** 〔略式〕ばか, まぬけ ‖ What an *idiot* I am! おれは何てばかなんだ! **2** 〔古〕〔心理〕白痴《成長しても精神年齢が3歳以下の者》.
id・i・ot・ic /ìdiɑ́tik | -ɔ́t-/ 形 白痴の(ような); ばかな, ばかげた ‖ **id・i・ót・i・cal・ly** 副 ばかげて; 〔文全体を修飾〕愚かにも.

*i・dle /áidl/ 〖〘同音〙 idol, idyll 〘米〙 〖『空(空)の』が原義〗 反 idleness (名)
― 形 (~r, ~st)
Ⅰ【何もしていないこと】
1 a 〔補語として〕〈人が〉**仕事をしていない**, 職がない, ぶらぶらしている(↔ working) ‖ They are *idle* owing to the strike. 彼らはストのため仕事をしていない. **b** 〈時間がひまである〉, ひまな; 〈選手・チームなどが〉試合のない ‖ *idle* hours of a holiday 休日のひまな時間. **2** 〈人が〉怠けた, 怠惰な, のらくらしている《◆この意味では lazy がふつう》‖ He is an *idle* pupil. 彼は怠惰な生徒だ / You are *idle to the bone*. 〔略式〕君はぐうたらだ. **3** 〈物が〉使用されていない ‖ *idle* capital 遊んでいる資本 / *idle* machines 動いていない機械 / These factories are *idle* now. これらの工場は今は休んでいる.

Ⅱ【中身がないこと】
4 価値のない, 役に立たない, つまらない; 根拠 [理由, 目的] のない ‖ *idle* pleasures 〈くだらぬ楽しみ / *idle* fears 根拠のない恐怖 / *idle* gossip 根も葉もない陰口 / It is *idle* [no use] to cry over what has already happened. すでに起こったことを嘆いてもむだなことだ.

― 動 (~s/-z/; 過去・過分 ~d/-d/; i・dling)
― 他 **1** 〈人が〉〈時間〉を(いつも)**怠けて過ごす**(+*away*) ‖ She *idled away* many hours on the beach. 彼女は浜で何時間も遊んで過ごした. **2** 〘米〙〈人〉を遊ばせる, 暇にさせる. **3** 〈エンジンなど〉を空転させる.
― 自 〈エンジンなどが〉**空転する**(+*away*). **2** 〔正式〕怠けている, のらくらしている(waste time); ぶらつく(+*about, around*).

*i・dle・ness /áidlnəs/ 〖→ idle〗
― 名 ⓤ 怠惰, 無為; 遊んでいる [仕事のない] こと ‖ live in *idleness* =live a life of *idleness* のらくらして暮らす / *Idleness* is the root of all evil. 〈ことわざ〉 怠惰は諸悪の根源だ.
†**id・ler** /áidlər/ 名 ⓒ 怠け者, 無精者.
i・dling /áidliŋ/ 名 ⓤ アイドリング《車が止まっているときエンジンをかけたままにしておくこと》.
†**i・dly** /áidli/ 副 怠けて, 何もしないで; むだに, 無益に; ぼんやりと ‖ She was *idly* looking out of the window. 彼女はぼんやりと窓の外を眺めていた.

†**i・dol** /áidl/ 〘同音〙 idle, idyll 〘米〙 名 ⓒ **1** 偶像, 偶像神, 邪神 ‖ They fell to their knees before the *idol*. 彼らは神像の前にひざまずいた. **2** 崇拝される人 [物], アイドル ‖ a fallen *idol* 人々の尊敬 [崇拝] を失った人, 人気のなくなった人 ‖ The singer is an *idol* of the teenagers. その歌手は10代の若者のアイドルだ.
i・dol・a・ter /aidɑ́lətər | -dɔ́l-/ 名 (女性形) **-tress** ⓒ 偶像崇拝者; (盲目的)崇拝者, 心酔者.

i·dol·a·trous /aidάlətrəs | -dɔ́l-/ 形 偶像崇拝の[的な];〔…に〕心酔して〔*toward*〕.
i·dól·a·trous·ly 副 偶像崇拝的に;心酔して.

†**i·dol·a·try** /aidάlətri | -dɔ́l-/ 名 Ⓤ Ⓒ (正式) 偶像崇拝;崇拝,心酔(worship) ‖ I adore him to the point of *idolatry* =Honor him on this side of *idolatry* 彼を偶像視せんばかりに崇拝する.

i·dol·ize /áidəlàiz/ 動 他 …を偶像化[視]する;…を崇拝する,…に心酔する.── 自 偶像を崇拝する.

IDP (略) [コンピュータ] *integrated data processing* 集中データ処理.

†**i·dyll, i·dyl** /áidl | ídl, áidl/ (同音)(米) *idle*, *idol*) 名 Ⓒ **1** 田園詩,牧歌(的物語詩). **2** (田園詩風の)ロマンチックな(恋)物語;田園風景[生活].

i·dyl·(l)ic /aidílik | id-, aid-/ 形 田園詩の,牧歌的な,素朴な.

†**i.e.** /áií:, ðætíz/ [『ラテン語 *id est* の略』] (正式) すなわち,言い換えれば(that is (to say), in other words).

-ie /-i/ (語要素) →語要素一覧(2.1, 2.2).
-i·er /-iər, -jər, -íər/ (語要素) →語要素一覧(2.2).

✻**if** /if, íf/

index 接 **1** もし…ならば **2** もし…だとしたら **4** たとえ…でも **6** …かどうか

── 接 ──

I [副詞節を導いて]

1 [条件] [直説法] もし…ならば,…とすれば《◆ 現在(まで)・未来・過去についてありうることを条件とする》‖ *If* it rains [˟will rain] tomorrow(↘), I will stay at home.(↘) もし明日雨が降れば私は家にいます(→文法 4.1(4)) / *If* this is [(文) be] the case(↘), then we must help him at once.(↘) もしこれが事実なら彼をすぐに助けなければならない《◆ *if* はしばしば *then* と呼応》/ *If* you have written the letter(↘), I'll post it.(↘) 手紙を書いてしまったら出してやるよ / *If* you don't know(↘), I won't be in town tomorrow.(↘) 君が知らないのなら教えておきますが,私は明日は町にはいません《◆「…なら教えて[言って]おくが」のように補って使われる;I'll help you *if* you come. 来るならば手伝ってあげるよ《◆ *if* 節が後位のこの文では *only if* の意で「条件的」だが,*If* you come I'll … のような前位では勧誘的》/ (対話)"Do you mind *if* I close the window? I feel a little cold." "No problem." 「窓を閉めてもいいでしょうか,ちょっと寒いんです」「かまいません」.

(語法) (1) ふつう *if* 節には未来を表す will, would は用いないが,動作主の主語の意志・習慣または相手に対するていねいな依頼を表す場合は用いられる(→ will 助 **2 a**) : *If* he *will* listen to me(↘), I will help him.(↘) もし彼にぼくの言うことを聞く気があるなら助けてやろう / I'd [I should] be grateful *if* you *would* [*will*] reply as soon as possible. すぐにご返事いただければたいへん存じます《◆ would の方がよりていねいな感じを伴う》.

(2) *if* 節中ではしばしば省略が行なわれる: Come *if* (it is) *necessary* [*possible*]. 必要なら[できれば]来てください(→文法 23.5(4)) / He will do it *if* (it is) only because he loves her. 彼女を愛しているという理由だけで彼はそれをするだろう / *If* (he is) still alive, he must be at least ninety.

もしまだ生きていれば彼は少なくとも90歳になっているにちがいない(→文法 23.5(2)).

2 [仮定] **a** [仮定法過去] (→文法 9.1) もし…だとしたら《◆ 現在の事実に反する仮定,現在においてありえないと思われることや,未来において起こりえないと思われることを仮定する》‖ *If* I *had* enough money, I could buy a new camera. お金が十分あれば新しいカメラが買えるのだが(=Because I don't have enough money, I can't buy a new camera.) / *If* I *were* you, I *would* wait. 私が君ならば待つのだが《◆ (文)では主語と *if* が倒置して *if* が省略されることがある: *Were* I you … →文法 9.4》/ *If* a yeti *existed*, someone *would have caught* one by now. もし雪男がいるのなら今までに誰かが捕まえているはずだとであろうに《◆ 主節が仮定法過去完了も可. →文法 9.2》.

b [仮定法過去完了] (→文法 9.1) もし(あの時)…だったとしたら《◆ 過去の事実について反対の仮定を表す》‖ *If* you *had* come in yesterday, you could have got the book. 昨日いらっしゃればその本を手に入れられたのに(=As you didn't come in yesterday, you couldn't get the book.) / *If* I *had left* home at seven, I *would have caught* the 7:17 train. 7時に家を出ていたら,7時17分の電車に間に合っただろうに(=Since I didn't leave home at seven, I couldn't [didn't] catch the 7:17 train.) / *If* I *had known* you were ill, I would have visited you. あなたが病気だと知っていたらお見舞いしたのですが《◆ (文)では主語と *had* が倒置して *if* が省略されることがある: *Had* I known … →文法 9.4》/ *If* she *had married* then, she would be better off now. 彼女はあの時結婚していたら今幸せだろうに《◆ 主節が仮定法過去も可. →文法 9.1》.

3 [因果関係] …する時は(いつでも), (when, whenever, every time)《◆ ふつう *if* 節には直説法動詞を用いる. 帰結節には will, would などを用いない点で **1** と異なる》‖ *If* you heat ice(↘), it melts.(↘) 氷は温めると溶ける / *If* it was too cold(↘), my cat always stayed under the *kotatsu*.(↘) あまり寒い時は私のネコはいつもこたつの中にいた.

4 [譲歩] **a** [通例 *even* ~] たとえ…でも,…だとしても(→文法 22.3) ‖ I'll go out *even if* it rains. たとえ雨が降っても出かける / We'll finish it(↘) *if* it takes us all day.(↘) 一日中かかってもそれを仕上げてしまうつもりだ. **b** [挿入的に用いて] …だけれども《◆ *if* 節の主語・動詞(be)は省略される. →文法 23.5(2)》 ‖ a very pleasant *if* talkative boy おしゃべり好きだが大変陽気な少年 / Her style, *if* not refined, was easy to read. 彼女の文体は洗練されているとはいえないまでも読みやすかった.

5 [通例否定文で; 帰結節を省略して願望・驚き・困惑などを表して] …であればなあ,…だとは驚いた ‖ Well, *if* it isn't Tom!(↘) やあ,トムじゃないか《◆ 帰結節 I am damned の省略》/ *If* she had *only* come earlier! 彼女がもう少し早く来てくれればなあ(=*If only* she had come earlier!) / *If* I haven't forgotten my homework!(↘) しまった,宿題を忘れてきた.

II [動詞の目的格名詞節を導いて]

6 …かどうか《◆ whether よりも口語的. ask, doubt, know, see, tell, wonder, be not sure, find out などの後で用いる. →文法 22.4》‖ He asked *if* I liked Chinese food. 彼は私に中華料

理は好きかと尋ねた(=He said to me, "Do you like Chinese food?") (→文法10.5(1)) / I don't care *if* your car breaks down *or not*. 君の車が故障しようがしまいがぼくの知ったことではない◆whether or not your car breaks down は可だが ×if or not ... は不可 / Let me know *if* she is coming. 彼女が来るかどうか知らせてください◆この場合「来るなら知らせてください」とも解釈されるので、その混同を避けるためには whether を用いた方がよい

語法[if と whether] 上記以外に、次の場合は whether を用いる。
(1) 主語節・補語節を導く: *Whether she comes or not does not concern me.* 彼女が来るかどうかは私にはどうでもよいことだ《◆主節の後に置く場合 if も用いられる: It does not concern me *whether* [*if*] she comes or not.》
(2) 不定詞句が続く (→文法11.8): I don't know *whether to* go *or* stay. 行くべきかとどまるべきなのかわからない
(3) 前置詞の目的語: the question of *whether* I should go or not 私が行くべきかどうかという問題(→ whether **語法**)

(**if and**) **ónly if** もし、そして、その場合に限り《◆しばしば数学・論理学的な記述で用いる。(略) iff.》‖ You may go out *if and only if* you finish your homework. 宿題をしてしまった場合に限り外出してもいいですよ.

if and whèn ... もし〜する時は《◆主に商業英語で用いる》.

**if it had nót been for* A [仮定法過去完了]《正式》もし〜がなかったら、もし〜がいなかったら《◆(1) 過去の事実と反対の仮定を表す。(2) A に動名詞をとることもある。(3) if を用いずに倒置して Had it ￢ not been for ... とするのは《文》。→文法9.4》‖ *If it hádn't been for* the stórm, we would have been on time. もしあらしでなかったら時間に合っていただろう(=Without storm, we would have been on time.) / *If it had not been for* her help, I would not be alive now. 彼女の援助がなかったら、私は今ごろ生きてはいないだろう(=Without her help, ...).

**if it were nót for* A [仮定法過去]《正式》もし〜がなければ、もし〜がいなければ《◆(1) 現在の事実と反対の仮定を表す。(2)《略式》では were の代わりに was も可能。(3)《文》では if を用いずに倒置して Were it not for ... といえるが、×Was it not for ... / ×Weren't it for ... は不可。→文法9.4》‖ *If it wéren't for* her hélp, I would not be able to succeed. 彼女の援助がなければ私の成功はないだろう(=Without her help, I would not be able to succeed.).

if nót ...〖[A if not B] B と言っては言いすぎだが A と言って差しつかえない〗…でないにしても、…とまではいかなくても《◆A は B よりも可能性があり両者は文法的に対等なのだ》‖ The news is accurate in many, *if not* most, respects. そのニュースはほとんど、にしても(少なくとも)多くの点で正確だ.

*if (...) **ónly** ... …でありさえすれば《◆(1) しばしば主節を略して感嘆的に用い、残念な気持ちを表す(→ 4)。(2) 仮定法を用いるが、可能性があると考えられるときは直説法のこともある。(3) I wish より強い言い方》‖ *If only* he comes here! (↘) 彼がここに来さえすれ

ばなあ / *If* I had *only* known! (↘) 知ってさえいたならなあ(=I regret I didn't know. / I wish I had known.) / *If* I had a map (↗), I could get there. (↘) 地図さえあればそこに行けるのに.

if A should dó 仮に[万が一]…ならば《◆未来について実現可能なときにも使う》‖ *If* anyone *should* call while I'm out, tell them I'll [I'd] be back soon. 万一留守中にだれかが訪ねて来たらすぐに戻ると伝えてください《◆主節は仮定法過去でも直説法でもよい》/ *Should* he not be there, I would be disappointed. 万一彼がそこにいなかったら、がっかりだな《◆if を省略すれば倒置になる。→文法9.4》.

if A were to dó 仮に[万が一]…ならば《◆未来について実現性がないときにもあるときにも使う》‖ *If* I *were to* buy a new house, my family will be glad. もし新しい家が買えれば家族は喜ぶだろう《◆主節は仮定法過去を使う》 / *Were the* sun *to* rise in the west, I would not break the promise. たとえ太陽が西から昇るようなことがあっても、約束は破りません《◆if を省略すれば Were + 主語 + to do の倒置になる。→文法9.4》.

if A will dó 〈A が〉…してくださるなら、…する気なら(→ will **動** 2 a)‖ *If* he *will* listen to me, I will help him. もし彼にぼくの言うことを聞く気があるなら助けてやろう / I should [will] be grateful if you *will* reply as soon as possible. すぐにご返事をいただければ幸いです.

ónly ... **if** ... …の場合に限り(→ **1**).

— **名** © 条件、仮定; 疑い、不確実(なこと).

ifs and búts 弁解、言い訳《◆否定文では ifs or buts とることもある》‖ I won't have any *ifs and buts* from you. ああだこうだといった言い訳は聞かないよ.

ig·loo /íɡluː/ **名** (複 ~s) © イグルー《雪や氷で作るドーム型のイヌイットの家》.

ig·ne·ous /íɡniəs/ **形 1**〖地質〗火成の‖ *igneous* rocks 火成岩. **2** 火の(ような).

†**ig·nite** /ɪɡnáɪt/ **動** 《正式》**他 1** …に火をつける、点火する; …を燃やす; 〖化学〗…を強熱する、焼く. **2**〈人・心などを〉奮起させる、燃え上がらせる. —— **自**〈物・燃料・火などが〉火がつく、燃え始める.

ig·nít·er 名 © 点火器[器].

†**ig·ni·tion** /ɪɡníʃən/ **名 1** ⓤ《正式》発火、点火; 燃焼‖ 3, 2, 1. *Ignition*! We have *ignition*. 3, 2, 1. 点火!《ロケットに》点火しました. **2** © (内燃機関の)点火装置、始動スイッチ《略》ign.》‖ He made sure the *ignition* was off. 彼は点火スイッチの切れているのを確認した.

†**ig·no·ble** /ɪɡnóʊbl/ **形**《正式》卑劣な; 恥ずべき、不名誉な(↔ noble).

ig·nó·bly 副 卑しく; 不面目に.

ig·no·min·i·ous /ìɡnəmíniəs/ **形**《正式》不名誉な、恥ずべき; 卑劣な、軽蔑すべき; 不面目な、屈辱的な.

ig·no·min·i·ous·ly 副 卑劣にも.

ig·no·min·y /íɡnəmìni/ **名** ⓤ《正式》不面目、不名誉、屈辱.

ig·no·ra·mus /ìɡnəréɪməs, (米+)-rǽ-/〖ラテン〗**名** © (…について)無知[無学]な人(*about*).

***ig·no·rance** /íɡnərəns/ [→ ignore]
—— **名** ⓤ **1** 無知、無学《◆ His mistáke was dùe to *ignorance*. =He made a mistake 「out of [from, through] *ignorance*. 彼は無知のために間違いを犯した / *Ignorance* is bliss. → bliss / plead *ignorance* 知らなかったので責任はないと主張する. **2**

ignorant — illegible

[…を]知らないこと[*of*] ‖ He was in complete *ignorance* of our visit. 彼は我々が訪問することを全然知らなかった.

*ig·no·rant /ígnərənt/ [アクセント注意] [→ ignore]
—形 **1**〈人が〉**無知の**, 無学の(illiterate);〈誤りなどが〉無知による, 無知から生じた, ばかげた ‖ Secretaries should not make such *ignorant* errors. 秘書はこのようなばかげた誤りを犯してはならない. **2**[補語として] […を]知らない[*of, about, on* / *that*節, *wh*節](↔aware) ‖ She is grossly *ignorant* of the world. 彼女はひどく世間知らずだ / The patient is *ignorant* (of the fact) *that* she has cancer. その患者は自分ががんにかかっていることを知らない[*of the fact* については fact 名**1a**の注記参照](=The patient doesn't know that she has cancer.) / I'm very *ignorant about* these things. こういうことについてはたいへん不案内でございます. **3**《略式》不作法な, 無礼な(rude).

ig·no·rant·ly /ígnərəntli/ 副 **1** 無知で, 無学で. **2** 知らないで[ために].

*ig·nore /ignɔ́ːr/ 〖「知らない」が原義〗派 **ignorance**(名), **ignorant**(形)
—動 (~s/-z/; 過去・過分 ~d/-d/; ig·nor·ing /-nɔ́ːriŋ/)
—他 **1**〈人が〉〈人・物・事を〉(意図的に)**無視する**, 怠る, 知らない[見ない]ふりをする(◆ **neglect** は「不注意・余裕のないために怠る」) ‖ I spoke to her but she *ignored* me. 彼女に話しかけたが知らん顔をされた / She *ignored* my mistake. 彼女は私の失敗を大目に見てくれた. **2**《大陪審が》《起訴状案》を証拠不十分として却下する.

i·gua·na /igwáːnə/ 名 (複 **i·gua·na**, **~s**) ⓒ [動] イグアナ《大形のトカゲ》.

IH (略) induction heater 電磁誘導ヒーター.
i·kon /áikɑn|-kɔn/ 名 =**icon 1**.
IL (略) [郵便] Illinois.
il- /i-, il-/ [語素一覧] 接頭語素一覧(1.7).
i·lex /áileks/ 名 [植] **1** ⓒ =**holm-oak**. **2** ⓤⓒ モチノキ(holly).
il·i·a /íliə/ 名 ilium の複数形.
il·i·ac /íliæk/ 形 [解剖] 腸骨(ilium)の.
Il·i·ad /íliəd, -æd/ 名 [the ~] 『イーリアス』《Homer の作と伝えられる叙事詩》.
il·i·um /íliəm/ 名 (複 **~·i·a**/-iə/) ⓒ [解剖] 腸骨.
ilk /ílk/ 名 ⓤ 《略式》[しばしば an ~] 家族; 同族; 種類, 型. **of thát ílk** [名詞の後で](1)《スコット》(その人の所有すると)地名と姓名が同じの ‖ Grant *of that ilk* グラント地方のグラント家. (2)《略式》同類の.

‡ill /íl/ 〖「よくない」が原義〗派 **illness**(名)
—形 (**worse**/wə́ːrs/, **worst**/wə́ːrst/)
Ⅰ [体の調子が悪い]
1《主に英》[通例補語として] […の]**病気の**(*with*), かげんが悪い(↔ well)(◆《米》では主に sick. 名詞の前で用いるときは《英》《米》とも sick がふつう. ただし, 副詞と共に用いて a seriously [very] *ill* patient (重病人)のように名詞の前にくることもある); 気分が悪い;《米》吐きそうな(主に英 sick);《英》けがをした, 傷ついた ‖ becòme [gèt,《英》 fàll] *ill* 病気になる / be taken *ill*《英式》(思いがけない時に)病気になる ‖ be physically [mentally] *ill* 身体的[精神的]な病気である / be chronically [terminally] *ill* 慢性病[末期症状]である / He has been *ill* for three weeks. 彼はもう3週間も病気だ(=It is [《略式》has

been] three weeks since he became *ill*. =He became *ill* three weeks ago.) / She is *ill with* pneumonia. 彼女は肺炎にかかっている.

Ⅱ [悪い影響を与える]
2 [名詞の前で] **悪い**(bad), 邪悪な;有害な;いやな ‖ *ill* health 不健康, 病気がち / *ill* effects [feeling] 悪影響[感情] / *ill* weather いやな天気 / do *ill* deeds 悪いことをする / She is in an *ill* temper [humor]. 彼女は今不機嫌だ.
3 [名詞の前で] 不吉な, 不運な ‖ an *ill* omen 凶兆(=「a bad [an evil] omen) / I had the *ill* luck to miss the train. 運悪く列車に乗り遅れた.
4 [名詞の前で] 欠点のある, 不完全な;下手な, まずい, 未熟な ‖ an *ill* manner まずいやり方. **5** [名詞の前で] 不親切な, 敵意[悪意]を持った;残酷な ‖ *ill* treatment 残酷な扱い / do an *ill* turn to him 彼に不親切なことをする(=be unkind to him).

—名 《正式》**1** ⓒⓤ [通例 ~s] 困難, 難儀(trouble), 不幸, 不運, 災難 ‖ the *ills* of life 人生の苦難 / wish him *ill* 彼の不幸を願う ‖ Ill befell him. 彼の身に不幸なことが起きた. **2** ⓤ 悪, 罪悪, 不正(evil) ‖ do *ill* 悪いことをする. **3** ⓒ 病気(illness) ‖ Alcoholism is a social *ill*. アルコール中毒は社会の病である / She had many *ills* last year. 彼女は去年いろいろな病気にかかった.

—副 (**worse**, **worst**) 《正式》《◆ 文語的な成句表現に限られる》[しばしば複合語で] **1** 悪く, 不正に(↔ well) ‖ Don't *speák ill of* others. 人を悪く言うな《◆ 受身形は be *ill* spoken of よりも *be spóken íll of* の方がふつう》 / táke it *ill* それを悪くとる; それに腹を立てる. **2** 都合悪く, 運悪く(↔ well) ‖ be *ill* òff 暮らし向きが[都合]が悪い / It will gò *ill* with her. 彼女はひどい目にあうだろう. **3** 不十分に, 不満足に, 下手に;ほとんど…ない ‖ This house is *ill* built. この家の建て方は悪い / I can *ill* afford to búy a car. 自動車を買う余裕はない. **4** 不親切に, 敵意を持って;残酷に ‖ They were *ill* treated during their stay. 滞在中彼らは不親切な扱いをうけた.

ill blóod 敵意, 憎悪, 恨み.
ill will 敵意, 恨み, 悪感情 ‖ I bear him no *ill will*. 私は彼を恨んではいない.
ill. (略) illustrated; illustration; illustrator.
Ill. (略) Illinois.

*I'll /ail, áil/ (同音) isle, aisle) I will, I shall の短縮形.

ill-ad·vised /íləd̀váizd/ 形〈人の行為など〉が愚かな, 無分別な(↔ well-advised).
ill-bred /íl̀bréd/ 形 **1**〈人の〉しつけ[育ち]の悪い;〈人(の行為)が〉不作法な, 無礼な, 失礼な. **2**〈馬・犬など〉が純血種でない, 劣等の.
ill-dis·posed /íldispóuzd/ 形《正式》[…に] 好意的でない, 冷淡な(unfriendly)[*to, toward*];[…する] 気がしない[*to do*].

†il·le·gal /ilíːgl/ 形 不法[違法]の, 非合法の;規則違反の(↔ legal) ‖ an *illegal* alien 不法滞在している外国人.
illégal còpy [コンピュータ] (ソフトの)違法コピー.
illégal wòrker 不法滞在労働者.
il·lé·gal·ly 副 不法に.
il·le·gal·i·ty /íliɡǽləti/ 名 ⓤ 違法, 不法;ⓒ 不法行為.
il·leg·i·ble /iléd̀ʒəbl/ 形 読みにくい, 判読しがたい;解読しにくい(↔ legible). **il·lég·i·bíl·i·ty** 名 ⓤ (字の)読みにくさ. **il·lég·i·bly** 副 読みにくく.

il·le·git·i·ma·cy /ìlidʒítəməsi/ 名 U 1 違法, 非合法; 不合理. 2 〔法律〕非嫡出(の).

†**il·le·git·i·mate** /形 ìlidʒítəmət/, -mèit/ (↔ legitimate) 形 1〈子供が〉嫡出(の)でない. 2〈正式〉違法の, 非合法の(illegal)〈語・句が〉誤用の, 非論理的な. 名 C 私生児.
— 動 他 …を非嫡出子と宣告する.

il·le·git·i·mate·ly 副 不法に; 不合法に.

ill-fat·ed /ílféitid/ 形 不幸[不運]な; 不幸[災難]をもたらす.

ill-fa·vored,〈英〉**-fa·voured** /ílféivərd/ 形 1 不快な, いやな, 気にさわる. 2〈人の(顔)が〉不器量な, 醜い.

il·lib·er·al /ìlíbərəl/ 形〈正式〉心の狭い, 偏狭な; 反自由主義的な(↔ liberal).

†**il·lic·it** /ìlísit/ 形 不法な, 不正の, 法で禁じた;〈社会一般に〉認められていない(◆ illegal, illegitimate, unlawful などより恥・不誠実を含意する). **il·líc·it·ly** 副 不法に, 不法に. **il·líc·it·ness** 名 U 不正.

†**il·lim·it·a·ble** /ìlímitəbl/ 形〈正式〉無限の, 限りない, 果てしない.

Il·li·nois /ìlənɔ́i, -nɔ́iz/ 名 イリノイ〈米国中西部の州. 州都 Springfield.〈愛称〉the Prairie [Sucker] State.〈略〉Ill.,〈郵便〉IL〉; [the ~] イリノイ川.

il·lit·er·a·cy /ìlítərəsi/ 名 U 文盲, 無学(↔ literacy).

†**il·lit·er·ate** /ìlítərət/ 形 1〈狭義〉読み書きができない;〈広義〉無学の, 教養のない(↔ literate). 2〈略式〉(読み書きの)無知を示す.
— 名 C 読み書きができない人, 無学者.

ill-man·nered /ílmǽnərd/ 形 (作法を知らないために)不作法な, 無礼な.

ill-na·tured /ílnéitʃərd/ 形 意地の悪い, 不愛想な, 気難しい.

*****ill·ness** /íləs/ [→ ill]
— 名 〈複〉 ~·es/-iz/ U 病気(の状態)(↔ health); C (特定の)病気(〈米〉sickness) (cf. disease) ‖ hàve a sérious [×hèavy] *íllness* 重病である / an infectious *illness* 伝染病 / physical [mental] *illness* 身体的[精神的]な病気 / 'a sudden [an emotional] *illness* 急病[情緒障害] / suffer from 'várious *íllnesses* [a slight *íllness*] いろいろな[軽い]病気にかかる / die of an *illness* 病死する / She was absent from school *because of* [×her] *illness*. 彼女は病気のために学校を休んだ (= because she was ill.) / Her mother's *illness* kept her at home yesterday. 母の病気のため彼女はきのう家にいなければならなかった.

il·log·i·cal /ìládʒikl | ìlɔ́dʒ-/ 形 非論理的な, 不合理な(↔ logical).

ill-o·mened /ílóumənd/ 形〈文〉不吉な; 不運な, 不幸な.

ill-starred /ílstá:rd/ 形〈文〉星回り[めぐり合わせ]の悪い; 不運な, 不幸な.

ill-tem·pered /íltémpərd/ 形〈正式〉〈人〉が不機嫌な, 怒りっぽい, 気短な;〈議論などが〉ののしり合う.

ill-timed /íltáimd/ 形 時機[タイミング]がまずい, 時を得ない.

ill-treat /íltrí:t/ 動 他 …を冷遇[虐待]する.
ill-tréat·ment 名 U 虐待, 冷遇.

il·lume /ìljú:m/ 動 他〈詩〉〔比喩的に〕…に光を注ぐ, …を明るく照らす; …を啓発する.

il·lu·mi·nant /ìlú:mənənt/ 名 C 発光物〈電灯など〉, 明かり. — 形 光を出す, 照らす.

†**il·lu·mi·nate** /ìlú:mənèit,〈英+〉ìljú:-/ 動 他 1〈正式〉〈電灯・月などが〉〈物・場所〉を照らす;〈人が〉〈物・場所〉を〔電灯などで〕明るくする〔*with, by*〕(◆ light (up)より堅い語) ‖ a poorly *illuminated* street 照明の悪い通り / The Christmas tree *was illuminated by* candlelight. クリスマスツリーはろうそくの光で照らされていた. 2〈正式〉〈問題点など〉を明らかにする(clarify), 解明する(explain). 3〈通り・建物など〉にイルミネーションを施す ‖ *illuminate* fountains at night 噴水を夜間照明する.

il·lú·mi·nàt·ed 形〈写本などが〉金[銀]で彩飾された.

†**il·lu·mi·na·tion** /ìlù:mənéiʃən,〈英+〉ìljù:-/ 名 1 U 明るくする[される]こと, 照明, ライトアップ. 2 U〔物理〕〔俗用的に〕照度. 3 C〈英〉[~s] イルミネーションで飾られた祝祭[祝賀]. 4 U〈正式〉解明, 説明, 啓蒙(もう); enlightenment. 5 C〈通例 ~s〉〔頭文字・写本などの〕彩飾.

illus. *illustrated; illustration.*

ill-use 動 /ìljú:z/ 名 /ìljú:s/ 動 他〈正式〉1 …を虐待[酷使]する. 2 …を悪用[乱用]する. — 名 U 1 虐待, 酷使. 2 悪用, 乱用.

†**il·lu·sion** /ìlú:ʒən,〈英+〉ìljú:-/ 名 1 C U〔…の/…についての/…という〕錯覚, 幻想〔*of /about /that* 節〕(↔ disillusion) (→ delusion) ‖ *give* an *illúsion of* … …と錯覚させる / *be under the* [an] *illúsion that* … …と勘違いしている / *chérish the* [an] *illúsion that* … …と思い違いをする / He *hàs nó illúsions about* marrying her. 彼は彼女との結婚を冷静な目でとらえている / Line A looks longer than Line B, but it is an optical *illusion*. A線はB線よりも長いように見えるが, 目の錯覚だ. 2 U〈幻覚, 幻影, 幻〉‖ As we grow older, we regard many of the hopes of youth as mere *illusions*. 年をとるにつれて青春時代の希望の多くが幻にすぎなくなる.

il·lu·sion·ist /ìlú:ʒənist,〈英+〉ìljú:-/ 名 C 1 幻想説信奉者. 2 幻覚法を用いる芸術家. 3〈正式〉手品師, 奇術師.

il·lu·sive /ìlú:siv,〈英+〉ìljú:-/ 形〈正式〉= illusory.

il·lu·so·ry /ìlú:səri,〈英+〉ìljú:-/ 形〈正式〉錯覚に基づく, 錯覚を起こさせる; 人を誤らせる.

illust. *illustrated; illustration.*

†**il·lus·trate** /íləstrèit,〈米+〉ìlʌ́streit/ 動 他 1〈人・物〉が〈物・事〉を[図・表・写真・絵 など]で説明する〔*with*〕; [illustrate *wh* 節] …かを例証する ‖ He *illustrated* his points *with* diagrams. 彼は図を用いて要点を説明した / Let me *illustrate* how to operate this machine. どうやってこの機械を使うのか教えてあげます. 2〈人が〉〈本など〉に挿絵を入れる;〈本など〉に[図表・写真・絵 など]を入れる〔*with*〕‖ This book is *illustrated* on every page. この本はどのページにも挿絵が入っている / This yearbook is *illustrated with* a lot of beautiful photographs. この年鑑には美しい写真がたくさん入っている. **il·lus·trát·ed** 形 挿絵入りの.

*****il·lus·tra·tion** /ìləstréiʃən,〈米+〉ìlʌ́s-/
— 名 〈複〉 ~s/-z/ 1 C 挿絵, 説明図, イラスト ‖ This children's book is full of colored *illustrations*. この子供用の本は色刷りの挿絵でいっぱいです. 2 C 例, 実例; U 説明(する[される]こと), 例証 ‖ *by wày of illustrátion* = as an *illustration* 実例として / *in illustration of* … …の例証として / She *gave an illustration of* how to pitch a tent. 彼女はテントの張り方を実演しながら教えた.

il·lus·tra·tive /ìlʌ́strətiv, íləstrèitiv | íləstrətiv/ 形

(正式)〔…の〕説明に役立つ; 実例[例証]となる《of》.

†**il·lus·tra·tor** /íləstrèɪtər, (米+) ɪlʌ́streɪ-/ 名 C 挿絵画家, イラストレーター; 説明[例証]する人[物].

†**il·lus·tri·ous** /ɪlʌ́striəs/ 形 (正式) **1** 〈人が〉有名な, 著名な(famous). **2** 〈行為・業績などが〉すばらしい, 輝かしい, 見上げた.

ILO (略) the International Labor Organization.

***I'm** /aim, áim/ I am の短縮形.

im- /im-/ [語要素] →語要素一覧(1.7).

*l**im·age** /ímɪdʒ/ [発音注意] 〚「まねたもの」が原義. cf. imitate, imagine〛
——名 (複 ~s/-ɪz/) C
I [心に映るもの]

1 イメージ, 印象, 表象; 観念, 概念;〔心理〕心象 ‖ improve the image of the company 会社のイメージアップをする《♦ ×image up は誤り》/ That incident gave him a bad image. あの事件で彼はイメージダウンした《♦ ×image down は誤り》.

II [心の外に映し出されたもの]

2 (正式) (鏡・テレビなどの)映像(reflection);〔数学〕像, 写像 ‖ a real [virtual] image 実[虚]像 / look at one's image in the mirror 鏡に映った自分の姿を見る(=look at oneself …).

3 (正式) 肖像; 彫像; 画像; 偶像 ‖ carve an image in stone [wood] 石[木]像を彫る.

4 比喩的表現; 生き生きとした描写[表現]; [the ~] (詩の)イメージ ‖ speak in images 比喩を使って話す. **5** (略式) [(the ~)] 生き写し, よく似た人[物] (close likeness) ‖ The baby was **the very** [living, spitting] **image** of his father. その赤ん坊は父親にそっくりであった(=The baby had a strong resemblance to his father.). **6** 象徴, 化身, 典型 ‖ She is the image of health. 彼女は健康そのものだ(=She is very healthy.). **7** (古) 姿, 形, 外形(form) ‖ God created man in his own image.《聖》神は自分の形に似せて人を造った.

——動 (他) **1** …を心に描く, 想像する. **2** …の像を造る, 絵を描く.

ímage ádvertising イメージ広告.
ímage prócessing 〔コンピュータ〕画像処理.

im·age·ry /ímɪdʒəri/ 名 U [集合名詞] **1** 像; 彫像; 画像. **2** 〔心理〕心象. **3** 比喩的表現[描写].

†**i·mag·in·a·ble** /ɪmǽdʒənəbl/ 形 [最上級の形容詞, all, every などを強調して] 想像できる, 考えられる限りの(↔ unimaginable) ‖ the best thing imaginable この上もなくよいもの / every imaginable méthod =every method imaginable ありとあらゆる方法 / ány imáginable situátion 考えられ得るあらゆる事態.

i·mag·i·nal /ɪmǽdʒənl/ 形 想像(力)の; 心像の.

*l**i·mag·i·nar·y** /ɪmǽdʒənèri | -nəri/ 〚→ imagine〛
——形 想像上の, 架空の, 実在しない, 仮想の(↔ real) ‖ The equator is an imaginary line around the earth. 赤道は地球を1周する仮想の線である.
——名 C 〔数学〕 =imaginary number.
imáginary númber 〔数学〕 虚数.

*l**i·mag·i·na·tion** /ɪmæ̀dʒənéɪʃən/ 〚→ imagine〛
——名 (複 ~s/-z/) U|C [often one's ~] 想像; 想像力; (文学的な)構想[創作]力; [類語] fancy, fantasy) ‖ hàve a góod imagination 想像力が豊かである / use [fire] one's imagination 想像力を働かせる[かきたてる] / I leave it to your imag-ination. ご想像にお任せします《♦ 答えにくい質問に対する決まり文句》. **2** (略) 想像の産物, 心象, 空想的な考え.

†**i·mag·i·na·tive** /ɪmǽdʒənətɪv, (米+) -nèɪ-/ 形 **1** 想像の, 想像的な; 想像から生まれた(↔ unimaginative) ‖ great imaginative powers すばらしい想像力. **2** 想像にふける; 想像力に富んだ ‖ an imaginative writer 想像力豊かな作家. **3** 真実でない, 虚偽の. **i·mág·i·na·tive·ly** 副 想像により.

*l**i·mag·ine** /ɪmǽdʒɪn/ 〚『まねる(image)にする(ine)』〛 imaginary (形), imagination (名)
——動 (~s/-z/; (過去・過分) ~d/-d/; -in·ing)
——(他) **1** 〈人が〉〈物・事〉を想像する, 仮定する; [imagine doing] …することを想像する; [imagine wh 節] …かを想像する; [imagine (that) 節 / imagine (that) 節] …だと想像する; [imagine **A to be C** =imagine **A as C**] A が C であると想像する; [imagine **A doing**] A が…している[した]ことを想像する ‖ imagine him **as** an actor = imagine him (**to be**) an actor 彼を俳優と思う / You're imagining things. (⤵) 考えすぎ[気のせい]ですよ; あなたは被害妄想だ / Can you imagine (⤴) what life would be like on the moon? (⤴) 月に生物がいるとすればどのようなものであるか想像できますか / Imagine (that) you are [were] in her place. =Imágine yoursélf **to be** in her pláce. 彼女の身になって考えてごらんなさい / Can you imagine「what would happen [how much I love you]? 何が起こるか[私がどれほどあなたを愛しているか]想像できますか / 〔対話〕 "Can you imagine him doing such a thing?" "No, I can't imagine it [×so]." 「彼がそんなことをしている光景を想像できますか」「できませんね」(cf. **2**).

2 [imagine **that** 節]〈人が〉…と思う(think); [imagine **wh** 節]〈人が〉…かを推測[推量]する《♦ (1) think と比べて根拠が薄弱で「勝手に思う」を暗示することが多い. (2) 進行形不可》‖ I imagine (that) it will rain tomorrow. 明日は雨が降ると思っています / I cannot imagine why he did it. なぜ彼がそんなことをしたのか皆目わからない / I don't imagine he is alive. 彼は生きていないと思う《♦ ×I imagine he isn't alive. というのは言わない. → not 図 **7**》/ 〔対話〕 "Did she buy a new car?" "Yes, I (should) imagine so. [No, I don't imagine so. = (正式) No, I imagine not.]" 「彼女は新車を買ったの」「ええ, そうだと思います[いや, そうではないと思います]」《♦ **1** と異なり, ×I (don't) imagine it. は不可》.

——(自) **1** 想像する; 想像力を働かせる. **2** 思っている, 推測[推量]する《♦ 進行形は不可》.

Càn you imágine! (略) 信じられるかい, 本当だよ《♦ これから話すことの前置きとして》.

(**Jùst**) **imágine** (**it** [**that**])! (⤵) ちょっと考えてもみたまえ; [反語的に] そんなばかなことがあるものか.

im·ag·ing /ímɪdʒɪŋ/ 名 イメージング《コンピュータによる音波・温度の変動などの画像処理》.

im·ag·ism /ímədʒìzm/ 名 U 写象主義《1912年ごろロマン主義に対抗して英米で起こった自由詩運動.

i·ma·go /ɪméɪgoʊ, ɪmάː-/ 名 (複 ~(e)s, i·ma·gi·nes/ɪméɪgɪniːz | -méɪdʒə-, -mæ-, -máːgə-/) C 〔昆虫〕成虫.

i·mam, i·maum /ɪmάːm/ 名 〔イスラム教〕 C イマーム《(礼拝を行なう)僧, 導師; イスラム法の学者[大家]》. **2** [I~] イマーム《イスラム教国の宗教的元首の称号》.

im·bal·ance /imbǽləns/ [名][U][C]《正式》(しばしば2者についての)不均衡, アンバランス《♦ unbalance よりふつう》.

†**im·be·cile** /ímbəsl, -sil | -sìːl, -sàil/ [名][C]《略式》ばか. ──[形] 知的障害の; 愚かな, ばかな(stupid).

ím·be·cile·ly [副] 愚かにも.

im·be·cil·ic /ìmbəsílik/ [形] =imbecile.

im·be·cil·i·ty /ìmbəsíləti/ [名] **1** [U] 知的障害; 愚かさ. **2** [C] 愚かな行為[言葉].

im·bed /imbéd/ [動] =embed.

im·bibe /imbáib/ [動]《正式》[他] **1** 〈酒など〉を飲む. **2** [しばしば比喩的に] …を吸収する, 吸い込む. ──[自] (酒を)飲む; 液体[湿気]を吸収する.

im·bi·bi·tion /ìmbəbíʃən/ [名][U]《正式》吸収, 同化.

im·bri·cate /ímbrikət, -kèit/ [形]《正式》瓦(かわら)状に重なった; 鱗(うろこ)模様[状]の.

im·bro·glio /imbróuljou | -liəu/ 〘イタリア〙[名] ([複] ~s) [C]《文》(政治的・感情的な)もつれ, 紛糾; 複雑な誤解; (劇・小説などの)複雑な筋.

im·brue /imbrúː/ [動][他] **1** 《まれ》…を〔血などで〕汚す, 染める〔*in, with*〕. **2** 《正式》…に〔思想・感情などを〕染み込ませる, 吹き込む〔*with, in*〕.

im·bue /imbjúː/ [動][他]《正式》[通例 be ~d]〈人が〉〔思想・野心などを〕吹き込まれる〔*with*〕.

IMF [略] the International Monetary Fund.

imit. [略] *imitation*; *imitative*.

im·i·ta·ble /ímətəbl/ [形] 模倣できる.

***im·i·tate** /ímətèit/ [アクセント注意] 〘「手本またはモデルとして何かに倣(なら)う」が本義〙

──[動] (~s/-tèits/; [過去・過分] ~d/-id/; --tat·ing)

──[他] **1** 〈人・鳥などが〉〈動作・風采(ふうさい)など〉を(ふざけて)**まねる**, 模倣する, …の物まねをする([類語] mimic, mock) ‖ *imitate* his voice 彼の声色を使う / She is very good at *imitating* her teacher. 彼女は先生の物まねがうまい.

2 〈人が〉〈人・方法など〉を**見習う**, 手本にする([類語] copy) ‖ Children learn by *imitating* their parents. 子供は親を手本にして学ぶ.

3 《略式》〈人が〉〈石・金属・皮・音など〉を〔…で〕模造する, 模写する, 似せて作る〔*with*〕.

†**im·i·ta·tion** /ìmətéiʃən/ [名] **1** [U] 模倣(する[される]こと), まね ‖ ***in imitation of*** … …をまねて, 見習って. **2** [C] (行動・風采(ふうさい)・話し方などの)人[物]まね ‖ ***do*** [***give***] ***an imitation of*** … …の物まねをする[してみせる]. **3** [C] 模造品, にせ物, まがい物; [形容詞的に] 模造の, 人造の ‖ Beware of *imitations*. にせ物に注意《♦ 広告などの文句》/ *imitátion* pèarls 模造真珠. **4** [U]〔音楽〕模倣.

im·i·ta·tive /ímətèitiv | -tətiv/ [形] 模倣の; 〔…の〕まねをする[したがる]〔*of*〕; 模造の; 独創的でない; 擬声的な ‖ the *imitative* arts 模倣芸術《絵画・彫刻など》/ *imitative* words 擬音語.

ím·i·tà·tive·ly [副] まねをして.

im·i·ta·tor /ímətèitər/ [名][C] まねをする人; 模造者, 偽造者.

†**im·mac·u·late** /imǽkjələt/ [形]《正式》**1** 〈服装・家などが〉少しも汚れていない, しみ[塵(ちり)]ひとつない(spotless); きちんと片付いた. **2** 〈本・演奏などが〉欠点[誤り]のない, 完全な. **3** 〈心・行為などが〉けがれのない, 純潔な, 清い.

Immáculate Concéption 〔カトリック〕[the ~] 無原罪懐胎(説)《聖母マリアは懐胎の瞬間から原罪を免れていたとする. → virgin birth》; その祝日《12月8日》.

im·mác·u·late·ly [副] 全然汚れ[欠点]がなく.

Im·man·u·el, Em·- /imǽnjuəl/ [名]〔聖書〕インマヌエル《Isaiah によってその誕生が予言された救世主(Messiah)に与えられた名. しばしばイエス=キリストを指す》.

†**im·ma·te·ri·al** /ìmətíəriəl/ [形]《正式》**1** 〔…にとって〕重要でない, 取るに足りない〔*to*〕(↔ important). **2** 非物質的な, 実体のない, 無形の; 精神上の, 霊的な(↔ material).

†**im·ma·ture** /ìmət(j)úər, -tʃúər/ [形] **1** 《正式》〈果物が〉熟していない; 〈人間が〉未熟な, 未完成の(↔ mature); 生硬な ‖ an *immature* actress 未熟な女優 / *immature* fruit 熟れていない青い果実. **2** 〈人・行動などが〉大人げない(childish).

ìm·ma·túre·ly [副] 未熟に; 大人げなく.

im·ma·tu·ri·ty /ìmət(j)úərəti, -tʃúər-/ [名] **1** [U] 未熟, 未完成; 生硬; 子供っぽさ. **2** [C] 未熟なもの.

†**im·meas·ur·a·ble** /iméʒərəbl/ [形]《正式》**1** 果てしない, 広大な, 絶大な. **2** 計測できないほど大きい[広い] ‖ The loss is *immeasurable*. 損失は計り知れない.

im·méas·ur·a·bly [副] 計測できないほど, 無限に; [比較級を修飾して] はるかに, ずっと.

im·me·di·a·cy /imíːdiəsi/ [名] **1** [U] 直接(性); 即時(性). **2** [immediacies] 緊急に必要なもの.

***im·me·di·ate** /imíːdiət, 《英+》-dʒət/ [発音注意] 〘間に介在する(mediate)ものがない(im). cf. inter*mediate*〙 [派] immediately (副)

──[形] 《♦ 比較変化しない》

I [時間]

1 即座の, 即時の; [名詞の前で] (時間的に)近い, 目前の, 当面の ‖ I received an *immediate* answer to my letter. すぐに手紙の返事をもらった.

2 [名詞の前で] **当面の**, 目前の ‖ our *immediate* needs 当面必要とするもの / Our *immediate* treatment is to stop the bleeding. 我々が今すぐやるべき手当ては止血をすることだ.

II [関係]

3 [名詞の前で] **直接の**, じかの(↔ mediate); (順序が)すぐ前[後]の, 最も近い関係にある ‖ the *immediate* future 近い将来 / her *immediate* successor 彼女のすぐ次の後継者 / *immédiate* informátion 直接入手した情報 / the *immédiate* cáuse of the áccident 事故の直接的原因.

III [場所]

4 すぐ隣りの, (場所的に)近い ‖ an *immédiate* néighbor すぐ隣りの人.

***im·me·di·ate·ly** /imíːdiətli, 《英+》-dʒət-/ 〘→ immediate〙

──[副] 《♦ 比較変化しない》 **1** [時間] **ただちに**, すぐに, さっそく(right away, 《主に英》straight away) ‖ She returned my call *immediately* [right away, straight away]. すぐに彼女は返事の電話をしてきた.

2 [関係] 直接に, じかに(directly); [距離] [副詞・前置詞句の前で] すぐ近くで ‖ I came home *immediately*. どこにも寄らずに家に帰ってきた.

──[接]《英略式》…するとすぐ(as soon as, 《略式》the moment [minute, instant, second]) (→[文法] 22.3) ‖ *Immediately* we sat down to dinner, the phone rang. 夕食の食卓につくとすぐに電話が鳴った.

†**im·me·mo·ri·al** /ìməmɔ́ːriəl/ [形] 遠い昔の, 太古の ‖ from [since] tíme *immemórial* 《やや古》太古[大昔]から(の); たいそう長い間(の).

†**im·mense** /iméns/ [形] (more ~, most ~; 時に ~r, ~st) **1** (ふつうでは計りきれないほど)巨大な, 広大な, 多大の, 計り知れない([類語] → huge) ‖ She

I

earns an *immense* salary. 彼女はすごい給料をもらっている / an *immense* pyramid 巨大なピラミッド. **2** (俗) すばらしい, すてきな;すごい.

†**im·mense·ly** /iménsli/ 副 **1**(略式)[強意語として] とても, すごく, 非常に ‖ enjoy oneself *immensely* すごく楽しむ. **2** 広く, 広大に, 広範に, 計り知れないほど.

im·men·si·ty /iménsəti/ 名 (正式) **1** ⓤ 広大(さ), 巨大, 莫(ば)大(vastness); 無限. **2** ⓒ 巨大なもの, 莫大な数量; 無限の空間 ‖ an *immensity* of ... 莫大な….

†**im·merse** /imə́ːrs/ 動 ⑯ **1** (正式) …を […に] (完全に)浸す, 沈める; …を […に]埋める[*in*] (cf. dip). **2** (宗教)…に浸礼を施す.
be im·mérsed in A = **immérse** oneself **in A** 〈仕事・物思い・快楽など〉に没頭する, ふける; 〈困難・悲しみなど〉に陥っている, …で動きがとれない ‖ The exchange student made every effort to *immerse herself* in the foreign culture. その交換留学生は外国文化にできるかぎりどっぷりつかるようにした.

im·mer·sion /imə́ːrʒən | -ʃən/ 名 **1** ⓤ 浸す[浸される]こと[状態]. **2** ⓤⓒ (教会)浸礼《全身を水に浸す洗礼》. **3** ⓤ […への]没頭[*in*].

*****im·mi·grant** /ímigrənt/ [中べ(im)移住する(migrate)人]
——名 (稷) ~s/-grənts/) ⓒ (永住を目的として外国からの)移民, 移住者, 入植者《◆「外国への移民」は emigrant》; [形容詞的に]移民の ‖ That country has a lot of *immigrants* from Europe. その国にはヨーロッパからの移民が多い.

im·mi·grate /ímigreit/ 動 ⓘ 〈外国人が〉[…から/…へ](永住地として)移住する[*from* / *to, into*].
——⑯ 〈外国人〉を(永住地として)移住させる.
[♦ cf. emigrate]

†**im·mi·gra·tion** /ìmigréiʃən/ 名 **1** ⓤⓒ 移住[移民] (する[させる]こと), 入植(cf. emigration). **2** ⓤ [集合名詞]移民団, 入植者; ⓒ (一定期間の)移民数. **3** ⓤ =immigration control.

immigrátion authórities [the ~] 出入国管理当局.
immigrátion contról (空港などでの)出入国管理.
Immigrátion Contról Láw (日本の)出入国管理法.
immigrátion ófficer 入国管理官.

im·mi·nence, –nen·cy /ímənəns(i)/ 名 **1** ⓤ 切迫, 急迫. **2** [-nence] ⓒ 差し迫った危険[事].

†**im·mi·nent** /ímənənt/ 形 (正式) 〈危険・あらしなどが〉今にも起こりそうな, 差し迫った, 切迫した 《◆ impending よりも緊迫感が強い》.

ím·mi·nent·ly 副 今にも起こりそうに, 切迫して.

im·mo·bile /imóubl, -bil | -bail/ 形 (正式) **1** 動かせない; 動けない(↔ mobile). **2** 静止した, 固定した, 動かない(motionless). **3** (俗)乗って行く車がない. **ìm·mò·bíl·i·ty** /-bíləti/ 名 ⓤ 不動, 静止.

im·mo·bi·lize /imóubəlaiz/ 動 ⑯ (正式) …を動けなくする; 〈ギプスなどで〉〈患者・患部〉を固定する; 〈軍隊などを〉移動不能にする. **ìm·mò·bi·li·zá·tion** 名 ⓤ 固定化.

im·mod·er·ate /imádərət | imɔ́d-/ 形 (正式) 中庸[節度]を欠いた; 過度の, 法外な, 極端な (excessive) (↔ moderate).

im·mod·est /imádist | imɔ́d-/ 形 (正式) **1** 〈ふつう女性の〉言動・服装などが慎みのない, 下品な, みだらな (↔ modest); **2** 〈人・主張などが〉厚かましい, うぬぼれた.

im·mo·late /íməlèit | ímə*u*-/ 動 ⑯ (正式) …をいけ

えとして捧げる[殺す].

†**im·mor·al** /imɔ́(ː)rəl/ 形 **1** 〈人・行為などが〉道徳に反する(↔ moral). **2** 〈性的に〉ふしだらな, みだらな; わいせつな. **im·mó·ral·ly** 副 道徳に反して.

im·mo·ral·i·ty /ìməræləti/ 名 **1** ⓤ 不道徳; ふしだら. **2** ⓒ (通例 immoralities) 不道徳行為, 醜行.

†**im·mor·tal** /imɔ́ːrtl/ 形 **1** 不死の, 死なない(↔ mortal) ‖ The phoenix is an *immortal* bird. フェニックスは不死鳥だ. **2** 不滅の, 不朽の, 永遠の, 永久の ‖ *immortal* fame 不朽の名声 / the *immortal* works of Shakespeare シェイクスピアの不朽の作品 / an *immortal* writer 永遠に忘れられることのない作家 / A man's soul is said to be *immortal*. 人間の魂は不滅であると言われる.
——名 **1** ⓒ 不死の人; 名声不朽の人 ‖ Shakespeare is a literary *immortal*. シェイクスピアは文学史上不滅の人である. **2** [the Immortals] (ギリシア・ローマ神話の)神々.

†**im·mor·tal·i·ty** /ìmɔːrtǽləti/ 名 ⓤ 不死, 不滅, 不朽; 不朽の名声 ‖ win one's *immortality* 不朽の名声を得る.

im·mor·tal·ize /imɔ́ːrtəlaiz/ 動 ⑯ (正式) …を不滅にする; …に不朽の名声を与える.

im·mor·tal·ly /imɔ́ːrtəli/ 副 **1** 永遠に, 永久に. **2** とてつもなく, 非常に.

im·mov·a·ble, –move·a·ble /imúːvəbl/ 形 **1** 〈物が〉動かせない, 固定した, 静止した(↔ movable). **2** 〈目的・態度などが〉確固たる, 不動の (steadfast). **3** 〈人・感情などが〉感情に動かされない, 無感動の. **3** 〈祝日・祭日などが〉毎年同じ日にある.
im·móv·a·bly 副 確固として.

im·mune /imjúːn/ 形 [医学]〈人が〉〈伝染病・毒などに〉免疫のある[*to, from,* (まれ) *against*]. **2** 〈人・物・事が〉〈義務・税などを〉免れた, 〈攻撃を〉受ける恐れのない (free) [*from, against, to*]; 〈人が〉〈物事に〉影響を受けない, 感じない(*to*)《◆しばしば not を伴って控え目表現となる》‖ be *not immune* to that sort of failing その種の欠点と無縁でない. **3** [コンピュータ] 〈ウイルスなどに〉免疫のある. ——名 ⓒ 免疫のある人[動物].

†**im·mu·ni·ty** /imjúːnəti/ 名 **1** ⓤ [医学]〈病気・毒などに対する〉免疫性 [*from, to, against*]. **2** [間違い・危害・批判などを]免れていること [*from*]. **3** [法律]〈義務・税・罰などの〉免除, 免責 [*from*].

im·mu·nize /ímjənaiz | -ju-/ 動 ⑯ …に〔病気などに対して〕免疫性を与える (*against*).
ìm·mu·ni·zá·tion 名 ⓤ 免疫性を与えること.

im·mu·no·de·fi·cien·cy /ìmjunoudifíʃənsi/ 名 ⓒ [医学]免疫不全[欠如].

im·mure /imjúər/ 動 ⑯ (正式) …を[部屋などに]閉じ込める, 監禁する [*in*] ‖ *immure* oneself [be *immured*] in one's study 書斎に没頭する.
im·múre·ment 名 ⓤ 監禁, 引きこもること.

im·mu·ta·ble /imjúːtəbl/ 形 (正式) 不変の, 不易の. **im·mù·ta·bíl·i·ty** 名 ⓤ 不変性.

†**imp** /imp/ 名 ⓒ **1** [伝説]小悪魔, 鬼の子. **2** (略式) いたずら[腕白]小僧.

imp. (略) imperative; imperfect; imperial; impersonal; import(ed); important.

*****im·pact** /名 ímpækt; 動 -ˊ/ [[押す]が原義]
——名 (稷) ~s/-pækts/) ⓒ ⓤ **1** (通例 an/the ~) […の][強い]影響(力), 衝撃 [*on*] ‖ The news had [made] an *impact on* him. そのニュースは彼に影響を与えた. **2** […への]衝撃, […との]衝突 (collision, crash); 衝撃力, 反発力; [物理]衝突

[on, against, into] ‖ **on impact** 衝突のはずみで / the *impact* of a ball *against* the bat バットに対するボールの衝撃. ―― /impǽkt/ (自) **1** 衝突する, ぶつかる. **2**《主に米》[…に]影響を与える[on].

im·pact·ed /impǽktid/ 形 **1** …が(ぎっしり)詰まった[詰め込まれた]; 人口密度の高い.

†**im·pair** /impéər/ 動 他《正式》〈力・価値・質・量など〉を減じる, 弱める(weaken), 悪くする; 〈健康などを〉害する, 損なう(injure) ‖ Her hearing was *impaired* by an accident. 彼女は事故で耳が悪くなった. **im·páir·ment** 名 U C 損傷, 悪化, 減損.

im·paired /impéərd/ 形 **1**《正常な機能が》損なわれた, 障害のある. **2**[複合語で]…障害のある ‖ hearing-*impaired* 聴力障害のある.

im·pa·la /impɑ́ːlə, -pǽlə/ 名 (複 ~s, [集合名詞] **im·pa·la**) C 《動》インパラ《アフリカ産アンテロープ》.

im·pale, em·- /impéil/ 動 他《正式》…を[やり・ピンなどで]突き刺す; …を[ピンで]固定する[on, upon, with].

im·pal·pa·ble /impǽlpəbl/ 形《光などが》触知できない; 《差異などが》容易に理解できない.

im·pan·el, em·- /impǽnl/ 動 (過去・過分) **~ed** or《英》**--pan·elled**/-d/; **~ing** or《英》**--el·ling** 他《法律》…を陪審名簿に載せる, 陪審名簿から選ぶ.

†**im·part** /impɑ́ːrt/ 動 他《正式》**1** …を[…に](分け)与える, 添える[to] ‖ The carpet will *impart* an air of luxury to your room. じゅうたんを敷けばお部屋が豪華な感じになるでしょう. **2** 〈秘密・情報などを〉[…に]知らせる, 伝える[to].

†**im·par·tial** /impɑ́ːrʃəl/ 形《判断などが》偏らない, 偏見のない; 公平な, えこひいきのない《◆偏見のなさを強調する点で fair より disinterested に近い》(↔ partial). **im·pár·tial·ly** 副 偏らずに, 公平に. **im·par·ti·al·i·ty** /impɑ̀ːrʃiǽləti | impɑ̀ːʃi-/ 名 U 偏らないこと, 不偏, 公平(↔ partiality).

im·pass·a·ble /impǽsəbl | -pɑ́ːs-/ 形《道が》(一時的に)通行不能の, 通れない.

im·passe /ímpæs, -´ | æmpɑ́ːs, im-/《フランス》名 C《正式》[通例 an ~] 袋小路, (交渉などの)行き詰まり.

†**im·pas·sioned** /impǽʃənd/ 形《正式》熱烈な, 熱のこもった; 感動的な; 奮起させる.

im·pas·sive /impǽsiv/ 形《正式》**1**〈人が〉無感動の, 冷淡な; 感情を(外に)表さない; 冷静な, 平然とした. **2**〈人が〉苦痛を感じない; (まれ)気を失った. **im·pás·sive·ly** 副 平然と.

†**im·pa·tience** /impéiʃəns/ 名 U [時に an ~] **1** せっかち, いら立ち(↔ patience); […に対して]じれったいこと[with] ‖ **with impatience** いらいらして / I have a kéen impátience with delays. 遅れにたまらないいら立ちを感じる. **2** […に対する]切望[for], […したくて]たまらない気持ち[to do]. **3** (苦痛・圧迫に対し)我慢できないこと, 我慢のなさ.

*****im·pa·tient** /impéiʃənt/
―― 形 **1**《正式》〈物・事に〉我慢できない, いらいらしている[with, about, at, of](↔ patient); 〈人に〉いらいらしている, もどかしい[with] ‖ She was getting *impátient* at having to wait so long. 彼女はそんなに長く待たねばならないことにいらいらしてきた / Mother is never *impatient* with us. 母は私たちに決していらいらつことはない / He cast another *impatient* glance at his watch. 彼はいらいらしてもう一度時計をちらっと見た. **2**[物事を]待ち遠しく思う[for], しきりに[…したがっ]

ている[to do]; [be impatient **for A to** do]〈人・物〉が…するのを切望する ‖ Children are *impatient* for the summer vacation. 子供たちは夏休みが待ち遠しい《◆ … can't wait for …の方が自然》/ She was *impatient* to see her boyfriend. 彼女は恋人にしきりに会いたかった《◆ She was looking forward to seeing … の方が自然》/ We were *impatient* for the concert to begin. 私たちはコンサートが始まるのを今か今かと待っていた. **3**〈行為などが〉性急な, せっかちな ‖ an *impatient* reply せっかちな返事.

†**im·pa·tient·ly** /impéiʃəntli/ 副 我慢できずに, いらいらして; しびれを切らして.

†**im·peach** /impíːtʃ/ 動 他 **1a**《法律》《主に英》〈人〉を(特に国家に対して重大な罪があると)告発する, 弾劾(%)する〈charge〉; 《主に米》〈公務員などを〉[…のことで]弾劾[訴追]する[for, with, of] ‖ Congress may initiate steps to *impeach* the president if it is proved that he lied under oath. 大統領が偽証したとわかれば議会は弾劾の手続きをとるでしょう. **b**《正式》[…のことで]〈人〉を非難する[of, with], 叱責(%)する(accuse) ‖ *impeach* him *of* [*with*] a crime 彼の罪をとがめる. **2**《正式》…を疑う, 問題にする ‖ *impeach* her motives 彼女の動機を疑う. **im·péach·a·ble** 形〈罪などが〉告発[非難]されるべき.

†**im·péach·ment** /impíːtʃmənt/ 名 U C《法律》告発, 告訴, 弾劾; 《正式》非難(blame).

im·pec·ca·ble /impékəbl/ 形 **1** 欠点のない, 申し分のない. **2** 罪を犯すことのない. **im·péc·ca·bly** 副 完璧に.

im·ped·ance /impíːdns/ 名 U [時に an ~] **1**《電気》インピーダンス《交流回路における電気抵抗. (記号) Z》. **2** 障害(物).

†**im·pede** /impíːd/ 動 他《正式》…を遅らせる, 邪魔する. **im·péd·er** 名 C 妨害する人, 障害物.

†**im·ped·i·ment** /impédəmənt/ 名 C《正式》**1** […の]障害, 妨害(物)(obstacle)[to]. **2** 身体障害, (特に)言語障害.

im·ped·i·men·ta /impèdəméntə/ 名 複 ((単数形) **--tum**/-təm/)《正式》[複数扱い] **1** 邪魔な物; 手荷物. **2**《軍隊の》行李(ぶ).

†**im·pel** /impél/ 動 (過去・過分) **im·pelled**/-d/; **--pel·ling**《正式》**1**〈特に考え・感情などが〉〈人〉を[…へと]強いる[to, in, into], 駆り立てて[…]させる(urge)[to do] ‖ Poverty *impelled* her *to* steal. 彼女は貧しさのあまりひそ盗みを働いた. **2**〈風・波などが〉〈人〉を[場所へ]押し進める(drive), 〈人〉を促す, 駆る[to, toward] ‖ The wind and tide *impelled* the ship *to* the shore. 風と潮の流れがその船を岸辺へと押しやった. **im·pél·ler** 名 C 推進する人[物]; (ポンプなどの)羽根車.

†**im·pend·ing** /impéndiŋ/ 形《正式》〈危険などが〉今にも起こりそうな, 差し迫った(imminent) ‖ to celebrate your *impending* retirement ご退職間近なことを祝して.

†**im·pen·e·tra·ble** /impénətrəbl/ 形《正式》**1** 突き通すことのできない, 通り抜けられない; […を]通さない[to, by](↔ penetrable); [比喩的に] 見通せない; 《物理》不可入性の ‖ an *impenetrable* fortress 踏み込むことのできない要塞 / *impenetrable* darkness 真っ暗やみ. **2**〈物・事が〉不可解な, 測り知れない. **3**〈人が〉〈思想・要求などを〉受け付けない.

im·pén·e·tra·bly 副 貫けないほどに, 不可解にも,

im·pen·i·tent /impénitənt/ 形《正式》〈人が〉（罪など を）悔いない，強情な，頑固な．

imper. 略〔文法〕imperative.

†**im·per·a·tive** /impérətiv/ 形《正式》**1** 避けられない，成されねばならない，必須の；緊急の(urgent) ‖ an *imperative* dúty 避けられぬ義務 / It is *imperative that* he ((主に英)) should) finish it by Sunday. =It is *imperative* for him to finish … 彼は日曜日までにそれを仕上げることが絶対に必要だ(⊃文法 9.3)．**2**〈態度が〉命令的な(authoritative)，断固とした，強制的な(pressing) ‖ an *imperative* manner 厳然たる態度．**3**〔文法〕命令法の ‖ the *imperative* mood 命令法 / an *imperative* sentence 命令文．——名 **1** Ⓒ 命令．**2** Ⓒ《正式》義務，責務；緊急になすべきこと．**3** Ⓤ〔文法〕[the ~]命令法；Ⓒ 命令法の動詞[形]．**4** Ⓒ《正式》衝動 ‖ the sex *imperative* 性的衝動.

im·pér·a·tive·ly 副 いやおうなしに；命令的に．

im·per·cep·ti·bil·i·ty /impərsèptəbíləti/ 名 Ⓤ 感知できない状態[こと]，無反応；微細さ．

†**im·per·cep·ti·ble** /impərséptəbl/ 形《正式》**1**〈微小[わずか]なために〉[…に]感知できない，[…に]気づかないほどの(to) (↔ perceptible) ‖ be *imperceptible to* our sense 私たちの感覚ではわからない．**2** 微細な，わずかな(subtle) ‖ an *imperceptible* difference あるかないかのわずかな差．**im·per·cép·ti·bly** 副 気づかれないほどに，いつの間にか．

†**im·per·fect** /impə́rfikt/ 形《正式》〈記憶・知識などが〉不完全な，不十分な；〈人・物が〉欠点[不備]のある；未完成の ‖ an *imperfect* memory あやふやな記憶 / an *imperfect* diamond 傷のあるダイヤモンド．——名 Ⓤ Ⓒ〔文法〕[the ~] 未完了相[時制]（の動詞）；半過去《◆英語では過去進行形がこれに近い》

†**im·per·fec·tion** /impərfékʃən/ 名 **1** Ⓤ 不完全さ，不十分，不備(in)．**2** Ⓒ […の]欠陥，欠点，短所(in) ‖ The diamond has a slight *imperfection*. そのダイヤモンドには少しきずがある．類語 欠陥を具体的に表す語には blemish, defect, flaw, fault などがある．

†**im·per·fect·ly** /impə́rfiktli/ 副 不完全に，不十分に(↔ perfectly).

†**im·pe·ri·al** /impíəriəl/ 形 **1** 帝国の；[時に I~] 大英帝国の；[I~] 神聖ローマ帝国の(→ empire) ‖ Britain's *imperial* expansion in the 19th century 19 世紀の大英帝国の拡大．**2** 皇帝の，天皇の，皇后の，皇室の(→ emperor, empress) ‖ His [Her] (*Imperial*) Majesty 天皇[皇后]陛下 / the *imperial* power 皇帝の権力．**3**《正式》威厳のある，堂々とした(majestic) ‖ the *imperial* cathedral 立派な大聖堂 / *imperial* generosity たいへんな寛大さ．**4**［しばしば I~]〈度量衡が〉英国法定標準による ‖ an *imperial* pint [pound] 英パイント[ポンド]．
——名 **1** Ⓒ 皇帝ひげ《下唇の下に生やしたナポレオン3世をまねたとがりひげ》．**2** Ⓒ 皇帝；皇后．**3** [I~] Ⓒ 神聖ローマ皇帝の支持者[兵隊]．

†**im·pe·ri·al·ism** /impíəriəlìzm/ 名 Ⓤ《正式》帝政；帝国主義，領土拡張[侵略]主義；(英) 大英帝国主義 ‖ cultural *imperialism* 文化拡張主義政策.

im·pe·ri·al·ist /impíəriəlist/ 名 Ⓒ 帝国[帝政]主義者；（英）大英帝国主義者．——形 帝国主義(者)の，皇帝支持(者)の．

im·pe·ri·al·is·tic /impìəriəlístik/ 形 帝国主義(者)の，帝政主義の．

†**im·per·il** /impérl, -íl/ 動（過去・過分）**~ed** or（英）**~-per·illed**/-d/；**~-ing** or (英) **~-il·ling** ⦿《正式》〈人・物〉を危険にさらす，危うくする(endanger).

im·pér·il·ment 名 Ⓤ 危険なこと[行為，状態]．

†**im·pe·ri·ous** /impíəriəs/ 形《正式》**1** 傲(ご)慢な，命令的な．**2** 緊急の；重大な．**im·pé·ri·ous·ly** 副 横柄に．**im·pé·ri·ous·ness** 名 Ⓤ 横柄さ；緊急性．

im·per·ma·nent /impə́ːrmənənt/ 形《正式》永久[永続]的でない；一時的な，はかない．

im·per·me·a·ble /impə́ːrmiəbl/ 形《正式》しみとおらない，[…に]不浸透性の(by, to).

†**im·per·son·al** /impə́ːrsənl/ 形 **1** 個人に関係のない，非個人的な，個人の感情を含めない，一般的な(↔ personal) ‖ a formal and *impersonal* letter 形式的で個人的感情を含まない手紙．**2**〈物が〉人格を持たない ‖ an *impersonal* deity 非人格的な神．**3**〔文法〕非人称の．——名 Ⓒ〔文法〕非人称動詞[代名詞]．

impérsonal fòrces 非人間的な力《自然力・運命など》.

impérsonal pronóun〔文法〕非人称代名詞《It rains. の it など》．

im·pér·son·al·ly 副 非個人的に，非人称的に，非人称動詞[代名詞]として．

im·per·son·ate /impə́ːrsənèit/ 形 -at/動⦿**1**〈人〉をまねる，〈人〉に扮(ふん)する，…の役を演じる．**2**《正式》〈物〉を体現[具現]する；擬人化[人格化]する(personify)．——形 具現化された，人格化された．

im·per·son·a·tion /impə̀ːrsənéiʃən/ 名 Ⓤ Ⓒ (他人の)まね，声色；人格化；具現，典型；《俳優の》扮装法；演出．

im·per·son·a·tor /impə́ːrsənèitər/ 名 Ⓒ 扮装する人，役者；声色使い．

†**im·per·ti·nence, ~-nen·cy** /impə́ːrtənəns(i)/ 名《正式》**1** Ⓤ 出しゃばること，無礼，生意気．**2** Ⓒ 見当違いの(行為)，不適当．**3** Ⓒ 無礼な人．

†**im·per·ti·nent** /impə́ːrtənənt/ 形《正式》**1**〈年長者などに対して〉生意気な，無礼な(rude) [to]．**2**〈…に〉無関係な，場違いの，不適当な[to] (↔ pertinent) ‖ *impertinent to* the purpose 目的に不適当な．**im·pér·ti·nent·ly** 副 無礼にも．

im·per·turb·a·ble /impərtə́ːrbəbl/ 形《正式》動揺しない，冷静な．

†**im·per·vi·ous** /impə́ːrviəs/ 形《正式》**1**〈水・空気などを〉通さない，不浸透性の[to]．**2**〈人・心などが〉［…を〕受けつけない，[…に]無感覚な，影響されない，鈍感な，動じない[to].

im·pet·u·os·i·ty /impètʃuásəti,-pètjuɔ́s-/ 名 Ⓤ《正式》激烈，猛烈；せっかち；Ⓒ せっかちな行動．

†**im·pet·u·ous** /impétʃuəs, (英) -pétju-/ 形 **1**〈人が〉性急な，衝動的な(hasty)．**2**〈詩〉〈風などが〉激しい．**im·pét·u·ous·ly** 副 性急に，猛烈に．

†**im·pe·tus** /ímpətəs/ 名 **1** Ⓤ Ⓒ《正式》（物を動かす）力，起動力；勢い，力；[…に対する/…する]刺激，押し進める力(stimulus) [to / to do]．**2** Ⓒ〔機械〕運動量．

im·pi·e·ty /impáiəti/ 名《正式》Ⓤ 不信心；親不孝 (↔ piety)；Ⓒ［しばしば impieties］不信心[不敬]な行為[言葉].

†**im·pinge** /impíndʒ/ 動⦿《正式》**1**〈光・波などが〉〈目・岩などに〉当たる，［…に〕衝突する；［…に〕印象[影響]を与える(on, upon, against) ‖ The price rise *impinged on* [*upon*] our daily life. 物価の高騰が我々の日常生活に影響を与えた．**2**〔自由・権利を〕

侵害する, 犯す, 破る〔*on*, *upon*〕.
im·pinge·ment 名 U 衝突, 侵犯.

†**im·pi·ous** /ímpiəs, impáiəs/ 形《正式》不信心な; 不敬な, 無礼な(↔ pious).
ím·pi·ous·ly 副 不信心に.

imp·ish /ímpiʃ/ 形《正式》小鬼のような, 腕白な, いたずらな.

†**im·pla·ca·ble** /implǽkəbl, -pléikə-/ 形《正式》なだめにくい, 執念深い; 容赦のない.
im·plác·a·bly 副 執念深く, 容赦なく.

im·plant /implǽnt | -plɑ́ːnt/ 動 他 **1**《正式》〈思想などを〉〔体・心に〕植えつける, 教え込む〔*in*, *into*〕‖ *implant* the horrors of war in the minds of children 子供たちの心に戦争の悲惨さを刻み込む. **2** 〈物を〉〔…に〕しっかりはめ込む, 〈皮膚・臓器などを〉移植する〔*in*〕.

im·plau·si·ble /implɔ́ːzəbl/ 形 信じがたい, 怪しい.

†**im·ple·ment** 名 ímpləmənt; 動 -mènt/ 名 C **1** しばしば ~s; 複合語で 道具, 用具, 器具《◆ tool より堅い語》; 〔~s〕家具一式‖ fárming *implements* 農具 / a writing *implement* 筆記用具. **2**《正式》手段, 方法.
——動 他 **1**《正式》〈約束・計画などを〉実行する, 履行する(carry out)‖ We are ready to *implement* our plan. 私たちは計画を実行に移す準備ができている. **2**〈要求・条件・不足など〉を満たす(satisfy). **3** …に道具[手段]を提供する.

im·ple·men·ta·tion /ìmpləməntéiʃən/ 名 U 履行, 実行, 実施.

im·pli·cate /ímplikèit/ 動 他《正式》〈人を〉〔犯罪・汚職などに〕巻き込む; 〈人を〉〔…に〕連座させる〔*in*, *with*〕.

†**im·pli·ca·tion** /ìmplikéiʃən/ 名《正式》**1** U C 〔…という〕含蓄, 包含; ほのめかし, 暗示するもの(suggestion)〔*that* 節〕‖ by (way of) *implication* それとなく, 暗に / I can't see the *implications* of what he says. 彼の言っていることの含みが私にはわからない. **2** U 〔犯罪などに〕巻き込むこと[まれる]こと, かかわり合い, 連座〔*in*〕; 〔通例 ~s〕〔…に対する〕密接な関係, 影響, (予想される)結果〔*for*〕‖ His appointment will have broad *implications* for the future Japan-US relations. 彼の就任は将来の日米関係に幅広い影響をもつであろう.

†**im·plic·it** /implísit/ 形《正式》**1**〈信念・服従などが〉絶対的な, 信じて疑わない; 盲目的な. **2**〈同意・容認などが〉暗黙の, それとなしの;〔…に/…を通して〕暗に含まれた(↔ explicit)〔*in*/*throughout*〕.

im·plíc·it·ly 副 (発音された言語表現以外に)暗示的に, 暗に, それとなく; 疑うことなしに.

†**im·plore** /implɔ́ːr/ 動 他《正式》〈人が〉〈援助・慈悲などを〉(必死で)懇願する, 嘆願[哀願]する(ask earnestly);〈人が〉〈人に〉〔援助・慈悲などを/…するように〕懇願する(beg)〔*for* / *to* do〕;「…」と嘆願する‖ She *implored* his forgiveness. =She *implored* him for forgiveness. =She *implored* him to forgive her. 彼女は彼の許しを請うた / I *implore* you 「to take heed [to be cautious]. お気をつけて下さいますよう / *implore* a judge for mercy 裁判官に慈悲を請う / *implore* him not to go 彼に行かないようにと懇願する. ——自〔…を〕懇願する〔*for*〕.

im·plor·ing·ly /implɔ́ːriŋli/ 副 嘆願して, 哀願的に.

***im·ply** /implái/〖中に(im)保持する(ply). cf. apply〗派 implication (名)
——動 (-plies/-z/; 過去・過分 -plied/-d/; ~ing)
——他 **1**〈人が〉…を〔…の中に/…によって〕ほのめかす〔*in*/*by*〕;〔…であると暗示する(*that* 節)‖ Are you *implying* that I am not honest? あなたは私が誠実でないとおっしゃるのですか《◆ Do you mean to say that ...? よりも弱い詰問》/〈対話〉"Why don't you order a salad instead of French fries?" "Are you *implying* that I need to lose weight?" 「フライドポテトでなくサラダを注文したらどう」「やせる必要があると言いたいの」. **2**〈沈黙・質問などが〉〈事〉を**暗に意味する**; …を当然伴う; [imply *that* 節] …ということを含意[含蓄]する‖ His smile *implied* consent [that he had forgiven me]. 彼の微笑は同意を[彼が私を許したことを]示していた / Movement *implies* energy. 運動にはエネルギーが必要である.

im·po·lite /ìmpəláit/ 形《正式》(社交上)不作法な, 無礼な(rude), 〔…に対して〕失礼な, ぶしつけな〔*to*〕(↔ polite)‖ He is *impolite* to her. 彼は彼女に失礼な言動をとる / *It is impolite of* [ˣfor] her *to* interrupt the conversation of grown-ups. =She is *impolite* to interrupt … 大人の話に口出しするなんて彼女は失礼だよ(➡文法 17.5).

im·po·líte·ly 副 無作法に.

im·po·líte·ness 名 U 無作法, 無礼.

***im·port** /動 impɔ́ːrt; 名 -/〖中へ(im)運ぶ(port). cf. transport〗派 importation (名)
——動 (~s/-pɔ́ːrts/; 過去・過分 ~ed/-id/; ~ing)
——他 **1**〈人が〉…を〔…から〕**輸入する**(↔ export); …を〔…に〕持ち込む, 移入[導入]する〔*into*〕‖ Japan *imports* a lot of wine *from* France. 日本はフランスからワインをたくさん輸入している / She drives an *imported* car. 彼女は外車を運転しています(→ foreign car). **2**〔コンピュータ〕〈情報〉を〔…から/…へ〕とり込む, インポート[転送]する〔*from*/*into*〕.
——名 /ímpɔːrt/ (複 ~s/-pɔːrts/) **1** U 輸入(importation); 輸入業; C 〔通例 ~s〕〔…からの/…の〕**輸入品**, 輸入額〔*from*/*into*〕(↔ exports)‖ the *import* of cotton from India インドからの綿の輸入 / food *imports* into Japan from abroad 外国から日本への輸入食品. **2** U《正式》〔通例 the ~〕趣旨, (含意もふくめた)意味(meaning)‖ the *import* of a remark 寸評の意味. **3** U《正式》(相対的な)重要(性)(importance)‖ a matter of no *import* つまらぬ事柄 / an illness of serious *import* 重病. **4**〔形容詞的に〕輸入の, 輸入に関する‖ an ímpórt táx [lícense] 輸入税[許可(書)].

im·port·a·ble /impɔ́ːrtəbl/ 形 輸入されうる[可能な].

***im·por·tance** /impɔ́ːrtəns/〖→ important〗
——名 U **1**〔時に an ~〕〔…にとっての/…のための〕**重要性**, 重大さ〔*to*/*for*〕‖ the *importance* of their home environment to children 子供にとっての家族環境の重要性《◆Their home environment is important to children. の名詞句表現》/ the *importance* of promoting the welfare of senior citizens 高齢の市民のための福祉向上の重要性‖ It is *of no importance* what he says. 彼が何を言っても問題ではない(=It does not matter what ...)《◆ *of importance* は important より堅い表現》/ The issues *are of great importance* to the nation. その問題は国にとって極めて重要である / attach [give] an exaggerated *importance* to it = sèt [pùt] an exaggerated *impórtance on* it それを過大視する.

important 780 **impossible**

語法 importance の修飾語: no, little, much, great, some, major, considerable, decided, enormous, immeasurable, critical など.

類語 importance は「重要性」を示す最も一般的な語, consequence は「結果の重大性」, significance は「特別な意味や価値としての重要性」.

2 重要な地位[立場](にあること), 貫禄(%), 重々しさ ‖ a man of *importance* 有力者(=an important man). **3** 尊大さ, もったいぶること ‖ hàve an áir of *impórtance* えらそうな態度をとる / be full of one's own *importance* うぬぼれている, 自信過剰だ（◆ **2** の意にも解せる）.

*im·por·tant /impɔ́:rtənt/ 〖中へ(im)運ぶ(port)程の(ant). cf. deport〗派 importance (名)

—形 **1** 〈物・事が〉[…にとって]**重要な**, 大切な; 価値のある, 評価の高い; 重大な影響をもつ〔*to, for*〕《◆対象・方向には *to*, 目的の観念が加わると *for*〕類語 considerable, momentous, significant, weighty) (↔ unimportant) ‖ a very *important* person 要人(略) VIP) / *important* books 注目に値する本 / His cooperation is very *important to* me〔*for* the plan, *for* all of us〕. 彼の協力が私〔その計画, 我々みんな〕には非常に大事なことだ / It is *important* for him *to* get the job. =It is *important* that he gets〔(*should*) get, ˣwill get〕the job. 彼が職を得ることは重要なことだ.

語法 (1) should を用いるのは(主に英) (→文法 9.3). 直説法で gets とすることもある.
(2) 次の表現も可能: It is *important* to him that he gets the job. = Getting the job is *important* for〔to〕him. 《◆ ˣHe is *important* to get the job. は不可》.
(3) *important* を強調する副詞; critically, enormously, especially, extraordinarily, extremely, hugely, immensely, incredibly, particularly, pretty, profoundly, really, terribly, tremendously, very など.

2 〈人・地位・肩書などが〉**有力な**, 地位の高い ‖ cultivate the *important* people お偉(%)方に交際を求める.
3 尊大な, 横柄な ‖ an *important* busybody えらそうなおせっかいやき / She has an *important* air about her. 彼女にはばった様子がある(=There is something *important* about her.). **4** (略式)〔比較級・最上級で文全体を修飾する語として文副・文中で〕より[最も]重要なことには ‖ 'More *important*〔Most *important* (of all)〕(⤒), he knows the secret. より[最も]重要なのは彼が秘密を知っていることだ（◆ *What is more* [*most*] *important* is *that* ... の短縮形》.

móst impórtant (of àll) → 4.
(what is) mòre impórtant 〔文全体を修飾〕さらに重要なことには(◆ *what is more* ともいう) (→ what **2 d** 用例).
†**im·por·tant·ly** /impɔ́:rtəntli/ 副 **1** 重大に; もったいぶって. **2** 〔文全体を修飾〕〔しばしば more [most] ~〕さらに[最も]重要なことには(cf. *important* 4).
†**im·por·ta·tion** /impɔːrtéiʃən/ 名 (↔ exportation) **1** Ⓤ 輸入; 輸入業. **2** Ⓒ 輸入品; 移入された物[事].
im·port·er /impɔ́:rtər/ 名 Ⓒ 輸入業者《◆会社はふつう ~s〉; 輸入国 (↔ exporter).
im·por·tu·nate /impɔ́:rtʃənət, -tjuː-/ 形 《正式》 **1** 〔要求などの点で〕しつこい〔*in*〕; 〔…を〕せがんで〔*for*〕. **2** 急を要する, 差し迫った.
im·pór·tu·nate·ly 副 しつこく.
im·por·tune /ìmpərtj(j)ú:n, -pɔ:r-, (英) -pɔ́:rtjuːn/ 動 他 《正式》 **1** 〈人・に〉〔…に〕うるさくせがむ〔*for*〕, 〈人に〉〔…に〕しつこく頼む〔*to do*〕. **2** 〈人を〉〔…で〕うるさがらせる, 悩ます〔*with*〕. **im·por·tú·ni·ty** 名 Ⓤ Ⓒ しつこさ; しつこい要求.

†**im·pose** /impóuz/ 動 《正式》 他 **1** 〈人が〉〈人・物に〉〈義務・仕事・罰金・税などを〉課す, 負わす 〔*place*〕〔*on, upon*〕‖ The government has *imposed* a new tax *on* wine. 政府はワインに新しく税を課した. **2** 〈人が〉〈人に〉〈意見・権威・信条・条件などを〉押しつける (force)〔*on, upon*〕‖ *impose* oneself〔*upon* others〕でしゃばる / He *imposed* his idea *on* me. 彼は私に自分の考えを押しつけた. **3** 〈人に〉〈粗悪品などを〉(だまして)つかませる〔*on, upon*〕‖ *impose* a counterfeit note〔bill〕*on* the clerk 店員ににせ札をつかませる. — 自 **1** 〈人が〉〈人・親切などに〉つけこむ, 甘える; 〈人を〉だます(take unfair advantage of)〔*on, upon*〕《◆受身可》‖ *impose on* his good nature 彼の善良さにつけこむ / You have been *imposed upon*. 君はだまされているんだ. **2** 〈人を〉威圧する〔*on, upon*〕.

†**im·pos·ing** /impóuziŋ/ 形 《正式》 堂々とした, 壮大な, 印象的な(impressive).
im·pós·ing·ly 副 堂々として.

†**im·po·si·tion** /ìmpəzíʃən/ 名 《正式》 **1** Ⓤ〔…を…に〕(税・重荷などを)課すこと, 課税, 押しつけ 〔*of* ; *on, upon*〕. **2** Ⓒ 賦課物, 税金, 負担(burden);〔英〕(生徒に課す)罰課題. **3** Ⓒ〔善意などに〕つけこむこと〔*on, upon*〕. **4** Ⓒ ぺてん, だますこと.

†**im·pos·si·bil·i·ty** /impɑ̀səbíləti, -pɔ̀s-/ 名 Ⓤ 不可能(性); Ⓒ 不可能な事柄, 起こり[あり]得ない事柄.

*****im·pos·si·ble** /impɑ́səbl, -pɔ́sə-/ 〖可能で(possible)ない(im)〗派 impossibility (名)
— 形 **1** 〈計画・仕事などが〉(実行)**不可能な**;〔…することが〕できない, むりな〔*to do*〕《◆比較変化しない》‖ an *impossible* mission to execute =a mission (that is) *impossible* 「of execution〔to execute〕実行不可能な使命(=an impracticable mission) / Her handwriting is *impossible* (for me) to read. = 「It is *impossible* (for me)〔ˣI am *impossible*〕*to* read her handwriting. 彼女の字は(私には)読めない(=I'm unable to read her handwriting.).

語法 (1) 🔲 人を主語にはしない: ˣHe is *impossible* to do it. の It is *impossible* for him to do it. か, He is unable to do it. を用いる.
(2) *impossible* に続く to 不定詞には受動態が使えないので ˣThe job was impossible to be done. は不可. It was *impossible* to do the job. や The job could not be done. を代わりに用いる.
(3) ˣIt is *impossible* that I do the job. (その仕事をするのは不可能だ)のように文節はとらない. ただし, **2** の意味では可. → possible 形 **1** 語法.

2 〈話などが〉とてもあり得ない, 問題にならない; 矛盾

る；[俗用的に]［…であるとは]信じがたい, 容易でない, 不都合な(*that*節) ‖ It is *impossible* for him to still be alive. 彼がまだ生きているなどあり得ないことだ.
3(略式)〈人・物・状況などが〉我慢のならない(unacceptable), 不愉快な(unpleasant)；ひどく変わった ‖ an *impossible* suggestion どうしようもない提案／「His behavior [He] is quite *impossible*. 彼の行動[彼]には我慢ならない.
4[the ～; 単数形で] 不可能なこと, 不可能に思えること ‖ demand [attempt, do, ask for] *the impossible* 不可能なことを要求する[試みる, する, 求める].
im·pos·si·bly /impásəbli | -pɔ́sə-/ 副 [形容詞･副詞の前で]ありそうになく；途方もなく《◆ 動詞を修飾できない》‖ *impossibly* difficult 極端に困難な.
im·post /ímpoust/ 图 ⓒ(正式)賦課(ఉ)金, 税；関税(tax).
†**im·pos·tor, (米) --post·er** /impɑ́stər | -pɔ́s-/ 图 ⓒ **1** 他人の名をかたる人, (氏名･身分の)詐称者. **2** ぺてん師, いかさま師.
im·pos·ture /impɑ́stʃər | -pɔ́s-/ 图 Ⓤ Ⓒ (正式)(特に身分詐称による)詐欺(行為), ぺてん.
im·po·tence, -ten·cy /ímpət(ə)ns(i)/ 图 Ⓤ **1** (正式)無力, 無能；無気力, 虚弱. **2** (男の)性的不能, インポテンツ.
†**im·po·tent** /ímpət(ə)nt/ 形 **1** (正式)無気力な(helpless), [⋯することが]できない〔*to do* / *in doing*〕(↔ able, capable), 虚弱な(weak) ‖ shake one's fists in *impotent* rage くやしような怒りにかられてこぶしを振る. **2**(特に男が)性的不能の, インポテンツの. —— 图 Ⓒ 虚弱者；性的不能者.
ím·po·tent·ly 副 無気力に.
im·pound /impáund/ 動 他 (正式) **1** 〈迷い出た家畜〉を(職務上の権限によって)囲いに収容する；〈物〉を囲い込む；〈水〉を蓄える. **2**〈物･書類など〉を(法的に一時的に)押収[没収]する.
†**im·pov·er·ish** /impɑ́vəriʃ | -pɔ́v-/ 動 他 (正式) **1**〈人〉を貧乏にする ‖ He was *impoverished* by his betting habits. 彼は賭博(ⓐ)癖がために貧乏になった. **2** ⋯を低下させる, 貧弱にする, ⋯から[⋯を]奪って衰えさせる(diminish)〔*of*〕‖ Overcultivation has *impoverished* the soil. 過剰栽培のため土地がやせてしまった. **3** ⋯の興味を奪う, ⋯を退屈させる.
im·pov·er·ished 形 **1** (実験条件下で)外部刺激がない(↔ enriched). **2** 非常に貧しい.
im·póv·er·ish·ment 图 Ⓤ 貧窮, 疲弊；低下.
im·prac·ti·ca·bil·i·ty /impræktikəbíləti/ 图 Ⓤ 実行不可能(なこと)；手に負えないこと.
†**im·prac·ti·ca·ble** /impræktikəbl/ 形 **1**〈計画などが〉実行不可能な(↔ practicable) ‖ an *impracticable* plan 実行不可能な計画. **2**〈道路が〉通行できない,〈物が〉使用に適さない. **im·prác·ti·ca·bly** 副 実行できないほどに, 非実用的で.
†**im·prac·ti·cal** /impræktikl/ 形 **1** 実際[実用]的でない, 非現実的な, 常識のはずれた(↔ practical) ‖ an *impractical* person 実際的能力のない人. **2** 実行できない(impracticable). **im·prác·ti·cal·ly** 副 非実際的に.
im·prac·ti·cal·i·ty /impræktikǽləti/ 图 Ⓤ 非実用性；Ⓒ 実行不可能なこと[物].
im·pre·ca·tion /imprəkéiʃən/ 图 Ⓤ (正式)のろい(↔ 「のろいの言葉」).
im·pre·cise /imprəsáis/ 形 (正式)不正確な, あいまいな(↔ precise).
†**im·preg·na·ble** /imprégnəbl/ 形 **1** 難攻不落の, 堅固な；動じない. **2**〈卵が〉受精[受胎]可能な.
im·prég·na·bly 副 堅固に.
†**im·preg·nate** /imprégneit/ ⁻⁻/ 動 他 **1**(正式)⋯を妊娠[受胎]させる(make pregnant)；(生物)⋯に受精させる ‖ be *impregnated* 妊娠している. **2 a** ⋯に[⋯を]しみ込ませる, 充満[飽和]させる, 混ぜる(fill)〔*with*〕‖ *impregnate* a handkerchief *with* perfume ハンカチに香水をしみ込ませる. **b**〈人･心〉に[思想･感情などを]吹き込む, 植えつける, 印象づける(plant)〔*with*〕. **3**〈液体など〉を〔物に〕しみ込ませる(soak)〔*into*〕.
im·preg·na·tion /imprégnéiʃən/ 图 Ⓤ **1** 受胎, 受精. **2** 充満, 飽和；注入, 鼓吹(ⓐ), 吹き込むこと.
im·pre·sa·ri·o /imprəsɑ́ːriòu, (米+)-sέər-/[イタリア] 图 (複)～s, --sa·ri/-sɑ̀ːri/ Ⓒ **1**(歌劇･音楽会などの)興行主,(特に歌劇団などの)団長(manager). **2** 監督, 指揮者；プロデューサー.
*****im·press** /動 imprés; 图 ⁻⁻/ ⌈上に(im)押す(press)⌉; impression (名), impressive (形)
—— 動 (～·es/-iz/; 過去･過分 ～ed/-t/; ～·ing) —— 他
I [人の心に押しつける]
1〈人･物･事が〉〈人〉に**感銘を与える**, 賞賛の気持ちを起こさせる；[be ～ed]〈人が〉[⋯で／⋯ということに]感動[感心]する〔*with, by* / *that*節〕《◆ 進行形不可》‖ He *was* well [very, most] *impressed* by her earnestness. 彼は彼女の熱心さにずいぶん[とても, 最も]感銘を受けた／His courage *impressed* me *into* trusting him. 彼の勇気に感心して私は彼を信頼した(→ 文法23.1)／I *was impressed that* my teacher recognized me. 恩師が私を覚えてくれていたことに感動した.
2 a(正式)[impress **A** as **C**]〈人･物が〉**A**〈人〉に**C**(である)という(ふつう好ましい)印象を与える ‖ John *impressed* her *as* 「a very rude person [(being) very rude]. ジョンは非常に不作法(者)のように彼女には思えた.
b[impress **B** on [upon] **B**]〈人･事が〉**B**〈人･記憶〉に**A**〈事〉を印象づける《◆ 倒置されて *impress* on [upon] **B A** になることが多い》；[impress **B** with **A**]〈人･物･事が〉**B**〈人〉に**A**〈事〉を認識させる, 気づかせる ‖ *impress* him *with* the value of education = *impress* the value of education *on* him 彼に教育の価値を痛感させる《◆ 後者では the value of education が impress の目的語》／The scene *impressed* itself *on* [*in*] my memory. その場面は私の記憶に焼き付いた.
c[impress on **A** that節 [wh 節] **A**〈人〉に⋯ということを[⋯かを]気付かせる, わからせる《◆ that節･wh節が impress の目的語》‖ The teacher *impressed* on her students that drugs are dangerous. その先生は彼女の生徒に麻薬が危険であることをわからせた／He *impressed* on us how important education was. 教育がどれほど大切であるかを彼は私たちにわからせた.
II [物の上に押しつける]
3(正式)[impress **A** on [upon] **B** = impress **B** with **A**]〈人が〉**A**〈物〉を**B**〈物〉に押印myh；⋯を［⋯に］押し付ける(press)〔*into*〕‖ *impress* the mark *on* the cloth = *impress* the cloth *with* the mark 布にそのマークを押して付ける／*impress* a seal *into* [*on*] wax 印をろうに押す.
—— 图 /⁻⁻/ Ⓤ Ⓒ (正式) **1** 刻印[押印](すること). **2**［⋯の]痕跡(ⓐ), しるし(mark)；[性格などの]特徴〔*of*〕. **3**［⋯への]印象, 感銘；影響〔*upon*〕‖ He

made his strongest *impress upon* the country. 彼女はその国に最も強烈な印象を与えた.

*im･pres･sion /impréʃən/ 《→ impress》
——名 (複 ~s/-z/)
I [人の心に押し付けられたもの]
1 UC (…への; よい) 印象(*on*); 感動(する[を与える]こと) ‖ my first [immediate, initial] *impréssions of* [*on* reading, ˣabout] this book この本を読んだ私の第一印象 / general [overall] *impression* 全体的印象 / Her lecture màde [lèft, ˣgàve] *a dèep* [grèat] *impréssion on* the audience. 彼女の演説は聴衆に深い[大きな]感銘を与えた(=The audience was deeply impressed by her lecture).
2 U (活動･努力などの) (…への) 効果, 影響(*on, upon*) ‖ lèave [màke] nó [líttle] *impréssion on* … …に全然[ほとんど]影響を与えない.
3 C (…という) (漠然とした) 感じ, 気持ち; 考え(*of, that*) 節 ‖ My *impression* is that he is a good man. 彼はよい人だという感じがする / I hàd [gòt, was ùnder] the *impression* that they were brothers. 彼らは兄弟だという感じを私は受けた(◆ 実は兄弟でなかったという可能性が含まれる).
II [物の上に押し付けられたもの]
4 UC (正式) (…に) 押印[刻印] (すること); (押して作られた) (…への) 痕跡(こんせき), 印, 型(*of, on, in*) ‖ make [leave] *impressions* of our feet *in* [*on*] the snow 雪に我々の足跡をつける[残す] / the *impression* of a seal on wax ろうの上の押印.
5 C (印刷) (しばしば the/an ~) 印刷(物), (原版の)刷(す); 1回の印刷総部数(cf. edition, reprint) ‖ a first *impression* of 2,000 copies 2000部の初刷 / the third *impression* of the second edition 第2版第3刷.
III [その他]
6 C (芸人の) 物まね, 人まね ‖ do [give] an *impression* of the politician その政治家の物まねをする(=imitate the politician).

im･pres･sion･a･ble /impréʃənəbl/ 形 〈人･年齢などが〉感じやすい; 可塑(そ)性のある.

im･pres･sion･ism /impréʃənìzm/ 名 [しばしば I~] U (19世紀フランスに始まる絵画･文学･音楽などの)印象主義, 印象派.

im･pres･sion･ist /impréʃənist/ [しばしば I~] 形名 C 印象派の(画家, 音楽家, 作家など).

*im･pres･sive /imprésiv/ 《→ impress》
——形 [他動詞的に] 〈儀式･説教などが〉(…のために)強い[よい]印象を与える, 印象的な, 感銘を与える; 荘厳, 堂々とした(*for*)(↔ unimpressive) ‖ an *impressive* and beautiful cathedral 荘厳で美しい大聖堂 / be *impressive for* the [its] immensity 広大さで人を圧倒する / That's *impressive*! すごい!
im･prés･sive･ly 副 印象的に.
im･prés･sive･ness 名 U 印象の深さ.

†im･print /名 ímprint; 動 -/ 《正式》 名 C **1** (ものに残された)印, 跡; 印影(mark); (…への)面影, 痕跡(こんせき); 印象(impression) (*on, upon*) ‖ the *imprint* of a foot 足跡(footprint) / the *imprint* of years of pain 長年の苦しみの跡. **2** (書物の)インプリント(洋書の扉ページの下[裏]にある発行社名･印刷者名･発行場所など); 奥付け.
——動 **1** …を(…に)押す, つける, 刻する(*on, upon*) ‖ *imprint* one's mark on the papers =*imprint* the papers *with* one's mark 書類に印を押す. **2** 〈物･事〉を(心･記憶に)刻み込む, 強く印象づける, 感銘づける(fix)(*on, upon, in*); 〈心〉に(考えなど)刻み込む(*with*).

im･print･ing 名 U 《心理》 すり込み, 刻印づけ《生後まもなく学習され, 定着する行動様式》.

†im･pris･on /imprízn/ 動 他 **1** 〈人〉を(…のかどで)投獄する[*for*] ‖ He was *imprisoned for* robbery. 彼は強盗のかどで投獄された. **2** 《広義》〈人〉を[…に]閉じ込める, 拘束する(*in*).

†im･pris･on･ment /imprízn mənt/ 名 U 投獄, 留置; 禁固刑; 監禁 ‖ life *imprisonment* 終身刑 / *imprisonment* at hard labor 懲役.

†im･prob･a･bil･i･ty /imprɑ̀bəbíləti/ -prɔ̀b-/ 名 UC 《正式》起こりそう[ありそう]にないこと, 本当らしくないこと (↔ probability).

†im･prob･a･ble /imprɑ́bəbl/ -prɔ́b-/ 形 起こりそう[ありそう]もない; 《正式》本当らしくない(↔ probable) ‖ Her consent is *improbable*. 彼女の同意なんて考えられない.

im･prob･a･bly /imprɑ́bəbli/ -prɔ́b-/ 副 ありそうもなく ‖ not *improbably* ことによると.

†im･promp･tu /imprɑ́mptjùː/ -prɔ́mp-/ 形副 即席の[に], 即興の[に], 用意なしの[に] ‖ màke an *imprómptu* spéech =speak *impromptu* 即席演説をやる. ——名 C 即興詩[曲]; 即興演説(演奏).

†im･prop･er /imprɑ́pər/ 形 **1** (場所･目的に)ふさわしくない(*to, for*), 〈礼儀などが〉(しきたりに合わず)不作法な(↔ proper) ‖ wear a dress *improper to* [*for*] the occasion その場所にふさわしくない服装をしている. **2** 〈言葉遣いなどが〉誤った, 妥当でない, 正しくない. **3** 不道徳な, みだらな ‖ There was no *improper* relationship between us. 私たちの関係は不道徳な関係ではなかった. **im･próp･er･ly** 副 不適当に, 誤って. **im･próp･er･ness** 名 U 不適当.

im･pro･pri･e･ty /imprəpráiəti/ 名 《正式》 **1** U 不適当, 不穏当; 不正, 間違い(↔ propriety); (語句の)誤用. **2** C 不作法な言葉[行為]. **3** U みだらなこと.

im･prov･a･ble /imprúːvəbl/ 形 改善[利用]できる.

*im･prove /imprúːv/ 《利益(prove)をもたらす(im)》 派 improvement (名)
——動 (~s/-z/; 過去･過分 ~d/-d/; ~-prov･ing)
——他 〈人〉が(不足などを補って)〈物･事〉を改良する, 改善する, …を(…の点で)進歩[向上]させる(*in*) (◆ 動詞 better は「(欠陥のないものをさらによくする)こと」) (類語) ameliorate, upgrade, innovate, advance) ‖ *improve* one's sense of humor ユーモアのセンスをよくする / *improve* oneself in dressing 着付けが上達する / *improve* the design of the car 車のデザインを一層よくする / Try to *improve* your English. 英語が上達するように努力しなさい.
——自 〈人･商売･事態などが〉(…の点で)よくなる, 好転する, 改善される; 〈天気などが〉よくなる(*in*) ‖ Her health is *improving*. =She is *improving* in health. 彼女の健康は回復してきている / The patient will *improve* soon. 患者の容態はすぐによくなる.

impróve on [《正式》**upón**] **A** (追加･変更により) 〈本･方法など〉を(さらに)改良[改善]する; …よりすぐれたものを作り出す(◆ 受身可) ‖ This plan can hardly be *improved upon*. この計画以上にすぐれたものはまず作れない.

im･próv･er 名 C 改善[改良]する人; (食品改良)の添加物; 《英》(無給の)見習い職人.

に in が用いられることがある.この場合,動作よりも結果としての状態に重点がある.たとえば jump in the river は jump (into the river and be) in the river の圧縮表現と考えられる.

2 [着用・包装] **…を身につけて**, 着て, 履(は)いて, かぶって(wearing);…に包んで ‖ be dressed in rags [red] ぼろ[赤い服]をまとっている(=have rags [red] on) / a girl in a fur coat 毛皮のコートを着た少女(=a girl with a fur coat on) / wrap the gift in [with] wrapping paper 贈り物を紙で包む《◆with は材料を示すだけだが, in は包みこむという感じが強い》/ He was in his brown shoes. 彼は茶色の靴をはいていた / These clothes are éasy to wórk in. =It is easy to work in these clothes. この服は働きやすい(→文法 17.4).

|| 抽象的[範囲限定]

3 [環境・状態・状況・条件] **…の状態で**, …の中で[に], …して;…(の場合)には ‖ in the sun 日なたで / in ruins 廃墟となって(→ ruin 成句) / in difficulties 苦境に陥って / in debt 借金して / in a rage 怒って / in good health 健康で / in that case その場合には《under 《主に英》in] the circumstances こういう事情だから》/ The horse is in foal. その馬は子をはらんでいる.

4 [所属・従事・活動] **a…に従事して,…に所属して,…に参加して** ‖ **対話** "Have you been in the basketball club long?" "For two years." 「バスケットボール部にどれぐらい所属しているの」「2年間です」/ be in business 商売をしている / be in politics 政治家である,政治に携わっている / engage in trade 商売をしている / spend much time in reading 読書に多くの時間を使う《◆略式》では in を省くことが多い》/ I was in conversation with a friend. 私は友人と話をしていた / He is in the building [advertising] business. 彼は建設[広告]関係の仕事をしている.

使い分け **[in TV と on TV]**
in TV は「テレビ関係の仕事をしている」の意.
on TV は「テレビに出る」の意で用いる.
He is in TV. 彼はテレビ関係の仕事をしている.
He is on TV. 彼はテレビに出ている.

b […している]ときに, …して[doing] ‖ You should be careful in crossing the street. 道路を渡るときは注意しなさい(=You should be careful while (you are) crossing the street.)《◆in に対応する接続詞は while, on に対応するは when. → on 前 20》.

5 [時] **a** [期間] **…のうちに,…の間に** ‖ Hong Kong was restored to China in 1997. ホンコン(香港)は1997年に中国に返還された / in [during] spring 春に / in one's youth 若いころ(=while one was [is] young) / in one's twenties 20代[の] / wake up in [during] the night 夜中に目覚める《◆ふつう in はある幅のある期間を, at は時の1点を示す. したがって夜を時点としてとらえると at night となる》/ I learned French in six weeks. 6週間でフランス語を身につけた / The population has doubled in the last five years. 人口は過去5年間に2倍に増加した.

b [経過] (今から)**…の後に,…たって**(↔ ago) ‖ I shall be back in [within] a few days. 2, 3日したら[以内に]帰って来ます(cf. after a few days.

→ after 前 1) / We'll meet (in) two months from now. 我々は2か月後に会う《◆in はしばしば省略. →文法 21.4(3)》.

使い分け **[in と after]**
時間の経過を表す「(今から)…の後に」の意では in.
after はある過去の時点から…後に」の意.
This job will be completed in [*after] a week. この仕事は1週間後に完成するでしょう.
I met Mary after [*in] a week. 私は(ある過去の時点から)1週間してメリーに会った.

c (主に米) **…の間のうちで**((主に英) for) ‖ the heaviest snow in (the past) 5 years 過去5年間で最大の大雪. **d** **…の過程で** ‖ in the transition to … …への移行中に.

6 [能力の範囲] **…(の範囲)に,…には** ‖ in [out of] one's sight 視界内[外]に / in my experience 私の経験では(=as far as my experience is concerned) / There is something in what you say. 君の言うことには一理ある.

7 [分野・限定] **…について,…に関して,…の点では,…において** ‖ in this respect この点に関して / **in my opinion** 私の考えでは / ten feet in length [height, depth, width] 長さ[高さ, 深さ, 幅]が10フィート / be weak in [at] Latin ラテン語に弱い / be blind in one eye 片目が見えない(→ of 前 4 c》/ a change in the weather 天気の変化 / an expert in international politics 国際政治の専門家 / He is lacking in courage. 彼は勇気に欠ける.

8 [割合・部類] **…のうち(の),…につき;…の中で** ‖ the longest river in the world 世界で最も長い川 / pay a tax of 10 p in the [*a] pound 1ポンドにつき10ペンスの税金を払う(→文法 16.2(3)) / One in ten will pass. 10人のうち1人は合格するだろう.

9 [手段・材料] **…を使って,…で;…に乗って** ‖ I sometimes feel sick when I go in a car. 車で行くとときどき気分が悪くなる / write **in ink** [pencil] インク[鉛筆]で書く《◆with を用いると write with ink [a pencil] となる》/ paint in oils 油絵の具で描く / a statue in bronze 青銅で作った像, 銅像 / speak in French フランス語で話す / in a low voice 低い声で.

10 [方法・様態] **…(のふう)に,…で** ‖ **in haste** 急いで(=hastily) / in secret ひそかに(=secretly) / in F major ヘ長調で / in this way こんなふうに / in a careless manner 不注意に(=carelessly) / write it in shorthand [longhand] それを速記で[ふつうの手書きで]書く / She cooks chicken (in) the way I like. 彼女は私の好みに合うように鶏肉を料理する.

11 [形状・配置・順序] **…をなして,…になって** ‖ The children go to school in groups. 子供たちは集団で登校している / **cut it in [into] two** それを2つに切る / wait in a queue 列を作って待つ / **対話** "How are the files arranged?" "In alphabetical order." 「資料はどういうふうに並んでいるのですか」「アルファベット順です」/ a novel in three parts 3部から成る小説.

12 [数量・単位] **…ほどに,…(単位)で** ‖ in large quantities 多量に / **in twos and threes** 2, 3の単位で;三々五々 / The eggs were packed in dozens. 卵はダース単位で包装された.

im·prove·ment /imprúːvmənt/ 《→ improve》 名 (複 ~s/-mənts/) **1** UC 〔…の点での〕改良(すること[される]こと), 改善; 進歩, 向上〔*in*〕 *improvement in* working conditions 労働条件の改善 / the *improvement of* [*in*] health 健康の増進.
2 C 〔…での〕改良点, 改善点, (米・ニュージーランド) 改良工事〔*in*〕; 〔…より〕改良された物[事, 人], 進歩[向上]したところ〔*on, over*〕《◆*on* は手を加えること, *over* はよりいっそうの改善・進歩を意味する》‖ *make* several *improvements on* [*in, to*] the house 家にいくつか手を加える / *make an improvement over* the previous sale 前回の売り上げ以上の成績をあげる / This second test is a great *improvement on* [*over*] the first. この2回目のテストは1回目に比べて大進歩だ.

im·prov·i·dence /imprάvədəns | -prɔ́v-/ 名 U (正式) 先見の明のないこと; 将来の備え心のなさ.

im·prov·i·dent /imprάvədənt | -prɔ́v-/ 形 (正式) **1** 先見の明のない, 無思慮な, 不用意な(↔ provident). **2** 将来の備え心のない, その日暮らしの.

im·próv·i·dent·ly 副 無思慮に.

im·pro·vi·sa·tion /ìmprὰvəzéiʃən, ìmprəvə- | ìmprəvai-, -prəvi-, -prəvəi-/ 名 U (正式) 即興で; 即席にやったもの, 即興詩[曲, 演奏].

†**im·pro·vise** /ímprəvὰiz/ 動 他 **1** 〈詩・曲などを即興で作る, …を即席で歌う[演奏する]. **2** 〈物・食事などを〉即席に作る, 間に合わせに作る.

ím·pro·vìs·er, ím·pro·vì·sor 名 C 即興詩人[演奏家].

im·pru·dence /imprúːdəns/ 名 (正式) U 軽率, 無分別, 無礼(thoughtlessness); C 軽率な[無分別な]行為 ‖ *hàve the impruence to* do 軽率にも…をする.

†**im·pru·dent** /imprúːdənt/ 形 (正式) 軽率な, 無分別な(↔ prudent)‖ It *was imprudent of* you *to* tell him the secret. 秘密を彼にしゃべるなんて軽率だったね. **im·prú·dent·ly** 副 軽率にも.

†**im·pu·dence** /ímpjudəns/ 名 U ずうずうしさ, 厚かましさ, 生意気; C 生意気な行為[言葉] ‖ *None of your impudence!* 生意気なことをするな[言うな]! / She *hàd* the *impudence to* ignore my proposal. 彼女は生意気にも私の提案を無視した.

†**im·pu·dent** /ímpjudənt/ 形 〔年上・目上の人に対して/…するとは〕ずうずうしい, 厚かましい; 生意気な〔*to* / *to* do〕《◆rude より堅い語》‖ an *impudent* suggestion ずうずうしい提案 / You *are impudent to* talk back to your teacher. =It *is impudent of* you *to* talk back to your teacher. 先生に口答えするなんて君は生意気だよ(**○**文法 17.5).
im·pú·dent·ly 副 ずうずうしく, 生意気に.

im·pugn /impjúːn/ 動 他 (正式) 〈議論などで〉〈人〉を攻撃する, 非難する; …を論駁(ばく)する, …に疑いをさしはさむ.

†**im·pulse** /ímpʌls/ 名 **1** UC 〔…したいという〕衝動〔*to* do〕; 〈心の〉はずみ, 出来心, 一時的感情; 欲求 ‖ *act on* (an [*the*]) *impulse* =act *by impulse* 衝動的な行動 / ùnder the *ímpulse* of curiosity 一時の好奇心にかられて / an *ímpulse bùyer* 衝動買いする人 / *ímpulse bùying* [pə́rchase] 衝動買い / *ímpulse* goods, an *impulse* buy は「衝動買いをした商品」》/ The pianist felt [was seized with] an uncountable [unexpected] *impulse* to play. そのピアニストは演奏したいと思う抑えがたい[予期せぬ]衝動にかられた. **2** C 〈波・ボールなどの〉推進力; 〔…する/…に対する〕(物理的な)衝撃, 刺激〔*to* / *to* do〕《◆*stimulus* がふつう》‖ the *impulse of* falling water 落下する水の勢い / a *impulse to* help the recovery of the Japanese economy after the war 戦後日本経済復興へのはずみ《◆*boost* の方が自然》.

im·pul·sion /impʌ́lʃən/ 名 **1** U 推進, 強制. **2** C 推進力; はずみ, 勢い. **3** C (正式) 〔…したい〕衝動; 衝撃, 刺激〔*to* do〕.

†**im·pul·sive** /impʌ́lsiv/ 形 **1** 〈人・行為などが〉衝動的な, 一時の感情による《◆ 必ずしも悪い意味ではない》. **2** 〈力が〉推進的な.
im·púl·sive·ly 副 衝動的に.

†**im·pu·ni·ty** /impjúːnəti/ 名 U (正式) 刑罰[損害]を受けないこと ‖ *with impunity* 罰を受けずに, 無事に (=without punishment).

†**im·pure** /impjúər/ 形 (正式) **1** 汚い, 汚れた, 不潔な (dirty). **2** 他のものの混じった, 不純な. **3** (古) (道徳的に)けがらわしい, みだらな.

†**im·pu·ri·ty** /impjúərəti/ 名 U (正式) 不潔, 不純; みだら, わいせつ(↔ purity)‖ She hates *impurity*. 彼女は不潔なものをひどく嫌う / She is 潔癖性だ. [通例 impurities] 不純物, 混じり物; みだらな行為.

im·pu·ta·tion /ìmpjətéiʃən | -pju:-/ 名 (正式) **1** U 〈人に〉〈罪などを〉着せること, 〈責めなどを〉負わすこと, 転嫁〔*to*〕. **2** C 非難, 汚名, 責め.

†**im·pute** /impjúːt/ 動 他 (正式) 〈人が〉〈罪・失敗など〉を(不当に)〔物・人の〕せいにする, …に負わす〔*to*〕.

☆**in** /前 in, (米+) ən/; 副 形 in/ (同音) △inn》 《「包囲・包含」が基本的意味》

index 前 **1** …の中に **2** …を身につけて **3** …の状態で **4** …に従事して **5 a** …のうちに **b** …の後に **9** …を使って **11** …をなして 副 **1** 中へ **2** 在宅して

——前

I 物理的(容器)
1 [場所] **a** [位置] …の中に, …の中で[の]; …において, …で ‖ *in* [*on*] (米) on the street 通りで / arrive *at* a town *in* Spain スペインのある町に着く《◆*at* は *in* で示された場所より狭い・小さい場所を表す. → *at* **3** 語法》/ sit *in* [*on*] a chair いすに座る《◆*in* は「深々と」の意. → sit 自 **1 a**》 / an island *in* [ˣ*on*] the Pacific 太平洋上の島 / the characters *in* the novel 小説の中の登場人物 / read it *in* [ˣ*on*] the newspaper それを新聞で読む《◆印刷物はふつう *in* を用いる》/ the stars *in* [*on*] the American flag 米国旗の星.
b [略式] [運動の方向] …の中に, …の中へ(into); …の方角へ ‖ *in* the east 東へ / *in* [ˣ*to*] that direction そちらの方向へ / A frog jumped *in* [*into*] the pond. カエルが池に飛び込んだ《◆*in* では「池の中でジャンプする」の意にもなる》/ gèt *ín* [*ínto*] a car 車に乗る / put one's hand *in* [*into*] one's pocket 手をポケットに入れる / She went *in* [*into*] the house. 彼女は家の中へ入って行った.

語法 [*in* と *into*]
in は「中に[で]」という位置を表し, ふつう運動の方向を示さないが, それ自身が運動・動作を表す dive, fall, jump, put, throw, thrust; break, cut, divide, fold などの動詞と共に用いると *into* の代わり

13 [同格関係] …という ‖ You have a good friend in me. 君にはぼくというよい友だちがある.
14 [状態・原因・理由] …のために, …として ‖ in self-defense 自己防衛のために / cry in [from, for] pain 苦痛で叫ぶ / say in conclusion 最後に一言する / She said nothing **in reply**. 彼女は返事として何も言わなかった.

in that ... [接続詞的に] …という点で, …のために(because) ‖ High income tax is not good **in that** it may discourage people from working harder. 高い所得税は人々の勤労意欲をそぐという点でよくない.

─**副**《◆比較変化しない》**1** [運動・方向] 中へ, 中に; 内へ[に] (↔ out) ‖ Gèt **ín**. (車に)乗りなさい《◆gèt in the cár の目的語が省略された表現. ⇒文法 18.7》/ Còme (òn) **ín**. お入り / a cup of tea with sugar in 砂糖を入れた紅茶 / They wènt **ín** to see him. 彼らは彼に会うために中へ入って行った.

> **語法** 目的語が省略されて in になる形には次の4通りがある: (1) get **in** (the car). (2) break **in** (to a house)《家に》押し入る. (3) get **in** ← get to the station (駅に)着く. (4) give **in** (to him)(彼に)降参する.

2 [位置] 家に, **在宅して**(at home), 出勤して ‖ stày **ín** for a day 1日中家にいる / Is he **ín**? 彼は(ご)在宅ですか.
3 〈乗物・手紙などが〉到着して;〈季節が〉来て;〈収穫が〉取り入れられて ‖ The train isn't **ín** yet. 列車はまだ着いていない. **4** 〈果物などが〉出盛りで;〈品物が〉売りに出されて;〈服装などが〉流行して ‖ Short skirts were [càme] **ín** last year. 昨年はショートスカートが流行した. **5** 〈政党が〉政権を握って;〈政治家が〉選ばれて, 役職について ‖ The Labour Party is **ín** now. 労働党が与党である. **6** [クリケット] 攻撃中で;〈テニス〉ライン内で ‖ Which side is **ín**? どちらのチームが攻撃中ですか. **7** 〈火が〉燃えて ‖ The fire is still **ín**. 火はまだ燃えている. **8** 〈潮などが〉満ちて,〈船が〉港に入って. **9** 〈書類などが〉処理中である, 未決の (↔ out **9**).

be ín at A 〖出来事の際に〗(at **前4**)その場にいて(in **副3**)…に加わっている, 出席している.
be ín for A (略式) (1) 〖悪い出来事に向かう〗(for **前2**)(状況の)中に(in **副3**)〈困難・悪天候などに〉間もなくあいそうである,〈ショックなどを〉受けることになる ‖ We are **ín for** ráin. 雨にあいそうだ(=It is going to rain.). (2) 〖競技などの〗(for **前2**)仲間内に入って(in **副2**)は〈競技などに〉参加することになっている ‖ I'm **in for** the 100 meters. 私は100メートル競走に出場することになっている.
be ín for it (略式) ひどいことになる, 罰を受けることになる.
be [gét] ín on A 〖計画や秘密に関して〗(on **前10 a**)仲間内に入って(in **副3**)いる《略式》…に参加する, 関係する;〈秘密などを〉知っている ‖ I was **in on** her plan. 彼女の計画に加わった.
be [còme, gèt] (wéll) ín with A 〖人と〗(with **前1**)仲間内に入って(in **副3**)いる《略式》〈人と〉(とても)親しい[親しくなる] ‖ He is **in with** the boss. 彼は上司ととても親しい.
háve (gót) it ín for A (略式) 〈人〉に復讐(ｼｭｳ)しようと思っている;…に悪意を持っている.
ín and óut (1) 〔…を〕出たり入ったりして〔of〕‖ She is constantly **in and out of** (the) hospital. 彼女は入退院を繰り返している. (2) すっかり, 完全に, 徹底的に(completely) (cf. inside out).
In with ... [命令文で] …を(中へ)入れよ(↔ outside) ‖ **In with** you! 入れ!

─**形**《◆比較変化しない》 [名詞の前で] **1** 中の, 内部の, 内[中]にいる ‖ an **ín** pátient 入院患者. **2** 入ってくる ‖ the **ín** tráin 到着列車. **3** 政権を握っている ‖ the **ín** párty 与党. **4** 《略式》流行の, はやりの, 人気のある ‖ It is the **ín** thíng to do. それは今はやりだ. **5** 《冗談などが》仲間だけにわかる.
─**名** C [~s] 与党議員;[the ~s] 与党(↔ outs).

the íns and (the) óuts (1) (道路などの)曲がり具合, うねり. (2)《略式》〔問題などの〕詳細, 一部始終〔of〕‖ know all the **ins and outs** of legal procedure(s) 訴訟手続の一部始終を知っている.

in thing =in-thing.
IN(略) 〖郵便〗Indiana.
in.(略)(複 **ins.**) inch(es).
in- /in-/《◆/n/の前では /i-/, /k/, /g/ の前では /iŋ-/》(語要素)→語要素一覧(1.7).
-in /-in/(語要素)→語要素一覧(2.2).

†in·a·bil·i·ty /ìnəbíləti/ 名 U [時に an ~] 無能, 無力,〔…することが〕できないこと〔to do〕(↔ ability)《◆ disability は特に「身体障害などによる無力」をいう》‖ I was surprised at her **inability** to do things promptly. 彼女が物事をてきぱきできないことに驚いた.

in·ac·ces·si·bil·i·ty /ìnæksèsəbíləti, -æk-/ 名 U 《正式》(場所が)近づきにくいこと,(物が)得がたいこと.
†in·ac·ces·si·ble /ìnæksésəbl, -æk-/ 形 **1** 《正式》〈場所などが〉〈人にとって〉近づきにくい,〈物が〉〈人にとって〉得がたい〔to〕(↔ accessible). **2**〈人が〉〔感情などを〕受けつけない〔to〕;〈人が〉近づきにくい, よそよそしい.
in·ac·cés·si·bly 副 近づきがたいほどに.

in·ac·cu·ra·cy /inækjərəsi/ 名 U 《正式》不正確, ずさん; C [しばしば inaccuracies] 間違い.
in·ac·cu·rate /inækjərət/ 形 《正式》不正確な, ずさんな (↔ accurate); 誤った.
in·ác·cu·rate·ly 副 不正確に.

in·ac·tion /inǽkʃən/ 名 U 何もしないこと; 怠惰.
†in·ac·tive /inǽktiv/ 形 《正式》**1** 活動的でない; 不活発な, 停止中の; 怠惰な; 運動不足の ‖ lead an **inactive** life because of illness 病気のため(動きまわらずに)安静にして暮らす / an **inactive** volcano 休火山. **2**《化学・物理》不活性の, 放射性のない.
in·ác·tive·ly 副 不活発に, 無為に.
in·ac·tiv·i·ty /ìnæktívəti/ 名 U 不活発, 無活動状態; 怠惰; 静止, 不景気.

in·ad·e·qua·cy /inǽdəkwəsi/ 名 U 《正式》[しばしば the ~; 時に an ~] 不適当, 不適切, 不十分; C [しばしば inadequacies] 不適当[不十分, 不備]な点 (↔ adequacy).

†in·ad·e·quate /inǽdəkwət/ 形 《正式》**1**〈人・物・事が〉〔…にとって〕(量・大きさ・能力などが)不十分な, 不十分な〔for〕,〔…するのに〕不十分な〔to do〕(↔ adequate). **2**〈人が〉〔…に〕不適格な〔to, for〕. ─ 名 C 社会的に不適格な人. **in·ád·e·quate·ly** 副 不十分に, 不適当で. **in·ád·e·quate·ness** 名 U 不適当であること.

in·ad·mis·si·ble /ìnədmísəbl/ 形 《正式》許せない; 認めがたい (↔ admissible). **in·ad·mis·si·bíl·i·ty** 名 U 許せないこと, 承認[容認]しがたいこと.

in·ad·vert·ent /ìnədvə́ːrtənt/ 形 **1**〈人・性格が〉不注意な, 軽率な; 怠慢な. **2**《正式》〈事がうっかりした,

in·ad·vért·ent·ly /-li/ 副 不注意に.
in·ad·vís·a·ble /ìnədváizəbl/ 形 《正式》勧められない, 不得策な, 賢明でない(unwise) (↔ advisable).
in·ad·vís·a·bly 副 愚かにも.
in·ad·vis·a·bíl·i·ty 名 U 不得策なこと.
in·ál·ien·a·ble /inéiljənəbl/ 形 《正式》譲渡[売却]できない, 奪うことのできない ‖ *inálienable* rights 不可譲の権利 《◆米国独立宣言中の句. 生命・自由・幸福の追求などの権利をさす》.
in·ane /inéin/ 形 (時に ~r, ~st) 《正式》1 意味のない, ばかげた. 2 空虚な, うつろな; [名詞的に; the ~] 空虚, 無限の空間. **in·áne·ly** 副 意味なく.
†**in·an·i·mate** /inǽnəmət/ 形 《正式》1 生命のない, 無生物の; 死んだ, 非情の《◆本来は無機物に用いるが, 植物に用いることもある》. 2 活気のない, 退屈な(dull). 3 〔文法〕無生の. **in·án·i·mate·ly** 副 不活発に.
in·án·i·mate·ness 名 U 生命のないこと, 無気力.
in·a·ni·tion /inəníʃən/ 名 U 《正式》1 栄養失調, 飢餓(hunger); 〔医学〕飢餓性衰弱. 2 空虚, (特に社会的・道徳的な)能力不足, 無気力.
in·an·i·ty /inǽnəti/ 名 U 《正式》無意味, 愚鈍; 空虚, むなしさ; C [しばしば inanities] 愚かな行為[言葉, 事柄].
in·ap·pli·ca·ble /inǽplikəbl | inəplí-/ 形 《正式》〔…に〕応用[適用]できない, 不適当な〔to〕.
in·ap·pro·pri·ate /ìnəpróupriət/ 形 《正式》〔…に/…するのに〕不適当な, 不適切な, ふさわしくない〔for, to / to do〕.
in·apt /inǽpt/ 形 《正式》〔…に〕不適当な〔for〕; 〔…が〕へたな, …の能力がない〔at, in〕 (↔ apt).
in·ap·ti·tude /inǽptit(j)ùːd/ 名 U 《正式》〔…への〕不適当, 不向き, 素質がないこと〔for〕. 2 不器用, へた, 不手際.
†**in·ar·tic·u·late** /ìnɑːrtíkjələt/ 形 《正式》1 〈言葉が〉はっきりしない〈発音が〉不明瞭な (↔ articulate). 2 〔興奮・苦痛などで〕口がきけない〔with〕;〈人が〉はっきりものが言えない. 3 〔解剖・動〕関節のない, 関節がはずれた. **in·ar·tíc·u·late·ly** 副 不明瞭に.
in·ar·tis·tic /ìnɑːrtístik/ 形 《正式》1〈人が〉芸術のわからぬ, 無趣味な. 2〈作品が〉非芸術的な, 美的でない.
†**in·as·much as** /ìnəzmʌ́tʃ əz/ 接 《文》1 …のために, だから《◆ because より弱い意味》. 2 (今はまれ) …である〔する〕限りは.
in·at·ten·tion /ìnəténʃən/ 名 U 《正式》〔…への〕不注意, 無頓(t)着, 怠慢〔to〕.
in·at·ten·tive /ìnəténtiv/ 形 1 不注意な, 無頓着な, 怠慢な. 2 無愛想な.
in·au·di·ble /inɔ́ːdəbl/ 形 《正式》聞こえない, 聞き取れない (↔ audible). **in·áu·di·bly** 副 聞こえないぐらいに.
in·au·gu·ral /inɔ́ːgjərəl, (米 +) -gə-/ 形 就任(式)の, 開会[開始]の, 落成の. ── C (米) (大統領の)就任演説 (inaugural address).
†**in·au·gu·rate** /inɔ́ːgjərèit, (米 +) -gə-/ 動 他《正式》1 [通例 be ~d]〈人が〉〔…に〕就任する〔as〕; …の就任式を行なう《◆(米)では特に大統領に用いる》. 2 (式を行なって)〈公共施設などを〉新たに開く, 〈施設等の〉開所式〔落成式〕を行なう. 3〈新方針などを〉新しく開く;〈新事業・政策などを〉正式に開始する(begin).
†**in·au·gu·ra·tion** /inɔ̀ːgjəréiʃən, (米 +) -gə-/ 名 1 U C = inauguration ceremony. 2 C (公共施設などの)開業, 開所, 落成;その式. 3 U (新時代の)開始.

inauguratión cèremony (大統領・学長などの)就任(式).
Inauguratión Dày (米) [the ~] 大統領就任式の日《選挙の翌年の1月20日. 1934年以前は3月4日》.
in·aus·pi·cious /ìnɔːspíʃəs/ 形 《正式》不吉な, 縁起の悪い; 不運な, 不幸な (↔ auspicious).
in-be·tween /ínbitwín/ 名 C (どっちつかずの)中間的な人; 仲介者. ── 形 副 中間の[に].
in·board /ínbɔ̀ːrd/ 形 船内の, 機内の; 船内発動機付の (↔ outboard). ── 副 船内に, 機内に.
in·born /ínbɔ̀ːrn/ 形〈能力などが〉生まれつきの, 生来の, 先天的な.
in·bred /ínbréd/ 形 生得の; 近親交配の, 同系交配の.
in·breed·ing /ínbrìːdiŋ/ 名 U 1 近親[同系]交配. 2 同系[同族, 縁故](者)優久 《◆大学の教授陣の構成などについてよくいう》.
in·built /ínbílt/ 形 作り付けの, はめこみの(built-in); 持って生まれた, 固有の.
†**Inc, Inc.** /iŋk/ 略 (米)incorporated.
inc (米) including ‖ 8 hours *inc* lunch 昼食を含む8時間.
inc. 略 inclosure; included; inclusive; income; incorporated; increase.
In·ca /íŋkə/ 名 1 C インカ人; [the ~s] インカ族. 2 [the ~] インカ国王《スペイン人が来る前のペルー国王の総称》.
In·ca·ic /iŋkéiik/ 形 =Incan.
†**in·cal·cu·la·ble** /inkǽlkjələbl/ 形 《正式》1 測り[数え]切れない (↔ calculable). 2 予想[予測]できない. 3 当てにならない, 気まぐれな.
in·cál·cu·la·bly 副 数え[測り]切れないほど.
In·can /íŋkən/ 形 インカ人の, インカ帝国[帝国, 語]の. ── 名 C = Inca. ‖ the *In·can* Empire インカ帝国《12世紀から1533年までペルーを中心に栄えた帝国》.
in·can·des·cence /ìnkəndésns | -kæn-/ 名 U 《正式》白熱(光).
†**in·can·des·cent** /ìnkəndésnt | -kæn-/ 形 《正式》白熱光を発する. 2 まばゆいほどの, 光り輝く. 3 熱烈な.
incandéscent lámp 白熱灯[電球].
in·can·dés·cent·ly 副 光り輝いて.
in·can·ta·tion /ìnkæntéiʃən/ 名 U C 1 《正式》呪文(党), まじない. 2 魔法, 魔術.
in·ca·pa·bil·i·ty /inkèipəbíləti/ 名 U 無能(力).
†**in·ca·pa·ble** /inkéipəbl/ 形 1 [be *incapable* of A (doing)] a〈人・物が〉〈事を〉する能力[力, 適性, 法的資格など]を欠いている, …することができない (↔ capable)《◆(1) 「ある特定の状況で…できない」では unable. (2) be *incapable* of being done は誤りではないが堅苦しい;〈人が〉(誠実で)〈悪事などが〉できない ‖ A baby *is incapable* of taking [×to take] care of itself. 赤ん坊は自分の世話をすることができない / a man (who) *is incapable* of being unkind to other people 他人に冷たくできない人. **b**〈物・事柄が〉改善などを受け入れることができない, …される余地がない ‖ be *incapable* of exact measurement 正確に寸法を測ることができない. 2〈人が〉無能[無力, 無資格]の, 身のまわりのことができない ‖ drunk and *incapable* 泥酔して(心神喪失の).
in·ca·pac·i·tate /ìnkəpǽsətèit/ 動 他《正式》〈病気・事故などが〉〈人から能力[健康など]を奪う,〈人に〉〔…を〕できなくさせる〔for, from〕; 〔法律〕〈人に〉〈…する〉資格[行為能力]を奪う, …を失格にさせる〔from〕 (↔ capacitate).
in·ca·pac·i·ty /ìnkəpǽsəti/ 名 U 《正式》[時に an

in·car·cer·ate /inkάːrsəreit/ 動《正式》〈人〉を投獄する; …を監禁する, 閉じ込める; …を取り囲む.

in·car·na·dine /inkάːrnədàin/《米》-din, -dìn/《詩》名 U 深紅色の.

in·car·nate 形 inkάːrnət, -neit; 動 inkάːrneit, -- /
形 **1**《正式》[通例名詞の後で]〈人・霊などが〉肉体をそなえた, 人間の姿をした. **2** 具現[具体]化された.
— 動 他《正式》〈…〉の化身となる[in, as] ‖ the devil *incarnated as* a serpent ヘビの姿をした悪魔. **2**〈計画などを〉具体化[実現]する.

in·car·na·tion /ìnkɑːrnéiʃən/ 名 **1** U C 肉体化人間化, 具体化; 権化, 化身. **2** C 前世. **3** [the I~]〔神学〕(神のキリストにおける)顕現, 托身(ぽ).

in·case /inkéis/ 動=encase.

in·cau·tious /inkɔ́ːʃəs/ 形《正式》不注意な.
in·cáu·tious·ly 副 不注意に.

in·cen·di·a·rism /inséndiərìzm/ 名 U **1** 放火, 火付け. **2** (暴動などの)扇動, 教唆.

in·cen·di·a·ry /inséndièri/ | -diəri/ 形 **1** 放火の, 焼夷(ʃɔう)性の. **2** 扇動的な; 扇情的な.

†**in·cense**[1] /ínsens/ 名 U **1** (宗教の儀式で用いる)香(ɔ̄), 香料. **2** 香のかおり[煙]; 芳香.

†**in·cen·tive** /inséntiv/ 名《正式》**1** U C 〔…への〕刺激[励み](となるもの[事]), 動機(to, for); [通例否定文で]〔…しようという〕気持ち[to do, to doing]《◆ She had *no incentive* to work after she was refused a promotion. 昇任が見送られて彼女には働く励みがなかった. **2** C (増産・増売などへの)報奨金[物]. — 形 刺激的な, 激励する, 鼓舞する ‖ *incentive* wages 能率給.

in·cep·tion /insépʃən/ 名 U C《正式》[通例 the ~] 初め, 発端 ‖ at *the inception* of ... …の初めにあたり.

†**in·ces·sant** /insésnt/ 形《正式》(ふつう悪いことが)絶え間のない, ひっきりなしの(continual)《◆特に悪いことが長い期間にわたって続く場合に用いる》‖ *incessant* noise 絶え間ない騒音. **in·cés·sant·ly** 副 絶え間なく. **in·cés·sant·ness** 名 U 絶え間ないこと.

in·cest /ínsest/ 名 U 近親相姦(ぞう)(罪), 乱倫.

in·ces·tu·ous /inséstʃuəs | -tju-/ 形 近親相姦の(罪を犯した).

inch /íntʃ/

— 名 (複 ~·es/-iz/) C **1 a** **インチ**《長さの単位で1 foot の12分の1(=2.54 cm). 略 in., 記号 ″》‖ five and a half *inches* =5′ ½″ 5インチ半 / Jane is five feet nine *inches* tall. ジェーンの身長は5フィート9インチだ. **b** 〔気象〕インチ《気圧の単位. 水銀柱1インチの圧力. 略 in. Hg》. **2** 〔略〕[an ~, 否定文・疑問文・条件文などで] わずかな長さ[数量, 程度] ‖ I couldn't trust her *an inch*. 彼女のことをこれっぽっちも信用できないね《◆ couldn't は仮定法過去.⇒文法 9.1》/ Give him *an inch* and he'll take a mile [yard]. → ell[1].

by ínches (1) 少しずつ(inch by inch) ‖ The glacier moves but *by inches*. その氷河はゆっくりではあるが動いている. (2)［しばしば miss, escape などと共に］かろうじて, すんでのことで ‖ The bullet missed her heart *by inches*. 弾丸は危うく彼女の心臓に当たるところだった.

évery ínch 《どのインチを取ってみても》どう見ても, あらゆる点で, 正真正銘の《◆身分・地位などを表す名詞の前に置く》; すみずみまで ‖ He is *every inch* a gentleman. 彼は完璧(ぺき)な紳士だ.

ínch by ínch =by INCHes (1).

nót búdge [***gíve, yíeld***] ***an ínch*** 〔…に関しては〕一歩も退かない, てこでも動かない〔on〕‖ She won't *budge an inch* no matter what anyone says. 彼女が何と言おうと彼女は自分の考えを変えないだろう.

to an ínch ‖ 1インチに至るまで(正確に). cf. to 前 **6**〕寸分たがわず.

— 動 他 …を少しずつ動かす(+*forward*); [~ one's way] 少しずつ苦労して進む.
— 自 少しずつ注意[苦労]して動く[進む].

in·cho·ate /inkóuət, -eit,《英》-ʃi-/ 形《正式》**1** 〈願望・計画などが〉始まったばかりの; 初期の. **2** 不完全な.

ínch·wòrm /íntʃwə̀ːrm/ 名 C 〔昆虫〕シャクトリムシ.

†**in·ci·dence** /ínsədns/ 名 U C **1** [通例 the/an ~] (病気などの)発生[出現](率, 範囲); 影響(の範囲・仕方) ‖ The *incidence* of AIDS in Japan is low. 日本でのエイズの発症率は低い / the increasing *incidence* of traffic accidents ますます増大する交通事故の発生(率). **2**〔物理〕投射[入射]角.

†**in·ci·dent** /ínsədnt/ 名 C **1**《正式》(付随的な)出来事; 偶発[付随]事件, 事件; (詩・劇・小説などの中の)挿話(ɔ̄ə) (類語 「災害」 は disaster, 「事故」 は accident, 「裁判で係争中の事件」 は case) (→ event **1**) ‖ the Watergate *incident* [*scandal*] ウォーターゲート事件 / *without* (further) *incident* 無事に. **2** (重大事象を招く)紛争, 紛争, 軍事衝突《◆ war, riot などの遠回し語》‖ a serious border *incident* 深刻な国境紛争.
— 形〔…に〕起こりがちな, 付随する; 依存する; 〔法律〕〔…に〕付随する〔to〕‖ hardships *incident to* human life 人間生活に伴う苦難. **2**〈光線が〉〔…に〕投射する〔on, upon〕.

†**in·ci·den·tal** /ìnsədéntl/ 形 **1**〔…に〕付随して起こる, 偶発の〔to〕; 〔…の〕後に続いて起こる〔on, upon〕‖ the worries (which are) *incidental to* parenthood 親にはつきものの気苦労. **2** 付随[二次]的な; 偶然の ‖ *incidéntal* expénses 雑費, 臨時費 / *incidéntal* músic to the play 劇の伴奏音楽.
— 名 C 付随的なもの[事柄]; [~s] 雑費.

†**in·ci·den·tal·ly** /ìnsədéntəli/ 副 **1** 付随的に; 偶然に. **2**［文全体を修飾; 通例文頭で］ところで, ついでながら(by the way)《◆話が脱線したときや前に述べたことに追加して言うときに用いる. by the way と同様, 重要な話題をあたかも大して重要でないかのごとく導入する》‖ *Incidentally*, I wonder if you could Xerox these notes. ついでながら, この記録をコピーしていただけないでしょうか / *Incidentally*(↘,[↗]), where were you this morning? ところで, けさどこにいたのかね.

in·cin·er·ate /insínərèit/ 動 他《正式》…を焼いて灰にする, 焼却する.

in·cín·er·à·tor 名 C (ごみなどの)焼却炉.

in·cip·i·ent /insípiənt/ 形《正式》(存在・出現の)始まりの; (病気などの)初期の.

in·cise /insáiz/ 動 他 …に切り込みを入れる, …に〔図柄などを〕刻む〔*with*〕.

in·ci·sion /insíʒən/ 名 U C 切り込み, 切り口; 〔医学〕切開.

in·ci·sive /insáisiv/ 形《正式》**1** 鋭利な, 〈知力が〉鋭敏な. **2**〈言葉などが〉的を射た, 痛烈な, 辛辣(ɔ̄ɔ)な.

in·ci·sor /insáizər/ 名 C 切歯, 門歯 (図 → tooth).

†**in·cite** /insáit/ 動 他《正式》 1〈人〉を励ます, 刺激する, 〈人〉を扇動[刺激]して〔…〕させる(agitate)〔to, to do〕‖ He *incited* them to rise against the mayor. 彼女は彼らを扇動して市長に対して反旗を翻(ひるがえ)させた. 2〈怒りなどを〉〈人(の心)に〉〔…の間に〕起こさせる〔in/among〕. **in·cíte·ment** 名UC 鼓舞, 刺激, 扇動;〔…の/…する〕誘因, 動機〔to / to do〕.

in·ci·vil·i·ty /ìnsəvíləti/ 名UC《正式》無礼, 不作法(な行為).

incl. 略 *inclosure*; *including*; *inclusive*(ly).

in·clem·en·cy /inklémənsi/ 名U《正式》(天候の)きびしさ, 荒天; 厳寒《◆暑さには用いない》.

in·clem·ent /inklémənt/ 形《正式》〈天候などが〉荒れ模様の; きびしい, 厳寒の.

in·clin·a·ble /inkláinəbl/ 形 1〈座席などが〉傾けられる;〔…の〕傾向がある〔to〕. 2〔…に〕好意的[有利]な〔to〕.

†**in·cli·na·tion** /ìnklənéiʃən/ 名 1 UC〔しばしば ~s〕〔…への〕好み, 愛好(liking)〔toward, for, to〕(↔ *disinclination*); 〔…したいという〕気持ち, 意向〔to do〕; 好みのもの ‖ *against* one's *inclination* 不本意ながら / *have a* stróng *inclinàtion toward* skating スケートにのめりこんでいる. 2 C《正式》〔通例 an/the ~〕〔…への〕傾向, 性向, 体質〔to, toward〕;〔…する〕性癖〔to do〕‖ *an inclination toward* fatness〔*to* grow〔*get*〕*fat*〕太るたち / *the boy's inclination to* mischief〔*telling a lie*〕その子のいたずら〔うそをつく〕癖. 3《正式》〔通例 an/the ~〕U 傾き, 傾斜(度), 勾配(こうばい), (slope); 傾ける[傾く]こと; 傾いた状態; 斜面 ‖ *the inclination of* a roof 屋根の傾き / *an inclination of* 30 degrees 30 度の傾斜.

*****in·cline** 動 inkláin; 名 ⌒, ⌒⌒/
—(~s/-z/; ~d/-d/; --clin·ing) 他《正式》
Ⅰ〔気持ちを傾ける〕
1〈人〉を〔…したい〕**気持ちにさせる**〔to do〕; 〈物・事が〉〈人〉の心を〔物・事に〕**向けさせる**〔to, toward〕《◆ふつう進行形不可》‖ I *am inclined* toward taking a walk. 散歩したいと思う(= I feel like taking a walk.) / She is very favorably *inclined toward* him. 彼女は私にとても好意的です / His letter *inclines* me to anxiety. 彼の手紙を読むと私は不安な気持ちになる / I fèel[am] *inclined* ˈto agrée[*toward* agreeing] with her. 彼女に賛成したい.
Ⅱ〔物を傾ける〕
2〈人が〉〈物〉を〔…に〕**傾ける**, 傾斜させる, 傾けて置く;〈体・頭など〉をかがめる, 曲げる(bend);〈文〉〈心など〉を〔…するように〕向ける〔to do〕‖ *incline* the ladder *against* the house はしごを家に立てかける / *incline* one's heart *to* keep the law 法律を守るように心がける.
—自《正式》
Ⅰ〔気持ちが傾く〕
1〈人の心が傾く, 〈人が〉〔…に〕気が向く〔to, toward, for〕;〔…したいと〕思う〔to do〕《◆ふつう進行形不可》‖ *incline to* (take) his advice 彼の忠告に従いたい / *incline toward* becoming a doctor 医者になりたい気がする.
Ⅱ〔物が傾く〕
2〈物が〉〔…に〕傾く, 傾斜する(slope)〔to do〕;〈物〉に乗り出す〔over〕;〈人が〉体を曲げる, 頭を下げる(lean) (+ *forward*) ‖ *incline forward* to hear the conversation その会話を聞こうと前に身を乗り出す.

Ⅲ〔傾向がある〕
3〈体質・気質的に〉〔…への〕傾向がある(tend);〈色・天候などが〉〔…に〕近い〔to, toward〕;〔…〕しがちである〔to do〕‖ *incline toward*[*to*] levity 軽はずみなたちである.
—名 C **1** 傾斜(面, 度), 勾配(こうばい), 坂 ‖ *an incline* of 1 in 6 1/6 の傾斜. **2**《主に米》ケーブル鉄道(cable railway, inclined plane).

in·clined /inkláind/ 形 傾いた; 〔数学〕傾角を作る ‖ *an inclined plane* 傾斜(板) / ケーブル鉄道.

in·close /inklóuz/ 動 =*enclose*.

in·clo·sure /inklóuʒər/ 名 =*enclosure*.

*****in·clude** /inklú:d/ 動《中へ(in)閉じる(clude). cf. *conclude*》 既 *inclusive*(形)
—(~s/-klú:dz/; 過去・過分 ~d/-id/; --clud·ing) (~ *exclude*)
—他 **1**〈人・物・事が〉〈人・物・事〉を(全体の一部として)**含む**, 包括する(+ *in*) 類語 *comprise*, *comprehend*, *involve*, *contain*) (~ *exclude*) 《◆進行形不可》‖ *include* false information うその情報を記載する / He *was included in* the deal. その取引に彼は加えられた / Her duties *include* making copies of letters. 手紙の写しをとるのも彼女の仕事のうちである.

> **使い分け [include と contain]**
> *contain* は「中味の全体を含む」の意.
> *include* は「全体の一部として含む」の意.
> This tour *includes* [*contains] visits to some famous museums in Italy. このツアーはイタリアの有名美術館へ行くことを含んでいます.
> The tank *contains* [*includes] thirty liters of gasoline. タンクにはガソリンが 30 リットル入っている.

2 …を〔…に〕算入する, 勘定に入れる; …を〔…の〕部類に入れる; …を〔…に〕同算する〔in, among, with〕‖ *include* him *in* the cast 配役に彼を入れる / *include* one's name and address *on* the form その用紙に名前と住所を入れる / *Included among* the visitors *were* a number of famous actors. 訪問者たちの中に多くの有名な俳優がいた《◆倒置表現. ⇒文法 23.3》/ The consumption tax is *included in* the price. 消費税はその値段に含まれています.

*****in·clud·ing** /inklú:diŋ/
—前 …を**含めて**(略 *inc.*, *incl.*) (~ *excluding*) ‖ all of us, *including* me 私を含めて全員(= ..., myself [me] *included*).

in·clu·sion /inklú:ʒən/ 名 **1** U 包含; 包括; 算入 (~ *exclusion*). **2** C 含まれるもの.

†**in·clu·sive** /inklú:siv/ 形 (~ *exclusive*) **1**〔…を〕含めて, 算入して〔*of*〕;[数字・曜日などの後で] 始めと終わりを含んで ‖ stay *from* 28 June *to* 3 July *inclusive*《主英》6 月 28 日から 7 月 3 日まで滞在する(=《主に米》stay *from* June 28 *through* July 3) / The meal cost £7, *inclusive of* service. 食事はサービス料も含めて 7 ポンドかかった. **2**〔料金などが〕すべてを含んだ; 総括[包括]的な. **3**〔言葉遣い・用語などが〕男女両用の, 男女双方を包括した《◆ *man* に対して *humankind*, *fireman* に対して *firefighter* など》.

in·clú·sive·ly 副 ひっくるめて.

in·cog·ni·to /inkɑgní:tou, inkɑ́gnətòu |-kɔgní:-/《イタリア》形 [後で修飾] 副《著名な人が》変名の[で], 匿

名の[で]. ━━名 (覆 ~s) Ⓒ 変名(者), 匿名(者).

in·co·her·ence, --en·cy /ìnkouhíərəns(i), (米+)-hér-/ 名 つじつまの合わないこと[話, 考え], 一貫性のなさ, 矛盾, 支離滅裂.

in·co·her·ent /ìnkouhíərənt, (米+)-hér-/ 形《正式》**1** 首尾一貫しない, つじつまの合わない. **2** ばらばらの, 粘着性のない, 異質の. **in·co·hér·ent·ly** 副 首尾一貫しないで, とりとめなく.

in·com·bus·ti·ble /ìnkəmbʌ́stəbl/ 形《正式》燃えない, 不燃性の. **in·com·bùs·ti·bíl·i·ty** 名 Ⓤ 不燃性.

***in·come** /ínkʌm | íŋ-, ín-, -kəm/ 〖(入って(in)くる(come)もの〗
━━名 (覆 ~s/-z/) Ⓤ Ⓒ (定期的な) **収入**, 所得 (↔ outgo, expenditure) (類語) pay (定期的な)給料, wages (ふつう賃金による週[日]払い)賃金, salary (ふつう預金口座に振り込まれる)月給, fee (専門的サービス業務に対する)謝礼) ‖ gross [net] *income* 総[実]収入 / a low [ˣcheap] *income* 低収入〈◆ high, small, large などでその多少を表す〉/ a casual [monthly] *income* 臨時収入[月収] / a source of *income* 収入源 / live *within* [*beyònd*] one's *íncome* 収入内[以上]の生活をする / In this month, our expenses exceeded our *income*. 今月私たちは収入以上に使ってしまった, 今月は赤字だ.

íncome màintenance 《米》生活扶助金.
íncome tàx 所得税.

in·com·ing /ínkʌmiŋ/ 形 **1** 入って来る (↔ outgoing) ‖ the *incoming* tide 上げ潮. **2** 後を継ぐ, 後任の. **3**《英》移住してくる. **4**《米》新入りの, 始ったばかりの. ━━名 Ⓤ **1** 入来, 到来. **2** [~s] 所得 ‖ *incomings* and òutgoings 収入と支出.

in·com·men·su·ra·ble /ìnkəménsərəbl, -ʃərə-/ 形《正式》同じ尺度で比較できない;〔…と〕比較できない(with);〔数学〕通約できない, 公約数のない.

in·com·mode /ìnkəmóud/ 動 他《正式》〈人〉に迷惑[不便]をかける, …を困らせる.

in·com·mo·di·ous /ìnkəmóudiəs/ 形《正式》不便な;(狭くて)勝手の悪い, 居心地の悪い.

in·com·mu·ni·ca·ble /ìnkəmjúːnikəbl/ 形 伝達不能の;連絡のできない, 孤立した.

in·com·mu·ni·ca·tive /ìnkəmjúːnikèitiv, -kə-, -kə-/ 形 無口の, 話ぎらいの.

†**in·com·pa·ra·ble** /inkάmpərəbl | -kɔ́m-/ 形〈に inkəmpéərəbl | -pǽərə-ともする〉形 **1** 比類のない, たぐいまれなる ‖ *incomparable* beauty 無類の美しさ. **2**〔…と〕比較できない(with, to).
in·cóm·pa·ra·bly 副 思いもよらないほど.

in·com·pat·i·bil·i·ty /ìnkəmpӕtəbíləti/ 名 Ⓤ Ⓒ 相反, 不一致, 対立;[incompatibilities] 相いれないもの[性質].

†**in·com·pat·i·ble** /ìnkəmpǽtəbl/ 形 **1**〈人が〉〔…と〕気が合わない, 一緒に楽しく仕事ができない(with) ‖ He is *incompatible* with his wife. 彼は妻さんと性格が合わない. **2**〈物・事が〉〔…と〕両立しない, 相いれない, 矛盾する(with);〔論理〕非両立性の ‖ His desires are *incompatible* with his income. 彼の欲望は収入と相いれない. **3**〈機械・コンピュータが〉互換性のない. ━━名 [~s] 性格の合わない[両立しない]もの.

in·com·pe·tence, --ten·cy /inkάmpətəns(i), -kɔ́m-/ 名 Ⓤ 不適格, 無資格;〔法律〕無資格, 無能力.

†**in·com·pe·tent** /inkάmpətənt | -kɔ́m-/ 形 **1**…す

る)能力のない, 無能な, 〔…するのに〕役立たない(to do, for [at] (doing)〕 ‖ be *incompetent*「to operate [for operating] the machine その機械を操作する能力がない. **2**〔法律〕(高齢・病気などで)無資格の, 無能力の. ━━名 Ⓒ 無能力者;不適格者, 無資格者. **in·cóm·pe·tent·ly** 副 無力にも.

†**in·com·plete** /ìnkəmplíːt/ 形 不完全な, 不十分な, 不備な, 未完成の ‖ an *incomplete* pack of cards 1組の不備なトランプ / an *incomplete* encyclopedia 不備な百科事典 / *incomplete* transitive verbs 〔文法〕不完全他動詞. **in·com·pléte·ly** 副 不完全に, 不十分に. **in·com·pléte·ness** 名 Ⓤ 不完全, 不備, 未完成. **in·com·plé·tion** /-plíːʃən/ 名 Ⓤ 不完全, 不備, 未完成.

in·com·pli·ant /ìnkəmpláiənt/ 形《正式》従わない, 強情な.

†**in·com·pre·hen·si·ble** /ìnkὰmprihénsəbl, inkὰm- | -kɔ̀m-/ 形《正式》〔人に〕理解できない, 不可解な(to) (↔ comprehensible) ‖ an *incomprehensible* explanation 理解できない説明. **in·còm·pre·hén·si·bly** 副 不可解なことに. **in·com·pre·hèn·si·bíl·i·ty** 名 Ⓤ 不可解.

in·com·pre·hen·sion /ìnkὰmprihénʃən, -kɔ̀m-/ 名 Ⓤ 無理解, 理解力がないこと.

in·com·press·i·ble /ìnkəmprésəbl/ 形《正式》圧縮できない.

†**in·con·ceiv·a·ble** /ìnkənsíːvəbl/ 形 **1**〔…にとって〕想像もつかない, 思いもよらない(to) (↔ conceivable) ‖ *inconceivable* happenings 想像もつかない出来事. **2**《略式》信じられない, ありえない(incredible) ‖ It is *inconceivable* that he should have won the race. 彼がレースで優勝したとは信じられない.
in·con·céiv·a·bly 副 思いもよらぬほど.
in·con·ceiv·a·bíl·i·ty 名 Ⓤ 考えられないこと, 不可解.

in·con·clu·sive /ìnkənklúːsiv/ 形《正式》結論の出ない, 確定的[決定的]でない.
in·con·clú·sive·ly 副 要領をえないで.

in·con·gru·i·ty /ìnkəŋɡrúːəti, inkɑn-/ 名 Ⓤ Ⓒ《正式》不調和(なこと), 不一致.

†**in·con·gru·ous** /inkάŋɡruəs | -kɔ́ŋ-/ 形 **1**〔…と〕不調和な, つり合わない, 矛盾する(with, to) (↔ congruous). **2**〈態度・言葉などが〉不適当な, ばかげた.
in·cón·gru·ous·ly 副 つり合わないで, 不調和に.

in·con·se·quence /inkάnsəkwèns, -kwəns | inkɔ́nsəkwəns/ 名 Ⓤ《正式》**1** 不合理, 一貫性のなさ, 矛盾;不適切, 見当違い. **2** 取るに足りなさこと.

in·con·se·quent /inkάnsəkwènt, -kwənt | inkɔ́nsəkwənt/ 形《正式》一貫性のない, 不合理な, 矛盾した;見当違いの, 的はずれの, 不調和な.
in·cón·se·quent·ly 副 矛盾して.

in·con·se·quen·tial /ìnkὰnsəkwénʃl | -kɔ̀n-/ 形《正式》**1** 重要でない, 取るに足らぬ. **2** =inconsequent. **in·còn·se·quèn·ti·ál·i·ty** /-ʃiǽləti/ 名.

in·con·sid·er·a·ble /ìnkənsídərəbl/ 形《正式》取るに足らぬ, ささいな, 重要でない;小さい, わずかな 〈◆ ふつう not *inconsiderable* の形で控え目に「非常に大きい」ことを表す〉. **in·con·síd·er·a·bly** 副 わずかに.

in·con·sid·er·ate /ìnkənsídərət/ 形〔人に対して〕思いやり[配慮]のない (↔ considerate) (to);分別のない, 軽率な. **in·con·síd·er·ate·ly** 副 思いやりなく. **in·con·síd·er·ate·ness** 名 Ⓤ 思いやりのないこと.

†**in·con·sist·en·cy** /ìnkənsístənsi/ 名 Ⓤ Ⓒ《正式》

不一致, 不調和, 矛盾.

†in·con·sist·ent /ìnkənsístənt/ 形 [...の点で]一貫性のない, 考えが定まらない[*in*]; [...と]一致しない, 調和しない[...と]矛盾する[*with*], (↔ consistent).
in·con·síst·ent·ly 副 矛盾して.

in·con·sól·a·ble /ìnkənsóuləbl/ 形 (正式) [...のことで](慰めようのないほど)悲嘆にくれた[*for*].

†in·con·spic·u·ous /ìnkənspíkjuəs/ 形 (正式) 目立たない, 注目を引かない, 地味な (↔ conspicuous).
in·con·spíc·u·ous·ly 副 目立たずに.

in·con·stan·cy /ìnkánstənsi | -kɔ́n-/ 名 Ⓤ (正式) 変わりやすさ, 不定; 移り気, 気まぐれ; Ⓒ [通例 inconstancies] 浮気.

in·con·stant /ìnkánstənt | -kɔ́n-/ 形 (正式) 気まぐれな, 不実な; 一定しない.

in·con·test·a·ble /ìnkəntéstəbl/ 形 (正式) 議論の余地のない, 明らかに正しい.

in·con·ti·nence /ìnkántənəns | -kɔ́n-/ 名 Ⓤ 1 (正式) 自制心のなさ, 抑制できないこと. 2 [医学] 失禁.

in·con·ti·nent /ìnkántənənt | -kɔ́n-/ 形 1 [医学] 失禁の. 2 (正式) [...を]抑え切れない[*of*].
in·cón·ti·nent·ly 副 自制心を失って.

in·con·trol·la·ble /ìnkəntróuləbl/ 形 = uncontrollable.

in·con·tro·vert·i·ble /ìnkàntrəvə́ːrtəbl | -kɔ̀n-/ 形 (正式) 議論の余地のない, 明白な.
in·còn·tro·vért·i·bly 副 議論の余地なく, 明白に.

†in·con·ven·ience /ìnkənvíːnjəns | -iəns/ 名 1 Ⓤ [...への]不便, 不自由; 不快 (discomfort) [*to*] (↔ convenience) ‖ *cause* great *inconvenience to* him = *pùt* him *to* gréat incónvénience 彼に多大な迷惑をかける / the *inconvenience* of not having a telephone 電話のない不便さ (→文法 12.4) / Flight 202 to Boston will be delayed. We apologize for the [any] *inconvenience*. ボストン行き202便は遅れています. ご不便をおかけしおわび申し上げます. 2 Ⓒ 面倒なもの[事柄] ‖ the *inconveniences* of temporary lodgings 仮住まいの数々の不便 / That car in the middle of the alley is an *inconvenience*. 小道の真ん中に止めてあるその車は迷惑だ.
at gréat inconvénience [...にとって]大いに迷惑であるが[*to*], 万障繰り合わせて, 大いに不便を忍んで.
——動 (他) (正式) 〈人に〉不便をかける (trouble) ‖ Will it *inconvenience* you to mail this letter? この手紙を投函(ホシ)していただけませんでしょうか.

†in·con·ven·ient /ìnkənvíːnjənt | -iənt/ 形 〈物・事が〉[...にとって]不便な, 不自由[迷惑]な[*to, for*]; [...することは/...ということは]面倒な[*to* do / that 節]《◆人を主語にしない》‖ an *inconvenient* place to go shopping 買物に行くのに不便な場所 / *if it is inconvenient for* [*to*] *you* もしご都合が悪ければ 《◆*if you are inconvenient*》 / Evening clothes are *inconvenient* to work in. = It is *inconvenient* to work in evening clothes. イブニングドレスは仕事をするのに不便だ (→文法 17.4) / My office is *inconvenient* for working(ハ), since it is poorly ventilated. (ハ) 私の事務所は風通しが悪く仕事に都合が悪い《◆for の後には「人・物・事」, to の後には主に「生物」》/ They came *at an inconvenient time*. 彼らはまずい時にやってきた《◆食事の最中など》.
in·con·vén·ient·ly 副 不自由に, 不便に.

in·con·vert·i·ble /ìnkənvə́ːrtəbl/ 形 交換不可能な; 〈紙幣が〉兌換(糸)できない.

in·con·vert·i·bíl·i·ty 名 Ⓤ 取り変えし[交換]不能; (紙幣の)兌換不能.

in·con·vin·ci·ble /ìnkənvínsəbl/ 形 納得させるのできない, わからずやの.

†in·cor·po·rate /動 ìnkɔ́ːrpərèit; 形 -pərət/ 動 (他) (正式) 1〈人が〉〈物・事などを合体させる, 合併させる(join), [...へ]組み入れる, 編入する (include) [*in, into*]; 〈団体を〉[...と]合併する[*with*] ‖ *incorporate* his suggestions *into* the report 彼の提案を報告書に組み入れる. 2〈商店などを〉法人[組織]にする, (米) ...を有限会社にする ‖ Her business was *incorporated*. 彼女の事業は会社組織になった. ——(自) [...と]合併[合体, 結合]する[*with*] ‖ The company *incorporated* *with* others. その会社は他の会社と合併した. 2〈団体などが〉法人[(米)会社]になる. ——形 (正式) 会社組織の; 合併[結合]した.

in·cor·po·rat·ed /ìnkɔ́ːrpərèitid/ 形 1 合併[合同, 編入]した. 2 (正式) 法人[会社]組織の; (米) 有限責任の(◆*Inc.* と略して会社名の終わりにつける. (英) の *Ltd.* に相当》‖ The US Steel Co., *Inc.* ユーエススティール株式会社.

in·cor·po·ra·tion /ìnkɔ̀ːrpəréiʃən/ 名 1 Ⓤ 合併; Ⓒ 法人団体, (米)会社. 2 Ⓤ 法人[(米)会社]設立.

in·cor·po·re·al /ìnkɔːrpɔ́ːriəl/ 形 1 (正式) 実体[形態]のない, 無形の; 霊的な. 2 [法律]〈財産などが〉無体の《著作権・特許権など形体のないもの》.

†in·cor·rect /ìnkərékt/ 形 1〈事実に照らして〉不正確な, 間違った, 誤った (↔ correct) ‖ an *incorrect* translation 不正確な翻訳. 2〈社会の決まりに照らして〉穏当でない (improper), 不適当な.
in·cor·réct·ly 副 間違って.
in·cor·réct·ness 名 Ⓤ 不正確.

in·cor·ri·gi·ble /ìnkɔ́ːridʒəbl/ 形 (正式) 1 矯正[善導]できない, 救い難い ‖ an *incorrigible* liar どうしようもないうそつき. 2〈子供などが〉手に負えない, わがまま. 3〈習慣・信条などが〉根強い, 頑固な.
——名 Ⓒ 矯正できない人, 手に負えないやつ.

in·cor·rupt·i·ble /ìnkərʌ́ptəbl/ 形 (正式) 腐敗[腐食, 溶解]しない; 買収されない.

*in·crease /動 ìnkríːs, -́-; 名 -́-, íŋ-/ [上に(in)成長する (crease)]
——動 (~s/-iz/; 過去・過分 ~d/-t/; ~·creas·ing)
——(自)〈大きさ・数量などが〉増す; 〈人・物などが〉[...の点で/...から/...まで](次第に)増える, 増大[増進]する [*in/from/to*] (↔ decrease) 《◆相当大きなものがさらに増大するのは augment》‖ Traffic accidents have *increased* in number in recent years. = *The number of* traffic accidents has *increased* in recent years. ここ数年交通事故(の数)が増えた《◆前者は in number, 後者は The number of のように「数」の意は表されるが, 明示的にまたは強調的に示したい場合はこのようにする》/ The crime rate is gradually *increasing*. 犯罪発生率が次第に増加している / His weight *has increased* by two kilograms 「*to* 60 kilograms [*over the last year*]. 彼の体重は2キロ増えて60キロになった[昨年より2キロ増えた] / Her anger *increased*. 彼女の怒りが増した (= She grew angrier.).
——(他)〈人・物・事が〉〈人・物・事を〉[...まで]増やす, 強める; 〈生産・大きさなどを〉拡大する [*to*] ‖ *increase* his pay to £4,000 彼の給料を4000ポンドにまで上げる / A continuous downpour *increased* the volume of water in the river. 長雨でその川の水かさが増加した / Suddenly the car *increased* speed. 突然

その車はスピードを上げた. ——名 /-, -́, íŋ-/ 複 ~s/-iz/) Ⓤ Ⓒ 〔…の/…に対する〕増加; 増進, 増強; Ⓒ 増加量[額] (in, of / over) (↔ decrease) (of. reduction) ‖ a marked [gradual] *increase in* property values 不動産の価値の著しい[少しずつの]増大 《◆ in は自動詞用法を暗示. ➾文法 14.4》/ wage [pay, salary] *increase* 賃上げ / a tax *increase of* five percent =a five percent *increase in* tax 5%の増税 / the sharp *increase in* AIDS victims エイズ患者の激増.

on the ínercase 《略式》増加[増大]して.

in·creas·ing /inkríːsiŋ/ 形 ますます増加する.

†in·creas·ing·ly /inkríːsiŋli/ 副 ますます, だんだん《◆ more and more より堅い語. しばしば否定的含みの語と共に用いる》; [文全体を修飾] いよいよさらに ‖ become *increasingly* difficult いよいよ困難になる.

in·cred·i·bíl·i·ty /inkrèdəbíləti/ 名 Ⓤ 信じられないこと; Ⓒ 信じられないもの[事柄].

†in·cred·i·ble /inkrédəbl/ 形 1〈話・勇気などが〉〔…にとって〕信じられない (to); 〔…することは/…とは〕信用できない (to do / that 節) (↔ credible) ‖ It is *incredible that* she [should have made [has made] an error in arithmetic. 彼女が計算間違いをしたなんて信じられない. 2 《略式》〈値段・速度などが〉途方もない, 恐るべき; はなはだしい, びっくりするほどすばらしい (wonderful) ‖ You're *incredible*! 君ってすごいね (=You're amazing!).

†in·cred·i·bly /inkrédəbli/ 副 信じられないほど; 《略式》非常に, とても; [文全体を修飾] 信じられないくらいであるが.

†in·cre·du·li·ty /inkrədʒúːləti/ 名 Ⓤ 容易に信じないこと, 疑い深さ, 懐疑, 不信.

†in·cred·u·lous /inkrédʒələs/ -krédju-/ 形 1《正式》〈人が〉〔…を/…ということを〕容易に信じない, 疑う (of, about, at / that 節); 〔…に〕疑い深い (doubting) (of, about, at) ‖ be *incredulous about* flying-saucer stories 空飛ぶ円盤の話を信用しない. 2〈笑み・目つきなどが〉疑うような.

†in·cred·u·lous·ly /inkrédʒələsli/ -krédju-/ 副 《正式》疑うように, 疑い深く.

in·cre·ment /íŋkrəmənt, ín-/ 名 《正式》 1 Ⓤ 〈金額・価値などの〉増加量; Ⓒ 増加量. 2 Ⓤ 利益, もうけ.

in·crim·i·nate /inkrímənèit/ 動 他 《正式》 1 …に罪を負わせる; …を有罪にする; 〈人〉を〔…に〕告発する (to). 2 …を〔(よくない)ことの〕原因と〔…として〕みなす (as).

in·crus·ta·tion /inkrʌstéiʃən/ 名 1 Ⓤ 《正式》外被で覆う[覆われる]こと; Ⓒ 外被. 2 Ⓒ はめ込み細工, 象眼.

in·cu·bate /íŋkjəbèit, ín-/ 動 他 1 …を(人工)孵化（ふか）する. 2 《正式》〈計画などを〉企てる, 熟考する. 3 〈細菌などを〉培養する. ——自…が孵化する.

ín·cu·bà·tor 名 Ⓒ 人工孵化器; (未熟児の)保育器; 培養器.

in·cu·ba·tion /ìŋkjəbéiʃən, ín-/ 名 1 Ⓤ 孵化, 抱卵; 培養. 2 Ⓤ もくろみ, 案. 3 Ⓤ 《医学》潜伏; Ⓒ = incubation period.

incubátion pèriod 潜伏期(間).

in·cu·bus /íŋkjəbəs, ín-/ 名 複 ~·es, -·bi/-bài/) Ⓒ 《正式》 1 夢魔（眠っている女を犯すという）; 悪夢. 2 心の重荷, 心配[悩み]の種《義金・試験など》.

in·cul·cate /inkʌ́lkeit, ——/ 動 他 《正式》 1 …を〔人・心に〕(繰り返し)教え込み, 言い聞かせる (instill) (on, upon, in, into). 2〈人〉に〔知識・美徳などを〕植えつける (with). **in·cùl·cá·tion** 名 Ⓤ 教え込み.

†in·cum·bent /inkʌ́mbənt/ 形 《正式》 1 〔…に〕義務としてかかってくる (on, upon) ‖ It is *incumbent on* him *to* support his large family. 彼の大家族を養うのが彼の義務だ (=He should support his large family.). 2 現職の, 在職の. ——名 Ⓒ 《正式》現職者, 在任者.

in·cum·ber /inkʌ́mbər/ 動 =encumber.

in·cu·nab·u·la /ìŋkjunǽbjələ, ín-/ 名 複 (単数形 --lum/-ləm/) (一般に)物・事の)初期, 発生期, 黎明期.

†in·cur /inkə́ːr/ 動 (過去・過分) in·curred/-d/; --·cur·ring) 他 《正式》〈人が〉〈負債・損害などを〉負う, こうむる, 受ける; 〈危険・怒りなどを〉招く.

†in·cur·a·ble /inkjúərəbl/ 形 不治の, 治療[矯正]不能の; 救いがたい. ——名 Ⓒ 《古》不治の病人; 救いがたい人. **in·cúr·a·bly** 副 不治で; 救いがたく.

in·cùr·a·bíl·i·ty 名 Ⓤ 不治, 矯正不能.

in·cu·ri·ous /inkjúəriəs/ 形 《正式》〔…に〕好奇心のない, 無関心な (about).

in·cur·sion /inkə́ːrʒən/ -ʃən/ 名 Ⓒ 《正式》 1〔…の〕(突然の)侵入, 襲撃 (upon, on, into). 2〔…への〕流入 (into).

ind. (略) *index; industry.*

Ind. (略) *India, Indian; Indiana; Indies.*

†in·debt·ed /indétəd/ 形 《正式》 1〔人に/…の〕借金[負債]がある (to/for) ‖ I'm *indebted to* the bank *for* £1,000. 私は銀行に1000ポンドの借りがある《◆ I'm in debt to the bank for £1,000. の方がふつう. 次のように言っても意味は同じ: I owe £1,000 to the bank. / I owe the bank £1,000.》. 2〔人に/…に関して〕恩義がある, 恩を受けている (to/for) ‖ I'm *indebted to* you *for* my escape. 私が逃れられたのはあなたのおかげだ.

in·débt·ed·ness 名 Ⓤ 負債; 恩義; Ⓒ 負債額.

in·de·cen·cy /indíːsnsi/ 名 Ⓤ Ⓒ みだら, 下品, 不作法, わいせつ.

†in·de·cent /indíːsnt/ 形 1 みだらな, 下品な, 不作法な (↔ decent) 《◆ improper より意味が強い》. 2 (略式) 不適当な; 〈量・質において〉不当な ‖ He pays us *indecent* wages. 彼は我々にごくわずかな賃金しか払わない. **in·dé·cent·ly** 副 不作法に, みだらに.

in·de·ci·sion /indisíʒən/ 名 Ⓤ 優柔不断, 不決断.

in·de·ci·sive /indisáisiv/ 形 1 漠然とした, 決定的でない ‖ an *indecisive* decision どっちつかずの決定. 2〈人が〉〔…について〕決断力のない, 優柔不断の (about). 3〈輪郭などが〉はっきりしない.

in·de·cí·sive·ly 副 漠然と.

in·de·clin·a·ble /ìndikláinəbl/ 〔文法〕 形 格[語尾]変化しない. ——名 Ⓒ 不変化詞.

†in·dec·o·rous /indékərəs, (米・) indikɔ́ːrəs/ 形 《正式》不作法な, 上品でない《◆ impolite, obscene, rude の遠回し語》. **in·déc·o·rous·ly** 副 無作法に.

‡in·deed /indíːd/ [「実際に(in deed)」が本義]

——副 《◆ 比較変化しない》 1《正式》**本当に**, 確かに ‖ He is *indeed* a man of few words. 彼は本当に口数の少ない人です. / 〈対話〉 "Do you remember her name?" "*Indeed* (↘) I dó." 「彼女の名前を覚えていますか」「はい, 確かに」. 2《正式》[しばしば文頭で] 〈外見上と違って〉**実は**; [前言を確認・補足して] 実際は, はっきり言うと《◆ in reality, in fact, in truth がふつう》‖ I saw her recently, *indeed* (↗) last night. (↘) 私は最近,

いやついい昨夜, 彼女に会った / I don't mind. *Indeed* (↘), ¦ I am glad. (↘) 私は気にしていません, いやそれどころか喜んでいます.

3 [形容詞(+名詞)・副詞の後で; 強めて] **実に**, まったく《♦前に very を伴う. 伴わない場合はふつう不可》‖ I ˈam *very* happy [ˣam happy] *indeed*. ほんとにとても幸せです / Climate depends *very* much *indeed* (↘) ¦ on the latitude. 気候は緯度と大いに関係があるのです.

4 [通例 but を伴って譲歩的に] なるほど, 確かに ‖ ˈ***Indeed*** he is old [He is old *indeed*] (↘), ¦ ***but*** he is still healthy. おっしゃるとおり彼は年をとっているが, 今もなお健康です《♦It is true that he is old, but ... の方が口語的》.

5 [間投詞的に] [驚き・関心・皮肉・疑い・不信などを表して] まさか, まあ《♦少し上昇する調子は確認・念押し, 上昇調(↗)は驚き, 下降調(↘)は皮肉を表す》‖ [対話] "He left without saying good-by." "Did he, *indeed?*" 「彼はさようならも言わないで出発したよ」「へえ, 彼がねえ, まさか」/ *Indeed!* You finished your work! 本当ですか, 仕事が終わったなんて!

Yés, indéed. そうですね, その通りです ‖ "It's really hot today." "*Yes, indeed.*" 「今日は本当に暑いですね」「そうですね」《♦ややフォーマルなあいづち. ふつうには Yes, it is. もっとくだけては You said it. / You're telling me. など》.

†**in·de·fat·i·ga·ble** /ìndifǽtigəbl/ [形] 《正式》疲れを知らない, 飽きない, 根気強い.

in·de·fea·si·ble /ìndifíːzəbl/ [形] 《正式》破棄できない, 無効にできない.

in·de·fen·si·ble /ìndifénsəbl/ [形] 防ぎえない, 守り切れない; 弁護の余地のない.

in·de·fin·a·ble /ìndifáinəbl/ [形] 《正式》定義[説明]できない; 限定できない.

in·de·fín·a·bly [副] 説明できずに, 言葉にできないで.

†**in·def·i·nite** /indéfənit/ [形] **1** 不明瞭な, 不確定な, 漠然とした(↔ definite) ‖ *indefinite* replies あいまいな返事. **2** 〈期間・時が〉不定の, 決まっていない ‖ for an *indefinite* time 無期限に. **3** 〔文法〕不定の ‖ an *indefinite* pronoun 不定代名詞 / the *indefinite* tense 不定時制.

indéfinite árticle 〔文法〕[the ~] 不定冠詞《a, an》.

in·déf·i·nite·ness [名][U] 不確定, 無限定.

†**in·def·i·nite·ly** /indéfənitli/ [副] 漠然と, 不明確に; 不定に, 無期限に.

†**in·del·i·ble** /indéləbl/ [形] **1** 〈汚れ・インクなどが〉消えない ‖ an *indelible* pen (書いた跡が)消えないペン / *indelible* ink 消えないインク. **2** 《正式》[比喩的に] ぬぐい去れない, いつまでも残る ‖ leave [make] an *indelible* impression 薄れることのない印象を残す[与える]. **in·dél·i·bly** [副] 消えないように, 永久に. **in·dèl·i·bíl·i·ty** [名][U] (汚れ・汚点・不名誉などを)消す[ぬぐう]ことができないこと.

in·del·i·ca·cy /indélikəsi/ [名][U] 下品, 野卑; [C] 下品な言動.

in·del·i·cate /indélikət/ [形] 《正式》下品な, 野卑な, 不作法な; 繊細でない, 荒っぽい.

in·dem·ni·fi·ca·tion /indèmnəfikéiʃən/ [名] 〔法律〕 **1** [U] 〔損害などに対する〕補償〔*against, for*〕. **2** [U] 賠償, 免責; [C] 賠償金, 補償金.

in·dem·ni·fy /indémnəfài/ [動][他] 〔法律〕 **1** 《正式》〈人〉に〔損害などを〕償う, 補償する〔*for*〕. **2** 〈人〉を〔損害に対して〕保護する, 保証する〔*from, against*〕. **3** 〈人〉の責任を〔行為に対して〕免ずる〔*for*〕.

†**in·dem·ni·ty** /indémnəti/ [名] 〔法律〕 **1** [U] 〔…に対する〕賠償の保証, 損害保障〔*against, for*〕; (生じた損害に対する)損害賠償, 補償. **2** [C] 〔…に対する〕賠償金, 補償金〔*for*〕. **3** [U] (刑罰の)免除, 免責.

†**in·dent** /[動] indént; [名] ˊ-, -ˊ/ [動][他] **1** 《正式》〈物(の縁・表面)〉にのこぎりの歯状の刻みをつける, …をぎざぎざにする ‖ The fjord *indented* the coastline. フィヨルドが海岸線に入り込んでいた(→ irregular [形] **2**). **2** 《正式》〈正副2通の契約書〉をぎざぎざにそって2つに切る; 〈契約書など〉を正副2通(以上)作る. **3** 〈新しい段落の行〉を他行よりひっこめて書く, インデントする ‖ *indent* the first line 最初の行を少しひっこめて書き始める. ――[自] 《主に英》〔商業〕〔店に/商品を〕(複写の注文書で)注文する〔*on/for*〕.

――[名][C] **1** 《正式》刻み目, ぎざぎざ; 湾入. **2** (新しい段落の)字下がり《♦手書きでは約3センチ, ワープロなどでは約5ストローク空ける》. **3** 《正式》(正副にぎざぎざの線にそって切り離せる)複写契約書. **4** 《主に英》〔商業〕〔…の〕申し込み; 注文書〔*for*〕; (主に海外からの)注文.

in·den·ta·tion /ìndentéiʃən/ [名] **1** [C][U] ぎざぎざ(を付けること), 刻み目; (海岸線の)入り込み, 湾入; くぼみ. **2** 〔印刷〕[U] (新しい段落の行の)字下げ, インデント; [C] 字下げした余白.

in·den·tion /indénʃən/ [名][U][C] =indentation **2**.

in·den·ture /indéntʃər/ [名] **1** [C] 《正式》(正副2通の)契約書; (ぎざぎざの切り取り線のある)2枚続きの捺(な)印証書; 証文. **2** [C] [通例 ~s] (昔の)年季証文, 年季奉公契約書. **3** [C] 刻み目; [U] 刻み目を付けること.

――[動][他] 〈人〉を(契約で)〔…として/…に〕年季奉公させる〔*as/to*〕. **in·dén·tured** [形] 年季(奉公)の.

***in·de·pend·ence** /ìndipéndəns/

――[名][U] 〔…からの〕**独立**, 自立; 自活〔*of, from*〕《♦国からの独立は from がふつう》(↔ dependence) ‖ live a life of *independence* 自活している(=lead an independent life) / The United States declared (her) ***independence from*** Britain in 1776. 米国は1776年英国から独立した.

the Declarátion of Independénce (米国の)独立宣言《1776年7月4日》.

Independénce Dày 独立記念日《♦米国は7月4日》.

Independénce Hàll (米国)独立記念館《♦フィラデルフィアにある》.

in·de·pend·en·cy /ìndipéndənsi/ [名] **1** [I~] [U] 〔宗教〕独立教会制[主義]. **2** [C] 独立国, 自主国. **3** [U] 《正式》独立, 自立, 自主(independence).

***in·de·pend·ent** /ìndipéndənt/ 〖→ depend〗

――[形] **1** 〔…と〕**関係がない**, 関連がない, かかわりがない, 独自の, 他の影響を受けない〔*of*〕《♦比較変化しない》; 〈調査などが〉外部による, 公正な ‖ an *independent* grocery store (チェーン店でない)自営の食料品店 / These two factors are ***independent of*** each other. これら2つの要因はそれぞれ無関係である.

2 〔他の人・物に〕**頼らない**, 依存しない, 自主的な, 独自の, 自由の〔*of*, 《時に》*from*〕(↔ dependent) ‖ an *independent* mind (他人に左右されない)自由な精神(の持ち主) / *independent* proof 独自の証拠 / lead an *independent* life 自活する / do *independent* research 独自の研究をする / She is economically ***independent of*** [ˣon] her parents. 彼女は経済的に親から独立している.

3 〈国・子などが〉〔…から〕**独立した**, 自主の, 支配を受けない〔*from*, 《時に》*of*〕《♦比較変化しない》‖ an *in-*

dependent country 独立国 / Algeria became *independent from* [*of*] France in 1962. アルジェリアは1962年にフランスから独立した. **4** 独立心の強い, 独立独行の; 自立心の強い ‖ an *independent* young woman 自主独立の若い女性. ──名 C **1** 独立した人[物]. **2** [時に I~] 党派に属さない候補者[政治家].

indepéndent cláuse =main clause.
indepéndent schóol (英)(政府や自治体の援助を受けない)初等[中等]の私立学校(cf. public school).

†**in·de·pend·ent·ly** /índipéndəntli/ 副 独立して, 自主的に; […と]無関係に, 自由に[*of*].

in-depth /índépθ/ 形 詳細な, 徹底的な, 綿密な; 深層の ‖ *in-depth* coverage 徹底的な取材.

†**in·de·scrib·a·ble** /índiskráibəbl/ 形 言葉で言い表せない; 筆舌に尽くしがたい, 言語に絶する (⇔ describable) ‖ *indescribable* beauty 名状しがたい美しさ.

in·de·scrib·a·bíl·i·ty /-/ 名 U 言葉で言い表せないこと, 筆舌に尽くしがたいこと.

in·de·struc·ti·ble /índistrʌ́ktəbl/ 形 (正式) 容易に破壊できない, 不滅の.

in·de·ter·mi·na·ble /índitə́ːrminəbl/ 形 (正式) 確定[決定]できない; 解決できない.

in·de·ter·mi·nate /índitə́ːrmənət/ 形 (正式) **1** 不確定の, 漠然とした ‖ an *indeterminate* vowel [音声] あいまい母音 /ə/. **2** 未解決の. **3** [数学] 〈数量が〉不定の;〔植〕〈花序が〉無限の.

in·de·ter·mi·na·tion /índitə̀ːrminéiʃən/ 名 U (正式) 不確定, 不定, 未決; 不決断, 優柔不断.

†**in·dex** /índeks/ 名 (複 ~·es /-iz/, **in·di·ces** /índəsiːz/ -di-/) C **1** (複 ~·es) 索引, 見出し; 目録《◆カード式のもの(card index)を含む》‖ a library *index* 図書館の(蔵書)目録. **2** (正式) しるし, あらわれ; 指標(sign) ‖ Style is an *index* of the mind. 文体は心を写し出している. **3** (まれ)目盛り, (計量器の)指針, 針(pointer)《◆時計の針はhand). **4** =index finger. **5** [印刷] 指印(☞), (fist, hand). **6** (複 -di·ces) 指数;〔数学〕指数, (対数の)指標, 率 ‖ the price *index* 物価指数.
──動 他 **1** 〈本に〉索引を付ける;〈語を〉索引に載せる. **2** を指示[指標]する.

index cárd 索引カード, インデックス=カード.
index finger 人差し指(forefinger).
index number [figure]〔統計〕指数;〔経済〕(物価)指数.

*__In·di·a__ /índiə/ 〔「川」が原義〕関 Indian (形・名)
──名 **1** インド《アジア南部の亜大陸. インド共和国・パキスタン・バングラデシュなどを含む》. **2** インド《インド共和国. 正式名 the Republic of India. 首都 New Delhi》.

Índia ínk (米)墨;(英) Indian ink.
Índia pàper インディア紙《薄い上質の印刷用紙. 辞書などに用いる》.
Índia rúbber [しばしば i~] (1) =rubber **2 a**. (2) (英) 消しゴム.

*__In·di·an__ /índiən/ 〔→ India〕
──形《◆比較変化なし》**1** インドの; インド人の; インド製の ‖ *Indian* elephants インド象. **2** 〔コロンブスがアメリカ大陸に到達したときそこをインドと思ったことから〕(アメリカ)インディアンの ‖ an *Indian* path インディアンの作った道.
──名 (~·s /-z/) **1** C インド人; 東インド人(East Indian). **2** C **a** (アメリカ)インディアン(American Indian)《◆今日では侮蔑的で, 通例 Native American》. **b** (中南米の)インディオ. **3** U アメリカインディアンの言語《◆学術用語としては American Indian を用いる》.

Índian cóbra インドコブラ《猛毒》.
Índian córn トウモロコシ((米・豪) corn, (英) maize).
Índian gíver (米) 一度与えたものを取り戻す人; 見返りを当てにして贈り物をする人.
Índian ínk (英) =India ink.
Índian Ócean [the ~] インド洋.
Índian réd インド赤《顔料・化粧品用》; 黄色みを帯びた赤土《アジア産》.
Índian súmmer (1) インディアンサマー《米国北部などの晩秋・初冬の暖かく乾燥し霞(かすみ)のかかった春を思わせる気候. 日本の「小春日和」に似ている. *Indian* は「インドの」ではなく「アメリカインディアンの意」》. (2) 回春期《万事が順調で若返ったと思われる晩年》.

In·di·an·a /índiænə/ 名 インディアナ《米国中西部の州. 州都 Indianapolis. 《愛称》the Hoosier State. 略 Ind., 〔郵便〕IN》.
In·di·an·ap·o·lis /índiənǽpəlis/ 名 インディアナポリス《米国 Indiana 州の州都》.

*__in·di·cate__ /índikèit/ 動《中を(in)指し示す(dicate). cf. index》関 indication (名)
──動 (~·s/-kèits/; 〔過去・過分〕~d/-id/; ~·cat·ing)
──他 **1** 〈物・事が〉〈物・事〉の徴候である, しるし[きざし]である; ‥であることを〔かを〕ほのめかす〔*that* 節, *wh* 節〕;〔言葉・身振りなどで〕…をそれとなく知らせる ‖ Her smile *indicates* (*that*) she has forgiven me. 彼女が笑ったのは私を許してくれたしるしだ.
2 …を簡単に述べる;〔…であることを〔かを〕はっきりさせる, 指摘する〔*that* 節, *wh* 節〕‖ He *indicated* (to me) *that* he might resign. 彼は辞職するかもしれないことを(私に)明らかにした《◆ *to me* を入れると *that* は省略できない》/ There was nothing to *indicate* who it was. それがだれであったかを示すものは何もなかった / She *indicated* her reasons to us. 彼女は理由を私たちに簡単に述べた《◆ ×She *indicated* us her reasons.とはいわない》.
3 〈人・物が〉(手・指などで)…を指し示す(point out);…を表示する(show); …に注意を向ける ‖ The speedometer *indicates* 60 miles per hour. 速度計は時速60マイルを示している / She *indicated* on the map how to get to the post office. 彼女はその地図で郵便局への道筋を指示した.
4 〔医学〕〔通例 be ~d〕〈治療・処置などが〉必要である; (一般に)〈物・事が〉…を必要とすることを示す ‖ silk fabric for which dry cleaning *is indicated* ドライクリーニングが必要とされる絹織物.
──自 (主に英)〈車・運転者が〉方向指示器で合図する.

†**in·di·ca·tion** /índikéiʃən/ 名 **1** (正式) **a** U 指示(すること); 暗示; 指摘 ‖ give him some *indication* of what to do 彼にすべきことを指図する. **b** U C〔しばしば ~s〕〔…の〕しるし, 徴候, (必要として)表示する[される]もの(sign, hint)〔*of*〕;〔…という〕…に関する〕気配, 証拠〔*that* 節 / *as to*〕;〔医学〕適応, 症状 ‖ There are clear [definite] *indications that* the economy is in a recession. 経済が一時的不景気に落ち込んでいる明らかな徴候がある. **2** C (計器の)示度(数).

†**in·dic·a·tive** /indíkətiv/ 形 **1** (正式)〔…に〕…ということを〕指示[表示, 暗示]する(suggestive)〔*of*/*that* 節〕;〔…の〕徴候[きざし]がある〔*of*〕‖ a look (which is) *indicative* of joy 喜びを漂わす顔つき / Her expression was *indicative* 「*of* her anger

[that she was angry]. 彼女の表情には怒り[怒っていること]が表れていた(=Her expression indicated her anger [that she was angry].). **2**〔文法〕直説[叙実]法の(cf. imperative, subjunctive). ── 名 UC〔文法〕[the ~]直説[叙実]法(の動詞).

†**in·di·ca·tor** /índikèitər/ 名 C **1** 指示[表示]する人[物];尺度‖ an indicator of health 健康のバロメーター. **2** 表示計器[装置];発着表示板;(目盛り盤の)指針;(道路の)標識;(英)(車の)方向指示器[灯]((米) turn signal);警告灯,のろし.

in·di·ces /índəsì:z/ 名 index の複数形.

†**in·dict** /indáit/ 動 他〔正式〕〈人〉を非難する(accuse);〔法律〕〔通例 be ~ed〕〈人が〉〔罪状で〕起訴される[for, on],〈人が〉〔…の罪を犯した人として〕起訴される[as] ‖ She was indicted [for murder [on a charge of murder]. 彼女は殺人の罪[殺人犯]として]起訴された.

†**in·dict·ment** /indáitmənt/ [発音注意] 名 **1** U〔法律〕〔犯罪の〕起訴(手続き)[against, for];〔米国では大陪審(grand jury)による起訴〕;〔犯罪の〕告発[against, for];UC〔略式〕(一般に)非難の文書‖ be ùnder indíctment for … のかどで起訴されている. **2** C〔起訴(状),告発状.

†**In·dies** /índiz/ 名 [the ~;複数扱い]インド諸国《India, Indochina, the East Indies を含む》; → East Indies, West Indies.

†**in·dif·fer·ence** /indífərns, -dífərəns/ 名 U **1**〔…への/…に関しての〕無関心,冷淡さ,無頓〔着〕[to, toward / as to, about] ‖ with indifference 冷淡に,よそよそしく / his indifference toward [to] his own future 自分の将来をどうするかに対する彼の無関心 / show complete indifference to the cries of the child その子の泣き声にまったく知らない顔をする. **2**〔…にとって〕重要でない事[to];月並み,平凡‖ a matter of indifference to me 私にとってどうでもよいこと.

†**in·dif·fer·ent** /indífərnt, -dífərənt/ 形 **1**〈人が〉〔…に/…に関して〕無関心な,無頓〔着〕な(unconcerned);冷淡な,平気な[to, toward / as to, about] ‖ He is quite indifferent 「to her suffering [as to the outcome]. 彼は彼女の苦しみに[その結果について]まったく無頓着だ(◆ He is indifferent to her. は文脈により2つの意味を持つ. i) 彼は彼女に対して無関心である. ii) 彼女にとって彼など眼中にない(3の意))/ She was indifferent about whatever criticism she encountered. 彼女はどんな非難を受けようが気にかけなかった. **2** 公平な,かたよらない‖ remain indifferent in a labor dispute 労働争議で中立を保つ. **3**〈物・事・人が〉〔人にとって〕どうでもよい,重要でない(unimportant)[to] ‖ an indifferent resúlt 取るに足らない結果 / What presents are chosen is indifferent to me. どんな贈り物が選ばれるかは私にはどうでもよいことである. **4** よくも悪くもない,並みの;(量的に)中位の;[very ~] 劣った,取り柄のない‖ an indifferent performance 平凡な演技 / a very indifferent actor 大根役者 / an indifferent person 無関心な人,中立的立場の人;〔道徳的に〕無頓着な行為.

†**in·dif·fer·ent·ly** /indífərntli/ 副 無関心に[冷淡に];よくも悪くもなく;[しばしば very ~] へたに,まずく.

†**in·dig·e·nous** /indídʒənəs/ 形〔正式〕〈動植物が〉〔ある土地・国に〕固有の,原産の(native);〔国産の(↔ exotic)〕‖ a plant indigenous to northern Europe 北欧特有の植物. **2** 生まれつきの,〔…に〕本

来そなわった,固有の[to] ‖ an indigenous love 生来の愛. **in·díg·e·nous·ly** 副 土着して,生来.

in·di·gent /índidʒənt/ 形〔正式〕(ぜいたく品がなく)貧乏な,(見かけとちがって)生活に困っている(↔ affluent).

in·di·gest·i·bil·i·ty /índidʒèstəbíləti, (米+) -dai-/ 名 U 消化不良,不消化.

†**in·di·gest·i·ble** /índidʒéstəbl, (米+) -dai-/ 形 **1**〈食物が〉消化できない[しにくい],不消化の. **2**〈物事がすぐには理解できない,受け入れにくい;〈態度などが〉不愉快な.

†**in·di·ges·tion** /índidʒéstʃən, (米+) -dai-/ 名 U **1** 消化不良(症),胃弱. **2**〔知的〕不消化.

†**in·dig·nant** /indígnənt/ 形〔…に〕憤慨した,怒った,立腹している[at, about, over, on];〔人に/…のことで〕憤る[with/for]《◆ angry より堅い語》‖ She was indignant at the way she had been treated. 彼女はひどい扱いをうけたと憤慨していた / be indignant with him for his arrogance 彼の尊大な態度に腹を立て(ている).

in·díg·nant·ly 副 憤慨として,立腹して.

†**in·dig·na·tion** /ìndignéiʃən/ 名 U〔悪・不正・不当な行為に対する〕憤慨,立腹[at, about, over, on];〔(そのような行為をする)人に対する〕憤り[with, against]《◆ 単なる「怒り」は anger》‖ in [with] indignátion 憤慨して / an indignation mèeting 抗議集会.

†**in·dig·ni·ty** /indígnəti/ 名 U〔正式〕侮蔑(ぶつ),冷遇,無礼(↔ dignity). **2** 侮辱的な行為[言葉].

†**in·di·go** /índigòu/ 名 (複 ~s, ~es) **1** U インジゴ,藍(あゐ)(染料). **2** C〔植〕インジゴ,インドアイ《マメ科の多年草;葉から染料を採る》. **3** U =indigo blue.

índigo blúe 藍色.

†**in·di·rect** /ìndərékt, -dai-/ 形 **1**〈道路・道筋などが〉まっすぐでない,遠回りの(roundabout) ‖ an indirect path 遠回りの小道. **2**〈結果・利益などが〉間接の,二次的な,受け売りの;〈家系などが〉傍系の,直系でない‖ indirect líghting 間接照明 / an indirect influence on his decisions 彼の決断に及ぼす間接的影響. **3**〈返答などが〉遠回しの,率直でない;〈方法などが〉不正な ‖ indirect business dealings よこしまな商取引.

indirect díscourse [orátion, (英) spéech]〔文法〕間接話法(reported speech).

indirect óbject〔文法〕間接目的語(cf. direct object).

indirect quéstion〔文法〕間接疑問文.

indirect táx 間接税.

in·di·rec·tion /ìndərékʃən, -dai-/ 名 UC 間接的な行動[方法];目的の不明確さ;不正手段,欺き,不正直.

†**in·di·rect·ly** /ìndəréktli, -dai-/ 副 間接(的)に;副次的に;遠回しに ‖ answer a protest indirectly 間接的に抗議に答える.

†**in·dis·creet** /ìndiskrí:t/ 形〔正式〕〈言動が〉無分別な(↔ discreet),不謹慎な;軽率な〔about〕(careless).

in·dis·créet·ly 副〔正式〕無分別に.

†**in·dis·cre·tion** /ìndiskréʃən/ 名 U〔正式〕**1** U〔言動の〕無分別,無思慮,軽率(↔ discretion) ‖ have the indiscretion to do … する無分別さ. **2** C 軽率な言動,不謹慎な行為;〔遠回しに〕軽犯罪.

in·dis·crim·i·nate /ìndiskrímənət/ 形〔正式〕〈物を選ぶのに〉無差別の,見境のない〔in (doing)〕;乱雑な ‖ gíve indiscriminate práise 見境なくほめる / be indiscriminate in killing civilians and soldiers 民間人も兵士も無差別に殺害する.

in·dis·crim·i·nate·ly 副 無差別に, 見境なく.
in·dis·pen·sa·bil·i·ty /ìndispènsəbíləti/ 名 U 絶対必要なこと, 必須, 緊要(性).
†**in·dis·pen·sa·ble** /ìndispénsəbl/ 形《正式》 **1**〔…に〕欠くことのできない(essential), 絶対必要な,〔全体のうちの一部分として〕不可欠な(necessary)(to, for)(↔ dispensable) ‖ Physical exercise is *indispensable to* [*for*] *young people.* 身体の訓練は若者に絶対必要だ(=Young people cannot do without physical exercise). **2** 避けることのできない, 余儀ない ‖ an *indispensable* duty 避けられない職務. **in·dis·pén·sa·bly** 副 必ず, ぜひとも.
in·dis·posed /ìndispóuzd/ 形《正式》 **1**〈人が〉〔…で〕(一時的に)気分がよくない, 軽い病気の(with)《◆しばしば sick の遠回し語》. **2**〔…する〕気がしない〔to do〕,〔…に〕気が向かない〔for〕.
in·dis·po·si·tion /ìndispəzíʃən/ 名 U C《正式》 **1** 気分の悪いこと, 不快 ‖ hàve a slíght *indisposítion* 少し気分がすぐれない. **2**〔…に/…する〕気が進まないこと〔for, to / to do〕.
in·dis·put·a·ble /ìndispjúːtəbl, indíspjə-/ 形《正式》議論[疑問]の余地のない, 確実な. **in·dis·pút·a·bly** 副 明白に.
in·dis·sol·u·ble /ìndisáljəbl, -sɔ́l-/ 形《正式》 **1** 分解[分離, 溶解]できない. **2** 永続的な, 不変の; 堅い.
†**in·dis·tinct** /ìndistíŋkt/ 形（目・耳・心に）はっきりしない, 判然としない, 識別のつかない(↔ distinct) ‖ an *indistinct* outline of a ship おぼろげな船の輪郭 / His speech is *indistinct*. 彼の言葉は不明瞭だ.
in·dis·tínct·ly 副 ぼんやりと.
in·dis·tínct·ness 名 U 不明瞭.
in·dis·tinc·tive /ìndistíŋktiv/ 形《正式》特色のない, 目立たない, 区別できる.
in·dis·tin·guish·a·ble /ìndistíŋgwiʃəbl/ 形《正式》 **1**〔…と〕見分け[区別]がつかない〔from〕. **2** 認められない, はっきり理解できない.
*__**in·di·vid·u·al**__ /ìndəvídʒuəl, (英+) -vídju-/
(アクセント注意)《分けることの(dividual)できない(in)》
——形 **1** [名詞の前で][しばしば each ~] 個々の, 個別的な; 単一[単独]の; 個物[個体]の(↔ general);〈模様などの〉それぞれ異なった《◆比較変化しない》‖ place [put] explanatory labels on *each individual* item それぞれの品目に説明札を張る.
2[通例名詞の前で]個人の, 個人の(ための), 1人用[だけ]の《◆比較変化しない》(使い分け → personal 形 **1**) ‖ an *individual* portion (of pudding) 1人前(のプディング) / This room is for *individual* use. この部屋は個人専用だ.
3[通例名詞の前で]〈好みなどが〉個性的な, 独特の, 特有の ‖ an *individual* style of writing 特徴のある書き方.
——名 (~s/-z/) C **1**（集団・社会に対する）個人;（独立した）個体; 構成員 ‖ the ríghts of the [an] *indivídual* =the *individual's* rights 個人の権利 / all the *individuals* of the same species 同じ種のすべての個体. **2** 変わった人[動物];（英略式）[形容詞付きで]…の人《◆もったいぶった古くさい表現》‖ a bad-tempered *individual* 不機嫌な人.
in·di·vid·u·al·ism /ìndəvídʒuəlìzm, (英+) -vídju-/ 名 U **1** 個人主義. **2** 利己主義《◆egoism の遠回し語》. **3** 自立[独立独行]主義. **4** 個性(の発揮); 個人的特質, 独自性.
in·di·vid·u·al·ist /ìndəvídʒuəlist, (英+) -vídju-/ 名

C **1** 個人主義者. **2** 利己主義者. **3** 自立主義者; 個性的な人.
in·di·vid·u·al·is·tic /ìndəvìdʒuəlístik, (英+) -vídju-/ 形 **1** 個人[利己]主義(者)の《◆egotistic の遠回し語》. **2** 独特の; 独立独行の.
†**in·di·vid·u·al·i·ty** /ìndəvìdʒuǽləti, (英+) -vìdju-/ 名 **1** U [時に an ~]個性, 人格; 個人[個体]性;[通例 individualities] 個人の特徴[好み]‖ a work of great *individuality* 個性豊かな作品. **2** C 個体, 個物; 個人, 個性的な人[物]. **3** U 個体としての存在.
in·di·vid·u·al·ize /ìndəvídʒuəlàiz, (英+) -vídju-/ 動 他 **1**〈特徴など〉を個々に区別する[扱う, 述べる]. **2**〈作品など〉に個性[特色]を与える, …をきわだたせる.
†**in·di·vid·u·al·ly** /ìndəvídʒuəli, (英+) -vídju-/ 副 **1** 個々に, それぞれ ‖ be sold *individually* 別々に売られている. **2** 個人的に(は), 個人[個体]として(は). **3** 独特に, 特有に.
in·di·vis·i·ble /ìndəvízəbl/ 形《正式》 **1** 分割できない, 不可分の. **2**〔数学〕割り切れない.
In·do- /índou-/（語素） →語彙素一覧(1.3).
In·do-Chi·na, In·do·chi·na /ìndoutʃáinə/ 名 インドシナ《広義ではベンガル湾と東シナ海にはさまれた半島, 狭義では今のベトナム・カンボジア・ラオスを含む旧仏領インドシナ》.
in·doc·ile /ìndásl/ -dóusail, -dɔ́s-/ 形《正式》教えにくい, 言うことをきかない, 従順でない.
in·doc·tri·nate /ìndáktrəneit, -dɔ́k-/ 動 他《正式》〈人〉に〔…を〕教え込む, 吹き込む〔with, in〕.
in·dòc·tri·ná·tion 名 U《正式》教化.
In·do-Eu·ro·pe·an /ìndoujùərəpíːən/ 名 U インド＝ヨーロッパ語族; 印欧祖語. ——形 インド＝ヨーロッパ語族の.
in·do·lence /índələns/ 名 U《正式》怠惰, 無精, ものぐさ(laziness).
†**in·do·lent** /índələnt/ 形《正式》(生まれつき・習慣的に)怠惰な, なまけた, 仕事ぎらいの.
ín·do·lent·ly 副 怠惰に.
†**in·dom·i·ta·ble** /ìndámətəbl, -dɔ́m-/ 形《正式》不屈の, 負けん気の強い, 断固とした ‖ a man of *indomitable* courage 不屈の勇気をもつ男.
in·dóm·i·ta·bly 副 不屈に, 断固として.
†**In·do·ne·sia** /ìndəníːʒə, -ʃə | ìndəuníːziə/ 名 **1** インドネシア《正式名 the Republic of Indonesia. 首都 Jakarta》. **2** =East Indies.
†**In·do·ne·sian** /ìndəníːʒən, -ʃən | ìndəuníːziə/ 形 インドネシアの. ——名 C インドネシア人; U インドネシア語.
†**in·door** /índɔːr/ 形 屋内の, 室内の, 室内で行なわれる, 室内で用いられる(↔ outdoor) ‖ índoor spórts 室内競技[スポーツ] / an índoor sét（映画の）屋内セット.
†**in·doors** /ìndɔ́ːrz/ 副 屋内で[に], 室内に(↔ outdoors) ‖ He stayed [kept himself] *indoors* all day. 彼は一日中家に閉じこもっていた.
in·dorse /ìndɔ́ːrs/ 動 =endorse.
In·dra /índrə/ 名（ヒンドゥー教）インドラ《Veda 神話の主神で, 雷・雨を司る神》.
in·du·bi·ta·ble /ìnd(j)úːbətəbl/ 形《正式》疑う余地のない, 明白な. **in·dú·bi·ta·bly** 副 疑う余地なく.
†**in·duce** /ìnd(j)úːs/ 動 他《正式》 **1**〈人・物・事が〉〈人〉を説いて[勧めて]〔…する〕気にさせる〔to do〕, … を per·suade より積極的に「説き伏せて…させる」意》‖ *Whatever induced you to buy such a ridiculous gift?* いったいどうして君はそんなばかげた贈り物を買う気になったんだ(➡文法 23.1). **2**〈物・事が〉〈眠気

など)を[…に]引き起こす, 誘引する(cause)[in] ‖ a feeling of contentment (which is) induced by good food おいしい食物による満足感 / induce criminal behavior in young men 若者の犯罪行動を誘発する. **3**〔論理〕(個々の事実から)〈結論を〉帰納する《↔ deduce》《◆名詞は induction》. **4**〔医学〕(薬剤により)〈陣痛・分娩(ﾌﾞﾝﾍﾞﾝ)を〉誘起する;〈赤ん坊〉の出産を促す;〈母親〉に出産させる ‖ induce labor 分娩を促す.

†**in·duce·ment** /indjúːsmənt/ 名 **1** U 誘導[誘引, 勧誘](する[される]こと). **2** UC […へと]誘い込むもの, […への]誘因(to);報酬;[~s] わいろ;[…する](外部的な)誘引, 動機(to do) ‖ inducements to him to work heartily 彼に身を入れて働く気を起こさせる刺激.

in·duct /indʌ́kt/ 動 他〔正式〕**1**〈人〉を〔役職・聖職な ど〕に任命する[to, into];…を[…として]就任させる[as];…の地位につかせる. **2**〈主に米〉〈人〉を(正式の手順で)〔組織・会などの〕一員と認める, …を[…に]入会[入団]させる[into]. **3**〈米〉〈人〉を兵役につかせる, 徴兵する.

in·duct·ance /indʌ́ktəns/ 名 UC〔電気〕インダクタンス《電圧と電流変化率との比》.

†**in·duc·tion** /indʌ́kʃən/ 名 U **1** […への]誘導, 導入[into];〔医学〕(薬剤による)出産誘発. **2**〔論理〕帰納(法)(↔ deduction);C 帰納推量による結論. **3**〔数学〕帰納法. **4**(会社などの)〔新入社員などに対する〕研修;伝授, 手ほどき[into]《◆ introduction より堅い語》. **5** UC〔正式〕(官職・聖職への)就任;就任式;入会[入団](式)[into];〈米〉徴兵;入隊式.

indúction còurse(新入生[社員])研修.

in·duc·tive /indʌ́ktiv/ 形 帰納的な.
in·dúc·tive·ly 副 帰納的に.

†**in·due** /indjúː/ 動 =endue.

†**in·dulge** /indʌ́ldʒ/ 動 他〔正式〕**1**〈人が〉〈子供など〉を甘やかす, …に欲しいものを何でもかんでも与える, 思い通りにさせる ‖ You shouldn't indulge a child. 子供を甘やかしてはいけない. **2**〈人が〉〈欲望・趣味など〉を満足させる(satisfy) ‖ She indulged her craving for chocolate. 彼女はチョコレートを心ゆくまで食べた. **3** [indulge oneself in A]〈人が〉〈快楽など〉にふける, …をほしいままにする ‖ He sometimes indulges himself in idle speculation. 彼は時々たわいない空想にふける. **4**〈人〉に〈物〉をどんどんやる;〈人〉を〈物で〉喜ばせる[in, with] ‖ indulge him in whatever he likes 彼が好きなものは何でもやる.
—自〔快楽・趣味などに〕ふける[in] ‖ indulge in a nap 昼寝を楽しむ / She indulges in growing roses. 彼女はバラの栽培にこっている. **2**〈略式〉たっぷり食べる[飲む]. **3** […に]従事する(in).

†**in·dul·gence** /indʌ́ldʒəns/ 名 **1** U 甘やかす[甘やかされる]こと, 気まま, 放縦;[…への]甘やかし[to, toward]. **2** U […にふけること, 耽溺(ﾀﾝﾃﾞｷ)[in];C 道楽.

†**in·dul·gent** /indʌ́ldʒənt/ 形 […に]甘い, 気ままにさせる, 寛大な[to, toward, of, with]《◆tolerant より度合が過ぎていることが多い(↔ strict)》 ‖ parents indulgent to [toward] their children 子供に甘い親 / be indulgent of her failure 彼女の失敗に寛大にみる. **in·dúl·gent·ly** 副 寛大に.

In·dus /índəs/ 名[the ~] インダス川《チベット南西部に源を発しパキスタンを貫流してアラビア海に注ぐ大河》.

†**in·dus·tri·al** /indʌ́striəl/ 形 **1** 産業の, 工業(上)の;工業用の.《◆ industrious は「勤勉な」》‖ indústri-

al díamonds 産業用ダイヤ / indústrial próducts 工業製品. **2**〈国などが〉産業の発達した ‖ indústrial socíety 産業[工業]社会. **3** 産業[工業]に従事する(者)の;産業労働者の ‖ indústrial wórkers 産業労働者 / the indústrial clásses 産業労働者階級.

indústrial álcohol 工業用アルコール.

indústrial árts〈米〉[the ~;単数扱い](教科としての)工作, 工芸.

indústrial dispúte 労働争議.

indústrial estáte〈英〉(ふつう町周辺の)工業団地(〈米〉trading estate).

indústrial párk〈米略式〉=industrial estate.

indústrial relátions [複数扱い] 労使関係;[単数扱い] その管理.

indústrial revolútion [the ~] (1) 産業革命. (2) [I~ R~] 英国の産業革命.

indústrial schóol (1) 実業[産業]学校. (2)〈米〉(非行更正のための)職業訓練学校(〈英〉community home).

indústrial únion 産業別労働組合.
indústrial wáste 産業廃棄物.

in·dús·tri·al·ly 副 産業[工業]的に;産業[工業]上.

in·dus·tri·al·ism /indʌ́striəlìzm/ 名 U 産業[工業]主義.

†**in·dus·tri·al·ist** /indʌ́striəlist/ 名 C 産業経営者[資本家], 実業家;産業主義者.—形 産業主義の.

in·dus·tri·al·i·za·tion /indʌ̀striəlizéiʃən/ 名 U 工業化, 産業化.

in·dus·tri·al·ize /indʌ́striəlàiz/ 動 他〈国・地域など〉を工業[産業]化する. **in·dús·tri·al·ized** 形 工業化した.

†**in·dus·tri·ous** /indʌ́striəs/ 形〈人などが〉勤勉な;[…の点で/…について](いつも)熱心な(in/about)《(1) hardworking より堅い語. (2) industrial は「産業の」》‖ He is an industrious student. 彼は勤勉な学生です / be industrious in one's wórk 自分の仕事に精を出す.

†**in·dus·tri·ous·ly** /indʌ́striəsli/ 副 勤勉[熱心]に, こつこつと.

*†**in·dus·try** /índəstri/ 名 [アクセント注意] [[(人に)本来備わっている性質]『勤勉』→[(それによって生み出される) 産業]] 派 industrial (形), industrious (形)

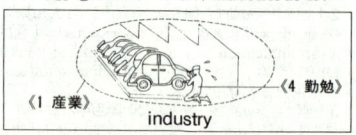

《1 産業》　　　　　《4 勤勉》
industry

—名 (複 -tries/-z/) **1** CU (工場での)生産業;(大規模な)工業, 製造業;[複合語で] …産業;事業, 商売《◆形容詞は industrial》‖ the computer industry コンピュータ産業 / the center of much industry 多くの産業の中心地 / héavy [líght] índustry 重[軽]工業 / a kéy índustry 基幹産業 / the léisure industries レジャー産業 / service industries サービス業《ホテル・銀行など》/ an industry in decline [decay] 斜陽産業.

2 U [集合名詞] 産業界;産業経営者, 会社仲間.

3 U 組織的労働, 勤労.

4 U〔正式〕**勤勉**(hard work), 努力(effort)《◆形容詞は industrious》‖ admire the industry 勤勉を賞賛する.

-ine /-ain, -in, -iːn/ (語要素) →語要素一覧(2.2, 2.3).
in·e·bri·ate /動 iníːbrièit, 形名 -briət/《正式》動 他〈人〉を酔わせる；〈人〉を有頂天にする.
——形名 C 酔った(人), 大酒飲み.
in·e·bri·a·tion /ìːnəbríeiʃən/ 名 U 酩酊(ﾒｲﾃｲ).
in·e·bri·e·ty /ìnəbráiəti | ìnɪ-/ 名 U 酔い, 飲酒癖.
in·ed·i·ble /inédəbl/ 形《正式》食べるのに適さない, 食べられない.
in·ef·fa·ble /inéfəbl/ 形《正式》1 言葉で言い表せない(ほど大きい[美しい]), 言うに言われぬ. 2〈神の名などが〉口にするのをはばかられる.
♦in·ef·face·a·ble /ìnifèisəbl/ 形 消すことのできない, ぬぐい去れない.
†**in·ef·fec·tive** /ìniféktiv/ 形《正式》1 効果のない, むだな, 無益な(useless) ‖ All our strategies proved *ineffective*. 私たちの作戦はすべて効果のないことがわかった. 2〈人が〉無能な, 役に立たない.
in·ef·féc·tive·ly 副 効果なく.
†**in·ef·fec·tu·al** /ìniféktʃʊəl, (英+) -tjʊəl/ 形《正式》1 効果のない, むだな(↔ effectual) ‖ *ineffectual* efforts 効果の上がらぬ努力. 2〈人が〉無力な, 技量[能力]に欠ける ‖ an *ineffectual* fellow 指導力のないやつ. **in·ef·féc·tu·al·ly** 副 無益にも.
†**in·ef·fi·cien·cy** /ìnifíʃənsi/ 名 1 U 非能率；無能力. 2 C 非能率なもの[点]；無能者.
†**in·ef·fi·cient** /ìnifíʃənt/ 形 1 能率[効率]の悪い ‖ *inefficient* machinery 非能率的な機械類. 2〈人が〉無能な, 役に立たない.
in·ef·fí·cient·ly 副 非能率的に.
in·e·las·tic /ìnilǽstik/ 形《正式》1 弾力(性)のない. 2 適応性[順応性]のない.
in·el·e·gant /inéləɡənt/ 形《正式》優雅でない, やぼな, 洗練されていない；下品な, 粗野な.
in·él·e·gant·ly 副 やぼに.
in·el·i·gi·ble /inélidʒəbl/ 形《正式》〔…に選ばれる／…する〕資格のない, 不適当な, (法的に)不適格な〔*for* / *to do*〕‖ People under twenty (years old) are *ineligible* to vote. 20歳未満の人々には選挙権はない. ——名 C (チームメートとして)不適格者.
in·èl·i·gi·bíl·i·ty 名 U 不適格(であること).
in·ept /inépt/ 形《正式》1 不適当な, ばかげた(foolish), 場違いの. 2〈人に〉不向きな, 〔…の〕技量に欠ける, 不器用な〔*at*〕(↔ skillful).
†**in·e·qual·i·ty** /ìnikwɑ́ləti | -kwɔ́l-/ 名 1 U〔しばしば inequalities〕(質・量・大きさ・地位・機会・富などの)不平等, 不均衡；不平等な事柄(↔ equality) ‖ sócial *inequálities* 社会的不平等 / *inequálities* of opportúnity 機会の不均等. 2 [inequalities] (表面の)でこぼこ, 起伏；U (表面の)あらいこと. 3 C (天候・温度などの)変動, 不定, 〔天文〕均差, 〔数学〕不等(式).
in·e·qui·ta·ble /inékwətəbl/ 形《正式》不公平な；不公正な.
in·e·rad·i·ca·ble /ìnirǽdikəbl/ 形《正式》根絶できない, 根深い ‖ an *ineradicable* old tradition [custom] 抜き難い古い伝統[慣習].
†**in·ert** /ináːrt/ 形《正式》1 (本来)自力で運動[抵抗]できない, 惰性的な ‖ *inert* matter 不動の物質. 2〔化学〕不活性の. 3〈人が〉(生まれつき)鈍い, 不活発な ‖ *inert* people 怠惰な人びと.
in·ért·ly 副 不活発に；鈍くに, 惰性で.
†**in·er·ti·a** /ináːrʃə, -ʃiə/ 名 U《正式》1 不活発(inactivity), 緩慢, ものぐさ；〔医学〕無力(症). 2〔物理〕慣性, 惰性, 惰性力 ‖ the fórce of *inértia* 慣性抵抗 / móment of *inértia* 慣性モーメント.

in·es·cap·a·ble /ìnəskéipəbl/ 形《正式》逃げられない, 免れがたい；避けられない, 不可避の.
in·es·sen·tial /ìnisénʃl/ 形《正式》〔…にとって〕本質的でない, 必ずしも必要でない, 重要でない(*to*).
——名 C〔しばしば ~s〕重要でないもの.
†**in·es·ti·ma·ble** /inéstəməbl/ 形《正式》1 計り知れない, 計算できないほど大きい. 2 きわめて貴重な.
in·és·ti·ma·bly 副 計り知れないほどに.
†**in·ev·i·ta·ble** /inévətəbl/ 形《正式》〔結果・死などが〉避けられない, 〔…すること／…ということ〕が不可避の(*to do* / *that* 節)；〔論理的に〕必然[当然]の；必ず起こる(♦ *inescapable* より弱く *unavoidable* より強意的) ‖ an *inévitable* conclúsion [outcome] 当然の結論 / *It is inevitable that* some changes will take place. 必ずある変化が起こるだろう(= *Inevitably*, some changes ...).(→文法 18.6). 2〈描写・小説の筋などが〉迫真の；もっとも, 手堅い. 3《略式》[one's/the ~]〈物・言葉などが〉お決まりの, いつもの ‖ her *inevitable* objection to anything new 新しいものに対する彼女の相も変わらぬ反対.
——名 [the ~] 避けられないもの[こと], 必然の運命.
†**in·ev·i·ta·bly** /inévətəbli/ 副 [通例文全体を修飾] 必然的に；必ず(♦ must, have to などとの併用は避けられる傾向もある) ‖ There was an accident on the way. *Inevitably*(↘), the bus was late. (↷) 途中で事故があった. (その結果)必然的にバスは遅れた. (= *It was inevitable that* the bus was late.) (→文法 18.6).
in·ex·act /ìnigzǽkt/ 形《正式》厳密でない, 不正確な(↔ exact).
in·ex·cus·a·ble /ìnikskjúːzəbl/ 形《正式》弁解のできない；許しがたい.
†**in·ex·haust·i·ble** /ìnigzɔ́ːstəbl/ 形《正式》1 無尽蔵の, 使いきれない, 尽きない. 2〈人が〉疲れを知らない, 根気のよい.
†**in·ex·o·ra·ble** /inéksərəbl/ 形《正式》1〈人が〉情け容赦のない, 冷酷[無情]な(cruel). 2〈物・事が〉(どうしても)変えられない, 防げない.
in·éx·o·ra·bly 副《正式》容赦なく, どうしようもなく.
in·èx·o·ra·bíl·i·ty 名 U 容赦のなさ.
in·ex·pe·di·ence, ‒en·cy /ìnikspíːdiəns(i)/ 名 U《正式》[得策]と言うまでにない, 不適当, 不便；不都合.
in·ex·pe·di·ent /ìnikspíːdiənt/ 形《正式》適当でない, 得策でない, 不便な；不都合な.
†**in·ex·pen·sive** /ìnikspénsiv/ 形《正式》費用がかからない, (値打ちの割に値段の)安い(cf. cheap) (↔ expensive). **in·èx·pén·sive·ly** 副 安く.
in·ex·pe·ri·ence /ìnikspíəriəns/ 名 U 無経験, 未熟, 不慣れ；世間知らず.
†**in·ex·pe·ri·enced** /ìnikspíəriənst/ 形〈人が〉経験のない, 未熟な, 〔…に〕不慣れな〔*in*, *at*〕；世間知らずの.
in·ex·pert /inékspəːrt, ìnikspə́ːrt, (英+) ìneks-/ 形《正式》〔…に〕未熟な, 不器用な, へたな, しろうとの〔*at*, *in*〕. **in·éx·pert·ly** 副 不器用に, へたに.
in·ex·pi·a·ble /inékspiəbl/ 形《正式》1 償いがたい, 罪深い. 2 和らげがたい, 執念深い.
†**in·ex·pli·ca·ble** /ìnikspl íkəbl, inéksplik-/ 形《正式》〈物・事が〉説明のつかない, 理解[解釈]しがたい(↔ explicable). **in·ex·plíc·a·bly** 副 説明がつかないほど；[文全体を修飾] 怪しげにどうしてかわからないが.
in·ex·press·i·ble /ìnikspr ésəbl/ 形《正式》言葉で言い表せないほどの, 言語を絶した.
in·ex·pres·sive /ìnikspr ésiv/ 形《正式》無表情な；無口な.

in·ex·tin·guish·a·ble /ɪnɪkstíŋgwɪʃəbl/ 形 《正式》〈愛情・欲望などが〉抑えがたい; 消火できない.

in·ex·tri·ca·ble /ɪnɪkstríkəbl, ɪnékstri-/ 形 《正式》 **1** 脱出できない, 抜けられない. **2** 解決できない, 込み入った ‖ in *inextricable* confusion 手のつけられぬ程混乱して. **3** 結び目がほどけない, もつれた.
in·ex·trí·ca·bly 副 切り離せないほど, 密接に.

INF 《略》 intermediate-range nuclear forces 中距離核戦力.

inf. 《略》 *infantry*; *inferior*; *infinitive*; *information*.

in·fal·li·bil·i·ty /ɪnfæləbíləti/ 名 U 《正式》絶対確実; 〔カトリック〕〈教皇の〉不可謬(びょう)性.

†**in·fal·li·ble** /ɪnfæləbl/ 形 《正式》 **1**〈人・判断が〉絶対に正しい, 誤ることのない(↔ *fallible*) ‖ No man is *infallible*. 絶対過ちを起こさぬ人はない. **2**〈効果などが〉確実な, 絶対に効く.
in·fál·li·bly 副 絶対確かに; 《略式》いつも, 必ず.

†**in·fa·mous** /ɪnfəməs/ 〖発音注意〗形 **1** 《正式》不名誉な, いまわしい(dishonorable) ‖ *infamous* behavior 破廉恥なふるまい. **2**〔…で〕悪名の高い, 名うての(notorious)〔for〕〔類語〕→ *famous* ‖ an *infamous* criminal 悪名高い犯人.
ín·fa·mous·ly 副 不名誉にも.

†**in·fa·my** /ɪnfəmi/ 名 《正式》 **1** U 悪評, 醜聞, 汚名. **2** C 〔しばしば infamies〕非行, 破廉恥な行為.

†**in·fan·cy** /ɪnfənsi/ 名 U **1** 幼少(であること); 幼年時代; 〔集合的〕幼児(infants) ‖ a happy *infancy* 楽しい幼少時代 / in (one's) *infancy* 幼児期に, 幼少期に. **2** 〔its/the ~〕(発達の)初期, 揺籃(ん)時代 ‖ the *infancy* of a nation 国家の未発達状態 / Her research was still only in its *infancy*. 彼女の研究はまだほんの手はじめの段階であった.

†**in·fant** /ɪnfənt/ 名 C **1** 《正式》赤ん坊(baby), 幼児, 小児(young child)〔◆年齢にかなり幅があるが, まだ十分歩いたり話したりできない子供をいうことが多い〕‖ a premature *infant* in a nurse's arm(s) 看護婦の腕に抱かれた未熟児. **2** 《主に英》(4歳以上7歳未満の)児童, 学童(school child). ─ 形 **1** 幼児(期)の, 乳児(期)の; 小児用の;〖法律〗未成年の; *infant* mortality (rate) (1歳未満の)乳児死亡率. **2**〈国家・事業などが〉初期(段階)の, 未発達の.
ínfant pródigy 天才児, 神童.
ínfant schóol 《英》(5-7[8]歳の児童の)幼児学校, 前期小学校;《広義》幼稚園.

in·fan·ti·cide /ɪnfæntəsàɪd/ 名 UC 幼児殺し, (昔の)間引きの(習慣); C 《正式》幼児殺害者.

in·fan·tile /ɪnfəntàɪl, 《米+》-tɪl/ 形 **1** 《正式》〈病気などが〉幼児[乳児](期)の; 幼児に起こる; 幼児らしい, あどけない. **2**〈行動・態度などが〉子供っぽい, 幼稚な(childish) ‖ *infantile* pastimes 子供だましの娯楽. **3** 初期[未発達]の.
infantile paralysis 〖医学〗小児麻痺(ひ)(polio, myelitis)).

in·fan·ti·lism 名 U 子供っぽい言行; 〖医学〗幼稚症.

in·fan·tine /ɪnfəntàɪn, 《米+》-tɪn/ 形 《正式》=infantile.

†**in·fan·try** /ɪnfəntri/ 名 U 〔集合名詞; 単数・複数扱い〕歩兵, 歩兵隊; 〔形容詞的に〕歩兵の.

†**in·fat·u·ate** /ɪnfætʃuèɪt/ 動 -fætju-/ 他 《正式》〔通例 be ~d〕〈恋などで〉〈人が〉〈人に〉(一時的に)夢中になる, 惑う〔*with, by*〕‖ He is utterly *infatuated with* her and doesn't see her faults. 彼はあの娘にすっかりのぼせあがって欠点など目につかない.

†**in·fat·u·a·tion** /ɪnfætʃuéɪʃən/ 名 U -fætju-/ 名 UC 〔…への〕(一時的な)のぼせあがり, 心酔〔*for, with*〕; C 夢中になるもの.

†**in·fect** /ɪnfékt/ 動 他 **1**〈病気が〉〈人に〉伝染する; 〈人・蚊などが〉〈人に〉〔病気などを〕うつす, 感染させる〔*with*〕‖ the *infected* area 伝染病流行地域 / blood (which is) *infected with* HIV HIV に感染した血液 / His cold *infected* the whole class. 彼のかぜがクラス中に伝染した / She must have *infected* me *with* her cold. 彼女は私にかぜをうつしたに違いない. **2** …を〔病気で〕汚す, 〈水などを〉〔病毒を〕混入する〔*with*〕‖ *infect* the air *with* exhaust gas 排気ガスで大気を汚染する. **3**〈人に〉〔…で〕影響を与える, 波及する; 〈人を〉〔思想などに〕染まらせる〔*with*〕. **4** 〖コンピュータ〗〈ウイルスなどが〉〈コンピュータを〉汚染する.

†**in·fec·tion** /ɪnfékʃən/ 名 **1** U (水・空気・昆虫などによる)伝染, 感染(cf. contagion). **2** C 伝染病. **3** U 悪影響, (悪い)感化.

†**in·fec·tious** /ɪnfékʃəs/ 形 **1** 伝染性の, 伝染病の; 〈人が〉病気を他人にうつすおそれがある〔◆特に接触による伝染については contagious を用いる〕‖ *infectious* diseases (間接)伝染病, 感染症. **2** 《正式》人に容易[すぐ]に伝わる ‖ Her laughter is *infectious*. 彼女の笑いは人にもうつる.
in·féc·tious·ness 名 U 伝染力[性].

†**in·fer** /ɪnfə́ːr/ 動 (過去・過分 in·ferred/-d/; -fer·ring) 他 **1**〈聞く人・読む人などが〉…を〔証拠・事実などから〕推察[推量]する〔*from*〕; 〔…から〕…であると〔…か〕を推論[推量]する〔*from/that*節/*wh*節〕; 〈結論などを〉〔典拠から〕推定する〔*from*〕〔◆judge, guess より堅い語〕(→ deduce) ‖ I *infer from* circumstantial evidence *that* he was killed. 状況証拠から私は彼が殺されたと推察する / *infer* his poverty *from* his shabby appearance みすぼらしい服装から彼の貧しさを推測する. **2** 《略式》〈話し手・書き手などが〉…を暗に意味する, 暗示する(imply).
─ 自 〔…から〕推測する〔*from*〕.

in·fer·ence /ɪnfərəns/ 名 《正式》 **1** U 推論, 推測, 推理 ‖ by *inference* 推論して, 推察の結果 / inductive [deductive] *inference* 帰納的[演繹的]推理. **2** C (推論による)結論 ‖ dràw [make] an *ínference* 推論する. **3** U 含蓄.

in·fer·en·tial /ɪnfərénʃl/ 形 推理(上)の, 推論による, 推断した.

*__in·fe·ri·or__ /ɪnfíəriər/
─ 形 **1**〈主に物・事が〉〔…より〕質・価値・重要度の点で〕劣っている, 劣等の〔*to/in*〕; 平均以下の, 粗悪な ‖ an *inferior* grade of wine 二流のワイン / fèel *inférior to* him 彼に対して劣等感を抱く / This kimono is far [very much, a great deal, 《正式》much] *inferior in* quality to that (one). この着物は質の点であれよりずいぶん劣っている. **2** 《正式》〈(社会的)地位・位置などが〉〔…より〕下級の, 下(位)の〔*to*〕‖ An *ozeki* is *inferior* to [ˣ*than*] a yokozuna. 大関は横綱よりも下の身分だ.
─ 名 C 〔通例 one's ~〕目下の者; 後輩; 劣った人[物].

†**in·fe·ri·or·i·ty** /ɪnfíəriɔ́(ː)rəti/ 名 U 〔…より/…の点で〕劣っていること; 下級, 下位; 劣等〔*to/in*〕(↔ superiority) ‖ a sénse of (one's) *inferiórity* 劣等感 / the *inferiority* of processed foods to unprocessed ones 加工食品が非加工食品に劣ること.

inferíority còmplex 〖精神医学〗〔通例 an ~〕劣

等複合；《略式》〔…に対する〕劣等感，ひがみ〔*about*〕(↔ superiority complex).

†in·fer·nal /infə́ːrnl/ [形] **1**〔ギリシア神話〕黄泉(よみ)の国の. **2**《文》地獄の ‖ the *infernal* regions 地獄. **3**《文》悪魔のような，極悪非道の.

in·fér·nal·ly [副] 非道にも；《略式》とても，ひどく.

in·fer·no /infə́ːrnou/『イタリア』[名]（[複] ~s）**1** [C]《正式》地獄(のような所[光景])，地獄絵図；灼熱(しゃくねつ)(地獄)；大火 ‖ the raging *inferno* 荒れ狂う炎. **2** [the I~] 地獄編《Dante の『神曲』の第1部》.

in·fer·tile /infə́ːrtl | -tail/ [形] 不毛の；生殖能力のない(↔ fertile). **in·fer·tíl·i·ty** /-tíləti/ [名][U] 不毛，不妊.

†in·fest /inféstʹ/ [動][他]《正式》〈場所・物〉にはびこる，横行する；[be ~ed]〈場所など〉に〔…が〕うじゃうじゃいる，はびこっている〔*with*〕‖ The monkey ***was infested with*** fleas. =Fleas *infested* the monkey. そのサルにはノミがいっぱいたかっていた.

in·fes·tá·tion [名][U] 群をなして荒らすこと；出没，横行；侵入.

†in·fi·del /ínfidl/ [名][C]〔宗教〕(キリスト[イスラム]教徒から見ての)未信者，異教徒.

in·fi·del·i·ty /ìnfidéləti/ [名]《正式》**1** [U]〔…に対する〕不信心〔*to*〕；〔宗教〕(キリスト教[イスラム教]に対する)不信心. **2** [U][C]〔…に対する〕不誠実，不貞，不義；背信〔*to*〕(↔ fidelity).

in·field /ínfìːld/ [名][C]〔野球・クリケット〕[the ~] 内野；[集合名詞；単数・複数扱い] 内野手.

ín·fièld·er [名][C] 内野手.

†in·fi·nite /ínfənət; **3** では ìnfáinait/ (アクセント注意) [形] **1** 無限の，無数[無量]の，数え[計り]切れない；完全な，果てしない，とても大きな(↔ finite) ‖ *infinite* space [wealth] 無限の空間[富] / The typhoon caused *infinite* damage. 台風は計りしれないほどの損害をもたらした. **2**〔数学〕無限の ‖ an *ínfinite* séries 無限級数. **3**〔文法〕不定[非限定]の ‖ an *ínfinite* vérb 不定形動詞《不定詞・動名詞・分詞など》. ——[名] **1** [the ~] 無限のもの；無限の空間. **2** [the I~ (Being)] 神. **3** [C][U]〔数学〕無限大.

†in·fi·nite·ly /ínfənətli/ [副]《略式》無限[無数]に；大いに《◆しばしば比較級と共に用いる》‖ *infinitely* more manageable はるかにずっと扱いやすい.

†in·fin·i·tes·i·mal /ìnfənətésəml/ [形]《正式》非常に少ない[小さい]；無限小の，微小の，微量の. ——[名][C][U] 極微量；〔数学〕無限小.

infinitésimal cálculus〔数学〕微積分学.

in·fin·i·tés·i·mal·ly [副] 無限小に，微小に.

†in·fin·i·tive /infínətiv/〔文法〕[名][U][C][形] 不定詞(の)（[略] inf.）.

in·fin·i·tude /infínətjùːd/ [名][U]《正式》無限；[an ~] 無限の数[量，範囲，広がり] ‖ *an infinitude* of progress 無限の進歩.

†in·fin·i·ty /infínəti/ [名] **1** [U] [時に an ~] =infinitude ‖ to *infinity* 無限に / talk for *an infinity* 長時間話す. **2** [C][U]〔数学〕無限大（[記号] ∞）；〔写真〕無限遠.

†in·firm /infə́ːrm/ [形]（~·er, ~·est）《正式》**1**〈人・からだが〉弱い；(特に老齢・病気で)虚弱な；[the ~；集合名詞；複数扱い]（特に老齢で）虚弱な人たち. **2** 意志薄弱な，優柔不断な(↔ firm) ‖ be *infirm* of purpose 意志が弱い. **3** 根拠が弱い，堅固でない.

in·fírm·ly [副] 弱々しく，衰弱して. **in·fírm·ness** [名][U] 虚弱，弱点.

in·fir·mar·y /infə́ːrməri/ [名][C]《今はまれ》(学校・工場・修道院・刑務所などの)診療室[所]，保健室，医務室；病院.

†in·fir·mi·ty /infə́ːrməti/ [名][U][C]《正式》[しばしば infirmities] 虚弱，病弱；無気力.

infl. [略] *infl*uence, *infl*uenced.

†in·flame /infléim/ [動][他]《正式》**1**〈事・人が〉〈人・心など〉を〔…で〕憤激させる，興奮させる〔*with*〕‖ The mayor's speech *inflamed* the crowd. 市長の演説は群衆を激高させた(=… made the crowd very angry.) / She was *inflamed with* rage. 彼女は激怒していた. **2**〈激情・欲望〉をあおる，たきつける，かきたてる. **3** …に火をつける，…を燃え上がらせる；…を(炎で)照らす. **4**〈からだの部分〉を〔…で〕はれ上がらせる，…に炎症を起こさせる〔*with*〕；…を真っ赤にさせる，熱っぽくする. ——[自] **1** 興奮する，激怒する. **2** 火がつく，ぱっと燃え上がる. **3** 炎症を起こす，真っ赤になる.

†in·flam·ma·ble /inflǽməbl/ [形] **1** 燃えやすい，火のつきやすい，可燃性の(《米》flammable)《◆「燃えない」(nonflammable)の意に誤解されやすいため，工業用語では flammable が好まれる》. **2**《略式》激しやすい，怒りっぽい，一触即発の《◆この意では flammable は用いない》. ——[名][C] [通例 ~s] 可燃物.

in·flàm·ma·bíl·i·ty [名][U] 燃焼性，引火性；興奮性.

†in·flam·ma·tion /ìnfləméiʃən/ [名] **1** [U] 点火，発火；燃焼. **2** [C][U] 激怒；興奮. **3** [C][U]〔医学〕炎症.

in·flam·ma·to·ry /inflǽmətɔ̀ːri | -təri/ [形] **1** 怒りをあおる，扇動的な. **2**〔医学〕炎症(性)の.

in·flat·a·ble /infléitəbl/ [形] ふくらますことができる，膨張性の. ——[名][C] 空気でふくらますもの《玩具など》.

†in·flate /infléit/ [動][他]《正式》**1** …を〔空気・ガスなどで〕ふくらませる，膨張させる(blow up)〔*with*〕. **2**〈人〉を〔慢心・うぬぼれ・満足などで〕得意にさせる〔*with*〕；〈感情〉をあおる ‖ be *inflated with* pride 得意満面になる. **3**〔経済〕〈通貨〉を膨張させる，〈物価など〉をつり上げる(↔ deflate). **4**〈言葉〉を誇張する. ——[自] ふくらむ；〔経済〕インフレになる.

in·flát·er, in·flá·tor [名][C] 空気入れポンプ.

†in·fla·tion /infléiʃən/ [名][C][U] **1**《正式》ふくらます[ふくらむ]こと，膨張. **2** 慢心，得意；(言葉などの)誇張. **3**〔経済〕通貨膨張，インフレーション；(物価の)暴騰(↔ deflation) (cf. stagflation, depression).

in·flá·tion·ìsm [名][U] インフレ政策[状態]，通貨膨張論. **in·flá·tion·ist** [名][C] 通貨膨張論者.

in·flect /inflékt/ [動][他] **1** …を曲げる，屈曲[湾曲]させる. **2**《正式》〈声〉の調子を変える，…に抑揚をつける. **3**〔文法〕…を語尾変化させる，屈折させる. ——[自]〔文法〕…屈折[語尾変化]する.

in·fléct·ed [形]〔文法〕語尾屈折の(↔ uninflected).

in·flec·tion,（英ではまれに）**-·flex·ion** /inflékʃən/ [名] **1** [C][U] 屈折[湾曲](部)，角(かど). **2** [U] 音声[音調]の変化，抑揚. **3** [U][C]〔文法〕屈折，語尾変化(形).

in·fléc·tion·al [形]〔文法〕語尾変化[屈折]のある.

†in·flex·i·ble /infléksəbl/ [形] **1**《正式》曲がらない，曲げられない，堅い(↔ flexible). **2**〈人・考え・意志などが〉確固とした，不屈の，融通のきかない，頑固な ‖ án *infléxible* wíll 不屈の意志. **3**〈規則などが〉不(可)変の，固定した.

in·fléx·i·bly [副] 不屈に，ひるまずに；頑固に.

in·flèx·i·bíl·i·ty [名][U] 普遍性，不屈，頑固さ.

in·flex·ion /inflékʃən/ [名]《英》=inflection.

†in·flict /inflíkt/ [動][他]《正式》**1**〈人・事・物が〉〈打撃・損害・苦痛・やっかいな人など〉を〔人・場所などに〕与える，加える，負わせる，押しつける〔*on, upon*〕‖ ***inflict*** injury ***on*** her 彼女に危害を加える / The storm *in-*

I

in·flic·tion /inflíkʃən/ 图 U […に] (打撃・罰などを)与える[課す]こと [on, upon]; C 刑罰; 災難, 迷惑.

†**in-flight** /ínfláit/ 形 飛行中の ‖ an *in-flight* meal [móvie] 機内食[映画].

in·flow /ínflòu/ 图 U C (品物・金などの)流入(↔ outflow); C 流入物; C 流入量.

*****in·flu·ence** /ínfluəns/ 〖アクセント注意〗〖〖中へ(in)流れる(flu). cf. affluence〗〗 派 influential (形)
— 图 (複 ~s/-iz/) 1 U [時に an ~] 〔人・事に対する〕影響, 作用; 感化(力) [on, upon] ‖ liberating *influence* 解放感 / *the influence of* the West *upon* Japan 日本に対する西洋の影響(→文法 14.4) / Such magazines have great *influence on* [ˣto] children. こうした雑誌は子供に大きな影響を与える.
2 U 〔人に対する〕影響力, 勢力, 信望, 威光 [over, with] ‖ a man *of influence* 有力者 / My uncle used his *influence with* the manager to get me a ticket. おじは支配人とのコネを利用して私にチケットを手に入れてくれた.
3 C 〔…に〕影響力を及ぼす人[物] [on, upon, for], 勢力家, 有力者 ‖ an *influence for* good [evil] 善[悪]に誘うもの.
háve △ **ùnder** one's **ínfluence** …を支配下に置く; …に対して影響力を持つ.
ùnder the ínfluence (of …) (…の)影響を受けて ‖ *under the influence of* alcohol 酒に酔って(◆通例はこの意味になる).
— 動 (~s/-iz/; 過去・過分 ~d/-t/; ~·enc·ing)
— 他 1〈人・物・事が〉〈人・物・事に〉(間接的な)影響を及ぼす, …を感化する; …を左右する, 動かす(◆「(直接的な)影響を及ぼす」は affect) ‖ The tides are *influenced* by the moon and the sun. 潮の干満は月と太陽の影響を受ける. **2** [influence A to do] 〈人・物・事が〉A〈人〉に影響を及ぼして…させる ‖ The TV advertisement *influenced* me *to buy* a new car. テレビ広告に感化されて新しい車を買った.
ínfluence pèddling (商談などの)斡旋(ホム)(利得), 口きき.

†**in·flu·en·tial** /ìnfluénʃəl/ 形 **1** 大きな影響[感化]を及ぼす; 勢力のある, 有力な, コネの多い. **2** 〔…で〕重要な役割を果たす [in].
in·flu·én·tial·ly 副 幅をきかして.

†**in·flu·en·za** /ìnfluénzə/ 图 U 〔医学〕インフルエンザ, 流行性感冒, 流感 (略式 flu).

†**in·flux** /ínflʌks/ 图 **1** U 〔正式〕(空気・光・水などの)流入, 流れ込み. **2** C 〔通例 an ~〕(人・物の)(突然の)到来, 殺到, 流入. **3** C (川の)合流点, 河口.

in·fo /ínfou/ 图 〔略式〕= information.

in·fold /infóuld/ 動 他 …を […で] 包む [with], …を […に] くるむ [in]; …を抱く; …を (内側に) 折り込む.

in·fo·mer·cial /ìnfəmə́ːrʃəl, 〈英〉-fəː-/ 〖〖*information* + com*mercial*〗〗 图 C 〈米〉情報コマーシャル《ニュース情報などを盛り込んだコマーシャル. informercial ともいう》.

*****in·form** /infɔ́ːrm/ 〖〖…に(in)形作る(form)〗〗 派 information (名)
— 動 (~s/-z/; 過去・過分 ~ed/-d/; ~·ing) 〔正式〕
— 他 **1a** [inform A of [about, on] B] 〈人が〉A〈人〉に B〈ニュースなど〉を知らせる; [inform A that 節 / inform A wh節·句] A〈人〉に…と[かを]告げる (類語 acquaint, notify) ‖ I *informed* 「him *of* her arrival [him *that* she had arrived]. 彼女が到着したことを彼に知らせた(= I told him that she …).◆ ˣ *of* または *that* 節以下の省略は不可: ˣ I *informed* him. / He was *informed that* his application had been accepted. 彼は申請が受理されたとの知らせを受けた(→文法 10.1) / He was not properly *informed of* the matter. その件について彼はちゃんと知らせてもらっていなかった(cf. informed). **b** 〈人が〉〈会社などに〉(口頭・書面で)知らせる, 通知する (tell).
2 〈人・作品〉を〔感情・特質などで〕満たす, 元気づける [with] ‖ *inform* her *with* courage 彼女を勇気づける / His speech is *informed with* sincerity. 彼の話は真情にあふれている.
— 自 **1** 知らせる, 情報を提供する; 知識を与える. **2** 〔人を〕密告する 〔against, on, upon〕 ‖ *inform against* one's friend to the police 友人を警察に密告する.

*****in·for·mal** /infɔ́ːrml/
— 形 **1** 非公式の, 変則の, 略式の (↔ formal) ‖ I like *informal* parties. 私は略式のパーティーが好きです. **2** 形式ばらない, 打ち解けた; ふだん着 [軽装]の (casual) ‖ *informal* clothes ふだん着. **3** 〈言葉などが〉略式の, 非公式の, くだけた, 会話 [口語] 体の, 話し言葉の ‖ *informal* English くだけた文体の英語 《◆ 本辞典ではこれを 〔略式〕で表している》.
in·fór·mal·ly 副 非公式に, 略式に; 形式ばらずに.
in·for·mal·i·ty /ìnfɔːrmǽləti/ 图 U C 非公式, 略式, 形式ばらないこと, ざっくばらんなこと (↔ formality).

†**in·form·ant** /infɔ́ːrmənt/ 图 〔正式〕**1** = informer. **2** 〔言語〕情報提供者, インフォーマント.

*****in·for·ma·tion** /ìnfərméiʃən, 〈英〉-fəː-/ 〖〖→inform〗〗
— 图 (複 ~s/-z/) **1** U 知らせること, 知らされること; 〔…についての〕情報, 資料, 知識, 密告, 消息 [about, on, as to, concerning]; 〔…という〕報道, 報告 [that 節] (略式 inf, info.) (類語 data, knowledge) ‖ the increasing availability of wide [various] *information* さまざまな情報の入手可能性の増大 / a mine of *information* 知識[情報]の宝庫 (◆ 人にも用いる) / *for* your *information* 参考のために (cf. F.Y.I.) / *ask for information about* [*as to*] where she lives 彼女の居場所について問い合わせる (◆ *about* がふつう) / *get* a useful *piece* [*bit*, *item*] *of information* 役に立つ情報を得る 《 ⚠ ˣan *information*, ˣmany *informations* は不可. →文法 14.2⑶》/ provide him with reliable sources of *information about* [ˣ*of*] the accident 事故についての信頼できる情報源を彼に知らせる / I have no *information (that)* she is coming. 彼女が来るという知らせは受けていない(◆ *that* の省略がふつう. →文法 22.5).
2 U 案内; C (駅・ホテルなどの)案内所, 受付(係).
3 U 〔コンピュータ〕情報, 資料. **4** [形容詞的に] 案内の, 情報の ‖ *information* art [pollution, science, system] 情報芸術[公害, 科学, 組織].
informátion cènter (博覧会・病院などの)案内所.
informátion dèsk 〈米〉案内所, 受付 〈英〉 inquiry office).
informátion industry 情報産業.
informátion retríeval (コンピュータによる)情報検索 (略 IR).
informátion science 情報科学.
informátion superhíghway [the ~] 情報スーパー

informátion technólogy 情報工学, 情報(通信)技術(略 IT).

in·for·ma·tion·al /ìnfərméiʃənl, (英+) -fɔː-/ 形 情報の, 情報を提供する ‖ *informational* age [society] 情報化時代(し).

in·form·a·tive /infɔ́ːrmətiv/ 形 (多くの)有益な知識[情報]を提供する. **infórmative àd** 説明的広告.

in·formed /infɔ́ːrmd/ 形 (...について)知識のある, 詳しい(*about, of, on, as to, in*) ‖ a well-[badly-]*informed* man on sports スポーツに明るい[暗い]人 / *keep* oneself *informed as to* what is happening everywhere 各地の出来事に詳しい. **infórmed consént** インフォームドコンセント《医者から説明をうけた上での(治療や手術の)承諾》.

infórmed sóurces [obsérvers] 消息筋.

in·form·er /infɔ́ːrmər/ 名 ① 情報提供者, (報酬目当ての)密告者; 告発人.

in·fo·tain·ment /ìnfətéinmənt/ [information + entertainment] 名 U インフォテインメント《情報と娯楽を合体させた興味本位の情報のばらまき》.

in·frac·tion /infrǽkʃən/ 名 1 (正式) U (...について)(規則[法律]違反, 侵害; C 違反行為. 2 U [医学] 不完全骨折, 亀裂骨折.

in·fra·red /ìnfrəréd/ [物理] 形 赤外(線)の, 赤外部の. ── U =infrared rays.

infraréd ráys (スペクトルの)赤外部; 赤外線.

infraréd transmíssion 〔コンピュータ〕赤外線通信.

in·fra·struc·ture /ínfrəstrʌ̀ktʃər/ 名 (社会の)基礎となる施設, 下部構造, 経済基盤, インフラ(ストラクチャー)《水道・電気・鉄道などの文明社会の基本設備》.

in·fre·quent /infríːkwənt/ 形 1 めったに起こらない, まれな, たまの. 2 少ない, まばらな. 3 遠く離れた, 飛び飛びの.

†**in·fre·quent·ly** /infríːkwəntli/ 副 まれに, たまに, めったに ‖ not *infrequently* しばしば, 往々にして.

in·fringe /infríndʒ/ 動 他 (正式) (法律・義務・契約などを)破る, 犯す(*break*) ; (権利などを)侵害する. ── 自 (...を)侵害する(*on, upon*).

in·frínge·ment 名 UC (正式) (法律上の)違反(行為), (権利などの)侵害.

†**in·fu·ri·ate** /infjúərièit/ 形 -ət/ 動 他 (正式) 〈人〉を激怒[激高]させる, 憤慨させる. ── 形 (まれ) 激高した. **in·fú·ri·àt·ing** 形 激怒させる. **in·fú·ri·àt·ing·ly** 副 激怒して; [文全体を修飾] 腹の立つことに.

†**in·fuse** /infjúːz/ 動 他 1 〈液などを〉注ぐ, 注入する. 2 (正式) 〈人などに〉〈思想・信念・活力などを〉吹き込む(*with*) ; 〈思想・信念・活力などを〉〈人などに〉吹き込む(*into*) ‖ *infuse* him *with* courage =*infuse* courage *into* him 彼を元気づける. 3 〈茶〉に湯を注ぐ, 〈茶・薬草などを〉煎じる, 〈薬草などを〉振り出す, 水[湯]に浸す. ── 自 〈茶・薬草などが〉煎じ出される.

in·fu·sion /infjúːʒən/ 名 1 U (正式) (思想などの)(...への)注入, 鼓舞, 吹き込み(*into*). 2 C (注入[混入])物. 3 C 煎じ(じ)出し, 振り出し; C 煎じ液, 浸出液. 4 CU [医学] (静脈への)注入, 点滴; 注入液.

†**-ing** /-iŋ/ 接尾 → 語要素一覧(2.2, 2.4).

†**in·gen·ious** /indʒíːnjəs, -iəs/ 形 〈人が〉利口な, 発明の才に富む, 巧妙な ‖ She is an *ingenious* liar. 彼女はうそをつく天才だ. 2 〈人・物〉が(...に)独創的な, 器用な(*at*) ‖ a simple yet *ingenious* solution to our problem 我々の問題に対する簡単だが独創的な解決方法. **in·gén·ious·ly** 副 巧妙に; 器用に.

†**in·ge·nu·i·ty** /ìndʒən(j)úːəti/ 名 1 U 発明の才, 創意, 器用さ, 巧妙さ. 2 C (通例 ingenuities) 巧妙な工夫 [発明] (品), 精巧[器用]にできたもの.

in·gen·u·ous /indʒénjuəs/ 形 (正式) 1 〈人・考えなどが〉率直な, 天真爛(え)漫な ‖ be *ingenuous* in believing him 彼の言葉を素直に信じる. 2 〈人・言動などが〉純真な, 無邪気な, 飾り気のない.

†**in·glo·ri·ous** /inglɔ́ːriəs/ 形 (文) 1 不名誉な, 恥ずべき, 不面目な(↔ glorious). 2 (古) 名もない, 無名の.

in·gló·ri·ous·ly 副 不名誉なことに, 恥じて.

in·go·ing /íngòuiŋ/ 形 入って来る, 就任の(↔ outgoing).

in·got /íngət/ 名 C 1 鋳塊(ちゅ), インゴット. 2 鋳型(ちゅ).

in·grain /動 ingréin; 形 ─/ 動 他 〈習慣・信念などを〉深くしみ込ませる, 植えつける, 根づかせる. ── 形 =ingrained. ── 名 C 先染めの糸; =ingrain carpet. **íngrain càrpet** (米) 先染めじゅうたん.

in·grained /ingréind, ─/ 形 深くしみ込んだ, 根深い.

in·grate /íngreit, (英+) ─/ 名 C (文) 忘恩者, 恩知らず.

in·gra·ti·ate /ingréiʃièit/ 動 他 (正式) [~ oneself] 〈人が〉(...に)取り入る, (...の)機嫌を取る(*with*)《受身不可》.

†**in·grat·i·tude** /ingrǽtət(j)ùːd/ 名 U (...に対する)忘恩, 恩知らず(*to, toward*) (↔ gratitude).

†**in·gre·di·ent** /ingríːdiənt/ 名 C 成分, 要素, 原料, 構成要素[分子] ; (料理などの)材料 ‖ a secret *ingredient* かくし味, 秘伝の材料.

in·gress /íngres/ 名 (正式) 1 U 進入, 入来(↔ egress). 2 U 入場権, 入場の自由. 3 C 入口; ...に入るための手段(*to*).

†**in·hab·it** /inhǽbət/ 動 他 (正式) 1 〈ふつう人間・動物の集団が〉〈ある場所〉に住んでいる, 居住する ‖ Two families *inhabited* the villa. その別荘に2家族が住んでいた《♦ ×Tom *inhabits* this house. は1人の人が主語なので不可》. 2 〈物などが〉〈心などに〉宿る, 存在する ‖ Many painful memories *inhabited* her mind. 多くのつらい思い出が彼女の心に残っていた.

in·hab·it·a·ble /inhǽbətəbl/ 形 住める, 居住に適した.

†**in·hab·it·ant** /inhǽbətənt/ 名 C 住民, 居住者, 定住者; (長期間・永久的に)ある場所に住む人[動物] ‖ The village has about 500 *inhabitants*. その村には約500人の住民がいる.

in·ha·la·tion /ìnhəléiʃən, ìnə-/ 名 U 吸入(↔ exhalation); C 吸入剤[薬].

†**in·hale** /inhéil/ 動 (正式) 他 1 〈空気・ガスなどを〉吸い込む, 吸入する(breathe in)(↔ exhale). 2 〈飲食物をがつがつ食べる, 飲み込む. ── 自 (息・タバコの煙などを)吸い込む. **in·hál·er** 名 C [医学] 吸入器; 吸入マスク, 空気清浄器; (通訳) 吸入する人.

in·har·mo·ni·ous /ìnhɑːrmóuniəs/ 形 1 不協和の, 不調和な. 2 不和の, しっくりしない.

in·here /inhíər/ 動 (正式) 〈性質・属性・権利などが〉(...に)本来備わって[含まれて]いる(*in*) ‖ trouble *inhering* [which inheres] *in* friendship 友情につきものの悩み (→ 文法 13.2) / Honesty *inheres in* her. 彼女は生まれつき正直だ.

†**in·her·ent** /inhíərənt | inhér-/ 形 (正式) 〈性質・属性・権利などが〉(...に)本来備わっている, 生まれつき存在する(*in*); [...に]固有の(*in*), 持ち前の ‖ *inherent* rights 生得権 / the linguistic abilities *inherent*

in human beings 人類が生得的にもつ言語能力.

in·hér·ent·ly 副 生得的に, 生まれもって.

†**in·her·it** /inhérət/ 動 他 1 〈人が〉〈財産・権利・地位などを〉〈人から〉相続する〔*from*〕;〈人のあとを継ぐ〉〔*from*〕‖ She *inherited*「her uncle's property [the property from her uncle]. 彼女はおじの財産を相続した(=She received the property by inheritance from her uncle.). 2 〈人が〉〈性質・体質などを〉〈人から〉遺伝的に受け継いでいる〔*from*〕;〈物事を〉〔前任者から〕引き継ぐ〔*from*〕‖ I *inherit* my shyness *from* my father. 私のはにかみは父譲りだ.
— 自 〔人から〕財産[権利]を相続する, 〔人の〕あとを継ぐ〔*from*〕;〔人から〕性質[地位]を引き継ぐ〔*from*〕.

in·her·it·a·ble /inhérətəbl/ 形 相続[継承]できる, 遺伝する;相続資格[権利]のある.

†**in·her·it·ance** /inhérətəns/ 名 1 Ⓤ 《正式》相続(すること), 継承, 相続権;[形容詞的に]《◆ heritage よりも口語的》‖ an *inhéritance* tàx (英) 相続税((米) a death tax) [recéive / a fortune] *by inhéritance* 財産を相続する. 2 Ⓒ 〔通例 an ~〕相続財産, 遺産《特に遺言により相続する財産を legacy》‖ a quarrel over an *inheritance* 遺産争い / *cóme into one's inhéritance* 遺産を継ぐ. 3 Ⓤ 遺伝;Ⓒ 《文》親譲りの性質[体質];遺伝形質.

in·her·i·tor /inhérətər/ 名 Ⓒ 相続人(heir).

in·hib·it /inhíbət/ 動 他 《正式》…を(自発的に)抑制する, 抑える;…を妨げる, 阻止する;〈人に〉〔…に〕させないようにする〔*from* (doing)〕.

in·hib·it·ed /inhíbətid/ 形 (恥ずかしさなどに)抑制[抑圧]された(性格の), 妨げられた, 自由に行動できない《◆ uninhibited》.

in·hi·bi·tion /inhəbíʃən, ìnə-/ 名 Ⓒ Ⓤ 《正式》抑制, 抑圧, 禁止[妨害](するもの).

†**in·hos·pit·a·ble** /ìnhɑspítəbl, ‥‥‥│ìnhɔspít-/ 形 1 〔…に対して〕もてなしの悪い, 無愛想な, 不親切な〔*to, toward*〕《↔ hospitable》. 2 荒れ果てた, 吹きさらしの. **in·hós·pit·a·bly** 副 もてなし悪く, 無愛想に.

in·hos·pi·tal·i·ty /ìnhɑspətǽləti, ‥‥‥│ìnhɔs-/ 名 Ⓤ 冷遇, 無愛想.

†**in·hu·man** /inhjúːmən, (米+) injúː-/ 形 人間的でない(human);不人情な, 冷酷な, 残酷な, 無愛想な, 超人的な, 怪物的な. **in·hú·man·ly** 副 不人情に, 冷酷に. **in·hú·man·ness** 名 Ⓤ 不人情, 冷酷.

in·hu·mane /ìnhjuːméin/ 形 非人道的な, 残酷な(humane)‖ *inhumane* treatment 非人道的な扱い. **in·hu·máne·ly** 副 非人道的に, 残酷に.

in·hu·man·i·ty /ìnhjuːmǽnəti, (米+) ìnjuː-/ 名 Ⓤ 不人情, 残酷, 無愛想, Ⓒ [しばしば inhumanities] 不人情な行為, 残酷な行動.

†**in·im·i·cal** /iním中kl/ 形 《正式》 1 敵意のある. 2 〔…に〕不利な, 有害な〔*to*〕. **in·ím·i·cal·ly** 副 敵意をもって;不利に.

in·im·i·ta·ble /inímətəbl/ 形 《正式》まねのできない, 無比の, 独特な.

in·iq·ui·tous /iníkwətəs/ 形 《正式》不正[不法]な, 非道な, 邪悪な.

†**in·iq·ui·ty** /iníkwəti/ 名 《やや古正式》 1 Ⓤ 不正, 不法, 非道, 邪悪. 2 Ⓒ 不正[不法, 非道]な行為, 罪悪.

†**i·ni·tial** /iníʃl/ 形 《正式》 1 初めの, 最初の(first)《↔ last》‖ my *initial* experience 私の初体験 / the *initial* stage of「an enterprise [a disease] 事業[病気]の初期の段階. 2 語頭にある, 頭文字による‖ an *initial* consonant 語頭子音(字) / an *initial* letter 頭文字.
— 名 Ⓒ 頭文字, 章頭の飾り文字;[通例 ~s] (姓名・名称の)イニシャル, 頭文字(略 init.) ‖ My *initials* JS stand for John Smith. 私のイニシャルの JS は John Smith を表しています.
— 動 (過去·過分) ~ed or (英) ~-ni·tialled/-d/; ~ing or (英) ~-tial·ling 他 〈文書·書類·物などに〉頭文字を書く[署名する] ‖ 〈条約などに〉仮調印する.

i·ní·tial·ly 副 初めに, 冒頭に;最初は.

i·ni·tial·ize /iníʃlàiz/ 動 他 (コンピュータ)…を初期状態に戻す, 初期化する.

†**i·ni·ti·ate** 動 /iníʃièit/ 他 《正式》 1 〈事業·計画などを〉(積極的に·責任をもって)始める[起こす](begin, start)《↔ stop, finish》, …に着手する《↔ consummate》 ‖ *initiate* a new plan 新計画を始める. 2 〈人に〉〈秘伝·原理·奥義などを〉教える, 授ける;(特別な儀式をして)〈人を〉(クラブなどに)(正式に)入会[加入]させる〔*into*〕 ‖ *initiate* him *into* búsiness [literature] 彼に商売[文学]の手ほどきをする / He *was initiated into* a secret society. 彼は秘密結社に入った. — 形 初期の;手ほどきを受けた, 入会を許された. — 名 Ⓒ 《正式》手ほどきを受けた人, 新入会者.

†**i·ni·ti·a·tion** /iníʃièiʃən/ 名 《正式》 1 Ⓤ 〔…への〕(正式の)加入, 入会〔*into*〕;Ⓒ 入会[入社]式. 2 Ⓤ 開始, 創始;(秘伝·原理などの)手ほどき, 伝授.
initiátion céremony 入会式.

†**i·ni·ti·a·tive** /iníʃiətiv, -ʃiə-/ 名 [通例 the one's ~] 手始め, 開始, 先制, 首唱;[the ~] 主導権, イニシアチブ, (政治)(国民の)発議権 ‖ *on* [*at*] *the initiative of* the governor 知事の首唱で / áct [dó] *on one's ówn initiative* 自発的に行動する / láck [háve, gáin] *the initiative* (戦場などで)主導権を欠く[握る] / He tòok *the initiative* 「in carrying [to carry] out the plan. 彼は率先して計画を実行した. 2 Ⓤ 企業心, 独創力, 進取的精神 ‖ a man of *initiative* 進取の才に富む人.

†**in·ject** /indʒékt/ 動 他 1 …を〔…に〕注入[注射]する, 〔…に〕〈金を〉注ぎ込む〔*into*〕;〈人などに〉〈薬液などを〉注射する〔*with*〕 ‖ *inject* penicillin *into* the patient's arm ペニシリンを患者の腕に注射する / *inject* public funds [money] *into* major banks 主要銀行に公的資金を注入する. 2 〈意見などを〉さしはさむ;〈活気などを〉〔…に〕添える〔*into*〕.

in·jéc·tor 名 Ⓒ 注入[注射]器;注射する人.

in·jec·tion /indʒékʃən/ 名 1 Ⓒ Ⓤ 〔…への〕注入, 注射;(資金などの)投入〔*into*〕;浣腸(診);Ⓒ 注射液[薬]. 2 Ⓒ 充血.

in·ju·di·cious /ìndʒuːdíʃəs/ 形 《正式》無思慮な, 無分別な;時機の悪い.
in·ju·dí·cious·ly 副 無分別に.

†**in·junc·tion** /indʒʌ́ŋkʃən/ 名 Ⓒ 1 《正式》〔…に対する・…せよとの/…という〕命令, 指令, 指図〔*against* / *to do* / *that*節〕. 2 《法律》(裁判所の)差止め[禁止]命令;履行命令.

*★**in·jure** /índʒər/ 〖正しく(just)いる(in)状態にする〗派 injury /-ri/.
—動 (~s/-z/; 過去·過分) ~d/-d/; ~jur·ing /-dʒəriŋ/.
—他 1 〈事·人·力が〉〈人·身体·動植物などを〉傷つける, 痛める;〈物に〉損害を与える《↔ aid》(使い分け → damage 他 1, wound 他 1)‖ My father was seriously [slightly] *injured* in a crash. 父は衝突事故で重傷[軽傷]を負った / He *injured* his

health by working too hard. 彼は働きすぎて健康を害した / The blast killed ten people and injured 27 people. 爆発で10人が死亡し27人が負傷した / injure oneself with a knife ナイフでけがをする. **2** 〈人・事が〉〈感情・名誉・評判などを〉傷つける, 害する;〈人〉を立腹させる,不当に扱う‖ injure her pride [feelings] 彼女の自尊心[感情]を傷つける.

in·jur·er 名 加害者.

in·jured /índʒəd/ 形 **1** 〈人・身体が〉傷ついた; [the ~; 名詞扱い] 〈複数扱い〉 けが人 (injured people) ‖ the injured part 被害者(側) / an injured eye 痛めた目 / the dead and the injured (事故・戦争などの)死傷者. **2** 〈感情などが〉傷つけられた‖ talk in an injured voice むっとした声で話す.

†**in·ju·ri·ous** /indʒúəriəs/ 形 《正式》 **1**〔…に〕害を与える,有害な〔to〕‖ injúrious hábits 悪習 / Smoking is injurious to (your) health. タバコは健康に悪い. **2** 無礼な, 不当[不正]な ‖ injúrious wórds 中傷する言葉.

in·jú·ri·ous·ly 副 有害に;不当に.

*†**in·ju·ry** /índʒəri/
——名 (複) --ries/-z/) **1** UC (身体的)傷害, 負傷;〔…に対する〕損害,損傷〔to〕《◆ ˣat, on は不可》‖ many injuries to the crops by the cold spell 冷害による作物への多くの被害《◆ much damage がふつう》 / a head [leg, shoulder] injury 頭[脚,肩]の負傷 / injury benefit 《英》傷害保険金 / Heavy smoking might cause injury to your health. タバコの吸いすぎは健康を害するおそれがある《◆ ... might be hazardous to ... の方が自然》 / do him an injury =do an injury to him (略式) 彼を傷つける, 彼の名誉を傷つける(→ **2**) / suffer [get, receive] severe injuries to one's leg in an accident 事故で足をひどく負傷する.

〖関連〗〖いろいろなけが〗
(1) 〖種類〗 bruise 打撲傷 / burn やけど / crack ひび / dislocation 脱臼 / fracture 骨折 / internal bleeding 内出血 / lump たんこぶ / scratch かすり傷 / slipped disk 《米》 ぎっくり腰 / spasm けいれん / sprain 捻挫 / whiplash むち打ち症.
(2) 〖程度〗 severe [major] injury 重傷 / slight [minor] injury 軽傷.

---

2 C 〔感情・名誉・評判などを〕傷つけること,〔…に対する〕無礼, 侮辱(的言動)〔to〕; U 〔…に対する〕不正, 不当な扱い〔to〕‖ Her manner was an injury to my pride. 彼女の態度に私の誇りが傷ついた.

ínjury tìme 《英》インジャリー=タイム《サッカー・ラグビー・ホッケーなどで負傷の手当てに要した分の延長試合時間》.

†**in·jus·tice** /indʒʌ́stis/ 名 **1** U 不当, 不法, 不公平; 権利の侵害‖ remedy injustice 不公平をただす / without injustice to him 彼に不公平にならないように. **2** C 不正行為, 不当な処置; 非行 ‖ commit a great injustice ひどい不正を働く.

do ⒶA an injústice = do an injústice to ⒶA 《正式》 〈人〉を不当に扱う;〈人〉を誤解する.

*¹**ink** /ɪŋk/
——名 U **1** インク 《(as) black as ink 真っ暗[真っ黒]な《◆ 顔などが「汚れて真っ黒な」は (as) black as coal》/ write in [with] ink インクで書く / I need a refill of ink for my pen. インクのスペアが必要だ / China [Chinese, India(n)] ink 墨($_{t}$) / invisible [sympathetic, secret] ink あぶり出しインク / printing ink 印刷用インク. **2** (イカ・タコなどの出す)墨.

——動 他 〈ペンなどに〉インクをつける ‖ ink a fountain pen 万年筆にインクを入れる / ink one's fingers 指をインクで汚す.

ínk bòttle インクびん.

ínk·blòt /íŋkblɑt|-blɔt/ 名 C インクのしみ ‖ an inkblot test (インクのしみによる)連想試験.

ínk-jèt prínter /íŋkdʒèt-/〔コンピュータ〕インクジェット式プリンター.

ink·ling /íŋkliŋ/ 名 U [しばしば an ~; 通例否定文・疑問文で]〔…を/…だと〕うすうす感づくこと[知っていること]〔of, as to / that節〕; 暗示, ほのめかし ‖ gèt [hàve] nó ínkling of his idea 彼の考えがさっぱりわからない / give him an ínkling of ... 彼に…をほのめかす.

ink·stand /íŋkstænd/ 名 C インクスタンド, 台付きインクつぼ.

ink·y /íŋki/ 形 (--i·er, --i·est) **1** 《正式》墨のような, 真っ暗[真っ黒]な. **2** インクで書かれた[汚れた]; インクの.

†**in·laid** /ínléid, -ˊ/ 動 inlay の過去形・過去分詞形.
——形〔…に/…を〕はめ込まれた, ちりばめた〔in, into / with〕, 象眼(細工)の.

†**in·land** /形 ínlənd, -lænd; 名 ínlænd, -lənd | -lənd; 副 ínlænd, ínlənd/ 形 **1** 〈地方の〉内陸の, 奥地の ‖ an inland lake 内陸の湖. **2** 《主に英》国内の, 国内で営まれる, 内地の (domestic) (↔ foreign) ‖ inland trade 国内取引 / an inland duty (国内交易などに課する)内国税. ——名 C 内陸, 奥地; 内地, 国内 ‖ the inland of Africa アフリカの奥地. ——副 内地[内陸, 奥地]へ[に] ‖ go inland 奥地に向かって行く.

Ínland Séa [the ~] (日本の)瀬戸内海.

ín·lànd·er 名 C 内地人, 奥地人.

in-law /ínlɔ̀/ 名 C (略式) [通例 ~s] 姻戚(戚), 姻族 《father-in-law, daughter-in-law など結婚に伴い生ずる親戚》.

in·lay /動 ìnléi; 名 ínlei/ 動 (過去・過分) --laid/-léid/) 他 **1** 〈金・模様などを〉〔…に〕はめ込む, ちりばめる〔in, into〕. **2** …に〔…で〕象眼する〔with〕.
——名 C 象眼細工; C 象眼模様.

†**in·let** /名 ínlət, -let; 動 ìnlét, -ˊ/ 名 C **1** 入江, 入海 《◆ bay より小さい》; (島と島の間の)瀬戸. **2** 〔…の〕入口, 引入れ口〔for〕(↔ outlet). **3** はめ込まれた物, 挿入物. ——動 (過去・過分) in·let; --let·ting) 他 …をはめ[さし]込む.

in-line /ínláin/ 形 〈部品・装置が〉直列式の ‖ in-line skates インライン=スケート靴《ローラーがスケート靴の中心に1列に並んだもの》.

in·ly /ínli/ 副 (文) **1** 内に, 内心に. **2** 心から; 親しく; すなおで.

†**in·mate** /ínmèit/ 名 C **1** (病院・刑務所・養老院などの)収容者, 入院者, 在監者. **2** (同じ家に住む)同居人, 同居人.

†**in·most** /ínmòust/ 形 《文》 =innermost.

*¹**inn** /ín/ (同音) ᴬin) 『中に(in)』が原義
——名 (複) ~s/-z/) C **1** 宿屋, 小さな旅館 《◆ 英国の inn は, 主に地方にある古い(造りの)もののもので, ふつう2階は宿泊用, 1階は bar (酒場)で村や町の社交場. 最近は公式の会合などに用いる部屋もある》 ‖ They pùt úp at an ínn. 彼らは宿屋に泊まった. **2** 酒場, 居酒

innate

†**in·nate** /inéit/ 形 (正式) 1 〈性格が〉生まれつきの, 生得[生来]の, 先天的な(inborn) (cf. congenital) (↔ acquired) ‖ Using language is our *innate* ability. 言語の使用は我々の生得的な能力だ. 2 固有の, 本質的な.
in·nate·ly 副 生得[本質]的に; 生まれつき.

†**in·ner** /ínər/ 形 1 内側の, 内部の(inside) (↔ outer) ‖ an *inner* room 奥の部屋 / an *inner* pocket 内ポケット. 2 (正式) 内密の, 内なる, 秘めた (secret) ‖ one's *inner* thoughts 心に深く秘めた思い. 3 心の, 精神的な, 主観的な ‖ the *inner* life of man 人間の精神生活. ——名 C 1 (標的の)内圏(中心と外圏との間の部分). 2 内圏に命中した弾[矢].
ínner cíty 都市(部); (米) 大都市の(特に黒人)貧民街 《◆ slum, ghetto の遠回し語》.
ínner éar 内耳 (↔ outer ear).
Ínner Mongólia 内モンゴル.
ínner túbe (タイヤの)チューブ.

†**in·ner·most** /ínərmòust/ 形 1 [the ~] 最も[いちばん]奥の, 最も内部の, 内奥(答)の (↔ outmost). 2 [one's ~] 心の奥の, 胸に深く秘めた ‖ one's *innermost* thoughts 心の奥に秘めた思い(= one's inner thoughts). ——名 C 最も深い[内奥(答)の]部分.

in·ning /íniŋ/ 名 C 1 [野球] イニング, 回 ‖ the top [first half] of the sixth *inning* 6回の表 / the bottom [second half] of the seventh *inning* 7回の裏 / go [run] into extra *innings* 延長戦に入る. 2 [クリケット] [~s] 個人・チームの打ち番, 得点 《◆意味が単数では単数扱い, 複数では複数扱い》.

inn·keep·er /ínki:pər/ 名 C (今はまれ) 宿屋の主人; 居酒屋[飲み屋]の主人(→ inn).

*__in·no·cence__ /ínəsəns/ (↔ innocent) 名 1 U 無罪, 潔白 (↔ guilt); (道徳的)純潔 ‖ He proclaimed his *innocence*. 彼は身の潔白を主張した. 2 U 無邪気さ, 天真爛(然)漫; 無垢, 無害; C 無邪気な人, お人よし ‖ the *innocence* of the youth 若者の無知.

*__in·no·cent__ /ínəsənt/ **(アクセント注意)** [『傷つけない』の意] innocence (名)
——形 (more ~, most ~; 時に ~·er, ~·est)
I [かかわりがない]
1〈人が〉無罪の, 潔白な (↔ guilty);〈人が〉巻き添えを食った; [be innocent of A]〈人が〉〈罪〉を犯していない; (正式) [補語として] 〈物・事の〉ない, …を欠いている[of] 《◆比較変化しない》‖ a man (who is) *innocent* of common sense 良識のない人 / He is *innocent* of the murder. 彼は殺人を犯していない.
II [害を与えない]
2〈物・事が〉無害な, 悪意[悪気]のない ‖ an *innocent* mistake 悪気のない間違い.
3〈人・言動が〉無邪気な, 天真爛(然)漫な, 純潔な ‖ an *innocent* girl 無邪気な少女.
4 お人よしの, おめでたい.
——名 C 無邪気な子供[人], 潔白な人; (まれ) お人よし, おめでたい人; 頭の弱い人.

†**in·no·cent·ly** /ínəsəntli/ 副 無邪気に, 何くわぬ顔で.
in·noc·u·ous /inákjuəs│in5k-/ 形 (正式) 1〈薬・ヘビなどが〉無毒の, 無害な (↔ poisonous). 2〈言動が〉害のない (↔ harmful);〈人が〉危害を加えない; 退屈な. **in·nóc·u·ous·ly** 副 当たりさわりなく.
in·no·vate /ínəvèit│ínəu-/ 動 ⊜ (…を)刷新[革新]

する, […に]新生面を開く[in, on, upon]. ——他 …を採り入れる, 導入する.
in·no·va·tive /-vèitiv, (英+) -və-/ 形 革新的な, 進取の気概に富む.
ín·no·và·tor 名 C 刷新する人.

†**in·no·va·tion** /ìnəvéiʃən│ìnəu-/ 名 1 U (新しい事・物の)導入, 革新, 刷新. 2 C 新機軸, 新制度, 新しい考え[計画, 方法, 技術] ‖ technical *innovations* 技術革新.

in·nu·en·do /ìnjuéndou/ 名 (複 ~s, ~es) C U (正式) 暗示, ほのめかし, 風刺, 当てこすり.

†**in·nu·mer·a·ble** /injúːmərəbl/ 形 (正式) 数えきれない, 無数の; おびただしい, 多くの (great many) ‖ *innumerable* examples 数えきれないほど多くの例 / *innumerable* stars 無数の星.
in·nú·mer·a·bly 副 数えきれないほどに.

in·oc·u·late /inákjəlèit│in5k-/ 動 1 a 〈人に〉[病気の]予防接種をする[for, against]. b 〈ワクチンなどを〉[人・動物に]接種する[into, on, upon]. …に〈ワクチンなどを〉接種する(with). 2〈人に〉[思想など]を植えつける, 吹きこむ(with). ——⊜ 予防接種を行なう, 種痘する. **in·òc·u·lá·tion** 名 U C 〈伝染病などの〉予防接種[注射].

in·of·fen·sive /ìnəfénsiv/ 形 害にならない, 不快感を与えない, 悪気のない.
in·op·er·a·tive /inápərətiv, -ərèi-│in5p-/ 形 (正式)〈法律などが〉効力のない, 無効の;〈機械などが〉正常に動かない.
in·op·por·tune /ìnàpərtjúːn│in5pətjuːn/ 形 (正式) 時機を失した, 折りの悪い, あいにくの, 不適当な.
in·òp·por·túne·ly 副 (正式) 時機を失して, 折悪しく.
in·or·di·nate /in5rdənət/ 形 (正式) 過度の, 法外な; 不節制な; 無秩序の, 不規則な.
in·ór·di·nate·ly 副 法外に, ひどく.
in·or·gan·ic /ìnɔːrgǽnik/ 形 1 無生物の, 鉱物の. 2 (化学) 無機(物)の. 3 非有機的な; 偶有的な.
inorgánic chémistry 無機化学.

†**in·put** /ínput/ 名 [時に an ~] 1 (経済) 投入(量). 2 (機械・電気) 入力エネルギー, 供給電力. 3 (コンピュータ) […への] 入力(信号), インプット; (米) (入力された)情報[to] (↔ output). 4 […に提供された]情報, 考え, アドバイス[to, into]. ——動 (過去・過分)
--put·ted or in·put; --put·ting (コンピュータ) 他〈データなどを〉[…に]インプット[入力]する(into).

†**in·quest** /ínkwest, iŋ-/ 名 C 1 (法律) (陪審による)審問, 査問; (主に検死陪審による)検死. 2 (略式) (広義)調査; (敗北・失敗などの)検討[反省].
in·qui·e·tude /ìnkwáiət(j)ùːd/ 名 (正式) 1 U 不安, (心の)動揺. 2 [~s] 心配事.

†**in·quire, en-** /inkwáiər/ 動 (正式) 他 [inquire A of [from] B]〈人が〉B〈人〉に A〈物・事〉を尋ねる; [inquire (of A) wh節・句, whether [if]節] (A〈人〉に)…かを問う; 「…と聞く《◆ ask より堅い語》 ‖ *inquire* his address 彼の住所を尋ねる / *inquire* the way of [from] him 彼に道を尋ねる / I *inquired* where [when, how] to go. どこへ[いつ, どのように]行ったらよいか尋ねた.
——⊜ 1〈人が〉〈人に・について〉尋ねる, 問う[of, about, after, concerning, upon]. 2〈事件・事実などを〉調査する, 取り調べる[into] 《◆(1) 受身可. (2) look into の方がふつう》‖ *inquire into* the accident 事故を調査する.
*__inquíre áfter__ A (正式) (1)〈人が〉(第三者について)〈人〉の安否を尋ねる, 健康を尋ねる; …を見舞う

受身可])‖ When I met him yesterday, he *inquired after* you [your health]. 昨日彼に会ったとき, 彼は(私に)君[君の健康]のことを尋ねていました. (2)→ [1].

inquire for **A** 《正式》(1) …に面会を求める‖ Can I *inquire for* the boss in the afternoon? 午後社長に面会できますか. (2)〈品物〉を問い合わせる‖ Please *inquire for* this book at the library. この本が図書館にあるかどうか問い合わせてください. (2) =INQUIRE after.

Inquire within. 《英》詳細は中でお尋ねください《◆掲示板などの用語》.

in·quir·er /inkwáiərər/ 图 © 《正式》尋ねる人, 調査する人; 探究者.

in·quir·ing /inkwáiəriŋ/ 形 **1** 聞きたがる, 好奇心の強い, 《略式》nosy). **2** 尋ねるような, 不審そうな‖ with *inquiring* eyes けげんな目で.

in·quir·ing·ly 副 《正式》不審そうに, 聞きたそうに.

†in·quir·y, en— /ínkwəri, inkwáiəri | -kwáiəri/ 图 《正式》**1** ⓤ ⓒ 《…についての》質問, 問い合わせ; 照会(question)〔*about, concerning, for*〕; [inquiries; 複数扱い] 問い合わせ先‖ a letter of *inquiry* 照会状 / *on* [*upon*] *inquiry* 問い合わせてみて / màke *inquiries about* the matter [*for* an article on order] 事件について尋ねる[注文した商品があるかを問い合わせる] / *For inquiries* (↪), please call (us at) (222)987-6543. お問い合わせは(222)987-6543へ. **2** ⓒ 〔事件などの〕調査, 取調べ;〔事実・知識などの〕研究, 探究〔*into*〕《類語》《略式》では prying, investigation が好まれる. inquiry, enquiry の両語はともほとんど同じ意味であるが, 前者の方が長い重大な研究の意味でよく使われる)‖ make [hold] an official *inquiry into* the cause その原因を正式に調べる.

inquiry òffice《英》(ホテル・駅などの) 受付, 案内所《(米) information desk》.

†in·qui·si·tion /inkwəzíʃən, iŋ-/ 图 《正式》**1** ⓤ ⓒ (念入りの)調査, 探究‖ an *inquisition into* a matter 事件の調査. **2** ⓒ きびしい尋問; (議会上の)公式の取調べ, 審問(報告書). **3** the I~]〔歴史〕(中世の異端審理の)宗教裁判(所).

†in·quis·i·tive /inkwízətiv/ 形 **1** 研究好きな, 知識欲のある. **2** 〔他人事について〕好奇心の強い, 詮(せん)索好きな, 知りたがる[聞きたがる](*about*)(cf. curious)‖ She is *inquisitive* (in asking, ×to ask) *about* my family. 彼女は私の家族のことを根掘り葉掘り聞きたがる. ── 图 ⓒ 詮索好きな人.

in·quís·i·tive·ly 副 知りたがって, 詮索するように.

in·quis·i·tor /inkwízətər/ 图 ⓒ (女性形 ~tress /-tris/) **1**〔厳しく〕取り調べる[調査する]人, (官職としての)尋問者; 好奇心の強い質問者. **2** [I~]〔歴史〕宗教裁判官‖ **Grand Inquisitor** 宗教裁判長.

in·quis·i·to·ri·al /inkwìzətɔ́:riəl/ 形 **1** 調査(者)の, 宗教裁判官[所]の(ような). **2** =inquisitive **1**.

in·res·i·dence /inrézidəns/ 形 [名詞の後で] …に[ある資格で]居住している, 官邸[公邸]住まいの〔*at*〕.

†in·road /ínroud/ 图 ⓒ (通例 ~s) 侵入, 侵害, 侵略. **màke ínroads** [**into, on**, 《正式》**upon**] **A** …に食い込み, …を侵害する, …に果敢に取り組む‖ …の山場を終える.

†in·rush /ínrʌʃ/ 图 ⓒ 突入, 侵入; 流入, 殺到.

INS《略》Information Network System《高度》情報通信網体系[システム]; inertial navigation system《航空》慣性航法装置.

ins.《略》*inches*.

†in·sane /inséin/ 形 (more ~, most ~; 時に ~r, ~st) **1** (病気で)頭がおかしい, 狂気の, 精神異常の《◆ mad より弱く凶暴さがない》(↔ sane); [the ~; 複数扱い] 精神異常者‖ The man went *insane*. その男は頭がおかしくなった. **2** 精神異常者特有の, 精神異常者のための‖ an *insane* asylum [hospital] 精神病院《◆ 今はふつう mental hospital [home]》. **3**《略式》(常識を欠いて)頭がおかしい, 非常識な‖ an *insane* attempt とっぴな試み.

in·sáne·ly 副 発狂して; とっぴょうしもなく.

†in·san·i·ty /insǽnəti/ 图 ⓤ ⓒ 狂気, 精神錯乱, 精神病(↔ sanity); ⓒ〔法律〕精神異常.

†in·sa·ti·a·ble /inséiʃəbl, -ʃiə-/ 形《正式》飽くことを知らない, 貪欲(どんよく)な; 〔…を〕むやみに欲しがる〔*for, of*〕.

in·sa·ti·a·bly 副 飽くことなく, 貪欲に.

in·sa·ti·ate /inséiʃiət/ 形《文》〔…に〕飽くこと[満足]を知らない, 強欲な〔*for, of*〕.

†in·scribe /inskráib/ 動 他《正式》**1 a**〈名前・文字など〉を[石碑・金属板・紙などに]記入する, 刻む, 刻みつける〔*in, into, on, upon*〕,〈石碑などに〉[名前などを]刻む(carve)〔*with*〕‖ *inscribe* one's name on a stone = *inscribe* a stone *with* one's name 石に名を刻みつける. **b** 〈を〉〔心・記憶などに〕銘記する〔*on, upon, in*〕‖ The event will forever be *inscribed* in our memory. その出来事は永久に私たちの記憶に刻み込まれるでしょう. **2**〈書物・写真など〉を(署名などして)〔人に〕贈る, 献じる〔*to, for*〕. **3**〈名前を〉〔名簿などに〕記入[登録]する.

†in·scrip·tion /inskrípʃən/ 图 **1** ⓤ (語句などを)刻むこと, しるすこと, 銘刻(すること)‖ the *inscription* of the poem in stone 石の詩を石碑に刻みこむこと. **2** ⓒ 銘, 碑銘; 碑文; (貨幣などの)銘刻[字]‖ an *inscription* on a gravestone 墓碑銘 / a stone *inscription* 石碑文.

†in·scru·ta·ble /inskrú:təbl/ 形《正式》計り知れない, 不可解な, 不可思議な, なぞめいた(mysterious).

in·scru·ta·bly 副 不可解に, なぞめいて.

***in·sect** /ínsekt/《体をいくつかに(into)区切られた(sect)動物. cf. *section*》── 图 (複 ~s/-sekts/) ⓒ 昆虫《(主に米) bug》; 《略式》(広義)虫《クモ・ムカデなどを含む》《◆ ミミズ・ヒル・ウジムシ・カイチュウ・シャクトリムシなどは worm》‖ The Japanese enjoy the songs of birds and *insects*. 日本人は鳥や虫の鳴き声を楽しむ.

──────────────
《関連》[いろいろな種類の insect]
ant アリ / bee ハチ / beetle カブトムシ / butterfly チョウ(蝶) / caterpillar 毛虫 / centipede ムカデ / cicada セミ / cockroach ゴキブリ / cricket コオロギ / dragonfly トンボ / firefly ホタル / fly ハエ / grasshopper バッタ / ladybug テントウムシ / mosquito カ(蚊) / moth ガ(蛾) / spider クモ.
──────────────

ínsect pòwder 粉状除虫剤[殺虫剤].

in·sec·ti·cide /inséktəsàid/ 图 ⓤ ⓒ 殺虫(剤).

in·sec·tiv·o·rous /insèktívərəs/ 形〔動・植〕食虫性の.

in·se·cure /insikjúər/ 形 **1**《正式》安全でない, 不安定な(↔ secure). **2** 不安な, 落ち着かない; 不確かな.

in·se·cúre·ly 副 不安定に, あぶなっかしく; 自信なく.

in·se·cu·ri·ty /insikjúərəti/ 图 **1** ⓤ 不安定, 危険; 不確実, 不安(感), 自信のなさ. **2** ⓒ [しばしば ~s]

不安定[危険]なもの.

in·sen·sate /insénseit, -sət/ [形] 《正式》 **1** 感覚[知覚]のない, 生命のない. **2** 無情な, 残忍な. **3** ばかげた, 無分別な.

in·sen·si·bil·i·ty /insènsəbíləti, ìnsen-/ [名] [U] 《正式》〔…に対する〕無感覚, 無知覚〔*to*〕; 人事不省; 麻痺(ひ); 〔…に対する〕鈍感; 平気, 冷淡, 無関心〔*to*〕.

⁺in·sen·si·ble /insénsəbl/ [形] 《◆**2**を除いてふつう sensible の反対の意味にはならない》 《正式》 **1** 〔病気・けがなどで〕意識のない, 人事不省の〔*from*〕. **2** 〔…を〕意識しない; 〔…に〕気づかない〔*of*〕 ‖ I am nót *insénsible* ˹*of* the [to] délicate position I'm ín. 私は自分が立っている微妙な立場を知らないわけではない. **3** 〔…に〕無感覚な; 無神経な, 無頓(とん)着な; 冷淡な〔*to*〕 ‖ be *insensible to* pain 苦痛を感じない.

in·sén·si·bly [副] 気づかぬほど, 少しずつ.

in·sen·si·tive /insénsətiv/ [形] **1** 《精神的・感情的に》〔…に〕鈍感な〔*to*〕; 感受性の鈍い, 無感覚な, 無頓着な. **2** 《正式》《身体的・物質的に》〔…に〕無感応の〔*to*〕.

in·sén·si·tive·ly [副] 鈍感に; 無感覚に.

in·sèn·si·tív·i·ty [名] [U] 鈍感; 無感覚.

⁺in·sep·ar·a·ble /insépərəbl/ [形] 〔…から〕分離できない, 不可分の; 離れられない, 別れられない〔*from*〕 (↔ separable) ‖ *inseparable* friends 離れがたい友人たち. ——[名] [C] [通例 ~s] 不可分のもの; 親友.

in·sép·ar·a·bly [副] 分けられないほどに, 不可分に.

in·sép·ar·a·ble·ness [名] [U] 不可分.

in·sèp·ar·a·bíl·i·ty [名] [U] 不可分(性).

⁺in·sert /[動] insə́ːrt; [名] ⌐-/ 《正式》 [動] [他] **1** 〈人が〉〈物〉を〔物に〕差し込む, 差しはさむ, 挿入する〔*in, into*〕 ‖ [対話] "How can I open this door?" "Just *insert* this card *into* the lock like this."「このドアはどうやって開けるの」「このカードをこうやって錠に差し込むだけですよ」 / *insert* a coin *in* a slot 硬貨を料金差し入れ口に入れる / *insert* a comma *between* two words 2つの単語の間にコンマを置く. **2** 〈人が〉〈語句など〉を〔…に〕書き込む, 〈広告など〉を〔新聞などに〕掲載する(put)〔*in, into*〕 ‖ *insert* an ad *in* the paper 新聞に広告を載せる.

——[名] [C] 挿入物; 差し込みページ; 挿絵; 折り込み広告; 〔映画・テレビ〕挿入画面.

⁺in·ser·tion /insə́ːrʃən/ [名] 《正式》 **1** [C] [U] 〔…への〕挿入, 差し込み〔*in, into*〕. **2** [C] 挿入物; 書き込み; 折り込みビラ[広告].

in-ser·vice /ínsəːrvis, ⌐-/ [形] 現職(中)の; 〈研修などが〉現職中行なわれる.

ín-service tráining [educátion] 現職教育.

in·set /[動] insét; [名] ⌐-/ [動] ([過去・過分] **in·set** or **-set·ted**; **-set·ting**) [他] …を〔…に〕差し込む〔*in, into*〕; …に〔…を〕はめ込む〔*with*〕. ——[名] [C] 《正式》挿入物《書物の別刷りページや折り込み広告など》; 《大きな図表などに入れた》差し込み図, 挿入図[写真].

in·shore /ínʃɔ́ːr/ [形] [副] 海岸に近い[近く] (↔ offshore), 沿岸の[に], 近海の[に], 海岸に向かって.

ínshóre patról 沿岸警備(隊).

‡in·side /[名] insáid; [形] ⌐-, ⌐-; [副] ⌐-; [前] -⌐, ⌐-/ 《◆outside と対照させるときは /⌐-/ とする》『中の(in)側(side)』

——[名] ([複] ~s/-sáidz/) **1** [C] [通例 the ~] 内側, 内部; 〔野球〕内角(球) (↔ outside); [~s] 中味 ‖ *the inside* of ˹a car [a cupboard] 車[食器棚]の内部 / take *the insides* of a pumpkin カボチャの中身を取り出す. **2** [C] [通例 the ~] 《歩道・車道のカーブなどの》《車道から離れた》家寄り(側). **3** [C] 《略式》 [通例 ~s] おなか, 腹《◆belly, stomach の遠回し語》 ‖ have a pain in one's *inside*(*s*) おなかが痛い. **4** [U] [C] 《略式》 [the ~] 内情がよくわかる地位[立場]; 内情, 内幕; 内心 ‖ on *the inside* 内情を知る立場にいて; 内心では.

***inside óut** (1) 裏返しに, ひっくり返して ‖ wear one's socks *inside out* 靴下を裏返しにはいている. (2) 《略式》徹底的に, 完全に(thoroughly) ‖ I know this town *inside out*. この町をすみからすみまで知っている《◆ふつう know と共に用いる》.

——[形] /⌐-, ⌐-/ 《◆比較変化しない》 [名詞の前で] **1** 内側の, 内部の (↔ outside). **2** 屋内(用)の; 内勤の. **3** 《略式》内々の, 秘密の; 内情に通じた ‖ *inside* information 内部の情報 / an *inside* story 秘話 / an *inside* informant 内部告発者.

——[副] /⌐-/ 《◆比較変化しない》 **1** 内側に, 内部に (↔ outside) ‖ Let's go *inside*. 中へ入ろう / *from inside* 中[内側]から / The house is clean *inside* and out. その家は中も外もきれいにしてある. **2** 屋内で ‖ play *inside* 屋内で遊ぶ. **3** 内心は; 本来 ‖ *Inside*, he is a good chap. 彼は根はいいやつだ. **4** 《英》(2階建てバスの)1階に. **5** 《俗》投獄されて(in jail).

***insíde of* A** (1) 《主に米》 [場所] …の中[内側]に ‖ *inside of* the box 箱の中に. (2) 《略式》 [時間・距離] …以内に(within) ‖ *inside* (*of*) an hour 1時間以内に《◆時間の場合ふつう of は省略. → [前] **2**》 / *inside of* a mile 1マイル内に. (3) 《英略式》…の中央に.

——[前] /-⌐, ⌐-/ **1** [場所] …の中に[へ, で]; …の内部[内側]に[へ, で] 《◆within よりも口語的で, 比較的小さい場所について用いる》 ‖ look *inside* [into, in] the house 家の中をのぞきこむ / I found some old letters *inside* [in] the trunk. トランクの中に何通かの古い手紙があった《◆in と同義だが inside は「中に隠されたように」「開けてみると中から」といった感じを伴う》. [語法] 囲まれた物の内部をさすので, 「水の中で」などでは不可: He was *in* [×inside] the water. **2** [時間] …以内に(within) ‖ *inside* (《略式》 of) a week 1週間以内に.

in·sid·er /insáidər/ [名] [C] (組織内の)内部の人, 会員; 内情に明るい人, 消息通 (↔ outsider).

insíder tráding [déaling] 〔経済〕インサイダー取引.

ínside-the-párk hóme rùn /ínsaidðəpɑ́ːrk-/ 〔野球〕ランニングホームラン《◆×running home run とはいわない》.

⁺in·sid·i·ous /insídiəs/ [形] 《正式》 **1** こっそり(悪いことを)企む, 狡猾(こうかつ)な, 陰険な, 油断のならない. **2** 〈病気などが〉潜行性の.

in·síd·i·ous·ly [副] こっそりと, 陰険に; (病気が)知らぬまに進んで. **in·síd·i·ous·ness** [名] [U] 狡猾, 陰険さ.

⁺in·sight /ínsàit/ [名] [C] [U] 〔…に対する/…についての〕深い理解, 洞察(力), 眼識, 見識, 識見〔*into*/*about*〕 ‖ a man of great *insight* 深い洞察力のある人 / gain an *insight into* … …に内なる眼を開く, …を悟る / hàve an ínsight *into* politics 政治に識見をもっている.

ín·sight·ful [形] 洞察(力)に富んだ.

in·sig·ni·a /insígniə/ [名] ([複] **in·sig·ni·a,** ~s) [C] [単数・複数扱い] (官職・功績などの)記章, 勲章; (一般に)しるし《◆元来は insigne /-ni/ の複数形》.

in·sig·nif·i·cance /insignífikəns/ [名] [U] 些細(さい);

insignificant 無意味; 卑しい身分 (↔ significance).

†**in·sig·nif·i·cant** /ìnsɪɡnífɪkənt/ 形 **1** 〈物事が〉価値のない, 取るに足りない, つまらない, いやしむべき; 些細(ささい)な; 無意味な (↔ significant) ‖ an *insignificant loss* 取るに足りない損失 / an *insignificant man* くだらない人 / an *insignificant phrase* 無意味な字句. **2** 小さい, わずかの.

in·sig·nif·i·cant·ly /ìnsɪɡnífɪkəntli/ 副 わずかに; 無意味に.

in·sin·cere /ìnsɪnsíər/ 形 誠意のない, 不誠実な; 不まじめな; 偽善的な (↔ sincere).
 in·sin·cér·i·ty /-sérəti/ 名 U 不誠実; C 不誠実な言葉[行為]. **in·sin·cére·ly** 副 不誠実に, 不まじめに.

†**in·sin·u·ate** /ɪnsínjuèɪt/ 動 他 **1** 〔正式〕〔人に/…であると〕(言いたい事を)遠回しに言う, あてこする〔to / that 節〕. **2** 〈考えなどを〉〔心などに〕巧みに〔徐々に〕植え付ける〔into〕; 〔正式〕〔~ oneself〕徐々に〔巧みに〕〔…に〕取り入る〔into〕. 自 **1** ほのめかす. **2** うまく取り入る. **in·sín·u·à·tor** 名 C うまく取り入る人, あてこする人.

in·sin·u·a·tion /ɪnsìnjuéɪʃən/ 名 〔正式〕 **1** U C 〔…という〕ほのめかし, 当てこすり〔that 節〕. **2** U 〈考えなどを〉徐々に〔こっそり〕しみ込ませること; 〔…に〕うまく取り入ること〔into〕.

in·sip·id /ɪnsípɪd/ 形 **1** 〈食物・飲み物などが〉味[風味]のない, 鮮度の落ちた. **2** 面白味のない, 覇気のない. 面白味のないもの.

in·si·pid·i·ty /ìnsɪpídəti/ 名 **1** U 無味(乾燥). **2** C

***in·sist** /ɪnsíst/ 〚中に(in)立つ(sist)→「固執する」が原義. cf. persist, consist〛派 insistence (名)
 —— 動 (~s/-sísts/; 過去・過分 ~·ed/-ɪd/; ~·ing)
 —— 自 **1** [insist on [upon] A] 〈人が〉〈事実・重点など〉を**主張する**, 強調[力説]する《◆受身可》‖ His innocence has been *insisted on*. 彼の無実が主張されてきた / I *insisted on* her honesty. 私は彼女が正直だと力説した《◆ I *insisted* that she was honest. がふつう → 他①》.
 2 [insist on [upon] A] 〈人が〉〈物・事〉を(強く)**要求する**《◆(1) 受身可. (2) that 節内は〔米〕ではふつう仮定法現在. ●文法 9.3》‖ *insists on* payment [attendance] 「支払い[出席]を要求する / He *insists on* going abroad alone. 彼は外国に一人で行くと言ってきかない / She *insisted* 「on my [me] going there [×on me to go there]. 彼女は私にそこへ行けと言ってきかなかった《◆ She *insisted* that I (should) *go* there. がふつう. → 他②》.
 3 〈人が〉(どうしてもと)言い張る, がんとして言うことを聞かない ‖ If you *insist* (\), I'll lend you some money. どうしてもと言われるならお金を少々ご用立てしましょう.

> 語法 文脈から明らかな場合, 主節を省略して If you *insist*. のように言うことがある.「どうしてもと言われるのなら(仕方がありません, そのようにしましょう)」の意.

 —— 他 [insist (that) 節] **1** 〔事実の主張〕…だと**主張する**, 強く言い張る, 説を曲げない《◆(1) that 節内は直説法. (2) ×I insist it. のように目的語に it をとることはできない》‖ I *insisted* (to him) *that* she was right. 私は(彼に)彼女が正しいと言って譲らなかった.
 2 [話し手・主節の要求・願望 は人が〉…するように〔…であるように〕**要求する** ‖ I *insist that* he keep [(主に英) should keep, (主に英式) keeps] early hours. 彼にぜひ早起きをしてもらいたい.

†**in·sist·ence** /ɪnsístəns/ 名 U C 〔正式〕(強い)主張, 断言; 〔…の〕強調, 強要, 無理強い〔on〕‖ *with insistence* 強硬に(insistently) / She resents my *insistence* on her studying medicine. 医学を勉強せよという私の強要に彼女は立腹している.

in·sist·en·cy /ɪnsístənsi/ 名 =insistence.

†**in·sist·ent** /ɪnsístənt/ 形 〔正式〕 **1** 〔…を〕主張[強要]する〔on, upon, about〕; ぜひ〔…〕したい〔on, do-ing, that 節〕; 〔通信などが〕緊急の, 〈要求などが〉しつこい ‖ an *insistent* request for more food もっと食べ物をくれとのしつこい要求 / He is *insistent* 「on playing cards [(*that*) he will play cards]. 彼はトランプをすると言ってきかない(=He *insists* on ...). **2** 〈色・音・程度などが〉目立つ, 強烈な ‖ the *insistent* color of the dress ドレスのどぎつい色.

in·sist·ent·ly /ɪnsístəntli/ 副 しつこく, あくまで, むきになって.

in·so·far /ìnsəfɑ́ːr | ìnsəʊ-/ 副 〔正式〕〔通例 ~ as; 接続詞的に〕…する限りでは《◆ so far》でしばしば in so far》‖ *Insofar as* I can tell (\), there is no way to avoid paying the fine. 私の知る限りでは, 罰金の支払いを逃れる道はない.

in·sole /ínsòʊl/ 名 C 靴の内底; 靴の敷革.

†**in·so·lence** /ínsələns/ 名 U 〔正式〕横柄, 尊大, 傲慢(ごう); 無礼; C 横柄[無礼, 傲慢]な言動.

†**in·so·lent** /ínsələnt/ 形 〔正式〕〔ふつう下の者が上の人に〕横柄な, 傲慢な, 生意気な, 無礼な〔to〕. —— 名 C 横柄[傲慢, 生意気]な人.

in·so·lent·ly /ínsələntli/ 副 横柄に(も), 傲慢に, 無礼に.

†**in·sol·u·ble** /ɪnsɑ́ljəbl | -sɔ́l-/ 形 **1** 不溶(解)性の (↔ soluble). **2** 〈問題などが〉解けない.

in·sol·u·bly 副 解けずに. **in·sòl·u·bíl·i·ty** 名 U 不溶解性; 解決[説明]できないこと.

in·sol·vent /ɪnsɑ́lvənt | -sɔ́l-/ 形 〔法律〕支払い不能の; 破産した, 破産(者)の (↔ solvent).

in·sól·ven·cy 名 U 〔法律〕支払い不能; 破産(状態).

in·som·ni·a /ɪnsɑ́mniə | -sɔ́m-/ 名 U 眠れないこと, 不眠症.

in·som·ni·ac /ɪnsɑ́mniæk | -sɔ́m-/ 名 C 〔正式〕不眠症患者. —— 形 不眠症の.

†**in·so·much** /ìnsəmʌ́tʃ | -səʊ-/ 副 〔文〕《◆次の成句で》.
 insomúch as ... [接] (1) …だから. (2) (…する)ほどまで, 限りは.
 insomúch that ... [接] (…する)ほどまで; その結果(…する).

in·sou·ci·ance /ɪnsúːsiəns/ 名 〚フランス〛 U 無頓(とん)着, のんき, 無関心.

†**in·spect** /ɪnspékt/ 動 他 **1** 〈人が〉〈物・事〉を〔欠陥などがないかと〕詳しく調べる, 検査[視察, 点検]する〔for〕《◆ examine より堅い語》‖ *inspect* the situation 状況を調査する / The mechanic *inspected* the tires. 整備工はタイヤを調べた. **2** (公式または正式に)調査[検査, 視察, 検閲]のため…に行く; 〈軍隊・連隊などを〉閲兵する ‖ *inspect* a school 学校を視察のため訪れる.

†**in·spec·tion** /ɪnspékʃən/ 名 U C **1** 調査, 点検, 検査, (書類の)閲覧 ‖ 「a medical [an automobile] *inspection* 健康診断[車検] / on (closer) *inspection* (より詳しく)調べてみると. **2** 視察, 監査, 検閲 ‖ a tour of *inspection* =an *inspection* tour 視察旅行.

†**in·spec·tor** /ɪnspéktər/ 名 C **1** 調査する人, 調査[検査, 監査]官; 検閲官; 〔英〕視学官 ‖ a health

inspector 健康審査官 / a customs *inspector* 税関検査官. **2** (米)警視正; (英)警部(補)(◆(英)ではふつう superintendent (警視(正))の下の階級. 肩書にも用いる) ‖ *Inspector* Brown ブラウン警視[(英)警部].

†**in·spi·ra·tion** /ìnspəréiʃən/ 名 **1** ⓤ 霊感, インスピレーション; 感動, 感激; ⓒ (略式)(突然の)すばらしい思いつき[着想](good idea) ‖ compose music on a sudden *inspiration* 突然の霊感で作曲する / gét [dráw, deríve] *inspiration* from nature 自然から霊感を受ける / have an *inspiration* 名案が浮ぶ / a flash of *inspiration* 一瞬のひらめき. **2** ⓤⓒ 〈…に対して〉激励[鼓舞, 感化, 刺激] 〈する人[物]〉〈to, for〉 ‖ under the *inspiration* of 'his teacher [Mozart's symphonies] 彼の先生[モーツァルトの交響曲]に刺激されて. **3** ⓤ〔神学〕霊感, 神霊, 神感. **4** ⓤ 吸気, 息を吸い込むこと(↔ expiration).

†**in·spire** /ɪnspáɪər/ 動 他 **1** 〈人・事・物が〉〈人〉を鼓舞する; 〈人・事・物が〉〈人〉を奮起させて[促して]〈事を/…を〉させる〈to / to do〉 ‖ He [His advice] *inspired* me to greater efforts. 彼[彼の忠告]に励まされて私は一層努力する気になった / I was *inspired to* go out for a walk. 散歩に出かけたい気分になった. **2 a** 〈人・事・物が〉〈人〉を感奮させる, 〈人〉に活気[希望]を与える; *inspire* A with B ⇒ *inspire* B in [into] A] A〈人〉にB〈感情・考え・目標〉を吹き込む, 抱かせる ‖ I was *inspired* by her biography. 私は彼女の自叙伝に感動した / Her speech *inspired* 'me with courage [courage in me]. 彼女の演説を聞いて勇気が湧いてきた. **b** 〈事が〉〈原因となって〉〈事〉を引き起こす. 生じさせる. **3** (正式)〈人〉に霊感を与える, 〈人〉を霊感で導く; 〈作品など〉を霊感で作り出す ‖ speak as if *inspired* 霊感を受けたかのように話す.

in·spired /ɪnspáɪərd/ 形 **1** 非常によい; (正式)霊感[神感]を受けた ‖ an *inspired* poet [poem] 霊感を受けた詩人[受けて書かれた詩]. **2** 〈記事・報道などが〉その筋の内意を受けた ‖ an *inspired* article 御用記事. **3** 吸い込まれた.

in·spir·ing /ɪnspáɪərɪŋ/ 形 〔他動詞的に〕(人を)鼓舞する, 感激させる(ような) ‖ an *inspiring* book 人を鼓舞する本.

in·spir·it /ɪnspɪ́rət/ 動 他 〈人〉を活気[元気]づける, 〈人〉を鼓舞する〔…〕させる〈to do, to〉.

inst. (略) institute; institution.
Inst. (略) Institute; Institution.

in·sta·bil·i·ty /ìnstəbɪ́ləti/ 名 ⓤ 不安定(な状態); 〔an ~〕(心の)変わりやすさ, 移り気.

*****in·stall**, (米しばしば)**in·stal** /ɪnstɔ́ːl/
— 動 (~s/-z/; 過去·過分 ~ed/-d/; -ing)
— 他 **1** 〈人かが〉〈設備·装置·家具など〉を〈場所に〉取り付ける, 据え付ける(in) (◆ put in より堅い語); 〔コンピュータ〕〈ソフト〉を**インストールする** ‖ It took a while to *install* the new program on my computer. 私のコンピュータに新しいプログラムをインストールするのにしばらく時間がかかった. **2** (正式)〈人〉を任命する, 任用する(appoint), 〈人〉を〈職·地位などに〉つかせる, 任ぜる〈in〉; …を〔…として〕就任させる〈as〉 ‖ They *installed* him *as* chairman of the committee. 彼らは彼を委員会の議長に就任させた. **3** (正式)[~ oneself; be ~ed] 〈人などが〉〈場所などに〉ゆったり落ち着く; 着席する, 座る(sit) 〈in, at〉.

†**in·stal·la·tion** /ìnstəléɪʃən, (英+)-stɔːl-/ 名 **1** ⓤ (機械などの)取り付け; 〔コンピュータ〕(ソフトの)インストール; ⓒ (しばしば ~s) (据え付けられた)装置, 設備. **2** ⓤ 就任; 任命; ⓒ 就任式. **3** ⓒ 〔軍事〕軍事施設[基地].

in·stall·ment /ɪnstɔ́ːlmənt/ 名 ⓒ **1** (月賦·借金などの1回の)[物の]分割払い込み金〈on〉 ‖ by [in] monthly *installments* 月賦で. **2** (全集·連載物などの)1回分; 分冊 ‖ a serial story in three *installments* 3回で完結する連載小説.

instállment búying 月賦購入.
instállment plàn (主に米) [the ~] 月賦, 分割払い購入法; (英) hire-purchase ‖ on the *installment plan* 分割払いで, 月賦で.

*****in·stance** /ɪ́nstəns/〖近くに(in)立つ(stance)〗
— 名 (複 ~s/-iz/) ⓒ **1** (論拠となる)例, 実例, 例証(→ example) ‖ an exceptional *instance* 例外 / cite one or two more *instances* さらに1, 2の例をあげる. **2** 場合(case), 事実; (過程の)段階 ‖ in most *instances* たいていの場合.
for instance [文中·文脈]文尾で] (論拠をいうと) たとえば(◆ for example よりやや堅い言い方).
in the first instance (文) [通例文尾で] 第一に, まず(first of all).
— 動 他 (正式)…を例として引く, 例にあげる(quote); …を例証する(illustrate).

*****in·stant** /ɪ́nstənt/〖近くに(in)立つ(stand)〗
— 名 (複 ~s/-stənts/) [通例単数形で] **1** ⓒ 瞬間, 即時(moment) ‖ at the lást *instant* あわやという時に; すんでのところで / solve a problem *in an instant* たちまち問題を解く / on the *instant* ただちに / tàke a rést *for an instant* ちょっと休む / The doctor arrived not an *instant* too soon. ちょうどよい時に医者が着いた / at an *instant* 同時に(=at the same time)(→ a **12**). **2** ⓤ [this, that を伴って副詞的に; 文中·文尾で] この[その]瞬間に, この[その]場で ‖ Do it *this instant*! 今すぐそれをせよ(➡文法 21.4(1)) / The question was decided thát ínstant. 問題はその場で即決された. **3** ⓤ (略式)インスタント食品.
(nót) for an instant ちょっとの間も(…ない); 少しも(…しない) ‖ She does *not* take a rest *for an instant*. 彼女はちょっとの間も休まない.
***the ínstant (that)** [接続詞的に] …するとすぐ(as soon as) ‖ *The instant* (that) he saw me (、), he ran away. 彼は私を見るとすぐ走り去った.
— 形 (◆比較変化しない) **1** [通例名詞の前で] 即時の, 即座の ‖ *instant* death 即死 / màke an ínstant ánswer 即答する. **2** (正式) [名詞の前で] 緊急の, 差し迫った ‖ be in *instant* need of money すぐ金が必要である. **3** 〈食物などが〉すぐ準備できる, 即席の ‖ *instant* coffee インスタントコーヒー / 日本発〉Japanese *instant* noodles have become an international food. 日本の即席麺は国際的な食べ物となった.

instant càmera インスタントカメラ.
instant replày (米·カナダ)〔テレビ〕(スローモーションによる)インスタント=リプレイ, スロービデオ(主に英) action replay).

†**in·stan·ta·ne·ous** /ìnstəntéɪniəs/ 形 (正式) **1** 即座の, 瞬間の. **2** ある特定の瞬間に存在する, 同時の.
in·stan·ta·ne·ous·ly 副 即座に.

*****in·stant·ly** /ɪ́nstəntli/
— 副 (◆比較変化しない) **1** 直ちに, すぐに ‖ Ten people were killed *instantly* in the crash. 衝突事故で10名が即死した. **2** (主に英略式)[接続詞的

in·stead /ınstéd/〖中に(in)場所(stead)〗
──副 その代わりに; そうではなくて《◆ふつう文頭・文尾で用いる》‖ *Instantly* he got home, it began to rain. 彼が帰宅するとすぐ雨が降り始めた.

in·stead /ınstéd/〖中に(in)場所(stead)〗
──副 その代わりに; そうではなくて《◆ふつう文頭・文尾で用いる》‖ 対話 "I can't eat *sashimi* or sushi." "Let's see, why don't we go to a Chinese restaurant *instead?*" 「私は刺し身や寿司が食べられません」「そうですか, それじゃその代わりに中華料理店に行きましょうか」/ She never studies. *Instead* (⌣), she watches television all day. 彼女は全然勉強しない, それどころか1日中テレビばかり見ている / ショック "Mom! I've swallowed a light bulb!" "Then use a candle *instead.*"「ママ, 電球を飲み込んじゃったよ!」「じゃ, 代わりにロウソクを使いなさい」.

***instead of** A …の代わりに; …しないで, …ではなくて《◆ A に動名詞(句)・前置詞句・副詞・形容詞も用いる》‖ go *instead of* her 彼女の代わりに行く / go by car *instead of* by train 列車ではなく車で行く / I idled the last few days away *instead of* going to school. 私はこの数日間学校へも行かずにぶらぶらしていた.

in·step /ınstèp/ 名 C 1 足の甲〈図→ body〉; (牛・馬などの)後足, すねの部分. 2 (靴・靴下などの)甲の部分〈図→ shoe〉.

in·sti·gate /ınstıgèıt/ 動 他《正式》1〈活動〉を開始する. 2 …を[…へ]扇動する[to]; 〈人〉を[…するように]そそのかす[to]. **in·sti·ga·tion** 名 CU《正式》扇動, 教唆; 誘因, 刺激. **in·sti·ga·tor** 名 C 扇動者.

†**in·still**, 〘英〙 **-stil** /ınstíl/ 動 他《正式》1〈思想・情感など〉を〔人・心などに〕(長年の間に)徐々に教え込む, しみ込ませる[into, in]; 〈人・心などに〉〔思想・情感など〕を徐々に教え込む[with] ‖ *instill*(l) good manners *into* [*in*] a child = *instil*(l) a child *with* good manners 子供に行儀を教え込む. 2 …を[…に]1滴ずつたらす, 点滴する[into].

***in·stinct** /ınstın̄kt/〖上に(in)刺す(stinct)〗(⇒ instinctive〔形〕, instinctively〔副〕)
──名(複 ~s/-stın̄kts/) 1 UC 本能; 〔…しようとする/…という〕(生得の)衝動, 本能(to do / that節) ‖ arouse (his) maternal *instinct* (彼の)母性本能を目覚めさせる / homing *instinct* 帰巣[回帰]本能. 2 C (物事に対する)生まれながらの能力, 素質, 天性, 天分〔for〕; 〔しばしば ~s〕直観, 勘 ‖ She has an *instinct for* music. 彼女は音楽の才能がある.

by [from] instinct 本能的に; 本能によって.
on instinct 本能のままに ‖ act on *instinct* 本能のままに行動する.

†**in·stinc·tive** /ınstín̄ktıv/ 形 1 本能の, 本能的な, 天性の; 直観的な ‖ Animals have an *instinctive* fear of fire. 動物たちは本能的に火を恐れる. 2 本能[天性, 直観]から生じる.

†**in·stinc·tive·ly** /ınstín̄ktıvli/ 副 本能的に; 直観的に.

†**in·sti·tute** /ınstıtjù:t/ 動 他《正式》1〈人・団体などが〉〈制度・慣習など〉を設ける, 制定する(establish) ‖ *institute* rules 規則を制定する. 2〈調査・訴訟など〉を始める, 実施する. ──名 C 〔しばしば I-~〕(学術・芸術・教育などの)講習[研修]会; 協会, 学会, 研究所; 〘米〙(特定テーマの)講習[研修]会; (理工系の)専門学校, (工科)大学(略 inst., Inst.) ‖ The study of DNA is conducted at the *institute*. DNAの研究がその研究所で行なわれている.

†**in·sti·tu·tion** /ınstıtjú:ʃən/ 名 1 C 機構, 組織; (社会的・教育的な)学会, 協会, (慈善)施設《養護施設・老人ホームなど》; 公共団体(の建物); …団, 会(略 inst., Inst.) ‖ a mental *institution* 精神病院《◆ a mental hospital の遠回し表現》/ "a public [an educational] *institution*" 公共[教育的]機関 / *institútions* of hígher educátion 高等教育機関《college, university など》. 2 C《正式》(社会的)慣習, 慣行, 制度; 法令 ‖ political *institutions* 政治制度. 3 U《正式》設立(する[される]こと), 創立, 制定; 〔カトリック〕(聖体の)制定 ‖ the *institution* of a bank [hospital] 銀行[病院]の設立.

in·sti·tu·tion·al /ınstıtjú:ʃənl/ 形 1 制度上の; 協会[学会, 公共機関]の; 社会[慈善, 教育]事業の ‖ *institutional* revolution 文化革命. 2《米》〔広告・企業が〉売り上げよりも名を広めるための.

in·sti·tu·tion·al·ism 名 U (公共機関などの)組織, 制度; (宗教などの)制度(尊重)主義.

in·sti·tu·tion·al·ize /ınstıtjú:ʃənlàız/ 動 他 …を制度化する, 協会[学会]にする; 〈人〉を施設に収容する.

†**in·struct** /ınstrʌ́kt/ 動 他《正式》1〈人〉が〈人〉に〔順序立てて〕教える(teach); 〈人〉に〔学科などを〕教える[in] ‖ She *instructed* me *in* the art of self-defense. 彼女は私に護身術を教えてくれた. 2〈人〉が〈人〉に〔…について〕指示する[on, about]; 〈人〉に〔…するように〕〔…であるか〕を(細かく)指図する, 命令する(to do / wh節·句); 「…」と言って指示する(→ direct) ‖ *instruct* him *on* the use of the new equipment 新しい装置の利用法について彼に指示する / My mother *instructed* me *to* prepare (for) dinner. 私の母は私に夕食の用意をするように命じた / She *instructed* me "*what* to do [*what* I* ((主に英) should) do]. 彼女は私に何をしたらよいか教えてくれた. 3〈人〉に〔…ということを/…かを〕知らせる, 教える(tell)〔that節/wh節[句]〕‖ I *instructed* him *that* she wasn't at home. 彼女は留守だと彼に教えた / I'm *instructed* by him *that* you are still heavily in debt. 君はまだ多額の借金があると彼から聞いている. 4〔法律〕〈依頼人〉が〈弁護人〉に事実を説明する; 〈裁判官〉が〈陪審員・証人など〉に〔…せよと〕促す(to do). 5〔コンピュータ〕…に命令する.

†**in·struc·tion** /ınstrʌ́kʃən/ 名 1 U《正式》教えること, 教えられること; (…の)教授, 教育[in]; (教えられた)知識; 教訓 ‖ under *instruction* 教育中 / give [receive] *instruction* in Spanish スペイン語を教える[教わる]. 2 C〔通例 ~s〕(…せよという)指図, 指示, 助言, 命令(order); 使用説明書(to do, that節); 〔コンピュータ〕(コンピュータへの)命令[to] ‖ *instructions* for use 使用上の指示 / give him *instructions* to stop 彼に止まれと命令する.

in·struc·tion·al /ınstrʌ́kʃənl/ 形 教育上の.

***in·struc·tive** /ınstrʌ́ktıv/
──形《正式》[他動詞的に] ためになる, 教育的な, 教訓的な(useful) ‖ This is an *instructive* book for beginners. これは初心者のためになる本です.

in·strúc·tive·ly 副 教育的に.

†**in·struc·tor** /ınstrʌ́ktər/ 名 《女性形》**-tress**》C 1 指導者, 教師, 教官 ‖ an *instructor* in skiing = a ski-*instructor* スキー教師. 2《米》(大学の)専任講師(〘英〙 lecturer)(→ professor 事情).

***in·stru·ment** /ınstrəmənt/〔アクセント注意〕〖上に(in)積む(struct)もの(ment). cf. *instruct*〗(⇒ instrumental〔形〕)
──名(複 ~s/-mənts/) C 1a (実験用などの)(…するための)器具, 道具, 器械; 計器(to do)《◆tool よ

りも精密な学術的研究に使うもの》(類語) device 装置, gadget 小道具, appliance 器具, implement 用具) ‖ a dentist's *instrument* 歯科用器械 / surgical [medical] *instruments* 外科[医療]用器械 / an *instrument* to measure the carbon dioxide content in the air 大気中に含まれる二酸化炭素を測定する器械. **b** 〔航空〕計器; [形容詞的に] 計器による ‖ fly on *instruments* 計器飛行をする.
2 楽器(musical instrument) ‖ stríngred [wind] *instruments* 弦[管]楽器 / 日本発 ▶ The shakuhachi [five-holed vertical flute] is a wind instrument made of bamboo. 尺八は竹製の管楽器です.
3 〔…の〕手段, 方法〔for〕; 媒介者, 〔政府などの〕機関; 〔人の〕手先, 道具, だし, ロボット〔of〕. **4** 〔法律〕証書, 法律文書(cf. implement).
ínstrument bòard [pànel] 計器板(dashboard).
ínstrument flýing 計器飛行(↔ contact flying).
ínstrument lánding 計器着陸.

†**in·stru·men·tal** /ìnstrəméntl/ 形 **1** 〔正式〕手段[道具]となる〔…に〕助けになる, 役に立つ〔in (doing) / to〕 ‖ You have been most *instrumental* in my career. 私が成功したのはあなたのおかげです. **2** 器械[計器]の, 器械[計器]を用いる. **3** 楽器[器楽]の, 楽器で演奏される(↔ vocal). —名 C **1**〔文法〕=instrumental case. 楽格(曲).
instruméntal càse 助(具)格《手段・方法・材料などを示す格》.
in·stru·men·tal·ist /-təlɪst/ 名 C 〔音楽〕器楽(演奏)家. **in·stru·mén·tal·ly** /-təli/ 副 手段として; 器械で; 楽器で.
in·stru·men·tal·i·ty /ìnstrəməntǽləti/ 名 〔正式〕 **1** U 役に立つこと; 助け, 尽力; 仲介, 媒介 ‖ by [through] the *instrumentality* of … …によって; …の尽力で. **2** C 助けになる人[物]; 手段.
in·stru·men·ta·tion /ìnstrəmentéɪʃən/ 名 U 〔正式〕 **1** 器具[器械, 計器]の使用; 器具操業[運転]. **2**〔音楽〕楽器用法, 管弦楽法; 器楽編成.
in·sub·or·di·nate /ìnsəbɔ́ːrdənət/ 形 **1**〔正式〕〔命令・指示などに〕服従しない, 不従順な; 〔人に〕反抗的な, 逆らう〔to〕. **2** 〈地位などが〉低くない, 従属的でない. —名 C 反抗者.
in·sub·òr·di·ná·tion 名 U 不服従, 反抗.
in·sub·stan·tial /ìnsəbstǽnʃəl/ 形 **1** 実体のない, 空想な, 現実的でない, 架空の. **2** もろい, 弱い; かすかな. **3**〈食事などが〉不十分な.
in·suf·fer·a·ble /ɪnsʌ́fərəbl/ 形 〔正式〕(高慢すぎて)耐えられない, 我慢できない; しゃくにさわる.
in·súf·fer·a·bly 副 耐えられないほどに.
in·suf·fi·cien·cy /ìnsəfíʃənsi/ 名 〔時に an ~〕(精神的・知的に)不十分なこと, 不足; 不適当;〔器官の〕機能不全(症). **2** C [しばしば insufficiencies] 不十分[不適当]な点[物], 欠点.
†**in·suf·fi·cient** /ìnsəfíʃənt/ 形 〔…に/が〕不十分な, 不足な〔for, 〔正式〕of / in〕 ‖ *insufficient* in quantity 量が不足して. **2** 〈人が〉力量不足の, 能力がない; 〔…に〕不向きな〔to, for〕.
in·suf·fi·cient·ly 副 不十分に; 不適当に.
in·su·lar /ínsələr | ínsjulə/ 形 **1**〔正式〕島(のような), 島国の; 島に住む, 島民の. **2**〔正式〕島国根性の, (一般に)狭量な ‖ an *insular* mentality 島国根性. —名 C 島民. **ín·su·lar·ìsm, in·su·lár·i·ty** 名 U 島国根性, 狭量.
†**in·su·late** /ínsəlèɪt | ínsjulèɪt/ 動 他 〔正式〕 **1** 〈人・物〉を〔…から〕隔離する〔from〕; …を孤立させる(separate). **2**〈物体〉を絶縁体で覆う; …を〔…から〕絶縁させる, 防音[熱]する〔from, against〕.
ín·su·là·tor 名 C **1**〔電気〕絶縁体[物]; 絶縁器, 碍子(がいし); 断熱材, 防音材. **2** 隔離する人[物].
in·su·la·tion /ìnsəléɪʃən | ìnsju-/ 名 U〔正式〕 **1**〔…からの〕隔離, 孤立, 絶縁〔against, from〕. **2** 絶縁体[物, 材].
in·su·lin /ínsəlɪn | ínsjulɪn/ 名 U〔生化学〕インスリン, インシュリン《すい臓から分泌されるホルモン》; 〔薬学〕インシュリン《動物のすい臓から採った糖尿病治療薬》.
insulin shòck [reáction]〔医学〕インシュリンショック《インシュリンの過剰投与による血糖値の急落》.

*†**in·sult** /動 ɪnsʌ́lt; 名 ˊ-/ 動 [(上へ(in)跳ぶ(sult))→「(相手に)跳びかかる」]
— 動 (~s/-sʌ́lts/; 過去・過分 ~·ed/-ɪd/; ~·ing)
— 他 〈人が〉〈人〉を侮辱する, 辱(はずか)める ‖ He *insulted* her by calling her a liar. 彼は彼女をうそつきと呼んで侮辱した / I didn't mean to *insult* you. 侮辱するつもりはありませんでした.
— 名 /ˊ-/ (複 ~s/-sʌ́lts/) C U 〔…に対する〕侮辱, 侮辱的言動, 無礼〔to〕 ‖ It is a gross *insult* to her. それは彼女に対してひどい侮辱だ.
ádd insult to ínjury ひどい目にあわせた相手にさらに侮辱を加える; 踏んだりけったりの目にあわせる.
in·sult·ing /ɪnsʌ́ltɪŋ/ 形 侮辱的な, 無礼な, 失敬な.
in·su·per·a·ble /ɪns(j)úːpərəbl/ 形 〔正式〕〈困難・問題などが〉乗り越えられない, 克服できない.
in·sup·port·a·ble /ìnsəpɔ́ːrtəbl/ 形 〔正式〕耐えられない, 我慢できない; 支持できない; 認められない.

*†**in·sur·ance** /ɪnʃʊ́ərəns, (英+) ɪnʃɔ́ːr-/
— 名 (~s/-ɪz/) **1** U 保険 《(主に英式) assurance》; 保険金[料]; 保険業; 保険契約; C 保険証書(略 ins.) ‖ She has *insurance* against fire. 彼女は火災保険に入っている / *pay out* $1,000 *in insurance* 1000ドルの保険金を払う / tàke óut *insurance on* [*upon*] one's house 家に保険を掛ける.

関連 〔いろいろな種類の insurance〕
accident *insurance* 損害保険 / car *insurance* 自動車保険 / fire *insurance* 火災保険 / health *insurance* 健康保険 / life *insurance* 生命保険 / unemployment *insurance* 失業保険 / social *insurance* 社会保険.

---

2 U 〔時に an ~〕〔…に対する〕保護手段〔against〕 ‖ an *insurance against* fire 火災防止の手段.
3 U 保証《♦ assurance の方がふつう》.
insúrance còmpany [àgent, sàlesman] 保険会社[代理店, 外交員].
insúrance làw (雇用)保険法.
insúrance pólicy 保険証券.
insúrance únderwriter 保険業者.
†**in·sure** /ɪnʃʊ́ər, (英+) ˊ-/ (同音 ensure) 動 **1** 〈人・保険会社が〉〈人・財産などに〉損失・死・事故・けがなどに備えて〔…の〕金額の保険を掛ける〔against, from / for〕; 〈保険業者が〉…の保険契約をする; 〈家など〉に〔保険会社と〕保険契約をする〔with〕 ‖ the *insured* [単数・複数扱い] 被保険者 / *insure* oneself [one's life] *with* the postal life insurance system 郵便局の簡易保険を掛ける / *insure* one's house *against* fire *for* $100,000 家に10万ドルの火災保険を掛ける. **2** 〔米・カナダ〕…を保証する, 〔…だと〕請け合う〔*that* 節〕《♦ ensure の方がふつう》‖ *in-*

sure safety [his property] 安全[彼の財産]を保証する. ──自 […に備えて/保険会社)の保険に入る(against/with), 保険証書を発行する; […の]予防をする(against).

in·súr·er 名⃝ 保険業者[会社]; 保証する人[物].

†**in·sur·gent** /ɪnsɚrdʒənt/ 形 (正式) 暴動の, 反乱の. ──名⃝ [しばしば ~s] 1 (正式) 暴徒, 反乱者[兵]. 2 (米) (政党内の)反党分子.

in·sur·mount·a·ble /ɪnsɚrmáʊntəbl/ 形 (正式) 〈困難などが〉克服できない.

†**in·sur·rec·tion** /ɪnsɚrékʃən/ 名⃝Ⓤ (正式) 暴動, 反乱, 謀反(むほん) 《◆rebellion より小規模で非組織的》. **in·sur·réc·tion·ist** 名⃝ 暴徒, 反徒; 暴動[反乱]扇動者[参加者].

int. (略) international; intransitive.

†**in·tact** /ɪntǽkt/ 形 (正式) 〈物が〉〈風雪・試練に耐えて〉損なわれないで, 無傷で, 完全な, そのままの; 変わって[減って]いない, 影響を受けていない.

in·ta·gli·o /ɪntǽljoʊ|-tɑ́ːliaʊ/《イタリア》名 (複 ~s, -·ta·gli/-tɑ́ːljiː/) Ⓤ 陰刻, 沈み彫り《◆「浮彫」は relief》, 凹版(形); ⓒ その模様[装飾].

in·take /ɪ́nteɪk/ 名 1 [an/the ~] (水・空気・ガスなどの)取り入れ口(↔ outlet); (鉱坑の)通気孔. 2 [an/the ~] 取り入れ, 吸込み; (体内への)摂取[吸込み]量. 3 ⓒⓤ [集合名詞; 単数・複数扱い] 受け入れた人[物].

in·tan·gi·bil·i·ty /ɪntændʒəbíləti/ 名Ⓤ (正式) 触れることのできないこと; 不可解.

†**in·tan·gi·ble** /ɪntǽndʒəbl/ 形 (正式) 1〈光などのように〉触れることのできない; 実体のない, 無形な ‖ *intangible* cultural property [treasure] 無形文化財. 2 つかみどころのない; 不可解な.

in·te·ger /ɪ́ntɪdʒɚr/ 名⃝ 1 〔数学〕 整数(whole number)(cf. fraction). 2 完全体, 完全なもの.

†**in·te·gral** /ɪ́ntəgrəl/ 1, 2 では intégrəl ともいう/ 形 (正式) 1 […に]不可欠な, 必須の(indispensable)(to) ‖ Recently video games are getting to be an *integral* part of children's life [lives]. 近年ビデオゲームは子供たちの生活になくてはならないものになってきている. 2 全体の, 完全な, 欠けるところのない(perfect). 3 〔数学〕 整数の(cf. fractional); 積分の(cf. differential 形 3).
íntegral cálculus 積分学.

ín·te·gral·ly 副 完全に, 全体的に.

†**in·te·grate** /ɪ́ntəgreɪt/ 形 -grət/ 動 他 1 (正式) …を[…に]まとめる, 集約する, 統合する, 統一する(combine)(into); …と[…と]結びつける, 合体させる(with); …を完全にする. 2 〈異人種を〉融和させる; 〈(特に)黒人への〉差別をなくす, 平等にする(↔ segregate). 3 〔数学〕 …を積分する(cf. differentiate). ──自 人種差別がなくなる; […と/…に〕融合する(with/into). ──形 各部分がそろっている; 完全な.

in·te·grá·tion 名Ⓤ 統合; 人種差別の撤廃.

in·te·grat·ed /ɪ́ntəgreɪtɪd/ 形 1 統合した, 完全な. 2 〔心理〕 [しばしば複合語で] 〈人格が〉融和[統合]した. 3 (人種・宗教などの)差別をしない, 平等の(↔ segregated).
íntegrated círcuit 〔電子工学〕 集積回路(略 IC).

†**in·teg·ri·ty** /ɪntégrəti/ 名Ⓤ (正式) 1 〈堅固性〉正直さ, 誠実; 高潔, 清廉《◆honesty より堅い語》. 2 完全, 無傷; 無欠の状態.

in·teg·u·ment /ɪntégjəmənt/ 名⃝ (動植物の種子などの)外皮, 皮膚, 皮, 殻; (広義)覆い.

†**in·tel·lect** /ɪ́ntəlekt/ 名 1 Ⓤ (意志・感情に対して)知性, 知力, 才; 思考力[理解]力《◆ intelligence より範囲が狭い》‖ a man of *intellect* 理知的な人 / broaden the [one's] *intellect* 知性を磨く. 2 ⓒ (略式) 理知的な人; [the ~(s); 集合名詞; 複数扱い] 識者, 知識人 ‖ the *intellect*(s) of the age 当代の知識階級.

*‡**in·tel·lec·tu·al** /ɪntəlékʧuəl, 《英+》 -tju-/ [アクセント注意]
[『「選び分ける能力のある」が原義』]
──形 1 [通例名詞の前で] 知性の, 知力[知能]に関する; 理論的な, 理論的の ‖ an *intellectual* occupation [level] 知的職業[水準] / the *intellectual* faculties 知能 / have an *intellectual* sympathy for him 彼に知的見地から同情を抱く. 2 〈人が〉聡明な, 理知的な《◆*intelligent* より知的なものに興味や能力があることを強調》‖ an *intellectual* girl 理知的な少女.
──名 ⓒ 知識人, インテリ(cf. highbrow) ‖ a magazine for *intellectuals* インテリ向けの雑誌.
intelléctual próperty 〔法律〕 知的財産[所有]権.

in·tel·lec·tu·al·ism /ɪntəlékʧuəlɪzm, 《英+》-tju-/ 名Ⓤ 知性偏重; 〔哲学〕主知主義.

in·tel·lec·tu·al·ly /ɪntəlékʧuəli, 《英+》-tju-/ 副 知的に, 頭では; 知性[知力]に関しては.

†**in·tel·li·gence** /ɪntélɪdʒəns/ [アクセント注意] 名 1 Ⓤ 知能, 聡明, 理解力, 思考力 ‖ artificial *intelligence* 人工知能 / human *intelligence* 人知 / be abòve [belòw] ávèrage in *intélligence* 知能がふつう以上[以下]だ / have the *intelligence* to save her 機転をきかせて彼女を救う / show little *intelligence* in Greek ギリシア語はほとんどわからない. 2 Ⓤ (正式) (軍事[政治])に価値のある)情報; 報道, 知識(information); [単数・複数扱い] 諜(ちょう)報機関 ‖ an *intelligence* office 情報局; (米陸) 職業安定所 / an *intélligence* àgent スパイ / the *intélligence* bùreau [dèpártment] (軍の)情報局[部] / the Central *Intelligence* Agency (→ agency 2).
intélligence quòtient 〔心理〕 知能指数(略 IQ).
intélligence tèst 〔心理〕 知能検査.

‡**in·tel·li·gent** /ɪntélɪdʒənt/ [『「(多くのものから)選び分ける力のある」が原義』] 派 intelligence (名)
──形 1 〈人・動物などが〉(一般的に)知能の高い, 理解力のある, 聡明な; 〈言動が〉頭のよさを示す, 気のきいた (類語) intellectual, bright, brilliant, clever, smart ‖ an *intelligent* criticism [plan] 気のきいた批評[計画] / an *intelligent* person 聡明な人 / an *intelligent* machine 《愛称》コンピュータ. 2 〔コンピュータ〕 高度な処理能力のある.

†**in·tel·li·gent·ly** /ɪntélɪdʒəntli/ 副 聡明に.

in·tel·li·gent·si·a /ɪntèlɪdʒéntsiə, -géntsiə/ 〔ロシア〕名Ⓤ [通例 the ~; 集合名詞; 通例単数扱い] 知識階級, (一般に)知識人, インテリ.

†**in·tel·li·gi·ble** /ɪntélɪdʒəbl/ 形 〈書かれた物・話などが〉〈人に〉容易に理解できる, わかりやすい(to)(↔ unintelligible). **in·tèl·li·gi·bíl·i·ty** 名Ⓤ 理解できること, 明瞭さ; [intelligibilities] 明瞭な事柄. **in·tél·li·gi·bly** 副 明瞭に.

In·tel·sat, INTELSAT /ɪ́ntelsæt, -/ 〔*International Telecommunications Satellite Consortium*〕⃝ インテルサット, 国際商業衛星通信機構; ⓒ インテルサット通信衛星.

in·tem·per·ance /ɪntémpərəns/ 名Ⓤ (正式) 不節制, 放縦(ほうしょう); 過度, 耽溺(たんでき); (酒の)暴飲, (習慣的)大酒.

in·tem·per·ate /ɪntémpərət/ 形 (正式) 1 節度のない; 大酒を飲む. 2 〈気候が〉厳しい, 激しい.

in·tend /inténd/
──動 (~s/-téndz/; 過去・過分 ~·ed/-id/; ~·ing)
──他 (正式) **1** 〈人が〉〈人に〉事をあてる; [intend to do] (時に) intend doing / intend that 節] 〈人が〉…するつもりである, …しようと思う (be going to do, be thinking of doing) ‖ I didn't *intend* to fail. 失敗するつもりはなかった, 失敗したくて失敗したのではない / I *intended* to be a doctor. 医者になるつもりだった. 教師になるつもりだったのだが (なれなかった[ならなかった]) (→文法 6.2(5)) 《◆ I *intended* to be a teacher, but I couldn't [didn't]. の方がふつう》/ It was *intended* that all the information (should) be disclosed. すべての情報を公開することが意図されていた.
2 [intend **A** to do] 〈人が人〉に…させるつもりである ‖ He *intended* his son *to* follow him in the business. 彼は息子に仕事を継がせるつもりだった (=He *intended* that his son (主〈英〉should) follow him in the business.) (→文法 9.3) 《◆ He *intended* for his son to follow …の型もある》. **3** (通例 be ~ed) 〈物・人が〉[…に] 用いられる予定である, 〈人が〉[…という職業に] つくつもりである [for, to be]; 〈人・物が〉[…として] 予定される [as, to be] ‖ This book *was intended* for use in public schools. この本は公立学校の教科書用に書かれた / It is *intended* as a joke [gift]. それは冗談 [贈り物]のつもりだった / Is this picture *intended* to be her? この絵は彼女を描いたつもりか. **4** (文) …に…で意味する, 表す (mean) [by] ‖ What do you *intend* by such a gesture? その身振りはどういう意味か.

in·ten·dant /inténdənt/ 图 © 管理官, 監督官.

in·tend·ed /inténdid/ 形 (正式) 意図 [計画] された, 故意の. ──图 © (古) [one's ~; 単数扱い] 婚約者.

†**in·tense** /inténs/ 形 (more ~, most ~; 時に ~r, ~st) **1** 〈光・痛み・暑さ・寒さなどが〉強烈な, 激しい, 猛烈な; 〈色が〉濃い ‖ *intense* heat 酷暑, 高熱 / *intense* pain 激しい痛み. **2** 〈感情・行動などが〉激しい, 熱烈な, 真剣な; 〈人が〉[…に] 熱心な, 集中した [in] ‖ an *intense* antinuclear movement 激しい反核運動 / *intense* joy すばらしい喜び. **3** 感情的な, 熱情的な; 感情的になりやすい ‖ an *intense* girl 情熱的な少女.

†**in·tense·ly** /inténsli/ 副 激しく, 強烈に《◆感情を表す形容詞・動詞を修飾することが多い》; 熱心に.

in·ten·si·fi·ca·tion /inténsəfikéi∫ən/ 图 ⓊⒸ 強めること, 強化, 増大.

in·ten·si·fi·er /inténsəfàiər/ 图 © 強める [増強する]もの [人]; (文法) 強意語 (very, extremely など).

†**in·ten·si·fy** /inténsəfài/ 動 他 (正式) …を強める, 激しくする; (…の)度を増す.

in·ten·sion /intén∫ən/ 图 ⓊⒸ (正式) 強さ, 強度; 強化, 増大; (精神的)緊張, 努力; (論理) 内包 (↔ extension). **in·tén·sion·al** 形 (論理) 内包的な.

†**in·ten·si·ty** /inténsəti/ 图 **1** Ⓤ 激しい [強烈な]こと; Ⓤ Ⓒ (行動・思想・感情・気候などの)強烈さ, 激しさ, 熱心さ; 努力 ‖ study *with intensity* 熱心に勉強する / the *intensity* of feeling 激しい感情. **2** Ⓤ (物理) (熱・光・音・色・震度などの)強度, 強さ, 度合い, 量.

†**in·ten·sive** /inténsiv/ 形 **1** 激しい, 強い; 短期集中的な, 徹底的な ‖ *intensive* reading 精読 / an *intensive* course (英会話などの)集中訓練コース. **2** 強化する, 強める; (文法) 強意の, 強調の.

──图 © 強めるもの; (文法) = intensifier.
inténsive ágriculture [fárming] 集約農法.
inténsive cáre 集中(強化)治療.
inténsive cáre únit 集中治療室[病棟], 回復室 ((略) ICU).
in·tén·sive·ly 副 激しく, 強く; 集中的に.
in·tén·sive·ness 图 Ⓤ 激しさ, 強さ.
-in·ten·sive /-inténsiv/ (語要素) →語要素一覧 (1.2).

†**in·tent** /intént/ 图 **1** Ⓤ (法律) […する] 意思, 意志, 決意, 故意 [to do] 《◆ intention より堅い語》 ‖ good [evil, malicious] *intent* 善意 [悪意] / *by intent* (略式) 故意に, (非難を)覚悟の上で / I am here with the *intent* of explaining my duties to you. 職務をみなさんに説明するためにここに来ました. **2** Ⓤ Ⓒ 意図 [意味] されたもの; 趣旨, 意義 ‖ I wonder what the *intent* of her words is. 彼女の言葉の真意は何だろうか.
to [**for**] *áll inténts* (*and púrposes*) (正式) あらゆる点で; 事実上, 実際は.
──形 (more ~, most ~) **1** 〈目・心などが〉[…に] しっかりと向けられた, 集中した [on, (正式) upon] ‖ My eyes were *intent* on the scene. 私の目はその光景に吸いつけられた. **2** 〈人が〉[…(すること)に] 没頭[熱中, 専念]している [on (doing), (正式) upon] ‖ with an *intent* expression *on* one's face 熱心な表情を浮かべて / He is *intent* on gambling [his studies]. 彼は賭博(含)[研究]に夢中だ.

†**in·ten·tion** /intén∫ən/ 图 ⓊⒸ […する] 意図, 意志, つもり (of doing, to do, that 節) [類語] design, intent, purpose) ‖ *by intention* 故意に / with *góod inténtions* 善意で / sincere *intention* 誠意 / with the best of *intentions* 善意で, よかれと思って / *with the inténtion of* dóing one's dúty 義務を果たすつもりで / *withòut inténtion* 何気なく / Her *intention* is to study abroad. =It is her *intention* to study abroad. 彼女は留学するつもりだ 《◆ 2 文とも to study abroad は that she should study abroad といえる》/ I have no *intention* of obeying her. 彼女に従うつもりはない.

†**in·ten·tion·al** /intén∫ənl/ 形 意図 [計画] 的な, 故意の《◆ deliberate より堅い語》 (↔ accidental) ‖ an *intentional* smile わざとらしい微笑 / I'm not *intentional* in flattering you. 君にへつらうつもりはない.
inténtional wálk (野球) 敬遠(の四球).
in·tén·tion·al·ly 副 故意に (on purpose) 《◆主語の直後か文尾に置く》.
in·ten·tioned /intén∫ənd/ 形 ある意図を持った; [複合語で] …のつもりの ‖ *well-* [*ill-*] *intentioned words* 善意 [悪意]の言葉.

†**in·tent·ly** /inténtli/ 副 熱心に, 夢中で.

†**in·ter** /intə́ːr/ 動 (過去・過分 -**terred**/-d/; **-·ter·ring**) 他 (文) …を埋葬する, 葬る (bury); …を埋める (↔ disinter).

in·ter- /intər-/ (語要素) →語要素一覧 (1.7).

in·ter·act /intərǽkt/ 動 ⓐ 相互に作用する, […と] 互いに影響し合う, ふれ合う [with].

in·ter·ac·tion /intərǽk∫ən/ 图 ⓊⒸ […間の]相互作用 [between]; […との]言葉のやりとり [with].

in·ter·cede /intərsíːd/ 動 ⓐ (正式) 仲裁する, 仲にいる; [人に/人のために] 取りなす [with / for, on]; […を] 嘆願する [for].

†**in·ter·cept** 動 /intərsépt/ 他 **1** 〈人を〉途中で押さえる; …を途中で奪う, 横取りする; 〈通信・放送〉を傍受する, 盗み聞く [見る]. **2** 〈光・熱などを〉さえ

ínterest gròup [集合名詞的に;単数・複数扱い] 利益団体,圧力団体《共通の利益・目的のために活動する団体》.

ínterest ràte 利(子)率, 金利.

*__in·ter·est·ed__ /íntərəstid, -ėstid/ 〖→ interest〗
── 形 **1 a**〈人が〉興味を持った;[be interested in A / in doing / that 節 / to do]〈人や事に/…することに/…することに〉興味[関心]を持っている (↔ disinterested) (→ interest 最終例) ‖ She is (very) much *interested to* know the answer. 彼女はその答えをとても知りたがっている《◆(1) 口語 では (very) much の代わりに very を用いる. (2) to do の do はふつう hear, know, see などの認識を表す動詞がきて,動作動詞はこない》/ I'm more *interested* [×*interesting*] in literature than (in) history. 歴史よりも文学が面白い(=Literature is more *interesting* to me than history.). **b**〈人の〉興味を持った ‖ *interested* collectors 関心のある収集家 / an *interested* look 興味深げな顔つき. **2** […に](利害)関係がある〔in〕;[名詞の前で] 私利私欲のある(↔ disinterested)(cf. uninterested)〔法律〕利害関係人 / *interested* motives 不純な動機 / be *interested in* shipping 海運業に関係[出資]している.

ín·ter·est·ed·ly 副 興味を持って;利害関係を考えて;私利私欲のために.

*__in·ter·est·ing__ /íntərəstiŋ, -ėstiŋ/ 〖→ interest〗
── 形 [他動詞的に] 〈物・事・人が〉[…に] 興味を引き起こす,関心を引き起こす,面白い〔for, to〕《◆「こっけいで面白い」は amusing》(↔ uninteresting)
(使い分け) → funny 形 1) ‖ an *interested* [×*interesting*] story [man] 興味をそそられる話[人] / The book is very *interesting* [×*interested*] *for* [*to*] me. その本は私にはとても興味深い(=I am very *interested* in the book.) / It is *interesting to* read the novel. =The novel is *interesting to* read. その小説は読んで面白い (◎文法 17.4) / It is *interesting* that she doesn't notice her faults. 面白いことに彼女は自分の欠点に気がついていない / 《対話》 "Why don't we go for a drive?" "That sounds *interesting*." 「ドライブに行こうよ」「それやいいね」.

ín·ter·est·ing·ly 副 興味深く;[文全体を修飾] ~ (enough!) 興味深いことに.

in·ter·face /名 íntərfèis; 動 ⸺/ 名 C […の間の] 中間面,界面;境界面;共通領域〔*between*〕;〔電子工学・コンピュータ〕インターフェース. ── 動 自 […と] インターフェースで接続する,調和する〔*with*〕. ── 他 …を調和させる.

†**in·ter·fere** /ìntərfíər, ìntə-|ìntə-/ アクセント注意 動 自 **1**〈人・物・事が〉〈人・物・事を〉妨げる; […に] 抵触する〔*with*〕《◆受身可》‖ This noise is *interfering with* her studying. この騒音が彼女の勉強を妨げている. **2**〈人が〉[事に] 干渉する,口出しする〔*in*〕‖ Don't *interfere in* private concerns. 私事に口出しするな(=(略式) Mind your own business.). **3**〈利害・主張などが〉衝突する. **4**〔スポーツ〕インターフェア[妨害]をする.

†**in·ter·fer·ence** /ìntərfíərəns/ 名 U **1** じゃま,妨害;[…に対する]干渉;衝突〔*with, in*〕. **2**〔スポーツ〕不法妨害,インターフェア. **3**〔法律〕特許権争い. **4**〔物理〕(光波などの)干渉;〔通信〕混信.

in·ter·fer·on /ìntərfíərɑn|-ɔn-/ 名 U 〔生化学〕インターフェロン《ウイルス増殖抑制因子》.

in·ter·fuse /ìntərfjúːz/ 動 他 […に] しみ込ます〔*with*〕;混合する. ── 自 …をしみ込ませる;…を混合する. **in·ter·fú·sion** 名 UC 浸透, 混合.

in·ter·gen·er·a·tion·al /ìntərdʒènəréiʃənəl/ 形 世代間の ‖ *intergenerational* equality 世代間の公平.

†**in·ter·im** /íntərim/ 名 C U (正式) **1** [通例 the ~] 合間,しばらくの間,暫(ざん)時(interim period) ‖ in *the interim* その間に. **2** 仮協定[決定]. ── 形 (正式) 中間の;当座の,仮の ‖ an *interim* government 臨時政府. **ínterim pèriod** =名 **1**.

†**in·te·ri·or** /intíəriər/ 形 **1**(建物・車などの)内部の,内面の,内部にある,内側の (↔ exterior) ‖ an *interior* surface 内面 / the *interior* parts of a house 家の内壁. **2** 室内の,屋内の. **3** 内陸[奥地]の,海岸[国境]から離れた. **4** 国内の (↔ foreign) ‖ *interior* trade 国内貿易. ── 名 C **1**(正式) [通例 the ~] 内部,内側(inside) ‖ the *interior* of a church 教会の内部 / the house *interior* 室内. **2**〔美術〕インテリア,室内(図),(部屋の)内部写真;(映画・劇の)屋内の場面[背景]. **3** [the ~] 内陸,奥地. **4** 内政 ‖ the Department of the Interior (米)内務省((英) Home Office).

intérior decorátion [**désign**] インテリアデザイン,室内装飾.

intérior décorator [**desígner**] インテリアデザイナー,室内装飾家《◆単に decorator ともいう》.

interj. 略 *interj*ection.

in·ter·ject /ìntərdʒékt/ 動 他 (正式) 〈言葉など〉を不意にさしはさむ. ── 自 不意に言葉をさしはさむ.

†**in·ter·jec·tion** /ìntərdʒékʃən/ 名 **1** CU (正式) 不意の叫び[発声,言葉];感嘆. **2** C〔文法〕間投詞,感嘆詞《*Oh!, Alas!, Dear me!* など. (略 **interj**.)》.

in·ter·lace /ìntərléis/ 動 他 …を[…と]織りまぜる,組み合わせる;…を[…に]点在させる〔*with*〕. ── 自 織りまざる;交錯する.

in·ter·lock /動 ìntərlɑ́k|-lɔ́k;名 ⸺/ 動 自 しっかり組み合う; […と] しっかり重なり合う;〈機械などが〉連動[連動]する〔*with*〕. ── 他 …をしっかり組み合わせる,重ね合わせる;〈機械など〉を連結させる. ── 名 U 連結,連動装置.

in·ter·lock·ing /ìntərlɑ́kiŋ|-lɔ́k-/ 形 結びつける,つなぎ合わせる.

in·ter·loc·u·tor /ìntərlɑ́kjətər|-lɔ́kju-/ 名 C (正式) 対話[対談]者;発問者.

in·ter·loc·u·to·ry /ìntərlɑ́kjətɔ̀ːri|-lɔ́kjutəri/ 形 (正式) 対話(体)の.

in·ter·lope /ìntərlóup, ⸺/ 動 自 **1** 他人事に出しゃばる,干渉する. **2**(他人の権益を)侵害する,もぐり営業をする.

in·ter·lop·er /ìntərlóupər/ 名 C (正式) 他人事にでしゃばる人;不法侵入者.

†**in·ter·lude** /íntərlùːd/ 名 C **1** 合間;合間の出来事,エピソード. **2**(正式) 幕間(ま);幕間劇,(幕)間狂言;(英国の道徳劇から起こった)短い喜劇. **3**〔音楽〕間奏曲.

in·ter·mar·riage /ìntərmǽridʒ/ 名 U (正式) **1**(異なる人種・民族・宗教・階級間の)結婚. **2** 血族[近親]結婚.

in·ter·mar·ry /ìntərmǽri/ 動 自 (正式) **1**(異なる人種・宗教の間などで)結婚する;[…と]姻戚関係になる〔*with*〕. **2** [***と**] 血族[近親]結婚をする〔*with*〕.

interception / interest

ぎる. **3** 〈逃亡など〉を阻止する, 妨げる. **4** 〔アメフト〕〈球〉をインターセプトする. ――名 **1** 妨害; 阻止, 傍受; 迎撃, インターセプト. **2** 〔数学〕切片.

in·ter·cép·tor /-/ 名 © 横取りする人[物]; 妨害者[物]; 〔軍事〕迎撃機.

in·ter·cep·tion /ɪ̀ntərsépʃən/ 名 © Ⓤ **1** 途中で押さえる[奪う]こと, 横取り, 遮断, 阻止; 傍受, 妨害. **2** 〔軍事〕迎撃. **3** 〔アメフト〕インターセプト, パス奪取.

in·ter·ces·sion /ɪ̀ntərséʃən/ 名 **1** Ⓤ 〔…との〕仲裁, 調停, あっせん〔*with*〕. **2** © Ⓤ 〔キリスト教〕(神への)取りなし, 代禱().

in·ter·ces·sor /ɪ̀ntərsésər, -́-̀-/ 名 © 仲裁者, 調停者, あっせん者.

†**in·ter·change** 動 /ɪ̀ntərtʃéɪndʒ/ ――動 他 **1** 〈2者の間で〉…を交換する, 互いにやりとりする; 〈人が〉…を〔人などと〕交換する〔*with*〕《◆目的語はふつう複数名詞》∥ *interchange* letters *with* him 彼と手紙をやりとりする. **2** …を〔…と〕交換する, 交替させる, 交互にしこさせる〔*with*〕. **3** 〈2つの物〉を入れ替える, 置き換える. ――自 〈2つの物などが〉入れ替わる; 交替する; 交互に起こる. ――名 **1** © Ⓤ (正式)(意見などの)交換, やりとり; 交替(exchange). **2** © (高速道路の)インターチェンジ.

ínterchange stàtion (鉄道の)乗り換え駅.

in·ter·change·a·ble /ɪ̀ntərtʃéɪndʒəbl/ 形 〈2者が〉互いに交換[取り替え]できる, 交替できる; 〔…と〕取り替えがきく〔*with*〕.

in·ter·change·a·bíl·i·ty /-́-̀-/ 名 Ⓤ 交換[交替]可能性. **in·ter·chánge·a·bly** 副 互いに交換可能に.

in·ter·cit·y /ɪ̀ntərsíti/ 形 大都市間の, 〈列車・バスなどが〉(高速で)都市と都市を結ぶ.

in·ter·col·le·giate /ɪ̀ntərkəlíːdʒiət/ 形 大学間の, 大学対抗の.

in·ter·com /ɪ́ntərkɑ̀m | -kɔ̀m/ 名(略式)[the ~](*intercommunication unit* の略)[略式][the ~] (社内・飛行機などの)内部相互通信装置, インターホン.

in·ter·com·mu·ni·ca·tion /ɪ̀ntərkəmjùːnəkéɪʃən/ 名 Ⓤ 相互の交通, 交際, 連絡; 交通路.

intercommunicátion sỳstem (正式)=intercom.

in·ter·con·ti·nen·tal /ɪ̀ntərkɑ̀ntənéntl | -kɔ̀nti-/ 形 大陸間の.

intercontinéntal ballístic míssile 大陸間弾道弾(略 ICBM).

†**in·ter·course** /ɪ́ntərkɔ̀ːrs/ 名 Ⓤ **1** 性交, 肉体関係 ∥ illicit *intercourse* 不倫. **2** (正式)〔…との〕交際, 交通〔*with*〕; 〔…間の〕交流, 親交〔*between*〕; (国際間の)通商, 取引 ∥ social *intercourse* 社交 / have [hold] friendly *intercourse with* … と親善関係にある.

語法 1 の意味に解される可能性があるので, 国際間でなく個人間の「交際」をいう場合 contact, relation などを用いる方が無難.

in·ter·cul·tur·al /ɪ̀ntərkʌ́ltʃərəl/ 形 異文化間で起こる.

in·ter·de·pend·ent /ɪ̀ntərdɪpéndənt/ 形 相互依存の. **in·ter·de·pénd·ence** 名 Ⓤ 相互依存. **in·ter·de·pénd·ent·ly** 副 互いに依存しあって.

in·ter·dict 動 /ɪ̀ntərdíkt/ 名 /-́-̀-/ ――動 他 **1** (正式)(みせしめとして, 一定期間)…を禁ずる; 〈人〉の〔…の〕することを禁ずる〔*from doing*〕; …を〔人〕に禁ずる〔*to*〕. **2** (米)〈敵の攻撃〉を阻止する. ――名 **1** 禁止(命令), 禁制, 差止め. **2** 〔カトリック〕聖務禁止[停止].

in·ter·dic·tion /ɪ̀ntərdíkʃən/ 名 © Ⓤ **1** =interdict. **2** 〔法律〕禁治産宣告.

*__**in·ter·est**__ /ɪ́ntərəst, -est/ 〔アクセント注意〕[〖(お互い)間に(inter)ある(est)〗→「利害関係がある」〗 派 *interested* (形), *interesting* (形)

index 名 **1** 関心 **2** 関心をそそること **4** 利害; 利益 **6** 利子
動 興味を持たせる

――名 (複 ~s/-əsts/)
Ⅰ [興味・関心]

1 Ⓤ © [単数形で]〔…に対する〕**関心**, 興味, 乗り気, 好奇心〔*in*〕∥ arouse [attract] public *interest* 一般の関心を引き起こす[引く] / feel [take, have] [a] great [no, not much] *interest in* English 英語に大いに関心がある[まったく関心がない, あまり関心がない] / show [lose, have] (an) *interest in* music 音楽に興味を示す[失う, 持つ].

2 Ⓤ © 〔人に〕**関心をそそること**[もの], 好奇心をそそる[もの]〔*to, for*〕; 興趣, 趣味 ∥ a man of wide [varied] *interests* 多趣味の人 / with breathless *interest* かたずをのんで / places of *interest* 名所 / a point of scenic *interest* 景勝の地 / His two great *interests* in life are (in) politics and gardening. 彼の人生の二大関心事は政治と園芸だ / This book "is *of nó interest to* me [has no *interest for* me]. 私はこの本に興味がない.

3 Ⓤ [修飾語を伴って] 重要性, 重大性 ∥ a matter *of great* [not much] *interest* 重要な[あまり重大でない]事柄.

Ⅱ [利害関係]

4 Ⓤ © (経済的)**利害**(関係); [通例 ~s] 利益, 利, 私利, 利権 ∥ *in the interest*(s) *of* public safety (正式) 公共の安全のために (=for the safety of the public) / for the public *interests* 公益のために / 「look after [know] one's own *interests* 私利を図る[私利に抜け目がない] / declare an [one's] *interest* (不利益を承知で)物事をはっきりさせる, ありていに述べる / It is in your (own) *interest*(s) to do your best. 最善を尽くすのが君のためだ (最善を尽くしなさい) 《◆ 穏やかな命令》.

5 © 〔…の〕所有権, 要求権; 利権, 株〔*in*〕∥ buy [sell] an *interest in* a company 会社の株を買う[売る] / have an *interest in* 「an estate [a business] 土地の要求権を持つ[事業に利権を得る].

6 Ⓤ 〔…の〕**利子**, 利息〔*on*〕(cf. capital) 利率(略 int.); おまけ ∥ annual [daily] *interest* 年利[日歩] / simple [compound] *interest* 単[複]利 / at [with] high *interest* 高利で / pay 8 percent *interest* on a loan ローンに8分の利子を払う / return [reply] 「a blow [his kindness] with *interest* おまけをつけてなぐり返す[彼の親切に報いる].

7 [~s; 集合名詞; 複数扱い] 同業者, …(関)係者, …党, …側; 財閥, 大企業 ∥ the management [labor] *interest* 経営者[労働者]側.

――動 (~s /-ɪsts/, 過去・過分 ~ed /-ɪd/; ~·ing)
――他 〈人・物・事〉が〈人〉に〔物・事に〕**興味を持たせる**, 関心を持たせる, 参加させる〔*in*〕∥ *interest* him *in* sports [playing tennis] 彼にスポーツ[テニスをすること]への興味を持たせる / *interest* oneself *in* his business 彼の事業に興味がある[関係する] / Can [May] I *interest* you *in* my plan? 私の計画に関心を持って(参加して)くれませんか / The news *interested* me. =I was *interested by* the news. 私はそのニュースに興味を持った《◆ 後者が受身文でなく形容詞化している場合は前置詞は in. → interested

in·ter·med·dle /ìntərmédl/ 動 自 〔…に〕干渉する, おせっかいをする〔with, in〕.

in·ter·me·di·ar·y /ìntərmíːdièri | -diəri/ 名 1 〔正式〕〔…の間の〕仲介[媒介]者[物]〔between〕; 仲裁者; 手段. **2** 中間段階. ── 形 仲介[媒介]の, 中継の; 中間の, 中間にある.

†**in·ter·me·di·ate** /ìntərmíːdiət/ 形 〈時間・空間・程度などが〉〔…の〕中間の, 中間にある〔between〕; 中級の ‖ the *intermediate* examination (英国の大学の入学試験と卒業試験の間の)中間試験 / the *intermediate* course 中級コース《◆この意味では middle course とはいわない》.
── 名 1 ⓒ 中間物; 仲介[媒介]者. **2** [化学] 中間生成物, 反応中間体.

intermédiate school 《米》中学校; 4-6年生を入れる小学校.

in·ter·mé·di·ate·ly 副 中間にあって, 介在して.

in·ter·ment /intə́ːrmənt/ 名 ⓒ ⓤ 〔正式〕埋葬.

†**in·ter·mi·na·ble** /intə́ːrmənəbl/ 形 〔正式〕長々と続いて退屈な. **in·tér·mi·na·bly** 副 果てしなく; 長々と.

†**in·ter·min·gle** /ìntərmíŋgl/ 動 〔正式〕他 〈2者を〉混ぜる; …を〔…と〕混ぜる〔with〕. ── 自 混ざる, 〔…と〕混ざり合う〔with〕.

†**in·ter·mis·sion** /ìntərmíʃən/ 名 ⓒ ⓤ **1** 〔正式〕休止, 合間; 中断《◆ break の上品な言い方》‖ without *intermission* 絶え間なく. **2** 休憩(時間); 《米》(劇場などの)休憩時間, 幕間(まくあい) ‖ during *intermission* 幕間に.

in·ter·mit /ìntərmít/ 動 《過去・過分》 --mit·ted/-id/; --mit·ting》〔正式〕他 …を一時中断する. ── 自 一時的に中断する; 断続する; 〈痛みなどが〉一時うすれる; [医学] 〈脈搏が〉結滞する.

†**in·ter·mit·tent** /ìntərmítənt/ 形 〔正式〕一時的にやむ[止まる], 断続的な; 間欠性の, 周期的な ‖ an *intermittent* spring 間欠泉.

in·ter·mít·tent·ly 副 断続的に, 間欠的に.

in·ter·mix·ture /ìntərmíkstʃər/ 名 ⓤ 〔正式〕混合; ⓒ 混合物.

in·tern[1] /intə́ːrn/ 動 他 〔正式〕〈捕虜・敵国人・外国人などを〉(一定の区域内に)抑留[強制収容]する.

in·tern[2], **--terne** /intə́ːrn/ 名 **1**(病院住込みの)医学研修生, インターン《cf. consultant》; (一般に)実習生. **2** [教育] =student teacher.

†**in·ter·nal** /intə́ːrnl/ 形 〔正式〕(人・物・場所・組織などの)内部の, 内部にある(inner) (↔ external); 体内の, 〈薬などが〉内服(用)の((略) int.) ‖ an *internal* angle [数学] 内角 / *internal* organs 内臓 / *internal* pollution 体内汚染 / medicines for *internal* use 内服用の薬 / suffer *internal* injuries in an accident 事故で内傷を受ける. **2** 国内の, 内政の(↔ foreign); 組織内の ‖ *internal* trade 国内貿易 / meddle in the *internal* affairs of another country 他国の内政に干渉する. **3** 内面的な, 本質的な; 精神的な, 主観的な ‖ *internal* damage 精神的痛手.
── 名 **1** ⓒ 〔通例 ~s〕内臓. **2** ⓤ (人・物・事の)内面的特質, 本質.

intérnal combústion 内部燃焼 《cf. internal-combustion》.

intérnal évidence 内的証拠.

intérnal médicine 内科学.

Intérnal Révenue Sèrvice 《米》〔the ~; 単数・複数扱い〕国税庁((略) IRS).

in·tér·nal·ly 副 内部に; 内面に; 精神的に.

in·ter·nal-com·bus·tion /ìntə́ːrnlkəmbʌ́stʃən/ 形 内燃式の《cf. internal combustion》.

·**in·ter·na·tion·al** /ìntərnǽʃənəl/ 形 〔国家(national)間の〕(inter)の
── 形 国家間の, 国際的な, 国際上の ‖ an *international* conference [organization] 国際会議[機関] / the *international* situation 国際情勢 / *international* law 国際法 / *international* trade 国際貿易 / the *international* dáte line 国際日付変更線《◆単に date line ともいう》/ the *International* Phonétic Álphabet 国際音声文字((略) IPA) / Sport has *international* appeal. スポーツは国境を越えて(人の心に)訴える; スポーツに国境なし.

〔関連〕[いろいろな国際機関] the *International* Atómic Énergy Àgency 国際原子力機関((略) IAEA) / the *International* Críminal Police Organizàtion 国際刑事警察機構, インターポール(Interpol)((略) ICPO) / the *International* Lábor Organizàtion 国際労働機関((略) ILO) / the *International* Mónetary Fùnd 国際通貨基金((略) IMF) / the *International* Olýmpic Commíttee 国際オリンピック委員会((略) IOC).

── 名 **1** 〔the I~〕インターナショナル《19-20世紀に結成された the First [Second, Third] *International* などの国際労働者同盟》. **2** 〔通例 I~〕数か国に会員[関係]を持つ組織. **3** 〔主に英〕国際競技; その出場者.

internátional relátions 国際関係; [単数扱い] 国際関係論.

internátional wáters 公海(↔ territorial waters).

in·ter·ná·tion·al·ly 副 国際的に, 国際間で.

in·ter·na·tion·al·ism /ìntərnǽʃənəlìzm/ 名 ⓤ **1** 国際[世界]主義. **2** 国際性, 国際関係. **3** 〔I~〕国際共産[社会]主義. **in·ter·ná·tion·al·ist** 名 ⓒ 国際主義者 [法学] 者.

in·ter·na·tion·al·ize /ìntərnǽʃənəlàiz/ 動 他 …を国際化する; …を国際管理下に置く.

in·ter·nà·tion·al·i·zá·tion 名 ⓤ 国際化; 国際管理化.

in·terne /intə́ːrn/ 名 =intern[2].

In·ter·net /íntərnèt/ 名 [コンピュータ] 〔the [The] ~〕インターネット《世界的コンピュータネットワークの集合体. the Net ともいう》‖ search the encyclopedia on the *Internet* for information on China インターネットの百科事典で中国に関する情報を調べる.

〔関連〕[いろいろな Internet 用語]
antivirus software ワクチンソフト / browser ブラウザ / bulletin board 掲示板 / computer virus コンピュータウイルス / FAQ よく出る質問とその答えの一覧《◆ frequently asked questions の略》/ favorite, bookmark お気に入り / search engine 検索エンジン / URL ネット上で個々の web site に与えられているアドレス《◆ uniform resource locator の略》/ web site ホームページ《◆ homepage は「ウェブサイトの最初のページ」をさすのがふつう》.

Ínternet shòpping インターネットショッピング.
Ínternet télephone インターネット電話.

in·tern·ist /intə́ːrnist, ≤-/ 名 ⓒ 《米》(主に成人を扱

う)内科(専門)医.

in·tern·ship /íntə*r*nʃìp/ 图ⓒ (大学生が在学中に実務経験を身に付けるための)研修計画, インターンシップ.

in·ter·op·er·a·ble /ìntərάpərəbl/ -5p-/ 圏 機器が〈他の機器と〉操作が共通の, 共同利用できる (with).

in·ter·pen·e·trate /ìntərpénətrèit/ 動 (正式) 〈他〉…に深く浸透する, しみ込む; …を互いに貫き[浸透し]合う. —〈自〉互いに浸透[貫通]する.

in·ter·per·son·al /ìntərpə́ːrsənl/ 圏 個人間の; 対人関係の.

in·ter·phone /íntərfòun/ 图ⓒ (米) (船舶・飛行機・事務所などの)内部[構内]電話(◆intercom がふつう).

In·ter·pol /íntərpòul/-pɔ̀l/ [the International Criminal Police Organization] 图 [単数・複数扱い] 国際刑事警察機構, インターポール.

in·ter·po·late /intə́ːrpəlèit/ 動 〈他〉 (正式) 〈本文など〉を(原本にない語句を加えて)改ざんする; …に口をはさむ. —〈自〉挿入する.

†in·ter·pose /ìntərpóuz/ 動 〈他〉 (正式) **1** …を〔…の間に〕入れる[置く], 挿入する (add) (in, between, among) ‖ *interpose* a barrier *between* ... ...の間に障壁を置く. **2** 〈異議など〉をさしはさむ; 〈拒否権〉を発動する.

in·ter·po·si·tion /ìntərpəzíʃən, (英+) ìntə-/ 图ⓤ (正式) 間に置くこと; 干渉, じゃま; 仲裁; ⓒ 挿入物.

*****in·ter·pret** /intə́ːrprət/ 【アクセント注意】 [間に入って(inter) 値をつける(pret). cf. *price*] 派 interpretation (名), interpreter (名)
—〈動〉 (~s/-prəts/, 〔過去・過分〕 ~·ed/-id/; ~·ing)
—〈他〉 **1** 〈人が〉〈言葉など〉を通訳する, 〔コンピュータ〕 〈高級言語による〉プログラムを解釈・実行する ‖ She *interpreted* to the ambassador what the Russian was saying. 彼女はそのロシア人の言っていることを大使に通訳した.
2 (正式) 〈人が〉〈事・物〉を(洞察して)解釈する, 説明する(explain), …を〔…だと〕解釈[理解]する (regard (as, to do)) ‖ *interpret* a sentence [poem] 文[詩]を解釈する / *interpret* a dream 夢判断をする / I *interpreted* his smile *as* consent. 私は彼の微笑を同意とみなした. / 〖対話〗 "Do you have any idea how to *interpret* his opinion?" "I can't make any sense of it." 「彼の意見はどういうふうに解釈したらいいかわかるかい」「ぼくにも理解できないよ」.
3 (正式) (自己の感覚・解釈で)…を演じる, 演奏[演出]する(perform) ‖ *interpret* the part of Hamlet ハムレットの役をこなす.
—〈自〉 〔…のために〕通訳[解説, 説明]する (for) (cf. translate) ‖ *interpret for* a tourist 観光客に通訳する.

*****in·ter·pre·ta·tion** /intə̀ːrprətéiʃən/ 〖→ interpret〗
—图 (~·s/-z/) ⓤⓒ **1** 解釈, 説明; (夢などの)判断 ‖ máke an *interpretátion* of his silence =pút an *interpretátion* on his silence 彼の沈黙の意味を理解する / Freud made an *interpretation* of the strange dream. フロイトはその奇妙な夢の判断をした. **2** 通訳(すること) ‖ simultaneous *interpretation* 同時通訳. **3** (劇・音楽などの)解釈; (自己の解釈に基づく)役作り, 演出, 演奏.

in·ter·pre·ta·tive /intə́ːrprətèitiv/ -tətiv/ 圏 (英) 解釈[通訳, 判断]できる; 説明[解釈]的な.

*****in·ter·pret·er** /intə́ːrprətər/ 〖→ interpret〗
—图 (~·s/-z/) ⓒ **1** 解釈者, 解説者; 通訳(者)

(cf. translator) ‖ The president spoke through his simultaneous *interpreter*. 大統領は同時通訳者を通じて語った. **2** 演出者. **3** 〔コンピュータ〕 インタプリタ, 解釈プログラム.

in·ter·ra·cial /ìntərréiʃl/ 圏 異人種間の; 各人種の混合した.

in·ter·reg·num /ìntərrégnəm/ 图 (履 ~s, --na/-nə/) ⓒ (正式) **1** (王・元首の)空位期間; (内閣更迭などによる)政治の空白期間. **2** 中絶(期間), 空白.

in·ter·re·late /ìntərriléit/ 動 〈自〉 〔…と〕相互に密接に関係する (with). —〈他〉 …を相互に密接に関係づける. **in·ter·re·lá·tion** 图ⓒⓤ 〔…の間の〕相互関係, 相関 (between).

in·ter·re·lat·ed /ìntərriléitid/ 圏 相互に関係のある, 相関の.

interrog. 〖略〗 interrogation; interrogative.

in·ter·ro·gate /intérəgèit/ 動 〈他〉 …を尋問[審問]する, 取り調べる; …から直接の情報を得る.

in·tér·ro·gà·tor 图ⓒ 尋問[審問]者.

†in·ter·ro·ga·tion /intèrəgéiʃən/ 图ⓒⓤ 質問, 尋問, 審問; 疑問; 取調べ.

in·ter·rog·a·tive /ìntərάgətiv/-rɔ́g-/ 圏 **1** (正式) =interrogatory. **2** 〔文法〕疑問の. —图ⓒ 〔文法〕疑問文; 疑問(代名詞).

in·ter·rog·a·to·ry /ìntərάgətɔ̀ri/-rɔ́gətəri/ (英) 圏 疑問の, 質問の, 疑問を表す; 不審そうな.

*****in·ter·rupt** /ìntərʌ́pt/ 【アクセント注意】 [間に入って(inter) 破壊する(rupt). cf. corrupt, abrupt] 派 interruption (名)
—〈動〉 (~·s/-ʌ́pts/; 〔過去・過分〕 ~·ed/-id/; ~·ing)
—〈他〉 **1** 〈人が〉〈人〉のじゃまをする, 〈話などの〉腰を〔…で〕折る (break in) (with); 〔…〕と言って話の腰を折る ‖ *interrupt* a speaker *with* frequent questions 何度も質問して講師のじゃまをする / Excuse me for *interrupting* you(↘), but ... お話中失礼ですが….
2 〈人・事・物が〉〈事〉を〔…で〕一時中断する, 分断する, 妨げる (with, by); 〈交通などを〉一時不通にする; (正式) 〈眺めなどを〉さえぎる (cut off) ‖ *interrupt* his sleep 彼の睡眠を妨げる / Sometimes the verb phrase is *interrupted* by another part of speech. 動詞句は時として別の品詞に分断される.
—〈自〉 (人の話の)じゃまをする; 中断する, 阻止する ‖ Please don't *interrupt*. じゃまをしないでください.

†in·ter·rup·tion /ìntərʌ́pʃən/ 图ⓒⓤ (正式) じゃま, 妨害; 中断, 休止 ‖ withòut *interruption* 間断なく. **2** ⓒ 中断する物, 妨害物.

in·ter·rup·tive /ìntərʌ́ptiv/ 圏 (正式) じゃまする, 中断する, 妨害的な.

†in·ter·sect /ìntərsékt/ 動 (正式) 〈他〉〈道〉が〈野原などを〉横切る; 〈道・線・平面が〉…と交わる. —〈自〉〔…で〕交わる (at) ‖ If two lines *intersect* at a point, they form four angles. 2直線が1点で交われば4つの角ができる.

†in·ter·sec·tion /ìntərsékʃən/ 图 **1** ⓤ (正式) 横切ること, 交差(すること) ‖ The central point is the *intersection* of the diagonals [diagonal lines]. 中心点は対角線の交差することだ. **2** ⓒ (道路の)交差点(junction) ‖ 〖対話〗 "How can I get to the city hall?" "Go down this street and turn right at the third *intersection*." 「市役所へはどうやって行けばいいでしょうか」「この通りをまっすぐ行って3つ目の交差点を右に曲がってください. すぐ右手に見えます」. **3** ⓒ 〔数学〕交差, 交わり, 共通部分; 交点.

in·ter·sperse /ìntərspə́:rs/ 動 他 〖正式〗 **1** …を〔…の間に/…の至る所に〕まき散らす, 点在させる〔*in, between, among / throughout*〕. **2** 〖通例 be ~d〗〈物が〉〔…で〕点在される, 変化を添えられる〔*with*〕.

†**in·ter·state** /ìntərstéit/ 形 (米) 各州間の, 州連帯の (cf. intrastate).
　interstáte híghway 州間道路.

in·ter·stice /intə́:rstis/ 名 C 〖正式〗〖通例 ~s〗〔…の中の/…の間の〕すき間, 割れ目, 裂け目, 穴〔*in/between*〕.

in·ter·twine /ìntərtwáin/ 動 〖正式〗 他 …を〔…と〕からみ合せる〔*with*〕. ── 自 からみ合う.

in·ter·twist /ìntərtwíst/ 動 〖正式〗 他 …をからま[り, ねじり]合せる. ── 自 からま[より, ねじり]合う, もつれ合う.

in·ter·ur·ban /ìntərə́:rbən/ 形 都市間の ‖ *interurban* bus lines 都市間バス網.

†**in·ter·val** /íntərvl/ [アクセント注意] 名 C **1** 〔…間の〕(時間の)間隔, 隔たり; 合間, 休止期間〔*between*〕 ‖ buses leaving at regular *intervals* 一定の間隔で発車するバス / I saw him after ⌈an *interval* of five years [a five years' *interval*]. 5年ぶりに彼に会った. **2** 〔空間の〕隔たり, 距離; すきま ‖ in the *interval* その合間に / at *intervals* of two feet 2フィートおきに. **3** (英) (芝居・音楽会などの)休憩時間, 幕間(まくあい) ((米) intermission).
　at íntervals (1) 時々, 折々. (2) あちこちに. (3) → **1, 2**.

†**in·ter·vene** /ìntərví:n/ 動 自 **1** 〖文〗〔2つの物・事・時期の間に〕起こる, 入る, ある, 介在する, 現れる〔*between*〕 ‖ A week *intervenes* [〖略式〗 comes] *between* Christmas and New Year's Day. クリスマスと正月の間は1週間ある. **2** 〖正式〗〔…に〕干渉する〔*in*〕; 〔…の〕仲裁をする; (悪い結果にならないように)取りなす(interfere)〔*in, between*〕 ‖ *intervene* in a dispute 紛争の調停をする.

in·ter·ven·ing /ìntərví:niŋ/ 形 間の, 間に起こる.

†**in·ter·ven·tion** /ìntərvénʃən/ 名 C U **1** 介在;〔…への〕仲裁, 調停, 干渉, 介入. **2** (内政)干渉, 介入.

in·ter·vén·tion·ism 名 U 干渉政策.

in·ter·vén·tion·ist 名 C 形 (他国に対する)内政干渉論者[主義の].

***in·ter·view** /íntərvjù:/ C [アクセント注意] 〖〖間に(inter) 見る(view)〗. cf. review〗
　── 名 (複 ~s/-z/) C **1** (公式の)会見, 会談;〔就職などの/人との〕面接, 面談;〔医者の〕診察〔*for/with*〕 ‖ be at [in] an *interview* 会見中である, 会談中である / The prime minister *had an interview with* the reporters. 総理大臣は記者団と会見した (=The prime minister held a press [news] conference.)〔◆ a press [news] conference は「記者会見」〕 / give an *interview* to the delegation 代表団に会見する / an *interview* for a job =a jób ínterview 就職の面接試験 / go for an *interview* 面接を受けに行く.
　2 (記者などの)インタビュー, 取材訪問, 聞きこみ.
　3 訪問[会見]記事.
　── 動 他〈人〉と〔…に関して〕会見[面談, 面接]する; …を取材訪問する, 聞きこみ捜査をする ‖ She was *interviewed* for several jobs but couldn't get any of them. 彼女は就職の面接をいくつも受けたが仕事にありつけなかった.

in·ter·view·ee /ìntərvjuí:/ 名 C 面接を受ける者, インタビューされる人〔◆「面接する人」は interviewer〕.

in·ter·view·er /íntərvjù:ər/ 名 C 会見者; 面接する人; 訪問記者, インタビューする人.

in·ter·weave /ìntərwí:v/ 動 (過去 --wove or ~d, 過分 --wo·ven or --wove or ~d) 他 **1** 〈糸・ひもなどを〉織り合わせる, 編み込む. **2** …を〔…に/…の中に〕織り混ぜる; …を混交する〔*with/in*〕. ── 自 織り混ざる.

in·ter·wo·ven /ìntərwóuvn/ 動 interweave の過去分詞形. ── 形 織り[編み]合わされた; 混ぜ合わされた.

in·tes·tate /intésteit, -tit/ 形〈人が〉遺言を残さない.

in·tes·tin·al /intéstənl/ 形 腸の ‖ the *intestinal* canal 腸(管).

†**in·tes·tine** /intéstin/ 名 C〖解剖〗〖通例 ~s; 単数扱い〗 腸 ‖ the large [small] *intestine* 大[小]腸.

in–thing, in thing /ínθìŋ/ 名 C 流行していること[もの] (→ in 形 **4**).

in·thrall /inθrɔ́:l/ 動 =enthrall.

in·throne /inθróun/ 動 =enthrone.

†**in·ti·ma·cy** /íntəməsi/ 名 〖正式〗 **1** U〔人と〕親しい関係であること〔*with*〕;〔物・事についての〕詳しい知識〔*with*〕 ‖ be on térms of *íntimacy with* him 彼と親しい間柄だ(=be on intimate terms with him) / cultivate *intimacy with* another culture 他の文化となじみになる. **2** U C〔…との〕深い関係〔*with*〕〔◆ sexual relations [intercourse] の遠回し語〕; 〖しばしば intimacies〗 愛情行為[表現]〔キスなど〕.

†**in·ti·mate**¹ /íntəmət/ [アクセント注意] 形 〖正式〗 **1**〔…と〕親密な, 親しい, 懇意な(friendly)〔*with*〕;〈家・雰囲気などが〉親しみやすい ‖ an *íntimate* friend 親しい友人 / I am on *íntimate* térms with her. =She is my *íntimate* friend. 彼女と親しい友人である〔◆この用例が単独での発言の場合は性的関係を連想させる. これを避けるためには前者では good [close] terms, 後者では my best [old, close] friend などを用いる〕. **2** 個人的な, 私事の(private); 人目につかない, 内密の ‖ one's *íntimate* affairs 私事. **3** 〖正式〗詳細な, 深い(deep) ‖ hàve an *íntimate* knówledge of baseball 野球に精通している. **4** 内心の, 心の奥の, 本質[根本]的な ‖ one's *íntimate* feelings 心の奥の感情 / an *íntimate* analysis of the data 資料の本質的な分析.
　── 名 C〖文〗〖しばしば one's ~〗親友, 親しい友, 腹心の友 ‖ He is not one of my *intimates* but a friend nevertheless. 彼は親友の1人というわけではないが, 友だちではある〔◆ intimate は友情よりもむしろなれ親しんでいること, 異性間では性的関係を暗示する〕.

†**in·ti·mate**² /íntəmèit/ 動 〖正式〗 …を[人に][それとなく]ほのめかす〔*to*〕, 〔…だと〕知らせる, 公表する〔*that* 節〕.

†**in·ti·mate·ly** /íntəmətli/ 副 親密に, 親しげに, 心の底から; 詳細に.

†**in·ti·ma·tion** /ìntəméiʃən/ 名 U C 〖正式〗 **1** ほのめかすこと,〔…の/…という〕暗示〔*of/that* 節〕 ‖ give an *intimation* of starting 出発をほのめかす. **2** 公示, 通告.

in·tim·i·date /intímidèit/ 動 他 〖正式〗 **1** …をこわがらせる, おびえさせる. **2** …を脅迫する, おどす;〈人〉をおどして〔…〕させる〔*into*〕. **in·tìm·i·dá·tion** 名 U 脅迫, おどし. **in·tím·i·dà·tor** 名 C 脅迫者.

intl., intl, int'l. 略 international.

in·to
/(弱) 子音の前 íntə; 母音の前 íntu; (強) íntuː/〖中(in)へ(to). cf. onto〗
—前

I [方向・対象]

1 [内部の運動・方向] **a** [場所・空間・時間] …の中へ[に], …へ, …に ‖ gò *into* the hóuse 家の中へ入る《◆目的語が文脈上明らかで省略されるときは in となる: gò ín, in ヘ入る. → in 副 **1**》/ bite *into* an apple リンゴをかじる / If you look *into* the sky tonight, you can see the evening star. 今夜空を見れば宵の明星が見つかりますよ / The fisherman threw the bait *into* [in] the river. その釣り人は川にえさを投げ込んだ(→ in 前 **1b**)/ work far [late] *into* the night 夜ふけまで勉強する. **b** [比喩的に] 〈ある状態〉の中へ《〈事業・活動などの中への意でも用いられる意でも用いられることが多い》‖ run *into* debt 借金をする《対話》 "What do you want to do in your life?" "I want to go *into* politics." 「将来は何をやりたいの」「政界に入りたいね」/ enter *into* a five-year contract 5年契約を結ぶ / I got *into* difficulties. 私は困難に陥った《状態は in: I was in difficulties. 私は困難に陥っていた). **c** [行為の対象] …を《◆深く・詳しくというニュアンスを伴うことが多い》‖ inquire *into* the matter その事件を調査なった / I didn't go *into* details. 詳細には論じなかった.

2 [関心の対象] (略式) 〈物・事〉に熱中[没頭]して(keen on), 関心を持って ‖ She's véry mùch *into* jazz. 彼女はジャズに夢中になっている(=She is very interested in jazz.).

II [変化・結果]

3 [変化・推移・結果] …に(なって, 変わって) ‖ burst *into* laughter どっと笑う / divide the cake *into* three pieces ケーキを3つに分ける / translate English *into* Japanese 英語を日本語に訳す / The benevolent ruler turned *into* a tyrant. その慈悲深い君主は独裁者に変身した / The sleet changed *into* snow. みぞれは雪に変わった《◆一般に *into* はある物が別の物に変化することを表わが, to は1つのものの状態の変化を示す: The drizzle changed to a rain. 小雨が本降りになった》/ I tried to argue him *into* going. 私は彼を説得して行かせようとした《◆argue の他には persuade, talk も同意. 「説得して行かせない」は… out of going》.

4 [衝突] …にぶつかって(against) ‖ The car went out of control and ran *into* a tree. 車は操縦が効かなくなって木に激突した《◆*into* では対象物の中にのめり込む感じだが, against では堅い物に当たってはね返されるという感じが強い: run *against* a rock / She bumped *into* me. 彼女は私にドスンとぶつかった.

5 [数学] …を割って ‖ Three *into* six is two. 6割る3は2(=Six divided by three is [goes] two.).

†**in·tol·er·a·ble** /ɪntɑ́lərəbl | -tɔ́l-/ 形 (正式) 耐えられない, 我慢できない(unbearable)(↔ tolerable) ‖ *intolerable* pain 耐えがたい痛み.
in·tól·er·a·bly 副 耐えられないほどに.

in·tol·er·ance /ɪntɑ́lərəns | -tɔ́l-/ 名 U **1** 不寛容, 偏狭, 狭量(↔ tolerance). **2** […に]耐えられないこと[*of*]; 〈薬品などに対する〉不耐性, アレルギー[*to*].

†**in·tol·er·ant** /ɪntɑ́lərənt | -tɔ́l-/ 形 (異説・他宗教などに)不寛容な, 狭量な, 偏狭な; […を]許せない, 〈…に〉我慢できない[*of*](↔ tolerant) ‖ She is *intolerant* of any laziness. 彼女はどんな怠惰にも我慢ができない. **in·tól·er·ant·ly** 副 偏狭に; 我慢できないで.

†**in·to·na·tion** /ɪ̀ntənéɪʃən, ɪ̀ntoʊ-/ 名 **1** U 詠唱, 吟唱. **2** CU [音声] イントネーション, 〈声の〉抑揚, 音調, 語調. **3** U [音楽] 調音, 発声法.

in·tone /ɪntóʊn/ 動 他 **1** 〈祈りの文句などを〉吟唱する; …を単調な調子で唱える. **2** …に抑揚をつける. —— 自 詠唱する; 単調な歌い声で唱える.

in·tox·i·cant /ɪntɑ́ksɪkənt/ -tɔ́ks-/ 形 〈人を〉酔わせるもの; (主に)酒.

†**in·tox·i·cate** /ɪntɑ́ksɪkèɪt | -tɔ́ks-/ 動 他 (正式) **1** 〈酒などが〉〈人〉を酔わせる. **2** 〈勝利などが〉〈人〉を熱狂させる, 夢中にさせる, 酔わせる ‖ be *intoxicated* with [by] the victory 勝利に湧(わ)き返っている. —— 自 酔っ払う.

in·tóx·i·càt·ed 形 **1** (酒に)酔った. **2** 興奮した, 有頂天になった.

†**in·tox·i·ca·tion** /ɪntɑ̀ksɪkéɪʃən | -tɔ̀ks-/ 名 U **1** 酩酊(めいてい), 酔い. **2** 陶酔, 夢中, 興奮.

intr. (略) intransitive; introduce(d); introduction.

in·tra- /ɪ́ntrə/ (接頭辞) →語要素一覧(1.6).

in·trac·ta·ble /ɪntrǽktəbl/ 形 **1** (正式) 手に負えない, 扱いにくい, 強情な. **2** 処理[加工, 治療]しにくい.
in·trác·ta·bly 副 強情に.

in·tra·net /ɪ́ntrənèt/ 名 [コンピュータ] イントラネット《インターネット技術を使って企業内に構築する情報ネットワークシステム》.

intrans. (略) intransitive.

in·tran·si·tive /ɪntrǽnsətɪv, (英+) -trɑ́ːn-, -zətɪv/ 形 [文法] 自動(詞)の(↔ transitive).
—— 名 = intransitive verb.
intránsitive vérb 自動詞(略) vi, v.i.).
in·trán·si·tive·ly 副 自動詞に[として].

in·tra·state /ɪ̀ntrəstéɪt/ 形 (米) 州内の(cf. interstate).

in·tra·ve·nous /ɪ̀ntrəvíːnəs/ 形 [医学] 静脈内の; 静脈注射の ‖ be on an *intravenous* bottle 点滴中である. —— 名 U 静脈注射; 輸血; 点滴.

in·tra·ve·nous·ly /ɪ̀ntrəvíːnəsli/ 副 静脈を通じて, 静脈から ‖ be fed *intravenously* 点滴を受ける.

in·trench /ɪntréntʃ/ 動 = entrench.

†**in·trep·id** /ɪntrépɪd/ 形 (正式) 大胆(不敵)な(bold), 恐れを知らない. **in·trép·id·ly** 副 勇猛に.

in·tre·pid·i·ty /ɪ̀ntrəpídəti/ 名 U C (正式) 大胆, 剛勇.

in·tri·ca·cy /ɪ́ntrɪkəsi/ 名 (正式) **1** U 複雑(さ), 込み入っていること. **2** C [しばしば intricacies] 込み入った事柄[事情].

†**in·tri·cate** /ɪ́ntrɪkət/ 形 (正式) **1** 入り組んだ, 込み入った, もつれた. **2** 複雑[難解]な, はっきりしない.
in·tri·cate·ly 副 複雑に, 込み入って.

†**in·trigue** /名 ɪ́ntriːɡ, -; 動 -/ 名 (正式) **1** U 陰謀, 策略; C 陰謀事件. **2** C (文) 不義, 密通. —— 動 自 **1** (正式) […に対して]陰謀を企てる[*against*]. **2** (文) 不義[密通]をする. —— 他 (正式) …の好奇心[興味]をそそる. **2** (正式) …を陰謀で達成する.

in·trígu·er 名 陰謀をめぐらす人; 密通者.

in·tri·guing /ɪntríːɡɪŋ/ 形 (正式) **1** (非常に)興味[好奇心]をそそる, 魅力ある, (大変に)面白い. **2** 陰謀を企てる.

†**in·trin·sic** /ɪntrɪ́nsɪk, -zɪk/ 形 (正式) […に]本来備わっている, 固有の, 本質的な[*to, in*](↔ extrinsic).
in·trín·si·cal·ly 副 本質的に, 本来.

in·tro /ɪ́ntroʊ/ 名 (複 ~s) C (略式) = introduction.

in·tro- /íntrə- | íntrəu-/ 〘語要素〙 →語要素一覧(1.7). **in·tro(d).** 〘略〙introduce; introductory.

in·tro·duce /ìntrəd(j)úːs/ 〘中に(intro)導く(duce). cf. pro*duce*〙 派 introduction (名)
—他 (~s/-iz/) 過去・過分 ~d/-t/; --duc·ing
Ⅰ [人に紹介・導入する]
1 [introduce A (to B)] ⟨人が⟩A⟨人⟩を(B⟨人⟩に)紹介する; ⟨若い女性など⟩を[社交界に]登場させる[to] (◆ present よりくだけた語) ‖ *introduce* oneself as a free-lance photographer [journalist] フリーの写真家[記者]だと自己紹介する / 'Allów me to [Lét me] *introdúce* him *to* you. 彼を君に紹介しましょう / The girl was *introduced to* society. その若い女性は社交界にデビューした / Let me *introduce* you *to* my teacher, Mr. Brown. 私の教わっているブラウン先生を紹介いたします.

〘文化〙[紹介の仕方]
(1) 人を紹介する時は "Mr. A, may I *introduce* Mr. B?"「Aさん、Bさんをご紹介いたします」は堅苦しいので "This is John Brown." が一般的. 親しい間柄では "Meet my sister." などが用いられる. 女性, 年上, 目上の人には先に紹介する. 女性を紹介された時は男性は立ち上がる.
(2) 紹介してもらいたい時は "Would you *introduce* me to her?"「彼女にご紹介していただけませんか」とか "I don't know anyone here. Would you do the honors?"「ここには知人がいません. 紹介していただけませんか」などと言う.

Ⅱ [物事を導入する]
2 [introduce A] ⟨人⟩を⟨新しい物・事に⟩接触させる, ⟨人⟩に[…を]経験させる, 紹介する[to] ‖ *introduce* him *to* soccer 彼にサッカーを教える / We *introduce* Western readers *to* Japanese aesthetics. 我々は西洋の読者に日本の美学を紹介しております.
3 ⟨人が⟩⟨外国の動物・植物・病気・文物など⟩を[…に]導入する, 持ち込む, 輸入する, 披露(ඁろう)する, 入れる [into, to] ‖ *introduce* a new product 新製品を採り入れる / New methods were *introduced into* the hospital. 新しい方式がその病院に導入された.
4 〘正式〙⟨話題⟩を[会話に]持ち出す[into]; ⟨議案など⟩を[議会に]提出する[to, into, in, at, before]; ⟨法律など⟩を施行する ‖ *introduce* a new plan *into* the discussion 新議案を討論に持ち出す / *introduce* a bill *in* Congress 議案を国会に提出する.
5 〘正式〙…を[…に]挿入する, 差し込む[into] ‖ *introduce* a needle *into* the vein 針を血管に差し込む. **6** …を[…で]始める[with, by]; …に前置きをつける, 始まりを告げる ‖ *introduce* a speech *with* a joke 冗談を皮切りに話をする.

in·tro·dúc·er 名C 紹介者, 提出者, 創始者.

in·tro·duc·tion /ìntrədʎkʃən/ 〘→ introduce〙
—名 (複) ~s/-z/
Ⅰ [導入・紹介すること]
1 Ⓤ Ⓒ [⋯への]導入, 伝来, 輸入, 持ち込み[into, to] ‖ *the introduction of* Buddhism *into* Japan 仏教の日本伝来 (◆ *introduce* Buddhism *into* Japan の名詞化表現. ➡文法 14.4).
2 Ⓤ Ⓒ [しばしば ~s] [⋯への]紹介(する[される]こと), 披露(略式) intro)[to] ‖ a létter of *introdúction* 紹介状 / máke *introdúctions* of guests to each other 客をお互い同士引きあわせる / Thank you (very much) for your kind *introduc-*

tion. (講演などで司会者に紹介されて)ご紹介ありがとうございました《◆「ただいまご紹介に預かりました…でございます」のように改めて自分の名をのることはしない》.

Ⅱ [導入されたもの]
3 採用[提出, 提唱]される[する]物[事], 導入された動物[植物].
4 Ⓒ [本・話などの]序論, 前置き[to] (類語) foreword, preface); [⋯への]入門(書), 概論[to] ‖ *An Introduction to English Conversation* 『英会話入門』《書名》.
5 Ⓒ [音楽] 序奏, 前奏 (略式) intro).

in·tro·duc·to·ry /ìntrədʎktəri/ 形 紹介の; 前置きの; 入門的な (略) intro(d).) ‖ an *introductory* chapter 序章.

in·tro·spec·tion /ìntrəspékʃən | ìntrəu-/ 名Ⓤ 〘正式〙内省.

in·tro·vert 動 /ìntrəvə́ːrt | ìntrəu-/; 名形 /⌐—/ 動他 …を内へ向ける. —名Ⓒ [心理] 内向性の人; はにかみ屋. —形 内向性の, 内向的な (↔ extrovert).

in·tro·vert·ed /ìntrəvə́ːrtɪd | ìntrəu-/ 形 内向性の, 内向的な.

†in·trude /ìntrúːd/ 〘正式〙他 ⟨人が⟩⟨意見など⟩を [人に]無理に押しつける, 強いる (force) [on, upon]; ⟨人・物・事が⟩⟨場所・心などに⟩割り込む, 立ち入る; […に](許可なく)持ち込む[into] ‖ *intrude* one's opinion *on* [*upon*] others 自分の考えを他人に押しつける. —自 [⋯の]じゃまをする; [⋯へ]侵入する, 押し入る, 立ち入る[on, upon, in, into] ‖ *intrude upon* [*into*] his privacy 彼のプライバシーを侵害する / I hope I am not *intruding* (*on* you). おじゃまではないでしょうね.

†in·trud·er /ìntrúːdər/ 名Ⓒ 侵入者, 乱入者; じゃま者; (空軍)(夜間の)襲撃機.

†in·tru·sion /ìntrúːʒən/ 名Ⓒ Ⓤ 〘正式〙(意見などの)[⋯への]押しつけ, [場所への]侵入, 押入り; 侵入行為 [on, upon, into].

in·tru·sive /ìntrúːsɪv/ 形 押し入る, 侵入的な; でしゃばりの, じゃまをする; 押しつけがましい.

in·trust /ìntrʎst/ 動 =entrust.

†in·tu·i·tion /ìntjuíʃən | -tjuí-/ 名 **1** Ⓤ Ⓒ 〘正式〙[⋯に関する/⋯という]直観[直覚](力)[about/that節]; 洞察(力) ‖ by *intuition* 勘で. **2** Ⓒ Ⓤ [哲学] [しばしば ~s] [⋯という]直観, 直覚, 直観的知覚; 直観的真理[事実], 直観[that節].

†in·tu·i·tive /ìntjúːətɪv/ 形 〘正式〙 **1** 直観[直覚]の (instinctive); ⟨人・心などが⟩直観力のある ‖ an *intuitive* mind 直観力のある心. **2** ⟨知識などが⟩直観[直覚]で認識された, 直観的な (↔ acquired) ‖ *intuitive* knowledge 直観的知識.

in·tú·i·tive·ly 副 直観的に(言えば).
in·tú·i·tive·ness 名Ⓤ 直観[直覚].

In·u·it /ínuət, ínjuət/ 〘『人間』が原義〙 名 イヌイット (→ Eskimo).

in·un·date /ínʌndèɪt, -ən-/ 動他 〘正式〙 **1** …を[…で]水浸しにする[with]; ⟨水・川⟩が⟨土地⟩に氾濫(はんらん)する, …を水没にする. **2** …を[…で]充満させる[with], …に押し寄せる, 殺到する. **in·un·dá·tion** 名Ⓤ Ⓒ 氾濫, 浸水; Ⓒ 洪水; 充満, 殺到.

in·ure /ìnjʊər/ 〘米+〙 ìnʊər/ 動他 〘正式〙他 [通例 be ~d/ ~ oneself] ⟨人が⟩[困難なことに/⋯することに]慣れる[to / to do). **in·úre·ment** 名Ⓤ 慣れ.

in·vade /ìnvéɪd/ 派 invasion (名)
—動 (~s/-véɪdz/) 過去・過分 ~d/-ɪd/; --vad·ing

invader

―(他) 1 〈軍隊などが〉〈国などに〉**侵入する**, …を侵略する ‖ *invade* a country 国に侵入する / England was *invaded* by the Danes. イングランドはデーン人の侵略をうけた. **2** 〔正式〕〈場所に〉大勢押し寄せる, なだれこむ(flood) ‖ Many tourists *invade* our town every year. 毎年多くの観光客が私たちの町に押し寄せてくる. **3** 〔正式〕〈権利などを〉侵害する, …に干渉する ‖ *invade* his privacy 彼のプライバシーを侵害する. **4** 〔正式〕**a**〈病気・感情などが〉…を襲う, 襲う(attack). **b**〈音・病気などが〉…に充満する, 広がる.
―(自) 侵入[侵害]する, 襲う.

†**in·vad·er** /invéidər/〈名〉侵略者, 侵入者[物]; 侵害者; (他国からの)移住者, 流入者.

†**in·va·lid**¹ /ínvəld | ínvəlíːd, -ləd; (動)(英+)ínvəlíːd/〈名〉〈形〉病弱者, 病人 ‖ He is a bedridden *invalid*. 彼は寝たきりの病人だ. ―〈形〉**1** 病弱な; 病弱者用の ‖ an *invalid* chàir [diet] 病人用車椅子[食事]. **2** ぽんこつの. ―〈動〉(他) **1** …を病気にかからせる, 病弱にする. **2** 〔通例 be 〜ed〕〈人が〉病弱である, として取り扱われる; 〈英〉傷病兵として[…から]送還[免役]される(+*home*, *out*) [*of*].

in·val·id² /invǽlid/〈形〉〔正式〕根拠の薄い, 説得力のない; 〔法律〕法的効力のない, 無効の(↔ valid).

in·val·i·date /invǽlidèit/〈動〉(他) 〔正式〕…を無効[無価値]にする; …の法的効果をなくする(↔ validate); 〈議論〉の説得力を弱める. **in·vàl·i·dá·tion**〈名〉ⓒⓊ 無効にする[なる]事[状態].

†**in·val·u·a·ble** /invǽljuəbl, -vǽljubl/〈形〉〔正式〕[…にとって]評価できない[計り知れない]ほど貴重な(*to*)〔◆ valuable の強意形〕(↔ valueless).

in·val·u·a·bly〈副〉評価できないほど, 非常に高価に.

†**in·var·i·a·ble** /invéəriəbl/〈形〉**1** 不変の, 変わらない(↔ variable). ―〈名〉不変のもの; 〔数学〕定数, 不定量[数].

†**in·var·i·a·bly** /invéəriəbli/〈副〉一定不変に, 変わることなく; いつも, 例外なくきまって(↔ variably).

†**in·va·sion** /invéiʒən/〈名〉ⓒⓊ **1** (武力による)[…への]侵入, 侵略[*of*] ‖ I protest the US *invasion of* [×*to*, ×*into*] Iraq =I protest the *invasion of* the US army *into* Iraq イラクへの米軍の侵攻に抗議する〔◆前者の of は目的格関係, 後者の of は主格関係を表す. ➡文法 14.4〕. **2** (病気・災害などの)侵入. **3** 殺到, なだれこみ. **4** (権利の)侵害[*of*] ‖ an *invasion of* his privacy 彼のプライバシーの侵害〔◆ *invade* his privacy の名詞化表現 → in·vade (他) 3〕.

in·vec·tive /invéktiv/〈名〉〔正式〕**1** Ⓤ 悪口, ののしり, 毒舌; 激しい非難. **2** ⓒ〔通例 〜s〕悪口雑言, ののしりの言葉.

in·veigh /invéi/〈動〉(自) 〔正式〕〈…を〉痛烈に非難する, 激しく論じる(*against*).

in·vei·gle /invéigl, -víː-/〈動〉(他) 〔正式〕〈人を〉だまして[…に]誘い込む, つり込む(*into*). **2** 〈人を〉そそのかして[…]させる(*into doing*); (甘言などで)〈物を〉〈人から〉だましとる(*from*, *out of*).

‡**in·vent** /invént/〔上に(in)出てくる(vent). cf. *convention*〕 ® invention (名), inventor (名)
―(動) (〜s/-vénts/; 過去・過分) 〜ed/-id/; 〜ing)
―(他) **1** 〈人が〉〈新しいものを〉(工夫・創造力で)**創り出す, 発明する**, 考案する ▶対話 "Who *invented* the saxophone?" "Adolphe Sax, I guess." 「サクソフォーンはだれが発明したの(=Who was the inventor of the saxophone?)」「アドルフ=サックスだ

と思うけど」 / *invent* a new way of teaching English 新しい英語教育の方法を考え出す /〈ジョーク〉 An optimist *invented* the car, and a pessimist *invented* the air bag. 楽観主義者は車を発明し, 悲観主義者はエアバッグを発明した.
2 〔口実などを〉でっちあげる ‖ *invént* 「a lie [an excúse] うそ[言い訳]をでっちあげる.

***in·ven·tion** /invénʃən/〖→ invent〗
―(名) (億) (〜s/-z/) **1** ⓒ **発明品** ‖ his numerous *inventions* 彼の多くの発明品 / The calculator is a wonderful *invention*. 計算器はすばらしい発明品だ.
2 Ⓤ **発明(する[される])こと**, 創案; 発明の才, 独創[創造]力 (略 inv.) ‖ the *invention* of the camera カメラの発明 / a man of much *invention* 発明の才に富む人 / *Necessity is the mother of invention*. (ことわざ) 必要は発明の母.
3 ⓒⓊ 作り事, 作り話, でっちあげ〔◆ lying の遠回し語〕‖ The story was just one of his *inventions*. その話はまさに彼の作り話のひとつだった.

†**in·ven·tive** /invéntiv/〈形〉発明[考案]の(才のある), 創意に富む, 独創的な ‖ *inventive* ability 発明の才.

*†**in·ven·tor** /invéntər/〈名〉[…を]発明した人, [… の]創案[案出]者[*of*]; 発明家 (略 inv.) ‖ Who is the *inventor* of the radio? ラジオを発明した人はだれですか(=Who invented the radio?).

†**in·ven·to·ry** /invéntɔːri | -təri/〈名〉ⓒ (財産・商品などの)**目録, 一覧表, 棚卸し表**; 在庫品; Ⓤ 〈米〉在庫調べ, 在庫品価格 ‖ màke [tàke] (an) *invéntory* of the company cars 会社の車の目録を作る.
―(動) ⓒ …の目録[一覧表]を作る.

in·ver·ness /invərnés/〖スコットランドの地名より〗〈名〉〔時に I〜〕ⓒ **1** インバネスコート(*inverness cape* つきのコート). **2** =inverness cape.

invernéss càpe〈名〉インバネスケープ.

in·verse /invə́ːrs, ˈ ̄/〈形〉**1** 〈位置・方向・傾向が〉**逆の**, 正反対の, あべこべの〈back to front (後ろから前へ), right-to-left (右から左へ), bottom-to-top (下から上へ)など〉‖ in *invérse* relátion [propórtion, rátio] to … …と逆の関係に[比例して]. **2** 〔数学〕〈関数・比例が〉逆の, 反比例の.
―(名) **1** 〔the 〜〕逆, 反対; 正反対のもの. **2** 〔数学〕逆元; 逆(関)数.

invérse propórtion〔数学〕反比例(↔ direct proportion).

in·vérse·ly〈副〉逆に, 正反対に.

in·ver·sion /invə́ːrʒən | -ʃən/〈名〉ⓒⓊ **1** 逆, 反対; 転倒. **2** 〔文法・修辞〕語順転倒, 倒置(法).

†**in·vert** /invə́ːrt/〈動〉(他) 〔正式〕**1** …を逆さまにする, ひっくり返す; …を裏返しにする ‖ *invert* a glass コップを伏せる(=(略式) turn a glass upside down). **2** …の位置[順序]を逆にする, 反転にする.

in·vért·er〈名〉ⓒ〔電気〕インバーター〈直流を交流に変える装置. cf. converter〕.

in·ver·te·brate /invə́ːrtəbrət, -brèit/〈形〉(動) 脊椎(きつい)[背骨]のない, 無脊椎動物の(↔ vertebrate).
―〈名〉ⓒ 無脊椎動物; 気骨のない人.

†**in·vest** /invést/〈動〉(他) **1** 〈人が〉〈金などを〉**投資する**; 〈金を〉〔物に〉投資する, 支出[運用]する, (略式) 〈金・時間・精力などを〉〔物・事に〕使う, 注ぐ(*in*) ‖ *invest* one's money *in* stocks [dresses] 金を株に投資する[衣服に使う] / She *invested* her energy in helping the poor. 彼女は貧しい人たちの援助に精力を注いだ. **2** 〔正式〕〈性質・特徴などが〉〈人・物などに備わっている; 〈人〉に〔権力・性質・地位などを〕与える

(give)〔with〕; …を〔人に〕付与する〔in〕 ‖ *invest* him *with* full authority =*invest* full authority *in* him 彼に全権を与える / Something noble *invests* her behavior. 彼女のふるまいにはどこか気品が漂っている(=There is something noble about her behavior.).
── 自 〔…に〕投資[支出]する〔in〕; (略式)〔…に〕金を使う, 〔…を〕買う〔in〕 ‖ *invest in* bonds [a new car] 債券に投資する[新車を買う].

†**in‧ves‧ti‧gate** /invéstəgèit/ 【アクセント注意】 動 他 〈人・団体などが〉〈事〉を(詳細に)調べる, 調査する, 取り調べる; 〈事〉を(徹底的に)研究する ‖ The police are *investigating* the murder. 警察がその殺人事件を調査中だ / The police *investigated* whether [×if] it was true. 警察はそれが真実であるかどうか調査した. ── 自 〔…を〕調査する, 研究する〔into〕【対語】 ‖ *investigate into* an affair 事件を調べる / "I heard an odd sound upstairs." "I'll go up and *investigate*." 「2階で何か変な物音が聞こえたよ」「行って見て来るよ」.

†**in‧ves‧ti‧ga‧tion** /invèstəgéiʃən/ 名 U C 〔…に対する〕(徹底的な)調査, 審査, 研究〔into〕 ‖ *under investigation* 調査中 / *màke investigátion(s) into* a mystery なぞを調べる / On [Upòn] *investigátion* (↘), the plan proved to be impractical. 調査してみると計画は非現実的なものであるとわかった.

in‧ves‧ti‧ga‧tive /invéstəgèitiv, -gətiv/ 形 調査する, 調査の; 研究する, 研究好きの ‖ *investigative* reporting [journalism] (汚職などに対する)マスコミ独自の調査報道.

†**in‧ves‧ti‧ga‧tor** /invéstəgèitər/ 名 C 調査者, 研究者, 取り調べ官.

†**in‧vest‧ment** /invéstmənt/ 名 1 U C 〔…に〕投資すること[物], 〔…に対する〕投資(金額), 出資(金), 投下資本; 投資の対象〔in〕 ‖ *investment* letter stock 非公開株 / a good [risky] *investment* 有利[危険]な投資物 / màke an *invéstment* of $1,000 in bonds 証券に1000ドルを投資する. 2 C (性質・属性などの)賦与; U (地位・官職などの)授与, 任命. 3 U (とりでで・町などの)包囲.

†**in‧ves‧tor** /invéstər/ 名 C 1 投資者, 出資者; (権利などの)授与者; (官職の)叙任者. 2 包囲者.

in‧vet‧er‧a‧cy /invétərəsi/ 名 U (正式) 1 (習慣などの)根深いこと, 頑固さ, 執念深さ. 2 (病気などの)慢性, 持病.

in‧vet‧er‧ate /invétərət/ 形 (正式)〈病気・習慣・感情などが〉根深い, 頑固な; 慢性の, 常習的な.

in‧vid‧i‧ous /invídiəs/ 形 (正式) 1 しゃくにさわる, いまいましい; 〈地位・名誉などが〉他人のねたみを買うような. 2 不公平な(unfair); 不快な.

in‧vig‧i‧late /invídʒəlèit/ 動 (英正式)試験監督をする.

in‧vig‧o‧rate /invígərèit/ 動 他 〈…〉を元気[活気]づける; …を鼓舞[激励]する, 励ます.

†**in‧vin‧ci‧ble** /invínsəbl/ 形 (正式) 1 征服できない, 無敵の(unconquerable). 2 〈信念・意志などが〉不屈の; 〈困難・障害などが〉克服できない; 〈議論などが〉打ち負かせない. **Invíncible Armáda** =armada 2.

in‧vín‧ci‧bly 副 無敵に, 克服しがたく.

in‧vi‧o‧la‧ble /inváiələbl/ 形 (正式) 1 犯すべからず, 神聖な(sacred). 2 犯すことのできない.

in‧vi‧o‧la‧bíl‧i‧ty 名 U 神聖さ, 不可侵(性).

in‧vi‧o‧late /inváiələt/ 形 犯されていない, 〈約束などが〉破られていない; 神聖な, 〈場所が〉汚されていな い.

in‧vis‧i‧bil‧i‧ty /invìzəbíləti/ 名 U 目に見えないこと, 不可視性.

†**in‧vis‧i‧ble** /invízəbl/ 形 1 〔…に〕見えない〔to〕, 目につかない(ほど小さい) (↔ visible) (cf. inaudible) ‖ *invisible* defects (expenses) 目につかない欠点[出費] / The star is *invisible to* the naked eye. その星は肉眼では見えない. 2 顔[姿]を見せない, 隠れた ‖ She remains [is] *invisible*. 彼女は人前に出ない.

invísible éxports [ímports] 貿易外輸出[輸入].

invísible ínk あぶり出しインク (secret ink).

in‧vís‧i‧bly 副 目につかず, 目に見えないように.

†**in‧vi‧ta‧tion** /invitéiʃən/ 名 1 U 〔…への〕招待, 〔…へ〕招待する[される]こと〔to〕; U C 〔…するという〕勧誘〔to do〕; C 招待状, 案内状 (→ invite 1【表現】) ‖ at [on] the *invitation* of the press 報道機関の招きで / accept [decline, refuse, turn down] an *invitation* to be a visiting professor at MIT MITの客員教授の招待に応じる[招待を断る] / receive *a letter of invitation* 招待状を受け取る / sénd óut *invitations to* a party パーティーの招待状を出す. 2 U C 〔…への/…することへの〕誘惑, 挑戦〔to / to do〕 ‖ an *invitation* 'to fail [to failure] 失敗の誘因.

in‧vi‧ta‧tion‧al /invitéiʃənəl/ 形 (米) 招待の.
── 名 C 招待選手競技会, 招待作家展示会.

in‧vite /invaít/ 動 ~ /〘「尋ねる」→「求める」が原義〙 (語) invitation (名)
── 動 (~s/-váits/; 過去・過分 ~d/-id/, ~‧ing)
── 他 1 〈人〉を招く(+*along*, *over*, *round*), 〈人〉を招き入れる(+*in*); [invite **A** to **B**] 〈人〉が **A**〈人〉を(正式に) **B**〈会・食事〉に**招待する**, 誘う (♦ ask より堅い語い) ‖ be *invited in* for a meal 食事に招き入れられる / *invite* him (*along*) [*to*] *into*] my house 彼を私の家に招く / I often get *invited out* [*over*, *round*]. 私はよく招かれて出て行く / You may *invite* who(m)ever you like. だれでも好きな人を招いていいですよ.

|表現| [招待(状)の一例]
(1) 書状では You are cordially *invited* to our 2005 summer session. (2005年の夏の会議にご招待いたします)などとする. 終わりに r.s.v.p. (ご返事をください) か Regrets only. (欠席の場合のみお知らせください)を書く.
(2) 口頭では I should like to *invite* you to have dinner at my house on Friday at six. 金曜日6時に私の家での夕食にお招きした.

2 **a** (正式) 〈人が〉〈意見・寄付・提案・コメントなどを〉〔…に〕(ていねいに)求める, 願う〔*from*〕; …を引きつける, 魅了する; [invite **A** to do] 〈人〉が…するように勧める, 誘う, 依頼する; 誘惑する(ask) ‖ *invite* comments [proposals] *from* him 彼に意見[提案]を求める / *invite* him to attend the party 彼にパーティーに出席するよう依頼する. **b** 〈人〉に〔飲み物などを〕勧める〔to, for〕.

3 〈事態・言動〉を引き起こす; 〈危険・非難〉をもたらす, 招く ‖ *invite* laughter [trouble] 笑い[もめごと]を引き起こす / Careless driving will *invite* accidents. 不注意な運転は事故を招く.

†**in‧vit‧ing** /inváitiŋ/ 形 招く; 人目を引く, 魅力的な.

in‧vít‧ing‧ly 副 魅力的に.

in‧vo‧ca‧tion /invəkéiʃən, invəu-/ 名 C U (正式) 1 〔神への〕祈り, 祈願〔to〕; (儀式の初めに唱える)祈禱

(鳥)文; (一般に救いを求める)嘆願. **2** 〔叙事詩などの冒頭にみられる詩神ミューズへの〕霊感の祈り; 呪文(鳥)(で霊感を呼び出すこと).

in·voice /ínvɔis/ 名 C 〔商業〕送り状〔仕切り状〕(による送付), インボイス, 仕入れ書. ── 動 他 〈貨物など〉に送り状を作る.

†**in·voke** /invóuk/ 動 他 《正式》**1** 〈神などの加護・助けを〉祈願する; 〈神・精神などに〉呼びかける. **2** 〈救い・援助などを〉[…に及ぶように]祈願する, 懇願する(appeal for)〔on, upon〕 ‖ *invoke* his mercy 彼のあわれみを請う. **3** 〈法などを〉発動する, 実施する; 〈法の力などに〉訴える(resort to); 〈概念・理論などを〉用いる ‖ *invoke* a veto 拒否権を行使する. **4** 〈霊などを〉〈呪文(鳥)・まじないで〉呼び出す; 〈元気などを〉〔人から〕出させる(from).

in·vo·lu·cre /ínvəlj(j)ùːkər/ 名 C **1**〔植〕総苞(鳥). **2**〔解剖〕外皮, 被膜.

†**in·vol·un·tar·i·ly** /ìnvάləntérəli, -- invάləntərəli/ 副 思わず知らず; 不本意ながら, 心ならずも.

†**in·vol·un·tar·y** /invάləntèri, -vάləntəri/ 形 **1** 思わず知らずの, 無意識の(↔ voluntary). **2** 不本意の, 気が進まない; 強制的な ‖ *involuntary* consent 心ならずの同意. **3**〔生理〕不随意の ‖ *involuntary* múscles 不随意筋.

in·vo·lu·tion /ìnvəlj(j)úːʃən/ 名 C U **1** 巻き込み, 巻き〔包み〕込んだもの. **2** 複雑(なもの).

*⁕**in·volve** /invάlv, -vɔ́lv/ 〔中へ(in) 回転する(volve)〕
── 動 (~s/-z/; 過去·過分 ~d/-d/; -·volv·ing)
── 他 **1** [involve A (in (doing) B)] **a** 〈事が〉〈人〉を〈B(議論·事件·活動など)に〉巻き込む, 巻き添えにする ‖ The topic *involved* her [got her *involved*] in the argument. その話題のために彼女は議論に巻き込まれた / Another scandal *involving* the prime minister broke last week. 首相を巻き込んだもう1つのスキャンダルが先週発覚した. **b** 〔通例 be ~d〕〈人が〉〈けんか・犯罪などに〉〔人と〕関係する〔in/with〕 ‖ be [get] *involved in* a conspiracy 陰謀に巻き込まれる / be *involved with* the police 警察とかかわりあいになる. **c** 〔通例 be ~d〕〈よい意味で〉〈活動などに〉参加する, 携わる〔in〕 ‖ He's *involved* in our social work. 彼は我々の社会活動に加わっている.

2 …を必然的に含む; …を必要とする(♦ふつう進行形不可); 〈付随的に〉〔…することを〕伴う〔doing〕; …を意味する; …に影響〔関係〕する ‖ This job will *involve* you [your] living abroad. この仕事につくと海外に住む必要が生じるだろう 〈▶文法 12.2(6)〉.

3 〔通例 be ~d〕**a** 〈服などが〉〔機械などに〕巻き込まれる〔in〕(♦回転ベルトなどに巻き込まれる場合は with). **b** 〔~ oneself〕〈人が〉〔…に〕没頭〔熱中〕する〔in, with〕 ‖ Congress is *involved in* trying to haul the nation out of its energy mess. 議会はエネルギー問題の泥沼から国を救おうとすることに没頭している / He became [got] *involved with* the girl. =He *involved* himself *with* …. 彼はその女の子に夢中になった.

in·volved /invάlvd, -vɔ́lvd/ 形 **1** 入り組んだ, 複雑な. **2** 〔通例名詞の後で〕関係している ‖ the people *involved* 関係者たち. **3** 混乱した. **4**〔財政的に〕困っている.

in·volve·ment /invάlvmənt, -vɔ́lv-/ 名 U C (人が)巻き込まれること, 連座, 〔…との〕かかわりあい, 〔…への〕参加〔in, with〕; 困ったこと, 財政困難.

in·vul·ner·a·ble /invʌ́lnərəbl/ 形 《正式》傷つくことのない, 不死身の; 〔非難・攻撃などに対して〕弱味のない, 難攻不落の〔to〕.

†**in·ward** /ínwərd/ 形 **1** 内側にある, 内部になる, 内部の; 体内の(↔ outward) ‖ the *inward* parts of the body 内臓 / an *inward* room 奥の部屋. **2** 内部への, 内側に向かう; 〔商業〕輸入の ‖ an *inward* curve 内側へのカーブ. **3** 内陸の, 奥地の. **4** 心の中の, 精神的な(mental) ‖ *inward* peace 心の平和. ── 副 (英) (= inwards). **1** 内側〔内部〕に ‖ bend *inward* 内側へ曲がる. **2** 心の中へ, 内心へ ‖ He turned his thoughts *inward*. 彼は考えを心の中へ向けた〔内省した〕. ── 名 **1** C 内部, 内側; 内心. **2**〔英略式〕[~s] 内臓, はらわた(♦この意味ではふつう /ínərdz/).

†**in·ward·ly** /ínwərdli/ 副 **1** 内部へ[に], 内側に[で] (↔ outwardly) ‖ bleed *inwardly* 内出血する. **2** 心の中で, 精神的に; こっそりと. **3** 小声で, 低い声で.

in·wards /ínwərdz/ 副〔英〕=inward.

I·o /áiou/ 名 **1**〔ギリシア神話〕イオ《Zeus に愛されたが Hera にねたまれて白い牝牛に変えられた少女》. **2**〔天文〕イオ《木星の第1衛星》.

I/O (略) input/output.

IOC (略) International Olympic Committee.

i·o·dide /áiədàid/ 名 C U〔化学〕ヨウ化物.

†**i·o·dine** /áiədàin, -din/, (まれ) --din /-diːn/ 名 **1**〔化学〕ヨウ素《ハロゲン元素の1つ; 記号 I》, ヨード. **2** (略式) ヨードチンキ (tincture of iodine).

i·o·do·form /aióudəfɔ̀ːrm | aisɔ́də-/ 名 U〔化学〕ヨードホルム.

†**ion** /áiən, -ɑn | áiən, -ɔn/ 名 C〔物理・化学〕イオン ‖ a positive [negative] *ion* 陽〔陰〕イオン.

-ion /-jən, /(ː/, ʃ, tʃ, dʒ/ の後では -ən/ 語要素 → 語要素一覧 (2.2).

I·o·ni·a /aióuniə/ 名 イオニア《小アジア西海岸地方とその付近の島々》.

†**I·o·ni·an** /aióuniən/ 形 イオニア(人)の; the ~ Sea イオニア海. ── 名 C イオニア人.

I·on·ic /aiάnik, -5n- / 形 **1** イオニア(人)の. **2** 〔建築〕(古代ギリシア)イオニア式の ‖ the Ionic order イオニア様式.

i·on·i·za·tion /àiənəzéiʃən | -ənai-/ 名 U〔物理〕イオン化, 電離.

i·on·o·sphere /aiάnəsfìər | -5n- / 名〔the ~〕電離層.

i·o·ta /aióutə/ 名 **1** U C イオタ《ギリシアアルファベットの第9字(ι, Ι), 英字の i, I に相当. → Greek alphabet 》. **2** 〔通例否定文で; an ~ of …〕微少な…, ごく少量の….

IOU /ái du júː/〔I owe you の音から〕名 (複 ~s, ~'s) C 借用証書(♦IOU £10, Robert Brown. のように書く).

I·o·wa /áiəwə | áiouə/ 名 **1** アイオワ《米国中部の州. 州都 Des Moines /də mɔ́in/. (愛称) the Corn State, the Breadbasket State. (略) Ia., Io., (郵) IA》. **2** (~s, I·o·wa) C アイオワ族(の人)《北米先住民》.

IPA (略) International Phonetic Alphabet [Association].

IQ (略)〔心理〕intelligence *q*uotient (cf. AQ) ‖ a high *IQ* 高い知能指数.

Ir. (略) Ireland; Irish.

ir- 語要素 → 語要素一覧 (1.7).

IRA (略) Irish Republican Army.

I·ran /irǽn, -rɑ́ːn, airǽn | irάːn/ 名 イラン《現在の正式

I·ra·ni·an /iréiniən, -rá:-, airéi-/ 形 イランの; イラン人の、ペルシアの。— 名 1 ⓒ イラン人 [語法] → Japanese. 2 ⓤ ペルシア語.

I·raq /irǽk, irá:k | irá:k/ 名 イラク《アジア南西部の共和国。首都 Baghdad. 形容詞は Iraqi》.

I·raq·i /irǽki, irá:ki | irá:ki/ 形 イラクの; イラク人の。—名 (複 **I·raq·i**, ~**s**) ⓒ イラク人.

i·ras·ci·ble /irǽsəbl, (英+) airǽs-/ 形《正式》1〈人・性質が〉怒りっぽい、短気な。2 怒った。

i·rate /airéit/ 形《文》怒った; 腹立ちまぎれの.

ire /áiər/ 名 ⓤ《詩》(表情・態度に出た) 怒り、憤怒 ‖ **―**…を怒らせる.

Ire. (略) *Ireland*.

ire·ful /áiərfl/ 形《文》怒った、憤った (angry); 短気な、怒りやすい.

*Ire·land /áiərlənd/
— 名 **1 アイルランド(島)**《大ブリテン島の西にある島.アイルランド共和国と英国に属する北アイルランド (Northern Ireland) とに分かれる。(略) Ire.; (愛称) the Emerald Isle, the Green Isle, (文) Hibernia. 形容詞は Irish》‖ *Ireland* lies to the west of Great Britain. アイルランド(島)は大ブリテン島の西方に位置している.
2 アイルランド(共和国)《アイルランド島の南部を占める国。正式名 the Republic of Ireland または the Irish Republic. 首都 Dublin. (略) Ire. ゲール語名 Eire. 旧称 the Irish Free State》‖ Dublin is the capital of *Ireland*. ダブリンはアイルランド(共和国)の首都です.

I·re·ne /1 では aiərí:n | ‐‐, 2 では aiərí:ni/ 名 **1 アイリーン《女の名》. 2**〔ギリシア神話〕エイレネ《平和の女神》.

ir·i·des /írədi:z, áiərə-/ 名 iris の複数形.

ir·i·des·cence /írədésns/ 名 ⓤ 虹(色)色、玉虫色、真珠光沢.

ir·i·des·cent /írədésnt/ 形《正式》虹色の、玉虫色の、真珠光沢の.

†i·ris /áiəris/ 名 (複 ~**es**, **ir·i·des**/írədi:z, áiərə-/) ⓒ **1**〔解剖〕(眼球の) 虹彩(ぷ) 《図 → eye》. **2**〔植〕アイリス(の花)《アヤメ科の植物。アヤメ・カキツバタ・ハナショウブなど》.

*I·rish /áiəriʃ/ [→ *Ireland*]
— 形《◆比較変化しない》**1 アイルランド(人)語]の**; アイルランドなまりの ‖ His English has a slight *Irish* accent. 彼の英語には少しアイルランドなまりがある. **2**〔補語的〕(おかしいほど)不合理な.
— 名 **1** [the ~; 集合名詞; 複数扱い] **アイルランド人**[国民] (cf. Irishman) [語法] → Japanese. **2** ⓤ アイルランド語; アイルランド英語 (Irish English).

Írish cóffee アイリッシュ=コーヒー《熱いコーヒーにウイスキーを加え、生クリームをのせる》.

Írish Gáelic (アイルランドで話される)ゲール語《アイルランド共和国の公用語》.

Írish potáto ジャガイモ《◆サツマイモ (sweet potato) と区別していう》.

Írish Repúblican Ármy [the ~] アイルランド共和軍 (略) IRA》.

Írish Séa [the ~] アイルランド海《アイルランドとイングランドの間》.

Írish twéed アイリッシュ=ツイード《背広・コート用》.

Írish whískey アイリッシュ=ウイスキー.

†I·rish·man /áiəriʃmən/ 名 (複 ~**·men**/-mən/) ⓒ《女性 ~**·wom·an**)ⓒ (男性の)アイルランド人、(一般に)アイルランド人((PC) Irish person).

Írish·wom·an /áiəriʃwùmən/ 名 (女性の)アイルランド人 (→ *Irishman*).

irk /ɜ:rk/ 動《正式》[通例 it を主語にして] …をうんざり[あきあき]させる; …をいらいらさせる.

†irk·some /ɜ́:rksəm/ 形《正式》〈人に〉面倒な(on, *upon*); あきあきする、退屈な; いらいらさせる.

⁑i·ron /áiərn/ [発音注意] [「聖なる金属」が原義]
— 名 ~**s**/-z/
Ⅰ［金属・属性としての鉄］
1 ⓤ〔化学〕**鉄**(記号 Fe)《◆「鋼」は steel. 日本語の「鉄」は iron と steel の両者を含むことが多い》‖ cást [píg, wróught] *iron* 鋳[銑, 錬]鉄 / (*as*) **hard as iron** 鉄のように堅い; 厳格な, 冷酷な (→ **2**) / **Strike while the iron is hot.** (ことわざ) 鉄は熱いうちに打て; 好機を逃すな《実際には You have to strike … (好機を逃してはいけません)のような形で用いる》.
2 ⓤ (鉄のように) 堅く強いもの; 不屈の [冷酷な]もの;(肉体的・精神的)強さ ‖ a man of *iron* 意志の強い人; 冷酷な人 / a will of *iron* 強い意志 (=an *iron* will) / rule with a rod of *iron* 圧制を行う.

Ⅱ［鉄製品］
3 ⓒ アイロン、こて、火のし《➡文法 14.3》.
4 ⓒ〔ゴルフ〕アイアン. **5** [通例 ~**s**] あぶみ; [~**s**] 手[足]かせ、手錠; (鉄製の)下肢矯正器 ‖ put him in [into] *irons* =clap him in *irons* 彼に手[足]かせをはめる, 彼を捕える. **6** ⓒ [複合語で] 鉄製の器具[道具, 武器]; 焼き印[金] ‖ fíre *írons* 炉辺用鉄具《poker, tongs など》.

have séveral [óther, tóo) mány] irons in the fíre 〔鍛冶屋が同時にいくつもの鉄材を火に入れて熱している〕一度にいくらかの[他の, (あまりにも)多くの]仕事[計画, 活動]に手を出している.

— 形 (**more** ~, **most** ~)〔通例名詞の前で〕**1** 鉄(製)の, 鉄のような; **不屈の** ‖ *iron* determination 堅い決意 / an *iron* constitution 頑丈な体質. **2** 厳しい, 冷酷な.

— 動 (~**s**/-z/; 〔過去・過分〕~**ed**/-d/; ~**·ing**)
— 他〈人が〉〈衣服などに〉**アイロンをかける** ‖ Mother *ironed* my shirt. 母さんは私のシャツにアイロンをかけてくれた.
— 自 アイロンをかける;〈布などが〉アイロンがかかる ‖ This skirt *irons* easily. このスカートはアイロンがかかりやすい (=It is easy to *iron* this skirt.)《➡文法 17.4》/ This print *irons* on quickly. このプリント模様はアイロンで簡単にくっつく.

íron óut 他 **(1)**〈衣服に〉アイロンをかける;〈くわを〉アイロンでとる. **(2)**《略式》〈困難・問題などを〉解決する、取り除く;〈事を〉円滑にする ‖ *iron out* mutual misunderstandings お互いの誤解を除く.

Íron Áge [the ~] **(1)** 鉄器時代. **(2)** [i~ a-] a)〔ギリシア神話〕鉄時代《Golden [Silver, Bronze] Age に続く時代》. b)《古》人類の堕落時代.

Íron Cróss (ドイツの)鉄十字勲章.

íron cúrtain [通例 the I~ C-] 〔今はまれ〕鉄のカーテン《共産圏、特に旧ソ連の秘密主義》.

íron fòundry 鋳鉄所, 製鉄所.

íron lády [通例 I~ L-]《愛称》鉄の女《英国の元首相 Thatcher. **iron maiden** ともいう》.

íron lúng〔医学〕鉄の肺.

íron óxide〔化学〕酸化鉄.

i·ron·bound /áiərnbàund/ 形 **1** 鉄張りの; 手[足]か

せをかけられた. **2** 堅い, 厳しい. **3** 岩の多い, 岩に囲まれた.

i·ron·clad /形⁼; 名⁼/ 形 **1**〔古〕 甲鉄の, 装甲の. **2**〔米〕変更できない; 一分のすきもない ‖ an *ironclad* alibi 完全なアリバイ. ――名 C 〔歴史〕 =ironclad warship.

íronclad wàrship (19世紀の) 甲鉄[装甲]艦船.

i·ron-gray, 〔英〕 **-grey** /áiərngréi/ 名 形 鉄灰色(の).

i·ron-heart·ed /áiərnhɑ́ːrtid/ 形 無情な, 冷酷な.

†**i·ron·ic, -i·cal** /airánik(l)/ 形 **1** 反語的な, 皮肉の, 当てこすりの ‖ an *ironic*(*al*) smile 皮肉な微笑. **2** 皮肉を言う, 皮肉好きな.

i·ron·i·cal·ly /airánikəli/ 副 反語的に, 皮肉に; [文全体を修飾] 皮肉にも, 皮肉を言えば.

i·ron·ing /áiərniŋ/ 名 U アイロンかけ; アイロンかけの必要な[した] 衣類 **2** do the *ironing* アイロンかけをする.

íroning bòard アイロン台.

i·ron·side /áiərnsáid/ 名 C **1** 勇猛果敢な人; がんばり屋.

i·ron·stone /áiərnstóun/ 名 U **1** 鉄鉱(石); **2** 白色硬質陶器.

i·ron·ware /áiərnwèər/ 名 U 鉄器, (家庭用の)金物.

i·ron·wood /áiərnwùd/ 名 U C 〔植〕 鉄樹《カバノキ科の樹木》; その材.

i·ron·work /áiərnwə̀ːrk/ 名 **1** U 鉄製品《(構造物の)鉄製部分》. **2** [~s; 単数・複数扱い] 製鉄所, 鉄工所. **í·ron·wòrk·er** 名 C 鉄工, 鉄骨組立工.

†**i·ro·ny** /áiərəni/ 名 **1** U 反語(法), irony とは, 皮肉(な言葉) ‖ Socratic *irony* ソクラテスの皮肉《無知を装って相手の誤りをつく》. **2** 皮肉な事態[結果], 予期せぬ結末 ‖ a dramatic *irony* 劇的皮肉《観客にはわかっているが登場人物は知らないことになっている状況》 / by the *irony* of fáte [círcumstances] 運命[巡り合わせ]の皮肉で.

Ir·o·quois /írəkwɔ̀i, -kwɔ̀iz/ 名 〔複〕 **Ir·o·quois** /-z/) **1** C イロコイ族(の)《北米先住民の一部族》; その一員. **2** U イロコイ語(の).

†**ir·ra·di·ate** /iréidièit/ 動 他 〔正式〕 **1** …を照らす, …に光を当てる. **2** 〈事〉を明らかにする, 〈問題などに光[光明] を与える(clarify), …を啓発する. **3** 〈顔など〉を《喜びなどで》輝かせる《with, by》. **4** 〈光など〉を放射する, 発する. **5** …を放射線で治療する.

ir·ra·di·a·tion /iréidiéiʃən/ 名 〔正式〕 **1** 発光, 放射, 照射. **2** 光線, 光束. **3** 放射線照射《ガンマ線の野菜や果物への照射》.

†**ir·ra·tion·al** /iræʃənl/ 形 〔正式〕 **1** 〈動物など〉が理性を持たない(⇔ rational). **2** 理性を失った, 分別のない(unreasonable); 不合理な, ばかげた(absurd) ‖ an *irrational* fear ばかげた恐怖. ――名 C 〔数学〕 =irrational number.

irrátional númber 無理数.

ir·rá·tion·al·ly 副 不合理に.

ir·ra·tion·al·i·ty /iræʃənæləti/ 名 U C 〔正式〕 理性のないこと; 不合理(性), 分別のなさ(⇔ rationality).

ir·re·claim·a·ble /irikléiməbl/ 形 〔正式〕 回復[矯正, 教化] できない; 〈土地が〉開墾[埋め立て] できない.

†**ir·rec·on·cil·a·ble** /irékənsàiləbl, ――――/ 形 **1** 〈人など〉と和解できない. **2** 〈思想など〉が〈…と〉調和しない, 矛盾した, 相容れない《with》. ――名 C **1** (頑固に) 和解[妥協] しない人; 非妥協派の人. **2** [~s] 妥協できない信念[思想]. **ir·réc·on·cíl·a·bly** 副 妥協せずに. **ir·rèc·on·cìl·a·bíl·i·ty** 名 U 和解できないこと, 不和.

ir·re·cov·er·a·ble /irikʌ́vərəbl/ 形 〔正式〕 〈損失などが〉取り戻せない; 不治の, 回復できない(⇔ recoverable). **ir·re·cóv·er·a·bly** 副 取り戻せないほど; 回復不可能なほど.

ir·re·deem·a·ble /iridíːməbl/ 形 〔正式〕 買い[取り] 戻せない; 〈紙幣などが〉兌換(だかん)されない; 矯正できない; 不治の.

ir·re·duc·i·ble /iridjúːsəbl/ 形 〔正式〕 **1** 減少できない, 削減できない. **2** それ以上簡単にできない.

ir·ref·u·ta·ble /irifjúːtəbl/ 形 〔正式〕 反駁(はんばく)することができない.

irreg. 〔略〕 irregular; irregularly.

†**ir·reg·u·lar** /irégjələr/ 形 **1** 不規則な, 変則的な, 異常な, 不定の(⇔ regular) ‖ an *irregular* liner 不定期船 / at *irregular* íntervals 不規則な間隔を置いて / Tom's class attendance is *irregular*. = Tom is *irregular* in his class attendance. トムは授業への出席が不規則である. **2** 〈形・配列などが〉ふぞろいの, むらのある, 不均整の, 不同の;〈道などが〉平らでない ‖ the *irregular* coastline of a fjord フィヨルドの入り組んだ海岸線 / His teeth are *irregular*. 彼は歯並びが悪い. **3** 〔正式〕 〈手続などが〉不法な, 反則の; (法律上) 無効の(contrary to the rules) ‖ an *irregular* marriage 正式でない結婚. **4** 〈行動などが〉不規律な, だらしない, 乱れた; 不道徳な ‖ *irregular* conduct 不品行. **5** 〔植〕〈花弁などが〉ふぞろいの, 不整形の. **6** 〔文法〕 不規則(変化) の ‖ *irregular* verbs 不規則動詞. **7** 〔軍事〕 不正規の ‖ *irregular* troops 不正規軍. **8** 〔米〕 〈学生が〉パートタイムの, アルバイトの.
――名 **1** 不規則な人[物]; [~s] きず物, 2級[等外] 品; 〔軍事〕 [通例 ~s] 不正規兵《ゲリラなど》.

†**ir·reg·u·lar·i·ty** /irégjəlǽrəti/ 名 **1** U 不規則, 変則; 不定. **2** C 不規則な事[物]; 〔遠回しに〕 反則, 不法(行為); [しばしば irregularities] 不品行. **3** [通例 irregularities] 凹凸のでこぼこ. **4** U 便秘.

ir·reg·u·lar·ly /irégjələrli/ 副 不規則に; ふぞろいに; 不定規に.

ir·rel·e·vance, --van·cy /irélavəns(i)/ 名 〔正式〕 U 不適切, 見当違い, 無関係, 関連性のないこと; C 見当違いの言葉[批評, 事柄], 的はずれの質問.

ir·rel·e·vant /irélavənt/ 形 〔正式〕 不適切な, 見当違いの, 的はずれの; 〈…と〉無関係の《to》.

ir·rél·e·vant·ly 副 不適切に, 関係なく.

ir·re·li·gion /irilídʒən/ 名 U 〔正式〕 無宗教, 無信仰; 反宗教, 不敬.

ir·re·li·gious /irilídʒəs/ 形 無宗教の, 無信仰の; 不敬な, 反宗教の.

ir·re·me·di·a·ble /irimíːdiəbl/ 形 〔正式〕 〈病気が〉治療不能な, 不治の;〈誤りなどが〉取り返しのつかない, 矯正できない.

ir·re·mov·a·ble /irimúːvəbl/ 形 〔正式〕 移動できない, 取り除けない; 免職できない.

ir·rep·a·ra·ble /irépərəbl/ 形 〔正式〕 修復[回復] できない, 取り返しのつかない.

ir·re·place·a·ble /iripléisəbl/ 形 〔正式〕 取り替えられない; かけがえのない.

ir·re·press·i·ble /iriprésəbl/ 形 〔正式〕 〈感情・行為などが〉抑えられない, 抑制できない, こらえきれない.

ir·re·proach·a·ble /iripróutʃəbl/ 形 〔正式〕 〈人・行為が〉非難の余地がない, 落度がない; 非の打ち所のない.

†**ir·re·sist·i·ble** /irizístəbl/ 形 **1** 抵抗できない, 〈欲求が〉抑えられない; 打ち勝てない ‖ an *irresistible* force 不可抗力. **2** 大変魅力的な, 悩殺する.

†**ir·re·sist·i·bly** /ìrizístəbli/ 副 抵抗できないほど；いやおうなしに；思わず.

ir·res·o·lute /irézəlùːt, -ljùːt/ 形《正式》決断力のない，優柔不断な；ためらいがちな，ぐずぐずした.
ir·rés·o·lùte·ly 副 優柔不断に.
ir·rès·o·lú·tion 名 U 優柔不断.

ir·re·spec·tive /ìrispéktiv/ 形 無関係の《◆ 通例次の成句で》. ***irrespéctive of*** A《正式》…にかまわず，…を考慮せずに，…に関係なく ‖ *irrespective of* the consequences 結果を考えずに／I'll go, *irrespective of* the weather. 晴雨にかかわらず行きます. ——副《略式》それにもかかわらず，考慮もせずに.
ir·re·spéc·tive·ly 副〔…に〕関係なく〔of〕.

†**ir·re·spon·si·ble** /ìrispánsəbl | -spɔ́n-/ 形〔…に〕責任を負わない；（年齢などのために）責任能力のない〔for〕. **2** 無責任な，責任感のない；当てにならない. ——名 C 責任(感)のない人，責任能力のない人.
ir·re·spón·si·bly 副 無責任に(も).
ir·re·spòn·si·bíl·i·ty 名 U 無責任.

ir·re·spon·sive /ìrispánsiv | -spɔ́n-/ 形〔…に〕手ごたえのない，応答のない〔to〕.

ir·re·triev·a·ble /ìritríːvəbl/ 形《正式》回復できない，取り返しのつかない，償えない.

ir·rev·er·ence /irévərəns/ 名《正式》**1** UC 不敬，非礼，不遜(ｿﾝ). **2** U 軽視；不面目.

ir·rev·er·ent /irévərənt/ 形《正式》不敬な，非礼な，不遜な［非礼］な.
ir·rév·er·ent·ly 副

ir·re·vers·i·ble /ìrivə́ːrsəbl/ 形 **1** 逆に［裏返し］できない，逆行できない. **2**《正式》取り消し［変更］できない，撤回できない.

ir·rev·o·ca·ble /irévəkəbl/ 形《正式》呼び戻せない，取り返しのつかない；取り消し［変更］できない，最終の；〈判決が〉くつがえらない，慣えない. **ir·rév·o·ca·bly** 副 取り消し［変更］できないように.

ir·ri·ga·ble /írigəbl/ 形《正式》〈土地などが〉灌漑(ｶﾞｲ)できる.

†**ir·ri·gate** /írigèit/ 動 他 **1**〈土地〉を灌漑(ｶﾞｲ)する(water)，〈土地〉に水を引く［注ぐ］；…を潤す，湿らす. **2**〔医学〕〈傷口など〉を灌注[洗浄]する.

†**ir·ri·ga·tion** /ìrigéiʃən/ 名 UC **1** 水を引くこと，灌漑(ｶﾞｲ)；注流；〔形容詞的に〕灌漑用の. **2**〔医学〕灌注(法)，洗浄(法).

†**ir·ri·ta·ble** /írətəbl/ 形 **1** 怒りっぽい，短気な. **2**〔生物〕刺激・接触に感じ［反応し］やすい，過敏な；〔医学〕過敏性の. **ir·ri·ta·bíl·i·ty** 名 U 怒りっぽいこと，短気；（刺激への）反応，興奮. **ír·ri·ta·bly** 副 怒って.

ir·ri·tant /írətənt/ 形《正式》（心）を刺激する，いらいらさせる；〈薬〉など刺激性の；炎症を起こさせる. ——名 C（心）をいらいらさせるもの；刺激物［薬，剤］.

†**ir·ri·tate** /írətèit/ 動 他 **1**〈人・事が〉〈人〉をいらいらさせる，怒らせる；じらす；［be ~d］〈人〉が［人に対して/物・事に対して］怒っている〔with, against / at, by〕‖ Her selfishness often *irritates* me.＝I am often *irritated by* her selfishness. 彼女のわがままにはしばしばいらいらする／I *was irritated*「*with* him［*at* his manner］*for* betraying me. 私を裏切ったことで彼［彼の態度］に腹を立てていた（→文法 7.3）. **2**〔生理・生物〕〈身体の一部〉を刺激する，ひりひりさせる；…に炎症を起こさせる ‖ The seawater *irritated* my eyes. 海水で目がひりひりした［炎症を起こした］.

ir·ri·tat·ing /írətèitiŋ/ 形 いらいらさせる；炎症を起こさせる. **ír·ri·tàt·ing·ly** 副 いらいらさせて；炎症を起こさせて.

ir·ri·ta·tion /ìrətéiʃən/ 名 UC **1** 怒らせる［いらだたせる］こと；怒らせる［いらだたせる］物；立腹，いらだち；刺激する物. **2**〔医学〕刺激，興奮；過敏症，炎症.

ir·ri·ta·tive /írətèitiv/ 形 いらいらさせる；刺激性の.

ir·rupt /irʌ́pt/ 動 自 **1** 侵入［突入，乱入］する. **2**〈動物が〉大発生する. **ir·rúp·tion** 名 侵入，乱入.

ir·rup·tive /irʌ́ptiv/ 形 **1**〔…に〕侵入［突入，乱入］する〔into〕. **2**〔地質〕貫入性の. **3**〈動物が〉大繁殖する.

IRS（略）《米》Internal Revenue Service.

Ir·ving /ə́ːrviŋ/ アービング《**Washington** ~ 1783-1859；米国の作家・歴史家》.

***is** /(弱) z, s; (強) iz, íz/《◆発音はふつう弱形（→語法）》
——動（過去 **was**, 過分 **been**; **being**）自 三人称単数を主語とする be の直説法現在形（語法 → be）‖ He [She, The dog] *is* hungry. 彼[彼女，その犬]は空腹だ.

> 語法 (1)《略式》では代名詞の後にくる場合，短縮語 **'s** (z のあと，s を除く有声音の次 /z/，s を除く無声音の次 /s/) がふつう. また He is ... のように書いても，ふつう /hiz/ のように読む. さらに《略式》では名詞・動詞の後でも短縮語を用いることが多い：The book I want's on sale. 私の欲しい本が売り出されている.
> (2) 強調のあるときや次のように文尾では，《略式》でも短縮語不可：I'm taller than he *is*［×he's］.
> (3) 否定の返答では No,「he isn't [he *is* not, he's not]. が可.

is.（略）island(s); isle(s).

Is.（略）island; isle.

Isa.（略）*Isaiah*.

†**I·saac** /áizək/ 名 **1** アイザック《男の名》. **2**〔旧約〕イサク《Abraham と Sarah の子，Jacob と Esau の父》.

Is·a·bel /ízəbèl/, **--bel·la** /ìzəbélə/ 名 イザベル，イザベラ《女の名. Elizabeth の変形.（愛称）Bel(l)》.

I·sai·ah /aizéiə | -záiə/ 名 **1** イザヤ《男の名》. **2**〔旧約〕イザヤ《紀元前8世紀のヘブライの預言者》；イザヤ書《旧約聖書中の一書，Is(a).》.

ISBN（略）International Standard Book Number 国際標準図書コード.

is·chi·um /ískiəm/ 名（徴 **--chi·a/-**kiə/）C〔解剖〕座骨.

ISD（略）international subscriber dialing 国際即時ダイヤル通話.

-ish /-iʃ/〔語要素〕→語要素一覧(2.1).

Ish·ma·el /íʃmiəl | -meiəl/ 名 **1**〔旧約〕イシマエル《Abraham と Hagar の子》. **2** C（世の中の）憎まれ者，宿なし，社会の敵.

isl., Isl.（略）island; isle.

Is·lam /islɑ́ːm, -læm, iz-| ízlɑːm, -læm, ís-/ 名 U **1** イスラム教，回教. **2**〔集合名詞〕全イスラム教徒. **3** イスラム教文化；イスラム世界.

Islam fundaméntalism イスラム原理［復古］主義.

Is·lam·a·bad /islɑ́ːməbɑ̀ːd, -læməbæd, is-/ 名 イスラマバード《パキスタンの首都》.

Is·lam·ic /islǽmik | iz-/ 形 イスラム教の.

Is·lam·ism /islɑ́ːmìzm | ízləmìzm/ 名 U イスラム教.

Is·lam·ist /islɑ́ːmist | ízləmist/ 名 C イスラム原理主義者.

***is·land** /áilənd/《発音注意》〔「水に囲まれた土地(iland)」が原義. s は isle の類推から〕

isle ──名 (複) ~s/-ləndz/ ⓒ **1 島**〈◆避難・孤独・未知への挑戦などの象徴〉(略) I., Is.)〈関連形容詞 insular〉∥ Kyushu *Island* =the *Island* of Kyushu 九州 / a desert [deserted, uninhabited] *island* 無人島, 孤島 / She was born on the *island* of Cuba. 彼女はキューバで生まれた(=She was born in Cuba.) / the *Island* of Saints 聖人島〈アイルランドの異名〉/ the *Islands* of the Blessed〈ギリシア神話〉極楽島〈善人が死後住むという〉. **2** 島に似たもの, 孤立したもの; 道路の安全地帯 (safety [(英) traffic] island).
ísland cóuntry 島国.
ís·land·er 名ⓒ 島の住民, 島民.

†**isle** /áil/ [発音注意] (同音) aisle, I'll 名ⓒ (文) 小島; 島 (略 I., Is.)◆(文)以外では固有名詞の一部として用いる》∥ the British *Isles* ブリテン諸島 / the *Isle* of Wight ワイト島.

ism /ízm/ 名ⓒ (略) 主義, 学説, イズム (doctrine).
†**-ism** /-ìzm, -ɪzm/ (語要素) →語要素一覧(2.2).
*is·n't /íznt/ is not の短縮形.
ISO (略) International Organization for Standardization 国際標準化機構; その方式によるフィルム感度表示 (cf. ASA).
i·so- /áisə-, áisou-/ (語要素) →語要素一覧(1.6).
i·so·bar /áisəbɑ̀ːr / áisou-/ 名ⓒ〔気象〕等圧線.
i·so·gon·ic /àisəgɑ́nik / -gɔ́n-/ 形 等角の; 等偏角の.
──名ⓒ = isogonic line.
isogónic líne 等偏[方位]角線.

†**i·so·late** /áisəlèit, (米+) í-/ 動㊀ **1**〈人・物・事が〉〈人・物・事を〉〔…から〕孤立させる, 離す, 分離[隔離]する (separate)〔*from*〕;〔医学〕〈伝染病患者などを〉隔離する (類語) insulate ∥ *isolate* oneself *from* all trouble 一切[(口)]の悩みから解放[(口)]する / The prisoner was *isolated* from the rest. その囚人はほかの囚人から隔離された. **2**〈細菌を〉分離する;〔化学〕…を単離する;〔電気〕…を絶縁する.

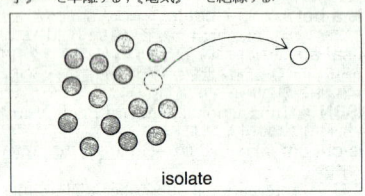

isolate

i·so·lat·ed /áisəlèitid, (米+) í-/ 形 **1** 孤立した, 分離[隔離]した, 孤高の; ただ一つの. **2**〔電気〕絶縁した;〔化学〕単離した.
†**i·so·la·tion** /àisəléiʃən / ì-/ 名Ⓤ **1** 孤立(させること),〔…との〕分離, 隔離〔*from*〕∥ an *isolátion* hòspital [wàrd] 隔離病院[病棟] / live *in isolation* 一人離れて暮らす. **2**〈細菌の〉分離;〔電気〕絶縁;〔化学〕単離.
i·so·lá·tion·ism 名Ⓤ (政治・経済上の)孤立[不干渉]主義. **i·so·lá·tion·ist** 名ⓒ 形 孤立主義者[的な].
i·so·met·ric, --ri·cal /àisəmétrik(l) / àisəu-/ 形 等大[同大, 等積, 等角, 等容]の.
i·sos·ce·les /aisɑ́səlìːz / -sɔ́s-/ 形〔数学〕〈三角形が〉二辺の, 等脚の. **isósceles tríangle** 二等辺三角形.
i·so·therm /áisəθə̀ːrm / áisəu-/ 名ⓒ〔気象〕等温線.
i·so·ton·ic /àisətɑ́nik / àisəutɔ́nik/ 形〔化学・生物〕等張の, 等浸透圧の.

i·so·tope /áisətòup/ 名ⓒ〔物理〕アイソトープ, 同位体.
ISP (略) Internet Service Provider インターネット接続プロバイダー.
Isr. (略) Israel; Israeli.
†**Is·ra·el** /ízriəl / ízreiəl/ 名 **1** イスラエル(共和国)《1948年にユダヤ人によって建設された国. 正式名 the State of Israel. 首都 Jerusalem》. **2** イスラエル《Palestine 北部の古代王国》. **3**〔旧約〕イスラエル《ヤコブ(Jacob)の別名》. **4**〔集合名詞; 複数扱い〕ユダヤ人 (the Jews), ヘブライ人 (the Hebrews)《ヤコブの子孫》. **5** 神の選民; キリスト教徒.
Is·rae·li /ìzréili/ 名 (複) ~s, Is·rae·li ⓒ イスラエル共和国の人. ──形 イスラエル共和国の.
Is·rae·lite /ízriəlàit, -reiə-/ 名 **1** ヤコブ(Jacob)の子孫, ユダヤ人, ヘブライ人. **2** 神の選民(の一人).

*is·sue /íʃuː, (英+) íʃjuː, íʃjuː/『「外へ出る[出された]もの」が原義』

index
動㊀ **1** 出す, 発行する **2** 支給する
名 **1** 問題(点) **2** 発行[発布]されたもの
6 発行

──動 (~s/-z/; (過去・過分) ~d/-d/; --su·ing)
──㊀ **1**〈人・機関が〉〈宣言・命令などを〉出す, 発する;〈新聞・本などを〉発行する, 出版する;〈法令などを〉公布[発布]する;〈手形を〉振り出す;〈水・煙などを〉出す, 放出する ∥ *issue* commands 命令を出す / The magazine is *issued* [published] twice a month. その雑誌は月に2度発行されている.
2 [issue A to B = (英) issue B with A]〈人が〉A〈衣食などを〉B〈人に〉支給する, 配給[配布]する ∥ *issue* necessities to the earthquake victims =*issue* the earthquake victims *with* necessities 地震の被災者に必需品を支給する.
──㊁ (正式) **1**〈主に笑〉〔…から〕出る, 発する〔*from*, *out of*〕;〔…から〕出てくる, 流れ出る (come out) (+*forth*, *out*)〔*from*〕∥ smoke *issuing* from an open window 開いた窓からくすぶり出る煙 / *íssue óut* into a street 街へ出て行く.
2〈通貨などが〉発行される;〈本などが〉出版[刊行]される. **3**〈事が〉〔…から〕起こる,〔…に〕由来する〔*from*〕; 結果が〔…に〕なる〔*in*〕∥ Her attempt *issued* in failure. 彼女の企ては失敗に終わった.
──名 (複) ~s/-z/)
Ⅰ [出てきたもの]
1 ⓒ (緊急の) **問題(点)**, 論争点; [the ~] (問題の)核心 ∥ **máke** an **íssue of** the bridge construction 橋の建設を問題にする / raise an *issue* 論争を引き起こす.
2 ⓒ **発行[発布]されたもの**; 出版物, 刊行物;〈雑誌などの〉…の発行部数;〈1回の〉発行部数;〔集合名詞〕支給品, 官給品 ∥ the March [latest] *issue* of *National Geographic*『ナショナルジオグラフィック』の3月[最新]号 / This publisher exceeds the others in the *issue* of magazines. この出版社は雑誌発行部数で他社を上回っている.
3 (通例 an ~) 出てくるもの, 流出[放出]物, 吹出物;〔医学〕排出物〈血・膿(ぜ)など〉∥ an *issue* of blood from the nose 鼻血. **4** ⓒ (まれ) 結果, 結末, 所産 ∥ in the *issue* 結局は / bring [put] a matter to an *issue* 事件に決着をつける / force the *issue* 無理やり決着をつける. **5** Ⓤ (古)〔法律〕〔集合名詞; 単数・複数扱い〕子, 子孫 ∥ die without male *issue* 男の跡継ぎなしで死ぬ.

‖ [出ること]
6 Ⓤ (通貨・切手・本などの)**発行**;(法令などの)発布,公布;配布,支給 ‖ the *issue* of bonds [banknotes, a newspaper] 公債[紙幣, 新聞]の発行.
7 Ⓤ 出ること, 出すこと, 流出, 放出;Ⓒ 出口, 流出口 ‖ the point of *issue* 流出口.
at íssue [正式]論争中の[で], 問題になっている;〔人と/…について〕見解が不一致で〔*with / on, about*〕‖ the point [matter] *at issue* 論争中の問題.
bég the íssue =beg the QUESTION.
táke [(まれ) *jóin*] **íssue** [正式]〔人と/…について〕論争する〔*with / on, about*〕;〔人・意見などに〕反対する〔*with*〕.
ís·su·er 名 Ⓒ 発行人;振出人.

†**-ist** /-ist/ [語要素] →語要素一覧 (2.2).

Is·tan·bul /ístənbúl, -tæn-/ [━] 名 イスタンブール《トルコの都市. 旧称 Constantinople》.

isth·mi·an /ísmiən│ísθ-, íst-/ 形 地峡の;[I~] コリント地峡の;パナマ地峡の. ◆ 名 Ⓒ 地峡の住民.

†**isth·mus** /ísməs, (英+) ísθ-/ [発音注意] 名 (複 ~·es, --mi/-mai/) Ⓒ **1** 地峡 ‖ the *Isthmus of Panama* [*Suez*] パナマ[スエズ]地峡 ◆ 単に the Isthmus ともいう. **2** [解剖・植・動] 峡(部).

‡**it** /it, it/ [三人称単数中性主格・目的格の人称代名詞] (→ 文法 15.3(1)(3))
——代([単数] 所有格 **its**; [複数] 主格 **they**, 所有格 **their**, 所有代名詞 **theirs**, 目的格 **them**)
‖ [前に出たものを受けて]
1 それは[が, を, に] **a** [前に出た名詞を受けて;主語・目的語として] ‖ I bought a new CD. Do you want to listen to *it*? 新しい CD を買ったよ. 聴きたいかい ◆ 同一ではない場合 one を用いる(→ one 代 **1, 2**): Beth hasn't seen a panda. I saw *one* in China. ベスはパンダを見たことがないんだ. 僕は中国で見たけどね / My sister is expecting a child [baby]. Is *it* a boy or a girl? 姉に子供が生まれるのだけど, 男の子かな, 女の子かな ◆ 性別がわからない場合は he で受ける: Who is *it*? どちらさまですか / 対話 "Whò is thát?" "*It's* Jím." 「あれはだれなの」「ジムよ」◆ it は指示代名詞 that を受ける) / The Army wasn't very interested in him. *It* took one look at him and turned him down. 軍隊は彼にはあまり興味がなかった. 彼を一瞥(べつ)して入隊の希望を却下した ◆ 集合名詞の場合は they》. 個々の成員が意識される場合は they》.
b [前に出た文の意味内容を受けて;主語・目的語として] ‖ He said that he was an expert on electronics. *It* was not true. 彼はエレクトロニクスの専門家だと言ったが, それは本当ではなかった(=... on electronics, which was not true.) ◆ that he was an expert on electronics を受ける. この it に相当する関係代名詞は which (→ which 代 **4 b**). (→ 文法 20.9).
c [話し手の心中にあるか, その状況で相手にそれとわかる人・物・事をさして] ‖ 対話 "Listen. That's the bell." "*It's* the mailperson." 「ほら, ベルよ」「郵便配達だわ」◆ *It* is the mailperson ではない).
‖ [主語に用いて]
2 [天候・時間・距離・寒暖・明暗などを表す文の主語として]《◆日本語には訳さない》‖ *It* is hot today. 今日は暑い日です / *It's* been either raining or snowing all week. 今週はずっと雨か雪だった / When we got there, we found *it* (was) rain-

ing. そこへ着くと雨が降っていた / *It* gets [grows] dark early in winter. 冬は早く日が暮れる / *It* is just five o'clock. ちょうど5時です / *It* was a rainy Sunday yesterday. きのうは雨降りの日曜日でした / *It's* eight miles from here to London. ここからロンドンまで8マイルだ(=From here to London is eight miles.) / *It* got cold recently. 最近寒くなってきた《◆ grow よりも get, become, turn などの方が自然》.

語法 (1) 日時などを表す語を主語にした文に言い換えられる: *It* is warmer today than (it was) yesterday. → *Today* is warmer than yesterday. / *It* was very cold last winter. → *Last winter* was very cold.
(2) 場所を表す語を主語にした文に言い換えると若干意味が異なる: *It* is hot in Chicago. では特定の日の天候を言っているのか年間の平均的気候を言っているのかあいまいであるが, *Chicago* is hot. では後者の意味のみを表す.

3 [漠然と状況・事情を示して]《◆決まり文句に多く, 日本語に訳さない》‖ *It's* your turn. あなたの番です / **How is *it* going?** ご機嫌[景気]はいかがですか / *It's* all finished between us. 私たち2人の仲はすべて終わりだ(=Everything is finished ...) / **If *it* weren't for** the heat (➘), I'd go shopping. この暑さでなければ買物に出かけるのだが(=Since *it* is hot, I won't go shopping.) (→ **d**).

4 [形式主語として;真主語は後にくる]《◆日本語には訳さない》**a** [it is + 名詞(+ for + (代)名詞) + to do [doing]] (…が)…することは…である ‖ *It* is a great pleasure *to* be here. ここにいるのはとても楽しい《◆ To be here is a great pleasure. はやや堅い表現で「もしここにいれば」という仮定の気持ちも含む》/ *It* was a good idea following his advice faithfully. 彼の忠告に素直に従ったのはいい考えであった / *It's* a pity *to* leave now. もうおいとましなくてはならないのは残念です(=It is a pity that I must leave now. → **d**).
b [it is + 形容詞 + for + (代)名詞 + to do] (…が)…することは…である ‖ *It* is necessary *for* Tim *to* go right away. ティムは直ちに出かける必要がある(=*It* is necessary *that* Tim (should) go right away.) (→ should 動 **6**) / *It* is easy *for* a child *to* read this book. この本は子供が読みやすい(=This book is easy for a child to read.) ◆ easy, difficult などの場合 that節での言い換えは不可). (→ 文法 17.4) / *It* is nice *to* walk in the morning. 朝散歩するのはすばらしい《◆感嘆文では it is が省略されることがある: How nice (it is) to walk in the morning! (→ 文法 1.9).
c [it is + 形容詞 + of + **A** + to do] **A**〈人〉が…するのは…である (→ 文法 17.5) ‖ *It* was very careless of her ┊ to forget to write her name on the answer sheet. 解答用紙に名前を書き忘れたのは彼女の不注意だった(=She was very careless to forget ...).
d [it is + 名詞[形容詞] + that節[wh節]] …なのは[かは]…である《◆that は省略されることがある》‖ *It's* a pity (*that*) you can't come. あなたが来られないのは残念です / *It's* doubtful *whether* he'll be able to attend the concert. 彼がコンサートに顔を出せるかどうかは疑わしい / *It's* lucky *that* he should join us. 彼が私たちに加わるとはついている《◆

e [it ＋自動詞＋that節[wh節]] ‖ Does *it* matter *when* we leave here? 私たちがいつここをたつかが問題ですか / *It* depends on you *whether* we go or not. 私たちが行くか行かないかはあなた次第です.

f [it ＋他動詞＋(代)名詞＋to do [that節]] ‖ 「*It* surprised me [I was surprised] *to* hear *that* she went to France suddenly. 彼女が急に渡仏したと聞いて私は驚いた.

g [it is ＋過去分詞＋that節[wh節]] ‖ *It is said that* he is the richest man in the town. 彼は町一番の金持ちだと言われている(＝He is said to be the richest …) / Is *it* known *where* she has gone? 彼女がどこへ行ったかわかっているのか.

h [when節·if節の内容を受ける] ‖ I love *it when* you sing. あなたが歌うのが好きだ / I'll appreciate *it if* you could come. いらしてくださればありがたいのですが.

III [後にくるものを先に示して]

5 [後にくる句・節を先に示して] ‖ If you find *it* on the patio, bring me my sweater. 中庭で見つけたら, 私のセーターを持って来てくれ《➔**文法** 15.4》/ I did not know *it* at the time, but she saved my son's life. その時は知らなかったのだが, 彼女が私の息子の命を救ってくれたのだった《◆ *it* is she saved my son's life をさす》.

6 [形式目的語として; 真目的語は後にくる]《◆日本語には訳さない》**a** [主語＋動詞＋it＋名詞[形容詞]＋to do [doing, that節, wh節]] ‖ I thought *it* wrong *to* tell her. 彼女に話すのは間違っていると私は思った / Let's keep *it* secret *that* they got married. 彼らが結婚したことは内密にしておこうよ / Did you find *it* pleasant *lying* on the beach all day? 一日中浜辺で横になっているのは楽しいことでしたか / I regard *it* as necessary *to* be strict with my children. 自分の子供には厳格であることが必要だと考えています.

b [主語＋動詞＋it＋前置詞＋(代)名詞＋to do [that節]] ‖ We owe *it* to you *that* no one was hurt in the accident. その事故でけが人が出なかったのはあなたのおかげだと思っている / We must leave *it* to your conscience *to* decide what to choose. 何を選ぶかを決めるのはあなたの良心に任せなければなりません.

c [主語＋動詞＋前置詞＋it＋that節] ‖ depend on *it that* …だということを当てにする / See to *it that* this letter is handed to her. この手紙が彼女の手に渡るよう取り計らいなさい.

d [主語＋動詞＋it＋that節] ‖ I took *it that* this was my last chance. これが最後のチャンスだと思った.

e [主語＋動詞＋it＋when節 [if節, here]] ‖ I love *it when* you sing. あなたが歌うのがとても好きだ.

IV [その他の構文]

7 [it appears [(文) chances, follows, happens, occurs, seems] that節]《◆ it seems [appears] は文中・文尾にくることもある》‖ *It seems* (*that*) she is surprised at the news. 彼女はその知らせに驚いているようだ(＝She seems to be surprised at the news.) / The plane, *it appears*, did not land in Honolulu. 飛行機はホノルルに着陸しなかったようだ / *It happens that* he is limping. 彼はたまたま足をひきずっているのです(＝He happens to be limping.).

8 [強調構文] [it is **A** that …] …するのは**A**だ《**A** を強調》《➔**文法** 23.2(1)》‖ *It is* tomorrow *that* he'll leave. 彼が出発するのは明日だ / *It* was Mr. White *who* [*that*] gave Joe this ticket. この切符をジョーにやったのはホワイトさんでした(＝Mr. White gave Joe this ticket.) / *It* was not until the meeting was over *that* she turned up. 会議が終わってやっと彼女は姿を見せた.

9 (略) [動詞・前置詞の意味のない目的語として] ‖ *bus it* バスで行く / *foot* [*leg*] *it* 歩いて行く / *lord it* いばる / *queen it* 女王のようにふるまう / *run for it* 逃げ出す(→ run 成句).

be with it → with.

It is not for* A *to do. …するのは〈人〉の役目[責任]ではない, 〈人〉は…する立場ではない.

That's it. → that¹ 成句; right 形 **1 語法**.

IT (略) information technology.

It., Ital. (略) *Italian*; *Italy*.

ital. (略) *italic*(s).

✱**I·tal·ian** /itǽljən/
── 形 **イタリアの**; イタリア人[語]の ‖ Let's have lunch at that *Italian* restaurant over there. あそこのイタリア料理店で昼食を食べましょう.
── 名 (複 ~s/-z/) **1** ⓒ **イタリア人** 語法 → Japanese》‖ Many *Italians* live in this town. 多くのイタリア人がこの町に住んでいる. **2** Ⓤ **イタリア語**.

i·tal·ic /itǽlik/ 形 **1** [印刷] イタリック体の, 斜字体の. **2** [I-] 〈特に〉古代イタリア(人)の; [言語] イタリック語派の. ── 名 ⓒ [印刷] [通例 ~s; 時に単数扱い] イタリック体, 斜字体(italic type)《◆外来語・新聞[雑誌·書籍·船]名などのほか一般的な語句にも用いる. 手書きの原稿には1本の下線で指示する》‖ in *italics* イタリック体で.

itálic type ＝名.

i·tal·i·cize /itǽlisàiz/ 動 他 …をイタリック体で印刷する; (イタリック体を指示するため)…に下線をひく.

ital·o- /itǽlou-/ 連結 ⇒語要素一覧(1.3).

✱**It·a·ly** /ítəli/《『牛の国』が原義》
── 名 **イタリア**《現在の正式名 the Italian Republic. 首都 Rome. (略) It., Ital. イタリア語名 Italia. (愛称) the country of the Latins. 形容詞は Italian》.

†**itch** /itʃ/ 名 ⓒ **1** [通例 an/the ~] かゆみ, むずむずさ ‖ scratch *an itch* かゆい所をかく. **2** [医学] [通例 the ~] 疥癬(ｶｲｾﾝ), 皮癬(ﾋｾﾝ) ‖ have [suffer from] *the itch* 疥癬にかかっている. **3** (略) [通例 an/the ~] [...に対する]欲望, 渇望(strong desire) [*for*]; [...したくて]むずむずする気持ち[*to do*] ‖ She hàs *an itch for* money. 彼女は金が欲しくてたまらない(＝She is itching for money. / She *itches for* money.).
── 動 ⓐ **1** 〈人·体の部分が〉かゆい ‖ My arm *itches*. ＝I *itch* on my arm. 腕がむずがゆい. **2** (略) [しばしば be ~ing]〈人など〉[...したくて]むずむずする(want)[*to do*]; [...が]欲しくてたまらない[*for, after*] ‖ She *itched for* a car. 彼女は車が欲しくてたまらなかった / He *was itching to* go back to his hometown. 彼は故郷へ帰りたくてうずうずしていた.

itch·y /ítʃi/ 形 (**-i·er, -i·est**) **1** かゆい, ちくちくする ‖ It gets *itchy*. (服などが)ちくちくする. **2** 欲しくて[したくて]むずむずする ‖ I have *itchy* feet. 外出[旅行]したくてむずむずする.

†**it'd** /ítəd/《(略式)》it would, it had の短縮形《◆文

-ite /-àit/ 〘語要素〙→語要素一覧(2.2).

ⁱi·tem /áitəm/〘名〙(複)~s/-z/) © **1** (個々の)**項目**, 箇条, 種目, 品目; 細目; (性格・物・事などの)特徴; (映画・演劇などの)出し物 ‖ each *item* on the program [list] プログラム[表]の各種目[品目] / *item* by *item* 品目[1項目]ごとに / number the *items* in a catalog カタログの品目に番号を付ける.
2 (新聞記事などの)1項目; 〔俗〕(うわさ・ニュースなどの)ねた, 種 ‖ an *item* of local news 1つのローカルニュース.
── 〘副〙/áitem/〔古〕(項目を数え上げる時)同じく, さらにまた.

i·tem·ize /áitəmàiz/ 〘動〙⊕ …を項目に分ける, 箇条書きにする, …の明細を記す.

i·tin·er·a(n)·cy /aitínərə(n)si, 〈米+〉itín-/ 〘名〙〔正式〕© Ⓤ 巡回, 巡歴, 遍歴.

i·tin·er·ant /aitínərənt, 〈米+〉itín-/ 〘形〙〔正式〕〈商人・判事などが〉巡回する(traveling). ── 〘名〙© 巡歴者.

i·tin·er·ar·y /aitínərèri, itín-|-nərəri/ 〘名〙© 〔正式〕旅程(表), 旅行計画; 旅行記.

-i·tion /-íʃən/ 〘語要素〙→語要素一覧(2.2).
-i·tis /-áitəs/ 〘語要素〙→語要素一覧(2.2).
-i·tive /-ətiv/ 〘語要素〙→語要素一覧(2.3).

*†**it'll** /ítl/ 〔略式〕it will または it shall の短縮形《◆文尾では短縮形にならない. → it's 〘語法〙.

⁎its /its, íts/ 〔同音〕it's〕〔it の所有格〕(➡文法 15.3(2)〕
〘代〙[名詞の前で形容詞的に]**その**, それの ‖ She dropped the cup and broke *its* handle. 彼女はカップを落としてその取っ手を壊した / The child put some of *its* fingers in *its* mouth. その子供は口に指を2, 3本くわえた / The audience rose to *its* feet. 観衆は立ち上がった.

*†**it's** /its, íts/ 〔同音〕its〕〔略式〕it is, it has の短縮形('tis) ‖ *It's* getting warmer day by day. 日ごとに暖かくなってきます / *It's* stopped snowing, hasn't it? 雪がやみましたね. 〘語法〙文尾では短縮形にならない: Leave the book as it is [×it's]. (その本はそのままにしておけ). これは it'd, it'll も同様.

*†**it·self** /itsélf/ 〔it の再帰代名詞〕(➡文法 15.3(5)〕
── 〘代〙(複 themselves) **1** [再帰用法] **それ自身**[に] 《◆ふつう日本語に訳さない》 ‖ The dog húrt *itself*. その犬はけがをした 《◆The dog got hurt. がふつう》 / History repeats *itself*. 歴史は繰り返す.
2 [強調用法] [強勢を置いて] **それ自身**, それ自体, そのもの《◆三人称中性単数の主語・目的語, (時に補語)と同格に用いる》 ‖ I won't paint the walls when the house *itself* is old. 家自体が古いのなら壁を塗らない / I am háppiness *itsélf*. 私は幸せそのものです(=I am very happy. =I am all happiness.).
3 [補語として] その本来[平素]の状態 ‖ Our cat dòesn't sèem *itsélf* today. うちのネコは今日は具合が悪いようだ.《◆成句は→ oneself》.

it·ty-bit·ty /ítibíti/, **it·sy-bit·sy** /ítsibítsi/ 〘形〙 **1** 〔小児語〕ちっぽけな, ちっちゃい. **2** 〔略式〕多くの細々とした部分から成る, くだらない.

ITU 〘略〙International Telecommunication Union 国際電気通信連合.

*†**-i·ty** /-əti/ 〘語要素〙→語要素一覧(2.1).

IUD 〘略〙intrauterine device 子宮内避妊器具, 避妊リング.

IV intravenous, intravenously.

I·van·hoe /áivnhòu/ 〘名〙アイバンホー《Sir Walter Scott の歴史小説(1819). その主人公》.

*†**I've** /aiv, áiv/ 〔略式〕I have の短縮形.

〘語法〙(1) 文尾では短縮形にならない: "Have you ever been abroad?" "Yés, 'I háve [×I've]." (2) have を本動詞として〈物〉を目的語にした場合はふつう短縮形にならない: I have [×I've] a book in my hand.

*†**-ive** /-iv/ 〘語要素〙→語要素一覧(2.3).

i·vied /áivid/ 〘形〙〔主に文〕ツタの生い茂った, ツタで覆われた.

*†**i·vor·y** /áivəri/ 〘名〙 **1** Ⓤ 象牙(ﾞ), 象牙質; © (ゾウ・カバ・セイウチなどの)きば(cf. tusk) ‖ This casket is made of *ivory*. この小箱は象牙でできている. **2** Ⓤ 象牙色. **3** © [しばしば ivories]〔略式〕象牙製品; (特に)ピアノの鍵(ｹﾝ), さいころ, 球突き用の球, 〔俗〕歯(teeth) ‖ a collection of Chinese *ivories* 中国製の象牙彫り収集品. **4** [形容詞的に] 象牙(製)の, 象牙色の ‖ *ivory* skin 象牙色の肌.

ívory bláck アイボリーブラック《骨を焼いて作った黒色顔料》.

Ívory Cóast [the ~] コートジボアール(共和国)《◆今は Côte d'Ivoire がふつう》.

ívory gàte 〔ギリシア神話〕[the ~] 象牙の門《眠りの家の門で, この門からはかない夢が生まれる》.

ívory tówer 象牙の塔《現実社会から離れた所, 特に芸術・思想・学問の世界》.

*†**i·vy** /áivi/ 〘名〙Ⓤ〔植〕 **1** ツタ. **2** (一般に)ツル植物.

Ívy Léague 〈米〉[the ~] アイビー＝リーグ《米国東部の名門大学グループ. Brown, Columbia, Cornell, Dartmouth, (the University of) Pennsylvania, Harvard, Princeton, Yale の8大学. cf. Big Three, Seven Sisters》.

Ívy Léaguer アイビー＝リーグの学生[出身者].

IWC 〘略〙International Whaling Commission 国際捕鯨委員会.

IWW 〘略〙Industrial Workers of the World 世界産業労働組合.

-i·za·tion /-əzéiʃən|-aiz-, -əz-/ 〘語要素〙→語要素一覧(2.1).

*†**-ize** /-àiz/ 〘語要素〙→語要素一覧(2.4).

Iz·ves·ti·a /izvéstiə/ 〘名〙イズベスチア《ロシアの新聞. 旧ソ連政府機関紙. cf. Pravda》.

J

j, J /dʒéi/ 名 (j's, js; J's, Js/-z/) **1** CU 英語アルファベットの第10字. **2** → a, A **2**. **3** CU 第10番目(のもの).

J 〔トランプ〕Jack; 〔記号〕〔物理〕joule.

jab /dʒǽb/ 動 (過去・過分 jabbed/-d/; jab·bing) 他 **1** …を〔とがった物で〕ぐいと突く (+out) (with), …を〔…に〕突き刺す (into) ‖ *jab* his face with a stick = *jab* a stick into his face 彼の顔を棒で突く. **2**〔ボクシング〕〈相手に〉ジャブを出す. ― 自 **1**〔…を〕激しく突く, 〔…に〕突き刺す (at) ; 〈物が〉〔…に〕突き刺さる (into). **2**〔ボクシング〕〔…に〕ジャブを出す (+away) (at). ― 名 C **1**〔…への〕突き; ジャブ (in). **2**〔主に英略式〕皮下注射; 予防接種.

jab·ber /dʒǽbər/ 動〔略式〕自 他 (…を) 早口に興奮して不明瞭にぺちゃくちゃしゃべる (+out, away). ― 名 U〔時に a ~〕早口のおしゃべり.

ja·bot /ʒæbóu/ -/-/〔フランス〕名 C ジャボ《婦人服のレース製胸のひだ飾り》.

†**jack** /dʒǽk/ 名 **1** C (ふつう携帯用) ジャッキ, 押し上げ万力. **2** C 〔トランプ〕ジャック (knave). **3 a** ~s; 単数扱い ジャックス《お手玉遊びの一種》. **b** C ジャックスに使用する石 [鉄の玉]. **4** C (国籍を示す) 船首旗. **5** [J~] ジャック《男の名. John, Jacob の愛称》. **6** [しばしば J~] C (略式) 男, やつ;〈見知らぬ人々に呼びかけて〉(おい) 君 ‖ *every man jack* [*Jack*] (of them [you, us])〔古〕どいつもこいつも, だれもかも《everyone の強調で every last man ともいう》/ *Jáck and Jíll* (若い) 男女 [兄妹] / *Jáck of áll tràdes* ((and) máster of nóne). (ことわざ) 「多芸は無芸」. **7** C 〔電気〕ジャック, (プラグの) 差し込み口. ― 動 他〈車 (輪) などをジャッキで上げる (+up);〈もと米式〉〈値段などを〉引き上げる;〈士気などを〉高める (+up).

Jáck Fróst〔擬人化して〕霜; 冬将軍, 寒波, 厳寒.

†**jack·al** /dʒǽkl/-ɔːl/ 名 C **1** 〔動〕ジャッカル《イヌ科. 鳴き声を howl》. **2** 手先, お先棒をかつぐ人, 下働き《◆ ジャッカルはライオンに獲物を調達する lion's provider であるという迷信から》.

jack·ass /dʒǽkæs/ 名 C まぬけ.

jack·boot /dʒǽkbùːt/ 名 C (ひざ上までの軍人用) 長靴.

jack·daw /dʒǽkdɔː/ 名 C 〔鳥〕コクマルガラス.

***jack·et** /dʒǽkit/ 〖『小さい (et) そでなし革製上着 (jack)』〗― 名 (~s/-its/) C **1** 上着, ジャケット, ジャンパー《◆男女両方に用い, いろいろな種類のそで付きの上着に用いる. → jumper² 名 **2**. (図) ↗》‖ a sport(s) *jacket* 運動着 / a Mao *jacket* 人民服. **2** (一般に) 覆(*おお*)い, 包むもの. **3** (本の) カバー (book [dust] jacket, (英) wrapper) (図 → book) 《◆ cover は「表紙」に当たる》;〈米〉(CD・レコードなどの) ジャケット〈英〉sleeve);〈紙表紙本の〉表紙.

jack·ham·mer /dʒǽkhæ̀mər/ 名 C (主に米) (圧縮空気による) 削岩機, 空気ドリル ((主に英) pneumatic drill).

jack-in-the-box /dʒǽkinðəbàks|-bɔ̀ks/ 名 (複 ~·es, jacks-) 〔時に J~〕C びっくり箱; (しばしば) 上下に躍動する物 [人].

jack·knife /dʒǽknàif/ 名 (複 ~·knives) C **1** ジャックナイフ《大型の携帯用折りたたみナイフ》. **2**〔水泳〕= jackknife dive. ― 動 自〈大型トレーラーが〉(連結部で) エビ型に折れ曲がる.

jáckknife dive エビ型飛び込み.

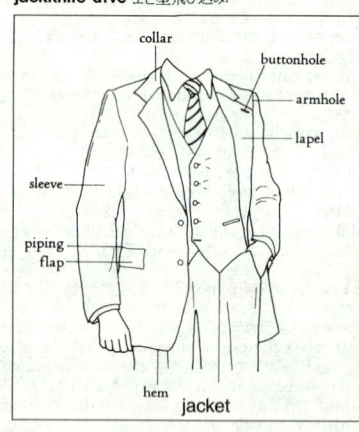

jacket

jack-of-all-trades /dʒǽkəvɔ́ːltrèidz/ 名 (複 jacks-) 〔時に J~〕 C 何でも屋 (→ jack **6** 用例).

jack-o'-lan·tern /dʒǽkəlæ̀ntərn/ 名〔時に J~〕 C **1**〈米〉(Halloween に子供が作って窓辺に飾る) カボチャちょうちん. **2** 鬼火, きつね火.

jack·pot /dʒǽkpàt|-pɔ̀t/ 名 C **1**〔トランプ〕(ポーカーの) 積立賭金. **2** (クイズなどの) 積立賞金; 最高 [多額] の賞金. **3** (略式) (予期せぬ) 大当たり, 大成功. *hit the jáckpot* 積立賞金を得る; (略式) 〈人が〉突然の大成功 [幸運] をつかむ, ひと山当てる, 〈物が〉大当たりとなる.

jack·rab·bit /dʒǽkræ̀bit/ 名 C 〔動〕ジャックウサギ《北米産のノウサギ》.

Jack·son /dʒǽksn/ 名 **1** ジャクソン《Andrew ~ 1767-1845; 米国の第7代大統領 (1829-37)》. **2** ジャクソン《Michael ~ 1958- ; 米国のポップス歌手;〈愛称〉Jacko》. **3** ジャクソン《米国 Mississippi 州の州都》.

†**Ja·cob** /dʒéikəb/ 名 **1** ジェイコブ《男の名.〈愛称〉 Jack》. **2**〔旧約〕ヤコブ《Isaac の次男で Abraham の孫》. **Jácob's ládder**〔旧約〕ヤコブのはしご《ヤコブが夢に見た天まで届くはしご》.

Ja·co·be·an /dʒæ̀kəbíːən | dʒæ̀kəu-/〔英史〕形 名 C ジェームズ1世時代 (1603-25) の (政治家, 作家).

Jac·o·bin /dʒǽkəbin/ 名 C 形 **1**〔フランス史〕ジャコバン党員《フランス革命当時の急進派》. **2** (広義) 過激政治家.

Jác·o·bin·ism 名 U ジャコバン [過激] 主義.

Jac·o·bite /dʒǽkəbàit/〔英史〕图C形ジェイムズ2世(とその子孫)の支持者(の).

jac·quard /dʒəkɑ́ːrd, dʒɑkɑ́ːrd/ [時に J~] 图U形〔織物〕ジャカード織(の).

†**jade** /dʒéid/图 **1** U ひすい; C (1個の)ひすい《◆東洋の宝石のようなイメージがある》; U ひすい細工. **2** U ひすい色, 緑色.

Jáde Squàd (New York 市の)特別捜査班《◆東洋系米国人で構成されることから》.

jag /dʒǽg/图C **1** (岩石などの)とがった角(ｶﾄﾞ). **2** (衣服のすその)たれぎれ, 裂目.

†**jag·ged** /dʒǽgid/形ぎざぎざのある, とがった ‖ jagged rocks とがった岩. **jág·ged·ly** 副 ぎざぎざに.

†**jag·u·ar** /dʒǽgwɑːr/ | -gjuə/图C動ジャガー, アメリカヒョウ[トラ]《中南米産》.

†**jail** /dʒéil/, 〔英古正式〕**gaol** /dʒéil/图C **1** 刑務所(prison); (米)拘置[留置]所; U 拘置, 監禁《◆今は〔英〕でも jail がふつう》 ‖ be sént to [thrown in] jáil for robbing the bank 銀行強盗で投獄される (⊙文法 16.3(6)) / bréak jáil 脱獄する / put [clap] him in jáil 彼を拘置する. ──動他 …を[…の罪で]拘置[投獄]する(for).

jail·bird /dʒéilbəːrd/图C〔古略式〕囚人; 常習犯, 前科者.

jail·break /dʒéilbrèik/图C 脱獄.

†**jail·er, jail·or** /dʒéilər/图C〔古〕看守.

Ja·kar·ta /dʒəkɑ́ːrtə/图 ジャカルタ《インドネシアの首都》.

JAL /dʒǽl/ (略) Japan Airlines 日本航空, 日航.

***jam**[1] /dʒǽm/

图U ジャム ‖ He spread jam on slices of bread. 彼はパンにジャムを塗った《◆ He spread slices of bread with jam. もほぼ同じ意味だが, 一面にまんべんなく塗ったことを含意 / a spoonful [jar] of jam ジャムスプーン1杯[1びん]のジャム / "Why are strawberries like cars?" "When you have a lot of them, they make a jam."「イチゴと車はなぜ似ているの?」「たくさん集まればジャムができるから」》.《◆ jam[2] (渋滞)とのしゃれ》

***jam**[2] /dʒǽm/動 (過去・過分) **jammed**/-d/; **jam·ming**) 他 **1 a**〈人・車などが〈場所〉をふさぐ, …に詰めかける(+together); [be ~med]〈場所〉にぎっしりいっぱいである, ぎゅうぎゅう詰めである[with, by]. **b** 〈通信・文道などを〉妨害する. **2 a** …を〔乗物・容器に〕詰め込む, 押し込む(+in)[into, in]. **b**〈指・手などを〉〔機械などに〕はさんで傷つける[in, between]. **3**〈ブレーキなど〉をぐいと踏む[押す](+on); …を[…に]強く押し当てる(on, onto). **4**〔人・物が〈狭い所に[で]〉群がる, 押し合う(+together) [into] ‖ The crowd jammed [crammed, packed] into the auditorium. 群集が公会堂に押し寄せた. **2**〈機械・ドアなど〉が動かなくなる(+up). **3**(略式)ジャズを即興的に演奏する.

──图C **1** 詰まること; 雑踏, 込み合い; 混雑, 渋滞 ‖ We got struck in a traffic jam. 私たちの乗った車は交通渋滞で動けなくなった. **2**(機械などが)動かなくなること. **3**(略式)苦境, 窮地 ‖ gét into [be in] a jám 窮地に陥る[っている].

jám sèssion〔略式〕ジャム=セッション《即興ジャズ演奏(会)》.

Jam. (略) Jamaica;〔新約〕James.

Ja·mai·ca /dʒəméikə/图 ジャマイカ《西インド諸島の国. 首都 Kingston》.

jamb /dʒǽm/图C〔建築〕**1** (ドア・窓の)わき柱. **2** [~s]〔暖炉の〕抱え石.

jam·bo·ree /dʒæ̀mbərí:/图C ジャンボリー《Boy Scouts の大会》.

†**James**[1] /dʒéimz/图 **1** ジェイムズ《男の名.《愛称》Jim, Jimmy, Jimmie). **2**〔新約〕**a** ヤコブ《キリスト 12 使徒の1人. James「the Greater [the Elder]). **b** ヤコブ《キリスト 12 使徒の1人. a のヤコブと区別するため, James「the Less [the Young]と呼ぶ. **c** ヤコブ《キリストの弟》. **3**〔新約〕ヤコブの手紙《新約聖書の一書. 略 Jas., Jam.). **4**〔英史〕ジェイムズ《England, Ireland, Scotland の王. **a** ~ Ⅰ 1566-1625; 在位 1603-25; Authorized Version を刊行した. **b** ~ Ⅱ 1633-1701; 在位 1685-88).

James[2] /dʒéimz/图 **1** ジェイムズ《Henry ~ 1843-1916; 英国に帰化した米国の作家》. **2** ジェイムズ《William ~ 1842-1910; 米国の心理学者・哲学者. 1 の兄》.

jammed /dʒǽmd/形〔俗〕**1** ぎっしり詰まった(→ crowded[1]). **2** 酔っぱらった.

†**Jan.** (略) January.

†**Jane** /dʒéin/图 ジェーン《女の名.《愛称》Janet, Jenny. 男の John に対し女によくある名》.

Jáne Dóe → John Doe.

Jan·et /dʒǽnit, dʒənét/图 ジャネット《女の名. Jane の愛称》.

†**jan·gle** /dʒǽngl/動 **1**〈鐘などが〉ジャンジャン鳴る. **2**〈騒音などが〉〔耳・神経に〕さわる〔on, upon〕. ──他 **1**〈鐘などを〉ジャンジャン鳴らす. **2**(略式)〈神経などを〉いらいらさせる.

†**jan·i·tor** /dʒǽnətər/图C **1**(米・スコット)管理人. **2**門番.

***Jan·u·ar·y** /dʒǽnjuèri/ | -juəri, -juri/〔ローマ神話の物事の始めと終わりをつかさどる神(Janus)の月〕──图U **1**月;〔形容詞的に〕1月の《略 Jan.》‖ in January of 2005 =in January 2005 2005年の1月に / on the 14th of January in 2005 = (米) on January 14, 2005 =(英) on 14 January, 2005 2005年の1月14日に.

|語法| (米)では on January fourteen [(the) fourteenth] twenty o five, (英)では on the fourteenth of January … と読む.

Ja·nus /dʒéinəs/图〔ローマ神話〕ヤヌス《頭の前と後ろに顔をもった門や戸口の神. January はこの名に由来》.

Jap /dʒǽp/(侮蔑)图C形 日本人(の), ジャップ(の)((PC) Japanese).

Jap. (略) Japan; Japanese《◆侮蔑語 Jap を連想させるのであまり, Jpn. が使われることが多くなった》.

ja·pan /dʒəpǽn/图U C形 漆(ｳﾙｼ)(の); 漆器(の) (cf. china)《◆日本発》Japanese lacquer ware, widely introduced into Europe in the fifteenth and sixteenth centuries through trade with Portugal and Holland, was called "japan" in English. 15-16世紀にポルトガルやオランダとの貿易でヨーロッパに広く紹介されたため, 漆器は英語で japan と呼ばれました.

japán wàre 漆器《類》.

***Ja·pan** /dʒəpǽn/图《中国語の「日本」(Jihpun)→「ジパング」(Zipangu)から》Japanese《名・形》

──图 日本《◆日本国名 Nippon, Nihon.《愛称》the Land of Cherry Blossoms [the Rising Sun].《略》Jpn., Jap. → Japanese 形》‖ Japan today =the Japan of today 今日の日本 / the

[国民名のいろいろ]			
a) 国名	形容詞	個人	国民全体
Japan	Japanese	a Japanese	the Japanese
Greece	Greek	a Greek	the Greeks
America	American	an American	the Americans
Mexico	Mexican	a Mexican	the Mexicans
国名が -a, -o で終る語や, 形容詞が -ese で終る語がこのグループで, 通例「人」を表す名詞は形容詞と同形.			
b) Denmark	Danish	a Dane	the Danes
New Zealand	New Zealand	a New Zealander	the New Zealanders
Scotland	Scottish, Scotch	a Scot, a Scotsman	the Scots [Scottish]
通例個人を示す語に -s をつけて国民全体を表す.			
c) England	English	an Englishman	the English
France	French	a Frenchman	the French
Holland	Dutch	a Dutchman	the Dutch
Spain	Spanish	a Spaniard	the Spanish
通例 the+ 形容詞で国民全体を表す.			

Sea of *Japan* 日本海《◆the *Japan* Sea は新聞英語》/ *Japan*-United States Security Treaty 日米安全保障条約.

関連 [日本のいろいろな法人・団体の英語名]
Japan Development Bank 日本開発銀行 / *Japan* Agricultural Cooperative Association 農業協同組合《略》JA) / *Japan* Automobile Federation 日本自動車連盟《略》JAF) / *Japan* Golf Association 日本ゴルフ協会《略》JGA) / *Japan* Overseas Cooperation Volunteers 青年海外協力隊《略》JOCV) / *Japan* Red Cross 日本赤十字社《略》JRC) / *Japan* Travel Bureau 日本交通公社《略》JTB).

Japán Cúrrent [the ~] 日本海流(=the Black Stream (黒潮)).

***Jap·a·nese** /dʒæpəníːz/ 《◆名詞の前で用いる場合はふつう ⌃⌃: a Jápanèse bóy》[⇒ Japan]

—形 日本の, 日本風の, 日本式の; 日本製[国籍]の; 日本人の; 日本語の; 日本独自の, 日本風の, 日本式の《略》Jpn., Jap.》《◆Jap. は軽蔑的な語 Jap を連想させるので避けられる》‖ *Japanese* ideas 日本の思想, 日本人の考え方 / Her father is *Japanese*. 彼女の父親は日本人だ[⇒名 語法 (3)].

—名 (複 **Jap·a·nese**) 1 C 日本人 ‖ We *Japanese* are a peace-loving people. 我々日本人は平和を愛好する国民である《◆we *Japanese* はしばしば排他的に聞こえるので, それを避けるには we か the *Japanese* を単独で用いる》.

2 U 日本語 ‖ Please write it *in Japanese*. それを日本語で書いてください / Bess can speak some *Japanese*. ベスは少し日本語を話せる / Osaka *Japanese* 大阪弁 / Our mother tongue is *Japanese*. 私たちの母語は日本語だ《◆例えば日本語と一つの言語についていう時は必ず無冠詞. language が後続する時は必ず the が必要: ×the *Japanese*, ×*Japanese* language》.

語法 [国民名の語法] (1) Japanese, Chinese など -ese で終わる国民名は単複同形: a [three] *Japanese* 1人[3人]の日本人.

(2) ⚠ 国民全体をいう場合は the Japanese (people), 「日本人一般」は Japanese (people). いずれも複数扱い: The *Japanese* are a diligent people. =The *Japanese* people are diligent. 日本人は勤勉だ / Many *Japanese* like baseball. 日本人には野球の好きな人が多い.

(3) 特に国籍を強調するときは一般的な He is Japanese [American]. よりも He is 「a Japanese [an American]. のように名詞にすることがある.

(4) ジャーナリズムでは *Japan's economy* (=*Japanese economy*) のように *Japanese* の代わりに *Japan's* をしばしば用いる. また日本史は *Japanese history, Japan's history*, the history of *Japan* と表され, この順に, より客観的・堅い表現となる. 一般に「形容詞+名詞」を修飾する場合は *Japan's* の型をとることが多い: *Japan's* international contacts 日本の対外接触 / *Japan's* nearest neighbor 日本に最も近い国. cf. *Japanese* business community 日本の経済界.

Jápanese ápricot 〔植〕ウメ(の木).
Jápanese lántern 提灯(ちょうちん).
Jápanese prínt 浮世絵版画.
Jap·a·nese-A·mer·i·can /dʒæpəníːzəmérɪkən/ 形名 Ü 日米(間)(の); C 日系アメリカ人(の).
Jap·a·nize /dʒæpənáɪz/ 動他 …を日本(人)風にする. ─自 日本(人)風になる.
ja·pon·i·ca /dʒəpɒ́nɪkə| -pɒ́n-/ 名 C 〔植〕 1 ツバキ (camellia). 2 ボケ (Japanese quince).

***jar**[1] /dʒɑːr/ [「土器」が原義]
─名 (複 ~s/-z/) C 1 (広口の) びん, かめ, つぼ《陶器・ガラス・石製で円筒形に近く, ふつう取っ手や注ぎ口はない. bottle は先が細く頸(くび)があるもの》‖ a jam-jar (米) ジャムびん. 2 1びん[つぼ]の量 (jarful).

jár·fúl 名 =jar[1] 名 2.

†**jar**[2] /dʒɑːr/ 動 (過去・過分 jarred/-d/; jar·ring) 自 1 (窓などが) (ガタガタ) 揺れる. 2 a (戸などが) ガタガタ[ギシギシ] いう. b 〈人・物・事が〉〔神経などに〕さわる, 不快感を与える (on, upon). c〈意見などが〉[他の意見と]一致しない (with). ─他 1〈家・窓などを〉震動させる. 2〈人・神経・感情などに〉不快なショックを与える.
─名 1 耳ざわりな音. 2 震動. 3 不快なショック(を与える物). 4 不和, 口論.

jár·ring 名 U C 形 耳ざわりな(さ), 不調和(な).
jar·gon /dʒɑ́ːrgən, -gɒn | -gən, -gɒn/ 名 U C 1 〈古〉わけのわからない言葉, 「鳥のさえずり」. 2 (特定の職業グループの) 用語, 専門語.
JAS 《略》Japanese Agricultural Standard 日本農林規格.
jas·mine, --min /dʒǽzmɪn, dʒǽs-/ 名 1 C U 〔植〕

ジャスミン. **2** ⓤ ジャスミン香水；ⓤ 薄黄色.
Ja·son /dʒéisn/ 图《ギリシア神話》イアソン《アルゴー船に乗って遠征し金の羊毛を持帰った勇士》.
 Jáson's quést 不可能に近い難事.
JASRAC /dʒǽsræk/ (略) Japanese Society for the Rights of Authors, Composers and Publishers 日本音楽著作権協会, ジャスラック.
jaun·dice /dʒɔ́:ndəs, dʒɑ́:n-/ 图ⓤ **1**《医学》黄疸(だん). **2** ひがみ, 偏見.   **jáun·diced** 形 **1** 黄疸の. **2** ひがんだ, 偏見の.
jaunt /dʒɔ́:nt, (米+) dʒɑ́:nt/ (略式) 图 動 (自) (短い)気晴らし旅行(をする).
†**jaun·ty** /dʒɔ́:nti, (米+) dʒɑ́:n-/ 形 (**-ti·er, -ti·est**) **1** 陽気な, のんきな；さっそうとした. **2** スマートな, いきな.
†**Ja·va** /dʒɑ́:və, (米+) dʒǽ-/ 图 **1** ジャワ《インドネシアの島》. **2** ⓤ《米略式》コーヒー. **3**《商標》《コンピュータ》ジャバ《主にネットワーク関係に用いられるプログラミング言語》.
 Jáva màn ジャワ原人；ピテカントロプス.
Ja·va·nese /dʒæ̀vəní:z, dʒɑ̀u-/ 图 (複 **Ja·va·nese**) ⓒⓤ 形 ジャワの；ジャワ人[語](の).
jav·e·lin /dʒǽvəlin/ 图 **1** ⓤ やり投げ(競技)；ⓒ (やり投げ用の)やり ◆戦闘・狩猟用では spear.
†**jaw** /dʒɔ́:/ 图 **1** ⓒ あご(→ chin 注) ‖ the upper [lower] *jaw* 上[下]あご／one's *jaw* drops (あごを落として)口をぽかんとあける《◆驚き・失望を示す》／ She broke her *jaw* when she fell down. 彼女は倒れたときあごの骨を折った／ dislocate one's *jaw* あごをはずす.

> **使い分け** [chin と jaw]
> chin は「下あご,あごの先端」の意.
> jaw は「あごの骨」の意.
> He dislocated his *jaw* [×chin]. 彼はあごがはずれた.
> He sat at the table, resting his *chin* [×jaw] in his hands. ほおづえをついて彼は食卓に座った.

2 [~s] 口部《◆両あごと歯を含む》. **3** [~s] あご状の物；(谷などの)狭い入り口；(機械・道具の)あご, はさみ口 ‖ the *jaws* of a vise 万力のあご. **4** ⓤⓒ (略式)(長い)おしゃべり, 悪口；小言 ‖ *Stop* [*Hold*] *your jáw!* =None of your *jaw*! 黙れ.
 ── 動 (自)(略式)(くどくど)しゃべる, 小言を言う(+*on*, *away*).
jaw·bone /dʒɔ́:bòun/ 图ⓒ 顎骨(がっ)；(特に)下あごの骨.
†**jay** /dʒéi/ 图ⓒ 《鳥》カケス(類)《カラス科の鳥》.
jay·walk /dʒéiwɔ̀:k/ 動 (自)(略式)交通標識を無視して横断する.
†**jazz** /dʒǽz/ 图 ⓤ 《音楽》ジャズ；ジャズ形式のダンス音楽. ── 動 (他)《曲を》ジャズ風に演奏する(+*up*). ─ (自) ジャズを演奏する, ジャズに合わせて踊る. *jázz úp* (他)(略式)(1) …をにぎやかにする, 活気づける, …に色をそえる. (2) …を熱狂[興奮]させる. (3) → (他).
 jázz bànd ジャズバンド.
jazz·man /dʒǽzmæn/ 图 (複 **-men**) ⓒ《米》ジャズ演奏家 ((PC) jazz musician [player]).
jct, JCT 略 junction.

***jeal·ous** /dʒéləs/ 発音注意 熟 意 (jeal)のある(ous). (1) ⇒jealousy (n.)
 ── 形 (**more ~, most ~**) **1** (補語として)《人・幸運・名声・所有物など》を…をねたむ, しっとして (*of*/*that* 節)《◆ envious より語感が強い》‖ She was *jealous* of his success [*that* he succeeded]. 彼女は彼の成功をうらやんでいた／ She was *jealous* of him because of his promotion. 彼女は彼が昇進をねたんだ《◆She envied him his promotion. ともいえる》／ ◆対話◆ "I envy you very much, because you have such a beautiful ring." "Don't be so *jealous*. You have a nice necklace, too, don't you?" 「そんなにきれいな指輪を持っていてあなたがとてもうらやましいわ」「そんなにうらやましがらないで. あなただってすてきなネックレスを持っているじゃない」. **2**《人・顔つき・目などが》(ライバルに対し)**やきもち焼きの**, しっと深い, しっとによる. **3** 《正式》《人が》〔…を失うまいと〕用心して, 気を配って (*of*)；油断のない, 周到な ‖ kèep 'a *jéalous* éye on [a *jéalous* wátch over] him 彼を注意深く見張る／ be *jealous* of hard-won liberties 苦労して手に入れた特権を大切にする.
†**jeal·ous·ly** /dʒéləsli/ 副 しっと深く, ねたんで；油断なく.
†**jeal·ous·y** /dʒéləsi/ 图 **1** ⓤ 《人・成功などに対する》しっと, ねたみ, やきもち, 怨恨(えん)(→ envy)；ⓒ ねたみの言動(*of*, *over*, *for*, *to*, *toward*)《◆envy より不快な感情》‖ in a fit of *jealousy* ねたみのあまり／ deep *jealousy for* her popularity 彼女の人気に対する深いしっと／ The beauty of Snow White aroused much *jealousy* in her stepmother. 白雪姫の美しさは継母の激しいしっとをかきたてた. **2** ⓤ《正式》〔…することに対する〕心配り, 警戒心 (*of* do*ing*).

***jean** /1では dʒí:n; dʒéin; 2では dʒí:n/
 ── 图 **1** [~s; 複数扱い] ジーンズ製衣類；ジーンズ, ジパン《米国のある年齢以上の人の間では《商標》の Levi('s) の方がよく用いられる. ✗**G-pants** といわない. cf. blue jeans》‖ She *wears jeans* when she goes to school. 彼女はジーンズを着て[はいて]学校へ行く. **2** ⓤ [時に ~s; 単数扱い] ジーン布《あや織りの綿布. 運動服・作業服用》.
jeep /dʒí:p/ 图 [時に J~] ⓒ ジープ.
†**jeer** /dʒíər/ 動 (自)《人・行為などを》あざける, ひやかす (*at*). ── (他)《人・提案などを》ひやかす, やじる. ── 图 ⓒ あざけり, ひやかしの言葉.
 jéer·ing·ly 副 あざけって.
Jef·fer·son /dʒéfərsn/ 图 ジェファソン《**Thomas** ~ 1743–1826；米国の第3代大統領 (1801–09)》.
 Jéfferson City ジェファソンシティ《米国 Missouri 州の州都》.
†**Je·ho·vah** /dʒihóuvə/ 图《旧約》ヤハウェ, エホバ《旧約聖書の唯一神》. **Jehóvah's Wítness(es)** エホバの証人, ものみの塔《キリスト教の一派》.
je·hu /dʒí:hju:/ 图 (略式) **1** スピード狂の運転手, 神風ドライバー. **2**《広義》御者, 馬車引き.
je·june /dʒidʒú:n/ 形《正式》**1**《文・考えなどが》貧弱な, 面白味のない. **2**《主に米》子供じみた, 幼稚な.
Jek·yll /dʒékl/ 图 ジキル博士《R. L. Stevenson の小説 *Dr. Jekyll and Mr. Hyde*『ジキル博士とハイド氏』の主人公で, 薬を飲むと極悪人ハイド氏に変わる》. ***Jékyll* and *Hýde*** 二重人格者(cf. Jekyll and Hyde).
Jek·yll-and-Hyde /dʒékləndháid, dʒí:kl-/ 形 二重人格(者)の (cf. Jekyll and Hyde).
jell /dʒél/ 動 (自) **1** ゼリー状に固まる. **2**《考え・意見などが》固まる.《英》gel).
jel·lied /dʒélid/ 形 ゼリー化した.
jel·lo, Jell-O /dʒélou/ 图 ⓤ 《米》《商標》 ジェロー《フルーツゼリー》.

jel·ly /dʒéli/ 名 **1** ⓊⒸ ゼリー《ゼラチンを溶かして香料などを加えて透明な半円形の食べ物》．(特に)Ⓤ フルーツゼリー《果汁・砂糖を煮つめて固めたもの．パンなどに塗る》 ‖ Give me a spoonful of jelly. フルーツゼリーをスプーン1杯ください． **2** Ⓤ [時に a ~] ゼリー状のもの．**3** Ⓤ (米) =jam¹.
jélly ròll (米)ゼリーロール《ゼリーを塗って巻いたケーキ》．

†**jel·ly·fish** /dʒélifìʃ/ 名 (複 → fish 語法) Ⓒ 〔動〕 クラゲ．

Jen·ner /dʒénər/ 名 ジェンナー《Edward ~ 1749-1823; 英国の医師．種痘法の発明者》．

†**jen·ny** /dʒéni/ 名 (初期の)多軸紡績機．

Jen·ny /dʒéni, (英+) dʒíni/ 名 ジェニー《女の名. Jane の愛称》．

†**jeop·ar·dize, (英ではしばしば) --dise** /dʒépərdàiz/ 動 他 〔正式〕 生命・財産などを危険にさらす．

†**jeop·ar·dy** /dʒépərdi/ 名 Ⓤ 〔正式〕 **1** 〔危害・損失の〕危険にさらされていること〕(risk) ‖ put [place] one's whole future *in jéopardy* 将来のすべてを危険にさらす．**2** 〔法律〕 (有罪になる)危険性 ‖ double *jeopardy* → double 複合語．

Jer. (略) 〔旧約〕 Jeremiah; Jersey.

†**Jer·e·mi·ah** /dʒèrəmáiə/ 名 **1** 〔旧約〕 **a** エレミヤ《ヘブライの預言者》．**b** エレミヤ書《旧約聖書の一書．(略) Jer.》．**2** Ⓒ 悲観論者．

Jer·i·cho /dʒérikòu/ 名 エリコ《パレスチナの古都》．

†**jerk** /dʒə́ːrk/ 名 Ⓒ **1** 急に動くこと〔ぐいと引くこと〕 ‖ He gave the rope a violent *jerk*. 彼はそのロープを急に激しくぐいと引っ張った(=He *jerked* the rope violently). **2** (筋肉の)反射運動，けいれん．**3** 〔英略式〕 [~s] 美容体操．**4** 〔重量挙げ〕 ジャーク．**5** (俗) ばか．
── 他 〔人が〕~をぐいと動かす〔引く，押す，ひねる，投げる，ひったくる，脱ぐ〕. ── 動 他 〔~を[ガタンと]動かす ‖ *jérk* to a stóp [hált] ガタンと止まる．
jérk Å aróund (米略式)〔人〕を(意図的に)引っ張り回す．
jérk Å óut (米略式)〔いらないこと〕を(ついいらいらして)口走る．

jer·kin /dʒə́ːrkin/ 名 Ⓒ ジャーキン《皮製の短い上着. 16-17世紀に着用》．

jerk·y¹ /dʒə́ːrki/ 形 (--i·er, --i·est) **1** 急に〔ぐいと〕動く，ぎくしゃく動く．**2** けいれん性の，ひきつくような．

jerk·y² /dʒə́ːrki/ 名 Ⓤ (米) 乾燥(牛)肉．

jer·o·bo·am /dʒèrəbóuəm/ 名 Ⓒ ジェロボーアムびん《ワイン・シャンペン用》．

Jer·ry /dʒéri/ 名 ジェリー《男の名. Jeremy, Gerald の愛称》．

jer·ry-build·er /dʒéribìldər/ 名 Ⓒ 安普請大工．
jérry-bùild·ing 名 Ⓤ 安普請．

jer·sey /dʒə́ːrzi/ 名 **1** Ⓤ =jersey cloth. **2** Ⓒ ジャージー《運動選手・水夫が着るメリヤスシャツ[セーター]》; 女性用メリヤス上着．
jérsey clòth ジャージー《柔らかい伸縮性のある毛・綿などの服地》．
jérsey nùmber (スポーツ選手の)背番号．

Jer·sey /dʒə́ːrzi/ 名 **1** ジャージー島《イギリス海峡にある英国の島》．**2** Ⓒ ジャージー種の乳牛．

†**Je·ru·sa·lem** /dʒərúːsələm/ 名 エルサレム《古代パレスチナの都市．現在はイスラエルの首都》．

†**jest** /dʒést/ 〔正式〕名 Ⓒ **1** 冗談，しゃれ，こっけい(joke) ‖ He *dropped a dry jest*. 彼はだじゃれを言った．**2** Ⓤ Ⓒ ふざけ，戯(たわむ)れ; ひやかし ‖ speak *in jest* おどけて話す / *màke a jést of* her ignorance 彼女のからかう．**3** [a ~] 物笑いの種 ‖ *a standing jest* お決まりのいぐさ，いつもの笑い物． ── 動 自 **1** 〔…に〕冗談を言う，ふざける〔*about*〕 ‖ Surely, you *jest*! それは冗談でしょう! **2** 〔…を〕からかう; ひやかす〔*with, at*〕．

†**jest·er** /dʒéstər/ 名 Ⓒ **1** 冗談好きの人; 〔歴史〕 (中世の)王侯・貴族おかかえの)道化師．

Jes·u·it /dʒéʒuət, dʒézju-/ 名 Ⓒ 〔カトリック〕 イエズス会(修道)士《Society of Jesus 所属修道士》．

†**Je·sus** /dʒíːzəs/ 名 イエス(キリスト)《4 B.C.以前-A.D.30?; → Christ》 ‖ *Jesus'(s) death* イエスの死．
♦ 所有格は /-iz/ が多いが，発音はい /dʒíːzəs/. ~, SJ》(cf. Jesuit).
the Society of Jésus イエズス会《カトリックの修道会の1つ. St. Ignatius de Loyola が創設した．(略) SJ》(cf. Jesuit).

*****jet¹** /dʒét/ 〖「投げる」が原義〗
── 名 (複 ~s/dʒéts/) Ⓒ **1** (略式)ジェット機(jet plane). **2** (液体・蒸気・炎・ガスの)噴出，噴射; 噴き出したもの ‖ *Jets of water from their hoses put out the fire*. ホースから水が噴射されて火が消えた / *vivid jets of images* 生き生きとしたイメージの噴流．**3** 噴出口, 筒口 ‖ *a gas jet* ガスの噴出口; ガスの噴出．**4** (略式) =jet engine.
── 動 (過去・過分 jet·ted/-id/; jet·ting) 他 **1** …を噴出[噴射]させる，吹き出す(+*out*). **2** (略式) …をジェット機で輸送する．
── 自 **1** 噴出する, ほとばしる(+*out*). **2** 噴射推進で動く; 急速に進む(+*up*); (略式)ジェット機で旅行する．
jét áirliner 定期ジェット旅客機．
jét éngine ジェットエンジン，噴射推進機関．
jét fíghter ジェット戦闘機．
jét làg [sýndrome] ジェット機疲れ, 時差ぼけ．
jét pláne ジェット機(略式 jet).
jét strèam (1) 〔気象〕 ジェット気流．(2) ジェットエンジンの排気流．
jét trável ジェット機による旅行．

†**jet²** /dʒét/ 名 Ⓤ **1** 黒玉(硬); 貝褐炭．**2** 黒玉色，漆黒．

jet·lin·er /dʒétlàinər/ 名 Ⓒ ジェット旅客機．

JETRO /dʒétrou/ (略) Japan External Trade Organization 日本貿易振興機構, ジェトロ．

jet·sam /dʒétsəm, (英+) -sæm/ 名 Ⓤ 〔海事〕 投げ荷(◆「浮き荷」は flotsam); 漂流物．

jet·ty /dʒéti/ 名 Ⓒ **1** (木・石の)突堤, 防波堤．**2** 桟橋，波止場．

†**Jew** /dʒúː/ 名 Ⓒ **1** (時に侮蔑)ユダヤ人((PC) Jewish person)(cf. Hebrew, Israelite); ユダヤ教徒．

> 語法 「アンネ=フランクはユダヤ人で, 日々の暮らしを記録に残した」という場合は Anne Frank was Jewish, and she recorded her daily life. のように Jewish を用いる(→ Jewish).

2 (侮蔑) [形容詞的に] ユダヤ人(のような) (Jewish).

†**jew·el** /dʒúːəl/ 名 Ⓒ **1** 宝石《ダイヤモンド・ルビーなど．gem より口語的》 ‖ *pùt ón jéwels* 宝石を身につける / She wore a ring set with a *jewel*. 彼女は宝石のついた指輪をしていた(→文法 14.3 表)．**2** [通例 ~s] (宝石入りの)装身具, アクセサリー．**3** 貴重な人[物]; 宝石に似たもの ‖ *a jewel among students* ずば抜けた生徒．**4** (時計・機械の軸受けに使う)石 ‖ *a watch of 25 jewels* =a 25 *jewel* watch 25石の時計．
── 動 (過去・過分) ~ed or (英) jew·elled/-d/; ~·ing or (英) --el·ling) 他 [通例 be ~ed] 宝石

jew·eled /dʒúːəld/ 形 宝石をちりばめた, 宝石入りの.

†**jew·el·er**, (英ではしばしば) **-el·ler** /dʒúːələr/ 名 © 宝石細工人; 宝石商, 貴金属商.

†**jew·el·ry**, (英では主に) **jew·el·lery** /dʒúːəlri/ 名 U [集合名詞] 宝石類;《貴金属製の》装身具類, アクセサリー《◆個々の宝石は jewel. ➡文法 14.3表》‖ a beautiful piece of *jewelry* 美しい宝石(=a beautiful jewel) / She had all her *jewelry* [ˣ*jewelries*] stolen. 彼女は宝石類をすべて盗まれた.

jew·el·weed /dʒúːəlwìːd/ 名 ©〔植〕ツリフネソウ.

Jew·ess /dʒúːəs/ -es 名 ©《時に侮蔑》ユダヤ人女性((PC) Jewish woman)(cf. Jew).

†**Jew·ish** /dʒúːɪʃ/ 形 ユダヤ(人)の; ユダヤ人特有の‖ He [She] is *Jewish*. 彼[彼女]はユダヤ人だ《◆a Jew は時に侮蔑的なので避ける》 / He believes in the *Jewish* religion. 彼はユダヤ教を信じている; 彼はユダヤ教徒だ. ── 名 U《略式》イディッシュ語(Yiddish).

Jéwish cálendar [the ~] ユダヤ暦《◆2005年9月11日からユダヤ暦5766年が始まる》.

Jew·ry /dʒúːri/ 名 © [集合名詞] ユダヤ人[民族].

Jez·e·bel /dʒézəbèl, -bl/ 名 **1**〔旧約〕イゼベル《イスラエル王 Ahab の妻》. **2** ©《文》男を誘惑するふしだらな女.

GSDF《略》Japan Ground Self-Defence Force (日本) 陸上自衛隊.

†**jib**¹ /dʒɪb/ 名 © **1**〔海事〕=jib sail. **2**〔機械〕ジブ《起重機の回転臂(ひじ)》.

jíb bòom ジブブーム《第2船首斜檣(しょう)の上に付けた斜檣》.

jíb sàil ジブ, 船首三角帆.

jib² /dʒɪb/ 名 [過去·過分] *jibbed*/-d/; *jib·bing* 自 **1**《馬などが》止まって進もうとしない, [...に]あとずさりする[*at*]. **2**《やや古》[...に]二の足を踏む,[...を]ためらう[*at*].

jibe /dʒaɪb/ 動 自 =gibe.

JICA /dʒáɪkə/《略》Japan International Cooperation Agency (日本の)国際協力機構.

jif·fy /dʒɪfi/ 名《略式》[a ~] ちょっとの間(moment)‖ I'll be báck in *a jíffy*. すぐに戻ります.

†**jig** /dʒɪɡ/ 名 © **1** ジグ《活発な6/8拍子の舞》;(その)曲. ── 動 [過去·過分] *jigged*/-d/; *jig·ging* 自 **1** ジグを踊る[演奏する]. **2**《略式》はね回る(+*up and down, about, around*).

jig·gle /dʒɪ́ɡl/ 動 他 …を左右[上下]に急速に動かす[動く]こと,《軽く小刻みに》揺すぶる[揺れる]こと. ── 動 他 …を左右[上下]に急速に動かす, 軽く小刻みに揺すぶる. ── 自 左右[上下]に急速に動く, 軽く小刻みに揺れる.

jig·saw /dʒɪ́ɡsɔː/ 名 © **1** 糸のこぎり. **2** =jigsaw puzzle. **jígsaw pùzzle** ジグソーパズル.

ji·had /dʒɪhɑ́ːd | dʒɪhǽd/ 名 ©(イスラム教徒の)聖戦, ジハード.

Jill /dʒɪl/ 名 **1** ジル《女の名》. **2**〔通例 j~〕 ©女, 娘, 恋人, 妻(Gill)(cf. Jack).

jilt /dʒɪlt/ 動 他 ©(恋人を)捨てる(女[男]).

†**Jim** /dʒɪm/ 名 ジム《男の名. James の愛称. 昔米国で Tom と共に黒人によく付けられた名》.

Jím Crów /-króʊ/ [時に j~ c~]《米》**(1)** 黒人差別. **(2)** [形容詞的に] 黒人(専用)の, 黒人差別の. **(3)**《侮蔑》黒人, くろんぼ.

Jím Crów·ism /-ɪzm/《米》黒人差別待遇主義.

Jim·mie, **--my** /dʒɪ́mi/ ジミー《男の名. James の愛称》.

†**jin·gle** /dʒɪ́ŋɡl/ 名 **1** [a/the ~]《ベル·コイン·鍵などの》チリンチリン[リンリン]と鳴る金属性の音. **2**《テレビ·ラジオ広告用の》同じ[似た]音の繰り返し, 耳に残る詩句[歌]. ── 動 自《鈴などが》チリンチリン鳴る;《詩句が》調子よく響く. ── 他《鈴など》をチリンチリン鳴らす.

jin·go /dʒɪ́ŋɡoʊ/ 名(~es) 形 自 好戦的な愛国主義者(の, を表明する).

jinx /dʒɪŋks/ 名《略式》動 ©〈人などに〉不運[悪運]をもたらす. ── 名 ©〔通例 a the ~〕〈…に対する〉悪運, 不運; 縁起の悪いもの[人][*on*]《◆「ジンクス」と違って英語の jinx は悪いことに対してのみ使う》. **pùt a jínx on A**〈人〉に不運をもたらす.

JIS《略》Japanese Industrial Standard 日本工業規格, ジス.

jit·ney /dʒɪ́tni/ 名 ©《米俗式》**1**《低料金の》タクシー[バス]《◆もと5セントで定期ルートを走っていた. → **3**》. **2** おんぼろ車; 安物. **3** 5セント白銅貨.

jit·ter /dʒɪ́tər/ 名《略式》[the ~s; 複数扱い] 神経質, そわそわ, いらいら‖ exam-time *jitters* 試験過敏症.

jit·ter·bug /dʒɪ́tərbʌ̀ɡ/ 名 © ジルバ(を踊る人)《スイング音楽に合わせて踊る奔放なダンス》.

jit·ter·y /dʒɪ́təri/ 形 神経質な, 不安な‖ Don't be *jittery*! びびるなよ.

jive /dʒaɪv/ 名《俗》**1** U ©スイング(に合わせて踊る[演奏する]). **2** U《米》たわごと(を言う).

Jnr, Jnr.《略》《英》Junior.

Jo /dʒoʊ/ 名 **1** ジョー《Josephine の愛称》. **2** ジョー《男の名. Joseph の愛称》. [◆ Joe ともつづる]

Joan /dʒoʊn/ 名 **1** ジョーン《John の女性形》. **2** (Saint) ~ **of Arc** /ɑːrk/ ジャンヌ=ダルク《1412-31; 百年戦争のときフランスを救った聖女. フランス語名 Jeanne d'Arc》.

job /dʒɑb | dʒɒb/ © ── 名(複 ~s/-z/) © **1 a 仕事**, 作業; 賃[手間]仕事‖ I let him have the job of painting [ˣto paint] the house 彼に家のペンキ塗りの仕事をさせる / óff [òn] the jób 勤務外[中]に / an inside [outside] job 屋内[屋外]仕事; 内部者[外部者]のしわざ / be paid by the job 一仕事いくらで支払われる / work a 9-to-5 [9 to 5] job 単調なサラリーマン生活をする《◆「5時以降は自由だ」との含みもある》. **b**《略式》職, 勤め口(職業上の)役目, 職務(➡文法 14.3表)‖ a job as a secretary 秘書の仕事 / get a job at a trading company 貿易会社に就職する / find [get] a job writing leaflets 広告のチラシを書く仕事を見つける / leave [quit] a job 仕事をやめる / lose one's job 失業する《◆「失業している」は be out of a job》/ create jobs 職を造り出す / I've got many jobs to do. 果たすべき職務がたくさんある《◆「やるべき仕事の量が多い」は I've got a lot of work to do.》.

2《略式》[通例 a ~] 仕事の成果[産物]; [形容詞を伴って] きわだった物[人]; 美人;《米俗》皮肉っぽい[頑丈な]車, 車, 飛行機.

3《略式》[複合語で] …美容整形手術‖ have a nose *job* 鼻の美容整形をする.

4《俗》**a**《主英》(公職利用の)不正行為[人事], 汚職. **b** 犯罪, 強盗‖ pull a bank job 銀行強盗を

する / do a *job* on him [his book] 彼に危害を加える[彼の本を台なしにする]. **5** 〔コンピュータ〕 ジョブ《コンピュータが処理する仕事の単位》.
a góod jób (米式) 結構なこと《◆ (英式) では反語的にも用いる》‖ (It's *a*) *good job*! よくやった, でかした / You've done *a good job*. なかなかうまくやりましたね《◆仕事以外のいろいろなことにも使う》.
dó the jób (略式) 目的を達する, うまくいく.
háve a (hárd [tóugh]) jób (略式)〔…するのに〕骨を折る, 一苦労する〔*to do, doing*〕;〔…に〕手こずる〔*with*〕.
òn the jób (略式) **(1)** 油断なく, 警戒して. **(2)** 仕事中〔に〕; 忙しく働いて, 仕事に精を出して; 仕事で(→ 1 a).
jób àction (米)(労働組合の)抗議行動.
jób cèntre [しばしば J~] 公共職業安定所.
jób interview 就職の面接(試験).
jób òpening 空きポスト, 空席.
jób opportùnity 雇用機会.
jób sèeker 求職者.

†**Job** /dʒoʊb/ 图 [旧約] **1** ヨブ《苦難に耐え信仰を守ったヨブ記の主人公》. **2** ヨブ記《旧約聖書の一書》.

†**Jób·ber** /dʒɑ́bər | dʒɔ́b-/ 图 **1** 賃[請負い]仕事の職人. **2** 卸商, 問屋, 仲買人.

job-hunt /dʒɑ́bhʌ̀nt | dʒɔ́b-/ 動 自 求職する, 仕事を捜す.

job·less /dʒɑ́bləs | dʒɔ́b-/ 形 失業中の, 失業者の, 失業者に関する ‖ the *jobless* rate 失業率.
 —— 图 [集合名詞的] 失業者たち.

JOC (略) Japan Olympic Committee 日本オリンピック委員会.

jock /dʒɑ́k | dʒɔ́k/ 图 (略式) =jockey.

†**jock·ey** /dʒɑ́ki | dʒɔ́ki/ 图 C (競馬の) 騎手.
 —— 動 他 **1**〈人〉をだます, だまして〔…を〕奪う〔*out of*〕;〈人〉をだまして〔…〕させる(+*away*)〔*into doing*〕.

jo·cose /dʒoʊkóʊs, dʒə- | dʒəʊ-/ 形 (古・正式) こっけいな, ひょうきんな.

joc·u·lar /dʒɑ́kjələr | dʒɔ́k-/ 形 (正式)(人を楽しませようと)こっけいな, おどけた.

†**joc·und** /dʒɑ́kənd | dʒɔ́k-/ 形 (文) 陽気な, 快活な, 明るい.

jodh·purs /dʒɑ́dpərz | dʒɔ́d-/ 图 [複数扱い] 乗馬ズボン; 乗馬靴.

Joe /dʒoʊ/ 图 ジョー《男の名. Joseph の愛称》《◆ Jo もつづる》.

*****jog** /dʒɑ́g | dʒɔ́g/
 —— 動 (~s/-z/; 過去・過分 jogged/-d/; jog·ging)
 —— 自 **1**〈人〉がジョギングする, ゆっくり走る; とぼとぼ歩く(+*along*, *on*)‖ go jogging ジョギングに行く. **2**〈人・物〉が揺れながら進む(+*along*). **3**〈人〉がやっていく.
 —— 他 **1**〈人・物〉を押す, 揺り動かす《注意を促しに》…をちょっと押す[突く]‖ She *jogged* my elbow to get my attention. 彼女は注意を引くために私のひじをちょっと突いた.
 —— 图 C **1** ジョギング, とぼとぼ歩き, 軽いランニング;(馬の)一定速度 ‖ go for a *jog* ジョギングに行く. **2**(通例 a ~) 揺れ, 軽い突き[押し]. **3** 軽い刺激, 喚起.

jóg·ger 图 C ジョギングをする人. **jóg·ging** 图 U ジョギング.

Jo·han·nes·burg /dʒoʊhǽnəsbə̀ːrg | dʒəʊ-/ 图 ヨハネスバーグ《南アフリカ共和国の都市. 金鉱の産地》.

†**John** /dʒɑ́n/ 图 **1** ジョン《Jane, Joan に対するよくある男の名》. **2**〔新約〕ヨハネ《キリストの12使徒の1人》; ヨハネによる福音書《新約聖書の一書》. **3**〔新約〕 ~ the Báptist バプテスマのヨハネ《キリストに洗礼を施した》. **4** ジョン王 (1167?-1216); 失地王 (John Lackland). 1215年大憲章に署名させられたイングランド王 (1199-1216)》.

Jóhn Búll (古) ジョン=ブル《イングランド(人)または英国(人)を表すニックネーム》(cf. Uncle Sam).

Jóhn Dóe /-dóʊ/〔法律〕ジョン=ドウ《訴訟当事者の本名が不明の男性に用いる仮名》《◆女性は Jane Doe》.

Jóhn F. Kennedy Internátional Áirport =Kennedy (International) Airport.

John·ny, --nie /dʒɑ́ni | dʒɔ́ni/ 图 ジョニー《男の名. John の愛称》.

John·son /dʒɑ́nsn | dʒɔ́n-/ 图 **1** ジョンソン《**Samuel** ~ 1709-84; 英国の辞書編集者・批評家.(通称) Dr. Johnson (ジョンソン博士)》. **2** ジョンソン《**Andrew** ~ 1808-75; 米国の第17代大統領(1865-69)》. **3** ジョンソン《**Lyndon Baines**/líndən béinz/ ~ 1908-73; 米国の第36代大統領(1963-69)》.

*****join** /dʒɔ́in/ 〔「2つ以上のものがじかに接合する」が本義〕 類 joint (名・形)

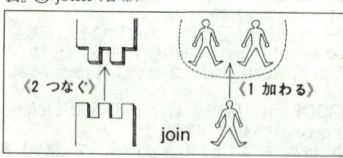

〈2 つなぐ〉　〈1 加わる〉
join

 —— 動 (~s/-z/; 過去・過分 ~ed/-d/; ~·ing)
 —— 他 **1**〔人やグループの結合〕 **a**〈人〉に〔…するのに〕加わる, 参加する〔*in, for*〕;〈人〉に同調する;〈団体〉に加入する; …の場所に戻る〔着く〕;(略式)〈人〉と落ち合う, 合流する ‖ *Join* us *for* dinner [a drink], please. 私たちと一緒に食事をしましょう[一杯やりましょう]《◆ drink の場合は in も用いられる》/ *join* "a buyer's strike [an antiwar movement] 不買[反戦運動]に参加する / He *joined* the athletic club. 彼は運動クラブに入った《◆(1) ×He joined in [to] the athletic club. は不可. (2) 単に「あるものの一員になる」という意味. スポーツに参加する場合はふつう participate [take part] in ...: John *participated* [took part] *in* the sports festival. ジョンは体育祭に参加した》/ *If* you can't *beat them, join them.*〔ことわざ〕勝てない相手なら手を結べ;「長いものには巻かれろ」/ When did she *join* [ˣenter] this company? 彼女はいつその会社に入ったのですか. **b**〈人〉〈2人の人〉を〔結婚・友情などで〕結びつける〔*in*〕‖ *join* two people *in* marriage カップルを結婚させる.

 2〔物の結合〕 **a** [*join* **A** (**on**) **to B**]〈人〉が A〈物〉を B〈物〉に(直接に)つなぐ, 取り付ける《◆付属的に付け足す場合は on が好まれる, を省略することもある》;〈2つ以上の物〉を〔ロープ・橋などで〕結合する(+*together*, *up*)〔*by, with*〕 類語 combine, connect, link ‖ *join* two planks *with* glue 2枚の原板を接着剤で接合する / *join* the wires (*up*) incorrectly 針金を間違って連結する / Naruto is *joined* (*up*) *to* Kobe by the Great Akashi Bridge. 鳴門市は神戸市と明石大橋で結ばれている. **b**〈川・道など〉…と合流[結合]する ‖ This bone *joins* another at the waist. この骨は別の骨と腰のところでつながっている / The two gift shops *join each other.* 2軒のみやげ物店はとなり合わせになっている.

──自 **1** 〔討議・ゲームなどに〕**参加する**, 加わる(+*in* [*in*])‖ *join in* 'the discussion [talking politics] 討議に[政治を論ずるのに]加わる / *join in* the birthday party 誕生パーティーに参加する.
2 〈人・物が〉…に〕**つながる**, 結びつく, くっつく(+*up*, *together*, *on*)〔*with*, *to*〕‖ Many children *joined on* at the rear of the float. たくさんの子供たちが(お祭りの)山車（だし）の後についていった / The five men *joined úp* [*togéther*] to improve the land. 5人の男は協力して土地を改良した.
──名 接合箇所［点，線，面］，継ぎ目；結合［合流］（すること）；〔数学〕結び，和集合(union).

join·er /dʒɔ́ɪnər/ 名 © **1** 結合する人[物]. **2** 《主に英》指物（さしもの）師，建具屋《◆carpenter が作る製品より軽いものを作る》. **3** 《略式》各種団体に加入したがる人.

†**joint** /dʒɔɪnt/ 名 © **1** 関節, 節（ふし）‖ I suffered from pain in every *joint*. 私は節々が痛くて苦しんだ(=I suffered from aching *joints* all over.) / set the arm in *joint* (again) (はずれた)腕の関節を直す. **2** 接合 (法)，継ぎ目；接合するもの，〔木工〕(木材の)仕口；〔製本〕表紙のみぞ；〔機械〕継ぎ手，ジョイント；〔植〕(枝・葉・豆果の)関節，つけ根；〔地質〕(岩石の)割れ目‖ a *joint* in a water pipe 水道管の継ぎ手 / a universal *joint* 自在継ぎ手. **3** (ふつう骨付きの)肉の大切り身《(米) roast》. **4** 《俗》安レストラン[ホテル，酒場，クラブ]；賭博（とばく）宿，(一般に)人の集まる所, 家；《俗》マリファナたばこ.
out of jóint (1) (骨が)関節がはずれて. (2) 《略式》(物・事の)調子が狂って；〔…と〕不つり合いで〔*with*〕.
──動 他 **1** …を継ぎ目で接合する. **2** 《正式》〈肉など〉を関節で大切りする《◆disjoint の方がふつう》.
──形 共同の, 共通[共有, 連帯]の(↔ several)‖ *joint* control 共同管理 / *joint* authors 共著者 / a *joint* offense 共犯 / a *joint* venture [enterprise] 共同企業 / *joint* owners [ownership] 共有者[権] / *joint* property 共有財産 / *joint* responsibility [liability] 共同責任, 連帯責任 / by our *joint* effort(s) 我々の協力によって / *joint* declaration 共同宣言 / in our *joint* names 我々の連名で / hóld a *jóint* inquiry [reséarch] 共同調査[研究]をする.
jóint commúniqué 共同声明.
jóint stàff 〔軍事〕統合参謀(部).
Jóint Stàff Cóuncil (日本の)統合幕僚会議.
jóint·ly 副 一緒に, 共同して, 合弁で；共通して.
jóint-stòck còmpany /dʒɔ́ɪntstɑ̀k-|-stɔ̀k-/ 《米》合資会社, 《英》株式会社.

joist /dʒɔɪst/ 名 © 〔建築〕梁（はり）, 根太（ねだ）.

*****joke** /dʒoʊk/ ──名 (複 ~s/-s/) © **1** 冗談, しゃれ；悪ふざけ, おどけ；**からかい**, いたずら(cf. jest) ‖ a practical *joke* 悪ふざけ / *for a jòke* 《略式》(自分としては)冗談のつもりで(《◆*as a joke* は「冗談として(受け取って)」の意》 / *in joke* 冗談半分に / *pláy a jóke on* him 彼をからかう / *háve a jòke with* her 彼女と冗談をかわす / *màke* [*tell, do,* 《略式》*cràck*, ˟*say*] *a jóke* 冗談を言う《◆*tell* は聞いたり読んだりした冗談について言う》 / *be* [*gèt, gò*] *beyònd a jóke* 《略式》笑いごとではない[笑えなくなる] / He can't [doesn't know how to] take a [˟the] *joke*. 彼は冗談を笑ってすませることができない(⇨文法 16.2⑵) / She didn't get [see] the [˟a] *joke*. 彼女はその冗談がわからなかった / The *joke's* on us. 《略式》他人に対しての悪ふざけ[からかい]が私たちの身に返ってきた，(他人を笑いものにしようとして)逆に私たちが笑いものになってしまった / Now, you're carrying the *joke* too far. 君, 冗談が過ぎるぞ. **2** 〔単数形で〕物笑いの種[状況]；取るに足らぬ事；こっけいな人 ‖ It's *nó joke*. 《略式》重大[深刻]な事だ. **3** (意外に)やさしい[簡単な]もの.
──動 (~s/-s/; 過去・過分 ~d/-t/; *jok·ing*)
──自 〔人と〕冗談[しゃれ]**を言う**, 〔人と〕冗談を交わす[言い合う]〔*with*〕, 〔…について〕からかう〔*on, about*〕‖ (all) *jóking apárt* [*aside*] =*apart from joking* 《略式》〔文頭で〕冗談はさておき 《略式》 / *joke with* [˟*to*] him *about* the mistake その誤りのことで彼をひやかす / *You are* [*must be, háve* (*gót*) *to be*] *jóking*. 《⌒》まさか，冗談言うなよ.
──他 〈人〉を〔…のことで/…であると〕からかう, ひやかす 〔*about, on / that* 節〕；…を冗談で片付ける(+*away*).

jok·er /dʒóʊkər/ 名 © **1** 《略式》冗談を言う人, いたずら好きの人. **2** 《略式》 **a** (嫌われた)男，やつ. **b** うぬぼれ屋；いたずら者. **3** 〔トランプ〕〔通例 the ~〕ジョーカー.

jok·ing /dʒóʊkɪŋ/ 動 → joke.
jok·ing·ly /dʒóʊkɪŋli/ 副 冗談に, しゃれて.

†**jol·ly** /dʒɑ́li | dʒɔ́li/ 形 (**-li·er**, **--li·est**)《やや古》**1** 〈人か陽気な，上機嫌な《◆他人を笑わせようとする試みを暗示》；〈笑い・時・歌などが〉楽しい，愉快な ‖ They hàd a *jólly* tíme at the party. 彼らはパーティーを大いに楽しんだ. **2** 《英略式》〈人・物が〉すてきな, すばらしい, 気持ちのよい.
──副《英略式》〔形容詞・副詞の前で〕非常に，とても《◆very より強調的》‖ a *jólly gòod* idéa [皮肉的に]まったくいい考え.
jólly wéll 《英略式》(1)〔動詞・副詞の前で〕確かに (certainly), 本当に, まったく. (2) 〔文尾で〕とても上手に, 申し分なく.
──動 他 《略式》**1** 〈人〉をおだてる, …の機嫌を取って〔…〕させる；…を〔…するよう〕(+*up, along*)〔*into*〕；〈場所〉を〔…で〕明るい雰囲気にする〔*with*〕‖ My mother *jollied* me *into* helping with the housework. 母は私をおだてて家事を手伝わせた. **2** 〈部屋など〉を〔…で飾って〕もっと楽しい雰囲気にする(+*up*)〔*with*〕.
jól·li·ly /dʒɑ́lɪli/ 副 陽気に, 愉快に.

†**jolt** /dʒoʊlt/ 動 自 **1** …を急激に荒っぽく揺する, 揺さぶり落とす. **2** 〈人に衝撃を与える，…を驚かして〔…〕する〔*into*〕. ──自 **1** 〈車などが〉揺れる；揺れながら進む(+*along*). ──名 〔通例 a ~〕**1** 急激に荒っぽい動き ‖ The truck started *with a jolt*. トラックは一揺れして動き出した. **2** 驚き, ショック.
jólt·y /-i/ 形 動揺の激しい.

Jo·nah /dʒóʊnə/ 名 **1** 〔旧約〕 **a** ヨナ《ヘブライの預言者》. **b** ヨナ書《旧約聖書の一書》. **2** © 不吉[不運]をもたらす人[物].

†**Jon·a·than** /dʒɑ́nəθən | dʒɔ́n-/ 名 **1** ジョナサン《男の名》. **2** © 《古》米国人《◆ New England の住民》. **3** 〔聖書〕ヨナタン《Saul ⑴ の息子で David ⑵ の親友》.

†**Jones** /dʒoʊnz/ 名 **1 a** 〔the ~〕並みの家庭《◆米英の月並みな姓だから》. **b** 〔the ~es〕近所[世間]の人. **2** ジョーンズ《Daniel ~ 1881–1967；英国の音声学者》.
kèep úp with the Jóneses 《略式》(経済的・社会的に)人に負けまいと見栄をはる.

jon·gleur /dʒɑ́ŋglər | ʒɔ̃ːŋglə́ːr/ 名 © (中世の)吟遊詩人.

jon·quil /dʒɑ́ŋkwil | dʒɔ́ŋ-/ 名 **1** © 〖植〗キズイセン. **2** Ⓤ 淡黄色.

†**Jor·dan** /dʒɔ́ːrdn/ 名 **1** the ~ River ヨルダン川《◆ John the Baptist がキリストに洗礼を授けた川》. **2** ヨルダン《西アジアの国. 現在は正式名 Hashemite Kingdom of Jordan (ヨルダン＝ハシミテ王国). 首都 Amman》. **3** ジョーダン《Michael ~ 1963- ; 米国のプロバスケットボール選手》.

Jo·seph /dʒóuzəf/ 名 **1** ジョーゼフ《男の名. (愛称) Jo, Joe》. **2** 〔旧約〕 **a** ヨセフ《Jacob の息子》. **b** 〔聖〕ヨセフ《Jesus の母マリアの夫》.

Jo·se·phine /dʒóuzəfiːn/ 名 ジョセフィン《女の名. (愛称) Jo, Josie, Jozy》.

josh /dʒɑ́ʃ/ 〔(米略式)〕 動 自 他 (悪意なく) (人を)からかう [ひやかす] (こと).

Josh. (略) Joshua.

Josh·u·a /dʒɑ́ʃuə | dʒɔ́ʃjuə/ 名 〖旧約〗ヨシュア《Moses の後継者》; ヨシュア記《旧約聖書の一書. 略 Josh.》.

†**jos·tle** /dʒɑ́sl | dʒɔ́sl/ 動 他 〈人などを〉〔場所から〕突く, 押しのける (+*away*) 〔*from*〕; [~ one's way] 押し分けて進む. ── 自 〔…を〕押し分けて進む〔*through*〕; 〔…を〕押し合う, 押す〔*against, with*〕.

†**jot** /dʒɑ́t | dʒɔ́t/ 名, 通例否定文で 少し, わずか ‖ There's *not a jot* of truth in this report. この報告書はまったくのでたらめだ. ── 動 (過去・過分) **jot·ted**/-id/; (現分) **jot·ting**) 他 〈事柄などを〉さっと書き留める, メモする (+*down*); 〔…だと〕書き留める〔*that* 節〕. **jót·ter** 名 © メモをとる人; メモ帳. **jót·ting** 名 〔通例 ~s〕メモ.

joule /dʒúːl, dʒául/ 名 © 〖物理〗ジュール《エネルギーの単位. (記号) J》.

*jour·nal /dʒɔ́ːrnl/
── 名 (複 ~s/-z/) © **1** (日刊)新聞; (堅い内容の)雑誌; (正式)(専門的な記事の載った)定期刊行物, (学会などの)会報 ‖ a medical *journal* 医学雑誌. **2** 〔(文) 日記〔◆ 多少かたい記録語〕; 〔簿記〕日記帳; 仕訳 (ヒホリ) 帳; 〔海事〕航海日誌; 〔事務処理の〕議事録; [the Journals] 〔英〕国会議事録 ‖ Our vice-principal keeps a *journal*. 私たちの教頭は(公的な)日誌をつけている.

jour·nal·ese /dʒɔ̀ːrnəlíːz, (米+) -íːs/ 名 Ⓤ 形 新聞口調〔話法, 文体〕 (の).

*jour·nal·ism /dʒɔ́ːrnəlìzm/
── 名 Ⓤ **1** ジャーナリズム, (新聞雑誌など)報道関係, 〔新聞雑誌〕編集, 新聞〔雑誌〕界; 新聞雑誌の文章(業); 〔集合名詞〕新聞雑誌類. **2** (大学の)新聞〔ジャーナリズム〕学科.

†**jour·nal·ist** /dʒɔ́ːrnəlist/ 名 © **1** 新聞〔雑誌〕記者〔編集者, 寄稿家〕, ジャーナリスト; 報道関係者; 新聞〔雑誌〕業者 (cf. reporter). **2** 日記作成者.

jour·nal·is·tic /dʒɔ̀ːrnəlístik/ 形 新聞〔雑誌〕の; 新聞〔雑誌〕(記者)的な.

*jour·ney /dʒɔ́ːrni/ 〖発音注意〗 〖「1 日 (jour) の旅程」が原義. cf. *journal*〗
── 名 (複 ~s/-z/) © **1** (ふつう陸上の比較的長い)旅行, 旅(→ trip) ‖ gò [stárt, sèt óut] on a *jóurney* to Kyushu 九州に旅に出かける / màke [tàke, perfórm, undertáke] a *jóurney* through Europe ヨーロッパを旅行する / bréak one's *jóurney* 旅を(買物・見学・休息などのため)中断する / Have a safe *journey*. 道中のご無事をお祈りしています. **2** 旅程, 行程(に要する時間) ‖ (a) four days' *journey* = a *journey* of four days = a four-day *journey* 4日の旅程. **3** 〔…への〕道程, 旅路〔*to*〕; 〔…への〕推移, 進展; 進出, 探求〔*to, into*〕‖ one's *journey*'s énd 〔文〕 旅路の果て; 人生の終わり / a *journey* to success 成功への道. ── 動 自 (詩) 旅行する(travel) (+*along, up*).

jour·ney·man /dʒɔ́ːrniman/ 名 (複 **-men**) © **1** (年季を終えた)一人前の職人; (PC) skilled craftworker; cf. apprentice). **2** (有能な)労働者.

†**joust** /dʒáust/ 名 © (中世の騎士の)馬上槍(ᾟ)試合; [~s] その大会. ── 動 自 **1** 〔…と〕馬上槍試合をする〔*with, against*〕. **2** 試合〔競技〕に参加する《◆新聞用語》.

Jove /dʒóuv/ 名 =Jupiter.

†**jo·vi·al** /dʒóuviəl/ 形 〔正式〕陽気な, 気持ちのよい. **jó·vi·al·ly** 副 陽気に.

jo·vi·al·i·ty /dʒòuviǽləti/ 名 〔正式〕 **1** Ⓤ 陽気, 快活. **2** © 陽気な行動〔言葉〕.

jowl /dʒául, (米+) dʒóul/ 名 © 〔しばしば ~s; 単数扱〕あご(jaw); ほお(cheek).

joy /dʒɔ́i/ 〖「喜び」が原義. cf. rejoice〗 派 joyful (形)
── 名 (複 ~s/-z/) **1** Ⓤ 喜び, うれしさ, 歓喜(の表現〔表情〕)《◆ happiness より堅い語. delight より大きな深い喜び》 (both) *in jóy* and (in) sórrow 喜びにつけ悲しみにつけ / When he reached [hit] the goal, he cried *for* [*with*] *jóy*. 彼はゴールインしたとき, うれし泣きをした / be beside oneself with *jóy* うれしさで有頂天になっている / feel *joy* at coming home 家に帰る喜びを感じる / I saw (the) *joy* in his face. 彼の顔に歓喜を見た / **To the *joy*** of his friends [To his friends' *joy*] ( ), he took first prize in the race. 友人たちが喜んだことには, 彼は競走で1等をとった《◆強意形については→ to 前 9》. **2** © (正式) 〔…にとっての〕喜びの種, 満足の種, 喜びを起こす人〔*to*〕‖ It gave me great *joy* to hear of your engagement. 私はあなたが婚約したと聞いてとてもうれしかったんですよ / Our daughter was a great *joy* to us. 娘は我々にとって喜びのもとだった / full of the *joys* of spring (略式) とても陽気な. **3** Ⓤ (英略式) 〔通例疑問文・否定文で〕成功(success), 満足, 幸運.
── 動 自 〔…を〕喜ぶ, うれしがる〔*at*, (文) *in*〕.

Joyce /dʒɔ́is/ 名 **1** ジョイス《女の名・男の名》. **2** ジョイス《James ~ 1882-1941; アイルランドの小説家・詩人》.

†**joy·ful** /dʒɔ́ifl/ 形 (more ~, most ~; 時に **--ful·ler, --ful·lest**) (正式) 〔他動詞的に〕〔…で〕うれしい, 喜ばせる〔*to*〕; 〈人・心・気分が〉〔…で〕とてもうれしい, 喜びに満ちた〔*at*〕; 〈表情などが〉楽しそうな《◆(1) happy, pleased より堅い語. (2) 時に補語として用いられる》‖ a *jóyful* sight 楽しい光景.

†**joy·ful·ly** /dʒɔ́ifəli/ 副 うれしそうに, 喜んで; 幸せに.

joy·less /dʒɔ́iləs/ 形 (正式) 喜びのない, わびしい; つまらない. **jóy·less·ly** 副 わびしく. **jóy·less·ness** 名 Ⓤ わびしさ.

joy·ous /dʒɔ́iəs/ 形 (文) =joyful.

joy·ride /dʒɔ́iràid/ 名 © (略式) (盗んだ車での乱暴な)ドライブ; 無謀な運転, 暴走; カーレース.

joy·stick /dʒɔ́istik/ 名 © (略式) (飛行機の)操縦桿(ᾟ); (制御装置・ゲーム機などの)操作レバー.

Jpn. (略) Japan; Japanese (→ Jap.).

JR 〔Japan Railways より〕 名 JR, 日本鉄道《国鉄

Jr., **jr.**, **Jr**, **jr** (略) junior.
JST (略) Japan Standard Time 日本標準時.
Ju. (略) June.

†**ju·bi·lant** /dʒúːbələnt/ [形] (正式) 歓喜に満ちた, 歓喜を表す; 歓喜する.

ju·bi·la·tion /dʒùːbəléiʃən/ [名] (正式) **1** [U] 歓喜, 歓声. **2** [C] (通例 ~s) 祝賀; お祭り騒ぎ.

†**ju·bi·lee** /dʒúːbəliː, ーーー/ [名] [C] **1** (25年・50年・60年・75年などの)記念祭; 祝祭, 祝典 ‖ *a silver* [*golden*, *diamond*] *jubilee* 25[50, 60]周年記念(祭). **2** [U] 歓喜, 大喜び. **3** [カトリック] (ふつう25年ごとの)聖年, 特赦の年.

†**Ju·dah** /dʒúːdə/ [名] **1** (旧約) ユダ《Jacob の第4子》; ユダ族. **2** ユダ《パレスチナの古代王国》.

Ju·da·ism /dʒúːdiːizm, -də-/ [名] [U] **1** ユダヤ教(義) ユダヤ教信仰. **2** ユダヤ主義, ユダヤ人気質[かたぎ]. **3** 〔集合名詞〕 ユダヤ人.

†**Ju·das** /dʒúːdəs/ [名] **1** (新約) ユダ《イスカリオテの》(**~ Iscariot** /iskǽriət/); キリスト12使徒の1人. 金のためキリストを裏切った》. **2** [C] 裏切り者 (traitor). **3** =Jude.

jud·der /dʒʌ́dər/ [動] (自) (英) 激しく揺れる, 震える.

Jude /dʒúːd/ [名] (新約) ユダ《12使徒の1人. 別名タダイ (Thaddeus)》; ユダの手紙《新約聖書の一書》.

judge /dʒʌ́dʒ/ 〖「正義を語る人」が原義〗(派)
judg(e)ment (名)
── [名] (~s /-iz/) **1a** 〔しばしば J~〕 [C] 裁判官, 判事; 治安判事《◆時に呼びかけ可》 ‖ (*as*) *sóber* [*gráve*] *as a júdge* 非常にまじめな[いかめしい]; 少しも酔っていない《↔ as drunk as a lord》 / *Superior Court judge* John Smith 上級裁判所判事ジョン=スミス / *Go tell it to the judge*. 《容疑者に対して》言い訳はむだだ. **b** [the ~] 裁判官の職責.
2 [C] (競技などの)審判(員); 審査員 (umpire) ‖ *Can you be a judge at* [*for*] *our contest?* = *Can you act as* (*a*) *judge at* [*for*] *our contest?* コンテストの審査員になっていただけますか.
3 [C] (権威ある意見を持つ)(…の)鑑定家, 評論家 [*of*] ‖ *a good judge of* antiques 骨董(ら)品の目利き / *Our teacher is no bad* [*mean*] *judge of talent*. 私たちの先生はなかなか才能を見抜く力がある.
── [動] (~s /-iz/) (過去・過分) ~d/-d/; judg·ing)
── [他] **1a** 〈人が〉〈人・物・事を〉 [・・・で] 判断する, 評価する 〔*by*, *from*, *on*〕; 〔正式〕 …を批評[非難]する ‖ *Don't judge a man by his appearance*. 外見で人を評価するな.
b …を […だと] 見積もる, 推測[判断]する〔*to be*〕; 〔…だと/…かと〕 思う, 判断する〔*that* 節/*wh* 節〕; 〔…かどうか〕 判断する〔*whether* 節〕 ‖ *He judged her to be about 30.* =*He judged that she was about 30.* 彼は彼女を30歳位だと見当をつけた.
2 〈人が〉〈試合・物などの〉**審査をする**, […について] 審査[鑑定] する〔*that* 節〕 ‖ *judge* (*the*) *roses at the flower show* フラワーショーでバラの鑑定をする.
3 〈判事・法廷が〉〈人・事件を〉**裁判する**, 審理する; 〈有罪・無罪などの〉**判決を下す** [judge **A** **C**]; 〈判事・法廷が〉 **A** 〈人・事件に〉 **C** を判決を下す ‖ *judge him guilty* 彼を有罪と判決する / *The court judged the case*. 法廷はその事件に判決を下した.
── (自) **1** […について] 判断[評価] する〔*by*, *from* / *of*〕 ‖ *Judging from* (the look of) *the sky* (ゝ), I'd say it's going to rain. 空模様からすると雨になりそうだ《◐文法 11.3(3); 13.7》. **2** 審判[審査] をする ‖ *judge between the three entries* 3人の参加者の審判をする. **3** 裁判官を務める; 判決を下す.

*****judge·ment** /dʒʌ́dʒmənt/ [名] (英) =judgment.
judg·ing /dʒʌ́dʒiŋ/ [動] → judge.

*****judg·ment**, 《英ではしばしば》 **judge·ment** /dʒʌ́dʒmənt/ 〖[→ judge]〗
── [名] (~s/-mənts/) **1** [U][C] **意見, 見解**; 非難, 批判 ‖ *in* one's *júdgment* 自分の考えでは / (*It's*) *against my better judgment* (ゝ) *but* ... 不本意ながら…します / *form one's own judgment of his ability* 彼の能力について自分の意見を述べる.
2 [U][C] 〔…の〕判断, 鑑定〔*of*, *on*〕; (競技などの)審査; [U] 判断力(の発揮), 思慮, 分別 ‖ *Exercise careful judgment with such a serious matter*. そういう重要な事は慎重に扱いなさい / *I can have no judgment of its size*. その大きさが判定できない / *Where's your judgment?* 頭がどうかしているね.
3 [U] 裁判, 審判(する[される]こと); [U][C] 判決 (→ verdict), 〔法〕 判決により確定した債務; 〔債務〕判決文書 ‖ *He attacked the judgment of the lower court*. 彼は下級裁判所の裁判に対して不服をとなえた ‖ *sit in júdgment on* [*upòn, òver*] *the leader* その指導者を裁く, 批判する / *páss júdgment on* [*upòn*] *her abilities* 彼女の能力を批判 [評価, 判断] する.
4 [C] (正式) [a ~] 〔…への/…に対する〕天罰, 災い 〔*against*, *on* / *for*〕. **5** [the J~] =the Last Judgment.
Júdgment Dày 最後の審判[最終判決]の日; この世の終わり (the Last Judgment, the Day of Judgment).

ju·di·ca·ture /dʒúːdikèitʃər | -kətʃə/ [名] [U] **1** 司法 [裁判]権. **2** [U] 裁判官の職権[地位].

†**ju·di·cial** /dʒuːdíʃəl/ [形] (正式) **1** 裁判[司法]の. **2** 裁判官の(ような), 裁判官に適した.

†**ju·di·ci·ar·y** /dʒuːdíʃièri | -ʃəri/ [名] (正式) [the ~] 司法部(官); 司法権.

†**ju·di·cious** /dʒuːdíʃəs/ [形] (正式) 判断力の確かな, 思慮深い, 賢明な.
ju·dí·cious·ly [副] (正式) 思慮深く.

ju·do /dʒúːdou/ 〖[日本]〗[名] [U] 柔道 《日本発》 The skills used in *judo*, which is characterized by the use of the opponent's weight and strength to overwhelm him, may be broadly divided into grappling and throwing techniques. 相手の体重と力をうまく利用して倒すのが特徴である柔道の技は, 投げ技と固め技の2つに大別されます.
jú·do·ist, jú·do·ka /-kɑː/ [名] [C] 柔道家, 柔道選手.

Ju·dy /dʒúːdi/ [名] ジューディ《女の名. Judith の愛称》.

jug /dʒʌ́g/ [名] **1** [C] (米)(細口でコルク栓のついた取っ手のある)水差し, つぼ, かめ; (英)(広口で取っ手付きの)水差し ((米) pitcher) 《◆「ジョッキ」は mug に当たる》. **2** [C] =jugful. ── [動] (過去・過分) **jugged** /-d/; **jug·ging**) (他) **1** …を水差しに入れる. **2** 〔しばしば ~ged で形容詞的に〕 〈肉などを〉つぼで煮る.

jug·ful /dʒʌ́gfùl/ [名] [a ~ of + [U] 名詞] 水差し1杯分.

†**Jug·ger·naut** /dʒʌ́gərnɔ̀ːt, (米+) -nɑ̀t/ [名] 〔インド神話〕 クリシュナ (Krishna) 神像《ビシュヌ (Vishnu) 神の第8化身》.

jug·gle /dʒʌ́gl/ [動] (自) **1** 〔球・皿などで〕 (お手玉のよう

な)曲芸をする, 手品[奇術]をする〔with〕. **2** 〔事実・数字などを〕ごまかす〔with〕. ——[他] **1** …を使って曲芸[手品, 奇術]をする; …を手品で〔…に〕変える〔into〕. **2** 〈時間・仕事など〉を上手にやりくりする ‖ *juggle* household expenses to make ends meet 家計を上手にやりくりして収入内で暮らす. **3** …を工作する, ごまかす. **4** 〈人〉から〔…を〕だまし取る〔out of〕.
——[名][U][C] **1** 手品, 曲芸. **2** 詐欺, ごまかし.

jug·gler /dʒʌ́glər/ [名][C] **1** 手品[奇術]師. **2** ぺてん師. **júg·gler·y** [名][U] **1** 奇術, 手品. **2** 詐欺.

Ju·go·sla·vi·a /jùːgouslɑ́ːviə/ [名] =Yugoslavia.

jug·u·lar /dʒʌ́gjələr/ [形] 〔解剖〕頸(けい)部の, 咽喉(いんこう)部の; 頸静脈の. ——[名][C] =jugular vein; 急所, 最大の弱点. **júgular vèin** 頸静脈.

***juice** /dʒúːs/ ([類音] deuce /d(j)úːs/) 〚「スープ」が原義〛
——[名] ([複] ~s/-iz/) **1** [U][C] **ジュース**, (果物・野菜・肉などの)汁 ‖ a glass of apple *juice* 1杯のリンゴジュース / We drink *juice* when we have a cold. かぜを引いているときにはジュースを飲む / Two hamburgers and two small orange *juices*, please. ハンバーガー2つとオレンジジュース小2つお願いします. **2** [C][U] [通例 ~s] 体液, 分泌液 ‖ digestive *juice(s)* 消化液. **3** [U] 《略式》エネルギー源; 電気, ガソリン, ガス, 酒.
stéw in** one's (**ówn**) **júice 《略式》自業自得で苦しむ.
——[動] (**juic·ing**) [他] …の汁をしぼる.
júice úp [他] 〚体液(juice)を加えて活力を高める(up [副] **2 b**)〛《略式》(1) …を活気づける, はなやかにする, 面白くする. (2) …に燃料を補給する.
júice·less [形] 汁のない.

juic·er /dʒúːsər/ [名][C] 《米》ジューサー, 果汁しぼり器; 《俗》大酒飲み.

juic·ing /dʒúːsiŋ/ [動] → juice.

†**juic·y** /dʒúːsi/ [形] (**-·i·er, -·i·est**) **1** 〈果物などが〉汁[水分]の多い. **2** 《略式》〈話などが〉興味をそそる, きわどい. **3** 《略式》〈人・言動が〉生き生きした. **4** 《略式》金になる ‖ a *juicy* contract がっぽりもうかる契約. **júic·i·ness** [名][U] 汁の多いこと.

juke·box /dʒúːkbɑ̀ks | -bɔ̀ks/ [名][C] ジュークボックス.

Jul. [略] July.

ju·lep /dʒúːlip, -lep/ [名][C][U] **1** 砂糖水《薬が飲みにくいときに用いる》. **2** 《米》ジューレップ(mint julep)《ウイスキーなどに砂糖・ハッカ・氷を入れた酒》.

Jul·ian /dʒúːljən, -iən/ [名] **1** ジュリアン《男の名》. **2** ユリアヌス《ローマ皇帝331-363; ~ the Apostate (背教者ユリアヌス)と呼ばれる》.
——[形] Julius Caesar の.
Júlian cálendar [the ~] ユリウス暦《Julius Caesar が定めた旧太陽暦. cf. Gregorian calendar》.

Ju·liet /dʒúːljət | -liət/ [名] **1** ジュリエット《女の名》. **2** ジュリエット《Shakespeare 作 *Romeo and Juliet* の女主人公》.

Jul·ius Cae·sar /dʒúːljəs síːzər | -liəs-/ [名] → Caesar.

***Ju·ly** /dʒulái/ 〚「ユリウス=カエサルの月」が原義〛
——[名][U] 7月; [形容詞的に] 7月の([略] Jul., Jl., Jy.) ([語法] → January).

†**jum·ble** /dʒʌ́mbl/ [動][他] **1** 〈書類・衣服など〉をごた混ぜにする, 乱雑にする(+*up, together*). **2** 〈考えなど〉を混乱させる(+*up, together*).
——[名] **1** [a ~] (異なる物の)寄せ集め, ごちゃ混ぜ; 混乱(状態). **2** [U] 《英》がらくた.
júmble sàle 《英》がらくた市(《米》rummage sale).

jum·bo /dʒʌ́mbou/ 《略式》[名] ([複] ~s) [C] **1** ずば抜けて大きなもの[動物, 人], 巨漢, 特大. **2** =jumbo jet. ——[形] ずば抜けて大きな, 巨漢[特大]の.
júmbo jét ジャンボジェット機《特に Boeing 747》.

****jump** /dʒʌ́mp/
——[動] (~s/-s/; [過去・過分] ~ed/-t/; ~·ing)
——[自]
I [物理的な動き]
1 〈人・動物が〉(すばやく脚・尾を用いて)**跳ぶ**, 跳躍する, 跳びはねる《◆ leap より口語的》; 〔…から〕飛び出す〔out of, from〕 ‖ ***júmp to*** one's ***féet*** さっと立ち上がる / *jump off* [*from*] the roof *into* [*in front of*] the front entrance 屋根から正面玄関に飛び降りる / The thief *jumped* (*up*) 「*over* a fence [*across* a ditch] and ran away. その泥棒はさく[みぞ]を飛び越えて走り去って行った《◆ 平面を跳び越える場合は across》/ *jump away* [*aside*] 飛びのく / *jump into* one's *clothes* 急いで衣服を着る.

> [関連] 一般的に frog は jump, rabbit は hop, horse は clop, puppy は bounce, deer は leap.

II [抽象的な動き]
2 〈人・心が〉〔…で〕はっ[どきっ]として突然動く〔at, for, with, to〕; ずきずき痛む ‖ *jump* 「*at* a loud noise [*with* fright] 大きな物音に[恐怖で]ぎょっとして跳び上がる / *jump to* a rapid knock at the door 激しく戸をたたく音に跳び上がる.
3 〈物価・株・体温などが〉急騰する; 急増する; 〈人が〉昇進[特進]する.
4 〔結論などへ〕すぐに飛びつく, 急ぐ, 飛躍する〔to, at〕; 急に〔…に〕変わる〔to〕; 急に〔…を〕やり出す〔into〕; (職などを)転々と変わる; 〔議論などに〕割り込む〔in〕 ‖ She *jumped into* the limelight with her [the] Akutagawa Prize. 彼女は芥川賞で一躍脚光を浴びた.
5 《略式》**a** 〔申し出・機会などに〕飛びつく, 喜んで応じる〔at〕《◆ 受身可》 ‖ She *jumped at* the offer. 彼女はその申し出に飛びついた. **b** 〔…に〕すぐに服従する, 従ってすぐ行動する〔to〕.
——[他] **1** 〈人・動物・物が〉〈障害物など〉を**跳び越える** ‖ She *jumped* the 5-foot fence. 彼女は5フィートのフェンスを飛び越えた(=She jumped over the 5-foot fence.).

> [語法] ✍ 障害にならないものを飛び越える場合は他動詞用法は不適: She 「*jumped* over [×jumped] the 10-inch gap in the path. 彼女は小道の10インチの割れ目を飛び越した.

2 …に〔…を〕跳び越えさせる〔over, across〕; 〈子供など〉を(ひざの上で)跳び上がらせる ‖ *jump* a pony 「*across* the brook [*over* a fence] 小馬に小川[さく]を越えさせる《◆ make a pony jump ... と違い, 人が小馬に乗っている含みがある》.
3 〈段階など〉を飛ばす; 〈章・節など〉を飛ばして読む; 〈記事など〉を離れたページに続ける.
4 〈価格など〉を急騰させる; 〈給料など〉を一気に上げる.
júmp at **A** (1) → [自] **2, 4, 5 a**. (2) 〈人・動物など〉に襲い[飛び]かかる.
júmp óff [自] (1) → [自] **1**. (2) 〈競技・攻撃が〉始まる; 出発する. (3) 〈馬・騎手が〉同点決勝試合をする.
júmp on [***upòn***] **A** (1) …に飛びかかる, 飛び乗る.

(2) 《略式》厳しく非難する.
——名 (複 ~s/-s/) C **1** 跳躍; ひと跳びの高さ[幅]; 跳躍競技; (ハードルなどの)跳躍障害物.

関連 [いろいろな種類の jump]
(running) broad jump, long jump (走り)幅跳び / (running) high jump (走り)高跳び / pole jump 棒高跳び / ski jump スキーのジャンプ / triple jump 三段跳び.

2 《量・価格・価値などの》急騰, 急上昇 [in]. **3** 《恐怖などで》びくっとすること; 《略式》[the ~s] 神経的のいれん, 心配 ‖ all of a jump 《略式》おどおどして. **4** 〔…への〕急転, 転換[to]; (論理などの)飛躍, とぎれ; 〔コンピュータ〕ジャンプ, 飛び越し; 《米》行動, 動き; 段階, 等級; (雑誌などの)離れたページに続いている記事 ‖ get [have] the [a] jump on the rivals 《略式》ライバルに先んじる, ライバルを出し抜く / be [keep, stay] one [a] jump ahead of ... 《略式》…に一歩先んじている《◆副詞的に用いて: leave the airport a jump ahead of me 私よりひと足先に空港を去る》/ take a running jump 《英略式》《通例命令文で》向こうへ行け.
on the jump 《略式》忙しく動き回って; 突然, すばやく; 不意に.
——形 《俗》〈ジャズなどが〉急テンポの.
júmp ròpe 《米》なわ跳び遊び(のなわ).
júmp sùit (米) (1) 落下傘降下服(に似た作業着). (2) ズボンワンピース《婦人服》.

†**jump·er**[1] /dʒʌ́mpər/ 名 © **1** 跳ぶ人, 跳躍する人[動物, 虫, 物];〔スポーツ〕跳躍選手; 障害馬.

jump·er[2] /dʒʌ́mpər/ 名 © **1** ジャンパースカート 《(英) pinafore dress》《ブラウスなどの上に着る女性用のそでなしワンピース》. **2** (工員・水夫などの)作業用上着; (男性の運動用・仕事用)簡易上着 ‖ ジャンパー《◆「ジャンパー」は jacket, windbreaker の方がふつう》. **3** (英)プルオーバー(のセーター). **4** (米) [~s] ロンパース.
júmp·ing /dʒʌ́mpɪŋ/ 名 □ ——形 跳ねる.

†**jump·y** /dʒʌ́mpi/ 形 (-i·er, -i·est) **1** 跳びはねる; がたがた揺れる. **2** 〈話などが〉変化に富む. **3** 《略式》神経質な.

jun. 《略》junior.
Jun. 《略》June; Junior.

†**junc·tion** /dʒʌ́ŋkʃən/ 名 《略》**1** □《正式》連結[接合]すること[状態]. **2** © 連絡[結合, 結節]点; 交差点; (川の)合流点; 連絡駅[地]. **3** ©〔電子工学〕(半導体などの)接合(部); 〔電気〕= junction box. **júnction bòx** (ケーブル保護用の)接続箱.

junc·ture /dʒʌ́ŋktʃər/ 名 **1** □《正式》接続, 連結 (junction); © 接合点[線]; 継ぎ目, 連絡箇所. **2** © (重大な)時点, 時期, 段階《◆通例次の句で》‖ at this [that] juncture この[あの]重大な時に. **3** ©〔音声〕連接.

*June /dʒuːn/ 名〔ローマ神話のユピテルの妻ユノ (Juno) の月. ユノは結婚の守護神. cf. June bride〕
——名 □ 6月《英国では最も快適な月で社交界のにぎわう時期. → summer》; [形容詞的に] 6月の《略 Ju., Jun.》. 語法 ⇒ January.
Júne bríde 6月の花嫁《◆6月に結婚すると幸せになるといわれる》.

*jun·gle /dʒʌ́ŋɡl/ 類音 jangle /dʒǽŋɡl/〔「荒野, 大森林」が原義〕
——名 (複 ~s/-z/) **1** □ ©《通例 the ~》ジャングル, (熱帯の)密林湿地帯 ‖ a tropical jungle 熱帯ジャングル. **2** © [単数形で] (迷路のように入り組んだ[混乱(状態)]); 過酷な(生存)競争の場 ‖ A big city is a jungle. 大都市はジャングルだ《cf. asphalt jungle》/ the political jungle 政界 / the Wall Street jungle 米財界.
the láw of the júngle ジャングルの掟(ðɛ̀) 弱肉強食.
júngle gým 《米》(もと商標) ジャングルジム《(英) climbing frame》.

*jun·ior /dʒúːnjər | -iə/〔「より若い」が本義〕
——形《◆比較変化しない》**1** 《…より》後輩[後進]の; 下位[下級]の[to] ‖ a junior partner (会社の)後輩[部下] / He is two years junior to me at the office. 彼は会社では私の2年後輩の. **2** 《…より》年下の [to] 《略 Jnr., Jnr. Jr., jr., Jr, jr, Jun(r)., jun.》(↔ senior) ‖ She is five years junior to him. 彼女は彼より5歳年下だ《◆(1) She is five years younger than「he is [略式] him]. / She is younger than「he is [略式] him] by five years. がふつう. (2) 今は一般に「5歳後輩だ」の意がふつう》/ William Jones, Jr. ウィリアム・ジョーンズ2世《◆ Jr. は (the) Junior と読む. 同名の父子の息子・二人兄弟の弟・同名在生徒の年少者を言い分ける。女性には用いない.↔ Sr.》. **3** 《米》(大学の)3年生の; (短大の)1年生の, (3[4]制高校の)2[3]年生の (→ freshman). **4** (ふつうより)小型[小規模]の. **5** 《娯楽・スポーツなどが》年少者対象[向き]の; 〈服のサイズが〉ふつうより小さい, 若い女性向きの.
——名 (複 ~s/-z/) © **1** 〔通例 one's ~〕後輩, 新参者; 年少者; 下位の人 ‖ She is his junior by five years. = She is five years his junior. 彼女は彼より5歳後輩[年下]だ(→形 **2**). **2** 〔時に J~〕《米略式》息子《◆呼びかけにも》‖ bring Junior with me 息子を一緒に連れて行く. **3** 《米》(大学の)3年生, (短大の)1年生, (3[4]年制高校の)2[3]年生の (→ freshman). **4** 《米》若い女性向きのジュニアサイズ. **5** 〔しばしば J~〕《米略式》〔呼びかけ〕小僧, お若いの.
júnior cóllege 《米》短期大学, (4年制大学の)教養課程.
júnior hígh schòol 《米》中学校 (→ high school).
júnior schòol (英) 上級小学校《小学校の後期課程. 7-11歳の生徒が通う (cf. primary school)》.
júnior vàrsity (大学・高校の)二軍チーム.

†**ju·ni·per** /dʒúːnɪpər/ 名 ©〔植〕ネズ, トショウ《杜松》《ヒノキ科. その実の油は薬用・ジンの味付け用》.

†**junk**[1] /dʒʌ́ŋk/《略式》名 □ **1** [集合名詞] くず, がらくた《再生可能なガラス・紙・ぼろ紙・金属など》‖ The TV set is just a piece of junk. そのテレビはまさにポンコツだ. **2** [比喩的に] くず, くだらないもの; 安物.
——動 (品物として) くずにする, 廃棄する.
júnk fóod 《略式》(1) ジャンクフード《カロリーのみ高くて栄養価の低いスナック菓子》. (2) ジャンクフード《まずい立ち食いの(即製)食品》.
júnk màil (大量に送られてくずとして捨てられる)ダイレクトメール.

†**junk**[2] /dʒʌ́ŋk/ 名 ©〔歴史〕ジャンク《中国の平底帆船》.
jun·ket /dʒʌ́ŋkət/ 名 **1** © □ 凝乳(料理)《牛乳を酸で固まらせた甘い食べ物》. **2** © ピクニック, 宴会.
junk·ie, —y /dʒʌ́ŋki/ 名 ©《略式》麻薬常習者; …中毒の人 ‖ a sports junkie スポーツ中毒者.
junk·yard /dʒʌ́ŋkjɑːrd/ 名 ©《米》古鉄[くず物, 廃車]置場.

†**Ju·no** /dʒúːnou/ 名 **1**〔ローマ神話〕ユノ《Jupiter の

妻．ギリシア神話の Hera に当たる．女性と結婚の女神》．**2** Ⓒ 美しい堂々とした女性．

jun·ta /hʊ́ntə/《スペイン》图 **1**〖単数・複数扱い〗(クーデター後の)軍事政府〖政権〗．**2** (スペイン・南米などの)議会．

†**Ju·pi·ter** /dʒúːpətər/ 图 **1**《ローマ神話》ジュピター，ユピテル(Jove)《神々の王で天の支配者．ギリシア神話の Zeus に当たる》．**2**《天文》木星．

Ju·ras·sic /dʒʊræsik/ 图〖地質〗ジュラ紀〖系〗の．

ju·rid·i·cal /dʒʊrídikl/ 厖《正式》**1** 司法[裁判]上の．**2** 法律上の(legal)．

†**ju·ris·dic·tion** /dʒʊ̀ərisdíkʃən/ 图《正式》**1** Ⓤ 司法[裁判]権．**2** Ⓤ 権力の範囲；Ⓒ 管轄区．

ju·ris·pru·dence /dʒʊ̀ərisprúːdns/ 图 Ⓤ《正式》**1** 法学，法理学．**2** 法体系．**3** 法の分野．

†**ju·rist** /dʒʊ́ərist/ 图 Ⓒ《正式》**1** 法学者；法学生．**2**《米》弁護士(lawyer)；裁判官(judge)．

ju·ror /dʒʊ́ərər/ 图 Ⓒ 陪審員(→ jury)《◆ jury の一員》．

†**ju·ry** /dʒʊ́əri/ 图 Ⓒ〖集合名詞；単数・複数扱い〗**1** 陪審，陪審員団《◆ 英米では民間から選ばれた12名の陪審員(juror)から成り，有罪か無罪かの評決を行なう》‖ a grand *jury* 大陪審 / a petty [trial] *jury* 小陪審 / the right to trial by *jury* 陪審裁判の権利 / *sit* [*serve*] *on a jury* =do jury service 陪審員を務める / face the *jury* of public opinion 世論の審判を直視する．**2** (展示会・競技会などの)審査員団，審査委員会‖ The *jury* decided to give first prize to her team. その審査員たちは彼女のチームが優勝だと決定した．

júry bòx (法廷の)陪審員席．
júry sỳstem〖法律〗陪審制度．
jury·man /dʒʊ́əriman/ 图 (欄) --men) Ⓒ ((PC) juror)．
jury·wom·an /dʒʊ́əriwùmən/ 图 Ⓒ 女性陪審員((PC) juror)．

J ‡**just** 副 (強) dʒʌst, (弱) dʒəst, (米+) dʒist; 厖 dʒʌst /〖「法にかなった」が原義〗(関) justice (名), justify (動)

index 圖 **1** ちょうど **2 a** ただ…だけ **b** ちょっと **3** ちょうど今 **4** ようやく
厖 **1** 公正な **3** 当然の

——圖 /(強) dʒʌst, (弱) dʒəst, (米+) dʒist/
1〖場所の前置詞・時の副詞節と共に用いて the + 名詞などの前に置いて〗ちょうど，正確に(precisely)《◆否定文では用いない．exactly より口語的》‖ *just* at that spot ちょうどその場所で《◆ 前置詞句の前に置く：×at just that spot》/ The bank is *just* across from the station. 銀行は駅のちょうど向かいにあります / She was *just* the woman for the job. 彼女はその仕事にまさにぴったりの人です / He is a good soccer player, *just* what we needed. 彼こそが私たちの求めていたサッカーの名選手です / It's *just* as we thought. 我々もちょうどそんなふうに思っていたんです．

2《略式》**a**《正確にいうと》ただ…だけ，まさに[まったく]…にすぎない，ほんの…(→ only 語法)；[not ... just] ただ…しているだけで(ない)《◆ 部分否定．文法 2.2(2)》‖ I *júst* know it．(理由を聞かれても困るが)私は知っているんだ / He committed murder *júst* for the money．彼はただ金だけのために人を殺した / It's *júst* (that) I was thinking … 考えごとをして

いただけなんですが… / He is *not just* a musician. 彼はただの音楽家ではない．
b〖命令文を和らげたり注意・いらだち・要求・弁解を表して〗ちょっと，まあ，ともかく‖ *Just* taste how delicious it is. まあちょっとどれくらいおいしいか食べてみなさい．

Ⅱ [時間]
3〖完了形・過去形と共に；be 動詞の後，一般動詞の前で〗ちょうど今(…したばかり)，つい今しがた；[be do-ing と共に]まさに，今にも，ちょうど，じきに‖ She's *just* going [off, about] to cook supper．彼女はちょうど夕食の仕度にかかろうとしている / She (has) *just* left the office. 彼女は今しがた会社を出たところです(=She left the office *just* now．《◎文法 6.1(1)》)．

4〖しばしば only ~〗ようやく，かろうじて(barely)‖ *just* in tíme あわやという[危ない]ところで；やっと間に合って / I (only) *jùst* cáught the bus．なんとかバスに間に合った(=I almost missed …) / It's *just* 3 o'clock．3時になったばかりで，まだ3時です《◆ ✓「きっかり3時です」は It's *exactly* 3 o'clock》．

Ⅲ [強調]
5《略式》〖強調〗まったく，本当に，断然，[just ... not] とても(…しない[できない])《◆ 全否定》‖ The piano performance was *just* superb! ピアノ演奏は本当にすごかった / I *just* can't wait. とても待ってなどいられない(→ **2 a**)．

6〖疑問詞を強めて〗いったい《◆ いらだちを暗示》‖ *Just whý* did you do such a foolish thing? いったいどうしてそんなばかげたことをしたんだい《◆ 強めて *Just exactly why* … ともいう》．

7《略式》〖否定疑問文の反語で；皮肉的に〗とても，大変，いかにも，実際‖ Isn't it *just*!(↘)《英略式》いかにもその通りだ．《対話》"How angry would he be?" "Wouldn't he *just*!(↘)"「(そんなことになったら)彼はどんなに怒ることでしょう?」「怒るの怒らないのって，大変だよ」《◆ 疑問符・感嘆符のつかないこともある》．

It is just as well (that) ... → well[1] 厖

jùst abóut《略式》**(1)**〖数詞・形容詞・過去分詞の前で〗だいたい，ほぼ(approximately)；まずどうやら(barely)．**(2)**〖強意語として；名詞・動詞・形容詞の前で〗まったく，まさに〖控え目に言って逆に意味を強める〗‖ We've「hád jùst abóut [jùst abóut hàd] enóugh of her stupidity．まったく彼女の愚かさにはうんざりしたよ．

*****Júst a mínute** [**sécond**, **móment**]．**(1)** ちょっとお待ちください．**(2)** [相手の発言をさえぎって]ちょっと待ってください《対話》"From this evidence, we will have to consider John to be guilty." "*Just a minute* [*second*, *moment*], please. We have another piece of evidence proving that John is not guilty."「この証拠からすると我々はジョンを有罪と考えざるをえないだろう」「ちょっと待ってください．我々にはジョンが有罪でないという別の証拠があります」．

just as (1) → 副 **1**．**(2)** ちょうど…している[しようとしている]時に《◆ 節内はしばしば進行形．⇒文法 5.1》‖ *Just as* I was leaving home, the phone rang．ちょうど家を出ようとする時に電話が鳴った / The train left *just as* we arrived at the platform. 私たちがプラットホームに着くと同時に電車が出てしまった．

jùst like thát (1) 簡単に，無造作に，(説明・警告なしに)突然．**(2)**《米略式》[前言を受けて](言うことは)ただそれだけなんだ．

jùst nów (1) [過去形と共に] 今しがた, ついさっき(→ have 動 1). (2) [現在進行形と共に] ちょうど今; [現在形と共に] (先のことはわからないが)今のところは; (3) [未来について] もうすぐに; [命令形で] 今すぐ.

[語法] 時に現在完了形と共に用いられることがあるが, 確立した用法ではないので避けた方がよい.

jùst òn (英略式) [後に数字を伴って] ちょうど, まさに, きっかりに; ほぼ ‖ It's *just* on eight o'clock. (今)8時ジャストだ.

jùst só (1) (英やや古) まったくそのとおり, はい(yes) (◆ quite so ともいう). (2) (略式) よく片付いた, 申し分のない; 親密な ‖ keep one's house *just* so 自分の家をきちんとしておく. (3) (略式) [接続詞的に]もし…ならば; …しきえすれば. (4) 注意深く.

—形 (more ~, most ~; ~·er, ~·est) **1** (人·行為·判断などが)(…に対して)**公正な**(fair), 公平な (to); (生活などが)高潔な, (神の)義にかなった(↔unjust) ‖ The doctor was *just* in his dealings with his patient. その医者は自分の患者に対する処置が正しかった / be *just* to [of] one's promise 約束を(正しく)守る / *the just* 公正な人々.

2 (意見·疑念·怒りなどが)もっともな, 十分根拠のある, 基準にかなった ‖ a *just* mark 妥当な評価 / *just* criticism 筋の通った批評.

3 (正式)(賞罰·報酬などが)当然の, 相応の(deserved); 合法の(lawful) ‖ a *just* claim to the throne 王位につく正当な権利 / It is only *just* that you should be rewarded for your work. 君が仕事の報酬を受け取るのはまったく当然のことだ(→ should 動 9 a).

4 (話·測定·課税などが)正確な; 真実[本当]の ‖ a *just* picture of the incidents その出来事の事実に合致した描写.

†**jus·tice** /dʒʌ́stis/ [→ just]
—名 (複 ~s/-iz/) **1 a** Ｕ 裁判, 司法; 訴訟手続 ‖ a cóurt of jústice 法廷 / The criminal was finally bròught to jústice. (正式) 犯人はついに裁判にかけられた.
b [J~; 肩書として] Ｃ 裁判官, 判事 (◆ (米)では州最高裁判所の判事をいう; 治安判事;(英) 最高法院判事 ‖ a Justice of the Peace 治安判事 (無給で微罪の判決を担当) (略) JP) / the Chief Justice 裁判長; (米) 最高裁判所長官 / 「Mr. Justice [Lord Justice] Thatcher サッチャー判事殿〔(英)閣下〕.

2 a Ｕ 公平, 公正; 正義 (↔ injustice) ‖ *in* jústice *to* him 彼を公平に評すれば(=to do him justice) (→ 成句) / treat all men *with* jústice 万人を公平に扱う / appeal to her ardent sense of jústice 彼女の燃えるような正義感に訴える. **b** [J~] Ｕ 正義の女神.

3 a Ｕ 正当性, 合法[有効]性; 道理 ‖ the jústice of the general strike ゼネストの正当性 / There's much jústice in her accusation. 彼女の告訴には無理からぬ点が多い / He complained *with* jústice of the noisy parts next door. となりの騒がしいパーティーについて彼が不平を言うのはもっともだった.
b Ｕ (当然の)報い, 賞罰; 処罰.

dò jústice to A=**dò A jústice** (1) (人·物を)公平[公正]に扱う[評価する]; …の長所を認める. (2) (物が·人を)よく表している ‖ No picture can do *justice* to the scene. その景色の(美しさ)は絵にも表せない. (3) (食事を)賞味する, 十分に楽しむ.

dò onesélf jústice=**dò jústice to** onesélf 自分の能力[本領, 良さ]を十分に発揮する; 自分を公平に見る.

†**jus·ti·fi·a·ble** /dʒʌ́stəfàiəbl, ⌐⌐⌐́⌐⌐/ 形 (法律的·道徳的に) 正当と認められる, 弁明[弁護]できる(↔ unjustifiable) ‖ justifiable homicide 正当殺人 / justifiable (self-)defense 正当防衛.

jús·ti·fi·a·bly /-bli/ 副 正当に; 当然に; [文全体を修飾] 当を得たことには.

†**jus·ti·fi·ca·tion** /dʒʌ̀stəfikéiʃən/ 名 Ｕ **1** 正当化(する[される]こと); 正当とする証拠[事実]; [...に対する] 弁明(の理由) [for] ‖ *in* justificátion *of* [for] ... …を擁護[正当化]して / There is no justificátion in [for] accusing her. 彼女を非難する正当な理由は何もない. **2** [印刷] 行末ぞろえ.

jus·ti·fied /dʒʌ́stəfàid/ 形 **1** 納得のいく, 理にかなった. **2** [印刷] 行をそろえた ‖ right [left] justified 右 [左] (行端)をそろえた.

†**jus·ti·fy** /dʒʌ́stəfài/ 動 他 **1** (正式)(人·事が)(人·行為·陳述などを)(人に対して)道理にかなっていることを示す[説明する], 弁明[証明]する (to); (事が)(人の)(...を/...するのを)正当化する [in/in doing]; (物·事が)...の根拠となる; [~ oneself] 自己弁護する; 自分の行為を正当化する ‖ She is jústified (in) protésting against it. 彼女がそれに抵抗するのももっともである / Nothing can justify her in her treatment of the people. どんな理由があっても彼女のみんなに対する対応は正当だとはいえない. **2** [印刷] (行の)行末 [右端]をそろえる. ―自 [法律] (行為に対して)満足な理由を示す; 保証人の資格を得る.

†**just·ly** /dʒʌ́stli/ 副 **1** 正しく, 公正[公平]に; 正当 [妥当]に; 正確に; まさに, ちょうど. **2** [文全体を修飾] 当然のことながら (❺文法 18.1(4)) ‖ He is justly regarded as a great poet. 彼が偉大な詩人といわれるのも当然である.

†**jut** /dʒʌ́t/ 動 (過去·過分 jut·ted/-id/; jut·ting) 自 [...に/...の上に]突き出る, 張り出す(+*out, forth*) [*into/over*]. **2** 突起, 突出, 突端.

jute /dʒúːt/ 名 Ｕ [植] ツナソ, ジュート, 黄麻(おう); その繊維(帆布·袋·ロープなどの材料).

Jute /dʒúːt/ 名 Ｃ ジュート人; [the ~s] ジュート族 (5世紀に Angles, Saxons と共に英国に侵入し Kent に定住したゲルマン民族の一部族).

juv. (略) juvenile.

ju·ve·nes·cence /dʒùːvənésns/ 名 Ｕ **1** 若さ, 未熟. **2** 青春 (youth). **3** 若返り.

†**ju·ve·nile** /dʒúːvənàil, -vənəl/ 形 **1** [主に法律] 若い, 若々しい; (10-15歳の)少年の, 少女の(◆ young, youthful の法律用語). **2** 青年[子供] 特有の; 未熟な ‖ juvenile behavior 子供じみた行動. **3** 少年[少女]向きの ‖ juvenile books 児童向きの本.
—名 Ｃ **1** (正式) 少年, 少女, 青少年. **2** 児童向き図書. **3** [演劇] 子役.

jùvenile corréctive institútion 少年院, 少年鑑別所((米俗) juvie, juvey).
júvenile còurt 少年裁判所.
júvenile delínquency 少年犯罪[非行].
júvenile delínquent 非行少年[少女].

jux·ta·pose /dʒʌ́kstəpòuz/ ⌐⌐⌐́⌐⌐/ 動 他 (正式) (対照比較のために)…を並列[並置]する.

jux·ta·po·si·tion /dʒʌ̀kstəpəzíʃən/ 名 ＵＣ (正式) 並列, 並置.

JV (略) junior varsity.

K

:k, K /kéi/ 名 (復 k's, ks; K's, Ks/-z/) **1** C 英語アルファベット第11字. **2** → a, A 2. **3** C 第11番目(のもの).

k 略 kilo ‖ $1,000k 100万ドル.

K 略 〔物理・化学〕kelvin; 〔化学〕potassium; 略 〔チェス〕king.

k., K 略 karat.

Kaa·ba /ká:ba/ 名 〔the ~〕カーバ神殿《Mecca にある立方形の建物でイスラム教徒が最も神聖視する神殿》.

ka·bob /kəbɑ́b | -bɔ́b/ 名 〔米〕〔しばしば ~s〕ケバブ, カバブ〔英〕 kebob, kebab)《トルコの野菜と肉の串焼き料理. cf. shish kabob》.

ka·bu·ki /kæftɑ́n/ 〔日本〕名 C 歌舞伎.

Ka·bul /ká:bul | ká:bl/ 名 カブール《アフガニスタン共和国の首都》.

Kaf·(f)ir /kǽfər/ 名 **1** C カフィル人《南アフリカ Bantu 族の一族》; 〔南〕アフリカ黒人. **2** U カフィル語.

Kaf·ka /ká:fkə | kǽf-/ 名 カフカ《Franz ~ 1883–1924; チェコの小説家》.

kaf·tan /kæftǽn | -tæn/ 名 =caftan.

kai·ser /káizər/ 名 **1** 〔しばしば K~; the ~〕カイゼル《ドイツ皇帝・オーストリア皇帝・神聖ローマ皇帝の称号》. **2** C 皇帝 (emperor).

kale, kail /kéil/ 名 U ケール, チリメンキャベツ《結球しない》; 〔スコット〕ケール(また他の野菜)のスープ.

ka·lei·do·scope /kəláidəskòup/ 名 **1** C 万華(ばん)鏡. **2** 〔通例 a ~〕絶えず変化する形《模様, もの, 場面, 出来事》.

ka·lei·do·scop·ic, ~·i·cal /kəlàidəskɑ́pik(l) | -skɔ́p-/ 形 万華鏡の; 絶えず変化する.

ka·li·um /kéiliəm/ 名 U〔化学〕=potassium.

Kam·chat·ka /kæmtʃǽtkə | -tʃǽt-/ 名 〔the ~〕カムチャツカ半島.

ka·mi·ka·ze /kɑ̀:miká:zi | kæ̀mi-/ 〔日本〕名 C 形 神風特攻隊員〔機〕(のような), 無謀な ‖ a kamikaze taxi 神風タクシー.

Kam·pa·la /kɑ:mpɑ́:lɑ: | kæmpɑ́:lə/ 名 カンパラ《ウガンダの首都》.

Ka·nak·a /kənǽkə, kənəkɑ́:/ 名 C カナカ人《ハワイおよび南洋諸島の先住民》.

†kan·ga·roo /kæ̀ŋgərúː/ 名 (復 ~s, 〔集合名詞〕**kan·ga·roo**) C 〔動〕カンガルー.

kangaróo cóurt 〔略式〕人民裁判, つるしあげ.

Kan(s). 略 Kansas.

Kan·sas /kǽnzəs/ 名 カンザス《米国中部の州. 州都 Topeka. 愛称 the Sunflower State. 略 Kans., Kan., 〔郵便〕 KS》.

†Kant /kǽnt, 〔米+〕kɑ́:nt/ 名 カント《Immanuel ~ 1724–1804; ドイツの哲学者》.

Kant·i·an /kǽntiən, 〔米+〕kɑ́:nt-/ 形 カント(哲学)の. ── 名 C カント哲学者[信奉者].

Kánt·i·an·ism 名 U カント哲学.

ka·o·lin(e) /kéiəlin/ 名 U **1** 高陵土, 白陶土《陶器や薬の原料》. **2** 〔鉱物〕カオリン.

ka·pok /kéipɑk | -pɔk/ 名 U カポック《パンヤの木の種子を包む綿》.

kápok trèe 〔植〕カポック, パンヤノキ.

kap·pa /kǽpə/ 名 U C カッパ《ギリシアアルファベットの第10字 (κ, Κ). 英字の k, K に相当. → Greek alphabet》.

ka·put /kɑ:pút, -pú:t | kəpút/ 〔ドイツ〕形〔略式〕**1** おしまいで; 打ちのめされて; もはや役に立たない, 壊れた. **2** 流行遅れの; 旧式の.

Ka·ra·chi /kərɑ́:tʃi/ 名 カラチ《パキスタン南部の都市》.

Ka·ra·jan /kǽrəjən, ká:rəjàn | -jà:n/ 名 カラヤン《Herbert von ~ 1908–89; オーストリアの指揮者》.

ka·ra·o·ke /kærióuki/ 〔日本〕名 U **1** カラオケ(で歌うこと) ‖ karaoke night 《バーなどで》カラオケのできる(特定の曜日の)夜. **2** C カラオケ装置.

kar·at /kærət/ 名 C 〔米〕カラット (carat)《純金含有度の単位. 略 k., kt.》 ‖ Is this 18 karat gold? これは18金ですか.

ka·ra·te /kərɑ́:ti/ 〔日本〕名 U 空手(からて).

kar·ma /kɑ́:rmə/ 名 U **1** 〔ヒンドゥー教・仏教〕因果応報, 行為, 業(ごう), カルマ. **2** 宿命; 〔神学〕宿命論.

karst /kɑ́:rst/ 名 C 〔地質〕カルスト地形.

kart /kɑ́:rt/ 名 C 〔娯楽用〕ゴーカート (Go Kart).

kárt·ing 名 U ゴーカート競走.

Kash·mir /kǽʃmiər | kæʃmíə/ 名 カシミール《インド北西部の地方》.

Kate /kéit/ 名 ケイト《女の名. Catherine, Katharine の愛称》.

Kath·a·rine, Kath·e·rine /kǽθərin/, **Kath·a·ri·na** /kæ̀θəríːnə/, **Kath·ryn** /kǽθərin/ 名 キャサリン, キャサリーナ, キャスリン《女の名. 《愛称》 Kate, Kitty》.

kay·ak /káiæk/ 名 C カヤック《イヌイットの皮張りのカヌー》; カヤックに似たスポーツ用の小舟.

Ka·zakh(h) /kəzɑ́:k | kæ-/ 名 **1** 〔the ~s〕カザフ族《主にカザフスタンに住むチュルク系の民族》; C カザフ族の人. **2** U カザフ語.

Ka·zakh·stan /kɑ̀:zɑ:kstɑ́:n | kæ̀zæk-/ 名 カザフスタン《中央アジアの国. 首都 Astana》.

KB 記号〔コンピュータ〕kilobyte.

KC 略 King's Counsel.

kcal 記号 kilocalorie.

Keats /kíːts/ 名 キーツ《John ~ 1795–1821; 英国の詩人》.

†keel /kíːl/ 名 C 〔海事〕竜骨 ‖ lay down the keel 竜骨をすえる, 船を起工する. **on an éven kéel** 〔海事〕《船が》安定して. ──動 他《船》をひっくり返す(+over); 〔略式〕《人》を倒す(+over). ──自《船が》ひっくり返る; 〔略式〕《人》が倒れる.

†keen /kíːn/ 形 **1** 《主に英略式》《人が》〔…に〕熱心な〔on〕(◆ NE は名詞の前でのみ用いる); 〔…を…することを〕熱望して〔about, on, for / that節〕〔…したく〕思って〔to do〕; 《人が》〔…に〕のぼせて, 熱中して〔on〕. **2** 《感覚・知力などが》鋭敏な; 〔…に〕敏感な〔of〕‖ have a keen awareness of the problem 鋭い問題意識を持っている / have a keen eye for the truth 真理を見抜く目がある. **3** 〔正式〕《寒さ・風など

keenly / keep

が身を切る[肌を刺す]ような；〈においが〉つんとくる；〈光・音などが〉強烈な；〈言葉などが〉辛辣(%)な；〈競争・欲望などが〉激しい．**4** 〔正式〕〈刃(%)物〉などが〉鋭い，よく切れる(sharp)．(↔ dull, blunt) ‖ The knife has a *keen* blade. そのナイフはよく切れる．

kéen・ness 名 U 熱心．

†**keen・ly** /kíːnli/ 副 **1** 鋭く，鋭敏に；強烈に；しみじみと；熱心に；きびしく；抜け目なく．**2** 〔英〕格安に．

:keep /kíːp/ 派 keeper (名)

index
動 **1** 持ち続ける，自分のものとする **2** 養う **3** 常時備えている **4** 経営する **5** 守る **6** 保存する **7** しておく **8** 続ける **9** つける **10** 留置する **11** させない
自 **1** ずっと…のままである **3** もつ **4** 差し控える

―― 動 (~s/-s/;〔過去・過分〕kept/képt/; ~・ing)
―― 他

I [長期間ものを持ち続ける]

1 〈人が〉〈物〉を[…に](長期間)**持ち続ける**，置いておく [*in*, *on*]；…を自分のものとする《◆場所の副詞(句)を伴う》 ‖ *keep* one's books [in the desk [on the shelf] 自分の本を机に入れて[本棚に置いて]いる / *keep* stamps about [around] 切手を切らさずに手もとに置いておく / You can *keep* it. それは返さなくていいよ；それはいらない．

2 〈人が〉〈家族など〉を**養う**(support)；召使い・庭師などを雇う；〈下宿人〉を置く；〈家畜〉を[場所で]飼う，飼育する[*in*] ‖ I have a wife and four children to *keep*. 私には妻と子供4人の扶養家族がいる《◆ ... to support [take care of]. がふつう》 / I do not have pets because they are too much trouble to *keep*. 私はペットを飼っていません．飼うには手間がかかりすぎるので《◆ keep はえさをやったりふんの後始末をするなどの世話を含意する》．

3 〈店・人が〉〈商品〉を**常時備えている**[売っている] ‖ We *keep* all kinds of cat food. 当店にはあらゆる種類のキャットフードを置いています．

4 〈人が〉〈店・ホテル・学校など〉を**経営する**，管理する；〈家事・事業など〉を切り回す，営む(run, manage) ‖ Her mother *keeps* a flower shop. 彼女のお母さんは花屋をしています．

5 〈人が〉〈約束・秘密など〉を**守る**(observe)；〈法律・条約・慣例など〉に従う；〈祝日・誕生日など〉を祝う；〈儀式・祭りなど〉を行なう；〈集会・市など〉を開く，催す ‖ He *kept* his *promise* [word]. 彼は約束を守った．

II [短期間ものを持ち続ける]

6 …を[…のために]**保存[保管]する**(+*out*) [*for*]；…を預けておく ‖ *keep* the wine out [for her [for another day] 彼女の[別の日]のためにワインを取っておく / Will you *keep* my belongings for me during the game? 試合の間私の荷物を預かってくださいませんか．

III [状態を持ち続ける]

7 [keep A C] 〈人が〉A〈人・物・事〉をC **にしておく，保つ**《◆ C は形容詞・形容動詞，動詞の ing 形・過去分詞など》 ‖ *keep* the room neat and tidy 部屋をきれいに整頓(%)しておく / *keep* the dog tied to the gate 犬を門につないでおく《◆ A にとって C が受身の意味(the dog is tied)のときは，C は過去分詞》 / *keep* a car in good condition 車を整備しておく / I'm sorry to have *kept* you waiting

this long. こんなに長い間お待たせしてすいません．

8 a 〈人などが〉〈ある状態・動作〉を**続ける**，維持する ‖ *keep* silence 沈黙を守る / *keep* guard [watch] 見張る / *keep* order [peace] 秩序[平和]を維持する / *keep* one's cóuntenance すまし顔をしている / *keep* a safe distance 安全距離を保つ．**b** [~ one's way] 進み続ける．

9 〈人が〉〈日記・帳簿・記録など〉を(継続的に)**つける** ‖ *kéep* a díary 日記をつける《◆(1) keep one's diary は「日記を保存をつける」の意(→文法 15.2(2))．(2) 1回の「つける」行為は write in one's diary》．

10 〈人〉を[…の状態に]**留置する**，引き止める[*in*] ‖ *keep* a patient in quarantine 病人を隔離する / His son *was kept* hostage [as a hostage]. 彼の息子は人質に取られた．

11 a [keep A from B] 〈人・物・事が〉A〈人・物〉にB〈動作〉を**させない**；〈人が〉A〈人・事〉を B〈人〉から隠す；〔正式〕〈人が〉A〈人・物〉を B〈害など〉から守る；[keep A from doing] 〈人〉A〈人〉に…させないようにする ‖ In the art museum, there are guards to *keep* people *from* touching the paintings. 美術館では人々が絵画に手を触れないように警備員がいる / Cold weather *keeps* many plants *from* blooming. 寒い天候のために多くの植物が開花できない / The fact should *be kept from* her. その事実は彼女に知らせてはいけない / (May) God *keep* you (*from* harm)! 神かお守りくださいますように．お大事に．**b** 〈人・町・城など〉を[敵に対して]防衛する [*against*].

12 [部屋などに]引きこもる；〈席・ベッドなど〉にとどまる．

―― 自 **1** [keep C] 〈人・物・事が〉**ずっと C のままである**；[keep on doing] …を繰り返し続ける；…し続ける《◆進行形不可》 ‖ *Keep* quiet! 人にしゃべらないでください；内密にお願いします《◆「静かにしなさい」はふつう Be quiet!》 / The phone *kept* (*on*) ring*ing*. 電話のベルは鳴り続けた / The boxer ignored the referee's warnings and *kept on* butt*ing* me. 相手のボクサーはレフェリーの警告を無視してバッティングを繰り返した．

> **語法** (1) しばしば人を励ます文脈で用いる： *Keep* (*on*) work*ing* just a little longer. もうちょっと仕事を続けなさい．
> (2) keep (on) doing は「自分の意志で…し続ける」，「自分の意志ではどうにもならない生理現象で…し続ける」(I *kept* (*on*) cough*ing* ...)ことをいうのに用いる．次のような場合，どちらにも当てはまらないので keep (on) doing を用いるのは不適： I had to stand [*keep (*on*) stand*ing*] all the way from Tokyo to Osaka. 東京から大阪まで立ち続けた．

2 […を]離れない[*to*]；[…に]とどまる[*in*] ‖ *keep* to [in] the house 家にとどまる / *keep* (*to the*) *left* 左側通行する．

3 〔略式〕〈物〉が(腐らないで)**もつ**《◆進行形不可》，よい天気が続く；〈秘密・情報などが〉もれない，保たれる；〈ニュース・仕事などが〉あとに延ばせる，待てる ‖ 〘対話〙 "How long will this fish *keep*?" "H'm, I don't think it'll *keep* overnight in this heat." 「この魚はどれくらいもつかな」「うーん，この暑さじゃ明日までもたないな」．

4 [keep from A / keep from doing] 〈人が〉〈酒・タバコなど〉を**差し控える**，慎む，…しないでいる ‖ I could hardly *keep from* lik*ing* him. 彼を好きにならずにいられなかった．

kéep áfter A (1) 《略式》〈人〉をしかる;〈人〉に[…するように]しつこく言う[*to* do]. (2) 『追っている(**after** 前4)状態を保つ』〈人〉を追い回す;〈物・事〉に固執する.

kéep A apárt from B A を B から離して[隔離して]おく.

kéep at A [自+]『仕事をしている(**at** 前8)状態を保つ』〈仕事などを〉続けている[熱心にする]; =KEEP after (1). ━[他][~ **A at B**]『人(A)を仕事(B)をしている(**at** 前8)状態に保つ』A〈人〉に B〈仕事・研究など〉を続けさせる.

Kéep át it! 《略式》がんばれ!, 根気よくやれ!

*****kéep awáy** [自]〔…に〕近づかない,〈酒などを〉避ける[*from*]‖ Children should *keep away from* the pond. 子供は池に近づかないように. ━[他]〈人・物を〉[…から]遠ざけておく[*from*]‖ You should *keep* your child *away from* the medicine box. =You should *keep* the medicine box *away from* your child. 薬箱を子供の手の届かない所に置きなさい.

kéep báck [自] =KEEP away. ━[他](1)〈人・動物などを〉制止する;〈物を〉遠ざけておく, 近寄らせない;〈人〉の進歩を遅らせる‖ I *kept* him *back* from his work 彼を引き止めて仕事の邪魔をする. (2)〈物を〉しまって[取って]おく;〈情報・事実など〉を隠す;〈涙・感情などを〉抑える.

kéep dówn [自](1) しゃがんで[ふせて]いる. (2)〈風などが〉弱まる. ━[他](1)〈人・怒り・風などを〉抑圧[鎮圧]する, 抑制する, 弱める. (2)〈頭・声・腕などを〉低くする. (3)〈人〉の進歩を妨げる‖ *You can't keep a good man down.*(ことわざ)才能ある人が伸びるのを抑えることはできない《必ず頭角を現すものだ》. (4)〔通例否定文で〕〈飲食物・薬など〉を吐かないでいる.

Kéep góing! (競走している人に)頑張れ!(Stick to it!).

kéep A góing 〖人を進んでいる状態(going)に保つ〗《略式》〈人〉の命を持ちこたえさせる;〈人〉に活動を続けさせる‖ What *keeps* you *going*? あなたの生きがいは何ですか.

kéep ín [自] 〖火が燃えている状態(**in** 副7)のままである〗〈火・ストーブが〉燃え続ける. ━[他] 〖中に閉じこめておく〗(1)〈人〉を閉じこめる. (2)〈感情などを〉抑制する. ━[自+][~ *ín* A]〈人・動物が〉〈家・穴など〉に閉じこもる, 隠れる.

kéep A ín B (1)〈人〉を B の状態でいさせる‖ *Keep* your body *in* good condition before the exam. 試験の前は体調を整えておくように《◆Watch your health 〜 の方が自然》. (2)〈人〉に B〈物〉を供給し続ける. (3)→[他]1.

kéep ín with A 〖人と仲間内の状態に(**in** 副2)保つ〗《略式》〈人〉に仲よくやる.

kéep it úp 《略式》たゆまず努力する, どしどしやる.

kéep óff [自](1)〈雨・雪などが〉降らない. (2)[…に]近寄らない, 離れている[*from*]. ━[他](1)[~ **A off B**]〈人・手などを〉〈物・人などに〉触れさせない, 近づけないでおく‖ *keep* a child *off* the rose-bed 子供をバラの花壇に近づけない. (2)[~ **A off B**]〈人〉に〈食・食物などを〉口にさせない. (3)[~ **A off B**][しばしば否定文で]A〈目・心など〉を B〈物・人など〉からそらす. (4)〈敵・危険などを〉近づけない, 寄せつけない(keep away). (5) …のスイッチを切っておく, …を消したままにしておく(⇔ keep on [他](4)). ━[自+][~ *óff* **A**](1) …の(上)に行かない[乗らない, など] (cf. keep out) ‖ *Keep off the grass.* (掲示)芝生立入禁止. (2)〈話題などに〉触れないでいる‖ *keep off* the religious issue 宗教問題を避ける. (3)〈酒・食物などを〉慎む, 控える.

kéep ón [自] ━[自]1. (2)[…に向かって]前進を続ける[*toward*]; (困難でも)やり通す;[考え・努力などを]そのまま続ける(*with*). ━[他](1)〈服・靴下・帽子などを〉身につけたままでいる. (2)〈人〉を雇い続ける;〈人〉に[仕事などを]続けさせる[*at*]. (3)〈家・別荘などを〉(手放さないで)ずっと借りる. (4) 〖スイッチや器具を接続状態(**on** 副4)に保つ〗 …のスイッチを入れたり, …をつけっぱなしにしておく (⇔ keep off [他](5)).

kéep (*oneself*) **to** *onesélf* 《略式》人と交際しない, ひとりでいる《◆ be unsocial の遠回し表現》.

kéep óut [自] 中に入らない‖ *Keep out!* (掲示)立入禁止. ━[他] 〖外に(**out** 副)とどめておく(keep 他7)〗 ━[他]6. (2)〈人を中に入れない;〈事案・製品などを〉排斥する, 締め出す‖ This ski wear *keeps out* the cold wind. このスキーウエアは冷たい風を通しません.

kéep óut of A …に近づかない, …の(中)に入らない《◆ keep off は芝生など平面の場所に近づかないこと》; …に加わらない, 干渉しない; …を避ける‖ *Keep 'out of* [*×off*] *this* room. この部屋に入ってはいけません.

kéep A óut of B A〈人・動物〉を B〈物・事〉に寄せつけない, 入らせない, 加わらせない, 関係させない; A〈名前など〉を B〈物・事〉に出ないようにする‖ *Keep* this and all medicines *out of* the reach of children. 本薬品およびあらゆる薬を子供の手の届かない所に置いてください.

kéep to A (1)〈計画・規則・約束などに〉従う, …を固守する《◆受身可》‖ This timetable should be strictly *kept to*. この時刻表は厳密に守られねばならない. (2)〈話題・要点などから〉脱線しない《◆受身可》.

*****kéep A to** *onesélf* 〈考え・ニュースなどを〉人に話さないでおく, 秘密にする;〈物〉を占有[独占]する‖ I'll *keep* the secret *to myself* until death. 死ぬまでその秘密は口外しないぞ(=I will never let others know the secret.).

kéep únder [自] (体などを)水面[表面]下に保つ. ━[他](1)〈感情などを〉抑える;〈火事・暴動などを〉鎮圧する;〈人を〉(無意識の状態に)保つ;〈人を〉抑圧する‖ The patient was *kept under* with morphine injections. 患者はモルヒネ注射によって無縁の状態になった. (2)[~ **A únder B**]〈人・物を〉…の状態におく‖ I was *kept under* arrest for a week. 私は1週間拘留された.

*****kéep úp** [自](1)〈人が〉(水中に)沈まないでいる;〈値段などが〉高いままである;(…を)維持する[*to*]. (2)[人・国際情勢・勉強・流行などに](遅れないで)ついていく[*with*]《◆ catch up with は「追いつく」という動作を示す》‖ Our English textbook is so difficult that I can't *keep up with* the rest of the class. 英語の教科書が難しすぎて私はクラスのみんなについていけない. (3) a)《略式》〈元気などが〉衰えない, くじけない;〈天候などが〉くずれない, 吹き[降り, 鳴り]続く. b)〈人が〉〈不幸・病気などに〉屈せずかんばる[*under*]. (4)[人と]連絡[音信, 接触]を続ける[*with*]. ━[他](1) …を維持[保持]する, 続ける‖ *keep up* appearances 見栄を張る. (2)《略式》〈車・家などの〉手入れをする, …を整備[管理]する《◆服などの手入れには用いない》.

kéep (*úp*) **with A**(1)〈人について行く〉; …と交際する (cf. keep up [自](4)). (2)〈研究などを〉やり続

kéep with it 頑張り抜く(stick with it).
――[名]U (略式)生活の糧,生活費;生計[家計]費 ‖ earn one's *keep* 生活費をかせぐ.
for kéeps (略式) (1) 勝ったら返さないということで;本気で ‖ play marbles *for keeps* 本気でおはじきをする. (2) 永久に. (3) きっぱりと,決定[最終]的に.

†**keep·er** /kíːpər/ [名]C **1** [通例修飾語を伴って] (人の)保護者,後見人;(刑務所などの)監視員,看守;森林警備員;(動物などの)飼育者 ‖ I am a zoo *keeper*. 私は動物園の飼育係です. **2** [しばしば複合語で] (宿屋・店などの)経営者;(貴品品・美術品の)管理者;(博物館などの)館長. **3 a** (略式) [サッカー・ホッケー] ゴールキーパー;[クリケット] ウィケットキーパー. **b** (タイムの)記録係.

†**keep·ing** /kíːpɪŋ/ [名]U **1** 保持,保有,維持;(将来のための)保存,貯蔵;保管,管理 ‖ documents in the *keeping* of my lawyer = documents in my lawyer's *keeping* 私の顧問弁護士の手許にある書類. **2** (子供の)扶養,世話;(動物の)飼育,食物,飼料. **3** (正式) (…との)調和,一致[*with*] ‖ a speaking style (that is) *in* [*out of*] *keeping with* one's ideas 人の信念と一致した[不調和な]話しぶり.

keep·sake /kíːpseɪk/ [名]C (ふつう小さな)形見.

Kel·ler /kélər/ [名] ケラー《**Helen** (**Adams**) ~ 1880-1968;米国の著述家・講演者. 三重苦(盲聾啞(あう))を克服して社会運動に尽くした》.

ke·loid /kíːlɔɪd/ [名] [医学] ケロイド.
ke·loid·al /kíːlɔɪdl/ [形] ケロイド(状)の.

kelp /kélp/ [名]U [植] (大型褐色の)海藻《コンブ・アラメなど》;海藻灰《欧米では良い肥料》.

Kelt /kélt/ [名] =Celt. **Kélt·ic** [形][名] =Celtic.

kel·vin /kélvɪn/ [名] [時に K~] C [物理・化学] ケルビン《熱力学温度の SI 基本単位なで. (記号) K》.
Kélvin scàle ケルビン[絶対温度]目盛り.

†**ken** /kén/ [名]U (やや古) 知識(の範囲);認知,理解《次の句で》 ‖ This is beyond [outside, not within] my *ken*. それは私には理解のできない.

Ken. (略) Kentucky.

Ken·ne·dy /kénədi/ [名] ケネディ《**John F.** [**Fitzgerald**] ~ 1917-63;米国の第35代大統領(1961-63). Texas 州 Dallas で暗殺された》.
Kénnedy (**Internátional**) **Áirport** ケネディ空港《New York 市にある》.

†**ken·nel** /kénl/ [名] **1** 犬小屋《主に米》 dog-house). **2** [しばしば ~s;単数や複数扱い] (犬を飼育する)犬舎;ペット犬飼育所.

Ken·sing·ton /kénzɪŋtən/ [名] ケンジントン《London 西部の旧自治区. 現在は Kensington and Chelsea の一部》.

Kent /ként/ [名] ケント《イングランド南東部の州》.

Kent·ish /kéntɪʃ/ [形] ケント州[人]の. ――[名]U (古英語・中英語の)ケント方言.

Ken·tuck·i·an /kəntʌkiən | ken-/ [形][名]C Kentucky 州の(住民);Kentucky 生まれの(人).

†**Ken·tuck·y** /kəntʌki | ken-/ [名] ケンタッキー《米国中東部の州. 州都 Frankfort. (愛称)the Bluegrass [Corn-Cracker, Hemp] State. (略) Ky., Ken., (郵便) KY》.
Kentúcky Dérby ケンタッキーダービー《Kentucky 州 Louisville で開催される競馬. cf. Derby》.

Ken·ya /kénjə, kíːn-/ [名] ケニア《アフリカ東部の国. 首都 Nairobi》. **Kén·yan** [形][名]C ケニアの(住民).

Kep·ler /képlər/ [名] ケプラー《**Johannes** /jouhɑ́ːnəs/ ~ 1571-1630;ドイツの天文学者・物理学者・数学者》.

*__kept__ /képt/ [動] keep の過去形・過去分詞形.
――[形] (古) <女が> 囲われた ‖ a *kept* woman めかけ.

kerb /kə́ːrb/ [名] (英) =curb 1.
kerb·stone /kə́ːrbstòun/ [名] (英) =curbstone.

ker·chief /kə́ːrtʃɪf, -tʃiːf/ [名] (複) ~**s**, **-chieves** /-tʃɪvz/ C **1** (古) スカーフ《特に女性が頭にかぶるもの》;ネッカチーフ(neckerchief),えり巻き. **2** (詩・まれ) ハンカチ(handkerchief).

ker·fuf·fle /kərfʌ́fl/ [名]U (英略式) ばかさわぎ(fuss).

†**ker·nel** /kə́ːrnl/ [同音] colonel [名] **1** 仁(じん)《果実の核の中の部分》. **2** (麦などの)穀粒;(豆のさやの中の実)[種子] (図) → corn). **3** (正式) [通例 the ~] (問題・考え・陳述・計画などの)核心,要点.

ker·o·sene, -sine /kérəsìːn, ―/ [名]U (米・豪) 灯油;(英) paraffin.

ker·sey /kə́ːrzi/ [名]U **1** カージー織り《厚手の毛織物》. **2** [時に ~s] カージー製の服.

ketch /kétʃ/ [名]C **1** [海事] ケッチ《2本マストの小型帆船》. **2** (昔の)軍用ケッチ型帆船.

ketch·up /kétʃəp, kǽtʃ-/ [名]U ケチャップ.

***ket·tle** /kétl/ [名] ((つぼ)が原義)
――[名] (複) ~**s**/-z/ C やかん,湯沸し,なべ,かま《◆お茶用に使われるのは teakettle,「きゅうす」は teapot》 ‖ *put the kettle on* やかんを火にかける. **2** やかん 1杯(分).

ket·tle·drum /kétldrʌ̀m/ [名]C [音楽] ティンパニ(timpani).

Kew /kjúː/ [名] キュー《London 西部の郊外住宅地区》. **Kéw Gárdens** キューガーデン《Kew にある王立植物園》.

****key** /kíː/ [同音] quay
――[名] (複) ~**s**/-z/ C
I [具体物としてのかぎ]
1 (戸・車などの) かぎ《錠(じょう)・秘密・慎重などの象徴. 対応する「錠」は lock》;(形・機能の点で)かぎに似たもの ‖ *under lóck and kéy* 厳重に錠をおろして,保管[監禁]されて / the *key* to [*for*] this door この戸のかぎ《◆簡単には this door *key*》/ pùt the *kéy* in [into] the lock かぎを錠に差し込む / give him *the keys to the city* 彼を名誉市民にする.
II [抽象的なかぎ]
2 [通例 a/the ~] (問題・パズルなどの)手がかり,(解決の)かぎ[*to, for, of*];(成功などの)秘訣(ひけつ)[*to, for*];(問題集の解答集,とらの巻)[*to*];(辞書・地図などの)記号解,略語一覧;手引き ‖ hold the *key to* A A へのかぎを握る / This is [holds] *the key to* (solving) the whole mystery. これが謎のすべてを解くかぎだ[を握っている].
III [重要な人・もの]
3 [the ~] (ある地域への)要所,要地,関門;[…にとって]重要な人[物][*to*].
4 (正式) [形容詞的に] <人・地位・要素などが>重要な,必須の;<産業などが>主要[基幹]の;<音調などが>主な ‖ hold a *key* position in the government 政府の重要なポストを占める.
IV [機械の部品]
5 (機械装置の)ボルト,ナット,割りピン;(補強用)くさび栓(せん).
6 (ボルトを回す)スパナー,ねじ回し.
V [入力装置・音楽関係]
7 [音楽] (ピアノ・管楽器などの)キー,鍵(けん);(コンピュータ・タイプライターなどの)キー.

8〔音楽〕主(調)音 (keynote); (長短の)調; (声の)調子 ‖ The key of the symphony is G minor. その交響曲はト短調である.
──動 他 **1**…にかぎをかける; 〈機械・器具などに〉くさび[栓, ピン, ボルトなど]で締める(+in, on, together) ‖ key parts together with a wedge 部品をくさびでしっかりと固定する. **2 a** 〈楽器〉を[…に]調律[調整]する; 〈絵・色調などを〉[…に]整える[to]. **b** 〈言葉・行動などを〉[…に/…するように]合わせる[to / to do] ‖ The factory is keyed to produce men's wear. 工場は紳士服をもっぱら生産している. **3**〔コンピュータ〕〈データなどを〉[…に]打ち込む, 入力する(+in)[into].

kéy úp [他] (1)〔今はまれ〕〈楽器〉の調子を上げる. (2)〈要求・努力など〉を強める. (3)〈心の調子を上げる(up 副 **2 b**)→興奮させる〕〔略式〕[be ~ed / ~oneself]〈人が〉[…で]緊張[興奮]する[about, for, over]《◆ be 動詞の代わりに appear, look, get なども用いられる. cf. keyed-up》‖ The students were (all) keyed up over their impending examination. 生徒たちは差し迫った試験のことで緊張していた. (4)〈チーム・人などを〉[…に備えて/…まで/…するように]鼓舞する[for / to / to do]; 〈気分などを〉高める.

kéy industry 基幹産業.
kéy pèrson かぎとなる人物; 〔精神医学〕(発病のかぎとなった)かぎ人間.
kéy pùnch 〔米〕〔コンピュータ〕キーパンチ, 穿孔(せんこう)機.
kéy rìng かぎ輪, キーホルダー《◆ ×key holder とはいわない》.
kéy shòp [**stòre**] かぎ屋.
kéy signature〔音楽〕(♯, ♭による)調子記号, 調号.
kéy wòrd =keyword.
key·board /kíːbɔːrd/ 名 C (ピアノなどの)鍵(けん)盤(ホテルの)かぎを下げる板; (コンピュータなどの)キーボード; 〔略式〕[~s] 鍵盤楽器, キーボード(keyboard instrument). ── 動 他〈情報〉をキーをたたいて入力する. 〔印刷〕(植字機で)〈原稿〉を印字する.
keyed-up /kíːdʌ́p/ 形〔略式〕[…に]緊張した, 興奮した[about]〈cf. key up [他] (3) (key 動 成句)〉; 〔俗〕酔っ払った.
key·hole /kíːhòul/ 名 C かぎ穴.
Keynes /kéinz/ 名 ケインズ《**John Maynard** /méinərd/ ~ 1883-1946; 英国の経済学者》.
†key·note /kíːnòut/ 名 C **1**〔音楽〕主音. **2** (しばしば文) (演説などの)要旨, 主眼; 根本思想; (政策などの)基調, 基本方針. ── 動 他〔略式〕…の基本方針を発表する; (演説などで)…を強調する.
kéynote addrèss [**spéech**] 基調演説.
key·punch /kíːpʌ̀ntʃ/ 動 他〈カード〉にキーパンチで穴をあける《〈データ〉をカードに打ち込む.
kéy·pùnch·er /-ər/ 名 C キーパンチャー.
†key·stone /kíːstòun/ 名 C (通例 a/the ~) **1**〔建築〕(アーチ頂上の)かなめ石. **2** (議論・考え・信念などの)主旨, 根本原理; (組織の)中枢.
Kéystone Státe〔愛称〕[the ~] かなめ石の州(→Pennsylvania).
key·word /kíːwɜːrd/, **kéy wòrd** 名 C (解釈上の)かぎとなる語, キーワード; (発音表示などの説明用)例語; (索引などの)主要語; 〔コンピュータ〕〈データ検索時に入力する語〉.
kg〔記号〕kilogram(s).
KGB〔ロシア〕〔略〕Komitet Gosudarstvennoi Bezopasnosti 旧ソ連国家保安委員会.

kha·ki /kæki | kάːki/ 形 カーキ色の; カーキ色の布の; 〔略式〕(肌が)黄色い(はだ)の. ── 名 U カーキ色, カーキ色の布[巾]; [~s] カーキ色の制服[軍服].
†khan /kάːn, 〔米 +〕kǽn/ 名〔しばしば K~〕C **1** カーン, ハーン, 汗(かん)《イラン・アフガニスタンの統治者・重要人物の尊称》. **2**〔歴史〕カーン, ハーン, 汗《モンゴル・トルコの支配者の称号》.
Khar·toum, --tum /kɑːrtúːm/ 名 ハルツーム《スーダンの首都》.
Khmer /kméər, kə-/ 名 **1** [the ~(s)] クメール族[人]《カンボジアの主要民族》. **2** U クメール語.
kHz〔記号〕kilohertz.
kib·butz /kibúts/ 名〔ヘブライ〕(複 **--but·zim** /kíbutsiːm/, ~·es) C キブツ《イスラエルの集団農場》.
kibe /káib/ 名 C あかぎれ, しもやけ.

‡kick /kík/〖「足で打撃を与える」が本義. cf. strike〗
── 動 (~s/-s/; 過去·過分 ~ed/-t/; ~·ing)
── 他
I［ける］
1〈人・動物が〉〈人・物〉を(故意に)ける, けって〈穴など〉をつくる; 〈物〉を(うっかり)ける ‖ kick one's way through the crowd 人込みをけ散らすようにして進む / She kicked me in the shin with her boot. 彼女は私のすねをブーツでけった《◆She kicked me in the shin. は「私をけった」ことに, She kicked my shin. は「私のすねをけった」ことに焦点がある(→ catch 他 **1 c**)》/ In the darkness he kicked 「chairs with his legs [his legs against chairs]. 暗やみの中で彼は(何度も)いすに足をぶつけた.

II［けって…する］
2〈人が〉〈物・動物〉をけって動かす; …を追い出す[やめさせる](+out, off)《◆方向の副詞(句)を伴う》; [kick **A C**]〈物〉をけって**C**にする《◆**C**は形容詞(句)》‖ kick the ball out (off [of] the field) 球を(フィールドから)けり出す / kick the door open 戸をけり開ける / Tom kicked the ball to Bill. トムはボールをけってビルにパスした《◆ Tom kicked Bill the ball. ともいえる》.

III［スポーツの中でける］
3〈ラグビー・サッカーなど〉けり込んで〈得点〉を得る ‖ kick a goal [point] 1点を入れる《◆サッカーでは score a goal の方がふつう》.

IV［つき飛ばす］
4〈銃・弾丸などが〉発射の反動で〈体の部分・物〉をつき飛ばす(+up).
── 自
I［ける］
1 [kick (at **A**)] 〈人などが〉〈物などを〉めがけてける (+out, away); 足をけるように動かす; […に]ぶつかる[against] ‖ kick at the door 戸をけりつける《◆ 他 **1**, **2** と違って, 実際にけったかどうかは文脈によって決まる. 実際にけってもその効果がない場合にも用いる: He kicked at the door, but it did not open. けったがドアは開かなかった〈cf. He kicked (×at) the door open.〉》.

II［けるような激しい動作をする］
2〔略式〕[…に対して](言ってもむだだが)強く抗議する(protest)[against, at]; 〔米略式〕[…のことで]不平を言う(complain)[about] ‖ kick at having so much homework 宿題が多すぎると抗議する / kick about the poor meal 食事がまずいと文句を言う.

III［スポーツの中でける］

3〖ラグビー・サッカーなど〗球をけって得点する.
kíck abóut =KICK around.
kíck aróund (略式) [自] **1** [be ~ing]〈人・思想などが〉生きている. (2)〈物が〉散らばっている, 放ってある. —[他] (1)〈人・物を〉乱暴に扱う, こづき[けり]まわす. (2)〈考え・案などを〉あれこれ検討する. (3)〈人〉を利用する. —[自+] [~ around A] (略式) (1)〈場所〉をうろつきまわる, (目的もなく)旅行する;〈職〉を転々とする. (2)〈物などが〉〈場所〉に放ってある, ある.
kíck báck [自] (1)〈銃などが〉(発射の反動で)はね返る. (2) (略式)〈病気などが〉ぶり返す. (3)「…に]仕返しをする[at]. (4) (米略式) 休憩する, くつろぐ.
kíck ín [自] (俗) (1) 金を寄付する. (2) 死ぬ, くたばる. —[他] (1)〈戸など〉をけり破って入る; (俗)〈金〉を寄付する, 支払う.
kíck óff [自] (1)〖アメフト・サッカー〗試合を開始[再開]する; (略式)〈人が〉[…で]始める[with];〈会合などが〉始まる ‖ to kick off with (略式) まず第一に (for a kickoff) (→文法 11.3③). (2) (米俗) 出て行く, 去る;〈機械などが〉故障する,〈たばる(die). —[他] (1)〈人〉を追い出す. (2)〈靴など〉をけるようにして脱ぐ. (3) (略式)〈事業・会合などを〉始める; …を[…で]幕開けする[with]. (4) …に影響し始める.
kíck óut [他] (1) → ⤼ **2**. (2) (略式)〈人・考えなど〉を(無理に)追い出す;〈人〉を[…から]首にする, おっぱり出す (dismiss) [of].
kíck óver [自]〈エンジンが〉始動する. —[他]〈金〉を払う, 寄付する.
kíck úp [自] (略式)〈機械などが〉不調を示す;〈関節・体の内部などが〉痛む. —[他] (1)〈ほこりなどを〉たてる. (2) (略式) 騒ぎなどを引き起こす. (3) → ⤼ **4**.
—图 (榎 ~s/-s/) **1 a** ⓒ けること, (水泳での)水のけり方, ける力;(馬の)けり蹴り ‖ a flutter kick (クロール・背泳の)ばた足 / give the door a hard kick ドアを強く蹴る《♦ ×give a hard kick to the door は不可》(→ give **16 a**). **b** ⓒ 〖サッカー・ラグビー・アメフト〗キック; けられたボール; 飛距離; キック順; (英略式) けり手(kicker) ‖ a 47-yard kick 47ヤードの飛距離 / a good [bad] kick 足の上手[下手]な人. **c** ⓒⓊ (銃などの発射に伴う)反動.
2 Ⓤ (略式) [通例 a ~/ ~s] (強烈な)興奮, スリル, (一時的な)熱中 ‖ (just) for kicks ほんの半分冗談に, スリルを求めて / Recently, our children have been **on** [**off**] a soccer kick. 最近, 私たちの子供たちはサッカーに夢中だ[サッカーの熱がさめている] / She has learned to gèt [a kíck [her kícks] from [out of, by] driving fast. 彼女は車をぶっ飛ばす楽しみを覚えた. **3** Ⓤ (略式) [しばしば a ~] (人の)努力し続ける力, 気力; (エンジンの)力; (酒などの)きき, 刺激性.
kíck bòxing =kickboxing.
kick·box·ing /kíkbɑ̀ksɪŋ | -bɔ̀ks-/, **kíck bòxing** 图 Ⓤ キックボクシング.
kick-off /kíkɔ̀ːf|-ɔ̀f/ 图 ⓒ **1** 〖アメフト・サッカー〗キックオフ. **2** アメフト・サッカーの試合開始時間; (略式) […の]開始, 初め[of] ‖ for a kickoff (議論などで)まず第一に.
***kid** /kɪd/
—图 (榎 ~s/kɪdz/) **1** ⓒ (略式) [通例 ~s] 子供《♦ (米) の日常会話では child より一般的で》; 若者《♦ 呼びかける時, ふつう年下の者に助言などを与えるときに用いる》 ‖ màke a kíd of hím 彼を子供扱いする. **2** ⓒ 子ヤギ《♦「ヤギ」は goat》. **3** Ⓤ **a** 子ヤギの皮, キッド革; [~s] キッドの手袋[靴]. **b** 子ヤギの肉.
—形 [名詞の前で] **1** (主に米略式) 年下の

(younger), 子供っぽい ‖ my kid brother 私の弟. **2** キッド革製の.
—働 (過去・過分) **kid·ded**/-ɪd/; **kid·ding**/-ɪŋ/ ⓒ **1** (略式) [しばしば進行形で] **からかう**, かつぐ(+on) ‖ *You must be* [*You're*] *(just) kidding* (me)! (主に米) (相手の言ったことに驚いて)(まあ) 冗談でしょう, まさか 《♦ 聞き返す場合は Are you kidding?》. **2** 〈ヤギなどが〉〈子を〉産む.
—働 (略式) …をからかう, かつぐ ‖ I *kíd you nót*. (英) 冗談なんかじゃないよ, マジだよ.
kid onesélf 思い違いをする, うぬぼれる.
***Nó kídding!** (米略式) (1) (自分の言ったことに対して) 冗談じゃありません, 本当ですよ. (2) (相手の言ったことに対して) 冗談でしょう, まさか, とんでもない 《♦ No kidding? (↗) は単に相手の言ったことに驚いて「本当ですか」と聞き返す場合》.
kid [(英) **kíds'**] **stùff** (略式) 子供じみた事.
kíd·ing·ly 副 からかって.
Kidd /kɪd/ 图 キッド《William ~ 1645?-1701; 通称 Captain Kidd. 英国の伝説的海賊》.
kid·dy, **--die** /kídi/ 图 ⓒ 子ヤギ; (略式) [通例 kiddies] 子供《♦呼びかけも可》.
†**kid·nap** /kídnæp/ 働 (過去・過分) **kid·napped**/-t/ or (米ではしばしば) **~ed**; **-·nap·ping** or (米ではしばしば) **~·ing** ⓒ 〈人〉をさらう, 誘拐(ぼぅ)する.
kid·nap·per, (米ではしばしば) **kid·nap·er** 图 ⓒ 誘拐犯人, 人さらい.
†**kid·ney** /kídni/ 图 **1** ⓒ 〖解剖〗腎臓(ぼぅ). **2** Ⓤ (正式) [時に a ~] 気質, 性格 《♦昔は腎臓に性格が宿ると考えられていた》. **kídney trànsplant** 腎臓移植.
Kil·i·man·ja·ro /kɪ̀lɪməndʒɑ́ːrou/ 图 **Mount ~** キリマンジャロ《タンザニア北東部にあるアフリカ最高峰 (5895 m)》.

‡**kill** /kɪl/ 〖『殺意をもって人を殺す』より「(殺意がなくても) 結果的に生命を奪う」意に一般化した〗
—働 (~s/-z/; 過去・過分) **~ed**/-d/; **~·ing**)
—働
Ⅰ〈殺す〉
1 a〈人・動物が〉〈人・動物を〉**殺す**, 殺してしまう(結果となる),〈植物を〉枯らす(+*off*);〈登場人物を〉死なせる ‖ kíll [×murder] him in self-defense 正当防衛で彼を殺す《♦ murder は「不法に計画的に人を殺す」意》/ kill a rat 「with poison [by clubbing it] ネズミを毒殺[棒で撲殺]する」/ She shot and *killed herself.* 彼女はピストル自殺をした / If I don't get home by ten, my wife will *kill me.* もし10時までに帰らないと妻に殺されます《♦ 大げさ用法》.

> **語法** [**kill** と **murder**]
> (1) どちらも「殺す」意で, He *killed* [*murdered*] her with the pistol. (彼はピストルで彼女を殺した)では, ニュアンスが異なるが交換可能.
> (2) 🔲 しかし, murder の目的語は〈人〉に限られているので, He *killed* the dog. (彼は犬を殺した)では murder に交換できない. また, murder の主語は〈人〉なので, The pistol *killed him.* (→ **b**)も可でも murder には交換できない(→第1例参照).

b〈物・事が〉〈生物の〉**命を奪う**《♦ 手段を表す with 句と共には用いない》‖ A shot through the chest *killed* him. 胸を貫通した一弾が彼の命を奪った《♦ 受身文は He was *killed* by a shot through the chest.》 / Cancer is *killing* her. 彼女はがんで死にかけている(=She is *dying* of cancer.).

killer

c [be killed (**in A**)]〈人・動物が〉〈事故などで〉死ぬ(die) ‖ Fifty persons *were killed in* a jet crash near Paris. パリ近郊のジェット機墜落事故で50人が死亡した(=Fifty persons died ...) / The policeman was [(略式) got, ×become] *killed* in the line of duty. その警察官は殉職した(➡文法7.12).

II [なくしてしまう，だめにする]

2 (略式)〈人・物事が〉〈機会・希望などを〉台なしにする;〈味・痛み・音などを〉消す，効果を損なう，見劣りさせる ‖ *kill* his enthusiasm 彼のやる気に水をさす，出鼻をくじく / Her folly has *killed* her chances. 彼女は愚行のために好機を逸した / This drug *killed* the pain to some extent. この薬で痛みがある程度やわらぐ. **b**〈法案などを〉否決する；握りつぶす.

3 (略式)〈人・行為が〉(ぽかっとした時間を)(何かをして)つぶす《◆受身不可》‖ She *killed* time [an hour] (*by*) look*ing* around the stores. 彼女は店を見て回って時間を[1時間]つぶした.

III [圧倒する]

4 (略式) [おおげさに；しばしば be ~ing]〈人を〉(痛み・疲労・魅力・失望・笑いなどで)参らせてしまう，圧倒する ‖ *kill* oneself laughing [with laughter] 笑いころげる / My legs [shoes] *are killing* me! 足が痛くて[靴がきつくて]たまらない.

──⾃ **1**〈身・体の一部などが〉ずきずき痛む《◆ hurt より強い痛み》‖ It *kills*. ずきずきする. **2**〈人・事が〉(人の)命を奪う；〈植物が〉枯れる ‖ *kill* for money 金のために人を殺しかける.

kill **óff**(他)(1)〈人・物・事が〉〈生物を〉大量に殺す；…を絶滅させる，皆殺しにする. (2)〈計画などを〉完全につぶす. (3)〈受身形で〉…を死なせる.

kíll onesélf (1) 自殺する(→ 他 **1a**). (2) 体をこわすほどがんばる ‖ I am *killing* myself to support my family. 私は家族を養うため身を粉にして働いています.

──名 **1** ⓒ [通例単数形で；集合名詞としても用いて] しとめた獲物. **2** [the ~] 獲物[闘牛]をしとめること，その1回の行為.

✝**kill·er** /kílər/ 名ⓒ **1** (略式) 殺し屋，食肉市場(屠畜担当)職員；[主に新聞見出しで] 殺人者，殺人犯人(murderer). **2** (略式)〈人・動物や殺す動物[物]〉；[形容詞的に] 人食いの；致命的な(killing) ‖ *killer* diseases 致命的な病気. **3** =killer whale.
kíller whàle名 シャチ.

kill·ing /kílɪŋ/ 名 ⓒ U **1** 殺人，殺すこと. **2** (略式) 大もうけ，ぼろもうけ. ──形 **1** 致死の；〈植物を〉枯らす. **2** (略式) 骨の折れる；〈人を〉勢いよく殺到する ‖ a *killing* schedule 殺人的なスケジュール. **kíll·ing·ly** 副 (略式) ものすごく；悩ましいほどに.

kiln /kɪln/ 名ⓒ [しばしば複合語で〈陶器・れんがなどを〉焼く] かま，炉 ‖ a brick- [lime-] *kiln* れんが[石灰]がま. ──動 他 …をかまで焼く[乾燥させる].

ki·lo /kíːloʊ/《*kilogram*, *kilometer* の短縮語》名 (複 ~s)ⓒ (略式) キロ(グラム，メートル) (略 k) ‖ four *kilos* of sugar 砂糖4キロ.

kil·o- /kílə, kíːlə- | kíləu-/ (語要) → 語要素一覧(1.1).

kil·o·byte /kíləbàɪt/ 名 ⓒ〔コンピュータ〕キロバイト《1024 bytes. 記号 KB》.

kil·o·cal·o·rie /kíləkæləri/ 名 ⓒ キロカロリー (記号 kcal).

kil·o·gram, (英まれ)**--gramme** /kíləɡræm/ 名 ⓒ キログラム《質量の SI 基本単位. 記号 kg》.

ki·lo·hertz /kíləhə̀ːrts/ 名 ⓒ キロヘルツ《周波数の単位. 記号 kHz》.

ki·lo·li·ter, (英) **--litre** /kíləlìtər/ 名 ⓒ キロリットル (記号 kl).

✝**ki·lom·e·ter**, (英) **--tre** /kəlάmətər, kíləmìːtər, kɪlάmɪtər, kíləmìːtə, kɪlάmɪ-/ 名 ⓒ キロメートル《長さの単位. 記号 km》 ‖ ten *kilometers* =10 km 10キロ / 40 *kilometers* per hour =40 kmh 時速40キロ / How many *kilometers* are there in one mile? 1マイルは何キロですか.

ki·lo·ton /kíləṭʌ̀n/ 名ⓒ **1** キロトン《1000トン》. **2** キロトン《TNT 1000トンに相当する原水爆の爆破力の単位》.

ki·lo·volt /kíləvòʊlt/ 名 ⓒ キロボルト《電圧の単位. 記号 kV》.

✝**kil·o·watt** /kíləwὰt | -wɔ̀t/ 名 ⓒ〔電気〕キロワット《電力の単位. 記号 kW》.

ki·lo·watt-hour /kíləwὰtάʊər/ 名 ⓒ〔電気〕キロワット時《1キロワットの電力で1時間にする仕事の量. 記号 kWh, 略 kW-hr》.

kilt /kɪlt/ 名 ⓒ キルト《スコットランド高地のひだスカート. 主に男性用》；[~s; 単数扱い] キルト風のスカート.
kilt·ed /kíltɪd/ 形 キルトをはいた；ひだをつけた ‖ *kilted* soldiers キルトをはいた兵士.
kílted règiment《英軍の》スコットランド高地人連隊.

Kim /kím/ 名 **1** ~ **Dae Jong** /-dɑ́eɪ dʒʌ́ŋ/ キム=デジュン (金大中)《1925-；韓国の政治家. 大統領(1998-2003)》. **2** ~ **Il Son** /-íl sʌ́ŋ/ キム=イルソン(金日成)《1912-94；北朝鮮の政治家. 国家主席(1972-94)》. **3** ~ **Jong Il** /-dʒʌ́ŋ íl/ キム=ジョンイル(金正日)《1942-；北朝鮮の党総書記(1997-). **2** の息子》.

✝**ki·mo·no** /kɪmóʊnə, -nou | -nəu/〖日本〗名 (複 ~s) ⓒ **1** 着物. **2** (着物風の)化粧着《◆ 売春婦の着る安物の部屋着を暗示》.

✝**kin** /kín/ 名 Ⓤ (正式やや古) **1** [集合名詞；複数扱い] 血縁，親族，親戚(relative) (cf. kindred) ‖ *kith* and *kin* 親族知己［縁者］. **2** 血族［家族］関係，姻戚. **néxt of kín**〔法律〕最近親者；相続人.
──形 〈…と〉親類で，同質[同類]で(*to*).

✱**kind**[1] /káɪnd/〖「生まれを同じくするもの」が原義. cf. king〗

──名 (複 ~s /káɪndz/) **1** ⓒ **a** **種類**《類語 sort, class, form, type, variety》 ‖ This is *a néw kind of* melon. =This melon is *of a new kind*. これは新種のメロンだ《◆ 種類を強調する場合は a melon of a new *kínd*》/ Whát *kind of* (a) craftsman is he? 彼はどんな職種の職人ですか《◆ *kind of* に続く名詞は無冠詞が正しい. または「どの程度の腕前[信用度]の職人ですか」の意》/ This is just the *kind of* thing I've wanted. これこそ私が欲しかったものです.

語法 (1) this [that] kind [sort, type] of の後は無冠詞単数名詞: this *kind of* job [furniture]《◆名詞は ⓒ であっても無冠詞単数に注意》. (2) these [those] kinds [sorts, types] of の後には無冠詞単数名詞(kinds of job [furniture] も無冠詞単数(kinds of jobs) も用いられるが，前者の方が形式ばった言い方.
(3) these [those] kind [sort, type] of + 無冠詞複数名詞(these kind of jobs) は誤りとみなされるが，(略式) ではよく用いられる.
(4) this [that] kind [sort, type] of + 無冠詞複数名詞もくだけた表現で用いられることがある: this *kind of* jobs. なお，jobs of this *kind* は (正式)，

jobs like this は《略式》.
(5) this [that] kind [sort, type] of ＋a＋単数名詞は《略式》.

b 《生物の》類, 族(race), 属(genus), 種(species).
2 Ｕ (外形・程度などに対する)性質(nature), 本質, 質 ‖ I know him and his *kind*. 彼がどんなやつかよく知っている.

3 a [the ~] 特定の種類[性質]の人 ‖ She is not the *kind* to lie. 彼女はうそをつくような人ではない. **b** [one's ~] (人の)性に合った人, (人と)同類の人 ‖ She is my *kind* of girl. あの娘は私の好みのタイプだ.

a kind of Ａ《略式》〈人・物・事〉のようなもの, 一種の…, いわば…; いつもと違う《ふつうでない》… ‖ *a kind of* artist まあ一種の芸術家みたいな人 / I had *a kind of* feeling that something would happen today. 私はなんとなく今日は何か起こりそうな気がした.

all kinds of Ａ [複数扱い] ありとあらゆる〈人・物・事〉;《略式》たくさんの [多量の]〈人・物・事〉《◆Ａ は単数または複数形》‖ We have *all kinds of* time. 時間はたっぷりある.

in kind (正式) (1) 〘(金銭と)同種のもので〙(in kind (2) → 金銭の代わりになるもので)〘(金銭でなく)現物(払い)で〙(↔ in money) ‖ payment *in kind* 現物支給. (2) (返報に)同種のもので ‖ repay her rudeness *in kind* 無礼な彼女に無礼で応酬する. (3) 本質的に ‖ differ in degree but not *in kind* 程度の差はあるが本質的には同じである.

kind of 《略式》[副詞的に] ある程度(slightly), いくぶん; なかなか, かなり; いわば, どちらかというと ‖ He seemed kind of shocked. 彼はあちょっと[かなり]ショックのようだったわ / She's *kind of* a fool. =She's a fool, *kind of*. 彼女は少々[どちらかというと]ばかなのよ《◆程度を表す名詞以外では名詞修飾は不可》.

> 語法 (1) 的確な表現がみつからない, またはあいまいにぼかすときの言い方.
> (2) しばしば /káɪndə/ と発音され, これを反映して kinda, kinder, kind o', kind a(') ともつづられる.
> (3) 後ろの修飾物は形容詞・動詞の前に置く.
> (4) 独立しても用いられる: "Are you in trouble?" "*Kind of*." 「困っているのね」「そんなところなの」.

of a kind (1) 同類の, 同じ種類の ‖ We are two *of a kind*. 私たちは似た者同士[夫婦]だ / *one of a kind* 他に類のない[ユニークな]もの / *all of a kind* みな一様に. (2) 名ばかりの, おそまつな ‖ loyalty *of a kind* 名ばかりの忠誠心 / He's a doctor *of a kind*. 彼はあれでも一応は医者なんだ.

of the [that] kind そのような ‖ something *of the kind* まあそのようなもの / I won't do anything *of the kind*. (冗談じゃない)そんなことするものか.

*kind² /káɪnd/ 『「生まれのよい」が原義』 派 kindly (形・副), kindness (名)
──形 (~・er, ~・est)
Ⅰ [親切な]
1 a 〈人が〉(性格的に)親切な(kindhearted); 〈行為の〉親切な; 〈人が〉[人・動物に]親切にする, 優しい, 思いやりのある[to] (↔ unkind) ‖ a *kind* look 優しいまなざし / He is *kind* to [*for, *with] his wife. 彼は奥さんに優しい / She is being very *kind* to [*for] me. 彼女は私にとても親切にしてくれています《◆一時的に親切にしてくれている意. ◎文法 5.2(3)》/ Will [Would] you be「*kind* enough [só *kind* as] to lift down that box? (♪) すみませんがあの箱をおろしていただけませんか《◆ていねいな依頼》/ He was「*kind* enough [só *kind* (as)] to help me. 彼は親切にも私に手を貸してくれた(＝(正式) He had the *kindness* to help me. ＝He *kindly* helped me.) / You've really been too *kind*. 本当にご親切にしていただきました《◆「親切すぎる」くらい親切だということによって感謝の気持ちを強調する》. **b** [Ａ is *kind* to do / it is *kind* of Ａ to do] …するとはＡ〈人〉は親切だ《◆当人の前では後者が好まれる. Ａ〈人〉は親切だ ◎文法 17.5》‖ It's very *kind* of [*for] you to come. ＝Hòw *kind* (it is) of you to come! (♪) わざわざどうもすみません《◆病気見舞いとか忘れ物を届けてくれた人に対して言う》/ That's very *kind* of you (♪), but … どうもありがとう, でも申し出をていねいに断る文句》. **c** [名詞の前で] (伝言・手紙などでの)心からの ‖ With *kind* [*kindest*] regards 敬具《◆手紙の末尾で》/ Please convey [give] my *kindest* regards to Mr. Smith. スミスさんによろしくお伝えください.

Ⅱ [寛大な]
2 〈人・物・事に〉寛大な[about] ‖ She was very *kind about* my [me] making mistakes in my work. 彼女は私が仕事でミスをしても許してくれた.

Ⅲ [快適な, 有益な]
3 〈天候などが〉快適な;《略式》〘通例補語として〙〈物が〉[…に]よい, ためになる[to] ‖ soap *kind* to the skin 肌にやさしい石けん.

†**kin・der・gar・ten** /kíndərgɑ̀ːrtn, 《非標準》-dn/ 〖ドイツ〗 名 Ｃ Ｕ 幼稚園. **kín・der・gàrt・ner, kín・der・gàrt・en・er** /-ər/ 名 Ｃ **1** 幼稚園児. **2** 幼稚園の教員.

†**kind・heart・ed** /káɪndhɑ́ːrtɪd/ 形 〈人・言動が〉心優しい, 親切心のある ‖ a *kindhearted* gesture 思いやりのある仕事 / She was too *kindhearted* to kill an insect. 彼女はとても気立ての優しい人で虫1匹といえども殺せなかった. **kínd・héart・ed・ly** 副 優しく. **kínd・héart・ed・ness** 名 Ｕ 心の優しさ, 情け深さ.

†**kin・dle** /kíndl/ 動 他 **1** 〈人が〉〈火〉を燃やす;〈物〉に火をつける, 点火する《◆燃やすのに多少の困難や労力を要する》‖ *kindle* dry wood 乾いた木を燃やす / *kindle* a fire 火を燃やす. **2** 〈事・物・人が〉〈希望・怒り・願望・興奮・興味など〉を[…で]燃え立たせる, かき立てる, あおる(with, by) ‖ *kindle* enthusiasm 情熱を燃え立たせる. **3** …を明るくする, 輝かせる ‖ Pleasure *kindled* the boy's face. 少年の顔は喜びで輝いた.
──自 **1** 〈物が〉火がつく, 燃え出す ‖ The wood is damp and won't *kindle*. 木が湿っていて燃えつかない. **2** 〈人が〉興奮する, かっとなる.

kin・dling /kíndlɪŋ/ 名 Ｕ **1** 燃やすこと, 点火, 発火; **2** たきつけ. **kíndling pòint** 発火点.

***kind・ly** /káɪndli/ [→ kind²]
──形 (--li・er, --li・est) **1** (正式) 〘通例名詞の前で〙〈言動が〉思いやりのある, 優しい; 〈人の性質・態度・外見から見て〉親切な(kind)《◆ふつう自分より年下や弱い者などに対して用いる》‖ a *kindly* smile 優しいほほえみ / a *kindly* old lady 優しい老婦人《◆行為に焦点が置かれている. a kind old lady は性質に焦点が置かれている》/ She gave me some *kindly* advice. 彼女は心のこもった助言をしてくれた. **2** 〈天候などが〉快適な, 温和な ‖ a *kindly* spring breeze

ここちよい春風.
——副 (more ~, most ~; 時に ~·er, ~·est)
1 [動詞の直前で] 親切にも; 親切心から (◆very to 修飾できる) (↔ unkindly) ‖ He *kindly* showed me around the city. 彼は親切にも私に町を案内してくれた (=He was *kind* enough to show ... / He had the *kindness* to show ...).

2 (正式) [命令文では文頭で; 疑問文では動詞の直前で] どうか, すみませんが (◆ていねいな依頼・要求に用いるが, please と違ってしばしばおどけたり皮肉な含みをもつので, 商用文や目上の人に対しては避けられる) ‖ *Kindly* answer my question. (上役などからの直接命令) 質問に答えなさい; (くだけた場面で) 私の質問に答えてくださったらどう (ですか) / Would you *kindly* stop making noise? 静かにしていただけませんか; (くだけた場面で) (いいかげんに) 静かにしてくださったらどう.

3 心から, 喜んで; 好意的に ‖ I greet her *kindly* 彼女に心から敬意を表して迎える / Take it *kindly* if I comment on your work. あなたの作品を批評しても悪く思わないでください.

take kindly to A [*do*ing] [心から (kindly 副 3) 好きになる (TAKE to)] [通例否定文・疑問文・条件文で] 〈人・物・事を〉すんなりと受け入れる; …になじむ, (自然に) 好きになる ‖ In the first few days, the transfer student didn't *take kindly to* her new school. その転校生は最初の数日間は新しい学校になじめなかった.

kínd·li·ness [名] **1** U 優しさ, 親切; C 思いやりのある行為. **2** U 温和, 快適さ.

*kind·ness /káindnəs/ [→ kind²]
——名 (複) ~·es/-iz/) **1** U (人に対する) 親切心, 優しさ; 思いやり [*to*] ‖ *with kindness* 親切にも / *out of kindness* 親切心から / her *kindness* of heart 彼女の優しい心 (◆her kind(ly) heart よりも感情のこもった言い方) / They are spoiling [killing] their selfish son with their *kindness*. 彼らはわがまま息子を甘やかしすぎてだめにしている.

2 C 親切な行為, 優しいふるまい ‖ 'I appreciate [Thank you for] your many *kindnesses* to me. いろいろとご親切にしていただいてありがとうございます (◆数詞を前置した two [three] kindnesses は不可) / Will you do [show] me a *kindness*? =Will you dò [shów] a *kíndness* to [for] me? ひとつお願いがあるのですが.

have the kindness to do (1) 親切にも…する (◆be kind enough to do より堅い言い方). (2) [命令文で] どうか…してください ((英) do me the *kindness* to do).

kindness of A …氏に託して (◆人に託した手紙の封筒に書く).

†**kin·dred** /kíndrəd/ [名] **1** (正式) [集合名詞; 複数扱い] 親族, 一族 (relatives). **2** U 血縁 [親族] 関係 ‖ claim *kindred* to [with] me 私と血縁があると言う. **3** U (性質が) 似ていること, 同質性. ——[形] (正式) **1** 同類の, 同系統の ‖ climbing and other *kindred* sports 登山や, それと類似のスポーツ / *kindred* languages 同族言語 / *kindred* spirits 気の合った者同士. **2** 血族の, 同族の; 血縁関係にある.

kin·e·ma /kínəmə/ [名] (英) =cinema.

ki·net·ic /kənétik, kai-/ [形] (正式) (物理) 運動の, 運動に関する, 運動によって起こる.

kinétic árt 動く芸術 (電光などを利用する美術の一様式).

kinétic énergy (物理) 運動エネルギー.

kin·folk(s) /kínfòuk(s)/ [名] (米略式) =kin.

*king /kíŋ/ 派 kingdom (名), kingly (形)
——名 (複 ~s/-z/)
I [王の地位を持つ者, 重要な人物]

1 [しばしば K~] C 王, 国王, 君主 (↔ subject) (◆「女王」は queen, 「皇帝」は emperor. (敬称) → majesty) ‖ *King* Lear リア王 (◆人名の前では無冠詞) / His Majesty the *King* 国王陛下 / crown him *king* 彼を王位につける (→文法 16.3 (4)) / He was (the) *king* [*King*] of England. 彼はイングランド国王であった / a view fit for a *king* 第一級のながめ / I am the *king* of the world! 世界はおれのものだ!

2 C **a** (その道の) 大御所, 大立て者, …王 ‖ a steel *king* 鉄鋼王 / the uncrowned *king* of baseball 野球界の無冠の帝王 / the chess *king* Bobby Fischer チェスの王ボビー・フィッシャー. **b** [the ~] (同種の中で) 最上のもの, …のような存在, 代表する物, 最たるもの [*of*] ‖ the *king* of beasts 百獣の王 (ライオン) / the *king* of birds 鳥類の王 (ワシ) / the *king* of waters 百川の王 (アマゾン川) / the *king* of the forest 森の王 (オーク (oak) の大木など) / the *king* of terrors 死 (神).

3 [the K~ (of ~s)] (キリスト教) 神 (God); 王の中の王 (キリストのこと).

II [王の役割をするもの]

4 C (トランプ・チェス) キング; (チェッカー) 成駒 (ﾅﾙｺﾏ).

Kíng Chárles spániel キング=チャールズ=スパニエル (愛玩用小型犬. 英国産).

kíng cóbra [動] キングコブラ.

kíng cráb [動] **(1)** (米) タラバガニ. **(2)** カブトガニ.

King Jámes Vérsion [Bíble] (主に米) [the ~] 欽定 (キンテイ) 訳聖書 (the Authorized Version). (略 KJV).

kíng sàlmon (魚) マスノスケ.

Kíng's Cóunsel (英正式) (国王治世中の) 王室顧問弁護団 [士] (◆一般の barrister より上位. KC と略し, 肩書きとして Sir John Smithers, KC のように用いる. cf. Queen's Counsel).

Kíng's Énglish [the ~; おおげさに] (国王治世中の) 標準英国語, (王が使うような) 純正英語 (cf. Queen's English).

King /kíŋ/ [名] キング (Martin Luther ~, Jr. 1929-68; 米国の牧師・黒人公民権運動の指導者. cf. Martin Luther King Day).

king·bird /kíŋbə̀rd/ [名] C (鳥) タイランチョウ.

*king·dom /kíŋdəm/ [王 (king) の領地 (dom)]
——名 (複) ~s/-z/)
I [王国]

1 C (王・女王の君臨する) 王国 (◆「帝国」は empire); 王の統治; 王領 ‖ the *kingdom* of Scotland [England] (正式) スコットランド [イングランド] 王国 / the United *Kingdom* 英国.

2 [しばしば K~] U (神の) 統治 [国] ‖ the *Kingdom* of God 神の治世 / Thy *kingdom* come. (聖) (神の) 御国 (ﾐｸﾆ) が来ますように.

II [領域・分野]

3 C (学問・芸術などの) 分野, 領域; (人・物の) 支配域, なわばり (domain) ‖ The kitchen is her *kingdom*. 台所は彼女の領分だ.

4 [the ~] (自然を3つに分けた) …界 ‖ the animal [plant, mineral] *kingdom* 動物 [植物, 鉱物] 界 (→ classification **3**).

†**king·fish·er** /kíŋfìʃər/ [名] C (鳥) カワセミ (halcy-

king·less /kíŋləs/ 形 国王[君主]のない; 無政府状態の.

†king·ly /kíŋli/ 形 (**-·li·er, -·li·est**) (正式) **1** 王にふさわしい; 威風堂々たる. **2** 王の; 王族の ‖ a *kingly* throne 王座.

king·ship /kíŋʃip/ 名 U **1** 王であること, 王の身分, 王位, 王権. **2** 王政. **3** (敬称) [his [your] ~] 国王陛下.

king-size(d) /kíŋsàiz(d)/ 形 (略式) 特大の, キングサイズの ‖ *king-size(d)* beds キングサイズのベッド.

Kings·ton /kíŋstən, kíŋztən/ 名 **1** キングストン《ジャマイカの首都》. **2** キングストン《カナダ Ontario 州南東部の都市》.

kink /kíŋk/ 名 C **1** 〈糸・綱・髪などの〉よじれ, もつれ. **2** (主に米) 〈首・背中などの〉痛み, こり; けいれん. **3** (略式) 〈性格の〉ひねくれ; 風変わり; 気まぐれ. ── 動 他 〈綱・髪などが〉よじれる, もつれる(+*up*). ── 他 〈綱・髪などを〉よじれさせる, もつれさせる.

kink·y /kíŋki/ 形 (**-·i·er, -·i·est**) **1** 〈髪などが〉よじれた, もつれた; ちぢれた. **2** (主に英略式) 〈人が〉ひねくれた; 風変わりな; 気まぐれな.

kins·folk /kínzfòuk/ 名 (正式) [複数扱い] 親戚, 親族, 一族《◆ (米) では kinfolk(s) ともいう. 形式ばった文か詩で用いられ, ふつうは relatives または relations を用いる》.

Kin·sha·sa /kinʃɑ́:sə, (米+)-/ 名 キンシャサ《コンゴ民主共和国(旧ザイール)の首都》.

†kin·ship /kínʃip/ 名 U [時に a ~] **1** […との]親類関係, 血族関係(*with*) ‖ My family has a close *kinship with* the Smiths. 我が家はスミス家と親類関係にある. **2** […との/…の間の](性質などの)類似, 近似(*with/between*). **3** 関係, 密接な関連, 近い感.

†kins·man /kínzmən/ 名 ‖ (**女性形**) **--·wom·an** /-wùmən/ C (古) (男の)親類; 同族の者《◆ふつうは relative または relations を用いる》.

ki·osk, ki·osque /kí:ɑsk, kiásk | kí:ɔsk/ 名 C **1** キオスク《タバコ・新聞・軽食・清涼飲料水などの売店》. **2** (英古) 電話ボックス; (米式) 広告塔. **3** (トルコ・イランなどの)あずまや.

Ki·o·wa /káiəwə | kí:əwɑ̀:/ 名 **1** C カイオワ族《米国中南部平原に住む先住民》. **2** U カイオワ語.

kip /kíp/ 名 U キップ皮《子牛・子羊などの皮》.

Kip·ling /kíplíŋ/ 名 キプリング(Rudyard /rʌ́djərd/ ~ 1865-1936; 英国の小説家・詩人》.

kirk /kə́:rk/ 名 **1** (スコット) 教会. **2** [the K~] スコットランド教会.

kiss /kís/

── 動 (~·es/-iz/; 過去·過分 ~ed/-t/; ~·ing)
── 他

I [キス]

1 〈人が〉〈人など〉に**キスする**, 口づけ[接吻(ホン)]する; [kiss **A B**] 〈人が〉**A**〈人〉に**B**〈別れなどのキス〉をする ‖ *kiss* her cheek =*kiss* her *on* the cheek 彼女のほおにキスをする(→ catch 他 1c) / I *kissed* my girlfriend good-by. ぼくは恋人にさよならのキスをした. **2** 〈涙・心配など〉をキスで取り[ぬぐい]去る(+*away*).

II [キスのような動き]

3 (文)〈風・波など〉に軽く触れる, …をそっとなでる ‖ The wind *kissed* her hair. 風が彼女の髪をそっとなでた.

── 自 **1** キス[口づけ, 接吻]する. **2** (文)〈物など〉軽く触れる.

kiss **A** *góod-by* = *kiss góod-by to* **A** (1) → 他 1. (2) (俗) 〈物・事〉をあきらめる.

kiss óff [他] (1) 〈化粧などを〉(キスをする時に)取ってしまう. (2) (略式) 〈人〉をくびにする, お払い箱にする; 〈人・事〉をすっかり忘れる; 無視する.

── 名 (複 ~·es/-iz/) C **1** キス, 口づけ, 接吻 ‖ blow him a *kiss* =throw [blow] a *kiss* to him 彼に投げキッスをする / He gave her an affectionate *kiss*. 彼は彼女に愛情をこめてキスした. **2** 軽く触れること.

the kíss of déath (略式) 死の接吻, 身の破滅を招くもの.

the kíss of lífe (主に英) (口うつしの)人工呼吸(artificial respiration); 回復策; 起死回生策.

kiss·a·ble 形 キスしたくなるような.

†kit¹ /kít/ 名 **1a** U C (略式) (運動・旅行などの)道具[用具]一式; (教材・部品などの)ひとそろい ‖ (a) gólfing *kit* ゴルフ[スキー]用具 / a dó-it-yoursèlf *kit* (家具・ラジオなどの)組み立て部品一式 / a cárpenter's *kit* 大工道具一式. **b** U (英) [集合名詞; 単数扱い] 馬具・水夫・旅行者の装具, 装備, 服装. **2** C 道具箱[袋] ‖ a fírst-áid *kit* 救急箱.

── 動 (過去·過分) **kit·ted** /-id/; **kit·ting** 他 (略式) …に[…で]装備[支度]させる(equip) (+*out, up*) {*in*}.

kít bàg 旅行用かばん, ナップザック; (主に英) (兵士の)背嚢(ﾉｳ); 雑嚢.

kit² /kít/ 名 《kitten の短縮語》C 子ネコ; 小ギツネ.

※kitch·en /kítʃən/ [「料理に関する」が原義]

── 名 (複 ~s/-z/) C **台所**, キッチン; [形容詞的に] 台所(用)の 《◆ (英) では居間・食堂兼用の台所をさすこともあり》 ‖ an eat-in *kitchen* / a *kitchen* díning ròom ダイニング=キッチン《◆×*dining kitchen* とはいわない》 / a *kitchen* table 台所(の片隅)の小テーブル 《◆ 朝食用. このコーナーを bréakfast nòok という》 / She is out in the *kitchen*. 彼女は台所にいます; 料理中です.

kítchen gárden (主に英) 家庭菜園.

kítchen sínk 台所の流し(台) ‖ *éverything [áll] bùt [excépt] the kítchen sínk [stóve]*《台所の流し台[レンジ](のような動かせない物)以外はすべて》(英略式) 必要以上の数[量], あらゆる(動かせる)もの.

kítchen stùff (野菜など)料理の材料(ingredient).

kítchen únit (英) キッチンユニット《stove, sink, dishwasher, storage cabinet, cupboard などユニット式台所セットを構成する一点》.

kitch·en·ette /kìtʃənét/ 名 C (部屋の一角または小室の)簡易台所(cf. dinette).

kítchen-màid /kítʃənmèid/ 名 C 調理番の下働き.

kitch·en·ware /kítʃənwèər/ 名 U [集合名詞] 台所用具《主に金物類》 ‖ various pieces of *kitchenware* いろいろな種類の台所用品《◆×various *kitchenwares* は不可》.

†kite /káit/ 名 C **1** 凧(ﾀｺ) ‖ Let's *fly* [×lift, ×raise] *a kite* [(our) *kites*]. 凧を揚げよう. **2** (鳥) トビ.

flý a kíte (1) → **1**. (2) 《凧を揚げて風向きを調べたことから》(英略式) 世論を探る. (3) 融通手形を振り出す.

Gò flý a [one's] kíte! (主に米俗) 立ち去れ!, うせろ!, くたばれ!

kith /kíθ/ 名 U《◆次の成句で》. *kíth and kín* (正

kit・ten /kítn/ 名 © 子ネコ《ウサギ・イタチなどの》子 ‖ (as) *harmless as a kitten* とても無邪気な / *The kitten purred after it drank the milk.* 子ネコはミルクを飲んだあとゴロゴロとのどを鳴らした.
(as) **weak as a kitten** 〈人が〉体力のない, 衰えた.
hàve kittens [**a kitten**] 〔英略式〕〈人が〉やきもきする, いらいらする, 心配する.

†**kit・ty** /kíti/ 名 © 1 〔小児語〕ニャンコ, 子ネコ (kitten). 2 ふしだらな娘.

Kit・ty /kíti/ 名 キティ《女の名. Catherine, Katherine の愛称》.

ki・wi /kíːwiː/ 名 © 1 〔鳥〕キーウィ《ニュージーランドの飛べない鳥》. 2 = kiwi fruit [berry].

kíwi frùit [**bèrry**] キーウィ‐フルーツ.

KKK〔略〕= Ku Klux Klan.

kl〔記号〕kiloliter(s).

Klan /klǽn/ 名 = Ku Klux Klan.

klax・on /klǽksn/ 名 〔時に K~〕 © 〔商標〕《自動車の》クラクション, 警笛 (horn).

Kleen・ex /klíːneks/ 名 U© 〔しばしば a ~〕〔商標〕《クリネックス社の》ティッシュペーパー《一般を指すこともある》‖ *use (a) Kleenex to clean one's glasses* ティッシュペーパーを使って眼鏡をふく.

km〔記号〕kilometer(s).

kn.〔略〕knot; krone.

†**knack** /nǽk/ 名 © 〔略式〕〔通例 a/the ~〕1《…の/…の点での》《身につけた》こつ, 特技, 能力《*of, for, to / in*》. 2 癖, 特性.

†**knap・sack** /nǽpsæk/ 名 © 《英まれ》リュックサック (rucksack), 背囊(のう), ナップザック.

†**knave** /néiv/〔同音〕nave〉名 © 1〔古〕悪漢, ごろつき (rascal). 2 男の召使い, 下男.

†**knead** /níːd/〔同音〕need〉動 他 1〈練り粉・粘土などを〉こねる, 練る. 2〈パンなどを〉こねて作る. 3〈筋肉などを〉もむ, マッサージする.

*★**knee** /níː/〔発音注意〕〔派〕kneel《動》
── 名（複 ~s/-z/）© 1 ひざ《がしら》, ひざ関節《図 → body》《◆ lap はいすに座った姿勢で腰からひざ《がしら》までの部分》; 《犬・馬などの前脚の》ひざ (hock)《図 → horse》; 《鳥の歴(れき)の》骨(こつ) ‖ *up to one's knees in water* 水深ひざまでつかって / *hold a child on one's knee* 子供をひざに抱く / *dráw úp one's knées* ひざを立てる / *get up off one's knees* 立ち上がる / *rise on one's knees* ひざで立つ / *feel weak at the knees*〔略式〕《病気・興奮などで》立っていられない / *His knees crumbled under himself.* 彼は腰が抜けて歩けなくなった《◆この場合「腰」という感覚は英米人にはない》. 2《衣類の》ひざ.

at one's **móther's knée** 母のひざのもとで〔の〕; 子供の頃に〔の〕.

bénd [**bów**] **the knée(s)**〔正式〕《…に》ひざまずいて礼拝〔嘆願〕する, 《敬意を表して》《…に》服従する《*to, before*》.

bring [**fórce, béat**] **A to A's knées**〈人〉を屈服させる, 参らせる.

fáll [**gét dówn, gò** (**dówn**)] **on** one's **knées**
 = **dróp the knée**《…に/…しようと》ひざまずく, ひざまずいて礼拝〔嘆願〕する《*to / to do*》.

knée to knée《…と》ひざをつき合わせて〔*with*〕 (⊃ 文法 16.3(3)).
── 他 …をひざで触れる〔打つ〕.

knée brèeches〔複数扱い〕《ひざ下の》半ズボン.

knee・cap /níːkæp/ 名 © 1 ひざのさら, 膝蓋(しつがい)骨

(kneepan, 〔解剖〕patella). 2《スポーツ用》ひざ当て (kneepad).

knee-deep /níːdíːp/ 形 1 ひざまでの深さの; 《雪などに》ひざまで沈んで〔*in*〕. 2《債務・仕事などに》動きがとれないほど巻き込まれて, 多忙で〔*in*〕‖ *She seems to be knee-deep in debt.* 彼女は借金で首が回らないようだ.

knee-high /níːhái/ 形 〔~s〕ひざまでの高さの《ソックス》.

†**kneel** /níːl/ 動 《過去・過分》**knelt** /nélt/ or 《主に米》~**ed**/-d/ 自 〈人が〉ひざまずく, ひざをつく《+*down*》; ひざまずいている ‖ *kneel* (*down*) *to pray* [*in prayer*] ひざまずいて祈る（= pray on one's knees）/ *He knelt before the altar.* 彼は祭壇の前にひざまずいた / *kneel on the mat for hours* 何時間も畳の上で正座する.

knee・length /níːlèŋkθ/ 形 ひざまでの長さの.

†**knell** /nél/ 名 © 〔正式〕〔通例 a/the ~〕1 鐘の音; 弔いの鐘 (funeral knell) ‖ *ring* [*sound*] *the knell of* …〔時に比喩的に〕…の弔鐘(ちょうしょう)を鳴らす. 2《死・失敗などの》前兆, 凶兆.

knelt /nélt/ 動 kneel の過去形・過去分詞形.

†**knew** /njúː/〔同音〕new〉動 know の過去形.

†**knick・er・bock・er** /níkərbɑ̀kər | -bɔ̀k-/〔W. Irving が *History of New York* で使った筆名より〕名 © 1 〔K~〕ニューヨーク市のオランダ移民の子孫; 《一般に》ニューヨーク市民. 2〔~s〕= knickers.

knick・ers /níkərz/ 名 〔複数扱い〕《主に米》ニッカーズ《ひざ下でしまるゆるい半ズボン. 狩り・ゴルフなどに用いる》; 〔英略式〕ブルマー風のズロース《女性用》.

knick・knack /níknæk/ 名 © 〔略式〕ふつう安価な装飾用小間物.

***knife** /náif/〔発音注意〕
── 名（複 **knives** /náivz/）© 1 **ナイフ**, 小刀; 短剣, 短刀; 包丁 (kitchen knife) ‖ *a knife and fork* （1組の）ナイフとフォーク《◆ *a fork and knife* とはいう》/ *a sharp* [*blunt, dull*] *knife* よく切れる〔切れ味の悪い〕ナイフ / *whet* [*sharpen, grind*] *a knife* ナイフを研(と)ぐ / *plunge* [*run, stick*] *a knife into him* 彼を刃物で刺す.

> 〔関連〕(1) [*knife* の部分] handle 柄 / blade 刀身 / back 刀身の峰 / (cutting) edge 刃.
> (2)〔種類〕
> bread knife パン切りナイフ / butcher('s) knife 《肉屋の》大型肉切り包丁 / carving knife 食卓用大型肉切りナイフ / case knife さや入りナイフ / clasp knife 折りたたみ式ナイフ《jackknife, penknife, pocketknife, switchblade など》/ paper [palette] knife ペーパー〔パレット〕ナイフ / paring knife 果物ナイフ / table knife 食卓ナイフ《fish [fruit, butter, dessert] knife など》.

2《外科用の》メス (surgical knife, scalpel); 〔the ~〕外科手術 ‖ *gò* [*be*] *ùnder the knife* 手術を受ける〔受けている〕.
── 動 (**knif・ing**)《◆名 の複数形は knives だが, 動 の変化形は ×knives, ×knived》他〔略式〕1〈人〉《…を》ナイフで刺す〔切る〕〔*in*〕‖ *knife him to death* 彼を刺殺する. 2《主に米》〔陰険な手段で〉…を陥れ（ようとす）る. ── 自《米》〈…を〉《ナイフで〉切り進む〔*through, across*〕.

knif・ing /náifiŋ/ 動 → knife.

†**knight** /náit/〔同音〕night〉名 © 1《中世の》騎士, ナ

knighthood

イト, 騎馬武者《◆名門の子弟が page (小姓)から squire (騎士見習い)を経る間に武道・礼儀などの武者修業をつんで knight となり, chivalry (騎士道)を生み出した》‖ ジョーク The Middle Ages were called the Dark Ages because there were so many knights. 中世は暗黒時代と呼ばれた. 騎士がたくさんいたから. **b**《英》ナイト爵位の(人), 勲爵士(略 kt)《◆国家の功労者(男性)に与えられる1代限りの栄爵で, baronet の次位. Sir の称号を許され, Sir John Williams (kt)(略式には Sir John)のように呼ばれ, その夫人は Dame Mary Williams (略式には Lady Williams)と呼ばれる》. **3** 女性に仕える人, 女性保護者. **4**《チェス》ナイト.
— 動 他《人》にナイト爵位を与える.

†**knight·hood** /náithʊd/ 名 1 ⓤ 騎士道; 騎士の身分, 騎士かたぎ. **2** ⓤⓒ ナイト爵位, 勲爵士の位. **3** [the ~; 集合名詞] 騎士totalt, 勲爵士団.

†**knight·ly** /náitli/ 形《古》騎士の, 騎士らしい.

***knit** /nít/ [発音注意] [類語] net /nét/ ‖ 『「結び目 (knot)を作る」が原義』
— 動 (~s/níts/; 過去・過分 **knit·ted**/-id/ or **knit; knit·ting**)《◆過去形・過去分詞形の knit はふつう 他 **3**, 自 **2** の意味》
— 他
I [衣料品を編む]
1a《人》が《毛糸・手袋など》を〔…に/…で〕編む(+up)〔into / out of, from〕‖ She knitted a pair of gloves for me. 彼女は私に手袋を編んでくれた《◆She knitted me a pair of gloves. ともいえる》/ knit wool into a muffler = knit a muffler out of wool 毛糸でマフラーを編む / She knitted herself a cardigan. 彼女は自分用にカーディガンを編んだ / a sweater knitted 「by hand [by machine] 手編み[機械編み]のセーター(=a hand-[machine-] knit sweater). **b** [編物]《目》を表編みする (cf. purl) ‖ Knit one, purl two. 1目表編み, 2目裏編みせよ.
II [抽象物を編み出す]
2《理論など》を〔…から〕編み出す〔from〕.
III [編目状にする, くっつける]
3《指など》をしっかり組み合わせる,《骨など》をくっつける;《共通の利益・結婚など》で《人など》を結びつける(+together) ‖ Common hardship knitted the family together. 共に苦労したことがその家族のきずなを強めた. **4** [-knit (過去分詞形)でひきしまった; 団結した ‖ a wéll-knit fráme ひきしまった体格 / a clóse(ly)-knit téam 団結の堅いチーム.
— 自 **1**《人》が編み物をする; [猛烈に] 表編みする《修飾語句は省略できない》‖ Knit for three rows. 3段表編みせよ. **2**《骨など》がくっつく;《人など》が結びつく(+together). **3**《まゆ》を寄せる.
knit úp [自]《毛糸など》が編まれる, 編める ‖ This yarn knits up well. この編み糸はうまく編める. — [他] (…)を編み上げる;…を編みつくろう.
— 名 **1** ⓤⓒ ニット地(の衣類). **2** =knit stitch.
knit stitch 表編み.

knit·ter /nítər/ 名 ⓒ **1** 編む人, メリヤス工. **2** 編み機.

†**knit·ting** /nítɪŋ/ 名 ⓤ **1** (人・機械が)編むこと. **2** 編んだ物; 編みかけの物 ‖ a piece of knitting 1つの編み物.
stick [**ténd**] **to** one's **knítting**《略式》自分の事に専念する, いらぬ口出しをしない.

knitting machine 編み機.

knitting nèedle 編み針.

†**knit·wear** /nítwèər/ 名 ⓤ ニットウエア《メリヤス・毛糸の衣料品》‖ a new style of knitwear 新スタイルのニットウエア《◆ ×a knitwear of new style は不可》.

***knives** /náɪvz/ 名 knife の複数形.

†**knob** /nɑ́b | nɔ́b/ 名 ⓒ **1** (木の幹などの)ふし, こぶ. **2** (ドア・引き出しなどの)取っ手, 握り, ノブ; (ラジオ・テレビの)スイッチ, つまみ〔of, on〕. **3**《主に米》丸い丘[山]. **4**(バター・砂糖・石炭などの)小さな塊.

knóbbed 形 こぶのある; (先が)こぶ状になった; 握りのついた.

knob·by /nɑ́bi | nɔ́bi/ 形 (通例 --bi·er, --bi·est)《米》ふし[こぶ]の多い; こぶ状の.

knock

***knock** [発音注意] /nɑ́k | nɔ́k/ ‖『「音がするほどくり返し強くたたく」が本義』
— 動 (~s/-s/; 過去・過分 ~ed/-t/; ~·ing)
— 自
I [ノックする, 音が出る]
1《人が》《ドアなど》をノックする, トントンたたく〔on, at〕《◆ (1) pound より弱く, tap より強い打ち方. (2) ドアのノックは, 英米では握った手の側で3回以上5, 6回たたくことが多い.《米》では on を使うことが多い. (3) ▨ knock the door とはふつういわない(→ 他 **1 a**)》‖ He knocked at the front door but nobody answered. 彼は玄関の戸をノックしたが返事がなかった / Fortune knocks at least once at every man's gate.《ことわざ》幸運はだれにでも一度は訪れる.
2《車・エンジンが》ノッキングを起こす.
II [ぶつかる, 遭遇する]
3《人・物が》〔…に〕ぶつかる (bump, hit), 偶然に出くわす (+together, up, over)〔against, into〕‖ Yesterday I knocked into my old friend at the library. 昨日私は図書館で旧友に偶然会った / The casks knocked together [against one another]. たるがぶつかり合った.
— 他 **1a** [knock A on [in] B]《人などが》A《人などの》B《体の部分》を(ゴツンと)強打する(→ strike);《まれ》ドアをノックする ‖ A falling rock 「knocked him on the head [knocked his head]. 落石が彼の頭にゴツンと当たった(→ catch 他 **1c**). **b**《人が》《物・体の部分》を〔物に〕(うっかり)ぶつけてしまう,《わざと》ぶつける〔against, on〕‖ knock oneself against [on] the wall 壁にぶつかる / He knocked his knee against the chair. 彼はひざをいすにぶつけてしまった《◆He knocked the chair with his knee. は意図的行為》.
2 [knock A C]《人などが》A《人・物》を(何度も)打って[に当たって] C《の状態》にする《◆C は形容詞(句), 方向・結果の副詞(句)》‖ knock his pipe out = knock the ashes out of his pipe パイプをたたいて灰を落とす / I could knock all the pins down. 私は(ボウリングの)ピンを全部倒そうと思えば倒せる《◆could は仮定法過去 = could **5 c** 語法》/ knóck him óff his feet [比喩的にも用いて] 彼の足をとそそう.
3《穴・音など》を打って作る ‖ knock a cheerful rhythm on the door ドアを陽気なリズムでノックする / knock a home run ホームランをかっ飛ばす / knock a hole in her argument《略式》彼女の議論のあらを見つける.
4《略式》…をけなす, こきおろす (criticize unfairly).
knóck abóut《略式》[自] (1) **a**)うろつきまわる, あちこ

ち旅行してまわる. b) [be ~ing] 〈物などが〉(場所に)放ってある. (2) [異性・いかがわしい人物と] 付き合う, 出歩く (+together) (with). ―[他] (3) 〈人・物〉を乱暴に扱う, こづきまわす; 〈風・あらしなどが〉〈船〉をもむ, 激しく揺さぶる(buffet). (2) 〈文書・考えなど〉を検討する. ―[自+] [~ abóut A] 〈場所〉をうろつく.

knóck aróund =KNOCK about.
knóck báck [他] (英略式) 〈人〉をぎょっと [当惑] させる.
knóck A déad (米略式) 〈人〉を感動させる; …を仰天させる.
knóck dówn [他] (1) 〈建物・機械など〉を取りこわす (destroy), (輸送のために) 分解する (↔ set up). (2) (略式) 〈競売で〉…を〈人に/安価で〉売る (to / at, for].
knóck A ínto B A 〈釘など〉を B に打ち込む. (2) (略式) 〈知識など〉を B 〈人・頭〉に無理やりたたき込む.
knóck óff [自] (1) (英略式) 〈人が〉仕事を終える [中断する]. (2) (俗) [通例命令文で] やめろ. ―[他] (1) (略式) 〈仕事〉をさっさとやめる (doing) (◆ knock it off はふつう命令文で用いる). (2) (英俗) …を盗む; (俗) 〈銀行など〉に押し入る. (3) (俗) 〈人〉を殺害するばらす. (4) (略式) 〈人〉を〈手早く〉し終える, 書き飛ばす, すぐ作り上げてしまう. (5) 〈金額だけ〉 [から] 割り引く (from]; [~ A off B] A〈人・物〉を B から落とす ∥ knock 10 cents off (the price) …から10セント割り引く. (6) (略式) 〈人〉を打ち負かす.
knóck óut [他] (1) (ボクシング) 〈相手〉をノックアウトする; (一般に) 〈強打・酒など〉が〈人〉を失神させる, (俗) 〈薬が〉〈人〉を眠らせる.

<使い分け> **[knock out, lose consciousness と faint]**
faint は「暑さや空腹で一時的に気を失う」の意.「殴られたりして気を失う」の意は knock out (口語的), lose consciousness (より一般的な言い方) という.
He *was knocked out* [*lost consciousness*, ×*fainted*] when he hit his head on the floor. 彼は床で頭を打って気を失った.

(2) (英略式) …を仰天させる (astonish), …にショックを与える. (3) (米略式) 〈敵・あらし〉などを不能にする, 破壊する. (4) → [他] **2**.
knóck óver [他] (1) 〈人・物〉に当たってひっくり返す, …をはねる. (2) 〈人〉をびっくりさせる.
knóck togéther [他] 〈食事・家具など〉をあわてて [間に合わせで] 作る.
knóck úp [自] (英) (テニス) (本試合直前に) […と] 練習の打ち合いをする (with). ―[他] (1) (英略式) = KNOCK together. (2) (英略式) …をかせぐ. (3) (英略式) (クリケット) 〈得点〉をさらに [すばやく] あげる. (4) (英略式) 〈人〉をドアをノックして起こす.

―[名] ~s/-s/ [C] **1** 打つ [打たれる] こと; ノック, たたく音 ∥ gèt a knóck on the héad 頭をなぐられる / There was a knock on [at] the door. ドアをノックする音がした. **2** (エンジンの)ノッキングの音.
knock·down /nákdàun | n5k-/ [名] [C] **1** (ボクシング) ノックダウン; (一般に) 強打; 大打撃. **2** 組み立て式のの; (豪俗) 〈人・仕事など〉の紹介. ―[形] **1** 〈人など〉を打ち倒すほどの, 強烈な. **2** 組み立て式の, 〈機械など〉が現地組み立ての, ノックダウン方式の. **2** 強烈な. **3** (英) 〈値段が〉安い.
knóckdown blów (肉体的・精神的) 必殺打.

†**knock·er** /nákər | n5k-/ [名] [C] **1** ノックする人. **2** ノッカー (doorknocker) ∥ bang a knocker ノッカーでトントン戸をたたく.
knock·ing /nákiŋ | n5k-/ [名] [U] ノック(音); (エンジンの)ノッキング.
knock·out /nákàut | n5k-/ [名] [C] **1** たたきのめすこと; (ボクシング) ノックアウト (KO). **2** (略式) ひきやりかした人, すごい美人; すてきな物. **3** 勝ち抜き競技会.

†**knoll** /nóul/ [名] [C] (丸い)小山, 塚.
†**knot** /nát | n5t/ [同音 not] [C] **1** (綱・ひもなどの)結び目 ∥ She tied a knot at the end of the rope. 彼女はロープの端に結び目を作った. **2** (リボンなどの)飾り結び. **3** (人の小さな)群れ, 集団; (文) (物の)集まり. **4** (木・板の)ふし, こぶ; (枝・葉の)ふし, 付け根. **5** こぶ, いぼ, 筋肉のかたまり; (解剖) 結節. **6** (海事) ノット (速度の単位. 時速1カイリ(1852 m)).

tie the (*márriage*) *knót with* A (略式) …と結婚する, 所帯を持つ.

―[動] (過去・過分 knot·ted /-id/; knot·ting) [他] 〈人が〉〈ひも・ロープなど〉を結ぶ; …に結び目を作る; …を結びつける [合わせる] (+together) ∥ knot two ropes together 2本のロープを結びつける / knot one's hair with a ribbon リボンで髪を結ぶ.
knot·ted /nátid | n5t-/ [形] **1** 節のある, 節の多い, 節だらけの; 結び目付きの, 結び目で飾った. **2** もつれた; 困難な.
knot·ty /náti | n5t-/ [形] (通例 **-ti·er**, **-ti·est**) **1** 節 [こぶ]のある; 結び目の多い. **2** (略式) 解決しがたい; 複雑な.

‡**know** /nóu/ [発音注意] [同音 no] (現 knowl·edge (名))

―[動] ~s/-z/; (過去) knew /nj(j)ú:/; (過分) known /nóun/; ~·ing) (◆ 進行形・命令形不可)

―[他]

I [知っている, 知る]

1 〈人が〉〈事実・内容〉を*知っている*; 知る (get to know) <使い分け→ FIND out (2)) ∥ I *know* practically nothing about psychology. 私は心理学についてはほとんど何も知らない / The restaurant *is known to* [×*by*] the people of the city for its tastiness. そのレストランは味のよさで市民に知られている / Mary has become *known to* [×*by*] everyone in the school. メリーは学校のみんなに知られるようになった.

<使い分け> **[know と learn]**
know は「知っている」という状態.
learn は「知る, 知識を得る」という動作.
Reading this book, I was able to *learn* [×*know*] a lot about the history of my hometown. この本を読んで, 自分の町の歴史をたくさん知ることができました.
I *know* [×*learn*] Mary personally. 私は個人的にメリーを知っています.

2 [know (that) 節/know wh 節] …という事実に*気づいている*, …ということを(はっきり)自覚している ∥ He *knows* (*that*) he was mistaken. 彼女が間違っていることを彼は知っている / He doesn't *know* (*that*) he hurt her feelings, does he? 彼女の感情を害したことに気づいていないのでしょう? (◆ 付加疑問は主節に呼応する. → **9** 最終例) / Now I *know why* you were late. なるほど君が遅れたわけがわかったよ / She *knew what* she was doing. 彼

know

女は自分の行動を自覚していた《「悪いと知ってやっていた」の意ではなく、「分別をよくわきまえていた」の意》/ How did you *know* she was still alive? 彼女がまだ生きているとどうしてわかったのですか / Do you *know* how long it will take to do the work? 仕事をするのにどれくらい時間がかかるかご存じですか《◆疑問詞＋do you know の語順．×How long do you know it will take …? は不可．cf. think 他2 b》.

3 [know **A** (to) do] [完了時制, 時に過去時制で; しばしば never などの頻度副詞を伴って] **A** が…したことを見て[聞いて]知っている ‖ I've never *known* him (to) lose his temper. 彼が腹を立てるのを見たためしがない, 彼は決して腹を立てない《◆(1) see, hear の知覚動詞（→文法 3.4）に近くなるので, to を省略することがある《主に英》．（米）ではふつう不可またはきわめてまれ．(2) 受身形では to は省略できない: He has never been *known* to lose his temper. =He is never *known* to have lost his temper.》.

語法 see, hear に準じて〈know **A** doing〉の構文も可能: I have never *known* him behaving like that. 彼があんなふうにふるまうとは初めて知った.

4《文》[通例 knew / have known] …を経験している(experience) ‖ have *known* better times 昔は繁栄した時代もあった(が今は落ちぶれている) / the strongest yen this market ever *knew* この市場でかつてなかったような円高.

5〈人が〉〈人・場所〉を(直接)知っている, 面識がある; …と交際がある ‖ He *knows* [×is knowing] a lot of people. 彼は顔が広い / I don't *know* him personally, but I like his books. 彼と面識があるわけではないが, 彼の書いた本が好きだ.

語法「知っている」は know とは限らない．「トム・クルーズを知っている」は I *know* who Tom Cruise is. / I *know* a lot about Tom Cruise. であって，×I know Tom Cruise. ではない．

II [理解している, 精通している]

6 …がわかる, …を理解している ‖ I *know* I have been avoiding the issue. 私はその問題を避けていることはわかっています / *Know* what I mean? 私の言っていることがわかる？

7〈物・事〉を(研究・熟練などの結果)知っている；…に精通している ‖ You really *know* your coffee. なかなかコーヒー通ですね.

III [習得する]

8 …について実用的知識[技能]を身につけている，〈外国語など〉ができる; 〈せりふなど〉を(しっかり)覚えている ‖ *know* how to drive a car 車が運転できる(=can drive a car) / *know* English very well 英語が非常に堪能である / *know* the multiplication table (by heart) 掛け算の九九を暗記している.

語法 疑問文はしばしば依頼を含む: Do you *know* anything about the fuses? ヒューズのことをご存じですか《◆「知っていたら直してほしい」の意を含む》.

IV [識別する]

9 [know **A** to be **C** / know (that) 節]〈人が〉**A**〈人・物・事〉を…だと考える(regard), …だと認めている, 確信している《◆**C** は形容詞・名詞》‖ We all

know (*that*) he was a great actor. 彼が大スターであったことは我々のだれもが認めている / They *knew* him to be a brave man. 彼は勇気のある人だと知られていた《◆He was *known* to be a brave man. がふつう》/ This, he always *knew*（↘[↗]）, was too expensive to put into practice. これは実行するには費用がかかりすぎると彼は常々考えていた《◆このように挿入句にもなる》/ I *know* you left it here, didn't you? それを君はきっとここに置き忘れたんだろう《◆付加疑問が通例に呼応することもある》.

10〈人が〉〈人・物・事〉を[…(すること)によって]それと認める(ことができる)[*by*, *from*, *through*] ; 〈二者〉を見分ける(apart)(→ apart 成句); [know **A** from **B**] [通例否定文・疑問文・条件文で]〈人が〉**A**〈人・物・事〉と **B**〈人・物・事〉との見分けがつく(distinguish), 識別できる(can tell) ‖ I know him *by* sight but not *by* name 彼の顔は知っている[顔を見ればその人とわかる]が名前は知らない / He does not *know* [cannot tell] black *from* white. 彼は物の良否[善悪]がわからない / A tree is known *by* its fruit. 《聖》《ことわざ》果実を見れば木のよしあしがわかる; 子を見れば親がわかる, 人は仕事ぶりで判断できる《◆この句《は判断の基準を表す》/ I *knew from* her accent *that* she was from Australia. 彼女のなまりから彼女がオーストラリア出身だとわかった.

— 圓〈人が〉[…について](事実・真実を)知っている, 知て; 理解する[している][*about*, *of*](→ 成句) ‖ I dòn't [wouldn't] knów!（↘）そんなこと知らないよ!; まさか; え! 《◆know を下降上昇調にすると「さあ, どうかな」の意．質問の答えがわからない場合は I'm sorry but I don't *know*. などと言う》/ The movie was, I don't *know*, kind of boring. 《略式》映画は何だか退屈だった《◆I don't know は文頭・文中・文尾に置いて断定をやわらげる》/ You *know* best. 君がいちばんよく知っている；私の口出しすべきことではない.

*as far as Í knów (1) 私の知る限りでは ‖ As far as I *know*（↗[↘]）, she is still missing. 私の知る限りでは彼女は依然行方不明です(=To (the best of) my knowledge, …). (2) [I を高く発音して] たしか, たぶん.

as you knów ご存じのように.

before one knòws it [それと知らないうちに] =*befòre one knòws whére one ìs* [自分がどこにいるか知らないうちに] いつの間にか, あっという間に.

d'yóu knòw (1) (主張を表して) …ですよ. (2) (今決めたばかりのことを伝えて) いやね (…と思って) 《◆二人とも内緒で話をしている含みがある》. (3) 《略式・主に米》[(Well), what do you ~! で] 《ふつう喜ばしい驚きを表して》 へぇ, そうかい.

for áll one *knòws* […が知っているごくわずかなことを考慮すると](for 前11) 《略式》よくは知らないが, たぶん(→ for ALL).

Héaven [*Gód*, *Góodness*] (*only* [*alone*]) *knòws* 《略式》(1) 神のみぞ知る, だれにもわからない《◆後に wh 節または if 節を伴うこともある》‖ *Heaven knows* what's going to happen tomorrow. 明日は何が起こるかわかったことではない(=Nobody knows …) / He's had *heaven knows* how many chances. 彼は何回となくチャンスがあった. (2) [間投詞的に用いて] 確かだ ‖ *Heaven knows*(,) we tried. 確かに我々はやることはやった.

I dòn't knów abòut **A**《◆**A** は名詞・動名詞》(1)〈人・物・事〉のことはさておき ‖ I don't *know about* yóu（↘）, but I'm tired. 君はどうだか知らないが私は疲れたよ. (2)〈事〉を認めない; [遠回しな否定・拒

絶] さあ…はどうかな ‖ *I don't know about having the day off.* その日ははず休めそうにないかなあ(=(略式) I don't *know* that I can have the day off. =I am not sure …) ‖ 〈対話〉 "How about going out for a walk?" "*I don't know about* that." 「散歩はどう」「さあどうしようかな」《◆ No の遠回し表現》.

*know abòut A 《◆ A は名詞・動名詞・wh 節》 (1) 〈人・物・事〉を**見聞きして知っている**；…に気づいている ‖ *Does anybody know about the traffic accident?* だれかその交通事故について知っている人はいませんか / *I didn't know about his death in battle.* 彼が戦死したことは知らなかった. (2) …に関して(詳しく)知っている，理解している ‖ *I never have a chance to operate the computer, but I know about how to do it.* コンピュータを扱う機会は一度もありませんが，扱い方は(知識として)知っています《◆ *I know how to do it.* だと「扱うことができる」の意. → 他 **8**》.

*knów bétter than A [to do] 《A〈愚かなふるまいよりも物事をよく知っている〉〈事〉[…する]ほどばかでない(have more sense than …)；〈事〉より分別がある《◆文脈上明らかな場合 than 以下は省略される》‖ *You should have known better (than to do such things).* そんなばかなことをしてはだめじゃないか(= *You should have had more sense than …*) / *I know better (than that)!* そんな手に乗らないよ《◆ I'm not deceived!「だまされないぞ」の遠回し表現》.

knówing you (略式)君のことだから ‖ 〈対話〉 "What do you think I've got in my hands?" "*Knowing you* it's probably something alive." 「手に何を持っていると思う」「君のことだから何か生き物だろう」.

*knów of A 〈…がある[いる]のを知っている，〈人・事〉を間接的に知っている，…のことを聞いている《◆ A は名詞・動名詞》〈対話〉 "Do you *know* Mr. X?" "No, but I *know* óf him." 「X氏をご存じですか」「知り合いではありませんが，うわさは聞いています」《◆ know との対比のため of は強く発音. know him はその人の名前や顔はもちろんその人の性格などその人物を直接的に知っていることを表し，know of him はその人物に関する周辺的な知識を持っていることで間接的に知っていることを表す》/ *I know of her staying in Tokyo.* 彼女は東京に滞在中だそうですね(=I *know* (that) she is staying …) / *Do you know of a good candidate?* だれかいい人をご存じありませんか(=*Do you know if there is any …?*) / *There's only one way that I know to argue him down.* 私の知る限り彼を説き伏せる方法はひとつしかない.

máke knówn 〔他〕〈正式〉〈事〉を[…に]表明する，知らせる；〈人〉を[…に]紹介する[to] ‖ *He máde himsèlf knówn to me.* 彼は私に名を名乗った.

Nó òne knóws=Who KNOWS?

Nót that I knów of. (↗) 私の知る限りそうではない(=Not to my knowledge.).

so fàr as I knów=as far as I KNOW.

The Lórd (ònly) knóws.=Heaven (only) KNOWs.

Whó knóws? (だれにもわからないけれど)ひょっとしたらね，さあね.

*you knòw 《◆くだけて y'know ともつづる》(略式) (1) [文尾で] a) …でしょ，…のね《◆上昇調をとり，周知の事実について同意を求めたり内容を確認する》‖ *So he came over to my place, you know.* (↗) それで彼は私のうちへきたのね(そうでしょ). b) あなたも知ってね[おいて]《◆ (1) 上昇調をとり直前にポーズを置き，無везな. (2) yòu know となると皮肉，攻撃的. (3) 新しい情報を伝える場合は控えめ表現になる》‖ *I love her, you knòw.* (↘) But the point is, she doesn't *know* (it) at all. ぼくは彼女が好きなんだよね，ところが問題は彼女の方はぜんぜんそのことに気がついていないってことさ. c) そうじゃないね，いやかい《◆ *know* は下降上昇調》. (2) [文頭で] (あの)ねえ，何したら…だものね；時に，ところで(by the way)《◆後続の表現をやわらげ，聞き手の理解を期待して会話の始めに用いることがある》‖ *You knòw* (↗), *you ought to go home.* ねえ，あなたはおうちへ帰らなくちゃね. (3) [文中で] ほらあの，えー《◆ためらいのポーズに続いて下降調で，発話の間合(ま)をつないだり，前述の補足説明を予知させる》‖ *I've lost my watch — you knów* (↘), *the one you bought for me.* 時計をなくしてしまったの，ほらあのあなたが買ってくれた時計ね.

You knòw whát? (略式)ねえ，ちょっと聞いてよ，ちょっと知ってる？

*You nèver knów. (略式)先のことはわからない(けどね)，さあ何とも言えないね；ひょっとしたら(ね)，そうかもね《◆確答を避ける時などに用いる》.

——图 © (情報を)知っている者 ‖ *a society of the "knows and know-nots"* 「知れる者と知らざる者」の社会.

in the knów (略式)内情に通じた ‖ *Those in the know, know.* 知る人ぞ知る(=Those who know, know.).

know·a·ble /nóuəbl/ 形 知り[知られ]うる，理解できる；近づきやすい. ~s (通例 ~s) 知りうる事柄.

know-all /nóuɔ̀ːl/ (米略式) 形名=know-it-all.

know-how /nóuhàu/ 名 Ⓤ (略式)世渡りの方法；専門的知識[技能], 技術情報 ‖ *a lot of know-how* 多くのノウハウ.

†know·ing /nóuiŋ/ 形 **1** 知ったかぶりの ‖ *She gave me a knowing look.* 彼女は私に知っているぞと言わんばかりの顔つきをした. **2** 抜け目のない，ずるい. **3** […について]情報通の，物知りの[about]. **4** 故意の.
——图 Ⓤ 知ることで.

know·ing·ly /nóuiŋli/ 副 **1** 知ったかぶりに；心得顔に. **2** (正式)知っていてわざと.

know-it-all /nóuiːtɔ̀ːl/ (米略式) 形名 Ⓒ (他人の意見に耳を貸さないで)知ったかぶりをする(人).

***knowl·edge** /nɑ́lɪdʒ | nɔ́l-/ [発音注意] [→ know]
——图 Ⓤ **1** 知識；学識，学問《◆教育・研究・観察・経験などから得たかなりまとまった情報(information)で，真理・事実として確立したもの》‖ *background knowledge* 背景知識 / *general knowledge* 一般的知識 / *a thirst for knowledge* 知識欲 / *a piece [an item, an element, a bit] of knowledge* 1つの知識 / *every branch of knowledge* 学問のあらゆる分野 / *áir [parádei] one's knówledge* 知識をひけらかす / *a man of knowledge* [*half knowledge*] 学識豊かな[半可通(はんかつう)の]人 / *A little knowledge [learning] is a dangerous thing.* (ことわざ)少しばかりの学識は危険なものだ；「生兵法(なまびょうほう)は大けがのもと」.

2 [時に a ~] 知っている[知る]こと；精通，熟知[the/one's ~] [(…という)知識[that 節]] ‖ *He has a good knowledge [doesn't have much knowledge] of French.* 彼はフランス語がよくできる

[あまりよくできない](=He knows [doesn't know] French well.) / In the (full) *knowledge* that it doesn't pay, the project is just under way. その企画は採算がとれないということは(十分)承知の上で現在進められている《◆代名詞は it が the project より先に出ていることについては ➡文法 15.4》.
3 認識, 理解, 識別 ‖ (the) *knowledge* of good and evil 善悪の認識 / intuitive *knowledge* 直観的理解.
còme to A's **knówledge** =**còme to the knówledge of** A 《正式》〈人に〉知られるようになる, …の耳に入る.
**to (the bést of)* A's *knówledge (and belíef)* 〈人の〉知る限りでは; 確かに《ふつう A's = my》‖ To the best of my *knowledge*, she has not left yet. 私の知る限りでは彼女はまだ出発していない(=As far as I *know*, she …).
without A's *knówledge* =*without the knówledge of* A 〈人に〉知らせずに, 無断で; 〈人の〉知らぬまに ‖ My sister got married *without* my parents' *knowledge*. 姉は両親にだまって結婚してしまった(=My sister got married before my parents *knew* about it.)
knówledge industry [the ~] 知識産業.
knowl·edge·a·ble /nάlidʒəbl|nɔ́l-/ 形 《正式》〈…に〉精通している《*about*》; 聡明な, 理解力のある.

***known** /nóun/
——動 know の過去分詞形.
——形 **1** 周知の(well-known)(↔ unknown) ‖ the oldest *known* wooden structure 世に知られている最古の木造建築. **2** [数学] 既知の.
——名 C 知られているもの; [数学] 既知数[項].

know-noth·ing /nóunʌθiŋ/ 名 C **1** 無知[無学]な人. **2** [哲学] 不可知論者(agnostic). **3** [K-N~] [米史] ノーナッシング党員《1850年代に活動. 米国生まれでないか公職につくのを妨害した. 党員の常套(じょう)文句が I know nothing. であったことから》.

†**knuck·le** /nʌ́kl/ 名 C (指のつけ根の)指関節; [通例 ~s] (こぶしの)指関節部, げんこつ ‖ gíve a child a ráp [ráp a child] on [òver] the knúckles (略式) (罰として) 子供の指関節をぶつ, 子供をこっぴどくしかる. **2** C (四足動物の)膝(½²)関節; U ひざ肉.
——動 他 …をげんこつ[指関節]で打つ[押す, こする].
knúckle bàll [野球] ナックルボール.

KO, k.o. /kéióu/ [*knockout*の略] (略式) [ボクシング] 名 C ノックアウト. ——動 (~'s, 過去・過分 ~'d; ~'ing) 他 …をノックアウトする.

ko·a·la /kouɑ́:lə/ 名 C [動] =koala bear.
koála bèar コアラ《オーストラリア産》.

ko·bo /kóubou/ 名 C コボ《ナイジェリアの通貨単位》.
Koch /kɔ́:k, kɔ́:x/ 名 コッホ《Robert ~ 1843-1910; ドイツの細菌学者・医学者》.
KO'd, K.O.'d /kéioud/ 形 ノックアウトされた.
Ko·dak /kóudæk/ 名 C 《商標》コダック《Eastman Kodak Co. の小型カメラ・フィルムの商品名》.
kohl·ra·bi /kòulrɑ́:bi, -ræ-/ 名 (複 ~es) C U [植] コールラビ, カブカンラン.
Kol·ka·ta /kɑlkǽtə|kɔl-/ 名 コルカタ《インド東部の都市. 旧称 Calcutta》.
kol·khoz /kɔlkɔ́:z|kɔlkɔ́z, -hɔ́:z/ 〔ロシア〕 名 C コルホーズ《旧ソ連の集団農場》.

Ko·ran /kərǽn, -rǽn | kɔ:-/ 名 [the ~] コーラン, クラーン, クルアーン《イスラム教の経典. the Holy Koran, the Qur'an ともいう》.

†**Ko·re·a** /kəríːə|-ríə/ 名 朝鮮《◆現在 North Korea(北朝鮮) と South Korea(韓国) に分かれており, 文脈によってはこの一方をさす》.
Koréa Stráit [the ~] 対馬海峡《九州と朝鮮半島との間》.

†**Ko·re·an** /kəríːən|-ríən/ 形 朝鮮の《◆文脈によって「韓国の」「北朝鮮の」の意にもなる》; 朝鮮人[語]の.
——名 C 朝鮮人《語法 → Japanese》; U 朝鮮語.
Koréan Céntral Intélligence Ágency 韓国中央情報部(略) KCIA.
Koréan Wár [the ~] 朝鮮戦争《1950-53》.

kph, k.p.h., KPH kilometers per hour.
kr. (略) krona; krone.
Kr (記号) [化学] krypton.
kraal /krɑ́:l/ 名 (南) **1** クラール《(垣・防御柵で囲まれた)村. **2** 家畜の. ——動 〈家畜〉をおりで囲う.
kraft /krǽft|krɑ́:ft/ 名 U =kraft paper.
kráft pàper クラフト紙《褐色で丈夫な包装用紙. セメント袋・電気絶縁用》.

Krem·lin /krémlin/ 〔ロシア〕 名 **1** [the ~] クレムリン宮殿; [単数・複数扱い] 旧ソ連政府. **2** [k~] C (ロシアの都市の)城塞(ニョゥ).

kro·ne /króunə/ 名 (複 **1** では -ner/-nər/, **2** では -nen/-nən/) C **1** クローネ《デンマーク・ノルウェーの貨幣単位. (略) kr》. **2** クローネ《昔のドイツの金貨. 昔のオーストリアの銀貨》.

kryp·ton /kríptɑn|-tɔn/ 名 U [化学] クリプトン《希ガス元素. 記号 Kr》.

KS (略) [郵便] Kansas; (英) Kings Scholar.
Kt, Kt. (略) knight.
kt. (略) karat; kiloton; [海事] knot.
Kua·la Lum·pur /kwɑ́:lə lumpúər|-lúmpuə/ 名 クアラルンプール《マレーシアの首都》.
Ku·blai Khan /kúːblai kɑ́:n/ 名 フビライカン(忽必烈汗)《1216?-94; 中国元朝の初代皇帝》.

†**Ku Klux Klan** /kúː klʌ́ks klǽn, (英+) kjúː-/ [the ~; 単数・複数扱い] (略) KKK) **1** クー=クラックス=クラン, 3K団《南北戦争後南部諸州に結成された白人の秘密結社; 黒人や北部人の威圧と白人優越の維持を目的とした. 団員は Klaner, Klansman, Klan》. **2** クー=クラックス=クラン, 3K団《1915年米国に結成された黒人・ユダヤ人・カトリック教徒・外国人を排斥する秘密結社》.

kung fu /kʌ́ŋ fúː, kúŋ-/ 〔中国〕名 U カンフー《拳法》.

Kurd /kə́:rd/ 名 C クルド族《主にトルコ・イラク・イランに住むイスラム教徒の遊牧民の一員》. **Kúrd·ish** 形 クルド族[語, 文化]の.

Ku·wait /kuwéit, (英+) kju-/ 名 クウェート《ペルシア湾岸の国. 首都 Kuwait》.

kV (記号) kilovolt(s).
kW (記号) kilowatt(s).
kWh (記号) kilowatt-hour(s).
kwic /kwík/ [*key-word-in-context*] 名 U 〔コンピュータ〕クイック, 文脈付き検索.
KY (略) [郵便], **ky.** (略) Kentucky.

L

‡l, L /él/ 名 (複 l's, ls; L's, Ls/-z/) **1** CU 英語アルファベットの第12字. **2** → a, A **3** CU 第12番目(のもの). **4** U (ローマ数字の)50 (→ Roman numerals).

L (略) Latin; 『ラテン』 libra(e) (=pound(s)).
£ (記号) 『ラテン』 libra(e) (=pound(s) sterling).
l. (略) line; liter.
L. (略) Lake; Latin; Law; Left; Liberal.
la, lah /láː/ 名 UC 〖音楽〗ラ《ドレミファ音階の第6音. → do》.
LA (略) Los Angeles; 〔郵便〕Louisiana.
La. (略) Louisiana.
lab /lǽb/ 名 (略式)=laboratory.
Lab (略) Labour Party.

*la·bel /léibl/ 〔発音注意〕
— 名 (複 ~s/-z/) C **1** (持ち主・中身・送り先などを示す紙[布, ビニール]製の)札, ラベル, はり札, 荷札, レッテル ‖ put *labels* on one's luggage 荷物にラベルをはりつける. **2** (略式)(人・団体・流派などに付ける)短い文句, 通り名, 標号; (辞書の見出語などに付ける)ラベル, レーベル《(英)·【音楽】など》. **3** (レコード·CDなどの)レーベル; 商標; (のりのついた)切手, 印紙.
— 動 (~s/-z/; 過去・過分 ~ed or (英) **la·belled** /-d/; ~ing or (英) **-bel·ling**)
— 他 **1a** 〈人が〉〈物〉にラベルをはる ‖ She *labeled* the box of books. 彼女は本を入れた箱にラベルをはった. **b** 〈人が〉〈物〉に…というラベルをはる ‖ He opened the can (which was) *labeled* "Bait." 彼は「餌」のラベルがはってあるかんを開けた. **2** (ラベルをはって)…を[…として]分類する; 〈人〉を[…と]呼ぶ, 名付ける, …に[…と]レッテルをはる〔*as*〕‖ She was *labeled (as)* a troublemaker. 彼女は厄介者のレッテルをはられていた.

la·bi·al /léibiəl/ 形 **1** 〔解剖·動〕くちびる(状)の. **2** 〔音声〕唇(shi)音の《b, m, p/など》. **3** 〔音楽〕唇管のある. — 名 C 〔音声〕唇音. **lá·bi·al·ize** 動 他 〈音〉を唇音化する.

*la·bor, (英) **-bour** /léibər/ 〖「苦しい仕事」が原義〗
派 labo(u)rer (名), laborious (形)
— 名 (複 ~s/-z/)

I [苦しい仕事]
1 U (つらい肉体)労働, 賃金労働(類語 → work 名)
1a ; 骨折り, 努力 ‖ manual *labor* 肉体労働, 力仕事 / hand *labor* 手仕事 / physical [mental] *labor* 肉体[精神]労働 / a division of *labor* 分業 / hard *labor* (刑罰としての)苦役, 重労働 / *labor* in vain = lost *labor* むだ骨 / an eight-hour *labor* system (1日)8時間労働制 / 日本発》*Labor* Thanksgiving Day [*kinrō kansha no hi*] is actually a modern name for an ancient "first-fruits" ritual called the *Niinamesai* [Harvest Festival]. 勤労感謝の日は実は新嘗(にい)祭という昔の初収穫の儀式に対する現代風命名だ.
2 C (骨の折れる)仕事, 労作 ‖ a *labor* of love (略式)(報酬を期待しない)好きでする仕事 / It's a *labor* to compile a dictionary. 辞書を編集することは骨の折れる仕事だ.
3 U =labor pains; [a ~] 出産所要時間 ‖ She was in *labor* for five hours. 彼女はお産に5時間かかった.

II [仕事をする人]
4 [集合名詞; 単数・複数扱い] **労働者(階級)**《◆個人は laborer》; 被雇用者側, 労働組合集団; (知的職業人に対する)肉体労働者たち ‖ *labor* and capital 労働者と資本家, 労資 / organized [big] *labor* 組織労働者 / skilled *labor* 熟練労働者 / the Department of *Labor* (米国の)労働省《◆英国は the Ministry of *Labour*》/ *Labor* is demanding a big raise this year. 労働者側は今年は大幅な賃上げを要求している.
— 動 (~s/-z/; 過去・過分 ~ed/-d/; ~·ing /-bəriŋ/)
— 自 **1** 〈人が〉(骨折って)働く, 〔…に〕精を出す, 取り組む〔*at, over, on*〕, 〔…を得ようと/…しようと〕努力する〔*for, after / to do*〕; 肉体労働者として働く ‖ *labor at* one's Latin ラテン語の勉強に励む / *labor for* world peace 世界平和に尽力する. **2** (正式)〈人·乗物などが〉苦労して進む ‖ a ship (which is) *laboring* through high waves 荒波にもまれて難渋している船. **3** (正式)(窮境・病気などに)苦しむ, 〔勘違いなどに〕悩む〔*under*〕; 生みの苦しみを味わう ‖ *labor under* a fatal misunderstanding [delusion] (正式)致命的な誤解[思い違い]に苦しむ.
— 他 …を(必要以上に)詳細に論じる ‖ *labor* the ridiculous ばかばかしいことをくどくどと述べる.

Lábor Dày 労働者の日, 労働祭《米国·カナダでは9月の第1月曜日, 英国では5月の第1月曜日で, いずれも法定休日》.
lábor disputes 労働争議.
lábor fórce [通例 the ~; 集合名詞] (1) (特定の会社の)被雇用者集団[数]. (2) (一般に)労働力, 雇用可能人口《◆米国では14歳以上》. [◆work force ともいう]
lábor léaders 労働党[労働組合]幹部.
lábor pàins 陣痛.
lábor relátions 労使関係, 労働関係.
lábor ùnion (米)労働組合《(主に英) trade(s) union》《◆組合員は union members》.
Lábour Pàrty [時に L~ p~] [the ~; 集合名詞的に; 単数・複数扱い] (英国の)労働党(略 Lab) (cf. Conservative).

*lab·o·ra·to·ry /lǽbərətɔ̀ːri | ləbɔ́rət(ə)ri/ 〖「仕事をする(labor)場所(atory). cf. observ*atory*〗
— 名 (複 **-ries**/-z/) C (科学)研究室[所]((略式) lab); (薬品などの)製造所[工場]; [形容詞的に] 実験室(用)の, (実験)演習の ‖ a hygienic *laboratory* 衛生試験所 / a language *laboratory* 語学演習室, LL教室 / *laboratory* animal [disease] 実験用動物[疾患].

la·bored /léibərd/ 形 **1** 〈文体などが〉苦心した; ぎこちない ‖ *labored* jokes こじつけの冗談. **2** 〈動作などが〉非常な努力を伴う ‖ *labored* breathing 苦しい息づかい.

†la·bor·er, (英) **-bour-** /léibərər/ 名 C (肉体)労

働者, 人夫 ‖ day *laborers* 日雇い労務者.

la·bor·ing /léibəriŋ/ 形 **1** (肉体)労働に従事している. **2** 骨の折れる, 苦しい; ⟨船が⟩ひどく揺れる. **3** 産気づいて, 分娩中の.

†**la·bo·ri·ous** /ləbɔ́ːriəs/ [アクセント注意] 形 (正式) **1** ⟨仕事などが⟩骨の折れる, 困難な, つらい (hard). **2** ⟨人・動物が⟩よく働く, 勤勉な. **3** ⟨作品・話・文体などが⟩長たらしくて難しい, 面白くない; ぎこちない.

la·bó·ri·ous·ness 名 ∪ 困難; 勤勉; 苦心.

†**la·bó·ri·ous·ly** /ləbɔ́ːriəsli/ 副 骨折って, 難儀して; 勤勉に.

la·bor-sav·ing /léibərsèiviŋ/ 形 労力節約の, 省力の.

***la·bour** /léibə/ ⟨英⟩ 名 動 =labor.

la·bour·er /-rər/ ⟨英⟩ 名 =laborer.

lab·y·rinth /læbərinθ/ 名 **1** ⓒ (正式) 迷宮, 迷路 (maze) ‖ a *labyrinth* of corridors 迷路のような廊下. **2** [the L~] ⟨ギリシア神話⟩ ラビリントス ⟨Crete 王 Minos が怪物 Minotaur を監禁するため造らせた迷宮⟩. **3** ⓒ 複雑な〔混み入った〕事情.

lab·y·rin·thi·an /læbərínθiən/, **--thine** /-θin, -θiːn | -θain/ 形 **1** 迷宮〔迷路〕の(ような), 迷宮〔迷路〕を形成する. **2** 入り組んだ, 複雑な, わかりにくい.

lac /læk/ 名 ∪ ラック⟨ワニスの原料⟩; ラック染料.

†**lace** /léis/ 名 **1** ⓒ (靴・コルセットなどの)(締め)ひも ‖ a leather *lace* for the bodice ベストの皮ひも / Your shoe *lace* is undone. 靴ひも(の片方)がほどけています. **2** ∪ レース(lacework); [形容詞的に] ⟨ ⟩レースの ‖ a piece of *lace* レース1片 / a *lace* shawl レースの肩掛け. **3** ∪ (軍服の)モール⟨◆ ふつうは braid を使う⟩ ‖ gold [silver] *lace* 金〔銀〕モール.
— 動 他 **1** ⟨靴などを⟩ひもで締める〔結ぶ〕(+*up*); ⟨人・腰を⟩ひもで締める(+*in*) (↔ unlace) ‖ *lace* (*up*) a corset コルセットを(しっかり)締める. **2** ⟨ひもなどを⟩(穴に)通す(+*up*) (*through*). **3** ⟨飲料などに⟩⟨少量のアルコール・薬を⟩加える(*with*) ‖ *lace* one's coffee with rum コーヒーにラム酒を少々入れる. **4** …を[レース〔モール〕で]縁取る〔飾る〕(*with*); …にしま模様をつける ‖ a uniform (which is) *laced* with gold 金モール飾りの制服. **5** ⟨布⟩に⟨糸などを⟩織り込む, 刺繡(ゅ゙)する(*with*); ⟨ひもなどを⟩編み合わせる; ⟨手・指⟩を組み合わせる ‖ *lace* strands into a braid 約(ぐ゙)を編んでひもを作る. **6** …を(むちなどで)打つ; …を打ち負かす. — 自 ⟨靴などが⟩ひもで締まる〔結べる〕(+*up*) ‖ This vest *laces* (*up*) at the front. このベストは前で結ぶようになっている.

lac·er·ate /læsərèit/ 動 他 (正式) **1** …を荒々しく引き〔切り〕裂く. **2** ⟨感情などを⟩傷つける; …を苦しめる.

lac·er·a·tion /læsəréiʃən/ 名 **1** 引き〔切り〕裂くこと; (感情などを)ひどく傷つけること. **2** 裂傷, 裂け口.

lach·ry·mal /lækrəml/ 形 **1** (正式) 涙の, 涙を催させる; 涙もろい. **2** (解剖) 涙腺(ポ゚)の.

lac·ing /léisiŋ/ 名 **1** ∪ ひもで縛る〔結ぶ〕こと; レース飾りを付けること. **2** ∪ 金〔銀〕モール.

***lack** /læk/ [類語] luck /lʌ́k/)
— 名 (樲 ~s/-s/) ∪ [時に a ~] ⟨必要な・望ましいものの⟩不足していること〔状態〕, 欠乏; 欠如(*of*) ⟨◆ 「十分にはない」ことをいう. 「まったくない」場合は absence⟩(類語) shortage, want.) ‖ *lack of* friends [time, money, information, common sense] 友達[時間, お金, 情報, 常識]が(ほとんど)な

いこと / We've had a poor crop *for* [*from*, *through*, *because of*] *lack* of water. =The [A] *lack* of water has caused a poor crop. 水不足のために不作だった.
— 動 (~s/-s/; 過去・過分 ~ed/-t/; ~·ing) (正式) — 他 ⟨人・物・事が⟩⟨必要なもの・性質・要素⟩を(十分に)持っていない; ⟨ある状態・基準⟩に⟨数量⟩だけ足りない(*of*) ⟨◆ *want, need* の方が切迫感が強い. 受身・進行形は不可⟩ ‖ He *lacks* confidence. 彼は自信がない(=He is *lacking* in confidence.) / The article *lacks* definite information. その記事は確かな情報に欠けている / She *lacks* two votes for a majority. 彼女の得票数は過半数に2票足りない.
— 自 [通例 be ~ing] ⟨必要なものが⟩ない, 不足している(missing); ⟨人・物・事が⟩[本質的な属性・要素を]欠いている(*in*) ‖ His attitude *is lacking in* warmth. =Warmth is *lacking* in his attitude. 彼の態度には暖かさがない ⟨◆ (1) *lack* の方が好まれる: (正式) His attitude *lacks* warmth. (2) 人の性質, 物の属性についていう: He *is lacking* in courage [×money, ×time].⟩ / Space is *lacking* 'for a full explanation [to explain fully]. 十分説明するには紙面が足りない.

láck for 人 (正式) [通例否定文で] ⟨人が⟩…を欠いて困っている ‖ We *lack for* nothing. 私たちは何ひとつ不自由していない.

lack·lus·ter, ⟨英⟩ **--tre** /læklʌ̀stər/ 形 ⟨目・人・性格・演技などが⟩輝きのない, さえない, 活気のない.

la·con·ic /ləkɑ́nik | -kɔ́n-/ 形 (正式) **1** ⟨話などが⟩簡潔(すぎてあいまい)な. **2** ⟨人が⟩(そっけないほど)口数の少ない.

†**lac·quer** /lækər/ 名 **1** ∪ ⓒ ラッカー; 漆(゚ʲ). **2** = lacquer ware.

lácquer wàre [集合名詞的に] 漆器.

la·crosse /ləkrɔ́ːs, ⟨英⟩ -| lɑ-/ 名 ∪ ラクロス⟨1チーム男子10人[女子12人]で行なわれるホッケーに似た球技. ネットつきの長柄のラケット(crosse)を用いる⟩.

lac·tic /læktik/ 形 (化学) 乳の, 乳から得られる.

láctic ácid 乳酸.

lac·tose /læktous/ 名 ∪ (化学) ラクトース, 乳糖.

†**lac·y** /léisi/ 形 (--i·er, --i·est) レースの; レースに似た.

†**lad** /læd/ 名 ⓒ **1** (略式) 少年 (↔ lass); 若者 (youngster) ‖ He is a nice *lad* of 17. 彼は17歳の感じのいい若者である. **2** (英略式) [親愛を表す呼びかけで] おい!, みんな! **3** (英略式) やつ, (元気のいい)男, ごろつき ⟨◆ 通例次の句で⟩ ‖ quite a [a bit of a] *lad* たいしたやつ.

***lad·der** /lædər/ 名 (樲 ~s/-z/) ⓒ **1** はしご ⟨◆ (1) 「(はしごの)横木」は rung. (2) 米英にははしごの下を通り抜けるとは不吉だという俗信がある⟩ ‖ a rope *ladder* なわばしご / 'a fire [an emergency] *ladder* 非常用はしご / an extension [aerial] *ladder* はしご車のはしご / 'climb (up) [go up] a *ladder* はしごを登る / climb [come] down a *ladder* はしごを下る / lean a *ladder* on [against] the wall はしごを壁に立てかける. **2** (正式) [the ~] (出世への)はしご, 手段, 道, 手づる (means) ‖ climb the *ladder* of success 出世の階段を昇る. **3** (身分・地位などの)段階. **4** はしご状のもの; (主に英) (靴下などの)伝線, ほつれ ⟨(米) run⟩.

the tóp of the ládder =*the tóp rúng* (*of the*

ládder) 〔略式〕〈自分がついている[ある]職業での〉最高の地位.
— 動《主英》 自 〈靴下が〉伝線する(《米》run).
— 他 〈靴下を〉伝線させる.
ládder trùck 《米》(消防用)はしご車.
lad·die, --dy /lǽdi/ 名 C 《主にスコット略式》少年, 若者.
lade /léid/ 動 (過去) ~d, (過分) ~d or lad·en 他 1《古》…に荷を積む, …を[…に]積み込む(on, in);《船・車などに》〈荷を〉積む{with}《◆load が一般的》. 2《正式》(通例 be laden)〈人が〉[…で]苦しむ{with}(→ laden).— 自 荷を積む.
lad·en /léidn/ 動 lade の過去分詞形.— 形 1 荷を積んだ;[…を]どっさり積み込まれた{with}《◆loaded の方がふつう》. 2 […に]苦しんで[悩んで]いる{with} || be laden with sorrow 悲嘆にくれている. 3〔複合語で〕〈…を〉付与された || power-laden 権力を与えられた / value-laden 価値のある.
lad·ing /léidiŋ/ 名 U 貨物, 船荷.
†**la·dle** /léidl/ 名 C 玉じゃくし, ひしゃく;〔冶金〕取鍋(とりなべ) || a soup ladle スープ用ひしゃくし.— 動 他 〈スープなどを〉(玉じゃくしなどで)よそう, くむ(+out).

˟la·dy /léidi/〖『パン(loaf)をこねる人』が原義〗
— 名 (複) -dies/-z/) 1〔ていねいに〕 a C ご婦人, 女のかた《◆woman, girl のていねい語であるが今はやや古風》|| A glass of beer for this lady, please. こちらのご婦人にはビールを1杯さしあげて.

〔語法〕[lady と woman]
特に以下のような場合, lady が woman より好まれる. a) 当人を前にして「あの方」「この方」と間接的にして言う場合, b) old のあと, c) 商業宣伝文で: an óld lády 年輩の婦人 / ládies' shóes (広告・掲示など)婦人靴.

b〔職名の前で性別を示す〕女性の, 婦人…《◆この用法には一般に軽蔑(⊆)の含みがあるので, woman を用いる》. **c** [ladies]〔呼びかけ〕女性の皆さん《◆1人に対する呼びかけには ma'am, madam, miss などを用い, lady は〔詩・主に米略式〕》.
2 C 淑女(cf. gentleman);貴婦人(cf. lord) || the first lády (in the land)《米国》大統領夫人《◆これからの連想で the first lády of tennis 〔song〕「テニス[歌]の女王」のようにも用いる》/ be nót (quite) a lády とても淑女などではない.
3《英》**a** [L~]〔敬称〕…卿夫人, レディー;…令嬢;…貴(官)夫人《◆Sir または Lord の称号をもつ人の夫人, 公爵・侯爵・伯爵の令嬢に対する敬称》|| Lady Derby ダービー卿夫人 / Sir Harry and Lady Smith ハリー=スミス卿と令夫人 / Lady Ann アン姫《◆呼びかけも可》. **b** [my L~] 奥様, お嬢様 (your Ladyship)《◆ a の女性に対する主に召使いのていねいな呼びかけ》.
4 C 女主人, 女性支配者《◆《米略式》ではしばしば boss lady》|| the lády of the house 主婦 / the lády in the flower shop 花屋の女主人.
ládies' ròom 《米》(公共建築物の)女性用トイレ(《英》ladies).
Lády Dày 受胎告知の祭(Annunciation (Day))《3月25日。= quarter day》.
lády dòg [遠回しに]雌犬(female dog).
Lády Máyoress [the ~] (ロンドンなど大都市の)市長夫人.
lády's màid (貴婦人の)侍女.

la·dy·bird /léidibə̀ːrd/ 名《英》=ladybug.
la·dy·bug /léidibʌ̀g/ 名 C 〔昆虫〕テントウムシ.
la·dy·fin·ger /léidifíŋgər/ 名 C 《米》レディーズ=フィンガー《指の形をしたスポンジケーキ》.
la·dy·like /léidilàik/ 形 1〈女・言動が〉淑女にふさわしい, 育ちのよい;しとやかな(《PC》well-mannered, elegant). 2〈男が〉なよなよした(timid).
†**la·dy·ship** /léidiʃìp/ 名 1 C [しばしば L~] [your/her ~; their ~s] 奥方様, お姫様《◆Lady をもつ人をさす。皮肉でふつうの人にも用いる》|| What does your Ladyship think about it? いかがお考えあそばしますか《◆you に相当するが三人称扱い》. 2 U 貴婦人の身分[品位].
la·dy('s)–slip·per /léidi(z)slìpər/ 名 C 〔植〕アツモリソウ(の類).
†**lag** /lǽg/ 動 (過去・過分) lagged/-d/; lag·ging 自 1〈人が〉遅れて行く;のろのろ歩く, ぐずぐずする;〈事が〉立ち遅れる(+behind);[…に/…の点で]ついて行けない[behind/in]. 2〈関心などが〉薄れる, 弱まる.
— 名 UC 1 遅れること, 遅延;遅れるもの. 2 (2つの事件間の)時間の隔たり(timelag).
la·ger /lɑ́ːgər/ 名 U =lager beer; C ラガービール1杯[1かん, 1びん].
láger béer ラガー〔貯蔵〕ビール《加熱殺菌したもの. cf. draft beer, ale》.
†**la·goon** /ləgúːn/ 名 C 潟(かた), 潟湖(きっこ);礁湖(しょうこ).
˟**laid** /léid/ 動 lay¹ の過去形・過去分詞形.
láid páper 簀(す)の目入りの紙(cf. wove paper).
laid-back /léidbǽk/ 形 《略式》〈人・態度・場所などが〉気楽な, くつろいだ.
˟**lain** /léin/ 動 lie¹ の過去分詞形.
†**lair** /léər/ 名 C (野獣の)寝ぐら, 巣;隠れ家[場所];《英》(市場へ送られる途中の家畜の)囲い, 小屋.
lais·ser [lais·sez] faire /léisei féər | lèisei-, lès-/ 〖フランス〗 U 1 (国家の規制のない)経済上の自由放任主義(政策);(個人の行動に対する)(自由)放任主義.
la·i·ty /léiəti/ 名 [the ~; 集合名詞;通例単数扱い] 1 (聖職者に対して)俗人, 平信徒. 2 (専門家に対して)しろうと, 門外漢, ノンプロ.

˟**lake** /léik/ (類音) rake /réik/) 〖『水たまり』が原義〗
— 名 (複) ~s/-s/) C **1a** 湖, 湖水《◆日本語で「湖」とされるものも小さいのは lake とせず pond ということもある》|| gò físhing in [on, at] the láke 湖へ釣りに行く《◆それぞれ前置詞に注意。in は立体的な湖, on は湖面, at は地点としての湖に重点がある》/[日本発] Lake Biwa, the largest lake in Japan, is popular among fishermen. 日本最大の湖, 琵琶湖は釣り人に人気です. **b** [L~ ...; the L~ of ...] …湖 || Lake Victoria =the Lake of Victoria ビクトリア湖 / lakes [Lakes] Erie and Ontario エリー湖とオンタリオ湖《◆2つ並べる時は小文字で lakes とすることも多い》|| the Great Lakes 5大湖(→ Great Lakes) / The Great Salt Lake is about seven times as large as Lake Biwa. グレイトソルトレイクは琵琶湖の約7倍の広さです. **c** [the Lakes] =Lake District. **2**《米》(公園などの)泉水, 池.
Láke District [**Còuntry**] [the ~] 湖水地方《イングランド北西部の湖の多い風光明媚(ぴ)な地域》.
lake·side /léiksàid/ 名 [the ~] 形 湖畔(の).
la·ma /lɑ́ːmə/ 名 C ラマ教の僧 || the Dalai Lama ダライ=ラマ《チベットのラマ教の教主》.

Lamarckian

lá·ma·ism 名 U ラマ教. **lá·ma·ist** 名 C ラマ教徒.
La·marck·i·an /ləmάːrkiən/ 形 ラマルク(進化論)の. ——名 C ラマルク進化論(支持)者.
***lamb** /lǽm/ 【発音注意】 【類音】ram /rǽm/)
1 C 子羊 (複 ~s/-z/); 〔特に1歳以下〕可憐・従順・無邪気などの象徴. → sheep); カモシカなどの子 ‖ as gentle as a *lamb* 子羊のようにおとなしい; 借りてきた猫のようにおとなしい / Some *lambs* are bleating. 羊が鳴いている. **2** U 子羊の肉, ラム(cf. mutton); 子羊の革(lambskin). **3** C (略式)〔特に若くて〕おとなしい人, 無邪気な人, 愛すべき人; よい子, 坊や◆〔愛情・同情をこめた呼びかけにも用いる〕; (取引などで)だまされやすい人.
like [*as*] *a lámb* (*to the sláughter*) 〖屠殺場に引かれて行く子羊が〗子羊のように従順に; (目前の苦難にも気づかず)無邪気に.
——動 自 〖ヒツジが〗子を産む.
lámb's wòol ラムウール〖子羊から取った羊毛〗; その織物〖糸〗.
Lamb /lǽm/ 名 ラム《Charles ~ 1775–1834; 英国の随筆家・批評家. ペンネームは Elia》.
lamb·da /lǽmdə/ 名 U C ラムダ《ギリシアアルファベットの第11字(λ, Λ). 英字の l, L に相当. → Greek alphabet》.
lamb·skin /lǽmskìn/ 名 **1** C 子羊の毛皮〖コート・手袋用〗. **2** U 子羊のなめし皮. **3** U 羊皮紙.
†**lame** /léim/ 形 **1** 〔人が〕足の不自由な,〔足などが〕不自由な〔in, of〕; 〔遠回し語は handicapped, disabled〕‖ He *is lame* in the left leg. 彼は左足が不自由である / a *lame* child 足の不自由な子供. **2** 〈背中・腕などが〉こって痛む. **3** (略式)〈口実・議論・話などが〉不十分な, 説得力のない(↔ convincing), 貧弱な ‖ a *lame* excuse へたな言い訳. **4** 〈韻律などが〉不完全な, 不規則な.
——動 他 〖…を不自由にする. ——自 不自由になる.
láme dúck (略式) (1) 身体障害者; 無能な人. (2) 経営不振の会社. (3) (米) 〔再選されなかった〕まだ任期の残っている議員〔政治家〕.
la·mé /lɑːméi, læ-│lάːmei/ 〖フランス〗 名 U ラメ《金糸などを織り込んだ金らんの一種》.
lame·ly /léimli/ 副 〈論拠・説明などが〉あやふやに, たどたどしく ‖ say [explain] *lamely* たどたどしく述べる〖説明のしかたがへたである〗.
†**la·ment** /ləmént/ 動 (正式) 他 **1** 〈人が〉事を悲しむ, 嘆く, 悼(いた)む(mourn for);「…と言って嘆く」‖ *lament* the death of a friend 友人の死を悲しむ. **2** …を後悔する, 〔ということを〕残念に思う〔that節〕‖ I *lament* a mistake 間違いを悔いる. ——自 〈人が〉〔…を〕悲しむ, 嘆く(grieve)〔for, over〕‖ *lament over* one's misfortunes 不運を嘆く / *lament for* one's dead child (正式) 死んだ子供のことを嘆き悲しむ. **2** 泣きわめく(wail); 不平をいう.
——名 C **1** (略式)〔…に対する〕悲しみ, 悲嘆, 嘆き; 後悔〔for〕. **2** 哀歌.
†**lam·en·ta·ble** /ləméntəbl│lǽmən-/ 形 (正式) **1** 悲しむべき, 嘆かわしい. **2** 劣った, 非難されるべき.
lam·én·ta·bly /ləméntəbli│lǽmən-/ 副 嘆かわしいほど.
†**lam·en·ta·tion** /lǽməntéiʃən, -en-/ 名 **1** U (正式) 悲嘆, 哀悼; C 悲嘆の声. **2** [Lamentations; 単数扱い] 〖旧約〗哀歌《旧約聖書の一書. 略 Lam.》.
la·ment·ed /ləméntid/ 形 (詩) 悼(いた)まれる, 惜しまれる ‖ the late *lamented* 故人.
la·mi·a /léimiə/ 名 C **1** 〖ギリシア神話〗 ラミア《頭と胸は女で胴体はヘビの怪物》. **2** 魔女, 吸血鬼.

land

lam·i·na /lǽmənə/ 名 (複 ~s, --nae/-ni/) C **1** (金属・骨・岩石などの)薄板, 薄片, 薄層, 薄膜. **2** 〔植〕葉身.
lam·i·nate /lǽməneit; 形 -nèit, -nət/ 動 他 **1** (薄板を重ねて) 〈合板・プラスチックなど〉を作る. **2** 〈金属〉を打ち伸ばして〔ロールにかけて〕薄板にする; …を薄片に切る, 薄層にする; …に薄板をかぶせる. ——自 薄片になる. ——名 U C 積層プラスチック〔金属〕.
lám·i·nàt·ed /-neitid/ 形 薄層状の, 薄層から成る.
làm·i·ná·tion 名 U C 薄板〔層〕状(のもの).

***lamp** /lǽmp/ (【類音】lump /lʌ́mp/, lámp/) 〖「たいまつ (torch)」が原義. cf. lantern〗
——名 (複 ~s/-s/) C **1** (石油・ガス・電気による)ランプ; 電気スタンド; 明かり, 灯火◆(天井や壁にある電灯は light という. ◆光・火・愛・美・自己犠牲などの象徴) ‖ an óil *lámp* 石油ランプ / turn on [off] a *lamp* 明かりをつける[消す].

【関連】[いろいろな種類の *lamp*]
floor *lamp* フロアスタンド / fluorescent *lamp* 蛍光灯 / gas *lamp* ガス灯 / incandescent *lamp* 白熱電球 / mercury *lamp* 水銀灯 / pilot *lamp* 表示灯 / reading *lamp* 読書灯, 電気スタンド / safety *lamp* 安全灯 / street *lamp* 街灯.

2 [比喩的に] 光, 光明; (詩) 太陽, 月, 星.
lamp·black /lǽmpblæk/ 名 U (すすから作った)黒色絵の具〔印刷インク〕.
lamp·light /lǽmplàit/ 名 U 灯光, 灯火の明かり.
lam·poon /læmpúːn/ (正式) 名 C 風刺(文) (cf. caricature). ——動 他 …を風刺する.
lamp·post /lǽmppòust/ 名 C (ふつう金属製の)街灯(の)柱.
lam·prey /lǽmpri/ 名 C 〔魚〕 ヤツメウナギ(類).
lamp·shade /lǽmpʃèid/ 名 C (装飾用の)ランプのかさ.
LAN (略) 〔コンピュータ〕 local area network ラン《同一の建物内など比較的狭い範囲のコンピュータ=ネットワーク》.
Lan·ca·shire /lǽŋkəʃiər│-ʃə-/ 名 ランカシャー《イングランド北西部の州. 英国有数の産業地帯》.
Lan·cas·ter /lǽŋkəstər│(米)-kæs, (英)-kɑːs-/ 名 **1** 〔英史〕 ランカスター王家(the House of Lancaster)《1399–1461; 紋章は赤ばら. cf. York》. **2** ランカスター《イングランド北西部の都市》.
Lan·cas·tri·an /læŋkǽstriən/ 形 **1** ランカシャー州の; ランカスターの. **2** 〔英史〕ランカスター王家(の支持者)の, 赤ばら党(員)の. ——名 C **1** ランカシャー州の住民; 〔英史〕 ランカスター王家の人, 赤ばら党員(cf. Yorkist).
†**lance** /lǽns│lάːns/ 名 C **1** 〔魚をつく〕やす, もり. **2** 槍(やり); [通例 ~s] 槍(やり)騎兵(lancer).
——動 他 **1** …を(槍・やす・もりで)突く. **2** 〔医学〕 …を(ランセットで)切り開く, 切開する.
Lan·ce·lot /lǽnsəlɑt│lάːnsələt, -lət/ 名 ランスロット《Arthur 王の円卓騎士の1人》.
lanc·er /lǽnsər│lάːns-/ 名 C 槍騎兵.
lan·cet /lǽnsət│lάːns-/ 名 C 〔医学〕 ランセット, 披(ひ)針, 針.
Lancs. (略) Lancashire.

***land** /lǽnd/
——名 (複 ~s/lǽndz/)《◆**1, 2, 4** の C U については ⊃ 文法 14.3(2)》

landau 864 **landmark**

《上陸する》
《着陸する》
sea 《海》
land
《陸》
《国》

I [土地・陸地]
1 ⓊC[耕作地としての]土地, 地面;[時に (the) ~s;しばしば複合語で]…地帯 ‖ *a piece of land* 1区画の土地《◆もっと小さな区画は a patch of *land*》/ forest [mountainous] *lands* 森林[山岳]地帯 / plow the *land* 土地を耕す / This rich *land* yields well. この肥えた土地は作物がよくとれる / work (on) [be on, go on] the *land* 農業に従事する.
2 Ⓤ[しばしば the ~] (海に対する)陸(地) (↔ sea)《「空・宇宙」に対する「陸」は earth》‖ About one-third of the earth's surface is *land*. 地球の表面のおよそ3分の1が陸地である.
3 [the ~] 農地;田舎, 田園.

II [領域・世界]
4 Ⓒ (主に文)国, 国土《◆country, nation, state が一般的》;[集合名詞;単数・複数扱い] 国民 ‖ We learn about many *lands* in our geography lessons. 私たちは地理の時間にいろいろな国について学ぶ.
5 Ⓒ[通例 ~s] 領域, 範囲, 世界 ‖ the *land* of dreams 夢の世界 / the *land* of the living [dead] この世[あの世]. **6** Ⓤ[時に ~s]所有地, 地所;農[宅]地.

by **lánd** 陸路で.
máke lánd 〈船が〉陸に着く,〈船員が〉[…に]上陸する[*in*];陸(%)を認める.
spý out the lánd (略式)現状を見きわめる.
the **Lánd** *of* **Prómise** = **The Prómised Lánd**
(1) (神がアブラハムとその子孫にした)約束の地《カナン》.
(2) [the land of promise/the promised land] 希望のある土地[状況].

—動 (~s/lændz/;過去・過分) ~·ed/-id/; ~·ing)
—他

I [安全にたどり着く]
1 〈人・乗物が〉〈人〉を**上陸させる**, 下船[下車]させる;〈荷物を〉陸揚げする;〈飛行機を〉**着陸させる**, 着水させる;〈船を〉接岸させる ‖ The pilot *landed* the plane safely. パイロットは無事に飛行機を着陸させた / The bus *landed* us in front of our school. バスは学校の前で私たちを降ろしてくれた.

II [成功する]
2 〈魚を〉釣り上げる;〈泥棒を〉捕える;(略式)〈賞など〉を獲得する(gain).

III [困難にあう]
3 (略式)〈人〉を[…の状態に]陥らせる[*in*];(英略式) [be ~ed] 〈人が〉[…の]面倒をみる破目になる,[…を]負うことになる[*with*...] ‖ His conduct will *land* him *in* jail one day. あんなことをしていると, 彼はいつか刑務所行きとなるだろう(⊃文法23.1).

IV [その他]
4 (略式)〈打撃などを〉[…に]与える(strike) [*in, on*] ‖ I *landed* a blow *on* his nose [*in* his face]. =I *landed* him *on* the nose [*in* the face]. 彼の鼻[顔面]に一撃を加えた.

—自〈人が〉**上陸する**《◆台風が「上陸する」は hit》;下船[下車]する;〈飛行機が〉**着陸する**(↔ take off), 着水する,〈船が〉接岸する;〈人・物が〉[…に]着く, 〈人・物が〉落ちる,(飛び)降りる[*at, in, on*] ‖ *land on* a desert island 無人島に上陸する / The lunar module successfully *landed* on the moon. 月着陸船はうまく月面に上陸した.

lánd àgent (英)土地管理人;不動産業者《(米) real estate agent》.
lánd devèlopment 土地開発.
lánd dispòsal 廃棄物の埋め立て処理.
lánd màss 大陸;広大な土地.
lánd mìne 地雷;(飛行機からパラシュートを使って落とす)地上投下爆弾.
lánd refòrm 農地改革.
lánd ròver [時に L- R-] (商標)ランドローバー《でこぼこな地面を走るのに適したジープに似た自動車》.
lánd subsìdence 地盤沈下.
lan·dau /-, -dau/ 名Ⓒ **1** ランドー馬車《2人乗り4輪馬車》. **2** ランドー型自動車.
land·ed /lǽndid/ 形 **1** (正式)多くの土地を持っている;土地の ‖ *landed* interests 地主側 / *landed* property 地所. **2** 陸揚げした. **3** 〈状態などが〉困った, 困難な.
land·er /lǽndər/ 名Ⓒ (月・惑星などに降りる)着陸船.
land·fall /lǽndfɔ̀:l/ 名ⓊⒸ (正式) **1** (航海・飛行後の)陸地初認;初認陸地. **2** 上陸, 着陸.
land·fill /lǽndfìl/ 名ⓊⒸ [遠回しに] 埋め立て(地), ごみ処理(場) (dump).
land·hold·er /lǽndhòuldər/ 名Ⓒ 地主, 借地人.
land·hold·ing /lǽndhòuldiŋ/ 形 名 土地所有の.
†**land·ing** /lǽndiŋ/ 名 **1** ⓊⒸ 上陸;着陸(↔ take-off), 着水;陸揚げ ‖ a *landing* on the moon 月着陸 / make an emergency *landing* 緊急着陸する / a forced *landing* 不時着 / a soft *landing* 軟着陸 / make a successful *landing* うまく着陸[着水]する. **2** Ⓒ =landing place. **3** Ⓒ (階段の)踊り場.
Háppy lándings! (1) 乾杯! (2) (飛行機で旅立つ人に)幸運を祈る. さようなら, 行ってらっしゃい!
lánding bèam 着陸誘導電波.
lánding cràft [米海軍]上陸用舟艇.
lánding fìeld [gròund] (航空機・ヘリコプター・気球などの)離着陸場.
lánding gèar (米)[航空]着陸[着水]装置.
lánding plàce 上陸場;陸揚げ場;波止場.
lánding stàge 浮き桟(%)橋.
lánding strìp 滑走路.
lánding vèhicle (月面などへの)着陸船.
†**land·la·dy** /lǽndlèidi/ 名Ⓒ **1** 女家主[地主], 家主[地主]の妻. **2** (旅館・下宿屋・パブなどの)女主人, おかみ(cf. landlord).
land·less /lǽndləs/ 形 **1** 土地を持たない. **2** 陸地のない.
land·locked /lǽndlàkt | -lɔ̀kt/ 形 **1** 〈港・湾などが〉陸地に囲まれた;〈国・地域などが〉海岸線がない. **2** 〈魚が〉淡水にすむ.
†**land·lord** /lǽndlɔ̀:rd/ 名Ⓒ **1** (男の)家主, 地主 ‖ a stingy *landlord* けちな地主. **2** (旅館・下宿屋・アパートなどの)主人, 亭主《◆呼びかけでは (cf. landlady) ‖ the apartment *landlord* そのアパートの大家さん《◆**1, 2**共男女区別せずいう場合は proprietor, owner などを用いる》.
land·lub·ber /lǽndlʌ̀bər/ 名Ⓒ (略式)新米船員, おか者《◆船乗りの言葉》.
lánd·lùb·ber·ly 形 陸上で用いられる[行なわれる].
†**land·mark** /lǽndmɑ̀:rkt/ 名Ⓒ **1** (航海者・旅行者

の目印となる)陸標；目印(となるもの)．**2**(土地の)境界標．**3**〖正式〗画期的な事件[発見，発明，変化]；歴史的な建物[場所]，旧跡，名所；[形容詞的に]画期的な．

†**land·own·er** /lǽndòunər/〖名〗土地所有者，地主．

Land·sat /lǽndsæt/〖名〗Ⓒ ランドサット《米国の資源探査衛星》．

***land·scape** /lǽndskèip/〖土(land)の景色(scape)〗
——〖名〗(複)~s/-s/ **1**Ⓒ (ひと目で見渡せる陸地の)景色，風景 類語 scenery, view, scene, sight)；風景画 ‖ Ⓤ風景画法 ‖ He took a picture of the beautiful *landscape*. 彼はその美しい風景をカメラに収めた．**2**Ⓒ地形．**3**Ⓒ展望，見通し；活動状況，情勢．
——〖動〗他 〈公園・庭・荒地などを〉(木を植えたりして)美化する．

lándscape àrchitecture (公園・道路などの)景観設計，造園術．

lándscape gàrdener 庭師，造園家．

lándscape gàrdening 庭園術．

land·slide /lǽndslàid/〖名〗Ⓒ **1**地すべり，山[がけ]くずれ；くずれた土砂．**2**=landslide victory．——〖自〗**1**地すべりを起こす．**2**(選挙で)圧倒的勝利をおさめる．

lándslide víctory (選挙などの)[…に対する]地すべり的[圧倒的]勝利 (*for*)．

land·slip /lǽndslìp/〖名〗Ⓒ〖英〗地すべり《◆ landslide より小規模》．

land·ward /lǽndwərd/〖副〗〖形〗陸の方へ[の]．

†**lane** /léin/同音 lain〖名〗Ⓒ **1**(建物・塀・田畑の)細道，小道；路地，横町；[L~; 街路名で]通り《◆大通り(street)と交差する通りに用いることが多い》 ‖ a blind *lane* 袋小路 / a winding *lane* 曲がりくねった小道 / Penny Lane〖英〗ペニー通り / *It is a long lane that has* [*knows*] *no turning*. (ことわざ) どんな道にも必ず曲がり角がある；「待てば海路の日和(ひより)あり」《◆「曲がり角のないのは(本当に)長い道だ」→そんなに長い道はない，より，人の列の続いてきた狭い通路．**3**(トラック・プールの)コース《◆この意味で course とはいわない》；(ボウリングの)レーン (alley)；車線 (traffic lane)；(船・飛行機の)航路 (sea lane, air lane)；(水原の)水路 ‖ a six-*lane* road 6車線の道路．

lang. 略 language.

****lan·guage** /lǽŋgwidʒ/ 発音注意 〖舌 (langu)の動作(age). cf. lingual, leak*age*〗
——〖名〗~s/-iz/《◆**1**, **3**, **5**, **6**のⒸⓊについては ➡文法 14.3(2)》
Ⅰ[特定地域の言葉]
1Ⓒ (具体的な個々の)**言語**，個別言語(略 lang.) ‖ the Japanese *language* 日本語《◆ Japanese より堅い表現》 / What *languages* are spoken in India? インドではどのような言語が話されていますか / the official *language* 公用語 / They use Swahili in Kenya as a common *language*. ケニアで共通語としてスワヒリ語を使っている．
Ⅱ[特定目的の言葉]
2Ⓤ [しばしば the ~] 専門語，用語，術語 ‖ medical *language* 医学用語 / the *language* of the law 法律用語．
Ⅲ[言葉づかい]
3Ⓤ 言葉づかい，言い方；言い回し，文体 ‖ Swift's *language* スウィフトの文体 / Watch [Mind] your *language*. (略式) 言葉づかいに注意しなさい．**4**Ⓤ (略式) [しばしば bad, strong ~] 下品[冒瀆(とく)的]な言葉，悪口，ののしり．
Ⅳ[その他]
5Ⓤ (抽象的な体系としての)**言語** 類語 speech, tongue) ‖ *Language* is so tightly woven into human experience that it is scarcely possible to imagine life without it. 言語は人間の経験にしっかりと織り込まれているので，言語のない生活などほとんど想像がつかない．
6Ⓤ 語学，言語学．**7**ⓊⒸ (音声・文字を用いない)言葉；記号言語；身ぶり言語；(動物の)鳴き声 ‖ finger [sign, computer] *language* 手話[手まね，コンピュータ]言語 / the *language* of flowers 花言葉．

speák the sáme [**A**'**s**] **lánguage** (略式) お互いに [〈人〉と] 理解し合っている；同じ考え[趣味]を持っている《◆ speak の代わりに talk も用いる》．

lánguage bàrrier 言語障壁，言葉の壁．

lánguage làb(oratory) 語学練習室，LL教室《◆ LL は和製略語》．

lánguage màster [**tèacher**] 語学教師．

lánguage pollùtion (汚い言葉や外国語の氾濫による)言語公害．

lánguage tèaching 語学[言語]教育．

†**lan·guid** /lǽŋgwid/〖形〗〖正式〗けだるい，ものうい，元気のない；熱意のない，無気力な．

lán·guid·ly 〖副〗元気なく．

†**lan·guish** /lǽŋgwiʃ/〖自〗**1**(正式)〈植物が〉しおれる，しぼむ；〈人が〉元気がなくなる；〈事が〉活気がなくなる；〈商売が〉不振である．**2**[…を]切望する，[…に]あこがれる (*for*)，[…したくて]たまらない (*to do*)．**3**さえない顔をする，もの悲しい[物思わしげな]ふりをする．**4**[…で/…の状態で]つらい思いをする (*for, over* / *in, under*)．

†**lan·guish·ing** /lǽŋgwiʃiŋ/〖形〗**1**衰弱した，衰微する．**2**感傷的な，思いつめた．**3**長びく，ぐずぐず．

lan·guor /lǽŋgər/〖名〗〖正式〗**1**Ⓤ 衰弱，疲労；活力[気力]のなさ．**2**Ⓤ うっとうしさ，重苦しい静けさ．**3**Ⓒ[しばしば ~s]感傷，物思い，憂愁．

La Ni·ña /lɑːníːnjə/〖スペイン〗〖名〗Ⓤ ラニーニャ(現象)，反エルニーニョ現象《南米ペルー沖の異常な海水温降下現象．→ El Niño》．

†**lank** /lǽŋk/〖形〗**1**〈草が〉長くのびて弱々しい，しおれた；〈髪が〉直毛で細い，縮れていない．**2**=lanky．

lank·y /lǽŋki/〖形〗(**-i·er, -i·est**) 〈背が高く〉やせこけた，骨皮だけの，ひょろっとした．

Lan·sing /lǽnsiŋ/ /láːnsiŋ/〖名〗ランシング《米国 Michigan 州の州都．車の生産で有名》．

†**lan·tern** /lǽntərn/〖名〗Ⓒ **1**カンテラ，ランタン，手さげランプ；ちょうちん；灯篭(とう) ‖ light a *lantern* カンテラに火をつける．**2**(初期の)幻灯機．

La·oc·o·ön /leiɑ́kouən, -5kouən/〖名〗〖ギリシア神話〗ラオコーン《トロイのアポロ神殿の神官．木馬の引き入れに反対したため息子2人とも巨大な蛇に絞め殺された》．

La·os /láːous/ /láus/〖名〗ラオス《インドシナ半島の国．正式名 Lao People's Democratic Republic ラオス人民民主共和国．首都 Vientiane》．

***lap**¹ /lǽp/〖頭音〗rap, wrap /rǽp/〖『衣服の垂れ下がりすそ』が原義〗
——〖名〗(複)~s/-s/ Ⓒ
Ⅰ[ひざ・物を置く部分]
1a ひざ《座った姿勢で子供・手・ナプキンを置くものの表側の部分．knee は身体の部分としての「ひざ(がしら)」》 ‖ Mary sat by the fire with a book *in* [*on*]

her *lap* [×laps]. メリーは本をひざに暖炉のそばに座っていた. **b** 〈衣服の〉たれ, へり;〈スカートなどの〉ひざ. **2** [通例 the/one's ~] 育てる場所;責任, 管理, 保護 ‖ *in Fortune's lap* = *in the lap of Fortune* 好運に恵まれて / *be* [*live*] *in the láp of lúxury* ぜいたく[安楽]にしている[暮らしている] / Everything has *fallen* [*dropped*] *into* [*in*] *my lap*. 万事思うとおりにいった / It is *in the láp* [*hánds*] *of the góds*. それは人知の及ぶところではない / Don't *drop* [*dump*] *the problem in* [*on*] *his lap*. (略式) 彼にその問題を押しつけるな.

Ⅱ [1行程]

3 (競技) (走路の)1周, (水泳の)1往復, ラップ;(糸の)1巻き;(行動の)ひと区切り, (旅行などの)1行程 ‖ *on the second lap* 2周[2往復]目で[に] / *Two laps to go*. (競技などで)残りあと2周 / *enter* [*reach*] *the last lap* 最後の1周に入る, 最終段階に入る, 大詰めとなる.

Ⅲ [その他]

4 巻きつける[重ねる, 包む]こと. **5** (物の)重なり(の部分).

——動 (~s/-s/; 過去・過分 lapped/-t/; lap·ping)
——他 **1** (文) 人が〈物を〉(…に)重ねる(*over*, *on*) ‖ *lap a board over another* 板をもう1枚に重ねる(cf. overlap).
2 (文) 人が〈物を〉包む, 巻く(wrap), …を折りたたむ(*up*); …を…でくるむ(*in*); …を…のまわりにくるむ(*a*)(*round*, *about*) ‖ *lap up a letter* 手紙を折りたたむ / He *lapped* himself in a blanket. = He *lapped* a blanket *around* himself. 彼は毛布で身をくるんだ.
3 …を抱く, 大事に育てる ‖ He is *lapped* in luxury. 彼はぜいたくに暮らしている / Happiness *lápped* me óver. 幸福が私を包んだ.
4 [競技] …を1周扱く, …を1周する.
——自 **1** (部分的に)折り重なる, かぶさる(+*over*); (ある範囲の外に)はみ出す, 及ぶ. **2** [競技] 1周[1往復]する.

láp ròbe (米)(自動車内の)ひざ掛け((英) travelling rug).

láp tìme [競技] ラップタイム(→ 名 3).

†**lap**² /lǽp/ (過去・過分 lapped/-t/; lap·ping) 他
1 〈人・動物が〉〈水などを〉ぺろぺろとなめる, ぴちゃぴちゃ飲む(+*up*, *down*) ‖ The cat *lapped* water thirstily. その猫は水をちゃびちゃ飲んだ. **2** (正式) 〈波などが〉〈岸などに〉ゆっくり打ち寄せる, 〈船べりなどを〉ひたひたと打つ(flow) ‖ Water *lapped* the side of the boat. 水はボートの横に打っていた.
——自 〈波などが〉…にひたひたと打ち寄せる(*against*, *at*, *toward*, *on*) ‖ The waves were *lapping against* [*on*] the rocks. 波が岩にひたひたと打ち寄せていた.

láp úp [他] (1)〈飲食物を〉食べる, 飲む(→ 他 1). (2) (略式) 〈世辞・情報などを〉真に受ける. (3) 〈事〉が好きである, …を楽しむ.

——名 **1** © (ぺろぺろと)なめること, ひとなめの量 ‖ *take* [*have*] *a lap of …* …をなめる. **2** Ⓤ [通例 the ~] ひたひたという音, さざ波[小波]の音. **3** © (犬などの)流動食.

la·pel /ləpél/ 名 © [通例 ~s] (上着の)えりの折り返し, ラベル(図 → jacket).

lap·ful /lǽpfùl/ 名 [a ~ of + © 名詞] 前掛けでの…。

lap·i·dar·y /lǽpədèri|-dəri/ 形 (正式) **1** 宝石細工の;石碑に刻んだ. **2** 書きつけた言葉が品位があり精巧な. ——名 © Ⓤ 宝石細工人[技術]; © 宝石通.

†**lapse** /lǽps/ (正式) 名 **1** ちょっとした誤り, 過失, 失策(mistake, slip) ‖ a *lapse* of memory [tongue, the pen] 失念[失言, 書き誤り]. **2** (…から/…への)堕落, 退廃;下落, 転落;逸脱 (*from*/*into*) ‖ a moral *lapse* 道徳の退廃. **3** (信念・信仰を)失うこと, 異教に入ること. **4** [通例 a ~] (時の)経過, 推移, (過去の)一時期, 期間 ‖ *after a lapse of several years* 数年後に. **5** [法律](権利などの)時効による消滅, 失効; [保険] 失効. **6** (習慣などの)すたれること.

——動 自 **1** (…から/…に)下落[堕落]する(*from*/*into*); (…の状態に)なる(*into*) ‖ *lapse into silence* 黙りこくる / *lapse into old patterns of speech* 古い言葉づかいが出る. **2** 〈習慣などが〉消滅する;〈権利などが〉失効する, 無効になる. **3** 〈時が〉経過する, 過ぎ去る(pass)(+*away*).

lap·top /lǽptɑp|-tɔp/ [コンピュータ] 形 (コンピュータが)ひざの上型の, ラップトップの. ——名 © ラップトップコンピュータ, ノートパソコン(cf. desktop, palmtop).

La·pu·ta /ləpjúːtə/ ラピュータ島 《Swift 作 *Gulliver's Travels* に出てくる空飛ぶ島》.

lap·wing /lǽpwɪŋ/ 名 © [鳥] タゲリ.

lar·ce·ny /lɑ́ːrsəni/ 名 Ⓤ © [法律] 窃盗, 盗み;窃盗罪[犯].

†**larch** /lɑ́ːrtʃ/ 名 © [植] カラマツ; Ⓤ その材.

†**lard** /lɑ́ːrd/ 名 Ⓤ ラード《精製したブタの脂》.
——動 他 **1** 〈肉などにベーコンなどで下ごしらえとして味付をしておく. **2** …にラードを引く. **3** (略式) [通例 be ~ed] 〈文章などが〉〈外国語・専門語などで〉飾られている(*with*).

lar·der /lɑ́ːrdər/ 名 © (家庭内などの)食料貯蔵室[庫](cf. pantry); Ⓤ 貯蔵食料.

Lar·es /lé(ə)riːz, lɑ́ːr-|lɑ́ːreɪz/ 名 (単数形) lar /lɑ́ːr/) [時に l~] [ローマ神話] ラーレース《古代ローマの家庭の守護神》.

‡**large** /lɑ́ːrdʒ/ 《「形や数・量が大きい」が本義》
largely (副)
——形 (~·r, ~·st) **1** (形・面積・容量が)大きい, 広い (↔ small)(◆big, great との比較は → big 形 1 [語法]) ‖ a *large* house 大きな家 / a *large* nose 大きな鼻 名 1 [関連] / Canada is about twenty-six times as *large* as Japan. カナダは日本の約26倍の広さがある. [語法] large は © 名詞の修飾に不可.「大きな荷物」は ×*large* baggage とは言わず *a lot of baggage* と言う.

> [使い分け] [**large** と **broad**]
> broad は「幅が広い」.
> large は「家・部屋などの面積が広い」.
> My room is *large* [×broad]. 私の部屋は広い.
> The boat took a long time because the river was very *broad*. とても川幅が広かったのでボートで渡るのに長い時間がかかった.

2 (数・量が)多い, 多数の, 多量の (◆ふつう集合名詞を修飾. → many 形 1 [語法] (2)) (↔ small) ‖ a *large* crowd [family, population] 大群衆[家族, 人口](◆「大金」は ×*large* money とは言わず, big money, a *large* amount [sum] of money などと言う)/ a *large* debt たくさんの借金(◆bill, fortune, pay, tip などには large を用いる) / His family is *large*. = He has a *large* family. 彼は子供がたくさんいる / There are *a large númber of* mistakes in her spelling. 彼女のつづり字には多く

large-hearted 867 **last**

の誤りがある《◆'a lot of [lots of] mistakes より堅い語》/ Tokyo is one of the world's three *largest* cities. 東京は世界三大都市の1つだ《◆ large は「人口が多い」の意》.
3〔範囲・規模の〕相当な, かなりの ‖ on a *lárge scále* 大規模な / to a *large* extent 大いに. **4**〈心などが〉寛大な, 思いやりのある；偏見のない, 自由な ‖ a *large* heart 寛大な心. **5**〈話などが〉とっぴな, おおげさな, 誇張した.
(*as*) *lárge as lífe*(略式)→ life 成句.
― 名《◆次の成句で》.
at lárge (1)〔正式〕[be at large]〈危険な人・犯罪者・動物が〉**つかまらないで**, 監禁されないで, 自由で ‖ The escaped robber is still *at large.* 脱走した強盗はまだつかまらない. (2) でかまかで. (3)〔正式〕[名詞の後で]一般の, 全体としての(as a whole)；(米)全地域を代表する；無任所の, 決まった任務のない ‖ the people *at large* 一般国民 / a representative *at large* 全州選出議員 / an ambassador *at large* 無任所大使.
― 副 (~r, ~st) **1** 大きく；大規模に ‖ write *large* 字を大きく書く. **2** 自慢げに. **3**〔海事〕順風を受けて ‖ sail *large* 順風を受けて進む.
lárge intestine 大腸.
lárge·ness 名 U **1** 大きさ, 広大さ. **2** おおぎさ, 誇張. **3** 心[視野]の広さ, 寛大さ, 寛容さ.
large-heart·ed /láːrdʒhɑ́ːrtid/ 形 寛容な, 寛大な；気前のよい；親切な.
***large·ly** /láːrdʒli/《→ large》
― 副 (more ~, most ~)〔正式〕**1** 大いに；主として, 大部分は《◆比較変化しない》‖ He failed again *largely* because he was poorly prepared. 主に準備不足の理由で彼はまた失敗した. / His failure was *largely* due to bad luck. 彼の失敗は多分に不運によるものだった. **2** 多量に；大規模に；気前よく, 寛大に ‖ I drink *largely* 大酒を飲む.
large-mind·ed /láːrdʒmáindid/ 形 度量の大きな, 寛容[寛大]な；偏見のない.
large-scale /láːrdʒskéil/ 形 **1** 大規模の. **2**〈地図が〉大縮尺の.
lar·gess(e) /lɑːrdʒés, -ʒés, láːrdʒəs/〔フランス〕名 U〔正式〕気前よく与えること；(気前のよい)贈り物[施し物].
lar·go /láːrgou/〔イタリア〕〔音楽〕形 副 ラルゴの[で], きわめておそく[おそい], ゆったり堂々とした[して].
― 名 C ゆったり堂々としたテンポ[楽章].
lar·i·at /læriət/ 名 C (主に米) 投げなわ(lasso).
†**lark**[1] /láːrk/ 名 C **1** ヒバリ(の類), ヒバリに似た鳥《◆ヨーロッパ・アジアでは skylark, アメリカではでキバドリ(meadowlark)を主にさす. 鳴き声は teevo cheevo cheevio chee》‖ (*as*) *háppy* [*gáy*] *as a lark* とても楽しい / *If the sky fall*(*s*), *we shall catch larks.* (ことわざ)空が落ちて来たらヒバリをつかえよう；「取越し苦労は無用」. **2** 詩人, 歌い手.
rise [*gét up, be úp*] *with the lárk* 早起きする.
lark[2] /láːrk/〔略式〕名 C **1**〔通例 a ~〕陽気ないたずら[遊び], はしゃぐこと；冗談；お祭り事；(英)活動, 仕事 ‖ for a *lárk* ふざけて, 冗談で. ― 動 自 いたずらをする, はしゃぎ騒ぐ(+*about*, *around*).
lark·spur /láːrkspəːr/ 名 C〔植〕ヒエンソウ.
†**lar·va** /láːrvə/ 名 (複 ~vae /-viː/) C〔動〕幼虫(cf. pupa, imago)；幼生《◆オタマジャクシなど》.
lar·val /láːrvl/ 形 **1**〔通例限定〕幼虫の, 幼生の. **2**〔医学〕潜在性の, はっきりしない.
lar·yn·gi·tis /lærəndʒáitəs/ 名 U〔医学〕喉頭炎.

lar·ynx /lǽriŋks/ 名 (複 ~·es, la·ryn·ges /ləríndʒiːz | læ-/) C〔解剖〕喉(ど)頭；〔動〕発声器官.
†**la·ser** /léizər/〔light amplification by stimulated emission of radiation より〕名 C〔電子工学〕レーザー(装置)(optical maser) ‖ a *laser* beam レーザー光線.
láser bòmb レーザー誘導爆弾；レーザー水爆.
láser càne (盲人用)レーザー=ステッキ.
láser dìsc〔商標〕レーザーディスク(略 LD).
láser fùsion〔物理〕レーザー核融合.
láser prìnter〔コンピュータ〕レーザープリンター.
láser ràngor レーザー距離測定器.
láser sùrgery レーザー手術.
láser trèatment レーザー治療.
†**lash** /lǽʃ/ 名 C **1**(むちなどで)打つこと, むちのひと打ち；むちの先 ‖ They gave him ten *lashes.* 彼らは彼を10回むちで打った. **2**〔通例 ~es；集合名詞〕まつげ(eyelash). **3** 突然の[すばやい]動き；(尾などの)一振り.
― 動 他 **1**〈人か〉〈人・動物〉を(むちなどで)打つ, 打ちすえる(*with*) ‖ The prisoner was *lashed* as punishment. 囚人はむちで打ちの刑を受けた. **2**〔言葉・舌などで〕やりこめる(*with*). **3**〈人・動物が〉〈体の一部〉を激しく動かす ‖ The dog *lashed* his tail from side to side. 犬は激しく尾を左右に振った(→文法16.2(3)). **4**(文)〈雨・風・波などが〉…に激しく打ちつける. **5**〔正式〕…を[…の状態にさせる](*into*) ‖ He *lashed* his audience *into* a rage. 彼は聴衆をかんかんに怒らせた. **6**(ひもなどで)…をしっかり結びつける(+*down*, *together*)(*on*, *to*).
― 自 **1** 激しく動く, のたうつ(+*about*, *around*). **2**(文)〔通例 be ~ing〕〈風・波・雨などが〉…を激しく打つ(*at*, *against*). **3**〔略式〕〈人〉を非難する(*at*, *into*).
lásh óut 自 (1) 〔…を〕(むちなどで)打つ, 打ちのめす；〔…に〕攻撃を加える(*at*, *against*). (2)〔人・事〕に非難[毒舌]をあびせる, 〔…を〕攻撃する(*at*, *against*). (3)〈馬などが〉〔…に〕ける, けろうとする(*at*). (4) (英略式)〔…に〕金を浪費する(*on*). ― 他 [~ *out A* (*on B*)](略式) (B に)Aに金を浪費する, 〈物〉を惜しみなく使う(*on*).
†**lass** /lǽs/ 名 C《《スコット・北イング・詩》小娘, 少女, 娘っ子(↔ lad) 《◆**lassie** /lǽsi/ ともいう》；女性の恋人(sweetheart) ‖ a sweet *lass* of seventeen 17歳のかわいい小娘.
las·si·tude /lǽsit(j)uːd/ 名 U〔正式〕(過労・落胆などによる)だるさ, 脱力感；ものうさ, 気乗りなさ.
las·so /lǽsou | ləsúː/ 名 (複 ~s, ~es) C (主に米)(家畜などを捕えるための)投げなわ(主に米) lariat).
― 動 (~es) 他〈家畜〉を(投げなわで)捕える.

‡**last**[1] /lǽst | láːst/ 〈類音〉 lust /lʌ́st/)《late の最上級》

index 形 **1** この前の **2** 最新の **3** 最後の **4** 最も…しそうでない
副 **1** この前 **2** 最後に
名 **1** 終末 **2** 最後の人[物, 事]

― 形
Ⅰ[時間・順序]
1 [名詞の前で] この前の, 昨…, 去る…, 先…の《◆現在にいちばん近い」が本義. 前置詞・冠詞なしで副詞句にもなる. → 文法21.6(1)(↔ next) ‖ I went out with her *last* [yesterday] evening. 私はきのうの夕方彼

女とデートした / Did you sleep well *last* [×yesterday] night? 昨夜はよく眠れましたか / *last week* [month] 先週[月]《◆the *last* week [month] は「ここ7日[1か月間]」の意. → **2**》/ *last year* 去年 / in [during] the *last* century 前世紀に, この百年間に《◆単に ×*last century* とするのは不可》/ *last Wednesday* =on Wednesday *last* この前の水曜日に

> [語法] (1) last Wednesday はあいまいで,「(同じ週の)この前の水曜日」(on Wednesday this week),「先週の水曜日」(on Wednesday last week) のいずれかは文脈による.
> (2) ただし, last Friday [Saturday] は「先週の金曜日[土曜日]」に限る.
> (3) 季節についてはふつう「昨年の」: last summer 昨年の夏.「今年の(過ぎ去った)夏」は this (past) summer という.

2 [the ~] 最新の《◆latest がふつう》; 最近の, この ‖ *the last* [latest] thing *in* skirts 最新流行のスカート / *for the last* [past] two weeks この2週間 /《*these* two weeks は〈やや古〉》/ *The last* month has been difficult. この1か月は苦しかった.(cf. *Last* month was difficult. 先月は苦しかった. → **1**). 語法 his *last* novel はふつう「彼の最後の小説」の意.「最新作」は his latest novel.

3 a [the ~]《一続きのものの》最後の, 終わりの(↔ first), ‖ *in the last* three days of March 3月の最後の3日間に《◆今は the three *last* days よりふつう. cf. next》/ Sunday is *the lást* day of the wéek. 週の最後の日は日曜日である(→ week 名**1** 関連 (2)) /《He was *the lást* man [He was *lást*] in the race. 競走で彼がビリだった. **b** [通例名詞の前で] 最後に残った(final) ‖ This is my *lást* dóllar. これが私の持っている最後の1ドルです.

‖ [可能性]
4 [the ~] 最も…(しそう)でない[*to do*, *that* 節, *wh*節]》‖ He *would* be [is] *the lást* man to betray you. 彼はあなたを裏切るような人ではないでしょう(=He is most unlikely to betray you.)《◆(1) would be の方がふつう.(2) the first の場合と違って man はふつう省略しない》/ Complete rest is often *the lást* thing one needs. 完全休養をとることなどおよそ必要としない場合が多い.

5 [通例 the/one's ~] 決定的な; 究極的な, 最終的な; 臨終の; 極端な ‖ *the last* rites 臨終の儀式[祈り] / *the last* sacrament 終油の秘跡 / one's *last* years 晩年 / *to the last degree* 極度に.

(**the**) *lást ... but óne* =(**the**) *sécond* (**to**) *lást ...* 最後から2番目の… ‖ *the second* (to) *last* runner 最後から2番目の走者《◆序数とともに用いるときはふつうその後に用いる》.

(**the**) *lást thing* (**at níght**)〈略式〉最後に, (特に)寝る前に(↔ (the) FIRST thing (in the morning)).

── 副 **1** [動詞の直前・直後で] この前, 前回, 最近(↔ next) ‖ When did 'you *last* see her [you see her *last*]? 最近彼女に会ったのはいつですか. **2** [動詞の後で] 最後に, 一番終わりに;(話の)終わりに当たって(↔ first) ‖ He arrived *last* [lastly]. 彼が最後にやって来た(=He was (the) *last* to arrive).

lást but nòt [*by nó means*] *léast*《順序では最後だが重要さでは最小ではない》〈略式〉大事なことを最後につけ加えて言い残したが;(紹介の際に)最後になりましたが, 申し遅れましたが.

lást of áll 最後に(lastly).

── 名 **1** [the ~] 結末, 終わり(end);[the/one's ~] 臨終;[the/one's ~] 最後の日[言葉, 姿, 行為] ‖ *the last* of the story 話の結末 / The mother has seen *the last* of her child. その母親は(その後)子供の顔を見ることはなかった / breathe one's *last* =look one's *last* =gasp one's *last*〈文〉死ぬ《◆ die の遠回し表現. last の後にそれぞれ同族目的語 breath, look, gasp が省略されている》‖ He considers every day *his last*. =He spends every day as if it were *his last*. 彼の生き方は毎日が真剣勝負だ.

2 [the ~] 最後の人[物, 事]《◆ last 名 には 形 **4** の意味はない》‖ He was (the) *last to* come. 彼は一番最後にやってきた(=He came last.)《◆ the は補語として用いられるとき the は省略され, last は形容詞とみなしてもよい》.

***at lást*《at the last (最後の瞬間に)から》(1)(長い間待って, いろいろ努力して望ましいことが)ついに, とうとう, やっと(のことで)(finally) ‖ *At last*, he came. ついに彼はやってきた《◆(1) 上の《》内のような意味から,「ついに病気になった」を ×At last I got sick. とはいえず, Finally I got sick. という.(2) 否定文には用いられない:「After all [In the end, ×At last] he did not come.》.

> [使い分け] **[at last, in the end, finally]**
> *at last* はいろいろ努力して好ましいことが達成される場合に用いる.
> *in the end, finally* は単に順序について「最後」であることを表す.
> *At last*, we have started a new FM station. ついに新しいFM局を始めた.
> *In the end* [×At last], I got sick.(時間的経過の最後に)ついに病気になった.
> *Finally*, they realized that it would be impossible. 最期に彼らはそれが不可能であることがわかった.

(2) [At ~!](ほっとして)やれやれ, とうとう(来たね)!《◆(1) finally にはこの用法はない.(2) finally, in the end は感嘆文で用いられない》.

at lóng lást やっとのことで, どうにかこうにか《◆ at last の強調形》.

... befòre lást 一昨…, 先々… ‖ the week *before last* 先々週 / the year *before last* 一昨年.

to [*till*] *the lást* 最後の瞬間まで(until the (very) end);〈正式〉死ぬまで ‖ He remained faithful *to the last*. 彼は最後まで忠実であった.

lást cáll〈米〉(バーなどでの)最後の注文(〈英〉last orders).

Lást Dáy〔キリスト教〕[the ~] 最後の審判の日.

Lást Fróntier〔愛称〕[the ~] 最後の辺境(→ Alaska).

Lást Júdgment〔キリスト教〕[the ~] 最後の審判.

lást náme 姓, 名字.

lást órders〈英〉=last call.

Lást Súpper〔神学〕[the ~] 最後の晩餐(ばん).

lást wórd [the ~] (1) [-s] 遺言, 臨終の言葉.(2)(議論における)〔…についての〕決定的な発言; 決定権〔*on*〕.

***last**² /lǽst | lάːst/《「足あと(last)について行く」が原義》動 lasting(形)

—動 (~s/lǽsts | láːsts/; 過去・過分 ~·ed/-id/; ~·ing)
—自 1 〈事・物が〉(ある時期)続く(continue), 継続する ‖ The storm lasted (for) two days. あらしは2日間続いた《◆「期間」を示す語句は省略できない: ×The storm lasted.》.
2 〈人・健康・力などが〉持ちこたえる, 衰えない(+out); 〈命が〉持続する; 〈人が〉生き続ける ‖ How long will the patient last? 患者はあとどのくらいもつだろう《◆冷たい言い方. survive の方がよい》.
3 〈物が〉(ある時間)長持ちする, 足りる, 間に合う(+out) ‖ How long will my savings last? 私の貯金はどれくらいもつだろうか(=How long will the savings last me?).
—他 1 〈物が〉〈人〉を持ちこたえさせる ‖ The food will last us (for) a week. 我々の食糧は1週間はもつだろう(=Our food will last (for) a week.).
2 〈人が〉〈ある期間〉を生き抜く, …の終わりまで命が持つ(+out) ‖ The patient is not expected to last (out) the night. その患者の命は明日の朝まではもたないでしょう.

†**last·ing** /lǽstɪŋ | láːst-/ 形 永続する, 永久的な; 長持ちする, 耐久力のある ‖ a lasting peace 恒久的平和.

†**last·ly** /lǽstli | láːst-/ 副 《通例文頭》first(ly), second(ly) … などと相関的に》 1 最後に. 2 話の終わりに当たって[臨んで](last of all) ‖ Lastly(✍), I want to thank all of you for your cooperation. 最後に皆様方のご協力に感謝致します.

Las Ve·gas /lɑːs véɪɡəs | læs-/ 名 ラスベガス《米国 Nevada 州の都市. カジノ(casino)で有名な歓楽地. (愛称) Gambling Town》.

lat. 略 latitude.
Lat. 略 Latin, Latvia.

†**latch** /lætʃ/ 名 C 〈ドア・門・窓などの〉掛け金, かんぬき, ラッチ(cf. catch 名3) ‖ ón the látch 〈ドアが〉(錠はおろしていないが)掛け金だけかけて / óff the látch 〈ドアの〉掛け金もかけずに.
—動 他 〈ドア〉に掛け金をかける. —自 〈ドア〉が掛け金で閉まる.

látch ón to [ónto] A 《略式》(1) …を理解する. (2) …を手に入れる. (3) 〈人〉を行かせない, 〈人〉から離れない, 〈人〉につきまとう; …をしっかりつかむ.

★**late** /leɪt/ 同音 rate /reɪt/ 《「ある時点よりも遅い」が本義》 派 lately (副), later (副)

index 形 1 遅れた 2 ふつうより遅い 3 終わりごろの 4 最近の 6 故…
副 1 遅く 2 遅れて

—形 (~r, ~st; lat·ter/lǽtər/, last/lǽst | láːst/) 《◆ later, latest は「時間」, latter, last は「順序」の場合》

‖ [遅い]
1 (~r, ~st) [通例補語として]〔…に〕遅れた, 遅刻した〔for, to〕(↔ punctual, in time) 使い分け → slow 3) ‖ You'll be late for the meeting. 会合に遅れますよ / I was twenty minutes late to school because I missed the bus by seconds. 数秒の差でバスに乗り遅れたので学校に20分遅刻した / She was never late for work. 彼女は仕事場には一度も遅刻したことはなかった / You're late. What's the matter? 遅かったね. どうかしたのかい《◆ ×You were late. とはいわない》 / I'm running a bit late. 《走りながら》ちょっと遅れてしまいそうだ /

ジョーク A boss is someone who is early when you are late and late when you are early. 上司とは, あなたが遅刻するときには早く来て, あなたが早く来るときには遅く来る人のことである.

日英比較 「[遅れて] と late]
「時計が遅れている」というときは late は不可: My watch is three minutes slow [×late]. 私の時計は3分遅れています.

2 (~r, ~st) ふつうより遅い; 〈時刻が〉遅い (↔ early) ; 遅咲きの, 季節はずれの ‖ in the late afternoon 午後遅く(=late in the afternoon(→ 副 1 用例)) / at a late hour 夜遅く / Our bus was late. バスが予定より遅く着いた / Tomorrow will be too late. 明日では遅すぎるでしょう / I am a late riser on Sundays. 日曜日は朝遅くまで寝ています(=I get up late on Sunday mornings.) / We were late with [(in) having] lunch today. = We had a late lunch today. 今日は昼食が遅くなった.

3 〈時期が〉終わりごろの, 後[末]期の, 後半の; 晩年の (↔ beginning) ‖ a late marriage 晩婚 / in late autumn 晩秋に / in the late 1970's 1970年代の後半に / Latin 後期ラテン語(3-6世紀) / She married in her late teens. 彼女は10代の後半に結婚しました《◆ high teen とはいわない》.

‖ [最近の]
4 [名詞の前で] 最近の, 近ごろの, このごろの; 〈ニュース・ファッションなどが〉最新の《◆比較変化しない》(cf. lately) ‖ the late storm この前のあらし / of late years 近年 《◆特定の連語以外は recent が ふつう》.
5 《正式》 [名詞の前で] [the ~] 最近引退した, 先の, 前の(former) ‖ the late president 前大統領《◆「最近亡くなった, 故大統領」の意ともとれる. 誤解を避けるためには the former president とする》.
6 《正式》 [名詞の前で] [the/one's ~] 最近死んだ, 故…《◆比較変化しない》 ‖ her late (lamented) husband 彼女の亡夫《◆「前夫」の意にならない》 / the late Mr. Brown 故ブラウン氏.

—副 (~r, ~st) 1 [しばしば in 句を従えて] 〈時刻が〉遅く; (ある期間の)終わりに近く; [時に till ~] (夜)遅く(まで) (↔ early) ‖ He got married late in life. 彼は晩年に結婚した / late in the afternoon 午後遅く / sít [stáy] úp (till) láte 夜遅くまで起きている.

2 (予定より)遅れて, 遅く (↔ early) ‖ go to bed late いつもより遅く寝る / He never comes late for [to] school. =He never comes to school late. 彼は学校には決して遅刻しない / Better late than never. 《ことわざ》遅くともしないよりはまし, 遅れても来ないよりは《◆遅れて来た人への皮肉あるいは慰め, また, 自分が遅れて来たことの弁解》.

3 つい最近に, (意外に)…になってもまだ《◆比較変化しない》 ‖ I saw her as late as last week. 彼女にはやっと先週会いました. 4 《文》[名詞の後で] 以前は, 最近まで〔…に〕〔of〕《◆比較変化しない》 ‖ a man late of Paris つい最近までパリにいた人.

early and láte いつも.

—名 《◆ 次の成句で》.

*of láte 《正式》最近, 近ごろ(recently) ‖ I haven't seen him of late. 私は最近彼には会っていない / Her health seems to have improved considerably of late. 彼女は最近ずいぶん健康を取り戻したようだ.

láte blóomer 《米・豪》晩成型の人.
láte devéloper 《英》発育の遅い人, 晩成型の人.

late·com·er /léitkʌ̀mər/ 名 **1** 遅刻者. **2** = newcomer.

*late·ly /léitli/ 「「現在時まで続く時間をさし, 最近」が本義. → late 形 4」
—副 最近, 近ごろ, このごろ ‖ Have you seen him *lately*? 最近彼に会いましたか(cf. When did you see him *last*? 最近, いつ彼に会いましたか) / She has not been looking well *lately*. 彼女は近ごろ顔色がすぐれない.

> **語法** [lately と recently]
> lately は使い方に以下のような制約があるので, recently の方が使える場面が広い. 実際, recently の方がはるかに頻度が高い.
> (1) (英)では lately はふつう否定文・疑問文に, recently は肯定文に使い分けられるが, (米)では両者の区別はない.
> (2) ふつう lately は現在完了形と共に用いられ, 現在形と共に用いるのは I'm not feeling well *lately*. (この頃気分がすぐれない)のように習慣的反復行為や継続状態にあることを示す場合.
> (3) 過去形で lately を用いるのは結果が現在まで継続している場合に限る: He *lately* moved into the apartment. 彼は最近そのアパートに引っ越した(→ recently **語法**).

late-night /léitnàit/ 形 深夜(営業, 興業)の.

†**la·tent** /léitənt/ 形 〔正式〕 **1** 隠れた, 潜在の(→ potential) ‖ *latent* abilities [talent] 潜在能力 / *latent* heat 〔物理〕潜熱. **2** 〔医学〕潜伏性の.

:lat·er /léitər/ 〔late の比較級〕
—形 **1** 〔名詞の前で〕 もっと遅い, もっと後の(↔ earlier) ‖ I saw him at a *later* hour. もっと遅い時間に彼を見かけた. **2** より最近の ‖ The computer was improved in *later* models. そのコンピュータはその後のモデルで改良された.
—副 あとで, 後ほど, 追って(↔ earlier) ‖ thrée yéars *láter* それから3年後 / See you láter ［↘］. じゃ後ほど, さようなら.

*láter ón 〔ずっと(on **5 a**)あとで〕 (もっと)あとで(↔ earlier on) ‖ Please let me know the details *later on*. 詳細についてはのちほどお知らせ下さい.

†**lat·er·al** /lǽtərəl/ 形 〔正式〕 **1** 横の; 左右の, 側面[側部]の. **2** 〈家系が〉傍系の(↔ direct). —名 C 側面[側部](にあるもの).

láteral thínking 水平思考法, デボノ思考《一定の型にとらわれない自由な発想を重視》(↔ vertical thinking).

*lat·est /léitist/ 〔late の最上級. cf. last〕
—形 〔the ~〕 **1** 〔名詞の前で〕 最新の(→ last¹ 形 **2**) ‖ She is always dressed in the *latest* fashion. 彼女はいつも最新流行の服を着ている. **2** いちばん遅い, 最後の(◆ last **形**の2).
at (the) látest 遅くとも ‖ Come here by ten *at the latest*. 遅くとも10時までにはここに来なさい.
—名 〔the ~〕 〔…のうちで〕最新のもの〔in〕; 最新のニュース, 最新流行品.
—副 いちばん遅く ‖ Of all the guests, he arrived *latest*. 客の中で彼がいちばん遅くやってきた.

la·tex /léiteks/ 名 (複 ~·es, **lat·i·ces** /lǽtəsìːz, -ti-/) U C (ゴムの木などの)乳液; それに似た合成物, ラテックス.

†**lath** /lǽθ | lɑ́ːθ/ 名 (複 ~s /lǽðz, lǽθs | lɑ́ːθs, lɑ́ːðz/) C 木摺(きずり) (wood lath); 木舞(こまい)《格子作りなどに使う薄く細長い小幅板》; ラス ‖ (as) thin as a *lath* 〈人が〉やせている. —動 他 …にラス[木摺, 木舞]を張る.

†**lathe** /léið/ 名 C 旋盤 〔陶芸〕ろくろ.

†**lath·er** /lǽðər | lɑ́ːð-, lǽð-/ 名 U 〔時に a ~〕 **1** 石けん[水]の泡; (馬などの)泡汗. **2** (略式)の泡立ち興奮. —動 他 **1** (ひげそりのために)…に石けんの泡を塗る(+ up). **2** (略式)…を打つ, なぐる. —自 〈馬が〉泡汗をかく; こまかく泡立つ(+up).

lat·i·ces /lǽtəsìːz, -ti-/ 名 latex の複数形.

*Lat·in /lǽtin | lǽtin/
—名 ~s/-z/ **1** U ラテン語 (略 Lat.) ‖ Biblical *Latin* 聖書ラテン語 / Liturgical *Latin* 祈祷(きとう)ラテン語 / thieves' *Latin* 泥棒の隠語 / Does this English word come from *Latin*? この英語はラテン語が起源ですか.
〔事情〕 (1) 古代ローマ帝国の言語であり, 中世ヨーロッパでは(共通)学術語や教会の公用語として広く使われた. 今は死語. (2) Vulgar Latin (平俗ラテン語): ローマ帝国の民衆の言葉)を経て, イタリア語・フランス語・スペイン語・ポルトガル語などに分化した.
2 C **a** ラテン系の人. **b** = Latin American.
—形 〔名詞の前で〕 **1** ラテン語の ‖ a *Latin* lesson ラテン語の授業. **2** ラテン系民族の.

Látin América 中南米諸国, ラテンアメリカ.

Látin Américan ラテンアメリカ人(cf. Latin-American).

Látin Chúrch 〔the ~〕 ローマカトリック教会.

Lat·in-A·mer·i·can /lǽtnəmérikən | lǽtin-/ 名 C 形 ラテンアメリカ人の (cf. Latin American).

Lat·in·ism /lǽtnìzm | -in-/ 名 U C ラテン語風[語法]; ラテン的特質[性格]. **Lát·in·ist** /-ist/ 名 C ラテン語研究者.

lat·in·ize /lǽtnàiz | -in-/ 動 他 〔時に L~〕(詩などで)…をラテン語化[音]する; …をラテン風にする; …をラテン語に訳す.

†**lat·i·tude** /lǽtətjùːd/ 名 **1** U C 〔地理〕緯度(略 lat.)《◆「経度」は longitude》 ‖ in [at] *latitude* 40° N 北緯40°に 《◆ latitude forty degrees north と読む》. **2** C 〔通例 ~s〕(緯度から見た)地方, 地帯 ‖ the cold [warm] *latitudes* 寒冷[温暖]地 / high [low] *latitudes* 高緯度[低緯度]地帯. **3** U 〔天文〕黄緯. **4** U 〔時に a ~〕思考・行動・選択などの)自由(裁量); 許容度〔in〕. **5** U 〔写真〕(露出)寛容度.

lat·i·tu·di·nar·i·an /lǽtətjùːdənèəriən | -di-/ 形 〔正式〕(宗教上)自由主義的な, 特定の教義に拘束されない; 寛容な. —名 C 〔宗教〕(宗教上)自由主義的な人.

la·trine /lətríːn/ 名 C 〔正式〕(野営地・野戦病院での)土をほった臨時の便所, かわや.

lat·te /láːtei | lǽt-/ 名 U C エスプレッソ・ラテ《ミルクを入れたエスプレッソ・コーヒー》.

*lat·ter /lǽtər/ 形 〔原級無し〕 ladder /lǽdər/) 〔late の比較級〕
—形 〔比較変化しない〕 〔名詞の前で〕 **1** 〔正式〕〔the ~〕(2つのうち)後者の, 〔代名詞的に; 単数・複数扱い〕後者の(↔ the former) ‖ Of these two plans, I prefer the *latter* to the fórmer. この2つの計画のうち, 私は前者より後者の方が好きだ(=I prefer the second (one) to the first.) / In the *latter* payments, the interest rate is a little higher. 後の方の支払い方法では金利は少し高い. **2** 〔正式〕 〔the/this/these ~〕 後半の, 終わりの, 後の ‖ the *latter* half of the twentieth century 20世紀の後半.

lat·ter·ly /lǽtərli/ 副 **1**《正式》最近, 近ごろ, このごろ. **2** 末期に; 晩年に.

†**lat·tice** /lǽtəs/ 图 C 格子; =lattice window; U 格子細工, 格子造り (latticework).

láttice wíndow 格子窓.

lat·tice·work /lǽtəswə̀ːrk/ 图 U 格子造り[模様, 細工].

Lat·vi·a /lǽtviə/ 图 ラトビア《バルト海沿岸の国. 首都 Riga》.

laud·a·ble /lɔ́ːdəbl/ 形《正式》賞賛に値する, 感心な.

lau·da·tion /lɔːdéɪʃən/ 图 U《正式》賞賛, 賞美.

laud·a·to·ry /lɔ́ːdətɔ̀ːri | -təri/ 形《正式》賞賛の, 賛美の.

‡**laugh** /lǽf | lɑ́ːf/ [発音注意]【擬音語】派 laughter (名)
— 動 (~s/-s/; (過去・過分) ~ed/-t/; ~·ing)
— 自〈人が〉(声を立てて)笑う◆《「楽しく笑う」ほか嘲(ちょう)笑の意でも用いる》‖ laugh out loud 大笑いする / laugh like a drain《略式》大声で下品に笑う / burst out laughing わっと笑い出す / Don't make me laugh.《略式》笑わせないでくれ, ばかなことだ / Laugh and grow [be] fat.《ことわざ》笑って太りなさい; 「笑いは健康のもと」/ He laughs best who laughs last. =He who laughs last laughs longest [loudest].《ことわざ》最後に笑う者が最も長く[よく]笑う; あまり早早(ばや)に喜んではいけない《ジョーク》 He who laughs last thinks slowest. 最後に笑う者が最も考えるのが遅い◆《上記のことわざのもじり》.

関連 [いろいろな種類の笑い]
chuckle くすくす笑う / giggle くっくっと笑う / grin(歯を見せて)にこっと笑う / guffaw げらげら笑う / simper にたにた笑う / smile ほほえむ / sneer せせら笑う.

— 他 **1** [laugh a ... laugh]〈人〉は大きな笑い方をする;〈同意・あざけりなど〉を笑って示す;「…」と笑って言う ‖ laugh a reply 笑って答える / He láughed a mérry láugh.(文)彼は陽気に笑った◆《今は He had a merry laugh. または He laughed merrily. がふつう》. **2**〈人が〉〈人〉を笑って〈…の状態〉にする ‖ laugh oneself hoarse [silly] 笑いすぎて声がかすれる[大笑いする]. **3** 笑って〈人に〉〈…〉させる [into],〈…〉を捨てさせる [from, out of],〈人〉を笑って〔舞台などから〕退場させる[off (of)] ‖ laugh him into silence 彼のことを笑って黙らせる / They laughed the singer off (of) the stage. 彼らはその歌手に冷笑を浴びせ舞台からおろした.

*láugh at **A** (1)〈冗談・光景など〉を聞いて[見て]笑う. (2)〈人〉をあざて笑う, 冷笑する; あざける, ばかにする ‖ I hate being laughed at. 人に笑われるのはいやだ(→文法 7.11). (3)〈困難・危険など〉を一笑に付す, …を無視する.

láugh awáy 自 絶え間なく笑う. — 他 (1)〈心配・話など〉を笑いとばす, 一笑に付す. (2)〈時〉を笑いながら送る.

láugh óff 他 (1) =LAUGH away 他 (1). (2)《略式》きまり悪さなどを笑ってごまかす.

— 图 **1** [a ~] 笑い; 笑い声; 笑い方◆《laughter と違い笑いの種類・笑い方などを言い, a をつける》‖ give a scórnful láugh 軽蔑(ベツ)した笑い方をする / have a good laugh 大笑いする / join [in the [with a] laugh 一緒になって笑う / good for a laugh 《略式》笑いを誘う(だけの), 笑いたくなる / raise [get] a laugh 人を笑わせる / búrst [bréak] into a láugh わっと笑う.
2 《略式》[a ~] 笑わせるもの, お笑いぐさ; 楽しい人 ‖ What a laugh! それは面白い, 笑わせるじゃないか. **3** C 冗談; [~s] 気晴らし, 娯楽 ‖ play golf just for laughs ただ気晴らしにゴルフをやる.

gèt [ráise] a láugh 笑いを買う.

hàve [gèt] the lást laugh〈人に〉(負けたようにみえるが)結局勝つ, 最後に笑う[on].

hàve [gèt] the láugh of [on] A〈人〉を笑い返してやる.

laugh·a·ble /lǽfəbl | lɑ́ːf-/ 形 ばかげた (ridiculous), 軽蔑(べつ)に値する ‖ a laughable act 愚行.

laugh·ing /lǽfɪŋ | lɑ́ːf-/ 形 **1**〈人・表情などが〉笑っている;〈動物・景色などが〉笑いの声[音]を出す, 陽気な, 楽しそうな. **2** 笑うべき, おかしい ‖ It's no laughing matter. それは笑いごとではない.
— 图 U 笑うこと, 笑い (laughter).

láughing gàs [化学・薬学] 笑気.

†**laugh·ing·ly** /lǽfɪŋli | lɑ́ːf-/ 副 **1** 笑って, 笑いながら. **2** 冗談で, 冗談のつもりで.

laugh·ing·stock /lǽfɪŋstɑ̀k | lɑ́ːfɪŋstɔ̀k/ 图 C《略式》嘲(ちょう)笑的な, 笑いもの[草].

***laugh·ter** /lǽftər | lɑ́ːf-/ 图 [→ laugh]
— 图 U 笑い, 笑い声◆《laugh と違い a は付かない. laugh より連続的な(大きな)笑い(声)を強調》‖ an outburst of laughter 爆笑 / Hearing this, the girl búrst [bróke] into láughter. これを聞いてその少女はわっと笑い出した / I thought I would die with laughter. おかしくて死にそうだった / Laughter is the best medicine.《ことわざ》笑いが最良の薬.

*launch¹ /lɔ́ːntʃ, (米+) lɑ́ːntʃ/ [類音] lunch /lʌ́ntʃ/ 【「槍(やり)を投げる」が原義】
— 動 (~·es/-ɪz/; (過去・過分) ~ed/-t/; ~·ing)
— 他

I [始める]

1〈事業など〉を始める, 開始する (start) (+out) ‖ launch a new business 新事業を始める / The enemy launched an attack on us. 敵は我々に攻撃を始めた.

2〈人〉に[…を]始めさせる[on, upon],〈人〉を[…に]乗り出させる;〈人・物〉を[世の中に]送り出す[in, into];〈新製品〉を売り出す (+out, forth) ‖ launch her in [into] business 彼女に商売を始めさせる, 彼女を仕事に就かせる.

II [放つ・発する]

3〈人が〉〈新造船〉を進水させる;〈ボート〉を水面におろす, 浮かべる◆《進水式ではふつう女性がシャンパンのびんを船首にぶつけて割る》‖ launch a new passenger liner 新定期旅客船を進水させる.

4〈飛行機など〉を飛び立たせる;〈ロケットなど〉を打ち上げる ‖ launch a satellite into orbit 人工衛星を軌道に乗せる. **5**《正式》〈矢〉を放つ;〈物〉を投げつける (throw) ‖ launch arrows into the sky 矢を空中に放つ. **6**〈非難など〉を[…に]浴びせる[at, against] ‖ launch threats at [against] an opponent 相手をおどす.

— 自 **1**[事業などに]乗り出す, […を]始める (+forth, out) [into, on] ‖ láunch (fórth) into a new business 新事業を始める / launch (out) into intensive questioning 質問の雨を浴びせる. **2** 進水する; 飛び立つ (+out, forth).

— 图 [the ~] **1**(船の)進水. **2**(ミサイル・ロケット

láunch pàd [sìte] (ミサイル・ロケットなどの)発射台 (launching pad).

launch² /lɔ́ːntʃ, (米+) lɑ́ːntʃ/ 图 ⓒ ランチ, 汽艇《小型の遊覧用モーターボート》.

launch·ing /lɔ́ːntʃɪŋ, (米+) lɑ́ːntʃ-/ 图 ⓤⓒ **1** 進水(式);(ロケットの)発射. **2** 着手, 開始;発刊.

láunching pàd [sìte] =launch pad [site].

†**laun·der** /lɔ́ːndər/ 動 ⓣ 《衣類》を洗濯する, 洗う;…を洗って乾かしてのりづけ[アイロンがけ]をする. ── ⓘ 《衣類が》洗える, 洗ってアイロンがけできる ‖ *launder* well [badly] 洗いがいい[悪い].

laun·dress /lɔ́ːndrəs/ -dres-/ 图 ⓒ (正式) (職業的な)洗濯女 《(PC) laundry worker》.

Laun·dro·mat /lɔ́ːndrəmæt/ 图 ⓒ 《商標》コインランドリー.

†**laun·dry** /lɔ́ːndri/, (米+) lɔ́ːn-/
── 图 (復 **-dries**/-z/) **1** [the ~;集合名詞] 洗濯もの ‖ a bundle of *laundry* 洗濯ものひとかかえ / Mary helped her mother with the *laundry*. メリーはお母さんの洗濯を手伝った / do the *laundry* 洗濯をする. **2** ⓒ クリーニング店, 洗濯屋;洗濯場 ‖ She took the tablecloths to the *laundry*. 彼女はテーブルクロスをクリーニング店に持って行った.

láundry básket 洗濯ものの入れ, 洗濯かご.

Lau·ra /lɔ́ːrə/ 图 ローラ《女の名》.

†**lau·rel** /lɔ́ːrəl/ 图 ⓒ **1** 《植》ゲッケイジュ《月桂樹》(→ bay³). 事情 古代ギリシア・ローマではその枝を輪に編んだ冠を戦いや競技の勝者にたずねて与えた. **2** [~s] (栄誉のしるしとしての)月桂冠, 名誉 ‖ wín [gáin, réap] láurels (勝利の)栄冠を得る / lóok to one's láurels (既に得た)名声[有利な地位, 立場]を人に奪われないようにする. **3** (米)《植》アメリカシャクナゲ《Connecticut, Pennsylvania の州花》.

láu·reled, (英) **láu·relled** 形 月桂冠を頭にいただいた.

†**la·va** /lɑ́ːvə, (米+) lǽvə/ 图 ⓤ 溶岩;火山岩;溶岩[火山]層 ‖ a *lava* bed 溶岩層 / a *lava* field 火山原.

lav·a·to·ry /lǽvətɔ̀ːri/ -təri/ 图 ⓒ (正式) 便所, トイレ《◆ toilet より堅い語》;(米) 洗面所《◆ふつう便所がある》.

†**lav·en·der** /lǽvəndər/ 图 ⓤ **1** 《植》ラベンダー《シソ科の芳香性植物》. **2** 乾燥ラベンダー《衣類の虫よけ用》. **3** 薄紫色.

lávender wáter ラベンダー香水《化粧水》.

†**lav·ish** /lǽvɪʃ/ (正式) 形 **1** 気前のよい, 浪費癖のある;〔…の点で〕…を惜しまない〔in doing / with, in〕‖ be *lavish* with hélp 助力を惜しまない. **2** 豊富な, たっぷりの ‖ The gold medalist won *lavish* praise. その金メダリストは惜しみない賛辞を得た.
── 動 ⓣ …を〔人に〕惜しみなく与える〔on, upon〕, むだ使いする. **láv·ish·ly** 副 気前よく, 惜しげもなく;豪華に.

:**law** /lɔ́ː/ 発音注意 [類音] **low** /lóʊ/《『定められたもの』が原義》 派 **lawful** (形), **lawyer** (名)
── 图 (復 **-s**/-z/) **1** ⓤ (一般に) 法, 法律;ⓒ 〔…に対する〕(個々の)法律, 法令, 法規 《against》;[the ~;集合名詞] 法, 国法;ⓤ (特殊な)法体系, …法 《◆ 形容詞は legal》 ‖ *the law* of the land 国の法律 / by *law* 法律によって / under *the law* 法の下に / bréak [kéep, obsérve, obéy] *the law* 法律を破る[守る] / pass a *law* against slavery 奴隷所有を禁ずる法律を可決する / a *law* full of loopholes ザル法 / Stealing is against *the law*. 窃盗は法律違反である / Everybody is equal before *the law*. すべての人は法の前に平等である / *Nécessity knóws [Néed hás] nó láw*. (ことわざ) 必要には法律はない;「背に腹はかえられぬ」.

関連 [いろいろな種類の law]
Anti-terrorism *Law* テロ対策特別法 / civil *law* 民法 / commercial *law* 商法 / common *law* 慣習法 / company *law* 会社法 / copyright *law* 著作権法 / criminal *law* 刑法 / federal *law* 米国連邦法 / international *law* 国際法 / martial *law* 戒厳令 / state *law* 州法 / tax *law* 税法 / unwritten *law* 不文律, 非公式の決まり事 / welfare *law* 福祉法.

2 ⓤ 法学, 法律学;法律に関する知識;[the ~] 法律を扱う職業, 法曹界;(略式) [the ~;集合名詞;単数・複数扱い] 警察(官), 法律の執行機関 ‖ read *law* =study (the) *law* 法学を学ぶ / practice (the) *law* 弁護士を開業する / **go into law** 法曹界に入る《◆ go to law は「告訴する」》. **3** ⓒ [通例 the ~] (科学上の)法則, 原理;(言語・芸術上の)原則;(スポーツの)規則, 規定 ‖ *the law* of gravity [gravitation] 重力の法則 / *the laws* of grammar 文法の規則. **4** ⓤ 法的手段[手続], 裁判 ‖ **gò to láw agàinst [wìth]** him =(略式) **hàve [tàke] the láw of [on]** him 彼を告訴する. **5** ⓒ ならわし, 慣習, 慣例 ‖ a *law* of etiquette 礼儀作法.

at [in] láw 法律に従って.

be a láw ùnto oneself (他人の意見を無視して)自分の思いどおりにする;慣習を無視する.

be bád láw 〈意見・判決など〉が法律にかなっていない.

be góod láw 〈意見・判決など〉が法律にかなっている.

give the láw to A …を自分の意に従わせる.

láw and órder [通例単数扱い] 法と秩序, 治安.

láy dówn the láw (略式) (1) 〔人に〕高圧的な態度で言う[命令する]〔to〕. (2) 〔人を〕しかる〔to〕.

Thère is nó láw agàinst A. (略式) …はかまわない,「…して]いけない法律なんてない〔doing〕.

láw còurt 法廷.

láw enfòrcement 法の執行;[遠回しに] (警察による)取り締まり, 規制 ‖ *Law enforcement* in this city is very strict. この町の取り締まりはとても厳しい.

láw schòol (米) 法科大学院, ロースクール《学部卒業後3年間学ぶ》.

láw tèrm 法律用語;裁判所の開廷期.

law-a·bid·ing /lɔ́ːəbàɪdɪŋ/ 形 (正式) 法律をよく守る (↔ law-breaking).

law·break·er /lɔ́ːbrèɪkər/ 图 ⓒ **1** 法律違反者, 罪人. **2** (略式) 法で定められた規格に合わない物.

law-break·ing /lɔ́ːbrèɪkɪŋ/ 形 法律違反の, 違法の (↔ law-abiding).

†**law·ful** /lɔ́ːfl/ 形 (正式) **1** 法律で認め[定め]られた, 合法の, 適法の (legal) (↔ unlawful) ‖ a *lawful* heir [child] 嫡出子 / a *lawful* marriage 法律な結婚 / *lawful* age 法定年齢, 成年 / *lawful* money [currency] 法定貨幣 / Parking on this street is never *lawful*. この通りは駐車は絶対禁止だ. **2** 法律に従う, 法律を守る ‖ *lawful* citizens 法律を守る国民.

láw·ful·ly 副 合法的に. **láw·ful·ness** 图 ⓤ 合法的であること, 合法性.

law・giv・er /15:gìvər/ 名 © 立法者, 法律制定者.

†**law・less** /15:ləs/ 形 [正式] **1** 法律のない, 無法状態の; 非合法的な, 不法の. **2** 無法な, 手に負えない.

law・mak・er /15:mèikər/ 名 © 立法者; 立法府の議員.

law・mak・ing /15:mèikiŋ/ 名 形 立法(の).

*****lawn**[1] /15:n/ 名 [類語] loan, lone /lóun/ 『「空地」が原義』
——名 (複 ~s/-z/) © (家の周囲の)**芝生**(の生えている所), 芝地 ‖ My father is mowing the lawn. 父は芝を刈っている.
láwn cháir (米)庭園いす((英) garden chair).
láwn mòwer 芝刈機.
láwn ténnis ローンテニス; (戸外での)庭球.

lawn[2] /15:n/ 名 ① **1** ローン, 寒冷紗(𝑠)《ごく薄い上等のリンネルまたは綿布》. **2** 主教(bishop)の職[位]《◆ローンのその中の法衣を着たことから》.

Law・rence /15:lrəns/ 名 **1** ローレンス《男の名》. **2** ローレンス《D(avid) H(erbert) ~ 1885-1930; 英国の小説家》. **3** ローレンス《Thomas Edward ~ 1888-1935; アラブ独立運動を指導した英国人.「アラビアのロレンス」》.

†**law・suit** /15:sù:t/ 名 © [法律] (民訴法で)訴訟《◆ suit ともいう》.

*****law・yer** /15:jər, 15iər/ [→ law]
——名 (複 ~s/-z/) © **1** 法律家, (特に)**弁護士**((米) attorney); (英ではしばしば)事務弁護士(solicitor) (cf. counselor, barrister) ‖ a criminal [civil] lawyer 刑事[民事]弁護士 / **consult a lawyer** 弁護士に相談する. **2** 法に精通した人, 法律学者(jurist) ‖ a good [poor] lawyer 法に明るい[暗い]人.

†**lax** /læks/ 形 (~・er, ~・est) [正式] **1** ゆるい, ゆるんだ, 締まりのない; 《筋肉が》たるんだ ‖ a lax rein ゆるんだ手綱. **2** 《人が》(…の点で)ルーズな, 怠慢な, ずぼらな(in / about); 《人・規則などが》厳格でない, (…に対して)手ぬるい(with); (行ないが)だらしのない ‖ **be lax in** the performance of one's duties 職務を怠る.

lax・a・tive /læksətiv/ 名 © ① 形 下剤(の), 通じ薬(の) ‖ take a laxative 下剤を飲む.

*****lay**[1] /léi/ 『「横たわらせる」が本義. cf. lie[1]』 過 layer 〈名〉

index 動 他 **1** 横たえる, 置く **5** 用意をする **6** 産む

——動 (~s/-z/; 過去・過分 laid/léid/; ~・ing) 《lie[1]〈横たわる〉との語形変化の比較については→ lie[1]》
——他
I [物を平らに置く・横たえる]
1 a 《人が》〈人・物を〉**横たえる**(+down, along); 〈物を〉(…に)置く, 敷く, 広げる(in, on, at); 〈子供を〉寝かしつける(+down) ‖ lay butter on bread パンにバターを塗る / a baby in its crib 赤ん坊を揺り籠に寝かせる / She laid her hand on my shoulder. 彼女は私の肩に手をかけた / Lay your gloves in the drawer. 手袋は引き出しにしまいなさい.
b 〈遺体を〉埋葬する《♦ bury の遠回し語》‖ Her bones are laid here. 彼女の遺体はここに葬られている.
2 〈物を〉並べる, 積む; 〈基礎などを〉築く; 〈鉄道などを〉敷設する; 〈わなを〉しかける ‖ lay bricks れんがを積む / lay a snare [trap] for … にわなをしかける.
3 [lay A with B = lay B on A] 〈人が〉〈場所〉

に B〈物〉を塗る, 敷きつめる ‖ lay paint on a wall 壁にペンキを塗る(=paint a wall) / We laid the floor with a carpet. =We laid a carpet on the floor. 我々は床にじゅうたんを敷きつめた.
4 〈物を〉[…へ]近づける, 〔…に〕当てる(put)〔to〕‖ She laid her cheek on her baby's. 彼女は自分の赤ちゃんにほおずりをした.
5 〈人が〉〈食卓・食事などの〉**用意をする**, したくをする ‖ lay 〔主に米〕 set〕 the table for dinner (食器を並べ)夕食の食卓を整える / lay an escape plan 脱走計画を立てる.
6 〈鳥などが〉〈卵を〉**産む** ‖ The hen laid an egg. めんどりが卵を産んだ.

II [課する・帰する]
7 〈強調・信頼などを〉[…に]置く(on); 〈税金・罰金・責任などを〉[…に]課する(on); 〈打撃などを〉[…に]加える(to) ‖ lay emphasis on good manners よい作法を強調する / lay heavy taxes on imported articles 輸入品に重税を課す.
8 〈人が〉〈災害・罪などを〉[…に]帰する, [… の]せいにする(to) ‖ lay a mistake to his charge =lay a mistake at [to] his door 間違いを彼のせいにする.
9 (略式)〈金・命などを〉[…に / …ということに]賭(𝑘)ける(+down)〔on / that節〕‖ lay $10 on the horse その馬に10ドル賭ける / I'll lay (you) ten thousand yen (that) she won't come. 彼女が来ないことに1万円賭けてもいい.
10 [正式] 〈問題・事実などを〉[…に]提出[提示]する(before); 〈権利の主張・訴訟などを〉[…に対して]行なう(against, to); 〈告訴人が〉〈損害を〉(ある額と)定める(at).

III [押さえる・鎮める]
11 …を[地面などに]たたき[打ち]のめす, なぎ倒す(on); 〈布のけばなどを〉なめらかにする ‖ lay him on the ground with a single blow 一撃で彼を地面に打ちのめす / The wind laid the crops (flat). 風で作物が倒れた.
12 〈雨などが〉〈ほこりなどを〉押さえる; 〈風・波などを〉静める(calm); [正式] 〈恐怖・うわさ・疑問などを〉消す, なくす ‖ The rain laid the dust. 雨でほこりがおさまった.

IV [その他]
13 [lay A C] 〈人・物・事が〉A〈人・物〉を C(の状態)にする ‖ lay one's heart bare [正式] 胸の内を打ち明ける / lay the land waste 国土を荒廃させる / The flu laid me low. 私は流感で倒れた / a house laid flat by the tornado 竜巻でぺしゃんこになった家.
14 [通例 be laid] 〈物語の場面〉が〉[…に]設定される(at, in).

——自 **1** 卵を産む ‖ This hen lays well. このニワトリは卵をよく産む. **2** [...に]賭(𝑘)ける(on). **3** [...に]専念する(to) ‖ **láy to** one's óars 一生懸命オールをこぐ. **4** 〈船・船員が〉〔ある方向へ〕向かう(to); 〈ある位置に〉いる ‖ lay aft 〈船員が〉船尾へ移動する / Our ship laid close to the wind. 我々の船は針路を風上に取った.

láy abóut 〔自〕[棒などを]振りまわす〔with〕. ——他 〈人を〉[…で]激しくなぐる[攻撃する, 非難する]〔with〕.

láy abóut one まわりに[…を]振りまわす〔with〕.

*****láy asíde** [他] (1) 〈物を〉わきに置く; 〈仕事を〉一時中断する ‖ He laid aside the computer manual. 彼はコンピュータのマニュアルをわきに置いた. (2) 〈計画・習慣などを〉捨てる, あきらめる. (3) 〈金などを〉

[…のために]蓄える(save)[for, toward]. (4) 〈商品〉を〈客のために〉取っておく[for].

láy awáy [他] (1) 〈金など〉を蓄えておく, 取っておく. (2) 〖主米〗〈客が代金を払い終わるまで〉〈商品〉を取って[保管して]おく. (3) 〈人の遺体〉を葬る.

láy A báck (1) 〈物〉を[…に]戻す[in]. (2) 〈馬などが〉〈耳〉を後ろへ向ける.

láy dówn [他] (1) → 動 1, 9. (2) 〈文〉〈武器・指揮権・希望〉を捨てる, 断念する, あきらめる;〈命〉を[のために]捧げる, 犠牲にする[for]. (3) 〈鉄道など〉を敷設する;〈船〉を建造する;〈建物の基礎〉を築く. (4) 〈ワインなど〉を蓄えておく. (5) 〈挑戦など〉を宣言する, 言明する;〈法など〉を規定する. (6) 〈規則・値段など〉を定める;〈計画など〉を立てる. (7) 〈砲火など〉を浴びせる.

láy ín [他] 〈物〉を[…のために]取って[蓄えて, しまって]おく, 買いだめする[for].

láy it dówn that ... だとはっきり述べる.

lay it on thick 〔略式〕大げさに言う[する];やたらにほめる;ひどくしかる.

láy óff [自] 〔略式〕(1)《自分を休みの状態に》(off 副 3)置く》ひと休みする. (2) 〔しばしば命令文で〕〈不愉快なこと・害になること〉をやめる. (3) 上塗りする. (4) 〈風・獲物の動き〉を計算に入れて〉ねらいを定める. —[他] (1) 〈〈従業員〉を仕事から休みの状態に》(off 副 4)置く》;〈人〉を〈仕事から〉一時解雇する〈帰休させる》[from];[遠回しに] 解雇する. (2) 〔略式〕〈人〉をそっとしておく, 〈事〉を話題にしない. —[自+][~ off A]〔略式〕〈人〉を悩ます〔攻撃する〕のをやめる;〈不愉快なこと〉をやめる.

láy ón [自] 攻撃する, なぐりかかる. —[他] (1) 〈ペンキなど〉を塗る. (2) 〔英略式〕〈ガス・電気・水道など〉を引く, 設ける. (3) 〔英略式〕〈パーティーなど〉を[…のために]催す, 計画する;〈食事・車など〉を用意する[for, to]. (4) 〈責任・税金など〉を課す;〈高い値段など〉をつける;〈殴打〉を〈人に〉加える[to]. (5) 〈人〉を雇う.

*láy óut** [他] (1) 〈服など〉を広げる ‖ **lay out a newspaper on the table** 新聞を食卓の上に広げる. (2) 〔正式〕〈死体〉の埋葬準備をする;〈死者〉の身繕いをする;〈食事〉を並べる. (3) 〈建物・公園などの〉設計をする;〈仕事〉の計画を立てる, 段取りを決める ‖ **lay out a Japanese garden** 日本庭園を設計する. (4) 〔略式〕〈人〉をたたきのめす, ぐったりさせる, 殺す;〔米略〕...をしかりつける. (5) 〔略式〕〈金・力〉を[…に]費やす[for, on, in]. (6) 〈新聞・雑誌・書物など〉をレイアウトする, 割付けする.

láy óver [自] 〔米〕途中下車する, 〈飛行機など〉が一時途中停留する〈主米〉stop over. —[他]〈会議など〉を延期する.

láy úp [他] (1) 〔貯蔵して〕(up 副 14 b) 置く》〔古〕〈物〉を蓄えておく, 蓄えておく;〈問題など〉を棚上げする. (2) 〖〈人〉を無活動の状態に》(up 副 14 b) 置く》〔略式〕〔通例 be laid〕〈人が〉〈病気で〉寝込む〈with〉 ‖ **She is laid up with a bad cold.** 彼女はかぜで寝込んでいます. (3) 〔通例 be laid〕〈船が〉ドックに入る;〈車が車庫にしまわれる. (4) 〔しばしば ~ing〕〈面倒なことなど〉をしょい込む.

—[名] **1** [the ~] 〈物の〉位置, 方向;地形, 地勢;状態 ‖ **the lay** 〔英〕lie of the land 地勢;状況. **2** [C] 〈なわなどの〉より目[方] ‖ **a left lay** 左より.

*lay² /léi/ [動] lie¹ の過去形.

lay·a·way /léiəwèi/ [名] 〔主米〕〔通例次の句で〕 ‖ **on the layaway plan** 予約購入法で〈◆頭金を払って商品を予約し, 残金を払って品物を受け取る制度》.

†**láy·er** /léiər, léər/ [名] **1** 〔しばしば複合語で〕置く[積む, 敷く]人 ‖ **a brick layer** れんが工. **2** 層, 重ね, 〈ペンキの〉塗り;地層;階層;〈玉ねぎの〉皮 ‖ **the ozone layer** オゾン層 / **a wedding cake with five layers** 5段になったウェディングケーキ / **put on more layers of clothing** さらに重ね着する. —[動] ⓣ **1** 〈木〉を取り木する. **2** 〈物〉を層にする. —[自] **1** 〈取り木から〉根を生やす. **2** 層になる.

láyer cáke クリームやジャムなどを層に挟んだケーキ.

lay·ette /leiét/ [名] ⓒ 新生児用品一式《うぶ着・おむつ・ふとんなど. 一般に **baby's things** というのがふつう》.

†**láy·man** /léimən/ [名] (優) --men; 〈女性形〉 -wom·an) ⓒ **1** 〔聖職者以外の〕平信徒, 俗人〈(PC) layperson》. **2** 専門家でない人, 素人, 門外漢〈(PC) layperson, nonprofessional》.

lay·off /léiɔ̀(ː)f/ [名] ⓒ **1** 一時的解雇(期間), レイオフ;〔遠回しに〕解雇. **2** 〈運動選手などの〉活動中止期間, シーズンオフ.

láyoff allówance 一時解雇手当.

†**lay·out** /léiàut/ [名] **1** ⓤ 広げる[敷く, 並べる]こと;ⓒ 広げた[敷いた, 並べた]もの. **2** ⓤⓒ 〈新聞・雑誌などの〉割付け, レイアウト. **3** ⓤⓒ 〈都市・公園・工場などの〉地取り, 配置, 設計, 計画 ‖ **the layout of the new school** 新しい学校の設計図. **4** ⓒ 道具一式. **5** ⓒ 〔略式〕特定の目的に使用される場所;住宅, 工場.

Laz·a·rus /lǽzərəs/ [名] **1** 〔新約〕**a** ラザロ〈イエスが死からよみがえらせた男》. **b** ラザロ〈病気の乞食の名》. **2** ⓒ 病気の乞食.

laze /léiz/ [動] ⓘ 何もしないで時間を過ごす, 怠ける;のんびりする, くつろぐ〈+about, around, away》. —[他]〈時間など〉を怠けて過ごす;のんびりと過ごす〈+away》. —[名][a ~] 怠けて過ごすこと.

†**la·zi·ly** /léizili/ [副] ゆっくりと;くつろいで;怠けて.

†**la·zi·ness** /léizinəs/ [名] ⓤ 怠惰, 不精 ‖ **I have a feeling of laziness today.** 今日は何もする気がしない(=**I feel lazy today.**).

*la·zy** /léizi/ 〖〖元気がない〗が原義〗
—(―zi·er, ~zi·est) [形] **1** 〈人が〉[…に関して](やる気がない) 怠惰な(性格の), 不精な, 働きたがらない[about]〈◆〔する事〕〔仕事〕がなくてぶらぶらしている」は **idle** → **idle** 形 **1a**》 ‖ **She is too lazy to clean her room.** 彼女は自分の部屋の掃除をしたがらない. **2** 〈時がだるい, 気分・天気などが〉倦怠(懈)感[眠気]を誘う》 ‖ **a lazy summer day [afternoon]** けだるい夏の日[午後]. **3** 〈雲・川など〉が動きののろい, ゆっくり流れる.

lázy Súsan 〔米〕〈食卓に置く仕切りのある〉回転盤.

lazy tòngs 伸縮自在ばさみ〈遠くの物を取るもの》.

†**lb, lb.** (発) **lbs, lb**) (略) 〔ラテン〕libra(e)〈◆重量の単位 **pound(s)** を表す記号;**pound(s)** と読む》.

L/C, LC, l.c. (略) **letter of credit**.

LCC (略) **London Chamber of Commerce** ロンドン商工会議所.

LCD, l.c.d. (略) **liquid crystal display** 液晶画面[表示面].

LCM, l.c.m. (略) **least [lowest] common multiple** 最小公倍数.

Ld, ld. (略) **Lord; limited**;〔印刷〕**lead**.

LD (略) 〔商標〕**laser disc**;〔教育〕**learning-disabled** 学習障害のある.

ldg. (略) **leading; loading; lodging**.

LDL (略) 〔医学〕**low-density lipoprotein** 低比重リポタンパク《「悪玉コレステロール」とも呼ばれる物質》.

LDP (略) **Liberal Democratic Party**.

L-driv·er /éldràivər/ [名]〔英〕仮免許運転者《◆

-le /-l/ 〔語要素〕→語要素一覧(2.2, 2.4)

†lea /li:/ 〔同音〕lee ▶ 草地, 牧草地.

leach /li:tʃ/ 動 他 **1** …を[…から]こす, 濾過(ろか)する〔*from, out of*〕. **2** …をこして除く; …をこし出す(+ *out, away*). ― 自 〈液体が〉…から〕濾過される(+ *away*)〔*out of*〕.

lead[1] /li:d/ 〔発音注意〕〔類音〕read, reed /ri:d/ 〖「先に立って導く」が本義〗派 leader (名), leading[1] (名・形)

index
動 他 1 案内する 2 連れて行く 3 率いる
5 …な生活を送る
自 1 案内する 2 通じる
名 1 先導, 指導 2 手本

― 動 (~s /li:dz/; 過去・過分 **led** /léd/; ~·ing)
― 他
Ⅰ [人・組織などを導く・先に立つ]
1 〈人が〉〈人・動物などを〉[…へ](先に立って)**案内する**, 導く〔*to, into*〕〈◆guide は「道順をよく知っている人がずっと同行して案内すること」〉‖ *lead* him in [out, aside] 彼を中[外, わき]へ連れて行く / *lead* a horse by the bridle 馬の手綱を引いて行く / She *led* an old man across the street. 彼女は老人の手を取って通りを渡った.
2 [*lead* A *to* B] 〈道路・灯火などが〉A〈人〉をB〈場所〉へ**連れて行く**, 〈人・物・事が〉A〈人〉をB〈状態にまらせる〉; [*lead* A C] 〈事・人が〉A〈人〉をC〈の状態〉にする ‖ *lead* him astray 彼を道に迷わせる; 堕落させる / Gambling *led* him into a lot of debt. ギャンブルのため彼は多額の借金をした(→文法 23.1) / *lead* a firm *to* bankruptcy 会社を倒産させる / This street *leads* you *to* the station. この通りを行けば駅に行けます.
3 〈人が〉〈軍隊などを〉**率いる**, 先導[指揮]する; 〈討論などを〉引っ張って行く, …で主役を演じる; 〈ダンスの相手を〉リードする; (英)〈オーケストラの〉コンサートマスターを務める ‖ I'll *lead* you and you follow me. 私が先に行くから君は後に続くのだ / Reverend King *led* the boycott. キング牧師がボイコットの指揮をした.
4 〈相手を〉[…の点で]リードする, 〈グループの〉第一人者である〔*in*〕‖ Paris *leads* the world *in* fashion. パリはファッションで世界をリードする.
Ⅱ [生活を導く]
5 [~ a … life] …な**生活を送る**; [*lead* A B] 〈人・事が〉A〈人〉にB〈生活〉を送らせる ‖ He is *leading* a pleasant *life* in the country. 彼は田舎で楽しい生活を送っている.
Ⅲ [気持ちを導く]
6 〈物・事が〉〈人〉を[…の/…する]気にさせる, […に/…するよう] **仕向ける** 〔*to* / *to do, into doing*〕‖ What *led* you *to* become Christian? 君はなぜキリスト教徒になったのですか.

― 自 **1** 〈人が〉**案内する**, 導く ‖ The float is *leading*. 山車(だし)が先頭に立っています.
2 先導する, 率いる, 指揮する; (英)〈…の〉主任弁護士となる〔*for*〕‖ I'll *lead* and you follow. 私が先に行くから君は後に続くのだ.
3 〈道路などが〉[…から/…に]**通じる**, 至る〔*from* / *to, into*〕; […を]通り抜ける〔*through*〕; 〈事が〉[…に]引き起こす, […に]つながる, 結びつく〔*to, into*〕‖ 〔対話〕 "Excuse me, where is the station?" "This street *leads* to the station. Follow it to the end." 「失礼ですが駅はどちらですか」「この通りが駅に通じています. この道を突き当たりまで行ってください」 / His many mistakes *led* to his getting fired. 彼は多くの間違いをしたのでくびになった(→文法 7.12).
4 〔スポーツ〕 […で]リードする〔*in*〕; […で]一番である, 他にまさる〔*in*〕‖ *lead* by a score of five to two 5対2でリードする.

léad awáy 他 (1) 〈人〉を連れ去る, 連行する. (2) [通例 be led] 〈人〉を[…するように]仕向ける〔*to do, into*〕.

léad ón 自 案内する. ― 他 (略式)〈人〉を[…で]誘う, だます〔*with*〕; 〈人〉をだまして[…するように]仕向ける〔*to do, into*〕.

léad óut 自 前に出る. ― 他 (1) …を引っ張り[誘い]出す. (2) 〈人〉をうちとけさせる.

léad úp to A 〈階段などが〉…へ通じる; 〈事件などが〉…につながる; …に話を向ける.

― 名 (複 ~s /-li:dz/) C **1** [a/the ~] 先頭, 先導; 率先; 指揮, 指導; 統率[指導]力 ‖ be *in the lead* 先頭である / We followed his *lead*. 私たちは彼のあとに従った; 彼の指図に従った(→**2**).
2 手本, 模範; 前例; 指図 ‖ follow his *lead* 彼の指図に従う; 彼の例にならう / give him a *lead* 彼に模範を示す; 彼に指図する.
3 [a/the ~] […に対する]優勢, 優位〔*over*〕; (野球の走者の)リード ‖ take a 3-1 *lead* 3対1とリードする / lose the *lead* in a race レースで首位を奪われる / have a *lead* of five meters *over* [*on*] the second-place runner 2位の走者を5メートルリードする. **4** (略式) […の/…への]手がかり, 糸口, きっかけ 〔*in, for / to*〕‖ helpful *leads* to finding the meaning その意味を知るための有益な手がかり. **5** (時に the ~)(映画などの)主役, 主演俳優 ‖ play the *lead* in King Lear 『リア王』で主役を演じる. **6** (英) (犬・馬などの)引きひも((正式) leash).

táke the [a] léad 〈…するのに〉先頭に立つ〔*in doing*〕; リードする; 模範を示す.

― 形 [名詞の前で] 先導する; 最も重要な ‖ the *lead* car 先導車 / the *lead* violin 第1バイオリン.
léad sínger =leading singer.
léad stòry (新聞の)トップ記事.

†lead[2] /léd/ 名 **1** U 〔化学〕 **鉛** 〈金属元素. 記号 Pb〉; [形容詞的に] 鉛製の ‖ (as) heavy as lead たいへん重い / a *lead* pipe 鉛管. **2** C (測深用の)測鉛 (そくえん) ‖ cast [heave] the *lead* (測鉛で)水深を測る. **3** (英) [~s] 鉛板ぶきの屋根; トタン屋根; 鉛の窓枠. **4** U C (鉛筆の)黒鉛; しん.

léad(ed) gásoline 加鉛ガソリン.
léad pòisoning 鉛中毒.

†lead·en /lédn/ **1** (古) 鉛製の, 鉛の. (文) 鉛色の, 灰色の. **2** (文) 重い, 疲れた; 悲しい, 重苦しい; 退屈な.

lead·er /lí:dər/ 〔類音〕 reader /rí:dər/ 〖→ lead[1]〗派 leadership (名)

― 名 (複 ~s/-z/) C
Ⅰ [組織の先導者]
1 先導者; 指揮者, 指導者, 統率者; 主将, 首領, 党首, 隊長 ‖ Martin Luther King was one of the *leaders* of the civil rights movement in America. マーチン=ルーサー=キングは米国における公民権運動の指導者の1人であった.
2 (米) (オーケストラの)指揮者(conductor); (英) コンサートマスター((米) concertmaster). **3** 主任弁護士.
Ⅱ [先端にあるもの]
4 主要記事, (英) 社説((米) editorial, leading ar-

lead·er·ship /líːdərʃɪp/《→ leader》
━━名 1 ⓤ 指導者の地位[任務], 指導(力), 指揮, 統率, リーダーシップ ∥ *under the léadership of* the president =under the president's *leadership* 大統領の指揮のもとで / She took over the *leadership* of the ruling party. 彼女は政府与党の指導者の地位を引き継いだ. 2 [the ~;集合名詞;単数・複数扱い] 指導者たち, 指導部.
jóckey for the léadership =jockey for POSITION.

léadership ròle 指導的な役割, リーダーシップ.
léad-frèe gásoline /lédfriː-/ 無鉛ガソリン.

lead·ing /líːdɪŋ/《名》ⓤ 先導, 案内;指導, 指揮, 統率;指導[統率]力. ━━形 1 先頭に立つ, 先導する, 案内する;指導する, 指揮する ∥ the *leading* car 先導車. 2 第一流[一級, 一位]の, 卓越した; 主要な, 主な ∥ a *leading* painter 一流の画家 / What was his *leading* motive for writing the book? その本を彼が書いた主な動機は何であったか. 3 主役の, 主演の ∥ play the *leading* part 主役を演じる.
léading áctor [áctress] 主演男優[女優].
léading árticle (1) 〖米〗主要記事;〖英〗社説, 論説《〖米〗editorial》. (2) 〖英〗客寄せ[目玉]商品.
léading cáse 先例となる判例.
léading édge (科学技術の)進歩の最先端.
léading fígure 大物, 大人物.
léading lády 主演女優《(PC) lead》.
léading mán 主演男優《(PC) lead》.
léading quéstion 誘導尋問.
léading rèin (1) (馬の)引き手綱. (2) [-s] (幼児の歩行練習用の)手引きひも.
léading sínger リードシンガー《主旋律を担当し, コーラスを先導する歌手》.
léading strings 〖英〗指導, しつけ;束縛.

‡leaf /líːf/《類音》reef /ríːf/《『葉の茂み』が原義》
━━名 (働 **leaves** /líːvz/)
I [植物としての葉]
1 ⓒ (木・草の)**葉**《類語》麦などの葉は blade, 松などの針状の葉は needle) ∥ dead *leaves* 枯葉 / a heap of fallen *leaves* 落葉の山.
2 [集合名詞] **a** 群葉 (foliage) ∥ *còme into léaf* 〈植物・木々〉葉を出す / *be in léaf* 葉が茂っている / the fall of the *leaf* 落葉期, 秋. **b** 茶[タバコ]の葉.
II [葉状の薄いもの]
3 ⓒ (略式) 花びら (petal) ∥ rose *leaves* バラの花びら, 〖米〗バラの葉. 4 ⓒ (本の紙の) 1枚, 2ページ ∥ Two *leaves* are missing from this diary. この日記から2枚[4ページ]がなくなっている. 5 ⓒ (ドア・テーブルなどの)蝶番(ちょうつがい)でとめた[取りはずしのきく]1枚. 6 ⓤ (金・銀などの)箔(はく)《◆foil より薄い》∥ gold *leaf* 金箔.
túrn (óver) a néw léaf [比喩的に] 新しいページをめくる, 改心して生活を一新する.
━━働 ⓐ ~ed or 〖米〗 **leaved** /líːvd/) 働 1〈木が〉葉を出す《(米) +*out*). 2〈本に〉ざっと目を通す, [本を]すばやくめくる [*over, through*] ∥ *leaf through* a book 本にざっと目をとおす. ━━働 1〈本の(ページ)を〉ざっとめくる (+*through*). 2 [be ~ed [〖米〗 leaved]] 〈木が〉葉を出している (+*out*).
léaf bùd 葉芽(ようが)《cf. flower bud》.
léaf mòld [〖英〗 mòuld] 腐葉土.

†leaf·less /líːflɪs/形 葉のない.
†leaf·let /líːflət/名 1 〖植〗 (複葉を構成する)小葉; 小さな葉. 2 (広告の)ちらし, リーフレット. ━━働 (主 〖英〗)働 働〈場所〉にちらしを配る.
†leaf·y /líːfi/形 (-i·er, -i·est) (文) 1〈木・植物などが〉葉の多い, 葉の茂った; 〈町などが〉緑の多い》 *leafy* plant 葉の多い植物. 2 葉からなる, 葉が作る ∥ *leafy* shade 葉陰. 3 葉状の.

†league /líːɡ/名 ⓒ 1 〖スポーツ〗競技連盟, リーグ ∥ National Football *League* 全米プロフットボールリーグ(略) NFL》/ a *league* match リーグ戦 / 日本発《 The J. *League* was established as a professional sports organization in 1993. Jリーグは1993年にプロスポーツ組織として発足した. 2 同盟, 連盟;盟約 ∥ the *League* (of Nations) 国際連盟《1930-46》; the United Nations の前身》/ *in léague with* … …と同盟して[ぐるで]. 3 [集合名詞] 同盟参加者;団体, 協会.
━━働 働 …を[…に]同盟させる [*with*]. ━━働 団結する (+*together*).
léague tàble 〖英〗 (リーグ戦の)成績表.

leagu·er /líːɡər/名 ⓒ (主に米) [通例修飾語を伴って] (…の)連盟の加盟員[団体, 選手] (cf. major *leaguer*).

†leak /líːk/名 ⓒ 1 [… の] 漏(も)れ口[穴] [*in*] ∥ through a *leak* in the pipe パイプの漏れた穴から. 2 もれている液体[ガス]; [通例 a/the ~] 漏(も)れ出量, もれ∥ a gas *leak* ガスもれ. 3 〖電気〗リーク, 漏電. 4 (秘密・情報などの)漏洩(ろうえい).
━━働 働 1〈秘密など〉を[…に]もらす (+*out*) [*to*]. 2〈水など〉をもらす. ━━働 1〈水・空気・油などがもれる; 少しずつ入って来る (+*in*); 〈力・興味などが〉薄らぐ (+*away*). 2〈容器が〉もれる. 3〈秘密が〉もれる (+*out*).
leak·age /líːkɪdʒ/名 1 ⓤ もらすこと, もれ; ⓒ もれたもの, 漏出[入]量. 2 ⓤ (秘密の)漏洩.
leak·y /líːki/形 (-i·er, -i·est) 1 もれる, 穴のあいた. 2〈秘密などが〉もれやすい.

†lean¹ /líːn/働 (過去・過分) **leaned** /líːnd | lént, líːnd/ or (英+) **leant** /lént/) 働 1〈人・物が〉[…に]寄りかかる, もたれる [*on, against*] ∥ She *leaned against* his shoulder. 彼女は彼の肩にもたれかかった. 2 (ある方向に)傾く, 曲がる ∥ *léan fórward [dówn, óver]* 前にかがむ / *léan báck* 上体を後にそらす / *lean* over the edge of a well 井戸の縁から身を乗り出す. 3 傾いて立っている, 傾斜している. 4〈人が〉[…に]傾く, 偏る; […の]傾向がある [*to, toward*] ∥ *lean toward* communism 共産主義に傾く.
━━働 1〈人が〉〈体の一部・物など〉を[…に]もたせかける, 傾かせる [*on, against*] ∥ *lean* one's elbows on the table テーブルに両ひじをつく. 2 (ある方向に)を傾かせる, 曲げる ∥ *léan* one's héad fórward 頭を前にかしげる.
léan on **A** (1) 〔…を求めて〕〈人・事に〉頼る [*for*]. (2)〈人・物に〉もたれる (→働 1) ∥ *lean on* one's stick つえにすがる. (3) (英略式)〈人〉に圧力をかける.
━━働 [しばしば a ~] 1 傾斜, 傾き ∥ *a léan of* 45° 45度の傾き / *on the léan* 傾いて. 2 傾向.

†lean² /líːn/形 1〈人・動物が〉(筋肉質で)やせた, 肉の落ちた《◆(病気・栄養不足などで)やせた [it than] (↔ fat); 〈顔の〉細長い, 身のしまった (↔ fat, fleshy》∥ The starving child is (as) *lean* as a rake. 飢えている子供はやせて骨と皮ばかりになっている (→ rake 名). 2〈肉が〉(あまり)脂肪のない, 赤身の. 3

leant

貧弱な, つまらない; 〈栄養の〉乏しい, 収穫の少ない, 〈土地が〉不毛の ‖ a lean meal 栄養の乏しい食事 / a lean year 凶作の年. ―名 ⓤ **1** [時に the ~] 脂肪の少ない肉, 赤身の部分. **2** 細い部分.

léan·ness 名 ⓤ (人・動物が)やせていること;(肉が)脂肪のないこと.

leant /lént/ 動 〈主に英〉lean¹ の過去形・過去分詞形.

†**lean-to** /líːntùː/ 名 (複 ~s) ⓒ 形 差掛け小屋(の).

*****leap** /líːp/ 動 (~s/-s/; 過去・過分 leaped /líːpt/ or 〈主に英〉 leapt/lépt/; (米+) líːpt/; ~·ing)
――自 **1** 跳(と)ぶ《◆jump より堅い語で高く遠く跳ぶことを含意》‖ leap into the boat ボートに跳び乗る / leap high [up] 跳び上がる / **Look before you leap.**(ことわざ)跳ぶ前に見よ;「ころばぬ先の杖」. **2** 〈心などが〉おどる;胸が高鳴る(+up) ‖ leap for joy 歓喜で胸が高鳴る / My heart leaps up. 胸が高鳴る, どきどきする. **3** 〈考えなどが〉〈心などに〉ひらめく, 浮かぶ [to, into). **4** 飛ぶように動く, さっとする;急いで行く;さっと立ち上がる(+up);[…のために]駆けつける [to] ‖ His sword leaped from its scabbard. 彼の剣がさやからさっと抜かれた.
――他 **1** …を跳び越える(jump over). **2** …に[…を]跳び越えさせる [over].

leap at A (1) …に飛びつく, 飛びかかる. (2) 〈機会・申し出など〉に飛びつく.

leap fórward …急に前へ出る.
――名 ⓒ **1** 高く[遠く]跳ぶこと;跳躍(距離)‖ in two leaps 2跳びで / a three-meter leap (距離)3メートルの跳躍. **2** 大躍進, 飛躍;急な増加.

a léap in the dárk 向こうみずな行ない, 暴挙.

léap dày うるう日《2月29日》.

léap sècond うるう秒.

léap yèar 閏(うるう)年(↔ common year).

leap·frog /líːpfrɔ̀(ː)ɡ/ -frɔ̀ɡ/ 名 ⓤ 馬跳び《子供の遊び》. ――動 (過去・過分 ~ged) leap·frogged /-d/; ~·frog·ging) 自 他 (…を)馬跳びする(+over);〈互いに〉抜き抜かれつする;〈人・事業などに〉先んじる.

leapt /lépt/, (米+) líːpt/ 動 〈主に英〉leap の過去形・過去分詞形.

Lear /líər/ 名 リア《Shakespeare 作 King Lear の主人公》.

☆**learn** /ləːrn/ 動 〔「(知識)を学習などで身につける」本義〕 派 learned (形), learning (名)

index 動 他 **1** 習得する, 覚える **3** 耳にする 自 **1** 習う

――動 (~s/-z/; 過去・過分 learned /ləːrnd, ləːrnt/ or learnt /ləːrnt/; ~·ing)《◆〈米〉では learned がふつう;〈英〉では特に過去分詞で learnt が用いられる》
――他 **1** 〈人が〉〈外国語など〉を**習得する**;〈学業・経験・教えを通して〉学ぶ, 勉強する;〈単語など〉を**覚える**, 記憶する;〈習慣・謙虚さなど〉を身につける ‖ What did you learn in school today? 今日は学校で何を習ったの / She is learning the art of the tea ceremony every week. 彼女は茶道を毎週習っている / I learn a little English every day. 毎日少しずつ英語を学んで(身につけて)います《◆study English には「身につける」という含みはない.単に勉強〔研究〕することについて. cf. He studied Russian at school, but he never did learn it. 学校でロシア語を勉強したがまったく身につかなかった.》 **2** [learn (how) to do] …できるようになる;…の仕方を学ぶ ‖ He learned to swim. = He learned how to swim. 彼は泳げるようになった《◆ˣHe came to (be able to) swim. は不可.→ come 自 13 語法》/ She is learning how to play the piano. 彼女はピアノ(のひき方)を習っています.
3 〈人が〉〈事〉を**耳にする**, 聞く, **知る**, …に気がつく;[learn (that) about [wh 節]] …と聞く, 耳にする, 理解する, 悟る《使い分け》→ know 他 **1**) ‖ learn the details of the accident その事故を詳しく知る / 〈対話〉 "What's new?" "I learned (that) we were getting a new chairman." 「何か変わったことあるかい」「議長が交代するらしいよ」/ learn a [one's] lesson → lesson 名 **4**.
――自 **1** 〈人が〉[…から]習う, 学ぶ [from);覚え方が…である《◆ふつう様態の副詞(句)を伴う》‖ This boy learns slowly [fast, quickly]. この少年は物覚えが遅い[早い](=This boy is a slow [fast, quick] learner.)(→ learner 名 **1**) / You are never too old to learn. 学ぶのに遅すぎるということはない. **2** […に]…ついて]耳にする, 聞く [about, of / from] ‖ When did you learn of his divorce? 彼が離婚したことをいつ知ったのですか.

*****léarn A by héart*** …を**暗記する**(memorize)《◆A が長い語句のときは learn by heart A の語順になる》(→ by HEART, by ROTE) ‖ Have you learned the whole poem by heart? その詩を全部暗記しましたか.

†**learn·ed** /ləːrnɪd; **3** は ləːrnd/ [発音注意] 形 **1** [正式]〈人が〉学識のある, 学問のある, 博学な;[…に]造詣の深い, 精通している[in] ‖ a learned man 学者 / the learned = learned people 学者たち / my learned friend 〈英〉博学なる友《◆法廷で弁護士が互いに相手に呼びかけるに用いる》/ be learned in Chaucer チョーサーに明るい. **2**〈組織・出版物など〉学問[学術, 学究]的な;〈職業など〉が学問を必要とする ‖ a learned book 学術書 / a learned society 学会 / the learned professions 知的職業《法律家・医師など》. **3** /ləːrnd/〈話し方などが〉経験[学習]によって身についた.

léarn·ed·ly 副 学者らしく.

learn·er /ləːrnər/ 名 ⓒ **1** 学習者;初心者, 初学者;弟子 ‖ He is a slow [fast, quick] learner. 彼は物覚えが遅い[早い](→ learn 自 **1**). **2** = learner driver.

léarner drìver 〈英〉仮免許運転者《L-driver》.

léarner's pérmit 〈米〉自動車運転仮免許証.

†**learn·ing** /ləːrnɪŋ/ 名 ⓤ 〔正式〕**学ぶこと, 習い[覚えること], 学習;学問, 学識 ‖ a man of great learning すぐれた学者 / wear one's learning lightly 知識をひけらかさない / A little learning is a dangerous thing. → knowledge 名 **1** 用例.

léarning cùrve 学習曲線.

léarning expérience (成長するための)苦い経験.

*****learnt** /ləːrnt/ 動 learn の過去形・過去分詞形.

†**lease** /líːs/ 名 **1** ⓤ (書類による)賃貸借契約;借地[借家]契約;〈産業機械・事務機などの〉リース, 賃貸制度 ‖ sign the lease 借地契約にサインする. **2** ⓤⓒ 賃貸借 ‖ get a lease 賃貸借契約をしてもらう;借地権を得る / pùt (óut) … to léase = gíve a léase on … …を貸す / by [on] lease 賃貸借で, リースして. **3** ⓒ 借地[借家]権, 賃貸借;借地[借家]期間, 賃借期間. ――動 他 **1** …を[…に]賃貸する(rent) [to);…を[…から]借りる(+out) [from] ‖ Bill leased the apartment to Mary. ビルはメリーにアパートを貸した《◆Mary leased the apartment

lease·hold /líːshòuld/《主に英》名 ❶ ⓤ 借地, 借家, 賃貸[借]物権. ❷ 借地[借家]権; 賃借権.
——形 副 賃貸の[で].

léase·hòld·er 名 借地人, 賃借人.

†**leash** /líːʃ/《正式》名 ❶ ⓒ (動物をつなぐ)皮ひも, 綱, 鎖《《英》lead》∥ the dog on a *leash* 皮ひも[鎖]でつながれた犬／*on a long* [*tight*, *short*] *leash* 自由に[ゆとりの少ない中で]. ❷ ⓤ 制御, 抑制, コントロール∥ *hòld* [*hàve*, *kèep*] ... *in léash* …を抑制する.
——他 ❶ (皮ひも[綱, 鎖]で)…をつなぐ. ❷ …を束縛[抑制]する.

*__least__ /líːst/ (同音 leased) 〘little の最上級〙
——形 [名詞の前で] (通例 the ~) 最も小さい, 最も少ない《⇔ 比較変化なし》《⇔ most》∥ *the least sum* [*amount*] 最少の額[量].
not the least ... [通例 nót ... the léast ...] 少しも[ちっとも]…ない (→ 文法 19.5) ∥ I *don't have the least* idea. ちっともわかりません (→ idea 名 ❸).
——副 [時に the ~] ❶ 最も少なく《⇔ most》∥ *Least said, soonest mended.* 《ことわざ》言葉が少なければ早く償われる; 口慎めば禍少なし;「口は災いのもと」／ He married the girl we *least* expected him to. 彼は私たちが最も予期していなかった女性と結婚した《◆ to の後に marry が省略》→ 文法 11.9).
❷ [形容詞・副詞を修飾して] 最も…でなく《◆ 名詞の前で用いる形容詞を修飾するときは the をつけるが, その他の場合では the を省略することが多い》∥ *the least important matter* もっとも重要でない事柄.

*__least of áll__ 〘すべての中で程度が最少〙 最も…でない, [否定文で] とりわけ…(でない) ∥ I like English *least of all.* 英語が一番きらいだ／ I spend little time reading books, *least of all* my own. 私は本を読むことにほとんど時間をあてない, 特に自分の本には.

nót the léast (*bít*) 少しも…ない (→ 文法 19.5) ∥ I am *not the least* worried about her health. 私は彼女の健康のことなんかちっとも心配していない.
——名 [通例 the ~] 最小(のもの); 最少(量)《⇔ the most》∥ *The least* you can do is to stop smoking. せめてタバコぐらいやめてください.

*__at__ (__the__ (__very__)) __léast__ (1) [通例修飾する語(句)の前・後で] 少なくとも, 最低に見積もっても《⇔ at (the) most》∥ *at least* for ten days =for *at least* ten days =for ten days *at least* 少なくとも10日間／ It will cost *at least* $50. それは少なくとも50ドルはするだろう《=… not less than $50.》. (2) [文全体を修飾] いずれにせよ (in any case), ともかく (anyhow); おそらく ∥ He was late, but *at least* he came. 彼は遅刻はしたが, ともかくやって来た.

Nót in the léast! (問いを否定して)とんでもない.

__nót__ (…) __in the léast__ 全然…ない, ちっとも…ない (not (…) at all) 《◆ 動詞・形容詞・分詞・副詞・名詞句を修飾》 ∥ I am *not in the least* afraid of dogs. 犬なんかちっともこわくない.

to sày the léast (*of it*) [文中・文尾で] 控えめに言っても.

*__leath·er__ /léðər/
——名 ❶ (~s/-z/) ⓤ (動物の)なめし革, 皮革《◆ 「(生の)皮」は hide. 関連 → skin》∥ *patent leather* エナメル革／ Her coat is made of *leather*. 彼女のコートは革製だ. ❷ ⓒ 革製品; 革ひも; あぶみ革; 革の上着; 《俗》さいふ《*There is*》 *nothing like leather.*《ことわざ》革にまさるものはない; 自分のものに及ぶものはない, 「手前みそ」.

leath·er·y /léðəri/ 形 革のような, (革のように)堅い.

*__leave__¹ /líːv/ 〘「…をそのままにして離れる」が本義〙

index 動 他 1 去る 2 退学する 4 置いて(立ち)去る 5 残す 6 残して死ぬ 7 任せる 8 …のままにしておく
自 1 出発する

——動 (~s/-z/; 過去・過分 left/léft/; leav·ing)
——他 Ⅰ [離れる]

❶ 〈人・乗物が〉〈場所・人(のいる所)〉を[…へ向かって]去る, 離れる, 出発する (*for*) (⇔ arrive) ∥ *Leave* the room at once! すぐに部屋を出て行け／ We *left* Fukuoka *for* Tokyo at 6:00. 私たちは東京に向かって6時に福岡をあとにした／ Good luck *left* me. 私は幸運から見放された《堅い言い方》.
❷ 〈人が〉〈学校〉を**退学する**; 《英》卒業する《◆ finish, complete または graduate from がふつう》; 〈教会・集会など〉をやめる, 退く; 〈雇い主〉から職を取る; 〈家庭・人などを見捨てる; 別居する ∥ He *left* school in the middle of the year. 彼は学年の中途に退学した／ She *left* the club. 彼女はクラブを辞めた《◆「一時的にクラブを出た」の意にもなる》.
❸ 〈場所〉を通り過ぎる ∥ *Leave* the school on your right. 学校を右手に見ながら通り過ぎて行きなさい.

Ⅱ [あとに残す]

❹ 〈人が〉〈物〉を[…に]**置いて(立ち)去る**, 置き忘れる (+ *behind*) (*at*, *in*, *on*); 〈名刺など〉を〈人に〉置いて行く (*on*); 〈伝言など〉を〈人に〉伝えて行く (*with*); 〈人〉を置き去りにする《使い分け → forget ❷》∥ I *left* my umbrella *in* [*on*] the bus yesterday. きのうかさをバスの中に置き忘れた／ Would you like to *leave* a message? (電話で)伝言がありましたらどうぞ／ He *left* his wife *behind* when he went to America. 彼は渡米した時, 奥さんを連れて行かなかった.

語法 この意味では受身可能: The baby *was left* at the station. 赤ん坊は駅に置き去りにされた／ The umbrella *was left* on the bus. かさはバスの中に置き忘れられた.

❺〈人・物・事〉が〈物・傷・印象など〉を**残す**; [leave **A** **B** =leave **B** for **A**] 〈人が〉**A**〈人に〉**B**〈物・仕事など〉を取って[残して]おく∥ 4 from 10 *leaves* 6. 10引く4は6(10−4 =6)／ His blow *left* me with a black eye. 彼の一撃をくらって目にあざができた／ I have a week *left*(→) until the vacation. 休暇まで1週間だ《=I have a week until the vacation.》《◆ 前者は「休暇の前に何かやらねばならないことがある」という含みがあり, 後者は「休暇が早く来てほしい」という気持ちが含まれている》／ We *left* him some cake. =We *left* some cake *for* him. 彼にケーキを少し残しておいた (→ 文法 3.3).

❻ [leave **A** **B** =leave **B** (*to* **A**)] 〈人が〉〈**A**〈人など〉に〉**B**〈財産など〉を**残して死ぬ**; [leave **A** **C**] 〈人〉を**C**(の状態)にして死ぬ ∥ Her uncle *left* her a great amount of money. =Her uncle *left* a great amount of money *to* her. 彼女のおじは巨額の金を彼女に残して死んだ (→ 文法 3.3) ／ He *left* his wife ¦ a young widow(↘) ¦ and his two daughters ¦ fatherless. 彼の死で妻は若くして未亡人となり2人の娘は父親を失った.

III [任せる]

7 [leave **A B** =leave **B** to **A** =leave **A** with **B**]〈人が〉**A**〈人・運などに〉に**B**〈物・事〉を**任せる**, ゆだねる; [leave **A** with [in] **B**] **A**〈物・子供など〉を**B**〈人[場所]〉に預ける, 託する(+*up*)〔*to*〕‖ I *left* my bag *in* the station. 旅行かばんを駅に預けた《◆文脈によっては「置き忘れた」の意. → [他]**4**》/ I'll *leave* it *to* your imagination. 君の想像に任せるよ / The president *left* him *with* these decisions. 社長はこれらの決定を彼に任せた.

8 [leave **A C**]〈人・事が〉**A**〈人・物・事〉を**C のままにしておく** ‖ The murder case is left unsolved 殺人事件が未解決のままになっている / *léave* a flág úp [dówn] 旗をあげた[下げた]ままにしておく / *léave* the líght ón 電灯をつけたままにしておく / Don't *leave* the door *open*. ドアをあけっ放しにしていてはいけません《◆keep the door open は「意図的にあけたままにしておく」の意味. → keep [他]**7**》/ Let's *leave* the question open. まだ疑問[未解決]のままにしておこう / *leave* one's homework half-finished 宿題を途中までやって放っておく / *leave* a spoiled child having his own way わがままな子をしたい放題にしておく.

9 《英》〈人・物・事〉に〔…〕させる, させておく〔(*to*) do〕‖ Please *leave* the child be. その子をそっとしておいてください / *Leave* him *to* take care of himself. 彼には自分のことは自分でさせなさい.

—[自] **1**〈人が〉〔駅・空港などから/…に向かって〕**出発する**, 出る, 去る〔*from*/*for*〕;〈乗り物が〉〔ホームなどから〕発車する〔*from*〕‖ His train *leaves from* Tokyo at five o'clock. 彼の乗る列車は東京5時発です / I will *leave for* London tomorrow. 明日ロンドンに出発します / Which platform does the train to Tottori *leave from*? 鳥取行きの列車は何番ホームから出ますか. **2** 卒業する; 退学する; 辞職する.

be léft with A (1)〈子供など〉を預けられる. (2)〈感情・考え・責任など〉を持ち続ける.

****leave A alone*** → alone [形].

léave A bé 〈人・物〉をそっとしておく, 放っておく.

léave behínd [他] (1) → [他]**4**. (2)《正式》〈名声など〉を後に残して死ぬ. (3)〈場所〉を後にする, 通り過ぎる. (4)〈相手〉を追い抜く, 引き離す.

léave A for déad 〈人〉を死んだものとしてあきらめる.

léave ín [他]〈物・事〉をそのままに[入れたままに]しておく;〈火など〉を燃やしておく.

leave nothing [***little***] ***to be desired*** → desire [動].

****léave óff*** [自]《主に英やや古・略式》**やめる**, 終わりとする;〈雨などが〉やむ ‖ The rain *left off*. =It *left off* raining. 雨がやんだ. —[他] (1)〖〈服〉を脱げた状態(off [副]**4**)のままにしておく(leave [他]**8**)〗〈服など〉を脱ぐ, 着ないでいる. (2)〖やめた状態で(off [副]**7**)…を離れる(leave [他]**1**)〗〈酒など〉を断つ. (3)〖やめた状態で(off [副]**7**)…を離れる(leave [他]**1**)〗《略式》〈仕事など〉を**やめる**;〔…するのを〕やめる〔*doing*〕. (4) [~ **A** *off* **B**] **B**〈リストなど〉から**A**〈名前など〉を削除する.

léave óut [他] (1)〖…を除いた状態(out [副]**12 b**)のままにする(leave [他]**8**)〗〈文字など〉を省く, 落とす. (2)〈食物など〉を出しておく;〈車など〉を外に出したままにしておく. (3)〖…を除いた状態(out [副]**12 b**)のままにする(leave [他]**8**)〗〈人・名前など〉を〔…から〕除く〔*of*〕. (4)〖…を除いた状態(out [副]**12 b**)のままにする(leave [他]**8**)〗〈物〉を考慮に入れない, 無視する.

léave óver [他] (1)〈食物・金など〉を残しておく; …を使わないで残す. (2)〈仕事など〉を延期する(put off).

***leave**[2] /líːv/ 〖「喜び」が原義〗

—[名] ([複] ~s/-z/) **1** [U] (軍人・公務員の)**休暇**, 賜暇(しか); [C] 休暇[賜暇]期間 ‖ (a) three-week sick *leave* 3週間の病気休暇 / *take French leave* 無断欠勤[欠席]する《◆「無断で退出する」の意もある》/ He *is* (*away*) *on léave*. 彼は休暇中である《◆一般の会社員の場合は《英》では on holiday, 《米》では on vacation》/ ⌐*ask for* [take (a)] *leave of absence* 休暇を願い出る[取る].

2 [U]《正式》〔…する〕**許可**, 許し(permission)〔*to* do〕‖ *without leave* 無断で / *by* [*with*] *your leave* あなたの許しを得て; [皮肉で] 失礼ですが / The judge gave the suspect *leave* to speak. 裁判官は容疑者に発言の許可を与えた.

3 [U]《正式》**別れ**, **いとまごい** ‖ *take* (*one's*) *leave of* him 彼にいとまごいをする(=say good-by to him).

leaved /líːvd/ [形] **1** 葉がある[ついている] (leafed) ‖ a *leaved* branch 葉がついている枝. **2** [複合語で] …な[枚の]葉の(leafed) ‖ a four-*leaved* clover 四つ葉のクローバー / a broad-*leaved* tree 広葉樹.

†**leav·en** /lévn/ [発音注意] [名] 影響力. —[動][他] **1** 発酵させる. **2** …を改革する.

***leaves** /líːvz/ [名] leaf の複数形.

leave-tak·ing /líːvtèikiŋ/ [名][U]《正式》いとまごい, 告別.

leav·ing /líːviŋ/ [動] → leave[1]. —[名]《略式》[~s; 複数扱い] 残り物, 余り物; くず, かす.

Leb·a·non /lébənən, -nɑ̀n | -nɔn/ [名] レバノン《地中海東岸にある共和国; 首都 Beirut》.

***lec·ture** /léktʃər/ 〖「読むこと」が原義〗

—[名] ([複] ~s/-z/) [C] **1** 〔…についての〕**講義**, **講演**〔*on*, *about*〕‖ She *gave* [*delivered*] *a lecture to* her students *on* Keats. 彼女は学生にキーツの講義をした(=She *lectured* her students *on* Keats.). **2** 《略式》〔…に関しての〕(長い)**説教**, 叱責(しっせき)〔*on*, *about*, *for*〕‖ His father gave him a *lecture* on his bad behavior. 父親は不作法のことで彼に説教した / [ジョーク] "Where are you going at this time of night?" "I'm going to take a *lecture*, officer." "Who's giving it?" "My wife." 「こんな夜遅くにどこへ行くのかね」「おまわりさん, 説教を聞きに行くんですよ」「だれが説教するのかね」「女房です」.

—[動] (~s/-z/; [過去・過分] ~d/-d/; **-tur·ing** /-tʃəriŋ/)

—[自]〈人が〉〔…に〕(長い)**説教をする**〔*at*〕;〔…について/…に〕**講演をする**〔*on*, *about* / *to*〕,〔科目の〕講義をする〔*in*, *on*〕‖ He *lectures on* linguistics at Oxford University. 彼はオックスフォード大学で言語学の講義をしている.

—[他] **1**〈人〉に講演[講義]をする. **2** …に〔…のことで〕説教する, 説諭する, …をしかる〔*for*, *on*〕.

lécture thèater 階段教室《◆単に theater ともいう》.

†**lec·tur·er** /léktʃərər/ [名][C] **1** 講演者, 講師. **2** (大学の)〔科目の〕講師〔*in*〕‖ a *lecturer in* [×of] English 英語講師《◆肩書としての講師の場合 of は慣用的でない》.

***led** /léd/ [動] lead[1] の過去形・過去分詞形.

L

LED [略] 〔電子工学〕light-emitting diode 発光ダイオード.

†**ledge** /lédʒ/ 图 **1** (壁面の細長い棚(な)状の)出っ張り, 棚; 岩棚 ‖ a window *ledge* 窓台. **2** (海中で長く連なる)隆起した岩, 暗礁脈.

†**ledg·er** /lédʒər/ 图 **1** ⓒ 〔簿記〕元帳; 取引記録. **2** ⓒ (墓の)平石.

lédger line 〔音楽〕加線(図)→ music).

†**lee** /líː/ 〔同音〕lea) 图 ⓤ 〔正式〕〔通例 the ~〕**1** (主に風からの)避難, 保護; 風の当たらない所[側]《*shelter* より堅い語》‖ *in* [*under*] *the lee of* an island 風下の島陰に. **2** =lee side; 〔形容詞的に〕風下の, 風下に向かって.

lée side 〔海事〕風下(側).

Lee /líː/ 图 **1** リー《男の名, 女の名》. **2** リー《Robert Edward ~ 1807-70; 米国南北戦争時の南軍の最高指揮官》.

†**leech** /líːtʃ/ 图 ⓒ **1** 〔動〕ヒル(bloodsucker) ‖ *stick* [*cling*] *like a leech* ヒルのようにくっついて離れない. **2** 他人の利益を吸い取る者, 高利貸し.
── 動 他 **1** 〈人〉にヒルをつけて血を取る. **2** 〈人・財産〉を枯渇させる, …を食いものにする.

leek /líːk/ 图 ⓒ 〔植〕リーキ, ポロねぎ《◆ウェールズの国花》‖ ショック "What vegetable didn't Noah take on the Ark?" "*Leeks.*"「ノアが箱舟に持ちまなかった植物は何?」「ネギ」《◆ leak (水漏れ)とのしゃれ》.

†**leer** /líər/ 動 自 〈…を〉横目で[いやらしい目つきで]見る〈*at*〉 ‖ 好色・悪意・狡猾(うう)・残忍などの表情.
── 图 ⓒ 横目, 流し目; 含み笑い.

léer·ing·ly 副 横目で見ながら.

lees /líːz/ 图 〔the ~; 複数扱い〕**1** 〔正式〕(ワインの樽(る)やびんの底にたまる)おり, (挽(ひ)いたコーヒーなどがカップに残る)かす(dregs). **2** かす, くず.

†**lee·ward** /líːwərd; 〔海事〕lúːərd, (英・》ljuː/ 图 ⓤ 風下(the lee side))(↔ windward) ‖ *to leeward* 風下に向かって.
── 形 副 風下の[に]; 順風の[に].

lee·way /líːwèɪ/ 图 ⓤ 〔海事〕風圧, 風落《船が風下に流されること》.

:**left**[1] /léft/ 〔原義は「弱い」. 「左」への意味変化は, ふつう左手が利き手でないところから〕
── 形 (more ~, most ~; 時に ~·er, ~·est) (↔ right) **1** 〔名詞の前で〕〔通例 the ~〕左の, 左側の; 左方への, 左向きの《◆比較変化しない》‖ write with one's *left* hand 左手で書く / drive on the *left* side of the road 道路の左側を運転する. **2** 〔しばしば L~〕(政治上の)左翼の(→图**2**).
(**wáy**) **óut in the léft field** 《米略式》変わっている, ふつうではない; 間違っている.
── 副 左に, 左へ, 左側に[へ], 左の方に[へ] 《◆比較変化しない》(↔ right) ‖ *Turn left at* the corner. あのかどで左へ曲がりなさい(=Make a *left* turn …) / *Left* turn! 〔号令〕左向け左!
léft and ríght =**léft, ríght, and cénter** = RIGHT and left.
── 图 (~**s**/léfts/) **1** 〔通例 the/A's ~〕左, 左側, 左方, 左手(↔ right) ‖ take a *left* 左折する / Túrn to the *léft at* the post office. 郵便局の所で左へ曲がりなさい(=Make [Take] a *left* …) / He sát *on hér léft*. 彼は彼女の左側に座った(=He sat at her *left* side.).
2 〔しばしば the L~; 集合名詞; 単数・複数扱い〕〔政治〕左翼[左派](の議員)(leftists)《◆急進派の議員

3 ⓒ 〔野球〕=left field(er); 〔軍事〕左翼; 〔ボクシング〕左のパンチ; 〔ダンス・行進などの〕左足.

léft fíeld 〔野球〕左翼.

léft fíelder 〔野球〕左翼手, レフト.

léft hánd 左手, 左側(cf. left-hand).

léft wíng (**1**) 〔スポーツ〕左翼(手). (**2**) 〔軍事〕左翼. (**3**) 〔単数・複数扱い〕(政治上の)左翼, 左派. [◆cf. left-wing]

*left[2] /léft/ 動 leave[1] の過去・過去分詞形.

left-hand /léfthænd/ 形 **1** 左側の, 左手の, 左の, 左方の(↔ right-hand)(cf. left hand) ‖ *left-hand* traffic 左側通行 / a *left-hand* drive car 左ハンドルの車. **2** 〈一撃などが〉左手による;〈道具が〉左ききの用;〈人が〉左ききの;〈ロープなどが〉左巻きの ‖ a *left-hand* hitter 左打者.

léft-hánd·er /ˌ◌ ˈ◌/ 图 ⓒ 左ききの人, 〔野球〕左腕投手;〔ボクシング〕左のパンチ[ブロー].

left-hand·ed /léfthǽndɪd/ 形 **1** 〈人が〉左ききの, 左きき用の, 左手用の;〈一撃などが〉左手による; 不器用な, へたな(↔ right-handed) ‖ a *left-handed* batter 左打者. **2** 〈ねじなどが〉左巻きの, 左回しの.

léft-lúg·gage òffice 〔駅・バスターミナル・空港などの〕手荷物一時預り所《《米》check-room, baggage room》.

†**left-o·ver** /léftòʊvər/ 图 ⓒ 過去の遺物で; 〔通例 ~s〕残り物, (特に)料理の残り物《◆「残飯」ではなく, ふつう再び食卓に出す物をいう》.

léft·ward /léftwərd/ 形 副 左側[左方]の[へ, に].

léft·wards /léftwərdz/ 副 《英》=leftward.

léft-wíng /léftwɪŋ/ 形 左翼の, 左派の;〔スポーツ〕左翼の(cf. left wing).

:**leg** /lég/
── 图 (複 ~**s**/-z/) **1** ⓒ (人・動物の)脚《◆太ももより根から足先または足首までで. 《米》ではしばしば「ひざから足首まで」の意味でも用いられる. cf. limb》(図 → body); ⓤⓒ (食用としての動物などの)脚 ‖ bend one's *legs* 足を曲げる / stand on one leg 片足立ちする / *sit with one's legs crossed* 脚を組んで座る(cf. cross-legged). 関連 flipper, paddle (カメなどのひれ状の脚) / paw (犬などの爪のある脚) / tentacle (タコなどの)脚.

2 ⓒ **a** 脚状の物, (いす・寝台などの)脚; (器具の)ささえ, 支持; 三角形の斜辺 ‖ the *leg* of a chair [bed] いす[寝台]の脚. **b** (衣服の)脚部 ‖ the *leg* of a stocking 長靴下のすねの部分.

3 ⓒ (飛行機の旅の)1行程, 1区切り ‖ the first [last] *leg* of a trip 旅行の最初[最後]の行程.

gèt A (**báck**) **on A's légs** 〈人〉を(経済的に・肉体的に)立ち直らせる.

gèt úp on one's (**hínd**) **légs** (**1**) 積極的になる, 反抗[攻撃]になる. (**2**) 〈人〉が怒る.

hàve á [*eɪ*] **lég** ダンスがうまい.

on one's **hínd légs** (1) 〈馬が〉後脚で立って, 〈人〉立ち上がって, (略式)憤然として.

pùll A's lég 《◆ *legs* とはしない》 (**1**) (倒そうとして) 〈人〉の足をひっぱる. (**2**) 《略式》〈人〉を(ふざけて)だます, からかう《◆比喩的に「足をひっぱる」の意ではない》.

regáin one's **légs** =regain one's feet(→ foot 图).

stánd on [**upòn**] one's **ówn** (**twó**) **légs** [**féet**] 独立[自立]する.

tàke to one's **légs** [**héels**] 逃げる(run away).

── 動 (過去・過分 leg·ged/-id/; leg·ging) 他

式》[~ it] 歩く；逃げる，立ち去る.
lég bràce (病気の)下肢補強金具，下肢装具.
lég guàrd 〔球技〕[通例 -s] すね当て，レガーズ.
†**leg·a·cy** /légəsi/ [名][C] **1** (遺言によって譲られる)遺産《◆一般に「相続財産」は heritage》. **2** 《正式》受けつがれる[た]もの；(事件などの)名残，遺物.
*__le·gal__ /lí:gl/ 〖→ law〗 [派] legislation (名)
——[形]《◆比較変化しない》**1** 法律で認められた，**合法の**，適法の，正当な(↔ illegal)([類語] legitimate)；[名詞の前で] 法律に基づく，**法定の** ‖ a *legal* heir 法定相続人 / [対話] "Is owning a gun *legal* in Japan?" "No, not at all." 「日本では銃を所有することは合法ですか」「いいえ，合法などではありません」.
2 [名詞の前で] **法律の**，法律に関する；法律上の(↔ non-legal) ‖ a *legal* adviser 法律顧問 / *legal* knowledge 法律に関する知識.
3 [名詞の前で] 法律家の，弁護士の ‖ *legal* advice 弁護士の助言 / *legal* circles 法曹界.
légal áge 法定年齢，成年.
légal hóliday 《米》法定休日(《英》bank holiday).
légal procéedings 〔法律〕訴訟；法的手続き.
légal proféssion [the ~] 法律関係者，法曹.
légal sỳstem 法律制度，法体系.
légal ténder 法定貨幣，法貨.
le·gal·i·ty /li(:)gǽləti/ [名] **1** [U] 適法[合法](性)；法律厳守，遵法. **2** [legalities] 法的義務.
le·gal·ize /lí:gəlàiz/ [他] 《正式》…を法律上正当と認める，公認する，合法化する.
†**le·gal·ly** /lí:gəli/ [副] 法律的に，合法的に.
le·ga·tion /ligéiʃən/ [名][C] **1** 《正式》[集合名詞；単数・複数扱い] 公使一行. **2** 公使館.
†**leg·end** /lédʒənd/ [名] **1** [C] 伝説，言い伝え；[U] [集合名詞] (民族・国民の)伝説，伝説文学 ‖ many *legends* of Robin Hood ロビン=フッドについての数々の伝説 / a character in Irish *legend* アイルランドの伝説上の人物. **2** [C] 《略式》(現代の)伝説化した話；伝説的人物 ‖ He became a *legend* in his own lifetime. 彼は生存中に伝説的人物になった.
leg·end·ar·y /lédʒəndèri | -əri/ [形] **1** 《正式》伝説上の，伝説のような. **2** 〔…の〕伝説に名高い[残るような]；《略式》〔…で〕有名な〔*for*〕.
-leg·ged /-légid, -gd | -gd, -gid/ [語要素] →語要素一覧(1.2).
†**leg·ging** /légiŋ/ [名][C] **1** [通例 ~s] きゃはん，ゲートル. **2** [~s] レギンス《戸外ではく小児用保温ズボン》.
leg·horn /**1** légərn | legɔ́:n; **2** léghɔ̀:rn | legɔ́:n/ [名] **1** [通例 L~] [C] 〔鳥〕レグホン種《産卵用ニワトリの品種》. **2** [U] レグホンストロー《イタリア産の麦わらで編んださなだひも》；[C] その麦わら帽子.
leg·i·ble /lédʒəbl/ [形] 〈筆跡・印刷が〉判読できる，読みやすい《◆readable より堅い語》(↔ illegible).
lég·i·bly [副] 判読できるように，読みやすく.
†**le·gion** /lí:dʒən/ [名][C] [単数・複数扱い] **1** 〔ローマ史〕軍団《数百の騎兵と3000-6000の歩兵から成る》. **2** 大軍，軍団 ‖ foreign *legion* 外人部隊. **3** 《正式》多数，大群(multitude) ‖ ***a legion*** [***legions***] **of** followers 多数の追随者. ——[形] 《正式》多数の.
le·gion·ar·y /lí:dʒənèri | -əri/ [形] **1** 軍団の. **2** 無数の.
leg·is·late /lédʒislèit/ [動] 《正式》[自] 〔…を禁止する/…を認める〕法律を制定する〔*against*/*for*〕. ——[他] 〈給付金など〉を法律で定める；〈人〉を法律によって〔ある状態から/ある状態に〕する〔*out of* / *into*〕.
†**leg·is·la·tion** /lèdʒisléiʃən/ [名] 《正式》**1** [U] 法律制定，立法 ‖ the power of *legislation* 立法権. **2** [集合名詞] (制定された)法律 ‖ Congress approved several pieces of *legislation*. 議会はいくつかの法律を可決した.
†**leg·is·la·tive** /lédʒislèitiv | -lə-/ [形] 《正式》立法上の；立法権のある，立法府の. ——[名][C] =legislative body.
législative bódy 立法府(legislature).
législative bránch 立法部門《国会・議会をさす》.
législative méasures 法的措置.
†**leg·is·la·tor** /lédʒislèitər/ [名][C] 《正式》法律制定者，立法者；立法府[国会，議会]議員(lawmaker).
†**leg·is·la·ture** /lédʒislèitʃər/ [名][C][U] [通例 the ~；集合名詞；単数・複数扱い] 立法府；《米》州議会.
le·git·i·ma·cy /lidʒítəməsi/ [名][U] 合法性，正当性；嫡出(ちゃくしゅつ)；正系.
†**le·git·i·mate** /lidʒítəmət/ [形] 《正式》(↔ illegitimate) **1** 適法の(legal)，正当な；妥当な(correct). **2** 嫡出(ちゃくしゅつ)の ‖ a *legitimate* child 嫡出子. **3** 筋道の通った. **4** 〈君主などが〉正統な.
le·gít·i·mate·ly [副] 合法的に，正当に；嫡出子として.
leg·ume /légju:m, 《米+》ligjú:m/ [名][C] **1** 〔植〕マメ科植物《総称》. **2** 《主に米》(野菜としての)マメ. **3** 〔植〕豆果(とうか).
le·gu·mi·nous /ligjú:mənəs, le-/ [形] 〔植〕マメ科の；マメの；マメを生じる.
lei /léi, léii:/ [名][C] レイ《ハワイなどで首にかける花輪》.
Leices·ter /léstər/ [発音注意] [名] **1** レスター《英国 Leicestershire の州都》. **2** =Leicestershire. **3** [C] 〔動〕レスター種のヒツジ. **4** [U] レスター=チーズ.
Leices·ter·shire /léstərʃər, -ʃiər/ [名] レスターシャー《イングランド中部の州. [略] Leics.》.
*__lei·sure__ /lí:ʒər | léʒə/ [発音注意] 〖「(自由に使うことを)許されている」が原義. cf. license〗
——[名] **1** [U] (仕事から解放された)**余暇**，〔…する/…のための〕暇，自由時間〔*to* do / *for*〕《◆娯楽を暗示する「レジャー」とは必ずしも一致しない》‖ ***hàve nó léisure*** (***time***) 'to travel [*for* sport] 旅行する[スポーツをする]暇がない / lead a life of *leisure* 暇のある生活をする. **2** [形容詞的に] 余暇の；暇な；暇の多い ‖ *leisure* (time) activities 余暇の活動，レジャー / the *leisure* class 有閑階級(=the *leisured* class).
at léisure (1) 《正式》暇で，手すきで. (2) ゆっくりと，時間をかけて.
at** one's **léisure (1) 暇な時に，都合のよい時に(at one's convenience). (2) =at LEISURE (2).
léisure cènter レジャーセンター《スポーツ設備のある余暇利用公共施設. 《米》health club》.
léisure índustry レジャー産業.
léisure sùit レジャー=スーツ.
†**lei·sure·ly** /lí:ʒərli | lé-/ [形] ゆっくりした，時間をかけた；ゆったりした ‖ have a *leisurely* bath ゆっくり風呂に入る.
*__lem·on__ /lémən/
——[名] ([複] ~s/-z/) **1** [C][U] **レモン**(の実)《◆英米では「さわやかさ」よりも「すっぱさ」(sour, bitter)を連想する》；[C] レモンの木(lemon tree)《◆花言葉は「熱意」》；[U] (プディングなどに入れる)レモンの風味；レモン飲料 ‖ ***a slice of lemon*** レモン1切れ / ***tea with lemon*** レモンティー《◆lemon tea は「レモンで香りをつけた紅茶」》. **2** [U] =lemon yellow. **3** [C] 《米略式》不完全[不満足，無価値]な人[物]，欠陥商品《特に欠陥車》.
——[形] レモン色[味]の ‖ *lemon* dress レモン色のド

L

レス.
lémon cúrd [**chéese**] (英)卵・バター・砂糖を混ぜてジャム状に調理したもの《パンにつける》.
lémon squásh (英)レモンスカッシュ(lemonade).
lémon squèezer レモン絞り機.
lémon yéllow レモン色, 淡黄色.

lem·on·ade /lèmənéid/ 名 C 1 (米)レモン水《レモン汁に砂糖・水を加えた冷たい飲み物》. 2 (英)レモンソーダ(fizzy lemonade)《ソーダ水をレモン汁と砂糖で味付けしたもの》. (米) lemon soda》. 3 (英)レモネード《甘苦い味の透明な炭酸飲料;「ラムネはこのなまり」. (米) lemon-lime》. 4 (英) =lemon squash.

lem·on-lime /lèmənláim/ (米) 形 =lemonade 3.
le·mur /líːmər/ 名 C 動 キツネザル.

lend /lénd/
— 動 (~s/-s/lèndz/; 過去・過分 lent/lént/; ~·ing)
— 他 1 [lend (A) B =lend B (to A)] 〈人が〉〈人に〉 B〈物・金〉を**貸す**(⇔ loan) (⇔ borrow)
(➔ 文法 3.3) ‖ lend money on interest 利子を取って金を貸す / Can you lend me 5,000 yen until payday? 給料日まで5千円貸してくれないか / The car was lent (to) me for five hours. 自動車を5時間貸してもらった《◆ I was lent the car for five hours. のように人を主語にした受身は《主に米》》.

2 (正式) [lend A B =lend B to A] [比喩的に]〈人・物・事が〉 B〈事・物〉を A に貸す; 加える, 添える ‖ lend him a (helping) hand 彼を手伝う(=help him) / lend 「an ear [one's ears] to ... =help 耳を傾ける(=listen to ...) / lend one's name to a plan 計画に名前を貸す.
— 自 (金を)貸す(⇔ borrow).
lénd oneself **to A** (正式)〈人が〉…に加わる, 力を貸す.
lénd óut (他)〈本・自動車などを〉〈人に〉貸す[to].

lend·er /léndər/ 名 C 貸す人, 貸し主; 金貸し(money lender).

•**length** /léŋkθ/ 《➔ long¹》 名 lengthen (動)
— 名 (複 ~s/-s/) 1 U a (物の)長さ, 縦, 丈《◆長方形などの長い方を length, 短い方を breadth, width などという. 日本語の「縦」「横」とは必ずしも一致しない》; [the ~] 距離; (本・文などの)長さ; C 特定の長さ ‖ a length of cloth 1反の布 / a great length of rope 1本の長いロープ / This river is 90 miles in length.=The length of this river is 90 miles. この川の長さは90マイルだ(=略式) This river is 90 miles long.) / 《対話》 "What is the length of this undersea tunnel?" "It's about 15km." 「この海底トンネルの長さはどれくらいですか(=How long is this ...?)」「約15キロメートルです」. **b** (乳児の身長(height) (→ long¹ 形 2). **c** 全長; 端[隅]から端[隅]までの(距離) ‖ He traveled the length of the country. 彼はその国の端から端まで旅行した.

2 U C (時間の)長さ, 全期間, 初めから終わりまで ‖ the length of a vacation 休暇期間 / The study lasted the length of his career. その研究は彼の生涯を通じて続けられた.

3 C (競馬の)1馬身; (ボートレースの)1艇身 ‖ The boat [horse] won by half a length. そのボート[馬]は半艇身[半馬身]の差で勝った. **4** U (行動などの)範囲, 程度 ‖ go to the length of sáying that ... …とまで言う(=go so far as to say that ...).

*at fúll léngth 手足を(十分に)伸ばして, 大の字になって ‖ lie at full length 大の字になって横たわる.
*at léngth 《時間の経過の果てに(at 前 15a》. (1) (正式) [文頭で] (長い間かかって)ようやく, ついに(at last, finally) ‖ At length, the long operation ended. ようやく長い手術は終わった《◆ at last や in the end [×at length]. 結局彼は来なかった. after all も可》. (2) 詳細に, 徹底的に; 長々と, 長時間にわたって ‖ talk at great length どくどくと話す.
the léngth and bréadth of A [おおげさに] …のいたるところ; …の隅々まで全部.

+**length·en** /léŋkθn/ 動 他 〈人が〉〈服・母音などを〉長くする, 伸ばす; 〈時間などを〉延長する(+out) (⇔ shorten) ‖ have one's trousers lengthened ズボンを長くしてもらう / His homer lengthened his team's lead. 彼のホームランがチームのリードを広げた.
— 自 長くなる, 延びる; 延びて[…に]なる(+out) [into] ‖ The days are beginning to lengthen. 日が長くなりかけている(=The days are getting longer.).

length·ways /léŋkθwèiz/ 形 副 長い[く]; 縦[に].
+**length·y** /léŋkθi/ 形 (-i·er, -i·est) 長さなどがたへん長い;《話》説明などが冗長な, 長ったらしい ‖ a lengthy voyage 長い船旅.

le·ni·en·cy, --ence /líːniəns(i), -njəns(i)/ 名 U 寛大さ, 慈悲, 寛容.
+**le·ni·ent** /líːniənt, -njənt/ 形 (正式)〈人に/事に〉寛大な, 情深い, きびしくない《with, to, toward, on / about》(⇔ strict, severe) ‖ He is lenient with his pupils. 彼は生徒に寛大だ[甘い].

Len·in /lénin, (英)-/ léi-/ 名 レーニン《Nikolai /nikəlái/ ~ 1870-1924; 本名 Vladimir Ilyich Ulyanov. ロシアの革命指導者. ソ連首相(1918-24)》. **Lén·in·ism** 名 U レーニン主義.
Len·in·grad /léningræd, (英)-/ -grɑːd/ 名 レニングラード《ロシアの都市 Saint Petersburg の旧名》.
len·i·ty /lénəti/ 名 (正式) U 慈悲深さ; C 寛大な行為.

+**lens** /lénz/ 名 C 1 レンズ; =contact lens ‖ a convex [concave] lens 凸[凹]レンズ. 2 (眼球の)水晶体(crystalline lens) (→ 図 → eye).

+**lent** /lént/ 動 lend の過去形・過去分詞形.
+**Lent** /lént/ 名《キリスト教》四旬節, 受難節《Ash Wednesday から Easter の前日までの日曜日を除く40日間; 断食・ざんげを行なう》.
Lent·en /léntn/ 形 四旬節の, 四旬節に適した; 質素な.
len·til /léntl | -til/ 名 C 《植》レンズマメ, ヒラマメ; その種子《食用》.

Le·o /líːou/ 名 1 《天文》しし座《北天の星座》. 2 《占星》獅子宮の人(cf. zodiac); 《獅子宮生まれの人《7月23日-8月22日生》. 3 レオ《男の名》.
Le·o·nar·do da Vin·ci /líːənɑːrdou də víntʃi/ 名 レオナルド=ダ=ビンチ《1452-1519; イタリアの芸術家・科学者》.
Le·o·nid /líːənid | líːəu-/ 名 (複 ~s, **Le·on·i·des** /liɑ́nidìːz/) 《天文》[~(e)s] しし座流星群.
le·o·nine /líːənàin | líːəu-/ 形 (正式)ライオンの(ような); 勇猛な.

+**leop·ard** /lépərd/ 【発音注意】 名 《(女性形) ~·ess》 1 C 《動》ヒョウ(cf. panther). 2 U ヒョウの毛皮. 3 C 《紋章》ライオン《◆ 古くはライオンとヒョウが混同されていた》. **Càn a léopard chánge its spóts.** 《聖》ヒョウは斑点を変えられるか; 性格は変わらない, 「三

le·o·tard /líːətɑːrd/ 名 C [(米)ではしばしば ~s] レオタード《ダンサーなどが着る身体にぴったりした衣装》.

†**lep·er** /lépər/ 名 C ハンセン病[癩(ﾗｲ)病]患者.

†**lep·ro·sy** /léprəsi/ 名 U [医学]ハンセン病, 癩(ﾗｲ)病 《◆ Hansen's disease の方が好まれる》.

lep·rous /léprəs/ 形 ハンセン病[癩(ﾗｲ)病]にかかった, ハンセン病のような.

les·bi·an /lézbiən/ 名 形 1 [L~] レスボス島(Lesbos)の(人). 2 同性愛の(女)《レスボス島に住んでいた女性詩人 Sappho が同性愛にふけっていたとの伝説から. 遠回しに female identified [oriented] ともいう》.

le·sion /líːʒən/ 名 C [医学]傷, 損傷.

***less** /lés/《little の比較級》派 lessen (動)
—— 形 (~·er, least) [U] 名詞と共に] (量・程度が)より少ない;(大きさが)より小さい;《略式》[C] 名詞と共に] (数が)より少ない《◆この場合書き言葉では fewer が好まれる》(↔ more) 1 ∥ If you wish to lose weight, eat less meat. 体重をへらしたいのなら食べる肉の量をへらしなさい / 1/3 is *less than* 1/2. 1/3は1/2よりも小さい《◆ A [One] third is less than a [one] half. もよい》/ There were *less* [fewer] mosquitoes around this year. 今年は蚊(ｶ)が少なかった.
—— 副《◆比較変化しない》**1** [《文》[動詞を修飾して] より少なく ∥ I eat *less* than before. 私は以前より も食事の量が少ない / **The *less* said the better.**《ことわざ》口数は少ないほどよい.(→ the 圖1). **2** [形容詞・副詞を修飾して] **a** [他のものと比較して] より…でなく《◙文法 19.2(2)》∥ This book is *less* large *than* that. この本はあの本ほど大きくない《◆《略式》では This book is not as [so] large as that. がふつう》**b** [同一人物の状態などを比較して] むしろ…でない ∥ He is *less* tired *than* sleepy. 彼は疲れているというよりむしろ眠いのだ(=He is not so much tired as sleepy. =He is more sleepy than tired.).

éven léss ... =much LESS.

léss áble [遠回しに]〈学業成績が〉思わしくない ∥ the less able 成績の思わしくない生徒たち.

léss than ... (1) [数詞を伴って] …より少ない, 未満(under)(↔ more than) ∥ *less than* ten dollars 10ドルに満たない. (2) [通例形容詞を修飾して] 決して[ちっとも]…でない(not at all) ∥ I was *less than* satisfied with the results. 結果にちっとも満足しなかった.

little léss than ... …とほとんど同様で.

***múch léss** ... =**still léss** ... [否定的語句の後で] いわんや[まして, なおさら](…でない)(let alone) ∥ He can't even read English, *much less* write it. 彼は英語を読むことすらできない, まして書くなどできるものではない.

***nó léss than** ... (1) [数詞を伴って] …ほども多くの, …も(as many [much] as)《◆数・量が多いことを強調する》∥ He has *no less than* twelve children. 彼には子供が12人もいる《◆ no fewer than ... は「数」だけに用いる. → no FEWER than》. (2) …と同様に.

***nó léss ... than A** (1) [no ~ a person [place] than A で]《驚くなかれ》まさしく…, …そのものの, 本物の…《◆ A には有名[高名]な人[場所]》∥ He is *no less* a person *than* the president. 彼がほかならぬ大統領である(=He is the president, *no less*.). (2) A に劣らず…, A と同様に… ∥ She is *no less* beautiful *than* her sister. 彼女は姉に劣らず美しい《◆ 姉が美しいという前提がある;《略式》では She is as beautiful as her sister. がふつう》.

nóne the léss → none.

nóthing léss than A (1) 少なくとも…ぐらい. (2) まさに[まったく]…にほかならない, …も同然だ ∥ It is *nothing less than* murder. それは殺人も同然だ.

***nót léss than** ... (1) [数詞を伴って] **少なくとも…** (at least) ∥ She has *not less than* seven children. 彼女には子供が少なくとも7人はいる. (2) まさに[まったく]….

***nót léss ... than A** **A にまさるとも劣らないほど…, A と同じくらい…** ∥ She is *not less* beautiful *than* her sister. 彼女は器量の点で姉に劣らない(=She is at least as beautiful as her sister.)《◆ 姉が美しいという前提はない》.

sómething [sómewhat] léss than ... 決して…でない.

still léss ... =much LESS.

the léss ..., the léss → the MORE ..., the more ...

—— 名 U [しばしば ~ of + U 名詞 / 単数 C 名詞] より少ない数[量, 額];より重要でない物[人] ∥ in *less than* an hour 1時間足らずで / I *see less of* John these days. このごろジョンには以前ほど会いません / I received *less of* a surprise than I expected. 思っていたほど驚かなかった / It is *less of* a telescope than I hoped for. それは期待していたほど立派な望遠鏡ではない / His invitation was *no* [*not any*] *less than* an order. 彼の誘いは命令にほかならなかった / You don't have to quote a full sentence if *less* will do the job. 短い引用でことが足りるなら, 全文を引用する必要はない.

—— 前 …を減じた, …を差し引いた, …だけ足りない(↔ plus) ∥ A year *less* five days 1年に5日足りない日数 / Ten *less* two is eight. 10−2=8.

†−**less** /-ləs, -lɪs/ 語基素 → 語尾素一覧(2.1).

†**less·en** /lésn/《同音》lesson)他〈人・物・事が〉〈物・事〉を少なく[小さく]する, 減らす ∥ *lessen* the tension 緊張を緩和する / He *lessened* the pace of his lesson. 彼はレッスンの速度を落とした. —— 自 より少なく, 小さくなる, 減る.

†**less·er** /lésər/《正》形 〈価値・程度などが〉より劣った [重要でない], [the ~] 劣った[重要でない]方《◆(1) 絶対比較級なので than と共には用いない. (2) 物理的に「より小さい」は smaller》∥ to a *lesser* degree より少ない程度に / a *lesser* nation 弱い国 / *Of two evils, choose the lesser.*《ことわざ》2つの悪のうちましな方を選べ. —— 副 [通例複合語で] より少なく ∥ a *lesser-*known poet あまり知られていない詩人.

***les·son** /lésn/《同音》lessen)[「読むこと」が原義]
—— 名 (複 ~s/-z/) C

Ⅰ [読むことから始まること: 授業・日課]

1 […の]**学課, 課業;授業時間;[~s] (連続的な)授業**, けいこ, レッスン[*in, on*]《◆ *in* は学科, *on* はその中の分野をいう》∥ a German *lesson on* the plural ドイツ語の複数形の授業 / I am taking piano [tennis] *lessons*. ピアノ[テニス]を習っています / He gives me *lessons in* chemistry. 彼は私に化学を教えてくれる《◆ ふつう個人教授を含意. 学校の先生のことをいう場合は teach: He *teaches* us English.》/ We *have no lesson*(s) this afternoon. 今日の午後は授業はありません《◆《米》では class(es) を用いる

lest

のがふつう).

2 (教科書の)課 ‖ *Lesson* Three =the Third *Lesson* 第3課 / This textbook is divided into 30 *lessons*. この教科書は30課に分かれている.

3 〖キリスト教〗日課(朝夕の祈りの時に読む聖書の一部分) ‖ the first *lesson* (旧約聖書の)第1日課 / the second *lesson* (新約聖書の)第2日課

Ⅱ [経験から読み取れること: 教訓]

4 [人にとっての/…の点での]**教訓**(*to*/*in*); 見しめ, 訓戒 / *learn a* [one's] *lesson* 教訓を学ぶ, 懲りる / *teach* [*give*] her a (useful) *lésson* 〔略式〕彼女に(有益な)教訓を与える.

***lest** /lést/ (類語) list /líst/, rest /rést/

─〔接〕〔正式〕**1** …しないように; …するといけないから 〈◆「so that [in order that] … not, for fear that …, in case …」がふつう〉‖ I took my umbrella *lest* it (should) rain. 雨が降るといけないと思ってかさを持って行った / Make a note of it *lest* you (*should*) forget [*may*, *might*]) forget. 忘れるといけないからメモをしておきなさい(=… in order not to forget.). 〔語法〕節内では仮定法現在(→〔文法〕9.3), should, might を用いるのは〔主に英〕.

2 …しはすまいかと, …ではないかと 〈◆ I'm afraid, be anxious; fear, be terrified, be worried; danger, terror といった心配・恐れ・危険などを表す語句の後で用いる. (2) 今日では古語的なほうがふつう. →〔文法〕9.3〕‖ We feared *lest* he (*should*) lose his way. 彼が道に迷うのではないかと心配した(=We feared *that* he would [might] lose his way.).

***let**¹ /lét/ 〖「…するのを許す」が本義〗

─〖動〗(~s/léts/; 〔過去・過分〕let; let•ting)

─〖他〗

Ⅰ […させる]

1 [使役動詞] [let **A** do]〈人が〉〈人に〉(望みどおり)…**させてやる**, …**することを許す**, …してもらう〈◆ make, have との比較は→〔文法〕3.5〉‖ They *let* us enter the yard. 彼らは私たちが庭に入るのを許してくれた(=They allowed us to enter the yard.).〈◆ *let* は受身形がないので be allowed [permitted] to do で代用する: We *were allowed* [*permitted*] *to* enter the yard. (→〔文法〕7.10)/ Father let me drive his car. 父は私が父の車を運転するのを許してくれた(=Father allowed me to drive …)/ *Let* me take one more picture. もう1枚写真をとらせてください / *Let us* not spend our time arguing about who is to blame. だれに責任があるかの言い争いに時間を使うのはやめよう〈◆原形不定詞の否定は直前に not を置く〉/ I wanted to go, but my mother wouldn't *let* me (go). 私は行きたかったのですが, 母がどうしても行かせてくれませんでした〈◆前後関係で明らかな場合は原形不定詞は省略する. →〔文法〕11.9〉/ *Let us* sleep on it, *will* [*won't*] *you?* それについては一晩[しばらく]考えさせてください〈◆(1) *Let's* と短縮形にならない. 第3例も同様. → **3**〔語法〕(3). (2) 付加疑問文も shall we? にならない. cf. **3**).

2 [使役] **a** [let **A** do]〈物・事を〉…するままにしておく, うっかり…させる ‖ *Let* the wind come in. 風を入れなさい / He *let* slip a very unfortunate remark. 彼はたいへんまずいことを言ってしまった〈◆ do drop, fall, fly, go, slip などの時, **A** が長いしばしば let do **A** の語順で用いられる〉. **b**〔正式〕[let **A** do]〈人が〉〈人・事に〉…させる ‖ I'll *let you know* the results later. 結果はあとでお知らせしてい

884

let

ます / *Let it be done at once.*(まれ) すぐにやりなさい(=Do it at once.). 〔語法〕〔正式〕では let there be … の構文も可能: *Let* there be light. 〖聖〗光あれ.

3 [let's do / let us do] …しよう ‖ *Let's* take a walk, *shall we?* 散歩に行きましょうよ(=Why don't we take a walk?).〈◆返答は Yes, lét's. / Nó, lèt's nót.〉 / *Let's be going.* そろそろ行きましょうか / *Let's not* talk about it. その話はもうよそう / *Let's* just say she was unwilling. 彼女は気が進まなかったということだけ言っておきましょう.

〔語法〕(1) 一般の会話では短縮形 let's /léts/ がふつう.
(2) 軽い命令にも用いる: *Let's* be quiet now. (先生が生徒に)さあ, 静かにしよう.
(3)「我々に…させてくれ」の意では let's とはならない: *Lét ús go.* 我々を行かせてくれ(=Don't stop us going.).
(4) let me の代わりに let's do を用いることもある: *Let's give* you a hand. 手伝わせてくれよ (= *Let me give* you a hand.).
(5) let's の否定は〔英〕〔米〕とも let's not do. ただし〔主に英略式〕では don't let's do, 〔主に米略式〕では let's don't do ということもある.

4 [let **A** do] [命令文で]〈人・事が〉…すると仮定せよ ‖ *Let* x equal 7. x =7と仮定せよ.

5 [let **A** C]〈人が〉**A**〈人・物〉を **C** 〈の状態〉にさせる〈◆(1) **C** は副詞辞・前置詞句・形容詞など. (2) 副詞辞, 前置詞句の場合, その前に go, come, pass などを補うことができる. → **2 a** 用例〉‖ *Let* me *in* [*out*, *through*]. 中へ入れて[外に出して, 通らせて]ください / *Let* the blind *down* [*up*]. ブラインドを降ろして[上げて]ください / He *let* the air *out* (of the tires). =He *let out* the air (from …) 彼は(タイヤの)空気を抜いた / Don't *let* the dog *loose*. 犬を放してはいけません(→ let LOOSE).

Ⅱ [利用させる, など]

6〔英〕〈人に土地・家などを〉[人に]**貸す**, 賃貸する〔〔米〕rent〕(+*out*) [*to*] ‖ *let* a car by the hour 1時間いくらで自動車を貸す / *let* a room *to* a student 学生に間貸しする / a house *to let* [時に] *to be let* 貸家(=〔米〕a house for rent).

7〈仕事などを〉[人に]請け負わせる [*to*] ‖ *let* work *to* a carpenter 大工に仕事を請け負わせる.

8〈液体・ため息などを〉[…から]漏らす, 出す(+*out*) [*from*, *out of*] ‖ *let* blood *from* a patient 患者の血を抜く.

─〖自〗〔英〕貸される ‖ This house will *let* easily. この家はすぐ借り手がみつかるだろう / This room *lets* for 70,000 yen a month. この部屋代は月7万円だ.

***let alone** … → alone 〖形〗

let ▲ alone → alone 〖形〗

lèt dówn 〖自〗(1)〈人が〉気[力]を抜く. (2)〈飛行機が〉(着陸のため)下降する. (2)〔米略式〕手を抜く.─〖他〗(1) → 〖他〗**5**. (2)〈服・髪などを〉長くする. (3)〈人を〉失望させる, 裏切る(betray). (4)〈タイヤ・気球などの〉空気を抜く. (5)〈飛行機を〉下降させる. (6)〈質などを〉下げる.

lèt gó〖自〗(1) […から]手を離す(release) [*of*]. (2) いかりを静める. (3)〈管が〉破裂する. (4) […を]表明する, ぶつける(*with*). ─〖他〗(1)〈体などに〉気をつけない, …を無視する. (2)〈人を〉自由にする, 釈放する. [遠回しに]〈人を〉解雇する. (3)〈矢・一撃などを〉[…

let

めがけて]放つ, 発する《at》. (4)《~ oneself go》外見[癖など]を気にしない; はめをはずす, 思い切り楽しむ.
lèt ín 〔自〕〈靴などが〉水を通す. —〔他〕(1)《光・空気などを》〔…から〕入れる, 通す《through》. (2)〈服を〉〈ウエストなどで〉狭める《at》. (3) …を承認する. (4) → 他5.
lèt A ínto ... (1)〈人〉を…へ通す, 入れる, 入会させる. (2)〈人〉を…に加担させる. (3)〈人〉に…を漏らす. (4)〔棚など〉を…にはめ込む. (5)《~ into A》《英略式》〈人〉を非難する; …をなぐる.
Lét it be só. =SO be it.
lèt óff〔他〕(1)〈人〉の罰[仕事など]を免除する; 〈人〉を〔軽い刑などで〕放免する《with》; 〔~ A off B [doing]〕A〈人〉をB〈仕事・罰など〉から[…することから]免除する. (2)〈液体・気体など〉を漏らす. (3)〈銃・花火・怒りなど〉を破裂させる. (4)〈人〉を解放する. (5)〈人〉を〔軽い刑などで〕放免する《with》. (6)〈人〉を乗物から降ろす; 〔~ A off B〕A〈人〉をB〈乗物〉から降ろす.
lèt ón〔自〕(1)《略式》〔…という様子を身につけた状態に《on 副3》させる《let 他5》〕〔…である/…する〕ふりをする《that節/to do》‖ He let on that he was a lawyer. =He let on to be a lawyer. 彼は弁護士のふりをした. (2)〔しばしば否定文で〕〔…について〕ということを〈人に〉白状する, 口外する《about/that節/to》.
lèt óut〔自〕(1)〈人を〉激しくなぐる; ひどく非難する《at》. (2) 解雇される. (3)《米》〈学校などが〉終わる, ひける. —〔他〕(1)〈服のウエストなどを〉広げる(⇔take in). (2)〈叫び声などを〉出す;〈秘密など〉を漏らす;〔…ということ〉を口外する《disclose》〔that節〕. (3)〈人〉を〔…から〕解放する, 自由にする《of》; …を解雇する. (4)〈馬〉を早く走らせる. (5)《英》〈車・家など〉を人に貸す.
lèt A thróugh (1) → 他5. (2)〈人〉を合格させる.
lèt úp (1)〔〔自分[それ自身]を〕無活動の状態に《up 副14 b》させる《let 他5》〕〔雨・あらしなどが〉弱まる, やむ‖ It has let up now. もう雨がやんだよ. (2)〔〔自分[それ自身]を〕無活動の状態に《up 副14 b》させる《let 他5》〕仕事を休む, くつろぐ. (3)《略式》〔人に〉やさしくなる《on》《◆受身不可》.

—名 U《英》貸すこと; C 貸家, 貸間;《略式》借家人‖ find a **let** for the rooms 部屋の借り手を見つける.

let² /lét/ 名 C《テニス》レット《ネットに触れてしまったサーブ. やり直しが認められる》.

-let /-lət, -lit/〔語要素〕 →語要素一覧(2.2).

let・down /létdàun/ 名 C 1 減少, 減退. 2《略式》失望, 期待はずれ. 3《飛行機の着陸直前の》降下.

le・thal /líːθl/ 形〈死をもたらす《ための》, 致死の‖ a **lethal** dose of a drug 薬の致死量.

le・thar・gic /ləθάːrdʒik, (英+) leː-/ 形 1《正式》〈異常なほど〉眠い; けだるい; 無気力な. 2 眠気を誘う.

leth・ar・gy /léθərdʒi/ 名 U 1《病的な〉眠気; 昏(こん)睡状態. 2《正式》倦(けん)怠; 脱力感; 無気力, 無関心.

Le・the /líːθi/ 名 1《ギリシア神話》レーテー, 忘却の川《黄泉(よみ)の国《Hades》にあり, その水を飲むと過去を忘れる》. 2 U 〔詩〕忘却.

*__let's__ /léts/ let us の短縮形〔語法〕→ let¹ 他3》.

let・ter /létər/ 名 (複 ~s/-z/)

I [文字をつづったもの]

1 C 手紙, 書簡, 親書《◆「はがき」は postcard, postal card,「簡単な手紙・メモ」などは note》‖ your

letter of [×**on**] **July 21** 7月21日(付)のお手紙 / a **letter** of introduction [a recommendation] = 'an introduction [a recommendation] **letter** 紹介[推薦]状 / **by létter** 手紙で《→文法 16.3 ⑸》/ write a **letter** to him 彼に手紙を書く / put a **letter** in an envelope 手紙を封筒に入れる / get a **letter** 手紙を受け取る《♦ receive a **letter** より口語的》.

〔関連〕〔いろいろな種類の〕 **letter**〕
anonymous **letter** 匿名の手紙 / business **letter** ビジネスレター / chain **letter** 幸福[不幸]の〈連鎖〉手紙 / Dear John **letter** 離婚状, 絶縁状 / fan **letter** ファンレター / love **letter** ラブレター / open **letter** 公開〔質問〕状 / personal **letter** 私信, 個人あての手紙 / poison-pen **letter** 匿名の中傷の手紙.

2 C 〔しばしば ~s〕公式文書, 免許状, 証書.
3《正式》〔~s; 単数・複数扱い〕文学; 学問, 学識; 文学的素養; 文筆業‖ a man of **letters** 文学者, 学者, 著述家 / the profession of **letters** 著述業 / the republic [commonwealth] of **letters** 文学界.
4 〔the ~〕字義, 文字どおりの意味(⇔ spirit)‖ **keep to** [**follow**] **the letter of the law** 法律を字句通り実行する / **in letter** and (**in**) **spirit** 文面・精神共に.

II [文字]

5 C 《表音》文字, 字《♦ **letter** はアルファベット・かななど表音文字を, character は漢字などの表意文字を表す》‖ an initial **letter** 頭文字 / **in capital** [**small**] **letters** 大[小]文字で / There are 26 **letters** in the English alphabet. 英語のアルファベットは26文字である /〈ジョーク〉"How many **letters** are there in the alphabet?" "Eight **letters**." 「アルファベットには何文字ありますか」「8文字」《◆alphabet は8文字》.

〔使い分け〕 **letter** と **character**
「日本語の文字」を一般的にいうときは character, 「英語の文字」は **letter** を用いる.
This English word consists of ten **letters** [×characters]. この英単語は10文字からなっている.
What does this Japanese character [×letter] mean? この日本の文字はどんな意味?

6 C 活字; 字体‖ print **in block letters** ブロック体で印刷する. 7 C《米》《運動選手に賞として与えられシャツなどに付ける》学校の頭文字‖ win one's **letter** 選手になる.

létter of crédit 〔貿易〕信用状《略》 L/C, LC, l.c.)《◆今は実際には letter ではなく, ファックスなどが使われる》.
to the létter (1) 文字どおりに《→4》. (2) 正確に, 言われた通りに.
létter bòmb《テロリストが郵送してくる》手紙爆弾.
létter bòx《英》郵便受け; ポスト《《米》mailbox》.
létter càrrier《米》郵便集配人《→ mail carrier》.
lét・ter-càrd /létərkὰːrd/ 名 C《英》郵便書簡.
let・tered /létərd/ 形 1 読み書きのできる. 2《正式やや古》学問[教養]のある; 文学的素養のある. 3 文字入りの.
let・ter・head(・**ing**) /létərhèd(iŋ)/ 名 C レターヘッド

let·ter·ing /létəriŋ/ 名 **1** 文字を書き入れる[刷り込む, 刻む]こと. **2** 書き入れた[刷り込んだ, 刻んだ]文字; 銘.

let·ter-per·fect /létərpə́ːrfikt/ 形 **1** 《米》せりふ[学科]を完全に覚えている(《英》word-perfect). **2** 《文書・校正などが》正確な, 間違いのない.

†**let·tuce** /létəs/ 名 ⓒⓊ 〖植〗チシャ, サラダ菜; [集合名詞] レタス ‖ two [a couple] head(s) of *let-tuce* レタス2個(→ cabbage **1**語法).

let(-)up /létʌp/ 名 ⓒⓊ (略式) (活動の)停止, 縮小; (風雨などが)弱まる[止む]こと, 減速(→ LET¹ up).

leu·k(a)e·mi·a /luːkíːmiə, (英+) ljuː-/ 名 Ⓤ 〖医学〗白血病. **leu·k(a)é·mic** 形 白血病の.

†**lev·ee** /lévi, (英+) lǎvíː/ 名 [同音] levy) 名 **1** 《主に米》土手, 堤防《洪水の結果できた土手や洪水防止用の人工堤防. cf. bank¹》.

•**lev·el** /lévl/ 〖『水平』が本義〗

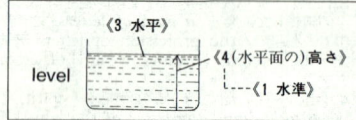

《3 水平》
level
《4(水平面の)高さ》
《1 水準》

――名 (複 ~s/-z/)

Ⅰ [水準]

1 ⓒ [a ~] (知的・道徳的な)水準; (達した)程度, 段階, レベル, 数, 量 ‖ Japan is well-known to the world for its high *level* of education. 日本は教育の程度が高いことで世界によく知られている / His piano playing is *on a professional level.* = He is *on a professional level* of piano playing. 彼のピアノ演奏はプロ並みだ.

2 Ⓤ (社会的な, 権限上の)地位, (特定の集団の)一群の人々 ‖ The problem is being considered at the cabinet *level.* その問題は閣僚レベルで考慮中だ.

Ⅱ [水平面]

3 [a ~] 水平; 水平面[線]; 平地, 平原 ‖ bring the top of the table *to a level* テーブルの表面を水平にする.

4 ⓒ (水平面の)高さ; (ある高さの)平面; (建物などの)階 ‖ 1,500 meters *above (the) sea level* 海抜1500メートル(の所で[に])(↑う) / Hold it *at your eye level* [*at the level* of your eyes]. 目の高さになるようにそれを持ちなさい / The stands are built on five *levels*. 観客席は5段作りになっている /〖ジョーク〗"How are your exam results?" "They are like a submarine." "What do you mean by that?" "They are below sea *level*."「試験はどうだったの」「それが潜水艦みたいなんだよ」「それはどういう意味?」「海面以下ということ」《◆ C level とのしゃれ》.

on a lével〔…と〕同じ高さで, 同等で〔*with*〕.
on the lével(略式) 正直な[に]; 真実の[に].

――形 (~·er or (英) --vel·ler; ~·est or (英) --vel·lest) **1** 水平な ‖ The top of the table should be *level.* テーブルの表面は水平でなければならない.

2 平らな, 平坦な(《◆ flat より堅い語》(↔ slop-ing)) ‖ build a house on *level* ground 平地に家を建てる / two *level* spoonfuls of salt スプーンすり切り2杯分の塩 /「山盛り」であれば two heaped spoonfuls of salt).

3 〔…と〕同じ高さの, 同じ水準の〔*with*〕; 同等の, 対等の(《◆ 比較変化しない》) ‖ The fence *is level with* my shoulders. 垣根は私の肩と同じ高さだ / a *level* race 互角の競走.

4 一様な, 変化のない(↔ changing) ‖ give him a *level* look 彼を凝視(ぎょう)する. **5** 冷静な, 分別のある ‖ *keep level and calm* 沈着冷静である.

――動 (~s/-z/; 過去・過分 ~ed or (英) lev·elled /-d/; ~·ing or (英) --el·ling)

――他 **1** 〈人・人物〉〈土地など〉を水平にする, 平らにする(+*off, out*) ‖ *level* the ground with a bulldozer ブルドーザーで地ならしをする. **2** …をなぎ倒し, 破壊する; (略式) 〈人〉をなぐり倒す ‖ The typhoon *leveled* the house to the ground. 台風であの家をぺしゃんこにした. **3** 《英》…を平等にする, 一様にする(+*out, off*); 〈人・物〉を〔…と〕同じ高さ[程度]にする〔*with, to*〕‖ The score was *leveled* by his home run. 彼のホームランで同点になった. **4** 〈銃・視線など〉を〔…に〕向ける〔*at*〕; 〈非難など〉を〔…に〕向ける〔*at, against*〕‖ The charge of murder was *leveled against* [*at*] her. 殺人容疑が彼女にかけられた.

――自 **1** 平ら[水平, 同じ]になる(+*off, out*). **2** 平等になる(+*out, off*). **3** 〔…に向けて〕武器を(水平に)構える〔*at*〕.

lével óff [óut] [自] (1) → 自 **1**. (2) 〈価格・生産量などが〉(上がった[下がった]後に)横ばいになる. (3)〈飛行機が〉水平飛行に移る. ――他 → 他 **1**, **3**.

lével with A (略式) 〈人〉に率直[正直]に言う.

lével cróssing (英) =grade crossing.

lev·el·er, (主に英) **--el·ler** /lévlər/ 名 ⓒ **1** 水平[平等]にする人[物]. **2** 差別撤廃論者.

lev·el(-)head·ed /lévlhédid/ 形 分別のある, 良識のある. 冷静な.

lev·el·ly /lévlli/ 副 水平に; 平らに; 平等に.

†**lev·er** /lévər, líːv-/ 名 ⓒ **1** (機械) レバー, てこ, バール, かなてこ; (列車の)スロットル, (車の)変速レバー ‖ *with a lever* てこで. **2** (目的達成の)強硬な手段, てこ. ――他 (てこで)動かす, あげる; 〈人〉を解任する(+*along, away, out, up, over*). ――自 てこを使う(+*along, up*); 〖経済〗借入れ資本で投資する.

lev·er·age /lévəridʒ, líːv-/ 名 Ⓤ **1** てこの作用, てこ装置. **2** てこの力. **3** (目的達成のための)力, 影響力, 作用する力.

Le·vi /líːvai/ 名 **1** 〖旧約〗レビ 《Jacob と Leah の子. レビ族の祖》. **2** レビ族. **3** [~s] → Levis.

le·vi·a·than /ləváiəθn/ 名 **1** ⓒ 〖旧約〗レビヤタン, リバイアサン 《巨大な海獣. ワニの類とも考えられる》. **2** ⓒ 巨大なもの 《巨船, 鯨, 海獣》.

Le·vis, Le·vi's /líːvaiz/ 名 [商標] [複数扱い] リーバイズ (blue denim jeans) 《ジーンズ》(= jean).

Le·vit·i·cus /ləvítikəs/ 名 〖旧約〗レビ記 《旧約聖書の一書. 略. Lev.》.

lev·i·ty /lévəti/ 名 (正式) (おおげさに) Ⓤ 軽率, 無思慮, 場違いな陽気さ; ⓒ 軽率な行為; Ⓤ 気まぐれ.

†**lev·y** /lévi/ [同音] levee) (正式) 名 **1** 税金[罰金, 寄付金など]の取り立て, 徴収; 徴税額, 課税金. **2** 徴兵; 徴募兵(数), 召集軍隊. **3** 〖法律〗差し押え. ――動 〈税金などを〉〔…に〕課す〔*on, upon*〕, 徴収する ‖ *levy a tax on* tobacco [him] タバコ[彼]に税金を課す.

†**lewd** /lúːd, (英+) ljúːd/ 形 (正式) みだらな, わいせつな; 俗悪な.

Lew·is /lúːis/ 名 **1** ルイス 《男の名》. **2** ルイス 《Clive

Staples ~ 1898-1963; 英国の文学者・批評家.

lex·i·cal /léksikl/ 形 語彙(ﾞ)の; 辞書の; 辞書[編集]の ‖ a lexical meaning〔言語〕辞書的意味《◆「文法的意味」は grammatical meaning》.

léx·i·cal·ly 副 語彙的に.

lex·i·cog·ra·phy /lèksikágrəfi | -kɔ́g-/ 名 U 辞書編集(法), 辞書学. **lèx·i·cóg·ra·pher** 名 C 辞書編集者, 辞書学者.

lex·i·con /léksikàn, -kn | -kn, -kən/ 名 C〔正式〕**1**(主に古代ギリシア語・ヘブライ語・シリア語・アラビア語などの)辞書. **2**(特定の分野・作家などの)語彙(ﾞ)(集). **3**〔言語〕語彙目録, 辞書.

lf, l.f. (略) leftfield(er); low frequency.

LF (略) low frequency.

lg(e). (略) large.

Li (記号)〔化学〕lithium.

†**li·a·bil·i·ty** /làiəbíləti/ 名 **1** U〔正式〕(…の/…する)(法的)責任(をとること), 責務, 義務〔for / to do〕‖ limited [unlimited] liability 有限[無限]責任. **2**〔正式〕[liabilities] 負債, 債務(↔ assets). **3** U(…の)傾向があること,(…に)かかり[陥り]やすいこと〔to〕‖ liability to disease 病気にかかりやすいこと. **4** C(略式)(…にとって)不利となるもの〔for〕, ハンディキャップ.

†**li·a·ble** /láiəbl/ 形 **1**〔正式〕(性格・体質などから)(…)しがちである, しやすい;(単に)(…)しそうな(likely)〔to do〕;(…に)かかり[陥り]やすい;(…を)免れない〔to〕(→ subject 形 **2**)‖ In winter we are liable to catch cold. 冬になると我々はかぜをひきやすい《◆ liable は一般的な特徴を、likely はある特別な場合に何かが起こる可能性について述べる傾向がある》. **2**〈人が〉(…に対して/…すべき)法的責任がある〔for / to do〕;(…に)処せらるべき, 服すべき〔to〕‖ He is liable for [to pay] his wife's debts. 彼は妻の借金を払う義務がある / be liable to the death penalty 死刑に処せらるべきである.

li·aise /liéiz/ 動 自(略式)(軍隊・仕事などで)連絡をつける[保つ].

li·ai·son /liéizn, (米+) lí:əzàn, (英+) liéizɔn, -zn/〔フランス〕名 **1** U C〔軍事〕〔部隊間の〕連絡, 連繫;(一般に)〔組織間の〕…との)連絡, 接触〔between / with〕. **2** C〔正式〕(…の間の/…との)不倫, 私通〔between/with〕. **3** C〔音声〕リエゾン, 連結発音.

li·a·na /liá:nə, -éɪnə/, **li·ane** /-á:n, -éɪn/ 名〔植〕リアナ, (熱帯の)つる植物.

†**li·ar** /láiər/ 名 C(主に常習的な)うそつき(→ lie² 名 **1** 日英比較)‖ He's a liar. 彼はうそつきだ(= (遠回しに) He is not telling the truth.) / a good [poor] liar うそをつくのはうまい[下手な]人 / a big liar 大うそつき《◆「体の大きいうそつき」ではない → big 形 **4 c**》.

lib, Lib /líb/ 名(略式)= liberation《◆ しばしば women's lib などの形で用いられる》.

lib. (略)〔ラテン〕liber(= book); liberal; librarian; library.

Lib., Lib (略) Liberal.

li·ba·tion /laibéiʃən, (英+) li-/ 名 C〔正式〕献酒《◆ ぶどう酒(時に油・水)を神への捧げ物として地面に注ぐこと》; その液体, 注がれる酒.

†**li·bel** /láibl/ 名 **1** C〔法律〕誹謗(ﾞ)文書; U 名誉毀損(罪), 文書誹謗(罪)(cf. slander). **2** C(略式)中傷発言[文], (人)を侮辱するもの, (…について)悪印象を与えるもの〔on〕. ── 動(過去・過分) ~ed or (英) lib·elled/-d/; ~·ing or (英) ~·bel·ling) 他 **1**〔法律〕誹謗文書で…の名誉を傷つける. **2**(略式)

…を中傷する. **lí·bel·(l)er, lí·bel·(l)ist** 名 C 中傷する人, 誹謗者.

*__**lib·er·al**__ /líbərəl/
──形
I［考えが自由な］
1〈人が〉〈考えなどに/人に〉寛大な, 心の広い(tolerant)〔in/to〕;〈考えなどが〉偏見がない ‖ be liberal in one's ideas 考え方に偏見がない / have [take] a liberal attitude toward sex 性に対して偏見のない態度をとる.
2 自由主義の; 進歩的な;〔通例 L~〕(主に英国・カナダなどの)自由党の ‖ a liberal policy 自由主義政策.

II［惜しまずに考える］
3〔正式〕〈人が〉〈金などに〉気前のよい, (…を)物惜しみしない(generous)〔with〕‖ be liberal with one's money 金離れがよい / He was a liberal benefactor to the orphanage. 彼は気前よく孤児院に寄付した. **4**〈物が〉気前よく与えられた, 豊富な, たくさんの ‖ give her a liberal helping of ice cream 彼女に山盛りのアイスクリームを与える.

III［拘束されない］
5 厳格でない(↔ strict);〈解釈などが〉字句どおりでない(↔ literal)‖ a liberal father 厳格でない父親.
6〈教育などが〉教養的な, 専門的でない(↔ technical)‖ liberal education (大学の)教養(学科)の.
──名 C(政治・宗教上の)自由[改進]主義者;[L~] 自由党員.

líberal árts (1)(主に米)(大学の)一般教養科目. (2)(中世の)学芸, 文芸; 人文科学.

Líberal Democrátic Pàrty [the ~](日本の)自由民主党(略 LDP).

Líberal pàrty [**Pàrty**] [the ~](主に英国の)自由党.

líberal stúdies(主に英)[単数・複数扱い](大学の)一般教養科目.

líb·er·al·ness 名 U 寛容さ; 気前のよさ.

lib·er·al·ism /líbərəlizm/ 名 U **1**(主に社会的・政治的な)自由主義;[通例 L~](英国などの)自由党の政策[綱領]. **2**(現代プロテスタンティズムの)自由主義運動.

lib·er·al·ist /líbərəlist/ 名 C 自由主義者. ──形 自由主義的な.

lib·er·al·i·ty /lìbəræləti/ 名 **1** U〔正式〕気前のよさ; 寛容さ, 不偏. **2**(古)[liberalities] 気前のよい贈物.

†**lib·er·al·ize** /líbərəlàiz/ 動(自) **1** 自由主義化する. **2**〈規則が〉ゆるやかになる. **3**〈心などが〉寛大になる. ──他 **1** …を自由主義化する. **2**〈規則〉をゆるやかにする. **3**〈心などを〉寛大にする.

†**lib·er·al·ly** /líbərəli/ 副 **1** 気前よく, 惜しげなく. **2** ふんだんに, 多量に.

†**lib·er·ate** /líbərèit/ 動 他〔正式〕**1** …を〔支配・監禁・束縛などから〕解放[釈放]する(set free)〔from〕‖ liberate the black people from slavery 黒人たちを奴隷の身分から解放する. **2**〈気体など〉を〔化合物から〕遊離させる〔from〕. **líb·er·àt·ed** 形(心配などから)解放された;(社会的・性的に)解放された.

líb·er·à·tor 名 C 解放者.

†**lib·er·a·tion** /lìbəréiʃən/ 名 U **1** 解放[釈放]する[される]こと. **2**(社会的・経済的権利の)解放運動((略式)lib). ‖ wómen's liberátion (mòvement) 女性解放運動, フェミニズム.

lib·er·a·tion·ist /lìbəréiʃənist/ 名 C 解放運動家 ‖

a women's *liberátionist* 女性解放運動家《(略式) libber》.

Li·be·ri·a /laibíəriə/ 名 リベリア《アフリカ西部の共和国. 首都 Monrovia》.

*lib·er·ty /líbərti/ 〖→ liberal〗
——名 (複 --ties/-z/) **1** Ⓤ (正式)(束縛・圧制などからの)**自由**(→ freedom 類語1[類語]) (↔ captivity); 解放; (思想・行動などの)自由 ‖ guard the *liberty* of the people 国民の自由を守る / Religious *liberty* spread. 宗教上の自由は広まった / Give me *liberty*, or give me death. われに自由を与えよ, しからずんば死を与えよ◆米国の愛国者 Patrick Henry の言葉. Give me *liberty* or death. は不可》.
2 〔通例 the ~〕〔ある場所の〕**使用**〔出入り〕の自由 〔*of*〕 ‖ give the guest *the liberty of* the entire house 客に家中のどの部屋にも自由に出入りしてもらう.
3 Ⓒ (正式) 〔しばしば liberties〕気まま, 勝手, 無礼な言動 ‖ I can't allow her to take so many *liberties*. 彼女にそんな勝手をさせてはならない.
4 (正式) 〔しばしば liberties〕(公認の)特権, 特典.
*at líberty (正式) **(1) 解放されて, 自由で**; 〈犯人などが〉逮捕されていなくて ‖ The police set him *at liberty*. 警察は彼を釈放した. **(2)** 〔be an*to* of〕〈人が〉暇で(free); 〈人が〉自由に〔…してよい, […することを〕許されて〔*to do*〕 ‖ I am sorry, but I am not *at liberty* to come to your birthday party. 残念ですが, 誕生パーティーに出席できません《◆I am sorry, but I cannot come … よりはるかに格式ばった断り文句》. **(3)** 〈物が〉使用されないで.
tàke líberties 〔**a líberty**〕 **with** A **(1)** (正式) …になれなれしくする; …を勝手に使う. **(2)** 〈文章・歴史などを〉勝手に書き変える.
tàke the líberty of *doing* 〔(まれ) **to** *do*〕 (正式) 〔通例一人称主語で〕**(1)** 失礼をも省(かえり)みず…する. **(2)** 勝手に…する(do without permission).

Líberty Béll 〔the ~〕(1776年米国の独立を告げた)自由の鐘《割れ目が入っている》.

Líberty Ísland リバティー島〈New York 湾の「自由の女神」のある島. 旧称 Bedloe('s) Island〉.

Líberty wèekend (米) 独立記念日の週末.

Li·bra /líbrə, láɪ-/ 名 **1** 〔天文〕てんびん座(the Balance)〈南天の星座〉. **2** 〔占星〕天秤宮, てんびん座(cf. zodiac); Ⓒ 天秤宮生まれの人《9月23日-10月23日生》.

*li·brar·i·an /laibréəriən/ 〖→ library〗
——名 (複 ~s/-z/) Ⓒ 司書, 図書館員 ‖ I'd like to be a school *librarian*. 私は学校司書になりたい / a *librarian* working at the circulation desk 貸し出し係で働いている図書館員.

li·brár·i·an·ship 名 Ⓤ (主に英) 司書職; 図書館学.

:li·brar·y /láibrèri | -brəri, -bəri/〖「本屋」が原義〗名 (複 --ies/-z/) Ⓒ **1 図書館**, 図書室 ‖ I like using the *library*. 私は図書館を利用するのが好きだ.

〔関連〕〔いろいろな種類の library〕
film *library* フィルムライブラリー / lending [circulating] *library* 貸本屋 / mobile *library* 移動図書館(bookmobile) / national *library* 王立〔国立〕図書館 / National Diet *Library* 国立国会図書館 / public *library* 公共〔公立〕図書館 / reference *library* 閲覧専用図書館 / regional *library* (近隣地域共同の)地方図書館.

2 (古・正式) 蔵書; (ビデオ・フィルム・レコードなどの)コレクション ‖ *build up a library* 蔵書を増やす / *have a large library of* books on birds 鳥について本をたくさん持っている. **3** 書斎; 書庫. **4** (出版社が出す同じ体裁でそろえた)双書, 文庫.

líbrary science (主に米) 図書館学((主に英) librarianship).

li·bret·to /librétou/ 名 (複 **--ti** /-ti:/, (略式) **~s**) Ⓒ (オペラ・オラトリオ・ミュージカルなどの)台本, 歌詞.

Lib·y·a /líbiə/ 名 リビア《アフリカ北部の共和国. 首都 Tripoli》.

Lib·y·an /-n/ 形 リビア(人)の. ——名 **1** Ⓒ リビア人. **2** Ⓤ (古代リビアの)ベルベル語(Berber).

lice /laɪs/ 名 louse の複数形.

*li·cense, li·cence /láisəns/ 《◆ (英) では名詞は licence, 動詞は license がふつう》
——名 (複 **--cens·es**/-iz/)
I 〔許可〕
1 Ⓒ **免許証**〔状〕, 許可証, 鑑札 ‖ get a drívers *license* (米) 自動車運転免許証をとる(= get a dríving licence) / a dóg *license* 犬の鑑札.
2 ⓊⒸ (主に公的な)**許可**, 認可, 免許 ‖ cosmetics produced *on* [*under*] *license* from the US 米国の製造認可を取って作られた化粧品 / *obtain* [*get*] *a license to* hunt 狩猟の免許を取得する.
II 〔自由〕
3 Ⓤ (正式) (言動などの)自由; 放縦; 放埒(ほうらつ), 乱行.
4 Ⓤ (芸術家の形式にこだわらない)自由, 破格 ‖ poetic *license* 詩的許容.
——動 他 **1** …に〔…の〕許可[免許状]を与える〔*to do* / *for*〕‖ He *was licensed* 〔*to* sell [*for* the sale of] tobacco. 彼はタバコ販売の許可(証)を与えられた. **2** 〈場所〉の使用を認可する; …の出版[上演]を認可する.

lícense nùmber (米) (車の)登録ナンバー((英) registration number).

lícense plàte (米) (車の)ナンバープレート((英) number-plate)(図 → car).

lícensing làws (英) 〔the ~〕(酒類販売などに関する)事業許可制法.

li·censed /láisənsd/ 形 免許を受けた, 酒の販売を認可された.

lícensed víc·tual·ler /-vítlər/ (英) 酒類販売免許をもつ飲食店主〔宿屋の主人〕.

†li·chen /láikən, (英+) lítʃən/ 〔同音 liken〕 名 ⓊⒸ 〔植〕地衣(類).

†lick /lík/ 動 他 **1** 〈人・動物が〉〈物を〉**なめる**, なめて食べる; 〔lick A C〕 A〈物を〉なめて C (の状態)にする《◆C は形容詞》‖ *lick* (the back of) a stamp 切手(の裏)をなめる / *lick* the plate clean 皿をなめてきれいにする. **2** (正式) 〈波・炎などが〉…をかすめる, なめる; 〈炎が〉…を飲み込む(+*up*) ‖ The waves are *licking* the rocks. 波が岩を洗っている. **3** (略式) (主に罰として)…をむちで打つ, なぐる(beat) / 〈欠点など〉を〔人から〕たたき出す〔*out of*〕. **4** (略式) (競技・戦いで)…を〔容易に〕打ち負かす(defeat); …を克服する, …に勝つ. **5** (英略式) 〈事が〉〈人〉に理解できない.
——自 〈波・炎などが〉〔…の 表面を〕さっと動く〔*against*〕.

líck at A 〈物〉をぺろぺろなめる.

líck óff A 〔~ A *off* (B)〕(B)〈唇・ケーキなどから〉A 〈ジャムなど〉をなめて取る《◆ lick A *from* B の形で

用いる》‖ lick jam off one's lips ジャムを唇からなめて取る.

lick úp [他] (1) …をなめ尽くす. (2) → [他] 2.
──[名] 1 © [通例 a ~] なめること, ひとなめ. 2 (略式) [a ~ of + U 名詞] 少量 ‖ He never did *a lick of* work. 彼は少しも仕事をしなかった. 3 © (略式) ひと仕事 ‖ give the room a quick *lick* 部屋を簡単に早くそうじする.

lick·ing /líkiŋ/ [名] © 通例次の成句で.
gíve A a lícking (略式)〈人〉を(罰として)なぐる, ぶつ.

lic·o·rice, (英では主に) **liq·uor·-** /líkəriʃ, -iʃ/ [名] 1 U © 〔植〕カンゾウ(甘草). 2 U カンゾウの干した根(のエキス); U © その風味をつけた菓子[キャンディー].

†**lid** /líd/ [名] 1 (箱・なべなどの)ふた《びんの「ふた」は top》‖ take the *lid* off ふたを取る. 2 まぶた (eyelid).
pút the (**tín**) **líd on A** (1) …にふたをする, …のふたをしめる. (2) (略式)〈事が〉…を終わらせる, だめにする, …にとどめを刺す; …を秘密にする, 隠す.
táke [**líft, blów**] **the líd óff A** (略式)…を暴露する.
with the líd óff いやなことなどをさらけ出して.

‡**lie**[1] /lái/ 〚「水平面に平らに横になる, 横になっている」が本義. cf. lay〛
──[動] (~s/-z/; 過去 **lay**/léi/; 過分 **lain**/léin/; ly·ing/láiiŋ/)

> **☑ [lie と lay の語形変化]**
> **lie** [自] 横たわる   lay, lain; lying
> **lay** [他] 横たえる   laid, laid; laying
> (**lie** うそをつく   lied, lied; lying)

──[自]
I [物理的に横たわる]
1〈人・動物が〉**横たわる**, 横になる(+*down*); 横たわっている《一時的な状態をいう場合はふつう be lying. **○文法** 5.2(3)》‖ I'm tired. 横になりたい / *lie in bed* (病気・睡眠などで)床についている / *lie on one's back* [*side*] あおむけに[横向きに]なる / *lie on one's face* [*stomach*] =*lie* (with one's face down(wards)) うつ伏せになる /〈ジョーク〉Hunters *lie* in wait while fishers wait and lie. 猟師は伏せて待つが, 漁師は待ってうそをつく《♦猟師は lie[1], 漁師は lie[2]. 漁師はホラ話をするものというイメージがある》.
2〈物が〉(水平な状態で)横にして, ある《♦一時的な状態をいう場合はふつう be lying. **○文法** 5.2(3)》‖ get one's hair to *lie* down 髪を寝かす / The vase is *lying* on the table. 花びんがテーブルの上にころがっている《♦立てて置いてある場合は The vase is [stands] on the table.》/ The toys were *lying* all over the floor. おもちゃが床一面にちらかっていた.
3 [正式]〈土地・家・町などが〉…に**位置する**, ある《♦場所・方向の副詞(句)を伴う》;〈場所・景色などが〉広がっている, 展開している;〈道などが〉通っている, 延びている ‖ Italy *lies* [(*to the*) *south of* Switzerland. イタリアはスイスの南に位置する / The town *lies* [(略式) is] two miles from the sea. その町は海から2マイルのところにある / The unknown world *lay* before the astronaut. 未知の世界が宇宙飛行士の前に展開した.
4〈死体などが〉[…に] 埋葬されている, (地下で)眠っている

[*at, in*].

II [抽象的に存在する]
5〈事実などが〉[…に]**ある**, 見出される(consist)[*in, between*] ‖ His charm *lies* in his warm personality 彼の魅力はあたたかい人柄にある.
6〔法律〕〈訴え・主張などが〉認められる, 支持できる.
III [その他]
7 [lie C]〈人・動物・物が〉C の状態にある, C のままである(remain)《♦C は形容詞(句)・分詞・前置詞句. ふつう be lying とはならない》‖ *lie idle* [unused] 使用されないでいる / *lie hidden* 隠れている / *lie in prison* 刑務所に入っている / He *lay* dying [at death's door]. 彼は死にかかっていた《♦He was dying … と実質的には同じ》.

lie abóut [**aróund**] [自] (1)〈物が〉散らかっている. (2)(使われないで)置いてある. (3)(略式)〈人が〉何もしない, 暮らさる, 怠けている.
lie báck [自] (1) あお向けになる[なっている], […に]もたれる[*against*]. (2)(働いた後で)休む, くつろぐ.
lie behínd [自] [正式]〈事が〉過去の事としてある.
──[他] [~ behínd A] [正式]〈事が〉(過去の事実として)…の背後にある;〈事が〉…の隠れた原因[真意]である《♦受身不可》.
lie dówn [自] (1) 横になる[なっている] (→ [自], 1, 2);ベッドで一休みする. (2)(略式) 侮辱などに黙って耐える.
lie dówn ùnder A (略式) 通例否定文で〈侮辱・処罰などを〉甘んじて受ける.
lie ín [自] [英略式] 朝寝坊する《(米略式) sleep in).
lie óff [自] [海事]〈他の船・陸の近くに〉停泊する. (2) しばらく仕事を休む.
lie ón [**upón**] **A** (1)〈責任・困難などが〉〈人・物・事〉次第である, …による;〈心などが〉のしかかる, …を痛める.
lie óver [自]〈仕事・決定などが〉延期される.
lie úp [自] (1) 静養する(rest up). (2)(主に英) 隠れる, 気づかれないようにする. (3)〈船が〉ドックに入る[入っている];〈車などが〉使われていない.
lie with A [正式] …の責任[任務, 義務]である;〈責任などが〉…にある.
──[名] © **1** [通例 the ~] (物の)あり方, 位置, 方向; (土地の)様子, 傾き. **2**〈動物・鳥の〉生息地, 隠れ場所. **3**〔ゴルフ〕[a good/bad ~] ライ〔打ったボールの止まった位置〕.

‡**lie**[2] /lái/ 派 liar (名)
──[名] (復 ~s/-z/) © **1** うそ, 虚言《♦日本語の「うそ(をつく)」よりはるかに露骨で相手の人格を否定する口調の強い語. 昔は lie, liar と言われた場合, 決闘を申し込むほどだったという》(↔ truth) ‖ *tell* [*say] *a white lie to* him 彼に罪のないうそをつく《*悪意のうそ」は black *lie*》/ It's a *lie*. それはうそだ(=[遠回しに] It's a fib [not the truth].) / **No, I tell a lie.** (アナウンサーの言葉) いや, 間違えました.

> **関連** [いろいろな種類の lie]
> barefaced *lie* 露骨なうそ / flagrant [downright, glaring, bold-faced] *lie* 真っ赤なうそ / palpable [transparent] *lie* 見えすいたうそ / white *lie* たわいないうそ.

> **日英比較** 日本語の「うそでしょう」は You must be joking.. I can't believe it., Are you sure of that? などを用いる. 英語の You are a liar. とか You lie. は日本語の「うそをつく」よりはるかに露骨な表現で相手の人格を否定する強い口調の言い方.

2 〖通例 a ~〗人をだますもの, まがいもの; ぺてん ‖ Her laugh was *a lie* that concealed her sorrow. 彼女の笑いは悲しみをかくす見せかけのものであった.

gíve A the líe (**in A's thróat**) 〖正式〗うそをついた と〈人〉を(ひどく)責める;〈人〉のうその皮をはぐ.
gíve the líe to A 〖正式〗(1)〈人〉をうそつきだと言う〖責める〗. (2)〖言葉・うわさなど〗が偽りであることを証明する.

──**動** (~**s**/-z/; 過去・過分 ~**d**/-d/; **ly·ing**/láiɪŋ/)
──**自 1**〈人〉が〔…に/…について〕うそを言う〔*to/about*〕‖ He *lied to* me when he said he loved me. 彼は私に愛しているとうそを言った / He *lied about* passing the exam. 彼は試験に合格したとうそを言った / *lie about* one's academic background 学歴を偽る / You're *lying*. うそをつけ《◆ Don't *lie*. / Néver tèll a *líe*. よりはるかに語調の強い表現》. **2**〈物・事〉が〈人を〉欺く.
──**他 1**〈人〉をうそをついて[…させる/させない]〔*into/out of*〕;〈人〉を欺いて[…を]奪う〔*out of*〕‖ *lie* oneself [one's way] *out of* trouble うそをついて難をのがれる.
líe detèctor うそ発見器.

Liech·ten·stein /líktənstàɪn/ 名 リヒテンシュタイン《オーストリアとスイスの間にある公国; 首都 Vaduz》.

lied /liːd, liːt/ 〖ドイツ〗名 (徳) **líe·der**/líːdər/) リート, ドイツ歌曲 ‖ a *lieder*-singer リート歌手.

líe-dòwn /láidàun/ 名 C 1 (米) 寝込み抗議. **2** 〖英式〗(ふつうベッドでの)休息.

†**liege** /liːdʒ/ 〖歴史〗名 C **1** =liege lord (sovereign). **2** 臣下, 家来.
──**形 1** 封建的主従関係の. **2** 忠実な.
líege lòrd [**sòvereign**] (封建時代の)君主, 領主.

líe-ìn /láiìn/ 名 C **1** (米) 寝込み抗議. **2** 〖英式〗朝寝坊.

†**lien** /liːn, líːən/ 〖同音〗(米) △lean) 名 C 〖法律〗[…に対する]先取特権, 留置権〔*on, upon*〕.

†**lieu** /luː, ljuː/ 〖正式〗《◆次の成句で》.
in líeu […の]代わりに (instead)〔*of*〕.

Lieut. 略 *lieutenant*.

†**lieu·ten·ant** /luːténənt | leftén-, ləf-/ 〖「代わりに持つ人」が原義〗名 C 略 Lieut.) **1** (上司の)代理, 副官 ‖ *Lieutenant* of the Tower ロンドン塔長官代理. **2** (米陸軍) 中尉 (first lieutenant), 少尉 (second lieutenant);〖英陸軍〗中尉. **3**〖海軍〗大尉. **4** (米)(警察署・消防署の)副署長; 警部補.
lieuténant cólonel (米) 陸[空]軍中佐, (英) 陸軍中佐.
lieuténant commánder 海軍少佐.
lieuténant géneral (米) 陸[空]軍中将, (英) 陸軍中将 (→ general 名).
lieuténant góvernor (米) 州副知事; (英)(植民地の)副総督; (カナダ) 州知事.

⁑life /láɪf/ 〖「生命のあるもの」が本義〗

index 1一生 2人生 3生活 6生命 7活気 9生物

──名 (複 **lives**/láɪvz/)
Ⅰ 〖生存期間〗
1 C **一生**, 生涯; (物の)寿命, 耐用[有効]期間 ‖ the *life* of a car engine 車のエンジンの寿命 (→ lifetime 2) / He remained single *all* [*throughout*] his *life*. 彼は一生独身で通した.
2 U **人生**, この世に生きること; 現世; 世間 ‖ *Life* is but a dream. 人生は夢にすぎない / You've seen *nothing of life*. おまえはまったく世間を知らないのだ / 〖ジョーク〗*Life* is very short. It's only a 4 letter word. 人生は短い. たったの4文字だ.
3 C U **生活**, 暮らし(方), 生き方 ‖ country *life* いなかの生活 / léad [live] a háppy *life* 幸福な生活を送る (=live happily) / léad [hàve, fóllow] 「a dóuble *life* [two lives] 二重生活を送る《◆単身赴任者, 二重性格者にも, 歌手と学生の2役をこなすような場合に用いる》.
4 C =life story [history].
5 U 略 =life imprisonment; =life sentence.

Ⅱ 〖生命・活力〗
6 U **生命**, 命; 生きていること ‖ *a màtter* [*quéstion*] *of life and* [or] *déath* 死活問題, 重大問題 (=life-and-death) / How did *life* first begin? 生命はどのようにして始まったか.
7 U **活気**, 生気, 元気, 快活; (生物の)活動, 動き ‖ a face bright and *full of life* 晴れやかで生気がみなぎった顔 / take *life* 活気を帯びる / There was no sign of *life* in the pond. 池には生物がいる気配はなかった.
8 U **活力源**, 生気を与えるもの; [the ~] […を]はなやか[にぎやか]にする人[物],［…の]中心人物, 原動力〔*of*〕‖ Photography is his *life*. 写真は彼の生きがいだ / She is always the *life* (and soul) *of* the party. 《略式》彼女はいつもパーティーの花だ.

Ⅲ 〖生命のある人やもの〗
9 U 〖集合名詞〗**生物**, 生き物 ‖ specialize in animal *life* 動物を専門に研究する / There is no *life* on the moon. 月には生物がいない.
10 C 〖通例 lives〗(死者と対比して)人, 人命 ‖ Five *lives* were lost in the fire. 火事で5人が死んだ. **11** U 〖美術〗実物.

(**as**) **lárge** [(米) **bíg**] **as lífe** (1) 実物大の (lifesize). (2)〖略式〗〖驚きを表して〗実際に, まぎれもなく本人が.
bét one's **lífe** =bet one's boots (→ boot¹ 名).
bréathe (**néw**) **lífe into A** …を一層生き生きとさせる, …に新風を吹き込む.
bríng A (**báck**) **to lífe** (1)〈人〉を生き返らせる; …を元気にさせる. (2)〖話など〗を生き生き[面白く]させる.
＊**còme** (**báck**) **to lífe** (1) 意識を取り戻す, 生き返る ‖ The patient soon *came to life*. 患者はすぐ意識を取り戻した. (2) 活気づく; 生き生きとしてくる (come alive).
depárt (**from**) **this lífe** 〖正式〗この世に別れを告げる, 死ぬ《◆ふつう過去形で墓石に用いる》.
for déar [**one's**] **lífe** 〖大事な[自分の]命のために〗(全力を出して)〗必死で, 死にものぐるいで.
for lífe (1) 死ぬまで[の]; 任期が切れるまで[の]. (2) 命を救うために.
for the lífe of one 〖たとえ自分の命と引き替え (for 前 8)[かけ]でも〗《略式》〖通例主語は I, we で cannot, could [would] not と共に; 文頭・文中で〗どうしても (however hard one tries) ‖ I can't *for the life of me* remember her address. どうしても彼女の住所が思い出せない《◆ *for my life* は今は《まれ》》.
in lífe (1) 実生の. (2) この世で.
in one's **lífe** (1) 一生を通じて, 死ぬまで. (2) 生まれて今までに ‖ *for the first time in* one's *life* 生まれて初めて.

láy dówn one's **life** 〈人・国などのために〉命を捨てる.
Nót [Néver] on your (swéet) lífe! (略式) とんでもない, まっぴらだ(Certainly not!)(◆提案・質問に対する強い否定の返答).
retúrn A **to lífe** 〈人〉を生き返らせる.
rísk lífe and límb 生命の危険を冒す; 命をかけて〔…〕する〔to do〕.
rún [ráce] for one's **[déar] lífe** 必死で走る, 命からがら逃げる(=(略式) run for it).
táke A's **lífe** (正式)〈人〉を殺す(◆kill の遠回し表現).
táke one's **lífe in** one's **(ówn) hánds** (略式) わざと死の危険を冒す; 一大決心をする.
Thát [Súch] is lífe. (略式) (失敗や不幸な出来事の後で)人生とはそういうものだ; それが人生なんだから仕方がない.
Thís is the lífe (for me). これが人生と言うものだ, なんて気分がいいんだろう, 最高(の気分)だ.
to sáve (one's**) lífe** (略式) 〔cannot/will not と共に〕どうしても…できない〔しない〕‖ I cannot remember his name *to save my life*. どうしても彼の名前を思い出せない.
to the lífe 実物そっくりに.
trúe to lífe 〈劇・絵などが〉現実からそれない, 実生活を忠実に表している, 本物そっくりの.
life assúrance (英)=life insurance.
life bèlt 救命帯.
life bùoy 救命ブイ.
life cỳcle (生物) 生活環; ライフサイクル, 生活周期.
life expéctancy 平均寿命[余命] (expectation of life); 予想される寿命(◆物にも使える) ‖
日本発 The average *life expectancy* in Japan is now the highest in the world, with an average of seventy-eight years for men and eighty-four years for women. 日本の平均寿命は現在世界最高で, 男性が78歳, 女性が84歳です.
Lífe Guàrds (英) [the ~] 近衛(この)騎兵連隊.
life hístory (1) (生態)生活史. (2) (個人・団体の)生活史.
life imprísonment 終身刑(◆life in prison ともいう).
life insúrance 生命保険(金) ((英)life assurance).
life jàcket 救命胴衣.
life mèmber 終身会員((米) lifetime member).
life nèt (消防用の)救命網, 救助シート.
life ràft 救命いかだ[ゴムボート].
life sciences 生命科学 《植物学・動物学・生化学・微生物学・医学など》.
life séntence 終身刑(の判決) (◆(略式)では単にlife ともいう).
life spàn (生物・機械などの)寿命.
life stòry [hístory] 伝記(◆単にlife ともいう).
life's wòrk =lifework.
life-af·firm·ing /láifəfə˞ːmiŋ/ 形 人生肯定的な, 生きる勇気を与える.
life-and-death /láifəndéθ/ 形 [名詞の前で] 生死にかかわる, きわめて重要な(cf. life 6 用例).
life·blood /láifblÀd/ 名 [U] (生命に必要な)血, 生き血.
life·boat /láifbòut/ 名 [C] 救命艇, 救命ボート; 救命艇; (困った人・会社などを助けるための)援助基金.
life·guard /láifgɑ̀ːrd/ 名 [C] **1** (米) (水泳場などの)救命員, 監視員(lifesaver). **2** (兵隊の)護衛者.

✝**life·less** /láifləs/ 形 **1** 〈惑星などが〉生物の住まない. **2** (正式) 生命のない, (最近)死んだ(dead). **3** 〈人・話などが〉元気[活力]のない. **4** 意識不明の.
life·less·ly 副 死んだように, 活気なく.
life·like /láiflàik/ 形 生きているような, 生き写しの; 真に迫った.
life·line /láiflàin/ 名 [C] **1** 救命索; (潜水夫の)命綱. **2** (必要な物資の輸送・通信における)生命線, ライフライン 《ガス・水道・電気・道路など》; (手相の)生命線.
✝**life·long** /láiflɔ́ːŋ/ 形 [名詞の前で] 生涯続く, 終生の.
life-or-death /láifɔrdéθ/ 形 =life-and-death.
life·sa·ver /láifsèivər/ 名 [C] **1** (主に民間の水難の)人命救助者; (輪の形の)救命具. **2** (主に豪) (水泳場の)救助員(lifeguard). **3** (略式) 苦境[危機]から救ってくれる人[物].
life·sav·ing /láifsèiviŋ/ 名 [U] 形 水難救助(法), 人命救助(の).
life-size(d) /láifsáiz(d)/ 形 〈彫像などが〉等身大[実物大]の.
life·style /láifstàil/ 名 [C] (個人・集団の)生活様式, 生き方, ライフスタイル.
life-style (réla̋ted) disèase 生活習慣病.
life-sup·pòrt sỳstem /láifsəpɔ̀ːrt-/ 《宇宙・海底探査, 病院で》生命維持装置.
life-threat·en·ing /láifθrètniŋ/ 形 〈病気などが〉命にかかわる.

✱**life·time** /láiftàim/ 形 [→Life]
—名 (複 ~s/-z/) [通例単数形で] **1** 一生, 生涯, 終生 ‖ It's the chance of a *lifetime*. そりゃまたとないチャンスだ / a *lifetime* job 一生の仕事. **2** (物の)寿命, 存続期間 ‖ the *lifetime* of a washing machine 洗濯機の寿命.
lifetime emplóyment 終身雇用.
lifetime mèmber (米) =life member.
life·work /láifwə́ːrk/ 名 [U] 一生の仕事, ライフワーク(◆life's work ともいう).

✱**lift** /lift/ 〖「物をある場所から高い場所へ持ち上げる」が本義〗
—動 (~s/lifts/; 過去・過分 ~ed/-id/; ~ing)

I [物理的に持ち上げる]

1 〈人などが〉〈ふつう重い物〉を〔…から〕持ち上げる, 引き上げる(+*up*) 〔*out of, from, off*〕 (◆raise はふつう「軽い物を必要な位置に上げる」こと); 〈顔・目などを〉〔…まで〕上げる, 上に向ける〔*to*〕 ‖ *lift* the receiver on the second ring 2回目のベルで受話器を取る / She *lifted* herself out of bed. 彼女はベッドから身を起こした.
2 〈人・物〉を持ち上げて移動する(+*up*); …を手に取って下ろす(+*down*); …を持ち上げて取る(+*off*); …を持ち上げて出す(+*out*) ‖ *lift* the basket *up* to the shelf かごを持ち上げてたなに上げる / *lift* the box *down* from the shelf たなから箱をおろす.
3 (略式) …を高く掲げる, そびえさせる.

II [高める・増やす]

4 (正式) 〈声・叫びなど〉を張り上げる(raise) (+*up*) ‖ *lift* (*up*) one's vóice 声を張り上げる.
5 (正式) 〈事が〉〈人の地位[境遇, 品位]〉を高める, 向上させる; 〈気分・意気・士気などを〉高揚させる(+*up*) ‖ The news *lifted* our spirits. その知らせを聞いて私たちの士気は高まった / The Naoki Prize *lifted* the novelist to fame. 直木賞を受賞してその小説家は有名になった.

lifter

III [解放する]
6 〈略〉〈禁止令・税金・包囲などを〉解除する, やめる; 〈痛みなどを〉取り除く(remove) ‖ *lift* tsunami warning 津波警報を解除する / rub one's neck to *lift* the pain 痛みを取ろうとして首をさする. **7** 〈植物を〉〈移植などのため〉掘り出す.

IV [盗む]
8 〈略〉〈物を〉〈店から〉万引きする(shoplift); 〈文章・考えなどを〉〈…から〉盗用する, 剽窃(ひょうせつ)する [from].
―― 自 **1** [通例否定文で]〈物が〉(持ち)上がる(+*off*) ‖ The kitchen window would *not lift*. 台所の窓がどうしても上がらなかった. **2** 〈雲・霧などが〉晴れる (disappear); 〈やみなどが〉明るむ; 〈あらし・雨などが〉一時的にやむ. **3** 〈気分などが〉晴れる.

lift óff [自](1) → 图 (2) 〈ヘリコプター・ミサイルなどが〉垂直離陸する. ―[自⁺] [~ *off* A]〈月面などから〉離昇する.

―― 图 (複) ~s/lífts/) **1** © [通例 a ~] **持ち上げる**[上がる]こと; (物の)持ち上がる距離, 持ち上げられる重量 ‖ give her *a lift* into the hammock 彼女を抱き上げてハンモックに入れる.
2 〈略〉[a ~] (自動車などに)(ただで)乗せること (ride) ‖ ask her for *a lift* 彼女に乗せてくれと頼む ‖ He gave me *a lift* to town. 彼は町まで乗せてくれた 《◆ ×He gave a lift to me … は不可》.
3 © 〈英〉**エレベーター**(〈米〉elevator) ‖ [対話] "Shall we take the *lift* to the third floor?" "No, let's walk up. It's good exercise." 「4階までエレベーターで行きましょうか」「いいえ, 歩いて行きましょう. よい運動になります」.
4 〈略〉[a ~] 感情[気持ち]の高ぶり ‖ **gèt a lift** 気が晴れる. **5** © [複合語で] (各種の)リフト, 昇降機 ‖ a ski *lift* [*chair*] スキーリフト. **6** © [通例 a ~] 手助け(help). **7** © 揚力.

hítch a líft = hitch a RIDE.

líft atténdant [**bòy**] 图 〈英〉(ホテル・大商店などの)エレベータ運転係.

líft trùck リフトトラック《貨物駅などで用いる小型運搬車》.

lift·er /líftər/ 图 © **1** 持ち上げる人[物]. **2** 重量挙げの選手. **3** 万引きする人.

lift·man /líftmæn/ 图 © 〈英〉エレベーター運転係 (〈米〉lift operator, 〈米〉elevator operator).

líft-òff /líftɔ̀(:)f/ 图 © (ミサイル・ロケットなどの)発射(時点).

lig·a·ment /lígəmənt/ 图 © **1** 〔解剖〕靱帯. **2** (物を結びつけている)ひも, 帯 (tie).

lig·a·ture /lígətʃùər, -tʃər | -tʃə/ 图 © **1** ひも, 包帯; 〔医学〕結紮(けっさつ)糸. **2** 縛る[くくる]こと. **3** きずな. **4** 〔印刷〕合字, 抱き字《fi, Æ など》.

***light**¹ /láit/ [類音] right, rite, write /ráit/
《「明るい」が原義》派 lighten¹ (動), lightning (名)

index 图 1 光, 明るさ 2 明かり 3 日光 6 考え方 10 火
形 1 薄い 2 明るい
動 他 1 火をつける 2 明るくする

―― 图 (複) ~s/láits/)

I [光・明るさ]
1 ⓤ **光**, 光線 《◆可視光線だけでなく紫外線・赤外線を含めることがある》; **明るさ**(↔ darkness) ‖ a ray [beam] of *light* 光線 / The sun gives us heat and *light*. 太陽は我々に熱と光を与える / How does *light* give sight? 光があればどうして物が見えるのか.
2 © 〈通例 the ~〉**明かり**《◆ electric [lamp, candle, traffic, etc.] *light* の省略表現》; 灯火, 照明; 信号, 信号灯 ‖ **Túrn ón the light.** 明かり[電灯]をつけなさい ‖ Turn right at the next *light*. 次の信号で右に曲がりなさい / *the lights* on the Christmas tree クリスマスツリーの明かり / **in the light** 明るいところに.
3 ⓤ **日光**(sunlight); 昼間; 夜明け ‖ I put up the shutters to keep out the *light*. 日が入らないようにシャッターを閉めた / The farmers get up *before light*. 農民は夜の明けないうちに起きる.
4 © [通例 a ~] (絵の)明るい部分 (↔ shade).
5 © 小窓, 明かり取り窓.

II [比喩的なこと; 知識・観点]
6 © 〈正式〉(物事の)**考え方**, 見方, 観点(view) ‖ Try to see the matter in various *lights*. いろいろな観点からその問題を見るように努めなさい / I can't view his action in a favorable *light*. 彼の行為を好意的に見ることはできない.
7 © [時に a ~] (顔の)表情, (目の)輝き, きらめき《◆幸福感・興奮を表す》‖ He had *a strange light* in his eyes. 彼の目には好奇の表情が浮かんでいた.
8 ⓤ 〈文・正式〉精神的理解; 啓発; 知識, 説明.
9 〈正式〉[one's ~s] 私見, 好み, 基準 ‖ **áct by** [**accórding to**] **one's lights** 自分の考え[能力, 宗教など]によって行動する.

III [光を発するもの]
10 © 〈略〉[通例 a ~] (点火するための)**火**, 火花; 火をつけるもの《match, lighter など》‖ **strike a light** (マッチなどをすったりして)火をつける / "Can you give me [Do you have] *a light* for my cigar? 葉巻きの火を貸してくれませんか.
11 [~s] フットライト, 脚光.
12 © 〈略〉指導者, 名士, 巨星 ‖ a leading *light* in linguistics 言語学の大家.

bríng A to líght 〈正式〉〈証拠などを〉明るみに出す, 暴露する(reveal).

by the líght of náture 直覚で, 自然に.

cást light on [**upon**] A =shed LIGHT on.

cóme to líght 〈正式〉〈秘密などが〉明るみに出る ‖ It *comes to light* that ... …ということが世に出る.

in a bád light (1) よく見えないように. (2) 悪い点を強調して. (3) 不利な立場に.

in a góod light (1) よく見えるように. (2) よい点を強調して. (3) 有利な立場に.

in (the) líght of A 〈正式〉…を考慮して; …の観点から《◆〈英〉では the を伴うのがふつう》.

sée the líght (1) 〈文〉[see the ~ (of day)] 〈人が〉生まれる; 〈物が〉日の目を見る, 公表[出版]される. (2) 〈人が〉前に反対した考えなどを受け入れる, 翻意する, 改宗する. (3) (失敗の後)正しい筋道がわかる; [問題などを]理解する[on].

sét líght to A …に火をつける.

shéd [**thrów, cást**] **líght on** [**upon**] A …をより明確にさせる, 説明する《◆ light に no, much, little, fresh, new などの形容詞がつくこともある》‖ Her letter *cast* (a) new *light on* the matter. 彼女の手紙がその問題に新たな光を投げかけた《◆比喩的の「光」は無冠詞がふつう》.

stánd in A's líght (1) 〈人の〉光をさえぎる. (2) 〈人〉の進歩[成功]の邪魔をする.

stánd in one's **ówn líght** (1) 自分で自分の仕事の

邪魔をする. (2) 自ら不利を招く.
thrów líght on [upòn] A =shed LIGHT on.

—形 (通例 ~・er, ~・est) **1** [しばしば複合語]〈色が〉**薄い**, 淡い(light-colored);白みがかった(↔ dark) ‖ The girl has a *light* complexion. その少女は色白だ / She is dressed in *light* green. 彼女は薄緑色の服を着ている.
2〈場所が〉**明るい**(↔ dark) ‖ The room is not *light* enough for sewing. その部屋は針仕事をするほど明るくはない / It *gets light* before six at this time of (the) year. 今頃は6時前に明るくなる.

—動 (過去・過分) lit/lít/ or ~・ed/-id/; ~・ing) ◆過去分詞は, 副詞なしで名詞の前で用いる形容詞用法と他 **4** では ~ed, それ以外では lit がふつう)

—他 (略式) **1**〈人が〉〈タバコ・燃料などに〉**火をつける**, 点火する;〈火を〉つける, もやす(+up) ‖ *light* the gas ガスに火をつける / *light* a fire in the fireplace 暖炉で火をもやす / a *lighted* [*lit*] cigarette 火のついたタバコ.
2〈光などが〉〈場所・物を〉**明るくする**, 照らす;〈人が〉〈物に〉明かりをつける(+up) ‖ The chandelier *lit* [*lighted*] up the room. シャンデリアが部屋を明るくした / The moon *lit* [*lighted*] up the way. 月が道を照らした.
3〈微笑・知らせなどが〉〈顔・環境などを〉明るくする, 輝かせる(+up) ‖ The news *lit* [*lighted*] up her face. 知らせを聞いて彼女の顔は明るくなった.
4〈人などを〉明かりをつけて[…へ]案内する(to, into).

—自 **1**〈燃料が〉火がつく, 燃えつく. **2**〈顔・目などが〉[…で]明るくなる, 輝く(+up)(with). **3** (英)(夕方に)街路・車の)明かりがつけられる(+up). **4** (略式)タバコ[パイプ]に火をつける(+up).

líght bùlb 電球.
líght mèter 照度計;(特に)露出計.
líght pèn [コンピュータ] ライトペン《画面に触れることで入力する》.
líght pipe 光ファイバー(optical fiber).
líght pollùtion 過剰照明公害.
líght shòw ライトショー《多彩な照明によるショー》.
líght yèar [天文] 光年.

*****light²** /láit/ 名 [「重さが軽い」が本義] 派 lighten² (動), lightly (副)

index 形 1 軽い 3 少ない 5 軽快な 6 陽気な

—形 (通例 ~・er, ~・est)
I [物理的に軽い]
1 軽い(↔ heavy);比重の小さい;[補語として] 量目不足の ‖ The suitcase is *light* enough for me to carry. スーツケースは私に持てるくらいの軽さだ / Hydrogen is the *lightest* gas. 水素は一番軽い気体である.
2 [軍事] 軽装備の;〈鉄道・船などが〉軽量荷物用の;〈機関車が〉車両を連結していない;〈船が〉荷を下ろした[積んでいない]《比較変化しない》.
II [程度が小さい・量が少ない]
3 [通例名詞の前で]〈量が〉**少ない**,〈程度・力などが〉小さい ‖ Here in winter we have only a *light* snowfall. ここは冬ほんのわずかしか雪が降りません / The traffic is *light* this morning. 今朝は交通量が少ない.
4 [通例名詞の前で]〈罰・仕事・病気・税・打撃などが〉軽い, きびしくない;容易な;〈風が〉穏やかな ‖ *light* work 軽労働.

III [気分が軽やかな]
5 軽快な,〔足取りに〕軽やかな(on, of) ‖ walk *with light steps* 軽い足取りで歩く / *light on one's feet* 足が軽い(=light-footed) / She is a *light* dancer. 彼女は軽やかに踊る(=She dances lightly.).
6 (文) [通例名詞の前で] 苦労(心配, 悲しみ)のない;〔心が〕**陽気な, 快活な**(lighthearted)(of) ‖ *in a light mood* 楽しい気分で
7 [通例名詞の前で]〈本・音楽・役者などが〉娯楽の, 肩のこらない(↔ serious) ‖ *light* conversation 内容のない会話 / *light* reading 肩のこらない読み物.
IV [やわらかい]
8〈食物が〉消化しやすい, 味が薄くて胃にもたれない;[通例名詞の前で]〈酒が〉アルコール分の少ない;〈飲食物が〉低カロリーの《商品名では しばしば lite とつづる》;〈人の食が〉細い, あまり酒を飲まない. **9**〈土が〉くだけやすい, 砂気(")の多い.
V [しっかりしていない]
10 軽率な, 気まぐれの(light-minded);〈気持ち・目的などが〉変わりやすい ‖ (*as*) *light as a bútterfly* 非常に気をれない, 目まいがする *light in the head* 頭がくらくらして. **12**〈女(の行為など)が〉ふしだらな, 身持ちの悪い.

màke líght of A〈物・人〉を軽視する;…を大したことではないと思う《受身可》.

—副 (通例 ~・er, ~・est) 軽く;容易に《◆ lightly の方が一般的》‖ *travel light* 身軽に旅行する / *Light come, light go.* → lightly **5**.

líght áir [気象] 至軽風《秒速 0.3-1.5m. → wind scale》.
líght áircraft 軽飛行機.
líght brèeze [気象] 軽風《秒速 1.6-3.3m. → wind scale》.
líght héavywèight [ボクシング] ライトヘビー級の(選手) (→ boxing).
líght hórse 軽騎兵隊.
líght índustry [índustries] 軽工業.
líght músic 軽音楽.
líght ópera 軽歌劇, オペレッタ.
light-colo(u)red /láitkʌ̀lərd/ 形 薄色の, 色の薄い.
†**light-en¹** /láitn/ 動 他 **1** …を明るくする, 照らす(↔ darken) ‖ A candle *lightened* the gloomy room. ろうそくの光で薄暗い部屋が明るくなった. **2**〈色〉を薄くする. **3**〈顔などを〉晴れやかにする.
—自〈空·顔などが〉明るくなる;〈目などが〉輝く.
†**light-en²** /láitn/ 動 (正式) 他 **1**〈人が〉〈物を〉軽くする,〈船などの〉荷を少なくする ‖ He *lightened* his bag by removing a dictionary. 彼は辞書を出してかばんを軽くした(=He made his bag *light* …) / The plane was *lightened* of its load. 飛行機は荷を軽くした. **2**〈税·罰など〉を軽減する. **3**〈心·気持ちなど〉を元気づける, 安心させる, 軽くする. —自〈物が〉軽くなる;〈負担などが〉楽になる;〈気分が〉元気[陽気]になる ‖ Her heart *lightened* when she saw her son home safe. 息子が無事に帰宅したのを見て彼女はほっとした.
light·er /láitər/ 名 ⓒ 火をつける人[物];(タバコ用)ライター.
light-er-than-air /láitərðənéər/ 形〈気球·飛行船が〉(排除している)空気より軽い.
light-face /láitfèis/ 名 ⓤ [印刷] 肉細の活字(↔ boldface).
light-hand·ed /láithǽndid/ 形 **1** 手先の器用な. **2** ほとんど手ぶらの. **3** 人手不足の.

light-head·ed /láithédid/ 形 **1** 軽薄な, 思慮のない; 愚かな. **2** めまいのする.

†**light-heart·ed** /láithɑ́ːrtid/ 形 **1** 快活な, 陽気な. **2** いやに楽天的な, のんきな. **líght-héart·ed·ly** 副 快活に; のんきに.

†**light·house** /láithàus/ 名 C 灯台 ‖ a *lighthouse* kéeper 灯台守.

†**light·ing** /láitiŋ/ 名 U **1** 点火, 点灯. **2** 照明装置 [方法]. **3** 照明, (絵・写真の)照明効果.

†**light·ly** /láitli/ 副 **1** 軽く, そっと ‖ tap *lightly* on the door 軽く戸をたたく / The bird rested *lightly* on a twig. 鳥は小枝にそっと止まった. **2** 《通例否定文で》軽率に, 軽々しく, 軽んじて ‖ don't *think lightly of* her. 彼女を軽視すべきではない. **3** 少し, 軽く, ちょっと ‖ *sleep lightly* ちょっと眠る. **4** 軽やかに, 軽く ‖ skip *lightly* around 軽快に跳び回る. **5** すばやく, 容易に ‖ Fame is not won *lightly*. 名声は簡単には得られない / *Lightly come, lightly go.* 《ことわざ》得やすいものは失いやすい;「悪銭身につかず」《◆ *lightly* の代わりに *light* ともする》. **6** 陽気に, 快活に ‖ accept the refusal *lightly* 平気でことわりを受け止める. **7** 冷淡に, 無関心に ‖ They *spoke lightly of* him. 彼らは彼をけなした.

light-mind·ed /láitmáindid/ 形 軽率な, 不まじめな.

†**light·ness**¹ /láitnəs/ 名 U **1** 明るいこと, 明るさ. **2** (色の)薄さ, 白さ; 薄い色. **3** 照明度.

†**light·ness**² /láitnəs/ 名 U **1** 軽いこと. **2** 軽快さ, 機敏さ. **3** 優美さ. **4** 陽気, 快活. **5** 軽率.

†**light·ning** /láitniŋ/ 名 U 稲妻, 電光, 電光 (cf. thunder) ‖ a flash of *lightning* 稲光 / move like greased [a streak of] *lightning* 《略式》とてもすばやく動く / *Lightning never strikes twice in the same place.* 《ことわざ》雷は同じ場所に二度落ちない;「同じ事には二度とない」. ── 形 電光石火の, すばやい ‖ *with* [at] *lightning* speed 電光石火の速さで. ── 動 (時に it を主語にして) (空などが)稲光を出す.

líghtning arréster 避雷器.

líghtning bùg 《米》ホタル (firefly).

líghtning ròd 《米》[《英》**condúctor**] 避雷針.

líghtning strìke (1) 雷に打たれること. (2) 不意打ちストライキ.

light·some¹ /láitsəm/ 形 《詩》**1** 光を出す [反射する]. **2** 明るい, 光あふれる.

light·some² /láitsəm/ 形 《詩》**1** (動きの)軽快な; 優美な. **2** のんきな; 陽気な. **3** 軽率な.

†**light·weight** /láitwèit/ 名 **1** 標準重量以下の人 [動物]. **2** 《ボクシング》ライト級の選手 (→ boxing). **3** とるに足らぬ人, 軽薄な人, つまらぬ奴. ── 形 **1** 軽量の. **2** ライト級の. **3** 《略式》ライト級の.

lig·nite /lígnait/ 名 C 《鉱物》亜炭, 褐(かっ)炭.

lik·a·ble, like- /láikəbl/ 形 《人が》好感の持てる, 魅力のある, 好ましい.

*★**like**¹ /láik/ [「喜ばせる」が原義] 動 liking (名)

index 動 他 **1** 好きである **3** …してほしいと思う 自 好む

── 動 (~s/-s/; 過去・過分 ~d/-t/; lik·ing)
── 他 **1**〈人が〉〈人・物・事が好きである, …を好む; …が気に入っている; …を楽しむ《◆進行形不可》(↔ dislike) ‖ I *like* comics [ˣa comic]. 私は漫画が好きです《◆ ■ 一般的な好みをいう場合, 目的語は複数形がふつう》/ I *like* her very much [《略式》a lot]. 私は彼女がとても好きです / I don't much *like* modern art. 現代美術はあまり好きではない《◆ much は文尾でもよい》/ He *likes* cats *better* [*more*] *than* dogs. 彼は犬よりも猫の方が好きだ (→ love 他 **1**).

語法 (1) 次の構文では進行形は可: How are you *liking* your new job? =Hów do you *líke* your new job? 新しい仕事は気に入っていますか 《◆ 好きか嫌いかまだ気持ちが決まっていないと思われる時に進行形を使う. ➡文法 5.2(5)》.
(2) 目的語が物の場合ふつう受身は不可: ˣCandy is *liked* by my children.
(3) 目的語が人の場合で, 動作主が(不)特定多数のときは受身で可: The girl is *liked* by everybody in her class. 彼女はクラスの全員に好かれている. cf. ˣThe girl is *liked* by him.
(4) 次のように副詞(節)とそれに関連して漠然とその状況を表す it を伴って慣用的に用いられる. love も同様: I *like it* here. ここが好きだ《◆ it は漠然と状況を受ける》/ We *like it* when we are playing. 遊んでいる時が好きです.

---

2 [like to do / like doing]〈人が〉…するのが好きである [よいと思っている], …することを好む; 《慎重を期していて》…することにしている《◆ ■ 一般には to do と doing は交換可能であるが, 厳密には doing は一般的なこと, または過去の体験済みのこと, to do は一時的な行為, または未体験・未来の行為について用いる. 特に「…するのがよいと思っている」で to do が好まれる. ➡文法 12.7(3)》‖ Children *like* play*ing* more than studying. 子供は勉強より遊ぶ方が好きだ / She *likes to* go for a walk on Sundays. 彼女は日曜日には散歩に行くことにしている / I don't *like to* disturb her when she is busy. 彼女が忙しくしている時は邪魔はしたくない / I don't *like* writ*ing* to my mother for money except when I have to. どうしても必要な時以外は母に無心の手紙を書きたくない.

3 [like **A** to do / like **A** doing]〈人が〉**A**〈人・物〉に…してほしいと思う, **A**が…するのを好む ‖ I don't *like* you idl*ing* away your time. 君にぶらぶら時間を費やしてもらいたくない / I don't *like* them *to* be reading when guests are here. 客が来ている最中に彼らに読書なんかしていてもらいたくない.

4 [like **A C**]〈人が〉**A**〈物・事〉が **C** であるのを好む; 望む《◆ **C** は形容詞・分詞》‖ I *like* my lunch hot. 昼食は温かいのがよい;(⌢)温かければ昼食をいただきます《◆【対話】 "Hów do you *líke* your shrímp?" "I *like* it fried."「エビはどのように料理したのが好きですか」「フライが好きです」《◆ (1) 質問の文だけなら「あなたの食べているエビの味はいかがですか」という意味もある. ➡成句 How do you LIKE? (2) How would you like your shrimp? はボーイが客に注文を取るときなどの一回限りの好みについて聞く場合》.

5〈物〉を望む, …が欲しい《◆ 常習的な場合についていう》‖ What do you *like for* breakfast? 朝食には何がいいのですか.

6《略式》[否定文で]〈食物が〉〈人〉の(からだ)に合う, 適する ‖ I *like* eggs but they don't *like* me. 卵は好きなんだがからだに合わない.

── 自〈人が〉**好む**, 望む ‖ Do *as* you *like*. 好きなようにしなさい / Come whenever you *like*. いつでもお好きな時に来てください.

***Hów do you líke ...?** (1)(好き嫌いについて)…はどうですか；…はどうしましょうか[どう思いますか] ‖ 〖対話〗"*How do you like* your new dress?" "Very much." 「新しいドレスはどうですか」「とても気に入っています」. (2)→ 他 4.

I'd like to do …したいと思います, …します《◆I want to do よりていねい. I'd love to do は「ぜひ…したい」という強い気持ちを表す》.

if you like (1)〖同意・提案を表すていねいな表現として〗よろしかったら ‖ I will be óver tomorrow *if you like*. よろしかったら明日うかがいます. (2)《略式》そう言いたければ(…といってもよい) ‖ Very well, I am óbstinate *if you like*. (↘) 私を強情だとおっしゃるならそれで結構です.

like it or nót 好むと好まざるとにかかわらず.

like it that …〘文〙…ということを好む, …してほしいと思う ‖ I *like it that* you tell the truth. 諸君には真実を話してもらいたい.

***I would [should] like ...** 〘=《略式》I'd like ...〙 (1)…が欲しい(のですが)《◆want のていねい表現》‖ I *would like* sandwiches for lunch. 昼食にサンドイッチが欲しいのです《◆I want sandwiches for lunch. よりも多く使われよりていねいな表現》. (2)〖…〗したいのですが〘to do〙《◆(1) doing はふつう不可. I *want to do* のていねい表現》‖ I'd *like* 「to sit [ˣsitting] in the garden. 庭の中に座っていたいのですが / I *would like to* live on Mars. 火星で暮らしたいものだが《◆実現不可能な望みなので, want は用いない》. (3)〖…〗したかったのだが〘to have done〙‖ I *would like to have come* to the party. パーティーには行きたかったのですが《◆実現しなかった願望》. (4)《人・事物に》〖…〗させていただきたいのですが〘to do〙‖ Mother *would like* (《米略式》for) you *to* come to the kitchen. 母があなたに台所へ来ていただきたいと申しています.

〘語法〙(1)一人称の場合のみ《主に英正式》で should を用いる.
(2)話す場合にはふつう I'd のように縮める.
(3)I'd *like* you *to* tell the truth. (君たちには真実を言ってもらいたい)が標準型だが, 次のような型も用いられる. ただし, 確立した型ではない: I'd *like* (it) for you *to* tell the truth. it と for 句との間に修飾語が入ると it は省略されない: I'd *like* it very much for you *to* tell the truth.

***Would you like A?** …はいかがですか《◆人に物をすすめるのに用いる: Do you want ...? のていねい表現》‖ *Would you like* a drink? お飲みものはいかがですか《◆受ける場合は Thank you, I'd like one very much. が最もていねい. 断る場合は No, thanks. I 「won't have [don't want] anything, thanks. などとなる. No, I wouldn't. はぶっきらぼうな拒絶を表すのでふつう用いない》.

***Would you like to do?** (1)〖提案・勧誘〗…なさいますか, …なさいませんか ‖ *Would you like to* come with me? 一緒においでになりますか (2)〖依頼〗…していただけませんか.

— 名 〘～s〙好み, 好きなこと ‖ *líkes* and díslikes 好き嫌い《◆この場合, 対照をはっきりさせるため dis- に強勢が置かれる》.

***like**² /láik/ 〘「似ている」が本義〙派 likely(形・副), likeness(名), likewise(副)

— 形 (more ～, most ～；〘主に詩〙～r, ～st) **1**《正式》〖名詞の前で〗(ほぼ)同じの, 同じ形[種類, 量]の；似ている, 類似の《◆比較変化しない》‖ two skirts of *like* design 同じデザインの2枚のスカート / Respond in *like* manner to the following questions. 次の質問に同じように答えよ.

2《略式》〖補語として〗似ている(alike)《◆通例次の句で》‖ (*as*) *like* as ⌈twó péas (in a pod)〘two beans〙とてもよく似て《◆人にも物にも用いる》.

3〘古・方言〙〖補語として〗〖…〗しそうで(likely)〘to do〙.

Thát's mòre líke it!《略式》ずっとよくなった；そうだ, それならよい(=That's better [more satisfactory].)《◆やり直しなどして正しくできた時の賛成・激励の言葉. it はあるべき状態・行為・表現などをさす》.

— 前 **1 a** …に似た, …のような；…に同様の特質のある ‖ My house *is* (very much) *like* mine. 彼女の家は私の家と(たいへん)似ている《◆very だけでも可, また so, just, exactly, almost などで修飾できる》/ He is more *like a father* to me than my own father. 彼は私にとって父親みたいな人だ.

b 〖名詞の後で〗…のような ‖ *in cases like this* このような場合に(=in such cases / in such cases as this) / I have a dress *like* yours. あなたのドレスに似たようなのを持っているわ《◆会話では前置される名詞が省略されることがある: "I want to do something enjoyable." "*Like* a party?" 「何か楽しいことをしたいね」「たとえばパーティー？」」/ *Like what?* たとえば(どのような)？《◆For example? よりくだけた表現》.

2 〖通例 like ＋名詞で動詞を修飾して〗…と同じように, 同じ方法で, …と同じ程に ‖ work *like a maid* 女中のように働く《◆work as a maid 女中として働く」の意. → as 前 1》 / sleep *like a log* 死んだようにぐっすり眠る / *Like many Americans*, he is very friendly. 多くのアメリカ人と同様に彼は気さくだ / He sounds *like an announcer*. 彼はアナウンサーのような声だ / Democracy is not exportable like food or cement. 民主主義は食料とかセメントとは違って輸出できるものではない / I'm nòt táll (↘) *like* yóu. (↗) =*Like you* (↘), I'm nòt táll. (↘) 君と同じで私も背が高くない《◆I'm nòt táll. (君は背が高いが, 私はそのようには高くないでは ˣ*Like you*, …とはならない》/ *Like mother*, *like daughter*. 〘ことわざ〙《略式》この母にしてこの娘あり；親が親なら子供も子供だ《◆よい意味でも悪い意味でも用いる. *Like father, like son*. も同じ》/ 〖ジョーク〗No one writes fiction *like* the weather forecaster. 気象予報士のようにフィクションを書ける人はいない.

3 《略式》〖しばしば it is ～ ＋ 名詞 ＋ to do〗…らしく, …の特徴を示して ‖ I'm nòt *like* myself today. 今日はいつもの自分ではないようだ / *It is* just *like* him *to* forget his birthday. 自分の誕生日を忘れるなんていかにも彼らしい(=That's just *like* him. He forgot ...).

just like that → just 副.

like só 《略式》こういうふうにして.

like thát 〖形・副〗あのように[な].

like thís 〖形・副〗このように[な].

sómething like ... (1)いくぶん…のような ‖ This feels *something like* silk. これはちょっと絹のような肌ざわりです. (2)〘数量〙がおよそ[約]…で ‖ The book runs to *something like* 250 pages. 本はざっと250ページある. (3)《略式》〖like に強勢を置いて〗たいした…だ.

*Whát is A líke? 〈人・物・事は〉どのようなものですか, どういう様子ですか〈◆おおよその概念・性格・外観などを尋ねる〉∥ *What's* your new school *like*? 新しい学校はどんなですか(=How is your new school?) / *What* is it *like* in town? 町はどんな様子ですか〈◆it は漠然と状態を表す〉.

— 副 **1** (古) [~ enough, very [most] ~] たぶん, おそらく(very [quite] probably) ∥ *Like enough* it will rain before morning. たぶん明け方は雨だろう. **2** (俗) **a** [通例文尾で] いわば, …みたい ∥ It was an accident *like*. それはいわば事故だった. **b** (米) [文頭・文中・文尾で] まあ, その〈◆つなぎの言葉としてほとんど意味なく用いる. 前後にポーズをおいたり, 発話を再開するときに文頭で用いることがある〉∥ I mean *like* you should go. まあ行ったらどうだね. **c** たとえば. **3** (非標準) [動詞・形容詞のあとで] いくらか, ある程度. **4** (非標準) [数詞の前で] およそ.

(as) líke as nót =(as) LIKELY as not.

nóthing líke … とても…どころではない, …にはほど遠い ∥ She's *nothing like* so pretty as you. 彼女はかわいさではとてもあなたに及ばない.

— 接 **1** (略式) 〈…のように, …と同じように〉(as well as)〈◆*like* 節中の動詞はふつう do〉∥ She swims *like* I do. 彼女は私と同じように泳ぐ / Winston tastes good *like* a cigarette should! ウィンストンは巻きタバコの本当の味がする《タバコ会社の昔の宣伝文》/ She wears no makeup *like* other girls do. 彼女は他の女の子と違って化粧をしない. **2** [しばしば look [sound, feel] ~] まるで…のように(as if)〈◆*like* 節中では仮定法の動詞も用いられることがある. 書き言葉では as, as if が標準的〉∥ **It lóoks [sóunds] líke** the exhaust pipe needs repairing. 排気管は修理が必要のようだ(=It seems that the exhaust pipe needs repairing.). **3** (米略式) [直接引用部を導入して] …ということ ∥ He asked me out, but I was *like*, "No way." 彼がデートに誘ったけど私は「いやよ」って感じだった.

— 名 C [the/one's ~; 通例疑問文・否定文で] 似た人[物]; 同様な人[物]; 匹敵する人[物] ∥ We will never see「Sam's *like* [the *likes* of Sam] again. サムのような人には二度と会えないだろう / Have you ever seen [heard]「*its like* [the *like(s)* (of it)]? そのようなものを見た[聞いた]ことがありますか(=Have you ever seen [heard] anything like it?).

and (all) the líke (略式) および同種[同類]のもの, など.

or the líke または同様のもの.

-like /-laik/ (語要素) →語要素一覧(2.1).

líke·a·ble /láikəbl/ 形 =likable.

†**like·li·hood** /láiklihùd/ 名 **1** U (…の/…という) 可能性, 見込み, 公算(*of*/(*that*) 節); C (具体的な何かの) 見込み ∥ Is there any *likelihood of* his [him] coming on time? =Is there any *likelihood that* he will come on time? 彼が時間通りに来る見込みはありますか(=Is it *likely that* he will come on time?) / Is he *likely* to come on time?) / There is **a strong [great, good, ×high]** *likelihood of* snow tonight. 今夜はおそらく雪になるだろう〈◆high を用いる人もあるがふつうは避けられる〉.

in áll likelihood おそらく, 十中八九(in all probability)〈◆可能性としては 90–95%〉.

•**líke·ly** /láikli/ [← like²] 派 likelihood (名)
— 形 (more ~, most ~; 時に -**li·er**, -**li·est**)

I [可能性がある]

1 ありそうな, 起こりそうな; [A is likely to do =it is likely (that) 節] A〈人・物・事〉は…しそうである, たぶん…するであろう〈◆that 節にはふつう will を用いる〉(↔unlikely)(→ apt, liable) ∥ A rise in the price of sugar seems *likely*. 砂糖の値上がりがありそうに思われる / He *is* most *likely to* succeed. =He is the most *likely* person to succeed. 彼は最も成功しそうだ(=It is very probable that he will succeed.) / He *is likely to* live to ninety. =**It** *is likely* (*that*) he will live to … 彼は 90 歳まで生きられそうだ〈◆×It is likely for him to live …は不可〉/ There *is likely to* be a strong reaction. 強い反動が起こる恐れがある. =A strong reaction is *likely* to happen. 強い反動が起こる恐れがある.

2 (英格式) 有望な, 見込みのある, 成功しそうな ∥ a *likely* young man 前途有望な青年.

II [似ている・適切な]

3 [名詞の前で] もっともらしい, 本当らしい ∥ make up a *likely* excuse for being absent 欠席のもっともらしい言い訳をでっち上げる / (That's) a *likely* stòry [tàle]. (↘) (略式) そいつは怪しい話だ, どうだかね〈◆反語用法. 「ありそうな話だ」では a *líkely* stóry [tále].〉

4 [名詞の前で] [（…するのに）適切な, 格好の(*to do*); [（…に）あつらえ向きの (*for*)] ∥ a *likely* man *for* chairman 議長にあつらえ向きの人 / June 5 is「the *likeliest* [the most *likely*] date for our wedding. 6 月 5 日が私たちの結婚式にはいちばん適当な日です.

— 副 たぶん, おそらく〈◆ (英) ではふつう very, most, quite, more を前に置き, 単独では用いない〉 ∥ He will *likely* be in Paris tomorrow. 彼はたぶん明日はパリにいるだろう〈◆可能性としては 50%かそれ以下〉/ **Most** [**Very**] *likely* she will refuse the offer. 彼女はおそらくその申し出を断るだろう〈◆可能性としては 60–65%ぐらい〉.

(as) líkely as nót =**móre líkely than nót** =**móre than líkely** 【it is as likely as it is not like の短縮表現】(英正式) [通例文頭で] たぶん, おそらく(most likely)〈◆可能性としては 60–65%ぐらい〉.

Nót (blóody) líkely! (1) (主に英略式) とんでもない〈◆強い否定〉. (2) たぶんそんなことはないでしょう.

líke·li·ness 名 U 可能性, 見込み.

†**lik·en** /láikn/ 動 他 (正式) …を [（…に）たとえる, なぞらえる](*compare*)[*to*, (まれ) *with*] ∥ Society is *likened to* a hive of bees. 社会はミツバチの巣にたとえられる.

†**like·ness** /láiknəs/ 名 **1** U [（…に）（よく）似ていること (*to*), (…の間の) 類似 (*between*)]; C [（…の）…の間の) 類似点 (*to/between*)] (→ similarity) ∥ There's not much *likeness between* the twins. その双子はあまり似ていない / She bears a strong *likeness to* her mother. 彼女は母親に大変よく似ている. **2** C (古) 肖像画, 似顔絵, 写真; 彫像; よく似た人[物]. **3** U [（…の）形] 似姿 ∥ appear on the stage *in the likeness of* a lion ライオンの格好をして舞台に出る.

†**like·wise** /láikwàiz/ 副 (正式) **1** 同じように, 同様に ∥ He hated her, and she hated him *likewise*. 彼は彼女を憎んだが, 彼女も同じように彼を憎んだ. **2** さらに (moreover); また (also) ∥ I must go now, and he *likewise*. 私はもう行かなければならないが彼も

†**lik·ing** /láikiŋ/ → like¹. ——名 **1** [a ~][…に対する]好み, 愛好(for, to)‖ He has a liking for puppies [playing seesaw]. 彼は子犬[シーソー遊び]が好きです(=He is fond of puppies [playing seesaw].) / I took an enormous liking to her. 彼女がとても好きになった. **2** ⓤ [通例 one's ~] 趣味, 嗜好(ど)‖ It's not my liking to go out after dark. 暗くなってから外出するのは私の好みではない.
to A's **liking** (正式) [時におおげさに] 〈人〉の好みに合った[合わせて]‖ The coffee was not much to my liking. そのコーヒーは私の口に合わなかった.

†**li·lac** /láilək (米+) -la:k, -læk/ 名 **1** ⓒⓤ 〖植〗ライラック, リラ《米国 New Hampshire の州花. 英国ではよく邸宅入口にライラックとキングサリを左右に並べて植える》‖ a bunch of lilacs ライラックの花の1房. **2** ⓤ 藤色, 薄紫色. ——形 薄紫色の‖ lilac dress 薄紫色のドレス.

Lil·li·put /lílipʌt, -pət/ (英+) -put/ 名 リリパット《Swift の Gulliver's Travels に出てくる小人国》.
lil·li·pu·tian /lìlipjúːʃən, (英+) -ʃjən/ [通例 L~] 形 小人国の; 〈文〉とても小さい, つまらない. ——名 小人国の住民; 小人; 狭量な人.

lilt /lílt/ 名 ⓒ 陽気で快活な調子の歌[曲, 話し方]; 軽快な動作. ——動 ⓘ (…を)調子よく[快活に]歌う[話す]. **lílt·ing** 形 軽快な調子の.

lil·y /líli/
名 (複 --ies/-z/) ⓒ **1** 〖植〗 ユリ, ユリの花 ‖ (as) pure as a lily ユリのように清らかな / Shall we pick lilies on the hill? 丘でユリの花を摘みましょうか. **2** 純潔[純白]な人[物]; [形容詞的に] ユリのように白い, 清純な ‖ a lily hand [maid] ユリのように白い手[清純な乙女]. **3** [the lilies] (フランス王家の) ユリの紋.
gild the lily 〈英〉(すでにとても良いものを)さらに良くしようとしてだめにしてしまう.
lily of the válley 〖植〗スズラン《乾燥した根《薬用》.
the líllies and róses 美貌(ぼう).
líly pàd スイレンの浮いている葉.

Li·ma /líːmə/ 名 〖地〗リマ《ペルーの首都》.

†**limb** /lím/ [発音注意] 名 ⓒ (正式) **1** (人・動物の) 肢(し), 手足 (の1本)≪腕(arm), 脚(ぎ) (leg), ひれ(fin), (鳥の) 翼(wing) など. しばしば女性は足の遠回しな語として用いる》‖ rest one's tired limbs 疲れた手足を休める / He has large limbs. =(正式) He is large of limb. 彼は手足が大きい / cross one's four limbs 四つんばいで. **2** 手, 足状の物; 十字架の腕木; 大枝; (文の) 句, 節 ‖ a limb of the sea 入江.
óut on a límb 〖枝(limb)の上に追い払われて〗(out 副 **14**)] [しばしば go, climb と共に] 困難[不利, 危険]な立場で; (支持がなく)孤立した ‖ I don't want to go out on a limb. 危ない橋は渡りたくない.
límb·less 形 手足[枝]のない.
-limbed /-límd/ [語素] →語素一覧(1.2).

lim·ber /límbər/ 形 (正式) (訓練の結果) しなやかな, 柔軟な; 軽快な(↔ stiff).
——動 ⓘ (運動前に) (筋肉などが) しなやかになる. ——ⓣ 筋肉をしなやかにする.

lim·bo¹ /límbou/ 名 [しばしば L~] ⓤⓒ 〖キリスト教〗リンボ, 地獄の辺土《地獄と天国の中間にあり, キリスト降誕以前の善人や洗礼を受けなかった幼児の霊魂が住む所とされる》.

lim·bo² /límbou/ 名 ⓒ リンボーダンス.

†**lime**¹ /láim/ 名 ⓤ 〖化学〗石灰 ‖ caustic [quick] lime 生石灰 / slaked [slack] lime 消石灰. **2** (古) 鳥もち. ——動 ⓣ …に石灰をまく; …を石灰で消毒する[処理する]; (英) …を石灰に浸す.

lime² /láim/ 名 ⓒ 〖植〗ライム《ミカン科》; その実; ⓤ ライムの飲み物; ⓤ =lime green.
líme gréen (ライムの実の) 緑色.
lime·ade /láimèid/ 名 ⓤ ライムエード《ライム果汁に砂糖・水などを加えた飲み物》.
líme jùice /láidʒùːs/ 名 ⓤ ライム果汁《ジンとまぜて飲む》.
lime·kiln /láimkìln, -kìl/ 名 ⓒ 石灰焼きかまど.
lime·light /láimlàit/ 名 (正式) **1** ⓤ 石灰光; (今は古) ライムライト《昔の舞台照明用》; (英) スポットライト. **2** [the ~] 注目の的 ‖ **in the limelight** 脚光を浴びて, 目立って.

†**lim·er·ick** /límərik/ 名 ⓒ 〖詩学〗リメリック《弱弱強調で aabba と押韻するこっけいな内容の5行詩》.
†**lime·stone** /láimstòun/ 名 ⓤ 〖鉱物〗石灰岩[石].

*__lim·it__ /límit/ [〖境界〗が原義] 派 limitation (名)
——名 (複 ~s/limits/) ⓒ **1** [しばしば ~s] (最大・最小の) 限度, 限界 ‖ the limits of one's abilities 能力の限界 / 〖対話〗"What's the speed limit here?" "It's 60 miles per hour." 「ここの制限速度はどのくらいですか」「時速60マイルです」/ There is a limit to everything. すべてのものには限界がある / I was at the limit of my patience. 我慢の限界だった.

[関連] [いろいろな種類の limit]
age limit 定年 / legal limit 法定制限 / lower limit 下限 / speed limit 制限速度 / time limit 制限時間 / upper limit 上限.

2 (正式) [通例 ~s; 単数扱い] 境界(線), 範囲, 制限 (boundary) ‖ **Off [On] límits** 〈主米〉立入禁止[自由]区域 / **outside [within] the city limits** 市外[内]で.
3 (略式) [(just) the ~] (我慢の)極限 ‖ **That's the (absolute) límit.** もうたくさんだ / She really is (just) the límit! 彼女にはとても我慢ならない.
gò to ány límit どんなことでもする.
sét a límit to A =**pút [sét] a límit on** A …を制限する.
within límits 適度に.
——動 (~s/-its/; 過去・過分) ~ed/-id/; ~ing/) ⓣ (を…に) 制限する, 限定する(to) ‖ Parking is limited to 30 minutes. 駐車は30分以内です.

*__lim·i·ta·tion__ /lìmitéiʃən/ [→ limit]
——名 (複 ~s/-z/) **1** ⓒⓤ (正式) 制限, 限度, 限界 (limit); 極限(状態) ‖ the limitation of [on] nuclear weapons 核兵器の制限.
2 ⓒ [通例 ~s] [自己の] (能力・行動などの) 限界(on, in); (規則・事態などの) 限界 ‖ know one's limitátions 自分の能力の限界を知っている. **3** ⓒ 〖法律〗出訴期限; その時効.

†**lim·it·ed** /límitid/ 形 **1** […に]限られた, 有限の(to) (↔ unlimited); […の点で]わずかの, 乏しい(in) ‖ limited ideas 偏狭な考え / He is limited in ability. 彼の能力は十分でない / He has limited funds. 彼は資金が限られている. **2** 〈米〉(列車などの) 乗客数[停車駅]制限の, 特別の ‖ a limited express 特急列車.
——名 ⓒ 〈米〉特別列車[バス].

límited edítion 限定版.
límited liabílity 有限責任.
límited liabílity còmpany, límited cómpany (主に英) 有限責任会社 (略 Ltd) (→ corporation) (cf. incorporated).
límited wár 局地戦争.
lim·it·ing /límitiŋ/ 形 制限する, 限定的な (↔ limitless).
†**lim·it·less** /límitləs/ 形〈供給などが〉無限の, 無制限の[期限の] (↔ limiting).
†**lim·ou·sine** /líməzìːn, ˌ–ˈ–, ˌ–ˈ–/ 名 C リムジン《運転席と客席の間がガラス窓のある隔壁で仕切られたふつう黒色の大型自動車. 元首・高官用》◆仕切りのないふつうの型の乗用車は sedan〔(英) saloon (car)〕; 《運転手付きの》大型高級乗用車, 《空港・バス発着所からの》送迎用大型セダン, リムジンバス ◆ *a limousine bus* とはいわない || an airport *limousine* 空港バス.

†**limp**¹ /límp/ 動 ⓘ 1〈人が〉《足の一方の硬直などにより, 一方の足に体重がかからないように》足を引きずって歩く || He is *limping* in the left leg. 彼は左足を引きずって歩いている. 2《車・船などが》〈損傷部位が〉のろのろ進む; 〈話・文章・仕事・景気などが〉もたつく; 〈詩歌・音楽・演説などの〉韻律・抑揚が乱れる.
— 名 (例 a) 足を引きずって歩くこと || hàve [wálk with] *a límp* 足を引きずって歩く.
†**limp**² /límp/ 形 1 ぐにゃぐにゃした (↔ stiff). 2 弱々しい, 疲れた; 柔弱な 3 gò *límp* 元気がなくなる.
lim·pet /límpit/ 名 C 〔貝類〕カサガイ.
linch·pin, lynch– /líntʃpìn/ 名 C 1 輪止めくさび. 2 (正式) 〔通例 the ~〕《仕事・組織・計画などの》要 (かなめ) 《of ...》.
†**Lin·coln** /líŋkn/ 名 1 リンカン《*Abraham* ~ 1809–65; 米国の第16代大統領 (1861–65)》. 2 リンカン a 米国ネブラスカ州の州都. 3 a =Lincolnshire. b リンカン《a の州都》.
Líncoln gréen 明るい緑色(の布)◆Robin Hood がこの色の服を着たから.
Líncoln's Bírthday 《米》リンカン誕生日《2月12日; 多くの州で祝日》.
Lin·coln·shire /líŋknʃìər, –ʃər/ 名 リンカンシャー《イングランド東部の州; 略 Lincs.》.
Lind·bergh /líndbə:rg/ 名 リンドバーグ《*Charles A.* ~ 1902–74; 米国の飛行家. 初めて大西洋単独無着陸横断をした (1927)》.
†**lin·den** /líndən/ 名 C 〔植〕シナノキ, ボダイジュ.

line¹ /láin/ 〖「細長い線状のもの」が本義〗 (派) **linear** 形

index
名 1線 2綱 3電話線 4しわ 7行 9境界線 10輪郭 12列

— 名 (複) ~s/-z/

I [線状のもの]

1 C 線; 〔数学〕線 || draw [*write*] *a line* with a ruler 定規を使って線を引く.

〖関連〗 いろいろな種類の **line**
broken [折れ線] / curved [crooked] *line* 曲線 / diagonal *line* 対角線 / dotted *line* 点線 / horizontal *line* 水平線 / oblique *line* 斜線 / parallel *lines* 平行線 / ruled *line* 罫線 / straight *line* 直線 / tangential *line* 接線 / vertical [perpendicular] *line* 垂(直)線 /

wavy [wiggly] *line* 波線.

2 C U 《強い・細い》綱, ひも, 糸, 針金《◆ rope, cord, thread, wire などの総称》; 釣り糸 (fishing line); 物干し綱 (clothes [washing] line) || hang the wet shirt on the *line* to dry ぬれたシャツをロープにかけて乾かす.

3 C 〔通例単数形で〕電話線 (telephone line); 電話の接続 || Hóld the líne, please 《↗》[↘]》電話を切らないで少しお待ちください / *The line is busy* 〔(英) *engaged*〕. (米) お話し中です (=The number is ...) / *On the líne*. 《電話交換手の言葉》(先方が) お出になりました.

4 C 《顔などにできた》しわ, 筋, みぞ, 《手相の》線 || Worry made deep *lines* in his face. 心配のため彼の顔に深いしわができた / have one's fortune told from the *lines* on one's palm 手相を見てもらう.

5 U 《正式》《美術などの》線の使用, 描線.

6 C 〔音楽〕五線の1つ (図 → music).

7 C 《印刷・筆記された文字の》行; 詩行; 〔~s〕詩 《役者の》せりふ, 《学校の罰としての生徒に書かせる》詩句, 文の繰り返し || forget [blow, fluff, (英) go up in] one's *lines* せりふを忘れる / réad betwèen the línes 行間を読む / Each page contains sixty *lines*. 各ページは60行ある.

8 C 《略式》〔a ~〕短い手紙, 短信 (note) || *Drop me a line*. 一筆お便りください.

II [見立ての線]

9 C 境界線 (boundary); 限界, 限度; 《スポーツ》〔通例 the ~〕《各種の》ライン || cross the state *line* near the river 川の近くの州の境界を越える / a very thin *line* between genius and madness 天才と狂気の間にある紙一重の差 / finish [cross] the góal líne ゴールインする (=break [breast] the tape).

10 C 〔通例 ~s〕輪郭, 外形 (shape); 顔 [目鼻] だち; 《被服の》輪郭 (outline) || the *lines* of his car [his new suit] 彼の車 [新調のスーツ] のスタイル.

11 C 《天球・地球の》周り, 緯 [経] 線; 〔the ~〕赤道 (equator).

III [列]

12 C 《人・物が縦または横に並んだ》列 (cf. row¹); 《米》《順番を待つ人のふつう縦の》行列 《主に英 queue》 || *a line* of tall trees 高い木の並木 / a long *line* of people waiting to get tickets 切符を買う順番を待つ人の長い列 / cut in the *line* 列に割り込む / *Fóllow the líne, please* 《↗》[↘]》. 《割り込みに対して》列の後ろに並んでください.

13 C 《文》家系, 血統. **14** C 《軍事》〔時に ~s〕防御線, 前線 (front line). **15** C 〔the ~〕 a 《英》歩兵正規軍. b 《米軍》戦闘部隊. **16** C 《軍隊・軍艦などの》戦列《◆ *line of battle* ともいう》.

IV [路線・方針]

17 C 〔時に ~s; 単数扱い〕鉄道, 線路 (railway); 交通網 《鉄道・バスなどの》路線, (定期) 航路; 運輸会社), 運輸会社 || the New Tokaido *Line* 東海道新幹線 (=the Tokaido Shinkansen *Line*).

18 C 〔しばしば the ~〕進行方向, 進路; 〔~s〕《行動の》方向, 方針 || a different *line* of policy 異なった政策 / be on the right *lines* 正しい方針に従う.

V [専門]

19 C 商売, 職業 || be in the grocery *line* 食品雑貨販売業である. **20** C 〔one's ~〕興味の範

囲), 専門 ‖ Opera isn't much in *her line*. オペラには彼女はあまり興味がない / *óut of one's líne* 専門外で. **21** Ⓒ 〔商業〕商品(製品)の型[種類]; (ある種の)在庫商品 ‖ a new *line* of [in] sports shirts スポーツシャツの新製品.

áll alòng [dówn] the líne =*all the wáy alóng the line* (1) あらゆる点で, まったく; すべての方法で. (2) 至る所で. (3) いつでも.

belów the línes (1) 標準以下で. (2) 〔経済〕経常収支以下で.

bríng A **into líne** (1) …を〔…と〕一致[調和]させる〔*with*〕. (2) …を直線[まっすぐな列]にする.

cóme [fáll, gét] into líne (1) 〔…と〕一致[調和]する〔*with*〕. (2) 直線[まっすぐな列]になる.

dráw a [the] líne 〔…に〕制限を設ける, 〔…するの〕をお断りする〔*at*, *against*〕.

gét [háve] a líne on A (略式) A について情報を得る.

gíve A **a líne on** B (略式) B 〈物・事・人〉について A 〈人〉に情報を教える.

háve [gét] one's línes cróssed 電話が混線する; (略式) 誤解する, 考え[思い]違いをする.

in líne (1) 一列に, 〔…と〕一列に並んで〔*with*〕〔◆ *in a line* となることもある〕‖ *stand in* [*on*] *line* 1 列に並ぶ〔(英) queue up〕. (2) 規律に従って, 行儀よく. (3) 〔…と〕一致[調和]して〔*with*〕. (4) 〔昇進・地位などを〕得る見込みで, …の候補で〔*for*〕〔前に first, second などを伴うことがある〕.

in the líne of dúty [sérvice] 職務中に, 公用で.

láy A **on the líne** (略式) (1) 〈意見・命令など〉を〔人に〕率直に何もかも述べる〔*with*〕〔◆ しばしば *lay it on the line* の句で用いる〕. (2) 〈金・命など〉を賭(*か*)ける. (3) 〈金〉を支払う.

on a líne 一列に. (2) 〔…と〕同じ高さ[水準]で〔*with*〕.

on líne (1) 一列に〔◆ ふつう待っている人についていう〕. (2) 作動[仕事]中で. (3) 〔コンピュータ〕オンラインで.

on the líne (1) 〈絵が〉目の高さにかけられて. (2) (略式) 危険にさらされて(at risk). (3) 境目で, どっちかずで.

óut of líne (1) 〔…と〕列をなさないで〔*with*〕. (2) (正式) 〔…と〕一致[調和]しないで〔*with*〕. (3) 規則に従わない, 適当でない.

pút A **on the líne** =*lay* A *on the* LINE.

réad betwéen the línes (1) → **7**. (2) かくれた意見[真相]を見つける.

—動 (**lín·ing**) 他 **1** 〈紙などに〉線を引く; 〈物〉を線で描く[表す] ‖ *Line* your paper with a red pencil. 赤鉛筆で紙に線を引け. (2) 〈老齢・心労などが〉〈顔など〉にしわをつける ‖ His face *was lined with* pain. =Pain *lined* his face. 彼は苦痛で顔をしかめていた. (3) 〈道などに〉沿って並ぶ; 〈道などに〉…を並べる〔*with*〕‖ Many people *lined* the sidewalk. 大勢の人が歩道に並んでいた / The streets *were lined with* shops. 通りには店が軒を連ねていた.

—自 〈人・物が〉一列に並ぶ(+*up*).

líne óut 〔自〕(1) まっしぐらに進む. (2) 〔野球〕ライナーを打ってアウトになる. (3) 線を引いて輪郭を示す.
—〔他〕(1) 〔取り除く〈ものを示して〉〕…に線で印をつける; …を線で表す. (2) 〈苗木などを〉列に移植する. (3) 〈歌〉を大声で[力強く]歌う.

líne úp 〔自〕(1) (米) 〔…を求めて〕列に加わる〔*for*〕. (2) (略式) (主に政治的な事柄で)〈人〉を支持する〔*behind*〕. (3) (略式) 〈人〉と提携[協力]する

〔*alongside*, *with*〕. —〔他〕(1) …を〔…にそろえて〕一列に並べる〔*with*〕. (2) (略式) 〔…のために/…するのに〕〈支援・支持など〉を確保する, 集める, 準備する〔*for* / *to do*〕. (3) 〈物〉を調節する. (4) (略式) …を〔…に対し/…のもとへ〕結集させる〔*against*/*behind*〕.

líne dràwing 線画.
líne drìve 〔野球〕ライナー(liner).
líne engràving 線刻版画(法).
líne prìnter 〔コンピュータ〕ラインプリンター, 行印字機.
líne prìnting 〔コンピュータ〕ラインプリンターによる出力.
líne scòre 〔野球〕ラインスコア〔両チームの得点・安打数・失策数などを印刷した表〕.
líne wòrker 生産部門従業員.

+**line**² /láin/ 動 (語要素) **1** 〈服などに〉〔…で〕裏をつける, 裏打ちをする〔*with*〕, …の裏地にする; …の内部を覆う ‖ The skirt *is lined with* silk. そのスカートには絹の裏がついている / a fur-*lined* jacket 毛皮で裏打ちされた上着. **2** (略式) 〈ポケット・さいふ・胃など〉を〔…で〕満たす, …に〔…を〕詰め込む〔*with*〕‖ He *lined* his purse [pocket(s)] well. 彼は(不正手段で)たんまり金をもうけた.

-line /-lain/ (語要素) → 語要素一覧 (1.7).

+**lin·e·age** /líniidʒ/ 名 Ⓤ (文) **1** (ある人物直系の)血統, 家系(ancestry); 家柄(lineage) ‖ a man of good *lineage* 家柄のよい人. **2** 部族, 種族(tribe); 〔集合名詞〕子孫.

lin·e·al /líniəl/ 形 (正式) **1** 〈子孫・先祖などが〉直系の(↔ collateral). **2** (まれ) 線の.

+**lin·e·ar** /líniər/ 形 (正式) **1** (直)線の(ような). **2** 線を用いた, 線から成る. **3** 長さの, 一次元の. **4** 〔数学・物理〕一次の; 線形の ‖ a *linear* equátion 一次方程式.

línear mótor リニアモーター ‖ a *linear motor* train リニアモーター列車.
línear prógramming 線型計画法(略 LP).

line·back·er /láinbæ̀kər/ 名 Ⓒ 〔アメフト〕ラインバッカー(〔図〕→ American football).

line·man /láinmən/ 名 (複 **-men**) Ⓒ (主に米) **1** (電話線などの)架線[保線]作業員((PC) line installer [maintainer]). **2** (鉄道の)保線要員((PC) line repairer [maintainer]). **3** 〔アメフト〕ラインマン, 前衛. **4** (測量の)測鎖手.

+**lin·en** /línən/ 名 Ⓤ **1** リンネル, リネン, 亜麻布〔◆ キャラコも含む〕; 亜麻糸. **2** 〔時に ~s〕リンネル類; 〔集合名詞〕リンネル[キャラコ]製品〈シャツ・テーブルクロス・シーツ・ナプキンなど〉, 綿製品. **3** (古) (特に白の)下着 ‖ change one's *linen* 下着を取り替える. **4** =linen paper.

wásh one's dírty línen in públic (略式) 内輪の恥を外に出す〔◆「外に出さない」は wash one's dirty linen at home〕.

—形 リンネル[亜麻]製の; リンネルの, リンネルに似た ‖ a *linen* shirt リンネル製シャツ.

línen páper リンネル紙.

line·out /láinàut/ 名 Ⓒ 〔ラグビー〕ラインアウト.

+**lin·er**¹ /láinər/ 名 **1** Ⓒ 定期船; (飛行機の)定期便 ‖ a trans-Atlantic *liner* 大西洋航路定期船 / a cargo *liner* 定期貨物船. **2** Ⓒ 〔アメフト〕ラインマン(lineman). **3** Ⓒ 線を引く用具; Ⓤ ライナー(eyeliner)〈化粧品〉. **4** Ⓒ 〔野球〕ライナー(line drive). **5** Ⓒ 長距離貨物列車〈港と工業地帯を結ぶ〉.

lin·er² /láinər/ 名 Ⓒ **1** 裏打ちする人. **2** 裏地, (コートの)ライナー. **3** 〔機械〕(摩滅防止の)きせ金. **4**

(CD・レコードの)ジャケット; =liner note.
líner nòte ライナーノート《CD・レコードなどに付された解説文》.
lines·man /láinzmən/ 图 (pl **-men**) C **1** 〘スポーツ〙ラインズマン, 線審, 副審((PC) line umpire). **2** (英) =lineman 1. **3** (英) =lineman 2.
line-up /láinʌp/ 图 C **1**〔通例 a/the ~〕**1** 人の列; (試合開始前の)整列. **2** (米) (警察で面通しのための)容疑者の列((英) identification parade). **3** (集まった)顔ぶれ, 陣容;〔球技チームの〕出場メンバー.
ling /líŋ/ 图 U 〘植〙ギョリュウモドキ《heath の一種》.
ling. (略) linguistic(s).
-ling /-liŋ/ (語要素) → 語要素一覧 (2.1, 2.2).
†**lin·ger** /líŋgər/ 動 自 **1** 〈正式〉〈人が〉(立ち去りがたくて)ぐずぐずする, 居残る; ふらふら歩く (+about, around, on) ‖ Somebody is still *língering abóut [aróund]*. まだその辺をうろうろしている人がいる. **2**〈痛み・習慣・記憶・においなどが〉なかなか消えない;〈病気が〉長びく;〈病人が〉細々と生きながらえる (+on) ‖ Slavery still *língers ón* in some countries. ある国では奴隷制度がまだ残っている. **3** 〔…で〕長く, 〔…に〕手間どる (over, in) ‖ *linger over one's work* だらだらと仕事をする.
†**lin·ge·rie** /là:nʒəréi, -ri-; lǽnʒəri-, -ri-/ 〘フランス〙图 U〈正式〉婦人用下着類, ランジェリー (cf. underwear, foundation garment).
lin·gual /líŋgwəl/ 形 **1** 舌の; 舌状部の. **2**〘音声〙舌音の. **3** 言語の. ━ C 〘音声〙舌音, 舌音字《◆英語では d, th, s, n, l, r》.
lin·guist /líŋgwist/ 图 C **1** いくつかの言語に通じた人; 語学の才能のある人 ‖ a good [bad, poor] *linguist* 語学の得意[不得意]な人. **2** 言語学者.
lin·guis·tic, -ti·cal /liŋgwístik(əl)/ 形 言葉の, 言語の; 言語学(上)の. **lin·guís·ti·cal·ly** 副 言語学上; 言語の上で(見て).
lin·guis·tics /liŋgwístiks/ 图 U〔単数扱い〕言語学.
lin·ing[1] /láiniŋ/ 動 → line[1].
†**lin·ing**[2] /láiniŋ/ 图 **1** C〔衣服などの〕裏張りの, 裏; U 裏張りすること. **2** U 裏地. **3** C〔さいふ・ポケット・胃などの〕中身.

*__link__ /líŋk/ (類音) rink /ríŋk/ 〘「結びつけるもの」が本義〙
━ 图 (pl ~s/-s/) C **1** 結合させる人[物]; 〔…の間の〕つながり; きずな; 連結; (鉄道などの)連絡線 (to, with; between) ‖ a *link* between carbon dioxide and the greenhouse effect 二酸化炭素と温室効果の関連. **2** (鎖の)輪, 環(々); (編み物の)目; (鎖状につながった)腸詰めの 1 節 ‖ A few *links* in the chain are worn. その鎖の数個の輪は摩耗しています. **3**〔通例 ~s〕カフスボタン. **4** (通信, 輸送中継の)1単位. **5** 〘コンピュータ〙リンク.
━ 動 (~s/-s/; 過去・過分 ~ed/-t/; ~·ing) 他 **1**〈人・物が〉〈人・物を〉〔…に〕つなぐ, 連結する (+up, together) (to, with) ‖ The Seikan Tunnel *links* Hokkaido *to [and]* Honshu. 青函トンネルは北海道を本州につなぐ《◆ connect よりつながりが強い》. **2** 〜を[腕に]組み合わせる (in, through) ‖ He *linked* his arm *in [through]* hers. 彼は彼女と腕を組んだ. **3** 〘コンピュータ〙…をリンクする.
━ 自 〈物が〉〔…に〕つながる, 連結する (+up, together) (with, on, to) ‖ Our company *links up* with a British firm. 我々の会社は英国の商社と提携している.

link(ing) vèrb〘文法〙連結動詞《be, become, seem, appear など. cf. copula》.
línk wòrd〘文法〙接続詞[詞]《and, because, than など. cf. conjunction》.
links /líŋks/ 图〔単数・複数扱い〕(海岸近くの)ゴルフ場《◆「(スケートの)リンク」は rink》.
lin·net /línit/ 图 C 〘鳥〙ムネアカヒワ.
†**li·no·le·um** /linóuliəm/ 图 U リノリウム((英略式) lino). **linóleum blòck** リノリウム版.
†**lin·seed** /línsi:d/ 图 U アマニ《アマ (flax) の種子》. **línseed càke** アマニかす《アマニ油の絞りかす. 家畜飼料》.
lint /línt/ 图 U **1** リント布《リンネルの片側をけば立てた柔らかい湿布・包帯用の布》. **2** (主に米) 糸くず, 綿くず. **3** 綿花, 繰り綿.

*__li·on__ /láiən/
━ 图 (pl ~s/-z/;〔女性形〕~·ess) C
I 〖ライオン・ライオンの特質をもつもの〗
1 ライオン, 獅子の《◆ the king of beasts (百獣の王)と呼ばれ, 王家・名門の紋章に使われた. 子は cub, 鳴き声は roar》‖ (*as*) *bráve as a líon* ライオンのように勇敢な / Can you hear a *lion* roaring in the distance? 遠くでライオンがほえているのが聞こえますか / performing *lions* in a circus サーカスの芸をするライオン / He is as brave as a *lion*. 彼は勇猛な人だ.
2 勇猛な人; 残忍な人. **3** [L~] (英)〘紋章〙(象徴としての)獅子 ‖ the British Lion 英国の紋章である獅子; 英国(民) ‖ the lion and unicorn ライオンと一角獣《◆英国王家の紋章を支える動物》. **4** [the L~] 〘天文〙しし座 (Leo).
II 〖名物〗
5 (やや古) (社交界での) **名物男**, 名士, 花形, 人気文士 ‖ the *lion* of the day 当代の花形[人気物] ‖ *make a lion of him* 彼を花形にもてはやす.
6 (英)〔the ~s〕(都会の)名所, 名物, 呼びもの《◆昔お上りさんにロンドン塔の 4 頭のライオンを見せた習慣から》‖ see [show] the *lions* 名所を見物する[案内する].
a líon in the wáy [páth]〘聖〙前途に横たわる(特に想像上の)障害, 難関.
pùt [plàce, rùn] one's héad in [into] the líon's móuth 進んで危険な身に置く.
líon's shàre〔the ~〕(主に英) 一番大きい分け前[分] ‖ *take the lion's share* うまい汁を吸う.
†**li·on·ess** /láiənəs/ -es, ニノニノ / 图 C → lion.
lion·heart·ed /láiənhà:rtid/ 形 勇猛な, 大胆な (cf. Richard).

*__lip__ /líp/
━ 图 (pl ~s/-s/)
I 〖唇・口の形をしたもの〗
1 C 唇《◆広義には「鼻の下」(top lip), または口の周辺も含む》‖ *pùt [láy] one's fínger to one's líps* 唇に指を当てる《◆沈黙の合図》/ a short upper *lip* 寸の詰まった鼻の下 / *bíte (one's) líp(s)* 唇をかむ《◆立腹・笑い・苦痛などをこらえる動作》/ *cúrl one's líp(s)* 口をゆがめる《◆軽蔑(ﾞ)を示す》/ *púrse one's líps* 口をすぼめる《◆緊張・憂うつなどの表情》/ *púsh one's lówer lip óut* 下唇をつき出す《◆不平・不満の表情》.
2 [~s] (発音器官としての)**口** (mouth) ‖ from his own *lips* 彼の口から直接に / *open one's lips* 話す(ために口を開ける) / My *lips* are sealed. 私は口止めされている; 話すつもりはない / The word "yes" always *escapes his lips*. 彼はいつもつ

に「イエス」と言う.
3 ⓒ〖正式〗唇状の物;（水差しなどの）注ぎ口;（茶碗・穴などの）縁（edge）;〔音楽〕（管楽器の）マウスピース.
4〔形容詞的に〕唇の;口先だけの ‖ *lip róuge* 口紅 / *lip wórship* [*Chrístians*] 口先だけの信心[キリスト教徒].

■ **[口から出るもの]**
5（俗）[one's ~]（生意気な・出すぎた）**言葉**, おしゃべり ‖ *watch one's lip* おしゃべりに気をつける / *Nóne of your líp!* =*Stóp your líp!* 生意気を言うな / *That's enóugh of your líp!* 君のおしゃべりはもうたくさんだ.

kèep a stíff líp まじめくさっている; 動じない.
kèep [**cárry, háve**] **a stíff úpper líp**（略式）（困難の中で）耐える, くじけない; 頑固である.
líck [**smáck**] *one's líps* **(1)**［…に］舌つづみを打つ〔*over*〕; 舌なめずりする. **(2)**（楽しい事を予期・追想して）舌なめずりをする.
màke (**úp**) *a líp* 口をとがらす《◆不平・侮辱のしぐさ》.
líp còmfort 口先だけの慰め, 気休め.
líp cònsonant〔音声〕唇子音《/p, b, m/ など》.
líp rèading 読唇(⸺)術.
líp sèrvice〖聖〗口先だけの好意[信心] ‖ *pay* [*give*] *lip sérvice to that* それに対して口先だけのい返事[こと]をする.
líp sỳnc（映画の吹替えの）口合わせ《映像の口の動きに合わせてしゃべる[歌う]こと》.
líp tàlk 世間話 (small talk).
lip-balm /lípbɑːm/ ⓒ (ⓊⒶ) 唇用軟膏(ℊ), リップクリーム (（英）lipsalve).
lip-read /líprìːd/ 🄳（過去・過分 **lip-read** /-rèd/）🄸🄴（…を）読唇術で理解する ‖ *She lip-reads very well.* 彼女は唇の動きを目で読むのがとてもうまい.
lip·salve /lípsæv | -sɑːlv, -sɑ̀ːv/ 🄽 （英）=lipbalm.
†**lip·stick** /lípstìk/ 🄽 ⓒ Ⓤ 口紅, 棒口紅.
liq. liquid; liquor.
liq·ue·fac·tion /lìkwəfǽkʃən/ 🄽 Ⓤ 液化（の状態） ‖ *soil liquefáction* 土壌の液状化.
liq·ue·fy /líkwəfài/ 🄳〖正式〗🄸🄴〈気体・固体が〉溶ける, 液化する, 液化する ‖ *liquefied nátural gàs* 液化天然ガス（略 LNG） / *liquefied pétroleum gàs* 液化石油ガス（略 LPG）.
li·queur /likə́ːr | -kjúər/〖フランス〗🄽 Ⓤ リキュール《甘味と香料入りの強い酒; 主として食後に少量飲む》 ‖ リキュール 1杯.
liquéur brándy（英）リキュール［食後酒］として飲む良質のブランデー.
†**liq·uid** /líkwid/ 🄰 **1** 液体の, 液状の, 流動性の（↔ solid） ‖ *liquid díet* [*food*] 流動食 / *liquid áir* [*óxygen*] 液体空気[酸素]. **2**〔文〕〈空気・色などが〉透明な, 澄んだ ‖ *liquid éyes* 澄んだ目. **3**〈主義などが〉不安定な ‖ *liquid príncipes* ぐらぐらする主義. **4** 流動性の, 現金化しやすい ‖ *liquid ássets* 流動資産. ─🄽 **1** Ⓒ Ⓤ 液体, 流動体（cf. gas, solid）《◆「流体（液体と気体）」は fluid, 「気体」は gas, 「固体」は solid》. **2** Ⓒ〔音声〕流音《英語では /l, r/》.
líquid cápital 流動資本（↔ fixed capital）.
líquid crýstal〔物理・電子工学〕液晶.
líquid crýstal displáy〔物理・電子工学〕液晶ディスプレイ, 液晶表示装置（略 LCD）.
Líquid Pàper（商標）リキッドペーパー《米国製の修正液》.

líquid propéllant 液体燃料.
liq·ui·date /líkwidèit/ 🄳 **1**（協定・法的手段により）〈負債など〉を弁済する, 清算する. **2**〈倒産会社などを〉整理[解散]する. **3**（略式）…を一掃する, 粛清する.
†**liq·ui·da·tion** /lìkwidéiʃən/ 🄽 Ⓤ **1**（倒産会社などの）清算, 整理;（会社の）破産, 破綻. **2**（負債などの）弁済,（略式）一掃.
li·quid·i·ty /likwídəti/ 🄽 Ⓤ 流動性; 現金に変えられるものを持っていること.
liq·uid·iz·er /líkwidàizər/ 🄽 ⓒ（主に英）（ジュース用）ミキサー.
†**liq·uor** /líkər/ 🄽 **1** Ⓤ ⓒ（米）強い酒（類）;（主に）蒸留酒《whiskey, brandy, gin, rum など》(cf. liqueur) ‖ *a quárt* [*pínt*] *of líquor* 1クォート［パイント］の酒 / *He can hóld his líquor.* 彼はいくら飲んでも顔に出ない[酔わない]. **2** Ⓤ ⓒ〖英正式〗酒, アルコール飲料 (alcoholic drink). **3** Ⓤ（肉・野菜などを）煮た汁, 出し汁; 漬物用汁,（食物の保存用）汁.
líquor stòre 酒屋.
liq·uor·ice /líkəriʃ, -is/ 🄽（英）=licorice.
li·ra /líərə/ 🄽（複 **~s**）ⓒ リラ《トルコ・マルタ・シリアなどの貨幣単位》（略 L）.
Lis·bon /lízbən/ 🄽 リスボン《ポルトガルの首都》.
lisle /láil/ 🄽 Ⓤ =lisle thread; ライル糸で編んだ製品.
lísle thrèad ライル糸, レース糸《堅よりの木綿糸; 靴下・手袋などを編むのに使う》.
†**lisp** /lísp/ 🄳 🄸〔文〕（幼児のように）舌をもつれさせて［回らない舌で］発音する, 〈s, z〉を θ, ð のように発音して *sin* を *thin*, *song* を *thong* のように発音すること》. ─🄽 [a ~] 舌足らずの発音;（木の葉・波の）さらさらという音.
***list**¹ /líst/〖『細長い紙切れ』が原義〗
─🄽（複 **~s**/lísts/）ⓒ **1 表, 一覧表, リスト; 名簿; 目録; 明細書** ‖ *be on a bóarding líst*（旅客機の）乗客名簿に載っている / *a príce líst* 価格表 / *be on the dánger* [*sécret*] *líst*（略式）要注意人物[マル秘]である / *on the retíred líst* 退役で / *clóse the líst* 募集を締め切る / *dráw úp* [*màke*] *a líst* 表[目録]を作る / *léad* [*héad*] (*úp*) *the líst* 首位を占める / *páss fírst* [*lást*] *on the líst* 1番[最後]で及第する / *pút one's náme on* [*óff*] *the líst* 名簿に［から］名前を載せる［除く］《◆ put の代わりに take, strike も可》. **2**〔経済〕上場株式名簿.

関連 **[いろいろな種類の list]**
black list ブラックリスト / book list 本の一覧表, ブックリスト / check list 照合表, 目録 / free list（米）免税品目表, 優待者名簿 / guest list 参加者リスト / mailing list メーリングリスト / price list 価格表 / shopping list, （米）grocery list 買い物リスト / visiting list 訪問先リスト / waiting list 補欠者リスト / wine list ワイン銘柄リスト.

at the bóttom of the líst リストの一番下にある; 重要性が最も低い.
at the tóp of the líst リストの一番上にある; 重要性が最も高い.
─🄳（~s/líst/; 過去・過分 ~ed /-id/; ~ing）
🄴 **1**〖正式〗〈人が〉〈人・物・事〉を**リストに入れる, 一覧表にする, 目録に載せる** ‖ *Líst all the jóbs you have héld.* 今までの職業をリストアップしなさい《◆ˣ*list up* とはいわない》 / *Lísted are the náines of*

… …の名前が記載されている(=On the *list* are …).
2 〈証券〉を上場する.
―― 圓 〈商品がカタログなどに〉〔…の値で〕載っている〔*at, for*〕.

list[2] /lɪ́st/ 名 **1** ⓒ Ⓤ (布地の)織りぶち,織りべり,耳; Ⓤ へり地. **2** ⓒ (一般に布・板などの)細長い切れはし.
―― 動 …のへり(地)を付ける.

list[3] /lɪ́st/ 動 圓 〈船が〉傾く;―― 他 〈船〉を傾ける.
―― 名 [a 〜] (船が)傾くこと.

☆**lis·ten** /lɪ́sn/ 〖「耳を傾ける」が本義〗 ㊗ listener /-sn-/.
―― 動 〜s/-z/; 過去・過分 〜ed/-d/; 〜ing
―― 圓 **1 a** 〈人が〉〔…を〕聴く,聞こうと努力する,〔…に〕耳を傾ける〔*to*〕《◆ 🔲 listen to は「(自ら進んで)聴く」,hear は「自然に耳に聞こえる」》‖ We *listened* in silence, but did not *hear* anything. だまって耳を傾けたが,何も聞こえなかった / I'm *listening*. 聴いていますよ;どうぞ,話を続けてください / *Listen to* [(米では時に) *at*] me. 私の言うことをよく聞きなさい(= *Listen to* what I say.) / Be quiet, please. I'm *listening to* the radio. 静かにしてください.ラジオを聴いています.
b [知覚動詞] [listen to A doing [do]] 〈人が〉A〈人・物・事〉が…している[する]のを聞く(⊃文法 3.4) ‖ I *listened* to the man breathing heavily in the dark. 私は暗闇で男がぜいぜい息をしているのを耳をすまして聞いた / I *listened* to Tom say his prayer. 私はトムがお祈りを言うのをじっと聞いた.
2 [listen to A] 〈人が〉A〈人の言うこと〉を聞き入れる,〈忠告・依頼・勧誘などに〉従う《◆結果まで含む》; 〈人・忠告・誘惑・提案などに〉耳を貸す ‖ Don't *listen to* her. 彼女の言うことを信じるな / He won't *listen to* my advice. 彼はどうしても私の忠告に耳を貸そうとしない.
3 [命令形で] (相手の注意をうながして)いいですか,ちょっと;おい.
lísten for A 聞こえないかと…に耳を澄ます.
lísten ín 圓 (1) (やや古) […を]放送で聞く〔*to*〕. (2) [他人の話などを]電話で盗聴する〔*on, to*〕.
lísten óut 圓 [英略式] (通例命令文で) […に]注意して耳を傾けよ.
―― 名 (略式) [a 〜] 聞くこと ‖ Have *a listen* to him. 彼の言うことを聞きなさい(=*Listen to* him.).
lístening comprehènsion (tést) 聴解力(検査)《◆hearing test は「聴力検査」の意》.
lístening device 盗聴装置.

†**lis·ten·er** /lɪ́snər/ 名 ⓒ **1** 聴く人,聞いている人 ‖ a good *listener* 聞き上手《他人の悩みなどを熱心に[同情心をもって]聞ける人》. **2** ラジオ番組聴取者.

†**lis·ten·ing** /lɪ́snɪŋ/ 名 Ⓤ 聞き取り,リスニング.

†**list·less** /lɪ́stləs/ 形 **1** (疲れて)元気のない,ぼんやりした. **2** ものうい,大儀そうな.

Liszt /lɪ́st/ 名 リスト《*Franz*/frɑ́ːnts, frǽnts/ 〜 1811–86;ハンガリーの作曲家》.

☆**lit** /lɪ́t/ 動 light[1] の過去形・過去分詞形.

lit. ㊗ liter; literal(ly); literary; literature.

†**li·ter, (英) --tre** /lɪ́tər/ 名 ⓒ リットル《㊗ l., lit. (記号) l》.

†**lit·er·a·cy** /lɪ́tərəsi/ 名 Ⓤ 読み書きの能力;教養[教育]があること(↔ illiteracy) ‖ computer *literacy* コンピュータ(の)教養.

†**lit·er·al** /lɪ́tərəl/ 形 **1 a** 文字の《◆ literary は「文学の」》‖ a *literal* error 誤字. **b** 文字どおりの,逐語的な(↔ figurative) ‖ a *literal* translation 直訳. **2** 平凡な,味気ない. **3** 正確な,ありのままの. 名 ⓒ 誤字,誤植;〔コンピュータ〕直定数,リテラル.

lit·er·al·ism 名 ⓒ 文字どおりの解釈;直写主義.

lit·er·al·ist 名 ⓒ 直解[直訳]主義者.

☆**lit·er·al·ly** /lɪ́tərəli/
―― 副 **1** 文字どおりに,逐語的に(in a literal sense) ‖ I interpret one's order *literally* 命令を文字どおりに解釈する. **2** (略式) 本当に,まったく,実際は《◆比較変化しない》‖ The fortress was *literally* destroyed. その砦は完全に破壊された.

†**lit·er·ar·y** /lɪ́tərèri | -tərəri/ 形 **1** 文学の,文芸の《◆literal は「文字の」》‖ *literary* works [writings] 文学作品,著作物. **2 a** 〈人が〉文学に通じた,文学を研究する;〈社会が〉文学的土壌の. **b** 堅苦しい,学者ぶった. **3** 文語の,文語的な(↔ colloquial) ‖ *literary* language 文語.
líterary próperty 著作権[物].

lit·er·ar·i·ly 副 文学上,学術上.

lit·er·ate /lɪ́tərət/ 形 **1** 〈人が〉読み書きができる;(正式) 学識のある,教養のある(↔ illiterate). **2** (正式) 文学の;文学に通じた. ―― 名 ⓒ 読み書きのできる人,学者,学識経験者;学問のある人.

☆**lit·er·a·ture** /lɪ́tərətʃər, -tʃʊər/【アクセント注意】〖『文字(litera)に詳しいこと(ture). cf. letter』〗
―― 名 Ⓤ
I [文学]
1 文学[文芸](作品) ‖ I studied English *literature* at university. 大学で英文学を勉強しました / polite [popular] *literature* 純[大衆]文学 ‖ 日本発》 In the Meiji era, Japanese *literature* rapidly widened its horizons under Western influences. 明治時代に日本文学は西洋の影響を受けてその間口を急速に広げた. **2** (文学についての)著述[文筆](業);文学研究 ‖ follow [pursue] *literature* 文筆を業とする. **3** (古) 学問,学識.
II [文献・印刷物]
4 [時に a 〜] (特定分野の)文献,論文 ‖ *literature* on genetic engineering 遺伝子工学についての文献.
5 (略式) (広告・宣伝用などの)印刷物 ‖ campaign *literature* 選挙運動用チラシ.

lith. ㊗ lithograph.

†**lithe** /láɪð/ 形 (正式) しなやかな,柔軟な,敏捷(ビショウ)な;容易に曲がる(flexible).

lith·i·um /lɪ́θiəm/ 名 Ⓤ 〔化学〕リチウム《アルカリ金属.㊗ Li》.

lith·o·graph /lɪ́θəgræf | -əʊɡrɑːf/ 名 ⓒ リトグラフ,石版(画). ―― 動 他 〈絵など〉を石版印刷する.

li·thog·ra·pher /lɪθɑ́ɡrəfər | -θɔ́g-/ 名 ⓒ 石版工[画家].

Lith·u·a·ni·a /lɪ̀θjuéɪniə/ 名 リトアニア《バルト海沿岸の国.首都 Vilnius》. **Lith·u·a·ni·an** 形 名 ⓒ リトアニア(人)の;リトアニア人.

lit·i·gate /lɪ́təɡèɪt/ 動 圓 訴訟を起こす. ―― 他 …を法廷で争う,…を訴訟に持ち込む.

lit·i·gá·tion 名 Ⓤ 訴訟.

lit·mus /lɪ́tməs/ 名 Ⓤ 〔化学〕リトマス.
lítmus pàper リトマス試験紙.
lítmus tèst (1) 〔化学〕リトマス試験. (2) 試金石,(ある意見・考えの正しさを)判定するもの,白黒をはっきりさせるもの.

li·tre /lɪ́tə/ 名 ⓒ (英) =liter.

†**lit·ter** /lɪ́tər/ 名 **1** Ⓤ (公共の場所に)散らかったもの,くず,ごみ《紙くず・あきびん・あきかんも含む》; がらくた ‖ pick up [drop] *litter* in the street 通りでごみ

を拾う[落とす] / **No litter.** 《掲示》ごみを捨てないでください. **2** [a ~] 乱雑, 混乱(状態). **3** [U] (動物の)寝わら; (作物の)敷きわら《霜よけ用》. **4** (動物の)ひと腹の子.

——[動][他] **1** 〈物・ごみ・くずなど〉を散らかす; 〈部屋など〉を〔…で〕汚す〔*with*〕; 〈物が〉…に散らかる(+*up*) ‖ toys *littering* the floor 床に散らかっているおもちゃ / *litter* (*up*) the garden *with* empty bottles and cans 庭園にあきびんやかんを散らかす. **2** …に寝[敷き]わらを敷く(+*down*) ‖ *litter down* a pig [stable] ブタ[馬小屋]にわらを敷く.

lit·ter-bin /lítərbìn/ [名][C] 《英》(主に公共の場所の)ごみ箱.

****lit·tle** /lítl/ 〖「小さい」「少量の」が本義〗

index
[形] **1** 小さい **2** 短い **3** 少量の
[副] **1** 少しは **2** まったく…ない **3** ほとんど…ない
[名] **1** 少ししかないもの **2** 少しのもの

——[形] (**less**/lés/ or **les·ser**/lésər/, **least**/líːst/; 《略式・小児語》**~r, ~st**)《♦ 比較変化については各項参照》

1 [通例名詞の前で] [しばしば nice [pretty, poor, sweet, nasty] ~] **小さい**, 大きくない《♦ small が客観的に小さいことをいうのに対し, しばしば小さくてかわいいという愛情・同情・時に軽蔑(べつ)・困惑の気持ちを含む. 比較級は smaller, 最上級は smallest で代用するが, 《略式》では時に littler, littlest で代用する》(↔ great) ‖ She was only a *little* [small] girl when her mother died. 母親が死んだ時, 彼女はほんの小さい少女であった / **Every little bit helps.** 《ことわざ》少しずつが力になる; ちりも積もれば山となる /Do you know that prétty *líttle* [×small] bóy? あのかわいい少年を知っていますか. [語法] 補語として用いるときは small がふつう: He is small [《まれ》little] for his age. 彼は年の割には小柄だ.

2 [名詞の前で] 〈時間・距離などが〉**短い**(short), わずかな《♦ 比較変化しない》 ‖ He is out for a *little* walk. 彼はちょっと散歩に出かけている / Won't you come a *little* way with us? 私たちと一緒にちょっとおいでになりませんか.

3 a [通例 a ~ + [U] 名詞; 肯定的に] **少量の**, 少しの, わずかな《♦(1) 比較級は less, 最上級は least. (2) [C] 名詞の場合は a few を用いる》(↔ much) ‖ There is ***a little*** [×few] milk in the bottle. びんにはミルクが少し入っている / I have ònly *a lít-tle* [×few] móney ¦ left. 金は少ししか残っていない / I had *a little* difficulty ¦ (in) getting a taxi. タクシーを拾うのに少々難儀した / He speaks *a little* Russian. 彼は少しロシア語を話す.

little + [U] ほとんどない	a little + [U] 少量の
few + [C][複] ほとんどない	a few + [C][複] 少数の

b [通例 ~ + [U] 名詞; 否定的に] **ほとんどない** ‖ I have very *little* money left. お金はほとんど残っていない(=I don't have much money left.) / There is *little* hope. 望みはほとんどない / There is *little* danger of an earthquake. 地震の心配はほとんどない(= ˈThere isn't much [There is hardly any] danger of an earthquake.).

c [the ~ / what ~] **なけなしの**, 少ないけれども全部の ‖ ***The*** [***What***] ***little*** money he has will hardly keep him in food. 彼の持っている金はほとんどなくそれではまず食べていけないだろう.

4 [通例名詞の前で] 〈人・動物が〉若い(young), 年少の《♦ 比較変化しない》 ‖ a *little* child 幼い子供《♦「(背の)小さな子供」の意ではない》 / the *little* Kennedys ケネディ家の子供たち / ***the little ones*** 子供たち / her *little* ones 彼女の子供たち[飼っている動物たち] / He is too *little* to go to school. 彼は学校に行くべき年になっていない.

5 a 《♦ 比較変化は lesser, least; ~r, ~st》[名詞の前で] 〈事が〉重要でない, ささいな, 取るに足りない ‖ *lit-tle* trouble ささいな苦労 / Don't worry about such a *little* thing. そんなささいなことでくよくよするな. **b** [the ~; 集合名詞的に; 複数扱い] 取るに足りない人々.

6 〈人・物が〉魅力的な, いとしい, かわいらしい ‖ her sweetest *little* smile 彼女の愛くるしいほほえみ.

******nòt a líttle* … 《略式》=《ややまれ》***nò líttle*** … [遠回しに] **少なからぬ**…, かなりの…《♦ not は助動詞・be 動詞と一緒になった省略形を用いない》 ‖ He has earned *not a little* money. 彼はかなりの金をもうけた.

quite a líttle … 《米略式》たくさんの….

——[副] (**less, least**) **1** [通例 a ~; 肯定的に] **少しは**, 多少は, やや(《略式》a little bit) ‖ leave ***a lit-tle*** earlier than usual いつもより少し早く出発する / I am *a little* tired. 私は少し疲れている / She re-minds me *a little* of her mother. 彼女を見ると彼女の母親を多少思い出す.

2 《正式》[動詞の前で] **まったく…ない**, 少しも…ない (never, no ..., not ... at all)《♦ believe, care, dream, expect, guess, imagine, know, ques-tion, realize, suppose, suspect, think, under-stand, be aware of などと共に用いる》 ‖ He *little knows* the trouble he's caused. 彼は自分の引き起こした混乱にまったく気づいていない(=He knows *nothing about* the trouble ...) / ***Líttle did*** she *dréam* that she would marry him. 彼と結婚しようなどと彼女は夢にも思わなかった(=She *never* dreamed that ...)《♦ 文頭に置くと倒置となる. ➔文法 23.3》.

3 [否定的に] **ほとんど…ない**; めったに…ない《♦ ふつう very を伴う》 ‖ I slept *very little* last night. 昨夜はほとんど眠れなかった / We come here *very lit-tle* now. 今はめったにここへ来ません.

******nòt a líttle* 《略式》[遠回しに] **少なからず**, 大いに ‖ She was *not a little* frightened. 彼女は少なからずおびえていた.

——[名] **1** [U] [否定的に; 単数扱い] **少ししかないもの**, ほんのわずかしかないもの《♦ 本来は形容詞であるため, very, so, rather, too, but などの副詞で修飾されることもある: I understood *but little* of his lec-ture. 私は彼の講義はほとんどわからなかった》 ‖ ˈThey did *little* to help the children. 子供たちを助けるのに彼らはほとんど手を貸さなかった《♦ 受身形は *Lit-tle* was done to help ...》 / *Little* is known about his family line. 彼の家系についてはほとんど知られていない / I've seen *very little* of her late-ly. 最近彼女にはほとんど会っていない.

2 [通例 a ~ (of [U] 名詞 / 単数名詞); 肯定的に] (…の)**少しのもの**, 少量 ‖ Only *a little* is enough for him. ほんの少しで彼には十分です / Will you give me ***a little of*** that wine? そのワインを少しくれませんか.

L

3 [a～] 少しの距離[時間] ∥ *after a little* しばらくして / *for a little* [a while] しばらくの間 / Would you mind moving *a little* to the right? 少し右へ寄っていただけませんか.
by líttle and líttle (英) =**little by little** 少しずつ, 徐々に(gradually).
little or nóthing ほとんど何もない.
màke líttle of A → make 他 15.
nót a líttle [遠回しに] 少なからぬ量[額].
thìnk líttle of A → think 動.
Little Béar [天文] [the ～] こぐま座 [北天の星座].
little bróther 弟.
Little Dípper [米] [天文] [the ～] 小北斗七星(→ **dipper** 名 **4**).
little fínger 小指.
little magazíne [**review**] (実験的文学・批評を掲載する同人雑誌のような)小型文芸雑誌.
little péople [**fólk**] (1) [主にアイル] [the ～] (小)妖精たち. (2) 子供たち. (3) 貧乏人; 凡人.
Little Róck リトルロック [米国 Arkansas 州の州都].
little slám =small slam.
little théater (主に米) (アマチュアの実験的演劇の)小劇場; その演劇.
little tóe 足の小指.
lít・tle・ness 名 U 小さいこと, わずかなこと; 重要でないこと.
lit・to・ral /lítərəl/ (正式) 形 海岸の; [生物] 海岸に住む. ―名 沿海地域.
lit・ur・gy /lítərdʒi/ 名 C 礼拝式, 典礼; 典礼文.
liv・a・ble, live- /lívəbl/ 形 **1** 〈家・気候などが〉住むに適する. **2** 生きがいのある. **3** [主に英] 〈人が〉〈…と〉一緒に暮らしやすい, 親しみやすい(*with*); 〈事が〉〈…に〉我慢できる(*with*).

live¹ /lív/ [「生きる」が本義. 名詞は life] 活用 living (形・名)

index
動 自 **1** 住む **2** 暮らす **3** 生き長らえる
4 生存する **5** 人生を十分楽しむ
6 存続する
他 **1** …な生活をする

― 動 (～s/-z/; 過去・過分 ~d/-d/; liv・ing)
― 自
I [住む]
1 〈人・動物が〉〈場所に〉**住む**, 住んでいる, 居住する《◆場所を表す副詞(句)を伴う. inhabit, dwell, reside よりくだけた語》∥ I live in Tokyo. 私は東京に住んでいる / Where do you *live*? お住まいはどこですか / I am *living* in Tokyo. 今は東京に住んでいる《◆現在進行形は現在の一時的居住を表す. → 文法 5.2(3)》/「We've *lived* [We have been *living*] in London since last May. 昨年の5月からロンドンに住んでいる《→ 文法 6.1(3)》.

語法 特定の名詞を主語にする場合 live in は受身可能: His apartments had néver been *lived ín*. (略式) 彼のアパートには人の住んだ様子がなかった (cf. SLEEP in (自⁺) (2)).

2 〈人が〉〈ある生き方で〉**暮らす**, 生活する《◆様態を表す副詞(句)を伴う; [live C] C の状態で暮らす》∥ *live* quietly in the country いなかで静かに暮らす / *live* luxuriously [in luxury] ぜいたくに暮らす / *live* high 裕福に暮らす, ぜいたくに暮らす / *live* well 裕福に暮らす; 立派な生活をする / *live* poor [single] 貧しく暮らす [独身生活をする].

II [生きる]
3 〈人・生物が〉**生き長らえる**(continue to live), 生き延びる [続ける] (survive) (+*on*); [live to do] 生きて(その結果)…する ∥ My father *lived* ⌈to the age of [*to* (*be*)] 90. 父は90歳まで生きた《◆ *lived until* [*till*] *he was* 90. の方がふつう》/ Lóng live our noble Queen! 女王陛下万歳!
4 (正式) 〈人・動植物が〉**生存する**(exist), 生きる, 生きている(be alive) (↔ be dead); 生涯を送る ∥ We must work to *live*. 生きるために働かねばならない / He *lived* in the 19th century. 彼は19世紀の人間だった.
5 **人生を十分楽しむ**, さまざまな面白い生活を送る ∥ He has really *lived*. 彼は本当に人生を楽しんできた / She knows how to *live*. 彼女は人生の楽しみ方を知っている.
6 〈人・物・事が〉〔死後(も)〕**存続する**〔*after*〕, 〔記憶に〕残る(+*on*) (*in*); 〈船が〉こわれないでいる ∥ His name will *live* forever. 彼の名は永久に残るであろう / The sorrow still *lives* in my memory. あの悲しみは私の記憶にまだ残っている.

― 他 **1** [live a … life] 〈人が〉**…な生活をする**[送る]; [live one's life] 生活をする ∥ *live a* háppy *life* 幸福な生活を送る (=*live* happily) / *live a life* of lúxury ぜいたくな生活を送る / An honest person *lives their* [*his or her*] *life* without regret. 正直者は後悔することなく生活する / This is the way my *life* has been *lived* and must be *lived* until I die. このように私は生活してきたし, また死ぬまでこのように生きなければならない.
2 〈信念などを〉生活の中に示し, 生活で実行する ∥ *live* a lie 偽りの生活をする / *live* one's religion 信仰生活を送る.
3 〈事を〉経験する, 存分に楽しむ.

líve by A 【A〈手段や指針〉によって】(by 前 1, 3) 生活する】(…から収入を得る, …で暮らす ∥ *live by* growing vegetables 野菜作りで暮らしをたてる. (2) …を生活の指針とする.
líve dówn [他] 〈過去・恥・失敗・犯罪などを〉(これからの行ないで)償う, 時と共に忘れる.
líve for A (1) …に専念する. (2) …を生きがいにする; …を待ち望んでいる《◆ live for the day when … の構文で用いる》.
*líve ín [自] (略式) 〈従業員が〉住み込みで働く; 〈学生が〉寄宿舎生活をする ∥ She is *living in* as a maid. 彼女は女中として住み込みで働いている.
líve it úp (略式) 楽しい時を過ごす; 気ままに暮らす, 道楽する, 豪遊する.
líve óff A =LIVE on (自⁺).
líve ón [自] → (動) **3, 6**. ― (自⁺) [～ *on* A] (1) 〈特定の食物〉だけを食べる, もっぱら…を食べる. (2) 〈動植物が〉…を常食とする. (3) 〈人の〉世話になって暮らす. (4) 〈少額のお金〉で生活する.
líve óut [自] 〈従業員が〉通いで勤める; 〈学生が〉学寮外に住む; 〔…から〕離れた所に住む〔*of*〕. ― [他] (正式) …の終わりまで生きる, …を切り抜ける; …を実現する, 現実のものとする.
líve through A 〈戦争・困難・あらしなど〉を切り抜ける, 持ちこたえる.
líve togéther [自] 一緒に住む; 同棲(ﾄﾞｳｾｲ)する.
líve úp to A (1) 〈主義・信念・義務など〉を実践する, …に従って生きる. (2) 〈約束・評判・期待など〉に恥じない

行動をする. (3)〈英〉〈収入などを〉全部使う, …の許す限りの(ぜいたくな)暮らしをする.
You líve, you léarn. (失敗した人に)いい人生勉強になったでしょう.

live² /láiv/ [発音注意] [alive から]《◆比較変化しない》

―形

I [動植物が生きている]

1 [名詞の前で]〈動植物が〉**生きている**《◆人については living, 補語として用いるとき alive を用いる. → living 形 1 使い分け》(↔ dead); 本物の ∥ There are no *live* animals in the museum. 博物館には生きた動物はいない / He experimented on *live* mice. 彼は生きたマウスで実験をした /〈対話〉"Oh, look!""What a surprise! A real *live* UFO." 「見てごらん」「これは驚いた. 本物のUFO だよ」《◆ a real *live* は〈略式〉. 予期しないものが見える場合に本物を強調して驚き表わす》.

2 元気な, 活発のある ∥ *live* coals 元気な人.

III [物事が活動状態にある]

3 [名詞の前で]〈石炭・まきなどが〉まだ燃えている, 火のついている;〈砲弾などが〉破裂していない;〈マッチが〉すっていない;〈火山が活動を停止していない《◆ active (活火山) か dormant (休火山) をいう》∥ a *live* coal 燃えている石炭(↔ a dead coal 火の消えた石炭).

4〈放送・番組・演技などが〉**実況の, 生の**(↔ recorded) ∥ a *live* broadcast from Las Vegas ラスベガスからの生放送 / Is the program *live* or recorded? その番組は生放送ですか, それとも録音[録画]ですか.

5〈電線・回路が〉電流が通じている;〈機械などが〉作動中の.

6 [名詞の前で]〈問題・話題などが〉当面の, 現在関心のある;〈人・考えなどが〉現代的な ∥ Water pollution is a *live* issue. 水質汚染は今関心を持たれている問題である.

―副 [番組などが]放送で, 録音[録画]でなく.

líve cóverage (テレビ・ラジオの)生中継.

líve recórding 生録音, ライブ録音.

líve wíre (1)〈略式〉活動家, 精力家, 気前のよい人. (2) 電流の通じている電線 (→ **5**).

-lived /-láivd, -lívd/ [語要素] →語要素一覧 (1.2).

live-in /lívin/ 形〈メイドなどが〉住み込みの ∥ a *live-in* maid 住み込みのメイド.

†**live·li·hood** /láivlihùd/ 名 C [通例 a/one's ~] 生計の手段, 暮らし ∥ His *livelihood* is painting. 彼の生活手段は絵を描くことである / éarn [màke, gáin, gèt] a [one's] *livelihood* (by) selling newspapers 新聞販売で生計を立てる / earn an honest *livelihood* 正直にかせいで暮らす.

Lívelihood Protéction Láw (日本の)生活保護法.

†**live·long** /lívlɔ(ː)ŋ/ 形〈主に詩〉まる…, …じゅうの ∥ day, night などを修飾し, 疲労・退屈または楽しさを含意する. week, year, morning には用いない》∥ (all) the *livelong* day 日がな一日, まる一日.

***live·ly** /láivli/ [発音注意] [→ live²] 派 livelihood (名)

―形 (通例 --li·er, --li·est)

I [活発な]

1〈人・動物・動作などが〉**元気な**, 活発な(active); 陽気な, 快活な; [補語として]〈町などが〉[…で]活気に満ちた[with]《◆ active よりほめた言葉》∥ She is *lively* for her age. 彼女は年のわりに元気です.

2〈描写・話などが〉**生き生きとした**, 真に迫った ∥ He told me a *lively* story about his life in India. 彼はインドでの生活を生々しく話してくれた.

II [程度が激しい]

3〈感情などが〉鋭い, 強烈な;〈色などが〉鮮烈な, 鮮烈な ∥ a *lively* fear 強烈な恐怖 / have a *lively* interest in Milton's poems ミルトンの詩に強い興味をおぼえる.

4〈略式〉〈時などが〉わくわくする; 危険な, 困難な ∥ have a *lively* time はらはらする. **5**〈ボールなどが〉よくはずむ; すばやく動く.

lóok lívely〈略式〉敏速に[元気よく]動く; [通例命令文で]急げ.

máke it [**things**] **lívely for A**〈人〉をはらはらさせる.

―副 (まれ) (通例 --li·er, --li·est) 活発に, 元気よく; 生き生きと.

líve·li·ness 名 U 元気, 快活, 陽気; 鮮やかさ.

liv·en /láivn/ 動 (略式) 自 活発[陽気]になる.

―他 …を活発[陽気]にさせる.

†**liv·er** /lívər/ 名 **1** C [解剖] 肝臓; U C (食用としての)肝臓, レバー ∥ a cold [hot] *liver* 冷淡[熱情]《◆昔は感情・欲望が肝臓に宿ると考えられていた》/ have a *liver*〈略式〉いらいらする, 不機嫌である. **2** U 肝臓病. **3** U 肝臓色, 茶褐色.

líver sáusage レバーソーセージ.

Liv·er·pool /lívərpùːl/ リバプール《イングランド北西部の都市・海港》.

liv·er·wort /lívərwə̀ːrt/ 名 C [植] ゼニゴケ, 苔(こけ)類.

†**liv·er·y** /lívəri/ 名〈正式〉**1** U C (家臣・召使い・従者などの)そろいの制服, 仕着せ;(同業組合員などの)制服. **2** U (特殊な)服装.

*****lives** /láivz/ 名 life の複数形.

live·stock /láivstɑ̀k | -stɔ̀k/ 名 [集合名詞; 単数・複数扱い] **1** 家畜. **2**〈英式〉外部寄生虫《fleas, lice など》.

†**liv·id** /lívid/ 形 **1** 青黒い;(打ち身などで)青黒くなった;〈正式〉青ざめた, 蒼(そう)白の(very pale) ∥ *livid* with rage 怒りで青ざめて. **2**〈略式〉激怒した.

*****liv·ing** /lívɪŋ/ [→ live¹]

―動 → live¹.

―形《◆比較変化しない》

I [生きている・活発な]

1〈人・動植物が〉**生きている**, 生命のある; [the ~; 集合名詞的に; 複数扱い] 生きている人たち (living people) ∥ a *living* God 生きている神 / be in the land of the *living* 生きている / *Living* things are made up of cells. 生物は細胞からできている.

> ✓ 使い分け [**living** と **alive**] (➡文法 17.3)
> **living** は名詞の前で用いる.
> **alive** は補語として用いる.
> She is 「a *living* [ˣan alive] corpse. 彼女は生きる屍(しかばね)だ.
> Is your grandfather still *alive*? あなたのおじいさんはまだご健在ですか?

2 [名詞の前で]〈言語などが〉**現在使われている**(↔ dead);〈人・制度などが〉現存する ∥ English is a *living* language. 英語は現在使用されている言語である / He is the greatest *living* writer. =He is the greatest writer *living*. 彼は現在生きている最高の作家です《◆後者がふつう》.

3 [通例名詞の前で]〈肖像画などが〉**実物そっくりの**, 生

き写しの ‖ Tom is the *living* image of his father. トムは父親にそっくりです. **4** 生活の; 生活に十分な[適した] ‖ *living* costs 生活費 / *Living* standard worsened. 生活水準は悪化した. **5** 生きている人の, 生きている人に関する.

‖ **[程度が激しい]**
6 [通例名詞の前で]〈感情・考えなどが〉強烈な, 強い ‖ a *living* hope 強い希望. **7**(略式)[名詞の前で, 意味を強調して]まったくの, 真の ‖ a *living* doll 絶世の美人.

―[名](複) ~s/-z/) **1** Ⓤ 生きていること[状態], 生活(様式) ‖ high *living* ぜいたくな暮らし(↔ plain living).
2 Ⓒ [通例 a/one's ~] **生計, 生活の資** ‖ éarn [gáin, gèt, máke] a [one's] *living* (by [out of]) growing lettuces レタス栽培で生計を立てる.
3 Ⓒ 賃金, 収入. **4** Ⓒ 商売, 職業.
scrátch (*óut*) [*scrápe*] *a líving* どうにか生計を立てていく.

líving déath [a ~] 生き地獄.
líving fóssil 生きた化石, 化石動物《シーラカンスなど》;(略式)時代遅れの人.
líving héll 生き地獄.
líving nátional tréasure(日本の)人間国宝.
líving ròom(1)居間((主に英)sitting room). (2)生活空間.
líving spàce(1)(一国に必要な)生活領土. (2)生活空間.
líving stàndard 生活水準.
líving wáge [a ~] 生活給.
líving wíll(尊厳死を希望する重症患者の)遺言状.
Liv・ing・stone /lívɪŋstən/[名] リビングストン(David ~ 1813-73; スコットランドのアフリカ探検家).
†**liz・ard** /lízərd/[名] **1** Ⓒ [動] トカゲ《◆恐ろしい, 汚らわしいもののたとえに用いる》; トカゲに似た動物《ワニ・恐竜・サンショウウオなど》‖ a house *lizard* ヤモリ. **2** Ⓤ トカゲの皮.
Lk.(略)Luke.
ll, ll.(略)lines.
*'**ll** /-l/(略式)**1** will, shall の短縮語《◆本来は will の短縮語》‖ I'll / he'll / that'll. **2** till の短縮語 ‖ Wait'll he comes. 彼が来るまで待て.
Lloyd's /lɔ́ɪdz/[名](ロンドンの)海上保険会社協会.
Lloyd's Régister ロイド船級年鑑.
LNG(略)liquefied natural gas 液化天然ガス.
lo /lóʊ/[間](古)見よ, そら ‖ *Lo* and behold!(略式)驚くなかれ, なんとまあ.
*****load** /lóʊd/[同音語] road /róʊd/, lord /lɔ́ːrd/)〖「積んで運ぶこと」が本義〗
―[名](~s/lóʊdz/)Ⓒ

‖ **[積むこと・重量]**
1 [通例 a ~](大量の)**積荷, 荷** ‖ a cart with a full *load* of hay 干し草を一杯に積まれた荷車. **2**(建物などにかかる)荷重(か); 重さ, 重み ‖ branches bent low by their *load* of fruit 実の重さでたれ下がった枝. **3** [通例複合語で]積載量; 乗車数 ‖ two lorry[truck]-*load*s of coal トラック2台分の石炭 / a plane-*load* of people 搭乗者全員. **4**(火薬の)装塡[弾].

‖ **[負担]**
5 [通例単数形で](責任・心配・罪・悲嘆などの精神的な)**負担, 重荷** ‖ bear a *lóad* of debt 借金を背負う / táke a *lóad* off (of) one's mínd 安心する[気にかかる]/ That's a *load* off my mind. りゃ安心だ, ああほっとした(=What a relief!).

6(機械・電気)荷重, 負荷. **7**(人・機械などの)(基準)仕事量, 割り当て. **8** 物品税; (オープン投資信託の)手数料.

‖ **[その他]**
9(主に略式)**a**(通例 ~s; 時に a ~ of + 名詞)多量, 多数 ‖ *loads* of money [friends] たくさんの金[友人] / talk a *load* of nonsense [junk, (old) rubbish] くだらないことばかり話す《◆この場合はふつう a *load* of》. **b** [~s; 副詞的に] たいへん (very much) ‖ I like you *loads*. あなたが大好きだ. **10**(コンピュータ)ロード, 読み込み.

―[動](~s/-lóʊdz/)(過去・過分)~-ed/-ɪd/; ~-ing
1 [load A into [onto] B]〈人が〉Aを Bく車などに〉載せる; [load B with A]〈人が〉B〈車など〉にA〈荷など〉をいっぱいに**詰め込む** ‖ They *loaded* hay onto the wagon. =They *loaded* the wagon *with* hay. 彼らは馬車に干し草を積み込んだ《◆後者は「干し草で馬車をいっぱいにした」という含みがある》.
2 [load A in [into] B =load B with A]〈人が〉Aにフィルム[弾]などをB〈カメラ[銃]〉などに入れる, 装塡する;(コンピュータ)〈プログラム・データ〉をロードする《コンピュータ内のメモリーエリアに移す》 ‖ *load* film in [into] the camera =*load* the camera *with* film カメラにフィルムを入れる / This pistol is *loaded* with 6 bullets. このピストルには6発弾が入っている.
3 …を[…で]重くする, 圧迫する(+down)〔with〕; [be ~ed down](重い物を)持つ, […で]悩む〔with〕; …を[…に]課する(on)‖ *load* his argument *with* facts 事実でかためた議論をする / *load* the mind *down with* anxieties 心に心配をかける / *load* more work on her 彼女をもっと働かせる.
4 …を[…で]不純にする, …に[…]を加える[まぜる]〔with〕‖ *load* his product *with* inferior materials 彼の製品に悪い材料を加える.
5(さいころを)(特定の目がでるように)細工をする;〈質問などを〉(都合よく)歪曲する(か)‖ The dice are *loaded* against him. 彼に不利になるようにさいころに細工がされている; 彼には勝ち目がない / *load* a question [statement] 答えを誘導して質問する[述べる].
6〈人に〉[…を]十分な程与える;〈胃などに〉[…を](過度に)詰め込む;〈テーブルなどに〉[…を]所狭しと並べる〔with〕‖ *load* her *with* abuse [praise] 彼女をけなし[ほめすぎる]/ *load* the stomach *with* sweets 甘い物を食べすぎる / a shelf (which is) *loaded with* books 本がぎっしりの本棚.

―[自] **1** 荷を積み込む, (いっぱいに)積載する(+up); […に)乗り込む(into) ‖ The ship *loaded* at Pier One. 船は第一埠頭(か)で荷を積んだ. **2**〈カメラ・銃などに〉(フィルム・弾が)装塡する;〈人が〉装塡する ‖ This camera *loads* instantly. このカメラは即座にフィルムが装着できる.

lóad fàctor(電気)負荷率.
lóad lìne(海事)満載喫水線(Plimsoll line).
load・ed /lóʊdɪd/[形] **1** 荷を積んだ; 満員の; 物が詰まって重い; 弾を込めた. **2** 弾丸[フィルム]が入った. **3** 鉛などを詰めて重くした;(酒などに)混ぜものをした. **4** 酔っ払った(drunk).
lóaded quéstion 誘導尋問.

*****loaf**[1] /lóʊf/〖「パン」が原義〗
―[名](複)**loaves**/lóʊvz/)**1** Ⓒ パン1個《◆四角・丸・長細い形などに焼いた完全なもの. これを切ったりしたものを slice, piece などで表す. 英米の食パンの loaf は

2ポンドのものが多い. cf. roll 名5》‖ eat two *loaves* for lunch 昼食にパン2つ食べる / *Half a loaf is better than no bread* [none]. 《ことわざ》パン半分でもないよりはまし《◆人を慰めるときに用いる》. **2** C 菓子パン, (比較的大きい)ケーキ. **3** U [通例複合語で] 長細い形をしたもの[食品] ‖ méat lóaf ミートローフ / a (sugar) *loaf* (円錐(ホビ)状の)棒砂糖.

loaf² /lóuf/ 動 (自) 《略式》ぶらつく; 遊んで暮らす.

loaf·er /lóufər/ 名 C 《略式》のらくら者, 怠け者. **2** (モカシン風の)つっかけ靴(→ moccasin).

†**loam** /lóum/ 名 U C **1** 〔地質〕 ローム《砂・粘土・有機物を含む肥沃な土壌》; (一般に)肥沃な土壌; 肥沃な黒い土. **2** ローム, へな土《鋳型・れんが用》.
lóam·y /-i/ 形 ローム質の.

†**loan** /lóun/ 名 (複 ~s/-z/) **1** C (一時的)貸与物;(利子付きの)貸し付け金, ローン, 借金; 公債; 借款(ネシ) ‖ a government *loans* loan 無利子のローン / màke [tàke óut] a *lóan* on ... ...を抵当にして借金する / raise a *loan* 公債を募集する. **2** U (一時的)貸し付け, 貸し出し ‖ ask for the *loan* of ... ...を貸してくれというのに / May I have the *loan* of this magazine? この雑誌を借りてもいいですか. **3** C 借入[借用]語, 外来語; 外来の風習.

on lóan (1) 借用中で, レンタルして ‖ have two books out *on loan* from the library 図書館から本を2冊借りている. (2) 貸出し中で.

— 動 《正式》他 [loan A B =loan B (to A)] 〈人が〉A〈人〉に B〈物〉を貸す, (利子をとって)A〈人〉に B〈金〉を貸す(lend) ‖ I *loaned* him my suit. 彼にスーツを貸した. — (自) (利子付きで)金を貸す.
lóan colléction (展覧のため)貸出される絵画[美術品].
lóan òffice (金融機関の)貸付部; 質屋.
loan·word /lóunwə̀ːrd/ 名 C 借用語, 借入語, 外来語.

†**loath, loth** /lóuθ, (米+) lóuð/ 形 《正式》嫌いで(unwilling), 〔...するのに〕(どうしても)気が進まない〔to do〕; 〔...を〕嫌う〔that 節〕.

†**loathe** /lóuð/ 動 他 《正式》...をひどく嫌う(dislike); 《略式》...にむかつく, へどがでる《◆hate の誇張表現》‖ [loathe doing] ...することをひどく嫌う.

†**loath·some** /lóuðsəm, lou θ-/ 形 《正式》 ひどく嫌な, いまわしい《◆《略式》では terrible, horrible の誇張表現》.

loaves /lóuvz/ 名 loaf¹ の複数形.

lob /láb | lɔ́b/ 動 (過去・過分) **lobbed**/-d/; **lob·bing**) 他 **1** 〔テニス〕〈ボール〉をロブする, 高くゆるく球を打つ. **2** 〔クリケット〕〈球〉を下手投げで投げる. — (自) **1** 〔テニス〕ロブする. **2** ふらふらゆく(+*along*).
— 名 C **1** 〔テニス〕ロブ, 高くゆるい打球. **2** 〔クリケット〕下手投げの緩球.

†**lob·by** /lábi | lɔ́bi/ 名 C **1** (ホテル・劇場などの)ロビー ‖ a hotel *lobby* =the *lobby* of a hotel ホテルのロビー. **2** 《主に英》(議事堂の院外者との)会見室, ロビー; (下院の)投票者控え廊下(division lobby). **3** [単数・複数扱い] (議会のロビーで議員に陳情・嘆願をする)院外団, 圧力団体; 運動団体 ‖ the *lobby* against the new tax system 新しい税制に反対する圧力団体.
— 動 (自) 議会のロビーに出入りする; 議員に運動する〔働きかける〕‖ *lobby* against [for] a bill 議案に反対[賛成]して議員に圧力をかける. — 他 **1** 〈議員に〉

〔...するよう〕働きかける〔to do〕. **2** 〈議案〉の通過[拒否]運動をする ‖ *lobby* a bill through Congress 運動して議案の通過をはかる.
lób·by·ist 名 C 《主に米》議会通過運動者, 陳情者, ロビイスト.

†**lobe** /lóub/ 名 C **1** 耳たぶ(earlobe). **2** (建物などの)丸い突出部, 丸屋根.

lo·bot·o·my /loubάtəmi | -bɔ́t-/ 名 C U 〔医学〕ロボトミー; 前頭葉切除術.

†**lob·ster** /lábstər | lɔ́b-/ 名 **1** 〔動〕 ウミザリガニ, ロブスター《はさみのある食用の大エビ. 特に米国 Maine 州の American lobster が有名. cf. prawn, shrimp》. **b** イセエビ(spiny lobster). **2** U **1** の肉. **3** C 《俗》まぬけ.

•**lo·cal** /lóukl/ 形 《「〔場所(locus)〕」が原義. cf. locate》
— 形 《ふつう比較変化しない》[通例名詞の前で]
Ⅰ [特定地域の]
1a [通例 the~] ある特定化された土地[場所]の[と関係のある], 地元の, ある特定の土地に限られた, 現地の《◆rural, provincial と違って都会に対する「いなか」の意は含まない》(使い分け → rural 形1) ‖ a *local* government worker 地方公務員 / the *lócal* dóctor 地元の医者 / my *local* convenience store 私の行きつけのコンビニ / *lócal* néws ローカルニュース. **b** (大都市の)近くの, 近郊の ‖ a *local town* 近郊の町.
2 (中央国に対して)地方の ‖ a *local* government 地方自治体. **3** [L~] 《英》(封筒・郵便ポストの指示として)同一区域内[市内, 町内]配達の.
Ⅱ [狭い地域の・部分的な]
4 〔医学〕局部の, 局所の ‖ *local* anesthesia 局部麻酔(↔ general anesthesia).
5 《正式》〈考え・知識などが〉狭い, 偏狭な(↔ general) ‖ a *local* outlook 狭い見解.
Ⅲ [その他]
6 各駅停車の, 普通列車の(↔ express) ‖ a *local* train 普通列車.
— 名 C **1** 《主に米》各駅停車の列車[バスなど](cf. express). **2** 《略式》[通例 the~s] 地元の人々《◆個人を指す場合は a local》. **3** 《英略式》[通例 the one's ~](行きつけの)近所のパブ[居酒屋]. **4** 《米》(新聞の)地方記事. **5** 《米》(労働組合の)分会, 支部.

lócal àrea nétwork 〔コンピュータ〕 LAN, ラン, 構内情報通信網《同一建物内などの狭い範囲のコンピュータ=ネットワーク》(略) LAN).
lócal càll (低料金の)近距離通話, 市内通話(↔《米》long-distance [《英》trunk] call).
lócal cólo(u)r (小説や絵画の)地方色, 郷土色, 時代色.
lócal eléction 《英》地方選挙(↔ general election).
lócal góvernment 地方政治;《米》地方自治体.
lócal hístory 郷土史.
lócal líne (鉄道・バスの)地方路線《特定の短い区間を走る》.
lócal tíme 地方[現地]時間(cf. standard time).

†**lo·cal·i·ty** /loukǽləti | ləu-/ 名 《正式》**1** C 付近(neighborhood); 場所, 土地, 地方(area). **2** C (ある出来事の)現場(spot). **3** U 土地勘 ‖ a poor sense of locality 方向音痴.

lo·cal·ize /lóuklàiz/ 動 他 《正式》 他 (...を)特定の場所に局限[集中]する.

lò·cal·i·zá·tion 名 U 局部(局地)化.

†**lo·cal·ly** /lóukəli/ 副 **1** ある[特定の]地方[場所]で;

現地的に；局部[局地]的に ‖ the damage done by the typhoon *locally* 局地的に台風が与えた損害 / *locally* brewed sake 地酒. **2** このあたりで, 近くで(nearby).

†lo·cate /lóukeit, ⌐⌐ | ləukéit/ [動] 《正式》 [他] **1** 〈人が〉〈物(の出所・場所・原因など)〉を突き止める, 捜し出す(find) ‖ The new hospital can easily be *located*. 新しい病院はすぐに見つかる. **2** 〈人が〉〈建物など〉を〔ある場所に〕置く, 設ける, 定める(set)；[be ~d]〈建物などが〉〔…に〕位置する, ある〔*in, on*〕 ‖ The company *located* its new overseas office *in* London. その会社は新しい海外支店をロンドンに構えた / The island *is located* to the southeast of New Zealand. その島はニュージーランドの南東に位置しています. **——**[自] 《米》〔ある場所に〕住みつく, 居を定める；開業[開店]する(settle)〔*in*〕.

†lo·ca·tion /loukéiʃən | ləu-/ [名] **1** [C] 位置, 場所, 用地, 所在(position) ‖ discover the *location* of the accident site 事故現場の位置を突き止める / a good *location* for a snack bar 軽食堂に好適の場所. **2** [U][C] 〔映画〕ロケ(ーション)(地), 野外撮影(地) ‖ gó [be] on locátion ロケに行く[中である]. **3** [U] 位置測定, 所在の探索；《まれ》配置 ‖ the *location* of the missing boy 行方不明の少年の捜索.

lo·ca·tor /lóukeitər, loukéi- | ləukéi-/ [名][C] 位置表示.

loch /lák, láx | lɔ́x, lɔ́k/ [名][C] 《スコット》湖(lake)；(細長い)入江[湾] ‖ *Loch* Ness ネス湖.

***lock** /lák | lɔ́k/ ([類音] rock /rák | rɔ́k/)

——[名] ([複] ~s/-s/) [C] **1** 錠, 錠前 《◆lock を開けるのが key. 日本語の「かぎ」は lock を含むこともある》 ‖ ***fasten*** **[*set*]** ***a lock*** 錠をおろす, 錠を掛ける / ***túrn*** **[*ópen*]** ***a lóck*** 錠をあける, かぎをあける.

2 (機械の)停止[安全]装置；(車のハンドルの)回転角；銃の発射装置. **3** =lock gate. **4** 〔レスリング〕ロック, 固め. **5** 〔ラグビー〕ロック([図] → rugby).

ùnder lóck and kéy (錠をおろして)閉じこめて, しまい込んで.

——[動] (~s/-s/; [過去・過分] ~ed/-t/; ~·ing)

——[他] **1** 〈人が〉〈戸・箱・車・家など〉に**かぎを掛ける**, 錠をおろす(↔ unlock) ‖ Is the drawer *locked*? 引き出しにかぎを掛けてありますか.

2 〈人が〉〈人〉を(うっかり・故意に)**閉じこめる**(+*in*)；〈腕など〉を組み合わせる, 〈人〉を抱きしめる ‖ She ***lócked hersèlf ín***. 彼女はかぎを掛けて自分の部屋に閉じこもった / He *locked* his arms around her. =He *locked* her in his arms. 彼は両手で彼女を抱きしめた.

3 〈視線など〉を〔…に〕固定する〔*on*〕.

——[自] **1** 〈戸・家・箱などが〉錠[かぎ]が掛かる ‖ This door *lócks* by itsélf. この戸は自動的に錠が掛かる. **2** 〈2つの物が〉組み合う, ドッキングする(+*on*)；〈車輪などが〉動かなくなる ‖ The two gears *locked* into place. 2つのギアが正しくかみあった.

lóck awáy [他] (1) 〈物〉を〔かぎの掛かる箱・引き出しなどに〕しまいこむ〔*in, into*〕. (2) 〈人〉を隔離しておく, 投獄する. (3) …を秘密にしておく.

****lóck A óut*** (1) A〈人〉を(うっかり, または故意に)**締め出す** ‖ The latecomers were *locked out* of the classroom. 遅刻者は教室から締め出された. (2) 〈労働者〉に対し工場閉鎖を行なう, ロックアウトをする.

lóck úp [他] (1) 〈家・店など〉のかぎを全部かける. (2) =LOCK away. (3) 〈人〉を〔…に〕閉じこめる〔*in, into*〕；《略式》…を刑務所に入れる. (4) 〈資金〉を固定させる. (5) 〈感情・思い出など〉をしまっておく. (6) 《主に米略式》[通例 be ~ed]〈成功などが〉間違いない. (7) [~ oneself up]〔…に〕閉じこもる〔*in, into*〕；(人と交際せず)孤独に生きる.

lóck gàte 水門, 閘門(こうもん).

lóck kèeper 水門[閘門]管理人.

Locke /lák | lɔ́k/ [名] ロック《John ~ 1632-1704；英国の哲学者》.

†lock·er /lákər | lɔ́k-/ [名][C] **1** ロッカー, (スポーツクラブなどの)かぎ[錠]の掛かる戸だな. **2** かぎ[錠]を掛ける人[物]. **3** 《米》(賃貸用の)急速冷凍貯蔵室.

lócker ròom 《主に米》(体育館・学校・スポーツクラブなどの)ロッカールーム, 更衣室.

lóck·er-ròom lànguage /lákərrù:m- | lɔ́k-/ 《略式》ひわいな言葉.

lock·et /lákit | lɔ́k-/ [名][C] (首飾りに付ける)ロケット.

lock·out /lákàut | lɔ́k-/ [名][C] ロックアウト, 工場閉鎖；締め出し.

lock·smith /láksmìθ | lɔ́k-/ [名][C] 錠前師.

lo·co·mo·tion /lòukəmóuʃən/ [名][U] 《正式》運動(力), 移動(力).

†lo·co·mo·tive /lòukəmóutiv, 《英+》⌐⌐⌐/ [名][C] **1** 《英では正式》機関車(locomotive engine, 《米》engine) ‖ a stéam [an eléctric] *locomótive* 蒸気[電気]機関車. **2** 《米俗》(しだいに速度を増す)機関車式集団応援. **——**[形] **1** 《正式》運動する；移動力のある；機関車の ‖ *locomotive* power 運動能力. **2** 旅の；よく旅をする.

locomótive èngine =[名]**1**.

†lo·cust /lóukəst/ [名][C] **1** 〔昆虫〕イナゴ, バッタ《◆旧約聖書では, 神がエジプト人を罰するためイナゴの大群(a plague of locust)を送り作物を食い荒らさせたとある》. **2** むさぼり食う人, 破壊的な人. **3** 《米》〔昆虫〕セミ(cicada). **4** 〔植〕**a** ハリエンジュ, ニセアカシア(locust tree). **b** =locust bean.

lócust bèan 〔植〕イナゴマメ.

lócust yèars (イナゴの害を受けたような)不況と苦難の時代.

†lodge /ládʒ | lɔ́dʒ/ [名][C] **1** 番小屋《大邸宅の入口にある門衛・園丁などの住居》. **2** (猟師・登山者・スキーヤーなどのための)山小屋；《主に方言》一時的使用の小屋[バンガロー](cf. chalet, hut). **3** (アパート・大学などの)門衛詰め所. **4** 《英》(主にケンブリッジ大学の)学寮長公舎. **5** 《米》ビーバーなどの巣；先住民のテント小屋. **6** (秘密結社などの)支部(集会所)；[集合的に；単数・複数扱い] 支部会員.

——[動][自] **1** 〈人が〉〔…に/…の家に〕泊まる, 宿泊する, 下宿する〔*in / at, with*〕《◆主に食事の付かない短期間の下宿・滞在に用いる. cf. board [動][自]》 ‖ ***lodge*** ⌈***at*** Mr. Mason's [***with*** Mr. Mason] メーソン氏宅に下宿する. **2** 《正式》〈弾丸などが〉〔体内などに〕留まる, ひっかかる〔*in*〕. **——**[他] **1** 〈人が〉〈人〉を〔…に〕(短期間)泊める, 下宿させる〔*at, with, in*〕 ‖ The flood victims ***were lodged in*** the school. 洪水による被災者は学校に収容された. **2** 《正式》〈弾丸・矢など〉を〔…に〕打ち込む〔*in*〕. **3** 《正式》〈金など〉を〔…に〕保管させる〔*in, with*〕. **4** 《正式》〈抗議・苦情・声明など〉を〔当局などに〕提出する, 正式に申し出る〔*against, with*〕.

†lodg·ing /ládʒiŋ | lɔ́dʒ-/ [名] **1** [U][C] (一時的な)宿, 泊まる所 ‖ a *lodging* for the night 一夜の宿. **2** [U] 下宿すること；宿泊 ‖ board and *lodging* 食事[まかない]付き下宿. **3** [~s] 貸間；下宿《◆1室でも複数形で複数扱い》 ‖ stay [live] in *lodgings* 間

L

借り[下宿]をする.

lódging hòuse (ふつう食事なしの)下宿屋《(米) rooming house》《◆食事付きは boarding-house》.

†**loft** /lɔ́:ft, (米+) lɑ́ft/ [名] ⓒ **1** 屋根裏(部屋); (教会・講堂の)ギャラリー, さじき; (馬小屋・納屋の上階の)干し草置場 (hayloft); (米) (倉庫・工場の)上階《しばしば物置き部屋・作業室として用いる》‖ a chóir lóft 聖歌隊席. **2** ハト小屋[かご]. ── [動] 他 **1 a** (スポーツ)〈球〉を高く打ち[けり]上げる. **b** (ゴルフ)〈クラブヘッド面〉にロフトをつける. **2** …を屋根裏にしまう. ── [自] 球を高く打ち[けり]上げる; 〈建物〉が高くそびえる.

†**loft·y** /lɔ́:fti, (米+) lɑ́fti/ [形] (--i·er, --i·est) **1** (文)〈山・塔などが〉非常に高い;〈地位などが〉高い《◆high と異なり尊厳さに重点がある》‖ a lofty mountain 高峰[そびえ立つ山]. **2** (正式)〈考え・理想・目的・主義などが〉高尚[高遠]な. **3** 高慢な, 尊大な.

*****log** /lɔ́:g, (米+) lɑ́g/
── [名] (複 ~s/-z/) ⓒ **1** 丸太, 丸木《◆これを製材したものが lumber [(英) timber]》; まき‖ a raft of logs =a log raft 丸太のいかだ / in the log 丸太のままで / The tired boy is *sleeping like a log*. その疲れた少年はぐっすりと眠っています. **2** [海事](船の速度を測る)測程器‖ héave [thrów] the lóg 船の速力を測る / sáil by the lóg 測程器をたよりに航海する. **3** (航海・航空・(車の)走行) 記録(日誌)(logbook); 旅行日誌; 実験記録, (機械の)運転記録; (放送局・アマチュア無線家の)送信[交信]記録; [コンピュータ] ログ, (メールなどの)交信記録.
── [動] (過去・過分) logged/-d/; log·ging) 他 **1** …を航海日誌[走行日誌, 実験記録, 交信記録など]に記録する (+*up*);〈勝利などを〉得る, 得る (+*up*). **2**〈船・飛行機が〉…の距離[時間]を航海[飛行]する, …の速度で進む (+*up*). **3**〈(ある地域・森林の)木〉を伐採する.

lóg óff [óut] [自] [コンピュータ] ログ=オフ[アウト]する, 端末の使用を終了する.

lóg ón [ín] [自] [コンピュータ] ログ=オン[イン]する, […に接続して]端末の使用を開始する (*to*).

lóg càbin [hòuse] 丸太小屋, 掘っ立て小屋.

log·a·rithm /lɔ́:gərìðm, -θm/ [名] ⓒ [数学] 対数.

log·book /lɔ́:gbùk/ [名] ⓒ 航海[航空]日誌; (英) 自動車登録台帳.

log·ger·head /lɔ́:gərhèd/ [名] 《◆次の成句で》.
at lóggerhead (正式) (人と)仲たがいして, 言い争って.

†**log·ic** /lɑ́dʒik | lɔ́dʒ-/ [名] **1** Ⓤ 論理学; ⓒ 論理学の本‖ fórmal [púre] lógic 形式[純粋]論理学 / deductive [inductive] logic 演繹[帰納]論理学 / symbolic logic 記号論理学. **2** Ⓤ 論理, 論法, 推理法[能力]; (略式) 正しい論理[推論], 良識; 道理, 理屈, うむを言わせぬ力‖ a leap in logic 論理の飛躍 / There's much logic in what you say. 君の言うことは立派に筋が通っているよ. **3** Ⓤ 必然性, 不可抗力. **4** [コンピュータ] 論理, ロジック; コンピュータの電気回路構成(図).
lógic chòpper 理屈をこねる人.

*****log·i·cal** /lɑ́dʒikl/
── [形]《◆比較変化しない》**1** 論理的な《↔ illogical》, 筋が通った (reasonable); (論理上)必然の, 不可抗力の; [コンピュータ] 論理回路上の‖ a logical argument 筋の通った議論 / The mathematician has a logical mind. その数学者は論理的な考え方をする. **2** [名詞の前で] 論理学の, 論理上の.

log·in /lɔ́:gìn/ [名] Ⓤ [コンピュータ] ログ=イン.

–lo·gist /-lədʒist/ [語要素] → 語要素一覧(2.2).

log·jam /lɔ́:gdʒæm/ [名] ⓒ (主に米) (川の一箇所に流れついた)丸太の停滞; 行き詰まり, 停滞, 封鎖.

lo·go /lóugou/ [名] (複 ~s) ⓒ **1** (略式) =logotype 2. **2** 合い言葉, モットー. **lógo màrk** ロゴマーク.

LO·GO /lóugou/ [名] Ⓤ [コンピュータ] ロゴ《プログラミング言語の1つ》.

log·off /lɔ́:gɔ̀:f/ [名] Ⓤ [コンピュータ] ログ=オフ《端末使用終了》.

log·on /lɔ́:gɔ̀n, -ɔ̀n/ [名] Ⓤ [コンピュータ] ログ=オン.

log·os /lóugɑs | lɔ́gɔs/ [名] **1** [しばしば L~] (哲学) ロゴス《宇宙を支配する理法》. **2** [L~] (キリスト教・神学) 神の言葉, (三位一体の第2位としての)キリスト.

log·o·type /lɔ́:gətàip | lɔ́gəu-/ [名] ⓒ **1** [印刷] 連字活字《an, qu など2字(以上)の文字をひとつに鋳造した活字. cf. ligature》. **2** ロゴタイプ《商標・社名などのデザイン文字》.

log·out /lɔ́:gàut/ [名] Ⓤ [コンピュータ] ログ=アウト(log-off).

log·wood /lɔ́:gwùd/ [名] ⓒ Ⓤ (植) アカミノキ《マメ科の小高木》.

–lo·gy /-lədʒi/ [語要素] → 語要素一覧(2.2).

†**loin** /lɔ́in/ [名] **1** ⓒ (古) [通例 ~s] 腰(部)‖ a fruit [child] of one's *loins* 自分の子. **2** Ⓤ ⓒ (食用動物の)腰肉(図) → beef, pork).

Loire /lwɑ́:r/ [名] [the ~] ロワール川《フランス最長の川》.

†**loi·ter** /lɔ́itər/ [動] (正式) [自]〈人が〉(目的もなく)たたずむ, ふらふらする, ぶらぶら歩いて行く, 道草を食う (walk idly) (+*around, about*). **Don't *loiter* over [on] your job**. だらだらと仕事をするな. ── 他〈人が〉〈時間〉をぶらぶらして過ごす (+*away*).

†**loll** /lɑ́l | lɔ́l/ [動] [自] **1**〈舌・頭などが〉だらりとたれる (+*out*). **2** ぐったりと立つ[座る, もたれかかる] (+*back*); だらだらする (+*about, around*). ── 他 **1**〈舌〉をだらりとたらす (+*out*). **2**〈頭・手・足〉をだらんと下げる.

lol·li·pop, lol·ly-– /lɑ́lipɑ̀p | lɔ́lipɔ̀p/ [名] ⓒ **1** 棒つきキャンディー, ペロペロキャンディー《(米) sucker》. **2** (主に英) 棒つきアイスキャンディー.

lóllipop màn [wòman, làdy] (英略式) 通学児童交通保護者《◆Stop! Children Crossing. (止まれ! 子供横断中)の丸い標識をつけた棒を持つことから》.

lol·ly /lɑ́li | lɔ́li/ [名] ⓒ (英略式) =lollipop.

lol·ly·pop /lɑ́lipɑ̀p | lɔ́lipɔ̀p/ [名] =lollipop.

lon. (略) longitude.

****Lon·don**[1] /lʌ́ndən/ 【発音注意】
── [名] ロンドン《英国・イングランドの首都 (→ Greater London). テムズ河口から64 km さかのぼった所にある. the City が昔のロンドン市の部分で商業・金融の中心地. → city》.

Lóndon Brídge (1) ロンドン=ブリッジ《the City とテムズ川の対岸とを結ぶ橋》. (2) ロンドン=ブリッジ《マザー=グース (Mother Goose) の唄の1つで「かごめかごめ」に似た遊びで歌われる》.

Lóndon bróil (米) 牛の肩や腹腹肉の斜め切りステーキ.

Lóndon smóke くすんだ灰色《◆昔の London の煤(ばい)煙から》.

Lon·don[2] /lʌ́ndən/ [名] ロンドン《Jack ~ 1876–1916; 米国の作家》.

Lon·don·er /lʌ́ndənər/ [名] ⓒ ロンドン人, ロンドン子.

†**lone** /lóun/ (同音) loan) 〖alone の語頭母音が消失したもの〗[形] (文) **1**〈人がたった1人の, 連れのない. **2**〈物が〉(他のものから)孤立した, ただ1つの;〈道・大草原

などから人跡(じんせき)まれな. **3** 〈人・生活などが〉寂しい, 心細い. **4** 子持ちで配偶者と生活しない 《主に女性が》1人で子供を育てる ‖ a lone mother ローンマザー《配偶者から独立して1人で子供を育てる女性》.
Lóne Stár Státe (愛称) [the ~] 一つ星州(→ Texas)《◆州旗の一つから》.
lóne wólf (略式) 一匹狼.
†**lone‧li‧ness** /lóunlinəs/ 名 U 孤独; 寂しさ.
***lone‧ly** /lóunli/
—形 (通例 ~‧li‧er, ~‧li‧est) **1** 〈人・生活などが〉孤独な, ひとりぼっちの《◆社交嫌いのため好んで1人で住むことも含む》; 孤独で寂しい[悲しい]; 〔…を求めて〕寂しく[悲しく]思う〔for〕《◆寂しい気持ちをさらに強めたのがlonesome》(cf. lone, solitary, alone) ‖ She is *lonely* away from her children. 彼女は子供と離れて寂しい ‖ a *lonely* heart いつも愛を求めている人. **2** 〈部屋・夕暮などが〉〈人を〉寂しい気持ちにさせる. **3** [名詞の前で] 人里離れた, 孤立した; 人気(ひとけ)のない.
lónely hèarts 《主に女性用》連れ合い[恋人]を求める人たち.
lon‧er /lóunər/ 名 C (略式) (他者と交わらず)孤独を好む人[動物]; 一匹狼(lone wolf).
†**lone‧some** /lóunsəm/ 形 (略式) **1** 《主に米》〈人が〉〔特定の〕仲間を求めて〕〔感傷的になり〕寂しい, 孤独の 〔for〕 ‖ I feel *lonesome* with no children. 子供がいなくて寂しい《◆feel lonely の方がふつう》. **2** 《主に米》〈人を〉寂しく感じさせる(→ lonely). **3** 〈場所が〉人里離れた, 跡もない.

ːlong¹ /lɔ́(ː)ŋ/ [類語] **wrong** /rɔ́(ː)ŋ/ 『『距離・時間が長い』が本義』反 length (名), lengthen (動)
—形 (~‧er /-gər/, ~‧est /-gist/)
I [物・距離が長い]
1a 〈物・距離が〉長い, 細長い(↔ short) ‖ a *long* coat 丈の長いコート / a *long* nose 鼻(→ nose 名1 関連) / a *long* board 細長い板 / from a *long* distance 遠方から / They still had a *long* way to go further. 彼らはさらに先へ長い道を行かねばならなかった. [比喩的に] 彼らは前途遼遠(りょうえん)だった. **b** (略式) 〈人が〉背の高い, のっぽの.
2 [通例数量を表す語を伴って] 長さ…の[で], …の長さの; 〈乳児の〉身長が…である(tall)《◆比較変化しない》‖ a book (which is) 500 pages *long* 500ページの本(=《正式》a book (which is) 500 pages in length) / How *long* is this bridge? この橋の長さはどれくらいですか / This pole is six feet *long*. この竿(さお)は長さ6フィートだ《◆6フィートを長いと感じれば … is *as long as* six feet. (6フィートもある)となる》/ The baby was 20 inches *long*. 赤ん坊の身長は20インチあった.
II [時間が長い]
3 (時間が)長い, (期間が)長くかかる(↔ short, brief) ‖ a *long* custom 長い間の習慣 / a *long* talk 長いおしゃべり / a *long* run 長期興行 / make a *long* stay 長期滞在する(=stay long) / This is a *long* book.=This book takes a *long* time to read. この本は読むのに時間がかかる / It was not *long before* she came. 彼女はまもなくやって来た (=She came before long.) / I haven't seen you *for a long time*. (略式) 長い間会いませんね《◆ *Long time no see.* はくだけた言い方》.
4 [名詞の前で] (時間的・空間的に)遠くまで達する[及ぶ] ‖ a *long* hit [野球] 長打 / a *long* mem-

ory よい記憶力. **5** [音声] 長音の, 音が長い ‖ *long* vowels 長母音.
III [程度が大きい]
6 [正式] [通例名詞の前で] (数量がふつうより)大きい, たっぷりの; 記載事項が多い ‖ a *long* list 長い一覧表. **7** 〔…が〕十分にある, 〔…に〕事欠かない〔on〕(↔ low) ‖ I am *long* on hope. 私には十分希望がある. **8** 賭(か)け率で大変な差のある, 歩(ぶ)が悪い《◆通例次の句で》 ‖ take a *long* chance (危険があるが)一か八かやってみる.
IV [心理的に長い]
9 [通例名詞の前で] (時間・行為・過程が心理的に)長ったらしい, 退屈な ‖ make a speech *for two long hours* 2時間も長々と演説する / Only five minutes seems *long* when we are waiting. 待つ身にはほんの5分間が長く思える《◆Only five minutes を1単位と考えるので seems の単数形で受けている》.
at the lóngest 長くても, せいぜい.
****for a lóng tìme*** 長い間, 久しく(→ 副1a) ‖ He stayed at the hotel *for a long time*. 彼は長い間そのホテルに泊まっていた / She didn't sing *for a long time*. 彼女は長い間歌わなかった(=It was a long time before she sang.)(→ for LONG(名成句)).

—副 (~‧er, ~‧est) **1** [単独では通例否定文・疑問文で] a 長い間, 長く, 久しく《◆肯定の平叙文では長い間 (for) a long time, 肯定文で用いる場合は longer, longest および too, enough, ago などの修飾語がつくことが多い. 長く眠りすぎた》‖ I've slept too long. *live long* 長生きする ‖ 〈対話〉 "How *long* have you been married?" "Exactly ten years." 「結婚して何年ですか」「ちょうど10年です」 / Have you been here *long*? こちらへ来られて長くなりますか《◆ How *long* have you been here? は少しぶしつけに響く》/ He hasn't *long* been back. 彼は今帰って来たばかりです(cf. He hasn't been back *for a long time*. 彼は長い間帰って来ない)(→ 形 成句) / He has *long* wanted to go abroad. 彼は海外に行きたいと長い間思っている.
b [be long] [通例否定文・疑問文で] 〈人・物が〉〔…するのに/…に〕時間がかかって, 手間どって《◆ 形 とも考えられる》 [in doing / over, about] ‖ *Don't be long* (about (doing) it). ぐずぐずしないで / He won't be *long* (in) com*ing*. 彼はまもなく来るだろう《◆肯定文では He will be *a long time* (in) coming. (彼はぐずぐずしてなかなか来ないだろう)のようになる》 / *I won't be long*. 長くはかかりません, すぐ帰ってきます.
2 (ある時点より)ずっと(前に, 後に)《◆比較変化しない》 ‖ *long ago* ずっと昔に / The speech was made not *long* after dinner. 演説は晩餐(ばんさん)後すぐなされた. **3** [通常 all ~を伴って] …の間じゅう》 ‖ *all winter long* 冬の間中 / *all one's life long* 一生の間ずっと. **4** 遠くへ, 遠くまで.
****àny lónger*** (1) [not ~] もはや[もう]…しない[でない] ‖ She does not live here *any longer*. 彼女はもうここには住んでいない(=She *no longer* lives here.)《◆この意味で anymore を用いるのは《正式》》. (2) [疑問文で] もっと長い間, これ以上 ‖ Do you want to stay *any longer*? もうちょっといませんか.

as lóng as [前] …の間, …もの長い間 ‖ *as long as* five years 5年もの間. —[接] 〔文法 4.1(4)〕 (1) [時] …する限り[間]は(while) ‖ I won't have you idling about *as long as* I live. 私の目の

long

黒いうちはおまえを怠けてぶらぶらさせないよ. **(2)** [条件] …さえすれば(only if, provided)◆仮定法には用いない);(主に米)…であるからには(since) ‖ Any dictionary will do *as long as* it's handy. 便利であればどんな辞書でも結構です.

*nó lónger もはや…ない(→ any LONGer (1)) ‖ He can *no longer* wait. =He can wait *no longer*. 彼はもう待てない.

Só lóng! 〔↘│↘│〕(主に米略式)それじゃまた, さようなら《◆目上の人には用いない. → goodbye(e)》.

so lóng as =as LONG as [接] (2)

――名 **1** Ｕ 長い間, 長時間(a long time) ‖ *before long* まもなく / *For how long?* どのくらいの間か / She won't take *long* to do it. 彼女はそれをするのに長くかからないだろう《◆take long はふつう否定文・疑問文で用いる》 / I *don't* have *long* to live. (病気などで)私はもう先が長くない. **2** (英略式)[the ~] 長い休暇. **3** Ｃ 長音.

*for (**véry**) **lóng** = *for múch lónger* [通例否定文・疑問文・条件文で] **長時間**《◆very によって修飾される long が本来は形容詞であったため》 ‖ He did *not* swim *for long*. 彼は長くは泳がなかった(=He only swam for a short time.)(→ for a LONG time(形 成句)).

Lóng Bèach ロングビーチ《米国 California 州 Los Angeles 近郊の都市. 有名な海水浴場・行楽地・海軍基地がある》.

lóng dístance (米) 長距離電話, 市外電話《(英) trunk call》; 長距離電話の交換手(cf. long-distance).

lóng drínk 深いコップ1杯での[冷たい]飲み物《ビール・レモネードなど》(↔ short drink).

lóng fáce 不機嫌な顔, 浮かぬ顔(→ face).

lóng fínger 中指; [-s] 長い指《人差し指と中指と薬指》.

lóng hául (1) (正式) 長距離輸送. **(2)** [a/the ~] 長時間[期間](の仕事).

lóng hórse [体操] 跳馬; 跳馬競技.

Lóng Ísland ロングアイランド《米国 New York 州の南東部の島》.

lóng júmp (英) [スポーツ] [the ~] 幅跳び(競技)《(米) broad jump》.

lóng shót (1) [映画] 遠写し(↔ close shot). **(2)** [a ~] (競馬の)大穴;(略式)当て推量;(事業の)大胆な企て, 一か八かの大ばくち ‖ a 20-1 *long shot* 20対1の賭(⌒)け率の大穴. **(3)** (賭けなどの)大差.

lóng síght 遠視.

lóng térm [the ~] 長期間(cf. long-term) ‖ over *the long term* 長期的に.

lóng vacátion [略式] **vác** /-væk/ (主に英)(法廷・大学などの)夏期休暇《ふつう6-8月》.

lóng wáve (通信) 長波(10-30 kHz, 波長1000 m以上).

***long²** /lɔ́ːŋ/ [[「長く(long)思える」が原義]] 派 long·ing(名)
――動 (~s/-z/; 過去・過分 ~ed/-d/; ~ing)
――自 [long for **A**] 〈人が〉**A**〈物・事〉を思いこがれる, 切望する; [long to do] **A**〈人・事〉が…することを切望する ‖ She *longs for* your return. = She *longs for* you *to* come back. 彼女はあなたが帰ってくるのを待ちこがれている.
――他 [long to do] …することを熱望する, …したがる ‖ I'm *longing to* hear from you. あなたからの便りを心待ちにしております.

long-dis·tance /lɔ́ːŋdístəns/ 形 **1** 長距離の(cf.

---

long distance) ‖ a *long-distance* (phone) call 長距離電話(の呼び出し)《(英やや古) trunk call》/ *long-distance* transport 長距離輸送. ――動 〈天気予報が〉長期の. ――副 長距離電話で. ――動(他)…に長距離電話をかける.

†lon·gev·i·ty /lɑndʒévəti │ lɔn-/ 名 Ｕ (正式)(並はずれた)長寿; 寿命; 生命.

Long·fel·low /lɔ́ːŋfèlou/ 名 ロングフェロー《Henry Wadsworth /wɑ́dzwərθ │ wɔ́dz-/ ~ 1807-82; 米国の詩人》.

long·horn /lɔ́ːŋhɔ̀ːrn/ 名 Ｃ **1** [動] 長角牛《食肉用. Texas longhorn ともいう》. **2** [昆虫] カミキリムシ.

†long·ing /lɔ́ːŋiŋ/ 名 Ｃ Ｕ [通例 a ~] […に対する]あこがれ, 思慕[for];[…したいという]願望; 強いあこがれ[to do] ‖ He indicated in his speech his *longing* for peace. 彼は平和への熱望を演説の中で表明した. **lóng·ing·ly** 副 切望して, あこがれて.

†lon·gi·tude /lɑ́ndʒətjùːd │ lɔ́ndʒitjùːd/ 名 **1** Ｃ [地理] 経度(略) lon(g).)◆「緯度」は latitude》 ‖ What is the *longitude* of the place? その場所の経度は何度ですか / 80°E *longitude* 東経80°《= eighty degrees east と読む》. **2** Ｕ [天文] 黄経(celestial longitude). **3** Ｕ 長さ, 縦.

†lon·gi·tu·di·nal /lɑ̀ndʒətjúːdənl │ lɔ̀ngitjúːdinl/ 形 **1** 経度の, 経線の. **2** 長さの; 縦の(↔ lateral). **3** 〈研究が〉長期的な.
lòn·gi·tú·di·nal·ly 副 縦に, 長さに.

long-leg·ged /lɔ́ːŋlégid/ 形 **1** 足[脚]の長い. **2** 足の速い.

long-life /lɔ́ːŋláif/ 形 (主に英)〈牛乳・電池などが〉日持ちする.

long-lived /lɔ́ːŋláivd/ 形 長命の, 長続きする(↔ short-lived).

long-play /lɔ́ːŋpléi/, (主に英) **-play·ing** /-pléiiŋ/ 形 〈レコードが〉長時間演奏の, LP(盤)の(cf. LP).
lóng-pláy(ing) récord [**dísc, álbum**] LP 盤.

long-range /lɔ́ːŋréindʒ/ 形 **1** 長距離の, 長距離に達する ‖ a *long-range* rocket 長距離ロケット. **2** (将来)長期にわたる, 遠大な ‖ a *long-range* plan 長期計画.

long-run(·**ning**) /lɔ́ːŋrʌ́n(iŋ)/ 形 長期にわたる; 長期興行中の, ロングランの.

long·sight·ed /lɔ́ːŋsáitid/ 形 **1** (英) 遠目のきく, 遠視の《(米) farsighted》. **2** 先見の明のある.
lóng·síght·ed·ness 名 Ｕ (英) 遠視; 先見の明.

long·stand·ing /lɔ́ːŋstǽndiŋ/ 形 長年続いている, 積年の.

long-suf·fer·ing /lɔ́ːŋsʌ́fəriŋ/ 形 (侮辱・苦痛などに)長い間我慢してきた, 辛抱強い. ――名 Ｕ 長い忍耐.

long-term /lɔ́ːŋtə̀ːrm/ 形 長期の(↔ short-term), 長期満期の(cf. long term).

long-wind·ed /lɔ́ːŋwíndid/ 形 **1** 息が長く続く, 休まず走れる. **2** 長たらしい, 冗漫な(wordy)(↔ concise).

look /lúk/ [[「意識的にある方向に視線を向けて見る」が本義]]

index 動 (自) **1** 見る **2** 見える **3** …に面している
名 **1** 見ること **2** 目つき **3** 容貌, 様子

――動 (~s/-s/; 過去・過分 ~ed/-t/; ~ing)
――自 **1 a** 〈人・動物が〉見る, 注視[注目]する, 見ようと

する; [look at A]〈人が〉〈人・物〉を(じっと)見る(類語) gaze, stare, peer) (使い分け) → see 他1a)
∥ **look up** [**down, aside, inside, outside, behind, forth**] 上[下, わき, 中, 外, 後ろ, 前]を見る / **look away from** a scene [him] 光景[彼]から目をそらす / **look** carefully **at** her from behind 彼女の後ろ姿をつくろう眺める / **look at** oneself in a mirror 鏡で自分の姿を見る / I **looked** in the dark but saw nothing. 暗がりの中を見ようとしたが何も見えなかった / Her dress is not much to **look at**. (略式) 彼女の服は一向に見栄えがしない.
b [知覚動詞] [look at A do [doing]] 〈人・物〉が…する[している]のを見る ∥ **Look at** him throw a boomerang. 彼がブーメランを投げるのを見なさい.

(語法) 「じっと見守る」ことが含意される文脈ではwatchを用いる: She *watched* [*looked at] Tom eating his dinner. 彼女はトムが食事をするのをじっと見ていた.

2 a [look (to be) C] 〈人・物〉が(様子・外観などが)Cに見える◆◆Cは形容詞・名詞. to be はCが長いか前置詞句の場合◆ (使い分け) → seem 自1) ∥ He lóoks háppy [ángry, excíted, sád, tíred]. 彼は幸福に[怒っているように, 興奮したように, 悲しげに, 疲れて]見える◆一時的状態であれば進行形も可 (⇒文法 5.2(3)) : He *is looking* happy …) / You are younger than you *look*. =You *look* older than your age. =You *look* old for your age. 君は見かけより若い / The hat *looks* wonderful [good, (英) well] on you. =You *look* wonderful [good, (英) well] in the hat. その帽子は君によく似合うよ / He *looks* to be in poor health. 彼は健康がすぐれないようだ / Don't judge a person by how he *looks*. 人を外見で判断するな (◆Cを疑問詞にすると how).
b [look like A / look as if節 / (米略式) look like節] (外見上)〈人・物・事〉のように見える, …に似ている, …しそうだ, …らしい ∥ What does your garden *look like*? お宅の庭はどんな形をしていますか / She *looks* (*like*) an able woman. 彼女はやり手のようだ (◆C を省くのは (英)) / It *lòoks* 'like ráin [*as if* it were [(略式) was, is]] going to rain. 雨が降りそうだ / It *looks* to me *like* ((米略式) it is) a toy house. それは私にはおもちゃの家に見える / This picture *looks like* that one. この絵はあの絵と似ている (=The two pictures *look* alike.).
3 〈家などが〉[…に]面している, […の方に]向く[to, toward, on, upon, on to] ∥ Her room *looks* (out) to the south [on the sea]. 彼女の部屋は南向きだ[海に面している].
4 [命令形で; しばしば怒りやいらだちを示して] ほら, いいかい.
—他 **1**〈人が〉〈事〉を目つきで示す, 態度・顔つきで表す《意識的・無意識的にかかわらず用いる》∥ *look* one's thanks [consent, joy] at him 彼に感謝[承諾, 喜び]の気持ちを目つきで表す / He *looks* his hunger. 彼は空腹のようだ. (=He *looks* hungry.).
2 [通例命令文で]〈人が〉…かどうかを(見て)確かめよ, 調べよ[wh節] ∥ *Look* 「who it is [what has become of him]. だれだか[彼がどうなったか]確かめてごらん / *Look* who's talking. (略式) (相手をたしなめて)偉そうな口をきくなよ / *Look* what you've

done! (略式) (軽く非難して)何てことをするんだ.
3〈人〉の[…を]じっと見つめる, 直視する[in]; …を見つけようとする, 捜す(+up); …を調べる(+over, through) ∥ *look* death [one's enemy] in the face 死[敵]にともに立ち向かう / *look* her *in the* eye(s) [通例否定文で] 彼女を目まともに見る《◆自分の気持ちに恥ずかしさ, やましさなどがあって「相手の顔をまともに見られない」などの否定的文脈でよく使われる. *look* him in face [eyes] は「顔[目]をのぞき込む」という意味) / *look* a matter **over** [**through**] 事件を調べる / **lóok úp** an unfamiliar word *in* a dictionary 知らない言葉を辞書で引く[調べる] = consult a dictionary for a strange word).
4 …にふさわしく見える, …のように見える ∥ *look* one's age [years] 年齢相応に見える / He *looks* every inch a gentleman. 彼はどこから見ても紳士のようだ / You haven't been *looking* yourself lately. 最近君はいつもの元気な君でないみたいだね《◆病気の疑われている[よくない]ことを相手に言う表現).
5 (略式) […することを]期待する[to do].

lóok abóut [自] 見回す; […を…しようと](見て)捜し回る[for/to do] ∥ *look about* for a job to take a job] 仕事を捜し回る. —[他+] [~ *abòut* A] (1)〈物〉のあたりを見回す. (2) [~ *about* one] 自分の周囲を見回す[調べる], あたりに気をつける; 自分のことを慎重に考える.

*lóok **áfter** A (主に英) (1)〈人・物〉の**世話をする**;〈事〉に気をつける, 注意する(take care of)(◆受身可) ∥ *look after* one's health 健康に気をつける / *Look after* yourself! 自分のことは自分でしなさい; (主に英略式) お元気で, さようなら(◆返答は Yes, I will., Thanks. など). (2)〈人〉を見送る. (3)〈物・事〉を求める. (4) (主に米略式)〈人〉を殺す.

lóok ahéad [自] (1) 前を見る. (2) [未来のことを]考える, […に]備える[to] ∥ *look ahead* to next year 来年のことを考える. (3) […を]予期する[for].

lóok (a)róund [自] (1) 見回す(look about), 振り向く. (2) […を求めて]調べる[for]. (3) (決定前に)よく(いろいろな)可能性を考える. —[他+] [~ (a)ròund A] (1) …を見回す, 振り返る, 調べる. (2) …を見物[見学]して回る.

lóok aside from A …から注意をそらす.

*lóok **at** A (1) …を見る(→ 自1). (2) …を考察する, 調べる, 検査する, 判断する(◆受身可) ∥ *look at* the mechanism of a camera カメラのしくみを調べる. (3) [通例 will, would を伴う否定文で; 受身可] …を受け入れる, 考慮する ∥ He won't *look at* my advice. 彼は私の忠告を相手にしようとしない. (4)〈人・物〉を[…として]みる, 考える[as]. (5) [to ~ at A; 独立不定詞的に]〈人・物〉の様子から判断すると; 外見は, 見かけは ∥ To *look at* him, you'd think he's a scholar. 様子から判断すると彼を学者だと思うだろう.

lóok báck [自] (1) […を]振り返る[at, to]. (2) […を]回想[追想]する[at, to, on, upon, over]. (3) (略式) [通例否定語を伴って] 前進[進歩]しない, ためらう, しりごみする ∥ Japan has *not looked back* since then. 日本はその時以来ずっと[ますます]発展している.

lóok beyónd A (1) …の向こうを見る. (2) …を予見する, …の先を見る[思い描く](◆受身不可).

*lóok **dówn** [自] (1) 下**を見る**(→ 自1a). (2) (どぎまぎして)目を伏せる ∥ *look down* to hide one's mistake へまを隠そうとして目を伏せる. (3)〈物価などが〉下向きになる. (4) […を]見下ろす[at, on].

—[自＋] [~ dówn A] 〈人・物〉を見下ろす, 見通す, のぞく.

*lóok dówn on [upòn] A (略式)〈人・言動〉を見下(%%)す(↔ look up to) (cf. despise, scorn) ‖ He was *looked down upon* for being poor at speech. 彼はスピーチが下手だとして軽く見られた.

*lóok for A 『A〈人・物〉を求めて(for 前3)見る〉〈物〉を(目で追って)捜す, 求める(search for) ‖ *look in* the drawers *for* some money 金がないかひき出しを捜す / What is he *looking for*? 彼は何を捜しているのか.

*lóok fórward to A 〔しばしば be ~ing; 受身可〕〈事〉を楽しみに待つ, 期待[予期, 覚悟]する(anticipate) ‖ I'm *looking forward to* hearing [×hear] from you soon. ご返事をお待ちしています.◆ to は前置詞のためその後は名詞・動名詞. I'm なしで Looking forward ... とも書く.

Lóok hére! (略式)いいかい!, ほらちょっと!《何かに相手の注意を向けたり, 異議を申し立てたりするときに用いる》.

*lóok ín [自] (1) ちょっとのぞく; 〔テレビを〕見る[*at*] ‖ *look in* through a keyhole 鍵穴から中をのぞく. (2) (略式)〔場所の人を〕(様子などを見るために)ちょっと訪れる[*at*/*on*] ‖ *look in* [(米) *stop in*] *on* her *at* her office 彼女を事務所に訪ねる. The ophthalmologist *looked in* her eyes. 眼科医は彼女の目をのぞきこんだ.

*lóok ínto A (1) ...の中をのぞく ‖ The dentist *looked into* his mouth. 歯医者は彼の口をのぞきこんだ. (2)〈問題など〉を研究する, 調査する(investigate)《◆ 受身可》‖ The police are *looking into* the cause of the accident. 警察はその事故の原因を調査中です.

*lóok ón [自] (1) 〔ずっと(on 副 5 a) 見る〕傍観する, 見物する. (2) (正式)〔人と〕一緒に本などを見る[*with*] ‖ I forgot my textbook, so I had to *look on with* my friend. 私は教科書を忘れたので, 友人の教科書を一緒に見ないといけなかった. —[自＋] [~ *on* [*upòn*] A] (1) → 自3.〈人・物〉を(ある感情で)見る[*with*] ‖ *look on* the bright side of life 人生を明るい面を見る / *look on* her *with* favor [a prejudiced eye] 彼女を好意的に眺める[色メガネで見る]《◆ 受身可》.

*lóok on [upòn] A **as** C 〈人・物〉を...とみなす, 考える(regard, consider)《◆ 受身可》‖ She is *looked on* [*upon*] *as* a first-rate scientist. 彼女は一流の科学者とみなされている.

*lóok óut [自] (1) 外を見る, 顔を出す ‖ He is *looking out of* [(米) *out*] the window. 彼は窓から外を見ています. (2) (略式)〔通例命令文で〕〔...に〕...するよう〕気をつける[*for*/*that* 節]; ...の世話をする[*for*] ‖ *Look out for* pickpockets. すりにご用心 / *Look out*! あぶない! (3)〈家・窓が〉〔...に〕面する[*on*, *onto*, *upon*, *over*](→ 他). (4)〈人・物を〉捜す;〔物を〕得ようとする[*for*]. —[他] (英)〈物〉を捜す, 選ぶ.

*lóok óver A (1) 場所を見渡す. (2) 書類などにざっと目を通す; 土地などを調べる. —[他]〈物・人〉を調べる(examine, check);〈身体の部分〉を診察する. —[自＋] [~ *over* A] (1) ...を見渡す; ...にざっと目を通す. (2) (正式)...を見のがす, 大目に見る(overlook). (3) ... 越しに見る ‖ *look over* one's shoulder (振り返って)肩越しに見る《◆ 他人の肩ならしうしろから見る[のぞく]》. (4)〈学科など〉を繰り返し勉強する. (5)〈家・土地などの〉下検分をする.

*lóok thróugh [他] (1) 〖〈本〉を初めから終わりまで(through 前2)通して読む〗〈本・書類など〉に目を通す, ...を詳しく調べる ‖ She *looks through* the newspaper every morning. 彼女は毎朝新聞に目を通す. (2)〈心・計略など〉を見抜く ‖ *look* him *through* (and *through*) 彼の心を(十分)見抜く. —[自＋] [~ *through* A] (1)〈窓・レンズなど〉を通して見る ‖ *look through* a keyhole [telescope] かぎ穴から[望遠鏡を]のぞく. (2) 〖A〈人〉をつき抜けて(through 前1)そのまた向こうを見る〗〈人〉を見て見ぬ振りをする. (3)〈感情など〉が〈目など〉を通して見える.

lóok to A (1) ...の方を見る;〈場所・建物など〉...に面する. (2) (正式)...に注意する, 気をつける(see to); ...の世話をする ‖ *look to* one's laurels 今の栄光を失わぬよう心がける. (3)...に[...を...するように]期待する, 当てにする[*for*/*to do*] ‖ He always *looks to* me [for help [to help him]. 彼はいつも私の援助を当てにしている.

lóok towárd A (1) → 自3. (2)〈物・事などが〉...の傾向がある, ...に傾く ‖ Circumstances *look toward* inflation. インフレになりそうな気配だ.

*lóok úp [自] (1) → 自1a. (2) (略式)〔通例 be ~ing〕〈景気・情勢などが〉〔...にとって〕よくなる, 上向く(improve) [*for*, *with*] ‖ Business [Life] is *looking up*. 商売[生活]が上向きになっている. (3)〔...を〕見上げる[*at*, *to*]. —[他] (1) (略式)(捜しあてて)〈人〉を訪ねる《◆知人をちょっと訪ねる場合は look in》. (2)〈単語など〉を〔辞典などで〕調べる[*in*] (→ 他3). —[自＋] [~ *up* A] ...を見上げる.

lóok úp and dówn (1)〈人〉をじろじろ見る. (2)〈場所〉をくまなく捜す.

*lóok úp to A〈人〉を見上げる, 仰ぎ見る. (2)〈人〉を尊敬する(respect) (↔ look down on) ‖ He is *looked up to* as a pioneer of the motorcar industry. 彼は自動車産業の草分けとして尊敬されている.

—名 (覆) ~s/-s/) **1** 〔通例 a/one ~〕見ること, 一見, 一目; 〔...への〕注視[*at*] ‖ *have* [cast, give, shoot, steal, take, throw] *a look at* ... ...をちらりと見る / *take a look [close] *look at* the paper 新聞に丹念に目を通す / take a (long) hard *look at* a plan 計画を見直す / She gives me funny *looks*. 彼女は私を変な目で見る《◆ ×She gives funny looks to me. とはいわない》.

2 Ⓒ 〔通例 a ~〕目つき, 顔つき, 表情(expression) ‖ a thankful [searching, puzzled] *look* 感謝の[詮索するような, 当惑した]目つき / give him a black [(略式) dirty] *look* 彼を意地悪くじろりと見る / A *look* of pain came to her face. 苦痛の表情が彼女の顔に浮かんだ.

3 Ⓒ (略式)〔しばしば ~s〕容貌(%), 風采, 美貌; [a/the ~] 〈物・事の〉様子, 外観, 様式, 型, 模様(appearance);流行の型 ‖ *have* [lose] one's good *looks* 美貌に恵まれる[美貌が衰える] / *From* [*By*] *the look of* the sky, (I'd say) it will clear up in the afternoon. 空模様からすると午後には晴れるだろう / He has *the look of* his mother. 彼は母親似だ.

look-a-like /lúkəlàik/ 名 Ⓒ (略式)うり二つの(人, 物), そっくりさん ‖ a *look-alike(s)* show そっくりショー.

look·er /lúkər/ 名 Ⓒ **1** 〔...を〕見る人, 調べる人 [*on*];(俗)検査官. **2** (略式)美人(cf. good-

looker-on

looking).

look·er-on /lúkərɑ́n|-ɔ́n/ 名 (複 look·ers-on) C 傍観者, 見物人 ‖ *Lookers-on see most of the game.* (ことわざ)見物人の方が試合がよくわかる／「岡目八目(ḥāḳ).

-look·ing /-lúkiŋ/ 〖語要素〗→語要素一覧 (1,2).

†**look·out** /lúkàut/ 名 **1** [a/the ~] 〖…の〗見張り, 用心〖*for*〗; C 警戒隊〖船〗; 見張り所〖人〗‖ *be on the lookout for* floods 〖much game〗 洪水を警戒している〖多くの獲物を得ようと見張る〗/ *keep* [*take*] *a* sharp *lookout for* traffic 交通をよく見張っている. **2** U (英式) 〖しばしば a ~〗見晴らし; 見込み, 前途 ‖ *It's a bright* [poor, bad] *lookout for* him. 彼の前途は明るい〖暗い〗. **3** (英略式) [one's ~] 関心事, 仕事 ‖ *That's my* (own) *lookout.* それは私の問題〖責任〗だ, 君の知ったことではない.

†**loom** /lúːm/ 動 (自) **1** ぼんやりと〖大きく不気味に〗現れる〖見えてくる〗(+*up*); 〖脅威などがうす起こりそうに見える, 〖…を〗包む〖*over*〗‖ *A figure loomed up ahead through the mist.* もやを通して前方に人影が浮っと現れた. **lóom lárge** 〖恐怖などが〗不気味に立ちはだかる ‖ *The impending examination loomed large in her mind.* 目前に迫った試験のことが彼女の心に大きく広がった.

loon·y /lúːni/ 形 (-i·er, -i·est) (俗) 狂気の; (政治的に) 極端な, 過激な. —名 C 狂人.

†**loop** /lúːp/ 名 C **1** 〖綱・ひもなどでつくる〗輪, 環; 輪なわ, 引き寄せ ‖ *make a loop* 輪をつくる. **2** 環〖状のもの〗〖曲がり, 道, 水路, 運動〗; 輪〖環〗状の留め金 ‖ *the loop of* a written *e* 筆記体の *e* の描く輪. **3** [the L~] (米) シカゴ市(Chicago)の主要商業地区. **4** 〖コンピュータ〗ループ〖何度でも繰り返される反復処理部分〗.

—動 他 **1** …を輪にする; …を輪で囲む〖巻く, 結ぶ〗(+*up, back, together*); …を宙返りさせる ‖ *loop a rope around him* = *loop him with a rope* 彼のからだにロープを巻きつける. —自 輪になる; 輪を描いて進む〖飛ぶ〗.

†**loop·hole** /lúːphòul/ 名 C (城壁などの) 銃眼, はざま; (通風・採光用などの) 小穴; [比喩的に] 逃げ道, (法律などの) 抜け穴.

loop-line /lúːplàin/ 名 C (英) (線路・電線などの) 環状線, ループ線(belt line).

∗**loose** /lúːs/ 〖発音注意〗

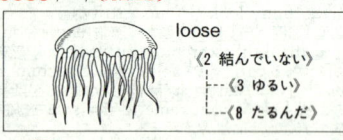

loose
《2 結んでいない》
--《3 ゆるい》
--《8 たるんだ》

—形 (~r, ~st)

I 〖ゆるんだ・結んでいない〗

1 固定していない, 〖戸・歯・機械の部分が〗ゆるんだ(detached), がたがたした ‖ *a loose tooth* ぐらぐらの歯 / *a loose window* がたがたする窓.

2 〖ひも・髪などが〗結んでいない(↔ tied up), 〖物が〗束ねていない, 包装していない, ばらの ‖ *leave the end of the rope hanging loose* ロープの端をたらしたままにしておく.

3 〖結び目などが〗ゆるい, ゆるんだ; 〖服などが〗だぶだぶの (loose-fitting) (↔ tight) ‖ *a loose knot* ゆるい結び目 / *work* [*come*] *loose* ゆるむ / *with a loose rein* 手綱をゆるめて / *She wore a long, loose coat.* 彼女はゆったりしたコートを着ていた.

4 〖やや古〗〖腸が〗ゆるんだ, 〖人が〗〖腸が〗下痢気味の〖in〗, 〖土が〗粘着性のない ‖ *loose bowels* (腹). **5** 〖織物などが〗目の粗い, 密でない(↔ solid) ‖ cloth with a *loose* weave 目の粗い織地.

II 〖束縛しない・広がった〗

6 〖…から〗自由になった, 解き放たれた, のがれた(free, unbound)〖*from, of*〗‖ *The cows were let* [*set*] *loose* in the pen. 牛は囲いの中に放された / *He struggled until he got one hand loose.* 彼はもがいてやっと片手が自由になった.

7 〖軍事・競技〗〖隊形などが〗散開した.

III 〖だらしない・ずさんな〗

8 a 〖人が〗(肉体的に)たるんだ, がっしりしていない ‖ *a loose frame* しまりのない体格. **b** (古) 〖人・行動が〗だらしない, 身持ちの悪い, ふしだらな ‖ *a loose woman* 身持ちの悪い女 / *lead a loose life* だらしない生活をする. **c** 節度のない, 制御されていない ‖ *hàve a lóose tóngue* 口が軽い. **9** 〖意味が不明瞭な〗 (vague), 不正確な, 〖心が〗散漫な, 〖文体・翻訳がずさんな〗(↔ exact), 忠実でない ‖ *a loose contract* いいかげんな契約 / *a loose translation* ずさんな訳.

cút lóose (自) 〖束縛などから〗自由になる〖*from*〗; 猛烈に行動〖攻撃〗を始める; (略式) はめをはずす. —他 〖…を〗〖…から〗解放する, 〖船などを〗離す〖*from*〗.

lét lóose (1) 〖…から〗自由になる〖*from, of*〗. (2) (略式) 勝手にふるまう〖言う〗. (3) (略式) 〖雲などが〗大雨を降らせる. —他 (1) 〖人・動物を〗解放する, 自由にする ‖ *let loose of A* Aともいう); [be let ~] 〖人が〗〖…を〗まかされる〖*on*〗. (2) 〖怒りなどを〗爆発させる, 発する.

—自 ゆるく, ゆるんで(loosely) ‖ *tie one's shoelaces loose* くつひもをゆるく結ぶ.

—動 (正式) 他 **1** 〖人・動物を〗(束縛から)解き放つ, 自由にする (make free) ‖ *loose a horse* in the field 馬を野に放つ(= *let* a horse *loose* …). **2** 〖結び目・足かせ・ベルトを〗解く(untie). **3** 〖矢・鉄砲を〗放つ; 〖大声を〗発する(+*off*). **4** …をゆるめる, 自由にする(loosen) ‖ *The whiskey loosed his tongue.* ウイスキーがまわって彼はぺらぺらしゃべり出した(♦ loosened の方がふつう).

—自 **1** 矢〖鉄砲〗を放つ(+*off*). **2** 出帆する, 錨(いかり)を上げて出帆する.

—名 U C 放任, 放縦.

loose-leaf /lúːslíːf/ 形 〖本・ノート・ファイルなどがページの抜き差しが自由な, ルーズリーフ式の.

†**loose·ly** /lúːsli/ 副 **1** ゆるく, だらりと, だぶだぶに. **2** ルーズな言い方では, 漠然と, おおざっぱに.

†**loos·en** /lúːsn/ 動 他 **1** 〖人が〗〖結び目・固定したもの〗をゆるめる (↔ tighten), ほどく (+*up*); 〖土を〗ばらばらにする ‖ *loosen one's necktie* ネクタイをゆるめる / *She loosened her grip on her child's hand.* 彼女は子供の手を握った手を緩めた. **2** 〖規則・制限などを〗ゆるめる, 緩和する ‖ *loosen the discipline* 規律を緩和する. **3** 〖束縛から〗…を解き放つ, 自由にする. **4** 〖腹に〗便通をつける, 〖せきを〗静める ‖ *loosen the bowels* 通じをつける. —自 ゆるむ, たるむ(+*up*) ‖ *ばらばらになる* / *The screw loosened.* ねじがゆるんだ.

lóosen úp (自) (1) (主に米略式) 金離れがよくなる. (2) 打ち解けて話す, くつろぐ. (3) 筋肉をほぐす. —他 (1) 〖経済状態を〗緩和する. (2) (略式) 〖事を〗気楽に考える.

†**loot** /lúːt/ 名 U **1** 戦利品. **2** 略奪品, 盗品; (略式) (公務員の) 不正利得; お金; 貴重品. **3** 略奪, 強奪. —動 他 (戦争の時などに) 〖物を〗略奪する, 強奪する;

《町など》を荒らす. ——图 略奪[強奪]する《◆plunder, pillage よりけなした語》. **lóot·er** 图 © 略奪者.

†**lop** /láp | lɔ́p/ 動 (過去・過分 **lopped**/-t/; **lop·ping**) 他 …を切り落とす, 取り除く(+*away*, *off*). ——自 枝[手足など]を切り落とす; 余分な物を取り除く. ——图 © 切り枝; 切り落とした[除去した]部分.

lop·sid·ed /lápsáidid | lɔ́p-/ 形 不均衡の, 偏った.

†**lord** /lɔ́:rd/ 图 © **1** © **a** [歴史] (封建時代の)君主; 領主 ‖ a feudal *lord* 大名, 領主 / the *lord* of the manor 荘園(ょうえん)領主. **b** 統治者; 首長; (家・土地などの)所有者 ‖ our sovereign *lord* the King わがов国の国王. **2** (英) **a** © (Lord を敬称とする)貴族《侯[伯, 子, 男]爵, 公[侯]爵の子息, 伯爵の長子》; 上院議員; (主教・市長のように儀礼上) Lord の称号を与えられる人. **b** [the Lords; 単数・複数扱い] 上院議員, 上院(the House of Lords) (↔ the Commons). **3** [L~] (英) **a** …卿(きょう) 《◆(1) 侯[伯, 子]爵の略式の称号. 呼びかけも可. (2) 男爵のふつうの称号. 洗礼名を付けない. (3) 公[侯]爵の(長子を除く)子息の儀礼的称号. 姓を省いてよい》‖ *Lord* Cardigan カーディガン卿(=the Earl of Cardigan) / *Lord* Morrison モリソン卿(=Baron Morrison of Lambeth). **b** [高位の官職名の前で] …長 ‖ the *Lord* Mayor of London ロンドン旧市の市長. **c** …主教《儀礼的称号》. **4** [(the) L~] 神; キリスト《◆「キリスト」の場合は our Lord ともいう》‖ in the year of *our Lord* 2005 西暦 2005年に.

my Lórd /mailɔ́:rd, 《弁護士の発音ではしばしば》-lʌ́d/ 《最近では /mailɔ́:rd/ ともいう》閣下!.

——動 (略式)[通例~ it] [(…に)殿様振りに, いばり散らす《*over*》 ‖ *lord* it over his wife 妻に偉そうな顔をする. ——自 (…に)君臨する《*over*》.

Lórd Máyor (英) [the ~] (ロンドン旧市などの大都市の)市長(→ 图 **3 b**, mayor 事典).

Lórd Máyor's Dày ロンドン市長就任式《11月第2土曜日》.

Lórd's Práyer [the ~] 主の祈り《◆Our Father, paternoster ともいう》.

lòrd(s) spíritual (英) 聖職の(arch)bishop)の上院議員.

Lórd's Súpper [the ~] (1) =Last Supper. (2) 聖餐(さん)式.

†**lord·ly** /lɔ́:rdli/ 形 (文) 君主[貴族]の(ような), 君主[貴族]にふさわしい; 堂々とした, 威厳のある; 気高い; 横柄な, 尊大ぶった, 専制的な. ——副 君主然と; 堂々と; 気高く; 尊大に.

†**lord·ship** /lɔ́:rdʃip/ 图 **1** © 君主[貴族]の地位; [(…への)統治権], 所有権(*of*, *over*); 領地, 領土, 荘園(ょうえん). **2** [his L~, your Lordship(s), their Lordships] © (英) 閣下《公爵以外の貴族・判事・主教などへの言及・呼びかけの尊称. 一般の人への皮肉としても用いる》 ‖ *His Lordship* is arriving soon. 閣下がまもなくご到着です.

lore /lɔ́:r/ 《同音》(英) law) 图 U (正式) (民間の伝承・信仰・風習などによる)知識, 知恵; 伝承, 言い伝え.

Lo·re·lei /lɔ́:rəlài/ 图 ローレライ《ドイツ伝説の魔女. ライン川の岸の岩にいて美しさと歌声で船乗りを誘惑し船を難破させたとされる》.

lor·gnette /lɔ:rnjét/ 《フランス》图 © 柄付きのめがね, オペラグラス.

†**lor·ry** /lɔ́:ri/ 图 © **1** (英) トラック((米) truck) ‖ carry freight *by* [on a] *lorry* トラックで貨物を運ぶ. **2** (鉱山の)トロッコ.

†**Los An·ge·les** /lɔ:s ǽndʒələs | -ǽndʒəli:z/ 《『天使(the angels)の女王である聖母マリアの村』が原義》图 ロサンゼルス《California 州南西部にある米国第2の都市. 略 LA》.

:**lose** /lú:z/ [発音注意] [類音 loose /lú:s/] 《「必要なものをなくす」が本義》派 loss (名)

index 動 他 **1** 失う **3** 見失う, 聞きのがす **5** 負ける
自 **1** 負ける **2** 損をする

——動 (~s/-iz/; 過去・過分 **lost**/lɔ́(:)st/; **los·ing**)

——他

I [失う・なくす]

1 a 〈人が〉(不注意から)〈物を〉失う, なくす(↔ find), (どこかへ)置き忘れる《◆具体的な場所が明示される場合は leave》‖ I have *lost* my ticket. 切符をなくしてしまった / She is always *losing* her pocket handkerchief. 彼女はハンカチをなくしてばかりいる(➔文法 5.2(4)). **b** 〈人が〉〈人を〉[(…で)失う, …と死別する[to]] ‖ She lost her mother to cancer last year. 彼女は去年母にがんで死なれた(=Her mother died of cancer last year.) / *lose* a daughter *to* pneumonia 肺炎で娘を亡くす.

2 〈能力・自信などを〉失う, 維持できなくなる(↔ control, keep) ‖ *lóse one's témper* かんしゃくを起こす / *lóse one's mínd* 気が変になる(=become crazy) / *lóse one's héalth* 健康を損なう / *lose* interest in one's work 仕事が面白くなくなる.

3 〈人が〉〈道・方向・人〉を見失う, 〈言葉を〉聞きのがす, 〈人を〉取り逃がす; (略式) …に負けていない ‖ We found that we had *lost* our [the] *way*. 私たちは道に迷ってしまったことに気づいた《◆lose way は「失速する」の意》 / We *lost* (sight of) him in the forest. 私たちは森の中で彼を見失った / *Lost* something? どうかしましたか《◆道で困ったような顔をしている人に》.

4 [be *lost* / *lose* oneself] **a** 〈…の中に〉姿が見えなくなる《*in*》, 行方不明になる ‖ The ship *was lost* in the storm (at sea). その船はあらしに遭って沈没してしまった. **b** 〈…に〉夢中になる, 〈…に〉没頭する《*in*》 ‖ *be lóst in thóught* 考えにふける. **c** 混乱する, 自分を見失う ‖ I'm *lost*. Could you explain that again? 話がわからなくなりました. もう一度説明してくれませんか. **d** 道に迷っている ‖ I don't know which way to go. I'm completely *lost*. どっちに行ったらいいのかわかりません. 完全な迷子になりました.

5 〈試合・裁判・戦争などで〉(…に)負ける《*to*》; 〈賞〉をとり損なう(↔ win) ‖ We lost the game by a score of 2 to 1. 試合で私たちは2対1で負けました / *lose* a prize 賞を取り損なう / *lose* a motion 動議を否決される.

6 《まれ》〈病気・恐怖など〉をのがれる, 取り除く ‖ He made great efforts to *lose* his fear of water. 彼は水に対する恐怖心を克服しようと大変な努力をした.

7 〈時間・努力〉を浪費する ‖ I didn't *lose* any time (in) answering. 私はすかさず答えた / Hurry, there's no time to *lose*. 急ぎなさい. 一刻の猶予も許されません.

8 [*lose* **A B**] **A** 〈人〉に **B** 〈物〉を失わせる(cost) ‖ His carelessness *lost* him his job. 彼は自分の不注意から仕事を失った《◆He *lost* his job because he was careless. の方がふつう》.

loser — lot

loser (続き)

II [遅れる]

9 〈時計が〉〈ある時間〉遅れる(↔ gain) ‖ His watch *loses* three minutes a day. 彼の時計は日に3分遅れる(cf. 圄 **4**, slow 圃 **3**)

10 (略)(競走などで)〈相手〉を引き離す, (略式)〈追手〉をまく ‖ He managed to *lose* the other runners. 彼はどうにかほかの走者を振り切った / I finally succeeded in *losing* my pursuer. とうとう追跡者をまいた.

— 圓 **1** 〈人が〉[…で/…に]負ける, 敗れる(be defeated)〔at, in / to〕; 失敗する ‖ I *lost* to him at cards. トランプで彼に負けた.

2 〈人が〉[…で]損をする, 損害を受ける(on); [通例否定文・疑問文で] […のために]損をする(by)(↔ gain) ‖ They *lost* heavily on the job. 彼らはその仕事で大損をした.

3 〈人・物が〉弱る, 衰える; […で]価値が減じる, 美点を失う(in) ‖ This classic *loses* a great deal in translation. この古典作品は翻訳するとかなり駄目になる.

4 〈時計が〉遅れる(cf. 圄 **9**) ‖ His watch *loses* by three minutes a day. 彼の時計は日に3分遅れる.

be lóst to A (正式) (1) 【A にとってすでに失われた】…から取り残される, のけ者にされる; …から消え去る ‖ He *was lost to* history (the world). 彼は歴史から消えた[世間から注目されなくなった]. (2) …に無感覚になる, …を感じない, …に気づかない ‖ He *is lost to* shame [any sense of honor]. 彼は恥を知らない[名誉心がまったくない].

be lóst (up) on A 【むだになって A〈人〉の不利益となる】 (on **13**) 〈物事が〉…に理解されない, …に効きめがない ‖ All my advice *was lost on* her. 私の忠告はすべて彼女に効きめがなかった.

gét lóst (1) 道に迷う; 途方にくれる. (2) (略式) [通例命令文で] (さっさと)消えうせろ!

lóse onesélf → 圄 **4**.

†los·er /lúːzər/ 图 © **1** (競技の)敗者, 負けた方; 負け馬(↔ winner) ‖ a good [bad] *loser* 負けて悪びれない[ぐずぐず言う]人 / He is a born *loser*. 彼はいつも負けてばかりいる(= He is always defeated.) / Losers are always in the wrong. (ことわざ)負けた者が常に悪い;「勝てば官軍, 負ければ賊軍」. **2** (略式) 失敗者, 損をする[した]人(↔ gainer).

los·ing /lúːzɪŋ/ 圃 → lose. — 圈 勝ちめのない, 負けている; 敗戦の(↔ winning); 損をする. — 图 ① 失敗, 負け; [~s] (賭(か)けや投機などの)損失.

*loss /lɔ́(ː)s, lás/ (→ lose)

— 图 (複 ~·es/-ɪz/) **1** ① 失うこと, 持っていることを失うこと, 喪失, 紛失, 遺失 ‖ *loss* of sight 失明 / memory *loss* 記憶喪失 / I reported the *loss* of my money to the police. 私はお金を紛失したことを警察に届け出た.

2 © 損失(物), 損害(damage); 損失額[量](↔ profit); (軍事) [~es] 損失兵員 ‖ hàve a *lóss* of £500 500ポンドの損をする / suffer heavy *losses* in the business 商売で大損害をこうむる.

3 ①© 敗北, 失敗, 取り損ない ‖ the *loss* of a battle 敗戦 / the *loss* of a prize 賞の取り損ない.

4 ① (時間・労力の)浪費, むだ遣い ‖ *loss* of time 時間の浪費 / without any *loss* of time すぐさま, 時を移さず.

5 ① (量・程度の)減少, 低下, 減り(↔ gain) ‖ *loss* in weight 目方の減少. **6** ① [しばしば a ~] 損失, 不利 ‖ His death was a great *loss* to our firm. 彼の死は我が社にとって大きな痛手であった.

***(be) at a lóss** [(3) が原義] (1) [するのに/…に]困(って)いる〔to do / for〕, […していか]途方にくれている〔wh句〕‖ I *was at a loss for words* when I heard the news. そのニュースを聞いたとき言葉に詰まった[何と言っていいかわからなかった] / He *was at a loss* (as to [about]) when to start. 彼はいつ発(た)ってよいか途方にくれた(= He did not know when he should start.). (◆文法 11.8). (2) 損をしている. (3) (狩猟) 〈猟犬が〉臭跡を失って(いる).

lóss of fáce 面子(メンツ)を失うこと.

*lost /lɔ́(ː)st/ [発音注意]

— 圃 lose の過去形・過去分詞形.
— 圈 〈∅ 比較変化しない〉 **1** 道に迷った; 当惑した, 放心したような, 途方にくれた ‖ The *lost* child cried loudly. 迷子は大声で泣いた / *lost* sheep (聖) 迷える羊 (正道を踏みはずした人) / a *lost* look 放心したようなまなざし.

2 失った, 紛失した, 消え去った; 行方不明の ‖ a *lost* article 遺失物 / a *lost* dog 行方不明の犬 / my *lost* youth 私の失われた青春.

3 負けた; 失敗に終わった ‖ a *lost* battle 負け戦 / a *lost* opportunity 逸した機会.

4 浪費された, むだに過ごした ‖ màke úp for *lóst* time 遅れを取り戻す / *lost* labor むだな骨折り. **5** 死滅した, 死んだ, 今はない ‖ a *lost* ship 難破船 / a *lost* city 滅びた都市 / We gave the child *up for lost*. 私たちはその子を死んだものとあきらめた / There have been 100 people *lost* so far in the earthquake. これまでにその地震で100人の人が亡くなっている.

the lóst and found (óffice) (米) 遺失物取扱所.

Lóst Generátion [the ~] 失われた世代 (第一次大戦中に育ち, 戦争体験や混乱期を経て人生の方向を見失った人たち).

lóst próperty (英) [集合名詞的に] 遺失物《◆ a *lost-property* office は「遺失物取扱所」》.

*lot /lɑ́t | lɔ́t/ [「割り当てられた部分」が原義]

— 图 (複 ~s/láts/)

I [集合・グループ]

1 © [単数・複数扱い] (同じ種類の人・物の)群れ; 仲間, 連中, しろもの; (商品・競売品の)ひと組; ひと山 ‖ Recruits are a sorry *lot*. 新兵はかわいそうな連中だ.

2 © (略式) [形容詞を伴って] …なやつ, 人 ‖ a bad *lot* 悪い[信頼できない]やつ. **3** (主に英略式) [the ~; 単数・複数扱い]全部, 全部, なにもかも ‖ That's the [your] *lot*. それで全部だ.

II [割り当て]

4 © (主に米) (土地の)一区画, (ある目的のための)敷地, 地所, 地区; 映画撮影所, スタジオ ‖ an empty [a vacant] *lot* 空き地 / a párking *lòt* 駐車場 ((英) car park) / a circus [film, burial] *lot* サーカス用地[撮影所, 墓地] / a new car *lot* 新車売り場.

5 © [a/one's ~] 分け前(share) ‖ the wife's *lot* of an inheritance 遺産の妻の分け前.

III [くじ・運]

6 © くじ; ① くじ引き, 抽選, [the ~] 抽選法 ‖ by *lot* くじで / dráw [cást, thrów] *lóts* for turns くじで順番を決める / The *lot* fell on [upon, to] Sam. サムがくじに当たった.

7 (正式) [a/one's ~] (偶然の)運命, 宿命, めぐり合わせ(fate); (おかれた)状態 ‖ He is in a hard

lot. 彼はつらい状態におかれている / *It is my lot to take care of poor folks.* = *It falls to my lot to* ... 貧しい人たちの面倒を見るのが私の責務だ.

IV [たくさん]
8 (略式) [主に肯定文で; a ~; 副詞的に] **a** [動詞修飾] よく,ずいぶん ‖ *They play a lot.* 彼らはよく遊ぶ / *The children watch TV a lot.* 子供たちはよくテレビを見る《◆ **very much** のくだけた言い方. *a very lot* のように l を修飾することはできない. **b** [形容詞・副詞の比較級を修飾] ずっと,はるかに ‖ *a lot [lots] wiser than one was* 以前よりたいそう賢い.

a lót of A = (略式) ***lóts of*** A [通例肯定文で] たくさんの… ‖ *There were lots of people.* すごくたくさんの人たちがいた《◆ U 名詞を伴うと lots は単数扱い: *Lots of snow falls in Niigata in winter.* 新潟では冬たくさん雪が降ります / *What a lot of meat he bought!* 彼は何てたくさんの肉を買ったんだ / *You've got a lot of toys, but he hasn't got many.* 君はおもちゃをたくさん持っているが,彼はあまり持っていない.

> [語法] (1) A は C 名詞複数形・U 名詞; 疑問文・否定文では many, much がふつう. ただし,疑問文で肯定文の答えが期待される場合や否定文を強調する場合は a lot / lots of も用いられる (cf. **some**). (2) a lot of は (正式) でも用いられるが, lots of はくだけた口語に限る.また後者の方が意味が強い. → **many** 形1 語法, **much** 形 語法.

do a lót 大いに貢献する.

loth /lóuθ, (米+) lóuð/ 形 = **loath**.

†**lo·tion** /lóuʃən/ 名 CU **1** (皮膚・眼病治療用の) 外用水薬 ‖ *eye lotion* 目薬 / *soothing lotions for insect bites* 虫さされのかゆみ止め. **2** 化粧水, ローション.

†**lot·ter·y** /lάtəri | lɔ́t-/ 名 C **1** 宝くじ, 富くじ; 抽選, くじ引き ‖ 日本発 ≫ *Takarakuji is a public lottery with a monetary prize. It resembles the lotteries or numbers games played in other countries.* 宝くじは公的な当選金つき抽選券で, 海外でのロッタリーやナンバーゲームと似ています. **2** [a ~] 宝くじのようなもの, 運次第で決まるもの.

†**lo·tus, --tos** /lóutəs/ 名 C **1** 〔植〕 ハス(の実); スイレン; セイヨウミヤコグサ. **2** 〔ギリシャ神話〕 ロトス《その実を食べると現世の苦悩を忘れるという》. **3** 蓮華(れんげ)模様《古代エジプト・インドの建築・彫刻・絵画などに見られる》.

lótus position [通例 the ~] 蓮華座, 結跏趺坐(けっかふざ) 《ヨガの瞑(めい)想時の座り方》.

lo·tus-eat·er /lóutəsì:tər/ 名 C **1** 〔ギリシャ神話〕 ロートパゴス《*Odyssey* に出てくる北アフリカ人. lotus の実を食べて現世の苦悩を忘れた》. **2** (現実を忘れて) 安逸にひたる人.

‡**loud** /láud/ 〖「音の大きく響く」→「うるさい」〗 派生 **loudly** 副
——形 (~·er, ~·est)
I [音が大きい]
1 〈声・音が〉大きい, よく聞こえる, 声[音]が大きい (⇔ **low**) ‖ *a loud bell* 大きく鳴り響く鐘 / *a loud laugh* 高笑い.
II [不快な]
2 うるさい, 耳障りな 使い分け → **noisy** 形1) ‖ *loud music* 騒々しい音楽.
3 a (略式) 〈服装・色が〉派手な, けばけばしい (⇔ qui-

et) ‖ *a loud pattern* 派手な模様. **b** 〈人・態度が〉あくどい; 野暮な, 無粋な ‖ *He has a loud manner.* 彼は態度が厚かましい.
III [激しい]
4 〈賞賛が〉**熱烈な** ‖ *loud applause* [*cheers, praise*] 大喝采(さい).
5 〈主張などが〉**執拗**(しつよう)**な**, 声高(こわだか)の, 〔…に対して・…に〕口うるさい (*against/in*) ‖ *He was the loudest against* [*in opposing*] *the plan.* 彼が計画に最もうるさく異議を唱えた / *a loud denial* きっぱりとした否認.

——副 (~·er, ~·est) **1** 大きな声[音]で(⇔ **low**) (cf. **aloud**) ‖ *Speak loud(er).* (もっと)大きな声で言いなさい《◆ **loudly** よりくだけた語》. **2** うるさく; 熱心に.

lóud·ness 名 U **1** 音の強さ (cf. **pitch**[1]). **2** 大声, 騒々しさ. **3** (服・色の) 派手さ, あくどさ.

‡**loud·ly** /láudli/ 〖→ **loud**〗
——副 (*more* ~, *most* ~; 時に **--li·er**, **--li·est**) **1** 大声で (⇔ *softly*)《(1) speak, sing, laugh, cry, play などと共に用いる. loud より堅い語. (2) aloud は silently の反対で「声に出して」. 出す声の大きいのが loudly, 小さいのが low》; 騒々しく ‖ *Let's sing the song loudly.* その歌を大きな声で歌いましょう《◆ in a loud voice, in [with] loud voices がふつう》 / *The rock music is blaring loudly.* ロック音楽がうるさく鳴り響いている. **2** うるさく; 熱心に. **3** けばけばしく ‖ *loudly dressed* 派手な服装をして.

loud·speak·er /láudspì:kər/ 名 C **1** 拡声器. **2** (ラジオなどの) スピーカー.

Lou·is /lúis | lúːi/ 〖♦ フランス人名では /lúːi/〗 名 ルイ《男の名.(愛称) Lou》.

Lou·i·si·an·a /luìziǽnə/ 名 ルイジアナ《米国南部の州. フランス王 Louis XIV にちなむ. 州都 Baton Rouge. (愛称) the Pelican [Creole, Bayou] State. (略) La, (郵便) LA》.

†**lounge** /láundʒ/ 動 (自) **1** 〔…に〕もたれかかる, ゆったりと横になる[座る] (*over, against, in, on*) ‖ *lounge on a bed* ぐったりとベッドに横になる. **2** 〈人が〉〔…を〕ぶらつく, ぶらぶら歩く (*about, around, at*) ‖ *lounge about* [*around*] *the house* 家の中をうろつく. **3** 怠けて時を過ごす (+*about, around*).
——名 **1** C (ホテル・空港などの) 待合室, 休憩室, ロビー; (英) (家庭の) 居間《◆ **sitting room** より堅い語》‖ *The president is now in the VIP lounge.* 大統領は今人を人控え室にみえます. **2** C 寝いす, 長いす《◆ ふつう片端に頭をもたせかけるところがある》. **3** [a ~] ぶらつくこと.

lóunge sùit (英) 背広 ((米) business suit).

loupe /lúːp/ 名 C ルーペ, 拡大鏡《時計屋・宝石商などが用いる小型のもの》.

†**louse** /láus/ 名 (英) lauz/ 〔鑑〕〔lice/láis/〕 C 〔昆虫〕 シラミ; 寄生虫. ——動 他 …からシラミを取る.
lóuse úp (他) (略式) …を台なしにする. 乱雑にする.

lous·y /láuzi/ 形 (**-i·er, -i·est**) (略式) **1** シラミのたかった. **2** 汚い; 見下げはてた; ひどい, 不愉快な; 惨(みじ)めな ‖ *lousy food* ひどい食べ物 / *What lousy weather!* 何てひどい天気なんでしょう. **3** (米) 〈人〉〔金などを〕たんまり持っている; 〔場所が〕〔…が〕いっぱいの (*with*).

Lou·vre /lúːvrə, -vər/ 名 [the ~] ルーブル美術館《パリにある. もとフランス王宮》.

†**lov·a·ble, love·a·ble** /lʌ́vəbl/ 形 愛すべき, かわいい; 魅力的な (⇔ **unlovable**) ‖ *a lovable child* かわいい子供. **lóv·a·ble·ness** 名 U 愛らしさ.

lóv·a·bly 副 愛らしく.

:love¹ /lʌ́v/ (同音 rub /rʌ́b/) 〖love の対象は異性のみならず, 肉親・友人・動物・物に及ぶ. この点で日本語の「愛(する)」よりも意味が広い〗 派 lover (名), lovely (形), loving (形)
—名 (複 ~s/-z/)
1 Ⓤ [しばしば a ~] 〔肉親・友人・祖国・動物などへの〕愛情, いつくしみ〔for〕‖ He felt a great love for his father [country]. 彼は父親[祖国]への愛を強く感じた / maternal [paternal] love 母性[父性]愛.
2 Ⓒ 大事な人〔主に肉親・友人など〕, (略式)魅力ある[楽しい]人, (主に英략式・主に女性語)〔親しみの呼びかけ〕あなた, ねえ (sweet), お前《◆特に意味を持たない. 呼びかけの対象は, 主に女性・子供》‖ She was really a little love. あの娘は実にかわいい子だった / Good morning(⤴), love(⤵) ! あら, おはよう / With (my) love (女性の手紙の結びで)さようなら《◆単に Love や Love from Donna のようにも用いる》.
3 Ⓤ [時に a ~] 〔…への〕愛, 恋愛, 慕情〔for〕(↔ hatred) ‖ (one's) first love 初恋 / Platonic love プラトニックラブ / a rival in love 恋敵(がたき) (=a rival lover) / She married for love, not for money. 彼女は金目当てではなくて好きで結婚した.
4 Ⓒ 恋人, 愛人 (sweetheart)《◆所有格の後に用いる. ふつう女性. one's girl (friend) などの方がふつう. cf. lover》; [L~] 愛の神《Amor, Cupid, Eros など》‖ She was one of his loves. 彼女は彼の愛人の一人だった.
5 Ⓤ [時に a ~] 〔事・物に対する〕愛着, 愛好 (fondness)〔for, of〕; 〔愛着・興味のある物〕‖ He has a love of [for] Japanese food. 彼は日本料理が好きだ / The theater was one of the great loves of her life. 演劇は彼女の生涯の生き甲斐(かい)の一つだった.
6 Ⓤ 〖神学〗 **a** (神の人への)愛, 慈愛 (charity); 神 ‖ Love is not happy with evil but is happy with truth. 愛[神]は不義を喜ばず, 真理を喜ぶ. **b** (人の神への)敬愛, 敬虔(けん).

be in lóve 〔…に〕恋をしている, ほれている〔with〕; 〔…を〕好むこと〔with〕‖ They are in love (with each other). 2人は相思相愛の仲だ.
fáll in lóve with A (1)〈人〉に恋をする, ほれる. (2)〈事・物を〉突然大好きになる.
for lóve (1) 好きで, 損得なしで(→ 3). (2) 好意で, 無料で ‖ Don't mind the expense. He'll do it for love. 費用のことは心配ない, 彼ならただでやってくれるよ.
for lóve or [nor] móney (略式)〔通例否定文で〕絶対に, 手を尽くしても, どうしても (by all means)《◆拒否する気持ちを強調》‖ I can't sell it for love or money. 絶対にそれは売らないよ《◆for は交換の for で, 「愛をくれてもお金をくれても」の意》.
for the lóve of A …を愛するが故に.
for the lóve of God [Héaven, mércy] (略式)〔驚き・怒り・失礼・せきたてを表して〕後生だから, 一生のお願いだから.
Gíve [Sénd] my lóve (to A). =Gíve [Sénd] A my lóve. 〈人によろしくお伝えください; 〔類語〕 Say hello to A. / Regards to A. 改まった場合は Please give my regards to A. / Would you give A my「best wishes [kind regards]? など》‖ Give my love to your sister. お姉さんに

よろしくね《◆手紙の結びでは My love to ... ともする》.
máke lóve (略式) (1) 〔…と〕肉体的に交わる, 寝る〔to, with〕. (2) 〔…を〕愛撫する, 〔…と〕いちゃつく〔to〕(cf. lovemaking).
There is nó lóve lóst betwèen「the two [them]. =Nó lóve is lóst betwèen「the two [them]. 2人の間には失うべき愛情さえない, 冷たい関係しかない《= 'The two [They] dislike each other.'》《◆もとは「愛はまったく失われていない, 十分に愛し合っている」を意味していた》.
—動 (~s/-z/; 過去・過分) ~d/-d/; lov·ing)
—他 **1**〈人が〉〈人・祖国などを〉愛している《◆進行形不可》‖ He loves Mary more [*better] than Karen. 彼はカレンよりメリーを愛している(→ like 他 **1**) / ジョーク "Will you love me when I'm old and ugly?" "Of course I do." 「私が年老いて醜くなっても愛してくれる?」「もちろんさ, そうしているだろう」.
2〈人・事・祖国などを〉大切に思っている, 敬愛している (↔ hate) ‖ He was loved by all his students. 彼は教え子みんなから敬愛されていた.
3〈人が〉〈事・物が〉**大好きである; 〈主に女性語〉[love doing / love to do] …することが大好きである** (⇨文法 12.7(3)) ‖ I love music. 音楽が大好きだ / He loves collecting [to collect] stamps best [best] of all. 彼は切手収集が何より好きです《◆love と共に使う比較級, 最上級は like と同様それぞれ better, best を使う》 / I love it when you sing. 君が歌うのが大好きだ《◆it は when 節の内容を指す》.
4 (主に女性語)[I/we (would [(英) should]) love to do] …したいが; [love A to do]〈人〉に…してほしい ‖ I'd love to see you act Hamlet. あなたがハムレットを演じるのをみたいの. / 対話 "Join us, won't you?" "We'd love to." 「ご一緒にいかが」「ええ, ぜひとも」(⇨文法 11.9). **5**〈動・植物が〉…を必要とする, …を好む ‖ Ants love sugar. アリは砂糖が好きだ / Some plants love hot dry air. 高温乾燥した所を好む植物もある.
—自 **1** 恋をする; 人を愛する. **2** (主に女性語格式)[I [we] 'd love for A to do]〈人〉に…してほしいの ‖ I'd love for you to come with me. ぜひ一緒に来てほしいわね.

I lóve it! (略式) これはいいぞ!

lóve affáir (1) 恋愛関係, 情事, 不倫. (2)〔…への〕熱中, 情熱〔with〕‖ his love affair with soccer 彼のサッカー好き.
lóve fèast 愛餐(さん)《◆初期キリスト教徒の友愛の会食 (agape)》. (2) (米略式) 懇親会 (social).
lóve knòt 恋結び《リボンの結び方》.
lóve lètter ラブレター.
lóve màtch 恋愛結婚.
lóve pàct 心中.
lóve sèat 二人掛けのソファー.
lóve sòng 恋歌.
lóve stòry 恋愛物語[小説].
lóve tòken 愛のしるし(の贈り物).

love² /lʌ́v/ 名 Ⓤ 〔主にテニス〕零点, 無得点(→ tennis 関連), zero 語法 (2)) ‖ love all ラブオール《0対0》. (ゲーム)開始!
lóve gàme ラブゲーム《一方が零敗したゲーム》.
lóve sèt ラブセット《一方が零敗したセット》.

loved /lʌ́vd/ 形 最愛の《◆次の句で》‖ one's loved one [One] 最愛の人; 〔遠回しに〕亡くなった人, 故人 (dead person) / one's loved ones 最愛の家族[身内の人たち].

lovely

love·ly /lʌ́vli/ 〚→ love¹〛
── 形 (--li·er, --li·est; 時に more ~, most ~)
1 〈人・容姿・ふるまいが〉(気高く) **美しい**, 心ひかれる; 高潔な (↔ unlovely)《◆男性の容貌には handsome, good-looking を用いる》‖ a *lovely* girl うるわしい乙女 / a *lovely* smile 美しい笑顔 / a *lovely* person 人がらのよい人.
2 〈事・物が〉すばらしい, 美しい ‖ a *lovely* dress すばらしいドレス / a *lovely* landscape 絶景.
3 (略式・主に女性語) すてきな, 楽しい (pleasant) ‖ a *lovely* dinner 楽しい食事 / *Lovely* day, isn't it? いいお天気ですね / It's *lovely* to see you. お会いできてうれしいわ.
4 (略式・主に女性語)〔~ and + 形容詞〕とっても, 心地よく ‖ It's *lovely and* warm in here. ここは暖かくて気持ちがいいわね. **5** [L~]《英略式》ありがとう《◆Thank you. の代わりに用い, しばしばつまって Luv ともいう》.
── 名 ⓒ (略式・今はまれ) **1** (主に芸能人などの) 美女, 美人; (一般に) 器量のよい女 ‖ She's my *lovely*. あの娘はぼくのかわい子ちゃんだ. **2** きれいな品物.
lóve·li·ness 名 Ⓤ **1** 愛らしさ, 美しさ. **2** (略式) すばらしさ.
love·mak·ing /lʌ́vmèikiŋ/ 名 Ⓤ 遠回しに 愛撫; 性交, セックス.
†**lov·er** /lʌ́vər/ 名 ⓒ **1** [通例 one's ~] 愛人《◆男性》; 情夫《◆「情婦」は mistress》; 恋人《◆男性. one's boy(friend) などの方がふつう. 女の恋人は love》; [~s] (深い仲の) 恋人同士》‖ He is her *lover*. 彼は彼女の情夫だ / They are *lovers* now. あの2人はもう他人じゃない. **2** [a ~]〔…の〕愛好者〔of〕‖ She's a *lover* of music. =She's a musiclover. 彼女は音楽好きだ.
lóvers' láne 恋人たちの散歩道.

*lov·ing /lʌ́viŋ/ 〚→ love¹〛
── 動 → love¹.
── 形 (more ~, most ~) [通例名詞の前で] **1** 愛情に満ちた [類語] affectionate, devoted, tender ‖ a *loving* look 慈愛のこもったまなざし. **2**〔複合語〕…を愛する, …好きの ‖ peace-*loving* people 平和を愛する人々. **3** [one's ~] (人を) 大事に思う, …に忠実な ‖ *Your loving* friend [mother]. 君に忠実な友[おまえを愛する母]より《◆手紙の結び》 / *Our loving* subjects! 余の忠実なる臣よ《◆王の言葉》.
lóving cúp (1) 友愛杯《ふつう2つ以上の取っ手付きの銀製の大杯; 宴会で回し飲む》. (2) 優勝カップ.
†**lov·ing·ly** /lʌ́viŋli/ 副 **1** 愛情に満ちて, 愛情を込めて. **2** [Yours ~] 愛情を込めて《子供から親への手紙などの結び》.

*low¹ /lóu/ (同音) law /lɔ́:/, row /róu/ 〚「(位置が) 低い」→「(価値が) 低い」〛 派 lower (動)

index 形 **1** 少ない **2** 低い **7** 卑しい **8** 弱った

── 形 (~·er, ~·est)

I [量が少ない・程度が低い]

1 〈数量が〉少ない, 低量の; 〈物が〉乏しい; (略式) 〈お金が〉あまりない ‖ a *low* number 小さい数 / *low*-fat milk 低脂肪牛乳 / a diet (which is) *low* in salt 減塩食供(ˤ)療法 / The oil is getting *low*. =We are getting *low* on oil. 油が少なくなってきた.

[使い分け] [low と cheap]
low は〈賃金・授業料・費用・値段などが〉「安い」.
cheap は〈品物などが〉「値段が安い」.
My salary is *low* [×*cheap*]. 私の給料は安い.
These shoes are very *cheap*: they only cost 4 pounds. この靴はとても安い, たった4ポンドしかしない.

II [物理的に (高さが) 低い]

2 〈高さ・位置などが〉低い (↔ high, tall)《◆(1) 人の身長には用いない: a short [×*low*] man. (2)「鼻が低い」は flat (→ nose 名 1 関連)》; 低い所にある, 低い所への[からの] ‖ a *low* tree 低木 / a *low* bow 深々としたお辞儀 / a *low* ceiling 低い天井 / Put it in the *lowest* drawer. それを一番下の引き出しに入れなさい / The moon was still *low* in the sky. 月はまだ高く昇ってはいなかった.
3 〈温度・水位・緯度などが〉低い (↔ high) ‖ The lake is getting *low*. 湖の水位が下がっている.
4 〈圧力・速力が〉低い ‖ (a) *low* voltage 低電圧.
5 a 〈音・声が〉小さい, 柔らかい (soft) (↔ loud); 〈明かりが〉うす暗い. **b** 〈音程・声が〉低い (low-pitched) (↔ high) ‖ He has a *low* singing voice. 彼は低音で歌う. **6** [音声] (母音の発音で) 舌の位置が低い《比較変化しない》 ‖ *low* vowels 低母音《cat, cut, call など》.

III [社会的に低い・低俗な]

7 a 〈地位・身分が〉低い, 卑しい (mean²) ‖ *low* life 下層社会の生活. **b** [名詞の前で] 〈能力・価値・等級が〉低い, 下の ‖ a *low* price [wage] 安い価格[賃金]《◆*cheap* price [wage] は不可》 / *low* grade wine 安物のワイン / a man of *low* intelligence 頭の悪い人 / He had a *low* opinion of her. 彼は彼女をなんかいいことがないと思っていた. **c** (道徳的に) 低俗な, 下品な (low-minded); 卑劣な; わいせつな ‖ *low* tastes 下品な趣味 / a *low* show 低俗なショー. **d** 未開の, 下等な ‖ a *low* tribe 未開部族.

IV [精神面で落ち込んだ]

8 [補語として] [通例 ~ in spirits などの形で] 〈人が〉〈健康・気力が〉弱った, 落ち込んでいる, 元気のない (low-spirited) ‖ His spirits are *low* after the operation. 彼は手術のあと元気がない.

── 副 (~·er, ~·est) **1** 低く; 低い所に[へ] ‖ bow *low* 腰を低くおじぎをする. **2** (評価が) 低く, 安く; 卑劣に ‖ I bought it *low* and sold it high. 私はそれを安く買って高く売った. **3** (数量・程度が) 低く, 乏しく; 質素に. **4** 小声で (↔ loud(ly)); 低音で ‖ talk *low* 小声で話す / I can't sing so *low*. そんな低音では歌えない.

── 名 **1** ⓒ (略式) [しばしば a new ~] (記録・水準などの) 最低値; 底値 ‖ hit [reach] a new *low* 新底値に達する. **2** ⓒ 〔気象〕低気圧域. **3** Ⓤ (自動車などの) 低速ギア ‖ Shift into [Put it in] *low*. ギアをローにしなさい. **4** ⓒ (ゲームなどで) 最低点.
lów béam ロービーム《ヘッドライトの下方照射光線》(↔ high beam).
lów cómedy (分野として) 低俗喜劇; (作品として) どたばた喜劇.
Lów Cóuntries [the ~; 複数扱い] 低地三国《ベルギー・ルクセンブルク・オランダの総称》.
lów fréquency 長波, 低周波; 長波域の(電波)《30-300kHz で主に船舶無線用》. (略) LF, lf 》(cf. medium [high] frequency).

lów géar ローギア (first gear; 〔英〕bottom gear).
lów prófile 〔通例 a ~〕目立たない態度〔存在〕(cf. low-profile).
lów séason 〔英〕[(the) ~]〔商売の〕閑散期(↔ high season).
lów tíde (1) 干潮〔時〕. (2) 最低点, どん底状態(↔ high tide).
lów wáter (1) 〔川・湖の〕最低水位. (2) =low tide.
low² /lóu/ 動 ⾃〔文〕〈牛が〉モーと鳴く. —— 他 …と(うなるように)低い声で言う. —— 名 C モー(という牛の鳴き声).
low·brow /lóubràu/ 名 形 無教養な[低俗趣味の](人)(↔ highbrow).
low-class /lóukǽs | -klɑ́ːs/ 形 低級な; 下層階級の (lower-class).
low·down /lóudàun/ 名 U 〔略式〕〔通例 the ~〕(内輪の)真相, 内幕, 秘密情報.
****lów·er** /lóuər/ 形〔低く(low)する. → low¹〕
—— 動 (~s/-z/; 過去·過分) ~ed/-d/; ~·ing/-əriŋ/)
—— 他 1 〈人や〉〈数量を〉減らす(reduce); 〈速度·温度·程度を〉下げる; 〈勢い·力を〉弱める ∥ lower the expenses 経費を減らす / lower (the volume of) the radio ラジオの音量を下げる.
2 〈人が〉〈物·人を〉おろす, 下げる, 沈める(↔ lift) ∥ lower a flag 旗をおろす / The trade barriers must be lowered. 貿易障壁は低くすべきだ.
3 〔通例否定文で〕〈評価·地位など〉下げる, 落とす; [lower oneself to do] 恥を忍んで…する ∥ lower one's reputation 評判を落とす / lower the quality of … …の質を落とす / Dón't lówer yoursélf to táke [by táking] the móney. そんな金を受け取ったら面子(%%)にかかわるぞ.
—— ⾃ 〈速度·温度などが〉下がる, 低くなる, 落ちる, 沈む; 弱まる.
—— 形 〔low¹ の比較級〕《比較変化しない》〔名詞の前で〕1 〔相対比較〕(…より)低い(↔ higher). 2 〔絶対比較〕(標準より)低い, 下等[下級]の(↔ higher) ∥ a lower animal 下等動物. 3 〔絶対比較級〕下部の, 下方の(↔ upper); 低緯度の, 南部の ∥ the lower lip 下唇 / the lower Nile ナイル下流.
—— 名 C 〔米略式〕=lower berth.
lówer bérth 下段寝台.
lówer Califórnia カリフォルニア半島.
lówer cáse 〔印刷〕小文字(で書くこと); 小文字活字の容器(cf. lowercase).
lówer cláss 〔古〕〔しばしば ~es; 単数·複数扱い〕下層階級(cf. lower-class).
Lówer Émpire 〔the ~〕東ローマ帝国.
lówer hóuse [chámber] 〔時に L~ H- [C~]〕[the ~] 下院.
lówer wórld [régions] 〔the ~〕(1) 黄泉(ﾖﾐ)の国. (2)〔天界に対して〕下界, 現世.
low·er·case /lóuərkèis/〔印刷〕形 小文字の(cf. lower case) ∥ a lowercase letter 小文字.
—— 動 他 …を小文字で印刷する.
low·er·class /lóuərklǽs | -klɑ́ːs-/ 形 下層階級の (↔ higher-class) (cf. lower class).
low·er·class·man /lóuərklǽsmən | -klɑ́ːs-/ 名 (複 -·men) 〔米〕=underclassman.
low·est /lóuəst/〔low¹ の最上級〕形 最も下の, 最低の ∥ at (the) lowest さくとも, 最低でも.
lówest cómmon denóminator 〔数学〕〔the ~〕最小公分母〔略〕LCD, l.c.d.〕;〔最多数の人に共通に受け入れられるもの, 最小共通項〔趣味など〕. 2 最小

lówest cómmon múltiple 〔数学〕〔the ~〕最小公倍数〔略〕LCM, l.c.m.〕.
low-fat /lóufǽt/ 形 〈食物·料理などが〉低脂肪の ∥ low-fat milk [butter] 低脂肪牛乳[バター].
low-five /lóufáiv/ 名 C ロウファイブをする《腰のあたりの高さで手を叩き合うあいさつ》(cf. high-five).
lów-ín·come brácket /lóuínkʌm- | -íŋ-, -ín-, -kəm-/ 名 低所得階層《◆ the poor, poor people の遠回し表現》.
low-key(ed) /lóuki(d)/ 形 1 穏やかな, 控え目な, 低姿勢の. 2 〔写真〕コントラストが弱い. 3 〔略式〕低調な, 重要でない.
†**low·land** /lóulənd/ 名 1 U 〔しばしば ~s〕低地, 低地地方〔平野部〕(↔ highland). 2 〔the Lowlands〕スコットランド低地地方(cf. Highlands). —— 形 1 低地の ∥ lowland areas 低地地域. 2 [L~] スコットランド低地地方の.
low-lev·el /lóulévl/ 形 1 〈役職·階級が〉下級の; 下級職員の. 2 低空の. 3 〔コンピュータ〕〈プログラミング言語が〉低水準の, 自然言語と離れた ∥ low-level language 機械語(に近い言語).
†**low·ly** /lóuli/ 形 (-·li·er, -·li·est)〔文〕1 〈地位·身分が〉低い, 卑しい(humble). 2 みすぼらしい; 平凡な, 控え目な(modest)《◆ humble のもつ卑屈感はない》. —— 副 低く; 控え目に.
lów·li·ness 名 U (身分などの)低いこと; みすぼらしさ; 平凡, 未発達.
low-ly·ing /lóuláiiŋ/ 形 〈土地が〉低い(ところにある), 低地の.
lów-míle·age cár /lóumáilidʒ-/ ガソリン浪費型の自動車.
low-pitched /lóupítʃt/ 形 1 〈声·音の音域が〉低い (deep). 2 〈屋根が〉傾斜のゆるい.
low-pres·sure /lóupréʃər/ 形 1 低圧の. 2 強引でない, 穏やかな.
low-priced /lóupráist/ 形 安価な, 安い.
low-pro·file /lóupròufail/ 形 〈行動などが〉目立たい(cf. low profile) ∥ low-profile exchanges 地味な交流.
low-risk /lóurísk/ 形 危険度の低い.
low-tech /lóutèk/ 名 C 形 低度科学技術(の) (low technology).
lox, LOX /láks | lɔ́ks/〔liquid oxygen〕名 U 〔略式〕液体酸素.
†**loy·al** /lɔ́iəl/ 形 (more ~, most ~ ; 時に ~·er, ~·est) 1 〈君主·祖国·人·主義などに〉忠誠な(faithful), 忠義な; 忠実な, 誠実な(to) (↔ disloyal) ∥ the loyal toast 乾杯《◆ 忠誠のあかし》/ be loyal to one's principles 自己の主義を固く守っている. 2 〈発言·行為などが〉誠実さを示す.
loy·al·ist /lɔ́iəlist/ 名 C 1 忠臣, (反乱時の)体制擁護者 ∥ the loyalist army 官軍. 2 [L~] 〔米史〕独立戦争時の英国擁護派.
loy·al·ly /lɔ́iəli/ 副 忠義に, 忠実に.
†**loy·al·ty** /lɔ́iəlti/ 名 1 U 〔君主·祖国·人·主義などへの〕忠義(心), 忠誠, 忠実, 誠実 (to, for) (→ allegiance); C 〔通例 a ~〕忠誠心 ∥ show blind loyalty to the king 王への盲目的な忠誠を示す. 2 C 〔複数形〕忠義〔誠実〕を行為.
Loy·o·la /lɔiòulə | lɔ́iələ/ 名 C (イグナチウス·デ·)ロヨラ《St. Ignatius de/ignéiʃəs də/ ~ 1491–1556; スペインの聖職者. イエズス会を創設》.
loz·enge /lázindʒ | lɔ́z-/ 名 C 1 ひし形. 2 ひし形のもの; 〔ひし形〕キャンデー, 薬用ドロップ〔せき止め用〕; (宝石の)ひし形面; ひし形窓ガラス.
LP /élpí:/〔略〕Labour Party;〔もと商標〕long play-

ing (gramophone record) LP レコード.
LPG, LP-gas ㊕ liquefied petroleum gas 液化石油ガス.
L-plate /élplèit/ 〖Learner-*plate* の略〗 名C《英》「仮免許運転中」の表示板.
Lsd, £sd, l.s.d., LSD 〖ラテン語 *l*ibrae *s*olidi *d*enarii の略〗 名U **1** ポンド=シリング=ペンス《◆英国では1971年にシリングを廃止した. £2. 10s. 6d. のように用いた》. **2**《英略式》金銭, 富.
LSD ㊕ *l*ysergic acid *d*iethylamide エルエスディー《強力な幻覚剤》.
LSI ㊕ *l*arge *s*cale *i*ntegrated circuit 大規模集積回路.
LSS ㊕ *l*ife-*s*upport *s*ystem.
lt., Lt. ㊕ *L*ieu*t*enant.
LT ㊕ *l*ow-*t*ension 低電圧(用)の.
Lt. Col., LTC ㊕ *l*ieu*t*enant *c*olonel.
Ltd, ltd., Ltd. ㊕《英》*L*imi*t*e*d* 有限責任の《◆会社名で John Walker & Sons, Ltd. のように用いる》.
+lu·bri·cant /lúːbrikənt/ 名UC《正式》**1** [比喩的にも用いて] 潤滑油[剤]. **2** 滑らかにするもの《乳液・油など》. ——形 滑らかにする.
+lu·bri·cate /lúːbrikèit/ 動他《正式》**1**〈機械・車輪・ちょうつがい・部品など〉に油をさす(grease). **2**〈皮膚など〉を〔…で〕滑らかにする〔*with*〕. **3** …を円滑にする.
lù·bri·cá·tion 名U 油をさすこと;(自動車の)注油.
lú·bri·cà·tor 名C 油をさす人[装置];[比喩的にも用いて] 潤滑剤[油].
lu·cern(e) /luːsə́ːrn/ 名U《主に英》=alfalfa.
lu·ces /lúːsiːz/ 名 lux の複数形.
+lu·cid /lúːsid/ 形 **1**《正式》わかりやすい, 明快な ‖ a *lucid* explanation わかりやすい説明. **2**(一時的に)頭がさえた《◆clear より堅い語》; 正気の.
lú·cid·ly 副 明快に; 透明に.
lu·cid·i·ty /luːsídəti/ 名U **1**(思考などの)明快さ, わかりやすさ. **2** 洞察力, (頭の)さえ, 明晰(せき)さ.
Lu·ci·fer /lúːsifər/ 名 **1**《詩》明けの明星《金星》. **2**〔神学〕魔王 ‖ (as) proud as *Lucifer* 魔王のように傲(ごう)慢な.
*__luck__ /lʌ́k/ (類音 lack /lǽk/) 派 lucky (形)
——名 (複 ~s/-s/) **1** U **幸運, つき,** まぐれ当たり (good luck) ‖ *Luck* is coming my way. = My *luck* turns. 運が向いてきたぞ《◆I feel I'm in *luck* now. のようにもいえる》*Luck* was against me. 私はついていなかった / It was ***a stroke*** [***piece***] ***of luck*** that she wasn't there then. 彼女が(その時)その場にいなかったのはもっけの幸いだった(=*Luckily* she wasn't ...) / My *luck* is in [out] today. 今日はついているぞ[ついてないな].
2 U **運, めぐり合わせ**(chance) ‖ Good *luck* doesn't repeat itself. 幸運は繰り返されない;「柳の下にいつもドジョウはいない」/ Even he could lose the match if he should run into bad *luck*. =... if *luck* should run against him. へたをすると彼だって試合に負けることもあるよ / Better *luck* next [another] time. (うまくいかなかった人を励まして)次の機会にはもっとうまくいきますよ.
3 C 縁起物, 幸運のお守り(charm).
Bád [***Hárd, Tough***] ***lúck!***《主に英略式》ついてませんね, それはお気の毒 ‖ *Hard* [*Tough*] *luck*. You came too late. おあいにくさま, 来るのが遅すぎたよ / 〈対話〉 "I failed the exam." "*Bad luck*!" 「試験に落ちました」「それは残念ですね」.
by bád lúck 運悪く.
by góod lúck 運よく.
dówn on one's ***lúck***《略式》つきに見放されて, 金回りが悪い.
for lúck《略式》縁起をかついで, 幸運を祈って.
*__*Góod lúck!*__ **成功を祈ります**, 万事うまく行きますように ‖ Good *luck* on [in, with] the entrance exam tomorrow! 明日の入試がんばってください《◆(1) 強意形は Best of luck!, Lots of good luck! (2) 返事は Thank you. など》.
hàve the lúck 幸運にも〔…〕する〔*to* do, *of* doing〕《◆反対は have no luck (in) doing / have the bad luck to do》‖ He *had the luck to* catch the train. 彼は運よく列車に間に合った(=He was *lucky* to catch [in catching] the train. / *Luckily*, he caught the train.).
in lúck (***'s wáy***) 運が向いて, ついていて.
It was júst lúck. 運がよかっただけですよ《◆ほめられた時の謙遜(けんそん)の言葉》.
Júst my lúck. (自分の悪運を嘆いて)ついてないな, 運も尽きたよ.
òff [***òut of***] ***lúck*** ついていない, 運が悪く ‖ I'm *out of luck* to be caught in a traffic jam. 渋滞にひっかかるなんてついてないな.
trý one's ***lúck*** 運だめしをする, いちかばちかやってみる.
with (***any*** [***a bit of***]) ***lúck***《略式》あわよくば, 運がよければ.
wórse lúck《英略式》[文中・文尾で] 運悪く, あいにく.
——動自《米略式》運が向く, ついてくる;〔望ましい人・物に〕出会う〔*into, out, on, onto*〕‖ He *lucked out* with the divorce. 彼は離婚を機に運が向いてきた.
*__luck·i·ly__ /lʌ́kili/ 〖→ lucky〗
——副 [通例文全体を修飾]〔人にとって〕**幸運にも**, 好都合にも〔*for*〕‖ *Luckily* (↘↗), the deadline was postponed. (話者にとって)幸いにも締め切り日が延期された(=It was lucky for me that ...) / *Luckily for* him, he drew the prize. 彼は幸運にも当たりくじを引いた.
+luck·less /lʌ́kləs/ 形《文》不運な(↔ lucky).
:luck·y /lʌ́ki/ 〖luck + y〗 派 luckily (副)
——形 (--i·er, --i·est) **1**〈人・生物が〉〔…(の点)で〕**幸運である**〔*at*〕; [**A** is lucky to do [(in) doing] =it is lucky for **A** to do =《ややまれ》**A** is lucky (that)節] **A**〈人が〉…とは運がいい(↔ unlucky) (類語 fortunate) ‖ She was *lucky in* everything yesterday. 彼女は昨日なにかにつけてついていた / I was *lucky* (*enough*) *to* see [(*in*) seeing] her there. =*It was lucky for* me *to* see ... =I *was lucky* (*that*) I could see ... そこで彼女に会えたのはラッキーだった / You should be so *lucky*!《略式》[皮肉をこめて] おめでたいやつだ; 本当に調子がいいんだから / 〈ジョーク〉 Lucy likes the letter "k" because it makes her '*Lucky*.' ルーシーはkの文字が好きだ. 彼女をラッキーにしてくれるから《◆Lucy + k》.
2〈行為などが〉(結果として)**まぐれ当たりの**, 成功の ‖ a *lucky* guess 勘の的中 / a *lucky* hit 幸運な安打 / a *lucky* punch [hit]〔ボクシング〕ラッキーパンチ / a *lucky* shot (銃弾・弓矢の)まぐれ当たり.
3 幸運をもたらす, 縁起のよい ‖ by a *lucky* chance 幸運にも(=by luck) / a *lucky* penny 幸運のペニー《6ペンス硬貨などに穴をあけ鎖をつけてお守りにする》.
a lúcky dòg [***dùck***]《略式》果報者, 幸運児《◆美

L

人と婚約した男へのお祝いに "You('re *a*) *lucky dog.*" などという》.
***Lúcky yóu** [**dévil**]!* (略式)君は運がいい[運のいいやつだ].
── 名 ⓊⒸ 幸運 ‖ *third time lucky* 三度目の正直.
lúcky díp [**bág, túb**] (英)(催しなどでの)つかみ取り, 福袋, 福引き(用容器); 雑多な寄せ集め((米) grab bag).
lúck·i·ness /-nɪs/ 名 Ⓤ 幸運.
†**lu·cra·tive** /lúːkrətɪv/ 形 (正式)利益のあがる, もうかる, 〔…にとって〕得な〔*to*〕. **lú·cra·tive·ly** 副 もうけて.
Lu·cy /lúːsi/ 名 ルーシー《女の名》.
†**lu·di·crous** /lúːdɪkrəs/ 形 (正式)(おおげさ・ちぐはぐで)嘲(あざけ)笑を誘う, こっけいな, ばかげた《◆*ridiculous* より強意的》. **lúdi·crous·ly** 副 ばかげて.
†**lug** /lʌɡ/ 動 (過去・過分 **lugged**/-d/; **lug·ging**) 他 1 …を力任せに[ぐいと引く, やっとのことで運ぶ(drag). 2 …を(無関係に)〔話・議論に〕持ち出す〔*in*, *into*〕. ── 自 〔…を〕ぐいと引く〔*at*〕. ── 名 Ⓤ (通例 a ~)ぐいと引くこと.
†**lug·gage** /lʌ́ɡɪdʒ/ 名 Ⓤ 1 (米)[集合名詞]かばん類 ‖ the *luggage* department かばん売場. 2 (主に英)[集合名詞](旅行者の)手荷物《suitcase, trunk, bag など》((主に米)baggage)〚*[many] pieces of luggage* 10個[多く]の手荷物《×*ten [many] luggages* は誤り》(→文法 14.2 5)〛/ *carry one's luggage to the train* 自分の荷物を列車のところまで運ぶ.
lúggage càrrier (英)(自転車の)荷台.
lúggage ràck (英)(列車・バスなどの)網棚.
lúggage vàn (英)(列車の)荷物用車両((米)baggage car).
lug·worm /lʌ́ɡwəːrm/ 名 Ⓒ (動) タマシキ, ゴカイ, クロムシ.
Luke /lúːk/ 名 1 ルーク《男の名》. 2 (新約) **a** ルカ《キリスト教最初期の伝道者》. **b** ルカによる福音書《新約聖書の一》.
†**luke·warm** /lúːkwɔ́ːrm/ 形 1 〈液体などが〉なまぬるい(cf. tepid). 2 〔関心・態度などが〕いい加減な, 不熱心な ‖ a *lukewarm* greeting 気のない挨拶(あいさつ).
†**lull** /lʌl/ 動 他 1 〈人を〉(ゆすって歌ったりして)〈小児などを〉寝かしつける, あやす ‖ She *lulled* her child *to* [*into*] *sleep*. 彼女は子供をあやして寝かしつけた. 2 (ふつうだまして)〈疑い・恐怖などを〉静める ‖ 〈人〉を〔ある状態に〕させる〔*into*〕 ‖ *lull* people *into* a false sense of security 人々をだまして安心させる. (通例 be ~ed)〈風・海などが〉静まる, なぐ. ── 自 〈風・海などが〉静まる, なぐ. ── 名 [a/the ~]〔暴風雨などの〕小やみ, なぎ; 〔苦しいことなどの〕小康; 〔活動の〕途絶えること, 途切れ〔*in*〕 ‖ the *lull* [calm] before the storm あらしの前の静けさ.
†**lul·la·by** /lʌ́ləbaɪ/ 名 Ⓒ 子守歌. ── 動 他 (子守歌を歌って)〈子供〉を寝かしつける[寝かせる].
†**lum·ber** /lʌ́mbər/ 名 1 Ⓤ (主に米・カナダ)(建築用)材木, 木材((英)timber)《丸太(log)を市場向けに角材・板材にしたもの》‖ My uncle deals in *lumber*. 私のおじは材木屋を営んでいます / buy *lumber* 材木を買う. 2 Ⓤ (主に英)(不用家具など, 場所を取るから)がらくた物, 不用品. ── 動 他 1 (主に米・カナダ)〈木〉を切って材木にする. **b** 〈ある地域の〉木を伐採する ‖ *lumber* a forest 森林の木を伐採する. 2 …をいっぱいにする, ふさぐ(+*up*)〔*with*〕. 3 〈物〉を(場所に)乱雑に積み上げる. 4 (英略式)〈人〉に〔…を〕押しつける〔*with*〕. ── 自 1 (米)木を切って材木にする. 2 重い足どりで歩く[走る](+*up*).
lúmber jàcket (米)ランバージャケット《木こりが着るような上着》.
lum·ber·jack /lʌ́mbərdʒæk/ 名 Ⓒ (主に米・カナダ) 1 木こり, 木材伐採人夫((PC)lumberer, lumber worker). 2 =lumber jacket.
†**lum·ber·man** /lʌ́mbərmən/ 名 (複 ~·men) Ⓒ (主に米・カナダ) 1 材木業者, 製材業者((PC)lumberer, lumber worker). 2 =lumberjack 1.
lum·ber·yard /lʌ́mbərjɑːrd/ 名 Ⓒ (主に米・カナダ)材木置場.
†**lu·mi·nous** /lúːmənəs/ 形 1**a** 光を発する, 輝く ‖ a *luminous* body 発光体 / *luminous* intensity 光度. **b** 夜光(性)の ‖ *luminous* paint 夜光塗料. 2〈部屋などが〉明るい, 照明された. 3 (正式)わかりやすい, 明快な(clear) ‖ a *luminous* explanation 明快な説明.
†**lump** /lʌmp/ 名 1 Ⓒ (固くて小さな)かたまり《◆「大きなかたまり」は mass》; 角砂糖(1個) ‖ a *lump* of coal 1塊の石炭 / two *lumps* of sugar 角砂糖2個 / She is a *lump* of confidence. 彼女は自信のかたまりの(ような人)だ. 2 Ⓒ (医学)こぶ, はれ, しこり ‖ He got a big *lump* on his head. 彼は頭に大きなこぶを作った. 3 (俗) [a ~]たくさん, 大量(mass) ‖ a *lump* of money たくさんのお金. 4 (略式)まぬけ, でくのぼう.
a lúmp in the [*one's*] *thróat* 〈悲しみ・愛などの強い感情で〉のどが締めつけられるような感じ, 胸がいっぱいの感じ.
in a [*one*] *lúmp* 〈支払いなどが〉一括して, 耳をそろえて.
in [*by*] *the lúmp* ひっくるめて.
── 動 他 1 (略式) …を〔…と〕ひとかたまり[ひとまとめ]にする(+*together*)〔*with*, *in*, *under*〕. 2 …に固める, 盛り上げる, ふくらませる. ── 自 かたまりになる, 盛り上がる, ふくらむ.
lúmp sùgar 角砂糖, 固形砂糖.
lúmp súm 合計金額; 一括払いの金額.
Lu·na /lúːnə/ 名 (ローマ神話)ルナ《月の女神. ギリシャ神話のセレーネ(Selene)に当たる》.
lu·na·cy /lúːnəsi/ 名 1 Ⓤ (古)間欠性精神病《◆月の満ち欠けによるものとされていた》. 2 Ⓤ (正式)精神異常, 狂気のさた, 愚かさ; Ⓒ (通例 lunacies)愚行.
†**lu·nar** /lúːnər/ 形 (正式) 1 月の, 月面の(cf. solar). 2 月の公転に基づいた, 太陰の, 月形の, 三日月形の.
lúnar cálendar [the ~] 太陰暦(cf. solar calendar).
lúnar dáy 太陰日《約24時間50分》.
lúnar eclípse (天文)月食(cf. solar eclipse).
lúnar (**excúrsion**) **módule** 月着陸船((略)LEM).
lúnar mónth 太陰月《約29.5日》.
lúnar yéar 太陰年《約354日》.
†**lu·na·tic** /lúːnətɪk/ [アクセント注意] 形 1 (古)精神異常の. 2 実にばかげた, 常軌を逸した《◆昔, 狂気は月の満ち欠けによってもたらされると考えられていた》.

‡**lunch** /lʌntʃ/ (類音 launch /lɔːntʃ/) 〚lun·cheon の短縮語〛
── 名 (複 ~·es/-ɪz/) 1 ⓊⒸ 昼食((式)lun·cheon)《◆夕食を dinner とする場合》; 〈朝食後の〉間食《◆昼食を dinner とする場合》; (広義)(米)軽食 ‖ a light *lunch* 軽い昼食 / a business *lunch* ビジネスランチ / We usually have [eat] *lunch*

at one o'clock. 私たちはいつも1時に昼食を食べます《◆最近は do lunch もしばしば用いられる》/ I *had* a hot dog *for lunch*. 昼食にホットドッグを食べた / go *to lunch* at [in] …… へ食事に行く / He is *at lunch* now. =He *is eating* [*having*] *lunch* now. 彼は今昼食を食べている. **2** ⓒⓊ 弁当, 軽食[昼食]用料理 ‖ a picnic lunch ピクニックの弁当 / I bought a (box [packed]) lunch at the station. 駅で弁当を買った / They serve good *lunches* here. ここはうまい昼めしを食わせるよ. ── 動 ⓘ《正式》昼食を食べる ‖ *lunch* in [out] 中で[外で]食べる / I *lunched* on sandwiches today. 今日昼食にサンドイッチを食べた / You can *lunch* on the train. 列車で昼食がとれるよ.

lúnch bòx [pàil] (学童・労働者の)弁当箱.
lúnch brèak 昼休み.
lúnch hòur 昼食時間.

†**lun·cheon** /lʌ́ntʃən/ 名《正式》**1** ⓒⓊ 昼食, 軽食, 弁当《◆ lunch より堅い語》 ‖ We had a simple *luncheon* at a drug store. 我々はドラッグストアで簡単な食事を食べた. **2** ⓒ 昼食会, 午餐(さん)会 ‖ a stand-up *luncheon* 立食午餐会 / We shall hold [give] a *luncheon* in honor of Mr. Ford. フォード氏のために午餐会を催します.

lúncheon bàr 《英》軽食堂 (snack bar).
lúncheon mèat 《英》ランチョンミート《ハム・ソーセージ類, 加工肉食品》.

lunch-room /lʌ́ntʃrùːm/ 名 ⓒ 《主に米》(学校などの)昼食室《主に持参の弁当を食べる場所. cf. cafeteria》; 軽食堂.

lunch-time /lʌ́ntʃtàim/ 名 Ⓤ 昼食時(間).

lune /lúːn/ 名 ⓒ 〔幾何〕弓形(図形), 三日月形.

•**lung** /lʌ́ŋ/
── 名 (複 ~**s**/-z/) ⓒ (通例 ~s) 肺, 肺臓 ‖ the right [left] *lung* 右[左]肺 / *lung* capacity 肺活量 / an iron *lung* 鉄の肺《小児麻痺(ひ)患者などの呼吸補助装置》/ have góod [stróng] (páir of) lúngs 声が大きい / try one's *lungs* 声を限りに叫ぶ. **2** = lung book. **3** 《英》[~s] (大都市 その近郊の)公園, 広場.

lúng bòok 〔動〕(クモ・サソリなどの)肺囊(のう), 書肺.
lúng càncer 肺がん.

†**lunge** /lʌ́ndʒ/ 名 ⓒ **1** 〔フェンシング〕突き. **2** 〔…への〕突っ込み, 突進(*at*). ── 動 ⓘ 〔…に〕突く(*at*); めがけて突っ込む, 突進する(+*out*)〔*at*, *toward*〕. ── 他 〈刀など〉を突き出す.

lu·pin(e) /lúːpin/ 名 ⓒ 〔植〕ルピナス, ハウチワマメ.

lu·pus /lúːpəs/ 名 [the L~] 〔天文〕おおかみ座 (the Wolf).

†**lurch** /lə́ːrtʃ/ 名 ⓒ **1** (船・車が)急に傾くこと ‖ give [make] a *lurch* 急に傾く, 片方に揺れる. **2** よろめき. ── 動 ⓘ **1** 急に傾く. **2** よろめく[きなから進む].

†**lure** /lúə*r*/ 名 ⓒ **1** 《正式》引きつける[誘引する]もの; 〔…の〕魅力(*of*); 〔…にとって / …する〕魅力(あるもの)〔*for, to* / *to do*〕‖ the *lure* of adventure 冒険の魅力 / be a major *lure for* [*to*] visitors その観光客にとって大きな魅力となる. **2** おとり, (魚釣りの)擬似餌, ルアー ‖ *lure* fishing ルアーフィッシング《擬似餌による釣り》. ── 動 他 〈物・事が〉〈人〉を〔…に〕誘惑する(+*on*)〔*into, to*〕(→ allure); 〈人・動物など〉を〔…から〕おびき出す(+*away, off*)〔*from*〕; …を〔悪などに〕誘い込む〔*in, into, to*〕‖ *be lured on to* bankruptcy 誘惑に乗ってついに破産する / *lure* the fox *into* a trap キツネをわなにおとしいれて寄せる / *lure* a friend *into* robbing the bank 友だちを誘惑して銀行強盗をさせる / He *was lured away from* his duties. 彼は誘惑に負けて義務を怠った.

†**lurk** /lə́ːrk/ 動 ⓘ 〈人・動物などが〉(ふつう悪事を働くために)〔場所に〕潜む, 待ち伏せする, 隠れる(hide)〔*behind, in, under*〕‖ A tiger was *lurking* in the underbrush. やぶに下が潜んでいた. **2** 〈危険・疑念・感情などが〉〔…に〕潜んでいる, 潜在する〔*in*〕. **3** 〈人・動物などが〉こそこそと行動する, 潜行する (sneak) (+*about, around*).

†**lus·cious** /lʌ́ʃəs/ 形 《正式》**1** 〈味・香が〉よい, 甘くおいしい (delicious). **2** 〈目・耳・心に〉快い, 美しい, 甘美な (sweet). **3** 〈果実が〉官能的な. **4** 〈果実などが〉熟した (ripe). **lús·cious·ly** 副 甘美に, 魅力的に. **lús·cious·ness** 名 Ⓤ 美味, 芳醇(じゅん); あでやかさ.

lush /lʌ́ʃ/ 形 **1** 《文》〈植物が〉青々と茂った, みずみずしい. **2** 《略式》豪勢な, ぜいたくな; 凝り過ぎた.

†**lust** /lʌ́st/ 名 ⓒⓊ **1** 〔…に対する〕(ふつう好ましくない)強い欲望〔類語〕(for, of) (appetite, desire) ‖ a *lust for* power 権力欲 / the *lust of* battle 闘争心. **2** (過度の)性欲, 肉欲. ── 動 ⓘ 《正式》〔◆ for を伴って受身可〕**1** 〈人が〉〔富・権力・名声などを〕渇望する (hunger) 〔*for, after*〕‖ *lust for* [*after*] gold 金を貪(むさぼ)り欲しく求める. **2** 〔…に〕欲情する〔*after, for*〕.

†**lus·ter,** 《英》**-tre** /lʌ́stə*r*/ 名 《正式》**1** Ⓤ [時に a ~] (光の反射による物の表面の)光沢, つや (shininess); (物の内側からの)光り, 輝き ‖ the pink *luster* of pearls 真珠のピンクの光沢. **2** ⓒ 光彩, 栄光, 名声 (glory, fame) ‖ shed [throw] *luster* on … に栄光を与える. ── 動 他 〈布・陶器など〉に光沢をつける.

lust·i·ly /lʌ́stili/ 副 元気いっぱいに, 力強く.

†**lus·trous** /lʌ́strəs/ 形 《主に文》**1** 光沢[つや]のある (glossy); 輝く ‖ *lustrous* satin 光沢のあるしゅす. **2** 輝かしい, すばらしい. **lús·trous·ly** 副 輝いて, ぴかぴかと.

lust·y /lʌ́sti/ 形 (**-i·er, -i·est**) **1** 《文》力強い, 頑健な, 元気な. **2** 好色な.

†**lute** /lúːt/ 名 (同音 loot) ⓒ 〔音楽〕リュート《丸い胴を持つ琵琶(びわ)に似た弦楽器. 14-17世紀に多用》.

†**Lu·ther** /lúːθə*r*/ 名 **1** ルーサー《男の名》. **2** ルター, ルーテル《Martin ~ 1483-1546; ドイツの宗教改革者》.

Lu·ther·an /lúːθərən/ 形 ルターの, ルター派 (教会)の. ── 名 ⓒ ルターの信奉者, ルター派教会の信者.

lux /lʌ́ks/ 名 (複 **lux, ~es, lu·ces**/lúːsiːz/) ⓒ 〔物理〕ルクス《照度の単位; lx》.

Lux·em·b(o)urg /lʌ́ksəmbə̀ːrg/ 名 ルクセンブルグ《西ヨーロッパの公国. その首都》.

lux·u·ri·ance /lʌɡʒúəriəns, lʌkʃúə-│lʌɡzjúə-/ 名 Ⓤ **1** 《正式》(植物などの)繁茂, 豊饒(じょう); (一般に)豊富. **2** きらびやかさ, 〈文体などの〉華麗さ.

†**lux·u·ri·ant** /lʌɡʒúəriənt, lʌkʃúə-│lʌɡzjúə-/ 形 《正式》**1** 繁茂している. **2** 肥沃な, 〈細胞などが〉増殖旺盛な. **3** 〈想像力などが〉豊かな. **4** 〈文体などが〉華麗な, 凝った.

†**lux·u·ri·ous** /lʌɡʒúəriəs, lʌkʃúə-│lʌɡzjúə-, lʌɡ-júə-/ [アクセント注意] 形 **1** 《正式》豪華な, 高価で満足感を与える《◆広告では luxury が好まれる》‖ *luxurious* furniture 豪華な家具 / a *luxurious* hotel デラックスなホテル. **2** 〈人が〉〔…に〕一流好みの, 贅

luxuriously

沢(た)好みの; 快楽趣味の(sensuous)〔in〕‖ She *is luxurious in* clothing [food]. 彼女は着[食い]道楽だ / He is steeped in *luxurious* pleasure. 彼は官能的な快感にひたっている.
lux·u·ri·ous·ness 名 U 豪華さ.
lux·u·ri·ous·ly 副 /lʌgʒύəriəsli, lʌkʃύə-│lʌgzjύə-/ 豪華に.

***lux·u·ry** /lʌ́kʒəri, lʌ́kʃəri│lʌ́kʃəri/
── 名 (複 --ries/-z/) **1** U 豪華さ, 快適な状態; 贅沢(ざ) ‖ live *in* (the lap of) *luxury* 贅沢三昧(ざんまい)をする / I can't afford the *luxury* of a trip around the world. 世界一周をするような贅沢をする余裕はない.
2 C 豪華[快適]なこと[もの]; 贅沢品 ‖ Leisurely reading over a cup of coffee is my only *luxury*. コーヒーを飲みながらゆっくり読書することが私の唯一の贅沢です / A TV set was a *luxury* in those days. 当時テレビは贅沢品だった.
3 [形容詞的に] 豪華さを誇る《◆ 広告では luxurious よりも多用される》 ‖ a *luxury* liner [hotel] 豪華船[ホテル].
lúxury tàx [dùty] 奢侈(しゃし)税.
Lu·zon /lu:zɑ́n/-zɔ́n/ ルソン島《フィリピン最大の島》.
LV [略] 〔英〕 luncheon voucher.
lx [記号] 〔物理〕 lux.
LXX [記号] Septuagint 70人訳ギリシア語聖書《◆ LXX はローマ数字で70を示す》.
†**-ly** /-li/ [語要素] → 語要素一覧(2.1).
***ly·ing**¹ /láiiŋ/ 動 → lie¹.
── 名 U 横たわること; C 横になる場所.
── 形 横たわっている.

***ly·ing**² /láiiŋ/ 動 → lie².
── 名 U うそをつくこと; 偽り.
── 形 偽りの.
†**lymph** /límf/ 名 U 〔生理〕(白血球を含む)リンパ(液); 〔医学〕痘苗(とうびょう).
lym·phat·ic /limfǽtik/ 形 **1** リンパ(液)の; リンパ液を分泌する. **2** 〈人が〉リンパ(体)質の; 不活発な.
†**lynch** /líntʃ/ 動 他 …を私刑[リンチ]によって殺す《◆ 米国の治安判事 W. Lynch から. 日本語の「リンチ」のように単に暴力的制裁を加えることではない》.
lýnch làw 私刑, リンチ.
lynch·pin /líntʃpin/ 名 =linchpin.
†**lynx** /líŋks/ 名 (複 ~·es, lynx) C 〔動〕オオヤマネコ《鋭い目をしている》; U その皮.
Ly·ra /láiərə/ 名 〔天文〕こと座(the Lyre)《北天の星座》.
†**lyre** /láiər/ (同音 liar) 名 C (古代ギリシアの)竪(たて)琴.
lyre·bird /láiərbə̀ːrd/ 名 C 〔鳥〕コトドリ《オーストラリア産》.
†**lyr·ic** /lírik/ 形 **1** 〈詩などが〉叙情的な, 叙情詩風の; 感情を強く出した ‖ *lyric* prose 叙情的散文. **2** 竪(たて)琴 (lyre) の伴奏で歌うための. **3** 〈歌声が〉澄んで軽快な. ── 名 **1** C 〔正式〕叙情詩 (cf. epic). **2** [the ~s] 歌詞.
lyr·i·cal /lírikl/ 形 **1** 〔正式〕=lyric 1. **2** 〔略式〕〈…に〉熱情的な, 熱烈な (about). **lyr·i·cal·ly** 副 叙情詩的に; 〔略式〕情熱的に.
lyr·i·cism /lírisizm/ 名 U **1** (芸術における)叙情性, リリシズム. **2** 熱狂, 情熱の発露.
Ly·sol /láisɔ(ː)l, -soul│-sɔl/ 名 U 〔米商標〕リゾール《クレゾールと軟化石けん液からなる消毒剤》.

M

m, M /ém/ (複) **m's, ms; M's, Ms**/-z/ **1** ⓒⓊ 英語アルファベットの第13字. 語法 語頭の mn- を除き, 常に発音する. **2** → a, A 2. **3** ⓒⓊ 第13番目(のもの). **4** Ⓤ (ローマ数字の)1000(→ Roman numerals). **5** Ⓤ (米俗)銭(ぜに) (money).

m (略) medium.

m (記号)〔物理〕mass; meter(s); milli-.

m, m. (略) maiden; male; married; masculine; meridian;〖ラテン〗meridies(→ a.m., p.m.); mile(s); million(s); minute(s); month.

M 〔物理〕Mach number;〔物理〕mass; medium; mega-;〔化学〕metal;〔物理〕moment; motorway.

M, M. (略) Majesty; Manitoba; mark マルク; Master; mill; Monday; Monsieur.

*‘**m** /-m/ (略式) am の短縮形 ‖ I'm hungry.《◆ 文末では用いない》She's taller than I am.

ma /máː/ (名) (略語・小児語) mam(m)a の短縮語《◆ 呼びかけでは Ma》.

MA (略)〔郵便〕Massachusetts; Master of Arts (→ master 名 2).

*‘**ma'am** /(強) mǽm, (英+) máːm; (弱) məm/《◆ 文尾に軽く添える場合は弱形. 呼びかけは強形. 主語・目的語などには用いない》〖→ madam〗
——名 (複) ~s/-z/ ⓒ **1** (米略式)奥様, お嬢さん, 先生.((英)) Miss《◆ 女性客・女主人・女性教師に用いるていねいな呼びかけ》madam よりくだけた語 ‖ Excuse me, *ma'am*. Could you tell me where the post office is? すみません, 郵便局はどちらでしょうか. **2** (英正式) (王族の女性に)王女[女王]様《◆ふつう /máːm, mǽm/》.

ma·ca·bre /məkɑ́ːbrə, -bər/〖フランス〗(形) (正式) 気味の悪い, 死を思わせる.

mac·ad·am /məkǽdəm/ (名) **1** Ⓤ (道路舗装用の)砕石. **2** ⓒ =macadam road.

macádam ròad マカダム道路《砕石・コールタールなどで舗装した道路》.

mac·ad·am·ize /məkǽdəmàiz/ (動) 〈道路〉を砕石で舗装する.

Ma·cao /məkáu/ (名) マカオ, 澳門《中国南部沿岸にある特別行政区. 1999年ポルトガルから中国に返還》.

†**mac·a·ro·ni** /mæ̀kəróuni/〖イタリア〗(名) Ⓤ マカロニ.

macaróni chèese マカロニチーズ《(米) macaroni and cheese)》《マカロニをチーズ・バター・小麦粉などと共に焼いた料理》.

mac·a·roon /mæ̀kərúːn/ (名) ⓒ マカロン《アーモンドかココナツを入れて焼いたクッキー》.

Mac·Ar·thur /məkɑ́ːrθər/ (名) マッカーサー《Douglas ~ 1880-1964;米国陸軍元帥. 日本占領連合軍最高司令官(1945-51)》.

Ma·cau·lay /məkɔ́ːli/ (名) マコーレー《**Thomas Babington** /bǽbiŋtən/ ~ 1800-59;英国の歴史家・評論家・政治家》.

ma·caw /məkɔ́ː/ (名) ⓒ **1** 〔鳥〕コンゴウインコ. **2** 〔植〕マコーヤシ.

Mac·beth /məkbéθ, mæk-/ (名) マクベス《Shakespeare の四大悲劇の1つ. その主人公の名》.

†**mace**¹ /méis/ (名) ⓒ **1** 〔歴史〕鎚鉾(ついほこ)《中世の棍(こん)棒状の武器. 敵のよろいを打ち砕くのに用いた). **2** 職杖(しょくじょう)《市長などの公職に就く者が職権の象徴として式典などで用いる》.

mace² /méis/ (名) Ⓤ メース《ナツメグの皮で作る香辛料》.

Mace /méis/ (名)〔商標〕メース《催涙ガス入りスプレー. 暴徒鎮圧・痴漢撃退などに用いる》.

Mac·e·do·ni·a /mæ̀sədóunia/ (名) **1** マケドニア《古代ギリシア北方の王国》. **2** マケドニア《バルカン半島中部の国. 首都 Skopje》.

†**Mac·e·do·ni·an** /mæ̀sədóunian/ (形) ⓒ マケドニア人(の);Ⓤ マケドニア語の《スラブ系》;古代マケドニア語(の).

Mach /mɑ́ːk, mǽk/ (名)〔時に m~〕ⓒ 〔航空〕= Mach number. **Mách nùmber** マッハ数《飛行機などの速さの単位. 音速と同じ速さが Mach 1. オーストリアの物理学者 Ernst Mach の名より. ⑧ M).

mach. (略) machine; machinery; machinist.

ma·chet·e /məʃéti, -tʃéti/, **ma·chet** /məʃét/ (名) ⓒ なた, 刀《中南米で砂糖きび伐採・武器などに使う》.

Mach·i·a·vel·li /mæ̀kiəvéli/ (名) マキャベリ《**Niccolò** /niːkkoulíː/ ~ 1469-1527;フィレンツェの政治学者・歴史家.『君主論』の著者》.

Mach·i·a·vel·(l)i·an /mæ̀kiəvélian/ (形) 〔時にm~〕マキャベリ流[主義]の;権謀術数主義の.

ma·chine /məʃíːn/ 〖発音注意〗〖『仕掛け』『からくり』が原義. cf. mechanical〗⑧ machinery
(名)
——名 (複) ~s/-z/ ⓒ **1a** [しばしば複合語で] (一般に)機械(装置) 類語 apparatus, appliance, device)《computer, typewriter などは machine だが television, radio は machine とはいわない》‖ a sewing *machine* ミシン《◆「ミシン」は machine の発音を日本語表記したもの》/ a wáshing *machine* 洗濯機 / a vénding *machine* 自動販売機 / *machine* 機械で / This *machine* works well. この機械はよく動く / Tell me how to operate [run] this *machine*. この機械の動かし方を教えてください. **b** (略式) (自動車を含め, 機械で動く)乗物.

> 使い分け **[machine と machinery]**
> machine は「(個々の)機械」の意で可算名詞. machinery は「(総称としての)機械」の意で不可算名詞(**●文法 14.3**(3)).
> A lot of new ˈmachines were [machinery was, ×machineries were] installed in the factory. その工場にたくさんの新しい機械が設置された.
> The factory is full of machinery. 工場は機械でいっぱいです.

2 (米) =answering machine.
——(動) (他) (正式) …を機械加工[仕上げ]する, 旋盤[切断機, ミシン, 印刷機]にかける;…を規格通りに機械処理する(+*down*).

machine códe [コンピュータ] =machine language.
machíne gùn 機関銃.
machíne lànguage [コンピュータ] 機械(言)語.
machíne transláction 機械翻訳(略MT).
ma·chíne-gùn quéstion /məʃíːngʌn-/ (主に親しい間での機関銃のような) 早口の質問.
ma·chíne-réad·a·ble /məʃíːnríːdəbl/ [形] [コンピュータ] コンピュータで読み取り可能な.
†**ma·chin·er·y** /məʃíːnəri/ [発音注意] [名] **1** U [集合名詞; 単数扱い] (大型の)機械類; 機械装置, 機械設備(設備・装置などの); (総称的に)機器, 機械(略 mach.). (使い分け) → machine [名] 1) ‖ *a piece of machinery* 1台の機械(=a machine) (文法 14.3(3)) / The ship's *machinery* needs repairs. その船の機関部は修理が必要だ. **2** U (社会などの)仕組み, […の/…するための]組織[*of* / *for doing*] ‖ the *machinery* of law 司法機構.
ma·chin·ist /məʃíːnist/ [名] **1** 機械工作者. **2** 機械運転者; 操作の上手な人.
Mach·mé·ter /máːkmiːtər, mǽk-/ [名] [時に m~] ⓒ マッハ計.
ma·cho /máːtʃou/ [スペイン] [名] ⓒ (男らしい)いかす男.
Mac·in·tosh /mǽkintɑ́ʃ/ |-tɔ́ʃ/ [商標] マッキントッシュ《米国のアップル=コンピュータ社製のパソコン関連製品群》.
mack·er·el /mǽkərəl/ [名] (複 mack·er·el) ⓒ [魚] タイセイヨウサバ(鯖); U その肉.
máckerel ský サバ雲が出ている空.
mack·i·naw /mǽkənɔ̀ː/ [名] ⓒ (米) **1** =Mackinaw coat. **2** =Mackinaw blanket.
Máckinaw blànket マキノー毛布《北米先住民や伐採夫などが使った色格子じまの厚手の毛布》.
Máckinaw còat マキノー・コート《格子じまの厚手ウールの半コート》.
mack·in·tosh /mǽkintɑ̀ʃ/|-tɔ̀ʃ/ [名] **1** ⓒ (英)(もとゴム引きの)雨コート(raincoat)(英略式 mac(k)). **2** U ゴム引きの防水布.
mac·ro /mǽkrou/ [名] (複 ~s) ⓒ [コンピュータ] マクロ《あらかじめ手順を定義して, 必要に応じて呼び出して使う機能》.
mácro vírus [コンピュータ] マクロウイルス《特定のソフトで書かれたウイルスで, ファイルを媒介して感染する》.
mac·ro- /mækróu-/ [語尾基] →語要素一覧(1.1).
mac·ro·cosm /mǽkrəkɑ̀zm|-rəukɔ̀zm/ [名] **1** [the ~] 大宇宙. **2** ⓒ 拡大モデル, 総合的体系(↔ microcosm).
mac·ro·ec·o·nom·ics /mǽkrouèkənɑ́miks|-ìːkənɔ́m-/ [名] U [単数扱い] マクロ経済学(↔ microeconomics).
ma·cron /méikrɑn, -krən|mǽkrɔn, -krən/ [名] ⓒ 長音符号《¯》◆ Itō など日本人名を表すのにも用いられる》.
*****mad** /mǽd/ (類 mud /mʌ́d/) (派 madness [名])
  ——[形] (mad·der, mad·dest)
Ⅰ [狂うほどに怒って]
1 《主に米略式》[補語として] 〔人に/…のことで〕頭にきて, いらだって《(米) *at*, (英) *with / at, about, for, over*》《◆ angry のくだけた語でふつう軽い気持ちで用いる》‖ He got *mad* at his wife for losing their engagement ring. 彼は妻を婚約指輪を失って頭にきた.
Ⅱ [狂って]
2 〔人が〕**発狂している**, 気が狂った(crazy) 《◆ 重症でしばしば狂暴性を含む. crazy の方が口語的》

sane); 〈動物が〉狂犬病の(rabid) ‖ *a mad* man 気が狂った人《◆「怒った人」の意にはならない》/ She *went* [*ran*] *mad* because her son died. 彼女は息子が亡くなったдля頭がおかしくなった(→ go¹ 自 10) / *drive* [*send*] him *mad* 彼を発狂させる《◆「彼を怒らせる」の意にもなる. cf. 1》.

Ⅲ [激しい]
3 (主に英)〈人・動物が〉〔激情・痛みなどで〕**狂わんばかりの**, 荒れ狂った(wild)〔*with*〕‖ *a mad* torrent 奔流 / The horse *became mad* with fear. 馬は恐怖のあまり狂ったように暴れた.
4 (略式)[補語として]〔…に〕**熱狂して**, 夢中になって(crazy)〔*about, for, after, over,* (英) *on*〕;〔…が欲しくてたまらなくて〕〔*for*〕‖ *go* [*run*] *mad* about cricket =go cricket-*mad* クリケットに夢中になる / He's *mad* for the blonde. 彼はあの金髪の娘をものにしようとやっきになっている.

Ⅳ [愚かな]
5 (英)〈人が〉[…するのは]ばかな, 愚かな[*to do*]; 常軌を逸した ‖ *a mad* scramble for seats 常軌を逸した座席の取り合い / You are *mad to* go out in the storm. あらしの中を出かけるなんてどうかしているよ / be stark raving *mad* とても愚かである.
like mád (英略式)〈狂ったように〉猛烈に, がむしゃらに, 懸命に,〈音などが〉割れんばかりに ‖ The pop group's latest release is selling *like mad*. そのポップグループの最新曲は飛ぶように売れている.
mád còw diséase 狂牛病(= BSE).
Mad·a·gas·car /mædəgǽskər/ マダガスカル《アフリカ南東部の島・国. 形容詞は Malagasy》.
***mad·am** /mǽdəm/ [私の(ma) 貴婦人(dam)]
  ——[名] (複 mes·dames/meidɑ́ːm, -dǽm/, meidǽm/) ⓒ [正式] **1** [しばしば M~; ていねいな呼びかけ] **奥様**; お嬢様(ma'am) (cf. sir, miss)《◆ 未婚, 既婚を問わず, ふつう個人的に知らない女性に対して用いる. 特に店員が客に対して使う》‖ *Madam*, may I help you? (店員が女性客に)何にいたしましょうか. **2** [商業] [未知の女性あての手紙で]〔(Dear) *madam*〕拝啓. **3** [M~; 女性の官職名・姓に付けて](敬称)…殿(cf. Mr.) ‖ *Madam* Chairman 議長殿.
†**Ma·dame** /mədǽm, mədəm, mǽdəm, mədɑ́ːm/ (同音²madam)【フランス】[名](複 Mes·dames/meidɑ́ːm, -dǽm/)(敬称)…夫人; 奥様《◆ 単独または姓(名), 官職名につけて呼びかけも可. 既婚女性, (英)では外国人, 特にフランス人既婚女性に適用. Mrs. より堅い語. 略 Mme. (複 Mmes.)》.
Madáme Tussáud's /-tusóuz|-təsɔ́ːdz/ タッソーろう人形館《ロンドンにある》.
mad·cap /mǽdkæ̀p/ [名] ⓒ [形] 無鉄砲な(人, 娘).
†**mad·den** /mǽdn/ [動] 他 …を[…で]荒れ狂わせる; …を[…で]逆上[発狂]させる〔*with*〕. ——自 たけり狂う; 激怒する.
mad·den·ing /mǽdniŋ/ [形] **1** (略式) 腹立たしい, 頭にくる. **2** 〈痛みなどが〉気も狂うばかりにひどい.
mad·der /mǽdər/ [名] **1** ⓒ [植] アカネ(の根). **2** U あかね色, 深紅色.
*****made** /méid/ (同音 maid)
  ——[動] make の過去形・過去分詞形.
  ——[形] **1** [比較変化なし] [名詞の前で] 作られた(+*up*), 人工的な, 寄せ集めの; でっちあげた ‖ *a made* flower 造花. **2** 成功疑いなしの; 成功した ‖ Now that he has passed the bar examination, he is *a made* man. 彼は司法試験に合格したのだから, 成

Ma·dei·ra /mədíərə/ 名 **1** マデイラ諸島《ポルトガル領》. **2** [しばしば m~] Ⓤ マデイラ酒《白ワイン》.
　Madéira càke (英) マデイラケーキ《カステラの一種．(米) pound cake》.

mad·e·leine /mǽdəlin/ 名 Ⓒ マドレーヌ《小型のスポンジケーキの一種》.

†**Ma·de·moi·selle** /mǽdəmwəzél/『フランス』名(複 **mes·de·moi·selles** /mèidmwəzél/) **1** [姓(名)の前に付けて] …嬢, 令嬢《英語の Miss に相当する敬称．(略) Mlle.》; [呼びかけ] お嬢さん. **2** フランス娘; フランス女性の家庭教師.

made-to-or·der /méidtuɔ́:rdər/ 形《服などが》注文で作られた, あつらえの, オーダーメイドの ‖ This suit is *made-to-order*「このスーツはオーダーメイドです《◆custom-made, tailor-made ともいう》.

made-up /méidʌ́p/ 形 **1** 作り[まとめ]あげた, 完成した; でっちあげた(↔ true) ‖ a *made-up* story 作り話. **2** 化粧した, メーキャップした. **3** 舗装した.

mad·house /mǽdhàus/ 名 Ⓒ **1** [古] 精神病院. **2** (略式) 雑踏 ‖ a ~ (ハチの巣をつついたような)騒乱[混乱]の場所.

Mad·i·son /mǽdisn/ 名 **1** マディソン《James ~ 1751-1836; 米国の第4代大統領(1809-17)》. **2** マディソン《米国 Wisconsin 州の州都》.
　Mádison Ávenue マディソン街《ニューヨーク市の大通り. 米国の広告業の中心》; 米国の広告業界.

†**mad·ly** /mǽdli/ 副 **1** 狂ったかのように, 取り乱して. **2** (略式) 猛烈に ‖ be *madly* in love 熱烈な恋をしている.

†**mad·man** /mǽd mæn/ 名《女性形》**-wom·an** Ⓒ **1** 狂人((PC) mental patient). **2** 気違いじみた男; 向こう見ず.

†**mad·ness** /mǽdnəs/ 名 Ⓤ **1** 狂気, 狂乱状態《◆狂暴性を強調する. insanity, lunacy より一般的な語》‖ an act of sheer *madness* 気違いじみた行い(⇨). **2** 気違いじみた行動; 愚の骨頂. **3** 激怒; 熱狂 ‖ I love her to *madness* 彼女を熱愛する.

†**Ma·don·na** /mədɑ́nə|-dɔ́nə/『イタリア』名 **1** [通例 the ~] 聖母マリア. **2** Ⓒ 聖母マリアの画像・彫像.
　Madónna lìly 〘植〙 ニワシロユリ, トキワユリ.

Ma·dras /1 mǽdrəs|-drɑ́:s; 2 mædrǽs|mədrɑ́:s/ 名 **1** マドラス《インド南東部の都市 Chennai の旧称》. **2** [m~] Ⓤ Ⓒ マドラス木綿.

Ma·drid /mədríd/ 名 マドリード《スペインの首都》.

mad·ri·gal /mǽdrigl/ 名 Ⓒ **1** 叙情短詩; 短い恋愛歌. **2** 〖音楽〗マドリガル《無伴奏の合唱曲の一種》.

mael·strom /méilstrəm|-strɔ̀m/ 名 Ⓒ **1** 〘文〙大渦巻《◆whirlpool より大きい》; [the M~] ノルウェー北西岸沖の大渦巻. **2** [通例 a/the ~] 大混乱, 激動, 大動揺.

mae·nad /mí:næd/ 名 Ⓒ **1**〖ギリシア神話〗マイナス, メナド《バッカス神の巫女(♀)》. **2** (文) 熱狂[逆上]している女.

†**mae·stro** /máistrou/『イタリア』名(複 **~s, -tri** -tri/; 〘女性形〙**-tra**/-trə/) Ⓒ **1**(正式) マエストロ, 大音楽家(master)《◆*Maestro* Toscanini (巨匠トスカニーニ)のように敬称にも用いる》. **2** (一般に)芸術の大家, 巨匠.

Mae·ter·linck /méitərliŋk/ 名 メーテルリンク

《**Maurice**/mɔ́:rəs/ ~ 1862-1949; ベルギーの劇作家・詩人》.

Ma·fi·a, Maf·fi·a /mɑ́:fiə|mǽ-/『イタリア』名 **1** [通例 the ~; 単数・複数扱い] マフィア《犯罪秘密結社》; 組織的暴力団. **2** [m~] (米) (一定分野の)有力者集団《同じ利害関係をもつ側近[腹心]グループ》. **3** (社会的影響を持つ)集団, 閥(ゔ).

★**mag·a·zine** /mǽgəzì:n, ∠∠´|∠´∠/ 〔「(情報)の貯蔵庫」が原義〕
　—名(複 ~s/-z/) Ⓒ **1a** 雑誌, 定期刊行物; [形容詞的に] 雑誌の(略式) mag)(関連)= periodical (名) ‖ a women's *magazine* =a *magazine* for women 婦人雑誌 / 「take in [(正式) subscribe to] a literary *magazine* 文芸雑誌を定期購読する / The latest issue of that monthly *magazine* said (that) … その月刊誌の最近号で…であると書いてあった / two copies of Newsweek *magazine*『ニューズウィーク』誌2部 / a *magazine* article 雑誌の記事. **b** [one's ~] 雑誌社. **2**(軍需品の)倉庫;(要塞・軍艦の)弾薬庫;(在庫の)武器弾薬. **3**(連発銃の)弾倉. **4** 〖写真〗マガジン, フィルムケース; スライド自動送り装置.

Mag·da·len /mǽgdəlin/, **--lene** /-lì:n | mǽgdəlí:ni/ 名 〖新約〗[the ~] マグダラのマリア.

Ma·gel·lan /mədʒélən|-gél-/ 名 マゼラン《**Ferdinand** ~ 1480?-1521; ポルトガルの航海者》.

ma·gen·ta /mədʒéntə/ 名 Ⓤ マゼンタ色; 深紅色.

Mag·gie /mǽgi/ 名 マギー《女の名. Margaret の愛称》.

†**mag·got** /mǽgət/ 名 Ⓒ **1** ウジ(虫). **2** 風変わりな考え. **mág·got·y** /-i/ 形 うじのわいた; 奇妙な考えの, 気まぐれな.

Ma·gi /méidʒai/ 名 Ⓒ (単数形) **Ma·gus** /méigəs/) **1**〖新約〗[the ~]《キリスト降誕を祝いにきた》東方の三博士. **2** [m~] Ⓒ (昔の)魔法使い.

★**mag·ic** /mǽdʒik/ 派 magician(名)
　—名 Ⓤ **1a 魔法**, 魔術; 呪術(ぬ); 呪文(ぶ), まじない(charm, spell) (cf. sorcery, witchcraft) ‖ practice [make, use, work] *magic* 魔法をかける. **b** [~s] 魔術信仰.
　2 魔力, 不思議な力; 抗しがたい[不思議な]魅力 ‖ the *magic* of his paintings 彼の絵の怪しい魅力.
　3 奇術, 手品(natural magic)《◆個々の芸は feats of magic, tricks》‖ produce a dove by *magic* =use *magic* to produce a dove 奇術でハトを出す.
　like mágic =**as (if) by mágic** たちどころに ‖ The drug acts [works] *like magic*. その薬はてきめんに効く.
　—形 (**more ~, most ~**) [通例名詞の前で] **1 魔法の(ための)**, 魔法の[不思議な]力をもつ ‖ a *mágic* márker (米商標)マジックペン / a *magic* circle 魔法の円《魔法使いが杖(♀) (*magic wand*)で地面に描く魔法のかかる範囲》/ a *magic* mirror [glass] (未来や遠隔の場面を映す)魔法の鏡 / a *magic* spell = *magic* words 呪文(ぶ). **2 奇術の** ‖ do *magic* tricks 奇術をする. **3**(略式) 不思議な魅力のある, 魅惑的な.

mágic cárpet 魔法のじゅうたん.

Mágic Éye (商標) マジック=アイ《旧式のラジオ・テレビの同調指示ランプ. 戸の開閉に使う光電装置》.

mágic squáre 魔方陣《縦・横・斜めの数の和がいずれも等しくなるように並べた正方形の数字の表》.

magical

†**mag·i·cal** /mǽdʒikl/ 形《正式》**1** 魔法の力による(かのような), 神秘的な(magic)‖ Its effect was *magical*. その効果はてきめんであった. **2** 魅惑的な(fascinating). **mág·i·cal·ly** 副 (魔法にかかったかのように) 不思議に, てきめんに.

***ma·gi·cian** /mədʒíʃn/ [→ magic]
——名 (複 ~s/-z/) C **1** 奇術師(conjurer); 魔法使い(wizard, sorcerer)‖ act the *magician* 手品[魔法]を使う.
2 [比喩的に] 魔術師‖ a *magician* with words =a word *magician* 言葉の魔術師 / the *Magician* of the North 北方の魔術師《◆ Sir Walter Scott の異名》.

mag·is·te·ri·al /mædʒəstíəriəl/ 形 **1** 行政長官の, 治安官の. **2**《正式》〈態度・声などが〉威厳のある, いかめしい. **b** 高圧的な, 横柄な.
màg·is·té·ri·al·ly 副 **1** いかめしく. **2** 高圧的に.

mag·is·tra·cy /mǽdʒəstrəsi/ 名 **1** U C《正式》行政長官・治安官の職[任期, 管区]. **2** [the ~; 集合名詞; 単数・複数扱い] 長官.

†**mag·is·trate** /mǽdʒəstrèit, -trət/ 名 C **1** (法の執行権を持つ) 行政官, 執政官‖ the chief [first] *magistrate* 元首, 大統領, 知事, 市長. **2**《主に英》治安判事, 軽犯罪判事《◆ 軽犯罪を扱い, police magistrate「警察判事」, justice of the peace「治安判事」などがある》;《米》郡や市の裁判所の判事.
mágistrates' cóurt《英》治安判事裁判所(police court).

mag·ma /mǽɡmə/ 名 (複 ~s, ~·ta/-tə/) U C《地質》マグマ, 岩漿(ʃō).

Mag·na C(h)ar·ta /mǽɡnə ká:rtə/ 名 [the ~] マグナカルタ, 大憲章《1215年英国王 John が人民の権利と自由を保証した勅許状. 英国憲法の基礎》. **2** C (一般に) 人民の権利を保証する基本法.

mag·na·nim·i·ty /mæ̀ɡnəníməti/ 名 U 雅量, 腹の太いこと. **2** C その言動.

mag·nan·i·mous /mæɡnǽnəməs/ 形《正式》〈倒した相手・敵などに対して〉寛大な, 度量の大きい.

†**mag·nate** /mǽɡneit/ 名 C **1** (企業・業界などの) 有力者, 大事業家. **2** (一般に) 大物, 巨頭.

mag·ne·sia /mæɡníːʃə, -ʒə/ 名 U《化学》マグネシア, 酸化マグネシウム.

†**mag·ne·si·um** /mæɡníːziəm, -ʒəm/ 名 U《化学》マグネシウム《金属元素; 記号 Mg》.
magnésium flàre [**light**] マグネシウム光《写真撮影用》.

†**mag·net** /mǽɡnit/ 名 C **1 a** 磁石‖ bar [horseshoe] *magnets* 棒[馬蹄(ʃō)形]磁石. **b** 磁鉄, 天然磁石(lodestone, natural magnet). **2** [通例 a ~] 〔人を引きつける物[人] 〕 {*to, for*};《マーケットなどの》客を引きつける入口の広い通り‖ Paris is a great *magnet* for painters. パリは画家をおおいに引きつける町である.
mágnet schóol《米》マグネットスクール《設備・教育課程を特別に充実させた公立学校》.

†**mag·net·ic** /mæɡnétik/ 形 **1** 磁石の; 磁気の, 磁気を帯びた. **2**〈金属など〉磁化されうる. **3** 人を引きつける, 魅力的な.
magnétic cárd〔コンピュータ〕磁気カード.
magnétic cómpass 磁気羅針盤;《方位を知るための》磁石.
magnétic dísk〔コンピュータ〕磁気ディスク.
magnétic drúm〔コンピュータ〕磁気ドラム.
magnétic fíeld 磁場.
magnétic héad《テープレコーダーなどの》磁気ヘッド.
magnétic indúction〔物理〕磁気誘導;〔電気〕磁束密度.
magnétic mèdia 磁気媒体《データ記録用のフロッピーディスク・磁気テープなど》.
magnétic néedle《羅針盤・磁石の》磁針.
magnétic nórth 磁北.
magnétic póle《磁石の》磁極; [M~ P-]《地球の》磁極.
magnétic stórm 磁気あらし.
magnétic tápe 磁気テープ《略式》mág tápe).

†**mag·net·ism** /mǽɡnətìzm/ 名 U **1** 磁気(力); 磁性; 磁気作用. **2** 磁気学. **3** 人を引きつける力, 魅力.

mag·net·ite /mǽɡnətàit/ 名 U 磁鉄鉱.
mag·net·ize /mǽɡnətàiz/ 動 **1** …を磁化する, 磁石にする. **2**〈人〉を魅了する.

Mag·nif·i·cat /mæɡnífikæt/ 名 **1** [the ~] 聖母マリアの賛歌. **2** [m~] C 賛歌, 頌(しょう)歌.

mag·ni·fi·ca·tion /mæ̀ɡnəfikéiʃən/ 名 **1** U C 拡大, 誇張. **2** U 拡大図; U C〔光学〕倍率《◆「倍率200倍」は *magnification*×200 のように表す. ×200 is by two hundred and fourth. cf. diameter.

†**mag·nif·i·cence** /mæɡnífəsns/ 名 U **1** 壮大, 豪華, 荘厳な雰囲気. **2** 壮麗なる美しさ.

†**mag·nif·i·cent** /mæɡnífəsnt/【アクセント注意】形 **1**〈外観・景観などが〉壮大な, 堂々とした, 壮麗な, 荘厳な. **2**〈考え・行ないなどが〉崇高な, 気高い‖ *magnificent* words 格調高い言葉. **3**《略式》すばらしい, とびきり上等な(very fine)‖ a *magnificent* party すばらしいパーティー.

†**mag·nif·i·cent·ly** /mæɡnífəsntli/ 副 壮大に, 堂々と, すばらしく.

mag·ni·fi·er /mǽɡnəfàiər/ 名 C **1** 拡大鏡, 虫めがね. **2** 拡大する人[物].

†**mag·ni·fy** /mǽɡnəfài/ 動 **1**〈望遠鏡などが〉(レンズなどで)〈物〉を拡大する‖ This lens *magnifies* objects 1,000 times. このレンズは対象物を1000倍に拡大して見せる. **2**〈人が〉〈物・事〉を誇張して言う‖ *magnify* small problems into large ones 小さな問題をおおげさに話す.
mágnifying glàss 拡大鏡, 虫めがね.

mag·nil·o·quence /mæɡníləkwəns/ 名 U《正式》 《言葉・文体などの》誇張, 大言壮語, 気取り.

†**mag·ni·tude** /mǽɡnətjù:d/ 名 **1** U C《正式》大きいこと; 大きさ, 大小(の規模)‖ the *magnitude* of the universe 宇宙の壮大さ. **2** U《正式》重要性‖ a decision of great *magnitude* とても重要な決定. **3** U C〔天文〕《星の》光度, 等級. **4** C〔地震〕マグニチュード《略式》Mag.).
of the fírst mágnitude 最も[非常に]重要な;〔天文〕1等星の.

†**mag·no·lia** /mæɡnóuliə/ 名 C〔植〕モクレン, タイサンボク《◆ 米国 Louisiana 州と Mississippi 州の州花》. **Magnólia Státe**《愛称》[the ~] マグノリア州(→ Mississippi).

mag·num /mǽɡnəm/ 名 C 大酒びん《約1.5リットル入り》. **mágnum ópus**〔テン〕《文》《文学・芸術の》最高傑作, (ある作家・芸術家の)主要作品.

†**mag·pie** /mǽɡpài/ 名 **1** C〔鳥〕カササギ《小さい光るものを巣に運ぶ習性がある》. **2**《略式》おしゃべりな人. **3**《英略式》収集家; こそ泥.

Ma·gus /méiɡəs/ 名 Magi の単数形.

Mag·yar /mǽɡjɑːr/ 名 **1** C マジャール人. **2** U マジャール[ハンガリー]語. ——形 マジャール人の, マジャール語の. **Mágyar sléeve** マジャールそで.

ma·ha·ra·ja(h) /màːhəráːdʒə, (英+) màːə-/ 图ⓒ マーハラージャ, 大王《インド王族の尊称》.

Mah·di /máːdi/ 图〖イスラム教〗救世主《この世の終末に現れるといわれる》.

Ma·hi·can /məhíːkən/ 图ⓒ モヒカン族(の人)《北米先住民の一族》.

mah·jong, mah-jong, --jongg /màːdʒɔ́ŋ, (米+) -dʒɔ́ːŋ/ -dʒɔ́ŋ/ 〖中国〗图Ⓤ マージャン(麻雀).

Mah·ler /máːlər/ 图 マーラー《**Gustav**/ɡʊ́stɑːf/ ~ 1860-1911; オーストリアの作曲家》.

†**ma·hog·a·ny** /məhɑ́ɡəni/ -hɔ́ɡ-/ 图1ⓒ〖植〗マホガニー(の木)《熱帯産アメリカ原産》；Ⓤマホガニー材《堅く美しく高級家具用》. 2 Ⓤ マホガニー色, 赤褐色.

Ma·hom·et /məhɑ́mit/ -hɔ́m-/ 图 =Muhammad.

*****maid** /méid/ (同音) made)
──图 (複 ~s/méidz/) 1 [しばしば複合語で] お手伝い, 女中((PC) housekeeper); [複合語で] …女 (cf. nursemaid); (ホテルの)メイド((PC) room attendant) ‖ a live-in [live-out, day] maid 住み込み[通い]の女中. 2 〘文·古〙少女, おとめ.

†**maid·en** /méidn/ 形 1a 〈年輩の女性が〉未婚の. b 娘[おとめ]らしい ‖ a maiden blush おとめらしい恥じらい. 2 初めての, 処女…; 〈要塞(ಸಿ)などが〉占拠されたことのない; 〈兵士·刀などが〉戦ったことのない ‖ máiden lánd 処女地 / The Titanic sank on its maiden voyage. タイタニック号は処女航海で沈んだ / a maiden speech 《主に英》(新人議員の国会での)初めての演説. **máiden nàme** (既婚女性の)旧姓.

maid·en·ly /méidnli/, **~·like** /-làik/ 形〘文〙1 優しい, つつましい. 2 娘らしい, 少女の ‖ one's máidenly [máidenlìke] years 少女時代.

maid·ser·vant /méilsəːrvənt/ 图ⓒ 〘やや古〙女中((PC) housekeeper).

*****mail** /méil/ (同音) male)〖「郵便物の袋」が原義〗
──图 (複 ~s/-z/) 1Ⓤ[時に《主に米》the ~s; 単数·複数扱い] (1回の便の)**郵便物**(全体で); (特定の個人·団体あての)郵便物(全体) ‖ interoffice mail 社内便 / ◇対話 "Is there any mail?" "Two letters for you." 「今日郵便物が(何通か)ありますか」「あなたあての手紙が2通あります」. 2 Ⓤⓒ 電子メール(→ email).

関連 〖いろいろな種類の郵便〗
aerogram(me) 航空書簡 / certified mail 《米》配達証明郵便 / dead letter 配達·返送ともに不可能な郵便物 / email, electronic mail 電子メール / Express Mail Service 国際スピード郵便(略 EMS) / first-class mail 《米》一種郵便物 / general delivery 《米》局留め郵便 / poste restante / junk mail 《米略式》ダイレクトメール, 迷惑メール / metered mail (料金計器による)料金別納郵便 / 《米》bulk mail / parcel post 小包便 / registered mail 《英》post 書留 / snail mail (電子メールに対して)通常の郵便(物) / special delivery 《米》速達《英》express (delivery), first class / third class mail 《米》三種郵便物 / voice mail 音声メール.

3 Ⓤ《主に米》[時に the ~s] **郵便**(制度)《◆《英》では sea mail, airmail などの複合語や外国向け郵便以外は一般に post だが, 次第に mail も用いられつつある》 ‖ send a letter (by) áir [surface, sea] máil 手紙を航空[地上, 船]便で出す (→文法 16.3(5)) / domestic [foreign] mail 国内[外国]郵便 / answer by return (米) mail, (英) of post 折返し返事をする / My letter seems to have been lost in the mail. 私の手紙は郵送中になくなってしまったようだ.

4 郵便列車(mail train); 郵便船(mail boat); 郵便飛行機; 郵便配達人 ‖ a night mail 夜行郵便列車[飛行機] / the Irish Mail アイルランド向け郵便船.

──動 (~s/-z/; 過去·過分 ~ed/-d/; ~·ing)
──他《主に米》[mail (A) B =mail B (to A)]〈人が〉B〈物〉を〈A〈人〉に〉郵送する, …を投函(ᵏᵃⁿ)する((《英》post)) ‖ mail him a parcel =mail a parcel to him 彼に小包を郵送する(=send him a parcel by mail).

máil bòat 郵便船(→ 4).
máil bòmb 郵便爆弾.
máil càr (米) (鉄道の) 郵便車.
máil càrrier (米) (1) 郵便集配人《◆letter carrier ともいう. cf. mailman》. (2) 郵便物運搬車 (mail truck).
máil còach (英) (昔の) 郵便馬車; (鉄道の) 郵便車.
máil dròp (米) 郵便受け(《米》mailbox, 《英》letter box).
máiling càrd (米) 郵便はがき(post card).
máiling list (1) (ダイレクトメールなどの)郵送宛先名簿. (2) 〖コンピュータ〗メーリングリスト《特定のメンバーに電子メールを配信して情報や意見を交わすシステム》.
máil òrder 通信販売, 注文商品(cf. mail-order).
máil tràin 郵便列車(→ 4).
máil trúck (米) mail carrier (2).

mail·bag /méilbæɡ/ 图ⓒ (輸送用)郵袋(ᵗᵃⁱ);《米》郵便配達かばん (《英》postbag).

mail·box /méilbɑ̀ks/ -bɔ̀ks/ 图ⓒ《米》1 郵便ポスト《◆郵便箱の形が一般に青色. 英国のpostbox, pillar-box は円柱で赤色》. 2 =mail drop.

†**mail·man** /méilmæn/ 图 (複 --men) ⓒ《米》郵便配達人《《米》postman) (《PC》 mailperson, 《米》mail [letter] carrier) ‖ ◇対話 "How many times a day does the mailman come around?" "Only once a day." 「郵便集配人は日に何度回ってきますか」「1度だけです」.

†**mail-or·der** /méilɔ̀ːrdər/ 形 通信販売制の(cf. mail order) ‖ a máil-order hòuse [company, (英) firm] 通信販売会社《◆《米》では Sears, Roebuck & Co. などが有名》.

mail·per·son /méilpə̀ːrsn/ 图ⓒ =mailman.

†**maim** /méim/ 動〘正式〙1 [通例 be ~ed]〈人·体の一部を〉(けがで) 不具にする. 2 …を損なう, 傷つける.

*****main** /méin/ (同音) mane)〖「主要なもので中心となるもの」が本義〗
──形 [名詞の前で]〈物·事が〉(全体の中で)重要度·大きさにおいて)主な, 主要な, 中心となる《◆比較変化しない》‖ main events 主要試合, 重要[主要]な催し / the main office [gate] 本社[正門] / the main body of an army 軍隊の主力(本隊) / main points of the lecture 講義の要旨.

──图 1ⓒ (水道·ガスの)本管, (電気を引き込む)幹線, 下水本管; 《主に米》[the ~s; 単数·複数扱い] 水源, (建物や地域への)ガス·電気の供給; 《英》 [形容詞的に] 配電線[ガス管, 水道]で送り込まれる ‖ the gas [water] main ガス供給[給水]本管. 2 〘詩〙 [the ~] 大海原.

in the máin 〘正式〙概して, 大部分は (mainly).

máin cláuse〔文法〕主節(cf. subordinate 名).
máin cóurse (コース中の)メインの料理.
máin líne(鉄道の)本線(↔ branch line);《米》主要道路.
Main Strèet (1)[m~ s~]《米》(小都市の)本通り《安っぽいイメージを伴う》. **(2)**田舎(町)の実利的・因襲的な社会における態度・意見》《◆ S. Lewis の小説 *Main Street* から》.
Maine /méin/ 名 メイン《米国北東部大西洋岸の州. (愛称) the Pine Tree State. (略) Me., 〔郵便〕ME》.
main·frame /méinfrèim/ 名 © 〔コンピュータ〕**1** = mainframe computer. **2**(末端機器ではなく)コンピュータ本体.
máinframe compúter 汎(はん)用〔大型〕コンピュータ.
†**main·land** /méinlænd/ |-lənd/ 名 [the ~](島・半島に対する)本土《◆ 日本の「本州」にもこの語をあてる》; [the M~](ハワイ)米国本土 ‖ The Orkney Islands are off *the* Scottish *mainland*. オークニー諸島はスコットランド沖にある.
máin·lànd·er 名 © 本土の人.
†**main·ly** /méinli/ 副 主に;大部分は(mostly) ‖ He fell ill *mainly*「due to [because of] stress. 彼は主にストレスが原因で病気になった.
main·mast /méinmæst | -mɑ̀:st/ 名 © 〔海事〕メーンマスト,大檣(しょう).
main·spring /méinsprìŋ/ 名 © **1**(時計の)主ぜんまい. **2**《正式》[通例 a/the ~] 主因;主動力.
main·stay /méinstèi/ 名 © [通例 a/the ~] **1**〔海事〕大檣(しょう)支索. **2**《正式》頼りの綱,主な支え.
main·stream /méinstrìːm/ 名 [the ~](風潮・情勢・ファッションなどの)主流,主潮. ─ 動《米》他(障害児を)普通学級に組み入れる ‖ Educators now try to *mainstream* children with disabilities. 教育者たちは今,障害を持つ子供たちを普通学級に組み入れようとしている.

*****main·tain** /meintéin, men-, mən-/《「手に(main)保つ(tain). cf. ob*tain*》派 maintenance (名)

index 1 維持する 2 養う 4 主張している

─ 動 (~s/-z/;過去・過分) ~ed/-d/; ~·ing)
─ 他
Ⅰ[維持する]
1《正式》〈人が〉〈ある状態・行為などを〉**維持する**,続ける,保つ(keep up) ‖ *maintain* friendly relations with … …と友好関係を保つ / *maintain* a speed of 60 miles an hour 時速60マイルを維持する / The old man is trying hard to *maintain* his health. その老人は健康を保つために努力している.

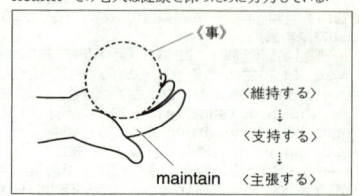

〈事〉
〈維持する〉
〈支持する〉
maintain 〈主張する〉

2《正式》〈人が〉〈家族などを〉**養う**,扶養する(support) ‖ *maintain* oneself 自活する / *maintain* a wife and three children on one's small salary わずかな給料で妻と3人の子供を養う.
3《正式》(手入れをして)…を保存する;…を整備[保守]する(keep) ‖ This apartment house is well *maintained*. このアパートは手入れがよく行き届いている(=… is kept in good condition.).
Ⅱ[考えを維持する]
4〈人が〉…を**主張している**(insist),断言する;[maintain **A to be C**] AをCであると主張している; [maintain **that**節]…であると主張している ‖ He *maintains* her innocence. =He *maintains* her to be innocent. =He *maintains* (that) she is innocent. 彼は彼女の無罪を主張している.
5《正式》〈人が〉〈意見などを〉支持する,擁護する,守る(support) ‖ *maintain* an opinion 意見を支持する / *maintain* one's rights 権利を守る.

†**main·te·nance** /méintənəns/ 名 Ⓤ **1** 維持(された状態),保持;持続 ‖ *maintenance* of social order 社会秩序の維持. **2**(道路・建物などの)整備,保存,管理,メンテナンス ‖ the *maintenance* of the roads 道路の整備. **3**《正式》(意見などの)支持,擁護;主張. **4** 扶養,生計;(主《英》)扶助料,生活費.
máintenance màn (ビルなどの)管理員;補修係,整備員[エ]《(PC) maintenance mechanic [specialist]》.
máintenance òrder (法律に定められた)扶養命令.
†**maize** /méiz/ (同音) maze/ 名 Ⓤ **1**《英》トウモロコシ;その実(《米》corn). **2** 薄黄色.
†**ma·jes·tic, –·ti·cal** /mədʒéstik(l)/ 形〈人・態度が〉(王者のように)威厳のある,堂々とした;〈山・木などが〉(大きくて)壮大な《◆ grand が一般的な語》.
†**ma·jes·ti·cal·ly** /mədʒéstikli/ 副 威風堂々と.
†**maj·es·ty** /mǽdʒesti/ 名 **1** Ⓤ《正式》(王者の)威厳(のある風格・言動) (dignity);(そびえ立つ)壮麗さ,雄大さ ‖ She was there in all her *majesty*. そこには威厳をたたえた彼女の姿があった. **2**[M~] ©《敬称》陛下《◆ 国王,その配偶者に用いる》‖ His *Majesty* the King [Emperor] 国王[皇帝,天皇]陛下 / Her *Majesty* the Queen [Empress] 女王[皇后]陛下 / Your *Majesties*[呼びかけ]両陛下《呼びかけでない場合は Their *Majesties*》/ Her [His] *Majesty's* Ship 英国軍艦 / How did Your *Majesty* enjoy your visit to Japan?(↗)陛下の日本訪問のご感想はいかがでございましたか《◆ Your Majesty は三人称単数扱いで,代名詞で受けるときは you の変化形をとる》.

***ma·jor** /méidʒɚ/ (類音) measure/méʒɚ/ 《「より重要な,主要な部分を占める」が本義》派 majority (名)

─ 形《◆ 比較変化しない》[通例名詞の前で]
Ⅰ[主要な]
1[通例名詞の前で] **主要な**,一流の;〈問題などが〉重大な,〔医学〕生命にかかわる(↔ minor) ‖ *major* newspapers [roads, wars] 主要新聞[幹線道路,大戦] / *major* poets 大詩人 / a *major* role in 「a play [the peace talks]劇[和平会談]の主役 / a *major* operation 大手術.
2《米》〈学科・分野が〉専攻の.
3〔音楽〕長音階の,長音程の;長調の(↔ minor) ‖ *major* third 長3度(音程).
Ⅱ[多数の]
4(2者のうち)**大きい方の**,多い方の,(程度において)大…;過半数の,多数の《◆ great, greater より堅い語》(↔ minor) ‖ *Major* repairs 大修理 / *the major part of* a year 1年の大半 / a holder of *major* interest 過半数株主.
5《英》[姓の後で](昔のパブリック=スクールで)(同姓の者のうち)年長の;兄の《◆3人兄弟の場合は年齢順

に, Smith major [minor] という》. **6** 〔法律〕成年の, 成年に達した. **7** 〔米俗式〕すごい, とてつもない ‖ a major babe すごい美人.

——名 ⓒ **1** 〔陸軍・米軍〕少佐. **2** 〔法律〕成人《◆英国では18歳以上, 米国では多くの州で21歳以上》. **3** 〔主に米〕(大学学部での)専攻科目[課程]; 専攻学生 ‖ What's your major? 専攻は何ですか / a psychology major 心理学専攻学生(=a student majoring in psychology). **4** [the ~s] メジャーズ, 国際石油資本《the Seven Sisters と呼ばれる大手石油7社: 米国系は Exxon, Mobil, Gulf, Texaco, SOCAL (=Standard Oil of California). 英国系が British Petroleum, Royal Dutch Shell). **5** 〔米〕[the ~s; 集合名詞; 複数扱い] 大リーグ(the major leagues). **6** 〔音楽〕長調(major key); =major scale; =major interval ‖ a concerto in D major 二長調の協奏曲.

——動 (~s/-z/; 過去・過分 ~ed/-d/; ~ing/-dʒəriŋ/)

——自 〔米〕〈人が〉…を**専攻する**[in]《◆修飾語(句)は省略できない》(→ specialize) ‖ I「am majoring [major] in economics. 私は経済学を専攻しています(=I am an economics major.).

májor géneral 〔陸軍・米空軍〕少将.
májor ínterval 長音程.
májor léague [or M~ L~] 〔米〕メジャーリーグ, 大リーグ《一流プロスポーツ連盟. Major League Baseball は the American League, the National League の2大リーグからなる》.
májor léaguer 大リーグの選手.
májor prémise 〔論理〕(三段論法の)大前提.
májor scále 〔音楽〕長音階.
Ma·jor /méidʒər/ 名 メージャー《John ~ 1943- ; 英国の政治家. 首相(1990-97)》.
ma·jor-do·mo /méidʒərdóumou/ 名 (複 ~s) ⓒ (昔のイタリア・スペインの王室・貴族の)召使い頭, 家令, 宮宰; (一般に)執事.

†**ma·jor·i·ty** /mədʒɔ́(ː)rəti/ 名 **1** [the/a ~ ; 単数・複数扱い] 大多数, 大部分(↔ minority)《◆most より堅い語》‖ The (large) majority favor(s) his view. 大多数の見解をよしとしている《◆the majority 単独で主語として用いるときは単数扱いだが, 文脈により個々を主体として用いることが明らかな場合は複数扱い. ➡文法 14.2⑤》/ The majority of the houses on this block were destroyed by a bomb. この地区の家屋の大部分が爆撃で破壊された.

語法 (1) majority of のあとはふつう集合名詞か複数普通名詞.
(2) the majority が「大部分」の意のときは most と交換可能: She has spent the majority [most] of her childhood abroad. 彼女は子供時代の大半を外国で暮らした.

2 [a/the ~; 単数扱い] (得票数・議席の)過半数, 〔米〕絶対多数(absolute majority); (過半数票と残りの全得票との)得票差; [形容詞的] 多数党の ‖ a comfortable majority 安定多数 / draw [win] a majority 過半数を占める / be in (the [a]) majority 過半数を占めている / He won by [with] a majority「of 100 votes [of 400 against [to] 300]. 彼は100票差[400票対300票]で勝った. **3** ⓒ [通例 the~; 単数・複数扱い] 多数党[派]. **4** Ⓤ 〔法律〕[通例 one's ~] 成年(the

age of majority) ‖ The beneficiary will receive payments until he attains [reaches the age of] majority. 受取人は成年に達するまで支払いを受けることになる. **5** Ⓤ 〔軍事〕[通例 one's ~] 少佐の位[職].
majórity lèader 〔米〕多数党の院内総務.
majórity rùle 多数決原理.
majórity vèrdict 過半数評決.

‡**make** /méik/ 〔『あるものに手を加えて何かを作る』が本義. 「作る」「引き起こす」「行なう」「思う」「達する」が主な語義》 派 maker (名)

index 動 他 **1** 作る **2** 整える **3** 得る **4** 構成する **5** 引き起こす **9** 行なう **11** …させる **12** …にする
名 **1** …製

——動 (~s/-s/; 過去・過分 made/méid/; making)

——他 **I** [物を作る]

1 a 〈人が〉〈物を〉[材料で]**作る**, 製作[製造]する[in, with]; 〈作品などを〉創作する; 〈文書・遺言などを〉作成する; 〈法律などを〉制定する ‖ make [build] a road in concrete コンクリートで道路を建設する / make a poem 詩を作る / make plans 計画をたてる / make a will 遺言書を作成する / make laws 法律を制定する / make [dig] a hole in the ground 地面に穴を掘る / make his character 彼の人格を作り上げる.

b [make A B =make B for A] 〈人が〉 A〈人〉に B〈物〉を作ってやる (➡文法 3.3) ‖ She made Bill a cup of coffee. =She made a cup of coffee for Bill. 彼女はビルにコーヒーを入れてあげた《◆前者は「何を」, 後者は「だれに」作ったかに焦点を当てた表現》.

語法 (1) 受身は A を主語にしたものは一般に不可(➡文法 7.8): ×He was made a cup of coffee (by her).
(2) B を主語にした場合は for が必要: A cup of coffee was made for him (by her).
(3) make B だと A は受け取ったことを含意するが, make B for A だとそのようなことを含意しない.

c [be made to do] 〈人が〉…するようにできている(cf. → **9** 語法 (1)); [be made for A] 〈人が〉 A のためにできている ‖ He was made to be a writer. 彼は作家になるように生まれてきたようなものだった / They were made for each other. 2人は似合いのカップルだった.

2 〈人が〉〈ベッド・食事などを〉**整える**, 準備する; [make A B =make B for A] 〈人が〉 A に B〈物〉を用意する ‖ make (one's [the]) breakfast 朝食の準備をする / She made (up) the beds. 彼女はベッドをきちんと整えておいた / Will you please make room for me? 私に場所をあけてくださいませんか / She made me a meal. =She made a meal for me. 彼女は私に食事を用意してくれた.

3 〈人などが〉〈金などを〉**得る**, もうける(earn); 〈得点・成績〉を得る; 〈名声などを〉得る; 〈敵などを〉作る ‖ make money お金をもうける / make a fortune 財を成す / He makes a [his] living by teaching English to children. 彼は子供に英語を教えて生計を立てています / make 100 dollars a week 1週間で100ドルかせぐ / make a high score 高得点

make

をあげる《◆ get の方がふつう》/ make a loss of £5 5ポンド損する(=lose £5) / make a large profit on that deal その取引で大もうけする / *make one's name as* a scholar 学者として名をあげる / Such words will *make* (you) enemies. そんな言い方をすると adversaries を作りますよ / I *made* good grades at school. 学校ではよい成績をとった.

4 〈構成要素が〉〈物を〉**構成する**；〈事・数字が〉…に**なる** 《◆目的語は数字または序数を伴う名詞. make は become, turn out to be で言い換えられるほか, [make C] とも考えられる. → 自 8〉‖ Two and two *make*(s) four. 2足す2は4 / This *makes* his fifth novel. これは彼の5番目の小説だ / Hydrogen and oxygen *make* water. 水素と酸素で水になる(=Water is *made* up of hydrogen and oxygen.) / This *makes* the third time he's said it. 彼がそう言ったのはこれで3度目だ.

II [ある事態を引き起こす]

5 〈人・事が〉〈事〉を**引き起こす**, 生じさせる, もたらす《(正式)cause》‖ *make* [build] *a fire* 火を起こす / make a fuss 騒ぎたてる / make a noise 物音をたてる / What *made* this sudden change? どうしてこんなに急に変わったのだ / It *makes no difference to* me. それは私にはどうでもよいことだ / I don't want to *make* trouble for you. 君には面倒をかけたくない.

6 〈物・事が〉〈人・事〉を**成功させる, 完成させる**‖ Wine can *make* the meal. ワイン次第で食事が決まる / His last novel *made* him. 彼は最後の小説で成功した.

7 [make B of A] 〈人などが〉A〈人・物〉をB〈ある状態・種類〉にする《◆本来の「A を材料としてB を作る」が変化して生じた用法. →成句 MAKE A (out) of B〉‖ *make an example of* him 彼を見せしめにする / She made *a mess of* the party. 彼女はパーティーの雰囲気をこわした / Her parents made *a doctor of* her. 両親は彼女を医者にした(=Her parents *made* her a doctor. → **12 a**) / *make a nuisance of* oneself 人に迷惑をかける.

8 [make A C] 〈人・物が〉A〈人〉のC〈人・物〉になる‖ She will *make* him a good bride. 彼女は彼のよい新婦になるだろう(=She will *make* a good bride *to* [(古・まれ)for] him. =She will become a good bride to him.)《◆言い換え例の make は自動詞(→ 自 8). become と異なり「素質が備わっている」の意を含む》.

9 a 〈人が〉〈行動・動作・発言などを〉**行なう**, する; [make A B =make B to A] 〈人〉にB 〈提案・贈り物など〉をする‖ *make* war 戦争をする / *make* a bargain 取引をする / *make* an effort 努力をする / make him a proposal =make a proposal to him 彼に1つ申し入れをする. **b** [make + a + 動詞から派生した名詞]《◆make は時制・人称・数の文法的意味を担うだけ. 強勢は実質的意味を担う名詞にある》‖ *màke an attémpt* 試みる(=attempt) / *màke a replý* 返事をする(=reply) / *màke a decísion* 決定する(=decide) / *màke a páuse* 休止をする(=pause) / *màke a stárt* 出発する(=start) / *màke an excúse* for one's delay 遅れたことの言い訳をする(=excuse one's delay).

> 語法 (1) 単一の動詞を用いるのと比べて次のような意味・特徴がある. i) 1回だけの行為であることが明確になる. ii) 努力を伴う行為であることを示す. iii) 動作の内容や結果に重点がある.

(2) 同じ「…する」でも次例では do(→ do¹ 動 他 **1 c** 語法): *do* one's work [homework] 仕事[宿題]をする / *do* exercise 運動をする.

10 〈人が〉〈契約・関係など〉を**結ぶ**‖ *make* an ally 同盟する / *make* a treaty 条約を締結する.

III [ある状態を作り出す]

11 [使役] [make A do] 〈人・物・事が〉A〈人など〉に**…させる**《➡ 語法 3.5》《◆ (1) 人が主語の場合はふつう強制的(ただし→ 語法 7.10)》‖ No one is making me go. I want to go. だれも私に行かせようと強制していません. 私が行きたいのです / Her jokes *made* us all laugh. 彼女の冗談で私たちはみな笑った / **What** *made* him come here? なぜ彼はここに来たのか(=Why did he come here?) / She *made* the dog walk in the park. 彼女は犬を公園で散歩させた《◆「いやがる犬を無理に」というニュアンスがある. She walked the dog in the park. にはそのような含みはない》 / His beard *made* him look ten years older. ひげのせいで彼は10歳ふけて見えた(➡ 語法 23.1) / Can you *make* this engine start? このエンジンを始動できますか 〈ジョーク〉 "What *makes* ma mad?" "The letter 'd'." 「ママを怒らせるのは何?」「d の文字」《◆ ma に d がついて mad〈怒っている〉》.

> 語法 (1) He *made* us laugh. は2様に解釈できる: i) 彼は我々を笑わせた(強制的). ii) 彼のしぐさ[言葉など]で(思わず)我々は笑った(非強制的).
> (2) 文脈から明らかなときは原形不定詞は省略可能(➡ 語法 11.9): The girl didn't want to eat spinach, but her mother *made* her (eat it). その少女はホウレンソウを食べたくなかったが母親が無理やり食べさせた.

12 [make A C] **a** 〈人・物・事が〉A〈人・物・事〉をC **にする**《◆C は名詞・形容詞・過去分詞》‖ Rainy days always *make* me sad. 雨の日はいつも私を悲しくさせる / He *made* her his wife. 彼は彼女を妻にした(=He *made* a wife *of* her. → **7**)《◆「強引に妻にした」というニュアンスを伴うので, そのような文脈以外では用いない. He married her. / She became his wife. などのようにいう. He was made a (good) wife *of* her. は「彼女を一人前の妻に育て上げた」のような意味(→ 他 8)で言い換えるのは不適》 / I couldn't *make myself understood* to them *in English*. 彼らに私の英語は通じなかった / He couldn't *make himself heard* above the cheers. 歓声にかき消されて彼の声は聞こえなかった / **What** *made* you so angry? どうしてそんなに怒ったのですか(=Why did you get so angry?).
b 〈人・団体が〉A〈人〉を C〈役職〉に任命する《◆ choose, elect, appoint の代用詞》‖ They *made* him president [leader, captain, chairman]. 彼を会長[リーダー, キャプテン, 議長]にした《◆このように C が唯一の役職名の場合は無冠詞. ➡ 語法 16.3(4)》 / He was made a delegate. 彼は代議員に選ばれた.
c 〈人が〉A〈事〉を C と決める《◆A はふつう場面の it. cf. MAKE it (4)》‖ Shall we *make it* Sunday, then? それじゃ, 日曜日にしましょうか.

13 [make A C] 〈作者・写真などが〉A〈人・物〉を C のように見せる, 描く《◆C は名詞・形容詞》‖ This picture *makes* him an old man. この写真では彼は年寄りに見える / You've *made* my face too round. ぼくの顔を丸く描きすぎだよ.

IV [ある考えを作り出す]

14 [make A to be [as]) C] 〈人が〉A〈物・事〉をCと考える, 見積もる, 算定[計算]する《◆Cは名詞. 受身不可》∥ I *make* that wall nine feet. 壁の高さは9フィートあると思う / What time do you *make* it? 《英略式》何時ですか(=What do you *make* the time? / What time is it?).

15 [make A of B] 〈人が〉B〈言葉・行為など〉をAのように思う, 理解する《◆A は what, anything, nothing, little, much など. 受身不可》∥ *make much of* … …を重視[尊重]する; …をもてはやす; 〔疑問文・否定文で〕…を理解する(→ much 副 成句) / *make light of* … …を軽視する / *make little of* … 《正式》…を軽視する; …を少ししか理解できない / What do you *make of* the poem? その詩をどう解しますか(=How do you interpret the poem?) / I could *make nothing of* it. そのことについては何もわからなかった(=I couldn't understand it at all.)《◆「それを何とも思わなかった」の意もある》.

V [作り上げてある状態に達する]

16 (略式)〈人・乗り物が〉〈目的地など〉に着く(reach), 立ち寄る; 〈人が〉〈列車・会合・時間など〉に間に合う《◆受身不可》∥ The ship *made* [arrived in] port. 船が入港した / I *made* the train with five minutes to spare. (発車の)5分前に電車に乗れた / *make* Chicago on the return trip 旅行の帰路シカゴに立ち寄る / We won't *make* our destination on time. 私たちは時間通りには目的地に着けないだろう.

17 《米略式》〈人が〉〈地位〉を占める, 〈チームなど〉の一員になる; 〈人などが〉〈新聞・リストなど〉に載る《◆いずれも「努力をして達する」の意を含む》∥ He *made* the football team. 彼はフットボールチームの一員になった(=He became a member of the football team. =He was on [英] in] the football team.)《◆「…チームを作った」ではない. cf. MAKE up [他]》/ He *made* professor at the age of 30. 彼は30歳で教授になった《◆目的語が地位のとき無冠詞》/ His name *made* the front page of the newspaper. 彼の名が(よいことで)新聞の第一面に出た.

18 〈人・乗り物が〉〈距離〉を行く; 〈速度〉で進む《◆受身不可》∥ She *made* (it) a few meters before she fell to the ground. 彼女は数メートル歩いて地面に倒れた.

━━ 自 **1** 《正式》〈人・乗り物が〉[…の方へ]すばやく行く(go) [for, toward]; 〈道路などが〉[…の方へ]伸びる, […に]通じる[toward]《◆修飾語(句)は省略できない》∥ The ship *made* for the shore. 船は沿岸に向かって急いで進んだ.

2 〈議論・証拠などが〉(…の方向に)向かう《◆修飾語(句)は省略できない》.

3 〈物が〉…のようにできる《◆修飾語(句)は省略できない. 様態副詞を伴う》∥ It *makes* easily. それは容易にできる.

4 〔通例 be making〕〈潮などが〉(かさなどを)増す∥ The tide *is making* fast. 潮が急速に満ちてきている.

5 (まれ)〈人が〉[…]しようとする, […]し始める(start) [to do].

6 a 《正式》[make 'as if [as though] to do / make 'as if [as though]節]〈人が〉(…するかのように)ふるまう(behave); …しようとする∥ Tom *made as if to* throw a stone at me. =Tom *made as if* he would throw … トムは私に石を投げるふりをした《◆節内では仮定法・直説法のいずれも可》.

b [make like A]《米》〈人が〉〈人・物〉のまね[格好]をする.

7 [make C]〈人が〉Cのようにふるまう; Cの状態になる《◆Cは形容詞》∥ *make* merry [bold] 浮かれる, はしゃぐ / *make* certain [sure] 確かめる / *make* ready for battle 戦いの準備をする.

8 [make C]〈人・物が〉Cになる∥ Wood *makes* a good fire. まきをくべるとよく燃える / This *makes* pleasant reading. これは楽しい読み物だ / She will *make* a good teacher. 彼女は立派な先生になるだろう《◆Cは名詞または「優劣を表す形容詞(good, bad, fine など) + 名詞」》.

máke at A 〈人など〉に向かっていく, 襲いかかる.
máke awáy [自] 急いで逃げる[立ち去る].
máke awáy with A (1)《略式》〈物〉を持ち逃げする, 盗む; 〈人〉を誘拐(ぷ)する∥ *make away with* the money 金を持ち逃げする. (2) …を取り除く, 追い払う; 〈人〉を殺す《◆kill の遠回し表現》∥ He *made away with* himself. 彼は自殺した. (3) 〈金など〉を使い果たす; 〈食物〉を平らげる.
make A do =make do with A → do 動.
*****máke for A** (1) → 自 1. (2) =MAKE at. (3) 〔A〈結果〉に向かって(for 前 2)進む(make 自 1)〕《正式》〈事〉に役立つ, …を生み出す∥ This *makes for* good human relations. このことがよい人間関係を生み出す.
*****máke A from B** A〈物〉をB〈原料〉から*作る*《◆ふつう材料がもとの形状をとどめないほど質的変化をする場合に用いる(→ from 前 4). cf. MAKE A (out) of B》∥ Paper is *made from* wood. 紙は木材から作られる《◆書き換え例 → MAKE A into B》.
make good → good 形.
*****máke A into B** A〈材料〉をB〈製品〉にする; A〈人〉をB〈英雄など〉にする∥ She *made* the strawberries *into* jam. 彼女はイチゴでジャムを作った(=She *made* jam *from* [*out of*] the strawberries.).
*****máke it** 《◆it は漠然と目標をさす》《略式》(1)〈人が〉*成功する*, うまくやる(succeed)《◆ふつう困難・障害を克服しての意を含む》∥ He couldn't *make it* in business [as a lawyer]. 彼は商売で[弁護士として]成功しなかった / We've *made it!* やったぞ. (2) 〔目的地に〕たどりつく, 到達する, 来る(come); 〔列車などに〕間に合う[to]∥《対話》 "We're having a little get-together this evening. Can you *make it*?" "I'll drop by if I have time." 「今夜ちょっとした集まりがあるんだ. 君も来ないか」「時間があれば立ち寄るよ」. (3) (病後などに)よくなる, 回復する. (4) 待ち合わせる∥ What time shall we *make it*? 何時に待ち合わせしようか(cf. 他 12 c).
máke it úp (1)《英》〔人と〕仲直りする〔with〕. (2) 《略式》〔人に/事に対し〕(損害・迷惑などの)償いをする, 埋め合わせをする〔to/for〕.
máke líght [líttle] of A → 他 15.
make love → love 名.
máke múch [nóthing] of A → 他 15.
máke óff 《略式》=MAKE away.
máke óff with A 《略式》=MAKE away with (1), (3).
máke or bréak A …の成否を握る.
*****máke óut** 〔「見えないものが見えてくる」が原義〕《略式》[自] (1) うまくいく(manage), やっていく, 暮らす∥ How are you「*making out* [*getting along*]

these days? このごろいかがですか. (2) …となる (turn out) ‖ How did he *make out* in the examination? 彼の試験の結果はどうでしたか. (3) わかる ‖ as far as I can *make out* 私にわかる限りは. (4) (米) 長々とキスをする. ― 他 (1) 〈書類・リストなど〉を**作成する**, 書く(write) ‖ *make out* one's will 遺言状を作成する / *make out* a check to her 彼女に小切手を切る. (2) 〔通例 can を伴って〕〈物〉を**なんとか認める**, 見[聞き]分ける ‖ I couldn't *make out* the people out in the dark. 暗やみで人の顔を見分けられなかった. (3) (略式) 〔通例 can を伴い否定文・疑問文で〕〈人・考えなど〉を(なんとか)**理解する**; [~ *out that*節 / *wh*節・句] …だと**わかる**(understand); 〈文字など〉を判読する ‖ I can't *make out* what this poem expresses. この詩が何を表現しているのかわからない. (4) 〈事〉を証明[立証]する, …と結論する. (5) (略式) [~ *out that*節 …のように言う[見せかける]; [~ **A** *out* (*to be*) **C**] **A** を **C** のように言う[見せかける], **C** として描き出す 《◆**C** は名詞・形容詞》‖ He *made out that* he hadn't cheated in the exam. 彼はカンニングしなかったように見せかけた / The play *made* her *out to be* naive. 劇では彼女は純真な女性として描かれている.

*máke A (óut) of B 〈物〉を **B**〈材料〉で作る《◆ふつう material の本質的に変化しない場合に用いる》(→ from 前 4). cf. MAKE A from B 》‖ The chair is *made* of wood. そのいすは木製です / Flour is *made out of* wheat. 小麦粉は小麦から作られる. 語法 of と out of はほぼ同じ意味であるが, out of は やや from に近い.

màke óver /他 (1) 《〈財産〉を所有権が移った結果〉 (over 副 10 a) 》(make 他 12 a) 〔正式〕〈財産など〉を〈人に〉譲る, 渡す(give up)[*to*] ‖ *make* one's property *over* to one's wife 妻に財産を譲渡する. (2) 〔もう一度 (over 副 11)作る〕(主に米)〈物・事〉を作り[やり]直す; 〈物・事〉を[…に]変える[*into*] ‖ *make* the coat *over* 上着を仕立て直す / *make* the plan *over* 計画を練り直す / The basement has been *made over* into a workshop. 地下室を仕事場に改造した.

*màke úp /自 (1) **化粧する**; [...に]**扮装**(ホシ)**する** [*as*] ‖ The actors were *making up*. 俳優たちは化粧をしていた. (2) (略式) [...と]**仲直り**する [*with*]. (3) 〈生地が〉[…に]仕立てられる [*into*]. (4) 〈人など〉が[…に]**近づく**; (略式) 取り入る, へつらう [*to*]. ―他 (1) 〈物〉を組み立てる; 〈物〉を束(荷)ねる, 包む ‖ *make up* a parcel 荷造りをする. (2) 〈チーム〉を編成する; 〈薬〉を調合する; 〈服〉を仕立てる; 〈布地など〉を[…に]作りかえる [*into*] ‖ *make up* a softball team ソフトボールチームを作る. (3) 〈目録・本など〉を**作る**, 編集する; 〈曲〉を作る; 〈勘定など〉を集計する[計算]する ‖ *make up* the list リストを作成する / *make up* a schedule for the trip 旅行の計画をたてる. (4) 〔しばしば (up) 14 a]〈全体〉を**作る**〈部分が〉〈…の全体〉を**構成する**; [*be made up of* A] …から成り立っている 《◆A は複数名詞》(→ 他 4) ‖ A car is *made up of* a lot of different parts. 車はたくさんのさまざまな部分でできている. (5) 〈不足分を補って目標を達した状態〉に(〈up〉make 他 10) する (主に英) 〈物・事〉を(不足を補って)**完全なものにする**, 補う ‖ *make up* the deficit 不足分を補う / I must *make up* the sleep I lost yesterday. きのうの睡眠不足を補りもどさなければならない. (6) (米) 〈学科〉を再履習する, 〈試験〉を(欠席などのため)受け直す. (7) 〈借りたもの〉を返す. (8) 〈話・弁解・うそなど〉を**でっちあげる** (invent), 作り上げる ‖ He *made up* a good excuse. 彼はうまい言い訳をでっちあげた. (9) 〈顔・自分〉に**化粧する** ‖ She *made up* her face. =She *made* herself *up*. 彼女は化粧した. (10) 〈人〉を[…に]扮装させる [*as*] ‖ be *made up* as a queen 女王に扮する. (11) 〈けんかなどの仲直りを〉する, …に終止符をうつ ‖ *make up* a quarrel けんかの仲直りをする. (12) (印刷)〈欄・ページ〉を組む. (13) 〈ベッドなど〉をきちんと整える, 用意する(→ 他 2); 〈部屋など〉をきちんと片づける. (14) 〈ストーブ・火などに〉もっと燃料を加える.

***màke úp for** A [*doing*] 〈不足・損失など〉を[…したことを]**補う**, …の埋め合わせをする, 償いをする, 取り戻す《◆受身では for はしばしば省略》 (compensate) ‖ Try to *make up for* the week's loss of study. 1 週間勉強しなかった分を取り戻すように努力しなさい.

màke A with B 〈物〉を **B**〈材料〉で作る ‖ She *made* mixed juice *with* vegetables. 彼女は野菜を混ぜてミックスジュースを作った 《◆B は材料の一部を示す》.

語法 「B から A を作る」は make A from [of, out of] B, make A with B で表現できるが, それぞれ意味が少し異なる. 大ざっぱにいう場合は of が好まれる.

màke with the ... (米俗) (1) 〈食物など〉を出す ‖ I'm hungry; *make with the* food. 腹がへった. 食べる物を出してくれ. (2) 〈案・言葉などを考え出す, 作り出す ‖ *make with the* big ideas 大きなことを考えつく.

―名 (he) ~s/-s/) UC 1 〔修飾語を伴って〕…**製**, 製作; 製造元 ‖ a car *of Japanese make* 日本製の車 / 《対話》 "What make is this camera?" "A Kodak." 「このカメラはどこの製品ですか」「コダックです」. 2 (物の) 作り, 型, 構造; (人の) 体格, 性格 ‖ a man of his *make* 彼のような性格の人 / a new *make* of car 新型の車 / Do you like the *make* of this suit? このスーツの作りはお気に召しますか.

on the máke (1) 〈物・事〉が形成[増加, 成長, 改善]中(で). (2) (略式)〈人〉が(個人的な)利益[金もうけ, 出世など]を追い求めて.

make-be·lieve /méikbilìːv/ 名 1 ⓤ 見せかけ, 偽り, (たわいない) 作りごと, ごっこ(遊び) ‖ a world of *make-believe* 空想的世界. 2 ⓒ 見せかけ[ふり]をする人. ―形 見せかけの, 偽りの, 架空の ‖ a *make-believe* sleep たぬき寝入り.

make-do /méikdùː/ 形名 ⓒ 間に合わせの(もの).

make-or-break /mèikərbréik/ 形 成否を決める, 運命をたどる.

make·o·ver /méikòuvər/ 名 ⓒ ⓤ (建物・服装などの) 模様変え, 改装; イメージチェンジ.

***mak·er** /méikər/

―名 1 ⓒ 〔しばしば複合語で〕**生産者**, 製作者; 〔しばしば ~s〕**製造業者**, メーカー ‖ the world's largest *maker* of computers 世界最大のコンピュータメーカー / a domestic champagne *maker* 国内のシャンパン製造元 / a dressmaker ドレスメーカー / a watchmaker 時計(修理)屋 / a troublemaker もんちゃくを起こす人.

表現 「メーカー品」は name product [brand]. 「一流メーカー」は established company, big manufacturer [maker].

makeshift

2 [the/our M~] 創造主, 神 ‖ **meet** [**go to**] *one's Maker* [遠回しに] 死ぬ.

†**make·shift** /méikʃìft/ 图 ⓒ 形 間に合わせ(の), 一時しのぎ(の物, 方法)(の).

†**make-up, make–up** /méikʌp/ 图 **1** Ⓤ ⓒ [正式] [通例 a/the ~] (物の)組み立て, 構造, 構成, (人の)性質, 体格 ‖ *the makeup of the atom* 原子の構造 / *He has a cheerful makeup.* 彼は陽気な性格だ. **2** Ⓤ [通例 one's/a ~] 化粧; (俳優の)舞台化粧, メーキャップ; 扮装(ホネ) ‖ *You wear too much* [*heavy*] *makeup.* 化粧がどぎついよ. **3** Ⓤ [集合名詞] 化粧品; 扮装具《かつら・衣装など》. **4** ⓒ [印刷] [通例 a/the ~] 割付け, 製版. **5** ⓒ [米略式] 追[再]試験 ‖ *There will be a make-up* (*test*) *for all students who missed last week's class.* 先週授業を休んだすべての学生に対して追試験が行なわれるでしょう.

mak·ing /méikiŋ/ 動 → make.
—— 图 **1** Ⓤ 作ること, 製造, 製作; 構造, 構成 ‖ *This trouble is of his own making.* このトラブルは自業自得だ. **2** Ⓤ 発達過程, 形成 ‖ *the making of English* 英語の成り立ち. **3** [the ~ of + Ⓒ 名詞] …を成功させる原因 ‖ *Hardships are the making of a man.* 苦労して人は成功する. **4** [正式] [the ~s] […の]素質, 資質[*of*] ‖ *She has* (*in her*) *the makings of a great star.* 彼女には大スターになる素質がある.

in the máking [正式] 製造中の, 発達[進行]中の, 修業中の; 用意されて ‖ *a doctor in the making* 医者の卵.

–mak·ing /-mèikiŋ/ [語要素] →語要素一覧(1.2).

mal– /mæl-/ [語要素] →語要素一覧(1.7).

Ma·lac·ca /məlǽkə, 《米》-lάː-/ 图 **1** マラッカ《マレーシア南西部の州. その首都》. **2 the Strait of ~** マラッカ海峡.

Malácca càne マラッカ杖(ᵹ), 籐(ᵹ)製のステッキ.

Mal·a·chi /mǽləkài/ 图 [旧約] マラキ《紀元前5世紀のヘブライの預言者》; マラキ書《旧約聖書の最後の書. 略 Mal.》.

mal·a·chite /mǽləkàit/ 图 Ⓤ [鉱物] クジャク石.

mal·ad·just·ed /mæ̀lədʒʌ́stid/ 形 不適応の(↔ well-adjusted).

mal·ad·just·ment /mæ̀lədʒʌ́stmənt/ 图 Ⓤ **1** (機械などの)調整不良. **2** [心理] 不適応.

†**mal·a·dy** /mǽlədi/ 图 Ⓒ **1** [古] (特に慢性的な)病気(disease). **2** [正式] (社会の)病弊, 弊害. **3** (社会的・経済的)不均衡.

Ma·la·ga /mǽləɡə/ 图 **1** Ⓤ マラガ酒《スペイン南部の州 Malaga 産の白ワイン》. **2** Ⓒ マラガブドウ.

Mal·a·gas·y /mæ̀ləɡǽsi/ 图 **1** (複 Mal·a·gas·y, -·ies) Ⓒ マダガスカル(Madagascar)の(原)住民. **2** Ⓤ マダガスカル語. —— 形 マダガスカル(人)[語]の[に関する].

Malagásy Repúblic マラガシ共和国《Madagascar の公式名. 首都 Tananarive》.

†**ma·lar·i·a** /məléəriə/ 图 Ⓤ [医学] マラリア.

ma·lar·i·al /məléəriəl/ 形 マラリアの(ような); マラリアの多い.

*****Ma·lay** /méilei, məlei | məlei, 《米+》méilei/ 图 **1** ⓒ マレー人. **2** Ⓤ マレー語. —— 形 マレー人[語]の; マレー半島の; **the ~ Archipelago** マレー諸島; **the ~ Peninsula** マレー半島(the Malay Peninsula).

Ma·lay·a /məléiə/ 图 マレー半島.

Ma·lay·an /məléiən/ 形 图 =Malay.

Ma·lay·sia /məléiʒə, -ʃə | -ziə/ 图 **1** マレーシア《アジア南東部にある国》. **2** マレー諸島(the Malay Archipelago). **Ma·láy·sian** 形 ⓒ マレーシアの(人)の; マレーシア人.

mal·con·tent /mǽlkəntènt/ ⊢≂⊣ [正式] 形 不平の, 不満の, 《…に》不満をもつ[*with*]. —— 图 Ⓒ 不平分子, 反抗者.

Mal·dives /mɔ́ːldivz, -daivz, 《米+》mǽl-/ 图 [複数扱い] モルジブ(共和国)《南西インド洋上のサンゴ礁の群島(the Maldive Islands)から成る》.

*****male** /méil/ (同音) mail.
—— 形 《比較変化しない》 **1** 男にふさわしい, 《男が》男性的な《《女が男のようなは manlike》》 ‖ *have a male voice* 男性的な声をしている. **2** 《性が》男の, 雄の; [植] 雄性の; おしべだけを持つ(↔ female) ‖ *male students* 男子学生 / *male dogs* 雄犬 / *male fern* オシダ, メンマ. **3** [機械] [名詞の前で] 雄の ‖ *a male screw* 雄(*)ねじ.
—— 图 ~**s** /-z/ Ⓒ **男**, 男子, 雄 《人については主に性別を言うときに用いられる. 略 m, M》; [植] 雄性植物, 雄株, 雄花(↔ female) ‖ *Only adult males used to have voting rights.* 昔は成人男子しか選挙権がなかった.

mále·ness 图 Ⓤ 男性的であること.

Ma·lé /mάːli, -lei | məléi/ 图 マーレ《Maldives の首都》.

mal·e·dic·tion /mæ̀lədíkʃən/ 图 ⓒ [正式] **1** のろい(の言葉). **2** 中傷, 悪口(slander).

mal·e·fac·tor /mǽləfæ̀ktər/ 图 [《女性形》 -·tress] ⓒ 《やや古》悪人; 犯人.

ma·lev·o·lent /məlévələnt/ 形 [正式] 他人の不幸を喜ぶ; 《…に》悪意のある[*to, toward*](↔ benevolent). **ma·lév·o·lence** 图 Ⓤ 悪意.

†**mal·ice** /mǽlis/ 图 Ⓤ [正式] 《…に対する》(強い)悪意, 敵意 (hatred), 恨み(grudge)[*against, to, toward*] ‖ *bear him no malice* =*bear no malice against* [*to, toward*] *him* 彼に何の恨みもない.

†**ma·li·cious** /məlíʃəs/ 形 [正式] 悪意のある, 意地の悪い ‖ *malicious rumors* 悪意のあるうわさ. **2** [法律] 故意の ‖ *malicious mischief* 故意のいたずら. **ma·lí·cious·ness** 图 Ⓤ 悪意のあること, 意地の悪いこと. **ma·lí·cious·ly** /məlíʃəsli/ 副 [正式] 悪意をもって, 意地悪く.

†**ma·lign** /məláin/ [正式] 形 ◆ malignant の方がふつう》 **1** (本質的に)有害な(harmful)(↔ benign). **2** 《人が》悪意のある. —— 動 ⃝ …をけなす, 中傷する; …をだます.

ma·lig·nance /məlíɡnəns/ 图 =malignancy.

ma·lig·nan·cy /məlíɡnənsi/ 图 **1** Ⓤ 強い悪意, 敵意; 有害, 悪影響. **2** [医学] Ⓤ 悪性; Ⓒ 悪性腫瘍.

†**ma·lig·nant** /məlíɡnənt/ 形 [正式] **1** 《人・行為などが》悪意[敵意]のある. **2** きわめて有害な. **3** [医学] 悪性の(↔ benign); きわめて危険な ‖ *a malignant tumor* 悪性腫瘍.

ma·lig·ni·ty /məlíɡnəti/ 图 **1** Ⓤ [正式] 激しい悪意, 敵意, 深い恨み. **2** [医学] 悪性. **3** ⓒ [正式] 悪意に満ちた行為[言葉].

mall /mɔːl/ (同音) 《米》 maul) 图 **1** 木陰のある散歩道; 遊歩道《◆ **the Mall** は London の St. James 公園の木陰の多い散歩道》. **2** 《米》(プロムナード風)ショッピングセンター(shopping mall)《十分な駐車地域がありしばしば木が植えられた歩行者専用の商店街》.

mal·lard /mǽlərd/ 名 (複 ~s, [集合名詞] **mal·lard**) C〖鳥〗マガモ《wild duck の一種》; U マガモの肉.

mal·le·a·ble /mǽliəbl/ 形〔正式〕**1**〖冶金〗可鍛(たん)性の, 展性の. **2** 順応性のある.

màl·le·a·bíl·i·ty 名 U 順応性.

†**mal·let** /mǽlit/ 名 C **1** 木づち. **2** 打球づち《クローケーやポロ球を打つ柄の長い木づち》.

mal·low /mǽlou/ 名 C〖植〗ゼニアオイ; アオイ科の植物.

mal·nu·tri·tion /mæ̀lnju:tríʃən/ 名 U〔正式〕栄養失調[不良].

mal·o·dor·ous /mæloúdərəs/ 形〔正式〕〔おおげさに〕**1** 悪臭を放つ. **2** 不適当な.

mal·prac·tice /mælpræktis, -=-/ 名 U C **1** (医師の)医療過誤 (medical malpractice). **2**〖法律〗(医療などの)過誤.

†**malt** /mɔ́:lt/ 名 **1** U (醸造・蒸留用) 麦芽, モルト. **2** U C〔略式〕=malt liquor; =malt whiskey. **3** U (米式)=malted milk.

málted mílk (米) モルトミルク《麦芽粉乳と牛乳を混ぜ, アイスクリームと風味を加えた飲み物》.

málta líquor 麦芽酒, ビール.

málta whískey (各種の)モルトウイスキー.

Mal·ta /mɔ́:ltə/ 名 **1** マルタ《地中海 Sicily 島南方にある》. **2** マルタ(共和国)《1 を主島とする共和国》.

Málta féver 〖医学〗マルタ熱, 波状熱.

Mal·tese /mɔ:ltí:z, (米) -tí:s/ 名 (複 **Mal·tese**) **1** C マルタ人. **2** U マルタ語. ── 形 マルタ(島)の, マルタ人[語]の.

Maltése cróss マルタ十字架.

Maltése dóg [térrier] 〖動〗マルチーズ《毛の長い小型の愛玩(がん)犬》.

Mal·thus /mǽlθəs/ 名 マルサス《Thomas Robert ~ 1766-1834; 英国の牧師・経済学者》.

Mal·thu·si·an /mælθjú:ʒən| -ziən/ 形 マルサス(主義)の. ── 名 C マルサス主義者.

mal·treat /mæltrí:t/ 動 他〔正式〕…を虐待[酷使]する (abuse) (cf. ill-treat).

màl·tréat·ment 名 U 虐待.

malt·ster /mɔ́:ltstər/ 名 C 麦芽製造[販売]業者.

†**ma·ma** /má:mə | məmá:/ 名〔略式〕=mamma.

mam·bo /má:mbou | mǽm-/ 名 (複 ~s) C マンボ《ルンバに似たダンス》; その音楽. ── 動 自 マンボを踊る.

†**mam·ma, ma·ma** /má:mə | məmá:/ 名 C (米式・英古小児語) (お)かあちゃん, ママ (mammy) (↔ papa) 《呼びかけも可. 《米略式》 mom(ma), (英略式) mum(my) の方が多く用いられる》‖ Can I play outside, *Mamma*? ママ, 外で遊んでいい?《呼びかけのとき, また自分の母親をさすときには, しばしば固有名詞的に Mamma とする》.

†**mam·mal** /mǽml/ 〖『乳房(mamma)の』が原義〗 名 C 哺(ほ)乳動物.

mam·ma·li·an /məméiliən, mæm-/ 名 C 哺(ほ)乳類(の).

mam·ma·ry /mǽməri/ 形〖解剖〗乳房の(ような).

mam·mon /mǽmən/ 名 **1** U (悪・腐敗の根源としての)富, 金. **2** U 強欲, 貪欲(どんよく). **3** [M~] 〖新約〗富の神, 強欲の神.

†**mam·moth** /mǽməθ/ 名 C **1**〖古生物〗マンモス《洪(こう)積世の巨獣》. **2** 巨大なもの; (略式) 〔形容詞的に〕巨大な ‖ a *mammoth* project マンモス事業.

†**mam·my** /mǽmi/ 名 C (英略式小児語)=mamma.

‡**man** /mǽn/ 派 manly (形), manhood (名)

index 名 **1** 男 **2** 男らしい男 **3a** 人 **b** 人類 **4** 部下

── 名 (複 men /mén/) **1 a** C (成年の) **男**; 〔形容詞的に〕 男性の (↔ woman) (cf. boy) ‖ the men's department (店の)男物売場 / grow up and become a *man* 大人になる / a *man* cook 男性の料理人 (《複》 は men cooks). **b** U〔正式〕〔無冠詞で; 集合名詞; woman に対して〕(女性に対する) **男性** (全体), 男 (人という(もの)) 語法 → woman **2 a**) ‖ *man and woman* 男女 (=men and women) 《ふつうこの語順で無冠詞》 / *Man* differs from woman in some respects. いくつかの点で男は女と違っている《◆ *Men* differ from women in … のように複数形がふつう》.

2 C (勇気やたくましさを備えた) **男らしい男**, 一人前の男; 〔形容詞的に〕男らしい (manly); [the ~] 男らしさ, 男性的要素 ‖ take one's punishment like a *man* 男らしく〔潔く〕罰を受ける / *Be a man!* 男らしく[しっかり]しろ (=Be *manly* [*brave*]!) / Is he *man* enough? 彼は男らしいか, 度胸があるか.

3 a C 〔やや古〕(男女を問わず不特定の) **人** (one, person) 《◆ この意味の複数は men より people の方がふつう》; (略式) [a ~] (一般に)人 ‖ "No *man* [(略式) Nobody] can live forever. =A *man* cannot live forever. 人はだれも永久に生きることはできない / All *men* are created equal. 人はみな平等である《米国独立宣言の語》.
b [しばしば M~] U〔正式〕〔無冠詞〕人類, 人間(というもの); (動物学上の)ヒト (Homo sapiens) ‖ Peking *man* 北京原人 / *Man* does not live by bread alone. 人はパンのみで生きるものではない / *Man proposes, God disposes.* (ことわざ) 事を計るは人, 事をなすは神.

> **使い分け** [**Man** と **a man**]
> *Man* は「人類, 人間」の意.
> *a man* は「個々の人」の意.
> *Man* [×A *man*] has made great progress in the last two centuries. 人類はこの2世紀に進歩した.
> A *man* cannot live without water. 人は水がなければ生きていけない.

c 〔通例 a ~ of + 名詞〕(特定の業務・性格の)人, …家《◆ 一般に男に用いる》‖ *a man of God* (文)聖職者 / *a man of letters* 〔正式〕文筆家, 文学者 (=a literary *man*)《特定の業務・性格の人の「形容詞 + man」でも表すことができる: a medical *man* 医療に携わる人》 / *a man of* `his word [the world]` 約束を守る[世慣れた]人.

> **語法** 接頭は「(男女を問わず)人, 人間」の意味であっても, 現実には 1 の「男」「男性」の意が背後にあり, 女性が男性のかげに隠れて見えなくなってセクシズムに通じるため, 最近では, 単数の場合は a person / a human being, 複数の場合は people / human beings / we などを用いて man / men を避けるのがふつう.

4 C 〔通例 men〕(古) 下男 (male servant); (男

)**部下**《従業員・兵士・水兵など》; (チームの)男子メンバー, 選手 ‖ officers and *men* 士官と兵卒 / He has several *men* under him. 彼のもとに数人の従業員がいる / I'll send my *man* to you with the letter. 使用人に手紙を持たせて伺わせる.
5 C (略式) [しばしば彼式]《男友だち・婚約者・時に夫のことをさして》‖ *man* and wife (正式) 夫婦. **6** [one's/the /ðiː/ (very) ~] 最適任者, もってこいの男 ‖ *the* (very) *man* for the job その仕事にうってつけの男 / If you want a good cook, he's your [the] *man*. 腕のたつ料理人がほしいのなら彼はもってこいの人だ. **7** C (略式) (米) おい, 君《◆(呼びかけ)では(英)では常に, (米)では広く, 成人男子に用いる. 驚き・称賛・怒り・親愛・軽蔑(かん)・いらだちなどの感情をこめる》‖ Hey (↘), *man*, it's been a long time! やあ, 久しぶりだね. **8** C (チェスなどの)こま.
a mán of clóth (文) 牧師(priest).
as a mán (1) 個人的には. (2) =as one MAN.
as óne mán (主に文) 全員一致で, いっせいに.
be one's **ówn mán** 自分の思い通りにする, 一人立ちしている.
mán to [for] mán 1対1で(は); 率直に(言って)((PC) person to person, one to one, face to face)(⊃文法 16.3(3)) ‖ talk *man to man* about the problem その問題を腹を割って話し合う(=have a *man-to-man* talk about the problem).
to a mán = **to the lást mán** (主に文) 1人残らず((PC) without exception) ‖ They agreed *to a man*. 彼らは一人残らず賛成した.
―**動** (過去・過分) **manned**/-d/; **man·ning** ⓣ **1** 〈船・要塞を〉配員する, 要員を配置する. **2** …の位置[任務]につく ‖ *Man* the guns! 砲につけ!
Man /mǽn/ 图 **the Isle of ~** マン島《英国アイルランド海上の島. 形容詞は Manx》.
-man /-mən, -mæ̀n/ (語要素) →語要素一覧 (2.2).
man·a·cle /mǽnəkl/ 图 C [通例~s] **1** (歴史) 手錠, 手かせ (handcuff); 足かせ. **2** [比喩的に] 足かせ, 束縛, 拘束.

*man·age /mǽnidʒ/ [『〈馬を〉うまく扱って手なづける』が原義. cf. *manual*』⑲ management (名), manager (名)
―**動** (~**s**/-iz/; 過去・過分) ~**d**/-d/; **-·ag·ing**) ―ⓣ
Ⅰ [事がうまくいくように**管理する**]
1 〈人が〉〈事業などを〉(所有者に代わって)**経営する, 管理する**; 〈チームなどの〉監督をする(類語 operate, administer) ‖ *manage* a hotel ホテルの支配人をする / *manage* a house(hold) 家を切盛りする.
2 [(can/could) manage A] 〈人が〈扱いにくい〉人・物・事を〉**うまく取り扱う**, 巧みに操縦する ‖ *Manage* your money well. 金を上手にやりくりしなさい / He couldn't *manage* his horse [new car]. 彼は馬[新車]を乗りこなすことができなかった / She knew how to *manage* her short-tempered husband. 彼女は短気な夫の操縦法を心得ていた.

Ⅱ [事がうまくいくようにやり遂げる]
3 [manage to do] 〈人が〉〈…することを〉**なんとかやり遂げる**; [皮肉的に] まんまと…する ‖ I *managed to* solve the problem. (何度か試みた後)なんとかその問題を解決した[解くことができた] / I succeeded in solving the problem. には「何度も試みた」という含みは特にない. 1回目で解けたかもしれない / He *managed* to mess it up. やつめ, まんまと台なしにしおった.

4 (略式) [しばしば can, could, be able to を伴って] …をうまく扱う, …にうまく対処する ‖ *Can* you *manage* some more meat? もう少し肉を食べませんか / The girl *could* just *manage* a smile. その少女はかろうじて作り笑いをすることができた(=The girl barely *managed* to smile) / *Can* you *manage* (to take) another day off from work? もう1日仕事を休めますか.
―**自 1** 〈人が〉〈…で/…なしで〉なんとか暮らしていく [on/with/ without] 《◆しばしば can, could を伴う》; 〈物が〉うまく処理される ‖ *manage* [on his salary [by rigid budgeting] 彼の給料で[生活費を切り詰めて]なんとか暮らしていく / *manage for* money 金をやりくりする / *manage with* a rent-a-car レンタカーで間に合わせる / *manage without* help [a car] 援助 [車]なしでなんとかやっていく(=do without…) / ◎対話 "Can I help you?" "That's all right. I can *manage* (by myself)." 「手を貸しましょうか」「大丈夫です. (ひとりで)なんとかできますから」.
2 管理[運営]する; 監督を務める.

man·age·a·ble /mǽnidʒəbl/ 形 御しやすい, 扱いやすい; 操作[管理]できる.

*man·age·ment /mǽnidʒmənt/ [→ manage]
―**名** (腹 ~s/-mənts/) **1** U (事業・金などの)**管理, 経営**; 取り扱い, 操縦 ‖ personnel *management* 人事管理 / a *management* consultant 経営コンサルタント / the *management* of children 子供の扱い. **2** U (人などに対する)管理[操縦]手腕; 処理能力; 術策 ‖ more by luck than *management* 腕前というよりは幸運で / adept *management* 巧みな駆引き. **3** C U (特定の会社・施設の)経営[管理]者(たち); [通例 the ~; 集合名詞; 単数・複数扱い](労働者に対して)経営陣, 資本家側《◆しばしば M~ として用いる. cf. government》‖ labor-*management* relations 労使関係 / The *management* has [have] agreed to have talks with the workers. 経営者側は労働者と話し合うことに同意した(⊃文法 14.2(5)).

mánagement accóunting (商業) 管理計算(cf. cost accounting).

*man·ag·er /mǽnidʒər/ 【アクセント注意】 [→ manage]
―**名** (腹 ~**s**/-z/; (女性形) ~·**ess**) C **1 経営者, 管理人, 支配人; (会社の)部長, 課長, 係長, 次長 《chief の上》; [複合語で]…長, …主任 ‖ General *Manager* John Smith 部長ジョン=スミス / a business *manager* 営業部長 / a sales *manager* 販売部長 / the *manager* of the restaurant レストランの支配人.
2 [通例形容詞を伴って](家計を)やりくりする人; (事業の)腕利き, やり手 ‖ My wife is a good [bad, poor] *manager*. 私の妻はやりくりが上手[下手]だ.
3 (スポーツチームなどの)監督, (会などの)世話役 ‖ a stáge *manager* 舞台監督 / a báseball mánager 野球の監督《◆「(野球の)マネージャー」は the team's caretaker に当たる》.

man·a·ge·ri·al /mæ̀nədʒíəriəl/ 形 経営[管理](者)の ‖ *managerial* posts 管理職.

Ma·na·ma /mənǽmə/ 图 マナマ《ペルシア湾岸にある (State of Bahrain) の首都》.

†**Man·ches·ter** /mǽntʃìstər, -tʃəs-/ 图 マンチェスター《イングランド北西部の商工業都市》.

Man·chu /mæntʃúː/ 图 (腹 **Man·chu, ~s**) **1** C 満州人. **2** U 満州語. ―形 満州(人)の, 満州語

Man·chu·ri·a /mæntʃúəriə/ 名 満州《中国東北部の旧称》.

man·da·rin /mǽndərin/ 名 1 C〔歴史〕(中国清朝時代の)官吏, 役人. 2 [M~] U 北京官話《標準中国語》. 3 C =mandarin orange.

mándarin cóllar 〔服飾〕マンダリン=カラー《中国の婦人服のような幅の狭いまっすぐな立えり》.

mándarin órange (皮のむきやすい)マンダリン(オレンジ), 温州(うんしゅう)みかん.

†**man·date** /mǽndeit, -dit/ 名 C〔正式〕(公式の)命令, 指令(order).

man·da·to·ry /mǽndətɔːri | -təri/ 形〔正式〕命令の; 強制的な; […にとって]必須の(*for*). ── 名 C (国際連盟の)委任統治国.

†**man·di·ble** /mǽndibl/ 名 C 1 (哺乳)動物・魚(の下)あごの骨. 2 (鳥の)下[上]くちばし. 3 (昆虫・カニなどの)大顎(おおあご).

man·do·lin /mǽndəlin, ⌵⌵⌵/, **man·do·line** /mǽndəlin, ⌵⌵⌵/ 名 C〔音楽〕マンドリン.

man·drake /mǽndreik/ 名 C〔植〕マンダラゲ, マンドレーク《ナス科の有毒植物. 催眠剤・下剤に使う》.

†**mane** /méin/《同音》main/ 名 C 1 (馬・ライオンなどの)たてがみ (図 → horse). 2〔略式〕ふさふさした長い髪(の毛).

ma·nes /mɑ́ːneis, méiniːz | -neiz/ 名 [時に M~]〔ローマ史〕〔複数扱い〕(神格化した)死者の霊魂.

Ma·net /mænéi/ ⌵⌵⌵/ 名 マネ 〈Édouard /eidwɑ́ːr/ ~ 1832-83; フランスの画家〉.

†**ma·neu·ver** /(英) --noeu·vre /mənúːvər/〔正式〕名 1 [~s] (軍隊・艦隊などの)機動作戦, 作戦行動; 大演習, 機動演習 ‖ *on maneuvers* 大演習中で. 2 C (だましての, のがれようする)巧妙な手段, 術策; 策略. ── 動 他〈軍隊・艦隊に〉作戦行動をとらせる, 大演習をする 〈物を〉[…へ]うまく移動させる(+*out*, *away*)[*into*]; 〈うまく操り〉〈人に〉[…させる, …を[…に]追い込む[*into*]. ── 自 1〈軍隊・艦隊が〉作戦行動をとる; 演習をする(+*about*, *up*). 2 策略をめぐらす, 駆引きをする.

†**man·ful** /mǽnfl/ 形 男らしい; 勇敢な, 断固とした(manly). **mán·ful·ly** 副 男らしく, 勇敢に.

man·ga·nese /mǽŋgəniːz, ⌵(米)+ -nìːs, (英)+ ⌵⌵⌵/ 名 U マンガン《金属元素. 〔記号〕Mn》.

†**man·gle** /mǽŋgl/ 動 他 1〈体などを〉ずたずたに切る; 〈車などを〉(押し)つぶす(+*up*). 2〔略式〕〈引用・原典などを〉台なしにする(spoil)(+*up*); 〈演奏などを〉ぶちこわす ‖ *He mangled* what he was trying to say. 彼は発言をあやふやにしてしまった.

man·go /mǽŋgou/ 名 (複) ~(e)s C〔植〕マンゴー《熱帯産》; その実, 食用品.

man·grove /mǽŋgrouv/ 名 C〔植〕マングローブ, 紅樹林《熱帯の海辺・河口に生える常緑森林性樹木》.

man·han·dle /mǽnhæ̀ndl/ 動 他 1〔正式〕…を手[人力]で動かす. 2〔略式〕…を手荒に[乱暴に]扱う. **mán·hàn·dler** 名.

†**Man·hat·tan** /mænhǽtn, mən-/ 名 1 マンハッタン《New York 市内の島. 同市の行政区》. 2 [しばしば m~] U C =Manhattan cocktail.

Manháttan cócktail マンハッタン《ベルモットとウイスキーのカクテル》.

man·hole /mǽnhòul/ 名 C (道路などの)マンホール.

†**man·hood** /mǽnhùd/ 名 1 U 成人(男子)であること; 壮年期(↔ womanhood)(cf. boyhood) ‖ Boys are anxious to *reach* [arrive at, come to, grow to] *manhood*. 男の子は早く大人になりたがる. 2 U 男らしさ, 勇気. 3 (まれ) [the ~; 集合名詞; 単数・複数扱い] (一国の)成人男子. 4 U 人間であること((PC) humanity) ‖ a fine example of American *manhood* 模範的アメリカ人.

man·hunt /mǽnhʌ̀nt/ 名 C (組織的な)犯人[行方不明者]捜査((PC) search, chase).

†**ma·ni·a** /méiniə/ 〔発音注意〕名 1 C U〔略式〕[…に対する]異常な熱意[熱中], 熱狂(enthusiasm)[*for*]《◆「~の意味はない. 日本語の「マニア」に相当するのは enthusiast, maniac → enthusiast, maniac》‖ *have a mania for* collecting butterflies チョウの収集を異常なくらい熱心にしている. 2 U〔医学〕躁(そう)病 (↔ depression).

ma·ni·ac /méiniæ̀k/ 名 C〔略式〕狂人; 熱狂家, マニア, (軽蔑語で)…狂 (cf. mania) ‖ a car *maniac* カーマニア.

man·ic /mǽnik/ 形 躁(そう)病の; 〔俗用的に〕熱狂的な; 不自然な, 変わった. 躁病の患者.

†**man·i·cure** /mǽnikjùər/ 名 U C (手の)つめや手の手入れ, マニキュアをすること《◆「マニキュア液」は nail polish, (米) nail enamel, (英) nail varnish》(cf. pedicure).
── 動 他〈つめ・手・人〉にマニキュアを施す《(英) varnish》.

†**man·i·fest** /mǽnəfèst/ 形〔正式〕(見て・考えて)明らかな; […に]はっきりした, わかりきった(obvious)[*to*] ‖ a *manifest* mistake [crime] 明らかな誤り[犯罪].
── 動 他〔正式〕1〈物・事が〉〈事〉を明らかにする(make clear), 証明する(prove) ‖ *manifest* the truth of one's loyalty 忠誠が真実であることを証明する / His words *manifest* his firm belief. 彼の言葉を聞けば堅い信念のほどがわかる. 2〈性質・感情などを〉表す(show); [~ oneself] 〈幽霊・徴候などが〉[…となって]現れる(appear)[*in*] ‖ *manifest* satisfaction [complaint] 満足[不平]の色を見せる / Discontent *manifested itself* on his face. 不満の色が彼の顔にあらさまに現れた《◆「堅い言い方. ふつう showed を使う》.
── 名 C (船・飛行機などの)積荷目録[送り状]; 乗客名簿 ‖ a ship's *manifest* 乗船名簿.

mánifest déstiny [しばしば M~ D~]〔米史〕マニフェスト=ディスティニー, 明白な天命《アメリカ西部への領土拡大は神の使命であるとした思想》.

†**man·i·fes·ta·tion** /mæ̀nəfestéiʃən/ 名〔正式〕1 U 明らかにする[なる]こと; C[通例 ~s] 明示; 現れ; (霊の)出現 ‖ *manifestations* of emotion (goodwill) 感情[善意]の現れ. 2 U (政府・政党などの)政策表明; (政治的な)示威運動.

†**man·i·fest·ly** /mǽnəfestli/ 副〔正式〕明白に, はっきりと.

man·i·fes·to /mæ̀nəféstou/ 〔イタリア〕名 (複) ~es, ~s C 政策, (政党・指導者などの)宣言(書), 声明(書); 政権公約, マニフェスト ‖ the Communist *Manifesto* 共産党宣言.

†**man·i·fold** /mǽnəfòuld/〔正式〕形 多数の, 多種の, 多くの(many). 2 C 多方面にわたる, 多面的な(various). ── 名 1 U C 多面的なこと, 多様性. 2 C 複写したもの, 複写用紙. ── 動 他 …を複写する, …を多種多様にする.

Ma·nil·a /mənílə/ 名 1 マニラ《フィリピン共和国の首都》. 2 [時に m~, manilla] U =Manila hemp; C =Manila cigar.

Maníla cigár マニラ葉巻.

Maníla hémp マニラ麻.

†ma·nip·u·late /mənípjəlèit/ 動 他《正式》1〈機械などを〉巧みに扱う／〈事件・問題などを〉うまく処理する. 2〈人・世論などを〉巧みに操る；〈株式・通貨などを〉操作する.

†ma·nip·u·la·tion /mənìpjəléiʃən/ 名 U C 1 巧みな扱い, 巧みな操作[操縦]. 2 (株・通貨などの)市場操作.

ma·nip·u·la·tive /mənípjəlèitiv | -lə-/ 形《正式》巧みに扱う；ごまかしの, 操作的な.

ma·nip·u·la·tor /mənípjəlèitər/ 名 C 巧みな処理者[操縦者]；操る人, 操作者；改ざん者.

Man·i·to·ba /mæ̀nitóubə/ 名 マニトバ《カナダ中部の州》.

†man·kind /mænkáind/ 名 U [集合名詞；通例単数扱い] 人類, 人間 ‖ Mankind is now in danger of total destruction. 人類は今全滅の危機に直面している(=Man is now …)《◆代名詞は it で, he ではない. 「人類」の意の man の場合は he》.

語法 ✍ mankind をこの意に用いるのは女性差別とみなして humankind, humanity, the human race, all human beings, humans, people などを用いる人が多くなってきている.

man·like /mǽnlàik/ 形 (よい意味でも悪い意味でも)男性的な(manly)；男性向きの ‖ manlike sports 男性向きスポーツ.

†man·ly /mǽnli/ 形 (-·li·er, -·li·est) 1 男らしい, 雄々しい；勇敢な, 断固とした 類語 masculine, manlike, mannish, virile ‖ a manly bearing 男らしい態度／He is brave and manly. 彼は勇で雄々しい. 2 男性向きの；男性(用)の ‖ manly clothes 紳士服. 3〈女が〉男のような(外見[性質]をもった). mán·li·ness 名 U 男らしさ.

man·made /mǽnmèid/ 形 1 人造の, 人工の((PC) artificial, machine-made)(↔ natural) ‖ manmade snow 人工雪. 2 合成の((PC) synthetic).

Mann /mæn, (米+) mɑ́:n/ 名 マン《Thomas ~ 1875-1955；ドイツの小説家》.

man·na /mǽnə/ 名 U [旧約] マナ《イスラエル人がエジプト脱出後荒野で神から与えられた食物》.

man·ne·quin /mǽnikin/ 名 C マネキン人形.

*man·ner /mǽnər/ (同音 manor) 〖「手(mani)で扱う方法」が原義. cf. manifest〗

index 1 方法 2 態度 3 行儀 6 風習

──名 (複 ~s/-z/)

I [方法]
1 C《正式》[a/the ~] 方法；〔…の〕やり方(way) [of] ‖ have a common manner of living [life] ありきたりの生き方をする／treat him in a poor [friendly] manner ひどい[友好的な]やり方で彼を扱う／Is this the manner (⁺in which [that, *how]) you did it? こんなふうにそれをしたのですか.

II [個人的な方法]
2 C [通例 one's/a ~]〔…に対する〕態度, 物腰；扱い方[to] 類語 pose, style) ‖ in a polite [grand] manner ていねいな[気取った]物腰で／I don't like her cold [mean] manner toward old people. 年寄りに対する彼女の冷たい[卑屈な]態度が気に入らない.

3 [~s] 行儀, 作法, 身だしなみ ‖ táble mànners 食事の作法／mínd [ménd] one's mánners 行ないに気をつける[行ないを改める]／It is bad manners to eat with a knife. ナイフで食べるのは不作法です《◆子供に礼儀作法を教える時に使う》／Where are your manners? =Have you no manners? 《略式》お行儀はどうしたの《◆子供にたしなめるときに言う》.

4 (個人の)癖, やり方 ‖ have a strange manner of speaking 話し方に変な癖[なまり]がある.

5 U《正式》[(a) ~]〈人・物の〉種類(kind, sort)；性質 ‖ all manner [*manners] of books あらゆる種類の本／What manner of teacher is she? 彼女はどんな先生ですか.

III [社会的な方法]
6《正式》[~s] (ある国民・時代の)風習, 習慣, 風俗 ‖ manners and customs of the Japanese 日本人の風俗習慣／a comedy of manners 風俗喜劇. 7 C [通例 a/the ~] (芸術・文学などの)流儀, 様式, 作風；…風, …流；マンネリズム ‖ a painting in the manner of Picasso. ピカソ風の絵.

in a mánner of spéaking ある意味では, ある程度；いわば.

mánner àdverb [文法] 様態副詞《adverb of manner ともいう. slowly, fluently など》.

man·nered /mǽnərd/ 形 1 [通例複合語で] 行儀が…の ‖ ill-[well-]mannered 行儀の悪い[よい]. 2《正式》気取った；マンネリズムの ‖ a mannered literary style 気取った文体.

man·ner·ism /mǽnərìzm/ 名 1 U C (言動などの)特徴, 癖, おどけうとらしさ. 2 U (芸術・文学などの)型にはまった手法, マンネリズム. 3 [M~] U [美術] マニエリスム《16世紀にヨーロッパで起こった美術様式》.

mán·ner·ist 名 C マンネリズム[マニエリスム]の作家；癖のある人.

man·ner·less /mǽnərləs/ 不作法な, 礼儀知らずの.

man·ner·ly /mǽnərli/《正式》形 副 礼儀正しい[正しく], 行儀よい[よく].

man·nish /mǽniʃ/ 形 1〈女が〉男みたいな；〈服装・声・歩き方が〉男っぽい. 2〈子供が〉一人前の男のような, 大人ぶった. mán·nish·ly 副 1 (女が)男みたいに. 2 (子供が)一人前の男のように.

ma·noeu·vre /mənú:və/《英》動 = maneuver.

†man-of-war /mǽnəvwɔ́:r/ 名 (複 men-)《古》(ふつう昔の)軍艦(warship).

ma·nom·e·ter /mənɑ́mətər | mənɔ́m-/ 名 C 〔機械〕マノメータ, 液柱計《気体の圧力を測る》；〔医学〕血圧計.

†man·or /mǽnər/ (同音 manner) 名 C《英》(封建制度下の)荘園. mánor hòuse 荘園領主の邸宅《◆単に manor ともいう》.

ma·no·ri·al /mənɔ́:riəl/ 形 荘園の；領地の.

man·pow·er /mǽnpàuər/ 名 1 U (産業・軍隊などで)動員可能な人手(兵力), 有効総人員((PC) labor force, work force). 2 U (機械力による)人の労働力((PC) human resources). 3 C [機械] 人力《工率の単位. 1/10 馬力》((PC) human power [energy]).

manse /mǽns/ 名 C (特にスコットランド長老派教会の)牧師館.

man·ser·vant /mǽnsə̀:rvənt/ 名 (複 men·ser·vants) C (やや古) 従僕.

-man·ship /-mənʃip/ 語要素 →語要素一覧(1.7).

*man·sion /mǽnʃən/

──名 (複 ~s/-z/) C 1 (豪華な)大邸宅, 館；(領

man·slaugh·ter /mǽnslɔ̀ːtər/ 名 U 殺人；〖法律〗故殺罪《計画性のない事故殺人. → murder》.
man·ta /mǽntə/ 名 C 〖魚〗イトマキエイ (manta ray) (→ devilfish).
man·teau /mæntóu/ (米) -/ 〖フランス〗名 (複 ~s, ~x/-z/) C マント (cf. mantle).
man·tel /mǽntl/ 名 1 (古) =mantelpiece. 2 = mantelshelf.
†**man·tel·piece** /mǽntlpìːs/ 名 C 1 マントルピース《暖炉の前面・側面の飾り》. 2 =mantelshelf.
man·tel·shelf /mǽntlʃèlf/ 名 C (複 ~s) (暖炉の) 炉棚.
†**man·tle** /mǽntl/ 名 C 1 (袖口) (そでなしの) マント, 外套（う）(cloak); 2 (権威としての) マント. 2 (文) 包むもの, 覆い. 3 マントル《ランプなどの炎置い》. 4 (動植物の) 外套(膜). 5 〖地質〗 マントル.
── 動 他 (文) …をマントで包む；…を覆い隠す.
── 自 1 (液体が) 上皮 (彡ひょう) ができる. 2 〈血の気が〉さしてくる;〈顔などが〉赤らむ.
man-to-man /mǽntəmǽn/ 形 (略式) 〈議論などが〉腹蔵のない, 率直な；((PC)) person-to-person, one-to-one, face-to-face)；〖球技〗マンツーマンの, 1対1防御の ((PC)) player-to-player)《「マンツーマンで(教える)」などの場合は one-to-one, one-on-one を用いる》 ‖ *man-to-man* defense マンツーマンの守備 (cf. zone defense).
†**man·u·al** /mǽnjuəl/ 形 1 手の；手製[手細工]の, 手を使う；手動の；人力[労力]のいる (cf. mechanical) ‖ a *manual* gearshift 手動変速機 / *manual* labor 力仕事, 肉体労働, きつい労働. 2 〖法律〗現有の. ── 名 C 1 小冊子；マニュアル, 手引書；便覧；案内書 ‖ a teacher's *manual* 教師用指導書 / a guitar *manual* ギター教則本. 2 〖音楽〗(オルガンの) 手鍵盤 (は).
mánual álphabet 指話用のアルファベット (finger alphabet).
mánual tráining 手工(科)《小・中学校の木工・金工・裁縫など》.
mán·u·al·ly 副 手(先)で, 手細工で.
*†**man·u·fac·ture** /mæ̀njəfǽktʃər/ [アクセント注意] 〖手で(manu)作ること(facture). cf. *manual*, *factory*〗派 manufacturer (名)
── 名 (複 ~s/-z/) 1 U C (正式) (機械による大規模な) 製造, 生産, 製造会, 工場主, 製作者；メーカー 《「機械で大規模に製造する者」の意. 略 manuf., mfr.》 ‖ glass [hardware] *manufacture* ガラス[金物]製造業 / a satellite of domestic [foreign] *manufacture* 国産[外国製]の人工衛星 / steel [iron] *manufacture* [manufacturing] 製鋼[鉄工]業.
2 C (通例 ~s) 製品, 製作品 ‖ silk [cotton] *manufactures* 絹[綿]製品.
── 動 (~s/-z/; 過去・過分 ~d/-d/; -·tur·ing /-tʃəriŋ/)
── 他 (正式) 1〈人が〉〈物を〉[…に] (機械で大規模に) 作る[*into*], 製造[生産]する (make) ‖ *manufac-ture* wool *into* cloth 羊毛を布に仕上げる. 2 (正式) 〈話・口実など〉をこしらえる, でっちあげる. 3〈文学作品など〉を乱作する.
── 自 製造[生産]する.
†**man·u·fac·tur·er** /mæ̀njəfǽktʃərər/ 名 C 1 製造業者, 製造会社, 工場主, 製作者, メーカー《「機械で大規模に製造する者」の意. 略 manuf., mfr.》 ‖ the world's largest aircraft *manufacturer* [×maker] 世界最大の航空機製造業者. 2 (話などを) でっちあげる人.
man·u·fac·tur·ing /mæ̀njəfǽktʃəriŋ/ 名 U 形 製造(の), 工業の(略 mfg.) ‖ the *manufacturing* industry 製造業.
man·u·mis·sion /mæ̀njəmíʃən/ 名 U (奴隷・農奴の) 解放.
†**ma·nure** /mən(j)úər/ 名 U 肥料, 肥やし《特に牛・馬のふんなど》. ── 動 他 (正式) 〈土地に〉肥料をやる.
†**man·u·script** /mǽnjəskrìpt/ 名 1 C (手書き・タイプの) 原稿, 草稿, 文書, 手紙；(手書きの) 写本, 本 (略 ms, MS, mss) ‖ a pen-written *manuscript* ペン書きの原稿. 2 U 手書き ‖ His work is *in manuscript*. 彼の作品は原稿のまま[未発表]だ.
Manx /mǽŋks/ 形 マン島の (the Isle of Man) (生まれ)の；マン島語の. ── 名 (the ~；複数扱い) マン島人；U マン島語. **Mánx cát** 動 マンクス(ネコ)《尾がない》.

‡**man·y** /méni/《◆ how many では時に /məni/》
── 形 (more /mɔ́ːr/, most /móust/) [通例名詞の前で]《◆補語として用いるのは堅い言い方で比較的まれ》 1 [so ~, ~ such など特定の連語以外ではふつう否定文・疑問文で, ~+ ⦅ C ⦆ 名詞複数形] 多くの, たくさんの, 多数の (↔ few)《◆ U 名詞には much》 ‖ He does *not* have **many** friends. 彼には友だちはあまりいない / There are **many** *such* birds in the park. 公園にはそのような小鳥がたくさんいます《◆ there are 構文では肯定文も可. many such の語順に注意》/ *Not* **many** people came. 来た人は多くなかった (=There were *not* **many** who came.) / **Many** people did *not* come. 多くの人が来なかった (=Few people came.)《◆ 1) 後者の方がふつう. (2) many, more の後に否定語が来るのは不自然. few, fewer を用いる》/ ***Many** more* customers came on the first day than expected. 初日には期待したよりもはるかにたくさんの客が入った.

語法 [many と a lot (of) との比較]		
(正式)		
	肯定文	否定文・疑問文
many	○[1]	○
a lot (of)	(ややまれ)[2]	(まれ)[3]

(略式)			
	肯定文	否定文・疑問文	一語文
many	(ややまれ)[4]	○[5]	×[6]
a lot (of)	○	○[3]	○

1) a large [great] number of で代用されることも多い.
2) a lot of と lots of については → lot 成句.
3) 否定文・疑問文における a lot of については → lot 成句.

4) 主語の位置に生じる場合は肯定文でもふつう: *Many people dislike mustard.* マスタードの嫌いな人は多い(=There are many who dislike mustard.). また肯定文でも so, too, as と連語する場合は many のみ可: *so many* [×lot of] *friends* たくさんの友人 / *too many* [×lot of] *presents* 多すぎる贈り物 / He has five times as *many* [×lot of] *books as I do.* 彼は私の5倍も本を持っている.
5) how と連語する場合は常に many: *How many books do you have?* 本を何冊持っていますか.
6) 応答の一語文には使えない: "How many books do you have?" "A lot [Lots, ×Many]." 「本をどれくらい持っていますか」「たくさん持っています」 否定の場合は次の3つの表現が可能: "Not many [a lot, lots]." 「あまり持っていません」.

2 [~ a + ⓒ 名詞単数形; 全体で単数扱い] 多数の…, 幾多の《◆ many よりも個々を強調する》∥ *many a time* =*many times* いくたびも / *Many a quarrel breaks out between the couple.* その夫婦の間ではけんかが多い.

――ⓝ [複数扱い] **1** [通例 there are ~] (漠然と)多くの人々 ∥ *There are many who dislike ginger.* ショウガの嫌いな人は多い《◆ 主語の位置では *Many people dislike ginger.* のように people を付けるのがふつう》.

2 (漠然と)多くのもの[こと]; [先行する語句を受けて] 多くのもの[人]《◆ many ones の省略表現》; [~ of + the (one's, these, those) + 複数名詞 / of + 複数代名詞] (…のうちの)多くのもの[人] ∥ *Do you have many to finish?* 仕上げねばならないことがたくさんありますか / *many of the books I've read* 私がこれまで読んだ本の多く.

3 [正式] [the ~] 大衆, 庶民(↔ the few).

*a góod [gréat] mány … [通例肯定文で] かなり[非常に]多くの《◆ great の方が強意的だが, 両者とも単に many や a large number of の強意表現として用いられることが多い》∥ *A great many people were killed in the war.* その戦争で多くの人々が亡くなった.

*as mány … [先行する数詞と照応して] (それと)同数の(the same number of) ∥ *make ten mistakes in as many pages* 10ページの間に10個のミスを犯す《◆ as many の代わりに数詞(ten)を繰り返すことも多い》/ *I have five here and as many again.* ここに5個ともう5個持っています.

*as mány as ⒶⒷ (1) …と同数の(もの, 人). (2) …も多くの《◆ⒶⒷ は数詞を含む表現》(no less [fewer] than) ∥ *as many as* ten *books* 10冊もの本.

**Mány's [Mány is] the tíme [níght] (that [when]) … たびたび…したことがある ∥ *Many's the time I've warned you about eating too much.* 君に食べすぎないように警告したことが何回もある.

óne (…) tòo mány (略) (1) 1つだけ余分の[多すぎる], むだの, 不要の ∥ *have one too many* 度を過ごして飲む《◆ *have one drink too many, have one too many drinks* ともいえる》/ *The price had one zero too many.* その値段はゼロがひとつ多かった. (2) 〖英古〗〖…にとって〗手に余る, 一枚上手の〖for〗.

só mány … (1) そんなに多くの数, 同数の

∥ *in so many words* 露骨に, あからさまに. (2) [通例 just ~] 単なる, うわべだけの(nothing more than) ∥ *the explanations which are just so many words* ただ言葉を並べただけの説明.

many-sid·ed /méniːsáidid/ 形 多面的な, 多辺の; 多芸多才の.

Mao /máu/ 图 ~ Ze·dong /-dzədɔ́ŋ/ [Tse·tung /-tsətúŋ/] 毛沢東《1893-1976; 中国共産党主席, 中華人民共和国主席》.

Mao·ri /máuri/ 图 ⓒ マオリ人《ニュージーランドの先住民》; Ⓤ マオリ語. ――形 マオリ人[語]の.

****map** /mǽp/ (類音) mop /máp | mɔ́p/ 〖「地図を描いた布」が原義〗

――图 (複 ~s/-s/) ⓒ **1** (1枚の)地図《「地図帳」は atlas, 「海図」は chart》∥ *consult* [read, study] *a map* 地図を調べる / *draw a world map* 世界地図を描く / *a map* on a scale of 1:40,000 縮尺4万分の1の地図《◆ one to forty thousand と読む》. **2** (地図のような)図解, 星図, 天体図.

――動 (過去·過分 mapped /-t/; map·ping) ⃝ (正式) …の地図[図表]を作る, …を調査[測量]する; …を計画[配置]する.

máp óut [他] 〈場所·物〉を精密に地図[図]に示す. (2) 〈選挙戦など〉の計画を立てる.

†**ma·ple** /méipl/ 图 **1** ⓒ 〖植〗 カエデ, モミジ(maple tree); Ⓤ カエデ材. **2** Ⓤ カエデ糖(蜜(%))の風味.

máple lèaf カエデの葉《カナダ国旗の標章》; メイプルリーフ金貨.

máple súgar カエデ糖.

máple sýrup カエデ糖蜜, メープルシロップ.

†**mar** /máːr/ 動 (過去·過分 marred /-d/; mar·ring) ⃝ (正式)〈物·事が〉〈幸 福·美しさなど〉を損なう(spoil), 台なしにする; …を傷つける(+*up*) ∥ *mar the beauty of the scenery* 景観美を損なう.
――图 ⓒ きず, 欠点, 汚点.

Mar. (略) March.

mar·a·bou(t) /mǽrəbùː/ 图 ⓒ 〖鳥〗 アフリカハゲコウ; Ⓤ 羽毛で作ったふさ; ⓒ 羽毛の装飾品《帽子の飾りや縁飾り》.

ma·ra·ca /mərɑ́ːkə | -rǽkə/ 图 ⓒ 〖音楽〗 [通例 ~s] マラカス《リズム楽器》.

mar·a·schi·no /mæ̀rəskíːnou/ 图 (複 ~s) **1** [時に M~] Ⓤ マラスキノ酒《ブラックチェリーから作る甘い酒》. **2** ⓒ =maraschino cherry. **maraschíno chérry** マラスキノチェリー《マラスキノ酒に漬けたサクランボに砂糖をまぶしたもの. ケーキなどの飾りに用いる》.

†**mar·a·thon** /mǽrəθɑ̀n | -θn/ 〖発音注意〗〖紀元前490年にギリシアがペルシア軍を破った場所. ここからアテネまでの約42キロを走って勝利を伝えたことから〗图 ⓒ **1** マラソン(競走) (marathon race)《◆ 1924年に現在の42.195キロに定められた》∥ *run a marathon* マラソン(競走)をする / 日本発》The *marathon* is a sporting event in which the Japanese excel. マラソンは日本人が得意とするスポーツです. **2** 長距離競走; 耐久競争[競技] ∥ *a dance marathon* ダンスマラソン. **3** [形容詞的に] 長時間続く; 耐久力を要する ∥ *a marathon speech of five hours* 5時間にも及ぶ長演説.

márathon ràce = **1**.

†**ma·raud·er** /mərɔ́ːdər/ 图 ⓒ (文略)略奪者.

†**mar·ble** /máːrbl/ 图 **1** Ⓤ 大理石 ∥ *a statue in marble* 大理石の彫像. **2** ⓒ 大理石の彫刻; [~s; 複数扱い] そのコレクション ∥ Elgin /élgin/ *Marbles* エルギンマーブルズ《大英博物館所蔵の古代ギ

marbled 942 **maritime**

リシア大理石彫刻コレクション》. **3** ⓒ ビー玉; [~s; 単数扱い] ビー玉遊び. **4** [形容詞的に] 大理石の; (文) 大理石のように硬い [長もちする, 滑らかな] ‖ a *marble heart* 冷たい心.

lóse one's **márbles** 《略式》気が狂う.

mar·bled /máːrbld/ 形 《正式》大理石(模様)の; 霜降りの.

*__march__ /máːrtʃ/ 〖「ドシンドシンと踏みつけて歩く」が原義〗
——動 (~·es /-ɪz/; 過去·過分 ~ed /-t/; ~·ing)
——自 **1** ⟨兵士·デモ隊員などが⟩**行進する**, 進軍 [進撃] する; (堂々と) 歩く, さっさと行く《◆方向を示す副詞(句)を伴う》‖ The soldiers *marched* along Victoria Street. 兵士たちはビクトリア通りを行進した / *march into* [*out of*] a town 行進して町に入る [町から出る] / *march* ʰon a fortress [*against* the enemy] とりで [敵] に向かって進撃する / *march* three miles 3マイル行進する.
2 ⟨物·事が⟩**進行する**, 進展する(+*up*) ‖ Time [Civilization] *marches on*. 時が経過する [文明が進展する].
——他 ⟨人が⟩⟨…へ⟩…を**むりに歩ませる**, ⟨兵士など⟩を行進させる(*to*)《◆修飾語 (句) は省略できない》‖ *march* a pickpocket *off* [*away*] *to* the police station すりを警察署へ連行する.
márch pást 分列行進する.
——名 (複 ~·es /-ɪz/) **1** UC **行進**, 進軍; 行進の行程 [距離, 道程] ‖ a forced *march* 強行軍 / a day's *march* 1日の行進距離 / a double [quick] *march* 駆け足 [速足].
2 ⓒ 行進曲, マーチ ‖ play a funeral [wedding] *march* 葬送 [結婚] 行進曲を演奏する.
3 《正式》[the ~] ⟨物·事の⟩**進行**, 進展 ‖ the *march* of time 時の流れ.
4 ⓒ デモ行進 ‖ a *march against* nuclear weapons 核兵器反対デモ行進.
on the *márch* 行軍中で; 進展 [発展] 中で.
márching bánd マーチングバンド, 楽隊.

*__March__ /máːrtʃ/ 〖ローマ神話の軍神 Mars の月〗
——名 U **3月**; [形容詞的に] 3月の (略 Mar.)
(語法→January).

march·er /máːrtʃər/ 名 ⓒ 徒歩行進者, デモ参加者.

mar·chio·ness /máːrʃənəs | màːdʒənés/ 名 ⓒ《英国》の侯爵夫人 [未亡人]; 女侯爵 (→ duke).

Mar·co·ni /maːrkóʊni/ 名 マルコーニ《Guglielmo /ɡuːlʲéːlmou/ ~ 1874–1937; イタリアの電気技師, 無線電信発明者》.

Mar·co Po·lo /máːrkou póʊlou/ 名 → Polo.

†**mare**¹ /méər/ 名 ⓒ 雌馬, 雌ロバ《◆「雄馬」は horse, 「雄ロバ」は donkey》‖ *Money makes the mare* (*to*) *go*. 《ことわざ》金は(しぶしぶ)雌馬をも歩かせる;「地獄の沙汰(禁)も金次第」 ジョーク "What horses give you bad dreams?" "Night mares." 「夢見を悪くさせるのはどんな馬?」「夜のメス馬」《◆ nightmare (悪夢) とのしゃれ》.

ma·re² /máːreɪ/ 〖ラテン〗 名 (複 **ma·ri·a** /-riə/) [通例 M~] ⓒ 《月·火星などの》海《表面の黒く見える部分》.

Mar·ga·ret /máːrɡərət/ 名 マーガレット《女の名. 愛称 Maggie, Meg, Peg, Peggy》.

mar·ga·rine /máːrdʒərən | màːdʒəríːn, -ɡə-/ 名 U マーガリン, 人造バター《英略式》butter).

†**mar·gin** /máːrdʒɪn/ 名 ⓒ **1**《正式》**縁**(edge), 端, 岸 ‖ *on* the *margin* of a leaf [pond] 葉の端に [池のほとりに]. **2** 《ページの》**余白**, 欄外 ‖ léave a *márgin* 余白をあける / write a comment in the *margin* 欄外に意見を書く. **3**《可能性の》**限界** (limit), ぎりぎりの状態; 《勝敗の得点》**差** ‖ the *margin* of one's power 力の限界 / defeat him by a narrow *margin* of popular votes 一般投票で彼を僅少(ﾀーㇱ)差で破る / go near the *margin*《言動などおおよそわどいところまで》. **4** ⓒ 《時間などの》**余裕**, 余地 ‖ a *margin* for time [money] 時間 [金] のゆとり / a *margin* of [for] error 誤りの許容範囲, 誤差. **5**《商業》**利ざや, マージン**.
——動 他 **1** …に**縁を付ける**. **2** …を余白 [欄外] に書く; …に傍注を付ける.

†**mar·gin·al** /máːrdʒɪnl/ 形 **1 縁** [へり, 端] の; 辺境の; 傍流の. **2**《正式》**欄外の**, 余白に書かれた ‖ *marginal notes* 欄外の注記. **3**《正式》⟨資格·能力など⟩が**最低限の**; 不十分な, 重要でない.

már·gin·al·ly 副 わずかに, 少々.

mar·grave /máːrɡreɪv/ 名 [しばしば M~] ⓒ《歴史》《神聖ローマ帝国の》侯爵;《ドイツ貴族の》辺境伯.

mar·gue·rite /màːrɡəríːt/ 名 ⓒ《植》マーガレット; フランスギク.

Ma·ri·a /məríːə, -ráɪə/ 名 マリア《女の名. → Mary》.

ma·ri·a·chi /màːriáːtʃi/ 名 ⓒ マリアッチ《メキシコの移動楽団(員). その民俗音楽》.

Mar·i·an /méəriən/ 形 聖母マリア(Saint Mary)信仰者の; スコットランド女王メアリ支持者の.

Ma·rie An·toi·nette /mərí ːæntwənét | mà ːri-/ 名 マリー=アントワネット《1755–93; フランス王妃. フランス革命のとき処刑》.

†**mar·i·gold** /mǽrəɡoʊld/ 名 ⓒ《植》**1** マリーゴールド, センジュギク. **2** キンセンカ.

mar·i·jua·na, --hua·na /mǽrəwɑ́ːnə/ 名 U マリファナ, インド大麻.

ma·rim·ba /mərímbə/ 名 ⓒ《音楽》マリンバ.

ma·ri·na /məríːnə/ 名 ⓒ《海事》マリーナ《モーターボート·ヨットなどの係船場》.

mar·i·nade /mæ̀rənéɪd/ 名 UC **1** マリネード《ワイン·酢·油に香辛料を入れたもの. 肉·魚などを漬けて下味をつける》. **2** マリネード漬けの肉 [魚].

mar·i·nate /mǽrəneɪt/ 動 他 …をマリネ (marinade) に漬ける, マリネにする.

†**ma·rine** /məríːn/【アクセント注意】形 **1** 海の; 海に住む; 海産の ‖ *marine* plants 海藻, 海洋植物 / A whale is a *marine* mammal. クジラは海にすむ哺乳動物です. **2** 船舶(用)の; 航海上の; 海事の; 海運(業)の ‖ *marine* law 航海法. **3** 海軍の, 軍艦勤務の; 海兵(隊)の ‖ *marine* officers 海兵隊士官.
——名 **1** [集合名詞] 《一国の》全船舶 [艦船]; 海洋支配力, 海上勢力 ‖ the mercantile [merchant] *marine* 商船隊, 海運力. **2** ⓒ 海兵隊員; [the Marines] 《米》海兵隊 (the Maríne Còrps) ‖ US [Royal] *Marines* 米国 [英国] 海兵隊 / He is a *Marine*. 彼は(米国)海兵隊員です. **3** ⓒ 海洋画.

†**mar·i·ner** /mǽrənər/ 名 ⓒ《文》水夫, 船員 (sailor, sailorman) ‖ a master *mariner* 船長 / a *mariner's* compass 磁針儀.

mar·i·o·nette /mæ̀riənét/ 名 ⓒ《正式》マリオネット, 《糸·ひもで操る》操り人形.

mar·i·tal /mǽrətl/ 形《正式》夫の; 夫婦(間)の; 結婚の. **márital státus** 結婚状況《未婚·既婚など》.

†**mar·i·time** /mǽrətaɪm/ 形《正式》**1** 海の, 海事の ‖ *maritime* law 海事法. **2** 沿岸に住む, 近海(特有)の ‖ a *maritime* people 海洋民族, 海国民 / a *maritime* city 臨海都市 / a *maritime* culture 海洋文化. **3** 船員(特有)の ‖ a *maritime* appearance 船乗りらしい容貌(紊).

‡mark[1] /mɑ́ːrk/ 〚「境界の目印」が原義〛

[index] [名] **1 跡；しみ　2 記号　4 点　5 的　8 現れ**
[動] [他] **1 印をつける　3 採点する**

—[名] ([複] ~s/-s/)

I [具体的な印]

1 [C] (外観を損なうような)**跡**, **印**；**しみ**, はれ, 汚れ, あざ, ほくろ, 斑(はん)点, 模様 ‖ Don't make stray *marks* on your test paper. うっかりペンをすべらせて答案用紙をよごさないように.

II [記号としての印]

2 [C] (印刷・筆記の)**記号**, 符号；目印, 標章；(位置の)指標；(品質・所有・型などの)焼印, 荷印, 商標；〔海事〕測標；X印, 十字記号；署名([略] mk.) ‖ a *mark* of honor 名誉章 / I forgot to put in punctuation *marks*. 句読点をつけるのを忘れた.

3 [通例 M~；数字を伴って] (武器・車などの)型, 式 ‖ a new *Mark* II bomb [rifle] 新II型爆弾[ライフル銃].

III [努力目標や結果を表す印]

4 [C] (成績・行状などの)**点**, 評点, 点数 ‖ a black *mark* 罰点 / good [poor] *marks* よい[悪い]点 / deserve full *marks* for kindness 親切の点で満点である / get [obtain] a ˈfailing *mark* [《米》 failure] in the exam 試験で落第点をとる / a pass *mark* 合格点 / My *marks* in English were 65/100. 私の英語の点数は100点満点の65点でした《♦ sixty-five out of a hundred と読む》/ ***hàve* [*gèt*] *góod márks in* [*on*]** history 歴史の点がよい.

> [語法] (1) 《米》では複数形の marks を具体的な点の意味には用いない: a *mark* of 95 95点. 《英》では 95 marks のように用いる. (2) 《米》では点数に mark, 総合評価に grade を用いることが多いが, grade はまた具体的な「点」の意味でも用いる: good *grades* よい点 / a *grade* of 95 95点.

5 [C] 《正式》[the ~] **的**, 標的；(努力・希望などの)目標, 目的；《略式》[通例 a ~] (軽蔑(べつ)・嘲(ちょう)笑などの)対象, 種, からかわれ[だまされ]やすい人 ‖ Tourists are *an* easy *mark* for pickpockets. 旅行者はすりにとってはいいカモです / His comments are ***on* [*within*] *the mark***. 彼の批評は当を得ている[的をはずれていない].

6 [U] [通例 the ~] 水準, 標準 ‖ ***above the mark*** 標準以上で / overstep [***overshoot***] ***the mark*** 《略式》許された限界を越える, 度を越す.

7 [C] 〔競技〕[the/one's ~] 出発点, スタート点 ‖ ***be quick* [*slow*] *off the mark*** 《略式》とりかかりが早い[遅い] / get off *the mark* スタートを切る, (物事に)着手する / ***On your* [*the*] *márk*(*s*)!** (Get) set! Go! 位置について. 用意, どん! 《♦ (1) On your mark. は Get on your mark の省略. (2) "Ready, steady, go!" ともいう》.

IV [精神的なものが表面化した印]

8 [C] 《正式》[通例単数形で] (性質・感情などの)**現れ** (sign), 印, 特徴 ‖ a *mark* of misfortune [old age] 不幸[老年]のきざし / ***as a mark of*** scorn [respect] 軽蔑(べつ)[尊敬]の印として.

belów the márk 標準に達しない；気分がすぐれない (↔ up to the mark).

beside* [*òff, wíde of*] *the márk 《正式・ややまれ》要点をはずれた, 場違いの(=beside the point).

hít the márk [比喩的に] 的を当てる；成功する.

míss the márk [比喩的に] 的をはずす；失敗する.

nèar* [*clòse to*] *the márk (1) ほぼ正確な[正しい]. (2) 〈冗談などが〉きつい, ややいきすぎの.

ùp to the márk (↔ below the mark) (1) 標準[基準]に達して. (2) (いつものように)健康で《♦ 通例次の句で》‖ I don't feel (quite) *up to the mark*. どうも気分がすぐれない.

—[動] (~s/-s/; [過去・過分] ~ed/-t/; ~·ing)

—[他]

I [具体的に印をつける]

1 〈人が〉〈物〉に**印をつける**, 跡をつける；…に〔…の〕**傷跡**[印, 汚点]**をつける**〔*with*〕; [mark **A C**] **A**〈物・人〉に **C** と印をつける ‖ *mark* the cattle 牛に(所有の)印をつける / *mark* one's clothes *with* one's initials =*mark* one's initials on one's clothes 衣服に頭文字を入れる / *mark* a pupil absent [present] (出席簿上で)生徒に欠席[出席]の印をつける.

2 〈人が〉〈物〉に値段をつける, 商標[記号]をつける, …に〔値札などを〕付ける〔*with*〕; (印・記号で)…を示す ‖ *mark* a post office on the map 地図に郵便局の印をつける / *mark* the accent on a word 語にアクセント記号をつける / *mark* shoes for size 靴にサイズを表示する.

3 《主に英》〈人が〉(競技などで)〈得点〉を**つける**；〈答案など〉の〔…の部分を〕**採点する**(《主に米》grade)〔*for*〕‖ *mark* examination papers 答案を採点する.

II [心の中で印をつける]

4 《正式》…に注意する, 注目する(pay attention to).

5 《英》〔ラグビーなど〕〈相手〉をマークする(《米》guard).

6 …を予定[計画]する(+*out*, *off*)；…を〔…のために〕選び出す；…を〔…に〕運命づける(+*out*)〔*for*〕‖ *mark* him *out for* promotion 彼を昇進させる.

III [印となって現れる]

7 …を〔…で/…として〕特徴づける〔*with*/*as*〕; 〈感情など〉を〔…で〕表す〔*by*〕; [be ~ed] 〔…で〕目立つ〔*by*, *with*〕‖ He *marked* his approval *by* nodding his head. 彼はうなずいて賛意を表した / *mark* one's grief in tears 泣いて悲しみを表す / He *is marked by* diligence. 彼は勤勉なことできわ立っている.

—[自] **1** 印をつける, 跡がつく. **2** (競技などで)得点を記録する；答案などを採点する ‖ *mark* off for spelling and punctuation つづりと句読点に誤りがあれば減点する. **3** 注意する, 気をつける.

márk dówn [他] (1) …を書きとめる, 記録する. (2) …を値下げする. (3) …の点数を下げる.

***Márk my wórd*(*s*)!** 《略式》いいかい, よく聴けよ；いまにわかるさ.

márk óff [自] → [自] **2**. —[他] (1) → [他] **6**. (2) …を〔…と〕区別[区画]する〔*from*〕. (3) …を線で消す.

márk óut [他] =MARK off [他].

márk úp [他] (1) …に(記号・符号で)印をつける；…の点をあげる, …を書き加える. (2) …を値上げする, 高い正札に付け替える.

mark[2] /mɑ́ːrk/ [名] [C] マルク(貨)《ドイツの旧貨幣単位. [略] M.》.

Mark /mɑ́ːrk/ [名] **1** マーク《男の名》. **2** 〔新約〕マルコ《1世紀の福音伝道者》; マルコによる福音書《新約聖書の一書》.

mark·down /mɑ́ːrkdàun/ [名] [C] 値下げ(額) (↔

M

marked

markup).
marked /má:rkt/ 形 1 印[記号]のついた;〔言語〕有標の ‖ a marked card 印のついたカード. 2 著しい, きわ立った; 明白な ‖ a marked man（命を）ねらわれている人物; 有望な人. **márk·ed·ly** /-idli/ 副 著しく, きわ立って; 明らかに.

†**mark·er** /má:rkər/ 名 C 1 印[符号]をつける人[物]; （競技の）採点記録係[装置]; （試験の）採点者 ‖ a hard marker 厳しい採点者. 2 目印; 記念碑, 墓石, （本の）しおり; 道標, 標識; 〔言語〕標識レマジックペン, マーカー ‖ use a red marker 赤のマーカーを使う.

:**mar·ket** /má:rkit/ 『「物品を売り手が持ち寄って売る場」が原義』
— 名 (複 ~s/-kits/) 1 C **市場**（いちば）, 市（いち）（略 mkt.）; 市日（いちび）, 市の立つ日（market day）‖ a cattle [fish] market 牛[魚]の市 / bring new goods to market 新商品を売り出す / go to (the) market 市場に（買物に）行く《◆（英）では売買を示す時はふつう無冠詞》/ She is now at the market. 彼女は今市場に買物に行っている.
2 C **食料品店**, マーケット ‖ a meat market 肉屋 / a fruit market 果物屋.
3 U C 〔通例 the/a ~〕**a** the market（しじょう）; 取引, 売買;〔商品に対する〕需要（地）, 販路〔for〕‖ the domestic [foreign] market 国内[外国]市場 / the wheat market 小麦市場 / the market in rice 米の取引 / There is no [a poor, a good] market for used cars today. 今日では中古車に対する需要がない[少ない, 多い]. **b** 相場, 市価, 市況; 金融 ‖ a bull [an active, a dull] market 上向きの[活発な, 不振の]市況 / the stóck [bónd] márket 株式[債券]市況 / The market rises [falls]. 相場が上がる[下がる].

〔関連〕いろいろな種類の **market**
black market やみ取引[やみ市] / bond market 債券市場 / buyers' market 買い手市場 / flea market フリーマーケット, のみの市 / free market 自由市場 / job market 求人数, 求人市場 / sellers' market 売り手市場 / stock market 株式取引所 / terminal market 中央卸売市場.

4〔one's ~〕売買の機会, 商機.
córner the márket 株[商品]を買い占める.
in the márket（1）（略式）〔…を〕買おう[受け入れよう]として〔for〕.（2）＝on the MARKET.
on [**ónto**] **the márket**（略式）売りに出されて ‖ put [place] a villa on the market 別荘を売りに出す / The land came on(to) the market. その土地が売りに出された.
— 動 自 市場で取引[売買]する; 売る ‖ go marketing 市場に買い[売り]に行く; （米）ショッピングに行く.—他＝を市場に出す, 売り込む.
márket dày ＝名1.
market leader /―, ―/ （1）最大手企業.（2）（同種の商品の中で）一番売れている商品.
márket price 市価.
market research /―, （米 +）―/ 市場調査.
márket tòwn （英）市の立つ町.
márket vàlue 市場価値[価格].
mar·ket·a·ble /má:rkitəbl/ 形《正式》1〈商品が〉市場向きの, よく[すぐ]売れる. 2 市場上の; 市場の.
mar·ket·ing /má:rkitiŋ/ 名 U 1 市場での売買[取

marriage

引];（主に米）ショッピング; [集合名詞] 市場向け商品 ‖ do one's marketing 買物をする. 2 マーケティング《製造から輸送・広告までを含む販売までの活動全体》.
márketing resèarch マーケティング＝リサーチ, 多角的市場分析調査.
†**mar·ket·place** /má:rkitpleis/ 名 1 C 市の開かれる広場. 2 [the ~] **a**〔商業〕市場 ‖ the international marketplace 国際市場. **b**〔アイディア・芸術作品などの〕売り込み市場; 商業界.
mark·ing /má:rkiŋ/ 名 1 U 印[符号]をつけること; 採点. 2 C 印, 点;〔通例 ~s〕（羽毛・獣皮などの）斑点（はんてん）, 模様.—形 特徴づける, 目立たせる.
márking ink（布などに書く）不変色インク, マーカー.
mark-sense /má:rksèns/ 名 C ＝mark-sensing card.
márk-sènsing càrd /má:rksènsiŋ-/ マークシート《◆「マークシート方式テスト」は computer-graded [-scored] test という》.
marks·man /má:rksmən/ 名（複 ··men）C 射手, 射撃の名手（（PC）sharpshooter）.
Mark Twain /má:rk twéin/ 名 マーク＝トウェイン《1835-1910; 米国の小説家. 本名 Samuel L. Clemens》.
mark·up /má:rkʌp/ 名 C 1 値上げ（額）（↔ markdown）. 2〔商業〕利幅.
marl /má:rl/ 名 U 泥（でい）灰土《◆肥料になる》.
— 動 他 …を泥灰土で肥やす.
mar·lin /má:rlin/ 名（複 mar·lin, ~s）C （米）〔魚〕マカジキ（類）.
†**mar·ma·lade** /má:rməlèid/ 名 U マーマレード.
mar·mo·re·al /ma:rmɔ́:riəl/ 形《文》大理石のように白い[冷たい].
mar·mo·set /má:rməzèt, -sèt/ 名 C〔動〕マーモセット, キヌザル.
†**mar·mot** /má:rmət/ 名 C〔動〕マーモット《アルプスやピレネー山脈の穴に住む齧歯（げっし）類の動物. 北米 woodchuck はこの一種.「モルモット」は guinea pig》.
ma·roon¹ /mərú:n/ 名 U 形 くり色（の）, えび茶色（の）.
ma·roon² /mərú:n/ 動 他 …を孤島に置き去りにする; …を孤立状態にさせる.
ma·rooned /mərú:nd/ 形 孤立した.
marque /má:rk/ 名 C 他国商船拿捕（だほ）免許状.
mar·quee /ma:rkí:/ 名 C 1（主英）（品評会・園遊会の）大天幕. 2（米）マーキー《劇場・ホテルなどの入口の上に張り出したひさし》.
†**mar·quess** /má:rkwəs/ 名 C（英国の）侯爵.
mar·que·try, --te·rie /má:rkitri/ 名 U（家具・床などの）象眼（細工）; 寄木（細工）.
†**mar·quis** /má:rkwəs, ma:rkí:/ 名 C（英国以外の）侯爵.
mar·quis·ate /má:rkwəzət/ 名 U 侯爵位; C 侯爵領.
mar·quise /ma:rkí:z/ 名 C 1（英国以外の）侯爵夫人[未亡人]; 女侯爵. 2 マーキーズ《宝石の長円形の先のとがったカット法》(の)指輪.
mar·qui·sette /mà:rkwəzét/ 名 U マーキゼット《レースのカーテン用の綿・絹・レーヨンの生地》.
*****mar·riage** /mǽridʒ/ 〖⇒ marry〗
— 名（複 ~s/-iz/）C U 1**結婚**;〔…との/…の間の〕婚礼, 結婚式〔to/between〕; 結婚生活（cf. wedding）‖ Her marriage 「was held [took place] in a Shinto shrine. 彼女の結婚式は神社で行なわれ

た / one's uncle **by** *marriage* 妻[夫]のおじ / His *marriage to* Mary didn't last very long. 彼女とーとの結婚生活は長続きしなかった / celebrate [perform] a *marriage* 結婚式を行なう / She is going to have an international *marriage.* 彼女は国際結婚するつもりです / give one's daughter (away) in *marriage* to him [正式] 娘を彼に嫁(とつ)がせる / propose *marriage to* her 彼女に結婚を申し込む / *take* him [her] *in marriage* [正式] 彼を婿[彼女を嫁]にもらう 〖日本発〗 The average age for first *marriages* in Japan has increased. 日本人の平均初婚年齢は高くなっています.

[関連] [いろいろな種類の marriage]
arranged *marriage* 見合い結婚 / church *marriage* 教会結婚 / civil *marriage* 届け出結婚 / common-law *marriage* 慣習法上の結婚《内縁関係のこと》/ companion *marriage* 友愛結婚 / early *marriage* 早婚 / gay *marriage*, same-sex *marriage* 同性愛結婚 / late *marriage* 晩婚 / left-handed *marriage* 身分違いの結婚 / love *marriage* 恋愛結婚 / *marriage* of convenience《正式》政略結婚.

[文化] 結婚式後, 新夫妻に米粒を投げかけるのは多産を祈るインドに由来する風習. 新婦が髪に飾れむ手に持つオレンジの白い花も多産の象徴.

2《正式》(密接な)結合, 融合; 〔…との〕一致, 調和 〔*with*〕‖ the *marriage* of love and friendship 愛と友情の結合.
márriage àrticles [複数扱い] 結婚約定.
márriage bròker 仲人業者.
márriage bùreau 結婚相談所.
márriage certificate [**license,**《英》**licence**] 結婚許可証.
márriage guidance 結婚(生活)指導[カウンセリング].
márriage lines《英略式》[単数扱い] 結婚証明書.
márriage pàrtner 結婚の相手.
mar·riage·a·ble /mǽridʒəbl/ 〖形〗《正式》結婚できる, 婚期に達した ‖ a *marriageable* girl 年ごろの娘.

†**mar·ried** /mǽrid/ 〖形〗**1** 結婚した, 既婚(者)の; 結婚の, 夫婦の(↔ unmarried, single)‖ a *married* couple 夫婦 / Are you satisfied with your *married* [×*marriage*] life? 結婚生活に満足していますか. **2** 〔…に〕専念する〔*to*〕. **3** 密接に結びついた.
――〖名〗〖C〗《通例 ～s》結婚した人 ‖ young *marrieds*《略式》若い夫婦.

†**mar·row** /mǽrou/ 〖名〗**1** 〖U〗髄, 骨髄; 滋養物 ‖ spinal *marrow* 脊(せき)髄. **2** 〖U〗《the ～ of …》《…の》核心, 精髄; 活力 ‖ the pith and *marrow* of a speech 演説の要点. **3** 〖C〗《英》=vegetable marrow. **to the márrow** (**of** one's **bónes**) 骨の髄まで; 徹底的に.
mar·row·bone /mǽroubòun/ 〖名〗〖C〗**1**(料理用の) 髄骨. **2** 《～s》ひざ ‖ on one's *marrowbones* ひざまずいて.

*****mar·ry** /mǽri/, 《米+》mɛ́ri 〖同音〗△merry〗 〖発〗 marriage〖名〗
――〖動〗(**--ries**/-z/; 〖過去・過分〗**--ried**/-d/; **～ing**)
――〖他〗**1**〈人が〉〈人と〉**結婚する**; [be married]〈人がら〉〈人と結婚している[する]〕〔*to*〕(cf. wed)‖ Mary got [*was*] *married to* [×*with*] Bob last month. =Mary and Bob got *married* last month. メリーは先月ボブと結婚した《◆ Mary *married* Bob. より口語的でよく使われる》/ Mary *was married to* Bob when her father returned. 父親が戻って来たときメリーはボブと結婚していた《◆「結婚していた」という状態を表す. be married to は「結婚する」という動作を表すことも可能(→第1例), →〖文法〗7.12)》/ She has *been married to* him for six years. 彼女は彼と結ばれて6年になる(=It is now six years since she *married* him.)/ He *is married* with three kids. 彼には妻と3人の子がある. **2** 〈牧師が〉…の結婚式を行なう;《正式》〈娘など〉を〔…と〕結婚させる, 嫁がせる, 嫁に出す(+*up*,《略式》*off*)〔*to*〕‖ He *married* his daughter (*off*) *to* Tom. 彼は娘をトムと結婚させた / The priest *married* Dick and Betty. 牧師はディックとベティの結婚式を行なった. **3**《正式》…を〔…と〕密接に結合[融合]させる(+*up*)〔*with*〕.
――〖自〗**1**〈人が〉**結婚する**《◆ 時・場所・様態などの副詞(句)を伴う》‖ *marry for* love [money] 恋愛[金を目当てに]結婚をする(→ marry MONEY)/ *marry into* money 結婚して金持ちになる / *marry into* 「a good family [the purple] 名門[高貴]の家に嫁ぐ / She *married* young [late in life]. 彼女は早婚[晩婚]だった《◆ *young* は形容詞であるのに対し, late は副詞》/ *Marry in haste and repent at leisure.*〔ことわざ〕あわてて結婚, ゆっくり後悔 / a *marrying* girl 結婚したがっている女. **2** 〔…と〕調和する, 結びつく(+*up*)〔*with*〕.
marry money [**a fortune**] → money, fortune.

†**Mars** /máːrz/ 〖名〗**1**《ローマ神話》マルス《戦いの神. ギリシア神話の Ares 〉. **2**《天文》火星.
Mar·sa·la /maːsɑ́ːlə/ 〖名〗〖U〗マサラ《イタリア産ワイン》.
†**Mar·seil·laise** /màːrseiɛ́iz, -seijɛ́iz/ 〖名〗**La**/lɑ̀ː/ ～ ラ=マルセイエーズ《フランス国歌》.
Mar·seilles /1 maːrséi; 2 -séilz/ 〖名〗**1** マルセーユ《フランス地中海岸の商業港》. **2** [m～] 〖U〗マルセーユ織り《掛け布団》.
†**marsh** /máːrʃ/ 〖名〗〖C〗〖U〗[しばしば ～es] 湿地, 沼地.
mársh fèver マラリア.
mársh gàs 沼気, メタン.
mársh màllow〔植〕=marshmarrow〖名〗**1**.
†**mar·shal** /máːrʃl/〖同音〗martial〗〖名〗〖C〗**1**《正式》(陸・空軍の)司令官;(フランスの)陸軍元帥《◆ 呼びかけも可》‖ a *marshal* of the Royal Air Force《英》空軍元帥. **2**《米》**a** 連邦裁判所の裁判官. **b** 市警察署長, 消防署長. **3**《英》**a** 判事付き事務官. **b** 王室の高官, 儀式係.
――〖動〗〖過去・過分〗**～ed** or《英》**mar·shalled**/-d/; **～ing** or《英》**--shal·ling**)《正式》〖他〗**1** …を整列させる, 整理[整頓]する(+*together*)‖ *marshal* evidence against the accused 被告人に不利な証拠を並べる. **2**〈人〉を(儀式ばって)〔…に〕案内する, 先導する(usher)〔*to, into*〕. ――〖自〗整列する, 整理する; 所定の位置につく.
Mar·shall /máːrʃl/ 〖名〗 the ～ Islands マーシャル諸島《北太平洋の環礁》.
marsh·mal·low /máːrʃmèlou, -mælou | mɑ̀ːʃmǽlou/ 〖名〗〖C〗**1** 〔植〕ビロードアオイ(marsh marrow). **2** マシュマロ《◆ 昔ビロードアオイの根から作った》.
mar·su·pi·al /maːrsúːpiəl,《英》-sjúː-/ 〖形〗〖動〗有袋(ゅぅたぃ)(類)の; 育児嚢(のう)のある; 袋(状)の.
――〖名〗〖C〗有袋動物《カンガルー・コモリネズミなど》.
†**mart** /máːrt/ 〖名〗〖C〗**1**《文》(活気のある)市場; 取引所

‖ a used car *mart* 中古自動車市場. **2** 競売室. **3** =supermarket.

†mar·ten /mάːrtn | -tin/ 名C 〔動〕テン; U その毛皮.

Mar·tha /mάːrθə/ 名 マーサ《女の名. (愛称) Marty, Matty》.

†mar·tial /mάːrʃl/ (同音 marshal) 形 (正式) **1** 戦争の, 戦争に適した; 軍隊の(↔ civil) ‖ *martial* music 軍楽. **2** 軍人らしい, 勇敢な. **3** [おおげさに] 好戦的な(warlike). **4** [通例 M~] 〔占星〕火星の(不吉な)影響を受けている.

mártial árts 格闘技《空手・柔道・カンフーなど》.

mártial láw (正式) 戒厳令.

már·tial·ism 名U 軍人らしさ. **már·tial·ist** 名C 軍人. **már·tial·ly** 副 軍人らしく, 勇敢に.

†Mar·ti·an /mάːrʃən, (英+) -ʃiən/ 形 軍神マルスの; 火星(人)の. ━━名C 火星人.

mar·tin /mάːrtn | -tin/ 名C 〔鳥〕マーチン《ニシイワツバメ(house martin)・ショウドウツバメ(sand martin)など》.

Mar·tin /mάːrtn | -tin/ 名 マーティン《男の名》.

Mártin Lúther Kíng Dày キング牧師誕生日《1月15日. 米国で1月第3月曜日が休日. → King》.

mar·ti·net /mὰːrtənét/ 名C (正式) (規則・命令に絶対服従を強いる)厳格な人[軍人].

Mar·tin·mas /mάːrtənməs/ 名 聖マルタン祭《11月11日. → quarter day》.

†mar·tyr /mάːrtər/ 名C **1** 殉教者; 〔主義・主張などに〕殉ずる人〔*to, of, for*〕. **2** 〔病気などに〕絶えず苦しむ人〔*to*〕. ***màke a mártyr of* A** …を犠牲にする, 苦しめる ‖ *make a martyr of* oneself 殉教者ぶる[となる]. ━━動他 **1** …を殉教[犠牲]者として殺す; [be ~ed] 殉教する. **2** …を迫害する, 苦しめる.

†mar·tyr·dom /mάːrtərdəm/ 名UC 殉教, 苦難, 苦痛.

†mar·vel /mάːrvl/ 名CU [通例 a ~] (信じられぬほどの)驚くべきこと[人, 物], 不思議なこと[人, 物]; 驚異, 不思議《◆wonder より強意的》; [~s] すばらしい結果[業績]《◆主に work, perform, do などの動詞と共に用いる》‖ the *marvels* of nature 自然の驚異 / It's *a marvel* [The *marvel* is] that he survived the accident. 彼が事故で助かったのは驚異だ / The medicine ***works*** [***does***] ***marvels***. その薬は驚くほどよく効く / He is *a marvel* at calculating. (略式) 彼は計算が大変うまい.

━━動 (過去・過分) **~ed** or **mar·velled**/-d/; **~·ing** or (英) **--vel·ling**) (正式) 自 〔人・物・事に〕驚く(wonder)〔*at*〕《◆受身可》‖ ***marvel at*** his endeavor [the fine sight] 彼の努力[絶景]に驚く. ━━他 〔…であることに〕驚く〔*that*節〕, 〔…を〕不思議に思う〔*wh*節〕《◆be surprised, wonder より堅い語》; …と驚いて言う ‖ I ***marvel that*** a three-year-old child reads *kanji*. 3歳の子供が漢字を読むとは驚きだ.

M

†mar·vel·ous, (主に英) **--vel·lous** /mάːrvələs/ 形 **1** (信じられぬほど)驚くべき, 不思議な; ありそうもない《◆wonderful より強意的》‖ the *marvelous* 不思議, 超自然的なこと / It is *marvelous* that he should recover so quickly. 彼がこんなに早く元気になるなんて信じられない. **2** (略式) 優秀な, すばらしい ‖ It's simply *marvelous*. それはとってもすばらしい.

語法 単独で肯定のあいづちとしても用いる: *Marvelous!* (↘) すてきだ! (類語 Beautiful! / Fine! / Great! / Splendid!).

†mar·vel·ous·ly, (主に英) **--vel·lous·-** /mάːrvələsli/ 副 驚くばかりに, 不思議なほど, すばらしく.

Marx /mάːrks/ 名 マルクス《**Karl**/kάːrl/ ~ 1818-83; ドイツの経済学者. 科学的社会主義の創始者》.

Marx·i·an /mάːrksiən/ 形 マルクス(主義)の. ━━名C マルクス主義(学)者.

Marx·ism /mάːrksìzm/ 名U マルキシズム, マルクス主義《Marx の科学的社会主義の政治・経済理論》.

Marx·ism-Len·in·ism /mάːrksìzmléininìzm/ 名U マルクス=レーニン主義.

Marx·ist /mάːrksist/ 名C形 (実践的)マルクス主義者(の).

†Mar·y /méəri/ 名 **1** メリー, メアリー《女の名. (愛称) Moll(y), Polly》. **2** 〔新約〕聖母マリア(Virgin Mary). **3** ~ Magdalene 〔新約〕マグダラのマリア《十字架の下までキリストに従っていった女》. **4** ~ Stuart メアリー=スチュアート《1542-87; スコットランドの女王》.

Mar·y·land /mérələnd | méəri-, -lænd/ 名 メリーランド《米国東部の州. (愛称) the Old Line State, the Free [Cockade] State. (略) Md., 〔郵便〕MD》.

masc. (略) *masculine*.

mas·car·a /mæskǽrə | -kάːrə/ 名U マスカラ《まつ毛を染める化粧品》.

†mas·cot /mǽskɑt | -kɔt/ 名C 〔チームなどの〕マスコット〔*for*〕《開運のお守り. 縁起のいい物[人, 動物]》.

†mas·cu·line /mǽskjələn, (英+) mɑːs-/ (↔ feminine) 形 **1** 男の; 男らしい; 精悍(かん)な, 勇敢な ‖ The young man has a *masculine* look. その若者は男らしい顔つきをしている. **2** 〈女性が〉男っぽい, 男のような; 男まさりの. **3** 〔文法〕男性の(→ gender) ‖ the *masculine* gender 男性.

mas·cu·lin·i·ty /mæ̀skjəlínəti/ 名U 男らしさ.

†mash /mǽʃ/ 名 **1** CU (家畜の)飼料《穀粒・ふすまなどを水でどろどろにといたもの》. **2** U 麦芽汁《ビールの原料》. **3** U (英略式) マッシュポテト(mashed potatoes). **4** CU (すりつぶして)どろどろの状態(になったもの). ━━動他 …をすりつぶす, どろどろにする(+*up*).

***mask** /mǽsk | mάːsk/ (同音 masque) 〚「道化者」が原義〛

━━名 (複 ~s/-s/) C **1** 仮面, 覆面《◆保護・偽りの象徴》; (防毒・手術・防護用の)**マスク**; (古典劇の)面; (石膏(こう)・ろうで作った)面型, 水中めがね, サングラス ‖ a carnival *mask* カーニバル用仮面 / a death *mask* デスマスク / wear [assume, put on] a *mask* 仮面をかぶっている[かぶる]; 正体を隠す / thrów óff one's másk 仮面をぬぐ; 正体を現す.

2 (正式) [通例 a/the ~] **覆い隠すもの**; ごまかすもの; 見せかけ ‖ ***under the mask of*** darkness [kindness] 暗闇(やみ)にまぎれて[親切にかこつけて].

━━動 (~s/-s/; (過去・過分) **~ed**/-t/; **~·ing**)

━━他 (正式) **1** 〈感情など〉を**隠す**(hide), 偽る ‖ She tried to *mask* her jealousy with a smile. 彼女はねたみを微笑で隠そうとした.

2 〔軍事〕〈砲台・行動など〉を敵から隠す; 〈敵の行動〉を妨害する. **3** …を仮面で覆う, …に面をつける(put a mask on) ‖ *mask* one's face 面をかぶる. **4** 〔写真〕…をマスクする(+*out*).

━━自 仮面をつける, 仮装する.

masked /mǽskt | mάːskt/ 形 **1** 仮面をつけた, 変装した ‖ a *masked* ball 仮装[仮面]舞踏会. **2** 隠れた, 覆い隠した.

mask·ing /mǽskiŋ | mάːskiŋ/ 名U 仮面をつけること, 仮装; 覆い隠すこと, 遮蔽(しゃへい); 〔印刷〕マスキング. ━━形 仮面の, 隠す.

másking tàpe 保護テープ, マスキングテープ.

mas·och·ism /mǽsəkìzm, mǽzə-/ 名U マゾヒズム,

masochist 被虐性愛《他人に虐待されて満足をおぼえる性癖》(↔ sadism).

mas·och·ist /mǽsəkist, mǽzə-/ 名 C マゾヒスト, 被虐性愛者 (↔ sadist); 自己虐待者.

ma·son /méisn/ 名 C **1** 石工, 石屋《◆stonemason の方がふつう》; (米) れんが職人, コンクリート(ブロック)建設業者. **2** [M~]=Freemason.
── 動 他 …を石[れんが]で建てる[固める].

máson bèe ドロバチ《南欧産. かわらなどの上に粘土で巣を作る》.

ma·son's márk (英) 石工の銘.

Ma·son·ic /məsɑ́nik | -sɔ́n-/ 《時に m~》 形 フリーメーソン(Freemason) (主義)の. 名 C フリーメーソンの集会《歌手・俳優が出演する》.

†**ma·son·ry** /méisnri/ 名 U **1** 石工術, れんが職. **2** 石造建築(の一部); れんが工事.

†**masque** /mǽsk | mɑ́ːsk/ (同音 mask) 名 C **1** [歴史]宮廷仮面劇《16-17世紀に英国で流行した一種のミュージカル》; その脚本. **2** =masquerade **1**.

mas·quer·ade /mæskəréid, (英+) mɑ̀ːs-/ 名 C **1** (古) 仮面舞踏会, 仮装(衣裳). **2** U C 見せかけ, 虚構. ── 動 (正式) **1** 仮面舞踏会に参加する; 仮装する. **2** 〔…の〕ふりをする, 〔…の〕変装をする 〔as〕.

*****mass** /mǽs/ (類音 math /mǽθ/) 〖「練り合わせた大麦の菓子」→「大きなかたまり」が原義〗 派 massive (形)
── 名 (複 ~·es/-iz/) **1** C (形・大きさが不定の)かたまり, 集まり, 集団; [the ~] 全体, 集合体 ‖ *a mass of snow* 雪のかたまり / *a cold air mass* 寒気団 / *in a máss* ひとかたまりになって, ひとまとめにして / *in the máss* (正式) だいたいにおいて, 全体として.
2 (略) [~es [a ~] of +U C 名詞] 多数[多量](の), (lot); [the ~ of] 大部分の, 大半の(の) ‖ *a mass of* books [water] 多くの本[多量の水] / *masses of* work [things] to do しなければならない多くの仕事[事柄] / *masses of* people 大群衆 / *The* (*great*) *mass of* children go to bed hungry every night. 大部分の子供が毎晩おなかをすかせて眠りについている《◆動詞は of の後の名詞の数に一致》.
3 [the ~es; 複数扱い] 一般大衆, 庶民, 労働者階級(= the classes) ‖ *The buses provide cheap travel for the masses.* バスは一般庶民に安い旅を提供する.
4 U (正式) かさ, 大きさ, 量; U [物理] 質量(略 m, M). **5** [形容詞的に] 大衆の, 多数[多量]の, 大規模な ‖ *a mass society* 大衆社会 / *a mass game* 団体競技, マスゲーム.

be a máss of A (略式)《欠点・悪いこと》だらけである ‖ He *is a mass of* faults [sores]. 彼は欠点[はれもの]だらけだ.
── 動 (正式) 他 …をひとかたまりにする, 集める ‖ *mass* troops 軍隊を集結する.
── 自 ひとかたまりになる, 集まる.

máss communicátion マスコミ, (新聞・ラジオ・テレビなどによる)大衆[大量]伝達.
【日英比較】 日本語の「マスコミ」に当たるのは多くの場合 mass media である ‖ *manipulate the mass media* マスコミを操作する.

máss média [the ~; 単数・複数扱い] マスメディア, マスコミ, 大量伝達媒体《新聞・テレビ》.

máss méeting 大衆集会, 国民大会.

máss nóun [文法] 質量名詞《不可算の物質名詞など》.

máss númber [物理] 質量数.

Máss Observátion (英)(商標)《個人面接などによる》世論調査 (略 MO).

máss prodúction 大量生産 (cf. mass-produce).

máss tránsit (大都市の)大量輸送(機関).

Mass /mǽs, (英+) mɑ́ːs/ 名 **1** 〔しばしば m~〕 U C 〔時に the ~〕 ミサ《カトリック教会の聖体拝領(Eucharist)の式》; ミサ聖祭 ‖ *attend* [*go to*] Mass ミサに参列する. **2** 〔通例 m~〕 C ミサ曲.

Mass. Massachusetts.

Mas·sa·chu·setts /mæ̀sətʃúːsəts, (米+) -zəts/ 名 マサチューセッツ《米国東北部の州. 州都 Boston. (愛称) Puritan State, the Bay State. (略 Mass., (郵便) MA)》.

†**mas·sa·cre** /mǽsəkər/ 名 **1** (無防備の人・動物)の大(量)虐殺 ‖ *a terrible massacre of* 5,000 innocent children 罪のない5000人の子供たちの恐るべき大虐殺 / 日本発 The Japanese Army is said to have killed more than 200,000 Chinese in the Nanking Massacre in 1937. 1937年の南京大虐殺では, 日本軍は20万人以上の中国人を殺したとされています. **2** (略式) 《チーム・政党などの》完敗.
── 動 他 …を大虐殺する; (略式) …を完敗させる.

†**mas·sage** /məsɑ́ːʒ | mǽsɑːʒ/ 名 C U マッサージ, あんま(術), もみ療法; [コンピュータ] (データなどの)操作.
── 動 他 **1** …をマッサージする. **2** 〈人の機嫌を取る, 〈人の心に〉自分に対する自信を持たせる.

mass-cir·cu·la·tion /mǽsəːrkjəléiʃən/ 形 発行部数の多い.

†**mas·sive** /mǽsiv/ 形 **1** 大きなかたまりになった, 大きく重い; 巨大な, 大量の, 大規模の; (程度が)はなはだしい ‖ *a massive* monument どっしりとした記念碑 / *massive* layoffs 大量の一時解雇. **2** 〈頭・体格などが〉大きく見える, がっしりした;〈心・性格などが〉しっかりとした.

más·sive·ly 副 どっしりと, がっしりと.

más·sive·ness 名 U どっしりしていること.

mass-pro·duce /mǽsprədjúːs/ 動 他 …を大量生産する (cf. mass production).

*****mast** /mǽst | mɑ́ːst/ (類音 must /məst, mʌ́st/)
── 名 (複 ~s/mǽsts/) C **1** [海事] マスト, 帆柱, (船)檣(きょう) ‖ *put up* [*take down*] a mast マストを立てる[倒す]. **2** (高い)柱《旗竿(ざお)・(アンテナ用の)鉄塔など》 ‖ *the mast of a derrick* 起重機の骨組.
── 動 他 …にマストをつける.

*****mas·ter** /mǽstər | mɑ́ːs-/ (類音 muster /mʌ́stər/) 〖「より偉大な人」が原義〗
── 名 (複 ~s/-z/) C

Ⅰ [ある事を自由にできる人]
1a [〔…を〕自由に使う能力のある人, 自由に処理できる人〔of〕; 〔…に〕精通した人〔of〕; [A is master of B] A〈人が〉B を自由にできる, 所有している, B に精通している《◆ふつう無冠詞》; (正式) 〔…の〕達人, 名人 ((PC) expert, specialist) 〔*at*, *in*〕 ‖ *a master at* carving animals 動物彫りの名人 / Old Masters (18世紀以前の)巨匠の名作 / *be master of* the situation 事態を処理することができる / *be one's ówn máster* 思いどおりにする, 主体的に行動する, 《雇われないで》独立している / She *is* (*a*) *master of* three foreign languages. 彼女は3つの外国語を駆使できる / *be master of* oneself 自制できる / *be master of* a great fortune 大金を自由にできる, 大金持ちである.
b [名詞の前で] [形容詞的に] 主人の, 支配者の, 支配

的な, 親方の; 主要な, 最上の; すぐれた, 名人芸の.◆(1)「男主人」を意味する master を避けるため, 人については expert, skillful など, 物についても main, control などを (PC) として用いることが多くなっている. (2) 比較変化しない ‖ a *master* carpenter 棟梁(りょう) / a *master* shot 名射手.
2 修士; 修士の学位(略) M., M) (master's degree; (主に米略式) ~'s) ‖ a *Master* of Laws [Arts, Science] 法学[文学, 理学]修士 ‖ bachelor と doctor の中間 / a *master's* thesis 修士論文.
3 a 親装置, 親盤, 〔写真〕石板, 陰画. **b** [複合語で] (機械などの)親…, 原…‖ a *máster* cópy 複写用の元原稿, 原本.
‖ [人を自由にできる人]
4 (古) (男の)主人, 雇主((PC) head, chief, boss), (職人の)親方((PC) supervisor, boss); 支配権を持つ人((PC) ruler, dictator), 船長((PC) captain); [the ~]世帯主; 〔歴史〕(奴隷の)所有者, (動物の)飼主((PC) owner)(◆女性形は(まれ) mistress) ‖ a dog and his *master* 犬とその飼主 / *master and man* 主人と召使い, 雇主と雇人 / the *master* of [in] the house 家長 / Like *master*, like man. この主人にしてこの召使いあり(→ like[2] 2). **5** (英) (小・中学校の)(男の)先生 (schoolteacher) (◆「女の先生」は mistress); 校長((PC) principal; [複合語で] …の師匠((PC) instructor) ‖ a músic (ríding, skíing) *máster* 音楽[乗馬, スキー]のインストラクター / a ballet *master* バレエ教師. **6** [Our/the M~] イエス=キリスト. **7** [M~][官職・役職名を伴って]…長; [通例 M~] (英) 学寮長(◆呼び方のみ可)‖ *Master* of Household (英) 宮内次官. **8** 勝利者, 征服者. **9** 裁判所主事, 補助裁判官. **10** [M~](まれ) 坊っちゃん[◆ふつう召使いが主人の幼少の名につける敬称]‖ *Master* Henry ヘンリー坊ちゃま.
máster of céremonies → ceremony.
── 動 (~s/-z/; 過去・過分 ~ed/-d/; ~ing /-təriŋ/)
── 他 **1** …を習得する, …についてかなりの知識[技術]を身につける; …に精通する (cf. learn) ‖ It took her many years to *master* the violin. 長年かけて彼女はバイオリンをマスターした. **2** 〈人が〉〈物・人などを〉征服する, 支配する, 屈服させる; 〈感情などを〉抑える ‖ *master* one's difficulties 困難を克服する.
máster cárd 親カード, 切り札, 決め手.
máster chéf コック長.
máster kéy 親かぎ, 合かぎ, マスター=キー(pass key); 問題解決のかぎ.
máster plán 基本計画, マスター=プラン.
máster's degrée = master **2**.
Máster's (Gólf) Tóurnament (米) マスターズ=ゴルフ《ゴルフの最も権威あるトーナメント》.
Mas·ter·Card /mǽstərkɑːrd | mɑ́ːs-/ 名 (商標) マスターカード《credit card の1つ》.
†**mas·ter·ful** /mǽstərfl | mɑ́ːs-/ 形 **1** 横柄な, 主人ぶる. **2** = masterly. **mas·ter·ful·ly** 副 **mas·ter·ful·ness** 名
†**mas·ter·ly** /mǽstərli | mɑ́ːs-/ 形 名人[大家]にふさわしい[く], 見事な[に], 熟練した[して]‖ a *masterly* skill 見事な腕前.
mas·ter·mind /mǽstərmàind | mɑ́ːs-/ 名 [C] **1** 立案者, 指導者; 黒幕. **2** (英) 才腕家, 天才.
†**mas·ter·piece** /mǽstərpìːs | mɑ́ːs-/ 名 [C] **1** 傑作, 名作, 代表作 ‖ *The Tale of Genji* is a *masterpiece* of Japanese literature. 『源氏物語』は日本

文学の傑作である. **2** 名人芸.
mas·ter·ship /mǽstərʃip | mɑ́ːs-/ 名 **1** [U][C](正式) master の職[職務, 地位, 権限]. **2** [U] 支配(力). **3** [U] 精進, 熟練.
mas·ter·work /mǽstərwəːrk | mɑ́ːs-/ 名 = masterpiece.
†**mas·ter·y** /mǽstəri | mɑ́ːs-/ 名 [U] **1** (…への)支配(力), 統御(力); 優勢 〔*over, of*〕 ‖ secure the *mastery* of the skies 制空権を握る. **2** [a ~] 熟達, 精通; 精通した知識[技能]‖ hàve [acquíre] a *mástery* of English [the guitar] 英語[ギター]に熟達している.
mast·head /mǽsthèd | mɑ́ːst-/ 名 [C] **1** 〔海事〕マストの先, 檣(しょう)頭. **2** 〔新聞・雑誌の〕マストヘッド《(第1ページ上部にある)新聞[雑誌]名》, 発行人欄.
mas·ti·cate /mǽstikèit/ 動 他 **1** (正式) …をかむ, かみこなす (chew). **2** 〈ゴムなどを〉どろどろにする.
más·ti·cà·tor 名 [C] 咀嚼(そしゃく)する者[物]; 肉挽(ひ)き器, 粉砕器.
mas·ti·ca·tion /mæstikéiʃən/ 名 [U] 咀嚼(そしゃく).
mas·tiff /mǽstif/ 名 [C] [動] マスチフ犬《大型の猛犬で闘犬・番犬》.
mas·to·don /mǽstədàn | -dɔ̀n/ 名 [C] 〔古生物〕マストドン《ゾウの祖先の化石動物》.
mas·tur·bate /mǽstərbèit/ 動 他 (…に)自慰を行なう.
mas·tur·ba·tion /mæstərbéiʃən/ 名 [U] 自慰, マスターベーション.
*****mat**[1] /mǽt/
── 名 (複 ~s/mǽts/) [C] **1** マット, むしろ, ござ; たたみ (straw mat) ‖ a room of four and a half *mats* 四畳半の部屋 / Please vacuum the *mat*. マットに掃除機をかけてください.
2 (玄関前の) ドアマット (doormat); バスマット (bath mat) ‖ wipe one's shoes on the *mat* ドアマットで靴をぬぐう.
3 (花びん・皿などの) 敷物, 下敷き (tablemat). **4** (体操・レスリング用の)マット.
on the mát (略式) 困って; 〔叱責(しっせき)のため〕召喚されて[して].
── 動 (過去・過分 mat·ted/-id/; mat·ting) 他 **1** …にマットを敷く. **2** …をもつれさせる (+together).
── 自 もつれる, こんがらかる (+up).
Mat /mǽt/ 名 マット《男の名. Matthew の愛称》.
mat·a·dor /mǽtədɔ̀ːr/ 名 [C] **1** [スペイン] 闘牛の主役の闘牛士). **2** [トランプ] 切り札の1枚.
*****match**[1] /mǽtʃ/ 類音 **much** /mǽtʃ/ [[「仲間・対の1つ]が原義]
── 名 (複 ~·es/-iz/) [C] **1** (主に英) 試合, 競技 (→ game 名 **1**; tennis 関連)‖ a football [bóxing, chéss, súmo] *màtch* フットボール[ボクシング, チェス, 相撲]の試合 / shouting *matches* 野次合戦 / I played a *match* of badminton against Tom. トムを相手にバドミントンの試合をした.
2 [(a/one's) ~] 競争相手, 好敵手; 〔技能・性格などで〕…と対等の人[物], 共通している人[物] 〔*in, at / for*〕 ‖ I am no *match* for her in mathematics. 私は数学では彼女にかなわない / fínd [méet] one's *mátch* 好敵手に出会う, 困難にぶつかる / She is more than *a match for* him *at* [*in*] tennis. 彼女はテニスにかけては彼よりも上だ.
3 [(a/one's) ~] (…と)よくつり合う人[物] 〔*for*〕; 同一[生き写し]の人[物]‖ a piece of furniture which is *an ideal match for* the room 部屋に理想的にぴったり合う家具 / She is her mother's

match in character. 彼女の性格は母親譲りだ／The tie and suit are *a* good *match*. ネクタイと服はよくつり合っている。 **4**〖古〗結婚，縁組み；〖通例 a ～〗結婚相手，配偶者。
——**動** (～·es/-iz/; 過去・過分 ～ed/-t/; ～ing)
——**他**
1 a〈物が〉〈物〉と**調和する**，似合う‖ The shoes *match* ⌈this red skirt [her age]. その靴はこのスカート[彼女の年齢]にぴったりだ《◆ *match* her. のように目的語に人は不可。→ fit¹ **他** a）. **b**〈人が〉〈物〉を〈物・事に〉**調和させる**，組み合わせる〔*with, to*〕《◆修飾語(句)は省略できない》‖ *match* wallpaper *with* the carpet じゅうたんに壁紙を合わせる／ *match* (*up*) supply *to* demand 供給を需要に合わせる。 **c**〈物に〉似合うものを見つける。 **2**〈人などが〉〔…の点で〕〈人などに〉**匹敵する**，…と等である〔*in, for*〕‖ I can't *match* her skill [diligence]. 彼女の腕前[勤勉さ]に太刀打ちできない／No one can *match* him *in* baseball. 野球では誰も彼に歯がたたない／ They are well *matched*. 彼らは実力が互角だ／ This store can't be *matched for* good service. サービスの点で当店に匹敵する店はない。 **3** …を〔…と〕競争させる，対抗させる〔*with, against*〕‖ Father *matched* me *with* John in the lessons. 父は勉強で私をジョンと競わせた。
——**自**〈人・物・事が〉**対等である**《◆複数主語》；〔…と〕**調和する**，つり合う，似合う〔*with*〕‖ a dress with a hat and ribbon to *match* 服とそれに似合う帽子とリボン／ The color *matches* well *with* his suit. =The color and his suit *match* well. その色は彼の服にぴったりだ／ Our academic grades *match*. 私たちの学業成績は似ている。
mátch pláy〖ゴルフ〗マッチプレー《ホールごとに勝負し，得たホール数の多い方が勝ち》。
mátch póint /ｉ/〖テニスなど〗マッチポイント《決勝の1点》。

***match**² /mǽtʃ/〖類音〗much /mʌ́tʃ/〖「ろうそくのしん」が原義〗
——**名**(徳 ～·es/-iz/) Ⓒ マッチ(棒)‖ a box of *matches* マッチ1箱／ *strike* [*light*] a *match* マッチをする《◆1本のマッチで3人にタバコの火をつけると不運にあうという迷信がある》。
mátch·book /mǽtʃbùk/ 图Ⓒ ブックマッチ，紙マッチ。
mátch·box /mǽtʃbàks│-bɔ̀ks/ 图Ⓒ マッチ箱。
†**mátch·less** /mǽtʃləs/ 形〖文〗無類の，無比の。
mátch·less·ly 副 比類なく，ずば抜けて。
mátch·lock /mǽtʃlàk│-lɔ̀k/ 图Ⓒ 火縄銃；火縄式装置。
mátch·mak·er /mǽtʃmèikər/ 图Ⓒ **1** マッチ製造業者。**2** 試合の組み合わせを決める人；《略式》結婚仲介人，媒酌人。
mátch·stick /mǽtʃstìk/ 图Ⓒ マッチ棒(の燃えさし)。

***mate** /méit/〖「食事を共にする者」が原義〗
——**名**(徳 ～s/méits/) Ⓒ **1 a**《略式・主に男性語》〖しばしば複合語で〗**仲間**，友だち(friend)，連れ(companion)；仕事仲間‖ lose one's *mate* 仲間にはぐれる／ a working *mate* 仕事仲間‖ *gó mátes with* him 彼と仲間になる。 関連〖複合語の例〗classmate 級友／ playmate 遊び仲間／ roommate 同室者／ schoolmate 学校の友／ teammate チーム仲間。 **b**《英俗・豪》〖男から男への呼びかけで〗兄貴；相棒‖ Give me a hand, *mate*. 君，ちょっと手を貸してくれないか。 **2**《主米》〖…の〗**連れ合い**〔*for, to*〕《夫，妻》‖ Betty is my *mate* of 25 years. ベティは25年連れ添った妻だ。 **3**〖主米〗〖通例 the ～〗〖対をなす物の〗**片方**；〖動物・鳥の〗つがいの片方‖ *the mate* to this shoe この靴の片方。
——**動** (**mat·ing**) 他 **1**〈動物〉を〔…と〕つがわせる；〈人〉を〔…と〕結婚させる〔*with*〕。 **2**《まれ》…を〔…と〕一致させる〔*with*〕‖ *mate* one's words *with* deeds 言行を一致させる。
——**自 1** 仲間になる；結婚する；〈動物が〉〔…と〕つがう〔*with*〕。 **2** 一致する，対になる。

***ma·te·ri·al** /mətíəriəl/ (アクセント注意) 〖『物質に属する(もの)』が原義. cf. *matter*〗
——**名** (徳 ～s/-z/) **1** ⓊⒸ **材料**，素材；原料；(服などの)**生地**(き)；織物‖ building *matèrials* 建材／ ráw *matèrial*(*s*) 原料／ súit 〔dréss, clóthing〕 *matèrial* 服地。 **2** ⓊⒸ **資料**，題材，データ〔*for*〕‖ téaching *matèrials* 教材／ collect *material for* a report レポートの題材を集める／ *material* and method 実験材料および方法《◆科学論文の1項目；introduction（緒言）の次に書く》。 **3** 〖～s〗用具，道具‖ páinting [séwing, wríting] *matèrials* 絵画[裁縫, 筆記]用具。 **4** Ⓤ **人材**，人物。
——**形**
Ⅰ〖物質的な〗
1《正式》〖通例名詞の前で〗**物質(上)の**，**物質的な**(↔ spiritual, immaterial)；有形の，具体的な《◆比較変化しない》‖ a *material* object 有形物／ *material* needs 物質的欲求《食糧・住居など》／ *material* prosperity [civilization] 物質的繁栄[文明]／ the *material* world 物質界。 **2** 肉体的な；官能的な；《正式》世俗[肉欲]的な《◆比較変化しない》‖ *material* pleasures 肉体的快楽／ from the *material* viewpoint 世俗的見地からすれば。
Ⅱ〖本質的な〗
3《正式》〖通例補語として〗〔…に〕本質的な，必須の〔*to*〕‖ an effort *material to* one's success 成功に不可欠の努力。 **4**〖名詞の前で〗影響力の強い；〖法律〗〈証拠などが〉判決に重大な影響を及ぼす‖ *material* witness（決め手となる）重要参考人。
matérial nóun〖文法〗物質名詞。
ma·te·ri·al·ism /mətíəriəlìzm/ 图Ⓤ **1**〖哲学〗唯物論，唯物主義(↔ idealism)。 **2**《実利》主義；〖美術〗実物主義，実質描写。
ma·té·ri·al·ist 图Ⓒ 形 唯物主義者(の)，実利[物質]主義者(の)。
ma·te·ri·al·is·tic /mətìəriəlístik/ 形 唯物論(者)の，実利[物質]主義(者)の。
ma·te·ri·al·ize /mətíəriəlàiz/ 動《正式》 **1** …に形を与える，…を具体[有形]化する；〈願望・希望など〉を実現する(realize)；…を物質[実利]的にする‖ *materialize* one's dream 夢を実現する。 **2**〈霊など〉を肉体を備えたものとして表す。 ——**自 1**《略式》〈願望・計画など〉が実現する；〈人など〉が現れる。 **2**《正式》〈霊など〉が肉体を備えて現れる。
ma·te·ri·al·i·za·tion /mətìəriəlizéi-/ 图Ⓤ 具体化，具現。
†**ma·te·ri·al·ly** /mətíəriəli/ 副《正式》 **1** 大いに，かなり(greatly)；実質的に。 **2** 物質[有利，具体]的に；身体的に；〖哲学〗実質的に(↔ formally)。
†**ma·ter·nal** /mətə́ːrnl/ 形《正式》 **1** 母の，母としての，母らしい(motherly)(cf. paternal)‖ *maternal* love 母性愛／ one's *maternal* aunt 母方のおば。 **ma·tér·nal·ly** 副 母として，母らしく；母方に。
†**ma·ter·ni·ty** /mətə́ːrnəti/ 图 **1** Ⓤ《正式》母であること，母性(motherhood)；母らしさ。 **2** Ⓒ =mater-

nity home [hospital].
matérnity drèss [ròbe, clòthes] マタニティードレス.
matérnity hòme [hòspital] 産院.
matérnity léave 産休.
matérnity núrse 助産婦.
math /mæθ/ 图 《米》=mathematics.
math. (略) *mathematic(al); mathematician; mathematics.*
†**math·e·mat·i·cal, ‑‑ic** /mæθəmǽtik(l)/ 形 **1** 数学(上)の, 数理的な, 数学用の ∥ *mathematical problems* 数学の問題 / *mathematical* genius 数学の天才 / *mathematical* logic 数理論理学. **2** まったく正確[厳密]な.
màth·e·mát·i·cal·ly 副 数学的に, 正確に.
†**math·e·ma·ti·cian** /mæθəmətíʃən/ 图 C 数学者.

math·e·mat·ics /mæθəmǽtiks/
[アクセント注意] [[「学ぶこと」が原義]] 類 *mathematical* (形)
—— 图 **1** U [単数扱い] **数学** (《米》 math, 《英略式》 maths) ∥ a *mathematics* problem 数学の問題 (=a *mathematical* problem) / applied [mixed] *mathematics* 応用数学 / *Mathematics* is 「*a*ren] my weakest subject. 数学は私のもっとも不得意な科目です. **2** [通例 one's ~] (単数・複数扱い] 数学的処理, 計算.
maths /mæθs/ 图 《英略式》 =mathematics.
Ma·til·da /mətíldə/ 图 マチルダ 《女の名, 愛称 Matty, Maud(e), Tilda》.
†**mat·i·née, ‑‑nee** /mætənéi | mǽtinèi/ [[フランス]] 图 C (演劇・音楽・映画などの)昼興行, マチネ.
ma·ting /méitiŋ/ 動 → mate. —— 图 U 交尾, 交配; 交尾期.
mat·ins /mǽtnz | -tinz/ 图 (英ではまれに) **mat·tins** /mǽtnz | -tinz/ 图 [しばしば M~; 単数・複数扱い] **1** 〔アングリカン〕 朝の祈り (Morning Prayer). **2** 〔カトリック〕 朝課 《聖務日課の第1時》.
Ma·tisse /mætí:s/ 图 マチス 《Henri /α:ŋríː/; ~ 1869–1954; フランスの画家・彫刻家》.
ma·tri·arch /méitriɑ̀:rk/ 图 C 〔社会〕 家母長, 女家長, 女族長 (↔ patriarch).
ma·tri·ar·chy /méitriɑ̀:rki/ 图 U C 〔社会〕 母権制, 女家長制, 女族長制 (↔ patriarchy).
ma·tri·ces /méitrisìːz | -/ 图 matrix の複数形.
ma·tric·u·late /mətríkjəlèit/ 動 《正式》 圓 大学に入学する. —— 他 …に大学の入学を許す.
ma·tric·u·lá·tion 图 U C 《正式》 大学入学許可.
†**mat·ri·mo·ni·al** /mæ̀trimóuniəl/ 形 《正式》 結婚(式)の, 婚姻の; 夫婦間[関係]の.
†**mat·ri·mo·ny** /mǽtrimòuni | -məni/ 图 U 《正式》 結婚生活, 婚姻, 夫婦生活[関係].
†**ma·trix** /méitriks/ ◆《印刷》では /mǽ‑/ ともする》 图 (複 **‑tri·ces** /‑trisìːz/, ~**·es**) C **1** 《正式》 (発生・成長の)母体, 基盤. **2** 鋳型; 〔印刷〕 活字の母型, 印刷の紙型; (レコードの)原盤. **3** 〔生物〕 細胞間質. **4** 〔鉱物〕 母岩. **5** 〔数学〕 行列; 〔コンピュータ〕 配列.
†**ma·tron** /méitrən/ 图 **1** 《正式》 (年配の上品な風)既婚婦人; (子持ちの)ご婦人. **2** (公共施設などの)女性監督者; 家政婦長. **má·tron·ly** 形 **1** (年配の)既婚婦人らしい, 落ち着いて品のある. **2** 〈女性が〉太った, 中年太りの《◆fat の遠回し語》.
Matt /mæt/ 图 マット 《男の名, Matthew の愛称》.
mat·ted /mǽtid/ 形 **1** マットを敷いた. **2** 〈髪などが〉もつれた. **3** 〈雑草などが〉密生した.

mat·ter /mǽtər/ 《類音》 mutter /mʌ́tər/, madder /mǽdər/ [[原義「材木」→「(建築)材料」→「物」→「事柄」]]

index 图 **1** 事柄, 事態 **2** 困難 **5** 物質 **6** 内容
動 **1** 重要である

—— 图 (複 ~s /-z/)
I [出来事]
1 C **事柄**, 事件, 事, 問題; [~s; 無冠詞] (漠然と)事態, 事情, 情勢 ∥ the *matter* in [at] hand 当面の問題 / a *matter* of life or [and] death 死活問題 / a *matter* under consideration 検討中の問題 / *take matters easy* [*seriously*] 物事を甘く[真剣に]考える / *as matters stand* 現状では / *as a matter of* policy [principle] 政策[原則]の問題として / He got fired, and *to make matters worse*, he lost his wife. 彼は首になった, さらに悪いことには, 妻を失った / It is a *matter*「*of money* [*for a doctor*]. それは金銭上の[医者が扱う]問題だ / *Matters* are different in Europe. ヨーロッパでは事情が違う.

2 U [通例 the ~] […に関する] **困難**, 故障, 難儀, 事故, 故障(*with*) ∥ The flight attendant told us that nothing was *the matter*. 飛行機の乗務員は心配することは何もございませんと言った.

3 U [**matter** とすべきこと, 重要, 重大さ, 大事] It is [makes] no *matter* that he failed. 《正式》 彼が失敗したのはたいしたことではない.

4 […の]原因となる]事柄, 根拠(*for, of*) ∥ It is a *matter for* [*of*] regret that he did not keep his promise. 《正式》 彼が約束を守らなかったのは残念なことだ (=(略式) It is a pity that …).

II [物]
5 U (精神に対して) **物質**, 材料, 物, 要素, 成分 (↔ mind) 類 (material, stuff, substance) ∥ animal [vegetable, mineral] *matter* 動物[植物, 鉱物]質 / coloring *matter* 色素 / organic [inorganic] *matter* 有機[無機]物 / solid [liquid, gaseous] *matter* 固[液, 気]体 《◆これらを the three states of matter 「物質の三態」という》.

6 U 《正式》 [通例 the ~] (演説・書物・思想などの)内容, 題材 (↔ form, style に対する).

7 U [形容詞を伴って] 〔印刷〕〔出版〕 された・書かれた物 《◆形容詞に強勢》 ∥ printed *matter* 印刷物 / published *matter* 出版物 / póstal *matter* 郵便物 / réading *matter* 読み物.

*∗a mátter of A** (1) …の問題 (→ **1**) ∥ (*as*) *a matter of cóurse* 当然のこととして / (*as a*) *matter of fáct* [新しい(驚かせるような)情報を付け加えて述べ事実を具体的に; または反論して] 実際には (はっきり言うと, 実は(…なんだ) 《◆as a を省くのは《略式》》.
(2) 《主に量》 [程度] …くらい ∥ *a matter of* 10 weeks [miles, dollars] 約10週[マイル, ドル].

for thát màtter =《やや古》 **for the màtter of thát** [通例 or, and の後で] そのことなら(もっとはっきり言うと), (それについて)さらに詳しく言えば.

in mátters of A =**in the mátter of A** 《古正式》 …に[ついては, …のことでは](*about*).

nò láughing màtter with A 〈人〉にとって重大なこと, 笑い事ではないこと.

*∗nò mátter** (1) → **3**. (2) たとえ[…]でも [*wh*‑, *whether*節, *though*節] ∥ *No matter how*

[what, when, where, which thing] he does, I will support him. たとえ彼がどのように[何を、いつ、どこで、どれを]しようとも私は彼を支持しよう《◆(1) however, whatever, whenever …などより口語的. (2) 節内では will を用いない.》 ●文法4.1(4)》/ *No matter what* the excuse (is), he is to blame. どう弁解しても彼が悪いのだ.

nò mátter whát (**háppens**) どんなことがあっても, 何が何でも ‖ I'll go *no matter what*. 絶対に私は行く.

「**Sómething is** [**There is sómething**] **the mátter with A.** 〈人・物・事〉は調子が悪い ‖ *Something is* the matter *with* this vending machine. この自動販売機は調子が悪い(=Something is wrong with …)》《◆(1) 強意は Something is seriously the matter with …. など. (2) 否定文・疑問文では something が anything, nothing になる》.

What's the mátter? (↘)[相手の身を心配して] どうしたの《◆(1) 目上の人には Is there anything the matter with you? などという. (2) 遅刻の理由を聞くときの言い方: You're late again. What's happened? また遅刻したね. どうしたの》.

What's the mátter with A? (1) [とがめて]…はどうかしてるのではないか ‖ *What's the matter with* you? 君どうかしてるんじゃないか. (2) =What's the MATTER. (3) [反語的に]…には問題がないではないか ‖ *What's the matter with* tomorrow [bringing her], then? じゃ, 明日で[彼女を連れて行っても]問題ないんだね.

━━動 (~s/-z/; 過去・過分 ~ed/-d/; ~ing/-əriŋ/)

━━自 1 [通例 it を形式主語; 主に疑問文・否定文で]〈事が〉[…に]重要である, 重大な関係がある〔to, with, that節, whether [if]節〕‖ *It matters* little if [whether] he succeeds or not. 彼が成功しようとしまいとたいした問題ではない《◆ if [whether, wh]節内に will, would を用いない.》 ●文法4.1(4)》/ *It doesn't matter that* the weather is very bad. 天気がひどく悪くてもかまわない / How much *does it matter* to you how much I earn every month? 私が月にいくらかせぐかは君にとってどれほどの問題があるのか / What *does it matter*? そんなことはどうだっていいじゃないか / Does that *matter*? [反語的に]そんなことかまうもんか(=Does that make a difference?). 2 〔医学〕膿(うみ)が出る.

It [*That*] *dóesn't mátter.* 『たいしたことがないのでかまわない』(1) ご心配無用, そんなこといいですよ(Don't worry. That's all right.). (2) [どちらか選択を求められて]どちらでもいいです.

Mat·ter·horn /mǽtərhɔ̀ːrn/ 名 [the ~] マッターホルン《アルプス山脈の高峰. 4478 m》.

mat·ter-of-course /mǽtərəvkɔ́ːrs/ 形 当然の, もちろんの; 平然とした.

†**mat·ter-of-fact** /mǽtərəvfǽkt/ 形 事実に即した; 実務的な; 割りきった, ドライな.

mátter-of-fáct·ly 副 事実に即して.

†**Mat·thew** /mǽθjuː/ 名 1 マシュー《男の名. 愛称 Mat(t), Matty》. 2 [新約]マタイ《キリストの12使徒の1人》; マタイによる福音書《新約聖書中の一書. 略 Matt.》.

mat·ting /mǽtiŋ/ 名 U 1 マット材料. 2 [集合名詞]マット, ござ, 畳. 3 《マットなどを》編むこと.

mat·tock /mǽtək/ 名 C つるはし; 根掘りぐわ.

†**mat·tress** /mǽtrəs/ 名 C 1 《寝台の》敷きふとん, マットレス ‖ a spring *mattress* スプリング付きマットレス / 日本発 Japanese *mattresses*, called *futon*, can be stored in a closet when not in use, making them a practical form of bedding for small Japanese rooms. 布団と呼ばれる日本の寝具は, 使わないときはたんすで押し入れにしまっておけるので, 日本の狭い部屋には合理的である. 2 〔土木〕沈床(ちんしょう)《護岸工事の》そだ束, 編みそだ》.

*****ma·ture** /mətúər, -tʃúər | -tjúə, -tʃúə/ 形 [「時機を得た」が本義]

━━形 (~r/-túərər | -tʃuərə/, ~st/-túərəst | -tʃúərist/)

I [人が熟した]

1 〈人・心身・生物などが〉十分に成長した, 発達した ‖ a *mature* writer 円熟した作家 / a *mature* age 熟年, 分別盛りの(年齢) / His son is *mature* for his age. 彼の息子は年のわりには成熟している.

2 〈計画などが〉熟慮した; [名詞の前で]慎重な, 分別のある ‖ a *mature* plan [scheme, project] 十分に練った計画 / after *mature* consideration 熟考した上で.

II [物・期が熟した]

3 〈植物・果物・ワイン・チーズなどが〉熟した(ripe) (↔immature) ‖ *mature* fruit 熟した果物 / *mature* cheese [wine] 熟成したチーズ[ワイン].

4 〔商業〕〈手形などが〉支払い期日になった.

━━動 (~s/-z/; 過去・過分 ~d/-d/; --tur·ing /-túəriŋ | -tʃúəriŋ/) [正式]

━━他 〈事が〉〈性格などを〉成熟させる(ripen); 〈人が〉〈事を〉〈慎重に〉仕上げる ‖ His hard life abroad *matured* his character. 海外での苦しい生活が彼の人格を円熟させた.

━━自 1 〈果物・チーズなどが〉熟す, 〈子供・動物の子が〉成熟する; 〈人が〉大人になる, 老成する; 〈事が〉十分に発達する ‖ This rice plant *matures* early. この稲は早く熟す. 2 〔商業〕〈保険・手形などが〉満期になる.

†**ma·tu·ri·ty** /mətúərəti | -tʃúər-/ 名 U C 成熟(期), 十分な成長[発達](期) ‖ *maturity* of judgment 分別盛り / 「còme to [réach] *matúrity* 成熟[円熟]する / bring a plan to *maturity* 計画を練る[熟させる].

mat·zo /máːtsə | mɔ́tsə/ 名 (複 ~s/-z, -s/, --zoth /-sout, -souθ/) C マッツォー《ユダヤ人が過ぎ越しの祭り(Passover)に食べるパン種を入れないパン》.

maud·lin /mɔ́ːdlin/ 形 [正式] (主に酒に酔って)《話し方などが》感傷的な, 泣き上戸の.

Maugham /mɔ́ːm/ 名 モーム《(William) Somerset/sʌ́məset/ ~ 1874-1965; 英国の作家》.

†**maul** /mɔ́ːl/ 名 C 1 大木づち, 掛け矢. 2 (騒々しい)けんか, 口論. 3 〔ラグビー〕モール. ━━動 他 1 …を打って[引っかいて]傷つける, 切裂く; …を乱暴に[手荒く]扱う (+about, around). 2 …を酷評する (+about).

maun·der /mɔ́ːndər/ 動 自 〔…について〕だらだら話す (+on) [about]; ぶらぶら[ぼんやり]歩き回る (+along, about).

Mau·pas·sant /móupəsɑ̀ːnt/ 名 モーパッサン《Guy de/ɡiː də/ ~ 1850-93; フランスの作家》.

mau·so·le·um /mɔ̀ːsəlíːəm/ 名 (複 ~s, --le·a /-líːə/) C 壮大な墓, 霊廟(れいびょう), 陵(みささぎ).

mauve /móuv/ 名 (米) /mɔ́ːv/ 名 U 藤色, 青みがかった薄紫色; 藤色のアニリン染料. ━━形 藤色の.

mav·er·ick /mǽvərik/ 名 C (米) 所有者の焼印のない子牛, (特に)母牛から離れた牛; 一匹狼(おおかみ).

ma·vis /méivis/ 名C(詩)〔鳥〕ウタツグミ(song thrush).

maw /mɔ́ː/ 名C 1 (動物の)胃, のど; (反芻(ﾊﾝｽｳ)動物の)第4胃; (鳥の)えぶくろ; (略式)(人間の)胃. 2 (文)中に引きずり込んで破滅させるもの, 奈落(ﾅﾗｸ).

mawk·ish /mɔ́ːkiʃ/ 形 1 変に感傷的な. 2 吐き気を起こさせるような. **máwk·ish·ly** 副 感傷的に.

max. (略) maximum.

max·i /mǽksi/ (略) 名C 形 マキシ(の)(すそが足首まであるスカート・コートなど)(→ skirt 名1 関連(1)).

max·i– /mǽksi-/ (語要素) →要素一覧(1,1).

max·il·la /mæksílə/ 名 (複 ~·**lae**-/-li:/) C (医学)あご(胃); (脊椎(ｾｷﾂｲ)動物の)上あご.

†**max·im** /mǽksim/ 名C 1 金言, 格言; 処世訓 ‖ a golden maxim 金言. 2 行動原理, 主義, 処世法.

max·i·ma /mǽksimə/ 名 maximum の複数形.

max·i·mal /mǽksəml/ 形 (正式)最大限の, 最高の(↔ minimal).

max·i·mize /mǽksəmàiz/ 動他 (正式)…を最大〔極大〕にする(↔ minimize); …を最大限に活用する.

†**max·i·mum** /mǽksəməm/ (正式)名 (複 ~**s**/-z/, --**ma**/-mə/) C 最大限(数, 量); (数学)最大, 極大(↔ minimum)((略) max.) ‖ The wind speed was at its *maximum*. 風速は最大となっていた. ── 形 最大限の, 最高の, 極大の ‖ *maximum* fatigue 極度の疲労. **máximum thermómeter** 最高温度計.

Max·well /mǽkswel, -wəl/ 名 マックスウェル(**James Clerk** ~ 1831–79; 英国の物理学者).

:**may** /méi/ [本来は「できる」の意であったが, can がこの意味を受け持つようになってもっぱら「許可」「可能性」の意を表すようになった]

index 1 …かもしれない 2 a …してよい

── 助 (過去 **might** /máit/)

I [可能性・推量]

1 [may do] 〈人・事が〉**…かもしれない**, (たぶん)…だろう; (正式)…することがある《◆(1) 約5割の確率で起こると考えていることを表す. 話し手の確信度は could, might, may, can, should, ought to, would, will, must の順に強くなる. (2) 否定形は (米)(英) とも máy not. (3) can との比較については → can¹ 4 語法》‖ *It may be that* our team will win this time. 今度はわがチームは勝つかもしれない(=Perhaps our team …) / He *máy* be swimming in the pool. 彼はプールで泳いでいるかもしれません(進行形が続く場合は「許可」の意はない)/ I *máy* be late coming home this evening. 今夜は帰宅が遅くなるかもしれません(=It is possible that I will be late …) / She *máy not* be at home now. 彼女は今家にいないかもしれない(=It is possible that she is not at home now.)《◆may not be の not は be を否定》/ Mother is afraid that I *may* [*might*] catch (a) cold. ぼくがかぜをひくのではないかと母は心配している / No matter how hard he *may* work [(略式) works], he will not be able to pass the exams. 彼はどれだけ一生懸命やっても試験に受かるのは無理でしょう / During the winter, many rare birds *may* be observed in Japan. (正式)冬の間に多くの珍しい鳥が日本で観察されることがある.

II [許可]《◆ふつう強勢を置かない》

2 a (正式)[may do] 〈人は〉**…してよい**, …しなさい

(be permitted [allowed] to) ‖ Subscribers to the library *may* take out four books each. (掲示)図書館登録者は1回4冊まで借りられます / You *may* go now. もう行ってもよろしい(=I permit you to go now. / I give you permission to go now.)《◆目上の者が目下の者に許可を与える言い方. 尊大・横柄な印象を避けるためにしばしば You *can* go now. のように can で代用する》.

語法 You *may* go. は「許可」の意だが, 主語が you 以外では「可能性」の意にもとれる: Jane *may* go there. ジェーンはそこへ行ってもよい《◆ふつう may に強勢を置かない》; ジェーンはそこへ行くかもしれない《◆ may に強勢を置く》.

b [may not do] 〈人は〉…してはいけない; [may not be done] 〈事が〉…されてはいけない《◆(1) ふつう掲示文などのみ用いる. (2) must not より軽い禁止. (3) not に強勢をおく. (4) mayn't は (主に英) だが(まれ)》‖ Students *may not* use a cellphone during the lectures. (掲示)学生は講義中携帯電話を使用してはいけない / You *may not* stay here. ここにとどまってはいかぬ(=I do not permit you to stay here.)《◆not は助動詞(may)を否定している. You *may* nót stay here. では「ここにとどまっていなくてもよい」が, 動詞(stay)を否定している》/ Periodicals *may not* be removed from the reading room. (掲示)定期雑誌類は閲覧室より帯出禁止.

c [May I do …?] …してよろしいですか《◆(1) 相手の権限を尊重する質問. Can I do …? よりていねい. (2) くだけた言い方では Is it all right if I smoke? ともいう》‖ *May I* smoke? / (店員が客に)御用を承りましょうか, 何を差し上げましょうか / *May I* smoke in here?(↗) ここでタバコを吸ってもよいでしょうか《◆「はい, かまいません」は Yes, you may. であるが, 尊大に響くことがあるので(→ **2 a**)目上の者が目下の者に許可を与える場合などを別として Of course you can. / Yes, certainly. / Why not? などを用いるのがよい. 「いけません」も No, you may not. の代わりに I'm sorry. You can't. などを用いることが多い》/ *May I* please see your passport.(↘) パスポートを拝見いたします(=Please show me your passport.)《◆形は疑問文でこのように命令文に近い場合はしばしばピリオドを用いる. また返答も, Here you are. 「はいどうぞ」などで, ×Yes, you may. は不可》.

3 [may have done] 〈人は〉**…したかもしれない**, …してしまったかもしれない《◆発話時からみた過去の推量》(➡文法 8.3)‖ Bill *máy have* left yesterday. ビルは昨日出発したのでしょう(=It is possible that [Maybe] Bill left yesterday.) / You *máy have* read this book already. 君はたぶんこの本をもう読んでしまったことでしょう(=Maybe you have already read this book.) / John *may not have* left yet. ジョンはたぶんまだ出発していないでしょう.

語法 (1) やや確信度は弱くなるが might have done で代用できる.
(2) 疑問文では might, could, 時に can を用いる: Might [Could, Can, ×May] he have been waiting long? 彼は長い間待っていたのだろうか.

III [その他]

4 [祈願] (正式)[May **A** do!] **A**〈人・事〉が…せんことを! ‖ *May* you be very happy! ご多幸を祈り

ます / May the new year bring you happiness! 新年もよい年でありますように(=I wish you a happy new year.).
cóme what máy《正式》どんなことがあろうとも ‖ *Come what may*, you should go your own way. どんなことがあろうとも君は自分の思い通りにやるべきだ.
*if **I máy**《文尾で》もしよろしければ ‖ I'll have another piece of cake, *if I may*. もしよろしければ, ケーキをもう1ついただきます.
*máy ... but なるほど…だが, たとえ…であるとしても《◆may の代わりに might も用いられる》‖ He *may* be clever, *but* he's not very helpful. 確かに彼は頭はいいが, あまり役には立たない《◆発話時より以前の時に言及する場合は may have done: He *may* have lived in London for five years, *but* he does not speak English very well. なるほど彼にロンドンに5年間も住んでいる[いた]が, それにしては英語がうまくない》.
may (just) as well do → well[1] 副.

*__May__ /méi/《ローマ神話の成長の女神マーイアの月》
――名 **1** ① 5月; [形容詞的に]5月の(語法 → January). **2** [m~]① 《英》《植》サンザシ(hawthorn). ③ ① その花[枝]《◆英国では5月に花が咲くため. Mayflower ともいう》.
Máy Dày (1) メーデー, 労働祭《5月1日. 英国では公休日(→ Labor Day)》. (2) 5月祭《5月1日に, 英国の一部地方では5月の女王(May queen)を選んで花輪の冠をかぶせ, メイポール(maypole)の周囲で踊る》.
Máy quèen [**Quèen**] 5月の女王(Queen of the May) (→ May Day (2)).
Ma·ya /má:jə, má:jɑ/名 (複 ~s, **Ma·ya**) **1** [the ~(s)] マヤ族《中米先住民》. **2** ⓒ マヤ人; ⓤ マヤ語.

*__may·be__ /méibi(:)/, 《略式》mébi/《it may be that ... の略. 話し手の意識としては起こる確率が5割程度》
――副 **1** 《比較変化しない》 たぶん[《文全体を修飾; 通例文頭で》] **1** ことによると, ひょっとしたら, たぶん, おそらく《◆《英》では perhaps がふつう. 話し手の確信度は probably, maybe, perhaps, possibly の順に弱くなる. → perhaps 副 1 語法 (3), (4)》 ‖ *Maybe* the weather will clear (up) by tomorrow. ひょっとするとあすは天気になるかもしれない / *Maybe* they will come and *maybe* they won't. 彼らはひょっとすると来るかもしれないし, 来ないかもしれない. **2** [質問を受けて]《くだけてそうでしょう》《対話》 "Will he come?" "*Maybe* [*Máybe* nòt]." 「彼は来ますか」「おそらく来る[来ない]でしょう」. **3** [遠回しに] …のようだ《◆表現をやわらげるのに用いる》; [ていねいな依頼・提案] できましたら(perhaps) ‖ *Maybe* you are wrong. どうやら君が間違っているようだ / *Maybe* you would let me know where she will arrive. 彼女がいつ着くか教えていただけませんでしょうか.
Máybe yés, máybe nó.《返事を迫られて》イエスかノーかまだわからないよ.

may·day /méidèi/《フランス語 m'aidez (=help me)の英語読み》《時に M~》ⓒ メーデー《◆船舶・航空機の国際無線救助信号》.
may·flow·er /méiflàuər/名 **1** 《しばしば M~》ⓒ 《植》5月に花が咲く草木; 《主に英》サンザシ; 《米》イワナシ. **2** [the M~] メイフラワー号 (Pilgrim Fathers を乗せて1620年英国からアメリカ大陸へ渡った船の名).
may·fly /méiflài/名 ⓒ **1** 《昆虫》 カゲロウ《◆5月に現れることから》. **2** 蚊針.
may·n't /méiənt/ méint/《古》 may not の短縮形.

†**may·on·naise** /mèiənéiz, ⌃⌃⌃/《フランス語》名 **1** マヨネーズ. **2** ⓒⓤ [複合語で] …のマヨネーズあえ ‖ salmon *mayonnaise* サーモンのマヨネーズあえ.

†**may·or** /méiər, 《特に名前の前で》mèər | méə/ 同音 ⌃mare[1]/名 《(女性形) ~·ess》[しばしば M~] ⓒ 市長 (cf. provost), 町[村]長, (地方自治体の)長, (市または独立[自治]区の)行政長官《男性・女性》‖ elect him *mayor* 彼を市長に選ぶ《◆唯一の官職が補語になっているので冠詞を伴わない. ◆文法 16.3(4)》.
[事情] 米国では市長は地方自治体の行政長官であり多くの職権を持つ. 選挙で選ばれ任期は1-4年. 英国では市長に行政権はなく, 名誉職の性格が強い. 任期は1年.
may·or·al /méiərəl/形 市長[町長, 村長]の.
may·or·al·ty /méiərəlti, méər- | méər-/名 ⓤ 市[町, 村]長の職; 市長[町長, 村長]の任期[任期].
may·pole /méipòul/名 [しばしば M~] ⓒ (花とリボンで飾られた)メイポール, 5月柱 (→ May Day (2)).

†**maze** /méiz/ 同音 maize) 名 ⓒ **1** 迷路, 迷宮(labyrinth) / 迷路のように入り組むところ, 錯綜(ホャク) ‖ a *maze* of railway lines 迷路のような鉄道網. **2** [a ~] 当惑.
mb (記号)《気象》millibar.
MB (略)《主に英》《ラテン》 Medicinae Baccalaureus (=Bachelor of Medicine) 医学士.
MB (略)《コンピュータ》 megabyte.
MBA (略) Master of Business Administration 経営学修士.
MC (略)《米》 Member of Congress 下院議員.
Mc·Car·thy·ism /məká:rθiìzm/名 マッカーシズム, 赤狩り《1950年代の米国の反共運動. 共和党上院議員 J. R. McCarthy の活動》.
Mc·Don·ald's /məkdánldz| -dɔ́n-/名《商標》マクドナルド《米国の世界的ハンバーガーチェーン店》.
Mc·Kin·ley /məkínli/名 **1** マッキンリー《**William** ~ 1843-1901; 米国の第25代大統領(1897-1901)》. **2 Mount** ~マッキンリー山《Alaska 州中央部にある北米大陸の最高峰. 6194 m. Mount Denali (デナリ山)ともいう》.
MD (略)《郵便》 Maryland; 《ラテン》 Medicinae Doctor (=Doctor of Medicine) 医学博士.

‡__me__《弱》mi;《強》mí:/《I の目的格》(◆文法 15.3 (3))
――代 **1** [動詞・前置詞の目的語として] 私(を), 私(に) ‖ My father bought *me* a camera. 父は私にカメラを買ってくれた / I left my umbrella behind *me* [×*myself*]. 私はかさを忘れた (◆文法 15.3 (5)).
2 [間投詞的に]《驚き・悲しみの気持ちを表す》‖ *Dear me.* ああ; あらまあ / Goodness *me*. おやまあ.
Nót mè.《略式》《質問・依頼に対して》私はやりません ‖《対話》 "Who is going to do it?" "*Not me.*" 「だれがそれをしますか」「私はだめです」《◆《正式》では I am not.》.
Me(,) tóo.《略式》(相手の発言に同調して)私も ‖《対話》 "I'm tired." "*Me*, *too*." 「疲れたよ」「私, も」/ "So am I." / "It sounds strange to *me*." "*Me*, *too*." 「何だか変な気がするよ」「私もだ」(=It sounds strange to *me*, *too*.)《◆否定文に対する「私も」は Me(,) neither. "I don't like it." "*Me* neither." 「私はそれが気に入りません」「私も」. この意味では Me either. は《非標準》》.
――名 ⓤ《略式》[しばしば the real ~] 私, 私という人物 ‖ The real *me* comes out when I'm in

a fix. 私は窮地に立つと本性が現れる.

ME(略) managing editor; Master of Education 教育学修士; Master of Engineering 工学修士; Middle English; Middle East;〔郵便〕Maine.

mead /míːd/ 名 U はちみつ酒.

†**mead·ow** /médou/ [発音注意] 名 1 〔しばしば ~s〕（主に干草を作るための）牧草地，草地〈◆「放牧場」は特に pasture という〉‖ a fertile meadow 肥沃(ﾌｧｸ)な牧草地. 2（高地の樹木限界線に近い）草原.

mead·ow·land /médoulænd/ 名 U 牧草地.

mead·ow·lark /médoulɑːrk/ 名 C〔鳥〕マキバドリ《米国産》.

mead·ow·sweet /médouswìːt/ 名 U〔植〕1 シモツケ. 2 シモツケソウ.

†**mea·ger,**（英）**--gre** /míːgər/ 形〔正式〕1 やせた. 2 a〈食事などが〉貧弱な，不十分な(↔ enough). b〈作品・考えなどが〉無味乾燥な，精彩のない.

meal¹ /míːl/〖『決まった時間』が原義〗
— 名 (複 ~s/-z/) C 1（定時の1回の）**食事**（時），食事の時間（cf. dinner）‖ a midday meal 昼食 / at meals 食事の時に / Stop eating (in) between meals. 間食はやめなさい / After the movie we went (out) for a meal in a Chinese restaurant. 映画のあと，中華を食べに出かけた / cook a meal 食事を作る / He has [eats] only two meals a day. 彼は1日2食しか食べない / medicine to be taken after meals 食後に服用する薬 / a five-course meal 5品almond食事 / an airplane [in-flight] meal 機内食 / a hot meal 温かい食事 / a full meal（軽い食事に対して）きちんとした食事 / serve a good meal おいしい食事を出す / enjoy an authentic Russian meal 本場のロシア料理を楽しむ.

2 1食分，(1回の食事にとる)食事の量 ‖ hàve (èat) a góod [squáre] méal 十分な食事をとる / feel like a meal 食事をしたい（=feel hungry）/ That restaurant serves two thousand meals every day. あのレストランは毎日2千食出します.

méal ticket (1)（米）（店が出す）食事（割引）券. (2)（略式）収入源; 家計のよりどころ《人・物》扶養してくれる人.

†**meal**² /míːl/ 名 U 1（穀類の）挽(ﾋ)き割り，あらびき粉〈◆さらに細かく挽いてふるいにかけたものが flour〉. 2（米）挽き割りトウモロコシ. 3（スコット）= oatmeal 1.

meal·time /míːltàim/ 名 U C（通例 ~s）いつもの食事時間.

meal·y /míːli/ 形 (--i·er, --i·est) 1 あらびき粉の（ような）. 2 あらびき粉で覆われた，粉だらけの. 3 (あらびき粉のように）青白い.

‡**mean**¹ /míːn/（同音）mien）〖『意味する』が本義〗派 meaning (名)

index　1 意味する　2 つもりで言う　3 つもりである　4 重要性を持つ

— 動 (~s/-z/, 過去・過分 meant/mént/; ~·ing)〈◆ふつう進行形・命令形にしない〉

—（他）

I [意味する]

1〈物・事・言葉などが〉〈人・事・物・事を〉**意味する**(signify); [mean doing / mean (that)節] …することを[…だということを]意味する，表す ‖ What does this word mean? この語はどういう意味ですか（= What is the meaning of this word?）〈◆辞典や語の定義では The word delighted means pleased. (delighted という単語 は pleased の意味である)のように目的語に語(句)をそのまま用いることもある. →3 語法〉/ Keep out. That [This] means you. 入るな. 君のことを言っているのだ / That means running a risk. =That means that we'll (have to) run a risk. そんなことをすれば危険を冒すことになる / These dark clouds mean「a storm [(that) it will storm]. この黒雲ではあらしになりそうだ.

📘 語法
主語が〈物・事・言葉などが〉　→「意味する」(1)
主語が〈人が〉　→「意図する」「（本気で）…するつもりである」(2, 3)

II [本当のことを意味する]

2〈人が〉〈言葉などを〉[…の]**つもりで言う**(by, for, as); …を指して言う; […のことを]言おうとする[that 節]‖ The remark was meant as a joke. それはほんの冗談のつもりだった / I méan it [thát, whát I sáy]. 本気で言っているのです，悪気は[冗談じゃ]ありません（=I am in earnest.）〈◆I mean はしばしば /əmíːn/ と発音される〉/ I didn't mean that. 悪気はありませんでした / What do you mean by that? それは何のことですか，それはどういう意味ですか〈◆怒りや不快を表して「どんなつもりでそんなことを言うのか」「文句があるのか」のニュアンスを含むことがある〉/ How do you mean? 今言われたのはどういうことですか / What do you mean? は意味がわからないとき〉/ I see what you mean. なるほど，そういうことですか / She means that she wants your help. （つまり）彼女は助けて欲しいと（あなたに）言っているのです.

3 [mean to do]〈人が〉…するつもりである〈◆ intend より意味が弱くくだけた語〉; [mean A to do]〈人・事に〉…させる[してもらう]つもりである‖ I meant to call on you, but I couldn't [didn't]. =I had meant to call on you. あなたをお訪ねするつもりでしたができませんでした〈◆前者の方がふつう〉/ The criticism was meant to hurt him. その批評は彼を傷つけるのが目的だった / I didn't mean (for) her to go out alone. =I didn't mean that she should go … 彼女を1人で行かせるつもりではなかった〈◆for の使用は（米略式）. ふつう I didn't mean to let [have] her go out alone. の方が好まれる〉.

📘 語法 辞典や語の定義などでは mean "to do" が「「…する」の意味である」の意味で用いられることがある: The (Japanese) phrase "peten-ni-kakeru" means "to cheat or play a trick." (日本語の「ペテンにかける」という句は「だます，ごまかす」の意である)（→1）.

III [重要なことを意味する]

4 [mean A to B]〈人・物・事が〉B〈人〉にとって A〈程度〉の**重要性を持つ**〈◆受身不可〉‖ The honor means「a lot [a great deal] to him. 彼にとって名声は非常に大事だ / Money means everything [nothing, little] to her. 彼女にとってはお金がすべてだ[お金などどうでもよい].

5 [mean (A) B =mean B (to A)]〈人が〉〈A〈人〉に〉B〈害・利益〉を加えるつもりである ‖ She means (him) no harm. =She means no harm (to

6 [mean **A** for **B**] 〈人が〉**A**〈物〉を **B**〈人〉に与えるつもりである；〈言動などを〉[…に]向けて言う；〈物〉を […のために]充てるつもりである[for] ‖ This present *is meant for* you. この贈物はあなたに差し上げたいのです / a new building (which is) *meant for* wheat storage 小麦貯蔵用の新しい建物.

IV [結果的に何かを意味する]

7 [通例 be meant]〈人が〉[…になる]運命である；〈物が〉[であること]意図されている[for, to be] ‖ Is this letter *meant to be* a 'v' or a 'u'? この文字は v のつもりで書いたのですか. それとも u のつもりで書いたのですか / He was obviously *meant for* [*to be*] a priest. 彼は明らかに牧師になるように育てられた; 彼は生まれついての牧師だ.

> 語法 be meant to do は《主に英米式》で「…しなければならない, …することになっている」(be supposed to do)の意にも用いる: She's *meant to* practice the piano for two hours. 彼女はピアノを 2 時間練習しなければならない.

—圓 [副詞を伴って] 心は…である ‖ I *meant* well by what I said. 私はよかれと思って言った.
I méan /əmíːn/ (**to sáy**) (1) [挿入句的に] つまりその, いやその《◆話し手が自分の主張を明確にするために補足説明をしたり, 主に意味的な誤りを訂正する》‖ Can I talk to Jim… *I mean*, Mr. Brown? ジム—いや, ブラウンさんとお話ししたいんですが. (**2**) [I mèan to sáy] [通例話し手の不賛成を表して] とんでもない, 何だって!, こりゃあ驚いた!

*****mean**[2] /míːn/ ‖《「ふつうの」が原義. 転じてマイナスイメージの意味が生まれた. cf. mean[3]》

—形 (~·er, ~·est)

I [人の性格がひどい]

1〈人・性格などが〉**卑劣な**, さもしい ‖ a *mean* trick 恥ずべき策略 / *It is mean of* you [You are *mean*] *to* tell a lie about it. そのことでうそをつくなんて君は卑劣だ.《→文法17.5》.

2《英》[…のことで]けちな, 欲深い, しみったれの(↔ generous); 利己的な〈*about, with, over*〉‖ She is *mean* over him money. 彼女は支払いに汚い / Bill is *mean with* his money. ビルはお金に汚い.

3《主に米式》〈人に〉意地の悪い(vicious), 不愉快な[to] ‖ a really *mean* fellow 本当にいやなやつ.

4《略式》[…で]恥ずかしい, 気がひける[for] ‖ I feel *mean for* not giving you good advice. 君によい助言が与えられなくて肩身が狭いよ.

5《米略式》気分[加減]が悪い ‖ feel *mean* in wet weather じめじめした天候で気分がすぐれない.

6《略式・もと米》上手な, 巧みな; 手ごわい, やっかいな ‖ play a *mean* guitar ギターの演奏がうまい.

II [物の質がひどい]

7 [名詞の前で] (程度・品質などの点で)劣った; [否定語と共に] 平凡な, 並の ‖ a man of the *meanest* intelligence 最も知能の劣る男 / no *mean* actor《正式》たいした俳優.

8《文》[名詞の前で]〈家・身なりなどが〉みすぼらしい(shabby), 粗末な ‖ The woman of *mean* appearance is really rich. そのみすぼらしい身なりの女性は本当は大金持ちだ.

mén·ness 名 **1**ⓤ いやしさ; 卑劣さ; けち; 粗悪. **2**ⓒ 卑劣な行為, 意地悪.

†**mean**[3] /míːn/ 形 平均の, 中間の, 中位の; ふつうの, 並みの. **in the méan tìme** [**while**] =in the MEANTIME.

—名ⓒ **1** [~s] → means. **2**《正式》[両端の]中間(点), 中央; 中庸[*between, of*] ‖ the golden [happy] *mean* 中道, 中庸.

méan príce 〔財政〕(売買の)平均価格; (投資の)市場価格.

me·an·der /miǽndɚ/ 動 圓《正式》**1**〈川・道路が〉曲がりくねる. **2**〈人が〉あてもなくさまよう;〈動物が〉ただ動きまわる[ぶらつく];〈人が〉とりとめのない話をする. —名ⓒ **1** [通例 ~s] (川の)湾曲, 蛇行; 曲りくねった道. **2** ぶらぶら歩き.

*****mean·ing** /míːniŋ/ ‖ → mean[1])

—名 ◉ ~s/-z/; ⓒⓤ **1** (言葉・身ぶり・絵などの)**意味**, わけ, 趣旨〔類語〕sense, purport, import, signification) ‖ a word with many different *meanings* 多義語 / the *meaning* of the remark [statement] その所見[声明]の意味 / glance at him *with meaning* 意味ありげに彼をちらりと見る(=give him a meaningful glance). **2 意義**, 重要性, 価値 (cf. **significance**) ‖ What is the *meaning* of youth? 青春の意義とは何か.

3 真意, 伝達したいこと; 〈古〉目的, 意図 ‖ the *meaning* of a dream 夢の真意.

—形 [通例名詞の前で] **1** 意味深長な ‖ a *meaning* look 意味ありげな顔つき《◆a meaningful look の方がふつう》. **2** [複合語で] …するつもりの ‖ a well-[ill-]*meaning* woman 善意[悪意]を持つ女性.

méan·ing·ly 副 意味ありげに; わざと.

mean·ing·ful /míːniŋfl/ 形 意味のある,〈討議などが〉意義のある; 意味深長な; 重要な.

méan·ing·ful·ly 副 意味深長に; 有意義に.

†**mean·ing·less** /míːniŋləs/ 形 無意味な; 目的[動機]のない; 無益な(↔ meaningful).

*****means** /míːnz/

—名 (◉ means) **1** [単数・複数扱い] […する/…の]**方法, 手段**[*to do / of, for*] ‖ a [the] *means to* an end 目的のための方法 / *by fáir méans or fóul* 是が非でも, 手段を選ばずに / *by sóme mèans or óther* 何とかして.

2《正式》[複数扱い] (生活の手段としての)財産, 資力, 収入(income) ‖ a man of considerable *means* かなりの資産家 / live beyond [*within*] one's *means* 収入以上[収入相応]の生活をする.

*****by áll mèans =by áll mànner of méans** [承認・許可の強調] **ぜひどうぞ**, もちろん, よろしいですとも (yes, definitely, sure) ‖《対話》"May I use the telephone?" "*By all means!*"「電話をお借りしてもいいですか」「どうぞ, どうぞ」《◆ややもったいぶったていねいな表現. 「どんな手段を使っても」(by whatever means)の意でないことに注意》.

*****by ány (mànner of) méans** (**1**) [疑問文で] どうにかして ‖ Could you *by any means* lend me your car? お車をなんとかお貸し願えないでしょうか. (**2**) [否定文で] → by no (manner of) MEANS.

*****by méans of A**《正式》…(の手段)によって, …を使って ‖ escape *by means of* a secret tunnel 秘密のトンネルを使って逃げる.

*****by nó (mànner of) méans =not … by ány (mànner of) méans**《正式》(**1**) 決して…でない, まったく…でない(not at all) ‖ The question is *by no means* easy. その問題は決して簡単ではない. (**2**) [返事で] とんでもない (certainly not).

meant /mént/ [発音注意] 動 mean¹ の過去形・過去分詞形.

†**mean·time** /míːntàim/ 名 [the ~] 合い間, その間 (の時間). *in the méantime* その間に, とかくするうちに; (さて)話変わって, 一方では; ところで ‖ The heavy rain will stop soon. *In the meantime*, we can enjoy talking over a cup of coffee. 大雨はもうすぐやむでしょう. それまでコーヒーを飲みながらおしゃべりが楽しめます.

†**mean·while** /míːnwàil/ 副 その間に, そうこうするうちに; 一方では ‖ My sister went shopping. *Meanwhile*, I cleaned the room. 姉は買物に出かけ, その間に私は部屋を掃除した.

†**mea·sles** /míːzlz/ 名 [医学] [しばしば the ~; 今は通例単数扱い] 〔狭義〕はしか, 麻疹(はしん); 〔広義〕発疹性疾病(しっしん) ‖ *Measles* is a very dangerous illness. はしかは非常に危険な病気だ.

mea·sly /míːzli/ 形 (**-sli·er, -sli·est**) 1 はしかの. 2 (略式) 取るに足りない; わずかな.

mea·sur·a·ble /méʒərəbl, (米+) méiʒər-/ 形 1 測定できる; 予測[知覚]できる. 2 適度の; ある程度の. 3 《人などが》かなり重要な.

*__**mea·sure**__ /méʒər, (米+) méiʒər/ [発音注意] 〔類音〕major /méidʒər/ 〔「測定する」が本義〕(動) measurement(名)

——動 (~s/-z/; [過去・過分] ~d/-d/; *-sur·ing* /-ʒəriŋ/)

——他 1 《人がくぎ・寸法・大きさ・量などを》測る(+*up*) 《人・物などの》寸法を取る(+*up*) ‖ The dressmaker *measured* her (*up*) for a dress. 仕立屋が彼女のドレスの寸法を取った.

2 …を計り分ける, 《土地などを》区画する; …をあてがう(+*off*, *out*) ‖ *measure off* a 5-foot length of lumber 5フィートの長さの板材を計って切る / *measure* (him) *out* two pounds of sugar ＝ *measure out* two pounds of sugar (to him) (彼に) 2ポンドの砂糖を分配する.

3 …を評価する, 評価する, 見積もる, 推測する(+*up*); …を〔…と〕比較する, 〔…との〕優劣を試す〔*with*, *against*〕‖ *measure* her at a glance 一目で彼女の人柄がわかる / The boss *measured* me by my academic background. 上司は私を学歴で判断した.

4 …の尺度となる; …を示す; 《計器が》…を測定する ‖ Yards and inches *measure* length. ヤードやインチは長さの単位を表す. 5 …を〔…に〕適合させる, …を〔…と〕つり合わせる〔*to*〕.

——自 1 [measure C] 《人・物などが》C の**寸法がある**, …の長さ[幅, 広さ, 高さなど]がある《◆進行形不可. C には寸法を表す名詞がくる》‖ The room *measures* five meters by eight. その部屋は間口5メートル奥行8メートルある. 2 測定[測量]する, 寸法を取る(+*up*) ‖ *measure* accurately 正確に測る. 3 《人・物が》測定できる, 測れる.

méasure úp [自] (1) → 他 2. (2) 〔標準などに〕達する; 〔期待などに〕かなう〔*to*〕. (3) 《人などが》〔…として〕能力[資格]がある〔*as*〕. ——他 → 他 1, 3.

——名 [C] 1 [U] 〔しばしば ~s〕〔…する/…に対する〕**対策**, 手段, 処置〔*to do* / *against*〕‖ *take* stern *measures to* stop tax evasion 脱税阻止の厳しい措置を取る / *Desperate* times call for desperate *measures*. 非常時には非常時の対策がある.

2 《正式》尺度, 基準 ‖ Money is a poor *measure* of happiness. お金は幸福を計る不十分な尺度でしかない.

3 [U] [時に a ~] 程度, 度合い; 限度, 限界; 適度, 慎み ‖ *beyond* (all) [*above*] *measure* 《正式》極度に, 非常に / *by any measure* どうしても / *joy without* [*within*, *in*] *measure* 過度[適度]の喜び / *in* [*some*] *measure* ある程度, 多少 / *in* (*a*) *great* [*large*] *measure* 《正式》大部分, 大いに / *feel a measure* of sympathy for him 彼にある程度同情する.

4 [C] 計量の単位《inch, bushel など》; (測定の)基準 ‖ A minute is a *measure* of time. 分は時間の単位である.

5 [U] [時に a ~] (測定された)**寸法**, 大きさ, 広さ; 分量, ます目; 重さ ‖ *take a méasure* 寸法などを測る / a jacket *máde to méasure* 〔主に英〕寸法に合わせて作った[オーダーメイドの]ジャケット《*a* made-to-*measure* jacket ともいう》/ *a waist measure* of 30 inches 30インチのウエスト.

6 [U] 測定, 計量, 計量法《◆ 1995年10月1日より英国ではヤード・ポンド法からメートル法に変わった》‖ capacity *measure* 容積 / cubic *measure* 体積 / linear *measure* 長さ / square *measure* 面積 / liquid [dry] *measure* 液[乾]量.

7 [C] 測定器具《巻尺・ますなど》, 度量器 ‖ Use this cup as a *measure* for the flour. このカップをますとして粉を量りなさい(＝Use this cup to *measure* the flour.).

8 [C] 法案, 条例 ‖ pass a *measure* for flood control 治水案件を可決する.

for góod [*fúll*] *méasure* 余分に, おまけとして; 余計な用心に.

gèt [*háve*, *táke*] A's *méasure* ＝ *gèt the méasure of A* 《人の》力量[性格]を正しく判断する.

in fúll méasure 十分に.

in shórt méasure 不足して.

méasure for méasure しっぺ返し《◆ Shakespeare にこの題の喜劇がある》.

mea·sured /méʒərd, (米+) méiʒərd/ 形 1 正確に測定した. 2 慎重な. 3 整然とした, 一様な; ゆったりとした; 荘厳な. 4 律動的な.

*__**mea·sure·ment**__ /méʒərmənt, (米+) méiʒər-/ 《→ measure》

——名 (褒 ~s/-mənts/) 1 [C] 〔通例 ~s〕**寸法**, 量, 大きさ, 広さ, 長さ, 深さ, 厚さ; [~s] 《女性の》体のサイズ《バスト・ウエスト・ヒップの数字》‖ *take the measurements* of the room 部屋の大きさを測る / 《対話》"Could I have your *measurements*?" "It's rude to ask a woman's *measurements*." 「あなたのスリーサイズを教えてくれませんか」「女性のスリーサイズを聞くのは失礼ですよ」.

2 [U] 測定(する[される]こと), 測量 ‖ the *measurement* of the duration of a flight 滞空時間を測定すること.

3 [U] 計量法 ‖ metric *measurement* メートル法.

*__**meat**__ /míːt/ 〔同音〕meet 〔「食べ物」が原義〕

——名 [C] 1 (食用の)肉《◆ ふつう哺(ほ)乳類・鳥類の肉. 食用にしないのは flesh, 魚肉は fish, 家禽(きん)の肉は poultry または fowl. ▶ *butcher's meat*》‖ *a piece* [*slice*] *of meat* 肉1切れ / *ground meat* 挽(ひ)き肉 / *tender* [*tough*] *meat* 柔らかい[硬い]肉《◆ ×*soft* [*hard*] *meat* とはいわない》/ *frozen meat* 冷凍肉 / My favorite *meats* are lamb and chicken. 子羊の肉と鶏肉が私は好きです《◆ いくつかの異種の肉に言及するときは [C] 扱い》/ cold [cooked, sliced] *meats* (サラミ・ハムのような)加工肉《そのまま食べられる》/ green *meat* 野菜.

関連[いろいろな食肉と動物]
beef 牛肉《「ウシ」は cow》/ chicken 鶏(肉) / duck カモ(アヒル)(の肉) / lamb 子羊(の肉) / mutton 羊肉《「ヒツジ」は sheep》/ pork 豚肉《「ブタ」は pig》/ venison シカ肉《「シカ」は deer》.

2 a (動物の骨の部分に対して)食べられる部分《◆鳥・エビ・貝などには用いるが魚には用いない》‖ much *meat* on the bone 骨についているたくさんの肉 / crab *meat* カニの身. **b** (米) (卵・果物・木の実などの)身, 肉, 食べられる部分‖ *meat* of a nut ナッツの果肉. **3** [the ~] 要点, 骨子, 内容(cf. beef)‖ the *meat* of the argument 議論の肝心な点.
be méat and drínk to A (略式)〈人〉にとってとても楽しいこと[喜び]である.
Óne màn's méat is anóther màn's póison.
(ことわざ)「甲の薬は乙の毒」.
méat màrket (米) 肉屋.
méat píe ミートパイ.
meat·ball /míːtbɔːl/ 名 C ミートボール;(俗称)退屈な人;まぬけ.
meat·man /míːtmæn/ 名 C 肉屋((PC) butcher).
meat·y /míːti/ 形 (-i·er, -i·est) **1** 肉(のような). **2** 肉の風味の. **3**〈スープなどに〉肉のたくさん入った.
Mec·ca /mékə/ 名《メッカ《サウジアラビア西部の都市. マホメット誕生の地でイスラム教の聖地》. **2** [a/the ~, しばしば m~] C 聖地, 〔信仰・活動などの〕中心地, 発祥の地 [for].
†**me·chan·ic** /məkǽnɪk, mi-/ 名 C 機械工, 修理工;熟練工;(古) (手仕事)職人‖ a motor-*mechanic* 自動車工.
†**me·chan·i·cal** /məkǽnɪkl, mi-/ 形 **1** 機械の, 道具の;機械で動く[造られた](cf. manual)‖ a *mechanical* doll 機械仕掛けの人形 / Edison produced numerous *mechanical* inventions. エジソンは多くの機械の発明品を産み出した. **2** 機械的な, 自動的な;無意識の;個性のない, 模倣の‖ speak in a *mechanical* way 無表情な様子で話す.
mechánical dráwing (機械)製図;用器画.
mechánical enginéer 機械技師.
mechánical enginéering 機械工学.
mechánical péncil (米)シャープペンシル((英) propelling pencil) 《◆ sharp pencil は「とがった鉛筆」の意》.
†**me·chan·i·cal·ly** /məkǽnɪkəli, mi-/ 副 機械で;無意識的に.
mech·a·ni·cian /mèkəníʃən/ 名 C 機械工.
†**me·chan·ics** /məkǽnɪks, mi-/ 名 U **1** [単数扱い] 力学;機械学. **2 a** [単数・複数扱い] 仕組み, 構造, 機構, メカ. **b** [単数扱い] (機械の)操作;(芸術家の)技巧;手順.
†**mech·a·nism** /mékənìzm/ 【発音注意】 名 《正式》**1** U C (小さな)機械(装置);仕掛け, 体系, からくり;U 機械作用‖ The safety *mechanism* didn't work properly. 安全装置が正しく作動しなかった / the *mechanism* of government 政治機構. **2** U C (芸術)機械的な制作;手法, 手順, 技巧.
mech·a·nize /mékənàɪz/ 動《正式》・・・に〔工場などに〕機械を入れる;・・・を(機械で)生産する, ・・・を機械化する.
mèch·a·ni·zá·tion 名 U 機械化.
MEd (略) Master of Education 教育学修士.
*med·al /médl/ [同音] meddle;[類音] metal

/métl/) 〔metal と同系の語で「金属」が原義〕
— 名 (復 ~s/-z/) C メダル, 勲章, 記章, 賞牌(ʃ᷿ʊ)‖ an Olympic silver *medal* オリンピックの銀メダル / the reverse of the *medal* メダルの裏面;問題の裏面.
med·al·lion /mədǽljən/ -iən/ 名 C **1** 大メダル. **2** (肖像画などの)円形浮彫り;(じゅうたん・織物・カーテンなどの)円形模様;(建築などの)円形装飾. **3** (米)タクシー免許証《メダルの形をしている》.
med·al·ist, (英) --al·list /médlist/ 名 C **1** メダル製作[彫刻, 意匠]家. **2** メダリスト, メダル受領者.
†**med·dle** /médl/ (同音) medal) 動 @〔しばしば Don't ~〕**1**〈人が〉〔他人の事などに〕干渉する(interfere), おせっかいを焼く, 手を出す, よけいな世話を焼く [in, with]‖ *Don't meddle in* other people's affairs [business]. 他人の事にちょっかいを出すな. **2**〈人が〉〔他人の持ち物などを〕(勝手に)いじくる [with]‖ *Don't meddle with* these papers. この書類に手を触れるな.
med·dle·some /médlsəm/ 形《正式》おせっかいな, 干渉好きな, よけいな世話を焼く.
Mede /míːd/ 名 C メディア(Media)の住民.
Me·de·a /mədíːə/ -díə/ 名《ギリシア神話》メーデイア《Jason を助けて金の羊毛を獲得させた女魔法使い》.
me·di·a /míːdiə/ 名 **1** medium の複数形. **2** [the ~;集合名詞;単数・複数扱い] =mass media.
Me·di·a /míːdiə/ 名 メディア《現在のイラン北西部にあった古代王国》.
me·di·ae·val /miːdíːvl, mìdiːvl/ mè-/ 形 =medieval.
me·di·al /míːdiəl/ 形《正式》**1** 中間[中央]の(median). **2** 平均の, 並の.
†**me·di·an** /míːdiən/ 形 **1** 中央の, 中間の, 正中の. **2** 2等分する面の, 左右対称に分ける面の. — 名 C **1** 〔解剖〕正中動脈[静脈, 神経]. **2** 〔数学〕メジアン, 中央値, 中位数;中線;中点. **3** (米) (高速道路の)中央分離帯(median strip), (英) central reservation)‖ Keep off (the) *median*. (掲示)中央分離帯に入らぬこと.
médian stríp =名 3.
me·di·ate /míːdièɪt, -diət/ 動 -diat·ed/動《正式》@〔紛争などの〕調停をする [in];〔・・・の間の〕仲介をする [between]. — ⓣ〈論争・紛争などを〉調停する, 解決させる;〈協定・講和など〉を調停して成立させる. — 形 仲介[調停]の, 媒介の, 間接の(↔ immediate).
†**me·di·a·tion** /míːdièɪʃən/ 名 U **1**《正式》調停, 仲裁, 取次ぎ. **2**〔国際法〕居中(ʧ̞ɯː)調停, 仲介.
Med·i·caid /médɪkèɪd/ 〔medical aid の短縮語〕名 [時に m~] U (米) (低所得者への)医療扶助制度.
*med·i·cal /médɪkl/ [→ medicine]
— 形《比較変化しない》[通例名詞の前で] **1** 医学の, 医療の‖ *medical* insurance 医療保険 / a *medical* school 医学部, 医科大学 / a *medical* student 医学生 / a *medical* record カルテ《◆ふつう chart というが正式には a clinical record》 / *Medical* Center (主米) 医療センター《◆医科大学・附属病院などの総称》. **2** 内科の, 内科治療(用)の(cf. surgical).
— 名 C (略式) **1 a** 医学生. **b** 診察. **c** 医学試験. **2** =medical practitioner.
médical advíser 医者《◆ doctor の上品語》.
médical hístory 病歴.
médical práctitioner 開業医.
méd·i·cal·ly 副 医学上.
Med·i·care /médɪkɛər/ 〔medical care の短縮語〕

med·i·cate /médikèit/ 動 他 …を医薬で治療する; …に薬を加える[しみ込ませる].

med·i·cat·ed /médikèitid/ 形 医薬用の.

med·i·ca·tion /mèdikéiʃən/ 名 UC 薬剤, 薬物 ‖ be on *medication* for … …に対して薬物治療を受けている.

Med·i·ci /méditʃi;/ 名 [the ~] メディチ家《15-16世紀にイタリア Florence で栄えた名家》.

†**me·dic·i·nal** /mədísənl, me-/ 形 薬の; 薬効[治療効果]のある ‖ *medicinal* herbs 薬草. ── 名 UC 薬物.

*****med·i·cine** /médəsn | médsn/ 『「治療」の (medi 技術)」が原義』派 medical (形)
── 名 (複 ~s/-z/) 1 UC 医薬, 薬剤, (内服)薬 (cf. drug) (↔ poison) ‖ She must take a dose of *medicine* before each meal. 彼女は各食事前に必ず薬を一服飲まなければなりません《丸ごと飲み込む場合は swallow, 液体の薬の場合は swallow, drink》.

> 関連 [いろいろな種類の薬]
> capsules カプセル錠 / gargle, mouthwash うがい薬 / liquor 水薬 / powders 粉薬 / pills 丸薬 / tablets 錠剤.

2 U 医学, 医術《◆外科(surgery)に対し内科をいう》; 医療 ‖ the field of *medicine* 医学の分野 / practice *medicine* 医院を開業する / Oriental [Asian] *medicine* 東洋医学《↔ Western medicine》 / Osaka University School of *Medicine* 大阪大学医学部.

tàke one's **médicine** (like a mán) (自業自得の)罰を受ける, (罰として)いやなことを我慢する.

médicine càbinet [chèst] 薬箱; 薬入れの小戸棚.

médicine màn (アメリカ先住民の)祈禱(きとう)師 (≒ PC shaman).

†**me·di·e·val, -di·ae-** /mìːdíːvl, mìdíːvl | mè-/ 形 1 〔歴史〕中世の《西洋史ではふつう西ローマ帝国の滅亡(476年)から ルネサンスまで》, 中世風の ‖ in *medieval* times 中世に. 2 《略式》古めかしい, 旧式の.

Mediéval Gréek 中世ギリシア語.

mediéval hístory 中世史.

Mediéval Látin 中世ラテン語 (略 ML).

Me·di·na /mədíːnə, me-/ 名 メジナ《サウジアラビア西部の都市》.

me·di·o·cre /mìːdióukər, ⁻⁻⁻´-/ 形 よくも悪くもない, 並の; 二流の, 劣った, あまりよくない.

me·di·oc·ri·ty /mìːdiákrəti | -5k-/ 名 1 U 平凡さ, 月並み. 2 C 平凡な人.

Medit. (略) Mediterranean.

†**med·i·tate** /médətèit/ 動《正式》他 1 〈人が〉〈事を〉もくろむ, 企てる (consider); …(しよう)と思っている (doing) ‖ *meditate* a change of plans 計画の変更を意図する. 2 《まれ》…を熟考[黙想]する. ── 自 〈人が〉(…について)深く考える, 沈思[熟慮, 瞑想(めいそう)]する (think deeply) (on, upon, about, over) 《◆ contemplate より深遠な内容を暗示》 ‖ He was *meditating on* his misfortunes. 彼は自分の不運について深く考えていた.

méd·i·tà·tor /-tər/ 名 C 黙想家.

†**med·i·ta·tion** /mèdətéiʃən/ 名 1 UC [しばしば ~s] …についての瞑想(めいそう), 熟慮; 沈思[黙考]; (宗教的)黙想 (on, upon) ‖ be deep *in meditation* 深く物思いに沈んでいる. 2 C 瞑想録.

†**med·i·ta·tive** /médətèitiv | -tətiv/ 形《正式》瞑想[黙想]にふけった; 思索好きな.

méd·i·tà·tive·ly 副 瞑想にふけって.

†**Med·i·ter·ra·ne·an** /mèdìtəréiniən/ 形 1 地中海の, 地中海沿岸の. 2 [m~] 陸地に(ほとんど)囲まれた. ── 名 [the ~] = the ~ Sea 地中海 (略 Medit.).

†**me·di·um** /míːdiəm/ 形 (複 ~s/-z/, ·di·a/-diə, -djə/) 1 (複 ~s) C 中間, 中位; 中庸 ‖ *strike* [hit, attain, achieve] *a happy medium* (between …) 《…の間で》中をとる, 妥協点を見いだす. 2 C 《正式》(…の)媒介物, 媒質, 媒体 (of, for); 手段, 媒介(means) ‖ TV is an effective *medium for* advertisement. テレビは効果的な宣伝媒体である. 3 C [media で] マスコミ機関 (mass media)《新聞・ラジオ・テレビなど》. 4 (複 ~s) C 巫女(みこ), 霊媒.

── 形 1 中位の, 中間の (average) ‖ a *medium* price ふつうの値段 / *medium* and small companies 中小企業 / a *medium*-boiled egg 半熟卵 / a *medium*-grade apple 中級品のリンゴ. 2 形 ステーキが並み焼きで, ミディアムの(→ beefsteak). 3 《ワインなどが》甘くも辛くもない.

médium wáve [fréquency] 〔通信〕中周波.

me·di·um-rare /míːdiəmréər/ 形 〈ステーキが〉ミディアムレアの《medium と rare の中間. → beefsteak》.

me·di·um-well /míːdiəmwél/ 形 〈ステーキが〉ミディアムウエルの《medium と well-done の中間. → beefsteak》.

med·lar /médlər/ 名 C 〔植〕セイヨウカリン(の実).

†**med·ley** /médli/ 名 C 1《正式》[a ~ of …] (…の)寄せ集め, ごたまぜ ‖ a *medley* of different ideas さまざまな考えの寄せ集め. 2〔音楽〕接続曲, メドレー.

médley rèlay 〔水泳〕メドレーリレー《◆「個人メドレー」は individual medley》.

me·dul·la /mədʌ́lə | me-/ 名 (複 ~s, -lae/-liː/) C 1〔動・解剖〕骨髄; (皮の対して)髄質. 2 = medulla oblongata.

medúlla ob·lon·gá·ta /-àblɔːŋɡɑ́ːtə | -ɔ̀b-/ (複 ~·tas, -lae /-tə, -liː/) 〔解剖〕延髄.

Me·du·sa /mədʌ́sə | -djùzə/ 名 〔ギリシア神話〕メドゥーサ《3人姉妹の怪物 Gorgons の1人》.

meed /míːd/ 名 C 《通例 a/the ~》報酬.

mee·ja /míːdʒə/ 名 《米俗》 = media 2.

†**meek** /míːk/ 形 1 おとなしい, 従順な. 2 いくじのない, 屈従的な.

†**meek·ly** /míːkli/ 副 おとなしく, 従順に.

†**meek·ness** /míːknəs/ 名 U おとなしさ, 従順.

***★meet** /míːt/ (同音 meat) 『「2つ以上のものが会う」が本義』派 meeting (名)

index 動 他 1 (約束して)会う; 知り合いになる 2 (偶然)会う 3 出迎える 4 交わる 自 1 出会う; 知り合いになる 2 会合する; 開かれる 3 合流する

── 動 (~s/-ts/; 過去・過分) met/mét/; ~·ing)
── 他
I [人が会う]
1 〈人が〉〈人〉と(約束して)会う, 会合する, 〈人〉と面会する, 落ち合う, 〈人〉と(会って)知り合いになる, …に紹

介される ‖ an appointment to *meet* him for lunch 昼食に彼と面談する約束 / **(It's) níce [góod] to méet you.** =**I'm glád** [《正式》 **pleased**] **to méet you.** =《米》 ***Níce méeting you.*** 初めまして, よろしく《♦ meet は初対面でふつう紹介されて会った場合(→ see [動][他] **2**). 《英》では How do you do? の方がふつう》 / ***Nice to have met you.*** =I enjoyed *meeting* you. お会いできてよかったです《初対面の折の別れのあいさつ》 / Mr. Green, I'd like you to *meet* my wife. グリーンさん, 妻を紹介します《♦ くだけた会話では次のようになる: Tom, *meet* my wife. トム, これがうちの女房です》.

2 〈人・物が〉〈人・物〉に(偶然)会う, 出会う, …とすれちがう; …に出くわす ‖ Our bus *met* another bus on a dangerous curve. 私たちのバスは危険なカーブで別のバスとすれちがった / I *met* the policeman's eyes directly. 警官とまともに視線が合った / I unexpectedly *met* her on the train. 列車で思いもかけず彼女に会った《♦ met の代わりに saw でもよいが, saw だと「(列車の外から)彼女が見えた」場合も含む. I *met* [*saw*] a famous celebrity at the airport. (空港で有名人に会った)では, met の場合は話し手は実際に言葉を交わし, 握手などしたときで, saw の場合は単に有名人がいることに気づいたときなどに用いる》 / [ジョーク] The ocean is the place where a buoy *meets* a gull. 海とはブイがカモメと出会う場所である《♦a boy meets a girl をもじったもの》.

> [語法] (1) 偶然に会う場合は happen to *meet* her や *meet* her by chance などのように偶然性を示す語句を伴うことが多い.
> (2) Bill *met* Mary at the station. はあいまいで i) ビルは駅でメリーと(偶然)会った. ii) ビルは駅でメリーを出迎えた(→ **3**). i)の意では受身不可だが ii)の意味では可: Mary *was met* by Bill at the station. メリーはビルに駅まで迎えに来てもらった.

3 〈人が〉〈人・乗物〉を**出迎える**, …の到着を待つ; 〈乗物が〉…に接続[連絡]する ‖ We *were met at* the station by his aunt. 彼のおばさんが駅で迎えてくれた / I went to the airport to *meet* her. 彼女を迎えに空港へ行った《♦I went to the airport to see her. は「空港にいる[滞在している, 勤務している]彼女に会いに行った」の意》.

II [物が合う]

4 〈道・川・線などが〉〈他の道など〉と**交わる**, 合流する ‖ This stream *meets* the river in three miles. この小川は3マイル行くとその川と合流する.

5 〈物が〉…に接触する, ぶつかる; 〈物が〉〈目・耳など〉に触れる, 入る ‖ The ball *met* the racket. ボールがラケットに当たった / His eyes were *met* by a gruesome scene. ぞっとする光景が彼の目にとまった.

III [出来事に出会う]

6 〈災難・あざけりなど〉を経験する, …に直面する ‖ *meet* one's end 死ぬ《♦ die, be killed の遠回し表現》.

7 〈困難・運命など〉に立ち向かう, …をうまく処理する; 〈敵・試合相手など〉と戦う, …に対抗する; 〈人・演説など〉に〔…で〕反駁(はんばく)する, 答える〔*with*〕 ‖ *meet* harsh criticism *with* a smile 酷評を笑って受け流す / The hostile move has to be *met* by a counter move. その敵対行動にはこちらも応戦する行動に出なければならない.

IV [基準に見合う]

8 〈要求・期待など〉を満たす, かなえる, …に応ずる; (意見の点で)…と一致する ‖ The bill was *met* by a flat rejection. その法案はにべもなく否決された.

9 〈費用・負債など〉を支払う.

—[自] 《♦ 主語は複数》 **1** 〈人・物が〉出会う; すれちがう; ぶつかる; **知り合いになる**; 《略式》(連絡を取り合って)落ち合う(+*up*) ‖ We *met up* after the concert. 《略式》音楽会の後で私たちは落ち合った / The two cars nearly *met* head on. 2台の車は危うく正面衝突するところだった / Until [Till] we *meet* again! ではまたお会いしましょう《♦Until [Till] the next time! の方が口語的》.

2 〈人・グループが〉**会合する**, 集まる; 〈会が〉**開かれる** ‖ The committee is *meeting* to elect a new chairperson on Tuesday. 委員会は新しい議長を選出するために火曜日に開催される予定だ.

3 〈道路・川などが〉**合流する**, 交わる, 触れる; ぶつかる; 接合[相接]する.

4 〈チーム・競技者などが〉対戦する, 争う, (戦闘で)戦う ‖ The two teams *met* in the semifinals of last year's tournament. 両チームは昨年のトーナメントの準決勝で対戦した.

5 〈性質などが〉〔…の中で〕結合する〔*in*〕.

***méet úp with* A** 〈人〉に偶然出会う.

****méet with* A** (1) 《主に米》〈人〉と**約束して会談する**, 会う《♦ 単に「会う」の意味では用いない》 ‖ The Prime Minister *met with* President Bush. 首相はブッシュ大統領と会った. (2) 《正式》〈事故・成功・困難など〉を**経験する**; …に遭遇する; 〈称賛・非難など〉を受ける ‖ Our suggestions *met with* his opposition. 私たちの提案は彼の反対にあった.

—[名] ([複] **~s**/mí:ts/) [C] **1** 《主に米》(運動・競技の)会, 大会(《英》meeting) ‖ a track *meet* 陸上競技会. **2** (会の)集合者; 集合会場, 集合所. **3** 《英》[集合名詞] (狩猟のための)勢ぞろい. **4** 〔数学〕交点, 交線; 《米》(線路の)交差点.

**meet·ing /mí:tiŋ/ 〖→ meet〗

—[名] ([複] **~s**/-z/) **1** [C] 会, 会合, 会議; 大会, 集会([類語] assembly は堅い語で慣例化・組織化された会. party, gathering は娯楽などの社交的な集会); 《主に英》競技会(《米》meet); [U][C] (クエーカー教徒などの)礼拝集会 ‖ political *méetings* 政治集会 / attend [hold] a PTA *meeting* PTA の会合に参加する[会合を開く] / be at [in] *meeting* 会議中である.

2 《正式》[the ~; 集合名詞; 単数・複数扱い] 集合者, 会衆 ‖ address *the meeting* 会の聴衆にあいさつする.

3 [U][C] (複数の人が)**会うこと**, 集まること; [通例 a ~] 〔…との〕出会い, 面会〔*with*〕 ‖ ***a meeting of minds*** 人の集まり; 意見の一致, 相互理解, 同意 / avoid *a meeting with* him 彼との会見を避ける.

4 [C] 交差[合流](点); 結合[連結](部) ‖ the *meeting* of two rivers 2つの川の合流点.

méeting plàce 会場, 集合(場)所; 合流点.

Meg /még/ [名] メグ《女の名. Margaret の愛称》.

meg·a- /mégə-/ [語要素] →語要素一覧(1.1).

meg·a·byte /mégəbàit/ [名][C] 〔コンピュータ〕メガバイト《2^{20} (1048576)バイト. [記号] MB》.

meg·a·hertz /mégəhə̀:rts/ [名] ([複] **meg·a·hertz, ~·es**) [C] 〔電気〕メガヘルツ《毎秒100万サイクル. [記号] MHz》.

meg·a·lop·o·lis /mègəlɑ́pəlis | -lɔ́p-/ [名][C] 超巨大都市(圏), マンモス都市, メガロポリス.

mèg·a·lo·pól·i·tan /-loupɑ́litn | -pɔ́l-/ [形][名][C]

M

meg·a·merg·er /mégəmə:rgər/ 名 巨大合併.
巨大都市の(住民).
meg·a·phone /mégəfòun/ 名 C メガホン, 拡声器.
meg·a·ton /mégətàn | -tɔn-/ 名 C **1** 100万トン. **2** メガトン《核爆発力の単位. TNT火薬100万トンに相当する》.
Me·kong /méikɔːŋ, ⁻ | miːkɔ́ŋ/ 名 [the ~] メコン川《チベット高原に発し, 南シナ海に注ぐ》.
mel·an·chol·ic /mèlənkálik | -kɔ́l-/ 形 憂うつな; うつ病の. ── 名 C うつ病患者; 陰気な人.
mèl·an·chól·i·cal·ly 副 ふさぎ込んで.
†**mel·an·chol·y** /mélənkàli | -kəli/ [アクセント注意] (正式) 名 U **1** 憂うつ, (理由のない)ふさぎ込み(depression). **2** もの悲しさ, 哀愁. **3** うつ病. **4** (古) 黒胆汁; 不機嫌. ── 形 **1** 憂うつな, ふさぎ込んだ ‖ I feel *melancholy* about [over] my poor grades. 成績が悪いのを考えると憂うつになる. **2** 人を憂うつにする, 嘆かせる. **3** もの悲しい, 哀愁を帯びた.
Mel·a·ne·sia /mèləníːʒə, -ʃə | -ziə, -ʒə, -siə/ 名 メラネシア《オーストラリア北東に連なる太平洋上の諸島》.
Mèl·a·né·sian 名 C 形 メラネシア人[語] (の).
mel·a·nin /mélənin/ 名 U (生化学) メラニン, 黒色素 ‖ *melanin* impoverished メラニン欠乏者, 白人.
Mel·bourne /mélbərn, -bɔːrn/ 名 メルボルン《オーストラリア南東部の都市》.
me·lee, me·lée /méilei, ⁻ | méléi, -⁻/ (フランス) 名 C (正式) **1** 乱闘, 混戦; 騒々しいけんか. **2** 混乱状態.
mel·lif·lu·ous /məlífluəs, me-/ 形 (文) 甘美な, 流暢な(話・歌).
*****mel·low** /mélou/ (正式) ── 形 (~·er, ~·est) **1** 《音・光・色などが》柔らかい(soft), 豊かで美しい; 《石などがつるつるした ‖ the *mellow* sound of a flute フルートの柔らかい音色. **2** 《酒・チーズなどが》芳醇(ほうじゅん)な, まろやかな, 風味十分の ‖ *mellow* wine 芳醇なワイン. **3** 《人・性格が》円熟した(mature) ‖ Her personality has become *mellow*. 彼女も人間ができてきた. **4** 《果物などが》熟している(ripe), (多汁で)甘い, 柔らかな(sweet) ‖ a *mellow* peach 水分の多い甘いモモ. **5** (略式)一緒にいて楽しい, 陽気な ◆酔いの遠回し語》.
── 動 他 …を熟させる.
── 自 熟す; 熟しすぎて腐る; 《人が》円熟する, 円くなる(+*out*); (俗) のんびりする(+*out*).
me·lo·de·on /məlóudiən, me-/ 名 C **1** 小型足踏みオルガン. **2** メロディオン《アコーディオンの一種》.
me·lod·ic /məládik | -lɔ́d-/ 形 (正式) **1** 旋律的, 旋律に関する. **2** =melodious 1.
†**me·lo·di·ous** /məlóudiəs, me-/ 形 (正式) **1** 旋律[音楽]的な; 《歌・曲が》調子のよい[美しい]. **2** = melodic 1.
mel·o·dra·ma /mélədràːmə, (米+) -drǽmə/ 名 **1** U C メロドラマ. **2** C メロドラマ的事件[行為, 言葉].
mel·o·dra·mat·ic /mèlədrəmǽtik/ 形 メロドラマ(のような). **mèl·o·dra·mát·ics** 名 =melodrama 2.
*****mel·o·dy** /mélədi/
── 名 (-dies/-z/) **1** U C (音楽) メロディー, (主) 旋律, 節(ふし), (歌) 曲 ‖ The commercial jingle has a catchy *melody*. そのコマーシャルソングは覚えやすい曲がついている. **2** U 快い調べ, 美しい音楽. **3** U (詩・声などの)音調, 抑揚 ‖ a verse full of *melody* 音楽性豊かな詩. **4** C 歌に適した詩.

†**mel·on** /mélən/ 名 **1** C ウリ科植物の総称《muskmelon, watermelon, cantaloup(e) など》. **2** U メロンの果肉 ‖ *a slice of melon* 1切れのメロン.
*****melt** /mélt/ 『「柔らかい」が原義』
── 動 **~s**/méits/; 過去 **~·ed**/-id/, 過分 **~·ed** or (古) **molten**/móultən/; **~·ing**
── 自
Ⅰ [溶ける]
1 《固体が》(熱・圧力で) 融ける, 融解[融融]する◆「液体中で溶ける」の意は dissolve. cf. freeze』 ‖ The snow didn't *melt* until (the) next morning. 雪は翌朝まで融けなかった / This cheese is really *melting* in my mouth. このチーズはとろけるように柔らかい, 本当にとろけるようです.
2 《物が》(溶けて) 次第になくなる; 《人が》いなくなる(*away*); 《色・音などが》次第に [(…に)] 変わる, 溶け込む (*into*) ‖ The suspect *melted* into the crowd. 容疑者は人ごみの中にまぎれ込んでしまった.
Ⅱ [気持ちが溶ける]
3 《人・心などが》次第にやわらぐ; 《人が》哀れみの気持ちを起こす; 《勇気などが》くじける.
── 他 **1** 《人・熱などが》《固体などを》(熱・圧力で) 融かす, 融解[融融]させる(+*up*, *down*); …を(液体に)溶かす ‖ *melt* honey in hot tea 熱い紅茶にはちみつを溶かす. **2** …を次第に散らす[追い払う](+*away*); 《色・輪郭などを》(…に)徐々に変える[溶け込ませる] (*into*). **3** 《人・感情などを》ややわらげる ‖ The (sight of) child's tears *melted* his heart. その子の涙を見て彼の心はやわらいだ.
melt·down /méltdàun/ 名 U 融解, 溶融; (原子炉の)炉心溶融.
melt·ing /méltiŋ/ 形 **1** 融ける. **2** 気持ちなどがほろりとした; 《声などが》哀れをそそる, 心を打つ.
mélting póint (固体の)融解点(cf. boiling [freezing] point).
mélting pót (1) (金属を融かす)るつぼ. (2) [比喩的に] るつぼ《人種・文化の混じり合った国[地域]. 主に米国》.
melt·wa·ter /méltwɔ̀ːtər/ 名 U (主に氷河からの)雪解け水.
Mel·ville /mélvil/ 名 メルビル《**Herman**/həːrmən/; ~ 1819-91; 米国の小説家》.

*****mem·ber** /mémbər/ 『「体の部分」が原義』
派 membership (名)
── 名 (複 **~s**/-z/) C **1** (集団・組織などの) 一員; (教会の)会員; 成員, 社員, 支部員; [形容詞的に] 《国・銀行などが》加盟した ‖ a *member* of the golf club ゴルフクラブの会員 / Three *members* of the English staff came to the committee meeting. 英語教師のうち3人が委員会にやって来た.

日英比較 [「メンバー」と member]
「メンバー」が「会員の1人1人」をさす場合は member を用いることができるが, それ以外では player などを用いる.
We don't have enough baseball players [*members*]. 野球のメンバーが足りない.
We don't have enough committee *members*. 委員会のメンバーが足りない.

使い分け [member と membership]
member は「(一人一人の)会員」の意.
membership は「(全体としての)会員」の意.
Our tennis club has a lot of *members*

[×memberships].
Our tennis club has a large *membership*.
我々のテニスクラブはたくさんの会員がいる.

2 〔…選出の〕議員〔*for*〕; [M~]《特に英米の》下院議員《◆《英》Member of Parliament ([略] MP), 《米》Member of Congress ([略] MC)》‖ parliamentary *members* 《英》国会議員. **3 a** 《正式》《人・動物の》体の一部; 器官, 手足, 羽, 翼; 《植物の》枝. **b** 《文》陰茎《◆penis の遠回し語》.

†mem·ber·ship /mémbərʃip/ [名] **1** [U] [時に a ~] 〔団体などの〕一員であること; 会員の身分[地位]〔*of, in*〕([使い分け] → member [名] **1**) ‖ I'd like to renew my *membership in* this golf club. このゴルフクラブの会員資格を更新したいのですが / He has *membership in* the club. 彼はそのクラブの会員である(=He is a *member* of the club.). **2** [a/the ~] 〔…の〕会員数〔*in, of*〕; 会費(=membership fees); [集合名詞; 単数・複数扱い] 会員 ‖ *the membership in* a music class 音楽クラスの受講者数 / a club with「*a* small *membership* [*a membership* of 50] 会員の少ない[50人の会員の]クラブ / *The* entire *membership* is against the proposal. 全会員がその提案に反対である(➔文法 14.2(5)).

†mem·brane /mémbrein/ [名] **1** [C] 〖生物〗《動植物の》薄膜, 皮膜, 細胞膜; 〖化学〗膜. **2** [U] 膜組織.

mem·bra·nous /mémbrənəs/ [形] 膜からなる.

me·men·to /məméntou/ [名] ([複] ~s, ~es) [C] 《正式》《小さな》記念物, かたみ; 警告となるもの.

mem·o /mémou/ [名] ([複] ~s) 《略式》=*memorandum*.

†mem·oir /mémwɑːr, 《米+》-wɔːr/ 〖フランス〗 [名] [C] 《正式》**1** 伝記. **2** [通例 ~s] **a** 回顧[回想]録, 体験記. **b** 自叙伝. **3** 学術論文[報告]; [~s] 学会誌.

mem·o·ra·bil·i·a /mèmərəbíliə/ [名] [複] 《《単数形》 -·rab·i·le/-rǽbəli/》注目すべき事件[事柄, 人]《の記録》; 遺品.

†mem·o·ra·ble /mémərəbl/ [形] **1** 〔…で〕記憶[注目]すべき, 重大な, 顕著な〔*for*〕. **2** 覚えやすい, 記憶しやすい. **mém·o·ra·bly** [副] 印象深く.

†mem·o·ran·dum /mèmərǽndəm/ [名] ([複] ~s, -·da/-də/) [C] **1** 《正式》〔…に関する〕覚え書き, 《将来のための》備忘録, 簡単な記録, メモ(《略式》memo); 《略式の》社内伝言, 《同僚間の》回報〔*on*〕. **2** 《外交上の非公式》覚え書き. **3** 〖法律〗《契約の》摘要; 《組合の》規約; 《会社の》定款(ていかん).

***me·mo·ri·al** /məmɔ́ːriəl/ 〖→ memory〗
—[名] ([複] ~s/-z/) [C] **1** 〔人・事の〕**記念物**, 記念品[碑, 館]〔*to*〕; 記念日[祭, 式典] ‖ Lincoln *Memorial* リンカーン記念館. **2** [通例 ~s] 年代記, 《歴史上の》記録, 回想録.
—[形] [名詞の前で] **1 追悼の**; 記念の ‖ a *memorial* park 《米》[遠回しに] 墓地. **2** 追憶[記憶]の.

Memórial Dày 《米》戦没者追悼記念日(Decoration Day)《◆多くの州で5月最後の月曜日》.

me·mo·ri·al·ize /məmɔ́ːriəlàiz/ [動] [他] 《正式》**1** …を記念[追悼]する. **2** …に請願書を提出する.

me·mò·ri·al·i·zá·tion [名] [U] 記憶, 暗記.

***mem·o·rize,** 《英ではしばしば》**-·rise** /méməràiz/ 〖→ memory〗
—[動] (~s/-iz/; [過去・過分] ~d/-d/; -·riz·ing)
—[他] 〈文章・詩など〉を《努力して》**暗記する**, 《意識して》**記憶に入れる**[する](learn ... by heart) ‖ *memorize* [×remember] a lot of English idioms 英語のイディオムをたくさん覚える.

***mem·o·ry** /méməri/ 〖「思い出すこと」が原義〗 [派] memorial (名・形), memorize (動)
—[名] ([複] -·ries/-z/)

I [記憶・記憶力]

1 a [U][C] **記憶**, 物覚え; 思い出すこと, 回想([類語] recollection, remembrance, reminiscence) ‖ draw the map ***from memory*** 記憶を頼りにその地図を書く / The great fire is still fresh in our *memory*. その大火はまだ我々の記憶に新しい / beyond the *memory* of men [man] 有史以前の / ***The public memory is a short one.*** 「人のうわさも75日」/ Your phone number slipped my *memory*. あなたの電話番号を忘れてしまいました(=I forgot your phone number.).
b [C] [通例形容詞を前に置いて] 〔…に対する〕**記憶力**〔*for*〕‖ ***hàve a góod*** [***bád, póor***] ***mémory for*** dates 日付に関して記憶がよい[悪い].
2 〖コンピュータ〗 **a** [U][C] メモリー, 記憶; 記憶容量. **b** [C] =memory bank.

II [記憶から取り出せるもの・こと]

3 [C] **思い出**; 記憶に残っているもの[人, 経験] ‖ He said she is now only a *memory*. 彼女はすでに思い出の中の人にすぎないと彼は言った / I ***have wonderful memories of*** my stay with you last summer. 去年の夏君の家で過ごしたことは楽しい思い出となっている.
4 [C] 記念, 形見; [U] 《死後の》名声, 評判; 故人の霊 ‖ the late queen of blessed [happy, glorious] *memory* 《文》誉れ高き亡き女王.

béar [***kèep, hàve***] **A *in mémory*** …を覚えている.

commít* A *to mémory 《正式》…を記憶する, 暗記する.

if (***my***) ***mémory sérves me*** (↘) (***right*** [***corréctly, wéll***]) 《正式》私の記憶が正しければ《◆断言を避けるための前置き》.

***in mémory of* A** …を記念して, 〈亡くなった人〉を追悼して.

mémory bànk 記憶装置, メモリー(《英》store).

mémory drùm 〖コンピュータ〗記憶ドラム.

***men** /mén/ [名] man の複数形.

mén's ròom 《主に米》《公衆便所の》男子用トイレ.

†men·ace /ménəs/ [名] **1** [C][U] 《文》脅威; [a ~] 〔…に対する〕危険《な物[人]》〔*to*〕‖ Environmental pollution is big *menace to* the human race. 環境汚染は人類にとって大きな脅威である. **2** [C] [通例 a ~] やっかい者, 迷惑をかける人[物] ‖ That child is *a menace*! あの子は手の焼ける子だ.
—[動] [他] 《文》**1** 〈人・物〉に〔…で〕脅威を与える, 危くする〔*with*〕‖ The drought *menaced* farmers *with* famine. 日照りは農夫を飢饉(きん)の危険にさらした. **2** 〈人〉を〔…で〕おどす, 脅かす〔*with*〕.

men·ac·ing /ménəsiŋ/ [形] おどすような.

†me·nag·er·ie /mənǽdʒəri, -nǽʒ-/ [名] [C] **1** 《見せ物用の》動物《の群れ》. **2** 《サーカスなどの》動物園. **3** [集合名詞] 多彩な[風変わりな]人々《の集まり》.

Men·ci·us /ménʃiəs/ [名] 孟子(もうし)《372?–289? B.C.》.

***mend** /ménd/ 〖amend の a- の脱落〗
—[動] (~s/méndz/; [過去・過分] ~·ed/-id/; ~·ing)
—[他] **1** 〈人が〉〈物〉を〔…を用いて/…の方法で〕**直す**, 修理[修繕]する〔*with/by*〕([使い分け] → repair [他] **1**) ‖ *mend* the rip in my jacket *with* a needle and thread ジャケットのほころびを糸と針で繕う《◆「つぎを当てる」場合は patch up》/ *mend* shoes

M

[tires, chairs, roads]《主に英》靴[タイヤ, いす, 道路]の修繕をする / get [have] my watch mended《英》腕時計を修理してもらう.

> 語法 《米》ではふつう mend は布製品の修理に限られ, その他の場合には repair が用いられる. また fix は《略式》で, mend, repair いずれの場合にも用いられる.

2〈人・物・事が〉〈行儀など〉を直す, 改める; …を改善[改良]する;〈悲しみ・傷など〉をいやす ‖ *mend one's manners* [*ways*]《正式》行儀[素行]を改める / Least said, soonest *mended*. → **least** 副 / Taking your frustration out on the dogs won't *mend* matters. 犬に当たり散らしても事態は少しもよくなりません.
3《英略式・主に方言》〈火〉に燃料を加える;〈歩調〉を早める.
── 自 **1**〈事態が〉好転する;〈天候が〉回復する;《略式やや古》〈病人・傷など〉が快方に向かう. **2**〈人が〉改心する《◆通例次のことわざで》‖ *It is never too late to mend.*《ことわざ》行ないを改めるのに遅すぎることはない.
── 名 U 修繕; 改良, C 〈衣服などの〉修繕箇所.

Men·del /méndl/ 名 メンデル《*Gregor Johann* ~ / grégər jóuhɑːn/ ~ 1822-84》オーストリアの植物学者》.
Méndel's láw〔生物〕メンデルの(遺伝の)法則.
Mén·del·ism 名 U〔生物〕メンデルの遺伝学説.
Men·de·li·an /mendíːliən/ 形〔生物〕メンデルの(法則)の.
Men·dels·sohn /méndlsn/ 名 メンデルスゾーン《*Felix* /féiliks/ ~ 1809-47》, ドイツの作曲家》.
†**mend·er** /méndər/ 名 C《主に複合語で》修理[修繕]する人; 訂正者 ‖ a *road-mender* 道路補修者.
Men·e·la·us /mènəléiəs/ 名〔ギリシャ神話〕メネラーオス《スパルタの王. Helen の夫で Agamemnon の弟》.
men·folk(s) /ménfouk(s)/ 名 [the ~; 複数扱い] **1**《略式》男性. **2**〈一家・一社会の〉男達中.
†**me·ni·al** /míːniəl/ 形《正式》〈仕事など〉かつまらない, 熟練のいらない. ── 名 C 使用人, 小間使い.
men·in·gi·tis /mènindʒáitəs/ 名 U 髄[脳]膜炎.
me·nis·cus /məniskəs/ 名 (複 ~·**nis·ci** /-nísai/, ~·**es**) C 凹[凸]面;〔光学〕凹凸レンズ.
Men·no·nite /ménənàit/ 名 C メノ派教徒《16世紀に Menno Simons が創始したプロテスタントの一派で, 幼児洗礼・誓言・公職就任・兵役などに反対する》.
men·o·pause /ménəpɔːz/ 名 U 〔生理〕[しばしば the ~] 月経閉止期, 更年期.
men·stru·al /ménstruəl/ 形〔医学〕**1** 月経の. **2** 月1度の.
 ménstrual périod(s)《正式》月経期(period).
men·stru·ate /ménstruèit/, 《米》-streit/ 動 自〔医学〕〈月経〉により出血する, 生理中である.
mèn·stru·á·tion /-ʃən/ 名 U C 月経(期間).
men·su·ra·tion /mènsəréiʃən, -sjə-/ 名 U **1**《正式》測定, 測量. **2**〔数学〕求積法.
mens·wear /ménzwèər/ 名 U 紳士服, メンズウエア.
†**-ment** /-mənt/《接尾辞》→語要素一覧(2.1).

***men·tal** /méntl/
── 形《比較変化しない》**1** 精神の, 心的な(↔ *physical, bodily*)‖ (a) *méntal* **íllness** [dis-èase] 精神病 / *mental* food 心の糧(かて)/ *méntal* **ánguish** [áids] 精神的な[援助].
2 [名詞の前で] 知力の, 知的な; 知能の ‖ *mental* powers 知能 / *mental* labor 頭脳労働 / *mental* retardation (deficiency) 知的障害《◆重い方から idiot, imbecile, moron の順》.
3《通例名詞の前で》頭の中で行なう, そらでする; 観念的な ‖ *mental* image 心象 / *mental* arithmetic [calculation, computation] 暗算 / màke [tàke] a mental nóte of his address 彼の住所を覚えておく. **4**《略式》[通例名詞の前で] 精神病(治療)の; 精神障害者のための ‖ a *mental* patient 精神病患者 / *mental* treatment 精神病の治療 / a *mental* hospital 精神病院. **5**《略式》[補語として] 頭がおかしい(mad).
méntal áge 知能[精神]年齢.
men·tal·ism /méntəlìzm/ 名 U **1**〔哲学〕唯心論(↔ materialism). **2**〔心理・言語〕心理主義(↔ mechanism). **mén·tal·ist** 名 C 唯心論者; 読心術者.
†**men·tal·i·ty** /mentǽləti/ 名《正式》**1** U 知力; 知性, 頭の働き[程度] ‖ a man of high [low] *mentality* 知能の高い[低い]人. **2** U C [形容詞を前に置いて] 心的傾向, 思考方法 ‖ a provincial *mentality* 狭いものの見方.
men·tal·ly /méntli/ 副 心(の中)で; 精神的に; 知的に ‖ (the) *mentally* handicapped 精神に障害のある(人々).
men·thol /ménθɔ(ː)l/ 名 U〔化学〕メントール, はっか脳.

***men·tion** /ménʃən/《類音》mansion /mǽn-/ 《『心に呼びかける』が原義. cf. *mental*》
── 動 (~·**s** /-z/; 過去・過分 ~·**ed** /-d/; ~·**ing**)
── 他 **1**〈人・物・事〉を…に(簡単に)触れる;〈人・物・事〉のことを(少し)書く;(ついでに)〈人・物・事〉に(少し)言及する(refer to);〈人・物〉を[…であると]言う(as);〈出来事などが〉(人に)言う(to); …の名を挙げる(name),〈名前など〉を挙げる ‖ *mention* the ache *to* my mother 痛みを母に訴える / *mention* all the flowers in the garden 庭にある花すべての名を挙げる / as has been *mentioned* すでに述べたように(〇文法20.9)/ too bad to *mention* 口に出すにはひどすぎる / He *mentioned* the theory in his book. 彼は自著でその学説に触れた / The problem was not even *mentioned* by the chairman. 議長はその問題のことなどおくびにも出さなかった.
2 〈…であると〉述べる《*that* 節, *wh* 節, *doing*》‖ I *mentioned* having seen her in the park. 公園で彼女に会ったことを私は口にした / He *mentioned* (*to* me) that he would go fishing. 彼は魚釣りに出かけると(私に)言った《◆受身では形式主語itを使用: It was *mentioned* (to me) that he would go fishing. 〇文法7.13》. **3** 〈人〉の名を〈功績・業績を認めて〉公式に言及[表彰]する ‖ She was *mentioned* in dispatches.《英》殊勲者報告書の中に彼女の名が挙げられていた.
Dón't méntion it.《英やや古風》(感謝・おわびに対して) どういたしまして((主に米) You're welcome.).
nót to méntion A《略式》…は言うまでもなく(さらに重要なことは), …はさておき(to say nothing of).
── 名 (複 ~·**s** /-z/) **1** U 言及(する[される]こと), 陳述, 名を挙げること; C [通例 a/the ~] 寸評 ‖ at the *mention* of this matter この話が出ると(= when this matter is [was] *mentioned*)/ an act worthy of special *mention* 特筆すべき行為.
2 C《略式》[通例 a/the ~]〈功績・業績の〉表彰.

màke méntion of **A**《正式》…のことに言及する (mention) ‖ He *made* no *mention of* her request. 彼は彼女の要求については一言も触れなかった《◆受身形は No *mention of* her request *was made*. =No *mention was made of* her request.》.

Men·tor /méntɔːr, -tər/ [名] **1**〔ギリシア神話〕メントール《Odysseus の息子 Telemachus の忠実な助言者》. **2** [m~] [C]《正式》(賢明で信頼のおける)助言者;(大学の)指導教官. ――[動] [m~] [自][他] (…の)助言者となる, (…に)助言する.

men·tor·ing /méntɔriŋ/ [名][U] 新入社員教育.

méntoring prògram 新入社員指導計画[オリエンテーション].

†men·u /ménjuː, (米+) méin-/ [名][C] **1** (レストランの)メニュー ‖ choose the most expensive dish [item] ***on the menu*** メニューで最も高い料理を選ぶ. **2** (パーティーなどで出される料理の)献立表《カードになっている》. **3** (出される)料理, 食事. **4**〔コンピュータ〕メニュー《機能選択の一覧表示》.

me·ow /miáu/《米》[動][自][名][C]〈ネコが〉ニャーオと鳴く; その鳴き声(《英》miaow) (→ mew).

Meph·i·stoph·e·les /mèfəstáfəlìːz | -stɔ́f-/ [名] **1** メフィストフェレス《中世ヨーロッパの悪魔, 特に Goethe 作の *Faust* の中の悪魔》. **2** [C] 極悪人.

Mèph·is·to·phé·le·an, -·li·an /-təfíːliən/ [形]《正式》メフィストフェレスの(ような), 悪魔的な.

me·phit·ic /məfítik/ [形] 悪臭のある; 有害な.

†mer·can·tile /mə́ːrkəntìːl | -tàil/ [形]《正式》商業の, 商人の.

mer·can·til·ism /mə́ːrkəntiːlìzm | -tilìzm/ [名][U] **1**〔経済〕重商主義. **2** 商業[営利]主義.

Mer·cá·tor('s) projéction /mərkéitər(z)- | məː-/〔地理〕メルカトル式(投影)図法.

†mer·ce·nar·y /mə́ːrsənèri | -nəri/ [形] **1** 金銭[欲得]ずくの, 報酬目当ての; 貪(どん)欲な ‖ *mercenary* politicians 金権政治家. **2**〈兵隊が〉(外国の軍隊に)雇われた. ――[名][C] **1** 金銭ずくで働く人. **2** (外人部隊の)兵士, 傭兵(ようへい).

†mer·cer·ize,《英ではしばしば》**-·ise** /mə́ːrsəràiz/ [動][他]〈綿糸・綿布〉をマーセル法で処理する《苛(か)性ソーダで強度・染色性・光沢をよくするための処理法》.

†mer·chan·dise /mə́ːrtʃəndàiz/ [名][U]《正式》[集合名詞] 商品(→ goods) ‖ ***five pieces*** [***articles***] ***of merchandise*** 商品5点 / sell much [a great variety of, various lines of] *merchandise* たくさんの[各種の]商品を売る. ――[動][他] **1**〈商品〉を売買[取引]する. **2** (宣伝・広告で)…の販売を促進する, …を宣伝する.

***mer·chant** /mə́ːrtʃənt/《「取引」が原義》
――[名]《複》~s/-tʃənts/) [C] **1**《主に英》(貿易)**商人**; 卸売商《◆特に外国との大がかりな商取引をする人. 商品名が前置されるときは《英》でも **2** の意味で用いることがある》‖ wine [timber, tea] *merchants* ワイン[材木, 紅茶]商人.
2《主に米・スコット》**小売商人**, (商)**店主** ‖ He set up as an Omi *merchant*. 彼は近江商人として身を立てた.
3《英略式》[修飾語を前につけて] …狂 ‖ a speed *merchant* スピード狂 / a gossip *merchant* ゴシップマニア.
4 [形容詞的に] **a** 商業の, 貿易[商船]の; 商人の ‖ *mérchant* shíps 商船 / a *merchant* guild 商人組合 / a *mérchant* prínce 豪商 / a *merchant* seaman 商船船員 / the *mérchant* sérvice 海上貿易, 海運(業); [集合名詞] 商船. **b**〈メーカーが〉(自社製品を)外販する ‖ a *merchant* supplier 外販メーカー.

mérchant of déath 死の商人《武器の製造・販売でもうける商人》.

†mer·ci·ful /mə́ːrsifl/ [形]〔…に対して/…の点で〕慈悲[情け]深い〔*to, toward* / *in*〕(↔ merciless); 安堵(あんど)を与える.

†mer·ci·ful·ly /mə́ːrsifəli/ [副] 情け深く; [文全体を修飾] 幸いにも.

†mer·ci·less /mə́ːrsiləs/ [形]〔…に対して〕無慈悲[残酷, 無情]な〔*to, toward*〕(↔ merciful).

†mer·ci·less·ly /mə́ːrsiləsli/ [副] 情け容赦なく.

†mer·cu·ri·al /mərkjúəriəl | məː-/ [形] **1** 水銀の(作用による), 水銀を含む. **2**《正式》〈人が〉活発な, 生き生きした; 機敏な. **3** 移り気の, 気まぐれな. **4** [通例 M~] メルクリウスの; 水星の. ――[名][U]〔薬学〕水銀剤. **mer·cú·ri·al·ism** [名][U]〔医学〕水銀中毒 (mercury poisoning). **mer·cú·ri·al·ly** [副] 活発に, 生きいきと; 気まぐれに.

†mer·cu·ry /mə́ːrkjəri/ [名] **1** [U]〔化学〕水銀 (quicksilver)《唯一の液体金属. [記号] Hg》‖ analyze fish for traces of *mercury* 水銀の痕(こん)跡を調べるために魚を分析する. **2** [the ~] (温度計・気圧計などの)水銀柱; 温度.

The mércury is rísing. (1) 温度が上がっている; 天候が回復している. (2) 景気が好転している; 機嫌がよくなっている; 興奮が高まっている.

mércury contaminátion [**pollútion**] 水銀汚染.

mércury póisoning 水銀中毒.

†Mer·cu·ry /mə́ːrkjəri/ [名] **1**〔ローマ神話〕メルクリウス, マーキュリー《神々の使者で商業・雄弁・技術・旅行・盗賊などの守護神. ギリシア神話の Hermes に相当》. **2**〔天文〕水星.

mér·cu·ry-và·por làmp /mə́ːrkjərivèipər-/ 水銀灯.

***mer·cy** /mə́ːrsi/《「神による報酬」が原義》
――[名]《複》**-·cies**/-z/) **1** [U] [時に mercies; 単数扱い]〔…に対する〕**慈悲, 寛容; 親切, 哀れみ, 情け** (compassion); 寛大な行為〔*to, toward, on*〕‖ a king ***without mércy*** 情け容赦のない王 / ***in mércy to*** … …への哀れみの気持ちから, …に免じて / ***hàve*** [***tàke***] ***mércy on*** [***upon***] her =***show mercy to*** [***on***] her 彼女を哀れに思う / Try to do small *mercies* for the handicapped. 身体障害者の人たちに小さな親切をするようにしなさい. **2** [C]《略式》[通例 a ~] 幸運, 恵み, ありがたいこと; 救済, 安堵(あんど) ‖ That's *a mercy*!《女性語》それはありがたいわ / It's *a mercy* that nobody got injured. だれもけがをしなかったのは幸いだ / His death was *a mercy* after months of pain. 彼は死ぬことによって何か月もの苦しみから救われた. **3** [U] (死刑予定者に対する減刑による)赦免の処分; 赦免の裁量権.

****at the mércy of*** **A** =***at*** **A**'s ***mércy*** …のなすがままに(なって) ‖ The challengers were *at the* champion's *mercy*. =The champion had the challengers *at his mercy*. チャンピオンは挑戦者たちを思うままにあしらった.

mércy killing《略式》安楽死(術) (euthanasia).

†mere /míər/ [形]《◆ **mer·est**/míərist/ を強調形として用いることがある》[[C] 名詞単数形または数詞の前では通例 a ~] ほんの, 単なる, たかが…にすぎない ‖ She is *a mere* child. 彼女はほんの子供にすぎない(=She is *merely* a child. / She is only a child.) / *a mere* folly 単なるばかげたこと.

M

mere·ly /míərli/
——副 〖正式〗 **1** [a + 名詞の前で] たかが…にすぎない, ただ…だけ ‖ She is *merely* a fool. 彼女はただのばか者にすぎない(=She is a *mere* fool).
2 [動詞などの前で] 単に, ただ(…するだけ) (only, simply) ‖ *merely* because … 単に…だから / She「will *merely* [*merely* will] be fooled by him. 彼女は単に彼にうまく利用されるだけだろう.
not merely A but (**also**) **B** → not.

mer·e·tri·cious /mèrətríʃəs/ 形 〖正式〗 けばけばしい, 俗悪な; 不誠実な.

†**merge** /má:rdʒ/ 動 他 …を溶け込ませる, 没入させる; 〈会社などを〉[…に]合併[併合]する(*into*); 〈感情などが〉[別の感情に]次第に変わっていく(*in, into*). ——自 **1** 〈会社などが〉[…と]合併[併合]する(*with*); 〈道路·車線などが〉次第に合流する ‖ Merge. 〔掲示〕 (車線の)合流注意. **2** […に]溶け込み, 次第に変わる [*in, into*].

merg·er /má:rdʒər/ 名 UC (会社·企業などの)(吸収)合併, 合同 ‖ *mergers and acquisitions* (企業の)合併吸収 (略 M & A).

me·rid·i·an /mərídiən/ 名 **1** [地理·天文] 子午線, 経線 (園 → earth) (cf. longitude). the prime *meridian* 本初子午線. **2** (古) [時に the ~] (天空での太陽や星の)最も高く昇った点. ——形 **1** 子午線の, 経線の. **2** 正午の, 正午に起こる. **3** 頂点の, 全盛の.

me·ringue /məræŋ/ 〖フランス〗 名 〖菓子〗 **1** C メレンゲケーキ《2を軽く焼いた丸い菓子》. **2** U メレンゲ《泡立てた卵白に砂糖を加えて固めたもの》.

me·ri·no /mərí:nou/ 名 (極 ~s) C =*merino sheep*; U メリノ種の毛織物[毛糸].
merino sheep 〖動〗 メリノヒツジ.

*†**mer·it** /mérət/ 〖「報酬」が原義〗
——名 (極 ~s/-its/)
I [人のすぐれた点]
1 UC 〖正式〗 長所, 取り柄, (賞賛に値する)美点 (↔ demerit) 《◆日本語の「メリット」は advantage に当たることが多い》 ‖ What are the *merits* of your plan? 君の計画の長所は何ですか.
2 C [通例 ~s] 手柄, 功績, 功労 ‖ judge him *on* his *merits* 功績によって彼を判断する. **3** C (学校などで)罰点に対し賞点.
II [物のすぐれた点]
4 U 〈優れた〉価値, 真価; (賞賛に値する)優秀さ. **5** [法律] [~s] (訴訟の)本案, (事件の)実体.
make a mérit of A 〈人の行為などを〉自慢する, 手柄にする.
on A's (**own**) **mérits** (1) → 名 **2**. (2) 〈事·人〉の真価によって.
——動 他 〖正式〗 〈賞·罰·非難など〉に値する (deserve); [~ing] …するに値する (*doing*).

mer·i·toc·ra·cy /mèritákrəsi | -tɔ́k-/ 名 **1** UC (成績の優れた人の)昇任, 昇級(制度); 成績重視主義. **2** U 能力[実力]社会; C エリート支配, [通例 the ~; 集合名詞で; 単数·複数扱い] エリート階級.

mer·i·to·ri·ous /mèritɔ́:riəs/ 形 〖正式〗 報酬[賞賛]に値する, 価値のある, 立派な.

Mer·lin /má:rlin/ 名 マーリン《Arthur 王伝説中の魔法使い·予言者》.

†**mer·maid** /má:rmeid/ 名 C **1** (女の)人魚《半人魚の空想上の生き物》(cf. merman). **2** (米)女子水泳選手.

mer·man /má:rmæn/ 名 (極 --men) C **1** (男の)人魚 (cf. mermaid). **2** (米)男子水泳選手.

のうまい男性.
Mer·o·vin·gi·an /mèrouvíndʒiən | mèrə-/ 名 C (フランク王国の)メロビング王朝の(王, 人).

†**mer·ri·ly** /mérili/ 副 **1** [皮肉的に] (大変なことに気がつかないで)楽しげに, のんびりと, 気楽に. **2** 陽気に, 愉快に, 楽しく.

***mer·ry** /méri/ (同音 △marry) 〖「短い」が原義. 楽しい時間が短く感じられることから→「陽気」〗 派 merrily (副)
——形 (**--ri·er, --ri·est**) **1** 〈人·笑いなどが〉陽気な, 快活[活発]な (↔ sad); お祭り気分の, 浮かれた (類語 gay, cheerful, cheery, jolly, lively) ‖ I wish you a *merry* Christmas. =〔略式〕(A) *Merry* Christmas (to you)! 《⤻》 クリスマスおめでとう / a *merry* joke 笑いを呼ぶ冗談 / *Merry* England 楽しきイングランド《◆昔からの呼称》/ The more(,) the *merrier*. 多ければ多いほど楽しい. **2** 〖英略式〗 [叙述補語として] ほろ酔いの《◆drunk の遠回し語》.
màke mérry 〖文〗 はしゃぐ, 面白く遊ぶ.
màke mérry óver [*of, at*] A …をからかう, ひやかす.
mérry mén (無法者などの)仲間, 部下, 取り巻き連中.
Mérry Mónarch [the ~] 陽気な王様《英国王 Charles II の呼称》.

†**mer·ry-go-round** /mérigouraund | -gəu-/ 名 C 回転木馬《(米) carousel, (英) roundabout》; 急転回, (社交界などの)めまぐるしい活動[変化, 出来事].

mer·ry·mak·er /mériméikər/ 名 C (古) 浮かれ騒ぐ人.

mer·ry·mak·ing /mériméikiŋ/ 名 UC 浮かれ[お祭り]騒ぎ; 酒宴.

Mer·sey·side /má:rzisàid/ 名 マージサイド《イングランド北西部の州. 1974年新設. 州都 Liverpool》.

me·sa /méisə/ 名 C (米)〖地理〗 メーサ《主に米国南西部の頂上が平らで周囲は絶壁の地形. cf. butte》.

Mes·dames /meidá:m | méidæm/ 〖フランス〗 名 Madam, Madame または Mrs. の複数形(略 Mmes.).

†**mesh** /meʃ/ 名 **1** C 網の目, (ふるいなどの)目. **2** [通例 ~es] 網細工, 編み目. **3** UC 網目状の織物[編み物], メッシュ. **4** C [通例 ~es] わな; 複雑な網状のもの[機構]. **5** C [機械] (歯車などの)かみ合い. **in mésh** …とかみ合って.
——動 自 **1** 〈魚など〉を網で捕える, …をわなにかける. **2** [機械] 〈歯車など〉をかみ合わせる. **3** …に協力[調和]しさせる. ——他 **1** わなにかける. **2** [機械] 〈歯車などが〉[…と]かみ合う(*with*). **3** 〈考えなどが〉[…と]ぴったり合う(*with*).

mes·mer·ic /mezmérik, (米+) més-/ 形 催眠術の.
mes·mer·ize /mézməràiz, (米+) més-/ 動 他 《主に古》 …に催眠術をかける; …を魅惑する.

mes·o·derm /mézədə:rm, mésə- | mésəu-/ 名 C 〖生物〗 中胚(ﾊｲ)葉 (cf. ectoderm, endoderm).

mes·o·lith·ic /mèzəlíθik, mèsə- | mèsəu-/ 形 [考古] [時に M~] [the ~] 形 中石器時代(の) (cf. paleolithic, neolithic).

me·son /mézan, méi-, -san | mízɔn, -sɔn/ 名 C [物理] 中間子 (mesotron).

†**Mes·o·po·ta·mi·a** /mèsəpətéimiə/ 名 メソポタミア《アジア南西部 Tigris, Euphrates 両河の下流の間の地域. 古代文明の発祥地》.

mes·o·sphere /mézəsfìər | mésəu-/ 名 [気象] [the ~] 中間圏《地表から50-80 km の高さまでの大

気の層. 成層圏と熱圏の間).

mes·quite /məskíːt/ 名 C 〖植〗メスキート《マメ科の低木》.

†**mess** /més/ 名 **1** U〔時に a ~〕乱雑, 散乱；めちゃくちゃ(な状態)；どさくさ《◆chaos, confusion よりくだけた語》；(事)失敗；(略式)窮地, 困難 ‖ clear up the *mess* 散らかしを片づける / *gét* him *into a méss* 彼をごたごたに巻き込む / Her household affairs are *in a mess.* 彼女の家事[家政]はめちゃくちゃだ / The house was (in) a real *mess* after the party. パーティのあと家はめちゃくちゃだった / Sorry about the *mess.* 取り散らかしていてすみません. **2** U〔しばしば a ~〕取り散らかしたもの, 汚いもの；(略式)(遠回しに)(特に家畜などの)ふん；だらしないやつ ‖ *a mess of* newspapers 散乱した新聞の山 / She looks *a mess* in this dress. 彼女はこの服を着るとだらしなく見える. **3** C〔主に軍事〕〖集合名詞〗会食仲間；C 会食室；U 会食 ‖ The military officers are at *mess.* 陸軍将校たちは会食中です.

***máke a méss of** A (略式)…を台なしにする；…し損なう ‖ The heavy rain *made a mess of* the potted plant. 大雨で鉢植えがめちゃくちゃになった.

make a méss of it (略式)へまをやる.

—動 他 **1** (米略式)…を散らかす, 汚くする(+*up*) ‖ The room was *messed up.* 部屋は散らかし放題であった. **2** (略式)…を台なしにする(+*up*) ‖ The child *messed* his pants. その子供はズボンを汚した〔粗相をした〕.

—自 **1**〔軍隊などで〕〔…と〕会食する(+*together*)〔*with*〕. **2** (略式)へま[失敗]をする(+*up*). **3** いたずら[土いじり]をする, 取り散らかす.

méss about (英) =MESS around.

méss aróund (略式)自〔…の中で〕うろうろ[ぶらぶら]する；ふざけ回る, ばかなことをする(in). —他 (1)〔~ *around* A〕〈家・台所など〉でぶらぶらする. (2)〈髪型・庭木などを〉乱し, 取り散らかす；〈人〉をひどい目に会わす, …に不便をかける.

méss aróund [(英) **abóut**] **with** A (略式)(1)〈物〉をいじくり回す；〈仕事などを〉気まぐれにちょっとやる. (2)…におせっかいをする, …とかかわり合う.

méss in [**with**] A (略式)〖通例否定命令で〗〈人・計画などに〉干渉する(な), おせっかいする(な).

*****mes·sage** /mésidʒ/ 〖送られた(mess)もの(age)〗

—名 (複 ~s/-iz/)

Ⅰ〖人のメッセージ〗

1 C〔…への〕伝言, 伝達事項(*for, to*)；〔…という〕通信(文)〔*to do, that*節〕；▶**対話** "Shall [Can] I take a message?" "Yes, please tell him to call me when he is [gets] back." (略式)(電話で)「伝言をうかがいましょうか」「帰られたら私に電話してくださいとお伝えください」/ I *left a message for* her with a receptionist. 受付係に彼女あての伝言を頼んだ《◆for her は message にかかる形容詞句. 次例の of her はそれと比較せよ》/ *leave a message for* her to call me back 私に後ほど返事の電話するようにという彼女への伝言を残す《◆for her は不定詞の意味上の主語. → 文法 11.4(2)》/ send her an email *message* 彼女に電子メールによるメッセージを送る / We got the *message* (that) he was coming. 彼が来るという知らせを得た.

2 C (公式の)通達, 声明書；(米)(大統領の)教書 (cf. the STATE of the Union Message)；(米)(テレビ・ラジオの)コマーシャル(commercial (message)) ‖ We'll be right back after these *messages.* (アナウンサーなどが)ここでしばらくコマーシャルを. **3** (正式) 〔the ~〕(宗教家などの)お告げ, 神託；教え, 福音.

Ⅱ〖物のメッセージ〗

4〔the/a ~〕(物語・映画などの)教訓, (隠れた)根本思想, ねらい.

gét [**háve** (**gót**)] **the méssage** (略式)(相手の本音[趣意など]を)理解する.

—動 他 〔メッセージで〕…を送る, (合図で)…を伝える.

méssage bòard 伝言板(→ blackboard).

†**mes·sen·ger** /mésəndʒər/ 名 C **1** 使者；郵便[電報]配達人 ‖ He is here as a *messenger* from the king. 彼は王様の使者としてここに来ました. **2** (会社などの)使い走り；(官庁・国王などの)公文書送達人；(古)(公式の)特使, 急使.

Mes·si·ah /məsáiə/ 名 **1**〔ユダヤ教〕〔the ~〕救世主, メシア. **2**〔キリスト教〕〔the ~〕イエス=キリスト. **3**〔しばしば m~〕C (略式)救世主, 救済者(savior).

Mes·sieurs /meisjə́ːrz, məs-, (英) mésəʒ/〖フランス〗名 Monsieur の複数形(略) Messrs., MM.).

Messrs. /mésərz/ 名 =Messieurs《◆Mr. の複数形として主に書き言葉で用いる》‖ *Messrs.* Jones, Smith and White ジョーンズ, スミス, ホワイトの諸氏.

mess-up /mésʌp/ 名 C (略式)混乱(状態), ごたごた；へま.

†**mess·y** /mési/ 形 (-i·er, -i·est) **1** 散らかった, 乱雑で汚い《◆しみや泥で汚い場合は dirty》；(仕事などが)手の汚れる. **2**〈訴訟などが〉扱いにくい, 面倒な. **3** 不道徳な；不注意な.

*****met**[1] /mét/ 動 meet の過去形・過去分詞形.

met[2] /mét/〖meteorological〗形 (英略式)気象(学上)の.

Mét Óffice (英略式)〔the ~〕気象庁.

Met /mét/ 名 (略式) **1**〖Metropolitan Museum of Art〗(ニューヨーク市の)メトロポリタン美術館. **2**〖Metropolitan Opera House〗(ニューヨーク市の)メトロポリタン歌劇場.

met·a·bol·ic /mètəbɑ́lik | -bɔ́l-/ 形 〖生物〗新陳代謝(性)の, 物質交代の.

me·tab·o·lism /mətǽbəlìzm, me-/ 名 U〖生物〗新陳代謝, 物質交代 (cf. anabolism, catabolism).

met·a·gal·ax·y /mètəgǽləksi/ 名 C〖天文〗(銀河系を含む)全宇宙.

*****met·al** /métl/〖同音〗mettle；〖類音〗medal /médl/〗〖鉱坑〗の原義. cf. medal〗名 (略式)金属〗形

—名 (複 ~s/-z/) **1** UC 金属；合金(alloy)；〔化学〕金属元素；[形容詞的に] 金属性の ‖ a diligent worker in *metal*(s) 勤勉な金属細工師 / This *metal* rusts easily. この金属は簡単にさびる. **2** U 金属製品；〔印刷〕活字金；組版. **3** U = heavy metal.

—動 (過去・過分) ~ed or (英) met·alled /-d/；~·ing or (英) -·tal·ling) 他 …に金属をかぶせる.

métal detéctor 金属探知機.

métal fatígue 金属疲労.

met·a·lan·guage /métəlæ̀ŋgwidʒ/ 名 CU メタ言語, 説明言語《言語や言語体系を説明するのに用いられる言語や記号体系》.

†**me·tal·lic** /mətǽlik, me-/ 形 **1** 金属(製)の；金属を含む ‖ *metallic* currency 硬貨(↔ paper currency). **2** 金属性[特有]の ‖ a *metallic* taste 舌を刺すような味 / a *metallic* surface 金属を思わせる表面.

met·al·loid /métəlɔ̀id/ 名 U 非金属(nonmetal)；半金属《ケイ素など》. —形 非金属の；金属に似た.

met·al·lur·gy /métələːrdʒi | metǽlə-/ 名U 冶金(学, 術). **met·al·lur·gist** /-/-/ 名C 冶金学者.

met·al·ware /métlwèər/ 名U 金物, 金属用品.

met·al·work /métlwə̀ːrk/ 名U 金属細工(品).

métal·wòrk·er 名C 金属細工人.

métal·wòrk·ing 名U 金属細工[加工](術).

met·a·mor·phic /mètəmɔ́ːrfik/ 形 1 変形の, 変質の. 2 [地質] 変成の; [生物] 変態の.

met·a·mor·phose /mètəmɔ́ːrfouz, (米+) -fous/ 動 [正式] 他 1 …を[…から/…に] (超自然的力で, 著しく)変形[変質, 変貌]させる[from / to, into]. 2 [地質] …を岩などに変成させる. ── 自 […に] 変形[変態, 変貌]する(into).

met·a·mor·pho·sis /mètəmɔ́ːrfəsis/ 名 (--ses /-siːz/) CU 1 [正式] (魔力などによる)変形[変成](作用). 2 著しい変化, 大変貌(的). 3 [生物] 変態.

met·a·phor /métəfər, -fɔːr | -fə, -fɔː/ 名CU [修辞] 隠喩, 暗喩, メタファー《例: He is a lion in battle. 彼は戦場の獅子(だ)である》(cf. simile).

met·a·phys·i·cal /mètəfízikl/ 形 1 形而上(じょう)学の. 2 抽象的理論に基づく. 3 [通例 M~] (17世紀イギリス詩壇の)形而上派の. 4 [正式] きわめて抽象的の, 理解しにくい. ── 名 [通例 M~] C 形而上派詩人.

mèt·a·phýs·i·cal·ly 副 形而上学的に; 推論で; 理解しにくく.

met·a·phy·si·cian /mètəfizíʃən/ 名C 形而上学者, 純正哲学者.

met·a·phys·ics /mètəfíziks/ 名U [単数扱い] 1 形而上学, 純正哲学. 2 [通俗的に] 抽象的な議論, 空論.

me·te /míːt/ 動 他 [文] 〈賞・罰など〉を割り当てる, 配分する; 〈罰・報酬など〉を与える(allot). ── 名C 計測, 計量.

met·emp·sy·cho·sis /mətèmpsəkóusəs, mètempsai-/ 名 (複 --ses /-siːz/) UC (死後の)霊魂の再生[転生], 輪廻(りんね).

†**me·te·or** /míːtiər, -ɔːr/ 名C 流星(shooting [falling] star); 隕(いん)石; 流星体(meteoroid).

†**me·te·or·ic** /miːtiɔ́ːrik/ 形 1 流星の ‖ a *meteoric* shower 流星雨. 2 流星のような; 一時的にはなばなしい. 3 大気の, 気象上の.

†**me·te·or·ite** /míːtiəràit/ 名C 隕(いん)石.

me·te·or·oid /míːtiərɔ̀id/ 名C メテオロイド, 流星体.

me·te·or·o·log·i·cal, -log·ic /mìːtiərəládʒik(l) | -lɔ́dʒ-/ 形 気象(学)上の ‖ the *Meteorological* [[略式] Met] Office (英国の)気象庁《日本の気象庁は Meteorological Agency, 米国は National Weather Service》.

meteorológical obsérvatory 気象台.

meteorológical rócket 気象観測ロケット.

meteorológical sátellite 気象衛星.

me·te·or·ol·o·gy /mìːtiərálədʒi | -ɔ́lədʒi/ 名U 1 気象学. 2 (一地方の)気象.

mè·te·or·ól·o·gist 名C 気象学者.

*__**me·ter**__*[1], (英) **me·tre** /míːtər/ 『[計測]が原義』 ── 名 (複 ~s/-z/) C メートル《長さの基本単位. [記号] m. 形容詞は metric》 ‖ 5 *meters* 5メートル (= 5 m) / Taro is 1 *meter* 75 centimeters tall. 太郎は身長1メートル75センチです.

†**me·ter**[2] /míːtər/ 名C 計量器, 計器, メーター. ── 動 他 [正式] …をメーターで計る[記録する].

méter màid (主に米略式) 駐車違反係の婦人警官.

†**me·ter**[3], (英) **-tre** /míːtər/ 名 1 U [詩学] 韻律, 格調(の). 2 歩格《韻律の単位》. 2 U [音楽] 拍子.

-me·ter[1] /-mìːtər/ [語要素] → 語要素一覧 (1.1, 1.4).

meth·ane /méθein | míːθ-/ 名U [化学] メタン.

*__**meth·od**__* ── 名 (複 ~s/-ədz/) 1 C (組織的な) […する]方法, 方式; [しばしば ~s] (専門分野の)方法論[*of doing*, *for doing*] [類語] manner, way] ‖ new *methods for* studying [the study *of*] finance 財政学の新しい研究法.

2 U (物事の)筋道, 順序, 体系; 秩序, 規律 ‖ think *with* [*without*] *method* 筋道をたてて[でたらめに]考える / His work lacks *method*. 彼は仕事を順序立ててしない.

3 U (行動などの)規則正しさ, きちょうめんさ ‖ a man of *method* きちんとした人 / There's (a) *method* in his madness. 《Shak. の誤引用》気が違っているにしては彼の言動には筋が通っている.

†**me·thod·i·cal** /məθádikl | -θɔ́d-/ 形 1 順序[組織, 秩序]だった, 整然とした《◆systematic の方が意味が強く徹底的な綿密さがある. 類語 orderly》. 2 (…の点で)きちょうめんな[*in*, *about*] ‖ be methodical *in* one's routine 毎日の仕事をきちょうめんにする.

me·thód·i·cal·ly 副 整然と, きちょうめんに.

Meth·od·ism /méθədizm/ 名U メソジスト教会の教義[組織, 礼拝方式]; [m~] きちょうめん主義.

†**Meth·od·ist** /méθədist/ 名C メソジスト教徒.

†**meth·od·ol·o·gy** /mèθədálədʒi | -ɔ́l-/ 名CU 方法論; 方法学, 方法研究. **mèth·od·o·lóg·i·cal** 形 方法論の, 方法論的な.

Me·thu·se·lah /məθ(j)úːzələ/ 名 1 (旧約) メトセラ《969歳まで生きたという族長》. 2 C 非常な高齢者.

meth·yl /méθl, (英+) [化学] míːθail/ 名U [化学] メチル(基).

méthyl álcohol メチルアルコール, メタノール.

me·tic·u·lous /mətíkjələs/ 形 1 […に] 気を配りすぎる, 細心な[*about*, *in*]. 2 《略式》非常に注意深い, 正確な.

me·tre[1,2] /míːtər/ 名 (英) = meter[1,3].

met·ric /métrik/ 形 1 メートル(法)の ‖ go *metric* メートル法に換える. 2 = metrical.

métric sýstem [the ~] メートル法《◆米国ではヤードポンド法が日常的》.

met·ri·cal /métrikl/ 形 1 [正式] 韻律の, 韻文の. 2 測量[測定](用)の(metric).

met·ro /métrou/ 名 [しばしば M~] (複 ~s) 1 (市式) [通例 the ~] (パリなどの)地下鉄, メトロ (cf. underground). 2 C (米・カナダ) 主要大都市圏の行政府. ── 形 (米・カナダ) 主要大都市圏の(行政府の).

met·ro·nome /métrənòum/ 名C [音楽] メトロノーム.

†**me·trop·o·lis** /mətrápəlis | mətrɔ́p-/ [アクセント注意] 名C 1 [正式] [時に the ~] (国・州・地域の)(最も)主要な都市《◆capital と一致するとは限らない》; 大都市; [the M~] (英) ロンドン ‖ Paris is a fashionable *metropolis*. パリはおしゃれな大都会である. 2 (文化・商業・活動の)中心(地) (center) ‖ a financial *metropolis* 財政上の中心地.

†**met·ro·pol·i·tan** /mètrəpálətn | -pɔ́litən/ 形 主要都市の, 大都市の, 都会(人)の ‖ a *metropolitan* area 首都圏, 大都市地域 / metropolitan daily papers 中央の日刊新聞《◆地方の日刊新聞 local daily (news)paper に対する》── 名C 主要都市[大都市]の住民, 都会人.

†**met·tle** /métl/ 名U [正式] 1 (人や馬などの)気性, 気質. 2 勇気, 血気; 気力, 根性, 気概. (*be*) *on one's* *mettle* 全力を振り絞って.

mew[1] /mjúː/ 名C ニャー《ネコやカモメ類の小さな鳴き声. (米) meow, (英) miaow, miaou ともする》. ──動自《ネコなどが》ニャーニャー鳴く.

mew[2] /mjúː/ 名C [鳥][通例 ~ gull] カモメ.

mewl /mjúːl/ 動自 (赤ん坊のように)弱々しく泣く《ネコにゃーニャー鳴く. ──名C 赤ん坊の泣き声.

Mex. 略 Mexican; Mexico.

†**Mex·i·can** /méksikn/ 形 メキシコの; メキシコ人の; メキシコなまりの. ──名C メキシコ人 [語法] → Japanese]. **Méxican Spánish** メキシコのスペイン語.

†**Mex·i·co** /méksikòu/ 名 メキシコ《北米南部の共和国. 正式名 United Mexican States. 略 Mex.》. **México City** メキシコシティー《メキシコの首都》.

mez·za·nine /mézənìn | mètsə-/ 名 1 [建築] 中2階. 2 [演劇] (英) 舞台下; (米) 特等席.

mez·zo /métsou, médzou/ (イタリア語) [音楽] 副 適度に, かなり. ──形 中間の; 中位の; 半分の. ──名 = mezzo-soprano.

mézzo fórte [音楽] メゾフォルテで[の], やや強く[強い] (略 mf).

mézzo piáno [音楽] メゾピアノで[の], やや弱く[弱い] (略 mp, m.p.).

mez·zo-so·pra·no /métsousəprǽnou, médzou- | -prɑ́ːnəu/ (イタリア語) 名 (複 ~s) [音楽] 1 U メゾソプラノ, 次高音《soprano と contralto の中間の声域》. 2 C メゾソプラノ歌手.

mez·zo·tint /métsoutìnt, -dzou-/ 名 1 U メゾチント彫法《明暗の効果を出す銅版術》. 2 C メゾチント版.

mf [音楽] mezzo forte.

mf, MF 略 medium frequency.

mfr. 略 manufacture; manufacturer.

mg 略 milligram(s).

Mg 記号 [化学] magnesium.

mho /móu/ 名 (複 ~s) C [電気] モー《電気伝導度の単位. ohm の逆数. siemens の旧称》.

MHz 記号 Megahertz.

mi /míː/ 名 U C [音楽] ミ《ドレミファ音階の第3音. → do[2]》.

MI 略 (英) Military Intelligence 軍事諜報部(cf. CIA); (郵便) Michigan.

mi. 略 (米) mile(s); mill(s).

Mi·am·i /maiǽmi/ 名 マイアミ《米国 Florida 州南東部海岸の観光都市》.

miaow, miaou /miːáu/ (英) 名動 =meow.

mi·as·ma /maiǽzmə | mi-/ 名 (複 ~ta/-tə/, ~s) C (文) (腐敗物・沼などから発生する)ガス, 瘴気(しょうき).

†**mi·ca** /máikə/ 名 U [鉱物] 雲母(うんも), きらら.

Mi·cah /máikə/ 名 [旧約] ミカ《紀元前8世紀の預言者》; ミカ書《旧約聖書の一書. 略 Mic.》.

***mice** /máis/ 名 mouse の複数形.

Mich. 略 Michaelmas; Michigan.

†**Mi·chael** /máikl/ 名 1 マイケル《男の名. 愛称 Mickey, Mike》. 2 [聖書] 天使長ミカエル(St. Michael).

Mich·ael·mas /míklməs/ 名 聖ミカエル祭《9月29日. → quarter day》.

Míchaelmas dáisy (英) [植] アスター(aster の一種).

Míchaelmas térm (英) (大学の)秋季学期.

Mi·chel·an·ge·lo /màikəlǽndʒəlòu/ 名 ミケランジェロ(1475-1564; イタリアの彫刻家・画家・建築家).

†**Mich·i·gan** /míʃigən/ 『アメリカ先住民語で「大きな湖」が原義』 名 1 ミシガン《米国中北部の州. 愛称 the Wolverine [Lake, Auto] State. 州都 Lansing. 略 Mich., (郵便) MI》. 2 Lake ~ ミシガン湖《北米五大湖の1つで3番目に大きい》.

Mick·ey /míki/ 名 ミッキー《Michael の愛称》.

Míckey Móuse /=, =/ (1) 『Mickey Mouse (2) の映画が子供っぽく単純なことから』 (米俗) くだらないもの, がらくた; (略式) [形容詞的に] くだらない. (2) ミッキーマウス《Disney の漫画映画の主人公》.

mick·le /míkl/ 名 (古・スコット) C 形 副 多量(の, に) ∥ **Many a little makes a mickle.** (ことわざ) 「ちりも積もれば山となる」.

mi·cro- /máikrou-/ (語要素) →語要素一覧(1.1).

†**mi·crobe** /máikroub/ 名 C 微生物; 病原菌.

mi·cro·bi·o·log·ist /màikroubaiɑ́lədʒist | -baiɔ́-/ 名 C 微生物学者, 細菌学者.

mi·cro·bi·ol·o·gy /màikroubaiɑ́lədʒi | -baiɔ́-/ 名 U 微生物学, 細菌学.

mi·cro·bus /máikroubʌ̀s/ 名 C (米) マイクロバス.

mi·cro·cap·sule /máikroukǽpsl | -sjùːl/ 名 C (薬品などの)マイクロ[微小]カプセル.

mi·cro·chip /máikroutʃìp/ 名 C [電子工学] マイクロチップ.

mi·cro·com·put·er /máikroukəmpjùːtər/ 名 C 超小型コンピュータ, マイコン(略式 micro).

mi·cro·cop·y /máikroukɑ̀pi | -kɔ̀pi/ 名 C 縮小複写, マイクロコピー.

mi·cro·cosm /máikroukɑ̀zm | -kɔ̀zm/ 名 C 1 小宇宙, 小世界(↔ macrocosm). 2 (宇宙の縮図としての)人間.

mi·cro·ec·o·nom·ics /màikrouèkənɑ́miks | -i:kənɔ́m-/ 名 U [単数扱い] ミクロ経済学(↔ macroeconomics).

mi·cro·e·lec·tron·ic /màikrouilektrɑ́nik, -i:lek- | -ilektrɔ́nik/ 形 ミクロ電子工学の.

mi·cro·e·lec·tron·ics /màikrouilektrɑ́niks, -i:lek- | -ilektrɔ́niks/ 名 U [単数扱い] ミクロ[超小型]電子工学.

mi·cro·fiche /máikroufìːʃ/ 名 (複 **mi·cro·fiche, ~s**) C U 1 [図書館] マイクロフィッシュ. 2 マイクロフィッシュ読み取り機(microfiche reader).

microfiche rèader =microfiche 2.

mi·cro·film /máikroufìlm/ 名 C U 動他 (…を)マイクロフィルム(にとる).

mi·cro·gram /máikrougrǽm/ 名 C マイクログラム《100万分の1グラム》.

mi·cro·graph /máikrougrǽf | -grɑ̀ːf, -grɛ̀f/ 名 C 顕微鏡写真.

mi·cro·me·te·or·ite /màikroumíːtiəràit/ 名 U [天文] 流星塵.

mi·cro·me·te·or·it·ic /màikroumìːtiərítik/ 形 [天文] 流星塵の.

mi·crom·e·ter /maikrɑ́mətər | -krɔ́m-/ 名 1 マイクロメーター, 測微計. 2 =micrometer caliper.

micrómeter cáliper 測微カリパス.

mi·cron /máikrɑn, (英+) -krɔn/ 名 (複 ~s, **-cra** /-krə/) C ミクロン《100万分の1メートル. 記号 μ》.

Mi·cro·ne·sia /màikrəníːʒə | -krəəníːziə/ 名 ミクロネシア《Mariana, Caroline, Marshall を含む太平洋北西部の群島》.

mi·cro·or·gan·ism /màikrouɔ́ːrgənìzm/ 名 C 微生物.

†**mi·cro·phone** /máikrəfòun/ 名 C マイクロフォン(略式 mike) ∥ **I speak at [into] a** *microphone* マイクに向かって話す / **a sensitive** *microphone* 感度のよいマイク.

mi·cro·pho·to·graph /màikroufóutəgrǽf | -grɑ̀ːf/ 名 C 1 マイクロ写真. 2 顕微鏡写真(photomicrograph).

mi·cro·proc·es·sor /máikrouprɑ̀sesər | -prɔ̀us-/ 名Ⓒ〖コンピュータ〗マイクロプロセッサー〔処理装置〕.

†**mi·cro·scope** /máikrəskòup/ 名Ⓒ 顕微鏡 ‖ look through the *microscope* 顕微鏡を(通して)見る. **pùt** Ａ **ùnder the mícroscope** 〈人・物〉を詳細に調べる.

†**mi·cro·scop·ic, ‑i·cal** /mài krəskɑ́pik(l) | -skɔ́p-/ 形 **1** 顕微鏡の. **2** 微視的な, 顕微鏡でしか見えない. **3** 極微の, 極微的な. **4** 《略式》非常に小さい, 微細な.

mi·cro·wave /máikrouwèiv/ 名Ⓒ **1** 〖物理〗マイクロ波, 極超短波《波長1m 以下の電波》. **2** 《略式》= microwave oven.

mícrowave óven 電子レンジ(electronic oven)《◆ ×microwave range とはいわない》.

†**mid** /míd/ 形 〔通例複合語で〕《◆最上級は midmost》 **1** 中間の, 中央の, 中頃の. **2** 〖音声〗中位母音の. **Míd Éast** [the ~] =Middle East.

mid. 《略》middle.

mid- /míd-/ 〔語構成〕→語要素一覧 (1.7).

mid·air /mídέər/ 名Ⓤ 空中, 上空.

Mi·das /máidəs, 《英＋》-dæs/ 名〖ギリシア神話〗ミダース《手に触れる物をすべて黄金に変える力を与えられた王》.

Mídas tòuch [the ~] 金もうけの才能.

†**mid·day** /míddéi, ⌐/ 名Ⓤ 正午(ごろ), 真昼.

‡**mid·dle** /mídl/
―― 形〔比較変化しない〕〔名詞の前で〕 **1** (2点・2面間の)真ん中の, (期間の)中間の ‖ the *middle* point of [on] a line 線の中点 / She died in her ⌈*middle* forties [mid-forties]. 彼女は40代半ばに亡くなった / take a *middle* view 中庸の見解をとる.
2 中程度の, 中流の, 平均的な《◆「初級の」に対する「中級の」は intermediate》;〖歴史〗[M~] 中期の, 中世の(medieval) ‖ be of *middle* height 中背(ぜ)である.
―― 名 **1** [the ~] 真ん中, 中心[中央]部;(行為の)最中, 中間の《◆(1) center と違って, 中心点とその周辺をも含み, また「細長い物の真ん中」の意でも用いる. (2) 時間の場合は center は使えない: in the *middle* [×center] of the night 真夜中に(→midnight)》 ‖ the *middle* [center] of a circle 円の中心 / walk down the *middle* [center] of the street 道の真ん中を歩いて行く / léave *in the middle of* his speech 彼の演説の最中に中座する(=leave ⌈during his speech [while he is speaking]) / His exam results ranked a little below the *middle* of the class. 彼の試験結果はクラスで中より少し下だ / in the *middle of* July 7月の半ばに / She was *in the middle of* washing up. 彼女は食器を洗っている最中だった(=She was busy washing up.).
2 《略式》〔通例 the/one's ~〕 (人体の)腰部, 胴(waist) ‖ His father is getting fat around the *middle*. 彼の父は腹が出ている.
dòwn the míddle 半分に; 真っ二つに; 折半する.
in the míddle (1) →**1**. (2) (対立する2者の)板ばさみになって, ジレンマに陥って.

míddle áge 中高年《40-60 歳程度. cf. middle-age(d)》.

Míddle Áges [the ~; 単数・複数扱い] 中世《西洋史では,《広義》では6-15世紀,《狭義》には12-15世紀を漠然とさす》.

Míddle América (1) 中米, 中部アメリカ. (2) = Middle West; 〔集合名詞〕(米国中西部の)中産級の米国人.

míddle C 〖音楽〗中央のハの音(の鍵).

míddle cláss [the ~(-es); 集合名詞も〕 〔単数・複数扱い〕中産階級《upper class と lower class との間. 知的専門職の人・実業家・店主などを含む. cf. middle-class》.

míddle cóurse [the/a ~] (両極の意見・行動の)中道, 折衷案.

míddle éar 〔解剖〕〔通例 the ~〕 中耳.

Míddle Éast [the ~] 中東《リビアからアフガニスタンに及ぶ諸国》(cf. Near [Far] East).

Míddle Éastern 中東の.

Míddle Énglish 中英語《1100-1500年ごろ. (略) ME》.

míddle fínger 中指.

míddle gróund [the ~] (政治的)中道 ‖ occupy the *middle ground* 中道の立場をとる.

míddle náme (名と姓の間につく)中間名《洗礼名または既婚女性では旧姓のこともある. ~name》;《比喩》[one's ~] (好きな食べ物・スポーツなどの)得意なもの.

míddle schóol 中等学校《米国では小学校の高学年と中学校(junior high)を含む5-8学年. 英国ではふつう8-12歳, 9-13歳の子供のための公立学校. cf. school》.

Míddle Wést [the ~] 米国中西部(Midwest)《Allegheny 山脈から Rocky 山脈に至る地域で, 南は Ohio 川と Missouri, Kansas 両州の南端に及ぶ》.

Míddle Wéstern 米国中西部の.

†**mid·dle-age(d)** /mídléid3(d)/《◆名詞の前で用いるときはふつう /⌐/》 形 中高年の(cf. middle age) ‖ feel *middle-age(d)* 中年だと自覚する.

míddle-áge(d) spréad [búlge] 《略式》中年太り, 中年腹.

†**mid·dle-class** /mídlklǽs | -klɑ́ːs/《◆名詞の前で用いるときはふつう /⌐/》 形 中産階級の; 俗物的な(cf. middle class).

†**mid·dle·man** /mídlmæ̀n/ 名Ⓒ **1** 仲買者, 中間業者《◆「汗を流さずに甘い汁を吸う者」という悪い含みがある》((PC) middleperson, agent, broker). **2** 仲介人, 仲人((PC) go-between, negotiator).

mid·dle-of-the-road /mídləvðəróud/ 形 (宗教的・政治的に)穏健な, 中道の.

mìddle-of-the-róad·er 名Ⓒ 穏健派の人, 中道主義者. **mìddle-of-the-róad·ism** 名Ⓤ 中道主義.

Mid·dle·sex /mídlsèks/ 名 ミドルセックス《ロンドンを含むイングランド南東の旧州》.

mid·dle-sized /mídlsáizd/ 形 ふつう[M]サイズの; 中肉中背の.

mid·dle·weight /mídlwèit/ 形 名Ⓒ **1** 平均的な重さ(の), 平均的体重の(人). **2** 《ボクシングなど》 ミドル級の(選手)(→ boxing¹).

mid·dling /mídlɪŋ/ 形 《略式》 中くらいの, 並の; 二級の.〔通例 ~s〕 中等品; 二級品;〔単数・複数扱い〕 (ふすまと混合した)あらびき小麦粉.

mid·dy /mídi/ 名Ⓒ **1** 《略式》 =midshipman. **2** =middy blouse.

míddy blòuse ミディブラウス, セーラー服型のブラウス.

Mid·east /mídíːst/ 〔the ~〕 =Middle East.

mid·field·er /mídfìːldər/ 名Ⓒ 〖サッカー〗ミッドフィールダー, 中盤の選手《図》→ soccer》 ‖ a center

midge /míʤ/ 图 C《略式》**1** 小昆虫《蚊(な)・ブヨなど》. **2** ちび.

†**midg·et** /míʤit/ 图 C **1** 小人《◆全体のバランスはふつうの人をいう. dwarf は頭でっかちで手足が短い人. 両者より little people の方が好まれる》. **2** 超小型のもの《船・車など》. ──形 極小の, 超小型の.

mid·i /mídi/ 图 形 ミディの(スカート, コート)(→ skirt).

MIDI《略》〔コンピュタ〕musical instrument digital interface ミディ《電子楽器の制御についての規格》.

†**mid·land** /mídlənd/ 图 C **1**[通例 the ~] 中部地方; 内陸部; [the Midlands] 英国イングランド中部地方; [the M~] 米国中部地方. **2** [M~] = Midland dialect. ──形 **1** 中部地方の, 内陸部の. **2** [M~] イングランド中部地方の.
Mídland díalect [the ~] 米国[イングランド]中部方言.

***mid·night** /mídnàit/《〖夜(night)のまったゞ中(mid)》
──图 **1**U 夜の12時, 午前0時《◆魔女・幽霊の出現の時刻とされる. 憂うう・孤独・陰謀などを象徴》;《古》真夜中(cf. midday)∥ *at midnight* 夜中の12時に;《古》*in the middle of the night* / 12 o'clock *midnight* 夜の12時《◆ 12 o'clock noon (昼の12時)に対する》/ *after* [*before*] *midnight* 夜半後[前]に / (*as*) *dárk* [*bláck*] *as mídnight* 真っ暗な / *until after midnight* 真夜中過ぎまで《➡文法 21.1(2)》. **2** [形容詞的に] 真夜中の, 真っ暗な∥ *a midnight* call 夜中の電話 / burn the *midnight* oil → oil 图 成句.
mídnight blúe たいへん黒ずんだ青色(の).
mídnight sún [the ~]《極地で夏に見られる》真夜中の太陽.

mid·rib /mídrìb/ 图 C 〔植〕(葉の)中肋(ちゅうろく), 主脈.

mid·riff /mídrif/ 图 **1** 〔解剖〕横隔膜(diaphragm). **2**《略式》胴体の中央部《胸と腰の間》.

mid·ship·man /míʤipmən, ⸗⸗/ 图 (複 **-men**) C **1**《米》海軍兵学校生徒. **2**《英》海軍士官候補生.

†**midst** /mídst, míʦt/ 图 U《文》[通例 the/one's ~] 《異質のものに囲まれた》真ん中; (行為・期間の)真っただ中(middle). ──前《古》…の(真ん)中に, …のさなかに《(文) amid》. ──副 まん中に[で]. *first, mídst, and lást* 初めから終わりまで, 終始一貫して.

mid·stream /mídstríːm/ 图 U **1** 流れの中ほど, 中流. **2** (物事の)中途; (期間の)半ば.

†**mid·sum·mer** /mídsʌ́mər, ⸗⸗/ 图 U **1** 真夏, 盛夏《◆英国では日本と違って快適な時期》. **2** 夏至 (summer solstice)のころ ∥ *A Midsummer Night's Dream* 『夏の夜の夢』《Shakespeare の喜劇》.
mídsummer mádness《略式》ばかげた[途方もない]行為.
Mídsummer('s) Dáy ヨハネ祭《6月24日で洗礼者ヨハネの祝日. St. John's Day ともいう. → quarter day》.

mid·term /**1** mídtəːrm; **2** ⸗⸗/ 图 **1**U (学期・任期・妊娠期間などの)中間. **2** C [時に ~s] =midterm examination.
mídterm eléction《米》中間選挙《大統領の任期(4年)の中間に行なわれ, 上院の3分の1・下院全部・州知事の3分の2が改選される. off-year election ともいう》.

mídterm examinátion《大学などの)中間試験.
mid·town /mídtàun/《米》图 U 副 形 町[市]の中心.

†**mid·way** /副 mídwéi; 图 ⸗⸗/ 副 形 中途に[の], 中ほどに[の] (halfway). ──图 C《米》(博覧会・謝肉祭・サーカスなどの)催し会場.

Mid·way /mídwèi/ 图 **the ~ Islands** ミッドウェー諸島《Hawaii 北西にある米領の小群島》.

mid·week /图 mídwìːk; 形 ⸗⸗/ 图 **1** U 1週の中頃《火曜から木曜. 特に水曜》. **2** [M~]《クエーカー (Quakers)教徒間で》水曜日. ──形 週の中頃の.

mid·wife /mídwàif/ 图 (複 **-wives**) C 助産師, 産婆.

†**mid·win·ter** /mídwìntər/ 图 U 真冬; 冬至のころ《12月22日ごろ》.

mid·year /图 mídjíər; **2** ⸗; 形 ⸗⸗/ 图 **1** U 1年の中頃. **2**《主に米略式》[~s] 中間試験(期間). ──形 1年の中頃の.

***mien** /míːn/ 图 U《文》[時に a ~] 物腰, 態度, 顔の表情(bearing).

MIG, MiG, Mig /míɡ/ 图 C ミグ《旧ソ連製ジェット戦闘機. MIG 25 は有名》.

***might**[1] /máit/《〖may の直説法過去・仮定法過去としての用法のほか, 発話時における可能性・推量を表す独立用法がある》

index 助 **1** …かもしれない **3** …してもよい **4** …した方がよいですよ; …だったろうに

──助
I [独立用法: 可能性・推量]
1 [might do]〈人・物が〉(ひょっとして)…かもしれない《◆(1) 形は過去形でも意味は現在・未来の推量. (2) 話し手の確信度は could, might, may, can, should, ought to, would, will, must の順に強くなるが, 最近では may と might は強さの差はなく用いることも多い. また, may は許可などに用い, 可能性・推量にはもっぱら might を用いる傾向がある》∥ My son *might* become prime minister when he grows up. 私の息子は大きくなったら総理大臣になるかもしれない《◆確実性を上げるには My son *might* (very) well become …》/ I wonder where Bill is now. He *might* be in London by now. ビルは今どこだろう. もうロンドンに着いているかもしれない / What beautiful scenery! We *might* be in Alaska. なんと美しい景色だ! まるでアラスカにいるみたいだ(=It looks as if we were in Alaska.) / Don't lock the door. They *might* not have the key. ドアに鍵をかけないで. 彼らはキーを持っていないかもしれません.

2 [might have done]〈人・物事が〉(ひょっとして)…してしまったかもしれない, …だったろうかもしれない《◆発話時からみた過去の推量. may have done と交換可能》《➡文法 8.4》∥ He *might* have gotten [got] on the train already. 彼はもう電車に乗ってしまったかもしれない(=It is possible that he has already gotten [got] on the train.) / Might she *have* missed her train? 彼女が電車に乗り遅れた可能性はあるでしょうか(=Is it possible that she has missed her train?).

II [may の仮定法過去]
3 [許可] **a** [might do]〈人が〉(もしその気なら)…してもよい(のに)《➡文法 9.1》; [might have done] (もしその気なら)人は…してもよかったのに《◆「どうしてしない[しなかった]のか」といういらだちや非難をしばしば

含む》(→文法 8.4) ‖ You *might* ask before you use my PC(っ). 私のパソコンを使うのなら,一言ぐらいはいいのに / You *might* want go to see the doctor. 医者に見てもらったらいかがですか. **b**《正式》[might I do …?] …してもよろしいですか,かまいませんか《May I do …? より控え目. possibly などを付加してさらに控え目の気持ちを出すことがある. 今は Could I do …? を用いるのが一般的》‖ *Might* I (possibly) leave the room now? 部屋を出て行ってもよろしいでしょうか《◆「はい, いいです」,「いけません」の意では "Yes, you may. / No, you may not." など》. **c**《今はまれ》[疑問文で;おおげさに] (いったい) …だろうか ‖ Who *might* she be? 彼女はいったいだれだろうか.

4 [可能性・推量] [if節の帰結節として] [might do] (もし…ならば) …かもしれない…かもしれなかった. →文法 9.1》, …した方がよいですよ《◆不満の気持ちが込められることもあるが, had better のような押し付けがましさはない; (→ had BETTER 語法)》; [might have done] (もし…であったら) 〈人・物・事は〉…だったろうに《◆仮定法過去完了. →文法 9.2》‖ It *might* be better if we told him the whole story. 彼には洗いざらいしゃべった方がいいのかもしれません《=It *might* be better to tell …》(ていねいな提案) / The firm *might have lost* all its money if it had not paid attention to his advice. もし彼のすすめを無視していたら会社には一銭もなくなっていたかもしれない.

III [may の直説法過去]
5 [許可] 《まれ》…してよかった, …することができた.

might (just) as well do → well¹.

†**might²** /máit/ 图 ①《文》(肉体的・精神的に) 大きな力, 腕力; 権力, 実力, 勢力 ‖ by *might* 腕ずくで / *Might* is [makes] right. (ことわざ) 力は正義;「勝てば官軍」.

*with [by] áll one's **míght*** =《文》*(with [by] áll one's) **míght and máin*** 力をふりしぼって; 全力を尽くして.

†**might·i·ly** /máitli/ 副《文》力をこめて, 力強く;激しく ‖ swear *mightily* 力強く誓う, 激しくののしる.

might·n't /máitnt/《略式》might not の短縮形.

†**might·y** /máiti/ 形 (-i·er, -i·est) **1**《文》〈人・物が〉強力な (strong); 強大な, 権勢のある《◆ powerful よりも大きさと強さを強調》‖ a *mighty* blow 強烈な一撃 / the *mighty* works of God 神の偉大な業(ホャ), 奇跡 / a *mighty* nation 強国. **2**《文》巨大な, 広大な, 壮大な ‖ the *mighty* ocean 大海原. **3**《略式》(程度が) 並はずれた ‖ a *mighty* famine 大飢饉(ミミ) / a *mighty* hit 大当たり. — 副《略式》非常に ‖ be *mighty* easy ばかにやさしい.

míght·i·ness 图 ① 強力, 強大.

mi·gnon·ette /mìnjənét/,《英+》mì:-/ 图 **1** ⓒ《植》モクセイソウ. **2** ⓤ (目立たない) 灰緑色. **3** ⓤ ミニョネット-レース《幅の狭い美しい手編み》.

mi·graine /máigrein,《英+》mí:-, mái-/ 图 ⓤⓒ 偏頭痛.

mi·grant /máigrənt/ 图 ⓒ **1** 渡り鳥. **2** 移住[季節]労働者. **3**《豪》移住者. — 形 移住性の ‖ *migrant* workers 移住[季節]労働者.

†**mi·grate** /máigreit, -ʹ-/ 動 ⓘ **1**〈人が〉(…から/…へ) 移住する (from/to) 類語 emigrate, immigrate ‖ *migrate* from Japan *to* Brazil 日本からブラジルに移住する. **2**〈鳥・魚などが〉(定期的に) (…から/…へ/…の間を) 移動する, 渡る (from/to/between) ‖ These birds *migrate between* Hokkaido and Siberia. これらの鳥は北海道とシベリアの間を移動している.

†**mi·gra·tion** /maigréiʃən/ 图 **1** ⓤⓒ 移住, 転住; (鳥・魚の) 移動, 渡り; [集合名詞] 移住者の群れ, 移動群. **2** ⓒ [集合名詞] 移住者の群れ, 移動群.

mi·gra·to·ry /máigrətɔ̀:ri, -tə̀ri, maigréitəri/ 形《正式》**1**〈動物などが〉移住性の, 定期的に移動する《↔ resident, sedentary》‖ a *migratory* bird 渡り鳥. **2**〈人・部族が〉放浪性の, 遊牧の.

mi·ka·do /mikɑ́:dou/《日本》图 (優 ~s) [しばしば M~] ⓒ [the ~] 帝(ネモヒ), 天皇; [The M~]『ミカド』《Gilbert and Sullivan の喜歌劇》.

mike /máik/ 图 ⓒ《略式》マイク (microphone).

Mike /máik/ 图 マイク《男の名. Michael の愛称》.

mil /míl/ 图 ⓒ **1** ミル《1000分の1インチ. 電線などの直径の単位》. **2** ミル《円周の6400分の1に相当する角度測定単位》. **3** = milliliter.

Mi·lan /miláen, -lɑ́:n/ 图 ミラノ《イタリア北部の都市》.

****mild** /máild/ 形《「激しさがないこと」が本義》

(~·er, ~·est)

I [物の程度が中くらいの]

1〈気候が〉**温暖な**, 穏やかな ‖ We have a *mild* climate here all the year round. ここは一年中穏やかな気候です.

> 使い分け [**mild と calm**]
> mild は「〈気候や天気が〉穏やかな」の意.
> calm は「〈嵐や波に影響されず〉穏やかな」の意.
> The sea is very *calm* [×*mild*] today. 今日の海はとても穏やかだ.
> The weather is *mild* [*calm*] today. 今日はお天気が穏やかだ.
> 《◆ calm は話し手が今日の天気と別の日の天気を比べ, 「嵐などなくて今日は穏やか」という判断をした場合. 今日の天気のみを直接観察した場合は mild》

2〈規則・罰・病気などが〉(程度が) 軽い (soft)《↔ severe》‖ have a *mild* fever 微熱がある.
3 まろやかな味の,〈タバコが〉軽い《↔ strong》;〈薬などが〉穏やかに作用する ‖ *mild* soap 刺激性の少ない石けん. **4** (程度が) 軽い, きつくない ‖ a *mild* joke 軽い冗談.

II [人の程度が中くらいの]

5〈人・性質・態度などが〉やさしい, 温和な; おとなしい《◆生来の温和さをいう. 意識的なやさしさを強調する場合は gentle》‖ *mild* in disposition 気立てがやさしい / *mild* of manner 態度が穏やかな / as *mild* as a lamb 非常に柔和な.

— 图 ⓤ《英略式》=mild ale.

mild ále マイルド, 苦味の少ないビール《bitter より色が濃くホップが少ない》.

míld·ness 图 ⓤ 温和; 温暖; まろやかさ.

†**mil·dew** /míldju:/ 图 ⓤ **1** (紙・衣類・革などの) 白かび. **2**《植》うどん粉病, べと病. — 動 ⓣ …にかびを生やす. — ⓘ かびが生える.

†**mild·ly** /máildli/ 副 **1** 穏やかに, やさしく. **2** 少し (slightly) ‖ be *mildly* interested 少々興味がある.

to pùt it míldly できるだけ穏やかに[控え目に]言えば[言っても].

:**mile** /máil/ 图《「(左右で1歩として)1000歩の距離」が原義》

— 图 (優 ~s/-z/) **1** ⓒ マイル《米英の陸上距離単位. =1760 yards (約1609 m).《略》m, mi.》.

‖ at 40 *miles* per hour 時速40マイルで(=at 40 mph) / That town is 500 *miles* away (from here). その町はここから500マイル離れている。 **2** ⓒ 海里《国際海里はもと1853.2 m, 現在は1852 m》. **3** (略式) [a ~ / ~s] かなりの距離[程度]; [しばしば副詞的に] ‖ *a míle óff* かなり離れた所で[遠くに] / I'm feeling *miles* better than yesterday. (英略式) 昨日よりずっと気分がよい / A miss is as good as *a mile*. 少しはずれたのも遠くはずれたのと同じ, 失敗は失敗; 少しも成功は成功《◆よい意味, 悪い意味の両方に使われる》. **4** [the ~; しばしば形容詞的に] 1マイル競走(の).

miss (A) *by a míle* (1)〔…で〕大失敗をする〔in〕. (2) まったくの見当違いをする.

†**mile·age** /máilidʒ/ 图 U **1** [時に a ~] 総マイル数, 里程. **2** (一定時間内の)マイル表示距離. **3** [時に a ~] (レンタカーなどの)マイル当たり料金. **4** [時に a ~] =mileage allowance. **5**(略式) 使用量; 利益; 有効期間.

míleage allówance (会社の用事での自家用車の)マイル当たり旅費.

míleage sèrvice マイレージ・サービス《利用した飛行距離に応じて航空会社が提供するサービス》.

míle·pòst /máilpòust/ 图 ⓒ マイル標, 里程標.

mile·stone /máilstòun/ 图 ⓒ **1** マイル標石. **2** [人生・歴史での]画期的な事件〔in〕. 事情 *The Times* 紙の 'Milestones' は名士の死亡記事欄.

mil·i·tan·cy /mílitənsi/ 图 U 好戦性, 闘志; 交戦状態.

†**mil·i·tant** /mílitənt/ 形 **1** 好戦的な, すぐ暴力[武力]に訴える; 闘志にあふれた ‖ *militant* tribes 好戦的な部族. **2** 交戦中の ‖ the church *militant*〔神学〕戦う教会, 闘争教会.
—— 图 ⓒ 好戦的な人; (政治運動などの)闘士.

†**mil·i·ta·rism** /mílitərìzm/ 图 U 軍国主義(体制), 軍国的風潮; 軍人魂(↔ pacifism).

†**mil·i·ta·rist** /mílitərist/ 图 ⓒ 軍国主義者.

†**mil·i·ta·ris·tic** /mìlitərístik/ 形 軍国主義(者)の.

†**mil·i·tar·y** /mílitèri/ -təri/ 形 **1** 軍(隊)の, 軍用の(↔ civil); 陸軍の(cf. naval) ‖ *military* power 軍事力 / *military* forces 軍隊 / *military* supplies 軍用物資. **2** (一般人に対して)軍人の; 軍人らしい;(文に対して)武の(↔ civil) ‖ *military* uniform(s) 軍服 / *military* draft 徴兵制 / His bearing was *stiff and military*. 彼の態度は厳格しく軍人らしかった. —— 图 (正式) [the ~; 集合名詞; 単数・複数扱い] (正規軍の)軍人, 将校; 正規軍(cf. militia) ‖ *The military* was [were] called in to keep order on the campus. 学内の秩序を保つために軍隊の出動が要請された(⊙文法 14.2(5)).

mílitary acádemy [the ~] 陸軍士官学校(military school);(米)軍隊式の男子私立中・高等学校.

mílitary bánd 陸軍軍楽隊;(英)吹奏楽団《brass band に対して, 木管楽器を含む通常の編成のもの》.

mílitary búildup 軍備増強.

mílitary políce [時に M~ P~](米)[the ~]憲兵隊(略)MP).

mílitary políceman [時に M~ P~] 憲兵(略)MP).

mílitary sérvice 兵役.

mil·i·tate /mílitèit/ 動 ⓘ (正式)〈事実・証拠などが〉〔…に不利に/(まれ)…に有利に〕作用[影響]する〔against / for, in favor of〕.

†**mi·li·tia** /məlíʃə/ 图 ⓒ [通例 the ~; 集合名詞; 単数・複数扱い] (正規軍(the military)に対する)市民軍;(米)国民軍(the National Guard)《18歳–45歳の男子市民から成る》.

*****milk** /mílk/
—— 图 **1** U 乳; 牛乳, ミルク《◆潤沢・豊饒などを象徴》‖ *a bottle of milk* 牛乳1びん《ふつう 1 pint 入り》/ frésh *mílk* 生牛乳 / skím(med) *mílk* 脱脂乳 / condénsed *mílk* 練乳, コンデンスミルク / drý [dríed, pówdered] *mílk* 粉ミルク《◆対話》 "Don't drink the *milk*." "Why?" "It's going sour." 「そのミルクを飲んではだめだよ」「どうして」「腐りかけて酸っぱくなっているんだ」/ tea with *milk* ミルクティー《◆ˣmilk tea とはいわない》/ *milk* fresh from the cow 絞りたての牛乳 / He was nursed [fed] on his mother's *milk*. 彼は母乳で育った. **2** 樹液; 乳剤 ‖ coconut *milk* ヤシの乳液 / *milk* of magnesia マグネシア乳《緩下剤・制酸剤》.

(as) white as mílk 真っ白で.

crý over spílt [(米) *spílled*] *mílk* すんでしまった事を悔やむ(→ it is (of) no USE doing).

mílk and hóney 〔聖〕豊かな生活のかて ‖ *a land of milk and honey*(文)(カナーンの地のような)楽園.

—— 動 (~s/-s/; 過去・過分 ~ed/-t/; ~·ing)
—— 他 **1** (略式)〈人など〉から〔金・情報などを〕しぼり取る〔of, for〕;〈金・情報など〉を〔人から〕まんまと引き出す〔from, out of〕. **2 a**〈人・機械が〉〈動物〉の乳をしぼる;〈ヘビ〉の毒を抜く; …から樹液を取る ‖ He *milks* his cows every day. 彼は毎日牛の乳をしぼる / *milk* the snake (*of* its venom) = *milk* venom *from* the snake そのヘビの毒を抜く. **b**〈乳・毒・樹液〉を〔…〕しぼる〔from〕.
—— ⓘ〈動物〉の乳を出す;〈人〉が乳をしぼる.

mílk bàr (主に英) ミルク・バー《牛乳・アイスクリーム・サンドイッチなどを出すスタンド式の店》.

mílk càrt [(英) flóat] 牛乳配達車《◆しばしば小型電気自動車》.

mílk chócolate ミルクチョコレート.

mílk jélly ミルク入りフルーツゼリー.

mílk lòaf (英) 白い菓子パン.

mílk púdding (英) ミルクプディング.

mílk róund (英) 牛乳配達区域.

mílk rùn 牛乳配達(のコース);(英略式)いつも決まった行程[コース].

mílk shàke ミルクセーキ.

mílk sùgar 乳糖, ラクトーゼ(lactose).

mílk tòast (米) ミルクトースト《熱い牛乳に浸したバター付きトースト. 病人・小児食》; 腰抜け, 小心者《特に男》.

mílk tòoth 乳歯((主に米) baby tooth).

†**milk·maid** /mílkmèid/ 图 ⓒ (昔の)乳しぼりの女(dairymaid).

milk·man /mílkmæn/ -mən/ 图 (複 --men/) ⓒ **1** 牛乳配達人, 牛乳屋((PC) milk deliverer). **2** 乳しぼりの男((PC) dairy worker).

milk-pow·der /mílkpàudər/ 图 U 粉ミルク(dry milk).

milk·sop /mílksɑp/ -sɔp/ 图 ⓒ **1** (英) ミルクに浸したパン切れ《病人・小児食》. **2**〔やや古〕軟弱な男[男の子]; ホモ.

milk·weed /mílkwìːd/ 图 ⓒ U 〔植〕トウワタ《ガガイモ科の薬用植物》.

milk-white /mílkhwáit/ 形 乳白色の.

†**milk·y** /mílki/ 形 (-i·er, -i·est) **1** 乳のような;(文)(はだの色を)白い; 乳白[乳濁]色の. **2**〈牛が〉乳をよ

く出す；〈木が〉樹液のよく出る；〈食物が〉乳から成る,乳をたっぷり入れた.

Mílky Wáy 〔天文〕 〔the ~〕 天の川, 銀河(Galaxy).

†**mill** /míl/ 〔名〕 © **1** 製粉場(flour mill), 水車場(water mill) ‖ The *mill* used to be run by wind power. その製粉場は昔は風力を使っていた. **2** 〔原材料の加工関連の〕工場, 製造所(→ factory) ‖ a cotton [paper, steel] *mill* 紡績[製紙, 製鋼]工場. **3** 製粉機, 粉砕器；粉ひき器, ミル ‖ a cóffee [pépper] *mill* コーヒー[コショウ]ひき器. **4** 〔果物・野菜の汁を取る〕圧搾機 ‖ a cíder *mill* リンゴしぼり機. ─ 〔他〕 **1** 〈穀物などを〉ひいて粉にする, 製粉する. **2** 〈金属・鋼鉄などを〉圧延機[切断機]にかける. **3** 〈硬貨など〉にぎざぎざをつける. ─ 〔自〕 **1** (米式) 〈家畜・人の群れなどが〉うろうろ動き回る, ひしめく(+ *about, around*). **2** (俗) げんこつでなぐる.

míll hànd 製粉工；工員, 紡績工.
míll whèel 水車(の輪).

Mill /míl/ 〔名〕 ミル 《**John Stuart ~** 1806-73；英国の経済学者・哲学者・政治理論家》.

mil·len·ni·um /miléniəm/ 〔名〕 (複) ~s, **-ni·a** /-niə/) **1** © (正式) 1000 年間. **2** © 千年祭. **3** 〔キリスト教〕 〔the ~〕 至福千年 《キリストが再臨してこの世を統治するという千年間》. **4** 〔the ~〕 (遠い未来の)黄金時代, 平和で幸福な時代.

†**mill·er** /mílər/ 〔名〕 © **1** 粉屋, 製粉業者, 水車屋. **2** フライス盤.

†**mil·let** /mílit/ 〔名〕 **1** © 〔植〕 キビ 《東洋・南欧で食料, 米国で家畜の飼料にする》 ；キビに似たイネ科の雑草. **2** Ⓤ 雑穀 《キビ・アワ・ヒエなど. 食料・飼料》.

Mil·let /mi:jéi, mijéi/ 〔名〕 ミレー 《**Jean François** /ʒɑ:ŋ frɑ:nswɑ́:/ | -frɑ:nsɛ́ː/ ~ 1814-75；フランスの画家》.

mil·li- /míli-/ 〔語素〕 →語要素一覧(1.1).

mil·li·am·pere /míliæ̀mpiər, -peər | -peə/ 〔名〕 〔電気〕 ミリアンペア 《1000分の1アンペア》.

mil·liard /míljɑːrd, -liɑ̀ːrd/ 〔名⃝〕 -liərd/ 〔英〕 10 億 《(米) billion》.

mil·li·bar /mílibɑ̀ːr/ 〔名〕 © 〔気象〕 ミリバール 《気圧の単位, hectopascal の旧称. 〔記号〕 mb》.

mil·li·gram (英まれ) **--gramme** /míligræm/ 〔名〕 © ミリグラム 《〔記号〕 mg》.

†**mil·li·li·ter**, (英まれ) **--tre** /mílilìːtər/ 〔名〕 © ミリリットル 《〔記号〕 ml》.

mil·li·me·ter, (英まれ) **--tre** /mílimìːtər/ 〔名〕 © ミリメートル 《〔記号〕 mm》.

mil·li·ner·y /mílənèri | -nəri/ 〔名〕 Ⓤ 婦人帽子類(販売[製造]業).

†**mil·lion** /míljən/ 《1000(milli)の大きな状態(on). cf. millenary》
─ 〔名〕 (複) **mil·lion, ~s**/-z/) 《◆名 形 とも用例は → **two, hundred**》 **1** © 〔基数の〕100万, 10⁶ 《◆序数は millionth. 関連接頭辞 mega-》 しばしば不特定多数を表す 《(複) **2** . また m, m.》 ‖ a [one] *million* 100万 《◆ one の方が強意的》 / óne [a] *chánce in a míllion* [thousand] (略式) 千載一遇の機会 / a man in a *million* 男の中の男 / The population of Canada is about 31 *million*. カナダの人口は約3100万です.

> **語法** (1) 数詞または数量詞がつく場合も -s をつけない (→ hundred 〔名〕 **1** **語法** (1)) : two *million* 200万 / several *million* 数百万.
> (2) 端数のあるとき及び名詞を修飾するときも -s をつけ

ない: six *million*, three hundred and five thousand 630万5千 / 5 *million* dollars 500万ドル (= $5m).

2 © 〔複数扱い；代名詞的に〕 100万個；100万人. **3** © 〔記号〕 〔しばしば ~s〕 100万ドル[ポンドなど] ‖ make five *million*(s) 500万(ドル[ポンドなど])もうける. **4** © 100万の記号 [数字, 活字]. **5** 〔~s of ...〕 何百万という；(略式) 非常に多数の(...) 《◆ hundred 〔名〕 9》 ‖ *míllions of* people 何百万という(多数の)人々. **6** 〔the ~〕 民衆, 大衆.

óne in a míllion (略式) 百万にひとりの人[ひとつの物], めったに現れない人[物] 《cf. **1** 》 《◆ **one in a thousand** より強意的》.

─ 〔形〕 〔名詞の前で〕 **1** 100万の, 100万個の；100万人の. **2** 〔a ~〕 無数の, 多数の 《cf. thousand》.

†**mil·lion·aire** /mìljənέər, ˈ-ˈ-/ 〔アクセント注意〕 〔名〕 © 百万長者, 大金持ち 《cf. billionaire》 ‖ She túrned into [became] a *millionáire* overníght. 彼女は一夜のうちに百万長者になった.

mil·lionth /míljənθ/ 〔形〕 《◆ 形 名 とも用例は → fourth》 **1** 〔通例 the ~〕 100万番目の, 100万分の目の 《〔語法〕 → **first** 〔形〕 **1** 》. **2** 〔a ~〕 100万分の1の. ─ 〔名〕 **1** © 〔通例 the ~〕 〔順位・重要性で〕 〔...する〕 第100万番目[100万位]の人[もの] 《*to do*》. **2** © 100万分の1 (= third 〔名〕 **5**).

mill·pond /mílpànd | -pɔ̀nd/ 〔名〕 © 〔古〕 水車用貯水池.

like a míllpond = (as) **cálm as a míllpond** 〈海が〉とても静かな.

mill·race /mílrèis/ 〔名〕 © **1** 水車を回す水流. **2** 水車用の落水路.

†**mill·stone** /mílstòun/ 〔名〕 © **1** 石うす. **2** (責任などの)重荷.

a míllstone (a)round [**about**] **A's néck** 〔首にくくりつけられたひきうすが〕 〈人〉にとっての重荷.

milt /mílt/ 〔名〕 Ⓤ **1** 魚精, 白子(`しらこ`). **2** (雄魚の)生殖器官.

†**Mil·ton** /míltən/ 〔名〕 **1** ミルトン 《男の名》. **2** ミルトン 《**John ~** 1608-74；英国の詩人. 主著 *Paradise Lost*》.

Mil·ton·ic /miltɑ́nik | -tɔ́n-/, **--to·ni·an** /-tóuniən/ 〔形〕 **1** ミルトンの, ミルトンに関する. **2** ミルトンの文体に似ている；荘厳な, 雄大な.

Mil·wau·kee /milwɔ́:ki/ 〔名〕 ミルウォーキー 《米国 Wisconsin 州南東部, ミシガン湖畔の都市》.

mime /máim/ 〔名〕 © **1** 物まね師, 道化役者. **2** © 〔古代ギリシア・ローマの〕 身振り狂言, 無言道化芝居；その役者. **3** Ⓤ パントマイム；© その役者. ─ 〔動〕 〔他〕 **1** 〈人などを〉まねる；...をまねて茶化す. **2** 〈役柄などを〉パントマイムで演じる. ─ 〔自〕 パントマイムで演じる.

mim·e·o·graph /mímiəgræf | -grɑːf/ 〔名〕 © **1** (米) 謄写版, 複写器 (duplicator) **2** 〔謄写版による〕 写し. ─ 〔動〕 〔他〕 ...を謄写版で印刷する.

†**mim·ic** /mímik/ 〔動〕 〔他〕 (過去・過分) **-icked; -ick·ing**) **1** 〈他人の声・身振りなどを〉まねる, まねてばかにする ‖ A parrot can *mimic* a person's voice. オウムは人の声をまねることができる. **2** 〈物が〉 ...によく似る.

─ 〔名〕 © **1** 模倣者, 物まね師. **2** 人まねをする動物；人の声をまねる鳥. **3** 模倣物, 模造品.

─ 〔形〕 **1** にせの, 模造の；模擬の ‖ *mimic* warfare 模擬戦争. **2** 模倣の, まねのうまい；〔生物〕 擬態の ‖ *mimic* coloring (動物・昆虫・鳥などの)保護色.

mímic bóard (コンピュータを利用した)案内板, 掲示

板.

†mim·ic·ry /mímikri/ 名 **1** 〖正式〗 Ⓤ 模倣; Ⓒ 模造品. **2** Ⓤ 〖生物〗擬態.

mi·mo·sa /mimóusə/-zə/ 名 **1** Ⓒ Ⓤ 〖植〗ミモザ, オジギソウ. **2** Ⓒ 〖英〗〖植〗ミモザアカシア. **3** Ⓤ ミモザの花.

min (略) minute.

mi·na /máinə/ 名 (複 ~nae/-níː/, ~s) Ⓒ **1** 〖ギリシア史〗 **1** ミナ〖貨幣単位. =1/60 talent〗. **2** ミナ〖重量単位. 約1ポンド〗.

†mince /míns/ 動 他 **1** 〈肉・野菜など〉を細かく刻む 《◆ chop よりも細かい》; 〈土地・話などを〉細分して台なしにする ‖ *minced* meat ミンチ肉, ひき肉 / *mince* an onion 玉ネギをみじん切りにする. **2** 〈言葉〉を加減する. ── 自 気取って話す〖ふるまう〗; 気取って小またで歩く.

not **mínce** **mátters** [*one's* **wórds**] 〖正式〗〖不快なことを〗遠慮なしに言う ‖ *Not to mince matters*, I don't want you to come to our party. はっきり言って君にはパーティーに来てもらいたくないのだ. ──名 Ⓤ 細かく刻んだ肉; 〖英〗ミンチ肉.

mínce píe ミンスパイ《クリスマスのお菓子》.

mince·meat /mínsmiːt/ 名 Ⓤ ミンスミート《ミンスパイの詰め物. レーズンなど種々の乾燥果物のみじん切りに香辛料・砂糖・ラム酒などを加えたもの》.

✲✲mind /máind/ 〖「記憶(している)」が原義〗派 mental (形)

index
名 **1**心 **3**記憶(力) **4**知力 **5**意見
動 他 **1**いやだと思っている **2**注意する
  自 **1**いやだと思う

── 名 (複 ~s/máindz/)
Ⅰ [心]
1 Ⓤ Ⓒ **a** (意識・思考・意志・感情の座としての)**心**, 精神 (↔ body, 〖哲学〗matter) 【類語】heart, spirit, soul〗‖ peace of *mind* 心の平安 / win the hearts and *minds* of the people 国民の心をつかむ. **b** ものの考え方[感じ方]; 気質 ‖ a frame [state] of *mind* 気分, 考え方 / a turn of *mind* 気質, 気立て / He has a logical *mind*. 彼は論理的にものを考えることができる / *So many men, so many minds*. 〖ことわざ〗「十人十色」/ the Japanese *mind* 日本人気質.

> 使い分け [mind と heart]
> mind は「(理性的な)心」の意.
> heart は「(喜怒哀楽を示す)心」の意.
> I changed my *mind*. 私は気が変わった.
> He has a kind *heart*. 彼はやさしい心の持ち主です.

2 Ⓤ Ⓒ 正気; 平静, 理性 ‖ absence [presence] of *mind* 放心[平静] / awake to one's full *mind* 目覚めて気分がはっきりする; 正気にかえる / Have you lóst [góne out of] your *mínd*(↘)?〖略式〗血迷うな.

3 Ⓤ **記憶(力)**; 回想 ‖ from time out of *mind* (人の記憶にないほど)大昔から / with his words in *mind* 彼の言葉を記憶にとどめて / *cást one's mínd báck* 回想する / *Out of sight, out of mind.*〖ことわざ〗→ out of SIGHT.

Ⅱ [心が生み出す力]
4 Ⓤ **知力**, 知性; Ⓒ Ⓤ 思考力 (head) (↔ emotion, will²)‖ a man of good *mind* 知性のある人 / be beyónd one's mínd 理解できない / They have sharp [quick] *minds*. 彼らは頭が切れる[頭の回転が速い].

Ⅲ [心にある考え]
5 a Ⓒ 〖通例 a/one's ~〗意見, 意向; 本心, 願望; 好み ‖ chánge one's mínd 考え[決定]を変える / spéak one's mínd 率直な気持ちを話す / réad his *mínd* 彼の心を読み取る / have a *mind* of one's own 自分自身の信念で決める / You have a bright *mind*. それはよい考えだ / I'll give you *a piece of my mind*. 遠慮なく意見しよう.
b [one's ~] 注意, 関心 ‖ *open* [*close*] *one's mind to* it それを前向きに[いやいや]考える / *give* [*pùt, sèt, tùrn*] *one's mínd to* it それに関心を向ける / His mind is on baseball. 彼の関心は野球だ.

6 Ⓒ (知性面からみた)人 ‖ the popular *mind* [集合名詞的に] 一般の人々 / No two *minds* think alike. 人それぞれに考えが違う.

béar A **in mind** =keep A in MIND.
bénd *one's* **mind** 〔…に〕専心する, 夢中になる〔to〕.
be of [in] óne [a] mínd with 〈人〉と〔…について〕同意見である〔about〕.
be of the sáme mínd (1) (前と)意見が変わらないでいる. (2) 〈複数の人が〉同意見である (=be of [in] one [a] mind) 《◆ be of the like *mind* ともいう》.
be of 〖主に英〗 **in**] **twó mínds** 〔…に関して/…かと〕決めかねている〔about/wh 節〕.
be on A's **mínd** =be on the mind of A 〈物・事が〉人の気にかかっている; 〖米〗〈人〉が考えている ‖ What's on your mind? 何を心配している[〖米〗考えている]のですか (=What do you always have on your mind?).
bring *one's* **mind báck to** A 〈物・事が〉…を思い出させる.
bring [**cáll**] **to mínd** 〈人が〉…を思い出す.
cóme [**spríng**] **to mínd** =**cross** [**enter, cóme into**] A's **mínd** 〈物・事が〉〈(人)の心に浮かぶ ‖ Another good idea *crossed my mind*. よい考えがもうひとつ心に浮かんだ.
fíx A **in** *one's* **mínd** …を心に留める.
gó out of [**from**] A's **mínd** (1)〈人・物・事が〉〈人〉に忘れられる → **2.**
***hàve** A **in mínd** (1) …を計画中[考慮中]である; 〖正式〗[have it in ~] 〔…する〕つもりだ〔to do〕‖ Do you have anything *in mind*?(買物などで)何か決めているものがあるの. (2) =keep A in MIND.
hàve (A) **on** *one's* **mínd**(…を)気にしている, 気にかけている.
in *one's* **mínd** =to one's MIND.
in *one's* **ríght mínd** [通例否定文・疑問文・条件文で] 正気で.
kéep in mínd =**kéep in mínd** A [*that* 節] …を心に留めておく, 覚えている ‖ Please keep me *in mind* if you ever need another member for the band. もしバンドにもう1人メンバーが必要になったら私のことを思い出してください.
kéep *one's* [A*'s*] **mínd óff** B =take one's [A's] MIND off B.
kéep *one's* **mínd on** A …に専心する; …に夢中で

ある.

know one's **ówn mínd** [通例否定文で] 固く決意している, 考えがぐらつかない.

*__màke úp__ one's __mínd__ [...しようと/...かを]決心する(decide) [to do, that節/wh節, wh句]《◆主語が複数のときは minds》‖ He made up his mind [to hunt the truth [that the truth (should) be hunted]. 彼は真相を突き止めようと決心した. (2) [...に関して[で]]結論を下す [about/that節]. (3) [正式] [(不可避の(悪い)事実を)覚悟する, (あきらめて)受け入れる[to (doing)].

óut of one's **mínd** [略式] (1) 気が狂って. (2) [悲しみ・心配などで]気が狂ったようになって[with]. (3) へべれけになって.

pút [**gíve, sèt, túrn**] one's **mínd to** A ...に専念する.

pút A **out of** one's **mínd** ...を(意図的に)忘れる.

sét one's **mínd on** A (1) [...することを]固く決意する ‖ Her mind was set on marrying him. 彼女は彼と結婚しようと心に決めていた. (2) ...を熱望する.

slíp A's **mínd** [事が(人)に思いつかない ‖ Oh, my phone number slipped my mind entirely. いや, 自分の家の電話番号をど忘れしたよ.

stíck in A's [**the**] **mínd** 〈物・事が〉〈(人)の〉心にはっきり残っている.

táke one's [A's] **mínd òff** B B〈つらい事〉を忘れる[A〈人〉に忘れさせる]; B〈事〉から注意をそらす[A〈人〉の注意をそらす].

to one's **mínd** [英式]自分の考えでは《◆ one's はふつう my》.

—動 ～ s/máindz/; [過去・過分] ～ ed/-id/; ～ ing《◆ 他 3 以外では進行形不可》

—他 **1** [通例否定文・疑問文・条件文で] 〈人〉が〈人・物・事〉を**いやだと思っている, 気にする**; [mind (that)節 / mind wh節] ...するのをいやだと思う《◆ A's より A の方が口語的. ➡文法 12.5》; [mind A C] 〈人〉が A〈人・物〉が C であるのを迷惑がる ‖ I don't mind your [you] smoking. あなたがタバコを吸ってもいいようにかまいません(=I don't mind if you smoke.) / 【対話】"How do you like college life?" "I don't mind it⤵, but I do mind the expense." 「大学生活はどうだい」「まあまあなんだけど, 費用が気になるよ」《◆肯定文はふつうこのような対比で用いる》

2 a [主に英] 〈人・物・事〉に**注意する, 用心する**; [mind (that)節 / mind wh節] ...するように注意する《◆(1) ふつう命令形で用いる. (2) 節内は未来形にしない》 ‖ Mind your step! 足元に気をつけて! 《◆ Mind [(米) Watch] the step! 階段があるので注意!》/「Mind [(out)] [(米) Be careful] (that) you read questions twice. いいかい, 問いは必ず 2 度読むんだよ / Mind (out) how you drive. よく注意して運転しなさい(=(米) Be careful when you drive.).
b (米) 〈人・動物が〉〈人・忠告など〉を(注意して)聞く, ...に従う《◆進行形不可》 ‖ Mind your parents' advice [words]. =Mind what your parents tell you. ご両親の言うことをよく聞きなさい.

3 [米式] 〈人・店など〉の世話[番]を(一時的に)する ‖ Who's minding the store [(英) shop]? だれが店番をしている[事をとり仕切っている]のですか.

—自 **1** [主に否定文・疑問文で] **a** 〈人が〉**いやだと思う, 気にする** ‖ 【対話】"Would you mind if I used [(昔に) use] your car tonight? =Do you mind if I use ...?" "I'd rather you don't

[didn't] tonight, if you don't mind." 「今夜車をお借りしていいですか」「すみませんが今夜はご遠慮願えませんか」《◆(1) Do you mind ...? ではふつう used とはしない. (2) くだけた会話では Would [Do] you がよく省略される. if節の中は直説法: Mind if I sit here? ここに座ってもいいかい. (3) cf. 成句 Would [Do] you MIND doing? / I shouldn't [wouldn't] mind if I have a cup of tea. お茶を一杯いただくのも悪くない. の遠回し表現. if I have は省略可. → 他 1》/ **Do you mind?** → 成句 If you don't MIND? / **Do you mind!** → 成句 Would [Do] you MIND doing? **b** [...のことを]心配する, 気にする[about] ‖ Don't mind about the rumor. うわさを気にするな.

2 注意する, 用心する; 〈主に米〉言うことを聞く, 従順である ‖ Mind! 気をつけろ! あぶない(=(米) Watch [Look] out!)(→ 成句 mind (you)) / Train your horse to mind well. よく言うことを聞くように馬を訓練しなさい.

Dòn't mind mé! [略式] (1) [me を⤵で]私のことはご心配なく; 私にかまわず続けてください. (2) [me を⤴・⤵で]私のことはほうっておいてくれ.

If you dòn't [wón't] mínd? (⤴) [略式] よろしければ; [皮肉的に]こう言っているんですがね; (いらいらして)それやめていただけませんか《◆この意では if に強勢を置く》《◆単に Do you mínd?(⤴)ともいう》.

Mind and dó /máindn-/ [略式] 気をつけて[きっと]...しなさい ‖ Mind and drive slowly. 気をつけてゆっくり運転するんですよ.

Mínd óut! [英] [...に]気をつけろ[for](→ 他 2 a).

mind (you) /maindʒū, máindʒu:/ [略式] とは —自 **2**. (2) [挿入句的に] いいかいよく聞け, 忘れるな《◆(1) ないしょ話をしたり, 言い足したり, 聞き手の注意を引くときに用いる. (2) 文頭で /-/ となると断定的・強調的)》 ‖ Mind (you)⤵, this is just between you and me. いいね, ここだけの話だよ.

*__Mínd your ówn búsiness [affáirs]!__ [英式] 大きなお世話だ.

*__néver mínd__ [主に英] —自 [Never ～.] (1) [お礼やおわびに対して] **気にするな** (don't worry), かまわないよ (Take it easy.)《◆×Don't mind. とはふつういわない. Oh, never mind と Oh を付けると感じよく出る》. (2) [議論で誤りを正して]いや, 本当は. (3) [質問に答えないで]大きな問題だ, (あきらめて)もういいよ《◆[主に英] nèver you mínd で用いられることもある》. —他 [never ～ A] (1) ...を気にするな; ...はたいした事ではない ‖ Never mind her. 彼女のことなんかどうでもいいじゃないか. (2) [通例否定文の後で] ...はもちろん, まして(let alone).

*__Wòuld [Do] you mínd dóing?__ どうか...していただけませんか《◆ Do you ... の方がくだけた言い方》 ‖ 【対話】"Would you mind calling him to the phone?" "No, I wouldn't mind. [Cértainly nót., Of cóurse nòt., No, nót at áll.]" 「彼を電話口にお呼びいただけませんか」「ええ, いいですとも」《◆「いいえ, だめです」は Yes, I dó mínd [mind it very much]. など. 依頼の実質的内容を Would you please ...? に反応して, 応じる場合は All right., It's OK., Very well., Yes, certainly., Sure(ly)(, just a moment)., 応じられない場合に I'm sorry I can't., because ... などということが多い》/ Do you mind not biting your nails? (⤵)(⤴) つめをかむのをやめていただけませんか《◆ not の位置に注意. 反語的で命令文に相当する. 単に Do

you mínd!⸨〻⸩ =If you dòn't mínd! 《どうかやめてください》ともいう.
Would [Do] you mínd my [me] dóing? 〔許可〕《私が》…してよろしいですか.
mínd rèader 読心術者.
mínd rèading 読心術.
mínd's éye [one's/the ~] 心の眼, 想像力; 記憶力.

mind-bog·gling /máindbàgliŋ | -bɔ̀g-/ 形 《略式》驚くべき, 圧倒されるような, 想像を超えた (incredible).

†**mind·ed** /máindid/ 形 **1** 《ある程度》〔…する〕気がある〔to do〕‖ He has enough money to buy a car, if he were so minded [if he were minded to do so]. 彼は、その気になれば車を買うくらいの金は持っている. **2** 〔副詞を伴って〕《…的な考え方をする》‖ They are very ecologically [environmentally] minded. 彼らは環境にとてもやさしい考え方をする.

-mind·ed /-máindid/ 語要素 →語要素一覧(1.2).

†**mind·ful** /máindfl/ 形 《正式》〔…に〕心を配って, 注意して; 心に留めて忘れない〔of〕‖ Be more mindful of your health. 健康をもっと大切にせよ.

mind·less /máindləs/ 形 **1** 《人・行為が》思慮のない, 愚かな; 〔仕事などが〕知性を必要としない; 容赦しない. **2** 〔…を〕意に介さない, 配慮しない〔of〕.

:**mine**¹ /máin/ 〔I の所有格代名詞〕 ●文法 15.3 (4)

—代 **1** 〔単数・複数扱い〕**私のもの**《♦ my + 先行名詞の代用》‖ His son is five years old and mine is six. 彼の息子は5歳, 私の息子は6歳です.
2 [a ~ that, this, no, etc.] + 名詞 + of ~] 私の‖ He is **an old friend of mine**. 彼は私の古い友人です.

†**mine**² /máin/ 名 © **1** 鉱山《♦ 付属の建物を含むこともある》; 鉱坑, 鉱脈, 鉱床‖ work a mine 鉱山を採掘する / develop [open up] a cópper mine 銅山を開く. **2** [a ~ of + U 名詞] 〔知識などの〕宝庫‖ He [This book] is **a mine of information about** fishing. 彼[この本]は釣りに関する情報の宝庫である. **3** 〔軍事〕 地雷 (land mine); 〔敵陣の下を通る〕坑道 (explosive mine).
—動 他 **1** 〈鉱石・石炭〉を採掘する;〔…の採掘が目的で〕を掘る〔for〕; 〔通例 be ~d out〕〈地域などが〉採掘され尽くす‖ a hill mined for gold 金の採掘のために坑道が掘られている山. **2** 〔軍事〕…に地雷[機雷]を敷設する, [通例 be ~d] 〈道路・船などが〉地雷[機雷]で爆破される. —自 **1** 〔鉱石などの〕採鉱をする, 坑道を切り開く〔for〕. **2** 〔軍事〕地雷などを敷設する; 爆破坑道を掘る.
míne detéctor 電磁式地雷[機雷]探知機.
míne dispósal 地雷処理作業.
mine·field /máinfi:ld/ 名 © 〔軍事〕地雷[機雷]敷設域.

†**min·er** /máinər/ 同音 minor /名 © 鉱山労働者, 坑夫《♦ 英国では主に炭鉱労働者をさす》.

*****min·er·al** /mínərəl/ 〔『鉱山』が原義〕
—名 (複 ~s;-z/) © (cf. animal, plant), 鉱石; 無機(化合)物; 〔栄養素の〕ミネラル‖ a diet rich in minerals ミネラルが豊富にある食事 / This hot spring contains many dissolved minerals. この温泉は溶けた鉱物がたくさん含まれている. **2** 〔英式〕〔通例 ~s〕=mineral water.
—形 〔名詞の前で〕鉱物(性)の, 鉱物を含んだ; 無機(物)の《♦ 比較変化しない》‖ mineral ores [deposits] 鉱石[鉱床].
míneral óil 《各種の》石油; 《米》鉱油《主に下剤》.
míneral spríng 鉱泉.
míneral wáter 〔時に -s〕天然鉱水《薬用》; 人工鉱水, ミネラル=ウォーター.
míneral wóol 鉱物綿《防音・断熱材》.

†**Mi·ner·va** /mináːrvə/ 名 〔ローマ神話〕ミネルバ《知恵・発明・芸術・武勇の女神. ギリシャ神話の Athene に相当》.

min·e·stro·ne /mìnəstróuni/ 〔イタリア〕名 U = minestrone soup. **minestróne sóup** ミネストローネ《イタリア風の具だくさんのスープ》.

mine-sweep·er /máinswi:pər/ 名 © 《機雷除去の》掃海艇.

Ming /míŋ/ 名 **1** 《中国の》明(公), 明朝《1368-1644》. **2** U 〔上質の〕明朝磁器. —形 明朝(芸術)の.
míng trée 盆栽 (bonsai).

†**min·gle** /míŋgl/ 動 他 **1** 〈人・物・事が〉〈物・事〉を混ぜる (mix), …を〔…と〕混ぜ合わせる (+together) 〔with〕《♦ ふつう分離されば各成分が識別できる要素を混ぜる. cf. mix》‖ Her look of pride was **mingled with** some shame. 彼女の自慢げな表情には恥ずかしさの気持ちもいく分混ざっていた / with **mingled** fright and surprise 恐さ半分驚き半分で. 《今はまれ》〈薬など〉を調合する, 混ぜ合わせて…を作る.
—自 **1** 〈物が〉〔…と〕混ざる〔with〕. **2** 〔人と〕交際する〔with〕; 〔…に〕加わる, 参加する〔in〕‖ The speaker **mingled with** the members of the audience before his address. 話し手は演説をする前に聴衆の中に入って行き言葉を交わした.

min·i /míni/ 名 (複 ~s) © 《略式》 **1** =miniskirt. **2** 《英》=minicar. 〔一般に〕小型のもの, ミニチュア. —形 **1** 〈スカートなどが〉ミニの. **2** 小型の.
min·i- /míni-/ 語要素 →語要素一覧(1.1).

†**min·i·a·ture** /míniətʃərˌ -tʃʊər | míniətʃə/ 名 © **1** 小模型, ミニチュア‖ a miniature of the Diet Building 国会議事堂の小型模型. **2** © 細密(肖像)画; U 細密画法. **3** © 〔印刷発明前の写本に描かれた〕彩飾画[文字].
in miniature 〔名詞の後で〕小規模の, 縮小した.
—形 〔名詞の前で〕小型の, 縮小した‖ miniature furniture for a dollhouse 人形の家用のミニ家具.
—動 他 …を細密画にかく, 縮写する.
míniature cámera 小型カメラ《35ミリ判以下》.

min·i·a·tur·ize /míniətʃəraiz/ 動 他 …を縮小[小型]化する‖ 日本発 Bonsai, which features the creation and appreciation of miniaturized potted plants and trees, is an art form unique to Japan. 盆栽は鉢に植えた草木を小さく好みの形に育てて鑑賞するもので, 日本独特の芸術の1つです.

min·i·bike /mínibàik/ 名 © 《米》ミニ[小型]バイク.
min·i·bus /mínibʌs/ 名 © 《約10人乗りの》マイクロ[小型]バス.
min·i·cab /mínikæb/ 名 © 《英》《呼び出し》小型タクシー.
min·i·cal·cu·la·tor /mìnikǽlkjəleitər/ 名 © ミニ電卓.
min·i·car /mínikɑːr/ 名 © 《英》小型自動車.
min·i·com·put·er /mínikəmpjùːtər/ 名 © 小型コンピュータ, ミニコン.
min·im /mínəm/ 名 © **1** ミニム《液量の最小単位. 1/60 dram. 略 min》. **2** 《英》〔音楽〕2分音符 (《米》half note). **3** 微量; 微小な物; つまらない人[物].

min·i·ma /mínimə/ 名 minimum の複数形.
min·i·mal /mínəməl/ 形《正式》最小(限度)の, 極小の (↔ maximal).
†**min·i·mize**,《英でしばしば》**-mise** /mínəmàiz/ 動 他《正式》**1** …を最小限にする(↔ maximize). **2** …を最小限に評価する; …を軽視する.
†**min·i·mum** /mínəməm/ 名 (働 **-ma**/-mə/, **~s** /-z/) © **1** [通例 a/the ~] 最低限, 最小限(↔ maximum) ‖ achieve a maximum of efficiency *with a minimum of* effort 最小の努力で最大の効果をあげる. **2** 最低量[数, 点] ‖ The temperature dropped [fell] to a *minimum* (low) of 14°C. 気温は最低摂氏14度まで下がった. **3**〔数学〕最小, 極小.
── 形《正式》最小[最低]限の.
mínimum wáge [a ~] (1)(法律・協約上の)最低賃金. (2) 生活賃金.
†**min·ing** /máiniŋ/ 名 Ⓤ **1** [しばしば複合語で] 採鉱, 採掘 ‖ cóal míning 炭鉱業 / a míning engìneer 鉱山技師. **2** 鉱山業. **3**〔軍事〕地雷[機雷]の敷設.
min·ion /mínjən/ 名 © **1**〔主に文〕[しばしば ~s] (奴隷のような)手先, 子分, 家来. **2** お気に入り, 寵児 (ちょうじ), 寵臣.
min·i·skirt /míniskə̀ːrt/ 名 © ミニスカート(略式 mini)(← skirt).
min·i·state /mínistèit/ 名 © 極小[ミニ]国家(microstate)《アジア・アフリカなどの新興小独立国》.
***min·is·ter** /mínəstər/ 名《「より小さい(minor)者」→「召使(servant)」》 ministry (名)
── 名 (働 **~s**/-z/) © **1** [しばしば M~](英国・ヨーロッパ・日本などの)大臣(⇔《米》secretary 名 2)‖ the Prime *Minister* 総理大臣 / the *Minister* for [of] Foreign Affairs 外務大臣. **2** 公使《大使(ambassador)の下位》; 外交使節 ‖ the United States *Minister* to Switzerland スイス駐在米国公使 / a *minister* plenipotentiary 全権公使. **3**(特にプロテスタント教会の)聖職者, 牧師(priest).
── 動 自《正式》[…に]仕える, […の]世話をする; […に]聖職者の務めを果たす〔to〕‖ *minister to* a sick person 病人の世話をする.
── 他 〈聖餐(さん)式などを〉執行する.
min·is·te·ri·al /mìnəstíəriəl/ 形 **1**《正式》大臣の; 内閣の, 政府の. **2** 牧師[聖職者]の, 牧師[聖職者]に適した. **3** 行政(上)の, 行政的な.
min·is·trant /mínəstrənt/《正式》形 […に]奉仕する, 仕える; […の]補佐役の〔to〕. ── 名 © 奉仕者, 補佐役.
min·is·tra·tion /mìnəstréiʃən/ 名 **1** ©Ⓤ《正式》[通例 ~s; 複数扱い] 世話; 奉仕; 援助. **2** Ⓤ 牧師[聖職者]の職務;[通例 ~s] 礼拝, 司式.
†**min·is·try** /mínəstri/ 名 **1** [しばしば the M~]Ⓤ (英国・ヨーロッパ・日本などの)内閣(cf. cabinet);[集合名詞] 閣僚 ‖ *The Ministry* has resigned. 内閣は総辞職した. **2** [通例 M~]©(英国・日本政府の)省(=department 名 2); 省の建物 ‖ the *Ministry* of Finance =(略式)the Finance *Ministry* 財務省. **3** [the ~] 大臣の職務[任期]. **4** [the ~] 牧師の職務[任期]; [集合名詞; 単数・複数扱い] 牧師, 聖職者. **5** Ⓤ 奉仕, 援助; 手段, 媒介.
†**mink** /míŋk/ 名 **1** (働 **mink**) © 〔動〕ミンク《北米原産のイタチ科の動物》. **2**(略式)ミンクの毛皮《婦人コート用として最高級》; © その衣服.
Minn.(略) Minnesota.

†**Min·ne·so·ta** /mìnəsóutə/ 名 ミネソタ《米国中北部の州.(愛称) the Gopher [North Star] State. 州都 St. Paul.(略)Minn.(郵便)MN》.
†**min·now** /mínou/ 名 (働 **min·now**) © **1**〔魚〕ミノー《ユーラシア産のコイ科の魚》; コイ科の小魚. **2**(釣りの生き餌とする)小魚. **3** 取るに足りない人[物].
†**mi·nor** /máinər/ 形 〔同意〕miner)**1**(2者のうち)小さい方の, 少ない方の, (程度において)ささいな; 過半数に達しない(↔ major)‖ a *minor* offense 軽犯罪 / His younger son received a *minor* share of his wealth. 彼の下の息子は彼の財産の少ない方の分け前を受け取った. **2** 比較的重要でない, 重大でない; 二流の《◆ unimportant より堅い語》;〔医学〕生命にかかわらない(slight) ‖ a *minor* part in a play 劇のわき役 / a *minor* official 下級官吏, 小役人 / a *minor* operation ちょっとした手術. **3**《米》〈学科・分野が〉副専攻の ‖ a *minor* (subject) 副専攻科目. **4**《英》[姓の後で](昔のパブリック・スクールで, 同性の者のうち)年少の, 弟の(↔ major). **5**〔音楽〕短音階の, 短音程の; [音調記号の後で] 短調の(↔ major)‖ a *minor* third 短3度(音程). **6**〔法律〕未成年の.
── 名 © **1**〔法律〕未成年者《◆ 英国では18歳未満, 米国では州により18歳未満または20歳未満》(↔ major)‖ No *minors* (allowed [served]). 未成年者お断り. **2** 副専攻科目[課程]; 副専攻学生. **3**《米》[the ~s; 集合名詞]=minor league. **4**(同階級・同類の中で)下位の人, 二流の物. **5**〔音楽〕短調(minor key); =minor scale; =minor interval ‖ a symphony in C *minor* ハ短調の交響曲.
── 動 自《米》[…を]副専攻する〔in〕.
mínor ínterval〔音楽〕短音程.
mínor kéy =名 5.
mínor léague《米》マイナーリーグ《プロ野球などの major league より下位のプロスポーツ連盟》.
mínor plánet 小惑星(asteroid).
mínor prémise〔論理〕小前提.
Mínor Próphets〔旧約〕[the ~](旧約の)小預言者[書].
mínor scále〔音楽〕短音階.
†**mi·nor·i·ty** /mənɔ́(ː)rəti, mai-/ 名 Ⓤ [通例 a ~; 単数・複数扱い] 少数(の者), (2分した)小さい方の部分; [単数扱い] (得票などの)半分以下の数(↔ majority) ‖ be in a *minority* of one だれからも支持されていない, 孤立無援である / Only a *minority* (*of*) people) want [wants] the war to continue. 戦争の続行を望む者はごく少数である. **2 a** © [単数・複数扱い] 少数派(↔ majority);(一国内の)少数民族,(議会の)少数党(minority group) ‖ laws to protect ethnic *minorities* 少数民族を保護する法律. **b** [形容詞的に] 少数派の; 少数派の人々の ‖ a *minority* opinion [view] 少数意見. **3** Ⓤ〔法律〕[通例 one's ~] 未成年 ‖ He is still in his *minority*. 彼はまだ未成年である.
be in the [a] *minority* 少数(派, 党)である.
minórity góvernment 少数党政府.
minórity gròup =名 2 a.
minórity léader《米》少数党の院内総務.
minórity repòrt(少数派の)反対意見書.
Mi·nos /máinəs; -nɒs/ 名 〔ギリシア神話〕 ミノス《クレタ島の王. Zeus と Europa の息子》.
†**Min·o·taur** /mínətɔ̀ːr/ máinə/ 名 〔ギリシア神話〕[the ~] ミノタウロス《人身牛頭の怪物》.
†**min·ster** /mínstər/ 名 [しばしば M~] ©《英》修道

†min·strel /mínstrəl/ 名 C **1** (中世の)吟遊詩人. **2** (古謡)詩人, 歌手, 音楽家. **3** minstrel show の演技者. **mínstrel shòw** (米)ミンストレル・ショー《黒人に扮した白人の歌・ダンス・笑い話などによるバラエティショー》.

min·strel·sy /mínstrəlsi/ 名 U (まれ) **1** 吟遊詩人の芸[詩歌, 音楽]. **2** 吟遊詩人の一団.

†mint¹ /mínt/ 名 C **1** 造幣局. **2** (略式)[a ~ of + U 名詞] 多額, 大金, 多大 ‖ **màke** [**éarn**] *a mínt* (**of** money) 多額の金をもうける. **3** (発明などの)源泉, 源(source). ── 動 他 **1** (正式)《貨幣》を鋳造する. **2** 〈新語など〉を造り出す. ── 形 真新しい, 未使用の.

†mint² /mínt/ 名 **1** C U 〔植〕ハッカ, ミント《♦spearmint は調味料, peppermint はハッカを混ぜ香味料として用いる》. **2** U ハッカ(油)〈葉・茎から採る〉. **3** C (略式)ハッカ入りキャンデー(peppermint). **mínt sàuce** ミントソース《主に子羊の焼肉にかける》. **mínt tèa** ハッカ茶.

mint·age /míntidʒ/ 名 **1** U 貨幣鋳造. **2** [集合名詞]鋳造貨幣. **3** U 貨幣鋳造費.

min·u·et /mìnjuét/ 名 C メヌエット《17世紀フランスで始まった3拍子のゆるやかで優雅なダンス》; その舞曲.

†mi·nus /máinəs/ 前 **1** 〔数学〕…を引いた(↔ plus) ‖ 17 *minus* 5 leaves [is, equals] 12. 17引く5 は12《♦引き算については → subtract 関連》. **2** (略式)…のない(without); …が欠けた ‖ a book *minus* its cover 表紙のない本. ── 形 **1** マイナスの; 負の(negative) ‖ *minus* five degrees マイナス5度 / a *minus* quantity 負量, 負数. **2** [評価点の後で](ある成績より)下位の, 劣る ‖ a mark of B *minus* B⁻ [B の下(ノ)の成績《♦−の符号は B などの右肩につける》. **3** (略式)欠けている, 不利な ‖ the *minus* side マイナスの面. ── 名 C **1** マイナス, 負号; 負量, 負数. **2** 不足, 欠損; 不利なこと《♦日本語の「プラス」「マイナス」は advantage, disadvantage に相当することが多い》. **mínus sìgn** 〈−〉(↔ plus sign).

mi·nus·cule /mínəskjùːl/ 形 **1** 小文字の, 小文字で書かれた. **2** (略式)非常に小さい, ちっぽけな(tiny). ── 名 C **1** (中世の写本の)小文字(体). **2** 〔印刷〕小文字活字.

※min·ute¹ /mínət/ [発音注意] 〔「より小さくされたもの」が原義〕── 名 (複 ~s/-its/) C

Ⅰ [時間の小さい単位]

1 (時間の)分(単位) m, min., (符号) ′. cf. hour, second²) ‖ leave five *minutes* early [late] 5分早く[遅く]出発する(→文法 23.4(2)) / at ten *minutes* past [(米·英方言) after] eight 8時10分に(= (英)eight ten)《♦(米) 8:10 /(英) 8.10 とも書く》/ It is ten *minutes* to [(米略式) of] seven. 7時10分前です(=(英)It is ten to seven.) / He will be back *in a few minutes*. 2, 3分で[すぐに]彼は帰ってくるだろう / He held his breath for a full three *minutes*. 彼はまる3分間息を止めた / There was [(正式) were] only five *minutes* left before the train started. 列車が出るまでたった5分しかなかった. **2** (略式)[通例 a ~] 瞬間, ちょっとの間(moment) ‖ *in a minute* =in [within] *minutes* すぐに(=very soon) / stare at each other *minute after minute* 何分もにらみ合いを続ける / Go to

bed *this minute*. 今すぐ寝なさい / *Wáit* [*Júst*] *a minute*, please. ちょっと待ってください / It is getting colder 「*minute by minute* [by the *minute*, every *minute*]. 刻々と寒くなってくる(→文法 16.3(3)) / I'm expecting him every [any] *minute*. 彼を今か今かと待っている.

Ⅱ [角度の小さい単位]

3 (角度の)分《1度(degree)の60分の1. (符号) ″. → second²》‖ The longitude of the mountaintop is 25° 10′ east. その山頂の経度は東経25度10分だ《♦ 25° 10′ は twenty-five degrees (and) ten minutes と読む》.

Ⅲ [小さく簡単なもの]

4 覚え書き; [(the) ~s] 議事録(minute book) ‖ Who is going to take 「*the minutes* [a *minute book*]? 書記はだれがするのか.

*(**at) ány mínute** (略式)今すぐにも ‖ It may rain *any minute*. 今にも雨が降りそうだ.
at the lást mínute どたん場になって.
nòt for a 「óne] mínute (略式)少しも…ない.
the mínute (that) ... [接]…するとすぐに(→文法 4.1(4)) ‖ He jumped for joy *the minute* he heard the news. そのニュースを聞くとすぐに彼は喜んで跳びあがった.
to the minute 〔分の単位(the 形 11)に至るまで(to 前 6)(正確に)〕(1分も違わず)きっちり ‖ He finished in one hour *to the minute*. 彼はちょうど1時間で終えた.
úp to the mínute (略式)流行[最新情報]の[で].
── 動 他 …を議事録に書き留める(+ *down*).
mínute bòok =名 4.
mínute hànd (時計の)分針, 長針.
mínute stèak ミニッツステーキ《薄切りのすぐ焼けるステーキ》.

†mi·nute² /main(j)úːt, mi-/ [発音注意] 形 (more ~, most ~ or (まれ) ~r, ~st) (正式) **1** (目に見えないほど)微小な, 微細な(cf. little) ‖ *minute* grains of sugar 粒子の細かい砂糖 / a *minute* improvement ごくわずかな進歩. **2** 綿密な, 詳細な; 〈人が〉細心な ‖ a *minute* health examination 身体の精密検査. **3** 取るに足りない, ささいな(petty).

mi·núte·ness 名 U 微小, 微細; 綿密, 詳細.

†mi·nute·ly /main(j)úːtli, mi-/ 副 (正式) **1** 詳細に(は), 細かい点で. **2** 細心に, 綿密に. **3** ごく細かく, わずかに.

Min·ute·man /mínitmæn/ 名 (複 --men) C **1** [時に m~] 〔米史〕緊急召集兵《独立戦争で即時召集に備えて待機していた兵民》. **2** (米空軍)ミニットマン《三段式大陸間弾道弾. MIRV の一種》.

minx /míŋks/ 名 C (略式)おてんば娘; 生意気な娘.

Mi·o·cene /máiəsìːn/ 名 〔地質〕[the ~] **1** 中新世. **2** 中新世[統]の形成岩. ── 形 中新世の.

***mir·a·cle** /mírəkl/ ── 名 (複 ~s/-z/) C **1** 奇跡 ‖ [形容詞的に] 奇跡の ‖ *do* [*work, perform, accomplish*] *miracles* 奇跡を行なう; (略式)驚異的なことをする / a *miracle* drug [cure] 奇跡的な治療法]. **2** (略式)奇跡的な出来事; 驚異的な実例 ‖ The baby survived the operation by a *miracle*. その赤ちゃんは奇跡的に手術を切り抜けた / a *miracle* of surgical skill 驚異的な外科技術 / It'd be a *miracle* if he passed the exam. 彼が試験に合格したらまさに奇跡だ(→文法 9.1). **3** =miracle play.

míracle frùit ミラクルフルーツ《アフリカ産の果実. これ

míracle plày (中世の)奇跡劇《キリストや聖者の生涯を描いた劇. mystery play ともいう. cf. morality play》.

†**mi·rac·u·lous** /mərǽkjələs/ 形 **1** 奇跡的な; (略式)驚くべき, すばらしい ‖ *a miraculous* comeback 奇跡のカムバック. **2** 奇跡を起こす力のある.

†**mi·rac·u·lous·ly** /mərǽkjələsli/ 副 (通例文全体を修飾)奇跡的に(も), 不思議にも.

mi·rage /mərάːʒ│mírɑːʒ/ 名 **1** (正式)蜃気楼(しんき). **2** 妄想(もう), 幻覚. **3** [M~] ミラージュ戦闘機.

Mi·rán·da rùle /mərǽndə-/ (米) [the ~] ミランダ原則《警察が被疑者を尋問する前に, 本人に黙秘権と弁護士の立会を求める権利があるという原則》.

mire /mάiər/ (正式) 名 U **1** ぬかるみ, 泥沼; 泥. **2** [the ~] 窮地; 汚辱(じょ). ──動 他 …をぬかるみにはまらせる; 〈人を苦境に陥(れ)る(+*in*). ──自 ぬかるみにはまる.

✱**mir·ror** /mírər/ (類音) miller/mílər/)
名 (複 ~s/-z/) C **1** 鏡《◆ looking glass より上品な語》; 反射鏡 ‖ see oneself *in a mirror* 自分の姿を鏡に映して見る. **2** [比喩的に] 鏡 ‖ The press ought to be a *mirror* of public opinion. 新聞は世論の鏡であるべきだ. **3** 模範, 手本, かがみ ‖ a *mirror* of chivalry 騎士道の手本.
──動 他 (文)(鏡のように)…を映す, 反射させる; …を忠実に描写する, 反映する ‖ Crimes are said to *mirror* the age. 犯罪は時代を反映するといわれている.

mírror image (正式) (左右が逆に見える)鏡像; 左右対称の像, (よく似ているが)対称的なこと.

mírror site [インターネット] ミラーサイト《もとのサーバーとまったく同じ構造と内容を持つサーバー》.

mírror writing 逆書き, 鏡映文字.

†**mirth** /mə́ːrθ/ 名 U (文)陽気, 歓喜; 浮かれ騒ぎ.

†**mirth·ful** /mə́ːrθfl/ 形 (主に文)陽気な, 笑いさざめく, 楽しい, にぎやかな. **mírth·ful·ly** 副 陽気に楽しく.

MIRV /mə́ːrv/ (Multiple Independently-targeted Reentry Vehicle) 名 C 多弾頭独立目標再突入ミサイル《◆ Minuteman はこの一種》.

mis- /mis-/ 語要素 →語要素一覧(1.7).

mis·ad·ven·ture /mìsədvéntʃər/ 名 C U **1** (主に文)不運な出来事; 不運, 災難. **2** (法律)事故死.

mis·an·throp·ic, -i·cal /mìsənθrɔ́pik(l), miz-│-θrɔ́p-/ 形 (正式)人間嫌いな, 厭世(えん)的な.

mis·an·thro·py /misǽnθrəpi, miz-/ 名 U 人間嫌い, 人間不信, 厭世.

mis·ap·pre·hen·sion /mìsæprihénʃən/ 名 C U (正式)誤解, 思い違い ‖ be under a *misapprehension* 思い違いをしている.

mis·ap·pro·pri·ate /mìsəpróuprieit/ 動 他 (正式) **1** …を悪用する, 乱用する. **2** …を着服する, 横領する.

mis·be·have /mìsbihéiv/ 動 自 (他 は ~ oneself で) 不作法にふるまう, 不正を働く.

mis·be·hav·ior, (英) ·iour /mìsbihéivjər/ 名 U 不作法; 不品行; 不正行為.

mis·be·lief /mìsbilíːf/ 名 **1** U C 誤った考え[意見]. **2** U 誤った信仰, 異教信仰.

mis·be·liev·er /mìsbilíːvər/ 名 C 異教徒(heretic).

mis·cal·cu·late /mìskǽlkjuleit/ 動 他 自 (…を)計算違いする, 見込み違いする.

mis·cal·cu·lá·tion 名 C U 見込み違い, 計算違い.

mis·car·riage /mìskǽridʒ/ 名 U C **1** 流産 ‖ She had a *miscarriage*. 彼女は流産した. **2** (正式)失敗; 失算, 誤り(error) ‖ a *miscarriage* of justice (法律)誤審. **3** (英) (郵便などの)誤配, 不着.

mis·car·ry /mìskǽri/ 動 **1** (正式)〈計画などが〉失敗する. **2** (英)〈手紙などが〉誤配される. **3** 〈女性が〉流産する.

mis·cast /mìskǽst│-kάːst/ 動 (過去·過分) **··cast** or (時に) **~ed** 他 [通例 be miscast [~ed]] **1** 〈俳優が〉(…という)不適当な役を当てられる[as]. **2** 〈劇·映画などの〉ミスキャストである.

†**mis·cel·la·ne·ous** /mìsəléiniəs/ 形 (正式)種々雑多なものから成る[を含む]; 多方面の, 多方面にわたる.

mis·cel·la·ny /mísəleini│misélə-/ 名 C **1** (種々雑多な)寄せ集め. **2** [しばしば miscellanies] 文集, 雑録; 論文集.

†**mis·chance** /mìstʃǽns│-tʃάːns/ 名 C U (正式)不運, 不幸(misfortune) ‖ by *mischance* 不運にも.

†**mis·chief** /místʃif/ (発音注意) 名 U **1** (正式)害, 損害(damage); 災害, 危害(harm); 悪影響; 困る点; (法律)器物破壊. **2** U いたずら, 悪さ; 茶目っ気《◆ 教える時は 'a piece [two pieces] of *mischief*.
→文法 14.2(3)》, C (略式)いたずらっ子 ‖ *get into* [*keep out of*] *mischief* いたずらをする[しない] / *be up to mischief* いたずらをもくろんでいる / His eyes were *full of mischief*. 彼の目は茶目っ気たっぷりだった / *out of (pure) mischief* (ほんのいたずら心で).

dò a míschief (主に英式)〈人〉に危害を加える; 〈人〉を殺す.

màke [gèt úp to] míschief (正式) (…の間を)不和にする[*between*].

†**mis·chie·vous** /místʃivəs, (非標準) mistʃíːvəs/ 形 **1** (正式)害を与える, 有害な ‖ *mischievous* gossip 人を傷つける陰口. **2** 〈子供がいたずら好きな; 〈態度·表情などが〉いたずらっぽい. **mís·chie·vous·ly** 副 有害に; いたずらに. **mís·chie·vous·ness** 名 U 茶目っ気.

mis·con·cep·tion /mìskənsépʃən/ 名 U C (正式) (…という)誤解, 思い違い; 誤った考え[*that* 節].

mis·con·duct /名 mìskάndʌkt│-kɔ́n-; 動 mìskəndʌ́kt/ (正式) 名 U [時に a ~] **1** 非行, 不品行; (特に)不義, 姦通(かん). **2** まずい経営, 誤った管理, 不始末. **3** (公務員などの)職権乱用, 違法行為. ──動 他 **1** …の管理[処置]を誤る. **2** [~ oneself で]不正を働く; …と姦通する(*with*).

mis·con·struc·tion /mìskənstrʌ́kʃən/ 名 (正式) **1** 誤った解釈, 誤解. **2** 誤った構成[構文].

mis·con·strue /mìskənstrúː/ 動 他 (正式)…の解釈を誤る; …を曲解する, 悪い意味にとる.

mis·cop·y /mìskάpi│-kɔ́pi/ 動 他 …を写し間違える. ──名 C 誤写, ミスコピー.

mis·count /名 mìskáunt; 動 mìskáunt/ (…を)数え違える, 誤算する. ──名 C 数え違い, 誤算.

mis·cre·ant /mískriənt/ 名 C (古)悪漢, 悪者.

mis·deed /mìsdíːd/ 名 C (正式)悪行, 悪事; 犯罪.

mis·de·mean·or, (英) ·our /mìsdimíːnər/ 名 C **1** (法律)軽罪 (cf. felony). **2** (正式)非行, 犯罪.

mis·di·rect /mìsdərékt│-dai-/ 動 他 (正式) **1** 〈人〉に誤った指導をする; 〈道などを〉間違って教える. **2** 〈手紙·小包などに〉誤ったあて名を書く. **3** 〈精力·能力·皮肉·批判などを〉間違った方向に向ける. **4** 〈判事が〉〈陪審員に〉誤った指示を与える.

mis·di·réc·tion 名 U 教え間違い.

†**mi·ser** /máizər/ 名 C 守銭奴, けちん坊, 欲ばり.

mis・er・a・ble /mízərəbl, (米+) mízərbl/
——形 1 〈人・生活など〉みじめな, とても不幸な, 哀れな; 〈人が〉[…のことで/…のために]心を痛める[about, over / from] ‖ I will make his life *miserable*. 彼の生活をみじめにしてやる.
2 [正式] [通例名詞の前で] 〈食事などが〉粗末な, みすぼらしい; 〈年金・給料などが〉不十分な, わずかな ‖ a *miserable* income わずかな収入.
3 [通例名詞の前で] 〈物・事が〉不愉快な(unpleasant), いやな, ひどい; 悲惨な, 過酷な ‖ Whàt *míserable* wéather! なんていや天気なんだろう.
4 [正式] [名詞の前で] 恥ずべき(shameful); [補語として] 卑劣な, 軽蔑(けいべつ)に値する ‖ It is *miserable* of her [She is *miserable*] to desert her child. 自分の子供を捨てるなんて彼女は卑劣な人だ(🡆文法 17.5).

†mis・er・a・bly /mízərəbli, (米+) mízər-/副 みじめに, 悲惨に; 貧弱に, みすぼらしく; (みじめなほどに)ひどく ‖ He is *miserably* paid. 彼の給料はひどく低い.

mis・e・re・re /mizərɛ́əri, (英+) -ríəri/名 1 [M~] [旧約] ミゼレーレ《詩篇第51篇》; その楽曲. 2 ⓒ 哀願, 嘆願.

mis・er・i・cord(e) /mizérəkɔːrd, (米+) mìzərikɔ́ːrd/名 1 聖職者席の裏についている起立した時の支え. 2 (修道士に対する)特免; 特免室. 3 (中世の騎士が傷ついた者にとどめを刺すのに用いた)短剣.

mi・ser・ly /máizərli/形 けちな, 欲深い, しみったれの.

†mis・er・y /mízəri/名 1 Ⓤ [時に a ~] みじめさ, 悲惨さ, 不幸; 窮乏; (精神的)苦痛, 苦悩 ‖ live in *misery* みじめな生活をする(=live a *miserable* life). 2 ⓒ [通例 miseries] 不幸のもと, 苦難 ‖ be exposed to unthinkable *miseries* 想像もできないような苦難にさらされる. 3 Ⓤⓒ [文] (肉体的な)苦痛, 痛み(pain) ‖ be in *misery* with a toothache =suffer the *misery* of toothache 歯痛で苦しんでいる. 4 ⓒ [英略式] 不平家, 不満家; 陰気な人.

mis・fit /名 1 mísfìt; 2 ⁓́; 動 ⁓́/ ⓒ 1 不つり合い; 合わない服[靴]. 2 (環境・地位・仕事などに)うまく順応できない人; […への]不適任者[in].
——動 (過去・過分) -fit・ted/-id/, ~fit・ting 🅑 (…に)うまく合わない.

†mis・for・tune /mìsfɔ́ːrtʃən/名 [正式] 1 Ⓤ 不運, 不幸(bad luck), 逆境(↔fortune) ‖ by *misfortune* 不運にも / a person in *misfortune* 逆境にある人 ‖ I hàd the misfórtune ʼto break [of breaking] my arm. 不幸にも腕の骨を折った(=I was *unfortunate* enough to break ... / *Unfortunately* I broke ...) (◆*I had the misfortune that I broke my arm. は不可). 2 ⓒ [人・物に対する]不幸な出来事[事件], 災難[for] ‖ *Misfortunes* never come singly [alone]. (ことわざ)不幸は続くもの.

†mis・giv・ing /mìsgíviŋ/名 Ⓤⓒ [正式] [しばしば ~s] [未来の事についての]疑い, 不安, 恐れ(fear)[about] ‖ I have *misgivings* about ... …について疑い[不安]をいだく.

mis・guid・ed /mìsgáidid/形 [正式] 誤り導かれた, 心得違いの.

mis・han・dle /mìshǽndl/動 他 (…を)誤って取り扱う; …を手荒く[乱暴に]扱う, 虐待する.

†mis・hap /míshæp, ⁓́/名 Ⓤⓒ (ちょっとした)不運な事故, 災難. 2 Ⓤ 不幸 ‖ without *mishap* 無事に.

mis・hear /mìshíər/動 (過去・過分) --heard) 他 …を聞き違える.

mis・in・form /mìsinfɔ́ːrm/動 他 [正式] 〈人〉に[…について]誤った情報を伝える[about].

mis・in・for・ma・tion /⁓́/名 Ⓤ 誤報.

mis・in・ter・pret /mìsintɔ́ːrprət/動 他 …を[…と]誤って解釈[説明]する, 誤解する[as].

mis・in・ter・pre・ta・tion /⁓́/名 Ⓤⓒ 誤解, 誤訳.

mis・judge /mìsdʒʌ́dʒ/動 他 自 (…を)誤って判断する. **mis・júdge・ment** 名 Ⓤⓒ 誤った判断.

mis・lay /mìsléi/動 (過去・過分) --laid) 他 …を置き違える, 置き忘れる.

†mis・lead /mìslíːd/動 (過去・過分) --led) 他 1 〈人〉を誤った方向に導く[案内する]; 〈人〉をだまして[…]させる[into]. 2 〈人〉を悪事に誘い込む. 3 〈人〉を欺く, 誤解させる.

†mis・lead・ing /mìslíːdiŋ/形 人を誤らせる, 誤解を招きやすい; 惑わせる, 紛らわしい.

mis・man・age /mìsmǽnidʒ/動 他 [正式] …の管理[経営]を誤る, …の処置を誤る.

mis・mán・age・ment 名 Ⓤ 誤った経営, 管理[処理]の誤り.

mis・match /動 mìsmǽtʃ; 名 ⁓́/動 他 …を不適当に組み合わせる, …に不つり合いな縁組みをさせる.
——名 Ⓤ 不適当な組み合わせ, 不つり合い, ミスマッチ; くいちがい.

mis・name /mìsnéim/動 他 …の名前を呼び間違える.

mis・no・mer /mìsnóumər/名 Ⓤⓒ [正式] 誤称; 誤記.

mi・sog・y・nist /misɑ́dʒənist, mai-|⁓sɔ́dʒə-/名 Ⓒ 女嫌いの人.

mis・place /mìspléis/動 他 [正式] 1 …を置き間違える; …を置き忘れる; …を本来ある場所[位置]に置く[配置する]. 2 〈信用・愛情などを〉〈受けるに値のない人に〉間違って与える[in, on]. **mis・pláce・ment** 名 Ⓤ 置き違え. **mis・pláced** 形 見当違いの.

mis・play /mìspléi/名 Ⓒ (スポーツ)エラー, 失策.
——動 他 (…を)やりそこなう, エラーする.

†mis・print /名 mísprint, ⁓́; 動 ⁓́/名 Ⓒ ミスプリント, 誤植 ‖ dò a *misprint* 誤植する.
——動 …を誤植する.

mis・pro・nounce /mìsprənáuns/動 他 自 (…の)発音を誤る.

mis・pro・nun・ci・a・tion /mìsprənʌnsiéiʃən/名 Ⓤⓒ 誤った発音, 発音の誤り.

mis・quote /mìskwóut/動 他 1 …を間違って引用する. 2 …を間違って伝える. **mis・quo・tá・tion** 名 Ⓤⓒ 誤った引用.

mis・read /mìsríːd/動 (過去・過分) --read/-réd/) 他 [正式] 1 …を読み違える. 2 …を誤解する, …の解釈を誤る.

mis・rep・re・sent /mìsriprizént/動 他 1 [正式] …を(故意に)誤り伝える, 不正確に述べる, …の説明を誤る. 2 …の代表としての(十分な)働きをしない.

mis・rule /mìsrúːl/名 Ⓤⓒ [正式] 1 失政, 悪政. 2 無秩序, 混乱(disorder); 無政府状態. ——動 他 …の統治[政治]を誤る.

✻miss¹ /mís/ 〖「…しそこなう」が本義〗㉓ missing (形)

index 動 他 1 打ちそこなう; はずす 3 乗り遅れる 4 免れる 5 いないのを寂しく思う
自 1 的に当てそこなう

——動 (~・es/-iz/; 過去・過分) ~ed/-t/; ~・ing)
——他
I […しそこなう]
1 〈人が〉〈ねらったもの〉を打ちそこなう, 捕えそこなう, …

に達しそこなう; …を**はずす**,〈物・事が〉…に当たりそこなう; [miss doing] …しそこなう ‖ *miss* one's áim [guéss] ねらい[見当]がはずれる / *miss* one's only chance 唯一の機会を逸する / *miss* the ball ボールを捕りそこねる[空振りする] / The bullet just *missed* my heart. 弾丸はもうちょっとで私の心臓に当たるところだった / I *missed* hitting the target. 私は的をはずした《◆I failed to hit the target. だと「何度も試みたが一度も当たらなかった」》.

2 〈映画・話などを〉見[聞き]そこなう, 見のがす;〈人に〉会いそこなう;〈意味・問題などを〉理解しそこなう, 間違える(misunderstand) ‖ Hurry up; you're *miss-ing* the opening ceremony. 急いで, 開会式を見のがしてしまうよ / I went to meet my friend at the airport, but I *missed* him. 空港まで友だちを迎えに行ったが(すれ違いで)会えなかった.

3 〈人が〉〈乗物に〉**乗り遅れる**(↔ catch) ‖ *miss the boat* [*bus*] 船[バス]に乗り遅れる;《略式》機会を失する.

4 〈人が〉〈事故などを〉**免れる**, 避ける; [miss doing] …することを免れる ‖ I just *missed* (having) an accident. もうちょっとで事故に会うところだった / The blind boy *missed* the wall. その盲目の少年は(あやうく)壁にぶつかるのを免れた.

‖ […がない, いない]

5 〈人が〉〈人・物の〉**不在に気づく**;〈人が〉がいないのを寂しく思う;〈物が〉ないので困る; [miss doing] …でないのを寂しく思う ‖ I'll *miss* you badly. 君がいないとてもさびしくなるよ / When did you miss the fountain pen? いつ万年筆がないのに気がつきましたか(=When did you notice that the fountain pen was missing?) / I've *missed* you. (長く会わなかった人に)会いたかったよ / I *missed* her being her usual self. いつもの彼女ではないのを寂しく思う (◆文法 12.5) / The old man wouldn't be *missed* if he died. あの老人が死んでもだれも寂しく思う[なつかしがる]ことはあるまい.

6《略式》《しばしば be ~ing》…を**抜かす**, 欠く; …を省略する;〈授業などに〉出席しない ‖ *miss school* for a week = *miss* a week of school 学校を1週間休む / Our team *is missing* a catcher. ぼくたちのチームには捕手がいない / This book *is miss-ing* four pages. この本は4ページ欠けている / 《ショラ》"You *missed* school yesterday, didn't you?" "Not a bit!"「昨日, 学校をサボったでしょ」「ちっとも」 (◆*missed* school は「学校に来られなくて寂しかった」(⑲ 5)の意味にもなる).

── 自 〈人が〉**的に当てそこなう** ‖ The policeman aimed at the bank robber but *missed*. 警官は銀行強盗を狙って撃ったがはずれた. **2** […に]失敗する(in). **3**《英》〈エンジンが〉点火しない(misfire).

miss óut [自]《略式》(1) さびしい思いをする;[…に]参加できない, […を]楽しめない[on]. (2) …を逸する, 見落とす[on];[…するのを]見送る[on, doing]. ── [他] 〈事実などを〉見落とす, 省く(omit);《通例 be ~ed》〈人が〉無視され(てい)る(leave out).

──ⓝ 失敗, やりそこない, ミス ‖ *A miss is as good as a mile.*《ことわざ》小さな失敗でも, 失敗は失敗;《英》あやうく逃れても, 逃れたことに変わりなし.

‡miss² /mís/ [mistress の短縮語]

── ⓝ 《複》~·es[-ɪz]) **1** [M~;独身女性の姓・姓名の前につけて]**さん**, …嬢(cf. Mrs., Ms, Mr.) ‖ *Miss* Smith スミスさん. **2**《しばしば M~;ウエイトレス・女性店員・《英》女性教師などへの呼びかけで》**お嬢さん**, 娘さん;先生(《米》ma'am) ‖ I beg your pardon, *Miss* [*miss*]. (↗) 先生, すみませんがもう一度おっしゃってください《◆既婚でもこの語を使う》. **3**《英古》少女, 女学生 ‖ a cheeky little *miss* 生意気な小娘. **4** [M~;地名・国名などにつけて] ミス… ‖ *Miss* Japan ミス日本. **5** [~s]《若い女性の》婦人服標準サイズ;〔coats in *misses'* sizes ミス[標準]サイズのコート.

Miss.《略》Mississippi.

mis·sal /mísl/ [しばしば M~] ⓒ《カトリック》 **1** ミサ典礼書. **2** (一般に)祈禱(じ)書.

†mis·sile /mísl | mísaɪl/ ⓝ ⓒ **1** ミサイル, 誘導弾 ‖ a guided [cruise] *missile* 誘導[巡航]ミサイル / fire (off) an air-to-air *missile* 空対空ミサイルを発射する. **2**《正式》(おおげさに) 飛び道具《石・矢・投げやり・弾丸など》.

míssile base [**síte**] ミサイル基地.

míssile wár·head /-wɜ́ːrhèd/ ミサイル核弾頭.

†miss·ing /mísɪŋ/ 圏 あるべき所にない, いるべき所にいない; 欠けている, 紛失した, 行方不明の; [the ~;複数扱い] 行方不明者 ‖ a *missing* number [page] 欠番[落丁] / *missing* in action 戦闘中行方不明の / The climber went *missing* on Mt. Tateyama. その登山家は立山で行方不明になった / My bag is *missing*. バッグが見当たりません《◆捜している段階. 捜しても見つからない場合は My bag is lost.》/ Tom is *missing* from class today. トムは今日授業に出ていない.

míssing línk **1**《系列完成上》**欠けている部分**. (2)《生物》[the ~] 失われた環, 欠けた環《人間と類人猿との中間に存在したと仮想される動物》.

†mis·sion /míʃən/ ⓝ **1** ⓒ《単数・複数扱い》《外国に派遣される》**使節(団)**, **代表(団)**;大[公]使館 ‖ dispatch a trade *mission* to … …へ貿易使節団を派遣する. **2** ⓒ《建物・家具から》*missile* [布教]団;伝道[布教]者の派遣;[~s] 伝道事業, 布教活動;伝道[布教]区[本部]. **3** ⓤ ⓒ《正式》**使命**, 任務(duty), 天職 ‖ a sense of *mission* in life 人生における使命感 / be sént on a *míssion* to … …へ使命を帯びて派遣される. **4** ⓒ《主に米》《軍事》特別任務, 特務飛行;〔宇宙〕宇宙飛行任務[計画].

── 圏 伝道のための ‖ a *mission* school 布教のための学校《◆日本語の「ミッションスクール」は a Christian school（キリスト教の学校）に相当する》. **2**《建物・家具など》*mission* 様式の《◆米国南西部に伝道したスペインの布教団特有の様式をいう》.

── 動 ⑲ **1** 〈人〉を派遣する. **2** 〈人・地域〉に布教を行なう.

†mis·sion·ar·y /míʃənèri | -əri/ ⓝ ⓒ **1**《未だ教化されていない国に派遣される》**伝道師**, 宣教師. **2**《主義などの》宣伝者(of, for). **3**《廃》(外交上の)使節.

── 圏 **1** 伝道[布教]団の, 伝道[布教]師に関する;宣教師の;伝道に従事する. **2** 宣伝的な.

mis·sis /mísɪz/ ⓝ ⓒ《略式やや古》**1**《通例 the/my/his/your ~》**妻**, **家内**, 細君. **2**《方言》《通例 the ~》奥様, おかみさん《◆召使いの呼びかけ》.

†Mis·sis·sip·pi /mìsəsípi/ ⓝ **1 ミシシッピ**《米国中南部の州. 愛称》 the Magnolia [Bayou, Bullion] State. 州都 Jackson.《略》Miss., 〔郵便〕MS》. **2** [the ~] ミシシッピ川《異名》the Father of Waters, Old [Ol'] Man River》.

Mis·sou·ri /mɪzúəri, 《英》-súəri/ ⓝ **1 ミズーリ**《米国中部の州. 愛称》the Show-Me State, the Bullion State. 州都 Jefferson City.《略》Mo., 〔郵便〕MO》. **2** [the ~] ミズーリ川《Mississippi

mis·spell /mìsspél/ 動 (過去・過分) ~spelt or ~ed 他 …のつづりを誤る.
mis·spéll·ing 名 C U つづり間違い.

mis·spent /mìsspént/ 形 (正式) 誤って使った, 浪費した.

mis·state /mìsstéit/ 動 他 (正式) …を間違って[偽って]述べる. **mis·státe·ment** 名 C U 間違って[偽って]述べること.

mis·step /mìsstép/ 名 C 1 (米) 1 踏み誤り; つまずき. 2 (行動などの)誤り, 過失.

mis·sus /mísəz/ 名 C (略式) =missis.

miss·y /mísi/ 名 C (主に米略式) 若い娘.

*__mist__ /míst/ (同音 missed) 形 misty (形)
— 名 (複 ~s/místs/) 1 U C 霧, かすみ, もや 《◆ haze より濃く fog より薄い》‖ a thick [dense, heavy] mist 濃霧 (→ dense). 2 U [時に a/the ~] (涙などによる目の)かすみ, (窓ガラスなどの)曇り (on). 3 [a ~] (スプレーなどの)霧‖ She sprayed a mist of perfume on her arms. 彼女は香水を腕にスプレーで吹きかけた.
— 動 他 (場所)を霧[かすみ, もや]で覆う;〈目〉をかすませる;〈窓など〉を曇らせる (+over, up)‖ Tears misted my eyes. =My eyes were misted with tears. 涙で目がかすんだ.
— 自 (場所)が霧[かすみ, もや]がかかる; (窓ガラスなどが)曇る; (頭が)ぼんやりする (+over, up); [it を主語として] 霧雨[こぬか雨]が降る‖ My glasses misted up with my breath. 私の息で眼鏡が曇った(=My glasses were misted up with my breath.) / It began to mist in the afternoon. 午後になって霧雨が降りだした.

:__mis·take__ /mistéik/《間違って(mis)取る(take)》
— 名 (複 ~s/-s/) C […での](判断上の)誤り, 間違い; 思い違い, 勘違い; 手違い, 誤解 (in)‖ a big [*large] mistake 大きな誤り / a fatal mistake 致命的な誤り, 命取り / He let my mistake go. 彼は私のミスを見のがしてくれた / There's no mistake about it. それは確かである / He makes no mistakes in whatever he does. 彼はやること何にでもそつがない / It is a mistake to think that violence can solve the problem. 暴力が問題を解決できると考えるのは間違いだ.

(使い分け) [mistake と make a mistake]
mistake は「取り違える, 誤解する」の意.
make a mistake は「間違える」の意.
I *mistook* you for someone I know. あなたを私の知っている人と間違えた.
The waiter *made a mistake* in adding up the bill. ウェイターは料金の足し算を間違えた.

and nó mistáke =**màke nó mistáke about it** (略式) [文尾で] 確かに, 間違いなく, はっきり言っておきますが.

*__by mistáke__ 誤って, 間違って‖ I entered someone else's room by mistake. 間違えて人の部屋に入った.

Màke nó mistáke (about it)! (略式) [通例文尾で] (警告) いいか間違うなよ, わかったな.
— 動 (~s/-s/; (過去) -·took/-túk/, (過分) -·tak·en /-téikən/; -·tak·ing)
— 他 1 〈人が〉〈場所・日時など〉を間違える; 〈意味など〉を誤る, 誤解する; [mistake what節]…かを誤解する (使い分け) → 名 ‖ I *mistook* the road and found myself in St. Louis. 道を間違えて気がついた時はセントルイスに来ていた / Don't *mistake* me [what I meant]. ぼくを誤解しないでくれ / I *mistook* the meaning of the question. 私は質問の意味を誤解した.
2 [mistake **A** for **B**]〈人が〉**A**〈人・物〉を**B**〈別の人・物〉と**取り違える** (take)‖ She *mistook* the sugar *for* salt. 彼女は砂糖を塩と間違えた / I am often *mistaken for* my brother. ぼくはよく弟と間違えられる.

*__mis·tak·en__ /mistéikən/ 動 mistake の過去分詞形.
— 形 1 (正式)〈人が〉[…のことで/…の点で]誤った, 誤解した (wrong) [about/in]《◆「誤解される」は be misunderstood》‖ He「*was mistaken* [*was mistaking*] *about* the name of the hotel. 彼はホテル名を勘違いしていた / You *are mistaken in* think*ing* that money is everything. 金がすべてだと考えるなんて君は間違っている / If I am not *mistaken*, the boy is Bill's brother. もし勘違いでなければ, その少年はビルの弟だ. 2〈行為・考えなどが〉判断を誤った‖ a *mistaken* opinion 間違った意見 / He has the *mistaken* idea that this book is his. 彼はこの本を自分のだと勘違いしている.

†**mis·ter** /místər/ 名 1 [M~] =Mr. 2 (米略式・英非標準) [呼びかけで] おい, あなた, もし《◆ふつう sir を用いる》‖ Keep away from me, *mister*. おい, おれに近寄るんじゃねえ.

mis·tle·toe /mísltòu, (英) mízl-/ 名 U (植) ヤドリギ. *the kíssing under the místletoe* ヤドリギの下でのキス《◆男性はクリスマスの飾りのヤドリギの下にいる女性にはキスをしてもよいということになっている》.

*__mis·took__ /mistúk/ 動 mistake の過去形.

mis·trans·late /mìstrænsléit, -trænz-/ 動 他 …を誤訳する.

mis·treat /mìstríːt/ 動 他 …を虐待[酷使]する.

mis·treat·ment /mìstríːtmənt/ 名 U 虐待, 酷使.

†**mis·tress** /místrəs/ 名 C 1 (古・正式) 女主人; 女性雇い主 [飼い主]; 女性支配者, 女王‖ the *Mistress* of the night 夜の女王《月のこと》 / the *Mistress* of the Seas 海の支配者《かつての英国のこと》 / the *Mistress* of the Adriatic アドリア海の女王《ベネチアのこと》 / the *Mistress* of the World 世界の女王《ローマ帝国のこと》 / She is her own *mistress*. 彼女は(他人に支配されない)自由の身である; 自分の意志で行動を決められる. 2 女性の大家[名人]((PC) expert, specialist); (主に英) 女教師((PC) schoolteacher), (大学などの)女校長[学長]((PC) head); [複合語で] …の先生((PC) …teacher)‖ a dáncing mistress ダンスのインストラクター. 3 (や や古) 情婦, めかけ, 二号さん; (詩) (男からみて)恋人, 愛人 (cf. lover). 4 (古・スコット) [M~; 女性に対する敬称として] …様, 夫人《◆ Mrs., Miss, Ms に相当》.

†**mis·trust** /mìstrʌ́st/ 動 他 1 (正式) …を信頼[信用]しない; …を疑う. 2 …を推測する; […ではないかと思う] (that節). — 自 疑いを抱く. — 名 U [時に a ~] […に対する]不信, 疑惑 (of, in).

mis·trust·ful /mìstrʌ́stfl/ 形 (…を)信用しない, 疑っている (of).

misty

†**mist・y** /místi/ 形 (通例 --i・er, --i・est) **1** 霧の(深い) ‖ a misty morning [mountain] 霧が立ちこめた朝[山]. **2** 〈目が〉涙にかすむ, ぼんやりとした, 漠然とした; 〈記憶が〉おぼろげな. **míst・i・ly** 副 霧[もや]が深く, ぼんやりと. **míst・i・ness** 名 U 霧[もや]が深いこと.

***mis・un・der・stand** /mìsʌndərstǽnd/ 〖間違って(mis)理解する(understand)〗
── (~s/-stǽndz/; 過去・過分 --stood/-stúd/; ~・ing)
── 他 〈人が〉〈人(の言葉)〉を**誤解する**(↔understand) ‖ He misunderstood me [my question]. 彼は私の言ったこと[質問]を取り違えた.
── 自 誤解する.

†**mis・un・der・stand・ing** /mìsʌndərstǽndiŋ/ 名 U C **1** 〔…についての, 考え違い, 解釈違い〔about, of, over〕‖ have a misunderstanding of [about] … …を誤解している. **2** 遠回しに〔…の間の/…との〕意見の相違, 不和, けんか〔between, among / with〕.

mis・us・age /misjúːsidʒ/ 名 U **1** (言葉などの)誤用. **2** 虐待, 酷使.

†**mis・use** 名 misjúːs; 動 misjúːz/ 名 U C 誤用, 悪用, 乱用 ‖ the misuse of company money 会社の金の悪用. ── 動 他 **1** …を誤用[悪用, 乱用]する. **2** 〈正〉…を虐待[酷使]する.

MIT /émaɪtíː/ 略 Massachusetts Institute of Technology マサチューセッツ工科大学.

Mitch・ell /mítʃəl/ 名 **1** ミッチェル《男の名》. **2** ミッチェル《Margaret ~ 1900-49; 米国の女性作家. 著書 Gone with the Wind》.

†**mite** /máɪt/ 名 C **1** ダニ. **2** 〈文〉〔通例 a ~〕少量; 〈少額ながら〉精一杯の寄付 ‖ a widow's mite 〔聖〕貧者の一灯. **3** ごく小さい人[動物, 虫, 物]; 〈略式〉〔同情の対象としての〕子供. **4** 〈俗〉〔a ~; 副詞的に〕いくぶん; 〔通例否定文で〕少しも(…でない).

†**mi・ter**, 〈英〉 --**tre** /máɪtər/ 名 **1** C 〔カトリック〕司教冠, 法冠. **2** U 司教の職[地位]. ── 動 他 …に司教冠[法冠]を授ける, …を司教に任命する.

MITI 略 Ministry of International Trade and Industry (日本のかつての)通産省.

†**mit・i・gate** /mítəgèit/ 動 他 〈正式〉〈怒り・苦痛・悲しみなどを〉和らげる, 軽くする, 静める; 〔法律〕〈刑罰などを〉軽減する ‖ mitigate one's sorrow 悲しみを和らげる.

mítigating círcumstances [**fáctors**] 〔正式〕〔法律〕(刑の)酌量すべき情状, 軽減事由.

mi・tre /máɪtər/ 名〈英〉= miter.

†**mitt** /mít/ 名 C **1** 女性用長手袋《指先が露出し手首からひじまでを覆う》. **2** 〈略式〉= mitten 1. **3** 〔野球〕〔一塁手用〕ミット. **4** 〈俗〉〔通例 ~s〕(人の)手, こぶし.

†**mit・ten** /mítn/ 名 C **1** ミトン《親指だけ離れたふたまた手袋》(cf. glove) ‖ a pair of mittens ミトン1対. **2** = mitt 1.

***mix** /míks/ 〖「混ぜられた(mixed)」の逆設〗 略 mixture (名)
── (~・es/-ɪz/; 過去・過分 ~ed or mixt /míkst/; ~・ing)
── 他 **1** 〈人が〉〈物〉を〔…と〕(均一に)**混ぜる**, 混合する; 〈事〉を〔…と〕一緒にする, 調和させる〔with〕; 〈物〉を〔…に〕加える〔in, into〕〔類語〕blend, mingle) ‖ mix a little sugar into the flour 小麦粉の中に砂糖を少々入れる / We cannot mix oil (in) with water. 油と水を混ぜ合わせることはできない(=Oil and water do not mix. → 自 **1**) / Mix the butter and sugar thoroughly before adding water. 水を加える前にバターと砂糖を完全に混ぜ合わせなさい.
2 〈人が〉〈飲食物〉を混ぜて作る; 〈薬〉を調合する; [mix A with B = mix B for A] A〈人〉に B〈物〉を混ぜて作ってやる(+up) ‖ mix a cake ケーキを作る / I mixed (up) a drink for him. 彼にカクテルを作ってやった.
3 〈人〉を〔他の人と〕交わらせる, 交際させる〔with〕.
── 自 **1** 〈物〉が〔…と〕混ざる, 混合する〔with〕‖ Oil does not mix with water. =Oil and water do not mix (together). 油は水と混ざらない(→ 他 **1**). **2** 〈人が〉〔…と〕交わる, 付き合う, 交際する〔in, with〕‖ She does not mix well at parties. 彼女はパーティーでうまくとけ込めない. **3** 〈動物が〉異種交配する[される].

mix ín 自 (1) 〔人などと〕うまくいく(+together)〔with〕. (2) 〈略式〉けんかを始める. ── 他 (1) 〈食品などを〉混ぜ合わせる. (2) → 自 **1**.

mix it (**úp**) 〈略式〉けんかを始める, なぐり合う.

mix úp 他 (1) 〈物〉をよく混ぜる. (2) 〈人・物を〔…と〕混同する(confuse)〔with〕. (3) 〈人〉を混乱させる. (4) 〈略式〉[be ~ed]〔事件に〕巻き込まれる〔in〕; 〈略式〉〔特に不正直な人と〕かかわり合いになる〔with〕; 〔…について〕頭が混乱する〔about〕.
── 名 U C 混合(物); (酒に混ぜる)非アルコール性飲料; 〔通例複合語で〕(すぐ料理できるよう調合した)即席食品 ‖ custard mix カスタードの素(もと).

mixed /míkst/ 形 **1** 混合した, 混じり合った; 雑多の, 取り混ぜた; 混成の. **2** 男女混合[共学]の ‖ a mixed chorus 混声合唱 / mixed doubles 〔テニスなどの〕男女混合ダブルス / a mixed school 男女共学の学校. **3** 異なる人種[階級, 宗教など]の人間から成る; 異種族[人種]間の ‖ a mixed society 種々雑多な人間から成る社会. **4** 相反するものを含んでいる.

míxed márriage (異なった人種・宗教間の)雑婚.

mixed-úp /míkstʌ́p/ 形 〈略式〉頭の混乱した, 〈言動が〉ばらばらの; 〔…に〕巻き込まれる, つき合う.

mix・er /míksər/ 名 C **1** 混合する人; 〔通例複合語で〕混合機, ミキサー《◆果実・野菜のミキサーは 〈主に米〉 blender, 〈主に英〉 liquidizer がふつう》‖ a concrete mixer コンクリートミキサー(車). **2** 〈テレビ・ラジオの〉音量調整係[装置]; (テレビの)画面調整係[装置]. **3** 〈略式〉社交家; 社交の場 ‖ He is a góod [bád] míxer (with other people). 〈略式〉彼は人づき合いが上手[下手]だ.

***mix・ture** /míkstʃər/ 〖→ mix〗
── 名 (~s/-z/) **1** U 〈正式〉〔時に a ~〕**混合**, 混和, 調合 ‖ speak in a mixture of English and [×with] Japanese 英語と日本語をちゃんぽんで話す. **2** C U 混合物; 化合物; 合成品; 調合薬; 混紡糸〔織物〕; (内燃機関の)混合ガス ‖ a mixture of gasses =a gaseous mixture 気体の混合物 / vegetable mixture 野菜の混合物. **3** [a ~] (感情などの)入り混じったもの, 交錯 ‖ with a mixture of joy and sorrow 喜びと悲しみの入り混じった気持ちで.

mix-up /míksʌ̀p/ 名 C 〈略式〉混乱; 混戦, 乱闘, けんか; 失敗, 間違い.

mk, mk., Mk, Mk. 略 mark¹(cf. 名 **3**); 〔通貨〕mark².

ml 記号 milliliter(s).

ML 略 Master of Law(s), Medieval Latin.

MLB 略 Major League Baseball (米国の)大リー

Mlle, Mlle. (略) Mademoiselle.

MLR (英) minimum lending rate (イングランド銀行）の公定歩合.

mm (記号) millimeter(s).

MM, MM. (略) Messieurs.

Mme, Mme. (略) (複 **Mmes, Mmes.**) Madame.

MMF (略) 〔証券〕 Money Management Fund マネーマネージメントファンド《米国投資信託》.

Mn (記号) 〔化学〕 manganese.

MN (略) 〔郵便〕 Minnesota.

Mo (記号) 〔化学〕 molybdenum.

MO (略) 〔コンピュータ〕 magneto-optical (disk) 光磁気（ディスク）. (略) 〔郵便〕 Missouri.

mo. (略) (米) month(s); monthly.

Mo. (略) Missouri.

mo·a /móuə/ 图 C 〔鳥〕 モア《絶滅したニュージーランド産のダチョウに似た巨大な鳥》.

†**moan** /móun/ (同音 mown) 图 C **1** 〈苦痛・悲しみの〉うめき声《◆groan より程度が弱い》; [the ~] 〈風・海などの〉うめき声, 悲しげな音 ‖ The patient uttered a *moan* of pain. 患者は苦痛のうめき声をあげた. **2** (略式) 不平, 不満; 嘆き (complaint).
—— 動 (自) **1** 〔苦痛・悲しみなどで〕うめき声を出す 〔with, in〕; 〈風などが〉悲しげな音をたてる. **2** (略式) 〔…のことで〕不平 [不満] を言う 〔about〕; 〔…のことで〕嘆く 〔over〕. —— (他) **1** 〈言葉〉をうめくような声で言う (+ out); 〔…と〕うめくように〔不満げに〕言う〔that 節〕. **2** 〈死など〉を悲しむ, 嘆く.

moan·ful /móunfl/ 形 悲しげな; 悲しげにうめく.

†**moat** /móut/ 图 C 〈都市・城壁・動物園の飼育場の周囲の〉堀, 濠(ず) —— 動 (他) …を堀で囲む, …に堀をめぐらす. **móat·ed** 形 堀で囲まれた.

†**mob** /máb | mɔ́b/ 图 **1** C 〔集合名詞; 単数・複数扱い〕暴徒, やじ馬, (破壊的なことをしかねない) 群衆 《◆ 単なる群衆は crowd》; 〈豪〉 (動物の) 群れ, 群《◆ 単なる群れは herd》 ‖ control an angry *mob* 怒った暴徒を鎮める. **2** [the ~] 大衆, 民衆; 下層民 (the masses). **3** C 〈やや古〉 ギャング団, 暴力団《◆ 団員名は mobster. the Mob は mafia を表す》.
—— 動 (過去・過分 **mobbed**-/d/; **mob·bing**) (他) **1** （群れをなして）〈人〉を襲う. **2** （興味・怒りなどをもって）〈人〉のまわりに群がる.

*****mo·bile** /形 móubl, -bi:l | -bail; 图 -bi:l | -bail/
—— 形 **1** 移動できる, 可動性の; (略式) 〈人が〉移動可能な; 車で運搬できる ‖ a *mobile* computer モバイルコンピュータ. **2** 〈心・表情などが〉変わりやすい, 気まぐれな; 〈顔が〉表情の豊かな. **3** 〔社会〕〈階級・職業・住所などが〉流動性のある. **4** 〔軍事〕機動的な, 機動力のある ‖ *mobile* troops 機動隊.
—— 图 C **1** 〔美術〕 = mobile sculpture. **2** (英) = mobile library.

móbile exécutive (米) 転職成功者.

móbile hóme (米) (トレーラー式の) 移動住宅, モービルホーム (cf. motor home, trailer house).

móbile intercéptor míssile 地上移動式対空ミサイル (略) MIM).

móbile líbrary 移動図書館, (米) bookmobile).

móbile phóne 携帯電話, (米) cellular phone) ‖ 日本発≫ Some high schools in Japan prohibit their students from bringing *mobile phones* to school. 日本の高校の中には携帯電話の学校への持ち込みを禁止しているところもある.

móbile scúlpture 動く彫刻, モビール.

†**mo·bil·i·ty** /moubíləti | məʊ-/ 图 U **1** (正式) 動きやすさ, 移動性, 可動性 ‖ This small car provides great *mobility* on narrow streets. この小さな車は狭い道では大変動きやすい. **2** 移り気, 気まぐれ. **3** 〔社会〕 (階級・職業などの) 流動性. **4** 〔軍事〕機動力.

†**mo·bi·li·za·tion**, (英ではしばしば) **–sa·tion** /mòubələzéiʃən | -lai-/ 图 U C 動員 ‖ *mobilization* orders 動員令.

mo·bi·lize, (英ではしばしば) **–lise** /móubəlàiz/ 動 (正式) (他) 〔…のために〕〈軍隊など〉を動員する 〔for〕; 〈産業・資源など〉を戦時体制にする. —— (自) 〈軍隊など〉が動員される.

mob·ster /mábstər | mɔ́b-/ 图 C (米俗) ギャングの一員.

†**moc·ca·sin** /mákəsin | mɔ́k-/ 图 C [通例 ~s] モカシン《アメリカ先住民の柔らかい革のかかとのない靴》; それに似た靴.

mo·cha /móukə | mɔ́kə/ 图 U **1** [しばしば M~] = Mocha coffee. **2** (略式・広義) 上等なコーヒー.

Mócha còffee モカコーヒー《もとアラビアの Mocha 港から積み出された》.

†**mock** /mák, m5:k | mɔ́k/ 動 (他) **1** 〈人が〉〈人〉をあざける, ばかにする (make fun of) ‖ *mock* him for showing fear びくついているといって彼をばかにする. **2** 〈人が〉〈人の行為など〉を（まねて）からかう ‖ They *mocked* her way of walking. 彼らは歩き方をまねて彼女をからかった. **3** 〈人の努力など〉を無視〔軽視〕する; 〈攻撃などに〉抵抗する, 屈しない. **4** (正式) 〈人〉を欺く, 失望させる; 〈期待など〉を裏切る ‖ His irresponsibility *mocked* my trust in him. 彼は無責任な態度で僕の信頼を裏切った.
—— (自) 〔…を〕あざける, ばかにする 〔at〕.
—— 形 にせの, 見せかけの, まねごとの (↔ real) ‖ a *mock* exam 模擬試験 / with *mock* modesty 上品ぶって.
—— 图 **1** U C (古) あざけり, 嘲(あざ)笑《◆ mockery がふつう》‖ in *mock* あざけって / make (a) *mock* of 〔at〕 … …をあざ笑う / make *mock* of … (文) …をばか者に思わせる; …をからかう. **2** (英略式) [~s] 模擬試験.
—— 副 〔通例複合語で〕偽って ‖ a *mock*-modest woman 上品ぶった女.

móck móon 〔気象〕幻月(ぱう).

móck sún 〔気象〕幻日.

mock·er /mákər, m5:k- | mɔ́k-/ 图 C あざける人; まねる人.

†**mock·er·y** /mákəri, m5:k- | mɔ́k-/ 图 **1** U あざけり, からかい; C あざけりの言葉〔行為〕; [通例 a/the ~] 〔…の〕笑いもの, 嘲(ちょう)笑の的〔to〕. **2** [a ~] にせ〔まがい〕もの, 模造品. **3** C むだな努力, 骨折り損; 無視, 軽視.

hóld A úp to móckery 〈人・物〉をからかう, あざ笑う.

màke a móckery of A (正式) (1) …をあざ笑う. (2) 〈努力など〉を徒労に終わらせる. (3) …が偽り〔ごまかし〕であることを示す.

mock·ing·bird /mákiŋbə̀:rd, m5:k- | mɔ́k-/ 图 C 〔鳥〕マネツグミ.

mock·ing·ly /mákiŋli, m5:k- | mɔ́k-/ 副 あざけって, あざけるように.

mock-up /mákʌp, m5:k- | mɔ́k-/ 图 C 実物大の模型.

mo·dal /móudl/ 形 **1** 様式の, 形式上の, 形態上の. **2** 〔文法〕法性の, 叙法の. **3** 〔音楽〕旋法の, 音階の.

módal auxíliary 〔文法〕法助動詞《may, can,

mo·dal·i·ty /moudǽləti | məu-/ 名UC **1** 様式[形式]であること, 様式[形式]性. **2** 〘文法〙法性. **3** 〘論理〙様相, 様態(mode).

†**mode** /móud/ 〘同音〙mowed 名C **1** 〘正式〙方法, 仕方, 方式, 様式, 流儀 (◆way, manner より堅い語) ‖ a new mode of life [behavior] 新しい生活[行動]様式 / This mode of doing business is offensive to me. このような商売のやり方には我慢できない. **2** 〘正式〙(物の)存在の仕方, 形態 ‖ Heat is a mode of energy. 熱はエネルギーの一形態である. **3** UC 〘正式〙[通例 the ~; おおげさに] (服装·芸術·ドラマなどの)流行, はやり, モード(fashion); (生活様式などの)慣習, 慣行 ‖ in mode 流行して / out of mode すたれて《◆ 以上の2例は成句としては fashion の方がふつう》/ follow the mode 流行を追う / dress in an old-fashioned mode 時代遅れの服を着る. **4** 〘米〙〘文法〙法(mood). **5** 〘音楽〙旋法; 音階.

ModE, Mod.E. 〘略〙Modern English.

*__mod·el__ /mάdl | mɔ́dl/ 〘類音〙modal /móudl/〙 〘「型にはまるもの」が本義〙

index
名 1模型 3模範 4モデル
形 1模型の 2模範となる
動他 1着てみせる 3作る

—名 (複 ~s/-z/) C
I [物に対する型]
1 [...の]模型, 原型, ひな型, 見本 [of, for] ‖ a model for a statue 彫刻の原型 / a plastic model of a car 自動車のプラモデル / an atomic model =a model of an atom 原子構造模型. **2** (服·自動車などの)型 ‖ a 1930 model Ford 1930年型フォード / the latest model 最新式. **3** 模範, 手本 ‖ on the model of ... ...を模範[手本]とした / make a módel of ... ...を手本にする / She is a model of honesty. 彼女は正直の模範である. **4** (文学作品の)(写真家·画家·彫刻家の)モデル; ファッションモデル, マネキン.

II [型によってできたもの]
5 〘省略的〙[通例 a perfect ~] よく似た人[物], 生写し ‖ He is a perfect model of his father. 彼は父親にそっくりである.

—形《◆ 比較変化しない》**1** 模型の; モデルとなる ‖ a model car 模型自動車 / a model house モデル住宅《◆「(マンションの)モデルルーム」は a show [×model] room》. **2** 模範となる, 手本となる, 完璧(疣)な ‖ a model father 模範的な父親 / a model school 理想的な学校.

—動 (~s/-z/; 過去·過分 ~ed or 〘英〙modelled/-d/; ~ing or 〘英〙-el·ling)

—他 **1** 〈服などを〉(モデルとして)着てみせる.
2 [...を]〈人·行為·計画などの〉模範[手本]とする [after, on, upon] ‖ model oneself on one's teacher 先生を手本とする / Model your manners on hers. 彼女の行儀を見習いなさい.
3 〈人が〉〈物の模型[原型]〉を作る, ...を型どる; [...を基にして]...で/...から/...に]作る, 形作る [after, on, upon / in / out of / into] ‖ model a car in [out of] clay =model clay into a car 粘土で自動車を作る / a constitution modeled on that of Germany ドイツ憲法を基にして作られた憲法.

—自 **1** [...の]モデルになる; [...に]服を着てみせる

[for]. **2** [...で]模型[原型, ひな型]を作る [in].

mod·el·ing, 〘主英〙-el·ling /mάdliŋ | mɔ́d-/ 名 U **1** 模型[塑像]製作. **2** (絵画の)立体感表現; (彫刻の)量感表現. **3** モデルの仕事(をすること).

mo·dem /móudem, -dəm/ [*modulator-demodulator* の短縮語] 名C 〘コンピュータ〙モデム, 変復調装置《電話回線を通じてインターネットに接続する装置》.

†**mod·er·ate** /形 mάdərət | mɔ́d-; 動 mάdəreit | mɔ́d-/ 形 **1** 〈人·行動などが〉[...の点で]節度のある, 穏健な, 極端に走らない [in] (↔ excessive); 〈気候が〉穏やかな, 温和な (↔ severe) ‖ a moderate winter 寒さの厳しくない冬 / a moderate demand 控えめな要求 / He is moderate in speech. 彼は話し方が穏やかである. **2** (数量·程度などが)適度の, ふつうの, 並みの; (並み以下のものを指して遠回しに) まあまあの, そこそこの, ころあいの ‖ a moderate income [salary] まあまあの収入[給料]《◆ しばしば a low income [salary] の遠回し表現》/ I bought this house for a moderate sum. この家を手ごろな金額で買いました.

—名C 穏健な人; [通例 M~] (政治的に)穏健派の人.

—動 他〘正式〙**1** 〈要求·怒りなど〉を和らげる, 加減する; 〈値段など〉を下げる; 〈言葉など〉を慎む, 控えめにする. **2** 〈会議など〉の司会をする, 議長を務める. **3** 〈中性子〉を減速する. —自 **1** 〈風·痛み·怒りなど〉が和らぐ, 穏やかになる; 〈人が〉穏健になる. **2** 司会をする, 議長を務める.

móderate bréeze 〘気象〙和風《秒速5.5-7.9m. → wind scale》.

móderate gále 〘気象〙強風《秒速13.9-17.1m. → wind scale》.

†**mod·er·ate·ly** /mάdərətli | mɔ́d-/ 副 節度を守って, 控えめに; 穏やかに; 適度に, ほどよく, ほどほどに.

†**mod·er·a·tion** /mὰdəréiʃən | mɔ̀d-/ 名 **1** UC 節度, 適度; 穏健, 温和; [...の]節制, 緩和 [in] ‖ eat in moderation 控えめに食べる / Moderation in all things. 〘ことわざ〙何事もほどほどに. **2** 〘英〙[Moderations; 複数扱い] 第1次全学共通試験《Oxford 大学で Bachelor of Arts をとるための試験.〘略式〙Mods》.

mod·er·a·tor /mάdəreitər | mɔ́d-/ 名C 司会者, 議長; (長老派教会の)教会総会議長; 仲裁者, 調停者.

*__mod·ern__ /mάdərn | mɔ́dn/ 〘発音注意〙

—形 (more ~, most ~; ~·er, ~·est) **1** [名詞の前で] 現代の(contemporary), 近ごろの(present-day); 近代の, 近世の(cf. ancient, medieval)《◆ 比較変化しない》‖ modern Japan 現代の日本 / modern literature 現代[近代]文学 / módern tímes 現代[近代] / módern lánguages [単数·複数扱い] (ラテン語など古典語に対する)現代語 / Most modern women work outside the home. 現代女性の大部分は外で働く.
2 最新式の(up-to-date), 現代的な, 近代的な; [名詞の前で] 〈芸術などが〉(従来のものではなく)現代風の (↔ old-fashioned) ‖ We are staying at [in] a modern hotel. 私たちはモダンなホテルに泊まっています / modern music 現代音楽.

—名C 〘文·古〙[通例 ~s] 現代人; 現代的な考え[趣味]を持った人.

Módern Énglish 〘言語〙近代英語《1475年以降》(略 ModE, Mod.E.).

módern hístory 近代史《西洋史ではふつうルネサンス以降》.

módern pentáthlon 近代5種競技《フェンシング·射

撃・4000mクロスカントリー・・300m自由型水泳・5000m馬術の総得点を競う》.

módern schòol 《英》一般教育を重視する中学校 (secondary modern school) 《◆今は comprehensive school がこれに代わる》.

mód·ern·ly 副 現代[近代]的に.

mod·ern·ism /mάdərnìzm | mɔ́dn-/ 名 **1** Ⓤ 《芸術上・宗教上の》現代主義, モダニズム; 現代的思想[精神, 特質]; 現代的生活様式. **2** Ⓒ 現代的語法[表現].

mod·ern·ist /mάdərnist | mɔ́dn-/ 名 Ⓒ 現代主義者, 現代賛美者, モダニスト.

mod·ern·is·tic /mὰdərnístik | mɔ̀dn-/ 形 現代[近代]的な, 現代[近代]主義(者)の.

mo·der·ni·ty /mɑdə́ːrnəti | mɔ-/ 名 Ⓤ 現代性, 近代性; Ⓒ 現代[近代]的なもの.

†**mod·ern·ize**, 《英ではしばしば》**-ise** /mάdərnàiz | mɔ́dn-/ 動 他 …を現代[近代]化する, 最新式にする. ─ 自 現代[近代]的になる.

***mod·est** /mάdəst | mɔ́d-/ 〖「適切な尺度を守った」が原義〗⟮⟩modesty 〈名〉

─ 形 (more ~, most ~ ; 時に ~·er, ~·est) **1**〈人が〉…に関して〔…の点で〕**控えめな**, 謙遜(けんそん)した, 慎み深い〔about/in〕(↔ boastful) (→ humble); 内気な; 《古》《主に女性の服装・行動など》が質素な, 地味な, しとやかな (↔ showy) ‖ *be modest about* one's success 成功を鼻にかけない / She is too *modest* to be seen in a bathing suit. 彼女はとても慎み深いので水着姿は見せない / Our wage-hike demands are *modest*. 我々の賃上げ要求は控え目である. **2** 適度の, 穏やかな; 質素な, まあまあの ‖ a *modest* house [gift] お粗末な家[贈物]《◆謙遜して言う場合》/ My father left me a *modest* sum of money. 父はわずかばかりの金を残してくれました.

†**mod·est·ly** /mάdəstli | mɔ́d-/ 副 控えめに, 謙遜(けんそん)して; 上品に, しとやかに.

***mod·es·ty** /mάdəsti | mɔ́d-/ 〖→ modest〗

─ 名 (複 -ties/-z/) **1** Ⓤ **控えめ**, 謙遜(けんそん) (↔ vanity); しとやかさ, 上品さ; 内気, はにかみ ‖ speak with *modesty* 控えめに話す. **2** Ⓤ 適度, 節度. **3** Ⓒ =modesty vest.

módesty pànel 前垂れ板《座る人の脚を隠すため机の前面につける》.

módesty vèst モデスティ・ベスト《女性の胸もとを隠す》.

†**mod·i·fi·ca·tion** /mὰdəfikéiʃən | mɔ̀d-/ 名 〔正式〕 **1** ⓊⒸ 〔…に対する〕(部分的な)修正, 変更〔to, on〕. **2** Ⓤ 加減, 緩和, 軽減; 制限, 限定. **3** Ⓒ 〔文法〕修飾.

mod·i·fi·er /mάdəfàiər | mɔ́d-/ 名 Ⓒ **1** (部分的に)変更[修正]する人[物]. **2** 〔文法〕修飾語[句, 節].

†**mod·i·fy** /mάdəfài | mɔ́d-/ 動 他 〔正式〕**1**〈人が〉計画・意見などを〉(目的に合わせて一部)修正する, 変更する(slightly change) ‖ *modify* the original plan 最初の計画を修正する. **2**〈人が〉要求・条件などを〉緩和する, 和らげる, 加減する ‖ *modify* one's demands 要求に手心を加える. **3**〔文法〕〈語句が〉〈語句を〉修飾する, 限定する; 〈母音を〉ウムラウトによって変化させる ‖ Adjectives *modify* nouns. 形容詞は名詞を修飾する.

mod·u·lar /mάdʒələr | mɔ́dʒu-/ 形 モジュールの(→ module).

mod·u·late /mάdʒəlèit | mɔ́dju-/ 動 **1** …を調節 [調整]する, …の調子を合わせる. **2** 〔正式〕〈声などの〉調子[強さ, 速さ]を変える. **3** 〔電子工学〕〈電波〉を変調する, …の周波数を変える. ─ 自 〔音楽〕〔…から/…へ〕転調する〔from/to〕.

mód·u·là·tor 名 Ⓒ モジュレーター, 変調器.

mód·u·la·to·ry /-lətɔ̀ːri | -lèitəri/ 形 モジュレーターの.

mod·u·la·tion /mὰdʒəléiʃən | mɔ̀dju-/ ⓊⒸ **1** 調節, 調整. **2** 調節[調整]された状態. **3** 〔音楽〕 転調. **4** 《音声・リズムの》抑揚(法). **5** 〔電子工学〕変調.

***mod·ule** /mάdʒuːl | mɔ́djuːl/

─ 名 (複 ~s/-z/) Ⓒ **1** 《英》**モジュール**《大学の学科の履修単位》. **2** 〔コンピュータ〕モジュール《コンピュータやプログラムの構成要素》. **3** 〔宇宙〕モジュール《宇宙船の一部を成し, 母船から独立して行動できるもの》. **4**《機械や建物の》規格化された構成単位, 組み立てユニット.

mo·gul /móugl/ 名 Ⓒ 〔スキー〕 **モーグル**《フリースタイル競技種目の1つ》.

mógul qualificátion 〔スキー〕 モーグル大回転競技.

Mo·gul /móugl, -gʌl, （米+）mougʌ́l/ 名 Ⓒ **1 ムガール人**《1526年インドにムガール帝国を建てた》. **2** モンゴル[蒙古]人. ─ 形 ムガール人[帝国]の.

Mógul Émpire [the ~] ムガール帝国.

mo·hair /móuhèər/ 名 Ⓤ モヘア《アンゴラヤギの毛》; Ⓤ モヘア織り; Ⓒ モヘア織の衣服.

†**Mo·ham·med** /mouhǽmid, mu-, -hάːm- | məu-/ 名 =Muhammad.

†**Mo·ham·med·an** /mouhǽmidn, mu-, -hάːm- | məu-/ 形 名 =Muhammadan.

Mo·hám·med·an·ism 名 Ⓤ マホメット教, イスラム教(Islam).

Mo·hawk /móuhɔːk/ 名 Ⓒ (Mo·hawk, ~s) Ⓒ モーホーク族《の人》《北米先住民》; Ⓤ その言語.

Mo·he·gan /mouhíːgn | məu-/, **Mo·hi·can** /-kn/ 名 Ⓒ (Mo·he·gan, ~s) Ⓒ モヒガン族《の人》《北米先住民》. ─ 形《頭髪が》モヒカン刈りの.

moil /mɔil/ 《古》 動 自《◆次の句で》‖ toil and *moil* あくせく[こつこつ]働く. ─ 名 〔通例 the ~〕 **1**（単調な）骨折り仕事. **2** 混乱, 騒動, 面倒.

†**moist** /mɔist/ 形 **1**〔…で〕湿った, 湿っぽい〔with〕《◆ほどよく湿っている状態をいう. humid, damp とは不快感はない》(→ damp); 雨の多い ‖ a *moist* tissue 濡れたティッシュペーパー. **2**《目などが》涙ぐんだ, 涙もろい; 〔涙・露で〕ぬれた〔with〕; 《病気が》膿(うみ)が出る, 分泌物の多い. **3**《食物が》ぱさぱさしていない.

†**mois·ten** /mɔ́isn/ 【発音注意】 動 他 〔正式〕…を湿らせる, ぬらす, 潤す(wet) ‖ *moisten* the back of a stamp 切手の裏をぬらす. ─ 自 湿る, ぬれる.

***mois·ture** /mɔ́istʃər/ 名 Ⓤ 湿気, 水分; 《空気中の》水蒸気 ‖ You should keep this medicine free from *moisture*. この薬は湿気を含ませないようにすべきだ.

mois·tur·ize /mɔ́istʃəràiz/ 動 他 《皮膚などに》湿気を与える, …を湿らせる. **móis·tur·ìz·er** Ⓒ Ⓤ モイスチャークリーム, 保湿用クリーム.

mol /móul/ 名 Ⓒ 〔化学〕 =mole².

mo·lar /móulər/ 〖→modest〗歯の, かみ砕く. ─ 名 Ⓒ 大臼歯(きゅうし); 奥歯(図 → tooth).

†**mo·las·ses** /məlǽsiz | məu-/ 名 Ⓤ **1 糖蜜**《刈ったばかりの砂糖キビからとれる黒く濃い汁》. **2**《米》糖みつ(《英》treacle).

†**mold¹**, 《英》 **mould** /móuld/ 名 Ⓒ **1**《鋳物などの》鋳型;《菓子・料理などの》流し型. **2** 骨組, 枠, 台. **3** 型に流し込んで作った物, 鋳物. **4** Ⓤ 《主に文》《人の》

特性, 性格, 性質 ‖ a man of serious mold まじめな性格の人. **5** [建築] 繰り形, モールディング.
── 動 他 **1** 〈…〉を型に入れて[…を作る(into), …を[…から/…で/…に基づいて]作る(out of, from / in on, upon)] ‖ mold a head「out of [in] clay 頭を粘土で作る. **2** [正式] 〈人格など〉を形成する.

mold², (英) **mould** /móuld/ 名 U かび; 糸状菌.

mold·ing, (英) **mould·ing** /móuldiŋ/ 名 **1** U 型で作ること, 塑(*)造, 鋳型(法); C 型で作られた物, 鋳造[塑造]物. **2** [建築] [しばしば ~s] 繰り形.

mold·y, (英) **mould·y** /móuldi/ 形 (-·i·er, -·i·est) **1** かびの生えた; かびくさい; かびのような ‖ go moldy かびが生える. **2** (略式) 古くさい, 陳腐な, 時代遅れの.

†**mole¹** /móul/ 名 C [動] モグラ.

mole² /móul/ 名 [化学] モル(mol) 《物質量の基本単位, [記号] mol》.

mo·lec·u·lar /məlékjələr/ 形 分子の.
  molécular biólogy 分子生物学.

†**mol·e·cule** /máləkjù:l | mɔ́l-/ 名 C **1** [物理・化学] 分子 ‖ two molecules of oxygen 酸素 2 分子. **2** (一般に)微分子, 微量 ‖ There is not one molecule of solid scientific evidence that blood type is related to character. 血液型が性格と関係があるという確かな科学的証拠など微塵(ミミ)もない.

mole·hill /móulhìl/ 名 C モグラ塚. **máke a móuntain óut of a mólehill** ささいなことをおおげさに言う[見せる], 針小棒大に言う.

†**mo·lest** /məlést/ 動 他 **1** (古) 〈人・動物〉を苦しめる, 悩ます; …のじゃまをする. **2** [正式] 〈女性・子供〉にみだらなことをする[言う]; 〈女性〉に乱暴する《♦ rape の遠回し語》. **mò·les·tá·tion** /mò- | mɔ̀-/ 名 U いじめること; 妨害. **mo·lest·er** /məléstər/ 名 C 痴漢; (主に女性・子供に対する)変質者, 性犯罪者 ‖ a child molester 子供に性的ないやがらせをする変質者.

Mo·lière /mouljéər | mɔ́lieə, mɔ́u-/ 名 モリエール 《1622-73; フランスの喜劇作家》.

mol·li·fy /máləfài | mɔ́l-/ 動 他 [正式] 〈人・感情など〉をなだめる, 静める, 和らげる.

mol·lusk, (主に英) **-·lusc** /máləsk | mɔ́l-/ 名 C [動] 軟体動物.

mol·ly·cod·dle /máliˌkàdl | mɔ́liˌkɔ̀dl/ (略式) 名 C (甘やかされた)めめしい男, 弱虫, いくじなし. ── 動 他 〈人〉を甘やかす, 過保護に育てる.

Mól·o·tov cócktail [**bómb**] /máləˌtɔ(ː)f- | mɔ́lətɔ̀f-/ 名 C モロトフカクテル, 火炎びん.

molt, (英) **moult** /móult/ 動 自 〈鳥が〉羽毛が生え替わる, 〈動物が〉毛[角]が抜け[生え]替わる, 脱皮する. ── 他 〈羽毛・殻など〉を脱ぐ, 落とす. ── 名 U C 抜け替わり; その時期.

†**mol·ten** /móultn/ 形 [正式] **1** 〈金属・岩石などが〉熱で融けた, 溶融した(状態の) 《♦バターなど融けやすいものは melted》 ‖ molten steel 溶鋼 / molten lava 溶岩. **2** (溶融して)鋳造された ‖ a molten image 鋳像.

mo·lyb·de·num /məlíbdənəm/ 名 U [化学] モリブデン 《金属元素, [記号] Mo》.

*****mom** /mám | mɔ́m/
── 名 (~s /-z/) C (主に米略式・小児語) (お)かあちゃん, お母さん 《♦ momma の短縮語. (英略式) mum に対応. 呼びかけも可. 成長と共にふつう mamma → mummy → mom の順に使用》 ‖ Mom, may I have another piece of cake? ママ, ケーキをもうひとつ食べていい?

mom-and-pop /mámənd pɑ́p | mɔ́mənd pɔ́p/ 形 (米略式) 家族経営の; 〈企業が〉零細な ‖ a mom-and-pop shop [未確定] 小さな自営業.

*****mo·ment** /móumənt/ [発音注意] 派 momentary (形)
── 名 (~s /-mənts/)
I [瞬間的な時間]

1 C [通例 a/the ~] (特定の)時, 時期; […する…の]時, 場合 {to do / for} ‖ the man of the moment 目下注目的わ れている人, 時の人 / at the critical moment 決定的瞬間に / at the moment of his death 彼の死んだ時に / the moment「to decide [for decision] 決断の時 / At this moment I can't answer your questions. 今はあなたの質問に答えられません 《♦ Right now ... より堅い語》 / Both of them arrived at the same moment. 2 人とも同時に着いた.

2 U (正式) 重要(性) (importance) 《♦ great, no small, little などの後に用いる》 ‖ Your opinion is of no [great, little] moment to me. あなたの意見は私には少しも重要でない[とても重要である, たいして重要でない] / information of no small moment 決してささいではない情報.

II [瞬間]

3 C 瞬間; [a ~; 副詞的に] ちょっと ‖ at (odd) moments 時々, ひまをみて / Wait (for) a moment, please. = Just a moment. ちょっと待ってください / I'll be back in a moment. すぐに戻ってきます / He had a moment of confusion. 彼は一瞬うろたえた.

III [その他]

4 [物理] [通例 the ~] モーメント.

*(**at**) **ány mòment** 今にも, いつなんどき; (ある一定期間の)いつか, いつなんどきでも ‖ The volcano may erupt (at) any moment. その火山はいつなんどき噴火するかわからない.

(**at**) **évery mòment** 絶えず, 間断なく ‖ We were expecting him every moment. 我々は彼が来るのを今か今かと待っていた.

at the lást mòment ちょうど間に合って, どたん場で.

at the (**véry**) **mòment** [現在時制で] 今のところ; ちょうど今; [過去時制で] ちょうどその時.

for the móment さしあたり(for now), 当座は ‖ I can't say anything more for the moment. 今のところこれ以上のことは申し上げられません.

háve one's [**its**] **móments** (略式) 〈人・物・事が〉今が絶好調である; 好調な時がある.

nòt for a [**óne**] (**síngle**) **mòment** (主に略式) 全然[ちっとも]…ない(not at all) ‖ I don't for a moment think I'm right. 私の方が正しいとはちっとも思っていません.

*****the móment** (**that**) **...** [接] …するとすぐに ‖ I knew you the (very [first]) moment I saw you. 見た瞬間にあなたとわかりました 《♦ (1) at the moment when ... の意味表現. as soon as よりもくだけた言い方. (2) 節内に will を用いない》.

the néxt móment [副] 次の瞬間には ‖ The next moment everything was gone. 次の瞬間にはにもかもなくなっていた.

thís (**véry**) **mòment** ほんの[たった]今; ただちに ‖ Start your homework this moment. すぐ宿題を始めなさい.

to the (**véry**) **móment** 時間どおりに, 寸分たがわずに.

mo·men·ta /mouménta | məu-/ 名 momentum

の複数形.

†**mo·men·tar·i·ly** /mòumənté(ə)li | mə́uməntərəli-/ 副 **1** ちょっとの間, ほんのしばらく ‖ He hesitated *momentarily* [《略式》 for a while]. 彼はちょっとちゅうちょした. **2** 《主に米》すぐに, ただちに, じきに《◆飛行機の発着アナウンスによく用いられる》 ‖ We'll be landing [taking off] *momentarily*. 当機はまもなく着陸[離陸]いたします. **3** 時々刻々, 絶えず, 今か今かと; 今も.

†**mo·men·tar·y** /móuməntèri | -təri-/ [アクセント注意] 形《正式》 **1** 瞬間的な, つかの間の(fleeting) ‖ The pain will only be *momentary*. ほんのちょっと痛いだけです. **2** 《今はまれ》時々刻々の, 絶え間のない; 今にも起こりそうな ‖ They feared a *momentary* attack. 彼らは今にも攻撃されはしないかとびくびくしていた.

†**mo·men·tous** /mouméntəs | məu-/ 形《正式》 重大な, 重要な, ゆゆしき(serious).

†**mo·men·tum** /mouméntəm | məu-/ 名 (複 **-ta** /-tə/, **~s**) **1** Ⓤ《正式》はずみ, 勢い ‖ *gather* [*gain*] *momentum* はずみがついてくる / *lose momentum* 勢いがなくなる. **2** Ⓤ Ⓒ 《物理》運動量.

mom·ma /mɑ́mə | mɔ́mə/ 名 Ⓒ 《米略式・小児語》ママ, おかあちゃん《◆呼びかけも可》.

mom·my /mɑ́mi | mɔ́mi/ 名《米略式》＝mummy².

Mon. Monday.

Mon·a·co /mɑ́nəkòu, mənɑ́ːkou | mɔ́n-/ 名 モナコ《地中海沿岸にある公国; その首都》.

†**Mo·na Li·sa** /móunə líːsə, -zə-/ 名 [the ~] モナリザ (La Gioconda)《Leonardo da Vinci 作の肖像画》.

†**mon·arch** /mɑ́nərk, -ɑːrk | mɔ́n-/ [発音注意] 名 Ⓒ **1**《文》君主(king), 専制[絶対]君主, 皇帝(emperor) ‖ Nero, the Roman Emperor, was an absolute *monarch*. ローマ皇帝ネロは専制君主であった. **2** [比喩的に] 王者, 帝王; 大立者 ‖ the *monarch* of the forest 森林の王《oak のこと》.

mo·nar·chi·al /mənɑ́ːrkiəl, (英+) mɔ-/ 形 君主の [らしい], 君主にふさわしい.

mo·nar·chi·cal, --chic /mənɑ́ːrkik(l), (英+) mɔ-/ 形 **1** 君主(国)の, 君主(国)にふさわしい. **2** 君主制の, 君主制を支持する.

†**mon·ar·chy** /mɑ́nərki, (米+) -ɑːrki | mɔ́n-/ 名 **1** Ⓤ [通例 the ~] 君主政治, 君主政体, 君主制 ‖ The *monarchy* was abolished early in the 20th century. その君主制は20世紀初頭に廃止された. **2** Ⓒ 君主国.

†**mon·as·ter·y** /mɑ́nəstèri | mɔ́nəstəri-/ 名 Ⓒ (ふつう男の)修道院; 僧院(cf. convent, nunnery).

†**mo·nas·tic, --ti·cal** /mənǽstik(l)-/ 形《正式》修道士の, (ふつう男の)修道士的な ‖ *monastic*(*al*) orders [vows] 修道誓願《poverty, chastity, obedience の3箇条》.

—名 Ⓒ 修道士.

mo·nas·ti·cism /mənǽstisìzm-/ 名 Ⓤ 修道院制度, 修道院[禁欲]生活(の様式).

mon·au·ral /mɑnɔ́ːrəl | mɔn-/ 形《正式》〈録音が〉モノラルの(monophonic) (cf. binaural). (cf. stereophonic).

*★**Mon·day** /mʌ́ndei, -di/ [月の(moon)日(day). cf. month]

—名 (~**s**/-z/) Ⓤ Ⓒ 月曜日(略 Mon.); [形容詞的に;《英略式・米》副詞的に] 月曜日の[に] ‖ *Monday* morning blues [feeling] 月曜の朝の憂うつ《◆月曜日は blue *Monday* と呼ばれ労働者にとって1週間のうちで最も憂うつな日》(語法) → Sunday).

Mo·net /mounéi | mɔnéi/ 名 モネ《**Claude** /klɔːd/ ~ 1840-1926; フランスの印象派画家》.

†**mon·e·tar·y** /mɑ́nətèri | mʌ́nitəri-/ 形《正式》 **1** 貨幣の, 通貨の ‖ a *monetary* unit 貨幣単位 / the *monetary* system 貨幣制度. **2** 金銭上の, 金銭的な; 金融の, 財政(上)の ‖ a *monetary* problem 財政上の問題 / a *monetary* reward 金銭的報酬.

mónetary réform 通貨改革.

mónetary resérve 通貨準備.

‡**mon·ey** /mʌ́ni/ 《ローマ神話で女神 Juno の異名 Moneta の神殿で鋳造されたことから》

—名 (~**s**, (まれ) **mon·ies** /mʌ́niz/) Ⓤ Ⓒ **1** 金(かね), 金銭; 貨幣, 通貨 ‖ páper [sóft] *móney* 紙幣 / hard *money* 硬貨 / ready *money* 現金 / good *money* 大金, まじめに稼いだ金 / easy *money* 苦労せずに得られる金, あぶく銭(ぜに) / the various *moneys* of the world 世界のさまざまな通貨 / plástic *móney* クレジットカード / màke [èarn]「a lót of [múch] *móney* 大金を稼ぐ / spend *money* like water 金を湯水のように使う / have no *money* for [to buy] a car 車を買う金がない / Father gave me $10 in spénding [pócket] *móney*. 父は私に小遣いを10ドルくれた / *Money* is「a great *traveler* in the world [a continual *traveler*]. ＝*Money* comes and goes. 《ことわざ》「金は天下の回りもの / *Money* talks.《略式》《ことわざ》金がものをいう / *Money* is the root of all evil.《ことわざ》金は諸悪の根源である / 《略式》*Money* doesn't grow on trees, you know.《略式》金のなる木はないからね《◆むだ遣いをいましめる言葉》(ジョーク) There are more important things in life than a little *money* — a lot of *money*! 人生には少しのお金よりももっと大事なものがある. それはたくさんのお金である! / 日本発⇒ *Otoshidama* [New Year's gift] is *money* given at New Year's to children by their parents and visiting relatives. お年玉は正月に, 両親やあいさつに訪れた親戚(が)が子供に与えるお金です. **2** 富, 財産, 資産 ‖ marry for *money* 財産目当てに結婚する / a man of *money* 資産家.

be on the móney 《略式》〈予想などが〉ぴったりである.

gét [**háve**] **one's móney's wórth** 《略式》支払った金だけの値打ちのもの[満足]を得る.

lóse móney 損をする.

márry móney 《略式》金持ちと結婚する.

ráise (**the**) **móney** (1) [...を売って「買に入れて]] 金を得る[*on*]. (2) 《...の》募金をする[*for*].

móney bòx (主に英)献金箱; 貯金箱.

móney income 現金収入.

móney màrket 金融市場.

móney òrder 《主に米》(郵便)為替(《英》postal order).

móney supplỳ (1) 通貨供給. (2) [the ~] マネーサプライ, 供給通貨量.

móney wòrries 金銭上の心配事.

mon·ey·chang·er /mʌ́nitʃèindʒər/ 名 Ⓒ 両替屋; (米) 両替機.

mon·ey·less /mʌ́niləs/ 形 無一文の, 貧乏な.

mon·ey·mak·er /mʌ́nimèikər/ 名 Ⓒ 金もうけに熱心な[通じた]人; 《略式》金もうけになるもの, 「ドル箱」.

mon·ey·mak·ing /mʌ́nimèikiŋ/ 名 Ⓤ 形 金もうけ(の), 蓄財(の).

mon·ger /mʌ́ŋɡər | mʌ́ŋ-/ 名C [主に複合語で] **1** (文) (小さな商売をしている)…商(人), …を商う人 ‖ físhmònger (英) 魚屋. **2** (複合語で) (悪いことを言いふらしたり扇動したりする)人 ‖ rúmor-mònger うわさをまきちらす人 / wár-mònger 戦争をあおる人 / scándalmònger 中傷する話をたたく人.

†**Mon·gol** /mɑ́ŋɡl, -ɡoul | mɔ́ŋɡl, -ɡɔl-/ 名C (特に遊牧の)モンゴル人, 蒙古人. **2** U モンゴル語(Mongolian). ──名 モンゴル人の(Mongolian); モンゴル[語]の.

Mon·go·li·a /mɑŋɡóuliə | mɔŋ-/ 名 **1** モンゴル《内モンゴル・モンゴル国などから成るアジア中部の地域》‖ Inner Mongolia 内モンゴル, 内蒙 (中国の自治区) / Outer Mongolia 外モンゴル, 外蒙《モンゴル国の旧称》. **2** モンゴル国《首都 Ulan Bator》.

Mon·go·li·an /mɑŋɡóuliən | mɔŋ-/ 形 モンゴルの; モンゴル人[語]の. ──名 **1** C モンゴル人, 蒙古人. **2** U 蒙古語.

Mon·gol·oid /mɑ́ŋɡəlɔ̀id | mɔ́ŋ-/ 形 モンゴル人に似た; モンゴル人種の. ──名 C モンゴル人種.

mon·goose /mɑ́ŋɡus | mɔ́ŋ-, mʌ́ŋ-/ 名(複 ~s) C 〔動〕マングース《肉食動物で毒ヘビの天敵》.

†**mon·grel** /mʌ́ŋɡrəl, (米+) mɑ́ŋ-/ 名C **1** (動·植物の)雑種; 雑種犬. (略式) 混交語. **2** 混血児, ハーフ. ──形 雑種の; 混血の, 混交の.

mon·ism /mɑ́nɪzm, móu- | mɔ́n-/ 名U 〔哲学〕一元論(cf. dualism, pluralism).

mo·ni·tion /mouníʃən/ 名UC **1** (正式) 注意, 警告. **2** 〔教会〕訓戒, 戒め, 戒告.

†**mon·i·tor** /mɑ́nətər | mɔ́n-/ 名 [(女性形) **-tress**] C **1** [監視装置[人]] **a** (外国放送の)報告者, モニター, (主に外国)放送傍受者; 公聴傍受者. **b** 〔ラジオ·テレビ·コンピュータ〕(動作中[送信]状態などをチェックするための)モニター(装置); =monitor screen. **c** (原子力発電所などの)放射能汚染探知[監視]装置. **2** (英やや古) 学級委員, 風紀委員, (public school の)級長, 上級生の監督学生(prefect) ‖ a blackboard monitor (クラスの)黒板係.
──動 **1** …をチェックする, 監視する, モニターする. **2** (外国放送を)傍受する; …を盗聴する. **3** 〔物理〕…の放射能を検査する. ──自 モニターとして働く; モニター装置を使う.

mónitor scréen 監視画面[テレビ]; 受信装置.

-mon·i·tored /-mɑ́nətərd | -mɔ́n-/ 〔語要素〕→語要素一覧(1.2).

†**monk** /mʌŋk/ 〔発音注意〕 名C 「(清貧·貞潔·従順)を誓った」修道士; 僧. **mónk's clòth** バスケット織りの厚い綿織物《カーテン·寝台掛け用. もと修道士の服》.

*****mon·key** /mʌ́ŋki/ 〔発音注意〕
──名(複 ~s/-z/) C **1** サル《一般に小型で尾のあるサル. 「尾のない大型サル·類人猿(gorilla, chimpanzee, orangutan など)は ape. 鳴き声は chatter, clatter, gibber》; U サルの毛皮 ‖ *Monkey see, monkey do.* サルは見たらそのまねをする, サルのものまね(cf. copycat) / *Be careful. The monkey will scratch you.* 気をつけなさい. そのサルはひっかくよ / a *monkey* trainer 猿回し《◆「猿回しのサル」は a performing *monkey* という》.
2 (略式) [しばしば a cheeky little ~] いたずら小僧, サルのような奴; 物まねをする人; ばか者, おめでたい人.
3 (米俗) 500ドル, (英俗) 500ポンド.
make a mónkey (òut) of A (略式)〈人〉を笑い物にする.
──動自 (略式) **1** 遊びまわる, ふざける(+*around, about*) ‖ monkey about [around] in the playground 運動場で遊び戯れる. **2** […に)いじくる(+*around, about*)〔*with*〕.
──他〈人·物〉をまねる; ばかにする.

mónkey bùsiness (やや古·略式) 不正行為, いやがらせ.

mónkey èngine (英) くい打ち機.

mónkey jàcket モンキー·ジャケット《昔水夫が着た丈の短い上着》.

mónkey pùzzle 〔植〕チリマツ《チリ原産. 鋭い葉をもちサルも登れないという》.

mónkey wrènch (米) 自在スパナ《(英) adjustable spanner》.

monk·ish /mʌ́ŋkiʃ/ 形 修道士の(ような)《◆「隠遁·厳しさ·禁欲的」などの含で意》; 修道士特有の, 坊主臭い. **mónk·ish·ly** 副 修道士のように.

monks·hood /mʌ́ŋkshùd/ 名C 〔植〕トリカブト.

mon·o /mɑ́nou | mɔ́n-/ 形 (略式) **~s** C モノラル, 〔略式〕モノラルレコード. ──形 (略式) モノラルの(=monaural).

mon·o- /mɑ́nə- | mɔ́nou-/ 〔語要素〕→語要素一覧(1.1, 1.6).

mon·o·chrome /mɑ́nəkròum | mɔ́nəu-/ 名UC 単色[単彩]画(法), 白黒描写; 白黒写真. ──形 単彩の; 白黒の.

mon·o·cle /mɑ́nəkl | mɔ́n-/ 名C 単眼鏡, 片めがね.

mon·o·cot·y·le·don /mɑ̀nəkɑ́tlìːdn | mɔ̀nəkɔ́ti-/ 名C 〔植〕単子葉植物の《略》monocot)(cf. dicotyledon).

mo·noc·u·lar /mənɑ́kjələr, mə- | mɔnɔ́k-/ 形 単眼の; 一眼用の(cf. binocular).

mon·o·cy·cle /mɑ́nəsàikl | mɔ́nəu-/ 名C 一輪車(cf. bicycle).

mon·o·dy /mɑ́nədi | mɔ́n-/ 名C **1** モノディ《ギリシア悲劇中の独唱歌》; 独唱歌, 哀悼歌[詩], 挽歌[詩], 惜別歌. **2** 〔音楽〕単旋律(曲).

mo·nog·a·mous /mənɑ́ɡəməs | mənɔ́ɡ-, mɔ-/ 形 一夫一婦(婚)制[主義]の, 単婚制の.

mo·nog·a·my /mənɑ́ɡəmi | mənɔ́ɡ-, mɔ-/ 名U (正式) 一夫一婦婚制, 単婚制(↔ polygamy).

†**mon·o·gram** /mɑ́nəɡrǽm | mɔ́nəu-/ 名C (正式) モノグラム《頭文字などを組み合わせて図案化したもの. ハンカチに刺繍(ɕ̬ɕ̭)したりする》.

mon·o·lin·gual /mɑ̀nəlíŋɡwl | mɔ̀nəu-/ 形 **1** 言語使用の.

mon·o·lith /mɑ́nəlìθ | mɔ́n-/ 名C **1** モノリス《建築·彫刻用の一枚岩》, 石柱, オベリスク; 記念碑[像]. **2** [比喩的に] 一枚岩.

mon·o·lith·ic /mɑ̀nəlíθik | mɔ̀nə-/ 形 **1** モノリスの. **2** 巨大な, どっしりした, 一枚岩の. **3** ばかでかい, 融通のきかない; 完全に統制された, [比喩的に] 一枚岩の.

mon·o·logue, **(米ではまれに) **-log /mɑ́nəlɔ̀ːɡ | mɔ́n-/ 名C **1** 独白(の場面), 独白[独り]語, 一人芝居; 独白形式の作品(cf. dialogue). **2** (会議などでの)一人の長広舌(ɕ̬ɕ̭ɕ̭), 長話[談義].

mon·o·ma·ni·a /mɑ̀nəméiniə | mɔ̀nəu-/ 名U 凝り性, 偏執狂.

mòn·o·má·ni·ac 名C 偏執狂者, 凝り屋.

mon·o·me·tal·lic /mɑ̀nəmətǽlik | mɔ̀nəu-/ 形 本位貨幣制度の(cf. bimetallic).

mon·o·phon·ic /mɑ̀nəfɑ́nik, -fóun- | mɔ̀nəufɔ́n-, -fóun-/ 形 モノラルの(cf. stereophonic; (略式) mono); 〔音楽〕単旋律体の.

mon·oph·thong /mɑ́nəfθɔ̀ːŋ | mɔ́n-/ 名C 〔音声〕単母音(cf. diphthong, triphthong).

mon·o·plane /mɑ́nəplèin | mɔ́nəu-/ 名C 単葉(飛行)機(cf. biplane).

mo·nop·o·lis·tic /mənɑ̀pəlístik | -nɔ̀p-/ 形 独占的な, 専売の; 独占主義(者)の.

†**mo·nop·o·lize**, (英しばしば) **‑lise** /mənɑ́pəlàiz | -nɔ́p-/ 動他 **1**〈生産・販売などを〉独占する;…の独占[専売]権を持つ[得る]. **2**《正式》〈時間などを〉ひとり占めにする.

†**mo·nop·o·ly** /mənɑ́pəli | -nɔ́p-/ 名 **1** [a/the ~]〔…の点での／…の／…する〕独占(権), 専売(権); ひとり占め〈in / of, on / to do〉‖ *make a monopoly of* …を独占[専売]する / No one nation has *a monopoly on [of]* brains. いかなる国といえども優秀な人材を独占する権利はない. **2** ⓒ 専売品; 専売会社[公社], 独占企業. **3** [M—] ⒸⓊ《商標》モノポリー《盤上で不動産の売買をするゲーム》.

monópoly cápitalism 独占資本主義.
mon·o·rail /mɑ́nərèil | mɔ́n-/ 名 ⓒ モノレール.
mon·o·syl·lab·ic /mɑ̀nəsilǽbik | mɔ̀nəu-/ 形《音声》単音節の(cf. polysyllabic)‖ *a monosyllabic* word 1音節の単語. **2**《正式》〈短くて〉そっけない, 無口な.
mon·o·syl·la·ble /mɑ́nəsìləbl | mɔ́nəu-/ 名ⓒ《音声》単音節語.
mon·o·the·ism /mɑ́nəθìːizm | mɔ́nəu-/ 名Ⓤ 唯神教[論], 一神教(cf. polytheism).
mon·o·tone /mɑ́nətòun | mɔ́nəu-/ 名ⓒ《正式》[時に a ~] **1** 単調(↔ variety); 一本調子の話し[書き]方‖ give a lecture in *a dull monotone* 退屈な一本調子で講演する. **2**〔音楽〕単調音, モノトーン.

†**mo·not·o·nous** /mənɑ́tənəs | -nɔ́t-/ 形《アクセント注意》形 単調な, 一本調子の, 変化のない; つまらない, 退屈な‖ She spoke in a *monotonous* tone. 彼女は抑揚のない声で話した.
mo·not·o·nous·ly 副 単調に, 一本調子で.

†**mo·not·o·ny** /mənɑ́təni | -nɔ́t-/ 名Ⓤ **1** 単調‖ the dreadful *monotony* of everyday life 日常生活の恐ろしいほどの単調さ. **2** 退屈.
mon·o·type /mɑ́nətàip | mɔ́nəu-/ 名ⓒ [しばしば M—]《印刷》《商標》モノタイプ, 自動鋳造植字機.
mon·ox·ide /mənɑ́ksaid, mɑn-5ks-/ 名ⓒⓊ《化学》一酸化物; [通例複合語で] 一酸化…‖ carbon *monoxide* 一酸化炭素.
Mon·roe /mənróu, mɑn-/, (英+) mʌ́nrəu/ 名 **1** モンロー《James ~ 1758-1831; 米国の第5代大統領(1817-25)》. **2** モンロー《Marilyn /mǽrəlin/ ~ 1926-62; 米国の映画女優》.
Monróe Dóctrine [the ~] モンロー主義《Monroe大統領の米欧相互不干渉主義政策(1823)》.
Mon·sei·gneur /mòunsenjɔ́ː / 《フランス》名ⓒ (pl **Messeigneurs** /mèisèinjɔ́ːrz/) ⓒ 殿下, 閣下《◆ Mr., Sir, my Lord などに当たる. 略 Mgr.》.

†**mon·sieur** /məsjɔ́ːr/, (米+) -sjúː /《フランス》名ⓒ (pl **messieurs** /məsjɔ́ːrz, meis-/) ⓒ …様, …さん, …氏《Mr., Sir に当たる敬称で, フランスの男性につける. 略 M.》.
mon·soon /mɑnsúːn | mɔn-/ 名ⓒ **1** [the ~] **a**《インド洋・南アジアの》季節風, モンスーン. **b** =monsoon season. **2**《一般に》季節風;《略式》豪雨, 大雨.
monsóon sèason 雨季.

∗**mon·ster** /mɑ́nstər | mɔ́n-/ 名《警告する(mon)もの(ster) → 何か奇怪なもの》 派 monstrous (形)
—名 (pl ~s/-z/) **1** ⓒ 怪物, 化け物;(途方もなく)巨大なもの[人]; 極悪非道な人; [形容詞的に]《略式》怪物のような; 異常に大きい‖ the Loch Ness *Monster* ネス湖の怪獣 / You're a *monster* of cruelty! この極悪人め! / *a monster* of a tomato =a *monster* tomato 巨大な化け物のようなトマト /《日本発》 The Japanese *monster* Godzilla made his movie debut in 1954. 日本が生んだ大怪獣ゴジラは1954年に初めて映画に登場した.
mon·stros·i·ty /mɑnstrɑ́səti | mɔnstrɔ́s-/ 名 **1** Ⓤ 奇怪, 怪奇, 奇形. **2** ⓒ 巨大な奇形物, 怪物.

†**mon·strous** /mɑ́nstrəs | mɔ́n-/ 形 **1** 怪物のような, 巨大な‖ a *monstrous* creature from another planet 他の惑星から来た怪物. **2** 異常な形をした, 奇形の. **3**《略式》ばかげた, 途方もない, 不条理な; ひどい‖ *monstrous* crimes 極悪非道の犯罪.
Mont.《略》Montana.
mon·tage /mɑntɑ́ːʒ | mɔn-/《フランス》名ⓒⓊ **1**《映画・テレビ》フィルム編集(法). **2** 合成; モンタージュ[合成]写真.
Mon·taigne /mɑntéin | mɔn-/ 名 モンテーニュ《Michel Eyquem de /miʃél ekém də/ ~ 1533-92; フランスの思想家》.
Mon·tan·a /mɑntǽnə | mɔn-/ 名 モンタナ《米国北西部の州.(愛称) the Treasure [Bonanza] State, Big Sky Country. 州都 Helena. 《略》 Mont., 《郵略》 MT》.
Mont Blanc /mɔ̀ːn blɑ́ːŋ, móun- | mɔ̀ːn blɔ́ŋ/ 名 モンブラン《フランス・イタリア国境の山. 4807 m》.

†**Mon·te Car·lo** /mɑ́nti kɑ́ːrlou | mɔ̀n-/ 名 モンテ=カルロ《モナコの保養・行楽地. カジノで有名》.
Mon·te·vi·de·o /mɑ̀ntəvədéiou | mɔ̀n-/ 名 モンテビデオ《ウルグアイの首都》.
Mont·gom·er·y /mɑntgʌ́məri, mʌnt- | məntgʌ́m-/ 名 モン(ト)ゴメリー《米国 Alabama 州の州都》.

∗**month** /mʌ́nθ/《発音注意》 派 monthly (形)
—名 (pl ~s/-s, mʌ́nts/) ⓒ **1**《暦の》月‖ a cálendar [lúnar, sólar] *mónth* 暦[太陰, 太陽]月 /《対話》 "What day of the *month* were you born?" "I was born on the 15th of January." 「何月何日に生まれましたか」「1月15日です」/ *this* [*last, next*] *month* 今[先, 来]月 / *the month after next* 再来月 / *the month before last* 先々月 / *in the month of* June 6月に《◆ in June より堅い言い方》.

2 ひと月, 30日, (任意の日から数えて)…月;(妊娠・刑期の)月‖ a baby of two *months* =a two-*month*-old baby 2か月の赤ん坊 / a two-*month* vacation 2か月の休暇《◆ a two *months*' vacation ともいう》/ I haven't seen him *for a whole month*. まる1か月彼に会っていない / Twelve *months* make a year. =There are twelve *months* in a year. 1年は12か月である / She is in her third *month*. 彼女は妊娠3か月です.

a mónth of Súndays《主に英式》[通例否定文で] たいへん長い間(a very long time).
month áfter month 毎月毎月(同じことを繰り返して).
month by month 月々, 月ごとに(変化して).
month ín, month óut 来る月も来る月も.
tóday [**thís dáy**] **mónth**《英》来月の今日; 先月の今日.

∗**month·ly** /mʌ́nθli/《→ month》
—形 [名詞の前で] 月1回の, 毎月の; 1か月間の, 1か月間有効の‖ a *monthly* meeting 月1回行なわれる会合 / average *monthly* rainfall 1か月間の平均降雨量 / a *monthly* salary 月給 / *monthly*

period(s) (略式) 月経期間 / a six-month commuter pass 6か月定期乗車券.
── 副 月に1回, 毎月; 月単位で ‖ I pay my rent *monthly*. 家賃は月ぎめで支払っています.
── 名 ⓒ 月刊発行物 (cf. periodical).

Mon·tre·al /mɑ̀ntriɔ́ːl | mɔ̀n-/ 名 モントリオール《カナダ南東部ケベック州にある都市》.

*mon·u·ment /mɑ́njəmənt | mɔ́n-/ [「思い出させるもの」が原義]
── 名 (複) ~s/-mənts/) ⓒ 1 [...の] 記念碑 [塔, 像, 建造物] [to] (→ memorial); [the M~] (1666年の) ロンドン大火記念塔. 2 遺跡, 遺物, 記念物; ancient [natural] monuments 史的 [天然] 記念物. 3 [学問などの] 不朽の業績, 金字塔 [of]; (正式) 顕著な例 [of, to]. 4 墓石, 墓碑.

†**mon·u·men·tal** /mɑ̀njəméntl | mɔ̀n-/ 形 1 記念碑の (ような), 記念碑として建てられた, 堂々とした ‖ a *monumental* chapel 堂々たる礼拝堂. 2 不朽の, 不滅の; 注目すべき, 重要な ‖ a *monumental* achievement 歴史的な偉業 / a *monumental* decision 重要な決定. 3 (略式) 途方もない, たいへんな, ひどい ‖ a *monumental* lie とてつもないうそ / a man of *monumental* ignorance ひどく無知な人. 4 《像などの》実物大以上の. 5 記念の.

mòn·u·mén·tal·ly 副 記念碑として; 記念に; 堂々と; (略式) 途方もなく, ひどく.

moo /múː/ 名 (複) ~s) ⓒ 1 モー《牛の鳴き声》. 2 (幼児語) ウシ, モーモー (moo-cow). 3 (英俗) 愚かな人 [女]. ── 動 ⓐ 《牛が》モーと鳴く.

moo-cow /múːkàu/ 名 ⓒ (小児語) モーモー, め牛.

*mood¹ /múːd/ [「心, 精神」が原義] 関連 moody (形)
── 名 (複) ~s/múːdz/) ⓒ 1 a 心的状態, (一時的な) [...の/...する] 気分 [for / to do] ‖ be in a good [happy, cheerful] *mood* 楽しい気分である / be [get] in a bad [black] *mood* 機嫌が悪い [悪くなる] / His *moods* are changeable. 彼の気分は変わりやすい. b [通例 the ~] [...しようとする] 気持ち, 心構え [for, to do] ‖ I'm in nó móod `for joking [to joke]`. 冗談をいう気になれない.

☑ 日英比較 mood は個人または人の集合体の心的状態をいう. 店・場所の雰囲気・ムードをいう場合は atmosphere (「ムードのある場所」は a place with (a good) atmosphere).

2 (略式) (通例 ~s) 憂うつ, 不機嫌, むら気 ‖ a man of *moods* 気難し屋 / She is in a *mood*. = She is in one of her *moods*. 彼女はご機嫌斜めだ. 3 (作品などが持つ) 雰囲気; [the ~] (大衆の) 意向, (会合の) 空気.

móod mùsic (ドラマなどの) 効果音楽; ムード音楽.

mood² /múːd/ 名 ⓒ [文法] 『the ~] (叙法) ‖ the indicative [imperative, subjunctive] *mood* 直説 [命令, 仮定] 法.

†**mood·y** /múːdi/ 形 (--i·er, --i·est) 1 憂うつな, ふさぎこんだ. 2 気分の変わりやすい, むら気の.

*★**moon** /múːn/ 〖→ month〗
── 名 (複) ~s/-z/) 1 [通例 the ~] 月《◆(1) ローマ神話の女神 Diana, Luna, ギリシャ神話の女神 Artemis が連想される. 女性・純潔・無定操などを象徴. (2) 代名詞は she, it で呼応する (cf. sun 1); [a ~] (特定の時期・形の) 月; ⓊⒸ 月光 (moonlight)《関連形容詞 lunar》 ‖ a fúll [néw, hálf] móon 満 [新, 半] 月 / a waning [crescent, waxing] *moon* 下弦の [三日, 上弦の] 月 / There is a [no] *moon* tonight. 今夜は月が出ている [いない]. 文化 日本では月は黄色で表すが, 西洋では silver とされる (cf. sun).

2 ⓒ 衛星; 人工衛星 ‖ Jupiter has sixteen *moons*. 木星には衛星が16ある. 3 ⓒ 太陰月, (詩) (通例 ~s] 1か月 ‖ a few *moons* ago 数か月前に.

bárk at [agàinst] the móon 月に向かってほえる; いたずらに騒ぐ.

báy (at) the móon (略式) むだな不平を言う; むだなことをする.

crý [ásk, bárk, réach, wísh] for the móon = áim at [wánt] the móon (略式) 不可能なことを望む, 途方もない野心を抱く.

óver the móon (英略式) [...で] 大喜びして, 有頂天になって (very delighted) [about].

the mán in the móon 月面の人影に似た斑 (はん) 点 ◆(1)「知らないこと」, 「ありそうもないこと」という含み. (2) 日本語の「月のうさぎ」に当たる; 架空の人 ‖ I know as much about it as *the man in the moon*. そのことについては何も知りません.

── 動 ⓐ (略式) 1 うろうろ, ふらふらさまよう [+ *about*. (*a*)*round*]. 2 [...を] ぼんやりと見つめる [*at*, *over*].
── ⓑ (略式) 《時》をぼんやり過ごす [+ *away*].

── 他 (略式) 《尻》をむき出す.

móon bùggy [ròver, cràwler, jèep] (宇宙) 月面車.

móon òrbit 月軌道.

móon sùit 月面宇宙服.

†**moon·beam** /múːnbìːm/ 名 ⓒ 月の光線, 月光.

moon·less /múːnləs/ 形 1 月のない. 2 衛星を持たない.

*moon·light /múːnlàit/
── 名 Ⓤ 月光 ‖ Can you read this letter by *moonlight*? 月明かりでこの手紙が読めますか / *in the moonlight* 月光を浴びて.

── 形 1 [名詞の前で] 月光の, 月光に照らされた ‖ a *moonlight* night 月夜 / 月が出ている [夜間] になされる ‖ a *moonlight* raid 夜襲 / a *moonlight* stroll 夜の散歩 / do a *moonlight* (flit [flitting]) (英) (略式) ずらかる.

── 動 ⓐ (略式) (昼間働いた後) 内職する, アルバイトをする.

Móonlight Sonáta [the ~] 月光ソナタ《ベートーベンのピアノソナタ第14番》.

†**moon·lit** /múːnlìt/ 形 月に照らされた.

moon·rise /múːnràiz/ 名 ⓊⒸ 月の出 (の時刻).

moon·scape /múːnskèip/ 名 ⓒ 月面風景; 月面写真, 月面風景画; (月面に似た地球上の) 荒涼とした風景.

moon·set /múːnsèt/ 名 ⓊⒸ 月の入り (の時刻) ‖ at *moonset* 月の入りに.

†**moon·shine** /múːnʃàin/ 名 Ⓤ 1 月光, 月明かり. 2 (略式) ばかげた考え [話, 行為]. 3 (米略式) 密造 [輸入] 酒. ── 動 ⓐ ⓑ (酒を) 密造する.

moon·shin·er /múːnʃàinər/ 名 ⓒ (米略式) 酒類密造 [密輸入] 者.

moon·ship /múːnʃìp/ 名 ⓒ 月探測船.

moon·struck /múːnstrʌ̀k/, **moon·strick·en** /múːnstrìkn/ 形 (略式) ぼうっとなった; 気が狂った《◆気が狂うのは月の影響であると考えられていた. cf. lunatic》.

Móon týpe /múːn-/ 〖考案者 William Moon の名から〗ムーンタイプ《盲人用文字の1つ. Braille 法に取って代わられた》.

moon·walk /múːnwɔːk/ 名C《米》(宇宙飛行士の)月面歩行.

†**moor**¹ /múər, (英+) mɔ́ː/ 同音 △more 名UC **1**《主に英》[しばしば ~s] (ふつうヒースで覆われたイングランド北部, スコットランドの)荒野《土壌が悪いため農地には不適. ライチョウの猟場として保護されている》‖ a stretch of heather-covered moors ヒースが生い茂った一帯の原野. **2**《米》沼地, 湿原地.

†**moor**² /múər, (英+) mɔ́ː/ 動他 **1**〈船〉を[…に]つなぐ, 停泊させる[to]. **2**[比喩的に] …を[…に]しっかりつなぐ[to]. ── 自 船をつなぐ; 〈船が〉錨(ホン)をおろす.

Moor /múər, (英+) mɔ́ː/ 名C《北西アフリカに住むイスラム教徒. ベルベル族とアラブ人との混血》.

moor·ing /múəriŋ, (英+) mɔ́ː-r/ 名 **1** U 係船, 停泊; [しばしば ~s] 係船停泊所. **2** [~s] 係船用具[装置]《ropes, cables, anchors など》; つなぎ止めるもの. **3** [~s] 精神的よりどころ.

†**Moor·ish** /múəriʃ, (英+) mɔ́ːr-/ 形 ムーア人の; ムーア風(式)の ‖ a Moorish [horseshoe] arch 馬蹄形アーチ.

†**moose** /múːs/ 同音 mousse 名(複 moose) C 動 (北米の)ヘラジカ(cf. elk).

mop /máp|mɔ́p/ 名C **1** モップ, 柄(ㇺ)付きぞうきん. **2** 短い柄付きたわし. **3**《略式》[a/the ~] 髪の毛の(モップ状の)かたまり ‖ a mop of hair もじゃもじゃ[ぼさぼさ]の髪の毛《◆ of は同格の of → o **3 b**》. ── 動 (過去・過分 **mopped**/-t/; **mop·ping**) 他 **1** 〈モップなどで〉…を(ふいて)きれいにする(+down). **2** 〈涙・汗など〉を[…から]ぬぐう, ふく, 拭き取る(with/from). *mop úp* 他〈モップで〉…をすっかりふき取る;〈残りの物・人〉を一手に引き受ける.

†**mope** /móup/ 動自 ふさぎこむ, 意気消沈する;暗い気持ちでぶらつく(+about, around). ── 名 **1** C 陰気な人, しょげている人. **2** [a ~] ふさぎこむこと;[the ~s] 憂うつ.

mo·ped /móupεd/ 名C モペット, 原動機付き自転車《◆英国では主に 50 cc 未満のものをいう》.

mop-up /mápʌp|mɔ́p-/ 名C《略式》(残敵の)掃討 ‖ mop-up operation 掃討作戦.

mo·raine /məréin, (英+) mɔ-/ 名C〔地質〕氷堆(ヵ)石, モレーン.

*****mor·al** /mɔ́(ː)rəl|ˈ[『風俗習慣に合った』が原義. cf. mores〕(派) morality (名)
── 形 (more ~, most ~) **1** [名詞の前で] 道徳(上)の, 倫理上の(ethical);道徳[善悪の判断]に関する《◆比較変化しない》‖ moral standards 道徳的基準 / the moral sense 道徳観念 / a moral responsibility 道徳的責任 / móral philósophy 道徳哲学, 倫理学.
2 道徳的な, 道義をわきまえた;品行方正な, 貞節な(↔ immoral) ‖ a moral man 品行方正な人 / lead [live] a moral life 道徳的に立派な生活を送る.
3 [名詞の前で] 善悪の区別ができる, 道徳的判断ができる《◆比較変化しない》.
4 [通例名詞の前で] 教訓的な《◆比較変化しない》‖ a moral story [book] 教訓的な物語[本].
5 [名詞の前で] 精神的な, 心の《◆比較変化しない》(↔ physical) ‖ He gave me móral suppórt. 彼はぼくを精神的に援助してくれた.
── 名 (複 ~s/-z/) **1** [~s; 複数扱い] 品行, 素行;道徳 ‖ public morals 公衆道徳, 風紀 / a woman of loose [high] morals 身持ちの悪い女[品行方正な女性].
2 C(物語・経験から得る) 教訓, 寓意, 訓言 ‖ The moral of the story is "haste makes waste." その話の教訓は「せいては事を仕損じる」だ.
3 [~s; 単数扱い] 修身, 倫理[学].

móral cértainty《正式》[通例 a ~] まず間違いのない事.
móral cóurage(侮辱などに対する)勇気, 胆力.
móral cówardice(世間の非難を気にする)臆(ᴼ)病.
móral házard モラルハザード, 倫理感の欠如.
móral víctory[通例補語として] 精神的勝利(を感じさせる敗北).

†**mo·rale** /mərǽl | -ráːl, mɔ-/ 名U (軍隊・集団などの)士気, 志気, 意気込み ‖ boost [heighten, raise] the morale of the team [troops] チーム[軍隊]の士気を高める.

mor·al·ist /mɔ́(ː)rəlist/ 名C 道徳主義者;道徳家;道学者.

mor·al·is·tic /mɔ̀(ː)rəlístik/ 形 教訓的な, 独善的な, 道学的な, 道徳主義の.

†**mo·ral·i·ty** /mərǽləti, mɔː-/ 名 **1** U 道徳性, 倫理性;道徳[倫理]学;道徳, 道義(↔ immorality) ‖ commércial morálity 商業道徳. **2** U 徳行, 徳性;品行方正, 貞節. **3** C 教訓, 寓意. **4** C = morality play. **morálity pláy** (15-16世紀に英国で流行した)道徳劇.

mor·al·ize /mɔ́(ː)rəlàiz/ 動自 **1**〈物事などを〉道徳的に説明する, …の〈人物〉を教化する. ── 〔…について〕道徳的に話す[書く, 考える](about, on, upon, over).

†**mor·al·ly** /mɔ́(ː)rəli/ 副 **1** 道徳上に;[文全体を修飾] 道徳的見地から(見て);品行方正に ‖ behave morally 道徳的に行動する. **2** 精神的に. **3**《正式》事実上, 実際に.

†**mo·rass** /mərǽs/ 名C **1**《文》低湿地帯, 沼地. **2** [a/the ~;比喩的に] 泥沼, 窮地.

mo·ra·to·ri·um /mɔ̀(ː)rətɔ́ːriəm, mɑ̀(ː)-/ 名C(複 ~s, -ri·a /-riə/)**1**《正式》(政府などの)[…の]一時停止[延期](on); (非常事態などの)支払い猶予(令), モラトリアム. **2** 一時停止期間;支払い猶予期間. **3**〔心理〕モラトリアム《成熟した社会人になる前の猶予期間》.

Mo·ra·vi·a /məréiviə/ 名 モラビア《チェコ東部地方》.
Mo·rá·vi·an /-ən/ 名 形 モラビア生まれの人;モラビアの.

†**mor·bid** /mɔ́ːrbid/ 形 **1** 〈考えなどが〉病的な, 不健全な ‖ have a morbid fascination with … …に病的なほど引きつけられる. **2**《略式》憂うつな. **3**〔医学〕病気の, 病気による ‖ a morbid growth 病的な増殖物《癌など》.

mor·bid·i·ty /mɔːrbídəti/ 名 U **1** 病的状態, 不健全;病気にかかっていること. **2** [時に a ~] (一地域の)罹(ᴼ)病率.

mor·dant /mɔ́ːrdənt/ 形《正式》**1** 皮肉な, 辛辣(ッッ)な. **2** 痛みが鋭く激しい. **3**〔化学〕腐食性の. **4**〔染色〕媒染性の, 色を固定する. ── 名C **1**〔染色〕媒染剤. **2**(エッチングに用いる)腐食剤.

****more** /mɔ́ːr/ 同音 moor (英);類音 moor (米)/[many, much の比較級]
── 形 **1** [しばしば数詞, any, no などの後で] (追加的に) より以上の, さらに多くの ‖ six more days / "Go! One more goal!"「行け! もう1本ゴールを決めて!」/ Any more (fares), (please)(↗)!《車掌の言葉》ほかに乗車券をお求めの方はいらっしゃいますか / We think that there should be no more wars. もう戦争はごめんこうむりたい / Won't you have some more cake? ケーキをもう少しいかがです

か / I have many [far, ×much] more books than she (does). 私は彼女よりずっと多くの本を持っている《◆ more のあとに C 名詞の複数形を伴うときは，more は much で修飾できない．修飾できるのは many, far 以外に数詞, a lot, a few, some, any, no など》/ I have much [far, ×many] more money than he (does). 私は彼よりずっとたくさんお金を持っている《◆後に U 名詞を伴うときは more は much, far 以外に a lot, a great [good] deal, a little, no, some, any などで修飾される》．

2 [many の比較級; C 名詞を修飾して](数の点で)〔…より〕多い(than); より多くの(↔ fewer); [much の比較級; U 名詞を修飾して](量・程度の点で)〔…より〕多くの, 大きい; より多い[大きい](than) (↔ less) ‖ I want to learn more words. もっと単語を覚えたい / He did more work than three men put together. 彼は3人分以上の仕事をした / More and more Japanese are visiting China. 中国を訪れる日本人が増えている(→文法 19.4)(=There is an increase in the number of Japanese who visit China.)

―[名] U [集合名詞] **1** [単数扱い] それ以上の事 [物, 人]《◆事・物の具体的な内容は文脈による》;〔…より〕もっと多くの事[物](than) ‖ Won't you have some more? もういかがですか《◆勧めている物が自明の場合》/ I'll tell you more about Japan in my next letter. 次のお便りで日本のことをもっとたくさんお話しします / There is more to her success than diligence. 彼女の成功は勤勉だけでもたらされたのではない / I won't have any more of this stupid nonsense! もうこんなたわごとはこれでたくさんだ!

2 [~ of + the [one's, these, those, etc.] + 複数名詞代名詞; 複数扱い](…のうちの)より多くのもの[人] ‖ I do not think any more of the students want to come. 学生たちの中で来たいと思う者はもう以上はいないと思う《◆×more of students のように the をつけないのは不可》．

―[副]《◆比較変化しない》**1** [形容詞・副詞修飾・比較級を作る]〔…より〕もっと(than); [~ and ~] ますます…な ‖ Television is more interesting than radio. テレビはラジオより面白い(→文法 19.2(1)) / Food is getting more and more expensive every week. 食料品は毎週値上がりを続けている (→文法 19.4) / Bill is the more studious (boy) of the two. ビルは2人のうちでよく勉強する方だ (→文法 19.3(3)) / Read a little more slowly. もう少しゆっくり読みなさい．

[語法] [形容詞の比較級: -er 型か more 型か]
(1) 単音節語 ふつう -er をつける．
例: taller, faster, harder / ×more tall, etc.
(2) 2音節語

	-er	more
a) -y, -ple, -ble, -tle, -dle	○	×
b) -ly, -ow, -er, -some	○	○
c) -ous, -ish, -ful, -ing, -ed, -ct, -nt, -st	×	○
d) その他	○	○

例: a) happier, humbler, subtler, idler / ×more happy, etc.
b) friendlier, more friendly / mellower, more mellow / cleverer, more clever / handsomer, more handsome, etc.
例外: more bitter [×bitterer]
c) more famous, more childish, more modest, more useful, more urgent / ×famouser, etc.
例外: more exact, exacter / more honest, honester / more aweful, awefuller
d) pleasanter, more pleasant / commoner, more common / stupider, more stupid, etc.
(3) 3音節以上の語 すべて more をつける．
例: more beautiful, more interesting / ×beautifuler, etc. 《ただし, un-¹ の語は un- を取った語に並行する: unhappier》
最上級(-est か most か)もこれと並行する. 両形可能な場合 -er 形の方が統一的に口語的. than を伴わない構文では本来 -er を用いる形容詞も more 型を用いることもある: A more silly remark I can not imagine. こんなばかげた発言があってたまるか. また次のように対照をなす場合も同様: He is less happy in his new job, although I had expected him to be more happy. 彼は今度の仕事でもっと楽しくやれるだろうと私は思っていたが, 前より面白くなさそうだ.

[副詞の比較級]
(1) -er を用いるもの: early, soon, late, hard, long, near.
(2) -er, more 両形を用いるもの: often, slow, loud, quick 《◆(略式)では -er がふつう》．
(3) more を用いるもの: その他 2音節以上の語．
(4) 不規則変化(最上級もあわせて示す): well (better, best), far (farther, farthest; further, furthest), badly (worse, worst), little (less, least), much (more, most).

2 [動詞修飾]〔…より〕もっと, 多く(than) (↔ less); [~ and ~] ますます, いっそう((increasingly)) ‖ You need to sleep more. もっと睡眠をとるべきです / Bill enjoys movies more than I enjoy the theater. 私は芝居が好きだがビルはそれ以上に映画が好きです / They became more and more involved in the plot. 彼らはそのたくらみにますます深入りしていった(→文法 19.4) (ジョーク) You know you're getting old when the candles cost more than the birthday cake. 年をとったとわかるのは, 誕生日のケーキよりもろうそくが高くつくとき．

3 [数詞, any などの後で] それ[これ]以上, さらに ‖ once more もう一度《◆ふつうそれで最後になる》 / I can't walk any more. もうこれ以上歩けません《◆ anymore ともする．→ anymore [語法]》 / There is only one thing more to say. 言っておくことがもう1つだけあります / three months more もう3か月の間に(=for three more months).

4 =moreover.

*àll the móre (…) [副] それだけいっそう(…) (all the better) 《◆ 圖**2**》 ‖ She is shy, but I love her all the more. 彼女ははにかみやだが, それだけいっそう私は彼女が好きだ《◆ all が省略されることがある》．

*(all) the móre (…) for A [because節, (in) that節] …だからいっそう(…)(→文法 19.3(2)) 《◆ この

the は前の成句の the と同様, 指示副詞の the. これ は the more …, the more … の後の the と同じ》‖ I will help him *all the more for* his industry. =I will help him *all the more because* [(in) that] he is industrious. 彼は勤勉だからいっそう援助してやろう.

líttle móre than A …にすぎない.

màke móre of A → make MUCH of.

móre of … (1) むしろ… (→ MORE **A than B**). (2) …のより多く ‖ I hope to see *more of* you. もっと君に会いたい; 今後ともよろしく.

***móre or léss** /mɔ́:rəlés/ (1) [形容詞・名詞を修飾] (人・状況によって) 多かれ少なかれ, 程度の差はあれ, 多少とも ‖ He was *more or less* satisfied with the test results. 彼は多かれ少なかれテストの成績に満足していた [程度はともかくとして満足していたことは確かだ]. (2) [動詞・名詞・形容詞・副詞を修飾] およそ (approximately), 約, だいたい (roughly). (3) [動詞・名詞・形容詞・副詞を修飾] ほとんど (almost). (4) [否定を強調して] まったく (…でない). (5) [独立して] まあまあ (です).

***móre than** … (1) [数詞の前で] …以上の (over), …を下らない ‖ eat *more than* ten cookies クッキーを10個以上食べる / The book weighs *more than* two kilos. その本は2キロより重い《◆2キロちょうどは含まない》. (2) [正式] [名詞・形容詞・副詞・動詞・節の前で] とても…だ; …どころではなく, …以上で ‖ *more than* likely きっと, まず間違いなく / *more than* once 一度ならず (=often) / You'd be *more than* welcome. (いらしていただければ) 大歓迎いたします / I'm *more than* ready to help you. 喜んでお手伝いします / That noise is *more than* I can bear. あの騒音にはたまらない (=I can't bear that noise.).

móre A than B Bよりむしろ A (と言う方が適切)《(1) 同一の人・物についての異なる性質などの比較. (2) **A, B** は形容詞・名詞・副詞・前置詞句・不定詞句など》(not so MUCH B as A) ‖ He is *more* lucky *than* clever. 彼は抜け目がないというよりついているのだ (=He is not so much clever as lucky. / He is lucky *rather than* clever.)《◆ ×*more* luckier *than* clever は不可. 他の人との比較では luckier: He is *luckier* [×*more* lucky] *than* you.》‖ He is *more* a poet *than* a musician. 彼は音楽家というより詩人だ (=He is not so much a poet as a musician.)《◆ *more of* **A** than **B** となることもある》.

móre than a líttle [bít] … [主に英正式] [形容詞の前で; おおげさに] 少なからず…, かなり.

móre than éver (befóre) [文頭・文中・文尾で] いよいよ, さらに, ますます.

móre than óne … [単数扱い] 1つ [1人] より多く ‖ *More than one* person is involved in this. これに関係しているのは1人にとどまらない 《◆2人以上で複数であるが, one に引かれて単数扱いがふつう. *more* persons *than* one は複数扱い》.

***nó móre** (1) [量・程度について] もはや…しない (not … anymore) (cf. no longer (→ long¹ 圖 成句)) ‖ He was smiling *no more*. 彼はもはや笑っていなかった. (2) [文] [be no ~] 〈事・物が〉もはや存在しない ‖ There is *no more* in show business. 彼はもはや芸能界にはいない. (3) [正式] [否定文に続いて; しばしばおおげさに] …もまた…でない (neither) ‖ He doesn't like this carpet and *no more* do I. 彼はこのじゅうたんが好きではないし, 私もまた好き

ではない.

***nó móre than** … 《…より決して多くはない》 (1) …にすぎない (only) ‖ He did *no more than* smile at her. 彼は彼女にただほほえんだだけだった. (2) [数詞の前で] (「少ない」という気持ちをこめて) わずか…, たった (only) ‖ It is *no more than* 3 miles to the village. 村までわずか3マイルだ.

***nó móre A than B =nót àny móre than B** [主語が A でないことを強調するためそれが明らかな B の例を示して] B (がそうでない) と同様 A でない《◆ 強調の度合いは後者の方が強い》‖ He is *no more* young *than* I am. =He is *not* young *any more than* I am. 私と同様彼も決して若くない《◆2人とも年寄り. He is not younger than I am. (彼は私より若くない) では2人が若いか年寄りかが不明》/ A bat is *no more* a bird *than* a mouse is. コウモリが鳥でないのはねずみが鳥でないと同じである (=(略式) A bat is *not* a bird *any more than* a mouse is.)《◆ コウモリが鳥でないことを明らかな例を引き合いに出して強調》.

nóthing móre (**or léss**) **than** … (1) [通例名詞の前で] …にすぎない, ほんの…だ ‖ He is *nothing more than* a coward. 彼はただの臆(ホং)病者だ. (2) [他動詞 + to do の間で] ただ, 単に ‖ He wanted *nothing more than* to take a rest. 彼はただただ休憩したかった.

***nót móre than** … [数詞の前で] せいぜい (多くて) (at most)《◆ *no more than* … は数の少ないことを強調するが, 実質的には同意になることもある》‖ It is *not more than* two miles to the village. 村までせいぜい2マイルだ《◆2マイルちょうどの場合を含む》.

the móre …, the móre …すればするほど…する (⊃文法 19.3⑴) ‖ *The more* powerful the car, *the more* difficult it is to handle. 車がよりパワフルであればあるほど, 扱いが難しい / 〈ジョーク〉 *The more* people I meet, *the more* I like my dog. 私は人に会えば会うほど, 自分の犬がますます好きになる.

> 語法 副詞・形容詞が more の位置に来る時は, -er 型であっても, good, bad を除いて, more 型を使うことができる: 「*The longer* [*The more long*] we waited, *the more* impatient we became. 待たされれば待たされるほど, いらいらしてきた.

whàt is móre → what 代.

More /mɔ́:r/ 图 モア《Sir Thomas ~ 1478-1535; 英国の政治家・人文学者. *Utopia* の著者》.

***more·o·ver** /mɔːróuvər/
　圖《正式》[文全体を修飾] [常に前文と対応して議論や意見を強めて; 時に and ~] その上, さらに, 加えて (also, further, besides)《◆比較変化しない》‖ I was lost, *and, moreover,* I was caught in a shower. 私は道に迷って, その上にわか雨にもあった.

Mor·gan /mɔ́:rgən/ 图 ⓒ [動] モルガン種の馬.

mor·ga·nat·ic /mɔ̀:rgənǽtɪk/ 形 貴賎(ホং)相婚の.
　　morganátic márriage (英) 貴賎相婚《王族・貴族の男と平民の女との結婚. 位階・財産は妻子に継承されない》.

†**morgue** /mɔ́:rg/ 图 ⓒ **1** (主に米) 死体保管所; (病院などの) 遺体安置室 ((主に英) mortuary). **2** (略式) (新聞社などの) 参考資料; 資料室. **3** 人気(ポং)のない所, 寂しい所.

mo·ri·bund /mɔ́:rəbʌ̀nd, -bənd/ 形《正式》死にかけている, 瀕(ㅎং)死の; 消滅しかかった.

Mor·mon /mɔ́:rmən/ 图 ⓒ モルモン教徒.

Mor·mon·ism /mɔ́ːrmənìzm/ 名U モルモン教《1830年 Joseph Smith が米国で創設したプロテスタントの一派. 正式名称 The Church of Jesus Christ of Latter-Day Saints (末日聖徒イエス=キリスト教会)》.
──形 モルモン教(徒)の.

†**morn** /mɔ́ːrn/ (同音) mourn) 名C (詩) 朝(morning), 暁.

‡**morn·ing** /mɔ́ːrniŋ/ (同音) mourning) 〖evening にならって morn (朝)からできた語〗
──名 (複 ~s/-z/) 1 UC 朝, 午前; [形容詞的に] 朝の ‖ **one [every] morning** ある朝[毎朝] (→文法 21.6⑴) / **tomorrow [yesterday] morning** 明日[昨日]の朝 (◆副詞句として使うときを前置詞不要)=(正式) **in the early [late] morning** 朝早く[遅く] / **during the morning** 午前中に / ◆**in the morning** は「明日の朝」という意味もある: Will you call me *in the morning?* 明日の朝電話をいただけませんか→**4**) / **from morning till [to] night** 朝から晩まで / **on Sunday morning** 日曜日の朝に《◆特定の日の「朝に」は on. (米) ではこの on はしばしば省かれる: We are going to leave Sunday *morning.* 我々は日曜日の朝出発します / We started on a picnic on a fine spring *morning.* 私たちはある春の天気のよい朝ピクニックに出発しました / **at 5 [early] in [on] the morning of** April 4 4月4日の朝5時に[早く] / ◆**on** は時刻は, **in** は時刻と午前であることを強調 / We did [have done] a lot of work **this morning**. 今朝はずいぶん仕事をした《◆過去形は午前を過ぎてから, 完了形は午前中にいう場合に用いる. 前置詞は不要. →文法 21.6⑴ / a **morning walk** 朝の散歩 / a **morning person** 朝型の人.
2 U (詩)夜明け; 暁; 日の出 ‖ **when** *morning* **broke** [×*night*] broke 夜が明けたとき(◆when day broke, when daybreak came が日常的表現としてふつう). **3** (文) [the ~] [...の]初め, 初期 [*of*] ‖ He is still in *the morning* of his life. 彼はまだ青年時代だ. **4** U (略式)翌日の朝 ‖ **Wait until (the) morning**. 明朝まで待ってください. **5** (主に米式) [~s; 副詞的に] 午前中に(はいつも)(in the mornings, every morning).

mórning còat モーニング=コート《正装(morning dress)の上着》.
mórning drèss (1) 女性用家庭着. (2) モーニング《男性の昼間の正装で, モーニングコート, しまのズボン, シルクハットからなる》.
mórning glòry /-/-/ 〔植〕アサガオ.
mórning pàper 朝刊.
Mórning Práyer 〔アングリカン〕朝の祈り(matins).
mórning stár [the ~] 明けの明星《夜明け前に東の空に見える金星》.
mórn·ing-áf·ter pìll /mɔ́ːrniŋǽftər-/ (性交後用の)経口避妊薬.
Mo·roc·co /mərɑ́kou/ |-rɔ́k-/ 名 **1** モロッコ《アフリカ北西部の回教王国. 首都 Rabat》. **2** [m~] U =Morocco leather. **Morócco léather** モロッコ皮《ヤギのなめし皮. 本の表紙・手袋などに用いる》.
†**mo·rose** /mərόus, mɔː-/ 形 (正式) (社交的でなく)むっつりした, 不機嫌な, 気難しい.
Mor·phe·us /mɔ́ːrfjuːs, -fiəs/ 名 〔ギリシア神話〕モルペウス《夢の神》.
mor·phine /mɔ́ːrfiːn/, (古) **mor·phi·a** /mɔ́ːrfiə/ 名 U モルヒネ《麻酔薬》.
morph·ing /mɔ́ːrfiŋ/ 名 U モーフィング《ある映像を次第に別の映像に変えるコンピュータによる映像処理技術》.
mor·phol·o·gy /mɔːrfɑ́lədʒi/ |-fɔ́l-/ 名 **1** [言語]形態論, 語形論. **2** [生物]形態学; 形態, 組織. **3** [地質]地形学. **mor·phól·o·gist** 名 形態学者; 地形学者. **mòr·pho·lóg·i·cal** /-fəlɑ́dʒ-/ -fəlɔ́dʒ-/ 形 形態論の; 地形学の.
Mor·ris /mɔ́ːris/ 名 モリス《William ~ 1834-96; 英国の詩人・工芸美術家》.
Mórris chàir モリス式安楽椅子《背の傾斜が調節できる》.

†**mor·row** /mɔ́ːrou/ 名 (文・やや古) [the ~] **a** 翌日(the next day), 明日(tomorrow). **b** (事件の)直後; 近い将来 ‖ **on the morrow of** ... ...の直後に.

Morse /mɔ́ːrs/ 名 **1** モース, モールス《Samuel Finley Breese /fínli bríːz/ ~ 1791-1872; 米国の発明家・画家》. **2** U (略式) =Morse code [alphabet]. **Mórse códe [álphabet]** モールス符号(cf. dot, dash).

†**mor·sel** /mɔ́ːrsl/ 名C **1** (正式)(食物などの)ひと口分, 1片, ひとかみ. **2** (料理の特においしいもの. **3** [a ~; 通例否定文・疑問文・条件文で][...の]少量, ほんのひとかけら[*of*].

†**mor·tal** /mɔ́ːrtl/ 形 **1** (やがては)死ぬ運命にある, 死を免れない(↔ immortal) ‖ We are *mortal.* 人は死ぬものだ. **2** (文)病気などが命にかかわる, 致命的な(fatal); 死の, 臨終の(deadly); 魂を滅ぼす ‖ *mortal* agony 死の苦しみ / a *mortal* disease 不治の病 / the *mortal* hour 臨終の時 / (カトリック)(地獄行きの)大罪《殺人など》/ Her wound seems to be *mortal.* 彼女の傷は致命的らしい. **3** (文)人間の(human); 現世の(earthly) ‖ this *mortal* life この世 / beyond *mortal* knowledge 人知を超えて / No *mortal* power can manage it. それは人間の力ではできない. **4** (敵などが)生かして[許して]おけない(↔ venial); (争いなどが)死ぬまで続く ‖ *mortal* combat [battle] 死闘 / *mortal* enemies 生かしておけない敵, 不倶戴天(ふぐたいてん)の敵. **5** (古・略式)たいへんな, 長くて退屈な ‖ cry in *mortal* fear ひどく恐れて泣く. **6** (略式) [any, every, no などの意味を強めて]およそ可能な, どんな ‖ do *every mortal* thing to please her 彼女に気に入られるようにどんなことでもする / It's of *no mortal* importance. ちっとも重要でない.
──名C **1** (文)[通例 ~s](神に対して, 命に限りのある)人間. **2** (英略式)[形容詞を伴って]人, やつ ‖ a simple *mortal* おめでたい人.

†**mor·tal·i·ty** /mɔːrtǽləti/ 名 U **1** 死ぬ運命, 死を免れないこと(↔ immortality). **2** [時に a ~] **a** (戦争などでの)大量[多数]の死; 死亡数 ‖ a heavy [large] *mortality* 大量の死者. **b** 死亡率(mortality rate) (→ death rate) ‖ The disease has a high *mortality.* その病気は死亡率が高い / infant *mortality* 幼児の死亡率.
mortálity ràte =**2 b**.

†**mor·tal·ly** /mɔ́ːrtəli/ 副 **1** 死ぬほどに, 致命的に(↔ immortally) ‖ **be** *mortally* **wounded** 致命傷を負う. **2** [強意語として]ひどく ‖ **be** *mortally* **drunk** 酔いつぶれている.

†**mor·tar**¹ /mɔ́ːrtər/ 名 U モルタル《◆れんが・石などの接合に用いる. 壁塗りに使う「モルタル」は stucco》.

──動 他 …をモルタルで接合する, …にモルタルを塗る.
mor·tar[2] /mɔ́ːrtər/ 图 すり鉢, 乳鉢, 臼(氵).
†**mort·gage** /mɔ́ːrɡidʒ/ [発音注意] 图 1 © (譲渡)抵当(権); 抵当に入れること; (物が)抵当に入っていること ‖ place a mortgage on the land 土地を抵当に入れる. 2 © 抵当で借りた金; 住宅ローン. 3 © © 抵当に入れる/入れている時期/期間(to/for) ‖ I mortgaged my farm for ten million yen. 私は農場を抵当に1千万円借りた. 2 〈命・能力などを〉(…に)賭(゚)ける, 保証として与える〔to〕‖ mórtgage onesélf to …に献身する.
mor·tice /mɔ́ːrtəs/ 图 動 =mortise.
mor·ti·cian /mɔːrtíʃən/ 图 葬儀屋 (◆(英) undertaker の遠回し語. funeral service practitioner ともいう).
†**mor·ti·fi·ca·tion** /mɔ̀ːrtəfikéiʃən/ 图 1 ⓤ 〔正式〕悔しさ, 屈辱. 2 ⓤ 無念〔屈辱〕の種. 3 ⓤ 〔宗教〕苦行, 禁欲. 3 ⓤ 〔医学〕壊疽(ネッ).
†**mor·ti·fy** /mɔ́ːrtəfai/ 動 〔正式〕他 1 …を悔しがらせる, …に恥をかかせる ‖ He was mortified at (by) his son's rude behavior. 彼は息子の不作法なふるまいに恥をかいた. 2 〈肉欲・感情などを〉(禁欲や苦行によって)抑える, 克服する ‖ mortify the flesh 肉欲を制する. 3 〔今はまれ〕〔医学〕…を壊疽(ネッ)にさせる.
──自 1 〔医学〕壊疽にかかる. 2 苦行する.
mor·tise, --tice /mɔ́ːrtəs/ 〔建築〕图 ⓒ (木材などにあけられた)ほぞ穴 (cf. tenon). ──動 他 1 …を(…に)ほぞ継ぎにする(+together) (to, into). 2 …にほぞ穴をあける.
mor·tu·ar·y /mɔ́ːrtʃuèri | -tʃuəri/ 图 (主に英) =morgue 1; (米) 葬儀場. ──形 〔正式〕死の, 埋葬の.
†**mo·sa·ic** /mouzéiik | məu-/ 图 1 © モザイク(画, 模様); ⓤ モザイク(の手法). 2 © 〔通例 a ~〕モザイク風の物, 寄せ集め. 3 ⓤ 〔植〕=mosaic disease. 4 © (テレビカメラの)モザイク電極. 5 © 継ぎ合わせた航空写真. 6 © 〔生物〕混合染色体, モザイク.
──形 モザイク(模様)の.
──(過去分--icked, --ick·ing)他 …をモザイク(模様)で飾る, モザイクにする.
mosáic disèase モザイク病.
Mo·sa·ic /mouzéiik | məu-/ 形 モーセ(Moses) (の律法)の.
Mosáic Láw 〔the ~〕モーセの律法.
†**Mos·cow** /mɑ́skou, (米+) -kau | mɔ́s-/ 图 モスクワ 《ロシアの首都. 元ソ連の首都. ロシア語名 Moskva》.
Mo·selle /mouzél | məu-/ 图 1 〔the ~〕モーゼル川 《フランス北東部に発しライン川に合流. ドイツ語名 Mosel》. 2 〔時に m-〕© モーゼルワイン《ドイツの辛口白ワイン》. 3 モーゼル《フランス北東部の県》.
†**Mo·ses** /móuziz/ 图 1 モーゼズ《男の名》. 2 〔旧約〕モーセ, モーゼ《ヘブライの預言者・律法家. イスラエル人を率いてエジプトを脱出した》.
Mos·lem /mɑ́zləm | mɔ́z-/ 图 (複 ~s, Mos·lem) © イスラム教徒(Muslim). ──形 イスラム教(徒)の.
†**mosque** /mɑ́sk | mɔ́sk/ 图 © モスク, イスラム教寺院.
†**mos·qui·to** /məskíːtou | -ˈtuː/ 图 (複 ~(e)s/-z/) © 〔昆虫〕カ(蚊) ‖ I was bitten by a mosquito on the cheek. 私は蚊にほおを刺された.
mosquíto bòat (米) 水[魚]雷艇.
mosquíto nèt かや.
†**moss** /mɔ́ːs | mɔ́s/ 图 1 ⓤ © 〔植〕コケ; コケの茂み (cf. lichen) ‖ a rock covered with moss コケむした岩 / A rolling stone gathers no moss. → gather 動. 2. © (主にスコット) (泥炭の)沼地, 沼.

──動 他 …をコケで覆う.
móss stitch かのこ編み.
moss·back /mɔ́ːsbæk/ 图 © (米)〔背に藻類の生えた〕老いた亀〔貝, エビなど〕. 2 〔略式〕時代遅れの人(fogy); 極端に保守的な人.
moss-grown /mɔ́ːsɡròun/ 形 〔文〕1 コケの生えた. 2 時代遅れの, 古風な.
†**moss·y** /mɔ́ːsi/ 形 (--i·er, --i·est) コケで覆われた; コケ色の; (米俗) 古めかしい, 古くさい.

*__**most**__ /móust/ 〖many, much の最上級〗
──形 〔名詞の前で〕1 © 名詞の複数形・ⓤ 名詞を修飾して; 通例無冠詞〕(漠然と)大多数の, たいていの 《◆ most ≒ almost all の順に all に近い》(↔ few, least) ‖ Móst people like watching TV. たいていの人はテレビを見るのが好きだ / Móst success is gained through constant efforts. たいていの成功は不断の努力によって得られる.
2 〔many の最上級〕© 名詞を修飾して; the ~ …〕最も多くの(↔ fewest) ‖ Which of you has read (the) most books? 君たちのうちでいちばんたくさん本を読んだ人はだれですか.
3 〔much の最上級〕ⓤ 名詞を修飾して; しばしば the ~〕(量・程度の点で)最も大きい, 最高の(↔ least) ‖ Reading is one of the things that give us (the) most enjoyment. 読書は我々に最大の楽しみを与えてくれるものの1つだ.
──图 ⓤ 1 〔most of + the 〔one's, this, these, etc.〕+ 名詞 / most of + 代名詞〕の大部分, 大多数, ほとんど 《◆主語に用いた場合, 動詞は of の後の名詞に一致》‖ Most of the letters are written in English. その手紙の大半は英語で書かれている (=Almost all (of) the letters …) 《◆ ˟most of letters のように the をつけないのは不可. most letters は漠然と大多数の手紙. →形1》/ Only a part of an iceberg shows above water; most of it is under water. 氷山の水面に出ている部分はごくわずかで, 大部分が水面下にある.
2 〔通例 the ~〕最も多くのもの〔数, 量〕‖ Bill ate three cakes, but Jack ate móre, and John ate (the) móst. ビルはケーキを3個食べ, ジャックはそれ以上, ジョンがいちばんたくさん食べた.
3 〔無冠詞; 複数扱い〕多くの人々, 大多数 ‖ Móst have not yet decided to go. 多くの人はまだ行くべきか態度を決めていない.
──副 《much の最上級》1 〔2音節以上の形容詞・副詞を修飾; 最上級を作る〕(通例 the ~) 最も (➡文法 19.5)《◆more, most をとる形容詞については → more 副1 語法》‖ This picture is the most béautiful (one) of all. この絵は全部の絵の中でもきれいだ《◆ one はふつう省略》/ Science is the most difficult for her. 彼女にとって科学が最も難しい / Of the three boys, Bill behaves (the) most politely. 3人のうちで, ビルが最も行儀がよい / The village is most béautiful in spring. その村は春が一番美しい (➡文法 19.6) (cf. 3).
2 〔動詞修飾; しばしば the ~〕最も 《◆特に願望を表す》‖ This is what I want most. これが私の最も欲しいものだ / This is the pot he treasures (the) most of all. これは彼が最も大切にしているつぼだ.
3 〔a most + 形容詞 + 単数名詞; most + 形容詞 (+ 複数名詞); most + 副詞; 主に2音節以上の語を修飾〕〔正式〕とても, たいそう(very, extremely) 《◆この意味では the を付けないで無冠勢》‖ Sue's mother is 〔a most béautiful woman 〔most

béautiful]. スーのお母さんはすごくきれいな人です(cf. **1**).

語法 (1) invite him and his *most* béautiful wife to the party でも his *most* béautiful wife には比較の観念は含まれないので,「彼のとてもきれいな妻」の意.
(2) 形容詞には話し手の主観を表す語が来るので, 客観的な描写には不適: ×She is most tall. ◆《「彼女はとても背が高い」は She is very [extremely] tall. のようにいう. cf. She looks *most* unhappy.》.
(3) *most* lovely flowers は「とてもきれいな花」(*most* lovely ǀ flowers)が「たいていのきれいな花」(*most* ǀ lovely flowers)かあいまい(→形 **1**).

*at (the) móst =at the véry móst [通例数詞を含む語句の前後で] せいぜい, 多くて (not more than)(↔ at (the) least) ‖ She will pay 50 dollars *at most*. 彼女はせいぜい50ドルしか払わないだろう / The homework will take him, *at (the) most*, three hours to finish. 彼がその宿題をするのに多くかかっても3時間であろう.

*máke the móst of A (1) …を最大限に活かす[利用する](cf. make the best of A → best 名)◆《2通りの受身可: A is *made the most of*, The most is *made of* A》‖ Try to *make the most of* your ability [time]. 能力[時間]を最大限に活用するようにせよ. (2) …をこの上なく大切にする, 重要視する(cf. make 他 15).

-most /-moʊst/ [語基素] →語基素一覧(2.2, 2.3, 2.5).
***most·ly** /móʊstli/
— 副 ◆《比較変化しない》 **1** [しばしば文頭で] たいてい, ほとんどの場合《◆sometimes (時々)に対立. most often に近い》‖ He enjoys an outdoor life sometimes, but *mostly* he enjoys reading. 彼は時々アウトドアライフを楽しむが, たいていは読書を楽しむ. **2** [名詞などの前[略式]後で] 大部分は, 主に(mainly), 主として, 概して言えば(generally) ‖ Those present were *mostly* ǀ students. 出席していたのは大部分学生だった(=*Most* of those present were students.) / The assignment is *mostly* finished. 課題は大部分終わった / She was busy writing, poetry *mostly*. 彼女は物を書くのに忙しかった, 主に詩を. **3** 遊び回るる.

mot /móʊ/ 【フランス】名 (複 ~s/-z/) C 警句, 名言.
mót júste /-ʒúːst/ (複 **mots justes** /~/) C 至言.
†**mote** /móʊt/ 名 C 塵; 微片. **the móte in A's éye** 【聖】〈他人〉の目のほこり《自分の大きな欠点に気づかないのに他人に見出せ取るに足らぬ欠点》.

mo·tel /moʊtél/ 【motor+hotel】 名 C モーテル《街道沿いの駐車場付き自動旅行者用ホテル. 風俗営業的ではない》.

†**moth** /mɔ́(ː)θ/ 名 (複 ~s/-mɔ́(ː)ðz, -mɔ́(ː)θs ǀ -mɔ́θs/) C **1** [昆虫] ガ(蛾) ‖ like a *moth* approaching and retreating from a bright light 明るい灯の周りを飛びかう蛾のように《1つの考えに集中できない様子》/ ジョーク "What's the largest *moth*?" "A mammoth."「いちばん大きな蛾は何?」「マンモス」. **2** [昆虫] ヒロズコガ(clothes moth); (主に英) [the ~] 〈衣服の〉虫. **3** 遊び回る人.

moth·ball /mɔ́(ː)θbɔ̀ːl ǀ mɔ́θ-/ 名 C [通例 ~s] 〈衣類の〉防虫剤. — 動 他 ~ をしまい込む, 保存する.
moth-eat·en /mɔ́(ː)θiːtn ǀ mɔ́θ-/ 形 **1** 〈衣類が〉虫に食われた. **2** 〈略式〉ぼろぼろの(worn); 古くさい(old).

‡**moth·er** /mʌ́ðər/
— 名 (複 ~s/-z/) [しばしば M~] C

I [母]

1 母, 母親, お母さん《◆身内の間や呼びかけの時は固有名詞的に Mother とすることが多い. 父親が用いる場合, 自分の妻をさすこともある》(↔ father) ‖ become a *mother* 母になる, 子を産む / Like *mother*, like daughter. → like² 前 2. [関連] 〈小児語〉 ma, mam(m)a, mammy, mom, mommy, mum, mummy.

2 母親同然の人; 母親的任務を果たす人《寮母など》; 〈略式〉義母, 養母 ‖ a *mother* to me 私にとって母のような人. **3** [M~] 〈略式〉ばあさま, おばさん《◆年配の女性に対する呼びかけ・愛称》‖ *Mother* White next door likes reading. 隣のホワイトばあさんは読書が好きだ.

II [母親らしい人]

4 [しばしば M~] =Mother Superior ‖ *Mother* Teresa マザー=テレサ, テレサ女子修道院長. **5** 〈古〉 [the ~] 母性, 母性愛. **6** [形容詞的に] 母(として)の; 母国の; 本国の; 本源の; 本山の ‖ a *mother* sheep 母ヒツジ / *mother* love 母性愛 / *mother* earth (母なる)大地.

III [源としての母]

7 [正式] [the ~] [...の]源, 起源(origin)[*of*] ‖ the *mother* of crime 犯罪の始まり / Necessity is the *mother* of invention. (ことわざ) 必要は発明の母.

Gód's Móther =the **Móther of Gód** 聖母マリア.
the móther of présidents 〈愛称〉大統領の生地 (→ Virginia).

— 動 他 **1** 〈女性・動物の雌が〉…を産む; …の母になる. **2** (母親として)…の世話をする. **3** …を生み出す, 引き起こす.

Mother Cárey's chícken [góose] /-kéəriz-/ [鳥] ウミツバメ.
Móther Chúrch =Mother-Church.
móther cóuntry [正式] [the/one's ~] 母国, 故国《◆最近では homeland, native country, home などを用いることが多い》; (植民地に対する)本国(↔ colony).
Móther Góose マザーグース, グースおばさん《英国古来の童謡集の作者とされる架空の人物》.
Móther Góose rhýme 〈主に米〉マザーグースの唄, 伝承童謡《主に英》 nursery rhyme)《◆代表的なものは Jack and Jill, London Bridge, Lady Bird, Goosey, goosey, gander, Humpty Dumpty, Ten Little Indians など》.
Móther Náture 母なる自然.
móther's bòy 〈英略式〉 [通例 a ~] マザコンの男 (〈米〉 mamma's boy).
Móther's Dáy 母の日《◆(1) 米国では5月の第2日曜日, 英国では四旬節(Lent)の第4日曜日. (2) 母親が生きている人は赤, 亡くなった人は白の carnation を胸にさす. オーストラリアでは生死にかかわらず白い菊をさす》(→ carnation).
móther shíp (1) 〈英〉母船, 母艦. (2) 〈米〉(ロケットなどを発射する)母体航空機.
Móther Supérior (複 **Mothers S~, M~ Superiors**) (称号) [呼びかけ] 女子修道院長.
móther tóngue [正式] 母語《幼い時に母親などから自然に習い覚える言語》《◆最近では native tongue [language] が多く用いられる》; [言語] 祖語.
moth·er·board /mʌ́ðərbɔ̀ːrd/ 名 C 【コンピュータ】マ

motorcycle parts (labels): signal light, taillight, rear fender, (米)muffler / (英)silencer, exhaust pipe, saddle, fuel tank, handgrip, cylinder, carburetor, mirror, headlight, front fender, gearshift lever, rim, (米)tire / (英)tyre

---

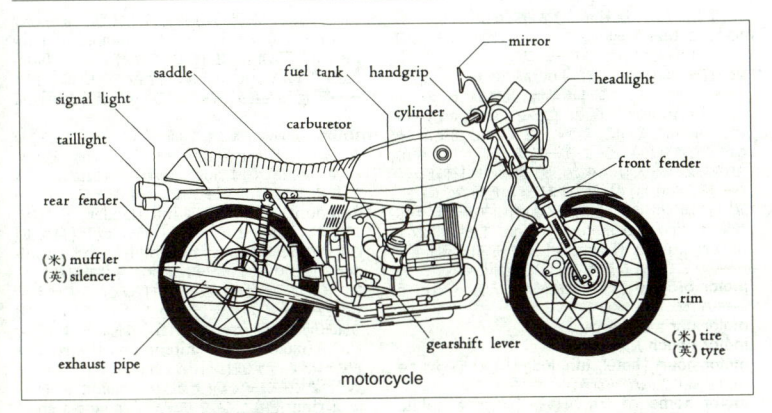

ザーボード《CPU やメモリーなどが装着されている基板》.

Moth·er-Church /mʌ́ðərtʃə́ːrtʃ/, **Móther Chúrch** 图 [通例 the ~] **1** 教会. **2** [しばしば m~-c~] ⓒ (教区で)最古の教会; (管区の)母教会, 本山.

moth·er·hood /mʌ́ðərhùd/ 图 Ⓤ **1** 母であること. **2** 母性, 母性愛. **3** [集合名詞；単数扱い] 母親たち.

†**moth·er-in-law** /mʌ́ðərinlɔ̀ː/ 图 ⓒ (複 **mothers-**, (英では以は)~s) **1** 夫[妻]の母, 義母, しゅうとめ. **2** [英略式] 継母.

moth·er·land /mʌ́ðərlænd/ 图 ⓒ [正式] **1** 母国, 故国. **2** 先祖の祖国. **3** [学問などの]発祥の国 (of).

moth·er·less /mʌ́ðərləs/ 形 母のない.

moth·er·like /mʌ́ðərlàik/ 形 母のような, 母らしい.

†**moth·er·ly** /mʌ́ðərli/ 形 母(として)の; 母のような, 優しい, 心の暖かい((PC) protective, supportive, kind) ‖ a *motherly* type of lady 母親タイプの女性. ── 副 (まれ) 母のように, 優しく.

móth·er·li·ness 图 Ⓤ 母らしさ.

moth·er-to-be /mʌ́ðərtəbíː/ 图 (複 **mothers-**) ⓒ 近々母親になる人.

†**mo·tif** /moutíːf/ 《フランス》 图 (複 ~s) ⓒ [正式] **1** (文芸作品の)主題, モチーフ, テーマ. **2** (デザイン・建築などの)主な模様[色], 基調. **3** (音楽) 動機, モチーフ.

mo·tile /móutl | -tail/ 形 [生物] 自分で動くことができる, 自動性の. ── 图 ⓒ [心理] 運動型の人.

*****mo·tion** /móuʃən/ [「動くこと」が原義. cf. emotion, more, promote] 派 motionless (形)
── 图 (複 ~s/-z/) **1** Ⓤ [正式] 運動, 移動, 運行 (movement) (↔ rest) ‖ the laws of *motion* 運動の法則 / the *motion* of the earth 地球の運動 / a train *in motion* [正式] 動いている列車 (=a moving train) / The scene was shown in slow *motion*. その場面はスローモーションで再生された. **2** ⓒ 動作, しぐさ (gesture), 合図 ‖ her graceful *motions* 彼女のしとやかな物腰 / With my hand I made *motions* at him to come here. こちらに来るように彼に手で合図した. **3** ⓒ […する/…の/…という]動議, 提案 (proposal) (to do / of / that節) (◆that節の中は should または仮定法現在. ➡文法 9.3); 発意, 意向; [法律] 申し立て ‖ [carry, reject] an urgent *motion* 緊急動議を(して正式に議題として取り上げること)を支持[可決, 否決]する / a *motion that* the session ((主に英)

should) be extended 会期を延長するようにとの動議. **4** ⓒ [英正式] 便通((bowel) movement); [しばしば ~s] 排泄(の)物((俗) crap, shit).

gó through the mótions (of A doing) [略式] (《乗り気でないこと》本気でやらずに形だけですませる, (…をする)ふりをする, お義理に(…をする.

pút [sét] A in [into] (the) mótion 〈機械など〉を動かし始める; 〈物事〉を始める, …の口火を切る.

── 動 他 〈人〉に身ぶりで合図する; 〈人〉に[…せよと]身ぶりで合図する (to do); […するように]合図する (that節) ‖ *motion* him out [in] 彼に出て行く[中に入る]ように身ぶりで示す / I *motioned* her 「to a seat [to take a seat]. 彼女に座るように合図した (➡文法 9.3).

── 自 〔人などに/…するように〕身ぶりで合図する (to, at, for / to do) ‖ I *motioned to* [*for*] her not to smoke. 彼女に喫煙しないように合図した.

mótion pícture [米正式] 映画(→ movie).

mótion síckness 乗り物酔い.

†**mo·tion·less** /móuʃənləs/ 形 [正式] 動かない, 静止した (still) (↔ moving) ‖ stand *motionless* じっと立つ. **mó·tion·less·ly** 副 動かずに.

mo·ti·vate /móutəvèit/ 動 他 [正式] 〈人〉に[…する]動機[刺激, 興味]を与える (to do); [通例 be ~d] 〈人・言動が〉[…で]刺激される, やる気を起こす (by).

mo·ti·vat·ed /móutəvèitid/ 形 やる気のある, 刺激された, 動機づけられた ‖ She's not *motivated*. 彼女はやる気はない《◆しばしば She's lazy. の遠回し表現》.

mo·ti·va·tion /mòutəvéiʃən/ 图 Ⓤⓒ 〔行動などに対する/…する〕動機づけ, やる気を起こさせること, 刺激, 意欲 (for / to do).

*****mo·tive** /móutiv/ (《類音》 motif /moutíːf/) [→ move]
── 图 (複 ~s/-z/) ⓒ **1** (行動・学習などの)動機, 誘因; […の]目的, 意志 (for, of) (《対話》"What was her *motive for* getting a divorce?" "Her husband was unfaithful to her." 「彼女の離婚の動機は何でしたか」「夫が浮気をしたのです」 / propose from *motives* of curiosity 好奇心から提案する / study 「*from* [*of*] one's own *motive*(s) 自ら進んで勉強する. **2** (芸術作品の)主題, モチーフ (motif).

── 形 《《比較変化しない》 [名詞の前で] **1** 原動力となる, 運動の, 運動に関する ‖ *mótive* pówer 原動

力；[集合名詞] 機関車. **2** 動機となる.

mo·to·cross /móutoukrɔ̀(ː)s | -təu-/ [名][C][U] モトクロス《オートバイのクロスカントリーレース》.

***mo·tor** /móutər/ 〚「動かすもの」が原義〛

—[名] ([複] ~s/-z/) [C] **1 原動機；発動機，モーター** ‖ a 50-hp motor 50馬力のエンジン / start an electric *motor* 電動機を動かす. **2** 《英まれ》自動車《◆ car の方がふつう》; モーターボート，オートバイ. **3** 原動力(を与える物[人]). **4** 〔生理〕運動筋肉[神経].

—[形] [名詞の前で] 動力を起こす，発動機の；《主に英》自動車(用)の；〔生理〕運動筋肉[神経]の《◆比較変化しない》‖ a *motor* accident 自動車事故 / *motor* muscles [learning] 運動筋肉[学習].

—[動][自]《英古》自動車で行く，自動車に乗る.

mótor bìcycle 《米》原動機付き自転車；《英まれ》モーターバイク.

mótor càr =motorcar.

mótor còach バス.

mótor còurt [**hotèl, inn, lòdge**] 《米》モーテル《◆ motel より立派なことが多い》.

mótor hòme (旅行用の)移動住宅車《◆ mobile home と違って自走可能》.

mótor lòrry 《英》貨物自動車.

mótor pòol 《米》(通勤時の)輪番自家用運転；(官庁などの)待機乗用車のたまり《◆「駐車場」の意には用いない》.

mótor scòoter 《主に米》スクーター.

mótor ship 発動機船.

mótor vèhicle [集合名詞的に] 自動車(の類).

mo·tor·bike /móutərbàik/ [名]《英略式》=motorcycle; 《米》(小型の)モーターバイク.

mo·tor·boat /móutərbòut/ [名][C] モーターボート (cf. speedboat).

†**mo·tor·car** /móutərkɑ̀ːr/, **mótor càr** [名][C] **1** 《英正式·今はまれ》自動車 (car, 《主に米》automobile). **2** 《米》〔鉄道〕電動車.

†**mo·tor·cy·cle** /móutərsàikl/ [名][C] オートバイ，単車 (《英まれ》motor bicycle; 《英略式》motorbike) ([図] →前ページ) ‖ ride a *motorcycle* 単車に乗る.

—[動][自] 単車で行く. **mó·tor·cỳ·clist** [名][C] オートバイに乗る人，「ライダー」.

†**mo·tor·ist** /móutərist/ [名][C] 自動車を乗り回す人；(自家用車の)運転手，ドライバー (cf. driver, chauffeur).

mo·tor·ize /móutəràiz/ [動][他]《正式》〈車〉にエンジンをつける；〈軍隊〉に自動車を装備する；〈農業〉を動力化する. **mó·tor·ized** [形] エンジンつきの.

mo·tor·way /móutərwèi/ [名][C]《英》高速道路 (《主に米》expressway)《◆全部無料. M1, M2 のようにいう》.

†**mot·tle** /mɑ́tl | mɔ́tl/ [名][C] まだら，ぶち；斑(ふ)点.

—[動][他] …をまだらにする. **mót·tled** [形] まだらの.

†**mot·to** /mɑ́tou | mɔ́tou/ [名][C] **1** 座右の銘，モットー，(指針としての)標語《◆政治的·宣伝的標語は slogan》‖ a school *motto* 校訓. **2** (紋章などに記した)銘，言葉. **3** 〔音楽〕反復楽句. **4** 《主に英》(クラッカー (cracker **2**) などに入っている印刷された)格言，文句.

moue /múː/ 〚フランス〛 [名] ([複] ~s/~/) [C] しかめっつら，ふくれっつら.

mould[1,2] /móuld/ 《英》=mold[1,2].

mould·ing /móuldiŋ/ [名]《英》=molding.

mould·y /móuldi/ [形]《英》=moldy.

moult /móult/ [動]《英》=molt.

†**mound** /máund/ [名][C] **1** 塚，(墓の上の)盛り土；小山，土手，堤；(防御用の)土塁；[比喩的に；a ~ of / ~s of + [U][C] 名詞] …の山 ‖ *a mound of* rubbish がらくたの山. **2** 〔野球〕マウンド ([図] → baseball) ‖ take the *mound* 〈投手が〉マウンドに上がる.

—[動][他] …を盛り[積み]上げる，…に土塁[土手]を築く.

†**mount**[1] /máunt/ [動][他] **1** 《正式》〈人が〉〈山など〉に登る，〈はしごなど〉を上る (climb)；〈馬·自転車など〉に乗る《◆「乗って行く」は ride》，〈演壇など〉に上がる；〈人〉を〔馬に〕乗せる〔*on*〕《◆しばしば受身で用いる》(↔ dismount) ‖ *mount* a hill [ladder] 丘に[はしごを]登る / *mount* a horse [bicycle] 馬[自転車]に乗る / He *mounted* his child *on* his shoulder. 彼は子供を自分の肩に乗せた[子供を肩車した]. **2** 〈写真など〉を台紙に張る，裏打ちする，マウントする；〈人·物〉を〔…に〕載せる，置く〔*on*〕；…に〔…を〕すえつける〔*with*〕；〈宝石など〉を〔…に〕取り付ける，はめ込む〔*in*〕‖ *mount* a TV antenna *on* the roof 屋根にテレビアンテナを取り付ける / *mount* a picture 写真を台紙に張る，絵を額にはめ込む / *mount* a jewel *in* a ring 指輪に宝石をはめ込む / *mount* a specimen *on* a slide 標本をスライドに載せる. **3** …を剝(せ)製にする，標本にする. **4** 〈見張り〉を立たせる，…の任につく ‖ *mount* guard at [over] a city 市の見張りに立つ.

5 《正式》〔軍事〕〈攻撃〉をしかける ‖ *mount* an offensive 攻撃する.

—[自]《正式》**1** 〈人が〉〔馬·自転車などに〕乗る (ride) 〔*on*〕(↔ dismount) ‖ ***mount on*** a horse [bicycle] 馬[自転車]に乗る. **2** 〔…に〕上がる，登る (rise)；〈血が〉〔顔に〕上る〔*to*〕；〈感情が〉高まる；〈地位が〉上がる；(数量·程度が)増す (increase) (+*up*) ‖ *mount* to a hill 丘に登る / *mount* (*up*) from the nest 〈鳥などが〉巣から舞い上がる / My debts are *mounting*. 借金がどんどんかさんできている / Her blood *mounted to* her face. 彼女の顔が赤くなった.

—[名][C] **1** 《正式》上がる[上げる]こと；(馬·自転車などに)乗ること；乗物，乗用馬. **2** (写真などの)台紙；(宝石などの)台；(顕微鏡の)スライド；砲架.

***mount**[2] /máunt/ 〚「高く盛り上がった場所」が原義〛

—[名] ([複] ~s/máunts/) [C]《文》山 (mountain)，丘 (hill)；[固有名詞の前で] …**山** ([略] Mt.) ‖ *Mount* [*Mt.*] Everest エベレスト山.

Mòunt Vérnon マウント=バーノン《米国 Virginia 州の Potomac 河畔の史跡. George Washington の邸宅があった》.

moun·tain /máuntn | -tin/ 〚→ mount[2]〛 [派] mountainous (形)

—[名] ([複] ~s/-z/) **1** [C] **山**《◆ふつう hill より高く大きくけわしいものをいい，ごつごつしたむき出しの岩肌，山頂の冠雪を連想させる. 英国ではふつう 2000フィート (610メートル) 以上のもの. 《米》では，《英》で hill と呼ぶ高さの山を mountain ということがある. (cf. hill). 瞑想の場·孤独·再生·天国などを象徴》；[~s] 山脈，連山，山地 ([略] Mt., mt., mtn.) ‖ They climbed the *mountain*. 彼らはその山に登った《◆ふつう登頂したことを含意. They「climbed up [went up] the *mountain*. では登頂したかどうかは不明》/ cross the Rocky *Mountains* ロッキー山脈を横切る《◆ Mountains は固有名詞の前には付けない》/ spend the summer ***in the mountains*** 山で夏を過ごす. **2** 《正式》[「a ~ of [~s of] + [C][U] 名詞] **多量[多数]の…**，(山のように)大きな…；(商品などの)余剰 ‖

a mountain of treasure [debts] 山のような財宝[借金] / *a mountain of* difficulties [trouble] 山ほどの困難[心配].
3 〔形容詞的に〕山の, 山に住む[生える]; 山のような ‖ *a mountain* village 山間の村, 山村 / *a mountain* pond [wave] 山の池[山のような波].
clímb évery móuntain (1) すべての山に登る. (2) あらゆることに挑戦する[敢然と立ち向かう].

móuntain àsh 〔植〕ナナカマド (rowan)《◆キリストの十字架の材料に用いられたとされる》.
móuntain bike マウンテンバイク.
móuntain chàin [ràenge] 山脈, 連山.
móuntain gòat 〔動〕シロイワヤギ《ロッキー山脈に住む》.
móuntain làurel 〔植〕カルミア《北米産のツツジ科の植物》.
móuntain lìon [càt] =cougar.
móuntain sickness 高山病.
Móuntain (Stándard) Tìme (米)山地標準時(〔略〕M(S)T).

†**moun·tain·eer** /màuntəníər│-tin-/ 【アクセント注意】〔名〕⒞ **1** 山の住人, 土地の人. **2** 登山家[者].
— 〔動〕⒤ 登山をする.

†**moun·tain·eer·ing** /màuntəníərɪŋ│-tin-/ 〔名〕Ⓤ 登山.

†**moun·tain·ous** /máuntənəs│-tin-/ 〔形〕**1** 山の多い, 山地の ‖ *a mountainous* country [region] 山の多い国[地域]. **2** 山のような, 巨大な ‖ *mountainous* clouds 山のような雲.

moun·tain·side /máuntənsàid│-tin-/ 〔名〕⒞ 〔通例the ~〕山腹, 山の斜面.
moun·tain·top /máuntəntàp│-tintòp/ 〔名〕⒞ 山頂.
moun·te·bank /máuntəbæŋk/ 〔名〕⒞ **1** (今はまれ)ぺてん師((英)confidence man), てき屋; 大道薬売り.
— 〔動〕⒤ いかさまをする.
móun·te·bànk·er·y /-əri/ 〔名〕Ⓤ 山師的行為.

mount·ing /máuntɪŋ/ 〔名〕Ⓤ **1 a** 登る[乗る]こと. **b** 〔動〕マウンティング(群の中の順位を確認するための, ふつう雄の(疑似)交尾行動). **2** Ⓤ 備えつけ, 装備. **3** ⒞ (写真・絵などの)台紙, (宝石の)台, (機械部品の)取り付け金具[器具]. — 〔形〕ますます増える.

†**mourn** /mɔːrn/ 【同音】morn (正式)〔動〕⒤ **1** 〈人が〉〔死・不幸などを〕悲しむ, 嘆く〔over〕‖ *mourn over* his mistake [death] 彼の失敗[死]を悲しむ. **2** 〈人が〉〈死者を〉悼む(⁀), 〔人の〕喪に服する〔for, over〕‖ *mourn for* [*over*] 'the dead [one's uncle]' 死者を哀悼する[おじの喪に服する]. — 〔他〕〈人が〉〈死・不幸などを〉悲しむ, 嘆く; 〈人の〉喪に服する ‖ *mourn* one's mother's death 母の死を悲しむ.

†**mourn·er** /mɔ́ːrnər/ 〔名〕⒞ **1** 悲しむ人, 嘆く人; 会葬者 ‖ the chief *mourner* 喪主. **2** (米)懺悔(ぎ)する人.

†**mourn·ful** /mɔ́ːrnfl/ 〔形〕(時に ~·ler, ~·lest)**1** (正式)悲しみに沈んだ, 哀れをそそる; 死者を悼(ぬ)む《◆ sad, sorrow, sorrowful より堅い語》‖ *mournful* news 悲報 / speak in a *mournful* voice 沈痛な声で話す. **2** (性格などが)陰気な.

†**mourn·ful·ly** /mɔ́ːrnfəli/ 〔副〕悲しみに満ちて; 死者を悼んで.

mourn·ing /mɔ́ːrnɪŋ/ 【同音】morning 〔名〕Ⓤ **1** (正式)悲しみ, 悲嘆 (sorrow). **2** 〔人への〕哀悼, 喪〔for〕; 喪服 ‖ go into *mourning* 喪服を着る, 喪に服する / go out of *mourning* 喪が明ける, 喪服を脱ぐ.
in móurning 〔人の〕喪に服して, 喪服を着て〔for〕. — 〔形〕嘆く, 哀悼の.
móurning bànd 喪章.
móurning còach 葬儀用馬車, 霊柩(れいきゅう)車.
móurning dòve 〔鳥〕ナゲキバト.
móurning pàper 黒枠の便せん.

‡mouse /maus; 〔動〕mauz, maus/ 【類音】mouth /mauθ/)
— 〔名〕(複 **mice** /mais/)⒞ **1** 〔しばしば複合語で〕ハツカネズミ, 小ネズミ, マウス《◆(1) rat より小型のものをいう. 欧米の家ネズミは mouse であるが日本の家ネズミは rat. (2) 貧困・乱雑を象徴. (3) 鳴き声は squeak》‖ a house *mouse* 家ネズミ / a field *mouse* 野ネズミ / a laboratory *mouse* 実験用ハツカネズミ / *Mice* are gnawing the wall. ネズミが壁をかじっている / *The mountains have brought forth a mouse.* (ことわざ)「大山鳴動してねずみ一匹」/ *When the cat is away, the mice will play.* (ことわざ)猫がいないとねずみが遊ぶ;「鬼のいぬ間に洗濯」. **2** 臆(ぉ)病者, 内気な女の子. **3** (略式)かわいい子; 魅力ある女の子; 女の恋人, 妻《◆若い女性に対する愛称語》. **4** (略) **mous·es**/-iz/, **mice**) 〔コンピュータ〕マウス.
(as) póor as a chúrch móuse ひどく貧しい.
(as) quíet as a móuse 〈子供が〉静かな, おとなしい《◆以上2つの成句で主語が複数の場合は … as mice となる》.
— 〔動〕/mauz, maus/ (**mous·ing**) ⒤ **1** 〈ネコ・フクロウなどが〉ネズミを捕える[狙う]. **2** 〈人が〉あちこちあさり歩く(+*about*). — 〔他〕(主に米)…を(ネコがネズミをとるように)狩り出す (hunt out), 捜し出す(+*out*).
móuse pàd [(英) **màt**] 〔コンピュータ〕マウスパッド.
mouse-col·ored /máuskʌ̀lərd/ 〔形〕茶色がかった濃いねずみ色の.
mouse-trap /máustræp/ 〔名〕**1** ⒞ ネズミ捕り. **2** Ⓤ (英略式) =mousetrap cheese. **móusetrap chèese** まずいチーズ.
mous·ey /máusi/ 〔形〕=mousy.
mous·ing /máuzɪŋ, máusɪŋ/ 〔動〕→ mouse.
mousse /muːs/ 【フランス】〔名〕Ⓒ Ⓤ **1** ムース《泡立てた生クリームに卵白・ゼラチン・香料などを混ぜて固めたデザート用冷菓》. **2** ムース《泡状整髪用品》.
mous·tache /mʌ́stæʃ, məstǽʃ│məstɑ́ːʃ, mus-/ 〔名〕(主に米)=mustache.
mous·y, -ey /máusi, (米+) -zi/ 〔形〕(**-i·er, -i·est**) **1** (略式)ネズミの(ような). **2** (髪などが)(茶色がかった)ねずみ色の. **3** 〈人が〉内気な, 臆(ぉ)病な, さえない. **4** ネズミがはびこった.

‡mouth /mauθ; 〔動〕mauð/ (【類音】mouse /maus/)
— 〔名〕(複 ~s /máuðz/) 【発音注意】《◆所有格は mouth's /máuθs/》⒞
1 口《◆弁舌力・創造力・破壊力などを象徴》; 口もと, 口のあたり, 唇 (lips)《関連形容詞 oral》‖ a small *mouth* 小さな口, おちょぼ口 / with a pipe in one's *mouth* パイプを口にくわえて / *Good medicine is bitter in the mouth.* (ことわざ)良薬は口に苦し / *Don't speak with your mouth full.* 口に食べ物をいっぱい入れてしゃべるな (→ with **10 a**) / My *mouth* dropped open when I heard the news. そのニュースを聞いた時, 開いた口がふさがらなかった / I kissed her on the *mouth*. 彼女の口にキス

をした / open [close, pout, rinse] one's mouth 口を開ける[閉じる, とがらす, すすぐ] ◆「口をすぼめる[ゆがめる]」は「purse up [curl] one's lips」. **2**〖言葉を発する器官としての〗口；言葉, 発言；人の口, うわさ；《略式》おしゃべり, 大ぼら, 厚かましさ ‖ This proverb is in everyone's mouth. このことわざは誰でも口にする / hàve a bíg móuth《略式》大声で[ぺらぺらと]話す, 生意気な口をきく / have a foul mouth「口が悪い」/ He is all mouth. 彼はおしゃべりだ / kèep one's móuth shút《略式》黙っている；秘密をもらさない / ópen one's bíg móuth《略式》うっかりしゃべる / Shút your móuth!（⤴）《略式》黙れ.

II［食べる口を持つもの］

3〈食べる口をもつ〉人, 動物 ‖ a useless mouth 穀(ごく)つぶし / I have five mouths to feed. 私には5人の扶養家族がいる.

III［口に似たもの］

4 [a/the ~] 口状の物；物の口；河口；出入口；（くつわをはめた）馬の口；港の入口, 銃口 ‖ at the mouth of the Thames テムズ川の河口で / the mouth of a jar [cave] つぼ[ほら穴]の口.

from móuth to móuth〈うわさなどが〉口から口へ, 人から人へ（→文法 16.3⑶）.

gíve móuth **(1)**〈猟犬が〉ほえ出す；〈人が〉話し出す. **(2)**〖考えなどを〗言う, 口に出す［*to*］.

màke A's móuth wáter〈食べ物が〉〈人〉によだれを垂れさせる；〈物が〉〈人〉の気をそそる.

shóot óff one's móuth [fáce] = shóot one's móuth [fáce] óff《略式》**(1)** うかつにしゃべる, 知ったかぶりに話す. **(2)** ほらを吹く, 大げさに言う.

stóp [shút] A's móuth《略式》〈人〉を黙らせる（→**2**）；〈人〉を殺す.

—動 /máuð/ **1** …を気取って［演説調で］言う；…をささやく；…を繰り返して言う. **2** …を口に入れる[くわえる]. **3** 〈馬〉をはみ［手綱］に慣らす.
—自 気取って言う, ささやく；《略式》［…について］自慢的に話す, 吹聴する［+*of*］［*about*］.

móuth òrgan（主に英）ハーモニカ（harmonica）.

-mouthed /-mauðd, -mauθt/《語要素》→語要素一覧（1.2）.

mouth·er /máuðər/ 名 C 気取った話し方をする人；長々と話す人.

†**mouth·ful** /máuθfùl/ 名 **1** C 口一杯, 1口（分）；［通例 a ~]（of …)] 少量の（食物）；［通例 mouthfuls ほおばって食べる / have only [just] a mouthful of dessert デザートをほんの少し食べる. **2**《略式》［a ~]（発音しにくい）長たらしい語［句］.

†**mouth·piece** /máuθpìːs/ 名 C **1**（楽器などの）口にくわえる［当てる］部分, マウスピース；（パイプの）吸い口；（電話の）送話口；（くつわの）はみ ‖ with one's hand on [over] the mouthpiece（電話の相手に聞こえないように）送話口を手でふさいで. **2**（容器・管の）口, 口金. **3**《正式》［通例 a ~] 代弁者, 代弁機関《新聞など》.

mouth-to-mouth /máuθtəmáuθ/ 形 人工呼吸などが口移し式の.

mouth·wash /máuθwɔ̀ʃ, -wɔ̀ʃ/, -wɔ̀ʃ/ 名 **1** U C 口腔洗浄剤, うがい薬. **2** U《略式》ばかげたこと［もの］.

mouth·wa·ter·ing /máuθwɔ̀ːtərɪŋ/ 形 よだれの出そうな, おいしそうな.

mou·ton /múːtɑn/, -tɔn/ 名 U ムートン《ヒツジの毛皮を加工してビーバーやアザラシなどの毛皮に似せたもの》.

†**mov·a·ble, move·a·ble** /múːvəbl/ 形 **1** 動かせる, 移動できる (cf. mobile) ◆ mobile はできるだけ簡単に移動できるものに用いる〉；動産の（↔ real）. **2**〖祭日などが〗年によって日の変わる ‖ a móvable féast 移動祝祭日《Easter など》.
—名 C [通例 ~s] 動産, 家具, 家財（↔ fixture).

****move** /múːv/〖「物の位置・場所を動かす」が本義〗関 motion（名）, motive（名）, movement（名）

index 動 他 **1** 移動させる, 動かす **2** 感動させる
自 **1** 動く **2** 引っ越す
名 **1** 動き；決断

—動 (~s/-z/; 過去・過分 ~d/-d/; mov·ing)
—他

I［物を動かす］

1a〈人が〉〈物〉を**移動させる, 動かす**；《略式》家具などを移動する；〈機械〉を運転する ‖ move a hat （会釈のために）帽子を動かす / move house [home]（英）引っ越す / move troops forward 軍隊を前進させる / move the chairs into a circle 椅子を円形に移動する / I moved the furniture up in pieces. 家具を分解して2階へ運んだ. **b**〈人が〉〈手足など〉を動かす, 揺り動かす.

II［心を動かす］

2〈人・物・事が〉〈人〉を**感動させる, 興奮させる**；《正式》〈人〉に［…する〗気にさせる (cause)［*to do*］；〈人〉に〘怒り・笑いなど〙を起こさせる［*to*］‖ move him to anger [laughter] 彼を怒らせる[笑わせる]（→対話） "What moved you to study Russian?" "I'll have to work in Russia soon."「どうしてロシア語を勉強する気になったのですか」「まもなくロシア勤務になるためです」/ *be moved with sympathy* 同情をかきたてられる / Her speech moved me to tears. = I was moved to tears by her speech. 彼女の話を聞いて感動して泣いた（→文法 23.1）/ I want to work when [as] the spirit moves me. その気になった時に働きたい.

III［考えを動かす］

3《正式》［法案などに］〈動議〉を提出する［*to*］；〈王・法廷〉に［…を〗申請する［*for*］；［…ということを〙動議として提出する（*that* 節）‖ I move that we （《主に英》should) adjourn. 休会を提案します. **4**《略式》〈商品〉を売る.

—自

I［物が動く］

1a〈物・人などが〉［…に〗**動く, 移動する** (+*along*) [*to, into*]；進む；《略式》〈車・船などが〉進む；〖仕事など〙が進む ◆ 修飾語（句）は省略できない ‖ *move about [around]* 動き回る (cf. 成句) / Move along now!（⤴）《警官の号令》立ち止まるな / Move right down (the bus). (乗客への呼びかけ)（バスの）中へお詰め願います.

日英比較［「動く」と move]

move は「場所を移動する」という意. 日本語の「動く」と違って, 機械などが「作動する」場合には用いない: Something is wrong with this computer, it doesn't work [*move]. このコンピュータは故障しています. 動きません.

b［通例否定文で］〈人が〉考えを変える.

2〈人が〉［…から／…に〗**引っ越す, 移転する**（《英》re-move）［*from*］［*to, in, into*］◆ 修飾語（句）は省略できない ‖ *move in [out]* 引っ越して来る[行く] (cf. 成句) / *move (away) to [in, into]* a new house 新居に引っ越す / I'd like to move to the *country*. いなかへ引っ越したい. **3**〈商品が〉売れる. **4**〔主に英略式〕出かける, 立ち去る(+*off, on*) ‖ 時間だ. **5**〔腸が〕通じがつく. **6**〔人々の間に〕出入りする, 〔…で〕行動[活躍]する, 画策する〔*in, among*〕 ‖ *move* in society 社交界に出入りする. **7**〔チェス〕こまを動かす;〈くまが〉動ける.

Ⅱ〔事が動く〕

8〈時が〉たつ;〈事・劇などが〉進展する;〈機械などが〉動く ‖ The hours *move* on. 時は刻々と過ぎていく.

Ⅲ〔考えが動く〕

9《米正式》〔…を〕提案[申請]する〔*for*〕;〔…を〕進める〔*through*〕 ‖ *move* for a budget 予算案を提案する.

gét moving《略式》〈人が〉急いで行く[去る, 始める].
móve abòut [自] (1) → 自1. (2) 転々と住居[仕事]を変える. ―[他] …を転居させる.
móve alóng [自] (1) → 自1. ―[他] …をどんどん進ませる;〈群衆を〉解散させる,〈人を〉退散させる.
móve aróund = MOVE about.
móve ín [自] (1) 中の方に入る, 奥につめる. (2) 近づく. ―[他]〈人を〉引っ越して来させる; …を運び入れる. ―[自]⁺] → 自2.
móve in on A《略式》…に近づく.
móve óff [自] 立ち去る; 動き始める.
móve ón [自] (1) → MOVE along [自]. (2) → 自3. (3)〈人が〉〔よい仕事[身分, 生活]に〕移る〔*into*〕. (4)〔次の話題[段階, 作業]に〕移る〔*to*〕. ―[他] = MOVE along [他].
móve óut [自] (1) → 自2. (2) さっさと行動する; 出発する;〈車などが〉出足がよい. ―[他]〈人を〉引っ越しさせる; …を運び出す.
móve óver [自] 席を詰める;〔後輩に〕地位を譲る〔*in favor of*〕.
móve úp [自] (1) = MOVE over. (2) 昇進する;〈株・価格などが〉上がる;〈教師などが〉持ち上がりになる. (3)〈軍隊が〉戦争に出る. ―[他] (1) …を上[階上]に移す(→ 自1). (2)〈人を〉昇進させる. (3)〈軍隊を〉戦争に繰り上げる.

――[名] (複 ~s/-z/) [C] **1 動き**, 運動, 移動; **決断**; 転居, 引っ越し ‖ make the *move* to Brooklyn ブルックリンへ引っ越す. **2**〔チェス〕こまを動かすこと, 手(´)番,(こまの)動かし方 ‖ It's the best *move*. それが一番いい手だ. **3**〔…する〕手段, 処置〔*to do*〕.
gét a móve òn《略式》〔しばしば命令文で〕急ぐ(hurry up), 急いで始める.
màke a móve (1)〔…の方へ〕移動する,《略式》出発する〔*for, toward*〕. (2)〔…しようと〕手段をとる〔*to do*〕.
máke a móve = **máke sòme móves**〔人と〕いちゃつく〔*on*〕.
on the móve《略式》(1) 忙しい. (2)〈人が〉たえず移動[活動]して. (3)〈物事が〉進行中の.

move·a·ble /múːvəbl/ [形] = movable.

*__**móve·ment**__ /múːvmənt/ [← move]

――[名] (複 ~s/-mənts/) **1**[C]〔…のための/…に対する〕(政治・社会的)**運動**(をする集団)〔*for/toward*〕《◆集団を指す場合は単数・複数扱い》;〔通例 the M~〕ウーマンリブ運動(women's movement) ‖ a political *movement* 政治運動 / establish a *movement* for world peace 世界平和運動を確立する.
2[U] **動く**こと, 動き, 運動, 移動《◆特定の方向・規則性を持つ運動》;[C]〈動物・民族・軍隊などの〉移動,〈家の〉引っ越し;〈人口の〉動き ‖ the *movement* of the eyes [stars] 目[星]の動き.
3[C]〈正式〉動作, 身ぶり(behavior); [~s]物腰, 態度(manner),〈集団などの〉行動, 活動 ‖ a girl with graceful *movements* しとやかな物腰の少女 / quick [slow] *movements* すばやい[のろい]身のこなし. **4**[U]〈事態の〉成り行き, 動向;〈物語・劇などの〉発展, 変化;〔美術〕〈絵画・彫刻などの〉動的効果 ‖ the *movement* of the age 時代の動向. **5**[U][C] 思潮,(思想の)展開,(心の)動き. **6**[C]〔主に株式市場での〕価格の〕変動〔*in*〕;〈市況の〉活気. **7**[C][C]〈正式〉便通, 大便(bowel movement). **8**[C]〔時計などの〕装置,(動かすための)仕掛け. **9**[C]〔音楽〕楽章;拍子;〔詩学〕律動性. **10**[C]〔軍事〕機動.

mov·er /múːvər/ [名] [C] **1**《略式》動かす[動く]人[物];移転者;《米》引っ越し荷物の運送屋, 引っ越し業者;《米式》(19世紀の)西部への移住民. **2** 原動力, 発動機 ‖ heat *movers* 熱伝導物質. **3** 発起人, 動議提出者.
móvers and shákers(町の)有力者たち(heavyweights).

✱**mov·ie** /múːvi/〖「動く絵(moving picture)」が原義〗

――[名] (複 ~s/-z/) [C]〈主に米〉**1 映画**(cinema,《米正式》motion picture,〈主に英略式〉film,《英略式》picture); [the ~s;集合名詞] 映画(の上映)(cf. film) ‖ *go to* (*see*) *a movie* = *go to the movies*(一般的に)映画を見に行く《◆特定の映画を見る場合は go to (see) the movie》/ Have you seen Stephen Spielberg's latest *movie*? スティーブン=スピルバーグの最新作の映画を見ましたか / make a novel into a *movie* = make a *movie* of a novel 小説を映画化する / watch an old *movie* on television テレビで昔の映画を見る / The book became a *movie*. その本は映画化された / The *movie* is X-rated. その映画は成人向きだ(→ film rating).

関連 [いろいろな種類の movie]
adventure *movies* 冒険映画 / documentary *movies* 記録映画 / gangster *movies* ギャング映画 / silent *movies* 無声映画 / spy *movies* スパイ映画 / war *movies* 戦争映画.

2〔しばしば the ~s〕映画館(《英》cinema, pictures). **3**〔the ~s〕映画産業, 映画界 ‖ get into the *movies* 映画界に入る. **4**〔形容詞的に〕映画の ‖ a *movie* ticket 映画の切符.
móvie càmera《米》映画用カメラ《英》cine camera).
móvie hòuse [《米》**thèater**] 映画館.
móvie stàr《米》映画スター(film star).

mov·ing /múːviŋ/ [動] → move. ――[形] **1** 動く, 動かす(↔ motionless); 移動する;〈行動などの〉動機となる ‖ a [the] *moving* force behind the revolution 革命を促進する原動力 / a *moving* spirit 主導者 / *moving* assembly 流れ作業. **2** 引っ越し用の ‖ a *moving* sale(引っ越し前に催す)不用品の売り出し. **3**〈人を〉感動させる, 哀れを感じさせる ‖ a *moving* book 感動的な本.
móving pávement《英》= moving sidewalk.
móving pícture《米略式》= movie **1**.
móving sídewalk《米》(ベルト式の)動く歩道(《主に英》travelator).
móving stáircase [**stáirway**]《英》エスカレーター.

†mow[1] /móu/ 動 (過去) **~ed,** (過分) **~ed** or **mown** /móun/) 他 **1** 〈草・麦など〉を(鎌(かま)や機械で)刈る, 刈り取る(+*down*) ‖ *mow* grass (牧)草を刈る. **2** 〈畑・芝地など〉の穀物[草]を刈る ‖ *mow* the lawn 芝生を刈る. ━自 草[穀物]を刈り取る.

†mow[2] /máu/ 名 C 《米・方言》 **1** (ふつう納屋の中の)干し草[穀物]の山. **2** (納屋の中の)干し草[穀物]置き場.

†mow·er /móuər/ 名 C 刈り取り機; 芝刈り機(lawnmower).

†mown /móun/ 動 mow[1] の過去分詞形.

mox·a /máksə | mɔ́ksə/ 〖日本〗 名 U もぐさ.

Mo·zam·bique /mòuzəmbíːk/ 名 モザンビーク《南東アフリカの共和国. 首都 Maputo》.

Mo·zart /móutsɑːrt/ 名 モーツァルト《**Wolfgang Amadeus**/wúlfgæŋ ɑ̀ːmədéius | -æ̀mədéiəs/ ~ 1756-91; オーストリアの作曲家》.

mp, m.p. 略 *m*elting *p*oint; 〔音楽〕 *m*ezzo *p*iano.

MP 略 *M*ember of *P*arliament; *m*ilitary *p*olice(man).

MPEG /émpèg/ 〖*M*oving *P*ictures *E*xpert *G*roup〗 名 〔コンピュータ〕 エムペグ《動画データの圧縮・拡大の国際標準規格の1つ》.

mpg, m.p.g. 略 *m*iles *p*er *g*allon.

mph, m.p.h. 略 *m*iles *p*er *h*our.

MPU 略 〔コンピュータ〕 *m*icro *p*rocessor *u*nit 超小型演算処理装置.

‡Mr., Mr /místər/ 《◆早い会話では呼びかけで /mìst/ ともなる》 〖mister の略〗

━名 (複) **Messrs.**/mésərz/) **1** [男性の姓・姓名の前で] …さん, 様, 殿, 氏, 君, 先生 ‖ Mr. Smith スミスさん《◆「2人のスミスさん」は the two Mr. Smith(s). → Messrs.》/ Mr. and Mrs. Smith スミス夫妻 / This is Mr. Johnson speaking. こちらはジョンソンです《◆電話に出たとき自分に Dr. などの肩書きがないことを表す》/ Messrs. Smith and Brown スミス氏とブラウン氏.

> 語法 (1) 日本語の「さん」「君」より改まった敬称.
> (2) 自分の子供を説教する場合など, Mr. (Roy) Smith! のようにわざと改まって敬称つきの名字あるいはフルネームで呼ぶこともある.
> (3) 「スミス先生」は ×Teacher Smith でなく Mr. [Miss, Mrs., Doctor, Professor] Smith.
> (4) ピリオドを省くのは《主に英》.

2 《正式》[呼びかけ] [官職名の前で] …殿 ‖ Mr. President [Chairman] 大統領[議長]殿《◆BA, MA, PhD などの前には付けない》(cf. Madam). **3** [その土地・スポーツ・年における代表的男性を表して] ミスター… ‖ Mr. America [Giants] ミスターアメリカ[ジャイアンツ]. **4** 《俗》→ mister **2**.

MRI 略 〔医学〕 *m*agnetic *r*esonance *i*maging 磁気共鳴撮影法.

‡Mrs., Mrs /mísiz/ 〖Mistress の略〗

━名 (複) **Mmes.**/meidɑ́ːm | méidæm/) **1** [結婚している女性の姓・夫の姓名の前で] …夫人, さん ‖ Mrs. (John) Smith (ジョン)スミス夫人《◆John は夫の名であることに注意》. 語法 最近では未婚・既婚を区別せず Ms(.) を使う傾向がある. → Ms(.).
2 《略式》[その土地・スポーツ・年における代表的女性を表して] ミセス… ‖ Mrs. Volleyball ミセス=バレーボール. **3** 《略式》[the ~] 妻(my wife)《◆さらにくだけた言い方では missus, missis とつづることもある》‖ pick up *the Mrs.* at the station 妻を駅まで車で迎えに行く.

Mr/s 名 =Mr. or Mrs. (cf. s/he).

MRSA 略 〔医学〕 *m*ethicillin *r*esistant *s*taphylococcus *a*ureus メチシリン耐性黄色ブドウ球菌.

ms, ms., MS, MS. 略 *m*anu*s*cript.

MS 略 〔郵便〕 Mississippi; *m*otor *s*hip.

***Ms., Ms** /míz, məz/ 〖Mrs と Miss の合成〗

━名 (複) **Mses, Ms's, Mss**/mízəz/) [女性の姓・姓名の前で] …さん, 様《◆米国 Women's Lib によって生まれた新しい呼称. Mrs., Miss の区別を男女差別とみなす人・団体によって, また既婚・未婚が区別不明・不必要な場合に用いる. 1973年以降国連でも正式に採用》‖ Ms. Ann Smith アン=スミスさん《◆複数形は the two Ms. Smith(s)》.

MS(c), M.S(c). 略 *M*aster of *Sc*ience(→ master 名 **2**).

Msgr, Msgr. 略 Monseigneur.

msl, MSL 略 *m*ean *s*ea *l*evel 平均海面.

mss, MSS, mss., Mss. 略 manuscripts.

MT 略 〔郵便〕 Montana.

‡Mt., Mt /máunt/ 略 Mount …山《◆山の名の前に置く》‖ Mt. Everest エベレスト山 / 日本発》 We can ascend Mt. Fuji by car as far as the 5th station. 富士山に車で5合目まで登ることができる.

mu /mjúː, 《米+》 múː/ 名 U C ミュー《ギリシアアルファベットの第12字(*μ*, *M*). 英字の m, M に相当. → Greek alphabet》.

‡much /mʌ́tʃ/ (類音 match /mǽtʃ/)

━形 (**more** /mɔ́ːr/, **most** /móust/) [否定文・疑問文で; ~+U 名詞] **多くの, たくさんの, 多量の**(↔ little) ‖ They do *not* have *much* company. 彼らには家を訪れて来る人があまりいない《◆many companies では「多くの会社」. ➡文法 14.3(2)》/ Do you take *much* sugar in your coffee? コーヒーに砂糖をたくさん入れますか / It's ***nothing much***. (けがをして)たいしたことないよ.

語法 **[much と a lot (of) の比較]**

(正式)

	肯定	否定・疑問
much	○1)	○
a lot (of)	(ややまれ)2)	(まれ)3)

(略式)

	肯定	否定・疑問	一語文
much	×4)	○5)	×6)
a lot (of)	○	○3)	○

(1) a great deal of などで代用されることが多い.
(2) a lot of は書き言葉でも用いられつつある. lots of はこれより口語的で通例話し言葉に限られる.
(3) 否定文・疑問文における a lot of については→ lot 成句.
(4) too, so, as と連語する場合を除き, 肯定文で用いるのは《正式》. したがって通例 ×I have *much* money. / ×There's *much* ink in the pen. は不可(この点肯定文における many の方が許容度が高い. すなわち I have *many* friends. は I have a lot of friends. より《まれ》であるが ×I have *much* money. ほど不自然でない). また, too, so, as と連語する場合は肯定文でも常に much: The girl in

much

the shop gave me *too much* change. 店の女の子はおつりを余分にくれた / The job was *so much* trouble. その仕事はたいへんやっかいだった.
(5) how と連語する場合は常に much: *How much* [×*lot of*] money do you have? お金をどれくらい持ち合わせていますか.
(6) 応答の一文語には使えない: "How *much* money do you have?" "A lot [Lots, ×*Much*]." 「お金をどれくらい持ってるの?」「たっぷりあるよ」. 否定文の場合は逆に much のみ可: "*Not much* [×*a lot*, ×*lots*]." 「あまりないよ」.

――名 U [単数扱い; 通例否定文・疑問文で; しばしば much of U 単数名詞で] **1 多量**, たくさん, 多額 ‖ Do you know *much* about linguistics? 言語学に詳しいですか《肯定文ではふつう a lot を用いる: I know *a lot* [×*much*] about linguistics.》/ Do you *have much to* finish? やってしまわなければならないことがたくさんありますか / Do you *see much of* him? 彼によく会いますか (=… see him often?) / He lay awake *much of* the night. 夜はほとんど目をさましていた.

語法 (1) too, so, as と連語する場合は, 肯定文でも常に much: I thought *as much*. そんなことだろうと思ったよ.
(2) 《正式》では, 肯定文でも主語(の一部)には用いる: *Much* was talked about the plan. その計画に関していろいろなことが言われた.
(3) 条件文も much の使用可: If you have *much* to finish, leave it for tomorrow. もしやってしまわねばならないことがたくさんあるのなら, 明日に残しておきなさい.
(4) 《正式》では肯定文でも用いる.

2 たいしたもの[こと]《◆形容詞ともとれる》‖ His dog isn't *much* to praise. 彼の犬ははめるほどのものではない.

――副 (**more**, **most**) **1** [形容詞・副詞の比較級, 形容詞の最上級を修飾して] **ずっと**, はるかに (→ far) (➡文法 19.8) ‖ It is *much* [《略式》far, even, still] *better* than the others. 他のものよりずっとよい《◆(1) 強調して It is *much*, *much* better …. (2) very [《略式》every so, 《略式》so very] much という強調も可: He works *very much* more rapidly than the others. 彼は他の人よりもずっと速く働く》/ It is *much the best* I have seen. 私が見たうちでそれが最高だ.

語法「more + 複数名詞」の more を修飾する時は much ではなくて many: We have many [×*much*] more opportunities to study abroad than before. 以前よりも留学する機会ははるかに多い.

2 [動詞修飾; 通例疑問文・否定文で] **非常に**, とても, しばしば (often) ‖ I don't like the picture *much*. =I don't *much* like the picture. その絵はあまり好きでない《◆肯定文では I like the picture very *much*. のように very が必要》/ Do you see him *much*? よく彼に会いますか《◆行為を表す動詞と用いられる場合は often の意味に近い》.

語法 prefer, admire, appreciate, enjoy, regret, surpass などの動詞と連語する場合は肯定文で much だけでも可. 位置は動詞の前: I *much* enjoyed the movie. 映画はとても楽しかった. ただし I enjoyed the movie *very much*. の方がふつう.

3 [過去分詞を修飾して] **とても**, **ひどく** ‖ He is *much* addicted to sleeping pills. 彼はもうすっかり睡眠薬中毒だ.

語法 (1) 肯定文ではふつう好ましくない意味合いの語 (distressed, confused など) と連語する. I was *much* pleased by what I saw. のように好ましい意の語と連語するのは不自然で very を用いる. 否定文・疑問文ではこの不自然さはない: I was not *much* pleased … / Were you *much* pleased by …?
(2) 形容詞化した過去分詞にはその意味に関係なく very: I am *very interested* in collecting stamps. 切手の収集にたいへんこっています / a *very disappointed* look とてもがっかりした表情.

4 [形容詞の原級を修飾して] **とても**, **非常に**《◆修飾される形容詞は (1) 比較の観念を含む superior, preferable, different など. (2) a- で始まる afraid, alike, ashamed, alert など》‖ This is (*very*) *much different from* [*than*] that. これはあれとあまり違っている / I am *much afraid of* dogs. 犬がとても恐い.

語法 (1) 《略式》では very, very much がふつう.
(2) 一般の形容詞原級は very のみ可: He is *very* [×*much*] tall.

5 [前置詞句を修飾して] **とても**, すっかり ‖ We are *much* [*very*] in need of new ideas. 新しいアイディアを大いに必要としている (=We need new ideas very much.) / *much to* my annoyance [disgust, sorrow, horror] とても私の困った[嫌な, 悲しい, ぞっとする]ことに (=to my *great* annoyance …) (→ **to** 前 **9**).

6 だいたい, およそ《◆次の句で》‖ *much the same* ほぼ同じ《*the same* より意味が弱い》/ *be much of a size* ほとんど同じ大きさである / Her opinion is *much like* mine. 彼女の意見は私のとほぼ同じだ / He spoke *much as* she did. 彼は彼女とほぼ同じくらいに話した.

as múch (1) [先行する数詞に呼応して] (…と)**同量だけ**, 同額だけ ‖ Here is 100 dollars, and I have *as much* at home. ここに 100 ドルあり, 家にも 100 ドルあります. (2) [先行する文の内容を受けて] **それくらい** ‖ 対話 "I've quarreled with my wife." "I thought [guessed] *as much*." 「女房とけんかしましてね」「そんなことだろうと思ったよ」.

﹡as múch as … (1) **…と同量の**, 同額の ‖ Take *as much as* you want. 欲しいだけ取りなさい《◆much の後に名詞が来ることもある: She has three times *as much* money 「*as I do* [《略式》*as me*]. 彼女は私の3倍もお金を持っている. ➡文法 15.3 (3)》/ It is *as much as* I can do to support my family. 家族を養うだけで精いっぱいです. (2) [多さを強調して] **…ほども多く**《◆…は数詞を含む表現》‖ pay *as much as* 100 dollars for the shirt そのシャツに 100 ドルも払う. (3) [譲歩節を導いて] **…だけれども**《◆(1) 最初の as はしばしば省略. (2) *much though* … ともいう》‖ *Much as* he

muchness ... **muffle**

wanted it, he couldn't bring himself to ask for it. 彼は欲しかったけれど, 欲しいと言い出せなかった《◆Though he wanted it very much より譲歩の気持ちが強い》.

as múch as to sáy ...《通例直接話法を従えて》…と言わんばかりに.

be tóo [a bìt] múch《略式》〈人・事が〉〈人の〉手に負えない, 〔人に〕理解[処理]できない〔for〕.

*__Hów múch ...?__ いくら? ‖ How much is this book? この本はいくらですか(=How much (money) does this book cost? /《略式》What does this book cost? / What price is this book?) / How much (is it) from here to the station by taxi? ここから駅までタクシーはいくら.

*__máke múch of A__ (1)《通例否定文で》…を理解する(→ make 慣15). (2)《時に be made too much of A》…を重視する, 重んじる(↔ make little of A) ‖ The other committee members made much of his remark. 委員会の他のメンバーは彼の発言を重視した《◆受身は2つ. His remark was made much of by the other committee members. / Much was made of his remark by ...》. (3)〈人に〉親切にする, 気をくばる《◆しばしば度を過ぎた親切を暗示》.

múch léss ... → less 副 成句.

*__múch of A__《◆A は a(n)＋名詞》(1)〔否定文・疑問文で〕ひどい[すごい]… ‖ Was it much of a surprise? ひどくびっくりすることでしたか / It's too much of a nuisance. 手に負えないことです. (2)〔否定文で〕たいした… ‖ I am not much of a musician. 私はたいした音楽家ではありません.

Nót múch!《略式》(1)〔﹨〕《相手の言葉を否定して》とんでもない. (2)〔﹅﹅, 皮肉的に〕そりゃ確かに.

*__nót so múch as do__ …さえしない ‖ He couldn't so much as write his own name. 彼は自分の名前すら書けなかった.

nòt so múch as ... …ほどでない《◆as much as ... の否定形》‖ I don't like beef so much as you. 私は牛肉を君ほど好きでない.

*__nòt so múch B as A__〔《略式》but〕A B というよりむしろ A (more A than B, rather A than B)《◆not B so much as A の語順も可》‖ He has succeeded not so much by talent as by energy. 彼の成功は才能によるというよりむしろ気力によるものだ.

so múch for A《略式》(1) …はこれで打ち切りとしよう ‖ So much for today! (もうろんだけなので)〔止むを得ない事情で〕今日はこれまで《◆一般的には That's all [it] for today! が多い》/ So much for listening to music: something is wrong with the player. 音楽を聴くのは(残念ながら)これまでだ, プレーヤーが壊れている《◆計画などを断念するときに用いる》. (2) …はその程度のものだ.

sò múch sò that 〔前文の形容詞・副詞・動詞を強めて〕非常にそうなりに; …するくらい[ほどに] ‖ He is very strong — so much so that no one can defeat him. 彼は非常に強い, あまり強くてだれも彼には打ち勝てない.

so múch the bétter《主に略式》〔if 節などを受けて〕〔…にとっては〕それはますます結構〔for〕.

think múch of A → think 成句.

*__without so mùch as doing__ =with not so much as doing …さえしないで, …もなしで ‖ She borrowed my car without so much as ask-ing. 彼女は何の断りもなしに私の車を借りていった.

múch·ness /mʌ́tʃnəs/ 图《古》多量, たくさん《◆次の句で》‖ (very) much of a múchness 似たり寄ったり, どんぐりの背くらべ.

†**muck** /mʌ́k/ 图《略式》1 Ⓤ 汚物; ごみ; 泥. 2 Ⓤ (動物の)ふん, 糞; 堆肥. **màke a múck of A**《略式》…をためにする.
― 動 他 1 …にこやしをやる. 2 …を汚す.

múck abóut《略式》(自) (1) のらくらする; あてもなくぶらつく. (2) ふざける, 〔…を〕いじくり回す〔with〕. ― 他〈人・物〉をぞんざいに扱う; 〈人〉をいらいらさせる.

múck aróund《英略式》=MUCK about.

múck ín (自)《英略式》〔…と〕〔仕事などを〕一緒にする, 仲間になる〔+together〕〔with〕.

múck úp (他)《英略式》(1) …を汚す, 取り散らかす. (2) …を台なしにする, …にしくじる.

mu·cus /mjúːkəs/ 图 Ⓤ《正式》(動植物の)粘液 ‖ nasal mucus 鼻汁.

*__mud__ /mʌ́d/《類音》mad /mǽd/)〔「沼地」が原義〕(派) muddy (形)
― 图 Ⓤ 泥, ぬかるみ (➔文法 14.5) ‖ My shoes are covered with mud. 私の靴は泥だらけだ.

fíng [slíng, thrów] múd at A (1)〈人〉に泥を投げつける. (2)《略式》〈人〉をけなす.

múd bàth (健康・美容用の)泥浴(法); 泥まみれ.

múd flàt 〔しばしば -s〕干潟(2).

múd pìe (子供が作って遊ぶ)泥まんじゅう.

†**mud·dle** /mʌ́dl/ 图 Ⓒ《通例 a 〜》1 不始末などによる物・事の混乱(状態), ごたごた, 乱雑; (頭の)混乱 (confusion), 当惑.

in a múddle 〈物・事が〉雑然として; 〈人が〉(頭が)混乱して.

màke a múddle of A …をやり損なう, 台なしにする.
― 動 他 1〈物〉をごちゃごちゃにする (+up, together). 2〈事〉をやりそこなう, 台なしにする (spoil). 3《略式》〈人〉を混乱させる (confuse) (+up, about, around); 〈酒など〉〈人・頭〉をもうろうとさせる. 4〈言葉など〉をぼかす. 5《米》〈アルコール飲料など〉を混ぜ合わせ, きき混ぜる.― 自 〔…で〕もたもたする, 〔…を〕ぼんやり考える (+about, around) 〔with〕.

múddle alóng [ón] (自)《略式》行き当たりばったりで〔何とか〕やっていく.

múd·dler 图 Ⓒ 1 もたもたする人; 何とか切り抜ける人. 2 (飲み物の)かくはん棒.

†**mud·dy** /mʌ́di/ 形 (--di·er, --di·est) 1 泥の, ぬかるみの; 泥だらけの (➔文法 14.5) ‖ a muddy road ぬかるみ道. 2〈光・音・液体などが〉濁った ‖ a muddy color 濁った色. 3〈顔色・頭などがさえない;〈考えなどが〉あいまいな ‖ muddy brains 混乱した頭.
― 動 他 1《略式》…を泥だらけにする, 濁らせる《米》(+up). 2〈頭・考えなど〉をあいまいにする (+up). 3〈名声〉を傷つける.

mud·guard /mʌ́dɡɑːrd/ 图 Ⓒ (自動車などの)泥よけ《米》fender, 《英》wing).

†**muff**[1] /mʌ́f/ 图《働 〜s》マフ《円筒状の毛皮で, 女性が手を入れて温める. cf. earmuff).

muff[2] /mʌ́f/《略式》图 Ⓒ 1《球技》落球, エラー. 2 へま, 失敗. ― 動 自《球技》落球する; しくじる, ヘまをする. ― 他〈球〉を落とす; …をしくじる, とちる (+up) ‖ muff it (up) ヘまをやる.

†**muf·fin** /mʌ́fɪn/ 图 Ⓒ マフィン《◆パンの一種. 熱いうちにバターを塗って食べる.《英》では平円形で2枚に切ってトースターで焼く.《米》では English muffin と呼ばれ, 小型のロールパンまたは甘いカップケーキ型》.

†**muf·fle** /mʌ́fl/《正式》動 他 1 (保温・保護のため)〔毛

muf・fler /mʌ́flər/ 名C **1** (古) マフラー, えり巻き (scarf). **2** 消音器[装置]; (米) (銃・エンジンなどの) 消音器(英) silencer) (図 ⇒ motorcycle).

†**mug** /mʌ́g/ 名C **1** マグ, ジョッキ《陶器または金属製で取っ手のついた円筒形の大型コップ》. **2** マグ1杯(分). **3** (俗) 面(の), 口. **4** (英俗式) まぬけ, だまされやすいやつ, カモ. —動(過去・過分) **mugged**/-d/; **mugging**) **1** (略式) 〈人〉を(暗がり・公共の場で)襲って金品を奪う(rob). **2** (米) 〈警察などが〉〈人〉の顔写真を撮る.

mug・gy /mʌ́gi/ 形 (**-gi・er**, **-gi・est**) (略式) 蒸し暑い, うっとうしい.

mug・wump /mʌ́gwʌmp/ 名C **1** (米) 〔政治〕 (1884年の大統領選挙で)党の候補者 J. B. Blaine の支持を拒否した共和党員; 党を離れて独自の行動をとる人. **2** (米略式) 大立者. **3** うぬぼれ.

Mu・ham・mad /məhǽməd, -hɑ́ːməd/ ムハンマド, マホメット《570?-632; イスラム教の教祖. Mahomet, Mohammed ともいう》.

Mu・ham・mad・an /məhǽmədn/ 形 **1** ムハンマドの, マホメットの. **2** イスラム教の. —名C ムハンマドの信奉者, イスラム教徒《◆ イスラム教徒には軽蔑的に感じられる. Muslim の方がふつう》.

†**mul・ber・ry** /mʌ́lbèri, -bəri/ 名C **1** (植) クワ(の木) (mulberry tree). **2** クワの実. **3** 暗紫色.

†**mule**[1] /mjúːl/ 名C **1** 〔動〕 ラバ《雄ロバと雌ウマの雑種. 荷運び用. cf. hinny》. **2** (略式) 頑固者, 愚かな人, 意地っぱり. **3** ミュール精紡機 (spinning mule).

mule[2] /mjúːl/ 名C (通例 ~s) (室内用)つっかけ, スリッパ.

mu・le・teer /mjùːlətíər/ 名C (古) ラバ追い(人).

mull /mʌ́l/ 動他 〈ワイン・ビール・リンゴ酒などに〉砂糖と香料を加えて温める.

mul・let /mʌ́lət/ 名 (複 **mul・let**) C 〔魚〕 ボラ(類) (gray mullet).

mul・ti- /mʌ́lti-, (米+) -tai/ 語要素 → 語要素一覧 (1.1).

mul・ti・col・ored /mʌ́ltikʌ̀ləɹd/ 形 多色の, マルチカラーの.

mul・ti・cul・tur・al /mʌ̀ltikʌ́ltərəl/ 形 多種(族)文化の, 異文化併存の.

mul・ti・far・i・ous /mʌ̀ltəfé(ə)riəs/ 形 (正式) 種々の, 雑多の.

mul・ti・form /mʌ́ltəfɔ̀ːrm/ 形 多形の, 多様の.

mul・ti・graph /mʌ́ltigrӕ̀f, -grɑ̀ːf, -grӕ̀f/ 名C マルティグラフ《小型輪転印刷機》. —動他 〈…〉をマルティグラフで印刷する.

mul・ti・lat・er・al /mʌ̀ltəlǽtərəl/ 形 **1** 多辺の. **2** 〔政治〕多数国参加の ‖ a *multilateral* treaty 多国間条約.

mul・ti・lin・gual /mʌ̀ltilíŋgwl/ 形 多言語(使用)の (cf. bilingual). —名C 多数の言語を話せる人 (polyglot).

mùl・ti・lín・gual・ism 名U 多言語使用(主義).

mul・ti・me・di・a /mʌ̀ltimíːdiə/ 名U (mixed media) マルチメディア《テレビ・スライド・テープなどの併用》; 〔コンピュータ〕マルチメディア《文字・音声・画像など多様な形式で表現された情報の統合的処理法》.

mul・ti・mil・lion・aire /mʌ̀ltimíljənè(ə)r/ 名C 億万長者, 大富豪《◆ millionaire の上》.

mul・ti・na・tion・al /mʌ̀ltinǽʃənl/ 形 多国籍(企業)の; 多国籍から成る. —名C 多国籍企業.

múltinàtional fórce 多国籍軍.

†**mul・ti・ple** /mʌ́ltəpl/ 形 **1** 複合的な, 多様の《◆ many, various より堅い語》; 多くの部分[要素]から成る ‖ a *multiple* tax 複合税 / his *multiple* hobbies 彼の多くの趣味. **2** 〔数学〕倍数の ‖ a *multiple* number 倍数. —名C **1** 〔数学〕倍数, 倍量 ‖ the least [lowest] common *multiple* 最小公倍数 (略 LCM). **2** (英略式) =multiple shop [store].

múltiple shóp [**stóre**] (英) =chain store.

mul・ti・ple-choice /mʌ̀ltəpltʃɔ́is/ 形 多肢選択(式)の.

†**mul・ti・pli・ca・tion** /mʌ̀ltəplikéiʃən/ 名 **1** U (正式) (数量の)増加; (動植物の)繁殖. **2** U 〔数学〕掛け算, 乗法(↔ division); C [a ~] 掛け算の演算.

multiplicátion sìgn 掛け算記号《×》.

multiplicátion tàble(**s**) 九九(表), 掛け算表《◆ 英米の表は12×12まである》.

mul・ti・plic・i・ty /mʌ̀ltəplísəti/ 名U (正式) [通例 a/the ~] 多数; 多様性 (variety) ‖ a *multiplicity* [(略式) lot] of misspellings 数えきれないほどのスペルミス / a *multiplicity* of civilizations 文明の多様性.

mul・ti・pli・er /mʌ́ltəplàiər/ 名C **1** 増加[繁殖]させる人[物], 乗算機. **2** 〔数学〕乗数.

†**mul・ti・ply** /mʌ́ltəplài/ 動他 **1** (正式) 〈人・物が〉〈危険・富など〉を(どんどん)増やす (increase); 〈動植物〉を繁殖させる (breed) ‖ *multiply* wealth 富を増やす. **2** 〔数学〕 [multiply **A** by **B** = multiply **A** and **B** together] 〈人が〉 A〈数〉に B〈数〉を掛ける(↔ divide)(→ calculation) ‖ *multiply* 2 by 3 = *multiply* 2 and 3 together 2に3を掛ける / 2 *multiplied* by 3 is [equals, makes] 6. 2掛ける3は6 / *multiply* 4 by itself 4を2乗する.

関連 [掛け算の読み方]

(1) 2×3 =6はふつう Twice [Two times] three is [are, make(s)] six. (3の2倍は6)と読む. 日本人の「2の3倍は6」という理解とは逆であることに注意.

(2) 1×3 =3, 2×3 =6を簡単に One three is three., Two threes are six. と読むこともある.

—自 **1** (正式) 〈物・物の量が〉(どんどん)増える (increase); 〈動植物が〉繁殖する; 〈うわさなどが〉広がる (spread) ‖ The cancer cells *multiplied* rapidly. そのガン細胞は急速に増殖した. **2** 〔数学〕掛け算をする.

mul・ti・pur・pose /mʌ̀ltipə́ːrpəs/ 形 多目的の.

†**mul・ti・tude** /mʌ́ltət(j)ùːd/ 名 **1** CU (正式) [単数・複数扱い] 多数; [`a ~ [~s] of ...`] 非常に多くの… ‖ a *multitude* [(略式) lot] of houses = houses in *multitude* たいへん多くの家 / a noun of *multitude* 〔文法〕衆多名詞. **2** C (文) [しばしば a ~] 群衆, 大勢 (crowd); [the ~(s); 単数・複数扱い] 大衆, 庶民 ‖ A great *multitude* gathered in the park. 大勢の人が公園に集まった.

†**mul・ti・tu・di・nous** /mʌ̀ltət(j)úːdnəs, -dinəs/ 形 (正式) 非常に多くの, 多様な.

†**mum**[1] /mʌ́m/ (略式・古) 形 黙っている ‖ Keep *mum* about the plan. その計画のことは黙っていなさい. —間 しっ, 静かに. —名U 沈黙.

Mum's the word! 《英略式》他言(淡)無用だよ.
Mum·bai /mumbái/ 图 ムンバイ《インド西部の都市. 旧称 Bombay》.
†**mum·ble** /mʌ́mbl/ 動 ⾃他 **1** 《…を[と]》ぶつぶつ言う, つぶやく《*that* 節》《◆声が小さいだけでなく聞き取りにくい意を含む》‖ *mumble* away to oneself ぶつぶつひとりごとを言う. **2** 《…を》(歯がないかのように)もぐもぐかむ. ── 图 C (通例 a ~) もぐもぐ[ぶつぶつ, むにゃむにゃ](言う声).
mum·mer /mʌ́mər/ 图 C 無言劇の役者.
múm·mer·y /-əri/ 图 C 無言劇; U C 見せかけの演技[儀式].
mum·mi·fy /mʌ́məfài/ 動 他《正式》…をミイラにする. ── ⾃ ミイラ化する; ひからびる.
†**mum·my**¹ /mʌ́mi/ 图 **1** C ミイラ;《広義》ひからびた死体. **2** C (ミイラのように)ひからびた[やせこけた]人.
mum·my² /mʌ́mi/ 图《主に英略式・小児語》(お)かあちゃん《◆ mammy の異形. 呼びかけも可》.
mumps /mʌ́mps/ 图《医学》[時に the ~; 今は通例単数扱い]流行性耳下腺炎, おたふくかぜ ‖ get *mumps* おたふくかぜにかかる.
†**munch** /mʌ́ntʃ/ 動 ⾃他 (…を) (口を閉じたまま楽しそうに)むしゃむしゃ[もぐもぐ]食べる ‖ *munch* (away at [on]) a sandwich サンドイッチをむしゃむしゃ食べる.
mun·dane /mʌndéin, ⸚/ 形《文》**1** 日常の, ありふれた. **2** 世界の, 宇宙の.
Mu·nich /mjúːnik/ 图 ミュンヘン《ドイツ南部の都市》. **2** 屈辱的な宥和(ポ)政策.
†**mu·nic·i·pal** /mjuːnísəpl/ 形 地方自治の, 都市[町]の; 市営の, 町営の ‖ My father works for a *municipal* school. 父は市[町]立学校で働いています.
munícipal corporátion 地方自治体.
munícipal góvernment 市政.
munícipal óffice 市役所.
†**mu·nic·i·pal·i·ty** /mjuːnìsəpǽləti/ 图 **1** 地方自治体. **2** [単数・複数扱い] 市[町]当局.
†**mu·ni·tion** /mjuːníʃən/ 图 [形容詞的に用いる以外は ~s]《形容詞的に用いるのは《英》》**1** 軍需品, 軍用品 ‖ a *munition*(s) factory 軍需工場. **2** 必要品; 資金. ── 動 他 …に軍需品を供給する.
munítion's índustry 軍需産業.
†**mu·ral** /mjúərəl/ 形《正式》壁の, 壁面の. ── 图 C =mural decoration.
múral decorátion 壁画, 壁飾り.
mú·ral·ist 图 C 壁画家.
†**mur·der** /mə́ːrdər/ 图 **1** U C (計画的な故意の)殺人;《法律》謀殺《◆ homicide は過失による殺人も含む. manslaughter は激情などにかられた非計画的殺人》; (戦争などでの)虐殺; C 殺人事件; [形容詞的に]殺人の ‖ a case of *murder* =a *murder* case 殺人事件《➡文法 14.5》/ an attempted *murder* 殺人未遂 / arrest him for *murder* 殺人容疑で彼を逮捕する / commit [do] *múrder* 人殺しをする / *Murder* will out.《ことわざ》悪事はばれるものだ. **2** U《略式》殺人的なこと; 非常に困難[危険, 不快]なこと[もの] ‖ The traffic jam is sheer *murder*! 交通渋滞はひどいものだ.
── 動 他 **1** 〈人が〉〈人を〉(意図的に)殺す; 《法律》謀殺する《◆ kill は偶然故意を問わない. ～ kill 語法》‖ *murder* him with a pistol ピストルで彼を殺害する / the *murdered* [×killed] man 殺された人. **2**《略式》…を台なしにする(spoil), ぶちこわす; 〈時間〉をつぶす. **3**《略式》…に激怒する. ── ⾃ 殺人を犯す.

†**mur·der·er** /mə́ːrdərər/ 图 C 殺人者, 人殺し, 殺人犯《◆ killer ははだ殺していない場合も含む》‖ a wife *murderer* 妻殺し犯.
†**mur·der·ous** /mə́ːrdərəs/ 形 **1** 殺人の, 殺意のある; 残忍な ‖ a *murderous* weapon 凶器 / a *murderous* act [plot] 殺人行為[計画]. **2**《略式》非常に困難[危険, 不快]な, とても耐えがたい ‖ a *murderous* crowd 殺人的な混雑.
murk·y /mə́ːrki/ 形 (**··i·er**, **··i·est**)《文》**1** [比喩的にも用いて]暗い, 陰気な; 恥ずかしい ‖ a *murky* past 暗い過去. **2** (霧・かすみで)曇っている.
†**mur·mur** /mə́ːrmər/ 图 **1** C (はっきりしない連続的な)かすかな音《風・川・木の葉などのざわめき》‖ the *murmur* of ⌈the waves [a stream] 波のざわめき [小川のせせらぎ]. **2** C [a ~] (聞きとれない)つぶやき, ささやき ‖ a *murmur* of voices from the next room 隣室からもれるささやき. **3** C [a ~] (不平・不満の)ぶつぶつ言う声 ‖ work *without* a *murmur* 不平を言わずに働く / I made no *murmur* at her suggestion. 彼女の提案に不平を言わなかった. **4** U C《医学》心臓の雑音.
── 動 ⾃ 〈人が〉低い声で言う, ぼそぼそささやく; (…のことで)(こっそりと)ぶつぶつ不平をもらす《*about, at, against*》(類語) mumble, mutter)‖ *murmur* at the conclusion その結論に不平をこぼす. **2**〈木の葉などが〉ざわめく;〈川が〉さらさら流れる ‖ The leaves *murmured* in the breeze. 葉がそよ風にざわさわと鳴った. ── 他〔…を[と]〕小声で言う ‖ *murmur* a polite "Thank you" 小声でていねいに礼を言う.
múr·mur·ing 形 图 C ざわめく(音), ささやく[つぶやく](声).
mur·rain /mə́ːrən | mʌ́rin/ 图 U 家畜伝染病.
mus·cat /mʌ́skət, -kæt/ 图 C《植》マスカットブドウ; その木.
＊**mus·cle** /mʌ́sl/ (発音注意) (同音) mussel) 图 [「小さなネズミ」が原義. 筋肉が盛り上がる様子がネズミが動いているように見えるところから]
── 图 (複 ~s/-z/) **1** U C 筋肉《◆1 つ 1 つの筋肉は C》‖「a voluntary [an involuntary] *muscle* 随意[不随意]筋 / develop one's *muscles* 筋肉を発達させる / The cat *didn't* move a *muscle*. ネコは身動きひとつしなかった. **2** U 能力, 腕力, 体力 ‖ a man of *muscle* 腕力のある人. **3** C U (貝の)貝柱.
── 動 ⾃《略式》〔…に〕強引に進む[割り込む]《+*in*》〔*in, into*〕‖ *muscle* through a crowd 群衆を押し分けて進む / *muscle* into a conversation 話に割り込む.
múscle càr《米》(馬力のある)高速中型車.
múscle sènse《心理・生理》筋(感)覚.
múscle wòrk 筋肉労働.
Mus·co·vite /mʌ́skəvàit/ 图 C モスクワ(大公国)住民; (古) ロシア人. ── 形 モスクワ(大公国)(住民)の; (古) ロシア(人)の.
Mus·co·vy /mʌ́skəvi/ 图 モスクワ大公国; (古)ロシア; モスクワ.
†**mus·cu·lar** /mʌ́skjələr/ 形 **1** 筋肉の. **2** 筋骨たくましい, 強い《◆しばしば女性にも用いる》. **3** 力強い, 力感豊かな.
múscular dýs·tro·phy /-dístrəfi/《医学》筋ジストロフィー.
†**muse** /mjúːz/ 動《正式》⾃ **1**〈人が〉〔…について〕物思いにふける, 静かに思いを巡らす(think about)《*on,*

music (楽譜記号)

- line / space / ledger line
- g clef / f clef / c clef
- (米) whole note / (英) semibreve
- (米) half note / (英) minim
- (米) quarter note / (英) crotchet
- (米) sixteenth note / (英) semiquaver
- (米) eighth note / (英) quaver

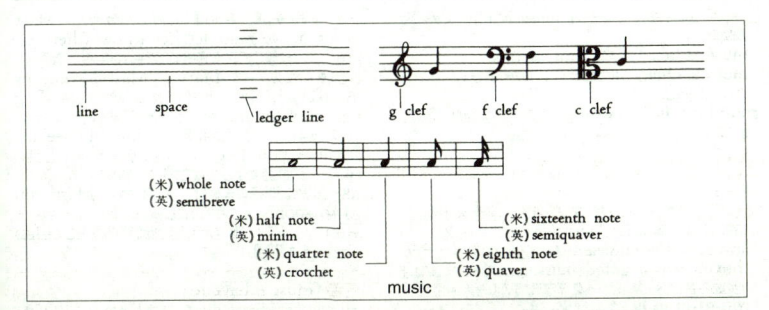

over, upon, about〕‖ *muse* **on** memories of the past 過去の思い出にふける. **2**〈人が〉〔物・事を〕(思いにふけりながら)見つめる, つくづくながめる(look at)〔on〕.
— 他 **1**〈物・事〉を(ぼんやりと・空想して)考える. **2**(物)思いにふけり心の中で〉くう・事〉を言う.

Muse /mjúːz/ 图 **1**〔ギリシア神話〕ムーサ, ミューズ; [the ～s] ミューズ9女神(Zeusの娘で芸術・学問をつかさどる9女神). **2** C [時に the/one's m～](詩人に霊感を与える)詩神; 詩的霊感.

mu·se·um /mjuːzíəm/【アクセント注意】
〔「ミューズ(Muse)の神々の神殿」が原義〕
— 图 (榎 ~s/-z/) C 博物館; 記念館, 陳列館, 資料館, 標本室; (米)美術館(略 mus.)‖ the British *Museum* 大英博物館 / "Do you like visiting *museums*?" "Yes, very much." 「博物館を訪れるのが好きですか」「はい, とても」 / an exhibit at a *museum* 美術館の展示(品)(→ *museum piece* (1)).

muséum atténdant 博物[美術]館の案内係, 学芸員.

muséum piece [a ～] (1) 博物館の陳列品; 珍品. (2) 時代遅れの人[物].

†**mush** /mʌ́ʃ/, **2, 3**(米+) múʃ/ 图 U **1**(米)トウモロコシがゆ. **2**(略)〔味〕[a ～]めめめ状の食物; どろどろした物. **3**(略)感傷的な言葉(づかい), めめしさ; (米)たわごと, 幼稚さ.

*****mush·room** /mʌ́ʃruːm/ |-rum/
— 图 (榎 ~s/-z/) C **1** キノコ; マッシュルーム(の類), (特に)ハラタケ, シャンピニオン《主に食用で軸とかさのあるもの(cf. toadstool). 成長が早い. 広義には菌類(fungus)もさす》‖ That's a poisonous *mushroom*. Don't pick it up. それは毒キノコです. 採ってはいけません / fast-food restaurants springing up like *mushrooms* 雨後のタケノコのようにつぎつぎに現れるファーストフードレストラン. **2**(形が)キノコ状のもの; (米俗)こうもりがさ(umbrella)‖ a *mushroom* cloud 〈核爆発後の〉キノコ雲. **3**(キノコのように)成長の早いもの. **4**[形容詞的に]キノコ(のような); 急成長する‖ a *mushroom* town 新興都市.
— 自 **1** キノコ狩りをする. **2** キノコの形に広がる; キノコのように増える; 急速に発展して[…に]なる〔into〕‖ Many apartment houses *mushroomed* in our city. マンションが私たちの町にどんどん建ってきた.

‡**mu·sic** /mjúːzɪk/〔「ミューズ(Muse)の神々の技」が原義〕@ musical (形), musician (名)

— 图 U **1** 音楽《♦健康回復・豊饒(ほうじょう)・創造力・死などの象徴》; 楽音, 楽曲‖ listen to *a piece of music* 1曲聴く / instrumental [vocal] *music* 器楽[声楽] / compose [write] *music* 作曲する / He likes to dance to rock'n'roll *music*. 彼はロックンロールに合わせて踊るのが好きです / play [perform] *music* 演奏する.

> **関連** [いろいろな種類の *music*]
> background *music* BGM / chamber *music* 室内音楽 / classical *music* クラシック音楽 / country *music* カントリーミュージック / electronic *music* 電子音楽 / folk *music* 民俗音楽, 民謡 / modern *music* 現代音楽 / rap *music* ラップ / rock *music* ロック / soul *music* ソウルミュージック / swing *music* スウィングジャズ.

2 楽譜; [集合名詞] 楽譜集‖ a sheet of *music* 1枚の楽譜 / play without the *music* 暗譜で演奏する / read *music* 楽譜を読む. **3** 美しい調べ, 快い響き〈鳥の鳴き声・川のせせらぎなど〉‖ The song of a canary *is music to my ears*. カナリアのさえずりは耳に快い. **4** 音楽の鑑賞力, 音感‖ I have no *music* in me. 私は音痴だ(=I have no taste for *music*.). **5**[形容詞的に] 音楽の, 音楽に関する‖ a *music* lesson 音楽のレッスン / a *music* room 音楽室.

sét [**pút**] **A to músic**〈詩などに〉曲をつける.

músic bòx(主に米)オルゴール((主に英) musical box).

músic dràma 楽劇.

músic hàll(米)音楽堂; (英)演芸場, 寄席((米) vaudeville theater).

músic pàper 五線紙.

músic stànd 譜面台.

músic stòol(高さ調節可能な)ピアノ用腰掛け.

*****mu·si·cal** /mjúːzɪkəl/ [→ *music*]
— 形 **1**[名詞の前で]音楽の, 音楽用[向き]の(略 mus.)‖ 比較変化しない‖ a *musical* instrument 楽器 / a *musical* score 総譜, スコア / a *musical* performance 演奏 / *musical* scales 音階 / a *musical* composer 作曲家. **2**〈声などが〉音楽的な, 耳に快い‖ The sound of her voice is quite *musical*. 彼女の声は本当に耳に快い. **3**〈人が〉音楽のセンス[才能]のある; 音楽好きの‖ a *musical* teacher 音楽的センスのある先生《♦「音楽の先生」は a *músic* tèacher. ➡文法 14.5》 / She has a *musical* ear. 彼女は音楽を聞く耳がある(=She has an ear for music.).

músical bóx (主に英) ＝music box.
músical cháirs [単数扱い] いす取り遊び; (役職などの)たらい回し.
mu·si·cal·ly /mjúːzikli/ 副 音楽上, 音楽的に; 調子よく.

mu·si·cian /mjuːzíʃən/ 【アクセント注意】
〖→ music〗
——名 (複 ~s/-z/) ⓒ **1 音楽家**〈演奏家・作曲家・指揮者など〉‖ a jazz musician ジャズミュージシャン / an orchestra musician オーケストラの奏者 / Beethoven was a gifted musician. ベートーベンは才能のある音楽家であった. **2** 音楽にすぐれた人.
mu·si·cian·ly 形 音楽家らしい.
mu·si·cian·ship 名 Ⓤ 音楽の才.
mu·si·col·o·gy /mjùːzikálədʒi|-kɔ́l-/ 名 Ⓤ 音楽学.

†**musk** /mʌ́sk/ 名 **1** Ⓤ ジャコウ(の香り). **2** ✓〔動〕= musk deer. **3** ⓒ〔植〕ジャコウのにおいのする植物.
músk cát〔動〕ジャコウネコ.
músk dèer〔動〕ジャコウジカ.
músk òx〔動〕ジャコウウシ《グリーンランド・カナダ北部産》.
músk ròse〔植〕ローザーモスカータ.
mus·ket /mʌ́skit/ 名 ⓒ マスケット銃(旧式歩兵銃).
musk·mel·on /mʌ́skmèlən/ 名 ⓒ〔植〕マスクメロン.
†**musk·rat** /mʌ́skræt/ 名 ⓒ〔動〕= muskrat beaver; Ⓤ マスクラットの毛皮. **múskrat bèaver** マスクラット.
musk·y /mʌ́ski/ 形 (-i·er, -i·est) ジャコウ(質)の.
Mus·lim /mʌ́zləm, mʌ́s-, múz-/ |múz-/ 名 ⓒ イスラム教徒, 回教徒. ——形 イスラム教(徒)の, イスラム文明の (Moslem).
†**mus·lin** /mʌ́zlin/ 名 **1** Ⓤ 綿モスリン, 新モスリン《婦人服・カーテン用などの生地》; ⓒ 新モス製の服《◆日本語の「モスリン」は毛織物》. **2** Ⓤ (米) キャラコ (calico).
mus·quash /mʌ́skwɔʃ|-kwɔʃ/ 名 ⓒ〔動〕マスクラット (muskrat); Ⓤ その毛皮; ⓒ 毛皮コート.
muss /mʌ́s/(米略式)名 ⓒ Ⓤ 混乱, 乱雑. ——動 他〈髪などを〉めちゃくちゃ〔くしゃくしゃ〕にする (+up).
†**mus·sel** /mʌ́sl/ (同音) muscle) 名 ⓒ〔貝類〕(ムラサキ) イガイ, イシガイ.
Mus·so·li·ni /mùːsəlíːniː| ~/ 名 ムッソリーニ《Benito /beníːtou/ ~ 1883–1945; イタリアの独裁政治家》.

must¹ /(弱) məst, mst; (強) mʌ́st/ (類音 mast /mǽst/ | máːst/)
——助

index
助 **1 …しなければならない 2 …してはいけない 3 …にちがいない**

Ⅰ [義務・命令]
1 a [must do] 〈人は〉**…しなければならない**, すべきである (〔正式〕be obliged to); [must be done] 〈人・物・事が〉…されねばならない《◆「…する必要はない」は do not have to do, need not do. → HAVE to》 語法 ‖ John must shave every morning. ジョンは毎朝ひげをそらねばならない. 《◆話し手の命令を示す. John has to shave … だと「ジョンは(ひげが濃いなどの理由で)毎朝そる必要がある」(→ 語法 (3))》/ I'm afraid I must /məst/ be going now. I really must. もうそろそろおいとましなくては. ほんとうにもうおい

とまします《◆話し手が自らに課した命令》/ Mary says that we must let her know where we are. 我々は居場所を知らせねばならないとメリーは言っている《◆命令の主体は Mary》/ Must I come by five o'clock? 5時までに来なければいけませんか(=Is it necessary for me to come …?)《◆相手の希望・意図を尋ねる》/ You must come and see me anytime you like. いつでもぜひ遊びに来てください《◆命令も内容によっては丁寧な勧誘になる(cf. 語法 1.8)》. 親しい間柄の人に対しての用法》/ Must you go so soon? もうお帰りにならなくてはなりませんか《◆ Must you …? はいらだちを込めた疑問文としても用いられる. → **4** 語法》

語法 [must と have to]
(1) 他の助動詞と共に用いるときは have to で代用する: He will have to meet her tomorrow. 彼は明日彼女に会わなければならないだろう.
(2) ✓ must は過去形がないので, 過去時制の文脈では, (4) で述べるような従節中以外では had to で代用する: She *had to* [×must] repeat the message twice before he understood it. 彼にわかってもらうには, 彼女は伝言を2度繰り返さなければならなかった.
(3) [must と have to の比較] must は主に話し手の命令《主観的》を示し, have to は外因要素から生じる必要性を含意する《客観的》として区別する人もある. You *must* leave now. (今, 出発しなさい)は話し手自身の都合で相手に「行け」と命じている. You *have to* leave now. (今, 出発しないとだめですよ)はもう夜が更けたとか, 電車に間に合わなくなるとか, 相手の都合などを考えて「行く必要がある」といっている.
(4) [時制の一致(→ 語法 10) と must, have to] 従節中では must は must のままでよい: I said to him, "You *must* go." → I told him that he *must* go. / I said to him, "You *have to* go." → I told him that he *had to* go. 《◆一般に従節における must の過去は must, had to のどちらを使ってもよいといわれるが, must と have to の区別をする人は must → must / have to → had to とする》.

b [must have done] (ややまれ) 〈人は〉すでに…してしまっていなければならない (cf. **3 b**) ‖ If you want to study linguistics, you *must* first *have* graduated in a foreign language. 言語学を研究するには外国語学科を卒業していなければならない / They *must have moved* to another house *by the time* I return. 私が帰るまでに彼らは別の家へ移ってしまっていなければならない.

‖ [禁止]
2 [must not [(略式) mustn't] do] 〈人は〉**…してはいけない**, …すべきでない; [must not be done] 〈人・事が〉…されるべきでない《◆(1) may not より語調の強い禁止. (2) 過去形がないので過去は be not allowed to, be forbidden などで表す》‖ You *must not* speak like that to your mother. お母さんにあんな口をきいてはいけないよ (=Don't speak …) / Passengers *must not* lean out of the window. 乗客の皆さんは窓から身を乗り出さないでください.

Ⅲ [必然性・推量]
3 a [múst do] **…にちがいない**, どうみても…と考えられる, きっと…だ; [must not do] …ではないにちがいな

《◆ ☑ do はふつう状態を表す動詞》(↔ cannot) ‖ Jane looks very pale. She *múst* be sick. ジェーンはとても顔色が悪い. 病気にちがいない / You *múst* know where he is. He is a friend of yours. 君は彼の居所を知っているはずだ. 友だちなんだから / She left home twenty minutes ago. She '*múst be* at the office *by now* [mustn't be at the office yet]. 彼女は20分前に家を出た. (だから)会社にもう着いている[まだ着いていない]にちがいない《◆ arrive を用いると She *múst* have arrived at the office by now. → **b**》.

[語法] (1) これから先のことについて「…にちがいない」はふつう be bound to: There *is bound to be* trouble. きっともめんどうな事が起こるにちがいない.
(2) [時制の一致 (⊃文法 10)と must] 従節中では must のままでよい: The doorbell rang. I thought it *must* be Dick. 玄関のベルが鳴った. 私はディックにちがいないと思った.

b [must have done] …したにちがいない; (もう)…したに相違ない (⊃文法 8.3)《◆ [略式] では must have を musta とつづることがある》‖ You look very tired. You *múst have been* working too hard. お疲れのようですね, きっと働きすぎですよ(= 'I am *sure* [It is *certain* that] you have been working too hard.) / You seem to know quite a lot about her. You *múst have known* her for a long time. 彼女のことをよく知っているようですね. きっと長い付き合いなんでしょう(=I am *sure* you *have known* her …) / He rejected her invitation. He *múst have been* out of his mind. 彼は彼女の招待をけった. 頭がどうかしてたにちがいない(=I am *sure* he *was* out of …) / He left home twenty minutes ago. He *múst have arrived* at the office *by now*. 彼は20分前に家を出たので, もう会社に着いているにちがいない(=… He *must be* at the office by now.).

IV [必然・主張]

4 [must do] 〈人は〉どうしても…する, …しないではおかない(《略式》just have to)《◆ Ⅰ と Ⅲ の中間の語法. 過去形は must》‖ Man must die. 人間は死ぬ運命にある《◆ 神が人間に課した義務とも論理的必然性とも解せる》/ He *must* always have his own way. 彼はいつも自分の思いどおりでないと気がすまない《◆ 主語の he が自らに課した義務》.

[語法] 疑問文ではしばしば話し手のいらだちを表す: *Múst* you make that dreadful noise? そのひどい音はどうしても立てないといけないのですか.

——|名|/mʌ́st/《略式》[a ~] 不可欠なもの, 必読[必見, 必修]のもの; [形容詞的に] 必読[必見, 必修]の.
must² /mʌ́st/|名|Ⓤ (発酵前[中]の)ブドウ汁; 発酵前の果汁.
†**mus·tache,** (英) **mous·tache** /mʌ́stæʃ, məstǽʃ | məstáːʃ, mus-/|名|Ⓒ **1** [時に ~s] 口ひげ (図 → beard) ‖ I have [wear] a *mustache* 口ひげをはやしている. **2** (動物の口の周りの)ひげ, 毛. **3** (鳥のくちばしの近くの)羽毛, 模様.
mus·tang /mʌ́stæŋ/|名|Ⓒ **1** (動) ムスタング《小型野生馬》. **2** (米俗) 下士官出身の海軍士官.
†**mus·tard** /mʌ́stərd/|名|**1** Ⓤ Ⓒ (植) マスタード, カラシ ‖ black [white] *mustard* クロ[シロ]カラシ / *mustard* and cress シロカラシとタガラシの葉のサラダ. **2** Ⓤ マスタード, カラシ(粉)《香辛料》‖ English [French] *mustard* 水入り[酢入り]カラシ. **3** Ⓤ カラシ色, 濃黄色. **4** Ⓒ 熱意を与えるもの, 熱意ある人. (**as**) **kéen as mústard** (主に英略式) 非常に熱心な.
mústard gàs マスタードガス, イペリット《びらん性毒ガス》.
mústard plàster カラシ軟膏(なんこう)《湿布用》.
mústard pòt (食卓の)カラシ入れ.
mústard sèed カラシナの種子 ‖ a grain of *mustard seed* 一粒のカラシ種;〔聖〕大発展の元になる小さなもの.
†**mus·ter** /mʌ́stər/《正式》|動|他 **1** 〈兵士・船員などを〉(点呼・検閲・行軍に)招集する(+*up*). **2** 〈勇気などを〉を奮い起こす(gather) (+*up*). —— 自 〈兵士などが〉集まる, 応召する; 〈物が〉集まる.
múster ín [**óut**] [他]《米》…を入隊[除隊]させる.
——|名|Ⓒ **1** (閲兵のための)召集; 点呼; (兵士・船員の)点呼名簿(muster roll) ‖ make a *muster* 〔軍事〕点呼する. **2** (動物・人などの)群れ, 集合(crowd).
múster ròll = |名| **1**.
∗**must·n't** /mʌ́snt/ [発音注意]《略式》must not の短縮形.
†**mus·ty** /mʌ́sti/|形| (**-ti·er, -ti·est**) **1** かびくさい ‖ a *musty* cellar かびくさい穴蔵. **2** 陳腐な, 古くさい.
mu·ta·ble /mjúːtəbl/|形|《正式》変わりやすい, 無常の.
mu·tant /mjúːtənt/|形| 突然変異の. ——|名|Ⓒ《略式》=mutation **2**.
mu·tate /mjúːteit |—́/|動| 自 変化する;〔生物〕突然変異する. —— 他 …を変化させる;〔生物〕を突然変異させる.
mu·ta·tion /mjuːtéiʃən/|名| **1** Ⓤ Ⓒ 《正式》変化, 変形; (人生などの)盛衰, 浮沈. **2** Ⓒ〔生物〕突然変異(種) (mutant). **3** Ⓤ〔音声〕母音変異(cf. umlaut).
∗**mute** /mjúːt/
——|形| (**~r, ~st**) **1** 無言の, 沈黙した《この意味では silent がふつう》. **2** (古) [通例補語として] (障害のため)ものが言えない, 唖者(あしゃ)の(dumb). **3** 〔音声〕黙音の ‖ a *mute* letter 黙字《know の k など》.
——|名|Ⓒ **1** (古) (障害のため)ものが言えない人, 唖者. **2** ものを言わない人; だんまり役者;〔法律〕黙秘する被告. **3** 黙字;〔音声〕黙音. **4**〔音楽〕(楽器につける)弱音[消音]器, ミュート.
múte·ly|副| 無言で. **múte·ness**|名|Ⓤ 無言.
mut·ed /mjúːtid/|形|《正式》〈音が〉弱められた, 消音された, 弱音器をつけた;〈色が〉ぼかされた;〈感情・批判などが〉弱い(subdued).
†**mu·ti·late** /mjúːtəlèit/|動|他《正式》**1**〈手足などを〉切断する;〈身体を〉不自由にする(maim). **2** …を削って骨抜きにする, 台なしにする.
mu·ti·la·tion /mjùːtəléiʃən/|名|Ⓒ Ⓤ (手足の)切断, 切除; (身体の)障害.
†**mu·ti·neer** /mjùːtəníər/|名|Ⓒ **1** 暴動者, 暴徒. **2**〔軍事〕(特に上官に対する)反逆者, 抵抗者.
mu·ti·nous /mjúːtənəs/|形|《正式》暴動の, 反乱罪を犯した. **2** 反抗的な.
†**mu·ti·ny** /mjúːtəni/|名|Ⓒ Ⓤ (軍人・船員の)暴動, 反乱. ——|動|自 暴動を起こす(*against*).
mutt /mʌ́t/|名|Ⓒ **1**《略式》ばか, 間抜け, のろま. **2**(主に米) 雑種犬, 野良犬.
†**mut·ter** /mʌ́tər/|動|自 **1**〈人が〉つぶやく, […について/…に対して]ぶつぶつ不平を言う(*about / at*,

against] ‖ mútter 「*against* him [*at* prices] 彼(値段)に対して不平を言う. **2**〔雷などが〕低くゴロゴロ鳴る;〔ぶくぶく;〈不平·おどしなどをぶつつ言う;〔…と〕小声で言う(*that*節). ―图 ⓒ〔通例 a/the ~〕ささやき,つぶやき;不平;〔雷などの〕低くゴロゴロと鳴る音.

mút·ter·er 图 ささやく人;不平を言う人.

***mut·ton** /mʌ́tn/ 图〔「羊」が原義〕
―图 ⓤ〔~s/-z/〕 **1** ⓤ マトン,羊肉《成長したヒツジの肉》(cf. lamb). 〖対話〗"Do you like roast *mutton*?" "No, I like roast beef better."「焼いた羊の肉が好きですか」「いいえ,焼いた牛肉の方が好きです」. **2** ⓒ ヒツジ.

mútton dréssed as lámb《略式》若作りの年輩の女.

return to one's *mutton* 本題に戻る.

mútton chòp《ふつうあばら骨付きの》マトン肉片.

mut·ton·chop /mʌ́tntʃɑ̀p | -tʃɔ̀p/ 图〔~s; 複数扱い〕= muttonchop whiskers. **múttonchop whískers**《上が細く下が広い》羊肉形ほおひげ.

***mu·tu·al** /mjúːtʃuəl/
―厖《ふつう比較変化しない》**1**〈感情·行為などが〉相互の,相互の《◆「互恵的な」の意では特に reciprocal という》 ‖ *mutual* distrust 相互不信 / The couple's affection is *mutual*. その恋人同士は相思相愛だ / We gave *mutual* help to each other. 我々は互いに助け合った(=We helped each other.). **2**《略式》〔名詞の前で〕〈友だち·努力·趣味などが〉〔二者以上の各々に〕共通の,共通の(common) ‖ *mutual* efforts [interests] 共同の努力[共同の趣味] / We met each other through a *mutual* friend (of ours). 私たちは共通の友だちを通じて知り合った《◆*a common friend は不可》.

mútual insúrance còmpany 相互保険会社.

***mu·tu·al·ly** /mjúːtʃuəli/ 副《正式》相互に,互いに,双方で ‖ The contract is to be *mutually* agreed to. 契約は双方の承認を得なくてはならない.

muu·muu /múːmùː/〖ハワイ〗图 ⓒ ムームー《女性の着るゆったりしたドレス》.

***muz·zle** /mʌ́zl/ 图 ⓒ **1**〔動物の〕鼻口部,鼻づら. **2**〔人の〕鼻(nose). **3**〔動物の〕口輪;〔言論などの〕圧迫. **4** 鼻口部状の物;銃[砲]口((図) → revolver).
―動 ⑲ **1**〈犬などに〉口輪をはめる;〖海事〗〈帆〉をたたむ. **2**〈人に〉口止めをする;〈新聞などの〉報道を封じる.

MVP〔略〕*m*ost *v*aluable *p*layer 最優秀選手.

‡**my**〔弱〕mai,《時に決り文句で》mi, mə;〔強〕mái /〖I の所有格〗 (Ⓟ文法 15.3(2))
―代 **1**〔名詞の前で〕私の ‖ Use *my* dictionary. 私の辞書を使いなさい / To *my* joy, everybody accept *my* plan. うれしかったことにはみんなが私の計画を受け入れてくれた.
2〔呼びかけの名詞の前で〕《親しみ·同情·謙遜(ﾎｶﾞ)·いらだち·じれったさなどの気持ちを表す. 「私の」などと訳さない》 ‖ *my* boy おい君;坊や / *my* dear〔ていねいに〕ねえ君,あなた / *my* good man《目下の人に》きみ.
3〔身体の部分名の前で〕《◆疑い·不承認を表す》 ‖ *my* foot [eye] まさか,ほんとう.

〖日英比較〗日本語の「マイ―」は必ずしも my でないことに注意: I want to buy a [×*my*] car. マイカーを買いたい / They want to buy their own [×*my*] home. 彼らはマイホームを買いたがっている.

―間《主に女性略式》まあ,おや;いやよ《◆Oh, my God! のように名詞を伴うときがある》 ‖ My, my! おやまあ《◆驚き·喜びを表す》/ Oh, my! あらまあ《◆驚き·不信·困惑を表す》/ My, isn't he a fine-looking student?(↘)まあ,彼はハンサムな学生じゃないの.

Myan·mar /mjɑ̀ːnmɑ́ːr/ 图 ミャンマー《東南アジアの国. 公式名 the Union of Myanmar. 旧称 Burma. 首都 Yangon》.

My·ce·nae /maisíːni/ 图 ミケーネ《古代ギリシアの都市》.

my·col·o·gy /maikɑ́lədʒi | -kɔ́l-/ 图 ⓤ **1** 菌(類)学. **2** 菌群;菌の生態.

Myn·heer /minhéər, mənéər | mainhíər/〖オランダ〗图 **1** ⓤ …氏《Mr., Sir に当たる敬称》. **2** [m~] ⓒ オランダ人(Dutchman).

my·o·pi·a /maióupiə/ 图《正式》**1**〖医学〗近視. **2**〈考え方が〉近視眼的なこと;視野の狭さ.

†**myr·i·ad** /míriəd/ 图 ⓒ 厖《文》無数(の).

Myr·mi·don /mə́ːrmədɑ̀n | -dən/ 图 **1**〔ギリシア神話〕ミュルミドーン人《Achilles に従ってトロイ戦争に加わった勇士》. **2** [m~] ⓒ《命令を容赦なく遂行する》鬼のような手下;用心棒.

myrrh /mə́ːr/ 图 ⓤ〖植〗ミルラ,没薬(ﾓﾂ)《芳香性樹脂. 香料·焚香·薬用》.

†**myr·tle** /mə́ːrtl/ 图 ⓒ〖植〗ギンバイカ《Venus の神木とされる》;《米》ヒメツルニチニチソウ.

***my·self** /maisélf,《略式》mi-, mə-/〖I の再帰代名詞〗 (Ⓟ文法 15.3(5))
―代 ⑲ ourselves) (→ oneself 語法)
1〔再帰用法として〕私自身を[に] ‖ I hurt *myself*. 私はけがをした / "Damn it!" I said to *myself*. 「しまった!」と私は思った.
2〔強勢を置いて強調用法として〕私自身 ‖ I went to Paris *myself*. 私自身パリへ行ったのです.
3《略式》私,《◆I または me の強調代用形》 ‖ My wife and *myself* are very delighted. 家内と私はたいへんうれしい《◆I の代用》/ He is *as* tall *as myself*. 彼は私と同じ背丈だ《◆I または me の代用》.《◆成句は oneself も参照》.

*for mysélf (**1**) → for ONESELF. (**2**)〔文頭で〕自分としては ‖ For *myself*, I want to live in the country. 私としては,田舎に住みたいと思ってきました. 語法 (2) は myself, ourselves にのみ可能な用法: ×For himself [herself], he [she] has wanted to live in the country.

***mys·te·ri·ous** /mistíəriəs/〔アクセント注意〕〖→ mystery〗
―厖 **1** 不可解な,不思議な,謎(ﾅｿﾞ)のような,謎につつまれた ‖ a *mysterious* murder 謎の殺人事件 / I had a *mysterious* phone call late last night. 昨夜遅く奇妙な電話があった / There was a *mysterious* smile on her face. 彼女は謎めいた笑みを浮かべていた.
2 神秘的な,神秘につつまれた ‖ the *mysterious* universe 神秘の宇宙.
3 秘密の,内密の ‖ She is being very *mysterious* about her academic background. 彼女は学歴については話したがらない.

†**mys·te·ri·ous·ly** /mistíəriəsli/ 副 神秘的に,不思議に;意味ありげに;〔文全体を修飾〕不可解なことに ‖ smile *mysteriously* 意味ありげにほほえむ / She *mysteriously* disappeared. 不可解なことに彼女は姿を消してしまった.

***mys·ter·y** /místəri/〖「秘密(myst)の儀式」が原

義. cf. mystic』⑱ mysterious (形)
──名 (複 ~·ies/-z/) 1 ⓒ a (個々の)謎(⁵⁵), 秘密, 説明[理解]できない事[物], 未知の事[物], 不可解な事[物]; [形容詞的に] 神秘的な (類語) puzzle, riddle, secret) ‖ the *mysteries* of the universe 宇宙の秘密 / It's a complete *mystery* to me why she rejected his proposal. (略式) なぜ彼女が彼のプロポーズを断ったのか私には皆目わからない. b (略式) 不思議[不可解]な人. 2 Ⓤ […の身辺にある] 神秘(性), 不可解性, 秘密(状態), あいまいさ(*about*) ‖ Her death is wrapped [shrouded] in *mystery*. 彼女の死は謎に包まれている. 3 ⓒ =mystery story. 4 ⓒ (通例 mysteries) 神の啓示による超自然的[宗教的]真理, 玄義; [通例 mysteries] (古代宗教・秘密結社の)秘密の儀式, 秘義. 5 ⓒ =mystery play.
máke a mýstery of A 〈事〉を秘密扱いする.
mýstery plày 奇跡劇《中世の宗教劇. miracle play ともいう. cf. morality play》.
mýstery shíp [bòat] =Q-boat.
mýstery stòry (小説・劇・映画などの)推理[怪奇]もの, ミステリー.
mýstery tòur [tríp] 行き先を伏せた遊覧旅行.
†**mys·tic** /místik/ 形 1 神秘的な, 超自然的な; 神秘感[驚異感]を与える ‖ a *mystic* symbol of God 神の存在を神秘的に象徴するもの. 2 秘教の, 秘法の, 秘義の, 魔術的な, 魔力のある ‖ *mystic* words 呪文 (ʲᵘᵐᵒⁿ). 3 =mystical 1, 2 《◆ mystic の方が堅い語》.
──名 ⓒ 神秘主義者.

mys·ti·cal /místikl/ 形 1 神秘主義(者)の, 神秘(主義)的な. 2 隠された霊的力[秘密の意味]を持つ. 3 =mystic 2.
†**mys·ti·cism** /místəsɪzm/ 名 Ⓤ 神秘主義《瞑想と直観的洞察によって神との合一および絶対的真理が得られるとする説》; 神秘主義的信仰[体験, 思考].
†**mys·ti·fy** /místəfàɪ/ 動 1 [正式] 〈人〉を(意図して)煙に巻く, 当惑させる(bewilder); [be mystified] 〈人が〉[…に]当惑する, まごつく(*by*, *at*). 2 〈説明など〉を神秘的[あいまい]にする.
mys·tique /mɪstíːk/ 『フランス』名 [正式] [通例 the/a ~] 1 神秘感, 神秘的雰囲気. 2 (職業上・活動上の)特殊技術, 秘技, 秘法.
***myth** /mɪθ/ (頭音 miss, Miss /mís/) 〖「言葉, 物語」が原義〗
──名 (複 ~s/-s/) 1 ⓒ (広く信じられているが)根拠のない説, 作り話[事]. 2 ⓒ 神話 ‖ ancient Greek *myths* 古代ギリシア神話. 3 Ⓤ [集合名詞] 神話(全体). 4 ⓒ 神話的人物[事物].
myth., mythol. ㊂ mythological; mythology.
†**myth·i·cal, --ic** /míθɪk(l)/ 形 神話の; 架空の, 想像上の(imaginary).
myth·o·log·i·cal /mɪθəládʒɪkl | -lɔ́dʒɪ-/ 形 神話(的)の; 神話学(上)の; 想像上の.
my·thol·o·gist /mɪθálədʒɪst | -ɔ́l-/ 名 ⓒ 神話学者[作者].
†**my·thol·o·gy** /mɪθálədʒi | -ɔ́l-/ 名 1 Ⓤ [集合名詞] 神話 ‖ Greek *mythology* ギリシア神話. 2 Ⓤ 神話学(研究). 3 ⓒ 神話集.

:n, N /én/ 名 (複 → n's, ns; N's, Ns/-z/) **1** CU 英語アルファベットの第14字. **2** → a, A **2**. **3** CU 第14番目(のもの).

n (記号) 〔数学〕不定整数, 不定量.

n (略) 〔物理〕neutron.

N (記号) 〔物理〕newton; 〔化学〕nitrogen, (略) north.

n. (略) nephew; net; nominative; noon; north; note; noun; number.

N., N (略) north, northern; nuclear; 〔電気〕neutral (connection).

'n /ən/ 〔(略式)〕 **1** and, than の短縮語. **2** 前置詞in の短縮語.

Na (記号) 〔化学〕sodium (◆ラテン語 natrium より).

NA (略) Naval Academy; North America.

NAAFI, Naaf·i /nǽfi/ 〖Navy, Army and Air Force Institute〗名 〔英略式〕〖the ~〗陸軍海軍厚生機関;(それが経営する)酒保(:), 売店.

nab /nǽb/ 動 (過去・過分 **nabbed**/-d/; **nab·bing**) 他 **1** 〈物〉をひったくる, ひったくる. **2** 〈人〉を〔…のかどで〕逮捕する, ひっつかまえる〔for〕.

na·bob /néibɑb | -bɔb/ 名 C **1** (ムガール帝国時代の)インド太守. **2** (18–19世紀のインド帰りの)大金持ち《特に英国人》. **3** 大金持ち, 権力者.

Na·both /néibɔθ | -bɔθ/ 名 〔旧約〕ナボト《ブドウ園の所有者で, これを欲しがったアハブ王に石で打ち殺された》‖ *Naboth's vineyard* ぜひ欲しい物.

na·dir /néidiər /néi-/ -dər/ 名 (複 ~s, -dar·es) **1** 〔天文〕〖the ~〗天底(↔ zenith). **2** C 〔正式〕〖通例 the/one's ~〗どん底.

naff /nǽf/ 形 〔英俗〕愚かな, 非常識な; 流行遅れの.

NAFTA (略) North American Free Trade Agreement 北米自由貿易協定.

†nag¹ /nǽɡ/ 動 (過去・過分 **nagged**/-d/; **nag·ging**) 他 **1** 〈人〉にうるさく小言を言って悩ます, 〈人〉を絶えず悩ます(→ *tease*). **2** 〈人〉に〔…に/…するように〕うるさくせがむ〔*for* / *to do*, *into doing*〕‖ *My children nagged me to buy them a new TV.* = *My children nagged me for a new TV.* 私の子供たちは新しいテレビを買ってくれたしつこくせがんだ. ━━自 〔…に/…するように〕うるさく小言を言う, がみがみ言う〔*at* / *to do*〕.
━━名 C 〔(略式)〕小言を言う人, 口やかましい女.

nag² /nǽɡ/ 名 C **1** 小馬. **2** 〔古〕老いぼれ馬, 馬; 競走馬.

nag·ging /nǽɡiŋ/ 形 **1** 〈声・親たちが〕口うるさい, いつも小言を言う. **2** 〈痛み・悩みなどが〕しつこい, 絶えずまとう‖ *a nagging cough* しつこいせき / *a nagging question* うるさい質問.

nai·ad /néiæd, -əd /nái-/ 名 (複 ~s, nai·a·des /néiədìːz /nái-/) C 〔ギリシア神話・ローマ神話〕ナイアス《水の精》.

***nail** /néil/ 〖「先がとがっているもの」が本義〗
━━名 (複 ~s/-z/) C **1** くぎ, びょう ‖ *drive* [*hammer*] *a nail into a board* 板にくぎを打ち込む / *pull* [*draw*] (*out*) *a rusty nail* さびたくぎを抜く. **2** (手足の)つめ (◆「手のつめ」は fingernail (「親指のつめ」は thumbnail), 「足のつめ」は toenail); cf. claw, talon) ‖ *dye* [*manicure, paint*] *one's nails* つめにマニキュアをする, ネイルする / *bite* [*chew*] *one's nails* (悔やんで・いらいらして)つめをかむ / *Don't cut* [*trim, pare*] *your nails on Friday.* 金曜日につめを切るな《縁起が悪いとされる》.

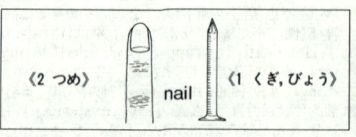

(as) hárd [**tóugh**] **as náils** 〈身体が〉強健な, 〈性格・心が〉冷淡な, きびしい.

(dówn) on the náil (略式) 即座に, 即金で.

hít the (**ríght**) **náil on the héad** 正確に要点をつく[言う]; 図星をさす.

━━動 他 **1** …にくぎ[びょう]を打つ(+*up, down, together*) ‖ *nail up* [*down*] *a window* (開かないように)窓をくぎで留める / *nail a box together* (ぞんざいに)くぎを打って箱を作る. **2** 〈物〉を〔…に〕くぎで打ちつける〔*on, onto, to*〕; 〔(略式)〕〈人・注意・目〉を〔…に〕引き留める; 〈人〉を〔…に〕縛りつける〔*on, to*〕‖ *nail a notice on* [*to*] *the wall* 壁にはり札をくぎで打ちつける / *nail one's eyes on the scene* 場面をじっと見つめる. **3** 〔(略式)〕〈犯人など〉を捕える. **4** 〔(略式)〕〈うそ・悪事など〉を暴く.

náil dówn [他] (1) → 名 **1**. (2) 〔(略式)〕〈人〉を〔約束などに〕縛りつける〔*to*〕; 〈仕事・契約など〉を確実にする ‖ *nail him down to his promise* 彼に約束を守らせる. (3) (問いつめてはっきりと)〈人〉に〔…に対する〕見解を言わせる〔*to*〕; 〈意味など〉をはっきりつかむ.

náil úp [他] (1) → 名 **1**. (2) 〈物・器具など〉を高い所に取り付ける.

náil brùsh = nailbrush.

náil clìpper つめ切り.

náil fìle つめやすり.

náil pòlish [(米) **enàmel**, (英) **vàrnish**] マニキュア液.

náil scìssors つめ切りばさみ.

nail-bit·ing /néilbàitiŋ/ 形 はらはら[心配]させる.

nail·brush /néilbrʌ̀ʃ/, **náil brùsh** 名 C つめブラシ.

nain·sook /néinsùk/ 名 U ネインスック《婦人肌着・幼児服用の柔らかく目の細かい綿織物》.

Nai·ro·bi /nairóubi/ 名 ナイロビ《ケニアの首都》.

†na·ïve, na·ive /nɑíːv | nɑː-/ (フランス) 形 (時に ~r, ~st) **1** 単純な, 世間知らずの, だまされやすい ‖ *It's naive of you* [*You are naive*] *to take him seriously.* 彼の言うことを真に受けるなんて君は甘い(→ 文法 17.5).

■ 日英比較 ■ 「ナイーブ」と naive
現在では naive は **1** の意味が優勢なので, 「ナイーブな」「純真な」の意には sensitive, innocent などを使うのがよい.

2 無邪気な, 素朴な, 天真爛漫(:)漫な. **3** 幼稚な, しろうとの.

━━名 C うぶな[未経験の]人.

na·ive·ly 副 単純に；無邪気に，素朴に．
na·ive·ness 名 ⓤ 単純さ；素朴．
na·ive·té, na·ïve·té /nɑːiːvətéi, ‒ɪ́‒ | naiíːvə‒/,
na·ive·ty, na·ïve·ty /nɑːíːvəti | naiíːvəti/〖フランス〗名 ① ⓤ 純真さ，素朴さ，天真爛漫(さ). **2** ⓒ〖通例 ~s〗純真な言行．

*__**na·ked**__ /néikid/ 【発音注意】〖「はぎとられた」が原義〗
━ 形 (**more ~, most ~**) **1**〈人が〉裸の，全裸の，裸体の《[類語] nude, bare, stripped》;〈体の一部が〉むきだしの《◆比較変化しない》‖ The baby was completely [stark] *naked*. その赤ちゃんは丸裸であった / strip him *naked* 彼を裸にする /(as) *na-ked* as my mother bore me 生まれたままの姿で / her *naked* breasts 彼女のあらわな胸 / *naked* to the waist 上半身裸で．
[表現]「一糸まとわぬ」は not have a stitch on, 「裸一貫から出発する」は start from scratch.
[類語] **bare** はふだん身につけているものをつけていないこと. **naked** は肌の露出さを強調. **nude** は衣服をつけていないことを強調し，芸術的連想を伴う．
2 [通例名詞の前で]〈物が〉覆いのない，むきだしの；〈土地が〉草木の生えていない，不毛の；〈木・枝などが〉露出した，〈岩などが〉露出した；〈部屋・壁が〉家具調度品[装飾物]のない‖ a *naked* sword 抜き身の刀 / a *na-ked* wire [light] 裸電線[電灯] / a *naked* hillside 草木の生えていない山腹 / a *naked* room がらんとした部屋．
3 [名詞の前で] ありのままの，飾り[修正]のない；露骨な，まったくの‖ a *naked* confession 赤裸々な告白 / a *naked* threat 露骨な脅迫． **4** [名詞の前で]〈目が〉めがねなどの助けを借りない《◆比較変化しない》‖ see **with the *naked* eye** 肉眼[裸眼]で見る．
5〈人・物が〉[…のない]，欠けている[*of*]．

ná·ked·ly 副 裸で；むき出しで；露骨に．
ná·ked·ness 名 ⓤ 露骨さ．
nam·a·ble, name‒ /néiməbl/ 形 名をあげることができる；記憶すべき．
nam·by‒pam·by /nǽmbipǽmbi/ 形 感傷的な，めめしい．

*__**name**__ /néim/
━ 名 (復 **~s**/‒z/) **1** ⓒ **名(前)，姓名；名称**‖ one's full *name* (略さない)正式の氏名 / baptismal [Christian] *name* 洗礼名 / assume a fictitious [false] *name* 仮名[偽名]を使う / give a *name* to our new baby 私たちの新しく生まれた赤ちゃんに名前をつける / What is the *name* of this street? この通りの名前は何というのですか 《What do you call this street? / What street is this? / What is this street? の方がふつう》/《 対話 》
"What is her *name*?" "Her *name* is Ann."「彼女の名前は何というのですか」「アンです」/《略式》では It's Ann.》/ My *name* is Thomas (Baker), but just call me Tom. 私の名前はトマス(=ベーカー)ですが，トムと呼んでください 《◆自己紹介の時の表現．Thomas は正式名，Tom は愛称で親近感を与えるだけの言い方》/ Thómas (Báker) is my *name*. トマス(=ベーカー)が私の名前です《◆前の例よりも名前を強調》/ May I have [ask] your *name*(, please)? (↘[↗])=**Could you tell me your *name*(, please)?** (↘[↗]) お名前は何とおっしゃるのですか 《◆ What's your *name*? (↘) はきつく響くので避ける．ただし子供に対しては What's your *name*? (↗) とすることがある．Who are you? は失礼な言い方． **What name, please?** = **What name**
*shall I say?** は来客などを取り次ぐ時の表現》/ A common *name* for cats in Japan is "Tama." 日本でネコによくある名前は「タマ」だ / When a Buddhist dies, he is given a posthumous *name*. 仏教徒は亡くなると戒名がつけられる / In this city there are lots of people whose *name* is [*names* are] Brown. この市にはブラウンという名の人がたくさんいる(=… there are lots of Browns.) / I don't have your *name*. (受付カウンターなどで)お名前が(リストに)ありませんが 《 日本発 》 In Japan, family *names* come before personal *names*. 日本では姓が名の前にくる．

[関連]〖いろいろな種類の **name**〗
brand *name* 商標名 / domain *name* ドメイン名 / false *name* 別名，偽名(alias) / family [last, second] *name* 姓，名字 / first [given] *name* (姓に対して)名 / maiden [birth] *name* (女性の)結婚前の姓，旧姓 / middle *name* ミドルネーム / pen *name* ペンネーム，筆名(pseudonym) / real *name* 本名 / scientific *name* 学名 / stage *name* 芸名，舞台名．

[語法] (1) 人名は，英米では「個人名―姓」の順で言う．例えば Abraham Lincoln では Abraham が個人名(forename, first nàme;《米》gíven nàme;《正式》forename; Christian name; baptismal name)で Lincoln が姓(lást nàme; fámily náme; surname). John Fitzgerald Kennedy の場合，個人名と姓の間にある名前は míddle náme といい，しばしば頭文字だけで表される．時に2つ以上つけられる．
(2) 日本人の名前は英米人とは順序が逆なので first [last] *name* より given [family] *name* という言い方を使う方が誤解を招かない．なお，英語の中での姓名の表記は，Yamamoto Taro のように，それぞれの言語による語順に重んじようとする動きもある．
(3) 人を話題にする時に個人名を用いるのは親しい間柄や子供に限られ，くだけた言い方．
(4) a) 政治・芸能・スポーツ・映画界などの有名人や，男性社員・男子生徒などの集団の成員を話題にする時，姓だけが使われる． b) 女性を姓でさす場合「Miss [Mrs., Ms]＋姓」とする．
(5) 呼びかけの場合，親しい人であれば個人名だけでよいが，正式の場合や敬意を表す場合は「Mr. [Mrs., Miss, Ms]＋姓」で表す(→ **miss**²).
(6) 英米では妻が夫に対して，または親が子に対して，しかったりなじったりする時に姓と名を言って呼びかけることがある: You're lying to me, *Eddie Barrett*. エディ=バレット，あなた，うそを言ってるでしょ．

2 ⓒⓤ **名ばかりのもの**[存在]，名目，名義‖ open an account under my son's *name* 私の息子名義で口座を開く / He failed in fact if not *in name*. 名目上は失敗でなかったにせよ実際は失敗だった / Liberty has become only a *name* in that country. その国では自由は名ばかりのものになった．

3 ⓒ [通例 a ~] […だという/…としての]**評判**，世評；**名声**，高名[*for, of / as*]‖ The college *has a good name for* English education. その大学は英語教育で有名である / leave a *name* 後世に名を残す / get *a bad name* 悪評を得る．

4 a ⓒ《略式》[しばしば big [great, famous, household] ~(s)] […の分野での]有名人，著名人，

名士(in); 芸能界のスター ‖ Sir Isaac Newton is one of the most *famous names* in science. アイザック=ニュートンは科学史上最も有名な人の一人だ. **b** [形容詞的に] (主に米略式) 有名な, 一流の ‖ a *name* brand 一流銘柄 / a (big-)*name* band 一流楽団. **5** ⓒ 家門, 一家, 一門, 一族; 家名; 氏族 ‖ the last of one's *name* 家門の最後の人.

ánswer to the náme of A (略式)〈主にペットが〉…という名である.

***by náme** (1) 名前を; 名前を言って, 名指しで ‖ He called [criticized] me *by name*. 彼は私を名指しした[名指しで非難した] / I know her by sight but not by *name*. 彼女の顔には見覚えがあるが名前は知らない. (2) 名前は[を], …という名前の ‖ a friend of mine, Jeff *by name*. ジェフという私の友だち.

by the náme of A 通称…という名で ‖ go *by the name of* Block ブロックという名前で通っている《◆本名と違う場合もある》.

cáll A **námes** = **cáll námes at** A (ふつう子供たちが)〈相手〉を(馬鹿・うそつきなどと)ののしる, 罵倒(ぼう)する ‖ …の悪口を言う.

dróp námes (略式)さも親しげに有名人の名前を言いふらす.

énter one's **náme for** A = put down one's NAME for.

gíve one's **náme to** A …を発明[創始]して自分の名前をつける.

in Gód's [héaven's, Chríst's] náme = in the NAME of (3).

***in náme (ónly)** 名ばかりの, 名目だけは(→ **2**) ‖ They're married *in name only*. 彼らは結婚しているとはいえ名ばかりだ.

in the náme of A = *in* A*'s náme* (1) (正式)[しばしば命令文で]…の名において, …の権威において; 後生だから ‖ *In the name of* mércy, stop crying. 後生だから泣くのはやめてくれ. (2) …の美名のもとに, …の名目で. (3) (略式)[God, Christ, heaven, common sense, goodness などを伴い, 疑問詞を強調して]いったいぜんたい ‖ *In the name of* Gód, where did you get that stuff? (正直なところ)いったいどこでそんなものを手に入れたのか. (4) …の名義で.

***máke a náme (for** oneself**)** = **máke** one's **náme** 有名になる, 名をあげる ‖ He made his *name* as a DJ. 彼はディスクジョッキーとして有名になった.

náme námes (悪事の関係者などの)名を公表する; …を名指しする.

pút a náme to A …を適切に表現する; …の名を思い出す《◆ふつう cannot を伴う》‖ I *can't put a name to* you — but I'm sure I've met you. 君の名は思い出せないが, 確かに会ったことがある.

pút down one's **náme for** A = **pút** one's **náme dówn for** A (1) 〈学校・クラブなど〉の入学[入会]志願者として記入する. (2) 〈競技など〉の参加者として登録する.

táke A*'s **náme in váin** (1) (略式)〈人〉の名をやたらに口にする. (2) [God's name で](誓いなどで)神の名をみだりに口にする; 神の名を用いて悪態をつく.

the náme of the gáme (略式)(1) (最も)肝心なこと, 眼目. (2) (活動などの)本質, 当たり前のこと.

to one's **náme** (略式) [通例否定文で] (主に金銭を)自分の所有として ‖ I *don't have a cent to my name*. 自分のお金は一銭もない.

ùnder the náme (of) A …という(本名とは異なる)名で.

—— 動 (~s/-z/; (過去・過分) ~d/-d/; nam·ing)
—— 他 **1** [name A ⓒ]〈人が〉A〈人・物など〉に(Cと)名前をつける, …を(…と)名づける《◆C は名詞. (2) C の前に as をつけない》‖ an island which was *named* "San Salvador" by Columbus コロンブスによってサンサルバドルと名づけられた島 / They *named* the child (Alexander). 子供に(アレキサンダーという)名をつけた.

[語法] (1) call より堅い語. (2) 愛称をいう場合は call: They called him Alex. 彼らは彼をアレックスと呼んだ. (3) 店・本・映画などの名をいうのには用いない: a coffee shop called [×named] "Paradise" 「パラダイス」という名の喫茶店.

2〈人が〉〈人・物など〉の(正しい)名前を言う;〈人・物〉の名前をあげる; …の身元を明らかにする;〈人〉を訴える, 告訴する ‖ Can you *name* all the trees in the garden? 庭の木の名前をみんな正しく言えますか.

3 (正式) [name A (as, to, for, to be) C]〈人が〉A〈人〉を C〈官職・地位・仕事など〉に指名[任命]する(appoint), 選ぶ;〈人〉を(…するように)指名する(to do) ‖ The president *named* him (*as* [*to be*]) Secretary of Defense. 大統領は彼を国防長官に指名した《◆ C は名詞(句)でふつう無冠詞. as, to be は省く場合が多い》/ She has been *named* 「*for* the position [*to* represent her company]. 彼女はその地位に(会社の代表に)任命された.

4〈価格・日時など〉を指定して言う, はっきり定める ‖ *name* the day (女が)結婚式の日取りを決める.

***náme** A **(C) áfter** [(米) **for**] B B〈人〉の名をとって[にちなんで] A〈人・物〉に(Cと)名をつける ‖ He was *named* Henry *after* his father. 彼は父親の名前をとってヘンリーと名づけられた《◆米英では親子が同名を名のることができる. cf. Junior, Senior》.

to náme (but) a féw (ほんの)2, 3 例をあげると.

yóu name it (略式) [通例名詞を列挙した後で](まだほかにも)何でも言ってくれ ‖ Potatoes, tomatoes, carrots — *you name it*, we've got it. ジャガイモ, トマト, ニンジン, ほか何でも(店には)あるよ.

náme dày (1) (古) 聖名[霊名]祝日《自分の洗礼名となっている聖人の祝日》. (2) 命名日《洗礼を受けて洗礼名をもらう日》.

náme·a·ble /néɪməbl/ 形 = namable.

náme-càll·ing /néɪmkɔ̀ːlɪŋ/ 《call A names より》名 ⓤ 悪口を言うこと.

náme-dròp /néɪmdrɑ̀p|-drɔ̀p/ 動 (過去・過分) **náme-dròpped**/-t/; **-dròp·ping** 自 (略式) = drop NAMES.

náme-dròp·ping /néɪmdrɑ̀pɪŋ|-drɔ̀p-/ 形 (略式) (さも親しげに)有名人の名前をすぐ口にする.

†**náme·less** /néɪmləs/ 形 **1** 世に名が知られていない, 無名の(↔ well-known, famous) ‖ a *nameless* writer 名もない作家. **2** [shall [must] be ~] 名を明かさない[明かせない] ‖ These words were spoken by someone who *shall be* [remain] *nameless*. この言葉は伏せておくがある人が言ったものだ. **3** 名のない, 名づけられていない. **4** (所有者・製作者・贈り主などの)名前が記されていない, 匿名(ぶ)の ‖ a *nameless* grave 無名の墓 / a *nameless* gift 匿名の贈り物. **5** (恐怖などの)名状しがたい. **6** 言語道断な ‖ *nameless* crimes 言うもはばかられる犯罪.

name・ly /néimli/ 副 はっきり[具体的に]言えば；すなわち，つまり (that is to say)《◆(1)挿入的に用い，文頭では用いない．(2) 後には前に述べたものより具体的な名詞がくる．(3) 後に文がくる場合は that is to say と書きかえる》‖ One of his relatives, *namely* his aunt Mary, died of cancer. 彼の親類の一人，すなわちメリーおばさんがガンで亡くなった / Soils may be put into three groups, *namely* clay, sand, and loam. 土壌は3つのグループに分けられる．すなわち粘土，砂，ロームである．

name・plate /néimplèit/ 名 C 表札；名札，ネームプレート．

†**name・sake** /néimsèik/ 名 C **1** 同名の人[もの]．**2** (ある人に) ちなんで名づけられた人．

name-tag /néimtæg/ 名 C 名札．

nam・ing /néimiŋ/ 動 → name.

Nan・cy /nǽnsi/ 名 ナンシー《女の名．Ann(e) の愛称》．

Nan・jing /nɑ́ːndʒíŋ/ 名 ナンキン(南京)《中国江蘇省の省都．Nankin(g) ともする》．

Nan・king /nænkíŋ, (米+) nɑːn-/, **--kin** /-kín/ 名 =Nanjing.

nan・ny /nǽni/ 名 C **1** (英) うば，ばあや，子守女．**2** (英小児語) おばあちゃん (の(略式) granny). **3** (略式) = **nanny goat**. **nánny gòat** 雌ヤギ (→ billy goat).

na・no- /nǽnə, néinə |-nəʊ/ 語要素 「語要素一覧 (1.1).

na・no・tech・nol・o・gy /nǽnəteknɑ́lədʒi | nǽnəʊteknɔ́l-/ 名 U ナノテクノロジー《10億分の1メートルレベルの微細加工技術》．

Na・o・mi /neióumi | néiəmi/ 名 [旧約] ナオミ《Ruth の姑 (しゅうとめ)》．

*****nap**[1] /nǽp/
— 名 (複 ~s/-s/) C (特に決まった時刻の) 昼寝，仮眠 (short sleep) (使い分け → asleep **1**) ‖ *take* [*have*] *a nap* 昼寝をする．
— 動 (過去・過分 napped/-t/; nap・ping) 自 昼寝をする．
cátch A nápping (略式)《人》の不意をつく．

†**nap**[2] /nǽp/ 名 C **1** (ビロードなどの) けば．**2** [植] 短紙毛．— 動 (過去・過分 napped/-t/; nap・ping) 他《布地などに》けばを立てる．

na・palm /néipɑːm, (英+) næ-, (米+) -pɑːlm/ 名 **1** U [化学] ナパーム．**2** C =napalm bomb.
napálm bòmb ナパーム弾．

†**nape** /néip, (米+) nǽp/ 名 C [通例 the ~ of [one's] neck] 首の後ろ，うなじ，首筋．

na・per・y /néipəri/ 名 U (正式) =table linen.

nap-friend・ly /nǽpfréndli/ 形 昼寝にやさしい，昼寝を誘うような[邪魔しない]．

naph・tha /nǽfθə, nǽp-/ 名 U [化学] ナフサ，揮発油．

naph・tha・lene, --line /nǽfθəliːn, nǽp-/ 名 U [化学] ナフタリン．

†**nap・kin** /nǽpkin/ 名 C **1** (略式) テーブルナプキン ((正式) table napkin, (英) serviette) 《食事の際衣服を汚さないよう胸にかけ，また手や口をふくために用いる吸水性の布や紙》．**2** (主に英古式) おむつ ((英式) nappy). **3** (米) 生理用ナプキン (sanitary napkin).

†**Na・ples** /néiplz/ 名 ナポリ《イタリア南部の都市．形容詞は Neapolitan》‖ *See Naples and die.* (ことわざ) ナポリを見てから死ね．

na・po・leon /nəpóuliən/ 名 **1** C [歴史] ナポレオン金貨《昔のフランスの金貨．20フランに相当》．**2** C (菓子) ナポレオン《カスタードクリームを間にはさんだパイ菓子》．**3** U C ナポレオン《上質のブランデー》．

†**Na・po・leon** /nəpóuliən/ 名 **1** ナポレオン(1世)《~ I, ~ Bonaparte/-bóunəpɑːrt/ 1769-1821；フランス皇帝 (1804-15)》．**2** ナポレオン3世《~ III, Louis ~ Bonaparte 1808-73；ナポレオン1世の甥(おい)，フランス皇帝 (1852-70)》．

Na・po・le・on・ic /nəpòuliɑ́nik |-ɔ́nik/ 形 ナポレオン1世 (時代) の；ナポレオンのような．
Napoleónic Wàrs [the ~] ナポレオン戦争《1796-1815；ナポレオン1世による一連の戦争》．

nap・py /nǽpi/ 名 C (英) おむつ ((米) diaper).

narc /nɑ́ːrk/ 名 C (米略式) (連邦) 麻薬捜査官．

nar・cis・si /nɑːrsísai/ 名 narcissus の複数形．

nar・cis・sism /nɑ́ːrsəsìzm, (英+) -ˊ-/ 名 U 自己愛，自己賛美，[精神分析] ナルシシズム，自己陶酔(症)．

nàr・cis・sís・tic 形 自己陶酔する．

nar・cis・sist /nɑ́ːrsəsist/ 名 C ナルシスト，自己陶酔者．

nar・cis・sus /nɑːrsísəs/ 名 (複 ~es, --cis・si /-sísai/) C [植] スイセン．

†**Nar・cis・sus** /nɑːrsísəs/ 名 [ギリシャ神話] ナルキッソス《泉に映った自分の姿に恋いこがれて死に，スイセンの花と化した美少年》．

†**nar・cot・ic** /nɑːrkɑ́tik |-kɔ́t-/ 名 C **1** [しばしば ~s] 麻(酔)薬；催眠薬．**2** 眠くなる物；(苦痛を) 和らげる物．**3** (米) 麻薬中毒者．— 形 **1** 麻酔(性) の；催眠性の；麻薬(使用) の．**2** 眠くなるような．**3** 麻薬中毒者の．

nark /nɑ́ːrk/ 名 C (英俗) 警察のスパイ，密告者 ((米) stool pigeon).

narked /nɑ́ːrkt/ 形 (英俗) 困った，悩んだ．

†**nar・rate** /nǽreit, -́-́| nəréit/ 他 (正式)《…を》(口頭で，順序立てて) 語る，述べる (tell). — 自 (劇・映画などで) 語り手を務める；語る，述べる．
nár・rat・er 名 (米) =narrator.

†**nar・ra・tion** /nǽréiʃən | nə-/ 名 **1** U (正式)《…を》語ること，《…に》関する語り，叙述 (telling) [*of*]．**2** C U 物語，話《◆語る動作に重点がある．cf. narrative》．**3** U (小説・歴史書などのような) 物語形式．**4** U [文法] 話法 ‖ direct [indirect] *narration* 直接[間接] 話法．

†**nar・ra・tive** /nǽrətiv/ 名 **1** C U (正式)《…の》(事実に基づく) 物語，話 [*of*]《◆語りの行為より物語の内容に重点がある．story が最も一般的．tale は作りあげられた架空の話．cf. narration》‖ a historical *narrative* 歴史物語 / *the narrative* of his life 彼の身の上話 / The book is mostly made up of *narrative*. その本は大部分が物語だ．**2** U 語ること，話術 ‖ have great *narrative* skills すぐれた語りの技を持つ．**3** U [時に the ~] (文章の会話部分に対し，作者が説明する) 地の文．
— 形 (正式) **1**《人》が物語を語る；《作品などが》物語形式の ‖ a *narrative* poem [poet] 物語詩[詩人] / *narrative* style 物語体．**2** 物語の，物語に関する ‖ great *narrative* power 語り口のよさ．

nar・ra・tive・ly /nǽrətivli/ 副 物語のように；物語としては．

†**nar・ra・tor, (米ではしばしば) --rat・er** /nǽreitər, -́-́| nəréi-, nær-/ 名 C (映画・劇・放送などの) ナレーター；物語る人．

*****nar・row** /nǽrou/
— 形 (~・er, ~・est)
I [幅が狭い]
1 (幅が) 狭い，細い (↔ broad, wide) ‖ a *narrow*

river 細い川 / a narrow aisle 狭い通路 / Chile is a long, narrow country. チリは細長い国だ《◆ small は体積・面積をいう．次の例では narrow は不可: a small room 狭い部屋》．
2〈広さ・範囲が〉限られた, 狭い ‖ a narrow circle of friends 限られた友人仲間 / take the word in the narrowest sense その語を最も狭義に解釈する．
|| 心が狭い
3〈心・見解・経験などが〉狭い, 〈人が〉〔見解が〕狭量な〔in〕, 思いやりのない; 〈英方言〉〔金銭などに〕けちな〔with〕‖ a narrow mind 偏狭な心．
||| ある基準との差を狭いと感じる
4〔通例名詞の前で〕かろうじての, やっとの ‖ a narrow victory 辛勝 / win by a narrow majority〔margin〕ぎりぎりの過半数で勝つ / It was a narrow escape〔(略式) shave, squeak〕! 危機一髪だった．
5《正式》〈検査などが〉入念な, 厳密な ‖ make a narrow examination of the facts 事実を徹底的に調査する．
—— 働 ⑪ **1**《正式》〈目・考えなどを〉狭くする, せばめる(+down); 〈人などを〉狭量にする ‖ "You are late again!" said the boss, narrowing his eyes. 「また遅刻したね」と社長は怒って目をせばめて言った《◆narrow one's eyes はふつう疑惑・怒りなどの表情を示す》．
2 …を〔…に〕限定〔縮小〕する, しぼる, せばめる(+down)〔to〕‖ narrow the possibilities (down) to one answer 可能性を1つの答えにしぼる．
—— ⑪ 狭く〔細く〕なる, 狭くなって〔…に〕なる(into, to)．
—— 图 ⓒ **1** 狭い部分〔場所〕．**2**〔通例 ~s; 単数・複数扱い〕海峡, 瀬戸, 河峡; 山間の細道, 峡谷．**3**〔the Narrows〕ナローズ海峡《New York 湾の Staten Island と Long Island 間の海峡》．

nárrow gáuge〔鉄道〕狭軌の軌道〔鉄道, 車両〕《軌間1.435 m 未満のもの》．

nár·row·ness 图 ⓤ 狭さ, 狭いこと; 狭量, 偏狭．

†**nar·row·ly** /nǽrouli/ 剾 **1** かろうじて, 危うく(barely)‖ narrowly escape death 危うく死をまぬがれる．**2**《正式》念入りに, 綿密に ‖ search the area narrowly その地域をくまなく捜索する．

nar·row-mind·ed /nǽroumáindid/ 厖 度量〔了見〕の狭い, 不寛容な; 偏見を持った(↔ broadminded)． **nár·row-mínd·ed·ness** 图 ⓤ 度量の狭さ, 不寛容．

nar·w(h)al /nάːrhwὰːl| -wl/, **--whale** /-hwèil/ 图 ⓒ 〔動〕イッカク《北極産の歯クジラ》．

NAS 图 National Academy of Science 米国科学アカデミー．

NASA /nǽsə, nάː-/〔the National Aeronautics and Space Administration〕图 米国航空宇宙局．

†**na·sal** /néizl/ 厖 **1**《正式》鼻(nose)の, 鼻に関する ‖ the nasal cavity 鼻腔(ﾋﾞ)．**2**〔音声〕鼻音の ‖ nasal sounds 鼻音《/m, n, ŋ/ など》．**3** 鼻声の, 鼻にかかった ‖ a nasal voice 鼻声． —— 图 ⓒ **1**〔音声〕鼻音．**2**〔解剖〕= nasal bone.

násal bóne 鼻骨．

ná·sal·ly 剾 鼻音で, 鼻にかけて．

nas·cent /nǽsnt/ 厖《正式》生まれようとする; 発生期の; 初期の．

NASDAQ /nǽsdæk, nǽz-/〔略〕〔証券〕National Association of Securities Dealers Automated Quotations ナスダック《全米証券業協会が開発した店頭銘柄気配自動通報システム》．

Nash·ville /nǽʃvil/ 图 ナッシュビル《米国 Tennessee 州の州都》．

Nas·sau /nǽsɔː/ 图 ナッソー《バハマ連邦の首都》．

nas·tur·tium /nəstə́ːrʃəm, (米+) næ-/ 图 ⓒ〔植〕**1** ノウゼンハレン．**2** =watercress.

†**nas·ty** /nǽsti | nάːs-/ 厖(**--ti·er, --ti·est**) **1** 不快な, いやな; 〈住居などが〉不潔な, 不愉快な(unpleasant); 醜い(ugly) ‖ nasty food むかつくような食べ物 / It is nasty of him to speak badly of her.(まれ)彼女のことを悪く言うなんて彼はいやなやつだ(→文法 17.5) / This medicine tastes nasty. この薬はいやな味がする．**2** みだらな, わいせつな(obscene) ‖ a nasty story 猥(ﾜｲ)談 / make nasty with … …にみだらな行為をする, …と不倫をする．**3**〈天候などが〉険悪な, 危険な ‖ nasty weather 荒れ模様 / a nasty look 険悪な目つき．**4**〈性質・言動が〉(人に対して)意地の悪い, 悪意のある, 卑劣な(wicked), 不機嫌な(to, with) ‖ a nasty trick 卑劣なたくらみ / His wife is always nasty to me. 彼の奥さんはいつも私に意地悪い．**5**〈傷などが〉ひどい ‖ a nasty accident 大事故 / a nasty cut ひどい切り傷．**6** やっかいな, 扱いにくい ‖ a nasty situation やっかいな立場．

a násty píece〔**bit**〕**of wórk**《略式》いやなやつ． **nás·ti·ness** 图 ⓤ 不快さ; 不潔さ; 卑しさ．

nat.〔略〕national; native; natural.

na·tal /néitl/ 厖《まれ》〔おおげさに〕出生(地)の, 誕生の; 出産の．

Na·than·a·el /nəθǽniəl/ 图〔新約〕ナタナエル《キリストの弟子の1人》．

na·tion /néiʃən/ 働 national(厖)

—— 图 (樓) ~s/-z/) ⓒ **1**《民族または政治的結合体としての》国, 国家(cf. country **1**) ‖ an independent nation 独立国家 / 〔an advanced〔a developing〕nation 先進国〔発展途上国〕/ ●対話● "The war is just terrible.""Yes, why don't those two nations live peacefully with each other?"「戦争はまったく恐ろしいけだよ」「うん, 2つの国が互いに平和に暮らせればいいのにね」．
2〔the ~; 集合名詞; 単数・複数扱い〕国民《◆ people は「文化的・社会的統一体」を, nation は「政治的統一体」を強調する．race は「身体的特徴, 歴史が共通な人々」》‖ the British nation 英国国民 / the voice of the nation 国民の声, 世論 / The whole nation was〔×were〕anxious for peace. 全国民が平和を切望していた(→文法 14.2⑤)．
3〔集合名詞; 単数・複数扱い〕共同体, 民族, 種族《共通の言語・歴史・宗教・文化を持つ人々の共同体．必ずしもひとつの国家を形成しているとは限らない》‖ the Jewish nation ユダヤ民族．**4**(北米先住民の)部族(連合); その居住領域 ‖ the Sioux nation スー一族．

na·tion·al /nǽʃənl/ 働 nationality (图), nationally (剾)

—— 厖〔通例名詞の前で〕**1a** 国家の, 国家的な ‖ the (British) national flag (英国)国旗 / national affairs 国事, 国務 / a national crisis 国家の危機 / serve the national interest 国益に資する．**b** 全国的な, 国全体の; 中央の(↔ local) ‖ a national election 全国選挙 / a national newspaper 全国紙(→ newspaper 图**1**〔事情〕) / a national holiday 国の祝祭日 / a national government (地方に対し)政府(に対し)中央政府 / a national capital (州都に対し)首都, 首府．**c** 国内的な(↔ international) ‖ deal with national and international problems 国内的・国際的問題を扱う. **2** 国民の, 国民的な, 国民全体の; 国民に特有の; 国を代表する ‖ *national* life 国民生活 / a *national* heritage 国民的遺産 / a *national* referendum 国民投票 / the *national* character [traits] 国民性 / (a) *national* costume 国民特有の服装, 民族衣装 / Sumo is our *national* sport. 相撲はわが国の国技です / *national* feelings 国民感情.

3 国立の, 国有の, 国営の ‖ a *national* park [theater] 国立公園[劇場] / Masao goes to a *national* university. 正夫は国立大学に通っています.

──名 **1** Ⓒ [通例~s; 修飾語句を伴って] (主に外国に居住する特定国の)国民, 市民; (正式) …国籍の人 ‖ American *nationals* in France フランス居住のアメリカ人 / I'm a Japanese *national*. 私は日本国籍です《◆この意味では I'm Japanese. がふつう》. **2** [~s] 全国競技会.

ná·tional ánthem 国歌.

ná·tional bánk (1) (米国の)国法銀行《連邦政府認可の商業銀行》. (2) 国立銀行.

Nátional Cóngress [the ~] (インドの)国民会議派.

Nátional Convéntion [しばしば n~ c-] [the ~] (米国の政党の)全国大会《4年に1度開かれ大統領・副大統領候補を指名する》.

Nátional Currículum (英国の)共通カリキュラム《イングランド・ウェールズ全域で実施される新教育カリキュラム》.

nátional débt [the ~] 国債.

nátional fórest [時に N~ F-] (米) 国有林.

Nátional Frónt [the ~] 国民戦線《英国の極右政党》.

Nátional Gállery [the ~] 英国国立美術館《ロンドンにある》.

nátional góvernment (1) 中央政府. (2) (超党派の)挙国一致政府. (3) [the N~ G-] 連立内閣《英国の1931-35の MacDonald 首相の時》.

nátional gríd (英) 主要発電所間の高圧送電線網.

Nátional Gúard [the ~] (米国の)州兵, 州民軍《平時は州に所属し非常時には連邦政府の指揮下に入る民兵組織》.

Nátional Héalth Sèrvice [the ~] (英国の)国民健康保険サービス制度《(略) NHS》.

nátional íncome (年間)国民総所得.

Nátional Insúrance [しばしば n~ i-] (英国の失業者・退職者・病人の)国民保険(制度)《(略) NI》.

Nátional Léague [the ~] ナショナルリーグ《American League とともに米国の2大プロ野球連盟をなす. cf. major league》.

nátional mónument (主に米) 国定記念物《政府が管理する天然記念物・史的建造物・史跡など》.

nátional séashore (米国連邦政府管理の)国立海浜公園.

nátional secúrity 国家安全保障.

nátional sérvice [しばしば N~ S-] (英) 義務兵役(制度)《◆ 1959年廃止. (米) draft, selective service》.

Nátional Trúst [the ~] ナショナルトラスト《史的建造物・史跡・自然美を保護するための団体》.

†**na·tion·al·ism** /nǽʃ(ə)nəlìzm/ 名 U **1** 国家主義, 国粋主義 (↔ internationalism); 愛国心, 国家意識; 愛国主義[運動]. **2** 民族(独立)主義.

†**na·tion·al·ist** /nǽʃ(ə)nəlɪst/ 名 Ⓒ **1** 民族(独立)主義者; 国家[国粋, 愛国]主義者 ‖ He is an ardent Korean *nationalist*. 彼は強烈な朝鮮民族主義者だ.

2 [N~] 国家(主義)政党員, 国民党員.

──形 **1** 民族(独立)主義者の, 国家主義者の. **2** [N~] 国家主義政党員の.

na·tion·al·is·tic /nǽʃ(ə)nəlístɪk/ 形 愛国(国粋, 国家)主義(者)の, 狂信的[排外的]愛国主義(者)の.

****na·tion·al·i·ty** /nǽʃənǽləti/ [→ national]
──名 (優) --ties/-z/) **1** ⓊⒸ 国籍 ‖ a melting pot of races and *nationalities* 人種と国籍のるつぼ / the *nationality* of a ship 船籍 / acquire [have, be of] French *nationality* フランス国籍を得る[持つ] / ◎対話 "*What nationality are you?* = *What is your nationality?*" "I'm a Japanese." 「国籍はどこですか」「日本です」《◆×*Where* is your nationality? は不可》. **2** Ⓒ 国民, 国家; (一国家内の)民族(集団), 部族 ‖ the various nationalities of Africa アフリカのさまざまな民族. **3** Ⓤ 国家的独立[存在] ‖ achieve [attain, obtain] *nationality* 国家として独立する.

na·tion·al·ize /nǽʃənəlàɪz/ 動 他 **1** …を国有[国営]化する (↔ privatize). **2** …を全国的にする, 国民[国家]的なものにする. **3** …を1つの国家[国民]にする.

nà·tion·al·i·zá·tion 名 Ⓤ 国有(化); 国営; 全国化, 国民的統一.

†**na·tion·al·ly** /nǽʃnəli/ 副 **1** 国家[国民]的に, 全国民によって; 国家[国民]として, 国家的見地から (見ると). **2** 全国(規模)で, 全国的に (見て).

na·tion-state /néɪʃənstéɪt/ 名 Ⓒ 国民国家《言語・伝統・歴史の国民的同一性を基盤とする国家》, 政治的に独立した国家.

na·tion(-)wide /nèɪʃənwáɪd/ 形 副 全国的な[に].

****na·tive** /néɪtɪv/ 『「生まれながらの」が原義. cf. *nature*』

──形《◆比較変化しない》

Ⅰ [生まれた土地の]

1 [名詞の前で] 〈国・言語などが〉出生地の, 母[生]国の; 生まれた時からの ‖ one's *native* language 母語 / (正式) mother tongue / a *native* speaker 母語話者 / The immigrants wept for their *native* country. 移民たちは故国を想(おも)って泣いた《◆「故郷」の意味で one's *native* town [place] は(今はあまり). 市町村を問わず one's hometown とする》.

2 (正式) [名詞の前で] 〈人が〉ある土地[国]に生まれた[育った]; 本来その土地の, 生え抜きの ‖ a *native* Londoner 生粋のロンドンっ子 / a *native* speaker of English 英語を母語として話す人 / a *native* speaking teacher of Basque バスク語を母語とするバスク語の先生.

3 (正式) 〈動植物・産物などが〉〔ある場所に〕特有の, 原産の, 産出する〔to〕‖ the *native* flowers of China 中国原産の花 / *native* farm products ある土地特有の農産物 / architecture (which is) *native* to Japan 日本独特の建築.

4 (侮蔑) [名詞の前で] (ふつう白人から見て)(未開の)原住[土着]民の((PC) local) ‖ *native* customs in Java ジャワ島原住民の風習 / a *native* guide その土地の案内人.

Ⅱ [生まれながらの性質]

5 〈性質などが〉…に生まれつきの, 先天的な〔to〕‖ her *native* modesty 彼女の生来の謙虚さ / musical ability (which is) *native* to the family その家族の生まれながらの音楽的才能.

6 〈金属・鉱物などが〉純粋な, 自然の, 天然の; 〈土地の美しさなどが〉自然のままの ‖ *native* silver 自然銀 / *native* coal 天然炭 / the *native* beauty of the

nativity

hills その丘の自然のままの美しさ.
gó native 〘略式〙〈ふつう他国における白人が〉その国の人になるようにする[なろうと努める].
— 名 ⓒ (略 nat.) **1** 〔ある土地に〕生まれた人, 〔…の〕出身者〔of〕《◆単独では侮蔑〘古〙的含みを持つことがある》∥ a native of New York City 生粋のニューヨークっ子 / speak English like a native ネイティブスピーカーのように英語を話す (=... like a native speaker of English). **2** 〔訪問者・外国人などと区別して〕土地の人. **3** 〔ある土地に〕固有[原産]の動物・植物〔of〕∥ The koala is a native of Australia. コアラはオーストラリア原産の動物である(=... is native to Australia.). **4**〔まれ〕〔しばしば~s〕〔しばしば侮蔑〕(特に白人以外の未開な)原住民, 土着民《(PC) local inhabitant》.

Native American (イヌイットを除く)アメリカ先住民(American Indian, Amerindian); 〔形容詞的に〕アメリカ先住民の.

†**na·tiv·i·ty** /nətívəti, (米+) nei-/ 名 **1** ⓤⓒ 〔正式〕〔おおげさに〕誕生, 出生(birth) ∥ the place [time] of one's nativity 誕生の地[時]. **2**〔the N~〕**a** キリストの降誕; キリスト降誕の絵画[彫刻]. **b** キリスト降誕祭, クリスマス(の日); 聖母マリアの誕生祭(9月8日); 聖ヨハネ誕生祭(6月24日). **3**ⓒ〔占星〕人の誕生時の天宮図.

nativity play 〔しばしばN~ p-, N~ P-〕キリスト降誕劇.

natl. (略) national.

NATO, Na·to /néitou/ 〖発音注意〗 名 =North Atlantic Treaty Organization.

na·tron /néitrɑn| -trən/ 名 ⓤ 〔化学〕ナトロン《天然の炭酸ソーダ[ナトリウム]》.

nat·ter /nǽtər/ 動 ⓐ 〔英略式〕〔…について〕ぺちゃくちゃしゃべる; 不平を言う, ぶつぶつ言う(+away, on) 〔about〕.

nat·ty /nǽti/ 形 (**-ti·er**, **-ti·est**) 〔略式やや古〕しゃれた, いきな.

ːnat·u·ral /nǽtʃərəl/ 派 naturally (副)

index 形 **1** 自然の **3** 当然の **5** 生まれつきの

— 形〈♦ **1**, **2**, **7**, **8** はふつう比較変化しない〉
Ⅰ【環境が自然の】
1〔通例名詞の前で〕自然の(↔ artificial), 天然の, 自然界の ∥ natural disasters 天災 / natural products 天然の産物 / the natural world 自然界 / the natural beauty of the Alps アルプスの自然美.

2〔名詞の前で〕自然のままの, 人の手を加えない(↔ artificial); 自然の法則に従った; 人知の範囲内の(↔ supernatural) ∥「Natural food is [Natural foods are] good for your health. 自然食品は健康によい / die a natural death =die of natural causes 自然死する / animals in their natural surroundings 自然の環境にある動物.

Ⅱ【心・考えが自然の】
3〈事が無理のない〉; (論理的・人道的に) 当然の, もっともな(↔ unnatural, abnormal) ∥ the natural course of events 出来事の自然の過程 / natural justice [rights] (人として)当然の道義[権利] / It is quite natural for him to think so. =It is quite natural (that)「he should think [he thinks, ˣhe think] so. 彼がそう思うのはまったく当然だ.

4〈態度などが〉ふだんのまま, 気取らない, 飾り気のない ∥ assume a natural pose 自然なポーズをとる / be natural with other people 他人に対して気取らない.

5〔通例名詞の前で〕〈性質・能力などが〉(本質・特徴として)〔…にとって〕生まれつきの, 生来の(innate); 〔…に〕ふさわしい〔to〕; 天性の ∥ overcome one's natural shyness 生まれつきの内気を克服する(→ native 形 **5**) / He is a natural [born] athlete. 生まれながらの運動選手です.

Ⅲ【実物・本物に近い】
6〈人・物・場所などが〉生き写しの, 実物そっくりの, 真に迫った ∥ a natural likeness 生き写し(の人) / The portrait looks very natural. その肖像画は実物そっくりに見える. **7**〔名詞の前で〕〈養父母に対し〉実の, 生みの ∥ the natural parents of the adopted child その養子の実の親. **8**〔音楽〕本位の, 〈音の高さが〉本位記号《♮》により元に戻った ∥ C natural 本位のハ音.

còme nátural to A 〘略式〙 =come NATURALLY to.

— 名 ⓒ **1**〔略式〕〔通例 a ~〕〔仕事・劇の役などに〕うってつけの人, 適任者〔for〕;〔…するのに〕天性の素質がある人; 成功間違いなしの人〔物, 事〕〔to do〕∥ She's a natural for that sort of job. そういう仕事には彼女はぴったりだ. **2**〔音楽〕**a** =natural sign. **b** 本位音. **c** (ピアノ・オルガンなどの)白鍵〔キー〕.

nátural chíldbirth 自然分娩(ベん).
nátural énemy 天敵.
nátural fórces (あらし・雷などの)自然力.
nátural gás 天然ガス.
nátural históriɑn 博物学研究家, 博物誌の著者.
nátural hístory 博物学《動物学・植物学・鉱物学などの昔の総称》.
nátural lánguage (人工言語に対して)自然言語.
nátural phenómenon 自然現象.
nátural relígion (啓示でなく理性や自然に基づく)自然宗教.
nátural resóurces 〔複数扱い〕天然資源 ∥ 日本発》 Because it is poor in natural resources, Japan imports metal and crude oil from around the world. 日本は天然資源に乏しい国であるので, 金属・原油を世界中から輸入している.
nátural scíence 〔通例 -s〕自然科学(cf. social science(s)).
nátural seléction 〔生物〕自然淘汰(ホラ), 自然選択.
nátural sign 本位記号, ナチュラル《♮》.
nát·u·ral·ness 名 ⓤ 自然らしさ, 気取りがないこと.
nat·u·ral-born /nǽtʃərəlbɔ́ːrn/ 形 **1** 生まれつきの, 先天的な. **2** その国〔土地〕に生まれた.
nat·u·ral·ism /nǽtʃərəlìzm/ 名 ⓤ **1**〔文芸・哲学〕自然主義;〔神学〕自然神学. **2** 本能[自然]主義(的行動).
†**nat·u·ral·ist** /nǽtʃərəlist/ 名 ⓒ **1** 動物[植物]研究家, 博物学者. **2**〔文芸・哲学上の〕自然主義者.
nat·u·ral·is·tic /nǽtʃərəlístik/ 形 **1** (主に文芸上の)自然主義の, 写実的な. **2** 自然を模した, 自然によく似た. **3** 自然研究(家)の.
†**nat·u·ral·i·za·tion**, 〔英ではしばしば〕**--i·sa--** /nǽtʃərəlazéiʃən| -əlai-/ 名 ⓤ **1** (外国人の)帰化; (動植物の)帰化, 移植. **2** (外国の言語・習慣などの)移入;(環境への)順応.
†**nat·u·ral·ize**, 〔英ではしばしば〕**--ise** /nǽtʃərəlàiz/ 動 ⓣ **1**〔…に/…として〕〈外国人〉を帰化させる, …に市民

naturally

権を与える〔in, into / as〕‖ be naturalized「in Japan [as a Japanese]」日本に帰化する / a naturalized American 帰化してアメリカ人になった人. **2**〈動植物を〉〔…に〕帰化させる, 新しい風土に移植し慣らす;〈外国の言葉・習慣などを〉〔…に〕取り入れる, 移入する〔in, into〕‖ Chinese characters were naturalized into Japan long ago. はるか昔に漢字は日本に取り入れられた.

*nat·u·ral·ly /nǽtʃərəli, (英+) nǽtrəli/[→ natural]
── 副 **1**[しばしば文全体を修飾]**もちろん**, 予想されていたように, 思っていたとおり《◆(1) 文頭に用いることが多いが, 文中・文尾にも用いられる. (2) naturally は論理的に考えて「もちろん」, of course は「誰にも明白である」を含意して「もちろん」》‖ "Naturally, he [He naturally] got the gold prize in the contest. 予想通り彼がコンテストで金賞をとった / 《対話》 "You were at the party last night, weren't you?" "Naturally!"〔ᴗ〕「昨夜のパーティーには出席なさったでしょうね」「もちろんですとも」. **2 生まれつき**, 生来(by nature)‖ naturally curly hair 天然パーマ(の髪) / I am naturally all thumbs. 私は生まれつき不器用です. **3**[動詞の後で]**自然に**, 気取らずに, ふだん通りに(in a natural way)‖ Try to speak naturally into the microphone. マイクに向かって気取らずに話すようにしなさい. **4**(人手によらず)自然に, 天然に, ひとりでに;自然の過程によって‖ grow naturally 自生する / die naturally (変死でなく)自然死する(= die a natural death). **5** 実物のように, 写実的に‖ paint flowers naturally 花を実物通りに描く.
cóme náturally to ㋐〈事が〉〈人などに〉とって生得的な[もの]である, たやすい, 楽にできる(= 《略式》come natural to ㋐)‖ Singing comes as naturally to her as flying does to birds. 彼女にとって歌うのは鳥が空を飛ぶのと同じくらい楽なことだ.

‡**na·ture** /néitʃər/ 🔊 natural (形)
── 名 (複 ~s /-z/)
Ⅰ [自然]
1 Ⓤ **a 自然**(↔ art), 自然界, 物質界《◆太陽・空・星・海・山・川・動植物など, 人工物を除くすべてを含む外的世界. この意味では冠詞をつけない》‖ the wonders of nature 自然の驚異 / We cannot control nature. 我々は自然を支配することはできない / In spring all nature looks full of joy. 春は万物が喜びにあふれて見える / Nature was his chief source of inspiration. 自然が彼の霊感の主な源泉だった. **b** 自然力[作用], 自然現象;[しばしば N~] 自然の女神, 造化の神, 造物主《◆しばしば she, her で受ける. おどけて Mother Nature ということがある》‖ the laws of nature 自然の法則 / leave a cure to nature 治癒(ᅌ)を自然にまかす / **Nature is the best physician.** (ことわざ)自然は最良の医者 / It would be better for you to let nature follow her course. 自然の成り行きにまかせたほうがいいよ.

Ⅱ [自然のままであること]
2 Ⓤ (人・物・場所の)ありのままの[自然な]**姿**, 実物‖ The president's portrait is very true to nature. 大統領の肖像画は本物そっくりです / paint from nature 写生する.
3 Ⓤ 体力, 活力, 生命力[機能];[遠回しに](排泄(ᅍ)・性欲などの)肉体的要求‖ Pardon me, nature calls. すみません, トイレに行ってきます(=I need to use the toilet.) / I felt a call of nature in class. 授業中にトイレに行きたくなった.
4 Ⓤ (文明と無縁の)原始的[原始の, 野生の]**生活**‖ return [go back] to nature (文明世界を去り)自然に帰る, 質素な生活様式に帰る.
5 Ⓤ Ⓒ 《正式》 [しばしば the ~] (人・動物の)**性質**(character), 本性, 天性;性向;(物・事の)**本質**, 特質(quality); Ⓒ [修飾語を伴って] …の性質の人‖ a (man of) good [ill] nature 気立てのやさしい[意地悪な]人 / human nature 人間性 / This job suits my nature. この仕事は性に合う / man's rational [moral, animal] nature 人の理性[徳性, 獣性] / **Habit is** 《古》 **a [the] second nature.** (ことわざ)習慣は第二の天性(→ habit 图 **1**) / Don't overlook the true nature of the event. 事の本質を見落とすな / Nature or nurture? → nurture.
6 [a/the ~;通例 of + 形容詞の後で](性質から見た)**種類**‖ 『Things of that nature [Books of scientific nature] do not interest me. 私はその種の事[科学的な本]には興味がない《◆それぞれ things of that kind, scientific books の方が好まれる》.
agáinst [**cóntrary to**] **náture** (1) 不自然な[に], 不道徳な[に], 倒錯した. (2) 奇跡的な[に].
***by náture** [be 動詞と共に] **生まれつき**, 生来;本来, もともと‖ He is by nature a generous person. 彼は生来寛大な人だ(= He has a generous nature.).
in náture (1) 本質的に. (2) 実在して. (3) [疑問の強意] いったいどこに;[否定の強意] まったくどこにも.
in the cóurse of náture 自然の成り行きで, ふつうに行けば.
in [of] the náture of ㋐ 《正式》 …の性質を帯びた, 実質的に…に等しい, …に似ている‖ The words were in the nature of a threat. その言葉ははる で脅しだった.
náture resèrve 自然保護区.
náture stùdy 自然研究《初等教育で行なう初歩的な動植物の観察・研究》.
náture tràil [**wàlk**] 自然観察歩道.
náture wòrship 自然崇拝.
-na·tured /-néitʃərd/ 腰 → 語要素一覧 (1.2).
na·tur·ism /néitʃərìzm/ 图 Ⓤ 《英》裸体主義(nudism).
na·tur·ist /néitʃərist/ 《英》 图 Ⓒ 形 裸体主義者(の) (nudist).

†**naught,**《主英》 **nought** /nɔ:t/ 图 **1** Ⓒ Ⓤ 《米》[数学]**零, ゼロ**(zero)(→ number)‖ naught point six 0.6 / point naught six .06. **2** Ⓤ 《文》**無**《次の句で》‖ all for naught むだに, むなしく / bring ... to naught …を無にする / "come to [go for] naught 失敗に終わる. **3** Ⓒ [通例 a ~ / ~s] 無価値な物, つまらない人. ── 形 **1** 無価値な, 無益な. **2** 非存在の, 無の. ── 副 少しも…でない(not at all).

†**naugh·ty** /nɔ:ti/ 形 (**-ti·er, -ti·est**) **1 a**〈子供のふるまい〉いたずらな, わんぱくな, 行儀の悪い‖ a naughty boy いたずらっ子 / Naughty, Naughty! 《略式》こらこら, だめだぞ. **b**《英》《大人が》(道徳的に)少し悪い, やや不謹慎な. **2**《英やや古》[遠回しに] わいせつな, 下品な‖ a naughty wink みだらなウインク. **náugh·ti·ly** /nɔ:tili/ 副 わんぱくに, 行儀悪く. **náugh·ti·ness** 图 Ⓤ わんぱく, 行儀の悪さ, いたずら好き.

Na·u·ru /na:ú:ru: | nauru:/ 图 ナウル《南太平洋の島国》.

†nau·se·a /nɔ́ːziə, -ʒə| -siə, -ʃiə/ 名 U 《正式》 **1** 吐き気, むかつき. **2** 船酔い(seasickness). **3** (ひどい)嫌悪(感), 嫌気.

nau·se·ate /nɔ́ːzièit, -ʒièit| -sièit/ 動 他 《正式》 **1** 〈人〉に吐き気を催させる. **2** 〈人〉に嫌悪を感じさせる. ── 自 **1** 吐き気を催す. **2** 〈…に〉嫌悪をおぼえる〔at〕.

náu·se·àt·ing 形 ぞっとするような.
náu·se·àt·ing·ly 副 ぞっとするほど.

nau·seous /nɔ́ːʃəs, -ziəs| -siəs, -ʃiəs/ 形 **1** 《正式》 吐き気を催させる. **2** むかつかせる, むかつく. **3** ひどくいやな, 不快な.

†nau·ti·cal /nɔ́ːtikl/ 形 航海(術)の; 船員の; 船舶の ‖ *nautical charts* 海図 / a *nautical mile* 1カイリ (=a sea mile)《1852 m》.

náutical térm 航海用語.

nau·ti·lus /nɔ́ːtələs/ 名 (複 ~·es, -·li/-lai/) **1** C 〔動〕 オウムガイ; アオイガイ. **2** [N~] ノーチラス号《米国原子力潜水艦第1号》.

nav. *naval*; *navigable*; *navigation*.

Nav·a·ho, -·jo /nǽvəhòu/ 名 (複 ~s, ~es, 集合名詞) **Nav·a·ho**(s) Nav·a·jo) C U 形 ナバホ族[語] (の)《北米先住民の一部族》.

†na·val /néivl/ 形 海軍の(cf. military); 軍艦の; 海軍力を有する ‖ a *naval* base 海軍基地 / a *naval* officer 海軍士官 / *naval* power [strength] 海軍力 / *naval* supplies 海軍軍需品[物資] / the US *Naval* Academy 米国海軍士官学校.

†nave /néiv/ (同音) knave) 名 C 〔建築〕 (教会堂の)身廊(ヒん), ネーブ《中央の一般会衆席のある部分》.

na·vel /néivl/ 名 C へそ(図 → body); 中心部[地].
nável òrange へそミカン, ネーブル.
nável strìng へその緒.

nav·i·ga·bil·i·ty /nævigəbíləti/ 名 U **1** (川などの)航行可能なこと; 可航性. **2** (気球などの)操縦可能性.

†nav·i·ga·ble /nǽvigəbl/ 形 《正式》 **1** 〈川・海が〉航行可能な; 〈道路が〉通行可能な ‖ a *navigable* river 可航川. **2** 〈船・飛行機が〉操縦可能な, 航行可能な.

†nav·i·gate /nǽvigèit/ 動 他 **1** 〈船・飛行機〉を操縦する; 〈車〉を誘導する(cf. steer, pilot); 〔比喩的に〕 …のかじをとる. **2** 〈海・川・空〉を航海[航行, 飛行]する. **3** …を海上輸送する. **4** (略) 〔比喩的に〕 …を通過させる; …を通り抜ける ‖ *navigate* a bill through the House of Commons 法案を下院で通す / *navigate* one's way through difficult negotiations 難しい交渉を進める. **5** 〔比喩的に〕 …を導く, 案内する. ── 自 **1** 〔…によって[基づいて]〕 航海[航行, 飛行]する〔by〕. **2** 操縦する(運転手・操縦手に対し)方向を指示する, 誘導する; 〔比喩的に〕 かじをとる.

†nav·i·ga·tion /nævigéiʃən/ 名 U **1** 航海, 航行, 飛行; (車の)方向指示, 誘導 ‖ space *navigation* 宇宙の航行. **2** 航海[飛行]学[技術]. **3** 《まれ》 船積み. **4** [集合名詞] 船舶, 船隊, 飛行量.
nàv·i·gá·tion·al 形 航海(上)の.

†nav·i·ga·tor /nǽvigèitər/ 名 C **1** 航海士, 飛行[航空]士(cf. pilot). **2** 航海[航行]者. **3** (車の)ナビゲーター, (航空機の)自動操縦装置. **4** 車に同乗して道案内する人.

nav·vy /nǽvi/ 名 C 《英》 (鉄道などの)人夫, 工夫.

ː·na·vy /néivi/ 〔原義 「船団」 <i>naval</i> (形)
── 名 (複 -·vies/-z/) **1** [しばしば N~] C [通例 the ~; 集合名詞; 単数・複数扱い] 海軍(cf. army, air force, (armed) forces) ‖ the United States [*the* US] Navy 米国海軍 / *the* British [*Royal*] *Navy* 英国海軍 / *the Navy* Department =the Department of *the* Navy 《米》 海軍省《《英古》 the Admiralty》 / 「be in [join, enter] *the navy* 海軍にいる[入る] / *The Navy* was [were] asked to cooperate. 海軍は協力を求められた(⏎文法 14.2(5)). **2** C [集合名詞; 単数・複数扱い] (一国の)海軍の全艦船, 海軍軍人. **3** U = navy blue.

návy blúe 濃紺色(の), ネイビーブルー(の)《◆英海軍の制服の色から》.

†nay /néi/ (同音) neigh) 副 **1** 否(ヒょ), いや(no) 《◆反対投票の時以外は(古)》 (↔ yea, aye). **2** 〔接続詞〕 いやもしろ, それどころか《◆前言の強調》 ‖ It is difficult, *nay*, impossible. それは難しい, いやむしろ不可能だよ. ── 名 **1** U C 《文》 否(という語); 拒否, 拒絶 (↔ yea, aye). **2** C 反対投票(者) ‖ the yeas and *nays* 賛否の数.
The náys háve it! (議会で)反対者多数.

Naz·a·rene /nǽzəríːn, ⟶⟵/ 名 **1** C ナザレ人《Nazareth の町の住民》. **2** [the ~] キリスト. **3** C キリスト教徒《◆ユダヤ人・回教徒の用いた言い方》. ── 形 ナザレ(人)の.

Naz·a·reth /nǽzərəθ/ 名 ナザレ(ト) 《キリストが少年時代を過ごした今のイスラエル北部の町》.

Naz·a·rite /nǽzəràit/ 名 **1** C ナザレ人. **2** ナジール人《(古) 禁欲の誓いをたてたヘブライ人》.

†Na·zi /náːtsi, nǽtsi/ 名 (複 ~s) **1** C ナチ党員. **2** [the ~s] ナチ党, ナチス《Hitler の指導した国家社会主義ドイツ労働者党》. **3** [しばしば n~] C ドイツ国家社会主義者, ナチズム信奉者.
Ná·z(i·)ism /-si-/ 名 U ナチズム, ドイツ国家社会主義.

n.b., nb, NB /én bíː; nóutə béni, -béni/ (略)《ラテン》 *nota bene* (=note well)《正式》注意せよ.

NB (略) New Brunswick.

NBA (略) National Basketball Association 全米プロバスケットボール協会.

NBC (略) National Broadcasting Company ナショナル放送(会社)《ABC, CBS と並ぶ米国の3大放送網の1つ》.

NBS (略) National Bureau of Standards 米国規格標準局.

NC (略) 〔郵便〕 North Carolina.

NCAA (略) National Collegiate Athletic Association 米国大学体育協会.

NCO (略) 〔軍事〕 noncommissioned officer 《陸軍の》下士官.

ND (略) 〔郵便〕 North Dakota.

ND, N.Dak. (略) North *Dakota*.

-nd /-nd/ [語要素] → 語要素一覧(1.7, 2.1, 2.3).

Ne (記号) 〔化〕 neon.

NE (略) 〔郵便〕 Nebraska; New England.

NE, n.e. (略) northeast; northeastern.

Ne·an·der·thal /niǽndərθɔ̀ːl, -tɑ̀ːl| -tɑ̀ːl/ 名 U =Neanderthal man; [しばしば n~] C (略式) 粗野で頭の鈍い人; [形容詞的に] 非常に旧式の.
Neánderthal màn ネアンデルタール人《旧石器時代にヨーロッパにいた化石人類》.

neap /níːp/ 形 〈潮が〉小潮(した)の. ── 名 C = neap tide. **néap tìde** 小潮《干満の差が最小の潮》.

Ne·a·pol·i·tan /nìːəpάlətn| nìəpɔ́l-/ 形 ナポリの; ナポリ風の(→ Naples). ── 名 C **1** ナポリ人, ナポリっ子. **2** =Neapolitan ice cream.
Neapolitan íce crèam ナポリタンアイスクリーム《色と味の違うアイスクリームを重ね合わせたもの》.

ːnear /níər/ 〔元来は形容詞・副詞であるので前置詞として用いられても比較変化をする. cf. nigh〕

nearby

——副 (~·er /níərər/, ~·est /níərist/) **1** [場所・時間] 近く, 近くに; 接近して (↔ far) ‖ She came *nearer* to me. 彼女はさらに近寄って来た / Christmas is drawing *near* =It is getting *near* to Christmas. クリスマスが近づいてきた.

2 [関係] 近く, 密接に (closely) ‖ two *near*-related ideas 密接に関連した2つの考え / *as near as one can guess* 推察する限りでは.

3 [程度] **a** ほとんど (◆ 〖英〗では複合語的な場合以外は nearly が普通) (→ 〖語法〗) ‖ I am *near* hysterical with worry. 私は心配で気が狂いそうだ. **b** 〖略式〗 〖否定語と共に〗 とても (…ではない) ‖ What he said is nowhere [not anywhere] *near* the truth. 彼が言ったことは真っ赤なうそだ.

〖語法〗**3 a** の near による複合語: a *near*-perfect performance ほぼ完璧(%)な演技 / a *near*-empty hall 人のほとんどいないホール / *near*-antique things ほとんど骨董(号)品ともいえる代物(2) / a *near*-war 戦争一歩手前の騒乱.

cóme [gó] néar to *doing* =come [go] NEAR doing (→ 〖前〗 成句).

néar and fár =FAR and wide.

*****néar at hánd** → at HAND.

néar bý 近くに, [名詞の後で] 近くの ‖ a house *near by* 近くの家 (=a nearby house) / They live *near by*. 彼らは近くに住んでいる.

néar to (1) → **1**. (2) …に近い; 〖略式〗 ほとんど (nearly) ‖ *near to* perfection 完璧に近い / I'm *near to* (being) mad. 私は気が狂いそうだ.

so néar and yét so fár もう少しのところだが結局は失敗の.

——形 (~·er, ~·est) **1** [場所的・時間的に] (…に) 近い, 近くの (*to*) (↔ far) (◆ (1) close to より near 〖前〗 の方がふつう) ‖ in the *near* future 近い将来 / the hospital *nearest* to the station 最も駅に近い病院 / The bank is *near* to the station. 銀行は駅から近い (◆ bank を視点にして駅を見るので, ×The bank is near from the station. は不可. ×The bank and the station are near. も不可).

〖語法〗「場所に近い」という意味では, 原級は名詞の前では使えない: She went to a nearby [×near] restaurant. 彼女は近くのレストランへ行った. cf. She went to the *nearest* restaurant.

2 [通例名詞の前で] 〈関係が〉近い, 密接な, 深い; 親しい ‖ a *near* relative 近い親戚(鷺) (↔ distant relative) / my *near* friend 私の親しい友人 (◆ close の方がふつう. 意味を強めて my *near*(*est*) *and dear*(*est*) *friend* 〈最愛の友〉のようにもいう) / His thoughts were *near* to mine. 彼の考えは私に近いものであった.

3 よく似た, 原物に近い ‖ a *near* resemblance 酷似 / This is a *near* replica. これは本物そっくりの複製品だ / a *near* translation 原文に近い訳.

4 [名詞の前で] かろうじての, きわどい ‖ a *near* guess ほぼ当たっている推量 / a *near* escape from death かろうじて死をまぬがれること.

one's **néarest and déarest** [おおげさに] 家族; → **2**.

to the néarest …〖数詞の前で〗ほぼ….

——前 (◆ nearer, nearest を前置詞として用いたり, to を伴って形容詞・副詞として用いることが多い) **1** [場所・時間・関係] …に近く, …の近くに ‖ *near* the sea 海の近くに (↔ far from the sea) / Come and sit *nearer* (*to*) me. 私のもっと近くに来て座りなさい / It was *near* midnight when he arrived. 彼が到着したのは真夜中近くであった / Her opinion is very *near* my own. 彼女の意見は私とよく似ている [ほぼ同じだ].

2 (もう少しで) …するところで ‖ *near* death [tears] 死に [泣き出し] そうで / The building is *near* completion. その建物は完成間近だ.

cóme [gó] néar *doing* 今にも…しそうになる (come [go] close to doing) (◆ to doing よりも口語的. → 〖副〗) ‖ I *càme néar fáinting*. 今にも気を失いそうになった.

——動 〖正式〗 他 自 (…に) 近づく (approach) ‖ The examinations are *nearing*. 試験が近づいている.

néar dístance [the ~] 〈絵画の〉近景.

Néar Éast [the ~] 近東 〈東地中海周辺の国. トルコなど〉.

Néar Éastern 近東の.

néar míss [a ~] (1) 至近弾; もう少しで命中すること. (2) もう一歩のところ (での失敗). (3) 〈航空機の〉異常接近, ニアミス.

*****near·by** /níərbái/

——副 形 〖比較変化しない〗 [名詞の前で] 近くの [に, で] ‖ a *nearby* town =a town *nearby* 近くの町.

——前 …の近くに [で].

néar–déath expérience /níərdéθ–/ 〖医学〗 臨死体験.

*****near·ly** /níərli/ 〖「到達点に達しそうな」が本義. cf. ALMOST〗

——副 (more ~, most ~; 時に --li·er, --li·est) **1** ほとんど, ほぼ; もう少しで, …と言ってもよい; すんでのことで…するところ 〖比較変化しない〗 〖類義〗〖語法〗 → almost〗 ‖ The beer bottle is *nearly* empty [full]. ビールびんはほぼ空っぽ[いっぱい]です / *nearly always* ほとんどいつも, たいてい (almost always よりふつう) / He very *nearly* fell into the pond. 彼はすんでのところで池に落ちるところだった (◆ ×very almost の連語は不可).

2 〖正式〗〈血縁・利害などが〉密接に; 近接 [接近] して (closely); 念入りに ‖ *nearly* connected 密接に関係して.

*****nót néarly** [副] [as … as, enough の前に置いて] 決して…でない (far from, not at all) ‖ I *don't have nearly enough* money to buy a new computer. 新しいコンピュータを買うにはお金はまだ足りない / That wasn't *nearly* as good *as* this. あれはこれにとても及ばない.

〖語法〗 (1) 上例のように否定の意味を強める nearly の代わりに almost を用いることはできない.
(2) 以下の連語では nearly は不可: Almost [*Nearly] no one was shocked at the news. ほとんどだれもそのニュースにショックを受けなかった.

†**near·ness** /níərnəs/ 名 U **1** (場所・時間・感情・血縁が) 近いこと, 近接. **2** けち.

near·side /níərsàid/ 形 (主に英) [名詞の前で] 〈車・

馬車・道路などの〉左側の(↔ offside).

near·sight·ed /níərsáitid/ 形 《主に米》近視(近眼)の《主に英》shortsighted (↔ farsighted).

near·sight·ed·ness /níərsáitidnəs/ 名 ⓤ 《主に米》近視, 近眼.

†**neat** /níːt/ 形 **1** (いつも)きちんとした, こぎれいな;〈人が〉きれい好きな;〈服装などが〉小ざっぱりした;〈室が〉(cf. tidy) ‖ a neat room きちんと整頓された部屋 / a neat dress きちんとした[小ざっぱりした]服装 / a neat child 身だしなみのよい子供 / a neat guy 上品な青年. **2** (略式)適切な, 手際のいい, 巧みな (skillful) ‖ a neat answer 適切な答え / a neat job 手際のいい仕事. **3** (略式)〈酒が〉水や氷で割らない, 生(き)の《主に米》straight》‖ I'd like my whisky neat. ウイスキーはストレートにしてください. **4** (米略式)すてきな, すばらしい, すごい ‖ Oh, that's neat, isn't it? おお, それはすばらしいね.

neath, 'neath /níːθ/ 前 (詩) =beneath.

†**neat·ly** /níːtli/ 副 きちんと, 小ぎれいに; 適切に; 手際よく.

†**neat·ness** /níːtnəs/ 名 ⓤ きちんとしていること, 整然, 清潔;適切さ;巧妙さ.

Neb(r). 略 Nebraska.

Ne·bras·ka /nəbrǽskə/ 名 ネブラスカ《米国中部の州. 州都 Lincoln. 愛称 the Cornhusker State. Neb(r)., 《郵便》NE》.

†**neb·u·la** /nébjələ/ 名 (複 ~·lae/-líː/, ~s) © 《天文》星雲.

neb·u·lar /nébjələr/ 形 ‖ the nebular hypothesis [theory] (太陽系の起源についての)星雲説.

neb·u·lous /nébjələs/ 形 《正式》漠然とした, 不明瞭な.

***nec·es·sar·i·ly** /nèsəsérəli | nésəsərəli/ 《→ necessary》
── 副 《比較変化しない》 **1** 〔否定文で〕必ずしも(…でない)《◆ 部分否定. **◯ 文法 2.2(2)**》‖ The rich are not necessarily happy. 金持ちは必ずしも幸福とは限らない.
2 必ず, 必然的に;やむを得ず, どうしても ‖ War necessarily causes waste. 戦争は必ず荒廃を引き起す / We must necessarily report this to the authorities. 我々はどうしてもこの件を当局に報告しなければならない.

:**nec·es·sar·y** /nésəsèri | nésəsəri/ 《欠くこと(cessary)ができない(ne)》派 necessarily (副), necessity (名)
── 形 **1** 〈事・物が〉〔…には/…のために, …にとって〕必要な, なくてはならない〔to/for〕(↔ unnecessary) ‖ Sleep is necessary for [to] good health. 睡眠は健康に欠かせない / Education is necessary [for us] to develop our abilities. 教育は自分の能力を伸ばすために必要である(=We need education in order to …) / *It is necessary for him to be operated upon.* =*It is necessary that* 「he (should) be operated [he is operated] upon. 彼は手術を受ける必要がある(=He must [has to] be operated upon).《◆ ˟He is necessary to be operated upon. や ˟It is necessary (his) being operated upon. は不可. he should be operated や直説法 he is operated を用いるのは《主に英》》.

┌─────────────
│ **語法** 主節が過去の場合, 直説法では時制の一致
│(**◯ 文法 10.1**)が生じる: It *was* necessary that
└─────────────
no one *was* aware of being watched. 見張られていることにだれも気がついていないことが必要だった.

2 《正式》[名詞の前で] 必然な, 避けがたい, 当然の (inevitable)《◆ 比較変化しない》‖ a necessary conclusion [consequence] 必然的な結論.
── 名 (複 ~·ies/-z/) **1** © 〔しばしば necessaries〕〔…の〕必要品, 必需品〔for, of〕(→ necessity **1**); [necessaries] 生活必需品 ‖ daily necessaries 日用品. **2** (略式) [the ~] [‥するのに] 必要な金[手段・処置をとる].

nécessary évil 必要悪.

†**ne·ces·si·tate** /nəsésətèit/ 動 他 《正式》**1** 〈事が〉〈事を〉必要とする, [‥することを] 必要とする (doing);[‥することを] 余儀なくさせる [that節] ‖ The rain *necessitated* a postponement of the picnic. 雨で遠足は延期しなければならなった(=We had to postpone the picnic because it rained.). **2** 〔通例 be ~d〕余儀なく〔…した, …に〕せざるを得ない〔to do〕‖ Why were you *necessitated* to do that? =What *necessitated* you to do that? あなたはなぜそうしなければならなかったのですか.

ne·ces·si·tous /nəsésətəs/ 形 《正式》**1** 《おおげさに》貧乏な, 貧困な《◆ poor の遠回し語》. **2** 緊急の, 差し迫った (urgent); 避けられない, 不可欠な.

***ne·ces·si·ty** /nəsésəti/ 【アクセント注意】《→ necessary》
── 名 (複 ~·ties/-z/) **1** © 〔しばしば necessities〕必要品, 必需品, 不可欠なもの《◆ necessaries よりも必要の度合いが高い》‖ Water and air are the (bare) *necessities* of life. 水と空気は生存に欠かせないものだ.
2 ⓤ [‥の/…する] 必要(性) 〔for, of / to do〕; [a ~] 必要なこと ‖ **out of** [by] necessity 必要に迫られて / be under the *necessity* of doing …する必要に迫られている / With the population increasing everywhere, improvements in agriculture are an absolute *necessity*. 各地で人口が増加しているので, 農業の改善が絶対に必要である / *There is no necessity* ⌈*for waiting* [(*for you*) *to wait*] any longer. これ以上待つ必要はない / *Necessity is the mother of invention.* (ことわざ)必要は発明の母.
3 ⓤ [時に a ~] 必然(性), 不可避 ‖ Spring follows winter as a *necessity*. 冬の後には必ず春がやってくる. **4** ⓤ 《正式》貧困, 窮乏 (poverty) ‖ They are in great *necessity*. 彼らはひどく困っている.

by [**of**] **necéssity** 《正式》→ **2**;必然的に, 当然.

:**neck** /nék/
── 名 (複 ~s/-s/) **1** © 首《◆ 頭と胴の間の部分をいう (図 → body). 日本語の「首」は英語の head に相当することも多い. **日英比較**》‖ a long [short] neck 長い[短い]首 / a thick [thin] neck 太い[細い]首 / crane [stretch] one's neck = make a long neck 首をのばす / She flung [threw] her arms around her son's neck. 彼女は息子の首に抱きついた / I have a stiff neck. 私は肩がこる. **2** © 首の骨;ⓒⓤ (牛・羊の)首の肉 ‖ (a) neck of mutton 羊の首の肉. **3** © えり ‖ a round [square] neck 丸[角]えり. **4** © 首状の物;(びん・弦楽器の)くび(図 → bottle, guitar), 隘路(☆);[建築](柱頭下の)首部《◆

ク」(進行の障害になっている部分) は neck ではなく bottleneck に当たる ‖ a *neck* of land [the sea] 地峡[海峡].

bét one's **néck** =bet one's boots (→ boot¹ 名).

be úp to the [one's] **néck in** [**with**] ❹ (略式) 〈仕事などに〉深入りしている, …で忙しい; 〈困難などに〉陥っている《◆これに伴うしぐさは右手を平ら(手の平を下)にしてのどに当てる》‖ I am up to my neck in debt. 私は借金で首が回らない.

bréak one's **néck** (略式) (1) (危険なことをして) 首の骨を折る[折って死ぬ]. (2) 力いっぱい[…で/…しようと] 努力する{on / to do, doing}.

bréathe down ❹'s **néck** (略式) (1) 〈競走などで〉〈相手に〉ぴったりつく. (2) 〈人〉を背後からおどす; 〈人〉を監視する.

by a néck (略式) わずかの差で, かろうじて.

gét it in the néck (略式) ひどい目にあう, 大目玉をくう《◆「首切りの刑を受ける」ことから. これに伴うしぐさは右手を水平にして人さし指側のどに当てる》.

néck and [**by**] **néck** (略式) (競走・競馬で)〈…と〉並んだ[で];〈…に〉負けず劣らず{with}(➡文法 16.3(3)).

néck of the wóods 『「米南西部の森林開拓地」が原義』(略式) 人がいるべきでない場所.

rísk one's **néck** (仕事などを)〈…のために/…しようと〉命がけでやる{for / to do}.

rúb [**scrátch**] **the báck of** one's **néck** 首の後ろに手をやる《いらだちのしぐさ》.

sáve one's **néck** =save one's BACON.

stíck one's **néck óut** (略式) (余計なことをして[言って]) 自ら危ない目にあう.

── 動 ⾃ **1** (略式) (首などを抱き合って) いちゃつく, キスする. **2** […で]狭くなる{in}. ── 他 (略式) (首などを抱き合って) 〈相手〉にいちゃつく, キスする.

neck·band /nékbæ̀nd/ 名 ⓒ **1** シャツのえり《カラーを付ける部分》. **2** (首にまく) 首飾り.

-necked /-nèkt/ (語要素) → 語要素一覧 (1.2).

neck·er·chief /nékərtʃɪ̀f/ 名 (働 ~s, --chieves) ⓒ ネッカチーフ, えり巻き.

†**neck·lace** /nékləs/ 名 ⓒ ネックレス, 首飾り.

neck·line /néklàin/ 名 ⓒ えりぐり(の線), ネックライン ‖ a low [plunging] *neckline* 低いネックライン.

†**neck·tie** /néktài/ 名 ⓒ (米正式) ネクタイ《◆今は tie がふつう》.

neck·wear /nékwèər/ 名 Ⓤ (商用語) 〘集合名詞〙ネックウエア《ネクタイ・スカーフ・カラーなど首に着けるもの》.

nec·ro·man·cy /nékrəmæ̀nsi | nékrəʊ-/ 名 Ⓤ (文) **1** 降霊術, 占い. **2** (悪魔による) 魔術, 魔法 (evil magic). **néc·ro·màn·cer** 名 ⓒ 占い師; 魔術師.

ne·crop·o·lis /nəkrɑ́pəlɪs | -krɔ́p-/ 名 ⓒ (古代都市の) 埋葬地, 古墳; (一般に) 共同墓地 (cemetery).

†**nec·tar** /néktər/ (英+) -taɪ/ 名 Ⓤ **1** 〘ギリシア神話・ローマ神話〙ネクタル《神々の飲む不老長寿の酒. cf. ambrosia》. **2** (絞ったままの) 果汁; (正式) おいしい飲み物, [比喩的に] 甘露(ホン).

nec·ta·rine /néktərìːn, ˋˋˋˋ, nèktəríːn/ 名 ⓒ 〘植〙ネクタリン, ズバイモモ; その実.

Ned /néd/ 名 ネッド《男の名. Edward, Edmund, Edgar, Edwin の愛称》.

née, nee /néi/ 形 〘フランス〙旧姓…《◆既婚女性の名の後に付けて独身時代の姓を示す. 時にイタリック体で書く》‖ Ann Smith, *née* Brown アン=スミス夫人, 旧姓ブラウン.

need /níːd/

index 助 **1** 必要がある
動 他 **1** 必要がある **3** 必要とする
名 **1** 必要性 **2** 必要(なもの) **3** 困った事態

── 助 [否定文・疑問文で] **1** (主に英正式) …する必要がある 《◆肯定文では have to, (略式) have got to》‖ You「*need* not [(略式) *needn't*] do that. 君はそのことをする必要はない (=You don't *need* to do that. / It isn't necessary for you to do that.) 《◆否定文・疑問文については → HAVE to 語法 (2)》 / *Need* you work so hard? そんなに一生懸命働く必要がありますか (=Do you *need* to work so hard?).

語法 (1) Need …? はしばしば「その必要はないでしょう」という含みを持つ: *Need* we tell her? 彼女に言う必要がありますか 《◆ No, you「don't have to [*need* not]」. (いいえ, 必要ありません) という答えを期待. 一方 Do we *need* to tell? にはこのような含みはない》.

(2) 《英》では You *need* not go. (話し手の命令で)「行く必要がない」, You don't *need* to go. (周囲の状況からして)「行く必要がない」のように区別されることもある.

(3) 純然たる否定文でなくても, 意味的に否定であれば need の助動詞用法は可: You *need* only ask him to pay the debt. 君は彼に借金を払ってくれるよう頼みさえすればよい / All you *need* do is (to) tell me the truth. 本当のことを言ってくれればそれでよいのだ (それ以上のことをする必要はない)(➡文法 23.2(2)) / We *need* think only of the main facts. 主要な事実以外は考える必要はない / I *need hardly* teach you about the danger of fire. 私はあなたに火の危険性について教える必要はほとんどない (➡文法 2.1(3)) / He *need* do it *but* once. 彼は一度だけする必要がある (それ以上はない).

2 [need not have done] …する必要はなかったのに 《◆実際は「…した」ことを含意する》(➡文法 8.3) ‖ You *needn't have* come at 4 o'clock; we don't start till about 5. 4時に来る必要はなかったのに. 5時頃までは始めませんから (=You didn't *need* to come … は実際に (4時に) 「来た」のか「来なかった」のか不明).

── 動 (~s /níːdz/; 過去・過分 ~·ed /-ɪd/; ~·ing)
── 他 **1a** [need to do] …する必要がある 《◆(1) must と ought to の中間的意味. (2) 否定文・疑問文では need do の助動詞用法も可》‖ You *need* to go. 行く必要がある 《◆ ×You need go. は不可. (英)(米) とも You have to go. がふつう》/「You *only need* to [All you *need* to do is (to)] write down your name here. ここに名前を書くだけでよろしい (=You only have to … → have 慣成句). **b** [did not need to do] …する必要がなかった ‖ The weather forecast was very good, so I *didn't need* to take an umbrella. 天気は上々の予報だったので, かさを持っていく必要はなかった (=It was not *necessary* for me to take …).

2 [need doing / (主に米) need to be done] 〈人・物が〉…される必要がある (➡文法 12.1(3)) ‖ He

N

will **need** look*ing* after. 彼の面倒をみてやる必要がある / The house **needs** repair*ing* [*to be* repair*ed*]. 家は修繕が必要だ(=We *need* to repair the house.).
3 〈人・物・事が〉〈人・物・事〉を**必要とする** ‖ The tax system will *need* immediate reform. 税制は早急な改善が必要となるであろう / This lock *needs* a drop of oil. この錠には油を少しささなければいけない.

[語法] 次のような例では進行形は可(➔文法 5.2(3)) : I'm always *needing* money. いつも金欠病だ / Go ahead and use the mower if you like. I won't be *needing* it today. よろしければその芝刈り機を使ってください. 今日は必要ありませんから.

4 [need **A C**] 〈人は〉**A**〈物・人・事〉が **C** される必要がある《♦**C** は過去分詞》‖ We *need* our room decorated. 部屋を飾る必要がある / I *need* my watch repaired [《英略式》repairing]. 私は時計を修理してもらう必要がある. **5** 《正式》〈人〉に〔…してもらう〕必要がある〔*to* do〕‖ I don't *need* you *to* tell me that. そんなことを言ってもらう必要はないよ.
——[自] 〈人が〉困窮[窮乏]している.
——[名] ([複] ~s/níːdz/) **1** [U] [時に a/the ~]〔…の/…する〕(差し迫った)**必要性**, 理由〔*of, for* / *to* do〕; 〔…する〕義務(obligation)〔*to* do〕‖ This book will ***meet the needs of*** students. この本は学生の必要に応えるだろう / We ***have no need of*** your money. 《正式》君の金など必要としていない(=We do not *need* your money.) / ***Is there any need*** 「*for* you *to* do [×of your doing] that? そのことをする必要がありますか(=Is it *necessary* for you to do that?) (➔文法 11.4(2)) / What is *the need for* all this hurry? こんなにあわてふためく必要があるのか / ***There is no need for*** you ***to*** hurry. =You ***have no need to*** hurry. 急ぐ必要はない(=You don't have to hurry.) ; 急いではいけない.
2 [C] 《正式》[通例 one's ~s] **必要(なもの)**, 入用(なもの) (necessities) ‖ *our* basic *needs* 必需品.
3 [U] 《正式》[遠回しに] **困った事態**, 窮地(difficulty) ; 貧困, 窮乏(poverty) ‖ help in time [case] of *need* まさかの時の救いの手 / people *in need* 困っている人々.
***be in néed of* A** …を必要とする ‖ My socks *are in need of* mending. 私の靴下は繕いが必要だ.
***have néed to* do** …する必要がある.
if néed(s) be 《文》必要であれば.
†**need·ful** /níːdfl/ [名] **1** 《略式》[the ~] 必要な物[こと]; お金 ‖ do *the needful* (thing) 必要な手段[処置]をとる; 金を用意する / be short of *the needful* お金が足りない. **2** [しばしば ~s] 身の回り品.
——[形] 《まれ》〔…に〕必要な, 不可欠な〔*for*〕.
†**nee·dle** /níːdl/ [名] [C] **1** 針, 縫い針, 編み物針 ; (注射器・レコードプレーヤー・手術用などの)針 ; 鍼(はり) ; (磁石・羅針盤・計測器などの)針《♦時計の針は hand》‖ a sewing [knitting, hypodermic] *needle* 縫い針[編み針, 注射針] / thread a *needle* 針に糸を通す / a *needle* and /ən/ thread 糸を通した針《♦(1) 単数扱い. (2) /ənd/ では「糸と針」》/ the speedometer *needle* =the *needle* on a speedometer 速度計の針 / a *needle's* eye =the eye of a *needle* 針の目. **2** 針のようにとがったもの ; とがり岩 ; とがった山頂 ; 方尖(せん)塔 ; 〔植〕(マツなどの)針状葉. **3** 《英略式》[the ~] いらだち ; 怒り, 憤慨 ; [U] 敵対心, いがみ合い ‖ give him *the needle* 彼を憤慨させる.
fínd* [*lóok for, séarch for*] *a néedle in a háystack 《略式》見つかる望みのないものを捜す, むだ骨を折る.
——[動] [他] **1** …を針で縫う ; 〈糸など〉を〔…に〕針で通す〔*through*〕. **2** [~ one's way] 道を縫うようにして進む. **3** 《略式》〈人〉を〔…するように〕そそのかす〔*into, for*〕; 〈人〉を〔…のことで〕いじめる(tease), 憤慨させる〔*about*〕; 〈人〉をいじめて〔…〕させる〔*into* doing〕.
——[自] 針仕事をする.
néedle thèrapy 鍼(はり)療法.
nee·dle·point /níːdlpɔ̀int/ [名] [C] [形] 針の先 ; [U] 針編みレース(の) ; キャンバス地にした刺繍(しゅう) (の).
***need·less** /níːdləs/
——[形] [通例名詞の前で] **必要でない,** 不要[無用]の.
****néedless to sáy*** [文頭・文中・文尾で] **言うまでもないことだが** ; 御承知の通り(➔文法 11.3(3)) ‖ *Needless to say*, health is more precious than wealth. 言うまでもなく健康は富より大切です (=《文》It goes without saying that ...).
need·less·ly /níːdləsli/ [副] 《正式》必要もないのに ; むだに.
nee·dle·wom·an /níːdlwùmən/ [名] ([複] **-wom·en**) [C] 針仕事をする女, お針子(《PC》needle worker).
†**nee·dle·work** /níːdlwə̀ːrk/ [名] [U] 針仕事, 裁縫 ; 刺繍(しゅう).
†**need·n't** /níːdnt/ 《略式》need not の短縮形.
†**need·y** /níːdi/ [形] (--**i·er**, --**i·est**) 《正式》貧乏な, 貧窮の(very poor) ; [the ~ ; 複数扱い] 貧しい人々 (needy people)《♦the poor の遠回し表現》‖ Mother Teresa tried hard to help *the needy*. マザーテレサは貧乏な人々を懸命に助けようとした.
ne'er /néər/ [副] 《詩》=never.
ne'er-do-well /néərdəwèl/ [名] [C] [形] ろくでなし(の), ごくつぶし(の).
ne·far·i·ous /niféəriəs/ [形] 《正式》極悪な ; 無法な.
ne·fár·i·ous·ly [副] 無法に.
neg. [略] negative; negatively.
ne·gate /nigéit/ [動] [他] 《正式》**1** …を無効にする, 取り消す. **2** …(の存在・正当性)を否定[否認]する.
ne·ga·tion /nigéiʃən/ [名] 《正式》**1** [U] [C] 否定, 否認, 打ち消し(↔ affirmation) ; 否定の陳述, 反駁(ばく), 反論 ; [U] 〔文法〕否定(cf. double negation). **2** [U] [C] (実在するものの)欠如, 存在しないこと ; (positive なものの)反対.
***neg·a·tive** /négətiv/
——[形] 《正式》
I [心・考えが否定的な]
1 (期待に)反する, 成果の上がらない ; **害になる** ; **消極的な**, 前向きでない, 引っ込み思案な(↔ positive) ‖ a *negative* personality 控え目な性格 / *negative* advice (「…するな」と言うだけの)非建設的な忠告 / *negative* virtue (悪い事をしないだけの)消極的美徳.
2 a 〈言葉・表現などが〉**否定の**, 打ち消しの(disapproving) ; 〔文法〕否定の(↔ affirmative) ‖ a *negative* sentence 否定文.
b 不賛成の, 拒否的な ; 禁止の ‖ a *negative* vote 反対投票 / a *negative* order 禁止令 / make a *negative* reply to the request 要求を断る返事をする.
II [性質が否定的な]
3 [名詞の前で] 〔数学・物理〕負の, マイナスの ; 〔電気〕陰の, 負の ; 〔写真〕ネガ[陰画]の ; 〔医学〕陰性の(↔ positive)《♦比較変化しない》‖ a *negative* quan-

neglect

tity 負数[量]; 無 / *negative* electricity 陰電気.
——名 C **1a** 否定; 〔文法〕否定語(句)(not, no, never など), 否定文 ‖ Put the sentence in [into] the *negative*. その文を否定文にしなさい. **b** 否定の言葉[陳述, 返答]; 拒否, 拒絶; [the ~](討論などでの)反対者側 ‖ My proposal met with a *negative*. 私の提案は反対にあった. **2**(物事の)消極的性質, 否定的側面. **3**〔数学〕負数, 負号;〔電気〕陰電気;(電池の)陰極板;〔写真〕陰画, ネガ.
in the négative 〔正式〕否定の[して]; 拒否の[して] (↔ in the affirmative) ‖ He answered my question *in the negative*. 彼は私の質問に「ノー」と答えた.
——動 他 〔略式〕**1** …を否定する; …を拒否する; …を否決する. **2** …が誤りであることを証明する.
négative grówth〔経済〕マイナス成長.
négative póle [the ~]〔磁石の〕陰極(cathode).
négative sígn [the ~] 負符号〈—〉.
nég·a·tive·ly 副 否定的に; 消極的に.
nèg·a·tív·i·ty 名 U 否定すること, 消極さ.

ne·glect /niglékt/ 〖選む(lect)ない(neg)〗
——動 (~s/-glékts/; 過去・過分 ~·ed/-id/; ~·ing)
——他 **1**〈人が〉(怠慢・不注意から)〈人・事に〉十分な注意[世話]をしない, **かまわずおく**, 放っておく ‖ *neglect* one's family 家族の面倒をろくにみない / *neglect* one's appearance 身なりをかまわない.
2〈人が〉〈義務・仕事などを〉**怠る**, おろそかにする ‖ *neglect* one's studies 学業をおろそかにする.
3〈人が〉当然注意すべき事・人を(不注意で・余裕がなくて)**無視する**, 軽視する 類語 disregard, ignore, overlook, slight ‖ *neglect* a law [rule] 法律[規則]を無視する / a *neglected* genius 世に顧みられない天才.
4〔正式〕[*neglect to do* =(まれ) *neglect doing*]〈人が〉(忘れて・不注意から)…しない, …し忘れる(forget)‖ *Don't neglect to* answer the letter. 忘れずに手紙の返事を書きなさい.
——名 U **1** 放っておかれること, 世話されないこと(↔ care)‖ The garden is suffering from *neglect*. その庭はろくに手入れされていない.
2 (義務などの)**無視**, 軽視; 放っておくこと, 放置(↔ attention); 怠慢, 不注意; 無関心さ(negligence)‖ *neglect* of traffic signals 信号無視 / *neglect* of duty 義務を怠ること / treat with *neglect* いいかげんに扱う.

ne·glect·ed /negléktid/ 形 顧みられない, 放っておかれた ‖ an *neglected* person [place] 顧みられない人[場所].

ne·glect·ful /negléktfl/ 形 〔正式〕〔義務などを〕怠りがちな, 怠慢な; 〔…に対して〕不注意な, 無関心な〔*of*〕‖ be *neglectful of* one's duties [clothing] 職務怠慢である[服装に無頓着でいる].
ne·gléct·ful·ly 副 怠って, 不注意で.

†**neg·li·gee, né·gli·gé** /nèglǝʒéi / ̗ —- / 〔フランス〕名 C U **1**(寝巻などの上に着る女性用)部屋着, ガウン〖「ネグリジェ」とは異なる. cf. nightgown〗. **2** 略装, ふだん着.

†**neg·li·gence** /néglidʒǝns/ 名 U 〔正式〕**1** U(性質・習慣上の)怠慢; 不注意(carelessness); 無頓着(ぇんちゃく), なげやりな態度; C 怠慢[不注意]な行為(cf. neglect). **2** U〔法律〕過失; 不注意.

†**neg·li·gent** /néglidʒǝnt/ 形 〔正式〕(性質・習慣上)怠慢な, 怠る; 不注意な(careless);〔義務・仕事などに〕無関心な(forgetful)〔*of, in* (doing)〕‖ be *negligent in* dress 服装にだらしない / He is *negligent of* his duties. 彼は職務を怠りがちだ.
nég·li·gent·ly 副 〔正式〕怠慢で, 不注意に; 無頓着に(ぇんちゃく).

†**neg·li·gi·ble** /néglidʒǝbl/ 形 〔正式〕無視できるほどの, 取るに足らない, つまらない; わずかな.

ne·go·ti·a·ble /nigóuʃiǝbl/ 形 **1** 〔正式〕〈価格・賃金などが〉交渉の余地がある, 話し合いで解決[妥結]できる, 委細面談の. **2** 〔略式〕〈道路・川などが〉通行可能な;〈困難などが〉切り抜けられる. **3**〔商業〕〈手形・小切手などが〉譲渡[換金]できる.

†**ne·go·ti·ate** /nigóuʃièit/ 動 〔正式〕自〈人が〉〔人と・…のことで〕交渉する, 協議する;(合意に達するために)話し合う〔*with / about, for, on, over*〕‖ the *negotiating table*(賃金などの)交渉のテーブル / The trade union *negotiated with* the employers *about* wages. 労組は賃金のことで会社側と交渉した.
——他 **1**(交渉・協議によって)〈条約・契約などを〉〔人と〕取り決める, 協定する(arrange)〔*with*〕;〈業務などを〉処理する(manage) ‖ *negotiate* a loan from the bank 銀行からの貸し付けを取り決める. **2**〔商業〕〈手形などを〉流通させる, 譲渡する, 換金する ‖ *negotiate* a check 小切手を現金に換える. **3**〔略式〕…を乗り越える, 克服する; …をうまくこなす(get over).

ne·gó·ti·à·tor 名 C 交渉者, 協議する人.

†**ne·go·ti·a·tion** /nigòuʃiéiʃn/ 名 **1** U C〔しばしば~s〕(条約・商談などの)交渉, 話し合い, 折衝, 談判 ‖ the product of「*long negotiation* [a *long negotiations*]長い交渉の成果 / *under negotiation* 交渉中で / They「entered into [opened, began] *negotiations with* the enemy for a treaty of peace. 彼らは敵国と和平条約の交渉を開始した. **2** U(難所・困難を)うまく切り[通り]抜けること.

†**Ne·gro** /níːgrou/ 名 (複 ~·es/-z/; 〖女性形〗~·gress/-gris/) C 〔アフリカの〕黒人, ニグロ(→ Negroid)〖歴史的文脈以外では〔侮蔑〕〗 ‖ There are four races; Caucasian, *Negro*, Mongolian, Polynesian. 人種にはコーカサス人, 黒人, モンゴル人, ポリネシア人の 4 つがあります. **2** C アフリカ黒人の血をひく人;(しばしば侮蔑)(特に米国の)黒人, ニグロ((PC) *black person*)(→ *black*)◆ 一般的に Black や African-American が用いられる. *colored person* はもと遠回しな言葉だったが今はしばしば侮蔑(ぇっ)的. *nigger* は強い侮蔑を含む ‖ He was a *Negro* and civil-rights leader. 彼は黒人で公民権運動の指導者でした. ——形 **1** 黒人の, 黒人に関する(→名**2**) ‖ the *Negro* question (米国の)黒人問題 / *Negro* spirituals 黒人霊歌. **2** [n~]〈動物・虫などの〉(浅)黒い. **Né·gro·ness** 名 U 黒人であること, 黒人性.

Ne·groid /níːgrɔid/ 形〔時に n~〕黒色人種(系)の, 黒色人種的特徴を示す(に似た). ——名 C 黒色人種系の人, ネグロイド.

Ne·he·mi·ah /nìːəmáiə/ 名〔旧約〕**1** ネヘミヤ〈紀元前 5 世紀のユダヤの指導者〉. **2** ネヘミヤ記〈旧約聖書の一書〉.

Neh·ru /néiruː, nɛ́əruː | néəruː/ 名 ネルー〈Jawaharlal/dʒǝwáːhǝrlɑːl/; ~ 1889-1964〉; インド共和国初代首相(1947-64)〉.

†**neigh** /néi/ 同音語 nay 名 C U 馬のいななき, ヒヒーン.
——動 自〈馬が〉いななく,〈人が〉大声を出す.

neighbor

:**neigh·bor**, (英) --**bour** /néibər/ 〖近くの(neigh)百姓(bor). cf. nigh, boor〗 関連 neighborhood(名), neighboring(形)

neighborhood

—名 (複 ~s/-z/) ⓒ **1** 近所の人, 隣人; 隣国(の人) ‖ a néxt-dòor néighbor 隣家の人 / *Good fences make good neighbors.* (ことわざ) よい垣根はよい隣人をつくる; 親しき仲にも礼儀あり / *You shall love your neighbor as yourself.* [聖] おのれを愛するごとくなんじの隣人を愛せよ. **2** 同輩, 仲間; [呼びかけ] 旦那, 奥様 ‖ one's duty to one's *neighbor* 同胞への責任. **3** 隣[近く]にある物.

—形 [名詞の前で] 隣[近く]にある[住む] ‖ one's *neighbor* countries 近隣諸国.

*neigh·bor·hood, (英) --bour- /néibərhùd/
《→ neighbor》
—名 (複 ~s/-hùdz/) **1** ⓤ 近所, 付近, 近辺; ⓒ (ある特定の)場所, 地域 (district) ‖ The houses in this *neighborhood* are cheap. この付近の家は安い.
2 [集合名詞; 単数・複数扱い] 近所の人々; (ある特定の)地域の人々 ‖ The whole *neighborhood* likes his family. 近所の人はみんな彼の家族が好きだ.
3 [the ~] […に]近いこと[of].
in the néighborhood of A (1) …の近所に ‖ We live *in the neighborhood of* the school. 私たちは学校の近くに住んでいる. (2) (正式) 約…, およそ… ‖ The population of Tokyo is *in the neighborhood of* eleven million. 東京の人口は1100万人ほどです.

†**neigh·bor·ing, (英) --bour- /néibəriŋ/ 形 近所の, 隣の; 隣接している ‖ the *neighboring* house 隣家 / a *neighboring* village 隣り村.

neigh·bor·ly, (英) --bour- /néibərli/ 形 隣人らしい, 親切な, 人づきあいのよい. **néigh·bor·li·ness 名 ⓤ (隣人としての)親切さ, 思いやり.

neighbour

*neigh·bour /néibə(英)/ 名形=neighbor.

*neigh·bour·hood /néibəhùd/ 名 (英) =neighborhood.

neither

nei·ther /ní:ðər, nái-|nái-, ní:-/ 《いずれか (either) でない(n)》

index
副 **1 A** も **B** も(…し)ない **2** …もまた(…し)ない
形 どちらの…も…でない
代 どちらも…ない

—副 **1** [neither **A** nor **B**] **A** も **B** も(…し)ない, **A** でも **B** でもない◆2つのことを両方とも否定する》‖ *Neither* he *nor* his wife has [(略式) have] arrived. 彼も奥さんも到着していない (=He hasn't arrived, nor has his wife.)◆Both he and his wife haven't arrived. は部分否定で「彼と妻の両方が着いたわけではない」の意. ➔文法2.2(1)》/ I am *neither* a Christian *nor* a Buddhist. 私はクリスチャンでも仏教徒でもない / *Néither* speak to them (↗) *nór* write to them (↘). 彼らに話すことも, 手紙を書くこともするな / He *neither* watched TV *nor* read a comic book. 彼はテレビも見なかったし, 漫画本も読まなかった (=He didn't either watch TV or read a comic book.) / He's *neither fór nor* against it. 彼はそれに賛成でも反対でもない.

語法 (1) 🔲 [neither **A** nor **B**] が主語の場合, 述語動詞はふつう **B** に一致させるが, (略式) では **B** が単数でも複数動詞を用いるのが一般的.
(2) **A**, **B** には原則として同じ品詞・同じ文法機能を持つ語句がくる.
(3) [neither **A**, **B**, nor **C**] あるいは [neither **A** nor **B** nor **C**] の型もある: *Néither* Jím nòr Jóe nor I went home. ジムもジョーも私も家に帰らなかった.

2 (正式) [否定文または否定の節のあとで] …もまた(…し)ない◆[neither + (助)動詞 + 主語] の語順で倒置する》(➔文法23.3(3))‖ I don't smoke, (and) *neither* do I drink. 私はタバコも吸いません (=(略式) I don't smoke, (and) I don't drink(,) *either*. / *Neither* smoke nor drink.) 🔲 対話 "I don't like cats." "*Neither* do I." (=(略式) "Me *neither*." / "I don't either.") 「私はネコが好きじゃないんです」「私もです」◆×I also don't., ×I don't, too. とはいわない).

—形 [単数名詞の前で] どちらの…も…でない◆主語を修飾する場合を除いては (略式) には not … either を用いることが多い》‖ *Néither* ánswer is correct. Correct them. どちらの答えも正しくない. 2つとも訂正しなさい / I like *neither* boy. 私はどちらの少年も好きではない (=(略式) I don't like *either* boy.) / *Neither* one wanted to see the other again. どちらもお互いにもう一度会いたいとは思わなかった / We *neither* one trust him. 私たち以上2人とも彼を信頼していない. =**Néither one of** us trusts him.

—代 [通例 ~ of …の句で] どちらも…ない ‖ *Néither (of* my friends) has [(略式) have] come yet. (友人の)どちらもまだ来ていない《◆(1) (略式) では形容詞として用いて *Neither one of* my friends has come yet. という傾向がある. (2) 3 者以上には none: *None of* my three friends has come yet.》/ *Neither of* them could understand the other. 2人とも互いを理解できなかった.

Nell /nél/ 名 ネル 《女の名. Ellen, Eleanor の愛称》.
Nel·lie, -ly /néli/ 名 ネリー 《女の名. Ellen, Eleanor, Helen の愛称》.
nel·son /nélsn/ 名 ⓒ 〖レスリング〗ネルソン, 首攻め, 首固め◆full [half, quarter] nelson などの種類がある》.
†**Nel·son** /nélsn/ 名 ネルソン《**Horatio** /həréiʃiou/ ~ 1758-1805; 英国の海軍中将. フランス・スペイン連合艦隊を撃破した国民的英雄. → Trafalgar》.
Nem·e·sis /néməsis/ 名 (複 ~·ses/-siz/) **1** 〖ギリシア神話〗ネメシス《応報天罰の女神》. **2** [n~] ⓤ (正式) 天罰を与える人[もの].
ne·o- /ní:ə-|ní:əu-/ 〖語素〗→語要素一覧(1.2).
ne·o·clas·sic, -i·cal /nì:əklǽsik(l)|nì:əu-/ 形 古典派[主義]の.
ne·o·co·lo·ni·al·ism /nì:əkəlóuniəizm|nì:əu-/ 名 ⓤ 新植民地主義《かつての植民地を法的には独立国と認めて経済的には支配し続ける大国の政策》.
ne·o·im·pres·sion·ism /nì:əimpréʃənizm|nì:əu-/ 名 [しばしば N~-I~] ⓤ (美術) 新印象主義.
ne·o·lith·ic /nì:əlíθik/ 形 [しばしば N~] (考古) 新石器時代の (cf. mesolithic, paleolithic) ‖ the *Neolíthic* Age 新石器時代 (the New Stone Age).
ne·ol·o·gism /ni:álədʒìzm|-ɔ́l-/ 名 ⓒ ⓤ 新語(句), 新表現; 新語義.
ne·on /ní:an|-ɔn, ní:ən/ 名 **1** ⓤ (化) ネオン《希ガス. 記号 Ne》. **2** ⓒ =neon lamp [light].

ne·o·na·tal /ˌniːəˈneɪtl/ 形 新生児(用)の.

ne·o·phyte /ˈniːəfaɪt/ ニːəu-/ 名 **1** 新改宗者；(原始キリスト教で)新受洗者. **2** 〔カトリック〕新任聖職者；(修道院の)修練士. **3** 〔正式〕(若くて熱心な)初心者, 未熟者.

Ne·pal /nəˈpɔːl, -ˈpɑːl/ 名 ネパール(王国)《インド・チベット間の国. 首都 Katmandu》.

ne·pen·the /nɪˈpɛnθi/ 名 〔詩〕ネーペンテース《悲しみや苦痛を忘れさせる薬》；(一般に)悲しみ[苦痛]を忘れさせるもの.

*__neph·ew__ /ˈnɛfjuː, (英+) ˈnɛv-/
— 名 **1** 甥(おい) ◆ 兄弟[姉妹]の息子. 夫や妻の兄弟[姉妹]の息子をさすこともある (cf. niece) ‖ He is one of Mr. Smith's *nephews*. 彼はスミス氏の甥の1人だ. **2** 〔遠回しに〕(聖職者の)(男の)私生児.

ne·phro·sis /nəˈfroʊsɪs/ 名 U 〔医学〕ネフローゼ, 腎(じん)症.

nep·o·tism /ˈnɛpətɪzm/ 名 U 〔正式〕身内[縁者]びいき.

†**Nep·tune** /ˈnɛptjuːn, (英+) -tʃuːn/ 名 **1** 〔ローマ神話〕ネプトゥーヌス, ネプチューン《海洋の神. ギリシア神話の Poseidon に相当》‖ a son of *Neptune* 船乗り. **2** 〔天文〕海王星. **3** 〔詩〕海, 大洋.

nerd /nɜːrd/ 名 **1** 〔略式〕粗野な[気のきかない]人；ばか, まぬけ. **2** (社会性がなく何かにのめり込んでいる)専門ばか ‖ computer *nerds* コンピュータマニア.

Ner·e·id /ˈnɪəriɪd/ 名 **1** 〔ギリシア神話〕ネレイス《海の精》. **2** 〔天文〕ネレイド《海王星の第2衛星》.

Ner·o /ˈnɪəroʊ/ 名 ネロ《37-68》；ローマ帝王(54-68). キリスト教徒を迫害した》.

*__nerve__ /nɜːrv/ 派 nervous (形)
— 名 (複 ~s/-z/)
I [神経の作用]
1 〔略式〕 [~s] **神経過敏** [異常], 臆(おく)病, いらだち ‖ suffer from *nerves* 心配[びくびく]する, ノイローゼである / have 「a fit [an attack] of *nerves* ヒステリーの発作を起こす / be a bundle [bag] of *nerves* すっかりあがって[興奮して]いる / She is all *nerves*. 彼女はまったく神経過敏だ / He has no *nerves*. (危険などにひるまず)彼は平気でいる / My *nerves* will crack. (いらいらして)もう我慢できない.
2 U 〔略式〕 [時に ~s] **精力, 気力**；**沈着, 勇気**, 度胸；[a/the ~] ずぶとさ, 生意気 ‖ A man of *nerve* 大胆な人 / have a *nerve* ものおじしない, ずぶとい, 厚かましい / have *nerves* of iron [steel] =have iron [steel] *nerves* 度胸がすわっている / lose one's *nerve* 気おくれする / regain one's *nerve* 勇気を取り戻す / His *nerve* failed him. 彼は勇気がくじけた.
II [神経]
3 C 神経, 神経繊維；歯髄, (俗に)歯の神経；[形容詞的に] 神経の ‖ *nerve* strain 神経過労 / the spinal *nerve* 脊髄(せきずい)神経 / a war of *nerves* = a *nerve* war 〔略式〕神経戦.
4 C 筋(sinew), 腱(tendon)《◆ 次の句以外は詩語》‖ She strained every *nerve* to pass the entrance examination. 彼女は入学試験に合格しようと全力を尽くした.

*__gét on A's nérves__ = __gíve A the nérves__ 〔略式〕《物・事が》《人》の神経[かん]にさわる, …をいらいらさせる ‖ Her rude behavior *gets on my nerves*. 彼女の無礼なふるまいは私の神経[かん]にさわる《◆ 前者の方が自然》.

*__hàve the [a] nérve__ **(1)** 〔通例否定文で〕〔…する〕勇気がある〔to do〕 ‖ He doesn't *have the nerve* to tell the truth. 彼には真実を話す勇気がない. **(2)** 〔略式〕厚かましくも〔…する〕〔to do〕 ‖ She *had the nerve* to press me for some money. 彼女は厚かましくも私に金をせびった.

__hít [tóuch] a (ráw [sénsitive]) nérve__ (話題などで)痛い所に触れる.

__Whát a nérve!__ = __The nérve of it!__ = __Of áll the nérves!__ 何という厚かましさだ.

— 動 (*nerv·ing*) 他 〔正式〕《人》に〔…に対して/…するよう〕力をつける；…を元気づける〔for / to do〕 ‖ He *nerved* himself to conduct an orchestra. 彼は勇気を奮ってオーケストラを指揮した.

nérve cèll 〔解剖・動〕神経細胞.

nérve cènter 〔解剖・動〕神経中枢；(組織などの)中枢部.

nérve gàs 〔化学〕神経ガス《毒ガスの一種》.

nerve·less /ˈnɜːrvləs/ 形 〔略式〕 **1** 力[元気]のない, 弱々しい；勇気のない. **2** 冷静な, 落ち着いた；非常に勇敢な.

nerve-rack·ing /ˈnɜːrvrækɪŋ/ 形 〔略式〕神経を悩ます.

nerv·ing /ˈnɜːrvɪŋ/ 動 → nerve.

*__nerv·ous__ /ˈnɜːrvəs/
— 形 (more ~, most ~) **1** 《人が》〔…に〕**神経質な, 神経過敏な**〔*about*, (英) *of* (*doing*)〕；〔…を前にして〕不安だしって, 緊張して〔*before*〕；臆(おく)病な, 不安な；興奮しやすい, いらいらする ‖ Don't be *nervous*. 神経質になるな / Bill is *nervous* about the exam. ビルは試験のことでいらいらしている / I always get [feel] *nervous* in her presence. 彼女の前に出るときまごまごしておどおどする.

[類語] concerned も現在起こっていることに対して心配することに用いるが, しばしば対象が人. worried は concerned よりも強意的. anxious はこれから起こるかもしれないことについて心配することで concerned, worried よりも強意的. uneasy は悪いことが起こりはしないかと気が安まらないこと.

2 [名詞の前で] **神経の**, 神経に作用する ‖ the *nervous* system 神経系(統) / a *nervous* disease [patient] 神経病[病患者] / a *nervous* break·down 神経衰弱 / a man full of *nervous* energy 〔略式〕元気いっぱいの人.

†**nerv·ous·ly** /ˈnɜːrvəsli/ 副 神経質に, いらいらして, あぶなく.

†**nerv·ous·ness** /ˈnɜːrvəsnəs/ 名 U 神経質, 臆病, いらいら；力強さ.

nerv·y /ˈnɜːrvi/ 形 (-i·er, -i·est) **1** 〔米略式〕厚かましい, ずうずうしい. **2** 〔英略式〕神経質な, 興奮しやすい.

NES 略 《商標》 Nintendo Entertainment System 《「ファミコン」の米国での名称》.

Ness /nɛs/ 名 Loch ~ ネス湖《スコットランド北西部の湖. 怪物 Nessie (正式名 Loch Ness Monster)がすむと伝えられる》.

†**-ness** /-nəs/ 〔語要素〕 → 語要素一覧 (2.1).

*__nest__ /nɛst/ [「鳥が卵を抱く所」が原義. cf. nestle]
— 名 (複 ~s/nɛsts/) C **1** (鳥・小動物・昆虫の)**巣**, 巣穴 ‖ an ants' *nest* アリの巣 / leave a *nest* 巣立つ / sit on a *nest* 巣につく, 卵を抱く / build [make] a *nest* 巣を作る. 関連 「ミツバチの巣は (bee)hive, 「獣のねぐら」は lair, 「猛禽(きん)の巣」は aerie. **2** (居心地のよい)避難所, 休息所, 寝ぐら.
3 (悪党の)隠れ家, 巣窟(そうくつ)；(悪の)温床 ‖ a *nest*

of crime 犯罪の温床. **4** [集合名詞] 同じ巣の中のもの, ひとかえりのひな;〔鳥・虫などの〕群れ;〔悪党などの〕一味, 同じものの群れ ‖ a crow's *nest* カラスの群れ / a *nest* of affairs 一連の事件. **5** 入れ子式の箱[テーブル]の一組 ‖ a *nest* of tables 重ねテーブル.

féather one's **nést** (不正な手段で)金持ちになる, 私服を肥やす, 居心地よくする.

fóul one's **nést** 〘動物が糞(ふん)で自分の巣を汚す〙家(など)の名誉を傷つける.

── 動 自 **1** 〔鳥が〕巣を作る, 巣ごもる. **2** 《英》鳥の巣を捜す ‖ go *nesting* 鳥の巣捜しに出かける. **3** ぴったり収まる, 入れ子になる.

── 他 **1** 〔箱などを〕入れ子にする, 重ねる. **2** …に巣を作ってやる;…を巣に入れる.

nést èɡɡ (不時に備えた)貯金;(貯金の土台となる)種銭(たねせん).

†**nes·tle** /nésl/ 動 自 **1** 〈人・動物が〉(巣の中の鳥のように)心地よく身を落ち着ける, 体をうずめる(+*down, in*) ‖ *nestle down* into a big sofa 大きなソファーに深々と腰をおろす. **2** 〈家・村などが〉〔…の中に〕具合よくおさまる;見え隠れする〔*among, in, into*〕. **3** 〈人・動物が〉(愛情こめて)〔…に〕体をすり寄せる, 寄り添う(+*up*)〔*to, against, on*〕‖ *nestle up* to one's mother 母親に甘えて寄り添う.

── 他 **1** (愛情こめて)〔頭・顔などを〕〔…に〕すり寄せる〔*on, against*〕;〈子供などを〉抱き寄せる ‖ The baby *nestled* her head *against* her mother. その赤ちゃんは頭をお母さんにすり寄せた. **2** …を心地よく落ち着かせる;[be ~d] 心地よくおさまる.

nest·ling /néslɪŋ/ 名 C ひな鳥.

Nes·tor /néstɚ | -tɔː/ 名 C 〘ギリシア神話〙ネストール《トロイ戦争の時のギリシア軍の賢明な老将》.

***net**[1] /nét/

── 名 (~s/néts/) **1** 〘コンピュータ〙 [the N~] インターネット (the Internet) ‖ surf on *the Net* ネットサーフィンをする. **2** C 網, ネット ‖ a fishing *net* 漁網 / catch fish in one's *nets* 網で魚をとる / put a *net* on one's hair 髪にネットをかぶせる.

関連 **いろいろな種類の net**

badminton *net* バドミントンのネット / cargo *net* 積荷用網 / cast [casting] *net* 投網 / the goal *net* (サッカー・ホッケーの)ゴールネット《◆ふつう the が必要》 / insect *net* 捕虫[防虫]網 / mosquito *net* かや / police *net* 警察の捜査網 / tennis *net* テニスのネット / trawl *net* トロール網.

---

3 U C 網状のもの, クモの巣;網織物, 網細工. **4** C (テレビ・ラジオの)放送網. **5** C わな, 落とし穴, 計略 ‖ be caught in the *net* わなにかかる. **6** C 〘テニスなど〙 net ball.

cást one's **nét wíde** 広く情報を求める.

spréad one's **nét** (人を捕えるために)網を張る.

── 動 (過去・過分) **net·ted** /-ɪd/; **net·ting**) 他 **1** 〈川〉に網を張る;〈果樹〉を〔鳥から守るために〕網でおおう. **2** 〈動物・魚〉を網で捕える;〈配偶者〉を得る ‖ She *netted* (herself) a husband. =She *netted* a husband for herself. 彼女は結婚相手をつかまえた. **3** 〘テニスなど〙〈球〉をネットに打ち当てる;〘ホッケー・サッカー〙〈ボール〉をゴールの中に入れる.

── 動 自 〈球〉をネットに当てる.

nét báll ネットに当たった打球 (cf. netball).

nét surfer 〘インターネット〙ネットサーフィンをする人.

nét surfing 〘インターネット〙ネットサーフィン《ウェブサイトを次々に見て回ること》.

†**net**[2] 《英で時に》**nett** /nét/ 形 **1** 正味の(↔ *gross*);掛け値のない ‖ a *net* price 正価 / a *net* profit 純益 / *net* weight (略) net wt 正味重量. **2** 最終的な;基本的な ‖ the *net* result 最終結果.

── 名 C 正価, 正味, 純量, 純益;最終結果.

── 動 (過去・過分) **net·ed** /-ɪd/; **net·ting**) 他 **1** …の純益を〔…で〕あげる〔*from*〕;[net A B = net B for A]〈物・事が〉A〈人・会社など〉にB〈ある額の〉純益をもたらす ‖ The sale *netted* us a million dollars. =The sale *netted* a million dollars *for* us. その販売で100万ドルの純益があった.

net·ball /nétbɔːl/ 名 C ネットボール《サッカーボールを使ってラグビーふうのバスケットボールに似た女性向きのゲーム》(cf. net ball).

†**neth·er** /néðɚ/ 形 (古) 下の(lower) ‖ *nether* garments ズボン.

néther règions [**wórld**] [the ~] 冥(めい)土;地獄.

†**Neth·er·lands** /néðɚləndz/ 名 [the ~;通例単数扱い] オランダ, ネーデルランド (Holland の公式名).

net·i·quette /nétikət | -kèt, -··-/ [etiquette] 名 C 〘コンピュータ〙ネチケット《ネットワーク上でのエチケット・マナー》.

nett /nét/ (英) 形 動 =net[2].

net·ting /nétɪŋ/ 名 U **1** 網を作る[使用する]こと. **2** [集合名詞] 網細工, 網製品. **3** 網漁(の権利).

†**net·tle** /nétl/ 名 C 〘植〙イラクサ《◆食用・薬用》.

── 動 他 **1** (まれ) [通例 ~ oneself] イラクサで刺す. **2** [通例 be ~d] 〈人が〉〔…で〕(一時的に)いら立つ〔*at, by, with*〕‖ His insulting remarks *nettled* me. =I was *nettled* at his insulting remarks. 彼の無礼な発言に私はむっとした.

***net·work** /nétwɚːk/

── 名 (~s/-s/) **1** C 網状のもの, (鉄道・電信などの)網状組織 ‖ an information *network* 情報網 / a *network* of spies [police] =a spy [police] *network* (張りめぐらされた)スパイ[警察]網 / the old-boy *network* (英) 学閥. **2** C (ラジオ・テレビの)ネットワーク, 放送(radio [television] network) ‖ a world communications *network* 世界通信網 / the 3 big American *networks* 米国3大放送網《ABC, CBS, NBC》. **3** C 〘コンピュータ〙ネットワーク, データ通信網;〘電気〙回路網. **4** U C 網細工(net) ‖ the *network* of a spider's web クモの巣.

── 動 他 **1** 《主に英》…を放送網を通じて放送する. **2** …を網状につなぐ.

neur·al /nj(ʊ)ɚrəl/ 形 神経の.

neu·ral·gia /nj(ʊ)ɚrǽldʒə/ 名 U 〘医学〙(頭部・顔面の)神経痛. **neu·rál·gic** 形 神経痛性の.

neu·ri·tis /nj(ʊ)ɚrάɪtɪs/ 名 U 〘医学〙神経炎.

neu·ro- /nj(ʊ)ɚroʊ-/ 〘語彙素〙→語彙素一覧(1.6).

neu·rol·o·gy /nj(ʊ)ɚrάlədʒi | -rɔ́l-/ 名 U 〘医学〙神経学. **neu·ról·o·gist** 名 C 神経学者;神経科医. **nèu·ro·lóg·i·cal** /-rələdʒɪkl | -lɔ́dʒi-/ 形 神経学の.

neu·ro·sis /nj(ʊ)ɚróʊsɪs/ 名 (**~·ses**/-siːz/) U C ノイローゼ, 神経症;大きな心配.

†**neu·rot·ic** /nj(ʊ)ɚrάtɪk | -rɔ́t-/ 形 〘略式〙神経(症)の, ノイローゼの;神経過敏な. ── 名 C 神経症患者. **neu·rót·i·cal·ly** 副 神経症的に.

neu·ter /nj(u)ːtɚ/ 形 **1** 〘文法〙中性の ‖ the *neuter* gender 中性 / a *neuter* noun [pronoun] 中性名詞[代名詞]. **2** 動 中性の;〘植〙中性の,

無性の. **3** 中立の ‖ stand *neuter* 中立でいる.
──名 C **1**〔文法〕中性; 中性形[語]. **2**(まれ)中性動物; 去勢動物; 無性植物. ──動 他(主に英)〔遠回しに〕通例 be ~ed〕去勢される.

*****neu・tral** /n(j)úːtrəl/ 〖(2者のうち)いずれでも(utral)ない(ne)〗派 neutrality (名), neutralize (動)
──形 (**more** ~, **most** ~) **1** 中立の, 中立者[国]の; 公平無私の, 不偏不党の ‖ a *neutral* country [zone] 中立国[地帯] / remain *neutral* 中立のままでいる. **2** はっきりしない; 〈色〉がくすんだ, 中間色の; 〔音声〕〈母音が〉あいまいな ◆〈「母音が〉あいまいな」の意味では比較変化しない〉. **3**〔化学・電気〕中性の; 〔動・植〕中性の, 無性の《◆比較変化しない》. **4**〈自動車のギヤが〉ニュートラルの《◆比較変化しない》.
──名 **1** C〔正式〕中立者, 中立国(民). **2** C U 灰色. **3** U〔機械〕(ギヤの)ニュートラル ‖ put a car into *neutral* 自動車のギヤをニュートラルにする.
néu・tral・ly 副 中立的に.

†**neu・trál・i・ty** /n(j)uːtrǽləti/ 名 U **1** 中立(の状態・態度); 中立政策. **2**〔化学・電気〕中性.

neu・tral・i・za・tion /n(j)ùːtrələzéiʃən, -ai-/ 名 U **1** 中立化(する[される]こと), 中立状態. **2**〔化学〕中和.

†**neu・tral・ize**,〔英ではしばしば〕**-ise** /n(j)úːtrəlàiz/ 動 他〔正式〕**1**〈国・地域など〉を中立化する. **2**〈色〉をくすんだ色にする; 〈敵軍・毒など〉の効力をなくす, …を無効[無力]にする; …を殺す(kill). **3**〔化学〕〈溶液〉を中和する; 〔電気〕…を中和する. ──動 中和する.

neu・tron /n(j)úːtrɑn/ -trɔn/ 名 C〔物理〕中性子, ニュートロン(㋺ n). **néutron bòmb** 中性子爆弾.

Nev. 略 Nevada.

Ne・va・da /nəvǽdə, -váː-/də/ nivúː/də/ 名 ネバダ《米国西部の州. 州都 Carson City.《愛称》the Silver [Sagebrush] State.《略》Nev. 〔郵便〕NV》.

:***nev・er** /névər/〖*not* + *ever*〗
──副〔頻度副詞〕**1** [have [had] ~ done] これ[それ]まで一度も…したことがない ‖ I've *never* been to Paris. まだパリへ行ったことがない(➡文法 6.1 (2)) / I had *never* learned German before I entered (a) college. 私は大学に入るまでドイツ語を習ったことはなかった(➡文法 6.2(2)).

[語法] (1) never を強調するため I *never have been* to America. のように have の前にくることがある. (2) never を文頭に置くと *Never have I been* to … のように倒置(➡文法 23.3(2))となる. これは〔正式〕.

2 [never do] (現在の習慣として)決して…しない(↔ always)《◆頻度については → always》; [never did] (過去の習慣として)一度も…しなかった; [will never do] (将来において)…することは決してないだろう ‖ We *never* work (on) Sundays. 我々は日曜には働きません《◆今日たまたま働かない場合は We don't [×*never*] work today.》/ She is *never* at home. 彼女はいつ行っても家にいません《◆単に「今いない」は She is not [×*never*] at home.》/ They will *never* know. 彼らにはわかるものか / Tom *never* used to smoke, but he does now. トムは昔はタバコを吸っていなかったが, 今は吸っている.

[☑語法] never は単に not の強調表現ではない. 否定が不特定の期間に及ぶことをいう(→ **3**).

3(まれ)[命令文の文頭で] 決して…するな ‖ *Never* break 「your promises [a promise, your word]! 決して約束を破るな(=Don't *ever* break …).

[語法] 現在だけでなく将来も「破るな」というニュアンスがある. 現在だけのことを当てた命令文では, never は不適: Don't [×*Never*] make any noise. The baby is sleeping. 音を立てないで, 赤ん坊が寝ているから.

4(略式)[しばしば I ~ did …] 絶対に…しない《◆*not* の強意表現》‖ It's a lie. I *never* said such a thing! うそだ, そんなこと言っこないよ, 絶対に!《◆I did not say … より強調的》.

Néver! =*Wéll*(,) I *néver* (*díd*)! (!) (略式) [驚き・非難・不承認など表して] まさか!, 本当ですか!!
(類語) *Never* tell me! / You don't say!) ‖
(対話) "He will divorce his wife." "*Well*, I *never*!" 「彼は奥さんと離婚するつもりらしいね」「冗談はやめてよ」.

néver … but … …することなしに…しない; …すれば必ず…する《◆現在ではことわざ以外では(まれ)》‖ It *never* rains *but* it pours. → but 接**8**.

never to do そして2度と…しない《◆結果の不定詞》(➡文法 11.3(1))‖ He went out of this door, *never* to return. 彼はこのドアから出て行き2度と戻って来なかった.

***néver … without* A** [*doing*] [後ろから訳して] …(すること)なしに…しない; [前から訳して] …すれば必ず…する ‖ He *never* comes *without* complaining of others. 彼は来れば必ず人の悪口を言う(=Whenever he comes, he complains of others.).

nev・er-end・ing /névəréndiŋ/ 形 果てしない, 終わりのない.

nev・er・more /nèvərmɔ́ːr/ 副〔文〕二度と…しない.

nev・er-nev・er /névərnévər/〖J. Barrie 作 *Peter Pan* の夢の国から〗名 **1** C =never-never land. **2**(英略式) [the ~] 月賦 ‖ *on the néver-néver*(英古略式) 分割払いで.

néver-néver 理想「想像」の地.

***nev・er・the・less** /nèvərðəlés/〖一度もない (never) …その(the)ない(less)〗
──副〔正式〕(前に述べたことも多少当たっているが)それにもかかわらず(in spite of), それでも(still), やはり(however)《◆(1) 文頭・文中・文尾のいずれにも用いる. 文頭では接続詞とも解せる. (2) しばしば but, although などと呼応していっそう強く対照の意を表す. (3) 比較変化しない》‖ You are entitled to your own opinion though we disagree *nevertheless*. 私たちは意見は一致していないが, それでも君は自分の意見を持つ権利がある / We thought it would rain; *nevertheless*(_), we started on our trip. 雨が降るだろうと思ったが, それでも旅行に出かけた.

:***new** /n(j)úː/《同音》knew)
──形 (~・**er**, ~・**est**)
Ⅰ〔まったく新しい〕
1〔通例名詞の前で〕新しい, 新たに出現した(↔ old); 初めて発見された「知った, 聞いた」; 新しく生産された, 作[取]れたての《◆ *recent* は主に出来事に用いる》; [the ~; 単数扱い] 新しい物(類語) current, contemporary, modern》《◆「新たに生産された」「できた

ての」の意味では比較変化しない》∥ a new book 新刊書 / a new star 新星 / new words 新語 / That's a new story to me. それは初めて聞く話です / 〈対話〉 "Hi, Tom. What's new?" "Nothing special." 「やあ, トム, 変わりはないかい」「特にないよ」. 〈ジョーク〉 A man walked into the antique shop, and said, "What's new?" 骨董品店に入ると, 男が言った. 「変わりはないかい」◆ What's new? は単なるあいさつだが, 文字通りには「新しいものはない?」.

[使い分け] [fresh と new]
fresh は (飲食物や空気が) 新しい」の意.
new は「新品の」の意.
Before you buy strawberries, make sure that they are fresh [×new]. イチゴを買う前には必ず新しいものかどうか確かめなさい.
I bought a new dress. 私は新しいドレスを買いました.

2 [名詞の前で] 新任の, 今度の, 新入りの; 次の;〔…から〕出てきたばかりの,〔…を〕卒業したばかりの〔from〕《◆ふつう比較変化しない》∥ a new boy [girl] 新しく入った少年 [少女], 新入生, 転校生 / 新参者 / a new government 新政府 / I am new from the country. 私は田舎 (いな) から出てきたばかりです.
3 [名詞の前で] 新品の(↔ old), 未使用の(↔ used) 《◆ふつう比較変化しない》∥ a new house 新築の家 / a new car 新車.
4 [通例 the ~] 現代 [近代] 的な; 最新流行の.
5 [仕事などに] 不慣れの(unfamiliar), 不案内の〔at, on, to〕; [人に] よく知られていない〔to〕∥ I am new to [on, at] the work. =The work is new to me. 私はその仕事には慣れていません.

∥ [以前と比べて新しい]

6 [名詞の前で] (肉体的・精神的に) 一新した, 更生した∥ I lead a new life 新生活を送る.
7 追加の, 新たな∥ two new inches of snow 新たに2インチ積もった雪.
—— 副 [複合語で] 新しく, 再び; 最近; …したばかりの∥ a new-laid egg 産みたての卵.
◆ New のつく地名は独立の見出し語参照.

Nèw Áge (Móvement) 新時代運動 《西洋的価値観を排し, 超自然を信じ, 宗教・医学・環境などの分野を全体論的視野に立って見直そうとする運動》.
néw blóod → blood 成句.
néw bróom (主に英略式) 改革に意欲的な新任者.
Néw Críticism [文学] [通例 the ~] 新批評 《作品その ものの言語学的分析に基づく文学批評》.
Néw Déal (1) [the ~] ニューディール政策 《1930年代に米国の F. D. Roosevelt 大統領が経済復興と社会保障を増進するために行なった政策》. (2) [n- d-; おおげさに] a) 〔…のための〕強力な保護政策〔for〕. b) 〔米略式〕完全な転換; 再出発; もう一回のチャンス.
néw fáce 新人, 新顔.
néw mán (1) 改宗者∥ put on the new man 改宗する. (2) 別人のようになった人. (3) 新人類の男性 《育児・家事などを楽しんで行なうなど新しい価値観を持つ男》.
néw máth(s) [mathemátics] 新数学 《ドリルよりも数学的概念の理解を重要視する》.
néw móon 新月.
Néw Téstament [the ~] 新約聖書 (略) NT.
néw tówn (英) ニュータウン 《住宅地・商店街・工場地帯などを計画的に作った町》.

néw wáve 〔フランス語 nouvelle vague の英訳〕 [しばしば the N~ W~] (芸術・政治などの) 新傾向; (ロックの) ニューウェーブ.
néw wóman [the ~] 新しい女性 《20世紀前半に自由と独立を求めた》.
Néw Wórld [the ~] 新世界 《南北米大陸とその付近の島々》(↔ Old World) (cf. new-world).
new year → 見出し語.
néw·ness /-nəs/ [U] 新しさ; 珍しさ.
Nèw Ámsterdam [名] ニューアムステルダム 《オランダ植民地時代 (17世紀) のニューヨーク市の名称》.
†**new·born** /n(j)úːbɔ́ːrn/ [形] 生まれたばかりの; 生まれ変わった; 最近創設された. —— [名] (複 ~(s)) [C] 生まれたばかりの赤ん坊, 新生児.
New Brúns·wick /n(j)úː brʌ́nzwik/ [名] ニューブランズウィック 《カナダ南東部の州. 州都 Fredericton》.
New·cas·tle /n(j)úːkæ̀sl | -kɑ̀ːsl/ [名] ニューカッスル 《イングランド北東部の都市. 石炭と造船で知られる》.
carry [bring] coals to Néwcastle → coal [名]
†**new·com·er** /n(j)úːkʌ̀mər/ [C] **1** 〔…へ〕新しく来た人〔to〕, 新顔. **2** 〔…の分野での〕初心者, 新人〔in, to〕.
Nèw Délhi [名] ニューデリー 《インドの首都》.
new·el /n(j)úːəl/ [C] [建築] **1** (らせん階段の) 軸柱, 親柱. **2** =newel post. **néwel póst** (階段の上下両端にある) 手すりを支える柱, 親柱.
†**Nèw Éngland** [名] ニューイングランド 《米国北東部の Maine, New Hampshire, Vermont, Massachusetts, Rhode Island, Connecticut の6州からなる地域》.
new·fan·gled /n(j)úːfæ̀ŋgld/ [形] 新しいだけの, 奇てらった.
new-fash·ioned /n(j)úːfæ̀ʃənd/ [形] 最新式の; 最新流行の.
new·found /n(j)úːfáund/ [形] 新発見の; 最近の.
New·found·land /n(j)úːfəndlənd, -lænd, n(j)uːfáundlənd/; 現地での n(j)úːfəndlænd; **3** (英) /-/ [名] **1** ニューファウンドランド島 《カナダ東部》. **2** ニューファウンドランド 《1. の島と Labrador からなる州》. **3** [C] =Newfoundland dog.
Néwfoundland dóg ニューファウンドランド犬.
New·gate /n(j)úːgeit/ [名] [英史] ニューゲート 《ロンドンにあった刑務所. 1902年に取りこわされた》.
Nèw Guínea [名] ニューギニア ((愛称)) Papua. (略) NG).
Nèw Hámpshire [名] ニューハンプシャー 《米国北東部の州. 州都 Concord. (愛称) the Granite State. (略) NH, [郵便] NH》.
Nèw Jérsey [名] ニュージャージー 《米国東部の州. 州都 Trenton. (愛称) the Garden State. (略) NJ, [郵便] NJ》.
*__new·ly__ /n(j)úːli/
—— 副 (more ~, most ~) [過去分詞の前で] **1** 新たに; 近ごろ, 最近 ∥ a newly married couple 新婚夫婦 / a newly independent country 新たに独立した国. **2** 再び, また ∥ The regulation was abolished, but then it was newly enacted. その規則は廃止されたが, しかし また制定された.
new·ly·wed /n(j)úːliwèd/ [名] [C] [通例 ~s] 新婚ほやほやの(人).
new·mar·ket /n(j)úːmɑ̀ːrkət/ [名] **1** [C] 体にぴったり合った長いコート. **2** [N~] ニューマーケット 《競馬で有名な英国の町》. **3** [通例 N~] [U] ニューマーケット 《トランプ遊びの一種》.
Nèw México [名] ニューメキシコ 《米国南西部の州. 州

New Orleans

都 Santa Fe. 《愛称》the Land of Enchantment, the Sunshine State. 《略》N.Mex., NM, 《郵便》NM》.

New Or·le·ans /n(j)úːrliːənz, -liːnz, -lənz/ 名 ニューオーリンズ《米国 Louisiana 州にある都市》.

new-pen·ny /n(j)úːpèni/ 名 (複 **-pen·nies**, **-pence**) C 《英》新ペニー《1971年以後の新通貨》.

※news /n(j)úːz/ [発音注意]『「新しいもの」が原義』
——名 U [単数扱い] **1 ニュース**, 報道《◆ (1) ラジオ・テレビの特定の報道には the を付ける. ☑ 数えるときは「an item [a piece, a bit] of news (➔文法 14.2(3)). (2) しばしば新聞名として用いられる: The Evening News『イブニングニュース』紙》‖ watch the news on television テレビのニュースを見る / national [local] news 全国の, 地方のニュース / be in the news 全国に発表されている / listen to the 9 o'clock news on the radio ラジオの9時のニュースを聞く / What do you think were the ten big [main, principal] news items of this year? 今年の10大ニュースは何だったと思いますか《◆ ×the ten main news は不可》.

2 […の/…という]便り, 消息, うわさ; (新)情報, 知らせ, 変わったこと[of, about, as to / that 節] ‖ break the news to ... 彼に知らせる, 打ちあける《◆ ふつう好ましくない知らせは興奮するような知らせに用いる》/ That's news to me. 《略式》それは初耳だ / We have no news of her whereabouts. 彼女が今どこにいるのか何の消息もない / The news of her pregnancy made her husband happy. 彼女が身ごもったという知らせは夫を喜ばせた / The news that he would resign came as a surprise. 彼が辞職するというニュースは人々を驚かせた / No news is good news. → no¹ 形 **3** / Bad news travels quickly [fast]. =Ill news runs fast [《文》apace]. 悪い知らせは(隠しても)すぐ知れわたる;《ことわざ》「悪事千里を走る」/ happy news 吉報.

3 《略式》ニュースになる人[物, こと] ‖ The mysterious murder made news immediately. その不思議な殺人事件はまたたくまにニュース(の種)になった (cf. make 他 **4** 注記) / He is no longer news. 彼はもうニュースになることはない.

néws àgency 通信社.
néws blàckout 報道管制.
néws bùlletin ニュース放送.
néws cònference 《米》記者会見(press conference).
néws dèsk [the ~] ニュース報道部[局].
néws flàsh (他番組中に突然流される)ニュース速報.
néws mèdia 報道機関《新聞・ラジオ・テレビなど》.
néws ròom (新聞社・放送局の)ニュース編集室.
néws thèater [《英》 **thèatre**, **cìnema**] ニュース映画館.
néws vèndor [**càrrier**] 新聞売り.
news·a·gent /n(j)úːzèidʒənt/ 名 C 《英》=newsdealer.
news·boy /n(j)úːzbɔ̀i/ 名 C 新聞売り[配達]少年《米》paperboy ; (PC) newspaper vendor [carrier].
news·cast /n(j)úːzkæ̀st | -kɑ̀ːst/ 名 C 《正式》ニュース放送[番組].
news·cast·er /n(j)úːzkæ̀stər | -kɑ̀ːst-/ 名 C ニュースを読む[解説する]人《英》newsreader《◆日本の「ニュースキャスター」は anchor, anchor man [woman] に当たる》.

news·deal·er /n(j)úːzdìːlər/ 名 C 《米》新聞雑誌販売業者《英》newsagent.
news·group /n(j)úːzgrùːp/ 名 C 〖コンピュータ〗ニュースグループ《インターネット上で同じ関心を持つ人たちの情報交換の場》.
news·let·ter /n(j)úːzlètər/ 名 C **1** (関係者へ定期的に発行する)会報, 官報. **2** 手紙新聞《現代の新聞の前身. 17-18世紀に地方へ定期的にニュースを書き送った》.

New Sòuth Wáles 名 ニューサウスウェールズ《オーストラリア南東部の州. 州都 Sydney. 《略》NSW》.

※news·pa·per /n(j)úːzpèipər, n(j)úːs-/
——名 (複 ~s/-z/) **1** C **新聞**(paper) (cf. newsprint) ‖ a morning [an evening] newspaper 朝刊[夕刊]《➔文法 14.5》 / read the news in the newspaper 新聞のニュースを読む / What newspaper do you get [×take]? 何新聞をとっていますか.

〖関連〗〖いろいろな種類の新聞〗
daily newspaper 日刊新聞 / evening newspaper 夕刊 / local newspaper 地方紙 / morning newspaper 朝刊 / national newspaper 全国紙 / popular paper 大衆紙 / quality paper (大衆紙のタブロイド版に対して)質の高い新聞 / street newspaper [paper] 子供やホームレスが街頭販売する新聞 / tabloid タブロイド版新聞 / weekly newspaper 週刊新聞.

〖事情〗(1) 米国には, USA Today を除き, 日本のような「全国紙(national papers)」はない. 英国には全国紙が多い.
(2) 英米ともに高級紙(quality papers)と大衆紙(popular papers)とにはっきり分かれている. また朝刊・夕刊を発行する新聞は別々の場合が多い.
(3) 配達もされるが, 街頭や販売店で買われる場合が多い.

2 C 新聞社 ‖ work for a newspaper 新聞社に勤める.
3 U 新聞紙;新聞印刷用紙 ‖ a piece of newspaper 新聞紙1枚 / wrap a thing in newspaper 物を新聞紙にくるむ.

news·pa·per·man /n(j)úːzpèipərmæ̀n | n(j)úːs-/ 名 C 新聞記者[編集者, 経営者]《PC》newsperson.
news·per·son /n(j)úːzpə̀ːrsn/ 名 =newspaperman.
news·print /n(j)úːzprìnt/ 名 U 新聞印刷用紙.
news·read·er /n(j)úːzrìːdər/ 名 C 《英》=newscaster.
news·reel /n(j)úːzrìːl/ 名 C ニュース映画.
news·room /n(j)úːzrùːm/ 名 C ニュース放送[編集]室.
news·sheet /n(j)úːzʃìːt/ 名 C **1** 1枚新聞;簡単な会報[社報].
news·stand /n(j)úːzstænd/ 名 C (街頭などの)新聞雑誌売り場.
News·week /n(j)úːzwìːk/ 名 『ニューズウィーク』《Time, U.S. News & World Report と並ぶ米国の週刊誌》.
news·week·ly /n(j)úːzwìːkli/ 名 C 時事週刊誌.
news·wor·thy /n(j)úːzwə̀ːrði/ 形 報道価値のある.
news·y /n(j)úːzi/ 形 (**-i·er**, **-i·est**)《略式》(取るに足りない)話題に満ちた;〈人が〉おしゃべりな.
newt /n(j)úːt/ 名 C 〖動〗イモリ(eft).
New Test. 《略》the New Testament.

New·ton /n(j)úːtn/ 【名】 **1** ニュートン《Sir Isaac ～ 1642-1727; 英国の物理学者・数学者》. **2** [n～] © 《物理》ニュートン《力の単位》.
new-type /n(j)úːtáɪp/ 【形】 新型の, 新式の.
new-world, New-World /n(j)úːwə́ːrld/ 【形】 新世界の, 米大陸の(cf. New world).
New-Year /n(j)úːjíər/ 【形】 元日の, 新年の《◆《米》ではふつう New Year's》.

＊new year /n(j)úː jíər, 《英+》-jə́ː/ 【1】《通例 the ～》新年, 《英》年の初め《日本発》Hatsumode is the first visit of the new year to a Buddhist temple or Shinto shrine to pray for a bright and happy new year. 初詣とは, 新年に新しい年がよい年であるようにと祈願をし初めて寺社へ参拝することです. **2** [N～ Y～] 元日(とそれに続く数日間) ‖ New Yèar's Dáy =《米》New Year's 元日, 1月1日《米国では Rose Bowl の日》/ New Yèar's Eve 大みそか, 12月31日 / (A) Happy New Year!(↗) = I wish you a Happy New Year!(↘)新年おめでとう《◆新年のあいさつとして用いるほか, 年の瀬の1週間ぐらいの期間には「よいお年をお迎えください」の意で別れのあいさつに用いられる. → Christmas》/ What is your New Year's resolution? 新年の抱負は何ですか.

≠New York /n(j)úː jɔ́ːrk/ 【Duke of York から】
―【名】 **1** ニューヨーク(市) (Néw Yòrk Cíty)《米国 New York 州の南東部にある港市. Manhattan, the Bronx, Queens, Brooklyn, Staten Island の5つの borough (自治区) よりなる》. (略) NYC. (愛称) the (Big) Apple, Fun City, Empire City》. **2** ニューヨーク(州) (Néw Yòrk Státe)《米国北東部にある. 州都 Albany. (愛称) the Empire State. (略) NY, (郵便) NY》.
Nèw Yórk Stóck Exchànge ニューヨーク株式取引所《(略) NYSE》《◆ Big Board ともいう》.
Nèw Yórk Tímes 《米》[the ～]『ニューヨークタイムズ』《米国の代表的な日刊紙》.
New York·er /n(j)úː jɔ́ːrkər/ 【名】 © **1** ニューヨークの人. **2** [The ～]『ニューヨーカー』《米国の有名な週刊誌》.

†New Zea·land /n(j)úː zíːlənd/ 【名】【形】ニュージーランド(の)《英連邦の一国. 首都 Wellington. (略) NZ》.
Nèw Zéa·land·er 【名】 © ニュージーランド人.

≠next /nékst/ 【nigh の最上級で「最も近い」が原義】
―【形】 《◆比較変化しない》 **1** (時間・順序が)次の, 来…, 翌…《◆ [next + 名詞] は前置詞・冠詞なしに副詞句にもなる. ◯文法 21.6(1)》 ‖ the next week [month, year] 来週[月, 年] / the next week [month, year] 来こう1週間[か月, 1年]; その翌週[月, 年]《◆過去[時に未来]の一時点を基準にしている場合には the をつける》 / next summer 明年の夏《◆季節では原則として「明年の」の意》 / next Monday = on Monday next 次の月曜日に / His next two books were novels. 彼が次に出した2冊の本は小説だった / I had to wait twenty minutes for the [×a] next bus. 次のバスまで20分待たねばならなかった《◯文法 16.2(2)》 / He said (that) he would go there next day. 彼は次の日にそこへ行くつもりだと言った(=He said, "I will go there tomorrow.")《◯文法 10.4(3)》 / We might be next. 明日は我が身ですよ.

【語法】月曜日は週の始めなので next Monday といえばふつう「来週の月曜日」をさすが, next Friday などでは「今週の金曜日」「来週の金曜日」の両方の意味になりうる. this [the coming) Friday とすればふつう前者, (英) (on) Friday week, 《米》a week from (this) Friday とすれば後者の意(→ last 【形】 1 語法).

2 《場所が》〔…の〕隣の〔to〕‖ the next house 隣家 / the next restaurant to the theater 劇場の隣のレストラン.
as ... as the néxt féllow [**mán, pérson, wóman**] 《略式》だれにも劣らぐ….
＊néxt dóor 〔…の〕〔to〕‖ Her house is next door to mine. = She lives nèxt dóor to me. 彼女は私の隣に住んでいる(=She is my next-door neighbor. cf. next-door). 《◆ ×She lives next door to my house. は不可》.
néxt dóor to ... (1) [名詞の前で] …に近い ‖ He is next door to death. 彼は死にかかっている. (2) [形容詞の前で] ほとんど…《◆ 通例次の句で》‖ It's next door to impossible. それはほとんど不可能である.
next time この次, 今度; [時に (the) ～ time; 接続詞的に] 今度…する時に ‖ I'll bring along my children next time. = Next time I come [×will come] (,) I'll bring along my children. 今度来る時には子供を連れてきます(=When I next come I'll ...)《◯文法 4.1(4)》/ I'm busy, maybe next time. 忙しいのでまた今度《◆招待を断るときの言葉》.
＊néxt to Ⓐ (1) (場所・位置が)…の隣の[に], …に最も近い[く] ‖ She lives next to me. 彼女は私の隣に住んでいる. (2) (順序・程度が)…の次の[に] ‖ What is the most popular sport next to baseball? 野球の次に人気のあるスポーツは何ですか. (3) 《主に米略式》《人〉と親しい, 仲がよい. (4) [通例否定語の前で] ほとんど(almost) ‖ Finishing it by 10 o'clock is next to impossible. 10時までにそれを仕上げることはほとんど不可能だ / I got it for next to nothing. それをただ同然で手に入れた.
the néxt ... but óne [**twó**] 1つ[2つ]おいて次の.
―【副】《◆ 比較変化しない》 **1** 次に, 今度は ‖ What shall we do next? 次に何をしましょうか / John will speak next. 今度はジョンが話をします. **2** 2番目に ‖ What do you think is the next best way? 2番目によい方法は何だと思いますか / the next best thing その次によいもの, 次善の策.
Whát (éver) néxt? (↘) 驚いた, あきれた.
―【代】 次の人[物] ‖ the year after next 再来年 / Next(, please)!(↗) (待っている人に)次の方どうぞ.
néxt wórld 来世.

†next-door /nékstdɔ́ːr/ 【形】 隣家の, 隣家に住む ‖ my next-door neighbor 隣の人(=my neighbor next door).

nex·us /néksəs/ 【名】 (複 nex·us, ～·es) © **1** 《正式》 **a** きずな; つながり, 結びつき; 関係, 関連; 連結手段. **b** 関連性のあるひと続きのもの[集合体]. **2** 《文法》ネクサス, 対結 (Jespersen の用語) The dog barks. や I hear the dog bark. のような主語述語の結合関係》.

NFL (略) 《米・カナダ》National Football League 全米プロフットボールリーグ.

NG (略) National Guard; New Guinea; [時に

n.g.] (略式) no good だめ.

NGO (略) non-governmental organization 非政府組織, 民間公益団体.

NH (略)〔郵便〕New Hampshire.

NHI (略) National Health Insurance 国民健康保険《◆ National Health Service の前身》.

NHL (略)〔米・カナダ〕National Hockey League 北米プロアイスホッケーリーグ.

NHS (略) [the ~] 〔英〕National Health Service 国民保健制度 ‖ on *the NHS* 国民保健制度で支払われる.

Ni (記号)〔化学〕nickel.

NI (略) National Insurance; Northern Ireland.

†**Ni·ag·a·ra** /naiǽgərə/ 图 **1** [the ~] ナイアガラ川《米国とカナダの国境にある川. Erie 湖から Ontario 湖に流れる》. **2** =Niagara Falls.

Niágara Fálls [英] [the ~] ナイアガラの滝《ナイアガラ川にかかる大瀑布(ぼう)《◆ ふつう単数扱いだが, それを構成する個々の滝を意識するときは複数扱い》.

nib /níb/ 图 **1 a** 羽ペンの先端. **b** (ペン軸にさす)ペン先. **2** (物の)とがった先端;(鳥の)くちばし.

†**nib·ble** /níbl/ 動 ⓐ **1 a** 〈人・動物が〉〈物を〉少しずつかじる, かじって食べる(+*away*)〔*at, on*〕‖ *nibble on* celery [carrot] セロリ[ニンジン]をかじって食べる. **b** 〈魚などが〉〈えさを〉そっとつつく〔*at*〕. **c** 〈物価の上昇などが〉〈家計などに〉じわじわくい込んでくる(+*away*)〔*at*〕. **2** 〈人が〉〔申し出・誘惑などに〕気のあるそぶりを見せる, 思わせぶりをする〔*at*〕. ─他 〈物を〉少しずつかじる, かじって食べる(+*away*); 〈財産などを〉少しずつ減らす(+*away, off*).
─图 ⓒ [通例 a ~] 〔物の〕ひとかじり, ひとかみ〔*at, on, of*〕; ひとかみの量, 少量(の食物); [~s] 〔食前に飲み物といっしょに食べる〕ビスケット ‖ Have *a nibble* of this cake. このケーキをひとくち食べてごらん.

Ni·be·lung·en·lied /níːbələŋənliːt, -liːd/ 图 [the ~] ニーベルンゲンの歌《中世ドイツの大叙事詩》.

nibs /níbz/ 图 〔英略式〕〔通例 his/her ~; 単数扱い〕お偉方, いばり屋.

NIC (略) newly industrializing country 新興工業国(cf. NIES).

Nic·a·ra·gua /nìkərάːgwə/ -rǽgjuə/ 图 ニカラグア《中米の共和国. 首都 Managua》. **Nic·a·rá·guan** 图 ⓒ 形 ニカラグア人; ニカラグア(人)の.

‡**nice** /náis/ 形《「馬鹿な(foolish)」の原義から 8 の意味を経て「よい」の意味が生まれた》
─ 形 (~**r**, ~**st**)
I (好ましいという点で)

1 よい, 立派な・**楽しい**(pleasant), 愉快な; 結構な, 満足できる;〈天気が〉よい(〔英〕fine) ‖ a *nice* warm day 暖かくていい日 / a *nice* view of the mountain すてきな山の眺め / We had a *nice* time. 私たちは楽しいひとときを過ごした(=We enjoyed ourselves.) / 〔〇対話〕"*Nice* to meet you. 〔〇〕I'm Tom." "Hi, my name is Jim, but please call me by my nickname, Jimmy." 「はじめましてトムです」 ジムです. でもニックネームのジミーで呼んでもらっていいですよ」/ *Nice* 〔talking with [seeing, meeting] you. 〔〇〕お話し[お会い]できてよかったです / Have a *nice* day. 〔〇〕行ってらっしゃい; さよなら《◆ Good-by. の代わりにも用いられる》/ If the weather is *nice*, I'll come with you. 天気がよければお伴します.

2 〔略式〕〔皮肉的に〕結構な, 申し分のない, 困った, ひどい ‖ He is in a *nice* mess about money. 彼は金のことでひどく困っている.

3 [A is *nice* to do =it is *nice* of **A** to do] 〈人が〉…するのは親切だ; […に]親切な, 思いやりのある(kind) [*to*] (⊃文法 17.5) ‖ She was *nice* to go there for me. =It was *nice* of her to go there for me. 彼女は親切にも私の代わりにそこへ行ってくれた《◆ It *nice* for Mary to continue working. の *nice* は「すばらしい」の意》/ He was *nice* to me. 彼は私に親切にしてくれた / How *nice* (it is that) you think so! そう思ってくださってありがとうございます / Be *nice* and make room for me. すみませんが席を詰めてくれませんか.

4 (まれ)上品な, 行儀のよい, 育ちのよい; 気取った, 上品ぶった ‖ a *nice* accent 気取った口調 / A *nice* girl would never go there. 育ちのよい女の子ならばそこへは決して行かないだろう.

5 〈料理などが〉おいしい.

II 〔精密さという点で〕

6 〔正式〕〔通例名詞の前で〕微妙な, 細かい; 精密な, 正確な; 敏感な ‖ a *nice* distinction 微妙な相違点 / a *nice* shade of meaning 微妙な意味の相違 / a *nice* eye for color 鋭い色感. **7** 〔正式〕慎重さを要する, 取り扱いが難しい. **8** 〔正式〕〔…に〕好みのやかましい〔*in, about*〕 ‖ She is *nice* in her dress. 彼女は服装にうるさい(=She is particular about ...). **9** […に/…するのに]適した, 向いた〔*for / to do*〕‖ *nice* clothes *for* a party パーティーに適した服.

*****nice and** /náisənd/ ... (略式) よい具合に, 十分に, たいへん, 大いに, すっかり, とても《◆(1)ふつう後に好ましい状態を表す形容詞が続くことが多いが非難めいた言い方で用いられることがある. (2)時に nice'n ともつづる》‖ She looks *nice and* healthy. 彼女はとても健康そうだ(=She looks very healthy.).

Nice wórk if you can gét it. 〔人の幸運に羨(えん)望の気持ちを込めて〕うまくやったものだ.

níce·ness 图 ⓤ **1** よさ, 立派さ; 楽しさ. **2** 精密さ. **3**(好みの)気難しさ.

Nice /níːs/ 图 ニース《フランス南東部の町. 避寒地》.

nice-look·ing /náislúkiŋ/ 形 =good-looking.

†**nice·ly** /náisli/ 副 **1** (略式)うまく, よく(well) ‖ This hat suits me *nicely*. この帽子は私によく似合う. **2** 立派に, 上手に; 楽しく; 親切に. **3** 微妙に; 精密に.

Ni·cene /náisíːn/ 形 ニケア(Nicaea)の.

Nicéne Créed [the ~] ニケア信条《325 年 Constantine 大帝がニケアで開いた宗教会議で採択された》.

ni·ce·ty /náisəti/ 图 〔正式〕**1** ⓤ 微妙, 細かな相違; [しばしば niceties] 微妙な[細かい]点. **2** ⓤ [時に a ~] 気難しさ. **3** ⓤ 精密さ, 正確さ. **4** [時に niceties] 上品[優雅]なもの. ***to a nícety*** (正式) [文尾で] 正確に(exactly); ぴったりと, 申し分なく.

†**niche** /níːʃ, nítʃ/ 图 ⓒ **1** ニッチ, 壁龕(がん)《像・飾り物などを置く壁面のくぼみ》. **2** [人・物に]最適の地位[場所, 仕事, 役目, 生活様式]〔*for*〕‖ find [carve, create] a *niche* for oneself in ... に適所を得る. **3** 〔生態〕生態的地位, ニッチ. **4** 〔商業〕ニッチ,(新しいビジネスチャンスがある)市場の隙間.

Nich·o·las /níkələs/ 图 ニコラス《男の名. 《愛称》Nick》.

Ni·chrome /náikròum/ 图 ⓤ 〔商標〕ニクロム《ニッケル・クローム・鉄の合金》.

†**nick** /ník/ 名 **1** Ⓒ (目印となる)刻み目, V 型の切り込み；(略式) 小さい切り傷, 欠け跡 ‖ I cut a *nick* in a tree. 木に刻み目をつけた. **2** (英略式) [the ~] 刑務所；警察署.

be in bád [*póor*] *níck* (英略式) 調子が悪い.
be in good níck (英略式) 調子がよい.
in the nick of tíme 間に合って, ちょうどよい時に.

——動 他 **1** (略式)…に刻み目[切り傷]をつける(+ *up*). (米) …を[刻み目をつけて]書き留める, 記録する (+ *down*). **2** (米略式) 〈人〉をだます；〈人〉に[法外な金を]請求する[*for*]. **3** (英略式)…を盗む；(英俗)〈犯人〉を逮捕する.

Nick /ník/ 名 **1** ニック《Nicholas の愛称》. **2** [Old ~] 悪魔.

†**nick·el** /níkl/ 名 **1** Ⓤ (化学)ニッケル《金属元素, (記号) Ni》‖ The 28th atomic number is *nickel*. 28番目の原子番号はニッケルです. **2** Ⓒ (米国・カナダの)5セント白銅貨(→ **coin** 事情)；[a ~] 少額の金 ‖ A five-cent coin is called a *nickel*. / I wouldn't give you a *nickel* for it. びた1文もそれには払えない《◆文脈によっては「けちらずにどんと払ってやろう」という意味にもなる》.

——動 ((過去・過分)) ~ed or (英) **nick·elled**/-d/; ~·ing or (英) **-el·ling**/-iŋ/) …をニッケルめっきする.
níckel pláte ニッケルめっき.
níckel sílver 洋銀《食器類に用いる》.
nick·nack /níknæk/ 名 (略式) =knickknack.

***nick·name** /níknèim/〖*an ekename*(付け加えられた名前)〗

——名 ((複)) ~s/-z/) Ⓒ [···に対する/···という]愛称 [*for/of*]《Nick (Nicholas より), Tom (Thomas より)のように given name を変形したもので、親しみをこめた呼び名として用いられる. cf. pet name, given name》；[···に対する/···という]あだ名, ニックネーム [*for/of*]《◆人だけでなく動物・物・場所にも用いる (John Bull, Uncle Sam など)》‖ give a *nickname* to him 彼にあだ名をつける / Beth is a *nickname* for Elizabeth. ベスはエリザベスの愛称である.

——動 他 [nickname A C] 〈人〉がⒶ〈人・物など〉にⒸとあだ名をつける；ⒶをⒸと愛称で呼ぶ‖ We *nicknamed* our teacher "Potato." 先生に「ジャガイモ」というあだ名をつけた.

Nic·o·si·a /nìkəsíːə/ 名 ニコシア《キプロスの首都》.
nic·o·tine /níkətìːn/ タバコをフランスに輸入した J. Nicot の名から》名 Ⓤ (化学) ニコチン.
nícotine fít [a ~] タバコの禁断症状.

†**niece** /níːs/ 名 Ⓒ **1** 姪《兄弟[姉妹]の娘. 夫や妻の兄弟[姉妹]の娘をさすこともある》(cf. nephew)‖ Mr. Brown's *niece* ブラウン氏の姪. **2** [遠回しに](聖職者の)(女の)私生児.

NIES /níːz/ 名 [複数扱い] 新興工業経済地域《韓国・台湾・香港・シンガポールなどを指す》.

Nie·tzsche /níːtʃə/ 名 ニーチェ《**Friedrich Wilhelm**/fríːdrik wílhelm/ ~ 1844-1900；ドイツの哲学者》.

nif·ty /nífti/ 形 (略式) **1** いきな, しゃれた, 気のきいた；役に立つ；素早い；正確な‖ Look *nifty*! 素早くやれ. **2** いやなにおいのする. ——名 Ⓒ 気のきいたもの[言葉].

Ni·ger /**1** náidʒər | niːʒéər; **2** náidʒər/ 名 **1** ニジェール《アフリカ北西部の共和国. 首都 Niamey》. **2** [the ~] ニジェール川《Guinea 西部に発し大西洋に注ぐ》.

Ni·ger·i·a /naidʒíəriə/ 名 ナイジェリア《アフリカ西部の共和国. 首都 Abuja》.

Ni·gér·i·an 名 形 ナイジェリア人(の)；ナイジェリアの.

nig·gard·ly /nígərdli/ 形 (正式) [お金などに] けちな, しみったれた [*with*] (↔ generous).

†**nig·ger** /nígər/ 名 (侮蔑) [時に呼びかけ] 黒人 ((PC) black person)《◆ Negro よりひどく軽蔑的. ただし黒人同士が用いる場合は親近感を表す》‖ a *nigger* melody 黒人の歌.

nig·gle /nígl/ 動 [···に対して/ささいなことに]こだわる, くどくど文句を言う [*at / about, over*].
——他 〈人〉をいらいらさせる；〈人〉にくどくど文句を言う.
——名 Ⓒ **1** ちょっとした非難. **2** わずかな痛み. **3** わずかな心配[疑い].

nig·gling /nígliŋ/ 名 Ⓒ ささいな[取るに足りない]仕事.
——形 **1** ささいな(ことに)こだわる. **2** やっかいな, 手の込んだ.

†**nigh** /nái/ (古・詩・方言) 副 (**~·er**, **~·est**; (古) near, next) **1** =near. **2** ほとんど[···に]近い (almost) [*upon, on, about*]. ——形 **1** 近い. **2** 近道の.

‡**night** /náit/ (同音) knight

——名 ((複)) ~s/náits/) **1** Ⓤ Ⓒ 夜, 晩, 夕べ, 夜間 (↔ day)；[形容詞的に] 夜の《◆(1) 日没 (sunset) から日の出 (sunrise) までの間. 暗黒・死・冬・悪・女性などの象徴. (2) evening は日没から就寝までの間. ある時を evening と night のどちらにとらえるかはその人の主観による》‖ She is on the *night* shift this week. 彼女は今週は夜勤だ《◆She works *at night*. は「彼女は夜働いている」の意味》/ a moonlit [starlit] *night* 月夜[星明かりの夜] / a *night* breeze 夜風 / a sleepless *night* 夜眠れぬ夜 / one [every, last, tomorrow] *night* (副詞的に) ある夜 [毎晩, 昨晩, 明晩] (→ 文法 21.6(1))《◆「今晩」は this night より tonight がふつう》/ the opening *night* of a play 演劇の初日(の夜) / all *night* (long) = all the *night* through = throughout [through] the *night* 一晩中 / the *night* before last 一昨晩 / from morning till [to] *night* 朝から晩まで / *far* [*late*] *into the night* 夜遅くまで / (on) Sunday *night* 日曜日の夜 ‖ *Night* of June 6th 6月6日の夜に《◆(1) 特定の日の「夜」は on を使う. (2) 不特定の夜をいう場合は at night》/ She died on a cold *night* in December. 彼女は12月のある寒い夜に亡くなった / He left for Honolulu two *nights* ago. 彼は2晩前にホノルルへ出発した / She got ill (on) the *night* (that) she went to London. 彼女はロンドンに行った晩に病気になった《◆on the night (that) で副詞節を導く. on の省略可》.

2 Ⓤ 夜のやみ, 夜陰 ‖ *Night falls.* 夜になる《◆「夜が明ける」は The day [dawn] breaks.》/ *Night* comes early in the winter. 冬は早く暗くなる.

3 Ⓤ 知的暗やみ；暗黒状態；死.

a níght óff 勤務のない夜 ‖ have [get, take] a *night off* 夜勤を休む[免除される].

at night (1) 夜に(は), 夜分に, 夜間に[は]《◆夜間の一般的・習慣的なことについて用いる. ふつう午後6時から午前0時》‖ I work *at night*. 私は夜働いています. (2) 夕方に；夜(…時)《◆暗くなってから12時までに用いる》‖ at seven o'clock *at night* 午後7時に.

by night (1) (文) 夜分に, 夜間に. (2) [by day, during the day に対比して] 夜を利用して, 夜陰に乗じて ‖ travel *by night* (昼間の暑さ・交通渋滞

nightcap

などを避けて)夜旅をする. (3) 夜までに.
for the níght 眠るために；その夜は，一晩《◆ふつう stay, sleep などと共に用いる》.
háve a bád níght よく眠れない(sleep badly).
háve a góod níght ぐっすり眠る(sleep well).
háve a níght óut 外で夜を楽しむ.
***in the níght** (1) 夜間(のある時)に《◆ふつう過ぎ去ったばかりの夜について用いる. ふつう午前1時から午前6時》‖ awake three times in [*during*] *the night* 夜3回目が覚める《◆in the middle of the *night*, within the *night* は強意的表現》. (2) 夜の闇(やみ)の中で.
máke a níght of it お祭り騒ぎをして飲み明かす.
níght after níght (略式) (同じ状態から)毎晩(every night), 来る夜も来る夜も[→文法16.3(3)].
níght and dáy (略式) =DAY and NIGHT.
níght by níght (変化に)一晩一晩と, 夜ごとに.
níght ín, níght óut 来る夜も来る夜も.
níght níght (子供に向かって)おやすみ‖ *Night night*, sleep tight. ぐっすりおやすみ.
páss a bád níght =have a bad NIGHT.
páss a góod níght =have a good NIGHT.
níght áir 夜風；夜気.
níght fíghter 〔軍事〕夜間迎撃戦闘機.
níght gáme ナイター, 夜間試合《◆ nighter とはふつういわない》.
níght látch [**lòck**] 夜錠.
níght líght 常夜灯《トイレ・廊下・寝室などに夜間つけておく》.
níght ówl (1)〔鳥〕アメリカヨタカ(nighthawk). (2)(略式) 夜ふかしする人, 夜働く人(nighthawk).
níght pòrter (ホテルの)夜間のフロント係[ボーイ].
níght sáfe (銀行の)夜間金庫.
níght schòol 夜間学校, 夜学.
níght táble (寝台の)小テーブル(nightstand).
†**night·cap** /náitkæp/ 名 ⓒ 1 ナイトキャップ, 寝帽. 2 (略式) 寝る前に飲むもの.
night·clothes /náitklòuz, -klðuz/ 名 [複数扱い] 寝巻, パジャマ.
night·club /náitklʌ̀b/ 名 ⓒ ナイトクラブ.
night·dress /náitdrès/ 名 ⓒ 1 (英) =nightgown. 2 (一般に) 寝巻(パジャマなど).
†**night·fall** /náitfɔ̀ːl/ 名 Ⓤ (文) 夕方, 夕暮れ, 日暮れ.
†**night·gown** /náitgàun/ 名 ⓒ 1 (主に米) (女性・子供用の)丈の長いゆったりした寝巻((略式) nightie), ネグリジェ. 2 =nightshirt.
night·hawk /náithɔ̀ːk/ 名 ⓒ 1〔鳥〕**a** アメリカヨタカ (night owl). **b** =nightjar. 2 (略式) 夜ふかしする人((略式) night owl). 3 (略式) 夜盗；(米略式) 夜の流しのタクシー.
night·ie /náiti/ 名 ⓒ (略式) (女性・子供の)寝巻((主に米) nightgown), ネグリジェ.
†**Night·in·gale** /náitəngèil | náitiŋ-/ 名 ⓒ〔鳥〕ナイチンゲール《ユーラシア・アフリカ産のツグミ科の鳥. 春に雄が美しい声で鳴く》；夜鳴く鳥.
†**Night·in·gale** /náitəngèil | náitiŋ-/ ナイチンゲール《Florence ~ 1820-1910》；近代看護法の創始者》.
night·jar /náitdʒàːr/ 名 ⓒ〔鳥〕ヨタカ(nighthawk).
night·life /náitlàif/ 名 Ⓤ (ナイトクラブなどの)夜の娯楽[社交生活].
night·long /náitlɔ̀ːŋ/ 形 =/-⹀/ 副 夜通し(の), 徹夜で[の].
†**night·ly** /náitli/ 形 夜の, 夜特有の；夜ごとの, 毎夜起こる[行われる]‖ a *nightly* performance 夜の公

演. ── 副 夜に；毎夜.
†**night·mare** /náitmèər/ 名 ⓒ 1 悪夢, うなされること. 2 ⓒ (略式) 悪夢的[不愉快な]出来事[経験], 恐怖感. **níght·màr·ish** /-mèəriʃ/ 形 悪夢のような.
nights /náits/ 副 (主に米式) 夜に(いつも).
night·shift /náitʃìft/ 名 1 [the ~；集合的名詞；単数・複数扱い] 夜間勤務者. 2 ⓒ 夜間勤務時間《ふつう夜の10時から朝の8時まで. cf. graveyard shift》‖ work (on) the *nightshift* 夜勤勤をする.
night·shirt /náitʃə̀ːrt/ 名 ⓒ (男性用の)ひざまであるシャツに似た寝巻.
night·stand /náitstænd/ 名 ⓒ =night table.
night·time /náittàim/ 名 Ⓤ 夜, 夜間‖ in the *night-time* 夜間に.
night·watch /náitwɑ̀tʃ | -wɔ̀tʃ/ 名 ⓒ 夜警；夜警時間；[the ~；集合的名詞；単数・複数扱い] 夜警員.
night·watch·man /náitwɑ́tʃmən | -wɔ́tʃ-/ 名 (複 --men) ⓒ 夜警員, 警備員((PC) night [security] guard).
night-work /náitwə̀ːrk/ 名 Ⓤ 夜業, 夜なべ.
NIH 略 (米) National Institutes of Health 国立衛生研究所.
ni·hil·ism /náiəlìzm/ 名 Ⓤ ニヒリズム, 虚無主義.
ní·hil·ist /náiəlìst/ 名 ニヒリスト, 虚無主義者.
ni·hi·lís·tic /nàiəlístik/ 形 虚無主義の.
Ni·ke /náikiː | náik/ 名 1〔ギリシア神話〕ニケ《勝利の女神》. 2 ⓒ ナイキ《米陸軍の地対空ミサイル. Nike Ajax, Nike Hercules がある》. 3 ナイキ《米国最大のスポーツシューズ[ウエア]のメーカー》.
nil /níl/ 名 Ⓤ (略式) 1 無, 零(nothing). 2 (英) (主にスポーツで) ゼロ((米) zip)‖ by two goals to *nil* 2対0(で)《◆ 2-0 is two *nil* と読む》.
†**Nile** /náil/ 名 [the ~] ナイル川‖ the Blue [Green] *Nile* 青ナイル / the White *Nile* 白ナイル.
nim·bi /nímbai/ 名 nimbus の複数形.
†**nim·ble** /nímbl/ 形 (~r, ~st) 1 素早い, 軽快な. 2 理解が早い, 鋭敏な；機転がきく.
†**nim·bly** /nímbli/ 副 素早く, 機敏に, 敏捷(しょう)に.
nim·bus /nímbəs/ 名 (複 ~·es, -·bi/-bai/) ⓒ〔気象〕雨雲, 雪雲.
nim·by, NIMBY /nímbi/ 〖*not in my back yard* (うちの裏庭には勘弁してくれ)〗名 ⓒ (ごみ処理場・原発などの計画をたんに理論的には支持しても, 自分自身に不都合になるとわかると反対する人.
nin·com·poop /nínkəmpùːp/ 名 ⓒ (古・略式) ばか, まぬけ.

‡**nine** /náin/
── 代 (複~s/-z/)《◆名 形 とも用例は→ two》1 Ⓤ ⓒ [通例無冠詞](基数の)9《◆序数は ninth. 完成・完全・純潔・豊饒(じょう)などの象徴》.
2 Ⓤ [複数扱い；代名詞的に] 9つ, 9個；9人.
3 Ⓤ 9時, 9分；9ドル[ポンド, ペンス, セントなど]. 4 Ⓤ 9歳. 5 ⓒ 9の記号[数字, 活字]《9, ix, IX など》. 6 ⓒ〔トランプ〕9の札. 7 ⓒ **a** 9つ[9人]1組のもの；(米) (野球の)チーム, ナイン. **b**〔ゴルフ〕(18ホールコースの)9つのホール‖ the front [back] *nine* 行き[帰り]の9ホール. 8 ⓒ 9番[号]サイズの物；[~s] そのサイズの靴[手袋]など.
diál 911 (米) (英) **999** → nine-one-one.
níne to fíve (ふつうのサラリーマンの)朝9時から夕方5時までの勤務時間. 朝9時から夕方5時まで(cf. nine-to-five).

nine-day wonder

──形 **1** [通例名詞の前で] 9つの, 9個の; 9人の. **2** [補語として] 9歳の.
nine times out of tén ほとんどいつも, たいてい.
nine tenths → 見出し語.
nine-day wonder /náindèi-/ [a ~] (うわさになってもすぐ忘れられてしまう)事件].
9/11 /náin ilévən/ 图 (米)(2001年)9月11日《テロリストが飛行機でニューヨークとワシントンを攻撃した同時多発テロの日》‖ the terrifying events of *9/11* 9月11日の恐ろしい出来事.
nine-nine-nine, 999 /náinnàinnáin/ 图 U (英)(警察・消防署・救急車を呼び出すための)緊急電話番号《◆日本の「110番, 119番」に当たる. 米国では nine-one-one》.
nine-one-one, 911 /náinwÀnwÁn/ 图 U (米)緊急電話番号《◆日本の「110番, 119番」に当たる. 英国では nine-nine-nine》‖ dial *nine-one-one* 911 番する.
nine-pin /náinpìn/ 图 [~s; 単数扱い] ナインピンズ, 九柱戯 (ninepin bowling)《9本のピンを用いるボウリング》; C そのピン. *go down like「a nínepin [nínepins]*》集団で病気にかかる.
*nine·teen /náintíːn/
──图 (複)~s/-z/) 《◆图形 とも用例は → two》. **1** U C [通例無冠詞] (基数の)19;序数は nineteenth). **2** U [複数扱い;代名詞的に] 19個;19人. **3** U 19時(午後7時), 19分;19ドル[ポンド, ペンス, セントなど]. **4** U 19歳. **5** C 19の記号[数字, 活字], xix, XIX など. **6** C 19個[人]1組のもの.
──形 **1** [通例名詞の前で] 19の, 19個の;19人の. **2** [補語として] 19歳の.
nineteen éighty-fóur 『G. Orwell の小説 *1984* から』1984年《超全体主義的社会が訪れるとされていた年》.
1984 《◆nìnetéen èighty-fóur と読む》图 **1** 『1984年』《G. Orwell の小説》. **2** =nineteen eighty-four.

†nine·teenth /náintíːnθ/ 《◆19th とも書く》形 《◆形 とも用例は → fourth》 **1** [通例 the ~] 第19の, 19番目の (語法) → first 形1). **2** [a ~] 19分の1の.──图 **1** U [通例 the ~](順位・重要性で)[…する]第19番目[19位]の人[もの] [to do]. **2** U [通例 the ~](月の)第19日(→ first 图2). **3** C 19分の1(→ third 图5).
nine tenth, nine-tenth /náintènθ/ 图 [複数扱い] 10分の9;ほとんど全部 (nearly all).
nine·ti·eth /náintiəθ/ 《◆90th とも書く》形 《◆形 とも用例は → fourth》 **1** [通例 the ~] 第90の, 90番目の (語法) → first 形1). **2** [a ~] 90分の1の.──图 **1** U [通例 the ~](順位・重要性で)[…する]第90番目[90位]の人[もの] [to do]. **2** C 90分の1(→ third 图5).
nine-to-five, 9-to-5 /náintəfáiv/ 形 朝9時から夕方5時までの, サラリーマンの;労働意欲に欠けた (cf. NINE to five) ‖ a *nine-to-five* job サラリーマンの仕事(→ job 图1a).
nine-to-fíver 图 C 朝9時から夕方5時まで働く人, (労働意欲に欠けた)サラリーマン.

*nine·ty /náinti/
──图 (複 ~·ties/-z/) 《◆图形 とも用例は → two》 **1** U C [通例無冠詞] (基数の)90 《◆序数は ninetieth》. **2** U [複数扱い;代名詞的に] 90個;90人. **3** U 90ドル, ポンドなど. **4** U 90歳. **5** C 90の記号[数字, 活字]《90, IC など》. **6** C 90個[人]1組のもの. **7** [one's nineties; 複数扱い] (年齢の)90代. **8** [the nineties] (世紀の)90年代, (特に)1990年代;(温度・点数などの)90台.
──形 **1** [通例名詞の前で] 90の, 90個の;90人の. **2** [補語として] 90歳の.
nine·ty- /náinti-/《語素》→語要素一覧(1.1).
nine-ty-nine /náintináin/ 图 U C 形 99の).
ninety-nine times out of a hundred ほとんどいつも (almost always).
nin·ny /níni/ 图 C (略式) ばか, まぬけ, とんま.
†ninth /náinθ/ 〖[つづり注意] 《◆9th とも書く》形 《◆形 とも用例は → fourth》 **1** [通例 the ~](序数の)第9の, 9番目の (語法) → first 形1). **2** [a ~] 9分の1の. **3** [通例 the ~](順位・重要性で)[…する]第9番目[9位]の人[もの] [to do]. **2** U [通例 the ~](月の)第9日(→ first 图2). **3** C 9分の1(→ third 图5). **4** C 〖音〗 第9度(音程).
ninth·ly /náinθli/ 副 第9に;9番目に.
Ni·o·be /náiəbi:/ [-bi/ 图 **1** 〖ギリシア神話〗 ニオベ 《Tantalus の娘. 自慢の子供たちを皆殺しにされ悲しみのあまり石になったという》. **2** C 悲嘆に暮れている女[母].

†nip /níp/ 動 (過去・過分 nipped/-t/; nip·ping) **1** ⋯をつねる, はさむ; 〈犬などが⋯をかむ (bite)‖ The dog *nipped* him *on* the leg. =The dog *nipped* his leg. 犬が彼の足をかんだ(= catch 動1 c) =The dog gave him a *nip* on the leg). **2** ⋯をはさみ[摘み, 切り]取る, かみ切る (+off, away); 〈草などをちぎる (+out) ‖ *nip* a piece of wire 針金を切る. **3** 〈正式〉〈成長・計画などを〉妨げる, くじく; …をそぐ;〈スポーツ〉⋯を破る《◆prevent, destroy, defeat などの代わりとして新聞見出しに用いる》‖ *nip* his plot 彼の陰謀をはばむ. **4** 〈正式〉〈霜・寒風などが〉⋯を痛めつける, 枯らす, 凍えさせる. ──自 **1** […を]はさむ, つねる; かむ (+away) [at]. The dog *nipped* (*away*) at her ankle. 犬が彼女の足首をかんだ. **2** 〈寒さ・風などが〉身にしみる; 〈薬などがしみる. **3** (英略式) 急ぐ; (短期間の)急ぎ旅をする ‖ *nip* along 急いで行く / *nip away [off]* さっと去る[逃げる].

nip **A** *in the bud* → bud 图.
──图 **1** C [a ~] 1つねる[はさむ, かむ]こと ‖ give him a *nip* on the arm 彼の腕をつねる(=*nip* him on the arm). **2** 《略式》身にしみる寒さ;霜害 ‖ There's a *nip* in the air this evening. 今夜は肌を刺すような寒さだ. **3** 〈主に米〉くせのある強い味[におい]. **4** 《略式》 [a ~] (ビール・ワイン以外のアルコール飲料の)少量, 1杯.
nip and túck (米略式) (競走で)互角の[に].
nip·per /nípər/ 图 C **1** つまむ[摘む, つねる, かむ]人[もの]. **2** [~s] はさむ[つまむ]道具;ペンチ, ニッパー, くぎぬき, ピンセット, 鉗子 (forceps); (俗) 手錠 (handcuffs); (古) 鼻めがね ‖ a pair of *nippers* やっとこ1丁. **3** [~s] (カニなどの)はさみ;(馬の)切歯 (ず). **4** 《英略式》子供, 小僧.
†nip·ple /nípl/ 图 C **1** (人間の)乳首 (図) → body) 《◆動物のは teat》. **2** (米) 哺(ほ)乳びんの乳首.
†Nip·pon /nipὰn | nipɔ́n/ 图 日本《◆Japan がふつう》‖ *Nippon* is the Japanese (name) for Japan. 「日本」は Japan の日本語名です.
†Nip·pon·ese /nìpɑníːz/ 图 形 =Japanese.
nip·py /nípi/ 形 (-pi·er, -pi·est) **1** 〈主に英略式〉〈風などが〉身を切るような, 厳しい;〈言葉などが〉痛烈な;〈米〉〈味の〉強い ‖ a *nippy* morning とても寒い朝. **2** 《英略式》すばやい, 機敏な《車が加速性能がよい.

nir·va·na /niərvάːnə, (米+) -vǽnə/ 〖サンスクリット〗 图 ⓊⓁ **1** 〖通例 N~〗〖仏教〗涅槃(ねはん); 解脱(げだつ). **2** (苦痛からの)脱出, 忘却; 至福, 極楽(の境地).

Ni·sei /níːseɪ, -/〖日本〗图 (複 **Ni·sei, ~s**) Ⓒ (米) 二世《市民権をもつ Issei の子. cf. Sansei》.

nit /nít/ 图〖通例 ~s〗シラミの卵; 幼虫. **2** (主に英略式) ばか者, まぬけ.
 pick nits あらさがしをする.

ni·ter, (英) **ni·tre** /náitər/ 图 Ⓤ〖鉱物〗硝石, 硝酸カリウム.

nit-pick·ing /nítpíkiŋ/ 图〖略式〗あらさがしをする.

†**ni·trate** /náitreit, -trət/ 图 ⓊⒸ〖化学〗硝酸塩[エステル]; 硝酸カリウム[ナトリウム]《化学肥料》; [化合物名で] 硝酸….

†**ni·tric** /náitrik/ 图〖化学〗(比較的高い原子価の)窒素の(cf. nitrous).
 nítric ácid〖化学〗硝酸.

ni·tro- /náitroʊ-/〖語要素〗→語要素一覧(1.6).

†**ni·tro·gen** /náitrədʒən/ 图 Ⓤ〖化学〗窒素《気体元素.〖記号〗N》.
 nítrogen dióxide 二酸化窒素《〖記号〗NO₂》.

ni·trog·e·nous /naitrάdʒənəs/ 图〖化学〗窒素の, 窒素を含む ‖ a *nitrogenous* fertilizer 窒素肥料.

ni·tro·glyc·er·in(e) /náitroʊglísərin/ 图 Ⓤ〖化学・薬学〗ニトログリセリン《ダイナマイトなどの原料, 狭心症治療薬》.

ni·trous /náitrəs/ 图〖化学〗(比較的低い原子価の)窒素の(cf. nitric).
 nítrous ácid〖化学〗亜硝酸.
 nítrous óxide〖化学・薬学〗亜酸化窒素《麻酔剤. =laughing gas》.

nit·ty-grit·ty /nítigríti/ 图〖略式〗[the ~]《物事の》核心, 本質; 基本的事実 ‖ come [get down] to the *nitty-gritty* 核心に入る[触れる].

nit·wit /nítwit/ 图〖略式〗ばか者, まぬけ.

Nix·on /níksn/ 图 ニクソン《**Richard Milhous** /mílhaʊs/ ~ 1913-94; 米国の第37代大統領(1969-74)》.

NJ (略)〖郵便〗New Jersey.

NK cèll 〖natural *killer* cell〗〖生物〗NK 細胞.

NKT cèll〖生物〗NKT 細胞《T cell と NK cell の両方を持っているリンパ球》.

NLRB (略)(米) National Labor Relations Board 全国労働関係委員会.

NM (略)〖郵便〗New Mexico.

NNT (略) nuclear nonproliferation treaty.

*‡**no**¹ /nóʊ/ (同音 know)

index 图 **1** 少しの…もない **2** 決して…でない
 3 …のない
 副 **1** いいえ, はい **2** 少しも…ない

──图 [名詞の前で]
I [文否定]《图 形は語修飾であるが働きとしては文全体を否定する》

1 [物質名詞・抽象名詞・複数普通名詞に付けて] 少しの…もない(not any); [単数普通名詞に付けて] ひとつの…もない, 一人の…もいない《◆ふつうは not a より強意的》‖ *No* boy can answer it. それに答えられる少年はいない / Harold has *no* cars [friends]. ハロルドは車[友人]がない(=Harold does *not* have a car [any friends].)《◆複数個のがふつうと考えられる場合は複数名詞を伴うのがふつう》/ I have *no* money on [with] me. 金の持ち合わせがない(=I don't have *any* money …).

2〖正式〗[be 動詞の補語に(名詞)または「形容詞＋名詞」に付けて; しばしばおおげさに] 決して…でない, …どころではない ‖ That's a question of *no* great importance. それは大して重要な問題ではない / He is *no* fool. 彼はばかどころではない(=He is not a fool at all. / He is far from a fool. / He is anything but a fool.)《◆「なかなかえらいやつだ」という含みがある(= be no fool (fool 名)). fool のように程度を示す語の場合は単なる否定ではなく, 「むしろ逆だ」という意味になる(He isn't a fool. は単に「彼はばかではない」). cf. 次例》/ He is *no* businessman. 彼はとても実業家とはいえない《◆He is not a businessman. は「彼は実業家ではない」(=His profession is not business.)》.

II[語否定]《◆否定の働きが修飾している語句内にとどまる》

3 …のない ‖ *No* news is good news.《ことわざ》便りのないのはよい便り / *No* homework, *no* TV. 宿題をしなければ, テレビは見せません.

III[省略文否定]《◆掲示などで禁止・反対・断りを表す》

4 …して[があって]はいけない ‖ *No parking*. 駐車禁止(→ THERE is no doing) / *No entry*. 立入禁止 / *No* talking in the library. 館内私語禁止.

語法 実際に相手に伝える場合には, Parking is not allowed here. などという.

*_There is no doing_ → there 副.

──副 **1** [肯定の問いに対して] いいえ, いや; [否定の問いに対して] はい, ええ《◆(1) 問いが肯定か否定かに関係なく, 答えが否定ならば no を用いる. (2) 肯定・否定に関する日英動作の違いは → head 图 **1**[日英比較] (↔ yes) ‖ 対話 "Can you speak Chinese?" "*No*, I can't." 「中国語を話せますか」「いいえ, 話せません」/ "Haven't you ever visited Kyoto?" "*No*, I haven't." 「京都へ行ったことはありませんか」「ええ, ありません」(→ yes 图 **1**[語法]) / "You didn't call him up, did you?" "*No*, I didn't." 「彼に電話しなかったのですね」「はい, しませんでした」《◆疑問文の形をとらず, 平叙文の形のまま疑問文の答えは必ずしもこの原則によらない: "You cannot swim?" "Yes, [No], I can." 「泳げませんか」「いいえ, 泳げます」》.

2 [比較級・形容詞(different, good など)の前で] 少しも…ない ‖ The sick man is *no better*. 病人は少しもよくない / There were *no more than* two books on the desk. 机の上には本が2冊しかなかった《◆… *not more than* では「せいぜい多くて」(at most)の意》/ Their way of life is *no* different from ours. 彼らの生活様式は我々のものと少しも異なるところがない.

語法 「no ＋ 比較級(＋ than)」は「as ＋ 反意語の原級(＋ as)」に直して考えるとわかりやすい: He is *no better* (*than* yesterday). = He is *as bad* (as yesterday). 彼の具合は昨日と同じくらいひどい / *no fewer than* 50 books =as many as 50 books 50冊もの本 / This book is *no less interesting than* that. =This book is *as interesting as* that. この本はあれに劣らず面白い.

3 [nor, not を伴って強意の否定を示して] いや, そう;

[前言をより的確にして] いやまして ‖ None supported her, *no*, not one. だれも彼女を弁護しなかった. / そう, 1人もいなかった / He is a bright, *no*, brilliant man. 彼は利口というか, むしろ切れ者というべきだ.

4 [驚き・不信などを表して] まさか, なんだって《◆ よい知らせにも用いる》(→ oh) 〖対話〗"David married Ann.""*No.*"「デイビッドがアンと結婚したよ」「まさか」

──名 (複) no(e)s **1** ©℃ [通例 a ~] no と言うこと; 否定, 否認, 拒否(⇔ yes) ‖ answer with *a* definite *no* きっぱりと断る / Two *noes* make a yes. 否定が重なって肯定となる / I was unable to say *no* to her. 彼女にいやとは言えなかった. **2** ©℃ [通例 ~(e)s] 反対投票; 反対投票者(⇔ aye) ‖ They are going to vote *no*. 彼らは反対票を投ずるだろう.

The nóes háve it! 反対投票多数.

nó bàll 〔クリケット〕反則投球.

nó dáte (本の出版年の)日付不明.

no one → 見出し語.

no way → way¹ 〖名〗.

no², **No**, **Noh** /nóu/ 〖日本〗名 (複) no, No, Noh ©[しばしば the ~]能, 能楽(no play) ‖ a *no* stage 能舞台.

Nº /nʌ́mbər/ 名 (複) Nᵒˢ/-z/) =no., No.

*no., No. /nʌ́mbər/ 〖ラテン語 numero の略〗

──名 (複) nos., Nos./-z/) ©[数字の前で; 無冠詞で] …番, 第…号, …号. 《◆〖記号〗(米) #. 米国では house number には No. をつけない》‖ He is living in room *no.* 15. 彼は15号室に住んでいます.

Nò. 10 (Dówning Strèet) ダウニング街10番地《◆英国首相官邸をさす》.

no., No (略) (米) north(ern).

No·ah /nóuə/ 名 (男の名). **2** [旧約] ノア《洪水から家族と動物1つがいずつを救った信仰深いヘブライ人の族長. ユダヤ人の父祖》.

Noah's árk (1) [旧約] ノアの箱舟. (2) (人形・動物の入った)おもちゃのノアの箱舟. (3) [貝類] ノアノハコブネガイ《フネガイ科の二枚貝》. (4) 旧式の大型トランク[大型車].

nob /nɑ́b | nɔ́b/ 名 © (主に英俗) 上流の人, 名士, お偉方, 大物, 金銭.

nob·ble /nɑ́bl | nɔ́bl/ 動 他 (英略式) **1** (競争に勝たせないように)〈馬〉に薬を飲ませる; …を出場不能にする. **2** 〈人・騎手〉を買収する.

†**No·bel** /noubél/ 名 ノーベル《Alfred Bernhard /béərnhɑːrt/ ~ 1833–96 ; スウェーデンの化学者. ダイナマイトの発明者. Nobel Prize の基金遺贈者》.

Nobél láu·re·ate /-lɔ́ːriət/ ノーベル賞受賞者(Nobel Prize winner, the ~ Nobelist).

Nobél Príze ノーベル賞《物理学・化学・生理医学・文学・経済学・平和の6部門の業績に毎年与えられる. 1901年創設》‖ a *Nobel Prize* for [in] physics ノーベル物理学賞 / He is a *Nobel Prize* winner. 彼はノーベル賞受賞者だ.

No·bél·ist 名 © (米) =Nobel laureate.

†**no·bil·i·ty** /noubíləti | nəu-/ 名 **1** ① [正式] 心の気高さ, 高潔; 崇高, 威厳 ‖ a man of great *nobility* たいへん高潔な人(=a very noble man). **2** 高貴の生まれ[身分]; [the ~; 集合名詞] 単数・複数扱い] 貴族(階級)《◆貴族階級については → duke》.

***no·ble** /nóubl/

──形 (~r, ~st) [正式] [通例名詞の前で] **1** 気高い, 高潔な(⇔ ignoble); 崇高, 威厳のある; 雄大な; すばらしい, 立派な, 見事な ‖ *noble* character 高潔な人格 / a *noble* aim 崇高な目的 / a *noble* sight 壮大な眺め. **2** 高貴な, 貴族の ‖ the *noble* class 貴族階級 / a person of *noble* birth 高貴な生まれの人. **3** [化学] 〈金属〉が腐食しない; 貴重な; 〈気体が〉不活性の《◆比較変化しない》.

──名 © [通例 ~s] 貴族《階級については → duke》.

nóble métal [化学] 貴金属(⇔ base metal).

nó·ble·ness 名 ① 気高さ, 高潔.

no·ble·man /nóublmən/ 名 (複) --men) © 高貴な生まれ[身分]の人; 貴族((PC) member of the nobility).

†**no·ble-mind·ed** /nóublmáindid/ 形 高潔な, 気高い; 心の大きい, 雅量のある. **nó·ble-mínd·ed·ly** 副 気高く. **nó·ble-mínd·ed·ness** 名 ① 気高さ.

no·blesse o·blige /noublés oublíːʒ/ 〖フランス〗名 高い身分に伴う義務.

no·ble·wom·an /nóublwùmən/ 名 (複) --women) © 高貴な生まれ[身分]の女性; 貴族の婦人.

no·bly /nóubli/ 副 **1** [正式] 気高く, 堂々と; 立派に; 高貴に; 貴族として[らしく]; 寛大に ‖ The soldier served *nobly*. その軍人は立派に任務を果たした / be *nobly* born 高貴な生まれである.

:**no·bod·y** /nóubədi, -bɑ̀di | -bədi, -bɔ̀di/

──代 [単数扱い] だれも…ない(not anybody) ‖ *Nobody* knows [×know] where Bill has gone. ビルがどこへ行ってしまったのかだれも知らない / There was *nobody* very interesting at the party. パーティーにはあまり面白い人はいなかった(= There was *not anybody* very interesting …) / 〖対話〗"Who came?""*Nobody*."「だれが来たの」「だれも」/ 〖ショック〗"Who won the skeleton beauty contest?""*Nobody*."「ガイコツ美人コンテストの優勝者はだれ」「だれも」《◆ no body (体のないもの)とのしゃれ》.

〖語法〗(1) *nobody* が目的語の位置で, be 動詞の後にきている場合は not anybody で言い換え可(→ 上の第2例).

(2) 常に単数扱い. ただし呼応する代名詞は, 性差に言及しない場合, 堅い書き言葉では he, he or she などを用いるが, それ以外では they がふつうになりつつある. 特に主格の場合は they が原則: *Nobody* knows what his [their] fate will be. だれも自分の運命を知らない(→ everybody 〖語法〗(3)) / *Nobody* knows that Kathy has been ill for a few months, do *they*? キャシーが数か月病気だったのをだれも知らないんですね.

(3) no one との使いわけについては → no one 〖語法〗.

──名 © [通例 a ~] 名もない人, 取るに足りない人, つまらぬ人.

no-brain·er /nóubrèinər/ 名 © (米略式) (考える必要がないほど)明白な[わかりやすい]もの, 簡単にできるもの.

nock /nɑ́k | nɔ́k/ 名 © (図 ⇨) 矢筈(はず) (⇨ bow); 弓筈(はず) (⇨ bow); 矢筈の刻み目. ──動 他 〈弓・矢〉に筈をつける; 〈矢〉を弓につがえる.

nó-claim(s) bònus /nóukleim(z)-/ ⌐ニ ⌐/ (英) (主に車の傷害保険で一定期間無事故の被保険者に適用される)保険料の割引.

†**noc·tur·nal** /nɑktə́ːrnl | nɔk-/ 形 [正式] **1** 夜の (nightly) ‖ a *nocturnal* visit [journey] 夜の

nocturne

訪問[旅]. **2**〈動物が〉夜行性の;〈植物が〉夜咲きの (↔ diurnal). **noc·túr·nal·ly** 副 夜に, 毎夜.

noc·turne /nάktɚːn | nɔ́k-/ 名 ⓒ〔音楽〕ノクターン, 夜想曲. **2**〔美術〕夜景画(night piece).

***nod** /nάd | nɔ́d/
—— 動 (~s/-dz | nɔ́dz/; 過去・過分 nod·ded/-id/; nod·ding)
—— 自 **1**〈人が〉〈人に〉うなずく, 会釈する; うなずいて同意[命令]する[to, at]〈◆'yes'を表す身ぶり. → head 日英比較〉; 〔…が〕あごで示す[to, toward]. ‖ She nodded to me from across the street. 彼女は通りの向こう側から私に会釈した / He nodded to me to open the envelope. 彼は私にその封筒を開けるようにあごで(指し)示した.
2〈人が〉**いねむりする**(+off) ‖ He sat nodding by the fire. 彼は火のそばに座ってこっくりこっくりやっていた.
3〔正式〕〈木・花などが〉揺れる, なびく, そよぐ;〈建物が〉傾く ‖ poplars nodding in the wind 風に揺れているポプラ.
—— 他 **1**〈人が〉〈頭を〉うなずかせる; [nod **A B** = nod **B to A**]〈**A**〈人〉に〉**B**〈同意など〉をうなずいて示す; 〔…ということを〕うなずいて示す[that 節] ‖ She nodded her approval to him. 彼女は彼にうなずいて同意した / He nodded his head. 彼は首を縦にふった〈◆ yes の意味で了承・賛成などを表す. 「首を横に振る」(no の意味)は shake one's head〉/ The host nodded us a welcome. = The host nodded a welcome to us. 主人はうなずいて私たちを歓迎した(= The host nodded to us in welcome.).
2〈人が〉〈人に〉うなずいて(…へ)**招く**[去らせる]〈◆修飾語(句)は省略できない〉‖ After I knocked at the door, he nodded me into his room. 私がドアをノックすると彼は私にうなずいて彼の部屋に入れてくれた / motioned の方が自然〉/ She nodded me to her. 彼女はうなずいて私を自分のところへ呼び寄せた.
—— 名 ⓒ〔通例 a ~〕**1** 会釈;(命令・合図などの)うなずき;同意, 承諾 ‖ answer with *a nod* うんとうなずく / give him *a nod* 彼にうなずく(= nod to him). **2** 居眠り, うたた寝.

on the nód〔略式〕信用で, 顔で;暗黙の了解で, 正規の手続きは抜きで.

Nod /nάd | nɔ́d/ 名〔旧約〕ノドの国(the land of Nod)《Cain が Abel を殺害後移住したといわれる Eden の東にある地》. **the lánd of Nód** (やや古) 眠りの国;睡眠〈◆ nod とのしゃれ〉.

nod·dy /nάdi/ 名 ⓒ **1** ばか, まぬけ, とんま. **2**〔鳥〕クロアジサシ〈類〉《熱帯圏の海鳥》.

nod·al /nóudl/ 形 節の, こぶの.

node /nóud/ 名 ⓒ **1** 結び目, こぶ; はれ, ふくれ;(各部分の)中心点, 集合点. **2**〔植〕(茎の)節(ふ), 結節.

nod·ule /nάdʒuːl | nɔ́djuːl/ 名 ⓒ **1** 小さな節[こぶ]. **2**〔植〕小結節, 根粒. **3**〔鉱物・地質〕団塊.

No·el, No·ël /nouéɪ, 3 で nóuəl/〔フランス〕名 **1** ⓒ ⓤ〔文〕クリスマス(の季節)〈クリスマスカードや歌などで用いられる〉. **2** [n~] ⓒ クリスマス祝歌(Christmas carol).

noes /nóuz/ 名 no の複数形.

no-fault /nóufɔ́ːlt/ 形〔米〕**1**〈自動車損害保険が〉加害者が無過失であっても[無条件で]一定の損害額を支払う. **2**〔法律〕無過失の, 責任омиトない.

no-frills /nóufrílz/ 形〈住宅などが〉余分なものを付けていない;〈航空便などが〉余分なサービスをしない.

nog·gin /nάɡɪn | nɔ́ɡ-/ 名 ⓒ **1** 小型ジョッキ, 小さなコップ. **2** ⓤ 〔古〕(酒の)少量;(液量単位の)ノギン

《1/4 pint》. **3** ⓒ〔俗〕〔通例 the/one's ~〕頭.

nó-gó àrea /nóugóu-/ 名〔略式〕(反対グループの)立ち入り禁止区域;議論しない話題.

no-hit·ter /nóuhítɚ/ 名 ⓒ 〔米〕〔野球〕無安打試合.

no-hop·er /nóuhóupɚ/ 名 〔略式〕無用の人間, くず.

***noise** /nɔ́ɪz/ 派 noiseless 形, noisy 形
—— 名 (~s/-ɪz/) **1** ⓒ ⓤ **騒音, 音**〈◆ふつう「不愉快な音」であるが, 小さな楽しい音にも用いる. sound は中立的な語〉‖ traffic *noise* 交通騒音 / the rumbling *noise* of thunder 雷のゴロゴロいう音 / *Don't màke nóise* when you eat soup. スープを飲むとき音をたてるな / ショブ "Why do bagpipe players walk while they play?" "To get away from the *noise*." 「なぜバグパイプ奏者は歩きながら演奏するの?」「騒音から逃げるため」. **2** ⓒ ⓤ 叫び声, 騒々しさ ‖ Don't make so much *noise*. そんなに騒ぐな. **3** ⓤ (ラジオ・テレビなどの)雑音, ノイズ;〔コンピュータ〕ノイズ, 無意味な情報. **4** [~s] 月並みな意見, 発言, 批評.

màke a [sòme] nóise (1) 音をたてる. (2)〔…のことで〕大騒ぎする[about]. (3)〔略式〕〔…に/…のことで〕不平[苦情]を言う[to/about].
—— 動 (nois·ing) 他 〔正式〕…を言いふらす[広める] (+about, abroad, around).

nóise pollùtion 騒音公害.

†**noise·less** /nɔ́ɪzləs/ 形〔正式〕〈足取りなどが〉音をたてない, 静かな(↔ noisy);〈機器がふつうより音の小さい. **nóise·less·ly** 副 静かに(↔ noisily).

noise·mak·er /nɔ́ɪzmèɪkɚ/ 名 ⓒ **1** 騒々しい人. **2** (主に米)音をたてる物〈horn, rattle, clapper など〉. **3** (女性の携帯用)防犯ベル.

†**nois·i·ly** /nɔ́ɪzɪli/ 副 大きな音をたてて, 騒々しく.

nois·ing /nɔ́ɪzɪŋ/ 動 → noise.

noi·some /nɔ́ɪsəm/ 形〔正式〕〈においなどが〉非常に不快な.

***nois·y** /nɔ́ɪzi/
—— 形 (--i·er, --i·est) **1** 騒がしい, やかましい, 騒々しい, 大きな音をたてる(↔ quiet) ‖ a *noisy* street 騒々しい通り / *noisy* children うるさい子供たち / a *noisy* car 大きな音をたてる自動車 / *Don't be noisy*. 騒ぐな(= Be quiet.).

> 使い分け **[noisy と loud]**
> noisy は「騒々しい」の意.
> loud は「(大きくて荒っぽい音がたくさんして)うるさい」の意.
> Be quiet! Your voice is very loud [*noisy]. 静かにしなさい. 君の声がとても大きいよ.
> Lorries are very noisy. トラックがとてもうるさい.

2〈色・衣装などが〉はでな, けばけばしい, 人目をひく〈◆ loud の方がふつう〉. **nóis·i·ness** 名 ⓤ 騒々しさ.

†**no·mad** /nóumæd/ 名 ⓒ **1** [しばしば ~s] 遊牧の民. **2** 放浪者, 流浪者(wanderer). —— 形 = no·madic.

nó·mad·ism 名 ⓤ 遊牧[放浪]生活.

no·mad·ic /noumǽdɪk/ 形 **1** 遊牧民の, 遊牧(生活)の. **2** 放浪[流浪]者の, 放浪生活の.

nom de plume /nάm də plúːm | nɔ́m-/〔フランス〕名 (複 noms- /nάm(z)- | nɔ́m(z)-/) ⓒ ペンネーム, 筆名, 雅号.

no-man's-land /nóumǽnzlænd/ 名C《軍事》(相対する両軍の間の)中間地帯.

no·men·cla·ture /nóumənkleitʃər | nouméŋklətʃə/ 名《正式》**1** UC (学問・芸術の諸分野で用いる)用語体系, 用語法, 命名法. **2** U〖集合名詞〗学術用語.

†**nom·i·nal** /námənl | nɔ́m-/ 形 **1** 名ばかりの, 名義[名目]だけの, 有名無実の(↔ real); ごくわずかの, しるしばかりの ‖ a *nominal* leader 名ばかりの指導者 / *nominal* and real prices 公称値段と実際の値段 / a *nominal* amount of money ごくわずかな金. **2**《正式》名の; 名を連ねた; 〈株券など〉記名の. **3**〖文法〗名詞の, 名詞用法の. ── 名C〖文法〗名詞相当語句.
nóminal válue 額面[名目]価格.
nóminal wáges 名目賃金(cf. real wages).

nom·i·nal·ism /námənlìzm | nɔ́m-/ 名U〖哲学〗名目論, 唯名論.

†**nom·i·nal·ly** /námənəli | nɔ́m-/ 副 名目[名義]上は; 名前で.

†**nom·i·nate** /námənèit | nɔ́m-/ 動他 **1**〈人が〉〈人〉を〔…に〕指名する, 推薦する〔*for, as*〕‖ She was *nominated* ⌈*for* president [*for* the presidency]. 彼女は大統領候補に推薦された. **2**〈首相などが〉〈人〉を〔役職に〕任命する〔*as, to, to be*〕‖ The Queen *nominated* him (*as* [*to be*]) Master of the Household. 女王は彼を宮内次官に任命した(◆⊃図 16.3(4))). **3**〈日時・場所などを〉〔…と〕指定する, 定める〔*as*〕.

†**nom·i·na·tion** /nàmənéiʃən | nɔ̀m-/ 名UC〔…に/…として〕指名[推薦, 任命]する[される]こと〔*for/as*〕; U〔…の〕指名[推薦, 任命]権〔*for*〕.

nom·i·na·tive /námənətiv | nɔ́m-/ 形 **1**〖文法〗主格の ‖ the *nominative* case 主格 / a *nominative* pronoun 主格代名詞. **2** 指名[推薦, 任命]された. ── 名C〖文法〗**1**〖通例 the ~〗主格, 主語. **2** 主格の語.
nóminative ábsolute〖文法〗(独立分詞構文の)独立主格〖例: *The key being lost, the door could not be opened.*〗.

†**nom·i·nee** /nàməní: | nɔ̀m-/ 名C〔…に〕指名[推薦, 任命]された人〔*for*〕.

non- /nán- | nɔ́n-/〖語要素〗→語要素一覧(1.7).

non·age /nánidʒ | nóun-/ 名U **1**〖法律〗(法律上の)未成年《米国では州により18歳未満または21歳未満, 英国では18歳未満》. **2** 未熟期, 幼年[少年, 少女]時代.

non·a·ge·nar·i·an /nànədʒənéəriən | nòun-/ 名C 90歳代の人.

non·ag·gres·sion /nànəgréʃən | nɔ̀n-/ 名U 不侵略. **nonagréssion páct** 不可侵条約.

non-al·co·hol·ic /nànælkəhálik | nɔ̀nælkəhɔ́lik/ 形〈飲み物が〉アルコールを含まない.

non-a·ligned /nànəláind | nɔ̀n-/ 形 非同盟の, 中立の. **nòn-alígnment** 名U 非同盟(中立).

non-ap·pear·ance /nànəpíərəns | nɔ̀n-/ 名U〖法律〗(当事者または証人の法廷への)不出廷, 欠席.

non-at·tend·ance /nànəténdəns | nɔ̀n-/ 名U 欠席, 不参加.

non-bank /nánbæŋk | nɔ́n-/ 名C ノンバンク《銀行ではないが貸し出し・貯蓄などを扱う金融会社》.

nonce /náns | nɔ́ns/ 名《◆次の句で》‖ **for the nonce**《文》さしあたって, 当座は; 当分.
nónce wórd〖文法〗(その場限りに用いる)臨時語.

non·cha·lance /nànʃəlá:ns | nɔ̀nʃəláns/ 名U 〖時に a ~〗無関心, 無頓着(とんちゃく) ‖ with *nonchalance* 冷淡に.

non·cha·lant /nànʃəlá:nt | nɔ́nʃələnt/ 形《正式》無関心な, 無頓着な(indifferent); 屈託のない, 冷淡な, 平然とした. **nòn·cha·lánt·ly** 副 無関心に.

non·chem·i·cal /nànkémikl | nɔ̀n-/ 形 非化学の.

non-Chris·tian /nànkrístʃən | nɔ̀n-/ 形 非キリスト教(徒)の(の); 〈キリスト教に〉信仰心のない(人); 不親切な(人).

non·com·bat·ant /nànkəmbǽtnt | nɔ̀nkɔ́mbətnt/ 名C 形 非戦闘員(の)〈従軍医師・牧師・補給関係の人など〉; (戦時の)一般市民(の).

non·com·mis·sioned /nànkəmíʃənd | nɔ̀n-/ 形 任命されていない, 〈特に将校の〉辞令を受けていない. **noncommíssioned ófficer**(陸軍の)下士官(略 NCO).

non·com·mit·tal /nànkəmítl | nɔ̀n-/ 形《正式》言質(げんち)を与えない, あいまいな; (目立った特徴のない) ‖ a *noncommittal* reply あたりさわりのない返答. **nòn·com·mít·tal·ly** 副 あいまいに.

non·com·pli·ance /nànkəmpláiəns | nɔ̀n-/ 名U (命令などへの)不服従.

non com·pos men·tis /nán kámpəs méntəs | nɔ́n kɔ́m-/〖ラテン〗形 正気でない.〖法律〗心神喪失の.

non·con·duc·tor /nànkəndʌ́ktər | nɔ̀n-/ 名C〖物理〗不導体, 絶縁体.

non·con·fi·dence /nànkánfidəns | nɔ̀nkɔ́n-/ 名U 不信任. **nonconfidence motion [vote]** 不信任動議.

non·con·form·ist /nànkənfɔ́:rmist | nɔ̀n-/ 名C **1** (慣習などに)従わない人, 非協力者. **2**〖時に N~〗(英)国教を信奉しない人, 非国教徒, プロテスタント.

non·con·for·mi·ty /nànkənfɔ́:rməti | nɔ̀n-/, **-con·form·ism** /-kənfɔ́:rmizm | nɔ̀n-/ 名U **1** (慣習などに)従わないこと; 不調和. **2**〖時に N~〗(英)非国教主義(者), 国教不奉仕主義(者).

non·con·trib·u·to·ry /nànkəntríbjətɔ̀:ri | nɔ̀nkəntríbjutəri/ 形〈保険・年金制度が〉(雇用者の)金額負担の; 寄付によらない.

non·co·op·er·a·tion /nànkouəpəréiʃən | nɔ̀n·kouɔp-/ 名U (抵抗の形としての)非協力.

non-dair·y /nàndéəri | nɔ̀n-/ 形 非酪農業の; 非乳製品製造者の. ── 形 乳製品を使わない, 乳成分を含まない.

non-de·nom·i·na·tion·al /nàndinəmənéiʃənl | nɔ̀ndinɔmə-/ 形 特定の宗教に属さない.

†**non·de·script** /nándiskrìpt | nɔ́ndiskrìpt/《正式》形C えたいの知れない(人, 物), 特徴のない, 漠然とした.

*****none** /nán | nɔ́n/〖同音〗nun)〖ひとつもない(not one)〗── 代《◆ no の代名詞用法に相当》**1a**〖~ of + 複数名詞; 単数・複数扱い〗(…の)うちの何ひとつ…ない, だれひとり…ない《◆ 2 者間では neither を用いる》‖ *None of* the boxes is [are] empty. 箱はどれも空でない(= Not one of the boxes is [are] empty.) 《◆〓 本来は単数扱いであるが後の複数名詞に引かれて複数扱いされることが多い.《正式》では単数扱い》/ I like *none* of these works. これらの作品のどれも気に入らない(= I don't like any of these works.) / *None* have [has] reached the goal. だれもゴールインしていません《◆(1) 複数表現にふつう. (2) none を単独で用いる場合は no one より固い語》. **b**〖~ + 形容詞・副詞の比較級 + than …〗《正式》〈人〉より…な人はだれもいない ‖ He ran fast, and *none* faster *than* he. 彼は速く走った, だれよりも速

かった.

語法 [none と not any]
次の(1)と(2)を比較.
(1) *None* of the guests arrived on time. ゲストはだれも定刻通りに着かなかった(*ˣNot any* of the guests arrived on time. / *ˣAny* of the guests didn't arrive on time.).
(2) Until 6 o'clock *none* of the guests arrived. 6時になるまでゲストはだれも到着しなかった(= *Not* until 6 o'clock did *any* of the guests arrived.)《◆ not が any に先行しているので可》.

2 [~ of + the [one's, this など] + 単数名詞; 単数扱い](…のうちの)どれも…ない ‖ Almost *none* of the food has gone bad. 食べ物はほとんどとも腐っていなかった《◆ ˣNearly none … は不可》.
3 [先行の名詞(句)を受けて; 単数・複数扱い] 何も[だれも]…ない《◆1, 2 の of + 名詞(句)が略されたもの》‖ The committee made four suggestions, but *none* was [were] acceptable. 委員会は4つの提案をしたがどれも受け入れられるものではなかった / Mary looked for some cake, but there was *none* left. メリーはケーキを探したがひとつも残っていなかった《◆ ˣ… there was nothing left. は「ケーキ」以外の物にまで言及するので不可. 逆に先行名詞句を受けない場合 none は用いられない: Mary looked for something to eat, but there was nothing [ˣnone] left.》.

háve nóne of A …を認めない, 拒否する.
nóne but A (正式) [通例複数扱い] …以外は決して…でない; …のみ…だ ‖ *None but* the brave deserve our respect. 勇者のみが尊敬に値する.
Nóne of your … (略式) [時に it is の後で] …はごめんだ ‖ *None of your* búsiness!(🔊) 君の知ったことか(=No business of yours!) / *None of your* impudence [stupid ideas]! 生意気言うな [ばかな考えはもうごめんだ].
nóne óther than … ほかならぬ…で, だれ[何]かと思えば…で《◆ 驚きの表現》.

——副 **1** [none too, none so で] あまり…でない (not very); [反語的に] 少しも[決して]…ない (not at all) ‖ He spoke English *none too* well. 彼は英語はあまり上手ではなかった. **2** [none the + 比較級で] 少しも…でない.
nòne the léss [文圏・文尾で] それでもやはり; (…にも)かかわらず, (…だが)それでも ‖ He has faults, but I love him *none the less.* 欠点はあるがそれでも彼が好きです.
nòne the bétter for A …だからといっていっこうによくなくて.
nòne the wórse for A …だからといっていっこうに悪くなくて.

non·ec·o·nom·ic /nànekənámik | nòni:kənɔ́mik/ 形 経済的価値のない.
non·ed·u·ca·ble /nànédʒəkəbl | nɔ̀nédju-/ 形 (正式) 教育できない.
non·ed·u·ca·tion·al /nànedəkéiʃənl | nɔ̀nedju-/ 形 非教育的な; 教育に関係のない.
non·ef·fec·tive /nànifɛ́ktiv | nɔ̀n-/ 形 効力のない, 役に立たない; 戦闘能力がない.
non·en·ti·ty /nànénṭəṭi | nɔ̀n-/ 名 **1** ⓒ 取るに足りない人[物]. **2** ⓒ 実在しないもの, 架空の物. **3** Ⓤ 非実在, 非存在.
non·es·sen·tial /nànisénʃəl | nɔ̀n-/ 形 非本質的な, 不必要な; 〔生化学〕非必須の.
none·the·less /nǹnðəlés/ 副 (正式) それにもかかわらず《◆ nevertheless の方がふつう》.
non-Eu·clid·e·an /nànju:klídiən | nɔ̀n-/ 形 非ユークリッドの ‖ *non-Euclidean* geometry 非ユークリッド幾何学.
non-Eu·ro·pe·an /nànjuərəpí:ən | nɔ̀n-/ 形 (南アの)白人でない.
non·e·vent /nànivént | nɔ̀n-/ ⓒ (略式) 期待はずれの[前宣伝ほどでない]出来事.
non·ex·change·a·ble /nànikstʃéindʒəbl, -eks- | nɔ̀n-/ 形 〔…と〕交換できない〔*for*〕.
non·ex·is·tence /nànigzístns, -egz- | nɔ̀n-/ ⓒ Ⓤ (正式) 非実在(物), 無存在.
non·ex·is·tent /nànigzístnt, -egz- | nɔ̀n-/ 形 実在[存在]しない.
non·fat /nànfæt | nɔ̀n-/ 形 無脂肪の (fat-free).
——名 Ⓤ 脂肪を(ほとんど)含有しない食品.
non·fic·tion /nànfíkʃən | nɔ̀n-/ 名 Ⓤ ノンフィクション(作品)〔伝記・歴史・随筆など〕.
non·flam·ma·ble /nànflǽməbl | nɔ̀n-/ 形 〔衣服・材料などが〕不燃性の (↔ inflammable).
non·flex·i·ble /nànfléksəbl | nɔ̀n-/ 形 柔軟性のない; 素直でない.
non·flow·er·ing /nànfláuəriŋ | nɔ̀n-/ 形 〔植〕花をつけない, 花の咲かない; 開花時期のない ‖ *nonflowering* plants シダ類・コケ類の植物.
non·ha·bit·u·at·ing /nànhəbítʃueiṭiŋ | nɔ̀n-/ 形 〔薬などが〕非習慣性の.
non·he·ro /nànhí:rou | nɔ̀nhíərəu/ 名 ((女性形) nón·hér·o·ine) ⓒ 〔文学〕主人公らしくない主人公 (antihero).
non·hu·man /nànhjú:mən | nɔ̀n-/ 形 人間以外の, 人間でない.
non·i·den·ti·cal /nànaidénṭikl | nɔ̀n-/ 形 異なった; 〔生物〕二卵性の.
non·in·ter·fer·ence /nànintərfíərəns | nɔ̀n-/ 名 Ⓤ (正式) 〔政治上の〕不干渉(主義).
non·in·ter·ven·tion /nànintərvénʃən | nɔ̀n-/ 名 (正式) 内政不干渉, 不介入, 放任.
non-iron /nànáiərn | nɔ̀n-/ 形 アイロンがけ不要の.
non·met·al /nànmétl | nɔ̀n-/ 名 Ⓤ 〔化学〕非金属.
non·neg·a·tive /nànnégətiv | nɔ̀n-/ 形 非否定的な, 消極的でない; 〔数学〕非負の, 負でない《0または0より大きい》.
non·nu·cle·ar /nànjú:kliər | nɔ̀n-/ 形 非核の, 核を持たない[開発しない, 使わない]; 核エネルギーを使わない. ——名 ⓒ 核を所有しない国, 非核武装国.
no-no /nóunòu/ 名 (複 ~s, ~'s) ⓒ (略式) 禁じられたこと, 使ってはいけない物.
non·ob·jec·tive /nànabdʒéktiv | nɔ̀n-/ 形 〔美術〕非具象的な, 抽象的な, 非写実的な.
non·ob·ser·vance /nànəbzə́:rvəns | nɔ̀n-/ 名 Ⓤ (正式) (法や慣習の)不順守.
non-non·sense /nóunánsens | -nɔ́nsəns/ 形 (略式) **1** 本気の, お遊びでない, まじめな. **2** 〔服が〕(安っぽい)飾りのついていない.
non·pa·reil /nànpərél | nɔ̀npəréil, nɔ̀npərl/ (文) 形 比類ない, 無比の. ——名 ⓒ 比類のない人[物]; 極上品.
non·par·ti·san, -ti·zan /nànpá:rtəzn | nɔ̀npɑ́:ti·zæn/ 形 党派心のない, 無所属の, 超党派の, 客観的な. ——名 ⓒ 党派に属さない人, 無所属の人.
non-party /nànpá:rti | nɔ̀n-/ 形 政党に属さない, 無党派の.

non・pay・ing /nɑnpéiiŋ | nɔn-/ 形 (金を)支払わない; 利益にならない.

non・pay・ment /nɑnpéimənt | nɔn-/ 名 U (正式) 不払い, 未払い.

non・per・for・mance /nɑnpərfɔ́ːrməns | nɔn-/ 名 U 不履行, 不実行.

non・phys・i・cal /nɑnfízikl | nɔn-/ 形 非物質的な, 非自然(界)の; 非肉体の; 非物理(学)的な, 非自然科学の.

non・plus /nɑnplʌ́s | nɔn-/ 名 [a ~] 途方に暮れること, 当惑 ‖ at a *nonplus* 途方に暮れて / put him to a *nonplus* 彼を困惑させる. ——動 (過去・過分) ~ed or (英) non・plussed/-t/; ~・ing or (英) --plus・sing 他 [通例 be ~(s)ed] 〈人が〉(次の言葉・行動がでないほど)当惑する.

non・plus(s)ed /nɑnplʌ́st | nɔn-/ 形 当惑した.

nòn-pre・scríp・tion drùg /nɑnpriskrípʃən | nɔn-/ 医者の処方箋なしで買える[販売される]薬, 大衆薬, 一般用医薬品.

non・pro・fes・sion・al /nɑnprəféʃənl | nɔn-/ 形 非職業的な, 職業と無関係の, ノンプロの. ——名 C 非専門家, アマチュア選手, 素人(⑭).

non・prof・it /nɑnprɑ́fət | nɔn-/ 形 (米) 非営利的な. **nonpròfit corporátion [organizàtion]** (米) 非営利団体.

non・prof・it-mak・ing /nɑnprɑ́fitmèikiŋ | nɔnprɔ́f-/ 形 赤字の; (英) 非営利的な((米) nonprofit).

non・pro・lif・er・a・tion /nɑnprəlifəréiʃən | nɔn-/ 名 U (特に核・化学兵器の)生産[拡散]防止, (細胞などの)非増殖, 増殖停止.

nonproliferátion tréaty 核不拡散[拡散防止]条約 (略) NPT.

non-re・fund・a・ble /nɑnrifʌ́ndəbl | nɔn-/ 形 払い戻しされない.

non-re・new・a・ble /nɑnrin(j)úːəbl | nɔn-/ 形 再生不可能な.

non・rep・re・sen・ta・tion・al /nɑnreprizentéiʃənl | nɔn-/ 形 [美術] 抽象的な, 非具象[非写実]的な.

non-res・i・dent /nɑnrézidənt | nɔn-/ 形 (正式) その土地に住んでいない; 住み込みでない. ——名 C **1** (その土地の)住民でない人. **2** (ホテルなどの)宿泊客でない人.

non-re・sis・tant /nɑnrizístənt | nɔn-/ 形 無抵抗の. ——形 名 C 無抵抗(主義)者.

***non・sense** /nɑ́nsens | nɔ́nsəns/ [non + sense]
——名 U **1** [(英) 時に a ~] 無意味; ばかげたこと [考え, 行為, 話], ナンセンス《◆不定冠詞は用いるが複数形にはしない》‖ Stop *talking* nonsense. ばかなことを言うのはよせ / Cut the *nonsense*! ばかなことはやめろ / *make* (a) *nonsense of* ... …をだめ[無意味なもの]にする / It's *nonsense* to say ... …と言うのはばかげている.
2 がらくた, つまらない物 ‖ The box was full of pencils, erasers and other *nonsense*. その箱には鉛筆, 消しゴム, その他つまらない物がいっぱい詰まっていた.
3 ナンセンス詩.

tàke the nónsense óut of A 〈人〉の行動[考え]を正す.

——形 [名詞の前で] 〈語句・話などが〉無意味な, 意味をなさない.

——間 ばかな, 信じられぬ, そんなことがあるものか.

non・sen・si・cal /nɑnsénsikl | nɔn-/ 形 無意味な, ばかげた, 途方もない. **non・sén・si・cal・ly** 副 無意味に.

non se・qui・tur /nɑ̀n sékwətər | nɔ̀n-/ [ラテン] 名 (正式) 無理な理論; 〔論理〕 不合理な結論 (略) non seq.).

non-skilled /nɑnskíld | nɔn-/ 形 非熟練の.

non-slip /nɑnslíp | nɔn-/ 形 滑り止めのある.

non・smok・er /nɑnsmóukər | nɔn-/ 名 タバコを吸わない人; (英) (鉄道の)禁煙車; (客車の)禁煙席.

non・smok・ing /nɑnsmóukiŋ | nɔn-/ 形 禁煙の (= smoke-free).

non-spe・cial・ized /nɑnspéʃəlaizd | nɔn-/ 形 特定の仕事[研究, 目的]に適さない[無関係の]; 〔生物〕 分化していない.

non-stan・dard /nɑnstǽndərd | nɔn-/ 形 標準的でない; 基準[標準]外の.

non-start・er /nɑnstɑ́ːrtər | nɔn-/ 名 C (略式) 成功の見込みのない人[考え, 計画].

non-stick /nɑnstík | nɔn-/ 形 〈フライパンなどが〉こげつかない, テフロン加工の.

non-stop /nɑnstɑ́p | nɔnstɔ́p/ 形 副 〈列車・飛行機などが〉直通[直行]の[で]; 〈興行・旅などが〉休みなしの[に] ‖ a *nonstop* train 直通列車 / a *nonstop* flight 無着陸飛行 / fly *nonstop* from Los Angeles to Paris ロサンゼルス・パリ間をノンストップで飛ぶ / rain *nonstop* for three days 休みなく3日間雨が降り続ける. ——名 C 直通[直行]便; 直通列車[飛行機].

non-tech・ni・cal /nɑntéknikl | nɔn-/ 形 非技術(上)の, 非科学技術的に; 非工業の; 非専門の; 精通[熟達]していない; 〈相場などが〉非人為的な.

non-U /nɑ́njúː | nɔn-/ 形 〈言葉・品行・服装などが〉上流階級にふさわしくない, 上流階級でない (⇔ U).

non-u・nion /nɑnjúːnjən | nɔn-/ 形 労働組合に属さない, 労働組合がない, 〈会社の労働組合などが〉未組織の; 労働組合に反対の.

non-ver・bal /nɑnvə́ːrbl | nɔn-/ 形 言葉を用いない[必要としない] ‖ *nonverbal* communication 非言語コミュニケーション《手まね・身振りなど》.

non-vi・o・lence /nɑnváiərəns | nɔn-/ 名 U 非暴力(主義, 政策).

non-vi・o・lent /nɑnváiələnt | nɔn-/ 形 非暴力主義(政策)の.

nonvíolent resístance =nonviolence.

non-white /nɑ̀nhwáit | nɔn-/ 形 名 C (時に侮蔑) 白色人種でない(人)《◆ふつう黒人をさす》; [the ~; 集合名詞] 非白色人種.

noo・dle /núːdl/ 名 U C [通例 ~s] ヌードル, めん類; (米) パスタ.

†nook /núk/ 名 C (部屋などの)隅 (corner), 人目のつかない所 ‖ look in [search] every *nook* and cranny (略式) くまなく捜す.

***noon** /núːn/ [nine (日の出より9時間後)が原義]
——名 **1** U (正式) 正午, 真昼 ‖ the *noon* sun 真昼の太陽 / 〔対話〕 "What time is it?" "I don't have a watch, but perhaps it is past *noon*." 「何時ですか」「時計を持っていませんがたぶん昼すぎでしょう」/ *at* (*high*) *noon* (かっきり)正午に / *before* [*until*, *around*] *noon* 正午前[まで, ごろ]に.
2 [the ~] 最盛期, 絶頂 ‖ at the *noon* of one's life 壮年期に.

†noon・day /núːndèi/ 名 U (文) 正午, 真昼; [形容詞的に] 正午の, 真昼の ‖ the *noonday* sun 真昼の太陽 / (*as*) *clear* [*plain*] *as the noonday sun* (真昼のように)きわめて明白な.

no one, no-one /nóu wʌ́n/
—代 [単数扱い] だれも…ない ‖ ˈNo one [Nó-one] knows [×know] where Bill lives. ビルがどこに住んでいるかだれも知らない / She has ˈno one [no-one] to love her. =ˈNo one [Nó-one] loves her. 彼女は愛してくれる人はだれもいない.

語法 (1) [no one, no-one と nobody] 呼びかけなどの場合は nobody が好まれる: Nobody move. だれも動くな.
(2) 動詞・代名詞の呼応については→ nobody 語法.
(3) ˈof ＋ 定名詞句」, ˈof ＋ 代名詞」が続く場合は, ˈ×No one [×No-one] of them laughed. は不可で, None [Not one] of them laughed. (彼らのうち, 笑った者はいなかった)とする.
(4) 付加疑問文では they で受けるのがふつう (→ nobody 語法).

†**noon·tide** /núːntàid/ 名 (詩) **1** ⓒ 正午, 真昼 ‖ at *noontide* 正午に. **2** [the ~] 全盛期, 絶頂. **3** Ⓤ 真夜中, 夜半.

noon·time /núːntàim/ 名 Ⓤ 正午, 真昼.

†**noose** /núːs/ 名 **1** ⓒ (引くと締まる)輪なわ, 投げなわ, 引き結び. **2** [the ~] 絞首刑用の首つりなわ; 絞首刑 ‖ have [get] *the* noose round one's neck 首なわを巻かれている, 先が思いやられる. **3** ⓒ (自由を束縛するものとしての)きずな; わな.
—動 他 **1** 輪なわで捕える, わなにかける. **2** 〈ロープ〉に引き結びを作る.

nope /nóup/ 副 (略式) =no¹ (↔ yep).

no·place /nóuplèis/ 副 (略式) =nowhere.

*nor /nɔːr, nɚ; (弱) nər/ [「いずれでもない」が原義. cf. neither]
—接 **1** [neither A nor B (nor C)] A も B も (C も)(…し)ない ‖ I speak *neither* French *nor* German. 私はフランス語もドイツ語も話しません(→ neither).
2 [not, never, no などの後で] …もまた(…)ない 《◆or で代用されることもある》‖ The work cannot be done by you *nor* (by) me *nor* (by) anyone else. その仕事はあなたにも私にもまた他のだれにもできない / I have no money *nor* [or] honor. 私にはお金も名誉もない.
3 (正式) そしてまた(…)しない 《◆ 節を続けるのに ˈnor ＋ (助)動詞 ＋ 主語」の倒置となる. ⇒文法23.3(3)》‖ I don't know her, *nor* do I want to. 私は彼女を知らないし, また知りたいとも思わない(=…, and I don't want to, either.) 《◆ *nor* の前に and, 時に but を用いるのは (主に英)》/ 〔対話〕 "I can't play the violin." "*Nor* can I." 「私はバイオリンが弾けません」「私もです(=(略式) Me neither.)」.

Nor. 略 Norman; North; Norway; Norwegian.

No·ra /nɔ́ːrə/ 名 ノラ 《女の名. Eleanor の愛称》.

Nor·dic /nɔ́ːrdik/ 形 〔人類〕 北方人種, 北欧人 《長身・金髪・碧(き)眼・長頭が特徴》. —— 名 北方人種の, 北欧人の; 《スキーの》ノルディック種目の《ジャンプ及びクロスカントリー. cf. alpine》.
Nórdic combíned 《スキー》ノルディック複合(競技) 《ジャンプとクロスカントリーで競う》.

Nor·folk /nɔ́ːrfək, -fɔːk/ 名 **1** ノーフォーク《米国 Virginia 州南東部の海港. 空・海軍の基地がある》. **2** ノーフォーク《イングランド東部の州》.

norm /nɔ́ːrm/ 名 ⓒ (正式) [しばしば the ~] (…の/…のための)規範, 基準; 平均(水準, 成績); [しばしば ~s] 規範, 模範〔*of*/*for*〕. **2** [a/the ~] 標準労働量, ノルマ.

*nor·mal /nɔ́ːrml/ 派 normally (副)
—形 (more ~, most ~) **1** 標準の; 正常な; 平均の; 規準に合った, 正規の; ふつうの, 通常の (↔ abnormal) ‖ return [come to] a *normal* life 平常な暮らしに戻る / *normal* growth 正常な発育 / a *normal* new-born baby 正常な新生児 / It is quite *normal* to want girlfriends at your age. あなたの年齢でガールフレンドが欲しいのはまったくふつうです / It is quite *normal* that you should get angry with your son. 君が自分の息子に腹を立てるのももっともなことだ. **2** 〔数学〕〔…と〕垂直の, 直角の〔to〕《◆比較変化しない》.
—名 Ⓤ 標準, 規準; 平均; 正常, 常態 ‖ four degrees above *normal* 平均 4 度を超えて.

nor·mal·cy /nɔ́ːrmlsi/ 名 Ⓤ 《主に米正式》正常, 常態.

nor·mal·i·ty /nɔːrmǽləti/ 名 Ⓤ =normalcy.

nor·mal·ize /nɔ́ːrmlàiz/ 動 他 〈を〉標準的にする, 標準に一致させる; 〈言語など〉を統一する; 〈国際関係など〉を正常化する.
nòr·mal·i·zá·tion 名 Ⓤ 標準化, 正常化.

†**nor·mal·ly** /nɔ́ːrmli/ 副 標準的に; 正常に; 正規に; [文全体を修飾] ふつうは, いつもは《◆ almost always ＋ often の中間》‖ Father *normally* comes home at 7 o'clock. 父はふつう 7 時に帰って来ます.

†**Nor·man** /nɔ́ːrmən/ 名 (複 ~s) **1** ⓒ **a** ノルマン人 《10 世紀に Normandy を征服, そこに住み着いた古代北欧人(Northman)》. **b** ノルマン人 《1066年 England を征服した, 北欧人とフランス人の混血民族. cf. Norman Conquest, Norman English》. **2** ⓒ ノルマンディー人. **3** =Norman-French **1**. **4** ノルマン語《男の名》.
—形 **1** ノルマン(人)の, ノルマンディー(人)の. **2** 〔建築〕ノルマン式[風]の.

Nórman Cónquest [the ~] ノルマン征服 《1066 年. William the Conqueror の率いるノルマン人による England 征服》.

Nórman Énglish ノルマン英語 《Norman Conquest 後に征服者(Normans)の話す Norman French の影響を大きく受けた英語》.

Nórman Frénch =Norman-French.

Nor·man·dy /nɔ́ːrməndi/ 名 ノルマンディー《英仏海峡に面したフランス北西部の地方. 第二次大戦末期に連合国側が対独上陸作戦を行なった所》.

Nor·man-French /nɔ́ːrmənfréntʃ/, **Nórman Frénch** 名 形 **1** ノルマン-フランス語(の) 《Normandy 地方と England で使われた中世フランス語方言》. **2** (現代の)ノルマンフランス語方言(の). **3** ノルマン(人)の (→ Norman **1 b**).

nor·ma·tive /nɔ́ːrmətiv/ 形 (正式) 標準[基準]の, 基準[標準]を定める.

Norn /nɔ́ːrn/ 名 〔北欧神話〕 [通例 the ~s] ノルン《運命をつかさどる 3 女神》.

Norse /nɔ́ːrs/ 名 **1** [the ~; 複数扱い] ノルウェー人, 古代ノルウェー[スカンジナビア]人. **2** Ⓤ ノルウェー語; 古代ノルウェー語. —— 形 古代スカンジナビア(人, 語)の; (特に古代)ノルウェー(人, 語)の.

Norse·man /nɔ́ːrsmən/ 名 =Northman.

*north /nɔ́ːrθ/ 派 northern (形)
—名 **1** [しばしば N~] [the ~] 北, 北方, 北部 《略 N, N., n.》(cf. east, south, west)《◆用例・語法そ

の他は → east 名1).
2 [the N~] **a**《米》北部地方《首都ワシントン以北の東北部の諸州》;《米史》(南北戦争時の)北部諸州(the Union). **b**《英》イングランドの北部地方《Manchester, Hullとそれ以北の地域を含む》.
――形《比較変化しない》[しばしば N~][名詞の前で] **1** 北の, 北にある, 北部の(northern)(→ eastern 語法). **2** 北に向いた, 北へ行く;〈風が〉北から吹く.
――副[しばしば N~] 北へ[に], 北に, 北方へ[に];〈風が〉北へ[(古)から]《◆比較変化しない》(cf. northern, northerly).

úp nórth(略式)北(部)へ[に, で](↔ down south).
Nórth América 北アメリカ, 北米.
Nórth Américan 北アメリカの;北アメリカ人(の).
Nórth Atlántic Tréaty Organizàtion [the ~] 北大西洋条約機構, ナトー(NATO).
Nórth Carolína ノースカロライナ《米国東部の州.《愛称》the Daisy [Tar Heel] State.《略》NC,《郵便》NC》.
Nórth Cóuntry [the ~] (1)《米》アラスカとユーコン(Yukon)を含む地域. (2) [the n- c-]《英》イングランド北部.
Nórth Dakóta ノースダコタ《米国北部の州;《愛称》the Sioux State.《略》N. Dak., ND,《郵便》ND》.
Nórth Koréa 北朝鮮《◆正式名the Democratic People's Republic of Korea(朝鮮民主主義人民共和国). 首都Pyongyang》.
Nórth Póle (1) [the ~] 北極(点)(図 → earth). (2) [the n- p-] (磁石の)北極.
Nórth Séa [the ~] 北海《英国とヨーロッパ本土との間の海》.
Nórth Stár [the ~] 北極星(polestar).
north·bound /nɔ́ːrθbàund/ 形〈船などが〉北へ向かう.
†**north·east** /nɔ̀ːrθíːst;〔海事〕nɔ̀ːríːst/ [しばしば N~]名 [the ~] **1** 北東《略》NE). **2** 北東部(地方);[the N~]《米》北東部地方《ニューヨーク市を含むニューイングランド地方》.――形 **1** 北東の, 北東にある. **2**〈風が〉北東からくる.――副 **1** 北東へ[に]. **2**〈風が〉北東から.
Northeást Pássage [the ~] 北東航路《大西洋からユーラシア(Eurasia)大陸の北海岸に沿って太平洋に出る航路. cf. Northwest Passage》.
north·east·er·ly /nɔ̀ːrθíːstərli/ 形副 北東の[へ, に];北東[から]の, 北東[から]に;〈風が〉北東から.
†**north·east·ern** /nɔ̀ːrθíːstərn/ -ístn/ 形 (→ eastern 語法) [しばしば N~] **1** 北東の;北東への;北東部の;[N~]《米》北東部地方の. **2**〈風が〉北東からの.
north·east·ward /nɔ̀ːrθíːstwərd/ 副《米》北東へ[に], 北東に向かって.――形 北東(への);北東向きの.――名 [the ~] 北東(方).
nòrth·éast·ward·ly 副形 北東(へ)の.
north·er /nɔ́ːrðər/ 名C (寒くて強い)北風《◆《米》では特に秋から冬にかけてTexas, Florida, メキシコ湾に吹く寒冷北風をいう》.
†**north·er·ly** /nɔ́ːrðərli/ nɔ̀ːðəli/ 形 **1** 北の;北への, 北方への;[in the *northerly* direction 北の方へ]. **2**〈風が〉北からの.《◆ *north* に比べだいたいの方角をさす》‖ a *northerly* wind 北風.――副 **1** 北へ[に], 北方に[へ]. **2**〈風が〉北から.
***north·ern** /nɔ́ːrðərn | nɔ̀ːðn/ 【発音注意】[[→ north])
――形 (→ eastern 語法)《比較変化しない》[しばしば N~][通例名詞の前で] **1** 北の, 北方の, 北にある ‖ Hokkaido is in the *northern* part of Japan. 北海道は日本の北部にある(→ east 名1語法). **2** 北へ行く[に向かう]の. **3**〈風が〉北からの. **4** 北部の;[N~]《米》北部地方の ‖ Northern Europe 北ヨーロッパ / the Northern States《米》北部諸州.
――名U 北部方言.
Nórthern Hémisphere [the ~] 北半球.
Nórthern Íreland 北アイルランド《英国の一部. 首都Belfast.《略》NI》.
nórthern líghts [the ~;複数扱い] 北極光, オーロラ(aurora borealis)(cf. the southern lights).
Nórthern Stár [the ~] =North Star.
Nórthern Térritory [the ~] ノーザンテリトリー《オーストラリア中央北部の準州. 首都Darwin.《略》NT》《◆местный「北方領土」は the Northern Territoriesで表す》.
north·ern·er /nɔ́ːrðərnər | nɔ̀ːðn-/ 名C **1** 北部地方(生まれ)の人, 北部の人. **2** [N~]《米》北部(生まれ)の人, 北部人;《米史》(南北戦争で)北部側の人.
north·ern·most /nɔ́ːrðərnmòust | nɔ̀ːðn-/ 形 [正式] 最も北方の, 最北端の.
north·land /nɔ́ːrθlənd/ 名 **1** C (詩) 北部地方, 北の国. **2** [N~] スカンジナビア半島.
†**North·man** /nɔ́ːrθmən/ 名(複 -·men) C 古代北欧[スカンジナビア]人《◆8-10世紀ごろヨーロッパの北部および西部海岸を荒らしたVikingで有名. Norsemanともいう》.
north-north·east /nɔ̀ːrθnɔ̀ːrθíːst / nɔ̀ːθnɔ̀ːríːst/ 名 [the ~] 北北東《略》NNE》.
north-north·west /nɔ̀ːrθnɔ̀ːrθwést / nɔ̀ːθnɔ̀ːwést/ 名 [the ~] 北北西《略》NNW》.
†**north·ward** /nɔ́ːrθwərd/ 副《主に米》北へ[に], 北方へ[に];北方に向かって.――形 北(への);北向きの.――名 [the ~] 北(方).
north·ward·ly /nɔ́ːrθwərdli/ 副形 北向きの[に];〈風が〉北からの(の).
north·wards /nɔ́ːrθwərdz/ 副《主に英》=northward.
†**north·west** /nɔ̀ːrθwést;〔海事〕nɔ̀ːwést/ [しばしば N~]名 [the ~] **1** 北西《略》NW》. **2** 北西部(地方);[the N~]《米》北西部地方《Washington, Oregon, Idahoの3州》.――形 **1** 北西の, 北西にある. **2**〈風が〉北西から来る.――副 **1** 北西へ[に]. **2**〈風が〉北西から.
Northwést Pássage [the ~] 北西航路《北大西洋から北米大陸の北岸に沿って太平洋に出る航路. cf. Northeast Passage》.
Northwést Térritories [the ~;単数扱い] ノースウェストテリトリーズ《カナダ北部の準州》.
north·west·er·ly /nɔ̀ːrθwéstərli/ 形副 北西の[へ, に];北西への;〈風が〉北西[から]の.
†**north·west·ern** /nɔ̀ːrθwéstərn / -wéstn/ 形 (→ eastern 語法) [時に N~] **1** 北西の;北西への;北西部の. **2**〈風が〉北西からの.
north·west·ward /nɔ̀ːrθwéstwərd/ 副《米》北西へ[に];北西に向かって.――形 北西(への);北西向きの.――名 [the ~] 北西(方).
nòrth·wést·ward·ly 副形 北西(へ)の.
Norw.《略》Norway; Norwegian.
†**Nor·way** /nɔ́ːrwei/ 名 ノルウェー《スカンジナビア半島の王国. 首都Oslo.《略》Norw.》.

†**Nor·we·gian** /nɔːrˈwiːdʒən/ 形 **1** ノルウェーの. **2** ノルウェー人[語]の. ―名 **1** Ⓒ ノルウェー人. **2** Ⓤ ノルウェー語.

Nos, Nos., nos. /nʌmbərz/ 名 numbers (→ Nº, no., No.).

※**nose** /nóuz/ 同音 knows, no(e)s, no's 派 nasal (形)

―名 (複 ~s/-iz/) **1** Ⓒ 鼻《◆「せんさく好き」「おせっかい」などを連想させる》‖ the bridge of the *nose* 鼻柱, 鼻筋 / bléed at the *nóse* 鼻血を出す / *blów* one's *nóse* 鼻をかむ / Your nose is running. 鼻水が出ていますよ / hóld [pínch] one's *nóse* (悪臭のため)鼻をつまむ / píck one's *nóse* 鼻をほじる / The aroma of soup greeted [reached] my nose. スープのいいかおりが鼻に漂ってきた / rúb [scrátch] one's *nóse* 鼻のわきをこする《◆自信のなさ・当惑を示す動作》.

【関連】[いろいろな種類の鼻]
(1) [形] big [long] nose 大きい[高い]鼻《◆ほめ言葉にはならない》 / flat nose ぺちゃんこの鼻 / hooked nose かぎ鼻 / small [short] nose 小さい[低い]鼻《◆英米では鼻の高低をあまり問題にしない. あえて a high [low] nose といえば鼻の位置が高い[低い]ことをさす》.
(2) [動物の鼻] muzzle 犬・猫・馬などの鼻 / snout 豚などの鼻 / trunk 象の鼻.

表現 「鼻が高い」「(…)を鼻にかける」は be proud (of).「鼻の下が長い」は be spoony on a woman.

2 Ⓒ (通例 a ~) 嗅覚, (においをかぎつける)鼻;(略式) [比喩的に] (…を)かぎつける能力 [for] ‖ The reporter has a nose for news. その記者にはニュースをかぎつける鋭い勘がある / He has no nose for direction. 彼は方向音痴だ.

3 Ⓒ (略式) [one's ~] (口出し・おせっかいの象徴としての)鼻 ‖ put [poke, push, shove, stick, thrust] one's nose into his affair 彼のことに口出し[干渉]する / Keep your (big) nose out of the matter. その問題におせっかいはよせ. **4** Ⓒ 鼻状の物;(管・筒・銃などの)口(nozzle);船首, 機首, 水雷の先端 ‖ the nose of a plane 機首. **5** Ⓤ (ワインの)芳醇さ, 香り.

(álways) háve [kéep] one's nóse in a bóok (略式) (たえず)熱心に読書する;本の虫である.

(as) pláin as the nóse on [in] A's fáce まったく明白な, 明らかで.

befóre [at] A's (véry) nóse =befóre [at] the (véry) nóse of A (略式) A の鼻の下で, 目と鼻の先に;(人)に対して公然と.

by a nóse (競技などで)鼻の差で;(俗) わずかな差で, やっと(barely).

cút off one's nóse to spíte one's fáce (略式) 短気を起こして不利なことをする.

fóllow one's (ówn) nóse (略式) (1) まっすぐに行く. (2) 本能のままに行動する.

gét úp A's nóse (主に英俗) (人)をいらいらさせる;(人)の神経にさわる.

kéep one's nóse cléan (略式) 義務を果たす;品行方正である.

léad A by the nóse (略式) (人)を思うままにする, し放題に牛耳る.

lóok dówn one's nóse at A (人・事)を見くだす, 軽視する.

màke a lóng nóse at A (略式) (人)に向かって親指を鼻先につけ他の指を左右に振ってみせる《◆軽蔑(ケ)を表す》;(人・物)をばかにする.

nóse to nóse (…)と向かい合って[た] (with) (cf. FACE to face).

nóse to táil (英) 車が前の車にくっつくほど接近して.

on the nóse (俗) (1) (競馬で)1着で[に]. (2) (主に米) 《数量・金額が正確に;時間通りに《◆放送番組が定刻に進行していることを係が鼻に指を当てて合図したことから》. (3) (豪) (人)をいらいらさせる, いやな.

páy through the nóse (略式) (…)に法外な金を払う, ぼられる (for).

pùt A's nóse òut of jóint (略式) (人)の鼻をあかす, (人)にいまいましい思いをさせる.

rúb A's nóse in it (略式) (人)にいやみを言い続ける.

thúmb one's nóse at A =make a long NOSE at.

tùrn one's nóse úp at A =tùrn úp one's nóse at A (略式) (人・事)をばかにする, 鼻であしらう.

ùnder A's (véry) nóse (略式) (人)の鼻先で, 目の前で.

with one's nóse in the aír (略式) 傲(ゴ)慢[誇らしげ]な態度で.

―動 (nos·ing) 他 **1** 〈動物が〉〈物〉のにおいをかぐ[かぎ分ける];(略式) 〈人・物・事が〉〈物・事〉をかぎ[捜し]出す (+out). **2** 〈動物が〉〈物〉に鼻(先)をこすりつける;〈物〉に鼻(先)をこすりつけて…の状態にする ‖ The dog nosed the food. その犬はその食べ物に鼻をこすりつけた / The dog nosed a window open [shut]. 犬は鼻で窓をあけ[しめ]た. **3** 〈車など〉をゆっくり動かす (+out);[~ one's way] 〈人・乗り物が〉用心しつつ[ゆっくり]前進する.

―自 **1 a** (…)のにおいをかぐ [at];(米略式) かぎ[捜し]回る (+about, (a)round); (…を)ひそかに捜す (after, for) ‖ The reporter nosed around for gossip. その報道記者はうわさ話をかぎ回った. **b** (略式) (…)におせっかいをやく, (…)を詮(セン)索する (into); (…)を詮索して回る, かぎ回る (+about, (a)round) [for] ‖ nose into others' business 他人の仕事に干渉する. **2** 〈乗り物などが〉(用心しつつ)進む (+out).

nóse óut 他 (略式) (1) → 他 **1**, **3**. (2) (米) 〈相手〉にわずかな差で勝つ.

nóse còne ノーズコーン《ロケットなどの円錐(ス)状の頭部》.

nóse dive (cf. nose-dive) (1) [航空] 急降下. (2) (価格・利益などの)急低下, 暴落 ‖ Stocks took [went into] a nose dive. 株は急落した.

nóse dròps 点鼻薬.

nóse géar [whèel] (飛行機の)前輪(図) → airplane).

nóse ring (1) (牛・豚などの)鼻輪. (2) (人の)鼻飾り.

nose·bag /nóuzbæg/ 名 Ⓒ (馬の頭につるす)かいば袋 ((米) feed bag).

nose·bleed /nóuzbliːd/ 名 Ⓒ 鼻血(が出ること) ‖ have [get] a severe nosebleed ひどい鼻血が出る.

-nosed /-nóuzd/ 連結要素 →語要素一覧 (1,2).

nose-dive /nóuzdaiv/ 動 自 〈飛行機が〉急降下する;〈物価・利益などが〉急低下[暴落]する (cf. nose dive).

nos·ey /nóuzi/ 形 =nosy.

nosh /náʃ/ 名 Ⓤ (主に英・豪俗) 飲食物, おやつ.

no-show /nóuʃou/ 名 Ⓒ (略式) **1** (主に飛行機で)席を予約しながら解約もせず搭乗しない人. **2** (主に米)

(約束しながら)現れない人.

nosh-up /nɑ́ʃʌp | nɔ́ʃ-/ 名《主に英国》豪華な食事, ごちそう.

no-side /nóusáid/ 名 Ⓤ 〘ラグビー〙ノーサイド, 試合終了.

nos·ing /nóuziŋ/ 動 → nose.

no-smok·ing /nóusmóukiŋ/ 形 =nonsmoking.

nos·tal·gi·a /nɑstǽldʒə, -dʒiə | nɔs-/ 名 Ⓤ **1**《正式》懐旧, 追憶. **2** 〔…に対する〕郷愁, ノスタルジア〔*for*〕.
  nos·tál·gic 形 懐旧的な; 郷愁を誘う.
  nos·tál·gi·cal·ly 副 なつかしく.

†**nos·tril** /nɑ́strəl | nɔ́s-/ 名 Ⓒ **1** 鼻孔. **2** 小鼻.

nos·trum /nɑ́strəm | nɔ́s-/ 名 Ⓒ《やや古》自家[家伝]薬; いんちき[まやかし]薬.

†**nos·y, -ey** /nóuzi/ 形 (**-i·er, -i·est**) 詮索(***)好きな, 好奇心の強い, おせっかいな; 〔…を〕知りたがって〔*about*〕.
  Nósy Pár·ker /-pɑ́ːrkər/ 名《英略式》おせっかい屋.
  nós·i·ness 名 Ⓤ 詮索好き, おせっかい.

⁂**not** /nɑt | nɔt/; (弱) 助動詞, be動詞·have の後で n't/(同音)knot; 〔類音〕**nut** /nʌt/ 〘nought の短縮語〙《◆ 短縮形は n't》
— 副 (…で)ない.

1 [not の位置] **a** be動詞·助動詞·完了形 have の場合はその後ろに not を置く(⇨文法 2.1(2)) ‖ Bob is *not* good at cooking. ボブは料理が上手ではない《◆ Don't be noisy. うるさくしないで「命令文では「Don't + be 動詞」. ⇨文法 1.8》. **b** 一般動詞の場合は do [does, did] not + 動詞原形(⇨文法 2.1(1)) ‖ He did*n't* know the news. 彼はそのニュースを知らなかった. **c** 不定詞·動名詞·分詞の場合はその直前に置く(⇨文法 11.7, 12.4, 13.6) ‖ I tried *not* to watch TV. 私はテレビを見ないようにした《◆ 特に主語の意図的ないまたは積極的な強い否定行動をさすときは直後: She would attempt *to not* speak a word for 24 hours. 彼女は1日中じっと言も口を開くまいとした》 / *Not* knowing what to do, he remained silent. どうしていいかわからなかったので, 彼は黙っていた / The student, *not* hav*ing* finish*ed* his paper, could*n't* hand it in on time. その学生はレポートができ上がっていなかったので, 時間通り提出できなかった.

2 [部分否定] **a** not が all, both, each, every, entire, whole などの全体性を表す語と一緒に用いられると「…というわけではない」の意味の部分否定となることがある(⇨文法 2.2(1)) ‖ *All* children do*n't* [*Not all* children] like video games. すべての子供がテレビゲームを好きというわけではない(→ all 形 **4** 語法). **b** not の後に always, altogether, necessarily, quite, wholly などの全体性を表す語が一緒に用いられると「…というわけではない」の意味の部分否定となることがある(⇨文法 2.2(2)) ‖ Best-selling books are *not* always great. ベストセラーが必ずしもすぐれているわけではない.

3 [文否定と語否定] **a** [文否定] 否定が文全体に及んで,「主語+述語」の結びつきを否定 ‖ I did*n't* eat anything today. 私は今日何も食べていない / I'm *not* sleepy now. 私は今眠くない. **b** [語否定] not が特定の語·句·節のみを否定する ‖ He went to America *not long ago*. 彼は先ごろ米国へ行った / *Not a few* people came to the party. 少なからぬ人がパーティーに来た /〘対話〙"How many people were killed in the earthquake?" "Sorry, I don*'t* know the exact number." 「その地震で何人ぐらいの方が亡くなったんでしょうか」「すみません, 正確な数はわかりません」/ It's working, but *not* properly. それは動いているが, 正常ではない《◆成句 *not* A but B 語法 (1)》/ *Not* many of us accepted the offer. 我々の中でその申し出を受け入れた者は多くなかった《◆ 用例は語否定. Many of us did*n't* accept the offer. は文否定で「我々の多くはその申し出を受け入れなかった」の意》.

4 [not が否定する範囲] **a** Jane has*n't* been here for two months. は次の2つの解釈ができる. i) not が Jane has been here for two months. 全体を否定すると考えた場合:「ここに来てから2か月たっていない」. ii) not が here だけを否定すると考えた場合:「2か月ここを離れている」の意味となる《◆ not … because, not … until なども同様の2つの解釈ができる》. but 語が不それの前の語句句を否定することはない ‖ She did *not* greet me in her usual way. 彼女は私にいつものようなあいさつをしてくれなかった. ≠ In her usual way she did *not* greet me. いつものように, 彼女は私にあいさつしなかった《◆ 同じ理由で any … not の語順は不可. → any, no》.

5 [not の焦点と前提] **a** [文否定] 文末の語に強勢を置く通常の場合文全体を否定 ‖ I did*n't* see Jane in the óffice. (╲) 事務所でジェーンを見かけなかった. **b** [語否定] 文のある要素に対比強勢が置かれると, その部分が焦点となり, 他の部分が肯定的意味の前提となる. すなわち I did*n't* see Jane in the office. では *Somebody* saw Jane in the office. という前提があり, しかも「私」がその somebody でないことを表している(訳は「私は…」のようになる). It was*n't* I but somebody else that saw Jane in the office. といっても内容的に同じ《◆文法 23.2(1)》. 同様に Jane, in, office に強勢を置くことにより「ジェーン以外の人を」「事務所の中でなく外で」「事務所でなく別のところで(I did*n't* see Jane in the óffice. (╲))」の意を伝えることができる. つまり, この場合, see は否定されていない. cf. it 代 **8**.

6 [not による節·文の代用] **a** [先行する文の代用] that節の反復を避けるため, expect, think, hope, believe, imagine, suppose, be afraid, guess などの後に用いる. ただし hope, be afraid 以外は so を用いて動詞を否定することによって同じ意味を表すこともできる ‖〘対話〙"He won't phone, will he?" "No, I suppose *nót*. (╲)"「彼は電話してこないだろうね」「うん, してこないと思うよ」《◆ No, I don't suppose *so*. の方がふつう》/〘対話〙"Does he have anything to do with the affair?" "Perhaps [Certainly] *nót*. (╲)"「彼はその事件に関係しているのだろうか」「たぶん[もちろん] 関係していないよ」/ Why *not*? (→ why 副 **4**). **b** [慣用的な省略構文で] if not もしそうでないなら(→成句).

7 [not の主節への移動] 従節に生じた not を主節に繰り上げても意味の違いが生じない場合, 主節を否定にするのがふつう ‖ I think (that) she will *not* come. → I do *not* think she will come. 彼女は来ないと思う / He did *not* anticipate that anyone would be against him. 彼はだれも自分には反対しないだろうと思った《◆ (1) believe, expect, suppose, imagine, be likely などについても同じことがいえる. (2) hope, know などにこの繰り上げ規則が適用されないのは次のようになる場合: He *knows* (that) his son will *not* come tomorrow. 彼は息子が明日来ないのを知っている. ≠ He *does not know* that his son will come tomorrow. 彼は息子が明日来るのを知らない》.

nota bene

*__nòt__ A **but** B =B, (and) not A B でなくて B《◆A, B は名詞・形容詞など》‖ It was *not* Tom *but* Bill that broke the window. 窓を割ったのはトムでなくてビルです (→文法 23.2(1)) / He comes *not* from Korea *but* from China. 彼は韓国ではなく中国の出身です (=He comes from China (and) *not* from Korea.).

[語法] (1) A と B は同じ種類の語句が原則であるが, これが崩れることが多い: He does *not* come from *Korea* but from *China*. 彼は韓国ではなく中国の出身です.
(2) A, B が意味的に対立している場合「A でないが B」の意: She is *not* rich *but* happy. 彼女は金持ちではないが幸せだ (=She is happy *but not* rich.).

*__nòt ónly__ [__júst, mérely, símply,__ (文) __alóne__] A **but** (**álso**) B =__nòt ónly__ A **but** B **as wéll** [__tóo__] A ばかりでなく B も《◆A, B は原則として同じ種類の語句》‖ He called out *not only* to me *but* (*also*) to my wife. 彼は私ばかりでなく妻にも大声で呼びかけた (=He called out to my wife as well as me.) / He *not only* does not work *but* (略式), he] will not find a job. 彼は働かないだけでなく, 仕事を探そうともしない.

[語法] (1) A, B のバランスが崩れることが多い: He *not only* called out to me *but also* to my wife.
(2) not only が文頭にくると倒置となる (→文法 23.3(2)): *Not only* did they ignore the protest, (*but*) they *also* lied to the press. 彼らは抗議を無視しただけでなく, 報道関係者にうそをついた. 後半部を独立させて *Not only* did they ignore the protest. They *also* lied... とすることもある.
(3) 動詞の人称・数は B に一致: *Not only* you *but* (*also*) I *am* guilty. 君ばかりでなく私にも罪がある (=*Both* you *and* I *are* guilty.).
(4) He *not only* acts *but also* writes his own play. を ˣHe does not only act but write his own plays. は不可.

no·ta be·ne /nóutə bíːni, -béni/《ラテン》(よく)注意せよ(note well)《略》NB, n.b.).

†**no·ta·ble** /nóutəbl/(正式) 形 […で/…として]注目すべき, 著しい; 卓越した, 有名な, 重要な(important) [*for/as*] ‖ a *notable* event 注目すべき事件 / a *notable* scholar 著名な学者 (=(正式) a scholar of *note*)(→ of NOTE (note 名 成句)). ──名 C [通例 ~s] 名士; 著名人 [物, 事].

†**no·ta·bly** /nóutəbli/ 副 著しく, 明白に; 目立って, 特に.

no·tar·y /nóutəri/ 名 C =notary public.

nótary públic (複 ~·ies public, ~ publics) 公証人《◆public notary ともいう. 英国ではふつう solicitor がつとめる. 》NP].

†**no·ta·tion** /noutéiʃən | nəu-/ 名 U C (正式) 1 [通例 a/the ~] (特殊な文字・符号による)表記, 楽譜; 表記 [記号, 記数, 記譜]法 ‖ decimal *notation* 十進法 / a broad [narrow] phonetic *notation* 略 [精密] 表音(法). 2 メモをとること, (米) 覚え書, 記録, 注釈.

†**notch** /nátʃ/ 名 C 1 (…への) V字型刻み目, 切込み [*in, on*]. 2 半円型切込み (thumb index) (えぐり)Vカット; 矢筈(やはず). 3 (まれ)《クリケット》得点. 4 (略式) 段, 級, 程度(degree) ‖ This book is a *notch* better than that one. この本はあの本より一段ぐれている. 5 (米) 谷間の狭い道《◆Crowford *Notch* のようにしばしば地名の後についる》.
──動 他 1 …に(V字型)刻み目[切込み]をつける(indent). 2 …を[…に]刻み目を付けて記録する(+*up, down*)[*on*]. 3 (略式) …を勝ち取る(+*up*); 〈人に〉…を得させる.

*__note__ /nóut/
──名 (複 ~s/nóuts/) 1 C 覚え書, メモ; [通例 ~s; 単数扱い] (演説・講義などの) 要旨, 草案, 草稿; 印象記《略》n.)《◆「ノート」は notebook》‖ léave a *nóte* for him 彼にメモを残す / màke [tàke] *nótes* [*a* nóte] of (米) on] a lecture 講義を書き留める / speak without [from] *notes* メモなしで[メモを見て]話す / màke a méntal *nóte* to call him up 彼に電話することを心に留めておく.
2 C 注(釈), 注解 ‖ foot [side, rough] *notes* on [to] a text テキストの脚注[傍注, 略註].
3 C (形式ばらない) 短い手紙; 短信, 通信; (正式) (外交上の) 文書, 通達 ‖ get a *note* of thanks from him 彼から簡単な礼状をもらう / drop [give] him a *note* to say thank you 彼に手短なお礼を書き送る.
4 C (約束) 手形, 預り証; (英) 紙幣((米) bill) ‖ a bank *note* 紙幣 / a *note* of hand 約束手形 / change a ¥1,000 *note* 千円紙幣を両替する.
5 C [通例 a/the ~] (人の声の)調子, 語気, 話し[書き, 考え]方, 態度; (鳥の) 鳴き声; (楽器の) 音, 調子; [音楽] 音符, 楽譜; [古詩] 詩体, 調べ, 旋律, 楽; (ピアノの) 鍵(ケン) ‖ the sweet *notes* of a flute フルートの美しい音色 / a whole [half] *note* 全[二分]音符 / change one's *note* 話しぶり[態度]を変える / sound [strike] *a note* of warning 警告を発する / strike the *note* かぎをたたく / There was a bright *note* in her voice. 彼女の声には明るい響きがあった. 6 U (正式) 注目; 注意; 著名(であること), 有名(であること); 重要性 ‖ take no *note* of the time 時のたつのを忘れる. 7 U 特徴, 特色, きざし; (本質的な)要素, しるし ‖ Her book has the *note* of genius. 彼女の本からは天才の片鱗(ヘンリン)がうかがわれる.

compáre nótes […と]意見[印象, 情報]を述べ合う [*with*].

of nóte 重要な (important), 注目すべき (notable) ‖ a man *of note* 名士 (=a *notable* man) / an invention (worthy) *of note* 注目に値する発明品 / This is *of* much *note*. これは非常に注目すべきことだ.

strike a néw note 新機軸を出す.

strike [hít] the ríght nóte 〈言動が〉適切である; 適切なことをする[言う].

strike [hít] 「the wróng [a fálse] nóte 〈言動が〉見当はずれである; 見当はずれなことをする[言う].

──動 他 1 〈人が〉〈考えなどを〉書き留める, …のメモをとる(+*down*) ‖ *note down* one's plan [idea] 計画[考え]を書き留める. 2 (正式) a 〈人が〉〈物・事〉に注意する, 気づく; […ということに]注目する, 気づく (*wh* 句[節], *that* 節) (通例 watch よりも堅い語) ‖ *note* his words 彼の言葉に注意する / I *noted that* her answer was incorrect. 彼女の答えが間違っていることに気がついた / *Note how to hold* the club. どのようにクラブを握るかよく見ていなさい. b 〈人が〉〈人・動物などが〉(…しているのに)気づく (*doing*). 3 …に言及する; 〈本・章句などに〉注釈をつける; […ということを]特筆する, 表示する (*that* 節) ‖ as *noted above* 上で述べたように.

:note‧book /nóutbùk/
――名 (複) ~s/-s/) 1 ⓒ ノート, 帳面, 手帳, 筆記帳, 備忘録; メモ用紙つづり; (約束)手形記入帳 ‖ *write it down in a notebook* ノートにそれを書き留める. 2 ⓒ =notebook computer.
nótebook compúter [コンピュータ] ノートパソコン.

†**not‧ed** /nóutid/ 形 (正式) 著名な(well-known), 〔…で〕有名な〔*for/as*〕(◆ famous より意味が弱い) ‖ a *noted* artist 有名な画家 / a restaurant *noted for* its good pizza おいしいピザで有名なレストラン. **nót‧ed‧ly** 副 目立って, 特に.

note‧let /nóutlət/ 名 ⓒ [~s] 短い手紙, 短信.
note‧pad /nóutpæd/ 名 ⓒ はぎ取り式のメモ用紙.
note‧pa‧per /nóutpèipər/ 名 ⓤ (私信用の)便せん; メモ用紙.

†**note‧wor‧thy** /nóutwə̀ːrði/ 形 注目すべき, 著しい, 顕著な.

:noth‧ing /nʌ́θiŋ/ [no + thing]
――代 [単数扱い] 何も…ない, 少しも…ない(not anything) ‖ I have *nothing* to eat. 食べものが何もない(=I do not have *anything* to eat.) / There is *nothing* interesting in today's paper. 今日の新聞には面白い記事がまったくない(= There is *not anything* interesting …) ⇒文法 17.1) / It's *nothing* to laugh at. それは笑い事ではないよ / 対話 "What happened?" "*Nothing* special." 「何があったんだ」「特に何も」.

[語法] [nothing と比較表現] (⇒文法 19.7)
「英語ほど面白いものはない」は次のようにいえる: (原級) *Nothing* is so interesting *as* English. = There is *nothing* so interesting *as* English. / (比較級) *Nothing* is more interesting *than* English. = There is *nothing* more interesting *than* English. / (最上級) English is *the most* interesting (subject) *of all*.

――名 1 ⓒ ⓤ つまらない事[物, 人], どうでもいい事, 卑賤(ひん)(なこと) ‖ She gets angry over *nothing*. 彼女はつまらない事に腹を立てる. 2 ⓤ 空(くう), 無; ゼロ, 零.

*be **nóthing to** …にとって何でもない; …とは比べものにならない ‖ She is *nothing to* me any more. 今ではもう彼女なんか無関係だ[何とも思っていない] / My knowledge is *nothing to* his. 私の知識など彼のとは比較にならないほどおそまつなのだ(=My knowledge is quite poor compared with his.).

cóme to nóthing 失敗に終わる, 何の役にも立たない.

*dó **nóthing but** *do* [[…することを除いては(but 前 3)何もしない]…してばかりいる, ただ…するだけである ‖ He *does nothing but* grumble [×grumbles]. 彼はぶつぶつ不平ばかり言う(=He does *not do anything but* grumble.) / There was *nothing* that I could *do but* wait for him. (↷) 彼を待つほかに手はなかった.

*for **nóthing** (1) [[*nothing* と引き換えに(for 前 8)]] 無料で, 無償で, ただで((for) free); ただ同然で ‖ You can have this watch *for nothing*. この時計をただであげるよ / You *get nothing* [*can't get something*] *for nothing*. 《ことわざ》 ただで何も手に入らない, 手に入れるものには何がしかの代価が

いる. (2) これといった理由[目的]もなく, むだに ‖ *worry for nothing* 取り越し苦労をする / *not for nothing* 明確な理由があって.

góod for nóthing 〈人・物が〉役に立たない《◆ 名詞は good-for-nothing》.

háve nóthing on A (略式) (1) …に太刀打ちできない. (2) (主に米) 〈人〉に不利な[〈人〉を陥とする]証拠を持たない.

*háve [be] **nóthing to dó with A** 〈人・物・事〉と何の関係もない(cf. HAVE A to do with B); …に関心がない.

like nóthing on éarth (略式) [通例 look, feel, be の後で] ひどく変で; ひどい身なりの, 身なりを構わない.

máke nóthing of A (1) (正式) [can make ~ …] → make 動 他 15. (2) …を苦にしない, ものともしない.

nó nóthing (略式) 〈ないものを並べての最後に〉何もない ‖ He had no confidence, no pride, *no nothing*. 彼には自信も自尊心も何もなかった.

*nóthing **but A** [[A 以外は(but 前 1)何ものでもない]] (正式) …だけ, …にすぎない(only) ‖ He is *nothing but* a soldier. 彼はふつうの軍人にすぎない / The company makes *nothing but* mattresses. その会社はマットレスを専門に作っている.

nóthing dóing (略式) (1) [しばしば there is の後で] むだである, 手の施しようがない; 結果的にだめだった《◆ 不首尾を報告する言い方》. (2) [N~ …!] (↷) そりゃだめだ! お断りだ! 《◆ ぶしつけな拒絶》. (3) 何も起こって[行なわれて]いない.

nóthing(,) if nót … (略式) とても…(very) ‖ He is *nothing if not* thoughtful. 彼はとても思慮深い男だ.

nóthing léss than A … → less(成句).

nóthing líke [néar] A =**not ánything like [néar] A** (略式) …にほど遠い, …どころではない. (類語) nowhere near, far from).

nóthing móre than =**nóthing [néither] móre nor [or] léss than** … まさに…, …にすぎない(only).

nóthing múch (略式) ほんの少し, ごくわずか.

nóthing of A (正式) 少しも…ではない ‖ I know *nothing of* poverty 貧困がどんなものか少しも知らない / He is *nothing of* a sportsman. 彼にはスポーツマンらしいところは少しもない.

nóthing of the kínd [sórt] (1) (想定されたものとは)かけはなれた事, 全然別のもの[人]. (2) [N~ …!] (相手の発言を否定して)とんでもない!

óut of nóthing 無から, 何の根拠もなしに.

*There is **nóthing** [**élse**] **for it but to** *do*. [[it は漠然と対処すべき状況をさして, それに対して(for)は …する以外(but 前 3)ほかに何もない. cf. it 代 3]] (英) …するより仕方がない ‖ *There is nothing for it but to* apologize to him. 彼にあやまるしかありません《◆ 文脈上 for の内容が自明の場合は but to do 部分が省略されることがある》.

*There is **nóthing líke A**. 〈事・物〉ほどよいものはない ‖ *There is nothing like* sports for our health. スポーツほど健康によいものはない(=Nothing is so good as sports …).

(**There is**) **nóthing to it**. (略式) それは簡単なことだ, おちゃのこさいさいだ.

think nóthing of A =THINK little of.

nóth‧ing‧ness 名 ⓤ (正式) ないこと, 無, 非実在; 死; 無意識.

*no・tice /nóutəs/ 〚「知ること」が原義〛 派 notify
(動)

index
名 **1** 注目 **2** 通知 **3** 掲示
動 他 **1** 気がつく

── 名 (複 ~s/-iz/) **1** Ⓤ 注目, 注意; 観察 ‖ a theory *beneath* (one's) *notice* (正式) 注目に値しない理論 / the matter under *notice* 当面の問題 / attract [deserve, draw] his *notice* 彼の注意をひく / Take *notice* that you don't fail again. 気をつけて再び失敗しないようにしなさい ◆ふつう that節に未来形を用いない. → SEE to it that …〉/ The news has come to [into, under] her *notice*. =The news has not escaped her *notice*. (正式) 彼女にそのニュースが知れた.
2 Ⓤ Ⓒ (正式) 通知, 通達, 警告, 予告(warning); (契約・貸借などの)解約通知[予告](書); 解雇通告[予告]; 辞職届 ‖ give an employee a month's *notice* 従業員に1か月前に解雇予告をする / receive a formal *notice* in writing 書面による正式な通知を受け取る / get a *notice* to report the accident 事故の報告をせよという通知を受けとる / serve *notice* to him 彼に通知[警告]する / *give notice* 「*that* she will arrive [*of* her arrival] 彼女の到着を知らせる / He was dismissed *without* (previous [advance]) *notice*. 彼は予告なしに解雇された / The meeting was put off till [until] further *notice*. 追って通知があるまで会合は延期された / at such short *notice* そんなに急に / put him on *notice* 彼に通知する.
3 Ⓒ 掲示(板), 告示, 公告, ビラ, 看板, はり札;(新聞などの)公示[公告]記事 ‖ a death [birth, marriage] *notice* in a newspaper 新聞紙上の死亡[出生, 結婚]記事 /「put up [post] a *notice* on a wall 壁に掲示を出す, ビラを張る.
4 Ⓒ [しばしば ~s] (本・劇などの)短評, 評論, 紹介 ‖ get a favorable *notice* 好評を博す.
bring A *to* B's *nótice* (正式) A〈物・事〉を B〈人〉に知らせる.
*táke nótice (1) 〔…するよう〕気をつける〔*that*節〕(→ **1**). (2) [通例否定文で]〔人を〕特に注意する, 気づく, 関心を持つ〔*of*〕‖ They tòok líttle [nó] *nótice of* her advice. 彼らは彼女の忠告をほとんどしなかった ◆ *little* [*no*] *notice* と her advice を主語にした受身可能. ●文法7.11〉. (3) 〈赤ん坊が〉知恵がつく.

── 動 (~s/-iz/; 過去・過分 ~d/-t/; ~・tic・ing)
── 他 **1 a** 〈人が〉〈事〉に気がつく, 注意する; 〔…だと […かに]〕気づく, わかる(see)〔*that*節, *wh*節[句]〕‖ Did you *notice* a mole on his face? 彼の顔のほくろに気がつきましたか / Nobody *noticed that* I was wearing my socks inside out. 私が靴下を裏返しにはいていることにだれも気がつかなかった / I didn't *notice how* glad she was. 彼女がどれほど喜んでいるのかわからなかった ◆〈wh節[句]を伴うとき, 主節はふつう否定文〉.
b [知覚動詞] [notice A to do]; [notice A doing] A〈人・物〉が…しているのに気づく (●文法3.4) ‖ I *noticed* her enter [entering] the room. 彼女が部屋に入る[入っていく]のに気がついた ◆受身は She was *noticed entering …* は可能だが, 不定詞を用いた ×She was *noticed to enter …* はふつう不可〉.
c [notice A to be C] A〈人・物〉が C であることに気

づく ‖ We *noticed* the boy *to be* dead. 我々は少年が死んでいるのに気づいた.
2 (主に米) 〈人〉に〔…に/…だと〕(正式に)通知[通告]する〔*to do / that*節〕◆ *give notice* の方がふつう. → 名 **2** 用例〉. **3** …に言及する, …を指摘する;〈本・劇など〉を批評する.
── 自 **1** 気をつける, 注意する ‖ She wasn't *noticing*. 彼女はうっかりしていた. **2** 気がつく ‖ My watch had stopped but I did not *notice*. 私の時計が止まっていたが私は気がつかなった.
nótice bòard (英) 掲示板, 告知板((米) bulletin board).

*no・tice・a・ble /nóutəsəbl/ 形 (正式) [〔…で〕人目をひく, 目立つ(remarkable) 〔*for*〕; 著しい, 重要な;〔…で〕明らかな〔*in*〕‖ *noticeable* progress 著しい進歩.
no・tice・a・bly 副 目立って, 著しく.

no・ti・fi・a・ble /nóutəfàiəbl/ 形 (正式) 通知すべき; (英)〈病気が〉(保健所などに)届け出るべき.

no・ti・fi・ca・tion /nòutəfikéiʃən/ 名 **1** Ⓤ [時に a ~] 通知, 届け, (正式の)通告(notice). **2** Ⓒ [通例 a ~] 通知[届け]書, 公告文.

*no・ti・fy /nóutəfài/ 動 (他) (正式) **1** 〈人か〉〈人〉に通知する, 通告する;〈事〉を発表[公示, 掲示]する;〈人〉に〔…するように/…だと/…かを〕知らせる〔*to do / that*節, *wh*句[節]〕◆ inform, tell より堅い語で商業・官庁語として多く用いる〉‖ *notify* her *when* [*where, how*] to do it いつ[どこで, どのように]それをしたらよいかを彼女に知らせる / He *notified* me *that* he would start at three. 彼は3時に出発すると私に通知してきた. **2** [notify A of [about] B =(英) notify B to A] A〈人〉に B〈物・事〉を知らせる, 届け出る ‖ *notify* the police *of* the accident 警察に事故を通報する.

*no・tion /nóuʃən/
── 名 (複 ~s/-z/) **1** Ⓒ [a/the ~] 観念, 〔…についての/…という〕考え(idea), 概念; Ⓤ 理解(力)(understanding) 〔*of*/*that*節〕‖ He *has a notion that* life is a voyage. 彼は人生は航海だという考えを抱いている / I *have no notion* 「*of* her whereabouts [(*of*) why she said that]. 彼女の所在が[彼女がどうしてそう言ったのか]わからない / The mere [simple] *notion of* my going there is pleasant. そこへ行くと考えるだけで楽しい / preconceived *notions* 先入観.
2 Ⓒ 〔…という〕意見, 見解 〔*of*, *that*節〕;〔…に対する〕意向, 意図 〔*for*〕;〔…したい〕気持ち, 気まぐれな[ばかげた]考え 〔*to do*, *of doing*, *that*節〕‖ hàve [tàke] *a nótion*「*to* marry [*of* marrying] 結婚しようと思っている / What a *notion*! 何とばかげた考えだ.
3 Ⓒ 小道具, 発明品;(米) [~s] 雑貨, 小間物《ピン・糸・針・ボタンなど》.

no・tion・al /nóuʃənl/ 形 **1** (知識などが)観念的な, 概念上の;(実験によらない)純理論的な, 抽象的な. **2** 〈物・事などが〉想像上の, 名目上の. **3** 〈人が〉気まぐれな. **4** [文法] 意味上の; 概念語の(↔ formal). **nó・tion・al・ly** 副 観念的に, 概念上(は).

no・to・ri・e・ty /nòutəráiəti/ 名 Ⓤ 名を馳せていること; 悪名, 悪評(cf. fame); Ⓒ (主に英) 悪名高い人.

*no・to・ri・ous /noutɔ́ːriəs | nəu-/ 形 (正式) よく知られた, 悪名高い;〔…で/…に〕名高い, 悪評の高い〔*for/as*〕◆ (1) 名詞の前で使われた infamous と同じ意味にも用いる. (2) よい意味では famous, wellknown はよい意味・悪い意味両方に用いられる〉類語 → famous〉‖ a *notorious* gambler 名うての賭

博(はく)師 / an area *notorious* for crime 名だたる犯罪地域 / a man *notorious* as a fraud 詐欺師として名が通っている男 / The city is *notorious* for its polluted air. その都市は大気汚染で有名だ.

†**no·to·ri·ous·ly** /noutɔ́:riəsli | nəu-/ 〖副〗《正式》悪名高く; 周知のこととして ‖ a *notoriously* faithless man 不誠実で評判の悪い奴.

†**No·tre Dame** /nóutər déim | nəutrə dá:m/ 〖フランス〗〖名〗 **1** 聖母マリア(Our Lady, the Virgin Mary). **2** ノートルダム寺院《パリにあるゴシック寺院》.

Not·ting·ham·shire /nάtiŋəmʃər | nɔ́t-/ 〖名〗 ノッティンガムシャー《イングランド中北部の州. 略 Notts》.

Notts Nottinghamshire.

＊**not·with·stand·ing** /nὰtwiθstǽndiŋ, -wið- | nɔ̀t-/ 《正式》
——〖前〗…にもかかわらず(despite) ‖ He is very active *notwithstanding* his age. 彼は年にもかかわらず非常に活動的だ《◆もとは分詞であるために目的語の後に置くこともある. この時はコンマを用いる. 特に法律文に多い: He is very active, his age *notwithstanding*. / His age *notwithstanding*, he is very active.》.
——〖副〗 それでもかかわらず, それでも(however).

nou·gat /nú:gət | -gɑ:/ 〖名〗〖U〗〖C〗 ヌガー《ナッツをミックスした砂糖菓子》.

†**nought** /nɔ́:t/《主に英》〖名〗〖形〗〖副〗=naught.

＊**noun** /náun/〖「名前」が原義. cf. nominal〗
——〖名〗(複 ~s/-z/)〖文法〗 **1** 〖C〗 名詞(略 n.) ‖ a singular [plural] *noun* 単数[複数]名詞. **2** 〖C〗《古》=noun equivalent. **3** 〖形容詞的に〗 名詞の, 名詞用法の ‖ a *noun* clause [phrase] 名詞節[句].

nóun equívalent 名詞相当語句(nominal).

†**nour·ish** /nə́:riʃ | nʌ́r-/ 〖動〗〖他〗《正式》 **1** 〈物かつ人・作物など〉を〖…で〗養う, 育てる(grow)〖on, with〗; 〈土地など〉を肥やす; …を育成する ‖ A kitten is *nourished* on [*with*] milk. =Milk *nourishes* a kitten. 子ネコはミルクで育つ. **2** 〈感情・希望〉を抱く ‖ *nourish* a feeling of hatred 憎しみをつのらせる.

nour·ish·ing /nə́:riʃiŋ | nʌ́r-/ 〖形〗 栄養[滋養]のある.

†**nour·ish·ment** /nə́:riʃmənt | nʌ́r-/ 〖名〗〖U〗《正式》 **1** 〈栄養のある〉食物, 滋養(物). **2** 栄養を与える[与えられる]こと; 育成, 助長.

nous /ná:s | náus/〖名〗〖U〗《英略式》良識, 世才.

nou·veau riche /nú:vou rí:ʃ/〖フランス〗〖形〗〖名〗(複 --veaux riches/~/)《通例複数形で》にわか成金(の); 成り上がり者(の).

nou·velle cui·sine /nú:vel kwizí:n/〖フランス〗〖名〗〖U〗 ヌーベルキュイジーヌ《クリームやソースを控えて素材のもつ新鮮な味を生かしたフランス料理》.

nou·velle vague /nu:vél vá:g/〖フランス〗〖名〗(複 --velles vagues/~/)〖C〗 ヌーベルバーグ(the new wave)《1950年代後半フランスで興った映画の前衛的傾向》.

Nov., Nov(略) November.

no·va /nóuvə | nɔ́v-/〖名〗(複 ~s, --vae/-vi:/)〖C〗〖天文〗 新星《爆発により急激に光を増す変光星》.

＊**nov·el**[1] /nάvl | nɔ́vl/〖〖新しい事〗が原義〗
——〖名〗(複 ~s/-z/)〖C〗(長編)小説 ‖ *romance* は非現実的な恋・冒険などの物語. 短編小説は short story. fiction は〖U〗. ➡文法 14.3(3)〗 ‖ a detective [historical, popular] *novel* 推理[歴史, 大衆]小説.

†**nov·el**[2] /nάvl | nɔ́vl/〖形〗(今までになく)新しい, 新しい種類の; 奇抜な ‖ a *novel* technique 今までにない手法.

nov·el·ette /nὰvəlét | nɔ̀v-/〖名〗〖C〗 短編小説.

＊**nov·el·ist** /nάvəlist | nɔ́v-/〖名〗(複 ~s/-ists/)〖C〗(長編)小説家 ‖ My favorite *novelist* is Soseki. 私のお気に入りの小説家は漱石です〖日本語〗 Murakami Haruki is a well-known Japanese *novelist* who has received high acclaim overseas. 村上春樹は海外で高い評価を得ている有名な日本の小説家です.

nov·el·is·tic /nὰvəlístik | nɔ̀v-/〖形〗 小説(風)の.

nov·el·ize /nάvəlaiz | nɔ́v-/〖動〗〖他〗 …を小説化する, 小説に仕組む.

no·vel·la /nouvélə | nəu-/〖名〗(複 ~s, --le/-li:, -lei/)〖C〗 中編小説.

†**nov·el·ty** /nάvlti | nɔ́v-/〖名〗 **1** 〖U〗 珍しさ, 斬新(ざんしん)さ ‖ My new college life is beginning to lose its *novelty*. 新しい大学生活は新鮮さを失いつつある[目新しいものではなくなってきている]. **2** 〖a/the ~〗目新しい[事, 経験], 珍しい人[事, 物]‖ A computer is a *novelty* to [for] my grandfather. コンピュータは私の祖父にとって目新しいものだ. **3** 〖novelties〗(プレゼントとしての安い・珍しい)商品, 新案の商品.

＊**No·vem·ber** /nouvémbər | nəu-/〖名〗〖9番目(Novem)の月. ローマ暦では9月に当たる〗
——〖名〗〖U〗 11月《◆寒気・陰うつ・死を連想させる》; 〖形容詞的に〗 11月の(略 Nov., Nov, N.)〖語法〗→ January.

†**nov·ice** /nάvəs | nɔ́v-/〖名〗〖C〗 **1** 〖…の〗初心者, かけ出し(at, in); 〖形容詞的に〗 初心者の《◆くろうと, しろうと両者を含む》‖ a *novice* at [in] swimming = a *novice* swimmer 水泳の初心者. **2** 〖カトリック〗 見習い僧[尼]; 修練者; 新改宗者; 新信者. **3** 入賞経験のないスポーツ選手[障害競走馬].

no·vi·ti·ate, --ci·ate /nouvíʃət | nəuvíʃiət/〖名〗 **1** 〖U〗 修練[見習い]期間; 修練の身. **2** 〖C〗 修練場[院].

;now /náu/

〖**index**〗
〖副〗 **1** 今 **2** 今すぐ **3** たった今 **4** さて
〖接〗 いまや…だから 〖名〗 今

——〖副〗《◆比較変化しない》 **1** 今(では), 現在(では), 目下(のところ)(at the present time) ‖ She is running *now*. 彼女は今走っている / I am busy *just now*. ちょうど今忙しい / He will be home *now* tomorrow. 彼は明日の今ごろは家にいるだろう《◆*this time tomorrow* よりくだけた表現》.

2 〖しばしば just ~〗 今すぐ, 直ちに, さっそく ‖ She will turn up [*just*] *now*. 彼女はすぐに現れるだろう / Come to my room *just now*. 今すぐ私の部屋に来なさい / I must do my homework *just* [《主に米略式》 *right*] *now*. 今すぐ宿題をしなくっちゃ.

3 〖通例 just ~〗 たった今, 今しがた(a moment ago) ‖ He left [ˣhas left] *just* [*only*] *now*. 彼はたった今出たところだ《◆[just [only] *now* は, 完了形と共に用いる人もあるが, 避けるのが無難. ➡文法 6.1(1)》 (=He has just left.) / *Now* I understand what you're talking about. 今やっと君の話していることがわかったよ.

4 a 〖文頭で; 間投詞的に; 話の切り出し・切り換えに〗 さて, ところで, それならば; 〖たしなめ・驚き・命令・警告・注意などを表して〗 これ, こら, まあ, へえ ‖ *Now* (ヽ) this is a governmental decision. さて, これが政府の下した結論だ / *Nów*, listen to me! まあ, お聞き. **b** 〖命令文の文尾で; 親しみをこめて〗 さあ ‖

Run along, now. さあ、急いであっちへ行っておくれ.
5 [会話・物語で] 今や、その時、こうなると、それから、次に(then) ‖ She now became the queen of that country. 彼女は今やその国の女王となった.

cóme nów (1) [相手の行動を促して] さあさあ. (2) [非難・なだめを表して] これこれ.

*(**évery**) **nów and thén** [**again**] [正式] [通例文尾・文頭に置いて] (不規則な間隔をおいて)**時々**(occasionally)《◆ seldom ＆ sometimes の間》‖ He glanced at his wristwatch now and then. 彼は時折腕時計をちらりと見た / Now and then, we go to London on business. 時々私たちは商用でロンドンへ行く.

nów for A さて次は…にしよう.

nów(,) nów =**nów thèn**《略式》[文頭で] 叱責(ば)・なだめ・注意を表して] ねえ、これこれ、まあまあ ‖ Now, now, don't cry so loud. これこれ、そんなに大声で泣かないで.

nów … nów … , nów … thén … , nów … and agáin … [正式] ある時は…またある時は… 《…は形容詞・分詞など》‖ He was now rich, now poor. 彼は金回りのいい時もあれば悪い時もあった.

Nów or néver! =(まれ) **Nów for it!** 今こそ(絶好の時だ).

——接 [しばしば ~ that] いまや…だから、…である以上 ‖ Now (that) you are a high school student (^), you must study hard. 君はもう高校生なんだから一生懸命勉強しなければ《◆略式》ではthat を省略》/ Now that his father was dead (^), he owned the store. 父親が死んで彼がその店を所有した / Now that she has gone, I can no longer see her. 彼女は行ってしまったのでもう会えない.

——名 Ⓤ [通例前置詞の後で] 今,目下,現在 ‖ the now 現在 / before now これまでに / for now 今のところ、当分は《◆(1) for the present, for the time being より口語的. Bye for now. (じゃまた) のように用いられる. (2) 現在完了と共に用いるが過去形と共に用いることはできない》/ as of now 今、この時 / from now on [正式] forward, forth, onward] 今後は《◆henceforth よりくだけた語》/ Till [Until, Up to] now, everything has been right. 今までのところ万事うまくいった / By now, she will have reached Kyoto. 今ごろは彼女は京都に着いているだろう.

——形《略式》[名詞の前で] 現在の、最新式の;《俗》最新流行の、最先端の《◆比較変化しない》‖ a now fashion 最新のファッション / the now generation 現代っ子 [新人類]世代.

* **now·a·days** /náuədèiz/
——副 [文勝・文尾に置いて; 過去と対比して] 近ごろ、今日では、最近は(↔ formerly) ‖ Nowadays(^), many foreign workers come to Japan. 今日多くの外国人就労者が日本にやって来る / People don't often write letters nowadays. 近ごろ人はあまり手紙を書かない《◆ these days の方がくだけた言い方. ふつう現在(進行)時制で用いるが過去時制で用いられることもある. 完了時制では用いない. 過去より比較的大きな時代の隔りがある時に用いる. その他の場合は lately, recently を用いる》.

——形 今の、現在の.

no·way, no·ways /nóuwèi(z)/ 副 少しも [決して]…ない(not at all, by no means).

* **no·where** /nóuwèər/
——副 どこにも…ない、…ない《《米略式》no- place》‖ The coin was nowhere to be found. =We could find the coin nowhere. そのコインはどこにも見つからなかった(=We could not find the coin anywhere.).

[語法] (1) 名詞的にも用いる(cf. somewhere): Nowhere is quite like home. 家庭ほどよいところはまずない(=There is no place like home. / There is not anywhere quite like home. / There is nowhere for you to sleep. 君の寝る所がありません.

(2) 命令文では not anywhere がふつう: Don't go anywhere while I'm out. 留守中どこへも行くな.

——名 Ⓤ 名もない場所、どこといってとりえのないところ.

from [óut of] nówhere (突然)どこからともなく、降ってわいたように《◆ しばしば suddenly と共に用いる》.

nówhere néar …《略式》…にほど遠い; …どころでない(far from)《◆near のほかに from … to …, between … to … も用いる》.

nowt /náut, nóut/ 代《北イング》=nothing.

†**nox·ious** /nákʃəs | nɔ́kʃ-/ 形 [正式] […に]有害な、健康に悪い[to].

†**noz·zle** /názl | nɔ́zl/ 名 Ⓒ (ホース・パイプなどの)発射口、噴射口、吹き出し口;筒先、ノズル.

NP《略》notary public;《文法》noun phrase 名詞句.

NPO《略》nonprofit organization 非営利団体.

NPT《略》nonproliferation treaty.

nr, nr.《略》near.

NRA《略》《米》National Rifle Association 全米ライフル協会;《英》National Rivers Authority 全国河川局.

NSPCC《略》《英》National Society for the Prevention of Cruelty to Children 全国児童虐待防止協会.

NT《略》National Trust; New Testament.

†**-n't** /nt/《略》not の短縮語 ‖ can't / don't.

nth /énθ/ 形《略式》最新の、最近の.

NTT《略》Nippon Telegraph & Telephone Company 日本電信電話会社.

nu /njúː/ 名 Ⓒ ニュー《ギリシアアルファベットの第13字(ν, Ν). 英字の n, N に相当. → Greek alphabet》.

nu·ance /njúːɑːns, -´/『フランス』 名 Ⓒ Ⓤ [正式] (表現・感情・意見・色・味などの) 微妙な差異、ニュアンス ‖ rich in nuance 含蓄のある.

nú·anced 形 ニュアンスを含む.

nub /nʌ́b/ 名 Ⓒ [the ~] 核心、要点.

Nu·bi·a /njúːbiə/ 名《北アフリカのナイル川両岸にまたがる地域. 古代王国》.

nu·bile /njúːbəl, -bail/ 形 **1**《女性が》性的魅力のある. **2** [正式]《女性が》結婚適齢期の.

* **nu·cle·ar** /njúːkliər/
——形《◆ 比較変化しない》[通例名詞の前で] **1**核の;原子核の;原子力の、核兵器の ‖ nuclear fission [fusion] 核分裂[融合] / nuclear reaction [resonance] 核反応[共鳴] / nuclear propulsion 核推進 / nuclear fuel 核燃料 / nuclear physics 核物理学 / a nuclear weapon (state) 核兵器国(保有国) / a nuclear bomb (warhead) 核爆弾(弾頭) / a nuclear test (base) 核実験(基地).
2〈国が〉核を保有する ‖ go nuclear 核武装する.
3 [正式] 中心の.

núclear állergy 核アレルギー.
núclear apártheid 核の差別《核保有国が非保有国に核を持つことを許さない政策》.
núclear detérrent capability 核抑止力.
núclear disármament 核軍縮.
núclear énergy 核エネルギー, 原子力.
núclear fámily 核家族(↔ extended family).
núclear fúel reprócessing 核燃料再処理.
núclear inspéction 核査察.
núclear nonproliferátion tréaty 核拡散防止条約(略) NNT.
núclear pówer 原子力.
núclear reáctor 原子炉.
núclear umbrélla 核のかさ《他国の核兵器による保護》.
núclear wár 核戦争.
núclear wáste 核廃棄物.
núclear wínter 核の冬《核戦争の後地球に届く太陽熱が少なくなり冬のようになると予測される状態》.

nu·cle·ar-free /n(j)úːkliərfríː/[形] 核のない, 非核の.
nu·cle·ate /n(j)úːklièit/[形] 核のある. ―[動]他 …を核にする. ―[自] 核となる.
nu·cle·ic /n(j)uːklíːik/[形] 核の ∥ *nucleic* acid[生化学] 核酸.
†nu·cle·us /n(j)úːkliəs/[名](複 **-cle·i** /-kliài/, **~·es**)[C][正式] **1** [通例 the ~] (集合体の)中心(部分), 核心(core) ∥ become the *nucleus* of a group グループの中心となる. **2** [生物] 細胞核;[物理] 原子核.

nude /n(j)úːd/[形] 裸の, 裸体[ヌード]の《◆ naked と違い, 主に見られることを意識して裸(ふつう全裸)になることをいう. → naked》; ヌーディストの[による]; 覆いのない, むき出しの ∥ a *nude* picture 裸体画.
―[名] **1** [C] (女性の)裸体画, ヌード写真. **2** [C] 裸の人, 裸体. **3** [the ~] 裸体 ∥ swim in *the nude* 裸で泳ぐ.

†nudge /nʌ́dʒ/[動]他 **1** (注意を促すため)〈人〉をひじで軽くつつく[押す];〈人〉を(ひじで)押しのける(+*aside*) ∥ *nudge* him (in the ribs) 彼(のわき腹)をひじでつつく(=give him a *nudge* (in the ribs)) **(◆文法 16.2(3))** / *nudge* one's way ひじで押して進む. **2** …を(…するように)説得する(*into* [*toward*] *doing*).
―[自][…を]軽くつつく(*at*).
―[名] [通例 a ~] (ひじで)軽く突く[押す]こと.

nud·ism /n(j)úːdìzm/[名][U] 裸体主義, ヌーディズム.
nud·ist /n(j)úːdist/[名][C] 裸体主義者.
nu·di·ty /n(j)úːdəti/[名][U] 裸の状態, むき出しの状態.
nu·ga·to·ry /n(j)úːgətɔ̀ːri | -təri/[形] [正式] 無価値な, 無益な; 無効の.

†nug·get /nʌ́git/[名][C] **1** 塊(lump);天然の金塊 ∥ a *nugget* of gold = a gold *nugget* 金塊. **2** [正式] 貴重なもの ∥ a *nugget* of information 役に立つ[面白い]情報.

†nui·sance /n(j)úːsəns/[発音注意][名][C] **1** 迷惑になること, 迷惑行為;[法律](不法)妨害 ∥ Illegal parking is a public *nuisance*. 違法駐車は公共の迷惑だ. **2** [a ~] […にとって]いやな[はた迷惑な]人[物];[…を]神経をいらいらさせる人[物](*to*) ∥ She's always making「a *nuisance* of herself [herself a *nuisance*]. 彼女はいつも迷惑をかけてけたがられている / What a *nuisance*! いやだね!, うるさい!
Commit nó núisance! [英揭示] 小便無用;ごみ捨て無用(◆No *nuisance* here! ともいう).
núisance vàlue [通例 the ~] (不法妨害の持つ)いやがらせ効果, 抑制的効果.

nuke /n(j)úːk/ (略式)[名][C][動]他 (…を)核兵器(で破壊)する ∥ No *Nukes*! 〈スローガン〉核廃絶!

null /nʌ́l/[形] **1** [法律] 無効の ∥ *null* and vóid (法律上)まったく無効な. **2** 価値のない. **3** [数学] 集合が空(くう)の, 零の, 無の;[コンピュータ] 空の ∥ a *null* set (=an empty set).

†nul·li·fi·ca·tion /nʌ̀ləfikéiʃən/[名][U] 無効(化), 破棄.
†nul·li·fy /nʌ́ləfài/[動]他 …を無効にする, …の効力を減じる.
nul·li·ty /nʌ́ləti/[名][U][C] [法律] 無効(な行為) ∥ a *nullity* suit 婚姻無効訴訟.

NUM (略) (英) National Union of Mineworkers 全国炭鉱労働者組合.

†numb /nʌ́m/[発音注意][形] [寒さで](一時的に)かじかんだ(*with*);[悲しみなどに]無感覚になった[to];[ショックなどで]硬直した, まひした(*with*) ∥ My toes were [went] *numb with* cold. 私の足の指は寒さでかじかんでいた / *numb with* fear [shock] 恐怖[ショック]でぼうっとした.
―[動]他 **1** …を[…で]無感覚にする, まひさせる(*with*, *by*) ∥ The cold *numbed* her fingers. =Her fingers were *numbed with* the cold. 寒さで彼女の指がかじかんだ / I was *numbed by* her sudden death. [正式] 彼女の急死で私は一時何も考えられなかった. **2** 〈痛みなどを〉鈍くする, 和らげる.
númb·ing [形] ショックな;うんざりするような.
númb·ly [副] かじかんで, しびれて. **númb·ness** [U] 硬直, まひ.

‡**num·ber** /nʌ́mbər/ (派) numeral (名), numerous (形)
―[名](複 **~s**/-z/) **1** [U][C] 数, 数字, 数詞;[the ~] […の]人数;個数, 総数(*of*) ∥ in round *numbers* 概数で / The teacher counted the *number* of students [×student]. 先生は生徒の数を数えた / ***The number of*** (×the) cars has [×have] been increasing. =Cars have been increasing ***in number***. 自動車の数が増えている《◆前の文では動詞は cars ではなく number に呼応》(cf. A *number of* cars have [×has] been stolen. たくさんの[数台の]車が盗まれた. → **3**) / The audience was *large* [×many] *in number*. 聴衆は多かった / What [×How much, ×How many] *is the number of* people in Tokyo? 東京の人口はどのくらいか.

関連 (1) 基数は one, two, three … ten …, 序数は first, second, third … tenth …
(2) ローマ数字については → Roman numerals.
(3) [数字の読み方] 8:15 a.m. [p.m.] =eight fifteen a.m. [p.m.] / 3:05 =three oh five / 1989(年) =nineteen eighty-nine; (正式) nineteen hundred and eighty-nine / 2005(年) =two thousand and five / 0697(電話番号) =o [oh] /óu/ six nine seven / 15.08 (小数) =fifteen point naught [oh, zero] eight / .237 (野球) =two thirty-seven / .300 (野球) =three hundred; (野球以外) =three tenths / .318(野球以外) =three hundred and eighteen thousandths / 1/2 =a half / 1/4 =a quarter / 2/3 =two thirds / 38℃[F] =thirty-eight degrees Centigrade [Fahrenheit] / July 1 =July (the) first / Henry IV =Henry the

Fourth / Lesson II =Lesson Two; the Second Lesson / World War II =World War Two; the Second World War.
(4) 西洋では不吉の数は13, 神聖[幸運]の数は7.
(5) [いろいろな種類の **number**] cardinal *number* 基数 / even *number* 偶数 / high *number* 大きい数 / imaginary *number* 虚数 / low *number* 小さい数 / odd *number* 奇数 / ordinal *number* 序数 / prime *number* 素数 / real *number* 実数.

2 ⓒ [電話・住所などの]**番号**, …番(略) n., no., No., num。[記号](米) #》 ‖ a telephone [license, locker] *number* 電話[登録, ロッカー]番号 / a house *number* 戸番, 家屋番号 ◆(1) 西欧では日本の「番地」と違ってどんや家に番号を順につける。通りの片側のブロックに101, 103, 105…, もう一方は100, 102, 104…のような場合が多い。(2) 住所は「house *number* + 通りの名 + 都市名」で示す。(米) では house *number* に No. をつけない(例: 5 Maple Street, Denver)》 / Room No.15 15号室 / know the room by *number* その部屋の番号を知っている / (The) *Number*('s) *engaged.* (英) (電話が)話し中です((米) (The) Line's busy.) / *Number, please.* (電話で) (電話) 番号を教えてくれますか / ◉対話◈ "Hello, " is this [×are you] Mr. Brown?" "I'm sorry, *you have the [a] wrong number.* " 《電話で》「もしもしブラウンさんですか」「番号違いですよ」 ◆これに付け加えて, またはこの代わりに Can I have the *number*, please? 何番におかけですかと言うことも多い》 / Do you have a *number* for a Mr. A? Aさんとかいう人の電話番号を知っていますか / What *number* president of the United States was Kennedy? ケネディは合衆国の何代目の大統領ですか.

3 [a ~ of + ⓒ 名詞・集合名詞; 複数扱い] [漠然とした]**多数の**…; 若干数の; [~s] 多数の人[物]; [~s of + 複数名詞] 多数の…; 数の優勢》 ‖ *numbers of people* 多くの人々 / an unknown [untold, infinite] *number of stars* 無数の星 / *travel in great [small] numbers* 大勢[小人数]で旅行する / an undetermined *number of* people 若干名 / *A number of* passengers were [was] injured in the accident. 何人かの[多くの]乗客がその事故で負傷した(→ 語法) / *There is safety in numbers.* 《ことわざ》数が多いほうが安全.

[語法] [**a number of**] 原則的には,
a large [great, good] *number of* … 多くの…
a (certain) *number of* … いくらかの…
a small *number of* … 少数の…
であるが, 時に a *number of* … =a large *number of* … の意に用いられることもある. いずれの意味であるかは文脈から判断する. いずれの場合も否定文・疑問文には用いられない.

4 ⓒ [(本)の]巻, …巻; (雑誌の)号, …号 ‖ the April *number* 4月号 / back *numbers of Time* 『タイム』誌のバックナンバー. **5** ⓒ 《略式》(詩・歌などの)1編, 1曲, 番組; 演目, 曲(目); 出し物, 見せ物. **6** ⓒ 《略式》[~s; 単数・複数扱い]算数 ‖ be good [poor] at *numbers* 算数が得意[苦手]だ. **7** 《古》[~s] 詩脚, 韻文, 楽句[節]. **8** Ⓤ《正式》[単数形で; 集合名詞] 集団, 仲間, 連中, 群れ ‖ be of our *number* 我々の仲間だ. **9** ⓒ《略式》[通例 a ~] 商品, (特に)衣料品. **10** ⓒ《俗》[通例 a ~]魅力的な少女, 娘; 魅力的な人[物] ‖ *a cute number* かわいいちゃん / *a hot number* (主に米)性的魅力のある美人. **11** Ⓤⓒ〔文法〕数(ぎ) ‖ the singular [plural] *number* 単[複]数.

***a number of* …** ⓒ(略式)(かなり)多くの.
***any number of* A** (略式)(かなり)多くの.
by* ((米) *the*) *numbers 型どおりに, 機械的に.
gét* [*háve*] A's *number (略式)⟨人⟩の本心[弱点]を知る[見抜く].
in number (正式) (1) → **1**. (2) 全部で, 総数で.
A's number is úp. (略式)⟨人⟩の命運が尽きる.
***to the númbers of* A** (正式) …に達するほど, …までも ‖ *accidents to the numbers of 50* 50件もの事故(=as many as 50 accidents).

━ 動 (~s/-z/; 過去・過分 ~ed/-d/; ~ing/-bərɪŋ/)
━他 **1** ⟨人が⟩⟨物に⟩**番号をつける**, …にページづけをする ‖ *number the plates from 1 to 50* 板に1から50まで番号をつける.
2 《詩》⟨人が⟩⟨人・物を⟩(1つずつ)**数える**, 勘定する(count); 《正式》…を[…の]**中に入れる**[among, in, with, as] ‖ We can't *number the stars.* 星の数は数えきれない / She *numbers poets and artists among her friends.* 彼女の友人には詩人や芸術家がいる / He is *numbered among the greatest scientists in the world.* 彼は世界で最も偉大な科学者の一人に数えられている(=He *numbers among* …).
3 《略式》[be ~ed] 数[期間]が定められる, 制限される ‖ Her years [days] (on earth) *are numbered.* 彼女は余命いくばくもない.
4 総計…になる, …の数に達する, …の年齢まで生きる ‖ The party *numbers* 15 *men in all.* 一行はみんなで男15人となる.
━自 **1** 数える, 計算[勘定]する, 数えられる; […に]含まれる[among, with]. **2** 総計[…の]数になる[in] ‖ Tourists *number in the millions.* 観光客は数百万に達する.

number óff 〖自〗(英)⟨兵士が⟩(整列して)番号を言う(《米》count off). ━他 (1) ⟨物に⟩番号をつける. (2) ⟨兵士に⟩点呼のため番号を言わせる.

númber crúncher 《略式》コンピュータ; 計算屋《会計などで大きな数字を扱う人》.
númber crúnching 《略式》(コンピュータによる)大きな数の計算.
númbering machine 番号印字機, ナンバリング.
númber líne 〔数学〕数直線.
númber óne 《略式》(1) 自分自身(の利益). (2) 最上・一流(の物, 人). (3) 《小児語》遠回しに)おしっこ(する)《◆ **No.1** とも書く》.
númber twó 《略式》(1) 第2(位)[二流](の物, 人). (2) 《小児語》[遠回しに]うんち(をする)《◆ **No.2** とも書く》.

†**num・ber・less** /nʌ́mbərləs/ 圏《正式》(数えきれないほど)多くの, 無数の; 番号のない.

num・ber-plate /-plèɪt/ 图 ⓒ (英)(自動車の)ナンバープレート((図) → **car**) (《米》license plate).

nu・mer・a・cy /njúːmərəsi/ 图 Ⓤ(英)数える[数えられる]こと; 基本的計算能力 ◆ **literacy** に対して用いる.

†**nu・mer・al** /njúːmərəl/ 图 ⓒ **1** 数字; 〔文法〕数詞 ‖ Arabic [Roman] *numerals* アラビア[ローマ]数字. **2** 《米》[~s] 年次章《布製の数字で大学の卒業年の西暦の下2けたを示したもの。在学中優秀な運動選

numerate

手であった者に与えられる）． ——形 数の．

nu·mer·ate /n(j)úːmərət/ 形 〖主に英正式〗数学[科学]の基礎知識がある；算数[算術]ができる《◆ literate に対して用いられる》．

nu·mer·a·tor /n(j)úːməreɪtər/ 名 〖数学〗分子，被除数《↔ denominator》．

†**nu·mer·ic, –i·cal** /n(j)uːmérɪk(l)/ 形 1 数の，数的な，数に関する；計算の ‖ in *numeric* order 番号順で[に] / a *numeric* equation 数方程式 / *numeric* ability [skill] 計算能力. 2 絶対値の《↔ algebraic》． **nu·mér·i·cal·ly** 副 数字の上で，計算上．

*****nu·mer·ous** /n(j)úːmərəs/
——形 1 [不定の複数普通名詞と共に] たくさんの，多くの《many より堅い語》 ‖ *numerous* friends [gifts, questions] 多くの友人[贈り物, 質問] / Applicants will be more *numerous* than last year. 応募者は昨年よりもっと多くなるだろう． 2 [集合名詞と共に] 多数からなる《◆ large より堅い語》‖ a *numerous* family 大家族 / a *numerous* collection of books おびただしい蔵書．

nu·mi·nous /n(j)úːmɪnəs/ 形 〖正式〗超自然的な, 神秘的な；霊的な, 神聖な．

nu·mis·mat·ics /n(j)ùːməzmǽtɪks, (米+) -məs-/ 名 〖単数扱い〗貨幣[古銭]学；貨幣収集．

nu·mis·ma·tist /n(j)uːmízmətɪst, (米+) -mís-/ 名 貨幣[古銭]研究家；貨幣収集家．

†**nun** /nʌn/ 同音 none) 名 修道女, 尼, 尼僧(cf. monk) ‖ She is a Catholic *nun*. 彼女はカトリック修道女だ．

nun·ci·o /nʌ́nsiòʊ, nʌ́nʃiòʊ, núːn-/ 名 《複 ~s》© 〘ローマ教皇大使(legate)〙．

†**nun·ner·y** /nʌ́nəri/ 名 © 女子修道院[会], 尼僧院, 尼寺《◆今は convent がふつう. cf. monastery》．

†**nup·tial** /nʌ́pʃ(ə)l/ 〖正式〗 形 結婚(式)の．
——名 [~s] 婚礼, 結婚式．

Nu·rem·berg /n(j)úərəmbə̀ːrg/ 名 ニュルンベルク《ドイツ南部の都市. ドイツ名 Nürnberg》．

⁂**nurse** /nə́ːrs/ 関 nursery (名)
——名 《複 ~s/-ɪz/》© 1 [呼びかけにも用いて] 看護師, 看護婦[人, 兵]《◆(1) かつては女性を意味したが, 現在は男女を問わない職名. (2) an angel in white (白衣の天使), a ministering angel (救いの天使)などと呼ばれる》‖ a hospital *nurse* 病院の看護師 / a school *nurse* 養護教諭 / the head *nurse* on the ward その病棟の看護師長 ‖ 〘対話〙"What's your occupation?" "I'm a male *nurse*." 「お仕事は何ですか」「看護師です」/ *Nurse* Smith is off today. スミス看護師は今日は非番です．

〘事情〙 [**nurse** の種類(米国の場合)]
registered [(licensed) practical] *nurse* 正(准)看護師 / graduate *nurse*（看護師養成機関を卒業した）学士看護師《◆在学中は undergraduate nurse という》/ *nurse* practitioner ナースプラクティショナー《診察・診断・処方をする資格をもつ上級専門看護師》．

2 〘やや古〙乳母(ᵅ)(wet nurse); 保母(dry nurse), 子守(女) ‖ U 育児; 授乳 ‖ The baby is (out) at *nurse*. その赤ん坊は乳母に預けられて[里子に出されて]いる．

pùt A (óut) to núrse (1)〈子供〉を里子に出す, 乳母に預ける. (2)〈土地など〉を管財人にゆだねる．

——動 《~s/-ɪz/; 過去·過分 ~d/-d/; **nurs·ing**》
——他 1〈人が〉〈人〉を看護する, 看病する,〈子供〉をあや

守る；〈病気・傷など〉の治療に務める, 手当をする ‖ *nurse* a patient with great care 患者を手厚く看護する．

2〈人が〉〈赤ん坊〉に自分の乳をやる ‖ She is busy *nursing* her baby. 彼女は赤ん坊に乳を飲ませているので手が離せない / He was *nursed* on his mother's milk. 彼は母乳で育った．

3〈人が〉〈物〉を**大事に育てる**, はぐくむ；手でもてあそぶ；〈思想など〉を心に抱く ‖ *nurse* an [a plant] 芸術[植物]をはぐくむ / *nurse* a grudge 心に悪意を抱く．
4 …に細心の注意を払う, …を注意して[大事に]扱う．
——自 1 看護師として働く. 2 看護[看病]する；授乳する. 3〈乳児が〉〈乳〉を飲む〈*at*〉．

núrse's áide（米）看護助手．

nurse-child /nə́ːrstʃàɪld/ 名 《複 ~·chil·dren》養い子, 里子．

nurse·ling /nə́ːrslɪŋ/ 名 = nursling.

nurse·maid /nə́ːrsmèɪd/ 名 © 子守女(ᵏ)《(PC) baby-sitter》．

†**nurs·er·y** /nə́ːrsəri/ 名 © 1 育児室, 託児所；〘古〙〘おおげさに〙子供部屋, 子供の寝室 ‖ a day *nursery* 保育園 / Our company has a comfortable *nursery*. わが社には快適な育児室があります. 2 a 苗床, 種苗, 苗木; (種苗・苗木を育てて売る)園芸店; 養殖[養魚, 養樹]場. b 養成所；(犯罪などの)温床；[…の]育つ環境[条件]〈*for, of*〉．

núrsery rhỳme [sòng]（伝承）童謡《(米) Mother Goose rhyme》．

núrsery schòol（5歳以下の幼児の）保育所[園]．
núrsery schòol tèacher 保育士．
núrsery nùrse 子供を看護する看護師．
núrsery slòpe(s) 〖スキー〗初心者用ゲレンデ《(米) bunny slope(s)》．

nurs·er·y·man /nə́ːrsərimən/ 名 《複 ~·men》© 養樹園主, 苗木屋[職人]《(PC) nursery owner [operator]》．

nurs·ing /nə́ːrsɪŋ/ 動 → nurse. ——名 U 看護, 保育；看護師の仕事 ——形 養育する[される]．
núrsing bòttle 哺(ᵘ)乳びん．
núrsing càre 介護．
núrsing hòme（老人などの）私設療養所, 老人ホーム；（英）（小規模な）私立病院．
núrsing mòther [fàther] 養母, 乳母[養父, 乳母の夫]．
núrsing school 看護学校．

nurs·ling, nurse- /nə́ːrslɪŋ/ 名 © 1 (乳母に育てられる) 乳幼児, 乳飲み子. 2 大事に養育された人[物], 秘蔵っ子, 秘蔵物．

†**nur·ture** /nə́ːrtʃər/〘文〙 動 他 1 …を育てる, 養育[養成]する. 2 …に栄養物を与える. 3 …を促進する, 助長する；〈感情など〉を抱く ‖ *Nature or nurture?* 生まれか育ちか, 素質か環境か. 2 滋養物, 食物．

*****nut** /nʌ́t/ 同音 not, knot /nát | nɔ́t/）
——名《複 ~s/nʌ́ts/》© 1a 木の実, 堅果, ナッツ《◆(1) 神秘・英知・豊饒(ᵇʲ)・誕生などの象徴. (2) 「漿果(ᵏʲ)」は berry》‖ This *nut* is hard to crack open. ＝It is hard to crack this *nut* open. この木の実は割って開けるのは難しい《《◆ hard は「難しい」の意味. 「堅い」ともとれるのがその場合は＝以下の書き換えは不可. ➡ 文法 17.6(1)》．**b** 木の仁(ᴺ)(kernel). **2** 木の実図案. **3**〖機械〗ナット, 親[留め]ねじ《◆ *nut* をはめるのは bolt》. **4**〘俗〙頭(head)‖ off one's *nut* 気が狂って. **5**〘俗〙**a** ばか者；変わり者《(英俗) nutter)(→ nuts). **b** [しばしば複合語で]

ファン, (…)狂《◆fan, freak, nut のうちで freak が最も俗語的》∥ a golf [soccer, do-it-yourself] nut ゴルフファン[サッカーファン, 日曜大工マニア] / a Tom Hanks nut トム=ハンクスのファン. **c** しゃれ者 (dandy). **6** (英)〖通例 ~s〗 石炭[バター]の小塊.
a tóugh [hárd] nút to cráck (略式) やっかいな問題[相手].
dó one's nút(s) (英俗) かっとなる.
núts and bólts (略式) [(the) ~]〖複数扱い〗〔…の〕基本, 根本〔*of*〕∥ *the nuts and bolts of education* 教育の基本. (2)〔機械などの〕動く部分〔*of*〕.
──動 (過去・過分 nut·ted/-id/; nut·ting) 自 木の実を拾う.

nut-brown /nʌ́tbráun/ 形 (文) くり[クルミ]色の.
nut-but·ter /nʌ́tbʌ́tər/ 名 U 木の実[ナッツ]バター.
nut·case /nʌ́tkèis/ 名 C (俗) 狂人.
nut·crack·er /nʌ́tkrækər/ 名 C **1** しばしば ~s] クルミ割り器 ∥ *a pair of nutcrackers* =a *nutcracker* クルミ割り器1丁. **2** 〖鳥〗 ホシガラス.
nut-house /nʌ́tháus/ 名 C (俗) 精神病院.
†**nut·meg** /nʌ́tmèg/ 名 **1** [(the) ~] 〖植〗 ニクズク; その木 (nutmeg tree). **2** U C ナツメグ (nutmeg seed) 《ニクズクの種子の胚(はい)乳を乾燥させたもの. 香辛料・薬用》.
nútmeg ápple ニクズクの木の実.
Nútmeg Státe (愛称) [the ~] ナツメグ州 (→Connecticut).
†**nu·tri·ent** /n(j)ú:triənt/ (正式) 〖生化学〗 形 名 C 栄養になる(薬, 食物).
nu·tri·ment /n(j)ú:trimənt/ 名 U C (正式) 栄養分, 滋養分.
†**nu·tri·tion** /n(j)u:tríʃən/ 名 U (正式) **1** 栄養物を与え[摂取する]こと; 栄養作用 ∥ *in nutrition* 栄養上. **2** 滋養[栄養]物 (nourishment). **3** 栄養学 ∥ *an expert in nutrition* 栄養士.
nu·tri·tion·al /-ʃənl/ 形 栄養上の.
nu·tri·tion·al·ly 副 栄養上.
nu·tri·tion·ist 名 C 栄養士.
†**nu·tri·tious** /n(j)u:tríʃəs/ 形 (正式) 栄養のある.
nu·tri·tious·ly 副 栄養たっぷりに, 栄養となって.
†**nu·tri·tive** /n(j)ú:trətiv/ 形 (文) **1** =nutritious. **2** 栄養(作用)の.
nuts /nʌts/ 形 (略式) [...に] 夢中になっている, 熱をあげている [*about, on, over*] ∥ *She's nuts about computers.* 彼女はコンピュータマニアだ.
drive A *nuts* 〈人〉を狂わせる.
gó núts (略式) 気が変になる, 頭にくる.
──間 〖軽蔑(*)・失望・不満・嫌悪などを表して〗真っ平だ!, ちぇっ! ∥ *Nuts to you!* くたばっちまえ.
nut·shell /nʌ́tʃèl/ 名 C **1** 堅果の果皮[殻(ら)]. **2** 小粒のもの. *pút* A *in a nútshell* (略式) 〈事〉を簡単に言う.
nut·ter /nʌ́tər/ 名 C (英俗) =nut **5 a**.
nut·ting /nʌ́tiŋ/ 名 U 木の実拾い.
nut·ty /nʌ́ti/ 形 (--ti·er, --ti·est) **1** (まれ) 木の実の多い. **2** ナッツの味のする, 風味豊かな; (俗) 趣きのある; いきな. **3** (俗) 気の変な (crazy). **4** (略式) […に]夢中の(keen) [*about, upon, over*].
nút·ti·ly 副 風味豊かに.
nuz·zle /nʌ́zl/ 動 自 〈犬・馬などが〉[…に]鼻[口, 頭]をすりつけてくる[押しつける] (+*up*) [*against, into, to*]. ──他 **1** …に鼻[口, 頭]をこすりつける, 鼻でつつく. **2** 〈鼻などを〉[…に]こすりつける (+ *up*) [*against*].
NV (略) 〖郵便〗Nevada.
NW (略) northwest(ern).
NY (略) New York (州); 〖郵便〗New York.
nyaa /njɑ́:/ 間 [人をばかにして] イーだ!
NYC (略) New York City.
†**ny·lon** /náilɑn|-lɔn, -lən/ 名 **1** U ナイロン. **2 a** C ナイロン製品. **b** (略式) [~s; 複数扱い] =nylon stocking. **3** [形容詞的に] ナイロン(製)の.
nýlon stóckings (女性用) ナイロンの靴下.
†**nymph** /nímf/ 名 C **1** 〖ギリシャ神話・ローマ神話〗 ニンフ《海・川・山・森などに住むといわれる半神半人の美少女の妖(よう)精》. **2** (詩) おとめ, 美少女. **3** 〖昆虫〗 若虫.
nymph·et /nimfét, nímfit/ 名 C (略式) 性的魅力のある美少女.
nym·pho /nímfou/ 名 (複 ~s) (略式) =nymphomaniac.
nym·pho·ma·ni·ac /nìmfəméiniæk/ 形 名 C 色情狂の(女)((略式) nympho).
NYSE (略) New York Stock Exchange.
NZ (略) New Zealand; neutral(ity) zone 中立地帯.

O

:o, O /óu/ 名 (複 **o's, os; O's, Os**/-z/) **1** C U 英語アルファベットの第15字. **2** → a, A 2. **3** C U 第15番目(のもの).

Ó lèvel (略式) =ordinary level.

***O**[1] /óu/
—間 **1** (文) [名前・称号の前で] ああ, おお ‖ *O Lord, help us!* おお主よ, お助けを! / *O that he were here!* 彼がここにいたらなあ!
2 おお, まあ《驚き・願望・恐れなどの感情を表す. 現在は oh がふつう》‖ *O dear (me)!* おやおや! / *O that he were here!* 彼がここにいたらなあ!

O[2] /óu/ 名 C (アラビア数字の)零(0).

O (略) 〔電気〕オーム(ohm); 〔記号〕(血液型の)O型; 〔化学〕oxygen.

o. (略) ocean; old; order; 〔野球〕out(s).

O., (主に英) **O** (略) Ocean; October; Ohio; Ontario.

†o' /ə/ 前 (略式) =of ‖ *five o'clock p.m.* 午後5時(→ **o'clock** 語法) / *a cup o' tea* 紅茶1杯.

oaf /óuf/ 名 (複 ~s, (まれ) **oaves**/óuvz/) C (ふつう男の)ばか. 鈍物. うすのろ.

O·a·hu /ouɑ́ːhuː/ 名 オアフ島《ハワイ諸島のひとつ》.

†oak /óuk/ 名 **1** C オーク(の木)(oak tree)《◆ナラ・カシワ・カシ・クヌギなどの総称だが, 典型的には落葉樹のナラ類をいう. 実(ᵐ)は acorn》.
文化 (1) 森の王者(the monarch of the forest)といわれる.
(2) ドルイド教で神樹とされ, 妖精が住み, 幹に触れると病気が治るともいわれる. 雷よけにする(→ **thunder** 名 **1**).
(3) その堅牢・強靭(ᵏᶦ)さは英国人の精神を象徴する木として米国人の hickory に対比される.
2 U オーク材《家具・船などに用いる. 樹皮は獣皮をなめすのに用いられた》. **3** [the Oaks; 単数扱い] オークス《Derby, St. Leger と共に英国の3大競馬といわれる》. **4** [形容詞的に] オークの; オーク材[製]の ‖ *an oak door* オーク材のドア.

OAPEC /ouéipek/ Organization of Arab Petroleum Exporting Countries アラブ石油輸出国機構(cf. **OPEC**).

†oar /ɔ́ːr, ore, (英) awe/ 名 C **1** オール《◆rowboat 用のものをいう. canoe 用は paddle》‖ *a pair of oars* オール2本 / *pull a good oar* こぎ方がうまい / *pull on the oars* オールをこぐ. **2** こぎ手.
líe [rést, (米) láy] on one's **óars** 〖オールを水平にねげて休むことから〗(略式)(大仕事のあと)ひと休みする.
pút [gét, shóve, stíck] ín one's **óar** =**pút [gét, shóve, stíck] óar in** (略式) 干渉する, 口出しする, 余計な世話をやく.

oar·lock /ɔ́ːrlɑ̀k|-lɔ̀k/ 名 C (米) オール受け((英) rowlock).

oars·man /ɔ́ːrzmən/ 名 (複 **-men**, 〔女性形〕 **-wom·an**) C (競漕(ᵏᵒᵘˢᵒᵘ)用こぎ船のこぎ手((PC) rower).

óars·man·ship /-ʃìp/ 名 U こぎ手の技量; こぎ方((PC) rowing skills).

OAS (略) Organization of American States 米州機構.

†o·a·sis /ouéisis/ [発音注意] 名 (複 **o·a·ses**/-siːz/) C **1** オアシス《砂漠の中で水が湧き出る緑地》. **2** (正式) くつろぎの場, 慰安となるもの ‖ *an oásis in the désert* 退屈を慰めてくれるもの; 起死回生になるもの.

†oat /óut/ 名 C **1** 〔植〕[通例 ~s; 単数・複数扱い] オートムギ, カラスムギ(の粒)《寒冷地で栽培されるが, 馬の飼料にもなる》‖ much [×many] *oats* 多量のオートムギ. **2** [~s; 単数扱い] =oatmeal.
be [gó] óff one's **óats** (略式)(不調で)食欲不振である[になる].

oat·cake /óutkèik/ 名 C オートムギ製堅焼きビスケット.

oat·en /óutn/ 形 (詩) カラスムギ(製)の; オートミールの.

†oath /óuθ/ 名 (複 ~s/óuðz, óuθs/) C **1** (神にかけての)誓い[類題 pledge]; (宣誓後の)誓約; [⋯する/⋯という]誓い(*to* do / *that* 節); 〔法律〕宣誓 ‖ an *oath* of allegiance 忠誠の誓い / break [violate] an *oath* 誓いを破る / put [place] him on [upon, under] *oath* 彼に誓わせる / *under* [*on, upon*] *oath* 誓って, 決して / a written *oath* 誓約書; 宣誓文 / swear [take] an *oath to* tell the truth 真実を述べると宣誓する / She gave her *oath* [not *to* abuse [*that* she would not abuse] animals. 彼女は動物を虐待しないと誓った.
事情 [宣誓文の見本]
I swear by Almighty God that the evidence I shall give to the court and jury shall be the truth, the whole truth, and nothing but the truth. 法廷および陪審に対して行なう証言は, すべて真実であり, 真実以外の何ものでもないことを, 神にかけて誓います.
2 (神聖を汚す)神名濫用; 畜生呼ばわり《By God!, God damn you! など》(古) [通例 ~s] ののしり言葉.

†oat·meal /óutmìːl/ 名 **1** U ひき割りオートムギ《ケーキやオートミールの材料》. **2** (主に米) [~s; 単数扱い] オートミール《ひき割りオートムギに牛乳を加えて作ったかゆ. cf. **porridge**》.

OAU (略) Organization of African Unity アフリカ統一機構.

OB (略) old boy.

ob. (略) 〔ラテン〕 *obiit* 死んだ《◆死亡年月日の前に付ける: *ob.* 1960 1960年死亡》; 〔ラテン〕 *obiter* ついでに.

O·ba·di·ah /òubədáiə/ 名 〔旧約〕オバデヤ《ヘブライの預言者》; オバデヤ書《旧約聖書の一書. 略 **Obad.**》.

†o·be·di·ence /oubíːdiəns|ə-/ 名 U 〔⋯に対する〕従順, 恭順, 服従[*to*](↔ **disobedience**);(法の)順守 ‖ act *in obedience to* an order 命令どおりに行動する / She showed strict *obedience to* her husband. 彼女は何でも夫の言いなりだった.

†o·be·di·ent /oubíːdiənt|ə-/ 形 〔⋯に〕従順な, 素直な, 〔人の〕言うことを聞く〔*to*〕(↔ **disobedient**); 忠実な;(法を)順守する ‖ a very *obedient* child とても素直な子 / an *obedient* dog 忠犬 / He is *obedient to* his teacher. 彼は先生の言うことをよく聞く

o‧bé‧di‧ent‧ly 副 従順に, 素直に.

†**o‧bei‧sance** /oubéisəns, -bíː-|əu-/ 名 **1** U 敬意; 恭順, 服従 ‖ *do* [*make*, *pay*] *obeisance to* ... ...に敬意を表す. **2** C U (深々とした)お辞儀, 敬礼.

ob‧e‧lisk /ábəlìsk|5b-/ 名 **1** オベリスク, 方尖(ᴇᴋ)塔[柱]《古代エジプトなどに見られる記念碑》; オベリスクのようなもの. **2**《印刷》短剣標(†)(dagger).

O‧ber‧on /óubərɑ̀n|ɔ́ubərɔ̀n, -ərən/ 名 **1**《中世伝説》オベロン《妖精の王》. **2**《天文》オベロン《天王星の第4衛星》.

o‧bese /oubíːs|əu-/ 形《正式》(病的な)肥満の, (ひどく)肥えた.

o‧be‧si‧ty /oubíːsəti|əu-/ 名 U (病的な)肥満.

*__o‧bey__ /oubéi, ə-|ə-/ 原義《「…に耳を傾ける」が原義》派 obedience (名), obedient (形)

—動 (~s/-z/;〔過去・過分〕~ed/-d/; ~ing)

—他 **1**〈人が〉〈人・命令などに〉(よいと判断して)従う, 〈規則など〉を守る(↔ disobey) ‖ She hesitated, then *obeyed* her mother. 彼女は一瞬ちゅうちょして, 母に従った / *Obey* the law [orders]. 法律[規則]を守りなさい. **2** …に従って行動する; 〈物が〉…に従って作用する, 働く.

> 語法 (1) ×She *obeyed to* him. は誤り.
> (2)「忠告に従う」は follow [take, ×obey] a person's advice.

—自 服従する ‖ John always *obeys* without question. ジョンはいつも文句なしに人の意見に従う.

†**o‧bit‧u‧ar‧y** /əbítʃuèri|əbítʃuəri, əbítju-/ 名 (新聞・雑誌の)死亡記事; 故人略伝(略式 obit) ‖ *obituary* notices (新聞などの)死亡記事.

obj. object; objection; objective.

*__ob‧ject__ 名 ɑ́bdʒikt|ɔ́b-; 動 əbdʒékt/ 原義《「…に向かって(ob) 投げられた(ject)(もの)」が原義》派 objection (名), objective (名)

index 名 **1**物体 **2**対象 **3**目的 **5**目的語
動 自 反対する

—名 (複 ~s/-dʒikts/) C **1**物体, 物 ‖ Look at that shining *object* in the sky. あの空で輝いている物体を見なさい / an unidentified flying *object* 未確認飛行物体(UFO) / a spherical *object* 球体.
2《正式》[an/the ~]〔感情・動作などの〕対象(となる人, 物)〔*of*, *for*〕‖ an *object* of admiration for girls 少女たちのあこがれのまと / take Stendhal as an *object* of study スタンダールを研究対象として取り上げる.
3〔通例 an/the/one's ~〕〔行為などの〕(直接の)目的(purpose), 目標, 目当て〔*of*, *in*〕◆ objective よりくだけた語 ‖ for that *object* それを目当てに / I see no *object* in revising this document. この書類に手を入れてもむだだと思う / His *object* in traveling to Tokyo was to have a job interview. 彼の東京行きの目的は就職の面接試験を受けるためであった / attain [fail in] one's *object* in life 人生の目的を達成する[達成しない] / She went to Italy *with the object of* studying music. 彼女は音楽を研究する目的でイタリアに行った / Money is no *object*. お金の問題ではありません.
4《英略式》おかしな[みじめな, ばかげた]人〔物, さま〕.

5《文法》目的語(略) obj.)(cf. subject) ‖ the direct [indirect] *object* 直接[間接]目的語.
6《哲学》対象, 客体(↔ subject).

—動 /əbdʒékt/ (~s/-dʒékts/;〔過去・過分〕~ed /-id/; ~ing)

—自 [*object* (*to* [*against*] A)]〈人が〉〈物・事・人に〉反対する, 抗議する(protest), 異議を唱える, 不服を唱える(cf. demur) (↔ agree); 〔…を〕いやに思う, きらう〔*to*〕‖ She *objected to* "being treated [×be treated] like a child. 彼女は子供扱いされることに異を唱えた / They *objected to* my going abroad. 彼らは私が外国へ行くのに反対した / She *objects* when her husband comes home late. 夫が遅く帰ると彼女は文句を言う / Our plan was *objected to* by the majority. 私たちの計画は大多数の人に反対された.

—他《正式》〔…に〕反対する〔*to*, *against*〕;〔…だと〕反対する〔*that*節, *how*節〕◆ oppose, object, disagree の中で最も反対の程度が強い》‖ Mom *objected that* I was too young to work part-time. 母は私がアルバイトするには小さすぎると反対した.

óbject bàll《ビリヤード》まと球(↔ cue ball).
óbject còde《コンピュータ》オブジェクトコード.
óbject glàss [lèns]《光学》対物レンズ.
óbject lèsson 実地[実物]教育;〔…の〕(教訓となる)実例〔*in*〕.

__ob‧jec‧tion__ /əbdʒékʃən/〔⇒* object〕

—名 (複 ~s/-z/) C **1**〔…に対する〕反対の理由, 難点〔*to*, *against*〕; 欠点, さしさわり, 故障 ‖ One of my *objections to* the marriage is that she is too young. その結婚に反対する理由の一つは彼女が若すぎるということだ.
2 U C〔…に対する〕反対, 異議, 不服; 嫌気〔*to*, *against*〕(略) obj.) (↔ agreement) ‖ "*Objection*(, your honor)!"《裁判官》異議あり《法廷で弁護士の発言》/ tàke [màke (an), ràise an] *objéction to* his plan 彼の計画に反対する / I have no *objection to* what you say. 君の言うことに異議はない.

†**ob‧jec‧tion‧a‧ble** /əbdʒékʃənəbl/ 形 **1** 反対すべき, 異議のある; 気にさわる, 不快な. **2** いかがわしい.
ob‧jéc‧tion‧a‧bly 副 反対するような, 不愉快に.

__ob‧jec‧tive__ /əbdʒéktiv/〔⇒* object〕

—名 (複 ~s/-z/) C **1**《正式》(達成できる)目標, 目的, 的(object) ‖ The climber's primary *objective* is to reach the summit. その登山家の第1目標は頂上に到達することです. **2**《文法》目的格.
3《光学》対物レンズ(object glass [lens]).

—形 **1** 客観的な, 事実に基づく(↔ subjective) ‖ an *objective* test 客観テスト.
2 目的の, 目標の(◆ 比較変化しない) ‖ an *objective* point (軍隊の)目的地.
3 実在の, 物体の(◆ 比較変化しない).
4《文法》目的格の(◆ 比較変化しない) ‖ the *objective* case 目的格.
ob‧jéc‧tive‧ly 副 客観的に.
ob‧jec‧tiv‧i‧ty /ɑ̀bdʒektívəti|ɔ̀b-/ 名 U 客観性, 客観主義, 客観的実在(↔ subjectivity).
ob‧jec‧tor /əbdʒéktər/ 名 C 反対者, 異議を唱える人.
ob‧jet d'art /ɔ̀ːbʒeidɑ́ːr|《フランス》/ 名 (複 **objets d'art**/~/) C (小)芸術工芸品, オブジェ.

†**ob‧late** /ábleit, -̀-|ɔ́b-, -̀-/ 形《回転楕円形が》上下に短い(↔ prolate).

ob‧li‧gate /動 ɑ́bləɡèit|5b-; 形 ɑ́bləɡət, -ɡèit|5b-/

obligation

動 他 (正式) 1 〈人〉を(約束・契約などで)束縛する; [be ~d / ~ oneself] (道徳的・法律的に)(…する)義務がある(to do)(→ compel) ‖ I *was* obliged *to* pay taxes [my debts]. 税金[借金]を払わねばならなかった. **2** (通例 be ~d) (人に)ありがたく思う.——形 義務を負わされた. 必須の.

†**ob·li·ga·tion** /ɑ̀bləɡéɪʃən/ 5b-/ 名 1 ⓒⓤ [⋯に対する/⋯する](契約・約束・立場上などから生じる)義務, 責務, 拘束(to / to do)(→ duty) ‖ parents' *obligation* to their children 子供に対する親の義務 / ⌈He *is* under (an) *obligation* [He has an *obligation*] to support his large family. 彼は大家族を扶養する義務がある. **2** ⓒ [⋯への]恩義, 感謝(to, toward) ‖ repay an *obligation* 恩に報いる / feel an *obligation* to her for her kindness 彼女に親切にしてもらった恩義を感じる.

pút [pláce] A únder an obligátion 〈人〉に恩を施し, …に義務を負わせる.

ob·lig·a·to·ry /əblígətɔ̀ːri, ɑb-, ɑ́blɪɡ-|-təri, ɔb-, 5blig-/ [発音注意] 形 (正式) (法律的・道徳的に)[⋯にとって]義務的な, 強制的な[for, on, upon]; 〈学科などが〉必須の(↔ elective, 《英》optional), 《英》(文法)義務的な(↔ optional) ‖ an *obligatory* subject 必修科目.

*o·blige /əbláɪdʒ/ 派 obligation (名)
——動 (~s/-ɪz/; 過去-過分 ~d/-d/; o·blig·ing)
——他 (正式) 〈事が〉〈人を〉義務づける; [oblige A to B] 〈人に〉余儀なく B 〈事〉をさせる; [oblige A to do] 〈人に〉強制的に…させる; [be ~d] 〈人が〉(義務があるから)(…)せざるを得ない(to do)(◆ to do は動作動詞)(→ compel) ‖ Poverty *obliged* him ⌈to this crime [to commit this crime]. 貧乏のあまり彼はこの罪を犯した(➋文法 23.1) / The law *obliges* us to pay taxes. 法律で税金を払うよう義務づけられている / She *was obliged to* give up hard training. 彼女はきついトレーニングを控えなくてはならなかった.
2 〈人が〉〈人に〉親切にする, 恩意[恩義]を施す; 〈人を〉[…で]喜ばす[with, by]; [be obliged **to A for B**] A〈人〉に B〈物・事〉について感謝している ‖ *oblige* others [animals] 他人[動物]にやさしくする / **I'm much obliged.** ありがとうございます(◆ Thank you very much. より堅い表現) / Much *obliged* for your assistance. 助けていただいて感謝いたします 《◆ Thank you for your help. よりも堅い表現》 / We would be *obliged* if you would keep us informed. 引き続きご連絡いただければ幸いに存じます.
——自 […で]依頼に快く応じる; 要望に答える, 願いをかなえる, 喜ばせる[by, with] ‖ I'm glad to *oblige* if you want it. お望みなら喜んで差し上げます / He *obliged* by playing the guitar. 彼は快くギターを弾いてくれた.

†**ob·lig·ing** /əbláɪdʒɪŋ/ 形 1 進んで人の世話をする; [⋯に]親切な, ていねいな; [⋯に]気さくに応じる(on) ‖ an *obliging* person 世話好きな人 《◆お人好しの意を含む》 / be *obliging* to others 人に親切にする. **2** 義務を負わされた. **ob·líg·ing·ly** 副 親切に.

†**o·blique** /əblíːk, ou-/ 形 (正式) **1** 斜めの (sloping), 傾いた ‖ take an *oblique* direction 斜め方向に進む. **2** 遠回しの, 間接的な(not straight) ‖ an *oblique* glance 盗み見 / give an *oblique* ánswer 遠回しに答える. **3** 〔数学〕斜角の, 斜線[面]の.
——名 ⓤⓒ 斜めのもの; =oblique stroke [slash, solidus].

oblíque ángle 斜角 《直角以外の角度》.
oblíque stróke [slàsh, sòlidus] 小斜線, スラッシュ(/); 〔文法〕斜線.
o·blíque·ly 副 間接的に.
o·bliq·ui·ty /əblíkwəti, ou-/ 名 1 ⓤ 傾いていること; 傾斜(り); 〔植〕(葉の)斜め; 〔天文〕[the ~] 黄道傾斜 《黄道面の赤道面に対する傾き. 約23°27′》.

†**o·blit·er·ate** /əblítərèɪt/ 動 他 (正式) **1** …を(完全に)消す. **2** …を完全に破壊する, 取り除く.

†**o·bliv·i·on** /əblíviən/ 名 ⓤ (正式) (完全に)忘れ去る[忘れ去られる]こと, 忘却; (略式)無意識; 人事不省(じ) ‖ The mayor's name *sank into oblivion*. 市長の名は忘れ去られた / ⌈go to [be buried in] complete *oblivion* 完全に忘れられる.

†**o·bliv·i·ous** /əblíviəs/ 形 (正式) [⋯を]忘れて; [⋯を]気にとめない(of, to) ‖ How can you be so *oblivious to* the needs of your own family? どうして自分の家族の要求をそんなに忘れるのよ.
o·blív·i·ous·ly 副 失念して.
o·blív·i·ous·ness 名 ⓤ 忘れること.

†**ob·long** /ɑ́bləŋ|5b-/ 〔幾何〕 名 ⓒⓔ 長方形(の); 横長の.

ob·lo·quy /ɑ́bləkwi|5b-/ 名 ⓤ (正式) **1** 不名誉, 恥辱 (dishonor). **2** 悪口, 中傷, 非難 (criticism).

†**ob·nox·ious** /əbnɑ́kʃəs, əb-/|əbnɔ́kʃ-, ɔb-/ 形 (正式) [⋯にとって](まったく)不快な, いやな(to)(→ unpleasant); 気にさわる. **ob·nóx·ious·ly** 副 不快に.

o·boe /óuboʊ/ 名 ⓒ 〔音楽〕オーボエ《木管楽器》.

†**ob·scene** /əbsíːn, əb-|ɔb-, əb-/ 形 (~r, ~st) **1** わいせつな; いやらしい, 卑猥(ひわい)な(↔ decent); (略式)胸の悪くなる ‖ an *obscene* joke わい談. **2** (略式)胸の悪くなる (disgusting). **ob·scéne·ly** 副 いやらしく, みだらに.

†**ob·scen·i·ty** /əbsénəti, -síːn-/ 名 1 ⓤ 卑猥(ひ)さ, わいせつ. **2** ⓒ 猥褻な言葉[行為] ‖ わい談.

***ob·scure** /əbskjʊ́ər, əb-|əb-, ɔb-/ 形 (~r, ~st) **1** 不明瞭な, 不鮮明な, ぼやけた (↔ clear); あいまいな; [⋯について/⋯に](複雑で)わかりにくい(about/to)(→ obvious) ‖ make an *obscure* reference to that book それをなくその本のことに言及する / an *obscure* meaning 理解しがたい[はっきりしない]意味 / Much legal language is *obscure to* a layman. 法律用語の大半は素人にはわかりにくい. **2** 〈場所が〉人目につかない, 奥まった; 容易に見つからない, 隠れた ‖ an *obscure* village 人里離れた村 / an *obscure* area [region] 秘境. **3** 〈人が〉世に知られていない (↔ well-known); 素性(じょう)の卑(いや)しい ‖ an *obscure* writer 無名作家. **4** 〈よく聞きとれない; 〈母音が〉あいまいな (neutral) ‖ an *obscure* pronunciation 聞きとりにくい発音 / an *obscure* vowel あいまい母音(schwa)〈/ə/〉.

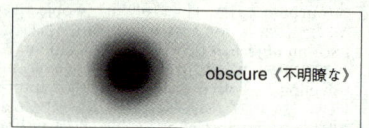

obscure《不明瞭な》

——動 **1** 〈物を〉[⋯から]覆い隠す, 見えなくする, かすませる [from] (↔ reveal) ‖ the sun (which is) *obscured* by clouds 雲に隠れた太陽 / Smog *obscured* our view. スモッグで視界がさえぎられた. **2** 〈事を〉わかりにくくする, 不明瞭にする (↔ clarify);

〈事〉をにぶらせる ‖ reasoning *obscured* by emotion 感情の高ぶりでにぶった理性.

ob·scúre·ly 副 不鮮明に; それとなく; 名もなく.

†**ob·scu·ri·ty** /əbskjúərəti, ɑb-|əb-, ɔb-/ 名 **1** Ⓤ《正式》暗さ, 薄暗さ. **2** Ⓤ《正式》あいまい, 不明瞭; 難解; Ⓒ 不明な箇所, わかりにくいところ ‖ a philosophical essay (which is) full of *obscurities* 難解な箇所の多い哲学論文. **3** Ⓤ 無名, 卑賤(ﾋﾞｾﾝ) ‖ It's hard to believe that such a great artist died in *obscurity*. そんなに偉大な芸術家が人知れず死んだとは信じがたい / rise from *obscurity* to renown 無名から身を起こして有名になる. **4** Ⓒ 無名の人[場所].

ob·se·quies /ɑ́bsəkwiz|ɔ́b-/ 名 《正式》[複数扱い]《立派な》葬式, 葬儀.

†**ob·se·qui·ous** /əbsíːkwiəs/ 形 《正式》**1**〔上の者などに〕こびる, 卑屈な〔*to, toward*〕. **2** 忠実な.

ob·serv·a·ble /əbzə́ːrvəbl/ 形 **1** 観察できる, 目につく; 識別できる. **2** 注目すべき, 注目に値する. **3**〈習慣・規則などが〉守ることができる; 祝うべき.

ob·sérv·a·bly 副 目立って.

†**ob·ser·vance** /əbzə́ːrvəns/ 名 《正式》**1** Ⓤ〈法律・義務・習慣などに〉従うこと;〔…の〕順守〔*of*〕 ‖ the *observance* of school rules 校則の順守. **2** Ⓤ〔祝祭日を〕祝うこと〔*of*〕; Ⓒ〔しばしば ~s〕式典, 儀式 ‖ for the *observance* of his birthday 彼の誕生日を祝って.

†**ob·ser·vant** /əbzə́ːrvənt/ 形 観察[知覚]の鋭い,〔…するように〕注意する〔*to do*〕;〔…に〕よく気がつく, 油断のない〔*of, about*〕(↔ unobservant) ‖ an *observant* reader 注意深い読者 / be *observant* (in order) *to* avoid accidents 事故をおこさないように注意する / be *observant* *of* small things 些細な事によく気がつく / be *observant* *about* one's dress 服によく気を使う.

*__ob·ser·va·tion__ /ɑ̀bzərvéiʃən, ɔ̀bsər-|ɔ̀b-/ [→ observe]

— 名 (複 ~s/-z/)《正式》

I〔観察〕

1 Ⓤ Ⓒ 観察(する[される])こと, (科学上の)観測;〔海事〕天測; 観察力[眼](略 obs.) ‖ He is a man of keen [poor] *observation*. 彼は観察力の鋭い[鈍い]人です / the *observation* of nature 自然の観察《◆ of は目的格関係を表す. observe nature の名詞化表現. ➡文法14.4》/ kéep a récord of one's *observations* 観察記録をつける / máke a weather *observation* 気象観測をする / a scientific *observation* 科学的観察.

2 Ⓤ 注意深く見る[見られる]こと, 注視; 監視; 看護 (watching) ‖ cóme [fáll] únder his *observation* 彼の注意を引く, 彼の目にとまる / The critically ill man *was under* careful *observation* by the doctors. 重体の男性は医者の注意深い監視下に置かれていた / escape *observation* 人目をのがれる / The doctor had to keep her under psychiatric *observation*. 医者は彼女を精神医学的に観察しなければならなかった《◆特に容疑者・患者に使う》.

II〔観察からわかること〕

3 [~s; 複数扱い]〔…の〕情報, 記録, 資料, 報告〔*of, on*〕‖ *observations* on butterflies チョウに関する観察記録.

4 Ⓒ〔…についての/…という〕(観察に基づく)意見, 批評, 言葉〔*about, of, on* / *that*節〕‖ ignore her *observation* that the rumor is true そのうわさは本当だという彼女の言葉を無視する / make an *ob-*

servation on space travel 宇宙旅行について意見を述べる.

observátion càr《米》(列車の)展望車.
observátion dèck (空港などの)展望台.

ob·ser·va·tion·al /ɑ̀bzərvéiʃənl, ɔ̀bsər-|ɔ̀b-/ 形 観察[観測]の, 観察[観測]に基づく.

ob·ser·vá·tion·al·ly 副 観察[観測]上.

†**ob·ser·va·to·ry** /əbzə́ːrvətɔ̀ːri|-təri/ 名 Ⓒ **1** 観測所, 気象台, 測候所, 天文台. **2** 展望台; 監視[見張]所.

*__ob·serve__ /əbzə́ːrv/ (派) observation (**1**, **2**, **3** の名詞), observance (**4**, **5** の名詞), observer (名)

index **1** 気づく **2** 観察する **3** 述べる

— 動 (~s/-z/; 過去・過分 ~d/-d/; -·serv·ing)《正式》

— 他 **1a** [observe *that*節]〈人が〉(観察などで)…ということに**気づく** (notice); [observe **A** to be **C**]〈人が〉**A** が **C** であることを認める《◆(1) **C** は名詞・形容詞. (2) notice より堅い語》‖ I *observed* the changes of her heart [mind]. 私は彼女の心の変化に気づいた / I *observed that* it had already got dark. あたりがもう暗くなっていることに気づいた.
b [知覚動詞] [observe **A** do / observe **A** doing]〈人〉が…が…する[している]のに気づく《➡文法 3.4》‖ I *observed* him *enter* the house. 彼が部屋に入るのに気づいた《◆ 受身形は He *was observed to enter* the house. のように to 付き不定詞になる. ➡文法 7.9》/ I *observed* her *crying*. 彼女が泣いているのを見かけた《◆ 受身形は She *was observed crying*.》.

2〈人が〉〈物〉を**観察**する, 観測する,〔…かを〕(注意して)見守る〔*wh*節・句〕《◆ watch (carefully) より堅い語》‖ Millions around the world were able to *observe* the solar eclipse. 世界中の非常に多くの人が日食を観察することができた / *Observe*「*how I cook* [*how to cook*]. どのように料理するか見ていなさい.

3〈人が〉(観察によって)〈意見・考えなど〉を**述べる**;〔…と〕言う〔*that*節〕《◆ remark より堅い語》‖ She *observed that* students fall into four categories. 彼女は学生は4つの範疇(ﾊﾝﾁｭｳ)に分かれると述べた.

4〈法律などを〉守る (follow) (↔ violate);〈行動・状況などを〉保つ ‖ *observe* silence 黙っている. **5**〈祝祭日・誕生日などを〉祝う《◆ celebrate より堅い語》;〈儀式などを〉行なう ‖ *observe* a fast 断食を行なう.

†**ob·serv·er** /əbzə́ːrvər/ 名 Ⓒ **1**〔…を〕観察する人,〔…の〕観察[観測]者〔*of*〕‖ She is a careful *observer* of human behavior. 彼女は注意深く人間の行動を観察する (=She *observes* human behavior carefully.). **2** (会議の)オブザーバー, 立会人. **3** (法律・慣習などを)順守する人, 遵奉(ｼﾞｭﾝﾎﾟｳ)者; (祭礼を)行なう人.

ob·serv·ing /əbzə́ːrvɪŋ/ 形 観察する, 観察力の鋭い; 注意深い, すぐに気がつく, 油断のない.

ob·sérv·ing·ly 副 注意深く.

ob·sess /əbsés/ 動 他 [通例 be ~ed]〔…に〕取りつかれる〔*by, with*〕‖ be *obsessed by* [*with*] the fear of death 死ぬのではないかという不安に取りつかれ

†**ob·ses·sion** /əbséʃən, ɑb-|əb-, ɔb-/ 名 **1** Ⓤ Ⓒ〔妄想などに〕取りつかれること〔*about, with*〕;〔…という〕妄念, 執念〔*that*節〕‖ an *obsession* about

ob·ses·sive /əbsésiv, ab-|əb-, ɔb-/ 形 (病的に)執拗(しつよう)な, 執拗に.

ob·sid·i·an /əbsídiən/ 名 C 【鉱物】黒曜石[岩].

ob·so·les·cence /ὰbsəlésns|ɔ̀b-/ 名 U (正式) すたれかける[古くなりつつある]こと ‖ reduce to *obsolescence* すたれる.

ob·so·les·cent /ὰbsəlésnt|ɔ̀b-/ 形 (正式) すたれていく, すたれかかった (↔ up-to-date).

†**ob·so·lete** /ὰbsəlíːt, ˈ- -ˌ|ɔ̀b-/ 形 (正式) **1** (完全に)すたれた ‖ an *obsolete* word 廃語 (= a word out of use). **2** 〈物・事が〉古くさい, 時代遅れの ‖ Typewriters are now all but completely *obsolete*. タイプライターは今ではほとんど時代遅れである. ── 動 他 …を廃棄する.

†**ob·sta·cle** /ὰbstəkl|ɔ̀b-/ 名 C (通例比喩的に) 〔…に対する〕(目的達成・進歩・動きなどをはばむ) 障害(物), 邪魔(な物); 支障〔to〕‖ an *obstacle to* success 成功の妨げとなるもの / With perseverance you can overcome any *obstacle*. 忍耐によりどんな障害も乗りこえられる.

óbstacle còurse (英軍) 障害物のある訓練(場); 障害(物)の多い場所.

óbstacle ràce 障害物競走; (競馬の)障害(飛越)競走.

ob·ste·tri·cian /ὰbstətríʃən|ɔ̀b-/ 名 C 産科医 《◆gynecologist が兼ねることが多い》.

ob·stet·rics /əbstétriks/ 名 U [単数扱い] 産科学 ‖ the *obstetrics* department 産科.

†**ob·sti·na·cy** /ὰbstənəsi|ɔ̀b-/ 名 **1** U 頑固さ, 頑迷さ; 強情. **2** C 執拗(しつよう)な言行. **3** U (病気の)難治.

†**ob·sti·nate** /ὰbstənət|ɔ̀b-/ 形 **1** 〈人が〉〔…に関して〕(人の意見などを聞かず)頑固な, 強情な〔in〕 (cf. stubborn) ‖ an *obstinate* child 意地っぱりな子 / My grandfather is (as) *obstinate* as a mule. 私の祖父は非常に頑固です. **2** (正式) 執拗(しつよう)な, 〈病気が〉しつこい, 治りにくい ‖ an *obstinate* disease 難病 / an *obstinate* cold [fever, cough] しつこいかぜ[熱, せき] / *obstinate* resistance 執拗な抵抗.

†**ob·sti·nate·ly** /ὰbstənətli|ɔ̀b-/ 副 しつこく, 強情に; 〈病気が〉慢性風味で.

ob·strep·er·ous /əbstrépərəs/ 形 (正式) 〈子供などが〉騒がしい, 手に負えない; 乱暴な (naughty).

†**ob·struct** /əbstrʌ́kt/ 動 他 (正式) **1** …をふさぐ, 通れなくする (block) ‖ Fallen rocks *obstructed* our path. 落石で道がふさがれた. **2** …を妨害する, 妨げる, …をさえぎる ‖ *obstruct* a plan 計画の実行を遅らせる / *obstruct* justice 正義の邪魔をする.

†**ob·struc·tion** /əbstrʌ́kʃən/ 名 (正式) **1** U C 障害(物) (obstacle); 〔…に対する〕妨げ〔to〕, 妨害物; さえぎり, 詰まること (barrier); 〔スポーツ〕オブストラクション ‖ an *obstruction to* progress 進行の妨げ / *obstructions* on [in] the road 路上の障害物〔倒れた木など〕. **2** U 議事妨害.

ob·struc·tive /əbstrʌ́ktiv/ 形 (正式) 〔…の〕障害になる, 妨げる〔of, to〕.

***ob·tain** /əbtéin/ 〔そばに (ob) 保つ (tain)〕
── 他 〈~s/-z/; 過去・過分 ~ed/-d/; ~ing〉 (正式) 〈人が〉〈物・事を〉(努力して・計画的に) 得る, 手に入れる (acquire) 《◆get より堅い語》 (come by; lose) ‖ *obtain* support from abroad 海外援助を受ける / *obtain* knowledge through experience 経験によって知識を得る / Can you *obtain* that rare book for me? あの珍本を入手してもらえないか.
── 自 (堅) 〈慣習・法律などが〉〔場所で/人々に〕通用する, 行なわれている〔in / with, for〕‖ The same rules *obtain* for everyone. 同じ規則がだれにも当てはまる.

†**ob·tain·a·ble** /əbtéinəbl/ 形 (正式) 入手可能な ‖ That book is no longer *obtainable*. あの本はもう手に入らない.

ob·trude /əbtrúːd/ 動 (正式) 他 …を〔…に〕押しつける, 強要する〔on, upon〕; [通例 ~ oneself] 〔…のことで〕出しゃばる〔on, upon〕, 〔…に〕(無理に)割り込む〔into〕《◆intrude より強意的》. ── 自 出しゃばる, 突き出る.

ob·tru·sive /əbtrúːsiv/ 形 (正式) **1** 押しつけがましい, 出しゃばる; 出すぎた. **2** 突き出した.

ob·trú·sive·ly 副 際立って.

ob·tuse /əbt(j)úːs, ab-|əb-, ɔb-/ 形 (正式) **1** 〈頭が〉鈍い, 〈…の点で〉鈍感な〔in〕; 〈痛みが〉鈍い; 〈音がかすかな (↔ acute) ‖ an *obtuse* mind [pain] 鈍感[鈍痛]. **2** 〔幾何〕鈍角の (↔ acute) ‖ an *obtuse* angle 鈍角.

ob·verse /ὰbvəːrs|ɔ̀b-/ 名 (正式) **1** [the ~] (貨幣・メダルなどの)表, 表面 (↔ reverse); (一般に)表, 表面, 正面 (↔ back). **2** C (物事の)相対応するもの, 逆, 反対.

†**ob·vi·ate** /ὰbvièit|ɔ̀b-/ 動 他 (正式) 〈危険・困難・反対・必要(性)など〉を取り除く (remove); …を未然に防ぐ.

*****ob·vi·ous** /ὰbviəs|ɔ̀b-/ [アクセント注意]
── 形 **1** 〔…について/人にとって〕明らかな, 明白な; 見てすぐわかる〔about / to〕《◆ plain より堅い語》 (↔ obscure) ‖ make an *óbvious* érror in addition 足し算ですぐにわかるミスをする / Some reasons are *obvious*. いくつかの理由ははっきりしている / It is *obvious (that)* you are right. あなたが正しいのは明白だ (= *Obviously* (⤵), you are right.) (●文法 18.6). **2** (明白なので) 言う必要のない, わかりきった, 見えすいた.

ób·vi·ous·ness 名 U 明白さ.

†**ob·vi·ous·ly** /ὰbviəsli|ɔ̀b-/ 副 明らかに, 目に見えて; [文全体を修飾; 文頭で] 言うまでもなく, 確かに (cf. apparently, evidently) ‖ *obviously* wrong どう見ても誤っている《◆(1) 用例は obvious 1も参照. (2) 自明のことであるという含みがある. 「見たところ…らしい」という推論を表す文脈では apparently を用いる》.

OC 略 oral communication.

oc·a·ri·na /ὰkəríːnə|ɔ̀kə-/ 名 C オカリナ《鳩形の管楽器》.

*****oc·ca·sion** /əkéiʒən/ [発音注意] 〔「(人に)ふりかかること」が原義〕派 *occasional* (形), *occasionally* (副)

index 名 **1** 時 **2** 出来事, 行事 **3** 機会 **4** 理由

── 名 《複 ~s/-z/》 **1** C (正式) 〔…の/…にふさわしい〕(特定の)時, 場合 (case) 〔of/for〕; 度 (time) ‖ on rare *occasions* たまに / *on the occasion of* one's graduation 卒業の折に / The first *occasion* she met him was two years ago. 彼女が彼に初めて会ったのは2年前だった (= She first met him two years ago.). **2** C (特別な)出来事, 行事 (event); 儀式 (cere-

occasional

mony) ‖ on「an official [a family] *occasion* 公式の場[家庭内の行事]で / His welcome party was a great *occasion*. 彼の歓迎会は盛大だった.
3 UC《正式》[単数形で]「(…のための/…する)**機会**, 好機(opportunity)」[*for* (doing) / *to* do, 《英》*of* doing] ‖ take (**this**) *occasion to* go abroad (この)機会を利用して海外へ行く / He never missed any *occasion to* visit the museum. 彼は機会を見つけては必ず博物館を訪ねた.

> 使い分け [**occasion** と **opportunity**]
> occasion は「(目的達成にふさわしい)機会」の意.
> opportunity は「(良い)機会, 好機」の意.
> I wear a tie only on special *occasions* [×*opportunities*]. 私は特別な機会にしかネクタイをしない.
> This is a good *opportunity* [*occasion*] to talk about your future. 今があなたの将来について話すよい機会です.

4 U《正式》[…の/…する]**理由**(reason), 根拠(cause); 必要[*for* (doing) / *to* do]; 誘因, きっかけ[*for* (doing) / *to* do] ‖ You have *no occasion for* crying [*to* cry]. =《正式》There is no *occasion for* you *to* cry. あなたには泣く理由[必要]が何もない(じゃないか).

as (*the*) *occásion sérves* 都合のよい折に.
on [*upòn*] *occásion*(*s*) 《正式》時々, 時たま.
—動 (~s/-z/; 過去・過分 ~ed/-d/; ~-ing) 他《正式》1[occasion **(A) (B)** =occasion **(B)** (*to* **(A)**)]〈人・物・事が〉〈(A)〈人〉に〉(B)〈心配など〉を起こさせる, 生じさせる(cause) ‖ The rumor *occasioned* indescribable anxiety *to* the neighbors. =The rumor *occasioned* the neighbors indescribable anxiety. うわさは近隣の人々に言い知れぬ不安を引き起こした. 2〈物事が〉〈人に〉[…]させる(make)[*to* do] ‖ Her manner *occasioned* me to get angry. 彼女の態度に私はかっとなった(→文法23.1).

†**oc·ca·sion·al** /əkéiʒənl/ 形 1 時折の, 時々の ‖ an *occasional* passer-by 時々通りかかる人 / I take an *occasional* rest from work. 時々仕事の手を止めて一休みする. 2《正式》〈詩・文などが〉特別な場合[目的]のための; 〈家具などが〉予備の, 臨時の, 〈人が〉特別に任命された ‖ *occásional músic* 特別な場合のために作られた音楽 / *occasional chairs* 補助いす.

†**oc·ca·sion·al·ly** /əkéiʒənəli/ 副 [文頭・文中・文尾で] 時折, ときたま(once in a while)《◆(1) 否定文では用いない. (2) sometimes より低い頻度を示す》‖ 対話》"Do you drink your coffee black?" "*Occasionally*." 「コーヒーはブラックで飲みますか」「時々ね」/ He *occasionally* comes to see me. 彼は時たま私のところへ遊びに来る(=He comes to see me from time to time. / Every now and again [Now and then] he comes to see me.) / She writes me only (very) *occasionally*. 彼女はたまにしか手紙をよこさない.

> 語法 (1) sometimes と違い, very, only で修飾可(→用例): go out *very occasionally* [×*sometimes*] ごくたまに外出する.
> (2) occasionally は形容詞 occasional に姿を変えて名詞を修飾することがある: The *occasional* sailor walked by. 水夫が時折通り過ぎていった (=*Occasionally*, a sailor walked by.).

†**Oc·ci·dent** /ɑ́ksidənt | ɔ́k-/ 名《文》[the ~] 西洋, 欧米(↔ Orient).
†**oc·ci·den·tal** /ɑ̀ksidéntl | ɔ̀k-/ 形《文》[通例 O~] 西洋(人)の(↔ oriental). —名 [通例 O~] C 西洋人.

oc·clude /əklúːd/ 動 他 1〈通路・毛穴などを〉ふさぐ. 2 …を閉じ込める. —自 〔歯科〕咬合(ｶﾞｳ)する.

†**oc·cult** /əkʎlt | ɔkʎlt, -/́ 形 1 秘密の. 2 魔術的な, 神秘的な ‖ *occult sciences* 神秘学《astrology など》. 3 [名詞的に; the ~; 単数扱い] 超自然的なもの, オカルト; 秘学.
oc·cúlt·ism 名 U 神秘学, 秘術信仰.
oc·cu·pan·cy /ɑ́kjəpənsi | ɔ́kjə-/ 名 U《正式》(土地・家などの)占有, 居住; 占有期間.
†**oc·cu·pant** /ɑ́kjəpənt | ɔ́kjə-/ 名 C《正式》(土地・家などの)占有者, 居住者; 賃借人; 乗客; (職務などの)保有者(《英》occupier); 専任者.

*****oc·cu·pa·tion** /ɑ̀kjəpéiʃən | ɔ̀kjə-/
—名 (複 ~s/-z/) **1** UC 職業, 仕事, 職(job), 業(種)《◆日本語の「職業」に最も近い語》[類語] business, calling, employment, profession, trade, vocation ‖ a service *occupation* サービス業 / men *out of occupation* 失業者 / seek [look for] *occupation* 職を求める[探す] / What's your *occupation*? ご職業は / I'm a teacher **by *occupation***. =My *occupation* is teaching [×a teacher]. 私の職業は教師です.

2 U [通例 the ~] (土地・家などの)**居住**, 占有; (職務などの)保有; (軍隊による)占領, 占拠; [形容詞的に]占領の, 専用の; C 占領[占有, 在職]期間(略 occ.) ‖ an army of *occupation* =an *occupation* army 占領軍 / an *occupátion róad*（私設の）専用道路 / Paris under German *occupation* ドイツ占領下のパリ / He is still *in occupation of* the house. 彼はまだその家に住んでいる.

3 UC 時間の過ごし方; (仕事・趣味などとして)従事すること, 暇つぶし.

oc·cu·pa·tion·al /ɑ̀kjəpéiʃənl | ɔ̀kjə-/ 形 1 占領[占有]の ‖ *occupational* troops 占領軍. 2 職業の, 職業に関係のある ‖ an *occupátional diséase* 職業病.
occupátional házard 職業上の危険.
occupátional thérapy 作業療法.
oc·cu·pi·er /ɑ́kjəpàiər | ɔ́kjə-/ 名 C《英》(一時的な土地・家などの)占有者, 居住者; 借家[借地]人.

†**oc·cu·py** /ɑ́kjəpài | ɔ́kjə-/ 動 他 1〈人が〉〈土地・家などを〉占有する, 使用[借用]する; …に(賃借りして)住む《◆ live in の方がふつう》; [通例 be occupied]〈家が〉住む人がいる, 〈トイレ・席などが〉使用中である《◆表示は Occupied》‖ *occupy* the apartment on a three-year lease 3年契約でアパートを借りる / The house is not *occupied* now. その家は今空き家だ. 2〈人が〉〈場所・地位・部屋などを〉占める, ふさぐ《◆ fill よりも堅い語》; 〈事が〉〈時間を〉とる, 使う ‖ *occupy* 「an important [a high] position in the company 会社で重要な[高い]地位を占める / Completing my homework *occupied* a whole day. 宿題をするのに丸1日かかった. 3〈軍隊などが〉〈場所などを〉占領する, 占拠する ‖ *occupy* a town [fort] 町[要塞(ｻｲ)]を占領する / 日本発》Japan, which had been *occupied* by the US since 1945, returned to independence in 1952. 日本は1945年からアメリカに占領統治されていましたが, 52年に独立を回復しました. 4〈心・注意などを〉ひきつける; [be occupied]〈人(の心)が〉〔苦労などで〕占められている[*with*, *by*] ‖ Do-

mestic worries occupied her mind. 家庭の心配事で彼女の頭はいっぱいだった. **5** [be occupied / ~ oneself] *occúpy onesèlf with* 〔…〕に従事する, 〔…で〕忙しい〔*with, in*〕‖ *occúpy onesèlf with* cóoking 料理に専念する / While he was waiting, he *occupied* himself *by* reading a book. 待っている間, 彼は本を読みふけった / He *is occupied* 「*in* solving the problem [*with* a solution of the problem]. 彼はその問題を解くことで忙しい / I'm afraid she is *occupied* at the moment. 彼女はあいにく手がふさがっております.

*oc‧cur /əkə́ːr/〖アクセント注意〗〖「…の方へ走ってくる」が原義〗⑱ occurrence 〈名〉
──動 (~s/-z/; 過去過分 oc‧curred/-d/; -‧cur‧ring/-riŋ/)
──⾃ **1** 〖正式〗〈物・事が〉〔…に〕(主に偶然に)起こる, 生じる, 行なわれる〔*to*〕《♦happen より堅い語》‖ When [How, Why, Where] did the accident *occur to* her? その事故はいつ[どのように, どこで, なぜ]彼女の身に起こったのか / There *occurred* a catastrophe last year. 昨年大災害が発生した.
2 [*occur to* A] 〈考えなどが〉〈人〉の(心に)(ふと)浮かぶ, 思い出される‖ A good idea *occurred to* me. 名案が思いついた / Didn't it *occur to* you to call me up? 私に電話をかけることを思いつかなかったのか / It never *occurred to* me that my words would hurt her feelings. 私の言ったことが彼女の感情を害するとは思いもよらなかった.
3 〖正式〗〈物・事・生物などが〉〔…に〕存在する(exist), 見出される〔*in, on*〕《♦be found よりも堅い語》‖ The expression *occurs* many times *in* his book. その表現は彼の本に何度も顔を出す.

†oc‧cur‧rence /əkə́ːrəns | əká:r-/ 〈名〉〖正式〗**1** ⓒ 出来事, 事件(cf. event)‖ an unexpected [unfortunate] *occurrence* 思いがけない[不幸な]出来事 / That's a common *occurrence*. それはよくあることだ. **2** Ⓤ (事件などが)起こること, 発生, 出現‖ the frequent [rare] *occurrence* of an earthquake 地震の頻発[地震がめったに起こらないこと].

*o‧cean /óuʃən/〖発音注意〗
──名 (~s/-z/) **1** Ⓤ [通例 the ~] 大洋, 海洋, 海; [the ... O~] …洋《♦ふつう sea より大きな海の意に用いるが(米)ではしばしば sea の代用語. (略) o., O.》‖ go swimming in *the ocean* 海水浴に行く / the Pacific [Atlantic, Indian] *Ocean* 太平[大西, インド]洋 / the Arctic [Antarctic] *Ocean* 北極[南極]海《♦(1) Ocean はよく省かれる. (2) 以上列挙するばあいはふつう小文字で: the Atlantic and Pacific *oceans* 大西洋と太平洋》.
2 [an ~] (大きな)広がり, (略) [~s [an ~] of + Ⓤ Ⓒ 名詞] 多くの‖ *an ocean* of money [problems] 多くのお金[問題]. **3** [形容詞的に] 大洋の, 海洋の‖ an *ocean* chart 海洋図 / an *ocean* voyage 海洋航海.
ócean enginéering 海洋工学.
ócean làne(s) 遠洋航路.

o‧cean‧ar‧i‧um /òuʃənéəriəm/ 〈名〉 (複 ~s, -‧ar‧i‧a /-riə/) Ⓒ 海洋水族館.
o‧cean‧front /óuʃənfrʌ̀nt/ 〈名〉〈形〉 (保養地などの)海岸通り(の).
O‧ce‧an‧i‧a /òuʃiǽniə | ə̀usiɑ́:niə, -óuʃi-, -éin-/ 〈名〉 オセアニア, 大洋州.
o‧ce‧an‧ic /òuʃiǽnik/ 〈形〉〖正式〗**1** 大洋の, 大洋に生じる; 大洋に住む; [O~] 大洋州[オセアニア]の. **2** 広

大な. ──名 [~s; 単数扱い] 海洋科学[工学].
o‧cean‧og‧ra‧pher /òuʃənɑ́grəfər/ -5g-/ 〈名〉 Ⓒ 海洋学者.
o‧cean‧og‧raphy /òuʃənɑ́grəfi/ -5g-/ 〈名〉 Ⓤ 海洋学.

*o'clock /əklɑ́k | əklɔ́k/〖of the clock の短縮形〗
──副 **1** 時(じ), 時計では‖ at [by, till] three (*o'clock*) 3時に[までに, まで]《♦3 *o'clock* とはいが, ×3.00 *o'clock* とは書かない》 / the ˈeight *o'clock* [8 a.m., ×8:00] train 8時の列車《♦(略)では train の省略も可. 正時には :00 をつけないのがふつう. ~ a.m.》.

語法 (1) *o'clock* は It's five [5] *o'clock*. のように「…時(ちょうど)」だけに用いる: It's five past ten (×*o'clock*). 10時5分です.
(2) 発車・開始などの時刻は(米) 8:10 [(英) 8.10] a.m. (eight ten または ten past eight と読む)などとする.
(3) It's 6:05 p.m. では síx ò /ou/ fíve と読むのがふつう. six five や five past six はやや堅い言い方.
(4) 24時間制で時刻を表す言い方については → hour 〈名〉 **3** 語法 .

2 (目標の位置・方向を示す)…時の位置‖ There was a fighter at 9 *o'clock*. 9時の方向に戦闘機があった.

OCR (略) optical character recognition [reader].
Oct., 〈主に英〉 Oct (略) October.
oc‧ta‧gon /ɑ́ktəgɑ̀n | ɔ́ktəgən/ 〈名〉 Ⓒ **1** 八角形. **2** 八角形の物[建物].
oc‧tag‧o‧nal /ɑktǽgənl | ɔk-/ 〈形〉 八角形の.
oc‧tane /ɑ́ktein | 5k-/ 〈名〉 Ⓤ 〖化学〗 オクタン.
óctane nùmber [ráting, válue] オクタン価.
oc‧tant /ɑ́ktənt | 5k-/ 〈名〉 Ⓒ **1** 八分円《45°の弧》. **2** 八分儀(cf. quadrant, sextant).
oc‧tave /ɑ́ktiv, -teiv | 5k-/ 〈名〉 Ⓒ **1** 〖音楽〗 オクターブ, 8度音程; 第8音. **2** 〖詩学〗 8行連句《特に sonnet の初めの8行》. **3** 〖フェンシング〗 第8の構え.
oc‧ta‧vo /ɑktéivou | ɔk-/ 〈名〉 Ⓤ Ⓒ 8つ折り判(の本)《全紙の8分の1の大きさ. (略) 8 vo, 8°, oct. cf. folio, quarto》.
oc‧tet, --tette /ɑktét | ɔk-/ 〈名〉 Ⓒ **1** 〖音楽〗 八重奏[唱]曲; 八重奏[唱]団《関連 → solo》. **2** 〖詩学〗 8行連句(octave).

*Oc‧to‧ber /ɑktóubər | ɔk-/ 〖8番目(Octo)の月. ローマ暦では8月に当たる〗
──名 Ⓤ 10月; [形容詞的に] 10月の《(略) Oct., O.》 語法 → January.
Octóber Revolútion [the ~] 10月革命《1917年旧暦10月, ソビエト政府が成立》.

oc‧to‧ge‧nar‧i‧an /ɑ̀ktədʒənéəriən | ɔ̀ktəu-/ 〖正式〗 〈形〉〈名〉 Ⓒ 80歳[代](の人).

†oc‧to‧pus /ɑ́ktəpəs | 5k-/ 〈名〉 (複 ~es, (まれ) --pi /-pai/) Ⓒ **1** 〖動〗 タコ《♦ 英米では人の血をしぼる悪魔を連想させ, ほとんど食用にしない. devilfish ともいう》; Ⓤ タコの肉.

oc‧to‧syl‧la‧ble /ɑ́ktəsìləbl | 5ktəu-/ 〈名〉 Ⓒ 8音節の語[詩句]. òc‧to‧syl‧láb‧ic 〈形〉 Ⓒ 8音節の(語).

oc‧troi /ɑ́ktrɔi | 5ktrwɑ:/ 〈名〉 Ⓒ (フランス・インドなどの)物品入市税.

oc·u·lar /ákjələr | 5k-/ 形《正式》視覚上の, 目による (visual). ━名 C 接眼鏡.

oc·u·list /ákjəlist | 5k-/ 名 C《正式》眼科医《◆広告・看板では eye doctor より好まれる》.

ODA 略 Official Development Assistance 政府開発援助;《英》Overseas Development Administration.

*__odd__ /ád | 5d/『「三角形」→「3番目の数」が原義』派 oddly (副)
━形 (通例 ~-er, ~-est)《◆ 2, 3, 4, 5 では比較変化しない》**1 変わった**, 異常な (unusual), 奇妙な《◆ strange より突飛さを強調》; 途方もない ‖ You should get rid of such an odd habit. そのような変な癖はやめるべきだ / an ódd pèrson [《略式》fish] 変人 / odd taste(s) in food 一風変わった食べ物の好み / **It is** odd (**that**) he behaves [should behave] that way. 彼がそんなふうにふるまうのは[ふるまうなんて]変だ / **It is** odd **for** [**of**] her **to** make mistakes. 彼女がくじるなんておかしい(⊃文法 17.6(2)) / ジョーク "You know what seems odd to me?" "Numbers that aren't divisible by two." 「僕にとって何が奇妙に思えるのかわかるよね?」「2で割れない数字だろ」《◆形 5 とのしゃれ》.
2 [通例名詞の前で] (対・組の)**片方の**, はんぱな; 少しの ‖ the ódd shóe 片方の靴 / the odd money (残りの)はんぱな金 / some odd volumes of an encyclopedia 百科事典のうちのはんぱな数巻.
3 [名詞の前で] **臨時の**, 時たまの ‖ an odd player 控え選手 / at odd moments [times] 余暇に, 折々に.
4《略式》[数詞・数量を表す語の後で] …**余りの**, 端数の, いくらかの, 残りの ‖ 50 odd years 50何年《51年から59年まで》 / 50 years old 50年余り / a lady of 50 odd years old 50歳余りの婦人《◆(1) しばしば数字の後にハイフンをつける. (2) 50 odd children は「50人の変な子供たち」の意味ともなる》.
5 [名詞の前で] **奇数の**(↔ even) ‖ The odd numbers are 1, 3, 5 and so on. 奇数は1, 3, 5 などです / an odd month 大の月《◆ 31日まである月》.
━名 **1** はんぱ[余分]な物, 残り物. **2** → odds.

ódd and [**or**] **éven** (1) 丁か半か《賭(か)け事遊びの一種》. (2) だれでも;《米略式》(奇数・偶数の)どちらでも ‖ All are welcome odd or even. だれでも歓迎します.

ódd mán [**óne, pérson**] [the ~] (賛否同数の時の)決裁権を持つ人.

ódd mán [**òne, pèrson**] **óut** (1) 残り鬼《コイン投げなどで1人を選ぶ方法[ゲーム]》, 残り鬼で選ばれた人. (2)《略式》仲間はずれ, のけ者; 他と異なるもの[人] ‖ ódd màn in で「グループに属していても異質な人」.

†**ódd·i·ty** /ádəti | 5d-/ 名 **1** U《正式》風変わり, 奇妙; 奇癖, 偏屈. **2** C《略式》異常な物[行為, 事件]; 変人.

†**tódd·ly** /ádli | 5d-/ 副 **1** [通例 ~ enough; 文全体を修飾] 奇妙にも, 妙な話だが ‖ *oddly* enough《略式》妙な話だが, 不思議なことに(strange to say).
2 はんぱに, 余分に; 奇数で; 変な具合に.

odd·ness /ádnəs | 5d-/ 名 U 奇妙, 風変わり.

†**odds** /ádz | 5dz/ 名 [通例複数扱い] **1** (優劣・善し悪しの)差; 優勢, 勝ち目; (競技で弱者に与える)有利な条件, ハンディキャップ ‖ fight against long [fearful, heavy] *odds* 強敵と争う / màke ódds éven 優劣をなくする / settle all the *odds* 不平等を解消する / **It makes no** [**little, less**] **odds** whether you will win the election or not.《英略式》君が当選してもしなくても大差はない / **The odds are** 「**in** favor of [(stacked) against] us. 私たちは勝ち[負け]そうだ / The *odds* are 80 to 1 against the horse. その馬の勝ち目は80対1の確率だ / **What're** [**What's**] **the odds?**《略式》どうでもいいではないか(=What does it matter?).
2《略式》[…する]見込み, 公算, 可能性(that節) ‖ even *odds* 五分五分の確率 / "It is [There are] long *odds* against her success in life. 彼女が出世する可能性はない / **The odds are** (**that**) she will get well soon. たぶん彼女は間もなく全快するだろう / The *odds* are high [7 to 3] that he will win. 彼が勝つ見込みは高い[七分三分]だろう.
3 (賭(か)け事の)歩(ぶ) ‖ I offered [laid] her *odds* of 3 to 1. 私は彼女に3対1の有利な歩を与えようと申し出た《◆「私」が勝てば1を得, 負ければ3を払う》/ take [receive] the *odds* (賭けで)歩をつけた申し出に応じる.

at ódds《正式》(1)〈人が〉[…と/…のことで]争って[不和で]〔**with / about, over, on**〕. (2)〈人・物・事が〉[…と]調和しない〔**with**〕.

by (**áll**) **ódds** =**by lóng ódds** [比較級・最上級を強めて] あらゆる点で, はるかに; 確かに ‖ He is *by all odds* the most diligent in his class. 彼はクラスで抜群に勤勉だ.

ódds and énds [《英略式》**sóds**] [複数扱い] はんぱ物, がらくた.

†**ode** /óud/ 名 C オード, 頌(しょう)歌《特定の人・物に呼びかける形式の叙情詩》.

O-din /óudin/ 名《北欧神話》オーディン《主神. 知識・文化の神・死者の神》(cf. Frigg, Woden).

o·di·ous /óudiəs/ 形《正式》憎むべき, 非常に不愉快な.

o·di·um /óudiəm/ 名《正式》U C (世間の)憎悪[非難](をかきたてる行為); U 悪評, 汚名.

o·dom·e·ter /oudámitər | -dɔ́m-/ 名 C《米》(車の)走行距離計.

†**o·dor** /óudə/, o·dour /óudər/ 名 **1** C《正式》(物から出る)におい, 香り (smell)《◆香気にも用いるが, 主に臭気 (unpleasant smell)》‖ an *odor* of stale cigar smoke かび臭い葉巻の煙のにおい. **2** U《正式》評判.
ó·dor·less 形《正式》無臭の.

o·dor·if·er·ous /òudəríf(ə)rəs/ 形《正式》香りのよい; においのする. **o·dor·íf·er·ous·ly** より香りで.

o·dor·ous /óudərəs/ 形《正式》香りのよい.

†**o·dour** /óudə/ 名《英》=odor.

†**O·dys·se·us** /oudísiəs | ədísjuːs/ 名《ギリシア神話》オデュッセウス《*Odyssey* の主人公. ラテン名 Ulysses》.

†**Od·ys·sey** /ádəsi | 5d-/ 名 **1** [the ~] オデュッセイア《Homer の叙事詩》. **2** [o~] C《文》長期の放浪冒険旅行.

OE 略 Old English.

OECD 略 Organization for Economic Co-operation and Development 経済協力開発機構.

OED 略 The Oxford English Dictionary.

Oe·di·pus /íːdəpəs, édə-/ 名《ギリシア神話》オイディプス《知らずに父を殺し母と結婚した英雄》.
Óedipus còmplex《精神医学》エディプス=コンプレックス《男の子が無意識のうちに母親を慕い父親に反発する傾向》.

o'er /5ːr | 5uə/《詩》副 前 =over.

oe·soph·a·gus /isáfəgəs | iːsɔ́f-/ 名 (複 **-gi** /-dʒai | -gài/) =esophagus.

of /(弱) əv, v, 無声子音の前で f, 子音の前で ə; (強) ʌv, ɒv | 5v/ 『「…から離れて」が原義. そこから根源・所属の意が生じ, さらに分離・所属から部分の意を, 原因・理由から関連の意を表すようになった. 現在では特定の連語関係を除いては分離・根源は from, 関連は about に取って代わられつつあり, of はもっぱら所属・部分の用法に限られる傾向にある』

index 1 …に属する 2 …の性質を持つ 4b …について 5 …(の中) 6 …から 9 …のために 10a …で作った b …の量の; …の入った 11 …が 12 …を

──**前** I [A が B に帰属している]

1a [所属] [A of B] B の A, B に属する A ‖ the cóurage *of* the héro 英雄の勇気 (=the hèro's cóurage).
b [所有] [a A of B's] B の A, B の所有している A《◆B は the [one's, this, that] + 「人」の名詞, または所有代名詞》‖ *a* friend *of* the doctor's その医者の友人の1人 (=one of the doctor's friends → **5a**)《⑤文法 15.3(4)》《◆(1) a friend of the doctor よりも一般的. (2) the doctor's friend は「特定の友人」をさす》/ a painting of my father's 父が所有している絵(の1枚)《◆(1)「父が描いた絵(の1枚)」(=one of my father's paintings)の意味もある (→ **5** : -'s). (2) a painting of my father はふつう「父を描いた絵」であるが,「父が所有している[描いた]絵」を意味することもある. → **12**》.

2 [記述] …の性質を持つ, …の《◆(1) 年齢・色彩・形状・寸法・価格・職業などを表す名詞の前に. (2) 名詞の前でも補語としても用いられる》‖ a man *of* courage 勇気のある人 (=a courageous man)《◆with は一時的な意味が強い》/ a girl *with* long hair 長い髪をした少女 / a matter *of* importance 重大な事柄 (=an important matter) / This matter is *of* no importance. この事柄は少しも重要でない / a boy *of* ten (years) =a boy ((英) *of*) ten years old 10歳の少年 (=a ten-year-old boy)《◆(米) では *of* が省かれる》/ a friend *of* the old days 昔からの友人 / a husband and wife *of* 20 years 結婚して20年になる夫婦 / potatoes *of* my **own** grow**ing** 私が栽培したジャガイモ (=potatoes I grew myself) / We are (*of*) the same age [height]. 我々は同い年[同じ背の高さ]だ.

3 [同格] **a** [the A of B] B という A ‖ *the* name *of* John ジョンという名前 / his habit *of* smoking 彼のタバコを吸う(という)習慣. **b** [a A of B] A のような B, A みたいな B《◆A の不定冠詞の代わりに this, that, some なども用いられる》‖ *that* fool *of a* man あのばかなやつ (=that foolish man).

4a [限定] [A of B] B の A, B についての A ‖ the University of Tokyo (正式) 東京大学 (=略称 Tokyo University) / a way *of* living abroad 海外で暮らす方法 (=a way to live …)《◆*of* doing をとか to do をとるかは名詞による: art *of* painting《×to paint》絵を描く技術).
b [関連] …について(の), …に関して(の) (about) ‖ stories *of* adventure 冒険の話 / speak *of* [*about*] について述べる《◆*of* では「軽く言及する」, *about* では「詳しく話す」というニュアンスがある》/ I think highly *of* him. 私は彼を尊敬している. **c** …の点で(in respect of)《◆通例次の句で用いられる》‖ be slow *of* speech 話が遅い / be guilty *of* murder 殺人を犯している.

5 [部分] **a** [A of B] B (の中)の A《◆B は the [one's, these, etc.] + 複数名詞》‖ *many of the* students その学生たちの多くの《◆×many of students は不可. cf. many students》/ members *of* the team チームのメンバー / *a third of the* town 町の3分の1 / three *of* the boys 少年たちのうち3人 / *of* áll things 何よりもまず; 事もあろうに / She is the prettiest *of* them all [all *of* them]. 彼女はみんなの中で一番かわいらしい.
b [度量・単位・種類を示じ] [A of B] A 量[数]の B《◆B は Ⓤ 名詞》‖ a pint *of* beer 1パイントのビール / a pound *of* butter 1ポンドのバター / a yard *of* cloth 1ヤールの布 /「a cup [two cups] *of* tea 1[2]杯のお茶《◆(略式) では喫茶店などでの注文で a tea, two teas も用いられる》/ a piece *of* paper 1枚の紙 / two pounds' worth *of* stamps 2ポンド分の切手 / a delicious kind *of* bread おいしい種類のパン.

II [A が B から離れている]

6 [分離・剝(ʰ)奪・除去] …から, …を《◆成句・固定した連語関係でのみ》‖ free *of* customs duty 免税の / wide *of* the mark 的はずれて / be cured *of* a disease 病気が治る / a room bare *of* furniture 家具のない部屋 / (to the) north *of* London ロンドンの北方に / within a mile *of* [×*from*] the town 町から1マイル以内に / He robbed me *of* my money. 彼は私の金を奪った.
7 [時刻] (米) …分前(to)‖ It is five (minutes) *of* six. 6時5分前です.

III [A が B から出てくる]

8 [起源・出所] …出の, …出の;(人)に《◆特定の連語を除いては現在では from がふつう》‖ come *of* [*from*] a good family 名門の出である / You expect too much *of* [*from*] her. 君は彼女に期待をかけすぎる.
9 [原因・理由・動機] …のために, …で《◆次のような句以外では from がふつう》‖ die *of* cancer 癌(ガン)で死ぬ《◆ふつう直接的・近因的であれば *of*, 外部的・遠因的であれば from を用いるが両者の区別は必ずしも厳密でない: die *from* a wound 傷がもとで死ぬ》/ *of* one's own accord 自発的に.

10a [材料・構成要素] …で作った, …から成る, …の ‖ a table *of* wood 木製のテーブル (=a wooden table) / a ring *of* diamonds ダイヤモンドの指輪 (=a diamond ring) / a house (built) *of* brick(s) レンガ造りの家 / a drink made *of* orange juice, sugar and water オレンジの汁と砂糖と水からできている飲み物《◆*of* はもとの形状をとどめている場合と, このように構成物の成分を表す場合がある. → from **4**》.
b [分量・内容] …の量の; …の入った, …を含んだ ‖ a basket *of* strawberries 1かごのイチゴ / イチゴの入ったかご / three acres *of* land 3エーカーの土地.

IV [その他: 文法的関係]

11 [主格関係] **a** [行為者] …が, …の《⑤文法 14.4》‖ the rising *of* the sun 日の出《◆The sun rises. の名詞化表現》/ the love *of* a mother for her child 子に対する母親の愛情《◆A mother loves her child. の名詞化表現》/ the invasion *of* the enemy 敵の侵略 (=the enemy's invasion).
b [作者] …の著した《◆**8** に近い》‖ the plays *of* Shakespeare シェイクスピアの(書いた全部の)劇 = the plays written by Shakespeare / Shake-

speare's plays)《◆全部でない場合は plays [a play] by Shakespeare などという》.
c [it is **A** of **B** to do] **B**〈人〉が…するのは**A**である《◆(1) **A** は careless, foolish, good, kind, nice, polite, rude, wise などの人の性質を表す形容詞. **B** は意味上の主語の働きをする》. (2) 音声上の休止は **B** の後に置く》(⊃文法 17.5) ‖ *It's véry kínd of* [ˣfor] *you* ⇒ *to cóme*. 来てくださってどうもありがとう《◆(1) very kind to come. より頻度が高い. (2) 文脈から自明の場合, to 以下を略して It's [That's] very kind of you. ということが多い》.

12 [目的格関係]《正式》…を, …への(⊃文法 14.4) ‖ a statement of the facts 事実の陳述 / *the writing of* a letter 手紙を書くこと《◆(1) write a letter の名詞化表現の1つで, ˣ(a) writing of … は不可. writing [to write] a letter は可. (2) 句動詞の名詞化表現: bring up a child → the bringing up of a child》/ his love of music 彼の音楽愛好 / the destruction of the city by the enemy 敵によるその都市の破壊 (= the enemy's destruction of the city)《◆The enemy destroyed the city. の名詞化表現》/ the fear of God 神をおそれること《◆the love of God は「神への愛」(目的格関係: We love God. の名詞化表現) とも「神の愛」(主格関係: God loves us. の名詞化表現) とも解される. our love of God とすれば前者, the love of God toward us は後者の意味になる》.

> 語法 [of と 's] 原則として of は無生物, 's は生物について用いる. ただし次の場合は無生物でもしばしば 's が用いられる. 特に新聞英語では多用される.
> (1) 時: today's menu [paper] きょうのメニュー [新聞] / a ten hours' delay 10時間の遅れ (= a ten-hour delay).
> (2) 人間の集団: the government's policy 政府の政策 / the committee's report 委員会の報告.
> (3) 場所や制度: Japan's climate 日本の気候 / the school's history 学校の歴史.
> (4) 人間の活動: the plan's importance その計画の重要性 / the game's history 試合の歴史 / the report's conclusions その報告の結論.
> (5) 乗物: the yacht's mast ヨットのマスト.

***off** /ɔːf/《of から分化したもの; 平面から「離れて」が本義》

index 副 1 離れて 2 向こうへ 3 休んで 4 はずれて 6 切れて 7 割引して 9 すっかり 前 1 …から離れて

―― 副《◆比較変化しない》
I [ある場所・時から離れて]
1 [位置] (時間的・空間的に) 離れて, 隔たって, 先に; 沖に ‖ Stánd *óff*! 離れていろ, 近寄るな / a lóng wày *óff* ずっと遠くに / a town (which is) five miles *off* 5マイル先のところにある町 / The holidays are a week *off*. あと1週間で休暇だ.
2 [運動・方向・出発] (ある場所から) 向こうへ; 出発して, 立ち去って; [~ *doing*] …に出かけて ‖ rùn *óff* 走り去る / stárt *óff* on a trip 旅行に出かける / "*Óff*!" he shouted. 「失せろ!」と彼は叫んだ / Well, I'm *off*. さあ, 出かけるぞ / Where are you *off* to? どちらへお出かけですか / We must be *off* now. もうおいとましなければなりません.

II [ある状態から離れて]
3 [解放] (仕事・職務などを) 休んで, 休暇で ‖ *on* one's *day off* 非番の日に / give the staff a week *off* 職員に1週間の休暇を与える / She tòok a dáy *óff* (*wòrk*). 彼女は1日休暇をとった (= She was away from work for a day.) / Dr. Abe is *off* today. 阿部先生は今日は非番です.
4 [除去] はずれて, とれて, 落ちて, 脱げて; そして; 去らせて ‖ kick *off* one's shoes 靴を脱ぎ捨てる / tàke *óff* one's hat 帽子を脱ぐ / bíte *óff* the meat 肉を食いちぎる / láy *óff* workers 労働者を一時解雇する / He tùrned *óff* into the lane. 彼はわきの小道へ入った / These stains will còme *óff*. このしみはとれるだろう / The lid is completely *off*. ふたが完全にとれている.
5 [分割] 分けて, 分離して ‖ The police blocked *off* all side streets. 警察はわき道を全部(柵で)封鎖した / màrk *óff* this area for athletic practice この区域をスポーツ練習場として区切る.
6 [休止・停止] (作用・機能・関係が) 切れて, 止まって; (略式) 中止して, やめて (↔ on) ‖ tùrn *óff* the radio ラジオを消す / call *off* the strike ストライキを中止する / put *off* the match 試合を延期する / Our water supply was cut *off*. 水道が止まった, 断水した / The meeting is *off*. 会議は中止[延期]になった.

III [ある基準から離れて]
7 [低下・減少] 減って, 衰えて; 切れて, なくなって; 割引して, 差し引いて ‖ tàke [knòck] ten percent *off* 10%割引する / Sales dropped *off* badly. 売り上げはひどく減った / The population is dying *off*. 死亡により人口は減少しつつある.
8 〈人が〉意識がかすかで; 平常ではなく ‖ doze *off* まどろむ / I feel a bit *off*. 体の調子がちょっとよくない.
9 [強調] すっかり, 完全に, (…して) しまう; 一気に, たちどころに ‖ finish *off* the work 仕事を仕上げる / pay *off* the debts 借金を全部支払う / clear *off* the table 食卓をきれいに片づける / write *off* a report 報告書を一気に書き上げる.

óff and ón (米) = (英) *òn and óff* [続いたり (副 5 a) 中断したり (off 副 6)]《略式》ときどき (now and then); 断続的に ‖ It rained *on and off* all day. 終日雨が降ったりやんだりした.

off of (米略式) =off ‖ Which bus did he get *off of*? どのバスから彼は降りたのか《◆この言い方は目的語が前置された場合に多く用いられる》.

Óff with …!《人や物を (with 前 16 b) off の状態に》…を取れ (↔ On with …! (1)); …を追い払え ‖ *Off* [Be *off*] *with* his head! (⌒) 彼を追い払え / *Off with* your hat! 帽子を取れ.

―― 前
I [離れて]
1 [分離・離脱] …から離れて, はずれて《◆on している状態からの分離を示す》(使い分け) → from 前 1) ‖ The tiger got out of its cage and jumped *off* the truck and onto the road. トラは檻から出てトラックから飛び下りて道路に出た / fall *off* one's horse 馬から落ちる《◆(米略式) では fall *off of* [*from*] a horse とすることがある》/ a narrow lane *off* the main road 本道から分かれている小道 / *Keep off the grass.*（掲示）芝生に入るべからず《◆部屋の場合は out of: *Keep out of* the room. 部屋に入るな》/ The stamp came *off* the envelope. 切手が封筒からはがれた.

off-

2 [位置]〈街路など〉から少しはずれた所にある, 横町に入った所に[で];〈海事〉〈海岸などの〉沖に[で] ‖ the bank of the main street 本通りから横町に入った所にある銀行 / The ship sank two miles *off* Cape Horn. その船はホーン岬の2マイル沖合で沈んだ. **3** [解放]〈仕事・職務など〉を休んで, 怠って ‖ *off duty* 非番で / *off work* (そのとき)仕事を休んで《◆*out of work* は「失業して」》/ *off (one's) guard* 油断して.

4 [減少] …から割り引いて ‖ take [knock] twenty per cent *off* the usual price 平常価格から20%割り引く.

5〈基準的なもの〉からそれて;…の調子が悪くて ‖ *off course* コースをそれて / go *off* the subject 主題からそれる / He was *off* his game. 彼は試合で調子が悪かった / Your remarks are *off* the point. 君の発言は要点がはずれている.

II [あるものから派生して]

6 [根源] (略式) …から(from) ‖ borrow a dollar *off* a friend 友だちから1ドル借りる / She bought the book *off* me. 彼女は私からその本を買った.

III [ある状態から離れて]

7 [中断・休止] (略式)〈人が〉…をやめて, 差し控えて; …の必要がなくなって;…に夢中でない ‖ I am *off* liquor. 酒をやめている / She's *off* cigarettes. 彼女は禁煙している.

IV [ある対象に頼って]

8 [依存]〈人・物〉に頼って, …に寄食して;…を食べて《◆*on* が普通》‖ live *off* bread and water パンと水だけで生活する / He lives *off* his pension. 彼は年金で暮らしている.

―― 形 (~·er, ~·est)《◆ **2** を除いて比較変化しない》

I [自分から離れて]

1〔名詞の前で〕[the ~] 遠い方の, 向こう側の;〔馬・車の〕右側の(↔ near) ‖ the *off* front wheel 右側の前輪 / on the *off* side of the wall 壁の向こう側に.

II [ある基準から離れて]

2 本道から分かれた;枝葉末節の;間違った ‖ an *off* issue 枝葉末節の問題 / My guess was *off*. 私の推測は間違っていた.

3 [名詞の前で] 季節はずれの, 閑散な;不作の, 不況の ‖ the *off* season 閑散期, シーズンオフ.

III [ある状態から離れて]

4 非番の, 休みの, 暇な;調子が悪い, 不満足な.

―― 名 **1** 離れて[切れて]いること. **2**〔クリケット〕[the ~] 打者の右前方(↔ on). **3** (略式) [the ~] (競走の)スタート.

óff Bróadway =off-Broadway.

óff yéar (米) 不景気の年;大統領選挙のない年.

off- /ɔ(ː)f-/ [語要素] →語要素一覧 (1.7).

of·fal /ɔ́(ː)fl/ 名 Ⓤ **1** (主に英)(動物の)臓物, くず肉. **2** くず物.

off-bal·ance /ɔ́(ː)fbǽləns/ 形 不安定な, 倒れかかった ‖ throw [knock, push] him *off-balance* 彼を押し倒す. **2** 不意をつく, 驚いた, びっくりした ‖ catch him *off-balance* 彼を驚かす.

off-beat /ɔ́(ː)fbíːt/ 形 (略式) 風変わりな, ふつうでない.

off-Broad·way /ɔ́(ː)fbrɔ́ːdwèɪ/, **óff Bróadway** (米) 名 Ⓤ [集合的に] オフブロードウェイ演劇《Broadway 街を離れた小劇場で上演される前衛演劇. これよりさらに前衛的なものは off-off-Broadway》. ―― 形 オフブロードウェイの. ―― 副 オフブロードウェイの劇場で.

off-col·or /ɔ́(ː)fkʌ́lər/ 形 **1** 色が悪い. **2** (略式) 顔色がよくない;気分が悪い. **3** (米) きわどい, いかがわしい, 下品な.

†**of·fence** /əféns/ 名 (英) =offense.

***of·fend** /əfénd/ [「…を打つ, 傷つける」が原義] 派生 offense (名), offensive (形)

―― 動 (~s/-éndz/;過去·過分 ~ed/-ɪd/; ~·ing)(正式)

―― 他 **1**〈人・事が〉(無礼などのため)〈人〉の感情を(で)害する(hurt)(with);[be ~ed]〈人が〉[…に・…ということに]立腹する(upset){at, by, with / that節}《◆*at*, *with* は状態に重点がある. ➡文法 7.3》‖ I'm sorry if you *are offended*. お気にさわったらお許しください / I *was offended at* [*by*] her bad manners. 彼女の無作法には腹が立った / His words *offended* me. =He *offended* me *with* his words. 彼の言ったことで私は気分を害した / He *was offended with* [*by*] her. 彼は彼女に腹を立てた.

2〈人・人の〉〈目・耳・感覚など〉に不快感を与える;〈心など〉を傷つける ‖ *offend* the ear [eye] 耳[目]ざわりである.

―― 自 **1**〈人〉罪を犯す; 〔法・慣習などを〕破る(against) ‖ *offend against* morality [the law] 道徳[法]に違反する. **2**〈物が〉不快である.

†**of·fend·er** /əféndər/ 名 Ⓒ (正式) **1** (法律上の)違反者, 犯罪者 ‖ an old [a hardened] *offender* 常習犯. **2** 不快[無礼]な物[人], 人の感情を害する人.

†**of·fense**, (英) **of·fence** /əféns; 3 は (米) ではしばしば /ɑ́fens, ɔ́ːf-/ 名 **1** Ⓒ [通例 an ~] (法律上・慣習上の)罪, 違反, 反則, 軽罪(against) ‖ a civil [criminal] *offense* 民事[刑事]犯 / a (one's) first [repeated, previous] *offense* 初犯[累犯, 前科] / a minor [petty] *offense* 軽犯罪 / a traffic *offense* 交通違反 / commit *an offense* against the law 法律に違反する. **2** Ⓒ Ⓤ (正式) 人の気持ちを害する事[物](to);無礼, 侮辱, いやがらせ;立腹 ‖ *an offense to* the ear [eye] 耳[目]ざわりな物 / give [cause] *offense* to him 彼を怒らせる / She easily *takes offense at* trifles. 彼女はつまらない事にすぐに立腹する / *No offense intended* [*was meant*]. (略式) 悪気はなかったのです. **3 a** Ⓤ (正式) 攻撃(↔ defense) 《対義語と対語されるときに (米) ではしばしば /ɑ́fens/ と発音する》‖ weapons [arms] of *offense* 攻撃用武器. **b** Ⓒ (主に米) (スポーツ) 攻撃側.

of·fense·less 形 気にさわらない, 悪気のない;攻撃力のない.

†**of·fen·sive** /əfénsɪv; **2** は通例 (米) ɔːfénsɪv, (米+) ɑ́f-/ 形 **1**(…に)いやな, 不快な(to), いらいらさせる(↔ inoffensive);しゃくにさわる, 無礼である ‖ a noise (which is) *offensive* to the ear(s) 耳ざわりな音 / an *offensive* smell 悪臭 / an *offensive* manner [remark] 無礼な態度[言葉]. **2** (正式) 攻撃(用)の(↔ defensive);積極的な ‖ an *offensive* missile 攻撃用ミサイル. ―― 名 **1** Ⓒ (正式) [しばしば the ~] (…に対する)攻撃(態度), 攻勢(against) ‖ 攻撃側 ‖ a péace *offensive* 平和攻勢 / be *on the offensive* 攻撃中である / assume [táke, gó ón, gò óver to] the *offensive against* the enemy 敵に対し攻勢に出る.

of·fen·sive·ly 副 不快に, しゃくにさわるように, 攻撃的に. **of·fen·sive·ness** 名 Ⓤ 不快, しゃくにさわること, 攻撃的なこと.

***of·fer** /ɔ́(ː)fər/ [アクセント注意] [「神のそばへ(ob)持って来る(fer). cf. confer, refer」]

offering

―動 (~s/-z/; 過去・過分 ~ed/-d/; ~・ing/-əriŋ/)
―他 **1** [offer (A) B =offer B (to A)]〈人が〉〈A〈人〉に〉B〈物・事〉を差し出す, 提供する(present) (⇨文法 3.3); (諾否(ﾀﾞｸﾋ)を求めて)[…しようと]申し出る, 誘いかける, すすめる[to do] ‖ He offered her a ride to school. =He offered to drive her to school. 彼は彼女に学校まで車でお送りしましょうと声をかけた / We offered him a nice job. 私たちは彼によい仕事を紹介した.

> 語法 (1) We offered him a nice job. の受身形は He was offered a nice job. / A nice job was offered (to) him. の両方が可能《◆A が代名詞の時, to が省略されることがある》(⇨文法 7.8(1)).
> (2) offer A B で, A は省略できるが B は省けない: ×We offered him.
> (3) offer for A to do の文型も可能: He offered for the maid to clean Mary's house. 彼はお手伝いさんにメリーの家を掃除させようと申し出た.

2〈意見・お礼など〉を[…に]述べる, 提案する[to] ‖ I must offer you my apology [my apology to you]. あなたにおわび申し上げねばなりません.

> 語法 改まった文脈でお祝いやお悔みを言う場合に用いられる: I'd like to offer my congratulations [condolences] to you. お祝い[お悔み]申し上げます.

3《正式》〈反抗など〉を[…に対して]試みる, 企てる[to]; 〈傷害・暴力など〉を人に加えようとする; […しようと]する[to do] ‖ offer battle 戦いをいどむ / They offered a coup d'état to the government. 彼らは政府にクーデターを企てた《◆delivered の方が自然》.

4 [offer A for [at] B]〈人が〉〈A〈物〉を B〈価格〉で売り出す《◆金額を具体的に明示する場合は for. B が price のときは at, for の両方可》; [offer A for B]〈人が〉〈B〈物〉を〈金額〉で買うと申し出る ‖ I offered (her) $10 for the picture. その絵を10ドルで買うと〈彼女に〉申し出た / We offered (him) the car [the car (to him)] "at reduced prices [for a good price, for $2,000]". 私たちはその車を割引き値[よい値, 2000ドル]で売ると〈彼に〉申し出た.

5《正式》〈祈り・いけにえなど〉を〈神などに/健康などの回復を求めて〉ささげる(give) (+up) [to/for].

―自 **1**〈機会・道などが〉現れる, 生じる; ころがり込む ‖ as soon as occasion [opportunity] offers 機会があり次第に. **2** 申し出る, 提案を行なう.

óffer itself [themsélves] 現れる;〈機会などが〉到来する.

―名 (複 ~s/-z/) ⓒ **1** […の/…への]申し出[of/to]; […しようという]提案[to do]; 求婚《◆proposal よりくだけた語》 ‖ I readily accepted his offer to help. 私は快く彼の援助の申し出を受け入れた / leap [(略式) jump] at the offer 誘いに飛びつく / máke him ánoffer =máke an óffer to him 彼に申し入れをする《◆An offer is made to him. の受身可能. ⇨文法 7.8(1)》.

2 […に対する]つけ値[for]; 値引き; (売品としての)提供, 売り込み, オファー(↔ order); 売り物 ‖ chairs on offer at $5 each 一脚(値引きして)5ドルで売りに出されているいす / be open to「(an) offer [offers] 買い手との値段の交渉に応じる / make (me) an offer of £10,000 for the house その家に1万ポンド出すと(私に)言う.

3《法律》(契約の)申し込み(↔ acceptance).

únder óffer《英》申し込みを受けて.

†**of·fer·ing** /ɔ́ːfəriŋ/ 名 ⓒ 提供される物; 供物, いけにえ; (教会への)献金. **2** Ⓤ (わいろなどの)提供, 申し出; 奉献.

off-guard /ɔ́ːfɡɑ́ːrd/ 形 突然の, 不意の ‖ catch [take] him off-guard 彼の不意をつく, 彼を奇襲する

†**off·hand** /ɔ́ːfhǽnd/ 副 形 **1** 即座に[の], 用意なしに[の]. **2** […に対して]不注意[不作法]に[の][with].

**of·fice /ɔ́ːfəs, (米+) ɔ́ːf-; ⑤fis/ [[「仕事をすること」が原義]] 関 officer (名), official (形・名)
―名 (複 ~s/-iz/)

I [事務所]

1 a ⓒ **事務所**[室], 営業所, 会社; 職場, 勤め先《◆(英)ではしばしば ~s》; (米)診療室, 医院; (英)(大学教員の)研究室 ‖ a doctor's office 診療所 / a lawyer's office 法律事務所 / the principal's office 校長室 / a printing office 印刷所 / the lost property office 遺失物取扱所 / a ticket (英) booking) office 切符売り場 /「the main [a branch] office 本社[支社] / She goes to the [her] office [×company] early in the morning. 彼女は朝早く会社に行く(=She goes to work …) / Jane works in an office. ジェーンは会社勤めをしています(→ 1).
b [形容詞的に] 会社[事務所]の ‖ office furniture [equipment] 事務所の備品 / an óffice wòrker サラリーマン, 会社員, 勤め人, オフィスレディー《◆(1) 特に「女性の勤め人」「OL」というときは a woman office worker. a working woman は職種を問わず「働いている女性」. ×OL, ×office lady とはいえない. (2) 英語では具体的に secretary, PC operator など職務をいうのがふつう》.

2 ⓒ 役所, 官庁 ‖ [O~; 主に複合語で] (米)(省より下の)局, 部; (英)省, 庁 ‖ the Foreign [Home] Office (英) 外務[内務]省 / the Patent Office 特許局[庁] / the (Government) Printing Office (米)印刷局 / a post [telegraph] office 郵便[電報]局.

II [事務所の機能]

3 ⓤⓒ 地位(position), 職; (特に)**官職**, 公職; 政権 ‖ seek [hold] public office 公職を求める[公職についている] / táke [cóme to, énter (upon)] óffice 就任する / léave [resígn, láy dówn] óffice 辞任する / be in [out of] office 在職している[していない]; 政権を握って[離れて]いる.

4《正式》[the ~] […の]役目, 任務; (物の)機能[of] ‖ do [perform] the office of host [chairman] ホスト[議長]の役割を果たす《◆of の後はふつう役職を示す無冠詞単数名詞だが冠詞がつく場合もある: the office of an administrator 行政官の職務》.

óffice automàtion equipment OA機器.

óffice bòy [gírl]《古》事務[官庁などの]使い走りの少年[少女] ‖ (PC) office assistant [helper].

óffice building《米》オフィスビル《《英》では office block》.

óffice hòurs (1) 執務[勤務]時間; 営業時間. (2)(米)診療時間; (大学研究室で教授に自由に会える)質問受付時間.

óffice pàrk オフィス集中地帯.

óffice supplỳ 事務用品.
óffice wòrker → 1b.

*of·fi·cer /ɔ́fəsər, (米) ɔ́ː-|ɔ́fəsər/ 【→ office】
——名 (複 ~s/-z/) ⓒ **1** (陸・海・空軍の)**将校**, 士官, 武官 (cf. soldier) ‖ *officers* and men 将兵 / the *officer* of the day 日直[当番]将校 (OD) / a commissioned *officer* 《正式》将校, 士官.
2 (高い地位にある)**役人**, 公務員 (cf. official, civil servant); (団体・クラブなどの)役員, 幹部, 幹事 ‖ executive [customs] *officers* 行政官[税関吏] / civil *officer* 公務員.
3 〖海事〗(商船の)高級船員, 船長; 航海士 ‖ *officers* and crew 高級船員と乗組員 / a first [second] *officer* 1等[2等]航海士. **4** 警官, 巡査 (police *officer*)《◆ cop, policeman の上品語; 呼びかけも可》‖ *Officer*! おまわりさん. **5** (英) (勲功章の)第4勲爵士.

*of·fi·cial /əfíʃəl/ [アクセント注意]
——形 **1 公式の**, 正式の (↔ officious); 公認の; 表向きの; 一般に知られた;〈人が官選の, 官職にある; 職権のある ‖ an *official* name 公式名 / an *official* welcome 公式の歓迎 / the *official* results of the race レースの公認結果 / *official* language 公用語.
2 公(ﾂ)の, 公務の, 職務(上)の (↔ unofficial) ‖ *official* duties 公務 / *official* powers 職権 / in one's *official* capacity 公の権限[職権]で. **3** お役所風の, 形式ばった ‖ *official* style もったいぶった文体 / with *official* solemnity しかつめらしく.
——名 ⓒ **1 公務員**, 役人《◆ ふつう officer より下の地位》; (団体・会社などの)職員, 役員;〔省名などと共に〕政府高官, 当局者 ‖ city *officials* 市職員 / a post office *official* 郵便局員. **2** (英) =official principal.

offícial áutopsy 司法解剖.
offícial príncipal 教会裁判所判事.
Offícial Sècret Áct (英) [the ~] 国家機密保護法.

of·fi·cial·dom /əfíʃəldəm/ 名 Ⓤ **1** 〔集合名詞〕公務員, 官僚. **2** 役人の地位; 官界. **3** お役所式.

†of·fi·cial·ly /əfíʃəli/ 副 **1** 《正式》職務上, 公務上, 公式として (↔ unofficially). **2** 公式に[正式に] ‖ The entire Cabinet *officially* visited a Shinto shrine. 全閣僚は神社に公式参拝した. **3** 〔文全体を修飾〕正式には, 表向きは.

of·fi·ci·ate /əfíʃièit/ 動 ⓘ 《正式》**1** 〔…としての〕役を務める 〔*as*〕,〔…で〕職務[司会]を行なう 〔*at*〕 ‖ *officiate* as chairman at a regular meeting 例会で議長を務める. **2** 〈牧師などが〉〔…で〕儀式を行なう, 司祭する 〔*at*〕. **3** 〖スポーツ〗審判員を務める.

of·fi·cious /əfíʃəs/ 形 **1** 《正式》〔…の点で〕おせっかいな; 出しゃばりの 〔*in*〕. **2** (外交で)〈協議が〉非公式の (↔ official). **3** 〈役人が〉横柄な, 尊大な.

off·ing /ɔ́ːfiŋ/ 名 ⓒ 沖, 沖合. **in the óffing** (1) 沖(合)に. (2) 近い将来に; やがて起こりそうな.

off-lim·its /ɔ́ːflímits/ 形 (主に米俗) 立入禁止の (↔ on-limits); 話題にしてはいけない, 禁句の.

off-line /ɔ́ːfláin/ 形 副 〖コンピュータ〗オフライン(式)の [で], 回線接続しない状態の[で] (↔ on-line).

off-load /ɔ́ːflóud/ 動 (英) =unload.

off-peak /ɔ́ːfpíːk/ 形 (主に英) ピークを過ぎた, 閑散時の.

off-road /ɔ́ːfróud/ 形《車などが》(スポーツとしての)オフロード(用)の.
óff-ròad véhicle オフロード車(略) ORV.
off-road·ing /ɔ́ːfróudiŋ/ 名 Ⓤ オフロードレース.
off-scour·ings /ɔ́ːfskàuriŋz/ 名 〔複数扱い〕**1** 廃棄物, くず. **2** ろくでなし.
off-sea·son /ɔ́ːfsíːzn/ 名 形 副 (商売・旅行などの)閑散期(の, で), シーズンオフ(の, で)《◆ ×season-off といわない》.

†off·set /名 ɔ́ːfsèt; 動 ㄥ / 名 動 **1** 〔…を〕相殺(ﾞﾃ)するもの, 〔…の〕差引き勘定 〔*for, to*〕. **2** 〖印刷〗オフセット印刷(法). ——動 (過去・過分 **off·set**; **--set·ting**) ⑭ **1** …を相殺する, 埋め合わせる. **2** …をオフセット印刷にする. ——ⓘ **1** 〖植〗〈植物が〉側枝(ﾌﾞ)を出す. **2** オフセット印刷にする.

off-shoot /ɔ́ːfʃùːt/ 名 ⓒ 〖植〗側枝(ﾌﾞ), 横枝.

off-shore /ɔ́ːfʃɔ́ːr/ 形 副 沖(合)の[で], 沖に(向かって) (↔ inshore); 海外の[で] ‖ an *offshore* wind 沖へ吹く風.

off-side /ɔ́ːfsáid/ 名 形 副 **1** Ⓤ 〖ラグビー・サッカーなど〗オフサイド(の, に) (↔ onside). **2** (主に英) [the ~] (車・道などの)右側の, に.

†off·spring /ɔ́ːfspriŋ/ 名 (複 off·spring, (米まれ) ~s) ⓒ 《正式》〔集合名詞; 単数・複数扱い〕(人・動物の)子, 子孫《◆ ×an offspring としない》‖ Mothers are usually devoted to their *offspring*. 母親はたいてい子供のためには我が身を顧みない.

off·stage /ɔ́ːfstéidʒ/ 形 副 **1** 〖演劇〗舞台裏の[で] (↔ onstage). **2** 私生活での.

off-street /ɔ́ːfstrìːt/ 形 裏通りの.
off-the-book /ɔ́ːfðəbúk/ 形 帳簿外の.
off-the-record /ɔ́ːfðərékərd/ 形 オフレコの[で], 記録に留めない[留めないで].

oft /ɔ́ːft/ 副 《詩》=often《◆ 今は複合語で用いられる》‖ *oft*-repeated advice しばしば繰り返される忠告.

*of·ten /ɔ́ːfn, ɔ́ːftn, (米) ɔ́ːf-|ɔ́fn, ɔ́ftn/《◆ 歌詞では韻律上から /ɔ́ːfən/ がよく使われる》『起こる確率が6割ぐらい』が本義》
——副 (more ~, most ~;《まれ》~·er, ~·est) [頻度] (長期・不特定の期間にわたって) **しばしば**, たびたび, よく; たいてい《◆ 起こる頻度は frequently とほぼ同じで, sometimes より高く, always, usually, regularly より低い》 ⓔ文法 18.2) (↔ seldom) ‖ I *often* went fishing at the pond. 私はよくその池に釣りに出かけた / It's *often* cold here. ここでは寒いのはたびたびのことだ / He has *often* found it (to be) wrong. 彼はこれが悪いことだとしばしば感じていた.

[語法] (1) 文中位がふつうで一般動詞の前, be 動詞および助動詞の後にくることが多い. 疑問文・否定文では文尾も可. 肯定文で強調のため文頭・文尾にくるときはふつう quite, very で修飾する: "Is John strict?" "Yes, he *often* is."「ジョンは厳しくしますか」「ええ, たびたびです」《◆ is に強い強勢を置く》.
(2) 命令文では文尾がふつう: Come and see us *often*. たびたび遊びにいらっしゃい.
(3) 否定語の前にくる場合と後にくる場合とで意味の違いがある: He *often* isn't [is not] early. 彼は早めに来ることがしばしばある《◆ not は early を否定 (→ not **4 b**): It is *often* that he isn't early. =He's *often* late.》/ He isn't *often* late. 彼はめったに遅れることはないのだ《◆ not is often を否定: It is not *often* that he is late. =He

seldom is late.》.
(4) often は特定の短期間内の繰り返しには用いない. frequently は可: The child fell *frequently* [×often] yesterday when he was playing. その子はきのう遊んでいるときよく転んだ.
(5) never は often と共には用いない: ×He never often visits me. は可》.《◆He doesn't often visit me. は可》.

***as* óften *as* ...** (1) [数詞句の前で] …回も ∥ *as often as* nine times 9回も. (2) [接] …するたびに(ごとに) ∥ *As often as* she tried, she failed. 彼女はやるたびに失敗した.《◆前の as が省略されると「しばしば…するけれども」(譲歩)の意になる》.
***(as) óften as nót** 〖起こらない場合と同じ頻度で〗(少なくとも)2回に1回は, しばしば ∥ *As often as not*, his son is late for school. 彼の息子は2回に1回は学校に遅刻する.
évery sò óften [通例文尾で]ときどき.
***Hòw óften ...?** (1) 何回…? ∥《対話》"*How often* do you go to the movies?" "Once or twice a week."《「映画へはよく行きますか」「週に1, 2度です」》《◆ "Often."とか "Sometimes."のように単に頻度を表す語で答えるのは投げやりな感じを与えるので, はっきり回数をいうのがふつう》. (2) [完了時制で]これまでに…したことが何度ありますか ∥《対話》"*How often* have you been to Hokkaido?" "Three times." 「北海道へこれまで何度行きましたか」「3回です」《◆回数を答えるのがふつう》.
mòre óften than nót 通常, たいてい(usually).
nót óften めったに…ない(seldom) (→《語法》(3)).
ònce tòo óften 1度だけやりすぎたためにとうとう ∥ You'll do such a thing *once too often* and get punished. たびたびそんなことをしているとしまいには罰を受けることになるよ.

o·gre /óugər/《名》〖女性形〗**o·gress**/-grís/〘C〙**1** [童話・民話の]人食い鬼. **2** 鬼のような(恐ろしい)人.
ó·gre·ish《形》鬼のような.

***oh**[1] /óu/ 〖同音〗O[1], owe
——《間》おお, ああ, おや《◆音調の変化により驚き・喜び・悲しみなど種々の感情を表す発声》 ∥ Oh, dear(me)! 《⌒》=*Oh*, my! 》 まあ驚いた[困った, がっかり]!《*Oh*! だけ独立しても用いる》/ *Oh*, that's gréat! わあ, すごい / *Oh*, òh. ああ《軽い失望》/ *Oh*, yès! 〖強調〗そうだとも / *Oh*, no! とんでもない /《⌒》*Oh*, yés? 《⌒》そうですか(疑い); *Oh*, nó!《⌒》まさか[ひどい, どうしよう]》/ *Oh*, Bill! ほら, トムが来た《◆情報を確認して, oh は予期せぬ驚き, ah は予想の範囲内の驚きを表す》.
***Óh for* A!** 〖詩〗…があったら[できたら]いいのになあ!
***Óh, pléase.** 勘弁して, それはないでしょう.
oh[2] /óu/《名》 ゼロ(0)《◆電話・建物番号などをいう時に用いる. → zero《語法》(1)》.
OH《略》[郵便] Ohio.
OHC《略》overhead camera.
O. Hen·ry /óuhénri/《名》オーヘンリー《1862-1910;米国の作家;本名は William Sydney Porter》.
✝**O·hi·o** /ouháiou | əu-/《名》**1** オハイオ《米国東北部の州. 州都 Columbus. (愛称)the Buckeye [Yankee] State;《略》O.,《郵便》OH》. **2** [the ~] オハイオ川《米国中東部の川, Mississippi 川の支流》.
ohm /óum/《名》〖C〗 [電気] オーム《◆電気抵抗の単位.

《記号》Ω》. **óhm·ic**《形》[電気] オーム性の.
OHP《略》overhead projector.
-oid /-ɔid/〖語要素〗→語要素一覧(1.7).

***oil** /ɔ́il/〖「オリーブの木」が原義〗《派》oily《形》
——《名》《複》~s/-z/) **1a** 〘U〙油;鉱油;油状の物;《米》石油;《英》灯油《◆常温で固体のものは grease》 ∥ baby *oil* ベビーオイル / salad [olive] *oil* サラダ[オリーブ]油 / engine *oil* エンジンオイル / volatile [fixed] *oil* 揮発[不揮発]性油. **b** [形容詞的に]油[石油]の;油状の;油を使う. **2**〘C〙溶剤;[しばしば ~s] =oil color(s);《略式》[~s / an ~] 油絵(oil painting) ∥ paint in *oil*s 油絵を描く.

***bùrn the mídnight óil** 〖夜遅くまでランプをともして仕事をしたことから〗夜遅くまで勉強[仕事]する.
***pòur óil on the fláme(s)** [比喩的に] 火に油を注ぐ, けんか[怒り]をあおりたてる.
——《動》《他》**1** …に油を差す[引く, 塗る](+*over, up*). **2**《略式》…にお世辞を言う. **3**〈顔などを〉なごませる, …を円滑にする.
——《自》**1**〈バターなどが〉融けて油状になる. **2**〈船が〉(燃料として)油を積み込む. **3**〈池で詰まる(+*up*).
óil bùrner 石油ストーブ;石油ボイラー;石油バーナー.
óil càke (綿・亜麻仁(が))の油かす.
óil còlor(s) 油絵の具.
óil dòllars オイルダラー《石油産出国の保有するドル》.
óil èngine 石油エンジン.
óil field 油田.
óil mìnister (産油国の)石油大臣.
óil pàint =oil color(s).
óil pàinting 油絵;油絵画法.
óil pàlm 油やし.
óil slìck (水面に)流出した油, 油の帯, 油膜.
óil spìll (海への)石油流失.
óil tànker タンカー, 油輸送船(oiler);油輸送車.
óil wèll 油井(ゆせい).《◆単に well ともいう》.
oil·can /ɔ́ilkæn/《名》〘C〙(差し口のある)注油器, 油さし.
✝**oil·cloth** /ɔ́ilklɔ̀:θ/《名》〘U〙**1** 油布《油で処理した厚手の防水布. テーブル・たななどのカバー用》. **2** (一般に)防水布.
oiled /ɔ́ild/《形》〈紙などが〉油を塗った;〈イワシなどが〉油につけた.
óil·sèed ràpe /ɔ́ilsìːd-/〖植〗アブラナ, ナタネ.
oil·skin /ɔ́ilskìn/《名》**1**〘U〙油布, オイルスキン《防水布》. **2**〘C〙[通例 ~s] 油布製防水服;(油布製)レインコート.
✝**oil·y** /ɔ́ili/《形》 (**-i·er, -i·est**) **1** 油の(ような);油っこい ∥ an *oily* complexion 脂気のある顔のつや / Avoid eating too many *oily* foods. 油っこい物を食べすぎないように《◆肉などの「脂肪分が多い」のは greasy》. **2** お世辞のうまい ∥ an *oily* smile 愛想笑い.
oink /ɔ́iŋk/《略》《動》《名》〘C〙(豚が)ブーブー鳴く(声).
✝**oint·ment** /ɔ́intmənt/《名》〘U, C〙〖薬学〗軟膏(なんこう).
O·jib·wa, –·way /oudʒíbwei | əu-/《名》《~, ~s, [集合名詞] **O·jib·wa, –·way**》**O** オジブワ族《北米先住民の一大種族》;〘U〙オジブワ語.

***OK**[1] /óukéi, ⌒, ⌒/〖一説には all correct をもじけて書いた oll korrect の略とされる》《◆okay ともつづる》《略式》
——《副》**1**〖納得・承知などを示して〗よろしく, はい(all right) ∥《対話》"Can I use your car?" "*OK*.《⌒》" 「君の車を使っていいかい」「いいよ」. **2** うまく, ちゃんと ∥ That car goes *OK* now. その車はもう調子がよい.
——《形》[通例補語として] [許可・同意・満足などを示し

て] よろしい, 正しい, 結構な ‖ She seems *OK* now. 彼女はもう元気らしい / That's *OK* (with [by] me). 大丈夫だ, そのとおりだ, 満足だ(=I agree).

── 動 (*OK's*; [過去・過分] *OK'd*; *OK'ing*) 他 …をオーケー[承認]する ‖ *OK* a proposal 提案にオーケーを下す.

── 名 (複 *OK's, OKs*) Ⓒ 承認, 許可 ‖ Have they given you their *OK*? 彼らの許可をもらったのか.

── 間 [相手の注意を促して] ええと, いいですか.

ÓK nów [米式] [接続詞的に] それじゃ.

OK[2] [郵便] Oklahoma.

o‧ka‧pi /oukάːpi | əu-/ 名 (複 ～s, [集合名詞] **o‧ka‧pi**) Ⓒ [動] オカピ《アフリカ中部産のキリン科の動物》.

o‧kay, o‧keh, o‧key /óukéi/ 副 形 動 名 間 = *OK*[1].

Okla. [略] *Okla*homa.

O‧kla‧ho‧ma /òukləhóumə/ 名 オクラホマ《米国中部の州. 州都 Oklahoma City. (愛称) the Sooner State, Boomer's Paradise. (略) Okla., [郵便] OK》.

o‧kra /óukrə/ 名 1 Ⓒ [植] オクラ. 2 Ⓤ [集合名詞] =okra pods. 3 Ⓤ オクラスープ[シチュー]《(米) gumbo》.

ókra pòds オクラのさや《◆スープ・シチューなどに入れる》.

:old /óuld/ [「時間が経過している」が本義]

index 形 1 古い 2 年とった 3 a …歳の b 年上の 5 昔なじみの

── 形 (～‧er, ～‧est; **eld‧er**/éldər/, **eld‧est** /éldəst/)

Ⅰ [古い]

1 [名詞の前で] 〈物が〉古い, 年月を経た(↔ new); 使い古した(cf. used **2 a**); 使われなくなった; 色のくすんだ; [地質] 〈川・谷などが〉老年期の; 〈月が〉満月以降の; [the ～; 単数扱い] 古い物《◆ふつう比較変化しない》‖ *old* wine 年代物のワイン / *old* fashions 旧式な型 / a large, *old*, white, wooden house 大きな古い白い木造の家.

2 〈人・動植物が〉**年とった**, 年老いた《◆遠回し語では older, mature, senior など》(↔ young); ふけた, 年寄りにみえる; ませた; [the ～; 複数扱い] 老人たち (old people)《◆遠回し語は senior citizens》‖ hospitals for *the old* 老人専用病院 / *old* pine trees 松の老木 / The night grew [was] *old*. (正式) 夜がふけた / Fifteen's quite *old* these days. 今じゃ15歳といえば大人だよ.

[日英比較] [「老人」と old]

old people は文字通り「老人」という感じで印象はよくない. 「お年寄り」に近いのは older people, senior citizens, the elderly である.

3 [通例数詞の後で] **a**〈年齢が〉**…歳の**, 〈物が〉…の年月がたった(of age) ‖ a six-*year-old* child 6歳の子供(=a child (who) is six years *old* / a child of six (years)) 《◆ a [the] six-year old [olds]のような数詞扱いが可能》 《[対話] "How *old* is your father?" "He's forty (years *old*)." 「あなたのお父さんは何歳ですか(=What age is your father?)」「40歳です」 / How *old* is the building? そのビルは建ってからどのくらいですか(=How long has it been since the building was built?) / Her car is two years *old*. 彼女の車は買ってから2年たっている / He *is old enough to* drive. 彼はもう運転できる年齢だ(cf. He is too *old* to drive. 彼は運転するには年をとりすぎている).

b [～ *er*, ～ *est*で] **年上の**, 《(英)では家族・企業内で年長を示す時に elder, eldest を名詞の前で用いる(略式)では(まれ). older, younger の代わりにだけを表現として one's big [little] brother [sister] なども用いる》‖ *the older* [(略式) *oldest*] *of the two* boys 2人のうち年上の少年 / my *oldest* [*eldest*] son 長男《◆息子が3人以上いることを暗示》 / He has an *older* brother. 彼には兄がいる《◆「彼にはある人よりも年上の兄がいる」の意にもとれる》 / He is *four years older than* I am [(略式) me]. 彼は私より4歳年上だ(=He is four years my senior).

c [名詞の前で] …(歳)にしてはふけた[老いこんだ] ‖ She's an *old* sixty. 彼女は60歳にしてはふけて見える.

4 [名詞の前で] 過ぎ去った, 元の(↔ recent); 古の, 初期段階の(↔ modern) 《◆比較変化しない》‖ *the góod* [*bad*] *òld dáys* 古きよき[悪しき]時代 《◆our good [bad] *old* days は(まれ)》 / play the Old Year out 旧年を終りに送り出す / *Old* ashes were raked over. 過去の記憶がよみがえった.

Ⅱ [古いことに対して抱く感情]

5 [名詞の前で] **昔ながらの**, 古来の; 月並みな, いつもの《◆比較変化しない》‖ my *old* friend 私の古い友人《◆「友情が古い」と考える. 「私の年をとった友人」の解釈はふつうしない》 / an *old* ailment 持病 / an *old* story よくある話 / *old* families 旧家 / *old* customs 昔からの慣習.

6 〈人が〉 […の点で]老練な, 経験の深い; 分別のある [in] 《◆比較変化しない》‖ be an *old* hand at making speeches 演説に手なれている. **7** (略式) [名詞の前で] 〈通例呼びかけで〉親愛を表して] 親しい, なつかしい《(1) 軽蔑(ミツ)の意を含むこともある. (2) 比較変化しない》‖ good *old* Harry ハリーのやつ / *old* chap [fellow, son] (俗・男性語) おい君《◆ *old* bean [stick, thing] ともいう》. **8** (略式) [名詞の前で] [通例形容詞の後で; 強意語として] すばらしい, いい《(1) ふつう強勢がない. (2) 比較変化しない》‖ I have a good [high, fine, grand] *old* time とてもすてきな時を過ごす.

óld and yóung =**young and old** (**alike**) → young [名].

── 名 Ⓒ [複合語で] …歳の人[物, 動物] ‖ a flock of three-year-*olds* 3歳の羊の群れ / a sturdy twelve-year-*old* たくましい12歳の子.

óld áge 老年, 老齢《◆ふつう65歳以上. cf. old-age》.

old boy (英) (1) [/=/] **a**) (略式) [the/one's ～] (年とった)おとこ **b**) (やや古風) 元気のいい年をとった[中年の]男性. **c**) [the ～] かしら. (2) [/=/] [時に O-B-] 男子卒業[同窓]生 (略) OB) ((米) alumnus). (3) [/=/] (古風式) [親しみをこめた呼びかけで] ねえ, 君, い.

óld còuntry [the ～] (移民の)故国, 母国《特にヨーロッパ》; 建国の古い国.

Óld Énglish 古(期)英語《700-1150年頃; (略) OE》(→ Anglo-Saxon). [印刷] (角(ゴッ)のある)ゴシック書体.

óld géntleman [the ～] 悪魔.

old girl (英) /⁻/ [時に O~ G~] (女子の)卒業[同窓]生《◆×OG という(略)は用いない》((米) alumna). **(2)** /⁻/ (略式) [親しみをこめた呼びかけで] ねえ, 君. **(3)** /⁻/ a) (略式) [the/one's ~] 妻; 母親. b) (やや略式) 元気のいい年をとった[中年の]女性, おばさん. c) [the ~] 女社長.

Óld Glóry (米)(愛称) 星条旗(the Stars and Stripes).

Óld Gúard [the ~] **(1)** Napoleon I の親衛隊. **(2)** (米) (共和党内の)保守派. **(3)** [通例 o~ g~; 単数・複数扱い] (政党などの)保守派(の人々).

óld hánd 老練家, ベテラン(→ **6**).

óld máid (1) オールドミス《◆×old miss とはいわない》. **(2)** (略式) (男女とも) 口やかましい人, 堅苦しい人, 臆病者.

òld mán (1) /⁻/ 老人. **(2)** (略式) a) [one's/the ~] 夫, 主人; 父親, おやじ. b) [時に O~ M-] [the ~] 雇い主, 社長, ボス; 校長, 隊長, 船長. c) 男友だち; (米) パトロン. **(3)** (略式) [親愛をこめた呼びかけで] おい, なあ, ねえ君. **(4)** [the ~] 人間の罪深い本性. **(5)** 〖新約〗[the ~] 改心前の人. **(6)** (略式) (その道の)大家.

Óld Stóne Áge [the ~] 旧石器時代(the Paleolithic era).

Óld Téstament [the ~] 旧約聖書; 旧約《神とイスラエル人との間の契約》; (略) OT.

óld wíves' tàle [stòry] でたらめな話; 迷信.

óld wóman (1) 老婆; (PC) old [elderly] lady). **(2)** /⁻/ (略式) [one's/the ~] 妻; おふくろ. **(3)** (略式) [the ~] 女社長; 小心な男[女].

Óld Wórld [the ~] 旧世界《ヨーロッパ・アジア・アフリカ》(↔ New World); (米) ヨーロッパ大陸(cf. old-world).

óld·ness 名 Ⓤ 年老いていること, 老齢; 年上; 古いこと.

old-age /óuldeɪdʒ/ 形 老年(期)の(cf. old age) ‖ the *old-age* pension 老齢年金(retirement pension) (略) OAP. / an *old-age* pensioner 老齢年金受給者 (略) OAP.

†**old·en** /óuldn/ 形 (古・詩) 昔の, 古い ‖ in *olden* days [times] 昔は.

*__**old-fash·ioned**__ /óuldfǽʃənd/
——形《◆ 名詞の前で用いるときは /⁻/》**1** 時代遅れの, 旧式な(↔ modern); 〈人が〉昔かたぎの; (英方言) 年のわりにふけた. **2** (英略式) [名詞の前で] 〈次の句で〉‖ an *old-fashioned* look とがめるような目[顔]つき.
——名 [しばしば Old-Fashioned] Ⓤ Ⓒ (米) オールド・ファッション《カクテルの一種》.

old·ie /óuldi/ 名 Ⓒ (略式) 昔はやった映画[歌], なつメロ(golden oldie); 古風な人 ‖ an *oldie* but goodie (略式) 古風でも好ましい物[人].

old·ish /óuldɪʃ/ 形 やや年をとった; 古めかしい.

old·ster /óuldstər/ 名 Ⓒ (主に米略式) 老人, 年配者 (↔ youngster).

Old Test. (略) *Old Testament*.

†**old-time** /óuldtáɪm/ 形 昔(風)の; 経験のある.

†**old-tim·er** /óuldtáɪmər/ 名 Ⓒ (略式) 古顔; 旧弊な人; (主に米) 老人.

old-world /óuldwə́:rld/ 形 **1** 古代の, 昔の; 古風な, 古めかしい; 古く魅力的な. **2** [O~-W~] 旧世界の, 東半球の(cf. Old World).

o·lé /oʊléɪ/〖スペイン〗間 オーレ! 《闘牛士などへの激励の叫び声》.

o·le·an·der /óuliəndər | ⁻⁻/ 名 Ⓒ 〖植〗 セイヨウキョウチクトウ《有毒》.

†**ol·fac·to·ry** /ɑlfǽktəri | ɔl-/ 形 〖医学〗嗅覚の.
——名 Ⓒ [通例 olfactories] 嗅覚器官.

ol·i·garch /ɑ́ləgɑːrk | ɔ́l-/ 名 寡頭(政治)支配者. **ól·i·gàr·chy** /-gɑ̀ːrki/ 名 Ⓤ Ⓒ 寡頭政治(国). **2** Ⓒ [集合名詞; 単数・複数扱い] 少数独裁者. **òl·i·gár·chic, òl·i·gár·chi·cal** 形 寡頭政治の, 少数独裁政治の.

†**ol·ive** /ɑ́lɪv | ɔ́lɪv/【アクセント注意】名 **1** Ⓒ オリーブ(の木)《南欧の常緑樹;ギリシアの国花》; =olive branch. **2** Ⓒ オリーブの実(olive berry)《初めは緑色で熟すと黒紫色; 熟さないうちに収穫してピクルスなどにし, 熟したものからは olive oil を採る》. **3** Ⓤ a (熟していない)オリーブ(の実)の色, 黄緑色(olive green)《◆ 形容詞的にも用いる》 ‖ an *olive* uniform 黄緑色の制服. b (肌の)オリーブ色《黄味がかった褐色. 形容詞的にも用いる》 ‖ an *olive* complexion (若い乙女の)オリーブ色の肌.

ólive brànch (文) [the/an ~] オリーブの枝《平和の象徴(Noahの放ったハトが洪水の引いた印としてくちばしにオリーブの若葉をくわえて箱舟に帰ったことから); 国連の旗・米国の国章にも描かれている》; [通例 -es] 子供(たち) ‖ offer [extend, hold out] the [an] *olive branch* to … …に和解を申し出る.

ólive crówn オリーブの冠《古代ギリシア時代, 運動競技の勝利者に与えられた》.

ólive gréen 黄緑色(cf. olive-green).

ólive óil オリーブ油《最高級サラダ油; 医薬・化粧品にも用いる》.

ol·ive-green /ɑ́lɪvgríːn | ɔ́lɪv-/ 形 黄緑色の(cf. olive green).

Ol·i·ver /ɑ́ləvər | ɔ́l-/ オリバー《**1** 男の名. **2** Charlemagne 大帝の12勇士の1人》.

O·liv·i·a /əlíviə, oʊ-/ オリビア《女の名》.

†**O·lym·pi·a** /əlímpiə, oʊ-/ 名 **1** オリンピア《女の名》. **2** オリンピア《ギリシア Peloponnesus 半島西部の平野. 古代オリンピック競技の発祥地》. **3** オリンピア《米国 Washington 州の州都》.

†**O·lym·pi·ad** /əlímpiæd, oʊ-/ 名 Ⓒ **(正式) 1** = Olympic Games (2). **2** オリンピア紀《古代ギリシアで1つのオリンピック競技から次の競技までの4年間》.

†**O·lym·pi·an** /əlímpiən, oʊ-/ 形 **1** オリンポス山の. **2** (正式) 〈人が〉オリンポスの神々のような, 堂々とした, 落ち着いた. **3** オリンピック競技の. ——名 Ⓒ **1** オリンポス山の12神の1人. **2** (主に米) オリンピック競技出場選手.

*__**O·lym·pic**__ /əlímpɪk, oʊ-/ 〖『Olympus の』が原義〗
——形《◆ 比較変化しない》 [名詞の前で] **1** 国際オリンピック競技の ‖ an *Olympic* record オリンピック記録. **2** (古代ギリシアの) オリンピアの競技の. **3** オリンピア平原[山]の.
——名 [the ~s; 通例複数扱い] =Olympic Games (2) ‖ the 2004 Athens Summer *Olympics* 2004年アテネ夏季オリンピック大会.

Olýmpic Gámes [the ~; 通例複数扱い] **1** (古代ギリシアの)オリンピックの競技. **2** (現代の)夏季[冬季]オリンピック大会《◆ the Olympics, the Olympiad ともいう》.

†**O·lym·pus** /əlímpəs, oʊ-/ オリュンポス山《ギリシア北部の山. 山頂にギリシアの神々が住んだとされる》.

O·ma·ha /óuməhɔ̀ː, -hɑ̀ː/ 名 **1** オマハ《米国 Nebraska 州東部の市》. **2** [the ~s; 集合名詞] Omaha(族) ‖ Ⓒ オマハ族《スー語族の北米先住民》.

om·buds·man /ɑ́mbʊdzmən, -bʌdz-/ 名 [スウェーデン語] 名 (複) ~**men**) [the O~] Ⓒ オンブズマン, 苦情調査官(処理官), 行政監察委員《英国・スカンジナビア

o・me・ga /oumégə, -mí;gə | -mégə/ 图 1 ⓒ オメガ《ギリシアアルファベットの最終字(ω, Ω)；英字の長音の o に相当。→ Greek alphabet》. 2 ⓤ (一連のものの)最後, 終わり(↔ alpha).

oméga sýstem 〖航空・海事〗オメガシステム, 電波航法システム.

†**om・e・let(te)** /ɑ́mələt | 5m-/ 图 ⓒ オムレツ《チーズ・マッシュルーム・ハム・ジャムなどを入れたものもあるが、卵だけで中身のないものは plain omelet》‖ *You can't make an omelet(te) without breaking eggs* [*the egg*]. 〘ことわざ〙卵を割らずにオムレツは作れない；「まかぬ種は生えぬ」.

†**o・men** /óumən | -men/ 图 ⓒ ⓤ 1 前兆, きざし, 縁起；予感, 虫の知らせ ‖ an *omen* of success 成功のきざし / an event of good [bad, ill] *omen* 縁起のよい[悪い]事件. 2 予言, 予知. ── 他 …の前兆となる, …を予示[予知]する.

om・i・cron /ɑ́məkrɑn, óu- | oumáikrɔn, -krən/ 图 ⓒ オミクロン《ギリシアアルファベットの第15字(o, O)。英字の短音の o に相当》. → Greek alphabet.

†**om・i・nous** /ɑ́mənəs | 5m-/ 形 1 〈…にとって〉不吉な, 縁起の悪い〔*for*〕；険悪な. 2 前ぶれの, 〔…の〕前兆となる〔*of*〕.

óm・i・nous・ly 副 不吉に, 険悪に.

†**o・mis・sion** /oumíʃən, ə- | əu-/ 图 ⓤ 〘正式〙 1 省略(する[される]こと)；脱落, 遺漏. 2 ⓒ 省略されたもの. 2 怠慢；〘法律〙不作為 ‖ sins of *omission* 怠慢の罪.

・**o・mit** /oumít, ə- | əu-/ 〖反方向に(ob)送る(mit)〗
派 omission (名)
── (~ s/-míts; 過去・過分 --**mit・ted**/-id/; --**mit・ting**)
── 他 〘正式〙 1 [omit **A** (**from B**)] 〈人が〉**A** を(作成段階で、うっかりまたは故意に)〈**B** から〉除外する, 書き落とす(leave out) ‖ *omit* a name *from* a list 名簿に名前を入れないでおく[入れ忘れる]《◆「作成済みの名簿から削除する」は include, eliminate, erase》.
2 [omit to do (今は古い)| omit doing] 〈人が〉…するのを(うっかり・故意に)**忘れる**〔怠る〕(neglect), …しないでおく(leave undone) ‖ Please don't *omit* `to lock [locking] the door when you leave.` 出かけるときドアにかぎをかけ忘れないでください.

†**om・ni・bus** /ɑ́mnibʌs, 5mnibəs/ 图 ⓒ 1 〘古〙乗合馬車[自動車]；バス《(1) bus はこの省略形。(2) 今でも会社名には用いられる》. 2 〘正式〙(ふつう一作家の種々の作品を含む)大選集《一冊の大型廉価版がふつう. cf. anthology》‖ a Dickens *omnibus* ディケンズ作品選.

ómnibus bòok [**vólume**] =图 2.

om・ni・di・rec・tion・al /ɑ̀mnidərékʃənəl | 5m-/ 形 〈外交政策などが〉全方位の.

om・nip・o・tence /ɑmnípətəns | ɔm-/ 图 ⓤ 〘正式〙 1 ⓤ 全能, 無限の力. 2 [O~] 全能の神(God).

†**om・nip・o・tent** /ɑmnípətənt | ɔm-/ 形 〘正式〙 1 全能の(almighty). 2 絶大な力[影響力]をもつ.
── 图 [the O~] 全能の神(God).

om・ni・pres・ence /ɑ̀mniprézəns | 5m-/ 图 ⓤ 〘正式〙同時にいたるところにいること, 遍在. **òm・ni・prés・ent** 形 どこにでも存在する.

om・nis・cience /ɑmníʃəns | ɔmnísiəns/ 图 ⓤ 〘正式〙全知, 無限の知識. 2 [O~] 全知の神.
om・nís・cient 形 全知の.

om・niv・o・rous /ɑmnívərəs | ɔm-/ 形 1 何でも食べる, 〈特に動物が〉雑食性の(cf. carnivorous, herbivorous). 2 何にでも興味をもつ；〔…を〕むさぼり読む〔*of*〕.

:**on** /前 ɑn, ɔːn, まれに (弱) ən; 副 形 ɑn, (米+) 5ːn/ 〖「水平・垂直にかかわらず面に接触して」が本義。そこから接触面に働く関係, 動く方向や時間関係を示すようになった. cf. upon〗

index
前 1 …の上に[の] 2 …に(くっついて)
3 …につけて 4 …の近くに 5 …を支点[軸]にして 6 …に基づいて 7 …によって 10 …に従事して 11 …に向かって
12 …に関して 17 …の状態で 19 …に
20 …と同時に
副 1上に 2 離れて 3 身につけて 4 通じて 5 向かって；続けて
形 1進行中である

──**前 I** [物理的に接触して]
1 [(上に)接触] (表面に接して)…**の上に[の]**, …に；…に乗って(↔ off) ‖ a book *on* the desk 机の上の本 / sit *on* a chair いすに座る / play *on* the street 通りで遊ぶ / go *on* a bicycle [horse] 自転車[馬]で行く / Ice floats *on* water. 氷は水に浮かぶ / punch him *on* the noise 彼の鼻にパンチをくらわす / She kissed him *on* the cheek. 彼女は彼のほおにキスをした.

2 [付着] …**に(くっついて)**《◆ 上面だけではなく, 下または側面との接触性を表す》‖ a picture *on* the wall 壁に掛かっている絵 / the apples *on* the tree 木になっているリンゴ / a bruise *on* one's arm 腕にある打撲傷 / put butter *on* both sides of the bread パンの両面にバターを塗る / The coat is *on* the peg. コートが洋服掛けに掛かっている.

3 [所持・着用] …**につけて**, …の身につけて(**⇒文法** 18.7(2)) ‖ put [have] a ring *on* one's finger 指輪をつけている[している]《◆one's finger を省略すると *on* は副詞. ⇒**用3**》/ Do you have a match *on* you? 〘略式〙マッチをお持ちですか / The dress looks good *on* you. そのドレスは君によく似合う.

4 a [場所的に] …**の近くに**, …に接して, …に面して, …に沿って；…の側に ‖ sit *on* my left 私の左隣に座る《◆to my left は「左方に」の意味》/ a village *on* the river 川沿いにある村《◆「川上(沙ホ)」や「川の上」でないことに注意》/ Slow down. We're coming (up) *on* the intersection soon. スピードを落としなさい, もうすぐ交差点です / There's a water supply *on* the island. その島には水の供給がある / Our office is *on* the main road. 私たちの会社は本道に面している.
b 〈時間・重量・価格などに〉近い, ほぼ ‖ It's just *on* five o'clock. ほぼ5時だ.

5 [支点] …**を支点[軸]にして** ‖ stand *on* tiptoe [one foot] つま先[片足]で立つ / fall *on* one's knees ひざまずく / lie *on* one's back [face] あおむけ[うつぶせ]になる / The earth turns *on* its axis. 地球は自転する.

II [比喩的に接触して]
6 [根拠・理由・条件・依存] …**に基づいて**, …の理由[条件]で；…をもらって, …を担保[保証]にして；〈言葉など〉にかけて ‖ *on* principle 主義として / *on* (one's) oath 誓って / *on* the grounds of youth 若いという理由で / act *on* her advice 彼女の忠告に従って行動する / retire *on* a pension 年金がついて退

職する / Most cars run on gasoline. たいていの車はガソリンで走る.
7 [交通手段・器具]…によって, …を使って, …で; …を常食として, …を飲んで ‖ go **on** foot 歩いて行く / on a bus [plane, train, ship] バス[飛行機, 電車, 船]で / a **定期コースを運行する乗物は** on》 / on a horse [bike, motorbike] 馬[自転車, バイク]で《またがって乗るものは on》 / speak **on** the telephone 電話で話す / watch a game **on** television テレビで試合を見る / play the tune **on** the violin バイオリンで曲を弾く / I cut my hand **on** a piece of glass. (誤って・不注意で)ガラスの破片で手を切った《◆with a piece of glass だと「故意に」が含意されることがある》.
8 [比較]…に比べて ‖ Sales are 5 % up **on** last month. 売上高は先月比して5パーセント増である.
9 [所属]〈委員会・職員などの〉一員で; …で働いて ‖ He is **on** the staff [team, committee]. 彼は職員[チーム, 委員]の一員だ(=He is a member of the staff …) / She is **on** the Asahi Newspaper. 彼女は朝日新聞で働いている.
10 [従事] **a** …に従事して(↔ off), 〈目的・用件で〉(使い分け→ in 前4 a)‖ **on** duty 勤務中で / go **on** an errand 使いに行く / They are **on** the job. 彼らは仕事中だ / He is away **on** business. 彼は出張中だ. **b** 〈薬などを飲んで, 常用して; 〈麻薬などに〉中毒して ‖ He's **on** heroin. 彼は麻薬中毒だ.
11 [運動の方向・動作の対象]…に向かって, …に対して, …に比べて, …の方へ; …を目がけて, …に迫って ‖ creep up **on** the fort とりでに忍び寄る / take pity **on** the poor 貧者をあわれむ / put a tax **on** tobacco タバコに税をかける / **spend** much money **on** books 本にたくさんのお金を使う / Fortune smiled **on** us. 運が向いてきた / The storm is **on** us. あらしが迫っている / My child is keen **on** video games. 私の子供はテレビゲームに熱中している / The robber drew his gun **on** the policeman. その強盗は警察官に銃を向けた / The army advanced **on** [to] the town. 軍隊は町に向かって進軍した《◆to が方向を表すのに対し, on では上にのしかかる気持ち・攻撃の意味が加わる》.
12 [関連]…に関して(concerning), …について(about) ‖ a book **on** [about] medicine 医学書《◆on は専門的な内容, about は一般的な内容を暗示する》/ debate **on** the topic of bullying at school 学校でのいじめについて討論する / I congratulate you **on** your success. ご成功おめでとう.
13 [不利益]《主略式》…が不利益な[困った]ことには, …に損害[迷惑]をかけて, …を捨てて, …に対して ‖ **hang up on** him (一方的に)ガチャンと彼の電話を切る / walk out **on** one's family 家族を見捨てる / He died **on** us.《主英略式》彼に死なれた[先立たれた] / The joke is **on** me. その冗談は私に当てつけたものだ / She shut the door **on** me. 彼女は私の鼻先でバタンとドアを閉めた / They have some evidence **on** [against] me. 彼らは私に不利な証拠を握っている / His wife caught a disease **on** him. 奥さんに病気になられて彼は困った.
14 [負担]《略式》…のおごりで, …持ちで ‖ Have a drink **on** me! おれのおごりで一杯やろう.
15 〈時間・重量・価格などに〉近い, ほぼ ‖ It's just **on** six o'clock. ちょうど6時ごろだ.
16 [累加]《文》[同じ名詞を繰り返して]…に加えて.
III [ある状態にある]

17 [状態]…の状態で, …して, …中 ‖ These bags are no longer **on** sale. このバッグはもう販売されていない / **on** (米) a) strike ストライキ中 / **on** the [one's] way to school 学校へ行く途中で / The house is **on** fire. 家が火事だ(=The house is in flames.) / She is **on** the run from the police. 彼女は警察から逃走中だ / They are **on** a tour of Europe. 彼らはヨーロッパを旅行中だ.
18 [**on** the +形容詞; 副詞的に]《◆ふつう非難や好ましくない意味を含む》‖ **on** the sly《略式》こっそりと / **on** the quiet《略式》ひそかに / I bought a watch **on** the cheap.《略式》安く時計を買った.
IV [時間的に接触して]
19 [時・日・機会]…に, …の時に ‖ **on** Christmas Eve クリスマスイブに / **on** various occasions いろいろな機会[時]に / (**on**) the following day その次の日《◆that, the following, the next, the previous を伴う場合, on は通例省略される. →文法21.6 (1)》/ **on** and after March 1 3月1日以降(→ after 前1) / **on** the evening of the fifth of May 5月5日の夕方に《◆特定の日の朝・午後・夜をいう場合に用いられる. 不特定・一般的な場合は in the evening など》/ It happened (**on**) Monday [August 20th]. それは月曜日[8月20日]に起こった《《略式》では曜日・日付の前で on が落ちることがある》/ The chimes ring every hour **on** the hour. チャイムは正時ごとに鳴る.
20《正式》[動名詞または動作を示す名詞を共に]…と同時に, …するとすぐ; …するとすぐ ‖ **on** request 請求があり次第 / a doctor **on** call 呼び出すとすぐ来てくれる医者 / **on** receipt of the money《正式》金を受け取るとすぐ / pay the bill **on** leaving 帰る時に勘定を払う / On her death, her house was sold. 彼女の死後すぐに彼女の家は売られた / **On** arriv**ing** at the door, he opened it soundlessly. ドアのところへ着くと, 彼は静かにあけた(=When he arrived …).

>[語法] on 句は文尾・文頭のいずれにも置ける: On standing up, she stretched her arms and yawned. =She stretched her arms and yawned, on standing up. 立ち上がると, 彼女は両腕を伸ばしてあくびをした. この例で分詞構文を使えば, 文頭のみ可: Standing up, she … / ˣShe stretched …, standing up.

―[副]
I [接触して]
1 [接触](…の)上に; 乗って(↔ off) ‖ get **on** 乗る / pùt the tablecloth **ón** テーブルクロスを掛ける / He jumped「**ón** to [(米) onto] the stage. 彼は舞台へ飛び上がった(=… jumped **on** the stage.)《◆jumped ¦ on the stage は,「舞台で飛び上がった」》.
2 [付着] 離れず, しっかり ‖ Hóld **ón**! しっかりつかまっているう / If you don't háng **ón**, you'll fall. しがみついてないと落ちるぞ.
3 [所持・着用] 身につけて(↔ off)《◆文法18.7(2)》‖ put one's shoes **on** 靴をはく / **with** one's coat **ón** コートを着て(=in [wearing] one's coat) / She had nothing **ón**. 彼女は何も着ていなかった.
4〈電気・ガス・水道・ラジオなどが〉通じて, 出て, ついて;〈機械・ブレーキなどが〉作動して(↔ off) ‖ turn the light [gas] **ón** 明かり[ガス]をつける / The radio is **ón**. ラジオがついている.
II [比喩的に接触して]

5 [前進方向・継続] **a** (場所的・時間的にある方向に)向かって, 先へ, 進んで, 前方へ; (ある動作を)続けて, ずっと, …を (手軽だけは) / *from* that day *on* その日から / The army marched *on* [along]. 軍隊は進軍した (→ along 副 **2**) / He is getting *on* near [towards] thirty. 彼は30歳に近づいている / He is well *on in years.* 彼はかなり年をとっている / They don't **gèt ón** [(略式)] *alóng*] well. 彼らの仲はうまくいっていない. **b** [強意語として] **Còme *ón* in!** (↘) さあお入り (◆ come in よりも強調的な表現).

on and óff =**off and on** → off 副.
ón and ón (略式) 引き続き, どんどん (→ 副 **5**).
on to → onto.
Ón with …! 〈服や仕事〉を (with 前 **16 b**) on の状態に〉(1) 〈服などを着ろ, かぶれ. (2) 〈仕事などを〉始めろ, どんどん続けてやれ.

─**形** 〈◆ 比較変化しない〉[補語として] **1** 〈事が〉**進行中である**, 始まっている; 〈映画・演劇などが〉[上演]中; 〈俳優が〉舞台に出ている ‖ *Whát's ón?* 何が起こっているのか; 何を上映[上演]しているのか (= What's on at the theater?) / The strike is still *on.* ストライキは続行中だ. **2** 〈事が〉予定 [計画]されている ‖ There is a party *on* tonight. 今晩パーティーが予定されている.
be *ón* at A (略式) 〈人に〉 […について/ …するよう〉不平 [小言] を言う, しつこく言う (*about* / *to* do).
be ón to A (略式) (1) 〈真相・計画などを〉知っている, 気づいている; 〈人の気持ちをよく知っている. (2) 〈人と〉連絡をとる, 接触する. (3) =be ON at.

─**名** [クリケット] [the ~] 打者の左前方 (↔ off).

on- /án-, (米+) 5n- | 5n-/ 〈重要素〉 → 語要素一覧 (1.7).

∗∗once /wáns/ 《**1** (one) + 副詞語尾 (ce)》

─**副 1** [強勢を置いて] **一度**, 1回 ‖ I knocked *ónce*, but nobody replied. 私は1度ノックしたが返事はなかった / I have visited London *ónce.* 一度ロンドンを訪れたことがある / You're ònly young *ónce.* You're young only once. 若い時は一度しかない (大いに楽しめ) / I have not seen him *ónce.* まだ彼に一度も会ったことがない (◆ once is not 強調: however, never once [など] を文頭に出すと倒置文となる (⊃文法 23.3②): Not [Never] once have I seen …) / 《対話》"Did you *once* go swimming in the new pool?" "Not *once*." (↘) "一度は新しいプールに泳ぎに行ったかい" "一度どころじゃないよ" (◆ (↘) では「一度もないよ」).

2 [無強勢で] **かつて**, (過去の) ある時期に (◆ 現在完了・命令文では用いない) ‖ I *once* lived in Tokyo. 前に東京に住んでいたことがある (◆ ***I** have *once* lived … は不可) / *once* beautiful nature かつての美しい自然.

3 [強勢を置いて] [if [when, as soon as]節に] いったん, 一度でも, かりにも (→ 接) ‖ If *ónce* you break the seal, you can't return the tape. いったん封を切るとそのテープは返品できません.

móre than ónce 一度だけでなく, 何回も.
nót [**néver**] *ónce* → **1**.

∗**once agáin** (1) /─ ═/ **もう一度** (◆ (1) 相手の言葉が聞き取れなかった場合など, 単に "Once again [more]." というとぶしつけに響くので, 婉曲し繰り返しの場合は別として, ふつうは I beg your pardon?, Would you say it again? などを用いる. (2) 〈主に米〉では one more time も用いる) ‖ He said that *once again.* 彼はもう一度そう言った. (2) /─ ─/

元通りに.
once and agáin =ONCE or twice.
∗**once (and) for áll** (1) (最後に) (二度と言わない) (in a final manner); これを最後にきっぱりと (止める) (definitely and finally) 〈◆ and のある方が強意的〉‖ He gave up his attempt *once and for all.* 彼はきっぱりとその企てをあきらめた.
∗**once in a while** [〈主に英〉 wáy] ときどき (occasionally, sometimes) 〈◆ 強めて every once in a while [way] ともいう〉‖ He calls me *once in a while.* 彼はときどき私に電話をしてくる.
ónce móre =ONCE again (1).
once or twíce 二, 三度 (a few times); 何回か.
∗**once upon a tíme** (1) 昔々, ある時 (◆ おとぎ話の初めの決まり文句) ‖ *Once upon a time*, there lived an old man. 昔々ひとりのおじいさんが住んでいました. (2) (今と対比して) かつては, 昔は.

─**接** [強勢を置いて] **いったん…すると**, 一度…すると, …するやいなや (◆ 副 **3** の省略形. (略式) ではこの方が好まれる) ‖ *Once* you begin [have begun], you must continue. いったん始めたら続けなければなりません / You'll like the place *once* you get settled. 住みついたらすぐその土地が好きになりますよ (⊃文法 4.1⑷) / *Once bít(ten), twice shý.* (ことわざ) 一度かまれると二度目からはこわがる.

─**名** [U] [時に the ~], 1回 ‖ Once would be enough. 一度で十分だろう.

∗**áll at ónce** (1) **突然** (suddenly); だしぬけに ‖ *All at once*, a big earthquake struck. 突然大地震が起こった. (2) みんな同時に, 一斉に.
∗**at ónce** (1) ただちに, すぐに 〈◆ right away [now] より堅い表現〉‖ Start *at once!* すぐに出発しなさい. (2) 同時に, 一斉に (at the same time) ‖ Don't do two things *at once.* 2つのことを同時にするな.
∗**at ónce … and …** [同様に (at once) …でもあり …でもある] …でもあり…でもある〈◆ both … and … より堅い表現〉‖ She is *at once* an educator *and* a mother of two children. 彼女は教育者であり, また2児の母でもある〈◆ She is an educator and a mother of two children at the same time. とした方が自然〉.

∗(**jùst**) **for** (**this**) **ónce** =**jùst the ónce** (1) この場合に限り (例外として), 今度だけは; いつもと違って ‖ Please forgive me *for once.* 今度だけは見のがしてください. (2) [for once] 一度だけでも, 一度でいいから ‖ I want to try it *for once.* 一度でいいからやってみたい.

once-o·ver /wánsòuvər/ **名** (略式) **1** [the ~] ざっと目を通すこと ‖ I gave the letter the [a] *once-over.* 私は手紙にちょっと目を通した. **2** [a ~] 手早く整頓 [掃除など] をすること ‖ He gave the room a *once-over.* 彼は部屋をざっと整頓した.

on·col·o·gy /αŋkάlədʒi | ɔŋkɔ́l-/ **名** [U] (特にガンに関連した) 腫瘍 (しゅよう) の研究.

on·com·ing /άnkÀmiŋ | 5n-/ **形** 〈車・季節などが〉近づいて来る, 迫り来る; きたるべき; 〈車線が〉対向の.
─**名** [U] 接近; 到来.

ón-dèck círcle /άndèk-| 5n-/ [野球] [the ~] 次打者席, ウエイティングサークル (図 → baseball).

:one /wán/ (代) ではまた (弱) wən/ (同音) won) [もと不定冠詞 an と同一語. cf. once, only, alone]

─**名** (複 ~s/-z/) 〈◆ 用例他は → two〉**1** [U][C] [通例無冠詞] (基数の) **1**〈◆ 序数は first. 統合・活力・神秘の中心などの象徴. 関連接頭辞 mono-, uni-〉.

2 ⓤⓒ [単数扱い; 代名詞的に] 1つ, 1個; 1人(→代⑤) ‖ *one* in every five men 5人につき1人(の割で) / *One* or two are coming to dinner. 1人ないし2人ディナーに来ます《◆動詞は or の後の名詞に呼応》/ 〔対話〕 "How many children do you have?" "I have *one*." 「お子さんは何人いらっしゃいますか」「1人です」. **3** ⓤ 1時, 1分; 1ドル[ポンド, ペンス, セントなど]. **4** ⓤ 1歳. **5** ⓒ 1の記号[数字, 活字]《1, i, I など》. **6** ⓒ (さいころの)1の目. **7** [O~] ⓤ [通例修飾語を伴って] 神, 絶対的存在 ‖ the Holy *One* =(the) *One* above 神 / the Evil *One* 悪魔. **8** ⓤ (略式) 一撃(blow); 酒の1杯. **9** [the ~] […についての]ジョーク, 冗談(joke) [*about*].

(**áll**) **in óne** (1) 1つ[1人]で(全部を)兼ねて ‖ She was nurse and mother (*all*) *in one* to me. 彼女は私にとって乳母でもあり母でもあった. (2) みんな一致して. (3) (略式)(たった)一度で.

(**a**) **óne** (略式) (1) [通例否定文で] たった1本(も)(a single one) ‖ I had lots of pens, and now I don't have (*a*) *one*. たくさんペンがあったのに今1本も持ち合わせていない. (2) 〈主に英〉[驚嘆をこめて]面白くて大胆な人 ‖ You're (*a*) [(an)] amusing] *one*. 面白い人だねえ. (3) […の]熱狂者, 熱愛者 [*for*] ‖ I'm much not of (*a*) *one for* art. 美術に凝っているわけでもない.

as óne (正式)(みんな)いっせいに(all together); 一体となって《◆ *as one man* ともいう》.

at óne (正式) […と]一致して; […と]一体となって [*with*] ‖ I'm *at one with* you on the matter. そのことでは君と同じ意見だ / feel *at one with* nature 自然と一体となっているような感じがする.

***for óne** (1) [しばしば挿入的に] (ほかのことはともかくとして)一例として, 1つには(for one thing). (2) [I の後で] 私としては ‖ I, *for one*, think you're right. 私としては君の言う通りだと思う《◆ *I for one* think ... のように前後のコンマを除くことも可能》.

in óne → (all) in ONE.

***óne and áll** (古・略式)〔大勢の人に話しかけるときに用いて〕(だれもかれも) みんな ‖ I'd like to thank you, *one and all*. みなさんどうもありがとう.

óne and ónly [one's/the ~] (だれよりも)愛する人, 本当にいとしい人 (→ 形③; only 形①).

***óne by óne** 1つ[1人]ずつ(の単位で) (cf. one after another)(→ 代 成句)‖ 'The suspects [ˣA suspect] were called into the room *one by one*. 容疑者たちは1人ずつ部屋の中へ呼ばれた.

── 形 **1** [通例名詞の前で] **a** 1つの, 1個の; 1人の(a, an) ‖ *one* child 1人の子供 / for *one* year 1年間 / *one* dollar and a half 1ドル50セント《◆ *one and a half dollars* よりふつう》/ *One* man [(PC) person] *one* vote. 1人1票.

[語法] one は不定冠詞の a, an より数を強調する. 次の場合に「1人であること」が強調されていなければ, a, an は用いられない: There is only *óne* [ˣa] student in the room. 部屋には生徒は1人しかいない / I met two girls and *óne* [ˣa] boy there. 私はそこで2人の女の子と1人の男の子に会った.

b [数詞などを修飾して] 1…《◆特に正確に述べようとするとき以外は a の方がふつう》‖ *one* half 2分の1 / *one* third 3分の1 / *one* hundred [thousand, million] 100[1000, 100万]. **c** [語調として] 1歳の.

2 [時を表す名詞の前に付いて副詞を作る] (未来または過去の) ある(some) (◯文法 21.6(1)) ‖ I saw him *one afternoon*. ある(日の)午後彼に会った / *one fine* Sunday ある晴れた日曜日《晴れていなくても》ある日曜日 / *one* spring evening ある春の夕方.

3 [the/one's ~] 唯一の, ただ1つ[1人]の(single) 《◆ *one* に強勢を置く. 強調形は *one* and *only*. cf. only 形①》‖ *The óne* thing I can do is (to) tell the truth. 私にできることは真実を話すことだけだ / That is my *one* and *ónly* hope. それが私の唯一の希望です (→成句).

4 [another, (the) other と呼応して] 一方の, 片方の ‖ from *one* side to *the other* 一方の側から他の側へ / choose *one* way or *the other* どちらかの道[方法]を選ぶ / To call oneself a revolutionary is *one thing*; to be one is *another*. 革命家を自称することと革命家であることは別である / *One man's loss is another man's gain.* (ことわざ)「甲の損は乙の得」.

5 (正式) […と]同じ, 同じ (the same) [*with*] ‖ *one and the same* person まったく同一の人物《◆ *one and the same* は *one* の強調形》/ We are *one* [*of one mind*] *with* you. 我々は君と同じ意見です (= We are *at one with* you.) / with [in] *one* voice 異口同音に, 口をそろえて.

6 (正式) […という人《◆…は人名》‖ I met *one* (Mr.) Brown yesterday. きのうブラウンさんという人に会った《◆今日では a Mr. Brown の方がふつう》.

7 〈米略式〉[形容詞 + 名詞の前で] 本当に…な, まれにみる《…な形容詞》 ‖ *one amazing* pitcher とてもすごい投手.

as óne mán = as ONE (→名 成句).

be áll óne [通例 it を主語にして] […には]まったく同じ, 変わりはない, どうでもよい (be all the same) [*to*] ‖〔対話〕"Would you like to go to the zoo or movies?" "Hum, it's *all one to* me." 「動物園と映画のどちらに行きたいですか」「そうだなあ, どちらでもいいよ」. (2) 〈人々が〉みな同じ意見である, 意見が一致している.

becóme [**be máde**] **óne** […と]一体となる [*with*]; 結婚する.

for one thing ... → thing.

óne and ónly (1) [one's/the ~] → 形③. (2) [the ~] 本当の, 正真正銘の.

óne and the sáme → 形⑤.

óne dáy (未来または過去の) ある日《◆ some day は未来に限られる》.

***óne or twó** 1または2の; (略式) 2, 3の(a few)《◆ふつう or を /ɔːr/ と強勢すれば「1または2の」, /ər/ では「2, 3の」の意》‖ *one or two* people 1, 2[2, 3]人, 数人.

one too many → many 形.

(**what with**) **óne thing and anóther** (略式) あれやこれやで, なんやかんやで.

── 代 /wʌ́n, (弱) wən/ (複 ~s/-z/) **1** [前出のⓒ名詞の主要部(headword)の代わりとして] (…な)もの ‖ I need a spoon. Will you please lend me *one* [ˣit]? スプーンが必要です. 1本貸してください《◆ *a one* としない》/ Are these your books? I'd like to borrow a good *one* on gardening. これらはあなたの本ですか. ガーデニングについていいのを1冊お借りしたいのですが《◆ 形容詞がつくと a(n) が必要. 複数形は some good *ones*「いいのを何冊か」/ His old car looks just as good as my new *one*. 彼の古い車は私の新車と同じぐらいよさそうに見える《◆ my の後に形容詞 new があるので *one* は必要.

形容詞がない場合は所有代名詞 mine が正しく, my one とはふつういわない / These are our best shirts. *Which one*(s) would you like to try on? これは当店でも最高級のシャツでございます。どれをお召しになってみますか《◆which だけでもよいが、特に単数・複数の区別が必要な場合には one(s) が必要》.

語法 (1) ◆前出の名詞が U の場合, one の使用は不可: He prefers Dutch cheese to Danish (cheese). 彼はデンマークよりオランダのチーズの方が好きだ. ×Danish one としない.
(2) 前出の名詞が a pair of shoes などの場合、one は不可: This pair of shoes is worn out, and I have to buy「a new pair [×a new one]. この靴はすり切れたので新しいのを1足買わねばならない.
(3) [one の省略] 2つの形容詞が比較・対照されて用いられる時, および these, those, the + 最上級, the + 比較級の直後には one, ones を用いないことが多い: They buy Japanese rather than foreign cars. 彼らは外車よりむしろ日本の車を買う / ... Japanese cars rather than foreign *ones*. よりも《正式》 / Do you like these flowers or those (*ones*)? こちらの花がお好きですか, それともそちらのですか《◆(1) ones のない方が堅い言い方. (2) those の後に形容詞があれば ones が必要になる: ... those red *ones*?》 / I bought the more expensive (*one*) of the two. 2つのうち高い方を買った.

2 Ⓤ [前出の句全体と同種のものを表して] (…な)1つ, 1人《◆ほぼ「a(n) + 名詞」の代用で, 非特定または総称的な人・物を指す》‖ Do you have any books on gardening? I'd like to borrow *one*. ガーデニングについての本をお持ちですか。1冊お借りしたいのです《◆one は a book on gardening の代用》/ Bill wants to marry a Japanese if he can find *one*. ビルはいい人が見つかれば日本人の女性と結婚したいと思っている《◆特定の日本人女性を頭に浮かべ, それが存在していることが前提条件となっている場合は she で受ける: Bill wants to marry a Japanese, but *she* doesn't want to marry him.》.

語法 先行代名詞が総称名詞でそれと総称的に呼応する場合は one は用いられない: "Will a pen do?" "Yes, it will do [×one will do]."「ペンでいいですか」「はい, 結構です」(→ it 代 **1a**).

3 a [the ～(s) + 修飾語] (…な)人, もの《◆(1) 前出の Ⓒ 名詞の代わりに用いる. (2) ふつう後に修飾語句を伴う. (3)「もの」を表すのは《略式》》‖ That book is easier than "the one [that] we have been reading. その本は私たちが今読んでいるのよりやさしい《◆the one は that にしても同じ》/ We aren't *the ones* to tell him. 私たちは彼に明かす立場にある者ではない.

語法 次の場合, ふつう that, those が用いられる: (1) of 句が続く場合. (2) 前出の名詞が Ⓤ の場合(→ that, those).

b Ⓤ [one + 修飾語] (…な)人《◆ を つけない. one =a person に相当》‖ He is not *one* to complain. 彼はいつも不平を言うような人ではない / He was *one* who never told lies. 彼は決してうそをつかない人であった.

4《正式》人, 人はだれでも, 我々《(1) ふつう主語に用いる. (2) 話し手も含む. (3)《略式》では一般に you, we, they, people などを用いる》‖ *One* should always be careful in talking about one's [(米) his] finances. 自分のふところ具合を語るときにはいつも注意を払うべきである《◆one を受ける代名詞は《英》では one, one's, oneself,《米正式》では he, his, himself [she, her, herself] も可. 近年《米》では one を he or she で受ける傾向が大きくなりつつある》.

語法 (1) one's, oneself は one が前に出ていなくても用いることができる: It is easy to lose *one's* way in Venice. ベネチアでは道に迷いやすい / It is not always easy to amuse *oneself* on holiday. 休日を楽しむのは必ずしも簡単なことではない.
(2)《略式》では one — you のような呼応もある: *One* can't be too careful, can *one* [《米略式》*you*]? いくら注意しても十分とはいえませんね.

5 [one of + the, my, those など + 複数名詞] …の1つ[1人] ‖ *One of the* girls was late in coming. 女の子の1人が遅れてやって来た《(1) one と呼応して単数動詞で受けるのが正しい. (2) ただし次例では関係代名詞節は複数名詞 girls を修飾しているので複数動詞 were が用いられている: She was *one of the* girls who *were* late in coming. (cf. only 形 **1** 最終例)》.

6 Ⓤ [any, some, no, every の後で] 人, もの《◆(1) one に強勢を置く. (2) no, every 以外は one の省略可》‖ No *óne* but her lover saw her. 彼女の恋人以外はだれも彼女を見なかった / *Every óne of* my English courses dealt with grammar. 私の英語の講座はどれも文法を扱った.

7 Ⓒ [形容詞の後で] (…な)人《特定の人を表す》‖ the little [young] *ones* 子供たち《◆場合によっては動物の子を指す》/ my sweet *one* 親愛なる人 / the absent *one* 家族の中で欠けている者.

8 Ⓤ [another, the other(s) と対照して] 一方(のもの), 1つ, 1人《◆ one ... the other 一方は…また一方は; (稀) 前者は…後者は(→ other 代 **1**)》/ The twin girls are so (much) alike that I can't *tell one from the other*. そのふたごの女の子は(とても)似ていて私には区別がつかない.

9 Ⓤ《主に英正式》私, 自分《謙譲または気取った感じを表す》‖ *One* didn't want to seem sick. 私は病気であるように見られたくなかった.

10 Ⓤ [辞書などで人称代名詞の代表形として] ‖ as ... as *one* can そうできるだけ《主語に応じて one が I, you, he などになることを示す》.

óne ... after another [代] ひとつまたひとつの… ‖ *One* float *after another* passed by in front of us. 1台また1台と山車(だし)が私たちの前を通り過ぎていった.

***óne àfter another** [副] 次々に, 1つ[1人]ずつ, 順番に, あいついで《◆3つ以上のものについて用いる》‖ *One after another* the stars in the west were covered by the cloud. 次から次へと西空の星は雲に覆われていった.

***óne àfter the óther** [副] (1) 交互に《ふつう2つのものについて用いる》‖ The sailor raised his flags *one after the other*. その水兵は(両手に持った)旗を交互に揚げた. (2) 順々に《3つ以上の特定数のものについて用いる》‖ He swallowed three cups of the water, *one after the other*. 彼はその水を3杯次々に飲んだ.

*óne anóther [代] お互い《◆(1) 動詞・前置詞の目的語または所有格 one another's として用いる. (2) each other と区別なく用いられるが, この方が堅い言い方 (→ EACH other)》‖ The three brothers hated「one another [each other]. 3人の兄弟はお互いに憎み合っていた.

the óne ... the óther ... 一方は..., また一方は...

one- /wʌ́n-/ [語要素] →語要素一覧 (1.1).

one-armed /wʌ́nɑ̀ːrmd/ [形] 片腕の; 片腕用の.

óne-ármed bàndit [略式] スロットマシーン (《米》slot machine)

one-leg·ged /wʌ́nlégid/ [形] 1本[片]足の; =one-sided.

one-man /wʌ́nmǽn/ [形] 1人だけの; 1人だけから成る; 1人だけで行なう (《PC》one-person) 《◆「独裁者的な」の意はない》‖ a *one-man* show (絵画などの)個展; (歌手などの)ワンマンショー (《PC》「a one-person [a solo, an individual] show).

óne-màn [óne-wòman] bánd (1) 1人楽団 《通りで何種類もの楽器を演奏する芸人》. (2) (他人の力を借りない)単独行動, 自力.

one·ness /wʌ́nnəs/ [名] Ⓤ 1 単一性, 統一性, 不変性. **2** (思想・目的などの)一致.

one-of-a-kind /wʌ́nəvəkáind/ [形] 《米》特別な, ユニークな.

one-on-one /wʌ́nɑnwʌ́n | wʌ́nɔn-/ [形] 1対1の.

one-piece /wʌ́npìːs/ [形] 〈服, 特に水着が〉ワンピースの.

on·er·ous /ɑ́nərəs | óun-/ [形] 《正式》〈任務などが〉わずらわしい, やっかいな, 面倒な.

*one·self /wʌnsélf/ [one の再帰代名詞]
── [代] 《正式》 **1** [強勢を置いて強調用法として ➡文法 15.3(5)] 自分自身, 自ら 《◆ one と同格に用いる》‖ *One* must do the work *oneself*. その仕事は自分がやらねばならない. **2** [再帰用法として ➡文法 15.3(5)] 自分自身を[に] (《米》himself) 《◆ 主語の one に呼応し, 他動詞の目的語または前置詞の目的語となる》‖ *One* must be honest to *oneself*. 自分自身に正直でなければならない / *One* tells *oneself* these things, doesn't one? これらのことを自分に言ってきかせるのですね.

語法 (1) 再帰代名詞の代表形として辞書の成句の欄などで用いられる. これは実際の文においては, 主語の人称・性・数に応じて適当な形に変える. 例えば, 辞書に say to oneself とあれば, 主語が I のときは, I said to myself., Jim のときは Jim said to himself. となる.
(2) 主語が単数扱いの語 (everyone, someone など)では, (《略式》)ではふつう複数形再帰代名詞 ourselves, themselves, yourselves が用いられるところで ourself, themself, yourself が用いられることがある: Everyone regards *themself* as the most important person in this field. この分野ではみんなが自分が最も重要な人物と思っている.

*besíde onesélf [...で]我を忘れて, 逆上して, 気が狂って[*with*] ‖ be *beside oneself with* joy [fear] うれしさで有頂天になっている[恐怖でパニックになっている].

be [féel] (líke) onesélf 〈人が〉体の調子がよい.

be onesélf (1) 〈人が〉精神的[肉体的]に正常である. (2) 〈人が〉自然にふるまう. (3) 〈人が〉まじめである.

be óut of onesélf 我を忘れる.

*bý onesélf (1) ひとりぼっちで(alone) ‖ The old man lives (all) *by himself*. その老人は(まったくの)ひとり暮らしです(= The old man lives (all) on *his own*.) 《◆(1) 強調のために all をつけることがある. (2) 常に主語を受ける: We left her alone [˟by herself]. 私たちは彼女をひとりぼっちにしておいた》. (2) 独力で, ひとりで (cf. for oneself) ‖ I did the whole of the work *by myself*. 私は仕事を全部自分でやった. **(3)** [主に by itself で] ひとりでに ‖ The clock stopped *by itself*. 時計は自然に止まった.

*for onesélf **(1)** 独力で 《◆「自分のためになるように」という意を含む》‖ Look into it *for yourself*. 自分でそれを調べなさい. **(2)** 自分(自身)のために ‖ She kept the apple *for herself*. 彼女は自分で食べるためにそのりんごをとっておいた.

*in onesélf それ自体で, 元来, 実際は 《◆ふつう事・物について用いられるので, itself, themselves の形で用いる》‖ The engine *in itself* is very good. エンジン自体は非常にいいのです.

léave A to himsélf [hersélf, etc.] 〈人〉を自分の好きにさせる, 自分の才覚にまかせる ‖ We had decided to *leave* our daughter *to herself* after she left school. 娘が卒業したあとは本人の好きにさせることに決めた.

*to onesélf **(1)** 自分だけが使うのに, 自分だけで ‖ He has a car *to himself*. 彼は自分専用の車を持っている(= He has *his own* car. / He has a car of *his own*.) (cf. he has his own car.). **(2)** 〈自分の〉心の中に[で] ‖ Keep the idea *to yourself*. その考えは胸にしまっておきなさい.

one-shot /wʌ́nʃɑ̀t | -ʃɔ̀t/ [形] 《米略式》1回限りの; 1発で効く.

one-sid·ed /wʌ́nsáidid/ [形] **1** 片側だけの[に発達した]. **2** 不公平な, 片寄った. **3** (勝負などが)一方的な. **4** 《法律》片務的な.

óne-síd·ed·ly [副] 不公平に, 一方的に.

óne-síd·ed·ness [名] Ⓤ 不公平, 一方的なこと.

one-step /wʌ́nstèp/ [名] 《ダンス》 ── [動] (過去・過分) **one-stepped/-t/; -step·ping**) (自) ワンステップ(を踊る)《20世紀前半に流行した輪舞》; その音楽.

one-time /wʌ́ntàim/ [形] **1** かつての, 以前の. **2** 1回限りの. ── [副] かつて.

one-to-one /wʌ́ntəwʌ́n/ [形] (対応・指導などが)1対1の; 2人だけの.

one-track /wʌ́ntrǽk/ [形] **1** 〈鉄道が〉単線の. **2** 《略式》1つのことしか考えられない, 心の狭い ‖ He has a *one-track* mind. 彼は単細胞人間だ.

one-two /wʌ́ntúː/ [名] =one-two punch.

óne-twó púnch 《ボクシング》ワンツー(パンチ)《左右2連打》.

*one-way /wʌ́nwéi/ [形] **1** 一方向(だけ)の, 一方通行の; 《米》〈切符が〉片道の. **2** 一方的な.

óne-wáy strèet 一方通行路.

óne-wáy tícket (もと米)片道切符(《英》single ticket) ‖ [...に]逃げ道を許さない確実な方法[to].

on·go·ing /ɑ́ngòuiŋ | ɔ́n-/ [形] 《正式》継続[進行]している; 前進[発達, 実施]中の. ── [名] Ⓤ 進行, 前進.

*on·ion /ʌ́njən/ [発音注意] [「大きな真珠(large pearl)」が原義]
── [名] (複 ~s/-z/) Ⓒ Ⓤ タマネギ; タマネギの鱗茎 (ᵆᵆ) (onion bulb) (cf. leek, shallot) ‖ too much *onion* in the salad サラダに入れすぎたタマネギ.

on-lim·its /ɑ́nlimits | ɔ́n-/ [形] 立入り自由の(↔ off-limits).

on-line /ánlàin | ɔn-/《コンピュータ》形副 オンライン(式)の[で], 回線接続の[で](↔ off-line) ‖ go *on-line* オンラインでつながる.
ón-líne séarching 自動検索.
ón-líne sýstem オンライン・システム, オンライン.
on·look·er /ánlùkər | ɔn-/ 名 (通りがかりの)見物人, 傍観者《◆スポーツなどの「観客」は spectator, 映画・演劇の「観客」は audience》‖ *The onlooker sees most of the game.*《ことわざ》ゲームを見ている人の方がよく見える;「岡目八目(おかめはちもく)」.

on·ly /óunli/ 【発音注意】[one + ly]
— 形《比較変化しない》[名詞の前で] **1** [the/one's ~]〔単数名詞に付けて〕唯一の, たった1つ[1人]の;〔複数名詞に付けて〕ただ…だけの (類語) single, sole, unique, solitary) ‖ an *only* son 1人息子《◆修飾語句があれば定冠詞をつける: the *only* son 「of his parents [that he has] 両親の[彼の]1人息子 / our *óne and ónly* reason for going there そこへ私たちが行くたった1つの理由《◆*only* の強調形. 名詞として用いて our one and only (略式)「我が愛する人, 真実の愛」ともいう》/ They were the *only* people to thank me. 私にお礼を言ってくれたのは彼らだけだった;彼らしか私に礼を言わなかった / He is the *only one* of the students who is good at German. 彼は生徒の中でドイツ語が得意な唯一の人です《◆ who の先行詞は the only one (cf. one 代5)》.
2《略式》[通例 the ~] 最適の, 最良の;無比の (best) ‖ the *only* writer for my taste 私の好みにぴったりの作家 / And now, ladies and gentlemen, *the óne and ónly* Michael Jordan!《名前を強調して》さてみなさん, マイケル・ジョーダン, 他に並ぶもののないその人を紹介しましょう.

— 副《比較変化しない》**1** ただ…だけ;(数量が)ほんの…にすぎず;単に, もっぱら ‖ *only* a child ほんの子供 (=nothing but a child) / *only* 5 dollars わずか5ドル (=no more than 5 dollars) / *Only* áfter an operation will he be able to walk again.《やや文》手術を受けてからでないと彼は再び歩けないだろう《◆ only に修飾される句や節を文頭に出すと倒置文になる. → **2**, ●文法 23.3)》/ We're *ónly* sáying this for your own sake. 君自身のためを思えばこそこう言っているのです. 〖対話〗 "Were many students late for school today?" "No, *only* a few (students were)."「今日生徒がたくさん遅刻しましたか」「いいえ, ほんのわずかです」.

〖語法〗(1) *only* は原則的には修飾する語・句・節の直前か, 時に直後に置く:「*Only* hé [Hé *ónly*] saw me yesterday. 彼だけが昨日私に会った / He saw *ónly* me yesterday. =He saw me *ónly* yesterday. 彼は昨日私にだけしか会っていない / He *ónly* sáw me yesterday. 彼は昨日私に会っただけだ / He saw me ónly *yésterday* [*yésterday ónly*]. 彼はつい昨日私に会った.
(2) しかし, *only* が何を修飾しているかは常識的(たとえば, I only have one chapter to finish. では one chapter)・文脈的に明らかな場合が多いので, 上の原則はしばしば破られる. 一般的傾向として動詞の直前 [be動詞, 助動詞ではその後] に置かれる傾向にあり, *only* に修飾される語は話し言葉では強く発音される: He *ónly* solved the próblem yesterday. 彼だけが昨日その問題を解いた / I can 「take *ónly* [《略式》 *ónly* take] twó of you in my

car. 私の車には君たちのうち2人しか乗せられない.
2〔時の副詞(句・節)を強調して〕 つい, たった…, ほんの…してようやく ‖ *only* recently 最近になってやっと / *Only* afterward did he explain why he did it. あとになって初めて, それをやった理由を彼は説明した (●文法 23.3(2)).
3 結局は;残念ながら…, あいにく… ‖ It will *ónly* màke family matters wórse. それはかえって家庭問題をさらに悪化させるだけだろう.
***have only to** do. → have 動.
***if (…) only** → if 接.
***not only A but (also) B =not only A but B as well** → not.
***ònly júst** (1) たった今…したばかり;かろうじて, やっと;ほとんど…ない ‖ I *only just* won the race. 私はかろうじてそのレースに勝った. (2) たった今…したばかり ‖ He has *only just* arrived. 彼はたった今着いたばかりだ.
***ónly to** dó (1) その結果は…に終わっただけだった《◆ (1) ふつう驚き・失望・悲しみなどを表す結果の副詞句. ●文法 11.3(1). (2) only は結果が期待外れであることを示す》 ‖ He worked hard to carry out his plan, *only to* fail. 彼は自分の計画を実行しようと懸命に努力したが, 結局失敗に終わっただけだった (=…, but he failed.). (2) ただ…するために《◆目的の副詞句. ●文法 11.3(1)》.
only too … → too.
— 接《略式》**1** …だがしかし, ただし ‖ He'd like to go, *only* he has another engagement. 彼は行きたいのだが, 別の約束がある (=Though he'd like to go, he has another engagement.).
2 …ということさえなければ《◆《英》 では only that 節も用いられるが, that を省略する方がふつう. 主節は仮定法, only 節は直説法を用いる》‖ He would do well in the test, *only* (*that*) he gets nervous. 彼はあがらなければ試験でよい成績をとるだろう.

on·o·mat·o·poe·ia /ànəmætəpíːə, -mɑːt- | ɔnəu-/ 名 Ⓤ 擬音, 擬声;Ⓒ 擬音[声]語, オノマトペ《◆ ticktack, cock-a-doodle-doo, buzz など》.
on·rush /ánrʌʃ | ɔn-/ 名 ⒸⓊ《正式》[通例 an/the ~] 突進.
†**on·set** /ánsèt | ɔn-/ 名《正式》[the ~] **1**(悪いことの)開始, 始まり;着手 ‖ the *onset* of the disease 病気の徴候. **2** 突撃, 攻撃.
†**on·shore** /ánʃɔːr | ɔn-/ 副 陸に向かって;陸上[沿岸]で. — 形 陸に向かう;陸上[沿岸]の.
on·side /ánsáid | ɔn-/ 名 副《サッカーなど》形 副 (反則でなく)正しい位置の[に](↔ offside).
†**on·slaught** /ánslɔːt | ɔn-/ 名 Ⓒ《正式》(…に対する)猛攻撃 [on, against].
on·stage /ánsteidʒ | ɔn-/《演劇》形 副 舞台上の[で] (↔ offstage).
on·stream /ánstriːm | ɔn-/ 形 副 操業[操業, 作動]中[開始直前]の[で].
Ont. (略) Ontario.
On·tar·i·o /ɑntéəriòu | ɔn-/ 名 **1** オンタリオ《カナダ南部の州. 州都 Toronto. (略) Ont.》. **2 Lake ~** オンタリオ湖《米国とカナダの間の五大湖中最小の湖》.
on-the-job /ánðədʒàb | ɔnðədʒɔb/ 形 実地の, 勤務中の.
on-the-spot /ánðəspàt | ɔnðəspɔt/ 形〈研究・報告などが〉現場の, 現地の.
†**on·to** /子音の前 ántə, 《米+》ɔn- | ɔn-;母音の前 -tu, -tə/ 前 **1**《米》…の上へ《◆《英》では ふつう on to とす

る）；…の方へ，…へ(toward) ‖ jump **onto** [on] the table テーブルの上に跳び上がる《◆**on** ではテーブルの「上で」跳び上がる意にもとれるが，**onto** ではこのあいまいさはない．→ **on** 《1》／ The horse jumped over the fence **onto** [on to, ×on] the road. 馬はフェンスを飛び越して道路に出た．語法 次例では「…の上に」の意にならない **onto** としない: She walked *on* to the next door. 彼女は歩いて隣の家に行った．**2**《略式》**a**《計略・悪い情報などに》感づいて，〈人〉のたくらみに気づいて ‖ I'm *onto* your trick. 君の計略は知っているよ．**b**〈よい仕事〉にありついて．

on·to·log·i·cal /ὰntəlάdʒikl | ɔ̀ntəl-/─形〔哲学〕存在論の．

on·tol·o·gy /ɑntάlədʒi | ɔntɔ́l-/─名〔哲学〕存在論．

†**on·ward** /άnwərd, 《米+》5:n- | 5n-/─副《主に米正式》前方へ，先へ，進んで《◆**on** よりも意味が強い》‖ move *onward* 前進する／ From now *onward* これから先，今後／ Lunch from 12:00 *onward*《予定表などで》12時から昼食．─形《正式》前方への；前進[進歩]する．

†**on·wards** /άnwərdz, 《米+》5:n- | 5n-/─副《主に英》= onward．

o·nus /óunəs/─名《正式》[the ~] 重荷；[…への]負担，責任，義務[on]．

on·yx /άniks, 5:n- | 5n-/─名 UC〔鉱物〕《通例 an/the ~》シマメノウ．

oo·dles /úːdlz/─名《略式》〔単数・複数扱い〕多量，多数，たくさん ‖ *oodles* of money たくさんのお金．

oo·long /úːlɔ(ː)ŋ/─名 U ウーロン茶《中国産》．

oops /wúps/─間《略式》（ああ）しまった！，おっと！，あらら！(whoops)《◆間違えたときなど驚きを表す》．

†**ooze** /úːz/─動《自》〈液・気体などが〉〈…から/…を通して〉にじみ出る，流れ出る[*from, out of / through*]；〈…に〉しみ込む[*into*] ‖ Blood was *oozing from* the wound. 傷口から血がにじみ出ていた．The wound was *oozing with* blood. 傷口から血がにじみ出ていた．**2**《正式》〈勇気などが〉だんだんなくなる(+*away*)；〈秘密などが〉漏れる(+*out*)．
─他《正式》〈…〉に[周囲]流れ[流れ]出させる．
─名 U **1**《正式》〔単数形で〕にじみ出ること，浸出（物），分泌（物）．**2**（なめし革用の）浸出液．**3**（水底の）軟泥(ぬかるみ)．

oo·zy /úːzi/─形(–·zi·er, –·zi·est) **1** にじみ出る，だらだら流れる；湿っぽい．**2** 泥（のような），泥を含んだ．

op¹ /άp | 5p/《*optical* の略》─名 U〔美術〕= **op art**．
óp árt オップアート《目の錯覚的効果をねらう抽象的な光学芸術．1963年頃から New York を中心に生まれた．**optical art** ともいう》．
óp ártist オップアート芸術家．

op²〔略〕operation．

OP, op., Op.〔略〕*opera*; *operation*; *operator*; *opposite*; *opus*．

OPAC /óupæk/〔略〕〔コンピュータ〕On-line Public Access Catalogue（図書館の）所蔵目録検索システム．

†**o·pal** /óupl/─名 UC〔鉱物〕オパール，蛋白(たんぱく)石．
o·pal·esce /òupəlés/─動《自》（オパールのように）乳白光を放つ．**ò·pal·és·cent** /-ésnt/─形 乳白色の．

o·pal·ine /óupəlàin, -lìːn/─名 U オパールガラス；オパールのような．─形 乳白色を発する．─形 乳白色の．

†**o·paque** /oupéik | əu-/─形《時に ~r, ~st》《正式》**1** 不透明な，〔光などを〕通さない[*to*] (↔ transparent)．**2** 光沢のない，〔…で〕くすんだ[*with*]；暗い．**3** わかりにくい．

OPEC /óupek/〔略〕Organization of Petroleum Exporting Countries オペック，石油輸出国機構 (cf. OAPEC)．

:**o·pen** /óupn,《時に》-pm/ 派生 **openly** (副)

index 形 **1** 開いた **2** 覆いのない **3** 広々とした **8 b** 公開の **11** 率直な；公然の
動《他》**1** 開ける **3** 切り開く **5** 始める；公開する
《自》**1** 開く **3** 広がる **4** 始まる

──形 (~·er, ~·est)《◆**1 b**, **2**, **4**, **7**, **8 a**, **9**, **12** では比較変化しない)

Ⅰ［物理的に開いている］

1 a〈窓・門などが〉**開いた**；開いている(↔ shut, closed) ‖ an *open* drawer 開いたひき出し／ *push* the door *open* = *push open* the door 戸を押して開ける《◆(1) 前者は押して開いた状態をいう．後者は打ち開く〈動作に重点がある．(2) この2語をとる動詞は他に break, burst, blow, cut, fling, kick, pull, swing, throw など》／ leave the window *open* 窓を開けたままにしておく／ keep one's eyes [ears] *open* 注意深く見守る[聞き耳を立てる]／ Was the gate *wide open* or just ajar? 門は大きく開いていたか，それともほんの少し開いていたか．**b**〈本・かさ・包みなどが〉広げられた；〈花が〉咲いた．

2［名詞の前で］**覆いのない，屋根のない**；むき出しの；〈傷などが〉口の開いた ‖ an *open* car オープンカー，無蓋(むがい)車／ an *open* manhole ふたのないマンホール／ an *open* boat 甲板のない小舟．

3 a［通例名詞の前で］（障害がなく）**広々とした**，さえぎる物のない；〔軍事〕広野で実施される；〈海が〉（氷などがなく）航行自由な ‖ *open* country [fields] (建物・林・壁などがなく)ずっと開けた土地[野原]／ an *open* battle 野戦．**b**〈川・海・港などが〉氷結しない；〈天候が〉温暖な，霜[雪，霧]のない ‖ the *open* water in arctic regions 北極地方の開氷域．

4〔軍事〕〈都市が〉無防備の，非武装の；国際法上の保護を受けた．**5**［通例名詞の前で］〈歯などが〉すき間のある；〈織物・生地などが〉目の粗い，穴のある；〈隊列などが〉散開した；〈人口（分布）が〉まばらな ‖ *open* soil 目の粗い土．**6**〔音声〕〈母音が〉開口音の(↔ close)；〈子音が〉開口的な，摩擦[連続]音の；〈音節が〉開音節の，母音で終わる．

Ⅱ［職や時間などが空いている］

7［通例補語として]〈職・地位などが〉〔…にとって〕空席のある[*for*]；〈選択などが〉〈人〉にとって可能な[*to*]；〈時間・人が〉暇な，予定のない ‖ a job (which is) still *open* まだ欠員のある仕事／ I'll have an hour *open for* you to call. あなたがいらっしゃるので1時間あけておきます．

Ⅲ［公に開いている］

8 a［通例補語として]〈店・銀行などが〉**開いている**，営業中の；〈マイクなどが〉作動中の，すぐ使える；〈展覧会などが〉開催中の ‖ The shop is not *open* today. その店は今日は休みだ．**b**〔法廷・計議などが〕公開の，制限のない；〔…に〕出入り[使用]自由の，〔…に〕入手できる，〔…に〕開かれた，可能な[*to*]；〈試合が〉プロ・アマの区別のない，オープンの；〈チャンピオンが〉オープン試合に勝った ‖ an *open* market 一般[公開]市場／ areas (which are) *open to* licensed hunters 免許を持つ狩猟家が出入り自由の地域／ Voting rights are not *open to* teens in Japan. 日本では選挙権は10代の人に与えられていない．

9〈問題などが〉未解決の，〈勘定が〉未決算の；《英》〈小切手が〉持参人払いの ‖ leave a matter *open*

open

問題を棚上げにする / keep one's account *open* at a bank 銀行勘定を開けて［清算しないで］おく.

10（略式）法的［道徳的］規制のない；解禁の；差別のない ∥ an *open* town（賭博（ば）・酒が法的に野放しにされた［大目に見られた］町 / *open* gambling 公認の賭博 / *open* inflation 無統制のインフレ.

IV ［精神的に開いている］

11〈人が〉［…に対して／…について〕**率直な**, 打ち解けた(candid)〔*with*/*about*〕；〈醜聞などが〉**公然の**, 周知の；〈反抗などが〉あからさまな；〈人が〉**偏見のない**, 寛大な ∥ an *open* mind 広い［偏見のない］心(cf. open-minded) / *open* disregard of traffic rules 公然たる交通規則の無視 / He is very［quite］*open*〔*with* her〔*in* his description]. 彼は彼女に対し非常に率直だ［腹蔵なく何でも話す].

12〔補語として〕〔…を〕受けやすい；〔提案・申し出などを〕すぐに受け入れる，〔学説などに〕服する，動かされる；〔道路などに〕面して〔*to*〕 ∥ *open* to doubt 疑惑を受けやすい．

──動 (~s/-z/;（過去・過分）~ed/-d/; ~·ing)

──他

I ［物理的に開ける]

1〈人が〉〈窓・ひき出し・口などを〉**開ける**, 開く,〈封筒・包みなどを〉開ける(+*up*),〔コンピュータ〕〈ファイルなどを〉開く; …のふた［覆い]をとる; [*open* **A B** =*open* **B** to [(米) for] **A**]〈人が〉**A**〈人〉のために**B**〈戸などを〉開けてやる ∥ *open* the bottle *for* him 彼にびんの栓を抜いてやる / *open* the door *to*[(米) *for*] a stranger 知らない人に戸を開けてやる / He was fast asleep with his mouth wide *open*. 彼は口を大きく開けてぐっすり眠っていた.

2〈手・新聞などを〉広げる(spread)(+*out*),〔野球〕〈イニングの突破口を〉開く ∥ *open* (*out*) a folding map 折りたたみ式の地図を広げる / *Open* your book *to* [(英) *at*] page 20. 本の20ページを開けなさい.

3〈人が〉〈道・前途などを〉**切り開く**(+*up*, *to*)；〈土地・領土などを〉開拓する(+*up*, *out*)；〈企業などを〉発達させる(+*out*) ∥ *open* (*out*) other possibilities 他の可能性を広げる / *open* up [*out*] a mine 鉱山を開発する．

4〈液体などの〉流れをよくする；〈腸の〉通じをよくする；〈傷・はれものなどを〉切開する(+*up*) ∥ The thaw has *opened* the brook. 雪解けで小川が流れるようになった.

II ［公に対して開く]

5〈人が〉〈会議・店・商売などを〉〔…で〕**始める**(start)(+*up*)〔*with*〕；…を〔…に〕**公開する**, 開放する(+*up*)〔*to*〕；〈物・事を〉〔…のために〕利用できるようにする〔*for*〕 ∥ In the early Meiji era, Japan *opened* *to* the world. 明治時代の初期にわが国は世界に向けて門戸を開いた / *open* a port *for* trade 貿易のために開港する / *open* (*up*) a bank account 銀行口座を開く / The store is *opened* at ten. 10時に店を開けます ◆(1) これは店の関係者の言い方．デパートのような大きな店では The store *opens* at ten. がふつう. →圓 **4**. (2)「音楽会を開く」は give [×*open*] a concert]．

6 …を〔…に〕暴露する；〔…に〕打ち明ける(+*up*, *out*)〔*to*〕 ∥ *open* *up* the fallacy 誤りを明らかにする / *open* (*up*) one's heart *to* him 彼に心の内をあかす.

III ［精神的に開く]

7〈心・世界などを〉〔…に対して]開く；…を啓発する；…に興味をもたせる(+*out*, *up*)〔*to*〕 ∥ *open* one-*self* *to* others 他人に心を開く / The story *opened* *up* a new world *to* her. その物語のおかげで彼女は新しい世界に目を開くこととなった.

──自 **1**〈戸・窓などが〉〔…で／…のために]**開く**〔*with*/*for*〕 ∥ The can *opened* quickly. その缶はすぐにあいた.

2 a〈本・新聞などが〉開ける(+*out*) ∥ At first, I *opened* to the local news page. 私はまず初めに新聞の地方版を開けた． **b**〈花が〉咲く(+*out*, *up*)；〈雲などが〉広がる；〈傷口・割れ目などが〉開く；〈旗などが〉翻（ひるがえ）る ∥ The seam [wound] *opened* *up* again. 縫い目がまたほころびた［傷口がまた裂けた].

3〈景色・展望などが〉**広がる**, 開けてくる；〈物・事が〉〔…に〕わかってくる；〈心が〉〔…に〕共鳴する(+*up*, *out*)〔*to*〕 ∥ minds that *opened* (*up*) *to* new ideas 新しい思想に共鳴する人々．

4〈学期・議会の会期などが〉**始まる**, 開演［開会]する；〈店などが〉**開く**；〈劇団などが〉活動を始める(+*up*)；〈番組などが〉〔…で]始まる；話し［書き]始める〔*with*〕 ∥ The play *opens* with [×*from*] a famous monologue. その芝居は有名な独白から始まる / The game *opened* *up* after half time. ハーフタイムの後，試合は活発になった / We[The store] won't *open* until ten. 店は10時まで開きません.

5〈戸・部屋などが〉〔…に／…から〕通じている, 面している〔*on*, *into*, *into*, *to*/*off*〕 ∥ My father's study *opens* *into* our living room. 私の父の書斎は居間に通じている.

ópen óut〔自〕(1) →圓 **2 a**, **3**. (2)〔…に〕打ち解ける〔*to*〕 ∥ *open* *out* *to* him 彼に心を開く．(3)〈理解・人格などが〉発達する．(4)〈人が〉〈事業を〉始める［に〕∥ *open* *out* in the glass trade ガラス店を開く. ──〔他〕→圓 **2**, **3**, **6**, **7**.

ópen úp〔自〕(1) →圓 **2 b**, **3**, **4**. (2)〈人が〉店を開ける．(3)（略式）〔主に命令文で〕戸を開けろ．(4)（略式）〔…に〕砲撃を開始する(*on*, *at*).(5)（略式）〔…と〕打ち解ける, 遠慮なく話し出す〔*to*〕；口を割る．(6)（略式）〈乗物が〉速度を速める．(7) 聴衆［カメラ]に顔を向ける．(8)〈役職などが〉あく,〈勤め口などが〉あく. ──〔他〕→圓 **1**, **3**, **4**, **5**, **6**, **7**.

──名 **1** [the ~] 戸外，野外；広場；空き地,（樹木のない）開けた場所；広々した野原, 大海原 ∥ play in *the open* 野外で遊ぶ． **2** [the ~] 公表；周知 ∥ act in *the open* 公然とふるまう / bring her secrets (out) into *the open* 彼女の秘密を公にする / come (out) in [into] *the open* 考えを公表する；〈情報などが〉明るみに出る． **3** [しばしば O~] （プロ・アマの区別がない）公開選手権大会 ∥ the golf *open* オープンのゴルフ試合．

ópen áccess（図書館の）開架.

ópen áir [the ~] 戸外，野外(cf. open-air) ∥ in *the open air* 戸外で.

ópen árchitecture〔コンピュータ〕オープンアーキテクチャ《コンピュータや周辺機器の仕様が公開されていること》．

ópen clássroom（米）（小学校の）自由授業．

ópen dáy（英）授業参観日《(米) open house》.

ópen dóor [the ~] 門戸開放（政策）；機会均等；入場無料, 公開《cf. open-door》．

ópen hóuse (1) 自宅開放（パーティー) ∥ keep *open house* いつでもよい来客をもてなす． (2) 見学日，無料公開日, 開放日；（米）（学校の）授業参観日《(英) open day》∥ We have *open house* (at school) today. 今日は授業参観日です．

ópen hóusing（米）（人種などによって差別をしない）住宅販売［賃貸］．

ópen ice オープンアイス《航行可能な水面》.

ópen létter 公開〔質問〕状.

ópen quéstion 未解決の問題；まだ議論の余地のある問題.

ópen sándwich (上にパンをかぶせない)オープンサンド(open-faced sandwich).

ópen séa [the ~] 外洋, 外海；公海(the high seas).

ópen séason [the ~]〔…の〕解禁期；《略式》表現〔行動〕自由の状況〔for〕.

ópen sécret 公然の秘密.

ópen sésame [時にO- S-]「開けゴマ」の呪文(じゅもん)《◆「アラビアンナイト」のアリババの話から》；難関を突破するかぎ.

ópen shóp オープンショップ《非組合員も雇用する事業所》(↔ closed shop).

ópen society 開かれた社会.

ópen sóurce 〔コンピュータ〕オープンソース《公開されたソースプログラム》.

Ópen Univérsity 《英》[the ~] 放送〔公開〕大学《◆テレビ・ラジオによる通信制大学.《略式》the Open. the University of the Air ともいう》.

ó·pen·ness /-nis/ 图Ⅱ 開放；率直；秘密のないこと；心の広さ.

o·pen-air /óupnέər/ 厖 戸外〔野外〕の；戸外〔野外〕生活の好きな(cf. open air) ‖ an *open-air* concert 野外音楽会.

ó·pen-còl·lar wórker /óupṇkɑ̀lər-|-kɔ̀l-/ (自宅で端末機を使って働く)在宅勤務者.

o·pen-door /óupṇdɔ́ːr/ 厖 門戸開放〔機会均等〕の(cf. open door).

open-end·ed /óupnéndid/ 厖 **1** 無制限の, 終わりの期日が定まっていない；〈店が〉閉店時間のない；両端の開いた ‖ an *open-ended* walkout 無期限スト. **2**〈契約などが〉変更可能な；幅広い解釈のできる. **3**〈質問が〉自由形式の.

open·er /óupnər/ 图© **1** 〔通例複合語で〕**a** 開く人；開始する人. **b** 開く道具, 缶切り, 栓抜き. **2** 開幕〔第1〕試合；〔ショーなどの〕最初の出し物.

o·pen-eyed /óupnáid/ 厖副 **1** 目を開いた〔て〕；目を丸くした〔て〕, 驚いた〔て〕. **2** 油断のない〔なく〕, 注意深い〔く〕. **3** 十分に承知した〔て〕, 平気の〔で〕.

o·pen-faced /óupnféist/ 厖 **1** 無邪気な顔つきの. **2** 顔〔表面〕がむき出しの；〈時計の文字盤がガラスだけでカバーした〉‖ an *open-faced* sandwich オープンサンド.

o·pen-hand·ed /óupnhǽndid/ 厖 気前のよい；手を広げた.

o·pen-heart·ed /óupnhɑ́ːrtid/ 厖 率直な, 隠しだてしない；親切な, 寛大な；気前のよい.

ópen·héart·ed·ly 副 率直に, 気前よく.

o·pen·hearth /óupnhɑ́ːrθ/ 图©平炉《の, で作った》.

†**open·ing** /óupniŋ/ 图 **1** Ⅱ 開くこと, 開放；開通 ‖ the *opening* of a flower [shop] 開花〔開店〕／Grand *opening* soon! 近日大開店. **2** Ⅱ© **a**（演説などの）開始；（事の）発端, 第一歩；（物語などの）初め, 導入部；（演劇の）初演 ‖ the *opening* of a meeting 開会／The *opening* of the film was its most interesting part. 映画の初めのところが一番白かった. **b** 〔法律〕冒頭陳述；〔株式〕寄り付き；〔チェス〕序盤, 布石. **3** © 広場, 空き地；入江, 湾；《米》(森林の)木のまばらな空地. **4** © 〔…の〕通じる〕穴, すき間；通路, 抜け穴；〔建築〕開口部, 窓, 明かり取り〔*in/into*〕‖ an *opening* in the wall 壁の穴. **5** © 《正式》〔地位・職などの〕空き, 就職口, 欠員〔*at, in, for*〕；〔…する〕〔…の〕機会〔*to do / for*〕‖ There is an *opening* in this company *for* a business manager. この会社に営業部長の空席がある.

─厖 開始の, 初めの ‖ an *opening* statement 冒頭陳述／an *opening* address 開会の辞《◆《略式》では the *opening* speech [remarks], a welcoming speech》／an *opening* ceremony 開会〔開通〕式.

ópening hóurs 開店〔開館〕時間.

ópening níght （劇・映画の）初演の夜.

ópening tíme 始業〔開館〕時刻；《英》(特にパブの)開店時刻(↔ closing time).

***open·ly** /óupnli/ 〖→ open〗
─副 **1** 率直に, 隠さずに(↔ secretly) ‖ The suspect *openly* confessed his crime. その容疑者は率直に罪を告白した. **2** 公然と, 公に ‖ The politician is shameless enough to take a bribe *openly*. その政治家は悪びれもせず公然とわいろを取る.

o·pen-mind·ed /óupnmáindid/ 厖 心の広い；偏見のない. **ópen-mínd·ed·ly** 副 偏見なく.

o·pen-mouthed /óupnmáuðd/ 厖副 **1** 口を開いた〔て〕；〈驚いて〉ぽかんとした〔て〕；〈びんなどの〉口が広い〔く〕. **2** (食物などに)飢えた〔て〕, がつがつした〔て〕. **3**〈猟犬が〉ほえ立てる〔て〕；騒々しい〔く〕.

o·pen·work /óupnwə̀ːrk/ 图© 透かし細工〔模様, 織り〕.

†**op·er·a**[1] /ɑ́pərə/ 图 **1** Ⅱ© (演劇・音楽部門としての)歌劇, オペラ；オペラの総譜〔歌詞, 公演〕‖ a comic *opera* 喜歌劇／an *opera* by Mozart モーツァルト(作曲)のオペラ／She is an *opera* singer. 彼女はオペラ歌手です／perform an *opera* オペラを上演する. **2** © オペラ劇場.

ópera gláss 〔通例 -es〕オペラグラス.

ópera hát オペラハット《折りたたみ式のシルクハット》.

ópera hóuse オペラ劇場.

o·pe·ra[2] /óupərə/ 图 〔音楽〕opus の複数形.

op·er·a·ble /ɑ́pərəbl/ 5p-/ 厖 実行〔使用〕可能な；手術可能な(↔ inoperable).

***op·er·ate** /ɑ́pərèit/ 5p-/ 〖仕事(opera)をする(ate)〗operation（名）, operator（名）
─動 〈~s/-èits/; (過去·過分) ~d/-id/; ~·at·ing〉
─⾃
Ⅰ〔働きかけて, 効果的に動かす〕
1 《正式》〈機械・器官などが〉(効果的に) 働く, 作動する(work, act) ‖ *operate* on electricity 電気で動く.

2 《正式》〈店・会社などが〉経営〔管理〕されている ‖ This business has *operated* in many countries. この商売は多くの国々で行なわれてきた.

Ⅱ〔ある対象に働きかける〕
3 《正式》〔…の〕処置〔処理, 仕事〕をする〔*on*〕；取引を行なう.

4 《正式》〈物・事が〉〔…に〕影響を与える, 作用する；〈法律・薬などが〉〔…に〕効力がある〔*on, upon*〕；〔…に〕有利に〔…に不利に〕働く〔*in favor of / against*〕；〈物・事が〉作用して〔…の〕になる〔*to do*〕‖ The decision *operates* 「to our advantage [*in our favor*]. その判決は我々に有利に働く.

5 [*operate on* **A** (*for* **B**)]〈医者が〉**A**〈患者・患部〉に〈**B**〈病気〉の〉手術をする ‖ The child was *operated on for* appendicitis. その子は盲腸炎の手術を受けた《◆《米略式》では on が省略されることもある》.

─他 **1** 《正式》〈人・動力が〉〈機械・エレベーターなど〉を

操作する, 運転する ‖ Can you *operate* a computer? あなたはコンピュータを使えますか.
2〔正式・もと米〕〈所有者(の代理)が〉〈工場・店などを〉経営する, 管理する(run)(cf. manage).

†**op・er・at・ic** /ὰpərǽtik | ɔ̀p-/ 形 歌劇(風)の; 芝居じみた. ━━名 [~s; 単数・複数扱い] 芝居じみたしぐさ.

op・er・at・ing /ɑ́pərèitiŋ | ɔ́p-/ 形 手術(用)の.

óperating sýstem〔コンピュータ〕オペレーティングシステム《コンピュータシステムの全体を管理する基本プログラム. 略 OS》.

***op・er・a・tion** /ὰpəréiʃən | ɔ̀p-/ [→ operate]

index 1 手術 2 軍事行動 3 作業 5 作用; 運転 6 施行; 影響

━━名 (複 ~s/-z/)

I〔ある対象に働きかけること〕
1 C〔病気に対する/患者・患部への〕**手術**(《英式》op)〔for/on〕‖ perform an *operation* 手術を行なう / I had an *operation* for stomach cancer [on my stomach]. = I underwent an *operation* ... 私は胃がん[胃]の手術を受けた.
2 C〔軍事〕〔通例 ~s〕**軍事行動**〔演習〕, 作戦(《英略式》ops); 作戦本部〔司令部〕; 〔空港の〕管制室; 〔通例 O~; 名詞の前で〕 ...作戦〔計画〕‖ peacekeeping *operations*(略)PKO(国連)平和維持活動.

II〔ある操作により働きかけること〕
3〔しばしば ~s〕**作業**, 仕事, 活動; 生産過程 ‖ many *operations* in automobile manufacture 車製造の多くの作業工程.
4 U|C 事業; 操業; 〈株式の〉操作, 思惑, 取引 ‖ The new branch will be in *operation* soon. 新しい支店がまもなく営業を始めるだろう / begin *operations* 操業を開始する.
5 U|C〔器官・心などの〕**作用**, 働き; 〔機械などの〕**運転**, 操作 ‖ automatic *operation* 自動運転 / a machine no longer in *operation* もはや動いていない機械 / The trains are not in *operation* between the hours of 1:00 and 5:00 AM. 列車は午前1時から5時までは運行していません.
6 C U 施行, 実施; 〔…への〕**影響**, 効果, 効能(effect)〔on, upon〕; C 有効期間〔範囲〕‖ the *operation* of alcohol on the body アルコールが体に及ぼす影響 / put [bring] rules *into operation* 規則を施行する.
7 U|C〔数学〕(加減乗除の)演算, 運算; 〔コンピュータ〕演算, オペレーション.

†**op・er・a・tive** /ɑ́pərətiv | ɔ́p-, 特に C で -èitiv/ 形 **1**〔正式〕〈工場などが〉動く(working). **2**〔技術・職人などが〉仕事〔作業〕(中)の, 生産に関する. **3**〔欲望などが〉作用する, 影響を及ぼす. **4**〔法律・薬などが〉効力のある(in force); 〔…において〕実施された〔in〕; 最も適切な. **5** 手術の. ━━名 C **1**〔正式〕〔しばしば遠回しに〕工員, 職工; 熟練工《◆ operator より熟練した労働者》. **2** 《米》刑事, 探偵; スパイ, (秘密)工作員.

†**op・er・a・tor** /ɑ́pərèitər | ɔ́p-/〔発音注意〕名 C **1**(機械などの)技手, 操作者; 《米》(バスの)運転手《◆(bus) driver の上品語》‖ a computer *operator* コンピュータ技師. **2**(電話の)交換手《◆呼びかけも可》; 無線通信士 ‖ Could you get an *operator* for me, please? 交換手を呼んでいただけないでしょうか. **3**〔もと米〕経営〔管理〕者. **4**〔株式〕相場師, 仲買人. **5** 手術者. **6**〔数学・コンピュータ〕演算子《四則

計算に用いる記号》.
op・er・et・ta /ὰpərétə | ɔ̀p-/ 名 C オペレッタ, 喜歌劇.
O・phe・lia /oufíːljə | ə-, ɔ-/ 名 オフィーリア《Shakespeare 作 *Hamlet* 中の Hamlet の恋人》.
oph・thal・mol・o・gy /ὰfθælmάlədʒi | ɔ̀fθælmɔ́l-/ 名〔医学〕眼科学. **òph・thal・mól・o・gist** 名 C 眼科医.

***o・pin・ion** /əpínjən/ 〔「考える」が原義〕
━━名 (複 ~s/-z/) **1** C|U **a**〔しばしば one's ~〕〔…に関する〕**意見**, 見解, 考え; 〔通例 ~s〕所信, 持論, 自説, 理念〔on, about, of〕‖ in my *opinion* 私の考え[意見]では《◆ 控え目に自分の意見を述べる時の前置きと》/ I am of the *opinion* (that) ... = It is my *opinion* that ... 私は…という意見である / I am not altogether of your *opinion* on this matter. この件に関してあなたの意見に賛成というわけではない. **b**〔修飾語を伴わないで〕(人々の)考え方, 態度; 世評, 世論 ‖ *Opinion* is changing in my favor. 世論は私に有利な方に向いてきている.
2〔通例 have a + 形容詞 + ~〕〔人・物・事に関する〕**評価**, (善悪の)判断, (世間の)評判〔of, about〕‖ have [get, form] a good [high, favorable] *opinion* of ... …をよく思う / have a bad [poor, low] *opinion* of ... …を悪く思う / have no *opinion* of ... …をまったくよく思わない / What *opinion* do you have of his new book? = What's your *opinion* of his new book? 彼の新しい本をどう思いますか.
3 C〔通例複合語で〕(医者・弁護士などの)専門的意見, 鑑定 ‖ a medical *opinion* 医者の意見.
opínion màkers 世論形成[指導]者.
opínion pòll 世論調査.

o・pin・ion・at・ed /əpínjənèitid/ 形〔正式〕自説を曲げない, 頑固な; 独断的な.
o・pin・ion・a・tive /əpínjənèitiv/ 形〔正式〕**1** 意見の, 意見から成る, 信念の, 信念に基づく. **2** =opinionated.

†**o・pi・um** /óupiəm/ 名 U アヘン; 麻痺(ひ)させるもの.
ópium dèn アヘン吸飲所, アヘン窟(くつ).
ópium pòppy〔植〕《アヘンを採る》ケシ.
o・pos・sum /əpάsəm | əpɔ́səm/ 名 C〔動〕オポッサム《アメリカ大陸産の有袋類》.
opp., Opp. opposite.

†**op・po・nent** /əpóunənt/ [→ oppose]
━━名 (複 ~s/-nənts/) C〔試合・競技・討論・争いなどの〕**相手**, 敵対者, 敵〔at, in〕; 反対者(↔ proponent) ‖ a political *opponent* 政敵 / an *opponent* of [to] capital punishment 死刑反対論者 / beat [defeat] one's *opponent* in the game 試合で敵を破る. 類語 antagonist と adversary はともに〔正式〕で, より強い敵意を含意する.

†**op・por・tune** /ὰpərtjúːn | ɔ̀p-, ﹀-́-/ 形〔正式〕**1**〔…に〕適切な, 適当な;〔…に〕好都合の〔for〕. **2** タイムリーな, 好時期の.
op・por・tun・ism /ὰpərtjúːnizm | ɔ̀p-/ 名 U〔正式〕日和(ひより)見主義, ご都合主義.
òp・por・tún・ist 名 C 日和見主義者.

***op・por・tu・ni・ty** /ὰpərtjúːnəti | ɔ̀p-/〔アクセント注意〕〔「(港に向かう)順風」が原義. cf. *opportune*〕
━━名 (複 -ties/-z/) U|C **1**〔…(のための)/…する〕**機会**, 好機, チャンス〔for / to do, of doing〕 類語 chance, occasion)〔使い分け〕→ occasion (表 3) ‖ Don't miss this *opportunity*. この機会をのがすな / *Opportunity* knocks (at the door) only once. 好機は二度とこない / take the *opportuni-*

ty of doing [to do] 好機を捕えて…する《◆受身形は The opportunity is taken of … が可. ➡文法 7.11》/ have no [little, not much] opportunity to visit one's uncle おじさんを訪問する機会がまったく[あまり]ない / 'I don't have much opportunity [There are not many opportunities for me] to go shopping these days. 近頃買物に行く機会があまりない / For many athletes, the Olympics is a once-in-a-lifetime opportunity. 多くのアスリートにとってオリンピックは一生に一度の好機だ.
2 出世[昇進, 向上, 目標達成]の機会[見込み] ‖ a job with many opportunities 出世の見込みが大いにある仕事.

op·pos·a·ble /əpóuzəbl/ 形 敵対[反対]できる.
opposable thumbs 他の指と向かい合わせにできる親指《◆ヒト・サルの特徴》.

***op·pose** /əpóuz/《反対に(op)置く(pose)》派
opposite (形·名·前), opposition (名)
── 動 (~s/-iz/ 過去·過分) ~d/-d/; --pos·ing)
── 他 **1**〈人が〉〈提案·計画などに〉**反対する**(→ object), 対抗する; …を妨害する; [oppose doing] …することに反対する ‖ oppose changing [×to change] the tax rate 税率の改定に反対する / oppose the enemy force 敵の勢力に抵抗する. **2** (正式) …を[…に]対取[対抗]させる; …を[…と]対比させる[to, against]; 〈親指〉を[他の指と]向かい合わせにする[to] ‖ oppose reason to [against] prejudice =oppose prejudice with reason 理性を偏見に対比させる《◆理性が偏見を克服する含意》/ oppose oneself to …に反対する.
── 自 反対[対立]する ‖ opposing teams 対抗するチーム.
as opposed to A …とは対照的に, …に対立するものとして(の).
be opposed to A 〈人が〉…に反対している ‖ He is opposed to (carrying out) the new plan. 彼はその新しい計画の(実行)に反対している.

***op·po·site** /ápəzit, -sit | 5p-/ [アクセント注意]《逆らって(op)置く(posite). cf. oppose》
── 形 《比較変化しない》[通例名詞の前で] [the ~ + 単数名詞, 無冠詞 + 複数名詞で] 〈位置·方向·性質·傾向·意義などが〉[…と]**正反対の**, 逆の[to, from]《◆contrary は〈相手の意見に対して〉そうでないと否定する」の意》‖ the opposite sex 異性 / the opposite effect 逆効果 / the opposite kind of thing to this one これとは反対の種類のもの / go in the opposite direction 反対方向へ行く / Their views were completely opposite. 彼らの見解はまったく逆だった.
2 [〈…と〉反対側の[to]; [名詞の後で] 向かい側の ‖ the house opposite to [from] mine 私の家の真向かいの家 / I live **on** the opposite side of the street. 私は通りの向かい側に住んでいる / Mary lives in the house opposite. メリーは向かいの家に住んでいる.

> 📝 語法
> opposite **A** to **B** **B** と正反対の **A**
> opposition to **A** **A** に対する反対[抵抗]
> be opposed to **A** 〈人が〉**A** に反対している

── 名 (複 ~s/-zits, -sits/) © [通例 the ~] 正反対の人[物, 事]; 反意語 ‖ Love is the opposite of hatred. =Love and hatred are opposites.

愛は憎(ﾆﾋ)しみの反対だ.
── 前 …の向かいに, …に向かいあって(across from) ‖ The bank is opposite the station. 銀行は駅の向かいにある / I sat down opposite (to) Tom. 私はトムの向かいに座った.
── 副 向かいに, 反対の位置に ‖ There was an explosion opposite. (通りの)向こうで爆発があった.

***op·po·si·tion** /ápəzíʃən | 5p-/ [→ oppose]
── 名 (複) ~s/-z/) **1** Ｕ Ｃ [〈…に対する〉**反対**, 対立, 抵抗(resistance), 妨害; 反感, 敵意[to] ‖ the people's strong opposition to the war 国民の戦争に対する強い反対 / meet with strong [a lot of] opposition 強い[多くの]抵抗に会う / condemn the opposition of force with force 力に対して力で対抗することを非難する. **2** [集合名詞; 単数形·複数形扱い] 反対者, ライバル; 対戦相手[チーム]; [しばしば (the) O~] (英) 野党, 反対党 ‖ His [Her] Majesty's Opposition (英) 野党 / the opposition party 野党. **3** Ｕ (正式) [〈…に〉向かい合うこと; 位置, 状態]; 対比, 対照[to] ‖ shops **in** opposition to each other 互いに向かい合う店.

***op·press** /əprés/ 動 他 **1** (正式) 〈人·物·事が〉〈人·事を〉(不当に, 残酷に)**圧迫する**, 服従させる(rule cruelly) ‖ oppress one's people [subjects] 国民をしいたげる. **2** (文) [通例 be ~ed] 〈人·精神などが〉[…で]重圧を感じる; 悩む[by, with] ‖ I feel oppressed by [with] anxiety 心配で憂うつである.

***op·pres·sion** /əpréʃən/ 名 **1** Ｕ Ｃ 圧迫(する[される]こと), 圧制; 虐待; 苦痛, 辛苦 ‖ a feeling of oppression 圧迫感. **2** Ｕ 憂うつ; 圧迫感, 重荷.

***op·pres·sive** /əprésiv/ 形 **1** 〈人が〉非道な, 圧制的な; 〈法律·処置などが〉過酷な[of] ‖ oppressive taxes 重税. **2** 〈天候·雰囲気などが〉重苦しい, 耐えがたい, むしむしする. **op·prés·sive·ly** 副 非道に, 過酷に; 重苦しく.

***op·pres·sor** /əprésər/ 名 Ｃ (正式) 圧制[迫害]を加える人; 暴君(tyrant).

op·pro·bri·ous /əpróubriəs/ 形 (正式) 侮辱的な, 口汚い.

op·pro·bri·um /əpróubriəm/ 名 Ｕ (正式) **1** 不名誉[恥辱](のもととなるもの). **2** 悪口, 非難.

opt /ápt | 5pt/ 動 自 […のどちらかを]**選ぶ**[決める][between]; […を/…する方を]選ぶ[for, in favor of / to do]《◆新聞の見出し語として好まれる》.

ópt óut 自 (略) 〈団体·活動などから〉身を引く, 脱退する[of].

***op·tic** /áptik | 5p-/ 形 (正式) **1** [解剖] 目の, 視力[視覚]の. **2** 光学(上)の. ── 名 (略) [通例 ~s] 目. **óptic nérve** 視神経(図) → eye).

op·ti·cal /áptikl | 5p-/ 形 (正式) **1** [解剖] 視力[視覚]の. **2** 光学(上)の.
óptical árt =op art.
óptical cháracter recognítion [réader] [コンピュータ] 光学式文字認識[読み取り装置](略)OCR.
óptical dísk 光ディスク.
óptical fíber 光ファイバー.
óptical illúsion (目の)錯覚.
óptical márk réader 光学式マーク読み取り装置.
óptical scánner [コンピュータ] 光学式スキャナ[走査器].
óp·ti·cal·ly 副 光学的に.
op·ti·cian /aptíʃən | 5p-/ 名 Ｃ **1** 眼鏡商; 眼鏡技師《視力を測って眼鏡を調製する》. **2** 光学器機商.
op·tics /áptiks | 5p-/ 名 Ｕ [単数·複数扱い] 光学.
op·ti·ma /áptəmə | 5p-/ 名 optimum の複数形.

Óp·ti·ma (Càrd) /áptəmə/ 5p- 名《商標》オプティマ(カード)《クレジットカードの1つ》

op·ti·mal /áptəml/ 5p- 形 =optimum.

op·ti·mism /áptəmìzm/ 5p- 名 U 1 楽天[楽観]主義(↔ pessimism). 2 楽観；最善観.

op·ti·mist /áptəmist/ 5p- 名 C 楽天家；楽観者(↔ pessimism).

†**op·ti·mis·tic** /àptəmístik/ 5p- 形 楽天主義の(↔ pessimistic)；〔…について〕〔…して〕楽天的な〔about, of / that 節〕‖ an optimistic person [attitude] 楽観的な人[態度] / I'm optimistic that he will pass. 彼は合格すると私は楽観している / It is optimistic of him to expect his son's success. 息子の成功を期待するなんて彼も楽天的だ.

òp·ti·mís·ti·cal·ly 副 楽観的に，楽天的に.

op·ti·mum /áptəməm/ 5p- 名《正式》(~·ma /-mə/, ~s) C 最適の度合い[量]；〔生物〕(成長の)最適条件. ── 形 最適の；最善の，最高の(optimal).

*__op·tion__ /ápʃən/ 5p-
── 名 1 U C 〔…する〕選択〔of doing, to do〕《◆choice よりも堅い語》；選択の自由，選択権 ‖ have no option but to go 行くよりほかに手はない，行かなければならない / have the option of taking Spanish, French, or German スペイン語，フランス語，ドイツ語のいずれかを取る選択ができる. 2 C 選択できる[される]もの，選択肢，(車・パソコンなどの)オプション，注文付属品；〔英〕選択科目((米) elective). 3 C 〔商業〕〔…の〕選択売買権，オプション〔on〕.

op·tion·al /ápʃənl/ 5p- 形 随意(選択)の(↔ obligatory, compulsory)；〔主に英〕〈学科〉選択の((米) elective)；〔文法〕任意の. **óp·tion·al·ly** 副 任意に.

op·tom·e·trist /aptámətrist | ɔptɔ́m-/ 5p- 名 C〔米豪〕検眼士((英) ophthalmic optician).

op·u·lent /ápjulənt/ 5p- 形《正式》1 富裕な，富んだ. 2 ぜいたくな，豪勢な. 3 豊富な，たくさんの.

†**o·pus** /óupəs/ 名 (o·pe·ra /óupərə/, ~·es) C 〔通例単数形で〕1 〔しばしば O~〕音楽作品(略 op., OP.)‖ Beethoven's Opus 106 ベートーベンの作品106番. 2 〔しばしばおおげさに〕(一般に)芸術作品.

‡**or** /(強) ɔ́:r; (弱) ər | ɔ́:, (時に) ə/ 同音 △oar, △ore, △awe 《other の短縮形》

<u>index</u> **1** A または B **2** …でも…でも(ない) **3** すなわち **4** そうでなければ

── 接 **1**〔選択〕〔A or B〕A または B，A あるいは B，A か B《◆(1) A, B は文法的に対等の語・句・節. (2) 音調はふつう ↗ が上昇調，B が下降調》(cf. either … or)‖ Is he coming or not? 彼は来るのですか，それとも来ないのですか / Which do you like better, tea(↗) or coffee(↘)? 紅茶とコーヒーとではどちらが好きですか / You may have「tea or coffee or cocoa [tea, coffee(,) or cocoa]. 紅茶かコーヒーかココアを飲みなさい /「He or I [=Either he or I] am wrong. 彼と私のどちらかが間違っている《◆(1)「A or B」が主語のときは数・人称は B に一致. (2) He is wrong or I am. がふつう》.

2〔否定語の後で〕…でも…でも(ない)(cf. neither … nor …)‖ She doesn't have warmth or good faith. 彼女には温かみも誠実さもない(=She has neither warmth nor good faith.).

3〔換言〕〔or rather ～ rather〕**すなわち**，言い換えれば；〔前言を訂正・補足して〕いや，正しくは‖ one meter, or one hundred centimeters 1メートル，すなわち100センチメートル / He is enjoying himself, or at least he appears to be enjoying himself. 彼は楽しんでいる．いや少なくとも楽しんでいるように見える.

4〔肯定命令文などの後で〕**そうでなければ**(if not)；〔否定命令文の後で〕そうであれば(if so)《◆ or の後に else を用いて意味を強めることがある. cf. and 8》‖ Put your coat on, or (else) you'll catch cold. 上着を着なさい，そうしないとかぜをひくよ(=「Unless you [If you don't] put your coat on, you'll …) / They liked this house or they wouldn't have stayed so long. 彼らはこの家が好きだった，そうでなければこんなに長く滞在しなかっただろう.

5〔A or B の形で譲歩を表して〕A でも B でも《◆A, B は対等の名詞・形容詞・動詞・句など. ◆ with or without A も用いられる》‖ Rain or shine, I'll go. 降っても晴れても行きます.

or élse〔1〕→ 4 〔2〕《略式》〔警告・威嚇などして〕そうしないとひどい目にあうぞ.

or ráther 〔前言を訂正して〕もっと正確に言えば；と言うよりはむしろ(→ 3).

*__A or so__ 《略式》A かそこら，およそ A《◆(1) A は数詞，数量を表す名詞. (2) or の発音はふつう /ər/》‖ The water will come to a boil in 5 minutes or so. その水は5分かそこらで沸騰します.

*__A or sómebody [sómething, sòmewhere]__ 《略式》A かだれか[何か，どこか]《◆(1) A は名詞・形容詞・副詞・句など. (2) or の発音はふつう /ər/》‖ Recently he moved to Osaka or somewhere. 最近彼は大阪かどこかへ引っ越した.

A or twó〔単数名詞の後で〕およそ A ‖ a year or two 1年かそこら.

OR(略)〔郵便〕Oregon.

-or /-ər/〔語要素〕→語要素一覧(2.1, 2.2).

†**or·a·cle** /ɔ́:rəkl/ 名 C 1 (古代ギリシア・ローマで)神託，託宣(%)，神託所. 2〔聖書〕神命；(エルサレム神殿内の)至聖所. 3 (古代ギリシアで)神託僧，神官，巫女(%). 4《略式》哲人，賢人. **work the óracle** 〔(ひそかに僧などに働きかけて)自分の望む神託を得ることから〕《略式》(裏工作に)成功する；金を調達する.

o·rac·u·lar /ɔ:rǽkjulər/ 形《正式》1 神託[託宣]の(ような). 2〈忠告などが〉なぞめいた，あいまいな，わかりにくい. 3 賢明な，予言者的な.

*__o·ral__ /ɔ́:rəl/〔ɔ́:r/ aural〕《口(or)の(al)》
── 形 1《正式》口頭の，口述の(spoken)(↔ written)(cf. aural)‖ I passed the oral examination in English. 私は英語の口頭[口述]試験にパスしました. 2《正式》〔解剖〕〔名詞の前で〕口の，口部の，口腔(ヨミ)の ‖ oral hygiene 口腔衛生. 3〔通例名詞の前で〕〈薬が〉経口の；口を使う ‖ an oral vaccine 経口ワクチン.
── 名 C 《略式》〔しばしば ~s〕口頭[口述]試験.

óral communicátion〔教育〕オーラルコミュニケーション.

óral hístory 口述歴史(史料)《歴史上の出来事に直接参加した人に面接してテープ録音したもの》.

óral tradítion (世代間や親から子への)口承，語り伝え.

o·ral·ly /ɔ́:rəli/ 副 口頭で，口述に関して.

‡**or·ange** /ɔ́:rindʒ, -əndʒ, 〔米+〕ɑ́r-/
【発音注意】
── 名 (複 ~s/-iz/) 1 C オレンジ(sweet orange)；オレンジの木(orange tree)‖ a bitter [sour,

Seville] orange ダイダイ / a horned orange ブシュカン / a mandarin [tangerine] orange ミカン / [タンジェリン]オレンジ / a navel orange ネーブル / squeeze an orange オレンジを絞る；[比喩的に] 利益などを絞り取る，甘い汁を汲う《◆a squeezed orange は「役に立たない人[物]」》/ *The orange that is too hard squeezed yields a bitter juice.* (ことわざ) オレンジをあまり強く絞ると苦いジュースができる；「過ぎたるはなお及ばざるがごとし」.
2 a ⓤ オレンジ色, 赤茶色《◆チョコレート色に近い色も含む》‖ a reddish orange 赤みがかったオレンジ色. **b** ⓤ オレンジ染料, オレンジ色の服.
3 ⓒ ⓤ =orange tree.
4 [形容詞的に] オレンジ色の；オレンジの.
órange blòssom オレンジの花《(1) 結婚式で花嫁はオレンジの白い花を髪にさしたり, 花束として持つ. 最近では lilac, rose も使う. (2) 米国 Florida 州の州花》.
órange jùice 《英》**squash**) オレンジジュース(1杯).
órange pèel オレンジの皮（橙皮）；皮油・ジャム・マーマレードの原料.
or·ange·ade /ɔ̀ːrɪndʒéid/ 名 ⓤ オレンジエイド《オレンジ果汁に砂糖・水を加えた飲料》.
Or·ange·man /ɔ́ːrɪndʒmən/ 名 (~·men) ⓒ **1** オレンジ党員《1795年アイルランド北部に組織された秘密結社の党員》. **2** 《広義》アイルランド新教徒.
o·rang·u·tan, ~·ou·tan /ɔːræŋətæn, -ŋuː-/, **~·ou·tang** /-tæŋ/ 名 ⓒ 〔動〕 オランウータン.
o·rate /ɔːréit, 《米》-/ 動 《正式》演説する, 演説口調で話す. — 他 …に熱弁をふるう.
†o·ra·tion /əréiʃən, ɔː-/ 名 ⓒ **1** 《正式》公式な演説, 式辞(speech). **2** ⓤ 《文法》話法.
†or·a·tor /ɔ́ːrətər/ 名 (女性形)《まれ》**--tress**) 《◆ woman orator がふつう》ⓒ **1** 《正式》演説者, 講演者. **2** 雄弁家.
or·a·tor·i·cal /ɔ̀ːrətɔ́ːrikl/ 形 《正式》**1** 演説(者)の, 雄弁(家)の ‖ an oratorical contest 弁論大会. **2** 修辞的の, 美辞を連ねた. **òr·a·tór·i·cal·ly** 副 演説的に, 修辞的に.
or·a·to·ri·o /ɔ̀ːrətɔ́ːriòu/ 名 (複 ~s) ⓤⓒ 〔音楽〕 オラトリオ, 聖譚(せいたん)曲《宗教的題材を扱い, 独唱・合唱・管弦楽からなる曲》.
†or·a·to·ry /ɔ́ːrətɔ̀ːri | -təri/ 名 《正式》**1** 雄弁(術). **2** 修辞, 誇張的文体.
orb /ɔːrb/ 名 ⓒ **1** 〔文〕 球, 球体. **2** 《正式》(十字架つきの)宝珠.
†or·bit /ɔ́ːrbət/ 名 ⓒ **1** 〔天文〕 軌道；軌道の一周 ‖ *The spaceship has been put into orbit round the earth.* 宇宙船は地球を回る軌道に乗った. **2** (人生の)行路；《略式》(経験・知識・活動・影響・監督などの) 範囲. — 動 他 …の周囲を回る ‖ *The moon orbits the earth.* 月は地球の周りを回る.
or·bit·al /ɔ́ːrbətl/ 形 軌道の.
†or·chard /ɔ́ːrtʃərd/ 名 ⓒ **1** (主に非かんきつ類の)果樹園《◆「かんきつ類」のは grove, fruit garden; cf. vineyard》‖ apple-*orchards* リンゴ園. **2** [集合名詞] (果樹園の)果樹. **ór·chard·ist** ⓒ 果樹園主.

*__or·ches·tra__ /ɔ́ːrkəstrə, -kest-/《つづり・アクセント注意》[『楽団席』が原義]
— 名 (複 ~s /-z/) ⓒ **1** [集合名詞] オーケストラ, 管弦楽団(略 orch) ‖ a 100-member *orchestra* 100人編成の管弦楽団 / play the violin in an *orchestra* オーケストラでバイオリンを演奏する / *The orchestra consists of seventy musicians.* そのオーケストラは70人の団員からなる / *All the orchestra were pleased with their success.*《◆《米》では単数扱いだが, 《英》では構成員の個人を問題にするときは複数扱いにすることもある. ➔ 文法 14.2⑸》. **2** オーケストラ用楽器一式. **3** (=orchestra pit. **4** 《米》(劇場舞台前の)1等席, 《英》(orchestra) stalls.
órchestra pìt オーケストラピット《舞台と客席の間の楽団席》.
or·ches·tral /ɔːrkéstrəl/ 形 オーケストラの.
or·ches·trate /ɔ́ːrkəstrèit/ 動 **1** 〔音楽〕 …をオーケストラ用に作曲[編曲]する. **2** 《正式》…を(望ましい結果を得るために)組み合わせる. 結集[編成]する；…をお膳立てする. **3** 〈悪事〉を画策する.
or·ches·tra·tion /ɔ̀ːrkəstréiʃən/ 名 **1** 〔音楽〕 管弦楽法, 管弦楽編曲法(scoring). **2** (調和のとれた)編成, 組織化.
†or·chid /ɔ́ːrkəd/ 名 ⓒ **1** 〔植〕 ラン(の花) (cf. cattleya, cymbidium). **2** ⓤ 淡紫色.
†or·dain /ɔːrdéin/ 動 他 **1** 《正式》〈法律・神・運命・王などが〉…を〔…であると／…するように…と〕定める(destine) [*that*節／*to do* ／ *as*] . **2** 《正式》…を規定する(*that*節)；〈法律などで〉…を命ずる(order), 〈…するように〉命ずる(*to do*) ‖ *God has ordained that all men (shall) die.* 神は人間はみな死ぬものと定めた. **3** 〔教会〕〈人〉を聖職者[牧師]に任命する.
†or·deal /ɔːrdíːl/ 名 ⓒ 厳しい試練, 苦しい体験.

*__or·der__ /ɔ́ːrdər/ 〔類音〕odor /óudər/ [『順序』が原義. cf. ordinal, ordinary] 派 orderly (形)

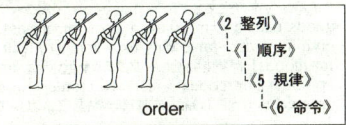

《2 整列》
《1 順序》
《5 規律》
《6 命令》
order

index 名 **1** 順序 **2** 整頓 **5 a** 秩序 **6** 命令 **7** 注文 **9 a** 社会的階級 動 他 **1** 注文する **2** 命じる 自 **1** 命令する

— 名 (複 ~s /-z/)
Ⅰ 順序だてること
1 ⓤ **順序**, 順番 ‖ in alphabetical [chronological] *order* アルファベット[年代]順に / *in order of* age [arrival, receipt] 年齢[到着, 受付]順に / the bátting *òrder* 打順 / follow the *order of events* 出来事の順を追う.
2 ⓤ **整頓**(せいとん), 整理；整列；〔軍事〕隊形 ‖ draw them up *in order* 彼らを整列させる / *put* [*set, leave*] *one's affairs* [*life*] *in order* 身辺[生活]を整理する / *The house was in order.* 家は整然としていた / *in battle order* 戦闘隊形で.
3 ⓤ 正常な状態, 順調(↔ disorder)；（一般に）状態, 調子 ‖ *in good* [*bad*] *running order* 調子よく働いて[働かないで].
4 ⓤ (自然・宇宙の)道理, 理法, 条理 ‖ the (natural) *order of things* 物事の条理.
Ⅱ 社会的な順序
5 ⓤ **a** 《正式》(社会の) **秩序**, 規律, 治安；社会体制 [組織] (regular system) (↔ disorder) ‖ law and *order* 法と秩序 / *keep order in one's nation* =*keep one's nation in order* 国の秩序を維持する / *Order was restored by the police.*

警察の手で治安が回復された / destroy「the established *order* [the old *order*] of society 体制 [旧体制] を破壊する / the capitalist [socialist] *order* 資本主義 [社会主義] 体制. **b** (社会構造の) 局面, 様相 ; (正式) 一般的傾向, 流行 ‖ the *order* of the day 風潮, 動向 / the present economic *order* 現在の経済情勢. **c** 議事 (進行) 規則 ; (会議などの) 慣行, 慣例 ‖ *Order*! (↷) (*Order*!) 違法だ, 静粛に / A discussion of the proposal seems to be *in order*. その提案に関する討論は合法であるようだ.

6 ⓒ [しばしば ~s] (上官などの)「…せよという / …の」**命令** (command) [*to do / for*] ; […という] (医者などの) 指図 (ã`), 指示 [*that* 節] ; (国防省の) 正式な指令書 ‖ neglect [disregard] an *order* 命令を無視する / at [on] the queen's *order*(s) = under [on] the *order*(s) of the queen 女王の命令に従って / The captain *gave* orders「for a salute to be fired [*for* the firing of a salute, that a salute ((主英)) should be fired]. 隊長は礼砲を放つように命じた / *Orders* are *orders*. (略式) 命令は命令だ ; 命令には従わねばならない.

7 ⓤⓒ […の / …への] **注文** (*for / from*) ; ⓒ 注文書 ; [集合名詞] 注文品 ; (略式) (レストランなどの) 注文料理 (一品) ‖ Is this *order* to go? 注文はお持ち帰りですか (=Is this take-out?) / May I take your *order* now, or would you like more time to look at the menu? 今ご注文をお聞きしましょうか, それとももう少しメニューをごらんになりますか /「*put in* [*make*] *an order for* two bottles of whiskey ウイスキー2本の注文をする / place an *order* [*for* goods *with* a firm [*with* a firm *for* goods] = give an *order*「*for* goods *to* a firm [*to* a firm *for* goods] 品物を会社に注文する (◆give a firm an *order for* goods も可) / My *order* hasn't arrived yet. 注文の品 [料理] がまだ届いていないんです.

8 ⓒ 為替(手形) ; 指図(書) ; 指図(する)人 ‖ a banker's *order* 銀行為替.

Ⅲ [社会的な順序に基づく種類, 分類]

9 ⓒ **a** 社会的階級, 地位 ‖ the social *order* 社会的身分 / all *orders* and degrees of men 人間のあらゆる階級. **b** (正式) (性質・程度などによる) 種類, 等級 ‖ a statesman of the first *order* 第一級の政治家. **c** (生物) (分類上の) 目 (ẽ) (→ classification 图 3).

10 ⓒ [しばしば ~s ; 単数・複数扱い] (職業・目的を共有する) 集団, 社会 ; [通例 the O~] 同盟, 結社 ; 修道会, 宗教団 ; (英史) 騎士団 ‖ the military *order* 軍人社会 / the *Order* of Masons フリーメーソン団 / the Franciscan *Order* フランシスコ修道会 / the monastic *orders* 修道会, 僧団 (=an *order* of monks) / the *Order* of Templars (十字軍中の) 聖堂騎士団.

11 ⓒ [しばしば the O~] (英) 勲位 ; 勲章 (を受けた人々) ‖ the *Order* of Merit [the Garter, the Bath] メリット [ガーター, バス] 勲位.

12 ⓒ [しばしば the O~] 聖職の位階, 品級 ; [~s] 聖職 ‖ the *Order* of Deacons [Bishops] 助祭 [司教] の位階 / take [be in] holy *orders* (正式) 聖職につく [ついている]. **13** (建築) [the ~] (ギリシャ・ローマの) 柱式, 様式 ‖ the Doric [Ionic] *order* ドリス [イオニア] 様式.

in órder (1) 順序正しく, 順番に (→ **1**). (2) 整然と, きちんと, 秩序よく (→ **2**). (3) 調子よく, 順調で, 正常で ; 健康で ; 有効で (→ **3**). (4) (正式) (議事手続で) 規則にかなって (correct), 許されて (→ **5 c**). (5) (正式) その場にふさわしい, 適切な ‖ A coffee break would be *in order* now. さあお茶の時間にしましょう.

***in órder that* ...** (正式) …する目的で, …しようとして (→ *in* ORDER *to do*, to the END *that*) ‖ She will come early *in order that* you *may* read her manuscript before the speech. 彼女は演説の前に自分の原稿をあなたに読んでもらうためにきっと早く来るでしょう (=... *in order for* you to read ...). **語法** so that ... can [could, may, might] do や for ... to do の方がくだけた言い方.

***in órder to* dó** …**するために**, …する手段として (so as to do) ‖ He left early *in order* not to be late. 彼は遅れないように早く出発した (→文法 11.7) ◆ 文の主語と to 不定詞の意味上の主語が異なる場合, *in order* の後に for ... として主語が表される (→文法 11.4 (2)). 用例 → *in* ORDER *that* ...).

(máde) to órder あつらえの, オーダーメイドの (made-to-order) (◆×order made は誤り) ; […にも] てこしらえの ‖ curtains made to order 注文で作ったカーテン (=made-to-order curtains, custom-made curtains) / I have all my suits *made to order*. 私の服はすべてオーダーメイドです.

on órder 発注ずみで, 注文して.

out of órder (1) 順序が狂って. (2) 乱雑になって. (3) (公の設備・機械などが) 故障して ‖ This public telephone is *out of order*. この公衆電話は故障している (◆out of order は公共の機器に貼られた掲示に由来する. 個人の機器にも使うことができるが, My watch is broken. / My car is broken down. のようにいうのがふつう). (4) (正式) (議事手続で) 規則違反で. (5) (略式) ふさわしくない, 不適当な (inappropriate). (6) 病気で.

to órder 注文に従って ‖ build the machine *to order* 注文どおりに機械を組み立てる.

━━動 (~s/-z/; 過去・過分 ~ed/-d/; ~ing /-dərɪŋ/)

━━他 **1** [order **A** from **B**] 〈人が〉**A**〈品物〉を**B**〈店〉に**注文する**(+up) ; [order **B A**] 〈人が〉**A**〈人に〉**A**〈物〉を〈人のために〉注文してやる (for) ‖ I *ordered* a new bike *for* my child. = I *ordered* my child a new bike. 私は自分の子供のために新しい自転車を注文してやった / I *ordered* my new sweater over [through] the Internet. インターネットで新しいセーターを注文した / 《対話》"What are you going to have?""I've already *ordered* sandwiches." 「何にしますか」「もうサンドイッチを注文しました」.

2 a [order **A** to do] 〈人が〉**A**〈人に〉…するように命じる ; [order *that* 節] …するよう命令する (類語) この意味では tell が最も一般的な語. order はこれよりも強く, 従うべき権威をもった人が命令する時に使う. command はふつう軍隊で用いられる. その他の類語: direct, instruct, enjoin, charge) ‖ *order* silence [retreat] 静粛 [撤退] を命じる / I *ordered* the chauffeur to fetch the car. お抱え運転手に車をとってくるよう命じた (◆chauffeur に直接命令) / He *ordered* the offenders (*to be*) taken away. =He *ordered that* the offenders (*should*) be taken away. 違反者は退去するように彼は命令した (◆ 後者は必ずしも違反者に直接命令したとは限らない). 語法 to be, should を用いるのは (主英) (→文法 9.3). **b** 〈医者が〉〈患者に〉〈事・物〉を指

示する;〈薬〉を処方する〔for〕‖ order him a complete rest =order a complete rest for him 絶対安静を彼に命じる / The doctor ordered 「her (to go on) a strict diet [a strict diet for her]. 医者は彼女に厳しい規定食を勧めた. **c**〈人〉に「…から/…に」来る[行く]ように命じる〔from, out of / into, to〕‖ order him 「out of the room [into the house]」部屋から出ていく[家に入る]ように彼に言いつける《◆ order him to「go out of the room [come into the house]の省略表現》.
3《正式》…をきちんと配列する;…を整理する‖ order one's affair [thoughts] better 身辺[考え]をより整理する / order one's life according to rigid rules 厳しい規則によって生活を律する.
—*自* **1** 命令する. **2** 注文をする(+*up*);〈品物の〉注文がある;《略式》〔…の〕出前を頼む(+*out*)〔*for*〕.
órder **A** *abòut* [*aróund*] 〈人〉をこき使う, …にあれこれ命ずる.
órder bòok (1)(商品の)注文控え帳. (2) [しばしば O~ B-](英)(下院への)動議通告簿; 議事日程表. (3)(軍の)命令簿.
órder fòrm [**blànk**] 注文用紙.
órder pàper [時に O~ P-]=order book (2).
or·dered /ɔ́ːrdərd/ *形* **1** 整然とした, 秩序のある. **2** 命令[規定]された.
or·der·ing /ɔ́ːrdərɪŋ/ *名* Ⓤ 整理, 整頓(とう);(語などの)配列.

†**or·der·ly** /ɔ́ːrdərli/ *形* **1**《正式》整然とした, 整頓された(↔*disorderly*)‖ an *orderly* room 整頓(とん)された部屋. **2** 秩序を守る, 規律正しい; 従順な, おとなしい; きれい好きな ‖ in an *orderly* manner もの静かな態度で.—*名* Ⓒ **1**《軍事》(将校の)当番兵, 伝令;(軍病院の)看護兵. **2**(病院の)用務員;(英)市街清掃夫.

†**or·di·nal** /ɔ́ːrdənl/ *形* **1** 順序を示す; 序数の. **2**《生物》目(もく)の.—*名* Ⓒ=ordinal number [numeral].
órdinal númber [**númeral**]《正式》序数(詞), 順序数《◆「基数」は cardinal number》.

†**or·di·nance** /ɔ́ːrdənəns/ *名* Ⓒ《正式》**1** 法令, 布告. **2**(地方自治体の)条例(regulation)《◆ 国の法律は law》.

†**or·di·nar·i·ly** /ɔ̀ːrdənérəli | ɔ́ːrdənərəli/ *副* **1**《文全体を修飾》通例, ふつうは, たいてい. **2**《語修飾; 動詞の後で》ふつう程度に, ほどほどに; ふつうのように.

***or·di·nar·y** /ɔ́ːrdəneri | -dənri, -dənɛri/《順序(order)だった(inary)→並みの》
—*形* **1**《通例名詞の前で》ふつうの, 通常の(common); 正規の, 常動の ‖ in an *ordinary* manner いつもの様子で / in the *ordinary* way いつもの場合(なら).
2 ありふれた, 平凡な; 並み以下の, やや劣った(↔ extraordinary) ‖ a man of *ordinary* ability 人並みの能力の持ち主 / He was no *ordinary* teacher. 彼はふつうの先生とはまったく違っていた / My family is a very *ordinary* one. わが家はごく平凡な家庭です.
—*名* Ⓒ ふつうの人[物]; [the ~] ふつうの状態[程度] ‖ *out of the ordinary* 異常な, 例外的な / *above the ordinary* 並はずれた.
in órdinary（英）〔…に〕常任[直属]の〔*to*〕‖ a physician *in ordinary* to the sovereign 君主の侍医.
órdinary lével（英）〔教育〕普通レベル(の GCE 試験)《中等学校終了程度. 略 O level. 1986 年に GCSE に統合された. cf. A level》.

or·di·nate /ɔ́ːrdənət/ *名* Ⓒ〔数学〕縦座標.
or·di·na·tion /ɔ̀ːrdənéɪʃən/ *名* ⓊⒸ **1**《キリスト教》聖職授任(式), 叙階(式). **2** 配置, 配列; 分類. **3**（法令の）規定, 制定. **4**（神の）定め.

†**ord·nance** /ɔ́ːrdnəns/ *名* Ⓤ **1** [集合名詞]（大）砲, 重砲. **2** 兵器; 軍需品. **3**（政府の）軍需品部.
Órdnance Córps（米）[the ~] 陸軍補給部隊.
órdnance sùrvey（英）(1) 英国陸地測量;[集合名詞に] その地図. (2) [the O~ S-] 英国陸地測量部.

or·dure /ɔ́ːrdʒər | -djuə/ *名* Ⓤ《遠回しに》糞(ふん), 排泄物; 肥料.

†**ore** /ɔ́ːr/ 〔同音〕oar, △or,（英）awe *名* ⓊⒸ 鉱石, 原鉱 ‖ iron *ore* 鉄鉱石.
o·re·ad /ɔ́ːriæd/ *名* [時に O~] Ⓒ《ギリシャ神話·ローマ神話》オレイアス《山の精. cf. nymph》.
Ore(g)（略）Oregon.
o·reg·a·no /əréɡənoʊ | ɔ̀rɪɡɑ́ːnəʊ/ *名* Ⓤ《植》オレガノ, ハナハッカ《香辛料にする》.
Or·e·gon /ɔ́ːrɪɡən, -ɡən,（米+）ɑ́r-/ *名*《アメリカ先住民族の部族の名から》オレゴン《米国西部の州; 州都 Salem.（愛称）the Beaver State.（略）Ore(g).,〔郵便〕OR》.
Óregon píne〔植〕アメリカガサワラ, ダグラスモミ, ベイマツ.

***or·gan** /ɔ́ːrɡən/《「器具, 道具」が原義》*派* organic (*形*), organize (*動*)
—*名* (複 ~s/-z/) Ⓒ **1 a**《正式》（動植物の）**器官** ‖ the *organs* of speech [digestion] 発声[消化]器官 / ⟨ジョーク⟩ I'm not an *organ* donor. But I once gave an old piano to charity. 私は臓器提供者ではありません. でも慈善団体に古いピアノを寄付したことはあります《◆ an organ donor は「オルガン寄贈者」とも取れる》. **b**（性俗）陰茎《◆ penis の遠回し語》.
2（パイプ）オルガン(pipe organ); オルガン(に似た楽器) ‖ a reed [barrel, pedal] *organ* リード[手回し, 足踏み]オルガン / an electronic *organ* 電子オルガン.
3（式）（政府などの）**機関**, 組織, [しばしば ~s] 情報伝達機関, 機関誌[紙] ‖ *organs* of public opinion 世論の機関《新聞·テレビなど》.
órgan dònor（移植の）臓器提供者.
órgan grinder（街頭の）手回し(オルガン)奏者.

†**or·gan·dy**,（主英）**-die** /ɔ́ːrɡəndi,（英+）ɔːɡǽn-/ *名* Ⓤ オーガンディー《薄地の綿布》.

***or·gan·ic** /ɔːrɡǽnɪk/
—*形* **1** 有機栽培の, 有機肥料を用いる, 自然食品の ‖ *organic* farming 有機農法 / *organic* vegetables 有機栽培の野菜. **2** 有機(組織, 系統)的な ‖ an *organic* whole [system] 有機的統一体[組織] / the *organic* structure of society 相互連関的な社会構造. **3** 有機体の, 生物の, 生物から生じた;〔化学〕有機の, 炭素を含む(↔ inorganic) ‖ an *organic* compound 有機化合物 / *organic* nature [fertilizers] 有機性[肥料]. **4**《正式》…に根本[実質]的な; 固有の(basic)〔*to*〕;構造上の;〔法律〕基本的な ‖ the *organic* law（国の）基本法. **5**《正式》**a**（動植物の）器官の, 器官を持つ. **b**《病理·心理》器質性の(↔ functional) ‖ an *organic* disorder 器質性障害.
órganic chémistry 有機化学.
órganic fàrming 有機農業.
órganic fòod 自然食品.

or·gán·i·cal·ly 副 有機的に, 本質的に.

***or·ga·ni·sa·tion** /ˌɔːɡənaɪˈzeɪʃən/ 名 (英) = organization.

†or·gan·ism /ˈɔːɡənɪzm/ 名 C 1 有機体; 生物, 個々の小さな生物[動植物], 人間 ‖ a microscopic *organism* 微生物. **2** 有機的組織体《社会など》‖ the social *organism* 社会機構.

†or·gan·ist /ˈɔːɡənɪst/ 名 C (パイプ)オルガン奏者.

***or·ga·ni·za·tion,** (英ではしばしば) **--sa·tion** /ˌɔːɡənaɪˈzeɪʃən/ -nai-/
── 名 (複) ~s/-z/) **1** U C (団体・会合などの)組織化(する[される]こと), 編成; 組織(system), 構成, 機構 ‖ a national *organization* 全国組織 / Your essay lacks *organization*. 君のエッセーは構成がなっていないよ. **2** C (目的を持つ)組織体; 団体, 協会, 組合; 自治体.

> [関連] [いろいろな種類の organization]
> North Atlantic Treaty *Organization* 北大西洋条約機構(略) NATO / *Organization* of Petroleum Exporting Countries 石油輸出国機構(略) OPEC / United Nations Educational, Scientific, and Cultural *Organization* 国際連合教育・科学・文化機関, ユネスコ(略) UNESCO / World Health *Organization* 世界保健機関(略) WHO / World Trade *Organization* 世界貿易機関(略) WTO.

organizátion màn [**wòman**] (個性・主体性のない)組織[企業]人間((PC) loyal employee).

or·ga·ni·za·tion·al, (英ではしばしば) **--sa-** /ˌɔːɡənaɪˈzeɪʃənl/ -ɡənai-/ 形 **1** 組織の, 組織に関する. **2** 組織化する, 系統だてる.

†or·ga·nize, (英ではしばしば) **--ise** /ˈɔːɡənaɪz/ 動 他 **1** 〈人が〉(全体として働くように)〈団体など〉を組織する; 〈人〉を組織して〔…と〕作る(into); 〈会社など〉を創立[設立]する ‖ *organize* a club クラブを結成する / *organize* steel workers *into* a trade union 鉄鋼労働者を組織して労働組合を作る. **2** 〈考え・事実などを系統だてる, 体系づける; …をまとめる ‖ *organize* essays into a collection 評論を集大成する / *organize* books in a library 図書館の本を整理する. **3** 〈旅行・パーティー・ストライキなど〉を計画[準備]する. **4** (略式)〈人〉に心の準備をさせる ‖ gét onesélf órganized 気持ちを静める. ──自 〈人が〉組織化[団結]する; (主に米)労働組合を組織[に加入]する.

or·ga·nized /ˈɔːɡənaɪzd/ 形 **1** 組織(化)された; 労働組合に加入した ‖ *órganized* lábor [集合名詞的に] 組織労働者 / *organized* crime 組織犯罪. **2** 〈人が〉〔…の点で〕有能な, うまくやれる(in).

†or·ga·niz·er, (英ではしばしば) **--nis·er** /ˈɔːɡənaɪzər/ 名 C 組織者; 創立者; (興行などの)主催者, (会の)幹事, 世話役, まとめ役; (組合の)加入勧誘員, オルグ.

or·gasm /ˈɔːɡæzm/ 名 U C **1** オーガズム, 性的絶頂感. **2** (まれ)極度の興奮, 激情.

or·gi·as·tic /ˌɔːdʒiˈæstɪk/ 形 (正式) **1** 酒神祭(orgies)の(ような); 熱狂した.

†or·gy, or·gie /ˈɔːdʒi/ 名 C **1** (正式) [時に ~s] 飲めや歌えの大騒ぎ, どんちゃん騒ぎ. **2** (米) 乱交パーティー. **3** (略式) やり過ぎ, 過度の熱中 ‖ an *orgy* of eating 食べ過ぎ.

o·ri·el /ˈɔːriəl/ 名 C [建築] = oriel window. **óriel wíndow** (階上の壁から突き出た)出窓, 張り出し窓.

†o·ri·ent /名 形 ˈɔːriənt, (米+) -ent; 動 ˈɔːrient/ 名 [the O~] (文) 東洋(the East); アジア諸国, (特に)極東(the Far East); (古) 地中海東方の地域(↔ Occident) ‖ the mysteries of *the Orient* 東洋の神秘.
── 形 **1** [O~] (詩) 東方の, 東洋の(Oriental). **2** 〈真珠などが〉光沢のある, 輝く, 貴重な; (古) 〈太陽が〉昇る, 燐(りん)然とした.
── 動 (主に米) **1** 〈建物など〉を東向きにする; 〈教会〉を東向きに建てる. **2** 〈建物など〉の向きを方位に合わせる; …の方向を見定める, …を正しい方向に置く. **3** (正式) [通例 be ~ed] 〈人・組織などの〉[主義などを]目ざしている, […に]関心を向けている; 〈課程などが〉[…]向けである; [~ oneself] 〈人が〉[…に]適応する(to, toward) ‖ It takes time for (the) first year students to orient themselves [get oriented] to their new surroundings. 新入生は新しい環境に適応するのに時間がかかる. **4** …の方角[方位]を知る; [~ oneself] 〈人が〉自分の立場を見定める, 局面を正しく判断する; 態度を明らかにする.

†o·ri·en·tal /ˌɔːriˈentl/ 形 **1** [通例 O~] (正式) 東洋の, 東洋風の(Eastern); 東洋の民族[言語, 文明]の(↔ occidental) ‖ *Oriental* art 東洋芸術. **2** (古) 東の, 東方の(eastern). **3** [生態] 東洋区の. **4** 〈真珠などが〉光沢のある; 東洋産の. ── 名 [時に O~] (文)(しばしば侮蔑) 東洋人((PC) Asian).
Oriéntal rúg 東洋製の手織じゅうたん.

o·ri·en·tal·ism /ˌɔːriˈentlɪzm/ 名 [しばしば O~] U 東洋風[趣味]; 東洋学. **ò·ri·én·tal·ist** 名 C 東洋学者, 東洋通.

o·ri·en·tal·ize /ˌɔːriˈentlaɪz/ 動 他 …を東洋風にする, 東洋化する. ── 自 東洋風になる.

†o·ri·en·ta·tion /ˌɔːriənˈteɪʃən, -rien-, (英+) ˌɔːri-/ 名 U C **1** (新しい環境・習慣・思想などへの)適応; (教育) 方向づけ, オリエンテーション; 進路[入門]指導 ‖ New employees undergo a one-week *orientation* to our business operations. 新入社員は(わが社の業務について)1週間の研修を受ける. **2** (外交などの)方針[態度]決定; […に対する]志向, 態度(to, toward). **3** 東に向ける[向く]こと, 東向き. **4** (建物などの)方位測定[決定].

o·ri·ent·ed /ˈɔːrientɪd/ 形 [通例複合語で] (知的・情緒的に)方向づけられた, …志向の, …本位の; …を重視する, …に関心のある ‖ This wine has an adult-*oriented* taste. このワインは大人向けの味だ / a youth-*oriented* writer 若者向けの作家 / a knowledge-*oriented* society 知識本位の[知識が重視される]社会.

o·ri·en·teer·ing /ˌɔːriənˈtɪərɪŋ, -rien-, (英+) ˌɔːri-/ 名 U オリエンテーリング《地図と磁石を頼りに指示された地点を発見・通過して, ゴールまでの時間を競うスポーツ》.

†or·i·fice /ˈɔːrəfɪs/ 名 C (正式) (管・洞窟(くつ)・体などの)開口部, 口, 穴(opening).

o·ri·ga·mi /ˌɔːrəˈɡɑːmi/ [日本] 名 U C 折紙(細工).

***or·i·gin** /ˈɔːrɪdʒɪn/ 派 original (形・名), originate (動)
── 名 (複) ~s/-z/) **1** U C 起源, 源泉(source); 由来, 発端; 始まり, 初め; 原因 ‖ the *origin* of a fire 出火の原因 / This word is Latin *in origin*. この語の起源はラテン語だ / This principle "owes its *origin* to [*has* its *origin in* / *takes* its *origin* from] Russia. この原理はロシアに由来している(=This principle *originates* from Russia). **2** U [時に ~s] 生まれ, 素性, 血統 ‖ the people of Irish *origin* アイルランド系の国民 / hide [reveal] one's *origin*(s) 正体を隠す[現す]. **3** [数学] [the ~] (座標の)原点.

by órigin 生まれは, 起源は.

*o·rig·i·nal /ərídʒənl/ 【→ origin】 ㊗ originality (名), originally (副)
── 形 **1** [名詞の前で] **最初の**(first), 原始の; 初期の; 本来の《◆比較変化しない》‖ the *original* owner 最初の所有者 / an *original* house 本家.
2 **独創的な**, 創意に富む, 独自の; 新奇[奇抜]な;《略式》興味深い‖ The scholar has an *original* idea. その学者は独創的な考えをもっている / *original* research 斬新(ざんしん)な研究.
3 [通例名詞の前で] **原文の**, 原型[原作, 原画]の; 元の《◆比較変化しない》(↔ copied)‖ I read an *original* Hemingway ヘミングウェイを原文で読む (= read Hemingway in the *original*) / This is not copy. It's an *original* picture by Picasso. これは模写ではありません. ピカソ肉筆の絵です.
── 名 **1** [the ~]《複数などに対して》もとの物, **原型**, 原物; 原作, 原本, 原語, 原書;《座標の》原点‖ the *original* of the broken model これた模型の原型 / read Homer in the *original* 原語でホメロスを読む.
2 ⓒ《写真などの》本人, 実物, 本物‖ I did see the *original* of this portrait. この肖像画の本人に実際会ったことがあります.
3 ⓒ 独創的な人;《略式》変人, 奇人.
original prínt〖美術・写真〗オリジナル-プリント.
original sín [the ~]〖神学〗原罪《カトリック》聖寵(せいちょう)の喪失.
original tríal 初審, 第一審(↔ final trial).

*o·rig·i·nal·i·ty /ərìdʒənǽləti/ 名 Ⓤ 独創性; 斬新[奇抜]さ; 独創[創造]力; ⓒ 創意に富んだもの‖ display striking *originality* in one's art 芸術にきわだった斬新さを表す.

*o·rig·i·nal·ly /ərídʒənəli/ 【→ original】
── 副 **1** もとは; 元来; 生まれは《◆比較変化しない》‖ a plant which is *originally* African アフリカ原産の植物.
2 [動詞の後で] 独創的に, 独自に; 奇抜に‖ design clothes *originally* 服を独創的にデザインする.

†o·rig·i·nate /ərídʒənèit/ 動《正式》自 **1**〈物・事が〉〔場所・物・事から〕起こる, 生じる〔in, from〕‖ This style of costume *originated* in Paris. この服装様式はパリに始まった / *From* what country did this style of architecture *originate*? その建築様式はどこの国から起こったのか ジョーク Man *originated* not *from* a monkey, but *from* two monkeys. 人間は1匹のサルから進化したのではない. 2匹のサルから進化したのだ. **2**〈物・事が〉〈人・状況・出来事に〉始まる(start);〔人に〕考案される〔with, from〕‖ The theory of relativity *originated with* Einstein. 相対性理論の創案者はアインシュタインであった. **3**《主に米》〈乗物が〉〔…から〕始発する〔at, in〕.
── 他〈人・事・物が〉〈事・物を〉(新たに)始める, もたらす; …を発明[創造]する; …を創設する‖ Who *originated* the theory of evolution? 進化論を最初に唱えたのはだれですか.

o·rig·i·na·tor /ərídʒənèitər/ 名 ⓒ 創作者; 創設者; 元祖.

†o·ri·ole /ɔ́ːriòul/ 名 ⓒ〖鳥〗**1** コウライウグイス. **2**《米》ムクドリモドキ《Baltimore oriole など》.

O·ri·on /əráiən, ɔː-/ 名 **1**〖ギリシア神話〗オリオン《巨人の猟師で死後星座になった》. **2**〖天文〗オリオン座《北天の星座》.
Orion's Bélt〖天文〗オリオン座の3つ星.
Orion's Hóund〖天文〗シリウス星(Sirius).

Ork·ney /ɔ́ːrkni/ 名 [the ~s] =**the ~ Islands** オークニー諸島《スコットランド北東部. 形容詞は Orcadian》.

Or·lé·ans /ɔ́ːrliənz | ɔː-; -liənz/ 名 オルレアン《フランス中部の都市》‖ Maid of *Orléans* オルレアンの少女《Joan of Arc のこと》.

†or·na·ment 名 /ɔ́ːrnəmənt/; 動 /-mènt, -mənt/ **1** Ⓤ《正式》装飾, 飾り付(decoration)‖ by way of *ornament* 装飾として / an altar full of *ornament* 装飾豊かな祭壇. **2** ⓒ 装飾品, 装身具‖ Christmas trèe *órnaments* クリスマスツリーの装飾品. **3** ⓒ《古》〔…に〕光彩を添える人[物], 誇り[名誉]となる人〔to〕. ── 動《正式》…を〔…で〕(さらに美しく)飾る〔with〕(cf. decorate).

†or·na·men·tal /ɔ̀ːrnəméntl/ 形 装飾の, 装飾的な; 飾りたての‖ an *ornamental* plant 観賞植物.
òr·na·mén·tal·ly 副 装飾的に, 装飾用に.

or·na·men·ta·tion /ɔ̀ːrnəmentéiʃən, -mən-/ 名 Ⓤ 装飾, 飾り付け;[集合名詞] 装飾品.

†or·nate /ɔːrnéit,《英》́--/ 形 **1**〈けばけばしく〉飾り立てた. **2**〈文体が〉華麗な,〈極度に〉修辞的な.
or·náte·ly 副 華麗に.

or·ner·y /ɔ́ːrnəri/ 形 (時に **-·i·er**, **-·i·est**)《米略式》強情な, 頑固な; 意地の悪い; 怒りっぽい.

or·ni·thol·o·gy /ɔ̀ːrnəθɑ́lədʒi |-θɔ́l-/ 名 Ⓤ 鳥(類)学. **òr·ni·thól·o·gist** 名 ⓒ 鳥類学者. **òr·ni·tho·lóg·i·cal** /-θəlɑ́dʒ- | -lɔ́dʒ-/ 形 鳥(類)学の.

*or·phan /ɔ́ːrfn/
── 名 (複 **~s**/-z/) ⓒ **1** 孤児, 両親[片親]のない子《◆片親がいない場合にもまれに用いる. この点日本語の「孤児」とは異なる: a fatherless *orphan* 父親のいない子》‖ The child is a war *orphan*. その子は戦災孤児です. **2** 母親を亡くした動物の子.
── 形 [名詞の前で] **1** 孤児(のための)‖ an *órphans'* hòme 孤児院(→ home 名 2 用例). **2** 両親[片親]のない.
── 動 他 [通例 be ~ed]〈子供が〉孤児になる.

or·phan·age /ɔ́ːrfənidʒ/ 名 **1** ⓒ 孤児院. **2** Ⓤ 孤児の身[状態].

Or·phe·us /ɔ́ːrfjuːs, -fiəs/ 名〖ギリシア神話〗オルペウス《動物・木・岩でさえも魅了した竪琴(たてごと)の名手》.

or·tho·don·tics /ɔ̀ːrθədɑ́ntiks | ɔ̀ːθəudɔ́n-/ 名〖医学〗[単数扱い] 歯列矯正術[学].

or·tho·don·tist /ɔ̀ːrθədɑ́ntist | ɔ̀ːθəudɔ́ntist/ 名 ⓒ 歯列矯正医.

†or·tho·dox /ɔ́ːrθədɑ̀ks | -dɔ̀ks/ 形 **1**《正式》正統の, 公認された(↔ unorthodox)‖ Her ideas are far from *orthodox*. 彼女の考え方は決して正統ではない. **2**《正式》〈宗教上〉正統派の, 正説の(↔ heterodox). **3** [O~]〖ギリシア正教(会)の〗; ユダヤ教正統派の. **4** 伝統的な, 因習的な; 月並みな.
Órthodox Chúrch [the ~] ギリシア正教会.

or·tho·dox·y /ɔ́ːrθədɑ̀ksi |-dɔ̀ksi/ 名 Ⓤ 正説, 正教(信奉); 正統派的慣行; 通説(に従うこと)(↔ heterodoxy).

or·tho·graph·ic, -·i·cal /ɔ̀ːrθəgrǽfik(l)/ 形 **1** 正書[つづり字]法の; つづりの正しい. **2**〖数学〗直角の, 正射影の.

or·thog·ra·phy /ɔːrθɑ́grəfi | -θɔ́g-/ 名 Ⓤ **1** 正書[つづり字]法; 正しいつづり. **2** つづり字研究. **3** 音声表記法. **or·thóg·ra·pher** 名 ⓒ 正書[正字]法学者; つづり字の正しい人.

or·tho·pe·dics, -·pae·dics /ɔ̀ːrθəpíːdiks/ 名〖医学〗整形外科術[学].

Or·well /ˈɔːrwel, -wəl/ 名 オーウェル《George ~ 1903-50; 英国の小説家・随筆家》.

or·yx /ˈɔːriks/ 名 (複 ~·es, [集合名詞] or·yx) C 〘動〙オリックス《大型のアンテロープの類》.

OS 略 〘コンピュータ〙 Operating System; 〘英〙 Ordnance Survey.

Os·car /ˈɑskər/ 名 1 オスカー《男の名》. 2 C 〘映画〙オスカー《米国映画芸術科学アカデミー賞受賞者に毎年与えられる小型の黄金立像》.

os·cil·late /ˈɑsəleɪt/ 動 1 (振り子のように)振動する(+about, around); 〘正式〙〔2点間を〕揺れる〔between〕. 2 〔正式〕〈人が〉〔2つの選択の間で〕ぐらつく〔between〕. ― 他 …を(振り子のように)振動させる.

ós·cil·là·tor 名 C 〘電気〙発振器.

†**os·cil·la·tion** /ˌɑsəˈleɪʃən/ 名 U C 1 〘正式〙振動する. 2 〘物理〙振幅, 振動. 3 〘正式〙(心などの)動揺, ぐらつき.

os·cil·lo·graph /əˈsɪləɡræf, -ɑːɡrɑːf/ 名 C 〘電気〙オシログラフ, 振動記録器.

os·cil·lo·scope /əˈsɪləskoʊp/ 名 C 〘電気〙オシロスコープ《信号電圧の波形観測装置》.

†**o·sier** /ˈoʊʒər/ 名 1 〘植〙コリヤナギ; その枝. 2 〔形容詞的に〕コリヤナギ(細工)の ‖ a small osier basket ヤナギ製の小型ざる.

O·si·ris /oʊˈsaɪərəs/ 名 オシリス《古代エジプトの幽界の王. Isis の夫》.

-os·i·ty /ˈɑsəti/ -5sati/ 語要素 →語要素一覧(2.1).

Os·lo /ˈɑzloʊ, ˈɑs-/ 名 オスロ《ノルウェーの首都. 旧称 Christiania》.

os·mo·sis /ɑzˈmoʊsəs, ɑs-/ 名 U 1 〘物理・化学・生物〙浸透, 〘略式〙(知識・考えなどが)徐々に[知らぬまに]普及すること.

os·mót·ic /-mɑtɪk/ -mɔt-/ 形 浸透性の.

os·prey /ˈɑspri, -preɪ/ 名 C 1 〘鳥〙ミサゴ. 2 白サギの羽毛飾り《女性用の帽子にのせる》.

os·si·fi·ca·tion /ˌɑsəfəˈkeɪʃən/ 名 1 〘医学〙骨化; C 骨化したもの. 2 U (習慣などの)固定化.

os·si·fy /ˈɑsəfaɪ/ 5s-/ 動 自 他 1 〘医学〙(…を)骨化する. 2 〘正式〙〈考え・感情を〉硬直化する.

os·ten·si·ble /ɑˈstɛnsəbl/ 形 〘正式〙見せかけの, 表向きの(apparent) (↔ real).

os·tén·si·bly 副 表面上(は).

os·ten·ta·tion /ˌɑstɛnˈteɪʃən, ˌɔstən-/ 名 U 〘正式〙(富・知識・技術などの)見せびらかし.

†**os·ten·ta·tious** /ˌɑstɛnˈteɪʃəs, ˌɔstən-/ 形 〘正式〙〈行動などが〉人目を引く, これ見よがしの, 見せびらかしの.

òs·ten·tá·tious·ly 副 見えをはって, これ見よがしに.

os·te·o·po·ro·sis /ˌɑstioʊpəˈroʊsəs/ ˌɔstiəupɔː-/ 名 U 〘医学〙骨粗鬆(そしょう)症.

os·tra·cism /ˈɑstrəsɪzm/ 5s-/ 名 U 〘正式〙 1 (古代ギリシアの)陶片[貝殻]追放, オストラシズム《危険人物の名を陶片に書いて投票, 国外追放する制度》. 2 (社会的)追放, 村八分, つまはじき.

os·tra·cize /ˈɑstrəsaɪz/ 5s-/ 動 他 1 〘正式〙〈…を〉(社会的に)追放[排斥]する, のけものにする, 村八分にする. 2 (古代ギリシアで)…を陶片追放する.

†**os·trich** /ˈɑstrɪtʃ, ˈɔs-/ 名 (複 ~·es, [集合名詞] os·trich) C 1 〘鳥〙ダチョウ. 2 〘略式〙現実逃避者.

Os·tro·goth /ˈɑstrəɡɑθ/ ˈɔstrəɡɔθ/ 名 C 東ゴート人; [the ~s] 東ゴート族《493-555; イタリアを支配》.

OT 略 occupational therapy; Old Testament; overtime; 〘豪〙 Overland Telegraph オーストラリア縦断電話線.

OTC 略 over-the-counter.

O·thel·lo /əˈθɛloʊ, oʊ-/ əu-/ 名 オセロ《Shakespeare 作の4大悲劇の1つ. その主人公》.

**oth·er /ˈʌðər/

― 形 [名詞の前で] 1 [通例 the ~] (2つのうちで)もう一方の, 他方の; (3つ以上のうちで)残り全部の, その他すべての ‖ Close the [your] *other* eye. もう一方の目を閉じなさい / The *other* three [three *other*] passengers were men. 残りの3人の乗客は男だった.

2 [~ + 複数[時に単数]名詞] ほかの, 別の, 違った; 〘正式〙〔補語として〕〔…とは別の〔than〕〕 ‖ There are *other* ways of solving the problem. この問題を解くには他の方法がある(=… *other* ways to solve the problem.) / Do you have any *other* questions? 他に質問がありますか / He has no ˈ*other* shoes [shoes *other*] *than* what he's wearing. 彼は今履いている靴以外は持っていない / I'd prefer some *other* color *to* that. それとは別の色がよい.

3 [the ~] 〈側・端などが〉向こうの, 反対の(opposite); (紙などの)裏の(back) ‖ You see a white house *on the other side of the street*(, don't you?). 道の向こう側に白い家が見えるでしょう / The voice at *the other* end of the telephone was low. 電話の相手の声は低かった / Don't write anything on *the other* side of the answer sheet. 答案用紙の裏側には何も書くな.

4 〈時・世代などが〉前の, 以前の ‖ customs of *other* days 昔の習慣.

amóng óther things =among OTHERs (→ 代 成句).

***óther than** … (1) [代]名詞の後で] …以外の ‖ Did anybody *other than* Jim see her? ジム以外にだれか彼女を見たか(=Did anybody except [but] Jim see her?). (2) …とは別の, 違った(→ 副, 形 2) ‖ The result was quite *other than* we had expected. 結果は予想したものとはまったく異なっていた(●The result was quite different from what we … とする方がふつう).

***the óther dày [afternóon, níght, wéek]** [副詞的に] 先日 (この)午後, 先日の夜, 2, 3週間前)《◆日本語の「先日」が現在に近いこともあり, 場合によっては1日前のこともある》 ‖ I saw her just (×on) *the other day*. ほんの2, 3日前に彼女に会った.

the óther wáy (a)róund [abóut] 逆に[の], 反対に[の] ‖ There are people who have a woman's body and a man's mind or *the other way around*. (世の中には)女性の体で男性の心を持った人, あるいは逆の人がいる.

― 代 (複 ~s/-z/) 1 [the ~] (2つのうちで)もう一方の人[物]; [the ~s] (3つ以上のうちで)それ以外の人たち[物], 残りの人[物](→ another 代 語法) ‖ This book is mine, and *the other* is my brother's. この本は私ので, もう1冊は弟のです / *Each* of them hates *the other*. 彼らは互いに憎み合っている [each *other* [one another].) / We went home early, but *the others* kept playing tennis. 私たちは早く帰ったが, 他の人たちはまだテニスをしていた / Here are two books. *One* is a novel and *the other* is a comic book. ここに2冊の本がある. 1つは小説, もう1つは漫画だ《◆初めの「一方」は不特定の場合は one, 特定の場合は the one となる. → one 代 8》.

2 別の人[物], 違った人[物]; [~s; some と呼応し

て〕(…する)人々(もいる) ‖ Please show me *one other*. 別のを1つ見せてください《◆ one other の代わりに another も可》/ *Some* like coffee, *others* prefer tea. コーヒーの好きな人もいれば, 紅茶の方が好きな人もいる / How many *others* came after me? 私のあとから他の人は何人来ましたか / This book is *better than any other* on that subject. その問題に関してはこの本は他のどれよりもすぐれている(=This book is the best (one) on that subject.)《◆ 同類のものの比較には other が必要》.

3 [~s; 無冠詞で] 他人, ほかの人たち ‖ Treat *others* as you would have them treat you. 他人には自分がそうしてもらいたいと思うように接しなさい《◆ the others / the other people は何人かいるうちの他の残りの人すべて. → **1)**.

among **óthers** (1) 他の人[物]と共に, 中に加わって; とりわけ. (2) とりわけ, (数ある中で)たとえば.
of áll **óthers** 中でも, 特に.
∴ *or* **óther** …か何か《◆ …は「some ＋名詞」some の複合語で, or other は不確実さを表すために付加したもの》‖ sóme day *or* óther いつか / some hotel *or* other どこかのホテル; 誰かどこ[何]か / somewhere *or* other 《略式》どこかへ[で].

───**副** [通例否定文で] […とは]別の方法で, […]以外に[*than*]《◆(1) *otherwise than* の方がよいとされる. (2) 比較変化しない》‖ He could not *do otherwise than* speak out. 彼は本音を言うなり仕方がなかった(=He had no choice *other than* to speak out.)

óther wòrld [the ~] 来世, あの世; 想像の世界.
óth·er·ness 名 Ⓤ 他と異なっていること.

****oth·er·wise** /ʌ́ðərwàɪz/《「他の(other)方式で(wise)」》■比較変化しない
───副 **1** [接続詞的に; セミコロンのあとで] さもなければ(or else); もしそうでなければ(if not) ‖ Leave home by 6:15; *otherwise* you will miss the train. 6時15分までに家を出なさい. そうしないと電車に遅れますよ / I left home five minutes earlier; *otherwise* I would have missed the train. 私は5分早めに家を出た. そうでなかったならばその電車に遅れていただろう(=If I had not left home five minutes earlier, I would have …)《◆文法9.5(2)》.
2 その他の点では(in every other respect)《◆接続詞またはセミコロンのあとで用いる》‖ Your essay is a little long, but *otherwise* it is good. 君のエッセイは少し長いがそれ以外は申し分ない(=Except for its length, your essay is …) / I've got one more page to write; *otherwise* I've finished. もう1ページ残っていますが それ以外はすべて書き終えました.
3《正式》[…とは]ほかのやり方で, 違ったふうに(in a different way)[*than*]《◆ ふつう文頭には用いない》‖ Judas, *otherwise* (known as [called]) Iscariot ユダ, 別名イスカリオテ / I think *otherwise*. そうは思わない / It cannot be opened *otherwise than* with a key. それはかぎを使わなければ開けられない.

───形 [叙述的に] ほかの, […とは]異なった(different)[*than*] ‖ The facts are *otherwise*. その事実は違っている / *Some are wise and some are otherwise.*《ことわざ》賢い人もいればそうでない人もいる.
… *and* **óterwise** …やその他, …や何か.
… *or* **óterwise** …かその反対 ‖ success *or otherwise* 成功か失敗. (2) ないしは他の方法で ‖ go by train *or otherwise* 列車かその他の方法で行く. (3) にせよ(or not).

o·ti·ose /óʊʃiòʊs | ə́ʊti-/ 形《正式》**1** むだな, よけいな. **2** 価値のない. **3**《古》暇な, 怠惰な. **ó·ti·òse·ly** 副

o·to·lar·yn·gol·o·gy /òʊtoʊlæriŋgɑ́lədʒi | ə̀ʊtulæriŋg-/ 名 Ⓤ 耳鼻咽喉(🈞)科学.
ò·to·lar·yn·gól·o·gist 名 耳鼻咽喉科医[学者].

Ot·ta·wa[1] /ɑ́təwə | ɔ́t-/ 名 オタワ《カナダの首都》.
Ot·ta·wa[2] /ɑ́təwə | ɔ́t-/ 名 **1** [the ~(s)] オタワ族《北米先住民の種族》; Ⓒ オタワ族の人. **2** Ⓤ オタワ語.

†**ot·ter** /ɑ́tər | ɔ́t-/ 名 (複 ~s, [集合名詞] ot·ter) Ⓒ [動] カワウソ; Ⓤ その毛皮.

Ot·to /ɑ́toʊ | ɔ́t-/ 名 ~ the Great オットー大帝《912-73》, ドイツ王(936-73), 神聖ローマ帝国皇帝(962-73)》.

ot·to·man /ɑ́təmən | ɔ́tə-/ 名 (複 ~s) **1** Ⓒ [O-~] オスマン帝国の人民; トルコ人. **2** Ⓒ《背とひじかけのない長いす; (クッションつき)足台. **3** Ⓤ Ⓒ オットーマン《絹などの横織りの織物》. ───形 [O-~] オスマン帝国の, トルコ人の ‖ *the Ottoman Empire* オスマン帝国《旧トルコ帝国》.

OU《略》《英》Open University; Oxford University.

ouch /áʊtʃ/ 間 あうっ, 痛いっ, 熱いっ, いやだっ《突然の鋭い痛み・不快に対する反射的な叫び》‖ *Ouch*, my foot! あいたっ, 足が!

****ought** /ɔ́ːt/ [発音注意]《同音》aught《元来は owe (…を負う)の過去形》
───助動詞《助動詞だが to do と共に用いる; 発音は /ɔ́ːtə/》

[語法] [否定形と疑問形] 否定形:《標準》ought not to do /《略式》oughtn't do /《米略式》ought not do. 疑問形:《標準》Ought you to do? /《米略式》Ought you do?

I [義務・忠告]《◆ 道徳・社会通念・健康上の理由などに基づく義務・忠告・助言. must よりも意味が弱く, should より強い》

1 [ought to do]《人は》…すべきである, …するのが当然[適切]である, …するのが望ましい ‖ Jane *ought to* be more respectful to her parents. ジェーンは両親をもっと敬(🈞)うべきだ / George is losing weight. He *ought to* see a doctor. ジョージは体重が減っている. 医者にみてもらうべきだ / I *ought to* be present at the meeting, but I have a bad cold. 私は会議に出席するべきだが, ひどいかぜをひいてしまった / You *ought not* [*oughtn't*] miss Westminster Abbey while you're on your tour of the city. 市内観光ではウェストミンスター寺院を見落としてはいけません《◆ oughtn't の短縮形は(主に英)》/ We *ought to* go, *oughtn't* we? 我々は行くべきですね《◆ oughtn't の代わりに shouldn't を用いることも多い. → [語法]》/ You *ought to* enjoy the party with us! 君が私たちとパーティーを楽しめればいいのだけれど.

[語法] (1)《略式》では ought の前に always, really などを用いる: You *really ought to* go. もう出かけないといけません.

(2) ought to と should はしばしば交換可能: Yes, you *ought to* read it and so *should* I. うん, 君は当然それを読むべきだし, 僕もそうだ / 《対話》"You *ought to* finish it before going out." "I know I *should*." 「出かける前にそれを終えなけ

oughtn't 1092

ればなりません」「ええ, わかっています」.

2 [ought to have done]〈人は〉…すべきであったのに《◆実際はしなかった意を含む. ●文法8.4》‖ You *ought to have done* it. 君はそれをすべきであったのに.

‖ [可能性・推量]

3 [ought to be / ought to do] (当然)〈人・事が〉…のはずである《◆話し手の確信度については→ may 助1》‖ They *ought to* win the race easily. 彼らは容易にレースに勝てるはずだ / This is where the treasure *ought to be*. ここが宝のあるはずだ / She left an hour ago. She *ought to* be at the office by now. 1時間前に出たのだから彼女はもう会社についているはずだ(=… It is highly likely that she is at …).

4 [ought to have done] (当然)〈人〉は…だったはずである, …したはずである《◆発話時よりみた推量. ●文法8.4》‖ They *óught to have* arrived in London by now. 彼らはもうロンドンに着いているはずだ《◆この文だけでは「…ロンドンに着いてるべきだったのに」の意にもとれる(→ **2**)》.

†ought·n't /ɔ́:tnt/ (主に英) ought not の短縮形.

†ounce /áuns/ 名 C **1** オンス《**a** =avoirdupois ounce 常用オンス: かん詰めの内容物の重さなど日常生活での重量最小単位で1/16ポンド(約28 g). 略 oz. (複 ozs)‖ six *ounces* =6 oz. 6オンス. **b** =troy ounce 金衡オンス: 貴金属の重量単位で1/12金衡ポンド(約31 g). 略 oz. **c** =apothecaries' ounce 薬用オンス: 薬品重量単位で重さは金衡オンスと同じ. 略 oz. ap. **d** =fluid ounce 液量オンス: ウイスキーなどの計量・グラス容積などの単位で(米) 約30 ml, (英) 約28 ml. 略 fl. oz.》. **2** (略式) [an~; 通例否定・条件文で] 少量, わずか‖ He doesn't have *an ounce* of sense. 彼には分別のかけらもない.

OUP 略 Oxford University Press オックスフォード大学出版局.

†our /áuər, ɑ́:r/ (同音) hour) [we の所有格] (●文法15.3(2))

―代 **1** [包括的 we・除外的 we の所有格] [名詞の前で] 私たちの, 我々の‖ We were in *our* classroom. 私たちは自分たちの教室にいた / *Our* parents are both fine. 私たちの両親は共に元気です.

2 [総称の we の所有格] 我々の; 万人の‖ Venus is one of *our* planets. 金星は太陽系の惑星の1つです.

3 [編集者の we の所有格] 我々の《◆新聞社説・論文・書物などで執筆者が my の代わりに用いる》‖ In *our* opinion 我々の意見では. **4** [君主の we の所有格] [O~] わが, 朕(ちん)の《◆君主が公式に述べる時, my の代わりに用いる》. **5** [親しみの we の所有格] あなたの《◆しばしば皮肉的に子供・病人に対して用いる. your の代用》‖ It's time for *our* medicine. 薬の時間ですよ. **6** 例の, 問題の《◆話題となっているものを指す》‖ *Our* man didn't turn up. ホシと目される人物は現れなかった.

†ours /áuərz, ɑ́:rz/ (同音) hours) [we の所有代名詞] (●文法15.3(4))

―代 **1** [単数・複数扱い] 私たちのもの《◆our + 先行名詞の代用》‖ That house is bigger than *ours*. あの家は私たちの家より大きい.

2 [a [this, that, etc.] +名詞+ of ~] 私たちの‖ Do you like "**this dog of ours**" [×our this

dog]? うちのこの犬は好きですか.

our·self /àuərsélf, ɑːr-/ [「君主の we」「編集者の we」の再帰代名詞] 代 (文) **1** [強調用法] 朕(ちん)自ら, 私自身. **2** [再帰用法] 朕自身を[に], 私自身を[に].

‡our·selves /àuərsélvz, ɑːr-/ [we の再帰代名詞] (●文法15.3(5))

―代 **1** [再帰用法] 私たち自身を[に]《◆主語の we に呼応して動詞または前置詞の目的語となる》‖ We shouted *ourselves* hoarse. 大声を出しすぎてのどをからした / We bought a new car for *ourselves*. 私たちは自家用に新車を買った. **2** [強調用法; 強勢を置いて] 私たち自身《◆we または us と同格に用いる》‖ We want to support him *ourselves*. 私たち自身で彼を支えてあげたい / Having experienced a similar tragedy *ourselves*, we understand his pain. 私たち自身同様の悲劇を経験しているので, 彼の苦痛はわかる.

between oursélves → between 前.

-ous /-əs/ (語素) →語素一覧(2.3).

†oust /áust/ 動 他 (正式) 〈(望ましくない)人〉を〔地位などから〕追い出す〔*from*〕‖ *oust* a rival *from* office 役職から競争相手を追い出す.

óust·er 名 U C (米) 追放.

‡out /áut/ [「容器の中から外に」が本義. そこから出現・離脱・停止・完了の意を表すようになった. forth より口語的で, 日常用いる動詞と結びついて多様な句動詞を形成する]

―**index** 副 **1** 外へ[に]; 離れて **3** はずれて **6** 機能しなくなって **7** なくなって **16** すっかり **17** 現れて **18** 公になって **19** 大声で

―副《(1) 比較変化しない. (2) be out の形は形容詞とみることもできる》.

‖ [内から外へ]

1 外へ, 外に(↔ in), (家・海岸などから)離れて, 外出して; 外国に[へ]‖ throw the rubbish *out* ごみを捨てる / dine *out* at a sushi bar [restaurant] 寿司屋に食べに行く / go *out* for a walk 散歩に出かける / help him *out* 彼を救い出す / Gèt óut (of here)! 出て行け / 対話 "Excuse me, is Mr. Tanaka at home?" "No, he's *out*." 「恐れ入りますが, 田中さんはご在宅でしょうか」「いいえ, 外出しているんです」(→ **absent** 形**1**語法, away 副**1a**) / The tide is *out*. 潮が引いている / The fishing boats are 5 km *out*. 漁船は5キロ沖合に出ている / What is she doing *òut thére*? 彼女はそこで何をしているのですか《◆まず漠然と位置を示し, そのあと具体的な場所を示す: She is *out* in China. 彼女は中国に出かけている》/ ジョーク "What is the cheapest time to call my friends?" "When they are *out*." 「友だちに電話するのに一番安い時間帯っていつ?」「友だちが留守のとき」.

2〈テニスなど〉〈ボールが〉アウトになって(↔ in).

‖ [正常な状態から離れて]

3 はずれて; (調子が)狂って; (体の)具合が悪くて; 〔…の点で〕間違って(*wrong*)〔*in*〕; 損をして((英) *down*)‖ My shoulder is *out*. 肩関節がはずれた / The plug was *out*, so the radio did not work. プラグがはずれていたのでラジオは聞こえなかった / I was *out* ten dollars. 10ドル損をした / I was *out* in my calculations. (英) 計算が間違っていた /

out

The clock is five minutes *out*.《英》その時計は5分狂っている.
4 a（常態）を失って, 混乱して；意識を失って；〖ボクシング〗ノックアウトになって ‖ feel put *out* まごつく / She passed *out* at the sight of the blood. 彼女は血を見て失神した. **b**〈人と/…のことで〉不和で《*with / over, about*》‖ They fell *out*. 彼らは仲が悪くなった.
5（略式）〈考え・案などが〉問題外で, 実行不可能で；禁止されて, だめで ‖ The suggestion is *out*. その提案は受け入れられない.
6〈機械などが〉**機能しなくなって** ‖ Her backhand is *out*. (練習不足で)彼女のバックハンドがだめになっている / That road is *out* because of the flood. 洪水のため道路は(破損して)通れない.
7 なくなって, 終わって；尽きて, 〈火・しみなどが〉**消えて**；品切れで；〈期限などが〉切れて ‖ put *out* the light 明かりを消す / The copyright is *out*. 版権が切れて / The supplies have run *out*. 物資が尽きた / They washed all the stains *out*. しみを全部洗い落とした / He'll be back before the month is *out*. 彼は月末までには帰って来るだろう.
8（略式）流行遅れで, すたれて(↔ *in*) ‖ That style has gone *out*. そのスタイルは流行遅れになった.
9〈書類などが〉処理済である, 既決の(↔ *in* 圖 **9**).
10〖野球・クリケットなど〗アウトになって.
III［自分のいる場所・ある対象から外に出て］
11（外へ）突き出て, 延びて；広げて ‖ stretch *out* one's hand 片手を差し出す / let [set] *out* new goods 新商品を並べる / His chin jutted *out*. 彼のあごは突き出ていた.
12 a 選び[取り, 作り]出して ‖ look *out* for genuine jewelry 本物の宝石を見分ける / pick *out* the best of the peaches 極上のモモを選び取る. **b** 取り除いて, 除外して ‖ leave a word *out* 語を省く.
13 借り出されて, 賃貸しして；(多くの人に)分配して ‖ rent *out* rooms 部屋を賃貸しする / give *out* the books 本を配る / The book I wanted was *out*. 私が借りたいと思っていた本は借り出されていた.
14 追い出して；政権を失って, 職を去って ‖ vote him *out* 彼を選挙で追い出す / drive (*out*) the evil thoughts 邪念を追い払う / The Labour Party are [is] *out*. 労働党は野党になった.
15（略式）仕事［学校］を休んで, ストライキをして ‖ walk *out* ストライキをする / The lazy student is *out* today, too. あのぐうたらな生徒は今日もまた休みです(cf. **1**).
16 すっかり, 最後まで；完全に, 徹底的に ‖ clean *out* the room 部屋をすっかり掃除する / work *out* a problem 問題を解く / be talked *out* 話して疲れる / We've talked ourselves *out*. 我々はとことんまで話し合った / I'm tired [《米式》tuckered] *out*. 疲れ切っている.
IV［ある状態から外に出て］
17 a 現れて, 目に見えて, 出て；〈事が〉起こって；〈古〉〈若い女性が〉〈宮廷の〉社交界に出て ‖ Riots broke *out*. 暴動が(勃)発した / The stars are *out*. 星が見えている / The rash is *out* all over him. 発疹(ﾊｯｼﾝ)が彼の体に出ている. **b**〈花が咲いて, 〈葉が〉出て；〈ひなが〉かえって ‖ Flowers came *out*. 花が咲いた.
18 公になって, 発表されて；〈書物が〉出版されて(published)；〈秘密などが〉露見して ‖ The secret was *out*. その秘密は漏れた / Her book has just come *out*. 彼女の本が出版されたところだ.
19 大声で；はっきりと；隠しだてしないで ‖ shout [cry] *out* 大声で叫ぶ[泣く] / They bawled me *out*. 彼らは私をしかりとばした / tell him right [straight] *out* 思っていることを彼にはっきり言ってやる.
áll óut（略式）全力をあげて(cf. be [go] (all) OUT for)；全速力で.（2）まったく.
be óut and abóut〈人が〉(病後)外出できる[働ける]ようになっている.
be [gó] (áll) óut 'for A [to dó]（略式）…を得ようと［しようと］やっきになる［なっている］‖ He is *out* for promotion. 彼は昇進をねらっている / She'll go all *out* to win support. 彼女は支持を得ようとやっきになるだろう.
óut and óut 完全な[に]《◆ふつう好ましくない意味に用いる》‖ an *out* and *out* fool ま(ﾏｯ)たくのばか者(cf. out-and-out).
***out of** /áutəv/ **A**（1）［運動・位置］**…の中から外へ**(↔ into)；…の外に, …から離れて《◆**A** が文脈上明らかで省略されるときは out となる: gò óut 外へ出る》
(使い分け →) from 圎 **1**）‖ The tiger got *out* of [*from] its cage. トラがおりの中から出て来た《◆*out* of は内から外への運動をいうのに対し, from は起点を強調するので, この場合は不適》/ a few miles *out* of [*away from*] Paris パリから数マイル離れて / He's *out* of his office on business. 彼は仕事で事務所にいない.（2）〈ある数の中から〉(in) nine (cases) *out* of ten 10のうち9つ(で), 十中八九(は) / two *out* of every five days 5日に2日の割合で.（3）［動機・原因］…から ‖ do it *out* of pity [spite, kindness] 哀れみ[悪意, 親切心]からそれをする.（4）〈…の範囲〉を越えて, …の届かないところに(↔ *within*) ‖ Put the medicine *out* of the children's reach. その薬は子供の手の届かないところに置いておきなさい / He is *out* of hearing. 彼は(私たちの)声の届かない所にいる / The plane was *out* of sight. 飛行機は見えなくなった.（5）〈ある状態〉を離れて, 脱して(↔ *in*）‖ *out* of work [a job] 失業して / *out* of danger 危険を脱して.（6）(一時的に)…が**なくなって**, 不足して ‖ *out* of stock 在庫がなくて / She's *out* of food. 彼女は食料を切らしている.（7）［材料］…から, …で ‖ the house made *out* of stone 石造りの家 / wine made *out* of grapes ブドウ酒《◆上の2例は of, from の代用》.（8）［源］…から,〈馬などが〉…を母として生まれた ‖ copy it *out* of a book それを本からコピーする.（9）［結果］(…して)…のない状態に(↔ *into*) ‖ He cheated us *out* of our money. 彼は私たちをだまして金を巻き上げた.（10）〈試合などに〉負けて.
óut of it [things]（1）（略式）仲間はずれで, ひとりぼっちで(さびしく).（2）〈計画・事件などに〉無関係で, かかわらないで.

—— 形《◆比較変化しない》［名詞の前で］**1** 外の, 外部の ‖ the *out* edge 外側のへり. **2** 遠く離れた ‖ an *out* island 離島. **3** 外に向かって動く ‖ an *out* door 外側に開くドア. **4**〈サイズなどが〉並はずれた, 特大の ‖ an *out* size 特大型.

—— 前 **1**〈主に米・アイル〉〈英・豪家式〉…から外へ, …を通り抜けて(through, out of)《◆the door [gate], the window などの通過地点[出口]を示す名詞と共に用いる》‖ look *out* the window 窓の外を見る / He walked *out* the door. 彼はドアから出て行った.
語法 起点を示す名詞の場合は *out* は不可: He came '*out* of [*out*] the house. 家から出て来

た.
2 〈道路など〉を通って外へ.
3 …の外側に(outside) ‖ The garage is *out* this door. ガレージはこのドアの外側にある.
——名(略式) **1** ⓒ 外側 ‖ from *out* to *out* 端から端まで, 全長. **2** [~s] 地位[職]を失った人; [the ~s] 野党(↔ ins). **3** [an ~] 言いわけ, 口実. **4** ⓒ〔野球〕アウト; アウトになった選手;〔テニスなど〕アウト.
be at [on the] óuts (略式)〔人と〕仲が悪い, けんかしている〔*with*〕.
——動 他 (略式) …を追い出す;〈火〉を消す.

out‐ /áut‐/ (語源欄) →語要素一覧 (1.7, 2.1).

out‐and‐out /áutəndáut/ 形 まったくの, 徹底した, 完全な(→ OUT and out).

out·back /áutbæk/ 名 (豪) [the ~] (未開拓の)奥地.

out·bal·ance /àutbǽləns/ 動 他 …より重い; …より重要である; …よりまさっている.

out·bid /àutbíd/ 動 (過去) out·bid or out·bade, (過分) out·bid or out·bid·den; ‐‐bid·ding 他 (正式)〈競売で〉〈人〉より高い値をつける〔*for*〕.

out·board /áutbɔːrd/ 形 副 **1** 船外[機外]の[へ](↔ inboard). **2** 〈船・飛行機の〉外側寄りの[へ].

óutboard mótor [éngine] 船外モーター[エンジン].

out·bound /áutbàund/ 形〈船・飛行機が〉外国行きの;〈交通機関が〉郊外に向かう.

out·brave /àutbréiv/ 動 他 …に勇敢に立ち向かう.

†**out·break** /áutbrèik/ 名 ⓒ〔悪い事の〕突発, 発生,〔感情・火山の〕爆発〔*of*〕‖ *at* [*on*] *the outbreak of* the war 戦争が勃(ぼっ)発した時に《◆動詞は break out》.

out·build·ing /áutbìldiŋ/ 名 ⓒ (米) 離れ家, 付属の建物《(英) outhouse》《納屋・馬小屋など》.

†**out·burst** /áutbəːrst/ 名 ⓒ〔蒸気・エネルギー・笑い・怒りなどの〕爆発, 噴出〔*of*〕‖ a sudden *outburst of* rage 突然の怒りの爆発.

†**out·cast** /áutkæst | ‐kàːst/ 名 ⓒ〔家・社会などから〕追放された人[動物], 浮浪者〔*from, of*〕. ——形 追放された, 仲間はずれの.

out·class /àutklǽs | ‐klɑ́ːs/ 動 他 **1** …よりも高級である, 優れている. **2** …に大差で勝つ.

†**out·come** /áutkʌm/ 名 ⓒ〔例通 the/an ~〕(成り行きが注目される物・事の最終的な)結果(として生じた事態);(具体的な)成果《◆ result よりも強意的》‖ *an* unexpected *outcome* 予期しない結果.

out·crop /áutkrɑ̀p | ‐krɔ̀p/ 名 ⓒ (岩層・地層などの)露出, 露出部分.

†**out·cry** /áutkrài/ 名 **1** ⓒ ⓤ〔…に対する〕(強い)抗議〔*at, against, over, about*〕‖ raise an *outcry against* the noise caused by jet planes ジェット機による騒音に抗議する. **2** ⓒ 大きな叫び, どよめき; 怒号, 悲鳴.

out·dat·ed /àutdéitid/ 形 時代遅れの.

out·dis·tance /àutdístəns/ 動 他 (正式)(競走などで)〈相手〉をはるかに引き離す, …に勝つ.

†**out·do** /àutdúː/ 動 (‐‐does; 過去 ‐‐did, 過分 ‐‐done) 他 (正式)〈人・人の記録など〉に〔…において〕まさる; …を出し抜く〔*in*〕‖ not to be *outdone* 他人に負けないように / I don't want to be *outdone* by anyone in math. 数学ではだれにも負けたくない / He *outdid* himself in pitching. 彼のピッチングはいつになくさえていた《◆再帰用法は (主に米)》.

†**out·door** /áutdɔːr/ 形 戸外(ふう)の; 戸外活動を好む(↔ indoor) ‖ *outdoor* sports 屋外スポーツ / *outdoor* clothing 外出着 / I'm not the *outdoor* type. 戸外活動が好きなたちではない.

†**out·doors** /àutdɔ́ːrz/ 副 戸外 で[へ] (out‐of‐doors)(↔ indoors) ‖ sleep *outdoors* 野宿する / go *outdoors* for fresh air 新鮮な空気を求めて戸外へ出かける. ——名 [the ~; 単数扱い] 戸外; 人里離れた地域, 片田舎《◆ out‐of‐doors の方がふつう》. ——形 =outdoor.

out·doors·man /àutdɔ́ːrzmæn/ 名 ⓒ **1** (男の)野外生活者《◆女性は outdoorswoman》. **2** (キャンプ・釣りなど)戸外活動を好む人((PC) nature lover, outdoors person).

out·door·sy /àutdɔ́ːrzi/ 形 (略式) 戸外を楽しむ, 戸外が好きな.

†**out·er** /áutər/ 形 外側の; 中心から離れている, (はるか)外方の(↔ inner) ‖ the *outer* walls 外壁 / an *outer* city (米) 都市の郊外(↔ inner city) / the *outer* world 世間, 外界 / *outer* islands 離島. ——名 ⓒ 標的の一番外側の円, 圏外.

óuter éar 外耳(↔ inner ear).

óuter spáce (大気圏外の)宇宙空間;(惑)星間の空間;太陽系外の宇宙《◆ふつう単に space という》.

out·er·most /áutərmòust/ 形 最も外側の; 中心から最も離れた, 一番はずれの(↔ innermost)《◆ outmost ともいう》.

out·er·wear /áutərwèər/ 名 ⓤ〔集合名詞〕外套(とう)類など.

out·face /àutféis/ 動 他 **1** …をにらみつけて目をそらさせる. **2** 〈困難〉に大胆に立ち向かう, 勇敢に挑む.

out·field /áutfìːld/ 名 **1**〔野球・クリケット〕[the ~] 外野(cf. infield);〔集合名詞; 単数・複数扱い〕外野手(outfielders). **2** ⓒ (農家から離れたところにある)畑, 土地. **óut·field·er** 名 ⓒ 外野手(cf. infielder).

out·fight /àutfáit/ 動 (過去・過分 ‐‐fought) 他 …と戦って勝つ, …を破る.

†**out·fit** /áutfìt/ 名 **1** ⓒ (ある目的に必要な)装備一式, 用具一式;(装身具などを含む)衣装一式 ‖ an *outfit* for camping =a camping *outfit* キャンプ用品一式 / a carpenter's *outfit* 大工道具. **2** (略式)〔集合名詞; 単数・複数扱い〕一行, 団体《主に探検隊・旅団・部隊など》,〔特定の産業・活動の〕会社 ‖ a publishing *outfit* 出版社.
——動 (過去・過分) ‐‐fit·ted/‐id/; ‐‐fit·ting 他〈人など〉に〔支度品などを/旅などのために〕供給する; …に装備させる(furnish)〔*with/for*〕;〈旅・探検などの〉身支度を整える ‖ be *outfitted with* shoes 靴が支給される / He was *outfitted* 〔for camping [to go camping]. 彼はキャンプにいでたちをしていた.

out·fit·ter /áutfìtər/ 名 ⓒ 旅行用品商, 運動用品商;(古)(主に紳士用)洋装店[商].

out·flank /àutflǽŋk/ 動 他 (正式) **1** …の側面から回り込む. **2** …の裏をかく.

out·flow /áutflòu/ 名 ⓒ **1** 流出(量)(↔ inflow) ‖ an *outflow* of water 水の流出. **2** (言葉・感情などの)ほとばしり.

out·go /áutgòu/ 名 (複 ‐‐es) ⓒ (米) 支出, 出費(↔ income).

out·go·ing /áutgòuiŋ/ 形 **1** 出て行く, 去って行く ‖ an *outgoing* ship 出船(ふな). **2** (正式) 退職する(leaving) ‖ the *outgoing* legislator 引退議員. **3** 外向性の, 社交的な ‖ He has an *outgoing* personality. 彼は社交的な性格の持ち主である. ——名 ⓤ ⓒ (主に英) [例通 ~s; 複数扱い] 費用, 出費.

†**out·grow** /àutgróu/ 動 (過去) ‐‐grew, (過分)

--grown) 動 **1** 〈人・家族が〉〈衣服・家などに〉合わなくなるほど大きくなる; 〈成長して〉〈考え・習慣などを〉脱する, 失う ‖ *outgrow* one's shoes 足が大きくなって靴がはけなくなる / *outgrow* prejudices about foods 成長して偏食がなくなる. **2**〈人〉よりも〈体・背が〉大きくなる;〈人〉より早く成長する ‖ *outgrow* one's older brother by two inches 兄よりも2インチ背が高くなる / *outgrow* one's strength 背ばかり伸びて体力が伴わない.

out·growth /áutgròuθ/ 名 **1** ⓒ 当然の結果, 自然の成り行き; 副産物 ‖ The article was an *outgrowth* of a longer book-length study. その論文はより長い1冊の本になるくらいの研究の副産物であった. **2** ⓒ (本体から)伸びだしたもの ‖ an *outgrowth* [of hair [on a tree]] 枝毛 [側枝]. **3** Ⓤ 伸びだすこと; 芽ぐみ.

out–her·od, out–Her·od /àuthérəd/ 動 他 〔~ Herod で〕〈残虐な〉ヘロデ王よりひどい[以上である].

out·house /áuthàus/ 名 (複 ~**s** /-hàuziz/) ⓒ **1**（米）屋外便所. **2**（英）=outbuilding.

†**out·ing** /áutiŋ/ 名 ⓒ 遠出, 遠足《◆ picnic, hiking, excursion よりも一般的な語》‖ *go* for [*on*] an *outing* to ... ...へ遠足に行く《◆ to は目的の, on は (旅行団への)参加を示す》.

out·land·ish /àutlǽndiʃ/ 形 見た目が変わっている, 奇妙な.

out·last /àutlǽst│-láːst/ 動 他《正式》〈物が〉...より長持ちする;〈人が〉...より長生きする.

†**out·law** /áutlɔː/ 名 ⓒ **1** 常習的犯罪者, 無法者. **2**〔歴史〕法の保護を奪われた人;（社会からの）追放者. ━━ 動 他〔歴史〕〈人〉から法の保護を奪う, ...を社会から追放する.

†**out·lay** /áutlèi/ 名 ⓒ; 動 他 /-ˊ-/ 名 ⓒⓊ〔通例 an/the ~〕〔...の〕支出, 経費〔*on*, *for*〕. ━━（過去·過分）**-laid** /-léid/〈人〉に〈金〉を〔...に〕費やす《*in*, *on*, *for*》.

†**out·let** /áutlet, -lət/ 名 ⓒ **1**〔液体・ガスなどの〕出口〔*for*〕(↔ inlet). **2**〔感情・精力などの〕はけ口〔*for*〕‖ Young boys need an *outlet* for their energy. 若者にはエネルギーのはけ口が必要である. **3**〔商業〕販路; =outlet store; 販売代理店 ‖ a trade *outlet* 商品の販路. **4**（主に米）〔電気〕コンセント;（英）socket, power point) ‖ plug the washing machine into the (electrical) *outlet* [×consent] 洗濯機のプラグをコンセントに差し込む. **5** 流出河川; 河口.

óutlet stòre〔商業〕特売店, アウトレットストア《きず物・過剰在庫品を割引価格で売る》.

*★**out·line** /áutlàin/ 名 **1** ⓒ（箇条書きに整理された）概略, 概説; 〔~s〕主な特徴, 骨子, 原則 ‖ **対話⑤** "Could you tell me the *outline* of your thesis?" "All right."「あなたの論文の概略をいっていただけますか」「わかりました」/ show the brief *outlines* of the project =show the project in (brief) *outlines* その計画の要点をかいつまんで示す. **2** ⓒⓊ〔通例 the ~(s)〕（平面的な）輪郭, 外形; 線画, 略図;〔形容詞的に〕線描きの ‖ draw the ship in *outline* =draw *the outline* of the ship 船の輪郭[略図]を描く / the *outline(s)* of the mountains in the fog 霧の中に浮かぶ山々の輪郭 / an *outline* map of the city その町の略図.

━━ 動 ~**s** /-z/;（過去·過分）~**d** /-d/; ~**·lin·ing**
━━ 他 **1**〈人が〉事の要点を〔人に〕述べる, 概説する〔*to*, *for*〕‖ *outline* the plan to the staff 職員に計画の概要を説明する. **2**〈人が〉〈人・物〉の輪郭を描く; ...の略図を描く;〔背景となる物〕が〈物〉を引き立たせる ‖ skyscrapers *outlined against* the evening sky 夕空を背に浮かび上がった摩天楼.

†**out·live** /àutlív/ 動 他《正式》**1**〈人〉より長生きする, (闘争・競争で)〈敵など〉に食い下がって生き残る《◆長さに重点のある outlast に対して, 耐え抜く持久力を強調する. 受身形はふつう不可. cf. survive》‖ Mr. Jones *outlived* his wife by ten years. ジョーンズ氏は夫人より10年長生きした[=Mr. Jones *lived* ten years *longer than* his wife.). **2** 長生き[長続き]して〈汚名・有用性などを〉薄れさせる[失う]. **3**〈困難・事故などを〉切り抜ける, 乗り越える.

†**out·look** /áutlùk/ 名〔通例 an/the ~〕**1**〔場所への/場所からの〕見晴らし, 眺望〔*on*, *onto*, *over* / *from*〕(**類語** → view 名 **6**). **2**〔物·事の〕見通し, 展望〔主に英〕lookout）〔*for*〕‖ the weather *outlook for* tomorrow 明日の天気予報. **3**〔物事に対する〕見解, 態度〔*on*, *upon*, *about*〕‖ a pessimistic *outlook* on one's life 悲観的な人生観. **4** 見張り所; 見張り《◆ lookout のほうがふつう》.

†**out·ly·ing** /áutlàiiŋ/ 形 外にある, 中心から離れた, 遠い.

out·ma·neu·ver,（英）**–ma·noeu·vre** /àutmənúːvər/ 動 他 ...に策略で勝つ, ...の裏をかく.

out·mod·ed /àutmóudid/ 形 流行遅れの (↔ up-to-date).

out·most /áutmoust,（英+）-məst/ 形 =outermost.

†**out·num·ber** /àutnʌ́mbər/ 動 他 ...より数が多い, ...に数でまさる.

out-of-bounds /áutəvbáunz/ 形 副 =out of BOUNDS (→ bound³).《バスケットボール》アウトオブバウンズ《ボールがコート外に出ること》.

out-of-box /áutəvbɑ́ks│-bɔ́ks/ 形〈考えなどが〉型にはまらない, 独創的な.

out-of-court /áutəvkɔ́ːrt/ 形 法廷外の, 示談の ‖ an *out-of-court* settlement 示談, 和解.

out-of-date /áutəvdéit/ 形 時代遅れの (↔ up-to-date)《◆ 補語として用いるときはハイフンなしで out of date》.

out-of-door /áutəvdɔ́ːr/ 形 戸外の(outdoor).
out-of-doors /áutəvdɔ́ːrz/ 副 形 =outdoors.
out-of-state /áutəvstéit/ 形（米）州外の ‖ *out-of-state* tuition 州外学生授業料.
out-of-the-way /áutəvðəwéi/ 形 **1** へんぴな, 人里離れた. **2** 風変わりな, 珍しい.
out·pace /autpéis/ 動 他 ...より(足が)速い.
out·pa·tient /áutpèiʃənt/ 名 ⓒ 外来患者 (↔ inpatient).
out·per·form /àutpərfɔ́ːrm/ 動 他 ...をしのぐ.
out(-)place·ment /áutplèismənt/ 名 ⓒ (他社への)再就職の斡旋.
out·play /àutpléi/ 動 他〈相手〉に競技で勝つ.
†**out·post** /áutpoust/ 名 ⓒ **1** 前哨(しょう)部隊[地];（米）(条約などにより設けられる)在外基地. **2**《正式》辺境の植民[居留]地.
out·pour /áutpɔːr/ 名; 動 /-ˊ-/ 名 ⓒ 流出(物).
━━ 船 ...を流出する.
out·pour·ing /àutpɔ́ːriŋ/ 名 ⓒ **1** 流出(物). **2**〔通例 ~s〕〔感情の〕ほとばしり〔*of*〕‖ *outpourings* of the heart 真情のほとばしり.
†**out·put** /áutpùt/ 名 Ⓤ〔時に an ~〕**1**（一定期間の）生産高, 採掘量;（知的生産物[作品]の総数）‖ Iran's annual *output* of oil イランの年間石油産出高 / an *output* of 10,000 bottles a day 1日

にびん1万本の生産高. **2**〔電気・コンピュータ〕出力, アウトプット. **3** 生産［芸術］活動；（などを）出すこと ‖ *a reasonable output of energy* ほどよく力を出すこと. ━━動 (過去・過分) out·put or ~·put·ted; ~·put·ting 他 …を産出する；〔電気・コンピュータ〕…を出力する.

†**out·rage** /áʊtrèɪdʒ/ 名 CU 〔感情・人倫・秩序などを〕踏みにじること, 不法行為, 侵害 (on, upon, against)；侮辱, 非礼；(though 余る)暴力, 暴行《◆時に rape の遠回し表現》‖ *an outrage 'on decency* [*against* humanity] 風俗を乱す［人道にもとる］行為 / *commit outrages on* ... ...に暴行を働く. **2** U 〔暴力などに対する〕激怒 [*at, over*] ‖ *feel outrage at* [*over*] *the use of A-bombs* 原爆使用に対して憤慨する.
━━動 他 〈言動・人などが〉〈人〉を憤慨させる《◆ *offend* よりも強意的》‖ *I was outraged by* [*at*] *the "no kids" provision*. 私は「子供不可」という規定に憤慨した. **2**〈秩序・人倫などを〉(公然と)破る. **3**〈人に〉暴力をふるう.

†**out·ra·geous** /aʊtréɪdʒəs/ 形 **1**（略式）著しく常軌を逸脱した, あきれるほどの(terrible)；‖ *outrageous jokes* 突飛な冗談 / *an outrageous price* 法外な値段. **2**〈言動などが〉無礼な, 恥知らずの；極悪の, 非道な（to）；暴虐な（to）；法外に.
òut·rá·geous·ly 副 無法に(も)；乱暴に(も)；法外に.

out·rank /àʊtrǽŋk/ 動 他（正式）…より地位が上である.

out·reach 動 /àʊtríːtʃ/；名 /ˈ/ 動 他 **1** …より遠くに達する, …を越える. ━━名 U **1** 手の届く距離. **2**（主に米）(訪問看護などの)奉仕［福祉］活動.

out·rid·er /áʊtràɪdər/ 名 C（車の前後・左右を警護する）オートバイに乗った警官.

out·rig·ger /áʊtrìgər/ 名 C **1**〔海事〕(カヌーの)舷外浮材；舷外張出し材, 突き出し桁（けた）. **2**〔海事〕(舷外に出した)クラッチ受け, アウトリガー；アウトリガー付き(競漕用)ボート.

†**out·right** 形 /áʊtràɪt/；副 /ˈ/ 形 **1** 完全な, 徹底的な ‖ *an outright loss* 完全な損失. **2** あからさまな, 率直な ‖ *an outright refusal* あからさまな拒絶. **3** まったくの. ━━副 **1** 完全に, 徹底的に ‖ *Now she owns the house outright*. 今や彼女はその家を完全に所有している. **2** 遠慮せず, 公然と ‖ *Tell me outright*. 遠慮せずに話しなさい. **3** 即座に.

†**out·run** /àʊtrʌ́n/ 動（過去 ~·ran, 過分 ~·run, ~·run·ning）他 **1**（正式）〈人〉より速く［遠くまで］走る. **2** …の範囲を越える. **3** …から逃れる.

out·score /àʊtskɔ́ːr/ 動 他 …より多くの点を入れる.

out·sell /àʊtsél/ 動（過去・過分 ~·sold）他 …より多く［速く］売る.

†**out·set** /áʊtsèt/ 名 [the ~] 初め, 発端《◆ *beginning*, *start* より堅い語》‖ *at* [*from*] *the outset* 最初は, 最初から.

out·shine /àʊtʃáɪn/ 動（過去・過分 ~·shone）他（正式）**1** …より光る, 強く輝く. **2** …より優れている.

:**out·side** /ˈˌ/ 名 /àʊtsáɪd/, ≃；形；副；前 ≃, ≃/外の［外側］側(side). cf. inside
━━名（複 ~s /-saɪdz/）C [通例 the ~] **1** 外側, 外部, 外面(↔ inside) ‖ *The paint on the outside of the house has come off*. その家の外側のペンキがはげてしまった.
2 外観, 見かけ；外, 外界 ‖ *judge* a thing *from the outside* 物を外観で判断する. **3** 部外, 局外, 門外 ‖ those *on the outside* 門外漢.

at the (*very*) *óutside*（略式）多く見積もっても, せいぜい(at (the) most).
óutside ín 裏返しに(inside out (1)).
━━形 ≃ /ˈ/ **1**〈比較変化しない〉[名詞の前で] **1** 外側の, 外部の, 外の；外部に通じる(↔ inside) ‖ *outside noises* 外の騒音 / *the outside door* 外側のドア.
2 部外の, 局外の, 門外の；よそからの ‖ *outside help* 外部からの援助 / *an outside opinion* 外部の意見. **3** 自分の仕事［活動範囲］以外の. **4**（略式）最高［最大］の, 極限の(maximum) ‖ *an outside estimate* ぎりぎりの見積もり. **5**（略式）〈可能性などが〉ごくわずかな ‖ *an outside chance* ごくわずかな見込み. **6**〔野球〕〈投球が〉外角の.
━━副 /ˈˌ/ **1** 外に［へ, で], 外側に, 外部に《◆比較変化しない》(↔ inside) ‖ *play outside* 戸外で遊ぶ / *come outside*（室内・屋内から）外に出る；［命令文で］表へ出ろ《◆挑戦の言葉》/ *go outside for some fresh air* 新鮮な空気を吸いに外に出る / *It's cold óutside but warm ínside*. 外は寒いが中は暖かい《◆対照姿勢に注意.

outside of A（略式・主に米）**(1)** …の外に［へ］(= outside). **(2)** …の範囲・限界を越えて. **(3)** [通例否定文・疑問文で] …のほかに, …以外には(except for).
━━前 ≃, ≃/（略式・主に米）outside of **1** [場所]〈建物・部屋・国などの〉外に［へ, で]；…の部外の；〈ズボン・スカートなどの〉外側に(出て)(↔ inside) ‖ *wait outside the cinema* 映画館の外で待つ.
2 [正式] …の範囲・限界を越えて ‖ *It's outside my authority*. それは私の権限外だ.
3（略式）[通例否定文・疑問文で] …のほかに, …以外には ‖ *He has few interests outside (of) his job*. 彼は仕事以外にほとんど関心がない.
óutside wórld [the ~] 外の世界《接触・交信のない外の人々土地》.

†**out·sid·er** /àʊtsáɪdər/ 名 C **1** よそ者, 部外者；門外漢；第三者(↔ insider)；(社会の)のけ者, 異端者；（略式）下品な人. **2** 勝ち目のない馬［選手］(↔ favorite).

out·size /áʊtsàɪz/ 名 C 形 特大(の), 特大品(の).

†**out·skirts** /áʊtskɜ̀ːrts/ 名 [複数扱い] […の]中心から離れた地域, 町はずれ, 郊外(の)(cf. suburb) ‖ *I live on*（米）*in, at*; *the outskirts of* Nagoya. 私は名古屋の郊外に住んでいる《◆ *suburb* と違って, 市のはずれだけ指す. I live in the suburbs of Nagoya. だと市外に住んでいることになる》.

out·smart /àʊtsmɑ́ːrt/ 動（主に米略式）**1** …より知恵を使って勝つ. **2** [~ oneself; 比喩的に] 自分で自分の首を絞める.

out·source /áʊtsɔːrs/ 動 他〔経済〕〈部品・製品などを〉外部調達する；〈業務を〉外部に委託する.

out·sourc·ing /áʊtsɔ̀ːrsɪŋ/ 名 U〔経済〕(組み立て部品の)外部調達；(業務の)外部委託.

out·spend /àʊtspénd/ 動（過去・過分 ~·spent）他 …より多く費用を使う.

out·spo·ken /àʊtspóʊkən/ 形 率直な, […の点で]（控え目に言うべき時に）遠慮なく（ずけずけと）言う[*in*].
óut·spóken·ly 副 遠慮なくずけずけと言って. **óut·spóken·ness** 名 U 遠慮なくずけずけということ.

out·spread /àʊtspréd/ 動（過去・過分 out·spread）(文) 他 …を広げる, 延ばす. ━━自 広がる, 延びる.
━━形 広がった, 伸びた.

*__**out·stand·ing** /àʊtstǽndɪŋ/; ≃ˈ/ [→ stand out]
━━形 **1**〈人・物・事が〉(同種の他のものより)目立った,

[…で]顕著な[for],〔…において]傑出している(excellent)[in] ‖ She was *outstanding* in scholarship [*for* her scholarship, *as* a scholar]. 彼女は傑出した学者であった. **2** /—/ (上・外へ)突出している.《◆比較変化しない》. **3** 〔正式〕未解決の(↔solved), 未決定の; 未払いの(unpaid)《◆比較変化しない》‖ A long *outstanding* problem 長い間懸案の問題 / leave some debts *outstanding* 負債を一部払わないでおく.

out·stay /àutstéi/ 動 …より長く滞在する.

†**out·stretched** /àutstrétʃt/ 形 〔文〕〈腕・翼などが〉広げた, 差し伸ばした ‖ with *outstretched* arms = with arms *outstretched* 両腕を広げて(=with one's arms *stretched* out).

†**out·strip** /àutstríp/ 動 (過去・過分) **out·stripped**/-t/, **--strip·ping**) 他 **1** 〈競走で〉…を追い越す. **2** 〈人·物·事に〉〔業績・重要性などにおいて〕まさる, …を凌駕(りょうが)する[in]《◆outdo より強意的. cf. surpass》.

out·think /àutθíŋk/ 動 (過去・過分) **--thought**) 他 よく考えて〈相手〉を出し抜く.

†**out·ward** /áutwərd/ 形 **1** 外へ向かう; 国外への ‖ take an *outward* look from inside the car 車外へ目を転じる / an *outward* flow of gold 金の海外流出 / an *outward* voyage 往航, 外国航路 (cf. homeward). **2** 外に現れた; 表面上の, 見せかけの(↔inward) ‖ to all *outward* appearances =to *outward* seeming (実際はともかく)見かけ上は. ——副 **1** (外へ向かって), 中心から遠ざかる方向へ; (船などが)港の外へ, 国外へ(=homeward) ‖ a ship bound *outward* =an *outward*-bound ship 出船; 外国行きの船 / The front doors in Japan often open *outward*. 日本では玄関の戸は外開きのことが多い. **2** 〔内にこもらないで〕外の世界へ; (感情などを)表面にあらわして, あからさまに. ——名 **1** [C] 外見, 外観; 外面, 外部. **2** [the ~] 物質世界; [~s] 外界.

†**out·ward-bound** /áutwərdbáund/ 形 外国行きの(↔homebound).

†**out·ward·ly** /áutwərdli/ 副 **1** 外見上は. **2** 外の方に[へ].

†**out·wards** /áutwədz/ 副 〔主に英〕=outward.

out·wear /àutwéər/ 動 (過去) **--wore**, (過分) **--worn**) 他 **1** …より長持ちする. **2** …を着古す(wear out), 使い古す. **3** …より大きくなる.

†**out·weigh** /àutwéi/ 動 〔正式〕 (価値・重要性・影響力などで)…にまさる ‖ Practice *outweighs* theory in language learning. 言語習得においては理屈より練習の方が重要である(=Practice is more important *than* theory in …). **2** …より重い, 目方がある.

†**out·wit** /àutwít/ 動 (過去・過分) **--wit·ted**/-id/, **--wit·ting**) 他 〈人など〉を出し抜く, 裏をかく《◆deceive よりも背信の含みは弱い》.

out·work /àutwə́:rk/ 動 (過去・過分) **~ed** or **--wrought**; **~·ing**) 〈人〉より上手に[速く]仕事をする. ——名 **1** [C] (通例 ~s) 外塁. **2** [U] 〔英〕 屋外[店外]の仕事, 出張作業. **òut·wórk·er** 名 [C] 屋外[出張]作業者.

out·worn /動 àutwɔ́:rn; 形 ⁓/ 動 outwear の過去分詞形. ——形 **1** 〈考え・習慣などが〉すたれた, 古くさい; 〈物が〉使い古した; 〈人が〉疲れ切った.

o·va /óuvə/ 名 ovum の複数形.

o·val /óuvl/ 形 **1** 卵形の. **2** 長円[楕(だ)円]形の. ——名 [C] **1** 〔正式〕卵形(の物), 長円[楕円]形. **2** (主に豪) 楕円形の競技場; [the O~] オーバル《ロンドンのクリケット場》.

Óval Óffice [Róom] [米略式] [the ~] (**1**) 大統領執務室. (**2**) 大統領, 米国政府.

†**o·va·ry** /óuvəri/ 名 [C] 〔解剖·動〕卵巣. 〔植〕子房 (図 → flower).

o·va·tion /ouvéiʃən | əu-/ 名 〔正式〕 **1** (民衆の)熱烈な歓迎. **2** (聴衆の)大かっさい.

*†**ov·en** /ʌ́vn/ 【発音注意】 [「(調理用の)つぼ」が原義] ——名 [C] **1** オーブン, 天火; かまど ‖ a gás òven ガスオーブン / a micrówave òven 電子レンジ / bread hot from the *oven* 焼きたてのパン / Our attic is like [(as) warm as] an *oven*. わが家の屋根裏部屋は蒸しぶろのような暑さだ. **2** 〔冶金・化学〕炉, かま, 乾燥器.

ov·en·bird /ʌ́vnbə̀:rd/ 名 [C] 〔鳥〕カマドシクイ; カマドドリ.

ov·en·proof /ʌ́vnprùːf/ 形 オーブンに使用できる.

ov·en·read·y /ʌ́vnrèdi/ 形 電子レンジ[オーブン]に入れるだけでよいように調理された.

ov·en·ware /ʌ́vnwèər/ 名 [U] [集合名詞] オーブン用のなべ[皿].

※o·ver /óuvər/ [「あるものが他のものの上を弧を描くように移動する」が本義]

index
前 1 …を覆って 2 …を支配して 3 …について 4 …の上方に 5 …を越えて 6 …より多く 7 …より上で 9 …の間 10 …しながら 12 …の向こう側に
副 1 倒れて 2 越えて 5 始めから終わりまで 6 上方に 7 一面に 9 終わって 10 移って

——前
I [全体を覆う]
1 [接触位置] **a** …を覆って, …一面に; …の方々に, …じゅうを《◆動きは不可. しばしば all を前に置いて「一面に」の意を強める》‖ spread a cloth *over* the table テーブルクロスを(テーブルに)掛ける / travel (all) *over* Europe ヨーロッパをくまなく旅行する / look *over* a house 家をくまなく検分する / He is well-known *all over the world*. 彼の名は世界中に知れわたっている / She wore a coat *over* her sweater. 彼女はセーターの上にコートを着ていた. **b** …の上を(on) ‖ strike a dog *over* the head 犬の頭をなぐる. **c** …につまずいて ‖ fáll óver a stone 石につまずいて転ぶ.

2 [支配] …を支配して ‖ rule *over* a country 一国を支配する / man's control *over* nature 自然に対する人間の支配 / My son has no command *over* himself. 息子には自制心がない.

3 [関連] …について, …をめぐって(about)《◆about と比べて長時間の紛争・いさかいを暗示する》‖ quarrel *over* money お金のことについて言い争う / argue *over* politics 政治について論じる / The two nations had a dispute *over* economic issues. その2国は経済問題で議論した.

II [真上に]
4 [空間位置] **a** …の上方に, …の上に(↔under); (覆うように)…に突き出して, 張り出して《◆ 真上には「離れて真上に」という垂直な関係を表し, しばしば覆いかぶさる感じを伴う. above は真上を含めて広く上方の位置を示す. on は「接触して上に」の意味. → above (図)》‖ the bridge *over* [*across*] the river 川に

かかっている橋 / A lamp was hanging *over* [*above*] the table. ランプがテーブルの上にかかっていた / The plane flew *over* [*above*] our house. 飛行機が家の上空を飛んで行った《◆ above だと単に「家の上空を」, over ではこれに「越えて」の意が加わるので **5** もとれる》 / The water was soon *over* [*above*] my knees. 水はやがてひざの上まで来た / The balcony juts out *over* the street. そのバルコニーは通りに突き出ている. **b**《変化などが》《人》に迫って, …を襲って ‖ A sudden change came *over* him. 突然の変化が彼を襲った.

III [上を越えて]

5 [動作を表す動詞と共に] **…を越えて**, 渡って ‖ climb *over* the wall 壁をよじ登って乗り越える / jump *over* a brook 小川を跳び越す / fall *over* the cliff がけから落ちる / He spoke to me *over* my shoulder. 彼は肩越しに私に話しかけた.

6 [超過] **a**《数量・程度が》**…より多く**, より上で《◆ more than の方がふつう》(↔ under) ‖ stay in Paris (for) *over* a month 1か月以上パリに滞在する / He is *over* 60 kilos. 彼は60キロを超えている《◆ over 60 キロちょうどは含まれない. 含めるときは厳密には60 kilos and [or] *over* という. → 副 **3 a**》. **b**《音などよりひときわ大きく》‖ We could hear their voices *over* [*above*] the rain. 雨音の中でも彼らの声が聞こえていた / I *can't hear* you *over* the roar of the engine. エンジンのうなる音にかき消されてあなたの言うことが聞こえません.

7 [優越]《地位などが》**…より上で**;《能力などが》**…より優れて** (↔ under) ‖ She is a sales manager, but she has a vice president *over* her. 彼女は販売部長だが, 彼女の上には副社長がいる《◆ above との違いについては → above 副 **4**》.

8 [優先] **…に優先して** ‖ He was chosen *over* all other candidates. 彼は他のすべての候補者に優先して選ばれた.

9 [期間] **…の間** (ずっと) (during), …にわたって;…が終わるまで ‖ stay in London *over* Christmas [the weekend] クリスマス [週末] の間ロンドンに滞在する / *Over* the years she has become more and more rational. 数年の間に彼女はますます理性的になっていった.

10 [従事] **…しながら**, …に従事して《◆上にかがむ姿勢を示すことからこの意を表す. ふつう「話す・眠る」の意の動詞と共に用いられる》‖ go to sleep *over* one's work [book] 仕事 [読書] の最中にうとうとする / We discussed the matter *over* (our) dinner [*over* (*a cup of*) *tea*]. 私たちは食事をしながら [お茶を飲みながら] その問題を論じた.

11 [手段] **…によって**, …で《◆電話・ラジオについて用いる. 今では on の方がふつう》‖ speak *over* [on] the telephone 電話で話す / I heard the news *over* [on] the radio. ラジオでそのニュースを聞いた.

IV [越えた向こう側に]

12 [状態を表す動詞と共に] **…の向こう側に**; [比喩的に] **…を通り過ぎて** (past) ‖ I am *over* the worst difficulties. 私は最難関を突破した.

V [その他]

13《道》に沿って(端から端まで)‖ drive *over* the new expressway 新しい高速道路を車で走る.

óver and abóve ▲《正式》**…に加えて**, …のほかに.

——副《◆比較変化しない》

I [上を越えて]

1 倒れて;ひっくり返して, 逆さに;**折って**, 折り返して ‖ fáll *óver* 倒れる / fold it *over* それを折り返す /

turn *over* the page ページをめくる / turn him *over* on his face 彼をうつぶせにする / *Over*《米》裏面へ続く (PTO).

2 a 越えて, 渡って ‖ jump *over* 跳び越える / She walked *over* to the door. 彼女はドアの所へ歩いて行った. **b** こちらへ, (話し手の家に) ‖ have friends *over* 友だちを家に呼ぶ / I asked them *over* for dinner. 彼らを夕食に招待した / ***Come over and have a drink***. うちへ来て一杯やらないか.

3 a《数量》を越えて, 超過して (↔ under);余って, 残って ‖ children of twelve and *over* 12歳以上の子供《◆ 12歳を含む》/ It costs £ 10 and *over*. それは10ポンド以上する / There are two cakes (left) *over*. ケーキが2つ残っている. **b** [形容詞・副詞の前で] あまり (too)《◆しばしば複合語で用いる. ふつう否定文で》‖ He is *not over* anxious. 彼はたいして心配していない.

4《主に米》(ある期間) 中;(ある期間) を越えて ‖ all the year *over* 1年中 / stay *over* till Sunday 日曜までずっと滞在する.

5 始めから終わりまで, すっかり, 完全に ‖ read a document *over* 書類に一通り目を通す / Think it *over* before you decide. 決める前によく考えなさい.

II [真上に]

6 a 上方に, 真上に, 高く;突き出て;上方から下に向かって ‖ a window that projects *over* 突き出ている窓 / A plane flew *over*. 飛行機が頭上を飛んで行った / She leaned *over* and picked up a coin. 彼女は前かがみになって硬貨を拾い上げた. **b** あふれて, こぼれて ‖ be boiling *over* with rage 怒りで煮えくり返っている / The bathtub ran *over*. バスタブ (から湯) があふれ (出) た.

III [全体を覆って]

7 一面に, 覆って;至る所, ほうぼう《◆しばしば all を前に置いて意味を強める》(cf. 前 **1**) ‖ paint the door *over* ドア一面にペンキを塗る / travel *all over* くまなく旅行して回る / The lake froze *over*. 湖は一面凍った.

IV [越えて向こう側へ]

8 (越えて) 向こう側へ ‖ He is *over* in France. 彼は (海の向こうの) フランスにいる.

9 終わって, 済んで《◆形容詞とも考えられる》**(使い分け) → end 自 1**》‖ The good old days are *over*. 古きよき時代は終わった / Is the game *over* yet? もう試合は終わったのですか.

V [その他]

10 (所有権などが) **a 移って**, 渡して, 譲って ‖ I handed *over* my property to my children. 私は財産を子供たちに譲った / He gave the thief *over* to the police. 彼はその泥棒を警察に引き渡した / Her persuasion won him *over* to our side. 彼女の説得が功を奏して彼は我々の側についた. **b** (無線電信で) どうぞ ‖ *Over* (to you)! (そちら) どうぞ.

11 繰り返して;《主に米》もう一度 (again) ‖ do the work *over* もう一度その仕事をやる / He read the book four times *over*. 彼は4回もその本を読み返した.

12 (目玉焼の) 両面焼いて.

all over → all 副.

*(áll) óver agáin もう一度, 繰り返して ‖ Do it *over again*. もう一度やりなさい.

óver agáinst ▲ (1) …と向かい合って, …に面して. (2)《正式》…と対照 [比較] して.

óver and agáin =**óver and óver** (**agáin**) 何度も繰り返して, 再三再四.
óver and dóne with 《略式》すっかり終わって; すっかり忘れられて; 今はたいした事ではない (cf. DEAD and done with).
óver hére こちらに.
***óver thére** あそこに, 向こうに; あちらで; 《米》ヨーロッパでは ‖ The bus stop is *over there*. バス停はあそこです.
óver with 《米略式》終わって ‖ get the work *over with* (as soon as possible) その仕事を(できるだけ早く)してしまう.
──[名]ⓒ 《クリケット》オーバー《ピッチの一方の端からの投球数. 今はふつう6球》.
o·ver- /óuvər-/ [要素] → 語要素一覧(1.7).
o·ver·act /òuvərǽkt/ [動] 自 他 (…を)おおげさに演じる, 過剰に演技する (↔ underact).
o·ver·age /óuvəréidʒ | òuvər-/ [形] 〔…の〕規定 [制限] 年齢を超えた〔for〕.
†**o·ver·all** [形][名] óuvərɔ̀:l | òuvər-; [副] ～´-´/ [形] 1 端から端までの; 全体の, 全部の ‖ the *overall* length of the table 机の全長 / the *overall* profits of the company 会社の総収益. 2 全般的な, すべてを考慮に入れた.
──[副]《◆ *over all* とも書く》1 [しばしば文頭で] 全体として(は), 概して ‖ *Overall*, the play was a success. 全般的に見れば劇は[その劇は全体として]成功であった. 2 全長で; 全部で.
──[名] 《英》[～s; 複数扱い]《◆ 数える場合は「a pair [two pair(s)] of *overalls*」》(男性用)作業用胸当てズボン; (小児用)オーバーオール《《米》coveralls》; 《英》騎兵ズボン. 2 ⓒ (主に英) 上っ張り, スモック(smock).
o·ver·ate /òuvəréit/ [動] overeat の過去形.
o·ver·awe /òuvərɔ́:/ [動] 他 《正式》〈人〉を恐れさせる, 威圧する.
o·ver·awed /òuvərɔ́:d/ [形] 威圧された, 恐れた.
o·ver·bal·ance /òuvərbǽləns/ [動] 自 《主に英》1 より重要性[価値]がある. 2 平衡を失う, ひっくり返る.
──[他] 1 …より重要性[価値]がある. 2 …の平衡を失わせる, …をひっくり返す.
o·ver·bear /òuvərbéər/ [動] (過去) --bore, (過分) --borne) [他] 《正式》[通例 be overborne] 〈人・事〉が押さえつけられる, 威圧される.
o·ver·bear·ing /òuvərbéəriŋ/ [形] 《正式》横柄な, 高圧的な.
o·ver·blown /òuvərblóun/ [形] 《正式》〈文体・動作などが〉仰々しい.
†**o·ver·board** /óuvərbɔ̀:rd/ [副] 船外に, 船から水中に ‖ fall [jump] *overboard* 水中に落ちる[飛び込む].
gó [fáll] óverboard 《略式》〔…に〕夢中になる, 深入りする〔*for, about*〕.
thrów óverboard [他] (1) 《略式》…を見捨てる, 放棄する. (2) …を船から水中に捨てる.
o·ver·book /òuvərbúk/ [動] 自 他 (…に)定員以上の予約をとる[受け付ける].
o·ver·book·ing /òuvərbúkiŋ/ [名] U (定員以上の)予約の取りすぎ《◆ double-booking ともいう》.
o·ver·bridge /óuvərbrìdʒ/ [名] ⓒ =overpass.
o·ver·bur·den /òuvərbə́:rdn/ [動] 他 1 〈人・物〉に〔負担・心配などを〕かけすぎる〔*with*〕. 2 [通例 be ～ed] 〈人が〉〔…で〕悩む, 心配する〔*with*〕.
o·ver·came /òuvərkéim/ [動] overcome の過去形.
†**o·ver·cast** /óuvərkǽst, ~´-´-́ | -kɑ́:st, ~´-´-́/ [形] 雲で覆われた, どんよりした (dull), 本曇りの《◆ cloudy より雲量が多い》‖ an *overcast* day 曇った日.
o·ver·charge /òuvərtʃɑ́:rdʒ/ [動] 自 他 〈人〉に[…に対して〕法外な値を要求する〔*for*〕(↔ undercharge) ‖ What! You're *overcharging* me. まさか, 高すぎますよ.
o·ver·cloud /òuvərkláud/ [動] 自 他《◆ 他はふつう be ～ed》1 〈空などが〉曇る, 暗くなる. 2 〈気持ち・表情などが〉暗くなる, 悲しくなる.
*__o·ver·coat__ /óuvərkòut/ [名] (愎 ～s/-kòuts/) ⓒ (主に男性用の)防寒用)オーバー ‖ He took off his *overcoat*. 彼はオーバーを脱いだ《◆ 英米では家を訪問するとき, 日本のように玄関に入る前にオーバーを脱ぐことはせず, 中に入ってはじめて脱ぐ》.
*__o·ver·come__ /òuvərkʌ́m/
──[動] (～s/-z/, (過去) --came/-kéim/, (過分) --come, --coming)
──[他] 1《正式》〈人が〉〈敵などに〉(圧倒的に)打ち勝つ, …を制覇する (defeat); 〈人が〉〈困難・障害・誘惑など〉を克服する ‖ He finally *overcame* his smoking habit. 彼はついに喫煙の習慣から抜け出た / A bad temptation *overcame* him eventually. ついに彼は悪い誘惑に負けた.
2 [通例 be overcome] 〈人が〉〔暑さ・悲しみなどで〕(肉体的・精神的に)打ちのめされる〔*by, with*〕‖ be *overcome by* [*with*] the heat 暑さにまいる.
──[自] 〈人が〉勝つ ‖ We shall *overcome*. 我々は勝つ《黒人解放歌の冒頭の一節》.
†**o·ver·crowd** /òuvərkráud/ [動] 他 …を〔…で〕いっぱいにしすぎる, …を〔…で〕混雑させる〔*with*〕. ──[自] 〔…で〕いっぱいになりすぎる〔*with*〕; 〔…で〕混雑する〔*with*〕. **òver·crówd·ed** [形] 混雑しすぎた.
òver·crówd·ing [名] U 大変混雑した状態.
o·ver·do /òuvərdú:/ [動] (--does; (過去) --did, --done) 他 …をやりすぎる, …を誇張して言う ‖ Several scenes in the film *were overdone*. 映画中のいくつかのシーンは度を越していた. 2 …を使いすぎる ‖ *overdo* oneself へとへとに疲れる. 3 [be overdone] 〈料理の煮[焼き]すぎである. **overdó it [things]** やりすぎる, 誇張する; 体を酷使する.
o·ver·done /òuvərdʌ́n/ [動] overdo の過去分詞形. ──[形] 焼き[煮]すぎた (↔ underdone).
o·ver·dose /óuvərdòus/ ~´-´-́/ [名] ⓒ (薬の)盛り[飲み]すぎ. ──[動] 他 〈人〉に薬を飲ませすぎる.
o·ver·draft /óuvərdrǽft | -drɑ̀:ft/ [名] ⓒ 〔商業〕当座貸越(高), (手形の)過振(さん)(《略》OD). 2 (炉などの)通風.
o·ver·draw /òuvərdrɔ́:/ [動] (過去) --drew, (過分) --drawn) 自 他 1 〔商業〕〈預金〉を引き出しすぎる, 借り越す; 〈手形〉を過振する. 2 (描写などを)誇張する.
o·ver·drawn /òuvərdrɔ́:n/ [動] overdraw の過去分詞形. ──[形] 〔商業〕〈当座預金が〉貸し[借り]越しの, 〈手形が〉過振の.
o·ver·dress /òuvərdrés; [名] ~´-´-́/ [動] 自 他 [通例 ~ oneself / be ~ed] 着飾りすぎる ‖ be *overdressed* for a small party 小人数のパーティーにしてはめかしすぎる. ──[名] ⓒ オーバードレス, エプロンドレス.
o·ver·due /òuvərdjú:/ [形] 1 [しばしば long ~で] 〈支払いが〉期限がすぎた; 〈返済などが〉定刻をすぎた, 延着の; 〈略式〉〈胎児・妊婦が〉出産予定日を過ぎた. 2 機が熟した.
†**o·ver·eat** /òuvəríːt/ [動] (過去) --ate, (過分) --eaten) 自 他 [~ oneself] 食べすぎる《《略》eat too

o·ver·es·ti·mate /òuvəréstəmèit; 名 -/ 動 他 (⇔ underestimate) を過大評価する, 買いかぶる (⇔ underestimate) ‖ *overestimate* her ability 彼女の能力を買いかぶる. ――名 C 過大評価.

o·ver·ex·pose /òuvərikspóuz, -eks-/ 動 他 1 〔しばしば ~ oneself〕〈皮膚などを〉〈太陽・寒さなどに〉さらしすぎる〔to〕(⇔ underexpose). 2 〔写真〕…を露出過度にする.

o·ver·feed /òuvərfíːd/ 動 (過去・過分 --fed) 他 〈人・動物に〉食べさせすぎる. ――自 食べ過ぎる.

†**o·ver·flow** /òuvərflóu; 名 -/ 動 (過去 ~ed /-d/, 過分 ~ed or 《米では時に》--flown) 自 1 a 〈川などが〉〔…で〕氾濫する; 〈容器が〉〔…で〕(いっぱいになって)あふれる〔with〕‖ The river is *overflowing*! Let's take shelter. 川が氾濫〔氾濫〕しかけています. 避難しましょう. b 〈水・人々などが〉〈容器・場所から〉〔…へ〕あふれ出る〔into, onto〕. 2 〈人・心が〉〔感情で〕いっぱいになる, 〈場所が〉〈人・物で〉いっぱいである〔with〕, 〈収穫・親切などが〉満ちあふれている ‖ She [Her heart] was *overflowing* with joy. 彼女はうれしくてたまらなかった. ――他 1 〈川などが〉〈岸などを越えて〉あふれ出る; 〈場所を〉水浸しにする ‖ The river *overflowed* the neighboring fields. 川が氾濫して近辺の田畑が水浸しになった. 2 〈水・人々などが〉〈容器・場所〉から〔…へ〕あふれ出る〔into, onto〕‖ The crowd *overflowed* the stands onto the playing field. 群衆はスタンドから競技場内へなだれ込んだ. ――名 1 氾濫〔氾濫〕, 流出; 〔商品・人口などの〕過剰. 2 あふれ出た水〔群衆など〕. 3 〔余分な液体の〕排水口, 排水路〔口〕. 4 〔コンピュータ〕オーバーフロー《演算結果がコンピュータの記憶・演算桁容量を越えること》.

o·ver·grow /òuvərgróu/ 動 (過去 --grew, 過分 --grown) 自 他 1 〈雑草などが〉〈…に〉はびこる. 2 〈…より〉大きくなる〔なりすぎる〕(◆ outgrow の方がふつう).

†**o·ver·grown** /òuvərgróun/ 動 overgrow の過去分詞形. ――形 1 〔植物が〕生い茂った〔with〕‖ a garden *overgrown* with weeds 草が生い茂った庭. 2 〈人・野菜などが〉大きくなりすぎた.

o·ver·growth /òuvərgróuθ/ 名 1 〔an ~〕一面に生えているもの. 2 U 繁茂, 過度の成長.

o·ver·hand /òuvərhænd/ 形 副 1 〔球技〕上手投げ〔打ちおろし〕の〔で〕(⇔ underhand) ‖ an *overhand* throw 上手投げ. 2 〔水泳〕抜き手の〔で〕‖ an *overhand* stroke 抜き手.

†**o·ver·hang** /òuvərhǽŋ; 名 -/ 動 (正式) (過去・過分 --hung or --hanged) 他 1 …の上にかかる, …の上に突き出る(stick out). 2 〈危険などが〉〈人などに〉(差し)迫る. ――自 1 張り出す, 突き出る. 2 〈危険などが〉迫る ‖ *overhanging* dangers 差し迫っている危険. ――名 C 1 突出(部). 2 〔建物の〕張り出し. 3 〔登山〕オーバーハング.

†**o·ver·haul** /òuvərhɔ́ːl; 動 -/ 動 他 1 …を分解点検〔修理〕する, …を詳しく調べる, 精査する ‖ I had my car *overhauled* at the garage. 修理工場で車の整備をしてもらった. 2 《略式》…を精密診察する. 3 〈人・船・馬車などが〉…に追いつく(overtake). ――名 C 分解点検〔修理〕, 整備, オーバーホール.

*****o·ver·head** /òuvərhèd; 形 òuvərhèd; 副 -/ ――形 〔名詞の前で〕頭上の, 高架の; 〔機械〕頭上式の (◆ 比較変化しない) ‖ Place your carry-on luggage in the *overhead* compartment. 手荷物は頭上の物入れにお入れください 《機内の掲示》/ an *overhead* railway 《英》高架鉄道. ――副 /-/ 〔頭上で〔を, に〕; 〔名詞の後で〕頭上にある (over [above] one's head), 空高く, 階上に(ある)(◆ 比較変化しない) ‖ a light burning *overhead* 頭上にともる灯火 / the room *overhead* 階上の部屋 / Helicopters are flying *overhead*. ヘリコプターが頭上を飛んでいます. ――名 1 C 〔商業〕〔〔英〕では通例 ~s〕〔集合名詞; 複数扱い〕=overhead costs; 〔形容詞的に〕〈経費が〉総費用〔諸掛〕込みの, 一切を含む. 2 C 〔テニスなど〕オーバーヘッド《頭上から打ちおろす強打》. 3 C 〔海事〕(船室の)天井.

óverhead cámera オーバーヘッドカメラ《教室で授業などに使われる》.

óverhead cósts (原材料費と労働費を除く)間接経費, 共通経費.

óverhead projéctor オーバーヘッド・プロジェクター《視聴覚教育機器の1つ. 略 OHP》.

óverhead ráilway 《英》高架鉄道《《米》elevated railroad [railway]》.

†**o·ver·hear** /òuvərhíər/ 動 (過去・過分 --heard) 他 〈会話などを〉ふと耳にする, 漏れ聞く(◆ eavesdrop は「盗み聞きをする」).

o·ver·heat /òuvərhíːt/ 動 自 〈エンジンなどが〉オーバーヒート〔過熱〕する. ――他 〔通例 be ~ed〕〈人が〉過度に興奮する. ――名 U 過熱(状態).

o·ver·in·dulge /òuvərindʌ́ldʒ/ 動 〔通例 ~ oneself〕わがままにふける, …に過度にふける. ――自 〔…に〕過度にふける〔in〕; 食べ〔飲み〕すぎる.

†**over·joyed** /òuvərdʒɔ́id/ 形 〔…に/…して/…ということに〕大いに喜ぶ〔at, with / to do / that など〕.

over·kill /óuvərkìl/ 名 過剰殺戮, 過多, 過剰殺傷; 大量核破壊力; 過剰. ――動 他 …を過剰殺戮する.

o·ver·lad·en /òuvərléidn/ 形 〔…に〕荷物を積みすぎた; 〔…に〕装飾を施しすぎた〔with〕.

†**o·ver·land** /òuvərlǽnd/ 形 副 陸上〔陸路〕で〔の〕. ――動 《豪》他 〈家畜を〉陸上輸送する.

†**over·lap** /動 òuvərlǽp; 名 -/ 動 (過去・過分 --verlapped/-t/; --lap·ping) 他 …を一部重ね合わせる; …より一部突き出る. ――自 一部重なり合う; 〔…と〕重複〔共通〕する〔with〕; 〔…に〕食い込む〔into〕‖ History and politics *overlap*. 歴史学と政治学は共通部分がある / His visit and mine *overlapped*. =His visit *overlapped* with mine. 彼と私の訪問がかち合った. ――名 1 U 重複; C 重複部分〔範囲, 場所〕; 張り出し〔はみ出し〕部分. 2 U C 〔ヨットレース・映画・地質〕オーバーラップ.

over·lay /動 òuvərléi; 名 -/ 動 (過去・過分 --laid) 他 〔通例 be overlaid〕〈物が〉〔…で〕薄く覆われる〔with〕; …に上塗りする, 上張り〔上掛け, 上敷き〕をする. ――名 C 重ねられているもの, 覆い, 上張り, 上敷き; 裏面にある〔隠されている〕もの.

over·leaf /òuvərlíːf/ 副 1 葉の裏に〔の〕. 2 裏ページに〔の〕.

o·ver·leap /òuvərlíːp/ 動 (過去・過分 ~ed or --leapt) 他 1 …を跳び越える, 乗り越える; 〔~ oneself〕やりすぎて失敗する. 2 …を省略〔無視〕する.

o·ver·lie /òuvərlái/ 動 (過去 --lay, 過分 --lain; --ly·ing) 他 …の上に横たえる; 〈子供を〉添い寝して窒息死させる.

†**over·load** /動 òuvərlóud; 名 -/ 動 他 1 …に〔荷物などを〕積みすぎる〔with〕; …に負担をかけすぎる. 2 …に電流を流しすぎる; 〈鉄砲に〉弾薬を詰め込みすぎる.

overlong

――名 [通例 an/the ~] 荷の積みすぎ, 過重な荷; 過重電流を流すこと, 過電荷量.

o·ver·long /òuvərlɔ́ːŋ/ 形 長すぎる. ――副 長い長い間に.

***o·ver·look** /動 òuvərlúk; 名 ⸺/ [look over (見渡す)から]

――動 (~s/-s/; 過去・過分 ~ed/-t/; ~·ing)
――他 **1** 〈人が〉〈事を〉許す, 大目に見る, 見のがす;〔正式〕〈誤りなど〉を(うっかり)**見落とす**(miss); …を無視する ‖ I thought I answered every question, but I apparently *overlooked* some. すべての質問に答えたと思ったが, どうやらいくつかは見落としたようだ.
2〈場所が高くなどを**見渡せる**[見下ろせる](ところにある)《◆ command に比べ口語的だが, look over より堅い言い方》;〈人が〉〈人・景色などを〔…から〕見下ろす, 見渡す〔*from*〕‖ The house on the hill *overlooks* the harbor. 丘の上の家から港が見渡せる / We're *overlooked* here. ここ[この家]は近所の人から中が見える.
3〈人・仕事などを〉監督する, 監視する; …を観察する, 調査する.

――名 C《米》(景色が見渡せる)高台;(高台からの)見晴らし.

†**o·ver·lord** /òuvərlɔ́ːrd/ 名 C〔歴史〕**1** 領主; 大君主 ‖ a feudal *overlord* 大領主. **2** 天帝, 神.

o·ver·ly /òuvərli/ 副 《主に米·スコット正式》[通例否定文で] あまりにも, 過度に; とても ‖ I'm not *overly* interested in music. 私は音楽にはあまり興味がない.

o·ver·manned /òuvərmǽnd/ 形〈会社などが〉人員過剰の((PC) overstaffed).

o·ver·mas·ter /òuvərmǽstər | -mɑ́ːs-/ 動 他〔正式〕…を打ち負かす.

o·ver·match /òuvərmǽtʃ/ 動 他 …にまさる, …をしのぐ.

o·ver·much /òuvərmʌ́tʃ/ 副〔正式〕過度に; [否定文で]あまり(…でない) ‖ work *overmuch* 働きすぎる / I don't like it *overmuch*. それはあまり好きではない. ――形 たくさんの, ありあまる.

***o·ver·night** /副 òuvərnáit; 形 ⸺/

――副 **1** 一晩中, 夜通し ‖ stay *overnight* at his house 彼の家に一泊する. **2** 前の晩に. **3**〔略式〕一夜のうちに, 急に, 突然 ‖ The poor man turned into a millionaire *overnight*. その貧しい人は一夜にして百万長者となった.

――形 [名詞の前で] **1** 夜通しの, 一晩中の. **2**〈決定などが〉前夜の. **3**〈客・旅などが〉一泊の;〈かばんなどが〉一泊用の;〈郵便物が〉翌日配達の ‖ an *óvernight bàg* [càse] 一泊旅行用のかばん / *overnight* delivery 翌日配達. **4**〔略式〕〈勝利・成功などが〉一夜のうちの, 突然の.

over·pass /動 òuvərpǽs | -pɑ́ːs; 名 ⸺/ 動 他〔まれ〕**1**〈川などを〉渡る. **2**〈限界などを〉越える. **3** …をしのぐ, …にまさる. **4** …を見落とす; …をなおざりにする. ――自 渡る; 通過する. ――名 C《米》(道路・鉄道・運河などの上にかかる)高架交差路, 陸橋, 跨線[道]橋 ((英) flyover)《◆「下をくぐり抜ける道路」は underpass》.

o·ver·pay /òuvərpéi/ 動 (過去・過分) --paid/ 他 …を〈行為に対して〉支払いすぎる; …を十二分に償う〔*for*〕(↔ underpay).

o·ver·play /òuvərpléi/ 動 他 **1** …をおおげさに演じる;(ふつう他)…を大きく[よく]見せる. **2** …を重視[強調]しすぎる.

o·ver·plus /óuvərplʌ̀s/ 名 U 過多, 過分, 過剰 (surplus).

o·ver·pop·u·lat·ed /òuvərpɑ́pjəlèitid/ -pɔ́p-/ 形 過密の. **òver·pòp·u·lá·tion** 名 U 人口過剰, (人口の)過密(化).

†**o·ver·pow·er** /òuvərpáuər/ 動 他 **1** …を征服する; [be ~ed]〈人が〉〔暑さなどに〕圧倒されている, 気分的に参っている〔*by*, *with*〕. **2** …の影を薄くする. **òver·pów·er·ing** 形 強力な, 抗しがたい; 高圧的な.

o·ver·priced /òuvərpráist/ 形〈物の〉値段が高すぎる.

†**o·ver·pro·duc·tion** /òuvərprədʌ́kʃən/ 名 U 過剰生産.

o·ver·pro·tect /òuvərprətékt/ 動 他〈子供〉を過保護にする. **òver·pro·téc·tive** 形 過保護の.

o·ver·rate /òuvərréit/ 動 …を過大評価[重視]する, 買いかぶる.

o·ver·rat·ed /òuvərréitid/ 形 過大評価された, 買いかぶられた.

o·ver·reach /òuvərríːtʃ/ 動 他 **1**〔正式〕…を出し抜く; [~ oneself] むりをしすぎて[背伸びして]失敗する《◆受身不可》. **2** …を越える. ――自 **1** 行きすぎる. **2** ごまかしをする.

o·ver·re·act /òuvərriːǽkt/ 動 自〔…に〕激しく反発[反抗]する, 過激な反応を示す〔*to*〕.

o·ver·re·ac·tion /òuvərriːǽkʃən/ 名 UC 過剰反応.

o·ver·ride /òuvərráid/ 動 (過去) --rode, (過分) --ridden/ 他 **1** …に優先する, …より重要である. **2** …をくつがえす, 破棄する; …に応じない.

o·ver·rid·ing /òuvərráidiŋ/ 形 最も重要な, 最優先の.

†**o·ver·rule** /òuvərrúːl/ 動 他〔正式〕**1** …に反対する; …をくつがえす, 却下する (cancel). **2** …よりまさる, …を凌駕(りょうが)する.

†**over·run** /動 òuvərrʌ́n; 名 ⸺/ 動 (過去) --ran, (過分) o·ver·run; --run·ning/ 他 **1** …を荒廃させる; …を侵略する. **2** [通例 be overrun]〔…で〕覆われる;〔…が〕はびこる, 群がる〔*with*, *by*〕‖ The house was *overrun* with mice. 家にネズミがうじゃうじゃいた. **3** …を圧倒する. **4**〈期限・範囲などを〉越える;〈定位置を〉(うっかり)通過する, 行きすぎる ‖ *overrun* the allotted time 割り当ての時間を超過する / *overrun* oneself〔略式〕走りすぎて疲れる. ――自 氾濫(はんらん)する. ――名 C **1** 行きすぎ, オーバーラン;(越えた)水量. **2** [通例 an ~] 期限超過, 超過(時間) ‖ an *overrun* of 15 minutes 15分の超過. **3**(空港の)緊急避難場所.

***o·ver·seas** /形 òuvərsíːz; 副 ⸺/ (同音) over-sees)

――形 [名詞の前で] **海外の**, 外国への, 海外向けの《◆比較変化しない》‖ *overseas* students (海外からの)留学生 (→ foreign) / students *overseas* (海外への)留学生《◆「海外からの留学生」の意にもなり, あいまい》.

――副 **海外へ** (abroad)《◆比較変化しない》‖ go [live] *overseas* 外国に行く[に住む].

――名〔略式〕[単数・複数扱い](諸)外国, 国外.

†**o·ver·see** /òuvərsíː/ 動 (過去) --saw, (過分) --seen/ 他〔正式〕…を監督[監視]する (watch over).

†**o·ver·seer** /óuvərsìːər/ 名 C **1**〔英史〕教区の民生委員; 監督[監視]者. **2**〔米史〕(白人の)奴隷監視人.

o·ver·sen·si·tive /òuvərsénsətiv/ 形 敏感すぎる.

o·ver·se·ri·ous /òuvərsíəriəs/ 形 まじめすぎる.

o·ver·set /ðuvərsét/ 動 (過去・過分) o·ver·set ; --set·ting) 他 1 …をくつがえす, ひっくり返す ; …をかき乱す. 2 [印刷] 〈活字〉を組みすぎる. ― 自 1 混乱する. 2 〈活字が〉組みすぎになる,〈紙面が〉詰まりすぎる.

o·ver·shad·ow /ðuvərʃǽdou/ 動 《正式》 1 …に影を投げかける, …を陰(ホケ)らせる. 2 [比喩的に] …に暗雲を投げかける, …の影を薄くする ; …を見劣りさせる.

o·ver·shoe /óuvərʃùː/ 名 C (通例 ~s) オーバーシューズ《防寒・防水用に靴の上にはく》.

o·ver·shoot /òuvərʃúːt/ 動 (過去・過分) --shot) 他 《略式》 1 …を射はずす, …を越える. 2 [~ oneself] やりすぎて失敗する, 勇み足になる. ― 自 行き[走り]すぎる, 射すぎる.

o·ver·shot 動 òuvərʃát|-ʃɔ́t; 形 二/動 overshoot の過去形・過去分詞形. ― 形 1〈水車が〉上射式の. 2〈イヌが〉上あご[上唇]の突き[飛び]出ている.

o·ver·side /óuvərsàid/ 形 副 《米》舷側(ゲンソク)越しの[に] ; レコードの裏面の[に].

†**o·ver·sight** /óuvərsàit/ 名 1 U《正式》[時に an ~] 監督(supervision). 2 C U ミス, 見落とし(mistake).

o·ver·sim·pli·fy /òuvərsímpləfai/ 動 他 (誤解を招くほど)…を簡略化しすぎる.

o·ver·size(d) /óuvərsàiz(d)/ 形 特大の.

o·ver·skirt /óuvərskə̀ːrt/ 名 C オーバースカート.

†**o·ver·sleep** /òuvərslíːp/ 動 (過去・過分) --slept) 自 (うっかり)寝過ごす, 朝寝坊をする(sleep late) ‖ Sorry I'm late. I *overslept*. 遅刻してすみません. 寝過ごしました.

o·ver·spend /òuvərspénd/ 動 (過去・過分) --spent) 他 〈…に〉金をかけすぎる[on].

†**o·ver·spread** /òuvərspréd/ 動 (過去・過分) o·ver·spread) 他 …を一面に覆う, …の一面に広がる ; [be overspread] 〈…で〉一面に覆われる[with, by].

o·ver·staffed /òuvərstǽft/ 形 職員[従業員]の多すぎる.

o·ver·state /òuvərstéit/ 動 《正式》…を強調しすぎる, おおげさに言う ; …を実際よりも[悪く]見せる. **ò·ver·státe·ment** 名 U C 誇張(表現) (↔ understatement).

o·ver·stay /òuvərstéi/ 動 他 《◆通例次の句で》‖ *overstay* one's welcome [leave] 長居しすぎる.

o·ver·step /òuvərstép/ 動 (過去・過分) --stepped/-t/; --step·ping) 他 …を越える, …の限度を越す.

o·ver·stock /òuvərstάk|-stɔ́k/ 動 他 …に[…を]過剰供給する, …に[…で]在庫過剰にする[with].

o·ver·strain /òuvərstréin/ 動 名 二/動 [通例 ~ oneself] 緊張しすぎる. ― 名 U 過度の緊張.

o·ver·stuff /òuvərstʌ́f/ 動 他 …を必要以上に詰め込む. **ò·ver·stúffed** 形〈ソファーなどが〉詰め物と厚い張り地で心地よい.

o·ver·sup·ply /òuvərsəplái/ 動 二/名 U C 動 他 (…に)を供給過剰(にする).

o·vert /ouvə́ːrt, 二 | óuvəːt, 二/ 形 《正式》明白な, 隠しだてのない(public) (↔ covert) ; [言語] 顕在的な. **o·vért·ly** 副 明白に, 公然と.

†**o·ver·take** /òuvərtéik/ 動 (過去) --took, (過分) --tak·en) 他 1〈人などが〉〈相手〉に追いつく 《◆ catch up with より堅い語》 ; …を追い越す, 抜く ;〈他の車〉を追い越す ‖ That firm is eager to *overtake* ours (in sales). あの会社は(売り上げ高で)わが社を追い越そうとやっきになっている. 2〈仕事などの遅れ〉を取り戻す. 3〈記録・価値など〉が〈他の記録・価値など〉と同じになる, …を上回る. 4《悪いことが》〈人〉の身に突然ふりかかる[起こる] ;《やや文》《恐怖などが》〈人〉を不意に襲う ‖ I was *overtaken* by [with] terror. 突然私は恐怖に襲われた. ―自《英》自動車を追い越す ‖ No *overtaking*. 《掲示》追い越し禁止((米) No passing.).

o·ver·tak·en /òuvərtéikn/ 動 overtake の過去分詞形.

o·ver·task /òuvərtǽsk|-tɑ́ːsk/ 動 他 …に過度の負担をかける, …を酷使する.

o·ver·tax /òuvərtǽks/ 動 他 《正式》…に過度な負担[税金]をかける, …を酷使する.

o·ver-the-count·er /óuvərðəkáuntər/ 形 〔商業〕〈証券の〉店頭売り[直接売買]の (↔ under-the-counter) ; 〔医学〕(医者の処方箋(ケン)なしで)〈薬が〉店頭売買される.

†**o·ver·throw** 動 òuvərθróu; 名 二/動 (過去) --threw, (過分) --thrown) 他 1〈人・軍隊などが〉〈政府など〉を転覆させる ;〈制度など〉を廃止する ‖ They attempted to *overthrow* the government. 彼らは政府を倒そうとした. 2〈人などが〉〈テーブルなど〉をひっくり返す, 倒す 《◆ throw over より堅い語》. 3 [野球] 〈ボール〉を暴投する ;〈一塁など〉へ暴投する. ― 名 C 1 [通例 the ~] 転覆[打倒, 廃止][する[される]こと]. 2 [野球・クリケット] 暴投.

†**o·ver·time** /名 形 副 óuvərtàim; 動 二/ 名 U 形 時間外(の), 超過時間, 超勤[残業]手当(の) ;《米》(選手のけがなどによる試合の)延長時間, インジュリータイム. ― 副 時間外に ‖ work [do] *overtime* 《略式》超過[時間外]勤務をする. ― 動 他 …に時間をかけすぎる.

†**o·ver·tone** /óuvərtòun; 名 二/ 名 C 動 他 1 [音楽] 上音, 倍音. 2 (ある色に含まれる)別の色調. 3《正式》[通例 ~s] 付帯的な意味[含み, 響き], 含蓄(hints).

o·ver·took /òuvərtúk/ 動 overtake の過去形.

o·ver·top /òuvərtάp|-tɔ́p/ 動 (過去・過分) --ver·topped/-t/; --top·ping) 他 《正式》…より高くなる, …を越す ; …よりまさる.

o·ver·train /òuvərtréin/ 動 他 …を過度に練習させる, しごく. ― 自 過度に練習する ; 過度の練習で調子を悪くする.

†**o·ver·ture** /óuvərtʃuər, -tʃər, -tjuər, -tʃə/ 名 C 1 《正式》[通例 ~s] (…の/人への)予備交渉, 打診, 申入れ(proposal) [*of, for / to*] ‖ make *overtures* [*of*] peace =make peace *overtures* 和平の予備交渉をする. 2 [音楽] 〈オペラなどの〉序曲[to], 〈コンサートの〉開始曲 ; 〈詩の〉序章.

†**o·ver·turn** /òuvərtə́ːrn; 名 二/ 動 他 1〈人・物事〉が〈車・船など〉をひっくり返す ;…を横転[転覆]させる ‖ The collision *overturned* both cars. 衝突で2台の車が横転した. 2〈評決・裁判の結果などが〉くつがえす, 倒す. ― 自〈車・船などが〉ひっくり返る ; 横転[転覆]する. ― 名 C 1 ひっくり返す[返る]こと ; 横転, 転覆. 2 打倒, 征服.

o·ver·use /名 òuvərjúːs; 動 二/名 C 動 他 …を使いすぎる, 乱用する. ― 名 U 乱用, 酷使.

o·ver·val·ue /òuvərvǽljuː/ 動 他 …を過大評価する, 買いかぶる.

o·ver·view /óuvərvjùː/ 名 C《正式》概観, 通覧.

o·ver·watch /òuvərwάtʃ|-wɔ́tʃ/ 動 他 …を見渡す ; …を監視する.

o·ver·weigh /òuvərwéi/ 動 他 …より重い ; …より重大である ; …を圧迫する.

†**over·weight** /名 óuvərwèit; 形 二; 動 二/名 U 形 〔(…への)過重, 余分(の目方)〕 [on] ; 肥満, 太りすぎ.

──形 [...だけ] 重量超過の, 太りすぎの (by).
──動 他 1 ...に [...を] 積みすぎる (with). 2 ...を強調 [重視] しすぎる.

ó·ver·wéight·ed 形 太りすぎた.

†**o·ver·whelm** /òuvərhwélm/ 動 他 1 〈人・団体など が〉〈相手を〉力で圧倒する, 制圧する, やっつける ‖ The Tigers *overwhelmed* the Giants. 阪神が巨人に大勝した. 2 〈物・事が〉〈人〉を [...で] 苦しめる, 困惑させる, 閉口させる (with, by) ‖ He *was overwhelmed with* emotion. 彼は感情が高まって我を忘れた / She *was overwhelmed with* questions. 彼女は質問攻めにあった. 3 〈物を覆う, 埋没させる; 〈船〉を転覆 [沈没] させる.

†**o·ver·whelm·ing** /òuvərhwélmiŋ/ 形 不可抗力の; 圧倒的な; たいへんな ‖ an *overwhelming* disaster 不可抗力の災害 / an *overwhelming* victory [majority] 圧倒的勝利 [多数].
ò·ver·whélm·ing·ly 副 圧倒的に.

†**over·work** /─ 動 òuvərwə́:rk; ─ 名 ←─/ 動 (過去・過分 ~ed or --wrought) (正式) 他 1 〈人・動物〉を働かせすぎる, こき使う; ...を働かせてくたくたにさせる ‖ He is always *overworking* his men. 彼はいつも部下を働かせすぎている. 2 〈言葉など〉を過度に用いる. ── 自 働きすぎる. ── 名 U 1 働きすぎ (ること), 過労 ‖ get ill through *overwork* 過労で病気になる / die from *overwork* 過労死する. 2 余分の仕事, 超過勤務.

o·ver·worked /òuvərwə́:rkt/ 形 働きすぎた; 過度に用いた.

o·ver·write /òuvərráit/ 動 (過去 --wrote, 過分 --writ·ten) 他 〔コンピュータ〕 ...に (前のデータを消して) 上書きする.

o·ver·wrought /òuvərrɔ́:t/ 動 *overwork* の過去形・過去分詞形. ── 形 1 (正式) 〈神経などが〉張りつめた, 興奮しすぎた. 2 飾り〔凝り〕すぎた.

Ov·id /ávid | ɔ́vid/ 名 オウィディウス《43 B.C. - A.D. 17; ローマの詩人》.

o·vip·a·rous /ouvípərəs/ 形 卵生の, 卵を生む.

o·void /óuvoid/ 〈正式〉 名 C 形 卵形 (の).

o·vu·late /ávjəleit, ou-|ɔ́-/ 動 〔生物〕 卵を形成する, 排卵する.

ò·vu·lá·tion 名 U 排卵.

o·vule /ávjuːl, ou-|ɔ́-/ 名 C 〔植〕 胚珠 ((卵) ((図) → flower)); 〔生物〕 受精していない卵 (ovum).

o·vum /óuvəm/ 名 (複 o·va/-və/) C 〔生物〕 卵, 卵子.

ow /áu, úː/ 間 うっう, 痛いっ (cf. ouch).

*__owe__ /óu/ (同音 O, oh) 〖「借りていて返すべき義務がある」が本義〗
── 動 (~s/-z/; 過去・過分 ~d/-d/; ow·ing)
── 他 1 [owe A B (for ...) = owe B to A (for ...)] 〈人が〉 A 〈人・店など〉に [〈物の〉] B 〈金・代金〉を借りている 《◆このほか [owe A for ...] [owe B for ...] も可能》 ‖ I *owe* $5 *to* my brother. = I *owe* my brother $5. 兄に5ドル借りている / How much do I *owe* you *for* this bat? このバット代はいくらですか / I still *owe* three hundred thousand yen *for* [on] my car. まだ車の支払いが30万円残っている 《対話》 "How much do you *owe* the bank?" "Hum, about fifteen million yen."「銀行からどれくらい借りているの」「そうだなあ, 1500万円ぐらいかな」.
2 [owe A to B] 〈人などが〉 A〈事に関して〉B 〈人・事〉のおかげをこうむる ‖ I *owe* my success *to* you [good luck]. 私の成功はあなたのおかげです 〔幸運によるものです〕《◆ ˣI *owe* you my success. は不可》 / I *owe* what I am *to* you. 今日の私があるのはあなたのおかげです 《◆ ˣI *owe* you (for) what I am. は不可》 / You *owe* it *to* your friends *that* you have been able to redeem your honor. 君が名誉を回復できたのは友人たちのおかげです.
3 [owe B to A = owe A B] (正式) 〈人が〉 B 〈義務など〉を A 〈人〉に対して負っている; 〈人〉に [...の] 恩義がある (for); [owe A B] A 〈人〉に 〈感情〉を抱いている ‖ I'm afraid I *owe* you an apology. どうも申し訳ないことをしてしまいました / Once samurai *owed* allegiance *to* the shogun in Japan. かつて日本では侍は将軍に対して忠誠を尽くさなければならなかった / I *owe* you my life. あなたは命の恩人です 《◆この場合に限り ˣI *owe* my life *to* you. とはあまりいわない》 / We *owe* it *to* society to make our country a better place. 我々は社会に対してこの国をよりよい所にする義務がある.
── 自 [...の] 借金がある (for) ‖ I still *owe for* my car. まだ車の代金が残っている.

*__ow·ing__ /óuiŋ/ 〖負う (owe) ている (ing)〗
── 動 → owe.
── 形 (正式) [補語として] 〈金が〉未払いの, 借りとなっている 《比較変化しない》 ‖ How much is *owing* to you? 君にいくら借りがあるのか (= How much do I *owe* you?) / There is £ 3 *owing* (to me). 未払いが3ポンドある.

*__ówing to__ 前 ...のために ‖ They arrived late *owing to* the rain. 彼らは雨のために遅れて着いた 《◆(1) because of the rain の方が口語的. (2) be 動詞の直後には用いられない: Their late arrival was due [ˣowing] to the rain. 彼らの到着が遅れたのは雨のせいだった》.

†**owl** /ául/ 【発音注意】 名 C 1 フクロウ 《◆鳴き声は hoot, 子は owlet. 不気味な情景・死の世界・英知などを連想させると同時に賢い動物であるとも見なされる》 ‖ (*as*) *thoughtful as an owl* (フクロウのように) とても思慮に富んで / *like an owl in an ívy-bùsh* (酔ったように) 目がとろんとして / *take owl* 立腹する. 2 (略式) まじめくさった人, もったいぶった人, 賢そうな人. 3 夜ふかしする人 ((略式) night owl).

owl·et /áulət/ 名 C フクロウの子. 2 小フクロウ.

owl·ish /áuliʃ/ 形 フクロウのような; 賢そうな《めがねをかけて丸顔でまじめそうな様子をいう》.

‡__own__ /óun/ 〖「所有された」が原義〗 派 owner (名)
── 形 《比較変化しない》 1 [名詞の前で] [所有格 (代) の後で] [所有] 自分自身の, 自分自身での ‖ The boy has *his own* car. その少年は自分の車を持っています (= The boy has a car of his *own*.) / He is *his own* man [master]. 彼は独立している. b [自主性] 独自の, 自分自身ので ‖ She lives in an apartment *of her own* choice. 彼女は自分の好みにあったアパートに住んでいる / Do *your own* thing. (他人のことをかまっていないで) 自分自身のことをせよ 《◆ 1960年代ヒッピー文化より生まれた言葉》. c [特異性] 独特な, 特有の ‖ It was *his own* idea. それは彼独特の考えだった / *in* one's *own way* 独特のやり方で.
2 [名詞的に] 自分自身のもの ‖ This house is ˻my own [mine]. この家は私のものです.

áll one's *ówn* 独特の ‖ It has a value *all its own*. それにはそれなりの価値がある 《◆ It has its *own* value. より意味が強い》.

(*áll*) *on* one's *ówn* ((略式)) (1) ひとりで, 単独で

(alone) ‖ She lives (all) on her own. 彼女はひとりで暮らしている. (2) 自分で, 独力で ‖ Can you finish the work on your own? その仕事をあなただけで仕上げられますか. (3) りっぱに, 優れた, 顕著な.
còme ínto one's **ówn** (1)〔財産などが手に入る, 自分のものとなる. (2)〈人・物〉が名声[地位]を得る;真価を認められる;実力を発揮する.
for one's (**véry**) **ówn** ひとり占めして.
gét [**háve**] one's **ówn báck**(略式)〔人に/…に対して〕仕返しをする, 復讐(ふくしゅう)する〔on/for〕.
hóld one's **ówn** (1)〔…に〕屈しない, 負けない〔against〕. (2)〈病人が〉力を保つ, 頑張る.
*of one's ówn 自分自身の《◆強調形は of one's very own》‖ He has no car of his own. 彼は自分自身の車を持っていない.
one's **very own** → **very** 副.
—— 他 (~s/-z/; 過去・過分 ~ed/-d/; ~ing)
—— 他 **1**〈人などが〉〔譲渡可能な物を〕**所有する**, …の所有権を持つ ‖ Who owns this house? この家はだれのものですか (= Who is the owner of this house?) / His father owns an old sedan, but Bill has a fine new red sports car. お父さんは古いセダンを所有しているが, ビルはかっこいい赤いスポーツカーの新車を持っている.
2〈物〉を自分のものと認める;〈人〉を我が子と認める.
3〔正式〕〈人か〉〈欠点・罪〉などを**認める**(admit);[own C (to be / as) C]〈人・物〉が C だと認める[告白する];[own that節 / own if節]…であると認める ‖ own one's guilt 罪を認める / I must own myself (as [to be]) wrong. = I must own (that) I am wrong. 自分が間違っていることを認めなければなりません.
—— 自 (古)〔…を〕白状する, 認める《略式》own up〕[to] ‖ He owned (up) to the theft. 彼は盗みを認めた.
ówn góal (主に英) (1)〔サッカー〕オウンゴール, 自殺点. (2)(略式)自業自得の失敗[失言].
***ówn·er** /óunər/ 発音注意 [→ own]
—— 名 (複 ~s/-z/) C **所有者**, 持ち主;発注者 ‖ She is the owner of this house. 彼女がこの家の持ち主である (= She owns this house.) / Who is the owner [*master] of this store? この店のマスターはだれですか.
ówn·er-drív·en cáb /óunərdrívn-/(英)個人タクシー.
ówn·er-drív·en cár /óunərdrívn-/(英)自家用車, マイカー《◆この意味では my car とはいわない》.
own-er-driv·er /óunərdráivər/ 名C (英)自家用車を運転する人, マイカー族.
own·er·less /óunərləs/ 形 持ち主のない, 持ち主がわからない ‖ an ownerless dog 野良犬.
†**ówn·er·ship** /óunərʃip/ 名U 所有者であること;所有;所有権 ‖ claim ownership of … …の所有権を主張する.
***óx** /áks | ɔ́ks/〖「雄の動物」が原義〗
—— 名 (複 ox·en /áksn | ɔ́ksn/) C **1** 雄牛, (特に食用・荷役用・農耕用の) 去勢雄牛(bullock);ウシ《◆動物学的な総称. 水牛・野牛などを含む. 鳴き声は bellow, low, 子は calf. → cow¹》‖ a big ox of a man 牛のような大男. **2** 牛のような(力強い)人, ずんぐりした人, のろまの人 ‖ a dumb ox (略式)(ぞうたいでない)うすのろ.

ox·a·lis /áksəlis, aksǽlis | 5ks-/ 名〔植〕カタバミ.
Ox·bridge /áksbrɪdʒ | 5ks-/ 〖Oxford + Cambridge〗名 オックスブリッジ《Oxford, Cambridge 両大学, または一方をいう》.
ox·en /áksn | 5ksn/ 名 ox の複数形.
†**Ox·ford** /áksfərd | 5ks-/ 名 **1** オックスフォード《イングランド南部, ロンドン北西部の都市. Oxford University がある. 形容詞 Oxonian》. **2** C 英国産の大型で角のないヒツジ. **3** U オックスフォード《細い縦じまの服地》.
Óxford áccent オックスフォードなまり《◆気取った発音とされる》.
Óxford blúe 暗青色.
Óxford Énglish Díctionary [The ~] オックスフォード英語辞典《歴史的原理に基づく世界最大の英語辞書. 略 OED》.
Óxford Univérsity オックスフォード大学《12世紀創立の英国最古の大学》.
ox·i·dant /áksidənt | 5ks-/ 名 C〔化学〕オキシダント《光化学スモッグの原因となる物質》.
†**ox·i·da·tion** /àksidéiʃən | 5ks-/ 名 U〔化学〕酸化.
†**ox·ide** /áksaid | 5ks-/ 名 U C〔化学〕酸化物;[化合物名で] 酸化….
ox·i·dize /áksədàiz | 5ks-/ 動 他 …を酸化させる (↔ deoxidize);自 酸化する, さびる.
óx·i·dìz·er 名 C (ロケット燃料の)酸化剤.
***ox·y·gen** /áksidʒən | 5ks-/ 〖酸(oxy)を作り出すもの(gen)〗
—— 名 U〔化学〕**酸素**《気体元素. 記号 O》‖ oxygen inhalation 酸素吸入 / oxygen-deficient air 酸欠空気《酸素含有量が16%以下》.
óxygen màsk 酸素マスク.
óxygen tènt〔医学〕酸素テント.
ox·y·mo·ron /àksimɔ́:ran | àksimɔ́:rɔn/ 名 (複 ~s, --mo·ra/-rə/) C〔修辞〕撞着(どうちゃく)語法《「矛盾」語法》 ‖ an open secret (公然の秘密)など.
†**oys·ter** /ɔ́istər/ 名 C〔貝類〕カキ《◆ the milk of the sea とも呼ばれ, 'r'のつく月 (September から April まで)がシーズンとされる. the milk of the sea と呼ばれる》‖ (as) close as an oyster (カキのように)とても口が堅い, 秘密をもらさない.
óyster bàr カキ料理屋.
óyster bèd [**bànk**, **fàrm**] カキの養殖場.
óyster càtcher [**bìrd**]〔鳥〕ミヤコドリ.
óyster fàrming カキ養殖.
oys·ter·shell /ɔ́istərʃèl/ 名 C カキの殻.
***oz, oz.** /áuns/ 複 áunsiz/ 略 = ounce(s).
o·zone /óuzoun, -/ 名 U **1**〔化学〕オゾン《記号 O₃》;(略式)(海岸の)新鮮でさわやかな空気 (fresh air). **2** 気分を引き立てるもの.
ózone depléTion [**destrúction**] オゾン層破壊.
ózone hóle オゾンホール《オゾン層のうち極端にオゾン濃度が薄くなった部分》.
ózone làyer [the ~] オゾン層 (ozonosphere) ‖ the destruction of the ozone layer オゾン層の破壊.
o·zone-friend·ly /óuzòunfréndli/ 形 オゾン層を壊する物質を含まない.
o·zo·no·sphere /óuzóunəsfìər/ 名 [the ~] オゾン層 (the ozone layer).
ozs. /áunsiz/ = ounces.
ozt., ozT 略 troy ounce (→ ounce **1b**).

P

****p, P** /píː/ [名] ([複] P's, ps; P's, Ps/-z/) **1** [C][U] 英語アルファベットの第16字. **2** → a, A **2**. **3** [C][U] 第16番目(のもの).
p [略] 〔英略式〕 *p*enny, *p*ence.
P [略] *p*arking; 〔チェス〕 *p*awn²; 《米》〔教育〕 *p*ass 合格.
P [記号] 〔化学〕 phosphorus.
p. [略] *p*age; *p*art; 〔文法〕 *p*articiple; *p*er.
†pa /pɑ́ː/ 〖*pa*pa の短縮語〗 [名] [C] 《略式まれ》 とうさん, とうちゃん《◆呼びかけも可》.
Pa [記号] 〔物理〕 Pascal.
PA [略] 〔郵便〕 *P*ennsylvani*a*; 《英》 *p*ersonal *a*ssistant 個人秘書; *p*ublic-*a*ddress (system)(講堂・運動場などの)拡声装置.
Pa. [略] *P*ennsylvani*a*.
p.a. [略] *p*er *a*nnum.
Pac. [略] *Pac*ific.
***pace** /péis/ 〖「歩幅」が原義〗
——[名] ([複] ~s/-iz/) [C] **1** [a ~] **速度; 歩調** (speed), ペース ‖ *at a slow* [fast, good] *pace* ゆっくりした[速い]速度で / at *a* snail's *pace* のろのろした歩調で / at one's own *pace* 自分自身の速さで / at (*a*) walking *pace* ふつうに歩く速さで / *at a pace of* four miles an hour 時速4マイルの速さで. **2** 《正式》1歩; 歩幅(step) ‖ take a *pace* forward [back] 1歩前進[後退]する / A man's *pace* is about 2.5 feet. 成人男性の歩幅は約2.5フィートである. **3** [通例 a/the ~] (人の)歩き方; (馬の)歩態; 側対歩《馬が同じ側の足を同時に上げ下ろしして進む歩法. → gait [名] **2**》.
***kèep páce with* A** (1) 〈進歩など〉に遅れないようについて行く. (2) 〈人・車など〉と同じ速度で行く.
***màke* [*sèt*] *the páce* (*for* A)** (1) (…の)先頭を行く, 歩調を定める. (2) (…に)模範を示す.
off the páce 先頭より遅れて.
pùt* A *through* A's [*its*] *páces 《略式》〈人・車・馬など〉の能力[力量]を試す.
shów* one's *páces 力量[腕前]を示す.
——[動] (pac·ing) [他] **1** 〈場所〉をゆっくり[歩調をとって]歩く; 〈場所〉を行ったり来たりする. **2** 〈場所・距離〉を歩測する(+*off*, *out*) ‖ *pace out* the distance between the trees 木の間の距離を歩測する. **3** 〈走者など〉に(前を走って)歩調を示す; 〈漕(こ)ぎ手〉を整調する.
—[自] 《正式》 ゆっくりと[歩調正しく]歩く, 歩き回る(+*on*, *about*, (*a*)*round*); 行ったり来たりする(+*up and down*, *to and fro*).
pace·mak·er /péismèikər/ [名] [C] **1** (先頭に立って)速度を決める走者[馬, 自動車]. **2** 主導者, 指導者. **3** 〔医学〕 脈拍調整器, ペース=メーカー; 〔解剖〕 心臓の収縮を調整する組織.
pach·y·derm /pǽkidəːrm/ [名] [C] **1** 〔動〕 厚皮動物《ゾウ・カバ・サイなど》. **2** 面の皮の厚い人.
†pa·cif·ic /pəsífik/ [形] **1** 《正式》 平和を好む[求める], 好戦的でない; 〈政策などが〉融和的な; 〈時代などが〉平和な, 泰平な. **2** 穏やかな; 静かな; 温和な, おとなしい.
pa·cíf·i·cal·ly [副] 平和的に; 穏やかに.

****Pa·cif·ic** /pəsífik/ 〔アクセント注意〕 〖「平穏な」が原義〗
——[形] **太平洋の**, 太平洋沿岸の ‖ the *Pacific* states [countries] 太平洋沿岸諸州[諸国].
——[名] [the ~] =the ~ Ocean **太平洋**.
Pacífic (Stándard) Tìme 太平洋標準時([略] P(S)T).
Pacífic Wàr [the ~] 太平洋戦争《1941-45》《◆ the War in the Pacific ともいう》.
pac·i·fi·ca·tion /pæ̀sifikéiʃən/ [名] **1** [U] 和解; 鎮圧; 平穏. **2** [C] 平和[講和]条約.
pa·cif·i·cist /pəsífisist/ [名] 《主に英》 =pacifist.
pac·i·fi·er /pǽsəfàiər/ [名] [C] **1** なだめる人, 調停者. **2** 《米》(赤ん坊の)おしゃぶり(《英》 dummy).
pac·i·fism /pǽsəfìzm/ [名] [U] 平和主義[政策]; 戦争反対; 参戦拒否.
pac·i·fist /pǽsəfist/ [名] [C] 平和[不戦]主義者.
——[形] =pacifistic.
pácifist móvement 平和運動.
pàc·i·fís·tic [形] 平和[不戦]主義(者)の.
†pac·i·fy /pǽsəfài/ [動] [他] 《正式》 **1** …を平和な状態に戻す; 〈暴徒など〉を制圧[鎮圧]する. **2** 〈赤ん坊など〉をなだめる; 〈興奮・怒りなど〉を静める.
pac·ing /péisiŋ/ [動] → pace.
***pack** /pǽk/ 〖「詰める」が原義〗 [派] package (名), packet (名)
——[名] ([複] ~s/-s/) [C] **1** (背中に負う)**包み**, 荷物 (parcel), 束《◆牛乳容器などの液体を入れる紙パックは carton》; 荷造り, 包装法; 《豪》リュックサック ‖ with a *pack* on one's back 荷物を背負って. **2** [しばしば a pack of …] …1箱, 1包み ‖ *a pack of* cards [cigarettes] トランプ[タバコ]1箱 / *a pack of* crisps [frozen peas, 30 Christmas cards] ポテトチップス[冷凍サヤエンドウ, クリスマスカード30枚]1パック. **3** [単数・複数扱い] (一般に)グループ; (悪人たちの)一味; (猟犬・オオカミの)一群(→ flock¹); ボーイ[ガール]スカウト団; 潜水艦隊, 航空隊; 〔ラグビー〕フォワード; [U] 浮氷群(のある海域) ‖ a *pack* of wolves [thieves] オオカミの一群[泥棒の一味]. **4** [a ~ of …; 単数・複数扱い] 多数の…, 多量の… ‖ *a pack of* lies うそ八百. **5** パック《量目の単位. 羊毛は240ポンド, 亜麻糸は6万ヤード, 金箔(ぱく)は500枚》. **6** (食品の)年[季]間出荷[生産]高. **7** (美容のための)パック(用品); 氷嚢(のう) 湿布(用の布); 傷口に当てるガーゼ.
——[動] (~s/-s/; [過去・過分] ~ed/-t/; ~·ing)
——[他] **1a** 〈人が〉〈物〉を**荷造りする**, 梱包(こんぽう)する; 〈人が〉〈物・人〉を〔…に〕**詰め込む**(+*up*) 〔*in*, *into*〕; …に〔…を〕詰め込む(+*down*, *together*) ‖ *pack* one's things 所持品の荷造りをする / *pack* fish *in* cans 魚をかん詰めにする. **b** [pack **A** for **B** =pack **B A**] 〈人が〉**B**〈人〉のために**A**〈物〉を詰めてやる(↔ unpack) (➔文法 3.3) ‖ Please *pack* me a lunch box. =Please *pack* a lunch box *for* me. 私に弁当を詰めてください. **c** [be ~ed] 〈場所・乗物が〉〔…で〕満員になる〔*with*〕 ‖ The stadium *was packed*

package

with excited spectators. スタジアムは興奮した観客でいっぱいだった. **2** 〈動物〉に荷を負わせる. **3** 《略式》〈物を〉運搬する;〈銃などを〉携帯する. **4** 〈継ぎ目に〉詰物(パッキング)を当てる;〈詰物を〉[…の周りに]当てる(round). **5**〈雪・砂などを〉固める(+down);〈風が〉〈雪を〉[…に]吹き寄せる(against).
— 自 **1**〈人が〉荷造りする;〈物が〉[…の中に]収納できる(into) ‖ Have you finished *packing*? 荷造りは終わりましたか(=Are you *packed* yet? → *packed* 形 **3**) / These things *pack* easily. これらの物は簡単に梱包できる(=It is easy to *pack* these things.). **2** 荷物を運搬する. **3**〈人が〉〈場所に〉押し寄せる(into);〈動物が〉群がる;〈雪が〉吹き寄せられて固まる(+down).

páck awáy [自] 急いで立ち去る. — [他] (1)《やや略式》〈食物〉を胃に詰め込む, 食べる. (2)〈不要な物を〉しまう, 片づける.

páck ín [自] (1) 群がる, 押し寄せる. (2) 退職する, 仕事をやめる. (3)〈機械が〉止まる, 動かなくなる.
— [他] (1)《略式》〈人・物を〉押し[詰め]込む. (2)《略式》〈仕事・勉強などを〉やめる, …に興味を失う ‖ *pack it in* [しばしば命令文で] 仕事や勉強をやめる, …と関係を絶つ, その会社[事務所]をやめていく. (4)〈人を〉引きつける, 魅了する.

páck óff [自] 急いで立ち去る. — [他] (1)〈物を〉小包にして[…へ]送る(to). (2)《略式》〈人を〉[…へ…するように]送り出す, 追い立てる(to / to do).

páck úp [自] (1) 荷造りする(できる). (2)《略式》仕事をやめる, 引き下がる. (3)〈機械が〉止まる, 故障する(break down);〈体の器官〉の機能が止まる. — [他] (1)〈物を〉荷造りする. (2)《略式》〈仕事などを〉終える, […することを]やめる(doing) ‖ *pack it up* [しばしば命令文で](騒いでいることなどを)やめる.

sénd A pácking《略式》〈人を〉さっさと追い払う[解雇する].

*__páck·age__ /pǽkidʒ/ [⇒ pack]
— 名 (複 ~s/-iz/) ⓒ **1**《主に米》包み, 郵便小包(《英》parcel), 束,《主に英》parcel);包装された商品 ‖ a *package* of cookies (cigarettes, crisps) クッキー[タバコ, ポテトチップス] 1箱 / màke a *páckage* òut of canned foods =make canned foods into a *package* かん詰め製品を小包にする. **2** 包装紙;包装用容器. **3**《コンピュータ》パッケージ《既製プログラムのセット》. **4** 一括(関連)法案[政策]. **5**《米》=package vacation.
— 動 他 **1** …を[…で]包装[する], …を〈容器などに〉詰める(in). **2**《米》…をひとまとめにする(+up).

páckage déal [óffer]《略式》一括取引(商品).
páckage tòur《略式》(旅行会社が提供する)パック旅行(packed tour).
páckage vacàtion [《英》 hóliday](旅行会社が企画する)費用一切込みの休日旅行.

packed /pǽkt/ 形 **1**〈場所が〉すし詰めの. **2**〈雪などが〉固まった;ひとまとめにした. **3** [be packed]〈人が〉荷造りはすみましたか ‖ *Are* you *packed* yet? 荷造りはすみましたか. **pácked tòur** =package tour.

†**pack·er** /pǽkɚ/ 名 ⓒ **1** 荷造り人[業者];《主に米》[包装]機;かん詰め工. **2**《米》[通例 ~s] 食料品包装出荷業者.

†**pack·et** /pǽkət/ 名 ⓒ **1** 小包(《主に米》pack);小荷物, 小さな束;[しばしば a packet of …] …1 箱, 1 包み, 1 束 ‖ *a packet of* sandwiches [crisps, cigarettes, biscuits, condoms] サンドイッチ[ポテトチップス, タバコ, ビスケット, コンドーム] 1箱. **2**《略式》[a ~] 大金, 多額の金;給料袋 ‖ make [spend, lose, pay] *a packet* 相当な金をもうける[使う, 失う, 払う]. **3** =packet boat.
— 動 他 …を小包[小荷物]にする.

pácket bòat 定期船;郵便船.

pack·ing /pǽkiŋ/ 名 ⓤ **1** 荷造り, 包装;荷造り材料《紙・ひもなど》 ‖ do one's *packing* 荷造りする. **2** 食料品包装出荷業. **3** (品物を傷つけないための)包装用詰め物;《機械》(気体・液体の漏れを防ぐ)パッキング.

pácking bòx [càse] 荷造り用の箱[木枠].
pácking hòuse [plànt] 食料品包装出荷工場.

pack·sad·dle /pǽksædl/ 名 ⓒ (馬などの)荷鞍(にぐら).

pack·thread /pǽkθrèd/ 名 ⓤ 荷造り用のひも, からみ糸.

†**pact** /pǽkt/(同音 packed) 名 ⓒ (個人間の)[…する]約束(to …), (国家間の)協定, […との]coi合意(with)《◆新聞・雑誌の見出しでは treaty, agreement より好んで用いられる》.

†**pad**[1] /pǽd/ 名 ⓒ **1** 詰め物, 当て物;ひざ当て(knee pad), すね当て(shin pad), 肩当て(shoulder pad). **2** スタンプ[インク]台(inkpad, stamp pad);インクの吸い取りスポンジ. **3** はぎ取り式ノート(writing pad). **4**《正式》(四足獣の)肉球(ぜ)《足の裏の柔らかい部分》, 足跡, 足. — (過去・過分) pad·ded/-id/; pad·ding) 他 **1**〈人が〉〈物〉に[…で]詰め物をする, 当て物をする(+out)(with) ‖ *pad* a chair いすのクッションをよくする. **2**〈話などを〉[…で]引き延ばす, …を長引かせる(+out)(with).

pádded bág(中の物が壊れないように)詰め物で保護した袋《郵便小包などに用いられる》.

pad[2] /pǽd/ 動 自 他 (道路を)てくてく歩く(+along);徒歩旅行する. *pád it* [*the hóof*]《米俗》徒歩でいく. — 名 ⓒ 鈍い足音.

pad·ding /pǽdiŋ/ 名 ⓤ **1** 詰める[当てる]こと;詰め[当て]物, パッド. **2** 余計な言葉, つけ足し《, 帳簿の》水増し.

†**pad·dle**[1] /pǽdl/ 名 ⓒ **1a** canoe 用の短い幅広のかい(櫂)《◆rowboat 用は oar. float ともいう》 ‖ a double *paddle* 両端に扁平(さん)部のあるかい. **b** [通例 a ~] かいでこぐこと;ひとこぎ ‖ have a *paddle* こぐ. **c** 浅瀬を歩くこと. **2** かい状のもの《食べ物を混ぜるしゃもじ・卓球の水かき板・カメのひれ足・卓球のラケットなど》. **3** =paddle wheel.
— 動 他 **1** …をかいでこぐ, こいで進める ‖ *paddle* [×row] a canoe カヌーをこぐ. **2**《米俗》…を(平手などで体罰として)たたく, 打つ. — 自 **1** かいでこぐ, こいで進む. **2**《米俗》(平手などで体罰として)たたく, 打つ.

páddle bòat [stèamer] (外輪の付いた)蒸気船(《米》sidewheeler).
páddle bòx 外輪の上部おおい.
páddle whèel (汽船の)外輪.
páddle whèeler 外輪船.
pád·dler 名 ⓒ カヌーをこぐ人;=paddle boat.

pad·dle[2] /pǽdl/ 動 自 **1**《主に英》(浅瀬で手・足を)ばしゃばしゃし, (浅瀬を)ばしゃばしゃ歩く(+about). **2**〈子供が〉よちよち歩きをする. **páddling pòol**《英》(公園などの子供用の)浅いプール.

†**pad·dock** /pǽdək/ 名 ⓒ **1** (馬小屋近くの)小放牧地;《豪》牧草地. **2** (競馬・カーレースの)パドック.

pad·dy /pǽdi/ 名 ⓤ 籾(ぶ)つき米;精米前の米. **2** =paddy field.
páddy field 水田《◆rice field ともいう》.

pad·lock /pǽdlɑk | -lɔk/ 名 ⓒ 南京(ぼん)錠.
— 動 他 自 (…に)南京錠をかける(おろす).

pae·di·at·ric /piːdiǽtrik/ 形 《英》=pediatric.
pae·di·a·tri·cian /piːdiətríʃən/ 名 《英》=pediatrician.
pae·di·at·rics /piːdiǽtriks/ 名 《英》=pediatrics.
pae·o·ny /píːəni/ 名 =peony.
†**pa·gan** /péigən/ 名 C 異端者, 異教徒; 《古》キリスト教不信者, (古代ギリシア・ローマの)多神教者.
——形 異教徒の; 不信者の.

‡**page**¹ /péidʒ/ 〖『パピルスの葉1枚』が原義〗
——名 (複) ~s/-iz/) C 1 (本の)ページ《◆印刷物の「1枚」「1葉」をさすこともある》(略) p., (複数形) pp.); 《新聞の》欄 || the sports *page*(s) スポーツ欄 / *páge by páge* 1ページずつ(⇒文法 16.3(3)) / [*down to* [as far as, ˟*until*] *páge* 5 5ページまで《◆˟the page 5 とはいわない》/ a book of 500 *pages* 500ページの本 / Open your books *to* [《英》*at*] *page* 30. 本の(第)30ページを開きなさい / There is a picture of the flower [A picture of the flower appears] *on* [《英》*at*] *page* 10. その花の写真が10ページに出ている.

> 語法 (1)「30ページから31ページまで」は pp. 30-31 (pages thirty to thirty-one と読む) または pp. 30f. (page thirty following と読む).
> (2) pp. 56-92 のように多ページにわたる時は pp. 56ff. (page fifty-six and the following pages と読む)のように終わりのページを示さないで ff. を用いることが多い.
> (3)「この本は200ページある」というときは This book has 200pp.

2 〔コンピュータ〕 記憶内容の1区分; ディスプレイの画面 (で一度に見られる情報). **3** 〔しばしば ~s〕 記録, 書物. **4** (人生の)挿話;《文》(記録に値する歴史的な)事件, 時期 || It is a bright *page* in her life. それは彼女の生涯の輝かしい出来事である.
take a páge from the bóok 真似をする.
——動 (**pag·ing**) 他《本などにページ付けをする(《米》+*up*).
——自《…の》ページを(ぱらぱらと)めくる〔*through*〕.
páge printer 〔コンピュータ〕 ページプリンター《ページ単位で印刷可能なプリンター》.
páge tùrner (読み出したらやめられない)面白い本.

†**page**² /péidʒ/ 名 C 1 (ホテル・クラブなどの)給仕,ボーイ《(米》page); (結婚式で)花嫁に付き添う男の子《(米》bellboy); 《米》国会議員付添い人. ——動 他《人の名前を(大声で[マイクで])呼んで捜す || *Paging* Mr. Smith. Please come to the front desk. 《呼び出し》スミス様にお呼び出し申し上げます. フロントまでお越しくださいませ.

†**pa·geant** /pǽdʒənt/ 発音注意 名 C (歴史的事件が扱われる)野外劇, ページェント; (歴史的場面を見せる)行列, 山車(だし).
pag·eant·ry /pǽdʒəntri/ 名 U 《正式》 [集合名詞] 野外劇.
page·boy /péidʒbɔ̀i/ 名 C 1 (ホテル・クラブなどの)給仕, ボーイ(《米》page). **2** ページボーイ《肩までたらした髪の先を内巻きにした女性の髪型》.
pag·er /péidʒər/ 名 C ポケットベル《(主に米》beeper, (主に英》bleeper, bleep)《◆ ˟pocket bell とはいわない》.
pag·ing /péidʒiŋ/ 動 → page¹.
pa·go·da /pəgóudə/ 名 C パゴダ, (東洋風の多層からなる)塔.

paid /péid/ 動 pay の過去形・過去分詞形. ——形 **1** 有給の; 《人が》雇われた || a *paid* worker 賃金労働者. **2** 支払い済みの(↔ unpaid). **3** 現金化された.
pùt páid to A 《英略式》 《望みなど》をつぶす, …の決着をつける.

†**pail** /péil/ 名 C 《主に米・やや古》 バケツ, 手おけ(bucket) || a *pail* of water バケツ一杯の水.

‡**pain** /péin/ (同音) pane) 〖『刑罰』が原義. cf. penalty〗 painful (形)
——名 (複 ~s/-z/) **1** U (肉体的な)苦痛, 苦しみ; C (体の特定の部分の)痛み《◆ ache は長い鈍痛. cf. sore)|| This medicine will relieve your *pain*. この薬は痛みを和らげてくれます / cry *with* [*in*] *pain* 苦痛の叫び声をあげる《◆「痛い!」は "Ouch!"》/ I hàve [feel] a *páin in* [˟*of*] the [my] stomach. 胃が痛む(=I have a stomachache.)《◆ ˟I feel painful in my stomach. とはいわない. → painful 語法).
2 U (精神的な)苦痛(misery), **苦悩**, 心痛, 悲嘆; [a ~] 苦痛[悩み]の種《◆ a *pain* in the neck ともいう. →成句》|| the *pain* of war [parting] 戦争の苦しみ[別れの痛さ].
3 〔正式〕 [~s; 複数扱い] (入念な)**骨折り**,〔…する〕努力, 苦労(trouble)〔*to do*〕|| *with great* [*much*, ˟*many*] *pains* たいへん骨折って / She was *at pains to* decorate the room. 彼女は部屋を飾ろうと骨を折った / She *takes* great *pains with* her appearance. 彼女は服装にずいぶん気を使う.
4 [~s] 産みの苦しみ, 陣痛(labor pains).
a páin in the néck 《略式》苦痛[悩み]の種.
for one's páins 《正式》骨折り賃として《◆しばしば受け身的の後で).
gò to [***tàke***] (***gréat***) ***páins***《…しようと》努力する《*to do*, in doing》;〔…に〕精を出す〔*over, with*〕.
on [***upòn, ùnder***] ***páin of A***《正式》=略式)
páin of A《違反すると》…という罪を受ける条件で.
——動 他 **1**《物事が《人》に痛みを与える《◆受身不可》|| My knee *pains* me. ひざが痛い《◆My knee is giving me a *pain*. / My knee is aching [hurting]. がふつう. **2** 〔通例 it pains A to do〕《…すること》が《人》を苦しめる, 悩ます, 悲しませる || It *pains* me to say that …. 申し上げにくいことですが….
——自〈傷・体の一部が〉痛む《◆ache, hurt がふつう》.
páin clìnic ペインクリニック.
pained /péind/ 形 **1** 表情が痛そうな, 苦しそうな. **2**《人が》悲しい; 不愉快な, 感情を傷つけられた, 立腹した.

‡**pain·ful** /péinfl/ 〖↦ pain〗
——形 (**more** ~, **most** ~) **1**《物・事が》《人にとって》**骨の折れる**, 困難な; (精神的に) **苦しい**; 痛ましい, 悲惨な; 退屈な〔*to*〕|| a *painful* experience 苦しい経験. 語法 「私自身が痛みを感じている」場合は ˟I feel painful. ではなく I feel *pain*. あるいは I'm in *pain*.
2〈傷・体の部分などが〉《人にとって》**痛い**《*to*》; 痛みを伴う《◆ sore よりも堅い語》(↔ painless) || The homework is *painful* for me. その宿題は私には骨が折れます / Your arm looks *painful* in that bandage. そのように包帯をしていると君の腕は痛そうに見える.

†**pain·ful·ly** /péinfli/ 副 痛そうに; 苦しげに; 骨折って;《略式》《残念ながら》たいへん, ひどく.
pain·kil·ler /péinkìlər/ 名 C 《略式》鎮痛剤, 痛み止め; 苦痛を除いてくれるもの.

pain·less /péɪnləs/ 形 **1** 痛み[苦痛]のない(↔ painful). **2** (略式) 簡単にできる，努力を要しない.

†**pains·tak·ing** /péɪnztèɪkɪŋ/ 形 骨が折れる，つらい；綿密な，念入りな，丹精こめた，徹底した．〈人が〉骨を折る，勤勉な． ——名 U 入念，丹精；骨折り，勤勉.

:**paint** /péɪnt/ 〖「塗る」が本義〗 派 painter (名)，painting (名)
——名 (複) ~s/péɪnts/ **1** U ペンキ，塗料；[~s; 複数扱い] 絵の具 ‖ a box of paints 1箱の絵の具 / give the wall ｢a coat [two coats] of paint 壁にペンキを1[2]回塗る / Wet [*Fresh*] *Paint!* (掲示)ペンキ塗りたて． **2** U (略式·古) 化粧品 (特に口紅·ほお紅など).
——動 ~s/péɪnts/; (過去·過分) ~·ed/-ɪd/; ~·ing
他 **1** [paint **A** on [onto] **B** = paint **B** with **A**] **B**〈物〉に **A**〈塗料〉を塗る; [paint **A C**] **A**〈壁など〉を **C**〈ある色〉に塗る ‖ *paint* the house white [another color] 家を白色[他の色]に塗る．
2 〈人が〉〈絵·人·物〉を絵の具で描く (cf. draw) ‖ *paint* a picture in oils [watercolors] 油絵[水彩画]を描く / She *painted* (a picture of) her father. 彼女は父の絵を描いた．
3 …を(言葉で)いきいきと表現[描写]する ‖ *paint* (a vivid picture of) one's experiences 体験を生々しく描写する．
——自 ペンキを塗る; [*…で*]絵を描く 〈*in*〉．

▌日英比較▐ 〖「塗る」と paint〗
paint は「ペンキなどを塗る」で，「パンにジャムを塗る」は spread か put を用いる: I *spread* [*×painted*] butter on the bread. パンにバターを塗った．

paint·box /péɪntbɑ̀ks/ 名 C 絵の具箱．
paint·brush /péɪntbrʌ̀ʃ/ 名 C ペンキ用のはけ；絵筆．
paint·ed /péɪntɪd/ 形 **1** ペンキ[絵の具]を塗った；描いた，彩色した． **2** (厚)化粧した． **3** 人工的な，偽りの，虚飾的な，誇張の．

*****paint·er** /péɪntər/ 〖→ paint〗
——名 (複) ~s/-z/ C **1** 画家，絵描き《◆ふつう「油絵画家」を表す．「水彩画家」は watercolor painter》；絵を描く人． **2** ペンキ屋，塗装工；ペンキを塗る人．

*****paint·ing** /péɪntɪŋ/ 〖→ paint〗
——名 ~s/-z/ **1** C 絵画，絵 ‖ a *painting* in oils [watercolors] ＝an oil [a water-color] *painting* 油絵[水彩画] / a *painting* of my father 私の父を描いた絵《◆ of の目的格関係を表す (⇒文法 14.4). a *painting* by my father は「私の父が描いた絵」, my father's *painting*, a *painting* of my father's の意味については → picture 名 1 語法》．

▌関連▐ 〖いろいろな種類の絵〗
abstract painting 抽象画 / drawing (線画·デッサンなどの)絵 / fresco painting フレスコ画 / ink painting 水墨画 / landscape 風景画 / lithograph 石版画 / oil painting 油絵 / painting 絵画 / portrait 肖像画 / sketch 写生画, 略図 / wall painting 壁画 / watercolor painting 水彩画．

2 U 絵を描くこと，画法；ペンキを塗ること，塗装，彩色 (cf. draw) ‖ I practice *painting* every Sunday. 私は毎週日曜日に絵の練習をします．

:**pair** /péər/ (発音注意) (同音) pare, pear) 〖「等しいもの」が原義〗
——名 (複) ~s/-iz/ C **1** (靴·手袋など2つからなるものの)1対；1組，(ズボン·はさみなど2つの部分にからなるもの)1丁；1組 ‖ two *pairs* of scissors はさみ2丁 / a *pair* of shoes 靴1足 / a *pair* of trousers ズボン1着《◆ these [*×this*] trousers は1着の場合か以上の場合もある》/ a nice *pair* of shoes =a *pair* of nice shoes すてきな靴1足《◆ 前者если》/ *This pair* of shoes is [*×are*] not mine. Mine is that new *pair* [*×one*]. この靴は私のではありません．私のはあの新しい靴のほうです《◆ (1)動詞は pair に呼応．(2) 反復使用を避けるのに one は不可． → one 代 **1** 語法》．
2 《略式》 [集合的；複数扱い] 1組の男女 (couple), 夫婦，婚約者同士；〔動物の〕1つがい《組になった)2人，2頭，2匹 ‖ The *pair* were arrested for murder. 2人組は殺人の容疑で逮捕された． **3** 〔トランプ〕同じ札2枚；〔化学〕電子対 ‖ a *pair* of queens クイーン2枚． **4** (対になった物の)片方 ‖ I can't find a *pair* to this shoe. この靴の片方が見つからない．

in pairs 2つ[2人]1組になって．
——動 他 **1** 〈靴など〉を1組[1対]にする；〈人·物〉を〔他の人·物と〕組み合わせる 〈+up〉〈with〉 ‖ I was *paired with* him in the badminton match. バドミントンの試合で彼とペアを組んだ． **2** 〈人〉を結婚させる；〈動物〉をつがわせる．
——自 **1** 1組[1対]になる 〈+up〉 ‖ *Pair up* with a partner and practice this dialog. 相手の人と組になりこの対話を練習してください． **2** 夫婦となる；〈動物〉がつがう．

páir óff 〔自〕〔…と〕組になる，夫婦になる 〈with〉；〈動物〉がつがう．——〔他〕〈人·物〉を〔他の人·物と〕[対]にする 〈with〉；〈人〉を結婚させる；〈動物〉をつがわせる．

pais·ley /péɪzli/ [しばしば P~] 名 U C ペイズリー模様[織]《曲玉形の模様》(の)．

†**pa·ja·ma** (英) **py-** /pədʒɑ́ːmə, (米+) -dʒǽ-/ 名 [通例 ~s] パジャマ ‖ a *pair* [*suit*] of *pajamas* パジャマ1着《◆ この場合は単数扱い》/ He showed up at my door (dressed) in his *pajamas*. 彼はパジャマ姿で私の家のドアの所に現れた / a *pajama* top [jacket] パジャマの上着《◆ 形容詞的に用いる時は単数形》． **2** (インド·ペルシアの男女がはく)ゆるいズボン．

pak /pæk/ 名 (俗) =pack, package.

Pa·ki·stan /pǽkɪstæ̀n | pɑ̀ːkɪstɑ́ːn/ 名 パキスタン《公式名 the Islamic Republic of Pakistan》．
Pà·ki·stán·i /-stǽni | -stɑ́ːni/ 名 C 形 パキスタン[人](の)．

†**pal** /pǽl/ 《略式》名 C **1** (ふつう男同士の)友だち，仲よし，仲間 ‖ a pén *pàl* 《主に米》ペンフレンド《英》a pen friend)． **2** 相棒，共犯者． **3** 《主に米》(ふつう見知らぬ人への)呼びかけで おい，君．
——動 (過去·過分) palled/-d/; pal·ling 自 《英》(ふつう男が)[…と]仲よしになる 〈+up〉；《米》仲よく付き合う 〈+around〉〈with〉．

*****pal·ace** /pǽləs/ 〖「(ローマ皇帝の宮殿があった)パラティヌスの丘 (the Palatine Hill)」が原義〗
——名 (複) ~s/-ɪz/ C **1** [しばしば P~] 宮殿；(主教·高官などの)公邸，官邸 ‖ Buckingham *Palace* バッキンガム宮殿．
2 大邸宅，(娯楽などのための)豪華な建物 ‖ a movie *palace* 大映画館．
3 《英》[しばしば the P~；集合名詞] 宮廷の有力者たち．

pálace guárd 側近，親衛隊．
pal·at·a·ble /pǽlətəbl/ 形《正式》味のよい(tasty), 口に合う(↔ unpalatable); 快い，楽しい．
pal·a·tal /pǽlətl/ 形 1 [解剖] 口蓋(ミミ)の. 2 [音声] 口蓋音の. ── 名 [音声] 口蓋音.
pal·ate /pǽlət/ 名 1 [解剖] 口蓋《口の中の天井部分》‖ the hard [soft] *palate* 硬[軟]口蓋 (→ cleft palate). 2 UC [通例 a/the ~] [...に対する]味覚, 好み; 鑑識眼[for].
pa·la·tial /pəléiʃəl/ 形《正式》宮殿のような, すばらしい‖ a *palatial* hotel 豪華なホテル.
Pa·lat·i·nate /pəlǽtənət, (米)-nèit/ 名 [the ~] プファルツ《神聖ローマ帝国のRhine川両岸の地域》; C プファルツ人.
pal·a·tine /pǽlətàin/ 形 1 [名詞の後で] パラティン伯の, 王権をもつ‖ a count *palatine* パラティン伯《昔国王と同等の権力をもった領主》. 2 領主の. 3 宮殿のような. 4 口蓋(ミミ)の. ── 名 1 C パラティン伯, 領主, 高官. 2 [the P~] パラティヌスの丘(the Palatine Hill)《ローマの七丘の1つ》.
pa·la·ver /pəlǽvər, (米)-láv-/ 名 (略式) 1 U《長たらしい》論議, 相談. 2 U おだて, 口車, 戯言. ── 動 他 ...におせじを言う. ── 自 (略式) [(...)を]だらだらしゃべる(on).

*****pale** /péil/ (同音) pail) [「青白い」が原義. cf. pallid]
── 形 (~·r, ~st) 1〈人・顔などが〉(一時的に)青白い(white), 青ざめた(blue)‖ She *turned* [went, (主に米) became, (主に英) grew, ×got] *pale* with fear. 彼女は怖くて真っ青になった/You look *pale*. 顔色が悪いですよ.
2〈物の色が〉薄い, 淡い(↔ deep);〈月などの光が〉薄暗い, おぼろな(↔ bright)‖ a *pale* blue 淡青色/a *pale* moon おぼろ月.
3〈政策などが〉迫力のない, 弱い, 劣った.
── 動 (pal·ing)《正式》自 1〈人が〉[知らせなどで]青ざめる[at]. 2〈色が〉薄くなる;〈光が〉弱くなる. 3 見劣りがする‖ My work *pales* before [beside] yours. 私の作品は君のと比べると色あせて見える. ── 他 1〈人〉を青白くする, 青ざめさせる. 2〈色〉を薄くする, 淡くする;〈光〉を弱くする.
pále·ly 副 青白く, 薄暗く.

pa·le·o·lith·ic /pèiliouliθik/, (英) **pa·lae·o-**/pèili:ou-/ 形 [しばしば P~] 旧石器(時代)の.
pa·le·on·tol·o·gy /pèiliəntálədʒi/ (英) /pæliɔntɔ́l-/ 名 U 古生物学. **pà·le·on·tól·o·gist** 名 C 古生物学者.
Pal·es·tine /pǽləstàin/ 名 パレスチナ《地中海南東沿岸の地域》. **Pàl·es·tín·i·an** /-tíniən/ 形 名 C パレスチナ(人)の; パレスチナ人.
pal·ette /pǽlət/ 名 C 1 (画家の用いる)パレット. 2 (特定の画家に用いられる)絵の具の色調範囲.
 pálette knife 絵の具をまぜるナイフ; 調理用ナイフ.
Pa·li /pá:li/ 名 U パーリ語《古代インドの仏典に用いられた言語. 現在も小乗仏教の教典や僧侶の間で使用》.
pal·in·drome /pǽlindròum/ 名 C 回文《前後どちらから読んでも同じ語(句). 例: Madam, I'm Adam.》.
pal·ing[1] /péiliŋ/ 名 U くいをめぐらすこと;[集合名詞くい; [~s] (くいをめぐらした)柵(な).
pal·ing[2] /péiliŋ/ 動 → pale.

†**pal·i·sade** /pæ̀ləséid/ 名 C《正式》1 とがりくいの垣[柵], 鉄製の手すり[欄干] (fence). 2 [歴史] 矢来(さく), 柵. 3 (米) [~s] (川岸, 海岸の)絶壁.
†**pall** /pɔ́:l/ 名 C《正式》1 棺衣, (米)(死体の入った)ひつぎ, 棺. 2 パリウム, 大司教用肩衣. 3 [a ~; 比喩的に] 衣, とばり‖ a *pall* of darkness 夜のとばり.

Pal·la·di·an /pəléidiən/ 形 [建築] パラディオ式の《16世紀イタリア・17世紀イギリスの建築様式》.
Pal·las /pǽləs, -æs/ 名 1 =Pallas Athena. 2 [天文] パラス《小惑星》. **Pállas Athéna** パラス《アテナ》女神 Athena の別名》.
†**pal·let** /pǽlət/ 名 C 1 (陶工の)へら, (左官の)こて; =palette. 2 (フォークリフト用)パレット, 荷運び台.
pal·li·ate /pǽlièit/ 動 他《正式》1 ...を一時的にいやす[和らげる]. 2 ...を言い繕う, ...の言い訳をする.
†**pal·lid** /pǽlid/ 形《正式》(病弱・疲労などで)青白い;〈色が〉淡い.
†**pal·lor** /pǽlər/ 名 U [時に a ~] 青白さ, 蒼白(ミミ).

*****palm**[1] /pá:m, (米)+) pɑ́:lm, pɔ́:lm/ [発音注意]
── 名 (複 ~s/-z/) C 1 手のひら, たなごころ;(手袋の)手のひら‖「手の甲」は the back (of the hand)》/in the *palm* 手のひらに. 2 手のひら状の物;(オール・鹿の角の)扁平(ネ)部, スキーの裏. 3 手尺《手の幅まさは長さを元にした単位》.
grèase [**oil**] **A's pálm** =**grèase** [**óil**] **the pálm of A**〈人〉にわいろを贈る,〈人〉を買収する.
háve one's pálm réad 手相を見てもらう.
hóld [**háve**] **A in the pálm of** one's **hánd**〈人〉を掌中に収める, 尻に敷く.
rún one's **pálm over** one's **éyes** 目の前で手のひらを動かす《「見たく[信じたく]ない気持ちの表現》.
── 動 他 1 ...を(手品で)掌中に隠す. 2 ...をこっそり拾う. 3 ...を手でなでる[触れる]; ...と握手する; (略式)〈にせ物などを〉〈人に〉...として)つかませる(+off) [on, upon, onto / as];〈人〉を[...で]だます(+off)[with]‖ *palm* a counterfeit note *off on* him 彼ににせ札をつかませる. 4 ...にわいろを贈る.

†**palm**[2] /pá:m, (米)+) pá:lm, pɔ́:lm/ 名 1 C ヤシ, シュロ(の木) (palm tree)《熱帯に自生する多年生植物.《英》では willow をも palm と呼ぶ》. 2 C = palm branch; ヤシの葉(palm leaf)《帽子・かご・扇用》. 3 [the ~] 勝利‖ bear [carry off] the *palm*《正式》勝利[成功]を収める.
Pálm Béach パームビーチ《米国Florida州南東部の観光地》.
pálm brànch ヤシの枝葉.
pálm òil ヤシ油.
Pálm Súnday [キリスト教] シュロの主日《Easter直前の日曜日》.
pal·mate /pǽlmeit, -mət, --mat·ed /-meitid/ 形 1 手のひら状の. 2 [植] 〈葉〉が掌状の. 3 [動] 水かきのある.
palm·cord·er /pá:mkɔ̀:rdər/ 名 C ハンディビデオカメラ.
†**palm·er** /pá:mər/ 名 C (中世の)聖地巡礼者《記念にシュロ(palm)の枝を持ち帰った》;(一般の)巡礼; 物乞(ミ)い僧.
pal·met·to /pælmétou/ 名 (複 ~s, ~es) C [植] パルメットヤシ, アメリカヤシ《ヤシの一種》.
Palmétto Státe [愛称] [the ~] パルメット州(→ South Carolina).
palm·ist /pá:mist/ 名 C 手相見.
palm·top /pá:mtɑ̀p/ 名 C [コンピュータ] パームトップ《手のひらサイズのコンピュータ》.
palm–top /pá:mtɑ̀p|-tɔ̀p/ 形《コンピュータがパームトップの, 手のひらに載るサイズの.
palm·y /pá:mi/ 形 (-i·er, -i·est) 1 ヤシ[シュロ](のような); ヤシ[シュロ]の茂った. 2 (かつて)繁栄した, 輝かしい.
pal·pa·ble /pǽlpəbl/ 形《正式》明白な, 簡単にわかる

pal·pi·tate /pǽlpitèit/ 動 **1** 〖医学〗〈心臓が〉(…で)動悸(ᵞ)を打つ; 〈胸が…〉(…で)どきどきする(beat) 〔with〕. **2** 〔正式〕(恐怖・興奮などで)震える(with).

pàl·pi·tá·tion 名 U 〔しばしば ~s〕動悸; 震え.

pal·ter /pɔ́ːltər/ 動 自 **1** 〔正式〕(人を)ごまかす, いいかげんに扱う(with). **2** (人と/…について)かけあう, 値切る(with/about).

pal·try /pɔ́ːltri/ 形 (**-tri·er**, **-tri·est**) **1** つまらない, わずかな. **2** 卑劣な, 軽蔑すべき.

Pa·mirs /pəmíərz/ 名 〔the ~〕パミール高原.

pam·pas /pǽmpəs, -pəz/ 名 〔the ~〕; 単数・複数扱い〕パンパス《南米, 特にアルゼンチンの大草原》.

†**pam·per** /pǽmpər/ 動 他〈人などを〉甘やかす, …の好きなようにさせる《◆ spoil よりも堅い語》.

*****pam·phlet** /pǽmflət/ 〖中世のラテン語の愛称〗
── 名 (複) ~s/-flits/ C **1** (…についての)パンフレット, (仮とじの)小冊子〔about, on〕《◆ 薄いものは brochure《主に商業的なもの. 日本語の「パンフレット」にこれに相当する場合が多い》, leaflet》‖ hand out *pamphlets* to the audience 聴衆に小冊子を配る. **2** (時事問題の)小論文, 論説.

pam·phlet·eer /pæ̀mflətíər/ 名 C (論争の)パンフレットを書く人. ── 動 自 パンフレットを書く.

*****pan**[^1] /pǽn/ 〖頭音〗 pun /pʌ́n/)
── 名 (複) ~s/-z/) C **1** (通例複合語で) 平なべ, パン《ふつう片手で長柄》‖ a frýing *pàn* フライパン / a sáuce *pàn* (小さい)シチューなべ. **2** 平なべ[浅い皿]状のもの. **3** 天秤(ᵗ)の皿. **4** 選鉱なべ《砂金などを水中でより分けるふるい》. **5** (海に浮いている)氷片. **6** 〔主に英〕便器.

gó down the pán 〔俗〕 使い物にならなくなる, 無用の長物になる.

léap〔júmp〕out of the frýing pán into the fíre → frying pan.

── 動 (過去・過分) **panned**/-d/; **pan·ning**) 他 **1** 〔略式〕〈劇などを〉酷評する. **2**〈砂金などを〉選鉱なべで採取する(+*out*, *off*); 〈鉱石などの〉(泥・砂)をなべで洗い流す. **3** …を平なべで調理する.
── 自 選鉱なべで(砂金などを)選別する(*for*).

pán óut 〔自〕 (1) 〈河床などが〉(砂)金を産出する. (2) 〔略式〕 (通例否定文・疑問文で)〈物・事が〉うまくいく; (…の)結果になる(+*well*, *badly*)‖ Things didn't quite *pan out* the way we expected. 事態は私たちが期待したようにはあまりうまくいかなかった. ── 〔他〕 → 2.

pan[^2] /pǽn/ 〖写真・映画・テレビ〗 名 C カメラの左右[上下]への移動, パン. ── 動 (過去・過分) **panned**/-d/; **pan·ning**) 他〈カメラが〉パンする(+*over*, *round*), パンで写す(+*in*, *out*). ── 他〈カメラを〉パンする, 〈被写体を〉パンで写す.

Pan /pǽn/ 名 〖ギリシア神話〗 パン, 牧羊神《森・野原・牧羊の神で, 頭に角があり, 耳と脚はヤギに似ている》.

Pan. (略) *Panama*.

pan- /pæn-/ 〖語要素〗 → 語要素一覧 (1.2).

†**Pan·a·ma** /pǽnəmɑ̀ː, ⁻́⁻/ 名 **1** パナマ《中米の共和国》‖ the Isthmus of *Panama* パナマ地峡. **2** =Panama City. **3** 〔時に p~〕 C =Panama hat.

Pánama Canál 〔the ~〕 パナマ運河.

Pánama Canál Zòne 〔the ~〕 パナマ運河地帯 (→ Canal Zone).

Pánama Cíty パナマ市《パナマ共和国の首都》.

Pánama hát パナマ帽.

Pan-A·mer·i·can /pæ̀nəmérikən/ 形 全米の, 汎米の《北米・中米・南米諸国を含む》‖ the Pan-American Congress 全米会議.
Pán-A·mér·i·can·ìsm 名 U 全米主義.

†**pan·cake** /pǽnkèik, pə́n-/ 名 **1** C パンケーキ (crepe)《牛乳・小麦粉・卵を練ったもの(batter)を薄く焼いたケーキ》. **2** U C 〔米〕=griddle cake. **3** 〔航空〕=pancake landing. **4** U C =pancake makeup.

(as) flát as a páncake 〔略式〕 (1) とても平べったい. (2) 面白味のない, がっかりした結末の.

páncake lànding (機関のトラブルによる)平落ち[失速]着陸.

páncake màkeup パンケーキ《ケーキ状・棒状のおしろい. 〔商標〕で Pan-Cake ともいう》.

pan·cre·as /pǽnkriəs/ 名 C 〖解剖・動〗膵(̌)臓.

†**pan·da** /pǽndə/ 名 **1** 〖動〗 パンダ, ジャイアントパンダ. **2** レッサーパンダ.

pánda càr 〔時に P~〕〔英〕(都市部の)パトカー(patrol car, 〔米〕squad car).

Pánda cròssing 〔英〕 押しボタン式信号のついた横断歩道 (→ crossing 関連).

pan·de·mo·ni·um /pæ̀ndəmóuniəm/ 名 **1** U C 〔正式〕 大混乱(の場所); 修羅場(ᵐ̌), 無法地帯. **2** 〔P~〕 C 伏魔殿; 地獄.

pan·der /pǽndər/ 動 自 迎合する.

Pan·do·ra /pændɔ́ːrə/ 名 〖ギリシア神話〗 パンドラ《Zeus が地上に送った最初の女性》.

Pandóra's bóx パンドラの箱《Zeus から Pandora に贈られた箱. 禁を破り開くと, 中からあらゆる悪災が出て世に広がり, 「希望」だけが残った》; 思いがけない災いの根源 ‖ open a *Pandora's box* of privacy issues プライバシーの問題を引き起こす.

p & p, p and p 〔英〕 postage *and* packing 郵送料と荷造料.

†**pane** /péin/〖同音〗pain) 名 **1** (1枚の)窓ガラス; (ガラス1枚分の)窓枠‖ two *panes* of glass 2枚の窓ガラス. **2** (戸などの)鏡板. **3** 市松模様[碁盤(ᵇ̌)]の一目.

pan·e·gyr·ic /pæ̀nədʒírik/ 名 U C 〔正式〕(…に対する)賞賛(の言葉)〔on, upon〕.

*****pan·el** /pǽnl/ 〖「小さい布切れ」が原義〗
── 名 (複) ~s/-z/) C
│ 〖パネルに貼りつけられる人たち〗

1 〔集合名詞; 単数・複数扱い〕 委員会; (コンテストなどの)審査員団; (クイズなどの)解答者団(panelist).
2 〖法律〗 〔集合名詞; 単数・複数扱い〕 陪審団; 陪審員(名簿) ‖ serve on a *panel* 陪審員を務める.
3 〔英〕 保険医[患者]名簿 ‖ be on the *panel* 健康保険医[患者]になっている.

‖ 〖パネル〗

4 鏡板, 羽目板, パネル.
5 〖絵〗 画板, パネル板; 〖写真〗 パネル版. **6** (スカートなどの飾り用の)細長い布. **7** 計器盤; 電話交換機; 配電盤(control board). **8** (…についての)公開討論会〔on〕.

── 動 (過去・過分) ~ed or 〔英〕 **pan·elled**/-d/; ~ing or 〔英〕 **-el·ling**) 他 **1** 〈ドア・壁などに〉(…で)鏡板を張る(*in*, *with*). **2** 〈服など〉を色違いの細長い布で飾る.

pánel discùssion 公開討論会, パネルディスカッション.

pánel gàme 〔shòw〕 (テレビ・ラジオなどでレギュラーメンバーが解答する)クイズ番組.

pánel hèating (床・壁などに熱を通す)放射暖房.

pan·el·ing, 〔英〕 **-ling** /pǽnliŋ/ 名 U C 鏡板用の木

pan·el·ist,(英) **--list** /pǽnlist/ 图C (公開討論会の)討論者, パネリスト《◆この意味では ˣpanel(l)er は誤り》. (クイズ番組の)解答者.

pan·ful /pǽnfùl/ 图C なべ[皿]一杯(分).

†**pang** /pǽŋ/ 图C [通例 ~s] **1** 激痛, 苦痛 ‖ the *pangs* of hunger [a toothache] 激しい空腹[歯痛]. **2** 心の痛み, 苦しみ, 苦悶(%ん) ‖ a *pang* of conscience 良心の呵責(%ん). ――動他 **1** 腹などが)(空腹などで)痛む[*with*].

pan·han·dle /pǽnhæ̀ndl/ 图C **1** 平なべの柄. **2** (米) (他州へ突き出ている)細長い地域. ――動 (略式) (通りで)(…に)物乞(;)いする.

Pánhandle Státe (愛称) [the ~] (他州に細長く突き出た州(→ West Virginia).

†**pan·ic** /pǽnik/ 图 **1** UC [通例単数形で] 恐慌(きん?)(状態); 恐怖; (略式) 大あわて, ろうばい ‖ The hotel fire caused a *panic*. ホテルの火災はパニックを引き起こした / *in a panic* あわてふためいて. **2** C (経済) 恐慌, パニック.
――動 (過去・過分 ~ked; -ick·ing) 他 (人・動物)をうろたえさせる, …に恐慌を起こさせる. ――自 (…に)うろたえる, あわてふためく[*at*] ‖ Don't *panic*. あわてるな.

pánic attàck (精神医学) パニック発作(恐怖による呼吸困難など).

pan·ick·y /pǽniki/ 形 (時に -i·er, -i·est) (略式) 恐慌の, びくびくした.

pan·ic-strick·en /pǽnikstrìkən/, **-struck** /-strÀk/ 形 恐慌をきたした, あわてふためいた.

pan·ni·er /pǽniər/ 图C (馬などの背中の両側につける)荷かご, (人が背負う)かご, (主英) (オートバイ・自転車の両側につける)荷袋, 荷物入れ.

pan·ni·kin /pǽnikin/ 图C (英) **1** 金属製小杯. **2** **1**の小杯一杯(分).

pan·o·ply /pǽnəpli/ 图C **1** (騎士などの)よろい・かぶとのひとそろい. **2** U (正式) 完全装備; (一般に)立派な装い[飾り付け].

†**pan·o·ra·ma** /pæ̀nərǽmə | -rάːmə/ 图C **1** (正式) 全景 ‖ a breathtaking *panorama* of the night view あっと息をのむような夜景. **2** 概観, 大観 ‖ a *panorama* of world history 世界史概観. **3** パノラマ, 回転画(cf. diorama). **4** 連続して移り変わる光景 ‖ the *panorama* of urban life 都会生活の移り変わる光景.

pan·o·ram·ic /pæ̀nərǽmik/ 形 パノラマ(式)の, 全景の見える; 概観的な ‖ a *panoramic* view 全景.

Pan-Pa·cif·ic /pæ̀npəsífik/ 形 全太平洋的の, 汎(♠)太平洋の.

†**pan·sy** /pǽnzi/ 图 **1** C (植) パンジー, サンシキスミレ(の花)《◆ (古) heart's ease, love-in-idleness などの異名がある》. **2** U スミレ色, 濃紫色.

†**pant** /pǽnt/ 動自 **1** 〈人・動物〉が(…で)あえぐ, 息を切らす, ハアハアいう[*after*, *from*]; 息を切らして歩く[走る](+*along*, *down*) ‖ He is *panting* from *running* all the way from the station. 彼は駅からずっと走って来たので息を切らしている. **2** [be ~ing] (…)を熱望する, (文)(…)にあこがれる[*for*, *after*]; (…する)ことを切望する(*to do*). ――他 (略式) 〈言葉・話〉をあえぎながら言う(+*out*) ‖ *pant out* the big news あえぎながらビッグニュースを伝える.
――图 C あえぎ, 息切れ; 動悸(‡); (エンジンの)振動.

†**pan·ta·loon** /pæ̀ntəlúːn/ 图 **1** [~s] パンタロン《19世紀の男性用ズボン. 今は女性用》; (米) ズボン. **2** C (無言劇の)愚かな老いぼれ役.

pan·the·ism /pǽnθiìzm/ 图 U 汎(¥)神論の; (俗説)に多神教. **pán·the·ist** 图 U 汎神論者.

pan·the·is·tic, -ti·cal /pæ̀nθiístik(l)/ 形 汎神論の; (俗説)の多神教の.

pan·the·on /pǽnθiàn | -θiən, -ðn, pænθíːən/ 图 **1** [the P~] パンテオン《27 B.C. 建立のローマの万神殿》; C (一国の) (一国の偉人を祭る)殿堂, パンテオン. **3** [集合的に] 一国のすべての神々.

†**pan·ther** /pǽnθər/ 图 (複 ~s, pan·ther; (女性形) ~·ess) C **1** 動 ヒョウ《◆ leopard の別名. 特にクロヒョウ》; (米) ピューマ(puma); ジャガー(jaguar). **2** [P~] =Black Panther.

pan·to·graph /pǽntəgræ̀f | -əˌgrɑːf/ 图C **1** 写図器, 縮図器. **2** (電車の)パンタグラフ, 集電器.

pan·to·mime /pǽntəmàim/ 图 **1** CU **a** パントマイム, 無言劇. **b** (古代ローマの)無言劇俳優. **2** U 身ぶり, 手まね(《英略式》panto). **3** C (略式) おとぎ芝居《クリスマスに演じられる歌・踊り・道化の芝居》.
――動他 (…)を身ぶり[手まね]で表現する.

pán·to·mím·ist 图C 無言劇[パントマイム]役者.

†**pan·try** /pǽntri/ 图C 食料品室, 食器室.

◆**pants** /pǽnts/
〖*pantaloons* の短縮語〗
――图 (略式) [複数扱い] **1** (主米) ズボン(trousers); スラックス ‖ He usually wears baggy *pants*. 彼はいつもだぶだぶのズボンをはいている / two pairs of *pants* ズボン2本. **2** (英) (男性用の)ズボン下, パンツ《(米) briefs, shorts, 時に underpants》; (女性・子供用の)パンティ, ズロース(knickers) ‖ a pair of *pants* パンツ1枚《◆ (商用語) では時に one *pants*, two *pants* という》 / wet one's *pants* お漏(ら)らしする. **3** [形容詞的に] ズボンの, パンツの ‖ one's *pants* knees ズボンの膝の部分.

――― (図: pants 1 — waistband, tunnel belt loop, fly, crease, (米) cuff / (英) turnup)

> **⚠ 語法** pants は複数扱いだが, a pair of pants はふつう単数扱い: This pair of pants *fits* well with the coat. このズボンは上着とよく合う.

gét [grów] tòo bíg for one's **pánts** (米) =get [grow] too big for one's boots (→ boot¹ 图).

pánts [pánt] sùit =pantsuit.

pant·suit /pǽntsùːt/ 图C (米) パンツスーツ《女性用のズボンと上着のスーツ》((英) trouser-suit).

pant·y /pǽnti/ 图 [形容詞的に] パンツの(ような).

pánty hòse (米) [複数扱い] パンティストッキング((英) tights)《◆ panty stockings とはあまりいわない》.

pap /pǽp/ 图 **1** U (幼児・病人用の)かゆ. **2** UC 流動食. **3** U (主米) 内容・価値のない本[考え, 情報, 娯楽].

†**pa·pa** /páːpə | -/ 图C (米略式) おとうちゃん, パパ(↔ mama)《◆ 主に父親が子供に言う場合に自称として用いる. 子供が言う場合は dad, daddy の方が多く用いら

pa·pa·cy /péipəsi/ 名 [正式] **1** [the ~] ローマ教皇の職[位, 権威]. **2** C 教皇の任期.

†**pa·pal** /péipl/ 形 ローマ教皇の, 教皇制度の(→ pope); ローマカトリック教会の.

pap·a·raz·zo /pɑ̀ːpərɑ́ːtsou/ [イタリア] 名 (複 **-zi** /-tsi/) C パパラッチ, (有名人を追う)追っかけカメラマン《◆ stalkerazzo ともいう》.

pa·pa·ya /pəpáiə, (米)-pɑ́ːjə/ 名 C [植] パパイア; U その実.

*pa·per /péipər/ 『「パピルス(papyrus)」が原義』

index 名 1紙 2新聞 3書類 4研究論文; レポート

——名 (複 ~s/-z/)

I [材質としての紙]

1 U [しばしば複合語で] 紙《◆耐久性の欠如・短命の象徴》; U C 壁紙 ‖ *three sheets of paper* 3枚の紙《◆ふつう一定の形, 大きさをもった用紙の場合に用いる. three pieces of paper は形, 大きさに関係のない時に用い,「紙切れ3枚」という意味》/ wrap something in *paper* 物を紙で包む / 日本発》 Today, origami [*paper* folding] is enjoyed by a wide following of enthusiasts all over the world. 今では折り紙は世界中で広く愛好されるようになっています.

関連 [いろいろな種類の paper]
acid-free *paper* 中性紙 / blank *paper* 白紙 / carbon *paper* カーボン紙 / coated *paper* コート紙 / drawing *paper* 画用紙, 製図用紙 / graph *paper* グラフ用紙 / Japan(ese) *paper* 和紙 / letter *paper* 便箋 / lined *paper* 罫紙 / music *paper* 五線紙 / pulp *paper* ざら紙 / scrap *paper* 再生紙, メモ用紙 / sensitive *paper* 感光紙 / sulfate *paper* クラフト紙 / toilet *paper* トイレットペーパー / tracing *paper* 透写紙 / wax *paper* ろう紙.

II [特定の用途に用いられる紙]

2 C 新聞(newspaper) ‖ 'a morning [an evening] *paper* 朝[夕]刊 / a daily [weekly, monthly] *paper* 日刊[週刊, 月刊]紙 / an English-language *paper* 英字新聞 / Have you read today's *paper*? 今日の新聞は読みましたか.

3 [~s; 複数扱い] 書類, 文書(document); (個人に関する)記録(record), 資料; (身分・出生・船籍などの)証明書 ‖ identification *paper* 身分証明書 / May I see your *papers*? 書類を見せてもらえますか.

4 C […に関する]研究論文(article, essay), 学術論文(about, on); (学生の)レポート(term paper)《◆この意で report とはいわない》; 試験問題; 答案((正式) examination paper)‖ mark [(主に米) grade] *papers* 答案の採点をする / deliver [give] a *paper* on wild animals 野生動物についての論文を発表する / Did you find today's English *paper* difficult? 今日の英語の試験問題は難しかったですか.

5 U 紙幣; 手形.

6 C 紙袋, 紙包み ‖ a *paper* of pins ピン1包み.

7 U C 壁紙(wallpaper).

表現「ペーパーテスト」は written test《◆ páper tèst は「紙質の検査」》.「ペーパードライバー」(×paper driver)を簡潔にいう英語はない.「ペーパーカンパニー」は bogus company《◆ páper còmpany は「製紙会社」》.

on páper 文書[紙上]で; 理論上は

——形 [名詞の前で] **1** 紙の, 紙でできた; 紙のような, 紙製の ‖ a *paper* bag [cup, towel] 紙袋[コップ, タオル] / This house has *paper* walls. この家の壁は紙みたいに薄い. **2** 〈仕事が〉書類事務に関する; 〈利益などが〉名目上の, 帳面づらだけの.

——動 〈物を〉紙で包む(+*up*); 〈部屋・壁などに〉壁紙を張る; 〈場所に〉広告[ポスター]を張る ‖ *paper* a room (in) gray / *paper* a room with gray paper 部屋に灰色の壁紙を張る.

——自 壁紙を張る.

páper óver A (1) …の上に紙を張る. (2) …をとりくろう, 糊塗(ことう)する ‖ *paper over* the bribery scandals 収賄事件を覆い隠す.

páper clíp 紙ばさみ, クリップ.
páper cútter 紙切りナイフ; 紙裁断機, カッター.
páper dóll 紙人形.
páper knífe 紙切り[ペーパー]ナイフ((英) letter opener).
páper míll 製紙工場.
páper móney 紙幣, 小切手, 手形.
páper tíger 張り子の虎, こけおどし.

pa·per·back /péipərbæk/ 名 C U 形 紙表紙本(の), ペーパーバック(の)(↔ hardcover).

pa·per·backed /péipərbækt/ 形 =paperback.

pa·per·bound /péipərbàund/ 名 形 =paperback.

pa·per·boy /péipərbɔ̀i/ 名 C 新聞(配達)少年((PC) news*paper* carrier).

pa·per·girl /péipərgə̀ːrl/ 名 C 新聞(配達)少女(→ paperboy).

pa·per·less /péipərləs/ 形 (情報の伝達にコンピュータや電話を用い)紙を用いない, ペーパーレスの.

pa·per·weight /péipərwèit/ 名 C 文鎮, 紙押え.

pa·per·work /péipərwə̀ːrk/ 名 U 文書業務, 事務; 事務書類.

pa·per·y /péipəri/ 形 紙のような, 薄い, もろい.

pa·pil·la /pəpílə/ 名 (複 **-lae** /-liː/) C **1** [解剖] 乳頭; 小乳頭状突起; 毛乳頭. **2** [植] 柔軟小突起.

pa·pist /péipist/ 名 C カトリック教徒; 教皇制主唱者.

pa(p)·poose /pæpúːs | pə-/ 名 C **1** (北米先住民の)赤ん坊, 幼児. **2** 赤ん坊を背負う袋.

†**pa·pri·ka** /pɑprɪ́ːkə, pæ- | pəpríkə/ 名 **1** C [植] パプリカ, アマトウガラシ《ハンガリー・スペインなどで産出するトウガラシ》. **2** U パプリカ《1から作る赤い香辛料》.

Pa·pu·a /pǽpjuə | pǽpuə, pɑ́ː-/ 名 〔愛称〕 パプア(→ New Guinea).

Pápua Nèw Guínea パプア=ニューギニア.

†**pa·py·rus** /pəpáiərəs/ 名 (複 ~·**es**, **-ri**/-rai, (米)-riː/) **1** U [植] パピルス, カミガヤツリ《ナイル川原産の水生植物》. **2** U パピルス写本[古文書].

†**par** /pɑːr/ 《同音》 ×pa)名 **1** U [時に a ~] 同等, 同位, 等価 ‖ She is quite *on* [*to*] *a par with* her brother in intelligence. 彼女は知力で劣らず頭がいい. **2** U 標準, 基準, 平均; 《略式》(健康の)常態 ‖ *above pár* 標準以上で / *below* [*under*, not up to] *pár* 標準以下で; (体調が)ふだんより悪くて / He isn't up to *par* today. 彼は今日は調子がよくない. **3** U [経済] 額面(価格), 平価(par value) ‖ the *par* of exchange 為替平価 / *at* [*above*]

par 額面どおり[より上]で. **4** ⓒ〖ゴルフ〗パー,(米国での)基準打数.

> 関連 birdie, eagle,「double eagle [albatross]《*par* よりそれぞれ1打, 2打, 3打少なくあがること》; bogey, double bogey《*par* よりそれぞれ1打, 2打多くあがること》.

be pár for the cóurse(略式)(何か悪いことに関して)予想どおりである.
pár válue = 3.
par·a- /pǽrə-/〘連結〙→語要素一覧(1.2, 1.6, 1.7).
†**par·a·ble** /pǽrəbl/ 图ⓒ たとえ話,寓(ⓢ)話; たとえ(cf. allegory, fable) ‖ *speak in parables*(文)[おおげさに]たとえ話をする.
†**par·a·bo·la** /pərǽbələ/ 图ⓒ **1**〖数学〗放物線. **2** パラボラアンテナ.
†**par·a·bol·ic**¹ /pæ̀rəbάlik | -bɔ́l-/ 厖 放物線(状)の.
†**par·a·bol·ic², -·i·cal** /pæ̀rəbάlik(l) | -bɔ́l-/ 厖 たとえ話の,比喩的な.
†**par·a·chute** /pǽrəʃùːt/ 图ⓒ **1** 落下傘,パラシュート. **2**〖動〗(コウモリなどの)飛膜. ——動 ⓘ パラシュートで降下する. ——動 ⓣ パラシュートで降下させる.

***pa·rade** /pəréid/ 発音注意
——图 (倒 ~s/-réidz/) **1** ⓒⓤ 行列,パレード,(示威)行進(march) ‖ an Independence Day *parade* 独立記念日のパレード.
2 ⓒ 見せびらかし,誇示;壮観 ‖ *màke a paráde of* one's learning 学識をひけらかす(=*parade* one's learning).
3 ⓒⓤ 閲兵式,観兵式;ⓒ =parade ground ‖ hold a *parade* 観兵式を行なう. **4** ⓒ (海岸の)遊歩道(promenade);遊歩者の群れ;〘英〙商店街. **5** ⓒ 連続的な展示.
on paráde (1) パレードをして. (2)〈軍隊が〉観兵式の隊形で. (3)〈俳優などが〉総出演して,オンパレードで. (4) これみよがしに.
——動 (~s/-réidz/; 過去・過分) ~d/-id/; ~·rad·ing)
——ⓣ **1**〈人が〉〈通りなどを〉行進する,ねり歩く ‖ The troops *paraded* the streets. 軍隊が町を行進した.
2 (略式)〈人が〉〈富・知識などを〉見せびらかす;(何かを見せびらかすために)〈場所〉を歩き回る ‖ She *parades* her wealth. 彼女は自分が金持ちであることを見せびらかす(=She makes a *parade* of her wealth.). **3**〈軍隊〉を(閲兵のため)整列させる,分列行進させる.
——ⓘ **1** 〈軍隊が〉パレードする. **2** 〈軍隊が〉閲兵のために整列する,分列行進する. **3** (何かを見せびらかすために)歩き回る.
paráde gròund (米) 観兵式場.
par·a·digm /pǽrədàim, (米+) -dìm/ 图ⓒ **1**〖文法〗語形変化(表). **2** 理論的枠組,方法論,対応策,パラダイム. **páradigm shìft**〖哲学〗パラダイムシフト《思考の枠組が変わること》.

***par·a·dise** /pǽrədàis/
——图 (倒 ~s/-iz/) **1** (略式) [a ~] 地上の楽園,絶好[理想]の場所,絶景の地 ‖ a *paradise* for smugglers =a smugglers' *paradise* 密輸入者に絶好の場所 / a *paradise* on earth =an earthly *paradise* 地上の楽園. **2** [通例 P~; 無冠詞で] ⓤ 天国,極楽(↔ Hell) ‖ My wife is in *Paradise*. 妻は天国にいます[死んでいる] / go to *Paradise* 天国に行く[死ぬ]. **3** [P~] エデンの園(the Garden of Eden). **4** ⓤ 至福,無上の幸福(cf. fool's paradise).
Páradise Lóst『失楽園』『楽園の喪失』《英国の詩人 John Milton の叙事詩》.

†**par·a·dox** /pǽrədὰks | -dɔ̀ks/ 图 (正式) **1** ⓤⓒ 逆説,パラドックス ‖ The saying "Make haste slowly" is a *paradox*.「ゆっくり急げ」ということわざは逆説である《◆「逆説」とは表面的には矛盾しているように聞こえるが実際は真実を含んでいる説》. **2** ⓤⓒ 矛盾した言葉・行為);ⓒ 矛盾したことにみえる人[もの].
par·a·dox·i·cal /pæ̀rədάksikl | -dɔ́ks-/ 厖 **1** 逆説の,逆説的な,逆説を好む. **2** 矛盾した. **3** 〈脈拍(ⓢ)など〉が正常でない.
paradóxical sléep〖医学〗逆説睡眠(REM sleep).
pàr·a·dóx·i·cal·ly 副 [通例文全体を修飾] 逆説的に(言えば,なるが).
†**par·af·fin** /pǽrəfin/, **-·fine** /-fin | -fiːn/ 图ⓤ **1** = paraffin wax. **2**〖化学〗パラフィン. **3**(英)= paraffin oil. ——動 ⓣ …にパラフィンを塗る.
páraffin òil 灯油((米+豪)kerosene).
páraffin wàx パラフィン,石ろう《◆ろうそく・ろう紙を作る》.
par·a·glid·er /pǽrəglàidər/ 图ⓒ パラグライダー.
par·a·glid·ing /pǽrəglàidiŋ/ 图ⓒ パラグライディング《パラシュートをつけて滑空し,目的地に着地するスポーツ》.
par·a·gon /pǽrəgὰn, -gən | -gən/ 图ⓒ **1**(正式)模範,典型,手本;(悪の)権化 ‖ a *paragon* of all the vices あらゆる悪の権化. **2 a** 100カラット以上の無瑕のダイヤ. **b** 完全円形の特大真珠.

***par·a·graph** /pǽrəgræ̀f | -grὰːf/ 〖わきに(para)書く(graph). cf. photograph〗
——图 (倒 ~s/-s/) ⓒ **1** (文章の)段落,パラグラフ. (cf. indent ⓣ **3**) ‖ It is written in the second *paragraph*. その記事は第2段落に書かれています. **2** (新聞・雑誌などの)小記事,短い文章,寸評《◆見出しがないことが多い》. **3** =paragraph mark.
páragraph màrk〖印刷〗段落標;参照符号《¶》.
Par·a·guay /pǽrəgwài, -gwèi/ 图 **1** パラグアイ《南米の共和国. 首都 Asunción》. **2** [the ~] パラグアイ川.
par·a·keet /pǽrəkìːt/ 图ⓒ〖鳥〗(小型)インコ.
par·al·lax /pǽrəlæ̀ks/ 图ⓒⓤ〖天文・光学・写真〗視差,変位.

***par·al·lel** /pǽrəlèl/〖お互いの(llel)そばに(para)〗
——厖《◆比較変化しない》**1**[補語として]〈他の線・面と〉**平行な(to, with)** ‖ The railroad is *parallel to* [*with*] the road. 鉄道線路と道路は並行している.
2(正式)[比喩的に] […と]**同方向[傾向]の**;[…に]対応[相等]する,[…と]類似した,同様な(similar)(*to, with*) ‖ *parallel* hobbies 似たような趣味 / in a *parallel* direction *with*[*to*] …と同じ方向へ.
3〖電気〗並列の ‖ a *párallel* círcuit 並列回路.
4〖コンピュータ〗(データの伝送が)並行の,パラレルの.
——副 […と]平行して,同方向へ(*to, with*)《◆比較変化しない》.
——图 (倒 ~s/-z/) **1** ⓒ (正式) […の間の/…との]**類似点**(*between*/*with*);[…に]対応[匹敵]する人[物](*to, with*);比較,対比;ⓤ 類似 ‖ draw a *parallel between* A and B A と B を比較する / on a *parallel with* … …と類似して / There is no *parallel to* his poetical genius. =His poetical genius has no *parallel*. 彼の詩の才能には匹敵するものがない(=His poetical genius is unparalleled.). **2** ⓒ […との]**平行線[面]**(*to, with*); ⓤ 平行 ‖ on a *parallel with* … …と同一水準で /

parallelism … と平行して[同時に]． **3** ⓒ〖地質〗緯線(parallel of latitude)． **4** Ⓤ〖電気〗並列① in parallel 並列(形)式)で．
──動 (~s/-z/; 過去・過分) ~ed or (英) ~al·lelled /-d/; ~·ing or (英) ~·lel·ling
──他 **1**〈物が〉〈物と〉**平行する** ‖ The road parallels the river for a few miles. 道路は数マイルにわたって川と平行に走っている． **2**〈物・事が〉〈物・事に〉似ている；…に対応[匹敵, 相当]する ‖ His linguistic talent has never been paralleled. 彼の語学の才能はこれまで匹敵するものがなかった． **3** …を[…と]比較する(with).

parallel bars〖体操〗[(the) ~] 平行棒(の競技) (cf. uneven parallel bars).

párallel prócessing〖コンピュータ〗パラレル[並列]処理.

par·al·lel·ism /pǽrəlelìzm/ 名ⓊⒸ **1** 平行. **2** 類似；対応；比較.

par·al·lel·o·gram /pæ̀rəlélgræm/ 名ⓒ 平行四辺形 ‖ the parallelogram of forces 力の平行四辺形.

Par·a·lym·pics /pæ̀rəlímpiks/〖para (with の意味のラテン語) + Olympics〗名[the ~] パラリンピック《身障者の国際スポーツ大会》.

par·a·lyse /pǽrəlàiz/ 動 (英) = paralyze.

†**pa·ral·y·sis** /pərǽləsis/ 名 (複 ~·ses/-sìːz/) ⓊⒸ **1**〖医学〗麻痺(ひ), 中風. **2** [比喩的に] 麻痺(状態).

†**par·a·lyze**, (英では主に) ~·lyse /pǽrəlàiz/ 動 他 **1**〈病気・事故・寒さなどが〉〈体の一部〉を麻痺(ひ)させる, しびれさせる ‖ My hands are paralyzed with cold. 私の手は寒さでかじかんでいる． **2** [比喩的に]〈物・事・人が〉〈人・物・事〉を(一時的に)麻痺させる ‖ Fear paralyzed him. = He was paralyzed by [with] fear. 彼は恐怖のあまり立ちすくんだ / Traffic was paralyzed by the snowstorm. 吹雪のために交通は麻痺状態となった.

par·a·med·ic /pæ̀rəmédik/ 名ⓒ《主に米》特別救急救命士, パラメディック《高度な救急医療を行なう資格を与えられた最上級レベルの救助隊員》.

†**pa·ram·e·ter** /pərǽmətər/ 名 **1** Ⓤ〖数学〗媒介変数, パラメータ；助変数；〖コンピュータ〗パラメータ《特別の機能を付加するためのデータ》． **2** ⓒ《略式》[通例 ~s] (限定)要素, 要因(factor)；限界, 範囲.

†**par·a·mount** /pǽrəmàunt/ 形《正式》**1** 最高の(supreme), 主要な, 卓越した；[…に]まさる(to, over) ‖ Human life is of paramount importance. 人命が最も重要だ． **2** 最高位の ‖ the paramount chief (アフリカの)大会(ちょう)長.

pár·a·mòunt·cy /-si/ Ⓤ《正式》最重要, 優越；最高権力.

par·a·noi·a /pæ̀rənɔ́iə/ 名 Ⓤ **1**〖医学〗偏執病, パラノイア． **2**《略式》被害妄想.

par·a·noid /pǽrənɔ̀id/ 形ⓒ 偏執狂の(患者)；偏執病的な.

†**par·a·pet** /pǽrəpit, -pèt/ 名ⓒ **1**(バルコニー・屋上・橋の)手すり(壁)；欄干． **2**(城・塁壕(るごう)の)胸壁, 胸墻(しょう).

par·a·pher·na·lia /pæ̀rəfərnéiliə/ 名Ⓤ[しばしば複数扱い] 《◆数えるときは a piece of paraphernalia》 **1**《正式》[…のための]道具類一式, 装備, 設備；付随物(for)． **2**(個人の)手回り品, 私物． **3**《略式》(あることに伴う)もろもろの事；複雑な手続き；不要なもの.

†**par·a·phrase** /pǽrəfrèiz/ 動 他《やさしい》言いかえ, パラフレーズ, 意訳 ‖ make a paraphrase of … … を言いかえる《◆ paraphrase 他 の方がふつう》.
──動 他 自(…を)(やさしく)言いかえる, パラフレーズする, 意訳する ‖ Paraphrase what she said. 彼女の言ったことを(やさしく)言いかえなさい.

†**par·a·site** /pǽrəsàit/ 名ⓒ **1**〖生物〗[…への]寄生動物, 寄生虫；寄生植物(on, of) (cf. host¹ 名 **4**). **2** 居候(いそうろう).

par·a·sit·ic, -i·cal /pæ̀rəsítik(l)/ 形《正式》**1** 寄生する, 寄生物[動物, 植物, 虫]の；寄生質の；〈病気など〉寄生虫によって起こる． **2** 居候(いそうろう)する；おべっかを使う.

par·a·sit·ism /pǽrəsaitìzm/ 名Ⓤ **1**〖生物〗寄生. **2**〖医学〗寄生虫感染.

par·a·sol /pǽrəsɔ̀ːl, (英+) -sɔ̀l/ 名ⓒ(女性用)日がさ, パラソル(sunshade)《◆ sunshade が一般的. cf. beach umbrella》.

par·a·troop·er /pǽrətrùːpər/ 名ⓒ[通例 ~s] 落下傘兵, 落下傘部隊員.

par·a·troops /pǽrətrùːps/ 名[複数扱い] 落下傘部隊.

par·a·ty·phoid /pæ̀rətáifɔid/ 形 パラチフスの.

par·a·vion /pàːr ævjɔ̃ː/《フランス語》航空便で.

par·boil /páːrbɔ̀il/ 動 他 …を半ゆでにする、(下ごしらえに)湯通ししておく.

†**par·cel** /páːrsl/ 名ⓒ **1**《主に英》包み, 郵便小包, 小荷物(《米》package) ‖「dó úp [ùndó] a párcel 小包を作る[ほどく]． **2**〖米法律〗(土地などの)1区画, 1片 ‖ a parcel of land 1区画の土地． **3**〈人・物の〉一群[of] ‖ a parcel of odds and ends がらくた一式． **4**(商品などの)一山, 一組.
──動 (過去・過分) ~ed or (英) par·celled/-d/; ~·ing or (英) ~·cel·ling 他 **1**〈土地・時間・物など〉を分ける, 分配する(+out) ‖ parcel out the work to the laborers 労働者に仕事をふり分ける． **2** …を小包みにする(+up).

párcel póst 小包郵便 (略 p.p., PP).

†**parch** /páːrtʃ/ 動 他 **1**《正式》〈太陽・熱などが〉〈穀物・土地など〉をからからに乾かす． **2**〈豆など〉をいる, あぶる． **3**(略式)[通例 be ~ed]〈人・のどが〉からからになる ‖ My throat was parched after the long walk. 長い間歩いたので私はのどがからからになった.
──自 干上がる, のどがからからになる.

†**parch·ment** /páːrtʃmənt/ 名 **1** Ⓤ 羊皮紙． **2** ⓒ 羊皮紙文書[写本]． **3** Ⓤ 模造羊皮紙(vegetable parchment). **4** ⓒ 卒業証書.

*****pardon** /páːrdn/〖完全に(par)与える(don)〗
──名 (複 ~s/-z/) ⓊⒸ **1**〖法律〗恩赦, 赦免 ‖ grant a special [general] pardon 特赦[大赦]を行なう.
2[…に対する]許し(excuse), 容赦, 寛容[for] ‖ I asked [begged, sought] her pardon for not paying off my debts sooner. 借金をもっと早く返さなかったことに対して彼女に許しを請うた.
3《宗》免罪符, 贖宥(しょくゆう).

***I bég your párdon.**《正式》(1) [↘, ↘] ごめんなさい《◆小さな過失・無礼をわびる時の言い方. 強調して I do beg your pardon. ともいう》. (I'm) sorry. よりていねい. くだけた表現では Pardon. (↗)ともいう. 《米》では Excuse me. / Pardon me. ともいう》. (2) [? を付けて] [↗] もう一度おっしゃってください(= I'm sorry, would [do] you mind repeating it (again, please)?)《◆相手の言葉を聞きもらした時の言い方. くだけた表現では Beg your pardon? (↗) / Pardon? (↗) /《主に英》Sorry? (↗) ともいう》

pardonable / park

言うこともある.《米》では Excuse me.(↗)/ *Pardon* me? ともいう. What (did you say)?(↗)/ Say once more. / Eh? / Mmm? は親しい間柄だけに用いる表現. (3)[↘]失礼ですが◆見知らぬ人に話しかけたり、相手に異議を唱える時の言い方. Excuse me. よりもていねいな表現だが、口調によって「言わせてもらうが」といった開き直った言い方になる. *Pardon me.* ともいう ‖ *I beg your pardon,* (but) you are wrong. 失礼ですが[はばかりながら]あなたが悪いのです.

──動 (~s/-z/; 過去・過分 ~ed/-d/; ~ing)

──他 1《正式》[pardon **A**'s doing / pardon **A** for doing]〈人が⋯したことを**許す**; [pardon (**A**) **B**]〈人が〉(**A**〈人〉の)**B**〈失敗などを許す、大目に見る《◆forgive, excuse よりも堅い語》‖ *I pardoned* (him) his fault. 彼の過失を許した《◆この又は前に I *pardoned* him for his fault. から前置詞で for がとれたもの》/ *Pardon* my being late. =*Pardon* me (for) being late. 遅れてすみません《❹文法 12.5》《I'm sorry for ⋯ よりも堅い表現》/ There is nothing to *pardon*. どういたしまして.

2〈人・罪を〉赦免する[特赦]する.

Párdon me.《正式》(1)[↗, ↘]ごめんなさい《◆《米》Excuse me.,《英》I'm sorry. の方がふつう》. (2)[↗]もう一度おっしゃってください《◆I beg your *pardon.* の方がふつう》. (3)[↘]失礼ですが《◆Excuse me. の方がふつう》.

par·don·a·ble /pɑ́ːrdnəbl/ 形 容赦できる、無理もない. **pár·don·a·bly** 副《正式》許すことができる程度に.

par·don·er /pɑ́ːrdnər/ 名 C 許す人.

†**pare** /péər/ (同音 pair, pear) 動《正式》 1〈ナイフなどで〉〈果物などの〉皮をむく(+off)‖ *pare* an apple リンゴの皮をむく(→ skin 動). 2〈つめを切る (cut), 切りそろえる(trim);〈縁・角などを〉[⋯から]削り取る(+off, away, down)[from]. 3 ⋯を少しずつ減らす、削減する(+down).

par·ent /péərənt/〖「生み出す者」が原義〗

──名 (複 ~s/-ənts/) C 1 親《父または母》(↔ child); [one's ~s] 両親、父母 ‖ His *parents* raised him in New Hampshire. 彼の両親はニューハンプシャーで彼を育てた / become a *parent* 親になる、子をもうける.

2 親類同様の人、守護者. 3 [形容詞的に] 親の; 元祖の; もとの ‖ a *parent* bird 親鳥 / a *parent* tree 親木 / a *parent* ship 母船、母艦 / a *parent* state (植民地に対する)本国 / a *párent* cómpany 親会社(↔ subsidiary company).

†**par·ent·age** /péərəntidʒ/ 名 U《正式》 1 生まれ、家系、家柄 ‖ a person of noble [unknown] *parentage* 高貴な家柄の[氏素姓が知れない]人. 2 親であること.

†**pa·ren·tal** /pəréntl/ 形《正式》親(として)の; 親にふさわしい ‖ *parental* feelings 親の気持ち.

†**pa·ren·the·sis** /pərénθəsis/ 名 (複 --the·ses /-θəsiːz/) C 1《文法》挿入語句《前後をコンマやダッシュで区切るか、かっこでくくる。話し言葉では音調で区切する》. 2 《英では正》[通例 -ses] 丸かっこ《(英) round bracket, (略式) bracket》《( )》.

in paréntheses《正式》かっこに入れて; ついでに言えば ‖ Fill in the blanks with the correct form of the word *in parentheses*. かっこ内の単語を正しい形に変えて空所を補充しなさい.

par·ent·hood /péərənthùd/ 名 U 親であること.

par·ent·ing /péərəntiŋ/ 名 U 子育て、育児.

par·ent·line /péərəntlàin/ 名 C U 子を持つ人対象の電話相談《サービス》.

par·ent-teach·er associàtion /péərəntiːtʃər-/ 父母と教師の会、PTA《略 PTA》.

par·fait /pɑːrféi/ 名 C U 1 パフェ《卵・砂糖・泡立てた生クリームなどで作る凍ったデザート》. 2 パフェ《数種のアイスクリームに果物・シロップ・泡立てた生クリームを重ねたデザート》.

Par·i·an /péəriən/ 形 パロス島(Paros)の; パロス島民の. 2 (パロス島産の)白色大理石の(ような). ──名 C パロス島民; U パロス島焼き《白色磁器》.

par·ing /péəriŋ/ 名 U 皮をむくこと、削る[切る]こと. 2 C [通例 ~s] むいた皮、削った[切った]くず.

páring knìfe 果物ナイフ.

†**Par·is**[1] /pǽris/ 名 パリ《フランスの首都. cf. Parisian, Parisienne》.

Par·is[2] /pǽris/《ギリシア神話》パリス《Troy の王子. Sparta 王妃 Helen を奪い Troy 戦争の原因を作った》.

†**par·ish** /pǽriʃ/ 名 C 1 教区《教会と牧師を持つ宗教上の小区域》‖ The minister moved to the new *parish*. その牧師は新しい教区に移った. 2 [集合名詞; 単数・複数扱い] 教区民; 《米》一つの教会の全信者. 3《英》行政教区《教会の教区をもとにした行政上の最小単位.《米》の town に相当する》.

párish chùrch《英》教区教会.

párish còuncil《英》教区会《行政教区の行政機関》.

párish régister(洗礼・結婚・埋葬などの)教区記録簿.

pa·rish·ion·er /pəríʃənər/ 名 C 教区民.

†**Pa·ris·i·an** /pəríʒən | -rízjən/ 形 パリの、パリっ子の、パリ風の. ──名 C パリ市民、パリっ子、パリジャン.

Pa·ri·si·enne /pəriːzién/ 名 C パリジェンヌ、パリの女.

par·i·ty /pǽrəti/ 名 U《正式》[時に a ~]〔⋯との〕同等、等価、同格《通例次の句で》*on a parity with* ⋯ ⋯と同等[対等]に..

park /pɑ́ːrk/〖「ある目的に用いられる広く囲まれた場所」が本義〗

──名 (複 ~s/-s/) C 1 (ふつう大きな)公園(public park) (cf. square 名2) ‖ Hyde *Park*《英》ハイドパーク(the *Park*)《◆固有名詞の時はふつう無冠詞》. 2《主に米》遊園地(amusement park);《米》(球技用の)運動場;《英略式》[the ~] サッカー場(soccer pitch); ⋯場.

関連 [いろいろな種類の **park**]

amusement *park* 遊園地 / baseball *park*, ballpark 野球場 / car *park*《主に英》駐車場《(米) parking lot》/ forest *park* 森林公園 / memorial *park* 共同墓地 / national *park* 国立公園 / office *park* オフィスビル街 / public *park* 公共の公園 / safari *park* サファリパーク / theme *park* テーマパーク.

3《英》駐車場《(英) car park, (米) parking lot》; 自動車置場 ‖ a trailer *park*《米》トレーラーハウスの駐車場.

4 a (大邸宅を囲む)大庭園、私園. b (⋯用の)広大な敷地 ‖ a new science *park* 新しい先端(企業)団地 / an industrial *park* 工業団地.

──動 (~s/-s/; 過去・過分 ~ed/-t/; ~ing)

──他 1〈人が〉〈車・自転車などを〉(一時的に)[⋯に]

駐車させる〔in, on〕；…を駐車場に入れる ‖ We can park the car on that street. あの通りに駐車できます / My car is parked〔×parking〕across the street. 私の車は通りの向こう側に駐車してあります（＝I'm parked across the street.）. **2**（略式）（一時的に）〈子供・荷物などを人に／場所に〉預ける〔with, on ／ at〕；…に〔…に〕置く〔in, on〕. **3**（略式）〔~ oneself〕（しばらくある場所に）座る（+down）．
—⾃〈人が〉駐車する ‖ I'll park here. ぼくはここに駐車する.

párk and bús ride（環境保護のため、途中まで車で来て）駐車しそこからバスに乗って（職場）行く．

Párk Ávenue パーク＝アベニュー《New York 市 Manhattan の高級住宅・専門店・一流企業のある大通り》．

párk bènch 公園のベンチ．

Párk kèeper（英）（公立）公園管理人．

Párk Róad パーク＝ロード《London の Regent's Park 西側の大通り》．

par·ka /pάːrkə/ 名 C **1** パーカ《イヌイットなどの着るフード付きの毛皮ジャケット》．**2**（米）パーカ、アノラック《登山・スキー用のフード付きの防寒服》（英）anorak）．

†**park·ing** /pάːrkiŋ/ 名 U 駐車（すること），駐車場所（略 P）‖ No parking (here). (掲示) 駐車禁止／Parking is not expensive around here. この辺は駐車料金は高くない／There's parking behind the station. 駅の裏に駐車場がある．

párking lòt（米）[the ~]（有料）駐車場（（英）car park）．

párking mèter 駐車メーター．

párking spàce 駐車場．

párking ticket 駐車違反カード．

Par·kin·son·ism /pάːrkinsənizm/ 名 U 〔医学〕パーキンソン病．

Pár·kin·son's dìsèase /pάːrkinsnz-/ 〔医学〕＝Parkinsonism.

Pár·kin·son's láw /pάːrkinsnz-/ パーキンソンの法則《英国の経済学者 C. Parkinson の提唱した風刺的経済法則》．

park·way /pάːrkwèi/ 名 C（米）**1**[通例 ~s] パークウェイ，公園道路《両側や中央分離帯に樹木を植えた大通り》．**2**（主に東海岸の）高速道路．

par·lance /pάːrləns/ 名 U（正式）話しぶり，口調；語法，用語(idiom)．

†**par·lia·ment** /pάːrləmənt/【発音注意】名 **1** C [単数・複数扱い] 議会（略 parl.）‖ dissolve [convene, summon] a parliament 議会を解散［招集］する. **2** [通例 P~; 無冠詞で]（英国の）議会（the House of Lords と the House of Commons からなる）（→ congress）‖ a Member of Parliament 下院議員（略 MP）／ be elected to [go into, enter] Parliament 議員に選出される／ open Parliament〈王が〉国会の開会を宣言する／ stand for Parliament 議員に立候補する／ Parliament sits [rises]. 国会が開会［閉会］する．

par·lia·men·tar·i·an /pὰːrləmentέəriən/ 名 C 議会法学者，議会法規に通じた人；（英）討論のうまい議員．

†**par·lia·men·ta·ry** /pὰːrləméntəri/ 形 **1** 議会の；議会で制定した ‖ parliamentary government 議会政治. **2**〈言動が〉議会に適した；（正式）ていねいな(polite)‖ parliamentary language よそゆきの言葉．

Parliaméntary Commìssioner (for Administrátion)（英）国会行政管理官．

parliaméntary procédure 議員法，議会運営手続．

***par·lor,**（英）**‒lour** /pάːrlər/
— 名（複 ~s/-z/）C **1**（主として）［複合語で］（客間風の）…店，…院［堂］，パーラー《◆上品な感じがするので shop, hall, clinic などに代わって用いられる》‖ a beauty parlor 美容院／ a funeral parlor 葬儀場／ a pachinko parlor パチンコ店．
2［形容詞的に］〈家具などが〉客間用の；〈人・主義などが〉口先だけの ‖ a parlor socialist 口先だけの社会主義者／ parlor conversation 茶飲み話．

párlor càr（米）パーラーカー〔（英）saloon car）《1人ずつの座席のあるゆったりした客車．cf. Pullman》．

Par·me·san /pὰːrməzάːn ｜ pὰːmizǽn/ 名 U ＝Parmesan cheese.

Pármesan chéese パルメザンチーズ《Parma 産の強い味の固いチーズ．粉末状にしてパスタなどに振りかけて食べる》．

Par·nas·sus /pɑːrnǽsəs/ 名 **1** Mount ~ パルナッソス山《ギリシア詩〔文〕壇；文芸の中心. **3** U 詩集．

pa·ro·chi·al /pəróukiəl/ 形 **1**（正式）教区の．**2**〈意見などが〉偏狭な，地方的な．

paróchial schòol（米）（カトリックなどの教会・宗教団体経営の）教区立（小・中・高等）学校．

par·o·dy /pǽrədi/ 名 **1** C U〔…の〕パロディー，もじり詩文〔of, on〕. **2** C〔…の〕へたな模倣，猿まね〔of, on〕. — 動 他 …をもじる；…をへたにまねる．

pár·o·dist /pǽrədist/ 名 C パロディー作者．

†**pa·role** /pəróul/ 名 **1** U 宣誓，（釈放後も逃亡しないという）捕虜宣誓. **2** U（米）仮出所．**3** U〔言語〕パロール，運用言語．

paróle violátion 宣誓釈放違反．

par·ox·ysm /pǽrəksizm/ 名 C〔医学〕**a**（病気の）一過性の）発作. **b** けいれん，ひきつけ(fit). **2**（笑い・怒りなどの）激発．

par·quet /pɑːrkéi ｜ pάːkei/〔フランス〕名 C **1** 寄せ木細工の床. **2**（米）（劇場の）1階席；1階前部席（（英）stalls）《orchestra pit から parquet circle までの席》. —動 他 …を寄せ木張りにする．

parquét círcle 1階後部席《2階桟敷の下の席》（主に米）parterre).

par·ri·cide /pǽrisàid/ 名（正式）**1** C 親殺しの犯人；近親殺人犯. **2** U 親殺し(の行為)．

†**par·rot** /pǽrət/ 名 C **1** オウム《◆オウムには Poll(y)と呼びかける》‖ repeat like a parrot おうむ返しに繰り返す. **2** 意味もわからず他人の言葉を繰り返す人，人の受け売りをする人．

pláy the párrot 人のまねをする．
— 動 他 …をオウムのように繰り返す，意味もわからずまねる ‖ parrot his ideas 彼の考えを受け売りする．

párrot fàshion［副詞的に］おうむ返しに．

†**par·ry** /pǽri/ 動 他（正式）〈突き・質問などを〉かわす，受け流す. — 名 C **1**〔フェンシング・ボクシング〕受け流し，かわし. **2** 言いのがれ．

parse /pɑːrs｜pɑːz/ 動 他〔文法〕〈文・テキスト〉を構成要素に分析する；〈語〉の品詞・語尾変化・統語関係を記述する．

†**pars·ley** /pάːrsli/ 名 U〔植〕**1** パセリ(の葉)《◆調味・香辛料》. **2** セリ科の植物の総称．

pars·nip /pάːrsnip/ 名〔植〕C パースニップ，アメリカボウフウ；U C その葉，根《食用》‖ **Fine [Fair, Kind, Soft] words butter no parsnips.**（ことわざ）口先でうまいことを言っても役に立たない．

†**par·son** /pάːrsn/ 名 C **1**（やや古）（アングリカン）教区牧師. **2**（略式）（特にプロテスタントの）聖職者，牧師．

parsonage

(広義)(一般に)聖職者.

†**par·son·age** /pάːrsnidʒ/ 图 C (やや古)(教区)牧師館.

part /pάːrt/ 〖「全体の中の一部分」が本義〗 派 **partial** (形), **partly** (副)

index 名 1部分 6側, 味方 8役目
動 他 1分ける 自 1分かれる 2別れる

—— 名 (複 ~s/pάːrts/)

I [分けられた部分]

1 C **部分**(piece); [通例 (a) ~ of + the [one's, this, that, etc.] + 名詞·代名詞] …の一部(分); 一員(↔ whole); 一片, 断片 (略 p., pt.) ‖ (*a*) *part of the cake* ケーキの一部《◆それ自体1個とみなされるのは piece: a *piece of cake* ケーキ1個》/ *a small* [*large, good*] *part of the books* 蔵書の一部(大部分) / *the former* [*latter*] *part of the game* 試合の前半[後半] / *the major* [*greater, best, most*] *part of the work* 仕事の大半 / *go part of the way with you* 途中まで君と同行する / 「*Part of her story is* [*Parts of her story are*] *interesting.* 彼女の話は一部分[ところどころ]面白い / *You're part of me.*《恋人に》あなたのことは片時も忘れることができません.

📘 **語法** [**part of …の単数·複数**]
(1) 修飾語を伴わない場合は a part of より part of がふつう(上例参照).
(2) ふつう (a) part of の後の名詞が複数ならそれに呼応する動詞は複数扱い; 名詞が単数なら動詞は単数扱い: *Part of the apples are rotten.* (いくつかある)リンゴの一部が腐っている《◆ 後に複数名詞がくる場合は Some of the apples のように some がふつう》/ *Part of the apple is rotten.* (1個の)リンゴの一部が腐っている.
(3) 全体の中で, ひとまとめに考えられるものは単数扱い. 単数の名詞でも, 個々の成員と考えられるものは複数扱い: *The greatest part of the population is* [*are*] *illiterate.* 住民の大部分は文盲だ (→ **文法** 14.2(5)).

---

2 C (機械などの)**部分**; (人·動物·植物の体の)器官; (略)[the ~s] (人体の)局部 ‖ spare *parts* of a car 車の予備部品 / one's (private) *parts* 陰部.
3 C (全体を等分した)部分; (調合などの)割合; [序数詞の後で] …分の1《◆ part(s) を省く方が多い; [基数詞の後で] (全体のうち他に対する)割合《◆ 割り当てられた部分は portion》‖ a third *part of* butter バターの3分の1《◆ a third の方がふつう》/ two third *parts* 3分の2《◆ two thirds の方がふつう》/ cut a cake into three *parts* ケーキを3等分する / Use 2 *parts* (of) edible oil to 5 (*parts*) (of) vinegar. (食用)油2, 酢5の割合でお使いください (=Use edible oil to vinegar at a rate of 2 to 5.).
4 C (放送番組など続き物の)部, 編; (本の)巻, 分冊 ‖ (音楽)パート, 声部; (文法)品詞(part of speech) ‖ a book in three *parts* 3部からなる本.
5 C 地方, 地域 ‖ live in foreign *parts* 外地に住む.

II [2つに分けられた部分の一方]

6 U (争い·利害などの)**側, 味方** ‖ I took 「the student's *part* [*the part of* the student] in the discussion. = I took *part* with the student … 討論でその学生の肩をもった.
7 C (米)(頭髪の)分け目((英) parting).

III [分け与えられた仕事]

8 U C [通例単数形で] […の] **役目**, 本分 [*in*]; 参加(俳優の)役(role), せりふ; (みせかけの)ふるまい ‖ *do* [*play, act*] *one's part*《正式》役目を果たす / *play the part of*「*Hamlet in the play* [*a good man*]」その劇でハムレットの役を演じる[善人ぶる]《◆ play の代わりに take, act も可》/ *a leading* [*main*] *part* 主役 / *a supporting part* わき役 / *dress the part* 地位[仕事]にふさわしい身なりをする / *It is the part of a student to study.* 勉強するのが学生の本分だ.
9《文》[~s; おおげさに] 才能, 素質 ‖ *a man of* (*many*) *parts* 多才[多芸]な人, 有能な人.

for óne's (**ówn**) **pàrt**《正式》自分としては, 自分に関する限り(as far as one is concerned).

for the móst pàrt《正式》大部分は, たいてい(mostly); ほとんど(usually).

in párt ある程度, いくぶん(partly) ‖ *in large part*《正式》大部分は.

in párts 部分に分かれて, ところどころ.

*****on the pàrt of** A **=on** A**'s pàrt** (1) [無冠詞あるいは a, some, any, no などのつく名詞の後で]〈人〉の側の[で]《◆ 強調して文то́にも用いることがある》‖ There is *no* objection *on my part.* 私としては異存はありません. (2)〈人〉がした, 責任のある ‖ I must apologize for the rudeness *on the part of* my son. 息子の無礼を陳謝しなければならない.

párt and párcel《略式》不可分の一部, 本質部分, 要点.

tàke A **in bád** [**évil, íll**] **párt**〈言動〉を悪意にとる; 〈言葉〉を怒って聞く.

tàke A **in góod párt**〈言動〉を善意にとる; 〈言葉〉を怒らずに聞く.

*****tàke part in** A 〖A において(in 前 1) 役目(part 名 8) を引き受ける(take 他 16 a)〗《催し物·大会など》に**参加する**, 加担する(participate in) (使い分け → apply 自 1) ‖ Why not *take part in* our after-school activities? 放課後の活動に加わりませんか.

—— 動 (~s/pάːrts/; 過去·過分 ~ed/-id/; ~ing)
—— 他 1〈人などが〉〈物〉を**分ける**, 分割[分配]する《◆ share, divide の方がふつう》; …をばらばらにする (separate); 〈頭髪〉を分ける ‖ *part* an apple in two リンゴを2つに分ける / *part* one's hair 「*in the middle* [*on the side*] 髪を真ん中[横]で分ける.
2《正式》〈人·物〉を引き(切り)離す; …を[…と]区別する [*from*]; 〈人〉に[…を]手放させる [*from*] ‖ *part* a fight [*crowd*] けんか[群衆]を分ける / *part good from evil* 善悪を区別する《◆ distinguish よりくだけた語》/ *A fool and his money are soon parted.*(ことわざ) 愚か者の銭失い.

📘 **語法**
自 part from A 〈人〉と別れる(自 2)
　 part with A 〈物〉を手離す(成句)
他 part A from B A を B から分ける, 引き離す(他 2)

—— 自 1〈物が〉**分かれる**, 割れる, 切れる; 裂ける; ばらばらになる ‖ The river *parts* here. 川はここで分かれている.

partake

2《正式》〈人が〉[…と/…が原因で]**別れる**[*from/over*], 〈…から〉**離れる**[*from*] ‖ *part from one's friend* 友人と別れる / *After the party, my friend and I parted to go to our separate homes.* パーティーのあと友人と私は別々の家へ帰るために別れた.

***párt wíth* A**（1）〈物〉を**手放す**, 売り払う; 〈人〉を解雇する ‖ *She parted with her engagement ring.* 彼女は結婚指輪を手放した. （2）《略式》〈金〉を使う(spend).

── 副 いくぶん, ある程度(partly) ‖ *be part French* フランス人の血がいくぶん混じっている.

párt tíme パートタイム, 短時間勤務;［副詞的に］パートタイムで, 非常勤で(↔ full time) (cf. part-time).

†**par·take** /pɑːrtéik, (米+) pər-/ 動 (過去 **-took**, 過分 **-tak·en**) 自《正式》〈人が〉〈活動などに〉参加する, 加わる[*in*]《◆take part がふつう》;〈苦楽・責任などを〉共にする[*in, of*]《◆share がふつう》;〈飲食の〉相手をする[*of*] ‖ *partake in an athletic meet* 運動会に参加する / *partake in [of] her joy* 彼女と喜びを分かち合う.

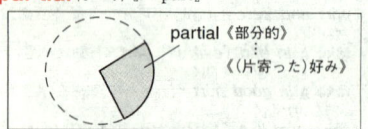

par·tak·er /pɑːrtéikər, (米+) pər-/ 名C［苦楽などを〕共にする人[*in, of*]; 参加者, 関係者.

par·terre /pɑːrtéər/ 名C **1**《主に米》=parquet circle. **2** 花壇と路を芝生状に配置した庭.

Par·the·non /pɑ́ːrθənɑ̀n, -θənən|-nən, -nɒn/ 名[the ~] パルテノン《ギリシア Athens にある Athena 神の神殿》.

Par·thi·an /pɑ́ːrθiən/ 名C 形 パルティア人(の).

Párthian shót [sháft] 最後の一矢; 捨てぜりふ.

*****par·tial** /pɑ́ːrʃəl/『→ part』

partial《部分的》
《(片寄った)好み》

── 形 (more ~, most ~) **1**《正式》［通例名詞の前で; しばしば only と共に用いて］**一部(分)の**, 部分的な(↔ total);〈知識・説明などが〉不完全な(↔ complete)《◆比較変化しない》 ‖ *a partial knowledge* 生かじりの知識 / *partial payment* 内金払い / *The venture was only a partial success.* 投機的な事業はほんの一部成功を収めただけだった.

2［通例補語として］［…に]**えこひいきをする**, 不公平な(biased, prejudiced)[*to, toward*]（↔ impartial） ‖ *a partial judge* 不公平な裁判官［審判, 審査員］/ *The umpire isn't partial to any player.* その審判はどの選手にもえこひいきをしない.

3［補語として］［…が]**とても好きな**[*to*] ‖ *She is very partial to chocolate ice cream.* 彼女はチョコレートアイスクリームに目がない.

Pártial Tést Bàn Tréaty 部分的核実験禁止条約《略 PTBT》.

†**par·ti·al·i·ty** /pɑ̀ːrʃiǽləti/ 名 **1**U《正式》部分であること, 局部性; 不完全さ（↔ impartiality）. **2**U〔…に対する〕えこひいき, 不公平(bias)［*for, to, toward*］. **3**［通例 a ~］［…への〕偏愛, 好み, 一辺倒［*for, to, toward*］ ‖ *I have a partiality toward [for] detective stories.* 私は推理小説狂だ.

†**par·tial·ly** /pɑ́ːrʃəli/ 副 **1**［しばしば only と共に］（程度も）**部分的に**, 不十分に（↔ fully） ‖ *only partially responsible for the accident* その事故にほんの一部責任があるだけの. **2** 不公平に.

par·tic·i·pant /pɑːrtísəpənt, (米+) pər-/ 名C《正式》［…の〕参加者, 関係者, 当事者［*in, to*］ ‖ *participants in the contest* コンテストの参加者.

†**par·tic·i·pate** /pɑːrtísəpèit, (米+) pər-/［アクセント注意］動 自《正式》［…に〕〈活動などに〉参加する, 関与する(take part in)［*in*]《使い分け → apply 自 1》;〈音楽・利益などに〉〈人と〉あずかる(share in)［*in*] ‖ *participate in* volunteer work ボランティアの仕事に参加する / *participate in profits* 利益にあずかる / *a participating Sony dealer* ソニー系列の販売店 / *participating sponsorship*《米》(テレビの) 協同提供.

†**par·tic·i·pa·tion** /pɑːrtìsəpéiʃən/ 名U 〔…への〕参加, 加入［*in*］;［…に〕あずかること［*in*］.

par·tic·i·pa·tor /pɑːrtísəpèitər/ 名C 参加者, 関係者(participant).

par·ti·cip·i·al /pɑ̀ːrtəsípiəl/ 形《文法》分詞の.

participial adjective 分詞形容詞.

participial construction［**phrase**］分詞構文［句］.

†**par·ti·ci·ple** /pɑ́ːrtəsìpl, (略) part./ 名《文法》〔略 part.〕 ‖ *the present [past] participle* 現在［過去］分詞.

†**par·ti·cle** /pɑ́ːrtikl/ 名C **1**《正式》小さな粒, 微粒子; 小片; 微量, 少量; [a ~ of …] 少しの…;《物理》粒子 ‖ *an elementary particle* 素粒子 / *particle physics* 素粒子物理学 / *a particle of dust* 細かいちり / *There's not a particle of grace about her.* 彼女には気品が少しもない. **2**《文法》不変化詞《語形変化のない副詞・前置詞・接続詞など》; 小辞, 接頭［接尾］辞.

párticle accèlerator《物理》粒子加速器.

párticle phỳsics［単数扱い］素粒子物理学.

par·ti·col·o(u)red /pɑ́ːrtikÌləd/ 形 まだらの,［比喩的に〕多彩な, 波乱に富んだ.

*****par·tic·u·lar** /pərtíkjələr, pə-|pə-/［アクセント注意］《← particle》派 particularly (副)

── 形 **1**［名詞の前で〕**特定の**(special);［this/that ~] 特にこの［その］（略 part.）《◆比較変化しない》（↔ general）‖ *this particular book* ほかならぬこの本 / *I left my wallet at home on that particular day.* その日に限って財布を家に忘れた.

2［名詞の前で〕**格別の**, 著しい(remarkable), 異常な, 特別の《◆比較変化しない》 ‖ *for no particular reason* これという特別な理由もなく / *I have nothing particular to do now.* 今はこれといってすることがない.

3〔…に〕**特有の**, 独特の［*to*］;《論理》〈命題が〉特殊な, 特称な（↔ universal）;［名詞の前で〕個々の, 個人の《◆比較変化しない》 ‖ *my own particular problem* 私個人の問題 / *study in one's particular way* 自己流で勉強する / *a particular language* (日本語, 中国語, 英語などの)個々の言語, 特定言語.

4［通例名詞の前で〕〈説明などが〉**詳しい**, こまやかな ‖ *give a particular account of the matter* その問題について詳しく説明する.

5［通例補語として〕［…について〕**好みがうるさい**, 綿密な, 入念な[*about, over, as to, in, wh*句・節] ‖ *particular about details* きちょうめんな / *She is particular about [over] her dress.* 彼女は服に凝っている.

── 名 **1**C《正式》(個々の)項目, 事項 ‖ *be right in every particular* あらゆる点で正しい. **2**《正式》

[~s; 複数扱い] 詳細(details), 明細 ‖ give all the *particulars* of the case 事件を詳しく述べる / **gò** [**énter**] **into particulars** 詳細にわたる. **3** Ⓤ (場所の)特色, 名物.
***in particular** 特に, とりわけ, ことさらに(particularly) (↔ in general) ‖ 対話"Do you have anything to do?""Nothing *in particular*." 「何かすることがあるの?」「いや別に」.

par·tic·u·lar·i·ty /pərtìkjəlǽrəti, pɑː-│-│-名 (正式) **1** ⓊⒸ 特殊(性), 特質, 特徴 (↔ generality). **2** Ⓤ 詳細, 綿密; 入念; きちょうめん; Ⓒ [particularities] 詳細な事項. **3** Ⓤ 気難しさ, 口やかましさ.

par·tic·u·lar·ize /pərtíkjələràiz, pə-│-│-動 他 🅐 **1** (…を)特殊化する (↔ generalize). **2** (…を)詳しく述べる, ひとつひとつ列挙[特筆]する.

***par·tic·u·lar·ly** /pərtíkjələrli, pə-│-pə-│-◆(略式)では /-tíkjəli, -tíkəli/ と発音されることもある〖→ particular〗
——副 〖通例形容詞・動詞・副詞の前で〗**特**に, とりわけ; 著しく, 大いに ‖ He is *particularly* kind to her. 彼は彼女に特にやさしい / I don't *particularly* want to see the game. その試合を(見てもよいが)特に見たいとも思わない ◆I *particularly* don't want to see that game. は「その試合を見たくない気持ちが特に強い」の意 / The meeting was not *particularly* well [badly] attended. その会は特に出席がよい[悪い]わけではなかった ◆not … particularly は婉曲的に言ったり表現をやわらげたりするのに用いることが多い. cf. especially〗. 語法(略式)では後に置くこともある: I like America, New York *particularly*. 私はアメリカが好きだ, 特にニューヨークがね.

***part·ing** /pɑ́ːrtiŋ/ 名 **1** ⓊⒸ 別れ, 告別; 出発, いとまごい; 死去 ‖ cry at [on] a [the] *parting* 別れに際して泣く. **2** ⓊⒸ 分離, 分裂. **3** Ⓒ 分かれ目[道], 分岐点; 〈英〉髪の分け目〈米〉part〉‖ the *parting* of the ways 道路[行動, 人生]の分かれ目.
——形 **1** 別れの, 臨終の ‖ a *parting* kiss [shot, gift] 別れのキス[捨てぜりふ, 餞別(#ぶつ)](→ Parthian shot [shaft]) / drink a *parting* cup 別れの杯をくむ. **2** 去っていく, 〈日が〉暮れていく ‖ the *parting* day 夕暮れ. **3** 〈層などが〉分離する ‖ a *parting* line 分割線.

†**par·ti·san, zan** /pɑ́ːrtəzən│pɑ̀ːtizǽn/ 名 Ⓒ **1** (主義・党派・人)の熱心な支持者; 同志, 一味. **2** 〔軍事〕パルチザン, ゲリラ隊員, 遊撃兵. ——形 **1** 党派心の強い. **2** パルチザンの. **pár·ti·san·ship**名Ⓤ 党派心; (盲目的)加担.

†**par·ti·tion** /pɑːrtíʃən, pər-│-│-名 (正式) **1** Ⓤ 分配, 配分, 分割(division); 区分, 分離; Ⓒ 分割[分配, 区分]された部分(線); (建物・土地などの)仕切り, (動植物の)隔壁; 〔コンピュータ〕パーティション, (ハードディスクの区分区分).

***part·ly** /pɑ́ːrtli/〖→ part〗
——副 (全体からみて)一部分は, 部分的に; ある程度は, 少しは, いくぶん◆全体に対して部分を強調. partially は完全に対して不完全な程度・状態を強調 (↔ wholly) ‖ I can't go with you today, *partly because* I have an appointment. ひとつには先約があるので今日はいっしょに行けません / The city was *partly* burned down. 市の一部が焼失した(= Part of the city was burned ...) / I can follow you *partly*. 少しは君の言うことがわかります / His death was *partly* my fault. 彼が亡くなった責任の一端は私にあります / *partly* rainy 〈天気予報

で〉ところにより雨.

***part·ner** /pɑ́ːrtnər/ 名
——Ⓒ (複) ~s/-z/; Ⓒ **1** つれあい, 配偶者《夫または妻》‖ one's *partner* in life =one's life *partner* 生涯の伴侶.

2 a 〔活動・苦楽を〕(共にする)**仲間**(colleague) 〔*in, to, of*〕; (会社などの)共同出資者, 共同経営〔事業〕者 ‖ a general [special] *partner* 無限[有限]責任社員 / a silent [〈英〉sleeping] *partner* (合名会社の)匿名社員《利益配当を受けるだけ》/ a *partner* in crime 共犯者 / a *partner* in joy 喜びを分かち合う人. **b** 《米略式文語》男友だち, 仲間.
3 (ダンス・テニス・トランプなどで)(…の)**パートナー**, 相手, 相棒〔*with*〕‖ I happened to be her dancing *partner*. たまたま彼女のダンスパートナーになった.
——動 他 〈人〉と組む, 提携する; 〈人〉を〔人と〕組ませる(+up, off)〔*with*〕‖ I was *partnered* (*up*) with him in tennis. 私はテニスで彼とペアを組んだ.
——自 〔人と〕組む(+up, off)〔*with*〕.

†**part·ner·ship** /pɑ́ːrtnərʃìp/ 名 **1** Ⓤ 提携, 共同, 協力, 協調 ‖ **go** [**enter**] **into partnership with** him 彼と協力する, 提携する / take her into *partnership* 彼女を共同経営者に入れる / I am **in partnership with** him. 彼と共同[提携]している. **2** Ⓤ Ⓒ 組合契約, 共同経営〔事業〕; 組合; 合名会社, 商会; [the ~; 集合名詞] 組合員 ‖ a limited [an unlimited, a general] *partnership* 合資[合名]会社.

par·took /pɑːtúk, 〈米+〉pər-/ 動 partake の過去形.

†**par·tridge** /pɑ́ːrtridʒ/ 名 (複) ~s, [集合名詞] par·tridge] Ⓒ 〔鳥〕ヤマウズラ; Ⓤ その肉.

†**part-time** /pɑ́ːrttàim/ 形副 パートタイムの[で], 非常勤の[で], 〈学校が〉定時制の[で] (↔ full-time) (cf. part time) ‖ a *part-time* teacher 非常勤講師 / a *part-time* high school 定時制高校 / work *part-time* パートタイムで働く, (短時間の)アルバイトをする / I have a *part-time* job. アルバイトをしている ◆×have arbeit は不可》.

part-tim·er /pɑ́ːrttàimər/ 名 Ⓒ パートタイマー, 非常勤者.

***par·ty** /pɑ́ːrti/〖「部分(part)に分け合う人の集まり」が原義〗

index 名 **1** パーティー **2** 一行 **3** 党 **4** 当事者

——名 (複) ties/-z/ Ⓒ **1** パーティー, 社交的な会, 集まり, 宴会 ‖ **give** [**hóld, hàve**, (略式) **thrów**] *a párty* at my house 私の家でパーティーを開く / a hen [stag] *party* 女[男]だけのパーティー / a bachelor *party* 独身さよならパーティー / a no-host *party* 割り勘パーティー 〖◆「ダンスパーティー」は→ dance 名 2〗.

関連 [いろいろな種類の party]
birthday *party* 誕生日パーティー / breakfast *party* 朝食会 / Christmas *party* クリスマスパーティー / cocktail *party* カクテルパーティー / dinner *party* 晩餐会 / drinking *party* 宴会 / farewell *party* 送別会 / floating *party* 船上パーティー / garden *party* 園遊会, ガーデンパーティー / lunch *party* 昼食会 / pajama *party* パジャマパーティー / post-*party party* 二次会 / potluck *party* 持ち寄りパーティー / reading *party* 読書

会 / social *party* 社交会 / surprise *party* 不意打ちパーティー / tea *party* ティーパーティー / wedding *party* 結婚披露宴 / welcome *party* 歓迎会.

文化 (1) 英米の家庭での party では飲食より会話が中心で, 夫婦を1単位として招くのがふつう. 招かれた時は何か小さな物(wine, pie など)を持参するのがエチケット. (2) 学生の「コンパ」も party に相当する.

2 (集合名詞; 単数・複数扱い; しばしば複合語で) (行動を共にする)**一行, 一団**(group), 連中, 仲間, 一味, 味方; (軍事) (小)部隊 ‖ a fishing [hunting] *party* 釣り[狩猟]仲間 / How many people are in your *party*? (レストランで)何名様ですか / 'a surveying [an inspection] *party* 測量[視察]団 / The members of the climbing *party* were all rescued. 登山の一行は全員救助された.

3 (単数・複数扱い; しばしば複合語で) **党**, 政党, 党派; ① 党派心 ‖ a political *party* 政党 / the ruling [opposition] *party* 与[野]党 / enter [leave] a *party* 入党[離党]する / 日本発 Aside from a few rare exceptions when other *parties* were in power, the Liberal-Democratic Party has ruled Japan for about 50 years. 他の政党に政権を譲ったわずかな例外を除いて, 日本では約50年間自由民主党が政権を握っています.

関連 [いろいろな政党]
[アメリカ] the Democratic *Party* 民主党 / the Republican *Party* 共和党.
[イギリス] the Labour *Party* 労働党 / the Conservative *Party* 保守党.
[日本] the Liberal Democratic *Party* 自民党 / The Democratic *Party* of Japan 民主党.

4 (正式) (事件・契約などの)**当事者**, 相手, 関係者; 共犯者(to, in); 〈a third [disinterested] *party* to a case 事件の第三者 / the other *party* 相手方 / the *parties* concerned [involved] =the concerned [involved] *parties* 当事者たち ‖ be (a) *party* to the matter 事件に関係する / *Here's your party.* = *Your party's on the line.* (電話交換手の言葉) 先方がお出になりました.

5 (形容詞的に) 政党の; 党派[派閥]的な; パーティー(用)の; (…に)関与する(to)(用例は→**4**) ‖ a *party* game パーティー用のゲーム / a *party* government 政党内閣 / in a *party* mood お祭り気分で.

——動 自 パーティーに出る.

párty píece (略式) (one's ~) (パーティーでの)十八番だ / …ばかの一つおぼえ.

párty plàn sélling パーティーを開いて販売する方式.

pas /pά:/ (フランス) 名 (榎 **pas**/pά:z/) ⓒ (バレエ) パ(ステップの総称).

PAS (略) (医学) para-amino-salicylic acid パラアミノサリチル酸, パス (結核の薬).

Pas·cal /1 pæskǽl, 2 pǽskl/ 名 **1** パスカル (Blaise /bléiz/ ~ 1623-62; フランスの哲学者・数学者・物理学者). **2** (通例 p~) ⓒ (物理) パスカル (圧力の SI単位. 1 N/m². 記号 Pa).

PASCAL /pǽskæl/ (Philips Automatic Sequence Calculator) 名 (コンピュータ) パスカル (プログラミング言語の1つ).

†**pa·sha, pa·cha** /pά:ʃə, pǽʃə/ 名 (時に P~) ⓤⓒ (歴史) パシャ (トルコの高官の尊称. 名前の後に付ける).

pass

/pǽs | pά:s/ (類音) path /pǽθ | pά:θ/, purse /pə́:rs/) (『ある地点を通過する』が本義) 樹 passage (名)

index 動 自 **1** 通る **2** 過ぎる **3** 渡る **4** 合格する; 可決される **10** 消える
他 **1** そばを通り過ぎる **2** 過ごす **3** 合格する **4** 渡す **5** 述べる **6** 動かす
名 **1** 通行(許可)証 **4** 合格

——動 (~·es/-iz/; 過去·過分 ~ed/-t/; ~·ing)
——自

I [物理的に通過する]

1 〈人・車などが〉**通り過ぎる, 通る** (go) (+*by*, *over*, *through*); 追い越す; 進む, 行く ‖ *pass* along [over, across] a river 川に沿って進む[川を渡る] / *pass* behind [in front of] him 彼の後ろ[前]を通る / *pass* from door to door 一軒ずつ訪問する / *pass through* [around] the garden 庭の中[回り]を通る / *No passing.* (掲示)追い越し禁止 / A car *passed by* in the dark. やみの中を自動車が通り過ぎた / A tunnel will *pass* under the strait. トンネルがその海峡の下を走ることになる / A hostile look *passed over* his face. 敵意の表情が彼の顔をよぎった.

II [時間が過ぎる]

2 〈時が〉**過ぎる, たつ** (+*away*, *by*, *off*, *on*, *over*) ‖ Five years have *passed* since she died. 彼女が死んでから5年が過ぎた (=It is [has been] five years since she died. =She has been dead for five years. =She died five years ago.) / The season *passed* slowly from winter to spring. 季節はゆっくり冬から春に向かった.

III [所有物が通過して他人に移る]

3 〈地位・財産などが〉(…に)**渡る**, 譲られる(*to*, *into*); 〈言葉・手紙などが〉交わされる; 〈うわさなどが〉広がる (+*around*) ‖ The land *passed* **to** her son [into the hands of her son]. その土地は彼女の息子に譲られた / Heated arguments *passed* between them. 彼らの間で激論が交わされた.

IV [ある基準を通過する]

4 (試験・学科などに)**合格する**, 受かる (*in*) (↔ fail); 〈法案・提案などが〉**可決される**, 通過する ‖ He conditionally *passed*. 彼は条件つきで合格した / The bill *passed*. 法案が通過した.

5 〈人・物が〉(…として)通る, 認められる (*as*, *for*) ‖ *pass* by [under] the name of Tom トムという名で通る / She *passes for* [*as*] a scholar. 彼女は(学者でもないのに)学者として通っている.

6 (…に)判決[判断]する (*to*, *on*, *upon*); 〈判決・判断が〉(…に)下される (*for*, *against*); 意見を述べる ‖ *pass against* [*for*] the accused 被告に不利[有利]な判決が下される / *pass on* the case 事件について判決を下す.

7 見のがされる, 大目に見られる ‖ I am not going to let it *pass*. それは聞き捨てならないね.

V [通過途中あるいは結果]

8 (…から/…に) (次第に)**変わる**, 変化する (change) (*from* / *into*, *to*) ‖ *pass from* fall *to* winter 秋から冬に変わる.

9 〈事が〉(…間に)起こる (*between*); 〈会議などが〉うまく運ぶ (+*off*) ‖ What *passed* during the vacation? 休暇中に何が起こったか.

10 〈出来事・状態などが〉**消える**, 消え去る, 終わる (+

pass

away, off); 〈人が〉亡くなる, 他界する (+away, in, on, out)《◆ die の遠回し表現》[類語] breathe one's last, expire ‖ The island *passed* out of sight. 島が見えなくなった / He *passed* away peacefully. 彼は安らかに息を引き取った / Some old institutions are *passing*. 古い慣習で廃れかけているものもある / The pain [fever] *passed* away [off]. 痛みが消えた[熱がひいた].
11〔トランプ・ゲーム〕パスする《1回休む》.
12《米略式》断る；〈提案などを〉見送る, パスする (+on) ‖ [対話] "How about coffee?" "I'll *pass*." 「コーヒーはいかが」「今は結構です」《◆勧誘を断るときの言葉. もっとていねいには I think I'll *pass*.》

— 他 **1**〈人・車などが〉〈人・物の〉**そばを通り過ぎる**, 通り越す；〈人・車などを〉追い越す ‖ *pass* her on [主に英] in] the street 街で彼女とすれちがう；道で彼女を追い越す《◆ *pass* by her … では「すれちがう」の意のみ》/ I *passed* the gate. 門のそばを通り過ぎた《「門を通り抜けた」は *passed* by the gate, 後者は *passed* through the gate で言い換えられる》.
2《正式》〈人が〉〈時を〉(退屈しないように)**過ごす**, 送る《◆何となく時を過ごす気持ち》；…を経験する ‖ *pass* (the) time ひまをつぶす / *pass* a day 1日をゆったりと過ごす / I *passed* my time [(in, by) reading in idleness]. 私は読書して[ぶらぶらして]時間をつぶした.

[語法] [**pass** と **spend**]
はっきりした意図を持って過ごす場合は spend: *spend* [×*pass*] one's holidays by the sea 海岸で休暇を過ごす / Don't *spend* [×*pass*] too much time [on] … …にあまり時間をかけるな.

3〈人が〉〈試験・学科に〉**合格する** (↔ fail)；〈生徒・品物を〉合格させる, 通す；〈議案などを〉通過する ‖ 〈議会が〉〈議案などを〉通過させる, 可決する ‖ Did he *pass* the examination? 彼は試験に合格しましたか / *pass* a bill 法案を可決する / *pass* him on the achievement test 彼を学力検査で合格させる / *pass* the Commons 下院を通過する.
4 [*pass* **A** to **B** =*pass* **B A**]〈人が〉**A**〈物〉を**B**〈人〉に[手]**渡す**, 回す《◆文法 3.3》‖ *pass* the card (on) to Bill =*pass* Bill the card ビルにカードを手渡す / *pass* one's report *in* by the end of the hour 時間の終わりまでにレポートを提出する / Shall I *pass* the papers *over* to the students? 答案用紙を生徒に配りましょうか / Would you *pass* [×take] (me) the salt? 塩を回して[取って]ください ませんか《◆食事中, 人の前に手を伸ばすのは失礼とされる》.
5《正式》〈人が〉〈意見などを〉**述べる** (express)；[*pass* **A on B**]**B**〈人・物〉に**A**〈判決・判断〉を下す ‖ *pass* a comment [judgment] *on* the results その結果について意見を述べる[判断を下す] / *pass* (a) sentence *on* him 彼に判決を言い渡す / Not a word *passed* his lips. 彼の口からは一言ももれなかった.
6〈人が〉〈物を〉**動かす**；〈物・事を〉[…に]伝える (+*down, on*)；〈法律〉…に譲渡する[*to*] ‖ *pass* a rope [around a tree [through a ring] ロープを木に巻く[輪に通す] / *pass* one's eyes *over* a newspaper 新聞に目を通す / *pass* one's hand *over* one's face 手で顔をなでる / *pass* one's fingers *through* one's hair 髪に指を通す[手櫛(ぐし)で髪を整える] / *pass* the tradition *down* from generation *to* generation 伝統を世代から世代へ

と伝える / He *passed* the property *to* his son. 彼は財産を息子に譲った.
7〈にせ物などを〉通用させる, つかませる；〈うわさなどを〉広める. **8**《正式》〈能力・限界などを〉越える, しのぐ (go beyond) ‖ My daughter has *passed* me in height. 娘は私より背が高くなった. **9**…を無視する, 見のがす, 見て見ぬふりをする (+*by, off, on, over*) ‖ *pass off* the insult as a joke 侮辱を冗談として見のがす / *pass over* a few pages 2, 3ページを飛ばす.
10〔球技〕〈ボールを〉パスする.

páss alóng 〔自〕(1) → 〔自〕**1**. (2)〈乗り物で〉中[奥]に詰める (→ along [前] 1用例). — 〔他〕〈物を〉[…に]回す[*to*].

páss (a)róund 〔他〕…を順々に回す.

páss awáy 〔自〕→ 〔自〕**2, 10**. — 〔他〕〈時〉を(楽しく)過ごす.

pass báck 〔他〕…を戻す；…を後ろへ渡す.

páss ón 〔自〕(1) → 〔自〕**2, 6, 10**. (2)〔話題などに〕進む[*to*]. — 〔他〕(1)〈物を〉〈人に〉譲る, 伝える[*to*]；〈利益・負担などを〉〈人に〉与える[*to*]. 〈衣類などを〉〈弟・妹などに〉お下がりにする[*to*]. (3)〈病気などを〉[…に]うつす[*to*] ‖ *pass* on a cold *to* others 他人にかぜをうつす. — [~+] [~ *on* **A**]〈人〉にあたる；〈好意など〉につけ込む.

páss óut 〔自〕(1) 出ていく. (2) → 〔自〕**10**. (3)〔意識を失った状態に〕(out [副] **4 a**) 変わる (*pass* 〔自〕**8**)《略式》意識を失う (faint). — 〔他〕〈渡して〉(*pass* 〔他〕**4**) 分配する (out [副] **13**) 《米》〈物を〉[…に]分配する[*to*].

[使い分け] [**pass out, deliver, distribute**]
pass out は「(人に)物を配る」の意.
deliver は「(新聞や手紙を)配達する」の意.
distribute は「(物を)配布する, 流通させる」の意.
The teacher *distributed* [*passed out*, ×*delivered*] the exam papers. 先生は答案用紙を配った.
The postal worker *delivers* [×*passes out*] letters twice a day. 郵便人は1日に2回郵便を配達する《◆ *distributes* はやや不自然》.

páss óver 〔自〕→ 〔自〕**1, 2**. — 〔他〕(1) → 〔他〕**4, 6, 9**. (2) …を手短に述べる, …にざっと目を通す, …をざっと検討する. (3)〈楽器などを〉演奏する. (4) …を運ぶ.

*páss through 〔自〕→ 〔自〕**1**. — 〔他〕(1) …を突き通す. (2)〈危険・困難などを〉経験する. — [~+] [~ *through* **A**]〈場所を〉通り抜ける, 中を通る；〈大学などの〉課程を修める.

páss úp 〔自〕登る. — 〔他〕〔手を出さずに〕(up [副] **14 b**) そばを通り過ぎる〕《略式》〈要求・仕事・食事などを〉断る (reject)；〈契約・権利などを〉(あえて) 見送る《◆「不注意で見逃す」は miss out on》.

— 名 (複 ~*es*/-iz/) © **1** 通行(許可)証 (permit), 無料入場[乗車]券；通行, […への]通過 (*to, for*) ‖ a commuter *pass* 通勤用定期券 / a free *pass* on [over] a railroad 鉄道のパス.
2 峠越えの道, 山道；峠；水路 ‖ a *pass* over the mountain 山越えの道 / cross *Usui Pass* 碓氷峠を越える.
3《略式》[a ~] (やっかいな, 困った)形勢, 状態 ‖ 'come to [be at] a pretty [nice, fine, sad, sorry] *pass* 困ったことになる[なっている].
4《英》(大学の) 普通及第；(試験・検査などの) **合格**.
5〔スポーツ〕パス, 送球；〔フェンシング〕突き；〔野球〕四球による出塁；〔トランプ・ゲーム〕パス.

bring A to pass（正式）〈事〉を成しとげる，引き起こす.

còme to páss（正式）〈事〉が起こる(happen)；(期待通りに・予想に反して)実現する.

màke pásses [a páss] at A（略式）〈女性〉に言い寄る；〈人〉にしつこくつきまとう.

†**pass·a·ble** /pǽsəbl | pɑ́ːs-/ 形 **1**〈道などが〉通行できる；〈川など〉が渡れる(↔ impassable). **2**（正式）(よくはないが)何とか認められる，まずまずの，一応満足できる，まあまあの. **3**〈貨幣などが〉通用[流通]する；〈議案が〉可決できる.

*__pas·sage__ /pǽsidʒ/〔⇒ pass〕
── 名 （複）~s/-iz/ **1** ⓒ 通路，道路，水路；航路；（英）廊下(passageway, （米・カナダ) hall) ；ホール，ロビー；出入口 ‖ The ship sailed through a *passage* into the open sea. 船は水路を航行して外海へ出た.
2 ⓒ (文・楽曲・演説・詩の)一節，引用された部分 ‖ a *passage* from [of] Milton ミルトンの一節.
3 ⓤⓒ 通行(権)，通過(略 pass.) ‖ force a *passage* through a crowd 群衆を押し分けて進む / No *passage* this way. (掲示)これより先通行禁止 / The hijacker demanded safe *passage* abroad. ハイジャックの犯人は国外への安全な逃亡を要求した.
4 ⓤ[通例 a/the/one's ~] **a** 旅行(journey)；（船・飛行機の)長期旅行(travel) ‖ a ship *in passage* 航行中の船 / We had a rough *passage* to the port. その港へ行くのに難航した. **b** 旅行運賃，船賃，航空運賃；座席 ‖ work one's *passage* (船賃代わりに)船上で働きながら船旅をする.
5 ⓤ（正式)(時の)経過(passing)；(出来事・状態などの)進行，働き；運送；移住，移動 ‖ a bird of *passage* 渡り鳥，一時的滞在者 ‖ with the *passage* of time 時がたつにつれて. **6** ⓤ (議案などの)可決，通過.

†**pas·sage·way** /pǽsidʒwèi/ 名 ⓒ 廊下((英) passage)；通路.

pass·book /pǽsbùk | pɑ́ːs-/ 名 ⓒ (英)普通預金通帳（略 PB）(cf. bankbook).

†**pas·sé** /pæséi | pɑ́ːsei, pǽs-/『フランス』形 （正式）古めかしい，時代遅れの(out of date)；往年の，〈女が〉盛りを過ぎた ‖ Making the peace sign is a little *passé*. ピースサインをすることはちょっと時代遅れである.

*__pas·sen·ger__ /pǽsəndʒər/
── 名 （複）~s/-z/) ⓒ **1** (乗り物の)乗客(commuter)；旅客(traveler) ‖ a transit *passenger* 乗り継ぎ客 / a *passenger* plane [train] 旅客機 [列車] / "*All passengers should be on board.*" (空港のアナウンス)「乗客の皆様ご搭乗ください」. **2**（英略式）(集団・チームの)足手まとい，お荷物.

pássenger bòat 客船.

pássenger càr 乗用車；（米）客車《dining [parlor, sleeping] car など》.

pássenger liner 旅客定期船.

pássenger list 船客名簿.

pássenger pigeon （鳥）リョコウバト《北米にいた渡りをするハト．今は絶滅》.

pássenger sèat 乗客席，（車の)助手席《運転手の隣．最良の席とされる》.

pass·er /pǽsər | pɑ́ːs-/ 名 ⓒ **1** 通行人，通過する人[物]. **2** 試験合格者，検査合格証.

†**pas·ser·by, pas·ser-by** /pǽsərbái | pɑ́ːs-/ 名 （複 passers(-)by) ⓒ 通行人，通りがかりの人.

pas·sim /pǽsim/『ラテン』副 (引用書物の)諸所に，あちこちに（◆斜字体で書かれる）.

pass·ing /pǽsiŋ | pɑ́ːs-/ 形 **1** 通過する，通り過ぎる；〈道などが〉通行用の；〈時が〉過ぎ去る ‖ a *passing* train [cloud] 通過列車[雲] / with each *passing* day [week, month] 日[週, 月]を追うごとに. **2**〈出来事・喜びなどが〉つかの間の，一時の；〈言動などが〉偶然の ‖ *passing* love はかない愛 / a (*passing*) shower 通り雨 / a *passing* fashion 一時の流行 / a *passing* acquaintance (ちょっと出会っただけの)知り合い. **3** 合格の ‖ get a *passing* grade [mark] in the examination 試験で合格点をとる.
── 名 ⓤ **1** 通行，通過；(時の)経過；(正式)消滅，終わり；死（◆ death の遠回し語）. **2** 追い越し. **3** (議案の)可決；合格；(刑の)宣告.

in pássing 通りがかりに；ついでに(言えば)；話の途中で.

Nó pássing. (米)追い越し禁止((英) No overtaking.).

pássing làne (米)追い越し車線((英) overtaking lane).

†**pas·sion** /pǽʃən/ 名 **1** ⓤⓒ (怒り・憎しみ・愛などの)激情，熱情，情熱 ‖ a man of *passion* 情熱家 / choke with *passion* 激情のあまり息を詰まらせる / He is full of *passion*. 彼は熱情にあふれている. **2**（略式）[a ~][…への]熱情，熱中，愛着(a strong liking) [for] ；夢中に[好きに]なること ‖ She *has a passion for* golf. = Golf is a *passion* with her. = Golf is her *passion*. 彼女はゴルフに夢中だ. **3** [a ~] かんしゃく ‖ **bríng [pút] him *into a pássion*** 彼をかっとさせる / **fáll [flý, gét, wórk onesèlf] *into a pássion*** かんしゃくを起こす ‖ She is *in a passion*. 彼女はかんかんに怒っている. **4** ⓤⓒ (男女間の)(激しい)愛情；[~s] 情欲（◆ sexual desire [appetite] の遠回し語）；恋人. **5** [the P~] キリストの受難(記，曲，絵画).

pássion plày [しばしば P~] キリスト受難劇.

Pássion Súnday [無冠詞で] 受難の主日《四旬節の第5日曜日》.

Pássion Wèek [the ~] 受難週（◆ Holy Week ともいう）.

†**pas·sion·ate** /pǽʃənət/ 形 **1** 情熱的な，熱烈な(↔ dispassionate)；〈感情が〉激しい；[…を]強く望む [for] ‖ *passionate* love 情熱的な愛 / make a *passionate* speech 熱のこもった演説をする. **2** 怒りっぽい，短気な ‖ He has a *passionate* nature. 彼は短気な性格だ.

†**pas·sion·ate·ly** /pǽʃənətli/ 副 熱烈に，激しく；激怒して.

pas·sion·less /pǽʃənləs/ 形 情熱のない；冷静な，落ち着いた. **pás·sion·less·ly** 副 冷静に.

†**pas·sive** /pǽsiv/ 形 **1** 受動的な，受身の；消極的な，活動的でない(↔ active) ‖ a *passive* nature [disposition] 消極的な性質. **2** 無抵抗の，言いなりになる；〈動物が〉おとなしい，危険のない ‖ *passive* obedience 黙従. **3**〔文法〕受身の，受動態の(略 pass.) (↔ active). ── 名 **1** ⓤ [the ~] = passive voice. **2** ⓒ 受動的な人[物].

pássive smóker 受動喫煙被害者.

pássive smóking 受動喫煙《他人のタバコの煙を吸わされること》.

pássive vóice〔文法〕 [the ~] 受動態，受身；受動態の構文.

pas·sive·ly /pǽsivli/ 副 受身で；消極的に.

pas·siv·i·ty /pæsívəti/ 名 ⓤ 受動性，消極性(↔ activity)；無抵抗；忍耐.

Pass·o·ver /pǽsòuvər | pάːs-/ 名 1 [the ~] 過越しの祭り《出エジプトを記念するユダヤ人の祝い》. 2 [p~] C 過越しの小羊 (paschal lamb).

†**pass·port** /pǽspɔ̀ːrt | pάːs-/ 名 C 1 旅券, パスポート; 入場券, (通行)許可証 ‖ get [issue] a *passport* 旅券をとる[交付する]. 2 [正式][…の]手段, 保障[*to*].

pássport contròl 出入国管理.

pass·word /pǽswə̀ːrd | pάːs-/ 名 C 1 合い言葉(watchword). 2 [コンピュータなど]パスワード ‖ enter the [one's] *password* パスワードを入力する.

past /pǽst | pάːst/ (同音) passed) 〖pass の過去分詞形 (passed) より生じた〗
——形《◆比較変化しない》1 [通例名詞の前で] 過去の, 過ぎ去った; [補語として] 終わった《◆しばしば名詞の直後にも用いる》‖ *past* events 過去の出来事 / the *past* century 前世紀 / past 100年間 / in *past* days ＝in days *past* 以前に / Winter is [×was] *past* [over], and spring has come. 冬が去って春が来た《◆ Winter has passed. とほぼ同義》.
2 a [通例名詞の前で] [完了時制と共に] 最近の, 過ぎたばかりの《◆しばしば名詞の直後にも用いる》‖ for some time *past* このところしばらく / during the *past* week (今までの)1週間 / I've been ill in bed for the *past* [last] two days. ここ2日間病気で寝ている. b 以前に(ago) ‖ five years *past* 5年前.
3 [名詞の前で] 前任の, 元の(former); 〔文法〕 過去の ‖ a *past* mayor 前市長 / the *past* tense 過去時制.
——動 1 [the ~] 過去, 昔; 過去の出来事 ‖ a thing of the *past* 過去の遺物, 時代遅れの物[人] / We cannot undo the *past*. 過ぎ去ったことは取り戻せない / In the *past*, houses were built of stone. 昔は家は石造りであった.
2 [a/one's ~] (国などの)過去の歴史; [a ~] (人の)経歴, (やや古) (特に隠された暗い)過去の経歴 ‖ a woman with a *past* いわくつきの女 / Rome has a glorious *past*. ローマには輝かしい歴史がある.
3 〔文法〕 [通例 the ~] 過去(時制), 過去形.
in the pást 過去に, 昔は(→ 1); [現在完了時制で] 従来, これまで.
——前 1 [時] …を過ぎて; 〈年齢を〉越えて ‖ a man *past* middle age 中年過ぎの男性 / He is *past* forty. 彼は40歳を越している / It's five (minutes) *past* [(米) *after*] six. 6時5分過ぎだ(＝(略式) It's six oh five.) / The bus leaves at 15 *past* (the hour). バスは毎時15分に出る《◆(英)では *past* の目的語を省くことがある》.
2 [場所] …のそばを通り過ぎて(beyond); …を通り過ぎた先に ‖ the house *past* the church 教会の先にある家 / the church (which) we went *past* 我々が通り過ぎた教会＝the church *past* which we went は不可. ⇒文法 20.2(2)⟩.
3 [範囲・程度・能力などを越えて, …の及ばない(beyond)] ‖ *past* comprehension 理解できない / She is *past* hope of recovery. 彼女は回復の見込みがない.
——副 [時・場所] 過ぎて, 通り過ぎて《◆比較変化しない》‖ The car drove *past*. 車が走り去った / The years flew *past*. 年月が飛ぶように過ぎ去った.
pást máster (1) 前支部長, 前会長((PC) ex-chief). (2) […の]達人[*at, in, of*]((PC) ex-

pert).
pást párticiple 〔文法〕過去分詞.
pást pérfect 〔文法〕 [the ~] 過去完了.

pas·ta /pάːstə | pǽ-/ 〔イタリア〕名 1 U パスタ《スパゲッティ・マカロニなどのめん類の総称》. 2 C パスタ料理.

†**paste** /péist/ 名 U C 1 (接着用)のり, のり状のもの ‖ hang a poster on a wall with *paste* ポスターをのりで壁にはる. 2 (製菓用の)練り粉, 生地 ‖ mix the ingredients into a smooth *paste* 材料を混ぜてなめらかな練り粉にする. 3 (食品の)ペースト ‖ liver *paste* レバーペースト. 4 ペースト状のもの《練り歯みがき(toothpaste), 練り餌(*)など》.
——動〈物を〉[…に]のりではる(＋*up, down, together*)[*on, in, to*]; 〈場所に〉〈物を〉のりではる, のり付けして覆う(*with*) ‖ *paste* the broken pieces of the plate *together* 割れた皿をくっつける / I *past*ed the paper on the wall. ＝I *past*ed the wall *with* the paper. 壁に紙をはった.

paste·board /péistbɔ̀ːrd | pάːs-/ 名 1 U ボール紙, 厚紙. 2 C (略式) 切符; トランプの札; 名刺. 3 C こね台, のり付け台. 4 [形容詞的に] 厚紙製の.

†**pas·tel** /pæstél, (英) ／-/ 名 1 U C パステル《クレヨンの一種》. 2 C ＝pastel drawing; U パステル画法. 3 C 柔らかな淡い色調《●色あい》パステル調の, 淡い.
pastél dràwing パステル画.
pastél shàdes パステル調の(色あい).

pas·tern /pǽstərn/ 名 C あくと, 繫《有蹄(ﾃｲ)類のひづめとくるぶしの間》. → horse⟩.

Pas·teur /pæstə́ːr | pάːs-/ パストゥール《Louis /lúːi/~ 1822-95; フランスの化学者・細菌学者》.
Pastéur tréatment 狂犬病の予防接種; 狂犬病治療.

pas·teur·ize /pǽstʃəràiz | pάːs-/ 動 他 〈牛乳・ビールなど〉を低温殺菌する. **pás·teur·ized** 形 低温殺菌された.

*****pas·time** /pǽstàim | pάːs-/ 〖時(time)を過ごす(pass)〗
——名 (複 ~s/-z/) C 気晴らし, 趣味(hobby), 娯楽(amusement) ‖ Fishing is her favorite *pastime*. 魚釣りは彼女の好きな気晴らしだ.

†**pas·tor** /pǽstər/ 名 C [プロテスタント] 牧師《英国では非アングリカンチャーチの牧師. 呼びかけも可》; [カトリック] 牧者, 司祭.

†**pas·to·ral** /pǽstərl | pάːs-/ 《◆名 は /-tərəl/ もある》形 1 羊飼いの, 牧畜の ‖ the *pastoral* tribe 牧畜民. 2 〈土地が〉牧畜に適した. 3 (文) 田園生活の, 田園風景を描いた, 田舎(*)の; のどかな, ひなびた (rural) ‖ The "*Pastoral*" Symphony 「田園交響曲」《◆ Beethoven の交響曲第6番のこと》/ a *pastoral* landscape 田園風景 / *pastoral* poetry 田園詩, 牧歌. 4 牧師の, 霊的指導の. ——名 C 牧歌劇; 田園詩; 田園画.

pas·tor·ate /pǽstərət | pάːs-/ 名 1 U C 牧師の職[任期, 身分]. 2 [集合名詞] 牧師団.

†**pas·try** /péistri/ 名 1 C ペーストリー《pie, tart などのケーキ・菓子》. 2 U ペーストリー用練り皮. 3 [集合名詞] ペーストリー類[菓子].

†**pas·ture** /pǽstʃər | pάːs-, -tjuə/ 名 1 U 牧草地, 放牧場(cf. meadow) ‖ horses grazing *in the pasture* 牧草地で草を食べている馬. 2 U 牧草. 3 C (1区画の)牧場.
gréener pásture 今より魅力的な場所[仕事, 生き方など].
——動 他 1 〈家畜〉を放牧する, …に牧草を与える.

2 ⟨家畜が⟩⟨牧草⟩を食う. **3** ⟨土地⟩を牧場に用いる.
— 自 ⟨家畜が⟩[…で]牧草を食う〔on〕.

†**past·y**¹ /péisti/ 形 (通例 --i·er, --i·est) **1** のり(練り粉)のような. **2** しまりのない；⟨顔色が⟩青白い.

†**pas·ty**² /pǽsti/ 名 C (主に英) パスティー《肉・野菜・ジャムなどを入れて焼いたパイ》.

*****pat** /pǽt/ 類語 putt /pʎt/ 〖擬音語〗
— 動 (~s/pǽts/, 過去・過分 pat·ted/-id/; pat·ting)
— 他 **1** ⟨人が⟩⟨物・人・動物の身体の一部⟩を(手のひらで)軽くたたく, なでる《◆愛情をこめたしぐさ. cf. slap》‖ She *patted* his cheek affectionately. =She *patted* him on the cheek affectionately. 彼女は彼のほおをやさしくなでた(→ catch 他 **1 c**). **2** ⟨物⟩をたたいて[…の形に]作る(+*down*)〔*into*〕‖ *pat* the dough *into* a flat cake 生地をたたいて平らなケーキを作る.
— 自 **1** […を]軽くたたく〔*at, on, upon, against*〕. **2** 軽い足音を立てて歩く〔*on*〕.
— 名 (複 ~s/pǽts/) C **1** 軽くたたくこと, なでること ‖ give him a light *pat* on the head =give his head a light *pat* 彼の頭を軽くひとなでする《◆ ˣgive a light *pat* to his head [to him on the head] は不可》. **2** [a ~] (パタパタと)軽くたたく音；軽い足音. **3** (バターなどの)小さな塊 ‖ a *pat* of butter バターのひと塊.
 a pát on the báck (略式) ほめ言葉, 激励.

Pat /pǽt/ 名 **1** パット《男の名. Patrick の愛称》. **2** パット《女の名. Patricia の愛称》.

†**patch** /pǽtʃ/ 名 C **1** 継ぎ, 当て布；(補修・補強用の)当て金[板] ‖ a *patch* on the tube チューブの継ぎはぎ / She sewed *patches* on the knees of the jeans. 彼女はジーパンのひざのところに継ぎを当てた. **2 a** 傷あて；(まれ)(傷口などにはる)ばんそうこう, 膏(ä)薬. **b** 眼帯 ‖ an eye *patch* 眼帯. **3** (略式) (色彩などが周囲と異なって見える)部分, 斑点(はん) **;** (歴史で)〔17-18世紀頃女性が顔の美しさを引き立たせるのに用いた黒絹の小片など〕(beauty patch) ‖ a dog with a white *patch* on its neck 首のところに白いぶちのある犬 / a *patch* of blue sky 雲の間に見える青空. **4** 小さな土地[畑]；その作物；(略式) (警官など)の担当区域 ‖ a cabbage *patch* キャベツ畑. **5** (継ぎ合せ細工の)布切れ.
 in pátches ところどころ, 部分的に.
— 動 他 **1** ⟨人が⟩⟨衣服など⟩に当てを当てる, 当て金[当て板]を当てる；…を一時的につくろう, 修理する；⟨傷口⟩の手当てをする(+*up*) ‖ *patch* (*up*) an old coat 古い上着に継ぎを当てる / *patch up* the leaky roof 雨漏りのする屋根を修繕する. **2** …をまとめあげる(+*up*). **3** ⟨けんかなど⟩を収める, 解決する, ⟨関係など⟩を修復する(+*up*). **4** 服に当て布を当てる.
 pátch pòcket 張り付けポケット.

patch·work /pǽtʃwə̀rk/ 名 **1** U C 継ぎはぎ細工, パッチワーク；C [a ~] 寄せ集め, ごたまぜ. **2** C 間に合わせの仕事.

patch·y /pǽtʃi/ 形 (--i·er, --i·est) **1** 継ぎはぎの, 寄せ集めの；まだらの. **2** 不統一な, 不完全な；よかったり悪かったりの.

†**pate** /péit/ 名 C (古・略式) 頭, 脳天 ‖ a bald *pate* はげ頭 / an empty *pate* あほう.

pa·té /pɑːtéi/ /pætéi/ 名 **1** U C (料理) パテ《肉・魚肉などを詰めた小型パイ》. **2** C U パテ《ペースト状にした肉(特にレバー)による料理》.

pâ·té de foie gras /pɑːtéi də fwɑ́ː grɑ́ː/ /pætéi-/ (フランス) 名 U (料理) フォアグラのパテ《ガチョウの肥大肝臓のペースト》(略式) foie gras).

†**pat·ent** /pǽtnt/ /péit-, pǽt-/ 形 C **1** (…の)特許(権), 専売特許, パテント(*for, on*)；(専売)特許品(a patent) ‖ He ˈtook out [applied for] a *patent* for the new medicine. 彼は新薬の特許をとった[申請した]. **2** 免許, 特権；特長.
— 動 **1** (特別な)特許の, 特許権を持つ ‖ a *patent* desk 専売特許の机 / letters *patent* (専売)特許証. **2** (正式) (ふつうよくないことについて)明白な(obvious) ‖ his *patent* lie 彼の明らかな虚言 / his *patent* disregard of the law 彼の明らかな法律無視. **3** ⟨土地が⟩開放されている, 利用できる. **4** (略式) ⟨装置などが⟩新案の, 独特の.
— 動 他 …の特許[専売]権をとる；⟨人⟩に特許(権)を与える.
 pátent léather (黒の)エナメル革, エナメル靴.
 pátent médicine 特許医薬品；にせ特効薬.
 Pátent Óffice [the ~] 特許局.
 pátent ríght [ròll] 特許権[登記簿].

pat·ent·ee /pǽtntíː/ /pèit-, pǽt-/ 名 C (専売)特許権所有者.

pa·ter·fa·mil·i·as /pèitərfəmíliəs/ /(米+) pɑ̀ːtər-/ /fəmíːliɑːs/ /(米) pɑ̀·trəs-/ /pèitri:z-/ /(米) pɑ̀·treis-/) 名 C **1** (通例 a/the ~) 家長, 父長. **2** 〖ローマ法〗家父, 家長.

†**pa·ter·nal** /pətə́ːrnl/ 形 (正式) **1** 父の, 父らしい；父のような(like a father) (↔ maternal) ‖ *paternal* love 父性愛. **2** ⟨血縁が⟩父方の ‖ one's *paternal* grandfather 父方の祖父. **3** 特徴・財産などが⟩父親譲りの. **4** 家父長的な, 干渉主義的な.

pa·ter·nal·ly 副 父らしく, 父として.

pa·ter·nal·ism /pətə́ːrnəlìzm/ 名 U (国民や従業員に対する)父親的温情主義；家父長的態度；干渉政治.

pa·ter·ni·ty /pətə́ːrnəti/ 名 U (正式) **1** 父であること, 父性, 父権. **2** 父系. **3** (考え・計画などの)出所, 起源.

 patérnity lèave 父親の出産[育児]休暇.

*****path** /pǽθ/ /pɑːθ/ 名 (複 ~s/pǽðz, pǽθs/ /pɑ́ːðz/) C **1** 小道, 細道《人や動物が歩いてできた道. cf. lane》(pathway) ‖ a *path* by the river 川沿いの小路. **2** (庭・公園などの)通り道, 散歩道《◆街路の歩道は(米) sidewalk, (英) pavement》；競走用トラック(cinder track) ‖ shovel a *path* through the snow 雪をかき除けて道をつける / *stand in* his *path* 彼の通り道[したい事]をじゃまする. **3** 進路, 軌道 ‖ the *path* of a hurricane ハリケーンの進路. **4** [時にthe ~] (行動の)方針；生き方 ‖ *paths* of ease 安易な生き[やり]方. **5** 〖コンピュータ〗パス《指定のファイルやディレクトリまでの道筋》.
 cróss A's páth ⟨人⟩に偶然出会う；⟨人⟩の計画をじゃまする.

†**pa·thet·ic** /pəθétik/ 形 **1** 哀れな, 痛ましい；感傷[感動]的な ‖ a *pathetic* story 哀れな物語. **2** (略式) 努力などがひどく不十分な, 取るに足りない；救いようのない, ひどい, とても悪い ‖ She took three weeks to answer my letter. Isn't that *pathetic*?(⤻) 彼女は3週間もしてから手紙の返事をよこした. ひどいと思わないか.

†**pa·thet·i·cal·ly** /pəθétikəli/ 副 哀れに, 感傷的に；不十分に.

path·find·er /pǽθfàindər/ /pɑ́ːθ-/ 名 C **1** (未開地の)開拓者, 探検者；先駆者. **2** [P~] パスファインダー《米国の火星探査機》.

pathological

path·o·log·i·cal, -ic /pæθəládʒik(l)|-lɔ́dʒ-/ 形 **1** 病理学(上)の. **2** 病気の, 病気による. **3** 〔略〕病的な, 不健全な, 異常な.

pa·thol·o·gy /pæθɑ́lədʒi|-θɔ́l-/ 名 **1** U 病理学. **2** U C 病理, 病状.

†**pa·thos** /péiθɑs|-θɔs/ 名 U **1** 〔正式〕ペーソス, (人生・文学・芸術の持つ)哀感, 哀調. **2** 〔美学〕パトス, 情念. (↔ logos).

†**path·way** /pǽθwèi|pɑ́ːθ-/ 名 C 小道; 通路 (path).

-pa·thy /-pəθi/ 〔連結要素〕⇒語彙素一覧(1.6).

*****pa·tience** /péiʃəns/ 〔「苦しむ(pati)こと」が原義. cf. passions〕 名 patient (形・名)

1 U **1** (冷静な)忍耐(力); [...に対する]しんぼう[我慢]強さ; がんばり, 根気(with) (↔ impatience) 《◆長期にわたり耐え抜くのは endurance》∥ have the *patience* to complete (reading) the long novel しんぼう強くその長編小説を読む / keep one's *patience* under control during difficulties 困難にもめげず我慢する / lose (one's) *pátience* with him = run out of *patience* with him 彼に我慢できなくなる(= become impatient with him) / work with *patience* 我慢して働く / wait in *patience* 我慢して待つ / I have no *patience* with such a man. そのような人には我慢がならない / He has the *patience* of Job. 彼は(ヨブのように)非常に忍耐強い(=He is very *patient*.) / *Have patience*. The train is coming soon. いらいらしてはいけません. 電車はもうすぐきます.

2 U 〔英〕〔トランプ〕 1 人トランプ(《米》solitaire).

*****pa·tient** /péiʃənt/ 〔発音注意〕〔→ patience〕

── 形 (more ~, most ~; 時に ~·er, ~·est) **1** 〈人が〉忍耐強い(persistent), しんぼう強い; 〈表情などが〉しんぼう強そうな(↔ impatient); [〔人〕に][じっと]我慢する(with) ∥ You're very *patient* with her. 彼女のことをよく我慢している.

2 根気よく働く, 勤勉な ∥ a *patient* worker 根気強く働く[勉強する]人.

── 名 (複 ~s/-ʃənts/) C 患者, (医者にかかっている)病人 (cf. practice 4 b).

†**pa·tient·ly** /péiʃəntli/ 副 根気よく, しんぼう強く.

pa·ti·o /pǽtiòu, pɑ́ː-/ 〔スペイン〕名 (複 ~s) C **1** 中庭. **2** (食事・憩い用の)テラス.

†**pa·tri·arch** /péitriɑ̀ːrk/ 名 C **1** 〔社会〕家父長, (男の)族長 (cf. matriarch). **2** 〔旧約〕[~s] イスラエル民族の祖先 《Abraham, Isaac, Jacob とその父祖. Jacob の息子たち》. **3** 長老, 古老. **4** (学派・宗派の)創始者, 開祖. **5 a** (初期キリスト教会の)監督. **b** 〔通例 P~〕〔カトリック〕総大司教, 〔東方教会〕総主教.

pa·tri·ar·chal /pèitriɑ́ːrkl/ 形 〔社会〕家父長の, 族長の; 家父長制度[支配]の.

pa·tri·ar·chy /péitriɑ̀ːrki/ 名 **1** U 〔社会〕父権制 (↔ matriarchy); 家父長政治. **2** U C 父権社会, 家父長制社会.

Pa·tri·cia /pətríʃə/ 名 パトリシア 《女の名. (愛称) Pat, Patty》.

†**pa·tri·cian** /pətríʃən/ 名 C 形 (古代ローマの)貴族(の) (↔ plebeian).

pat·ri·cide /pǽtrəsàid/ 名 〔正式〕 **1** U C 父親殺し(の犯罪[行為]). **2** C 父親殺しの犯人.

Pat·rick /pǽtrik/ 名 **1** 男の名. (愛称) Pat. **2** Saint ~ 聖パトリック 《キリスト教の伝道者, アイルランドの守護聖人》.

pat·ri·mo·ny /pǽtrəmòuni|-mə-/ 名 (複 -nies) 〔時

に a ~〕 **1** (父から受け継ぐ)世襲財産, 家督. **2** 伝承物. **3** 教会[修道院]基本財産.

†**pa·tri·ot** /péitriət|pǽtri-/ 名 C 愛国者, 憂国の士 ∥ My father is an ardent *patriot*. 父は熱心な愛国者です.

†**pa·tri·ot·ic** /pèitriɑ́tik|pæ̀triɔ́tik, pèitriɔ́tik/ 形 〈人・言動などが〉愛国的な, 愛国心の強い (↔ unpatriotic) ∥ a *patriotic* person 愛国者.

†**pa·tri·ot·ism** /péitriətìzm|pǽtri-/ 名 U 愛国心.

pa·tris·tic /pətrístik/ 形 (初期キリスト教会の)教父の; 教父の著作の.

*****pa·trol** /pətróul/ 〔「泥の中を歩き回る」が原義〕

── 名 (複 ~s/-z/) **1** U 巡回, 巡視, パトロール; 哨戒(しょうかい); (天体の)定時観測 ∥ The soldiers are on *patrol*. 兵士たちは見回り中である. **2** C 巡回者; [集合名詞] 巡回隊; パトロール隊, 偵察隊; 偵察[哨戒]機, 巡視船. **3** C [集合名詞; 単数・複数扱い] (ボーイ[ガール]スカウトの)班 《ふつう 8 人》.

── 動 (過去・過分) pa·trolled/-d/; ~·trol·ling 他 〈地域・建物を〉巡回する, 警邏(けいら)する, 見回る (watch) ∥ A guard *patrols* the gate at night. 番兵は夜に門をパトロールする.

── 自 巡回する, 巡視する; 集団で歩く.

patról càr (高速道路の)パトカー(《米》squad car, 《英》panda car).

patról wàgon 《米》囚人護送車.

pa·trol·man /pətróulmən/ 名 (複 -men) C 《米》パトロール警官, 巡査(《PC》patrol officer, 《英》police constable); (事故・故障車の世話をする)自動車巡回員 (《PC》patroller for motorists).

†**pa·tron** /péitrən, 《英+》pæ-/ 〔発音注意〕名 C **1** 〔正式〕[しばしば ~s] (高級な店・ホテルなどの)ひいき客, 顧客(customer) 《◆サービス業について用いる. 医者については patient, 弁護士, 会計士などの依頼人は client》∥ the *patrons* of the department store デパートの常連. **2** 〔芸術・事業などの〕後援者, 保護者, パトロン(of) ∥ St. Patrick is the *patron* saint *of* Ireland. 聖パトリックはアイルランドの守護聖人.

†**pa·tron·age** /pǽtrənidʒ, 《米+》péi-/ 名 U **1** 〔正式〕(店などへの)ひいき, 愛顧; [a ~; 集合名詞] 常連; (芸術・事業などの)後援, 保護(support) ∥ with [under] the *patronage* of ... の保護[後援]の下に / have a large [small] *patronage* 常連が多い[少ない] / We appreciate your *patronage*. 毎度お引き立てありがとうございます. **2** 官職任命(権), (政治家から支援者への)利益供与, (その対価としての)地位, 便宜(ぎ); 《英》聖職任命権.

†**pa·tron·ize, 《英でしばしば》-ise** /péitrənàiz, 《英+》pæ-/ 動 他 **1** 〔正式〕〈店・劇場などを〉ひいきにする; ...と取引する ∥ *patronize* the grocer's その食料品店をひいきにする. **2** 〈人を〉後援[保護, 奨励]する ∥ *patronize* a young singer 若い歌手を後援する. **3** 〈人に〉にいばった[恩着せがましい]態度をとる.

†**pat·ter** /pǽtər/ 動 自 **1** 〈雨などが〉パラパラと降る, パタパタと音を立てる. **2** パタパタと走る[歩く]. ── 他 ...にパタパタと音を立てさせる. ── 名 [a/the ~] パタパタ[パラパラ]という音 ∥ the *patter* of raindrops on the roof パラパラと屋根を打つ雨の音.

*****pat·tern** /pǽtərn|pǽtn/ 〔発音注意〕〔「(父のように) (pater) まねされるべきもの」が原義. cf. patron〕

── 名 (複 ~s/-z/) C

|型・原型|

1 (行動などの)傾向, 方向; (製品などの)型, 様式; 基本型, パターン ∥ behavior *patterns* of infants 幼

patterned 1126 **pay**

児の行動様式. **2** 〔…の〕原型, 模型 (model); 型紙, 鋳型 〔*for*〕 ‖ *a pattern for* a skirt =a skirt *pattern* スカートの型紙.

II [模様をなす]

3 (敷物などの)**模様** (design), 柄, 図案; 意匠 ‖ *a striped pattern* しま柄 / *patterns* on wall paper 壁紙の図柄.

III [模範となる型]

4 〔通例 a/the ~〕〔…の〕**手本**, 模範, かがみ〔*of*〕; [形容詞的に] 模範的な《◆ *model* の方がふつう》‖ *set a pattern* 範を垂れる / She is *the pattern of* virtue. 彼女は貞節のかがみだ / *a pattern* nurse 模範的な看護師.

5 (布地などの)見本, ひな形 (sample). **6** (米)1着分の服地.

―― 動 他 **1** (正式)…を〔…の型にならって, …に基づいて〕作る, …を〔他人の行動様式を手本にして〕行なう〔*after, on, upon*〕‖ *pattern* oneself *on* one's father 父親を手本とする / Her dress is *patterned after* a new French style. 彼女のドレスは新しいフランスふうのスタイルに作られている. **2** …に〔…の〕模様をつける〔*with*〕.

―― 自 模様を描く; (行動などの)手本とする.

pattern recognition [コンピュータ] パターン認識《文字・画像・音声の判別. 処理方法》.

pat·terned /pǽtərnd | pǽtnd/ 形 模様のついた.

†**pat·ty** /pǽti/ 名 C **1** パティー《小型の pie または pasty²》. **2** (米) パティー《ひき肉・魚・カキなどを平たく丸く焼いたもの》.

Pat·ty /pǽti/ 名 (愛称) パティ《女の名. Patricia の愛称》.

pat·ty·pan /pǽtipæn/ 名 C 小型パイ (patty) を焼くなべ.

†**Paul** /pɔ́ːl/ 名 **1** ポール《男の名》. **2** Saint ~ パウロ《キリスト教最初期の伝道者》.

paunch /pɔ́ːntʃ/ 名 C **1** 腹, 胃; 太鼓腹. **2** (反芻(%)動物の)第一胃, こぶ胃.

†**pau·per** /pɔ́ːpər/ 名 C (古) (生活保護を受ける)貧民.

***pause** /pɔ́ːz/ 〔類音 pose〕 /póuz/ 〔「動作の一時的な休止」が本義〕

―― 名 (複 ~s/-iz/) C **1** 〔通例 a ~〕 (一時的な)〔…の〕**休止**, 中断 (break), 途切れ; [医学] (脈の)結滞 〔*in*〕《◆ **stop** より堅い語》‖ *màke* 〔*tàke*〕 *a páuse for* lunch 昼休みをとる / *a pause* to get one's breath 息つぎのための休み / There was *a pause* in the conversation. 会話がとぎれた. **2** ちゅうちょ (hesitation), ためらい. **3** 句切り, 句読 (%). **4** [音楽] フェルマータ《延長記号 ⌢, ⌣》.

give A *páuse* =*give páuse to* A (正式)《人》にちゅうちょさせる.

―― (~s/-iz/; 過去・過分) ~d/-d/; paus·ing)

―― 自 **1** 《人が》休止する, 〔…のために/…するために〕ちょっと止まる〔*for* / *to do*〕《◆ 進行中の動作を一時的に中止するという意で堅い語》‖ *pause for* 〔*to have*〕 *a* cup *of* tea お茶を飲むため一休みする. **2** …について ためらい, 思案する〔*on, upon*〕.

paus·ing /pɔ́ːzɪŋ/ 動 → pause.

pav·an, pa·vane /pəvǽn, -vǽn | pəvǽn, pǽvn/ 名 C パバーヌ(の曲)《16世紀に流行した優雅な宮廷舞踊》.

†**pave** /péiv/ 動 他 **1** 〔通例 be ~d〕《道路・床など》〔…で〕**舗装されている**, 覆われている〔*with*〕‖ *a* road *paved with* concrete コンクリートで舗装された道. **2** (舗装するように)…を覆う.

paved /péivd/ 形 **1** 舗装された. **2** 〈宝石が〉はめ込まれた.

***pave·ment** /péivmənt/

―― 名 (複 ~s/-mənts/) **1** C (主に英) (舗装した)**歩道** (米) sidewalk). **2** U 舗装 ‖ asphalt *pavement* アスファルト舗装. **3** C 舗装道路, (米) 車道 ‖ a brick *pavement* れんがの車道. **4** U C (主に米) 舗装材料, 敷石.

pávement àrtist (1) (英) 大道画家《歩道に色チョークで絵を描き通行人から金をもらう》. (2) (米) 大道画家《歩道で絵の展示販売・似顔描きをする》. 〔◆ (米)では sidewalk artist ともいう〕

†**pa·vil·ion** /pəvíljən/ 名 C **1** (運動会などで用いる)大型テント. **2** (博覧会などの)展示館, パビリオン. **3** (主に英) (クリケット競技場などの)観覧席, 選手席. **4** (主に米) (病院の)分館, 別棟.

pav·ing /péivɪŋ/ 名 **1** U 舗装(工事). **2** U 舗床. **3** C [通例 ~s] =paving stone.

páving stòne (英) (舗装用)敷石.

†**paw** /pɔ́ː/ 〔同音〕 pore, pour 名 C **1** (イヌ・ネコのようなつめのある哺(%)乳動物の)足, 手《◆ ひづめのある動物の足は hoof, 人の足は foot》‖ Give me your *paw* [×hand]. (イヌに対して)お手《◆ 単に *Paw.* ともいう》. **2** (略式) (人の大きな, 不器用な)手 (hand) ‖ Wash your dirty *paws*! その汚い手を洗ってはね!

―― 動 他 **1** 〈動物が〉〈物・人〉を前足でたたく[ひっかく, さわる], 〈馬などが地面などをひづめでける ‖ *paw* the ground ひづめで地面をひっかく. **2** (略式) 〈人・もの〉を手荒く扱う, 手で不器用に(みだらに)さわる; (女性にさわる. みだらにふるまう (+*about, around*).

―― 自 **1** 〈馬が〉前足で〔地面を〕打つ[ける]; 〈動物が〉前脚で〔…をさわる[たたく, ひっかく]〕〔*at*〕. **2** (略式)〔…を〕不器用に[手荒く]扱う〔*at*〕.

pawl /pɔ́ːl/ 名 C [機械] (歯車などの)歯止め.
‖ *pawl* 歯車などを歯止めで止める.

†**pawn**¹ /pɔ́ːn/ 動 他 **1** …を〔…の金額で〕質に入れる〔*for*〕. **2** 〈生命・名誉〉を賭(%)ける, 賭けて誓う ‖ *pawn* one's life 生命に賭けて誓う. ―― 名 (正式) **1** U 入質, 質入れ ‖ **in** [*at*] *pawn* 質に入って, かたに取られて. **2** C 質草, 担保, 抵当物. **3** U 人質.

pawn² /pɔ́ːn/ 名 C [チェス] ポーン《将棋の歩 (%)にあたる駒. 略 P》.

pawn·brok·er /pɔ́ːnbròukər/ 名 C 質屋, 質業主.

****pay** /péi/ 〔「借りを返す」が本義〕 (略) payment (名)

index 動 他 **1** 支払う **2** 報いる **4** (注意)を払う
自 **1** 代金を払う **2** 利益になる
名 **1** 給料

―― 動 (~s/-z/; 過去・過分) paid /péid/; ~·ing)

I 〔金銭で支払う〕

1a 《人が》《借金・代金などを**支払う**; 〈人〉に〔…の〕代金を払う〔*for*〕; [pay A B / (まれ) pay B to A] 〈人〉に B《金》を〔…の代金として〕払う, 弁済する (compensate) 〔*for*〕‖ *pay* a debt [tax, bill, fee] 借金[税金, 勘定, 料金]を支払う / *pay* the tailor 洋服屋に支払う / *pay* rent for the room 部屋代を払う / get *paid* by the hour 給料を時間給でもらう / He is highly [poorly] *paid*. 彼の給料は高い[安い] / I *paid* her 50 dollars [50 dollars *to*

payable

her] *for* the shoes. 彼女に靴の代金として50ドル払った(=I bought the shoes from her for 50 dollars).《◆受身形は'50 dollars were *paid* (*to*) her [She was *paid* 50 dollars] *for* the shoes. ➡文法7.8》/ *Paid with thanks.*〔領収証などで〕代金領収しました. **b**〔*pay* **A** *to do*〕〈人〉に金を払って…させる ∥ I *paid* him *to* trim the hedge. 彼を雇って生け垣の手入れをさせた.

Ⅱ〔金銭以外のもので報いる〕

2〈物・事が〉〈人など〉に**報いる**《◆修飾語(句)は省略できない》; 〔*pay* (**A**) **B**〕〈人〉に**B**〈利益などを与える, …で報いる ∥ It *pays* to be honest. 正直にして損はない / The work *pays* (me) 30 dollars a day. その仕事は1日30ドルになる.

3〔略式〕〈人が〉〈人〉に〔…で/毎侮・恩義などに対して〕**報いる**, お返しをする〔*with*/*for*〕; 〈人〉を〔…のことで〕こらしめる(+*back*, *off*, 〔英〕*out*)〔*for*〕;〔罰・報いなど〕を〔…に対して〕受ける〔*for*〕∥ *pay* the penalty *for* a mistake 過ちの罰を受ける / *pay* him *back* for his insult by causing him trouble 彼を困らせて侮辱の仕返しをする.

Ⅲ〔心で報いる〕

4〔*pay* **A** **B** =*pay* **B** *to* **A**〕〈人が〉**A**〈人・物〉に**B**〈注意・敬意〉を払う; **A**〈人〉を**B**〈訪問〉する ∥ *pay* one's respects *to* him〔正式〕彼に敬意を払う, 彼を表敬訪問する / *pay*「her a compliment [a compliment *to* her] on her cooking 彼女に料理が上手だとお世辞を言う(=compliment her on her cooking) / We *paid no attention to* his words. =*No attention was paid to* his words. 彼の言葉を注意して聞かなかった / I *pay*「her a visit [a visit *to* her] once a week. 私は週に1回彼女を訪問する(=I visit her …).

──**自 1**〈人が〉〔…の〕**代金を払う**〔*for*〕; 支払う ∥ *pay*「(in) cash [by check] 現金[小切手]で払う / I *paid for* the hat for him. 彼に帽子を買ってあげた《◆I bought him the hat. の方がふつう》/ Will you *pay* separately? お支払いは別々ですか / *You get what you pay for.* 『支払った代金のものだけしか得られない』〔ことわざ〕安物買いの銭(ぜに)失い.

2〈物・事が〉**利益になる**, 引き合う, 割に合う ∥ Kindness sometimes does not *pay*. =It sometimes does not *pay* to be kind. 親切は時に割に合わないことがある / The business has been *paying*. その事業はもうかっている / 〔ジョク〕If crime doesn't *pay*, is my job a crime? 悪事はもうけにならない. だったら俺の仕事は悪事なのか?《◆ことわざ "Crime does not *pay*."〔悪事は割に合わない〕》.

3〔…に対して〕償いをする〔*for*〕; 〔…の〕罰を受ける〔*for*〕∥ She *paid* dearly *for* her laziness. 彼女は怠けたことできつい罰を受けた(=She was punished because she was lazy.) / Money cannot *pay for* lost time. 遅れは金では償えない.

páy as you gó〔米〕(1) 即金[現金]で支払う(cf. pay-as-you-go). (2) 借金せずにやっていく. (3) 税金を源泉払いする.

páy báck 〔他〕(1) → **自3**《◆ *pay off* の方が口語的》. (2)〈人〉に借りた物を返す. (3)〔~ (**A**) *back* **B**〕〈人〉に**B**〈物〉を返済する.

 使い分け 〔pay back と return〕
 return は〔(物を)返す〕の意.
 pay back は〔(金銭)を返す〕の意.
Have you「*paid back* [ˣ*returned*] your loan? ローンは返し終わったのですか.

Please *return* the book tomorrow. 明日その本を返してください.

páy dówn〔他〕〈金〉を即金で払う; 〔米〕〈月賦の頭金〉を支払う.

páy dówn (*on* **B**)(**B**〈物〉の頭金に)**A**〈数パーセント(のお金)〉を払う.

páy ín〔自〕金を払い込む; 預金〔寄付〕する.
──〔他〕〈金・小切手など〉を払い込む.

páy (**A**) **íntō B**(**A**〈金・小切手など〉を)**B**〈銀行・口座などに〉払い込む〔預金する〕.

páy óff〔自〕〔古式〕(1)〔〈物・事が〉すっかり(*off* 副9)〕利益になる(*pay* 〔自〕**2**)〔〈物・事が〉うまくいく(succeed)〕; ひき合う 《対話》 "My English grades improved greatly." "Your efforts have *paid off*." 「英語の成績がすごく上がったんだ」「君の努力が報われたね」. (2) わいろを使う(bribe). (3)〈船が〉風下に向く. ──〔他〕(1) → **他3**. (2)〈借金〉を全部払う; 〈過去分〉を清算する. (3)〈人〉に給料を払う, …を〔賃金を払って〕解雇する.

páy óut〔自〕積立金を支出する. ──〔他〕(1) → **他3**. (2)〈人〉に積立金を払い戻す; 〔罰〕〈大金〉を出す, 払う. (3)〈糸・綱などを〉繰り出す《◆この意味では過去形・過去分詞形に payed も用いる》.

páy óver〔他〕〔正式〕〈支払い金〉を手渡す.

páy úp〔自〕〔略式〕借金を(しぶしぶ・期日後に)全部払う. ──〔他〕〈借金〉を全部払う.

──**名 U 1 給料**, 賃金, 報酬《◆ salary, wages よりくだけた語》《◆ *a holiday with pay* 有給休暇 / a rise〔主に米〕raise〕in *pay* =a *pay* rise〔主に米〕raise〕賃上げ / starting *pay* 初任給 / work 'at low *pay* [without *pay*] 薄給[無給]で働く / You can get (ˣa) better *pay* elsewhere. 他のところではもっとよい給料がもらえるよ(=You can get *paid* better …). **2** 支払い(能力), 支払い能力. **3**〔形容詞的に〕〈設備・装置などが〉有料の, 料金払いの; 自費の ∥ a *pay* toilet 有料トイレ / a *pay* student 自費学生.

páy énvelope〔英〕**páy pácket**〕給料袋; 〔略式〕給料.
páy phòne〔**télephone**〕公衆電話.
páy shèet〔英〕=payroll.
páy stàtion〔米〕公衆電話(ボックス).

†**pay・a・ble** /péiəbl/ 形 支払うべき; 〔…に〕支払うことのできる(↔ receivable); 支払い満期の〔*to*〕∥ a bill *payable* 支払い手形.

pay・day /péidèi/ 名 U C 給料日; 〔英〕〔株式市場の〕決済日.

pay・ee /peiíː/ 名 C 〔正式〕〔手形・証券などの〕受取人, 被支払い人.

pay・er /péiər/ 名 C 〔手形・証券などの〕支払い人, 払い渡し人.

pay・mas・ter /péimæstər | -màː-/ 名 C **1** 会計課〔部〕長, 給与支払い係((PC) treasurer, cashier). **2**〔軍事〕主計官.

†**pay・ment** /péimənt/ 名 **1** U 支払う[支払われる]こと, 支払い, 返済, 支出; C 支払い金[物] ∥ the balance of *payments* [ˣ*payment*] 支払い状態の収支 / *payment*「by installments (*on account*) =installment *payment* 分割払い / *payment* in advance [part, kind, full] 前[内, 現物, 全額]払い / I made the last *payment on* [*for*] the land. やっと土地のローンを払い終えた / on a 20-year *payment* plan 20年返済ローンで / I'm sending you 5,000 dollars *in payment of* [*for*] the bill. 請求書の支払いに5000ドルお送りします. **2**

pay・off ⓊⒸ〔…に対する〕報酬, 償い; 仕返し〔for〕‖ *in payment for*「a sin [her hospitality]」罪の償い[彼女のもてなしに対する礼].
pay-off /péiɔ̀(ː)f/ 图 (略式) **1** Ⓤ (給料・借金などの)支払い(payment); Ⓒ 支払い[給料]日《◆日本語のペイオフは payout limit (system) に当たり, その意味では payoff とはいわない》. **2** ⓊⒸ〔…に対する〕報酬; こらしめ, 仕返し〔for〕. **3** ⓊⒸ 贈賄行為, わいろ(bribery).
pay・out /péiàut/ 图 Ⓤ (大金の)支払い ‖ a *payout limit of 10 million yen* 1000万円の支払い限度額.
pay-per-view /péipərvjùː/ 形〈テレビ番組が〉有料制の.
pay・roll /péiròul/ 图 Ⓒ 給料支払い簿[総額]; 従業員名簿[総数].
Pb (記号) 〔化学〕 lead² 《◆ラテン語 *plumbum* より》.
PBX (略) private branch exchange 構内電話交換(設備).
PC¹ /píːsíː/ 图 (複 **PCs, PC's**) Ⓒ パソコン(personal computer).
PC² (略) political correctness; politically correct (language).
pc. (略) piece; price(s).
p/c, P/C (略) price(s)current.
p.c. (略) percent; petty cash; post [postal] card; *post cibum* 食後に.
PCB (略) 〔化学〕 polychlorinated biphenyl ポリ塩化ビフェニル.
pd (略) paid.
PDA (略) 〔コンピュータ〕personal data assistant ピーディーエー《個人用携帯情報端末》.
PDS (米) Professional Development School 教員の研究開発の場となる公立学校.
PE (略) physical education.
＊pea /píː/ 〔*pease* の逆成語〕
— 图 (複 ~s, (まれ) pease/píːz/) Ⓒ **1** 〔植〕 エンドウ, (さや)エンドウ《◆ *garden* [*field*] *pea* えんどう. cf. bean》 ‖ *green peas* 青エンドウ, グリーンピース / *split peas* 皮をむいて干したエンドウ《スープ用》. **2** エンドウに似た植物《chickpea など》. **3** 豆粒大のもの; [形容詞的に] 豆粒大の ‖ *pea coal* 小粒の石炭.
(**as**) **like** [**alike**], **like two péas** (**in a pód**) (略式) うりふたつの(→ **as 接1** 用例).
péa gréen (若豆の)薄緑色.
péa sòup ピースープ《◆北欧の国々では木曜の晩餐(さん)に食べる》.

‡peace /píːs/ (同音) piece) (派) peaceful (形)
— 图 Ⓤ [時に a ~]
Ⅰ [平和な状態]
1 平和 (↔ war); 平和な期間 ‖ *a long peace* 長い平和(の期間) / *in wár and péace* 戦時にも平時にも《◆語順に注意》/ We all have hoped for 「*world peace* [*peace in the world*]」. みんな世界平和を望んできた.
2 平穏 (calm), 安心, 無事; [the ~] 治安, 秩序 ‖ *peace of mind* 心の平静 / *a breach of the peace* 治安妨害 / *a justice of the peace* 治安判事 / *break* [*disturb*] *the peace* 治安を乱す / *live a life of peace* 平穏な生活を送る(=live a *peaceful* life / live *peacefully*) / *Peace be with you!* (古) ご無事で!《=Good luck!》/ *Peace to his ashes* [*memory, soul*]*!* =May he [his soul] rest in *peace!* 彼の霊よ安らかなれ.
3 静けさ(quiet), 沈黙 ‖ A gunshot shattered the *peace* of the woods. 銃声が森の静けさを破った. / hold [keep] one's *peace* (古) (言いたいことがあるのに)黙っている / *peace and quiet* (騒ぎ・けんかなどの後の)静けさ, 静寂.
Ⅱ [平和を維持するもの]
4 〔…との〕和解, 親睦; [しばしば (a) P~] 講和(条約)〔with〕‖ *make* one's *peace with* him 彼と仲直りする;(自分が悪かったと言って)彼とけんかをやめる / *màke péace between them* 彼らを和解させる / *sign peace* [*a Peace*] 講和条約に調印する.
＊at peace (1) 平和に[な], 安らかに[な] (↔ at war) ‖ Her mind is *at peace*. 彼女の心は安らかだ. (2) 〔…と〕仲よくして[た]〔with〕‖ Japan is now *at peace with* China. 日本は今中国と友好関係にある. (3) (遠回しに)死んで[だ].
— 間 静かに, しっ!; 〔歓迎・歓送のあいさつ〕ようこそ, ご無事で.
péace cònference 平和会議.
Péace Còrps /-kɔːr/ [the ~] 平和部隊《発展途上国を援助する米国政府派遣の民間団体》.
péace sìgn ピースサイン《手のひらを外に向けて人差し指と中指を立てて作るV型サイン. 平和の願いを示す. cf. V-sign》.
péace tàlks [複数扱い] 和平会談.
péace trèaty 平和条約.
†**peace・a・ble** /píːsəbl/ 形 **1** 〈人・言動などが〉平和を好む, おとなしい. **2** 平和な, 平穏な(peaceful).
＊peace・ful /píːsfl/
— 形 **1** 穏やかな, 平和な(calm); 安らかな ‖ a *peaceful* sea 穏やかな海 / die a *peaceful* death 安らかに死ぬ(=die *peacefully*). **2** 〈人が〉平和を好む, おとなしい;〈手段などが〉平和的な ‖ *peaceful* uses of atomic energy 原子力の平和利用.
péaceful coexístence 平和共存.
péace・ful・ness 图 Ⓤ 穏やかさ.
†**peace・ful・ly** /píːsfəli/ 副 平和に, 穏やかに ‖ It worked out *peacefully*. 円満に解決した.
peace・keep・ing /píːskìːpiŋ/ 图 Ⓤ 平和維持 ‖ a *peacekeeping* force 平和維持軍.
peace・mak・er /píːsmèikər/ 图 Ⓒ 調停者, 仲裁人.
peace・time /píːstàim/ 图 Ⓤ 形 平時(の) (↔ wartime) ‖ in *peacetime* 平時に.
＊peach /píːtʃ/ 〔『ペルシアのリンゴ』が原義〕
— 图 (複 ~**es**/-iz/) **1** Ⓒ モモ(の実)《◆英米のものは日本のモモより小さい》; モモの木(peach tree) ‖ Do you like juicy *peaches*? 水気の多いモモが好きですか. **2** Ⓒ =peach blossom. **3** Ⓤ =peach color. **4** (略式) [a ~] すてきな人[物]; かわいい娘. **5** [形容詞的に] モモの, ピンク色の ‖ a *peach* dress ピンク色の服.
péach blòssom モモの花《◆米国 Delaware 州の州花》.
péach còlor (黄色気味の)モモ色《実の色》.
pea・chick /píːtʃìk/ 图 Ⓒ 〔鳥〕 クジャクのひな.
†**pea・cock** /píːkàk |-kɔ̀k/ 图 Ⓒ **1** 〔鳥〕 クジャク;(特に)雄のクジャク(cf. peahen) ‖ a *peacock in his pride* 羽根を広げたクジャク; 見えを張った人. **2** 見え坊, 虚栄をはる人. **3** 〔昆虫〕 =peacock butterfly.
pláy (**the**) **péacock** 見えを張る.
péacock blúe 光沢のある青色.
péacock bútterfly クジャクチョウ.
péacock stýles 華やかで大胆なデザインのモッズルック(Mod look)式服装.

pea·hen /píːhèn/ 名 © 〖鳥〗クジャクの雌(cf. peacock).

***peak** /píːk/ 同音 peek, pique 〖「とがった先端部分」が本義〗
——名 (複 ~s/-s/) © 1 [the ~] 〈変動する量・割合の〉**最高点**(top, maximum), 頂点, **最盛期**, ピーク; [形容詞的に] 最高の ∥ *at the peak of one's career [happiness]* 生涯[幸福]の絶頂期に / *peak* hours of traffic 交通ラッシュのたけなわ時. **2**〈山の連なりの中できわだった〉**峰**, ピーク(summit); 孤峰 ∥ snowy *peaks* 雪に覆われた峰々. **3**〈ひげ・屋根などの〉とがった先, 先端;〈帽子の〉まびさし.
——動 他 **1**〈海軍〉〈斜桁(ときう)・オールを〉垂直に上げる. **2** …を最高にする.
——自〖正式〗**1** 頂点に達する. **2** とがる.

peaked[1] /píːkt/ 形 先のとがった; ひさしのある ∥ a *peaked* cap ひさし付きの帽子.

†**peak·ed**[2] /píːkid/ 形 やせた, やつれた;〈略式〉不健康な.

†**peal** /píːl/ 同音 peel 名 © **1**〈鐘の〉響き;〈雷・笑い声などの〉とどろき ∥ a *peal* of thunder 雷鳴 / They heard sudden *peals* of laughter. 彼らは突然わき起こる笑い声を聞いた. **2**〈音楽的な調子を奏でる〉一組の鐘; 鐘(ホネ)楽.
——動〖正式〗〈鐘などを〉鳴り響かせる(ring)(+*out*) ∥ Church bells *pealed* forth a message of joy. 教会の鐘の音が喜びの調べを高々と鳴り響かせた. ——自〈鐘が〉鳴り響く;〈雷・笑い声などが〉とどろく(+*out*).

*****pea·nut** /píːnʌt/
——名 (複 ~s/-nʌts/) **1** © [主に米略式] [~s] はした金; つまらない物. **2** © ピーナッツ, 落花生, ナンキンマメ ∥ My father grows *peanuts*. 父はピーナッツを栽培しています. **3** [形容詞的に] ピーナッツ入りの;〈主に米〉取るに足らない, 卑劣な.

péanut brìttle キャラメル味のピーナッツキャンディー.
péanut bùtter ピーナッツバター《◆ peanut butter sandwich は米国の子供の大好物》.
péanut òil 落花生油《サラダ油・バター・マーガリン・石けんの材料》.

†**pear** /péər/ 発音注意 同音 pair, pare 名 © 〖植〗**1** セイヨウナシ; その木(pear tree). **2** セイヨウナシに似た木[果実]《avocado など》.

***pearl** /páːrl/ 発音注意 派 pearly (形)
——名 (複 ~s/-z/) **1** © **真珠**; [~s] 真珠の首飾り; Ⓤ 真珠層[母](mother-of-pearl) ∥「an artificial [a false, an imitation] *pearl* 模造真珠(↔ a genuine [real] *pearl* 本物の真珠) / a culture(d) [cultivated] *pearl* 養殖真珠(↔ a natural *pearl* 天然真珠) / *cast* [*throw*] *pearls before swine*〖聖〗(ことわざ) 豚に真珠を投げ与えるな,「猫に小判」. **2** © 〖正式〗真珠に似たもの《露・涙・歯など》∥ *pearls* of dew 露の玉. **3** © 〖正式〗貴重な[美しい]もの[人]; 精華, 宝. **4** Ⓤ =pearl gray.
——形 [名詞の前で] 真珠をちりばめた, 真珠(製)の, 真珠状の.
——動〖正式〗他 自 (…を)真珠で飾る, 真珠状にする[なる]; 真珠を採る[採り].

péarl bàrley 精白丸麦《スープ用》.
péarl bùtton 真珠貝のボタン.
péarl físhery 真珠採取業[場].
péarl gráy 真珠色.
Péarl Hárbor 真珠湾《米国 Hawaii 州の軍港. 1941 年 12 月 7 日(日本時間 8 日), 日本海軍が奇襲攻撃した》.

péarl òyster 真珠貝《アコヤガイなど》.

†**pearl·y** /páːrli/ 形 (**-·i·er**, **-·i·est**) **1**〖文〗〈色・光沢が〉真珠のような ∥ *pearly* teeth 真珠のような歯. **2** 真珠(層)で飾った. ——名〈英〉© =Pearly King [Queen]. **2** [pearlies] 真珠貝ボタン付きの晴れ着; 真珠貝ボタン.

Péarly Kíng [**Quéen**] 呼び売り商人[の妻].
péarly náutilus 〖動〗オウムガイ.

†**peas·ant** /pézənt/ 発音注意 名 © **1**《昔のヨーロッパの》小作農, 小百姓, 農場労働者《米》sharecropper,《英》smallholder) (cf. farmer)《◆現在では特に発展途上国の小作農について用いられる語》∥ My grandfather was a poor *peasant*. 祖父は貧しい小作農でした. **2**〖略式〗いなか者; 粗野で無学な人.

†**peas·ant·ry** /pézəntri/ 名 Ⓤ 〖正式〗**1** [集合名詞; 単数・複数扱い] 小作農;「小作農階級《◆個々には peasant). **2** 小作農[人]の地位[身分].

†**peat** /píːt/ 名 Ⓤ 泥炭, ピート; © 〈燃料用の〉泥炭塊.

†**peb·ble** /pébl/ 名 © **1**《水に洗われて丸くなった》小石(→ stone 名 2); small *pebbles* on the beach 海岸の小石. **2** Ⓤ〈皮革の〉石目; 石目皮. **3** Ⓤ めのう.——動 他 **1** …を小石で舗装する. **2**〈皮革・紙〉に石目をつける.

peb·bly /pébli/ 形 (時に **--bli·er**, **--bli·est**) 小石の多い, 小石だらけの.

pe·can /pikáːn | -kǽn/ 名 © **1**〖植〗ペカン(の木)(pecan tree)《クルミの一種. Texas 州の州木》. **2** =pecan nut. **pecán nùt** ペカンの実《食用》.

†**peck**[1] /pék/ 動 他 **1**〈鳥が〉〈くちばしで〉〈穀物などを〉つつく, ついばむ(+*up*). **2**〈鳥が〉〈コツコツ〉くちばしでつついて〈穴〉をあける[に…]; …をつつき出す(+*out*);《つるはしなどで》〈物〉を砕く;〈石のみなどで〉〈銘などを〉刻み込む. **3**〖略式〗…に軽く急いで[儀礼的に]キスをする(kiss quickly) ∥ *peck* his cheek =*peck* him *on the cheek* 彼のほおに軽くキスする(→ catch 他 **1** c). ——自 **1** […から](くちばしで)(コツコツ)つつく, ついばむ(+*away*)[*at*] ∥ The sparrows are *pecking* at the crumbs. スズメがパンくずをつついている. **2**〈人が〉[…を]つつく(+*away*)[*at*]《◆食欲のないさま》. **3**[…の]あらを捜す, […に]ガミガミいう(+*away*)[*at*].
——名 © コツコツつつく[たたく]音, つつくこと, ついた跡;〖略式〗〈…への〉軽いキス[*on*]; 食物.

péck(ing) òrder 〖鳥〗つつき順位; 〖略式〗《人間社会の》序列, 階級の順位.

peck[2] /pék/ 名 © ペック《乾量の昔の単位. =8 quarts, 1/4 bushel (約9*l*)》.

peck·er /pékər/ 名 © **1** つつく人[物]; つるはし. **2** 〖鳥〗キツツキ(woodpecker).

pec·to·ral /péktərəl/ 形 〖正式〗**1** 胸の, 胸部の. **2** 胸につける, 胸を飾る. ——名 © **1 a** 胸当て;《特にユダヤ高僧の》胸飾り. **b** 〖キリスト教〗=pectoral cross. **2** [通例 ~s] 胸筋; 〖魚〗胸びれ.
péctoral cróss (司教の)胸十字架.

***pe·cu·liar** /pikjúːljər | -liə/ 〖「個人財産の」が原義〗派 peculiarly (副)
——形 **1**(…の点で)**変な**(strange), 妙な, 一風変わった; 異常な[*in*] ∥ a *peculiar* smell 変なにおい / *peculiar* behavior 一風変わったふるまい / It was *peculiar* that he「*should have left* [(*had*) *left*] so suddenly. 彼がそんなに急に出発したとは[ことは]妙だった.
2 〖正式〗[補語として] [(…に)**独特の**, 特有の, 固有の (proper) [*to*] ∥ customs *peculiar to* Japan 日本独特の習慣 / This word is *peculiar to* the Scottish dialect. これはスコットランド方言に特有の語

だ. **3**《正式》[通例名詞の前で] 特別の, 特殊な ‖ a matter of *peculiar* interest to the examinees 受験生には特に興味のあること. **4**《英略式》[補語として]〈人が〉気分が悪い(ill).
——名 [the/one's ~] 個人特有の物, 私有財産;特権.

†**pe·cu·li·ar·i·ty** /pikjùːliǽrəti/ 名 **1** Ⓤ 特性, 特質, 特色. **2** Ⓒ 変わった点, 異様さ, 奇抜, 奇癖;癖 ‖ the *peculiarity* of his pronunciation 彼の発音の癖. **3** Ⓒ 特有[独特]な物.

†**pe·cu·liar·ly** /pikjúːliərli│-liə-/ 副 **1** 特に, 特別に(especially) ‖ a *peculiarly* interesting book 特に面白い本. **2** 奇妙に, 変に.

†**pe·cu·ni·ar·y** /pikjúːnièri│-niəri/ 形《正式》[おおげさに] **1** 金銭(上)の ‖ She is in *pecuniary* difficulties. 彼女は金に困っている. **2**《法律》金銭の, 金銭的な.

ped·a·gog·ic, -i·cal /pèdəgάdʒik(l)│-gɔ́dʒ-, -gɔ́g-/ 形《正式》**1** 教育学の, 教授法の. **2** 教育者の;学者ぶる.

ped·a·go·gy /pédəgòudʒi│-gɔ́dʒi, -gɔ́gi/ 名 Ⓤ《正式》**1** 教育学, 教授法, 教職. **2** 教育, 教授.

†**ped·al** /pédl/ (同音) peddle) 〖『足』が原義〗名 Ⓒ **1**(自転車·ピアノ·ミシンなどの)ペダル, 踏み板. **2**《音楽》=pedal point. 《過去·過分》~ed or (英) ped·alled/-d/; ~·ing or (英) -al·ling 他〈自転車〉のペダルを踏む. ——自 **1** 自転車[機械]のペダルを踏んで進む, 自転車に乗って行く(+*along*). **2**(ペダルを踏んで)オルガン演奏をする.
pédal pòint (最低音の)持続音.
pédal pùshers [複数扱い] 女性用スラックス《元来はサイクリング用. 今はスポーツウエア》.

ped·ant /pédnt/ 名 Ⓒ《正式》学者ぶる人, 衒(ﾃﾞ)学者;空論家;杓子(ｼﾞｬｸｼ)定規な人.

†**pe·dan·tic** /pidǽntik/ 形 学者ぶる, 知ったかぶりの, 衒(ﾃﾞ)学的な.

ped·ant·ry /pédntri/ 名 Ⓤ Ⓒ《正式》学者ぶること, 衒(ﾃﾞ)学(趣味);杓子(ｼﾞｬｸｼ)定規.

†**ped·dle** /pédl/ (同音) pedal) 動 他 行商する, 売り歩く.

†**ped·dler** /pédlər/ 名 Ⓒ **1** 行商人, 呼び売り商人. **2**(思想などを)切り売りする人;(うわさなどを)受け売りする人.

†**ped·es·tal** /pédistl/ 名 Ⓒ (円柱·彫像の)台座, 柱脚. ——動《過去·過分》~ed or (英) ~es·talled/-d/; ~·ing or (英) -tal·ling 他 …を台に載せる;…に台を付ける.

•**pe·des·tri·an** /pədéstriən/ 〖足 の(pedester)人(ian). cf. centi*pede, pedal*〗
——名 (複) ~s/-z/) Ⓒ (車に乗っている人に対して) **歩行者**(walker);徒歩旅行者 ‖ This path is for *pedestrians* only. ここは歩行者専用道路です.
——形 **1**《比較変化しない》[名詞の前で] **a 歩行の, 徒歩の. b** 歩行者専用の ‖ a *pedestrian* bridge (横断)歩道橋《◆英米ではふつうみられない》/ a *pedestrian* crossing 横断歩道《米》crosswalk》《◆《米》掲示》では Ped Xing.《英》では zebra crossing ともいう》/ a *pedestrian* precinct [street] 歩行者天国 / Right of Way for *Pedestrians*《掲示》歩行者優先. **2**《正式》《文体などが》散文調の;平凡な ‖ a *pedestrian* style of writing 単調な書き方.

pe·di·at·ric,《英》**pae·di·-** /pìːdiǽtrik/ 形 小児科の.

pe·di·a·tri·cian,《英》**pae·di·--** /pìːdiətríʃən, +) pèdi-/ Ⓒ 小児科医.

pe·di·at·rics,《英》**pae·di·--** /pìːdiǽtriks/ 名 Ⓤ《医学》[通例単数扱い] 小児科学.

†**ped·i·cure** /pédikjùər/ 名 **1 a** Ⓤ 足の(たこ·まめなどの)治療. **b** Ⓒ 足の専門医. **2** Ⓤ Ⓒ 足の指やつめの手入れ, ペディキュア(cf. manicure).

†**ped·i·gree** /pédigrìː/ 名《正式》**1** Ⓒ 系図 ‖ a family *pedigree* 家の系図. **2** Ⓒ (純血種の家畜の)血統書. **3** Ⓤ Ⓒ 家系, 血統;由緒ある家柄. **4** Ⓤ 起源, 由来;語源.

ped·i·ment /pédimənt/ 名 Ⓒ《建築》ペディメント《古代建築の三角形の切妻壁. それに似た装飾》.

pe·dom·e·ter /pidάmətər│-dɔ́m-/ 名 Ⓒ 歩数計, 万歩計.

pee /píː/《略式》動 自他 (…に)おしっこする ‖ Do you need to *pee*?(親が子に)おしっこしたいの?/ He *peed* his pants. 彼はパンツにおしっこをもらした.
——名 Ⓤ [または a ~] おしっこ(をすること) ‖ go for [have, take] a *pee* おしっこに行く.

†**peek** /píːk/《略式》動 自 […を/…を越して/…を通して] そっと[ちらっと]のぞく(+ *in*, *out*)(*at*/*over*/*through*). ——名 Ⓒ [a ~] のぞき見, かいま見 ‖ take [have] a *peek* at the answers 答えを盗み見する.

†**peel** /píːl/ (同音) peal) 動 他 **1**〈人が〉〈果物などの〉皮をむく; [peel A from B; peel B for A] A〈人〉に B〈果物などの皮をむいてくる《◆主に手でむくのが peel. ナイフなどでむくのが pare. cf. skin》(→ cook 他 1 関連) ‖ He *peeled* a banana to eat it. 彼はバナナを食べようと皮をむいた / *peel* him an orange = *peel* an orange *for* him 彼にオレンジの皮をむいてあげる. **2**〈皮·添付物などを〉[…から]はがす[*off*, *from*) ‖ *peel* the label *off* [*from*] the bottle びんからラベルをはがす.
——自 **1**〈果物の皮が〉むける ‖ Bananas *peel* easily. バナナの皮はむきやすい. **2** [通例 be ~ing]〈皮膚·塗装·壁などが〉(パラパラと)むける, はがれる(+*away*, *off*) ‖ My sunburnt skin is beginning to *peel*. 私の日焼けした皮膚がむけだしている.
——名 Ⓤ Ⓒ (果物などの)皮, むいた皮《◆ふつう食べる前に皮をむく野菜, 果物に用いる: tomato skin [ˣ*peel*]》‖ Bananas have yellow *peels*. バナナの皮は黄色だ / (candied) lemon *peel* (砂糖漬けの)レモンの皮.

peel·ing /píːliŋ/ 名 [通例 ~s] (ジャガイモ·果物などの)むいた皮.

†**peep**¹ /píːp/ 動 自 **1**〈人が〉のぞき見する, […に/…を越しに]こっそり見る(*at*/*over*) ‖ *peep* around the corner 角から盗み見する / *peep* through the curtains カーテンの間からのぞき見する / *peep at* the answers at the back of the book 本の後ろの解答をちらっと見る. **2 a**〈花·星などが〉(次第に)出て来る, 姿を現す(+*out*) ‖ Stars *peeped* through the clouds. 星が雲間からのぞいた. **b**〈性質などが〉(自然に)現れる.
——名 **1** [通例 a ~] のぞき見, 盗み見;ちらっと見ること ‖ get *a peep at* one's neighbor's cards 隣の人のトランプを盗み見る / take *a peep* into the room 部屋をのぞきこむ. **2**《正式》[the ~] 始め, 出現(beginning) ‖ at the *peep* of dawn [day] 夜明けに.

péeping Tóm [時に P~] のぞき見する人, のぞき魔《◆重税に抗議するため裸で馬に乗った Godiva 夫人を Tom がのぞき見たということから》.

péep shòw のぞきからくり;卑猥(ﾜｲ)なショー.

peep² /píːp/ 名 © 1 (小鳥・ネズミ・警笛などのかん高い)ピーピー[チューチュー]という声[音]. 2 (略式)[通例否定文で; a ~] 小言, 泣き言, 不平; 消息, うわさ. 3 (略式)警笛. 4 (略式)[否定文で; a ~] 音, ひと言.
——動 ⓐ 1 (略式) ピーピー[チューチュー]鳴く. 2 小声で言う.

pee-pee /píːpìː/ 名 Ⓤ (小児語) おしっこ.

peep·er /píːpər/ 名 © 1 のぞき見する人. 2 (略式)[通例 ~s] 目.

peep·hole /píːphòul/ 名 © (ドアなどの)のぞき穴.

†**peer¹** /píər/ (同音 pier) 動 ⓐ 1 〈人が〉(よく見えないというふうに)〔…を/…の中を〕じっと見る, 見つめる〔at/into〕‖ *peer* (out) *into* the darkness 暗やみに目をこらす / *peer at* the small writing 小さい字を(読もうと)じっと見つめる. 2 〈太陽などが〉(次第に)現れる, 出てくる.

†**peer²** /píər/ 名 © 1 貴族《◆(1) 女性形は peeress. (2) peers of the realm ともいう. 五階級については → duke 関連》‖ a hereditary *peer* 世襲貴族. 2 (英) 上院議員. 3 (正式)(地位・年齢・能力などが)同等の人, 匹敵する人; 同僚, 仲間 ‖ be withòut a *péer* = hàve no *péer* 並ぶ者がいない, 断然優れている / A child picks up language from his *peers*. 子供は友だちから言葉を覚える.
péer gròup 〖社会・言語〗 同輩[仲間]集団.
péer prèssure 〖社会〗 同輩集団圧力《服装・行動など同輩仲間から受ける心理的プレッシャー》.

†**peer·age** /píərɪdʒ/ 名 1 Ⓤ [集合名詞; 単数・複数扱い] 貴族, 貴族階級, 貴族社会. 2 Ⓤ 貴族の地位, 爵位. 3 © 貴族名鑑.

peer·ess /píərəs/ /píərès/ 名 © 貴族の夫人; 有爵婦人《◆男性形は peer》.

†**peer·less** /píərləs/ 形 (文) 比類のない, 無双の.

†**pee·vish** /píːvɪʃ/ 形 気難しい, 怒りっぽい; 不平を言う.
pée·vish·ly 副 気難しそうに, いらだって.

†**peg** /pég/ 名 © 1 (木製または金属製の)留めくぎ; 掛けくぎ; (テントの)くい(tent peg); (土地の境界を示す)くい; (たるの)栓 ‖ a coat *peg* コート掛け / He put his hat on the *peg*. 彼は帽子を掛けくぎに掛けた. 2 (弦楽器の)ねじ, 糸巻き. 3 (英) 洗濯ばさみ(clothes peg, (米) clothespin). 4 (略式) (評価の)段階, 等級 ‖ come down a *peg* (or two) 評価が一段下がる. 5 口実; 理由, きっかけ ‖ a *peg* (on which) to hang a good habit よい習慣を始めるきっかけ. 6 =peg leg. 7 (英やや略式) ハイ ボール. 8 (略式) (野球) (すばやい)送球.
off the pég (主に英略式) 〈服が〉出来合いで ‖ buy a suit *off the peg* 既製服を買う.
tàke [bring] A dówn a pég (or twò) (略式) 〈人〉をやりこめる.
——動 (過去・過分) pegged/-d/; peg·ging 他 1 〈人がまたは物を〉くぎで留める, くいで留める(+*down, in, out*); …にくぎ[くい]を打つ. 2 …にくいでしるしをつける[区画する](+*out*). 3 (英) 〈洗濯物を〉洗濯ばさみでとめて干す(+*out, up*). 4 (略式) 〈価格などを〉くぎづけにする, 一定にする(+*down*). 5 〈事を〉〔事に〕連動させる(*to*) ‖ *peg* Asian currencies *to* the US dollar アジアの通貨を米ドルと連動させる. 6 (略式) 〈石・球〉を投げる; [野球] 〈走者〉を刺す. 7 (米) 〈人〉を〔…と〕みなす, 分類する(*as*).
pég awáy at A (略式) 〈仕事などを〉せっせとやる.
pég dówn [他] (1) → ⓗ **1, 4**. (2) ⓗ 〈人〉を〔…に〕拘束する(*to*).
pég óut [自] (英略式) 意識を失う; 死ぬ(die); 〈物〉が尽きる; 〈機械が〉動かなくなる. ——[他] → ⓗ **2, 3**.

pég lèg (古略式) (木製の)義足; 義足をつけた人; 脚(leg).

Peg·a·sus /pégəsəs/ 名 1 〖ギリシア神話〗ペガソス, 天馬《英雄 Perseus が Medusa を殺したときその血から生まれ出たといわれる翼のある馬》. 2 〖天文〗 ペガスス座《北天の星座》.

Peg·gy /pégi/ 名 ペギー《女の名. Margaret の愛称》.

Pe·kin /píːkɪn/ ≒ 名 1 © 〖鳥〗 ペキンダック. 2 [p~] Ⓤ ペキン絹.

†**Pe·king** /píːkíŋ/ ≒ 名 =Beijing.
Péking mán 〖人類〗 北京(ペキン)原人.

Pe·king·ese /pìːkɪŋíːz/ ≒ 名 (複 Pe·king·ese) 1 © ペキン(生まれ)の人. 2 Ⓤ ペキン官話 [方言] 3 © 〖動〗 =Pekingese dog.
Pekingése dòg ペキニーズ《小型の愛玩(がん)犬》.

pe·lag·ic /pəlædʒɪk/ 形 (正式) 遠洋の, 外洋の.

pel·ar·go·ni·um /pèləɾɡóʊniəm | pèləɡóʊniəm/ 名 © 〖植〗 ゼラニウム(geranium).

pel·i·can /pélɪkən/ 名 (複 ~s, pel·i·can) © 1 〖鳥〗 ペリカン. 2 =pelican crossing.
pélican cróssing 〖*pedestrian light controlled crossing* の変形〗(英) 押しボタン式横断歩道(→crossing 関連).
Pélican Státe (愛称) [the ~] ペリカン州(→ Louisiana).

†**pel·let** /pélɪt/ 名 © 1 (紙・パンなどを丸めた)小球; (主に英) 小丸薬(pill). 2 小弾丸; 散弾.

pell-mell, pell·mell /pélmél/ 副 (今はまれ) 形 1 めちゃくちゃに[な], 乱雑に[な]. 2 あわてふためいて[た], 向こう見ずに[な].

pel·met /pélmɪt/ 名 © (英) (カーテンの)金具隠し《(米) valance》.

Pel·o·pon·ne·sus, -sos /pèləpəníːsəs/ 名 [the ~] ペロポネソス半島《ギリシア南部の半島》.

†**pelt¹** /pélt/ 動 他 〈人〉に〔石などを〕(続けざまに)投げつける〔*with*〕, 〈石などを〉〔…に〕投げつける〔*at*〕; 〈人〉に〔質問などを〕浴びせる〔*with*〕‖ *pelt* stones *at* a dog = *pelt* a dog *with* stones 犬に石を投げつける / *pelt* her *with* questions 彼女に質問を浴びせる. 2 〈雨などが〉…を強く打つ; 〈雨などを〉激しく降らせる. ——ⓐ 1 〔…に〕(石などを)投げつける〔*at*〕. 2 (略式) 〈雨などが〉激しく降る(+*down*); [主に英] [it is ~ing] 〔雨が〕激しく降る〔*with*〕‖ It is *pelting* down *with* rain. =Rain is *pelting down*. どしゃ降りです. 3 (略式) 速く走る(+*along*).
——名 1 Ⓤ 投げつけること; 強打. 2 © どしゃ降り.
(at) fúll pélt (略式) 全速力で.

pelt² /pélt/ 名 © (ヒツジなどの毛のついたままの)生皮; なめしていない毛皮; 毛皮の衣服《◆その毛は fur, なめし皮は leather》.

pel·vic /pélvɪk/ 形 〖解剖・動〗 骨盤の.

pel·vis /pélvɪs/ 名 (複 ~·es, -ves/-viːz/) © 〖解剖・動〗 骨盤 ‖ the *pelvis* major [minor] 大[小]骨盤.

pem·(m)i·can /pémɪkən/ 名 Ⓤ ペミカン《北米先住民の携帯食》.

★**pen¹** /pén/ 〖「羽」が原義〗
——名 (複 ~s/-z/) 1 © [しばしば複合語で] ペン《◆広く万年筆・ボールペン・羽根ペン(quill) などもさす. ボールペンを特に ball-point pen, (英) biro ともいう. 「ペン先」は pen point, nib》; Ⓤ ペン書き ‖ write 「*with a pen* [*in pen*] ペンで書く《◆ *with* は道具(ペンを使って), *in* は媒体(青・赤などのペンで)を表す. write *with* [*in*] *pen* and ink ともいう》.

pen

関連 [いろいろな種類の pen]
ball-point pen ボールペン / felt-tip [felt-tipped] pen サインペン / fountain pen 万年筆 / highlight pen 蛍光ペン(highlighter).

2 〖通例 the/one's ~；比喩的に〗ペン, 文筆(業) ‖ She lives [makes her living] by *her pen*. 彼女は文筆で暮らしている(=She is a writer.) / *The pen is mightier than the sword.* 〘ことわざ〙 ペンは剣よりも強し；「文は武よりも強し」.
pùt [sét] pén to páper (正式) =**táke úp** one's **pén** 筆を執る.
──動 (過去・過分) penned/-d/; pen・ning (他) (正式) **1** 〘おおげさに〙〈手紙などを〉書く(write), 〈詩文などを〉作る(make).
pén nàme ペンネーム, 筆名, 雅名.
pén pàl (主に米) ペンフレンド((英) pen-friend).
pén pòint ペン先.

†**pen²** /pén/ 〖名〗 C 〘しばしば複合語で〙 **1** 〈家畜などを入れる小さな〉おり, 囲い(→ cote); 〘集合名詞〙 おりの中の動物 ‖ a sheep-*pen* 羊小屋. **2** 小さな囲い, 貯蔵.
──動 (過去・過分) penned or pent/pént/; pen・ning (他) (正式) **1** 〈動物・人〉を狭い所〖おり〗に入れる, 閉じ込める(+*up, in*). **2** 〈感情など〉を抑える(control) (+*up*).

pen³ /pén/ 〖名〗 C 〖鳥〗 雌のハクチョウ(cf. cob).
PEN International Association of Poets, Playwrights, Editors, Essayists, and Novelists 国際ペンクラブ.
pen., Pen. peninsula.
†**pe・nal** /píːml/ 〖形〗 **1** 〖法律〗 刑の, 刑罰の；刑事上の, 刑法の；罰を受けるべき ‖ *penal* laws 刑法 / a *penal* charge 罰金. **2** (正式) 非常に厳しい.
pe・nal・ize /píːməlàɪz/ 〖動〗 (他) **1** 〈人が〉〈人〉を不利な立場にやる. **2** 〈人・行為〉を罰する(punish)；(試験で)〈人〉を減点する. **3** 〖スポーツ〗 〈人・行為〉にペナルティを課する.
†**pen・al・ty** /pénlti/ 〖名〗 CU **1** [...に対する]刑罰, 処罰[*for*] ‖ the death *penalty* 死刑 / a *penalty* of five years' imprisonment 5年間の禁固刑 / The *penalty* for theft is usually a jail term. 窃盗に科される刑はふつう入獄である. **2** 罰金, 科料, 違約金 ‖ a *penalty* of $20 for speeding スピード違反に対する20ドルの反則金 / pay the *penalty* of ... ...の罰金を払う；...の報いを受ける(→ **3**). **3** (正式) 罰, 報い；不利, 損失. **4** 〖スポーツ〗 (反則に対する)罰, ペナルティ；(前回の勝者などの)ハンディキャップ.
on [ùnder] pénalty of A (正式) 違反すればAなどの処置を受けるという条件で.
pénalty àrea 〖サッカー〗 ペナルティエリア.
pénalty bòx 〖ホッケー〗 反則者席, ペナルティボックス；〖サッカー〗 =penalty area.
pénalty clàuse 〖法律〗 違約[罰則]条項.
pénalty gòal 〖サッカー・ラグビー〗 ペナルティゴール 《◆単に penalty ともいう》.
pénalty kìck 〖サッカー・ラグビー〗 ペナルティキック.
pénalty shòot-out (英) 〖サッカー〗 PK戦.
†**pen・ance** /pénəns/ 〖名〗 **1** U 〖宗教〗 ざんげ, 罪滅ぼし；(罪滅ぼしの)苦行, 難行 ‖ in *penance* for ... ...の償いとして. **2** U 〖カトリック・ギリシャ正教〗 告解[改悔(ぎ*)](の秘跡).
Pe・na・tes /pənéɪtiːz | pénáːteɪz/ 〖名〗 〖ローマ神話〗 ペナテス 《家庭の守護神》.
†**pence** /péns/ 〖名〗 ペンス 《penny **1** の複数形》.

penetrate

:**pen・cil** /pénsl/ 〖〖「小さい尾」が原義〗〗
──〖名〗 (複 ~s/-z/) C 〖鉛筆〗 ‖ *pencil* and paper 紙と鉛筆 / Please write your name in *pencil*. あなたの名前を鉛筆で書いてください / sharpen a *pencil* 鉛筆を削る 《◆sharp *pencil* は「とがった鉛筆」の意.「シャープペン(シル)」は mechanical pencil という》. **事情** [米国式の硬度の表記] number one: B, 2B, 3B / number two: F, HB / number three: H, 2H / number four: 3H, 4H. **2** C 鉛筆形のもの；まゆ墨, 口紅. **3** C 〖光学〗 光束.
──〖動〗 (過去・過分) ~ed or (英) pen・cilled/-d/; ~ing or (英) ~cil・ling (他) **1** 〈輪郭などを〉鉛筆で書く, 描く(+*in*) ‖ *pencil* (in) an outline for a painting 絵の輪郭を描く. **2** 〈まゆ〉を(まゆ墨で)描く.
péncil bòx [càse] 筆箱, 鉛筆入れ.
péncil shàrpener 鉛筆削り.
†**pen・dant** /péndənt/ 〖名〗 **1** ペンダント, 下げ飾り《首飾り・耳飾りなど》. **2** 〖建築〗 釣束(?*)；(丸天井などからの)つり飾り.
†**pen・dent** /péndənt/ 〖形〗 **1** (文) 垂れ[ぶら]さがった(dangling) ‖ *pendent* branches 垂れ下がった枝. **2** (文) 張り出している ‖ *pendent* cliffs 張り出した岩.
†**pend・ing** /péndɪŋ/ 〖形〗 (正式) **1** 未解決の, 未定の. **2** 〈事が〉起ころうとしている ‖ *pending* dangers 差し迫った危険. ──〖前〗 ...まで(till) ‖ *pending* the judge's decision 裁判官の判決まで.

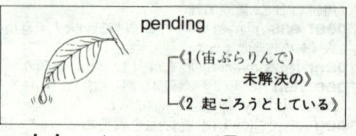

pending
〈1 (宙ぶらりんで)
未解決の〉
〈2 起ころうとしている〉

pen・du・lous /péndʒələs | -dju-/ 〖形〗 (正式) 〈鳥の巣・花などが〉ぶらさがっている；ぶらぶら揺れる.
†**pen・du・lum** /péndʒələm | -dju-/ 〖名〗 C (時計の)振り子. ***the swing of the péndulum*** 振り子の動き；(世論・人心などの)変化, 大揺れ；(政党などの)勢力移動.
Pe・nel・o・pe /pənéləpi/ 〖名〗 **1** 〖ギリシャ神話〗 ペネロペ 《Odysseus の貞節な妻》. **2** C 貞節な妻, 貞女.
pe・nes /píːniːz/ 〖名〗 penis の複数形.
pen・e・tra・ble /pénətrəbl/ 〖形〗 (正式) **1** 入り込める, 貫通[浸透]できる. **2** 見抜かれる, 看破できる.
†**pen・e・trate** /pénətrèɪt/ 〖動〗 (他) **1** 〈弾丸・光などが〉〈物などを〉貫通する, 貫く, 通る《◆go through より堅い語》 ‖ *penetrate* the enemy's defenses 敵の防壁を突破する / The bullet *penetrated* his arm. 弾丸は彼の腕を貫通した / Her voice *penetrated* the silence. 彼女の声が沈黙を破った. **2 a** 〈液体・においなどが〉〈物・場所などに〉しみ込む, 広がる；〈思想などが〉〈人の心などに〉浸透する；〈人が〉〈相手の領域に〉入り込む, 潜入する ‖ Her whole being is *penetrated* with the precepts of Christianity. 彼女の骨の髄までキリスト教が浸透している / They often *penetrated* our territory. 彼らはしばしば我々の領域に入り込んだ. **b** [be ~d] 〈人・場所などが〉〈感動・恐怖などで〉いっぱいになる[*with*]. **3** 〈目やくやみなどを〉見通す；(略式) 〈人が〉〈秘密・偽装などを〉見抜く, 見破る, 理解する ‖ I finally *penetrated* the meaning of the riddle. ついにそのなぞの意味が解けた.
──(自) **1** 〈物が〉[...を]貫く〔*through*〕；〔...の中へ/...

pen・e・trat・ing /pénətrèitiŋ/ 形 **1**《弾丸・光などが》貫通する；《声などが》よく通る ∥ a *penetrating* voice (かん高くてよく通る声). **2**《見る目が鋭い》∥ give her a *penetrating* glance 鋭い目つきで彼女を見る. **3** 洞察力のある ∥ a *penetrating* intellect 明敏な知性. **4**《寒さなどが身にしみる》.

pén・e・tràt・ing・ly 副 洞察力に富んで.

pen・e・tra・tion /pènətréiʃən/ 名 **U** **1** 貫通(力)；浸透(力)；透徹(力)；(敵陣などの)突破. **2**《正式》頭の鋭さ, 洞察力.

pen・e・tra・tive /pénətrèitiv, -trə-/ 形 **1** 貫通[浸入, 浸透]力のある. **2** 鋭敏な, 洞察力のある.

†**pen-friend** /pénfrènd/ 名 C《英》ペンフレンド, 文通友だち(《主に米》pen pal).

†**pen・guin** /péŋgwin/ 名 C 〔鳥〕ペンギン.

pen・hold・er /pénhòuldər/ 名 C ペン軸, ペン立て, ペン掛け.

pen・i・cil・lin /pènəsílin/ 名 U〔薬学〕ペニシリン.

pen・i・cil・li・um /pènəsíliəm/ 名 (複 ~s, -li・a /-liə/) U 青カビ.

†**pen・in・su・la** /pəninsələ, -ʃələ | -sjulə, -ʃulə/ 名 C **1** [固有名詞の一部のときは P~] 半島(略 pen., Pen.) ∥ the Florida *Peninsula* フロリダ半島. **2** [the P~] イベリア半島.

†**pen・in・su・lar** /pəninsələr, -ʃə- | -sju-, -ʃu-/ 形 **1** 半島(状)の. **2** [P~] イベリア半島の.

pe・nis /pí:nis/ 名 (複 **pe・nes** /-ni:z/, ~・es) C〔解剖〕ペニス, 陰茎.

pen・i・tence /pénətəns/ 名 U《正式》(罪に対する)悔い改め, 後悔, ざんげ(for).

†**pen・i・tent** /pénətənt/ 形《正式》(罪を)悔い改めた, 後悔している(for). — 名 C 罪を悔いる人, 悔悟者.

pen・i・ten・tial /pènəténʃəl/ 形《正式》悔い改めの, 悔悟の, ざんげの.

†**pen・i・ten・tia・ry** /pènəténʃəri/ 名 C《米》州[連邦]刑務所.《英》感化院.

pen・knife /pénnàif/ 名 (複 ~・knives) C 懐中ナイフ.

pen・light /pénlàit/ 名 C (万年筆形の)懐中電灯.

pen・man /pénmən/ 名 (複 ~・men) C **1** 字の上手な人, 能書家((PC) calligrapher). **2** 筆記者, 書記((PC) scribe). **3** 作家, 文人((PC) writer).

pen・man・ship /pénmənʃìp/ 名 U《正式》書法, 習字；筆跡.

Penn /pén/ 名 ペン《William ~, 1644-1718；英国のクェーカー教徒. 米国 Pennsylvania の創建者》.

Penn., Penna. 略 Pennsylvania.

†**pen・nant** /pénənt/ 名 C **1**〔海事〕(細長い)三角旗, 短索；《英》pendant ∥ the broad *pennant* 副艦長旗. **2** 校旗(school banner). **3**《米》優勝旗, ペナント ∥ a *pennant* race (野球の)ペナントレース / clinch [win] the *pennant* 優勝する.

†**pen・ni・less** /pénilès/ 形 ひどく貧乏な；(一時的に)まったく金がない《◆ poor よりも強意的》.

pen・non /pénən/ 名 **1**〔歴史〕(三角形・燕尾(えんび)形の)槍(やり)旗. **2**《正式》(一般に)旗.

†**Penn・syl・va・nia** /pènsəlvéiniə | -njə/ 名 ペンシルベニア《米国東部の州. 州都 Harrisburg. 愛称 the Keystone [Coal] State. 略 Pa., Penn(a)., 〔郵便〕 PA》.

Pennsylvánia Ávenue ペンシルベニア通り《大統領官邸などのある Washington の官庁街. 1600 Pennsylvania Avenue は米国大統領官邸をさす》.

Pennsylvánia Dútch [the ~；複数扱い] (1) ドイツ系ペンシルベニア人《17-18世紀に Pennsylvania 東部に移住したドイツ人の子孫》. (2) ペンシルベニア(で話される)英語まじりのドイツ語方言.

†**pen・ny** /péni/ 名 (複 **1** は **pence** /péns/, **2, 3** は **pen・nies** /-z/) C **1** ペニー, ペンス《英国の貨幣単位. → 事情》∥ This pen costs 50 *pence* [*pennies*]. このペンは50ペンスする / A *penny* saved is a *penny* earned [*gained*].《ことわざ》節約した1ペニーはもうけた1ペニーと同じ / In for a *pénny*, in for a *póund*.《ことわざ》やりかけたことは(どんなに金[時間]がかかっても)必ずやり通せ；毒を食らわば皿まで《◆元は「ペニーを手に入れることを始めた以上ポンドも手に入れよ」の意から》.

事情 【英国の貨幣単位】
(1) 100ペンスが1ポンド(pound)(→ **coin**)；略 p《◆昔は半ペニーも使用されていた》： 12p《発音は /pí:/》＝twelve pence 12ペンス.
(2) 1971年以前は, 12ペンスが1シリング(shilling), 20シリングが1ポンドだった. この「旧ペンス」の略は d.：5s 7d ＝5/7 5シリング7ペンス《five shillings (and) sevenpence, または five (and) seven と読む》.

語法 かつては twopence (2ペンス)から elevenpence (11ペンス)までと twentypence (20ペンス)は1語でつづり, /-pəns/ と発音されたが, 今は2語またはハイフン(-)でつなぎ, /-péns/ と発音するのがふつう.

2 ペニー(銅)貨(《略式》copper) ∥ change a pound note into *pennies* 1ポンド札を1ペニー貨にくずす / Please give me five *pennies* for five pence. 5ペンス貨を1ペニー貨5個に換えてください《◆貨幣の枚数は pennies, 貨幣の額は pence [*pences*] で表す》.

3《米国・カナダの》1セント硬貨, ペニー硬貨(→ **coin** 事情). **4** [a ~] **a**《否定文で》小銭；わずかな量[額] ∥ turn [make, earn] an honest *penny* [shilling] まじめに働いていくらかの金をかせぐ / I don't have a *penny* (to my name). 一文なしだ, ひどい貧乏だ / not worth a *penny* 1文[少し]の価値もない. **b** 金, 金額 ∥ (cost) a pretty *penny*《略式》かなりの金額(がかかる).

twó [**tén**] (**for**) **a pénny**《英》安物, ありふれた物(《略式》a dime a dozen).

-pen・ny /-pəni/ 接尾語素 → 語要素一覧(1.7).

pen・ny-an・te /péniænti/ 形《米俗》ちっぽけな, 取るに足らない.

pen・ny・roy・al /pènirɔ́iəl/ 名 **1** C〔植〕**a** メグサハッカ《欧州産》. **b** (北米産のハッカの一種). **2** U ハッカ油.

pen・ny・weight /péniwèit/ 名 U C ペニーウェイト《英国の金衡単位. ＝24 grains, 1/20 ounce (1.555g). 略 pwt.》.

pen・ny・worth /péniwə̀:rθ | pénəθ, pèniwə́:θ/ 名 C《英》**1** [a ~；否定文で] 少量, 僅少(きんしょう) ∥ not a *pennyworth* 少しも~ない. **2** 取引(高)；買物 ∥ a good [bad] *pennyworth* 有利[不利]な取引[買物](《略式》では penn'orth /pénəθ/).

†**pen・sion**[1] /pénʃən/ 名 C 年金, 恩給, 扶助料 ∥ an old-age *pension* 老齢年金 / get [receive, col-

lect] one's *pension* 年金を受け取る / retire on (a) *pension* 年金がついて退職する.
── 動 他 〈人〉に年金[恩給]を与える.

pen·sion[2] /pɑːnsjóun | pɑ́ːnsjɔn, pɔ́ːŋ-/ 《フランス》名 C (ヨーロッパ大陸のまかないつきの)下宿屋, ペンション.

†**pen·sion·er** /pénʃənɚ/ 名 C 年金[恩給]受給者.

†**pen·sive** /pénsɪv/ 形 《正式》物思いに沈んだ, 物思わしげな(thoughtful); 悲しげな, 哀愁をおびた.

pén·sive·ly 副 物思いに沈んで; 悲しげに.

pent /pént/ 動 pen[2] の過去形・過去分詞

pen·ta·cle /péntəkl/ 名 C 星形五角形《☆. 魔術の記号》.

pen·ta·gon /péntəgɑn | -gn, -gən/ 名 1 C 五角形. 2 [the P~] ペンタゴン《Virginia 州 Arlington にある米国防総省の五角形の建物》; 米国国防総省.

the Pentagon

pen·tág·o·nal /-tǽgənl/ 形 五角形の.

pen·ta·me·ter /pæntǽmətɚ/ 名 C 《詩学》(英詩の)5歩格(の詩); (特に)弱強5歩格.

Pen·ta·teuch /péntətjùːk/ 名 C 《旧約》[the ~](モーセ)五書《旧約聖書の初めの5巻. かつてモーセ作とされていた》.

pen·tath·lon /pentǽθlən, -lɑn | -lən, -lɔn/ 名 U [the ~] 5種競技(cf. decathlon) || the modern *pentathlon* 近代5種競技《フェンシング・馬術・射撃・陸上・水泳を1日1種ずつ行ない総合得点を競う》.

Pen·te·cost /péntəkɔ̀ːst/ 名 U 1 (主に米)《キリスト教》五旬祭[節], ペンテコステ, 聖霊降臨祭(の祝日) (Whitsunday)《Easter 後の第7日曜日の祭》. 2 《ユダヤ教》週の祭, ペンテコステ《過ぎ越しの祭(Passover) 後50日目の収穫祭》.

pent·house /pénthàus/ 名 C 1 (まれ) 差掛け小屋, 差掛け屋根. 2 屋上住宅[アパート]《ビルなどの屋上のテラス付き高級住宅》; (ビルの)最上階(の室), 塔屋.

Pen·ti·um /péntiəm/ 名 C 《商標》《コンピュータ》ペンティアム《Intel 社製のマイクロプロセッサー》.

pent-up /péntʌ́p/ 形 閉じ込められた, うっ積した.

pe·nu·ri·ous /pənjúəriəs|-njʊ́ər-/ 形 《正式》けちな; 非常に貧乏な; 欠乏した. **pe·nú·ri·ous·ly** 副 貧しく.

†**pen·u·ry** /pénjəri/ 名 U 《正式》貧乏, 貧窮(poverty); 欠乏.

pe·on /píːən, -ɑn | -ən, -ɔn; 2 ではまた pjúːn/ 名 C 1 (中南米の)日雇い労働者. 2 (インド・セイロンの現地人の)使い走り, 召使い.

pe·o·ny, **pae-** /píːəni/ 名 C 《植》シャクヤク, ボタン《多年生草木. 薬草》; =peony flower.

péony flòwer シャクヤク[ボタン]の花.

‡**peo·ple** /píːpl/《発音注意》
── 名
Ⅰ [人々]
1 [複数扱い] 人々《◆ persons よりくだけた語. 日常語では two *persons* より two *people* というのがふつう》 || Some *people* are officious. 人々の中にはせっかい好きな人がいる / The room was full of *people*. その部屋は人でいっぱいだった / This hall can hold 500 *people* [*persons*]. このホールは500人収容できる《◆ 500 *peoples* はふつう「500の民族[国民]」の意. → 3》.

使い分け [people, person, human]
people は「(一般的な)人」の意.
person は「(ある特定の)個人」の意.
human は「人間, 人類」の意.
I don't care what *people* [*persons*, *humans*] say about my decision. 私の決断に対して人が何と言おうとかまわない.
Mr. Smith is a very kind *person* [*people*, *human*]. スミスさんはとても親切な人です.
Humans [*Persons*] inhabit almost every part of the earth. 人間は地球のほとんどあらゆるところに住んでいる《◆ *people* はやや不自然》.

2 [複数扱い] **a** 世間の人々, 世人(they) || *People* will talk. 世間は口がうるさい / She's afraid of what *people* say. 彼女は世間のうわさを恐れている. **b** (動物と区別して)人間 || a disease affecting *people* 人間を冒す病気.

Ⅱ [ある集団に属する人々]
3 (微) ~s/-z/ C 《文》[単数・複数扱い] 国民(→ nation), 民族(race) 《◆ 文法 14.3(2)》 || primitive *peoples* 原始人 / the *peoples* of Europe ヨーロッパの諸国民 / the *people* of Scotland =Scottish *people* スコットランド人 / The Japanese are a hardworking *people*. 日本人は勤勉な国民だ.

4 [the または修飾語を伴って; 複数扱い] (ある集団・階級・職業などに属する) 人々; (一地方の)住民 || rich *people* 金持ち(=《文》the rich) / academic *people* 学究たち / the *people* of Oregon オレゴン州の住民.

5 [the ~; 複数扱い] 一般民衆, 人民; 選挙民 || a man of *the* (common) *people* 人民の味方[代弁者] / government of *the people*, by *the people*, for *the people* 人民の, 人民による, 人民のための政治《◆ Lincoln の Gettysburg Address より》.

6 [the ~; 複数扱い] 平民, 庶民 || He rose from *the people* to be a prime minister. 彼は平民から身を起こして首相になった. **7** 《文》[one's ~; 複数扱い] 臣民; 部下, 従者, 家来 || the king and *his people* 国王とその臣民. **8** (略式; 今はまれ) [one's ~; 複数扱い] 親族(relatives), 祖先(ancestors); 家族(family), 両親(parents) || be gathered to *one's people* 死ぬ《◆ die の遠回し表現》 / Her *people* are farmers. 彼女の一家は農業をしている.

of áll péople (1) [通例挿入的に] 人もあろうに. (2) [(代)名詞の後で] だれよりもまず….

── 動 他 《文》…に人を住まわせる, 植民する; …に〔人を〕住まわせる(with) || a thickly *peopled* district 人口稠(ちゅう)密な地域 / The tribes of Israel *peopled* the desert. イスラエルの部族は砂漠に入植した.

péople bàg (米略式)(レストランの)食べ残しを持ち帰るための袋(doggie bag).

†**pep** /pép/ 名 U (略式) 元気, 活力, 気力(vigor); full of *pep* 元気いっぱいの / I haven't much *pep* left for anything. もう何もする気力がない《◆ この場合, *pep* は haven't がふつう》.

── 動 (過去・過分) pepped/-t/; **pep·ping**) 他 …を元気づける, 活気づかせる(+*up*).

pép ràlly (米)(対外試合前に行なわれる)激励会, 壮行会.

pép tàlk (略式) 激励演説.

*__pep·per__ /pépər/

―[名] (複 ~s/-z/) **1** [U] **コショウ,** ペパー; [C] 〔植〕コショウ ‖ put [sprinkle] two dashes of *pepper* in the ramen ラーメンにコショウを2振りする. **2** [C] 〔植〕トウガラシ属の植物の総称; その実(capsicum).

> [関連] [いろいろな種類の pepper]
> black *pepper* 黒コショウ / Chinese [Japanese] *pepper* サンショウ / green [sweet] *pepper* ピーマン / red [cayenne] *pepper* トウガラシ; 赤ピーマン / white *pepper* 白コショウ.

―[動] [他] **1** …にコショウをかける. **2** 〈人〉に〔弾丸・非難などを〕浴びせる〔*with*〕; 〈顔〉に〔そばかすなどを〕散らばらせる〔*with*〕; 〈話など〉に〔辛辣(しんらつ)さなどを〕効かせる〔*with*〕 ‖ The wall was *peppered with* bullets. 壁一面に弾丸を受けた. **3** 〈人〉をひどく罰する; (米俗) 〈人〉を何度もなぐる.

pépper mill コショウひき.

pépper pòt (1) (英) コショウ入れ((主に米) pepperbox). (2) (コショウをきかせた) 西インド風シチュー.

pep·per·box /pépərbɑ̀ks | -bɔ̀ks/ [名] [C] (主に米) コショウ入れ((英) pepper pot).

pep·per·corn /pépərkɔ̀(ː)rn/ [名] [C] 干した(黒)コショウの実.

pep·per·mint /pépərmìnt/ [名] **1** [U] 〔植〕ペパーミント, セイヨウハッカ(peppermint tree)《強い芳香を有するシソ科の多年草》. **2** [U] =peppermint oil. **3** [C] ハッカ入りキャンディー. **péppermint òil** ハッカ油.

pep·per·o·ni /pèpəróuni/ [名] [U] ペパローニ《スライスしてピザの上にのせたりする香辛料のきいたソーセージ》.

pep·per·y /pépəri/ [形] **1** コショウの(きいた); ぴりっとする. **2** 短気な, 怒りっぽい. **3** 辛辣(しんらつ)な.

pep·sin /pépsin/ [名] [U] **1** 〔生化学〕ペプシン《胃液中にあるタンパク質分解酵素》. **2** ペプシン剤, 消化剤.

*__per__ /(弱) pər; (強) pə́ːr/ ([類音] par /pɑ́ːr/) 〖…によって(per)〗

―[前] **1** [無冠詞の単数名詞の前で] **…につき, …ごとに**《◆ 主に商業英語で用い, 日常英語では a が好まれる. [略] p.》 ‖ 20 pence *per* pound 1ポンドにつき20ペンス / 60 miles *per* hour 時速60マイル([略] 60 m.p.h.) / It costs 3 dollars *per* use. 1回使うたびに3ドルかかる / He earns $100 *per* week. 彼は週100ドルかせぐ(=… $100 a week). **2** **…によって,** …で, …を通じて(by) ‖ *per* rail [post, special delivery] 列車[郵便, 速達]で. **3** (略式) =as PER.

***às per* A** …に従って(according to) ‖ (*as*) *per* instructions [your request] 指示[ご要望]により《◆ as はしばしば略される》.

per cáp·i·ta /-kǽpətə/ (正式) 1人当たり(の), 頭割りで[の].

per cént =percent.

per dí·em /-díːəm | -dáiem/ (正式) 1日につき, 日割りで[の]; (出張中の生活費・雑費などに支払われる) 日当.

per héad 1人当たり.

†__per·ad·ven·ture__ /pə̀ːrədvéntʃər/ [副] (古) **1** たぶん, おそらく. **2** [if節, lest節で] 偶然に, ひょっとして.

per·am·bu·la·tor /pərǽmbjəlèitər/ [名] [C] (英正式) (4輪の)乳母車((英略式) pram; (米) baby carriage).

†__per·ceive__ /pərsíːv/ [動] [他] (正式)《◆ 進行形不可》**1** (感覚器官, 特に目によって)〈人が〉〈人・物・事〉を知覚する, 知る, [perceive **that**節] …であると気づく(be aware of, notice); [perceive **A** (to) do / (やや古) perceive **A** doing] 〈人が〉〈人・物〉が…する[…している]のに気づく ‖ I *perceive* [×am perceiving] a change in your attitude. 君の態度の変化に気がついているよ. **2** 〈人が〉〈物・事〉を理解する, さとる(understand); [perceive **that**節 / perceive **wh**句・節] …であると[…かを]理解する; [be perceived **to be** [do]] …である[する]と思われている ‖ I quickly *perceived* the joke. そのジョークがすぐにわかった / On seeing her, I *perceived* her *to be* a good woman. =On seeing her, I *perceived that* she was a good woman. 彼女に会ってみてすぐに善良な人だとわかった.

__per·cent__, (主に英) per cent /pərsént/ 〖100(cent)につき(per)〗 [派] percentage (名)

―[名] (複 ~; 4では ~s/-sénts/) **1** [C] **パーセント;** [形容詞的に] …パーセントの([記号] %; [略] p.c., (米) pct., per ct.) ‖ fifteen *percent* value-added tax 15%の付加価値税 / Twenty *percent* [×percents] of the pupils were absent. 生徒の2割が欠席した《◆(1)「100(cent)につき(per)」が原義であるため ×percents は不可. (2)「数詞 + percent of **A**」が主語の場合, 動詞の数は **A** の数に呼応する: Over eighty *percent* of the country is [×are] desert. その国の80パーセント以上は砂漠です》/ [ジョーク] "This latest model computer will cut your work by 50 *percent*." "That's great! I'll take two of them." 「この最新型コンピュータで仕事を50%減らせます」「それはすばらしい. 2台買おう」《◆2台あれば仕事の負担は0%に?》.

2 [U][C] (略式) 百分率(→ percentage **2** [語法]). **3** [C] (略式) 割合, 部分 ‖ A large *percent* of the wheat crop was damaged. 小麦の収穫の大部分は被害を受けた / Ninety *percent* of the students in our school go on to college. 本校の生徒の90%が大学に進学する. **4** (英) [~s] (…分)利付公債.

―[副] [数字の後で] …パーセントだけ[ほども] ‖ We are 100 *percent* in agreement with you. =We agree with you 100 *percent*. 私たちは全面的に君に賛成だ / The cost of living rose 0.7 *percent*. 生活費は0.7パーセント上昇した《zero point seven percent と読む》.

*__per·cent·age__ /pərséntidʒ/ [発音注意] 〖→ percent〗

―[名] (複 ~s/-iz/) **1** [U][C] [通例単数] **百分率,** パーセンテージ ‖ What [×How much] *percentage* of people die of cancer every year? 毎年何%の人が癌(がん)で死亡するのですか.

2 [通例 a ~] **割合,** 部分; 分け前([使い分け] → rate [名]**1**) ‖ Only *a* small *percentage* of the students were absent. 欠席したのはほんの少数の学生だった《◆ … percentage of **A** が主語の場合, 動詞の数は **A** の数に呼応するのがふつう》.

> [語法] 数詞のあとでは percent, per cent を使い, small, large, high などの数量形容詞のあとでは percentage を使うのが一般的であるが, (略式) では percent を両方に用いる.

3 [U] (パーセントで示す) 手数料, 利率, 割引. **4** [U] (略式) [通例否定文で] 利益; 得になること.

***There is no percéntage in* (doing) A** …しても得るところは何もない.

P

†**per·cep·ti·ble** /pərséptəbl/ 形《正式》**1** 知覚[感知, 認知]できる. **2** 知覚できるほどの, かなりの.

†**per·cep·ti·bly** /pərséptəbli/ 副 知覚[感知]できるほどに, かなり.

†**per·cep·tion** /pərsépʃən/ 名《正式》**1** ⒰⒞ 知覚(すること), 知覚力 ‖ a keen *perception* 鋭い直観力 / his *perception* of the danger 彼がその危険に気づいたこと / His *perception* of color is poor. 彼は色弱だ. **2** ⒰ 理解(力) ‖ […という]認識(that節) ‖ She had a clear *perception* of the problem. 彼女はその問題をはっきりと理解した(=She *perceived* the problem clearly.). **3** ⒞ 知覚[感知]されたもの.

percéption gáp 感じ方[認識]の違い.

per·cep·tive /pərséptiv/ 形《正式》**1** 知覚の; 知覚力のある. **2** 理解の鋭い, 洞察力のある; 〈事が〉[…に]よくわかっている[of]. **per·cép·tive·ly** 副 鋭敏に.

†**perch**¹ /pə́ːrtʃ/ 名 ⒞ **1 a** (特に設けられた鳥の)とまり木(の枝) ‖ take [alight on] one's *perch* 木にとまる. **b** 物を掛ける木くぎ, (織物を掛けて検査する)布掛け台. **2**《略式》(建物などの立つ)高い安全な場所, 高台; 居心地のよい席(seat); 高い地位 ‖ from their *perch* up on that cliff あの断崖の彼らのいる高台から / Come off your *perch*.《略式》お高くとまるのはやめろ.

knóck A óff A's pérch《略式》〈人〉を打ち負かす, 鼻柱を折る.

—動 ⒤ **1**〈鳥が〉(とまり木などに)とまる[on, upon] ‖ A pigeon *perched* on the TV antenna. 一羽のハトがテレビのアンテナにとまった. **2**〈高いいすなどに〉腰をかける, ひょいと座る[on, upon]. —他〈鳥・人などを〉(場所に)とまらせる;〈建物を〉(場所に)据える, 位置させる[on, upon].

perch² /pə́ːrtʃ/ 名(複 perch)⒞《魚》パーチ《ペルカ科の淡水魚》.

†**per·chance** /pərtʃǽns | -tʃɑ́ːns/ 副 **1**《古・文》おそらく, たぶん. **2** [if節, lest節で]偶然に.

per·co·late /pə́ːrkəleit/ 動 他《正式》〈液体などを〉[…で]濾過(ろか)する, しみ出させる[through];〈液体などが〉…にしみ通る, 浸透する. **2**〈コーヒーを〉パーコレーターで入れる. —⒤ **1**《正式》〈液体が〉[…に]しみ出る, 濾過される[through]. **2**〈コーヒーが〉出る.

pèr·co·lá·tion 名 ⒰⒞ 濾過, 浸透.

per·co·la·tor /pə́ːrkəleitər/ 名 ⒞ **1** パーコレーター《濾過(ろか)式コーヒーわかし》. **2** 濾過器.

per ct.(略)per cent.

per·cus·sion /pərkʌ́ʃən/ 名 **1** ⒰ (ふつう固い物の)衝突, 衝撃; 以て, 振動;《音楽》**a** ⒰ 打楽器の演奏. **b**〔集合的に; 単数・複数扱い〕打楽器; [the ~; 複数扱い]=percussion section. **3** ⒰《医学》打診(法).

percússion cáp《正式》雷管.

percússion instrument 打楽器.

percússion sèction (オーケストラの)打楽器部.

per·cús·sion·ist 名 ⒞《音楽》(オーケストラの)打楽器奏者.

†**per·di·tion** /pərdíʃən/ 名 ⒰《正式》**1**《遠回しに》(魂の)永遠の滅亡; 地獄(に落ちること)(hell).

†**per·emp·to·ry** /pərémptəri, 《英》 pə́rəmptəri/ 形《正式》**1**〈命令が有無を言わせぬ, 断固たる(final). **2**〈人・態度が〉横柄な, 独断的な; 命令的な.

†**per·en·ni·al** /pəréniəl/ 形《植》多年生の(cf. annual, biennial) ‖ a *perennial* plant 多年生植物.

pe·re·stroi·ka /pèrəstrɔ́ikə/《ロシア》名 ⒰ (政治・経済上の)改革, 刷新.

*****per·fect** 形名 pə́ːrfikt; 動 pərfékt/〖完全に (per)作られた(fect). cf. *defect*〗 派 perfection (名), perfectly (副)

—形 **1** 完全な, 申し分のない; 完全無欠な, すばらしい《◆究極の状態を示すので原則として比較変化しないが, 実際には more [most, near] perfect の連語はよく見られる. → unique》(↔ imperfect) ‖ the *perfect* crime 完全犯罪 / No one is *perfect*. 完全無欠な人間はいない / The spaceship made a *perfect* landing. 宇宙船は見事に着陸した / It could not have been a *more perfect* debut. これほど申し分のないデビューはあり得なかっただろう.

2〈物が〉全部そろっている(whole), 欠けていない ‖ a *perfect* set of china ひとそろいの磁器.

3〔…に〕最適の[for] ‖ a *perfect* day for a picnic ピクニックには最適の日.

4[通例名詞の前で]正確な, 寸分たがわぬ ‖ a *perfect* copy 原物通りの写し / draw a *perfect* circle 真円を描く.

5〈人が〉〔…に〕熟達した, すぐれた[in] ‖ a *perfect* marksman すぐれた射撃の名手.

6《略式》[名詞の前で] まったくの(utter) ‖ *perfect* nonsense まったくのたわごと / a *perfect* fool 大ばか / We were *perfect* strangers to each other. 我々は互いに赤の他人だった.

7〖文法〗[名詞の前で][しばしば the ~] 完了の ‖ the *perfect* tense 完了時制.

—名〖文法〗**1**[通例 the ~] 完了形[時制] ‖ the past *perfect* 過去完了. **2** 完了形の動詞形.

—動 /pərfékt/ (~s/-fékts/, 過去・過分 ~·ed /-id/; ~·ing)

—他《正式》**1**〈人が〉〈物・事を〉**完成する**, 仕上げる;〈事を〉完全にする ‖ *perfect* a plan 計画を完了する(=make a plan *perfect*) / She's in Seoul to *perfect* her Korean. 彼女は朝鮮語に最後のみがきをかけるためにソウルにいる.

2[~ oneself]〈人が〉〔仕事などに〕熟達する[習熟]する[in] ‖ He *perfected* himself *in* his job. 彼はすっかり仕事が身についた.

pérfect gáme〖野球〗完全試合; 〔ボウリング〕パーフェクト.

pérfect párticiple〖文法〗完了分詞《過去分詞のこと》.

*****per·fec·tion** /pərfékʃən/〖→ perfect〗

—名(複 ~s/-z/)**1** ⒰ 完全(なこと), 完璧(な); 完備 ‖ an idealist who「aims at [strives for] *perfection* 完全無欠を目指す[完璧さを求める]理想主義者.

2 ⒰《正式》完成, 仕上げ, 成就, 成熟; 熟達 ‖ Is it possible for us to reach [attain] *perfection*? 私たちが完璧の域に達することは可能ですか.

3 ⒰《正式》完成の域に達した人[物]; [通例 the ~]極致, 典型 ‖ the *perfection* of beauty 美の極致 / As an actor, he is *perfection* (itself). 俳優としては彼は完成している.

to perféction《正式》完全に, 申し分なく.

per·fec·tion·ist /pərfékʃənist/ 名 ⒞ **1** 完全論者. **2**《略式》完全主義者, 完璧主義者.

†**per·fect·ly** /pə́ːrfiktli/ 副 **1** 完全に, 申し分なく ‖ perform the part of Hamlet *perfectly* 見事にハムレットの役を演じる / This dress fits me *perfectly*. このドレスは私にぴったり合う. **2**《略式》まったく, すっかり ‖ You are *perfectly* correct. まったく君の言う通りだ / a *perfectly* good school record 申

し分のない学校の成績；《反語》けっこうな学校の成績.

per·fid·i·ous /pərfídiəs/ 形 《正式》不誠実な, 不実な；裏切りの.

per·fi·dy /pə́ːfədi/ 名 ⓊⒸ 《正式》不誠実, 不実；裏切り(行為), 背信 (treachery).

†**per·fo·rate** /pə́ːrfəreit/ 他 動 1 《正式》…に穴をあける, …を突き通す. 2 〈紙〉にミシン目をいれる. 3 〖医学〗〈腸壁など〉に穿孔(½ぅ)を生じさせる.

per·fo·ra·tion /pə̀ːrfəréiʃən/ 名 1 Ⓤ 穴をあけること, 穴あけ；貫通. 2 Ⓒ 〔しばしば ~s〕ミシン目, 打ち抜き穴.

*__per·form__ /pərfɔ́ːrm│pəfɔ́ːm/ 〖完全に(per)形作る(form). cf. inform〗 派 performance (名)
── 動 (~s/-z/; 過去·過分 ~ed/-d/; ~ing)
── 他 1 〈人·物·事が〉〈役などを〉演じる, 〈劇〉を上演する；〈曲·楽器〉を演奏する, 〈歌〉を歌う；〈芸当〉をする ‖ perform Hamlet in a play 劇でハムレットを演じる / a magician performing [who performs] tricks 奇術師.
2 〈人が〉〈仕事·儀式など〉を行なう, する (conduct)；〈義務·約束など〉を果たす, 成し遂げる (◆do, carry out より堅い語)‖ The doctor performed a difficult operation on him. その医者は彼に難しい手術を行なった / perform a ceremony 儀式を挙行する / perform a scientific experiment 科学実験をする / perform a duty 義務を果す / perform one's promise 約束を果たす.
── 自 1 演奏する, 演じる, 上演する ‖ perform before a large audience 大勢の聴衆の前で演奏する / perform skillfully 「on the horn [at the piano] ホルン[ピアノ]を見事に演奏する. 2 〈動物が〉芸をする ‖ a performing bear 芸をするクマ. 3 〈機械などが〉(調子よく)機能する, 動く；《略式》〈事をうまく〉成し遂げる, 行なう ‖ The rugby team performed very well in the match. あのラグビーチームの試合は見事だった.

perfórming árts 舞台芸術 《演劇·オペラ·バレエ·ダンスなど》.

per·fórm·a·ble /-əbl/ 形 実行[演奏]できる.

*__per·for·mance__ /pərfɔ́ːrməns│pəfɔ́ːməns/ 〖→perform〗
── 名 (複 ~s/-iz/) 1 Ⓒ 上演 (presentation), 演奏, 興行；演技；芸当；(人の仕事ぶり, できばえ, (テストなどの)成績；(事業·製品などの)収益 ‖ His performance of [as] Romeo was perfect. ロミオ役の彼の演技は申し分なかった / There are two performances on Saturday. 土曜日には2回興行がある / the pupil's poor performance at school その生徒の学校での成績不良.
2 Ⓤ 《正式》〔単数形で〕(義務などの)遂行, 実行, 履行 (doing)‖ the performance of one's duties 職務の遂行 / performance-based system 成果主義.
3 Ⓤ (機械などの)性能；(人の)遂行能力. 4 《略式》[a ~]面倒なこと[行動]；愚行；短気のふるまい ‖ What a performance! 何というやっかいな[時間と労力のいる]手続きだ, なんというばかなことを. 5 Ⓤ 〖言語〗言語運用 (↔competence).

perfórmance árt 〖芸術〗パフォーマンスアート《ダンス·音楽·絵·彫刻などの芸術表現形式を組み合わせた舞台上演方法》.

perfórmance páy 能力[業績]給 (◆performance-related pay ともいう).

†**per·form·er** /pərfɔ́ːrmər│pəfɔ́ːmə/ 名 Ⓒ 1 する(行なう)人, 実行者, 遂行者. 2 演奏者；役者, 俳優,

芸人；歌手；曲芸師. 3 名人, 名手.

*__per·fume__ /名 pə́ːrfjuːm, 《米+》pərfjúːm；動 pərfjúːm│pə́ːfjuːm/
── 名 (複 ~s/-z/) ⓊⒸ 1 (心地よい)かおり, におい, 芳香 (◆scent より堅い語)‖ the perfume of a flower 花のかおり. 2 香水, 香料 ‖ She dabbed perfume on her neck. 彼女は香水を首にたたいてつけた.
── 動 他 1 …に香水をつける. 2 《正式》〈花などが〉〈部屋など〉を芳香で満たす ‖ the air perfumed with musk じゃこうのかおりする空気.

per·fum·er·y /pərfjúːməri, 《米+》pə́ːr-/ 名 1 〔集合名詞〕香料[香水]類. 2 Ⓒ 香水, 3 Ⓒ 香料[香水]製造[販売]所. 4 Ⓤ 香料製造[販売]業.

†**per·func·to·ry** /pərfʌ́ŋktəri/ 形 《正式》1 〈言動が〉おざなりの；うわべだけの ‖ a perfunctory inspection 通り一遍の視察[調査]. 2 〈人が〉熱意のない.

per·go·la /pə́ːrgələ/ 名 Ⓒ パーゴラ 《ツルバラ·ツタなどをはわせた棚を屋根としたあずまや》；つる棚.

**per·haps /pərhǽps, 《略式》prǽps/ 〖偶然(haps)によって(per). 起こる確率が5割以下と考えられる確信のなさを示す〗
── 副 〔通例文全体を修飾〕 1 ひょっとしたら, ことによると, あるいは (maybe) (◆(1)話し手の確信度は probably, maybe, perhaps, possibly の順に低くなる. (2)文頭·文中·文尾のいずれにも用いられる)‖ Perhaps they will come soon. =They will perhaps come soon. =They will come soon, perhaps. 彼らはもしかするとまもなくやって来るかもしれない (=They may (possibly) come soon.) / Perhaps that's true. あるいはそれは本当かもしれない.

> 〖語法〗(1) 推定の may には perhaps の意はすでに含まれているので Perhaps that may be true. のようにいうのは冗語的であるが, ためらいの気持ちを表すためにしばしば用いられる. 他に推量の助動詞とよく一緒に用いられる副詞は下記の通り.
> 　could, might　→　possibly
> 　should　　　　→　probably
> 　will, must　　→　certainly
> (2) 語修飾として次の語句の確実性を弱めるためにも用いられる: It was perhaps inevitable. それはやむを得なかったのだろう / He came, perhaps to help me. 彼が来てくれた, たぶん私を助けるために.
> (3) 同種類の副詞を話し手の確信度によっておおまかに分類すると以下のようになる. a) 30%以下: possibly. b) 30%以上: perhaps. c) 35-50%: maybe. d) 65%以上: likely. e) 90%以上: probably, presumably, doubtless, definitely, unquestionably, certainly, undoubtedly.
> (4) この種の副詞は文全体を修飾する語なので疑問文や否定語の支配内, つまり後には用いない: ˣWill he perhaps come? / ˣHe won't perhaps come. (cf. Perhaps he won't come.).

2 〔質問を受けて〕おそらくそうでしょう ‖ 《対話》 "Will he come?" "Perhaps [Perháps nòt]." 「彼は来ますか」「おそらくね[おそらく来ないでしょうね]」.
3 〔遠回しに〕…のようだ；〔ていねいな依頼で〕できましたら 《◆表現をやわらげるのに用いう》‖ Perhaps you've put on a little weight. ちょっと太ったみたいですね / Perhaps you would be good enough to read this.（♪）できましたらこれを読んでいただけませんか (◆Would you be good …? とほぼ同じていねいな依

pe・ri /pírɪ/ 名 C 1 〔ペルシア神話〕ペリ《美しい妖(よう)精》. 2 妖精のような美女.

per・i・gee /pérɪdʒiː/ 名 C 〔天文〕〔通例 a/the ~〕近地点 (↔ apogee).

per・i・he・li・on /pèrɪhíːliən/ 名 (複 ~・li・a/-liə/) 〔天文〕〔通例 a/the ~〕近日点《惑星などが軌道上で太陽に最も近づく点》(↔ aphelion).

†**per・il** /pérəl/ 名 1 U (大きな,差し迫った)危険, 危難 (danger) ‖ She was *in peril* of her life. =Her life was *in peril*. 彼女は生命の危険にさらされた. 2 C 〔通例 ~s〕危険を招くもの,危険(物) ‖ the *perils* of the sea [ocean] 海の危険《嵐・難破など》/ The pioneers faced many *perils*. 開拓者たちは多くの危険に直面した.

at one's *péril* 危険を覚悟で;自分の責任で《◆相手に忠告する場合などに用いる》.

—— 動 (過去・過分) ~ed or (英) per・illed/-d/; ~・ing or (英) ~・il・ling 他 〔正式〕= imperil.

†**per・il・ous** /pérələs/ 形 危険な,危険に満ちた (dangerous) ‖ a *perilous* journey 危険な旅.
pér・il・ous・ness 名 U 危険,危険性.
per・il・ous・ly /pérələsli/ 副 〔正式〕危険なほどに.

pe・rim・e・ter /pərímətər/ 名 〔正式〕(平面図形・区画された土地などの)周囲[周辺](の長さ).

・**pe・ri・od** /pírɪəd/ 〔ひと回り (peri) の道 (od)〕

—— 名 (複 ~s/-ədz/) C

Ⅰ [期間]

1 期間,時期 (interval) ‖ *for a short* [*long*] *period* しばらくの[長い]間 / *for a period of* two months =for a two-month *period* 2か月間(=for two months).

2 〔the ~; しばしば複合語で〕(歴史上特色のある)時代(類語 age, era) ‖ the colonial *period* 植民地時代 / the Elizabethan *period* エリザベス女王時代 / the costume of the *period* その時代[現代]の服装.

3 (授業の)**時間** (lesson),時限;〔スポーツ〕ピリオド《試合の一区切り》;〔音楽〕楽節 ‖ the first *period* 第1時限 / We have one *period* of English today. 今日は英語の授業が1時間ある (=We have one English lesson today.) / In our school, one *period* is fifty minutes long. 私たちの学校では1時間は50分です / The lunch *period* is from twelve to one. 昼食時間は12時から1時です / What class do you have first *period* today? =What's your first-*period* class? 《略式》今日の1限は何の(授業)時間ですか.

【使い分け】**period と hour**
period は「(授業の順番か)…時間目」の意.
hour は「(ある授業の)時間」の意.
What do you have during the third *period* [×hour]? 3時間目は何ですか.
School *hours* [×*periods*] are from nine o'clock until five. 授業は9時から5時までです.

4 〔数学・物理・化学・天文〕周期. **5** 〔しばしば one's ~s〕月経(期間)《◆ menstrual *period* の遠回し語》‖ have one's *period* 生理中である (→ menstruate). **6** (病気・発達などの)段階,過程. **7** 〔地質〕紀 (→ era 名).

Ⅱ [期間の区切り]

8 (米)〔文法〕**終止符,ピリオド**; (英) full stop); 省略点;小数点. **9** 〔正式〕終わり,終結,最終段階 (end) ‖ *come to a period* 終わる / *put a period to* an argument 論争を終わらせる (=bring an argument to an end).

—— 間 [P~] 〔主に略式〕以上終わり《(主に英式) full stop)《◆発話・議論の完結を強調》‖ We aren't allowed to drink in public. Period. (╭) 私たちは人前で酒を飲むことは禁じられています.私が言いたいのはこれだけ《◆ …, period. とすることもある》.

périod píece (1) (小説・家具などの)時代物. (2) 〔略式〕時代遅れの人[物].

†**pe・ri・od・ic** /pìəriɑ́dɪk/ -5d- 形 **1 a 周期的な;断続的な. b** 〔まれ〕〈雑誌・出版物が〉定期的な (periodical). **2** 〔修辞〕掉尾(とうび)文の.

periódic táble 〔化学〕[the ~] 周期表.

†**pe・ri・od・i・cal** /pìəriɑ́dɪkl/ -5d- 形 定期刊行(物)の. —— 名 C (日刊以外の)定期刊行物,雑誌.

〔関連〕[いろいろな種類の定期刊行物]
annual, yearly 年刊 / biweekly, semiweekly 隔週刊 / daily 日刊 / monthly 月刊 / quarterly 季刊 / semi-monthly 月二回刊行 / weekly 週刊.

†**pe・ri・od・i・cal・ly** /pìəriɑ́dɪkəli/ -5d- 副 周期的に;定期的に;頻繁に.

pe・ri・o・dic・i・ty /pìəriədísəti/ 名 U 周期性,定期性;〔電気〕周波数.

per・i・pa・tet・ic /pèrɪpətétɪk/ 形 **1** [P~] 〔哲学〕逍遙(しょうよう)学派の,アリストテレスの《◆ Aristotle が Lyceum の園を逍遙しながら弟子に教えたから》‖ the *Peripatetic* school 逍遙学派. **2** 〔正式〕歩き回る(様の),(仕事で)渡り歩く,巡回する.

—— 名 C **1** [P~] 逍遙学派の人. **2** 歩き回る人;行商人;渡り鳥.

pe・riph・er・al /pərífərəl/ 形 **1** 〔正式〕〈地域などが〉周辺部にある (↔ central). **2** 核心から離れた;皮相的な,あまり重要でない. **3** 〔コンピュータ〕周辺装置の.

pe・riph・er・y /pərífəri/ 名 C 〔正式〕**1** 〔通例 the ~〕(物の)周囲,周辺. **2** (円などの)外周,円周.

per・i・phras・tic /pèrɪfrǽstɪk/ 形 **1** 〔正式〕遠回しの,回りくどい. **2** 〔文法〕迂(う)言的な ‖ *periphrastic* comparison 迂言的比較変化《more, most をつけて比較級・最上級を作る》.

per・i・scope /périskoʊp/ 名 C **1** (潜水艦の)潜望鏡,ペリスコープ. **2** 潜望鏡レンズ.

†**per・ish** /périʃ/ 動 自 **1** 〔正式〕(特に新聞などで)〈人・動物が〉(不慮の事故・災害・戦争などで)**死ぬ**,非業の死を遂げる《◆ die, be killed の遠回し語》‖ *perish* in battle 戦場に散る / *perish* by the sword 刃(やいば)にかかって死ぬ / be *perishing* with hunger [cold] 飢え[寒さ]で死にかかっている / Many people *perished* in the accident [from cholera]. その事故で[コレラで]多くの人命が失われた. **2** 〔主に英〕〈物(の質)が〉悪くなる,落ちる,損なわれる (rot). **3** 〈人が〉(精神的に)滅びる.

†**per・ish・a・ble** /périʃəbl/ 形〈食物が〉腐りやすい;〈物が〉滅びやすい. —— 名 [~s] 腐りやすい物[食品].

per・ish・ing /périʃɪŋ/ 形 **1** 〔正式〕死ぬ,滅びる;腐る;ひどい苦痛[不快]をもたらす. **2** 〔主に英式〕〈気候が〉とても寒い;〈人が〉[…で]ひどく寒がる (with). **3** (主に英式ではさらに)ひどい,いまいましい《◆不快や困惑を表す. damn の遠回し語》. —— 副 〔主に英式〕ひどく,たいへん ‖ It's *perishing* cold! やけに寒いな!

per・i・style /péristaɪl/ 名 C 〔建築〕**1** (建物・中庭などを囲む)列柱廊,柱列,ペリスタイル. **2** 柱列に囲まれ

た場所[中庭].

per·i·to·ni·tis /pèrətənáitəs | pèritəunáitis/ 名 U 《医学》腹膜炎.

per·i·wig /périwiɡ/ 名 C (17-18世紀にはやった男性用の)かつら《◆英米では今は特に法律家がつける》.

per·i·win·kle /périwiŋkl/ 名 **1** C U 《植》ツルニチニチソウ《《米》running [creeping, trailing] myrtle》. **2** U 明るい青紫色.

per·jure /pɚ́ːdʒɚ/ 動 他《正式》[~ oneself] (特に法廷で)偽証する.

per·jur·y /pɚ́ːdʒəri/ 名 **1**《法律》U (宣誓後の)偽証; 偽証罪; C 偽証の陳述. **2** U C《正式》誓約を破ること, 約束を破ること, 破約.

perk /pɚ́ːk/ 動 自 **1**〈耳・尾などが〉ぴんと立つ(+up). **2** きびきびと[元気よく]ふるまう; 横柄にふるまう, 気取る; 出しゃばる. **3**《略式》〈元気・活力〉を取り戻す(recover). ── 他 **1**〈人・動物などが〉〈頭・耳・尾など〉を元気よく[ぴんと]上げる(+up) ‖ *perk* oneself *up* つんとする. **2**《略式》〈衣服などを〉[…で]めかし立てる(+up)[*with*]; [~ oneself / be ~ed] めかしこむ(+up, out) ‖ She *was perked up* [*out*] in her best clothes. 彼女は晴着を着こめかしていた. **3**《略式》〈物・事など〉〈人・事〉を元気[活気]づける(+up).

perk·y /pɚ́ːki/ 形 (--i·er, --i·est)《略式》**1** きびきびした(brisk); 元気のよい. **2** 生意気な; 厚かましい.

perm /pɚ́ːm/ 名《主に英略式》[a ~] パーマ《《正式》 permanent wave,《米略式》permanent》.
── 動《英略式》自〈髪が〉パーマがかかっている. ── 他〈髪〉にパーマをかける ‖ have one's hair *permed* 髪にパーマをかける.

†**per·ma·nence** /pɚ́ːmənəns/ 名 U 永久不変(の状態), 永続(性), 耐久(性).

per·ma·nen·cy /pɚ́ːmənənsi/ 名《正式》**1** =permanence. **2** C 不変のもの[人]; 永続的な地位《終身官など》.

*__**per·ma·nent**__ /pɚ́ːmənənt/【アクセント注意】[完全に(per)残る状態(manent). cf. re*main*]
── 形 **1** (変化せずに)**永続する**(lasting), (半)**永久的**な, 耐久の(⇔ perpetual) (↔ temporary) ‖ a *permanent* building 耐久建築物 / a *permanent* address 実家住所《◆一時的に外国にいる人の本国での郵便の div 取り場所だが, 両親の住所や, 貸してある自分の家の住所のことが多い. cf. present address》/ *permanent* teeth 永久歯 / establish *permanent* peace in the world 世界に恒久平和を確立する / make a *permanent* home in London ロンドンに永住する. **2** 常設の, 常置の; 終身の《◆比較変化しない》 ‖ a *permanent* committee 常任委員会 / *permanent* employment 終身雇用.
── 名 (複 ~s/-nənts/) C《米略式》パーマ(ネント)《主に英略式》perm)(permanent wave) ‖ go to the beauty parlor for [to have, to get] a *permanent* パーマをかけに美容院へ行く.

pérmanent préss《服地のしわ防止の》耐久プレス加工.

pérmanent résident《米》(1) 永住市民権を得た人. (2) (ホテルなどの)長期滞在者(↔ transient resident).

pérmanent wáve = 名.

†**per·ma·nent·ly** /pɚ́ːmənəntli/ 副 永続的に, 不変に《◆ふつう, 一般動詞の前, be 動詞の後に置く》.

per·me·a·ble /pɚ́ːmiəbl/ 形《正式》〈物質が〉(気孔などが)〈液体などを〉通すことができる, […の]透過[浸透]性の(ある)[*to, by*](↔ impermeable); (一般に)〈物・事が〉[…に]浸透され得る[*to, by*].

†**per·me·ate** /pɚ́ːmièit/ 動《正式》他 **1**〈液体・気体が〉〈気孔・小穴を通す〉〈物質〉を通り抜ける, 透過する; 浸透する ‖ Water *permeated* the sand. = The sand *was permeated* with [by] water. 水が砂にしみ込んだ (=Water *permeated* through [into] the sand). **2**〈にほい・考え方などが〉…の全体に行き渡る, ひろがる ‖ History *permeates* Kyoto. 京都は歴史にみちみちている. ── 自 […に]しみ透る, 行き渡る(*in, into, among, through*).

pèr·me·á·tion 名《正式》浸透; 普及.

Per·mi·an /pɚ́ːmiən/《地質》形 二畳紀[系]の, ペルム紀[系]の. ── 名 [the ~] 二畳紀[系].

per·mis·si·ble /pɚmísəbl/ 形 […に]許される, さしつかえない[*to*] ‖ the maximum *permissible* level of air pollution 大気中の二酸化炭素の最大許容範囲.

per·mís·si·bly 副 許される[さしつかえない]程度に.

†**per·mis·sion** /pɚmíʃən/ 名 U (書類・口頭による)[…してよいという]許可, 認可, 承認, 同意(consent)[*to do*] ‖ *without permission* 許可なく, 無断で / *with your* (*kind*) *permission* お許しを得て / *ask* [*obtain*] *permission* 許可を求める[得る] / May I have your [*the*] *permission to* use the car? 車を使ってもいいでしょうか(=《略式》May [Can] I use the car?) / The teacher *gave* me *permission* [*the permission*] *to* leave. 先生は私に帰ってもよいと言った(=The teacher *permitted* me to leave.) / By whose *permission* did you enter this room? だれの許可を得てこの部屋へ入ってきたのですか(=《略式》Who said you could enter …?)《↗》は疑問,《↘》は詰問となる. **2** C《米》許可証.

per·mis·sive /pɚmísiv/ 形 **1** 許される, 黙認される; 任意の, 随意の. **2** 寛大な, 自由放任の.

†**per·mit** /動 pɚmít, 名 pɚ́ːmit/ 動《過去・過分 --mit·ted/-id/; --mit·ting》《正式》他 **1a** [permit **A** to do / permit **A**'s doing]〈人・団体・規則など〉が…することを許す[可能にする](→ allow) ‖ *Permit* [me *to* ask [*×my asking*] one question. 1つ質問をさせてください(=《略式》Let me ask …)《◆ 命令文では動名詞は不可》/ Smoking is not *permitted* in this room. = You are not *permitted to* smoke in this room. この部屋は禁煙です(=You can't smoke …) / *permit* him in [through] (the garden) 彼に(庭に[を])入る[通り抜ける]ことを許す《◆副詞・前置詞の前に to go [come] などが省略されたと考える》/ The doctor *permitted* her up. 医者は彼女にベッドから起きることを許可した. **b** [permit (**A**) **B** =permit **B** (**to A**)]〈人・団体・規則などが〉(**A**〈人〉に) **B**〈事〉を許す, 許可する ‖ Will you *permit* me a few words? 少し発言させていただけませんか(=《略式》Let me say a few words.). **2**《正式》〈事・物〉が…を可能にする, 許す(用例→ 自).
── 自〈計画・出来事などが〉[…を]許す, 可能にする(allow)[*of*] ‖ *weather permits*《正式》=if the weather *permits* もし天気がよければ(=if we have good weather / if it is fine)《◎文法13.7》/ I'll come if time *permits*. もし時間があれば来ます / This sentence *permits* (*of*) two interpretations. この文は2通りに解釈できる(=We can interpret this sentence in two ways.)《◆ (1)《略式》では of を省いて他 として用いるのがふつう. (2) 受身不可》.

―名 U 許可, 認可, 免許; C (…の/…する)許可書, 認可書, 免許証[for / to do] ‖ a driver's *permit* 運転免許証 / a *permit* to hunt =a hunting *permit* 狩猟許可書.

per·mu·ta·tion /pə̀ːrmjutéiʃən/ 名 UC **1** 〔数学〕順列, 置換. **2** 〔正式〕並べ替え; 入れ替え, 交換.

†**per·ni·cious** /pərníʃəs/ 形 〔正式〕〔…にとって〕ひどく有害な; 致命的な〔to〕.

per·o·ra·tion /pèrəréiʃən/ 名 UC 〔正式〕 **1** (演説などの)締めくくり部分, 結び(の要約). **2** (おおげさで長くて無内容な)演説, 熱弁.

per·ox·id /pərə́ksid/ |-ks-/ 名 =peroxide.

per·ox·ide /pərə́ksaid/ |-ks-/ 名 **1** 〔化学〕過酸化物; 〔化合物名で〕過酸化… **2** 過酸化水素《(正式) hydrogen peroxide》《◆殺菌・髪の漂白用》.

perp /pə́ːrp/ 名 〔略式〕=perpetrator.

†**per·pen·dic·u·lar** /pə̀ːrpəndíkjulər/ 形 **1a** 〔…と〕垂直の, 〔線・面と〕(厳密に)直角をなす〔to〕 ‖ a *perpendicular* line 垂線 / The two lines of the letter T must be *perpendicular* to each other. Tの2つの線は互いに垂直でなければならない. **b** 直立した《◆ vertical, erect より もう厳密》; (↔ horizontal); 〈上昇・下降が〉垂直的な, 〈坂・崖などが〉急勾(きゅう)配の. **2** [P~] 〔歴史〕垂直様式の《14, 15世紀の英国ゴシック建築様式》. ―名 U **1** 垂線, 垂直面. **2** U [通例 the ~] 垂直, 垂直の位置[姿勢] ‖ out of (the) *perpendicular* 傾斜して.

per·pe·trate /pə́ːrpətreit/ 動 他 〔正式〕〈犯罪・過失などを〉する, しでかす; 〈悪事を〉働く; 〈ばかなこと・おかしなことを〉する, しでかす.

per·pe·tra·tor /pə́ːrpətreitər/ 名 悪事を働く人, 犯人.

†**per·pet·u·al** /pərpétʃuəl|-pétjuəl/ 形 **1** 〔正式〕永久の, 永続する(permanent) ‖ The top of the mountain is enveloped in *perpetual* snow. その山頂は万年雪に包まれている. **2** 絶え間のない(繰り返しの), ひっきりなしの《◆ continual より堅い語》; 〔略式〕頻繁な, たびたびの ‖ a *perpetual* stream of visitors ひっきりなしにやってくる訪問者 / I am tired of her *perpetual* requests for money. 彼女のたび重なる金の無心にうんざりしている. **3** 終身の ‖ a *perpetual* annuity 終身年金.

perpétual cálendar 万年暦.

perpétual mótion (機械の)永久運動.

†**per·pet·u·al·ly** /pərpétʃuəli|-pétjuəli/ 副 〔正式〕 **1** 永久に, 永続的に. **2** 絶え間なく, ひっきりなしに.

†**per·pet·u·ate** /pərpétʃueit/ 動 他 〔正式〕…を永続させる; 〈名声などを〉不朽に[不滅に]する.

per·pet·u·a·tion /pərpètʃuéiʃən/ 名 U 〔正式〕永続させること; 不朽[不滅]にすること.

per·pe·tu·i·ty /pə̀ːrpətjúːəti/ 名 **1** U 永続, 不朽, 不滅. **2** C 永続物; 終身年金[地位].

in perpetuity 永久に(forever).

†**per·plex** /pərpléks/ 動 他 〔正式〕 **1** 〈人が〉〈人を〉〔難題などで〕当惑させる, まごつかせる(puzzle)〔with〕; 〈難問・難事などが〉〈人心〉を混乱させる, 悩ます(worry); [be ~ed]〈人が〉〔…に/…するのに, …して〕困る〔at, by, with / to do〕《◆ puzzle より強意的. 解決できない不安・心配を含意する》 ‖ *be* [*feel*] *perpléxed at* [*about*] the result 結果を聞いて途方に暮れる / The student *perplexed* the teacher *with* many questions. その学生は先生を質問攻めで困らせた / They *are* worried and *perplexed by* their son's behavior. あの夫婦は息子の行儀の悪さに悩まされ手を焼いている. **2** 〈事・問題などを〉複雑にする, 紛糾させる.

per·plexed /pərplékst/ 形 〔正式〕当惑した, 途方に暮れた.

†**per·plex·ing** /pərpléksiŋ/ 形 〔正式〕(人を)当惑[困惑]させる; 理解[処理]しにくい, 複雑な, 面倒な.

†**per·plex·i·ty** /pərpléksəti/ 名 〔正式〕 **1** U 当惑, 困惑(puzzle) ‖ *in perplexity* 当惑して / to one's *perpléxity* 当惑したことには. **2** C 当惑させるもの, 困ったこと(difficulty).

†**per·qui·site** /pə́ːrkwizit/ 名 C 〔正式〕[しばしば ~s] **1** 給料外の給付(社宅など); 臨時収入. **2** (地位・職務に伴う)特典, 役得.

Per·ry /péri/ ペリー《Matthew Calbraith/kǽlbreiθ/ ~ 1794–1858; 1853年黒船で浦賀に来航し, 日本に開国を求めた米国の提督. 通称 Commodore Perry》.

†**per·se·cute** /pə́ːrsəkjuːt/ 動 他 **1** 〈人が〉〈人を〉[政治・宗教・人種上の理由で]迫害する, しいたげる〔for〕; 〈人・動物を〉いじめる ‖ They were *persecuted for* their religion under the Roman Emperors. ローマ皇帝のもとで彼らは宗教上の迫害を受けた. **2** 〔正式〕〈人を〉悩ます, うるさがらせる(annoy) 〔with〕 ‖ She was *persecuted with* repeated telephone calls. 彼女はたび重なる電話に悩まされた.

†**per·se·cu·tion** /pə̀ːrsəkjúːʃən/ 名 UC **1** 迫害(すること) [されること]. **2** 〔正式〕悩まし[悩まされる]こと.

persecútion cómplex 被害妄想.

persecútion mánia 被害妄想狂.

per·se·cu·tor /pə́ːrsəkjùːtər/ 名 C 迫害[虐待]者.

Per·seph·o·ne /pərséfəni/ 名 〔ギリシャ神話〕ペルセポネ《Hades の妻で冥(めい)界の女王. ローマ神話の Proserpina に当たる》.

Per·seus /pə́ːrsiəs| -sjuːs/ 名 **1** 〔ギリシャ神話〕ペルセウス《Medusa を退治し, Andromeda を海の怪物から救った英雄》. **2** 〔天文〕ペルセウス座《北天の星座》.

†**per·se·ver·ance** /pə̀ːrsəvíərəns/ 名 U 〔正式〕(困難に負けない)忍耐, 根気強さ, 着実な努力 ‖ *Perseverance* doesn't always pay off. 根気よくやることが必ずしも報われるとは限らない.

†**per·se·vere** /pə̀ːrsəvíər/ 【アクセント注意】 動 自 辛抱する, 耐える; 〔…を〕やり抜く〔at, in, with〕; 〔人を〕信じ続ける〔with〕 ‖ We must *persevere in* our efforts. 我々はたゆまず努力しなければならない.

†**Per·sia** /pə́ːrʒə, -ʃə|-ʃə-/ 名 ペルシャ《Iran の旧名》.

†**Per·sian** /pə́ːrʒən, -ʃən| -ʃən/ 形 ペルシャの; ペルシャ人[語]の; the ~ Gulf ペルシャ湾《◆ 単に the Gulf ともいう》. ―名 **1** C ペルシャ人. **2** U ペルシャ語.

Pérsian blínds (板むだれ式の)よろい戸, 日よけ.

Pérsian cárpet [rúg] ペルシャじゅうたん.

Pérsian cát ペルシャネコ.

per·si·flage /pə́ːrsiflɑːʒ/ 名 U 〔正式〕(軽い)からかい, ひやかし(banter); 茶化した文体[話し方].

†**per·sim·mon** /pərsímən/ 名 C カキ(の木)(persimmon tree); その実 《米国にもともと小さな渋ガキしかなかった》 Japanese *persimmon* の移植が行なわれている》.

†**per·sist** /pərsíst/ 動 自 **1** 〈人が〉〔…に〕固執する, 〔…〕を貫く〔in〕; 辛抱強く〔…し/…を〕続ける〔in doing / with〕 ‖ *persist in* one's efforts to do あくまで…しようと努力をする / If you *persíst* [*in tálking* [*×to* talk], you will have to leave this room. いつまでも話をやめなければこの部屋から出て行ってもらいます / He *persists in* saying that he is right. 彼は自分は正しいと言い張っている / The

government *persisted with* its tax reforms. 政府は税制改革を押し進めようとした. **2**〈現象などが〉(予想以上に)持続する;〈制度・慣習などが〉存続する, 残存する ‖ The cough *persists*. せきが長びく / The rain *persisted* throughout the night. 雨は夜通し降り続いた. **3**〈人が〉(しつこく)主張する, 繰り返して言う.
── 他「…」と主張する ‖ "I never did it," she *persisted*. 「私はそんなことしていません」と彼女は言い張った.

†**per·sist·ence, ‒en·cy** /pərsístəns(i)/ 名 U **1** 固執, しつこさ;粘り強さ ‖ *with persistence* しつこく. **2** 永続, 持続性.

†**per·sist·ent** /pərsístənt/ 形 **1** しつこい;[…に]固執する[*in*] ‖ a *persistent* salesman しつこいセールスマン / The labor union was *persistent* in its resistance. 労働組合はついに抵抗した. **2** 持続する, 永続的な ‖ a *persistent* headache [cough] なかなか治らない頭痛[せき].

†**per·sist·ent·ly** /pərsístəntli/ 副 **1** しつこく, 頑固に. **2** 永続的に.

*★**per·son** /pə́ːrsn/ 名『「個人としての人」が本義』
派 personal (形), personnel (名)
── 名 (複 ~s/-z/) **1** Ⓒ **a** 人, 人間《◆人数などを問題にしている文脈以外では three persons より people がふつう》;[this/that ~] やつ《◆目の前にいる人をさして用いる》(使い分け → people 名**1**) ‖ The elevator can hold ten *persons*. エレベーターの定員は10人だ / All *persons* who have not yet registered should do so without delay. (掲示) 未登録の方は至急登録してください. **b** [名詞の後に用いて] …(好き)な人 ‖ a cat *person* ネコ好きな人 / a night *person* 夜型の人 (↔ a morning *person*).

語法 a person を受ける代名詞は従来 he であったが, セクシズムを避けるため they を用いるのがふつうになってきている. 堅い書き言葉では he or she などを用いる.

2(正式) [通例 a/the/one's ~] 身体;容姿, 外見 ‖ I have no money on [(主に英)about] my *person*. お金を全然持ち合わせていません(≒(略式)I have no money with [on] me.) / The police searched his *person*. 警察は彼の身体検査をした. **3** U (正式) 人格, 人柄, 個性. **4** UC (文法) [通例 the ~] 人称 ‖ (*in*) *the* first [second, third] *person* 第一[二, 三]人称(で). **5** [しばしば P~] Ⓒ (神学) 位格 ‖ the three *Persons* of the Trinity 神の三位格, ペルソナ《◆the Father, the Son, the Holy Spirit をそれぞれ the First [Second, Third] *Person* という》.

*★**in pérson** (正式) (1) 自分で, 自ら(personally) (↔ by attorney) ‖ You had better go and thank her *in person*. 行ってじきじきにお礼を言いなさい(≒... thank her *yourself*). (2) [(代) 名詞の後で] 実物[本物]の…, …本人[その物](personally) ‖ I saw the president *in person*. 私は大統領本人に会った. **(3)** 容姿は.

in the pérson of A (正式) …という人として[になって];…に扮(ふん)して ‖ A great physicist passed away *in the person of* Max Born. マクス=ボルンという大物理学者が亡くなった.

per·son‒ /pə́ːrsn-/ 語素 →語素一覧 (1.2).

‒per·son /-pəːrsn/ 語素 →語素一覧 (1.5).

per·so·na /pərsóunə/ [ラテン] 名 (複 ‒‒**nae**/‒niː/, ~s) Ⓒ **1** 人. **2** (劇・文学などの) 登場人物. **3** (ユング心理学で) ペルソナ, 仮面.

per·son·a·ble /pə́ːrsənəbl/ 形 (正式) 〈特に男が〉容姿の整った, 魅力的な, ハンサムな.

†**per·son·age** /pə́ːrsnidʒ/ 名 Ⓒ **1** (正式) 名士, (王室などの)重要人物. **2** (まれ) (小説などの) 登場人物.

*★**per·son·al** /pə́ːrsnl/ (発音) personnel /pə̀ːrsənél/ 〖→ person〗 派 personality (名), personally (副)
── 形 **◆ 2** 以外は比較変化しない **1** [名詞の前で] 一個人(として)の, 個人的な;私的な(private), 一身上の;主観的な(↔ impersonal) ‖ for *personal* use 個人の使用のために / *personal* reasons 一身上の都合 / *personal* belongings 私物 / This is a *personal* matter [affair] between you and me. これは君と私の個人的な問題だ / My *personal* opinion differs from theirs. 私の個人的意見は彼らのとは違う.

使い分け **[personal, private, individual]**
personal は「(内面的な意味で)個人的な」の意.
private は「(公的でなく, 個人やグループに属し)私的な」の意.
individual は「(集団に対しての)個人の」の意.
We respect *individual* [*personal] freedom. 我々は個人の自由を尊重する.
That is a *personal* letter. それは個人的な手紙です.
This is *private* land. ここは私有地です.

2〈人・発言などが〉個人攻撃の;〈人の〉私事に立ち入る, 私生活に関係した[*with, to*]《◆日本語でいう「プライベートな」に相当する》;個人に宛てた ‖ a *personal* letter 親展書, 私信 / It is rude to ask *personal* questions. 私事に立ち入った質問をするのは失礼である《◆年齢, 既婚か未婚かなどを尋ねることがこれに含まれる. ふつう非常に失礼なこととされる》/ Let's not become *personal* in this argument. この論争で人身攻撃はやめておこう / Nothing *personal*! 悪気はありません.

3 [名詞の前で] 直接に自分でやった, じきじきの ‖ He made a *personal* appearance at court. 彼がじきじきに出廷した / She made a *personal* request to the teacher. 彼女自身が直接先生にお願いした.

4 [名詞の前で] 容貌(ぼう)の, 身なりの;身体の.
── 名 Ⓒ (米) **1** (新聞の) 人事消息記事. **2** (新聞の) 個人広告.

pérsonal àd (米略式) 個人消息(欄), 「尋ね人」.

pérsonal cáre wòrker (米) ホームヘルパー((英)home help).

pérsonal cólumn 人事消息[個人広告]欄《◆単に personal ともいう》.

pérsonal compúter パソコン((略)PC).

pérsonal consúmption 個人消費.

pérsonal efféct 買ったものでなく身の回り品 ‖ These are my *personal effects*. これらは私の所持品です.

pérsonal equátion (観測上の)個人差;(解釈上の)個人的傾向.

pérsonal identificátion nùmber (キャッシュカードの)暗証番号((略)PIN (number)).

pérsonal prónoun (文法) 人称代名詞.

pérsonal próperty [**estáte**] (法律) 動産(↔ real property).

per·son·al·i·ty /pə̀ːrsənǽləṭi/ 〖→ personal〗
— 名 (複 -ties/-z/) **1** ⓤⓒ (全体的に見た)**個性**, 性格; 人柄, 人格; 独特的魅力 ‖ a double [dual, split] *personality* 二重人格 / a man with little [a strong] *personality* 個性の乏しい[強い]人 / She has an attractive *personality* and is liked by all. 彼女は魅力的個性の持ち主なのでみんなに好かれる.
2 ⓒ (芸能界・スポーツ界などの)**名士**, 有名人; 魅力的個性を持った人 (cf. VIP, personage) ‖ a movie [TV] *personality* 映画スター[テレビタレント] 《◆ ˣa TV talent とはいわない》 / Noted literary *personalities* gathered together yesterday evening. 知名の文士たちの集まりが昨夜あった.
3 ⓤ 人間であること, 人間としての存在. **4** ⓒ (場所の)独特な雰囲気; (物体の)物性. **5** ⓤ (通例 *personalities*) 人物批評, 人身攻撃.
personálity cúlt 個人[英雄, 政治家]崇拝.
personálity jóurnalism 〖選定用語〗ゴシップ雑誌界.
personálity tést 〖心理〗性格[情意]検査.
per·son·al·ize /pə́ːrsənəlàɪz/ 動 他 (正式) **1**〈物〉を〈住所・氏名などを記入して〉個人の物とする; 〈物〉に氏名[住所, 頭文字など]を記入する. **2**〈発言などを〉特定の個人に向けられたものと考える. **3**〈無生物〉を擬人化する.

per·son·al·ly /pə́ːrsənəli/ 〖→ personal〗
— 副 **1** [文全体を修飾; 文頭または文尾で; 主語(ふつう I)に対応して] **自分としては** (for myself); [強意語として] 私自身は, 私的には (as far as I am concerned) ‖ *Personally*(↘) I like it. 私個人としてはそれが気に入っています / *personally* speaking = speaking *personally* 個人的な立場で言えば (➡文法 13.7).
2 [動詞の後で] **a** [主語に対応して] **自分自身で**, じきじきに; (正式) in person; …本人が ‖ His father *personally* showed me all over the farm. 彼の父自ら私を連れて農場をくまなく案内してくれた. **b** [目的語に対応して] **直接に, 個人的に**; …個人を ‖ I know her *personally*. 私は彼女を個人的に知っています.
3 [動詞の後で; 主語に対応して] 自分にあてつけたものとして ‖ Don't take his remark *personally*. 彼の言葉を君への個人攻撃と考えるな.
4 一個の人間としては, 人柄としては (as a person) ‖ He is *personally* gentle, but not very reliable. 彼は人となりは温和だが大して頼りにならない.

per·son·al·ty /pə́ːrsənlti/ 名 ⓤ 〖法律〗動産 (↔ realty).
per·son·ate /pə́ːrsənèɪt/ 動 他 **1** …の役を演じる. **2** …の名をかたる; …を詐称する. **3** …を擬人化する 《◆ impersonate の方がふつう》.
†**per·son·i·fi·ca·tion** /pərsɑ̀nəfɪkéɪʃən | -sɔ̀n-/ 名 ⓒ (通例 the ~) 権化, 化身, 典型 ‖ She is *the personification* of kindness. 彼女は親切そのものだ (= She is kindness itself. / She is very kind.). **2** ⓤ 擬人化; 〖修辞〗擬人法. **3** ⓒ 具現, 体現.
per·son·i·fy /pə(r)sɑ́nəfàɪ | -sɔ́n-/ 動 他 (正式) 《ふつう進行形は不可》**1** …の権化[化身, 典型]となる; …を具現[体現]する ‖ She *personifies* kindness. = She is kindness *personified*. (= She is all kindness.). **2**〈物・事〉を擬人化する, 人格化する ‖ Ships are often *personified*. 船はしばしば擬人化される.

†**per·son·nel** /pə̀ːrsənél/ 〖アクセント注意〗名 (正式)
1 [集合名詞; 通例複数扱い] (官庁・会社・軍隊などの)全職員, 総人員; [形容詞的に] 職員の ‖ excessive *personnel* costs 多すぎる人件費 / Our *personnel* are very highly educated. わが社の社員はたいへん高度な教育を受けている / Our firm has five part-time *personnel*. 我々の会社は5人の非常勤職員をかかえている. **2** ⓤ [単数・複数扱い] 人事課 [部]; [形容詞的に] 人事の ‖ a *personnel* officer [manager] 人事担当将校[取締役] / a *personnel* department 人事課.
per·son-to-per·son /pə́ːrsntəpə́ːrsn/ 形 (長距離電話で)指名の.
pérson-to-pérson cáll (主に米) 指名通話〈指名した相手が不在の場合の料金を支払う. cf. station-to-station〉.
†**per·spec·tive** /pərspéktɪv/ 名 **1** 〖美術〗ⓤ 遠近(画)法, 透視図法; ⓒ 遠近画, 透視図 ‖ draw a picture in [out of] *perspective* 遠近法で[遠近法にはずれて]絵を描く. **2** (正式) **a** ⓤⓒ (距離の)遠近による見え方, 遠近感; 遠景 ‖ *Perspective* makes things far away seem small. 遠近感によって遠くの物が小さいように見える. **b** ⓤ (物事の遠近に応じた見方, つり合いのとれた見方; 総体的な見方, 全体像, 大局観; ⓒ 観念 (viewpoint), 展望 (prospect), 相関関係, つり合い ‖ keep things in *perspective* 事態を大局的に考える; 事態の重要性を正しく判断する / think about the problem from a different *perspective* その問題を違う観点から考える / All this should be put in *perspective*. これは大局的に把え直すべきだ.
†**per·spi·ra·tion** /pə̀ːrspəréɪʃən/ 名 (正式) ⓤ 発汗(作用); ⓤⓒ 汗 《◆ sweat より堅い語で遠回し語》 ‖ a drop of *perspiration* 1滴の汗.
†**per·spire** /pərspáɪər/ 動 (正式) 自〈人が〉発汗する, 汗をかく 《◆ sweat の遠回し語. 特に女性語》.
— 他 汗にして出す; 〈植物などが〉…を分泌する.

*†**per·suade** /pərswéɪd/ 〖完全に(per)説き伏せる (suade). cf. dissuade〗
— 動 (~s/-swéɪdz/; 過去・過分 ~d/-ɪd/; -suad·ing)
— 他 **1a**〈人が〉〈人〉を[…で]**説得する** (convince) 〔*with*〕; [persuade A into B [doing]] A〈人〉を説得して B〈事〉をさせる; [persuade A out of B [doing]] A〈人〉を説得して B〈事〉をやめさせる ‖ *persuade* him over [up, in] 彼を説得して向こうへ行かせる[起こす, 中に入らせる] / *persuade* him into [out of, away from] his resignation 彼を説得して辞職をさせる[断念させる]. **b** [persuade A to do / persuade A that節]〈人が〉〈人〉を説得して…させる ‖ *persuade* her not to do it 彼女を説得してそうするのをやめさせる (= (正式) dissuade her from doing it) / His wife *persuaded* him to give up gambling. = His wife *persuaded* him that he ((主に英) should) give up gambling. 彼の妻は彼を説得してギャンブルをやめさせた (➡文法 9.3).

> ✍**語法** to不定詞・that節を伴う場合, 説得が成功したことを含意. 伴わない場合は説得が成功したとは限らない (cf. coax): I *persuaded* him to do it. 彼をそうするように説得した →(説得されて)彼はそうした / I *persuaded* him, but he wouldn't do it. 彼を説得したが, 彼はそうしようとはしなかった.

2 (正式) [persuade A of B]〈人が〉A〈人〉に B〈事〉を**確信させる** (convince); [persuade A of wh節 / persuade A that節] A〈人〉に…かを[…だと]確信さ

せる ‖ I *persuaded* her *of* his honesty. =I *persuaded* her *that* he was honest. 私は彼が正直者であることを彼女に信じさせた《◆**1b**と違い, that節内の動詞は直説法をとる. 仮定法現在は不可》/ We *persuaded* him *of how* angry she was. 彼女がどんなに怒っているかを彼に納得させた / I am firmly *persuaded* of his innocence. =I am firmly *persuaded that* he is innocent. 彼は無罪だとかたく信じています.

†**per·sua·sion** /pərswéiʒən/ 名 **1** ⓤ 説得(する[される]こと); 説得力 ‖ After a lot of *persuasion*, she agreed to come. 大いに説得されたあとに彼女は来ることに同意した / speak with great power(s) of *persuasion* たいへん説得力のある話し方をする. **2** ⓤ 〔正式〕〔時に a ~〕〔…という〕確信, (固い)信念(belief)〔*that*節〕. **3** (まれ) ⓤ 信仰, 信条; ⓒ 宗派, 教派(sect); 流派, …風 ‖ the Methodist *persuasion* メソジスト派 / They are of the same *persuasion*. 彼らは同じ宗派である. **4** 〔略式〕〔a/the ~〕種類, 性別;

†**per·sua·sive** /pərswéisiv/ 形 説得力のある; 口のうまい ‖ a *persuasive* speaker 説得力のある話ができる人.

†**pert** /pə́ːrt/ 形 〔今はややまれ〕 **1** 〈若い女・言動が〉生意気な, こましゃくれた; 無遠慮な. **2** 〔米〕元気のよい, いきな.

†**per·tain** /pərtéin/ 動 ⓘ 〔正式〕 **1** 〈物・事が〉(付属物・属性などとして)〔…に〕付属[付随]する, つきものである(belong); 〔…に〕ふさわしい〔*to*〕 ‖ the farm and the lands *pertaining* to it 農場とそれに付属する土地 / Such conduct does not *pertain to* the young. そんな行動は若者たちにふさわしくない. **2** 〈物・事が〉〔…に〕(直接)関係がある(relate)〔*to*〕 ‖ a little information *pertaining to* the tsunami その津波についてのわずかの情報.

†**per·ti·na·cious** /pə̀ːrtənéiʃəs/ 形 〔正式〕 **1** (目的・信念などを)固守して, 断固とした, 不屈な. **2** しつこい, しつこく続く.

†**per·ti·nent** /pə́ːrtənənt/ 形 〔正式〕〔当面の事柄の〕核心に関連する〔*to*〕(↔ impertinent); 適切な, 要を得た.

†**per·turb** /pərtə́ːrb/ 動 他 〔正式〕 **1** 〈人〉の心をひどくかき乱す, 〈人・心〉をうろたえさせる, 不安にする. **2** 〈物・事〉を混乱させる.

per·tur·ba·tion /pə̀ːrtərbéiʃən/ 名 ⓤⓒ 〔正式〕動揺, ろうばい, 不安, 心配.

per·turbed /pərtə́ːrbd/ 形 心配した, 不安な.

Pe·ru /pərúː/ 名 ペルー《南米西部の共和国. 首都 Lima. 形容詞は Peruvian》.

†**pe·ruse** /pərúːz/ 動 他 〔正式〕 **1** …を丹念に読み通す; …を精読[熟読]する. **2** …を読む《◆ read のもったいぶった代用語》.

Pe·ru·vi·an /pərúːviən/ 名 ⓒ 形 ペルー人(の), ペルーの ‖ *Peruvian* bark キナ皮《マラリアの特効薬キニーネの原料》.

†**per·vade** /pərvéid/ 動 他 〔正式〕〈場所〉に一面に広がる, 充満する(fill) 〈考えなど〉が…全体に普及[浸透]する.

per·va·sive /pərvéisiv/ 形 (やたらに)広がる; 浸透性の; 普及力のある.

†**per·verse** /pərvə́ːrs/ 形 〔正式〕 **1** 〈人・言動などが〉(故意に)道理に反する; 人の意に逆らう, ひねくれた; 正道を踏みはずした; 〈事情などが〉思い通りにならない. **2** 〈人・行動など〉非を認めない, 強情な.

per·ver·sion /pərvə́ːrʒən, -ʃən/ 名 ⓤⓒ 〔正式〕 **1** (正道からの)逸脱; 悪用, 誤用; 曲解, こじつけ ‖ a *perversion* of justice 正義の悪用, 不正行為. **2** 〔医学〕異常, 変態; 性的倒錯.

per·ver·si·ty /pərvə́ːrsəti/ 名 ⓤ つむじ曲がり; 邪悪; ⓒ ひねくれた行為; 非行; 倒錯行為.

†**per·vert** 動 /pərvə́ːrt/; 名 /pə́ːrvərt/ 動 他 〔正式〕 **1** …を正道[常道]からそらす, 誤った道に陥らせる, 誤らせる; …を堕落させる(corrupt) ‖ *pervert* the course of justice 正義の道を踏みはずす / *pervert* (the mind of) a child 子供の心を悪の道に導く. **2** …を悪用[誤用]する ‖ *pervert* one's talents 自分の才能を悪いことに使う. **3** …を(故意に)誤解[曲解]する, ゆがめる. ── 名 ⓒ 正道を踏みはずした人; 変質者, 性的倒錯者, 変態. **per·vért·ed** 形 邪道に陥った, ゆがんだ; 〔医学〕異常の, 変態の.

pe·so /péisou/ 名 (複 ~s) ⓒ **1** ペソ《メキシコ・キューバ・フィリピンおよび中南米諸国の貨幣単位. 略 p., (記号) $, P》. **2** 1ペソ硬貨[紙幣].

†**pes·si·mism** /pésəmìzm/ 名 ⓤ 悲観(しがちな性癖), 厭世(えんせい); 悲観主義[論], 厭世主義[論](↔ optimism).

†**pes·si·mist** /pésəmist/ 名 ⓒ 悲観しがちな人; 悲観論者, 厭世家(↔ optimist).

†**pes·si·mis·tic** /pèsəmístik/ 形 悲観[厭世]主義の(↔ optimistic); 〔…について〕悲観的な〔*about, of, over*〕; 厭世(えんせい)的な ‖ tàke a *pessimístic* víew of married life 結婚生活について悲観的に考える / She was *pessimistic about* passing the examination. 彼女は試験には合格できないと思っていた.

†**pest** /pést/ 名 **1** ⓒ 有害な(小)動物[虫] ‖ insect *pests* 害虫《ハエ・蚊など》. **2** 〔略式〕〔通例 a ~〕やっかいなもの; 迷惑な存在.

Pes·ta·loz·zi /pèstəlɔ́tsi/ 名 ペスタロッチ《Johann Heinrich /jóuhɑːn háinrik/ ~ 1746-1827》, スイスの教育改革家》.

†**pes·ter** /péstər/ 動 他 〔略式〕〈人〉をしつこく悩ます(→ tease); 〈人〉を〔いやな物・事で〕困らせる〔*with*〕; 〈人〉に〔物をくれと/…してくれと〕うるさくせがむ〔*for / to do*〕.

pes·ti·cide /péstəsàid/ 名 ⓒⓤ 殺虫剤.

pes·tif·er·ous /pestífərəs/ 形 **1** 病気[疫病]の. **2** (道徳的・社会的に)有害な; 〔略式〕有害な《◆ annoying, troublesome のおおげさな用法》.

†**pes·ti·lence** /péstiləns/ 名 **1** ⓒⓤ 〔古〕(致命的な)伝染病, 悪疫; ⓤ (特に)腺(せん)ペスト(bubonic plague). **2** ⓒ (社会的・道徳的)害悪, 弊害.

†**pes·ti·lent** /péstilənt/ 形 〔正式〕 **1** 〈病気が〉致命的な(deadly); 伝染性の. **2** 〔道徳・平和などに〕有害な〔*to*〕.

†**pes·tle** /pésl, péstl/ 名 ⓒ 乳棒; すりこぎ(cf. mortar²).

pet /pét/
── 名 (複 ~s/péts/) ⓒ **1** 愛玩動物, ペット《◆ 動物愛護の精神から最近では animal companion と呼ばれることもある》 ‖ *màke a pét of* a puppy 子犬をかわいがる / She has a cat as a *pet*. 彼女はペットとしてネコを飼っている. **2 a** お気に入り(favorite), 寵(ちょう)児 ‖ Beth is (the) teacher's *pet*. ベスは先生のお気に入りだ. **b** 〔主に英略式・女性語〕〔a/the ~〕すばらしい物, (子供・若い女性への呼びかけ)かわいい子.
── 形 〔名詞の前で〕 **1** ペットの ‖ a *pet* dog ペットとして飼っている犬. **2** お気に入りの, 大切にされている ‖ a *pet* daughter 箱入り娘. **3** 得意の, おはこの ‖ one's *pet* theory 持論. **4** 特別な, 最大の.
── 動 (過去・過分) *pet·ted/*-id/; *pet·ting*) 他 〈動

物)をペットにする;〈人・動物〉をなでる,かわいがる,甘やかす;《略式》〈異性〉を愛撫(ポッ)する.
――自《略式》愛撫[ペッティング]する.
pét hòspital 犬猫病院,ペットクリニック.
pét lòss (gríef) ペットの死(による悲しみ).
pét nàme 愛称.
pét shòp =petshop.
Pet. 《略》《聖書》Peter.
†**pet·al** /pétl/ 名 C 《植》花弁, 花びら (図→ flower) (cf. sepal). **pét·al(l)ed** 形 花弁のある.
Pete /píːt/ 名 ピート《男の名. Peter の愛称》.
†**Pe·ter** /píːtər/ 名 1 ピーター《男の名.《愛称》Pete》. 2 《新約》**a St.** ～ ペテロ《キリストの12使徒の1人》. **b** ペテロの手紙《新約聖書中の書. 第1・第2の2つがある.《略》Pet.》.
Péter Pán /píːtər pǽn/ ピーターパン《J. M. Barrie 作の劇 (1904). その主人公》; 永遠の少年; そのような大人.
pet·it /péti, pətí/ 《フランス》形 小さな, ささいな (minor).
petít bourgeóis /pətí:-/ 《複》**~s bourgeois**/-(z)/ プチブル(の), 小市民(階級)(の); =bourgeois 3.
petít fóur /pətí fɔ́ːr/ 《複》**~s fours**/-(z)/ プチフール《砂糖衣の小型ケーキ・クッキー》.
†**pe·tite** /pətíːt/ 《フランス》形 《女性・その姿が小柄で小ぎれいな.
†**pe·ti·tion** /pətíʃən/ 名 C 《当局などへの》[…を求める/…に反対する]請願(書), 嘆願[陳情](書) (request) [for/against]; 《正式》(神への)祈願 ‖ present a petition for aid to the mayor 市長に援助を請う陳情書を提出する / make a petition to the authorities 当局へ請願する / sign a petition against abortion 中絶反対の請願書に署名する.
――動 《正式》他 …を請求する (ask for); 〈当局など〉に[…を求めて/…に反対して]要請する (ask) [for/against]; [petition A to do] A〈当局など〉に…するよう要請する; [petition that節] …するよう要請する ‖ They petitioned the government for the release of the prisoners. =They petitioned the government to release the prisoners. =《正式》They petitioned that the prisoners ((主英)) should) be released. 彼らは囚人を釈放するよう政府に嘆願した《◆should を用いるのは《主英》. ⇒文法 9.3》. 不定詞構文の方がふつう.
――自 […を求めて/…に反対して/…するよう]請願する, 請願書を提出する (ask) [for / against / to do] ‖ petition for retrial 再審を請求する.
pe·ti·tion·er /pətíʃənər/ 名 C 《正式》請願[嘆願]者, 申立て人; 《主英》(離婚訴訟の)原告 (plaintiff).
pet·rel /pétrəl/ 名 C 《鳥》ミズナギドリ(類).
pet·ri·fac·tion /pètrəfǽkʃən/ 名 U 《正式》化石(作用); 化石化; 化石.
†**pet·ri·fy** /pétrəfài/ 動 《正式》他 1 〈動植物など〉を石(質)化する. 2 …を堅くする, 硬直させる; 〈感覚など〉を鈍くする; 〈人〉を[恐怖などで]すくませる (with). ――自 石化する; 硬直する; 感覚を失う, すくむ.
pet·ro- /pétrə-|-rəu-/ 《連結要素》→ 語要素一覧 (1.6).
pet·ro·chem·i·cal /pètrəkémikl | pètrəu-/ 名 C 形 石油化学(製品)の.
pet·ro·dol·lars /pètrədɑ́lərz | pètrəudɔ́l-/ 名 [複数扱い] オイルダラー (oil dollars) 《産油国が石油輸出によって獲得したドル》.
Pet·ro·grad /pétrougræd/ 名 ペトログラード《St. Petersburg の旧名》.
†**pet·rol** /pétrəl/ 名 U 《英》ガソリン (《米》gas, gasoline) ‖ My car burns a lot of petrol. 私の車はすごくガソリンを食う.
pétrol bòmb ガソリン爆弾, 火炎びん.
pétrol èngine ガソリン機関.
pétrol stàtion 《英》ガソリンスタンド, 給油所 (filling [service] station, 《米略式》gas station).
pe·tro·le·um /pətróuliəm/ 名 U 石油 ‖ crude [raw] petroleum 原油.
pét-shop /pétʃàp|-ʃɔ̀p/, **pét shòp** 名 C ペットショップ.
†**pet·ti·coat** /pétikòut/ 名 C 1 ペチコート, スリップ; [~s] 婦人服. 2 《略式》女, 少女; [~s] 女性; [しばしば the ～] 女の勢力[社会] ‖ petticoat government かかあ天下, 女性支配. **wèar [be in] pétticoats** 女性[子供]である; 女性のようにふるまう.
†**pet·ty** /péti/ 形 (同音) (**-ti·er**, **-ti·est**) 1 ささいな, つまらない, 取るに足りない ‖ Don't listen to petty gossip. つまらないうわさ話なんかには耳を貸すな. 2 けちな, 狭量な《◆small-minded より軽蔑(*)的だが mean ほどではない》‖ It is petty of [×for] him not to accept the apology. =He is petty not to … わびを受け入れないとは彼は心の狭いやつだ《⇒文法 17.5》. 3 小規模の.
pet·u·lance /pétʃələns | pétju-/ 名 U 《正式》[…に対して]すねること, 不機嫌, いらだち (at).
pet·u·lant /pétʃələnt | pétju-/ 形 《正式》(ささいな事に)いらいらした, すねた (irritable); 短気な, 怒りっぽい.
pe·tu·nia /pətjúːnjə | -niə/ 名 1 C 《植》ペチュニア《南米原産. 漏斗(ゔ)状の花をつける観賞用植物》. 2 U 暗赤紫色.
†**pew** /pjúː/ 名 C 《教会のベンチ形の》座席.
pew·ter /pjúːtər/ 名 1 U ピューター, シロメ《スズと鉛などとの合金》; [集合名詞] =pewter ware. C (シロメの)賞杯.
péwter wàre シロメ製器物(類)《台所用品など》.
PFLP 《略》Popular Front for the Liberation of Palestine パレスチナ解放人民戦線.
PG 《記号》《Parental Guidance より》《英》(映画が)保護者の指導[許可]指定(の) (→ film rating).
PG 13 《記号》《Parental Guidance suggested for children under 13 より》《米》(映画が)13歳未満は保護者同伴指定(の) (→ film rating).
pH /píːéitʃ/ 《potential of hydrogen》名 C 《化学》ピーエイチ, ペーハー《水素イオン濃度指数》.
Pha·ë·thon /féiəθn, -θən/ 名 (*)-tn, -tən | -θən/ 名《ギリシア神話》パエトン《太陽神 Helios の子》.
pha·e·ton /féiətn | féitn/ 名 C 1 (ほろなし)2頭立て4輪馬車. 2 《米》ほろ型自動車.
pha·lan·ger /fəlǽndʒər/ 名(*) fei-/ 名 C 《動》クスクス《オーストラリア産の有袋動物》.
pha·lanx /féilæŋks | fǽ-/ 名 (複) **~es, ··lan·ges** /fəlǽndʒiːz/) C 1 《歴史》[単数・複数扱い] 《古代ギリシアの》密集方陣《重歩兵の戦闘隊形》. 2 [単数・複数扱い] (人・動物・物の)密集, 集結; 同志の集まり, 結社.
†**phan·tom** /fǽntəm/ 名 C 1 《文》幻(ジ); 幽霊, お化け (ghost); 幻覚, 錯覚. 2 幻像, 幻影; 幻想. 3 (外見だけで)実体のない物[人]. 4 [P~]《米》ファントムジェット戦闘機. ――形 幽霊(のような); 実在しない; 幻影の; 外見上[見せかけ]の; 見知らぬ ‖ a phantom ship 幽霊船 / a phantom pregnancy 想像妊娠 (=a false pregnancy) / a phantom leader 名ばかりの指導者.
†**Phar·aoh** /féərou/ 名 C ファラオ, パロ《古代エジプト王の称号》; [時に p~] 《広義》暴君 (tyrant).

Phar·i·see /fǽrəsì:/ 名 C パリサイ人《古代ユダヤ教の一派の人. 福音書ではキリストの論敵とされる》; [p~]（宗教上の）形式主義者, 独善[偽善]家.

phar·ma·ceu·ti·cal, -tic /fɑ̀:rməs(j)ú:tik(l)/ 形（正式）調剤［製薬］の; 薬学の; 薬剤（師）の; 薬物を用いる.

phar·ma·cist /fɑ́:rməsist/ 名 C（正式）薬屋の店主［人］《(米・スコット) druggist,（英) chemist》; 薬屋 (pharmacy, pharmacist's).

phar·ma·col·o·gy /fɑ̀:rməkɑ́lədʒi/ -kɔ́l-/ U 薬（物）学, 薬理学《略 pharmacol.》.

phar·ma·co·p(o)e·ia /fɑ̀:rməkəpí:ə/ 名 C（正式） 1 薬局方《主な薬品を列挙し, その製法・品質・用法などをのせた政府刊行物》. 2 薬種, 薬物類.

phar·ma·cy /fɑ́:rməsi/ 名 1 U 調剤（術）, 製薬; 薬学. 2（正式）C 薬局《(米) drugstore, (英) chemist's (shop)》;（病院などの）薬局; U 調剤［製薬］業.

†**phase** /féiz/ 名 C **1 a**（変化する物・状態の）1つの姿［相］. **b**（発達・変化の）段階, 時期《◆ stage より堅い語》‖ enter (on [upon]) a new *phase* 新しい局面に入る. **c**（問題などの）面, 相(side, aspect)‖ study various *phase*s of the problem その問題のさまざまな面を検討する. **2**（天文）（月・惑星などの）相, 位相‖ the *phase*s of the moon 月相《新月・半月・満月など》.

in phase ［…と］同位相で; 同調して, 一致して〔*with*〕.

out of phase ［…と］位相を異にして; 同調しないで, 一致しないで〔*with*〕.

—— 動 他 …を段階的に計画［実行, 調整］する.

PhB, Ph.B.（略）Bachelor of Philosophy 哲学士.

PhD, Ph.D. /pí:eitʃdí:/（略）Doctor of Philosophy 学術博士, 博士;（米）［…の］博士号（所有者）〔*in*〕(cf. MA)《◆ 複数形は PhDs, PhD's》‖ a *PhD* candidate 博士課程を修了した博士論文提出の資格を得た学生《◆ ABD ともいう》/ Bill Brown, *PhD* ビル=ブラウン博士 / get [do] a *PhD* 博士号を取る.

†**pheas·ant** /féznt/ 名（複）~s, [集合名詞] pheasant) **1** C〔鳥〕キジ;（米中南部）エリマキライチョウ. **2** U キジの肉.

phe·nix /fí:niks/ 名（米）=phoenix.

phe·nom·e·na /finɑ́mənə/ -nɔ́m-/ 名 phenomenon の複数形《◆ 単数扱いになることがある》.

phe·nom·e·nal /finɑ́mənl/ -nɔ́m-/ 形 **1**（正式）自然現象の, 自然現象に関する; 知覚できる‖ the *phenomenal* world 現象界. **2**（俗用的に）驚くべき, 並はずれた.

*****phe·nom·e·non** /finɑ́mənɑn/ -nɔ́minən/〘現れた(phenome)もの(non). cf. *phantom*〙

—— 名（複 **1**~na /-mənə/, **2** ~s）C **1**（正式）現象 (fact), 事象;〔哲学〕現象, 外象‖ a natural *phenomenon* =a *phenomenon* of nature 自然現象 / a social *phenomenon* 社会的事象. **2** 驚くべき［並はずれた］物［事］(wonder); 非凡な人, 天才‖ a mathematical [literary] *phenomenon* 数学［文学］の天才.

phew /pjú:/ 間 ふう《◆ 短い口笛に似たような息の音》. whew ともいう《◆ 安堵（ど）感・疲れ・息切れを示す》; うわあ, ひゃあ, へえっ《◆ 不快・驚きを示す》.

phi /fái/ 名 C ファイ《ギリシアアルファベットの第21字 (Φ, φ). 英字の ph に相当》→ Greek alphabet.

phi·al /fáiəl/ 名 C（正式）薬びん, ガラスの小びん（（今は稀）vial).

Phil /fíl/ 名 フィル《男の名. Philip の愛称》.

phil.（略） *phil*osopher; *phil*osophical; *phil*osophy.

phil., philol.（略） *philol*ogical; *philol*ogy.

Phil.（略） *Phil*adelphia; *Phil*emon; *Phil*harmonic; *Phil*ip; *Phil*ippians; *Phil*ippines.

†**Phil·a·del·phi·a** /filədélfiə/ 名 フィラデルフィア《米国 Pennsylvania 州の大都市. 独立宣言の地.《愛称》the City of Brotherly Love.《略》Phil(a).》.

phil·an·throp·ic, -i·cal /filənθrɑ́pik(l)/ -θrɔ́p-/ 形 博愛（主義）の, 慈善（事業）の; 情け深い.

†**phi·lan·thro·pist** /filǽnθrəpist/ 名 C（貧しい人への寄付などする）慈善家; 博愛主義者.

phi·lan·thro·py /filǽnθrəpi/ 名 U（正式）（貧しい人への寄付・援助などで示す）人類愛, 博愛(↔ misanthropy), 慈善; C 博愛行為, 慈善事業［団体］.

Phi·le·mon /filí:mən, fai-/ -mɔn/ 名〔新約〕**1** フィレモン, ピレモン《Paul によって改宗した人》. **2** フィレモン［ピレモン］への手紙《新約聖書の一書. Paul による.《略》Phil(em).》.

phil·har·mon·ic /filərmɑ́nik, -hɑ:r-/ filərmɔ́n-, -hɑ:-/ 形 **1** 音楽（愛好）の ‖ a *philharmonic* society 音楽（愛好）協会 / the London *Philharmonic* Orchestra ロンドンフィルハーモニー管弦楽団. **2** 音楽協会の, 管弦楽団の. —— 名［しばしば P~] C（管弦楽団を後援する）音楽協会; =philharmonic orchestra; =philharmonic concert.

philharmónic cóncert（音楽協会主催の）音楽会.
philharmónic órchestra（音楽協会の）管弦楽団.

†**Phil·ip** /fílip/ 名 **1** フィリップ《男の名.《愛称》Phil.》. **2**〔聖書〕ピリポ《キリストの12使徒の1人》.

Phi·lip·pi·ans /filípiənz/ 名〔聖書〕[the ~; 単数扱い] ピリピ人への手紙《新約聖書の一書.《略》Phil.》.

†**Phil·ip·pine** /fíləpi:n/ 形 フィリピン（群島）の; フィリピン人の(→ Filipino). —— 名 [the ~s; 単数扱い] **1** フィリピン共和国《正式名 the Republic of the Philippines. 首都 Manila》. **2** =the ~ Islands フィリピン群島.

†**Phil·is·tine** /fíləsti:n, fílistn/ filistáin/ 名 C **1**〔聖書〕ペリシテ人《古代パレスチナの住人. イスラエル人の敵》. **2**［時に p~] 凡俗な人, 俗物;（正式）（芸術などに無理解な）教養のない人.

phil·o·log·i·cal /filəlɑ́dʒikl/ filəulɔ́dʒ-/ 形 文献学の, 歴史［比較］言語学の.

phil·o·lóg·i·cal·ly 副 文献［言語］学上.

phi·lol·o·gy /filɑ́lədʒi/ -lɔ́l-/ 名 U（正式）文献学; 歴史［比較］言語学.

Phil·o·me·la /fìləmí:lə/ filəu-/ 名 **1**〔ギリシア神話〕ピロメラ. **2**［時に p~]（詩）=nightingale.

†**phi·los·o·pher** /filɑ́səfər/ -lɔ́s-/ 名 C **1** 哲学者. **2** 哲人, 賢人; 達観した人; 冷静［理性的］な人, 《略式》思慮深い人.

philósopher's [philósophers'] stóne [the ~] 賢者の石《金属を金や銀に変える力を持つと考えられていた想像上の石》.

†**phil·o·soph·ic, -i·cal** /filəsɑ́fik(l)/ -sɔ́f-/ 形 **1** 哲学の, 哲学に関する; 哲学に通じた. **2** 賢明な;［…について］達観した〔*about*〕; 冷静な, 理性的な; 思慮深い.

phil·o·soph·i·cal·ly /filəsɑ́fikli/ -sɔ́f-/ 副 **1** 哲学的に（は）; 理屈では. **2** 達観して; 冷静かつ理性的に.

phi·los·o·phize /filɑ́səfàiz/ -lɔ́s-/ 動（正式）自［…について］哲学的に思索［考察］する〔*about*〕; 理論を立てる. —— 他 …を哲学的に考察［説明］する.

*****phi·los·o·phy** /filɑ́səfi/ -lɔ́s-/〔アクセント注意〕〘知(sophy)を愛すること(philo). cf. *philology*〙

philosopher (名)
— 名 (--phies/-z/) 1 Ⓤ 哲学 ∥ empirical *philosophy* 経験哲学 / moral *philosophy* 道徳哲学, 倫理学 / natural *philosophy* (古) 自然哲学, 物理学. 2 Ⓒ 哲学体系；哲理, 原理 ∥ the *philosophy* of Plato プラトンの哲学体系 / "The *Philosophy* of Grammar"「文法の原理」《◆デンマークの言語学者・英語学者 O. Jespersen の著書》. 3 Ⓒ 〔正式〕人生観；考え方 ∥ my *philosophy* about women 私の女性観 / What's your *philosophy* of life? 君の人生観はどんなものですか《◆「人生哲学」のようなおおげさな意味ではない》. 4 Ⓤ 達観.
a Dóctor of Philósophy → PhD.

phlegm /flém/ 【発音注意】 名 Ⓤ 1 〔生理〕痰 (たん)；〔古生理〕粘液《4体液の1つで粘液的性質の原因. → humor 4》. 2 〔正式〕粘液的性質；遅鈍, 無精 (sluggishness)；無感動 (apathy).

phleg·mat·ic, --i·cal /flegmǽtɪk(l)/ 形 〔正式〕粘液質の, 鈍重な；冷静な.

Phnom Penh /pɑ́nɑm pén | -nɔm-/ 名 プノンペン《カンボジアの首都》.

pho·bi·a /fóubiə/ 名 Ⓤ Ⓒ 〔…に対する〕恐怖症, 病的恐怖［嫌悪］〔*about*〕《◆fear より堅い語》.

phoe·be /fíːbi/ 名 Ⓒ 〔鳥〕ツキヒメハエトリ, フィービー.

Phoe·bus /fíːbəs/ 名 1 〔ギリシア神話〕ポイボス《太陽神としての Apollo. Phoebus Apollo ともいう》. 2 Ⓤ 〔詩〕(擬人化された) 太陽 (sun).

†**Phoe·ni·cia** /fəníː(ʃ)iə/ 名 フェニキア《地中海東部沿岸の古代国家》.

†**Phoe·ni·cian** /fəníː(ʃ)iən/ 形 フェニキア (人, 語) の.
— 名 Ⓒ フェニキア人；Ⓤ フェニキア語.

phoe·nix, (米でしばしば) phe·nix /fíːnɪks/ 名 1 Ⓒ 〔エジプト神話〕フェニックス, 不死鳥《アラビア砂漠に住み, 500-600年ごとに自ら焼死し, その灰の中から生き返るという霊鳥》. 2 Ⓒ (不死鳥のような) 再生力をもつ人［物］；不滅の人. 3 Ⓒ 非常に優れた人；絶世の美人；逸品, 典型. 4 鳳凰 (ほうおう)《中国の想像上の霊鳥》.

Phoe·nix /fíːnɪks/ 名 フェニックス《米国 Arizona 州の州都》.

phon /fɑ́n | fɔ́n/ 名 Ⓒ ホン, フォン《音の強さの単位》.

*phone¹ /fóun/ 〔略式〕
— 名 (~s/-z/) Ⓒ 1 電話 (機), 受話器《◆telephone の短縮形》 ∥ speak to him *on* [*over*] *the phone* = speak to him *by phone* 彼と電話で話す / Is his *phone* still busy? 彼の電話はまだ話し中ですか / be on the *phone* to [with] Peter ピーターと電話で話している / answer the *phone* (かかってきた) 電話に出る / May I use your *phone*? 電話をお借りしてもいいですか / hang up the *phone* 電話を切る / ⌈pick up [put down] the *phone* 受話器を取る［置く］ / Mrs. Jones, *you are wanted on the phone*. =There's a *phone* call for you, Mrs. Jones. (♪) ジョーンズさん, あなたに電話ですよ.

【関連】 [いろいろな種類の phone]
answer *phone* 留守番電話 / cellular [mobile] *phone* 携帯電話 / cordless *phone* コードレス電話 / Internet protocol *phone* IP電話 / pay *phone* 公衆電話 / push-button *phone* プッシュホン / videophone テレビ電話.

2 イヤホーン (earphone), ヘッドホン (headphone).
— 動 (~s/-z/; 過去・過分 ~d/-d/; phon·ing) — 他 〈人が〉〈人・場所〉に電話をかける (+*up*)；〔まれ〕phone (A) *that* 節 (A〈人〉に)…だと電話で知らせる ∥ Please *phone* me (*up*). どうか私に電話してください.(=Please call me. / Please give me a call.) / She *phoned* me (to say) *that* she couldn't come to the party. 彼女はパーティーに出席できないと私に電話してきた.
— 自 〈人が〉〔…に〕電話をかける (+*up*)〔*to*〕.

phóne bòok 〔略式〕電話帳《〔正式〕telephone directory》.
phóne bòoth =phonebooth.
phóne càller 電話をかけてくる人 (↔ visitor).
phóne chàt 〔…との〕電話でのおしゃべり (*with*).
phóne nùmber 電話番号.

phone² /fóun/ 名 Ⓒ 〔音声〕音, 単音.
-phone /-foun/ 〔語要素〕→語要素一覧 (1.6).
phone·booth /fóunbùːθ | -bùːð, -bùːθ/, **phóne bòoth** 名 Ⓒ 公衆電話ボックス (telephone booth, 〔英〕call box).
phone·call /fóunkɔ̀ːl/ 名 Ⓒ 〔英〕電話の呼び出し.
phone-card /fóunkɑ̀ːrd/ 名 Ⓒ 〔英〕テレフォンカード.
phone-in /fóunìn/ 〔英〕名 Ⓒ 形 (テレビ・ラジオの) 視聴者電話参加番組 (の), 電話討論集会 (の)《〔米〕call-in》.

†**pho·net·ic, --i·cal** /fənétɪk(l), fou-/ 形 音声 (学) の；音声を表す, 発音に即した ∥ the International *Phonetic* Alphabet 国際音標文字 / the *phonetic* spelling 表音つづり字 (法) / *phonetic* signs [symbols] 発音記号.

pho·net·i·cal·ly /fənétɪkəli/ 副 音声学上；発音どおりに.

pho·net·ics /fənétɪks, fou-/ 名 〔単数扱い〕音声学；〔複数扱い〕音声体系〔組織〕.

pho·ney /fóuni/ 形 =phony.

phon·ics /fɑ́nɪks | fɔ́n-/ 名 Ⓤ 〔単数扱い〕 1 音響学；〔古〕音声学. 2 フォニックス《初歩的なつづり字と発音の関係を教える教科》.

phon·ing /fóunɪŋ/ 動 → phone¹.
pho·no- /fóunə- | fóunəu-/〔語要素〕→語要素一覧 (1.6).
pho·no·gram /fóunəɡræ̀m/ 名 Ⓒ 表音文字.
†**pho·no·graph** /fóunəɡræ̀f | -ɡrɑ̀ːf/ 名 Ⓒ 〔米では古〕蓄音機 (record player, 〔英〕gramophone).
— 動 他 …を蓄音機で再生［録音］する.
pho·no·graph·ic /fòunəɡrǽfɪk/ 形 1 蓄音機の, 蓄音機による. 2 表音式つづり字の, 速記文字で書いた.
pho·no·log·i·cal /fòunəlɑ́dʒɪkl, fə- | -lɔ́dʒ-, fɔ́-/ 形 音韻論の；音韻体系〔組織〕の.
pho·nol·o·gy /fənɑ́lədʒi | fəʊnɔ́l-/ 名 Ⓤ 音韻論；音韻体系〔組織〕. **pho·nól·o·gist** 名 Ⓒ 音韻学者.
pho·ny, --ney /fóuni/ 〔略式〕形 (--ni·er, --ni·est) にせの, いんちきの (↔ genuine)；〈人が〉誠実でない ∥ a *phony* ¥5,000 bill にせの5千円札. — 名 Ⓒ にせ物；詐欺師, にせ者.

†**phos·phate** /fɑ́sfeɪt | fɔ́s-/ 名 Ⓒ Ⓤ 〔化学〕リン酸塩［エステル］；［化合物名で〕リン酸….

phos·phide /fɑ́sfaɪd | fɔ́s-/ 名 Ⓒ 〔化学〕リン化物.
phos·phor /fɑ́sfər | fɔ́s-/ 名 1 Ⓒ 発光体〔物質〕, 蛍光体〔物質〕. 2 [P~] 明けの明星 (cf. Hesperus).
phos·pho·res·cence /fɑ̀sfərésns | fɔ̀s-/ 名 Ⓤ 1 リン光性. 2 リン光；青光り.
phòs·pho·rés·cent /-snt/ 形 リン光を発する, 青光りする.
phos·phor·ic /fɑsfɔ́(ː)rɪk, fɔs-/ 形 〔化学〕リン (V) の；リンを含む. *phosphóric ácid* リン酸.

phos·pho·rous /fásfərəs | f5s-/ 形 〖化学〗リン(III)の; リンを含む. **phósphorous ácid**. 亜リン酸.

†**phos·pho·rus** /fásfərəs | f5s-/ 名U〖化学〗リン《非金属元素. 記号 P》.

***pho·to** /fóutou/ 〖*photograph* の短縮語〗(略式)
――名 (複 ~s/-z/) C 写真《◆ picture の方がふつう》‖ a passport *photo* パスポート用写真 / His *photo* is in the newspaper. 彼の写真が新聞にのっている.
――動 他(自)(略式)(…を)写真にとる.
phóto álbum (略式) =photograph album.
Phóto CD 〖コンピュータ〗 フォト CD《CD-ROM に写真を記録する方式の1つ. その CD》.
phóto fínish(競馬などの)写真判定によって順位を決めるようなゴールイン; 大接戦.
pho·to- /fóutou-/(語素)→語素要素一覧(1.6).
-pho·to /-foutou/(語素)→語素要素一覧(1.6).
pho·to·chem·i·cal /fòutoukémikl/ 形 光化学の.
photochémical smóg 光化学スモッグ.
pho·to·cop·i·er /fóutoukàpiər | -kɔ̀p-/ 名C 写真式複写機《Xerox, Photostat など》.
pho·to·cop·y /fóutoukàpi | -kɔ̀p-/ 名C 写真複写物. ――動 他(自)(文書などを)写真複写する(cf. xerox).
pho·to·e·lec·tric, --tri·cal /fòutouiléktrik(l)/ 形 光電(こうでん)(子)の‖ a *photoelectric* cell 光(こう)電池; 光電管.
pho·to·en·grave /fòutouengréiv | -in-/ 動 他…の写真製版を作る.
pho·to·en·grav·ing /fòutouengréiving | -in-/ 名UC 写真製版術[印刷物].
pho·to·flash /fóutouflæʃ/ 名U〖写真〗フラッシュ; C =photoflash bulb.
phótoflash búlb フラッシュ電球.
pho·to·flood /fóutouflʌd/ 名C =photoflood lamp [bulb].
phótoflood lámp [búlb] 投光電球.
pho·to·gen·ic /fòutoudʒénik/ 形〖正式〗〈人が〉写真写りがよい.
pho·to·gram /fóutougræm/ 名C 〖写真〗フォトグラム, 日光写真.

***pho·to·graph** /fóutəgræf | -gràːf/ (アクセント注意)〖光(photo)の記録(graph). cf. telegraph〗
――名 (複 ~s/-s/) C 写真(略式)photo, picture, snap)‖ an aerial *photograph* 航空写真 / an underwater *photograph* 水中写真 / a *photograph* of me =my *photograph* 私が写っている写真《◆後者は「私が所持する写真」「私がとった写真」の意にもとれる. → picture 語法》‖ tàke a phóto·graph of her 彼女の写真をとる / háve [gét] one's phótograph tàken 写真をとってもらう《◆ taken に強勢を置くと「とられる」という意味になる》(○文法 3.5(3)) / develop [print, enlarge] *photographs* 写真を現像する[焼き付ける, 引き伸ばす].
――動 他 1 …を写真にとる(略式)snap). 2 …の印象を与える.
――自 1 写真をとる. 2 写真に写る‖ She *photographs* [takes] well. 彼女は写真写りがよい.
phótograph álbum 写真帳.

†**pho·tog·ra·pher** /fətágrəfər | -tɔ́g-/ 名C 写真をとる人;(職業としての)写真家, カメラマン.
pho·to·graph·ic /fòutəgræfik/ 形 1 写真の, 写真による, 写真用の‖ *photographic* paper 印画紙 / a *photographic* album 写真集 / *photographic* supplies カメラ用品《◆ フィルム・フラッシュ・三脚などをいう》. 2 鮮明な ‖ a *photographic* memory 鮮明な記憶. 3 写真のような.

†**pho·tog·ra·phy** /fətágrəfi | -tɔ́g-/ (アクセント注意)名U 写真撮影(業), 写真をとること《 ♦ *No Photography*.(掲示)(美術館などで)「写真撮影禁止」.
pho·to·gra·vure /fòutougrəvjúər/ 名C〖印刷〗1U グラビア[写真凹(おう)版] 2 C グラビア版[写真].
pho·to·jour·nal·ism /fòutoudʒə́ːrnəlizm/ 名U フォトジャーナリズム《*Life* 誌などのように写真に重点をおいた報道形式》.
pho·to·jour·nal·ist 名C 報道写真家.
pho·tom·e·ter /foutámətər | fəutɔ́m-/ 名C 光度計;〖写真〗露出計.
pho·to·mi·cro·graph /fòutoumáikrougræf | -grɑːf/ 名C 1 顕微鏡写真. 2 マイクロ写真.
phò·to·mi·cro·gráph·ic 形 顕微鏡写真の.
pho·to·mi·crog·ra·phy /-maikrɔ́grəfi | -krɔ́g-/ 名U 顕微鏡写真撮影.
pho·to·mon·tage /fòutoumantáːʒ | -mɔn-/ 名C モンタージュ写真, その製作法.
pho·to·play /fóutouplèi/ 名C 劇映画.
pho·to·syn·the·sis /fòutousínθəsis/ 名U〖生化学〗光合成.
phò·to·sýn·the·size 動 他(自)(…を)光合成する.
pho·to·tel·e·graph /fòutoutélagræf | -téligraːf/ 名C 写真電送機; 電送写真(cf. facsimile, fax). ――動 他(…の)写真を電送する.
phò·to·te·lég·ra·phy 名U 写真電送.
pho·to·tim·er /fóutoutàimər/ 名C 1〖写真〗自動露出調整装置. 2 (競馬などの)ゴール写真判定撮影装置(cf. photo finish).
phr. (略)phrase.
phras·al /fréizl/ 形〖文法〗句の, 句からなる.
phrásal vérb 句動詞.

***phrase** /fréiz/
――名 (複 ~s/-iz/) 1 UC 言葉遣い, 言い回し, 表現‖ in a simple [happy] *phrase* 簡潔な[うまい]言い方で / to coin a *phrase* 新しい言い方をすれば(○文法 11.3(3)) / in Soseki's *phrase* 漱石の言葉で.
2 C 慣用句, 成句, 熟語, フレーズ ‖ a sét phrase 成句.
3 C〖文法〗句(略 phr.) (cf. clause) ‖ a noun *phrase* 名詞句 / an infinitive *phrase* 不定詞句. 4 C 名言, 警句, 寸言; [~s] 空言‖ turn a *phrase* 警句をいう. 5 C〖音楽〗楽句. 6 C〖ダンス〗一連の動き.
――動 (phras·ing) 他 1〖正式〗…を言葉で表す;(口頭や文書で)…を表現する(express). 2〖音楽〗〈曲〉を楽句に区切る[まとめる].
phráse bòok (海外旅行者用の外国語の)慣用表現集, 熟語[成句]集.
phra·se·ol·o·gy /frèiziálədʒi | -ɔ́l-/ 名U〖正式〗1 語法, 表現法, 言葉遣い; 文体. 2 (個人・特殊社会の)用語, 専門語.
phras·ing /fréiziŋ/ 動 → phrase.
Phryg·i·a /frídʒiə/ 名 プリュギア, フリジア《小アジアの古代王国》.
PHS (略) personal handyphone system (日本の)簡易型携帯電話, デジタル無線方式コードレス電話システム.
phy·lac·ter·y /filǽktəri/ 名C〖ユダヤ教〗聖句箱, 経札(きょうさつ).

phy·lum /fáiləm/ 名 (複 -·la/-lə/) C 〖生物〗〈分類上の〉門 (→ classification).

†**phys·ic** /fízik/ 名 〖古〗 1 UC 薬；下剤 (cathartic)‖ a dose of physic 1服の薬．2 U 医業．
——動 (過去・過分) -·icked; -·ick·ing 他〈人・動物に〉施薬する；…に下剤を与える；〈苦痛などを〉癒(いや)す．

***phys·i·cal** /fízikl/ 形 physically 副
——形 〈◆比較変化しない〉 1 〖通例名詞の前で〗**身体の**, **肉体の**〈◆肉体の機能的側面を強調する．cf. bodily〉 (↔ mental) ‖ physical beauty 肉体美 / physical strength [stamina] 体力 / physical labor 肉体労働 / physical exercise 体操 / I had a physical checkup yesterday. 私はきのう健康診断を受けた / a physical fitness test 体力測定．
2 〖正式〗〖名詞の前で〗**物質の**, **自然の** (natural, material) (↔ spiritual, moral)；形而(じ)下の(♣ metaphysical)；現実の(real), 実際の(actual) ‖ the physical world 物質界 / physical hazards (火災保険の)物的危険．
3 〖名詞の前で〗**物理学の**；物理的な；自然科学の；自然法則の ‖ physical meteorology 物理気象学 / a physical phenomenon 物理的現象 / physical property 物理的性質．
——名 C (略式) =physical examination.
phýsical anthropólogy 自然[形質]人類学(cf. cultural anthropology).
phýsical chémistry 物理化学．
phýsical cóntact スキンシップ．
phýsical cúlture 身体文化《衛生・身体鍛錬(なん)・各種スポーツなど》．
phýsical educátion 体育(科) (略) PE．
phýsical examinátion 健康診断, 身体検査．
phýsical geógraphy 自然地理学．
phýsical médicine 〖医学〗物理療法．
phýsical science 〈生物学以外の〉自然科学, 《主に》物理学．
phýsical thérapy (米) 理学療法《物理療法と運動療法を組み合わせた治療法》((英) physiotherapy).
phýsical tráining 体育 (略) PT．

†**phys·i·cal·ly** /fízikəli/ 副 1 物理的に, 物理(学)的に, 自然法則上；(略式) 〖否定表現と共に〗まったく, とうてい ‖ physically impossible 物理的に[自然法則上]不可能な；(略式) とうてい無理な[だ]．2 身体的に, 肉体的に (↔ mentally) ‖ My child is physically handicapped. 私の子供は身体障害者です．
3 物質的に (↔ spiritually).

†**phy·si·cian** /fizíʃən/ 名 C (米正式・英古) 内科医 〈◆「外科医」は surgeon〉；〈主に米女性語〉医者 (doctor).

phys·i·cist /fízisist/ 名 C 物理学者．

phys·i·co·chem·i·cal /fìzikoukémikl/ 形 物理化学の, 物理化学に関する．

***phys·ics** /fíziks/
——名 U 〖単数扱い〗**物理学** ‖ Hideki Yukawa won the Nobel Prize in [for] physics. 湯川秀樹はノーベル物理学賞を受賞した．

†**phys·i·og·no·my** /fìziánəmi | -ɔ́nə-/ 名 〖正式〗 1 CU 人相, 面相, 顔(つき)．**2** U 人相学, 観相術．**3** UC 〈一地方の〉地形, 外形；〈事物の〉外観．

phys·i·og·ra·phy /fìziɑ́grəfi | -ɔ́g-/ 名 U 1 自然地理学 (physical geography). **2** (米) 地形学．

†**phys·i·o·log·i·cal, -ic** /fìziəládʒikl| -lɔ́dʒ-/ 形 生理学上の；生理的な．

†**phys·i·ol·o·gy** /fìziálədʒi |-ɔ́l-/ 名 U 1 **生理学**. **2** 生理(機能)．

phys·i·o·ther·a·py /fìziouθérəpi/ 名 U (英) = physical therapy.

†**phy·sique** /fizíːk/ 名 U 〖正式〗 (特に男の)体格, からだつき, 体形 (body).

pi /pái/ 名 C パイ《ギリシアアルファベットの第16字(Π, π). 英字の p, P に相当．→ Greek alphabet》．
2 U 〖数学〗円周率 (3.141592…. (記号) π).

pi·a·nis·si·mo /piːænísimòu/〖イタリア〗〖音楽〗形 副 きわめて弱い[弱く] ((記号) pp) (↔ fortissimo).
——名 (複 ~s) C 最弱奏部, ピアニシモ．

†**pi·an·ist** /piǽnəst, píːən- | píːən-, pjǽn-/ 名 C **ピアニスト**；ピアノをひく[ピアノがひける]人．

***pi·an·o**[1] /piǽnou, (英+) piǽn-, pjǽn-, pjɑ́ːn-/ 〖pianoforte の短縮形〗
——名 (複 ~s/-z/) C 1 〖楽器の〗**ピアノ** ‖ an upright [a grand] piano 竪形[グランド]ピアノ / sing at the piano ピアノを弾きながら歌う / Play a tune on the piano. その曲をピアノで演奏しなさい / He plays (the) piano well. 彼はピアノの演奏が上手だ (=He is a good pianist). 〈◆楽器にはふつう the をつけるが, ロック・ジャズの演奏者や (米) ではしばしば省略される．プロの奏者の場合はふつう省略される．「ある(特別の)」の意のときや修飾語句・節を伴えば a の場合もある：He hates playing a piano which is out of tune. 彼は調子のはずれたピアノは弾きたがらない． → play 動 他 2 a) / the same piano that Liszt played on long ago リストが昔弾いたのと同じピアノ．
2 U ピアノを弾くこと；(教科の)ピアノ(演奏) ‖ She teaches piano. =She is 「a piano teacher [a teacher of (the) piano]. 彼女はピアノの先生だ．
piáno órgan 手回しオルガン (cf. barrel organ).
piáno pláyer (1) =pianist. (2) 自動ピアノ《紙ロールに穴をあけて音を記録したものを用いて再生する》．
piáno ròll ピアノロール《自動ピアノ用の紙ロール》．
piáno wire ピアノ線．

pi·a·no[2] /piáːnou | pjɑ́ːn-/ 〖イタリア〗〖音楽〗形 副 弱音の[で], 柔らかな[く] (↔ forte). ——名 (複 ~s) C 弱音[弱奏](部).

pi·an·o·for·te /piǽnəfɔ̀ːrti | piǽnəfɔ́ːti/ 名 (複 **pi·an·o·for·te** (s) /-z/)〖正式〗〈楽器の〉ピアノ (piano)〈◆弱音 (piano)・強音 (forte) が自由に出せることから〉．

†**pi·az·za** /piǽtsə/ 名 C (特にイタリアの都市の)広場, 市場 (cf. plaza).

pi·ca /páikə/ 名 〖印刷〗 1 U パイカ《12ポイント活字》．**2** U パイカ活字の縦の長さ《約1/6インチ》．**3** C 〈タイプライターの〉パイカ活字《1インチに10字たてる．cf. elite》．

Pi·cas·so /pikɑ́ːsou, -kǽs-/ 名 ピカソ《**Pablo** /pɑ́ːblou/ ~ 1881-1973；スペインの画家・彫刻家》．

Pic·ca·dil·ly /pìkədíli/ 名 ピカデリー《London の Piccadilly Circus から Hyde Park Corner を結ぶ大通りの1つ》．
Piccadílly Círcus ピカデリーサーカス《Piccadilly 街の東端にある円形広場．繁華街の中心地》．

pic·co·lo /píkəlòu/ 名 (複 ~s) C 〖音楽〗ピッコロ．

***pick**[1] /pík/〖「(先のとがったもので)ついて取る」が本義〗
——動 (~s/-s/; 過去・過分) ~ed/-t/; ~·ing)
——他
I 〖選び出す〗
1〈人が〉〈人・物などを〉〈…から/…のために/…するために〉

入念に選ぶ(choose), 精選する[from / for / to do] ‖ *pick* one's words〈他人の感情を害さないように〉言葉を選ぶ, 言葉遣いに気をつける / He was *picked* to head the expedition. 彼は探検隊の隊長に選ばれた〈◆ chosen の方がふつう〉/ *pick* him for chairman 彼を議長に選ぶ(➡文法 16.3(4)).
2〈欠点などを〉捜す ‖ *pick* faults [holes] in ... …のあらを捜す. **3**〈略〉〈けんかなどを〉〈人に〉ふっかける, 挑発する, 〈人と〉…のきっかけをつかむ〔with〕‖ *pick* a quarrel [fight] *with* him 彼にけんかをふっかける.

‖ **〔ついて何かを取る〕**
4 [*pick* (A) A =*pick* B (for A)]〈人が〉〈A〈人〉のために〉B〈花・果実などを〉摘み取る(harvest), もぐ, 採取する, 〈指で〉つまみとる〈◆ gather よりもくだけた語〉‖ *pick* strawberries イチゴを摘む / He *picked* the girl daisies. =He *picked* daisies *for* the girl. 彼は少女にヒナギクを摘んでやった.
5〈とがった道具で〉〈地面などを〉つつく, つついて穴を掘る; 〔…を〕ついて〈穴〉をあける〔in〕; 〈歯・鼻などを〉ほじる ‖ *pick* the ground with a pickax つるはしで地面をこつこつ掘る / *pick* one's nose [ears] 鼻[耳]をほじくる. **6**〔…から〕〈肉を〉取る, しゃぶり取る〔from, off, out of〕; 〈鳥の毛などを〉むしり取る, 〈とげなどを〉抜き取る, 〈果物の〉皮をむく ‖ *pick* meat *from* (the) bones 骨についた肉をしゃぶる (= *pick* bones) / *pick* a goose〈料理のために〉ガチョウの毛をむしり取る. **7**〈鳥が〉〈えさを〉つつく, ついばむ; 〈人が〉〈食物などを〉食欲のないさま. **8**〔…から〕〔…を〕盗む, 抜き取る〔of〕; 〈人の考えを〉盗む ‖ hàve one's pócket *picked* すりにあう / She's good at picking people's brains. 〈略〉彼女は人の知恵を借りるのがうまい. **9**〈錠・金庫などを〉こじあける ‖ *pick* a lock 錠をこじあける. **10**〈布地・繊維などを〉ほぐす, 引き裂く ‖ *pick* rags ぼろきれをほぐす. **11**〈米〉〈ギターなどを〉つまびく, かき鳴らす(pluck).

─自 **1** 鳥がえさをつつく, 〔…を〕ついばむ; 〈人が〉〔…を〕つまむ〔at〕; 〈人が〉〔…を〕つつくように〔いやいや〕食べる〔at〕. **2** 選ぶ, 精選する ‖ *pick* and choose よいものばかり選ぶ. **3** つつく, 突いて掘る. **4** 花[果実]を摘む; 〔様態副詞を伴って〕〈果実などが〉摘める, もげる ‖ Strawberries *pick* easily. イチゴはもぎやすい.

píck A **apárt** =**pick** A **to píeces** (1) …をばらばらにする, 引き裂く. (2)〈徹底的に〉…のあら捜しをする; …を酷評する.
pick at A (1) → 自 **1**. (2) …を大ざっぱに扱う. (3) …にくどくど文句をいう.
píck óff [他]〈人が〉…をもぎ[むしり]取る. (2)〈人が〉〈鳥・人を〉〈1羽・1人ずつ〉狙い撃ちする. (3)〔野球〕〈ランナーを〉率(%)制球で刺す.
píck ón A〈略〉(1)〈人・物を〉選ぶ, …に目をつける; 〈人を〉名指しで〔…〕させる〔to do〕. (2)〈人を〉いじめる, いびる ‖ Why *pick on* me? どうして僕にばかり当たるんだ!
píck óut [他]〈略〉(1)〈人が〉〈物を〉〈手でつまんで〉選び出す(choose) ‖ *pick out* a dress I like 私の好きなドレスを選ぶ. (2)〈人・物を〉〈多くの中から〉見分ける, 見出す, ピックアップする〔from〕〈◆ この意味で *pick up* は不可〉‖ *pick* him *out* (*from*) among the crowd 人込みの中から彼を見分ける.

(使い分け) [pick out と pick up]
pick out は「選び出す」の意.
pick up は「拾い上げる」の意.
Pick out [×*up*] one of the items on the program. プログラムの項目からひとつピックアップしなさい.
Pick up your coat. 上着を拾い上げなさい.

(3)〈入念に調べて〉〈意味などを〉理解する. (4)〈曲〉を聞き覚えで演奏する. (5) …を引き立てる, 飾る; …に色をつける〔塗る〕.
píck óver [他]〈略〉〈よい物を得ようと〉…を注意深く〔ひとつひとつ手にとって, ひっくり返したりして〕調べる〔選ぶ〕.
pick A **to píeces** =**PICK** A **apart**.

*****píck úp** [自] (1)〈略〉〈病人・病気・天気が〉回復する, 立ち直る. (2)〈主に米〉〈部屋などの〉後片付けをする ‖ I always have to *pick up* after the children. 私はいつも子供の〔遊んだ〕後片付けをしなければならない. (3)〈話などが中断したあとで〉またもとの続き, 続ける. (4)〈活動が〉活発になる; 〈商売・市場・社会生活などが〉好転する; 〈人・車が〉スピードをあげる. ─[他] (1)〈人が〉〈物を〉〔…から〕〔手でつまんで〕拾い上げる, 持ち上げる; かき集める〔from, off〕; 〈地面を〉〈つるはしなどで〉掘り起こす〈(使い分け)→ PICK out〉[他] ‖ *pick up* a dime 10セント硬貨を拾い上げる / *pick up* the receiver 受話器を取る / *pick up* the pieces → piece(成句). (2)〈偶然に〉〈物を〈安く〉手に入れる(get by chance), 〈習慣などを〉身につける(learn), 〈知識・情報〉を得る, 集める; 〈言葉などにかかる〉‖ *pick up* the habit of smoking タバコを吸う癖がつく / Children *pick up* a new language easily. 子供は新しい言葉を簡単に聞いて覚える. (3)〈途中で迎えて〉〈人・貨物を〉〈車[船]に〉乗せる[乗せて行く]〈↔ drop off〉; 〈車に〉乗って行く ‖ I'll *pick* you *up* at the hotel. ホテルまで君を車で迎えに行ってあげよう. (4)〈車が〉〈スピードを〉上げる, 〈会話などを〉再び始める, 〈話題などを〉取り上げる. (5)〈ラジオ・望遠鏡などで〉…を傍受する, 捕える ‖ *pick up* signals for help 救難信号を受けとる. (6)〈略〉〈異性を〉ひっかける. (7)〈罪人などを〉捕える; …を追跡する. (8)〈ふつうわずかな〉〈収入・金〉を得る, かせぐ. (9)〈手形・勘定などを〉支払う用意をする. (10)〈危険から〉〈人・物を〉救い出す. (11)〈健康・元気〉を回復する, 〈人を〉元気づける; 〈人を〉しかる, 〈人・物を〉正す. (12)〈編み物の目〉を拾う. (13)〔~ oneself *up*〕〈人が〉〈倒れた後から〉起き上がる; 〈失敗などから〉立ち直る. (14)〈手荷物を〉受け取る(claim). **表現** 「ピックアップする」は *pick out*.
píck úp on A〈事を〉見抜く, 〈事に〉気づく, 〈事を〉理解する.
píck úp with A〈人と〉知り合いになる.

─名 (複 ~s/-s/) **1** Ⓤ 選択(権); [one's ~] 自分の選んだもの ‖ Take [Have] *your* pick of these books. これらの本から自由に選びなさい. **2** Ⓒ〈摘み取った〉収穫量, 収穫物. **3**〈米〉[the ~] えり抜き, 最上の物[人].

pick² /pík/ 名 Ⓒ **1**〈略〉つるはし(pickax(e)); 〔楽器の〕ばち, つめ. **2**〔しばしば複合語〕先のとがった小道具 ‖ a tóoth *pick* つまようじ.
pick・ax(e) /píkæks/ 名 Ⓒ つるはし. ─動 [他][自]〈…を〉つるはしで掘る.
pick・er /píkər/ 名〔通例複合語〕**1** つつく[摘む, 拾う, 集める]人. **2** つつく道具; つまようじ.
pick・er・el /píkərəl/ 名 (複 **pick・er・el, ~s**) Ⓒ 〔魚〕〈米〉〔修飾語を伴って〕〈淡水の〉小魚, 〈英〉小さいカワカマス(類).
†**pick・et** /píkit/ 名 Ⓒ **1**〔通例 ~s〕〈先のとがった〉杭(), 横杭. **2**〔軍事〕小哨(), 見張り(兵); [集

picking 1150 **picture**

合名詞；単数・複数扱い〕警戒隊〔海軍〕前哨艦；〔空軍〕前哨機. **3** (労働争議中，組合員のスト破り防止のための)ピケ(隊)，監視員. **4** デモ参加者. **5** (略式) =picket line. ―― 動 他 **1** …にさくをめぐらす(fence). **2** 〈馬など〉を杭につなぐ. **3** …に見張りを置く. **4** 〈工場などに〉ピケを張る，〈労働者などを〉監視する. ―― 自 ピケを張る.
pícket line ピケ(ライン)，監視線.

pick·ing /píkiŋ/ 名 **1** U (つるはしなどで)掘ること；ほじくること. **2** U 選抜，採集，取り入れること；C 摘んだ物，採集物. **3** (略式) [~s] 残り物；摘み残り，落ち穂. **4** (略式) [~s] 盗品，(特に不当な)役得，報酬，もうけ. **5** U ピッキング《家の錠をあけて入る窃盗・侵入行為》.

†**pick·le** /píkl/ 名 **1** CU [通例 ~s] ピクルス《野菜を酢や塩で漬けたもの》. **2** U (ピクルス用)漬け汁. **3** C U (米)キュウリの[(英)タマネギの]ピクルス. **4** (略式) [通例 a ~] 困った[不快な]立場 ‖ be in *a* sad [pretty, nice] *pickle* 苦境にある. **5** C (英略式) いたずら子. **6** U 希硫酸水. ―― 動 他 …をピクルスにする.
píck·led 形 ピクルスにした.

pick-off /píkɔːf/ 名 〔野球〕(牽(ﾙ)制による)刺殺 ‖ make a *pick-off* throw 牽制球を投げる.

†**pick·pock·et** /píkpɑ̀kət | -pɔ̀k-/ 名 すり.

†**pick·up** /píkʌp/ 名 **1** U C (郵便物・荷物などを)集めること；集配；C =pickup truck ‖ the last *pickup* time 最終集配便時刻 / make a daily mail *pickup* 毎日郵便集めをする. **2** U C (客をひろう[乗せる]こと). C ひろった客，乗客，(略式) (無賃)便乗者. **3** C 偶然の拾い物，掘り出し物. **4** U (米) (車の)加速能力 ‖ a sports car with good *pickup* 加速のいいスポーツカー. **5** C (米略式) [通例 a ~] 〔健康の〕回復 [in]；〔生産・販売などの〕向上 [in]. **6** C 〔放送〕(ラジオ・テレビで)電波に変えること，〔装置〕；(スタジオ以外の)放送(実況)現場. **7** C (レコードプレーヤーの)ピックアップ(cartridge).
píckup trùck (無蓋の集配用)小型トラック.

Pick·wick·i·an /pìkwíkiən/ 《Dickens の小説 *The Pickwick Papers* の主人公から》形 **1** ピックウィック流の，素朴で情け深い. **2** 変な，妙な；珍しい.

pick·y /píki/ 形 (-i·er, -i·est) (主に米略式) 神経質な，きちょうめんな.

:**pic·nic** /píknik/ 《「互いに持ち寄る」が原義》
―― 名 (複 ~s/-s/) C **1** (戸外での食事を目的とした)行楽，遠足《徒歩・車など交通の手段は問わない。遊び・運動を目的とするよりも》；(行楽で)戸外での食事，(英)行楽の弁当(を食べること)《◆(米)では自宅の庭などでのパーティーも picnic という》 ‖ Let's *have a picnic* in the park. その公園で弁当を食べよう / 〔対話〕"Is this the *picnic* your wife packed?" "No, my daughter packed it." 「これは奥さまが詰められた野外用の弁当ですか」「いいえ，娘が詰めてくれたのです」/ They *went on a picnic to* [*at*] the seaside. =They went to the seaside on [for] a *picnic*. =They went for a *picnic* at [×on] the seaside. 海辺に遠足に出かけた / *at* [*on*] *a picnic* ピクニックの途中[最中]で.
2 (略式) [通例 a/the ~；通例否定文で] 楽な仕事 [経験] ‖ *It* was no *picnic* translating that book. あの本を翻訳するのは楽な仕事ではなかった / Putting it into practice won't *be a picnic*. 実際にやるのは楽なものじゃないよ.
3 持ち寄り宴会《◆(米) では a potluck party [lunch, meal] などという場合が多い》.
―― 動 (過去・過分) --nicked/-t/; --nick(ing)
―― 自 ピクニックをする，戸外で食事を楽しむ ‖ go *picnicking* ピクニックに行く / We *picnicked at* the lake. 湖畔でピクニックをした.
pícnic lùnch ピクニックの弁当.

pi·co·sec·ond /píkəsèkənd/ 名 ピコセカンド《10^{-12} (1兆分の1)秒》.

pi·cot /píːkou/ 名 ピコ(ット)《レース・リボンなどの縁飾りの小さな輪》.

pic·to·graph /píktəɡræf | -ɡrɑ̀ːf/ 名 **1** 象形文字，絵文字. **2** (絵で示した)統計図表.

†**pic·to·ri·al** /piktɔ́ːriəl/ 形 **1** 絵画の；絵で表した. **2** 絵のような，絵を思わせる；生き生きした. **3** (さし)絵入りの. **4** 画家の；画法の.
―― 名 絵入り雑誌[新聞]，画報.
pic·to·ri·al·ly 副 絵によって，絵入りで.

:**pic·ture** /píktʃər/ 派 picturesque (形)

index 名 **1** 絵 **2** 写真 **3** 画像 **4** 映画 **6** イメージ
動 **1** 絵で表す **2** 心に描く

―― 名 (複 ~s/-z/)
Ⅰ [描かれた絵]
1 C 絵，絵画(painting)，図画(drawing)，版画(print) ‖ make [draw, paint, print, ×take] *a picture* of the Golden Gate Bridge 金門橋の絵を描く《◆draw は主にペン・鉛筆・クレヨンで描く。paint は絵の具で描く。print は版に刷る》/ That's *a picture* of my father. あれが父の肖像です《◆my father's *picture* では「父の描いた絵」「父が所持する絵」ともとれる》.

◆語法 [[「絵画名詞」の意味]
picture, portrait, statue, story, bust などの名詞は時に「絵画名詞」と呼ばれ，名詞・代名詞，of との関係で次のような意味になる。
1) *a picture* of her 彼女を描いた絵 [目的格関係] (cf. ×a car of her とはいわない。→2))
2) *a picture* of hers 彼女の持っている絵 [所有] / 彼女が描いた絵 [主格関係] (cf. a car of hers は「彼女の車」[所有])
3) her *picture* 彼女の持っている絵 [所有] / 彼女が描いた絵 [主格関係] / 彼女を描いた絵 [目的格関係] (cf. her car は「彼女の車」[所有])

2 C 写真(photograph) ‖ Could you *take a picture of* us? 写真をとってくれませんか / *a picture* of him [×his] playing the piano 彼がピアノを弾いている写真《◆ playing は現在分詞。動名詞の意味上の主語であれば所有格・目的格いずれも可：an idea of him [his] getting married to me 彼が私と結婚するという考え》 ⇒文法 12.5 / develop *pictures* 写真を現像する / Please get in the *picture* with me. 写真に入ってください.

3 [the/a ~] (テレビ・映画の)画像，画面；画質 ‖ You'll get *a* clear *picture* with this antenna on the roof. このアンテナを屋根につけると画面がはっきり見えますよ.

4 C (主に英略式) 映画(cinema, (主に英) film), [the ~s; 複数扱い] 映画(館)(movies)；[~s] 映画界[産業] ‖ shoot a *picture* 映画を撮影する / The *picture* is on now. その映画は上映中だ / He projects (the) *pictures* at the theater. 彼はその劇場で映写係をしている.

5 Ⓒ (鏡・水面に写った)像; (レンズを通して結ばれた)映像 ‖ the *picture* reflected in the pond 池に映った影.

‖ [心に浮かべる絵]

6 Ⓒ [通例 a ~] イメージ, 心に映る[描く]もの; 理解, 合点 ‖ a *picture* of the incident 事件の生き生きとした描写 / I gained a clear *picture* of how it works. それがどのように作動するかがよくわかった.

7 (略式) [a/the ~] 具現したもの; 模範; 生き写し; [演劇] 活人画 ‖ the (very) *picture* of innocence [health] 無邪気[健康]そのもの / a perfect *picture* of a knight 騎士の鑑(かがみ) / He is the (very) *picture of* his grandfather. 彼は祖父に生き写しだ.

8 [a ~] (絵のように)美しい人[物] ‖ The aurora was *a picture*. 例のオーロラは実に見事だった.

9 [the ~] 状況, 事態, 全体像 ‖ Computers have changed *the* industrial *picture* considerably. コンピュータは産業の様相を大きく変えた.

in the picture (略式) (1) 事情を知る立場で, かかわっている ‖ put him *in the picture* 事態を彼にのみこませる. (2) 目立って, 圏内で.

out of the picture (略式) (1) 蚊帳(か)の外に, 無関係で. (2) 忘れさられて, 圏外で.

——動 (~s/-z/; 過去・過分) ~d/-d/; **--tur·ing** /-tʃərɪŋ/)

——他 **1** …を絵[写真など]で表す, …を[…として]描く [*as*] ‖ *picture* the mechanism その仕組みを図解する / She was *pictured as* a woman playing the cello. 彼女はチェロを弾く女性として絵にかかれていた / Fukuzawa Yukichi is *pictured* on the 10,000-yen bill. 福沢諭吉の肖像画が1万円札に描かれている.

2 〈人が〉〈人・物・事〉を心に描く; [*picture* (**that**) 節 / *picture* **wh**節] …だと[…かを]心に描く ◇imagine よりも「ありありと目に浮かべる」; [*picture* **A** *do*ing] 〈人〉が…しているのを想像する ‖ Can't you just *picture* Ed in a woman's disguise? 女装しているエドをちょっとまあ想像してごらん.

3 …をありありと描写する ‖ She *pictured* the brutality of war. 彼女は戦争の残忍性を活写した.

picture A to oneself …を目に浮かべる, 想像する.

pícture bòok (主に子供用の)絵本; 図鑑.

pícture càrd (1) (トランプの)絵札. (2) =**picture postcard**.

pícture gàllery (1) 画廊. (2) 絵画収集.

pícture hàt つば広の婦人帽.

pícture póstcard (正式)絵はがき.

pícture tùbe =Braun tube.

pícture wíndow 大型一枚ガラスの見晴らし窓.

pícture writing 絵[絵文字]による記録; 絵文字.

✝**pic·tur·esque** /ˌpɪktʃəˈrɛsk/ [アクセント注意] 形 **1** 絵のように美しい; 画趣をそそる ◇ pretty, attractive よりも堅い語 ‖ *picturesque* costumes 目にも鮮やかな衣装. **2** 〈人・ふるまいなど〉人目を引く, 珍奇な. **3** 〈やや遠回しに〉〈言葉・文体が〉表現力に富んだ; まことしやかな ◇非現実性を暗示する).

pidg·in /ˈpɪdʒɪn/ 名 **1** ⓊⒸ ピジン語《2または2以上の言語の混成語》(cf. Creole). **2** Ⓤ =pidgin English. **3** (略式:今はけい) [one's ~] 仕事; 関心事. **pídgin Énglish** [時に P~] ピジン英語《アフリカ西部・オーストラリア・メラネシア・中国などで使われている現地語の影響を大きく受けた英語》.

✝**pie** /paɪ/ 名 **1** ⒸⓊ [しばしば複合語で] パイ《肉・果物などを練り粉で包み焼いた料理またはお菓子》 ‖ a pork [mince] *pie* ポーク[ミンチ]パイ / an apple [orange] *pie* アップル[オレンジ]パイ《◆(英)では中身の見える菓子パイは tart という》. **2** Ⓒ クリーム・ゼリーなどをはさんだケーキ.

(**as**) **éasy** [**símple**] **as píe** (略式)とても簡単な.

píe chàrt 円グラフ.

píe dìsh (深い)パイ用皿.

pie·bald /ˈpaɪbɔːld/ 形 〈馬など〉白黒のまだらの, ぶちの; 雑色の.

✦**piece** /piːs/ 〈同音〉peace〉《「一区画の土地」が原義》

index 名 **1** 一つ **2** 部分品 **3** 作品; 記事

——名 (複 ~s/-ɪz/) Ⓒ

‖ [あるものの一片]

1 [通例 a ~ of +Ⓤ 名詞] **a** [物質名詞を後に置いて] 一つ《◆part と違い「1個の独立したもの」をいう》 ‖ *a piece of* chalk チョーク1本 / costly *pieces of* antique furniture 高価な骨董(こっとう)家具数点 / a few *pieces of* land [water] いくつかの土地[湖沼(こしょう)] / cut the cake in [into] six *pieces* ケーキを6つに切る / Her car is *a piece of* junk. 彼女の車はポンコツだ. **b** [抽象名詞を後に置いて] 1件, 1つ ‖ Can I give you *a frank piece of* advice? 率直な忠告をしてもいいです / several interesting *pieces of* news [information] いくつかの興味あるニュース[情報]《➡文法14.2(3)》《◆上の2つの用例について (1) ×a frank advice, ×several interesting news [information] は不可. (2) several *pieces of* interesting news [information] も可だが, 上例のように形容詞は piece の前に置く方がふつう. ただし, 名詞との結びつきが強い場合は例外》/ *a piece of* luck [carelessness] 幸運[不注意].

‖ [全体に対する一片]

2 a (機械・セットなどの)部分品, 要素 ‖ a set of glasses of six *pieces* 6個一組のコップ / This machine can be separated into ten *pieces*. この機械は10の部分に解体できる. **b** [通例複合語で] 構成員, 構成要素 ‖ a forty-*piece* orchestra 40人編成のオーケストラ. **c** 断片, 散乱物.

3 (主に文学・芸術分野の)作品; (略式) [通例 a ~] (新聞・雑誌などの)記事(article); 作品[作品]の一部 ‖ play a few *pieces* by Chopin ショパンの小品を2, 3弾く / do *a piece* on the local economy 当地の経済について一文書く.

4 (商品などの)1単位で(略) pc.; (複) pcs.); [the ~] (仕事の)出来高 ‖ at 75 cents per *piece* 単価75セントで / 100 *pieces* of crepe クレープ100反 / They are paid by [on] *the piece*. 作品1点いくらで[仕事の出来高で]彼らは賃金を支給されている.

5 (盤上ゲームなどの)コマ《◆チェスの pawn は piece とはいわない. cf. chessman》; 点棒.

6 (英) 硬貨(coin), (賭(か)け事で現金代用の)数取り, チップ(chip); お守り ‖ a nickel *piece* ニッケル貨幣 / two 10-cent *pieces* 10セント玉2つ.

(**áll**) **in óne píece** (略式) (1) 〈物が〉継ぎ目なしに, 完全な姿で; 〈党などが〉分裂しないで, ばらばらにならないで. (2) 〈人が〉(事故にあって)無事で, 無傷で.

áll of a píece =of a PIECE.

(**áll**) **shót to píeces** (略式) 狼狽(ろうばい)して, ぼんやり

bréak to [in, into] píeces 粉々にこわれる, ばらばらになる.

cóme to píeces 〈機械などが〉分解できる.

cút A **to [in, into] píeces** → to PIECES.

fáll to [in, into] píeces 粉々にこわれる, ばらばらになる.

gó [áll] to píeces 〈略式〉(1)〈物がばらばら[めちゃめちゃ]になる. (2)〈人が〉(精神的・肉体的に)だめになる. (3)〈計画などが〉おじゃんになる.

in píeces ばらばらになって; だめになって.

of a [óne] píece 〈正式〉〈…と〉一致[調和]して; 〈…と〉同じ[類の]性格[の]〈with〉.

pick A **to píeces** → pick¹ 動.

píck úp the píeces (1) 破片をかき集める. (2)〈略式〉〈…の〉収拾をはかる, 後始末をする〈of〉.

píece by píece ひとつひとつ, 少しずつ.

sáy [spéak] one's píece 〈略式〉言いたいことを率直に言う.

*__to píeces__ (1) ばらばらに, 粉々に〈◆ break, come, cut, go, fall, take, tear などと用いる〉‖ tear a letter *to pieces* 手紙をずたずたに引き裂く. (2) ひどく, 徹底的に, すっかり〈◆ cut, pull, tear などと用いる〉‖ cut him *to pieces* 彼をぼろくそに言う.

——動 (**piec·ing**) ⑲ 1〈衣類などに〉継ぎを当てる; (布を継いで)…をつくる ‖ *piece* the torn curtain 破れたカーテンに継ぎを当てる / You can *piece* the skirt when she grows. そのスカートは彼女が大きくなれば継ぎ足して大きくできるよ. **2**〈破片・部分などを〉つなぎ合わせる; …を〈破片・部分などに〉作りあげる, 完成する(+*out*, *together*, *up*) 〈*from*, *with*〉 ‖ We had to *piece out* the situation only *from* the radio news. ラジオの情報だけで状況を把握しなければならなかった.

piece·meal /píːsmìːl/ 副形 **1** 少しずつ(の). **2** ばらばらに[の]. ——名 Ⓤ 少量 ‖ **by** *piecemeal* 少しずつ.

piece·work /píːswɜ̀ːrk/ 名 Ⓤ 出来高払いの仕事.

piec·ing /píːsɪŋ/ 動 → piece.

pied /páɪd/ 形 **1**〈正式〉〈鳥などが〉(白黒)まだらの, 雑色の. **2** まだら服を着た.

†**pier** /píər/ 同音 peer/ 名 Ⓒ **1** 桟橋, 埠(ふ)頭; 遊歩桟橋〈しばしばレストラン・遊技場などがある〉; 防波堤, 突堤 類語 jetty, wharf ‖ His ship has just docked at the *pier*. 彼の乗った船がちょうど桟橋に着いたところです. **2** 橋脚, 橋台(cf. abutment).

†**pierce** /píərs/ 動 ⑲ **1**〈先のとがった物が〉〈人・物〉を刺す, 貫く;〈人が〉〈物・人〉を〔…で〕刺し[突き]通す〈*with*〉;〈人が〉〈とがった物〉を〔…に〕突き刺す〈*into*〉‖ The arrow *pierced* his leg. 矢が彼の脚に突き刺さった / *pierce* the rubber ball *with* a knife =*pierce* a knife *into* the rubber ball ナイフをゴムまりに突き刺す. **2**〈正式〉〈寒さ・苦痛などが〉〈人・体など〉を突き通す, …の身にしみる;〈音などが〉…を深く感動させる ‖ A heart *pierced* with grief 悲しみに打ち沈んだ心 / The icy wind *pierced* me to the bone. 氷のように冷たい風が骨にしみた. **3** …に穴をあける(+*through*), (穴などに)〔…に〕あける〔*in*〕. **4**〈音・叫び声などが〉静けさ・大気などをつんざく, 突き破る ‖ A shout *pierced* the stillness of the room. 叫び声が部屋の静けさをつんざいた. **5**〈正式〉〈書物など〉を見抜く, 見破る, 洞察する ‖ *pierce* a disguise 変装を見破る / *pierce* a mystery なぞを見抜く.

——⑱〔…に〕突き進む〈*to*, *into*, *through*〉;〔…を〕突き通る, 貫通する〈*through*〉.

pierced éarring ピアス〈◆ 数えるときは「a pair [two pairs] of pierced earrings」.

Pierce /píərs/ 名 ピアス〈**Franklin** ~ 1804-1869; 米国の第14代大統領(1853-57)〉.

†**pierc·ing** /píərsɪŋ/ 形 **1**〈叫び声などが〉大声の, かん高い ‖ a *piercing* scream かん高い叫び声. **2**〈寒さ・風などが〉骨身にこたえる, 突き刺すような. **3**〈目などが〉鋭い, 洞察力のある.

Pi·e·ri·an /paɪíəriən, 〈英+〉 -ér-/ 形〈ギリシア神話〉**1** ミューズの女神〈the Muses〉の[に関する]; 詩の, 詩に関する. **2** (ミューズの女神々の故郷)ピエリアの, ピエリアに関する.

Pi·er·rot /píːəròu, ⁄⁄⁄ píərəu/《フランス》名〈(女性形) **-rette**/píərét/〉Ⓒ **1** ピエロ〈フランスパントマイムでのピエロ. **2** [しばしば p~] 道化役.

pi·e·tism /páɪətìzm/ 名 Ⓤ **1** =piety 1. **2** 信心ぶった偽善的敬虔(けん)〈貶〉. **3** [P~]〈歴史〉敬虔主義〈派〉〈17世紀ドイツの宗教的運動〉.

pi·e·tis·tic, -ti·cal /pàɪətístɪk(-əl)/ 形 敬虔な; 敬虔を装う.

†**pi·e·ty** /páɪəti/ 名 **1** Ⓤ〈正式〉敬虔(けん)〈宗〉, 敬神, 信心(↔ impiety). **2** Ⓤ (親などに対する)敬愛, 献身, 孝行心. **3** Ⓒ 敬虔な行為〔言葉, 信仰〕; お祈り.

pif·fle /píf l/ 名〈略式〉むだ話, たわごと(nonsense); [間投詞的に]くだらん!

*__pig__ /pɪ́g/

——名 (複 ~**s**/-z/) **1** Ⓒ ⓐ ブタ, 〈米〉子ブタ〈◆(1) 不浄・大食漢などを連想させる. (2) 鳴き声は oink, squeal, grunt〉 ‖ 〈対話〉 "What's your father's job, I wonder?" "He raises *pigs*." 「あなたのお父さんの職業は何ですか」「養豚業を営んでいます」/ as fat as a *pig* 豚のように肥えている.

類語 hog 去勢された食肉用の大きい雄ブタ / 〈米〉ではふつうの成長したブタ / boar 去勢しない雄ブタ / sow pig より大きい雌ブタ / swine〈文・古〉または集合名詞として用いる.

2 Ⓤ 豚肉(pork) ‖ roast *pig* 焼き豚〈丸焼き・それに近いもの. roast pork は肉の一部を焼いたもの〉 / *pig* between sheets 〈米〉ハムサンドウィッチ. **3** Ⓒ〈略式〉ブタのようなやつ, 不潔な人; 利己的な人; 不作法で貪欲(どん)な人;〈略式〉[a ~] いやなもの, 難しい事. **4** ⒸⓊ 金属の鋳塊, なまこ; =pig iron.

máke a (réal) píg of oneself 〈略式〉大食いする, 欲張る.

——動 (過去・過分 **pigged**/-d/; **pig·ging**) ⑱〈◆ 次の成句で〉.

píg óut ⑱〈略式〉大食いする.

píg íron 銑(せん)鉄.

†**pi·geon** /pídʒən, -dʒɪn/ 同音 △pidgin/ 名〈複 **pi·geon, ~s**/-z/〉Ⓒ **1** ハト, 飼いバト(→ dove¹)〈◆(1) rat with wings (翼のあるネズミ)とも呼ばれる汚ないというマイナスイメージがある. (2) 平和の象徴としてのハトは dove: the *dove* [˟*pigeon*] as a symbol of peace〉 ‖ a carrier [homing] *pigeon* 伝書バト / *pigeon*-hearted 気の弱い. **2**〈略式〉[one's ~] 特別な関心事, 本務, 責任 ‖ It's not my *pigeon*. それは私の知ったことじゃない.

pígeon brèast〈医学〉鳩胸(はときょう).

pi·geon·hole /pídʒənhòul, -dʒɪn-/ 名 Ⓒ **1** ハトの巣の出入りの穴, 巣箱の分室. **2** 書類棚, 分類[整理]棚. **3** (きわめて荒っぽい)分類, 決めつけ. ——動 ⑱ 〈書類〉を整理棚に入れる, 分類整理する;〈略式〉〈人〉を分類する. **2**〈案など〉を後(あと)回しにする, 棚上げする, 握りつぶす.

pig·gy /pɪ́gi/ 名 Ⓒ〈略式〉子ブタ,〈小児語〉ブタちゃん.

——形〈略式〉**1** ブタのような. **2**〈子供がかつがつ欲し

piggy bank (略式)(小型)貯金箱.
pig・head・ed /píghédid/ [形] 強情な, 頑固な《◆マイナスのイメージが強い. → stubborn》.
pig・let /píglət/ [名] [C] 子ブタ.
†**pig・ment** /pígmənt/ [名] 1 [U][C] 顔料, 絵の具. 2 [C] 〔生物〕(動植物の)色素. ―― [他] …を着色[彩色]する.
pig・my /pígmi/ [名] =pygmy.
pig・skin /pígskìn/ [名] 1 [U] ブタの皮[なめし革]. 2 [C](略式)鞍(^{くら}). 3 [C](米略式)フットボールの球.
pig・tail /pígtèil/ [名] [C] 1 弁髪; お下げ髪((米) braid)《◆ plait よりくだけた語》. 2 ねじりタバコ.
pig・weed /pígwìːd/ [名] 〔植〕アカザ; アオゲイトウ.
†**pike**^{1} /páik/ [名] 〔歴史〕やり, ほこ; (やり・ほこなどの)とがった先. ―― [動] [他] (やり・ほこで)…を殺す, 傷つける.
pike^2 /páik/ [名] (複 pike) [C] 〔魚〕カワカマス; [U] その肉.
pike^3 /páik/ [名] (米)=turnpike.
pike・man /páikmən/ [名] (複 -men) [C] 1 やり兵, ほこ兵. 2 (有料道路の)料金所係員((PC) tollbooth operator).
pike・staff /páikstæf |-stɑːf/ [名] (複 -staves /-stèivz/) [C] 1 やりの柄. 2 (先にとがった金属の付いた)ステッキ.
pi・laf(f) /piláːf, -læf | pílæf, -ʹ/ [名] [U][C] ピラフ《米をバターでいため, 肉・魚・香辛料などを加えて炊いた料理》.
pi・las・ter /pilǽstər/ [名] 〔建築〕(装飾用に壁の一部を張り出して作った)壁柱, 柱形(^{はしらがた}).
Pi・late /páilət/ [名] ピラト, ピラトゥス《Pontius /pántiəs | pɔ́n-/; ユダヤに派遣されたローマの総督. キリストの処刑を許可した》.

*****pile**^{1} /páil/
―― [名] (複 ~s/-z/) 1 [C] [通例 a ~ of +[C] 名詞複数形] (物のきちんとした)積み重ね, 堆積(^{たいせき})《◆雑然と積み上げたものは heap. stack はふつう同じ形・大きさのものをきちんと積み重ねたもの》∥ neat piles of books きちんと積み上げられた本の山 / Put the plates in a pile in the cupboard. 皿を食器棚に積み重ねておきなさい.
2 [C] (略式) [通例 ~s [a ~] of +[U][C] 名詞] 多量(の…), たくさん(の…) (lot) 《◆この意味では heap と同じ》∥ a pile of rubbish ごみの山 / I had to deal with piles of troubles. 山ほどのもめごとを処理しなければならなかった.
3 [C] (略式) [通例 a ~ / ~s] 大金 ∥ màke a [one's] píle in the stock market 株でひと財産つくる. 4 [C] 積み薪(^{まき}). 5 [C] [おもにかに] 大建築物(群). 6 [C] 〔電気〕電堆(^{でんたい}) 〔初期の電池〕∥ a voltaic pile ボルタ電池 / dry piles 乾電池. 7 [C] 原子炉(atomic pile)《◆ reactor の旧称》.
―― [動] (~s/-z/; 過去過分 ~d/-d/; pil・ing)
―― [他] 1 〈人が〉〈物を〉積み上げる(+up)∥ Snow was piled high [×deep] here and there. あちこちに雪が積み上げてあった / pile blocks one on top of another 積木を1つずつ積み重ねる. 2 [pile A with B, pile B on [onto] A] 〈人が〉〈物に〉B〈物〉を積む(load) ∥ They piled the ship with containers. =They piled containers on(to) the ship. 彼らは船にコンテナを積んだ.
―― [自] 積み重なる(+up); 殺到する(+in); His debts [work] kept piling up. 彼の借金[仕事]はかさみ続けた.
pile ín [into] A (1)(略式)…に乱入する, 殺到する.

(2) …を猛攻撃する. (3) 〈食物〉をどんどん食べる.
pile óut [自] (略式) […から] どやどやと出る [of].
pile úp [自] (1) ―― [他] (1)〈船が〉…に乗り上げる, 座礁する(on). (3)〈何台もの自動車が〉衝突する. ―― [他] (1)〈富・金〉を蓄積する; 〈苦労・仕事など〉をうんとかかえこむ. (2)
pile^2 /páil/ [名] [C] 1 (建造物の)基礎杭(^{くい}); 橋杭. 2 楔形(^{くさびがた})紋章(cf. heraldry); 矢尻(^{じり}). ―― [動] [他] …に杭を打ち込む.
pile^3 /páil/ [名] [U] [時に a ~] 柔らかい細い毛; (タオル・ピローなどの)けば(cf. nap^2).
pile-up /páilλp/ [名] [C] 1 (何台もの自動車の)衝突, 玉突き衝突. 2 (仕事・書類の)山積み.
pil・fer /pílfər/ [動] (略式) [他] [自] (…を)ちょろまかす, くすねる(steal).
†**pil・grim** /pílgrim/ [名] [C] 1 巡礼者 ∥ the Canterbury pilgrims カンタベリーへの巡礼者. 2 (主に詩) 旅人, 放浪者. 3 [P~] Pilgrim Fathers の1人; [the Pilgrims] =Pilgrim Fathers.
―― [動] [自] 巡礼する; 流浪する.
Pílgrim Fáthers [the ~] ピルグリムファーザーズ《英国から信仰の自由を求めて 1620 年 Mayflower 号で渡米した102名の清教徒》.
†**pil・grim・age** /pílgrəmidʒ, -grim-/ [名] 1 [C][U] 巡礼(の旅), 聖地巡礼 ∥ 'gó on (a) [màke a] pílgrimage to … =gò in pílgrimage to … …へ巡礼の旅に出かける. 2 [C] (特に名所・史跡などへの)長旅, 行脚(^{あんぎゃ}). ―― [動] [自] 巡礼をする.
pil・ing /páiliŋ/ [名] → pile^1.
Pi・li・pi・no /pìːlipíːnou/ [名] ピリピーノ語《Tagalog 語の公式名. フィリピンの公用語》.
†**pill** /píl/ [名] [C] 1 丸薬, 錠剤 ∥ She took [×drank] the sleeping pills. 彼女は睡眠薬を飲んだ. 2 [しばしば P~] (略式) [the ~] ピル, 経口避妊薬 ∥ She's on the pill. =She's taking the pill. 彼女はピルを服用している. 3 (略式) [通例 a ~] 不愉快な人. 4 苦しい事; (略式) いやな人.
a bítter píll (**to swállow**) 耐えねばならないいやな事.
súgarcoat [**swéeten**, (英) **súgar**] **the píll** いやなものをうそう[魅力的に]見せる, 不快感をやわらげる.
†**pil・lage** /pílidʒ/ [正式] [動] [他] [自] (…を)略奪する (steal). ―― [名] [U] (特に戦争での)略奪; [U][C] 戦利品.
†**pil・lar** /pílər/ [名] [C] 1 支柱, 脚柱; (柱状の)記念碑[塔] ∥ The roof is supported by six stone pillars. その屋根は6本の石柱で支えられている. 2 [正式] [通例 a ~] 柱状のもの ∥ a pillar of fire [cloud, water] 火柱[雲柱, 水柱]. 3 [正式] [通例 a ~] 中心的存在, 大黒柱; 要所 ∥ the pillar of the team チームの要(^{かなめ}) / Humanitarianism is a pillar of the United Nations. 人道主義は国連の柱石の1つだ.
pil・lar-box /pílərbàks | -bɔ̀ks/ [名] [C] (英) (円柱形の赤い)郵便ポスト《◆ postbox ともいう; (米) mailbox は箱型. 最近英国では箱型のポスト(letterbox)が増えつつある》.
pill・box /pílbàks | -bɔ̀ks/ [名] [C] 1 丸薬入れ. 2 〔軍事〕トーチカ. 3 ピルボックス《縁なしの小さな円形の婦人帽》.
pil・lion /píljən/ [名] [C] (オートバイなどの)後部座席(pillion seat); (馬の)添え鞍(^{くら}) ∥ ríde píllion 相乗りする.
†**pil・lo・ry** /píləri/ [名] [C] 1 〔歴史〕さらし台《罪人の頭と両手を固定する刑具》. 2 [正式] 汚名, 物笑い, あざけり. ―― [動] [他] 1〈人〉をさらし台にさらす. 2 [正式]

pil·low /píloʊ/ 名 C **1** まくら； 頭のせ〈まくらの代用〉になる〔on, upon〕‖ *pillow* one's head *on* one's arm 腕[手]まくらをする．**2** 〈物が〉…のまくら[支え台]となる．― 自 まくらをする．
píllow blòck [機械] 軸受け台．
pil·low·case /píloʊkèɪs/ 名 C まくらカバー．

pi·lot /páɪlət/ [『かじをとる人』が原義]
― 名 (複 ~s/-ləts/) C **1** (飛行機の)パイロット，操縦士 ‖ a private *pilot* 自家用飛行機のパイロット / The *pilot* was killed in the plane crash. そのパイロットは飛行機の墜落事故で亡くなった．[関連]「機長」は chief *pilot* または captain，「副操縦士」は copilot．
2 水先案内人；（古）（船の）舵手．［対話］ "In which direction did the *pilot* steer?" "He steered for the coast." 「その水先案内人はどの方向にかじを取りましたか」「岸に向かって進路をとりました」．**3** 指導者，案内人．**4** =pilot lamp．**5** [形容詞的に] **a** 案内役をする ‖ a *pilot* star 目じるし星．**b** 試験的な，予備の ‖ a *pilot* farm [plant] 試験農場[工場] / a *pilot* survey [experiment, program] 予備調査[実験，計画]．
― 動 他 **1** 〈船の〉水先案内をする；〈船・飛行機を〉操縦する．**2** …を〔…に〕導く，案内する(guide)〔through, into, to〕．**3** 〈法案などを〉通す(+ through)．
pílot ballòon 測風[測流]気球．
pílot bòat 水先案内船．
pílot bùrner (ガス器具などの)種火，口火．
pílot làmp (モーターのパイロットランプ，表示灯．
pi·lot·age /páɪlətɪdʒ/ 名 U **1** 水先案内(術)；航空機操縦(術)．**2** 水先案内料．
pi·lot·house /páɪləthàʊs/ 名 [海事] 操舵(だ)室．
pim·per·nel /pímpərnèl, -nl/ 名 [植] ルリハコベ《サクラソウ科》．
pim·ple /pímpl/ 名 吹き出物，にきび《◆ spot より口語的》．
pim·pled /pímpld/ 形 吹き出物だらけの．

*pin /pín/ ― 名 (複 ~s/-z/) C **1** ピン，留め針《◆愛・結婚・抑制などの象徴》；［しばしば複合語で］飾りピン（記章・ブローチ・ネクタイピンなど装飾物に留め針が付いたもの)‖ a sáfety *pin* 安全ピン / a dráwing *pin* 画鋲(び*)／You could [might] have heard a *pin* drop. = A *pin* could [might] have been heard to drop. ピン1本落ちる音も聞こえるほど静かだった《◆この仮定法は「もしもピンが1本落ちたとしたら、その音が聞けたであろう[聞こえたかもしれない]」という気持ちを示す．
●文法 8.4）．**2** (木製・金属製の)細い留め具，留めくぎ(peg)；かんぬき(bolt)；（車輪の)輪留め，くさび．**3** (かぎの穴に入る)かぎの先端の部分．**4** [医学] (折れた骨の両端を固定するくぎ，陶歯釘(くぎ)．**5** [音楽] (弦楽器の)糸巻．**6** [ゴルフ] (ホールの位置を示す)旗ざお；[ボウリング] ピン．**7** (略式)［通例否定文で；a ~] つまらないもの，ほんの少し(little)‖ be not worth a *pin* 全然価値がない / I don't care「a *pin* [two *pins*]．全然少しに介さない，少しも構わない．**8** (英略式)［通例 ~s] 脚(き*) (leg)．
― 動 (~s/-z/; 過去・過分 pinned/-d/; pin·ning)
― 他 **1** 〈人や物を〉〔…に〕ピンで留める(fix) (+up, together, on)〔to, on〕(↔ unpin); …を(ピンなどで)刺し通す ‖ *pin* a butterfly チョウを虫ピンで留める / *pin up* a dress 服をピンで留める / She *pinned up* his picture on the wall. 彼女は彼の写真を壁にピンで留めた / *pin* the laundry to the line 洗濯物をピンで物干し綱に留める．
2 〈人・物が〉〈人・物を〉〔…に〕押しつける，くぎづけにする(+down)〔to, against, under, on〕; [レスリング] にフォール勝ちする《◆修飾語(句)は省略できない》．［対話］"How are Japanese commuter trains?" "They are so crowded that I am sometimes *pinned* against the door." 「日本の通勤電車はどうですか」「あまりにも混んでいてドアに押しつけられて動けなくなるときがあります」．
3 …を（約束・仕事などに）しばりつける；〈人に〉〔…をせまる，強要する(+down)〔to〕‖ *pin* her (*down*) to a promise 彼女に約束を守らせる．**4** 〈希望・信頼などを〉〔人・物に〕かける，よせる．**5** …の罪・責任を〈人に〉負わせる[かぶせる]，〔人の〕せいにする〔on〕‖ My boss *pinned* the blame on me. 上司は責任を私にかぶせた．

pín dówn [他] (1) → **3**．(2) 〈事実などを〉はっきりさせる；…に明確な定義を与える．(3) 〈人に〉〔…について〕態度を明確にさせる〔on〕．
pín cúrl ピンカール《ヘアピンなどで留めた巻き毛》．
PIN (略) personal identification number 《◆ PIN number ともいう》．
pin·a·fore /pínəfɔ̀r/ 名 C **1** (女性・子供などの)エプロン，前掛け（略式）pinny)．**2** (英) =pinafore dress. **pínafore drèss** ジャンパースカート《(米) jumper》．
pin·ball /pínbɔ̀l/ 名 U ピンボール，コリントゲーム；パチンコ．
pin·cers /pínsərz/ 名 [通例複数扱い] **1** [a pair of ~] やっとこ，くぎ抜き(cf. pliers). **2** (カニ・エビなどの)はさみ．

†pinch /pínʧ/ ― 動 他 **1** 〈人・物が〉〈人・物を〉はさんで締めつける；〈芽・枝などを〉摘みとる，もぎとる(+back, off, out, down)‖ He *pinched* his finger in the door. The door *pinched* his finger. 彼はドアに指をはさんだ / These shoes are *pinching*「my toes [me at my toes]. この靴はきつくて足の指が痛い / She *pinched* my hand. = She *pinched* me on the hand. 彼女は私の手をつねった(→ catch 他 **1c**)．**2** [通例 be ~ed] **a** 〈植物などが〉〔環境などで〕傷められる，衰弱する〔by〕．**b** 〈人が〉〔境遇などに〕〈顔などが〉〔苦悩などで〕やつれる〔for, with〕; be *pinched*「for money [with poverty] お金に困る[貧窮する] / Her face was *pinched* with anxiety. 彼女の顔は心労でやつれた．**3** (略式) …を抑制する；〈支出を〉切り詰める ‖ *pinch* expenses 経費を抑える．**4** (略式) …を盗む(steal)；〈金を〉巻き上げる．**5** (略式) …を逮捕する．― 自 **1** 〈靴などが〉(人・身体を)締めつける，窮屈である ‖ The cap *pinches*. その帽子はきつい．**2** 〔…を〕切り詰めた生活をする〔on〕．**3** 〈事態などが〉(人にとって)苦痛である．
― 名 C **1** はさむこと，つねること ‖ Give him a *pinch* on the bottom. 彼のおしりでもつねってやれ．**2** [a ~ of + U 名詞] (塩などの)1つまみ；少量 ‖ Add a *pinch* of salt. 塩を少々加えなさい．**3** (略式) [the ~] 難儀，試練；激痛《◆しばしば次の句で》‖ when [if] it comes to the *pinch* まさかの時には / feel the *pinch* 金に困る．**4** U C (略式) 窃盗．**5** C (略式) (警察の)手入れ，逮捕．**6** C =pinch bar．
in [(英) **at**] **a pínch** (略式) せっぱつまって，いざという時に，必要ならば．

pínch bàr 台付きてこ.
pínch hítter〔野球〕ピンチヒッター, 代打者;〔…の〕代役〔*for*〕.
pínch rúnner〔野球〕ピンチランナー, 代走.
pinch·beck /pínt∫bèk/ 名 U 金色銅《銅と亜鉛の合金. 金の模造品に用いる》; C まやかし物. ── 形 いんちきの.
pin·cush·ion /pínkùʃən/ 名 C (裁縫用の)針刺し.
†**pine**[1] /páin/ 名 1 C〔植〕マツ(の木) (pine tree)《タール・テレビンをとる》. 2 U 松材. 3《略式》= pineapple.
  píne còne 松かさ.
  píne nèedle〔通例 pl. -s〕松葉.
  Píne Trèe Státe《愛称》[the ~] 松の木州(→ Maine).
†**pine**[2] /páin/ 動 ⾃ 1〔通例 be pining〕〔…を〕思いこがれる, 恋い慕う〔*for*, 《まれ》*after*〕,〔…することを〕切望する〔*to do*〕‖ *be pining for* home しきりに故郷を恋しがる (= *be pining to* return home) / She *pined* to see her son living abroad. 彼女は外国に住んでいる息子に会いたいと切望した《◆この living は現在分詞.➔文法13.2》. 2 (悲しみ・後悔・苦しみ・空腹などで)やつれる, やせ衰える(+*away*) ‖ *pine away* and die やせ衰えて死ぬ. 3〔通例 be pining〕〔…を〕深く悲しむ, 悲嘆する〔*for*〕.
†**pine·ap·ple** /páinæpl/ 名 1 C U パイナップル(の実)《松かさに似ているところから》. 2 パイナップル, アナナス(pineapple tree). 3 = pine cone.
pine·y /páini/ 形 = piny.
pin·fold /pínfòuld/ 名 C (迷った家畜を入れる)おり. ── 動 他 …をおりに入れる[閉じ込める].
ping /píŋ/ 名〔a ~〕《略式》ピューン[ピシッ]《銃弾が飛んだり金属に当たる音》. ── 動 ⾃ ピューン[ピシッ]と音がする.
†**ping-pong** /píŋpɔ̀(ː)ŋ/ 名 U《略式》卓球, ピンポン《《正式》table tennis》‖ play *ping-pong* 卓球をする.
pin·head /pínhèd/ 名 1 ピンの頭. 2《略式》ちっぽけな(くだらない)物[事], ばか, まぬけ.
pin·hole /pínhòul/ 名 C 針の穴, 小さい穴.
  pínhole càmera ピンホールカメラ《暗箱にレンズの代わりに小穴をあけたカメラ》.
†**pin·ion** /pínjən/ 名 C 1《正式》鳥の翼の先端部. 2〔集合名詞〕風切り羽(flight feathers); 羽. 3〔詩〕翼(wing). ── 動 他 1(飛べないように)(鳥)の翼の先端を切り取る. 2《正式》(手足)を縛る, (人)の両腕を縛る;〔比喩的にも用いて〕…を〔…に〕縛りつける〔*to*, *against*〕. 3 …の自由を束縛する.

☆**pink** /píŋk/
── 名 (複 ~s/-s/) 1 U 桃色, ピンク(色)　日英比較
日本語の「ピンク」は性的な連想が強いが, 英語の pink は赤ん坊の肌を連想させ, 健康・若さ・活力・純真・新鮮さを連想する. cf. blue. 2 [the ~] 極致, きわみ ‖ She was *in the pink of* (*her*) health.《略式》彼女は健康そのものだった (= She was very well.). 3 C〔植〕〔通例 ~s〕ナデシコ(の花); ハナヤマツメクサ. 4〔時に P~〕C《略式》左翼色がかった人.
── 形 1 桃色の, ピンク色の ‖ turn [go] *pink* with embarrassment 当惑して赤くなる / Her cheeks were *pink* with health. 彼女のほおは健康的でピンク色だった. 2《略式》左翼がかった《◆「左翼の」は red》. 3《略式》興奮した, 喜んだ;〔強意語として〕ひどく, とても ‖ Nancy was tickled *pink* with her new dress. ナンシーは新調した服に大はしゃぎした.

pínk élephants《略式》(酒などによる)幻覚《◆酔うと桃色の象が見えるとされたことから》.
pínk gín ピンクジン《ジンに少量の苦味酒(bitters)を混ぜた飲み物》.
pínk slíp《米略式》解雇通知.
pink·ish /píŋkiʃ/ 形 1 ピンク色に近い, 桃色がかった. 2 左翼がかった.
pin·na /pínə/ 名 (複 ~s, --nae/-ni/) C 1 羽, 翼, 翼部. 2 ひれ, ひれ足(flipper). 3〔解剖〕耳翼. 4〔植〕羽片.
pin·nace /pínis/ 名 C〔海事〕1 ピンネス《cutter と launch の中間の艦載艇》. 2 二檣(とう)帆船.
†**pin·na·cle** /pínəkl/ 名 C 1〔建築〕(教会などの)小塔(とう). 2 尖峰. 3《正式》〔通例 the ~〕〔権力・名声などの〕頂点, 絶頂〔*of*〕‖ *the pinnacle of* my career 私の生涯で一番いい時.
pin·nae /píni/ 名 pinna の複数形.
pin·nate /píneit, -nət/ 形〔植〕〈葉が〉羽状の.
pin·point /pínpɔ̀int/ 名 1 ピンの先. 2 ごく小さな物; [a ~ of + U 名詞] 少量(の…). 3〔軍事〕〔正確な的示す〕地図上の1点; 正確な目標地点.
†**pint** /páint/ 名 C 1 パイント(略 pt.)《a = liquid pint 液量パイント. = 1/8 gallon.《米》約 0.473*l*,《英》約 0.568*l*》‖ I drink a *pint* of milk every morning. 私は毎朝1パイントの牛乳を飲んでいます. **b** = dry pint 乾量パイント; 穀物計量単位で,《米》約 0.550*l*,《英》約 0.568*l*》. 2 1パイント容器. 3《英略式》(1パイントの)ビール ‖ Shall we have a *pint*? ビールを1杯やりませんか.
pin·up /pínʌ̀p/ 名 C《略式》1 ピンナップ《ピンで壁に留める魅力的な人(特に美女)の写真. ふつうヌード》. 2 (ピンナップ向きの)人. ── 形 1 ピンナップ向きの. 2〈ランプなどが〉壁に取り付けられるように作られている.
pin·wheel /pínhwìːl/ 名 1《米》かざぐるま《《英》windmill》. 2 (小さな)回転花火.
pin·y, pine·y /páini/ 形 (--i·er, --i·est) 1 マツの茂った. 2 マツの(ような), マツからなる.
†**pi·o·neer** /pàiəníər/ 〔アクセント注意〕名 C 開拓者; 先駆者, 草分け, パイオニア ‖ That doctor is a *pioneer* in the field of heart surgery. あの医者は心臓外科の分野の先駆者だ. ── 動 他 1 …(地域など)を開拓する, 〈道路など〉を切り開く. 2 …の開発の先導となる, 先駆けとなる. ── ⾃ 開拓者[先駆者]となる;〔…に〕率先する〔*in*〕.
†**pi·ous** /páiəs/ 形 1〔…に〕信心深い, 敬虔(けい)な(religious)〔*about*〕(↔ impious) ‖ a *pious* woman 信心深い女性 / a *pious* Buddhist 敬虔な仏教徒. 2 宗教にかこつけた, 偽善的な, もっともらしい, みせかけの. 3〈文学作品が〉宗教的な, 宗教上の.
  píous hópe かなえられそうにない望み.
pi·ous·ly /páiəsli/ 副 信心深く, 敬虔(けい)に.
pip /píp/ 名 C (リンゴ・ナシ・オレンジなど)の種《《米》seed》《◆モモなどの堅い種は stone》.
***pipe** /páip/〔『穴のあいた棒状のもの』が本義〕
── 名 (複 ~s/-s/) 1 C 導管, パイプ (cf. tube) ‖ a gas [water] *pipe* ガス[水道]管 / This *pipe* leaks water. このパイプは水がもれる.
2 **a** C (タバコの)パイプ, きせる (tobacco pipe)《◆「水ぎせる」は hooka(h)》; パイプ喫煙 ‖ with a *pipe* between one's lips パイプをくわえて. **b** [a ~] 1服分 (fill, pipeful) ‖ smòke [hàve] a *pípe* (of tobacco) (刻み)タバコを1服吸う. **c** U パイプタバコ ‖ light one's *pípe* タバコに火をつける.
3 C **a**〔音楽〕管楽器《フルートなど》《◆羊飼いの楽器

とされ，誘惑を象徴する》；(パイプオルガンの)音管；《略式》[the ~s; 複数扱い] =bagpipe. **b**〔海事〕号笛；笛の合図. **4**《主に詩》[the/one's ~]（小鳥・子供・笛などの）かん高い声[音]. **5** [C] 管状の物.

smóke the pípe of péace 《略式》仲直りする《北米先住民の風習から》.

——[動][他] **1**〈液体・気体〉を(導管で)〔…に〕導く，輸送する(+*away, in*)〔*to, into*〕‖ Gas will be *piped into* the town soon. まもなくその町へガスが引かれる. **2 a**〈管楽器〉を吹く，演奏する；《正式》〈曲〉を(管楽器で)演奏する. **b**〈動物〉を(笛で)操(あやつ)る. **3**《文》〈人が〉…とかん高い声で言う[歌う]. **4**〈服・ケーキなど〉に〔模様・飾りを〕つける〔*with*〕.

——[自] **1**《正式》笛[管楽器]を吹く，演奏する；〔海事〕号笛を吹く，合図する. **2**《正式》〈人が〉かん高い声で言う[歌う]；《文》〈鳥が〉さえずる.

pípe dówn 《略式男性語》[自] [通例命令文で] 黙れ，静かにしろ. —[他]〈人〉を黙らせる.

pípe úp 《略式》[自] かん高い声で言う《◆進行形不可》. —[他] (1)〈管楽器・曲〉を(急に)吹奏し始める. (2) …をかん高い声で言い[歌い]始める.

pípe bòmb 鉄パイプ爆弾.

píped músic (ホテル・レストラン・店などの)館内ムード音楽(放送).

pípe òrgan パイプオルガン.

pípe ràck パイプ掛け.

pipe·line /páiplàin/ [名][C] パイプライン《石油・ガスなどの輸送管》；(商品などの)流通ルート；《米》情報ルート.

in the pípeline 〈商品などが〉輸送中で；〈計画・変革などが〉進行中で.

†pip·er /páipər/ [名][C] **1** 管楽器奏者《◆特に bagpiper》. **2** 導管敷設者.

páy the píper 費用を負担する；報いを受ける ‖ ***He who pays the piper calls the tune.*** 《ことわざ》金を出す者に決定権がある《◆笛吹きに曲を注文することから》.

pi·pet(te) /paipét | pi-/ [名][C]〔化学〕ピペット《少量液体計量用の細いガラス管》.

†pip·ing /páipiŋ/ [動] → pipe. ——[名][U] **1** 導管設備，配管；[集合名詞；単数扱い] 導管 ‖ lead *piping* 鉛の管. **2** 管楽器(の演奏). **3** [通例 the ~]（小鳥の）さえずり；かん高い声. **4** パイピング《衣服などのひも飾り([図] → jacket). ケーキの装飾》. ——[形]〈声・音が〉かん高い，鋭い. ——[副]（煮物が）シュウシュウと音を立てるほどに.

pip·kin /pípkin/ [名][C] 小さなつぼ，なべ；片手おけ.

pip·pin /pípin/ [名][C] **1** ピピン種のリンゴ. **2** =pip.

pi·quant /píːkənt/ [形] **1**《正式》〈味などが〉ぴりっとする，辛い；食欲をそそる. **2** 痛快な，小気味のよい；興味をそそる，刺激的な.

†pique /píːk/ ([同音] peak)《正式》[名][U][C]（誇り・虚栄心などを傷つけられての）立腹，憤り(anger)，いらだち；不機嫌 ‖ ***in a*** (fit of) ***pique*** =***out of pique*** むっとして，腹を立てて.

——[動][他]〈人〉を怒らせる(offend)；…の感情を害する，自尊心を傷つける(hurt).

pi·quet /1 pikéi | pikét; 2 píkit/ [名] **1** [U]〔トランプ〕ピケット. **2**〔軍事〕=picket **2**.

pi·ra·cy /páiərəsi/ [名][U][C] **1** 海賊行為. **2** 著作権[特許権]侵害.

pi·ra·nha /pirɑ́ːnjə, -rǽ-/ [名]（[複] **pi·ra·nha, ~s**）[C]〔魚〕ピラニア(類).

†pi·rate /páiərət/ [名][C] **1** 海賊；略奪者，強奪者. **2** 海賊船. **3** 著作権[特許権]侵害者. **4** =pirate radio. ——[動][他] **1** …に海賊行為を働く；…を略奪[強奪]する. **2** …の著作権を侵害する，…を無断で出版する，海賊出版する.

pírate rádio 《英》無許可[海賊]放送者[局].

pi·rat·i·cal, -·ic /piərǽtik(l)/ [形] 海賊の；著作権[特許権]を侵害する.

Pi·sa /píːzə/ [名] ピサ《イタリア北西部の都市. 斜塔(the Leaning Tower of Pisa)で有名》.

Pi·sces /páisiːz, pís-/ [名][U] **1**〔天文〕[複数扱い] うお座(the Fishes)《北天の星座》. **2**〔占星〕双魚宮，うお座(cf. Zodiac)；[C] 双魚宮生まれの人《2月19日–3月20日生まれ》.

piss /pís/《俗》[動][自][名][U][C] 小便(をする).

†pis·ta·chi·o /pistǽʃiòu | -tɑ́ː-/ [名]（[複] **~s**）**1** [C]〔植〕ピスタチオ(の木)(pistachio tree). **2** [C] =pistachio nut. **3** [U] =pistachio green. **4** [C] ピスタチオ甘味料《アイスクリームなどに使う》.

pistáchio gréen 黄緑色.

pistáchio nùt ピスタチオナッツ《食用. 仁は薬用》.

†pis·til /pístl | -til/ [名][C]〔植〕雌蕊(しずい)，雌しべ《ovary, style, stigma からなる》([図] → flower).

†pis·tol /pístl/ ([同音] pistil) [名][C] ピストル，拳銃(→ revolver). ——[動]（[過去・過分] **~ed** or 《英》**pis·tolled; ~·ing** or 《英》**-·tol·ling**）[他] …をピストルで撃つ.

pístol grìp ピストルの握り；(小銃・のこぎりなどの)ピストル型の握り.

†pis·ton /pístən/ [名][C] **1**〔機械〕ピストン. **2**〔音楽〕(金管楽器の)ピストン.

†pit[1] /pít/ [名][C] **1** (地面の)穴，くぼみ ‖ dig a *pit* for a latrine 便所を造るために地面を掘る. **2 a** [通例複合語で] 立坑，採掘場 ‖ a gravel *pit* 砂利採取場. **b** [しばしば the ~] 炭坑(coalpit)；[しばしば ~s]（炭坑労働者も含めての）採掘資材. **3 a** (野獣を捕える)落とし穴；〔聖書〕(敵を陥れる)穴. **b** [比喩的に] 落とし穴，わな(pitfall). **4** (身体などの)くぼみ，へこみ ‖ the *pit* of the stomach みぞおち《◆恐怖を感じる所と考えられた》. **5** [しばしば ~s] あばた. **6** [通例複合語で]（動物の）囲い；(動物を闘わせる)囲い，闘鶏場. **7** 《英やや古》[しばしば the ~]（劇場の）平土間(の観客). **8** 《主に米》[通例 (the) ~] オーケストラピット(orchestra pit). **9** 《米》[the ~; 通例複合語で]（取引所内の）仕切り売場 ‖ *the* wheat *pit* 小麦取引場. **10** [~s] ピット《自動車修理所などにある自動車の下部修理用のくぼみ》; [the ~s]（カーレースの）ピット《給油や整備をする所》. **11**《英俗》[one's ~] 寝床，寝室.

díg a pít for A 〈人〉をわなにかけよう[だまそう]とする.

——[動]（[過去・過分] **pit·ted**/-id/; **pit·ting**）[他] **1**《正式》…に〔…で〕穴[くぼみ，あばた]を作る〔*with, by*〕‖ a face (which is) *pitted with* [*by*] smallpox 天然痘であばたになった顔. **2**〈犬・ニワトリなど〉を〔…と〕闘わせる；〈人・能力・技など〉を〔…に〕対抗させる；[be ~ted / ~ oneself]〔…に〕立ち向かう〔*against*〕‖ *pit* one's strength [wits] *against* him 彼と力[知恵]を争う. —[自] 穴[あばた，くぼみ]ができる.

pit[2] /pít/ [名][C]（モモ・サクランボなどの）核《◆stone より堅い語》. ——[動]（[過去・過分] **pit·ted**/-id/; **pit·ting**）[他] …の核[種]を取り除く.

pit-a-pat /pítəpæ̀t | ⌐⌐/《略式》[副][名] [the/a ~] どきどき(して)；パタパタ(と). ——[動]（[過去・過分] **-pat·ted**/-id/; **-·pat·ting**）[自] **1**〈心臓などが〉どきどきする. **2** パタパタ音を立てる《◆pitter-patter ともいう》.

†pitch[1] /pítʃ/ [動][他] **1**〈人が〉〈物〉を(特定の目標に向かって)投げる，ほうる(throw)；〈人・物〉を〔…へ/…から〕投げ込む，ほうり出す〔*into, onto* / *out of*〕‖ *pitch*

the hay in (into [onto] the loft) 干草を(納屋の2階へ)投げ入れる / pitch a letter into the fire 手紙を火中に投じる. **2**〈人が〉〈テント・キャンプ〉を張る(set up), 〈杭(％)など〉を打つ(↔ strike)‖ pitch camp [a tent] キャンプ[テント]を張る. **3**〈音の調子・楽器など〉を(ある高さに)整える, 調律する;〈話など〉を(あるレベルに)調節する. **4**〔野球〕〈試合〉の投手を務める,〈球〉を(打者に)投げる(to)‖ pitch a no-hitter [perfect game] ノーヒットノーラン[完全試合]を達成する / pitch the last two innings 最後の2イニングを投げる / pitch a fast ball 速球を投げる.
— 自 **1** 投げる;投球する,投手を務める. **2**〔正式〕〈人が〉まっさかさまに倒れる[落ちる](fall)(+*down*, *forward*). **3**〈船・飛行機が〉縦に揺れる(↔ roll)‖ The plane *pitched* heavily. 飛行機は縦に大きく揺れた. **4**〔ゴルフ〕ピッチショットをする. **5**〈屋根などが〉傾いている,傾斜する.
pitch ín 〔自〕〔略式〕(1) 勢いよく〔仕事・食事などに〕とりかかる(*with*). (2) 金〔援助など〕を出し合う, 協力する. — 〔他〕(1)〈物〉を投げ入れる. (2)〈金〉を出し合う,出して協力する.
pitch into A 〔略式〕(1)〈人・考えなど〉を激しく非難する;〈人〉を襲う(◆受身可). (2)〈仕事・食事など〉をせっせと始める,勢いよく始める.
pitch on [*upón*] A 〔略式〕(1) …を選ぶ. (2)〈人〉を特にしかる. (3)〈人〉を選んで[…]させる[*to do*).
pitch óut 〔自〕〔野球〕ピッチアウトする.
— 图 **1** ⓤ ⓒ 投げること,投球(距離) ‖ The batter was hit by a *pitch*. そのバッターはデッドボールを食らった(◆ ×The batter got a dead ball. とはいわない. → dead ball). **2** ⓤ (音の)調子,ピッチ,高さ‖ the *pitch* of a voice 声の高さ. **3** ⓤ ⓒ 〔正式〕[単数形で] 程度;点,頂点‖ the lowest *pitch* of poverty 貧乏のどん底. **4** [a/the ~](船・飛行機の)縦揺れ,上下動(↔ roll). **5** ⓤ (商品の)強引な宣伝,売り込み. **6** ⓒ 〔英〕(サッカーなどの)グラウンド,ピッチ. **7** ⓤ ⓒ (屋根の)傾斜(度).
màke a pítch for A 〔…のために売り込み〕(→ **5**)をする〔略式〕(1) …を手に入れようとやっきになる. (2) …するように説得する,一席を弁じる.
pitch pipe〔音楽〕調律笛.

†**pitch²** /pítʃ/ 图 ⓤ **1** ピッチ,瀝青(#)〔物質〕(◆木材塗料・道路舗装用). **2** 松やに,樹脂.
(*as*) **bláck as pítch** 真っ黒な(◆名詞の前で用いるときは pitch-black).
(*as*) **dárk as pítch** 真っ暗な(◆名詞の前で用いるときは pitch-dark).

pitch-and-toss /pítʃəntɔ́ːs/ 图 ⓤ コイン投げゲーム《コインを標的の一番近くに投げた者が全部のコインを空中に投げ,表(head)が出た分を取る》.

pitch-black /pítʃblǽk/ 形 真っ黒な;真っ暗な.

†**pitch·er¹** /pítʃər/ 图 ⓒ **1** 投げる人;〔野球〕投手,ピッチャー‖ a fastball *pitcher* 速球投手 / a left-handed *pitcher* 左腕投手 / a southpaw ともいう / 「an underarm [a sidearm] *pitcher* 下手投げ[横手投げ]投手 / a winning [losing] *pitcher* 勝利[敗戦]投手 / a relief *pitcher* 救援投手 (reliever) / The *pitcher* is easy to hit. そのピッチャーは打ちやすい(⊃文法 17.4). **2**〔ゴルフ〕7番アイアン.
pitcher's dúel〔野球〕投手戦.
pitcher's móund〔野球〕ピッチャーズ・マウンド.
pitcher's pláte〔野球〕ピッチャーズ・プレート(rubber)(〔図〕→ baseball).

†**pitch·er²** /pítʃər/ 图 ⓒ〔米・英古〕水差し((英) jug)《◆耳形の取っ手・注ぎ口が付いている》‖ *Little pitchers have long ears.* 〔ことわざ〕「子供は早耳」/ *Pitchers have ears.* 〔ことわざ〕「壁に耳あり」.
pitch·er·ful /pítʃərfùl/ 图 ⓒ 水差し1杯分.
pitch·fork /pítʃfɔ̀ːrk/ 图 ⓒ 〔干し草用の〕くまで,三つ叉(;). — 動 他〈干し草など〉を持ち上げる,投げる.
pitch·y /pítʃi/ 形 (通例 -·i·er, -·i·est) **1** ピッチ[樹脂]の多い. **2** ねばねばした,粘る. **3** 真っ黒な;真っ暗な.

†**pit·e·ous** /pítiəs/ 形〔文〕哀れみを誘う,悲しそうな‖ give a *piteous* cry for food 食べ物をくれと哀れな叫び声をあげる.
pít·e·ous·ly 副 哀れに,悲しそうに.
pit·fall /pítfɔ̀ːl/ 图 ⓒ **1** 隠れた危険,不測の困難,わな,間違いやすい点. **2**(動物などの)落とし穴.
†**pith** /píθ/ 图 ⓤ **1**〔植〕髄;(オレンジなどの皮の内側の組織,「わた」. **2**〔解剖〕髄,脊髄(#§). **3**〔正式〕[the ~] 要点,核心,真髄‖ the *pith* of a lecture 講義の要点. **4**〔正式〕元気;体力;気力.
píth hàt [**hélmet**]〔日よけ用の軽い〕ヘルメット帽.
pith·e·can·thro·pus /pìθikǽnθrəpəs, -kænθróu-/ 图 ⓒ〔人類〕ピテカントロプス,猿人.
pith·y /píθi/ 形 (-·i·er, -·i·est)〔文〕**1** 髄の(ような,多い). **2**〈文体が〉力強い;含蓄のある;簡潔にして要を得た.

†**pit·i·a·ble** /pítiəbl/ 形〔正式〕= pitiful.
†**pit·i·ful** /pítifl/ 形 (-·ful·ler, -·ful·lest) **1**〔他動詞的に〕〈人・物・事が〉哀れみを誘う,痛ましい,ふびんな‖ a *pitiful* sight 痛ましい光景. 語法「痛ましく思う」は ×I feel pitiful. ではなく I feel pity. **2** 軽蔑(?)に値する,くだらない;貧弱な,乏しい‖ a *pitiful* excuse くだらない言い訳 / a *pitiful* number of books in the library 図書館のわずかな本.
†**pit·i·ful·ly** /pítifli/ 副 **1** 痛ましく,哀れなほど. **2** くだらぬほど‖ a *pitifully* small contribution お涙程度の寄付.
†**pit·i·less** /pítiləs/ 形〔正式〕**1** 無慈悲な,哀れみのない(cruel). **2** 情け容赦のない,過酷な.
Pitt /pít/ 图 **1** ピット《William ~ 1708-78;英国の政治家. 首相(1766-68). 通称大ピット(the Elder Pitt)》. **2** ピット《William ~ 1759-1806;英国の政治家. 首相(1783-1801, 1804-06). 1の息子. 通称小ピット(the Younger Pitt)》.
pit·tance /pítns/ 图 ⓒ [通例 a ~] スズメの涙ほどの手当[収入];少量,少額,少数.
pit·ter-pat·ter /pítərpætər/ 图 [the/a ~] 副 自 パラパラ[パタパタ](と)(音を立てる)(◆ pit-a-pat ともいう).
Pitts·burgh /pítsbəːrɡ/ 图 ピッツバーグ《米国 Pennsylvania 州の都市. 鉄鋼産業の中心地》.

*†**pit·y** /píti/ 图『「信心深いこと」が原義』
— 图 (褐) -·ies/-z/) **1** ⓒ [通例 a ~] 残念な事,惜しい事,〔遺憾〕の意〖 That's 「*a pity* [too bad]! (↘) それは残念だ(= I'm very sorry to hear that.) / (*It's*) *a* (*great*) *pity* (*that*) you must [should, have to] go home so soon. もうお帰りにならなくてはいけないとは(とても)残念です《◆残念な気持ちを強めるには, Whát a píty (↘)! You must …》(= I'm very sorry that … / I wish you could stay a little longer.) / *The pity* (*of it*) *was that* she missed the picnic. 残念なことに彼女はピクニックに行きそこねたのだった(= 〔略式〕Pity she missed the picnic.).

pitying / place

2 Ⓤ 〔…に対する〕哀れみ,同情〔for, on〕《◆しばしば人を見下した気持ちを含む. sympathy は対等の立場での同情》|| *out of* pity 哀れに思って, 同情心から / She ｢*felt* **out of** pity *for* [had no pity on] him. 彼女は彼をかわいそうだと思わなかった(=She didn't feel sorry for him.)《◆ ˣShe didn't feel pitiful for him. は誤り. → **pitiful** 語法》/ The news aroused everyone's *pity*. その知らせはみんなの同情を誘った / I do not want any of your *pity*. お情けなどまっぴらごめんだ.

háve [**táke**] **píty on** [**upón**] Ⓐ 〈人・動物などを〉哀れに思う, ふびんに思う, …に同情する《◆(1) have は感じるだけだが, take は具体的な援助の意も含意する. (2) feel を用いた場合は feel pity for》.

It's a thóusand píties. とても残念である.

móre's the píty [文尾に置いて]《略式》運の悪いことに(unfortunately); それだけに一層残念である || He failed the exam, *more's the pity*. 彼は試験に落ちた, それだけ一層残念だ.

──動 (--ies/-z/; 過去・過分 --ied/-d/; ~·ing)《正式》

──他〈人が〉〈人・事などを〉**気の毒に思う**, かわいそうに思う(feel pity for) || I *pitied* him ｢for his misfortune. 私は彼の不運に同情した.

──自 かわいそうに思う.

pit·y·ing /pítiiŋ/ 形 哀れみを表した, 同情する.
pít·y·ing·ly 副 哀れんで, 同情して.

†**piv·ot** /pívət/ 名 Ⓒ **1** 《機械》ピボット, 枢軸; 旋回軸. **2** 《正式》(議論などの)中心(点), 要点; 旋回点 (point); 中心となる人[物]. ──動 他 **1** …を枢軸の上に置く; …に枢軸を付ける. **2** …を回転させる. ──自 **1** 〔…を軸にして〕旋回する; 回転する〔on〕. **2** 《正式》〔…に〕依存する;〔…に〕決まる (depend)〔on〕.

pix·el /píksl/ 名 Ⓒ《コンピュータ》ピクセル, 画素《画像の最小構成単位》.

pix·ie, ~·y /píksi/ 名 Ⓒ (いたずら好きな)小妖(*せい*)精.
píxie hòod とがり頭巾(*ずきん*).

Pi·zar·ro /pizá:rou/ 名 ピサロ《**Francisco**/frǽnsiskou/ ~ 1471?-1541; 南米インカ帝国を征服したスペインの探検家》.

piz·za /pí:tsə/《イタリア》名 Ⓒ Ⓤ《料理》ピザ, ピッツァ.
pízza pàrlor ピザパーラー.

pk(略)pack; park; peak; peck.

PKO(略)(United Nations) Peacekeeping Operations(国連)平和維持活動; (経済)price keeping operation(政府の)株価維持政策.

PL(略)product liability 製造物責任/欠陥商品の被害に対する企業責任.

pl.(略)place; plate; plural.

plac·a·ble /plǽkəbl, pléik-/ 形 なだめやすい; 寛容な, 温和な.

†**plac·ard** /plǽka:rd/ 名 Ⓒ **1** はり紙, 掲示, ポスター, ビラ (cf. signboard). **2** 名札, 標札. ──動 他 **1** 〈壁などに〉〔…の〕はり紙[ポスター]を貼(*は*)る〔with〕. **2** …のはり紙で知らせる; …の掲示を出す.

pla·cate /pléikeit, plǽ- | pləkéit, plei-/ 動 他〈人〉をなだめる, 慰める;…を懐柔する;〈敵意・怒りなど〉を和らげる, 静める《◆ **soothe** より堅い語》.

* **place** /pléis/ 〖「何かが起こる場所」が本義〗

index 名 **1** 場所 **2** 地域 **3** 土地 **4** 家 **5** 箇所 **6** 席
動 他 **1** 置く

──名 (複 ~s/-iz/)

I [具体的な場所]

1 Ⓒ 場所 (location), 所《◆人・物が占めている所にも, 何もない所にも用いる. 1 つの特定の場所[空間]を表す. まだ特定化されていない場所[空間]は room Ⓤ を用いる. → **room** 名 4)》|| Have you found a *place* in your room for this vase? あなたの部屋にこの花瓶を置く所が見つかりましたか / There is no *place* to sleep. 寝る所がない《◆ place 以外では There is no bed to sleep in. の表現も可能→ 文法 11.2⑴》/ I didn't go any *place*.《米略式》どこへも行かなかった (=I didn't go anywhere.)《◆ some place, no place, what place などはそれぞれ somewhere, nowhere, where の意を含んでいるので前置詞を必要としない: I have no *place* [nowhere] to live [ˣlive in].》.

2 Ⓒ (特定の)**地域**, 都市, 町, 村 || Do you know the name of this *place*? この地名を知っていますか / Concord is a quiet *place*. コンコードは閑静な所です.

3 Ⓒ (特別の目的のための)**土地**, 所, 場所, 建物; 飲食店 || Is this your *place* of business? ここがあなたの仕事場ですか / He has a Chinese *place* around the corner. 彼はその角を曲がったところに中華料理店を開いている.

4 Ⓒ《略式》[a/one's ~] **家**, 住居, 家屋敷; (アパートの)部屋 || stay at *his place* for a week 彼の所に 1 週間滞在する / She has a charming *place* in the country. 彼女は田舎にすてきな家を持っている.

5 Ⓒ **a** (表面の特定の)**箇所**, 局所, (身体の)局部 || I have a sore *place* on my back. 背中に痛い所がある / There are several rough *places* on the top of my desk. 私の机の表面にはところどころざらざらした所がある. **b** (本・話・劇・音楽などの)箇所, 部分 《節・ページ》|| I've lost the *place* where I left off reading. 私は読みかけの箇所を見失った《◯ 文法 20.4》 / Have you found the *place* in the story where he was killed? 物語の中で彼の殺された箇所が分りましたか.

6 Ⓒ **a** (劇場・列車・テーブルなどでの)**席**, 座席《◆ seat の方がふつう》|| ***Is this place taken*?** この席はふさがっていますか / Are there any *places* left on Flight JL 37 to Moscow? モスクワ行 JL 37 便に空席がありますか. **b** [one's ~] (順番を待つ列の)番, 場所 || Will you keep [hold] my *place*? 番を取っておいてくれませんか. **c** (食卓での)食器ひとそろい, 席.

7 Ⓒ Ⓤ **a** 〔…にとって〕ある[いる]べき場所, ふさわしい場所, 置き場所, 居場所〔for〕|| A crowded train is not the *place* for loud talking. 混雑した電車は大声で話す所ではない / The parts fitted into *place* easily. 部品は簡単にぴったりはまった / ***have no place*** 居場所がない, 受け入れられない. **b** 〔…に〕適当な[ふさわしい]時[機会, 時機]〔for〕|| A public dinner isn't the *place* for a private conversation. 公的な晩餐(*ばんさん*)は私的な話をする場ではない.

8 [P~] Ⓒ [通例固有名詞の後で] **a** …邸, …別荘《◆田舎の広い土地にある豪邸をいう》. **b** 短い通り, …通り; …広場(略 Pl.).

II [抽象的な場所]

9 Ⓤ (抽象概念での)場所, 空間;〔…の/…に入る〕余地 (room)〔for/in〕|| time and place 時間と空間 / leave no *place* for doubt 疑いの余地がない.

III [社会的な場所]

10 [C] **a** (社会的な)地位, 身分, 資格；職, 仕事 ‖ *get a place* in a bank 銀行に就職する / He's worth a *place* on the baseball team. 彼は野球チームのメンバーにふさわしい. **b** 高い地位[身分].

11 [C] [one's ~] 立場, 境遇, 環境《◆one's に強勢がある》‖ Put yourself in *mý pláce*. 私の身にもなってください.

12 [C] [通例 a/one's ~] 役目, 義務, 本分, 役割 ‖ It's *your pláce* to lock the door. ドアの錠をかけるのは君の役目だ / Scribes held *an* important *place* in ancient Egyptian life. 書記は古代エジプト人の生活では重要な役目を持っていた.

IV [数の中における場所]

13 [C][U] (議論・説明などでの)順序, 段階. **14** [C] (競馬・スポーツの)入賞順位 ‖ He took first *place* in the marathon race. 彼はマラソンで1位になった.

15 [C] [数学] けた, 位 ‖ thousand's *place* 千の位 / three decimal *places* =the third decimal *place* 小数第3位.

àll òver the pláce (略式) (1) 至る所に[で]. (2) 〈計算・衣服などが〉非常に乱雑な；ごったがえした；取り乱した《◆be, seem, become などの後に用いる》.

chánge pláces 〔…と〕席[場所]を変える；〔…と〕立場を変える〔*with*〕.

from pláce to pláce あちこちに(➡文法 16.3(3)).

give pláce to A (正式) …に席を譲る, 取って代わられる(be replaced by).

gó plàces (略式) (1) [通例 be going ~s / will go ~s] (どんどん)成功[出世]する. (2) (米) あちこち行く, 旅をする.

in pláce (1) 適当な[いつもの]所に, きちんとして ‖ keep one's hair *in place* 髪にくしを入れておく / Everything else was *in place*. 他のものはすべてきちんとしていた. (2) 適した, 当を得た(↔ out of place).

in plàce of A =***in*** A's ***pláce*** (正式) 〈人・物〉の代わりに(instead of).

in the fírst plàce (正式) まず第一に, そもそも《◆first(ly) の強調表現》.

in the néxt [***sécond***] ***plàce*** 次に, 第二に.

knòw one's ***pláce*** 身のほどを知る, 謙虚にふるまう.

òut of pláce (↔ in place) (1) 本来[もと]の場所からはずれて[た]. (2) 不適当な, 場違いの.

pùt A ***in*** A's (***próper***) ***pláce*** 〈人〉に身のほどを思い知らせる.

****tàke pláce*** (正式) 〈事が〉**起こる**, 生ずる；行なわれる, 開催される(be held)《◆偶然起こる場合にも, 予定された事が決まった場所・時に起こる場合にも用いる. cf. happen, occur》‖ The launch *took place* on schedule. ロケットの発射は予定通り行なわれた.

****take the pláce of*** A =***tàke*** A's ***pláce*** 〈人・物〉**の代わりをする**, …に取って代わる(substitute for, replace) ‖ Who could *take the place of* such a major figure? だれにそのような大物の代わりができるだろうか(いや, できない).

——[動] (~s/-iz/; [過去・過分] ~d/-t/; plac·ing)

——[他] **1** 〈人が〉〈物・人〉を(特定の位置・状態に)**置く**, 設置[配置]する, 並べる《◆put より堅い語》‖ *Place* your book back [on the desk]. もとの所に[机の上に]本を置きなさい. **2** [通例疑問文・否定文で] 〈人・物〉が何[だれ]であるかを見きわめる, …を思い出す《◆ふつう進行形は不可》‖ I've heard the voice before, but I can't *place* it. 以前その声を聞いたことがあるが, だれの声だか思い出せない. **3** 〈信用・希望など〉を〔…に〕置く, かける〔*in, on, upon*〕‖ *place* one's trust *in* him 彼を信頼する. **4** 〈人〉を〔職などに〕就かせる〔*in, with*〕；…を〔…に〕任命する, 〔…として〕採用する〔*as*〕‖ *place* her *with* a firm 彼女を会社に就職させる / *place* her *as* a keypuncher 彼女をキーパンチャーとして採用する. **5** 〈人・物〉に順位[等級]をつける, …を(…の)順位にする；…を〔…より大切に/…より低く〕考える〔*above, before* / *below*〕‖ *place* honor *above* life 命よりも名誉を大切に考える. **6** 〈金・資本〉を〔…に〕投資する〔*in, with*〕. **7** 〈品物〉を注文する, 〈注文〉を〔…に〕出す〔*with*〕‖ *place* an order ⌈for shoes *with* the shoemaker [*with* the shoemaker for shoes] 靴屋に靴を注文する / *place* an ad in the paper 新聞に広告を出す.

——[自] (米) **1** 〔競技などで〕3位以内に入る〔*in*〕. **2** (競馬などで)3着以内, 特に2着になる.

pláce màt ランチョンマット, プレースマット《食器・ナイフ・フォークなどの下に敷く》.

pláce sètting (食卓に置かれる)1人分の食器・ナイフ・フォークなどのひとそろい(の配置), プレースセッティング.

place·ment /pléismənt/ [名] **1** [the/a ~] 置くこと, 置かれること, 配置. **2** [C] 職業紹介, 就職あっせん；(正式) 仕事(job). **3** [C] 〔テニス〕相手が返せない所にボールを打つこと. **4** [C] 〔アメフト〕プレースキック(のためボールを地面に置くこと).

plácement tèst (新入生の)クラス分けテスト, 実力試験.

pla·cen·ta /pləséntə/ [名] ([複] **~s, -·cen·tae**/-ti:/) [C] 〔解剖・動〕胎盤；〔植〕胎座.

plac·er /plǽsər/ [名][C] 砂鉱床；砂鉱採掘場.

plácer mining 砂鉱採鉱.

†**plac·id** /plǽsid/ [形] (正式) **1** 〈人・動物が〉おとなしい；落ち着いた. **2** 〈物事が〉穏やかな, 静かな(calm).

pla·cid·i·ty /pləsídəti, plæ-/ [名][U] 平静, 温和.

†**plac·id·ly** /plǽsidli/ [副] 穏やかに, 落ち着いて.

plac·ing /pléisiŋ/ [動] → place.

plack·et /plǽkit/ [名][C] =placket hole.

plácket hòle (スカート・服などの)わきあき.

pla·gia·rism /pléidʒərìzm/ [名] **1** [U] 盗用, 剽窃(ひょうせつ). **2** [C] 盗用[剽窃]した物.

pla·gia·rize /pléidʒəràiz/ [動][他] 〈他人の文章・考えなど〉を盗用[剽窃(ひょうせつ)]する.

†**plague** /pléig/ [名] **1** [C][U] (大規模な)疫病, 伝染病(epidemic)；[the ~] (特に)ペスト；汚染地域 ‖ the London *plague* =the Great *Plague* ロンドンの大疫病《1664-65年》. **2** [U][C] (正式) (特に天罰としての)災い, 災難, 天災；不幸, 不運. **3** [C] (正式) (害虫などの)突然の侵入, はびこり, 異常発生 ‖ a *plague* of harmful insects 害虫の異常発生. **4** [C] (略式) [通例 a ~] やっかいな物[人]；困った事.

avóid A ***like the plágue*** 〈人・物〉を(疫(やく)病神のように)完全に避ける, 遠ざける.

——[動][他] **1** …を疫病にかからせる；…を〔…で〕苦しめる[損害を与える]〔*with*〕(→ tease). **2** (略式) 〈人〉を〔たびたびの要求・質問などで〕悩ます, うるさがらせる, 困らせる(bother)〔*with*〕.

plague-spot /pléigspɑ̀t | -spɔ̀t/ [名][C] **1** 疫病流行地. **2** (ペストで生じる)皮膚の斑(はん)点. **3** 道徳腐敗[低下]の根源[徴候].

plaice /pléis/ [名] ([複] **plaice**) [C] 〔魚〕プレイス《ヨーロッパ産のカレイ科の一種》；いくつかのカレイ類；[U] その肉.

†**plaid** /plǽd/ [発音注意] [名] **1** [C] (スコットランド高地人の)格子じまの肩掛け(cf. kilt). **2** [U] 格子じま(の織物).

***plain** /pléin/ ([同音] plane) 〚「平らな」が原義. cf.

explain, place, plan】 [派] plainly (副)

——[形] (~·er, ~·est) **1** [通例補語として]〔人に〕はっきりした, **明白な**, 明らかな(clear)〔*to*〕‖ Her house was in *plain* sight [view]. 彼女の家がはっきり見えた / It was *plain to* me that he didn't like the job. 彼がその仕事を好んでいないことは明らかであった(=*Plainly*, he didn't like the job.).

2 a わかりやすい, 平易な, やさしい ‖ His meaning is quite *plain*. 彼の言おうとしていることはまったくわかりやすい / explain the directions in *plain* English 注意書きをわかりやすい英語で説明する. **b** 〈電報などが〉符号[暗号]で記していない, 平文(ひらぶん)の.

3 〈態度·生活などが〉**質素な**(simple); 簡素な; 複雑でない; 〈衣服などが〉飾りのない, 地味な, 平服の; 〈絵などが〉彩色していない; 〈飲食物が〉あっさりした, 香辛料·調味料などをあまり入れていない, 薄味の ‖ an officer ***in plain clothes*** 私服の警官(=a plain-clothes officer) / I like *plain* dresses. 飾りつけのないドレスが好きです / lead a *plain* way of life 質素な生活を送る / Some people eat their hamburgers *plain* — with nothing on them. ハンバーグに何もかけないで食べる人もある.

4 〈人·言葉·行為などが〉率直な, あからさまな, 包み隠しのない《◆しばしば失礼な, または不親切な態度を含意》‖ She was offended at [by] his *plain* remark. 彼のあからさまな言い方に彼女は腹を立てた. **5** 〈主に女性·顔が〉美しくない, 器量が並の《◆(米)では ugly, homely, plain の順に遠回しになる》. **6** [名詞の前で] 〈無知·恐怖·愚行などが〉まったくの, 徹底的な. **7** 〈外観などが〉ふつうの, 平凡な; 〈人が〉世間ずれしていない《◆比較変化しない》‖ *plain* people 庶民 / [対話] "He has grown up big, hasn't he?" "Yeah, when I first met him he was *plain* Bill Gates."「彼は大物になったね」「本当だ. 初めて彼に会ったときは平凡なビル=ゲイツにすぎなかった」. **8** 〈紙が〉罫(けい)のない《◆比較変化しない》.

in plain English (1) → 2. (2) → English [名].

*__*to be pláin with you*__* 率直に言うと(➔文法 11.3 (3)) ‖ *To be plain with you* (↘) | I don't mind what you say. 率直に言って, あなたが何を言っても私はかまいません.

——[副] (主に米) **1** 明瞭(めいりょう)に, わかりやすく; 率直に ‖ speak *plain* はっきりと話す. **2** (略式) まったく, 実に ‖ She is just *plain* tired. 彼女はへとへとに疲れている.

——[名] ([複] ~s/-z/) **1** [C] [しばしば ~s] **平原**, 平野; [Plains] =Great Plains. **2** [U] =plain stitch.

pláin chócolate (英) ミルクの入らない黒いチョコレート.

pláin flóur ベーキングパウダーの混じっていない小麦粉.

pláin sáiling (1) (略式) (物事の)順調な進行. (2) 平穏な航海; 平面航法.

Pláins Índian 平原インディアン《もと合衆国·カナダの大平原地帯に住んでいた》.

pláin stítch 表編み(↔ purl).

plain-clothes /pléinklóuz, -klóuðz/ [形] 平服の, 私服の.

plain·clothes·man /pléinklóuzmən, -klóuðz-/ [名] ([複] -·men) [C] 私服警官, 私服刑事((PC) plain-clothes officer [detective]).

†plain·ly /pléinli/ [副] **1 a** はっきりと, わかりやすく, 明確に ‖ The stars were *plainly* visible. 星ははっきり見えた / Explain your scheme *plainly*. あなたの計画をよくわかるように説明しなさい. **b** [文全体を修飾] 明らかに, …は明らかだ ‖ *Plainly*, she is tired. 彼女は明らかに疲れている(=It is *plain* (that) she …) (➔文法 18.3). **c** (米略式) まったく, どうもこうもなく(simply). **2** 率直に, あからさまに ‖ He stated *plainly* that he did not like the idea. その案は気に入らないと彼は率直に述べた. **3** 質素に, 地味に ‖ dress *plainly* 質素な服装をする.

plain·ness /pléinnəs/ [名] [U] **1** 明白さ. **2** 率直さ. **3** 質素, 地味, 簡素. **4** 不器量.

plains·man /pléinzmən/ [名] ([複] -·men) [C] 平原の住民; (主に)北米の大平原(Great Plains)の開拓住民((PC) plains dweller [inhabitant]).

plaint /pléint/ [名] [C] 〔法律〕告訴状, 不服申立て(書).

†plain·tiff /pléintif/ [名] [C] 〔法律〕原告, 起訴人(↔ defendant).

†plain·tive /pléintiv/ [形] (正式) 悲しげな, 哀れな(sad); 憂うつな.

†plait /pléit | plǽt/ [名] [C] **1** (主に英) [しばしば ~s] (髪·麦わらなどの)編んだもの((主に米) braid) ‖ wear one's hair「in a *plait* [in *plaits*] 髪をお下げに編んでいる. **2** (布の)ひだ, プリーツ(pleat). ——[動] [他] **1** 〈髪·麦わら·むしろなど〉を編む. **2** …にひだをとる.

‡plan /plǽn/ 【「平面(図)」が原義. cf. *plank*, *plain*】

——[名] ([複] ~s/-z/) [C] **1 a** [しばしば ~s]〔…の〕**計画**, 案, プラン〔*for*, *of*〕; 〔…する〕計画〔*for* doing, *to* do〕‖「map out [draw up, work out, lay, devise] a *plan* 計画を作成する / a ten-year administrative *plan* 行政10年計画 / on the installment *plan* (米) 分割払いで(=on installment) / ***a plan for*** Paul ***to*** visit Paris ポールがパリに行く計画(➔文法 11.2(2)) / Have you made any *plans for* tomorrow? 明日の計画[予定]は立てましたか / Our *plans* fell through. 計画がだめになった《◆計画が1つであってもふつう plans を用いる》/ Don't worry, I have a *plan*. 心配するな, 考えがある《◆I have an idea. より説得性が強い》.

b (話などの) 概要, 大要, 概略.

2 図面, 設計図; 配線図; 平面図《◆立面図は elevation》; 見取り図; (小区域の)地図《◆map は大きな地域のもの》; [通例 ~s] (機械などの)図解 ‖ a *plan* for [of] a model plane 模型飛行機の設計図 / a *plan* of Chicago シカゴの市街地図 / a seating *plan* for the guests at the wedding reception 結婚披露宴での客の座席図.

gó accòrding to plán 〈物事が〉計画[予定]どおりに運ぶ.

——[動] (~s/-z/; [過去·過分] planned/-d/; plan·ning)

——[他] **1** 〈人が〉〈仕事·行動など〉の**計画を立てる**, …を計画する; [plan wh節·句] …かを計画する(+*out*)《◆out は「十分に」「詳細に」の意を表す場合に用いる》‖ ***plan out*** an escape 脱走の計画を練る / go on ***as planned*** 計画通りやっていく / We are *planning* a picnic in the park. 公園へのピクニックを計画中です(=We are *planning* to go on a picnic …) / We're *planning* a surprise for Karen. カレンに贈るびっくりプレゼントを計画中だ / She was *planning what to* do with her life. 彼女は人生をどう送るべきかを計画していた.

2 [plan to do] 〈人が〉…する**つもりである**(intend) ‖ He ***plans to*** be an animal trainer when he grows up. 彼は大人になったら調教師になるつもりである / ***I'm planning to*** go there tomorrow. 明日そこへ行くつもりです.

3 〈人が〉〈建物・町などの〉設計図を書く，…を設計する ‖ *plan* a house 家の設計図を書く．
——自 **1** […に対する]計画を立てる(*for*) ‖ What are you *planning for* your future? あなたの将来設計は何ですか． **2** […する]つもりである[*on doing*] ‖ I am *planning on going* to Bali this summer. この夏バリへ行くつもりだ〔▶文法5.2(2)〕．

✓ 語法 plan to do は単に「…しようと計画している」こと，plan on doing はもう一歩進んで具体的な計画・準備に取り組んでいることを含意する．

plán ahéad 前もって計画する．
plán on A (1) → 自2． (2) …を予期する，期待する．

*plane[1] /pléin/（同音）plain）〖「平らな面」が原義〗
——名（複 ~s/-z/) ○ **1**（略式）**a 飛行機**(airplane, (英) aeroplane) ‖ the twice-weekly *plane* 週2便の飛行機 / Have you ever traveled **by** *plane* [**on** a *plane*]? 空の旅をしたことがありますか〔◆in a *plane* とはふつう言わない〕．**b** [形容詞的に] 飛行機の ‖ a *plane* ticket [crash] 航空券［機事故］．
2 平面，面，水平面 ‖ a vertical *plane* 垂直面．
3 水準，程度，次元，レベル(level).
——形 〈◆比較変化しない〉[名詞の前で] **1** 平らな，滑らかな ‖ the *plane* lens 平面レンズ． **2** 平面(図形)の ‖ a *plane* figure 平面図形．

†**plane**[2] /pléin/ 名 ○ かんな． **2**（粘土・しっくいの）ならしごて．——動 他 …をかんなで滑らか[平ら]にする(+*down*).

†**plan·et** /plǽnit/ 名 ○ 惑星，遊星；[the/our ~] 地球 ‖ in this [*our*] *planet* この地球上に，この地球上で / major *planets* 大惑星《Mercury（水星），Venus（金星），Earth（地球），Mars（火星），Jupiter（木星），Saturn（土星），Uranus（天王星），Neptune（海王星），Pluto（冥(めい)王星）をさす》/ minor *planets* 小惑星(asteroids).

plan·e·tar·i·um /plænətéəriəm/ 名（複 ~s, -·i·a /-iə/）○ プラネタリウム(館)，星座投影機，天象儀．

†**plan·e·tar·y** /plǽnətèri/ -təri/ 形 惑星の，惑星に関する，惑星に似た ‖ *planetary* movements 惑星運動．

†**plank** /plǽŋk/ 名 ○ **1** 厚板，板〈ふつう厚さ5-15センチ，幅20センチ以上．board より厚い〉；[集合名詞的に]板材 ‖ the floor made of *planks* 厚板で作られた床． **2** 頼み[支え]となる物． **3**（主に米）（政党の）綱領の項目(cf. platform).

plank·ton /plǽŋktən, -tɑn/ -tən/ 名 ①〔動〕[集合名詞；時に複数扱い] プランクトン，浮遊生物．

planned /plǽnd/ 形 計画だてて行なわれた．
plan·ner /plǽnər/ 名 ○ (都市)計画者，立案者．
plan·ning /plǽniŋ/ 名 ① 計画の遂行；(主に土地開発などの)計画立案．**plánning permíssion**（主に英）建築[移転]許可，開発認可．

*plant /plǽnt| plɑ́:nt/〖「種をまく」→「まかれて根をおろしたもの(植物・工場など)」となった〗派 plantation (名)
——名（複 ~s/plǽnts | plɑ́:nts/）○ **1 a**（動物に対して）**植物**，草木；（広い意味で）野菜〈◆animal, mineral と並べて「植物」という場合はふつう vegetable〉‖ garden *plants* 園芸植物 / *plants* and animals 動植物〈◆animals and *plants* よりふつ

う． → flora〉/ All *plants* need water and light. 植物はみな水と光が必要です． **b**（樹木に対して）草(herb)；苗(木)．
2 [集合名詞] 作物(crop)；（植物の）成長．
3 ①［時に a ~ / ~s; 通例複合語で］**a** 装置，機械一式[類] **b** 〈主に米〉施設，設備，プラント〈敷地・建物・機械類を含む〉 ‖ the pówer *plànt* 発電施設[所] / the school *plant* 学校施設．
4 ○［通例複合語で］（製造）**工場**．
——動（~s/plǽnts | plɑ́:nts/;（過去・過分）~·ed/-id/; ~·ing)
——他 **1** 〈人が〉〈種など〉を**植える**，蒔(ま)く；〈庭など〉に［…を]植える[*with*](cf. sow) ‖ *plant* cabbages in the garden = *plant* the garden *with* cabbages 庭にキャベツを植える〈◆後者の方が「庭一面」という感じが強い〉/ He *planted* a row of sweet potatoes for us. 彼は私たちにサツマイモを1うね植えてくれた．
2 〈物・人〉を（しっかりと）置く，立てる(+*down*, *up*) ‖ *plant* one's foot on the ladder はしごにしっかり足をかける / I *plánted* mysélf in front of him. 私は彼の前に立ちはだかった / *plant* a kick on the door ドアをけとばす．
3 〈人〉を見張りに立たせる，配置する ‖ *plant* guards at an entrance 入口に警備員を駐在させる．
4 ［比喩的に］…の種を植え付ける，吹き込む ‖ *plant* doubts in [into] her mind [heart] about her son's honesty 息子の正直さについて彼女に疑心を抱かせる． **5**（略式）（だます目的で）〈爆弾・盗聴器など〉を仕掛ける，…を隠す；…を［…に]売りつける，預ける，置く[*on*] ‖ *plant* false evidence 偽証工作をする．
○対話 "What's all this noise about?" "A time bomb has been *planted* on our train." 「この騒ぎはいったい何ですか」「この列車に時限爆弾が仕掛けられているんです」．

plánt óut 他 (1)（鉢などから地面に）…を移植する (cf. transplant). (2) 〈苗木〉を間隔を置いて植える．

plan·tain[1] /plǽntn/ -tin, plɑ́:n-/ 名 ○〔植〕オオバコ．
plan·tain[2] /plǽntn/ -tin, plɑ́:n-/ 名 ○〔植〕プランテーン《熱帯産バショウ科の植物》；その実〈バナナに似ている．料理用〉．

†**plan·ta·tion** /plæntéiʃən | plɑ:n-/ 名 **1** ○ 大農園，栽培場〈◆主に熱帯で綿花・タバコ・砂糖キビ・ゴムの木・茶などを栽培する〉 ‖ a rubber [sugar] *plantation* ゴム[砂糖]農園 / *plantation* songs（米）農園で働いていた黒人奴隷が歌う歌．**2** ○ 植林地，造林地；植え込み / *plantations* of fir and pine モミと松の木の造林．

†**plant·er** /plǽntər/ -nt/ 名 ○ **1** ［しばしば複合語で］（大）農園主，プランテーション経営者． **2** ［通例複合語で］播種(はしゅ)機；種まき機． **3** 植える人；耕作者． **4**（初期の）植民者；植民地開拓者． **5**（主に米）プランター〈装飾付き屋内用植木鉢〉．
plánters púnch プランターズ-ポンチ〈ラム酒・ラムジュース・ソーダなどを混ぜた飲み物〉．

plaque /plǽk, 特に2で（英）plɑ́:k, pléik/ 名 **1** ○（金属・焼き物・石などの）飾り板[額]；〈そこに住んでいた人物の〉記念額． **2** ①〔歯科〕歯苔(こけ)；歯垢(こう)，プラーク．

plash /plǽʃ/〈文語〉名 **1** [a/the ~] 軽く水のはねる音；パシャパシャ[ピチャピチャ，ザブザブ]という音〈◆splash より弱い〉．**2** ○ 水たまり(puddle). ——動 他〈水など〉をはね飛ばす[返す]． ——自〈水が〉ピシャピシ

plas·ma /plǽzmə/ 图 ① 1 [解剖] 血漿(けっしょう), リンパ漿 (blood plasma). 2 乳漿. 3 [生物] 原形質 (protoplasm). 4 [物理] プラズマ.
  plásma dísplay プラズマディスプレイ.
  plásma scréen プラズマ(ディスプレイ)画面.

†**plas·ter** /plǽstər | plɑ́ːs-/ 图 ① 1 ⓤ しっくい, 壁土, プラスター ‖ The wall is painted in *plaster*. その壁はしっくいで塗られている. 2 ⓤ [化学] 石膏(せっこう) ; 焼き石膏 (plaster of Paris) ‖ a *plaster* figure 石膏像[模型]. 3 ⓒⓤ 硬膏(こうこう) ‖ a mustard *plaster* カラシ硬膏 / 「a sticking [an adhesive] *plaster* 絆創膏(ばんそうこう). ——動 他 1 〈壁・天井などにしっくいを塗る(+*over, up*)`; しっくいを塗って…を修理する. 2 〈体などに〉膏薬をはる. 3 [plaster A on [over] B = plaster B with A] A〈バターなどを〉B〈パンなどに〉べたべた塗る ‖ *plaster* greasepaint on one's face = *plaster* one's face *with* greasepaint 顔にどうらんを塗りたくる. 4 …を滑らかに[平らに]する ;(略式)〈髪〉を(ポマードなどで)なでつける(+*down*)`{*with*}. ——自 しっくいを塗る.
  pláster cást (1) 石膏模型[像]. (2) ギプス(包帯) 《◆単に cast ともいう》.
  pláster sáint 完全無欠な人.

plas·ter·ing /plǽstəriŋ | plɑ́ːs-/ 图 ① 1 しっくい塗り[工事]. 2 (略式) 惨敗 (severe defeat).

*__plas·tic__ /plǽstik, (英+) plɑ́ːs-/
  ——形 (*more* ~, *most* ~) 1 プラスチック製の, ビニール(製)の 《◆比較変化しない》 ‖ a *plastic* comb プラスチックのくし / a *plastic* bag ビニール袋 / a *plastic* greenhouse ビニールハウス 《◆×a vinyl house とはいわない. → プラス 1 注記》. 2 [正式] [物理] [通例名詞の前で] (可)塑(そ)性の; (思いどおりに)形作られる, 塑造の, 塑造された (molded) 《◆比較変化しない》 ‖ *plastic* clay 塑性粘土. 3 [正式] 形を作る, 形成[造形]力のある; 創造[創作]的な, 創造力のある (creative) ‖ *plastic* forces in nature 自然の創造力. 4 (俗) にせの; 見せかけの; 人工の, 合成的な ‖ a *plastic* smile 作り笑い.
  ——名 (覆 ~s/-s/) 1 ⓤ [しばしば ~s; 複数扱い] プラスチック, ビニール; ⓒ 合成樹脂[プラスチック]製品 《◆日本語の「プラスチック」は主に固い合成樹脂(hard plastic)に用いるが, 英語ではナイロン・ビニロン・セルロイド製品など(soft plastic)もさす》 ‖ Paper or *Plastic*? 紙袋にしますか, ポリ袋にしますか 《◆スーパーなどの店員の客に対する質問》. 2 ⓤ =plastic money.
  plástic árt(s) 造形芸術《彫刻・製陶など》.
  plástic bág ビニール袋, ポリ袋.
  plástic bómb [(英) **explósive**] プラスチック爆弾.
  plástic búllet プラスチック弾.
  plástic móney (略式) クレジットカード (credit card).
  plástic súrgeon 形成外科医 (cf. cosmetic 形 2).
  plástic súrgery 形成外科.
  plástic wráp (米) 食品包装用ラップ ((英) cling-film).

Plas·ti·cine /plǽstəsiːn/ 图 ⓤ (主に英)(商標) プラスチシン《工作用粘土》 ((米) play dough).

plas·tic·i·ty /plæstísəti, (英+) plɑ́ːs-/ 图 ⓤ [正式] (可)塑(そ)性; 適応[柔軟]性.

plas·tron /plǽstrən/ 图 ⓒ [歴史] (鎧かたびらの下に着る)金属製胸あて.

plat /plǽt/ 图 ⓒ (米) 図面, 地図, 見取図.

*__plate__ /pléit/ (同音) plait)
  ——名 (覆 ~s/pléits/)

1 ⓒ **a** [しばしば複合語で] 皿, 平皿 《◆ふつう陶器製の浅く丸い皿. 料理が盛られている dish, platter から取って1人1人がこれで食べる》 ‖ a soup *plate* スープ皿 / Some silver *plates* were stolen. 銀器がいくつか盗まれた. **b** 《米》 1皿分の料理, 1人前 (plateful) ‖ two *plates* of stew シチュー2皿. **c** (米) 1コースの料理 ‖ at a set price a *plate* 1コース定額料理の[で].

2 ⓤ (英) [集合名詞; 単数扱い] 金属製の食器類 ‖ a piece of *plate* 金・銀(めっき)の食器1点. **b** (金・銀の)めっき.

‖ 皿状のもの

3 [the ~] (教会での)献金皿, 献金されたお金. 4 ⓒ [しばしば複合語で] (金属・ガラスなどの)板 ‖ a steel *plate* =a *plate* of steel 鋼板. 5 ⓒ (金属製の)表札, 看板 ; (自動車の)ナンバープレート. 6 ⓒ [印刷] (印刷の)版, 写真. 7 ⓒ (略式) [歯科] [通例 a/the ~] denture) ; 義歯床 (dental plate). 8 ⓒ [写真] 感光板. 9 ⓒ (競馬の)金・銀賞杯 ; その杯の出る競馬. 10 ⓒ [地質] プレート. 11 [野球] [the ~] 本塁 (home plate) ; 投手板 (pitcher's plate). 12 ⓒ 牛のあばら肉の薄い一切れ.

on one's **pláte** (略式) (仕事など)自分がしなければならない, かかえている, 手をふさがれている.

——動 他 (plating) 1 …に[金·銀などで]めっきする (*with*). 2 〈船などに〉板金を張る.
  pláte ármor (1) よろい. (2) (船の)装甲板.
  pláte gláss 厚板ガラス.
  pláte ráck 水切り皿立て.
  pláte ráil 飾り皿用の棚.
  pláte tectónics プレートテクトニクス, 地質構造学《プレートの相互作用を通しての地表の構造・形成の研究. 単に tectonics ともいう》.

†**pla·teau** /plætóu | -/ 图 (覆 ~s, ~x/-z/) ⓒ 1 [しばしば ~s] 高原, 台地 ‖ The ranch is in the middle of a large *plateau*. 牧場は大高原の真ん中にある. 2 飾り皿[盆, 額, 板]. 3 プラトー《上部の平らな婦人帽》. 4 [正式] (景気などの)高原[停滞]状態; [心理] 高原現象《学習の一時的な停滞期現象》.

plate·ful /pléitfùl/ 图 ⓒ 皿1杯分 ; ひと皿分.

plat·en /plǽtn/ 图 ⓒ [印刷機の]圧盤, 圧盤, プラテン《タイプライターの》プラテン, ローラー.

*__plat·form__ /plǽtfɔːrm/ 『平らな(plat)形(form). cf. place』
  ——名 (覆 ~s/-z/) 1 ⓒ (駅の)プラットホーム(cf. track) ‖ 対話 "Which *platform* does the London train leave from?" "It leaves from *platform* six." 「ロンドン行きの列車は何番線から出ますか」「6番線から出ます」.

2 ⓒ (一段高くなった)演壇; 壇; 教壇; 朝礼台; 舞台 (stage); 高飛びこみ台; [the ~] 演説(者); (米) 討論会(場) ‖ be on the *platform* 演説する.

3 [the ~] (米) (客車後部の)乗降口, デッキ; (英) (バスの)乗降口《運行中車掌がふうつここに立つ》.

4 [a/the/its ~] (候補者の)公約, (政党の)綱領.

5 ⓒ (ふつう婦人靴の)厚底 ; [通例 ~s] =platform shoes. 6 ⓒ (コンピュータ) プラットフォーム《コンピュータ利用の基盤となるソフトまたはハードの環境》.

——動 他 …を演壇に上がらせる.

plátform gáme プラットホームゲーム《背景が固定され, はしごや段をキャラクタが移動していくゲーム》.
  plátform shóes 厚底の靴.
  plátform tícket (英) (駅の)入場券.

plat·ing /pléitiŋ/ 動 → plate.

platinum

†**plat·i·num** /plǽtinəm/ 名 **1**〔化学〕白金, プラチナ 《金属元素. 記号 Pt》. **2** 白金[プラチナ]色.

plátinum blónde (略式) プラチナブロンド[薄い白金色]の髪(の女).

plat·i·tude /plǽtət(j)uːd/ 名 C (正式) 決まり文句, 平凡な言葉(cliché).

†**Pla·to** /pléitou/ 名 プラトン《427?-347?B.C.; ギリシアの哲学者. Socrates の弟子》.

Pla·ton·ic /plətάnik, plei- | plətɔ́nik, plei-/ 形 **1** プラトン(Plato)(哲学)の. **2**〔しばしば p~〕(男女間の関係が)純精神的恋愛の, プラトニックな. **3**〔時に p~〕純理論的な, 観念的な; 非実際的な, 理想主義的な.

Platónic lóve [fríendship] 精神的恋愛, プラトニックラブ.

Pla·to·nism /pléitənizm/ 名 U **1** プラトン哲学[学派]. **2**〔しばしば p~〕=Platonic love.

pla·toon /plətúːn/, (米+) plæ-/ 名 C〔単数・複数扱い〕**1**〔軍事〕小隊. **2** (正式) 小集団(group).

†**plat·ter** /plǽtər/ 名 C **1** (米) 大皿《主に肉・魚を盛る浅い長円形の皿. これからめいめいの plate に取る》. **2** (主や古) レコード.

plau·dit /plɔ́ːdit/ 名 C (正式)〔通例 ~s〕**1** 拍手, かっさい. **2**〔おおげさに〕熱烈な賞賛, 絶賛《◆新聞の見出し語によく用いられる》.

†**plau·si·ble** /plɔ́ːzəbl/ 形 **1**〈話・議論などが〉妥当な; 見かけは信頼[信用]できる ‖ It is *plausible* that ... …であることはもっともだ. **2**〈人が〉口先のうまい; もっともらしい, まことしやかな ‖ a *plausible* excuse もっともらしい口実.

pláu·si·bly 副 もっともらしく.

‡**play** /pléi/ (類音) pray, prey /préi/) 『『運動する』『従事する』が原義』派 player (名), playground (名)

index
動 自 **1** 遊ぶ **4** 競技する **5** 演奏する **6** 芝居をする
他 **1** する **2** 演奏する **3** 演じる **5** しかける
名 **1** 劇 **2** 遊び **7** 働き

—動 (~s/-z/; 過去・過分 ~ed/-d/; ~·ing)
—自
I〔娯楽にかかわる活動をする〕
1〈子供・動物が〉[…と, …で]遊ぶ(with)《◆大人の場合は enjoy oneself など》, 戯れる(↔work); […を]いじる, もてあそぶ(with) ‖ *play* in the yard 庭で遊ぶ / *play with* dolls 人形で遊ぶ / She wanted to *play with* her sister. 彼女は姉と遊びたかった / *play with* his affection 彼の愛情をもてあそぶ / I'm only *playing for time*. 私は時間かせぎをしているにすぎないのさ. 比較 「遊びに来てください」は ×Come and play with me. でなく Come and see me.
2 賭(か)け事をする, […に]賭ける(on).
3 〔副詞を伴って〕〈ゲームなどが〉プレーできる ‖ This new board game *plays* well. この新しいボードゲームは遊びやすい.

II〔競技にかかわる活動をする〕
4〈人が〉競技をする, […の代表として]試合に参加する(for); […と]試合をする(against), […の(として))ポジションにつく(at/as) ‖ They *play for* England. 彼らはイングランドのナショナルチームである / The Tigers will *play* in Tokyo next week. タイガースは来週東京で試合をします / *play* for two innings 試合に 2 イニング出る / *play* in goal [*as* goalkeeper] ゴールキーパーをする / Stanford *played against* Berkeley. スタンフォードはバークレーと対戦した《◆ against なしの他動詞用法がふつう》.

III〔音楽にかかわる活動をする〕
5〈人が〉演奏する, 弾く; 〈楽器・ラジオなどが〉鳴る; 〈楽器・音楽が〉演奏される ‖ *play* in an orchestra オーケストラで演奏する / The band will *play* next. 楽団が次に演奏します / This tape recorder won't *play*. このテープレコーダーは音が出ない.

IV〔演劇にかかわる活動をする〕
6 (正式)〈人が〉芝居をする(act, perform); 〔通例 be ~ing〕〈劇・映画などが〉上演[上映, 放映]される(→文法5.2⑶) ‖ *play* in a melodrama メロドラマに出る / *play* to a large audience (a full house) 大入りの観客を前に芝居をする / *Macbeth is playing* at the National Theatre tonight. 今晩「マクベス」が国立劇場で上演される(→文法5.2⑵).

7 a (略式) 〔形容詞・副詞と共に〕行動する, ふるまう ‖ *play* false 人を裏切行動をとる / *play* fair 正々堂々と勝負する, フェアな試合をする; 公正な行動をする《◆ *play* fairly よりふつう》. **b**〔形容詞と共に〕(…である)ふりをする ‖ *play* sick 仮病を使う《◆ pretend illness [to be ill] より口語的》/ *play* dumb とぼける.

V〔ある役割を果たすように活動する〕
8 (正式)〈動物などが〉飛び[はね]回る; (文)〈光・影・風などが〉ゆらぐ, ちらつく; 〈微笑・空想などが〉浮かぶ(+*around, about, on*) ‖ The sunlight *played on* the pond. 日の光が池の水面にきらめいた / A smile still *played about* [*over*] her lips. 彼女の唇の周囲にはまだ微笑が漂っていた. **9** (正式)〈噴水・光などが〉吹き出す; 〈ホース・銃などが〉[…に]向けられる, 発射される(*on, over, along*) ‖ The hoses *played on* the burning house. 燃えさかる家にホースが向けられた.

—他 **1 a**〈人が〉〈遊戯・球技・勝負など〉を[…と]する〔*with, against*〕; [*play* A B]〈人〉と B〈競技・遊戯〉をする; 〈人〉と[競技・勝負事で]対戦する, 試合する〔*in, at*〕‖ *play* tennis [golf, ping-pong, baseball, football] テニス[ゴルフ, 卓球, 野球, フットボール]をする《◆武道などはふつう practice, engage in: *practice* boxing / *engage* in *judo*》/ *play* cards トランプをする / *play* hide-and-seek [tag] かくれんぼ[鬼ごっこ]をする《◆以上の例ではふつう無冠詞》/ Will you *play* a game of chess *with* [*against*] me? チェスをしませんか《◆ Will you *play* me a game of chess? / Will you *play* me *at* chess? ともいえる》/ The Giants *played* [×fought with] the Dodgers. ジャイアンツはドジャーズと対戦した《◆ボクシングでは fight も可》. **b**〈子供が〉…ごっこをする, 〔…する/…という〕まねをして遊ぶ[*doing/that*節]‖ *play* doctor [war, school] お医者さん[戦争, 学校]ごっこをする / *play* house ままごと遊びをする / Let's *play* (*that* we are) Indians. インディアンごっこをしようよ.

> 📋 **語法** ⑴「スキーをする」は動詞 ski を用い, ×*play* skiing としない. 「スキーをしに行く」は go skiing. 同じ用い方をする動詞に climb, dance, fish, swim, box, bowl などがある.
> ⑵「スポーツをする」については→ sport 名 **1**.

2 a〈人が〉〈楽器〉を演奏する, 〈ラジオ・レコードなど〉をか

ける; 〈曲・音楽〉を〔楽器で〕演奏する,〈作曲者〉の作品を〔…で〕演奏する〔on〕‖ Can [Do] you play (the) piano [trumpet]? ピアノ[トランペット]が弾け[吹け]ますか◆楽器にはふつう the をつけるが, ロックやジャズのミュージシャンはしばしば the を落とす. → piano[1]❶) / play Chopin on the piano ピアノでショパン(の曲)を弾く. b 〈曲・楽器など〉を〔人に〕演奏してやる,〈ラジオ・レコードなど〉を〔人に〕かけてやる〔for, to〕‖ I'll play a sonata for you. =I'll play you a sonata. ソナタを1曲弾いてあげよう.

3 a 〈人が〉〔劇・役など〕を演じる,〈人物などの役を演じる;…のようにふるまう‖ play (the part of) Romeo ロミオの役を演じる / He played the host perfectly. 彼は主人役を見事にこなした. **b** 〈物・事が〉〔…において〕〈役割〉を演じる〔in〕‖ Recreation plays an important part [role] in our daily life. 娯楽は我々の日常生活で重要な役割を果たす. **c** 〔正式〕〈劇団などが〉〈場所で〉上演[公演]する◆受身不可‖ Next week we're playing Yokohama. 来週は横浜で公演します.

4 a 〈ゲームで〉〈ポジション〉を守る,…につく‖ play catcher キャッチャーを守る(◆play catch は「キャッチボールをする」) / play first (base) ファーストを守る. **b** 〈選手〉を〔…に〕起用する;〈人〉を〈ゲームなどに〉入れる〔at, as〕‖ play him at [as] third base 彼を3塁に使う. **c** 〈チェス〉〈こま〉を動かす;〈球技〉〈ボール〉を(ある方向に)打つ[ける];〈トランプ〉〈カード〉を出す,使う.

5 〈冗談・ごまかしなど〉を〔人に〕しかける, する〔on〕(◆受身不可)‖ Fate played a dirty trick on us. =Fate played us a dirty trick. 運命のいたずらで私たちはひどい目にあった.

6 〈金〉を賭(か)ける;(米)〈馬など〉に賭ける.

7 〈ホース・銃など〉を〔…に〕(連続して)向ける, 放射させる;〔正式〕〈水・光など〉を〔…に〕浴びせる〔on, over, along〕‖ play lights over the cherry blossoms by night 夜桜に光を浴びせる(◆光が動いている場合に使う. 光が固定している場合には train lights on the cherry …). **8** 〈針にかかった魚〉を泳がせて疲れさせる, 遊ばせる.

pláy alóng 〔自〕(1) 〔略式〕楽しくやる,〔…に〕協力する(ふりをする)〔with〕. ─〔他〕〈人〉に返事[決定]を待たせる,気を持たせる.

pláy at A (1) 〈遊戯・競技など〉をする(◆正式の試合には止を用いない言い方)◆…に興味のあるふりをする‖ play at war 戦争ごっこをする(◆play war がふつう) / play at keeping a shop お店屋さんごっこをする. (3) …を遊び半分にする. (4) いやいや…する.

pláy báck 〔他〕(1) 〈録音したテープ・音楽など〉を再生する. (2) 〈ボール〉などを返球する.

pláy dówn 〔他〕〔音量を下げて〔down[1] 副〕演奏する〕…を軽く見せる〔扱う〕, 取り繕う, もみ消す(↔play up)‖ play down an incident 事件をもみ消す.

pláy dówn to A 〈人〉におもねる.

pláyed óut (1) 疲れ切った. (2) 〈考えなどが〉時代遅れで;〈人〉に使い尽くされた(◆ふつう be, seem, become などの後に用いる).

pláy ín 〔他〕〈人・新年など〉を音楽などで迎える.

pláy it cóol (ríght, sáfe, stráight) 〔略式〕沈着な(適切な, 無理のない, 真撃(じ)な)行動をとる.

pláy óff 〔自〕〈チームなどが〉決勝戦をする.
──〔他〕(1) 〈試合など〉を〔…と〕終わりまで行なう〔against〕.〈同点のチーム〉を再試合させる. (2) …を〔人に〕(自

分の利益になるように)張り合わせる〔against〕.

*pláy ón 〔自〕(1) 競技を続ける;演奏を続ける. (2) 〔クリケット〕球を三柱門に当ててアウトになる. (3) [~ on A] 〈楽器〉を演奏する‖ play on the piano ピアノを弾く(◆on を用いない方がふつう). (2) [~ on [(正式) upón] A] 〈人の態度・感情など〉につけこむ, をかき立てる, 利用する(◆受身不可). (3) [~ on A] → 他 2, 8, 9.

pláy óut 〔他〕(1) 〈試合・劇など〉を最後までやる;〈劇など〉を最後まで演奏する. (2) 〈人〉が退場する間〈曲〉を演奏する〔with〕. (3) 〈行く年〉の終わりを音楽を演奏して祝う. (4) 〈感情など〉を行動に表す. (5) 〈綱など〉を徐々に繰り出す. (6) [be ~ed] 〈人が〉疲れる;〈物が〉尽きる;〈言葉など〉が古くさくなる.

pláy óver 〔他〕〈音楽・試合など〉をやり直す.

pláy úp 〔自〕(英略式)〔通例 be ~ing〕〈子供など〉が〔…に〕いたずらをする〔toward〕. 〈機械・身体などが〉調子が悪くなる. ──〔他〕〔略式〕(1)〔英〕〈人〉を怒らせる, 苦しめる;〈人〉に迷惑をかける. (2) 〔『音量を上げて〔up 副〕演奏する』〕…を重視する, 強調する. (米) 宣伝する(↔ play down).

pláy úp to A (1) 〈受身可で〕(1) 〈俳優〉を助演する. (2) 〔略式〕〈人〉に取り入ろうとする, ゴマをする.

pláy with A (1) → 他 1. (2) 〔通例 be ~ing〕〈人・感情など〉を軽くあしらう. (3) 〈考えなど〉を軽視する. (4) 〈考えなど〉を漠然と抱く(◆play around with ともいう).

──〔名〕(複 ~s/-z/) **1** ⓒ 劇, 演劇, 芝居;戯曲, 脚本(◆drama よりくだけた語)‖ read Shakespeare's plays シェイクスピアの戯曲を読む(◆単に read Shakespeare ともいう) / go to a play 芝居(を見)に行く / a children's play 児童劇.

2 Ⓤ 遊び, 遊戯(↔work)(◆気晴らし・娯楽のための遊び一般をさす. sport は運動の形式をとり主として戸外で行なうもの. game は一定のルールによって行なわれる競技をいう)‖ They are at play in the field. 彼らは野原で遊んでいる(=They are playing …).

3 Ⓤ 競技[試合]すること;競技のやり方, プレー.

4 [a/the/one's ~] (競技の)順番(◆ふつうの場合の順番は turn)‖ It's your play now. 今度は君のやる番だ.

5 Ⓤ (人に対する)行為, 態度, 対処の方法.

6 Ⓤ 〔時に a ~〕賭(か)け事, ばくち‖ win $10 at play ばくちで10ドル勝つ.

7 Ⓤ 働き, 活動, 使用‖ the play of good sense 良識を働かせること.

8 Ⓤ 〔主に文〕〔時に a ~〕(色・光などの)ちらつき, ゆらめき‖ the play of sunlight through the trees 木漏れ日のちらつき. **9** Ⓤ 動きの自由, ゆるみ, (機械部品などの)遊び‖ Don't give the rope too much play. なわをあまりたるませるな.

bríng [cáll] A into pláy 〔正式〕〈力・状況など〉を活用[利用]する.

cóme into pláy 〔正式〕〈力・知識など〉が働き始める.

in pláy (1) 働いて, 活動して. (2) 冗談で. (3) 〔球技で〕〈ボール〉が生きて, ライン内で(↔out of play).

máke a [one's] pláy for A 〔主に米略式〕〈異性・仕事などを〉を(手管・策略などを用いて)引きつけようとする.

play·back /pléibæk/ 〔名〕Ⓒ 録音[録画]の再生, プレーバック(replay);再生装置[ボタン].

play·bill /pléibìl/ 〔名〕Ⓒ 芝居の広告ビラ[ポスター];〔米〕演劇のプログラム.

play·boy /pléibòi/ 〔名〕Ⓒ 遊び人, 道楽者(◆金持ちで多趣味・多才の男. play の対象は女性に限らない).

play・er /pléiər/ (類音) prayer /préiər/) 【→ play】
── 名 (複 ~s/-z/) C **1** 競技者;［スポーツ・ゲーム名と共に］（…の）選手;［通例 good, poor などと共に］ゲーム［運動］が…な人;《英》（クリケット・ゴルフなどの）プロ《使い分け》→ athlete》‖ a baseball player 野球の選手《◆ ×a player of baseball とはふつういわない》/ a chess player チェスをする人 / She is a good tennis player. 彼女はテニスが上手だ（=She plays tennis well.) / the most valuable player 最優秀選手（略）MVP.
2［楽器名と共に］（…の）演奏者 ‖ a flute [piano] player フルート［ピアノ］奏者《◆プロの演奏家は flutist, pianist などがふつう》.
3《古・米》［おおげさに］俳優, 役者《◆《英》では actor [actress] がふつう. cf. playwright》.
4 =player piano. **5**（CD・レコードなどの）プレーヤー.

pláyer piáno 自動ピアノ, ピアノ自動演奏装置（（商標）Pianola).

†**play・fel・low** /pléifèlou/ 名（やや古）=playmate.
†**play・ful** /pléifl/ 形 **1**〈人・動物などがふざけた, 陽気な;［…と］いちゃついている（with）‖ a playful kitten じゃれている子ネコ. **2**〈行為・言葉などが〉冗談の, 本気でない. **pláy・ful・ly** 副 ふざけて; 冗談に. **pláy・ful・ness** 名 ふざけること.
play・go・er /pléigòuər/ 名 C 芝居の常連.
†**play・ground** /pléigràund/ 名 C **1**（戸外の）遊び場, 遊園地《◆ふつう遊び道具が設置されている》‖ play on [in] the playground 遊び場で遊ぶ. **2** 保養地, 行楽地.
†**play・house** /pléihàus/ 名 (複 ~s/-hàuziz/) C **1**［しばしば P~；劇場名として］劇場. **2**《主に米》おもちゃの家;《主に英》Wendy house《子供が中で遊ぶ》.
play・ing /pléiiŋ/ 名 U 遊ぶこと, 競技［演技］すること.
pláying cárd《正式》トランプ札（→ card **4**）.
pláying caréer《スポーツ》現役生活.
pláying fíeld［比喩的にも用いて］（野外の）競技場, 運動場; 遊戯場 ‖ a level [an equal] playing field 公平な［平等な］立場.
†**play・mate** /pléimèit/ 名 C《正式》〈子供の〉遊び友だち［相手］.
play・off /pléiɔ̀:f/ 名 C **1**（引き分け・同点試合後の）再試合, 延長戦. **2** 王座［優勝, 一位］決定戦, プレーオフ.
play・suit /pléisù:t/ 名 C（女性・子供用の）遊び着.
†**play・thing** /pléiθìŋ/ 名 C **1**《正式》おもちゃ(toy). **2**《主に文》おもちゃにされる人, 慰みもの.
play・time /pléitàim/ 名 U C（主に学校の）遊び時間.
†**play・wright** /pléiràit/ 名 C 劇作家, 脚本家(dramatist).
pla・za /plá:zə, plǽzə/《スペイン》名 C **1**（スペインの都市などの）広場, 市場. **2**《主にカナダ》ショッピングセンター.
†**plea** /plí:/ 名 **1** C《正式》［…に対する］嘆願, 請願(appeal)［for］《◆新聞見出し語で好まれる》‖ a plea for blood-donors 献血者を求める嘆願. **2**《正式》［the/one's ~］（…に対する）弁解, 口実, 言い訳(excuse)［for］‖ on [under] the plea of [that] … を口実に. **3** C《法律》［通例 a ~］（被告側の）答弁, 抗弁 ‖ make [énter] a pléa of not guilty 無罪の申し立てをする(=plead not guilty).
máke a pléa for A …を懇願する.
†**plead** /plí:d/ 動（過去・過分 ~ed /-id/ or **plead** /pléd/ or《主に米・スコット》**pled** /pléd/) C **1**《正式》

[plead (with A) for B]〈人が〉〈A〈人〉に〉B〈物・事などを〉嘆願する;［人に/…してくれるよう］嘆願する（with / to do）‖ The criminal pleaded with the judge for mercy. =The criminal pleaded with the judge to give him mercy. 犯人はどうぞお情けをと裁判官に訴えた / He pleaded with the boy to treat his mother more kindly. 彼はその男の子に母親をもっといたわるように訴えた.
2［法律］〈人が〉［…で］弁護をする（for）；［…に対して］抗弁する, 申し立てをする（against）；［plead C］〈人が〉C であると認める ‖ plead for the accused 被告を弁護する / plead against the new consumption tax 新しい消費税に対して抗議する / plead guilty 有罪［責任］を認める / plead not guilty =（略式）plead innocent 無罪［責任］を認めない.
── 他 **1**《正式》〈人が〉〈事件などを〉弁護する；…を抗弁する《◆新聞見出し語で好まれる》‖ plead the rights of the unemployed 失業者の権利を弁護する. **2**《法律》…を［…で］弁護する, 主張する（C）《◆受身不可》. **3**《正式》…を弁解する, 言い訳に言う；［…であると］弁明する［that 節］《◆受身不可》；［…］と嘆願する ‖ The thief pleaded poverty [(that) he was poor]. 泥棒を働いたのは貧乏であるためだと弁解した.

plead・er /plí:dər/ 名 C **1**（法廷の）弁護人；申し立て人. **2** 嘆願者；仲裁者.
plead・ing /plí:diŋ/ 名《正式》**1** U 申し開き；弁護, 嘆願. **2**［法律］［~s］（原告と被告との）訴答（書面）. ── 形 嘆願する［訴える］（ような）.
pléad・ing・ly 副 嘆願する［訴える］ように.
pleas・ance /plézns/ 名 C（主に大邸宅に付属する）遊園, 遊歩道.

‡**pleas・ant** /plézn t/【発音注意】(類音) present /préznt/) 【→ please】
── 形 (more ~, most ~; ~・er, ~・est) **1**［他動詞的に］〈物・事が〉〈人を〉楽しませる;［人にとって］（結果的に）楽しい(enjoyable), 愉快な（for, ×to）,［…に］心地よい［to］《◆「私は楽しい」の意味で ×I am [feel] pleasant. とはいわない. → please 他 **2**）（↔ unpleasant）‖ have a pleasant time 楽しい時を過ごす / have a pleasant taste おいしい / go for a pleasant drive 楽しいドライブをする / This room is pleasant [×pleased] to work in. =It's pleasant to work in this room. この部屋は気持ちよく働ける ⬢文法 17.4).
2〈人・態度・性質などが〉感じのよい, 好ましい;［…に対して］愛想のよい［to］‖ She tried to be pleasant at the dance. 彼女はダンスパーティーで好感を持たれるように努めた / She is pleasant to talk with. 彼女は話していて好ましい(=It is pleasant to talk with her.) ⬢文法 17.6(1)) / He gave me a pleasant smile. 彼は私を見て愛想よく笑った(=He smiled at me pleasantly.).
3〈天候が〉晴れて心地よい ‖ a pleasant climate 気持ちのよい気候.
pléas・ant・ness 名 U 楽しさ, 心地よさ.
†**pleas・ant・ly** /plézntli/ 副 楽しく, 愉快に；心地よく；愛想よく ‖ pleasantly warm 気持ちよく暖かい.
†**pleas・ant・ry** /plézntri/ 名《正式》**1** U（悪意のない）からかい, ひやかし. **2** C 冗談, おどけた言葉［行為］.

‡**please** /plí:z/ 【「（人を）楽しませる」が本義】(派)
pleasant (形), pleasure (名)
── 動 (~s/-iz/; 過去・過分 ~d/-d/; pleas・ing)

P

—[他] **1** 〈人・物・事が〉〈人など〉を**喜ばせる**, 満足させる, 楽しませる; …の気に入る(↔ displease)《◆(1) delight の方が強い感情を表す. (2) ふつう進行形は不可》‖ He bought a necklace to *please* his wife. 彼は妻を喜ばせるためネックレスを買った / She is ***hard to please***. 彼女は気難しい(=It is hard to *please* her.) (➔文法 17.4) / It *pleases* [×is pleasing] me to write poems. 詩を書くことは私にとって楽しい / Flowers *please* the eye. 花は目を楽しませてくれる / It will *please* her if I am obedient to her parents. 私が彼女の親の言うことをよく聞けば彼女は気に入るだろう.

2 [be ~d]〔…を〕**喜ぶ**,〔…が〕気に入っている〔**about, with, at**〕; [be ~d **that**節] …ということがうれしい ‖ I'm very ***pleased*** [×pleasant] ***about*** [***with***] my new job. 新しい仕事がとても気に入っています(=I find my new job *pleasant*.) / She was very (much) ***pleased at*** hav*ing* such a good friend. 彼女はそのようないい友人ができてとても喜んでいた(=She *was* very (much) *pleased* to have such ...). / She was ***pleased that*** he felt she had been helpful. 彼女は自分が役に立ったと彼が思ってくれているのがうれしかった.

—[自] **1** [副詞節で] 〈人が〉**好む**, したいと思う(wish) 《◆副詞節は as, if または where, wherever, when, whenever などに導かれる》‖ Dó ***as you pléase*** [×are pleasing]. 好きなようにしなさい / You may come ***whenever you please***. いつでもお好きな時に来ていいです(=... (at) any time you like.). **2** 〈人・物・事が〉人を喜ばせる[満足させる], 人の気に入る ‖ A good TV show *pleases*. テレビのいいショーは人に喜ばれる《◆ ... *pleases* the viewers. のように他動詞として用いるのがふつう》/ She is always eager to *please*. 彼女はいつも人に気に入られるように努めている.

****be pléased to*** *do* (1) [ていねいに] **…してうれしい** ‖ I'm *pleased to* see you. お目にかかれてうれしい. (2) [未来時制で] **喜んで…する** ‖ I'll *be pleased to* help you. 喜んでお手伝いいたします(=I'll help you with *pleasure*.). (3)《正式》[時に皮肉的に] 〈高貴な人などが〉…してくださる, なさる ‖ The Queen *was pleased to* appoint our shop as personal dressmaker. 女王様は私共の洋装店を御用店としてご指定くださった. (4) → [他] **2**.

****if you pléase*** (1)《正式》**よろしければ**, どうぞ(please) ‖ I would like some coffee, *if you please*(↘[↗]). 恐縮ですがコーヒーをお願いします. (2)《略式》**驚いたことに**, 信じられるかい ‖ He was, *if you please* [×pleased], a cheat. 事もあろうに彼はぺてん師だった.

pléase *one**sèlf*** 《略式》[通例命令文で] 自分の好きなように[勝手に]しなさい.

—[間] [副詞的に] [通例命令文で; 文頭・文中・文尾で] **どうか**, **どうぞ**, ぜひ《◆(1) ふつう二人称について用いる. (2) 本来は may it please you (それがあなたの意にかないますように)であったもの》‖ *Please* come in. =Come in, please. (↗) どうぞお入りください / Tea, *please*. (↗) お茶をください《◆「お茶をどうぞ」の意ではない》/ [対話] "Would you like another cup of tea?" "(Yes,) *please* [No, thank you]. (↗)" 「お茶をもう1杯いかがですか」「ええ, お願いします[いいえ, 結構です]」/ Can you come with me, *please*?(↗) どうか私とご一緒していただけませんか《◆ *Please* can you come with me? 《正式》/ Can you *please* come with me? の順に懇願の意が強くなる》/ You will *please* help me with the washing. 洗濯を手伝ってください《◆形は平叙文であるが命令的に用いられている》/ May I *please* explain my reasons? わけを説明してもよろしいでしょうか《◆一人称の主語の例》/ I'm asking you *please* not to do that. そんなことをなさらないでくださいとお願いしているのです(➔文法 11.7) / I asked her to *please* leave. (↘) 彼女に立ち去るように頼んだ《◆この2例のように不定詞と共に用いるのは主に《米略式》》/ *Please*!(↘) お願いですから!; よして!, やめなさいよ! / *Please*, the TV is so noisy! テレビの音がうるさくてたまらない《◆テレビの音を小さくしてくれ, 消してくれなどの意》/ *Please, please*, don't cry. どうか泣かないでくれよ.

> [語法] (1) please は一般にていねいさを示すために添える語であるが, 相手に利益になると思われる場合や単なる指示表現では付けないことが多い: Have another cup of coffee. コーヒーをもう一杯どうぞ / Sign here. ここに署名してください.
> (2) 人に物を差し出すときに言う日本語の「どうぞ」の意味で使わない(cf. Here you are. / Here it is. (→ here 成句)).

†**pleas·ing** /plíːziŋ/ [動] → please. —[形]《正式》[他動詞的に]〔人に(とって)〕喜びを与える, 楽しい(pleasant), 〔…に〕満足な〔*to*〕; 魅力的な(attractive) ‖ The show was ***pleasing to*** the audience. そのショーは観衆には楽しいものであった(=The show *pleased* the audience. / The audience was *pleased* at the show.).

pleas·ur·a·ble /pléʒərəbl/ [形]《正式》楽しい, 愉快な(pleasant).

***pleas·ure** /pléʒər/ [発音注意]〘→ please〙
—[名] ([複] ~s/-z/) **1** [U] **喜び**, 楽しさ, 愉快, 満足(↔ displeasure); [the ~]〔…の/…する〕喜び, 光栄〔*of / of doing*〕《◆ delight は pleasure より強い言葉・表情に表れた喜び. → please [他] **1** 注》‖ This book will give you great *pleasure*. =You will get great *pleasure* from this book. この本は非常に楽しく読めますよ / I hope we may ***have*** ⌈***the pleasure of*** see*ing* [×the pleasure to see] you again. またお目にかかれればと思っています《◆ I hope to see you again. の改まった言い方》/ [対話] "Would you care to join me for dinner?" "That would give us great of pleasure." 「ご一緒にディナーはいかがですか」「光栄です」《◆くだけた言い方は, That's very kind of you. / We would be delighted to. ➔文法 11.9》.

2 [C] **楽しい事**(joy), 喜び[満足]を与えるもの ‖ Reading is her only *pleasure*. 読書は彼女の唯一の楽しみである / It's a *pleasure* to talk to you. お話できて喜んでいます / Talking to him was one of my many *pleasures*. 彼と話すことは私の数ある楽しみの1つであった.

3 [U][C] [遠回しに] (官能的・世俗的)快楽 ‖ a life of *pleasure* 遊蕩(ゆう)生活. **4** [U]《正式》[通例 one's ~] (人の)意志, 希望; 好み; (君主などの)慈悲深い要請 ‖ [対話] "When it comes to ice cream, what's *your pleasure*?" "Vanilla." 「アイスクリームの好みは何ですか」「バニラです」/ consult *his pleasure* 彼の都合[意向]を聞く / You may come at *your pleasure*. 随時[好きな時に]お越しいただいてよろしい.

at A's ***pléasure*** (1) → **4**. (2) …の好きなように, 意

pleat

のままに; 勝手に, 我が物顔に.
for **pléasure** 楽しみに, 娯楽として(↔ on business) ‖ go to Tokyo *for pleasure* 遊びで上京する.

***táke pléasure in A 《しばしば正式》…を楽しむ, 楽しんで…する《◆A は名詞·動名詞》‖ She took no *pleasure in* eating or drinking. 彼女は飲食には何の楽しみもなかった.

The pleasure is míne. =(*That is* **m**ý pléasure.) =(*It's* [*It was*] *a pléasure*.) (◯) [相手の Thank you for … に対して; ていねいに] どういたしまして, こちらこそ[類語]《正式》Not at all. /《英やや古風》Don't mention it. /(It's) no trouble at all. / That's OK. /《主に米》You are welcome.).

[語法] (1) 軽く発音し, 同等の関係に用いる. 目下の人が用いると「皮肉に」, 目上の人が用いると「いばって」聞こえることがある. You're welcome. の方が無難. (2) 誘いを受けるときにも用いる: "I'd like you to have lunch with me." "Thank you. It'll be *my pleasure.*"

to A's **pléasure** =*to the pléasure of* A [文全体を修飾]《人》にとってうれしいことには.

***wíth pléasure (1) 喜んで, 快く ‖ I'll help you *with pleasure*. 喜んでお手伝いいたします(=I'll be *pleased* to help you.). (2) [快諾の返答として] 喜んで, かしこまりました ‖ 《対話》"Would you post this letter?" "*With pleasure.*"(◯)"「この手紙を出していただけませんか」「いいですとも」《◆ *With* the greatest of *pleasure*. はさらにていねい).

pléasure bòat 遊覧船; レジャー用の船.
pléasure gròund 遊園地.

†**pleat** /plíːt/ 名 © [スカートなどの] ひだ, プリーツ.
── 他 …にひだを取る[つける].
pléat·ed 形 ひだのある[ついた]. **pléat·er** 名 © ひだを取る人; (ミシンの)ひだ取り器.

pleb /pléb/ 名 (複 **ple·bes** /plíːbiz/) © [しばしば ~es] 庶民, 大衆.

†**ple·be·ian** /plɪbíːən/ 名 © 形 (古代ローマの)平民(の)(↔ patrician);《正式》大衆(の).

pleb·i·scite /plébəsàɪt, -sɪt/ 名 © 《正式》国民投票; (自治権などを決定する)一般投票.

plec·trum /pléktrəm/ 名 (複 ~s, ~·tra /-trə/) © (ギターなどの)つめ, ばち, ピック(《略式》pick).

†**pledge** /plédʒ/《正式》名 **1**©⒰ […するという]堅い約束, 誓約(promise)[to do, of doing, that 節]; 《政治》公約 ‖ *under* (*the*) *pledge of* … といい約束して / give [tàke, màke] a *plédge* 誓約する / the French *pledge* to support solidarity 結束を支持するというフランスの誓約. **2** © 抵当, 担保, 質入れ; © 抵当物, 質草(pawn) ‖ *pùt* [*lày, gíve*] a *rìng in plédge* 指輪を質[担保]に入れる / take a ring out of *pledge* 指輪を質受けする / *hold* … *in pledge* …を質[担保]にとってある. **3** © (友情·忠誠などの)証(*あかし*), 印(token); (夫婦の愛の証としての)子供 ‖ *as a pledge of* our friendship 我々の友情の印として.

sígn [*tàke*] *the plédge* (まれ)禁酒の誓いをする.

── 他 ①《人》〈事〉を誓う《忠誠·寄付などを》[…に]; (与えることを)誓う(promise)《to》; [pledge to do / pledge that 節] …することを[…ということを]誓う ‖ *pledge* allegiance *to* the flag 国旗に忠誠を誓う / He *pledged* to give up drinking. =

plenty

He *pledged* that he would give up drinking. 彼は酒をやめると誓った. **2** 〈人〉に[…を/…することを]誓約させる《*to*》[*to do*); [pledge one**self** [be pledged] *to* A / pledge one**self** [be pledged] *to do*]〈人が〉〈事〉を[…することを]誓う ‖ *be pledged to* secrecy =*pledge oneself to* secrecy =*be pledged to* keep the secret 秘密を守ると誓っている / She *is pledged to* marry him. 彼女は彼と結婚すると誓っている.

Ple·iad /plíːəd | pláɪəd/ 名 (複 **-ia·des**/-ədìːz/, ~s) © **1** [the ~es]《ギリシャ神話》プレイアデス《Atlas の 7 人の娘. Orion に追われて星座になった》. **2** 《天文》プレアデス, すばる《北天のおうし座にある星団》.

Pleis·to·cene /pláɪstəsìːn, -təʊ-/ 《地質》名 [the ~] 形 洪積[更新]世(の).

†**ple·na·ry** /plíːnəri, (米+) plé-/ 形 《正式》**1** 〈権力などが〉完全な; 絶対的な, 無条件の. **2** 〈会議などが〉全員出席のもとに開かれる.

†**plen·i·po·ten·tia·ry** /plènəpətén∫əri, (米+) -∫ìəri/ 形 [しばしば名詞の後で] 全権のある.

plen·i·tude /plénət(j)uːd/ 名 ⒰ 《文》[おおげさに] 豊富, 完全, 十分, 充実; 充満.

plen·te·ous /pléntɪəs/ 形 《詩》=plentiful.

†**plen·ti·ful** /pléntɪfl/ 形 《正式》(あり余るほど)豊富な, 多くの(↔ scarce)[類語] abundant, ample, copious); 豊富に生じる[作る], 実り多い ‖ a *plentiful* harvest [crop] 豊作 / a *plentiful* supply of food 食物の豊富な供給 / be *plentiful in* common sense 良識豊かである.

plén·ti·ful·ly 副 豊富に, たくさん.

plen·ty /plénti/ 派 plentiful (形)

── 名 ⒰ **1**《通例肯定文で》(十分間に合うほどに)たくさん, 多数, 多量(↔ lack); [~ *of* + ©⒰ 名詞] 十分な … (lots of …)《◆ (1) 必要を十分に満たすという意味: Three liters of gas is *plenty*, thanks. 3 リットルのガソリンで十分です, ありがとう. abundance は「非常に[あり余るほど]たくさん」. (2) 動詞は *plenty of* の後の名詞の数と一致する》‖ *plenty of* books on the shelf 書棚の多くの本 / I've got *plenty of* time to go there. そこへ行くための時間はたっぷりある / That candidate has *plenty* going for him.《略式》あの候補者には何かと有利な点が多い / There is *plenty* more (of it). まだたくさんある / 《対話》"Won't you have some more coffee?" "No, thank you. I've had *plenty*." 「もう少しコーヒーをいかが？」「いや結構です. もう十分にいただきました」[語法] 肯定文《時に否定文》のみに用い, 否定文では many, much を, 疑問文では enough を用いる.

2 《正式》[通例 in ~] 〈物の〉豊富さ, 豊かさ ‖ a time of peace and *plenty* 平和と豊かさの時代《◆ 頭韻に注意》/ luxuries [corn] *in plenty* 豊富なぜいたく品[豊かな穀物] / get there *in plenty of* time 十分早めにそこに着く / live *in plenty* ぜいたくに暮らす.

sée plénty of A 〈人〉によく会う.

── 形 《主に古·米略式·スコット方言》多くの, 豊富な, 十分な《◆ 比較変化しない》‖ He has *plenty* things to do today. 彼は今日しなければならないことが多くある《◆ *plenty of* の of が落ちた形》/ Half an apple is *plenty* for me. 私には半分のリンゴで十分だ / Money is never too *plenty*. 金はいくらあってもすぎるということはない.

── 副 [more を修飾して] 十分に, たっぷり;《主に米略

pleth·o·ra /pléθərə/ 名〔a ~〕〔…の〕過多, 過度〔of〕; Ⓤ〔医学〕多血(症).

ple·thor·ic /pleθɔ́(ː)rik/ 形 過多の, 多血(症)の.

pleu·ri·sy /plúərəsi/ 名Ⓤ〔医学〕肋(?)膜炎, 胸膜炎.

plex·us /pléksəs/ 名 (複 ~·es, plex·us) Ⓒ 1〔医学〕(神経・血管などの)網状組織, 叢(?). 2 こみ入った状態, 錯綜(?).

pli·a·ble /pláiəbl/ 形〔正式〕1〈物が〉曲げやすい, 柔軟な. 2〈人が〉柔順な, 融通のきく; 影響されやすい, 言いなりになる.

pli·ant /pláiənt/ 形 1 =pliable. 2 順応性のある, 適応できる.

pli·ers /pláiərz/ 名Ⓤ〔時に単数扱い〕ペンチ,〔広義〕やっとこ(cf. pincers)◆(1) 数える時は「a pair [two pairs] of *pliers*」. (2)〔略式〕では two *pliers*(ペンチ2個)という言い方もある.》‖ The *pliers* are on the bench. ペンチは作業台の上にある.

†**plight** /pláit/ 名Ⓒ〔通例 the/a ~〕(ふつう悪い)状態 (situation); 苦境, 窮地 ‖ be *in a* terrible [sorry, hopeless, evil, sad] *plight* ひどい[哀れな, 絶望的な, 不幸な, みじめな]状態である / What a *plight* to be in! とんだ羽目になったもんだ.

plim·soll /plímsl, -soul/ 名Ⓒ〔通例 ~s〕〔英〕ゴム底ズック運動靴(〔米〕sneakers)◆ 数える時は「a pair [two pairs] of *plimsolls*」.

plinth /plínθ/ 名Ⓒ〔建築〕(円柱・彫像の) (方形)台座,〔部屋の内壁下部の)幅木(?).

PLO 〘略〙 Palestine Liberation Organization パレスチナ解放機構.

†**plod** /plád | plɔ́d/ 動 (過去・過分 plod·ded/-id/; plod·ding) 自 1a〈人などが〉とぼとぼ歩く;〈物が〉ゆっくり進む(+*along, on, down*). b (通りなどを/場所を)とぼとぼ歩く; ゆっくり進む(*along, on, down, through*),〔…を〕苦労して登る(*up*). 2〔略式〕〈人が〉〔…に〕こつこつ取り組む(+*away, along, on*)〔*at, through, on, upon, with*〕.
—— 名Ⓒ 1 とぼとぼ歩くこと, 重い足取り; 重い足音. 2 こつこつ働く〔勉強する〕こと.

plod·der /pládər | plɔ́d-/ 名Ⓒ とぼとぼ歩く人; こつこつやるだけで融通がきかない人, ガリ勉する人, まじめが取り柄の努力家.

plop /pláp | plɔ́p/ 動 (過去・過分 plopped/-t/; plop·ping) 自〔…に〕ポチャン[ボトン]と落ちる〔*into, on*〕; ポチャンと音を立てる;〈人が〉〔…で〕(疲れて)体を投げ出し, バタリと倒れる(+*down*)〔*into, on*〕. —— 他 …をポチャン[ボトン]と落とす. —— 名〔a ~〕ポチャン[ボトン, ボン]という音; ポチャンと落ちること. —— 副 ポチャンと, ボトンと; ボンと.

plo·sive /plóusiv/〔音声〕名形 破裂音(の)〈/p, t, k/ など〉(cf. explosive).

†**plot** /plát | plɔ́t/ 名Ⓒ 1〔…を倒そうとする/…しようとする〕(裏切りの)陰謀, たくらみ〔*against* / *to do*〕◆〔徒党を組んだ陰謀は特に conspiracy という〕‖ watch for any *plots against* the regime 反体制の陰謀が企てられていないかを警戒する. 2 (小説・劇などの)筋, 構想, プロット ‖ The film has an exciting *plot*. その映画ははらはらする筋書きだ / The *plot* thick·ens.〔略式〕話の筋がこみ入ってくる[面白くなる]. 3 (建物・栽培などのための)小地所, 小区画地 ‖ a buri·al *plot* 墓地.
—— 動 (過去・過分 plot·ted/-id/; plot·ting) 他 1 …をたくらむ,〔…することを〕ひそかに企てる〔*to do* / *wh*節[句]〕‖ *plot* the death of the king =*plot* (*how*) *to kill* the king 王の暗殺を企てる. 2〈小説などの〉筋を組み立てる; …の構想を練る(+*out*). 3〈土地〉を区画する(+*out*);〈土地・建物などの〉図面を作る. 4〈飛行機・船の航路〉を〔地図などに〕記す(+*out*)〔*on*〕;〔数学〕〈点〉を座標で示す;〈曲線〉を描く. —— 自〔…を支持して/…に反対して〕陰謀を企てる(+*together*)〔*for, with / against*〕‖ *plot for* the coup d'état クーデターをたくらむ.

plot·ter /plátər | plɔ́t-/ 名Ⓒ 1〔通例 ~s〕陰謀者. 2〔コンピュタ〕プロッター〈作図装置〉.

†**plough** /pláu/〔発音注意〕〔英〕名動 =plow.

plov·er /plʌ́vər〔米+〕plóuvər/ 名 (複 plov·er, ~s) Ⓒ〔鳥〕チドリ.

†**plow**,〔英〕**plough** /pláu/〔発音注意〕名Ⓒ 1 (牛・馬・トラクターの)すき, すきに似た物[道具]‖〔雪かき・除雪機・溝かんななど〕;〔英〕(機関車の)排障器 ‖ be *under the* plow 耕作されている /〔be *at* [follow, hold] the *plow* 農業に従事する / *go to* one's *plow* 自分の仕事をする / *pull* the *plow* *over a field* 畑をすきで耕す. 2〔英〕耕作地. 3 [the P~]〔天文〕おおぐま座《北天の星座》;〔英〕北斗七星((米)) the Big Dipper).
—— 動 他 1〈人が〉〈土地〉をすきで耕す,〈草〉を掘り起こす(+*up, out, over, down*);〈草・わらなどを〉すき込む(+*in, back*)‖ *plow* a field for wheat 小麦をまくために畑を耕す / *plow up* roots 根をほり返す / *plow* weeds *down* 雑草をすき倒す. 2〈あぜ・うねなど〉をすきで作る; …に筋[しわ]をつける ‖ a face *plowed* with worries 心配でしわの刻まれた顔. 5 [~ one's *way*]〔…を〕骨折って〔かき分けて〕進む〔*through*〕;〈船が〉〈波〉をけたてて進む,〈海〉を波を切って行く ‖ *plow* one's *way through* the crowd [storm] 群衆を押し分けて〔あらしをついて〕進む / The boat *plowed* the waves. 船は波をけたてて進んだ. —— 自 1 すきで耕す ‖ *plow into* furrows 耕してうねを作る. 2〈人が〉〔障害・群衆・木などをかき分けて〕骨折って進む(+*on*);〔略式〕〈仕事・勉強などを〉こつこつやる(+*on*)〔*over, with, through*〕‖ *plow ahead* [*on*] *with* the work 仕事をこつこつ進める / *plow through* a PhD thesis. 博士論文を書き進める.

plów into 他〔略式〕(1)〈仕事など〉に元気よくとりかかる. (2) …を激しく打つ, 攻撃する. (3) → 自 1.

plow·boy,〔英〕**plough-** /pláubɔ̀i/ 名Ⓒ すき付きの牛[馬]をひく若者; 田舎(?)の少年.

†**plow·man**,〔英〕**plough-** -/pláumən/ 名 (複 -men) Ⓒ 農夫, 田舎者((PC) plower) ‖ *plough·man's lunch*〔英〕パン・チーズ・タマネギのピクルスの簡素な昼食.

plow·share,〔英〕**plough-** -/pláuʃèər/ 名Ⓒ すきの刃[先].

ploy /plɔ́i/ 名Ⓒ〔略式〕(人をだます)策略.

†**pluck** /plʌ́k/ 動 他 1a〈人が〉〈草・羽毛など〉を(指先でぐいと)引き抜く(+*up, out, off*);〈鳥〉の羽[毛]をむしり取る(+*away, out*);〔主に英〕〈果実・花など〉を摘む◆〔pick の方がふつう〕, もぎ取る(+*off*)‖ *pluck* flowers in the fields 野の草花を摘む / *plúck úp* [*óut*] the weeds 雑草を引き抜く / *pluck* him aside from the others 彼を他の連中から離してわきへ引っ張る / The cook *plucked* the turkey. (料理をするために)コックは七面鳥の羽毛をむしり取った /

pluck off fruit 果実をもぎ取る. **b** [pluck **A B** = pluck **B** for **A**]〈人が〉**A**〈人〉に**B**〈花など〉を摘んでやる‖ I *plucked* 「her a daisy [a daisy for her]. 彼女にヒナギクを摘んでやった. **2 a**〔正式〕〈人・物〉をぐいと引っ張る[引く](pull)(+*away*, *off*); …を引き降ろす(+*down*)‖ *pluck* her by the arm 彼女の腕を引っ張る(→ catch❶1c)/ *pluck* him *down* from the platform 彼を壇から引き降ろす. **b**〈人〉を[…から]救出する[*from*]‖ Helicopters *plucked* foreigners *from* Albania. アルバニアからヘリコプターで外国人を救出した. **3**〈楽器の弦〉をかき鳴らす((米) pick). ―自〔物を〕ぐいと引っ張る, 引っ張って抜く[*at*]; 楽器の弦を弾く‖ *pluck*〔*at*〕his sleeve 彼のそでを引っ張る.
plúck úp〔自〕元気[勇気]を奮い起こす.
―〔名〕**1**〔Ⓒ〕〔通例 a ~〕ぐいと引き抜く[引っ張る]こと‖ give a *pluck* at her hand 彼女の手をぐいと引っ張る. **2**〔Ⓤ〕〔略式〕(危険・困難に立ち向かう)勇気, 決断.
†**pluck·y** /plʌ́ki/ 〔形〕(--i·er, --i·est)〔略式〕勇気のある, 元気な(brave); 断固たる.

plug /plʌ́g/ 〔名〕〔Ⓒ〕**1** 栓, 詰め物(stopper); 消火栓((米) fireplug); 〔英略式〕(水洗便所の)放水栓. **2**〔電気〕プラグ, 差し込み; (略式)ソケット. **3**〔略式〕点火栓(英) spark(ing) plug).
―〔動〕(過去過分) plugged/-d/; plug·ging)〔他〕**1 a**〈穴など〉を[…で]ふさぐ, 詰める(+*up*)(*with*)(↔ unplug). **b**〈物〉を[…に]差し込む, 差し込んで栓をする(*in*, *into*); …を[情報ルートなどに]連絡をつける(*into*). **2**〔略式〕…を(ラジオ・テレビなどで)繰り返し宣伝する[売り込む].
―〔自〕〔略式〕〔…に〕こつこつ取り組む(+*away*, *along*) [*at*]; […のために]働く[*for*]‖ She is *plugging away* [*along*] (*at* her studies) every evening. 彼女は毎晩こつこつ(研究に)取り組んでいる.
plúg ín〔自〕(プラグをコンセントにつないで)電気が通じる. ―〔他〕(**1**)〈電気器具〉のプラグをコンセントにつなぐ. (**2**)〔略式〕[be ~ged]〔考えなどに〕とりつかれている.

*****plum** /plʌ́m/〔同音〕plumb)
―〔名〕(復 ~s/-z/) **1**〔Ⓒ〕セイヨウスモモ, プラム; その実; 〔俗用的に〕スモモ(◆ 正しくは ume, Japanese apricot)‖ We went out to pick wild *plums*. 私たちは野生のスモモを摘みに出かけた. **2**〔Ⓒ〕スモモの木(plum tree). **3**〔Ⓤ〕濃紫色. **4**〔Ⓒ〕すてきなもの; 「ばらしいもの‖ a *plum* job 給料もよく魅力のある仕事.
†**plum·age** /plúːmidʒ/〔名〕〔Ⓤ〕**1**〔時に a ~; 集合名詞〕(鳥の)羽, 羽毛(◆個々の羽は plume). **2**〔米〕凝った[儀式張った]服装.
†**plumb** /plʌ́m/〔同音〕plum)〔名〕〔Ⓒ〕鉛錘(チュ); (水深を測る)測鉛; 下げ振り; (釣糸・振子の)おもり.
―〔形〕〔建築〕垂直な(◆ 一般には vertical); 〔略式〕[強意で]まったくの.
óff〔**óut of**〕**plúmb** 垂直でない.
―〔副〕垂直に; 〔英略式〕正確に; 〔主に米略式〕まったく, すっかり.
―〔動〕〔他〕**1**(測鉛で)〈海などの〉深さを測る. **2**(下げ振りで)…を垂直かどうか調べる(+*up*); …を垂直にする(+*up*). **3**〈心・神秘など〉を測り知る, 探る. **4**〈管・家など〉に鉛管工事を施す. ―〔自〕鉛管工として働く.
†**plumb·er** /plʌ́mər/ 〔名〕〔Ⓒ〕鉛管工.
plúmber's hélper〔**friend**〕〔米略式〕=plunger 3.
†**plumb·ing** /plʌ́miŋ/〔名〕〔Ⓤ〕**1** 鉛管工事; 配管業. **2**〔集合名詞〕配管系統〔設備〕‖ a *plumbing* fixture 配管設備. **3** 水深測量.

†**plume** /plúːm/〔名〕〔Ⓒ〕**1**〔通例 ~s〕(大きくて派手な)羽(◆ 小さな羽は feather)‖ the *plumes* of a cock 雄鶏(カケセ)の羽. **2**〔しばしば ~s〕(帽子などの)羽飾り‖ She wore a *plume* in her hat. 彼女は帽子に羽飾りをつけていた. **3** 柔らかでふわふわした羽毛. **4**〔文〕〔煙・雪煙・水柱などが〕羽毛状に空中に上がったもの〔*of*〕‖ a *plume* of smoke もくもく立ち上がる煙. ―〔動〕〔他〕**1**〈鳥が〉〈羽毛〉を整える. **2** …を羽毛で飾る; …を借り着で飾る‖ *plume* oneself (借り着で)着飾る. **3** …の羽毛をむしり取る.
plúme onesélf on〔**upon**〕**A** …を自慢する, …に得意になる.
plum·met /plʌ́mət/〔名〕〔Ⓒ〕測鉛(線); 下げ振り(糸); (釣糸の)おもり. ―〔動〕〔自〕…に(まっさかさまに)落ちる(+*down*)〔*to*〕; 〈物価・株などが〉〔ある数値に〕急落する〔*to*〕.
†**plump¹** /plʌ́mp/〔形〕**1**〈人・体の部分が〉丸々と太る, ぽっちゃりした(◆ 字義通りには, 赤ん坊や若い女性の健康的な太り方をいうが, しばしば fleshy, fat の遠回し語として用いられる). **2**〈食用肉が〉肉付きのよい, 〈財布などが〉ふくらんだ. **plúmp·ly**〔副〕丸々と(太って).
†**plump²** /plʌ́mp/〔動〕〔略式〕〔自〕**1**〔…に〕いきなりドスンと落ちる[座る, 倒れる](+*down*)〔*into*, *on*, *upon*, *onto*〕; 〔…に〕(いきなり)ぶつかる〔*against*〕. **2**〔米〕いきなりザブンと飛び込む[飛び出す](+*in*〔*out*〕). ―〔他〕**1**〔しばしば ~ oneself〕〈人・物〉を[…に/…から](いきなり)ドスンと落とす[投げ出す](+*down*)〔*into*, *in* / *out of*〕. **2**〈意見など〉をぶっきらぼうに[出し抜けに]言う(+*out*).
plúmp for A〔人〕(**1**)〔主に米〕(連記投票で)…だけに投票する; …を熱心に応援する. (**2**)(よく考えて)…を(慎重に)選ぶ, …に決める.
plúmp úp〔他〕〈まくらなど〉を振って柔らかく大きくする.
―〔副〕〔形〕〔略式〕ドスンという; あからさまに[な], ぶっきらぼうに[な]; 真下に; 不意に.
plump·ish /plʌ́mpiʃ/〔形〕太り気味の.
plum·y /plúːmi/〔形〕(--i·er, --i·est) 羽毛のある; 羽毛で飾った; 羽毛状の.

†**plun·der** /plʌ́ndər/〔動〕〔他〕**1**〈暴徒などが〉〈戦争・暴動などで〉〈場所など〉を略奪して荒らす; 〈人・場所〉から〔物を〕略奪する〔*of*〕. **2**〈物〉を〔人・場所から〕(こっそり)盗む(steal)〔*from*〕, …を横領する.
―〔自〕〔人・場所から〕略奪する〔*from*〕.
―〔名〕〔Ⓤ〕**1** 略奪; 横領‖ live by *plunder* 略奪で生活する. **2**〔集合名詞〕略奪品; 盗品; 横領物.
†**plun·der·er** /plʌ́ndərər/〔名〕〔Ⓒ〕略奪者; 盗賊.
†**plunge** /plʌ́ndʒ/〔動〕〔他〕**1**〈人が〉〈物〉を突っ込む, 押し込む(+*in*, *down*); …を(しばしば頭[先]から)〔物に〕突っ込む; …を投げ込む(+*into*, *in*, *down*)‖ *plunge* one's burnt finger *into* the cold water やけどした指を冷水に突っ込む. **2**〈人・物・事が〉〈人・物・事〉を(ある状態に)陥れる, 追い込む〔*into*, *in*〕; [be ~d](ある状態に)なる〔*into*, *in*〕‖ She was *plunged into* the depths of despair. 彼女は失望のどん底に追いやられた. **3**〈人〉を前のめりにする(+*forward*).
―〔自〕**1 a**〈人・物〉が(しばしば頭[先]から)[…に]突っ込む, 飛び込む(+*in*, *down*)〔*into*, *in*〕; 〈人が〉(急停車などで)前のめりになる(+*forward*)‖ I *plunged into* the pond to save the drowning child. 私はおぼれている子供を救うために池に飛び込んだ. **b**[方向・起点・経路の前置詞と共に]突進する; [⋯に]飛

plunger

びっくく*at*〉‖ **plunge into [through]** the crowd 群衆の中へ飛び込む[群衆の中を駆け抜ける]. **c** 〈人・国などが〉(ある状態に)(突然)陥る, 突入する〈*into, in*〉；〈略式〉〈人が〉(仕事などに)急に[熱心に]やりだす(+*in*)；〈仕事などに〉あわてて[突然]とりかかる〈*into*〉‖ **plunge into** debt 借金をこしらえる. **2**〈値段などが〉急に下りになる；〈値が〉急落する. **3**〈船が〉(船首を下げて)(波間などで)激しく縦揺れする(+*about*) [*through*].

──名C (通例 a ~) **1** 飛び込み；突入；投げ込むこと；(ある状態に)陥ること‖ **tàke a plúnge into** the pool プールに飛び込むこと(=plunge into the pool). **2**〈船の〉縦揺れ；〈馬が〉後足を上げて飛び上がること. **3**〈略式〉ひと泳ぎ；〈主に米〉(プールなどの)飛び込み場所.

tàke the plúnge〈略式〉(いろいろ考えた末)思い切ってやってみる；結婚する.

plung·er /plʌ́ndʒər/ 名C **1** 飛び込む人[物]. **2**〈機械〉ピストン. **3**(先にゴム製吸引カップのついた)排管掃除具.

plunk /plʌ́ŋk/〈略式〉動他〈弦楽器〉をポロンとかき鳴らす(+*out*)；〈人〉をドスン[ドブン]と投げ出す[置く](+*down*). 〈米〉…を不意に打つ. ──自 **1** ポロン[ドブン]と音がする；〈弦楽器〉をポロンポロン弾く(+*away*)；ドスンと落ちる［倒れる, 腰をおろす〕(*down*). **2**〈米〉〈…を〉完全に支持する〈*for*〉. ──名[a/the ~] ポロンと鳴る音[鳴らすこと]；ドスン[ドブン]という音. 〈米〉強打. ──副 ポロンと, ドスンと；正確に.

plu·per·fect /plùːpə́ːrfɪkt/〈文法〉名C [the ~] 形 過去完了(の), 大過去(の)《◆ past perfect がふつう》.

†**plur·al** /plʊ́ərəl/ 形 **1**〈文法〉複数の(↔ *singular*)‖ The English *plural* ending is usually "s." 英語の(名詞の)複数語尾はふつう s である / Do you know the *plural* (form) of 'child'? child の複数形を知っていますか. **2**(一般に)複数の, 2つ[人]以上の[からなる]. ──名〈文法〉U 複数(形)(略 pl.). ◆複数形の語.

plúral socíety(複数民族からなる)複合社会.

plu·ral·ism /plʊ́ərəlìzm/ 名U **1** 複数(性). **2**〔哲学〕多元論.

†**plu·ral·i·ty** /plʊərǽləti/ 名 **1** U 複数(であること). **2** C 〔~ of ...〕多数の…. **3** C 〈米〉(通例 a/the ~) 最高得票数, 相対多数(票)《◆主に過半数に達しない場合に用いられる. cf. *majority*》；(主に当選者と次点者との)得票差‖ win the election by *a plurality* of 25 votes 25票の差をつけて当選する. **4**〔教会〕U 数職兼務；C 兼務の仕事.

†**plus** /plʌ́s/ 前 **1**〔接続詞的に〕…を加えて, プラスして(↔ *minus*)‖ Two *plus* five is [equals] seven. 2足す5は7(=Two and five make(s) seven.) / This bill, *plus* all the others, amounts [ˣamount] to 400 dollars. その他の勘定に加えてこれで400ドルになります《◆動詞は along with, together with などと同じく plus の前の名詞の数に一致》. **2**〈略式〉…に加えて, …の上に‖ The job needs intelligence *plus* charm. その仕事は人柄に加えて気配りを必要とする.

──副〈略式〉〔接続詞的に〕**1**〔通例 be の後で〕その上(besides)《…もある》‖ He *is plus* a grandchild. 彼には孫もいる. **2**〈米〉そしてその上に‖ We can get what we want, *plus* we can save money. 欲しいものも買えるし, その上貯金もできる.

──形 **1** プラスの, 加の, 正の(↔ *minus*)‖ a *plus* quantity 正量, 正数. **2**〔数字の後で〕(以上の；(評点で)上の‖ a mark of B *plus* B の上の評点《◆ B⁺ と書く》/ 2,000-*plus* cars 2千台以上の車. **3**〈略式〉余分の；〔名詞の前で〕好ましい‖ a *plus* factor 好ましい要因. **4**〈略式〉〔名詞の後で〕その上に‖ She has beauty *plus*. 彼女には美しさのほかに何かがある. **5**〔電気〕陽性の, 正の(positive).

──名C **1**=plus sign. **2** 正数, 正量. **3**〈略式〉(好ましい)添加物, 特質, 利点；利益, 剰余. **4**〔ゴルフ〕ハンディ(キャップ).

plús fáctor プラス要因.

plús fóurs〔複数扱い〕(ひざ下までである運動用, 特にゴルフ用)半ズボン.

plús sígn プラス記号, 加号《+》.

plush /plʌ́ʃ/ 名U フラシ天《ビロードの一種》.

──形 **1** フラシ天(製)の, フラシ天で覆われた. **2**〈略式〉派手で豪華な.

Plu·tarch /plúːtɑːrk/ 名 プルタルコス, プルターク《46?-120?；ギリシアの伝記作家. 『英雄伝』の作者》.

Plu·to /plúːtou/ 名 **1**〔ギリシア神話〕プルートーン(Hades)《冥(めい)界の神. ローマ神話の Dis に相当》. **2**〔天文〕冥王星《準惑星の1つ；2006年に惑星から除外》.

plu·to·crat /plúːtəkræt | -təu-/ 名C〈正式〉金権(政治)家.

Plu·to·ni·an /pluːtóuniən/ 形 **1** プルートーンの, プルートーンに似た；冥(めい)界の. **2** 冥王星の.

plu·to·ni·um /pluːtóuniəm/ 名U〔化学〕プルトニウム《超ウラン元素. 記号 Pu》.

plu·vi·al /plúːviəl/ 形 雨の；雨の多い.

PLWA person (living) with AIDS エイズ患者《◆ AIDS patient [victim] の遠回し表現》.

†**ply** /pláɪ/ 動 **1**〈人〉〈…を〉道具などをせっせと使う, 巧みに使う, 用いる‖ *ply* a needle 針をせっせと動かす, 縫う. **2**〈仕事・商売〉に精を出す(work at)‖ *ply* one's trade 商売を営む. **3**〈人が〉〈人〉に〔飲食物などを〕(しつこく)すすめる；〈人〉に〔質問など〕をしつこくする〈*with*〉‖ *ply* one's guests *with* food and drink お客に飲食物をむりじいする / *ply* him *with* questions 彼を質問ぜめにする. **4**〈川などを〉定期運航する, 往復する；…を進んで行く‖ the ships which *ply* the Thames テムズ川定期運航船《◆文法 4.1(1)》.

──自 **1**〈船・バスが〉〔…の間を〕定期的に往復する〈*between*〉. **2**〔赤帽・タクシーが〕〔…で〕客待ちをする〈*at*〉, 〈客を〉待つ〈*for*〉‖ *ply for hire*〈タクシーが〉客待ちをする. **3**〔…を〕せっせと動かす〈*with*〉；〔仕事などに〕精を出す〈*at*〉‖ *ply with* a paddle 櫂(かい)をせっせとこぐ.

Plym·outh /plíməθ/ 名 **1** プリマス《英国南西岸の都市. 1620年 Mayflower 号の出航地》. **2** プリマス《米国 Massachusetts 州南東部の都市. 1620年 Mayflower 号で来た清教徒が建設した New England 最古の都市. 出航地にちなんでつけられた》.

Plýmouth Cólony [the ~] プリマス植民地《1620年清教徒が建設》.

Plýmouth Róck プリマスの岩《清教徒の上陸地とされる》；プリマスロック《米国産の卵肉用ニワトリ》.

ply·wood /pláɪwùd/ 名U 合板, ベニヤ板(→ *veneer*).

PM《略》Prime Minister.

pm.《略》premium.

※**p.m., P.M., PM,**《略式》**pm** /píːém/〔ラテン語 *post meridiem* (=afternoon) の略〕──副 午後《◆用法は → a.m.》.

pmk (略) postmark.
PMS (略) 〔医学〕 premenstrual syndrome 月経前症候群.
†**pneu·mat·ic** /njuːmǽtɪk/ [発音注意] 形 空気の, 気体の; 風の; 空気力学の; (圧縮)空気[風]で動く, 空気が詰まった.
†**pneu·mo·nia** /njuːmóʊniə/ [発音注意] ⓤ 〔医学〕肺炎 (cf. flu, grippe) ‖ The patient has acute [chronic] pneumonia. 患者は急性[慢性]肺炎にかかっている.
p.o., PO (略) postal order; post office.
†**poach**¹ /póʊtʃ/ 動 ⓐ 1 〈主に英〉(密猟[密漁]のために)〈他人の土地に〉侵入する〔on, upon〕. 2 〈人の〉〔他人の領分・権利を〕侵害する〔on, upon〕‖ poach on [upon] his preserves 彼の領分に首を突っ込む. 3 〔…を〕密猟[密漁]する〔for〕. ⓗ 1 〈地面・芝などを〉踏み荒らしてぬかるみにする〔穴だらけにする〕. 2 〈他人の土地〉で…を密猟[密漁]する; (密猟[密漁]のために)〈他人の土地〉に侵入する; 〈人権〉〈他人の権利など〉を侵害する; 〈他人の考え・人材〉を盗む, 引き抜く.
poach² /póʊtʃ/ 動 ⓗ 〈卵・魚・果物など〉を(崩さないように短時間)ゆでる (→ cook ⓗ 1 関連) ‖ poached eggs 落とし卵.
†**poach·er** /póʊtʃər/ 图 ⓒ 1 (密猟[密漁]のための不法な)侵入者; 密猟[密漁]者. 2 (商売の)なわ張り荒らし.
POB, P.O.Box (略) Post Office Box 私書箱.
po·chette /poʊʃét/ 图 ⓒ ポシェット 《肩からひもで掛ける女性用の袋型小物入れ》.

‡**pock·et** /pákət | pɔ́k-/ [「小さな袋」が原義]
──图 (榎) ~s/-ɪts/ ⓒ **1** ポケット; an inside pocket 内ポケット / He put his hand in his trouser(s)' pocket. 彼はズボンのポケットに手を入れた 《◆ trouser はふつう単数 → trouser 图 2》. **2** (通例 a/one's ~) 所持金 《(金銭を入れる所としての)ポケット》; 収入, 資力 ‖ a deep pocket 十分な資力, 富 / an empty pocket 無一文(の人) / pay out of (one's) pocket 自腹を切って払う. **3** ポケットに似たもの; 〈物を入れる〉穴, くぼみ; 仕切り, 囲い; 〈米〉山あい, 谷間. **4** 〈米〉(ホップ・羊毛などを入れる)袋; ポケット 《ホップなどの重さを測る単位としての1袋分. 76–101 kg》. **5** 〈米〉(小さな)ハンドバッグ. **6** 〔地質〕(小さな)鉱石塊; 鉱脈中特に鉱石の多い所. **7** 〔ビリヤード〕ポケット, 玉受けの台の4隅と両側にある穴. **8** 〔正式〕 **a** (周囲と異なる孤立した)小地域[集団]. **b** 〔軍事〕孤立地帯〔軍〕. **9** 〔解剖〕(カンガルーなどの)嚢(のう), 嚢状物(ぶつ). **10** エアポケット (áir pòcket). **11** [形容詞的に] ポケット型の, 携帯用の, 小型の ‖ a pocket calculator 小型電卓.
be in pócket 〈英〉手元にある; (取引などで)もうけている.
be óut of pócket 〈英〉手元にない; (取引などで)損している.
gó into A**'s pócket** (1) 〈人〉のポケットに入る. (2) [比喩的に] 〈人〉のふところに入る.
háve A **in one's pócket** …を意のままに支配する; …を完全に自分のものにしている.
in one's **pócket** (1) → **1**. (2) 所有して, (自分の)意のままに.
píck a [A's] **pócket** 懐中物をする, すりを働く.
──動 ⓗ **1** …をポケットに入れる, 隠す. **2** (ふつう不正な方法で)〈金など〉を自分のものにする, 着服する; 〈略式〉…を盗む (steal), もうける (gain) ‖ pocket public funds 公金を横領する. **3** 〈侮辱など〉を我慢する, 〈感情など〉を抑える, 隠す ‖ pocket an insult 侮辱をこらえる / pocket one's pride 自尊心を抑える(＝put one's pride in one's pocket). **4** 〔ビリヤード〕〈球〉をポケットに入れる. **5** …にポケットを付ける.
pócket bòok = pocketbook **4**.
pócket mòney (略式)小遣い銭; 〈英〉(子供の)小遣い; 〈米〉 allowance.
pócket wàtch 懐中時計.
†**pock·et·book** /pákətbʊk | pɔ́k-/ 图 ⓒ **1** 〈米今はまれ〉(女性用の肩ひものついていない)ハンドバッグ. **2** 〈英〉手帳; 〈米〉札入れ (〈英〉 wallet) (→ purse 图 **1** [類語]). **3** 資力, 財力. **4** 〈米〉ペーパーバック, ポケットブック, 文庫本.
pock·et·ful /pákətfʊl | pɔ́k-/ 图 ⓒ [a ~ of …] ポケット 1 杯の…; 《略式》 たくさんの….
pock·et·knife /pákətnaɪf | pɔ́k-/ 图 ⓒ (折りたたみ式の)小型ナイフ.
pock·et-size(d) /pákətsaɪz(d) | pɔ́k-/ 形 ポケット型の; 《略式》 小型の.
pock·mark /pákmɑːrk | pɔ́k-/ 图 ⓒ (天然痘などの跡の)あばた. ──動 ⓗ …にあばた(状の穴)を作る.
póck·màrked 形 あばたのある.
pod /pɑ́d | pɔ́d/ 图 ⓒ (エンドウ豆などの)さや; さや状のもの. ──動 (過去・過分) pod·ded/-ɪd/; pod·ding) ⓗ 〈豆〉のさやをむく. ──ⓐ さやになる, さやができる (+ up).
POD (略) pay on delivery 現物引換払い; Post Office Department 《米国》郵政省; port of debarkation 陸上げ港; the Pocket Oxford Dictionary 《英語辞書の名》.
po·di·a·trist /poʊdáɪətrɪst/ 图 ⓒ 〈米〉足治療医 (〈英〉 chiropodist).
po·di·um /póʊdiəm/ 图 (榎) ~s, **·di·a**/-diə/) ⓒ **1** 〔正式〕 (通例単数形で)指揮台; 演壇; (航空券などの)受付台. **2** 〔生物〕 **a** (脊椎(せきつい)動物の)四肢の末端. **b** (棘皮(きょくひ)動物の)足.
†**Poe** /póʊ/ 图 ポー 《Edgar Allan/ǽlən/ ~ 1809–49; 米国の詩人・批評家・短編小説家》.
POE 〔軍事〕 port of embarkation 船積港; 〈米〉 port of entry 通関(空)港.

*__po·em__ /póʊəm/ [「作られたもの」が原義]
──图 (榎) ~s/-z/) ⓒ **1** (1編の)詩, 韻文, 詩的な文章 ‖ 'a lyric [an epic] poem 叙情[叙事]詩 / write [compose] a poem 詩を書く[作る].

> 📕 使い分け **[poem と poetry]**
> (1) poem は「個々の詩」の意.
> poetry は「(ジャンルとしての)詩」の意.
> The subject of the *poem* was the nature of beauty. その詩のテーマは美の本質であった.
> *Poetry* has been composed since ancient times. 詩は古代から書かれています.
> (2) poem は ⓒ, poetry は ⓤ. したがって「詩を書く」は write a poem, write poems, write poetry となり, ×write poem, ×write a poetry とはいわない.

2 詩的な美しい物[事], 詩趣に富む物[事].

*__po·et__ /póʊət/ [「作る人」が原義]
──图 (榎) ~s/-ɪts/) ⓒ 詩人, 歌人; 空想家; 詩人肌の人, 詩才のある人 ‖ She is a famous (woman) poet. 彼女は有名な詩人です.
póet láureate 当代随一の詩人; [しばしば the P~L~] 桂冠詩人.

Poets' Corner [the ~] ポエッツコーナー《文人の記念碑のある Westminster 寺院の一画》.

†po·et·ic, -·i·cal /pouétik(ə)l/ 形 1 詩の, 詩的な, 詩のような, 詩趣に富む. 2 詩人(肌)の, 詩才のある ‖ *poetic(al) talent* [*genius*] 詩才. 3 〈場所などが〉詩にうたわれた. ＝poetics.

po·et·i·cal·ly /pouétikli/ 副 詩的に.

po·et·ics /pouétiks/ 名 U [単数扱い] 詩学, 詩論; 詩に関する研究(論文); [the P~] (Aristotle の)『詩学』.

＊po·et·ry /póuətri/
──名 1 [集合名詞] 詩, 詩歌 (cf. verse)《◆[2]編の詩は *a piece* [*two pieces*] *of poetry*, あるいは「*a poem* [*two poems*]. ˣ*a poetry*, ˣ*two poetries* は誤り. ➡文法 14.3(3)》; 作詩(法) (使い分け → poem) ‖ *write* [*compose*] *poetry* 詩を書く[作る] / *a little volume of poetry by Keats* キーツの小さな詩集の本 / 日本発》 *Haiku is a conventional form of Japanese poetry comprised of 17 syllables, arranged in lines of 5, 7, and 5.* 俳句は5·7·5の17音で構成される日本の定型詩です. 2 [集合名詞] 詩的感興, 詩情, 詩心. 3 [正式] 詩を思わせる美しい物[事, 場面].

pó·go stick /póugou-/ (商標) ポーゴー, ホッピング《1本棒にばねをつけた竹馬に似た玩(がん)具》.

poign·an·cy /pɔ́injənsi/ 名 U [正式] 痛切さ; 鋭さ; 辛辣(らつ)さ; 感動.

†poign·ant /pɔ́injənt/ [発音注意] 形 [正式] 1〈悲しみ·苦痛などが〉身を切るような, 痛切な, 強烈な. 2〈物語などが〉心に強く訴える, 感動的な ‖ *poignant memories* 心に焼きついた思い出. 3〈皮肉·批評などが〉辛辣(らつ)な, 鋭い. 4〈においが〉鼻をつく.

poin·set·ti·a /pɔinsétiə/ 名 C 〔植〕ポインセチア.

pogo stick

＊＊point /pɔ́int/ [『貫く』→『とがった先の点』が原義]

index 名 1 要点 2 目的 5 程度 6 点 7 点数 10 先端
動 ❶ さし示す ❷ 向ける
自 ❶ 指さす

──名 (複 ~s/pɔ́ints/)
I [物事の内容に関する要点]
1 C [通例 the ~] 要点 (aim, purpose), 重点, ピント; 重要な事柄[項目, 考え]; (問題·話の)核心 (meaning), やま; [しばしば複合語で] 項目 ‖ *a disputed* [*sore*] *point* 論点(言及される)[痛い所] / *the point of the matter* [*joke*] 問題の核心[冗談のおち] / *our seven-point program* 7項目からなる我々の計画 / *beside* [*off, away from*] *the point* 要点[ピント]をはずれて, 無関係の / *gét* [*sée, táke*] *her póint* 彼女の話の核心をつかむ / *reach* [*come to, get to*] *the póint* 要点[本題]に触れる[入る] / *miss the póint* 要点がわからない / *stíck* [*kéep*] *to the póint* 要点をはずさない / *agree with you on all points* すべての点で君に賛成する / *It's a point of honor* [*conscience*] *with me to tell the truth.* 真実を述べるのは私の名誉[良心]にかかわる問題だ /「*The point is*, [*The point is that*] *you have to hand in your homework by tomorrow.* 要するに君は明日まで宿題を提出しなければならない / *a three-point plan* 3項目からなるプラン.

2 U C [単数形で] 目的, 目当て; (…の)効用, 利益, 意味 (*in* [*of*] *doing*); 効果, 適切さ ‖ *carry* [*gain, make*] *one's point* 自分の目的を達する, 主張を通す / *There is no point* (*in*) *trying to persuade him.* ＝*I don't see any point in trying to persuade him.* 彼を説得してもむだだ《◆[略式]では *There is* を省いて *No point* (*in*) … ともする》/ *I don't see your point.* おっしゃる意味がよくわかりません.

3 C (全体の中の)細目, (個々の)部分.

4 C 特徴, 特質 ‖ *a good* [*strong*] *point* 長所 / *a bad* [*weak*] *point* 短所.

II [何らかの尺度の目盛りの点]
5 C 程度, 段階, 限度 ‖ *the* [*a*] *point of no return* (燃料不足による飛行機·船などの)帰還不能点; あとに引けない段階[場面] / *The rumor is true to a* (*certain*) *point.* そのうわさはある程度本当だ / *Run the video back to the point where the dance began.* ダンスが始まった箇所までビデオテープを巻き戻しなさい (➡文法 20.4).

6 C **a** 点 (spot), しるし, しみ, 句点, 小数点 (decimal point) ‖ *a fúll póint* 終止符 / *three point* [ˣ*points*] *one four* 3.14 / *six points below zero* 氷点下6度《◆何度何分と言わない場合は複数形》. **b** [しばしば複合語で] (位置上の)点, 地点; (時間上の)点, 瞬間; (計器の)目盛り, 度 ‖ *at this point* ちょうどこの時に[場所で]《◆「この点で」は *on this point.* → 1》/ *a point of contact* 接点 / *the boiling* [*freezing, melting, dew*] *point* 沸点[氷点, 融点, 露点] / *the flash* [*turning, vanishing*] *point* 引火点[転換点, (透視画の)消点] / *if* [*when*] *it comes to the point* いざという時になると, 決断の時がくれば.

7 C (成績·競技などの)点数, 得点 (cf. grade 名 4); 〔米〕履修単位 ‖ *beat him on points* 〔ボクシング〕彼に判定で勝つ / *win* [*lose, be beaten*] *by 3 points* 3点差で勝つ[負ける] / *gain* [*score*] *a point* 1点とる, 優勢になる / *credit her with good points* 彼女によい点で単位を与える. **8** C 〔商業〕刻み;(物価·相場の単位の)ポイント;〔米〕[~s] (金融業者の取る)手数料《ふつう1%》. **9** U 〔印刷〕ポイント《活字の大きさの単位》.

III [とがった先の点]
10 C [しばしば複合語で] (物の)先端(ペン先, 〔ボクシング〕あごの先, 鹿の角, [~s] (馬·犬の)足先, 〔バレエ〕つま先など), 先のとがった道具〔接種針·レース編み針など〕‖ *the point of a sword* [*finger*] 剣[指]の先 / *stand on the point of one's toes* つま先で立つ. **11** [しばしば P~] ;地名で] 岬(みさき) (cf. cape¹) ‖ *Lizard Point* リザード岬《Great Britain 島の最南端》. **12** C [しばしば複合語で] 〔電気〕接点; [英] コンセント (power point); [主に米] outlet). **13** [英] [~s] (鉄道の転轍(てつ)機, ポイント ([米] switch).

at áll póints あらゆる点で, 完全に.

at the point of A (1) 〈銃などを〉突きつけて. (2) ＝ on the POINT of.

give (**a**) **point to** A (1) …をとがらす. (2) …に勢いをつける, …を強める.

give points to A ＝**give** A **points** 〔英〕〔競技で〕〈人に〉ハンディキャップを許す; 〈人に〉優る [*at*].

in póint [正式] 適切な, 当面の ‖ *a case* [*an example*] *in point* 適例.

in póint of A《正式》〈事〉について, 関して(about) ‖ *in point of* fact 実は, 事実上.

***máke a póint of** A《事》を重視する, 主張する, 強調する;〈重要[必要]と思うので意識的に〉**必ず…する, 決まって…するように努力する** ‖ I *make a point of* brushing my teeth before I go to bed. 寝る前にいつも歯を磨くようにしている.

***máke it a póint to** do = make a POINT of 《◆ it は to 以下をさす. 前者の方が強意的》.

máke one's [a] póint 言い分を立証[力説]する; 考えを述べる; 主張の正しいことを示す[わからせる].

***on [at] the póint of** A [do**ing**] …のまぎわに, まさに〔…しようとして〕《◆ be about to do よりも堅い言い方》‖ *at the point of* death 死に瀕(ﾋﾝ)して.

póint by póint ひとつひとつ, 逐一.

***póint of víew** 観点, 見地; 考え方, 意見, 態度(viewpoint) ‖ from this *point of view* この観点からみれば.

póint to póint 次から次と.

próve one's [**a**] **póint** = make one's [a] POINT.

stráin [strétch] a póint《略式》譲歩する, 特別扱いする, 誇張する.

***to the póint**《正式》適切な[に], 要を得た[て], ピンと合った[に](to the purpose) ‖ Her explanation was (very much) *to the point*. 彼女の説明は(とても)要領を得ていた.

to the póint of A …の(ぎりぎりの)点まで, …と言ってもよいほど.

Whát's the póint of dóing thát?(⤵) そんなことしてどうするんだ(むだだよ)《◆反語的に使われる. 実質的には There is no point in doing that. / I don't see any point in doing that. と同じ》. →**2**).

━━動 (~s/-s/; 過去・過分 ~·ed/-id/; ~·ing)
━━他 **1** 〈人が〉〈物を〉**さし示す, 指摘する**, 〈人・事・物に注目させる〉(+*out*);「…」と言ってさし示す[指摘する](→成句 point out) ‖ *point* the way to the post office 郵便局へ行く道を教える / *point out* the errors to her 彼女に誤りを指摘してやる / as was *pointed out* すでに指摘されたように.
2 〈人・物〉を〔目標に〕向ける〔*at, toward*〕; 〈人〉を〔…に〕向ける〔*to*〕〔類語〕direct, aim)‖ *point* a gun [camera] *at* him 鉄[カメラ]を向ける / *point* the finger *at* 'his mistake [him] 彼の過失を指摘する[彼を非難する]《◆ *point* a finger … ともいう》.
3 …に点を付ける; 〈文などに〉句読点を打つ. **4**《正式》〈教訓などを〉強調する, 〈言動・能力などを〉引き立てる(+*up*)‖ *point up* one's remarks with good examples 好例をあげて見解を強調する.

━━自 **1** 〈人・物・事が〉〔…に〕**指さす, さし示す**〔*at, to*〕; 〔…を〕ねらう〔*at*〕;〈物・磁針などが〉…の方向に向く〔*to, toward*〕《修飾語句は省略できない》‖ *point* back [off, out, in, up, down] 後ろ[遠く, 外, 中, 上, 下]の方を指さす /《英米では他人を指さすのは失礼な行為とされる》 *point to* [*toward*], in the direction of] the factory 工場の方を指さす / My house *points* south [*to* the south]. 私の家は南向きだ / The minute hand of my watch is *pointing at* [*to*] 10. 私の時計の分針は10分をさしています. **2** 〈物・事が〉注意を引く,〔…を〕教える〔*to*〕;〈証拠・調査などが〉〔…の〕傾向を示す, 暗示する〔*to, toward*〕‖ The al-ibi *points to* her innocence. アリバイが彼女の無罪を証拠立てている.

póint óut [他] (**1**) → [他] **1**;〔(…ということ)を〕指摘[注意]する〔*that*節, *wh*節〕‖ The mechanic *pointed out* that the car has some defects. その修理工はその車にいくつかの欠陥があると指摘した. (**2**) [~ *out* B *to* A / ~ B *out to* A] A〈人に〉B〈人・物をさし示す, 指示する〉‖ I *pointed* '*out* the museum [the museum *out*] *to* him. = I *pointed out to* him the museum. 彼に博物館をさし示した / I'll *point out to* you where the famous movie stars live while we drive along. その有名な映画俳優たちがどこに住んでいるか, 車で通りすぎるときに教えてあげます《◆ B に wh節も可》.

póinting device 〔コンピュータ〕ポインティングデバイス, 位置指示装置《マウス・トラックボールなど》.

póint láce 手編み[針編み]レース.

point-blánk /pɔ́intblǽŋk/ 形 **1** まっすぐにねらいを定めた[て], 至近距離の[で]; 直射の[で]; 直接の[に]. **2** 率直な[に], あからさまの[に].

†**point·ed** /pɔ́intid/ 形 **1** 先のとがった, 鋭い. **2**〈言動が〉辛辣(ｼﾝﾗﾂ)な, 鋭い; 的を射た; 意味ありげな, (人に)当てつけた;〈注意力が〉集中した. **3**〈銃が〉突きつけられた; (人に)当てつけた.

póint·ed·ly 副 鋭く, 明白に.

†**point·er** /pɔ́intər/ 名 C **1** さし示す人[物], とがらせる人[物]. **2**(計器・時計などの)針;〔コンピュータ〕= cursor. **3** 〔動〕ポインター《猟犬の一種》. **4**〔口〕〔…に対する〕助言, ヒント〔*to*〕‖ a *pointer to* success 成功への助言. **5** 〔軍事〕照準手, 砲手.

poin·til·lism /pwǽntəlìzm, -tíːjizm, pɔ́itəlìzm/〔フランス〕名〔時に P~〕U〔美術〕(新印象派の)点描画法.

point·less /pɔ́intləs/ 形 **1** 先のない, 鈍い(↔ pointed);〈議論などが〉なまくらの. **2**〈言動・議論が〉無意味な, 不適切な; 不毛の. **3**〈試合などが〉無得点の.

†**poise** /pɔ́iz/ 名 **1** U 平衡, つり合い(balance). **2** U《文》(威厳のある)落ち着き, 平静. **3** C 身のこなし, 姿勢, 態度 ‖ A good model needs *poise* as well as good looks. いいモデルになるには顔がかわいいだけじゃなく姿勢もよくないといけない.

━━動 **1**《正式》…の平衡[つり合い]を〔…の上で〕保つ〔*on*〕; [be ~d] 平衡[つり合い]が保たれている; [~ oneself] 〔…の上で〕体のつり合いをとる〔*on*〕《◆ balance より堅い語》. **2** [通例 be ~d / ~ oneself] **a** 宙に浮いている〔浮く〕. **b** (いすなど)に軽く腰を掛けている(+*on*). **c** (危険な状態で)〔…の間を〕さまよっている〔*between*〕‖ She was *poised between* life and death. 彼女は生死の間をさまよっていた. **3** 〈頭などを(ある姿勢に)保つ. **4** [~ oneself / be ~d]〔…の/…する〕覚悟[用意]をする, 覚悟[用意]ができている〔*for* / *to* do〕;〔…の上で〕平衡[つり合い]を保っている〔*on*〕; ぶら下がっている;〈鳥などが〉空中に止まる(hover).

†**poised** /pɔ́izd/ 形 **1** 〈人が〉落ち着きのある. **2** 平衡[つり合い]を保った.

***poi·son** /pɔ́izn/〔「一呑み」が原義〕

━━名 (~s/-z/) U C **1 毒, 毒薬**, 毒物(↔ medicine)《◆「動物の毒(液)」は venom》‖ a deadly *poison* 猛毒 / a dose of *poison* 1服の毒 / *poison* for killing weeds 除草剤 / hate him like *poison*《略式》彼をひどく嫌う / kill oneself by taking *poison* 服毒自殺をする《◆ poison が液体であれば drink, 錠剤であれば swallow を用いることができる. take はこれを包括した言い方》.

2〔正式〕害[悪影響]を与える物[人]；弊害；〔略式〕(強い)酒；ひどい食べ物‖ What's your *poison*? =Name your *poison*. 酒は何にする.
——動 (~s/-z/; 過去・過分) ~ed/-d/; ~·ing)
——他 **1**…に毒を盛る[塗る]；…を毒殺する‖ *poison* his coffee 彼のコーヒーに毒を入れる / *poison* him (to death) 彼を毒殺する.
2〔正式〕…を[…で]汚す, 害する(pollute)〔*with*〕；…に[…に対して]偏見を抱かせる〔*against*〕‖ Exhaust fumes *poison* the air. 排気ガスは空気を汚す / The affair *poisoned* her mind *against* me. その出来事で彼女は私に偏見を抱くようになった[私がきらいになった].

póison fúmes (臭気の強い)有毒ガス.
póison gás 毒ガス.
póis·on·er 图 C 毒殺犯；害毒物.
poi·son·ing /pɔ́izniŋ/ 图 U 中毒‖ food *poisoning* 食中毒.
†**poi·son·ous** /pɔ́izṇəs/ 形 **1** 有毒[有害]な‖ a *poisonous* snake 毒ヘビ. **2**〔正式〕(道徳的に)有害な, 悪意のある‖ a man with *poisonous* words 口の悪い人. **3**〔略式〕人がいやな, 不快な.
†**poke** /póuk/ 動 他 **1 a**〈人(の体の一部)・物〉を〈指・ひじ・棒などで〉突く, つつく〔*with*〕‖ She *poked* me *in* the ribs *with* her elbow. =She *poked* my ribs .... 彼女は(注意を促すために)ひじで私のわき腹をつついた(=She gave me a *poke* in the ribs ...)(→ catch 他 **1 c**). **b**〈火など〉を〈棒でつついて〉かき立てる(*up*). **2 a**〈手・頭・棒など〉を[…に]突っ込む(+*in*, *up*, *down*)〔*into*, *in*, *through*, *at*〕. **b**〈頭など〉を〈…から〉突き出す〔*out of*, 略式 *out*, *round*〕. **3**〈穴〉を〔紙などに〕突き開ける, 〈通路など〉を〔群衆などに〕開く〔*in*, *through*〕. **4**〔略式〕[~ oneself / be ~d]〔狭い場所に〕閉じこもる(+*up*)〔*in*〕. **5**〔略式〕…を性交する.
——自 **1**〔…を〕〈指・棒などで〉つつく；こぶしでなぐる〔*at*〕《◆受身可》. **2**〔…から〕突き出る[出ている], はみ出る[出ている](+*up*, *down*, *out*, *through*)〔*through*, *out of*, 略式 *out*〕. **3**〔略式〕〈場所を〉[物を求めて]捜し回る(+*about*, 米 *around*)〔*in*, *among*, *at*, *for*〕. **4**〔略式〕(目的もなく)のろのろ進む；ぶらぶらする(+*about*, *along*).
póke (one's **nóse**) **into A** 〔略式〕…に干渉する, よけいなことをする.
——图 C **1** (指・ひじ・棒などで)突く[つつく]こと(◆用例 →他 **1 a**). **2**〔略式〕(こぶしで)なぐること. **3**〔米略式〕のろま, 怠け者.

pok·er[1] /póukər/ 图 C 突く人[物]；火かき棒. (*as*) *stíff as a póker*〔略式〕〈態度などが〉ひどく堅苦しい[く].
póker wòrk 焼き絵(術)《焼いた鉄で木や皮に絵を描く》.
†**pok·er**[2] /póukər/ 图 U〔トランプ〕ポーカー.
póker fàce〔略式〕ポーカーフェース(の人).
pok·er-faced /póukərfèist/ 形〔略式〕ポーカーフェースの.
pok·(e)y /póuki/ 形 (通例 -·i·er, -·i·est)〔略式〕**1**〈人に〉ぐずぐずした(slow). **2**〈部屋が〉狭苦しい. **3** みすぼらしい；だらしない.
†**Po·land** /póulənd/ 图 ポーランド《中東部ヨーロッパの共和国. 首都 Warsaw. → Pole, Polish》.
Pó·land·er 图 C ポーランド人 (Pole).
†**po·lar** /póulər/ 形 **1**〔通例 the ~〕極の, 極地の《北極の(arctic), 南極の(antarctic)》‖ a *polar* expedition 極地探検 / the *polar* circles 南北の極圏 / the *polar* lights 極光 / the *polar* distance [front] 極距離[前線] / the *polar* star 北極星. **2**〔正式〕〈性格などが〉正反対の.〔化学〕極性の；〔数学〕極(線)の；〔電気〕(陰・陽)極の, 磁極の‖ the *polar* body 極体 / *polar* coordinates 極座標.
pólar bèar シロクマ, 北極グマ(white bear).
pólar cáp〔天文〕(火星の)極冠《両極の白く光る部分》.
Po·lar·is /pəláɪrɪs; pəulά-/ 图 **1**〔天文〕北極星 (North Star, polestar). **2** C〔米軍事〕ポラリス《ポラリス潜水艦から発射される核弾頭ミサイル》.
po·lar·i·ty /poulǽrəti; pəu-/ 图 U C **1**〔物理〕(電気・磁気の)両極性；磁気引力. **2** (性格・言動などの)正反対, 矛盾, 両極端, 対立.
po·lar·i·za·tion /pòulərəzéɪʃən; -ləraɪ-/ 图 U C **1** 極性を生じること；〔光学〕偏光；〔電気〕分極(化), (電池の)成極. **2** 正反対になること；分極化, 分裂.
po·lar·ize /póulərɑ̀ɪz/ 動 他 **1**〔光学〕を偏光させる；〔物理〕…に極性を与える. **2**〔正式〕〈人〉を(2つに)分裂[対立]させる〔*into*〕, …を〈…の方に〉偏向させる〔*toward*〕. ——自〈光が〉偏光する；陽[陰]極化する；対立[分裂, 偏向]する. **pó·lar·iz·er** 图 C〔光学〕偏光子, 偏光プリズム.
Po·lar·oid /póulərɔ̀ɪd/ 图〔商標〕**1**〔時に p~〕U 人造偏光板. **2** C〔写真〕= Polaroid (Land) camera. **3**〔略式〕[~s] ポラロイドめがね.
Pólaroid (**Lánd**) **càmera** ポラロイドカメラ.

*****
pole[1] /póul/ 图 〔回復〕【くい;が原義】
——图 (榎 ~s/-z/) C **1**〔しばしば複合語で〕棒, さお, 柱‖ a fishing *pole* 釣りざお / a flag *pole* 旗ざお / a telegraph [telephone] *pole* 電柱. **2** 棒状のもの；(棒高跳び・測量の)ポール；(牛馬車の)長柄(な)；マスト；(電車の)ポール；(理髪店の)看板柱. **3** =rod 图 **4**.
ùnder bàre póles〔海事〕帆をたたんで；裸で, むき出しの.
——動 (*pol·ing*) 他 **1** …を棒で支える, …にさおをつける. **2** …を棒で押す(+*off*)；〈舟〉をさおで進める.
——自 棒を使う, 〈舟などを〉さおで進む.
póle vàult [the ~] 棒高跳び.
*****
†**pole**[2] /póul/ 图〔回復の原義〕 榎 polar (形)
——图 (榎 ~s/-z/) C **1**〔通例 P~〕(天体・地球の)極‖ the North [South] *Pole* 北[南]極 / from *pole* to *pole* 世界中にある所で[に]. **2** (性格・言動などの)正反対, 両極端‖ They [Their ideas] are *poles* apart in this respect. 〔略式〕彼ら[彼らの考え]はこの点で正反対だ, ひどく違っている. **3** 興味[注意]の的, 引きつけるもの. **4**〔物理・生物・解剖・数学〕極‖ the positive [negative] *pole* 陽[陰]極.

póle position (1)(トラックの)最も内側のコース[位置]；自動車レースの予選で1位になったドライバーが決勝でスタートする一番前の列. (2) 有利な位置.
Pole /póul/ 图 C ポーランド人；[the ~s] ポーランド国民.
pole·ax, (主に英) **--axe** /póulæks/ 图 C〔歴史〕(長柄の)戦斧(ﾌ)；屠殺(ﾄｻﾂ)用斧(ｵﾉ). ——動 他 (頭を斧打ちして[したかのように])…を気絶させる；…を斧で打つ[殺す].
pole·cat /póulkæt/ 图 C〔動〕ヨーロッパケナガイタチ；〔米略式〕= skunk **1**.
po·lem·ic /pəlémɪk, pou-; 〔英+〕pɔ-/〔正式〕图 C **1** (攻撃・弁護の)論争, 論戦. **2** [~s; 単数扱い] 論争術；〔神学〕論証法. **3** 論争をしている人；論争好きの人, 論客. ——形 論争の[好きの, を巻き起こす].

póle·stàr /póulstɑ:r/ 名 [しばしば P~]〖天文〗[the ~] 北極星(the North Star, Polaris).

po·lice /pəlíːs, (英+) pu-, plíːs/ [アクセント注意]〖『都市国家』が原義〗廟 policeman (名)
— 名 1 ⓤ [(the) ~; 複数扱い] (警官の集合体としての)警察, 警官隊(police force), (米)保安隊《◆(1) 治安部門をいう時は単数扱いもある. 1人の警官を police officer, policeman, policewoman. (2) 電話番号は米国911, 英国999》‖ sénd for the políce 警察を(電話などで)呼ぶ(呼びにやる), 警察に来るように頼む / Several police [×polices] are patrolling the city. 数名の警官が町をパトロールしている《◆「5人の警官」は five police または five police officers》/ The police are [×is] looking into the matter. They are searching for witnesses. 警察はその事件を調査中だ. 目撃者を探している《◆代名詞は they, their, them》.
2 ⓤ 治安; (公·私設の)警備(組織). 3 〖ⓤ米陸軍〗兵営の整備(作業). 4 [形容詞的に]警察の‖ a police officer (正式)警察官 / the Metropolitan Police Department 警視庁.
— 他 (正式)…の治安を維持する, …を取り締まる, 警備する.
políce àction 警備[治安]活動.
políce bòx 交番, 派出所.
políce càr パト(ロール)カー.
políce cónstable (英正式)(ひらの)警官(略 PC).
políce còrdon 非常線.
políce còurt 治安判事裁判所((英) magistrates' court)《jury でなく magistrate が判決を下す》.
políce dòg 警察犬《German shepherd など》.
políce fòrce [集合名詞] 警察隊; (国·市などの)警察.
políce òffice [stàtion] (英)(市·町の)警察署((米) station (house)).
políce pòwer 警察[治安]権.
políce ràid (警察の)手入れ.
políce stàte 警察国家.
políce tràp (交通違反の取り締まりの, ネズミとり).
políce vàn (英)=patrol wagon.
políce wàgon (米)囚人護送車(patrol wagon).

po·lice·man /pəlíːsmən, (英+) pu-, plíːs-/〖→ police〗
— 名 (複 -men /-mən/; (女性形) -wom·an) ⓒ 警官, 巡査((米) (police) officer; (英) constable; (英略式) bobby, cop)《◆呼びかけるときはふつう officer》《◆禁制力の象徴》‖ an off-duty policeman 非番の警官 / a plain-clothes policeman 私服警官.
[事情][階級]
(1) 米国では, 州により異なるが, 下位から police officer 巡査 / sergeant 巡査部長 / lieutenant 警部補 / captain 警部 / deputy inspector 警視 / inspector 警視正 / chief of police 警察本部長.
(2) 英国では constable 巡査 / (acting) sergeant (代理)巡査部長 / station sergeant, sub divisional inspector 警部補 / chief inspector 警部 / (chief) superintendent 警視(正). ロンドン警視庁では assistant [chief] commissioner 警視監 / Commissioner of Police of the Metropolis 警視総監.

po·lice·wom·an /pəlíːswumən, (英+) pu-, plíːs-/ 名
→ policeman.

pol·i·cy /pάləsi/ 名 (複 -cies /-z/) 1 ⓒⓤ〖→ police〗(…に対する[…についての)政策, (会社などの)方針; 手段, 処理(to, toward / on); ⓤ (処世上の)深慮, 知恵, 便宜‖ a business policy 営業方針 / [(a) foreign [an economic] policy 外交[経済]政策 / national policy 国策 / the company's policy on employing disabled people 身体障害者雇用についての会社の方針‖ Honesty is the best policy. (ことわざ) → honesty. 2 ⓒ 保険証券(insurance policy).
pólicy spèech 施政方針演説.

pol·ing /póuliŋ/ 動 → pole¹.

po·li·o /póuliòu/ 名 ⓤ ポリオ, 小児麻痺.

pol·ish /pάliʃ/ 動 〖『滑らかにする』が原義〗
— (~·es/-iz/; 過去·過分 ~ed/-t/; ~·ing)
— 他 1 〈人が〉〈靴·家具などを〉みがく(shine), …のつやを出す(+up)‖ polish one's shoes 靴をみがく《◆「歯をみがく」は polish ではなく, brush [do] one's teeth》. 2 (正式)〈人が〉〈文章·演技·態度などを〉みがきをかける(refine), …を練る, 上品にする(+up)‖ Her performance needs polishing [to be polished]. 彼女の演技はみがきをかけなければいけない (➔文法 12.1(3)).
— 自 〈物が〉(みがいて)つやが出る, みがきがかかる(+up).
pólish óff 他 (略式) (1) …を(しばしば他の事をするために)さっと終えてしまう. (2) 〈敵などを〉(容易に)負かす; 〈人〉を殺す, 片付ける.
pólish úp 自 (1) → 自. (2) […を]勉強し直す (on). — 他 (略式) (1) …を勉強し直す(brush up). (2) → 他 1, 2.
— 名 1 ⓤⓒ [しばしば複合語で](液·粉·ペースト状の)つや出し, みがき粉, 光沢剤‖ shoe [boot] polish 靴墨. 2 ⓤ [a ~; 形容詞(句)と共に] (みがかれた)光沢, つや‖ Her car has a nice polish. 彼女の車はぴかぴかにみがいてある. 3 [a ~] みがく[みがかれる]こと‖ give one's shoes a quick polish 靴を急いでみがく(=polish one's shoes quickly). 4 ⓤ (正式)(態度·教育·文体などの)洗練, 上品さ.

Pol·ish /póuliʃ/ 形 1 ポーランドの. 2 ポーランド人[語]の.
— 名 ⓤ ポーランド語. **Pólish notátion** [コンピュータ] ポーランド表記法《算術式の表記方式の1つ》.

pol·ished /pάliʃt/ 形 1 みがき上げた; (自然に)光沢[つや]のある. 2 洗練された, 上品な. 3 完全な, すぐれた. 4 (米)〈米で〉脱穀精米された‖ polished rice 白米.

pol·ish·er /pάliʃər/ 名 ⓒ (金属·木工などの)みがき職人; [しばしば複合語で] つや出し器[布].

po·lite /pəláit/〖『みがかれた』が原義〗廟 politely (副)
— 形 (more ~, most ~; ~·r, ~·st) 1〈人·言動などが〉[…に]礼儀正しい, ていねいな, 〈他人に〉思いやりのある (to)《◆「失礼にならぬよう」には建前的·偽善的な含みがある. sincere とは逆に, ていねいにふるまうとは彼は失礼だ. courteous, polite, civil の順に意味が弱くなる》(↔ impolite, rude)‖ a polite letter [remark] ていねいな手紙[言葉] / be políte to others 人に対して礼儀正しい / máke oneself políte 礼儀正しくする / It is not políte of [×for] him to behave like that. あのようにふるまうとは彼は失礼だ (➔文法 17.5)《◆ He is polite … の意味でなく行為を主体にして評価を示す場合は It is polite for him to … の構文可》/ You're very polite. とても礼儀

正しいですね；[皮肉に] 水くさいじゃないの, 冷たいのね / He was just being *polite* when he said she was beautiful. 彼が彼女にお美しいですねと言ったのはほんの社交辞令であった(➔文法 5.2(3)). **2** [おおげさに]〈文章が〉洗練された, 高尚な ‖ *polite* literature 純文学. **3** (正式) [名詞の前で] [おおげさに] 上品な, 教養のある；上流の ‖ *polite* society 上流社会 / do the *polite* thing (略式) つとめて上品にふるまう.

P

†po·lite·ly /pəláitli/ [副] ていねいに, 社交辞令的に；上品に, 礼儀正しく ‖ She asked me *politely*. 彼女はていねいに私にたずねた.

polítely impolíte いんぎん無礼な.

po·lite·ness /pəláitnəs/ [名][U] 礼儀正しさ, 丁重さ；(他人への)思いやり, ていねいさ ‖ *politeness* aside ぶしつけに申しますが.

†pol·i·tic /pálətik | pɔ́l-/ [アクセント注意] [形] (正式) **1**〈人·言動が〉思慮深い, 分別のある；〈計画などが〉適切な；(時流にさとく)抜け目のない ‖ a *politic* plan [answer] 妥当な計画[思慮深い答え] / be *politic* in one's behavior 慎重にふるまう. **2** 政治上の《◆次の句で》‖ the body *politic* 国家.

***po·lit·i·cal** /pəlítikl/ 〖→ politics〗

——[形]《◆4 以外は比較変化しない》[通例名詞の前で] **1 政治の**, 政治学の, 政治に関する, 政治上の([略] pol., polit.) ‖ a *political* action 政治的行為 / a *political* column 政治欄 / a *polítical* párty 政党. **2** 政党(活動)の ‖ a *political* campaign 選挙運動. **3 国家の**, 国政[行政]上の, 国政[行政]に関する ‖ a *political* crime 国事犯罪 / a *political* office 行政官庁. **4** 政治的な, 政治がらみの；政治に関心のある；政略の ‖ a *political* animal 政治通.

——[名][C] **1** 国事犯人. **2** 〔英史〕インド駐在官.

polítical asýlum 政治亡命；亡命国政府の保護.

polítical corréctness (言葉·表現·行動などが)差別·偏見のないこと, 政治的に正しいこと([略] PC).

polítical donátion 政治献金.

polítical ecónomy 政治経済学；(古) 経済学.

polítical geógraphy 政治地理(学).

polítical prísoner 政治犯人.

polítical scíence 政治学.

polítical scíentist 政治学者.

†po·lit·i·cal·ly /pəlítikəli/ [副] 政治上, 政略上；賢明に, 巧妙に；[文全体を修飾] 政治的見地から言えば ‖ ***polítically corréct (lánguage)*** (差別·偏見のない)政治的に正しい(言葉)([略] PC) (→ political correctness).

†pol·i·ti·cian /pɑ̀lətíʃən | pɔ̀l-/ [名][C] **1** 政治家；政治屋, 策士；政治に関心のある人 ‖ [ジョーク] A statesman thinks of the next generation; a *politician*, the next election. 政治家は次の世代のことを考え, 政治屋は次の選挙のことを考える.

> [使い分け] **[politician と statesman]**
> politician は「(一般的な)政治家」の意.
> statesman は「(国を代表するような高い見識をもつ)政治家」の意.
> He is a corrupt *politician* [×statesman]. 彼は堕落した政治家だ.
> Winston Churchill was a great *statesman*. ウィンストン=チャーチルは偉大な政治家だった.

2 行政官；出世主義者；(俗) ゴマすり.

po·lit·i·co- /pəlítikou-/ [語要素] →語要素一覧(1.6).

†pol·i·tics /pálətiks | pɔ́l-/ [アクセント注意] [名][U] **1** [単数扱い] 政治；[複数扱い] 政治活動, 政治的手段([略] pol., polit.)；[単数扱い] 政治学 ‖ enter [go into] *politics* 政界に入る / run [discuss, talk] *politics* 政治活動をする[政治を論ずる] / His major is international *politics*. 彼の専攻は国際政治学です. **2** [単数·複数扱い] 政治問題 ‖ *Politics* doesn't interest young people these days. 最近の若者は政治に興味をもっていない. **3** [複数扱い] 政見, 政綱；政策. **4** [単数扱い] 政争, 対立；かけひき ‖ What is the candidate's *politics*? その立候補者の政見はどのようなものですか.

pol·i·ty /páləti | pɔ́l-/ [名] (正式) **1** [U] 政治形態；[C] 政治組織体, 国家(組織), 社会. **2** [U] 政治, 行政.

Polk /póuk/ [名] ポーク《James Knox /náks | nɔ́ks/ ~ 1795-1849；米国の第11代大統領(1845-49)》.

pol·ka /póu*l*kə | pɔ́l-/ [名][C] ポルカ《Bohemia 起源の2人組2拍子舞踏. その曲》. ——[動][自] ポルカを踊る.

pólka dòt /(米) póukə-/ [通例 -s] (模様の)水玉；水玉模様の布地.

†poll /póul/ ([同音] pole) [名] **1** [the/a ~] (選挙の)投票(行為) ‖ *The poll* was taken [×held] yesterday. 投票はきのう行なわれた《◆新聞英語では poll はしばしば「選挙(election)」の意味にも用いられ held も可能》/ The candidate headed *the poll*. = The candidate was at the head of *the poll*. その候補は投票でトップになりました. **2** [U] [通例 a ~] 投票数；[the ~] 投票結果, 得票数 ‖ *a* heavy [light] *poll* 高い[低い]投票率 / declare *the poll* 投票結果を発表する. **3** [C] 選挙人名簿. **4** [the ~s] 投票所 ‖ go to *the polls* 投票所に行く. **5** [C] 世論調査(の結果) (public opinion poll)；(新聞などによる選挙時の)人気投票. **6** [C] (ハンマーなどの)頭の平たい方.

——[動][他] **1 a**〈候補者·政党が〉(選挙で)〈一定数の票〉を得る ‖ *poll* fifty percent of the vote 50%の票を得る. **b**〈選挙区·有権者〉の票を得る；[通例 be ~ed] 投票する. **c**〈票〉を投じる. **2**〈人々〉の世論調査をする. ——[自] (選挙で)〔人に〕投票する〔*for*〕 ‖ *poll for* a Conservative candidate 保守党候補に投票する.

pólling bòoth (英) 仕切られた投票用紙記入所((米) voting booth).

pólling dày 投票日.

pólling plàce [stàtion] 投票所.

póll pàrrot (飼いならされた)オウム；常套語句を使う人.

Poll /pál | pɔ́l/ [名] (愛称) ポル《オウムによく用いる》.

pol·lack /pálək | pɔ́l-/ [名] ([複] **pol·lack, ~s**) [C][U] タラの類《北大西洋産. 食用》.

pol·lard /pálərd | pɔ́l-/ [名][C] (萌芽枝利用のため)頭を切られた木；角を落としたシカ[ヒツジなど]. ——[動][他]〈木の先〉を刈り込む；〈シカ·ヒツジなど〉の角を切る.

†pol·len /pálən | pɔ́l-/ [名][U][C] 〔植〕 花粉 ‖ have a *pollen* allergy 花粉症である / [日本発] In spring, it is quite common to see Japanese wearing medical masks to protect themselves from *pollen*. 春になると花粉対策にマスクをかけている日本人をよく見かけます. ——[動][他] =pollinate.

póllen còunt (空気中の)花粉計測《◆hay fever を起こす人に警報を出すため》.

pol·li·nate /pálənèit | pɔ́l-/ [動][他] 〔植〕〈花·植物など〉に授粉する.

pol·li·na·tion /pɑ̀lənéiʃən | pɔ̀l-/ [名][U] 授粉.

poll·ing /póuliŋ/ [名] 〔コンピュータ〕 ポーリング《ネットワークに接続された複数の端末の回線制御方式の1つ》.

pol·lu·tant /pəlúːtənt/ 名 U 汚染物質, 汚染源.

†**pol·lute** /pəlúːt, (英) -ljúːt/ 動 他〈空気・水・土などを〉[…で](すっかり)汚す, 汚染する(with); [be ~d]〈空気・水などが〉[公害などで]汚染されている(by, with) ‖ The atmosphere *is polluted with* smoke from the factories 工場からの排煙で大気は汚染されている.

語法 生物には contaminate が好まれる: The fish is contaminated [×polluted]. その魚は汚染されている.

pol·lut·ed /pəlúːtid, (英) -ljúːt-/ 形 汚れた, 汚染された ‖ a *polluted* river 汚染された川.

***pol·lu·tion** /pəlúːʃən, (英) -ljúː-/ 《→ pollute》
── 名 ~s/-z/] U 1 (環境)汚染, 汚すこと; 汚れ, 不潔; (汚染による)公害《◆日本語の「公害」は pollution とハトの糞などの public nuisance の2つを含む. → public nuisance》 ‖ *Pollution* is a global problem. 公害は地球規模的な問題である / Atmospheric [Air] *pollution* is getting worse in large cities. 大都会では大気汚染が進んでいる.

関連 [いろいろな種類の pollution]
air *pollution* 大気汚染 / environmental *pollution* 環境汚染 / ground [soil] *pollution* 土壌汚染 / industrial *pollution* 産業公害 / linguistic [language] *pollution* 言語汚染 / noise [sound] *pollution* 騒音公害 / radioactive *pollution* 放射能汚染 / smoke *pollution* (タバコの)煙害 / water *pollution* 水質汚染.

2 汚染地域[物質].
pollútion disèase 公害病.
Pol·ly /páli | pɔ́li/ 名 ポリー《女の名. Mary の愛称》.
†**po·lo** /póulou/ 名 U 1 ポロ《馬上球戯. 打球づちで木製のボールをゴールに入れる》. 2 =water polo.
pólo còat ポロコート《ゆったりとしたオーバーコート》.
pólo nèck (主に英)[服飾] ポロネック《(主に米) turtleneck》.
pólo shirt ポロシャツ.

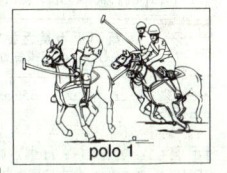

polo 1

Po·lo /póulou/ 名 マルコ=ポーロ《**Marco** /máːrkou/ ~ 1254–1324; イタリアの旅行家》.
pol·ter·geist /póultərɡaist | pɔ́l-/ 名 C ポルターガイスト《ドイツなどの民話に出てくる音の精. 不思議な音をたてたり, 家具をひっくり返したりするとされる》.
pol·y- /páli- | pɔ́li-/ 《語要素》→語要素一覧(1.1).
pol·y·an·dry /páliændri | pɔ́l-/ 名 U 一妻多夫(制); (植) 多雄蕊(つぃ)性. **pòl·y·án·drous** /-ændrəs/ 形
pol·y·clin·ic /pàliklínik | pɔ̀l-/ 名 C (米) 総合病院[診療所].
pol·y·es·ter /páliestər | pɔ́l-/ 名 U (化学) ポリエステル.
pol·y·eth·yl·ene /pàlieθəliːn | pɔ̀l-/ 名 U (米) ポリエチレン《(英) polythene》.
po·lyg·a·my /pəlíɡəmi/ 名 U 複婚制《一夫多妻, 一妻多夫などの制》(cf. bigamy, monogamy, polyandry). **po·lýg·a·mist** 名 C 一夫多妻(主義)者.
pol·y·glot /páliɡlàt | pɔ́liɡlɔ̀t/ 形 (正式) 多言語に通じた, 多言語で書かれた, 〈社会などが〉多言語を使う. ── 名 1 C 多言語に通じた人. 2 C 多言語で記した対訳書《特に聖書》; U 多言語の混交.
pol·y·gon /páliɡàn | pɔ́liɡn, -ɡən/ 名 (幾何) 多角形, 多辺形.
po·lyg·o·nal /pəlíɡənl/ 形 多角形の.
pol·y·graph /páliɡræf | pɔ́liɡrɑːf/ 名 1 うそ発見器(lie detector). 2 (呼吸・脈拍などの)多元記録器.
Pol·y·hym·ni·a /pàlihímniə | pɔ̀l-/ 名 (ギリシア神話) ポリュヒュムニア《聖歌・舞踊を司る女神. the Muses の1人》.
pol·y·mer /páləmər | pɔ́l-/ 名 (化学) ポリマー, 重合体(cf. monomer).
Pol·y·ne·sia /pàləníːʒə, -ʃə | pɔ̀ləníːzɪə, -sɪə/ 名 ポリネシア《Oceania 東部の小群島の総称》.
Pol·y·ne·sian /pàləníːʒən, -ʃən | pɔ̀ləníːziən, -sɪən/ 形 1 ポリネシアの. 2 ポリネシア人[語]の. ── 名 1 C ポリネシア人. 2 U ポリネシア語.
pol·yp /pálip | pɔ́lip/ 名 1 動 ポリプ《イソギンチャク・ヒドラ・サンゴなど》. 2 (医学) ポリープ.
po·lyph·o·ny /pəlífəni/ 名 U (音楽) 多声音楽, ポリフォニー; 対位法; (音声) 多音.
po·lyph·o·nous /-nəs/, **pòl·y·phón·ic** /-fánik | -fɔ́nik/ 形 多声の, 多音の.
pol·y·syl·lab·ic /pàlisəlæbik | pɔ̀l-/ 形 多音節の; 多音節語を特徴とする(↔ monosyllabic).
pol·y·syl·la·ble /pálisìləbl | pɔ́l-/ 名 C (3音節以上の)多音節語(↔ monosyllable).
pol·y·tech·nic /pàlitéknik | pɔ̀l-/ 形 諸工芸の. ── 名 C 1 工芸学校《特に科学技術専門学校》(《略式》 poly). 2 [the P~] ポリテクニク《英国の旧制度の総合制高等教育機関. 1992年に大学に再編成された》.
pol·y·the·ism /páliθiìzm | pɔ́l-/ 名 U (正式) 多神論, 多神教(↔ monotheism). **pól·y·thè·ist** 名 C 多神論者, 多神教信者. **pòl·y·the·ís·tic** 形 多神論[教]の.
pol·y·vi·nyl /pàliváinl | pɔ̀l-/ 形 (化学) ポリビニルの. **pòlyvinyl chlóride** ポリ塩化ビニル.
po·made /pouméid, -máːd, pə- | pəʊ-, pɔ-/ 名 U ポマード, 髪油. ── 動 他 〈髪に〉ポマードをつける.
pome /póum/ 名 C (植) ナシ状果《リンゴ・ナシ・マルメロなど》; (詩) リンゴ.
†**pom·e·gran·ate** /páməɡrænət, (米+) pǽmɡ- | pɔ́m-/ 名 C (植) ザクロ(の実・花)《◆スペインの国花》; ザクロの木(pomegranate tree).
Pom·er·a·ni·an /pàməréiniən | pɔ̀mə-/ 形 [しばしば p~] (ポーランド北西部)ポメラニアの. ── 名 C [しばしば p~] (動) ポメラニアン犬.
pom·mel /pÁml, pám | pɔ́ml, pÁml/ 動 /pÁml/ 名 C 1 鞍頭(☆). 2 (剣の)柄頭(☆). ── (過去・過分) ~ed or (英) pom·melled/-d/; ~·ing or (英) ~·mel·ling 他 ~をげんこつ[こぶし]で打つ.
pómmel hòrse (体操) 鞍馬(☆) (《米》 side horse).
Po·mo·na /pəmóunə | pəʊ-/ 名 (ローマ神話) ポモナ《果樹や果実の女神》.
†**pomp** /pámp | pɔ́mp/ 名 (正式) 1 U 壮観, 華麗, 華やかさ. 2 [~s] (威厳などの)誇示, 見せびらかし, 高慢なふるまい.

pom·pa·dour /pámpədɚ, -dùɚ | pɔ́m-/ 名《ルイ15世の愛人の名から》ポンパドゥール《(女性の)前髪を高くなで上げる髪型; (男性の)オールバック》.

Pom·pei·i /pɑmpéiɪ̀|, pɑmpéi | pɔm-/ 名 ポンペイ《Vesuvius 火山の噴火で埋没したイタリアの古都》.

Pom·pey /pámpi | pɔ́m-/ 名 ポンペイウス《106-48 B.C., ローマの将軍・政治家》.

pom·pon /pámpɑn | pɔ́mpɔn/ 名 C (帽子・服・靴などに付ける飾りの)玉房; (チアリーダーなどが持つ応援用の)ポンポン.

pom·pos·i·ty /pɑmpɑ́səti | pɔmpɔ́s-/ 名 1 U 尊大さ; 華やかさ. 2 C 尊大な[おおぎょうな]態度[言動].

†**pomp·ous** /pámpəs | pɔ́mp-/ 形 1 《人・態度などが》もったいぶった, 尊大な ‖ a *pompous* manner 横柄な態度. 2 《言葉などが》おおぎょうな, 気取った, ぎょうぎょうしい. 3 (古) 壮大な, 立派な.

pómp·ous·ly 副 尊大に, おおぎょうに.

pon·cho /pántʃou | pɔ́n-/ 名 (複 ~s) 1 C ポンチョ《南米の毛布状の外套(がいとう)》. 2 ポンチョ《ハイキングなどに用いるレインコート》.

***pond** /pánd | pɔ́nd/) 名 (複 ~s/pándz/) 1 C 池, 沼, 泉水《ふつう lake より小さく pool より大きい. (英)では人工池, 家畜の水飲み場, (米)では小さい自然の池を主にいう》‖ go fishing in the *pond* 池に魚釣りに行く. 2 (英) [the ~] 海, (特に)大西洋.

pónd lily (植) スイレン.

†**pon·der** /pándɚ | pɔ́n-/ 動 他 (正式) …を熟考する (consider); […することを/…かどうか]あれこれ考える〔*doing*/*wh*句・節〕. ── 自 […について]熟考[沈思]する (*about*, *on*, *over*) ‖ *ponder over* how to find the missing boy 行方不明の少年を見つける方法をあれこれ考える.

†**pon·der·ous** /pándərəs | pɔ́n-/ 形 (正式) 1 大きくて重い, のっそりした; 重くて取り扱いにくい. 2《文体・話し方などが》重苦しい, 退屈な;〈論文などが〉冗長な.

pón·der·ous·ly 副 1 どっしりと. 2 重苦しく.

pon·gee /pɑndʒíː | pɔ́n-/ 名 U (中国) ポンジー, 絹紬(けんちゅう)《柞蚕(さくさん)の糸で織った絹織物》; その模造絹布.

pon·tiff /pántɪf | pɔ́n-/ 名 C 1 [the (Supreme) P~] ローマ教皇 (Pope). 2 (ユダヤの)大祭司.

pon·tif·i·cal /pɑntífɪkl | pɔn-/ 形 1 教皇の, 司教の. 2 尊大な, 独断的な.

pon·tif·i·cate 名 pɑntífəkət | pɔn-/, 動 pɑntífəkèit | pɔn-/ 名 U (正式) 司教の職[位, 任期]. ── 動 自 1 司教の職務を果たす. 2 […について]横柄に言う〔*about* / *on*, *over*〕.

pon·toon[1] /pɑntúːn | pɔn-/ 名 C 1 平底ボート, (浮橋用)箱船. 2 (水上飛行機の)フロート, 浮船 (float). 3 (沈没船引上げ用)浮箱, ケーソン. ── 動 他 自 (…を) pontoon で渡る.

pontóon brídge (一時的な)浮橋.

pon·toon[2] /pɑntúːn | pɔn-/ 名 U (英)《トランプ》21 ((米) twenty-one).

†**po·ny** /póuni/ 名 C 1 ポニー《背丈がふつう 4.8 フィート (146 cm) 以下の小型種の馬. → horse 関連》. 2 (一般に)小型の馬 (cf. colt). 3 小型自動車.

po·ny·tail /póunitèil/ 名 C ポニーテール《後ろで結んで垂らす髪型》.

po·ny·trek·king /póunitrèkɪŋ/ 名 U (英)ポニーによる旅行.

poo·dle /púːdl/ 名 C 動 プードル ‖ be his *poodle* (英) 彼の言いなりになっている.
── 動 他 〈犬〉の毛を刈る.

pooh /púː, pfúː/ 間 ふん, ばかな《意見・案などに対して》; あ, 臭い《屁(へ)に対して》.

***pool**[1] /púːl/
── 名 (複 ~s/-z/) 1 C プール (swimming pool). 2 C 水たまり, 小さな池, ため池《puddle より堅い語》‖ The rain left *pools* in the road. 雨のあと道に水たまりができた. 3 C (一般に液体の)たまり; (川などの)ふち, よどみ; 日だまり; U《医学》うっ血 ‖ a *pool* of blood [sunlight] 血の海[日だまり]. 4 C (意識・静けさなどの)深み.

†**pool**[2] /púːl/ 名 1 C (相互利益のための)企業連合, カルテル. 2 C 共同基金[資金]; 共同管理[出資者, 組合, 企業]. 3 C 共同利用の施設; (労働力の)要員 ‖ a mótor póol 配車用の自動車置き場 (cf. cár pòol). 4 C (賭(か)け事の)総賭け金, 共同賭け金 ‖ [the ~s] サッカー賭博(とばく); (正式) football pools) ゲームに賭ける人. 5 U (米)ポケット(賭けビリヤードの一種)((英) snooker); (英)賭けビリヤード.
── 動 他〈人が〉〈金などを〉共同出資する, 共同で出資する;〈資金・情報などを〉プールする;〈考え〉を出し合う ‖ *pool* resources 資源をプールする / The twins *pooled* their money to buy a CD player. その双子は CD プレーヤーを買うために金を出し合った.
── 自 企業連合に加入する.

póol a cár 方向に行く)タクシーに合い乗りする.

póol hàll [ròom] (米) (賭け)ビリヤード場; (非合法の)賭博場, 馬券売り場.

póol tàble (6 個のポケット付きの)ビリヤード台.

†**poop**[1] /púːp/ 名 C《海事》船尾楼 (↔ forecastle); =poop deck.
── 動 自 (米略式)〈人が〉疲れ果てる;〈機械などが〉止まる (+*out*).

póop dèck 船尾楼甲板《しばしば cabin の屋根》.

poop[2] /púːp/ 名 C (米略式・幼児語) ふん, うんち ‖ Elephants make a big *poop*. ゾウのふんは大きい.

***poor** /púɚr | pɔ́ː, púə/ 同音 (英) pore, pour [cf. pauper] 派 poorly (副), poverty (名)

index 1a 貧しい b 貧乏な人々 2 哀れな 3 みすばらしい 4 不得意な

── 形 (~·er /púərɚ | pɔ́ːrə/, ~·est /púərɪst | pɔ́ːrɪst/)

I [お金が乏しい]
1a 貧しい, 貧乏な(↔ rich) ‖ (*as*) *póor* as a chúrch mòuse 非常に貧乏な / She was born *poor*. 彼女は貧しい家に生まれた.
b [the ~; 集合名詞的に; 複数扱い] 貧乏な人々[階層]《*poor* people, 強めて poverty people ともいい, 遠回しには the needy, the underprivileged (people), the culturally deprived (people) などを用いたが, 今は differently advantaged が(PC)語とされている》‖ (the) *rich* and (the) *poor* 金持ちも貧乏人も《rich と対比して用いる場合は, ふつう the を省く》. ➡文法 16.3(3)).

2 [名詞の前で] 哀れな, かわいそうな, 気の毒《不運, 不幸など; 死んだ, 故人の《比較変化なし》‖ my *poor* father 亡父; 私の哀れな父 / My *poor* mother was a kind woman. 亡くなった母はやさしかった / *Poor* thing [fellow]! (~) かわいそうに / The *poor* boy was killed in the accident. かわいそうに[惜しいことに]その少年は事故死した《話し手の心的態度を表す. 副詞的に訳す方がよい場合が多

い. 文脈によっては「その貧乏な少年は事故死した」の意味にもなる.

‖ [量・質において乏しい]

3 みすぼらしい；〈食事などが〉粗末な, 簡素な ‖ *poor* clothes [meals] 粗末な衣服[食事].

4 〈人・言動が〉〈…が〉(実力などが伴わず)不得意な, へたな*(at, in)*(↔ good)；貧弱な, 不十分な；〈…の〉(数量に)乏しい, わずかな*(in)*；〈天気が〉悪い ‖ My wife is a *poor* cook. 私の妻は料理がへたです《◆「貧しい料理人」(**1a**の意)にはふつうならない. The cook is *poor*. はふつう「その料理人は貧しい」と解される》/ a *poor* crop [harvest] 不作 / a *poor* $1 たった1ドル / a nation *poor* in natural resources 天然資源の乏しい国 / in my *poor* opinion [皮肉的に]つまらない意見ですが / be *poor* at [in] physics 物理に弱い / have a *poor* memory 物覚えが悪い / have a *poor* chance of recovery 全快の見込みが少ない / take a *poor* view of him 彼をあまり高く買わない / Her selfishness made her a *poor* roommate. わがままなので彼女は同室の者とうまくやっていけなかった.

5 [正式]〈健康などが〉すぐれない；〈国・土地などが〉〈…に〉乏しい*(in)*；やせた, 不毛の ‖ *poor* soil やせた土地 / be in *poor* health 健康がすぐれない. **6** [名詞の前で]〈人・言動が〉気力[知力]のない；浅ましい, 哀(ﾚ)れな《◆比較変化しない》‖ show (a) *poor* spirit いくじのなさを示す.

póor bòx (教会の)慈善箱.
póor làw(s) [the ~] 貧民救助法, 生活保護法《◆英国では1947年廃止. その後 National Assistance Act (国民救助法)が制定》.
póor relátion 〈…の中で〉最も劣る人[物]*(of)*.
poor white (米南部南方)貧乏白人.
póor·ness [名] **1** 欠乏, 不十分；不毛. **2** 病弱. **3** 貧弱, まずさ；[性質などの]劣等*(of)*.
poor·house /púərhàus/, púə-/ [名] (昔の)公立の救貧院《(英)workhouse》‖ be in the *poorhouse* 非常に貧しい.
†poor·ly /púərli | pɔ́:li, púəli/ [副] [正式] **1a** 貧しく, みすぼらしく, 惨めに ‖ be *poorly* off 暮らし向きが悪い (↔ be well off). **b** 乏しく, 不十分に ‖ He is *poorly* paid. 給料は非常に安い. **2** まずく, へたに, 不完全に, 悪く ‖ I did *poorly* in the math test. 数学のテストではうまくいかなかった / think *poorly* of him 彼を軽んじる(think little of him).
— [形] [英略式]健康[気分]がすぐれない, 病身の ‖ feel *poorly* 気分がすぐれない.
†pop¹ /pɑ́p | pɔ́p/ [略式] [動] (過去・過分) popped/-t/; pop·ping) [自] **1** 〈物が〉ポンと鳴る[はじける, 爆発する] ‖ The cork [balloon] suddenly *popped*. コルク栓[風船]が突然ポンと音を立てた. **2** ひょいと動く[入る, 出る], ひょっこり[急に]現れる(+*down, in, up, out, over*)；〈驚き・恐怖などで〉〈目玉が〉飛び出る ‖ *pop* in and out 出たり入ったりする / *pop* over to the store for some bread パンを買いに店へひとっ走りする / He *pops* over [略式] *round*) on Sunday to play go with me. 彼は碁を打つためにひょっこり日曜日私の家に来る / *pop* up into the limelight 急に脚光を浴び始める / A bright idea *popped* into my mind. 名案がふと浮かんだ / My eyes almost *popped* (*out*) with horror. 怖くて目玉が飛び出しそうだった. **3** [...に向けて]ポンと発砲する(+*off, away*)*(at)*‖ *pop* *of* at a bird 鳥にポンと発砲する.
— [他] **1** …にポンと音を出させる[言わせる]；…をポンと

爆発[はじけ]させる；〈栓〉をポンと抜く ‖ *pop* corns (米)トウモロコシをいってはじけさせる. **2** 〈銃など〉を〈…に向けて〉発砲[発射]する(+*off*)*(at)*. **3** 〈物〉を急に[ひょいと]動かす[置く, 入れる, 出す] 《◆運動・方向の副詞(句)を伴う》；〈麻薬〉を常用[注射]する ‖ *póp* one's coat òn さっと上着を着る / *pop* the cap back on the bottle びんにさっとふたをする / *pop* a letter into [in] the post 手紙をポンと投函する. **4** 〈質問など〉を〈人に〉急にする*(at)*‖ *pop* the question *at* her 彼女にいきなり質問する. **5** (英古)…を質に入れる.
póp ín [自] (1) → [自] **2**. (2) ちょっと立ち寄る.
póp óff [自] [略式] (1) 〈主に英〉急死する. (2) すぐ寝つく. (3) 急に立ち去る. (4) 〈主に米〉ポンポンまくしたてる；(立腹して)突然しゃべり出す；そっけなく[不親切に]言う. (5) → [自] **3**.
póp úp with A …をポンポンと提案する(come up with) ‖ The president would *pop up with* new budget suggestions of his own. 大統領は彼自身の新しい予算案を次々と提案するのだった.
— [名] **1** [C] ポン[パン]という音；ポン[パン]とはじける[破裂する]こと；(銃などの)発砲. **2** [U] [略式・やや古]炭酸水, サイダー《(米略式)soda pop》(ふたをとるとポンと音をたてる飲料). **3** [C] [野球] =pop fly. **4** [U] (英俗)質入れ ‖ in *pop* 質に入って.
— [副] ポンと；急に, 不意に ‖ The tire went *pop*. タイヤが破裂した.
póp flý 凡フライ.
pop² /pɑ́p | pɔ́p/ [名] [しばしば P~] [C] (米略式)とうちゃん；おじさん《◆ 呼びかけも可》.
pop³ /pɑ́p | pɔ́p/ [popular の短縮語] [略式] [形] ポピュラーな, 通俗[一般]的な ‖ a *pop* singer [song] 流行歌手[歌]. — [名] **1** [U] 流行歌, ポピュラー音楽；[C] その曲. **2** [U] =pop art.
póp árt ポップ=アート《前衛美術の一傾向；漫画・広告などをそのまま利用する》.
póp àrtist ポップ=アート作家.
póp cóncert ポップ=コンサート.
póp cúlture ポップ文化, (若者の)大衆文化《◆ pop cult ともいう》.
póp fèstival ポピュラー音楽祭典.
pop. [略] popular(ly); population.
pop·corn /pɑ́pkɔ̀rn | pɔ́p-/ [名] [U] ポップコーン.
pópcorn báll ポップコーンボール《シロップでポップコーンを固めた菓子》.
†pope /póup/ [名] [C] **1** [しばしば the P~] ローマ教皇[法王]《◆ 形容詞は papal》. **2** 教祖.
Pope /póup/ [名] ポープ《Alexander ~ 1688-1744；英国の詩人》.
pop·er·y /póupəri/ [名] [U] (主に古)ローマカトリック教；(特に)その教義[慣習, 制度, 儀式].
pop-eyed /pɑ́pàid | pɔ́p-/ [形] [略式] 出目の；(驚いて)目を丸くした.
pop·gun /pɑ́pgàn | pɔ́p-/ [名] [C] 紙鉄砲, 豆鉄砲；空気銃.
pop·ish /póupiʃ/ [形] (主に古)カトリック教の, カトリック教的な.
†pop·lar /pɑ́plər | pɔ́p-/ [名] **1** [C] [植] ポプラ, ハクヨウ (cf. aspen)；[U] ポプラ材《パルプ用》. **2** [C] [植] = tulip tree.
pop·lin /pɑ́plin | pɔ́p-/ [名] [U] ポプリン《絹・毛・木綿などのうね織物》.
pop·o·ver /pɑ́pòuvər | pɔ́p-/ [名] [U] [C] (米)(マフィンに似た)軽焼きパン；(英)ヨークシャープディング.
pop·per /pɑ́pər | pɔ́p-/ [名] [C] ポンポンいう物[人] 《ピス

トル．《米》トウモロコシをいるなべ．《英略式》ホックなど．

†**pop·py** /pápi | pɔ́pi/ 图 ⓒ **1**〖植〗ケシ，ポピー《◆ケシ類の総称；欧州の至る所に自生する》；その花．**2** ケシ色，明るい赤色．**3**《米》造花のケシ．
Póppy Dày《英略式》英霊記念日(Remembrance Sunday)《◆11月11日か，その前後の最も近い日曜日に赤いケシ(red poppy)の造花をつけて無名戦士をしのぶ》．《米》傷痍《しょうい》軍人救済デー．
poppy sèed ケシの実《パン・菓子・ケーキなどに用いる》．
pop·si·cle /pɑ́psikl | pɔ́p-/ 图 〖または P~〗ⓒ《米》ポプシクル《(英) ice lolly》《アイスキャンデーの商標名》．
†**pop·u·lace** /pɑ́pjələs | pɔ́p-/ 图 ⓤ《正式》〖通例 the ~；集合名詞；単数・複数扱い〗**1** 大衆，民衆．**2**（ある地域の）全住民．

***pop·u·lar** /pɑ́pjələr | pɔ́p-/《「人々(popul)の」が原義》派 popularity (名)

―― 形

Ⅰ〖評価されて一般の人に広まっている〗

1a〈人が〉〖少数の人に〗(とても)**好かれている**〖with, ×among〗；〖多くの人の間に〗人気のある〖with, among〗‖ She isn't very *popular* with her friends. 彼女はあまり友だちの受けがよくない / The singer is *popular* with [among] teenagers. その歌手は十代の若者に人気がある．**b**〈物・事が〉〖人々(の間)に〗**人気のある**，評判がよい，流行の〖with, among〗‖ Cellphones have now become *popular* with [among] the general public. 携帯電話は今や一般の人気商品となっている．

2〖名詞の前で〗〈物・事が〉平易な；〈値段が安い〉《◆cheap の遠回し語》‖ a *popular* edition 普及版．

Ⅱ〖一般の人に広まっている〗

3《正式》〖名詞の前で〗**一般大衆の**(general, common)，国民の；国民に信じられている《◆比較変化なし》‖ *popular* opinion 世論 / *popular* superstitions 民間の迷信 / a *popular* belief 世間一般に信じられている説．

4〖名詞の前で〗**大衆的な**，通俗的な，大衆向きの《(略式)》‖ *pópular* músic ポピュラー音楽 / *popular* literature 通俗文学．

―― 图 ⓒ《英》=popular newspaper.
pópular frónt 〖the ~〗人民戦線‖ **Popular Front for the Liberation of Palestine** パレスチナ解放人民戦線《略》PFLP.
pópular néwspaper 大衆新聞《◆代表的なものは *The Daily Express, The Daily Mail, The Daily Mirror, The Sun* など》（↔ quality newspaper）．
pópular préss 〖the ~〗=popular newspaper; 通俗雑誌．
†**pop·u·lar·i·ty** /pɑ̀pjəlǽrəti | pɔ̀p-/ 图 ⓤ ⓒ 〖…に対しての/…の間での〗人気，評判〖with/among〗；大衆性，通俗性，流行（↔ unpopularity）‖ enjoy (in) *popularity* 人気がある；人気をとる / have a high *popularity* among young people 若者の間にすごい人気がある / win [lose] *popularity* 人気を得る[失う]．**populárity cóntest** 人気コンテスト．
pop·u·lar·i·za·tion /pɑ̀pjələrəzéiʃən | pɔ̀pjələraɪ-/ 图 ⓤ 大衆化，通俗化；普及．
pop·u·lar·ize /pɑ́pjələràiz | pɔ́p-/ 動 他《正式》…を大衆化する，通俗化する．**póp·u·lar·iz·er** 图ⓒ 普及者；通俗書の作家．
†**pop·u·lar·ly** /pɑ́pjələrli | pɔ́p-/ 副 一般に，広く；通俗的に；〖遠回しに〗安く．
†**pop·u·late** /pɑ́pjəlèit | pɔ́p-/ 動 他《正式》〈ある場所に〉住む(live in)；…に人を住まわす，植民する‖ a densely [thinly] *populated* region 人口密度の高い[低い]地方《◆「人口過密[過疎]地帯」は an overpopulated [underpopulated] area》/ *populate* the backwoods 辺境の森林地に植民する．

***pop·u·la·tion** /pɑ̀pjəléiʃən | pɔ̀p-/

―― 图（複 ~s/-z/）ⓤ ⓒ **1**〖単数・複数扱い〗**人口**，住民数‖ a farm *population* 農村人口 / a large [(略式) big] *population* 多い人口《◆×many populations, ×much population は誤り》/ a small *population* 少ない人口《◆×a few populations は誤り》/ What [How large, ×How much] is the *population* of China? 中国の人口はいくらか《◆×How many are the *populations* of China? は不可》/ The city has a *population* of 80,000. =The *population* of the city is 80,000. その都市は8万の人口である《◆「人口8万の市」は a city with a *population* of 80,000 people [*population*] / a city with a *population* of 80,000》/ Japan's car *population* 日本の自動車所有[利用]人口 / About 60 percent of the *population* live(s) in cities. 人口の60%は都会に住んでいる．**2**〖the ~；集合名詞；単数・複数扱い〗（一定地域の）全住民，（特定の階層・種族の）住民．**3**（動物の）個体数；〖生物〗個体群，集団‖ the lion *population* of Kenya ケニアのライオンの数．
populátion cénter 都市（部）．
populátion contról 人口抑制；個体群制御．
populátion explósion 人口の爆発的増加，人口爆発．
†**pop·u·lous** /pɑ́pjələs | pɔ́p-/ 形《正式》人口の多い；〈場所が〉人[動物]で混雑している．
pop-up /pɑ́pʌ̀p | pɔ́p-/ 图 〖野球〗=pop fly; ⓒ 〖コンピュータ〗ポップアップ式メニュー．―― 形 ポンと飛び出る，ポップアップの；〖コンピュータ〗〈メニューが〉ポップアップ式の‖ a *pop-up* book 飛び出す絵本．
***por·ce·lain** /pɔ́ːrsəlin/ 图 ⓤ **1** 磁器《◆china の専門語》．**2**〖集合名詞〗磁器製品．
pórcelain cláy 陶土，磁土．
pórcelain enámel ほうろう．
†**porch** /pɔ́ːrtʃ/（複 ~es /-iz/）图 ⓒ **1a** ポーチ，（張り出し屋根のある）玄関《図 → house》‖ wait on 〖（主英）in〗 *the porch* ポーチで待つ．**b** 車寄せ．**2**《米》ベランダ《(主英) veranda》《◆「縁側」に porch をあてることもある．
†**por·cu·pine** /pɔ́ːrkjəpàin/ 图 ⓒ〖動〗ヤマアラシ．
†**pore**¹ /pɔ́ːr/ 動 圓 **1** 〖…を〗じっくり見る；熟読する；〖…に〗ふける〖*over*〗；熱中する〖受身可〗．**2**〖事を〗じっくり考える，熟考する〖*on, upon, over*〗‖ *pore over* a problem 問題をよく考える．―― 他〈眼〉を読書で使いすぎる（+*out*）．
pore² /pɔ́ːr/ 图 ⓒ《正式》毛穴；〖植〗（葉の）気孔，（岩石などの）細孔．
***pork** /pɔ́ːrk/〖「豚」が原義．cf. beef〗

―― 图（複 ~s/-s/）ⓤ **豚肉**，ポーク《◆(1) 時に塩漬け肉．(2) 動物と肉の関係は → meat 関連》《図 → 次ページ》；〖形容詞的に〗豚肉の‖ a slice of *pork* 豚肉1切れ / a *pork* sausage 豚肉のソーセージ．
pork·er /pɔ́ːrkər/ 图 ⓒ **1**（食用に太らせた）子ブタ．**2** ブー君(pig), 食用ブタ．
por·no·graph·ic /pɔ̀ːrnougrǽfik/ 形 ポルノの．
†**por·nog·ra·phy** /pɔːrnɑ́grəfi | -nɔ́g-/ 图 ⓤ 好色文学，春本，春画；わいせつ文書《略》porn, porno）．
po·ros·i·ty /pərɑ́səti, pɔː- | pɔːrɔ́s-/ 图《正式》**1** ⓤ 多

pork 図: shoulder, fatback, loin, tenderloin, ham, jowl, spareribs, flank

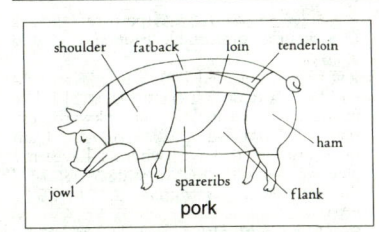

孔性, 有孔性. **2** C 穴.

†**po·rous** /pɔ́ːrəs/ 形 **1** (小)穴の多い, 多孔性の;[比喩的に]穴だらけの. **2** 通気[通水]性の, 透過性の.

por·phy·ry /pɔ́ːrfəri/ 名 U C 〖地質〗斑(ﾊﾝ)岩《長石の細粒結晶を含む岩石》.

por·poise /pɔ́ːrpəs/ 名 (複 ~s, por·poise) C 〖動〗ネズミイルカ《鼻先が丸いもの. sea hog, sea pig はその俗称. 「イルカ」の総称は dolphin》.

por·ridge /pɔ́ːridʒ/ 名 U《主に英》ポリッジ《オートミールなどを水や牛乳で煮たかゆ. 朝食によく食べる》.

por·rin·ger /pɔ́ːrəndʒər/ 名 C 雑炊皿《かゆやスープ用の柄付き小皿[小鉢]》.

***port**¹ /pɔ́ːrt/

図: port《人工の港》, harbor《自然の港》

── 名 (複 ~s /pɔ́ːrts/) C **1** [通例無冠詞で]《客船・商船などの寄港する》港, 商港《◆ harbor は波風を避けるのに適した自然の港》‖ Kobe Port = the Port of Kobe 神戸港 /「sail into [arrive in, come into, reach] port 入港する《⊃文法 16.3(6)》 / leave [clear] port 出港する / call at a port 寄港する / a ship in port 入港中の船 /《関税のある》港町; 通関港 (port of entry) ‖ a free port 自由港; 無関税港.

ány pórt in a stórm 窮余の策.

port² /pɔ́ːrt/ 名 C **1** 〖海事〗荷役口 (cargo port); 荷役口の覆い. **2** 舷(ｹﾞﾝ)窓, 丸窓 (porthole). **3** 〖コンピュータ〗ポート《パソコン本体と周辺機器との接続端子》.

port³ /pɔ́ːrt/ 名 U《船・飛行機の》左舷(ｹﾞﾝ) (larboard)《◆荷の上げ下ろしを左舷でするところから》(⇔starboard). ── 形 左舷の[に]. ── 他 《…》を左舷に向ける; …を取りかじにする ‖ Port (the helm)!《号令》取りかじ!《◆ 1930年以前は逆に「おもかじ」の意だった》(⇔左舷に向く; 取りかじにする.

port⁴ /pɔ́ːrt/ 名 U C ポートワイン《ポルトガル産の赤ワインでふつう食後に飲む》.

Port. 略 Portugal; Portuguese.

por·ta·bil·i·ty /pɔ̀ːrtəbíləti/ 名 U 携帯できること, 軽便.

†**por·ta·ble** /pɔ́ːrtəbl/ 形 **1** 持ち運びできる, 持ち運びに便利な, 携帯用の ‖ a *portable* telephone 携帯電話 / This computer is *portable*. このコンピュータは持ち運びできる《◆ a *portable* computer《ポータブルコンピュータ》. **2** 移動[運搬]可能な ‖ a *portable* classroom プレハブ教室《prefabricated building の一種》. ── 名 **1** 携帯用機器, ポータブル《携帯用テレビ・ラジオ・コンピュータなど》. **2** 移動

por·ta·bly /pɔ́ːrtəbli/ 副 携帯用に[適した], 軽便に.

†**por·tage** /pɔ́ːrtidʒ/ 名 **1**《主に米》U C 連水陸運《船・貨物を二つの水路の間を陸上運送すること》; C 連水陸路. **2** U 運送, 輸送. **3** U[時に a ~]運送費, 輸送費.

†**por·tal** /pɔ́ːrtl/ 名 C **1**《文》《宮殿などの》門, 入口; (一般に)入口. **2** 橋門. **3**《正式》[~s] **a**《会社・官庁などの》正門, 表玄関. **b**《物事の》発端, 初め.

Port-au-Prince /pɔ̀ːrtouprɪ́ns/ 名 ポルトープランス《ハイチの首都》.

port·cul·lis /pɔːrtkʌ́lis/ 名 C《城門などの上下に開閉できる》落とし格子(ｺﾞｳｼ)門, つるし門, 鬼戸.

porte co·chere /pɔ̀ːrtkouʃéər/ 名《フランス》名 C《米》(ひさしのある)車寄せ.

†**por·tend** /pɔːrténd/ 動 他《文》《物・事が》…の前兆になる, …を予示[予告]する.

†**por·ten·tous** /pɔːrténtəs/ 形《文》**1** 前兆の; 不吉な; ゆゆしい. **2** 驚くべき, 驚異的な. **3** 尊大な, おおげさな, もったいぶった.

†**por·ter**¹ /pɔ́ːrtər/ 名 C **1** 荷物運搬人, 《駅・空港などの》ポーター, 赤帽(《米》redcap), 《ホテルの》ボーイ(《米》doorman)(cf. janitor)《◆米英のポーター・ボーイにはチップが必要. ふつう胸に番号札のある制帽・制服を着用. 必ずしも赤い帽子をかぶってはいない》‖ Please have a *porter* carry my bags. ポーターに荷物を運ばせてください. **2**《米》《寝台車などの》ボーイ.

por·ter² /pɔ́ːrtər/ 名 C《主に英》《公共建築物やホテルなどの》門番, 玄関番, 守衛(《米》doorman).

pórter's lódge《主に英》門衛所.

por·ter·house /pɔ́ːrtərhàus/ 名 C《米》黒ビール酒場, ポーターハウス; = *porterhouse steak*.

pórterhouse stéak 上質のビフテキ肉.

†**port·fo·li·o** /pɔːrtfóuliòu/ 名 (複 ~s) C **1** 書類ばさみ, 折りかばん, 《官庁の携帯用》書類入れ. **2** U 大臣の地位[職務]. **3** C《銀行・個人などの所有する》有価証券一覧表[明細表]. **4** C《代表作品の》選集, 《特に》画集.

port·hole /pɔ́ːrthòul/ 名 **1**〖海事〗舷(ｹﾞﾝ)窓《丸窓・砲門》. **2**《米》《飛行機の》丸窓.

Por·tia /pɔ́ːrʃə/ 名 ポーシャ《Shakespeare 作 *The Merchant of Venice* の女主人公》.

†**por·ti·co** /pɔ́ːrtikòu/ 名 (複 ~s, ~es) C 〖建築〗柱廊(式)玄関, ポルチコ《大きな柱で支えられた屋根付き玄関; porch よりもふつうこの様式の簡略なもの》.

†**por·tiere, -ti·ère** /pɔːrtiéər, -tjéər/《フランス》名 C《戸口の》仕切りカーテン, のれん, とばり《戸口にドアの代わりに, または装飾用に下げる》.

†**por·tion** /pɔ́ːrʃən/ 名《正式》**1** C《…の》《切り離された》一部 (part)《of》‖ a *portion* of the population 住民の一部. **2** C《2人以上で分けた》分け前, 割り当て(share)‖ a *portion* of the blame for a traffic accident 交通事故を起こした責任の一部. **3** C《食物の》1人前, 1盛り (helping) ‖ eat 「two *portions* [a double *portion*] of vegetables 野菜を2人前平らげる. **4** C《財産の》相続分 ‖ a marriage *portion*《古》結婚持参金. **5** U[時に a ~]運命 ‖ one's *portion* in life 運命.
── 動 他 **1**《…》を[…の間で]分ける, 分配する(+ *out*)《*to, among, between*》. **2**《人》に財産[持参金]を分け与える; …を[人]に分け前として与える《*to*》‖ She *portioned* the estate to her two sons. 彼女は財産を2人の息子に分配した.

Port·land /pɔ́ːrtlənd/ 名 **1** ポートランド《米国 Oregon 州北西部の都市》. **2** ポートランド《米国 Maine

portmanteau

州の海岸. **3 the Isle of ～** ポートランド島《英国 Dorsetshire の半島》.
port·man·teau /pɔːrtmǽntou/ 图 倜 ～s, ～x /-z/ ⓒ 〔古〕〔革製の〕旅行かばん《両開きで長方形》.
portmánteau wórd 〔言語〕かばん語, 混成語 (blend) 《2語の一部が混交して1語になったもの; smog (← smoke + fog), brunch (← breakfast + lunch) など》.

†**por·trait** /pɔːrtrət, -treit/ 图 **1** 〔特に顔の〕肖像〔画, 彫像〕; 肖像〔人物〕写真, ポートレート; 似顔 ‖ a *portrait* of my mother 母の肖像画(→ picture 图 **1** 語法). **2**〔略式〕〔書き言葉による人物・風物の〕描写, 叙述.

por·trai·ture /pɔːrtrətʃuər/ -tʃə, -tjuə/ 图〔正式〕 ⓒ 肖像画法; ⓒ 肖像画; ⓤ〔言葉による〕描写.

†**por·tray** /pɔːrtréi/ 動 他〔正式〕**1**〔…を〕〔絵画・彫刻・写真で〕表現する, 描く〔in〕; …の肖像画を描く. **2** …を言葉で描く; …を〔…であると〕生き生きと描写する〔as〕‖ *portray* oneself *as* génerous 自らを寛容だと述べる. **3**〔舞台などで〕…の役を演じる.

por·tray·al /pɔːrtréiəl/ 图 **1** ⓒⓤ〔絵・言葉による〕描写, 描画; 記述. **2** ⓒ 肖像〔画〕, 描写されたもの.

Ports·mouth /pɔːrtsməθ/ 图 **1** ポーツマス《英国南部の軍港》. **2** ポーツマス《米国 New Hampshire 州の軍港. 日露講和条約締結地 (1905)》.

†**Por·tu·gal** /pɔːrtʃəɡəl/ -tʃu-, -tju-/ 图 ポルトガル《正式名 Portuguese Republic. 首都 Lisbon》.

†**Por·tu·guese** /pɔːrtʃəɡíːz, -gíːs/ -tʃu-, -tju-/ 形 ポルトガルの, ポルトガル人〔語〕の (◆ Por·tu·guese) **1** ⓒ ポルトガル人 (語法 → Japanese). **2** ⓤ ポルトガル語.

por·tu·lac·a /pɔːrtʃəlǽkə/ -tʃu-, -tju-/ 图 ⓒ〔植〕スベリヒユ属の総称; (特に)マツバボタン.

*****pose** /póuz/〔類音〕p*au*se /pɔːz/〕
—— 图 倜 ～s/-iz/ ⓒ **1**〔絵・写真のためにとる〕ポーズ, 姿勢 ‖ make a comic *pose* おどけたポーズをとる. **2** 気構え, 精神的態度 (attitude). **3** 気取った態度, 見せかけ (cf. posture).
—— 動 倜 ～s/-iz/; 過去過分 ～d/-d/; pos·ing
—— 自 **1**〔人が〕〔絵・写真〔家〕などのために〕〔モデルとして〕ポーズをとる (sit)〔for〕; 気取る, ポーズをとる ‖ *Pose for* the camera and say, "Cheese." カメラに向かってポーズをとり「チーズ」と言ってごらん. **2**〔…の〕ふりをする (pretend)〔as〕‖ He *posed as* my close friend. 彼はいかにも私の親友らしく振舞った.
—— 他 **1**〔正式〕〔人・事が〕…を〔…に〕引き起こす〔to, for〕;〔権利・要求などを〕主張する;〔議論〕を述べる (assert);〔人に〕〔問題・質問などを〕提出する;〔問題・質問など〕を〔…に〕提出する〔to, for〕‖ *pose* her a difficult question = *pose* a difficult question *to* her 彼女に難問を提出する. **2**〔人・モデル〕を〔絵・写真のモデルとして〕ポーズをとらせる〔for〕.

Po·sei·don /pəsáidn, pou-/ pə-, pɔ-/ 图 ギリシア神話 ポセイドン《海の神. ローマ神話の Neptune に当たる》.

pos·er /póuzər/ 图 ⓒ〔略式〕難問, 難題.

posh /pɑʃ/ pɔʃ/ 形〔略式〕しゃれた, 豪華な;〈人・話し方などが〉お上品な.

pos·ing /póuziŋ/ 動 → pose.

*****po·si·tion** /pəzíʃən/ 〔「〔身を〕置く (posit) 場所」が原義〕图 positive (形)

index 图 **1** 姿勢 **2** 情勢 **3** 位置 **4** 地位; 順位 **5** 職 **6** 見解

—— 图 倜 ～s/-z/ ⓒ **1** 姿勢 (posture), 様子, 態度 ‖ sit in a comfortable *position* くつろいだ姿勢で座る.

2 ⓒ〔通例 a/one's ～〕情勢, 形勢, 局面;〔…できる〕立場, 境遇〔to do〕; ⓤ 有利な地位〔地位〕‖ The incident put me in [ˣat] an awkward *position*. その事件は私を困った立場に追い込んだ / I am *in a position* to have [where I have] my own way. 私は自分の好きなことができる立場にある / Put yourself in my *position*. 私の身にもなってください.

3 ⓒ〔…する〕位置, 場所〔to do〕; ⓤ 適所;〔スポーツ〕〔守備〕位置, ポジション;〔軍事〕要地, 陣地 ‖ *in* [*out of*] *position* 適所に〔間違った位置に〕/ show him the *position* of the farm on the map 地図で農場の位置を彼に示す / My house is in a good *position* for going shopping. 私の家は買物に行くのにうってつけの場所にある 《◆ location の方がふつう》.

日英比較 「位置について」は次のように言う: On your marks〔時に〕Take your position〕. Get set. Go. 位置について, 用意, ドン.

4 ⓒ〔…についての〕地位 (status), 身分; 順位〔in〕; ⓤ 高い身分, 重要な地位 ‖ a high [low] *position in* society 社会的に高い〔低い〕地位 / a man of *position* 身分に相応の高い人.

5 ⓒ〔正式〕〔…での〕〔専門的な・ホワイトカラーの〕職, 勤め口〔with, in〕《◆ job より堅い語》‖ The prime minister resigned his *position*. 首相はその職を辞した / have a *position* in a firm 商社に勤めている.

6 ⓒ〔…についての/…という〕見解〔on/that 節〕; 心的態度 ‖ his *position* on the new tax system 新しい税制についての彼の見解 / I took the *position that* the plan should be carried out. その計画を実行に移すべきだという立場をとった.

jóckey for posítion [**the léadership**] なりふりかまわず有利な地位を得ようとする.

—— 動 倜〔正式〕…を〔適当な場所に〕置く (put), …の位置を定める ‖ *position* oneself to challenge him 彼に挑戦する地歩を固める.

*****pos·i·tive** /pɑ́zətiv/ pɔ́z-/
—— 形
Ⅰ [自分に対して肯定的な]
1〔通例補語として〕自信のある, 独断的な;〔…について/…と〕確信している (sure, certain)〔of, about / that 節〕‖ a *positive* sort of person 独断的な人 / I am *positive about* [*of*] my success. = I am *positive that* I will succeed. きっと成功してみせます / He is *positive* (*that*) everything will turn out all right. 万事がうまくいくと彼は確信している.

Ⅱ [ある対象に対して肯定的な]
2〔正式〕〈人・言動が〉〔人に〕積極的な, 建設的な, 前向きの〔with〕(↔ negative); 楽観的な (optimistic) ‖ *positive* cooperation 積極的な協力 / take a *positive* attitude 積極的な態度に出る.

3〔正式〕〔通例名詞の前で〕明確な (clear), 明白な, はっきりした, 疑いのない (definite); 〔規定などが〕明確に定められた (略 pos.) ‖ a *positive* answer 明確な答え / a *positive* effect 明白な効果 / *positive* proof =proof positive 確証.

4〔正式〕肯定的な (↔ negative) ‖ I made a *positive* reply to his invitation. 彼の招待をお受けすると答えた.

5 顕著な；有望な；抑圧的な．
6 [名詞の前で] 実在の，実際的な；〔哲学〕実証的な《◆比較変化しない》‖ a *positive* mind 実際家．
7〔電気〕正[陽]電気の；〔化学〕陽性の，正電荷をもった；〔写真〕陽画の；〔数学〕正の；〔医学〕〈反応が〉陽性の；〔生物〕〈動植物が〉正の‖ a *positive* number 正の数 / a *positive* charge 陽電荷 / HIV *positive* HIVが陽性の，エイズに感染している.
8《略式》[名詞の前で] まったくの，完全な；絶対的な《◆比較変化しない》(↔ relative)‖ a *positive* idiot 大ばか者 / *positive* damage 大損害.
9〔文法〕原級の‖ the *positive* degree 原級 (cf. comparative, superlative).
——名 C《正式》**1** positive なもの[性質]．**2**〔写真〕陽画，ポジ；〔文法〕[the ~] 原級；〔数学〕正量，正の符号．

pósitive discrimination [**áction**]《英》積極的差別是正措置 (《英》affirmative action).

pósitive grówth〔経済〕プラス成長.

†**pos‧i‧tive‧ly** /pάzətivli /pɔ́z-/ 副 **1** きっぱりと，明確に．**2**《略式》確かに；まったく，絶対に‖ I *positively* don't like drinking. 私は酒が大嫌いだ《◆次の文は部分否定：酒が大好きというわけではない(⇒文法 2.2(2))》．——間《米》[強い肯定で] もちろん，そうだとも (yes)《◆しばしば強めて /pὰzətívli/ と発音する．cf. absolutely》‖〖対話〗 "Do you believe him?" "*Positively*(.)" 「彼(の言うこと)を信じるかい」「もちろんだ」．

pos‧se /pάsi /pɔ́si/ 名 C [単数・複数扱い] **1**《米》(保安官が治安維持のため召集する)民兵隊；警察隊．**2**《略式》(共通の利害・目的を持つ)群衆，集団．

†**pos‧sess** /pəzés/ [発音注意] 動 他 **1**〈人などが〉〈才能・富などを〉持つ，持っている，所有する(have, own)《◆進行形不可》‖ He *possesses* [×is possessing] all kinds of books. 彼はあらゆる種類の本を持っている《◆He has all ... がふつうだが，誇るような物を所有している時はしばしば possess》/ He *possesses* intelligence. 彼は知性がある (=〔文〕He is *possessed* of intelligence.)．**2**〔文〕〈悪霊・考えなどが〉〈人〉にとりつく；〈人〉に乗り移って[…]させる(*to do*)‖ What *possessed* you to say such a foolish thing? 君はどうしてそんなばかげたことを言う気になったのか / He is *possessed* by [with] an evil spirit. 彼は悪霊にとりつかれている.

be posséssed of A〔文〕〈財産・才能などを〉所有している‖ He is *possessed of* a bare fortune. 彼は莫(ばく)大な財産を所有している《◆He possesses ... より堅い表現》．

pos‧sessed /pəzést/ 形《文》**1** (悪霊・考えなどに)とりつかれた‖ study like one *possessed* (ものの怪(け)にとりつかれたように)勉強する．**2** 落ち着いた；冷静な.

*****pos‧ses‧sion** /pəzéʃən/ [→ possess]
——名 (複 ~s /-z/) **1** U 所有，占有，入手(略 poss., poss.)‖ get [have, gain,〔正式〕take] *possession of* ... を手に入れる，占有[押収]する / have [hold] a rare book *in possession* 珍書を所有している / My uncle is *in possession of* a large estate. =A large estate is *in the possession of* my uncle. 私のおじは広い土地を所有している《◆前者の of は目的格関係，後者の of は主格関係を表す．the の有無に注意》/ I came [〔正式〕entered] *into possession of* the treasure. =The treasure came [〔正式〕entered] into my *possession*. 宝物を手に入れた / *Possession* is nine tenths [《英》points, parts] of the law. 《略式》占有は九分の勝ち目；借物は自分の物 / He is in full *possession* of himself [his senses]. 彼は正気だ.
2 C 所有物；[しばしば ~s] 財産(property)‖ a man of great *possessions* 大きな財産のある人.
3 C 領地，領土．**4** U (悪霊・考えなどに)とりつかれること；こびりついた[とりついた]考え[感情].

†**pos‧ses‧sive** /pəzésiv/ 形 所有の，占有の；〈人が〉所有し[独占し]欲しい強い《略 poss.》‖ *possessive* rights 占有権 / She is *possessive* about the camera. 彼女はそのカメラを自分だけで使いたがる.
——名 C〔文法〕[通例 the ~] =possessive case; C 所有格の語(句).

posséssive cáse 所有格.

posséssive prónoun [**ádjective**] [the ~] 所有代名詞[形容詞].

†**pos‧ses‧sor** /pəzésər/ 名 C《正式》[通例 the ~] 所有主，占有者 (owner).

pos‧set /pάsət /pɔ́-/ 名 U ミルク酒《熱い牛乳にワインなどを入れたもの．昔はかぜ薬用》．

*****pos‧si‧bil‧i‧ty** /pὰsəbíləti /pɔ̀-/ [→ possible]
——名 (複 **-ties** /-z/) **1** U [時に a ~] ありうること，起こりうること；(…の/…という)可能性，実現性(*of* / *that*節)；(…の)見込み(*for*)‖ Winning first prize is a bare *possibility*. 1等賞を獲得する可能性はごくわずかだ / a strong [×high] *possibility* 1つの[何らかの]高い可能性 / It is *beyond* [*within*] (the realms of)] *possibility*. それは不可能[可能]だ / *There's no possibility that* he will succeed [*of* his success]. =*There is no possibility of* his success [*for* him to succeed]. 彼が成功する可能性はない(⇒文法 12.5, 11.4).
2 [possibilities; 複数扱い] 将来性，発展性‖ a man of great *possibilities* 大いに将来性のある人 / I see great *possibilities* in her plan. 私は彼女の計画には大いに将来性があると思う．**3** C《略式》ふさわしい人[物]‖ She is a *possibility* as a wife for Tom. 彼女はトムの妻としてうってつけだ.

by ány possibílity 万一にも；[否定文で] どうしても，とても．

by sóme possibílity ひょっとしたら．

*****pos‧si‧ble** /pάsəbl /pɔ́-/《実行できる可能性が低く「可能な」が本義》《略 poss.》派 possibility (名), possibly (副)
——形 **1**〈物・事が〉(わずかでも)(…に)可能な，できる(*for*, *to*); [it is possible (**for A**) **to do**] (**A**〈人〉は)…することが可能な，(**A**〈人〉には)…する能力がある(↔ impossible)‖ a *possible* but difficult job 可能だが難しい仕事 / It is *possible for* me *to* read the book in a day. 私はその本を1日で読むことができる / a result (which was) not *possible* to foresee 予測できなかった結末 / I found it *possible* to succeed in the business. その事業はうまく行く可能性があるとわかった / Would it be *possible* (*for* me) *to* change seats? (私は)座席を替わってもいいですか.

> 語法 この意味では第2例は ×I am possible to read ... / ×The book is possible for me to read in a day. とはいえない(cf. I can [am able to] read the book in a day.). ただし，not, hardly などの否定語・準否定語が付加される場合や疑問文・条件文では可：The book is *hardly possible* (for me) to read in a day. / Is this

book *possible* (for me) to read in a day?
(➔ 文法 17.4) (→ *impossible* 形 1).

2 [物・事が] (ひょっとすると) 起こりうる, ありうる, 可能性のある; [it is possible **that** 節] …ということが起こりうる《◆ 起こる公算が30％より小さいと話し手が考えている場合。cf. *probable*》 ‖ *an incident possible but not probable* 理屈の上からは可能であるが実際はまず起こらない / *That may* [×*can*] *be possible.* それは可能かもしれない《◆ *can* は重複的に避けられる》/ *It is possible* (*that*) *he made such a mistake.* 彼でもそんな失敗をしたかもしれない(=*Possibly* he made such a mistake. / He may have made such a mistake.)《◆ ×*He is possible to have made such a mistake.* とはいわない》/ *Snow is possible tomorrow.* 明日は雪かもしれない《◆ 天気予報では *Possible snow tomorrow.*》/ *What possible ideas can you have?* どんな考えがあるというんだい.

3 [最上級・*all*・*every* などを強めて] できるかぎりの《◆ 名詞の後に置く方が強意的》‖ *This is the best possible method of learning English.* これが英語を学ぶ最良の方法です / *at the first* [*earliest*] *possible moment* できるだけ早い機会に / *with all possible kindness* 精いっぱいの親切で / *do everything possible* できる限りのことをする.

4 [略式] [名詞の前で] かなり [まあまあ] の, 我慢できる ‖ *This is a possible dress for a party.* これはパーティー用の(最良とはいえないまでも)まあまあのドレスだ.

5 [名詞の前で] なるにふさわしい, 潜在的資質のある.

***as** ... **as pόssible** できるだけ…に[の]《◆ … は副詞, 形容詞, または形容詞を伴う名詞》‖ *Get up as early as possible* [*you can*]. できるだけ早く起きなさい / *I need as much money as possible to carry out the plan.* その計画にはできるだけ多くの金が必要だ.

if (*it is* [*at all*]) *pόssible* できるなら ‖ *Do it by tomorrow, if possible.* (↘[↗]) できれば明日までにそれをしなさい.

——名 **1** [the ~] 可能性; [C] [通例 ~s] 可能な事 [物, 人]; 必需品. **2** [one's ~] 全力, 最善(best) ‖ *do one's possible* 全力を尽くす. **3** [C] ふさわしい人[物], (選挙の)有力候補者, 補欠選手. **4** [C] (射撃などの)最高点 ‖ *score a possible* 最高点をとる.

†**pos·si·bly** /pάsəbli | pɔ́s-/ 副 **1** [文全体を修飾] ことによると, ひょっとしたら《◆ 実現の可能性の度合いについては→ *perhaps* 副 **1** 語法 (3)(4)》‖ *Possibly he may* [*He may possibly*] *come here.* ひょっとしたら彼はここへ来るだろう(=*He may*, *it is possible*, *come here*.). **2** [質問を受けて] ひょっとしたらそうでしょう ‖ "*Will she arrive at the meeting?*" "*Possibly.*"「彼女は会議に現れるでしょうか」「ひょっとしたらね」. **3** [*can*, *could*, *may*, *might* を伴って] [肯定文で] 何とかして, [疑問文で] 何とか, [否定文で] どうしても ‖ *I'll do my homework as soon as I possibly can.* できるだけ早く宿題をします / *He can't possibly believe her.* 彼はどうしても彼女の言うことを信じることはできない《◆ 文全体を修飾するときは否定辞の前にくる: *He possibly can't believe her.* ことによると彼は彼女の言うことを信じることはできないだろう》. **4** [*can*, *could* を伴って] [ていねいな依頼, 要請] 何とか《◆ これ自体特に意味はなく, 全体として控え目さを強調》‖ *Could you possibly lend me the book?* 何とかその本を

貸していただけませんか / *Could I possibly borrow your car?* 車をお借りできませんか《◆ 次のようにいえばもっと丁寧な依頼になる: *I wonder(ed) whether I could possibly borrow your car.*》.

†**pos·sum** /pάsəm | pɔ́s-/ [*oposssum* の o の消音] 名 (複 **pos·sum**, ~**s**) [C] [動] [米式] =*opossum*; [豪略式] =*phalanger*. **pláy pόssum** (略式) 死んだ [眠った, 知らない] ふりをする.

*****post**[1] /póust/ [発音注意]
——名 (複 ~**s** /póusts/) [C] **1** [しばしば複合語で] 柱, 杭(ぐい), 支柱; さお; (採鉱の)炭柱 ‖ *a telephone post* 電柱 / *a finger post* 案内標 / *fence posts* 塀の支柱 ‖ *be first past the post* 競争に勝つ.
2 [略式] =*goalpost*.
——動 (~**s**/póusts/) (過去・過分) ~**ed**/-ɪd/; ~**ing**)
——他 [正式] **1** 〈人が〉ビラなどをはる(+*up*, *over*); [*post* **A** *on* **B** =*post* **B** *with* **A**] 〈人が〉 〈掲示・広告などを〉**B**〈壁・柱など〉にはる ‖ *post* (*up*) *a notice on the wall* =*post* (*up*) *the wall with a notice* 掲示物を壁にはる / *Post no bills.* (掲示)はり紙を禁ずる. **2** [通例 ~ ed] 公示される, (…と)公表される[*as*] ‖ *a posted price of crude oil* 原油の公示価格 / *The boat was posted* (*as*) *missing.* そのボートは行方不明と発表された.

*****post**[2] /póust/ [発音注意] [「置かれた(場所)」が原義]
——名 (複 ~**s**/póusts/) [C] **1** [正式] (責任ある)地位, (官)職(job) ‖ *the post of* (×*the*) *director* 重役の地位 / *take* [*obtain*] *a post in the company* その会社に地位を得る.
2 (軍隊・番兵などの)部署, 持ち場, 警戒[巡回]区域, 駐屯地[部隊] ‖ *at one's post* 自分の持ち場で.
3 (未開拓の)交易所(trading post). **4** (米) (在郷軍人会の)地方部会. **5** [英軍] 就床らっぱ ‖ *the first* [*last*] *post* 就床予備[消灯, 軍葬]らっぱ.
——動 他 **1** [正式] 〈軍隊・番兵などを〉部署[位置]につける(+*away*), 〈人を〉(…に)配置する[*to*]. **2** [英軍] [be ~ed] 〈人が〉(…の)司令官[指揮官, 艦長]に任命される[*to*].

†**post**[3] /póust/ [発音注意] [「置かれた場所」→「飛脚」「郵便」の意となった] 派 *postage* (名), *postal* (形)
——名 (複 ~**s**/póusts/) **1** [U][C] (英) [通例 the ~] 郵便, 郵便制度[業務]; 集配; [通例 the/a ~] 郵便物(《米》 mail) ‖ (英)では外国郵便物には mail も用いる ‖ *catch* [*miss*] *the morning post* 朝の郵便に間に合う[合わない] / *reply by return* (*of post*) 折り返し返事を出す / *send a parcel by post* 小包を郵送する / *The post is heavy* [×*much*]. 郵便物が多い.
2 (英) [the ~] 郵便ポスト, 郵便受箱(《米》 mailbox); 郵便局 ‖ *take a letter to the post* 手紙を投函(かん)する[郵便局に出す] / *cross in the post* 〈手紙が〉行き違いになる.
3 [P~] [新聞紙名で] …紙 ‖ *The Morning Post*『モーニングポスト』紙.
——動 (~**s**/póusts/ (過去・過分) ~**ed**/-ɪd/; ~**ing**)
——他 **1** [主に英] 〈人が〉〈手紙などを〉ポストに入れる, 郵便局に出す((主に米) mail) (+*off*); [*post* **A** **B** =*post* **B** *to* **A**] 〈人が〉**A**〈人に〉**B**〈手紙などを〉送る ‖ *Don't forget to post this letter.* 忘れずにこの手紙を投函(かん)してよ / *I posted him a Christmas card.* =*I posted a Christmas card to him.* 私は彼にクリスマスカードを送った(➔ 文法 3.3).
2 [簿記] 〈記載事項を〉元帳[帳簿]に転記する(+*up*). **3** (略式) 〈人に〉新情報を知らせる; [be ~ed] 〈…について〉知っている (+*up*) [*about*, *on*]

(We'll) keep you *posted*. 手紙を書きますよ；出来事を知らせます. **4** 《記事など》を電子メールで送る[書く].
- **póst cárd** =postcard.
- **post office** →見出し語.
- **póst tówn** 郵便本局のある町.

post- /póust-/ →語要素一覧(1.7).

†**post·age** /póustidʒ/ 名 U 郵便料(金) ‖ *postage* due 郵便料金不足 / *postage* free 送料無料.
- **póstage mèter** 《米》郵便料金別納証印刷機((英) franking machine).
- **póstage páid** 郵便料金別納.
- **póstage stàmp** 《正式》郵便切手(◆ stamp がふつう)；《略式》狭い場所.
- **póstage vènder** 切手自動販売機.

†**post·al** /póustl/ 形 郵便(局)の, 郵便業務の；《選挙・教育などが》郵便による ‖ a *postal* clerk 郵便局員 / a *postal* package 小包 / *postal* delivery 郵便配達 / *postal* savings [life insurance] 郵便貯金[簡易保険] / a *postal* vote 《英》郵便投票 / take a *postal* training course in English 《英》英語の通信講座を受ける.
—— 名 C 《米》=post card.
- **póstal cárd** はがき(postcard).
- **póstal cárrier** 《英》=mail carrier.
- **póstal còde, Póstal Códe Nùmber** =postcode.
- **póstal òrder** 《英》郵便為替((米) money order).
- **póstal sèrvice** 郵便(業務)；[the P~ S~] 《米》郵政公社.
- **póstal tíme depósit** 定額貯金.

post·bag /póustbæg/ 名 C 《主に英》郵便袋(《米》mailbag).

post·box /póustbɑks | -bɔks/ 名 C 《英》(投函(公)用の)郵便ポスト(《米》mailbox)；《米》(各戸の)郵便受け(《米》letter box).

post·boy /póustbɔi/ 名 C **1** 《主に英》郵便配達人((PC) letter carrier). **2** =postilion.

****post·card, post card** /póustkɑːrd | -kɑːd/
—— 名 (複 ~s/-kɑːrdz/) C はがき, (特に)絵はがき(《正式》picture postcard)(◆郵便局製と私製があるが，英国では私製に限られ, ふつう絵はがきをさす. 単に card ともいう)(cf. lettercard) ‖ a picture *postcard* from a friend 友だちからの絵はがき.

post·code /póustkòud/ 名 《英》[the ~] 郵便番号《あて名最後につける. 《米》の zip code と違って文字と数字の組み合わせ. 例えば PE9 2BJ》.

post·date /póustdéit/ 動 他 **1** 《小切手・送り状・手紙などの》日付を遅らせる. **2** (時間的に)…の後にくる.

†**post·er** /póustər/ 名 C **1** ポスター, 広告びら, はり札. **2** ビラをはる人. —— 動 他 …にポスターをはる.
- **póster pàint [còlor]** ポスターカラー.

poste res·tante /pòust restɑ́ːnt | -réstɔnt/ 『フランス』名 U 《英》(郵便物の表示)局留め(《米》general delivery).

†**pos·te·ri·or** /pɑstíəriər | pɔs-/ 形 **1** (位置的に)後ろの(↔ anterior). **2** 《正式》(順序・時間的に)(…より)後の(after)(to)(↔ prior). —— 名 C 《しばしば ~s》 尻(ب).

†**pos·ter·i·ty** /pɑstérəti | pɔs-/ 名 U [集合名詞] 後世, 後代(の人々)；(文) [one's ~] 子孫(↔ ancestry) ‖ something worth passing down to *posterity* 後世に伝える価値のあるもの.

†**pos·tern** /póustərn, pɑs- | póustən, pɔs-/ 名 C 《古》裏口, 裏門, 勝手口, 通用門；(城などの)からめ手.

post·free /póustfríː/ 形 **1** 郵便料無料の[で]. **2** 《英》郵便料金受取人払いの[で]((米) postpaid).

post·grad·u·ate /pòustgrǽdʒuət, -eit/ 《主に英》 形 大学卒業後の, 大学院(学生)の, 大学研究科(生)の(《米》graduate). —— 名 C 《米》大学院学生, 研究科生.

post·har·vest /pòusthɑ́ːrvist/ 名 C ポストハーベスト《収穫後の農薬処理》.

post·hu·mous /pɑ́stʃəməs | pɔ́stju-/ 形 《正式》**1** 死後の. **2** 《子》が父の死後生まれた. **3** 《作品》が著者の死後出版された.

pos·til·i·on, -til·li·on /poustíljən | pɔs-, pəs-/ 名 C (数頭立ての馬車の)先頭左馬御者.

post·im·pres·sion·ism /pòustimpréʃənizm/ 名 [時に P~ I~] U 後期印象派.

pòst·im·prés·sion·ist 形 C 後期印象派の(画家).

Post-it /póustit/ 名 《商標》ポストイット《メモなどに用いられる付箋紙》.

†**post·man** /póustmən/ 名 (複 ~·men/-mən/) C 《主に英》郵便集配人(《主に米》postal carrier [worker, clerk])(cf. 《米》mailman).

post·mark /póustmɑːrk/ 名 C (郵便の)消印, スタンプ. —— 動 他 [通例 be ~ed] 《郵便物》に消印を押されている.

post·mas·ter /póustmæstər | -mɑːs-/ 名 C 《女性形 --mistress》 郵便局長((PC) post office supervisor)；《古》宿駅局長；《英》(Oxford 大学の)給費生.
- **póstmaster géneral** [しばしば P~ G~] 郵政公社総裁((PC) federal postal chief), 《米古》郵政長官《1971年以前は国務長官だった》.

post·mor·tem, post mor·tem /pòustmɔ́ːrtəm/ 『ラテン』名 C 《正式》検死.

post·of·fice /póustɑfəs, -ɔːfəs | -ɔfis/ 形 郵便局の；郵政省の.
- **póst-office bòx** 《正式》私書箱(《略》P.O. Box, POB).
- **póst-office annùity [òrder]** 《英》郵便年金[為替].

post office /póust ɑfəs, -ɔːfəs | -ɔfis/
—— 名 (複 ~s) **1** 郵便局(《略》p.o., PO). 事情 英国の本局以外の郵便局は, 都市の郊外や田舎では雑貨店などが兼ねていることがある ‖ 《対話》 "Excuse me, but where is the nearest *post office*?" "It's just around the corner." 「失礼ですが最寄りの郵便局はどこですか」「ちょうどその角を曲がったところにあります」. **2** [しばしば the P~ O~] 《米》郵政公社(the (US) Postal Service)；《英》郵政公社《1982年 BT より分離独立. 正式名 the British Post Office. 《略》BPO》. **3** 《米》郵便局遊び；子供のキス遊び.
- **póst office bòx** 《正式》=post-office box.

post·paid /póustpéid/ 形 副 《主に米》郵便料金前納の[で](《英》post-free)；料金受取人払いの[で](《略》p.p., ppd).

†**post·pone** /poustpóun/ 動 他 《正式》**1** 《人》が《事》を(…に)延期する, 延ばす(to, till, until)(◆ put off はくだけた言い方)(↔ advance)(cf. cancel) ‖ *postpone* one's departure *for* a week 出発を1週間延期する / *postpone* writing [ˣto write] a letter 手紙を書くのを延ばす(→文法 12.7(1)) / The athletic meeting was *postponed till* the first fine day. 運動会は次の晴れの日まで順延された / *Postponed in case of rain*. 《掲示》雨天順延.

post·position

2 …を〔…の〕後に置く, 後回しにする〔*to*〕 ‖ *postpone private profit to public happiness* 自分の利益よりも公共の福祉を優先する.
post·póne·ment 名UC 延期, 後回し.
post·po·si·tion /pòustpəzíʃən/ 名 1U 後に置く[置かれる]こと. 2〘文法〙U 後置;C 後置詞(↔ preposition).
post·pos·i·tive /pòustpázətiv | -pɔ́z-/〘文法〙形 後置の. — 名C 後置詞.

†**post·script** /póustskript/ 名 1 (略)(手紙の)追伸, 二伸(略 ps, PS)《◆「追々伸」は post post-script (略 PPS)》. 2 (本・論文などの)あとがき. 3 (英)(ニュースの)解説.

post·sea·son /pòustsíːzn/ (主に米)〘スポーツ〙名C(レギュラー)シーズン後の試合[競技]. — 形C シーズンオフの.

pos·tu·late /pástʃəlèit | pɔ́stju-/ 名 -lət, -lèit/ 動他〘正式〙1(自明のこととして)…を仮定する, 前提とする;〔…だと〕仮定する(*that* 節). 2 …を要求する, 主張する. — 名C〔…という〕仮定の;基礎条件;〘数学〙公準, 公理.

†**pos·ture** /pástʃər/ 名 -s/ 名 1UC(体の)姿勢;(モデルなどの)ポーズ, 気取った態度 ‖ *correct one's poor posture* 悪い姿勢を直す. 2C〔比喩的に;通例 a/the ~〕姿勢, (精神的)態度, 心構え. 3U〔時に a ~〕状態, 形勢;地位. — 動〘通例 be posturing〙自〔…の〕姿勢をとる, ポーズをとる;〔…を〕気取る〔*as*〕. — 他 …にポーズをとらせる.
pós·tur·er 名C 気取り屋. **pós·tur·ing** 名U C〔しばしば~s〕気取った態度.

†**post·war** /póustwɔ́ːr/ 形 戦後の(↔ prewar).
***pot** /pát | pɔ́t/
— 名(複 ~s/páts | pɔ́ts/) 1C〔しばしば複合語で〕つぼ, ポット《陶器・金属・ガラス製の丸くて深い比較的大きいもの. 主に台所用. 「魔法びん」の意味はない》, 鉢, かめ, (深い)つぼ, きゅうす ‖ *pots and pans*〔集合名詞〕なべかま類, 台所用具 / *A watched pot never boils.*(ことわざ)なべを見つめているとなかなか沸かない;「待つ身は長い」(あせってもむだだ) / *The pot calls the kettle black.*(ことわざ)鍋が釜を黒いという;自分のことは棚に上げて他人を非難する.

〖関連〗[いろいろな種類の pot]
coffee*pot* コーヒーポット / flower*pot* 植木鉢 / ink*pot* インクポット / jam *pot* ジャムポット / melting *pot* るつぼ / tea*pot* ティーポット / watering *pot* じょうろ.

2C ポット1杯(分) ‖ *a whole pot of* jam ジャムまるまる1びん分.
3C **a**(魚などを捕る)わな, かご. **b**(略)(鑑賞用)陶磁器, つぼ. 4C(主に英式)(スポーツ競技の)銀杯;賞. 5C(略)〔しばしば~s〕〔…の〕大量(large amount)〔*of*〕‖ *a pot* [*pots*] *of* money 大金. 6C(主に米略式)〔the ~〕(主にポーカーでの)1回の賭(か)け金総額 ‖ *put the pot on it* それに大金をかける. 7C(米)〔the ~〕共同出資総額. 8C(英)〔ビリヤード〕(球の落ちる)穴, ポケット;穴に入る一突. 9U(やや古)マリファナ(marijuana), カンナビス(cannabis). 10C(幼児用)おまる(potty);(寝室用)しびん(chamber pot). 11C(略)太鼓腹(の人).
gò to pót(略式)(主に配慮を欠いたため)おしゃかで[だめ]になる, 堕落する.
in** one's **pots 酔って.
kèep the pót bóiling(1)(仕事・金額に満足していないが)なんとか暮らしている. (2)順調に〔景気よく〕いっている.
— 動(過去・過分) pot·ted/-id/; pot·ting) 他 1 …を鉢に植える, 鉢で育てる(+*up*). 2〈作物〉をびん[つぼ]に入れて保存する. 3〈食物〉を深べポット[で]料理する. 4〈鳥など〉をやたらに撃つ(+*away*). 5(英略式)〈球〉をポケットに入れる. 6 酸化カリウム. cf. consommé.
— 自〈鳥などをねらって〉やたらに撃つ(+*away*)〔*at*〕.
pót hòlder 鍋つかみ.
pót líquor ポットリカー《塩づけ豚肉と野菜を煮た後のスープ》.
pót plànt 鉢植え(の草花)(potted plant).
pót ròast なべ焼き牛肉《野菜といため肉を煮込んだ料理》.
pót wáter 飲料水.
po·tage /poʊtá:ʒ, -/〘フランス〙名U ポタージュ《クリーム状のスープ》. cf. consommé.
†**pot·ash** /pátæʃ | pɔ́t-/ 名〘化学〙1 カリ《炭酸カリウムの通称》. 肥料・石けんなどの原料. 2 苛性(か)カリ. 3 カリウム. 4 酸化カリウム.
†**po·tas·si·um** /pətǽsiəm/ 名U〘化学〙カリウム《アルカリ金属. 記号 K》‖ *potassium* cyanide 青酸カリ.
po·ta·tion /poʊtéiʃən | pəʊ-/ 名〘正式〙1U 飲むこと. 2C(特に酒の)ひと飲み;アルコール飲料;〔通例 ~s〕飲酒.

:**po·ta·to** /pətéitou, (米+) -tə/
— 名(複 ~es/-z/) 1C U ジャガイモ《◆ 南米チリの原産で, (米)では sweet [Spanish] *potato*(サツマイモ)と区別して white [Irish] *potato* ともいう》‖ mashed *potatoes* マッシュポテト / baked *potatoes*(米)焼きジャガイモ / hot *potatoes*. 2C(米)=sweet potato (1). 3(俗)〔the ~〕まさにそのもの, おあつらえのもの.
*small **potátoes*** (米略式)つまらない人[物].
potáto bèetle [**búg**] 〘昆虫〙コロラドハムシ(Colorado potato beetle).
potáto chip(米learning)〔通例 -s〕ポテトチップ((英)(potato) crisps);(英)フライドポテト((米)French fried potatoes).
potáto crísp(英)=potato chip.
pot·bel·lied /pátbelid | pɔ́t-/ 形 1〈人が〉太鼓腹の. 2〈ストーブが〉太鼓型の, 太くて丸型の.
po·ten·cy /póutənsi/ 名C〘正式〙1 力, 潜在力;精力;勢力, 権力. 2(薬などの)効能, 有効性.
†**po·tent** /póutənt/ 形 1〘正式〙力強い, 有力な(powerful);〔…に〕影響[支配, 説得]力のある(effective)〔*with*〕‖ *potent* arguments 人を心服させる議論. 2〈薬など〉〔…の点で/…に対して〕効力[ききめ]がある〔*in*/*against*〕;〈酒がきつい. 3〈男が〉性的能力がある(↔ impotent).
†**po·ten·tate** /póutənteit/ 名C〘文〙1 有力者, 勢力家, 大実力者. 2 主権者, 君主, 支配者.
*****po·ten·tial** /pətén∫əl, poʊ-/ 〘「可能性を秘めた」が本義〙
— 形〔名詞の前で〕可能な(possible), 発達[発展]の可能性がある, 潜在的な(↔ actual)《◆(1) latent は「(病気・危険などが)表面化しないで」隠れている」意だが, *potential* は未来の可能性をいう. (2) 比較変化しない》‖ *The child is a potential actor.* その子は俳優の素質がある.
— 名(複 ~s/-z/) 1U〔時に a ~〕〔…の〕可能性, 潜在能力(possibility)〔*for*〕. 2C〘文法〙=potential mood. 3U〘物理〙ポテンシャル(関数).

potentiality

(電気)[時に a ~] 電位.
poténtial énergy 位置エネルギー.
poténtial móod 可能法.

†**po·ten·ti·al·i·ty** /pəˌtenʃiˈæləti, pou-/ 《正式》⓾ 〖…の〗可能性,潜在性[力]〖for〗;ⓒ〖通例 potentialities〗可能性を有するもの,潜在的なもの.

poth·er /pάðər/ 图ⓒ 1〖時に a ~〗 1〖略式〗(ささいな)心配,悩み. 2 もうもうとした煙[ほこり].

pót·herb /pάtˌhɚːb│pɔ́t-/ 图ⓒ 1 煮て食べる野菜,なべもの野菜《ホウレン草など》. 2 香味野菜,香りづけ野菜.

pót·hole /pάtˌhoʊl│pɔ́t-/ 图ⓒ 1〖地質〗甌穴(おうけつ). 2 (上部に開口する)洞窟. 3 路面のくぼみ.

pót·hook /pάtˌhʊk│pɔ́t-/ 图ⓒ 1 (なべなどを炉の上につるす)S字型の鉤(かぎ),自在鉤. 2 (初めてアルファベットを習う子供が書く)へたな S字型.

pót·luck /pάtlʌk│pɔ́t-/ 图ⓒ《略式》1 あり合わせの料理. 2 =potluck party.
pótluck pàrty ポットラックパーティー《近所の人があり合わせのものを持ち寄って行なう. cf. picnic 3》.

Po·to·mac /pətóʊmək│-mæk/ 图〖the ~〗ポトマック川《米国の首都ワシントン市を流れる》.

pot·pour·ri /ˌpoʊpərí│《フランス》-/ 图 1 Ⓤⓒ 花香壺. 2〖音楽〗ポプリ,接続曲;寄せ集め,文集.

Pots·dam /pάtsdæm│pɔ́ts-/ 图 ポツダム《ドイツ東部の都市》‖ the Potsdam Declaration ポツダム宣言《1945》.

pot·tage /pάtɪdʒ│pɔ́t-/ 图Ⓤⓒ 1〖古〗濃い(野菜・肉入り)スープ. 2《米古》=porridge.

†**pot·ter**[1] /pάtər│pɔ́t-/ 图ⓒ 陶工‖ a potter's work [ware] 陶器.

pótter's cláy [éarth] 陶土.
pótter's fíeld〖聖〗(主に米)(貧困者・身元不明者などの)共同墓地.
pótter's whéel 製陶用ろくろ.

pot·ter[2] /pάtər│pɔ́t-/ 動 ⓘ《主に英式》=putter[1].

Pot·ter /pάtər│pɔ́t-/ → Harry Potter.

†**pot·ter·y** /pάtəri│pɔ́t-/ 图 1 Ⓤ 陶器;陶磁器類《porcelain, earthenware など》‖ I came across a piece of ancient pottery. 偶然古代の陶器を1個見つけた. 2 Ⓤ 製陶業[術]. 3 ⓒ 製陶場. 4〖the Potteries;複数扱い〗(イングランド Staffordshire の)製陶地帯.

†**pouch** /páʊtʃ/ 图ⓒ 1 (複合語で)小袋,小物入れ,ポーチ;(パイプ用)タバコ入れ;郵便袋(mailbag),(外交文書用の)封印袋;《古》小銭入れ,財布. 2 (革製の)弾薬入れ. 3 下まぶたのたるみ. 4〖動・植〗嚢(のう),袋,(カンガルーなどの)腹袋,(サル・リスなどの)ほお袋.

poul·ter·er /póʊltərər/ 图ⓒ《やや古》家禽(かきん)商,鳥肉店《野ウサギなどの肉も売る》.

poul·tice /póʊltəs/ 图ⓒ動⑪ 湿布(薬)(を当てる).

†**poul·try** /póʊltri/ 图 1〖集合的;複数扱い〗家禽(かきん)《ニワトリ・アヒル・シチメンチョウ・ガチョウなど》‖ The poultry are [×is] kept in the yard. 家禽を庭で飼っている. 2 Ⓤ〖単数扱い〗家禽の肉‖ Poultry is [×are] fairly cheap now. 鳥肉は今かなり安値だ.

†**pounce** /páʊns/ 動ⓘ 1〖…に〗(急に)襲いかかる〖at, on, upon〗‖ The lion pounced upon his prey. ライオンは獲物をすばやく捕えた. 2 (誤りなどを)攻撃[非難]する,〔機会などを〕すばやく捕える〖on, upon, at〗‖ pounce on his remarks 彼の意見をなじる. 3 急に飛びだす[はねる,やって来る]‖ pounce upon the stage 突然舞台に飛び出る. ――图〖a/the ~〗急につかみかかること‖ màke a póunce upon … に飛びつく.

飛びつく.

‡**pound**[1] /páʊnd/〖「おもり」が原義〗
――图 (複) ~s/páʊndz/ⓒ 1 ポンド《重量の単位;常衡16オンス(約454 g);金衡12オンス(約373 g);(記号) lb, lb.》‖ sell butter by the [×a] pound バターを1ポンド単位で売る《➡文法 16.2(3)》/ put on pounds 体重が増える(=put on weight).

2 ポンド《英国・英連邦の通貨単位. 英国のものは特に pound sterling といい, 1 pound =100 pence. 1971年以前の旧制度では 1 pound =20 shillings =240 pence. (記号)£《数字の後では l.》》(→ penny)‖ £ 10.05 =10 pounds 5 pence 10ポンド5ペンス.

3〖the ~〗英国の貨幣制度;ポンド相場,ポンド価.
póund for [and] póund 等分に.
póund càke《米》パウンドケーキ《(英) Madeira cake》《◆もとバター・砂糖・小麦粉各1ポンドで作った》.
póund stérling《英》英貨1ポンド.

†**pound**[2] /páʊnd/ 動⑪ 1〈物を〉(粉などに)すりつぶす,粉々にする(+down, up)〖to, into〗‖ pound a stone to pieces 石を粉々に砕く. 2 …を(こぶし・ハンマーなどで)何度も強く打つ(beat),爆撃する〈波・風などが〉…を強くたたく,〈ピアノ・タイプライターなどを〉ガンガンたたく;〈曲・手紙などを〉(ピアノ・タイプライターで)たたき出す(+out)〖on〗. 3 〈くぎなど〉を打ち込む,〈考えなど〉を(人・頭に)たたき込む[教え込む](in to, into). ――⑪ 1〖…を〗ドンドンたたく[打つ];〖…を〗猛攻撃[猛砲撃]する(+away)〖at, on, against〗. 2〈太鼓などが〉ドンドン鳴る;〈心臓が〉(興奮などで)どきんどきんする〖with〗. 3 ドシンドシンと歩く[走る](+along).

Pound /páʊnd/ 图 パウンド《Ezra (Loomis) /lúːmɪs/ ~ 1885-1972; 米国の詩人》.

pound·age /páʊndɪdʒ/ 图Ⓤ〖…に対する〗金額[重さ]1ポンドにつき支払う手数料[税など]〖on〗.

-pound·er /-páʊndər/ (語素集) →語要素一覧(1.1).

‡**pour** /pɔ́ːr/〖発音注意〗《同音》《英》pore, ◇poor》〖「注いで清める」が原義. cf. pure〗
――動 (~s/-z/; (過去・過分) ~ed/-d/; ~·ing /pɔ́ːrɪŋ/)
――⑪

I〖液体を注ぐ〗

1 〖pour A for B =pour B A〗〈人が〉〈B〉〈人〉に〈A〉(飲み物など)をついでやる;〖pour oneself A〗〈液体〉を自分につぐ‖ póur onesèlf a glass of lemonade 自分でレモン水をコップ1杯注ぐ / He poured a cup of tea for me. =He poured me a cup of tea. 彼は私にお茶を入れてくれた《➡文法 3.3》.

2 〈液体・塩など〉を〖…へ/…から〗注ぐ,移す(+out, away, in)〖into / from, out of〗;〈人・物が〉〈物〉を〖…に〗流す,かける〖on, over〗‖ pour the milk out of the bottle into《米略式》in a bowl ミルクをびんからボウルへ移す / pour hot water over instant coffee インスタントコーヒーに熱湯をそそぐ / pour out (off, away) the grease 脂(あぶら)を流す. 3〈コップなど〉に注ぐ‖ pour out the glasses コップの数にけっこう分ける《◆液体を容器で代用した言い方》.

II〖比喩的に注いで流れ出る〗

4〈人が〉話・怒りなど〉を〖…に〗浴びせかける(+out)〖on, upon, to〗;〈物が〉〈光などを〉どっと出す,放射する(+out, forth, in, away, down);〈弾丸などを〉〖…に〗吐き出す(into);〈球場などに〉〈球場などを〉浴びせる(into)‖ pour scorn on him 彼をあざける / pour out smoke 煙をもくもく吐き出す / pour money into the firm 会社に金をたくさんつぎ込

む / *pour out* money like water 湯水のように金を使う．
——自
I ［流れ出る］
1〈水・煙などが〉（絶えず多量に）［…から／…を越えて］**流れ出る**(flow)(+*forth, out, off, down*)〔*from, out of*／*over*〕‖ The stream *poured* over its bank. 小川は土手を越えてあふれた／Light *poured out from* every window. 明かりがどの窓からも漏れていた／Sweat was *pouring off* the runner. ランナーのからだから汗が吹き出ていた／The Amazon *pours into* the Atlantic. アマゾン川は大西洋に流れ込む．
2 a〈雨が激しく降る〉(+*down*) ‖ The rain is *pouring down*. 雨が激しく降っている．**b**［it を主語にして］雨が激しく降る ‖ It was *pouring*（《英》with rain) outside. 外は雨がひどく降っていた／It néver ráins but it póurs. → but 庶 **8**.
II ［注ぐ］
3（略式）（食卓で）お茶［コーヒー］をつぐ，主人役を務める ‖ John *pours* well. ジョンはつぐのがうまい．**4**〈容器〉が注げる ‖ The jug *pours* well. その水入れは注ぎやすい．
III ［比喩的に流れ出る］
5〈群衆・移民などが〉［…に／…から〕**押し寄せる**，殺到する［*into, onto* ／ *from, out of*］；続々と来る(+*in*) ‖ Refugees *poured in* from all over the country. 難民が国中からなだれ込んだ．**6**〈言葉・悪態などが〉ほとばしり出る(+*out*)〔*from*〕．
†**pout** /páut/ 動 自 **1**〈子供が〉（ふくれて, すねて）口をとがらせる．**2**〈下〉唇が（ふくれて）突き出る．**3**（米）むっつりする．——他 **1**〈下〉唇を突き出す(+*out*)．**2**（下）唇を突き出して言う．——名 ⓒ ふくれっ面；［しばしば the ~s］不機嫌 ‖ speak in the *pouts* 不機嫌な顔で話す．**póut·ing·ly** 副 ふくれっつらをして．
pout·er /páutər/ 名 ⓒ **1** ふくれっつらをする人．**2** = pouter pigeon.
póuter pígeon［鳥］パウター, ムネタカバト．
***pov·er·ty** /pávərti | pɔ́v-/〘→ poor〙
——名 Ⓤ **1 貧乏, 貧困** ‖ A lot of people still live in *poverty*. 貧しい生活をしている人がいまだにたくさんいます／He was born into *poverty*. 彼は生まれながらにして貧しかった／*póverty* péople 貧乏な人〈◆*poor people* を強めた言い方〉．
2［正式］［通例 a ~］〔…の〕**欠乏, 貧弱, 不足**〔*in, of*〕(cf. poorness) ‖ *poverty* in vitamins ビタミンの欠乏／*poverty* of thought 思想の貧困／*poverty* of common sense 良識の不足．
póverty lìne [lèvel]［主に米］［the ~］貧困（所得）線〈生活維持に必要な収入の最低限度〉．
pov·er·ty-strick·en /pávərtistrìkən | pɔ́v-/ 形 非常に貧乏な．
POW, p.o.w. /～/（略）prisoner of war.
†**pow·der** /páudər/ 名 **1** Ⓤ ⓒ **粉, 粉末** ‖ crush it *to powder* それを粉末にする／grind pepper into *powder* コショウの種をひいて粉にする．**2** Ⓤ ［しばしば複合語で］（各種の）粉末剤［製品］；粉おしろい, 髪粉；歯磨きの粉；料理用の粉 ‖ soap *powder* 粉石けん／wash [laundry] *powder* 洗剤／bleaching *powder* 漂白粉／mílk-pòwder 粉ミルク／garlic *powder* ガーリック=パウダー．

関連 ［いろいろな種類の粉］
baking *powder* ふくらし粉／bread crumbs パン粉／buckwheat (flour) そば粉／curry *powder* カレー粉／flour 小麦粉／starch カタクリ粉, デンプン／tapioca プディング用の粉．

3 Ⓤ ⓒ（主に古）粉薬, 散薬 ‖ take [×drink] a stomach *powder* 粉の胃薬を飲む．**4** Ⓤ 火薬 (gunpowder) ‖ *powder* and shot 弾薬．
——動 他 **1** …を粉にする．**2** …に［粉・砂糖などを］振りかける(*with*)；〈表面〉を模様［点］で飾る；〈顔などに〉粉おしろいをつける ‖ *cookies powdered with* sugar 砂糖のかかったクッキー／*powder* one's nose [puff] 粉おしろいをはたく；(古)［遠回しに］〈女性が〉お手洗いに行く．
pówder kèg［比喩的に］火薬庫．
pówder pùff 化粧用パフ；（略式）弱々しい人；ゆるいショット〈◆テニスなどで〉．
pówder ròom［the ~］（ホテルなどの）女性用化粧室［手洗い］〈◆lavatory の遠回し表現〉．
pówder snòw 粉雪．
pow·dered /páudərd/ 形〈ミルク・砂糖などが〉粉状の；粉をかけた；〈顔がおしろいをつけた, 髪粉をかけた ‖ *powdered* sugar（精製）粉末砂糖．
pow·der·y /páudəri/ 形 **1** 粉の, 粉末状の．**2**〈岩などが〉粉末になりやすい, もろい．**3** 粉にまみれた．

‡**pow·er** /páuər/〘『できる［能力のある］こと』が原義．cf. potent, possible〙 ㊦ powerful (形)

index 名 **1 権力**；政権 **2 力** **3 体力, 知力** **9 エネルギー**

——名（ 傻 ~s/-z/）**1** Ⓤ〔…する／…に対する〕**権力** (authority), 勢力, (法的)権限, 支配力〔*to do* ／ *over*〕；**政権**［時に ~s］（委任された）権限；ⓒ 委任(状) ‖ the separation of *powers* 三権分立／the *power* of the president to veto bills 大統領の法案拒否権／the party *in [out of] power* 政権を握った［失った］党／a *power* of attorney 委任(状)／*come into [to] power* 政権の座につく［戻る］／return to *power* 政権に返り咲く／I have her *in my power*. = She is *in my power*. = I *have power over* her. 彼女は私の思いのままだ／assume [take, seize] *power* 政権をとる．
2 Ⓤ ⓒ〔…する／…に向かう〕（潜在的な）**力**, 実行力, 能力 (ability)〔*to do, of doing* ／ *for*〕〈◆内に秘めた力(strength), 外に出た力(force)などを含む〉 ‖ It is *beyond* [*outside, out of, not within*] my *power*(s) *to* raise your salary. 君の給料を上げる力は私にはない／do everything in ［正式］*within*] one's *power* できる限りのことをする／*have the power to see [of seeing*] in the dark 暗がりで物を見る力がある．
3 Ⓤ［時に ~s；複数扱い］［通例 修飾語を伴って］**体力, 知力, 精神力**；（薬などの）効力；作用力 ‖ one's *power*(s) of concentration 集中力／a man of varied *powers* 多彩な才能の持ち主．
語法 修飾語を伴わずに単に「体力」をいう場合は strength, energy.
4 Ⓤ 力強さ, 活力 (energy) ‖ a story of great *power* 迫力のある話／have no staying *power*（略式）スタミナがない．
5 ⓒ **a 強国**；[~s] 列強 ‖「a world [the world's] economic *power* 世界の経済大国〈◆ ×*a world's economic power* は不可〉／the Western *powers* 西側の列強．**b**（略式）権力者, 有力な

物 ‖ the *power* behind the throne 陰の実力者.

6 ⓤ 〔古〕 軍事力, 兵力.

7 ⓤ 〔通例 ~s〕 神, 悪魔, (運命を左右する)超自然力; 〔神学〕 〔~s〕 能天使《天使の9階級の第6位. → angel》‖ the *powers* of darkness 悪魔の力 / Merciful *powers*! ありがたい.

8 〔略〕〔a/the ~ of …〕多数, 多量(の…) ‖ It does me *a* [*the*] *power* of good [harm] 私にとても役立つ[害になる].

9 ⓤ 〔しばしば複合語で〕 機械力, 動力; **エネルギー**, 電力; (物理的な)力, 運動量; 〔形容詞的に〕動力[電力]で動く ‖ electric *power* 電力 / wind *power* 風力 / *power* machinery 動力機械 / *power* company 電力会社 / under one's own *power* 自力で.

10 ⓤ 〔物理〕 力; 仕事率, 工率(《記号》P); 工程. **11** ⓒ 〔数学〕 〔通例単数形で〕累乗; 指数《♦〔指数〕は (米) exponent, (英) index ともいう》‖ the second *power* of 3 =3 (raised) to the second *power* 3の2乗《3^2》《♦ 3 to the *power* (of) 2 ともいう》. **12** ⓤ 〔光学〕 (レンズの)倍率 ‖ a 200-*power* microscope 倍率200倍の顕微鏡 / a high-*power* telescope 高倍率の望遠鏡.

──**動** ⓣ 〔通例 be ~ed〕(機械などが)動力[電力]を供給される; …を動力[電力]で動かす; …を促進[強化]する(+up) ‖ This car is *powered* by a diesel engine. この車にはディーゼルエンジンがついている.

pówer dówn 〔他〕(宇宙船・装置などの)動力を減少させる.

pówer úp 〔他〕(宇宙船・装置などの)動力を増加させる.

pówer brákes 動力[機力]ブレーキ.
pówer bróker (政界の)黒幕.
pówer cút 〔**fáilure**〕 停電.
pówer dríll 動力ドリル.
pówer gáme 権力争い.
pówer hítter 〔野球〕長距離打者, パワーヒッター.
pówer plánt 発電[動力]装置; (車の)発電所.
pówer pláy (アイスホッケーの)パワープレイ; (政治上の)集団集中攻撃; 強力な行動, 攻勢の作戦.
pówer póint 〔英〕 (電気の)コンセント(〔主に米〕outlet).
pówer státion 発電所.
pówer stéering (車の)パワーステアリング.
pówer strúggle 権力争い.
pówer súpply 電源(装置).
pówer tóol 電動工具.
pówer úser パワーユーザー《コンピュータに詳しいユーザー》.

pow·ered /páuərd/ **形** 〔しばしば複合語で〕**1** 〈車などが〉…の動力を備えた; 〈人などが〉馬力のある ‖ a high-*powered* man 精力的な人. **2** 〈レンズなどが〉…倍率の, 高倍率の.

*★**pow·er·ful** /páuərfl/ 〔→ **power**〕
──**形 1** 強力な, 力強い(↔ powerless) (→ **strong**); 〈レンズなどが〉倍率の高い ‖ a *powerful* blow [smell] 強い打撃[におい].
2 〈人・国などが〉(…の点で)勢力[影響力]のある(*in*) ‖ Do you think that the US is a *powerful* nation? アメリカ合衆国は強国と思いますか.
3 〈議論・演説などが〉説得力のある(convincing), 人を動かす; 〈薬などが〉効能[効力]のある.

pow·er·ful·ly /páuərfli/ **副** 強力に; 有力に; 有効に.

pow·er·house /páuərhàus/ **名** ⓒ **1** 発電所. **2** 〔略式〕 精力[活動]家; 最強チーム; 〔比喩的に〕原動力.

†**pow·er·less** /páuərləs/ **形** 〔正式〕**1** (…する)力のない(*to do*); (…に対して)頼りない; 弱い(↔ powerful) (*against*); …することができない(=unable to do). **2** 権力[勢力]のない; 効力のない.

pow·wow /páuwàu/ **名** ⓒ (北米先住民の)祈禱(ᵏᵢᵗᵒ)会, 会合.

pp 〔略〕 pianissimo.
PP, pp. 〔略〕 pages; past.
p.p., PP 〔略〕 past participle; postpaid; prepaid.
PPD, ppd 〔略〕 postpaid; prepaid.
ppm, p.p.m, PPM 〔略〕 parts per million 百万分率.
PPS, pps 〔略〕 post postscript(um) 再追伸.
PR 〔略〕 proportional representation; public relations; Puerto Rico.
Pr. 〔略〕 priest; prince.

prac·ti·ca·bil·i·ty /præktikəbíləti/ **名** ⓤ 実行可能性, 実施可能性; 実用性.

†**prac·ti·ca·ble** /præktikəbl/ **形** 〔正式〕(↔ impracticable) **1** 〈方法・提案などが〉実行可能な, 実施されうる《♦ practical が行われることもある》‖ a *practicable* experiment 実施可能な実験. **2 a** (…に)使用できる, 実用的な(*for*); 〈道路・橋などが〉通行できる. **b** 〔演劇〕〈道具・装置が〉実際に使える, 実物の.

*★**prac·ti·cal** /præktikl/
──**形 1** 〈人・知識などが〉(…に関して)現実的な, 実際的な(*about*) (↔ theoretical, abstract, academic) ‖ for (all) *practical* purposes 実際には / a proposal with little *practical* value ほとんど実践的価値のない提案 / *practical* science 実用科学.
2 〈発明・道具などが〉実用的な, 実際の役に立つ, 効果的な(↔ impractical) ‖ *practical* low-heeled shoes 動き回りやすいかかとの低い靴 / *practical* English 実用英語.
3 実質上の, 事実上の ‖ a *practical* head 実質上の長[ボス] / a *practical* defeat 事実上の敗北.
4 〈人が〉実地経験のある, 老練な; 実務についた[適した] ‖ a *practical* mind [man] 実務家(肌の人) / a good *practical* mechanic 経験豊かで腕の立つ機械工.
5 〈人が〉分別のある, 気のきいた; 〈鈍感で〉想像力に欠ける, 無味乾燥な.
6 実行[使用]可能な(practicable).
7 =practicable **2 b**.
──**名** ⓒ 〔略式〕実技試験; 実習.

práctical jóke 悪ふざけ.
práctical jóker 悪さをする人.
práctical núrse 〔米〕准看護師(→ **nurse 事情**).

prac·ti·cal·i·ty /præktikǽləti/ **名** 〔正式〕ⓤ 実際的なこと, 実用性; ⓒ 〔しばしば practicalities〕実際[実用]的なもの.

†**prac·ti·cal·ly** /præktikəli/ **副 1** 〔正式〕〔動詞より後で〕実際的に, 実用的に, 実地に(↔ theoretically) ‖ Try to view your situation *practically*. 実際的観点から君の立場を見るようにしなさい. **2** 〔略式〕〔修飾する語の前で〕ほとんど(almost); やや誇張して言うと《♦ very, pretty, not で修飾されない》‖ His essay has *practically* no spelling mistakes. 彼の作文にはほとんどスペルミスがない / *practically* full ほぼ満員[満杯]で. **4** 〔略式〕〔相手の質問を肯定して〕うん, ほとんど(just about) ‖ 〔**対話**〕 "Are you

ready?" "*Practically.*(↘[↘])" 「用意できた?」「うん, ほとんどね」.

‡**prac·tice** /præktis/《❶名は(米では時に)--tise, 動は(英)では--tise とつづる》『「行なう」が原義』⓪ practical (形), practitioner (名)

index
名 1 練習 2 慣例 3 実行
動 他 1 練習する 2 実行する 4 従事する
自 1 練習する

——名 (複 ~s/-iz/)

I [繰り返し実行すること]

1 ⓊⒸ (反復され規則的な)〔…の〕**練習**, けいこ, 実習; 練習期間〔in doing〕《◆exercise よりも強意的》‖ football *practice* = *practice* in football フットボールの練習(期間) / the *practice* match 練習試合 / kéep in *práctice* 練習を続ける / be *in* [*out of*] *practice* 〔*at* golf [*on* the piano〕ゴルフ[ピアノ]の練習を積んでいる[いない] / *Practice makes perfect.*(ことわざ)練習を続ければ完璧になる; 「習うより慣れよ」 / I have 2 choir *practices* a week. 1週間に2回聖歌隊の練習がある.

2 ⓒⓊ (正式)〔通例 a/the ~〕(規則的な)常習行為, 癖;**慣例**, 習慣, 慣行(custom), やり方;〔通例 ~s〕風習〔類義〕custom, habit)‖ corrupt *practices* 買収の悪風 / customary *practice* 慣行 / a daily *practice* 日常茶飯事 / I *make it a practice to* give everyone the benefit of the doubt. 私は「疑わしきは罰せず」をモットーにしている.

II [実行すること]

3 Ⓤ (理論に対して)**実行**, 実施; 実地, 実際(↔ theory)‖ *in práctice* 実際上, 実際には / the *practice* of a new theory 新理論の実施 / *put* [*bring*] her ideas *in* [*into*] *practice* 彼女の考えを実行する / carry out in *practice* what he has learned 彼が学んだことを実践する.

III [業務として実行すること]

4 a Ⓤ 実務; (医者・弁護士の)業務, 営業; ⓒ 開業場所‖ sét úp a práctice = gò ìnto práctice 開業する[している] / He is no longer in general *practice* here. 彼はもうここで一般開業医をもっていない / Where is your *practice*? あなたはどこで営業しているのですか. **b** [集合名詞] 患者《◆患者個人は patient》;(事件)依頼人《◆依頼人個人は client》‖ a doctor with a large [small] *practice* 患者の多い[少ない]医者.

——動 (~s/-iz/; 過去・過分 ~d/-t/; --tic·ing)

——他 **1**〈人が〉(規則的に反復して)〈事を〉**練習する**(exercise);〔…する〕けいこをする〔doing〕;〔手術などを〕〈人に〉ためす〔on〕‖ práctice júdo 柔道のけいこをする《◆dó [táke] júdo は「柔道をする」》/ *practice* (playing) the piano ピアノを練習する《◆この場合 playing はない方がふつう》.

2 (正式)〈人が〉〈事を〉**実行する**, 実践[実施]する; 〔習慣的に〕〈事を〉行なう;〈魔法など〉を使う‖ práctice doing [*to do*] good 善いことを実行する / *practice* moderation [one's religion] 節制[宗教]を実践する / *Practice what you preach.* 己れの説くところを励行せよ.

3 〈人に〉〔…を〕訓練する, 教える〔in〕‖ *practice* the pupils *in* handwriting 生徒に書き方の練習させる《◆have the pupils *practice* handwriting がふつう》.

4 〈人が〉〈医学・法律などに〉(職業的に)**従事する**(work at);…を開業する‖ *practice* (the) law [medicine] 弁護士[医者]を開業している《◆×*practice*「a doctor [a lawyer]は不可》.

——自 **1**(繰り返し)**練習する**(+*away*, *up*)〔on, at, with〕;(練習の被験者として)〈人を〉用いる〔on〕‖ *practice* (*up*) on the guitar ギターの練習をする / *practice away at* typing [the piano] タイプ[ピアノ]のけいこに励む / Pilot trainees *practice* on a simulator before making their first flight. パイロットの訓練を受ける人は初飛行の前にシミュレーターで練習する.

2 いつも[習慣的に]行なう, 実行する.

3 〈人が〉[医者・弁護士などとして]開業[営業]する〔*as*〕‖ *practice* [be in *practice*] *as* a solicitor 事務弁護士を開業する / a *practicing* doctor 開業医.

práctice tèacher 教育実習生.

práctice tèaching (主に米) 教育実習(teaching practice).

†**prac·ticed**, (英) --tised /præktist/ 形 **1**〔…に〕熟達した〔in, at〕, たくみな‖ be *practiced* in surgery 外科のベテランである. **2** 経験[練習]で得た, わざとらしい.

prac·tice-teach /præktisti:tʃ/ 動 自 (主に米) 教育実習をする.

prac·tise /præktis/ 名 動 = practice.

prac·tised /præktist/ 形 = practiced.

†**prac·ti·tion·er** /præktiʃənər/ 名 ⓒ **1**(正式)従事[開業]者, 専門家;(特に)開業医, 弁護士‖ a general practitioner (英)一般開業医((略) GP)《専門を限らずに地区の人を何でも診る(主に)内科医. 英国では National Health Service の下で, general practitioner への登録が義務づけられていて, 病気になるとまずこの医師の診察を受け, それから専門医に回される》. **2** 常習的実行者;技術屋, 芸人.

prae·tor, **pre·-** /prí:tər/ 名 ⓒ〔ローマ史〕プラエトル《執政官(consul)に次ぐ1年任期の高級行政官》.

prae·to·ri·an, **pre·-** /pri:tɔ́:riən/〔ローマ史〕名 ⓒ 形 **1** 高級行政官の. **2** [P~] 近衛兵(の).

prag·mat·ic, **--i·cal** /prægmǽtik(l)/ 形 **1**(正式) 実用[実践]的な. **2**(哲学) 実用主義の.

prag·ma·tism /prǽgmətizm/ 名 Ⓤ **1**(正式) 実用的な考え[方法]. **2**(哲学) プラグマティズム, 実用主義.

Prague /prɑ́:g/ 名 プラハ《チェコの首都》.

*†**prai·rie** /préəri/ 名 ⓒ 〔しばしば ~s〕大草原, プレーリー《北米 Mississippi 川流域の木のない草原. cf. pampas》.

práirie chìcken 〔鳥〕ソウゲンライチョウ.

práirie dòg 〔動〕プレーリードッグ《犬のような声で鳴く穴居性の齧(げっ)歯類》.

práirie schòoner 大型幌(ほろ)馬車《開拓者がプレーリー横断に用いた》.

práirie wòlf 〔動〕= coyote.

*‡**praise** /préiz/〔『評価する」が原義〕
——動 (~s/-iz/) **1** ⓊⒸ〈人を〉ほめること(approval), ほめられること〔*of*〕,〔…に対する〕(言葉による)賞賛;〔~s〕ほめ言葉〔*for*〕(↔ blame)‖ a sonnet *in Praise* of his courage 彼の勇気をたたえたソネット / I *received* [*won*] his high *praise for* my work. 私は仕事ぶりを彼に大いにほめられた / be 「*beyond* [*worthy of*] *praise* いくらほめてもほめきれない「大いに賞賛に値する」. **2** ⓊⒸ (正式)〔神を〕たたえること〔*of*〕,〔神への〕賛美, 崇拝〔*to*〕;〔~s〕神をたたえる歌[言葉]‖ *Praise be* (*to God*)!(古)神を

sing one's **ówn práises** 自画自賛する.
― 動 (~s/-iz/; 過去・過分 ~d/-d/; **prais·ing**)
― 他 1 [praise **A** for [on, upon] **B**] 〈人が〉**B** 〈事のことで〉**A**〈人・物・事〉をほめる, …を[…として/人に/…に対して]賞賛する(+up)[as/to/for] (↔ blame) ‖ *praise* the child to the skies その子をほめちぎる / *praise* his novel *as* epoch-making 画期的だと彼の小説を賞賛する /「How he *was praised*「*How praised he was] for his diligence! 彼は勤勉さからいかにほめられたことか / He *was* highly *praised for* saving her life. 彼は彼女の命を救ったことで非常に賞賛された. 2 《正式》〈神などを〉(言葉・歌で)賛美する, たたえる.

†praise·wor·thy /préizwə̀ːrði/ 形《正式》[皮肉的に] (成功したような)賞賛に値する, 感心な ‖ a *praiseworthy* action 立派な[奇特]な行為.

prais·ing /préiziŋ/ 動 → praise.

†prance /prǽns/ prɑ́ːns/ 動《正式》1 〈馬が前脚をあげて跳びはねる(+about, around), はねながら進む(+along). 2 〈ふつう子供が〉陽気に[誇らしげに]歩く, はね回る(+about around).
― 名 C 〔通例 a ~〕(馬の)跳躍; (人の)躍動.

†prank /prǽŋk/ 名 C (悪意のない)いたずら; 悪ふざけ ‖ play a *prank* on him 彼をからかう.

prate /préit/ 動〔…について〕ぺちゃくちゃしゃべる, むだ話をする(+on)[about]. ― 他 …を[と]軽々しく言う.

prat·tle /prǽtl/ 動《略式》〈大人が〉〔…について〕子供みたいにしゃべる, むだ話をする; 〈子供が〉片言を言う (+on, away)[about]. ― 他 …をぺちゃくちゃしゃべる. ― 名 C 取るに足りない話; 片言.

Prav·da /prɑ́ːvdə, -da/《ロシア》名『プラウダ』《ロシアの新聞. 元ソ連共産党中央機関紙》.

prawn /prɔ́ːn/ 名 C U 《主に英》《動》エビ《クルマエビなど中型のエビの総称. cf. shrimp, lobster》.

*pray /préi/ (同音) prey; 類音 play /pléi/ 〔「神に祈って救い・慈悲を求める」が原義〕派 prayer (名)
― 動 (~s/-z/; 過去・過分 ~d/-d/; ~·ing)
― 自 [pray (**to**) for **B**] 〈人が〉〈**A**〈神・人〉に〉**B** 〈人のために〉祈る, **B** 〈物・事〉を強く願い求める ‖ *pray for* the success of the operation 手術の成功を祈る / *pray for* the sick child 病気の子供のために祈る / I *pray to* God「*for* forgiveness [*to* help me]. 神に許し[助けてくださるように]願う(=I *pray* God *to* forgive [help] me.)《♦人に願う場合は beg がふつう》.
― 他 1 〈人が〉〈神・人〉に[…を求めて/…するように/…のように]祈る, 懇願する[for / to do / that 節] ‖ I *prayed* to be allowed to leave. 私は出発するのを許されますように祈った / I *prayed* him「*for* mercy [*to* show mercy]. 彼に慈悲を願った.
2 《正式・古》[命令文・疑問文で; 副詞的に] どうぞ, お願いします(please)《♦ I pray you. の短縮. → 1》 ‖ *Pray* be seated. どうかお座りください.

be pàst práying for 〈人・物・事が〉(ひどい状態で)回復[改心など]の見込みがない.

I práy you《古》[文尾に置いて] どうか ‖ Let me go to help him, I *pray you*. どうか彼を助けに行かせてください(→ 2).

†prayer¹ /préər/ [発音注意] 名 1 U C 〔…を求める/…に対する〕祈り, 祈願[for/to]; [しばしば ~s; 複数扱い] (集団での)祈禱(᎔゙)(式) ‖ Morning [Evening] *Prayer(s)* 朝[夕べ]の礼拝 / clasp one's hands in *prayer* 両手を組み合わせて祈る / say [offer (up)] a *prayer* (*to* God) *for* a safe voyage 安全な航海を(神に)祈願する. 2 C [しばしば ~s] 祈りの言葉 ‖ the Lord's *Prayer* 主の祈り / His family says its [their] *prayers* before each meal. 彼の家族は食事前にお祈りをする. 3 U C (神の)霊的交渉. 4 U C 〈慈悲などを求める〉嘆願 [for]; 〈神・王などへの〉願い事 [to]; 《法律》(訴状の中の)請求趣旨申し立て(の条項).

práyer bòok 祈禱書; [the P~ B~] = common prayer (2).

práyer mèeting (プロテスタントの)祈禱会.

*pray·er² /préiər/ 名 C 祈る人.

prayer·ful /préərfl/ 形 信心深い; 熱心な.

PRC (略) People's Republic of China.

pre– /príː-, prìː-, pri-, prə-/ (語要素) → 語要素一覧 (1.7).

†preach /príːtʃ/ 動 自 1 〈牧師などが〉〔…に/…について〕説教する, 伝道する [to / on, about]《♦ 専門的な話には on》‖ *preach* on grace to large crowds = *preach* to large crowds on grace 大勢の人に神の恩寵(゚゙)を説く. 2 〈人が〉〔…に/…しないように/…について〕(くどくどと)説諭する [to, at / against / about]《♦ 非難の意をこめるときは at》‖ *preach against* immorality [in favor of good behavior] 不道徳な行為を戒める[品行方正を勧(°)める] / *preach* to him *about* his poor grade 悪い成績について彼に説教する.
― 他 1 [preach **A** **B** = preach **B** to **A**] 〈人が〉〈**A**〈人〉に **B**〈神の教えなど〉を説く, […であると]説教する[that 節]; 〈福音など〉を述べ伝える ‖ *preach* the local people the gospel = *preach* the gospel to the local people 現地の人々に福音を説く / The minister *preached that* God would soon help them. 牧師は神がまもなく彼らを助け給(゚゙)うだろうと説いた. 2 〈平和・改革など〉を[…に]説き勧める, 唱道する; 《正式》〔人〕に…を教えさとす, 忠告する(advise)[to, at]; …にくどくどと説教する ‖ *preach* moderation to people 節制を人々に呼びかける. 3 〈人が〉〈人〉に説教して…の状態にする ‖ *preach* the young man out of a delinquency その若者に説教して非行をやめさせる.

preach·ment 名 ⓒ くどい説教.

†preach·er /príːtʃər/ 名 C 1 (プロテスタントの)牧師. 2 お説教する人; 伝道者. 3 主張[唱道]者.

pre·am·ble /príːæmbl, priǽmbl/ -/- 名 C 《正式》(演説などの)前置き, 序言; 《法律》の前文.
― 動 自 序言を述べる.

pre·ar·range /prìːəréindʒ/ 動 他 前もって…の手はずを整える, …を取り決める.

prè·ar·ránge·ment 名

preb·en·dar·y /prébəndèri | -dəri/ 名 C 1 受禄聖職者. 2 《アングリカン》(僧禄を受けない)名誉参事会員.

†pre·car·i·ous /prikέəriəs/ 形《正式》1 運[事情]次第の, 不安定な(insecure). 2 危険な(risky) ‖ a *precarious* foothold (不安定なため)危険な足場. 3 根拠のあやふやな.

†pre·cau·tion /prikɔ́ːʃən/ 名 U C 〔…に対する/…する〕用心, 警戒, 慎重さ; 予防策 [against / to do] ‖ *take precautions against* burning oneself やけどの用心をする / take every *precaution to* ensure success 成功の確実にするためあらゆる予防措置をとる. 2 C 《略式》〔通例 ~s〕避妊具の使用.

pre·cau·tion·ar·y /prikɔ́ːʃənèri | -nəri/ 形《正式》用心[警戒]の; 予防の ‖ take *precautionary* measures 予防手段を講じる.

†**pre·cede** /prisíːd/ 動 他《正式》**1**〈人・物・事が〉〔…の点で〕〈人・物・事に〉(時間的に)先立ち，…より先に起こる；(場所的に)〈人・物・事の前にある，…に〔…の点で〕先行する[in] ‖ *precede* him into the room 彼を部屋へ先導する / Thunder *preceded* the heavy shower. =The heavy shower was *preceded* by thunder. ひどいにわか雨になる前に雷がなった。 **2**(順序・重要性などに関して)〔…の点で〕…に優先する，…より上位にある[in] ‖ He *precedes* Mr. Brown in the party. 彼は党内でブラウン氏より重要な地位にある。 **3** …の前に〔…を〕置く，〔…で〕始める[with, by].

†**prec·e·dence** /présidəns, prisíː-/ 名 Ⓤ《正式》**1**(時間・場所的に)先立つこと，先行。 **2**(順序・重要性などで)〔…より〕上位[優先]であること[over, of]；(儀式などの)上席；優先権《◆priority in right of precedence 優先されるもの》‖ *give precedence to* her 彼女に上席を与える；彼女の優位[優先権]を認める / in order of *precedence* 席次に従って / This meeting takes [has] *precedence over* [《正式》*of*] all our work. この会議はどんな仕事より重要である。

†**prec·e·dent**[1] /présidənt/ 名 ⓊⒸ《正式》〔…に対する〕(確実で有効な)前例；(今までの)慣例；[法律]判例法[for] ‖ *without precedent* 先例のない[なしで] / in accordance with *precedent* 前例に基づいて / máke a précedent *of* limiting expenditures 費用制限の先例とする / set [create, establish] a *precedent for* other decisions 他の判決の先例を作る / víolate [bréak with] précedent 先例を破る。

pre·ce·dent[2] /prisíːdnt/ 形 前の，〔…に〕先行する[to] ‖ a statement *precedent to* mine 私の声明に先立つ声明。

†**pre·ced·ing** /prisíːdiŋ/ 形《正式》[通例the ~](時間的・場所的に)(すぐ)前の，先立つ；前述の(↔following) ‖ *the preceding* page 前ページ。

pre·cen·tor /priséntər/ 名 Ⓒ (教会で聖歌隊や会衆の歌をリードする)先唱者。

pre·cept /príːsept/ 名 **1** Ⓒ (行動・考え方の)指針，規範；格言。 **2** Ⓤ《正式》道徳的な教え，教訓。

pre·cep·tor /priséptər/ 名 ((女性形) **--tress**) Ⓒ《正式》教師，個人指導の教師。

pre·cep·tress /priséptris/ 名 → preceptor.

pre·ces·sion /priséʃən/ 名 ⓊⒸ **1** 先行，優先。 **2** [物理]すりこぎ運動。 **3** [天文]歳差運動；春分点歳差。

pre-Chris·tian /priːkrístʃən/ 形 キリスト(教)以前の。

pre·cinct /príːsiŋkt/ 名 **1** Ⓒ《正式》[通例~s](教会・公共物などの)構内。 **2** [~s]付近，郊外。 **3** Ⓒ (米)投票区；警察管区，所轄署。 **4** Ⓒ (英)(都市の)専用区域 ‖ a pedestrian *precinct* 歩行者天国。 **5** Ⓒ[通例~s]境界(線)。

*****pre·cious** /préʃəs/『「価値のある」が原義． cf. price』
——形 (more ~, most ~) **1** (主に女性語)〈人・時間などが〉〔…にとって〕大切な；かわいい(dear)[to] ‖ *precious* memories 大事な思い出 / Her husband's health is very *precious to* her. 夫の健康は彼女にとって非常に大事だ / My *precious* child! [呼びかけ] 私のかわいい子よ / This ring may not be valuable, but it is *precious to* me, because it is a keepsake from my mother. この指輪は高価ではないかもしれませんが，私には貴重なものです。母の形見ですから《◆大切な人からもらった物などをいう》。

2 〈宝石・貴金属などが〉高価な，貴重な；評価の高い《◆衣服・家などは costly, expensive がふつう》‖ *precious* possessions 高価財産 / *precious* stones 宝石。

3 〈態度・言葉などが〉気取った；気難しい ‖ a *precious* style of writing 凝りすぎた文体。 **4**《略式》[名詞の前で][強意語として]たいした，まったくの；実にひどい《◆(1) 反語用法． (2) 比較変化しない》‖ do me a *precious* lot of good とても私に役立つ / máke a précious méss of it 大変なへまをやる。
——副《略式》(皮肉的に)とても，ひどく ‖ have *precious* little to say ほとんど言うことがない / take *precious* good care of that それについてひどく気を遣う。
——名 Ⓒ《略式》[呼びかけで] かわいい人[動物]。

précious métal 貴金属(noble metal).

pré·cious·ly 副 **pré·cious·ness** 名

†**prec·i·pice** /présəpis/ 名 Ⓒ **1** 絶壁，(垂直の張り出した)がけ《◆cliff よりも堅い語》。 **2** 危機《通例the の句で》‖ stand on the edge of a *precipice* 危機にひんしている。

†**pre·cip·i·tate** /prisípitèit/ 動 **-tət, -tèit**; 形 **-tət/** 動 他 **1** …を突然引き起こす；…を早める。 **2** …をまっさかさまに落とす。 **3** [比喩的に] …を〔…に〕投げ込む，陥れる[into]. **4** [化学] …を沈殿させる(+ *out*).
——動 自 [化学] 沈殿する。
——名 ⓊⒸ **1** [化学] 沈殿(物)。 **2** [気象] 凝結した水分《雨・雪・露など》。
——形《正式》**1** まっさかさまの(headlong)；突進する。 **2** 大あわての，軽率な。 **3** (十分考えず)突然の。

pre·cíp·i·tàte·ly 副 **1** まっさかさまに；まっしぐらに。 **2** あわてて。 **3** 突然に。

†**pre·cip·i·ta·tion** /prisìpitéiʃən/ 名 **1** Ⓤ《正式》急落下；急に起こること。 **2** Ⓤ《正式》大あわて，軽挙。 **3** Ⓤ [化学] 沈殿作用；(沈殿)状態。 **4** Ⓤ《正式》[気象] 降水《雨・雪・あられなどが降ること》；降水量，降雨量。

†**pre·cip·i·tous** /prisípətəs/ 形《正式》**1** 絶壁の；恐ろしいほど高い。 **2** (絶壁のように)切り立った，険しい。

pré·cis /preisíː/『フランス』 名 (複 *pré·cis*/-z/) Ⓒ 動 他 (~**s**/-z/) 自 他 〔…を〕要約(する).

†**pre·cise** /prisáis/ 形 (more ~, most ~；時に ~**r**, ~**st**)〈測定・機器などが〉正確な，精密な；正味の《類語》 exact, accurate, correct》(↔ imprecise) ‖ *precise* calculations 厳密な計算 / Tell me the *precise* time of her arrival. 彼女の到着時間を教えてください。 **2**《正式》〈言葉・命令・発音などが〉はっきりした，明確な(clear) ‖ a *precise* mind 明晰(な)な頭 / a *precise* explanation 明瞭な説明。 **3** [通例the ~](他と区別して)まさにその ‖ at the *precise* moment ちょうどその時 / this *precise* location まさしくその場所。 **4**《正式》〈人が〉〔…の点で／…について〕きちょうめんな，やかましい[in/ about]；〈態度・方法が〉堅苦しい ‖ He is *precise* in his manners. 彼は作法に厳格な人だ。

to be precíse [文頭・文尾で] 正確に言うと。

pre·císe·ness 名 Ⓤ 正確さ；きちょうめん。

†**pre·cise·ly** /prisáisli/ 副 **1** 正確に，ちょうど《◆just, exactly よりも堅い語》；きちんと ‖ at 3 o'clock *precisely* =at *precisely* 3 o'clock 3時きっかりに。 **2** [P~]《正式》[返事として]まったくその通り ‖《対話》"You have no need for my service?" "*Precisely.*"「私の助けは必要ないんですね」「うん，その通り」。 **3** [文全体を修飾] はっきり言うが；そもそも

He was unavailable for comment. Putting it more *precisely*, he was away on vacation. 彼にはコメントしてもらえなかった。もっとはっきり言えば、彼は休暇で出かけていていなかった。/ *Precisely* what is white-collar crime? そもそも知能犯とはどういうものですか.

†**pre·ci·sion** /prisíʒən/ 名 U 1 [時に a ~] […での]正確さ, 精密; 明確[in]; きちょうめん ∥ with *precision* 正確[きちょうめん]に. 2 〖コンピュータ〗精度.
──形 寸分ちがわぬ, ねらい通りの; 精密な.
precision gáuge [**instrument**] 精密計器[器械].
pre·cí·sion·ism 名 C 形式主義.

†**pre·clude** /priklúːd/ 動 他 (正式) 1 (前もって)…を不可能にする, …を排除する. 2 〈人・事が〉〈人〉〔が…するの〕を妨げる[*from* (doing)].

†**pre·co·cious** /prikóʊʃəs/ 形 (正式) 〈子供が〉(知的・身体的に)発達の早い, 早熟の; ませた ∥ a *precocious* child 知的発達の大変早い子, 神童; ませた子.

pre·coc·i·ty /prikásəti | -kɔ́s-/ 名 U (正式) 早熟, 早ませ, 早なり.

pre·con·ceive /prìːkənsíːv/ 動 他 (正式) (実際に体験する前に)…を考える, 思い描く, 予想する.

pre·con·ceived /prìːkənsíːvd/ 形 〈考えなどが〉前もらわっていた ∥ a *preconceived* idea 先入観.

pre·con·cep·tion /prìːkənsépʃən/ 名 C (正式) 〔…についての〕先入観; 偏見[*about*].

pre·con·di·tion /prìːkəndíʃən/ 名 C (正式) 必要条件, 前提条件. ──動 他 前もって…を調整する.

pre·cur·sor /priːkɚ́ːsɚ/ 名 C (正式) 1 先駆者; 前任者. 2 前兆; (後に続く物の)前の形, 前身.

†**pred·a·to·ry** /prédətɔːri | -təri/ 形 (正式) 1 捕食性の; 肉食性の(carnivorous) ∥ a *predatory* animal 肉食動物. 2 略奪の, 略奪をねらう ∥ a *predatory* attack 略奪を目的とした攻撃. 3 (自分の利益・快楽のため)他人を利用する, やり手の, 利己的な.

†**pred·e·ces·sor** /prédəsèsɚ, --- | príː-/ 名 C (正式) 1 前任者(↔*successor*) ∥ Mr. Smith is my *predecessor* as manager. スミス氏は私の前(任)の支配人です. 2 以前あった[使われた]物, 前身 ∥ The new plan is better than its *predecessor*. 新計画は前の計画よりすぐれている. 3 先祖.

pre·des·tine /prìːdéstin/ 動 他 (正式) 1 前もって…を〔…に/…するよう〕運命づける[*to / to* do]. 2 〖神学〗〈神の〉運命を〔…に/…するよう〕予定する[*to / to* do].

pre·de·ter·mine /prìːditɚ́ːrmin/ 動 他 (正式) 1 [通例 be ~d] 前もって〔…に〕決定[算定]される, 方向づけられる, 前もって準備[打ち合わせ]される[*by*].(◆ふつう進行形不可). 2 …を運命づける.

†**pre·dic·a·ment** /1, 2 prìdíkəmənt; 3 prédikə-/ 名 C (正式) 1 (どうしていいかわからない)困難[不愉快]な状況, 苦境.(◆時に軽い滑稽に使われる) ∥ be *in a predicament* 困った立場にいる. 2 (特定の)状態. 3 範疇(はんちゅう).

†**pred·i·cate** /名 prédikət; 動 prédikèit/ 名 C 〖文法〗述語, 述部; 〖論理〗賓辞, 賓位詞. ──動 他 (正式) 1 …を〔…の〕属性であると断定する[*of*]; …を〔…だと〕断定する[*to be*]; […だと]断言する〔*that*節〕. 2 (主に米) …の根拠を[…に]置く[*on*].

pred·i·ca·tion /prèdikéiʃən/ 名 U C 断定; 〖論理〗述伝, 〖文法〗叙述.

pred·i·ca·tive /prédəkèitiv, -kə- | prídikə-/ 形 〖文法〗叙述的な(略 pred.).(↔*attributive*).
──名 C 〖文法〗述詞.

prédicative ádjective 叙述形容詞.

†**pre·dict** /pridíkt/ 〖前もって(pre) 言う(dict)〗
──動 (~s/-dikts/; 過去・過分 ~·ed/-id/; ~·ing) 他 (正式) (経験・事実・法則などで)〈人・観察などから〉〈事・物〉を**予想する**, 〔…と/…かを〕予測する〔*that*節, *wh*節〕; 〔…〕と予言する(類語) foretell, forecast, forebode, prophesy) ∥ The radio report *predicts* snow. ラジオのニュースでは雪になると予報している.
──自 予言[予報]する.

pre·dict·a·ble /pridíktəbl/ 形 予言[予想]できる.

pre·dict·a·bly /pridíktəbli/ 副 1 予想されるように. 2 [文全体を修飾] 予想通りに, 予想されていたことだが ∥ *Predictably*, the attempt failed. = The attempt *predictably* failed. 予想通りその試みは失敗した.

†**pre·dic·tion** /pridíkʃən/ 名 U C (正式) […という]予言[予報, 予測](する[こと])〔*that*節〕 ∥ an accurate *prediction* 正確な予測.

pre·di·gest /prìːdaidʒést, -di-/ 動 他 1 〈食物〉を消化しやすいように調理する. 2 …を平易にする.

pre·di·lec·tion /prèdəlékʃən | prìːdi-/ 名 C (正式) 〔…への〕特別の好み, 偏愛[*for*] ∥ have a *predilection* for classical music クラシックを特に好む.

pre·dis·pose /prìːdispóuz/ 動 他 (正式) 〈物・事が〉〈人〉を〔気持ち・物・事に〕傾かせる[*to, toward*]; 前もって〔…する〕気にさせる[*to* do]; 〈人〉を〔病気に〕かかりやすくさせる[*to*].

prè·dis·po·sí·tion 名 C 〔…しやすい〕性質, 傾向[*to, toward, to* do]; 〖医学〗体質.

pre·dom·i·nance /pridάmənəns | -dɔ́m-/ 名 U (正式) [通例 a ~] (力や数などが)勝っていること, 優勢; 支配.

†**pre·dom·i·nant** /pridάmənənt | -dɔ́m-/ 形 (正式) (他のものより)(その時点で)卓越した, 有力な; 〔…に対して〕支配的な[*over*]; 広く行なわれる; 顕著な ∥ His view is *predominant* over the others'. 彼の意見は他の人の意見よりも支配的であった.

†**pre·dom·i·nate** /pridάmənèit | -dɔ́m-/ 動 自 (正式) 1 (力・数・影響力などの点で)〔…より〕優位を占める[*over*]; 顕著である; 圧倒的に多い. 2 〔…を〕支配する[*over*].

†**pre·em·i·nence** /priémənəns/ 名 U (正式) 優秀; 抜群, 傑出.

pre·em·i·nent /priémənənt/ 形 (正式) きわめて優秀な; 〔…に/…の中で〕抜群の, 卓越した[*in, at / among*]; (ひときわ)目立つ.

pre·empt /priém*p*t/ 動 他 (正式) 1 …を先買権によって取得する; (米) (先買権を得るため)〈公有地〉に定住する. 2 …を先取りする, 先に占有する; 無効にする. 3 (テレビなどで)〈予定の番組〉に取って代わる.

pre·émp·tion 名 U (正式) 1 先買(権); (米)(公有地の)優先買取(権). 2 先取.

preen /príːn/ 動 他 1 〈鳥が〉〈羽〉をくちばしで整える. 2 [~ oneself] 〈人が〉身づくろいをする, 着飾る; [~ oneself] 〔…に〕得意になる, 〔…を〕誇りとする[*on, upon*]. ──自 〈鳥が〉羽を整える; 〈人が〉着飾る.

pre·ex·ist /prìːigzíst, -eg-/ 動 自 先在する. ──他 …より前に存在する. **prè·ex·íst·ence** /-əns/ 名 U 前世; (霊魂)先在. **prè·ex·íst·ent** /-ənt/ 形 先在の; 前世の.

pref. (略) preface; prefatory; preference; preferred; prefix.

pre·fab /príːfæb/ 名 〖*prefabricated house* の短縮語〗 (英略式) プレハブ住宅, 組み立て式建物.

pre·fab·ri·cat·ed /prìːfǽbrikèitid, príːfæb-/ 形 〈建物・船などが〉組み立て式の.

preface

†**pref·ace** /préfəs/ [発音注意] 名 C 1 (著者自身の)序文, はしがき (◆ foreword はふつう著者以外の人の序文, introduction は本文の予備的な説明で, スピーチの)前置き) ‖ write a preface to a book 本の序文を書く. 2 (略式) [比喩的に] (…の)前置き, きっかけ (to). ━━動 他 (正式) 1 〈本〉に序文を つける;〈話など〉を (…で) 始める (with, by doing) ‖ He prefaced his speech with a humorous story. 彼はユーモアに富む話でスピーチを始めた. 2 …の端緒となる.

pref·a·to·ry /préfətɔːri|-təri/, **pref·a·to·ri·al** /prèfətɔ́ːriəl/ 形 (正式) 序文の, 前置きの, 紹介の.

†**pref·ect** /príːfekt/ 名 C 1 (英) (学校の)風紀委員, 監督生《規律面で権限を与えられた上級生》. 2 [時に P~] (古代ローマの)長官, 総督;知事(パリの)警視総監.

pre·fec·tur·al /priːféktʃ(ə)rl, (英+) -tjur-/ 形 (日本などの)県の ‖ a prefectural school 県立学校.

***pre·fec·ture** /príːfektʃər, (英+) -tjuə/
━━名 C (日本などの)県, 府 (cf. county, state, province) 《◆ (東京)都, (北海)道に当たることもある》; prefect 3 の領地 ‖ Hyogo [Kyoto] Prefecture 兵庫県 [京都府] 《◆時に (the) Hyogo prefecture の形も用いる》.
2 (フランスの)県庁所在地.

***pre·fer** /prifə́ːr/ [アクセント注意] [前に (pre) 置く (fer)] 派 preference (名), preferential (形)
━━動 (~s/-z/; 過去・過分 pre·ferred/-d/; -fer·ring/-fə́ːriŋ/)
━━他 1 a 〈人が〉〈人・物・事〉が好きである, …を好む 《◆目的語は名詞・動名詞》 [類語] choose, elect, pick, select) ‖ Which do you prefer (↗), the town (↗) or the country? (↘) 都会と田舎のどちらが好きですか / I prefer him [his] retiring at once. 彼にすぐ辞職してもらいたい 《◆所有格はあまり一般的でない. ➡文法 12.5》.
b [prefer A to B] 〈人が〉B〈人・物・事〉より A〈人・物・事〉が好きである, …を好む 《◆目的語は名詞・動名詞》 ‖ I prefer wine to [×than] beer. ビールよりワインが好きだ (=I like wine better than beer.) / I prefer watching games to playing them. 試合をするより見る方が好きだ (=I would rather watch games than play them.).
c [prefer to do (rather than (to) do / doing)] 〈人が〉…することの(…するより)むしろ…したい ‖ I prefer not to ask him, but … どちらかと言えば彼に尋ねたくないのですが… / I prefer to stay here rather than (✕to) go alone (going alone). ひとりで行くよりここにいたい (=I prefer ¹staying here [to stay here] instead of going alone. =I would [had] rather stay here than go alone.).
d [prefer that 節] 〈人が〉…であることがよいと思う (➡文法 9.3) ‖ I prefer that she ((主に英) should) leave now. 彼女には今去ってほしいのがいい (=I'd prefer that she left now.) 《◆ would に合わせて仮定法過去の left を使ったもの. I'd prefer that she (should) leave now. でもよい》.
e [prefer A to do] 〈人が〉A〈人〉に…してもらいたい 《◆ prefer for A to do となることもある》 ‖ I prefer (for) you to call me up in two hours. 2 時間後に電話してくれる方がいいのだが (=I prefer that you should call …) / I would prefer (for) you to stay with me (rather) than at a hotel. 君にはホテルより私の家に滞在してもらいたい 《◆ than の後の動詞が省略されると rather も省略可能》.
f [prefer A C] 〈人が〉A〈物〉が C の方がよい 《◆ C は形容詞・分詞など》 ‖ She preferred the whiskey neat. 彼女はウイスキーはストレートが好きだった.
2 a (英法律) 〈警察官が〉〈陳述・訴訟などを〉 […に対して] 提出 [提案] する (to, against) ‖ prefer a charge [charges] against him for theft 彼を盗みのかどで告発する. **b** (法律) 〈債権者など〉に優先権を与える.
if you prefer その [次のこと]方がよければ.

†**pref·er·a·ble** /préf(ə)rəbl/ 形 (…より) 好ましい, ましな [to] 《◆もともと比較の意味を含むので, ×more [×most] preferable としない》 ‖ His idea is much [×more] preferable to mine. 彼の考えは私のよりずっと望ましい / It is preferable for him to make a phone call. = (正式) It is preferable that he (should) make a phone call. 彼が電話するにこしたことはない (➡文法 9.3).

†**pref·er·a·bly** /préf(ə)rəbli/ 副 [文全体を修飾; 接続詞的に] 好んで, むしろ;希望を言えば, もしできれば.

***pref·er·ence** /préf(ə)rəns/ [→ prefer]
━━名 (複 ~s/-iz/) 1 U C [通例 a ~] …を [他よりも]好きであること, 好むこと [to, over, before, above] ; [...に対する] 好み, (好みによる)選択, ひいき (choice) [for, to] ; C 他よりも好まれる物 [人], 好きなもの by [for] preference 好んで, 第 1 に / show a marked preference for [to] a clever child 利口な子に非常にえこひいきする / He has no special preference(s). 彼には特別な好みはない / I have a preference for vegetables over [rather than] meat. =My preference is for vegetables rather than meat. 私は肉より野菜の方が好きだ (=I prefer vegetables to meat.) / Have you got any preference between beef and lamb? 牛肉と子ヒツジの肉のうちどちらがお好きですか.
2 U C (…より) 優先させること [over, before, above] ; (負債支払いなどの) (…に対する) 優先権 [先取] (権) [for] ; (関税の) 特恵, 優遇 ‖ special trade preferences 貿易特恵 / give préference to persons with some experience 経験者を優遇する / He should be given preference over the others. 彼も他の人より優先されるべきだ.

pref·er·en·tial /prèfərénʃəl/ 形 (正式) 〈要求など〉 優先の, 優先権のある;選択 [差別] 的な.

pre·fig·ure /priːfígjər/ 動 (正式) 1 …を前もって (形・型で) 表す [示す]. 2 …を予想する.

***pre·fix** /príːfiks; 動 (英+) -/
━━名 C 1 (文法) 接頭辞 (↔ suffix). 2 (人名の前につける) 敬称 (Mr., Dr. など).
━━動 他 1 (文法) …に接頭辞をつける. 2 …を (…の) 前に付ける [to].

preg·nan·cy /prégnənsi/ 名 U C 妊娠 (状態), 妊娠期間;妊娠 (の事実).

†**preg·nant** /prégnənt/ 形 1 妊娠している ‖ She is pregnant. 彼女は妊娠している 《◆ She is expecting. のように遠回しにいうのがふつう》 / She is six months pregnant. 彼女は妊娠 6 か月だ / when she got [became, (英) fell] prégnant with Dick 彼女がディックを身ごもった時に / She is pregnant by her fiancé. 彼女は婚約者の子を宿している. **2** (正式) 〈言葉・行動などが〉含蓄のある, 意味深長な ‖ a pregnant silence [pause] 意味ありげな沈黙. **3** (正式) (…で) 満ちた, [重大な結果などを] はらんでいる (with).

pre·hen·sile /prihénsl|-sail/ 形 1 〈動物の足・尾な

prehensile

pre·his·tor·ic, (正式) **--ri·cal** /prìːhistɔ́(ː)rik(l)/ 形 **1** 有史以前の, 先史時代の. **2** (略式) まったく時代遅れの, 旧式の.
prehistóric tímes 先史時代 (↔ historic times).
prè·his·tór·i·cal·ly 副 有史以前に.

pre-in·stalled /prìːinstɔ́ːld/ 形 [コンピュータ] (パソコン販売時に) (ソフトが組み込まれた, プレインストールされた.

pre·judge /prìːdʒʌ́dʒ/ 動 (他) (正式) (十分な調査[審査]をせずに)…に判決を言い渡す;…について早まった判断をする.

*__prej·u·dice__ /prédʒədəs/ [前もっての (pre) 判断 (judice)]
— 名 (複) ~s/-iz/) **1** UC 〔…に対する〕 (根拠のない)偏見, 先入観; 嫌悪い〔against, toward, (まれ) to〕(cf. bias); 〔…に対する〕偏愛, えこひいき〔for, in favor of〕‖ **hàve** [**shów**] a préjudice ⌈**in favor of** [**toward, against**]⌉ foreign goods 外国品をひいき[嫌い]する (◆ be prejudiced in favor of [against] … の方がふつう). **2** U (法律) 予断・偏見による不利益, 損害, 権利の侵害 ‖ do nothing to [in] the prejudice of his rights 彼の権利侵害になることは何もしない.

without préjudice (正式) 偏見なしに;〔…の〕権利を失うことなく〔to〕.

— 動 他 **1** 〔prejudice A against [in favor of] B〕〈人・物・事が〉Bに〈人・物・事に対して〉A〈人〉に (理由なく) 偏見を持たせる, えこひいきさせる ‖ Her good first impression prejudiced him in her favor. (正式) 彼女の第一印象がよかったので彼女を好意的に見るようになった / He is prejudiced ⌈against lazy people [in favor of punctual people]⌉. 彼は怠け者たちを毛嫌いする[きちょうめんな人たちをひいきする]. **2** (正式) (判断・行為により)…に損害を与える; (偏見を受けて) 〈権利など〉を害する, 損なう ‖ prejudice one's claim by asking too much 求めすぎて要求をだめにする.

prej·u·di·cial /prèdʒədíʃl/ 形 **1** 〔…に〕不利[害]になる〔to〕. **2** 偏見を抱かせる.

prel·a·cy /préləsi/ 名 C **1** 高位聖職者の職務[地位, 管区]. **2** [the ~; 集合名詞; 単数・複数扱い] 高位聖職者.

†**prel·ate** /prélət/ 名 C **1** (正式) 高位聖職者 《bishop, archbishop, patriarch など》; (歴史) 修道院長. **2** 宗教儀式の執行者.

pre·lim /príːlim, prilím/ 名 C **1** (略式) [通例 ~s] 予備試験 (◆ preliminary examination の略). **2** (英略式) (印刷) [~s] 前付け 《目次・序文などのページ》.

†**pre·lim·i·nary** /prilímənèri | -nəri/ 形 (正式) 予備の, 準備の (preparatory); 前置きの; (試合で) 予選の ‖ preliminary arrangements 仮設設 / a preliminary survey 予備調査, 下見 / a preliminary examination 予備試験 ((略式) prelim) / a preliminary statement 前置きの声明 / a preliminary contest (競技などの) 予選.

— 名 C **1** [通例 preliminaries] 予備行為[段階], 〔…の/…するための〕準備, 下ごしらえ〔to / to do〕 ‖ without preliminaries 予告なしに, 単刀直入に / the preliminaries to a conference 会議の準備. **2** 予備試験; (試合の) 予選; (ボクシングなどの) 前座試合.

preliminary to A (正式) [前置詞的に] …の準備として, …に先立って (before).

pre·lím·i·nàr·i·ly 副 呼び初めに, 準備として, 前もって.

†**pre·lude** /préljuːd, préi-, (米+) -luːd/ 名 (正式) **1** [通例 a ~]〔…の〕前触れ, 前ぶれ, 前兆〔to〕; (詩などの) 導入部. **2** (音楽) 前奏曲, プレリュード. — 動 (他) **1** …の前兆[前置き]となる. **2** …を前奏曲として演奏する. — (自) **1** 前置きをする. **2** 前奏曲を演奏する.

†**pre·ma·ture** /prìːmət(j)úər, -tʃúər, ◌́◌◌̀ | prémətʃə, prìː-, -mətʃúə, -tʃɔː/ 形 **1** ふつう [思った] より早い; 時期尚早 (ネネッ) の, 早すぎる; (略式) (判断などが) 早まった ‖ It is premature (for me) to comment on it at this point. この時点でコメントするのは時期尚早だ. **2** 早産の ‖ The baby was born premature [prematurely]. 赤ん坊は早産だった.

prè·ma·túre·ly 副 早すぎて, 早まって.

pre·ma·tu·ri·ty /prìːmət(j)úərəti | prèmətʃúə-/ 名 U 時期尚早; 早すぎ; 早産.

pre·med·i·tate /prìːméditèit/ 動 (他) (…) を前もって計画[熟慮] する.
pre·méd·i·tàt·ed 形 前もって計画された. **pre·mèd·i·tá·tion** 名 U 前もって計画すること; (法律) 予謀, 故意.

pre·mi·a /príːmiə/ 名 premium の複数形.

pre·mier /primíər, príːmiər | prémiə/ 名 C **1** (日本・中国・フランス・イタリアなどの) 首相, 総理大臣 (◆ (1) 主に新聞・放送で用いる. 英国の首相はふつう prime minister. 日本の首相については両者を用いるが, 中国の首相は prime minister はふつう用いない. (2) ドイツ・オーストラリアの首相は chancellor). **2** (カナダ・オーストラリアの) 州知事 (◆ **1** と区別するため provincial premier ともいう). — 形 (正式) 首位[最高]の; 主要な (leading) ‖ be of premier importance 最も重要である.

pre·mière, --miere /primíər, -jéər | prémièə/ (フランス) 名 C **1** (演劇・オペラ・映画などの) 初日, プレミエ; 初演, 封切り(興行), ロードショー. **2** (演劇界の) 主演女優. — 形 初日の; 最初の, 封切りの. — (自) 〈劇・映画が〉 初演される. — (他) 〈劇・映画を〉 初演する.

†**prem·ise** /prémis/ 名 (正式) **1** C 〔…という〕前提, 仮定〔that 節〕; (論理) 前提 ‖ the major [minor] premise (三段論法の) 大[小] 前提. **2** [~s] 前述の物件; 家屋敷, (土地・付属物付きの) 建物, 構内, 店舗. **3** (法律) [the ~] (証書の) 冒頭部《当事者名・対象物件などを記した部分》(; (証書が対象とする) 不動産.

prem·iss /prémis/ 名 (英) = premise 1.

†**pre·mi·um** /príːmiəm/ 名 (複 ~**s**, **--mi·a**/-miə/) C **1** 〔…に対する〕賞金, 賞(品)〔for〕; 報奨金, ボーナス; (購買意欲をそそるための) 景品. **2** 割増金, プレミアム; [形容詞的に] 割増の, (米) (貸付金に対して利子以外に支払う) 手数料. **3** 保険料. **4** (職業訓練などに対する) 謝礼, 授業料.

at a prémium (1) プレミアム付きで, 額面以上で. (2) 手に入れにくい, ひっぱりだこで, 珍重されている.

— 形 高級な, 上等な, 上質な, 高価な ‖ at a premium price (品が少ないため) 高価な値段で.

pre·mo·lar /prìːmóulər/ 名 C 小臼 (ｷﾞｭｳ) 歯(の) ((図) → tooth).

pre·mo·ni·tion /prìːmouníʃən/ 名 C (正式) **1** (悪い) 予感, 虫の知らせ; 前兆 ‖ I feel a strange premonition 不思議な虫の知らせを感じる. **2** 〔…という〕警告, 警告〔that 節〕.

pre·mon·i·to·ry /priːmɑ́nətɔ̀ːri | -mɔ́nətəri/ 形 (正式) 警告の, 前兆の.

pre·na·tal /prìːnéitl/ 形 (米式) (英 antenatal) **1** 胎児期の, 出生前の. **2** 出産前の.

pre·oc·cu·pa·tion /prìːɑkjəpéiʃən | -ɔkj-/ 名 **1** U〔…への〕没頭, 夢中〔with〕. **2** C 夢中にさせるもの, 優先事.

pre·oc·cu·pied /prìːɑkjəpaid | -ɔkj-/ 形 (何かに)夢中になった, 心を奪われている, 上の空の.

†**pre·oc·cu·py** /prìːɑkjəpai | -ɔkj-/ 動 他 (正式) **1** 〈人・心〉を〔…で〕夢中にさせる〔with, by〕∥ He [His mind] was *preoccupied with* [*by*] the thought of going abroad. =He *preoccupied* him*self with* … 彼は外国へ行くことで頭がいっぱいだった. **2** …を先に占領する, 先に取る∥ The seat had been *preoccupied*. その席はすでにふさがっていた.

pre·or·dain /prìːɔːrdéin/ 動 他 (正式) [通例 be ~ed] (神・運命などによって)〔…に/…するように〕定められて[予定されて]いる〔to / to do〕.

prep /prép/ 〖*preparation*, *preparatory*, *prepare* などの短縮語〗(略式) 名 **1** U (英) 宿題; 予習(時間). **2** C (米) =preparatory (school); その生徒; =preppie. ── 形 =preparatory. ── 動 (過去・過分) **prepped**/-t/-; **prep·ping**. (米) 自 **1** preparatory school に通う. **2** 予習する, 準備する. ── 他 〈人〉に〔手術・試験などの〕準備をさせる〔for〕.

prép schòol (略式) =preparatory school.

prep. (略) *preparation*; *preparatory* (school); *prepare*; *preposition*.

pre·paid /prìːpéid/ 動 *prepay* の過去形・過去分詞形. ── 形 (料金などの)前払いの, 前納の∥ a *prepaid* card プリペイドカード.

†**prep·a·ra·tion** /prèpəréiʃən/ 名 **1** U C 〔…を〕準備すること, 準備されていること〔*of*〕; 〔…に対する/…する〕用意〔*for* / *to do*〕; [通例 ~s] (具体的な)支度, 手はず∥ the *preparation of* lunch for three persons 3人分の昼食の支度 (➡文法 14.4) / *make* [*do*] final *preparation(s) for* the journey 旅行の最終的な下準備をする / have [do] too little *preparation for* the examination 試験準備を[ほとんど]まったくできていない[しない]. **2** U 〔…の〕心構え, 覚悟〔*for*〕. **3** U (英正式) (寄宿学校の)予習(時間); 宿題(英略式 prep). **4** U 〔薬品の〕調合; (食品の)調製, 調理〔*of*〕; (正式) 〔…用の/…するための〕調整(食)品, 調合剤〔薬〕, (調理した)料理〔*for* / *to do*〕.

†**pre·par·a·to·ry** /pripǽrətɔ̀ːri | -təri/ 形 **1** (正式) 準備の, 予備の; 前置きの∥ *preparatory* exercises [training] *to* [*for*] the next stage 次の段階への予備運動[訓練]. **2** (大学)進学予備の∥ a *preparatory* student 大学受験生.

preparatory to A (正式) [前置詞的に] …の準備として, …に先立って.

── 名 C =preparatory school.

preparatory schòol (英) (パブリックスクール進学準備の)私立小学校; (米) (大学進学準備の特に寮制の)(エリート)私立高等学校((略式) prep).

※**pre·pare** /pripéər/ 〖*前*もって (pre) 用意する (pare). cf. *repair*〗 派 *preparation* (名), *preparatory* (形)
── 動 (~s/-z/; 過去・過分 ~d/-d/; -·par·ing /-péəriŋ/)
── 他 **1a** [prepare A for B =prepare B A] 〈人が〉B〈人〉のために A〈食物・薬・製品など〉を作る, 調理 [調合, 製造] する((略式) fix)∥ He is *preparing* 「me a meal [a meal *for* me]. 彼は私に食事を作ってくれています (➡文法 3.3).
b [prepare A for B] 〈人が〉B〈人・物・事〉のために A

〈物〉を**用意**する (ready), 立案する (plan) ∥ *prepare* the ground *for* planting 植えるために土地の下ごしらえをする / *prepare* a news report *for* the press 印刷に回すために記事を作成[用意]する.

2 [prepare A for B] 〈人・事が〉A〈人〉に B〈物・事〉の覚悟をさせる. 装備をさせる; [prepare A to do] A〈人〉に…する支度[心構え]をさせる, 〈人〉を…するように訓練する〔◆ well, carefully, thoroughly などの様態・程度の副詞をしばしば伴う〕∥ *prepare* him fully *for* an examination =*prepare* him fully *to* take an examination 彼に受験準備を十分させる / I am *prepared to* apologize to her. 彼女にあやまってもよいと思っている[快くおわびします] / *prepare* one*self for* [*to* accept] defeat (正式) 敗北の[敗北を受け入れる]覚悟をする (◆ *prepare for* [*to* accept] defeat のほうが一般. → 自) / She is [feels] *prepared for* whatever might happen. 彼女は何が起こっても心構えはできている.

── 自 **1** 〈人が〉〔…に備えて〕**準備する**, 〔…に〕備える〔*for*, *against*〕; [prepare for A to do] A〈人〉が…するように準備する∥ *prepare against* a drought [disaster] 日照り[災害]に備える / *prepared for* tomorrow's lessons 明日の授業の予習をする / I'm *preparing for* Bill to bring his bride home to meet me. ビルが花嫁を私に会わせるため家に連れてくるので準備している.

> **語法** 自 + against はふつう災害など悪いことについて用いる. for の後には, 比較的時間のかかることや重大な事柄を表す語がくる.

2 〔…への/…する〕覚悟をする〔*for* / *to do*〕∥ *prepare for* the worst 最悪の場合への心構えをする / *prepare* (*for* the enemy) *to* attack (敵の)攻撃を覚悟する, 攻撃に立ち向かう.

pre·pay /prìːpéi/ 動 (過去・過分) **-·paid** 他 …を前払いする.

pre·pon·der·ance /pripɑ́ndərəns | -pɔ́n-/ 名 U (正式) (重さ・力などで) 〔…より〕まさること, 〔…に対する〕優勢〔*over*〕; [通例 a/the ~ of …] 圧倒的多数の…, 大半の….

pre·pon·der·ant /pripɑ́ndərənt | -pɔ́n-/ 形 (正式) 〔…より〕重い, まさっている〔*over*〕; 優勢な, 圧倒的な; 大半の.

pre·pon·der·ate /pripɑ́ndərèit | -pɔ́n-/ 動 自 (正式) 〔…より〕重い〔*over*〕; 一方に傾く; 〔…より〕まさる, 優勢である〔*over*〕.

†**prep·o·si·tion** /prèpəzíʃən/ 名 C 〔文法〕前置詞 ((略) prep.).

prep·o·si·tion·al /prèpəzíʃənl/ 形 〔文法〕前置詞の, 前置詞を含む∥ a *prepositional* phrase 前置詞句.

pre·pos·sess /prìːpəzés/ 動 他 (正式) [通例 be ~ed] **1** 〔…に〕とらわれる, 〔…という先入観・偏見〕を抱く〔*with*〕∥ She *was prepossessed with* the notion of her own beauty. 彼女は自分が美人だと思い込んでいた. **2** 〔…に〕好感[好印象]を持つ〔*by*〕∥ The teacher *was prepossessed by* her gentle manner. 先生は彼女の優しいふるまいに好感を抱いた.

pre·pos·sess·ing /prìːpəzésiŋ/ 形 (正式) 魅力的な, 好感の持てる (↔ unprepossessing).

pre·pos·ses·sion /prìːpəzéʃən/ 名 U C (正式) **1** 〔…に対する〕偏見, 先入観〔*against*〕. **2** 〔…に対する〕好感〔*for*〕. **3** 夢中(になる事).

†**pre·pos·ter·ous** /pripάstərəs, -pɔ́s-/ 形《正式》不合理な, ばかげた(absurd); 奇妙な.

Pre–Raph·a·el·ite /priːrǽfəlàɪt/ 形 名 C ラファエロ前派の(画家) ‖ the Pre-Raphaelite Brotherhood ラファエロ前派の(画家)《1848年頃英国でMillais, Rossetti などが起こした美術・文学運動の一派》.

pre·req·ui·site /priːrékwəzɪt/ 形《正式》前提として〔…に〕不可欠の, 必須の(necessary)〔to, for〕. ── 名 C〔…の〕必須[前提]条件(prerequisite condition)〔to, for, of〕‖ prerequisite consent of instructor《掲示》「受講条件: 担当教官の承諾」.

préréquisite condítion = 名.

pre·rog·a·tive /prirάgətiv, (米+) pərɑ́g-|-rɔ́g-/ 名 C《正式》《通例 a/the ~》**1** (官職上の)特権, 優先権; 大権(privilege) ‖ the prerogative of mercy〔pardon〕大赦[特赦, 恩赦]権 / the royal prerogative《英》国王の大権. **2** (一般に)特権, 特典 ‖ We have the prerogative of gaining useful information. 我々には有益な情報を入手する特権がある. ── 形 特権を有する.

†**pres·age** /présɪdʒ; 動+ prɪséɪdʒ/《正式》名 C U **1** 予感, 胸騒ぎ ‖ I feel the presage of a storm あらしになりそうな気がする. **2** 兆候, 前触れ(sign) ‖ of evil presage 不吉な. ── 動 他 …を〔…であると〕予想[予測]する(that節).

Pres·by·te·ri·an /prèzbitíəriən, près-/ 形《時に p~》長老派[制]の; 長老派教会の ‖ the Presbyterian Church 長老派教会. ── 名 C **1** 長老制主義者. **2** 長老派教会会員.

pres·by·ter·y /prézbətèri, près-|-təri/ 名 C **1** 《the ~》(初期キリスト教会の)長老派会. **2** (長老教会の)中会; 中会管轄区. **3** 聖壇内陣; 司祭席. **4** 司祭館, 牧師館.

pre·school /prìːskúːl/ 名 幼稚園, 保育園. ── /´−`/ 形 就学[学齢]前の.

pres·ci·ence /préʃiəns, príː-|présiəns/ 名 U《正式》予知, 先見の明, 洞察.

†**pre·scribe** /priskrάib/ 動 他 **1**《正式》[prescribe A to B = prescribe B A]《当局などが》B〈人に〉A〈規則など〉を指示する, 命令する;《政府などが》〔事に対し〕〈基準・規則など〉を定める〔…にあっては〕〈…にあっては〕定める(that節, wh節・句) ‖ the prescribed form 所定の用紙 / prescribe to her 「what she should say〔what to say〕何を言うべきかを彼女に指図する / the law which prescribes the punishment for this crime この犯罪に対して刑罰を規定する法. **2**〔医学〕〈医者が〉〈薬・治療などを〉〔病気・痛みに/人に〕処方する〔for〕‖ The doctor prescribed 「some pills for my cough〔(a) complete rest to〕the patient. 医者は私のせきに錠剤を数粒処方した[病人に絶対安静を命じた]. ── 自 **1**〈法律が〉〔罪などに対して〕(罰則などを)規定する, 指示[命令]する〔for〕. **2**〔医学〕〈医者が〉〈患者・病気などに〉処方を書く〔for〕.

pre·scribed /priskrάibd/ 形 規定された, 所定の.

†**pre·scrip·tion** /priskrípʃən/ 名 **1** U C〔医学〕〔…の〕処方(箋(ｾﾝ))〔for〕; 処方薬 ‖ fill〔make up〕prescriptions 処方薬を調合する / on prescription 処方箋に基づいて / The doctor wrote me a prescription for a painkiller. 医者は私に痛み止めの処方箋を書いてくれた. **2** U C〔…の〕規定(すること[された]こと); 命令, 指示〔for〕‖ a prescription for correct usage 正しい語法規則. **3** U〔法律〕時効 ‖ negative〔positive〕prescription 消滅[取得]時効.

pre·scrip·tive /priskríptɪv/ 形《正式》**1** 規定する, 命令[指示]する; 規範的な ‖ prescriptive grammar 規範文法◆「記述文法」は descriptive grammar. **2**〔法律〕〈権利などが〉時効による, 時効で得た.

*__**pres·ence**__ /prézns/〖→ present¹〗
── 名 (複 ~s/-iz/) **1** U 存在(すること), いること; U C〔…への〕出席(attendance), 列席〔at〕; 同席〔…の〕(↔ absence) ‖ make 「one's presence〔oneself〕felt in the political field 政治の分野で存在感を示す / Your presence is required〔requested〕at Monday's meeting.《正式》月曜日の会にご出席ください.

2《the/one's ~》(人の)**面前**; (物・事の)そば(nearness), 近接;《英》(高貴な人の)御前(ｺﾞｾﾞﾝ) ‖ **in the presence of** danger 危険に直面して / Most people get nervous **in the presence of** a large audience. たいていの人々は大勢の人の前に出るときあがるものだ / retire from the royal presence 御前から退く / He was 「admitted to〔banished from〕the general's presence. 彼は将軍に拝謁(ｷｮ)を許された[将軍の面前を追われた].

3 U C〖形容詞を伴って; 単数形で〗**a**《正式》(堂々とした)態度, 風采(ｻｲ)(cf. bearing) ‖ a man of noble〖fine, great, stately〗presence 押し出しの立派な人 / the presence of star performers スターの貫禄(ﾛｸ). **b** 舞台度胸(stage presence); C 威厳のある[人目をひく]人. **4** C《通例 a ~》(ある場所に)存在するもの[人]; (目に見えない)霊(気), 亡霊; 影響力 ‖ a mysterious presence 神秘的なもの.

have the présence of mínd to do 沈着にも…する ‖ During the strong earthquake, when everyone else panicked, she had the presence of mind to turn off the gas. 強い地震の間, 他のみんなはパニックになっていたのに, 彼女は落ち着いてガスを止めた.

the〖one's〗présence of mínd〖理性の mind 名 **2**〗が存在する状態(presence)〖(危急に際しての)平静, 平常心, 〔…する〕沈着(↔ absence of mind)〔to do〕‖ He showed his presence of mind in a crisis. 彼は危急に際しても沈着だった.

présence chàmber 謁見室.

*__**pres·ent**__¹ /préznt/〖「目の前にある」が原義〗
派 presence (名)

index　形 **1** 出席している　**3** 現在の
　　　　名 **1** 現在

── 形《比較変化しない》**1**《通例補語として》〈人が〉〔…に〕出席している, 居合わせる〔at, in〕;〈物が〉〔…に〕存在する(in) ‖ be present 「at the wedding〔on that occasion〕結婚式に参加して[その場に居合わせて]いる / Present, 〔Sir〕〔Ma'am〕.《〇o》[点呼の返事で] はい《◆他 "Yes.", "Here (sir)." など》/ the metal (which is) present in ores 鉱石中に含まれる金属 / the members present 今出席している人たち《◆名詞・代名詞を直接修飾する場合は後に置く. the present members は「現会員の人たち」. → **3**》.

2《主に応用》〈出来事・人などが〉〈心・考えに〉ある, 浮かんでいる〔to, in〕(↔ absent) ‖ He is still present 「in my recollection〔to my mind〕. 彼のことがまだ忘れられずにいる.

present

3 [名詞の前で] [the/one's ~] 現在の, 今の; 考慮中の ‖ *the present* subject [topic] 今議論されている話題 / Is this *your present* address? これがあなたの現住所ですか 《◆ current address ともいう. cf. a permanent address》 / in *the present* case この場合は / at *the present* moment [time] 現時点では.

4 《文法》 [通例名詞の前で] 現在(時制)の, 現在形の ‖ *the present* participle [tense] 現在分詞[時制] / *the present* perfect (tense) 現在完了(時制).

présent cómpany (álways) excépted = excépting présent cómpany 《略式》 ここにおられる方々は別にして《◆批判的なことを言うときのていねいな断り文句》.

——名 1 [the ~] 現在, 今 ‖ *for the present* 今のところは, さしあたり(for the time being)《◆ 現在完了と共にも用いるが, 過去形と共には用いない》 / live in *the present* 現状に甘んじて暮らす / *There is) no time like the present*. 《ことわざ》 今こそ好機だ. 2 ⓊⒸ 《文法》 [the ~] 現在時制, 現在形 (cf. past). 3 《法律》 [~s] 本証書, この書類 ‖ by these presents 本文書により.

at présent 現在 [目下, 今]は(now).

présent dáy [the ~] 現代 (cf. present-day).

*pres·ent² /préznt/ [→ present³]
——名 (複 ~s/-nts/) Ⓒ [...からの/...への]贈り物 (gift), プレゼント [*from/for*] ‖ buy a pen for a birthday *present* 誕生日の贈り物にペンを買う《◆ 儀礼的な贈り物は gift》 / make her *a present of* a new book = make *a present of* a new book to her 彼女に新刊書を贈る / make the rival team *a present of* a goal by a foul play 《略式》 反則により相手チームに得点を許す.

語法 (1) 旅先からの「おみやげ」もふつう present という. souvenir は旅の思い出として保存しておく記念の品. ちょっと外出した場合なら I have something for you. (おみやげがあるよ)ぐらいがふつう. *I present you.* は不可.
(2) 贈り手は This is for you. / 「Here is [I have] a little *present* for you. (これはつまらない物ですが)などと言い, I hope you'll 「like it [be able to use this]. (気に入って[使って]いただけるとうれしいのですが)などを加えることもある. もらった側は May I open it? (開けてもいいですか)と言ってその場で包みを開くのが英米でのマナー.

*pre·sent³ /prizént/ 【アクセント注意】〖「物を目の前に差し出す」が原義〗 派 presentation (名)

index 動 1贈呈する 2提出する 3示す 4紹介する 6出演する

——動 (~s/-zénts/; 過去·過分 ~·ed/-id/; ~·ing)

I [物を差し出す]

1 [present A with B = present B to A] 〈人が〉A〈人·団体など〉に B〈物〉を贈呈する, 進呈する ‖ The mayor *presented* him *with* a gold watch. 市長は彼に金時計を贈呈した.

語法 (1) A に焦点が当てられると She *presented*

many books *to* the college. = Many books were *presented to* the college. 彼女は大学に多くの本を寄付した《◆書き言葉に多く用いられる》.
(2) present は give より儀式的で堅い語. ふつう相当の価値を暗示し, 日常的なプレゼントには用いない. 「父の日に二つ折りの財布をプレゼントした」は I *presented* my father *with* a billfold wallet for Father's Day. よりも I gave my father a billfold wallet for Father's Day. の方がよい.

2 [present A to B = present B with A] 〈人が〉 A〈理論·報告書など〉を(改まって) B〈人〉に提出する, 提案する; 〈論文など〉を口頭発表する; 《正式》 [ていねいに] 〈お世辞·弁解などを〉〈人に〉(うやうやしく)述べる [to] ‖ the *presented* problem 提出された問題 / *present* a new product to the public 大衆に新製品を発表する / *present* one's compliments ていねいにあいさつする / We were *presented with* a difficult choice. 我々は難しい選択をつきつけられた.

II [人前に見えるように差し出す]

3 〈人·物·事が〉〈特色·様子などを〉[...に]示す, 見せる [to]; 〈困難などを〉[...に]引き起こす [to, for] ‖ This situation *presents* no difficulties for him. この状況なら彼は困ることなどない.

4 《正式》 [present A to B] 〈人が〉A〈人〉をB〈目上の人〉に紹介する《◆ introduce がふつう》; ...に拝謁させる; 〈女の子〉を社交界に披露する ‖ be *presented* 「at Court [to the Queen] 宮中で[女王に]謁見を賜わる / May I *present* my son (*to* you)? 私の息子を(あなたに)紹介します.

5 〈会社·製作者などが〉〈劇·番組などを〉[...のために]上演[放送]する [for]; 〈俳優などに〉[...の役として]出演させる [as].

6 《正式》 [present oneself] 〈人が〉[...に/...のために]出頭する(appear) [at, before, to, in / for]; [~ itself] 〈物·事が〉[...のために]現れる, 起こる [for]; 〈考えが〉〈心·人に〉浮かぶ [to, in] ‖ *present* oneself *at* [in] court 「*for* trial [to the committee] 公判のため法廷に出頭する[委員会に出向く] / A bright idea suddenly *presented itself to* me. うまい考えが突然うかんだ.

7 《軍事》〈銃〉をささげ銃(ジ)にする ‖ *Present arms!* 〈号令〉 ささげ銃.

——名 [the ~] 《◆通例次の句で》 ‖ at *the present* ささげ銃にして.

pre·sent·a·ble /prizéntəbl/ 形 1 〈人·服装などが〉人前に出せる, 見苦しくない ‖ make oneself *presentable* 身なりを整える. 2〈物が〉贈り物に適した; 〈劇が〉上演可能な; 紹介[推薦]できる.

*pre·sen·ta·tion /prì:zentéiʃən, -zen-, prèzən-|prè-/ [→ present³]

——名 (複 ~s/-z/) ⓊⒸ 1贈呈する[される]こと, [...への]授与; Ⓒ [...への](公式の)贈り物, 贈呈品 [to] ‖ (a) *presentation* of awards to the retiring president 引退する会長への賞の授与 / a *presentation* gold watch 贈呈金時計.

2 (承認を求めての)提出, 提示; (計画などの)提案; (論文などの) 口頭発表, プレゼン(テーション); [...についての](番組などの)発表, 表現 [on], 〈物の〉体裁; 〔商業〕 (手形の)呈示 ‖ be payable on *presentation* 呈示によって支払われる.

3 (劇·映画などの)上演, 公開. 4 (公式の)紹介, 披露(%); (宮廷での)拝謁, 謁見; (社交界への)デビュー.

†pres·ent-day /prézntdèi/ 形 現代の, 今日(芸)の(present day).

pre·sent·er /prizéntər/ 名ⓒ 1《英》(テレビ・ラジオなどの)司会者(anchor). 2 贈呈者;告訴者;推薦者.

pre·sen·ti·ment /prizéntəmənt/ 名《正式》[a ~]〔…という〕(ふつう悪い)予感, 虫の知らせ〔that節〕.

†**pres·ent·ly** /prézntli/ 副 1《通例文頭・文尾で》間もなく, やがて《◆soonより堅い語. 助動詞と, 時に過去形の動詞と共に用いる》‖ He will be back *presently*. 彼はもうすぐ戻るでしょう. 2《主米・スコット》《通例文中位で》現在, 目下《◆《英》でも用いられ始めている. 現在進行形・be動詞と共に用いる》‖ I'm *presently* out of a job. 私は現在失業中です.

pre·sent·ment /prizéntmənt/ 名ⓤ 1〔事件などの〕陳述, 申し立て〔of〕;(連想などによる)想起, 暗示. 2(まれ)贈呈;提示, 表示;展示. 3 描写, 表現;ⓒ 絵似顔, 似顔. 4(劇の)上演, 演出.

†**pres·er·va·tion** /prèzərvéiʃən/ 名ⓤ 維持[保存]すること, 貯蔵 ‖ take a walk for the *preservation* of one's health 健康の保持のため散歩する / a picture in excellent [an excellent state of] *preservation* 保存のよい絵画.

preservation òrder 環境保全[《英》文化財保護]命令[条例].

†**pre·serv·a·tive** /prizə́ːrvətiv/ 形 保存力のある;防腐用の. ─名ⓤⓒ《正式》防腐剤.

***pre·serve** /prizə́ːrv/〖前に(pre)保つ(serve). cf. conserve, reserve〗《派》preservation(名)
─動 (~s/-z/;過去·過分 ~d/-d/; --serv·ing)
─他 1《文》(神・人が)〈人・動物など〉を〔…から〕守る, 保護する(protect)〔from〕‖ *preserve* an endangered species *from* extinction 絶滅寸前の種を絶滅から守る.
2〈人が〉〈物・事〉を保つ, 失わないようにする, 保存する ‖ *preserve* one's calmness [dignity] 冷静さ[威厳]を失わない / *preserve* a(n) historic site [spot] for our children 子孫のために史跡を保存する / a well *preserved* old man 若々しい老人.
3《正式》〈人が〉〔塩などで〕〈食物〉を保存する, 保存加工する〔with〕‖ *preserve* fruit *with* [*in*] sugar 果物を砂糖漬けにする / *preserve* eggs in a refrigerator 卵を冷蔵庫に保存する.
4…を禁猟区にする, …の漁[狩猟]を禁じる.
─自 1〈食品などが〉保存がきく, 保存されている. 2 禁猟にしている.
─名 1ⓒ《やや古》《通例 ~s》(野菜・果物の)砂糖煮, ジャム(jam). 2 [~s] 防塵(ぼう)[遮光]眼鏡. 3 [the ~] 禁猟[禁漁]区, 養魚場;動物の飼育場(cf. sanctuary). 4ⓒ《米》天然資源保存地域. 4ⓒ《正式》《通例 one's ~》(人の)領域, 領分.

†**pre·serv·er** /prizə́ːrvər/ 名 1ⓒ 救済[保護]者;保存[貯蔵]装置, 防具 ‖ a life *preserver* 救命胴衣. 2ⓒ 禁猟区管理人.

†**pre·side** /prizáid/ 動 1《正式》〈人が〉〔…の〕議長を務める, 座長[司会]を務める〔over〕‖ *preside at* [*over*] a meeting 会の議長をする / *preside at* [*over*] public dinner 公式晩餐(ばんさん)会の主人役を務める. 2〈人が〉…を統轄する, 主宰する〔over〕‖ *preside over* a funeral service 葬儀委員長を務める / *preside over* one's family fortune 家族の財産を管理する. 3〔悪い状況などの〕責任をとる〔over〕‖ *preside over* the worst budget deficit 最悪の財政赤字の責任をとる.

†**pres·i·den·cy** /prézədənsi/ 名ⓤⓒ 1《正式》《通例 the ~》大統領[社長, 学長]の地位[任期]. 2《しばしば the P~》大大統領[任期].

****pres·i·dent** /prézədənt/ 〖「前に座る人」が原義〗
─名 (複 ~s/-dənts/) ⓒ 1《しばしば the P~》(共和国の)大統領, (中国などの)国家主席 ‖ Lincoln was *president* during the Civil War. リンカンは南北戦争期の大統領であった / Mr. George Bush was 「elected (as) [inaugurated as] *president* of the United States ジョージ・ブッシュが米国大統領に選ばれた[就任した]《◆補語で職務・地位などを表す場合は一般に無冠詞. ➡文法 16.3(4)》.
|事情| (1) 米国の大統領は行政府の主席・条約の締結者・軍の最高司令官・国家元首を兼ねる. the Chief Executive ともいう.
|日英| (2) 呼びかけは 男性の場合は Mr. President (大統領閣下), 女性の場合は Madame President.
2《しばしば P~》**a** 《米》(大学の)学長, 総長;《英》学寮長《university 内の college の長. 大学全体の学長は chancellor》‖ He is (the) *president* of this university. 彼はこの大学の学長だ《◆the がつくと「学長その人」の意》. **b** (上院の)議長(cf. speaker).
3 [時に P~] **a**《米》(会社・銀行の)社長, 頭取, 代表取締役(《英》chairman)《◆大会社では chief executive (officer) (《略》CEO). 中小企業の場合はふつう company executive》. **b** (各種協会・組合の)会長, 議長;(官庁の)長官, 総裁;《米》(会の)司会者, 座長(《英》chairman).
4 (クラスなどの)総代, 級長;(クラブなどの)部長, キャプテン.

Président's Dày 大統領の日《米国の祝日. 2月の第3月曜日》.

President's Énglish [the ~] (大統領の使うような)純正アメリカ英語(American English) (cf. the King's English).

†**pres·i·den·tial** /prèzədénʃəl/ 形《時に P~》大統領(職)の;総裁[社長, 会長, 学長](の地位)の ‖ a *presidential* year《主に米》大統領選挙の年 / a wise former *presidential* advisor 賢明な前大統領顧問官《◆名詞に近い位置をとるので ×a former *presidential* wise advisor は不可. ➡文法 17.2》/ the *presidéntial* eléction 大統領選挙.

Pres·ley /présli, préz-/ 名 プレスリー《**Elvis**/élvis/ ~ 1935-77;米国のロック歌手. ロカビリー・ブームを起こした》.

***press** /prés/ 〖「圧力をかけて押す」が本義. cf. com*press*〗《派》pressing(形), pressure(名)

index 動他 1 押す 2 アイロンを当てる 3 押しつける 4 苦しんでいる
自 1 押す 3 押し進む
名 1 報道機関 2 新聞 3 押すこと 6 切迫

─動 (~·es/-iz/;過去·過分 ~ed/-t/; ~·ing)
─他 1〈人が〉〈物など〉を(しっかりと)〔…に〕押す(push), 押しつける[入れる], 圧する〔on, against, to〕‖ *press* a button [switch] ボタン[スイッチ]を押す / *press* down the lid ふたを押して閉める / *press* the parts of the model out 模型部品を押し出す / *press* many clothes in [into] a chest of drawers 多くの衣服をたんすに押し込む / The baby *pressed* her cheek *against* her mother's. 赤ちゃんはほおを母親のほおに押し当てた.

push / press

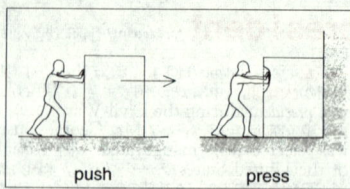

2 〈人が〉〈衣服など〉に**アイロンを当てる**(iron); …を平らに[プレス]する《◆修飾語(句)は省略できない》‖ press the collar back アイロンをかけてえりを折り返す / press the wrinkles out アイロンでしわを伸ばす / press the pleats down アイロンでひだを押える.
3 [press A on [《正式》upon] B] 〈人が〉A〈物・考えなど〉をB〈人〉に**押しつける**, 強要する《◆A が長い語句では on B A も可能》‖ press a bribe on an official 役人に無理にわいろを渡す.
4 [be ~ed] 〈人が〉[…で/…のために/…するために]**苦しんでいる**, 悩んでいる[with, by / for / to do];〈人・不安などが〉〈人〉を[…で]困らせる[with] ‖ be (hard) pressed for funds [time] 資金[時間]がなくて(ひどく)困る / be rather hard pressed to meet one's expenses 収支を償うのにかなり苦労する.
5 〈果物など〉を**しぼる**;…をしぼって[…に]する[for, into];〈汁など〉を[…から]しぼり出す(squeeze, express)[from, out of] ‖ press (out) (the) juice from apples = press (the) juice (out) from apples リンゴの汁をしぼる / press apples [for cider [to make cider]] リンゴをしぼってリンゴ酒を作る.
6 (押し型に当てて)…を(…から/ある形に)**圧縮[圧搾]する**(compress)[from, out of / into];〈干し草・綿など〉を押し固める(+out);〈レコードを〉(原盤から)複製する, プレスする ‖ pressed steel 圧搾鋼 / press the soft clay into a flat shape = press the soft clay flat 柔らかい粘土を押しつぶし平たい形にする.
7 〈人〉を[…に]**抱き寄せる**[to, in, against];〈手などを握りしめる ‖ press oneself against him 彼に抱きつく / She pressed the child [to her heart [to her in the arms / in her arms]]. 彼女はその子を胸[腕]に抱きしめた.
8 《正式》〈人〉に[…するように]しきりに**勧める**(urge)[to do, into doing];〈人・会社など〉に[…を求めて]しつこくせがむ, 懇願する[for];〈人・馬など〉を急がせる;[~ one's way] 押し分けて進む(+in) ‖ press the government for support 政府に支援を強く求める / press him to pay his back taxes 未納の税金を支払うように彼に迫る / press one's way through the crowd 群衆の中をぐいと押しのけて進む(=press through the crowd).
9 《正式》〈必要性・要求などを〉**主張[強調]する**(insist on);〈言葉など〉をこじつけて[厳密に]解釈する ‖ press [one's point home [home one's point]] in a discussion 討論で自分の主張を押しつける[だめ押しする].
10 〈敵など〉を**圧迫する**;〈攻撃・行動などを〉強行する ‖ press (home) an attack (on him) (彼への)攻撃を(断固として)押し進める / press one's advance forward 前進を強行する.
━━⃝自 **1** 〈人・物が〉[…を]**押す**, 押しつける[on, upon, against] ‖ The crowd pressed together tightly. 群衆はぎゅうぎゅう押し合った.
2 アイロンをかける;〈衣服が〉アイロンがかかる(+well, easily) ‖ This shirt presses easily. このシャツはアイロンがかけやすい.
3 〈人が〉(困難を排して)**押し進む**, 急ぐ;〔仕事などを〕続ける(+on, forward, ahead)[with];〔群衆などの中を〕押し分けて進む(+forward)[through] ‖ press on [《正式》forward] with one's journey in spite of the storm あらしにもめげず旅行を強行する.
4 〈群衆などが〉[…に]**押し寄せる**, 群がる(+together, up, round)[to, toward, (a)round] ‖ A lot of people pressed about the actress. 多くの人々がその女優の周りにひしめき合った. **5** 〈心配・責任などが〉〔人・心に〕重くのしかかる(+down)[on, 《正式》upon] ‖ Rising prices pressed heavily on the poor. 貧しい人々は物価高の重荷にあえいだ. **6** 〈時間が〉[人に]**切迫する**[on, upon];〈夜などが〉あたりを包む;《略式》〈物・事が〉急を要する. **7** […を]**強く迫る**[for]; [press for A to do] 〈人〉に〈人…が…するよう強く求める〉 ‖ press for a re-count (投票の)数え直しを強く主張する / press (hard) for reforms to be made 改善がなされるように強く要求する.
━━⃝名 (複 ~・es/-iz/) **1** ⃝U [通例 the ~] **報道機関**, 報道[出版]界;[the ~;集合名詞] 新聞[雑誌]記者;[単数・複数扱い] 記者団, 報道陣 ‖ freedom of the press 報道の自由.
2 ⃝U [通例 the ~;集合名詞;単数・複数扱い] **新聞**, 雑誌, 定期刊行物;[a ~] (新聞・雑誌の)論評, 批評, 受け ‖ the local press 地方新聞 / release the news to the press そのニュースを新聞に発表する / receive [have, get] a good [bad, poor] press 紙上で好評[悪評]を受ける.
3 ⃝C [通例 a/the ~] (…を)**押すこと**, 押しつけること, 圧迫, 圧搾, 握ること[of] ‖ a press of the hand 握手 / give it a slight press それを少し押さえる.
4 ⃝U 《略》[時に a ~] アイロンをかけること;アイロンのかかった状態 ‖ This dress holds [keeps] a press nicely. この服は折り目がきちんとついている.
5 ⃝U 《正式》押し進む[寄せる]こと, 雑踏;[a ~] 群衆, 人込み(crowd).
6 ⃝U (仕事・出来事などの)**切迫**, 緊急;忙しさ;重圧(pressure) ‖ the press of modern life 現代生活のあわただしさ.
7 ⃝C [しばしば複合語で] 圧搾[圧縮]機(のある建物, 使う商売);押しボタン;(ラケットなどの保管用)締具 ‖ a trouser press ズボンプレッサー.
8 a ⃝C **印刷機**(printing press); ⃝U [しばしば the ~] 印刷(術), 印刷(業);[通例 P~] 印刷[発行]所, 出版部 ‖ be in [at] (the) press 印刷中である / be off the press 印刷を終わって[発行されて]いる / send [come, go] to (the) press 印刷に回す[回される]. **b** ⃝C 《英》校正者.
préss àgency 《英》通信社(news agency).
préss bòx 《米》(競技場などの)新聞記者席.
préss campàign 新聞による世論喚起の宣伝活動.
préss clìpping (もと米) [通例 -s] (新聞・雑誌の)切り抜き.
préss cònference 記者会見(news conference).
préss cùtting 《英》= press clipping.
préss gàllery (議会の)新聞記者席.
préss kìt 報道関係者用に配布する資料.
préss relèase (報道用)公式発表, 声明文.
préss sècretary 《米》大統領報道官;広報係秘書.
pressed /prést/ ⃝形 **1** 〈食物などが〉プレス加工された.

pressing

2 《略式》〈人が〉あせった, 忙しい(busy); 強いられた.
3 [通例複合語] アイロンをあてた(↔ unpressed) ‖ well-[badly-]*pressed* clothes 上手に[下手に]アイロンがけされた衣服.

†**press·ing** /présiŋ/ 形 1 〈必要・危険などが〉差し迫った, 急を要する ‖ *pressing* matters 緊急問題. 2 〈招待・要求などが〉たっての; 〈人が〉熱心な.
— 名 1 ① 圧縮する[押す]こと. 2 ② 圧搾物, (原盤からプレスした)レコード; [集合名詞; 単数扱い] (一度にプレスされた)レコード全体.

press·man /présmən/ 名 (複 -**men**) ⓒ (米) 印刷工((press operator)); (英略式) 新聞[報道]記者((PC) newspaper reporter).

press–stud /présstʌd/ 名 ⓒ (主に英) スナップ留め((米) snap fastener, (英略式) popper).

press–up /présʌp/ 名 ⓒ (英) =push-up.

***pres·sure** /préʃər/ [→ press]
— 名 (複 ~s/-z/) 1 ⓊC (…からの/…への)(精神的な)圧迫, 重圧; 強制(力) (*from*/*on*) 《◆ stress の原因になる外的事情を表す》 ‖ *pressure* from the others 他人からの重圧 / be [come] **under pressure** to vote for the party その党に賛成投票するように迫られる / **put great pressure** [《正式》**bring great pressure (to bear)**] **on** [**upon**] him to tell the truth 事実を述べるように彼に大きな圧力をかける.
2 ⓊC (…の/…のための)困難, 苦悩; 窮迫 (*of*/*for*) ‖ *pressure for* money 金詰まり / be under financial *pressure* 財政難である.
3 ⓊC **a** 押すこと, 押されること; (…への)圧力 (*on*); 圧縮, 圧搾; 反作用 ‖ a feeling of *pressure* in one's chest 胸の圧迫感 / population *pressure* 人口過剰 / individual group *pressure* 個体群圧力 / burst at high *pressure*(*s*) 高圧ではじける. **b** 〔物理〕圧力(略 *p*); 〔電気〕電圧; 〔気象〕気圧; 〔医学〕血圧 ‖ blóod préssure 血圧.
4 ⓒⓊ (情勢・時間などの)切迫, 緊急; (仕事の)多忙 ‖ the *pressures* of business 仕事の忙しさ.
wórk at lów préssure のんびりと働く.
wórk at hígh [fúll] préssure 猛然と働く.
— 動 他 (主に米)〈人に〉(…するように)圧力をかける (*to* do, *into* doing); 〈圧力をかけて〉…を獲得する ‖ The suspect was *pressured* to confess [*into* confessing] her guilt. 容疑者は自白を強いられた.

préssure còoker 圧力がま[なべ]; ストレスを受ける状況[場所] ‖ be in a *pressure cooker* 抑圧されて[緊張して]いる.

préssure gàuge 圧力計; (爆発力を計る)爆圧計.

préssure gròup [単数・複数扱い] 圧力団体.

pres·sur·ize /préʃəràɪz/ 動 他 1 [通例 be ~d] (航空機などで)〈気密室などを〉一定の気圧に保たれている. 2 〈気体・液体〉を高圧に置く, 加圧する. 3 (主に英式)〈人に〉(…するように)圧力をかける((主に米) pressure).

†**pres·tige** /prestíːʒ, -tíːdʒ/ 名 1 Ⓤ (地位・業績などに伴う)名声; 威信, 威勢, 威光, 感化力; 格が上がること ‖ affect [injure] one's *prestige* 威信にかかわる[威信を傷つける] / lose one's *prestige* 面子(ﾒﾝﾂ)がつぶれる. 2 [形容詞的に] 名のある, 一流の ‖ a *prestige* college [university] 名門大学.

†**pre·sum·a·bly** /prizúːməbli/ 副 [文全体を修飾] たぶん, おそらく 《◆ probably と同じぐらい確実性が強い》 ‖ *Presumably*, the kidnapper's motive is ransom. おそらく誘拐犯人の動機は身代金だ.

†**pre·sume** /prizúːm/ 動 他 **1a** 〈人が〉(確信を持って)〈事を〉推定する, 仮定する; (略式) [(…と)考える [*that*節]《◆ suppose の方が一般的》 ‖ We *presume* his innocence [guilt]. 我々は彼が無罪[有罪]であると推定する / I don't *presume* (*that*) he will attend the meeting. 彼がその会に出席するだろうとは思わない / 《対話》 "Will it be rainy tomorrow?" "I *presume* so [not]." 「明日は雨でしょうか」「そう思います[思いません]」. **b** [I ~ で独立して文頭・文末で] …と思います 《➡ 文法 23.4》 ‖ She has, I *presume* (⤴), accepted the offer. 彼女はその申し出を承諾したのではないですか / (You are) Mr. Taylor, I *presume*. テーラーさんでいらっしゃいますね 《◆ 初対面の人に話しかけるときなどに用いる》. **c** (文) [presume **A** (**to be**) **C**] 〈人が〉**A**〈人・事〉を **C** と思う, みなす ‖ This picture is *presumed to be* a Picasso. この絵はピカソの作品と推定される / They *presume* him to be dangerous. = They *presume that* he is dangerous. 彼らは彼を物騒な人間だとみなしている / The child is missing, *presumed* dead. その子は行方不明である. 死亡したと推定される. **2** 《正式》〈人が〉あえて(…)する, おこがましくも(…)する (*to* do) 《◆ ふつう疑問文・否定文で用いる. 肯定文ではふつう過去形で用いる》 ‖ I won't *presume to* criticize her performance. 彼女のできばえをずうずうしく非難するつもりはありません (= I won't *presumptuously* criticize ~).
— 自 1 推測する. 2 《正式》生意気になる, でしゃばる. 3 《正式》(…に)つけ込む (*on, upon*) ‖ *presume* too much *upon* his goodwill 彼の善意につけ込みすぎる.

†**pre·sump·tion** /prizʌ́mpʃən/ 名 ⓊC 1 《正式》(…だろうという)推定, 推測 [*that*節] ‖ We planned our school festival **on the presumption that** the weather would fine. 当日はいい天気であると予想して文化祭の計画を立てた. 2 (妥当な根拠による)信念, 確信, 承認. 3 (…のための/…に反する)推定[仮定]の根拠 (*for*/*against*); (…だという)確信の理由; 見込み, 可能性[*that*節] ‖ There is a strong *presumption that* he will run for reelection. 彼は再選に向けて出馬する可能性が高い. 4 Ⓤ 《正式》〔…する〕ずうずうしさ, 出しゃばり, 厚かましさ [in doing, to do] ‖ have the *presumption* to talk back to one's boss 生意気にも上司に口答えする.

pre·sump·tive /prizʌ́mptɪv/ 形 《正式》推定の(根拠となる); ありそうな ‖ a *presumptive* heir = an heir *presumptive* 推定相続人.

pre·sump·tu·ous /prizʌ́mptʃuəs, (英+) -tjuəs/ 形 《正式》生意気な, おこがましい ‖ It would be *presumptuous* of me to comment on this, but … これについて意見を述べますことは僭越(ｾﾝｴﾂ)でございますが…. **pre·súmp·tu·ous·ly** 副 生意気に, でしゃばって.

pre·sup·pose /priːsəpóʊz/ 動 他 《◆ 進行形不可》《正式》1 …を仮定[推定, 予想]する. 2 …を前提とする, 含意する(imply).

pre·sup·po·si·tion /priːsʌpəzíʃən/ 名 《正式》1 Ⓤ 前提, 推定, 予想. 2 ⓒ 前提[先行]条件.

prêt-à-por·ter /prètɑːpɔːrtéɪ/ [『フランス』] 名 ⓒ プレタポルテ, 高級既製服 《◆ 今は haute couture の注文服の地位を奪いつつある》.

†**pre·tence** /priténs/ 名 (英) =pretense.

***pre·tend** /priténd/ [『前に (pre) 伸ばす (tend). cf. intend, attend』]
— 動 (~s/-téndz/; 過去・過分 ~·ed/-ɪd/; ~·ing)
— 他 1 〈人が〉〈物・事の〉ふりをする; [pretend to

do] …するふりをする(make believe)(→ affect² 動) …に偽る, 言い張る》 装う[that節] (やむにやまれず) …に偽る, 言い張る》 She often pretends illness [to be ill]. 彼女はよく仮病をつかう / She pretended to be a student. =She pretended that she was a student. 彼女は学生のふりをした / He pretended not to know the answer. (→文法 11.7) =He pretended that he did not know the answer. 彼は答えがわからないふりをした.
2 [pretend to be C] C ごっこをする; [pretend (that) 節] …であるまねをして遊ぶ ‖ Let's pretend 「to be [(that) we are] pirates. 海賊ごっこをしよう.
3 《略式》[通例疑問文・否定文で] [pretend to do] あえて…しようとする ‖ I don't pretend [claim] to be a financial expert. 私は自分を厚かましくも金融専門家だとは言うつもりはない.
—⾃ **1** 見せかける, ふりをする;〈子供が〉まねごと遊びをする ‖ Tom was only pretending. トムはとぼけているだけだった / Don't pretend so much. そんな見せかけはやめてくれ. **2**《正式》〔能力・知識などを〕持つと自負[自称]する(claim);〔資格なしに〕〔王座などに〕つくことを主張する[to] ‖ pretend to the throne 王位に就くことを主張する.

pre·tend·ed /priténdid/ 形〈人・忠義などがうわべだけの;〈人が〉自称の, …と称せられた.
pre·tend·er /priténdər/ 名 C 〔…に対して〕見せかける人, 偽善者;〔…の〕称号僭称者(to).
†**pre·tense**, (英) **-tence** /príːtens | pritén's/ 名 **1** U〔時に a ~〕〔…する/…という〕見せかけ, ふり(to do, of doing) 〔…という〕口実, 言い訳(that節) 〔通例疑問文・否定文で〕〔…の〕自信, 自称(to) ‖ on the slightest pretense ごくささいなことを口実に / under [on] (the) pretense of patriotism 愛国者の仮面をかぶって / get the money under [by, on] false pretenses《法律》(制定法上の)詐欺により金を詐取する / Her anger is only a pretense. 彼女の怒りは単なる見せかけである / He made (a) pretense 「to know [of knowing, that he knew] the fact. 彼はその事実を知っているふりをした. **2**〔…の〕(称賛などを求める)〔…への〕見え, 見せびらかし;うぬぼれ, 思い上がり(to) ‖ a man with little pretense to wit 機知を得意がる気持ちなどほとんどない人. **3** U C〔…の〕(不当な)要求, 主張《正式》 pretension(of, to, at) ‖ listen to his pretenses 彼の主張に耳を傾ける. **4** U C〔遊びの〕まねごと.
†**pre·ten·sion** /priténʃən/ 名 U C **1**《正式》〔しばしば~s〕〔…がある〕という〕主張(する権利), 要求(claim)(to)(◆正当な場合も不当な場合もある);〔…に対する〕自負, 自任(self-importance)(to);〔…しようとする〕意図, 申し立て(to do) ‖ make no pretension(s)「to being [to be] expert in chess チェスがうまいとうぬぼれてはいない / have pretension(s) to the championship 優勝者の地位にあると主張する. **2** 見かけ, 外見;《正式》〔…の〕見せかけ(to);〔…する〕てらい, 気取り(to do).
†**pre·ten·tious** /priténʃəs/ 形《正式》**1**〈人が〉うぬぼれた, 増長した. **2**〈本・話などが〉もったいぶった;野心的な;〈家などが〉けばけばしい.
pret·er·it(e) /prétərət/ 形《文法》過去(の) (past) ‖ a preterit(e) tense [participle] 過去時制[分詞]. —名 U 過去時制;〔通例 the ~ of …〕〔…の〕過去形.
†**pre·text** /príːtekst/ 名 C〔…の/…する〕言い訳, 弁解, 口実(of, for)(◆ reason, excuse より堅い語) ‖ on some pretext or other =on one pretext or another 何やかやと言いくろって / find a pretext for refusing the invitation 招待を断る口実を見つける / He did not go to school on [under] the pretext「of being sick [that he was sick]. 彼は病気にかこつけて登校しなかった.
pre·tor /príːtər/ 名 =praetor.
Pre·to·ri·a /pritɔ́ːriə/ 名 プレトリア《南アフリカ共和国の行政府所在地》.
pre·to·ri·an /pritɔ́ːriən/ 名 =praetorian.
†**pret·ti·ly** /prítili/ 副 **1** きれいに. **2** 行儀よく, 上品に(《略式》pretty).
pret·ti·ness /prítinəs/ 名 U きれいさ; C きれいな人[物].

★**pret·ty** /príti, 《米略式》púɾti, prúti/ 副 ではまた《米略式》pə́ɾti/ [発音注意]〖『悪がしこい(cunning)』が原義〗
—形 (**-ti·er, -ti·est**) **1**〈主に女性語〉〈物・場所が〉きれいな;〈女性・子供が〉かわいらしい《◆ beautiful にくらべ「愛らしさ」に重点がある》‖ be (as) prétty as a picture とても美しい / She is a pretty, intelligent girl. 彼女はかわいくて頭のよい子《◆ She is a prètty intélligent girl. は「かなり頭のよい子」》. → 副. **2**〈歌・声などが〉快い;〈物語などが〉面白い, 楽しい;すてきな, 見事な ‖ a pretty story [voice] 面白い話[快い声]. **3**〔名詞の前で〕〈少年などが〉お上品な, きゃしゃな, きざな. **4**《略式》〔名詞の前で〕〔皮肉的に〕かなりの, 相当な《◆比較変化しない》‖ a pretty sum [fortune] 相当な金額[財産].
—副《略式》〔形容詞の前で〕かなり, 相当; たいへん, 非常に《◆(1) very, quite などと同じくふつうあまり強い強勢は置かれない》: prètty góod. (2) 比較変化しない》‖ It is pretty cold today. 今日はかなり寒い.

語法 肯定文で用い, 疑問文では答えに yes を期待する: "Is Tom pretty smart?" "Of course." 「トムはずいぶん頭がいいのだろうね」「もちろんさ」. 否定文では不可: ×I'm not pretty well today.

prètty múch [néarly]《略式》〔動詞・形容詞・副詞の前で〕だいたい, ほとんど ‖ I've pretty much finished my homework. 宿題をほとんどすませました.

†**pre·vail** /privéil/ 動 ⾃《正式》**1**〔人・物・事が〕〔…に〕打ち勝つ, まさる, 優先する[over, against] ‖ prevail against the foe 敵をけちらす / Truth will prevail over falsehood in the end. 結局偽為より真実の方がものをいうものだ. **2**〈物・事が〉〔…に〕普及する, 流布する, 〔広く〕行なわれている[among, in] ‖ the spirit of decadence now prevailing in the schools 今学校に蔓延(まんえん)している退廃的な空気 / The superstition still prevails in the tribe. その迷信はまだ今もその部族に残っている / Paris fashions will prevail among young women. パリのファッションは若い女性の間に流行するでしょう. **3**〔人を〕(やっとのことで)説得する[on, upon]《◆受身可》‖ prevail on him to change his mind 彼を説き伏せて考えを変えさせる.
†**pre·vail·ing** /privéiliŋ/ 形《正式》**1** 広くゆき渡っている, 一般的な;流行した ‖ a prevailing opinion [view] 世間一般の考え / in the prevailing fashions 流行のファッションで. **2** 支配的な, 優勢な ‖ Green is the prevailing color in her room. 緑が彼女の部屋の基調になっている.

prev·a·lence /prévələns/ 名 U《正式》[the ~] 流布, 普及; 流行, はやり.

prev·a·lent /prévələnt/ 形《正式》[…に]流布している, 普及している, 広く認められる; 流行している[*among, in*] ‖ Cholera was *prevalent* [×*popular*] in that district. その地域ではコレラがはやっていた.

pre·var·i·cate /prəvǽrəkèit/ 動 自《正式》言葉を濁す, あいまいな事を言う《◆ lie の遠回し語にもする》.

pre·var·i·ca·tion /prəvàrəkéiʃən/ 名 U C《正式》言いのがれ, 逃げ口上; 二枚舌, うそ.

__pre·vent__ /privént/ 《前に(pre)来る(vent). cf. invent, convent》派 prevention (名)
— 動 (~s/-vénts/; 過去·過分 ~·ed/-id/; ~·ing)
— 他 **1** [*prevent* A *from doing*]〈人·物·事が〉(予定された) A〈人·事〉が…するのを妨げる(forestall)《◆ stop [keep] A *from doing* より堅い語. → hinder》;〈人〉を引き止める;〈事〉を中止させる ‖ I'll come if nothing *prevents* me. 何事もなければまいります / I *prevented* him (*from*) going. 私は彼を行かないようにした《◆(1) from を省略するのは《主に英式》. (2) prevent A doing と prevent A from doing の違いについては → stop 他 8 b》/ Illness *prevented* me *from coming* to school. =Illness *prevented* my coming to school. 病気のため登校できなかった(=I could not come to school because I was ill.) / The rain *prevented* the baseball game. 雨で野球の試合は中止になった(=The baseball game was called off because of the rain. → be RAINed out [off]).
2〈人·物·事が〉〈事故·病気など〉を防ぐ ‖ His quick action *prevented* a fire. 彼の機敏な行動のために火事にならずにすんだ.
— 自 妨げる.

pre·vent·a·ble /privéntəbl/ 形〈病気が〉予防できる; 妨げられる.

†**pre·ven·tion** /privénʃən/ 名 U 止めること; じゃま, 妨害; 予防, 防止; […を]予防[防止]するもの; […の]予防[防止]策;〔…の〕予防薬[*against*] ‖ *by way of prevention* 予防のために / a *prevention* of accidents 事故防止 / a *prevention against* colds かぜの予防薬 / *An ounce of prevention is better than a pound of cure*.《ことわざ》予防は治療にまさる.

†**pre·ven·tive** /privéntiv/ 形《正式》予防の, 防止する ‖ *preventive* measures against cholera コレラの予防対策. — 名 C **1** 防止するもの; 予防薬[策]; 妨害物 ‖ a *preventive* against cholera コレラの予防薬 / a good rust *preventive* さびを防ぐよい方法. **2** 避妊用具[薬].

pre·view /príːvjùː/ 名 C **1** 下見, 下検分, 下調べ. **2**(映画の)試写(会);(劇の)試演;(展覧会·新刊本などの)内見, 内覧. **3**(米)(映画·テレビの)予告編《◆ prevue とも書く》. **4**[コンピュータ]プレビュー(印刷前に画面上に印刷結果を表示させること). — 動 他 〈劇·映画などの〉試演[試写]をする[見せる].

__pre·vi·ous__ /príːviəs/ [発音注意] 《前の(pre)道を行く(vious). cf. devious》派 previously (副)
— 形 [名詞の前で](時間·順序が)前の, 以前の(↔ following)《◆(1) earlier より堅い語. (2) 比較変化しない》‖ the *previous* owner of the house その家の前の持ち主 / I have a *previous* engagement. 私には先約がある / He asked me if I had called him up *the previous night*. 前の晩に電話をくれたかいと彼は私に尋ねた(=He said to me, "Did you call me up *last night*?")(➔文法 10.4 (3)).

__previous to__ A《正式》…より前に[の](prior to) ‖ The car accident happened 10 minutes *previous to* my arrival. その自動車事故は私が来る10分前に起きた(=The car accident happened 10 minutes before I arrived.).

prévious convíction 前科.
prévious engágement 先約.
prévious quéstion(議会)先決問題.

†**pre·vi·ous·ly** /príːviəsli/ 副《正式》以前に; 前もって(before) ‖ She said she knew me, but I hadn't seen her *previously*. 彼女は私を知っていると言ったが, 私はそれ以前に彼女を見たことはなかった.

pre·vi·sion /privíʒən/ 名《正式》U 予知; 先見; C 予感.

†**pre·war** /príːwɔ́ːr/ 形(第二次世界大)戦前の(↔ postwar).

†**prey** /préi/ [同音]pray) 名 **1** U[時に a ~]〔肉食獣などの〕えじき, 獲物[*to*] ‖ The field mouse *fell* (a) *prey to* the hawk. =The hawk *made* (a) *prey of* the field mouse. 野ネズミはタカのえじきになった. **2** U[比喩的に]〔…の〕えじき, 食い物, 犠牲(者)[*to, for, of*] ‖ *be* [*become, fall*] *prey to* gambling ギャンブルにはまっている[はまる] / She's easy *prey for* swindlers. 彼女は詐欺師にまんまとだまされる. **3** U 肉食性, 捕食性 ‖ a beast [bird, fish] *of prey* 猛獣[猛禽(ポ), 食肉魚] / [ジョーク]"Which birds are the most religious?" "Birds *of prey*." 「一番信心深い鳥は?」「猛禽類」《◆ pray(祈り)とのしゃれ》.
— 動 自《正式》**1**〈動物が〉[…を]捕食する[*on, upon*] ‖ Weasels *prey upon* mice and fowl. イタチはネズミや鳥類を捕食する(=Mice and fowl are the *prey* of weasels.). **2** [比喩的に]〈人・が〉〈人〉を食い物にする;[…を]襲い奪う(attack)[*on, upon*]《◆受身可》‖ The gambler *preyed on* beginners. そのギャンブラーは初心者を食い物にした. **3** […を]むしばむ, 苦しめる[*on, upon*] ‖ Heavy drinking *preyed upon* my health. 深酒が私の健康をむしばんだ.

prf, Prf.(略)proof.

Pri·am /práiəm/ 名【ギリシャ神話】プリアモス《トロイア戦争時のトロイの王. Hector, Paris, Cassandra の父》.

__price__ /práis/ 《「同じ価値のもの」が原義. prize と同根》派 priceless (形)
— 名(複 ~s/-iz/) C **1**(品物の)値段, 価格; 相場, 市価《◆サービス料金は charge, 乗物の料金は fare, かかった費用は cost, 知的専門職に対する謝礼は fee》‖ *Prices* are coming down these days. 最近物価は下落気味だ / *Prices* are skyrocketing. 物価はうなぎ上りだ / *The price* of the camera is *low* [*high*]. =The camera is *low* [*high*] *in price*. そのカメラの値段は安い[高い](=The camera is inexpensive [expensive]. / The camera is low-priced [high-priced].)《◆ ×The camera is low [high]. は不可》/ *What is the price of* this cap? この帽子はいくらですか(=How much is this cap?) / *prices* for raw materials and farm products 原料と農産物の値段《◆すでに決まった値段の場合は of を, 値段が未定の場合や, 品物に対していくら払おうと申し出る場合は for を用いる》/ We'll discount 30% off the *prices*. 正価の30%引きにしましょう / I got the car at [for] a

decent [reasonable] price. 車を適正価格で買った.

【関連】[いろいろな種類の price]
bargain price 割引価格 / cash price 現金価格 / consumer price 消費者物価 / cost price 原価 / fixed price 定価 / market price 市価 / net price 正価 / retail price 小売値 / wholesale price 卸値.

2 (正式) [a/the ~] 代償, 代価(cost) ‖ The failing mark is *the price* you have to pay for your laziness. 落第点が君の怠慢に対する代償である. **3** ⓒ 買収金, わいろ; (人の首などにかけた) 懸賞金 ‖ set [put] *a price* on his head [life] 彼の首[命]に賞金をかける / Every man has his *price*. (ことわざ) 人にはそれぞれ買収金の値段がある; どんな人でも金額の差はあれ買収できる. **4** ⓒ 賭(か)け金の歩合, 賭け率 ‖ the starting *price* (競馬の) 発走直前の賭け率.

above [*beyónd*, *without*] *price* 金では買えない[値がつけられない]ほど貴重な.
at ány price (正式) (1) どんな犠牲を払っても, ぜひとも ‖ We must win *at any price*. どんなことをしても勝たないといけない. (2) [否定構文で] どんなことがあっても(…ない).
at a príce (1) かなりの高値で. (2) かなりの手間ひまをかけて. (3) 大きな犠牲を払って, かなりの代償を払って ‖ He survived *at a price*. 彼は大きな犠牲を払って生き残った.
beyónd [*without*] *price* 値がつけられないほど貴重な.
of a príce (だいたい) 同じ値段で.
pút [*sét*] *a príce on* ▲ …に値をつける(→ **3**).
pút a price to ▲ …の値段を推測する[思い出す].
What príce ▲? (英略式) …なんか何の価値もない; …をどう思うか(⇒文法 1.6) ‖ *What price* glory? 栄誉なんてものに何の価値がある?
── 動 (pric·ing) ⊕ …に値段をつける; …を値踏みする; [be ~d] 〈商品が〉[…の]値段をつけられている [at] ‖ The cap *was priced* ⌜very high [*at* ten dollars]. その帽子はたいへん高い[10ドルの]値段がついていた.

príce contròl 価格[物価]統制.
príce cúrrent [lìst] 定価表.
príce frèeze 物価凍結.
príce ìndex 物価指数.
príce rànge 価格帯 ‖ What *price range*? ご予算はどのくらいですか.
príce tàg (1) 正札, 定価札. (2) 価格, 値段 《◆新聞で用いる》.
príce wàr 値下げ[上げ]競争, 価格競争.

price-con·trolled /práɪskəntròʊld/ 形 〈商品が〉価格統制の.
priced /práɪst/ 形 [複合語で] …の定価つきの ‖ high-[low-]*priced* goods 高[安]価な商品.
†príce·less /práɪsləs/ 形 **1** 金では買えない, 値踏みのできない, たいへん貴重な. **2** (略式) おかしな(funny); 実にばかげた.
príc·y /práɪsi/ 形 =pricy.
pric·ing /práɪsɪŋ/ 動 → price.

†príck /prík/ 動 ⊕ **1** 〈人・物が〉[…で]〈人・物〉をちくりと刺す[突く] [on, with]; …に刺し傷をつける, (突いて刺して)…に小穴をあける(+*off, out, in*) ‖ *prick* a blister (穴をあけて) まめをつぶす / *prick* holes in the foil ホイルに穴をあける / A pin *pricked* her thumb. =She *pricked* her thumb *with* [*on*] a pin. 彼女は誤ってピンで親指を刺した《◆with だと「故意に刺した」の意にもなる》. **2** 〈物・事が〉…にちくちく[ひりひり]する痛みを与える; 〈人を〉(ちくりと) 苦しめる(+*on*) ‖ I feel a *prick* in my finger. 指がちくりとする / His conscience *pricked* him. 彼は良心の呵責(かしゃく)を感じた. **3** …に刺し点でをつける, …を点(線)で表す(+*off, out*) ‖ *prick* the map with a pin to show the route 航路を示すためピンを地図上にとめる. **4** (英略式) …を(印をつけて)選ぶ; …を(名簿に)印をつける(+*down*); …に[…するよう]要求する(*to do*).
── 自 […を]ちくりと刺す [at]; […で]ちくちく痛ませる [with]; […を]苦しめる [at] ‖ Thorns *prick*. とげがちくちくする.
prick (*up*) *one's* [*its*] *ears* → ear.
── 名 ⓒ **1** (針などで)刺すこと; 刺し傷, 突き傷, 小さな穴 ‖ The thorn gave me a *prick* in my finger. そのとげが私の指をちくりと刺した. **2** ちくちくする痛み; とがめ ‖ the *pricks* of conscience 良心の呵責. **3** 刺す[突く]物, とがった物, 針, とげ.

prick·le /príkl/ 名 ⓒ **1** (植) とげ, いが(cf. prick, spine, thistle, thorn). **2** [通例 ~s] (hedgehog などの)針; とげ状のもの. **3** (正式) [通例 a/the ~] ちくちくする痛み[感じ].
── 動 ⊕ **1** …をちくりと刺す; …をちくちく痛ませる. **2** …を突き棒で突く. ── 自 ちくちくする〈痛む〉.

†prick·ly /príkli/ 形 (**--li·er**, **--li·est**) **1** とげだらけの. **2** ちくちく痛む. **3** (略式) 〈人が〉怒りっぽい. **4** (略式) 〈問題などが〉厄介な.

pri·cy, **price·y** /práɪsi/ 形 (**--i·er**, **--i·est**) (略式) 〈商品・店などが〉高価な ‖ a *pricy* restaurant 高級レストラン.

***pride** /práɪd/ 『「自分を立派に思うこと」が本義』《◆形容詞は proud》
── 名 (徴 ~s/práɪdz/) **1** Ⓤ [時に a ~] […の]誇り [at, in]; 自尊心 《◆**2** と区別して true pride ということがある》; […の]満足感(satisfaction), 得意(な気持ち) [to do] ‖ *pride* in having climbed a mountain 山に登った満足感 / swallow [(やや古) pocket] one's *pride* = (やや古) put one's *pride* in one's pocket 自尊心を抑える / I tàke [hàve, shòw, fèel] (a) *pride in* my job. 私は私の職業を誇りにしている(=I feel proud about … / I am proud of …) 《◆〈人〉を目的語にとることは (今はまれ) か》. **2** Ⓤ うぬぼれ, 思いあがり, 高慢(conceit) 《◆「虚栄心」は vanity》 ‖ false *pride* うぬぼれ / *pride* of place 高位, 高慢 / act in high *pride* 横柄にふるまう / *Pride* goes before destruction → go before (go¹ 成句).
3 Ⓤ (文) [通例 the/one's ~] 自慢の種, 最良[最上]のもの, 精華; [the ~] 全盛期, 盛り; 元気 ‖ in *the pride* of one's life 全盛期に / He is *the pride* (and joy) of his family. 彼は家族の自慢の種だ.
4 ⓒ (正式) [集合名詞; 単数・複数扱い] (ライオン・クジャクなどの)群れ ‖ a *pride* of lions ライオンの群れ.
── 動 ⊕ [*pride oneself*] 〈人が〉[…を]誇る, 自慢する [*on*, (正式) *upon*] 《◆be proud of より堅い言い方》 ‖ He *prides* himself *on* [⌜of] his swimming. 彼は水泳が自慢だ(=He ⌜is proud of [takes (a) *pride* in] his swimming.).

prid·ing /práɪdɪŋ/ 動 → pride.

***priest** /príːst/ 『「長老」が原義』
── 名 (徴 ~s/príːsts/) ⓒ **1** 聖職者, 司祭, 牧師; 僧

侶, 神宮《◆女性形は priestess》‖ The *priest* blessed our new baby. 司祭は私たちの赤ちゃんを祝福してくださいました / a Buddhist *priest* 仏教の僧侶. **2** (初期キリスト教の)長老(elder, presbyter); (監督教会の)司祭《bishop より下, deacon より上位》《◆アングリカン教会では clergyman, メソジスト[バプテスト]教会では minister がふつう》.

priest·craft /príːstkræft, -krɑːft/ 名 Ⓤ 僧侶の才覚[知略].

priest·ess /príːstis/ 名 Ⓒ 〔今はまれ〕 priest の女性形 ((PC) priest).

†**priest·hood** /príːsthʊd/ 名《正式》 [the ~] 聖職, 司祭職; [集合名詞; 単数・複数扱い] 聖職者.

prig /príg/ 名 Ⓒ 堅苦しい人, 美人ぶる人, うぬぼれ屋; 不潔恐怖症.

prig·gish /prígiʃ/ 形 堅苦しい, 気難しい; うぬぼれた.

prim /prím/ 形 (**prim·mer, prim·mest**) **1** しかつめらしい, 堅苦しい; 〈女性が〉上品ぶった, とりすました. **2** 型にはまった, きちんとした.

pri·ma /príːmə/ 〔イタリア〕 形 第一の, 主要な.

príma ballerína (バレエの)主役バレリーナ.

príma dónna (オペラの)主役女性歌手, プリマドンナ. (2) 気難しい女[男].

pri·ma·cy /práiməsi/ 名 Ⓤ **1**《正式》第1位, 首位; […より]卓越(すること), 抜群(であること)[over]. **2** 大主教の地位[職].

pri·mal /práiml/ 形《正式》**1** 初期の, 最初の, 原始の. **2** 主要な, 根本的な, 最も重要な.

†**pri·mar·i·ly** /praimérəli, (英+) práiməri·li/ 副《正式》**1** 第一に, 最初に; 本来, 初めて. **2** 主として, 何よりもまず.

†**pri·ma·ry** /práiməri, -məri/ 形 **1**《正式》第1位の; 主要な; 最も重要な(most important)《◆ secondary, tertiary, quaternary と続く》《◆ be of *primary* impórtance 最も重要である / My *primary* concern is for your safety. 私の最も心配しているのはあなたの身の安全のことなのです. **2** 最初の, 初期の; 原始的な, 原始時代の ‖ the *primary* forest 原生林 / the *primary* stage of civilization 文明の初期の段階. **3** 本来の, 元々の; 根本の, 根本的な ‖ the *primary* meaning of a word 単語の原義. **4**〈学校などの〉初級[初歩, 初等]の.
――名 Ⓒ **1** 第1位の物[人]. **2**〔天文〕(二重星の)主星. **3** =primary election.

prímary áccent[**stréss**]〔音声〕第 1 強勢[アクセント](の符号)《◆ 本辞典では[́]で示されている》.

prímary cáre〔医学〕一次診療, 初期手当(↔ aftercare).

prímary cólor 原色《◆ 光では赤・緑・青, 色では赤・黄・青》.

prímary educátion 初等教育.

prímary eléction(米)予備選挙(↔ general election).

prímary schóol(英)(前期)小学校《◆ 小学校の前期課程(→ school 囲み[米国・英国の学校制度])》.

pri·mate[1] /práimət, -meit/ 名〔しばしば P~〕Ⓒ〔アングリカン〕大主教;〔カトリック〕首座大司教.

pri·mate[2] /práimeit, -mits, praiméitiːz/ 名 Ⓤ〔動〕霊長類の動物; [~s] 霊長目.

†**prime** /práim/ 形 **1** 最も重要な, 主要な, 最高位の ‖ my *prime* concern 私の最大の関心事 / He is the *prime* suspect in the murder case. 彼はその殺人事件の第1の容疑者だ. **2** すばらしい, 最良の;〈食料品が〉極上の, 第1級の; (米)〈肉が〉極上の(→ standard 形 **4**)‖ a *prime* cut of meat 極上の肉ひと切れ / the *prime* time for planting 木を植えるのに最もよい季節. **3** 最初の, 初期の; 原始的な; 根本の.
――名 **1**《正式》[通例 the/one's ~] 最高の[脂がのりきった]状態; 全盛期; 青春 ‖ in the *prime* of youth [time] 青春期[全盛期]に / past [in] one's *prime* 盛りを過ぎて[働き盛りの] / I am *in the prime of* health. 私は健康そのものだ. **2** Ⓤ 《文》[通例 the ~] 最初の段階, 初期; 春 ‖ in the *prime* of the year 春に(=in spring). **3** Ⓤ [通例 the ~](物の)最良部. **4** Ⓒ プライム符号; 第 1 アクセント符号《◇「分」「フィート」を表す》‖ 2′ 30″ 2分30秒《◆ two minutes and thirty seconds と読む》/ b′ bダッシュ《/bí: práim/ と読む》. **5** Ⓒ〔数学〕= prime number.

príme cóst 原価, 仕入れ値段.

príme merídian [the ~] 本初子午線《イギリスのグリニッジを通る》.

príme mínister 総理大臣《◆ premier より堅い語. (略) PM》(→ premier).

príme mínistership 総理大臣の地位[職].

príme númber〔数学〕素数.

príme ráte(米)〔経済〕プライムレート, 最優遇貸出し金利.

príme tíme(ラジオ・テレビの)最も視聴率の高い時間帯, ゴールデンアワー《◆ (1) ふつう午後 7 時から 10 時まで. ×golden hour とはいわない. (2) 形容詞でも用いられる》.

†**prim·er** /prímər | práim-/ 名 Ⓒ《古》初歩読本; 入門書, 手引き ‖ a Latin *primer* ラテン語入門 / Children learn to read from a *primer*. 子供は初歩読本で読み方を覚える.

pri·me·val /praimíːvl/ 形《文》原始(時代)の; 太古の ‖ a *primeval* forest 原生林.

★**prim·i·tive** /prímətiv/〔「最初の」が原義. cf. primary, prime〕
――形 **1** 原始的な, 未開の(uncivilized),(社会・経済的に)遅れた; 素朴な, 単純な; ել幺幺だ不便な ‖ a *primitive* way of making a fire 火を起こす原始的な方法. **2** [通例名詞の前で] 原始の, 原始時代の(prehistoric); 太古の; 原始時代の ‖ *primitive* people 原始人. **3** 根本の, 基本となる(basic);〔文法〕語根の ‖ a *primitive* word 語根語 / the *primitive* period〔物理・数学〕基本周期.
――名 Ⓒ **1** 原始[原作]時代の人; 原始人; 素朴な人. **2** [P~] 原始メソジスト教徒. **3** 文芸復興期前の画家[彫刻家](の作品); 素朴で平板な絵を描く画家(の作品). **4** =primitive element.

prim·i·tive·ly /prímətivli/ 副 **1** 原始的に, 素朴に. **2** 元来, 本来.

pri·mo·gen·i·ture /pràimoudʒénətʃər/ 名 Ⓤ 長子の身分;〔法律〕長子相続権[法].

pri·mor·di·al /praimɔ́ːrdiəl/ 形《正式》**1** 原始(時代)の; 原始時代からある. **2** 根源的な, 根本的な.
――名 Ⓒ 基本原理.

†**prim·rose** /prímrouz/ 名 **1** Ⓒ〔植〕サクラソウ(の花). **2** Ⓒ〔植〕マツヨイグサ(evening [night] primrose). **3** Ⓤ =primrose yellow. **4** [形容詞的に] サクラソウの(多い); 淡黄色の; 楽しい ‖ the *primrose* path [way]《文》歓楽の道.

prímrose yéllow 淡黄色.

★**prince** /príns/〔「第1の(prin-)地位をとる人」が原義. cf. principal〕
――名(複 ~s/-iz/;〈女性形〉**prin·cess**)Ⓒ **1** [しばしば P~] 王子, 親王, 王孫《◆ 呼びかけも可》‖

Prince William ウィリアム王子 / a prince of the blood 王子 / the prince regent 摂政の宮 /◆the Prince Regent はジョージ3世の摂政であった George (後のジョージ4世)をいう / the Prince royal 皇太子, 第1王子[皇子] / the Prince of Wales 英国皇太子 / (as) happy as a prince きわめて幸福な / live like a prince ぜいたくな生活をする.

2 [しばしば P~] (公国・小国の)君主, 公; (封建時代の)諸侯; (英国以外の国の)公爵《◆呼びかけも可》‖ Prince Bismarck ビスマルク公 / the Prince of Monaco モナコ公.

3《文》[a/the ~; おおむきに] [ある分野の]第一人者(ace), 大家[among, of]; 《略》すてきな[魅力的な, 寛大な]人 ‖ He is a prince among [of] novelists. 彼は文壇の第一人者だ.

Prince Édward Ísland プリンス=エドワード島《カナダ東部の島. 一州をなす》.

prince·dom /prínsdəm/ 图 **1** ⓊⒸ《正式》prince の地位[権威, 領地]. **2** [~s] =principality **4**.

†**prince·ly** /prínsli/ 形《正式》**1** 王子[王侯]の, 王子[王侯]にふさわしい. **2** 豪奢のある; すばらしい;《金額などが》相当な. ── 副 王子[王侯]らしく; 気高く, りっぱに.

prin·cess /prínsəs | prìnsés/ [→ prince]
── 图 (覆 ~·es/-iz/) Ⓒ **1** [しばしば P~] 王女, 内親王; 親王妃, 妃殿下《◆呼びかけも可》‖ Princess Anne 王女 / a princess of the blood 王女 / the princess royal 第1王女 / the Princess regent 摂政内親王; 摂政の宮妃 / the Princess of Wales 英国皇太子妃《◆英国以外の皇太子妃は the Crown princess / a crown princess》. **2** [しばしば P~] (英国以外の)公爵夫人. **3**《ある分野における》女性の第一人者[大家]; たいへん魅力的な女性; 《擬人化して》(川・農産物などの)傑出した物.

princess dréss [**gówn, róbe**] プリンセス=ドレス《細長い布を継ぎ合わせて作った体にぴったり合う服》.

prin·ci·pal /prínsəpəl/ 〔(同音) principle〕〔「最初の」「第一の」が原義. cf. (同音)〕

── 形 [名詞の前で] 主要な, 主な; 最も重要な; 第1位の(main) 《◆ (1) chief よりも堅い語. (2) 比較変化しない》‖ the principal cities 主要都市 / the principal cause of the car accident 自動車事故の主な原因.

── 图 (覆 ~s/-z/) Ⓒ **1** 長, 支配者; 社長, 会長; [しばしば P~] 校長; (英)学長 ‖ He is the principal of [at] this school. 彼はこの学校の校長だ (→ pupil, student, teacher). **2**《演劇などの》主役, 主演者; (介添人に対して)決闘する本人; 《法律》(代理人に対して)本人, 正犯, 主犯 ‖ the principal in the first [second] degree [第1][第2]級正犯. **3**《音楽》(コンサートの)独奏者; (オーケストラの各楽器の)首席奏者; (オルガンの)主要音栓; (フーガの)主題. **4**《英》大臣より下位の役人. **5** Ⓤ Ⓒ 《経》元金 a/the ~] 元金 (cf. interest); (収入源となる)基本財産 ‖ How much interest will there be on a principal of 10,000 yen? 1万円の元金に利子はいくらつきますか.

principal bóy [**gírl**] 《英》(無言劇で)男[女]の主役を演じる女優.

principal párts 〔文法〕 動詞の活用主要形 《◆英語では不定詞または現在形・過去形・過去分詞形の3形. 現在分詞形を加えて4形とすることもある》.

†**prin·ci·pal·i·ty** /prìnsəpǽləti/ 图 **1a** Ⓒ 公国 (prince が支配する国). **b** [principalities] (ある

程度の)独立性を持った自治体. **2** Ⓤ 公国君主の地位[支配権]. **3** [the P~]《英》ウェールズ. **4** Ⓤ 校長(などの地位).

†**prin·ci·pal·ly** /prínsəpəli/ 副 主に, 主として(chiefly).

*****prin·ci·ple** /prínsəpl/ 〔(同音) principal〕 〔「最初の(prin)こと」「初め(beginning)」が原義〕

── 图 (覆 ~s/-z/) **1** Ⓒ Ⓤ (通例 ~; 複数扱い) 道義, 正直; 高潔, 節操 ‖ a man of high principle 高潔な人 / a woman of no principles =a woman without principles 節操のない女 / lose one's moral principles from greed 欲に目がくらむ.

2 Ⓒ Ⓤ 主義, 信念(belief), 信条; […という]行動の基準, 根本方針[that 節] ‖ as a matter of principle =by principle 主義として / stick [live up] to one's principles 信念を貫く / act against one's principles 主義に反した行動をとる / My principles won't allow me to do it. そんなことをするのは私の主義が許さない.

3 Ⓒ 原理(standard), 原則; 公理, 法則(law) ‖ the principle of relativity 相対性原理 / the principle of the thing もの道理 / first principles (すべての基礎となる)第1原理.

4 Ⓒ《正式》本質; 根源, 本源; 根本原因, 素因.

in príncíple 原則として, 原則的に; だいたいにおいて《◆ as a rule より堅い語》 (↔ in detail).

on príncíple 主義として, 主義に従って, 道義上, 道徳的見地から.

on the príncíple of A ...という信念[主義]で.

on the príncíple that ... ...だという信念[主義]で.

prink /prínk/ 動 他 **1** [通例 ~ oneself]《女が》美しく着飾る, めかす(+up). **2**《鳥が》羽根の手入れをする.
── 自 めかす(+up); 気取る.

†**print** /prínt/ 動 他 **1**《人が》(話などを)印刷する, 活字にする;《本などを》印刷する; 刊行する(+off) ‖ I printed only 100 copies of the exam paper. 私は試験問題を100部しか刷らなかった / Her book of poems has been printed. 彼女の詩集が出版された. **2**《名前などを》(ふつう大文字の)活字体[ブロック体]で書く ‖ Please print your name and address. 名前と住所を活字体で書いてください. **3**《足跡などを》つける, しるす, 残す; 《封印・判などを》押す; 《布地・壁紙などに》模様をつける; [print A with B =print B on [in] A] 《物に》B《模様・印などを》つける ‖ print cheese with a trademark =print a trademark on cheese チーズに商標をつける. **4**《写真を》焼き付ける(+off, out); 《光景などを》〈心などに〉刻みつける(on) ‖ print off photographs from the negative ネガから写真を焼き付ける / The terrible plane crash is deeply printed on my memory. その飛行機墜落事故は私の記憶に深く刻みつけられている.

── 自 **1** 印刷する; 出版[刊行]する. **2** 印刷を業とする. **3**《紙などが》印刷される; 《写真が》焼き付けられる ‖ This photo didn't print well. この写真は焼き付けばよくなかった. **4**《書類などを》活字体[印刷体]で書く《◆ふつう大文字》.

print ín [他] 〈情報〉を印刷物に盛り込む.

print óut [他] (1) → 他 **4**. (2) 《コンピュータ》...を打ち出す, プリントアウトする. (3) 〈印刷物〉を印刷して配布する.

── 图 **1** Ⓤ 印刷; 活字(体) / 刷 ‖ put one's essay in print 随筆を印刷[出版]する / The print in this book is clear. この本は印刷が鮮明だ. **2** Ⓒ《主に米》出版物《新聞・雑誌など》.

に富む.

3 ⓒ 版画; 複製図;〔写真〕印画. **4** Ⓤ〔織〕プリント模様;Ⓒプリント地(で作った服). **5** Ⓒ 跡, 跡形;〔略式〕〔通例 ~s〕指紋;〔正式〕〔通例 a/the ~〕印象, 名残り‖ the *print* of a foot in the dirt 土の上に残っている足跡. **6** Ⓒ 打ち[押し]型(でできたもの).
 in prínt (1)〈本が〉絶版でない, 入手可能で(available). (2) 印刷になって, 出版されて‖ **in cold *print*** 活字で印刷されて; 変更できない状態で.
 óut of prínt〈本が〉絶版になって.
 prínted màtter [〖英〗pápers] 印刷物《◆郵送する場合特別料金で安くなるため, 表にこのように書く》.
 prínt mèdia 印刷物;〔the ~〕(新聞・雑誌などの)印刷媒体, 活字メディア.
†**prínt·er** /príntɚ/〖名〗Ⓒ **1** 印刷工; 印刷業者; 印刷所. **2** 印刷機;〔写真〕焼き付け機;〔コンピュータ〕プリンター, 印字機. **prínter's dévil** 印刷屋の使い走り〔見習い〕.
 print·head /príntʰèd/〖名〗Ⓒ〔コンピュータ〕印字ヘッド.
†**print·ing** /príntɪŋ/〖名〗**1** Ⓤ 印刷(術); 印刷業‖〖対話〗"I wonder who invented *printing*." "Gutenberg, I think."「だれが印刷術を発明したのかしら」「グーテンベルクだと思うわ」. **2** Ⓒ 印刷物; 刷, 版‖ the third *printing* of the first edition 初版の第3刷. **3** Ⓤ 活字体. **4**〔写真〕焼き付け.
 prínting ink 印刷用インキ.
 prínting machìne [**prèss**] 印刷機.
 prínting òffice [**hòuse, shòp**] 印刷所.
 print·out /príntàʊt/〖名〗ⒸⓊ〔コンピュータ〕印字されたもの, プリントアウト; 出力テープ(cf. print out (print 〖動〗成句)).
 pri·on /príːɑn | -ɔn/〖名〗Ⓒ〔医学〕プリオン《狂牛病・クロイツフェルト=ヤコブ病などの病原体とされるタンパク質粒子》.
†**pri·or**¹ /práɪɚ/〖形〗〔正式〕**1**〈時間・順序が〉前の《◆previous より優先性を強調》‖ a *prior* engagement 先約. **2**〔…に〕優先する, 〔…より〕重要な〔*to, on*〕.
 príor to A《正式》…より前に(before).
 pri·or² /práɪɚ/〖名〗((女性形)) **~·ess**) Ⓒ〔しばしば P~〕修道院長, 修道会会長; 修道院副院長《◆abbot の次の位》.
 pri·or·i·tize /praɪɔ́ːrətàɪz/〖動〗他 …を優先させる, …に優先順位をつける.
†**pri·or·i·ty** /praɪɔ́ːrəti/〖名〗**1** Ⓤ〔…より〕前であること, 重要[上位]であること〔*to, over*〕. **2** Ⓤ〔正式〕優先, 優先権;〔形容詞的に〕優先的な‖ a *priority* matter 優先的な問題 / **gíve príority to** …に優先権を与える / **on a *priority* basis** 優先順で / Emergency vehicles **hàve** [**tàke**] *príority* **over** other vehicles. 緊急車両は(通行上)他の乗物に優先する. **3** Ⓒ 優先事項‖ a first [略式] top] *priority* 最優先事項. **príority séat** 老人などの優先席《◆ˣsilver seat とはいわない》.
†**pri·o·ry** /práɪəri/〖名〗Ⓒ 小修道院; 修道分院.
†**prism** /prízm/〖名〗Ⓒ **1**〔光学〕プリズム, 分光スペクトル;〔~s〕分光スペクトルの色. **2**〔数学〕角柱‖ a triangular [pentagonal] *prism* 3角[5角]柱.
 pris·mat·ic /prɪzmǽtɪk/〖形〗〔正式〕**1** プリズム[三稜(ﾘｮｳ)鏡]の. **2** プリズム分光の, 虹色の; 多色の; 変化

*__**pris·on** /prízn/〖〖捕えられていること」が原義〗㊗
 prisoner〖名〗
 ──〖名〗(複) ~s/-z/) **1** Ⓒ **a** 刑務所, 監獄; 拘置所《◆(米)では jail がふつう》; 監房((米俗)tank)‖ a state *prison*(米)州刑務所; 政治犯用刑務所 / go **to** the *prison* to visit her husband 夫の面会に刑務所へ行く. **b** 監獄のような所.
 2 Ⓤ 刑務所に入れる[入れられる]こと; 投獄; 拘置(➡文法16.3(6))‖ **bréak príson** =escape from *prison* 脱獄する / be [lie] **in *prison*** 服役[拘置]中である / cast [put, set] him **in *prison*** 彼を投獄[収監]する / **go** [**be sent**] **to *prison*** 入獄する / **come** [**be let**] **óut of *prison*** 出所する / keep [lay] him **in *prison*** 彼を拘禁する.
 príson bìrd 囚人,〔古〕〔略式〕jailbird).
 príson brèaking [**brèak**] 脱獄.
 príson càmp 捕虜[政治犯]収容所.
 príson vísitor 刑務所での面会者.
*__**pris·on·er** /príznɚ/〖⇒ prison〗
 ──〖名〗(複) ~s/-z/) **1** Ⓒ 囚人; 前科者‖ a *prisoner* **of conscience** =a political *prisoner* 政治犯 / a *prisoner* of the State 国事犯 / a *prisoner* at the bar 既決囚. **2** ⒸⓊ 捕虜;〈文〉〔…の〕とりこ, とらわれの身〔*to*〕‖ a *prisoner* of war 捕虜(略 POW, p.o.w., PW) / 'a *prisoners*' camp 捕虜収容所 / take [hold, keep, make] him *prisoner* 彼を捕虜にする / a *prisoner* **to** one's room [chair] 病894な身, 寝たきりの人.
†**pri·va·cy** /práɪvəsi | prí-, prái-/〖名〗**1** (他人から干渉されない)自由な私生活, プライバシー; 隠遁, 隠遁(ﾄﾝ); 独居‖ an invasion of *privacy* プライバシーの侵害 / disturb her *privacy* 彼女の私生活を侵害する. **2** 秘密, 内密(↔ publicity)‖ **in *privacy*** ひそかに.
*__**pri·vate** /práɪvət/【発音注意】〖「公でなく私的な」が本義〗㊗ privacy〖名〗
 ──〖形〗(more ~, most ~; 時に ~r, ~st)《**1**, **2** で比較変化しない》**1**〔通例名詞の前で〕私用の, 個人に属する, 私有の; 個人的(personal), 私的な; 非公式の(↔ public)【使い分け】→ personal〖形〗**1**)‖ *Private*〔掲示〕一般の方立入禁止 / a *private* letter 私信 / a *private* car 自家用車 / one's *private* property [life, opinion] 私有財産[私生活, 私見].
 2〔名詞の前で〕公職についていない, 平民の; 私営の, 私立の‖ a *private* citizen 一市民 / a *private* educational institution 私立の教育機関.
 3 秘密の(secret), 内密(の); 非公開の, 内輪の;〈(個人的な)手紙が〉親展の《◆封書の表に Private と書く. 事務的な書類では confidential》‖ Please keep the information *private*. その情報は秘密にしておいてください / I had a *private* talk with him. 彼と内密話をした.
 4〈軍人が〉兵の.
 ──〖名〗**1**〔しばしば P~〕Ⓒ〔軍事〕兵卒《上等兵・二等兵など最下位の階級》《略 pvt., Pvt.》. **2**〔略式〕〔~s〕陰部(private parts).
 in prívate 非公式に, 関係者だけで; 人目のないときに; 内密に(↔ in public)‖ Can we talk *in private*?(他人を交えず)内々に話したいことがあるんだけど.
 prívate detéctive [**invéstigator,** (米略式) **éye**] 私立探偵; 私服警官.
 prívate énterprise 民間企業, 私企業.

prívate párts 〔遠回しに〕陰部.
prívate schóol (米) 私立学校.

†**pri·va·teer** /prὰivətíər/ 名 C 武装私有船, 私掠(%)船《12, 13世紀頃, 主として地中海で, 奪われた財産は奪い返してもよいという政府の許可証をもらった船》; 私掠船の船長[乗組員].

†**pri·vate·ly** /práivətli/ 副 内密に; 非公式に; ひそかに; 個人として(in private).

†**pri·va·tion** /praivéiʃən/ 名 (正式) 1 C 〔通例 a/the ~〕 奪われること, 喪失; 欠如, 欠乏. 2 U (生活必需品などの)不足; C 不自由, 困難 ‖ suffer many *privations* いろいろと難儀する.

priv·a·tize /práivətὰiz/ 動 他 …を民営化する(↔ nationalize). **pri·va·ti·zá·tion** 名 U 民営化.

priv·et /prívit/ 名 U 〔植〕セイヨウイボタ《常緑低木で垣根用》.

†**priv·i·lege** /prív(ə)liʤ/ 名 1 UC (官職・地位の)特権, 特典; 〔the ~〕国王特権, 大権 ‖ a bill of *privilege* 特赦状 / the *privilege of* the clergy 聖職者特権. 2 UC 〔通例 a/the ~〕(個人的な)特権, 特典, 恩恵; U 特別扱い ‖ *have the privilege of* buying discount seats at special rates 特典として割引座席券を特別料金で買える / be born into a world of wealth and *privilege* 〔正式〕裕福な特権階級に生まれる / *It is a woman's [lady's] privilege to change her mind*). (ことわざ)心変わりは女の常. 3 C〔正式〕〔a ~〕恩恵, 名誉(honor); 利益 ‖ *It is a privilege to* meet you. あなたにお会いできて光栄です ‖ I'm glad to meet you. の改まった言い方). 4 UC 〔通例 the ~〕法的な権利, 基本的人権; 特許権(patent) ‖ the *privilege* of citizenship 公民権.
——動 他 1〈人〉に〔…する〕特権[特典]を与える〔to do〕; (特典として)〈人〉に〔…する〕ことを許す〔to do〕. 2〈人〉を〔…から〕免除する〔from〕.

priv·i·leged /prív(ə)liʤd/ 形 〔…する〕特権[特典]のある〔to do〕; 特別扱いの; 〔法律〕秘匿特権の(↔ unprivileged) ‖ the *privileged* clásses 特権階級 / (the few) *privileged* 〔集合的に〕(少数の)特権階級の人々.

†**priv·y** /prívi/ 形 (--i·er, --i·est) 〔正式〕〔…に〕内々関知[関与]している; 〔法律〕〔…に〕関係のある〔to〕.
——名 C〔法律〕当事者, 利害関係人.

Prívy Cóuncil 〔the ~〕国王諮問機関(King's Council), 枢密院.

Prívy Cóuncillor [Cóunsellor] (英) 諮問[枢密]委員.

‡**prize**[1] /práiz/ 〔→ price〕
——名 (複 ~s /-iz/) 1 UC 〔…に対する〕賞(award), ほうび, 賞品, 賞金; 景品, 当たりくじ〔for〕‖ draw a *prize* in the lottery 当たりくじを引く / the Nóbel Prize for phýsics ノーベル物理学賞 / She **won** [gained, got, received, carried off, took] *first prize in* a speech contest. 彼女はスピーチコンテストで1位になった《◆She won a [the] first prize … ともいうが, 冠詞をつけない方がふつう》/ a consolation *prize* 残念賞 / a *prize* of war 戦利品.
2 C (獲得するために)努力するに価するもの, 目的物; ずば抜けてすばらしいもの ‖ a *prize* of a wife 理想的な妻《◆(正式)》/ As a secretary she is a *prize*. 彼女は秘書として申し分ない.
——形 《◆比較変化しない》〔名詞の前で〕1 賞品として与えられる ‖ príze mòney 賞金 / a *prize* cup [medal] 優勝カップ[メダル]. 2 受賞[入賞, 入選]した ‖ This is my *prize* rose. これが私の入賞したバラです. 3〈コンテスト・宝くじなどが〉懸賞つきの. 4 (略式) 賞に価する, すぐれた, すばらしい; 大変な, 実にひどい.
——動 (**priz·ing**) 他 〔正式〕…を〔…より〕高く評価する, 重んじる, 珍重する(value highly)〔above〕.

prize dáy《学年末に行なわれる》優等生表彰日.

prize[2] /práiz/ 名 C 1 捕獲; 捕獲物, 戦利品. 2 掘出し物. ——動 他 …を捕獲[拿捕(%)]する.

prize[3] /práiz/ 名 C 動 他 てこで〔取りはずす, 動かす〕, …にこじあける(+*off*, *up*)〔*with*〕.
——名 CU〔てこの作用〕.

prize·fight /práizfàit/ 名 C 〔古〕プロボクシング試合.

priz·ing /práiziŋ/ 動 → prize[1].

†**pro**[1] /próu/ 名 (複 ~s) C 〔略式〕《*professional* の短縮形》プロの選手; 専門家, プロ; 〔形容詞的に〕プロの ‖ a golf *pro* =a *pro* golfer プロゴルファー / a *pro* ballplayer プロ野球選手.

pro[2] /próu/ 〔ラテン〕《語法・用例は → con[1]》副 前〔…に〕賛成して. ——名 C 賛成投票〔論〕.

pro- /prou-/ 〔語要素〕→語要素一覧(1.7).

†**prob·a·bil·i·ty** /prὰbəbíləti | prɔ̀b-/ 名 1 UC 〔…の/という〕見込み, 蓋(%)然性, 公算, 確率(*of*/*that*節)《◆話し手の確信度は certainty, probability, possibility の順に低くなる》(→ perhaps 副 1 語法 (3) (4)) ‖ What are the *probabilities*? 見込みはどうですか / Is there any *probability* 「*of* her success [*that* she will succeed]? 彼女は首尾よくやれそうですか《◆用例は probable 形 1 語法 (3) (4)》参照》. 2 C ありそうなこと, 起こりそうな事柄(↔ improbability) ‖ Snow is a *probability* for tomorrow. =〔正式〕*The probability is that* it will snow tomorrow. 明日は雪でしょう(=*Probably* [It is *probable* that] it will snow tomorrow.). 3 U〔数学〕確率.

in áll probability 十中八九, たぶん(in all likelihood).

†**prob·a·ble** /prάbəbl | prɔ̀b-/ 形 1〈物・事が〉(十中八九)ありそうな, 起こりそうな, 十分に可能な, ほとんど確実な(↔ improbable)(→ perhaps 副 1 語法 (3) (4)) ‖ a highly *probable* candidate 当選確実な候補者 / Heavy rain is *probable* in the south. 南部は豪雨でしょう(=Heavy rain is a *probability* in the south. =〔正式〕*The probability is that* it will rain heavily in …) / Success is possible but hardly *probable*. 成功は不可能ではないが見込みはほとんどない. 2 〔it is (highly) probable *that*節〕たぶん…だろう ‖ *It is probable that* he will fail. 彼はおそらく失敗するだろう(=*Probably* he will fail.)《◆*He is probable to fail. / *It is probable for him to fail. は不可》.
——名 C 1 起こりそうな事件[こと]. 2 予想される出場者[候補者, 馬]; 有望な候補者.

próbable cáuse (1) どうもそうらしい原因. (2)〔法律〕(犯罪行為の)推定原因, 相当な根拠.

*****prob·a·bly** /prάbəbli, prάbli | prɔ̀b-/《◆起こる確率が8-9割ぐらいと思われる場合に用いられる. → perhaps》
——副 1〔文全体を修飾〕たぶん, 十中八九, おそらく (→ perhaps 副 1 語法 (3) (4)) ‖ *Probably*(↘) she will come. =She will *probably* come. 彼女は十中八九来るだろう(=It is *probable* that she will come.) / 「*Probably*」 he [He *probably*] can't succeed. 彼は成功できないだろう / She 「*probably* has read [has *probably* read] the book.

彼女はたぶんその本を読んでしまっただろう. **2** [相手の質問を受けて] たぶんそうでしょう ‖ [対話] "Will it be fine on sports day?" "*Probably* [*Probably* not]." 「運動会の日は天気でしょうか」「たぶん天気でしょう[たぶん天気はよくないでしょう]」.

> [語法] be going to, probably, soon を重ねるとくどいようだが, 実際には使うことも多い: He's *probably going to* be engaged *soon* in some diplomacy. 彼はたぶん間もなく外交の仕事につくでしょう.

†pro·bate /próubeit/ [名] [U] 〔法律〕遺言の検認; [C] = probate copy. ━[動] [他] 《米》 **1** 〈遺言書〉を検認する(《英》 prove). **2** …を保護観察処分にする.

próbate cópy 検認済みの遺言書.

†pro·ba·tion /proubéiʃən | prə-/ [名] [U] **1** 試すこと, 試験, 審査. **2** 試験[審査]期間, 見習い[実習]期間, 仮及第期間 ‖ two years on *probation* 仮採用期間2年 / place him [it] on *probation* 彼[それ]を仮採用[試用]する. **3** 〔法律〕保護観察, 執行猶予 ‖ the *probation* system 保護観察制度 / a *probátion* òfficer 保護観察官《刑期を終えた人を観察する特別の身分の人. そのため住所・行動などは極秘にされる. [略] prob. off.》 / be put on three years' *probation* under suspended sentence of one year's imprisonment 懲役1年で執行猶予3年が付いている. **4** 《米》(学力向上のための)謹慎, 仮及第 ‖ If she gets another poor score, she'll be put on *probation*. もう1度悪い点を取れば彼女は謹慎ということになるだろう.

pro·ba·tion·ar·y /proubéiʃənèri | -əri/ [形] 《正式》試用[見習い]中の; 予備の; 保護観察中の ‖ a *probationary* nurse 見習い看護師.

pro·ba·tion·er /proubéiʃənər/ [名] [C] **1** 見習い[実習]生; 志願者. **2** 〔宗教〕修練者; (長老派教会・メソジスト教会の)牧師補. **3** 〔法律〕保護観察処分中の者.

†probe /próub/ [名] [C] **1** (隠れたものを)調べるための用具; 〔医学〕探り針 ‖ use a stick as a *probe* 棒切れを使って調べる. **2** 〔電気〕探針, プローブ. **3** 無人観測宇宙船 ‖ a space [lunar] *probe* 天体[月]観測衛星. **4** 《正式》[通例 a ~] 〔…の〕(徹底的な)調査, 精査〔*into*〕《◆ investigation, examination に代わる新聞見出し語》 ‖ *a probe into* her alibi 彼女のアリバイについての調査.

━[動] [他] **1** 〔医学〕(探り針で)〈傷など〉を調べる[探る]. **2** …を徹底的に調査する, 探る《◆ investigate, examine に代わる新聞見出し語》 ‖ *probe* the murderer about her motive 動機について殺人犯を調べる. ━[自] **1** (探り針で)探る, 検査する. **2** 〔…を〕精密に調べる, 探りを入れる〔*into, for, at*〕.

‡prob·lem /prábləm | prɔ́b-/ 〚前に(pro)置かれたもの(blem). cf. em*blem*〛

━[名] ([複] ~s/-z/) [C] **1** (解決すべき困難な)**問題**, 疑問, 難問(difficulty), 〔…という〕問題〔*that*節〕 ‖ solve [×answer] a *problem* 問題を解く, 問題に答える(cf. answer [×solve] a question) / What's your *problem*? どうしたというのですか, 何か問題ですか《◆「どうしましたか」という気遣いの問いは What's the matter? / Is something wrong? など》 / That's your *problem*. それは君の問題だよ, 君が解決すべきことだよ. [語法] The problem is that節 [wh節] の構文でも用いられる: The *problem* is whether the experiment will come off or not. 問題はその実験がうまくいくかどうかということだ. **2** 《略式》[通例 a ~] 〔人にとって/…に関する〕扱いにくい[やっかいな, 困った]こと[人, 事情]〔*to/with*〕 ‖ He has *a* drinking *problem*. 彼には飲酒上の問題がある《◆ He is (an) alcoholic. (彼はアル中だ)の遠回し表現. → [形]》 / The child is *a problem to* the family. その子は家族の悩みの種だ / There is *a problem* with this computer. このコンピュータの調子がおかしい. **3** (数学などのテスト)問題(question), 課題, 作図題《◆ 一般のテスト問題は question, 簡単なのは《主に米》 quiz》 ‖ Can you solve this math *problem* [×question]? この数学の問題を解けますか.

***Nò próblem* (*at àll*).** 〚That's no problem (at all). などの省略形〛《略式》お安いご用です!, かまいませんよ!, 大丈夫 ‖ [対話] "Will you help me with the washing?" "*No problem*." 「洗濯を手伝ってくれませんか」「お安いご用です」《◆ 依頼に対する返事として》 / "I'm sorry to be late." "*No problem*." 「遅れてごめんなさい」「いいですとも[どういたしまして]」《◆ 感謝や陳謝に対する返事. No に強勢を置くと皮肉やいやみになる》 / "Can you complete the assignment by tomorrow?" "*No problem*." 「明日までに課題を仕上げることができますか」「大丈夫です」《◆ 確認・是認を表して》.

━[形] [名詞の前で] 問題のある; 社会問題を扱う ‖ a *problem* drinker 酒ぐせの悪い人《◆ an alcoholic の遠回し語. → [名] **2**》 / a *problem* child 問題児.

próblem nóvel (社会[道徳]問題を扱った)問題小説.

próblem páge (雑誌の)読者質問欄.

próblem pláy 問題劇.

prob·lem·at·ic, -·i·cal /prɑ̀bləmǽtik(l) | prɔ̀b-/ [形] 問題のある, 疑問の余地がある; 疑わしい, 不確実な; 解決[決定]しがたい; 扱いにくい.

pro·bos·cis /prəbásəs | prəubɔ́s-/ [名] ([複] ~·es, -·ci·des/-sədìːz/) [C] **1** (ゾウ・バクなどの)鼻, 長いしなやかな鼻; (昆虫などの)吻(ふん). **2** (人間の)長い[大きな]鼻.

pro·busi·ness /pròubíznəs/ [形] 企業利益優先の.

†pro·ce·dure /prəsíːdʒər | prəu-/ [名] [U] [C] 《正式》 **1** 〔…の〕手順, 順序; 処置, 処分〔*for*〕; 行動, 行為 ‖ A divorce suit is a messy *procedure* 離婚訴訟はめんどうな手続きだ. **2** (法律・議会などの)正式な手続き ‖ légal [parliaméntary] *procédure* 訴訟[議会運営]手続き. **3** 〔コンピュータ〕(プログラムの)一連の処理手続き.

***pro·ceed** /[動] prəsíːd; [名] próusiːd/ 〚前へ(pro)進む(ceed). cf. pre*cede*〛 [派] procedure (名), proceeding (名), process[1] (名), procession (名)

━[動] (~s/-síːdz/; [過去・過分] ~·ed/-id/; ~·ing)

━[自] 《正式》

Ⅰ [続ける]

1 [proceed **with** A] 〈人が〉…を**続ける**(continue); 続けて言う; [proceed **to** do] 次に…し始める, 続いて…する; 〔…に〕取りかかる(begin)〔*to*〕 ‖ We then ***proceeded to*** discuss the problem. 我々はそれからその問題を検討し始めた / Let us *proceed with* our English class. 英語の授業を続けましょう. **2** 〈裁判・実験などが〉行なわれる, 実施される, 進行する. **3** 〔法律〕手続きする, 処分[処置]する; 〔…に対して〕訴訟を起こす〔*against*〕 ‖ The actress ***proceeded against*** the magazine for libel. その女優は雑誌を名誉毀損(きそん)で訴えた.

4 〔…から〕発生する, 起こる, 〔…に〕由来する, 起因する

P

(result)〔from〕‖ Heat *proceeds from* fire. 火から熱が生じる.

‖[前に進む]

5〔人などが〕(ふつう一時停止してからさらに)〔…へ〕進む,向かう,おもむく(advance, go (on))〔*to*〕(◆修飾語(句)は省略できない)‖ Please *proceed to* Gate 3. (空港アナウンス)3番ゲートへお進みください.

6〔…の〕学位を取る〔*to*〕‖ *proceed to* (the degree of) PhD 博士号を取る.

──名 〔the ~s; 複数扱い〕〔…(から)の〕売上高; 純益〔*from, of*〕.

†**pro・ceed・ing** /prəsíːdiŋ/ 名 **1** UC 進行,続行; 行為,行動,やり方; 処置,処分. **2**〔~s; 複数扱い〕議事録,会議報告書;(学会などの)会報‖ the *proceedings* from the last meeting 前の会議の議事録. **3**〔~s; 複数扱い〕〔…に対する/…を要求する〕(法的)手続; 訴訟手続[行為]〔*against/for*〕‖ start [take] (legal) *proceedings against* him 彼に対して訴訟を起こす.

*[*]**proc・ess**¹ /práses | próus-/〖→ proceed〗

──名 (複 ~・es/-iz/) **1** C 過程,工程; 方法,手順‖ by a *process* of elimination 消去法によって/in the *process* その過程において/What *process* is used in making jam? ジャムはどういう工程で作るのですか. **2** U (時の)経過,推移; 進行,進展‖ *in process of time* 時がたつにつれて/The construction of the undersea tunnel is still *in process*. 海底トンネルの建設は今進行中です. **3** C (一連の)作用,変化‖ the various *processes* of digestion いろいろな消化作用. **4** C〔法律〕召喚状, 出頭令状; 訴訟手続き. **5** C〔動〕突起,隆起. **6** UC〔コンピュータ〕プロセス,処理(過程)‖コンピュータで実行中のプログラム; それにより処理操作.

──動 他 **1**〈食品〉を加工(貯蔵)する;〈革などを〉加工処理する;〈縮れ毛を〉薬品を使って真っすぐにする. **2** …を現像する(develop), 焼き付ける(print)‖ I'd like my film *processed*. フィルムを現像焼き付けしてください. **3** …を処理する[整理]する; …を詳細に検討[調査]する;〔コンピュータ〕…を(コンピュータで)処理する. **4** …を起訴する; …に令状を発送する.

pró・cess(ed) chèese プロセスチーズ《natural cheese を加熱殺菌したもの》.

prócess prìnting 原色製版法.

prócess shòt 特殊撮影による画面.

pro・cess² /prəsés | prəu-/ 動 自 列をなして行く[歩く,進進する].

proc・ess・er /práseər | próus-/ 名 =processor.

†**pro・ces・sion** /prəséʃən/ 名 **1** C〔正式〕行列; U(行列の)行進,前進,(時間の)進行‖ a *procession* of ants アリの行列 / a funeral *procession* 葬儀の列 / go [march] *in procession* around the village 村中を行列して行く. **2** U〔神学〕聖霊の発生. **3** C 順位が変化しないレース. **4** U〔英略式〕〔クリケット〕(一生懸命やらずに)簡単に負けること.──動 自 行列をして行く; …を通りながら行列をして行く.

pro・ces・sion・al /prəséʃənl/ 形 行列の, 行列に用いられた; 行列の際に用いられる[歌われる]. ──名 **1** 行列式聖歌; 行列聖歌; 儀式の行列.

proc・es・sor /práseər | próus-/ 名 **1** 加工業者; 加工機. **2**〔コンピュータ〕処理装置, プロセッサー; 処理プログラム‖ a wórd *processor* ワープロ.

pro-choice /proutʃóis/ 形 (妊娠中絶について)母親の選択権尊重の,中絶合法化支援の(↔ pro-life).

†**pro・claim** /proukléim | prə-/ 動 他 **1**〔正式〕〈人や事〉を(公式に)宣言する(declare); …を布告〔公布する〕(announce);[proclaim A (to be) C / proclaim that 節]A〈人・物・事〉が…であると宣言する‖ *proclaim* war against France フランスに宣戦布告する / *proclaim* him king 公式に彼を王と認める / *proclaim* him (*to be*) a traitor = *proclaim that* he is a traitor 彼が裏切り者だと宣言する. **2** (又)[proclaim A C] 〈物・事〉が A〈人・物〉を C だと(はっきりと)示す, 表す;[proclaim that 節]…だと(はっきり)表す‖ Her pronunciation「*proclaimed* her a Scot [*proclaimed that* she was a Scot]. 発音の仕方から彼女がスコットランドの人だとわかった.

pro・claim・er /prouklétmər | prə-/ 名 C 公式に宣言する人,布告者.

†**proc・la・ma・tion** /prɑ̀kləméiʃən, prɔ̀k-/ 名 **1** U (公式)宣言; 公布,布告. **2** C 公式発表(文), 声明(書)‖ issue [make] a *proclamation* 声明(書)を出す.

pro・cliv・i・ty /prouklívəti / prəu-/ 名 C〔正式〕〔…への/…する〕(悪い)傾向, 性向(tendency)〔*to, toward* / *for* (doing), *to do*〕.

pro・con・sul /proukánsl | -kɔ́n-/ 名 **1** (ローマ史)地方総督. **2**〔英史〕植民地[属領]総督; 総督代理.

pro・cras・ti・nate /prəkrǽstinèit, prou- | prəu-/ 動 自 他〔正式〕(…を)(できるだけ)ひき延ばす,(…に)手間どる.

pro・cras・ti・na・tion /prəkrǽstinéiʃən, prou- | prəu-/ 名 U〔正式〕ぐずぐずすること; 遅延‖ *Procrastination* is the thief of time.(ことわざ)遅延は時間泥人;「思い立ったが吉日」.

pro・cre・a・tion /pròukriéiʃən/ 名 U **1** 産み出すこと, 出産, 生殖, 始まり.

Pro・crus・tes /proukrʌ́stiːz | prəu-/ 名〔ギリシア神話〕プロクルステス《捕えた人を寝床にねかせ,寝床の寸法より長い者は足を切り短い者は引きのばしたといわれる強盗》.

proc・tor /práktər | prɔ́k-/ 名 C **1** (オックスフォード・ケンブリッジ大学の)学生監[部長];(米)(大学の)試験監督官. **2**〔法律〕(教会裁判所の)事務弁護士;(牧師などの)代理人. ──動 他〈大学の〉学生監[(米)試験監督]を務める((英) invigilate).

†**pro・cur・a・ble** /prəkjúərəbl/ 形〔正式〕入手[調達]可能な.

†**pro・cure** /prəkjúər/ 動 他〔正式〕**1**〈人が〉(努力・苦労して)〈物〉を手に入れる,獲得[調達]する(obtain);[procure A B = procure B for A]〈人〉に B〈物〉を手に入れてやる‖ *procure* votes 票を獲得する / Please *procure* me the first edition of the old book. = Please *procure* the first edition of the old book *for* me. その古書の初版本をぜひ手に入れてくれないか. **2**(古)〈売春婦〉を(人に)周旋する〔*for*〕.

†**prod** /prád | prɔ́d/ 名 C **1** 突くこと; 突き,刺し‖ give him a *prod* in the ribs with the butt of a rifle ライフル銃の台尻で彼の横腹を突く. **2** (略式)(行動を起こす)刺激;(記憶の)呼び起こし‖ give her a *prod* 彼女に思い出させる.

──動 (過去・過分 prod・ded/-id/; prod・ding) **1** …を突き刺す, …を突く;(突いて)…に穴をあける‖ *prod* her arm with his finger 指で彼女の腕をつつく. **2**(…を)[…するように/…から]駆り立てる, せかす〔*to do, into* (doing) / *from*〕‖ Hunger *prodded* us *to* finish quickly. 腹がへっていたので早く仕上げなければと気がせいた(⊙文法 23.1). ──自〔…を〕突く〔*at, in*〕;〈事を〉せかす〔*at, into*〕.

†**prod·i·gal** /prɑ́dɪgl | prɔ́d-/ 形 《正式》 **1**〈…を〉乱費する〔*of, with*〕; 放蕩(鴛)する〔…〕‖ the *prodigal* son [child]〔聖〕放蕩(鴛)改めた]放蕩息子. **2**〈…を〉気前よく与える〔*of, with*〕;〔…の〕豊富な〔*of*〕‖ God's *prodigal* mercies あふれんばかりの神の慈悲.
—名 C 《略式》放蕩者; 放蕩息子 ‖ play the *prodigal* 乱費[放蕩]する.

†**pro·di·gious** /prədídʒəs/ 形 《正式》 **1** すばらしい, 感嘆すべき; ひどい《◆反語用法》;〔副詞的に〕驚くほど. **2** けたはずれの, 巨大な.

†**prod·i·gy** /prɑ́dədʒi | prɔ́d-/ 名 C 《正式》 **1** 不思議な[驚くような]もの; 驚異. **2** 神童, 天才児.

***pro·duce** 動 prədjúːs; 名 próud(j)uːs | pr5-/〖前に(pro)導く(duce)出す. cf. in*duce*〗produc*er*〈名〉, *product*〈名〉, *production*〈名〉, *productive*〈形〉
—動 (~s/-iz/; 過去·過分 ~d/-t/; ~-duc·ing)
—他 **1**〈事〉を〔…から〕引き起こす, 生じさせる, もたらす〔*from*〕《◆ bring about より堅い語》‖ The news *produced* a major scandal. そのニュースは大きなスキャンダルを巻き起こした / Her joke *produced* a hearty laugh *from* them. 彼女の冗談が彼らを大笑いさせた.
2〈人·工場 など〉が〈製品〉を〔材料 から〕製造する(make)〔*from, out of*〕;〈食事〉を作る ‖ The factory *produces* hundreds of automobiles every week. その工場では毎週数百台の自動車を製造している.
3〈国など〉が〈傑出した人物〉を生み出す;〈土地など〉が〈農産物など〉を産出する ‖ He is the greatest physicist that Japan has ever *produced*. 彼は日本が生んだ最高の物理学者です / Our area *produces* a good crop of wheat. 私たちの住んでいる地域は小麦がよくできる.
4〈人·動物など〉〈子·卵〉を産む;〈動物〉〈乳〉を出す;〈植物〉〈実〉を実らせる. **5**〈文学[芸術]作品〉を創作する;〈本〉を出版する;《米》〈映画·劇など〉を製作[上演]する;《英》〈劇〉を演出する. **6**〈証拠など〉を示す, 提出する;〈物〉を〔…から〕取り出す〔*from, out of*〕《◆ take out より堅い語》‖ She *produced* a ticket from her pocket. 彼女はポケットから切符を取り出した. **7**〈幾何〉〈線〉を〔…まで〕延長する,〔…と〕結ぶ〔*to*〕.
—自 **1** 製造する; 生産する; 産出する. **2** 創作する; 製作する. **3** 子〔卵, 利益〕を生む.
—名 /próud(j)uːs | pr5-/《◆《英》では分節も prod·uce》U **1** 生産[産出]量[額]. **2**〔集合名詞〕《農》産物, 製品《◆工業生産物はふつう product》‖ agricultural [farm] *produce* 農産物《crops, milk, eggs など》/ *Produce* of Korea《表示》「韓国製」. **3** 努力などの〉成果, 結果; 創作品.

***pro·duc·er** /prədj(úː)sər /〖→ produce〗
—名 ~s/-z/ C **1**《米》《映画·演劇などの》制作者, 興行主, プロデューサー;《英》演出家 ‖ He is going to be a TV news *producer*. 彼はテレビニュースのプロデューサーになるつもりでいます.
2《正式》生産者(↔ consumer); 産出地[国]; 製造者(manufacturer); 産出されるもの《油井など》‖「a beer [an auto] *producer* ビール製造業者[自動車メーカー] / a cattle *producer* 家畜生産業者.
prodúcer(s') gòods 《機械·原料などの》生産財(↔ consumer('s) goods).
prodúcer sỳstem 《映画·演劇の》プロデューサーシステム《制作者が経済的責任を負う》.

***prod·uct** /prɑ́dəkt, -ʌkt | prɔ́dʌkt/《アクセント注意》〖→ produce〗
—名 (複) ~s/-əkts/; C **1** 製品(goods); 生産物; 産出物 ‖ factory *products* 工場製品 / farm *products* 農産物(=farm produce) / natural *products* 天然の産出物. **2** 《努力などの》成果(result), 結果, 所産; 副作物 ‖ a *product* of one's imagination 想像の産物. **3**《化学》生成物. **4**《数学》積 ‖ The *product* of 4 multiplied by 3 is 12. =The *product* of 4 and 3 is 12. 4かける3は12.

***pro·duc·tion** /prədʌ́kʃən/〖→ produce〗
—名 ~s/-z/; **1** U 製造, 生産, 生産量[高]; C 製品(↔ consumption); C 製品, 製造 ‖ mass *production* 大量生産 / the *production* of videocassette recorders ビデオの製造 / go *into* [out of] *production* 生産が始まると[終わる]. **2** U 創作, 著作, 《研究などの》成果, 結果, 所産; 創作品, 著作物. **3** U《映画などの》制作, 上演;《劇の》演出; C 制作映画, 上演劇. **4** U 提示, 提出 ‖ the *production* of the new evidence 新しい証拠の提示 / on *production* of the card そのカードを提示すると.
prodúction lìne 《大量生産のための》流れ作業.

***pro·duc·tive** /prədʌ́ktɪv/〖→ produce〗派 productivity〈名〉
—形《正式》**1** 生産的な, 生産力を有する(↔ unproductive) ‖ *productive* labor 生産的労働. **2**〈作家が〉多作の,〈土地などが〉多産の, 豊富に産出する. **3**〔補語として〕〔…を〕引き起こす, もたらす〔*of*〕. **4**〈事実など〉が利益をもたらす, 営利的な.

†**pro·duc·tiv·i·ty** /pròudʌktívəti | prɔ̀-/ 名 U **1** 多産;多作 ‖ a writer of *productivity* 多作の作家. **2** 多産性; 生産性[力]‖ Agricultural *productivity* declined sharply. 農業生産力が急激に衰えた.

prof., prof, Prof. 《略》*professor*《◆姓名の前で用いる. = *professor* 名1 語法》‖ *Prof*. John Smith ジョン=スミス教授.

prof·a·na·tion /prɑ̀fənéɪʃən | prɔ̀f-/ 名 U 《正式》[まれに a ~] 神聖なものを汚(鸞)すこと, 冒瀆(鸞)《行ない》.

†**pro·fane** /prəféɪn, prou-/ 《正式》形 **1** 不敬な, 神を汚(鸞)す; 下品な ‖ use *profane* language 冒瀆(鸞)的な言葉を使う. **2** 世俗的な, 通俗の(↔ sacred);〈人が〉教養のない. **3** 異教《異端》の.
—動 〈神聖なものを〉汚す, 冒瀆する.

pro·fan·i·ty /prəfǽnəti/ 名 U 《正式》冒瀆(鸞), 不敬; C《通例 profanities》罰当たりな言葉[行ない].

†**pro·fess** /prəfés, prou-/ 動《正式》他 **1**〈人が〉〈事〉を公言する, 明言する(declare);〔profess **that** 節〕…だと公言する;〔profess oneself (to be) C〕自分自身を C だと言い切る, 断言する ‖ He *professed* his satisfaction. =He *professed* him*sèlf* (*to be*) satisfied. =He *professed* that he was satisfied. 彼は満足だとはっきり言った / She *professed* herself a patriot. 彼女は自分は愛国者だと公言した. **2**〈無知など〉を装う;〔profess **to do**〕…するふりをする(pretend);〔profess to be C / profess **that** 節〕…であると称する《◆ふつう進行形不可》‖ *profess* regret [innocence] 残念そうな[何も知らない]ふりをする / I don't *profess to be* a scholar. 自分は学者だなどと生意気なことは申しません. **3**〈宗教·神〉を信仰する(と公言する)‖ *profess* Christianity [Catholicism] キリスト教[カトリック]を信仰する.
—自 **1** 公言[明言]する. **2** 教授を務める.

pro·fessed /prəfést, prou-/ 形《正式》**1** 公言した, 公然の. **2** 自称の, 見せかけの. **3** 専門の, 本職の.

pro·fes·sion /prəféʃən/ 派 professional (形)
——名 ~s/-z/ 1 ⓒⓊ 《主に知的な》**職業**, 専門職《聖職者・法律家・医師・教師・技術家・著作家など》; (一般に)職業 ‖ the teaching *profession* 教職 / His father is a lawyer *by profession*. 彼の父親の職業は弁護士だ. **2**〔集合名詞; 単数・複数扱い; the ~〕同業者仲間. **3** ⓊⒸ《正式》公言, 告白, 宣誓 ‖ make *professions* of loyalty 忠誠を誓う. **4** ⓒ 信仰告白; 告白した宗教; 宗門に入る時の宣誓.

pro·fes·sion·al /prəféʃənl/
——形《◆ふつう比較変化しない》**1**〔通例名詞の前で〕**知的職業に従事している**, 専門職の; 職業的な, 職業上の (⇔ unprofessional) ‖ *professional* education 職業教育 / I'll give you my *professional* advice. 専門家としての助言をします. **2** プロの, くろうとの (⇔ amateurish); 〔名詞の前で〕常習的な; 商売にしている ‖ a *professional* politician 政治屋 / *professional* baseball プロ野球 / a *professional* painter 本職の画家 / turn [become] *professional* プロに転向する / a *professional* troublemaker いつももんちゃくを起こしている人.
——名 ⓒ **1**(知的)職業人;《略式》専門家 (cf. expert) ‖ He is a *professional*. 彼はプロだ. **2** 職業選手, プロ, くろうと (《略式》pro)(⇔ amateur).
proféssional cár 霊柩(れいきゅう)車《◆hearse の遠回し語》.
proféssional dóg 職業犬《警察犬・介護犬・盲導犬など特別の訓練を受けた犬》.
pro·fes·sion·al·ism /prəféʃənlìzm/ 名 Ⓤ **1** 専門家気質(かたぎ), プロ根性; 専門的技術. **2**〔スポーツ〕プロの選手をたること; ちょっとした反則をすること.
pro·fes·sion·al·ly /prəféʃənli/ 副 職業[専門]的に.

pro·fes·sor /prəfésər/
——名 ~s/-z/ ⓒ **1**〔肩書きとしては P~ ...〕教授《◆呼びかけも可》(略 prof., Prof.) ‖ a visiting *professor* 客員教授 / He is *a professor of* English literature *at* Yale University. 彼はエール大学の英文学教授だ / *Professor* (Michael) Jones (マイケル=)ジョーンズ先生.

語法 (1) このように名前の前につけた場合,「准[助]教授」にも使える (cf. Michael Jones, Associate *Professor*). (2) 姓だけにつけた場合略形は用いない: ×Prof. Jones.

事情 米国の大学では (full) *professor*(教授) の下に assóciate [adjúnct] *professor*(准教授), assistant *professor*(助教授), instructor(専任講師). 英国の大学は講座制で, その長が *professor*, その下に reader(助教授), sénior lécturer, lecturer, assistant lécturer, 専任講師) がいる.
2《米》(一般に)大学の先生; 教師;〔おおげさに〕ダンスなどの先生《◆呼びかけも可》. **3**《正式・まれ》公言者; 自称者; 信仰告白者 ‖ a *professor* of pacifism 平和主義の信仰者.

prof·es·so·ri·al /pròufəsɔ́ːriəl, pràf-‖ prɔ̀fəs-/ 形《正式》教授の, 教授にふさわしい.
pro·fes·sor·ship /prəfésərʃip/ 名 ⓒⓊ 教授の職[地位] ‖ be appointed to a *professorship* 教授に任命される.
†**prof·fer** /práfər‖prɔ́f-/《文》動 他 …を申し出る, …を進呈する(offer). ——名 ⓒ 提供(物), 申し出.
pro·fi·cien·cy /prəfíʃənsi/ 名 Ⓤ〔…の〕熟達, 技量〔*at*, *in*〕 ‖ *proficiency* in English 英語の熟達.
†**pro·fi·cient** /prəfíʃənt/ 形《正式》〔…に〕熟達[熟練]した, 堪能(かんのう)な(skilled)〔*at*, *in*〕 ‖ a *proficient* typist 熟練したタイピスト / She is *proficient in* music. 彼女は音楽に堪能だ.
†**pro·file** /próufail/〔同音〕prophet) 名 **1** ⓒⓊ 横顔, プロフィール; 側面 ‖ in *profile* 側面から(の). **2** ⓊⒸ《背景に浮かびあがった》輪郭(outline). **3** ⓒ〔建築〕縦断面〔図〕. **4** ⓒ《新聞・テレビなどの》人物素描〔紹介〕.
——動 他 **1** …の輪郭[側面図]を描く. **2**〔通例 be ~d〕《建物などが》〔…を背景に〕浮かびあがる〔*against*〕 ‖ The castle stood *profiled against* the setting sun. その城は夕日を背景に浮かびあがった.
pro·fil·ing /próufailiŋ/ 名 Ⓒ プロファイリング《分析に基づき殺人犯などの人物像を作成すること》.
†**prof·it** /práfit‖prɔ́f-/〔同音〕prophet) 名 **1** ⓊⒸ 利益, 収益, 利潤(⇔loss) ‖ nét prófit 純益 / gross *profit* 総利益 / *profit* and loss 損益 / *make a profit of* 20,000 yen on the sale 売却して2万円もうける / sell one's land *at a profit* 土地を売って利益を得る. **2** Ⓤ《正式》〔比喩的に〕利益, 益, 得(advantage) ‖ I listened to his advice, *to my great profit*. 彼の助言を聞いて大いにためになった / What *profit* is there in doing it? = What is the *profit* of doing it? そんなことをして何の得になりますか.
——動 自 **1**《人などが》〔…から〕利益を得る〔*from*〕;〔…から〕教訓を得る〔*by*〕 ‖ A wise man *profits by* [*from*] his mistakes. 賢者は己れの過ちから学ぶ; 転んでもただでは起きない. **2**《正式》〔…で〕得をする, 利する〔*by*, *from*〕 ‖ I have *profited by* your advice. 助言してくださった助言でためになりました / Someone else *profits from* the situation. 他の者が漁夫の利を占める. **3**《事が》役に立つ, ためになる.
——他《やや古》《人の》利益になる ‖ It will not *profit* you to do such a thing. そんなことをしてもあなたのためにはならないでしょう.
†**prof·it·a·ble** /práfitəbl‖prɔ́f-/ 形 **1**《事業・投資などが》利益をもたらす, もうけになる(⇔unprofitable) ‖ a *profitable* stock trade もうかる証券取引. **2**《助言・経験などが》〔…に〕有益な,〔…の〕ためになる〔*for*, *to*〕.
†**prof·it·a·bly** /práfitəbli‖prɔ́f-/ 副 有利に; 有益に ‖ It may be *profitably* taught in schools. それは学校で教えられたらためになるかもしれない.
†**prof·i·teer** /pràfitíər‖prɔ̀f-/ 名 ⓒ《品不足の時に高く売って》暴利をむさぼる者, 不当利得者.
prof·it·less /práfitləs‖prɔ́f-/ 形 利益にならない, もうからない; 無益な, むだな.
prof·li·ga·cy /práfligəsi‖prɔ́f-/ 名 Ⓤ《正式》放蕩(ほうとう), 不品行; 浪費.
prof·li·gate /práfligət‖prɔ́f-/《正式》形〔財産などを〕乱費する, 金づかいの荒い〔*of*〕; 不品行の.
——名 ⓒ 放蕩者.
†**pro·found** /prəfáund, prou-/ 形《時に ~·er, ~·est》**1**《正式》深い(deep);〔比喩的に〕深い ‖ a *profound* sigh 深いため息 / *profound* despair 深い絶望 / in the *profound* depth of the ocean 大洋の深い海底で. **2 a**《学識・考えなどが》深い, 深みのある; 感銘深い ‖ a *profound* remark 深みのある批評. **b** 難解な, 意味深い ‖ a *profound* book of philosophy 難解な哲学書. **c**《変化・影響などが》重大な, 重要な.
†**pro·found·ly** /prəfáundli, prou-/ 副 **1** 深く, 深遠に. **2**《正式》心から, おおいに.

pro·fun·di·ty /prəfʌ́ndəti/ [つづり注意] 名 1 U〔知的に・感覚的に〕深いこと. 2 C〔正式〕[profundities] 深遠な思想[事柄, 意味].

†**pro·fuse** /prəfjúːs/ 形 1 豊富な, おびただしい ‖ *profuse* tears とめどなく出る涙. 2〔…を〕物惜しみしない, 気前よく与える(in, of, with).

†**pro·fuse·ly** /prəfjúːsli/ 副 豊富に, 過度に.

†**pro·fu·sion** /prəfjúːʒən/ 名〔正式〕1 U 豊富 ‖ in *profusion* 豊富に. 2 [a ~ of ...] おびただしい数[量]の….

†**pro·gen·i·tor** /proudʒénətər | prəu-/ 名((女性形) **-tress** /-tris/) C〔正式〕1 祖先, 親. 2〔…の〕創始者, 先駆者〔of〕. 3 原型.

†**prog·e·ny** /prɑ́dʒəni | prɔ́dʒ-/ 名〔文〕[集合名詞; 単数・複数扱い]子供たち(children); 子孫(offspring). 2 U 結果, 所産.

prog·no·sis /prɑgnóusəs | prɔg-/ 名 (複 **-no·ses** /-siːz/) C 1〔医学〕(病気の)予後〔治療後の経過予想〕(cf. diagnosis). 2〔正式〕予知, 予測.

prog·nos·ti·cate /prɑgnɑ́stikèit | prɔgnɔ́s-/ 動 他〔正式〕<物事・状態>を(徴候によって)予言[予知]する,〔…ということを〕予告[予言]する〔that節〕. 2 …の前兆となる.

‡**pro·gram**, 〈英〉**-gramme** /próugræm, (米+) -grəm/〖前に(pro)書かれたもの(gram)〗
―名(複 ~s/-z/) C 1〔…の〕計画(plan), 構想, 予定[日程](表) (schedule) 〔for〕‖ *màke a prógram* of [for] the future 将来の計画を立てる / What is on the *program* today? =What is the *program for* today? 今日の予定はどうなっていますか.
2 (コンサート・競技会・行事などの)プログラム, 次第書; (ラジオ・テレビの)番組 ‖ My favorite TV *program* is "News Today." 私の一番好きなテレビ番組は「ニューストゥディ」です.
3 教科課程, カリキュラム(制度); 講義要目.
4〔教育〕(能力に合った速度で学習させるためのきめの細かい)学習計画. 5〔コンピュータ〕プログラム(computer program)《◆この分野では〈英〉でも program のつづりがふつう》.
―動 (過去・過分 ~ed or〈英〉〈米では時に〉pro·grammed; ~·ing or〈英〉〈米では時に〉-gram·ming) 他 1 …のプログラムを作る; …のプログラムに入れる; ~を組み込む. 2〈物〉が〔…のように〕計画する〔to do〕. 3〈コンピュータのプログラムを作る. 4〈教材〉をプログラム学習用に作成する.
―自 プログラムを作る.

prógram diréctor (ラジオ・テレビの)番組編成者.
prógram gènerator〔コンピュータ〕プログラムジェネレーター《プログラム作成を支援するプログラム》.
prógram lànguage〔コンピュータ〕プログラミング言語.
prógram(m)ed cóurse プログラム学習課程.
prógram(m)ed léarning プログラム学習.
prógram mùsic 標題音楽《音によって情景や物語を描く》.
prógram nòte プログラムに載っている(曲・演奏者・歌手などの簡単な)解説文.

pro·gram·er /próugræmər/ 名(米)= programmer.
pro·gram·ma·ble /próugræməbl, (米+) -grəm-/ 形〔コンピュータ〕プログラムに組める.

‡**pro·gramme** /próugræm/〈英〉名 = program 1, 2, 3, 4. ―動 = program 1, 2, 4.

pro·gram·mer, 〈米ではしばしば〉**-gram·er** /próugræmər/ 名 C 1 (ラジオ・テレビの)番組作成者. 2〔コンピュータ〕プログラマー《プログラム作製者》. 3〔教育〕学習計画作成者.

pro·gram·ming /próugræmiŋ/ 名 C 1 (ラジオ・テレビの)番組作成. 2〔コンピュータ〕プログラム作製, プログラミング ‖ (a) *prógramming lànguage* プログラミング言語. 3〔教育〕学習計画作成.

‡**pro·gress** /próugres | próugres-; 動 prəgrés | prəu-/ [アクセント注意]〖前方へ(pro)歩く(gress)〗cf. congress, regress〗派 progressive (形)
―名(複 ~·es/-iz/) 1 U〔…に対する/…における〕進歩, 発達, 発展, 向上〔with/in〕‖ the *progress* of science 科学の進歩 / He is *màking* great *prógress* [ˣa great progress / ˣgreat progresses] *with* [*in*] his English. 彼はめきめき英語の力をつけている.
2 U 進行, 前進(↔ regress); 進展, 進捗(しんちょく) ‖ The night game is still *in progress*. ナイターがまだ行われている / the *progress* of the earth around the sun 太陽を回る地球の運行 / A snail makes slow *progress*. カタツムリはゆっくり進む / Little *progress* has been made with the work. その仕事ははかばかしくはかどっていない.
3 U 〔時間・事件などの〕経過, 推移, 成り行き. 4 C〔英古〕〔通例 ~es〕(国王の)巡幸, 行幸.
―動 /prəgrés | prəu-/《◆分節は pro·gress》(~·es/-iz/; 過去・過分 ~ed/-t/; ~·ing)
―自 1〔…の点で/…が〕進歩[発達, 向上, 上達]する(improve)〔in/with〕‖ She is *progressing with* [*in*] her Chinese. =Her Chinese is *progressing*. 彼女は中国語が上達している《◆She is making *progress* in Chinese. がふつう》.
2〈人〉が前進する; 〈仕事〉がはかどる; 〈人(の健康)〉が快方に向かう; 〈時〉が経過する ‖ The patient is *progressing* favorably [nicely]. 患者は快方に向かっている(=The patient is getting better.).

pro·gres·sion /prəgréʃən | prəu-/ 名 U 1〔正式〕〔時に a ~〕進行, 前進 ‖ the slow *progression* of the demonstrators デモ隊のゆっくりとした行進. 2〔正式〕進歩, 発達, 発展. 3〔天文〕(惑星の)運行. 4 連続, 継続 ‖ *in progression* 連続して. 5 U〔数学〕数列 ‖「an arithmétic [a geométric] *progréssion* 等差[等比]数列.

†**pro·gres·sive** /prəgrésiv | prəu-/ 形 1〔正式〕〈人・政策などが〉進歩的な, 前進的な(↔ conservative); 〈都市などが〉発展[向上]する; [P~]〈米〉進歩党の ‖ an industrious, *progressive* people 勤勉で進歩的な国民. 2 a〈改善などが〉漸進(ぜんしん)の(↔ radical). b〈税率などが〉累進的な(↔ regressive). 3〈病気が〉進行性の. 4〈ダンス・トランプが〉順次相手が替わっていく. 5〈音楽が〉モダンな. 6〔教育〕〈個人重視の〉進歩主義の. 7〔文法〕進行形の.
―名 C 1 進歩論[主義]者. 2 [P~]〈米〉進歩党員. 3 = progressive form.
progréssive fórm〔文法〕[the ~]進行形.
Progréssive Párty〈米史〉[the ~]進歩党.
progréssive ténse〔文法〕[the ~]進行形時制.

†**pro·gres·sive·ly** /prəgrésivli | prəu-/ 副〔正式〕漸次, 次第に《◆比較級と共に用いる》.

†**pro·hib·it** /prouhíbət/ 動 他〔正式〕1〈法・団体などが〉〈行為・事〉を禁止する《◆個人が禁止する場合は forbid》; [prohibit **A** from doing]〈人〉が …するのを禁止する ‖ The law *prohibits* child labor. 法律は子供の就業を禁止している / Smoking is

prohibited in this room. この部屋は禁煙です / Our school *prohibits* us *from* going to the movies alone. 我々の学校では1人で映画を見に行くことは禁止されている。 **2**〈物・事が〉〈人〉が〔…するのを〕妨げる(prevent)〔*from* doing〕(→文法 23.1).

†**pro·hi·bi·tion** /pròuəbíʃən, pròuhi-/ 名 **1** U〔…の〕禁止；〔…の〕禁止命令〔*against, on, of*〕. **2** U (米)酒類製造販売禁止；[P~] (米史)禁酒法；禁酒時代《1920-1933》.
prohibition làw (米)禁酒法.

†**pro·hib·i·tive** /prouhíbətiv | prəu-/ 形 **1**〈法律が〉禁止するための,〈税金が購入[使用]を抑制するための. **2**(正式)〈値段が〉ひどく高い.

*****proj·ect** 名 prɑ́dʒekt | prɔ́dʒ-; 動 prədʒékt;〖前方へ(pro)投げる(ject). cf. *object, reject*〗

—— 名 (復) ~s/-ekts/) C **1**(仕事・活動のための)計画；〔…する〕企画(plan)〔*to do*〕 ‖ form [carry out] a *project* 計画をたてる[遂行する] / While she was talking, I worked on other *projects*. 彼女が話している間、私はほかのことをしていた。 **2**(大規模な)事業(計画)，プロジェクト. **3**〔教育〕研究計画、学習課題. **4**(米)公団住宅，団地(housing project).

—— 動 /prədʒékt/〈◆分節は pro·ject〉(~s/-ékts/; 過去分 ~·ed/-ɪd/; ~·ing)
—— 他 (正式) **1a**〈人が〉〈事業など〉を計画する，考案する(plan) ‖ *project* a visit to Brazil ブラジル訪問を計画する / *project* a new dam 新しいダムを計画する. **b**〈水・ガス・ミサイルなど〉を〔…に〕放出[発射]する〔*at, into*〕.
2〈人が〉〈自己の資質・感情・信念など〉を表明する；〈自己・考え・悪い感情など〉を〈人・物〉に投影する；〔…の〕せいにする〔*on, upon, onto*〕.
3〔幾何〕…を投影する；〈地図〉を投影法で作る；〔演劇〕
4〈人・機器などが〉〈光・影などを〉〔…に〕映写する，投影する〔*on, upon, onto*〕 ‖ The film was *projected* on the wall. 映画が壁に映された.
5〈物〉を突き出す，張り出す. **6**〔~ oneself〕〔…の〕身になってみる[考える]〔*into*〕.
—— 自 〈人〉〈物〉が〔…に/…の上に/…から〕突き出る，出っ張る〔*into/over/from*〕 ‖ a sharp rock that *projects into* the lake 湖に突き出ているとがった岩.

†**pro·jec·tile** /prədʒéktil | -tail/ 名 C 投射物，発射体《弾丸・石》；自動推進体《ロケットなど》.

†**pro·jec·tion** /prədʒékʃən/ 名 **1** C 投射，発射. **2** U C〔幾何〕投影(図)；投写像；〔心理〕投写，客観化. **3** C〔将来のことの〕推定，見積もり；計画，立案. **4** C 突出［突起〕部.
projéction bòoth [(英) ròom] 映写室.
projéction télevision 投影型テレビ.

pro·jec·tor /prədʒéktər/ 名 **1** C 映写機，投射器，投光器. **2** 計画者.

pro·late /próuleit, -/ 形〔幾何〕〈回転楕円体が〉上下に長い(↔ *oblate*) ‖ a *prolate* spheroid 長球.

pro·le·tar·i·an /pròulətéəriən/(やや古) C 形 プロレタリアの)，無産階級者の(↔ *bourgeois*).

†**pro·le·tar·i·at, --ate** /pròulətéəriət/ (復) pro·le·tar·i·ats [the ~；集合名詞；単数複数扱い〕 **1**(やや古)プロレタリア〔無産〕階級 (↔ *bourgeoisie*). **2** 古代ローマの最下層民.

pro·lif·er·ate /prəlífərèit | prəu-/ 動 (正式) 自 **1**〈動植物・細胞など〉が激増する. **2**〔生物〕繁殖する.
—— 他 **1**〈動植物・細胞など〉を激増させる. **2**〔生物〕…を繁殖させる.

pro-life /proulaif/ 形 胎児の生きる権利尊重の，中絶合法化に反対の (↔ *pro-choice*).

†**pro·lif·ic** /prəlífik/ 形 (正式) **1**(あまりにも)多産の；〈植物・作物などが〉実りの多い(fruitful). **2**〈芸術家が〉多作の；〈想像力など〉豊かな ‖ a *prolific* and successful writer 多作にして成功した作家. **3**〔…に〕富む；〔…の〕原因となる〔*in, of*〕.

†**pro·logue,** (米ではまれに) --**log** /próulɔ(ː)g/ 名 C〔時に P~〕 **1** 序幕；〔詩の〕序詞，序文〔*to*〕(↔ *epilogue*). **2**(正式)〔事件の〕発端，前触れ〔*to*〕.

†**pro·long** /prəlɔ́(ː)ŋ | prəu-/ 動 **1**〈人・事が〉〈時間・期間など〉を延長する，長くする；〈線など〉を長くする〔◆**lengthen** の方が ふつう〕 ‖ a means of *prolonging* life 寿命を長くする方法 / The playoff was *prolonged* far into the night. プレーオフの試合は長引いて深夜に及んだ. **2**〈母音など〉を長く延ばして発音する. **pro·lónged** 形 長引く，長期の.

prom /prɑm | prɔm/〖**promenade** の短縮語〗名 C (英) **1**〔しばしば P~〕(英) =**promenade concert**. **2**(英) 海岸遊歩道. **3**(米)(高校・大学などの)卒業記念大ダンスパーティー (cf. **dance** 名 **2, ball**[2]).

†**prom·e·nade** /prɑ̀məneid, -náːd | prɔ̀məná:d/ 名 C **1**(正式)遊歩，散歩，ドライブ；散歩道，(英)(避暑地などの)海岸遊歩道[場]；(英略式) prom. **2**(米)(大学・高校の)正式の舞踏会. —— 動 (正式) **1** …を散歩[遊歩]する. **2**〈人・物〉を見せびらかして歩く.
promenáde cóncert〔時に P~ C-〕(英)プロムナードコンサート，遊歩音楽会《(英略式) prom》.

Pro·me·the·us /prəmí:θjuːs, -θiəs | prəu-/ 名〔ギリシア神話〕プロメテウス《火の神. 天から火を盗んで人間に与えたため，ゼウスによって岩山に縛られてハゲワシに肝臓を食われた》.

†**prom·i·nence, --nen·cy** /prɑ́mənəns(i) | prɔ́m-/ 名 **1** U 目立つこと，卓越，重要 ‖ `cóme into [rise to] *prominence* 目立つようになる / bring something into *prominence* 物を目立たせる. **2** C (正式)突出物；目立つ物[場所]. **3** C〔天文〕(太陽の)紅炎，プロミネンス.

†**prom·i·nent** /prɑ́mənənt | prɔ́m-/ 形 **1** 突き出た，突起した ‖ This insect has *prominent* eyes. この昆虫は目が突き出ている / The man's front teeth are rather *prominent*. その男の前歯はかなり出っ歯だ〔◆「出っ歯」は **buckteeth**, **protruding [projecting] front teeth**. これは説明的な表現〕. **2** 目立った，人目につきやすい ‖ Our house is very *prominent*. 私たちの家は非常に目立つ / She is *prominent* as a likely candidate for president. 彼女は次の大統領になるだろうとの声が高い. **3**〈人が〉〔…の点で〕卓越した，有名な；重要な〔*in*〕 ‖ a *prominent* divorce lawyer 著名な離婚専門弁護士 / a professor (who is) *prominent in* space engineering 宇宙工学で卓越した教授.
próm·i·nent·ly 副 目立って，顕著に.

pro·mis·cu·i·ty /prɑ̀mɪskjúːəti | prɔ̀m-/ 名 U (正式)混乱(状態)，ごたまぜ；乱交.

pro·mis·cu·ous /prəmískjuəs/ 形 **1**(正式)乱交の，ふしだらな. **2** ごたまぜの，無差別な.

*****prom·ise** /prɑ́məs | prɔ́m-/〖前方へ(pro)送る(mise). cf. *missile*〗形 **promising**.
—— 名 (復) ~s/-iz/) **1** C〔…するという〕約束，契約〔*to do, that* 節, *of*〕(類語) pledge, oath, word) (使い分け) → **appointment** 名 **1a**) ‖ màke a *prómise* 約束する / kéep [bréak] *a* [one's]

promising

prómise 約束を守る[破る]《◆「あなたは私との約束を破った」にあたる英語は You broke your [×my] promise.》/ Mr. Yamada gave me his promise「to be here [that he would be here] at 7 o'clock. 山田氏は7時にここに来ると私に約束した(=Mr. Yamada promised me to be here at 7 o'clock.)《◆ × ... made me his promise ... は不可》/ Promises promises!《略》また君の「約束」が始まった《◆皮肉の言葉》.
2 Ⓒ 約束したこと[物].
3 Ⓤ 有望, 見込み, 期待;(春などの)徴候, きざし ‖ He is a pitcher *of great promise*. =He *shows* great promise. 彼はたいへん有望な投手だ.
(**as**) **góod as** *one's* **prómise** =(as) good as one's WORD.

—動(~s/-iz/;過去・過分 ~d/-t/; --is·ing)
—他 **1** [promise (A) B =promise B (to A)]〈人が〉〈A〈人〉に〉B〈物・事〉を約束する; [promise (A) to do]〈A〈人〉に〉…すると約束する; [promise (A) that節]〈A〈人〉に〉…と約束する;《略》…を請け合う, 断言する 類語 pledge, swear, undertake);「…」と言って約束する ‖ She *promised* me her help. =She *promised* her help *to* me. 彼女は手を貸すと私に約束した《◆受身は I *was promised* her help.=Her help was *promised* me.》/ I *promise* (you) *that* I won't be late for dinner. =I *promise* (you) not to be late for dinner. 夕食に遅れないようにきっと帰ってきますよ《◆不定詞構文 not to be late ... の主語は主節の主語と一致する. ➡文法11.4⑴》.

語法 promise **A** to do の型を認めない人もいるので, promise **A** that節の型を用いる方が無難.

2 《正式》〈事が〉〈…する〉見込みがある〈to do〉;〈雲などが〉〈雨・晴などの前兆[きざし]になる ‖ The clouds *promise* rain. この雲行きでは雨になりそうだ.
—自 **1** 約束する. **2** 見込みがある, 望みがある, 有望である ‖ The coffee harvest *promises* well this year. 今年のコーヒーの収穫は有望だ / She *promises* well as an actress. 彼女は女優として前途洋々だ(=She is a very *promising* actress.).
I (can) prómise you. (↘)《略》[文頭・文尾で] 確かに, ほんとうに, きっと;言って[お断りして]おきますが ‖ I won't do it again, I *promise you*. ほんとうにそんなことは二度といたしません《◆(1) Promise. / I *promise*. ともいう.(2) I promise. は返事にも用いる: "Will you buy me a new bike?" "*I promise*." 「新しい自転車を買ってくれる?」「約束するよ」.
prómised lánd [the ~] (1) 天国. (2) 希望のある土地[状態]. (3) [Promised L-]〔聖書〕約束の地《神がアブラハムとその子孫に約束した地カナン》.

†**prom·is·ing** /prάməsiŋ/形 前途有望な, 見込みのある, 期待できる;うまく行きそうな;〈天気が〉よくなりそうな(↔ unpromising) ‖ a *promising* new player 有望な新人選手(=a new player full of *promise*) / Tomorrow's weather is *promising*. 明日の天気はよくなりそうだ.
prom·is·so·ry /prάməsɔːri | prɔ́misəri/形 約束を含む.
prom·on·to·ry /prάməntɔːri | prɔ́mənt(ə)ri/名 Ⓒ 岬(さき)(headland).

***pro·mote** /prəmóut/ 『前に(pro)動く(mote). cf. motion, remote』派 promotion(名)

promptly

—動(~s/-óuts/;過去・過分 ~d/-id/; --mot·ing)
—他 **1**〈人・事が〉〈平和・健康など〉を促進する, 増進する(advance), 奨励する;〈新製品などの〉販売を促進する ‖ *promote* peace 平和を促進する / *promote* a new toothbrush on television 新しい歯ブラシをテレビで売り込み宣伝をする / Moderate exercise *promotes* health. 適度な運動は健康を増進する.
2〈人〉を〈…に〉昇進させる(raise), 進級させる,〈スポーツ〉…を〈…に〉勝ち進ませる〈to〉;《主に英》[promote **A** (to be) **C**]〈人が〉A〈人〉を**C**に昇進させる《◆**C** はしばしば無冠詞. ➡文法16.3⑷》(↔ demote) ‖ He was *promoted* 「to captain [to the rank of captain,《主に英》(to be) captain]. 彼は大尉に昇進した.
3〈法案〉の通過に努める. **4**〈事業・コンサート・劇など〉を発起[主催]する, …の発起人になる. **5**〔チェス〕〈ポーン〉を(女王などに)成らせる.

†**pro·mot·er** /prəmóutər/名 Ⓒ **1**(会社設立の)発起人(company promoter),〈スポーツ〉の興行主. **2**《正式》[通例 a/the ~] 促進物.
†**pro·mo·tion** /prəmóuʃən/ **1** ⓊⒸ〈…への〉昇進, 進級〈to〉(↔ demotion) ‖ She obtained [got, was given] a *promotion* and an increase in salary. 彼女は昇進して給料がふえた. **2** Ⓤ 助長, 普及促進. **3** ⓊⒸ 発起, 設立. **4** ⓊⒸ 販売促進(の製品).
pro·mo·tion·al /prəmóuʃənəl/形 販売促進の, (会社・イベント)宣伝用の ‖ a *promotional* video プロモーションビデオ.

†**prompt** /prάmpt | prɔ́mpt/形 **1**〈人が〉〈…するのに〉機敏な, 敏速な, すばやい, てきぱきとした〈to do, in doing〉;〈…の点で〉時間を守る〈in〉《◆ quick が行動のすばやさをいうのに対し, prompt は応答や反応のすばやさをいう》‖ Be *prompt to* do what is asked. 頼まれたことはすぐにやりなさい / He was *prompt in* his response. =He made a *prompt* response. 彼はすばやく返答した(=He responded *promptly*.) / She is *prompt* in paying back her debts. 彼女はきちんと借金を返す. **b**〈行為が〉〈…の点で〉即座の〈in〉. **2**〔商業〕即時(払い)の. **3**〔演劇〕せりふ付け役[用]の; 忘れた時のための ‖ a *prompt* card(講演をする際の)メモ用紙.
—名 Ⓒ 刺激する[促す]もの; 思い出させるもの, きっかけ;〔演劇〕せりふ付け役;〔コンピュータ〕プロンプト《ユーザーの指示待ちの状態にあることを知らせる記号》.
—副《略》[時刻を示す語の前・後で] ちょうど, きっかり ‖ *prompt* at 3 o'clock =at 3 o'clock *prompt* ちょうど3時に.
—動 他 **1**〈人〉を刺激する;〈人〉を〈…へ〉かり立てる〈to〉;〈人〉に〈…するよう〉促す〈to do〉‖ What *prompted* you *to* give yourself up to the police? あなたはどうして自首する気になったのですか. **2**〈感情・行為・言葉など〉を引き起こす, 誘発する. **3**〈俳優〉にせりふを教える[思い出させる];〈言葉に詰まった人〉に思い出させる, きっかけを与える.
prómpt bòx プロンプター席《◆舞台の横[前]の客席から見えない所にある》.

†**prompt·er** /prάmptər | prɔ́mpt-/名 Ⓒ **1** 促進する人[もの]. **2**〔演劇〕せりふ付け役, プロンプター.
†**prompt·ly** /prάmptli | prɔ́mpt-/副 **1** 敏速に; 即座に ‖ The prisoner *promptly* obeyed the guard's order. 囚人は即座に看守の命令に従った. **2** きっかり, ちょうど ‖ We arrived「*promptly* at 6 o'clock [at 6 o'clock *promptly*]. 我々はちょうど

prom·ul·gate /prάməlgeit | prɔ́m-/ 動 他《正式》**1**〈法律・規則・教義〉を公布[公表]する. **2**〈信仰・思想など〉を広める, 普及させる.

†**prone** /próun/ 形 (more ~, most ~) **1** […の]傾向がある[で];〔好ましくないことをする〕傾向があるto do〕‖ He is *prone* [*to* colds [*to* catch cold] even in summer. 彼は夏でもかぜをひきやすい / We are more *prone* to make mistakes when we are tired. 疲れている時の方が間違いをしがちだ. **2**《正式》うつぶせの, 平伏した (↔ supine) ‖ fall *prone* on the bed ベッドにうつぶせになる.

prong /prɔ́ːŋ/ 名 C (フォーク・シカの角などの)先のとがった部分[枝]. ── 動 他 …を(とがった物で)突く[刺す, 掘り返す].

prong·horn /prɔ́ːŋhɔ̀ːrn/ 名 (複 ~s, prong·horn) C 《動》プロングホーン《北米産の有蹄(?)類》.

*__**pro·noun**__ /próunaun/
── 名 (複 ~s/-z/) C《文法》代名詞 ‖「an interrogative [a personal, a possessive] *pronoun* 疑問[人称, 所有]代名詞 / a reflexive [relative] *pronoun* 再帰[関係]代名詞 /〔ショーク〕"Now, class, name two *pronouns*." "Who, me?" "Very good." "Huh???"「はい皆さん, 代名詞を2つあげてね」「だれ, ぼく?」「とてもよくできました」「えっ?」《◆who も me も代名詞》

*__**pro·nounce**__ /prənáuns/ 動 pronunciation (名)
── 動 (~s/-iz/; 過去·過分) ~d/-t/; ~nounc·ing)
── 他 **1**〈人が〉〈単語など〉を発音する (articulate), 言う‖ How [*x*What] *do you pronounce* this word? この単語はどう発音するのですか / He didn't *pronounce* my name correctly. 彼は私の名前を正しく言えなかった / The 'b' in 'comb' is not *pronounced*. comb の b は発音しない.
2《正式》〈人が〉〈判決など〉を〔人に〕申し渡す, 宣告する[*on, upon*]; [pronounce A (to be) C / pronounce that節]〈人・人物など〉が C であると断言する, 宣告する;「…」と断言する (declare)‖ The judge *pronounced* a life sentence *on* her. 裁判官は彼女に終身刑を宣告した / I now *pronounce* you husband and wife. あなたがたが夫婦であることを宣言します《牧師の言葉》.
── 自 **1** 発音する (articulate). **2**《正式》〔…について〕意見を述べる, 判決を下す[*on, upon*]; […に有利な/…に不利な〕判決[判断]を下す[*for, in favor of / against*].

pronóuncing dictionary 発音辞典.

†**pro·nounced** /prənáunst/ 形 はっきりした; 力強い; 〈欠陥など〉目立つ, 顕著な.

pro·nounce·ment /prənáunsmənt/ 名 C《正式》〔…についての/…という〕意見; 宣言; 決定, 判決〔*about, on / that*節〕.

*__**pro·nun·ci·a·tion**__ /prənʌ̀nsiéiʃən/〔つづり注意〕[→ pronounce]
── 名 (複 ~s/-z/) U C 発音; 発音のしかた;〔時に a ~〕(個人の)発音 ‖ Your French *pronunciation* is good. あなたのフランス語の発音はすばらしい / 'Either' has two *pronunciations*. either には 2 つの発音がある.

*__**proof**__ /prúːf/《◆動詞は prove》
── 名 (複 ~s/-s/) **1** U〔集合名詞〕[…の](確実な)証拠〔*of*〕《◆ evidence を積み重ねた最終的な証拠をいう》;[…という]証明, 立証〔*that*節〕; C 証拠品 ‖ as (a) *proof of* guilt [love] 有罪の証拠[愛の印]として / defend *in proof of* her innocence 彼女の無実を立証しようと弁護する / demand *proof of* friendship *from*〔*to*〕him 彼に友情のあかしを求める / a few *proofs*「*in favor of* [*against*] the defendant 被告に有利[不利]な数個の証拠品 / He is living *proof*. 彼がいい見本だ / *There is no proof that* she has made [*of her having made*] a mistake. 彼女が過ちを犯したという証拠はない.
2 U C 試験 (test), 吟味; 品質検査;〔数学〕検算;〔数学・論理〕証明 ‖ *pút* [*bríng*] his plán *to the próof* =*máke próof of* his plán 彼の計画を試す《◆ test の方がふつう》/ stand a severe *proof* 厳しいテストに耐える / *The proof of the pudding is in the eating.*《ことわざ》プディングの味をみるには食べてみることだ;「論より証拠」
3 U 試験ずみの品質[状態], 耐久度;(酒類の)標準強度;〔形容詞的に〕〈品質などが〉試験[検査]ずみの, 保証付きの; 検査[試験]用の;〔数詞の後で〕標準強度の ‖ whiskey above [below] *proof* 標準強度以上[以下]のウイスキー. **4** U C〔印刷〕〔しばしば ~s〕校正刷り (proof sheet(s));(版画などの)初刷り;〔写真〕ためし焼き ‖ *in* [*on*] *proof* 校正刷りで / read [correct, revise] *proof*(s) 校正をする.
── 形〔補語として〕[水・火・災害などに]耐えられる;〔誘惑・議論などに〕抵抗できる, 負けない〔*against*〕‖ She is *proof against* bribery. 彼女には袖(◌)の下は通じない / This wall is *proof against* damage from fire. この壁は耐火構造だ (=This wall is fireproof.)《◆ *x*This wall is proof against fire. は不可. ただし, Asbestos is proof against fire. は主語そのものが耐火性をもっているので可》.
── 動 他《正式》**1** …を検査[試験]する. **2**〈布など〉に防水加工する; …を[…に]耐えるようにする〔*against*〕.

próof shèet(s) =名 4.

próof spirit 標準強度アルコール飲料《◆ 米国は 50%, 英国は約 57%》.

-proof /-pruːf/〔語要素〕→ 語要素一覧 (1.7).

proof·read /prúːfrìːd/ 動 (過去·過分) ~·read/-rèd/) 他 自 (ゲラを)校正する. **próof·rèad·er** 名 C 校正係. **próof·rèad·ing** 名 U 校正.

†**prop** /prάp | prɔ́p/ 名 C **1** 支柱, つっぱり. **2**《略式》支持者[物]. **3**〔ラグビー〕プロップ《スクラム最前列両端のフォワードの一方》.(図 → rugby). **4**《主に豪》(馬の)急停止. ── 動 (過去·過分) propped/-t/; prop·ping) 他 …を支える, 支持する (+*up*); …を[…に]もたせかける〔*on, against*〕‖ *prop* the door open with a chair いすでドアを開けたままにしておく.

†**prop·a·gan·da** /prὰpəgǽndə | prɔ̀p-/ 名 **1** U (主義・思想の)宣伝, 組織的な宣伝活動, プロパガンダ (◆ public relations よりも誇張的な語); C 宣伝機関 ‖ the *propaganda* of a political party 政党の宣伝 / make *propaganda* for [against] nuclear power generation 原子力発電の[に反対する]宣伝を行なう. **2**〔形容詞的に〕*propaganda* plays 宣伝用劇.

†**prop·a·gate** /prάpəgèit | prɔ́p-/ 動《正式》他 **1**〈動植物〉を繁殖させる; …を増殖させる;[~ oneself]繁殖する ‖ Flies *propagate* themselves by means of eggs. ハエは卵で繁殖する. **2**〈思想など〉を普及させ, 宣伝する,〈病気〉を蔓延(まんえん)させる ‖ Newspapers *propagate* news and ideas. 新聞はニュースや考え方を広める. **3**〈音・振動など〉を[…を通して]伝え, 伝達する〔*through*〕‖ Iron *propagates* sound

well. 鉄は音をよく伝える. **4**〈人が〉〈特質〉を遺伝させる ‖ *propagate* the best qualities of these horses これらの馬の最も優れた資質を遺伝させる.
— 自〈動植物が〉繁殖する.

prop·a·ga·tion /prɑ̀pəgéiʃən | prɔ̀p-/ 图 U〘正式〙**1**〘動植物の〙繁殖. **2** 布教事業, 〘思想の〙宣伝, 〘病気の〙蔓延(まんえん). **3**〘音などの〙伝達. **4**〘特質の〙遺伝.

pro·pane /próupein/ 图 U〘化学〙プロパン〘ガス〙.

†**pro·pel** /prəpél/ 動〘過去過分〙**pro·pelled**/-d/, **~·pel·ling** 他〘正式〙**1** …を〘機械的な力で〙前進させる, 推進する. **2**〈人〉を駆り立てる(drive).

propélling péncil〘英〙シャープペンシル(〘米〙mechanical pencil)〘◆シャープペンシルは英国ではあまり使われていない〙.

†**pro·pel·ler** /prəpélər/ 图 C **1** 推進器; 〘飛行機の〙プロペラ, 〘船の〙スクリュー(screw propeller, 〘略式〙prop). **2** 推進させる人〘物〙.

†**pro·pen·si·ty** /prəpénsəti | prəu-/ 图 C〘正式〙〔…への/…する〕(生まれつきの)傾向, 性癖〔*for, to, toward / to do, for doing*〕‖ hàve a *propénsity to* criticize やたらにけちをつける癖がある.

***prop·er** /prɑ́pər | prɔ́p-/〘『自分自身の』→『固有の』が原義. cf. appropriate (副)〙 propérly (副), property (名), propriety (名)

— 形 (**more ~, most ~**) **1**〘名詞の前で〙適切な; 〘補語として〕〔…に〕ふさわしい, 適した(suitable)〔*for, to*〕; 〔…するのに〕好ましい, 正しい〔*to do, for doing*〕〘◆(1) fit よりも強意的. (2) 比較変化しない〙(↔ improper)‖ *proper* exercise 適度の運動 / a deed (which is) *proper to* the occasion その場にふさわしい行為 / a *proper* way「*to live* [*for living*]」正しい生き方 / as you think *proper* 自分が正しいと思う通りに, 適宜に, しかるべく / This apartment is *proper「for living [to live*]」in. このアパートは住むのに適している.

2 a [it is proper that **A** (should) do / it is proper for **A** to do]〈人〉が…するのは当然である, 礼儀にかなっている〘◆that節が表す内容を真と受け止めれば, that節は直説法も可〙‖ It is (right and) *proper that* he (should) pay his debt back to me. =It is *proper for* him *to* pay … 彼が私に借金を返すのは当然で, 返金を頼むのは(正当に英). ⇒ 文法 9.3〙. **b** 〔…に(対して)〕正式の(polite)〔*for, to*〕; 礼儀正しい; いやに堅苦しい〘◆「堅苦しい」の意味では比較変化しない〙‖ Boy, you are being *proper* today. まあ, 今日はお行儀がいいこと / *proper* clothes *for* the ceremony 式典の正装 / How *proper*! 何とお堅いこと / prim and *proper* とりすました.

3〘正式〙〔補語として〕〔人・物・事に〕固有である, 独特[特有]である(peculiar)〔*to*〕‖ a building *proper to* Japan 日本に固有の建物.

4〘◆比較変化しない〙**a**〘略式〕〔名詞の前で〕本当の, 実際の(real); 〘正式〙〔名詞の後で〕厳密な意味での, 本来の‖ literature *proper* 純文学. **b** 〔名詞の前で〕〈時間などが〉正確な.

5〘略式〕〔名詞の前で〕まったくの, 完全な(complete); 非常な〘◆比較変化しない〙‖ a *proper* liar 大うそつき〘◆ふつう fool, liar などの語の前に置く〙.

6〘文法〕〔名詞の前で〕固有の〘◆比較変化しない〙‖ a *proper* noun [name] 固有名詞.

próper fráction〘数学〙真分数.

†**prop·er·ly** /prɑ́pərli | prɔ́pəli/, 〘英略式〙própli/ 副 **1** きちんと, 適切に〘適当に〕; 上品に, 礼儀正しく‖ be *properly* welcomed 丁重に歓迎される / make a cup of tea *properly* 程よく1杯のお茶を入れる. **2** 厳密に, 正確に‖ *properly* speaking =**to speak** *properly* 厳密に言えば(⇒ 文法 13.5, 11.3)6). **3** 〘文全体を修飾〙当然のことながら, 正当に(⇒ 文法 18.2)‖ You are *properly* sorry about your poor mark in English. 君が英語の悪い成績について後悔するのは当然である(=It is *proper* that you should be [are] sorry about … / It is *proper* for you to be sorry about …). **4**〘略式〙完全に, ひどく‖ scold him good and *properly* 彼をこっぴどくしかる.

†**prop·er·ty** /prɑ́pərti | prɔ́p-/ 图 **1** U〘集合名詞〙財産, 資産, 所有物; C〘正式〙地所, 不動産‖ *a man [woman] of property*〘正式〙財産家 / pérsonal [réal] *próperty* 動[不動]産 / private [public, national] *property* 私有[公共, 国有]財産 / have a small piece of *property* in the suburbs 郊外にわずかな地所がある / This is my *property*. これは私のものだ / The rumor became common [public] *property*. そのうわさはみんなに知れ渡った. **2** U〘正式〙〔時に a ~〕〔…の〕所有(権)〔*in*〕‖ *property* in land [copyright] 土地の所有権[版権の所有] / **hóld próperty in** … …を保有している. **3** C〘正式〙〔しばしば properties〕〘物の〙特性, 特質(quality)‖ the *properties* of iron 鉄の特性 / have the *property that* … …という特性を持っている. **4** C〘正式〙〘演劇〙〔通例 properties〕小道具〘略式〕props〙〘◆〘英〙では衣装も含む〙; 〘略式〙脚本. **5** U C〘コンピュータ〙プロパティ, 属性.

próperty devèloper 不動産[宅地]開発業者.

†**proph·e·cy** /prɑ́fəsi | prɔ́f-/ 图 U C 予言(する力), 〘神意を伝える〙預言; 〔…という〕予言〔*that*節〕‖ a gift of *prophecy* 予言能力 / the *prophecy of* an earthquake occurring =the *prophecy that* an earthquake will occur 地震が起こるという予言.

proph·e·sy[1] /prɑ́fəsi | prɔ́f-/ 图〘米〙=prophecy.

†**proph·e·sy**[2] /prɑ́fəsài | prɔ́f-/ 〔発音注意〕動 他 …を予言[予報]する(foretell); 〔…であると〕予言する〔*that*節, *wh*節〕‖ *prophesy* his success = *prophesy that* she will succeed 彼女の成功を予言する. — 自〔…を〕予言[予報]する〔*of*〕.

†**proph·et** /prɑ́fət | prɔ́f-/〘同音〕profit〙 图 C **1** 予言者; 〔the Prophets; 複数扱い〕〘旧約聖書の〙預言者[書]; 〔the P~〕イスラム教の教祖, マホメット‖ a *prophet* of doom 悲観的なことばかりを言う人 / the Law and the Prophets 知る[従う]価値のある事my. **2**〘主義などの〕代弁者, 提唱者, 先駆者〔*of*〕. **3** 物事を予想[予報]する人.

proph·et·ess /prɑ́fətəs | prɔ̀fətés/ 图 C〘今はまれ〕prophet の女性形.

†**pro·phet·ic, ~·i·cal** /prəfétik(l) | prəu-/ 形〘正式〙予言[預言]者の; 予言的な; 〔…を〕予言する〔*of*〕‖ a sign *prophetic of* good [evil] 吉[凶]兆.

pro·phy·lac·tic /pròufəlǽktik, prɑ̀fə- | prɔ̀fə-/〘医学〙形 予防の; 避妊の. — 图 C 予防の薬[器具, 方法].

†**pro·pin·qui·ty** /prəpíŋkwəti | prəu-/ 图 U〘正式〙〔…への〕接近, 近接〔*to*〕; 近親; 類似.

pro·pi·ti·ate /proupíʃièit | prəu-/ 動 他〘正式〙〈人〉の機嫌をとる, …の怒りをしずめる.

pro·pi·ti·a·to·ry /proupíʃiətɔ̀ːri | prəu-, -təri/ 形〘正式〙なだめる, 機嫌取りの.

†**pro·pi·tious** /prəpíʃəs/ 形〘正式〙**1** 幸運な, 〔…に〕都

合のよい[for, to] ‖ a *propitious* sign 幸運なきざし. **2**〔…に〕好意的な, 慈悲深い[to, toward].

pro・po・nent /prəpóunənt/ 图 C〔正式〕提案者; 擁護者.

*pro・por・tion /prəpɔ́ːrʃən/
— 图 **1** (個) 〜s/-z/; [the proportion **of A to B**] A〈人・物〉とB〈人・物〉との比率 ‖ *The proportion* of boys to girls in this school is three to two. この学校の男女の比は3対2だ / *the proportion* of marriages that end in divorce 結婚が離婚に至る率, 離婚率.
2 C 部分 (◆part より堅い語); 割り前, 分け前 (share) ‖ a *proportion* of the profits 利益の分け前 / I've already done a large *proportion* of my homework. すでに宿題の大部分をした.
3 UC〔通例 〜s〕つり合い (balance); 〔…に対する〕均衡, 調和 (↔ disproportion)〔to, with〕‖ a girl with fine *proportions* プロポーションのいい女の子 / the door **in [out of**(all)]*proportion* **to [with]** the room 部屋と調和した[(まったく)調和していない]ドア / due [proper] *proportion* 適当な釣り合い.
4〔〜s; 複数扱い〕大きさ, 広さ, 面積, 規模, 大きい体 ‖ a bridge of large *proportions* 巨大な橋 / an economic problem of great *proportions* 大きな経済問題.
5 U〔数学〕比例(計算)‖ direct [inverse] *proportion* 正[反]比例(→成句 in *proportion*).

in propórtion (1) → **3**. (2) 分別をわきまえて. (3)〈話などが〉事実より誇張されないで.
*in propórtion to [with] A …に比例して, …の割りには(according to)〔◆**to** A の代わりに as 節もまれに用いる〕‖ People come to know better *in proportion* [to their age [as they grow old]. 人は年をとるにつれて分別がついてくる(=The older people grow, the more they come to know.).
óut of propórtion (1) → **3**. (2) 分別をわきまえず. (3)〈話などが〉事実より誇張されて.
— 動 他 **1** …をつり合わせる〔大きさ・数量などを〕(大きさ・数量などに)比例[調和]させる(adjust)〔to〕‖ *proportion* one's life to one's income 収入に応じた生活をする. **2** …を割り当てる, 配分する.

†pro・por・tion・al /prəpɔ́ːrʃənl/ 形 **1**〔…と〕比例した, つり合った〔to〕(◆**proportionate** がふつう). **2**〔数学〕〔…に〕比例する〔to〕‖ be directly [inversely] *proportional* to … …に正[反]比例する.
— 图 C 比例数[量].

propórtional represèntátion(選挙制度の)比例代表制(略 PR).

†pro・por・tion・ate /prəpɔ́ːrʃənət/ 形, /-ʃənèit/〔形(正式)〕〔…と〕つり合った, 比例した〔to〕(↔ disproportionate). — 動 他 …を比例させる, つり合わせる

pro・por・tioned /prəpɔ́ːrʃənd/ 形 **1** つり合いのとれた. **2**〔副詞の後で〕つり合いが…な ‖ 'a *well-proportioned* [a *badly-proportioned*, an *ill-proportioned*] vase 均整のとれた[とれていない]花びん.

†pro・pos・al /prəpóuzl/ 图 **1** UC 〔C〕申し込み; 〔しばしば 〜s〕〔…の〕計画, 案(plan)〔for〕; 〔…する/…という〕提案, 議案(suggestion)〔to do / that 節〕‖ make [offer] *proposals* for peace 和平の提案をする / We accepted a *proposal* to repair [for repairing, that we (should) repair]

a road. 道路の修理の提案を受け入れた(⇒文法 9.3).
2 C 結婚の申し込み, 求婚 ‖ receive a *proposal* (of marriage) from him 彼から結婚を申し込まれる / He made a *proposal* [×propose] to her. 彼は彼女にプロポーズした(=He *proposed* to her.).

*pro・pose /prəpóuz/〔『前に(pro)置く(pose)』〕proposal (名), proposition (名)
— 動 〜s/-iz/; 〔過去・過分〕〜d/-d/; **--pos・ing**
— 他 **1**〔正式〕〈人〉〈事〉を(積極的に)**提案する**(suggest, offer); [propose doing / propose that 節 / (米) propose to do] …しようと提案する《(1)that 節の中は(米・英正式)仮定法現在(→ 文法 9.3), (主に英)直説法. (2) suggest は控え目な提案を示すだけの語》‖ I *propose* a toast to his health 彼の健康を祝しての乾杯の音頭を取る / She *proposed* 'calling off [to call off] the plan. 彼女は計画を中止しようと提案した / She *proposed that* Bill (should) lead the parade. 彼女はビルがパレードを先導するよう提案した《◆×She *proposed* Bill to lead the parade. は不可. She *proposed* for Bill to lead the parade. は可だが一般的でない》/ She *proposed* (to us) *that* we shouldn't [not, didn't] start. 彼女は(私たちに)出発をやめようと提案した.
2〈人〉〈事〉を**企てる**; [propose to do / propose doing] …するつもりである(intend) ‖ I *propose* studying [to study] abroad some day. いつか留学するつもりだ(=〔略式〕I am going to study …).
3〔正式〕〈人〉を〈地位・会員などに〉**推薦[指名]する**〔for, as〕‖ *propose* him *as* chairman 彼を議長に指名する(=〔米〕*propose* for him to be chairman)(⇒文法 16.3(4)). **4**〈結婚〉を〔…に〕申し込む〔to〕.
— 自 **1** 〈人が〉〔…に〕**結婚を申し込む**〔to〕‖ He *proposed* to her on their second date. 2度目のデートで彼は彼女にプロポーズした(=He made a *proposal* to …). **2** 申し込む, 提案する; 企てる.

*prop・o・si・tion /prɑ̀pəzíʃən/, prɔ̀p-/ 图 C **1** 提案, 〔…する/…という〕発議〔to do / that 節〕; (商取引の)申し込み, 条件の提示〔◆**proposal** よりはっきりとした提案を示す〕‖ a *proposition* to carry it out [that it (should) be carried out] それを実行しようという提案(⇒文法 9.3) / make him a *proposition* 彼に提案する. **2**〔議案・証明の〕陳述, 主張; 〔…という〕説〔that 節〕; 〔論理・数学〕命題, 定理 ‖ the *proposition that* all men are created equal 人はみな生まれながらに平等であるという主張. **3**〔略式〕〔通例 a 〜〕(処理・考慮する)事柄, 人; 仕事, 問題 ‖ a delicate *proposition* 微妙な問題. **4**〔略式〕(女への)性的な誘いかけ.
— 動 他〔略式〕〈人〉に計画を提案する(propose).

pro・pound /prəpáund/ 動 他〔正式〕**1** 〈理論・問題などを〉提出する(offer). **2**〔英古法律〕(検認のため)〈遺言状〉を提出する.

†pro・pri・e・tar・y /prəpráiətèri/, -tri/〔正式〕形 **1** 所有者(のような). **2** 私有財産として所有される. **3** 専売の.
— 图 C **1** 所有者; 所有団体. **2** 所有権.

†pro・pri・e・tor /prəpráiətər/ 图 C **1**〔正式〕(企業・ホテル・特許などの)**所有者**(owner); 地主. **2**〔米〕= proprietor colony.

propríetor cólony 領主植民地.

†pro・pri・e・ty /prəpráiəti/ 图〔正式〕**1** U (男女・階級間の)作法, 礼儀正しさ (↔ impropriety). **2** U 適当(さ), 妥当(性)(fitness). **3** C〔the propri-

pro·pul·sion /prəpʌ́lʃən/ 名 U 《正式》推進(力).
†**pro·sa·ic** /prouzéiik/ 形 **1**《正式》退屈な, つまらない; 平凡な(dull); 想像力に欠ける ‖ the *prosaic life* 退屈[平凡]な生活. **2** 散文(体)の(↔ poetic).
†**prose** /próuz/ 名 **1** U 散文(体) (↔ verse, poetry) ‖ works written in graceful *prose* 優雅な散文で書かれた作品. **2** U《正式》単調, 平凡. **3** C《英》翻訳練習問題. **4** [形容詞的に]《正式》散文(prosaic)の; 平凡[単調]な ‖ He's a *prose* writer. 彼は散文家である.
── 動 (自) 〈人が〉〔…について〕平凡[散文的]に書く[話す](+*away*)〔*about*〕. ── (他) 〈人が〉〈詩など〉を散文に直す.
próse pòem [[集合名詞]] **pòetry**] 散文詩.
†**pros·e·cute** /prάsəkjùːt | prɔ́s-/ 動 他 **1**《正式》〈研究・調査・事業など〉を遂行する, 行なう(carry out) ‖ *prosecute* 「one's studies [an inquiry] 研究[調査]を行なう. **2** 〈人〉を〔罪状について〕起訴する〔*for*〕‖ Shoplifters will be *prosecuted*. 万引きすることは犯罪です. **prósecuting attórney**《米》地方検事[検察官].
†**pros·e·cu·tion** /prὰsəkjúːʃən | prɔ̀s-/ 名 **1** U〘法律〙起訴(手続き), 刑事訴追. **2** [(the) ~; 集合名詞; 単数・複数扱い] 検事当局(↔ defense). **3** U《正式》遂行, 実行, 続行 ‖ in the *prosecution* of one's mission 任務遂行のために.
†**pros·e·cu·tor** /prάsəkjùːtər | prɔ́s-/ 名 C〘法律〙検察官, 検事(public prosecutor). **2** 遂行する人; 経営者.
pros·e·lyte /prάsəlàit | prɔ́s-/ 名 《正式》新しく帰依(ᵉ)した人; 改宗者; 転向者. ── 動 他 〈人〉を改宗させる[させようと努める].
Pro·ser·pi·na /prəsə́ːrpənə, prouː-, prɔː-/, **~·pine** /prάsərpàin, prousə́rpəniː | prɔ́s-/ 名 《ローマ神話》プロセルピナ《Jupiter と Ceres の娘. ギリシア神話の Persephone に当たる》.
pros·o·dy /prάsədi | prɔ́s-/ 名 U 作詩法, 韻律学.
†**pros·pect** 名 prάspekt | prɔ́s-, 動 prάspekt | prəspékt, prɔ́spekt/ 名 **1** C U [通例 ~s; 複数扱い] (成功などの) 見込み, 可能性, (将来の) 見通し〔*for*, *of*〕《◆ outlook より客観性が薄い》; 予想;《正式;今はやり》[地位・金銭などの] 期待〔*for*, *of*〕《◆ expectation の方が強意的》‖ *Prospects* for her promotion are good. 彼女の昇進の見通しは明るい / The plan offers poor *prospects*. その計画はうまくいきそうにもない / The *prospect* 「of seeing [ˣ to see] her is exciting. =I am excited at the *prospect* of seeing her. 彼女に会えると思うとわくわくする. **2** C《古》[通例 a/the ~] (高い所からの) ながめ(view), 見晴らし, 見方; (家などの) 向き ‖ The hill commands *a* fine *prospect* of the sea. =We can have a fine *prospect* of the sea from the hill. その丘から海がよく見える. **3** C 顧客になりそうな人, (買ってくれそうな) 客; 有望な人[候補者]; 《略式》こちらの得になりそうな人.
at the próspect of A… A を予想して(→ **1**).
in próspect 予想[期待]されて, 考慮中で〔将来のことを〕予想して〔*of*〕(↔ in retrospect); もくろんで ‖ A good result is *in prospect*. よい結果が予想される.
── 動《強勢が後にくる場合, 分節は pro·spect》(自) **1** [金などを] 探し求める, 試掘する〔*for*〕. **2** [様態の副詞を伴って] 〈鉱山が〉見込みがある. ── (他) …を〔金などを求めて〕捜す, 試掘する〔*for*〕.

†**pro·spec·tive** /prəspéktiv/ 形 予想される, 将来の; 見込みのある, 期待される (cf. retrospective) ‖ a *prospective* student 見込みのある学生.
†**pros·pec·tor** /prάspektər | prəspéktər/ 名 C《英》では分節は pro·spec·tor》名 C (鉱山の) 試掘者, 探鉱者.
pro·spec·tus /prəspéktəs/ 名 C (新刊書の) 内容見本; (事業・計画などの) 趣意書; (学校・ホテルなどの) 案内書.
†**pros·per** /prάspər | prɔ́s-/ 動 (自)《正式》〈人・事業などが〉[…で] 栄える, 成功する〔*in*〕; […から] 利益を得る〔*from*〕; 成長する ‖ Our business is *prospering*. =We are *prospering* in business. 我々の事業はうまくいっている.
†**pros·per·i·ty** /prɑspérəti | prɔs-/ 名 U **1** 繁栄, (特に金銭上の) 成功, 幸運, 幸福(luck) ‖ live in *prosperity* 豊かに暮らす / I wish you happiness and *prosperity*. ご多幸とご成功を祈る. **2** [prosperities] 順境(↔ adversity).
†**pros·per·ous** /prάspərəs | prɔ́s-/ 形《正式》**1** 繁栄している, (経済的に) 成功した ‖ a *prosperous* business 繁盛している商売 / *prosperous* years 繁栄の時代. **2**《古》〈天候などが〉順調な, 好都合の.
prós·per·ous·ly 副 繁栄して; 好都合に.
pros·ti·tute /prάstitjùːt | prɔ́s-/ 名 C 売春婦, 男娼.
── 動《正式》**1** [~ oneself] 売春する, 身を売る. **2** (金のために) 〈名誉・才能など〉を売る.
†**pros·trate** 形 /prάstreit | prɔ́s-/ **1** ひれ伏した(prone), 屈服した. **2** 〈国家・国などが〉敗北[屈服]した. **3** […で] 意気消沈した, 疲れ果てた〔*with*〕. ── 動 他 **1** …を倒す; [~ oneself] 身を伏せる, 屈服する. **2** [通例 be ~d] 〈人が〉〔…で〕衰弱する〔*by*, *with*〕.
pros·tra·tion /prɑstréiʃən | prɔs-/ 名 **1** U 疲労, 意気消沈. **2** U C 身を伏せること, 平伏. **3** U 屈服.
pros·y /próuzi/ 形 (**-i·er**, **-i·est**) 散文的な; 平凡な, 退屈な.
pro·tag·o·nist /proutǽgənist | prəu-/ 名 C《正式》**1** [主義・思想などの] 主唱者〔*of*, *for*〕(↔ antagonist). **2** (運動などの) 指導者. **3** [the ~] (劇・小説の) 主人公.
*****pro·tect** /prətékt/ 〘前を (pro) 覆う (tect). cf. detect〙 ⓢ protection 名
── 動 (~s/-tékts/; (過去・過分) ~·ed/-id/; ~·ing)
── (他) **1a** 〈人が〉〈人・物〉を保護する, かばう, 〔危険などから〕守る〔*from*, *against*〕(cf. defend, guard) ‖ *protect* one's family 家族を守る / *protect* him from disease 彼を病気から守る / *protect* him against committing a crime 彼に犯罪を犯させないようにする / I wore sunglasses to *protect* my eyes from the sun. 太陽から目を守るためにサングラスをかけていた. **b**《コンピュータ》〈データ・コンピュータなど〉を [ウイルス・不正なアクセスなどから] 保護する〔*from*〕‖ *protect* one's computer from viruses ウイルスからコンピュータを保護する.
2〘経済〙〈国内産業〉を (輸入関税などで) 保護する.
†**pro·tec·tion** /prətékʃən/ 名 **1** U …を防ぐための保護, 援護〔*from*, *against*〕‖ *protection* against bullying いじめからの保護 / The mother did all this for her child's *protection*. これはすべて母親が子供を守るためにしたことだ《◆ her child's は「目的格関係」を表す所有格. =The mother did all this to *protect* her child.》/ The runaway girl asked for police *protection*. 家出少女は警察の保

護を求めた / She managed to run away *under the protection of* darkness. 彼女は闇(%)にまぎれて逃げおおせた. / A parasol offers *protection from the sun*. パラソルは日よけになる. **2** [a ~] 〔…から〕保護する物[人]〔against, from〕‖ *a protection against* rain [snow] 雨[雪]よけ. **3** U 〔経済〕保護貿易制度. **4** C 通行証, 旅券;〔人・物の〕保証証;(米) 国籍証明書.

†**pro·tec·tive** /prətéktiv/ 形 **1** 保護する;〔保護貿易の〕‖ be in *protective* custody 警察に保護されている / The parents are too *protective* of their only son. 両親は1人息子に対して過保護だ.
protéctive clóthing 保護服.
protéctive cóloring [**coloration**] (動物の)保護色.
protéctive fóods [複数扱い] 栄養食品.

†**pro·tec·tor** /prətéktər/ 名 C **1** 保護[援護]者;後援者;保護する物[装置];〔スポーツ〕プロテクター‖ a point *protector* 鉛筆のキャップ / a chest *protector* 胸当て. **2** 〔英史〕摂政; [the P~] 護民官 (Lord Protector).

†**pro·tec·tor·ate** /prətéktərət/ 名 **1** C 保護国, 保護領; U [時に a ~] 摂政の地位[任期]; [the P~] 〔英史〕護民官政治[時代].

†**pro·tein** /próuti:n, -tiiin/ 名 U C タンパク質.
Pro·te·ro·zo·ic /prὰtərəzóuik | pròutərəu-/ 〔地質〕 形 原生代の.

***pro·test** 名 próutest; 動 prətést; 〔人の前で(pro)証言する(test)〕 派 protestation (名)

——名 ~s/-tests/ **1** U C 〔…に対する/…という〕(文書・口頭・態度などによる)抗議, 異議(disapproval, disagreement) 〔against, to, about, over / that 節〕‖ **in protest** 〔against injustice〕(不正に)抗議して / enter [make, lodge, register] *a protest against* discrimination in hiring 雇用差別に抗議を申し込む / the *protest* that the suspect has an alibi 容疑者にはアリバイがあるという抗議.
2 U 不本意, 反対, 不満.
3 [形容詞的に] 抗議の, 反対の ‖ a *protest* movement 抗議運動 / make a *protest* march 抗議デモを行なう / sing a *protest* song 抗議の歌[反戦歌]を歌う.
ùnder prótest いやいやながら.

——動 /prətést/ (~s/-tésts/; 過去・過分 ~·ed/-id/; ~·ing)
——他 **1** (米) 〈決議などに〉**抗議する**, 異議を申したてる《◆名詞は protest》‖ *protest* the war 戦争に反対する.
2 〔正式〕〈人が〉〈事を〉**主張する**(say strongly), 表明する(declare); [*protest* that 節] …だと主張する《◆名詞は protestation》‖ The young man *protested* his innocence. =The young man *protested* that he was innocent. その若者は自分の無実を主張した.
——自 (英) 〈人が〉〔…について/…に対して〕異議を唱える, 抗議する〔about / against, at, to〕‖ *protest about* the bad food to the cook 料理人にひどい食事について不満を言う / *protest against* (the use of) nuclear weapons 核兵器(使用)に抗議する.

†**Prot·es·tant** /prάtistənt | prɔ́t-/ 名 C プロテスタント, 新教徒(cf. Catholic). ——形 新教(徒)の.

†**prot·es·ta·tion** /prὰtistéiʃən, proutəs- | prɔ̀t-, prὲut-/ 名 U C 明言, 断言 ‖ *protestations*

of friendship 友情関係の明言. **2** U (まれ) 〔…への〕抗議[異議申し立て]〔against〕.

Pro·te·us /próutiəs | -tjus/ 名 **1** 〔ギリシャ神話〕プロテウス《さまざまな姿に変わる能力をそなえた海神》. **2** [しばしば p~] C 変幻自在の人.

pro·to- /próutou-, próutə/ 語要素 →語要素一覧 (1.2, 1.6).

pro·to·col /próutəkɑl | próutəukɔl/ 名 **1** U 〔正式〕外交儀礼 (diplomatic procedure); 儀礼上のしきたり. **2** C 条約原案, 条約議定書. **3** C 〔医学〕臨床試験計画表. **4** C U 〔コンピュータ〕プロトコル, 通信規約《コンピュータ間のデータ送受信のために定められた手順・規約》.
——動 他 (…を)議定書に記す; 議定書を作る.

pro·ton /próutɑn | -tɔn/ 名 C 〔物理〕陽子, プロトン.
†**pro·to·plasm** /próutəplæzm | próutəu-/ 名 U 〔生物〕原形質.
pro·to·type /próutətaip | próutəu-/ 名 C 原型; 模範.
pro·to·zo·a /prὸutəzóuə | pròutəu-/ 名 複 《単数形》 --**zo·on** /-zóuən/) [時に P~; the ~; 複数扱い] 原生動物類.
pro·to·zo·an /prὸutəzóuən | pròutəu-/ 名 C 形 原生動物(の), 単細胞動物(の).

†**pro·tract** /proutrǽkt, prou-/ 動 他 〔正式〕…を長引かせる, 引き延ばす(put off) ‖ The operation was *protracted* for another hour. 手術はさらにもう1時間続いた / a *protracted* visit 延長された滞在.

†**pro·trude** /proutrú:d, prou-/ 動 他 …を突き出す(put out). ——自 突き出る(stick out) 〔from〕,〔…の上に〕はみ出る〔over〕‖ *protruding* eyes とび出ている目 / a 10,000 bill *protruding from* my wallet 私の財布からはみ出した1万円札.

pro·tru·sion /proutrú:ʒən, prou-/ 名 **1** U 〔正式〕突出, 隆起. **2** C 突出部, 隆起部.

pro·tu·ber·ance /proutjú:bərəns, prou-/ 名 〔正式〕**1** C 突起物, こぶ, はれ物. **2** U 突起, 隆起.

***proud** /práud/ 〔⇒ **pride**〕派 **proudly** (副)
——形 (~·er, ~·est) 〈人が〉**誇りをもっている**, 自尊心のある, 得意な; [補語として] 〈人・物・事を〉誇りにしている〔of〕; 〔…することを/…であることを〕自慢する, 光栄に思う〔to do / that 節〕‖ I am *proud of* his honesty. =I am *proud that* he is honest. 彼が正直なので私は鼻が高い(=「I take *pride* in [I *pride* myself on] his honesty.)/ We are *proud to* have you come to see us. お越しいただいて光栄です / He is *proud of* having married her. 彼は彼女と結婚したのを誇りにしている(➡文法 12.2).
2 〈人が〉うぬぼれた, 自尊心の強い, 思い上がった, 高慢な (arrogant)《◆ haughty の方が強意的》(↔ humble)‖ (as) *proud* as a peacock 大いばりで, 得意げに / I have never seen a man more *proud*. あんなにお高くとまった人を見たことがない《◆ more *proud* については **more** 1 語法 (3)》.
3 〔正式〕[名詞の前で]〈物・事が〉**誇れる**, 満足させる; 見事な, 堂々とした (splendid); 〈人・名が〉尊い ‖ a *proud* ship [city] 堂々とした船 [大都会].
4 (英)〈川・湖などが〉増水した; 〈肉などが〉(表面から) 盛り上がった, 突き出た.
dò onesélf próud (略式) 出世する, ぜいたくな暮らしをする.
dò A próud (略式) 〈人〉に誇りを感じさせる, 大いにもてなす.

†**proud·ly** /práudli/ 副 **1** 誇らしげに, 得意げに ‖ The

winner *proudly* held the trophy up over his head. 勝者は誇らしげにトロフィーを頭上にかかげた. **2** 高慢に, いばって, うぬぼれて. **3** 堂々と.

Proust /prúːst/ 图 プルースト《**Marcel**/maːrsél/ ~ 1871-1922; フランスの小説家・批評家》.

Prov. (略)〔旧約〕**Proverbs**.

***prove** /prúːv/ 他〔「試す」が原義. cf. approve, reprove〕 派 proof (名・形)
── 動 (~s/-z; 過去 ~d/-d/, 過分 ~d or 《米・英文・スコット》**prov·en**/prúːvn/; **prov·ing**)
── 他 **1** [prove **A** to **B**]〈人・事・物が〉**B**〈人〉に**A**〈事〉を証明する(↔ disprove); [prove (**that**)節・**wh**節]…ということを立証する, [prove (**A** to be) **C**]**A**〈人・物〉が**C**であるとはっきり示す ∥ *prove* one's identity [alibi] 身元[アリバイ]を証明する / *próve* oneself (to be) right 自分が正しいことを示す / The evidence *proved* his guilt. =The evidence *proved* him (to be) guilty. =The evidence *proved* (that) he was guilty. その証拠が彼が有罪であることを立証した / It goes to *prove* you can win if you do your best. (略式)最善を尽くせば勝てることがわかる.
2〈人が〉〈器具などを〉試す, …を(化学的に)分析する ∥ *prove* gold 金の品質を検査する / *prove* a new gun 新しい銃を試射する.
3〔法律〕〈事実〉の真偽を示す.
── 自 [prove (to be) **C**]〈人・事・物〉が**C**であるとわかる, 判明する(result in), となる(turn out) ∥ His business *proved* to be successful [a success]. 彼の事業はうまくいった(=He found his business successful.).

próved resérve [resóurce] (原油などの)確認埋蔵量.

próving gróund (新装置などの)実験場.

prov·en /prúːvn/ 動 《米・英文・スコット》〔法律〕prove の過去分詞形. ── 形 証明された, 試験ずみの ∥ a *proven* record 証明された記録 / a *proven* swindler 折り紙つきの詐欺師.

Pro·vence /prəvɑ́ːns | prɔvɑ́ːns/ 图 プロバンス《フランス南東部地方; 中世の騎士道と詩で有名》.

†**prov·erb** /prɑ́vərb | prɔ́v-/ 图 **①1** ことわざ, 格言; [the Proverbs; 単数扱い]〔聖書〕箴言(しんげん)《旧約聖書の一書. 略 Prov.》∥ *as the proverb goes* [*runs, says*] ことわざにあるとおり. **2** 評判になっている人[物]; 非難[物笑い]の的, 話の種.

†**pro·ver·bi·al** /prəvə́ːrbiəl | prɔ́v-/ 形 **1** ことわざの; (略式)ことわざ的に述べられた. **2**(略式)[…の]評判の, よく知られた[*for*] ∥ a *proverbial* coward 評判の臆(おく)病者.

pro·vér·bi·al·ly 副 ことわざどおりに, みんなが知っているとおり; 一般に.

***pro·vide** /prəváid/ 派 provision (名), provided (接)
── 動 (~s/-váidz/, 過去・過分 ~d/-id/, ··**vid·ing**)
── 他 **1**〈人などが〉〈物〉を与える, 用意する, 提供する; [provide **A** with **B** =provide **B** for **A**]**A**〈人・場所など〉に**B**〈必要な物〉を(予測してあらかじめ)与える, 備えさせる(furnish)◆単に足りない物を補充する場合は supply(●文法 3.3) ∥ Cows *provide* us *with* milk. =Cows *provide* milk *for* us. 雌牛はミルクを供給する◆(米)では provide milk to us ともいう / a car (which is) *provided with* an air bag エアバッグつきの車.
2(正式)〈法律・人などが〉[…と]規定する, 定める[*that* 節] ∥ The rule *provides that* a driver ((主に英) *should*) be fined for speeding. 自動車の運転者はスピード違反で罰金を科せられると法規に規定されている(=The rule *provides* for a driver to be fined for speeding.) / 「It is *provided* [They *provide*] *that* … と規定されている◆that節内に should のほか must, will, shall も使用可》.
── 自 **1**(正式)〈人などが〉[…に]備える(prepare) [*for, against*] ∥ *provide for* the future 将来に備える / *provide against* an accident 事故に備える◆災害など悪いことに備える時はふつう against〉/ He *provided for* his old age. 彼は老後の備えをした(=He made provision for …).
2〔人に〕必要な物を与える, 〔必要な物を〕与える, 〔人を〕養う[*for*] ∥ *provide for* oneself 自活する / *provide for* a family 家族を養う / He is well [poorly, ill] *provided for*. 彼の生活は何の不自由もない[彼は生活に困っている]. **3**(正式)〔…の〕規定を設ける[*for*].

†**pro·vid·ed** /prəváidid/ 接 [時に ~ that …] もし…ならば, …という条件で◆(1) より強意的で, only if に近い. providing の方が口語的. (2) 可能性があり得ない内容の(that)節には用いない》∥ I will go, *provided* (*that*) the weather is clear. 天気さえよければ行きます.

†**prov·i·dence** /prɑ́vidəns | prɔ́v-/ 图 **1** [しばしば P~] ⓤ〔宗教〕 [時に a ~] (神の)摂理, 神意, 天佑(ゆう); 摂理的なこと ∥ (a) divine *providence* 神の摂理. **2** [P~] 神(God).

prov·i·den·tial /prɑ̀videnʃəl | prɔ̀v-/ 形 (正式) **1** 神の, 神意の. **2** 幸運な; 好時期の.

pro·vid·er /prəváidər/ 图 Ⓒ **1** 供給[準備]する人. **2**〔コンピュータ〕(インターネットの)プロバイダー, 接続業者.

†**pro·vid·ing** /prəváidiŋ/ 接 [時に ~ that …] もし…ならば, …という条件で◆(1) if より強意. (2) 実際に起こる可能性がない内容の(that)節には用いない》∥ You may leave *providing* (*that*) you have finished your work. 仕事を終えたのなら帰ってよい.

†**prov·ince** /prɑ́vins | prɔ́v-/ 图 **1** Ⓒ (行政区画としての)州◆特にカナダ・南アフリカの州. 米国の州は state, 英国の州は county, shire》; (中国などの)省; (昔の日本の)国◆日本・フランスなどの県は prefecture》∥ the *Province* of Quebec (カナダの)ケベック州 / the *Province* of Echizen = Echizen *Province* 越前の国. **2** [the ~s; 複数扱い](首都・大都市に対して)地方, 田舎; (英)(London を除く)全国 ∥ The pop group is now touring the *provinces*. そのポップ・グループは目下地方巡業中だ. **3** Ⓤ (正式)[通例 the/one's ~] (学問・活動などの)領域, 分野(field); 職分 ∥ That question is outside my *province*. その問題は私の専門外だ.

†**pro·vin·cial** /prəvínʃəl/ 形 **1** 州の, 省の ∥ a *provincial* government 州政府. **2** 地方の, 地方に関する, 田舎の, 地方特有の ∥ *provincial* accent 地方なまり. **3** 田舎くさい; 偏狭な; 粗野な ∥ a *provincial* point of view 視野の狭い見解. ── 图 Ⓒ 地方(出身)の人, 田舎者.

pro·vin·cial·ism /prəvínʃəlìzm/ 图 **1** Ⓤ (作法・習慣・考えなどの)田舎くささ, 地方色. **2** Ⓤ 偏狭さ, 地方気質(かたぎ); 田舎根性; 愛郷心. **3** Ⓒ なまり, 方言.

prov·ing /prúːviŋ/ 動 → prove.

†**pro·vi·sion** /prəvíʒən/ 图 **1** Ⓤ Ⓒ […への]用意, 対策[*for, against*]◆preparation より堅い語》; […の/…への]供給[*of/for*]; 支給量, 用意された物; 貯

蔵品 ‖ *make provision for* one's old age 老後に備える(=*provide* for …) / I have *provisions* of food *against* a disaster. 災害に備えて食べ物を用意している. **2**(正式)[~s; 複数扱い] 食糧, 食料《◆*food* より堅い語》; [形容詞的に] 食料の ‖ run out [*short*] of *provisions* 食糧がなくなる[不足する]. **3** ⓒ (法律)[…という/…の]規定, 条項(*that* 節/*for*). ── 他 (正式) …に[…のために](大量に・長期にわたって)食糧を供給する(*for*) ‖ *provision* a ship *for* an expedition 探検のために船に食糧を積み込む.

†**pro·vi·sion·al** /prəvíʒənl/ 形 (正式) 一時的, 暫定的な(temporary); 条件つきの(conditional).
provisional lícence (英) 仮免許(状) ((米) learners' permit).

pro·vi·so /prəváizou/ 名 (複 ~s, (米) ~es) ⓒ (正式)(契約・条約などの)但し書き, 条件(condition) ‖ with the *proviso* that … …という条件で.

†**prov·o·ca·tion** /prɑ̀vəkéiʃən | prɔ̀v-/ 名 **1** Ⓤ 怒らせること; 挑発 ‖ He struck me without any *provocation*. 私が何もしていないのに彼は私をなぐった. **2** ⓒ 怒らせるもの[原因].

pro·voc·a·tive /prəvɑ́kətiv | -vɔ́k-/ 形 (人を)怒らせる, 刺激する, (性的に)挑発的な. ──名 ⓒ 怒らせるもの; 刺激物; 興奮剤.

†**pro·voke** /prəvóuk/ 動 他 **1**〈人・事が〉〈人など〉を怒らせる, じらす《◆ *make angry* より堅い語》‖ *provoke* a dog 犬を怒らせる / Her rude answer *provoked* him. 彼女の失礼な返答に彼は怒った. **2**〈人・事が〉〈感情など〉を起こさせる; 引き起こす ‖ *provoke* laughter [a smile] 笑い[ほほえみ]を引き起こす / *provoke* a riot 暴動を起こさせる. **3**〈人など〉を刺激して[…]させる(*to do, into doing*); […]に駆り立てる(*to*) ‖ His rude reply *provoked* her 「*to* slap [*into* slapping] him on the face. 彼の無礼な返事に彼女はかっとなって彼の顔をぴしゃりとたたいた.

pro·vok·ing /prəvóukiŋ/ 形 (正式) 腹の立つ, しゃくにさわる, じれったい.

pro·vost /próuvoust | prɔ́vəst/ 名 [通例 P~] ⓒ 《呼びかけも可》**1**(米) (一部の大学の)学長《◆ この場合 president は「総長」》; (英) (Oxford, Cambridge 大学などの) college の(学(寮))長. **2** 監督者, 長官. **3** (スコット) 市長.

†**prow** /práu/ 名 ⓒ **1**(文) 船首, へさき, 艇首(bow); 機首; (詩) 船(ship).

prow·ess /práuəs/ -es/ 名 Ⓤ (文) (特に戦場での)勇気, 武勇, 剛勇; ⓒ 勇敢[大胆]な行為. **2**(正式)すぐれた能力[技術].

†**prowl** /prául/ 動 自 **1**〈動物が〉(餌を求めて)こそこそつく, 〈人が〉(盗みをしようと)うろつく(+*about*, (*a)round*). **2**(略式) ぶらぶらと見て回る, うろつく(wander)(+*about*, (*a)round*) ‖ *prowl* round the shops 店を見て回る. ── 他 〈場所〉をうろつく ‖ *prowl* the streets 町をうろつき回る. ──名 (略式) [a/the ~] うろつくこと, 獲物捜し ‖ be [go] on the *prowl* (獲物を狙って)うろつき回っている[回る] / take a *prowl* うろつく.

prowl·er /práulər/ 名 ⓒ うろつく人, 空き巣狙い.

prox·i·mate /prɑ́ksimət | prɔ́ks-/ 形 (正式) **1**〈…に〉最も近い; […の]すぐ前[後]の, 直前[直後]の(*to*). **2**〈原因など〉が直接の. **3** 近似の, おおよその.

†**prox·im·i·ty** /prɑksíməti | prɔks-/ 名 Ⓤ (正式) (場所・時間・血族関係などで)[…に]近いこと(*to*), 近接 ‖ *proximity* of blood 近親 / in close *proximity to* … …のすぐ近くに(very close to …).

prox·y /prɑ́ksi | prɔ́ksi/ 名 **1** Ⓤ (…の)代理, 代理権(*for*); ⓒ 委任状 ‖ by *proxy* 代理で / be [*stand*] *proxy for* … …の代理を務める. **2** ⓒ 代理人; 代用品.
próxy sèrver (コンピュータ) プロキシサーバー《LAN の端末から広域情報ネットワークへのアクセスを代行するサーバー》.

†**pru·dence** /prú:dəns/ 名 Ⓤ (正式) 用心深さ, 慎重さ(caution), 分別(wisdom) (↔ *imprudence*) ‖ a man of *prudence* 慎重な人 / *prudence* in driving a car 車を運転する際の慎重さ / with great *prudence* 非常に慎重にふるまう. **2** 抜け目なさ, 打算. **3** 倹約.

†**pru·dent** /prú:dənt/ 形 **1**(正式)〈人・言動などが〉[…の点で]用心深い, 慎重な(careful), 分別のある(wise)(*in*) (↔ *imprudent*) ‖ a *prudent* teacher 細心な教師 / a *prudent* answer 用心深い答え / It was *prudent* of her *to* ask for his advice. =She was *prudent to* ask for his advice. 彼女が彼に助言を求めたのは慎重であった(→ 文法 17.5). **2** 打算的な.

pru·den·tial /prudénʃəl/ 形 (古正式)〈人・言動などが〉慎重な, 思慮深い; 打算的な.

prud·er·y /prú:dəri/ 名 **1** Ⓤ (性的に度を超えて)お堅いこと, 淑女気取り. **2** [pruderies] 上品ぶった行為[言葉].

prud·ish /prú:diʃ/ 形 (性的に度を超えて)お堅い, 淑女気取りの.

†**prune**[1] /prú:n/ 動 他 **1**〈余分の枝・根などを〉切り取る, 切りおろす(+*away, back, down, off*)〈木〉を刈り込む ‖ *prune away* the ragged edges of the bush 低木のぼそぼそした先端を切り取る. **2**〈余分なものを〉[…から]取り除く(+*away, down*) (*of, from*); 〈費用などを〉切り詰める; 〈文章などを〉簡潔にする ‖ *prune* an essay *of* superfluous matter 論文から余分な内容を取り除く. ── 自 余分なものを除く; 剪定[ふ]する.

prune[2] /prú:n/ 名 ⓒ **1** プルーン, 干しスモモ; 乾燥用スモモ. **2**(略式) まぬけ.

Prus·sia /prʌ́ʃə/ 名 プロイセン, プロシア《旧ドイツ連邦の王国》.

†**Prus·sian** /prʌ́ʃən/ 形 **1** プロイセンの, プロシアの. **2** プロイセン人[方言]の. ── 名 **1** ⓒ プロイセン人, プロシア人. **2** Ⓤ プロイセン方言.
Prússian blúe 紺青(こんじょう) 〈顔料〉.
Prús·sian·ism 名 Ⓤ プロシア精神[主義], 軍国主義, 独裁主義.

prus·sic /prʌ́sik/ 形 (化学) 青酸の.
prússic ácid 青酸.

†**pry**[1] /prái/ 動 自〈…を〉のぞき込む; 〈人の秘密に〉せんさくする(+*about*) (*among, for, in, into*) (→ *snoop*) ‖ I don't like to *pry*, but is it true that you and your husband have divorced? せんさくはしたくありませんが, だんなさんと別れたって本当ですか. ──名 ⓒ **1** のぞき見, せんさく. **2** せんさく好きな人.

pry[2] /prái/ 動 他 (米) **1**〈てこで〉持ち上げる[動かす, 取りはずす](+*up, off*); 〈…を〉押し開ける, こじ開ける. **2** 〈…を〉[…から]やっと手に入れる[聞き出す](*from, out of*). **2** Ⓤ てこの作用.

ps, p.s. (略) postscript.
Ps(a). (略) (旧約) Psalms.

psalm /sɑ́:m/ [発音注意] 名 **1** ⓒ 賛美歌, 聖歌, 聖詩(hymn); [P~] (詩篇(し)の)聖歌. **2** [the Psalms; 単数扱い] (旧約) 詩篇(the Book of Psalms, the Psalms of David) 《旧約聖書の一書. 略 Ps(a).》.

psalm·ist /sάːmist/ 名C 詩篇作者《◆the Psalmist でダビデ(David)をさす》.

psalm·o·dy /sάːmədi, sǽlm-/ 名 **1** U 聖詩詠唱(法). **2** 〔集合名詞〕賛美歌(集).

Psal·ter /sɔ́ːltər/ 名 **1** [the ~] =psalm **2**. **2** [p~] C 讃美歌(集).

PSAT (略)《米》Preliminary Scholastic Aptitude Test 大学進学適性検査《全米規模で実施》.

pseu·do /sjúːdou/ 形 (略式) 偽りの, にせの, 見せかけの.

pseu·do·nym /sjúːdənim/ 名C 偽名, 仮名;《特に著者の》雅号, 筆名, ペンネーム(cf. alias).

†**pshaw** /ʃɔː | pʃɔː/ 間《まれ》ふん, ええい《軽蔑(ﾍﾞ)・不快・いらだちを表す》.

psi /sái | psái/ 名UC サイ《ギリシャアルファベットの第23字(ψ, Ψ). 英字のps に相当. → Greek alphabet》.

P(S)T (略) Pacific (Standard) Time.

psych /sáik/ 名 (略) =psychology, psychologist. ── 動他《米略式》**1** …を精神分析する. **2** …の心理を読む.

Psy·che /sáiki(ː)/ 名 **1**《ギリシャ神話・ローマ神話》プシュケー《Cupid [Eros] が愛したチョウの羽をもつ美少女. 霊魂の化身》. **2**〔通例 the/one's p~〕C《肉体に対し》精神; 心, 魂.

psy·che·del·ic /sàikidélik/ 形 **1**《麻薬などが》幻覚を起こさせる, サイケデリックな. **2** (略式)《色・音楽などが》幻覚的な. ── 名UC 幻覚剤(常用者).

psy·chi·a·try /saikáiətri, si-/ 名U 精神医学[病学]. **psy·chí·a·trist** 名C 精神科医.

†**psy·chic** /sáikik/ 形 **1** 精神の, 精神的な(↔ physical) ‖ illness with a psychic origin 精神的原因による病気. **2** 心霊(現象)の; 超自然的な ‖ psychic phenomena 心霊現象. **3** (略式) 心霊作用を受けやすい, 心霊力に感応する.
── 名C 心霊力に敏感な人; 霊媒, 巫女(ﾐ).

psy·chi·cal /sáikikl/ 形 =psychic **1**, **2**.
psýchical reséarch 心霊研究.

psy·cho- /sáikou-/ (連結要素) 「心霊・精神」の意を表す要素一覧(1.6).

psy·cho·a·nal·y·sis /sàikouənǽləsis/ 名U **1** 精神分析(学). **2** 精神分析療法.

psy·cho·an·a·lyst /sàikouǽnəlist/ 名C 精神分析医[学者]《米 analyst》.

psy·cho·an·a·lyze /sàikouǽnəlaiz/ 動他《人》に精神分析をする.

psy·cho·lin·guis·tics /sàikouliŋgwístiks/ 名U 〔単数扱い〕心理言語学.

†**psy·cho·log·i·cal, -ic** /sàikəlɑ́dʒik(l) | -lɔ́dʒik(l)/ 形 **1** 心理学(上)の, 心理学的な ‖ a psychological approach to the crimes 犯罪の心理学的研究. **2** 心理的な, 精神的な(mental) ‖ psychological effect 心理的効果.
psychológical wárfare 心理戦, 神経戦.

psy·cho·log·i·cal·ly /sàikəlɑ́dʒikəli | -lɔ́dʒ-/ 副 心理的に, 心理学上; [文全体を修飾]心理(学)的に言えば.

†**psy·chol·o·gist** /saikɑ́lədʒist | -kɔ́l-/ 名C **1** 心理学者; 精神分析医. **2** (略式) 人の性格・行動の理解者.

*****psy·chol·o·gy** /saikɑ́lədʒi | -kɔ́lədʒi/ (発音注意)《心 (psycho) の学問 (logy). cf. Psyche》派 **psychological** (形)
── 名 **1** U **心理学**; C 心理学の論文[本] ‖ child [group] psychology 児童[集団]心理学 / study applied [críminal, sócial, educátional] psychólogy 応用[犯罪, 社会, 教育]心理学を研究する. **2** CU (略式) [単数形で]《個人・集団の》心理(状態)(cf. mind); 人の心理を理解する力 ‖ mob [feminine] psychology 群衆[女性]心理. **3** U 心理作戦.

psy·cho·path /sáikoupæθ/ 名C 精神病質者《略式》psycho).

psy·cho·path·ic /sàikoupǽθik/ 形 精神病(質)の.

psy·cho·sis /saikóusis/ 名 (~·es /-siːz/) UC [医学] 精神病 ‖ manic-depressive psychosis 躁鬱(ﾂﾞ)病.

psy·cho·so·mat·ic /sàikousoumǽtik/ 形 **1**《病気》が精神状態に影響される, 心理相関の. **2** 心身[精神身体] 医学の ‖ psychosomatic disease 心身症. **3**《略式》《病気など》が想像上の.

psy·cho·ther·a·py /sàikouθérəpi/ 名U《催眠療法による》精神療法.

pt (略) part; payment; pint(s); point(s); port.

Pt (記号)《化学》platinum.

PTA (略) Parent-Teacher Association; Passenger Transport Authority 旅客輸送当局.

ptar·mi·gan /tɑ́ːrmigən/ 名 (複 ptar·mi·gan, ~s) C《鳥》ライチョウ(grouse).

pter·o·dac·tyl /tèrədǽktil, -tl | tèrəu-/ 名C《古生物》テロダクティル, 翼竜.

PTO, pto Please turn over (a page). 裏面に続く《◆単に to ともいう.《米》ではふつう Over》.

Ptol·e·ma·ic /tɑ̀ləméiik | tɔ̀l-/ 形 Ptolemy の, 天動説の. **Ptolemáic sýstem** [the ~] 天動説(cf. Copernican system).

Ptol·e·my /tɑ́ləmi | tɔ́l-/ プトレマイオス, トレミー《紀元2世紀の Alexandria の天文・地理・数学者. 天動説を唱えた》.

pto·main(e) /tóumein, -/ 名UC《生化学》プトマイン.

PTSD (略)《医学》post-traumatic stress disorder 心的外傷後ストレス障害.

Pu (記号)《化学》plutonium.

pub /pʌ́b/ 《public house の短縮語》名C **1** パブ, 酒場, 居酒屋. **2**《豪略式》《酒を出す》ホテル.

pub. (略) public; publication; published; publisher; publishing.

pu·ber·ty /pjúːbərti/ 名U《正式》思春期;《法律》成熟期《◆ふつう男子14歳, 女子12歳》.

*****pub·lic** /pʌ́blik/ 《『人民の』が原義. cf. publish》派 **publicity** (名)
── 形 (more ~, most ~) **1** [名詞の前で] **公**(ｵｵﾔｹ)**の, 公衆の**(↔ private); 社会(全体)の《◆比較変化しない》 ‖ public spirit [money, peace] 公共心[公金, 公安] / públic mórals 公衆道徳 / públic wélfare 公共福祉 / a public holiday (公的な)祝日 / for the public good 公益のために / draw the line between public and private affairs 公私を区別する / The actress is in the public eye now. その女優は今世間の注目を浴びている (→ in the public EYE).

2 公開の(↔ secret), 公衆のための; 公立の《◆比較変化しない》 ‖ a public telephone 公衆電話 / (the) public baths《英》公衆浴場 / a public hall 公会堂 / a public library 公立図書館 / a public performance [lecture] 公演[公開講座] / public housing 公営住宅 / in a public place 公開[公(ｵｵﾔｹ)]の場所で.

3 [名詞の前で] **公的な**, 公務の; 公共団体の《◆比較変化しない》(↔ private) ‖ public life 公的生活 /

publication / **pudding**

the *public* purse 国庫 / a *public* official [servant] 公務員, (米) 公益法人 / *public* offices 官公庁.
4 広く知れ渡った, 公然の, 著名な(well-known, prominent) ‖ a *public* figure 有名人 / a matter of *public* knowledge みんな知っている事柄 / a *public* scandal 周知の醜聞 / make a *public* protest 公然と異議を申し立てる / The news will be made *public* today. そのニュースは今日公表される / Her figure is too *public*. 彼女の姿は人目につきすぎる.

gó públic 情報・機密を公開する; 〔秘密を〕公にする 〔*with*〕; 株式を公開する; 〔秘密を〕公にする.
── 名 [the ~; 集合名詞] 《◆ 単数扱いが原則だが, 個々の成員に重点を置くときは (英) では一般に複数扱い. ⇒文法14.2(5)》 **1** 一般の人々, 公衆, 大衆 ‖ the general *public* 一般大衆 / The *public* is the best judge. 世論は最良の審判者だ / The library is open to the *public*. 図書館は一般に公開されている / The *public* are requested not to enter the stacks. 一般の方々は書庫に入らないでください.
2 [複合語で] …階層, …界, …仲間 ‖ the reading [theatergoing] *public* 読者[芝居見物]仲間.

*in públic 公然と, 人前で(publicly) (↔ in private) ‖ She is used to speaking in *public*. 彼女は人前で話すことに慣れている.
públic assístance (米) (社会保障法に基づく)生活保護(cf. supplementary benefit).
Públic Bróadcasting Sèrvice (米) 公共放送システム.
públic cómpany (英)(株式)公開会社.
públic convénience (英)〔遠回しに〕公衆便所 (public toilet); (米) comfort station).
públic corporátion 〔英法律〕公法人; 公社, 公団.
públic defénder (米) 公選弁護人.
públic énemy 社会の敵《凶悪犯人など》; 敵国.
públic héalth 公衆衛生.
públic hóuse (英正式) 酒場, パブ(pub); (米) 宿屋(inn).
públic invólvement 住民参加.
públic núisance 公的な不法行為《公道の通行妨害など》, 公害《◆汚染などによる公害は特に environmental pollution という》; (略) 世間の厄介もの.
públic opínion (pòll) 世論(調査).
públic ównership 国有(権).
públic prósecutor [しばしば P~ p-] 検察官; (英) 公訴官.
públic relátions [単数扱い] 宣伝[広報]活動(略 PR).
públic sále (米) 競売(auction).
públic schóol (英) パブリックスクール《上流子弟の全寮制の私立中等学校(日本の中学・高校を合わせたもの)で, 大部分 preparatory school から入る. Eton, Rugby, Harrow などが有名》; (米・スコット・豪) /(米) ≒公立学校《小学校から高校まで》.
públic schóols (米) 教育委員会(board of education).
públic séctor [the ~] 公営企業.
públic sérvice (米) 公益事業(奉仕); 公職.
públic spéaking [spéaker] 演説[演説家] 《◆ oratory, orator よりくだけた語》.
públic tránsport 公共輸送機関《バス・列車など》.
públic utílity 公益事業; 公共施設《電気・水道・公園など》; [-ies] 公益企業株[債].
públic wórks (英) [複数扱い] 公共事業; (米) 公共施設《郵便局・道路・港湾・ダムなど》.

†**pub·li·ca·tion** /pʌ̀blikéiʃən/ 名 **1** ⓤ (正式) 発表, 公表 ‖ the *publication* of his death 彼の死亡の発表. **2** ⓤ 出版, 発行, 刊行; ⓒ 出版物 ‖ 「an annual [a monthly] *publication* 年[月]刊刊行 / the *publication* of a dictionary 辞書の出版 / Near *publication*. 《広告》近刊 / deal in the *publication*(s) of various textbooks 各種教科書を販売する. **3** ⓤ 〔論文などの〕業績.
púb·lic-do·màin sóftware /pʌ̀blikdouméin-, -dəu-/《コンピュータ》パブリックドメインソフトウェア《著作権が放棄されたソフトウェア》.

†**pub·li·cist** /pʌ́bləsist/ 名 ⓒ **1** 広告取扱人, 広報係. **2** 政治[時事]評論家; 政治記者.

†**pub·lic·i·ty** /pʌblísəti/ 名 ⓤ **1** 知れ渡ること, 周知, 知名度, 評判(↔ privacy) ‖ avoid [shun] *publicity* 人目を避ける / gain [seek] *publicity* 有名になる[なりたがる] / negative *publicity* 悪評, うわさのタネ / The scandal brought her a lot of *publicity*. そのスキャンダルで彼女の名は広く知れ渡った. **2** 広告, 宣伝広告; 宣伝方法, 広告業; (正式) 公表, 公開 ‖ *publicity* for a movie 映画の宣伝 / give *publicity* to the result 結果を公表する / do *publicity* on wine ＝run a *publicity* campaign on wine ワインを宣伝する.
publícity àgent 広告代理店; (俳優・演劇などの)宣伝係.
pub·li·cize /pʌ́bləsaiz/ 動 ⊕ …を公表する, 広告[宣伝]する.

†**pub·lic·ly** /pʌ́blikli/ 副 **1** 公然と, おおっぴらに, 公衆の面前で(in public) (↔ privately). **2** 公的に; 公衆のために, 世論で.

*pub·lish /pʌ́bliʃ/ [→ public] ⓡ publication (名), publisher (名)
── (~·es /-iz/; 過去・過分 ~ed/-t/; ~·ing)
── ⊕ **1** 〈人などが〉〈書籍などを〉出版する, 発行[刊行]する(issue) ‖ *publish* a book with Taishukan 大修館から本を出版する / a recently *published* book 最近出版された本.
2 (正式) 〈人などが〉〈物事を〉発表する(announce), 〔…ということを〕公表する〔*that* 節〕.

🔲 語法 発表媒体が主語になると announce: The newspaper *announced* [×*published*] that the government was at fault. 新聞は政府は誤っていると報じた.

†**pub·lish·er** /pʌ́bliʃər/ 名 ⓒ **1** [しばしば ~s] 出版社[業者], 発行者[所] ‖ a magazine *publisher* 雑誌社(=a magazine publishing house [company]) / His thesis found a *publisher* in England. 彼の論文は英国で出版されることになった. **2** (米·カナダ) (新聞の)経営者. **3** 発表[公表]者.
pub·lish·ing /pʌ́bliʃiŋ/ 名 ⓤ 形 出版業(の).
Puc·ci·ni /puːtʃíːni/ 名 プッチーニ《Giacomo /dʒɑ́ːkəmou/ ~ 1858-1924; イタリアのオペラ作曲家》.
puck /pʌ́k/ 名 **1** [P~] パック《Shakespeare の *A Midsummer Night's Dream* に現れるいたずら好きな小妖精》; (英国伝説で) いたずらな妖精(Robin Goodfellow). **2** ⓒ いたずら小僧.

†**puck·er** /pʌ́kər/ 動 ⊕ …に(しわを)寄せる; 〈唇などを〉すぼめる, 〈顔・まゆなどを〉しかめる(+ *up*). ── ⊕ ひだになる, 縮める. ── 名 ⓒ ひだ, しわ, 縮み.

*pud·ding /púdiŋ/

puddle

──名 (複)~s/-z/ 1 ⓒⓊ **プディング**《小麦粉などに牛乳・砂糖・卵などを混ぜて焼いた[蒸した]柔らかい菓子.《米》では特に custard に似たものをさすが,日本のプリンはこれに相当.《英》では肉料理後の dessert の意にも用いる》((略式) pud) ‖ rice [plum] *pudding* ライス[干しブドウ]プディング/ The proof of the *pudding* is in the eating. → proof 名 2. 2 ⓒⓊ《スコット》[複合語で]肉の腸詰め ‖ black *pudding* 豚肉の黒ソーセージ.

†**pud·dle** /pÁdl/ 名 1 ⓒ（ふつう汚れた）水たまり. 2 ⓒ 小さな液体のたまり. 3 Ⓤ（漏水防止用の）こね土. 4《米略式》[the P~] 大西洋. ──動 ⓣ 1〈水〉を濁す;〈水〉を泥だらけにする,汚す. 2〈水〉をこね土にする;...にこね土を塗る;〈穴など〉をこね土でふさぐ(+*up*) ‖ *puddle up* a hole こね土で穴をふさぐ. 3〔冶金〕〈溶鉄〉を攪錬(½¼)する.

pud·dling /pÁdlɪŋ/ 名 Ⓤ 1 こね土（を塗ること）. 2〔冶金〕（銑鉄の）精錬,攪錬法,パドリング.

pudg·y /pÁdʒi/ 形 (-·i·er, -·i·est)《略式》ずんぐりした,太った.

†**pueb·lo** /pwéblou, pjuéb-/ 名 (複 ~s) ⓒ 1 プエブロ《米国南西部の石をれんがら作りの先住民の集団住宅》. 2 [P~] プエブロ族（の人）《北米先住民》. 3 ⓒ（米国南西部・メキシコなどの）先住民部落[村].

pu·er·ile /pjúərəl/ -raɪl/ 形《正式》 1 子供の[らしい]. 2〈大人が〉子供っぽい,幼稚な;たわいない,未熟な.

pu·er·il·i·ty /pjuərɪ́ləti/ 名《正式》 1 Ⓤ 幼稚さ. 2 ⓒ[通例 puerilities] 幼稚な行ない[考え,言葉].

Puer·to Ri·co /pwéərtə rí:kou, pwɜ:-/ プエルトリコ《西インド諸島中の島;米国の自治領.正式名 Commonwealth of Puerto Rico. 首都 San Juan》.

Puèrto Rí·can /-rí:kn/ 形 ⓒ プエルトリコの[人(の)].

†**puff** /pÁf/ 名 1 ⓒ（やや文）ぷっと吹くこと[音,量]（blast of air）;《主に英略式》（タバコなどの）1 回の吸入;Ⓤ 息(breath) ‖ *a puff of* smoke [wind] 一吹きの煙[一陣の風] / be out of *puff*（疲れて）息を切らす / give a few *puffs* to put out the candle ろうそくの火を消そうと 2, 3 回吹く / She tòok [hàd] a *puff* at [on] her cigar. 彼女は葉巻きを吹かした. 2 ⓒ（丸く）ふくれること[物,部分]《こぶ・はれなど》;《米》羽根布団 ‖ *a puff of* hair [(a) cloud] ふわっとした髪[雲] / *puff* sleeves（風船のようなちょうちん付き）パフ/ gather a dress into *puffs* ドレスにふくらみをつける. 3 ⓒ[複合語で]（化粧用の）パフ;ふわっとしたケーキ,シュークリーム ‖ a pówder pùff パフ / jam *puffs* ジャム入りシュークリーム. 4 ⓒ（略式）（本・劇などの）おおげさな称賛,誇大[自己]宣伝 ‖ give [get] a *puff* おおげさにほめる[ほめられる].

──動 ⓘ 1〈風・機関車など〉をぷっと吹く(+*up*, *out*);〈人が〉〈タバコなど〉をプカプカ吸って吹く(+*away*) [*at*, *on*] ‖ *puff* (*away*) at one's pipe パイプをふかす / Steam *puffed* out of the kettle. やかんから蒸気がポッポッと出た. 2《略式》〈人が〉息を切らす;〈人・乗物などが〉あえぐように進む ‖ *puff* and blow [pant] あえぐ,息を切らす / The train *puffed away* among the mountains. 列車は山あいをあえぐように走った.

──ⓣ〈人などが〉〈煙など〉をぷっと吹く[吹き出す];〈タバコなど〉をプカプカふかす ‖ *puff* smoke into [in] his face 彼の顔に煙をぷっと吹きかける. 2〈火などを〉ぱっと吹き消す;〈言葉などを〉あえぎながら言う(+*out*) ‖ *puff out* a flame [match] 炎[マッチ]をぷっと吹き消す / *puff out* a few words to him あえぎながら彼に二こと三こと言う. 表現 次のような擬音語に相当: プカプカ, パッパッ, ハアハア, ブッブッ, パッパッ, ポッポッ, スパスパ, フーフー. 3 ...をふくらませる(+*out*, *up*);《略式》[通例 be ~ed] [...で]慢心する,いい気になる(+*up*) [*with*];《主に英略式》[通例 be ~ed] 息が切れる(+*out*) ‖ *puff out* one's chest 胸を張る / He *is puffed up with* pride. 彼はうぬぼれていい気になっている. 4《略式今は略》〈批評・広告など〉...をおおげさにほめる,誇大広告する. 5 [~ one's way] 〈列車などが〉進む.

puf·fin /pÁfɪn/ 名 ⓒ〔鳥〕ツノメドリ.

puff·y /pÁfi/ 形 (-·i·er, -·i·est) 1〈風などが〉ぱっと吹く,2 腫(¾)れた,ふくらんだ;柔らかくて軽い,太った. 3《略式》息切れのした[しやすい].

pug[1] /pÁg/ 名 ⓒ 1〔動〕= pub dog. 2 = pub nose.

púg dòg パグ《ブルドッグに似た小型犬》.

púg nòse しし鼻.

pug[2] /pÁg/ 名 動 (過去・過分 pugged/-d/; pug·ging) ⓣ 1〈粘土など〉をこねる. 2〈穴など〉を粘土[モルタル]でふさぐ. ──名 Ⓤ 1 こね土. 2 = pugging.

púg mill 攪押(½¼)機.

pug·ging /pÁgɪŋ/ 名 Ⓤ 1 土をこねること. 2（防音用）モルタル,しっくい.

pug·na·cious /pʌgnéɪʃəs/ 形《正式》けんか早い,けんか好きな.

pug·nac·i·ty /pʌgnǽsəti/ 名 Ⓤ《正式》けんか好き.

puke /pjú:k/《略式》動 ⓘⓣ ...を吐く,もどす(vomit). ──名 Ⓤ 吐き気(をもよおさせる[物]).

Pu·lit·zer /pÚlɪtsər, pjÚ-/ 名 ピューリツァー《Joseph ~ 1847-1911; ハンガリー生まれの米国のジャーナリスト・新聞経営者》.

Púlitzer Príze /pjú:lɪtsər-/ ピューリツァー賞《毎年ジャーナリズム・文学・音楽などで功績のある米国人に与えられる賞》.

****pull** /pÚl/ （同音 pool /pú:l/) 『「物をぐいと引く」が原義』

index 動 ⓣ 1 引く 2 引き抜く ⓘ 1 引っ張る 名 1 引くこと

──動 (~s/-z/; 過去・過分 ~ed/-d/; ~·ing)
──ⓣ

1 [引く]

1〈人が〉〈物・人〉を[...に]**引く**, 引っ張る[*to*, *toward*] (↔ push); [pull A C] A〈物〉を引っ張って C にする ‖ *pull* back 'one's foot [one's hand, one's chair] 足[手, いす]を引く / *pull* the dóor ópen [shút] 戸を引くと開ける[閉める] / *pull* his collar = *pull* him by the collar 彼のえりを引っ張る(→ ⓣ 1c) / She *pulled* her hat over her eyes. 彼女は帽子を目深にかぶった / I *pulled* the wallet from my pocket. 私はポケットから財布を取り出した / ショック "Don't pull the cat's tail!" "I'm just holding it. He is pulling." 「ネコのしっぽを引っ張らないで!」「僕はただ持ってるだけだよ.ネコの方が引っ張ってるんだ」.

使い分け [pull と draw]

pull は「（急激な強い力で手前に）引く」.
draw は「（平均的ゆっくりの速度で軽く）引く」.
He *pulled* [×drew] the rope as hard as he could. 彼は力の限りロープを引っ張った.
Oxen were often used to *draw* carts. 牛は

しばしば荷車を引くのに使われた.

2〈人が〉〈歯・栓・羽毛など〉を**引き抜く**(+*out, off, away*); …をむしり取る, 引きちぎる(+*out, up*) ‖ *pull* a bird 鳥の毛をむしる / *pull* (*out* [*up*]) flowers [weeds] 花を摘む[雑草を抜く] / I had a bad tooth *pulled out* [*off*] at the dentist's. 歯医者で虫歯を1本抜いてもらった.

3〈ボート〉を漕ぐ;〈…本のオール〉を持つ ‖ *pull* a good oar ボートをうまくこぐ / The boat *pulls* two oars. そのボートは2本のオールでこぐ. **4**〈顔の表情・筋肉など〉を緊張させる;…を(力を入れすぎて)傷める;…のふりをする ‖ *pull* faces [a face] at him 彼にしかめ面をする / *pull* a long face 不機嫌な顔をする. **5**〈ナイフ・銃など〉を[…に向かって]抜く, 取り出す[*on*]; (主米)〈ビール〉を樽からつぐ ‖ *pull* a gun on him 彼に銃を突きつける. **6**〖野球・ゴルフ・クリケット〗〈球〉を引っ張って打つ《右打ちは左へ, 左打ちは右へ》. **7**(略式)〈計画・悪事など〉を行なう(carry out), …に成功する(+*off*) ‖ *pull* (*off*) a trick on her 彼女にいたずらをする / *pull* a jewel robbery 宝石強盗をやってのける / What are you trying to *pull*? 何をたくらんでいるんだい.

‖ [心を引きつける]

8(略式)〈顧客・聴衆など〉を[…で]引きつける(attract) (+*in*) [*with*];〈支持・優位など〉をかちとる ‖ *pull* many votes 多くの票を集める.

─ 自 **1**〈人が〉[…を]**引っ張る**(*at, on*) (↔ push) ‖ *pull at* [*on*] a rope 綱をつかんでぐいと引く / This working dog *pulls* well. この作業犬は引っ張る力が強い. **2** [*pull C*]〈物が〉引っ張られて**C**になる ‖ This toilet tissue *pulls* apart easily. このトイレットペーパーは引っ張ると簡単に破れる / The door *pulls* open [*shut*]. その戸は引くと開く[閉まる]. **3** 引かれて動く,〈自動車などが〉進む;〈人が〉骨折って漕ぐ;〈人が〉ボートをこぐ;〈馬が〉暴れる ‖ *pull close* 近づく / *pull up* a mountain 山を登っていく / *pull* for the shore 岸へボートをこぐ / *pull* onto the freeway 高速道路に車を乗り入れる. **4**〈グラス・びんに口を付けて〉ぐいと飲む,〈パイプ〉をすっと吸う(*at, on*) ‖ *pull at* 'a glass [one's pipe] グラスでぐっと飲む[パイプでタバコを吸う].

púll abóut〔他〕(1) …を引っ張り回す. (2)〈人・物〉を手荒く扱う.

púll ahéad〔自〕〈人・車などが〉…の前を進む[*of*];(競技で)他を抜いて前に出る;〈社運・景気などが〉上向きになる.

púll apárt〔自〕→ 他 **2**. (2)〈物が〉分かれる. ─〔他〕(1)〈物〉を引っ張ってばらばらにする;〈物〉を分ける. (2)〈人・物〉を分析[検討]する,〈物・事〉のあらを探す. (3)〈人〉を不幸にする.

púll aróund〔他〕=PULL about.

púll awáy〔自〕〈車が離れる, 他の車を引き離す;身を引く;漕ぎ続ける;[…から]離脱する, 身を振り切る[*from*]. ─〔他〕〈人・物〉を[…から]力ずくで離す[*from*](→ 他 **2**).

púll báck〔自〕(1) 退く. (2) 約束を破る. (3) 出費を控える. ─〔他〕→ 自 **1**. (2)〈軍隊など〉を後退させる. **3**〈人〉を引き戻す, …を手控えさせる.

***púll dówn**〔他〕(1)〈人が〉〈物〉を**引き降ろす** ‖ *pull down* a blind 日よけを引き降ろす. (2)〈人〉〈家など〉を**取り壊す**(destroy) ‖ The old building was *pulled down*. その古いビルは取り壊された. (3)(米略式)〈金〉をかせぐ.

púll for A(略式)(1) → 自 **3**. (2)〈チーム・候補者など〉を支持する, 口添えしてやる; …を助ける.

púll ín〔自〕(1)〈列車・車・船などが〉入る, 入る(↔ pull out);〈人・車などが〉片側に寄る, 止まる(pull over). ─〔他〕(1)〈費用など〉を引き締める, 制御する;〈事〉を[手綱を引いて]止める ‖ *pull in* one's belt 切り詰めた生活をする(→ tighten [pull in] one's BELT) (2)(略式)〈金〉をかせぐ(pull down). (3) → 他 **3**.

púll A in píeces [~ *in pieces* **A**] =PULL A to pieces.

púll óff〔自〕(1) 去る, 離れる, 逃げる, とれる;〈車が〉発車する. (2) 車が止まるために進行中の道路からわき道や入り口に入る. ─〔他〕(1) …を(引っ張って)脱ぐ, はずす(↔ pull on); (略式)…を取り除く ‖ *pull off* one's shoes [gloves, boots, socks] 靴, 手袋, ブーツ, 靴下]を引っ張ってぬぐ. (2)『完全に』(off 副 **9**)行なう(pull 他 **7**)』(略式)〈困難・悪事など〉をうまくやりとげる(→ 他 **7**);〈賞〉を取る;〈競技に〉勝つ. (3)〈船〉を出す;〈車〉を道路わきに寄せる(pull in [over]). (4) → 他 **2**.

púll ón〔自〕こすり続ける. ─〔他〕〈着物・靴・手袋など〉を引っ張って身につける(↔ pull off).

púll óut〔自〕(1)〈列車・車・船などが〉[…から]出る[*of*];〈人が〉立ち去る;〈軍隊が〉撤退する;〈引き出しなどが〉抜ける(↔ pull in). (2)〈車が〉(追い越して)車の流れから出る;〈飛行機が〉降下姿勢から水平飛行に戻る. ─〔他〕(1) → 他 **2**. (2)〈人〉を[…から]取り出す[*of*] ‖ *pull* an idea [excuse] *out of* a hat 魔術のように考えを引き出す[言い訳をでっちあげる]. (3)〈話など〉を長びかす;〈軍隊など〉を[…から]撤退させる[*of*].

púll óver〔自〕〈車・人などが〉道の片側に寄る[止まる];車[船]を片側に寄せる. ─〔他〕(1)〈着物〉を頭からかぶって着る; (略式)〈車・船〉を片側に寄せる ‖ He *pulled* the blanket *over* himself. 彼は毛布にくるまって身を隠した (◆ himself の代わりに him とすると単に「自分の上に毛布を引き寄せた」の意).

púll róund [pull + round (元の状態に)] 〔自〕(略式)健康[意識]を回復する;〈会社から不振から立ち直る. ─〔他〕(1)〈医者・薬など〉〈人〉を回復させる;〈人〉の意識を回復させる; …を不振から立ち直らせる. (2)〈人〉の考えを[…に]変えさせる(*to*). (2) …を逆方向に向ける.

púll thróugh(略式)〔自〕危機・病気などを切り抜ける. ─〔他〕(1)〈人〉に病気[困難]を切り抜けさせる(◆ pull round よりもゆっくりした回復). (2) [~ **A** *through* **A**] 〈人〉に〈難局〉を切り抜けさせる.

púll togéther〔自〕(仕事で)協力する. ─〔他〕(1) …をまとめる, 協調する;〈組織・会社〉を立て直す. (2) [~ oneself together] 冷静になる, 自制する.

púll A to píeces [~ *to pieces* **A**](1) → to PIECEs (2). (2)〈人・物〉をこきおろす, …のあらを探す.

***púll úp**〔自〕〈車などが〉[…に]止まる(stop)[*at*], [○…に]横付けにする(alongside); 〈人が〉車を止める(stop). ─〔他〕(1)〈車・人〉を止める. (2)〈人・言動〉を制止する ‖ *pull* oneself *up* 直立の姿勢をとる, 自制する. (3) …を引き寄せる[上げる]. (略式)〈知識など〉を訂正[増進]する.

púll úp (to [with] A)〈競争相手に〉追い迫る, 匹敵する.

─ 名 (複 ~s/-z/) **1**〖C〗 (通例 a ~)引くこと;〖U〗[しばしば the ~]引く力, 引力, 牽引(ﾃﾞ)力 ‖ *give a púll at* [*on*] *a rope* = *give a rope a púll* 綱をぐいと引く(=*pull at a rope*) / He gave my

pull-down

sleeve *a pull*. 彼は私のそでを引っ張った(=He pulled me by the sleeve.)《◆注意を引く動作》. **2**(まれ)[a ~](酒などの)ひと飲み, (タバコの)一服(at, on, from);(舟のひとこぎ, (ゴルフ・クリケット・野球の)引っ張る打法 ‖ hàve [tàke] *a púll at* one's wine ワインのみひとくみする / have *a pull* on the lake 湖でひとこぎする. **3** ⓒ[通例 a ~](山に登る時などの長く続く)努力, がんばり ‖ It was a hard *pull* to go up the hill. その丘に登るのに骨が折れた. **4** ⓤ(略式)[時に a ~][…への]つて, 手づる(*with*) ‖ have (some) *pull* with the company その会社にコネがある, 顔がきく. **5** ⓒ [通例複合語で]引き手, 取っ手 ‖ a bell*pull* ベルの引きひも, 取っ手. **6** ⓤⓒ(略式)(他人に対する)強み, 影響;[…を引きつける]魅力(*with*).

pull-down /pύldàun/ 形 [コンピュータ]〈メニューが〉プルダウン式の.

púll-down mènu [コンピュータ] プルダウンメニュー《画面の下に向かって表示されるメニュー》.

pull·er /pύlər/ 名 ⓒ 引っ張る人[物], 引き抜く道具;船のこぎ手;さから馬.

pul·let /pύlət/ 名 ⓒ (卵を生み始めた)若いめんどり.

†**pul·ley** /pύli/ 名 ⓒ **1** 滑車;滑車装置. **2** [機械]ベルト車. —— 動 他 …に滑車を付ける;…を滑車で引き上げる. **púlley blòck** [機械] 滑車装置.

†**Pull·man** /pύlmən/ 名 ⓒ **1** =Pullman car [coach]. **2** =Pullman case.

Púllman càr [còach] [鉄道]プルマン式車両《米国の George M. Pullman 考案の寝台車・特別客車》((米) parlor car).

Púllman càse 大型スーツケース.

pull-out /pύlàut/ 名 ⓒ **1**(軍隊・事業の)撤退. **2**(雑誌の)折り込みページ.

pull·o·ver /pύlòuvər/ 名 ⓒ 形 プルオーバー(の)《頭からかぶるセーター・シャツなど》.

pul·mo·nar·y /pύlmənèri | -nəri/ 形 (正式) **1** 肺の, 肺に関する ‖ *pulmonary* artery [vein] 肺動脈[静脈]. **2** 肺を冒す, 肺病の.

Pul·mo·tor /pύlmòutər, pǽl-/ 名 ⓒ (商標) プルモーター 《人工呼吸装置》.

†**pulp** /pʌlp/ 名 **1** ⓤ (柔らかい)果肉, (茎の)柔らかい髄. **2** ⓤ[時に a ~]柔らかい[どろどろの]状態. **3** ⓒ (製紙用の)パルプ(paper [wood] pulp). **4** ⓒ = pulp magazine. ⓤ=pulp literature. **5** ⓤ[歯科] 歯髄(dental pulp). **6** ⓤ[鉱物] 鉱泥. —— 動 他 **1** …をパルプ状にする. **2** …から果肉を取り除く. —— 自 パルプ状[どろどろ]になる.

púlp literature 俗悪な読み物[文学].

púlp magazine(安物のざら紙の)低俗雑誌(cf. slick).

†**pul·pit** /pύlpit/ 名 **1** ⓒ (教会の)説教壇. **2** ⓒ (説教壇に似た)高い台《捕鯨船のもり撃ち台など》.

pulp·wood /pʌ́lpwùd/ 名 ⓤ (製紙用の)パルプ材.

pulp·y /pʌ́lpi/ 形 (-i·er, -i·est) 果肉(状)の, パルプ(状)の;柔らかな;汁の多い.

pul·sate /pʌ́lseit/ 動 自 (正式) **1**〈心臓が〉脈を打つ, 鼓動する. **2**[…で]振動する, 〈胸が〉どきどきする, わくわくする(*with*);[電気]脈動する. —— 他 …を振動させる.

pul·sa·tion /pʌlséiʃən/ 名 ⓤⓒ **1** 脈搏(きゃく), 動悸(き). **2** 振動, 脈動;[電気]脈動.

†**pulse** /pʌls/ 名 ⓒ **1** [通例 a/the ~]脈搏(きゃく), 心拍, 鼓動 ‖ 「*a* regular [*an* irregular] *pulse* 整[不整]脈 / The doctor felt [took] my *pulse*. 医者が私の脈をみた / My *pulse* is fast. 私は脈が早

い. **2** 律動(音), 拍子;(生命・心の)躍動, 興奮, 生気 ‖ the *pulse* of an engine エンジンの律動 / stir his *pulses* 彼を興奮させる. **3**(光・音の)波動, (通信)パルス. —— 動 自 (文) **1**〈心臓などが〉[…と]脈打つ, 鼓動する(*with*) ‖ My heart *pulsed* with joy. うれしくて私の胸は高鳴った. **2** […に(通じて)]脈動する, 伝わる(*through*). —— 他 **1**〈血液などを〉律動的に送り込む(+*in*, *out*);〈エンジン〉を律動的に動かす. **2**(通信)…をパルスにする.

†**pul·ver·ize**, (英ではしばしば) **-ise** /pʌ́lvəràiz/ 動 他 **1**(正式)…をひいて粉(状)にする, 粉々にする;〈液体を〉霧にする. **2**(略式)〈議論などを〉粉砕する, やっつける.

†**pu·ma** /pjúːmə/ 名 **1** ⓒ [動] ピューマ(cougar). **2** ⓤ ピューマの毛皮.

pum·ice /pʌ́mis/ 名 ⓤ =pumice stone. —— 動 他 …を軽石で磨く[こする].

púmice stòne 軽石(pumice).

★**pump**[1] /pʌmp/ (類音) pomp /pámp | pɔ́mp/ 【擬音語】

—— 名 ⓒ (~s/-s/) **1** ポンプ, 揚[吸]水器 ‖ a bicycle *pump* 自転車の空気入れ / a water *pump* 水揚げポンプ / a drainage (circulating)ポンプ 排水[送水]ポンプ / a garden *pump* 庭の水まきポンプ. **2** ポンプでくみ上げる[押し出す]こと, ポンプ作用. **3** [動] ポンプ器官;(略式) 心臓(heart). —— 動 ~s/-s/; (過去・過分) ~ed/-t/; ~·ing —— 他

I [ポンプでくみ出す]
1〈人・機械などが〉〈水・空気などを〉**ポンプでくむ**, ポンプでくみ上げる[押し出す](+*in*, *out*, *up*) ‖ *pump* water *up* [*out*] ポンプで水を吸い上げる[出す].
2〈井戸・船などから〉〈水などを〉ポンプでくみ出す(+*out*), …を[…から]ポンプでくみ出す(*from*);…をくみ出して空(ᇰ)にする(+*out*) ‖ *pump out* a flooded cellar 水浸しになった地下室から水をくみ出す / *pump* the well dry 井戸をくみ干す. **3**(略式)〈情報などを〉[人から]それとなく[強制して]聞き出す(*from*, *out of*);〈人に〉[…について]尋ねる(*for*, *about*).

II [ポンプで入れる]
4〈空気などを〉[タイヤに]ポンプで注入する(*into*);…にポンプで空気を入れる(+*up*) ‖ *pump up* a balloon 風船に空気を入れてふくらませる. **5**(略式)…を[…に]教え込む, 詰め込む, 注入する(*into*);〈悪罵(ば)・弾丸などを〉浴びせる ‖ *pump* money *into* the building program 建設計画に資金を投入する.

III [ポンプのように動かす]
6(ポンプのハンドルのように)…を上下に動かす ‖ He *pumped* my hand. 彼は私の手を上下に振って握手した. **7**[通例 be ~ed]〈人が〉息切れする, へとへとに疲れる;(米俗)やる気満々になる(+*up*). —— 自 **1** ポンプを使う(+*away*). **2** ポンプでくみ上げる[動かす]. **3**(ポンプのように)上下に動く(+*away*).

púmp gùn ポンプ式速射銃.

pump[2] /pʌmp/ 名 ⓒ [通例 ~s] (米) パンプス《ひもで留め金のない甲のあいている女性用の靴》;(英)(軽い)舞踏用の靴.

★**pump·kin** /pʌ́mpkin, (米非標準) pʌ́ŋkin/ 【「大きなメロン」が原義】

—— 名 ~s/-z/) **1** ⓒⓤ [植] カボチャ《◆大型の実はパイの材料. 家畜の飼料にもする. 果肉をさす場合は ⓤ》‖ Does a *pumpkin* have something to do with Halloween? カボチャはハロウィーンと何か関係があるんですか. **2**(英)クリカボチャの実.

🟥文化 (1) Halloween の「お化けちょうちん」はカボチャで作る. また Halloween, Thanksgiving Day に

は pumpkin pie がつきもの.
(2) シンデレラが乗った馬車は pumpkin で作られた.
(3) 米国では pumpkin seed tea を利尿・駆虫剤として用いる.

pun /pʌn/ 名 C (同音異義による)だじゃれ, 地口(ぢく^も), ごろ合わせ 例: Seven days without water make one *weak*. 水を飲まずに7日たつと人は衰弱する(*week* とのしゃれ). ――動 (過去・過分) **punned** /-d/; **pun·ning** /-ɪŋ/ 自 …をもじる, […をかけて]しゃれ[地口]を言う(*on, upon*).

†**punch**¹ /pʌntʃ/ 動 他 名 C **1** …をげんこつでなぐる, ぶんなぐる 《◆平手で打つ場合は slap, 特に打つ手段を問題にしない場合は strike》 ‖ *punch* him **on** [**in**] the jaw =*punch* his jaw 彼のあごにパンチをくらわせる(→ catch 他 1c). **2** …を棒でつつく[突く]. **3** 《米西部》《家畜》を(棒などでつついて)追う. ――自 パンチをくらわす.

――名 **1** [a~] げんこつのひと打ち. **2** U 《略式》力, 活気; (話しなどの)効果, 迫力.

béat **a** *to the púnch* 《略式》〈人〉に一撃を与える, …の機先を制する.

púnching bàg 《主に米》(ボクシング練習用の)パンチ=バッグ.

púnch line (冗談などの)急所となる文句, 落ち.

†**punch**² /pʌntʃ/ 名 C **1** 穴あけ器, 押抜き具; (切符などを切る)パンチ; 〔コンピュータ〕穿孔(ゼュ)機. **2** [ねじ, びょう]締め器[抜き器]. **3** 型押し器, 刻印器(ね^ん抜き型. ――動 他 **1** 〈金属・皮・切符などに〉穴をあける; 〈穴を〉[…に]あける(*in*); 〔コンピュータ〕〈カード〉にせん孔する(+*up*). **2** …に刻印する, 〈模様など〉を押印する. **3** 〈くぎなど〉を打ち込む(+*down, in*).

punch ín [自] 《米》(タイムレコーダーで)出勤時刻を記録する.

punch óut [自] 《米》(タイムレコーダーで)退社時刻を記録する.

púnch càrd, púnched cárd 〔コンピュータ〕 パンチカード.

púnch prèss 押抜き[打抜き]機.

púnch tàpe, púnched tápe 〔コンピュータ〕 パンチテープ.

punch³ /pʌntʃ/ 名 U C パンチ, ポンチ, ポンス 《ワインに水または湯・砂糖・レモン・香料などを入れた飲み物》.

púnch bòwl パンチボウル; (すり鉢状の)小盆地.

Punch /pʌntʃ/ 名 **1** パンチ 《Punch-and-Judy show のかぎ鼻で猫背の人形》. **2** パンチ 《英国の風刺週刊誌. 1841 年創刊》.

Punch-and-Ju·dy (**shòw**) /pʌntʃəndˈdʒuːdi-/ 名 パンチとジュディ 《英国の操り人形劇. Punch が妻 Judy と激しく口論する》.

punch-bag /pʌntʃbæɡ/ 名 C =punching bag.

punch-ball /pʌntʃbɔːl/ 名 **1** 《英》 =punch-bag. **2** U 《米》パンチボール 《ゴムボールを頭で打つゲーム》.

pun·cheon¹ /pʌntʃən/ 名 C **1** パンチョン 《70–120 ガロン入りの大たる》. **2** たる1杯の量.

pun·cheon² /pʌntʃən/ 名 C **1** (床material の)厚板; 間柱(ﾋﾟﾙ), (建物の枠組の)支柱. **2** 穴抜き器, 刻印器.

punch·er /pʌntʃər/ 名 C パンチャー, 穴をあける人[道具].

Pun·chi·nel·lo /pʌntʃɪnéloʊ/ 名 C **1** パンチネロ 《イタリアの伝統的人形芝居の主人公. Punch の原型》. **2** 道化者(clown). **3** グロテスクな人[もの].

punch-up /pʌntʃʌp/ 名 C 《略式》けんか, なぐりあい(fight).

punc·til·i·ous /pʌŋktíliəs/ 形 《正式》細かい, 作法にうるさい.

厳格な, きちょうめんな.

***punc·tu·al** /pʌŋktʃuəl, 《英+》-tjuəl/ 「[点]が原義」cf. punctuate]
――形 〔補語として〕〈人が〉[…の点で/…に対して]時間を守る(*in* (doing) / *with*) (↔ late); […することが]素早い, 即座の(*in* doing) ‖ He's always *punctual for* an appointment. 彼は常に約束を固く守る / She's never *punctual in* answering letters. 彼女は決してすぐには手紙の返事を書かない / 日本発》 Public transport in Japan is very *punctual*. 日本の交通機関はたいへん時間に正確です. **2** 〔名詞の前で〕きちょうめんな; 厳密な ‖ a very *punctual* person とてもきちょうめんな人.

púnc·tu·al·ly 副 時間を厳守して, 時間どおりに, きちょうめんに.

†**punc·tu·ate** /pʌŋktʃuèɪt, 《英+》-tju-/ 動 他 **1** …に句読(ぐ)点を付ける[打つ]. **2** 《正式》〔通例 be ~d〕〈言葉などを〉[…で]素早い, 即座の区切りがつく. **3** …を[…で]強調する[*by* (doing), *with*] ‖ She *punctuated* her speech *with* many emphatic gestures. 彼女は力強い身ぶりをいくつも交えてスピーチにめりはりをつけた. ――自 句読点を付ける.

†**punc·tu·a·tion** /pʌŋktʃuéɪʃən, 《英+》-tju-/ 名 C **1** 句読(ぐ)法 ‖ Mr. Brown, please correct my *punctuation*. ブラウン先生, 私の打った句読点を正しく直してください. **2** =punctuation mark.

punctuátion màrk 〔通例 ~ marks〕 句読点 《◆ **. , ; :** のほか **? ! " " ( )** ――なども含まれる》.

†**punc·ture** /pʌŋktʃər/ 名 C **1** (とがった物で)…をさす, …に穴をあける; (刺して)〈穴を〉あける; 〈タイヤなど〉を〈くぎなどで〉パンクさせる[*on*] ‖ The nail *punctured* the tire. くぎでタイヤがパンクした. **2** 〈信頼・誇りなど〉を台なしにする, 傷つける ‖ His poor mark in math *punctured* his pride. 数学の悪い点が彼のプライドを傷つけた. ――名 **1** 穴があく, 〈タイヤなどが〉パンクする(get a flat (tire)). **2** 名 U C (とがった物で)刺すこと, 穴をあけること, パンク 《◆ flat tire がふつう. 破裂によるパンクは blowout. *punc, *punk は誤り》. **2** C 《正式》(刺してできた)穴, 傷(hole).

pun·dit /pʌndɪt/ 名 C (テレビなどで意見を求められる)専門家, 消息通.

pun·gen·cy /pʌndʒənsi/ 名 U **1** (味・香りなどの)刺激, ぴりっとすること. **2** (皮肉・機知などの)鋭さ, 辛辣(ﾗ^ﾂ)さ.

†**pun·gent** /pʌndʒənt/ 形 《正式》 **1** (味覚・嗅覚に)強く刺激する, ひりっと[つんと]する ‖ a *pungent* smell of tobacco smoke 鼻を強く刺激するタバコのにおい. **2** 〈批評などが〉辛辣な, 痛烈な.

Pu·nic /pjúːnɪk/ 形 **1** 古代カルタゴ(Carthage) (人)の. **2** (カルタゴ人のように)信義のない, 裏切りの, 不実な. ――名 U 古代カルタゴ語.

Púnic fáith 裏切り, 背信.

Púnic Wárs 名 ポエニ戦争 《ローマ・カルタゴ間の戦争(紀元前 3-2 世紀)》.

***pun·ish** /pʌnɪʃ/ 動 [「(罰を受けて)償いをする」が原義] 派 punishment (名)
――変 (~**es**/-ɪz/; 過去・過分 ~**ed**/-t/; ~**ing**)
――他 **1** 〈人が〉〈人・悪事など〉を(こらしめて)罰する(scold); [punish A for B] A〈人〉を B〈悪事など〉で罰する ‖ I *punish* him *by* [*with*] death *for* the crime 彼をその罪で死刑に処する / The offense should be *punished* severely. そういう違反は厳罰に処すべきだ / She was *punished for* being late. =She was punished because she was late. 遅

刻して彼女は罰せられた. **2**《略式》〈人〉をひどい目にあわせる;〈物〉を手荒に扱う;〔ボクシング〕〈相手〉を乱打する. **3**《略式》…をどんどん飲み食いする〔平らげる〕. ——自 罰する; 《略式》やっつける.

pun·ish·a·ble /pʌ́nɪʃəbl/ 形 罰することのできる, 罰すべき.

†**pun·ish·ment** /pʌ́nɪʃmənt/ 名 ⓊⒸ **1** 罰すること, 罰せられること; 〔…に対する〕罰, 処罰, 刑罰〔of, for〕∥ the *punishment* of [for] crime 犯罪の処罰 / inflict corporal *punishment* on a student 生徒に体罰を科す / The student received [got] (a) *punishment* for cheating. その学生はカンニングで罰せられた. **2**《略式》ひどい扱い; 〔ボクシング〕乱打.

pu·ni·tive /pjúːnətɪv/ 形 **1**《正式》罰[刑罰, 懲罰]の, 罪に関する; 応報的, 懲戒的な ∥ *punitive* laws 刑法. **2**《課税ål》過酷な.

Pun·jab /pʌndʒɑ́ːb/ 名 [the ~] パンジャブ《インド北西部地方. 旧州. 現在 East Punjab はインドに, West Punjab はパキスタンに所属》.

punk /pʌ́ŋk/ 名 **1** Ⓒ《主に米略式》くだらない人間; 若僧; ちんぴらやくざ; 同性愛の相手の少年. **2** Ⓤ パンク調; =punk rock; Ⓒ =punk rocker.

púnk róck パンク=ロック《1970年代後半に英国などで流行した過激なロックミュージック》.

púnk rócker パンク=ロックの愛好者.

pun·ka(h) /pʌ́ŋkə/ 名 Ⓒ《インド・パキスタン》大うちわ, つり扇《天井からつるし綱を引いてあおぐ》.

punt¹ /pʌ́nt/ 名 Ⓒ 平底小舟《舟ざおで川底を突いて進む》. ——動 他 **1** 〈平底小舟〉をさおで進める. **2** …を平底小舟で運ぶ. ——自 平底小舟で行く.

punt² /pʌ́nt/ 名 Ⓒ 〔アメフト・ラグビー〕パント《ボールを手から落とし, 地面に着かないうちにけること》. ——動 他自 〈ボール〉をパントする.

†**pu·ny** /pjúːni/ 形 (**--ni·er**, **--ni·est**) **1** 小さくて弱い, 弱々しい ∥ a *puny* child 弱々しい子供. **2** 取るに足りない, つまらない.

†**pup** /pʌ́p/ 名 =puppy. ——動 (過去・過分 **pupped**/-t/; **pup·ping**) 他自〈犬など〉の(子)を産む.

púp tènt 携帯用の小型テント.

†**pu·pa** /pjúːpə/ 名 (複 **--pae** /-piː/, ~**s**) Ⓒ 〔昆虫〕さなぎ(cf. chrysalis, imago, larva).

*****pu·pil**¹ /pjúːpl/ ——名 (複 ~**s**/-z/) Ⓒ **1 生徒**, 児童《◆(米)ではふつう小学生をさし, (英)では小・中学・高校生をいう. cf. student》 ∥ all the *pupils* at [of] this elementary school この小学校の全生徒《◆student の場合は all the students at this high school のように at (→ principal, student, teacher)》. **2**(個人指導の)教え子, 弟子, 門下生 ∥ The violinist has ten *pupils*. そのバイオリン奏者には10人の弟子がいます.

pu·pil² /pjúːpl/ 名 Ⓒ 〔解剖〕ひとみ, 瞳孔(ピーピ˘)(図→ eye).

†**pup·pet** /pʌ́pɪt/ 名 Ⓒ **1** 操り人形((正式) marionette)∥ 日本発 *Bunraku* is a form of Japanese *puppet* theater that flourished in the 17th century. 文楽は日本の人形劇の一種で, 17世紀から盛んになりました. **2** 指人形; 小さな人形. **3** 手先, ロボット, 傀儡(クシ˘). ——形 **1** 操り人形の. **2** 操られる, 傀儡の.

púpil plày [**shòw**] 人形劇[芝居].

pup·pet·eer /pʌ̀pɪtíər/ 名 Ⓒ 操り人形師.

†**pup·py** /pʌ́pi/ 名 〖「人形」が原義〗

——名 (複 --**pies**/-z/) Ⓒ **1**(特に1歳以下の)**子犬**《◆鳴き声は yelp》∥ be in [with] *puppy* 子犬をはらんでいる / The little *puppy* is yapping. 子犬がキャンキャン鳴いています. **2** キツネ, オットセイなどの子 ∥ a seal *puppy* アザラシの子.

púppy fát (英略式)(幼児期の一時的な)肥満.

†**pur·chase** /pə́ːrtʃəs/ 〖発音注意〗〖アクセント注意〗動 他 **1** 《正式》〈人が〉〈物〉を購入する, 買う(buy)《◆ buy よりも上品な語で文書などで用いる》∥ *purchase* an imported car「for cash [with a loan from the bank] 外車を即金[銀行ローン]で買う / "*Purchase* a cocktail."「機内販売など」「カクテルはいかがですか. **2**《正式》〈人が〉〈自由・名声など〉を苦労して得る, (努力・犠牲により)獲得する(gain) ∥ *purchase* freedom with much blood and many tears 多くの血と涙を流して自由を勝ち取る / a dearly *purchased* victory 高い犠牲を払って得た勝利.

——名 **1** Ⓤ《正式》購入, 買い入れ ∥ the *purchase* of a car on credit [on the hire *purchase* (英)] 月賦でそれを買う. **2** Ⓒ Ⓤ《正式》購入品, 買物, 買った物 ∥ fill the trunk of a car with one's *purchases* 買った物を車のトランクに詰め込む / I returned my *purchase* soon. 私は買った物をすぐに返した / make「a good [a bad, a small, an extravagant] *purchase* 安い[高い, ちょっとした, ぜいたくな]買物をする. **3** Ⓤ 〔法律〕取得, 購入. **4** Ⓤ《正式》[時に a/the ~](重い物を動かしたり持ち上げたりするときの)ひっかかり, 手[足]がかり.

púrchasing pòwer 購買力.

†**pur·chas·er** /pə́ːrtʃəsər/ 名 Ⓒ《正式》買い手, 購買者.

*****pure** /pjúər, (米+) pjə́ːr, (英+) pjə́ː/ 〖「まざりものがない」が本義. cf. purge〗派 purely (副), purity (名)

——形 (~**r** /pjúərər/, ~**st** /pjúərɪst/)

I [関係が純粋な]

1〔通例名詞の前で〕**純粋な**, まじり気のない(genuine) (↔ mixed), 〈動物が〉純血の;〈言葉が〉純正の ∥ *pure* English 純正英語 / (as) *pure* as (the) driven snow 純粋な《◆しばしば反語用法》 / His watch is made of *pure* gold. 彼の時計は純金製だ.

II [心などが純粋な]

2 清い, きれいな, 汚れていない;〈音が〉澄んだ ∥ *pure* air [water] きれいな空気[水] / She is *pure* in body and mind. 彼女は心身ともに清らかだ.

3《正式》(道徳的に)純潔な(innocent), 潔白な(clean), (肉体的に)汚れのない《◆ chaste は〈女性が〉貞節な」の意》∥ *pure* conduct 清らかな行為.

III [その他]

4《略式》[名詞の前で] **まったくの**(complete);単なる(mere);[副詞的に] まったく《◆比較変化しない》∥ He is a *pure* fool. 彼は大ばか者だ(=He is *purely* a fool.) / She began to smoke from *pure* curiosity. 彼女はほんの好奇心から喫煙し始めた / I'm *pure* dead with exhaustion. 疲れてすっかりへばった.

5 [名詞の前で]〈学問などが〉純粋な, 理論的な《◆比較変化しない》(↔ applied) ∥ *pure* physics [science] 理論(純粋)物理学[科学].

púre and símple《略式》[名詞の後で強調して]まったくの, 純然たる;単なる ∥ a gentleman(,) *pure and simple* まったくの紳士(=*purely* and simply a gentleman).

pu·rée, --**ree** /pjʊréɪ / pjúəreɪ/ 〖フランス〗名 Ⓤ Ⓒ ピ

pure・ly /pjúərli/ (米-) pjúr-, (英-) pjúəs-/ 副 1 [修飾する語(句)の前で] まったく, 完全に; 単に ‖ *purely by chance* まったく偶然に(=by pure chance) / She sang *purely* to enjoy herself. 彼女はただ楽しむために歌った / He is *purely* (and simply) a fool. 彼は大ばかだ(=He is a pure fool. / He is a fool *pure* and simple). ◆ and simply は強調. 2 純粋に, まじり気なく ‖ speak English *purely* 純粋な英語を話す / He is *purely* Ainu. 彼は純粋のアイヌだ. 3 《正式》清らかに, 純潔に ‖ live *purely* 清く生きる.

pur・ga・tive /pə́ːrgətiv/ 《正式》形 1 清める, 浄化する. 2 下剤の, 便通をつける. ——名 C 下剤.

pur・ga・to・ri・al /pə̀ːrgətɔ́ːriəl/ 形 《正式》1 罪を清める, 浄罪の. 2 煉獄(ﾚﾝｺﾞｸ)の(ような).

†**purge** /pə́ːrdʒ/ 動 他 《正式》[purge **A** of **B** = purge (away) **B** from **A**] 1 〈人〉〈心・体など〉を清める; 〈B〈汚れ〉を取り除いて〈A〈人・物〉を清める, 〈人〉から〈B〈疑いなど〉を除く ‖ *purge* one's heart 心を清める / *purge* her of *sin*=*purge* sin *from* her 彼女の罪を清める / She was *purged* of all suspicion. 彼女の疑惑はすべて晴れた. 2 〈人などが〉〈人〉を(政党などから〉追放する; 〈A〈政党などから〉B〈人〉を追放する ‖ *purge* the party of extremists =*purge* extremists *from* the party 党から過激分子を追放する. 3 通じをよくする; 通じがつく, 下剤がきく. ——名 C 浄化; 〔人の/場所から〕(不正分子の)追放, 粛正, パージ[of/from]; 下剤 ‖ the *purge* of radical reformers *from* the Kremlin クレムリンからの急進改革派の追放.

†**pu・ri・fi・ca・tion** /pjùərəfikéiʃən/ 名 U C 1 浄化, 清めること. 2 〖冶金〗精製, 精錬.

†**pu・ri・fy** /pjúərəfai/ 動 他 1 …を浄化する; …から不純物を除く ‖ *purify* water 水を浄化する. 2 …を精錬[精製]する. 3 〈罪など〉を清める; …の罪〔汚(ｹｶﾞ)れ〕を除く. 4 《正式》〈人・物〉から〔罪・不純物などを〕取り除く[of, from] ‖ *purify* one's heart of sin 心から罪の意識をぬぐい去る.

pur・ism /pjúərizm/ 名 U (言葉・文体などの)純粋主義(の実践), 純正論.

†**Pu・ri・tan** /pjúərətən/ 名 C 1 〖歴史〗清教徒, ピューリタン《16-17世紀英国に起こった宗教・道徳面で厳格な新教徒の一派》. 2 [p~] (道徳・主義上の)潔癖主義者. ——形 1 清教徒の. 2 [p~] (道徳・宗教的に)厳格な.

Púritan Státes 《愛称》清教徒州(→ Massachusetts).

pu・ri・tan・i・cal, -ic /pjùərətǽnik(ǝ)l/ 形 1 《正式》清教徒的な; (道徳・宗教的に)非常に厳格な. 2 [時にP~] 清教徒(主義)の.

Pu・ri・tan・ism /pjúərətənizm/ 名 U 1 清教徒の信条; 清教主義. 2 [時にp~] 潔癖主義.

†**pu・ri・ty** /pjúərəti/ 名 U 1 清らかさ, 清浄; (衣服の)清潔, 潔白(↔ impurity). 2 純粋; (言語などの)純正; (肉体的)純潔. 3 《光学》純度.

purl /pə́ːrl/ 動 他 自 1 (…を)裏編みにする. 2 (…に)ループで縁取りをする. 3 (…を)金[銀]糸で刺繍(ｼｼｭｳ)する. ——名 C =purl stitch; U よりをかけた金[銀]糸; (英)ループの縁取り.

púrl stitch 裏編み(↔ plain).

pur・lieu /pə́ːrljuː/ 名 C 《文》[通例 (the) ~s; おおげさに] 近隣, 周辺; 町はずれ.

†**pur・ple** /pə́ːrpl/ 形 (~r, ~st) 1 紫色の(◆ red と

blue の中間色で, violet より濃い紫色をさす. 高貴・豪華・軽蔑(ｹｲﾍﾞﾂ)・俗悪を暗示することが多い); 《古語》深紅色の ‖ *purple* jeans 紫色のジーンズ / *turn* [go] *purple* with rage 怒って真っ赤になる 日英比較 日本語の「紫色」よりも赤に近い色をさすことが多い: a *purple* sunset 空を赤紫色に染めた日没.
——名 1 U 紫色; 《古語》深紅色 ‖ She was dressed in *purple*. 彼女は紫色の服を着ていた. 関連 lavender, mauve, plum, violet. 2 紫色の服; (文) [the ~] (皇帝・枢機卿(ｽｳｷｷｮｳ)などの)紫色の衣服, 法衣; [the ~] (皇帝・枢機卿などの)地位[職]; (一般に)高い地位 ‖ be born in [to] *the purple* 王家に生まれる.
——動 他 …を紫色にする. ——自 紫色になる.

púrple émperor 〖昆虫〗 チョウセンコムラサキ.

púrple mártin 〖鳥〗 ムラサキツバメ《北米産》.

†**pur・port** /名 pə́ːrpɔːrt, (英) -pət; 動 pərpɔ́ːrt/ 《正式》名 U [通例 the ~] 《文・文書などの》趣旨, 意味(meaning). ——動 自 [通例 be purported to be **C**] (主に偽って) **C** であると称している ‖ He *is purported to be* very poor. 彼は自分のことを非常に貧しいと言っている.

*****pur・pose** /pə́ːrpəs/ 〖前に(pur)置く(pose)〗
——名 1 C U 目的, 意図(intention) 《◆ aim は具体性を強調》 ‖ answer [fulfill, 《正式》serve, suit] one's *purpose* 目的にかなう / *attain* [*accomplish, achieve, effect*] one's *purpose* 目的を達する / talk at cross *purposes* うまくかみ合わないまま話し合う / She went to Germany *for* [*with*] *the purpose* of study*ing* music. 《正式》彼女は音楽を研究するためにドイツへ行った(=She went to Germany to study music.) / What was the *purpose* of your journey? 君が旅行した目的は何か(=Why did you make a journey?) / *What's your purpose in doing* …? いったいどういうつもりでそんなことをするのですか.
2 U (強い)決心, 決意 ‖ He is a man of *purpose*. =He is firm of *purpose*. 彼は意志の強い人だ.
3 U 結果(result), 成果; [the ~] 論争点 ‖ *to good* [*great, some*] *purpose* 十分に, いくらか効果的に 《◆ 文中・文尾に用いる》 / He tried again but *to no* [*little*] *purpose*. 《正式》彼は再びやってみたがまったく[ほとんど]効果がなかった.

***on púrpose** (1) 〖目的に基づいて(on 前 6)〗 [通例文尾で] 故意に, わざと(by design, purposely)(↔ by chance) ‖ I accidentally *on purpose* 偶然をよそおって / I broke the vase *on* [×for] *purpose*. わざとその花瓶を割った. (2) 《正式》[…する]目的で(to do); [...ということ]のために(that節) ‖ I'll go there *on purpose to* see her [*that* I may see her]. 彼女に会いにそこへ行く《◆ 《略式》では単に … to see her》.

to (*the*) *púrpose* 〖目的に合って(to 前 12)〗 《正式》適切なに ‖ 《◆ to the point の方がふつう》 ‖ His explanation was *to the purpose*. 彼の説明は的を射ていた.

pur・pose・ful /pə́ːrpəsfl/ 形 1 目的のある, 断固とした; 故意の. 2 意味のある, 意味深長な.

pur・pose・less /pə́ːrpəsləs/ 形 《正式》目的のない, 無意味な, 無益な(↔ purposeful).

†**pur・pose・ly** /pə́ːrpəsli/ 副 故意に, わざと; わざわざ(on purpose)(↔ accidentally).

†**purr** /pə́ːr/ 同音 △per) 名 C 1 (ネコが喜んでのどを鳴

らす)ゴロゴロいう音. **2** [通例 a ~]《快調な》エンジンのブーンという音. ━━**動 @ 1**〈ネコが〉(喜んで)ゴロゴロのどを鳴らす. 〈…が〉満足を示す ∥ My mother *purred* with content. 母は満足げな態度を示した. **3**〈自動車などが〉ブーンと快調な音を立てる. ━━**他**〈女性が〉〈喜び・願望〉を満足そうに話す, […だと]うれしそうに話す〔*that* 節〕.

***purse** /pə́ːrs/〖「袋」が原義〗
━━**名**(**複** ~s/-ɪz/) **1** ⓒ (ふつう女性がハンドバッグに入れて携帯する)**財布**, 金入れ ∥ a heavy [fat, long] *purse* 重い財布; 金持ち, 富裕 / a light [lean, slender] *purse* 軽い財布; 貧乏 / open one's *purse* 金を出す[使う] / You cannot make a silk *purse* out of a cow's [sow's] ear. (ことわざ)雌牛[雌ブタ]の耳で絹の財布は作れない;「ウリのつるにナスビはならぬ, 人の本性は変えられない」/ Little and often fills the *purse*. (ことわざ)少しずつでも度重なれば財布はいっぱいになる;「ちりも積もれば山となる」.
類語 **wallet** は男物の「札入れ」. (米) **billfold** も「札入れ」だが男女とも用いる. 同じ意で(米) **pocketbook** もあるが, これは(英)ではふつう「手帳」. **coin purse** は「小銭入れ」で男性も使用.
2 ⓒ (米)(女性用の)**ハンドバッグ**(handbag)《特に肩ひものない軽便なもの》∥ She had her *purse* snatched in the street. 彼女は通りでハンドバッグをひったくられた. **3** ⓒ (形・用途などが)財布状のもの《動植物の袋・嚢(ど)》など. **4** ⓒ [通例 the/one's ~] 金銭; 資力, 財源; 富《◆(米)では pocketbook の方がふつう》∥ the public *purse* 国庫 / live within [beyond] one's *purse* 収入の範囲内で[収入を越えて]生活する.
━━**動** (*purs・ing*)**他**〈唇〉をすぼめる, 〈まゆ〉をひそめる(+*up*). ━━**@** すぼむ, しわが寄る.
púrse strings [通例 the ~; 複数扱い] 財布のひも ∥ hold the *purse strings* 財布のひもを握る, 金をあずかる / loosen [tighten] the *purse strings* 財布のひもを緩める[締める], 金を払う[節約する].
purse-proud /pə́ːrsprὰud/ **形** 富を誇る, 財産を鼻にかける.
†**purs・er** /pə́ːrsər/ **名** ⓒ (旅客機等の)パーサー, 事務長; 給仕長《◆ 呼び方例も可》.
purs・ing /pə́ːrsɪŋ/ **動** ⇒ purse.
pur・su・ance /pərs(j)úːəns/ **名** Ⓤ (正式) 遂行, 履行, 実行; in (the) *pursuance of* A (正式) …を遂行して; …に従って.
†**pur・su・ant** /pərs(j)úːənt/ **形** (正式) 1 後に続く; 遂行の. **2** […に]準ずる, 従った[to].
pursuant to A …に従って, 準じて.
†**pur・sue** /pərs(j)úː/ **動 他** (正式) **1**〈人が〉〈人・動物〉を追う, 追跡する(chase) ∥ *pursue* a fox [criminal] キツネ[犯人]を追う《◆「追跡中」は be in *pursuit of* a fox》/ The criminal is being *pursued*. 犯人は追われている. **2**〈人が〉〈目的・快楽など〉をこうとする(seek for) ∥ *pursue* pleasure [fame] 快楽[名声]を追い求める. **3**〈人が〉〈仕事・研究〉に従事する, …を続ける; …を実行[遂行]する(carry out) ∥ *pursue* one's business [studies] 仕事[研究]に従事する / She *pursued* a career as a musician. 彼女は音楽家としての仕事を続けた. **4**〈人が〉〈不運・不幸などが〉〈人〉につきまとう, …を悩ます ∥ He was *pursued* by poverty all his life. 彼は一生涯貧乏だった(=He was poor all his life).
pur・su・er /pərs(j)úːər/ **名** ⓒ (正式) 追跡者; 追求者,

遂行者; 研究者, 従事する人.
†**pur・suit** /pərs(j)úːt/ **名** (正式) **1a** ⓒⓊ 追跡, 追撃(chase) ∥ the policeman's *pursuit* of the thief 警官が泥棒を追跡する[した]こと《◆ The policeman pursues [pursued] the thief. の名詞化表現》/ *in full* [*hot*] *pursuit after* [*of*] him 彼を全速力で追跡して. **b** Ⓤ 追求; 遂行, 続行 ∥ live *in pursuit of* happiness 幸福を求めて生きる. **2** ⓒⓊ [通例 ~s] 仕事, (日常)従事すること, 研究, 職業(occupation); 娯楽, 気晴らし(hobby)《◆ 規則的・習慣的なものに用いる》∥ commercial [agricultural] *pursuits* 商業[農業] / He is a novelist by *pursuit*. 彼の職業は小説家です. **3** ⓒ =pursuit plane.
pursúit pláne (米廃) 追撃機《◆ 今は fighter (plane) に統一》.
pur・vey /pərvéɪ/ **動** (正式) **他**〈食料など〉を[…に]調達する, まかなう; …を提供する[*to, for*]. ━━**@** […に]食料品を調達する[*for*].
†**pur・vey・or** /pərvéɪər/ **名** ⓒ **1** (正式) [しばしば ~s] (食料品などの)調達人, 御用達(だ)業者[の人]. **2** 情報を提供する人, (うわさなどを)言いふらす人.
pur・view /pə́ːrvjuː/ **名** Ⓤ (文) [通例 the ~] (活動・職権などの)範囲, 権限, 限界(extent) ∥ *outside* [*within*] *the purview of* … …の範囲外[内]に.
pus /pʌ́s/ **名** Ⓤ うみ, 膿汁.
Pu・san /púːsάːn/ **名** 釜山《大韓民国の都市》.

***push** /pʊ́ʃ/〖「前方へ押す」が本義〗
━━**動** (~・es/-ɪz/; 過去・過分 ~ed/-t/; ~・ing)
━━**他**

I [押す]

1〈人が〉〈物・人〉を**押す**, 突く(↔ pull); …を[人・物に]押しつける[*against, on, onto*]; 〈物・人〉を押して動かす 類語 push は意識的に動かす, thrust は無意識的に強く押す, shove は乱暴に押す》∥ *push* a cart [button] 荷車[ボタン]を押す(=give a cart [button] a *push*) / *push* a truck (俗) トラックを運転する / *push* him *away* [*down, up*] 彼を押しのける[倒す, 上げる] / *push back* [*forward, aside*] a chair いすを後ろ[前, わき]へ押す / *push* a dish *off* the table 皿をテーブルから押して落とす / The wrestler *pushed* his shoulder *against* the opponent. そのレスラーは肩で対戦相手を押した / She *pushed* some money into her pocket. 彼女はお金をポケットに押し込んだ.

2 [push A C]〈人が〉〈物〉を押して C にする ∥ *push* the door *open* [*shut*] 戸を押して開ける[閉める].

3 …を出す, 突き出す(+*out, forth*) ∥ *push out* fresh leaves 新しい葉を出す / Don't *push* your head *out* of the window. 窓から首を出すな.

II [押し付ける]

4 …を[人に]**押しつける**(+*off*)[*on, on to*] ∥ *push* inferior goods *on* housewives 主婦に質の悪い品物を押し売りする.

III [強要する]

5 (略式)〈人が〉〈事〉を強いる(urge on); [push A to do] A〈人〉を強いて…させる; [push A for [to, into]] A〈人〉に[…を]強要する ∥ *push* her [*for* payment [*to* pay]] 彼女に支払いを強要する / I *pushed* him [*into* marriage [*to* marry]]. 私は彼に結婚を強要した.

6 (略式) [be ~ed]〈人が〉[時・金などで/…するのに]

push-chair

困る(be short of)〔for / to do〕；〔…するのが〕困難である〔to do〕 ‖ **be pushed for** money [time] 金がなくて困る[時間に追われている].

IV 〖押し進める〗
7 〈事業・行動などを〉強引に押し進める, 広げる, 伸ばす ‖ push one's claim 要求を押し通す／push one's trade 貿易を広げる. **8** (略式)〈麻薬〉を密売する；〈人を〉殺す；…を宣伝する. **9** (略式)[be pushing **A**]〈年齢・数などに〉近づく ‖ She *is pushing* 35. 彼女は35歳に近い〈◆30歳以上について用いる〉. **10** [~ one's way] 困難を押しのけて進む.

── 自 **1** 〈人が〉押す, 突く；〈物が押される〉 ‖ *push* up [down, in, out, open] 押し上げる[下げる, 入れる, 出す, 開く]／*push* at the door ドアを押す／*push* against him 彼を押す／Stop *pushing* and shoving, you people at the back. 後ろの人, そんなにぎゅうぎゅう押さないでくれよ／The door *push*-*es* open easily. そのドアは押して簡単に開く.

2 〈人・物が〉押し進む, 伸びる, 広がる；突き出る〈◆修飾語(句)は省略できない〉 ‖ *push* against the wind 風にさからって進む／*push* ahead [on] through the snow 雪の中を突き進む[進み続ける]／*push* past him 彼を押しのけて行く／The pier *pushes* out into the sea. 波止場は海に突き出ている.

3 (根気強く)努力する.

púsh abóut 他 〖至るところで〗(about 副**2 b**)〈人〉に無理を強いる(push 他 **5**)；(略式)〈人〉をいじめる, こき使う, あごで使う.

púsh ahéad =PUSH forward.

push alóng 自 どんどん続ける；(略式)〔しばしば命令文で〕〈客が〉去る, おいとまする(leave, push off). ── 他 〈仕事など〉を押し進める；〈荷車など〉を押していく.

púsh aróund 他 =PUSH about.

púsh for A (略式) …を〔…するよう〕要求する〔to do〕.

púsh fórward 自 (1) 〔…へ〕努力して突き進む〔to〕. (2) 〖計画などを〗困難にめげず推し進める〔with〕. ── 他 (1) 〖(注目を集めるために)前に〗(forward)押し出す〗〈人・物〉に注目させる(shove [thrust] forward, push oneself). (2) → 他 **6**.

púsh óff 自 (1) (略式)〈客がおいとまする, [通例命令文で] 〈急いで〉行け, 消えろ(go away). (2) 〈船・人が〉岸を離れる；〈人が〉小型船で航海に出かける. ── 他 (1) 〈船・人〉を岸から離れさす. (2) (略式)〈競技などを〉始める. (3) → 他 **4**.

púsh ón 自 **1** → 自 **2**. **2** (困難を乗り越えて)〔仕事などを〕し続ける〔with〕. ── 他 〈人〉をせきたてる；〈人に〉〔…するように〕強いる〔to do〕.

push onesélf (1) 人目を引くようにふるまう, でしゃばる. (2) 〔…しようと〕努力する〔to do〕；がんばる.

púsh óut 〖push + out〗 自 (1) → 自 **1**. (2) 〈船が〉出帆する. ── 他 (1) → 他 **3**. (2) (略式)〈人〉を解雇する. (3) 〈人〉を外に出る〔席を外すよう願わせる.

púsh óver 自 席を詰める. ── 他 〖〈人〉を押して倒れた状態に〗(over 副**1**)する〗〈人・物〉を押し倒す〔落とす〕.

púsh thróugh 自 (1) 通り抜ける. (2) 〈芽などが〉出る. ── 他 (1) 〈仕事などを〉やりとげる. (2) [~ **A** through **B**] **B** 〈議会などで〉**A** 〈法案などを〉通過させる.

──名 (他 ~**es**/-ɪz/) **1** [a/the ~] 押すこと, 突き (↔ pull) ; 押す力 ‖ *at* [*with*] *one push* ひと押しに, 一気に／She gave him *a hard push*. 彼女は彼を強く押した〈◆(1) She *pushed* him hard. の方がふつう. (2) ×She gave a hard push to him. とはいわない. (3) 受身は2つ: He was given a hard *push*. / A hard *push* was given to him. *×A hard push was given him* は不可〉(→ give 他 **16 a**).

2 〔時に a ~〕努力, 奮発 ‖ He *made a push to* finish the job. 彼は仕事を終えるためにがんばった.

3 Ⓤ (略式)根性, 積極性(energy), 冒険心 ‖ He is old, but he has plenty of *push*. 彼は年をとっているが, やる気十分だ／a man of *push* and go がんばり屋.

4 (略式) [a/the ~] 緊急, 危機(の場合)；Ⓤ 推薦, 後援 ‖ *at a push* 困るとき(主に英)危急の際に, いざとなれば, 運がよければ／When [If] it came to *the push*, she betrayed me. いざという時になって彼女は私を裏切った. **5** Ⓒ 〔軍事〕攻撃；〔軍事〕大攻撃. **6** (英略式) [the ~] 解雇；絶縁(dismissal) ‖ give her *the push* 彼女を首にする[と縁を切る].

púsh bùtton (機械などの)押しボタン.

push-chair /púʃtʃèər/ 名 Ⓒ (英)乳母車((米)stroller).

push-er /púʃər/ 名 Ⓒ **1** 押す人[物]；プロペラ飛行機；(英)プッシャー〖幼児がスプーンに食べ物を乗せるためのくまで状の道具〗. **2** (略式)押しの強い人；やり手, 押し売りをする人.

push-ing /púʃɪŋ/ 形 **1** 押す, 突く. **2** 進取の気性のある；元気な. **3** 〔人に〕厚かましい〔with〕.

push-o-ver /púʃòuvər/ 名 (略式) [a ~] **1** 簡単にできること ‖ It's a *pushover* to me. そんなの朝飯前だ. **2** (試合で)すぐ負ける人[チーム]. **3** だまされやすい人, かも(sucker).

push-up /púʃʌp/ 名 Ⓒ (米)腕立て伏せ((英) press-up) ‖ do *push-ups* 腕立て伏せをする.

push-y /púʃi/ 形 (--i-er, --i-est) (略式)厚かましい, でしゃばりの.

†**pu-sil-lan-i-mous** /pjùːsəlænəməs/ 形 (文)気の弱い, 臆病な.

†**puss**[1] /pús/ 名 Ⓒ **1** (略式) [呼びかけ] ネコ(cat), ネコちゃん ‖ Here *puss*, *puss*! (♪) ネコちゃん, こっちおいで! **2** (略式) 茶目な[コケティッシュな]女の子.

púss in the córner 隅取り鬼ごっこ.

†**puss**[2] /pús/ 名 (俗) [a/the ~] **1** 顔. **2** 口. **3** いやな男；女性.

†**puss-y** /púsi/ 名 Ⓒ **1** (略式) [呼びかけ] ネコ, ネコちゃん(puss, pussycat) ; (子供の物語中の)ネコちゃん(puss) ; (小児語)ニャンニャン(pussycat). **2** (ネコヤナギの)花穂(catkin). **pússy willow** (植)ネコヤナギの一種；[集合名詞] その花穂.

puss-y-cat /púsikæt/ 名 Ⓒ (略式) =pussy **1**；(特に)女性.

puss-y-foot /púsifùt/ (略式) 動 自 **1** (ネコのように)こっそりと歩く[動き回る]. **2** 日和見的[煮えきらない]態度をとる(+*about, around*). ── 名 (他 ~**s**) Ⓒ こっそりと歩く人；日和見主義者.

pus-tule /pástuːl | -tjuːl/ 名 Ⓒ **1** 〔医学〕膿疱(膿疱). **2** 吹き出物；〔植・動〕いぼ.

:put

/pút/ 〖「〈物を〉ある状態に位置させる」が本義. それより比喩的に「ある状態にさせる」の意を表す〗

index 動 他 **1** 置く **3** 記入する；表現する；翻訳する **4** 状態にする **5** 受けさせる **7** 課す **8** 見積もる
 自 **1** 進む

put

—動 (~s/púts/; 過去・過分 put; put·ting)
—他
I [ある位置に置く]

1〈人が〉A〈物〉を…に**置く**, のせる, 入れる, 出す；…を…に**向ける**, 動かす, 持っていく；…を(位置に)(取り)つける, 当てる《◆(1) 場所を表す副詞(句)を伴う。(2) place は堅い語, lay は横たわるように, set は立てるように置く》‖ put a wallet「*out* (of the pocket) [*in* (the pocket))] さいふを(ポケットから)出す[(ポケットに)入れる] / put him「*in* high school [*in* the navy, *in* prison] 彼を高等学校[海軍, 刑所]に入れる / put a table forward [*inside*] テーブルを前に出す[中に入れる] / put one's arm round her shoulders 彼女の肩に腕を回す / put the thread through (the eye of the needle) (針の目に)糸を通す / I forgot to put a stamp on the envelope. 封筒に切手をはるのを忘れた.

2〈人が〉〈物〉を投げる, 発射する《◆修飾語(句)は省略できない》‖ put a bullet through the trunk 弾丸で幹を打ち抜く.

3(略式)〈人が〉〈字などを〉**記入する**, 書きつける；[put A *in* [*into*] B]〈人が〉A〈考えなど〉をB〈言葉などに〉**表現する**《◆express よりくだけた語》；[put A *into* B]〈人が〉A〈言葉などを〉をB〈他言語など〉に**翻訳する**《◆translate よりくだけた語》‖ put her message on a piece of paper 彼女の伝言を紙片に書きつける / put one's signature to a document 文書に署名する / It is difficult to *put* this English poem *into* Japanese. この英詩を日本語に翻訳するのは難しい / As Keats *put* it キーツも言ったように, キーツの言葉を借りれば / *To put it briefly* [*clearly*], he is wrong. 手短に[はっきり]言えば彼が悪いのだ《⊖文法 11.3(3)》‖ it を省略することもある。また《略式》では to と it を省いて Briefly put, … となることもある) / How do you *put* [say] it in English? それは英語で何というの / I cannot possibly *put* my thanks *in* [*into*] words. 感謝の気持ちはとても言葉では言い表せません.

II [ある状態に置く]

4[put A C]〈人が〉A〈物・事・人〉をCの**状態にする**, させる《◆C はふつう前置詞句》‖ put him「at ease [*into* laughter] 彼を気楽にさせる[笑わせる] / put a plan *into* practice [execution] (正式)計画を実行する(=carry out a plan) / put a room in [*out of*] order 部屋を整頓(は)する[散らかす] / put her into your hands 彼女を君に預ける / put oneself [one's heart] into music 音楽に没頭する / put a baby to bed [sleep] 赤ん坊を寝かせる[寝かしつける] / Put the incident out of your mind! その出来事は忘れろ(=Forget the incident.) / She was put to the dagger. 彼女は短剣で殺された(=She was killed with a dagger.) / The news *put* me to silence. そのニュースを聞いて口がきけなかった.

> 語法 次のような形容詞を C とすることもある: put a clock right [fast, slow] 時計の時刻を直す[進める, 遅らせる] / pùt him ríght [stráight] on that point その点で彼の思い違いを正す. cf. make [×put] him happy 彼を幸福にする.

5[put A *to* B]〈人が〉A〈人〉にB〈苦痛など〉を**受けさせる**; A〈人・物・注意など〉をB〈物・事〉に当てる, 用いる；[put A *into* B]〈人が〉A〈金・努力などを〉をB〈物・事〉につぎ込む‖ put her *to* work 彼女を働かせる / put him *to* (taking) trouble 彼に苦労をさせる / He *put* time *to* good use. 彼は時間を十分活用した.

6〈問題などを〉[…に]持ち出す, 提案する〔*to, before*〕‖ put a question「*to* him [*before* the committee] 彼[委員会]に質問する / I *put* it *to* you *that* it is her handwriting. 君に言っておくがそれは彼女の筆跡だ(=I suggest to it).

III [ある関係に置く]

7[put A *on* B]〈人が〉A〈税など〉をB〈人・物〉に課す；[put A *on* [*to*] B]〈人が〉A〈責任・罪など〉をB〈人[物]〉の**せいにする** ‖ put tax *on* him [imports] 彼[輸入品]に課税する / She *put* her failure "*on* me [*to* my carelessness]. 彼女は失敗を私[私の不注意]のせいにした.

8[put A *at* [*as*] B]〈人が〉A〈物〉をB〈数量〉と**見積もる**, 評価する(estimate)；[put A *on* B]〈物〉にA〈価格〉をつける, B〈馬など〉にA〈金〉を賭(ゕ)ける(bet)‖ *put* the population *at* ten million 人口を1千万と見積もる / *put* a high [low] value *on* her book 彼女の本を高く[低く]評価する / *put* a price *on* the machine その機械に値をつける.

—自 **1**〈船が〉**進む**；立ち寄る(call)《◆修飾語(句)は省略できない》‖ put back to port 帰港する / "*put* in at [*put* into] Hong Kong ホンコンに寄港する / *put* out to sea 出航する。**2**（米略式）急いで立ち去る(leave)‖ *put* for home 急いで帰宅する.

pùt abóut [自]《海事》〈船が〉向きを変える, 転回する(turn).—[他](1)《英》〈船〉の方向を変える。(2)[至る所で](about 副 2b)**述べる**(put 他 3)(3)《略式》〈うわさ・ニュースなど〉を広める(spread)‖ "It is *put about* [They *put* (it) *about*] *that* she was married. 彼女は結婚したといううわさだ.

pùt A abóve [befòre] **B** (1)→他 6. (2) B〈物・人〉よりも A〈物・人〉を優先する ‖ *put* honor *above* death 死よりも名誉を優先する.

pùt acróss [他] (1)《略式》〈計画などを〉やりとげる(make real)《◆put through の方がふつう》. (2) [~ A *across* B] 《略式》A〈考え〉を B へ(across)〈相手に届くように置く〉《略式》A〈考えなど〉を B〈人〉に(まんまと)納得させる, 信じ込ませる, 伝える(convey) ‖ I can't *put* his idea *across* (*to*) you. 君に彼の考えを納得させることはできない. (3) A〈人・物〉を B〈川など〉の向こうへ渡す.

pùt ahéad [他]〈時計〉を進ませる；〈食事・進歩など〉を早める.

*pùt asíde [他] [〖使わずに/考えずに〗わきに(aside)置く〗(1)〈物〉を(一時的に)脇へ置く；〈金・食物など〉を[…のために]**たくわえる**；〈商品〉を客にとっておく(save, lay [set] aside) 〔*for*〕 ‖ put aside some money 金を少したくわえる。(2)〈物〉を片付ける, 〈仕事など〉を(ほかのことをするために)**やめる**; 〈事〉を無視する, 〈感情〉を抑制する ‖ put aside one's work [anger] 仕事をやめる[怒りを静める].

*pùt awáy [自]〈船が〉出発する.—他 (1)〖〖安全な場所に〗(away 副 2)置く〗〈物〉を**片付ける**(clear, tidy), …を(元の所へ)しまう(pack [tuck] away) ‖ *Put* your car *away* in the garage. 車を車庫にしまいなさい. (2)〈金・食物など〉を(将来のために)**たくわえる**, とっておく；〈商品〉を客にとっておく(put aside) ‖ *put away* cash for a rainy day まさかの時に備えて小遣銭をたくわえる. (3)《正式》〈考え・悪習など〉を捨てる, やめる(give up). (4)《略式》〈遠回しに〉〈人〉を[刑務所・精神病院に]ぶち込む(*in*). (5)〘胃袋にしまう〙《略式》〈飲食物〉を

(たくさん)平らげる.

pùt báck [自] → ⓓ **1**. ―[他] (1) 〈物〉を元に戻す, 返す(return). ; 〈米〉〈生徒〉を落第させる ‖ *Put* a spoon *back* on the table スプーンをテーブルに返す. (2) 〈時計・進歩〉を遅らせる(↔ put ahead [forward]); 〈仕事・時など〉を[…まで]延ばす[till, to].

pùt A befòre B 〈人・物・事〉をB〈人・物・事〉に優先する(→ before 前 **3** 用例).

pùt bý [他] 〖(使わずに)わきに(by ⓓ **3**)置く〗〈金・食物など〉をたくわえる, とっておく; 〈英〉〈質問など〉をのがれる; 〈人〉を退ける, 無視する.

pùt dówn [自] 〈飛行機・人〉が[…に]着陸する(land)[at]. ―[他] (1) 〈物〉を下に置く(→ ⓓ **1**), 〈人〉を〔場所で〕降ろす〔at〕; 〈値段・地位など〉を下げる(lower) ‖ "*Put* your weapon *down*," ordered the police. 「武器を置きなさい」と警察は命令した / The train *put down* many passengers. 列車から多くの乗客が降りた. (2) 〈金・食物など〉をためる, たくわえる, 〈費用など〉を切り詰める. (3) 〖書き留めて(down ⓓ **7**)置く〗〈考え・名前など〉を書き留める(write down), …を書き留めて[…に]要求する〔for〕; 〈人〉を[…に]登録する〔for〕 ‖ put him *down* for the marathon マラソンに彼を登録する. (4) 〈略式〉…を[…の]つけにする〔to〕; …を〔頭金として〕払う ‖ *put* it *down* ˈto his account [to him] それを彼のつけにする. (5) 〖暴動などを鎮まった状態に(down 副 **3, 14**)置く〗〈正式〉〈人・暴動など〉を鎮める(suppress, subdue), 〈人〉を除く〈◆ kill の遠回し表現〉 ‖ *put* ˈa riot [her] *down* 暴動を鎮める [彼女を黙らせる]. (6) 〈井戸〉を掘る; 〈飛行機〉を着陸させる. (7) 〈人〉の価値が下がった状態に(down 副 **3**)置く〗〈略式〉〈人〉をやりこめる, 困らせる, あしらう(snub); 〈人・物〉をこきおろす; 拒絶する. (8) 〈略式〉〈(病気の)動物〉を(苦痛を与えずに)殺す, 除く〈◆ kill の遠回し表現〉. (9) 〖A *as* B として(as)書き留める(put down)〗〈人〉を(しばしば誤って)[…と]みなす〔as, for〕 ‖ *put* him *down as* [for] a beggar 彼を乞食(ﾐﾆﾞ)とみなす. (10) 〖結果〗を〔…のせい〗にする(put ⓓ **7**)〗〈人・事〉を[…の]せいにする〔to〕 ‖ *put down* her unhappiness to her poverty 彼女の不幸を貧乏のせいにする.

pùt fórth [他] (1) 〈文〉〈芽・葉など〉を出す(produce); 〈実〉を結ぶ; 〈正式〉〈力〉を発揮する(put out) ‖ *put forth* every effort 全力を尽くす / Trees *put forth* new leaves and buds in spring. 春に木は新しい葉や芽を出す. (2) 〈正式〉〈意見・案など〉を発表[公表]する, 出す.

pùt fórward [他] (1) 〈意見・案など〉を出す(advance, offer). (2) 〈人〉を[…に]推薦する, 昇進させる〔as, for〕 ‖ *put* him *forward as* chair 彼を議長に推薦する. (3) 〈人〉を目立たせる ‖ *put* oneself *forward as* a scholar 学者として目立つ. (4) 〈時計〉を進ませる(put on)[to]. 〈身事・事実など〉を早める(↔ put back)[to]. (5) → ⓓ **1**.

pùt ín [自] (1) → ⓓ **1**. (2) 〈略式〉〈人・船〉が[…に]ちょっと立ち寄る[at]. (3) 〈人〉が言葉をはさむ, はさませる. (4) 〈職などに〉申し込む(apply)[for] ‖ *put* in for employing 職を申し込む. ―[他] (1) 〈物・言葉など〉を差し入れる[加える](insert, add) ‖ *put* in a (good) word for her with her parents 彼女のために両親にとり口添えをする. (2) 〈〈時間や金〉ある事に(in(to an activity))費やす〈略式〉〈時・金・労力など〉費やす[on]; 〈金〉を寄付する ‖ *put in*

an hour *on* cooking 料理に1時間を費やす. (3) […の/…に]〈要求・書類など〉を提出する(present)[for/to] ‖ *put in* a report レポートを提出する. (4) 〈任務〉を果たす; 〈労力など〉を[…に]つぎ込む[on, to]. (5) 〖装置や備品〗を〈しかるべき場所に(in (place))置く〗〈苗など〉を植える; 〈機械〉を取り付ける(install) ‖ *put in* an air conditioner for a room 部屋に冷房装置を取り付ける.

pút A ìnto B → ⓓ **3**. (2) 〈人〉をB〈人・物〉に入れる. (3) 〈A〈活気など〉をB〈パーティーなどに〉与える. (4) A〈子供〉にB〈衣服〉を着せる. (5) A〈金〉をB〈会社〉に投資する. (6) A〈時間・労力〉をB〈事〉に費やす.

pùt it [one, that] acróss A 〈略式〉〈人〉をだます.

pùt it ón 〈略式〉 (1) 〈人〉が太る〈◆ get fat の遠回し表現〉. (2) 気取る, いばる. (3) 高値をふっかける.

pùt óff [自] 〈船〉が出航する. ―[他] (1) 〖〈事〉を中止した状態に(off ⓓ **6**)置く〗〈事〉を[…まで]**延期する**[till, until, to]〈◆ postpone, delay よりくだけた語〉 ‖ *put off* the athletic meeting *till* the first fine day 運動会を次の晴れの日まで順延する / *put off* dismissing him 彼の解雇を延期する〈◆目的語が動名詞の場合 ×put dismissing off の語順は不可〉/ ***Nèver pùt òff till tomórrow what you càn dò todáy***. (ことわざ) 今日できることは明日まで延ばすな. (2) 〈人・意見など〉を退ける, 妨げる. (3) 〈人〉を(予定から)はずれた状態に(off 副 **4**)置く〗〈要求など〉を[口実で]そらす[with]; 〈人〉の気をそらす ‖ *put off* his request *with* an excuse 言い訳をして彼の要求をそらす. (4) 〈まれ〉…を脱ぐ〈◆ take off がふつう〉(↔ put on); 〈文〉〈習慣・悩みなど〉を除く, 捨てる(put away) ‖ *put off* one's grief [bad habit] 悲しみ[悪癖]を捨てる. (5) [~ **A *off* B**] A〈船〉をB〈場所〉から出す(set sail); A〈人〉を〈乗物〉から降ろす(put off) ‖ *put* a ship *off* the shore 船を岸から出す / *put* her *off* (the bus) 彼女を(バスから)降ろす. (6) 〈にせ物〉を[…に]押しつける[on, upon] ‖ *put off* bad money *on* the public 悪貨を流通させる.

pùt ón [他] (1) 〈服など〉を身につけた状態に(on 副 **3**)置く〗〈服など〉を**身につける**〈◆ふつう動作に用いる. wear, have on は状態〉 ‖ *put* on one's glasses [hat, coat, shoes, ring, eye shadow, lipstick] 眼鏡をかける[帽子をかぶる, コートを着る, 靴をはく, 指輪をはめる, アイシャドウをつける, 口紅をつける] / The perfume she *put on* was Chanel No. 6. 彼女がつけた香水はシャネルの6番であった〈◆化粧も目的語になれる: She *put on* heavy makeup. 彼女は厚化粧をした〉/ She *put on* a pretty dress for the party. 彼女はパーティーのために美しいドレスを着た. 〈◆「脱ぐ」は *put off* ではなく take off〉. (2) 〖〈態度や表情〉を身につける〗〈略式〉〈態度〉を装う, …のふりをする(pretend, 〈正式〉 feign) ‖ *put on* airs 気取る / *put on* an air of indifference 無関心を装う / *put on* a sad look 悲しげな顔をする. (3) 〈苦痛〉を与える; 〈速度・体重など〉を増す〈◆受身不可〉 ‖ *put on* speed スピードを増す / *put on* years 〈略式〉年をとる / I've *put on* 3 kilos (in weight) recently. 私は最近3キロ体重が増えた. (4) 〈物〉をのせる, 加える; 〈食事〉の用意をする ‖ *put* a pan *on* なべをかける. (5) 〖劇を舞台の上に(on the stage) (cf. on 形 **1**) 乗せる〗〈劇など〉を上演する. (6) 〈人〉を冗談に(on (a joke))乗せる〉〈米略式〉〖通例 be ~ting〗〈人〉をか

putative

らう，かつぐ(play a trick on)；〈人〉につけ込む ‖ Are you putting me on? 私をからかっているのか. (7) 〖機械などを作動状態に〗(on 〖副4〗置く)〈機械〉を動かす；〈臨時列車などを〉運行する；〈電灯・テレビなど〉を(スイッチ・プラグを作動させて)つける(↔ put off)；〈レコードなど〉を鳴らす；〈時計〉を進ませる.

*pùt óut [自] (1) → 同 1. (2) 努力する. (3) 〔…から〕出る〔of〕. (4) 〖主に米俗〗(相手のもてなしなどに)満足をうる(相手の)期待通りにふるまう. —[他] (1) 〖〖電灯・火などを消された状態に〗(out 〖副15〗置く)〈電灯・火など〉を消す《◆ extinguish よりくだけた語. put out a candle (ろうそくの火を消す)のようにスイッチ・プラグによらぬ場合にも用いる. cf. put off》；〈視力〉を失わせる ‖ put out [×off] a light [fire, cigarette] 明かり[火, タバコ]を消す. (2) …を外に出す；〈手など〉を(差し)出す(extend)；〈芽・葉など〉を出す(produce)；〈仕事など〉を外に出す，下請けに出す；〈布など〉を広げる；〈食事〉を出す ‖ put out one's tongue at him 彼に向かって舌を出す / put out one's work 仕事を外注する. (3) 〖〈人〉を平常心を失った状態に〗(out 〖副15〗置く)〖略式〗〈人〉を困らせる，(相手の)迷惑をかける(annoy)；[be put] 〈人〉が悩む，いらいらする(be worried) ‖ I was put out by her bad table manners. 私は彼女の不作法なテーブルマナーに気分を害した. (4) 〈力など〉を出す，発揮する；…を発表[発行]する《◆ issue よりくだけた語》；…を放送する ‖ put out a distress call 遭難信号を出す.

pùt óver [自] 〈人・船〉が向こうへ渡る，渡航する.
—[他] (1) 〈人〉を向こうへ渡す. (2) 〖略式〗…をやりとげる ‖ put oneself over 人気を博する. (3) 〖米〗〈行事など〉を延ばす. (4) 〈事など〉を〈人に〉分からせる〔to〕. (5) 〖米〗[~ one [something, it] over on A] 〈人〉をだます，かつぐ.

pùt thróugh [他] (1) 〈仕事〉をうまくやりとげる(arrange)；〈計画など〉を実行する ‖ put a plan through carefully 計画を慎重に実行する. (2) 〈人〉の電話を〔…に〕つなぐ(connect)，〔…に〕〈電話〉をかける〔to〕 ‖ Please put me through to Tom. トムに電話をつないでください. (3) …を通す，〈議案など〉を通す；〈人〉を家に通す；〈人〉を助けて大学を卒業させる《◆ put A through college ともいう》；〈商談など〉を取り決める. (4) [~ A through B] A〈人・動物など〉にB〈試練・訓練など〉を受けさせる；〖略式〗[~ A through it] 〈人〉を徹底的に調べる，しごく；〈人〉に勇気[試練]を与える. (5) → 同 1, 2.

*pùt tó [自] 〈船〉が陸づけする. —[他] (1) 〖英〗〈戸・窓など〉をしっかりと閉める. (2) 〈質問〉をする，〈申込み〉をする. (3) 〈子供〉を寝かしつける. (4) 〈人〉に[be (hard) put to it to do] …することが難しいとわかる ‖ You'd be hard put (to it) to finish on time. 時間通りに仕上げることが難しいとわかるだろう. (5) [~ A to B] A〈物〉をB〈物〉にくっつける；→ 同 4, 5, 6, 7.

*pùt togéther [他] (1) 〈部品などを組み立てる(construct)；〖略式〗…を作る(compose) ‖ put a machine [dictionary] together 機械を組み立てる[辞書を編集する]. (2) 〈物事〉を作る ‖ put together a book [show] 本を作る[出し物を企画する]. (3) …をよせ集める(gather), 合わせる；[通例 be put] 〈分け前など〉が合計される；〈考えなど〉をまとめる，まとめて結論を出す ‖ put a team together チームを作る / putting together one's thoughts 考えをまとめる / putting [to put] all this together すべてを考え合わせると (=to take all this into consideration).

*pùt úp [自] 〖主に英〗(1) 〔人の家に/場所に〕泊まる (stay)〔with/at〕 ‖ put up 〔with her 〔at a hotel〕 彼女の家に[ホテルに]泊まる. (2) 〔…に〕立候補する〔for〕. (3) 〖略式〗[しばしば命令文で] 黙る(shut up). —[他] (1) 〈〈旗や旗など〉を立った状態に〗(up 〖副4〗置く)…を上げる(raise)，掲げる，立てる；〈家など〉を建てる《◆ erect よりくだけた語》(↔ take down) ‖ put up one's hand [a flag, a tent, a notice] 手を挙げる[旗を掲げる，テントを張る，掲示を出す] / put up an umbrella かさをさす. (2) 〈家・商品など〉を売り出す，競売にする ‖ put up a house for sale 家を売りに出す. (3) 〖略式〗〈髪〉を整える. (4) 〖略式〗〈金〉をあてがう，寄付する；〈金〉を賭(か)ける. (5) 〖〈人や掲示などを固定した状態に〗(up 〖副14c〗置く)〈人〉を泊める《◆ふつう食事も伴う》 ‖ put him up for the night at my house 彼を私の家に1泊させる. (6) 〖略式〗[通例 be put] 〈事〉が(ひそかに)企てられる. (7) 〈劇〉を上演する. (8) 〈値段・家賃など〉を上げる.

*pùt úp with A (1) 〖up with A (…に耐えられる)〗 A〈人・言動〉を我慢する《◆(1) bear, endure, tolerate よりくだけた語. 「じっとこらえる」というより「しょうがないとあきらめる」軽い気持ちをいう. (2) 受身は稀》 ‖ We have to put up with the bad weather. ひどい天気だけどしようがないね / I can't put up with her (arrogance). 彼女の(傲(ごう)慢さ)にはついていけない. (2) → PUT up [自] (1).

—[名] C 〖通例 a/the ~〗 (砲丸などの)ひと投げ，突き，押し；ひと投げの距離.

pu·ta·tive /pjúːtətiv/ [形] 〖正式〗推定[推測]上の；うわさの，世評では…となっている.

Pu·tin /púːtin/ [名] プーチン《**Vladimir**/vlǽdəmɪr/ ~ 1952– ; ロシアの政治家, 大統領(2000–)》.

put-on /pútɑ̀n/ –ɔ̀n/ [形] 〖略式〗偽の, 見せかけの《◆ 補語として用いる時はハイフンをつけない》 ‖ put-on tears 作り涙. —[名] 〖略式〗 **1** [a/the ~] 気取り, きざな態度. **2** C 〖主に米〗人をかつぐこと；パロディー.

pu·tre·fy /pjúːtrəfɑ̀i/ [動] (文) 〈死体など〉を腐敗させる，化膿する. —[自] 〈死体など〉が腐敗する，化膿する.

pu·trid /pjúːtrid/ [形] **1** 〈動植物が〉腐敗した，ひどく悪臭を放つ. **2** ひどい，へどが出そうな.

pu·trid·i·ty /pjuːtrídəti/ [名] **1** U 腐敗； C 腐敗物. **2** U 堕落.

putt /pʌ́t/ [名] 〖ゴルフ〗[名] C パット. —[動] 他 (球を)パットする.

put·tee /pʌtíː | pʌ́tiː/ [名] C 〖通例 ~s〗巻きゲートル, 脚絆(きゃはん)；〖米〗革ゲートル.

put·ter[1] /pʌ́tər/ [動] (米略式) **1** 〔…を〕だらだらとする〔at, over〕；ゆっくり行く. **2** 〔…を〕ぶらつく〔about, around〕 ‖ putter around the house on Saturday afternoons 土曜の午後家のあたりをうろうろする. —[他] 〈時間〉をだらだら過ごす，浪費する(+away).

putt·er[2] /pʌ́tər/ [名] C 〖ゴルフ〗 **1** パットする人. **2** パター(パット用クラブ).

†**put·ty** /pʌ́ti/ [名] **1** U パテ《窓ガラスを枠に固定する接合剤》. **2** U パテ粉《ガラスなどのみがき粉》. —[動] 他 …をパテでふさぐ[覆う]. **pútty knife** パテ用ナイフ.

***puz·zle** /pʌ́zl/ 〖「混み入っているため理解や解答にさんざん苦労する」が本義〗
—[動] (~s/-z/; 過去・過分) ~d/-d/; ~zling)
—[他] **1 a** 〈人・物・事が〉〈人〉を**手こずらせる**，困らせる《◆ puzzle は答え・真意が見抜けない困難に，perplex は不安に，bewilder はうろたえに重点がある》 ‖ It puzzled me what to say. 何と言ったらよいか私

は迷った《◆この文の受身文は I was puzzled (about) what to say. (**b**の第2例参照)》/ *It puzzles me that* she should be running for president. 彼女が大統領に立候補しているなんて, 私は理解に苦しむ(=I am *puzzled* that she should be ... / I cannot understand her running for president.). **b** [be puzzled **about** [**at**] **A** / be puzzled **to** do / be puzzled **wh**句・節 [**that**節]] 〈人が〉…して, …ということで困っている, 当惑する ‖ She *was* very *puzzled about* the letter. 彼女はその手紙にとても困惑していた / I *was puzzled* (*about* / *as to*) which to choose. どちらを選ぼうかと私は迷った / They *were puzzled* (*to* find) (*that*) he had left. 彼がもう去っていたので, 彼らは途方にくれた.
2 〈頭・自分自身〉を[…で]悩ます, わずらわす[*about, over, as to*] ‖ He *puzzled* his mind [brains, wits] *about* [*over*] the problem. 彼はその問題で頭を悩ませた / I *puzzled* myself *over* her words. 彼女の言葉に私は悩んだ.
―@ […に]頭を悩ます, 当惑する[*about, over, as to*]《◆受身可》.
púzzle óut [他] 〈謎・解決策など〉を考え出す.
―[名] (@ ~s/-z/) [C] **1** [しばしば複合語で] [知的遊戯として難しく作られた]なぞ, パズル ‖ solve a *puzzle* パズルを解く / a *puzzle* ring 知恵の輪. **2** [通例 a/the ~] 難問, 解決できない事柄 (question); (まれ) 困らせる人 ‖ Her disappearance was *a puzzle* to us all. 彼女の失踪(ᄓっ)は我々にとってなぞであった / It is *a puzzle* where all the money has gone. お金が全部どこへ消えたのかなぞだ. **3** [a ~] 困惑, 考えの混乱 ‖ I am *in a puzzle* [*about* his attitude [*as to* how to open the box]. 彼の態度に[その箱をどうして開けようかと]頭を悩ましている.
púz・zle・ment [名] [正式] [U] 困惑; [C] 困惑させるもの.
puz・zled /pʌ́zld/ [形] 〈表情などが〉困惑した, 混乱した.
puz・zle・head・ed /pʌ́zlhédid/ [形] 頭が混乱した.
puz・zler /pʌ́zlɚ/ [名] [C] **1** 困らす人[物]. **2** パズル愛好家. **3** (略式) 難問.
puz・zling /pʌ́zliŋ/ [形] [他動詞的に] […に]困惑させる, まごつかせる(*to*).
p.w. (略) *per week*.
Pyg・ma・li・on /pigméiliən/ [名] 〔ギリシア神話〕ピグマリオン《Cyprus の彫刻家で王. 自作の像に恋をした》.
†pyg・my, pig- /pígmi/ [名] [C] **1** [P~] ピグミー族の一員《中央アフリカの背の低い黒人》. **2** [P~] 〔ギリシア神話〕小人族の一員. **3** 小人, 一寸法師; 知能の低い人.

†py・ja・mas /pədʒɑ́:məz, (米+) -dʒǽ-/ [名] (英) [複数扱い] =pajamas.
py・lon /páilɑn | -lən/ [名] [C] **1** 〔航空〕(飛行場の)目標塔. **2** (高圧線用の)橋塔, 鉄塔. **3** (橋などの入口を示す)目標塔, 案内塔;(古代エジプトの)塔門.
Pyong・yang /pjʌ́ŋjæŋ | pjɔ́ŋ-/ [名] ピョンヤン(平壌) 《朝鮮民主主義人民共和国(北朝鮮)の首都》.
***pyr・a・mid** /pírəmid/
――[名] (@ ~s/-midz/) [C] **1** [しばしば P~] ピラミッド, 金字塔 ‖ The Great *Pyramid* at Giza ギザの大ピラミッド / build a stone *pyramid* 石のピラミッドを建てる. **2** 〔幾何〕角錐(ᓮ). **3** ピラミッド型の物[建物].
pýramid sélling 〔商業〕ネズミ講式販売(法), マルチ商法.
Pyr・a・mus /pírəməs/ [名] 〔ギリシア神話〕ピラムス《恋人がライオンに殺されたと思って自殺した Babylonia 人》.
pyre /páiɚ/ [名] [C] (正式) **1** (火葬用の)積みまき. **2** (一般に)まきの山.
Pyr・e・nees /pírəni:z | ─ ─́─/ [名] [the ~; 複数扱い] ピレネー山脈《フランスとスペインの国境にそびえる》.
py・ri・tes /pəráitiz | pairáitiz/ [名] [U] 〔鉱物〕 **1** 黄鉄鉱. **2** 硫化金属鉱物《黄鉄鉱, 白鉄鉱, 黄銅鉱など》.
Pyr・rha /pírə/ [名] 〔ギリシア神話〕ピュラ《Deucalion の妻》.
Pyr・rhic /pírik/ [形] Pyrrhus 王の.
Pýrrhic víctory [時に p~] あまりにも大きな犠牲を払って得た勝利.
Pyr・rhus /pírəs/ [名] ピュロス《318?-272 B.C.; エピルス(Epirus)の王》.
Py・thag・o・ras /pəθǽgərəs | paiθǽgərəs, -ræs/ [名] ピタゴラス, ピュータゴラス《582?-500?B.C.; ギリシアの哲学者・数学者》.
Py・thag・o・re・an /pəθægəríən | pai-/ [形] ピタゴラス(学派, 学説)の. ――[名] [C] ピタゴラス学派の人.
Pythagoréan théorem 〔幾何〕 [the ~] ピタゴラスの定理.
Pyth・i・an /píθiən/ [形] (古代ギリシアの) Delphi の; (Delphi の) Apollo 神殿[神託, 巫女(ᴺ)]の.
――[名] **1** [C] Delphi の住民. **2** [C] Apollo の巫女; [the ~] Apollo の神. **3** 狂った人.
Pyth・i・as /píθiəs, -æs/ [名] ピュティオス(→ Damon).
py・thon /páiθɑn, -θn | -θn/ [名] (@ ~s, **py・thon**) **1 a** [C] 〔動〕ニシキヘビ. **b** [P~] 〔ギリシア神話〕ピュートン《Apollo が Delphi で退治した大ヘビ》. **2** [C] (巫女(ᴺ)などについて)予言する霊, 悪魔;占い師, 予言者.
pyx /píks/ [名] [C] 〔教会〕聖体容器;(聖体を病人に運ぶのに用いる)聖体箱.

Q

q, Q /kjú:/ 名 (複 q's, qs; Q's, Qs/-z/) **1** ⓒⓊ 英語アルファベットの第17字《◆ ☑ 英語のふつうの語のつづりでは q の直後には必ず u がくる》. **2** → a, A **2**. **3** ⓒ 第17番目(のもの). **Q and A** 〖questions and answers の略〗質疑応答.
Q féver Q フィーバー(→ query fever).
Q. (略) Queen; Question.
q. (略) quart; quarter; quarterly; question.
Q. (略) quartermaster; Quebec; Queen; question.
Qan·tas /kwɑ́ntəs | kwɔ́n-/ 名 カンタス航空《オーストラリアの航空会社》.
Qa·tar /káːtɑːr | kǽtɑː/ 名 カタール《アラビア半島東部の首長国. 首都 Doha》.
QB, qb (略) quarterback.
Q-boat /kjúːbòut/ 名ⓒ Q ボート(mystery ship)《第一次世界大戦で英国が潜水艦撃沈のため商船に見せかけた武装船》.
QC (略) Queen's Counsel.
QM (略) quartermaster.
QOL (略) quality of life.
qr. (略) (複 **qrs.**) quarter(ly); quire.
qt (略) quart.
qt. (略) quantity; quart(s).
Q-tip /kjúːtip/ 名ⓒ《米》《商標》(両端に綿のついた)綿棒(cotton swab).
qty, qty. (略) quantity.
qua /kwéi, kwɑ́ː/ 〖ラテン〗前《正式》…として(as), …の資格で.

†**quack**¹ /kwǽk/ 動ⓘ **1**〈アヒルなどが〉ガーガー鳴く. **2**《略式》〈人が〉大声でがやがや[ぺちゃくちゃ]しゃべる. ──名ⓒ ガーガー, ぺちゃくちゃ, がやがや.

†**quack**² /kwǽk/ 名ⓒ (略式) **1** にせ医者;《主に英·豪式》医者; 一般開業医. **2** いかさま師, 知ったかぶる人. ──形 **1** にせ医者の. **2** いかさまの ‖ *quack business* いんちき商売. ──動ⓘ **1** いんちき療法[治療]をする. **2** 気を吹く. ──他 …を誇大に広告する.

quack·er·y /kwǽkəri/ 名 (略式) **1**Ⓤ いんちき療法. **2**ⓒ いんちき, いかさま行為.

quack-quack /kwǽkkwæk/ 名ⓒ **1** ガーガー《アヒルの鳴き声》. **2**(小児語)アヒル(duck).

quad /kwɑ́d | kwɔ́d/ 名 (略式) **1**(主に英) = quadrangle **2** = quadruped.
　quád bike(レース用の)四輪バイク.

quad·ra·ge·nar·i·an /kwɑ̀drədʒənéəriən | kwɔ̀d-/ 形 名ⓒ 40(歳)代の人.

Quad·ra·ges·i·ma /kwɑ̀drədʒésimə | kwɔ̀d-/〖キリスト教〗= Quadragesima Sunday.
　Quadragésima Súnday 四旬節(Lent)第1日曜日.

quad·ran·gle /kwɑ́drænɡl | kwɔ́d-, -/ 名ⓒ **1**〖幾何〗四角形, 四辺形. **2**《主に英式》(特に大学建物の三方[四方]が建物で囲まれた)中庭, 中庭を囲む建物.
　qua·drán·gu·lar /-ɡjələr/ 形 四角形の, 四辺形の.

†**quad·rant** /kwɑ́drənt | kwɔ́d-/ 名ⓒ **1**〖幾何〗四分円(弧), 象限(ぎぎ). **2** 四分円形のもの. **3** 四分儀.

qua·drat·ic /kwɑdrǽtik | kwɔ-/ 形 **1** 正方形の(ような). **2**〖数学〗2次の. ──名ⓒ〖数学〗2次式.
　quadrátic equátion〖数学〗2次方程式.

qua·dren·ni·al /kwɑdréniəl | kwɔ-/ 形 **1** 4年ごとに起こる. **2** 4年(間)の, 4年間続く.

qua·dren·ni·um /kwɑdréniəm | kwɔ-/ 名 (複 ~s, --ni·a/-niə/) ⓒ 4年間.

quad·ri·lat·er·al /kwɑ̀drəlǽtərəl | kwɔ̀d-/ 名 形 四角[四辺]形(の).

qua·drille /kwədríl/ 名ⓒ カドリール《4人が組みになって踊るスクエアダンス》; その曲.

quad·ru·ped /kwɑ́drəpèd | kwɔ́d-/ 名ⓒ〖動〗四足動物《特に哺()乳類》. ──形 四つ足の, 4本足の.

quad·ru·ple /kwɑdrúːpl | kwɔ́drupl/ 形 **1** 4部分[単位]から成る[を含む]; 四重の(fourfold). **2** 4倍の. ──副 4倍に. ──名ⓒ 4倍の数[量]. ──動他 …を4倍にする. ⓘ 4倍になる.
　quadrúple tíme 4拍子.

quad·ru·plet /kwɑdrúːplət | kwɔd-/ 名ⓒ 4つ子の1人; [通例 ~s] 4つ子.

†**quaff** /kwɑ́ːf, kwǽf | kwɔ́f, kwɑ́ːf/《詩》動ⓘ他(酒などを)がぶ飲みする, 一息に飲み干す(+off). ──名ⓒ がぶ飲み; 痛飲.

quag·ga /kwǽɡə/ 名ⓒ〖動〗クアッガ《南アフリカにいたシマウマに似た哺()乳動物. 現在は絶滅》.

quag·mire /kwǽɡmàiər, kwɑ́ɡ- | kwɑ́ɡ-, kwǽɡ-/ 名ⓒ **1** 沼地, 湿地. **2** 苦境, 苦況, 窮地.

†**quail** /kwéil/ 名 (複 ~s) ⓒ〖鳥〗ウズラ; Ⓤ その肉.

†**quaint** /kwéint/ 形 **1** (風変わり[古風]で)面白い, 古風で趣のある ‖ *quaint* village customs 古風で趣のある村の習慣. **2** 奇異な, 異様な.
　quáint·ly 副 風変わりで面白く, 一風変わって.
　quáint·ness 名Ⓤ 風変わりな面白さ.

†**quake** /kwéik/ 動ⓘ **1**〈人が〉(恐怖·寒などで)震える, おののく(*for*, *with*) (語法→ shake); (…に)身震いする(*at*) ‖ *quake* with fear [cold] 恐怖[寒さ]で震える. **2**《文》〈地面などが〉揺れる, 振動する. ──名ⓒ **1** 震え, おののき; 揺れ. **2**(略式)地震.

†**Quak·er** /kwéikər/ 名ⓒ クエーカー教徒《17世紀中頃 George Fox が創始したキリスト教の一派フレンド会 the Society of Friends の信徒の俗称》《◆教徒自身はこの語を公式には用いず the Friends を用いる》.
　Quáker Cíty [the ~] クエーカー·シティー《米国 Philadelphia の俗称》.
　Quáker mèeting(s), Quákers' mèeting (1) クエーカー教徒の集会. (2) 沈黙の集会.
　Quák·er·ish 形 クエーカー教徒の.
　Quák·er·ism 名Ⓤ クエーカー教.

†**qual·i·fi·ca·tion** /kwɑ̀ləfikéiʃən | kwɔ̀l-/ 名 **1a** Ⓤ 資格[免許]を得ること; 有資格. **b** [しばしば ~s] (…の/…する)資格, 技能, 適性(*for* / *to do*) ‖ the *qualifications* [*for* voting [*to* vote]] 選挙する資格. **2** ⓒ 資格証明書, 免許証 ‖ a déntal [médical] *qualificátion* 歯科医[医師]免許証. **3** ⓒⓊ (前言などの)修正, 緩和, 制限 ‖ with certain *qualifications* ある条件を付けければ / We can

agree with that opinion, ***without qualification***. 我々はその意見を無条件で受け入れることができる.

†**qual·i·fied** /kwάləfàɪd | kwɔ́l-/ [形] **1** 〔…に/…の に〕資格[免許]を有する, 有能な, 適任の〔for / to do〕(↔ unqualified) ‖ a *qualified* lawyer 認定された弁護士 / a woman *qualified for* the job その仕事にぴったりの女性《➡文法 14.7⑵》. **2**〔正式〕限定された, 条件付きの ‖ *qualified* approval 条件付きの承認.

qual·i·fi·er /kwάləfàɪər | kwɔ́l-/ [名] **1** 資格を与える人〔物〕. **2**〔文法〕限定詞, (後位)修飾語(句).

*__qual·i·fy__ /kwάləfàɪ | kwɔ́l-/
— [動] (--fies/-z/; 過去·過分 --fied/-d/; ~-ing)
— [他] **1 a**〔事·人が〕〈人〉に〔…に/…に〕する[としての]**資格**を与える, 〈人〉を適任とする〔for / to do / as〕‖ Her character *qualifies* her for the job. 人物的に彼女がその仕事に適任だ / Does my training *qualify* me「to teach [for teaching]? 私の受けた訓練で教師の資格は十分だろうか.
b [be qualified]〈人が〉〔…の/…する〕**資格がある, 適任である**〔as, for / to do〕‖ He *is qualified*「*for* teaching English [*to* teach English, *as* a teacher of English, *to* be a teacher of English]. 彼は英語教師の資格がある.
2〔正式〕〈物〉を〔…と〕みなす, 言う(regard)〔as〕‖ *qualify* his attitude *as* impolite 彼の態度を失礼だとみなす. **3** …を〔…で〕修飾する((正式)modify), 弱める, 和らげる, 制限する〔with, by〕. **4**〔文法〕を限定する, (後位)修飾する.
— [自] **1**〔…の/…する〕資格を得る, 適任である〔as, for / to do〕‖ *qualify* as〔to be〕a voter = *qualify* for voting = *qualify* to vote 投票権を得る. **2**〔スポーツ〕〔…に〕勝ち残る, 〔…の〕参加資格を得る〔for〕.
quálifying mátch(競技の)予選.

qual·i·ta·tive /kwάləteɪtɪv, -tə- | kwɔ́lətə-/ [形] 質に関する, 性質(上)の(cf. quantitative).

*__qual·i·ty__ /kwάləti | kwɔ́ləti/
— [名] (複 --ties/-z/) **1** [U]**質, 性質**(kind, character)《♦人·物の質の善し悪しを表す無色で中間的な意味》(cf. quantity) ‖ coffee beans of good [poor, high, low] *quality* 品質のよい[悪い, 高級な, 低級な]コーヒー豆 / water-*quality* standards 水質基準 / value *quality* above quantity 量より質を重んじる.
2 [U] 良質, 上質(excellent quality) ‖ a coat of highest *quality* 最高級品のコート / The publisher is famous for its *quality*. その出版社は質のよい本を出すことで有名だ.
3〔主に英〕[形容詞的に] 良質の, 高級な ‖ Her company makes a *quality* product. 彼女の会社は良質な製品を作っています / a *quality* magazine [paper] 高級雑誌[新聞]《♦大衆向け(popular)に対して教養人向けの雑誌をいう. *The New Yorker*(米国の週刊誌), *The New York Times*(米国の新聞), *The Times*(英国の新聞)など》.
4 [C](物·人がその物·人たるための)**特性**, 本質, 属性(characteristic) ‖ *One quality* of plastic is that it cannot break easily. プラスチックの1つの特性は壊れにくいことだ.

the quálity of lífe 生活の質, 満足度《物質的な豊かさよりも精神的な豊かさに重点を置いた生活水準. (略) QOL》‖ improve *the quality of life* 生活の質を向上させる.

quálity contròl 品質管理.

†**qualm** /kwάːm/ [名] [C] 〔正式〕[しばしば ~s] **1**〔…についての〕(突然の)不安, 心配, 疑惑(misgiving, doubt)〔about〕. **2**〔…についての/…の点での〕良心の呵責(きしゃく), 気のとがめ〔about/in〕. **3**(一時的な)めまい, むかつき, 吐き気.

quan·da·ry /kwάndəri | kwɔ́n-/ [名] [C]〔…についての〕困惑, 当惑; 板ばさみ, 窮地〔about, over〕‖ She is in a *quandary* about what to do. 彼女は何をすべきなのか困惑している.

quan·ta /kwάntə | kwɔ́n-/ [名] quantum の複数形.

quan·ti·fi·er /kwάntɪfàɪər | kwɔ́n-/ [名] [C]〔文法〕数量詞(many, some, several など).

quan·ti·fy /kwάntəfàɪ | kwɔ́n-/ [動] [他]〔正式〕…の量を定める[計る]; …を量で表す.

quan·ti·ta·tive /kwάntəteɪtɪv, -tətɪv | kwɔ́ntətətɪv/ [形] 量に関する, 量的な(cf. qualitative).

*__quan·ti·ty__ /kwάntəti | kwɔ́n-/
— [名] (複 --ties/-z/) **1** [U] 量 (cf. quality) ‖ Quality is more important than *quantity*. 量より質が大切である.
2 [C]〔…の〕**分量, 数量**〔of〕‖ a small *quantity* of milk ミルクを少々 / a large *quantity* of books 多数の本《♦[名詞の複数形を伴う場合は a large number of の方がふつう》/ What *quantity* of sugar do you need? 砂糖はどれくらいの分量が必要ですか / A large *quantity* of gold was found. 多量の金が見つかった《♦a (small [large]) *quantity* of **A** が主語のときは **A** が単数なら単数扱い, 複数なら複数扱いにする》.
3 [~, quantities] **多量, 多数** ‖ *quantities* of books [snow] 多数の本[多量の雪] / Our company buys *in quantity*; we order thousands of staplers at one time. わが社では大量に物を買います. いちどにたくさんのホッチキスを注文します.
4 [U](計量化できるものの)総量 ‖ the *quantity* of air in a balloon 気球の空気量. **5** [C]〔数学〕量, 数 ‖ a known *quantity* 既知量[数] / an unknown *quantity* 未知量[数]((記号) X); 未知数の物[人] / a negligible *quantity* 被省量; 取るに足りない物[人].

quan·tum /kwάntəm | kwɔ́n-/ [名] (複 --ta /-tə/) [C] **1**〔正式〕量; 特定量; 分け前. **2**〔物理〕量子.
quántum lèap〔米略式〕大飛躍.
quántum mechànics 量子力学.
quántum théory [the ~] 量子論.

quar·an·tine /kwɔ́ːrəntìːn/ [動] [他] **1**〈人·動植物·船など〉を隔離[検疫]する. **2**(政治的·経済的に)…を孤立させる. — [名] **1** [U](伝染病予防のための)隔離(状態). **2** [U] 隔離期間; [C] 隔離所. **4** [U](一般に)強制的隔離.

quark /kwɔ́ːrk/ [名] [C]〔物理〕クォーク《素粒子の構成要素》.

*__quar·rel__ /kwɔ́(ː)rəl/《「不平を言う」が原義》
— [名] ~s/-z/) **1** [C]〔…に関する/…との〕(間の)**口論, 口げんか**; 反目, 不和, 仲たがい〔about, over / with / among, between〕(cf. fight) ‖ She has a *quarrel* with her company; they are not paying her enough. 彼女は会社と(けんかをしている. 会社が十分な給料を支払わないからだ) / a *quarrel* between neighbors *about* a borrowed lawn mower 借りた芝刈り機をめぐる隣人同士のけんかい / Betsy and Sally *had* a *quarrel over* Tom. ベツィーとサリーはトムのことでけんかした.
2 [U] [しばしば否定文で]〔…に対する〕**けんか**[口論]**の原因, 苦情**〔with, against〕‖ I have no *quarrel*

with [against] her.《正式》彼女に何の文句もない.
── 動 自 (~s/-z/, 過去・過分) ~ed or (英) quarrelled/-d/; ~ing or (英) -rel·ling
── 他 1《人から〔…のことで〕口論する, けんかする, 言い争う; 不和になる(with / about, over, for)
(使い分け)→ fight 自 1)‖ He quarreled about a trifle with George. 彼はジョージとつまらないことで口論した. 2《正式》〔しばしば will [would] not を伴って〕〔…に対して〕苦情[小言, 不平, 文句]を言う(disagree); [...に]非難する, とがめる(find fault)〔with〕‖ I wouldn't quarrel with your analysis of the situation. 君の状況分析には文句を言うつもりはない.

†**quar·rel·some** /kwɔ́ːrəlsəm/ 形 けんか好きな; 怒りっぽい; 議論好きな.

†**quar·ry** /kwɔ́ːri/ 名 C 1 (ふつう露天の)石切り場, 採石場. 2 (知識・資料などの)源泉, 種本, (引用句などの)出所. ── 動 他 1 〈石〉を切り出す, 採石する(+out). 2 …に石切り場を作る, …を石切り場として使う. 3 〈書物などから〉〈事実などを〉苦心して捜し出す.

†**quart** /kwɔːrt/〚gallon の1/4の意〛名 C 1 クォート(略 qt.).**a** =liquid quart 液量クォート: 2 pints (米) 約0.94l, (英) 約1.13l).**b** =dry quart 乾量クォート: 1/8 peck (米) 約1.10l, (英) 約1.13l). 2 1クォート容器; (略式) (1クォートの)ビール.

*****quar·ter** /kwɔ́ːrtər/〚「第4番目(fourth)」が原義. cf. quart〛

index 名 1 4分の1 3 15分 15 25セント貨

── 名 (複 ~s/-z/)
I 〔ものの4分の1〕
1 C 4分の1, 4等分したものの1つ, 四半分(fourth)‖ I need a quarter of a pound of butter. バター1/4ポンドが必要なんです / in three quarters of an hour 45分したら / Divide the line into quarters. 直線を4等分せよ.
2 C 〔しばしば複合語で〕(動物の)足1本を含む四半分‖ a fore quarter 前四半分 / a quarter of lamb 子ヒツジ1頭の4分の1の肉.

II 〔ある時間の4分の1〕
3 C 〔毎正時間に言及〕15分‖ at (a) quarter after [(英) past] six 6時15分に(=(略式) at six fifteen)《◆(米) では a はしばしば省略》/ It is (a) quarter of [before, (英) to] six. 6時15分前です(=(略式) It is five forty-five.) / This clock strikes the quarters. この時計は15分ごとに打つ.
4 C 四半期, (支払いなどで1年を4等分した)1期, 3か月(cf. quarter day)‖ pay one's rent by the quarter 3か月ぎめで賃貸料を払う. **5** C (米) (1年4学期制の学校・大学の)学期(ふつう12週). **6** C (米)《スポーツ》クォーター《フットボールなど1試合時間を4等分した1単位》. **7** C 〔天文〕弦《月の公転の4分の1. 約7日》‖ the moon in its first [last] quarter = the moon at the first [last] quarter 上弦[下弦]の月.

III 〔ある場所の4分の1〕
8 C 〔しばしば ~s〕(東西南北の)方角, 場所‖ in évery quárter = in áll quárters いたる所で; 四方八方へ / come from a distant quarter 遠隔の地から来る. **9** C 《正式》(都市内で特定の人々の住む)地域, 街; その住民‖ the manufacturing quarter 工場地区 / the Latin quarter of Paris パリのラテン区. **10** C 《正式》(情報源・援助者などを明示しないで)ある方面の人(々), その筋. **11** 〔~s; 複数扱い〕宿所, 住居; 〔軍事〕宿舎, 兵舎‖ take up one's quarters 寝泊まりする / single [married] quarters 独身者[夫婦]用宿舎. **12** C 《正式・古》〔通例否定文で〕(敵・投降者に対する)慈悲, 助命. **13** C 〔海事〕船尾部. **14** C 靴の腰皮(図 → shoe).

IV 〔ある単位の4分の1〕
15 C (米国・カナダの)25セント硬貨(→ coin 事情); 25セント(4分の1ドル)‖ I gave the boy a quarter. 息子に25セントを与えた.
16 C **a** (まれ)クォーター《重量単位で》4分の1ハンドレッドウエイト《(米) 25ポンド(11.34kg), (英) 28ポンド(12.7kg)》(略 qr). **b** クォーター《4分の1ポンド, (英略式) 4オンス》. **17** C 4分の1トン; 《穀量単位で》(英) 8 bushels, (米) 500 pounds. **18** C **a** 4分の1マイル(2 furlongs); (英) [the ~] 4分の1マイル競走. **b** 4分の1ヤード(9 inches).

── 動 他 1 …を4等分する. 2 〈動物・人〉を4つに[ばらばらに]する. 3 〈主に兵隊・軍隊〉を宿泊させる.
── 自 〔兵隊/軍隊が〕寝泊まりする.

quárter bínding 背クロース[背革]製本.
quárter dày 《主に英》四期刺勘定支払い日《◆イングランド・ウェールズ・北アイルランドでは Lady Day (3月25日), Midsummer Day (6月24日), Michaelmas (9月29日), Christmas (12月25日). スコットランドでは Candlemas (2月2日), Whit Sunday (5月15日), Lammas (8月1日), Martinmas (11月11日). 米国では1月, 4月, 7月, 10月の各第1日》.
quárter hòrse (米) クォーター馬《4分の1マイル競走用に改良された馬》.
quárter hóur 《主に米》(1) 15分間. (2) (毎正時の)15分前[後].
quárter nòte (米)〔音楽〕4分音符((英) crotchet).
quárter rèst (米)〔音楽〕4分休止符.
quárter séction (米) (測量法で)半マイル四方(160エーカー)の土地.
quárter sèssions 〔複数扱い〕(1) 〔英史〕四季裁判所. (2) (米・スコット)(3か月に1度開かれる)裁判所.
quar·ter·back /kwɔ́ːrtərbæk/ 名 C 〔アメフト〕クォーターバック《攻撃を指揮するプレーヤー. 略 QB, qb.》(図 → American football).
quar·ter·deck /kwɔ́ːrtərdek/ 名 C 〔海事〕[the ~] 1 後甲板. 2 《主に英》[集合名詞] 高級船員; 士官《◆船尾甲板で命令を下したことから》.

†**quar·ter·ly** /kwɔ́ːrtərli | -təli/ 形 年4回の, 3か月に1度の(関連 → periodical)‖ a quarterly journal 季刊誌. ── 副 年4回, 3か月ごとに‖ a journal issued quarterly 季刊誌. ── 名 C 季刊誌‖ Japan Quarterly ジャパンクォータリー《◆日本で年4回発行されている質の高い季刊雑誌》.

†**quar·ter·mas·ter** /kwɔ́ːrtərmæstər | -màːs-/ 名 C 1 〔陸軍〕物資補給係将校. 2 〔海軍〕操舵(だ)係下士官(略 QM, qb.).
quar·ter·staff /kwɔ́ːrtərstæf | -stàːf/ 名 (複 -staves) C 〔歴史〕(武器として使われた)六尺棒.

†**quar·tet(te)** /kwɔːrtét/ 名 C 1 〔音楽〕四重奏[唱]団, カルテット; 四重奏[唱]曲(関連 → solo). 2 4つ組み, 4つそろい, 4人組.

quar·to /kwɔ́ːrtou/ 名 (複 ~s) 形 1 U 4つ折り判[紙](の)《約24 cm ×30 cm》. 2 C 4つ折り判の本(cf. folio, octavo).

†**quartz** /kwɔːrts/ (同音 quarts) 名 U 〔鉱物〕石英《◆純粋なものは無色透明で水晶(crystal)と呼ぶ》.

quártz clóck 水晶[クォーツ]時計.
quártz wátch クォーツ(腕)時計.
quartz・ite /kwɔ́ːrtsait/ 名U〔鉱物〕珪(ﾋ)岩.
qua・sar /kwéizɑːr, -sɑːr/ 名C〔天文〕準星, クェーサー.
quash /kwɑ́ʃ | kwɔ́ʃ/ 動他《正式》1〈反乱などを〉鎮圧する, 鎮める. 2〔法律〕〈判決などを〉破棄する.
qua・si- /kwéizai-, -sai-, kwɑ́ːzi(:)-/ 〖語要素〗→語要素一覧(1.2).
qua・ter・na・ry /kwɑ́tərnəri, (米+) kwɑ̀tərnéri/ 名C形 1 4個1組の. 2〈数字の〉4(の). 〔化学〕4基[4元素]の. 3 [the Q~]〔地質〕第4紀[層](の).
quat・rain /kwɑ́trein | kwɔ́t-/ 名C 4行詩, 4行連句《ふつう a b a b と押韻》.
quat・re・foil /kǽtərfɔil | kǽtrə-/ 名C 1〔植〕(クローバーなどの)四つ葉. 2〔建築〕四つ葉飾り.
†**qua・ver** /kwéivər/ 動(正式) 1〈声・音楽が〉震える(shake), 震え声で歌う[話す]. ― 他〈歌を〉震え声で歌う,〈言葉を〉震え声で言う(+out, forth). ― 名C 1 震え声, 震音. 2 (英)〔音楽〕8分音符《(米) eighth note》.
quá・ver・y /-vəri/ 形 震え声の.
quay /kíː/〔同音 key〕名C 波止場, 埠頭(ﾄﾞ).
Que. (略) Quebec.
quea・sy /kwíːzi/ 形 (-si・er, -si・est)《略式》1〈人・胃が〉むかつく,〈飲食物が〉吐き気を催させる. 2 小心な;[…に]不安で,[…が]いやで(at, about).
Que・bec /kwibék/ 名 ケベック《カナダ東部の州. その州都. 主要言語はフランス語.》(⇒ Q., Que.).

★**queen** /kwíːn/
― 名(複 ~s/-z/) C 1 [しばしば Q~] 女王 (queen regnant)《単に身分などを言うときは小文字で, 女王を特定的に指す場合は大文字で書く》‖ Queen Elizabeth II of England 英国の女王エリザベス2世《◆ II は the Second /ðə sékənd/ と読む》. 2 [しばしば Q~] 王妃, 皇后 (queen consort)‖ Queen Marie Antoinette, the wife of Louis XVI ルイ16世の妻マリー・アントワネット王妃. 3 [比喩的に;しばしば複合語で]女王, 花形《美人コンテスト優勝者, 最も優れた都市・船など》‖ a béauty quèen 美人コンテスト優勝者, 美の女王 / a society queen = a queen of society 社交界の花形 / the queen of the cherry blossom festival 桜祭りの女王. 4〔トランプ〕クイーン(の札),〔チェス〕クイーン.
― 動《正式》他 1〈女性を〉女王[王妃]にする. 2《略式》[~ it]〔…に対して〕女王のようにふるまう(over). 3〔チェス〕〈ポーンを〉クイーンにする.
― 自 女王として君臨する;女王のようにふるまう.
quéen ánt〔昆虫〕女王アリ.
quéen bée〔昆虫〕女王バチ.
quéen cónsort [the ~; しばしば Q~ C~] = 名 2.
quéen dówager 皇太后《死んだ前の王の妃》.
quéen móther 王母, 皇太后《先王の妃で現女王[国王]の母である人》.
Quéen's Cóunsel 《正式》= king's Counsel《◆女王治世中の言い方》.
Queen's Énglish [the ~] = King's English《◆女王治世中の言い方》.
Queen's Offícial Bírthday 《英》 [the ~] 女王(公式)誕生日《6月の第2土曜日》.
quéen's páwn〔チェス〕(白から見て)左から4番目の行のポーン.
quéen's wáre《ウェッジウッド焼きの》白色の陶器.
quéen wásp〔昆虫〕(スズメバチの)女王バチ.
queen・ly /kwíːnli/ 形《正式》女王の;女王らしい, 威厳のある.
queen-size(d) /kwíːnsàiz(d)/ 形《特大に対して》大の, クイーンサイズの.
Queens・land /kwíːnzlænd, -lənd/ 名 クイーンズランド《オーストラリア北東部の州》.
†**queer** /kwíər/ 形 1《米略式》《侮蔑》《主に男性が》同性愛の, ホモの (homosexual, gay). 2《やや古》奇妙な, 不思議な, 変な, 風変わりな (strange, unusual) ‖ He has queer ideas. 彼は変わった考えを持っている. 3《やや古》気が狂った(mad) ‖ be queer in the head 頭が変だ, 気が狂っている. 4《米略式》《男性の》同性愛者, ホモ. ― 他《略式》《通例火の句で》‖ quéer A's pitch 〈人の〉計画・チャンスをぶちこわす, 台なしにする.
quéer・ness 名U 奇妙なこと, 変なこと, 風変わり.
†**queer・ly** /kwíərli/ 副 奇妙に, 変に;奇妙にも.
†**quell** /kwél/ 動他《正式》1〈反乱などを〉鎮圧する (put down) ‖ quell a riot 暴動を鎮める. 2〈恐怖・感情などを〉抑える, 和らげる.
†**quench** /kwéntʃ/ 動他《正式》1〈人・水などが〉〈火・明かりなどを〉消す ‖ We quenched the fire with water. 水で火を消した. 2〈渇きを〉[…で]いやす;〈熱いものを〉[…で]冷やす (with) ‖ quench one's thirst with a glass of water 1杯の水でのどの渇きをいやす. 3〈欲望・感情などを〉[…で]抑える (with, in).
quench・a・ble /kwéntʃəbl/ 形 抑制できる;いやせる;消せる.
quench・less /kwéntʃləs/ 形《文》1〈火などが〉消せない. 2〈感情が〉抑制できない.
quer・u・lous /kwér(j)ələs/ 形《正式》不満の多い, 不平を言う.
†**que・ry** /kwíəri/ 名C 1 質問, 疑問《◆ question より堅い語》‖ I made a query about the club activities. 私は部活動について質問をした / raise a few queries 2, 3の疑問を呈する. 2〔印刷〕疑問符 (question mark)〈?〉;〔原稿などの疑問の箇所につける〕?のマーク. 3〔コンピュータ〕クエリー《データベースへの処理要求・問い合わせ》.
― 動 他 1《文》〈事を〉尋ねる, 質問する (ask). 2 […か]どうかに]疑問を抱く (whether [if]節)《◆ question より堅い語》‖ query whether [if] it is true その真偽を疑う.
quéry fèver《ペットなどから感染する》原因不明の発熱, Qフィーバー《◆ Q fever ともいう》.
†**quest** /kwést/ 名C 1《文》〔…の〕探求, 探索, 追求 (search)〔for, of〕‖ the quest for truth 真理の探究 / the quest for gold 金鉱の探査. 2《中世騎士の》冒険の旅.
in quést of A《文》〈物〉を求めて;〈事〉を追求して ‖ a student in quest of knowledge 知識を追求する学生.
― 動 自 1〈犬が〉〈獲物を〉捜し回る, …の臭跡を追う (for). 2〈人が〉〈物・事を〉捜し求める, 追求する (search) (for, after) ‖ quest for further evidence さらに証拠を捜し求める. 3〈人が〉探索に出かける.

★**ques・tion** /kwéstʃən/ [発音注意]《求める (quest)こと(ion). cf. request》
― 名 (複 ~s/-z/) C 1 質問, 問い (↔ answer) ‖ question and answer 質疑応答, 問答《◆ 句のため無冠詞》/ unanswered questions 未解答

の質問 / Please answer my *question*. 私の質問に答えなさい / This may sound like a stupid *question*, but … 愚問と思われるかもしれませんが…《控え目に質問するときの前置きのひとつ》 / I asked him a *question*. 彼に質問をした / That's a good *question*. それはよい質問だ《◆「答えるのが難しい質問」を含意する. 単に Good question! ともいう》.

> 語法 話し言葉では [My question is this: 疑問文 / My question is, 疑問文] の構文が用いられる: My question is, when are you going to write your biography? 私の質問は, あなたはいつ自伝を書くのかということです《◆ My question is, の後はふつう平叙文の語順ではないことに注意》.

2 Ⓤ a [しばしば a ~] […についての/…という]**疑問**, 疑い, 疑義(doubt)〔*about, as to / that*[*why*]節〕‖ *There's no question about* her honesty. 彼女が正直であることには疑いの余地がない / A question arose *as to* who was the legal heir. だれが法定相続人かという疑義が持ち上がった. **b** 〔通例否定文で〕〔…の〕可能性(*of*) ‖ There is no *question* of her failure. 彼女が失敗するようなことはない[論外だ].
3 Ⓒ 〔…の/…かという〕（解決すべき）問題, 論点, （軽い意味で）問題〔*of / of wh*節・句〕‖ exam *questions* 試験問題 / I was able to answer most of the *questions* on the history test. 歴史のテストの問題の大部分を解くことができた / It's only a *question* of time. 時間だけの問題だ / There's the *question* (*of*)「how to [*how* we will] spend the time. どうやって時間を使うかという問題がある《◆ wh節の前では of はしばしば省略される》.
4 Ⓒ 〔文法〕疑問文 ‖ an indirect *question* 間接疑問文《◆文の一部に埋めこまれた疑問文: Do you know *who she is*? など》.
bég the quéstion (1) 論点をぼかす. (2) 問題を提起する; 疑問を誘発する.
besíde the quéstion [副] 問題をはずれた, 関係のない.
*beyònd (*áll*) *quéstion* 疑いなく, 確かに ‖ *Beyond question*, he is the best man for the job. 確かに彼はその仕事に最適の人だ.
còme into quéstion 〈事が〉問題になる, 論議される.
in quéstion (正式) (1) 問題の, 当の; 論争[審議]中の ‖ the person *in question* 当人. (2) 疑わしい.
**òut of the quéstion* [形] 問題にならない, まったく不可能で(impossible) ‖ Without a passport, leaving a country is *out of the question*. パスポートなしでは出国はほとんど不可能だ.
Quéstion! （本題から外れた講演者に対して）本題に戻れ!; 異議あり!
withòut quéstion (1) =beyond (all) QUESTION. (2) 疑義[異議]なく, 問題なく.
――動 (~s/-z/; 過去・過分 ~ed/-d/; ~ing)
――他 1 〈人が〉〈人に〉〔…について〕**質問する**, 問う〔*about, on, as to*〕;〈証人などを〉**尋問する**〔*on*〕‖ The police *questioned* the prisoner. 警察はその囚人に尋問した / I *questioned* him *about* what he was doing yesterday. きのう何をしていたかを彼に尋ねた. **2** …を疑う, …に疑義をさしはさむ, …に異議を唱える; [question **whether**[**if**]節] …かどうかを疑う; [not question **that**節] …であることを疑わない ‖ I

question the truth of the event. 私は事件の真相を疑っている / I *question whether* [*if*] she will come. 彼女が来るかどうか疑わしい(=It is *questionable whether* …).
――自 質問する, 尋ねる.
quéstion màrk (1) 疑問符《?》. (2) 未知のこと.
quéstion tàg 〔文法〕=tag question.
†**ques·tion·a·ble** /kwéstʃənəbl/ 形 **1** 疑わしい, 疑問の余地のある, 不確かな(↔ unquestionable). **2** いかがわしい, 不審な, 信用のおけない.
ques·tion·ar·y /kwéstʃənèri, -əri/ 名 =questionnaire.
ques·tion·ing /kwéstʃəniŋ/ 形 **1** いぶかるような, 尋ねるような, 探るような. **2** 探究的な, 詮索(%%)好きの.
qués·tion·ing·ly 副 いぶかるように, けげんな表情をして.
ques·tion·less /kwéstʃənləs/ 形 問題[疑い]のない, 明白な.
†**ques·tion·naire** /kwèstʃənéər, (英+)-tiən-/ 名 Ⓒ アンケート用紙, 質問票; 〔統計〕調査票.
†**queue** /kjúː/ 〖発音注意〗〖同音〗cue) 名 Ⓒ **1** 《主に英》（順番を待つ人・車などの）列(line) ‖ fórm [joìn, get into] a *quéue* for a bus 並んでバスを待つ / stánd [waìt] *in a quéue* 一列に並ぶ. **2** 〔英式〕弁髪. **3** 〔コンピュータ〕待ち行列《コンピュータ処理を待つプログラム［メッセージ］の列》.
júmp the quéue （英式）列に割り込む; （順番を無視して）先に入手しようとする.
――動 (queu(e)*ing*) 〔主に英〕〔…を求めて/…するために〕列をつくる, 列に並ぶ(line) (+*up*)〔*for, to do*〕‖ She *queued* (*up*) for the train. 彼女は列車待ちで並んだ.

quib·ble /kwíbl/ 名 Ⓒ あいまいな言葉（づかい）, 言いのがれ, 屁（^）理屈. ――動 自 […のことで/人に]あいまいな言葉を使う, 言いのがれをする, 屁理屈を言う〔*about, over, at / with*〕‖ He *quibbled about* a small error on his bill. 彼は請求書の小さな誤りの言い逃れをした.

quiche /kíːʃ/ 名 Ⓒ キッシュ《チーズ・ベーコンなどで味つけしたパイの一種》.

***quick** /kwík/ 〖〖動作などの反応がすばやい〗が本義. cf. vivid〗 派 quicken (動), quickly (副)
――形 (通例 ~·er, ~·est) **1** 〈動作・行動などが〉速い, すばやい, 迅速な, 機敏な(↔ slow)《◆継続的な動作が「速い」は fast, rapid. → prompt》‖ (as) *quick* as a flash (略式) 非常に速い / walk at *quíck* páce 速いペースで歩く / Be *quick* about the work. さあ, 仕事を急いで / They were *quick to* help us. 彼らは私たちをすばやく助けてくれた / I had a *quick* meal. 大急ぎで食事をした / She is a *quick* worker. 彼女は仕事をするのが早い(=She works *quick*(*ly*).) / He is *quick in* speech. 彼は話し方が速い.
2 〈人が〉理解が早い, 賢い; 〈感覚などが〉鋭い, 敏感な ‖ a *quick* child 利口な子供 / She is *quick* 「*to* learn [*at* [*in*] learning]. 彼女は物覚えが早い(=She learns *quick*(*ly*).) / He is very *quick at* [*with*] figures. 彼は計算がとても早い / She has a *quick* mind. 彼女は頭の回転が速い.
3 [名詞の前で] 〈性質などが〉**短気な**, 怒りっぽい ‖ He has a *quick* temper. 彼は短気だ(=He is *quick-tempered*.).
――名 Ⓤ 〔正式〕[通例 the ~] （つめの下などの）生身の部分.

to the quick (1) 生身の所まで. (2) 骨の髄まで, ひどく.

――副 (通例 ~・er, ~・est) (略式) 速く, すばやく, 迅速に《◆形容詞とも解せられ quickly よりも重点がこの語に置かれる. 常に動詞の後に置く》‖ Come *quick!* 早く来なさい《◆単独で *Quick!* ともいう. この語は間投詞》/ (as) *quick* as lightning [thought] 電光石火のごとく.

quíck brèad /(イーストを用いない)無発酵パン.
quíck fíx (略式) 一時しのぎの修理 [解決策].
quick- /kwík/ (語根) …が速い [早い]. 例: *quick*-drying paint 乾きの速いペンキ, a *quick*-acting medicine 即効薬.
quick-change /kwíktʃèindʒ/ 形 (俳優などが) 早変わりの.
quick-eared /kwíkíərd/ 形 耳の早い, 耳ざとい.

†**quick・en** /kwíkn/ 動 他 **1**〈人などが〉〈歩調などを〉速める, 急がせる (+*up*) ‖ They *quickened* their pace. 彼らはペースを速めた. **2** (古) 〈事が〉〈興味・想像力などを〉刺激する, 活気づける, よみがえらせる ‖ The news *quickened* his interest. そのニュースは彼の興味をかき立てた. **3**〈人が〉〈物を〉かき回す;〈物が〉〈食欲〉を起こさせる ‖ *quicken* smoldering timber into flames くすぶっている薪(カ)をかき回して燃え立たせる. ――自〈歩調・脈などが〉速くなる (+*up*) ‖ Her pulse *quickened*. 彼女の脈が速くなった.

quick-eyed /kwíkáid/ 形 目の早い, 目ざとい.
quick-freeze /kwíkfríːz/ 動 (過去) -froze, (過分) -fro·zen) 他 …を急速冷凍する.

:**quick・ly** /kwíkli/ 〖→ quick〗
――副 (more ~, most ~) 速く, 急いで, すぐに, 敏速に (↔ slowly) ‖ He eats *quickly* [(略式) quick]. 彼は食べるのが速い (= He is a *quick* eater.) / Finish your work *quickly* [(略式) quick]. 急いで仕事を終えなさい / You will get there「more *quickly* [(略式) quicker] by train. 電車だともっと速くそこへ行けます / She works「(the) most *quickly*」[(略式) (the) quickest] of all the workers. 彼女は他のだれよりも速く仕事をする / We'll be back as *quickly* [(略式) quick] as possible. できるだけ早くもどってきます《◆ quick を用いると We'll be back as *quick* as we can. ということが多い》.

[語法] 動詞の前に置いた quickly を quick で代用することはできない: The news *quickly* [ˣquick] spread all over the country. ニュースはすぐに国中に広まった.

†**quick・ness** /kwíknəs/ 名 ⓤ **1** すばやさ, 機敏. **2** (運動などの) 速さ, 迅速. **3** 性急さ, 短気.
quick・sand /kwíksænd/ 名 ⓤⓒ [しばしば ~s] (海岸などの) 流砂《人や動物が乗ると吸い込まれる》.
quick・set /kwíksèt/ 名 (主に英) (特にサンザシの) 生け垣《◆ a *quickset* hedge (サンザシの) 生け垣》.
quick-sight・ed /kwíksáitid/ 形 目の早い, 目ざとい.
quick-tem・pered /kwíktémpərd/ 形 短気な, 怒りっぽい.
quick-wit・ted /kwíkwítid/ 形 機転のきく, 頭の回転が早い.

quid /kwíd/ 名 (複 quid) ⓒ (英略式) 1 ポンド.
quid・di・ty /kwídəti/ 名 ⓒ **1** 〈物の〉本質, 実質〖体〗. **2** 揚げ足取り, 屁(^)理屈.

qui・es・cence, --cen・cy /kwaiésns(i), kwi-/ 名 ⓤ (正式) 静止; 無活動.
qui・es・cent /kwaiésnt, kwi-/ 形 (正式) 静止した; 無活動の.

:**qui・et** /kwáiət/ 〖「騒音や動きがなく静かな」が本義〗 派 quietly (副)
――形 (通例 ~・er, ~・est)
Ⅰ [動き・音が静かな]
1 (動き・音がなく) 静かな, 音を立てない; 閑静な, ひっそりした《◆ quiet と silent は音のないことをいう. still はこの意味に加えて動きのないことも意味する》(↔ noisy) ‖ The house was *quiet* because everyone was asleep. みんなが眠っていたので, 家は静かだった / Be *quiet!* 静かに (してください)《◆ 単に *Quiet!* ということもある》/ a *quiet* stréet 静かな通り / She has a *quiet* voice. 彼女は静かな声だ / The car's engine is very *quiet*. その車のエンジンは非常に静かだ. **2** 穏やかな, 動かない, じっとしている ‖ The sea looks *quieter* than yesterday. 海は昨日よりも穏やかだ.

Ⅱ [心が静かな]
3 平穏な;〈心などが〉安らかな, 心配のない; くつろいだ, ゆったりとした ‖ a *quiet* life 平穏無事な生活 / a *quiet* conscience やましいところのない良心 / I spent a *quiet* evening at home. 家でくつろいだ夜を過ごした.
4〈人・態度・言葉などが〉もの静かな, 控え目な, おとなしい, 無口な ‖ Her daughter is *quiet*. 彼女の娘はおとない / She has a *quiet* disposition. 彼女は温和な性格だ.
5〈色などが〉落ち着いた, 地味な (↔ loud) ‖ a *quiet* color 地味な色. **6** 内密の, ひそかな, 遠回しの ‖ a *quiet* advice 遠回しの忠告 / harbor *quiet* resentment ひそかに恨みを抱く / keep *quiet* about …を秘密にしておく.

――名 ⓤ **1** 静けさ, 静寂, 閑静 ‖ the *quiet* of the night 夜の静寂.
2 (心の) 平静, 安らかさ; (一般に) 平和, 太平 ‖ live in peace and *quiet* 平穏無事に暮らす.
3 休養, 安静.
on the quiet (略式) ひそかに, こっそりと, 内密に.

――動 (主に米) 他 **1**〈群衆などを静かにさせる〉;〈騒ぎ・恐怖・不安などを〉静める, 和らげる (+*down*) ‖ I *quiet* his fears 彼の不安を和らげる. **2**〈子供などを〉なだめる ‖ *quiet* a fretful child むずかる子供をなだめる. ――自 静まる, おさまる (+*down*).

qui・et・en /kwáiətn/ 動 (主に英) = quiet.

†**qui・et・ly** /kwáiətli/ 副 **1** 静かに, そっと ‖ She moved *quietly* and quickly. 彼女は静かにしかも素早く動いた. **2** 平穏に; 落ち着いて ‖ speak *quietly* 落ち着いて話す. **3** 地味に, 控え目に.

†**qui・et・ness** /kwáiətnəs/ 名 ⓤ 静けさ, 静寂; 平穏, 平和.
qui・e・tude /kwáiətjùːd/ 名 ⓤ (正式) 静けさ.
qui・e・tus /kwaiíːtəs/ 名 ⓒ (正式) **1** [通例 a/the/one's ~] 最後の一撃. **2** (債務・任務などの) 履行.

†**quill** /kwíl/ 名 ⓒ **1** 羽軸 (feather stem);(翼・尾の) 丈夫な) 羽. **2** (古) 羽ペン, 鵞 (°) ペン (quill pen);(楽器の) ばち; つま楊枝 (ǎ);(釣り糸のうき) ‖ drive [ˣrun] the *quill* ペンを走らせる, 書く. **3** [~s] (ヤマアラシなどの) 針. **quíll pén** = **2**.

†**quilt** /kwílt/ 名 ⓒ **1** キルト《2 枚の布地の間に綿・羊毛・羽などを入れ刺し子に縫った掛け布団》(cf. eiderdown). **2** キルト風に仕上げたもの;(一般に厚手の)

ベッドカバー. ━━[動][他] …を刺し子縫いする, キルティングにする ; 〈手紙・金など〉を〔…の間に〕縫い込む〔in〕.

quilt·ed /kwíltid/ [形] キルト風の ; キルト状のもので詰め物をした ‖ a *quilted* bathrobe キルティングのバスローブ.

quilt·ing /kwíltiŋ/ [名] **1** [U] キルティング, 刺し子に縫うこと ; その材料. **2** [C] 《米》 =quilting bee [party].

quílting bèe [**pàrty**] おしゃべりをしながらキルトを作る女性の集まり.

quince /kwíns/ [名][C] 〔植〕 マルメロ ; その実《jam の材料. 種子は薬用》.

†qui·nine /kwáinain | kwiní:n/ [名][U] キニン, キニーネ ; キニーネ剤《マラリアの特効薬》.

quínine wàter キニーネ水《ジン・ウォツカを割る炭酸水》.

Quin·qua·ges·i·ma /kwìŋkwədʒésimə/ [名] = Quinquagesima Sunday. **Quinquagésima Súnday** 四旬節直前の日曜日.

quin·tes·sence /kwintésəns/ [名][U] **1** 《正式》 [the ~] 〔…の〕エッセンス, 真髄, 典型〔*of*〕 ‖ *the quintessence of* virtue 徳の真髄. **2** 〔哲学〕 第5元素《気・火・地・水の4要素のほかにあると考えられた元素》.

quin·tes·sen·tial /kwintəsénʃəl/ [形] 《正式》 真髄の, 典型的な ; 第5元素の.

quin·tes·sén·tial·ly [副] 典型的に.

quin·tet(te) /kwintét/ [名][C] **1** 5人[5個]組. **2** 〔音楽〕 五重奏[唱]団 ; 五重奏[唱]曲([関連] → solo).

quin·tu·plet /kwintʌ́plət | kwíntju-/ [名][C] 5つ子の1人 ; [通例 ~s] 5つ子(《略式》 quins)《◆「5つ子のうち2人」は two of the quintuplets》.

quip /kwíp/ [名][C] **1** 警句, 名言. **2** 辛辣(しんらつ)な言葉, 皮肉. **3** 逃げ口上, ごまかし. ━━[動] ([過去・過分] **quipped**/-t/; **quip·ping**) 《正式》 [自][他] (…に)皮肉を言う.

quire /kwáiər/ [名][C] (紙の)1帖(じょう)《本来は8枚(16ページ)だが, 今はふつう24枚. [略] qr.》 (cf. ream[1]) ‖ in *quires* (本が)未製本の.

Quir·i·nal /kwírinl/ [名] **1** [the ~] クイリナリスの丘《古代ローマ7丘の1つ》; (その丘の)イタリア宮殿. **2** イタリア政府《◆ Vatican に対して用いる》.

quirk /kwɔ́:rk/ [名][C] **1** 逃げ口上, 言いのがれ. **2** 気まぐれ, 癖. **3** (運命の)急転.

quirk·y /kwɔ́:rki/ [形] 一風変わった, くせのある.

†quit /kwít/ [動] ([過去・過分] **quit** or **quit·ted**/-id/; **quit·ting**) [他] **1** 《略式》 〈人が〉〈仕事など〉を〔…の理由で〕やめる ; 中止する(stop, 《略式》 cut out)〔*for*〕; [quit doing] …することをやめる ‖ She's *quit* 「work*ing* part-time [her job]. 彼女はアルバイト[仕事]をやめた. **2** 《略式古》 〈人・場所〉を去る, 立ちのく(leave) ‖ *quit* a room 部屋を去る.

━━[自] 《略式》 辞職する ; 《英》 借家を立ちのく ‖ give him a notice to *quit* 彼に立ちのき要求[辞職勧告]の通知をする.

━━[形] 《略式やや まれ》 〔…を〕免れて, 〔…から〕自由になって〔*of*〕 ‖ I gave her money to be *quit of* her. 彼女に手切れ金をやった.

quite /kwáit/ 『「完全に, 100%」が本義であるが, 被修飾語の性格や強勢の有無によりかなり意味に幅がある』

━━[副] 《◆ 比較変化しない》 **1** [good, rich など程度を表す段階的な形容詞・副詞・動詞などを修飾して ; 通例否定文では用いられない] **a** 《主に英・米略式》 [quite に強勢を置いて] かなり, なかなか(fairly) ; [しばしば間投詞的に] **まあまあ**, ほどほどに, 多少(more or less) ‖ It is *quíte* cold, isn't it? かなり寒いですね / [対話] "Did you like it?" "Yes, *quíte*." 「気に入りましたか」「はい, まあまあでした」.

b [quite の次にくる語に強勢を置いて] 非常に, とても《◆ 《米》 ではこの意味で用いるのがふつう. 《英》 ではしばしば控え目な表現として用いる》; 実際に, ほんとうに(actually, truly), …といってもいいほど ‖ That is 「a *quite* [*quite* an] unbelíevable story. それはとても信じがたい話だ(→ [語法]) / We had *quite* a góod dìnner. 私たちはずいぶんなごちそうを食べた / not *quite* →成句.

> [語法] (1) rather と同じく, **b** の第1例のように不定冠詞を伴う場合はリズムの関係から2つの言い方がある: *quíte* a hót day かなり暑い日(×a quíte hót day) / *quíte* a cléver boy なかなか賢い少年(×a quíte cléver boy).
> (2) quite は比較級を修飾できない: He was rather [a bit, a little, slightly, ×quite] older than I thought. 彼は私が考えていたよりもちょっと[少し]年がいっている.
> (3) It's *quite* cold this morning. (今朝はかなり寒い)は不快さを含意する. It's very cold ... では必ずしもそうではない.

2 [wrong, perfect, true, unique, full, impossible など絶対またはそれに近い概念を表す非段階的形容詞・動詞などを修飾して] **まったく**, 完全に, すっかり(perfectly, entirely) ‖ You're *quite* right. まったく君の言うとおりだ / I'm *quite* exhausted. 私はすっかり疲れ切っている / I *quite* understand [agree, believe, accept]. 完全にわかります[賛成します, 信じます, 認めます] / *quite* a →成句.

3 《英正式》 [quite (so) で相づちに用いて] まったくその通り(just so) ‖ [対話] "He is a nice fellow." "*Quíte* (*sò*)." 「彼はいい男だ」「まったくその通り」.

nót quíte [[副] **1** の部分否定として] **必ずしも…というわけではない**, 完全には…ではない(→文法 2.2(2)) ‖ You are *not quite* right. 必ずしも君の言う通りではない / She is *not quite* well enough. 彼女はまだほんとうによくなっているといえない / I don't *quite* understand what he says. 彼の言うことがよくはわからない.

quite a … =***quite sóme*** … /sʌ́m/ 《略式》 [強意語として] **ほんとうに**(すばらしい)…, 実際に(よい)…, 並外れて… ‖ That was *quite a* party. それはほんとうにすばらしい[まったく騒々しい]パーティーだった / She is doing *quite a* job. 彼女は実際にいい仕事をしている / It takes *quite some* time. そりゃほんとうに時間がかかるよ.

quite a few → few.

quíte sò → **3**.

quits /kwíts/ [形] 〈人が〉五分五分[あいこ]になる.

cáll it quíts 《略式》 (1) 貸し借りなしとする. (2) (仕事などを)切り上げる, これまでとする.

quit·tance /kwítəns/ [名] **1** [U] 〔法律〕 〔義務・債務などの〕免除, 解除〔*from*〕; [C] 債務免除証書, 領収書. **2** [U] 《正式》 償い, 返報(reward).

quit·ter /kwítər/ [名][C] 《略式》 (困難にあうと)簡単にあきらめる人 ; 横着者 ; 臆病者.

†quiv·er /kwívər/ 《正式》 [動][自] 〈人・葉・翼・声・光などが〉〔…で/…などに〕ぶるぶる震える, 揺れる〔*with*/ *at*〕 ([語法] → shake) ‖ The little girl *quivered with* fear. 少女はこわがって震えた. ━━[他] …を震わせ

る. ━━名Ⓒ[通例 a ~]（小刻みな）震え, 震動; 震え声.
Qui·xo·te /kihóuti, kwíksət/ 名 → Don Quixote.
quix·ot·ic /kwiksátik|-ɔ́tik/ 形 **1**[時に Q~]ドン=キホーテ式の. **2**（正式）空想的な, 騎士気取りの, 幻想的な. **quix·ót·i·cal·ly** 副 ドン=キホーテ式に; 空想的に.

†**quiz** /kwíz/ 名（複）~·zes Ⓒ **1**（テレビなどの）クイズ. **2**（主に米）小テスト. ━━動（過去・過分）quizzed /-d/; quiz·zing 他 **1**（主に米略式）〈人〉に簡単な（小）テストをする ‖ *quiz* a class in geometry クラスに幾何の小テストをする. **2**〈人〉に[…について]（繰り返し）質問[尋問]する（*about*）〈◆新聞用語〉.
quíz kid（米略式）（難しいクイズにすらすら答える）知的早熟児.
quíz shòw [pròg ram]（ラジオ・テレビの）クイズ番組.
quiz·mas·ter /kwízmæstər|-mɑ̀ːs-/ 名Ⓒ（主に米）クイズ番組の司会者.
quiz·zi·cal /kwízikl/ 形〈笑い・表情が〉尋ねるような, いぶかしげな; まごついた; からかうような.
quoit /kɔ́it, kwɔ́it/ 名 **1**Ⓒ（輪投げ用の鉄・ロープの）輪. **2**[~s; 単数扱い]輪投げ.

†**quo·ta** /kwóutə/ 名（複）~s Ⓒ（正式）**1**（生産・販売・輸出入などの）割り当て（量）(share), ノルマ ‖ set my daily *quota* of work 私の1日の仕事のノルマを決める. **2**（入学・移民などの）割り当て（人）数.
quóta sỳstem クォータ制《採用・選挙の際, 女性の比率を設定すること. また特殊な人に片寄らないようにするため, 比率を設けて採用・選挙する方法》.
quot·a·ble /kwóutəbl/ 形 引用できる, 引用価値のある.

†**quo·ta·tion** /kwoutéiʃən|kwəu-/ 名 **1**Ⓤ引用; Ⓒ引用文[語, 句]. **2**Ⓒ（商業）相場（表）; 見積もり額.
quotátion màrk[通例 ~s]引用符《◆(1) " " を double quotation marks, ' ' を single quotation marks という. (2) 引用が二重になるときは, ふつう（米）では " ' ' ", （英）では ' " " ' となる》.

*****quote** /kwóut/ 〖「章に分ける」が原義〗
━━動（~s /kwóuts/; 過去・過分 ~d /-id/; quot·ing）
━━他 **1**〈人が〉〈人の言葉・文章〉を[…から]引用する, 引き合いに出す; 〈人の言葉[文句]〉を[…から]引用する（*from*）‖ *quote* Shakespeare シェイクスピアの言葉を引用する / In her speech, the mayor *quoted* a famous writer. 市長は演説の中で, 有名な作家を引用した / He is *quoted* as having said that … 彼は…と言ったと報じられている（→文法 12.2）.
2[quote **(A) B**]〈人が〉**(A〈人〉に) B**〈実例・典拠などを示す, 持ち出す ‖ Can you *quote* me some more examples of that? そのことについてもう少し例をあげてくれませんか.
3[quote **A B**]〈人が〉**A**〈人〉に **B**〈値段〉を言う, […の費用を]…と見積もる（*for*）‖ *quote* 50,000 yen *for* the repair 修理費を5万円と見積もる.
━━自 **1**[…から]（一部を）引用する（*from*）‖ *quote* from the verses of Shelley シェリーの詩から引用する. **2**[命令形]引用を始めよ《◆電報文・書取りの指示などで, 引用が終わったことを示す unquote と相関的に用いる》.
━━名（略式）**1**Ⓒ引用文[句]. **2**[~s]引用符.
quo·tient /kwóuʃənt/ 名Ⓒ〖数学〗商（cf. product）; 比率.
quot·ing /kwóutiŋ/ 動 → quote.
qy, q.y.（略）quay; query.

R

r, R /άːr/ 名 (r's, rs; R's, Rs/-z/) **1** ⓒⓤ 英語アルファベットの第18字. **2** → a, A 2. **3** ⓒⓤ 第18番目(のもの).
the thrée R's [Rs] → three R's.

r (略) radius.

r, R. (略) railroad.

R (記号) 〖restricted より〗(米) (映画が)保護者同伴で入場可(→ film rating).

® (記号) 登録商標(registered trademark)《◆ふつう商標の右肩や脚部に付ける》.

Ra /ráː/ 名《古代エジプトの太陽神》.

Ra (記号) 〖化学〗radium.

rab·bi /rǽbai/ 名 (複 ~s) ⓒ **1** 〖ユダヤ教〗トーラー〖律法〗博士;〖敬称・呼びかけで〗先生, ラビ. **2** ユダヤ教牧師.

rab·bin·ic, –·i·cal /rəbínik(l), rəb-/ 形 ラビの, ラビ教義〖語風〗の.

rab·bit /rǽbət/

— 名 (複 ~s/-əts/) ⓒ **1** (飼い)ウサギ《◆(1) hare (ノウサギ)より小型で穴居性がある.(米)では hare とほぼ同義に用いることもある. (2) 多産・臆(ʔ)病さを連想させる. (3) rabbit's foot (ウサギの左後ろ足)は幸運のお守りとして持ち歩く》‖ (as) tímid as a rábbit ウサギのようにおどおどして / bréed like rábbits ウサギのようにたくさん子を産む. **2** ⓤ ウサギの毛皮;その肉. **3** ⓒ おどおどしたおとなしい人間, 臆病者. **4** ⓒ (英略式)〖…の〗へたな人〖at〗‖ She is just a rabbit at cooking. 彼女はまるで料理がへただ.

— 動 (過去・過分) ~ed or (英) ~·bit·ted/-id/; ~·ing or (英) ~·bit·ting 自 **1** ウサギ狩りをする ‖ go rabbiting ウサギ狩りに行く. **2** (主に英略式)〖…について〗ぶつぶつ(不満を)言う(+on)〖about〗.

rábbit bùrrow [hòle] ウサギの穴.

rábbit èars (米略式) [単数扱い] 小型テレビ用室内アンテナ.

rábbit hùtch ウサギ小屋.

rábbit wàrren ウサギの多く住む所[飼育場];迷路のような裏町.

†rab·ble /rǽbl/ 名 **1** [a/the ~] 野次馬, 暴徒. **2** [the ~] 下層社会, 大衆.

Rab·e·lais /rǽbəlèi, (米+) ⸺⸻/ 名 ラブレー《François/frɑ́ːnswǎː/ ~ 1490?-1553;フランスの作家》.

Rab·e·lai·si·an, –·lae·– /rǽbəléiziən | -ziən/ 形 **1** ラブレー(風)の. **2** 物語などが野卑で風刺のきいた.

rab·id /rǽbid/ 形 **1** 狂犬〖恐水〗病にかかった. **2** 過激な, 猛烈な.

ra·bies /réibiːz/ 名 ⓤ (正式)〖医学〗恐水〖狂犬〗病.

†rac·coon, ra·– /rækúːn | rək-/ 名 ⓒ 動 (主に米略式) coon)〖北米産で樹上に住み夜間活動する〗《◆日本のタヌキはふつうは raccoon dog とされる》; ⓤ (米) アライグマの毛皮.

race¹ /réis/ (頭音) lace /léis/) 「「走ること (running)」が原義」

— 名 (複 ~s/-iz/) ⓒ **1a** 〖…との/…間の〗競走, レース〖against, with / between〗; 〖通例複合語で〗…競走[レース]《◆競馬・競輪・競艇・自転車競走など》‖ a boat race (主に英)ボートレース, 競艇(regatta) / a bicycle [horse] race 競輪[競馬] / come in first in a five-mile race 5マイルレースで1着になる / have [run] a race with him 彼と競走する / win [lose] a race 競走に勝つ[負ける]. **b** [the ~s] 競馬;競馬[競輪・競艇など]の開催(race meeting).

2 〖…のための/…との〗競争, 争い〖for/against〗‖ an árms ráce 軍備競争 / a ráce for pówer 権力闘争 / a race for mayor [governor] 市長[知事]選挙戦 / the presidéntial ráce =the race for the presidency (米) 大統領選挙戦 / a ráce against tíme 時間との競争.

3 急流, 早瀬;水路, 用水.

— 動 (~s/-iz/; (過去・過分) ~d/-t/; rac·ing)

— 自 **1**〈人・動物が〉〖…と〗競走する, 競争する〖against, with〗‖ The tortoise raced against the hare. カメはウサギと競走した / race against time 時間と競走する. **2**〈速く〉走る, 速く行く, 〖…に向かって〗突進する〖for〗‖ race for [to catch] the train その列車に乗ろうとして急ぐ / race along the road on a bicycle 自転車に乗って道を走る. **3**〈エンジンが〉から回りする.

— 他 **1**〈略式〉〈人が〉〈人〉と競走する ‖ I'll race you to that tree. あの木まで競走しよう. **2**〈人が〉〈動物・車など〉に〖…と〗競走させる, 競走に出す, 出走させる〖against〗‖ The boy raced the tortoise against the hare. 少年はカメをウサギと競走させた. **3**(略式)〈人・物〉を大急ぎで運ぶ;〈議案など〉を〖議会にかけて〗大急ぎで通過させる〖through〗‖ We raced the wounded man to the hospital. 私たちは負傷した人を病院まで大急ぎで運んだ. **4**〈エンジンなど〉をから回りさせる.

*race² /réis/ 派 racial (形)

— 名 (複 ~s/-iz/) **1** ⓒⓤ 人種《◆伝統的に Caucasian, Negro, Mongolian, Polynesian の4つに大別される》;民族;[形容詞的に] …人種の ‖ the white race(s) 白色人種 / the German race ドイツ民族 / the problem of race =the race problem 人種問題.

2 ⓒ [通例複合語で]〈生物の〉種族, 類;[the ~] 人類 ‖ the (human) race 人類 / an improved race of cattle 牛の改良種 / 「the feathered [the finny] race 鳥類[魚類].

3 ⓒ 〈人間の〉集団, 同類, 仲間 ‖ the race of musicians 音楽家の仲間.

ráce relàtions 〈同一国家内の〉異人種関係(学).

ráce rìot 人種暴動.

race·car /réiskɑ̀ːr/ 名 ⓒ (米) レース用自動車, レーシングカー((英) racing car).

race·course /réiskɔ̀ːrs/ 名 ⓒ (英) 競馬場((米) racetrack), 競走場.

race·horse /réishɔ̀ːrs/ 名 ⓒ (競馬の) 競走馬.

rac·er /réisər/ 名 ⓒ (略式) **1** 競走者, レーサー. **2**

競走[レース]用自転車[自動車, ヨットなど]; 競走馬.
race･track /réistræk/ 图 ⓒ《主に米》競馬場, 競走場[路];《英》racecourse).
Ra･chel /réitʃəl/ 图 1 レイチェル《女の名》. 2《旧約》ラケル《Jacob の妻. Joseph, Benjamin の母》.
*ra･cial /réiʃl/
—形 [通例名詞の前で] 人種の, 民族の, 種族の(→ethnic) ‖ He had a strong *racial* prejudice against Asian people. 彼はアジア人に対して強い人種的偏見を持っていた.
rácial bàr 人種障壁.
rácial discriminàtion 人種差別.
rácial integràtion 人種差別の廃止.
ra･cial･ly /réiʃli/ 副 人種的に, 人種上;[文全体を修飾] 人種的には, 人種的に言えば.
rac･ing /réisiŋ/ 图 1 Ⓤ 競馬, 競走, 競漕(ﾚ); 2 [形容詞的に] 競走(用)の, 競走に興味をもった.
rácing càr《英》レース用自動車, レーシングカー(《米》racecar).
rac･ism /réisizm/ 图 Ⓤ 1 人種差別, 人種的偏見. 2 民族主義; 民族的優越感. 3 民族主義政策; 民族主義体制.
rac･ist /réisist/ 图 Ⓒ 形 人種差別主義者(の); 民族主義者(の).
†rack /ræk/ 图 1 Ⓒ [しばしば複合語で] …掛け, ラック ‖ a hat *rack* 帽子掛け. 2 Ⓒ (乗物の)(網)棚; [複合語で] …棚, …台 ‖ a lúggage ràck 荷物棚 / a hay rack まぐさ棚. 3 [the ~] (昔の)拷問台 ‖ put him *on the rack* 彼を拷問にかける[苦しめる]. 4 Ⓒ (歯車の歯する[板](cf. pinion).
—動 他 …を拷問にかける;[通例 be ~ed]〈人(の体)などが〉〈病気・悩みなどで〉苦しむ(by, with); 〈頭・知恵などを〉絞る ‖ She *was racked with* headache [grief]. 彼女は頭痛で苦しんで[悲嘆にくれていた] / *rack* one's brain(s) 知恵を絞る.
ráck úp[他]《略式》…を成し遂げる, 得る.
ráck ràilway《主に英》歯軌条鉄道, アプト式鉄道.

rack･et¹ /rǽkət/ 〖「手のひら」が原義〗

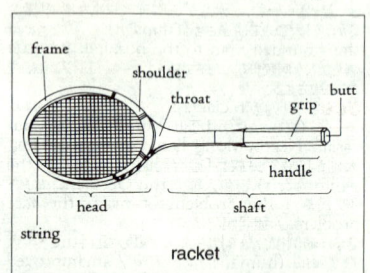

racket

—图 (樋 ~s/-əts/) Ⓒ 1 [しばしば複合語で] (テニス・バドミントン・卓球などの) ラケット ‖ a badminton *racket* バトミントンのラケット / a tennis *racket* テニスラケット. 2 [~s; 単数扱い] ラケット, 壁内テニス《四方を壁で囲まれたコート内でラケットを持った2人または4人が球を壁にはね返らせて行なう球技》.
rack･et² /rǽkət/ 图 Ⓒ 1 [時に a ~] (迷惑なほどの)大騒ぎ, 騒音 ‖ máke [kíck úp] a rácket 騒ぐ. 2 Ⓤ 大混乱, 喧騒(ﾂｳ) ‖ get away from the *racket* of city life 都会生活の喧騒から逃れて. 3 Ⓒ 不正な金もうけ, ゆすり ‖ be *in on* a *racket*

悪事に加わっている.
†rack･et･eer /rækətíər/ 图《略式》ゆすり, 暴力団員, ほする.—動 (人を)ゆする, 脅迫する.
ra･coon /rækúːn | rə-/ 图 = raccoon.
rac･y /réisi/ 形 (-i･est, -i･est) 1〈話・文章が〉きびきびした, 生気のある. 2〈酒・果物が〉本場の, 独特の風味がある. 3《米略式》きわどい, みだらな.
†ra･dar /réidɑːr,《英+》-də/ 图 1 Ⓤ レーダー;Ⓒ レーダー装置, 電波探知機. 2 Ⓒ =radar trap. 3 [形容詞的に] レーダーの ‖ *on the radar* screen [fence] レーダー網で.
rádar bèacon〖無電〗レーダービーコン《レーダーによる自動応答装置》.
rádar tràp(警察の)自動車速度測定装置.
ra･dar･scope /réidɑːrskòup/ 图 Ⓒ レーダー表示器.
ra･di･al /réidiəl/ 形《正式》1 光線の, 放射状の, 2 半径の.—图 Ⓒ =radial tire [《英》tyre].
rádial éngine 星形機関.
rádial tíre[《英》týre]ラジアルタイヤ.
ra･di･ance, -an･cy /réidiəns(i)/ 图 Ⓤ 1 光輝, 輝き. 2(目・顔色などの喜びにあふれた)輝き.
†ra･di･ant /réidiənt/ 形《正式》1〔文〕光を放つ, 熱を放つ, きらきらと輝く ‖ the *radiant* sun さんさんと輝く太陽. 2〈人・顔・目などが…で〉晴れやかな, うれしそうな (with) ‖ her *radiant* smile 彼女の明るい笑顔.
rádiant énergy 〖物理〗放射エネルギー; 可視光線.
rádiant héat 〖物理〗放射熱.
ra･di･ant･ly /réidiəntli/ 副 光り輝いて, きらきらと; 晴れやかに.
†ra･di･ate /réidièit/ 動 ⓐ 《正式》1〈光・熱などが〉〔…から〕放射[放出]する (from) ‖ heat *radiating from* a gas stove ガスレンジから放射される熱. 2 〔中心から〕放射状に伸びる[広がる] (from) ‖ The main streets *radiate from* the central square. メインストリートは中央広場から四方に伸びている. 3〈人が〉〈喜びなどで〉輝く(with).—他 1〈光・熱などを〉放射[放出]する, 発する. 2〈人が〉〈喜びなどを〉まき散らす, 発散させる;〈主義などを〉広める ‖ Her face *radiated* happiness. 彼女の顔からは幸せがあふれていた(=Happiness *radiated* from her face).
†ra･di･a･tion /rèidiéiʃən/ 图 1 Ⓤ (光・熱などの)放射, 発散; 放射能 ‖ a massive dose of *radiation* 大量の放射能. 2 Ⓒ 放射エネルギー; 放射線.
radiátion sickness 〖医学〗放射線病.
radiátion thèrapy 放射線治療.
†ra･di･a･tor /réidièitər/ 图 Ⓒ 1 ラジエーター《暖房機, 放熱器》. 2 ラジエーター《自動車などの冷却装置》.
†rad･i･cal /rǽdikl/ 形 1 根本的な, 基本的な; 徹底的な ‖ a *radical* reform 根本的改革 / We must make a *radical* change in our eating habits. 私たちは食生活を根本的に変えねばならない. 2 過激な, 急進的な; [しばしば R~] 急進派の《◆「急進派の」の意味では比較変化しない》‖ a *radical* politician 急進的な政治家 / *radical* opinions 過激な意見. 3 〖数学〗根[根号]の.—图 Ⓒ 1 [しばしば R~] 急進論者[党員], 過激派. 2 〖数学〗=radical sign; 〖化学〗基; 〖音楽〗根音.
rádical sígn 根(ﾈ), 根号 (√).
rád･i･cal･ly 副 根本的に; 徹底的に.
rad･i･cle /rǽdikl/ 图 Ⓒ 〖植〗幼根, 小根; 根状部.
ra･di･i /réidiài/ 图 radius の複数形.

*ra･di･o /réidiou/ 〖*radiotelegraphy* の短縮語〗

—图 (樋 ~s/-z/) 1 Ⓒ ラジオ(受信機)(radio

set) ‖ a pocket *radio* ポケットラジオ.
2 ⓤ [(the) ~] ラジオ(放送); [形容詞的に] ラジオの, 無線による ‖ a *radio* program ラジオ番組 / a *radio* message 無線通信 / **listen to the *radio*** ラジオを聴く / I listen to the news **on** [**over**] **the *radio*** every morning. 私は毎朝ラジオでニュースを聴く.
3 ⓒ 無線電信機.
4 ⓤ 無電, 無線電信, 無線電話 ‖ He got the message **by** *radio*. 彼は無電で通信を受け取った.
5 ⓤ ラジオ放送事業 ‖ She got a job in *radio*. 彼女はラジオ放送関係の仕事についた.
──動 他 **1**〈人から〉通信などを〈人に〉無電で送る〔to〕;〈人から〉〈人・場所などに〉無電を打つ;〔…だと〕打電する〔*that*節〕‖ *radio* a message 無電で放送を送る. **2** 〈番組などを〉ラジオで放送する.
──自 **1**〔…に〕無電を打つ, 無線連絡をする〔*to*〕. **2** ラジオを放送する.

rádio astrónomy 電波天文学.
rádio bèam 〔通信〕信号電波, 無線ビーム.
rádio càb 無線タクシー.
rádio càr ラジオカー, 無線車.
rádio écho sòunding 反響水深測定法.
rádio frèquency 〔通信〕ラジオ[無線]周波数.
rádio láw 無線電信取締法.
rádio photógraphy 電波写真.
rádio sèt =名1.
rádio stàtion (1) 無線局; ラジオ放送局. (2) 広告放送会社.
rádio télescope 〔天文〕電波望遠鏡.
rádio wàve 〔通信〕電波.
ra·di·o- /réidiou-/ [語素] →語素一覧(1.6).
ra·di·o·ac·tive /rèidiouǽktiv/ 形 放射性の, 放射能のある.
radioáctive wáste 放射性廃棄物.
ra·di·o·ac·tiv·i·ty /rèidiouæktívəti/ 名 ⓤ 放射能.
ra·di·o·broad·cast /rèidioubrɔ́ːdkæst | -kɑːst/ 動 /⇒/ 名 ⓤⓒ ラジオ放送. ──動 他 (…を)ラジオ放送する.
ra·di·o·car·bon /rèidiouká:rbən/ 名 ⓤ 〔化学〕放射性炭素.
ra·di·o·gram /réidiougræm/ 名 ⓒ **1** 〔米〕無線電報. **2**〔英〕X線写真.
ra·di·og·ra·pher /rèidiágrəfər | -5g-/ 名 ⓒ X線技師.
ra·di·og·ra·phy /rèidiágrəfi | -5g-/ 名 ⓤ 放射線[X線]写真術.
ra·di·o·phone /réidioufòun/ 名 ⓒ 無線電話機.
ra·di·o·tel·e·phone /rèidiouté̀ləfòun | -téli-/ 名 ⓒ 無線電話(機).
ra·di·o·tel·e·pho·ny /rèidiouté̀ləfòuni | -téli-/ 名 ⓤ 無線電話.
†rad·ish /rǽdiʃ/ 名 ⓒ ハツカダイコン, ラディッシュ.
†ra·di·um /réidiəm/ 名 ⓤ **1**〔化学〕ラジウム《放射性元素, 記号 Ra》. **2** ラディウム《光沢のある平織りの人絹, 絹織物》.
†ra·di·us /réidiəs/ 名 (履 -·di·i/-diài/, ~·es) ⓒ **1** 半径(略 r) (cf. diameter). **2** 〔通例 a ~〕(活動・行動・影響・能力などの)範囲, 圏 ‖ the *radius* of action 行動範囲 / within 〔a *radius* of 4 miles [a 4-mile *radius*〕 from the city その都市から4マイルの範囲に.
ra·don /réidɔn | -dɔn/ 名 ⓤ 〔化学〕ラドン《放射性の希ガス, 記号 Rn》.
RAF 〔略〕Royal Air Force.

raf·fi·a /rǽfiə/ 名 ⓒ 〔植〕=raffia palm; ⓤ その繊維《テーブルマット・バスケット・帽子の素材》.
ráffia pàlm ラフィアヤシ《アフリカ南部・熱帯アメリカ産の長い羽状葉のヤシ》.
raf·fle /rǽfl/ 名 ⓒ 富くじ(販売).
†raft /rǽft | rɑ́ːft/ 名 ⓒ **1** いかだ(船); 救命いかだ(life raft) ‖ a rubber *raft* ゴムボート / **on a raft** いかだで. **2** (水泳者用)浮き台; 浮き桟橋.
──動 他 **1** …をいかだで運ぶ; 〈川などを〉いかだで渡る. **2** …をいかだに組む. ──自 いかだを使う, いかだに乗っていく ‖ go *rafting* いかだ乗りに出かける.
†raft·er¹ /rǽftər | rɑ́ːft-/ 名 ⓒ 〔建築〕たるき.
ráft·ered 形〈屋根・部屋などが〉たるきの付いた[見える].
raft·ing /rǽftiŋ | rɑ́ːft-/ 名 ⓤ いかだ下り競争, いかだの川下り.
†rag¹ /rǽg/ 名 **1** ⓒⓤ〔略式〕ぼろ切れ, ぼろ; 布きれ; [~s; 複数扱い] ぼろ服, 古着 ‖ **worn to rags** ぼろぼろになって. **2** [~s]〔製紙・詰め物用の〕ぼろ. **3** ⓒ 衣服. **4** ⓒ (一般に)切れ端, 小片, 端片; 少量. **5** ⓒ〔略式〕つまらない人間[物]; ぼろ[安物]の新聞[雑誌, 旗, ハンカチ, カーテン, 帆など] ‖ the local *rag* 三流の地方紙.
chéw the rág 〔米略式〕おしゃべりをする;〔英略式・古〕ぐちをこぼす.
féel like a (wét) rág 〔略式〕(非常に)疲労している.
from rágs to ríches 無一文の状態から大金持ちに.
in rágs (1) ぼろを着て. (2) ぼろぼろで.
on the rág 〔米略式〕いらいらして, かっかして.
rág bàg ぼろ入れ; (がらくたの)寄せ集め;〔俗〕だらしない服装の人.
rág dòll [**báby**] 縫いぐるみ人形.
rag·a·muf·fin /rǽgəmʌ̀fin/ 名 ⓒ〔正式〕ぼろを着た人[子供], 浮浪児.
†rage /réidʒ/ 名 **1** ⓒⓤ〔…に対する/…に関する〕激怒, 憤怒〔at, against / over〕《◆ anger よりも堅い語. fury, rage, anger の順に程度が弱まる》,(あらしなどの)猛威 ‖ His body shook **with rage**. 彼の体は怒りで震えた / the *rage* of the storm あらしの猛威. **2** [a ~]〔…に対する〕熱望, 熱狂〔for〕. **3** ⓒ 〔略式〕流行のもの, 人気者.
be (áll) the ráge 〔略式〕大流行だ, ブームである.
be in a ráge かっとなっている, 激怒している.
flý into a ráge かっとなる; 激怒する.
──動 自 **1**〈人が〉激怒する, 暴れる, しかりとばす;〔…に対して/…のことで〕激怒する(+*on*)〔*against, at / over, about*〕. **2**〈悪天候・痛み・伝染病などが〉荒れ狂う, 猛威をふるう ‖ The storm *raged* for three hours. あらしは3時間も荒れ狂った / The battle *raged*. 戦いが激しく続いた.

*rag·ged /rǽgid/ [発音注意]
──形 (**more ~, most ~**; 時に **~·er, ~·est**) **1** ぼろぼろの, ほつれた; 着古した ‖ a *ragged* coat ぼろぼろのコート. **2** ぼろを着た; 見すぼらしい ‖ a *ragged* girl ぼろを着た女の子. **3**〈髪などが〉ぼうぼうの, もつれ毛の;〈庭などが〉手入れをしていない; 野生の ‖ *ragged* hair もじゃもじゃの髪の毛. **4** ごつごつの, ぎざぎざの ‖ a *ragged* rock ごつごつした岩. **5**〔略式〕〈仕事・作品などが〉欠点のある, 不完全な, ふぞろいの.
rag·lan /rǽglən/ 〔これを着た英国陸軍元帥の名から〕名 ⓒ ラグラン型の(コート)《肩とそでがい目なしで続いている》. **ráglan sléeve** ラグランそで.
ra·gout /rægúː, -/〔フランス〕名 ⓒⓤ ラグー《肉と野菜を煮込んで薬味を加えたシチュー》.
rag·time /rǽgtàim/ 名 ⓤ 〔音楽〕ラグタイム(の音楽)

《ジャズの先駆》
rag・weed /rǽgwìːd/ 名C〔植〕ブタクサ《キク科。花粉は hay fever (花粉症)の原因》.
rah /rɑ́ː/〖*hurrah* の短縮語〗間《米》万歳、フレー.
†**raid** /réid/ 名C **1**〔…の〕襲撃, 急襲〔on, upon〕∥ make [launch] a *raid upon* an enemy's camp 敵の野営地を襲撃する. **2** 空襲(air raid). **3**〔…への〕侵入, 侵略〔into〕∥ watermelon *raids* スイカ泥棒. **4**〔…への〕(警察などの)手入れ, 踏み込み〔on, upon〕∥ a police *raid* 警察の手入れ.
── 動他〈人・場所など〉を急襲[襲撃]する;〈警察が〉…を手入れする. ──自攻撃[襲撃]する;〔…に〕侵入する〔into〕;〈警察が〉〔…に〕手入れする〔on, upon〕.
†**rail**¹ /réil/ 名C **1**〔しばしば複合語で〕横木, 手すり, 棒∥ a stair *rail* 階段の手すり. **2**〔通例~s〕レール, 軌条; U 鉄道∥ lay the *rails* 鉄道を敷く. **3**レール〔横木〕状のもの∥ a tówel ràil タオル掛け. **4**(建具などの)かまち, 横桟(#)(図)→ house).
by rail 鉄道で(⇒文法 16.3⑤).
gó off the ráils (1)〈列車などが〉脱線する. (2)《英略式》〈人が〉はめを外す, 秩序を乱す; 狂う.
on the ráils 軌道に乗って.
── 動他 **1**〈場所〉をさくで囲む, 仕切る(+*in, off*); …にレールを敷く∥ The lions are *railed in*. ライオンたちがおりに入れられている. **2**…を鉄道で輸送する.
──自 鉄道で旅行する.
†**rail・ing** /réiliŋ/ 名C〔しばしば~s〕さく, 手すり, 垣; U〔集合名詞〕レール(rails); その材料.
***rail・road** /réilròud/
── 名(複 ~s/-rəudz/) C **1**《米》(長距離)鉄道, 鉄道路線, 軌道(railroad track,《英》railway)《(1) 形容詞的にも用いる.(2)《英》でも長距離のものは railway という. 《略》r, R.》∥ A new *railroad* is being built between the two cities. その2つの市を結ぶ新しい鉄道が建設中です / a *railroad* bridge 鉄道専用橋, ガード / a *railroad* car [map, policeman] 鉄道車両[路線図, 保安員] / a *railroad* crossing 踏切 / a *railroad* station 駅. **2**〔the ~〕(駅・電車・路線などを含めた)鉄道(施設); 〔通例 ~s〕鉄道会社(railroad company) ∥ work on [for] *the railroad* as a driver 鉄道で運転士として働く.
── 動他《略式》〈人〉を強引に[無理に]〔…〕させる〔*into doing*〕∥ *railroad* the workers into signing the agreement 合意書に署名するよう労働者に強いる.
ráilroad còmpany = 名 **2**.
rail・road・ing /réilròudiŋ/ 名 U《米》鉄道敷設工事.
***rail・way** /réilwèi/
── 名(複 ~s/-z/) C **鉄道**(《米》railroad) 《◆(1)形容詞的にも用いる.(2)《米》では長距離は railroad, 短距離は railway》∥ a móuntain ràilway 登山鉄道 / a *railway* strike 鉄道のストライキ / a *railway* siding 待避線 / a commuter *railway*《米》通勤列車.
†**rai・ment** /réimənt/ 名U〔詩〕衣服, 衣装.
***rain** /réin/(同音 rein, reign;類音 lain /léin/)
派 rainy (形)
── 名(複 ~s/-z/) U **1 雨**, 降雨《◆ 豊饒(,)・神の恩寵(,)などの象徴》; 雨天 ∥ go out *in the rain* 雨の中を出て行く / take shelter from the *rain* 雨宿りする / It looks like *rain*. 雨が降りそうだ(=It is likely to *rain*). / It will be rainy [×*rain*].) / The *rain* was very heavy. どしゃ降りだった(=It *rained* heavily.) / We have had little *rain* for weeks. 何週間も雨らしい雨が降っていない. **2** C〔通例 a ~; 形容詞を伴って〕〔…な〕雨 ∥ a fine *rain* こぬか雨 / a spring *rain* 春雨 / acid *rain* 酸性雨 / There [×*It*] was a heavy *rain* last night. 昨晩は大雨だった(=It *rained* heavily last night.).

┌─ 関連 [いろいろな種類の雨] ─┐
│ downpour 豪雨 / driving rain どしゃ降り / │
│ drizzle 霧雨 / heavy rain 大雨 / passing │
│ shower 通り雨 / soft rain 静かな雨 / shower │
│ にわか雨 / sprinkle 小雨 / sun shower 天気雨. │
└─────────────────────┘

3《正式》〔a ~ of …〕雨のような…, …の雨 ∥ a *rain* of bullets 弾丸の雨 / a *rain* of congratulations 盛んに浴びせられるお祝いの言葉. **4**〔the ~s; 複数扱い〕(熱帯地方の)雨季.
(**come**) *ráin or* (**come**) *shíne* 《略式》晴雨にかかわらず; どんなことがあっても ∥ We will go there, *rain or shine*. 何があってもそこへ行きます.
── 動(~s/-z/;過去・過分~**ed**/-d/; ~**ing**)
──自 **1**〔it を主語にして〕**雨が降る**(+*down*)∥ It *rained* all day yesterday. きのうは終日雨だった(=The *rain* fell …) / It 'has been raining [*has* not *rained*] since last month. 先月から雨が降り続いている[降っていない] / It néver ráins bùt it póurs. → but 慣 **8**.
2《正式》〈物が〉〔…に〕雨のように降る[落ちる](shower)(+*down*)〔on, upon〕∥ Bullets came *raining down* on us. 弾丸が我々に降ってきた.
── 他〈人が〉〈打撃・賞賛などを〉〔人に〕盛んに浴びせる(shower)〔on〕∥ *rain* (down) abuse on her 彼女に罵(#)声を浴びせかける.
be ráined óut《英略式》**óff**〈試合などが〉(雨で)中止[順延]になる(=be called off because of the rain).
ráin chèck《米》(1)(雨で試合中止の際の)雨天順延券. (2)《略式》(招待・提案などを今でなく)後で受ける[行なう]という約束 ∥ Can I take a *rain check*? それはまた次の機会に願えますか.
ráin fòrest 熱帯雨林.
ráin gàuge [**gàge**] 雨量計.
ráin glàss 晴雨計.
ráin hàt 雨用の帽子.
***rain・bow** /réinbòu/〖雨の(rain) 弓(bow)〗
── 名(複 ~s/-z/) C〔虹〕《◆ 英語ではにじの色は red, orange, yellow, green, blue, violet の6色とするのがふつうだが, indigo を加えて7色とすることもある. それぞれの頭文字を並べて Roy G. Biv という名前にして覚える》∥ A beautiful *rainbow* has appeared. 美しいにじが出ている / He is always chasing after *rainbows*. 彼はいつもにじを追いかけてばかりいる《◆「実現しそうにない夢をいつも追い続けている」という意味》/ a double *rainbow* 二重にかかるにじ.
ráinbow nàtion 多民族国家.
ráinbow tròut〔魚〕ニジマス.
rain・coat /réinkòut/ 名C レインコート.
†**rain・drop** /réindràp | -drɔ̀p/ 名C 雨滴, 雨しずく.
†**rain・fall** /réinfɔ̀ːl/ 名C 雨滴, 雨粒; U(降)雨量; 降水量∥ an annual *rainfall* of 50 inches 年間50インチの降水量.
rain・less /réinləs/ 形雨の降らない, 降雨のない.
rain・mak・er /réinmèikər/ 名C 人工降雨専門家,

(魔術などで)雨を降らそうとする人.
rain・mak・ing /réinmèikiŋ/ 名U 人工降雨.
rain・proof /réinprù:f/ 形 防水の, 雨の通らない, 雨よけの. ── 名C レインコート.
rain・storm /réinstɔ̀:rm/ 名C 暴風雨, 吹き降り.
rain・wa・ter /réinwɔ̀:tər/ 名U 雨水, 天水.

＊rain・y /réini/ [→ rain]
── 形 (-i・er, -i・est) **1** 雨の, 雨降りの, 雨の多い ‖ *rainy* weather 雨天 / the *rainy* season 雨季, 梅雨 / a *rainy* district 雨の多い地域 / *It is rainy* in Tokyo. =*Tokyo is rainy.* 東京は雨です / «日本発» A period of continuous rain precedes the arrival of summer in Japan. This is called the *rainy* season, or *tsuyu* in Japanese. 日本では夏の前に雨の降り続く時期があります。この雨季のことを日本語では梅雨といいます. **2** 雨模様の; 雨をもたらす ‖ *rainy* skies 雨空 / *rainy* winds 雨を含んだ風. **3** 雨にぬれた ‖ *rainy* streets 雨にぬれた街路.
for a ráiny dáy まさかの時[困窮時, 災難時]に備えて ‖ 「save (up) [provide] *for a rainy day* まさかの時に備えて貯金する[備える].

＊raise /réiz/ (同音) raze 『「物・人を上に持ち上げて高くする」が本義. 対応する自は rise』

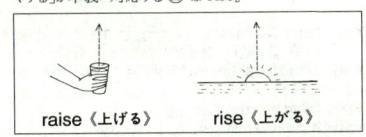

raise 〈上げる〉   rise 〈上がる〉

── 動 (~s/-iz/; 過去・過分 ~d/-d/; rais・ing)
── 他
Ⅰ [持ち上げる]
1 〈人が〉〈物・身体の一部など〉を上げる, 持ち上げる; 〈旗〉を揚げる (+*up*) 《◆ lift より堅い語》 (↔ lower) ‖ *raise* a flag 旗を揚げる / *raise* one's glass to him 彼のために乾杯する / He *raised* his hat to me. 彼は帽子を上げて私に会釈した / *Raise* your hand if you have a question. 質問があれば手を上げなさい.
2 〈団体など〉〈賃金・料金など〉を〔…まで〕上げる〔*to*〕; 〈雨などが〉〈水量など〉を高くする ‖ *raise* taxes 増税する / Taxi fares will be *raised*. タクシー料金が値上げになる / Heavy rains *raised* the level of the river. このところの大雨で川の水かさが増した.

┌─ 使い分け [raise と rise] ─┐
│ raise は他動詞で「上げる」の意. │
│ rise は自動詞で「上がる」の意. │
│ The government is considering *raising* [×*rising*] the tax. 政府は増税を考えている. │
│ Taxes are going to *rise* next year. 来年増税がある予定です. │
└──────────────┘

3 a 〈人〉を〔…から/…へ〕昇進[出世]させる〔*from/to*〕. **b** 〈名声〉を高める ‖ *raise* one's reputation 評判を高める.
4 〈反乱・騒動など〉を起こす; 〈笑い・疑い・希望など〉を起こさせる ‖ *raise* a revolt 反乱を起こす / *raise* a doubt about it そのことについて疑念を起こす / His joke *raised* a laugh. 彼の冗談に笑い声が起こった.
5 a 〈人・心など〉を奮い立たせる, 元気づける ‖ *raise* one's courage 勇気を奮い立たせる / The danger *raised* her spirits. その危険に直面して彼女の心は奮い立った. **b** 〖聖書〗〈死者〉をよみがえらせる; 〈死者の霊〉を呼び出す ‖ *raise* him from the dead 彼を生き返らせる.
6 a 〈人が〉〈倒れた人・物など〉を立てる, 起こす; 〖正式〗〈人が〉〈碑・建物など〉を建てる; 〈人が〉〈物〉を高くする ‖ *raise* oneself up on one's arm 片腕をついて起き上がる 《◆ oneself は省略されることがある》 / *raise* a castle 築城する / *raise* a fallen child to its feet 転んだ子供を起こす / *raise* a statue to Robert Burns ロバート=バーンズの銅像を建てる / *raise* that wall a few feet その塀を2, 3フィート高くする. **b** 〈風などが〉〈物・波など〉を巻き上げる, 巻き起こす.
7 〈声など〉を出す, 張り上げる ‖ *raise* a cry 叫び声を上げる / Don't *raise* your voice. 大きな声を出してはいけません.

Ⅱ [見える所まで持ち上げる]
8 〖正式〗〈植物など〉を栽培する; 〈家畜〉を飼育する; 〈人が〉〈子供・家族〉を育てる, 養う (bring up, 《主に英》 rear) ‖ *raise* sheep ヒツジを飼育する / *raise* a family 家族を養う.
9 〈人・団体が〉〈金〉を集める, 調達する, 工面する; 〖古〗〈軍隊〉を召集する ‖ *raise* funds for the relief of the earthquake victims 地震の被災者のための基金を募る.
10 〈質問・要求など〉を出す, 提起する; …を話題にのせる ‖ She *raised* an objection to the proposal. 彼女はその提案に異議を唱えた.
11 〖海事〗〈陸地・他船〉の見える所に来る.

Ⅲ [持ち上げて解除する]
12 〈封鎖・禁止など〉を解く, 解除する.
── 名 **1** 上げること, 高めること. **2** 高くした場所; 登り坂. **3** 《主に米》〈賃金の〉値上げ, アップ; 昇給額 (《英》 rise) ‖ a *raise* in pay 昇給.
rái・sing àgent ふくらまし剤《イースト・ふくらし粉など》.
rais・er /réizər/ 名C 〖通例複合語で〗 **1** 上げる人. **2** 飼育者. **3** 栽培者, 調達者.
†rai・sin /réizn/ 名C 干しブドウ, レーズン.
rais・ing /réiziŋ/ 動 → raise.
ra・ja(h) /rá:dʒə/ 名C (インドの昔の)国王, 支配者.
†rake /réik/ 名C 熊手(手), 馬鍬(蜐), レーキ, 草かき; 熊手型農機具; 《賭博(蜐)場で》チップを集める道具 ‖ (*as*) lean [thin] *as a rake* やせて骨と皮ばかりの.
── 動 他 **1** 〈人が〉〈物〉を〈熊手で〉〔集める〕(+*together, in, up*); …をかき払う, とる (+*out, off, away*); [比喩的に] …をかき集める (+*up, together*) ‖ *rake up* the dead leaves 枯れ葉などを〔寄せ〕集める / *rake out* a fire 火をかき立てる / *rake up* enough money for … …のために十分な金を集める. **2** 〈熊手で〉…を〈かき〉ならす ‖ *rake* the ground (smooth) 土地をならす. **3** 〖正式〗…を機銃掃射する, …に銃砲を浴びせる. **4** …を見渡す, 見晴らす, 見通す; 〈場所・物など〉を〔…を得ようと〕くまなく捜す〔*for*〕.
── 自 **1** 熊手を使う. **2** 〈…で〉捜す, 捜し回る (+*about, (a)round*) 〔*among, in, through, over*〕 ‖ *rake among* old records 古い記録をあさる.
ráke ín [他] 《略式》〈金〉を〈熊手でかき寄せるように〉もうける.
ráke óff [他] 〈わいろなど〉を受け取る.
ráke óut [他] (1) → 他 **1**. (2) 《略式》…を捜し出す.
ráke úp [他] (1) 《略式》…を思い出させる, 蒸し返す; …をあばき立てる. (2) …をやっと見つける. (3) → 他 **1**.
rake-off /réikɔ̀:f/ 名C 《略式》(不正利益の)分け

前；手数料，リベート (cf. rebate).
rak·ish /réikiʃ/ 形 1 傾いた，斜めの． 2 派手な；しゃれた． 3 速そうな． 4 放蕩の．
†**ral·ly** /ræli/ 動 他 1 〈人々・人・世論などを〉(再び)集める，…を再編成する，一致結束させる，…を〔人のまわりに〕呼ぶ[寄せ]集める(round/together) ‖ *rally* one's troops after the defeat 敗北の後軍勢を再び整える． 2〈気分などを〉取り戻す，盛り返す，回復する ‖ *rally* one's spirits 気を取り直す，奮起する． ── 自 1〈人々が〉(再び)集まる，再結集する，一致結束する；〔…のまわりに/…に〕援助に集まる，はせ参じる(+ (a)round)((a)round/to) ‖ The troops *rallied around* their leader. 軍隊が指導者の元に集まった． 2 〔…から〕回復する，よくなる(from) ‖ *rally from* one's illness 病気から回復する． 3〈テニス・バドミントンなど〉ラリーをする，連続したストロークの練習をする．
── 名 C 1 [a/the ~] 再び集まること，盛り返し，立て直し ‖ The *rally* is at eight. (再)集合の時間は 8 時です． 2 集会，大会 (cf. demonstration) ‖ a political [peace] *rally* 政治[平和]集会． 3 〈病気の〉回復，持ち直し． 4 〈商業〉〈株価の〉反発，持ち直し，〈市場の〉活況． 5 〈テニス〉ラリー；〈自動車〉ラリー；〈ボクシング〉パンチの応酬； 〈野球〉集中攻撃．
rállying crý スローガン，標語；掛け声．
Ralph /rælf|réif, rælf/ 名 ラルフ，レイフ《男の名》．
Ralph Na·de·rite /rælf néidərait/ 〖Ralph Nader の名から〗消費者保護運動支持者．
†**ram** /ræm/ 名 C 1 (去勢していない)雄ヒツジ(関連→ sheep)． 2 〈歴史〉破城槌(ｽｲ)《城壁などを壊すのに用いた》． 3 衝角《敵戦に当たって穴をあけるための艦首の下の突出部》． 4 衝角艦． 5 〈建築〉杭(ｸｲ)打ち機，(杭打ち用の)落とし槌． 5 [the R~] 〈天文・占星〉 = Aries.
── 動 (過去・過分 rammed/-d; ram·ming) 他 1〈船・乗物が〉…に衝突する；〈物を〉…に突き当てる(against, at, on, into)． 2〈杭などを〉打ち込む，〈土を〉打ち固める，〈柱・植物などを〉土を打ち固めて植える[植える](+down)． 3〈衣類・火薬〉…に詰め込む，〈知識〉をたたき込む(into, in) ‖ *ram* one's clothes into a bag (略式) = *ram* a bag with one's clothes 衣類をかばんに詰め込む．
rám hóme [他]〖〈考えなどを〉十分に(home 副 3)たたき込む(ram 他 3)〗〈考え・議論を〉〔…に〕たたき込む，はっきり知らせる[to].
RAM /ræm/〖random-access memory〗名 U 〈コンピュータ〉ラム，ランダムアクセス-メモリー《書き換え可能なメモリ． cf. ROM〗.
Ram·a·dan /ræmədǽn, (英+) -dá:n/ 名 1 ラマダーン《イスラム暦の第 9 月．日の出から日の入りまで断食が行われる》． 2 断食．
†**ram·ble** /ræmbl/ 名 C 1 (田舎道・森などの)散歩，漫歩，逍遥(しょう)《◆比較的長い距離の散歩》‖ go for [on] a *ramble* through the woods 森の中をそぞろ歩く． 2 漫筆，閑話． ── 動 自 1 […をぶらつく，漫歩する，散策する(+about)(through, among). 2 […のことを〕とりとめなく〔漫然と〕話す[書く](+on)(about) ‖ *ramble on* about the days of one's youth 若いころのことをとりとめなく話す． 3〈川・道などが〉曲がりくねっている． 4〈植物が〉[…に]はびこる(over).
ram·bler /ræmblər/ 名 C 1 漫歩[閑話]する人；〈植〉= rambler rose. **rámbler róse** ツルバラ．
ram·bling /ræmbliŋ/ 形 1 ぶらぶら歩く． 2〈話・文が〉とりとめのない，漫然とした． 3〈植物が〉つる性の，巻

きつく，はびこる ‖ a *rambling* rose つる性のバラ． 4〈家がだだっぴろい；〈道路が〉曲がりくねった．
ram·i·fi·ca·tion /ræməfikéiʃən/ 名 C 〈正式〉 [通例~s] 1 枝分かれ，細分化． 2 小区分；分派，支流． 3〈派生的に起こる〉結果；成り行き．
ram·i·fy /ræməfai/ 動 〈正式〉他 (通例 be ramified) 自 枝状に分かれる，小区分される．
†**ramp** /ræmp/ 名 C 1 〈段差のある道路・建物のフロアーなどを結ぶ〉傾斜路，スロープ；〈高速道路の〉ランプ ‖ an off [on] *ramp* 下り[上り]ランプ． 2 (飛行機用の)タラップ，(もと米)〈空港の〉エプロン(apron)《ターミナル・格納庫に隣接した舗装広場》．
ram·page /名 ræmpeidʒ, -´-; 動 -´-/名 [the ~] 暴れ回ること，狂暴な行為 ‖ be [go] *on the* [a] *rampage*「暴れ回っている[回る]，激怒している[する]《◆ the の代わりに a も可》． ── 自 〔場所を〕暴れ回る(+about, around) (through) ；〈船が〉荒れる(+about).
ram·pant /ræmpənt/ 形 1 〈紋章〉[名詞の後で]〈ライオンが〉左後脚で立ち上がった． 2 激しい，荒々しい． 3〈植物が〉[場所に]はびこっている，生い茂る(over, in) ；〈正式〉〈病気・悪業が〉[…の間で/場所で]猛威をふるう(among / at, in) ‖ Crime is *rampant* in this city's slums. この町のスラム街には犯罪がはびこっている．
†**ram·part** /ræmpɑ:rt, -pərt/ 名 C 1〈歴史〉[通例 ~s] 城壁，塁(壁)． 2 防御(物)，守り，守備．
ram·shack·le /ræmʃækl/ 形 今にも崩れそうな，がたがたの．
*****ran** /ræn/ 動 run の過去形．
†**ranch** /ræntʃ|rá:ntʃ/ 名 C 1 (米西部・カナダの)牧場，放牧場． 2 (主米) [通例複合語で] …園；牧場，農園 ‖ a fruit *ranch* 果樹園(orchard).
── 動 自 牧畜経営をする；牧場で働く．
ránch hóuse (米)ランチハウス《牧場主のふつう平屋立ての家》．
ránch wàgon (米) = station wagon.
ranch·er /ræntʃər|rá:nt-/ 名 C 牧場経営者，牧場労働者．
ran·cid /rǽnsid/ 形〈正式〉油くさい，かびくさい，鼻につく (↔ fresh) ‖ *rancid* butter いやなにおいのするバター．
ran·cor, (英) **-cour** /ræŋkər/ 名 U〈正式〉[人に対する]怨恨（えんこん） (against, toward).
ran·cor·ous /ræŋkərəs/ 形〈正式〉恨みのある，憎いI.
R & B 〈略〉rhythm *and* blues.
R & D 〈略〉research *and* development 研究と開発．
*****ran·dom** /rǽndəm/
── 形 (more ~, most ~) [通例名詞の前で]〈無差別・無目的で〉無作為の，でたらめの，無原則な，手当たり次第の ‖ *random* bombing 無差別爆撃 / a *random* guess 当てずっぽう． 2〈統計〉無作為の，任意の ‖ a *random* sample 無作為抽出標本．
── 名 〈◆次の成句で〉*at rándom* でたらめに，でまかせに，無作為に ‖ make a choice *at random* 任意に選ぶ(=make a *random* choice).
rándom áccess 〈コンピュータ〉ランダムアクセス方式 (cf. RAM).
rándom áccess mémory = RAM.
R & R 〈略〉(米) rest *and* relaxation [recreation] 休養と気晴らし．
*****rang** /ræŋ/ 動 ring の過去形．
*****range** /reindʒ/〖「(一定範囲内に)並ぶ，広がる」が本

義. cf. arrange, rank』
――動 (~s/-iz/) (過去・過分) ~d/-d/; rang·ing
――他
I [直線的に並べる]
1 《人が》《人・物》を列に並べる, 整列させる ‖ range themselves on each side 両側に整列する. 2 《正式》 《通例 oneで》 《…の》立場をとる, …に参加する, 〔…の〕一員になる〔with, among, beside〕 ‖ range oneself with the majority party 与党につく. 3 …の照準を合わせる; 〈銃などの〉…の射程距離がある.
II [広がってある範囲に並べる]
4 《文》 …をくまなく歩き回る, ぶらつく ‖ range the woods 森を歩き回る.
――自 1 〈年齢・程度・範囲などが〉 〔…から/…へ〕及んでいる, またがる〔from/to〕 《◆修飾語(句)は省略できない》 ‖ The children's ages range from 5 to 15 〔between 5 and 15〕. その子供たちの年齢層は5歳から15歳までにわたっている. 2 〈動植物が〉 〔…に〕分布する, 生息する〔over, through〕 ‖ a butterfly ranging 〔which ranges〕 from Alaska to Oregon アラスカからオレゴンにわたって分布するチョウ. 3 〈山などが〉山脈をなす, 連なる; 〔…に〕広がる, 及ぶ〔over〕. 4 《…の》一員に加わる〔with, among〕 ‖ range with the great writers 大作家の仲間入りをする. 5 《文》 〈人が〉歩き回る, ぶらつく〔over, through〕; 〈視線などが〉 〔…を〕さまよう〔over〕 ‖ The cows range through the field eating grass. 牛は草を食べながら野原を歩き回る. 6 〔…に〕照準を決める(+in)〔on〕.
――名 (複 ~s/-iz/)
I [範囲]
1 U 《時に a ~》(変動可能な)幅, 範囲(scope), (力・作用の)領域 ‖ a country with a range of temperature 温度差の激しい国 / have a range of interests いろいろなことに興味がある.
2 U 《時に a ~》射程距離, 着弾距離 ‖ have a range of 2,000km 2000kmの射程距離がある / at close 〔long, two-yard〕range 近〔遠, 2ヤードの〕距離から〔で〕. 3 [a/the ~] (1回の燃料での)航続距離, 可航距離. 4 C クラス, 階級 ‖ the upper ranges of society 上流階級. 5 [動・植] C 《a/the ~》 分布域, 生息〔生育〕域. 6 C (例の a/the ~) (ふつう囲いのない)放牧場. 7 C [しばしば複合語で] 射撃場; 狩猟場; ミサイル発射場.
II [並んだもの]
8 C (人・物の)列, 続き, 並び ‖ in range with … …と一直線に並んで. 9 C 山脈, 連山, 山並み ‖ a high mountain range 高い山並み. 10 C 方向, 向き.
III [その他]
11 C 《英》(旧式な)料理用ストーブ; 《米》(電気, ガス)レンジ(gas-cooker)《◆「電子レンジ」は a microwave oven がよく使われる》 ‖ a kitchen range 台所用レンジ. 12 C うろつき, さまよい.
――形 放牧生の, 牧畜用の.

†rang·er /réindʒər/ 名 C 1 特別奇襲隊員; レンジャー部隊員, コマンド部隊員《(米) commando》 ‖ the Texas Rangers テキサスレンジャー部隊. 2 森林警備隊(forest ranger). 3 《米》騎馬警察隊員. 4 《英》(王室の森・公園の)管理者, 王室森林〔公園〕保護官. 5 《英》シニアガイド《Girl Guides の14-18歳の少女団員》.
rang·ing /réindʒiŋ/ 動 → range.
Ran·goon /ræŋgúːn/ 名 ラングーン《Yangon の旧名》.
rang·y /réindʒi/ 形 (-i·er, -i·est) 1 〈人が〉背が高くほっそりした, 〈動物が〉手足のひょろ長い. 2 《米》〈動物が〉かなりの距離を歩くことのできる.

*rank /ræŋk/ 【『輪(ring)』が原義】
――名 (複 ~s/-s/) 1 C U 階級, 階層, 等級, (特に警察・軍隊での)地位, 身分 ‖ people of all ranks あらゆる階層の人々 / a person of (high) rank 高官 / rise to the rank of colonel 大佐の地位まで昇進する / The rank and fashion 上流社会.
2 C (兵隊の)横列(↔ file); [the ~s] 下士官兵, 兵卒; 庶民, 大衆, 平民; (人の)集団 ‖ rise from the ranks 一兵卒〔平民〕から身を起こす / join the ranks of the unemployed 失業者の仲間入りをする.
3 C U 列, 並び ‖ keep rank(s) 列を保つ / break rank(s) 列を乱す, 列を乱して敗走する; 結束を乱す / fall into rank 整列する.
the ránk and fíle 〖兵が整列したときの横列(rank)と縦列(file)から兵全体をさす〗[集合名詞的に; 単数・複数扱い] 一般大衆; 平社員たち, 一般組合員; 兵たち.
――動 (~s/-s/; 過去・過分) ~ed/-t/; ~·ing)
――他 《◆進行形不可》 1 〈人が〉〈人・物〉を〔…に〕位置づける〔among, with〕, 〔…という〕等級をつける〔as〕, 〔…より〕すぐれていると考える〔above〕《◆修飾語(句)は省略できない》 ‖ Where 〔How〕 do you rank her as an essayist? 随筆家として彼女をどの程度に評価していますか / Americans rank football above other sports. アメリカ人はアメリカンフットボールを他のスポーツよりすぐれた〔上位の〕ものとして考える.
2 《米》…より階級が上である, …の上官である. 3 〈兵隊〉を並べる, 整列させる. 4 …を分類する, …を並べる.
――自 〔…に/…の上に〕位置する〔among, with / above〕; 序する, 〔…としての〕位置を占める〔as〕, 〔…に〕比肩する〔with〕.

rank·ing /ræŋkiŋ/ 形 1 《米》幹部の, 上級の; 最高位の, 1級〔一流の〕の ‖ the ranking officer 現場での最高幹部将校. 2 [複合語で] …の位置の.
――名 C U 順位, 序列, ランキング ‖ the top 10 ranking 上位10以内.

†ran·kle /ræŋkl/ 自 《通例 ~ in one's mind》〈侮辱などが〉長く心にうずく, 心を苦しめる, 心に残る.
†ran·sack /rænsæk/ 動 他 1 〈場所〉を〔…を求めて/…するために〕くまなく捜す〔for / to do〕. 2 《正式》 [通例 be ~ed] 〈町などが〉〔…を〕略奪される, 荒らされる〔of〕.
†ran·som /rænsəm/ 名 1 C U 身の代金 (関連) hostage 人質 / kidnapping 誘拐), 賠償金 ‖ pay ransom 賠償金を払う. 2 U 身請け, 受け〔買い〕戻し.
cóst 〔be wórth〕 a kíng's ránsom 《やや古》《おおげさに》ものすごく価値のある《◆「王の身の代金, 大金」の意味から》.
hóld 〔《米》 in, for〕 ránsom 〈人など〉を監禁して身の代金を要求する.
――動 他 《正式》 1 …を(身の代金を払って)受け戻す, 身請けする, 解放する ‖ ransom the kidnapped child for a great sum of money 多額の身の代金を払って誘拐された子供を取り戻す. 2 …に身の代金を要求する.
rant /rænt/ 動 自 1 〔…のことで〕大声を張り上げる, がなる, わめき散らす(+on)〔about〕 ‖ rant and rave 〔おおげさに〕 (怒って)わめき散らす. 2 〈役者などが〉せりふをわめくように言う. ――他 …をわめいて言う(+out).

——名 U 大言壮語.

†**rap** /ræp/ (同音) wrap) 名 C 1 〔…を〕軽くたたくこと[音]〔at, against, on〕‖ hear a *rap* on the door ドアをトントンとノックする音が聞こえる. 〖表現〗日本語の次の擬音語に相当: コンコン, トントン, コトコト, コツン. **2**(略式)非難.

take the ráp（略式）(自分の責任でないのに)〔…の〕罰を受ける, 責任を取らされる〔for〕.

——動（過去・過分）rapped/-t/; rap·ping) 他 **1** …を〔コツンと〕たたく ‖ *rap* him on [over] the head 彼の頭をコツンとたたく(→ catch 他 1c) / *rap* a pen on the desk =*rap* the desk with a pen ペンで机をトントンとたたく. **2** …を(きびしく)非難する(→新聞用語). **3** …を大声で[わめいて]言う(+out).

——自 **1** 〔…を〕コツン[トントン]とたたく〔on, at, over〕‖ *rap* at the door ドアをトントンたたく. **2** わめく, 早口で[吐き出すように]しゃべる(+out) ‖ *rap* out an order 大声で命令する.

ráp òver A 〈子供などに〉をしかる.

ráp mùsic ラップ《1970年代後半, 米国の黒人のストリート文化から生まれた音楽スタイルで, 一定のリズムに乗って語るように歌う》.

ra·pa·cious /rəpéɪʃəs/ 形 (正式) **1** 略奪する. **2** がつがつした, 〈金銭に〉強欲な. **3** 〖動〗〈鳥などが〉肉食の, 生き物を捕食する.

†**rape** /réɪp/ 動他 〈女性〉を犯す, 強姦(ご)する《遠回しには violate, assault, attack, force》.

——名 UC 強姦《◆遠回しには violation, (indecent) assault, attack, sex crime》.

Raph·a·el /ræfeɪ, ræfiəl; 1 + réɪfl, réɪfjəl; 2 + ráːfaɪeɪl | ræfaɪel/ 名 **1** ラファエル《男の名》. **2** ラファエロ《1483-1520; イタリアルネサンスの画家・彫刻家》.

*†**rap·id** /ræpɪd/ 〖〖ひったくる〗→〖すばやく〗〗 派 rapidly(副)

——形 (more ~, most ~ ; ~·er, ~·est) **1** 速い, 急な《◆ fast, quick よりも堅い語》‖ a *rapid* river 急流 / His *rapid* speech is difficult to understand. 彼の早口は理解しにくい / She màde rápid prógress in skíing. 彼女はスキーがとてもうまくなった. **2** すばやい, 敏速な《◆ quick よりも堅い語》‖ *rapid* eye movement 急速眼球運動; 睡眠中に眼球が絶えず動く現象 / a *rapid* worker 敏速に仕事をする人.

——名 C〔通例 ~s〕急流, 早瀬 ‖ shoot the *rapids* 急流を乗り切る.

rápid tránsit 《米》(都市などにおける)高速輸送(システム) (rapid transit system).

rap·id-fire /ræpɪdfáɪər/ 形 矢つぎばやの; 速射(用)の.

†**ra·pid·i·ty** /rəpídəti/ 名 U (正式)急速, 敏捷(ょ'');速度.

*†**rap·id·ly** /ræpɪdli/ 〖→ rapid〗

——副 速く, 急速に, 迅速に, 急いで《◆ quickly, fast より堅い語》‖ He walked *rapidly*. 彼は急いで歩いた / The elderly population of Japan is growing *rapidly*. 日本の老齢人口は急速に増加している.

ra·pi·er /réɪpiər/ 名 C (決闘・フェンシング用)の細身の両刃の刀, レピア.

†**rap·ine** /ræpɪn|-aɪn/ 名 U (文)強奪, ぶんどり.

rap·ist /réɪpɪst/ 名 C 強姦(ご')犯人.

rap·port /ræpɔ́ːr, (米+)-pɔ́ːrt/ 〖『フランス』名 U (正式)〔時に a ~〕〔…の間の/…との〕心の通じ合い, 和合, 関係, 調和(ジ); between/with〕; 〖心理〗ラポート, ラポール, 人間関係, (特に実験者と被験者の間の)信頼できる感情的なつながり ‖ be *in rappórt with* him 彼とうまくいっている

rap·proche·ment /ræpʀouʃmɑ́ːŋ | ræproʊʃmɒ́ːŋ, -proʊʃ-/ 〖『フランス』名 C 〔国家間の〕親交〔友好〕関係〔between〕.

†**rapt** /ræpt/ (同音) wrapped) 形 (正式) **1** 〔…で〕夢心地の(fascinated), うっとりした〔with〕. **2** 〔…に〕夢中になっている, 没頭している〔in〕.

†**rap·ture** /ræptʃər/ 名 U (正式)〔時に ~s〕有頂天(の状態), 歓喜, 恍惚(ミ³) ‖ gaze *with* [*in*] *rapture*(s) うっとり眺める.

be in ráptures óver [*abóut*] A …に有頂天になっている, …でほくほくしている.

gò [*fáll*] *into ráptures óver* [*abóut*] A …に有頂天になる, …でほくほくする.

——動他 …をうっとりさせる, とりこにする.

rap·tur·ous /ræptʃərəs/ 形 (正式)有頂天を示す, 熱狂的な.

*†**rare¹** /réər/ (類音 rear /ríər/) 〖『まばらな』が原義〗 派 rarely(副)

——形 (~·r/réərər/, ~·st/réərɪst/) **1** まれな, 珍しい; 〈事がめったにない《◆今日ではあまり見られなくなったため貴重になったものに用いる. scarce は生活必需品が十分にない状態をさす》‖ a *rare* Roman coin 古代ローマのコイン / *rare* books (図書館などの)貴重書 / It's very *rare* for him to be late. 彼が遅れることはまれだ / This is one of his *rare* visits to his hometown. 今回は数少ない彼の帰郷のうちの一つです. **2**〔英やや古〕〔名詞の前で〕〔しばしば ~ old で〕すばらしい, すぐれた. **3**(正式)〈空気などが〉希薄な(thin) ‖ I feel dizzy from the *rare* mountain air 希薄な山の空気で目まいがする.

ráre·ness 名 U まれな[珍しい]こと, 珍奇.

rare² /réər/ 形《主にステーキの焼き方が》レア〔生焼け〕の《血ににじみ出る程度の調理. → beefsteak〕.

rar·e·fy /réərəfaɪ/ 動他 **1**〈空気など〉を希薄にする. **2**〈人格など〉をみがく, 一自 高尚にする.

*†**rare·ly** /réərli/ 〖→ rare¹〗

——副 **1**〖準否定語; 頻度〗めったに…ない《◆ seldom より口語的. 頻度は almost never, hardly ever とほぼ同じ. 〖⇒文法 2.1(3)〗‖ He *rarely* goes to the movies. 彼はめったに映画に行かない / We have *rarely* [*Rarely* have we] seen such a sight! そのような光景にはめったにお目にかかれない (〖⇒文法 23.3〗). **2** (正式)珍しいほどに, 見事に, とても (uncommonly) ‖ a *rarely* painted picture 見事に描かれた絵.

rárely, if éver =seldom, if ever (→ seldom 成句).

rar·ing /réərɪŋ/ 形《主に米略式》〔…〕したがる; 〔…に〕熱望する (eager, keen).

†**rar·i·ty** /réərəti/ 名 **1** C まれな物〔事, 人〕, 珍品; U まれなこと, 珍奇 ‖ Rain is a *rarity* in this area. この地域では雨はめったに降らない. **2** U (正式)(空気などの)希薄さ (thinness).

†**ras·cal** /ræskl | ráːs-/ 名 C **1** 悪漢, やくざ者, ならず者. **2** がき, いたずらっ子 ‖ You little *rascal*! このいたずら小僧め!

ras·cal·i·ty /ræskǽləti / ráːs-/ 名 UC (正式)非道, 悪事, いたずら.

ras·cal·ly /ræskli | ráːs-/ 形 悪党の, 下品な; いたずらの.

†**rash¹** /ræʃ/ 形 **1**〈言動が〉早まった, 軽率な ‖ in a *rash* moment 軽率に / do something *rash* 早まったことをする. **2**〈人が〉無鉄砲な, 思慮のない ‖ It was *rash* of you *to* fire him. 彼をくびにするなん

てむちゃだよ.

†rash² /rǽʃ/ 名 C 発疹(はっしん), 吹出物.

†rash･ly /rǽʃli/ 副 軽率に, 無鉄砲に.

†rasp /rǽsp/ 名 1 C 荒やすり, 石目やすり, おろし. 2 U やすりをかけること; [a/the ~](その)音「ギシギシ, ガリガリなど], いらいらさせる音. ── 動 1 …を(やすりで)こする, こすりあわせる (+off, away) ‖ rasp away the rough corners 荒い角をなめらかにする. 2 〈神経などを〉いらだたせる; …に不快な刺激を与える ‖ rasp her feelings 彼女をいらいらさせる. 3 …を(かん高い声で)言う (+out). ── 自 ギシギシという音を出し, きしる; (バイオリンなどを)キーギー鳴らす (on, upon).

†rasp･ber･ry /rǽzbèri, -bəri / rɑ́ːzbəri, rɑ́ːs-/
[発音注意] 名 1 C [植] キイチゴ(の実), ラズベリー(の茂み). 2 U 暗赤紫色. 3 C クロミキイチゴ(black raspberry). 4 [形容詞的に] ラズベリーの; 暗赤紫色の.

***rat** /rǽt/ (類語) rut /rʌ́t/)
名 (複 ~s /rǽts/) C 1 ネズミ《◆(1) ふつうドブネズミをさし mouse より大きい. rat はイヌが取り mouse はネコが取るものとされる. 「鳴き声」は squeak. (2) 卑劣・不潔さを連想させる》‖ The rats have eaten holes in these bags. ネズミがこれらの袋をかじって穴をあけてしまった. 2《略式》裏切り者, 脱党者, 卑劣漢.
like ráts desérting a sínking shíp 沈みかけた船を見捨てるネズミのように.
── 動 (過去・過分 rat･ted /-id/; rat･ting) 自 1 ネズミ取りをする. 2《略式》[人を]裏切る, 密告する; 〔義務などを〕怠る (on).

rat-a-tat /rǽtətǽt/ 名 [a ~](ノッカーの)トントン[コツコツ]とたたく音《◆ rat-a-tat-tat, rat-tat-tat ともいう》. 日英比較 日本語の次の擬音語に相当: コツコツ, トントン, ドンドン, タタタ, コツコツ.

ratch(･et) /rǽtʃ(it)/ 名 C [機械] 1 歯止め(pawl). 2《米》= ratch(et) wheel. ── 動 他 1 …に歯止めをかます[する]. 2 …に拍車をかける; 〈程度・調子などを〉(徐々に)あげる, 強める (+up) ‖ ratch up the pressure [dosage] 圧力[薬の服用量]を少しずつ増やしていく.

ratch(et) whèel つめ車; つめ車[歯止め]のつめ.

***rate** /réit/ (類語) late /`[「数えられた部分」が原義』 派 rating (名)

index
名 1 割合　2 料金　3 速度
動 他 1 評価する

── 名 (複 ~s /réits/) C 1 割合, (比)率, 歩合; レート, 相場 ‖ at a rate of two minutes a day 日に2分の割合で / a drop in the bírth [déath] ràte 出生[死亡]率の減少 / an economic growth rate 経済成長率 / the rate of exchange 交換レート, 為替相場 / an interest rate 利率.

【使い分け [rate と percentage]
percentage はあるものを構成する全体の中での「割合」の意.
rate はあるものが生じるスピードなどを指して「割合」の意.
The percentage [×rate] of students studying abroad is increasing. 留学する学生の割合が増加してきている.
The birth rate in India is very high. インドでは出生率がとても高い.】

2 (主にサービスの)料金, 値段 ‖ night telephone rates 夜間の電話料金 / at cut rates 特別割引で. 3 速度, ペース, 進度 ‖ at a great rate 非常な速さで / at the [a] rate of 100 km an hour 時速100kmで. 4 [通例複合語で] …等級, クラス ‖ a first-ráte performer 一流の役者 / a second-rate team 二流チーム. 5《英》[通例 ~s] 地方(財産)税(《米》local taxes), 土地家屋税.
at ány ràte《略式》(前に述べたことはさておき)とにかく, いずれにせよ, どんなことが起こっても; 少なくとも《◆ at ány ràte では文字通りの意味で「どんな割合[速度, など]でも」となる》‖ At any rate, I'll start right away. ともかくすぐ出発します.
at this [thát] ràte《略式》この[あの]調子では, もしこう[そう]なら《◆ that は過去について用いることが多い》‖ At this rate we will never finish. この調子ではいつまでたっても終わらないだろう.
── 動 (~s /réits/; 過去・過分 ~d /-id/; rat･ing)
── 他 1〈人が〉〈人・物・事を〉[…と/…に]評価する, 見積もる, 踏む (as/at) ‖ They rated the land as worth $20,000 [at $20,000]. 彼らはその土地を2万ドルと[に]評価した. 2《英》[通例 be ~d]〈家などが〉地方税[家屋税]を課される ‖ My house was rated at £500. 私の家には家屋税が500ポンドかかった. 3 …を[…と/…より上と/…の1人[1つ]と]みなす, 思う (as/above/among) ‖ rate him among my patrons = rate him as one of my patrons 彼を私の後援者の1人と思う / rate him high(ly) as a poet 彼を詩人として高く評価する. 4《主に米略式》…に値する, …に評点をつける.
── 自 1 […と/…の1人[1つ]と]ランクづけされる, 格付けされる (as, with / among) ‖ He rates as a fine workman. 彼はりっぱな職人と考えられている. 2〔人の〕受けがよい (with).

***rath･er** /rǽðər / rɑ́ːðə; 4 では rɑ́ːðə́ː/《〈古〉rathe の比較級. 「ある程度」が本来の意だが, 控え目に言ってかえって強い含みを表す幅の広い語》
── 副《比較変化しない》1 [程度を示す段階的な形容詞・副詞などを修飾して] いくぶん, 少し; やや, 多少, かなり ‖ It is ráther hót today. きょうは思ったより暑い / I'm rather tired. 私はかなり疲れた《◆ fairly との比較については → 語法 (3)》/ You have done ráther wéll. なかなかよくやった / I rather expect she won't come. 彼女はきっと来ないと思う《◆ このように expect, think, guess, imagine などの前に置くと話し手の確信のある態度を示す》.

語法 (1) 程度を示す段階的な名詞の前に置いて He is ráther a fóol. (彼はかなりのばかだ)ともいえる.
(2) quite と同じように次のように不定冠詞を伴う場合は a rather old man とも rather an old man ともいう (→ quite 1b).
(3) [⇒] fairly と異なり, ふつう好ましくない語句を修飾する: He is fairly clever, but she is rather stupid.（彼はかなり賢いが, 彼女は少しばかだ）. また同じ語を修飾する場合も fairly は以下のように好ましい意味になる: It is fairly hot today.（今日はいい暑さだ（泳げるぞ））. pretty は rather, fairly より《略式》で, いずれの場合にも用いることができる (→ pretty).
(4) good, well, pretty, clever, amusing などのように好ましい意味をもつ形容詞を修飾する場合には「（予期に反して）非常に, とても」という意味になり, ふつう強勢を置いて発音する: The concert was actually ráther good. コンサートは実はなかなかのものだ

(5) 比較級, too と共起するのは rather のみ: He was *rather* older than I thought. 彼は私が思っていたより年をとっていた. / He is *rather* too young for that job. その仕事をするには彼は少し若すぎる.

(6) 断言を避けてていねいさを表現する場合もある: Sorry, I'm *rather* busy tonight. すみません, 今夜はちょっと忙しいものですから.

2 [通例 rather **A than B** / **A** rather **than B**] **B** よりもむしろ **A**, いっそ, かえって《◆(1) A, B は文法上同等のもので名詞・形容詞・動詞(句, 節). (2) instead of などに近い》‖ I'll watch TV *rather than* study [studying]. 私は勉強するよりテレビを見る《◆ *rather than* を強めて, *Rather* than study [studying], I'll watch TV. も可》/ It rained *rather than* snowed. 雪でなくて雨だった(=It rained *instead of* snowing.) / She is 「a singer *rather* than a dancer [*rather* a singer] than an actress. 彼女は女優ではなくて歌手だ(=She is not so much an actress as a singer. / She is more a singer than an actress.) / You, *rather* than Jennifer, should have done it. ジェニファーでなく君がそれをすべきだったのだ.

3 (正式) それどころか(on the contrary) ‖ He isn't a good boy. He is, *rather*, a terrible fellow. 彼はよい子ではありません. それどころか, ひどいやつです.

4 /rɑ́ː/ (英略式・古) [間投詞的に返事に用いて; 強勢を置いて] もちろんです, 確かに, そうだとも(indeed) ‖ 対話 "Did you enjoy your trip?" "*Rather*!" 「旅行は面白かったかい」「とても!」.

5 → (or) rather (成句).

* **(or) ráther** (1) (略式) [前言を訂正するよりは正しく言い直して] もっと正確に言えば ‖ I returned late last night, *or rather* early this morning. 私は昨夜遅く, というよりは今朝早く帰ってきた. (2) [誤った語句を訂正して] いやそうでなくて[正しくは].

* **would [had] ráther ...** 〔…するよりも〕むしろ…したい, …する方がよい〔*than*〕. (1) [動詞原形を伴って] ‖ I'd *rather* not go. どうも行きたくない ‖ I would *rather* go than stay. 残っているより行きたい(=I'd prefer going to staying.) / 対話 "*Would* you *rather* buy this one?" "Yes, I would." 「こちらの方がよろしいですか」「ええ」. (2) [(that)節を伴って]《◆*that* はふつう省略する. that節内は仮定法. ➡ 文法 9.1, 9.2》‖ We *would rather* you went. 君に行ってもらいたいものだ / I *would rather* you hadn't told him the truth. 君が彼に真実を話すようなことはしてもらいたくなかったのだが(=I wish you ...) / 対話 "Come with us." "No, thanks. I'd *ráther* nót(↘)." 「一緒にいらっしゃい」「いやけっこうです. 遠慮させてもらいます」《◆ not は代用している》.

†**rat·i·fy** /rǽtəfài/ 動 他 (正式) …をふつう正式な書式で)承認[認可, 裁可]する; …を批准する; …を追認する(approve).

†**rat·ing** /réitiŋ/ 動 → rate. ─ 名 **1** ⓒ 格付け, 重要度, ランキング;〔電気〕(機械の)定格; ⓤⓒ 評価[見積もり](額); ⓒ (米) 評点. **2** ⓒ [通例 ~s] 人気度, 視聴率;〔英〕不動産評価[地方]税; 税金の割り当て, 賦課(額). **3** ⓒ [英海軍] 水兵; 下士官. **5** ⓒ [通例 ~s] (レース用ヨットの重量による)等級. **6** ⓒⓤ (米) (会社の)信用度.

†**ra·tio** /réiʃou| -ʃiòu/ 名 ⓤⓒ 〔数学〕〔…の/…に対する〕比, 比率, 歩合〔*of/to*〕(cf. proportion) ‖ *in the ratio of* three *to* two 3対2の比で / The *ratio of* men to women on the committee is 5 to 3. その委員会の男女比は5対3です.

†**ra·tion** /rǽʃən, (米+) réi-/ 名 ⓒ **1** [通例 ~s] 割り当て量, 定量;(兵士・水夫の)1回分の食糧, 口糧, (旅での)食糧. **2** (食糧不足時の)割り当て[分配, 配給]量 ‖ *on ration* 配給を受けて / have a *ration of* bread パンの配給を受ける. ─ 動 他 **1** …を〔一定量に〕制限する〔*to*〕; …を〔…に〕配給する(+*out*)〔*to, among*〕; …に〔…を〕供給する〔*with*〕.

†**ra·tion·al** /rǽʃənl/ 形 **1** 〈人が〉(感情に走らず)理性的(のある), 理性的な, 分別のある, 道理をわきまえた 《◆ reasonable より堅い語》(↔ irrational) ‖ Is man a *rational* animal? 人間は理性的動物なのか. **2** 〈言動・考えなどが〉合理的な, 道理にかなった ‖ a *rational* argument 筋の通った議論.

rátional númber 〔数学〕有理数.

ra·tio·nale /rǽʃənǽl| -náːl/ 名 ⓤⓒ (正式) 理論的根拠; 原理的説明.

ra·tion·al·ism /rǽʃənlìzm/ 名 ⓤ 理性主義; 合理主義.

ra·tion·al·ist /rǽʃənlist/ 名 ⓒ 合理主義者; 理性論者.

ra·tion·al·is·tic /rǽʃənlístik/ 形 合理主義の; 合理主義者の.

ra·tion·al·i·ty /rǽʃənǽləti/ 名 **1** ⓤ 合理性, 道理をわきまえていること; 良識. **2** ⓒ [通例 rationalities] 理性的行動[考え], 信念].

ra·tion·al·ize /rǽʃənəlàiz/ 動 **1** …を合理的に[論理的に]説明する. **2** …を正当化する, 理屈づける. **3** (英)〈機構などを〉合理化する. ─ 自 **1** 合理(主義)的に考える. **2** (自己の行動などを)正当化する.

rà·tion·al·i·zá·tion 名 ⓤⓒ 合理化, 自己弁護; [心理] 理屈づけ, 正当化, 正当化.

rat·lin(e) /rǽtlin/ 名 ⓒ 〔海事〕 [通例 ~s] ラットライン, 段索 《なわばしごの足綱》(cf. shrouds); 段索用細ロープ.

rat·tan /rætǽn| rət-, ræt-/ 名 **1** ⓒ 〔植〕トウ; ⓤ [集合名詞] (素材としての)籐(と) ‖ *rattan* furniture 籐製の家具. **2** ⓒ 籐製のつえ[むち].

rat·ter /rǽtər/ 名 ⓒ ネズミを取る動物[器具] 《イヌ・ネコ・ネズミ取りなど》.

†**rat·tle** /rǽtl/ 動 **1** 〈物・人が〉ガタガタいう, ガラガラいう. 《日英比較 日本語の次の擬音語に相当: バラバラ, ガチャガチャ, ガチャンガチャン, ガラガラ, ガランガラン, ガタガタ, ガタピシャ, カタカタ, コトコト, ゴロゴロ, カチカチ》 ‖ He *rattled* at the door. 彼はドアをガタガタいわせた / The windows were *rattling* in the wind. 窓が風でガタガタ音を立てていた. **2** しゃべりまくる, ぺらぺらしゃべる(+*on, away, along, off*). **3** (略式)ガタガタ音をたててすばやく走る[落ちる](+*along, past, down*).
─ 他 **1** …をガタガタ[カチャカチャ]いわせる. **2** …を早口で読む[言う]; ぺらぺらしゃべりたてる(+*away, off, on, out, over, through*) ‖ *rattle off* the poem (略式)詩を早口で読む. **3** (略式) …を〔質問などで〕ぎまぎさせる, 混乱させる〔*with, by*〕.
─ 名 **1** ⓒ ガラガラ鳴る器具 [おもちゃ], ガラガラ. **2** ⓤ [時に a ~] ガチャガチャ[ガラガラ]いう音. **3** ⓒ 〔動〕 (ガラガラヘビの)尾部の音響器官. **4** ⓤ おしゃべり, むだ話.

rat·tler /rǽtlər/ 名 ⓒ **1** (米略式) =rattlesnake. **2** ガタガタ[ガラガラ]音を出す物; おしゃべりな人.

†**rat・tle・snake** /rǽtlsnèik/ 名 ⓒ〔動〕ガラガラヘビ《毒ヘビ》.

rat・tle・trap /rǽtltræp/ 名 **1**〔略式〕おんぼろ車〔荷馬車〕; [a ~ of ...] おんぼろ... ‖ *a rattletrap of a typewriter* おんぼろタイプライター. **2**〔通例 ~s〕がらくた, 〔くず同然の〕物(品).

rat・tling /rǽtliŋ/ 形 **1**〔略式〕元気のよい, 活発な ‖ *a rattling pace* 活気のある歩調. **2**〔略式〕楽しい, すばらしい. **3** ガタガタ[ガラガラ]いう. **4**〔略式〕速い. ——副〔略式〕〔通例 good を強めて〕とても.

rau・cous /rɔ́ːkəs/ 形〔正式〕〈声が〉ハスキーな, 耳ざわりな; 騒々しい ‖ *the raucous cries of a crow* カラスの騒々しい声.

†**rav・age** /rǽvidʒ/ 名〔正式〕**1**ⓤ 荒廃, 破壊(destruction). **2**〔通例 ~s〕損害, 惨害 ‖ *the ravages of time* 時の経過による損害. ——他〔正式〕**1** ...を荒らす(destroy), 略奪する(rob). **2** ...を損う. ——自 荒れる.

†**rave** /réiv/ 動 自 **1** うわごとを言う, とりとめのないことを言う.**2**[...に/...のことで]どなりちらす, わめく[*at, against / about*]. **3**〔略式〕[...を]激賞する, ほめる[*about, of, over*]; [...に]うっとりする, 熱狂する[*over*]. **4**〈海が〉荒れる, 〈風が〉うなる. ——他 **1** ...をわめきちらす. **2** [~ oneself] 〈人・あらしなどが〉荒れ狂って[...に]なる[*into, to*] ‖ *ráve onesèlf into a fever* わめきたてて熱を出す.

ráve onesèlf hóarse わめきすぎて声がかすれる.

——名 **1** ⓤⓒ うなり声, 怒号. **2** ⓤⓒ〔略式〕激賞, べたぼめ(eager praise).

rav・el /rǽvl/ 動 (過去・過分) ~ed or (英) **rav・elled** /-d/; ~・ing or (英) **-el・ling** 他 **1**〈編み物などを〉ほぐす, 解く(+*out*). **2**〈問題などを〉解明する(+*out*). **3**〈糸などを〉もつれさせる(+*up*). **4**〈問題などを〉紛糾させる. ——自〈糸などが〉解ける, ほぐれる;〈問題などが〉解消する(+*out*). ——名 **1**〈糸などの〉ほぐれた[解けた]端; ほつれた糸. **2**〈糸などの〉もつれ; 混乱, 紛糾, 錯綜(きく).

†**ra・ven**¹ /réivn/ 名 ワタリガラス, オオガラス《◆crow より大きい. 不吉の鳥とされる》.

rav・en² /rǽvn/ 動 自 **1** 略奪する, 荒らし回る(+*about*). **2** [...に対して]貪(どん)欲である[*for*]. ——他 ...をむさぼり食う.

rav・en・ous /rǽvənəs/ 形 腹ぺこの; [比喩的に][...に]非常に飢えている[*for*].

ra・vine /rəvíːn/ 名 ⓒ 峡谷, 谷間, 山峡(gorge).

†**rav・ish** /rǽviʃ/ 動 他 (文) **1** ...を力ずくで連れ去る[持ち去る], ...を奪う(rob). **2** (古) ...を強姦(ごうかん)する(rape). **3**〔通例 be ~ed〕〈人が〉[...に]うっとりする[*by, with*].

ráv・ish・ment 名 ⓤ うっとりさせること.

†**rav・ish・ing** /rǽviʃiŋ/ 形〈主に女が〉非常に美しい, うっとりさせる.

***raw** /rɔ́ː/ (同音 roar (英), 類音 row /róu/, law /lɔ́ː/) 〖「生の肉(raw flesh)」が原義〗

——形 ◆ 比較変化しない

Ⅰ [生の]

1 〈食物が〉生の, 加熱されていない(↔ cooked); 生煮え[焼け]の ‖ *raw meat* 生肉 / *eat onions raw* タマネギを生で食べる / *The meat is still raw*. 肉がまだ生だ.

Ⅱ [手が加わっていない]

2 〔通例名詞の前で〕加工していない, 原料のままの;ペンキなどが塗りたての ‖ *raw silk* 生糸 / *raw milk* 無菌化[しぼったての]牛乳 / *raw hides* [*rubber*] 生皮[生ゴム](cf. crude, rude, rough). **3** 〔通例名詞の前で〕〈人が〉未熟な, 訓練されていない; 粗野な, そんざいな. **4** 〔略式〕〈身体のすりむけた, 〈傷のどこかが〉[...で]ひりひり痛む(sore)[*with, from*] ‖ *heels raw with cold* 寒さで赤らんでいるかかと. **5** 〔略式〕湿って冷たい, 底冷えのする ‖ *a raw morning* [*wind*] 冷え冷えする朝[風]. **6** 〔略式〕不公平な, ひどい. **7** 〔米略式〕みだらな, 下品な.

——名 ⓒ〔通例 the ~〕(馬・人の)皮のすりむけた所, すり傷, 赤肌;〈主に英〉[比喩的に]痛い所 ‖ *touch her on the raw* 彼女の痛い所を突く.

in the ráw (1) 自然のままで[の], むき出しで[の] ‖ *life in the raw* ありのままの人生. (2) (米)裸で[の].

ráw déal〔略式〕不当な扱い.

ráw matérial〔しばしば -s〕[...の]原料, 素材, 人材[*for*].

raw-boned /rɔ́ːbóund/ 形 骨だけの, やせこけた.

raw・hide /rɔ́ːhàid/ 名 ⓤ (牛などの)生皮(きがわ); ⓒ〔主に米〕生皮製のむち[綱]. ——動 他 ...を生皮製のむちで打つ.

raw・ness /rɔ́ːnəs/ 名 ⓤ **1** 生(なま); 未熟. **2** 未経験, 無知. **3** (皮膚の)すりむけ, ひりひりすること. **4** うちら寒さ.

*****ray**¹ /réi/ 〖「(車輪の)スポーク」が原義〗

——名 ⓒ〔通例 ~s/-z/〕**a** 〔通例 ~s〕光 光線(→ beam 名 **4**); 〔物理〕熱線; [~s] 放射線 ‖ *cósmic ráys* 宇宙線 / *rays of the sun* 太陽光線. **b** 〔略式〕= X-ray. **2** [a ~ of 名詞](望みなどの)光, 輝き, ひらめき, わずかな... ‖ *a ray of hope* わずかな希望. **3** 一目, 視線. **4**〔植〕= ray flower;〔動〕(ヒトデなどの)腕(部).

ráy flòwer (キク科の頭花につく)舌状花.

ray² /réi/ 名 ⓒ〔魚〕エイ(類) ‖ *an electric ray* シビレエイ(類).

Ray /réi/ 名 レイ《男の名》.

Ray・mond /réimənd/ 名 レイモンド《男の名》.

ray・on /réiɑn, réiən | réiɔn/ 名 ⓤ レーヨン; 人造絹糸; その織物.

†**raze** /réiz/ (同音 raise) 動 他〔正式〕...を倒壊させる(destroy), 取りこわす.

†**ra・zor** /réizər/ (同音 raiser) 名 ⓒ **1** (安全)かみそり(safety razor) ‖ (*as*) *shárp as a rázor*〔通例比喩的に〕かみそりのように切れる, 目から鼻へ抜けるような. **2** 電気かみそり(electric shaver).

rázor blàde かみそりの刃.

rázor bùrr かみそり負け.

ra・zor・back /réizərbæk/ 名 ⓒ〔動〕**1**〔英〕ナガスクジラ. **2**〔米〕野ブタ.

razz /rǽz/〔米略式〕名 [the ~] 軽蔑(けいべつ), 嘲(ちょう)笑. ——動 他 ...をからかう, あざ笑う; ...をやじる.

RC (略) Red Cross; Roman Catholic.

RCA (略) Radio Corporation of America《米国の大手電機メーカー名》.

rcpt., rec., rect receipt.

Rd (略) road.

-rd 語要素 → 語要素一覧(2.1).

re¹ /réi, ríː/ 名 ⓤⓒ〔音楽〕レ《ドレミファ音階の第2音. → do²》.

re² /ríː/〖ラテン〗前 **1**〔法律・商業〕...について, ...に関して ‖ *re your enquiry of October 19.* 10月19日付の貴殿のお問い合わせには... **2**〔通例 Re, RE〕(Eメール) リ《◆返信メールの件名の冒頭につく》.

†**re-** /ríː-, ri-/ 語要素 → 語要素一覧(1.7).

†**'re** /-ər/ (略)〔主に代名詞の後で〕are の短縮形.

reach

reach /ríːtʃ/ [「(手などを)差し出して対象に届く」が本義]

index
- 動 他 1 達する 2 着く 4 差し出す
- 動 自 1 達する 2 伸びる
- 名 1 伸ばすこと 2 届く範囲

— 動 (~・es/-iz/; 過去・過分 ~ed/-t/; ~・ing)
— 他

I [水準・目標に達する]

1a 〈人・物・事が〉〈人・物・事に〉**達する**, 届く, 及ぶ ‖ He is *reaching* middle age soon. 彼はもうすぐ中年に達する / This road *reaches* the river. この道は川まで伸びている (→ 自 1) / The news *reached* me this morning. その知らせは今朝私に届いた / The dress *reaches* her ankles. そのドレスは彼女の足首まである / The donations have already *reached* one million dollars. 寄付はすでに100万ドルに達している. **b** 〈人が〉〈結論・段階などに〉達する;〈目的など〉を達成する ‖ *reach* (an) agreement 合意に達する / Our goal has been *reached*. 我々の目標は達成された.

II [場所・目的地に達する]

2 〈人・乗り物などが〉(時間をかけて・努力の末に)〈場所・目的地など〉に**着く**, 到達する《◆get to, arrive at より堅い語》‖ *reach* the top of Mt. Everest エベレスト山頂に到達する / We *reached* the hotel at noon. 正午にホテルに着いた / The hill can be easily *reached* by car. その丘には車で簡単に行ける.

> **語法** (1) 到着手段や到着時間をいう場合は最後の例のように受身形が可能だが, ×The hill was easily reached by Bill. のような受身は不可.
> (2) reach は堅い語で「(時間をかけて, 努力の末に)着く」ことを強調し, 下記のような日常的な文脈で用いると不自然: When you 「get to [×reach] the station, call me. 駅に着いたら電話してください.

3 (正式)〈人(の心)など〉を動かす, …に影響[印象]を与える(impress) ‖ His speech *reached* the hearts of the audience. 彼の演説は聴衆に感銘を与えた.

III [目標物に達するために手を伸ばす]

4 〈人が〉〈手・腕〉を差し出す, 差し伸べる;〈木などが〉〈枝など〉を伸ばす(+*out*) ‖ We must *reach out* a helping hand for the poor. 私たちは貧乏な人々に援助の手を差し伸べなければならない / A tree *reaches out* its branches. 木が枝を伸ばす.

5 (略式)〈人が〉(手を伸ばして)〈物〉を取る, …に触れる;[reach A B = reach B for A]〈人に〉〈物〉を取ってやる[渡す]《⊃文法 3.3》‖ *reach down* the book from the top shelf 一番上の棚から本を取る 《⊃対話》 "Can you *reach* me that eraser?" "Sure."「その消しゴムを取ってくれませんか」「いいですよ」.

6 (電話などで)〈人〉と連絡をとる ‖ We tried to *reach* him by telephone. 彼と電話連絡をとろうとした.

— 自 〈物・事が〉(空間的・時間的に)[…に]**達する**, 届く, 伝わる, 及ぶ, 広がる(+*up, down, out*)[*to, into, toward*] ‖ The forest *reaches down* to the lake. 森は(下って)湖まで伸びている / Roman power *reached* throughout Europe. ローマの勢力はヨーロッパ全土に及んだ / There was nothing but sand *as far as the eye could reach* [*see*]. 見渡す限り一面砂ばかりであった.

2 [比喩的にも用いて]〈人が〉[…を求めて]手を**伸ばす**(extend)(+*out*)[*for*]《◆out 以外に伸ばす方向によって down, up, back, forward などの副詞をとる》;〈手が伸びる〉‖ *réach* (óut [acróss, óver]) *for* the rope ロープをつかもうと手を伸ばす[手を伸ばして取る]《◆reach out for の形は reach out one's hand for の省略形と考えられる》/ *reach out to* the refugees 難民に援助の手を差し伸べる / She *reached* into her bag *for* her cigarettes. 彼女はタバコを取ろうとハンドバッグに手を入れた.

3 (真理などを)追究する, 追い求める[*after, for*] ‖ *reach after* the truth 真理を追究する.

réach úp [自] (1). 2. (2) 背伸びする.

— 名 (覆 ~・es/-iz/) 1 ⓤ (手などで)**伸ばす**こと;腕の長さ ‖ He has a long *reach*. 彼は長い腕をしている / She got it by *a long reach*. 彼女は腕をぐっと伸ばしてそれを取った.

2 ⓤ [しばしば one's ~] 届く**範囲**, 届く距離;(能力などの)範囲 ‖ Put the medicine 「*out of* [*beyond*] the *reach* of children. その薬を子供の手の届かないところにおいてください / The price of the car is *within my reach*. その車の値段は私の手の届く範囲にある / The lesson is *beyond my reach*. その授業は難しくて私にはわからない(=I cannot understand the lesson.) / He lives within easy *reach* of the post office. 彼は郵便局から目と鼻の先に住んでいる.

3 ⓒ (一面の)広がり, 区域 ‖ a vast *reach* of desert 広大な砂漠. **4** ⓒ (通例 ~es)(川の曲がり角と曲がり角の間や運河の水門と水門の間の)見渡せる区域 ‖ one of the most beautiful *reaches* of the Thames テムズ川の最も美しい河区の1つ.

reach・a・ble /ríːtʃəbl/ 形 届く, 到達可能な.

†**re・act** /riǽkt/ [再び(re)ふるまう(act). cf. counter*act*] 動 reaction (名)
— 動 (~s/-ækts/; 過去・過分 ~・ed/-id/; ~・ing)
— 自 **1** (正式)〈人・物が〉[刺激などに]**反応する**, 対応する[*to*]《◆修飾語(句)は省略できない》‖ The ear *reacts to* sound. 耳は音に反応を示す / When he heard the good news, he *reacted* with a smile. 彼はそのよい知らせを聞いて笑顔になった.

2 〈人・事が〉[人・事に](互いに)**反応する**, 作用する[*on, upon*]《◆修飾語(句)は省略できない》‖ Wages and prices *react* on each other. 賃金と物価は互いに連動する.

3 [… に] 反 発 [反 抗] する [*against*] ‖ *react against* his way of thinking 彼の考え方に反対する. **4** [化学]〈…に/…と〉反応する[*on/with*];[物理]反作用[反発]する.

†**re・ac・tion** /riǽkʃən/ 名 ⓤⓒ **1** (正式)[…に対する]反応(response)[*to*];[…への]反響[*on, upon*] ‖ an allergic *reaction* アレルギー反応 / his *reaction* to your proposal 君の提案に対する彼の態度 / What was the *reaction* of the audience to his speech? 彼のスピーチに対する聴衆の反応はどうでしたか. **2** (正式)[…に対する/…から生じる]反発, 反動[*against/from*] ‖ Their behavior is just a *reaction against* society. 彼らの行動は社会に対する反抗にすぎない. **3** (正式)(政治上の)反動 ‖ the forces of *reaction* 反動勢力. **4** [物理][…への]反作用, 核反応;[化学]反応[*on, to, against*] ‖ áction and reáction 作用と反作用.

†**re・ac・tion・ar・y** /riǽkʃənèri | -əri/ 形 反動的な, 保

reactionary

守的な ‖ a *reactionary* politician 反動政治家.
re·ac·tor /riːéktər/ 名 C **1** 反応[反動]を示す人[物]. **2** 〔化学〕反応器. **3** 〔物理〕原子炉.

read /ríːd/ (同音) reed) 派 reader (名), reading (名)
――動 (～s/ríːdz/; 過去・過分 read/réd/; ～·ing)
――他
Ⅰ [本・手紙などを読む]
1〈人が〉〈本・外国語などを〉**読む**, 読んで理解する; [read *that*節 / read *wh*節]〈人が〉…ということを[…かを]読んで知る ‖ *read* a magazine 雑誌を読む / *read* the Bible in the original 聖書を原文で読む / *read* the clock 時計の時間を読む / He can *read* French well. 彼はフランス語がよく読める / Can you *read* music? 楽譜が読めますか / I *read* in the paper *that* she died of a heart attack. 彼女が心臓発作で亡くなったことを新聞で知った.
2 a〈人が〉〈詩・論文などを〉(**声を出して**)**読む**, 音読[朗読]する; [read **A B** =read **B** to **A**]〈人が〉**A**〈人〉に **B**〈本など〉を読んで聞かせる ‖ *read* a poem 詩を朗読する / She *read* the children a story. = She *read* a story *to* the children. 彼女は子供たちに物語を読んでやった (⇒文法 3.3). **b** [read **A B**]〈人が〉**A**〈人〉に **B**〈説教・講義などを〉をする(give) ‖ He *read* us a lesson. 彼は我々に説教をした. **c** [read **A C**]〈人が〉**A**〈人に〉(本などを)読んで **C** の状態にさせる《◆**C** は形容詞, 前置詞句》‖ She *read* herself to sleep. 彼女は本を読みながら眠ってしまった.
3(英)(大学で)〈ある科目を〉専攻する(study,(米) major in).
Ⅱ [記号を読み取る]
4〈計器などが〉〈数を〉さす, 表示する ‖ The thermometer *reads* 30 degrees. 温度計は30度を示している. **5**〔コンピュータ〕…の情報を読み出す,〈データ〉を読み出す.
Ⅲ [意味を読み取る]
6 a〈人が〉(観察などによって)〈ある意味を〉読み取る;〈人の心・考えなどを〉読む, 見抜く;〈なぞなぞを〉解く;〈夢などを〉解釈する,〈運命などを〉予言する ‖ *read* his mind [thoughts] 彼の心を読む / *read* a riddle なぞを解く / *read* the future 未来を予言する / *read* his hand [palm] 彼の手相を見る / I *read* disbelief on her face. 彼女の顔に不信の念を感じ取った. **b**(正式)〈人が〉〈物・事を〉…と解釈する(interpret);〈人が〉〈物・事を〉[…として]解釈する[*as*] ‖ I *read* this speech *as* satire. この話を皮肉と解釈した / The rule can be *read* several ways. その規則は数通りに解釈できる.
7(正式)[通例命令文で]〔文字・数字などを〕…と訂正して読め, 読みかえよ[*for*] ‖ For 'boon' *read* 'bone.'(正誤表)'boon' は 'bone' の誤りです(ので訂正願います)(=*Read* 'boon' as 'bone'.).
――自 **1**〈人が〉読書する;[単純形か can または be able to を伴って]〈人が〉読める ‖ *read* on 読み続ける / *read* 'to oneself [silently] 黙読する / *read* much [a lot] 読書量が多い / *read* between the lines 行間を読む;言外の意味を読み取る / I have no time 'to *read* [for *reading*]. 読書する時間がない / He *reads* well for a 5 year old. 彼は5歳にしては(字が)よく読める.
2〈人が〉[…に]読んで聞かせる, 音読[朗読]してやる[*to*] ‖ Shall I *read* to you? 本を読んであげようか.
3〈人が〉〈…のことを〉読んで知る[*about, of*] ‖ I *read about* the event in the paper. 新聞でその事件を知った.
4(正式)[read **C**]〈本などが〉**C** と**読める**, 書いてある;〈規則などが〉**C** と解釈される ‖ This report *reads* well. このレポートはよくできている / The sign *reads*, "Keep out." 標識には「立入禁止」と書いてある / The rule *reads* two ways. その規則は2通りに解釈できる.
5(英)〈学生が〉[…のために]研究する, 勉強する(study)[*for*];〈ある科目を〉研究する[*in*] ‖ *read* in classics 古典を研究する / She is *reading* for a biology degree at Oxford.(英古)彼女はオックスフォード大学で生物学の学位をとるため勉強している.

réad aróund (1)〈ある科目〉の予備知識となる書物[論文など]を勉強する.**(2)**(本などを)〈クラスなど〉で順番に読む. **(3)** [～ **A** around **B**]〈本などを〉**B**〈クラスなど〉で順番に読む, 輪読する《◆**B** はふつう the class, the room》.
réad báck 他 (確認のために)〈書いたものを〉(声に出して)読み直す[返す].
réad from (1)〈本などを〉拾い読みする, …の一部を読む;〈メモなどを〉見て読む. **(2)** [～ **A** *from* **B**]〈本などから〉〈その一部を〉拾い読みする, 抜粋して読む.
réad ín 他 **(1)** 〔コンピュータ〕〈データを〉コンピュータに入れる, 読みこむ. **(2)** [be well [deeply] read]〈科目などに〉精通している.
réad ∧ **into** [*in*] **B**〈人が〉**B**〈本・行動などの中に **A**〈考えなどを〉読み取る ‖ *read* evil intentions *into* his words 彼の言葉の中に悪意を感じ取る.
réad óut 自 〔コンピュータ〕〈コンピュータがデータを検索する.――他 **(1)**〈名前・報告などを〉読み上げる, 音読[朗読]する(+(a)loud) ‖ *read out* the textbook 教科書を声に出して読む. **(2)** 〔コンピュータ〕〈データを〉コンピュータから取り出す[読み出す].
réad óver 他 **(1)** =READ through (1). **(2)**〈手紙などを〉読み直す.
∗réad thróugh 他 **(1)**〈本などを〉**読み終える**, 通読する ‖ I *read through* the manuscript carefully. 私はその原稿を注意深く終わりまで読んだ. **(2)**〔脚本の〕本読みをする.
――名 C (主に英略式)[通例 a/the ～] 読書時間, 読書;読み物.

read·a·ble /ríːdəbl/ 形 **1** 読んで面白い. **2** 読むことができる《◆legible より口語的》‖ *readable* handwriting 読みやすい筆跡.

∗read·er /ríːdər/ (類音) leader /líːdər/)
――名 (複 ～s/-z/) C **1** 読者;読む人, 読書家 ‖ a regular *reader* of *Time* 『タイム』誌の定期講読者 / He is a fast *reader*. 彼は読むのが速い(=He *reads* fast.) / We have received a great deal of mail from our *readers*. 読者から多くの手紙が寄せられた.
2(初級の)**読本**, リーダー;選集 ‖ an English *reader* 英語リーダー《◆「イングランド人の読者」という意味(1)もある》.
3 a[肩書きとしては R～](英)(大学の)〔科目の〕助教授[*in*]《professor と senior lecturer との間の地位.(米) の assistant professor に相当》. **b**(米)(大学の)助手《採点・出欠などの仕事をする》. **4**(原稿の出版可否につき意見を述べる)出版社顧問(publisher's reader);校正係(proofreader). **5** 朗読者;(宗教)(祈禱(ﾄﾞｳ)書などの)朗読者. **6**〔コンピュータ〕読み取り機.

read·er·ship /ríːdərʃɪp/ 名 [a ～] 読者層[数].

∗read·i·ly /rédɪli/ 副 (正式) **1 快く, 進んで;すぐに, あっさりと ‖ She *readily* said, "Yes." 彼女は待って

いたかのように「はい」と言った. **2** 容易に, 難しく(easily) || The book is readily available. その本は容易に入手できる.

†**read·i·ness** /rédinəs/ 名 Ⓤ (正式) **1** 準備[用意]のできていること || We have everything in readiness for the trip. 旅行の準備は万端整っている. **2** [時に a ~] 進んで[喜んで]すること, 快諾 || with readiness 快く / show (a) great readiness to learn 学ぼうとする非常な心意気を示す. **3** 早いこと, 迅速；容易 || readiness of wit 当意即妙. **4** [教育] レディネス《学習者に教育が有効に行なわれるための下地, 条件が整っていること》.

* **read·ing** /ríːdɪŋ/
    ── 名 (複 ~s/-z/) **1** Ⓤ 読書, 読むこと; 読書力 || learn reading and writing at school 学校で読み書きを習う / Reading comes slowly. 読書力はゆっくりとつく / extensive [intensive] reading 多[精]読. **2** Ⓒ 朗読；(公開)朗読会 || give a reading of poetry 詩の朗読をする. **3** Ⓤ (読書で得た)知識, 学識 || a man of wide reading 広く読書をする人, 博学の人. **4** [集合名詞] 読み物, 読本；[~s] 選集 || readings from Shakespeare シェイクスピア選集 / suitable reading for children 子供にふさわしい読本 / This book is good reading. この本はためになる読み物だ. **5** Ⓒ (正式) [...の]解釈(interpretation), 見解；演出[演奏]法(of)；〔文章などの〕読み(方)(of, for) || her reading of Hamlet ハムレットについての彼女の見解 / Each actor gives the lines a different reading. 俳優はそのせりふをそれぞれ違ったふうに解釈している. **6** Ⓒ 〔温度計などの〕(表示)度数, 示度；記録(on) || The thermometer reading is zero. 温度計は0°をさしている / high cholesterol readings コレステロールの高い値. **7** Ⓒ 〔序数詞を伴って〕(議会の)読会 || the first reading 第一読会.
    ── 形 [名詞の前で] 読書する；読書用の.
    réading dèsk (上が斜めになった)書見台；聖書台.
    réading glàss 読書用拡大鏡；[-es] 読書用メガネ.
    réading làmp 読書ランプ, 電気スタンド.
    réading màtter (新聞・雑誌の)読み物, 記事.
    réading ròom 図書閲覧室, 読書室.

re·ad·just /rìːədʒʌ́st/ 動 他 (正式) ...を[...に]再調整[再整理]する(to)；〈会社の〉財政を立て直す.
── 名 再調整[再整理]する.

†re·ad·just·ment /rìːədʒʌ́stmənt/ 名 Ⓤ Ⓒ 再調整, 再整理；再度；不況《◆ depression の遠回し語》.

read·y /rédi/ [『「何かの準備ができた」が本義』] 派 readily (副)
    ── 形 (--i·er, --i·est) **1** [補語として] 〔...する／...の〕準備ができた, 準備ができた〔to do / for〕|| Dinner's ready. 食事の用意ができました / Are you ready to order? ご注文はお決まりですか / I am ready for school. 学校へ行く準備ができている.
    2 〈人が〉喜んでする, 進んで...する〔to do〕《◆ 結果まで含むとは限らない. → willing 形 **1** 語法, 書き換え例 → readily **1**》；〔...の〕覚悟がある〔for〕|| He's always ready to help us. 彼はいつも喜んで我々の援助をしてくれる / I am ready for departure. 出発の準備はできている.
    3 [補語として] 〈人が〉〔...〕しがちである；〔...〕しそうである〔to do〕|| She is ready to cry. 彼女は今にも泣きそうだ / She looked ready to faint when she heard the news. 彼女はそのニュースを聞いたとき卒倒しそうに見えた.

4 (正式) [名詞の前で] 〈返答などが〉即座の, 手早い；[補語として] 素早い, 巧みな〔with, at〕|| a ready worker てきぱきと仕事をする人 / give a ready answer 即答する / He has a ready wit. 彼は機転[とんち]がきく / She is ready with [at] excuses. 彼女は弁解が上手だ.
5 〈金などが〉すぐ使える；(すぐ使えるように)手元にある || keep a gun ready 銃を身につけている.
    gét [màke] réady 〔...の／...するための〕準備をする〔for / to do〕|| get ready for work 仕事の準備をする.
    gét [màke] A réady 〈物を〉〔...のために／...しようと〕準備する〔for / to do〕|| get the room ready for the meeting 会合のために部屋をきちんとする.
    ── 間 位置について(on your mark(s)). Ready, steady, go! (英略式)位置について, 用意, ドン《◆ "On your mark(s)! Get set! Go!"ともいう》.
    ── 名 [the ~] **1** (略式) 現金. **2** 準備完了状態 || at [to] the ready (銃が)すぐ発射できる状態で.
    ── 動 他 (主に米) [しばしば ~ oneself] 〈物・事を〉[...のために]準備[用意]する〔for〕|| ready a room [get the room ready] for guests 客のために部屋をきちんとする.
    ── 副 [通例過去分詞形の前で] 前もって, あらかじめ || buy the fish ready cut 切り身の魚を買う.
    réady cásh (略式) 現金.
    réady mèal 調理済み食品.
    réady móney (略式) いつでも使える金, 即金.

†**read·y-made** /rédiméid/ 形 **1** 出来合いの, 既製の, レディーメードの(↔ custom-made, made-to-order) || ready-made clothes 既製服. **2** 〈意見・思想などが〉受け売りの, ありふれた.
── 名 既製品[服].

re·af·firm /rìːəfə́ːrm/ 動 他 ...を再び断言[主張]する.

re·af·for·est /rìːəfɔ́(ː)rist/ 動 (英)=reforest.

Rea·gan /réigən/ 名 レーガン《Ronald (Wilson) ~ 1911-2004；米国の第40代大統領(1981-89)》.

: **re·al** /ríːəl | ríəl, ríəl/ 〖実物(re)の(al)〗 派 reality (名), realize (動), really (副)
    ── 形 (more ~, most ~)
    Ⅰ **本当の**
    1a (内容と外見が一致していて) 本当の, 真の；本物の, 真正の；心からの, 誠実な || a real friend 真の友人 / I'm in real trouble. 本当に困ったよ / Are those pearls real? あの真珠は本物ですか / I felt real sympathy. 心から同情した / What's the real reason for your absence? 欠席した本当の理由は何ですか. **b** [名詞の前で] [強意語として] まったく || a real surprise まったくの驚き.
    Ⅱ **実在的という意味で本当の**
    2 [名詞の前で] 〈想像でなく〉現実の, 実際の；実在する || the real world 実社会 / one's real name 実名 / Who is the real manager of the store? その店の実際の支配人はだれですか. **3** 〈描写などが〉真に迫った || The characters in the play are quite real. その劇中の人物は実に真に迫っている. **4** [法律] 不動産の(↔ movable).
    ── 副 (米・スコット略式) [強意語として] とても, 本当に, 実に(really)《◆ 比較変化しない》|| I had a real good time. 本当に楽しかった / a real nice house 実に立派な家.
    ── 名 [the ~] 現実, 実態；実在, 実物.

for réal（略式）（副）本当に、実際に；本気で、真剣に。―（形）本物の、本気の(serious) ‖ Are you *for real*? 気かい。

Gét réal!（主に米略式）何てことを言うんだ；本気になれ。

réal estáte [**próperty**]（1）《正式》不動産．（2）（米）（売買される）家．

réal estáte àgent（米）不動産屋；不動産管理人（《英》estate agent）．

réal GNP《経済》実質国民総生産．

réal life（小説や映画の中とは違う）現実、実生活(cf. real-life).

réal númber《数学》実数．

réal ténnis《英》= court tennis.

réal tíme《コンピュータ》リアルタイム、即時（応答）(cf. real-time).

réal wáges 実質賃金 (cf. nominal wages).

re·a·lign /rìːəláin/ （動）（他）《正式》…を再編成[再統合]する

re·al·ise /ríːəlàiz | ríəl-/ （動）《英》= realize.

re·al·ism /ríːəlìzm | ríəl-/ （名）（U）**1** 現実主義；現実性（↔ idealism）．**2**[しばしば R~]《文学・美術》写実主義、リアリズム．**3**《哲学》実在論；実念論．

re·al·ist /ríːəlist | ríəl-/ （名）（C）**1** 現実主義者．**2**《文学・美術》写実主義者、リアリスト．**3**《哲学》実在論者．

re·al·is·tic /rìːəlístik | rìəl-/ ―（形）**1** 現実主義の；現実的な、実際的な ‖ Her idea is *realistic* than yours. 彼女の考えはあなたの考えよりも現実的だ．**2**《文学・美術》写実主義の、写実的な、リアルな．**3**《哲学》実在論的な．

re·al·is·ti·cal·ly /rìːəlístikəli | rìəl-/ （副）[しばしば文全体を修飾] 現実（主義）的に；写実的に；実在論的に．

re·al·i·ty /riǽləti/ （名）（複 --ties /-z/）《正式》**1** （U）（C）[しばしば realities] 現実、事実、実在、実体(fact)；[…という]事実〔that 節〕；実物 ‖ the terrible *realities* of war 戦争の恐ろしい実体 / a description (which is) based on *reality* 事実に基づいた記述 / The *reality* is that … 現実は[実際には]…である / I believe in the *reality* of God. 神の実在を信じる / Her dream of becoming a doctor *became a reality*. 医者になるという彼女の夢は実現した(= … came true). **2** （U）事実[真実]であること；本質、実質(fact). **3** （U）（描写の）迫真性 ‖ with *reality* 本物そっくりに、如実に．

in reálity《正式》実は、実際は (really, in fact) ‖ He looks young, but *in reality* he is past thirty. 彼は若く見えるが、実際は30歳を越えている．

re·al·i·za·tion /rìːəlɑzéiʃən | rìəl-/ （名）**1** （U）（C）悟ること、感得；[…という]realization、理解(that 節）‖ They had (a) full *realization* of the dangers that they would face. 彼らはその危険がどうしても避けられないものとはっきり悟った．**2** [the ~]（希望・計画などの）実現、達成 ‖ the *realization* of my hopes 私の希望の実現．

re·al·ize /ríːəlàiz/（英ではしばしば）**-ise** /ríːəlàiz/（アクセント注意）〚→ real〛―（動）（~s /-z/、（過去・過分）~d /-d/、-iz·ing）―（他）**1**〈人が〉〈事〉を悟る（(that) 節 / wh 節）、（実感として）…がよくわかる〔◆ふつう進行形・命令形・受け身不可〕‖ He didn't *realize* his error. 彼は自分の過ちに気づいていなかった / I *realize* (that) you are right. 君の

間違っていないことはよく承知しています / Although you may not *realize* it, you have been moody today. 気がついてないかもしれませんが、あなたは今日元気がありませんね．**2**《正式》**a**〈人・物・事が〉〈希望・目的など〉を**実現する**、達成する ‖ I *realize* one's hopes 希望を実現する / Her plan was *realized* at last. 彼女の計画はついに達せられた．**b** [be ~d]〈事が〉現実化する、起こる ‖ His dreams *were realized*. 彼の夢が実現した．**3**《正式》…を如実に示す ‖ *realize* the events of history 歴史上の事件をまざまざと描写する．**4**《正式》〈資産など〉を現金に換える、換金する ‖ *realize* all one's property 財産を全部売って現金化する．**5**《正式》〈利益〉を[…で]得る(get)〔on, from, by〕；〈物が〉〈ある価格〉で売れる．―（自）《正式》〈資産などを〉（売って）現金に換える〔on〕．

real-life /ríːəllàif | ríəl-/ （形）現実の、架空でない、実生活の (cf. real life).

★re·al·ly /ríːli | ríəli/ 〚→ **real**〛―（副）《比較変化しない》**1**[強調] 実に、本当に、とても ‖ ◆この意味で使うのは主に《女性》; [ought to, should を強めて] もっと正確に言えば ‖ I'm *really* sorry about that. 本当にすみません / It's *really* cold, isn't it? 実に[とても]寒いですね / You *ought really to* have asked me first. さらに言うと、まず私に相談すべきだった．

語法 強調したい語の直前に置くのが原則: I *really will* slap you. / I will *really slap* you. / I will *really slap* you *hard*. / I will *really slap* you *really hard*.

---

2 実際は、本当は、実は、実をいうと（《正式》in reality）‖ He looks a fool but he is *really* very clever. 彼はばかに見えるが、本当はたいへん利口だ / *Really*, you shouldn't have done it. 実のところ君はそんなことをすべきではなかった．

3 本当に、真に《◆思考・好悪などの動詞と共に用いることが多い。cf. actually》‖ see things as they *really* are 物事をあるがままに見る / Do you *really* mean that? 本当にそういうつもりですか / *Not really*. (↘) いいえそれほどでもありません。そういうわけではありません《◆ No より穏やかな否定》**→文法 2.2**(2)（cf. 4).

4 [間投詞的に] ‖ *Really?* (↗) (驚き・興味などを表して) えっ、ほんと / *Really!* (↘) (相づちを打って) そうですか、へえ / *Not really!* (↗) = You're kidding.) / Well, *really!* (↘) おやおや．

†realm /rélm/ 【発音注意】（名）（C）**1**[時に R~]《文》（法律）王国(kingdom)、国土 ‖ peers of the *Realm* 英国貴族．**2**《正式》[通例 ~s] 領域、範囲；（学問などの）分野、部門 ‖ the *realms* of imagination 想像の世界 / in the *realm* of science 科学の分野で．

re·al-time /ríːəltàim/ （形）《放送などが》同時の、生の；《コンピュータ》リアルタイムの、即時応答の (cf. real time).

Re·al·tor /ríːəltər, -tɔːr/ （名）（C）（米）不動産業者 (real estate agent).

re·al·ty /ríːəlti/ （名）（U）不動産 (real estate).

ream[1] /ríːm/ （名）（C）**1** 連《紙の数量単位。1 ream は20 quire で、（米）500枚、（英）480枚、印刷用紙(printer's ream)は516枚。（略）rm.》．**2**《略式》[~s of …; 複数扱い]（紙・書き物などの）多量、たくさ

ん.

ream[2] /ríːm/ [動][他] 〈穴など〉をリーマーで広げる;《米》…の果汁を絞り器で絞る;《米略式》…をだます;…をきびしく叱る(+*out*).

réam·er [名][C] リーマー《穴を広げる工具》;《米》レモン絞り器.

re·an·i·mate /rìːǽnəmeit/ [動][他] …を元気づける, …を生き返らせる.

†reap /ríːp/ [動][他] **1** 〈人が〉〈作物〉を収穫する(harvest), 刈る《◆「草を刈る」は mow [cut] grass》;〈畑など〉の作物を収穫する ‖ *reap* wheat 小麦を刈る / *reap* a field 畑の作物を収穫する. **2**《正式》〈報いなど〉を〔行為・努力などの結果として〕受ける, 手に入れる(get)〔*from, of*〕‖ *reap* the profits *of* hard work よく働いた成果として利益を得る. **—**[自] **1** 収穫する(harvest). **2** 報いを受ける ‖ ***As you sow, so shall you reap.***《ことわざ》まいた種は刈らねばならぬ;「自業自得」.

réaping machine 自動刈り取り機.

†reap·er /ríːpər/ [名] **1** [C] 刈り取り機 ‖ a *reaper* and binder 刈り取り結束機. **2** [C]《詩・今はまれ》刈る人, 収穫者. **3** [the (Grim) R~] 死, 死神.

†re·ap·pear /rìːəpíər/ [動][自] 再現[再発]する.

re·ap·point /rìːəpɔ́int/ [動][他] …を再任[再選]する.

†rear[1] /ríər/ [名] [通例 the ~] **1** [U] 後部;うしろ, 背後(↔ front)《◆back より堅い語》;[形容詞的に] 後部[背後]の ‖ a garden ***at*** [***to,*** 《米》***in***] ***the rear of*** the house 家の裏にある庭 / follow in *the rear* 後からついて行く / a *rear* pocket (ズボンの)後ポケット. **2** [C]〔軍事〕後方(部隊)(↔ van[2]) ‖ take [attack] the enemy in the *rear* 敵の背後を襲う.

bríng úp the réar (1)《正式》(行列などの)最後尾を行く, しんがりを務める. (2)《略式》(競技などの)最下位になる.

réar guárd〔軍事〕[the ~;単数・複数扱い] 後衛(↔ vanguard).

réar lámp [**líght**] (自動車の)尾灯(taillight, tail lamp).

réar séat 後部座席.

†rear[2] /ríər/ [動][他]《主に英》〈子供〉を(成人するまで)育てる, 養育する(《米》raise);〈動物〉を飼育する(《米》raise);〈植物〉を栽培する(cultivate) ‖ *rear* a family 家族を養う / *rear* cattle 牛を育てる.
—[自] 〈馬などが〉後ろ足で立つ;〈人が〉席をけって立つ(+*up*).

re·ar·range /rìːəréindʒ/ [動][他] …を配列し直す.

réar·vìew mírror /ríərvjùː-/ (自動車などの)バックミラー([図] → car)(《英》driving mirror).

rear·ward /ríərwərd/ [形][副] 後方[後部]の[に, へ].
—[名][U] 後方, 後部(rear) ‖ to [in the] *rearward* of ... …の後部[背後]に.

‡rea·son /ríːzn/ 〖「数えること」が原義〗[派] reasonable (形)

—[名] ([複] ~s/-z/) **1** [C][U]〔…の/…する/…に反対する/…の背後の〕**理由**, わけ, 根拠〔*for, why*節, *that*節 / *to do* / *against* / *behind*〕《◆reason はあることがなぜ行なわれた[行なわれる]かについての説明. cause はある効果をもたらす原因になるもの》‖ ***for óne réason or anóther*** =***for sóme réason*** (***or óther***) (よくわからないが)何かの理由で, どういう風の吹き回しか / ***For what reason?*** どういう理由で, なぜ / What are your *reasons for* acting like this? こんな行動をとった理由は何ですか《◆Why did you act like this? よりも詰問的な感じは薄い》/ He insulted her. ***That is the reason why*** she got angry. 彼が彼女を侮辱した. そういうわけで彼女は怒ったのです(➲文法 20.4)(=She got angry because he insulted her.) / ***The reason*** (***why*** [***that***]) we were late is that [because] our bus broke down on the way. 遅刻したのはバスが途中で故障したためです《◆because を認めない人もいるので避けた方がよい》/ We ***have good reason*** 「***to*** believe [***for*** believing] that he was murdered. 《正式》彼が殺害されたと信じる十分な根拠がある / There is no *reason why* we should not do it. =There is no *reason* for us not *to* do it. それをしてはいけないという理由はない / He had every *reason to* be surprised. 彼が驚くのも無理はなかった / He scolded his son ***for no reason.*** 彼は息子をわけもなくしかった.

2 [U]《正式》**理性**, 思考[判断]力;分別, 正気 ‖ ***lose*** [***regain***] one's ***reason*** 理性を失う[取り戻す];《古》気が狂う / use *reason* to understand ... 理性によって…を理解する.

3 [U] **道理**, 理屈 ‖「***listen to*** [***hear***] ***reason*** 道理がわかる, 聞き分ける / ***see reason*** 道理をわきまえる / There is a great deal of *reason* in her advice. 彼女の忠告には十分な道理がある / reach the age of *reason* 物心がつく.

beyònd [***pàst***] (***áll***) ***réason*** まったく理屈に合わない.

bring A to réason 〈人〉に道理を悟らせる, …を納得させる.

****by réason of A*** 《正式》A〈事〉**の理由で**, …のために(because of) ‖ Henry was dismissed *by reason of* his old age. ヘンリーは高齢を理由に解雇された.

for réasons of A 《正式》〈事〉の理由で(because of) ‖ resign *for reasons of* health 健康上の理由で辞任する.

in réason 〖道理の範囲内で(in [前] **6**)〗道理にかなった, 無理でない;道理上, 当然 ‖ I will do anything *in reason*. 道理にかなったことなら何でもする.

it stánds to réason 〖道理に合った(to [前] **12**)状態にある(stand [自] **8 a**)〗〔…は〕当然である, 理にかなう〔*that*節〕‖ *It stands to reason that* workers are [(should) be] paid. 労働者が給料をもらうのは当然だ.

òut of (***áll***) ***réason*** 道理に合わない, 途方もない.

within réason =in REASON.

****with réason*** [文全体を修飾] **もっともな理由で**, 当然(reasonably) ‖ She complained *with reason* that she had been punished unfairly. 不当な処罰を受けたと彼女が異議を申し立てたのは当然だ(=She *reasonably* complained that she had been punished unfairly.).

—[動] (~s/-z/; [過去・過分] ~**ed**/-d/; ~·**ing**)《正式》

—[自] **1** (論理的に)**思考する**, 〔…から〕**推論**[**推理**]**する**, 判断する〔*from*〕‖ *reason from* one's own experience 自分自身の経験から判断する / Man alone has the ability to *reason*. 人間だけに思考する能力がある.

2 (論じて)〔人に/…について〕理を説く, 説得する〔*with* / *on, upon, of, about*〕‖ I tried to *reason with* the boy, but he refused to listen. その少年を説得しようとしたが聞こうとしなかった.

—[他] **1** 〈人が〉〈事〉を**論理的に考える**, **推論**[**推理**]**する**;[reason that節] …だと論じる ‖ I *reasoned*

that her alibi was false. 彼女のアリバイは工作されたものと私は推理した / Ours (is) not to *reason* why. 《略式》私たちは理由を問う立場ではない; 言われたことをするべきだ.
2 〈人〉を説得して[…を]させる〔into (doing)〕; 〈人〉を説得して[…を]やめさせる, させない〔out of〕‖ I *reasoned* him *out of* such stupid behavior 彼を説得してそんなばかなふるまいをやめさせる / I *reasoned* them *into* agreeing to the plan. 彼らを説きふせてその計画に同意させた.
3 (いろいろ考えて)〈解決など〉を見つける《主に米略式》figure out 〔+*out*〕‖ *reason out* a final conclusion 最終の結論を出す.

†**rea・son・a・ble** /ríːznəbl/ 〖→ reason〗 㵅 reasonably (副)
— 形 **1** 〈人・行為などが〉**道理をわきまえた**, 分別のある; 〈人が〉理性的な(↔ unreasonable) ‖ a *reasonable* person 聞き分けのよい人; 理性的な人 / It's *reasonable* to listen to what others say. 他人の言うことに耳を傾けることは賢明だ.
2 道理にかなった, 筋の通った, もっともな; [名詞の前で]**穏当な, ほどよい**, 〈値段などが〉手ごろな ‖ *reasonable* demands 妥当な要求 / That's a *reasonable* suggestion. それは当を得た提案だ / a *reasonable* price 手ごろな値段 / The party was a *reasonable* success. パーティーはまず成功だった.

†**rea・son・a・ble・ness** /ríːznəblnəs/ 名 U 道理をわきまえたこと; 妥当[適正]なこと.

†**rea・son・a・bly** /ríːznəbli/ 副 (↔ unreasonably) **1** 分別よく, 賢明に ‖ behave *reasonably* 分別のあるふるまいをする. **2** 適当に, ほどよく; かなり《◆好ましい肯定的な意味合いで用いられる. → somewhat》‖ The camera is *reasonably* priced. そのカメラは手ごろな値段だ. **3** [文全体を修飾] 当然, …するのはもっともだ (with reason).

rea・son・ing /ríːzəniŋ/ 名 U **1** 推理, 推論. **2** 論法, 議論の筋道.

re・as・sem・ble /ríːəsémbl/ 動 《正式》 他 …を再び集める, 再び組み立てる. — 自 再集合する.

re・as・sert /ríːəsə́ːrt/ 動 他 …を再び断言する; 〈権利など〉を再び主張する.

re・as・sume /ríːəsjúːm/ 動 他 〈任務など〉を再び引き受ける; 〈態度など〉を再びとる.

re・as・sur・ance /ríːəʃúərəns, -əʃɔ́ːr- | -əʃúər-/ 名 U C **1** 安心(する[させる]こと); 元気づけ(の言葉など); 新たな自信. **2** 再保証; 再保険.

†**re・as・sure** /ríːəʃúər, -əʃɔ́ːr- | -əʃúə-/ 動 他 **1** 〈人〉を[…に関して]安心させる, 自信[元気]を回復させる〔*about*, *of*〕; 〈人〉を[…と言って]安心させる〔*that* 節〕‖ Her smile *reassured* the frightened boy. 彼女の微笑はおびえている少年を安心させた / The police *reassured* her *that* her son was safe. 息子は無事だと伝えて警察は彼女を安心させた. **2** …を再保証[再確認]する.

re・a・wak・en, re・a・wake /ríːəwéikn/ /ríːəwéik/ 動 他 …の目を(再び)さまさせる. — 自 目を(再び)さます.

re・bap・tize /ríːbǽptaiz/ ˌ﹣ˈ﹣/ 動 他 …に再び洗礼を施す.

re・bate /ríːbeit, ribéit/ 名 C 割引; (支払い金の一部の)払い戻し《◆日本語「リベート」のような悪い意味はない》‖ an income tax *rebate* 所得税の還付. — 動 他 …を割り引く, 払い戻す.

Re・bec・ca /ribékə/ 名 レベッカ《女の名. (愛称) Becky》.

†**reb・el** /形名 rébl; 動 ribél/ 名 C **1** 反逆者, 反抗する人; 反乱軍兵士. **2** [しばしば R~]《米史》南軍兵士. — 形 反逆の, 反抗の; 反乱軍の ‖ *rebel* troops 反乱軍 / his *rebel* spirit 彼の反逆精神. — 動《◆分綴は re・bel》(過去・過分) re・belled /-d/; ~・bel・ling) 自 **1** 〈人が〉〔政府などに〕謀反を起こす, そむく; 〔権威などに〕反抗[反対]する〔*against*〕‖ *rebel against* the government 政府に対して反乱を起こす / Young people often *rebel against* their parents' way of thinking. 若者はしばしば両親の考え方に反発する. **2** […に]強い嫌悪(ﾔﾂ)を表す[感じる]〔*at*, *against*〕.

†**re・bel・lion** /ribéljən/ 名 U C […に対する]反乱, (不成功に終わる)謀反(ﾋﾝ), 暴動; 反抗〔*against*〕‖ 'rise in [stage a] *rebellion* 反乱を起こす / put down the *rebellion* 反乱を鎮圧する.

re・bel・lious /ribéljəs/ 形《正式》**1** 反乱の, 謀反(ﾋﾝ)の; 反乱を起こした. **2** 反抗的な, 言うことを聞かない; 〈病気が〉治りにくい.

re・birth /riːbə́ːrθ, ˈ﹣/ 名《正式》[a/the ~] 改心; 復活, 復興.

re・boot /riːbúːt/ 動《コンピュータ》〈システム〉を再起動する.

re・born /riːbɔ́ːrn/ 形《正式》生まれ変わった, 再生した.

†**re・bound** /動 ribáund; 名 ríːbaund, ribáund/ 動 自 **1**《正式》[…から]はね返る 〔+*off*〕〔*from*〕;〈音が〉反響する. **2**〈うそなどが〉[…に](その報いとして)はね返る〔*on*,《正式》*upon*〕. **3** [失意などから]立ち直る〔*from*〕. — 名 C **1** はね返り. **2** (バスケットボールなどの)リバウンド(ボール(を取ること)). **3** (失意などからの)立ち直り.
on the rebound (1)《物がはね返ってくるところを. (2)(失意などの)反動から.

†**re・buff** /ribʌ́f/《正式》名 C (~s) 〔…の〕すげない拒絶; (計画などの)挫折‖ ˈmeet with [ˈsuffer] a *rebuff* すげなく拒絶される. — 動 他 …を拒絶する.

†**re・build** /riːbíld/ 動 (過去・過分) ~・built) 他 〈人が〉〈建物〉を改築する, 再建する; 〈機械類〉を組み立て直す; 〈社会など〉を改造する; 〈希望〉を打ち砕く.

re・built /riːbílt/ 動 rebuild の過去形・過去分詞形.

†**re・buke** /ribjúːk/《正式》動 他 〈人が〉〈人〉を[…のことで]強く非難する, しかる (blame)〔*for*〕《◆しばしば公的な叱責(ﾋﾞﾝ)》‖ The teacher *rebuked* the pupil *for* cheating. 先生は生徒のカンニングをきびしくしかった. — 名 C [...に対する]非難, 叱責〔*for*〕‖ give [receive] a *rebuke* 叱責される〔*for*〕.

re・bus /ríːbəs/ 名 C **1** 判じ物. **2** 判じ絵紋.

re・but /ribʌ́t/ 動 (過去・過分) ~・but・ted /-id/; ~・but・ting) 他 (1)《正式》(反証や正論によって)〔…に〕反論する, 反駁(ﾊﾞｸ)する; 〈…の〉反証をたげる.

rec /rék/ 名 U =recreation《◆主として形容詞的に用いる》‖ a *rec* room 娯楽室.

re・cal・ci・trant /rikǽlsitrənt/ 形《正式》反抗的な.

†**re・call** /rikɔ́ːl; 名 ríːkɔːl, -kɔ̀l, rikɔ́ːl, -kɔ́l | ˈ﹣, ˌ﹣ˈ﹣/ 動 他 **1** 〈人が〉(意識的に)努力して〈人・物・事〉を思い出す; [...したこと/…だと/…かを]思い出す, 思い出を語る(having done, doing / *that* 節, *wh* 節)《◆remember より堅い語》‖ *recall* his name (to mind) 彼の名前を思い出す / I *recalled* reading [having read] the book. =I *recalled* (*that*) I had read the book. その本を読んだことがあるのを思い出した《◆having read より reading の方がふつう. ➔ 文法 12.2》. **2 a** 〈物・事・人が〉〈物・事〉を〔人・心に〕思い出させる〔*to*〕‖ The story *recalls* my childhood. その話を聞くと子供の頃を思い出す. **b** [recall A to B] 〈物・事・人が〉A〈人〉に B を [A を B〈人〉に]

思い起こさせる ‖ That picture *recalled* the beautiful scenery of Finland to his mind. その写真を見ると彼はフィンランドの美しい景色を思い出した. **3**〈人が〉〈人〉を[…から/…へ]呼び戻す, 召還する[*from/to*];《米》…を解任する ‖ *recall* an ambassador *to* London 大使をロンドンに召還する. **4**〈不良品・欠陥品など〉を回収する, 元へ戻す. **5**〈命令など〉を取り消す ‖ *recall* one's word 約束を取り消す.

as I *recall* 私の記憶するところでは(確か…だ), ほら, 例の.

──名 **1** ⓊⒸ[単数形で][…からの/…への]呼び戻し, 召還[*from/to*] ‖ the *recall* of an ambassador 大使の召還. **2** ⓊⒸ《米》リコール〈住民投票による議員などの解職(権)〉. **3** Ⓤ思い出す能力[こと]. **4** [the R~]〖軍事〗再集合合図. **5** Ⓤ〈欠陥商品の〉回収.

beyond [*past*] *recall* 取り返しのつかない; 思い出せない.

re·cant /rikǽnt/ 動 《正式》他自〈…を〉(公式に)取り消す, 撤回する.

re·can·ta·tion /rìːkæntéiʃən/ 名ⒸⓊ《正式》取り消し, 撤回.

re·cap /ríːkæp/ 動《略式》= recapitulate.

re·ca·pit·u·late /rìːkəpítʃəleit/ - tju-/ 動《正式》他〈…〉を要約する, 〈…〉の要点を繰り返す. ──自 要約する.

✝**re·cap·ture** /rìːkǽptʃər/ 動他 **1**〈…〉を取り戻す, 奪い返す. **2**〈…〉を思い出す; 〈…〉を思い出させる, 再現する. ──名Ⓒ奪回, 回復. **2** Ⓤ取り返した物[人].

re·cast /動 rìːkǽst | -kɑ́ːst; 名 ´-/ 動 〈過去・過分〉**re·cast**〉他 **1**〈…〉を鋳(い)直す. **2**〈…〉を作り[書き, 練り]直す. **3**〈…〉の配役を変える. ──名Ⓒ改鋳(ちゅう)(物), 改作(品).

✝**re·cede** /risíːd/ 動自《正式》**1**[…から](徐々に)退く, 後退する; 遠ざかる(go back) (cf. *proceed*) ‖ The flood waters began to *recede from* the field. 洪水は畑から引き始めた. **2** 後方に引っ込む[傾く]. **3**〈髪の生えぎわなどが〉後ろに下がる;〔地位などが〉身を引く; 〔意見などを〕撤回する[*from*]. **4** 〈価値などが〉減る, 落ちる, 低下する.

✝**re·ceipt** /risíːt/【発音注意】〖→ *receive*〗 ──名 (働~s/-síːts/) **1** Ⓒ[…の]領収書[証], 受領書, レシート[*for*] (略 rept., rec., rect.) ‖ make out a *receipt* for … …の領収書を書く. **2** Ⓤ《正式》受領(する[される]こと) ‖ We acknowledge [are in] *receipt* of the goods. (商用文)商品拝受しました《♦ We have *received* the goods. がふつう》/ *on receipt of* your letter 《通例商用文》お手紙受領次第(= *on receiving* your letter). **3**〖商業〗[~s; 複数扱い](取引による)収入金, 受領高(↔ expenditure) ‖ cash [check] *receipts* 現金[小切手]収入 / box-office *receipts* (劇場などの)切符売上高.

recéipt bòok 領収書帳.

re·ceiv·a·bil·i·ty /risìːvəbíləti/ 名Ⓤ《正式》〈証拠・証明などの〉信頼性.

re·ceiv·a·ble /risíːvəbl/ 形《正式》〈証拠などが〉信頼できる, 請け合える.

✱**re·ceive** /risíːv/【つづり注意】「〈贈[送]られた物〉を手に取る」が原義. cf. conceive, deceive〗 ⦅派⦆ receipt (名), receiver (名), reception (名)
──動 (~s/-z/; 〈過去・過分〉~d/-d/; --ceiv·ing)
──他 **1**《正式》〈人〉が〈物〉を[…から]受け取る, 受領する[*from*] 《♦ get よりも堅い語》(↔ send) (使い分け → accept ⓐ**1**) ‖ *receive* a letter [check] *from* ABC 社から手紙[小切手]を受け取る / *receive* a Nobel prize ノーベル賞を受賞する / *receive* a pass (球技で)パスを受ける / *receive* NBC [the FM station] NBC 放送 [FM 放送]を受信する / We *received* your offer but did not accept it. 申し出は聞きましたが承諾したわけではありません.
2《正式》〈…〉を(受動的に)受ける, こうむる(suffer); 〈重さなど〉を支える ‖ *receive* damage [benefit] 損害[恩恵]をこうむる / *receive* a good education 立派な教育を受ける.
3《正式》[通例 be ~d] [様態副詞と共に]〈人・物事〉が受け入れられる(accept); 〈考えなど〉が[…と]みなされる[*as*]; 〈人〉が[…に]仲間入りする(admit) [*into*] ‖ Her speech *was received* with cheers. 彼女の演説は喝采(かっさい)を受けた / He *was received* warmly [coldly]. 彼は暖かく[冷淡に]迎えられた / His statement *was received as* an official commitment. 彼の声明は公約と受け取られた / That is very well *received*. それは受けがよい.
4《正式》〈人〉と会見する, …を[…で/…として]歓迎[接待]する(welcome) [*with/as*] ‖ *receive* the Queen at the Imperial Palace 女王を宮中にお迎えする. **5**《正式》〈建物など〉を収容する(hold) ‖ The inn was too small to *receive* all of them. その旅館は全員を泊めるには小さすぎた. **6**〖球技〗〈球〉をレシーブする.
──自 **1** 受信する, 受信者になる; 〖球技〗レシーブする. **2**《正式》歓迎会を主催する;〈医師などが〉患者の訪問を受け入れる.

re·ceived /risíːvd/ 形《正式》容認された, 標準とされる ‖ the *received* opinion〈世間一般の〉通念, 定説.

recéived pronunciátion [しばしば R~ P~]《英》容認標準発音(educated Southern British English の RP)《イングランド南東部の教育のある人々の英語発音》.

Recéived Stándard《米》〈英国の〉容認標準語《♦ Received Pronunciation をさす場合もある》.

✝**re·ceiv·er** /risíːvər/ 名Ⓒ **1** 受け取る人, 受け取った人(↔ sender);〈金銭の〉領収者, 会計[出納]係(官);〈盗品の〉引取人, 故買者;〖球技〗レシーバー (cf. server). **2** (ラジオ・テレビの)受信[受像]機; (電話の)受話器. **3** 容器, 収納器;〖化学〗(蒸留液の)受け器; ガスタンク.

re·ceiv·er·ship /risíːvərʃìp/ 名Ⓤ 管財人職権[任期]; 管財人管理下にあること.

✱**re·cent** /ríːsnt/ 〖「近い過去のある時」が本義. cf. late(ly)〗 ⦅派⦆ recently (副)
──形 (more ~, most ~; 時に ~·er, ~·est) [通例名詞の前で] 最近の, 近ごろの; (同じ日で)今しがた起こったばかりの, さっきの(cf. recently); ごく新しい(new) ‖ *recent* events [fashions] 最近の出来事[流行] / I paid a *recent* visit to my parents. 最近両親を訪ねました / It has become possible to see all kinds of movies on TV in *recent* years. 近年ではどんな種類の映画でもテレビで見られるようになった.

✱**re·cent·ly** /ríːsntli/〖→ recent〗
──副 (近い過去のある時をさして)ついこのあいだ, 先ごろ, つい最近(lately, 《正式》of late)《♦ 1 年くらい前から数日前くらいまでの漠然とした期間を含む》‖ They got married only *recently*. 彼らが結婚したのはつい

receptacle

最近だ / This tendency has *recently* become remarkable. この傾向が最近著しくなってきた / Have you seen an exciting boxing match *recently*? 最近面白いボクシングの試合を見ましたか / She was in Kyoto until *recently*. 彼女はつい最近まで京都にいた / I had only *recently* returned from America. 私はついこの先ごろアメリカから帰ったばかりだ.

> **✍ 語法** ふつう過去・現在[過去]完了の文に用いる. 現在時制の文にはふつうは用いない Nowadays [These days, ×Recently] I go to church. 近ごろ教会に通っているんだ(→ lately 語法).

†**re·cep·ta·cle** /riséptəkl/ 名 C《正式》**1** 容器; 避難所. **2**〔植〕花床(̊ょう), 花托(̊く)〈図 → flower〉.

†**re·cep·tion** /risépʃən/ 名 **1** U〔時に a ~〕受け入れること, 受け入れられること; [a/the ~] もてなし, 接待, 歓迎; (世間の)評価 ‖ gíve a fríendly recéption 親切にもてなす / gèt a cóld recéption 冷遇される / His *reception* into the club was declined. 彼の入会は断られた / The suggestion will meet with *a* favorable *reception*. その提案は好感をもって迎えられるだろう. **2** C 宴会, レセプション ‖ a wedding *reception* 結婚披露宴 / a farewell *reception* 送別会. **3** U《主英》=reception desk; (会社などの)受付. **4** U (人の)感受能力; (ラジオ・テレビなどの)受信能力[状態] ‖ TV *reception* is good [bad] here. 当地のテレビの映りはよい[悪い].

recéption clèrk《米》(ホテルの)受付係, フロント係.
recéption dèsk (ホテルの)フロント(→ front desk).
recéption ròom 応接室, (病院などの)待合室;《英》居間《◆不動産用語》.

re·cep·tion·ist /risépʃənist/ 名 C (会社・ホテル・病院などの)受付係.

re·cep·tive /riséptiv/ 形《正式》〈人が〉〔新しい考えなどに〕受容力がある, 理解が早い〔to, of〕.

re·cep·tiv·i·ty /rìseptívəti/ 名 U《正式》受容力, 感受性.

†**re·cess** /ríːses | risés/ 名 **1** CU **a** 休憩,《米》(授業間の)休憩時間((主に英))break)《◆「昼休み」は lunch time, lunch hour, noon recess. 劇場での「休憩時間」は《米》intermission,《英》interval》‖ at *recess* 休み時間に / *during recess* 休み時間に / hàve [tàke] a shórt récess before the meeting resumes 会議が再開する前に短い休憩をとる. **b** 休暇, 休日(《米》vacation);《英》学校の休日 ‖ the winter *recess* 冬休み《2月中旬前後の10日間ぐらいの休み》. **c**〔(議会などの)休会(期間);《米》休廷 ‖ Congress *is in recess*. (米国)議会は休会中です. **2** C 〔文〕〔通例 ~s〕奥まった所, (心の)奥 ‖ in the *recesses* of the mind 心の奥深くに. **3** C (壁などの)引っ込んだ部分; (部屋などの)凹所(̊ぉ) ‖ a vase in the *recess* of the wall 壁のくぼんだ部分にある花瓶.
—— 動 他 **1** …をくぼんだ所に置く; …にくぼんだ所を作る, …を引っ込ませる. **2** …を休憩[休会]にする.
—— 自《米》休憩[休会]する.

re·ces·sion /riséʃən/ 名《正式》**1** C 一時的不景気, 景気後退《◆depression の遠回し語》. **2** U 後退, 退去.

re·ces·sive /risésiv/ 形《正式》**1** 退行の, 逆行の. **2**〔生物〕(遺伝形質が)劣性[潜性]の(↔ dominant).

reckless

re·charge /riːtʃɑ́ːrdʒ/ 動 他〔しばしば比喩的に〕…を再充電する ‖ You need to *recharge* your batteries. 君は休養が必要だ. —— 名 UC 再充電; 再補給(物).

re·charge·a·ble /riːtʃɑ́ːrdʒəbl/ 形 再充電可能な.
—— 名 C 再充電式の.

re·cher·ché /rəʃèərʃéi/《フランス》形 **1** 凝った, 珍しい. **2** 凝りすぎた; 持って回った.

†**rec·i·pe** /résəpi/ 名 C **1** (…の)調理法, レシピ〔for〕‖ a *recipe for* chicken soup チキンスープの作り方 / a *recipe* book 料理の本. **2** (…の)秘訣(ひけつ), 方法〔for〕‖ a *recipe for* happiness [success] 幸福[成功]の秘訣(ひけつ).

†**re·cip·i·ence** /risípiəns/ 名 U 受容, 受領; 受容性.

†**re·cip·i·ent** /risípiənt/《正式》名 C 受取人; 代理母; 容器 ‖ Will the sender or the *recipient* pay for this? これは前払いですか, 着払いですか.
—— 形 受け入れる; 感受性のある.

†**re·cip·ro·cal** /risíprəkl/ 形《正式》相互の(mutual); 互恵的な; 相補的な ‖ *reciprocal* visits 相互訪問 / *reciprocal* help [distrust] 相互扶助[不信] / *reciprocal* proportion 反比例.
—— 名 C **1** 相互[相関]的なもの, 相対物, 対応物. **2**〔数学〕逆数.

recíprocal prónoun〔文法〕相互代名詞《each other, one another など》.

re·cip·ro·cal·ly 副 相互に; 互恵的に.

†**re·cip·ro·cate** /risíprəkèit/ 動《正式》他 **1** …に〔…で/…に〕返礼する, 報いる〔with/for〕‖ He *reciprocates* his uncle's dislike. 彼はおじと犬猿の仲だ / His kindness was not *reciprocated*. 彼の親切は報いられなかった. **2** …を交換する, 互いにやりとりする(exchange). **3**〔機械〕…を往復運動させる.
—— 自 **1** 返礼する. **2** 交換する. **3**〔機械〕往復運動する. **4**〔…と〕一致する〔with〕.

rec·i·proc·i·ty /rèsəprásəti | -prɔ́s-/ 名 U **1** 相互利益, 互恵主義(に基づく交換). **2** 相互依存の状態[関係].

†**re·cit·al** /risáitl/ 名 C **1** 独奏会, 独唱会, リサイタル ‖ give a piáno *recital* ピアノのリサイタルをする. **2**《正式》詳細な話[説明]; 話, 物語.

†**rec·i·ta·tion** /rèsitéiʃən/ 名 UC **1**《正式》(人前で詩などを)暗唱(すること),《米》朗読(すること). **2** C 暗唱文. **3** UC《米やや古》〔教育〕暗唱, 口答; レシテーション. **4** U (事実などの)列挙; 詳説.

†**re·cite** /risáit/ 動 他 **1**〈人が〉〔聴衆などに向かって〕〈詩など〉を暗唱する,《米》朗読[朗唱]する〔to〕‖ *recite* a whole page of a book 本の1ページ全部を暗唱する. **2**《略式》…を詳細に話す ‖ *recite* one's adventure 長々と冒険談をする. **3**《略式》…を列挙する ‖ *recite* the names of big cities in Japan 日本の大都市の名前を一つ一つ言う. —— 自 暗唱する,《米》朗読[朗唱]する.

re·cit·er /risáitər/ 名 C 暗唱する人, 朗読者.

†**reck** /rék/ 動 《古・詩》〔否定文・疑問文で〕《◆ ×do not *reck* ではなく, *reck* not [little] という》自 〔…かを〕気にかける(mind)〔of〕. —— 他 **1** 〔…かを〕気にかける(mind)〔*wh* 節, *that* 節〕. **2** It *recks* A not [little] *wh* 節〈人〉にとって…かは重大でない.

†**reck·less** /rékləs/ 形 **1**〈人・行為が〉向こう見ずな(↔ careful) ‖ *reckless* driving 無謀運転. **2**《正式》〔…を〕気にかけない〔of〕‖ He was *reckless of* my advice. 彼は私の忠告を何とも思わなかった《◆ heedless の方がふつう》. **réck·less·ness** 名 U 無茶.

reck·less·ly /rékləsli/ 副 無鉄砲に.

†reck·on /rékn/ 動 他 1 (正式・今は古)〈人が〉〈費用・利益など〉をざっと数える, 計算する, 合計する (add up) (+*up*, *out*) ‖ *reckon* (*up*) the expenses 支出を合計する. **2** (略式)〈人が〉〈人・物・事を〉[…だと]考える, (高く)評価する(judge) (*to be*, *as*);〈物・人を〉[物・人]の1つ[1人]と考える(*among*)《◆ふつう進行形不可》. **3** (略式) [時に挿入的に用いて] […と] (勝手に)思う, 憶測する(米略式) guess)(*that*節)《◆受身形不可》‖ What do you *reckon* she did? 彼女が何をしたと思ってるんだ 《◆×Do you *reckon* what she did? は不可. → think 他 **2b**》/ He *reckoned* that you already arrived. 彼は君がすっきり到着したものだと思いこんでいた / He'll win, I *reckon*. 彼が勝つよ, 勘だけどね / I *réckon sò* [nòt]. そう思う[そうだとは思わない](=I think so [not].). **4** (正式) […しようと]思う, […することにしている] (*to do*) ‖ I *reckon* to take an early-morning walk. 早朝散歩をしようと思っている / When do you *reckon* to start work? いつから仕事を始めるつもりか.

—自〈人が〉数える, 計算する ‖ My two-year-old son can *reckon* from 1 to 100. 2歳の息子だが1から100まで数えられるよ.

réckon ín [他] …を勘定に入れる, あらかじめ考慮しておく(include) ‖ You have to *reckon* in a tip (the charge). (料金には)チップを見込んでおきなよ.

réckon on [(正式) *upòn*] (1) 《A を基にして(on 副)計算する》〈人・事・物を〉[…するものと]当て込む((略式) count on) (*to do*) 《◆受身可》‖ I *reckoned on* her to take my place. 彼女が私の代役をしてくれるものと当てにしていた. (2) [~ on [*upon*] *doing*] …するつもりである ‖ Is he *reckoning on* coming? 彼は来るつもりなのか.

réckon with A (1) 《…を(手ごわいものとして)考慮に入れる》(take into consideration)《◆受身可》‖ He is certainly a scholar to be *reckoned with*. 彼は確かに注目しておくべき学者だ. (2) …の清算をする. (3) 〈人〉を相手にする, …に直面する. (4) 〈問題などを〉処理する;〈人〉を罰する.

réckon withóut A …を考慮しない.

†reck·on·ing /rékniŋ/ 名 **1** 回 [時に a ~] 計算, 見積もり ‖ by my *reckoning* 私の計算では. **2** 回 請求書. **3** 回 [時に a ~] 清算; 応報 ‖ pay [settle] one's *reckoning* 清算する / Remember there will be *a reckoning*. きっと罰が当たるぞ / the day of *reckoning* (悪事などの)報いを受けなければならない日, 最後の審判の日. **4** 回 (海事)(天体観測による)船位算定.

óut of one's *réckoning* 当てが外れて; 計算を間違えて.

†re·claim /rikléim/ 動 他 **1** (正式)〈人〉を[…から]更生[改心]させる(*from*) ‖ *reclaim* a man from a life of vice 人を悪の道から更生させる. **2** 〈荒れ地〉を開墾する;〈沼などを〉埋め立てる;〈土地〉を(海などから)干拓してつくる(*from*). —名 **1** 回 更生, 改心. **2** past [beyond] *reclaim* 更生[改心]の見込みがない. **2** 開墾; 干拓.

rec·la·ma·tion /rèkləméiʃən/ 名 回 **1** 更生, 教化. **2** 開墾; 干拓. **3** 再生(利用). **4** 返還要求.

†re·cline /rikláin/ 動 (正式) 自 […に]もたれる(lean), 横たわる(lie down) (*against*, *on*, *upon*, (まれ) *in*) ‖ *recline* on a sofa ソファーに横になる.

—他〈身体などを〉[…に]もたせかける, 横たえる(lay) (*against*, *on*, *upon*) ‖ May I *recline* my seat?

シートを倒してもいいですか.

reclíning cháir リクライニングチェア.

re·cluse /réklu:s, riklú:s | ri-/ 名 回 (正式)修道者; 世捨人, 隠遁(とん)者.

*rec·og·nise /rékəgnaiz/ 動 (英) =recognize.

*rec·og·ni·tion /rèkəgníʃən/ [→ recognize] 名 回 [時に a ~] **1** わかること, 認めること, 承認(すること[される]こと), 認可で; […という)認識, 評価(*that*節) ‖ give (an official) *recognition* to … …を(公式に)認める / receive wide *recognition* 広く認められる.

2 (功労に対する)表彰, お礼 ‖ make honorable *recognition* of … …を表彰する.

3 見覚え, 聞き覚え; 会釈 ‖ escape *recognition* 気づかれずにすむ / bow in *recognition* (顔見知りと思って)おじぎをする.

beyònd [*òut of*] (*àll*) *recognítion* 見分けがつかないほど ‖ The body had burned *beyond recognition*. 死体は見分けがつかないほど焼けただれていた.

in recognítion of A =as a recognition of A …を評価して, …のお礼に.

†rec·og·niz·a·ble, (英ではしばしば) **--nis-** /rékəgnàizəbl/ 形 見分けがつく, 認識[承認]できる.

re·cog·ni·zance, (英ではしばしば) **--sance** /rikɑ́gnizns | -kɔ́g-/ 名 回 (法律) [通例 ~s; 単数扱い] 誓約書; 誓約保証金.

*rec·og·nize, (英ではしばしば) --nise /rékəgnàiz/ [アクセント注意] [(前に知っていたものを)再び(re)(同一のものであると)知る(cognize)] 派 recognition (名).

—動 (~s/-iz/; 過去・過分 ~d/-d/; --niz·ing)
—他 **1** 〈人が〉〈人〉に覚えがある, …を[…で](それと)識別する(*by*, *from*); 〈人〉がだれであるかわかる ‖ I *recognized* Jim by his step. 足音でジムだとわかった / He didn't *recognize* me without my uniform. 制服を着ていない私を彼は誰だかわからなかった.

2 〈人が〉〈事〉を認める, 承認する, 認可する(admit);〈人・事・物を〉[…と]認める(accept) (*as*, *to be*); [recognize *that*節] …だと認める ‖ Everyone *recognizes* his business ability. だれもが彼の商才を認めている / Most Arab countries do not *recognize* Israel. 大部分のアラブ諸国はイスラエルを承認していない / He *recognized that* he was wrong. 彼は自分が悪かったと認めた / She is *recognized as* [*to be*] the best figure skater in the country. 彼女は国内でフィギュアスケートの第一人者だと認められている / They *recognized* me *as* being qualified for the job. 彼らは私がその仕事に適任だと認めた.

3 (笑顔・身ぶりなどで)…に気づいていることを知らせる; …にあいさつをする. **4** (正式)〈功労〉を表彰する ‖ They *recognized* her long service in the firm. 会社は彼女の永年勤続を表彰した. **5** (主に米)〈議長が〉…に発言を許す.

†re·coil /動 rikɔ́il; 名 rí:kɔil/ 動 自 **1a** […から/…に/…を見て](恐怖・嫌悪を感じて)あとずさりする(draw back), しりごみする(shrink) (*from*/*before*/*at*) ‖ *recoil* 「*at seeing* [*at the sight of*] a rattlesnake ガラガラヘビを見てひるむ. **b** 後退する. **2** 〈銃などが〉反動ではね返る. **3** (正式)〈悪行などが〉[…に](報いとして)はね返る(*on*, *upon*) ‖ His evil deeds will *recoil on* him. 彼は悪行の報いを受けるだろう.

—名 回 [時に a ~] **1** ひるむこと; 後退. **2** (銃な

)のはね返り; はね返る距離.

†rec·ol·lect¹ /rèkəlékt/ 動 他 〈人が〉〈努力して〉〈事・物・人を〉思い出す 〔…したことを/…ということを/…かを〕〕思い出す〔doing, having done / that 節, wh 節, wh 句〕∥ try to recollect his name 彼女の名前を思い出そうとする / I cannot recollect her address. 彼女の住所を(どうしても)思い出せない / I cannot recollect whether she was there. 彼女がそこにいたかどうか思い出せない. ──自 思い出す.

as fár as I (cán) recolléct 私の記憶に間違いなければ.

re-col·lect, re·col·lect² /rìːkəlékt/ 動他 **1** …を再び集める. **2**〈心〉を落ち着ける ∥ re(-)collect oneself 心を落ち着ける, 我に帰る.

†rec·ol·lec·tion /rèkəlékʃən/ 名 **1** Ⓤ […を](詳しく)思い出すこと(of); 記憶(力) ∥ be not within [in] one's recollection 記憶にない / His name is beyónd [pást] recolléction 彼の名前は思い出せない / I have no recollection of visiting the place. その場所へ行った記憶がない.
2 Ⓒ〔通例 ~s〕思い出; […という]記憶〔that 節〕∥ from my earliest recollections 物心ついて以来 / write an essay on recollections of one's childhood 子供のころの思い出について随筆を書く.

to (the bést of) my recolléction 私の記憶するかぎりでは(as far as I recollect).

re·com·bi·na·tion /rìːkɑmbənéiʃən | -kɔm-/ 名 Ⓤ **1**〔生物〕(遺伝子の)組み換え. **2** 再結合.

re·com·bine /rìːkəmbáin/ 動他 …を再結合させる. ──自 再結合する.

***rec·om·mend** /rèkəménd/ アクセント注意 〔大いに(re)勧める(commend). cf. command, demand〕派 recommendation (名)
──動 (~s/-éndz/;過去・過分 ~ed/-id/; ~ing)
──他 **1**〈人が〉〈事〉を奨励する; [recommend doing / recommend that 節] …することを勧める; [recommend A to do]〈人〉に…するように勧める (suggest, advise) ∥ I'd recommend studying [ˣto study] English. 英語を勉強しておくのがいいよ / She recommended (to him) that he (should) exercise every day. =(英) She recommended him to exercise every day. 彼女は彼に毎日運動をするように勧めた《◆(1) この受身の文は He was recommended to exercise every day. の他に It was recommended that he (should) exercise every day. の型も可. (2) should を用いるのは《主に英》. ▷ 文法 9.3》.
2〈人が〉〈人・物・事〉を[…として/…に適していると]推奨する〔as/for〕; [recommend B to A] A〈人〉にB〈人・物・事〉を推薦する ∥ 対話 "What would you recommend?" "Let's see. What about today's special soup?"「何がお薦めですか」「そうですね, 本日のスペシャルスープはいかがですか」/ He recommended the girl for the job. 彼は彼女をその仕事に適任だと推薦した / They recommended the book to me. 彼らは私にその本を薦(すす)めた《◆They recommended me the book. ともいうが確立した用法でない. したがって受身形は The book was recommended to me. で, ˣI was recommended the book. の型は不可》 / The movie has little to recommend. その映画にはいいところがほとんどない.
3〈性質などが〉〈人・物〉を好評にする ∥ Hard work will recommend you to him. 一生懸命やれば彼も認めてくれるだろう.

rèc·om·ménd·a·ble /-əbl/ 形 推薦できる.

†rec·om·men·da·tion /rèkəməndéiʃən/ [→ recommend]
──名 (複 ~s/-z/) **1** Ⓤ 推薦(すること), 推挙; 勧める行為 ∥ by [through] recommendation of … …の推薦により / in recommendation of … …を推薦して[ほめて] / I bought this book on [at] my teacher's recommendation. =I bought this book on the recommendation of my teacher. 先生の薦めでこの本を買った. **2** Ⓒ […への]推薦状, 勧告(to) ∥ write a recommendation 推薦状を書く. **3** Ⓒ 長所, 取り柄.

†rec·om·pense /rékəmpèns/《正式》動他 **1** [recompense A for B]〈人〉に〔…に対して〕A〈損害などの〉償いをする, 弁償[賠償]をする(reward) ∥ He recompensed me for my injuries. 彼は私のけがの補償をした. **2**〈人が〉…に[…で]報いる(with);〈人〉に[功労などの]報いをする, 返礼をする〔for〕∥ recompense good with evil 善を悪で報いる / You will be recompensed for your devotion. 君の献身的行為は報われるだろう.
──名 ⒸⓊ […に対する]償い, 弁償; 報酬, 返礼〔for〕∥ without recompense 無報酬で.
in [as] récompense for A …の償いとして.

†rec·on·cile /rékənsàil/ アクセント注意 動他 **1a**《正式》〈人が〉〈人〉を[人と]和解させる, 仲直りさせる (with) ∥ I made efforts to reconcile him with his wife. 彼と彼の妻を仲直りさせようと私は努力した / They became reconciled. 彼らはよりを戻した. **b**〈争いなどを〉仲裁[調停]する(settle). **2**〈人が〉〈事〉を〔事と〕調和させる, 一致させる(harmonize) (with) ∥ reconcile an ideal with reality 理想を現実と一致させる / I can't reconcile your story with the facts. あなたの話と事実が一致しない. **3** [通例 ~ oneself / be ~d]〔運命・損失などに〕…することに甘んじる, 満足する〔to (doing)〕,《略式》 to do〕, 〔…〕をあきらめる〔to〕∥ She was reconciled [reconciled herself] to poverty. 彼女は貧乏に甘んじた.

†rec·on·cil·i·a·tion /rèkənsìliéiʃən/ 名 Ⓤ 和解[調和]する[させる]こと; [a ~] […の間の/…との]和解, 調停, 調和(between/with); Ⓤ 服従, あきらめ.

rec·on·dite /rékəndàit, rikán- | rékən-/ 形《正式》難解な, 深遠な.

re·con·di·tion /rìːkəndíʃən/ 動他 …を修理する.

re·con·firm /rìːkənfə́ːrm/ 動他 …を再確認する.

re·con·nais·sance /rikɑ́nəsəns, -zəns | -kɔ́nəsəns/ 名《正式》**1**〔軍事〕Ⓒ Ⓤ 偵察; Ⓒ 偵察隊. **2** Ⓒ Ⓤ (土地などの)予備調査, 下検分.

†rec·on·noi·ter,《英》**-tre** /rìːkənɔ́itər / rèk-/ 動他《正式》〔軍事〕…を偵察する. **2**〈土地などを〉(予備)調査[踏査]する. ──自 偵察する; (予備)調査する.

re·con·quer /rìːkɑ́ŋkər | -kɔ́ŋ-/ 動他 …を再び征服する.

re·con·sid·er /rìːkənsídər/ 動《正式》他〈法案などを〉再審議する. ──自 再考する, 考え直す.
rè·con·sid·er·á·tion 名 Ⓤ 再考, 再審議.

re·con·sti·tute /rìːkɑ́nstət(j)uːt | -kɔ́n-/ 動他《正式》**1** …を再構成[再編成]する. **2**〈乾燥食品などを〉水を加えて戻す.

†re·con·struct /rìːkənstrʌ́kt/ 動他 **1**〈建物などを〉再建する, 改築する. **2**〈事件などの〉全体を[断片的な資料から]推測する[再現する, 復元する]〔from〕.

†re·con·struc·tion /rìːkənstrʌ́kʃən/ 名 Ⓤ **1** 再建[改築, 再現, 推測](すること) ∥ be under reconstruction 改築[再建]中. **2** ⓒ 再建, 復元[推測]されたもの. **3** [R~]《米史》(南北戦争後の南部諸州の合衆国への)再統合(期), 再建期《1867-1877年》.

‡rec·ord
/名 rékərd | -kɔːd; 動 rikɔ́ːrd/
【アクセント注意】【「記録すること」が本義】

index
名 1 記録　3 レコード　6 最高記録　7 経歴
動 他 1 記録する

――名 (複) ~s/-ərdz | -kɔːdz/)
I [記録にかかわるもの]

1 ⓤ 記録, 登録; ⓒ 記録文書, 議事録(minutes); 証明書類, 資料 ‖ *records* of the past 過去の記録 / It deserved [escaped] *record*. それは記録に値した[記録から漏れた] / an official *record* 公式記録 / kéep a récord of ... …を記録に残す / *Records* show that all the necessary steps were all taken. 必要な手続きがすべて済んだのは記録からも明らかだ.

2 [形容詞的に] 記録的な, 空前の ‖ a *record* snow 未曾有(ぞう)の大雪.

3 ⓒ 《録音・録画の》レコード(盤) ‖ a phonograph *record* レコード(円盤)(《略式》disk,《英》disc) / play [cut] a *record* レコードをかける[作る, 吹き込む].

4 ⓒ 〔コンピュータ〕ひとまとまりのデータ.

II [成績にかかわるもの]

5 ⓒ 成績, 業績 ‖ máke a góod acadèmic [school] récord 優秀な学業成績を示す / He has a good (track) *record* as a businessman. 彼は実業家としての実績をあげている.

6 ⓒ 〔スポーツなどの〕最高記録, 最低記録(in) ‖ He set a new world *record* in the 100-meter dash. 彼は100m 競走で世界新記録を作った / break [beat, shatter] the world's *record* in the high jump 高跳びの世界記録を破る / better one's own *record* 自己記録を更新する / hold the *record* in [for] ... …の記録を持っている.

III [経歴にかかわるもの]

7 ⓒ [しばしば a ~] (個人に関する)記録, 経歴; 前科 ‖ one's (personal) *record* 履歴 / have a (previous [criminal]) *record* 前科がある.

(jùst) for the récord 記録として残すために, 公式に (↔ off the record).

***òff the récord** 《略式》非公式に, オフレコで〔◆新聞・放送などで公表しないこと. cf. off-the-record〕 (↔ for the record) ‖ Please tell me what happened — *off the record*, of course. 何があったのか教えてください, もちろんここだけの話で.

on (the) récord (1)《事実・出来事が》記録されて, 公になった; 記録上 ‖ the hottest day *on record* 記録破りの暑い日. (2)《人が》(…と)述べたと記録されて[*that* 節] ‖ She is *on the record* (as having said) *that* she opposed the war. 彼女は戦争に反対だと述べたと記録されている.

――動 他 《re-cord》 (~s/-kɔ́ːrdz/; 過去・過分 ~ed/-id/; ~ing)

――他 **1**《人が》《物・事》を記録する; 登録する(register); [record wh節] …かを記録する ‖ *record* 「the event [*what* happened] 出来事を[何が起こったかを]記録に残す. **2**《音楽・劇などを》〔…に/…から〕録音[録画]する〔*on, onto / from*〕;《機械が》…を録音[録画]する ‖ I *recorded* the show on tape. そのショーをテープに録音[録画]した / The program was not live /láiv/ but *recorded*. その番組は生放送ではなく録音[録画]だった / This watch can *record* your voice. この腕時計は声を録音できるんだよ. **3**〔計器などが〕《数値など》を表示する ‖ The speedometer is *recording* 200 mph now. 現在速度計は時速200マイルをさしている.

――自 録音する, 録画する.

recórded delívery《英》「配達証明郵便」(《米》certified mail).

récord hòlder 記録保持者.

récord library レコードライブラリー《図書館のようにレコード盤を貸し出したりする公的施設》.

récord plàyer レコードプレーヤー(《米》phonograph, 《英古》gramophone).

re·cord-break·ing /rékərdbrèikiŋ/ 形 《スポーツなどで》記録破りの.

†**re·cord·er** /rikɔ́ːrdər/ ⓒ 名 **1** 録音[録画]機器; 記録器 ‖ a tape *recorder* テープレコーダー / a videocassette [videotape] *recorder* ビデオカセット[ビデオテープ]レコーダー / a time *recorder* タイムレコーダー. **2** 記録係; [しばしば R~]《英法律》(下級裁判所などの)判事(の職名). **3**《音楽》リコーダー, 縦笛.

re·cord·ing /rikɔ́ːrdiŋ/ 名 ⓤⓒ 録音, 録画, 記録; ⓒ 録音[録画]済テープ(円盤).

†**re·count** /rikáunt/ 動 他 《正式》**1** …を〔…に〕詳しく話す, 物語る(narrate)〔*to*〕. **2** …を列挙する.

re·coup /rikúːp/ 動 他 **1** …を取り戻す. **2 a** …を弁償する. **b**《人》に〔…の〕償いをする〔*for*〕.

†**re·course** /ríːkɔːrs, rikɔ́ːrs | rikɔ́ːs/ 名 《正式》**1**〔…に〕頼ること〔*to*〕 ‖ have *recourse to* violence 暴力に訴える / without *recourse to* ... …に頼らずに. **2** ⓒ 頼りとするもの[人].

*‡**re·cov·er** /rikʌ́vər/ 《再び(re)欠けた所を覆う(cover)》 動 recovery (名)

――動 (~s/-z/; 過去・過分 ~ed/-d/; ~ing/-əriŋ/)

――他 **1**《正式》《人が》《失っていたもの》を〔人から〕取り戻す, 奪回する(get back), 《健康》を回復する(get well)〔*from*〕 ‖ *recover* consciousness 意識を取り戻す / *recover* one's health [sight, stolen money] 健康[視力, 盗まれていた金]を取り戻す / *recóver* oneself 体[精神]の平衡を取り戻す, 落ち着く / *recover* lost time 失われた時間を取り戻す.

2《人が》《損失》を回復する; 〔法律〕《賠償などを》〔…から〕(勝訴して)取る〔*from*〕 ‖ You must *recover* the cost *from* him. 君は彼に費用を弁償してもらわなきゃ / She *recovered* damages. 彼女は損害賠償を勝ち取った.

3《土地など》を〈埋め立てて〉作る; …を〈廃物から〉作る〔*from*〕 ‖ *recover* land *from* the sea 海を埋め立てる / The paper is *recovered* from old bills. その紙は古い紙幣を再生したものだ.

――自 《人が》《ふつう重い病気・ショックなどから》元気になる, 復旧する〔*from*〕 ‖ *recover* [ˣ get better] *from* a serious illness 重病が治る / He *recovered* [got better] quickly. 彼はすぐに元気になった.

*‡**re·cov·er·y** /rikʌ́vəri/ 《↠ recover》

――名 ⓤⓒ **1**[時に a ~]《悪い状態からの》回復, 復旧〔*from*〕 ‖ business *recovery* 商業の復興 / She made a remarkable *recovery* 《*from* the disease》with the medicine. その薬で彼女は目にみえて回復した.

2[失ったものを]取り戻すこと, 取り戻した状態, 〔…の〕回復, 回収〔*of*〕 ‖ *Recovery* of the lost goods

recreant

will be quite impossible. 紛失品の回収はまず無理だろう.

recóvery ròom (手術後の患者の)(術後)回復室.

†**rec·re·ant** /rékriənt/ (正式·詩) 形 ① 臆病な, 卑怯(きょう)な; 誠実でない, 変節した. ── 名 ② 臆病者, 卑怯者; 裏切り者, 背教者.

re-create /rì:kriéit/ 動 他 …を改造する; …を(想像などで)再現する.

*__rec·re·a·tion__ /rèkriéiʃən/ 〖再び(re)創造すること(creation)〗
── 名 (複 ~s/-z/) ① (仕事の後の)元気回復, 休養, 気晴らし, レクリエーション; ⓒ 気晴らしのための行為 ‖ What do you do *for recreation*? 気晴らしに何をするの《◆「暇を楽しく過ごす」ために行なう娯楽は *pas-time*. 「暇つぶし」の点を強調する語は *diversion*》.

recréation gròund (公共の)遊園地, 運動場.

recréation ròom (学校·病院·会社などの)娯楽室, (米)(個人の家の)娯楽室.

rec·re·a·tion·al /rèkriéiʃənl/ 形 気晴らしの ‖ a *recreational* vehicle レジャー用の車《略》RV).

rec·re·a·tive /rékriéitiv/ 形 (正式)気晴らしになる, 保養を促す.

re·crim·i·na·tion /rikrìmənéiʃən/ 名 ② (通例 ~s)非難, けんか.

re-cross /ri:krɔ́(:)s/ 動 他 自 (…を)再び横切る.

†**re·cruit** /rikrú:t/ 名 ⓒ **1** 新兵; (米)最下級兵. **2** (…への)新加会員, 新入社員, 新党員, 新人 (*to*); 新米, 初心者 ‖ a raw *recruit* 新参者.
── 動 他 **1** (団体·組織めどを)(…から…へ)新しく入れる, 勧誘する (*from* / *into, for*) ‖ *recruit* new club members 新入部員を募集する / The college *recruits* students *from* abroad. その大学は外国からの学生を受け入れている. **2** 〈軍隊·団体〉を〈新兵[新会員]で〉形成[強化]する (*from*), …に新兵[新会員]を補充する ‖ *recruit* a new soccer team 選手を集めてサッカーの新チームを作る. **3** …を補充する. ── 自 新兵[新会員]を入れる[募集する].

re·crúit·ment /-mənt/ 名 ② ① 新兵[新会員]の募集, 就職の斡旋; 補充, 回復.

rec·ta /réktə/ 名 rectum の複数形.

†**rec·tan·gle** /réktæŋgl/ 名 ⓒ 長方形.

†**rec·tan·gu·lar** /rektǽŋgjələr/ 形 **1** 長方形の. **2** 直角の; 直角をなす.

rec·ti·fi·ca·tion /rèktifikéiʃən/ 名 ⓒ ① **1** (正式)改正. **2** (電気)整流.

rec·ti·fy /réktəfài/ 動 他 **1** (正式)…を改正する. **2** (電気)〈交流〉を直流に変える; (化学)…を精留する.

rec·ti·tude /réktit(j)ù:d/ 名 ① **1** (正式)正直. **2** (判断などの)正確さ. **3** (米)まっすぐなこと.

†**rec·tor** /réktər/ 名 〖肩書きとしては R~ …〗 ⓒ **1** (アングリカン)教区牧師《もと10分の1税(tithe)を得た》; (米国聖公会の)教区牧師; (カトリック)(修道院などの)院長; (教会などの)主任司祭《◆呼びかけも可》. **2** 校長, 学長.

rec·tor·ship /réktərʃìp/ 名 ⓒ ① rector の職[任期].

rec·to·ry /réktəri/ 名 ⓒ **1** 司祭[牧師]館. **2** (アングリカン)教区牧師の収入, 司祭録音.

rec·tum /réktəm/ 名 (複 ~s, -ta/-tə/) ② (解剖)直腸.

re·cum·bent /rikʌ́mbənt/ 形 (正式) **1** 横になった, もたれかかった. **2** 休息している; 怠惰な.

re·cu·per·ate /rik(j)ú:pərèit/ 動 (正式) 他 〈健康·損失など〉を回復する, 取り戻す. ── 自 (…から)回復する (*from*).

re·cù·per·á·tion 名 回復, 立ち直り.

†**re·cur** /rikə́:r/ 動 (過去·過分) **re·curred**/-d/; **--cur·ring** (自) (正式) **1** 再発する(occur again), 〈数字などが〉繰り返される ‖ a *recurring* decimal 循環小数. **2** (元の話題などに)戻る, 立ち返る (*to*). **3** 〈考えなどが〉〈人·心などに〉再び浮かぶ, 思い出される (*to*).

†**re·cur·rence** /rikə́:rəns | -kʌ́r-/ 名 ② ① (正式) **1** 再発, 再現, 繰り返し. **2** (元の話題·状態などに)戻ること. **3** 思い出, 回想.

re·cur·rent /rikə́:rənt | -kʌ́r-/ 形 (正式)頻発する, 再発する, 周期的に起こる ‖ a *recurrent* expression in his novel 彼の小説に頻出する表現.

re·curve /ri:kə́:rv/ 動 他 …を後方[下方, 内側]にそらす. ── 自 後方[下方, 内側]にそり返る.

re·cy·cle /ri:sáikl/ 動 他 …を再生利用する; …を再循環させる. 表現 「リサイクルショップ」は a second-hand [thrift] shop.

recýcled páper 再生紙.

re·cy·cling /ri:sáikliŋ/ 名 ① (廃棄物等の)再生利用.

‡__red__ /réd/ (同音 **read** (過去·過分))
── 形 (**red·der, red·dest**) **1** 赤い, 赤色の《◆炎·血の色から日本語と同じくしばしば情熱·革命·危険·幸運·怒りなどを暗示する》‖ *red* shoes [cloth] 赤い靴[布] / At the crossroads the lights were *red*. 交差点では信号は赤だった / a *red* letter day 祭日《◆》"What is black and white and *red* all over?" "A newspaper."「全体が黒くて白くて赤いものは何?」「新聞」《◆*read* /réd/ all over (至るところで読まれる)とのしゃれ》.

2 〈髪が〉明るい茶色がかった, 赤い(ポ); 銅色の; 〈人の皮膚·唇·舌が〉ピンク色の ‖ a boy with *red* hair 赤毛の少年. **3** 〈目が〉(泣いて)赤くはれた, 充血した ‖ His eyes were *red* with crying. 彼の目は泣いて赤くなっていた. **4** 〈怒り·困惑で〉真っ赤になった, 赤面した (*with*) ‖ I have a *red* face 赤面している / Her face was [went, turned, burned] *red with rage*. =She was [went, turned, burned] *red* in the face *with* rage. 彼女の顔は怒りで真っ赤だった[真っ赤になった]. **5** 〈戦いが〉激しい, 血に染まった; 血走った. **6** [R~] (略式)(通例名詞の前で)共産主義の, アカの(cf. **pink**); 極左の; 共産国の《◆比較変化しない》.

── 名 (複 ~s/rédz/) **1** ① ⓒ 赤, 赤色 ‖ a room painted in a variety of *reds* and blues 濃淡さまざまな赤と青で塗られた部屋 / The lights changed to *red*. 信号が赤に変わった.
2 ① 赤い衣服, 赤い布 ‖ She is dressed in *red*. =She is wearing *red*. 彼女は赤い服を着ている.
3 [the ~] 赤字(↔ black) ‖ He [His firm] is *in the red*. (略式)彼[彼の会社]は赤字である / get *into* [*out of*] *the red* 赤字になる[赤字を脱する].
4 ① 赤色の絵の具[染料, 塗料]; ⓒ 赤いもの.
5 [R~] (略式)共産主義者[党員], アカ.

sée réd 激怒する.

réd alért 空襲警報, 緊急非常事態.

Réd Ármy [the ~] 赤軍《旧ソ連軍の1918-46年の正式名》.

réd blóod cèll [**córpuscle**] 赤血球《◆単に réd céll [córpuscle] ともいう》.

réd cábbage 赤キャベツ.

réd cárd 〖サッカー〗レッドカード《反則をした選手に審判が示す. 選手は退場になる》.

réd cárpet (高位の人のために敷く)赤じゅうたん; [the ~] 丁重な歓待 ‖ roll out *the red carpet* for the president 大統領を丁重に迎え盛大にもてなす.

réd cédar 〔植〕エンピツビャクシン《◆木材は鉛筆用》.

réd cént (主米)〔略〕一銭銅貨;〔略〕《否定文で》わずかな価値 ‖ not worth *a red cent* 一文の値打もない.

Réd Créscent [the ~] 赤新月社《赤十字社に相当するイスラム世界の(慈善)団体》.

réd cróss (1) (英)聖ジョージ十字章《イングランドの国章》. (2) [R~ C~] 赤十字章. (3) [the R~ C~] 赤十字社《◆正式名は the International Red Cross Society》.

réd déer 〔動〕アカシカ.

réd éye (1) =red-eye flight. (2)〔写真〕赤目現象《フラッシュ撮影によって目が赤く写る現象》.

réd flág (1) 赤旗《革命旗》;(鉄道・射撃演習の)危険信号の赤旗. (2) [the R~ F~]「赤旗」《英国労働党歌》.

réd hérring (1) 燻製(えん)ニシン. (2) 人の注意を他にそらすもの《猟犬の訓練にニシンを使うことから》.

réd líght 〔しばしば比喩的にも用いて〕赤信号.

réd méat 赤肉《牛肉・羊肉など》.

réd óak 〔植〕(北米産の)ナラの類《ブナ科の落葉高木》.

réd pépper 〔植〕トウガラシ;その実を使った香辛料.

réd rág (闘牛の)赤布;(人を)怒らせるもの.

réd róse 〔英史〕赤バラ《ばら戦争のランカシャー家の紋章》.

Réd Séa [the ~] 紅海.

réd tápe 〔公文書を赤いひもでとじたことから〕お役所的取り扱い.

Réd Térror [the ~](革命派の)恐怖政治, 赤色テロ《cf. White Terror》.

réd tíde 赤潮.

réd wíne 赤ワイン《◆ふつう肉料理のときに飲む》.

réd·ness 名 U 赤いこと, 赤色, 赤み.

red-blóod·ed /rédblʌ́did/ 形 男らしい, 勇ましい.

†**red·breast** /rédbrèst/ 名 C〔文〕〔鳥〕ロビン(robin);(米)オバシギ;〔魚〕レッドブレスト《北米産の淡水魚》.

réd·cap /rédkæ̀p/ 名 C (米)(駅の)赤帽;(英略式)憲兵.

†**red·den** /rédn/ 動 他 …を赤くする. ─ 自 赤くなる;[…に]赤面する, 顔を赤らめる[at].

†**red·dish** /rédiʃ/ 形 赤味がかった, 赤味を帯びた.

†**re·deem** /ridíːm/ 動 他 〔正式〕 **1 a**〈人が〉〈物〉を[…から]買い戻す, 質受けする(buy back)[from]. **b**〈人が〉〈債務などを〉償還する. **2**〈人が〉〈名誉・信用などを〉(努力して)回復する, 取り戻す(regain) ‖ *redeem* one's honor by winning the suit 裁判に勝って名誉を回復する. **3 a**〈人を〉身の代金を払って[…から]救い出す, 身請けする(ransom)[from]. **b**〔神学〕〈キリストが〉〈人〉を〔罪などから〕救う(save)[from]. **c** を[失敗などから]救う(save)[from]. **4**〈欠点などを〉補う, 埋め合わせる(compensate);…を[欠点などから]救う[from]. **5**〈約束などを〉果たす, 履行する(keep) ‖ *redeem* one's obligation 義務を果たす. **6**〈引換券などを〉商品[現金]に換える.

re·deem·a·ble /ridíːməbl/ 形 買い戻し[質受け]できる;償還できる;救済できる.

re·deem·er /ridíːmər/ 名 C **1** 買い戻す人, 質受け人;身請け人. **2** [the/our R~] 救い主, キリスト《Jesus Christ》.

†**re·demp·tion** /ridémpʃən/ 名〔正式〕**1** 買い戻し, 質請け;償還. **2** 身請け, 救出;〔神学〕(キリストによる)罪のあがない, 救い. **3**〔約束などの〕履行.

re·de·nom·i·na·tion /ríːdɪnɑmənéɪʃən | -nɔm-/ 名 U 通貨の呼称変更, デノミネーション(→ denomination).

re·de·vel·op /ríːdɪvéləp/ 動 他 **1** …を再建する, …を再開発する. **2**〔写真〕…を再現像する. ─ 自 再発達する.

réd-èye flíght /rédài-/ (略式)(機中1泊の)飛行便《乗客が睡眠不足で目を赤くしていることから》.

red-hánd·ed /rédhǽndid/ 形 副 血だらけの手の[で];現行犯の[で] ‖ be caught *red-handed* 現行犯で捕えられる;現場を見つけられる.

†**red·head·ed** /rédhédid/ 形〈人が〉赤毛の,〈動物が〉赤い頭の.

†**red-hót** /rédhɑ́t | -hɔ́t/ 形 **1**〈金属が〉赤熱した. **2**(略式)猛烈[熱烈]な, 激怒した. **3**(略式)〈情報が〉最新の, ホットな;〈話が〉扇情的な.

re·dis·count /ríːdiskáunt, ⊢⊣, ⊢⊣/ 動 他 …を再割引する. ─ 名 U C **1** 再割引. **2**〔通例 ~s〕再割引手形.

re·dis·cov·er /ríːdiskʌ́vər/ 動 他 …を再発見する.

red-lét·ter /rédlètər/ 形 **1** 赤文字の《「赤字」は → red 名 3》. **2** 記念すべき, めでたい.

réd-lètter dáy (団体・個人などの)記念日.

réd-líght district /rédlàit-/ 売春の多く行なわれている地域, 歓楽街.

re·do /ríːdúː/ 動 (-does; 過去 -did; 過分 -done) 他 **1** …を再びする, やり直す. **2**(略式)…をリフォームする, 模様変えする ‖ We must have the walls *redone* [×*reformed*]. 壁をリフォームしなければ(→ reform 動 日英比較).

red·o·lent /rédələnt/ 形 **1**〔正式〕〔…の〕においがする[強い];〔…を〕思わせる, しのばせる〔of, with〕. **2** 香りのよい.

†**re·dou·ble** /ríːdʌ́bl/ 動 他 …を(さらに)倍加する, 強める, 増す ‖ *redouble* one's efforts さらに努力する. ─ 自 (さらに)倍加する, 強まる, 増す;〔ブリッジ〕リダブルをかける.

re·doubt /ridáut/ 名 C **1** 小さな(臨時の)砦(とりで). **2** 砦, 要塞.

re·dound /ridáund/ 動 自〔正式〕**1 a**(結果的に)〔名声・信用などを〕高める, 増す, もたらす〔to〕. **b**〔行為などの結果が〕…に及ぶ〔to〕. **2**〈名誉・不名誉が〉…にはね返ってくる, 戻る〔on, upon〕.

†**re·draw** /ríːdrɔ́ː/ 動 他 …を再び描く, 描き直す.

†**re·dress** /ridrés, ⊢⊣/ 動 (米) /ridrés/〔正式〕動 **1**〈誤り・不正などを〉正す, 矯正する, 除く(correct) ‖ *redress* wrongs 不正を正す. **2**〈損害などを〉償う, 補償する. **3**〈均衡などを〉取り戻す;…を再調整する. ─ 名 U〔不正などの〕矯正, 除去;矯正手段;償い, 補償;救済(策) ‖ seek *redress* for the damage 損害の補償を求める.

*****re·duce** /ridjúːs/ 動〔原義「(re)導く(duce). cf. induce, produce〕訳 reduction (名)
─ 動 (~s/-iz/; 過去・過分 ~d/-t/; --duc·ing)
─ 他 **1**〈人・物が〉〈数量・程度・値などを〉[…から/へ]減少させる, 縮小する, 低減する, 弱める, 薄める〔from/to〕《◆ make less よりも堅い語》‖ *reduce* the number 数を減らす / *reduce* speed 減速する / *reduce* the possibility of global nuclear war 全面核戦争の可能性を減ずる / *reduce* the price by「20% [from $14 *to* $10] 2割[14ドルから10ドルに]値下げする.

2 〖正式〗［通例 be ～d］〈人・物など〉を〖物・状態などに〗(無理に)変える, 移す, 変形させる〖to〗‖ Her argument can be reduced to three points. 彼女の論旨は3点にまとめられる / reduce wood to pulp 木をパルプに変える.
3 ［通例 be reduced to doing］〈人が〉…する羽目になる‖ He was reduced to giving in to them. 彼は彼らの言いなりになる羽目になった.
── 自 **1** 〈物・事が〉〖…に〗減少する, 縮小される, 低下［衰弱］する〖to〗. **2** 〖主に米略式〗〈人が〉(節食などで)体重を減らす.

re·duc·er /ridjúːsər/ 名 **1** 〖化学〗還元剤;〖写真〗減力剤. **2** (パンキの)うすめ液.

re·duc·i·ble /ridjúːsəbl/ 形 **1** 〖正式〗縮小［変形］可能な(↔ irreducible);〖数学〗約分できる. **2** 〖化学〗還元元できる.

†**re·duc·tion** /ridʌ́kʃən/ 名 **1** Ｕ 減少（する［させる］こと）; Ｃ 〖…の〗削減（量）,〖価格などの〗割引(高), 値下げ〖in〗〖類語〗 allowance, deduction, discount〗‖ armament reduction 軍縮 / tax reduction 減税 / at a reduction of 10% 10%の割引で. **2** Ｃ 縮小したもの(↔ enlargement), 縮図;〖時にａ ～〗変形, 分解;〖数学〗約分, 通分, 換算;〖生物〗減数分裂. **4** Ｕ〖時にａ ～〗修復, 調整. **5** Ｕ 格下げ; 零落.

redúction gèar 〖機械〗減速装置.

†**re·dun·dan·cy** /ridʌ́ndənsi/ 名 〖正式〗 **1** Ｕ 余分な, 冗長な. **2** Ｃ 余分なもの, 冗語. **2** Ｃ 〖主に英〗余剰労働者. **3** Ｕ 代理機能性, 重複性, 冗長度.

†**re·dun·dant** /ridʌ́ndənt/ 形 **1** 余分な, 〈表現が〉冗長な(↔ concise). **2** 〖主に英〗過剰な, 不要になった‖ redundant workers 余剰労働者.

re·du·pli·cate ridj(u)ːplikèit/ 形 -kət, -kèit/ 動 他 〖正式〗…を二重にする, 倍加する; (不必要に)…を繰り返す. ── 自 二重になった, 倍加した; 繰り返した.

red·wing /rédwìŋ/ 名 Ｃ 〖鳥〗**1** ワキアカツグミ. **2** = redwing blackbird.

rédwing bláckbird ハゴロモガラス《◆ redwinged blackbird ともいう》.

†**red·wood** /rédwùd/ 名 **1** Ｃ 〖植〗セコイア(sequoia). **2** Ｕ セコイア材《赤褐色の家具材》.

re·ech·o /riːékou/ 動 他 (を(何度も)反響させる. ── 自 (何度も)反響する. ── 名 (複 ～es) Ｃ 反響の返し.

†**reed** /ríːd/ 〖同音〗read 名 **1** Ｃ 〖植〗アシ(葦), ヨシ; Ｕ〖集合名詞〗アシの茎‖ Man is a thinking reed. 人間は考えるアシである《◆フランスの哲学者Pascalの言葉》. **2** アシのような人〖もの〗, 弱々しい人. **3** Ｕ〖まれ〗(屋根ふき用の)ふきわら. **4** Ｃ 〖音楽〗(楽器の)リード, 舌; ［～s］ =reed instruments; ［the ～s］(楽団での)リード楽器部(cf. string 名 **3**, brass 2 b). **5** Ｃ (織物の)おさ.

a bróken réed 〖略式〗当てにならない人［もの］《◆〖聖〗「折れたアシ」から》.

a réed sháken with the wínd 定見のない人《◆〖聖〗「風にそよぐアシ」から》.

réed instruments. リード楽器《clarinet, oboe, saxophone など》(cf. wind instruments).

réed òrgan 〖音楽〗リードオルガン, 足踏みオルガン.

réed pipe (1) 〖詩〗(牧童の)あし笛, 牧笛. (2) 〖音楽〗パイプオルガンの舌管.

†**reed·y** /ríːdi/ 形 (--i·er, --i·est) **1** アシの多い(茂った). **2** 〖詩〗アシで作った, アシ製の. **3** アシ笛に似た‖ a reedy voice かん高い声. **4** アシのような, ひょろひょろした; アシのように弱々しい.

†**reef¹** /ríːf/ 名 Ｃ (複 ～s) 岩礁, 暗礁, 砂洲(ず)‖ a coral reef サンゴ礁.

réef·y /ríːfi/ 形 岩礁の多い.

reef² /ríːf/ 名 Ｃ 〖海事〗縮帆部《帆をたたみこむ部分》. ── 動 〈帆〉を縮める(+in).

reef·er /ríːfər/ 名 **1** Ｃ 厚地のダブルの上着《船員などが着る》. **2** 縮帆する人;〖俗〗海軍少尉候補生.

reek /ríːk/ 名 ［a/the ～］ **1** (不快な)におい《◆ smell よりくだけた語》, 悪臭‖ the reek of tobacco smoke タバコ煙の悪臭. **2** 湯気, 蒸気, もや. **3** 〖文スコット〗濃い煙. ── 自 **1** 煙［蒸気］を出す, 湯気を立てる. **2** 〈人・息などが〉〖…の〗悪臭〖強い臭い〗を放つ〖of〗‖ He reeks of garlic. 彼はニンニクの臭いがする. **3** 〈事が〉〖…の〗気味がある, 徴候を示す, 気配がする〖of, with〗.

†**reel¹** /ríːl/ 〖同音〗△real 名 Ｃ **1** 〖糸・テープなどの〗巻きわく, リール, 〖英〗糸巻き, 糸車((米) spool)《◆筒形の糸巻きは bobbin》‖ wind the wire on a reel ワイヤをリールに巻く. **2** リールひと巻き分の量《の上映時間》《◆映画フィルムではふつう1000 feet と2000 feet》‖ 3 reels of sewing cotton カタン糸3巻き. (**right [stráight]) òff the réel** 〖略式〗(話し方が)立て板に水の, すらすらと.

── 動 他 **1** 〈人が〉〈糸・テープなど〉を巻く‖ reel in the line 釣り糸を巻き込む / reel off [out] the tape テープをくり出す. **2** 〈魚など〉をリールで引き上げる, たぐり寄せる(+in, up).

réel óff ［他］…を立て板に水のように言う; 苦もなく…をする［作る］.

reel² /ríːl/ 動 自 **1** 〈人が〉〖ショックなどで〗よろめく〖from, under〗‖ He reeled (back) from a blow. 彼は1発くらってぐらっときた. **2** よろよろ歩く, 千鳥足で歩く(+along, about). **3** 〈頭が〉混乱する. **4** 〈周囲が〉ぐるぐる回るような気がする. ── 他 …をふらつかせる. ── 名 ［時にａ ～］よろめき, めまい.

†**re·e·lect** /rìːilékt/ 動 他 …を再選する.

†**re·e·lec·tion** /rìːilékʃən/ 名 Ｕ Ｃ 再選.

re·em·bark /rìːembɑ́ːrk | -im-/ 動 他 …を再び乗船させる; …を再び積み込む. ── 自 再び乗船する.

re·en·act /rìːinǽkt/ 動 他 **1** …を再び制定する. **2** …を再演する.

re·en·force /rìːienfɔ́ːrs | -in-/ 動 〖米〗 = reinforce.

†**re·en·ter** /rìːéntər/ 動 他 自 (…に)再び入る; (…を)再び記入する.

re(-)en·try /rìːéntri/ 名 Ｃ Ｕ **1** 再び入ること, 再び入れること. **2** (宇宙船などの大気圏への)再突入.

†**re·es·tab·lish** /rìːistǽblish, -es-/ 動 他 …を再建する; …を復職させる; …を回復させる.

rè·es·táb·lish·ment 名 Ｕ 再建; 復職; 回復.

reeve /ríːv/ 動 (～d or rove/róuv/) 〖海事〗 **1** 〈ロープなど〉を〖滑車などに〗通す〖through〗;〈滑車などにロープを通す;〈ロープなど〉を〖…の回りに〗固定する［取りつける］〖in, on, round, to〗. **2** 〈船が〉〈浅瀬・浮氷群などの〉の間を縫うように進む(+through).

re·ex·am·i·na·tion /rìːigzæmənéiʃən, -egz-/ 名 Ｃ Ｕ 再試験［調査, 検討, 尋問］.

ref /réf/ 名 〖略式〗(スポーツ) =referee.

ref. (略) referee; reference; referred.

re·fec·tion /rifékʃən/ 名 〖正式〗 **1** Ｕ (飲食物による)元気回復. **2** Ｃ 軽食.

re·fec·to·ry /rifékt(ə)ri/ 名 Ｃ (修道院・大学などの)食堂.

reféctory tàble (修道院などの)細長い食卓.

†**re·fer** /rifəːr/ 〖アクセント注意〗動 (過去・過分) re-

referee ... **reflect**

ferred/-d/; -·fer·ring 他 1 〈人・言葉 が〉〈人・物・事〉に(直接・はっきりと)言及する, 触れる, […を]引用する[to]; 〈人〉に〈人・物・事〉を[…と]言う, 呼ぶ[as] 《(1) mention より堅い語. (2) allude は「暗にほのめかす」に用いる》‖ I am not *referring* to you. あなたのことを言っているのではない / I often hear her *refer to* her childhood. 彼女がよく子供の頃のことを言うのを耳にする / They *refer to* him *as* a traitor. 彼を裏切り者呼ばわりしている. **2** (正式)〈本など〉を参照する(look up, consult), 調べる(see)[to]; 〈人など〉に[…を求めて]問い合わせる, 照会する(+*back*)[*for*]《◆ 受身可》‖ *Refer to* the chart on the next page. 次のページの図表を参照しなさい / I *referred to* the company *for* his work record. 彼の経歴を会社に問い合わせた. **3** […に]関係する, 当てはまる, 適用する(apply)[*to*] ‖ The rule *refers* only *to* pedestrians. その規則は歩行者のみに適用される.
── 他 **1** (正式)〈人か〉〈人〉を[…に]差し向ける, 照会させる(send)[*to*] ‖ I was *referred to* a larger hospital for surgery. もっと大きな病院へ行って手術を受けるように言われた. **2** 〈人か〉〈問題など〉を[…に]委託する, 任せる, ゆだねる[*to*] ‖ The proposal was *referred to* the United Nations. その提案は国連に委託された.

ref·er·ee /rèfərí:/ [名] ⓒ **1 a** 審判員, レフェリー(略 ref.)(略式) ref)《◆ basketball, billiards, boxing, football, hockey rugby, wrestling などの審判. cf. umpire). **b** (投稿論文の採否を決める)審査員. **2** 調停者, 仲裁人. **3** (英)身元照会先, 身元保証人. ── 他 ⓐ (…の)レフェリーをつとめる, 仲裁をする.

†**ref·er·ence** /réfərəns/ [名] **1** Ⓤ (正式)[…への]言及, 論及(mention)[*to*]; ⓒ 言及した事柄 ‖ The book is full of *references* to literature. その本には文学のことが多く書いてある. **2** Ⓤ (…の)参照, 参考[*to*]; ⓒ 出典, 参考書, 典拠; 参考事項 ‖ This dictionary is only *for reference*. 本辞典は閲覧専用[帯出禁止]です(cf. reference book). **3** Ⓤ (人物・才能などの)照会, 問い合わせ. ⓒ 照会先, 身元保証人; 人物証明書 《◆本人に見せない. cf. testimonial》‖ a letter of *reference* 推薦状. **4** Ⓤ […との]関係, 関連 […への]考慮(to)] ‖ have little *reference* to … とほとんど関係がない. **5** Ⓤ […への]委託, 付託[to].

in reference to A (正式)=with REFERENCE to.
màke réference to A …に言及する; …を参照する.
térms of réference (英式)(調査委員会などの)活動の責任範囲, 委任事項, 権限.
without reference to A …に関係なく.
with reference to A (正式)…に関して(about).
réference bòok 参考図書《辞書・百科事典・年鑑など》(book of reference).
réference library [ròom] (図書館の)参考館《貸出しはしない》, 資料館[室].
réference màrk 参照符号《* † ‡ // ¶ など》.
réference sèrvice (図書館の)調査依頼受付, レファランス・サービス.

†**ref·er·en·dum** /rèfəréndəm/ [名] (複 ~s, (正式) -da/-də/) ⓒ […についての]国民投票, 住民投票 [*on*] ‖ hold a *referendum* 国民[住民]投票を行なう / *by referendum* 国民[住民]投票で.

†**re·fill** (動) rifíl; [名] ≈/── (動) 他〈容器など〉を再び満たす, 詰め替える; 〈容器など〉を[物で]再び満たす[補充する][*with*]. ── [名] ⓒ **1** (物の)詰め替え品, 補充品, スペア[*for*]; (略式)(飲み物の)お代わり ‖ a *refill* for a ball-point pen ボールペンの替え芯 / How about a *refill*? もう1杯いかが. **2** (ガソリンなどの)再補給; 再装填 ‖ a *refill* for a lighter ライターの補充.

re·fi·nance /rì:fáinæns/ [動] 他 ローンの組み替えをする.

†**re·fine** /rifáin/ [動] 他 **1** 〈石油・金属など〉を精製[精錬]する, 純化する; …を(精製[精錬]して)取り除く[取り出す](+*out*, *away*) ‖ *refine* oil [sugar] 精油[精糖]する. **2** (正式)〈作法・言葉など〉を上品[優美]にする; 〈技術など〉を磨く, 能率化する ‖ *refine* one's speech [tastes, manners] 言葉遣い[趣味, 作法]を上品にする. ── [自] **1** 純粋になる. **2** 洗練される, 上品[優美]になる.
refíne on [*upón*] A (細部に注意して)〈方法・計画〉を改良する, …に磨きをかける.

†**re·fined** /rifáind/ [形] **1** 精製された, 精錬された ‖ *refined* sugar 精糖 / *refined* gold 精錬金. **2** 〈人・言動など〉が上品な, 洗練された, 教養の高い, お上品な(genteel) ‖ She has *refined* taste in clothes. 彼女は服のセンスがいい. **3** 〈区別などか〉微細な, 精妙な; 〈寸法など〉が厳密な, 正確な.

†**re·fine·ment** /rifáinmənt/ [名] **1** Ⓤ 精製[精錬](する[される]こと); 純化 ‖ the *refinement* of crude oil 原油の精製. **2** Ⓤ 上品, 優雅, 洗練 ‖ a lady of great *refinement* とても上品な婦人. **3** ⓒ 凝った工夫, [… の]改良されたもの, 改良[改善](点)[*on*, *upon*, *of*] ‖ make many *refinements* [on a car [to a plan] 車[計画]に多くの改良を加える. **4** Ⓤ ⓒ 微妙, 精緻(ぎ); 微妙な点.

re·fin·er·y /rifáinəri/ [名] ⓒ 精製所; 精製装置.

re·fit rifít; [動] ≈/── (動) 他 (過去・過分 -fit·ted/-id/; -·fit·ting) 〈船など〉を改修[改装, 修理]する.
── [自] 〈船など〉が改修[改装, 修理]される.
── [名] Ⓤ ⓒ (船の)改修, 改装, 修理 ‖ be *under a refit* 改装中である.

*****re·flect** /riflékt/ (後ろへ(re)曲げる(flect). cf. deflect, flexible) [派] reflection (名)
── (動) ~s/-flékts/; (過去・過分) ~·ed/-id/; ~·ing
── 他
I [映す]

1 〈鏡などか〉〈人・物(の像)〉を[…に]映す[*in*] ‖ The snow-covered mountain was clearly *reflected* in the lake. その雪に覆われた山は湖にくっきりと映し出されていた.

2 (正式) [比喩的に] 〈物・事が〉〈事〉を映す, …を反映する, 表す(+*back*)《◆ ふつう進行形は不可》‖ Popular newspapers *reflect* public opinion. 大衆紙は世論を反映する《◆ 受身形はふつう Public opinion *is reflected in* popular newspapers.》/ The style of her dress *reflects* her good taste. 彼女のドレスのスタイルは趣味のよさを表している《◆ 受身形はふつう Her good taste *is reflected in* the style ...》.

II [反射する]

3 〈物か〉〈光・熱〉を反射させる; 〈音〉を反響[反射]する ‖ A mirror *reflects* light. 鏡は光を反射する / The walls of a room *reflect* sound. 部屋の壁は音を反射する. **4** (正式)〈行為・結果などか〉〈名誉・不信など〉を[人などに]もたらす, 招く(bring)[*on*, *upon*] ‖ Such a remark will *reflect* discredit *on* you. そんなことを言うと不信をもたれることになりますよ. **5** [… を/…を]熟考する, よく考える[*that*節/*wh*節・句]; […を]思い出す, 反省する[*that*節].
── [自] **1** 〈光・音・熱が〉反射する; 〈鏡などか〉光[熱]を

反射する. **2** 《正式》〈人が〉〔…を〕**熟考する**(consider); 回想する〔*on, upon, over*〕‖ *reflect on* the matter その事柄をよく考える. **3** 《正式》〈行為・出来事などが〉〔…に〕非難をもたらす,〔…の〕不名誉になる; 〈人が〉〈性質などを〉けなす〔*on, upon*〕‖ Such behavior *reflects* (badly) *upon* your character. そのような行動は君自身の人格を傷つけるものだ.

*__re·flec·tion,__ 《英ではまれに》 __re·flex·ion__ /riflékʃən/ 〖→ reflect〗
——名 (複 ~s/-z/)
I [映ったもの]
1 ⓒ **映像,**〔鏡などに〕**映った影**〔*in*〕; よく似たもの[人] ‖ We saw the *reflection* of white clouds in the lake. 湖に映った白い雲の影を見た / her *reflection*, *in* a mirror 鏡に映った彼女の姿.
2 Ⓤ **熟考**(すること), **熟慮**‖ On [After] *reflection* I decided to go. よく考えた末行くことに決めた. **3** ⓒ [しばしば ~s] 〔…についての〕(熟慮して得た)考え, 意見〔*on, upon*〕‖ her *reflections on* foreign affairs 外交問題についての彼女の意見. **4** ⓒ 〔…への〕非難(の言葉), 小言; 不名誉の種〔*on, upon*〕‖ cast *reflections upon* … …の悪口を言う.
II [映ること]
5 a Ⓤ **反射, 反響; 影響; 反射光[音, 熱]**‖ the *reflection* of light [sound waves] 光[音波]の反射 / The moon shines only by *reflection*. 月は反射によってのみ輝く. **b** ⓒ **反映, 現れ**‖ a *reflection* of a society 社会の反映.

†**re·flec·tive** /rifléktiv/ 形 **1**《正式》思慮深い, 思索にふける. **2** 反射する, 反射される. **3** 反射的な.
re·fléc·tive·ly 副 **1** 思索にふけって. **2** 反射的に.
re·fléc·tive·ness 名 思慮深いこと; 反射性.

†**re·flec·tor** /rifléktər/ 名ⓒ **1** 反射物, 反射鏡. **2** 反射望遠鏡. **refléctor stùds**《英》(道路の)夜間反射装置《◆ cat's-eye ともいう》.

†**re·flex** /ríːfleks/ 名ⓒ **1** =reflex action; [~es] 反射能力‖ I have good [slow] *reflexes* 運動神経が発達している[鈍い]. **2** 反射された物, 映像, 影; 反射光. **3** =reflex camera. ——形 **1** 反射的な. **2** 〈葉などが〉そり返った. **3** 内省的な;〈効果・影響など〉反動として起こる.
réflex àction 反射(作用, 行動).
réflex ángle 優角《180°より大きく360°より小さい角》.
réflex cámera レフレックスカメラ.
re·flex·ion /rifléʃən/ 名《英》=reflection.
re·flex·ive /rifléksiv/ 形 **1**《文法》再帰(用法)の. **2** 反射(作用)の; 反映の. **3** 反動の. ——名ⓒ《文法》=reflexive pronoun; =reflexive verb.
refléxive prónoun 再帰代名詞.
refléxive vérb 再帰動詞.
re·flux /ríːflʌks/ 名ⓒ 逆流, 引き潮(↔ flux).
re·for·est /riːfɔ́ːrəst, -fɑ́r-/ 動他《米》…に〔植林して〕森林を再生[更新]させる《《英》reafforest》.
re·fòr·est·á·tion 名Ⓤ 森林再生.

†**re·form** /rifɔ́ːrm/ 動 他 **1** 〈人が〉〈制度・社会・政治などを〉改善する, 改革する, 刷新する‖ *reform* working conditions 労働条件を改善する. **2** 〈人を〉改心させる, 〈行為などを〉矯正する‖ *reform* oneself 改心する / *reform* a criminal 犯人を改心させる. ——自 〈人が〉改心する.

🔴日英比較 [「リフォーム」と reform]
remodel [✗reform] the kitchen 台所をリフォームする / have one's suit altered [✗reformed] スーツをリフォームする / have the wall redone 壁をリフォームする.

——名ⒸⓊ (政治・社会・宗教などの)改善, 改良, 改革; 改革運動[政策]‖ discuss a *reform* in school rules 校則の改革について討議する / initiate social *reform* 社会改革に着手する.
re-form /riːfɔ́ːrm/ 動 自他 (…を)作り直す, 再編成する.
re-fórm·a·ble /riːfɔ́ːrməbl/ 形 改善[改良]できる.
†**ref·or·ma·tion** /rèfərméiʃən/ 名 **1** Ⓤ (人の行為・性格の)矯正, 改心. **2** ⒸⓊ 改良, 改善, 改革. **3** [the R~]《歴史》宗教改革《16世紀ヨーロッパに起こり, プロテスタント教会の設立を導いた宗教運動》.

re·formed /rifɔ́ːrmd/ 形 **1** 改心した. **2** 改良[改善]された.
Refórmed Chúrch 改革派教会, カルバン派教会.
refórmed spélling 改良つづり字《through の代わりに thru を用いるなど》.

†**re·form·er** /rifɔ́ːrmər/ 名ⓒ **1** 改良[改革]者; 改革支持者. **2** [R~] (16世紀の)宗教改革指導者.
re·fract /rifrǽkt/ 動他 **1** 〈水・ガラスなどが〉〈光など〉を屈折させる. **2** 〈目・レンズの〉屈折度を測る.
re·frac·tion /rifrǽkʃən/ 名Ⓤ《物理》屈折.
re·frac·tive /rifrǽktiv/ 形 屈折する, 屈折力のある‖ *refractive* index (光の)屈折率.
re·frac·tor /rifrǽktər/ 名 屈折させるもの[人]; 屈折レンズ, 屈折媒体.
re·frac·to·ry /rifrǽktəri/ 形 **1** 〈人・動物が〉手に負えない, 扱いにくい, 強情な. **2** 〈病気・傷が〉治りにくい, 難治の‖ a *refractory* disease 難病. **3** 〈金属・鉱物が〉溶けにくい; 耐火性の; 処理[加工]しにくい. ——名ⓒ **1** 耐火性物質. **2** [refractories] =refractory brick(s).
refráctory bríck(s) 耐火れんが.

†**re·frain**[1] /rifréin/ 動自《正式》〈人が〉〔(主に衝動的な)行為などを〕差し控える, 慎む, こらえる, やめる〔*from*〕(cf. abstain) ‖ *refrain from* tears 涙をこらえる / Please *refrain from* smok*ing* in the car. 車内での喫煙はご遠慮ください.
re·frain[2] /rifréin/ 名ⓒ 折り返し(句), リフレイン.
re·fran·gi·ble /rifrǽndʒəbl/ 形〈光線などが〉屈折性の.

*__re·fresh__ /rifréʃ/ 〖〖新鮮な(fresh)状態に戻す(re)〗〗
派 refreshment (名)
——動 (~·es/-iz/; 過去・過分 ~ed/-t/; ~·ing)
——他 **1 a** 〈飲食物・休息などが〉〈人の〉**気分をさわやかにする,** …を元気づける‖ A cold drink will *refresh* you. 冷たい物を飲むとさっぱりするだろう(⊃文法 23.1). **b** [~ oneself] 飲食して休憩する; 〔飲食物・休息などで〕さわやかな気分になる, 元気を回復する〔*with*〕‖ He *refreshed himself* with a cup of tea. お茶を1杯飲んで彼は元気が出た. **c** [feel [be] ~ed] 〈人が〉**さわやかな気分になる,** 元気を回復する‖ You will *feel refreshed* by [after] a hot bath. 熱いふろに入るとさっぱりするだろう.
2 〈人・物が〉〔…で〕〈記憶〉をよみがえらせる〔*with, by*〕‖ She *refreshed* her memory *with* the photo [*by* looking at the photo]. 彼女はその写真を見ると記憶がよみがえってきた.
3 〈雨などが〉〈物・場所など〉を清新にする, 生き生きさせる.
——自 **1** 元気を回復する. **2** 軽い飲食物をとる.

re·fresh·er /rifréʃər/ 名ⓒ 元気を回復させる人[物]; (略式)アルコール[清涼]飲料.
†**re·fresh·ing** /rifréʃiŋ/ 形 **1** 元気づける, 心身をさわやかにする‖ You will find a cold shower *refreshing*. 冷たいシャワーを浴びるとさっぱりしますよ. **2** すがす

がしい, 清新で感じのよい[面白い].

†re·fresh·ment /rifréʃmənt/ 名 **1** Ⓤ 元気回復, 休養, 気分一新 ‖ I felt *refreshment* of mind and body. 心身ともに爽快(そう)になった(=I felt *refreshed* in mind and body.). **2** Ⓒ 元気を回復させるもの, 清涼剤 ‖ A drink of water is often the best *refreshment*. 1杯の水はしばしば最良の回復剤である. **3** Ⓒ [~s] 軽い飲食物 ‖ serve *refreshments* at the party パーティーで軽い食事を出す.

refréshment ròom (駅などの)食堂.

refrig. 略 *refrigeration*.

re·frig·er·ate /rifrídʒərèit/ 動 他 (正式) **1** …を冷やす, 冷凍する. **2** …を冷やして[冷凍保存して]おく.

†re·frig·er·a·tion /rifrìdʒəréiʃən/ 名 Ⓤ 冷蔵(保存), 冷却 ‖ under *refrigeration* 冷蔵して.

*re·frig·er·a·tor /rifrídʒərèitər/ 名 (複 ~s/-z/) Ⓒ 冷蔵庫, 冷却室(略式 fridge, (米式) icebox) ‖ Keep the milk in the *refrigerator*. そのミルクを冷蔵庫に入れておきなさい.

re·fu·el /ri:fjú:əl/ 動 (過去·過分 ~ed or (英) ··fu·elled/-d/; ~·ing or (英) ··el·ling) 他 …に燃料を補給する. ― 自 燃料の補給を受ける.

†ref·uge /réfju:dʒ/ [アクセント注意] 名 **1** Ⓤ (正式) (危険などからの)避難; 保護(shelter) 〔from〕 ‖ a place [harbor] of *refuge* 避難所[港] / a house of *refuge* 浮浪者などの保護施設 / give *refuge* to a criminal [political exile] 犯人をかくまう[政治的亡命者を保護する] / We took [sought] *refuge* from the storm *in* a nearby barn. =A nearby barn gave us *refuge* from the storm. あらしを避けて近くの納屋に逃げこんだ. **2** Ⓒ (正式) […からの)避難所, 隠れ家(が) 〔from / for, to〕; […からの)慰め(となる事物) 〔from〕, 頼り(になる人·事物), (窮地を脱する)手, 手段, 方便 ‖ find (a) *refuge* from the rain 雨宿りの場所を見つける / Drinking was his *refuge* from his daily worries. 酒が彼の日頃の憂さ晴らしであった. **3** Ⓒ (英) (街路の)安全地帯 (≒ safety island).

tàke réfuge in A (1) → 1. (2) …に逃避する, …して難を避ける ‖ take *refuge* in books 本に安らぎを求める / She took *refuge* in silence [telling lies]. 彼女は黙りこんで[うそをついて]その場をのがれた.

†ref·u·gee /rèfjudʒí:, (米+) ⌒⌒⌒/ 名 Ⓒ (戦争·災害などの)避難者, 難民; (政治的·宗教的)亡命者.

†re·fund 動 rifʌ́nd; 名 ríːfʌnd/ 動 (正式) 他 [refund (A) B = refund B (to A)] 〈人·店などが〉〈A〈人〉に〉B〈料金など〉を払い戻す, 返済する(pay back) ‖ have one's money *refunded* 金を払い戻してもらう / They will *refund* (you) your money. =They will *refund* your money (*to* you). 彼らは(君に)金を払い戻すだろう. ― 自 払い戻しする, 返済する(pay back). ― 名 **1** Ⓒ Ⓤ 払い戻し, 返済 ‖ No *refund*(s). 払い戻し不可. **2** Ⓤ 払い戻し金, 返済金.

re·fur·nish /ri:fə́:rniʃ/ 動 他 …に改めて家具を備えつける, 新しい家具を備える; …を再び[新たに]供給する.

†re·fus·al /rifjú:zl/ 名 **1** Ⓒ Ⓤ (…することの)拒絶, 拒否, 辞退 〔to do〕 ‖ My suggestion met with a blunt *refusal*. 私の提案はそっけなく拒絶された / I will take no *refusal*. いやとは言わせない. **2** Ⓤ [通例 the ~] (諾否を決める)優先権, 取捨選択権, 先買権 ‖ get [have] (the) first *refusal* 優先権がある.

*re·fuse¹ /rifjú:z/ 派 *refusal* (名)
― 動 (~s/-iz/, 過去·過分 ~d/-d/; ··fus·ing)

― 他 **1** 〈人が〉〈申し出·要求·招待などを〉(きっぱり)断る, 辞退する(↔ accept)(◆ *decline* の方が断り方が丁寧. *reject* は提案·決定·申請などを却下する場合に好まれる)(→ *deny*) ‖ She *refused* my offer of help. お手伝いしましょうという私の申し出を彼女は断った / I had to *refuse* his invitation [help]. 彼の招待[援助]を断らねばならなかった.
2 (正式) **a** 〈人が〉〈助力·許可などを〉与えることを断る, 拒絶する; 〈人を〉拒む; 〈人が〉…の求婚を断る ‖ *refuse* admittance 入場を断る / He *refused* permission to use the room. その部屋を使用する許可を彼は与えなかった. **b** [refuse A B] 〈人が〉A〈人〉にB〈助力·許可などを〉与えない ‖ I can't *refuse* her anything. 彼女に頼まれたら何も断れない / He was *refused* admission *to* the club. 彼は入部を断られた.

> 語法 *refuse* には I can't *refuse* anything *to* her. のように [refuse **B** to **A**] の型もあるが, 十分に確立していない.

3 [refuse to do] 〈人が〉…することを拒む; 〈物·動物がどうしても〉…しようとしない(→文法 12.7(2)) ‖ She *refused* to marry him. 彼女は彼と結婚するのを拒否した / The door *refused* to open. 戸はどうしても開かなかった(=The door would not open.).
― 自 断る, 拒絶806.

†ref·use² /réfju:s, (米+) -ju:z/ [発音注意] 名 Ⓤ (正式) くず, かす, がらくた, 廃物 (◆ (米) garbage, trash, (英) rubbish をまとめていう).

réfuse dùmp ごみ捨て場.

ref·u·ta·tion /rèfjutéiʃən/ 名 Ⓒ Ⓤ 論破, 論駁(※).

†re·fute /rifjú:t/ 動 他 **1** (正式) 〈人·物·事が〉〈人·主張などの間違い[真実でないこと]を証明する, …を論破する. **2** 〈人(の発言)などを〉否定[否認]する.

*re·gain /rigéin/
― (~s/-z/; 過去·過分 ~ed/-d/; ~·ing)
― 他 **1** 〈人などが〉〈物·事を〉[…から]取り戻す, 取り返す, 回復する 〔from〕 (◆ *recover* より強意的) ‖ *regain* one's health [consciousness] 健康[意識]を回復する. **2** (文) 〈人などが〉〈もとの場所に〉戻る (get back to).

†re·gal /rí:gl/ 形 **1** 〈人·物に〉威厳ある, 堂々たる; 豪華な, 壮麗な. **2** (正式まれ) 王[女王]の; 王[女王]にふさわしい ‖ *regal* office 王位.

re·gale /rigéil/ 動 他 **1** …を[会話などで]楽しませる, 喜ばせる 〔with〕. **2** …を[飲食物で]盛大にもてなす, 大いに供応する 〔with, on〕.

re·ga·li·a /rigéiliə/ 名 (正式) [複数·単数扱い] **1** 王位の象徴[印] (《王冠·王笏(しゃく), 宝珠など). **2** (公的要職を示す)礼服, 式服; 盛装. **3** (官位·協会などの)徽章, 記章.

*re·gard /rigá:rd/ [後ろに (re) 見守る(gard). cf. *guard*] 派 *regarding* (前), *regardless* (形)
― 動 (~s /-gá:rdz/; 過去·過分 ~ed/-id/; ~·ing)
― 他 **1** [regard A as C] 〈人が〉〈A〈人·物·事を〉(外見から)みなす, 考える, 思う (◆ **C** は名詞·形容詞·前置詞句など) (類語) consider A (to be) C, look upon A as C, think of A as C ‖ He *regards* his job *as* the most important thing in his life. 彼は人生で最も大切なのは仕事だと考えている / I *regard* the discovery *as* [to be] of little value. 私はその発見をほとんど無価値とみなしている / How do you *regard* her plan? 彼女の計画をど

regarding 1273 **region**

う思うか. **2**《正式》〈人が〉〈人・物を〉〔ある眼差し[態度]で〕見る, 注視する(look at)〔*with*〕《◆修飾語(句)は省略不可》‖ They *regarded* her suspiciously〔*with* curiosity〕. 彼らは彼女をうさんくさそうに[珍しそうに]見た.
3《正式》〈人が〉〈人・物・事を〉**評価する**;…を尊敬する(respect) ‖ *regard* his parents 彼の両親を尊敬する / *regard* her scholarship very highly 彼女の学識を高く評価する / *regard* him with admiration [favor, horror] 彼に感心する[好意を抱く, 嫌悪を抱く] / How is she *regarded* as a teacher? 教師としての彼女の評価はどうですか.
4《正式》〔通例否定文・疑問文で〕〈人が〉〈人の意見・希望・感情などに〉注意を払う, …を考慮に入れる, 尊重する(pay attention to) (↔ disregard) ‖ He "did *not regard* [disregarded] the doctor's advice. 彼は医者の助言を無視した.
5〈事・物が〉〈人・事・物に〉関係する, 関係がある ‖ Her question *regards* your future plans. 彼女の疑問は君の将来の計画に関係している.
── 自 **1** 注視する, 凝視する. **2** 注意を払う.
as regárds A 《正式》A〈人・事・物に関しては, …について(言うと)(concerning, as far as … is concerned)《◆(1) ふつう新しい話題を導く. (2) 時に as regards to A の形も使われる》.

── 名(複 ~s/-gɑ́ːrdz/) **1** U《正式》〔…に対する〕**尊敬**, 敬意(respect);尊重, 評価;好感, 好意〔*for*〕‖ win the *regard* of all one's friends 友だちみんなに尊敬される / *show regard for* one's parents = *hold* one's parents *in* (*high*) *regard* 両親を尊敬する.
2 U《正式》〔…に対する〕**配慮**, 心遣い, 思いやり〔*for*〕;〔…への〕注意, 考慮〔*to*〕‖ *show* [*have*] *no regard for* others 人に対する思いやりがまったくない / *out of regard for* her social standing 彼女の社会的立場を配慮して / She seldom *pays regard to* my advice. 彼女は私の忠告にめったに耳を貸さない.
3〔~s; 複数扱い〕(伝言・手紙などでの)よろしくというあいさつ ‖ *Give my* (*best* [*kindest*]) *regards to* Mr. Jones. ジョーンズ氏によろしくお伝えください(=(略式) Say hello to Mr. Jones (for me).) / Father sends his *regards*. 父からよろしくとのことです / *With kind*(*est*) [*best*] *regards*. 敬具《◆手紙の末尾で》.
4 U《正式》(特定の)点, 面, 事項, 箇所 ‖ I quite agree with you in that *regard*. その点ではあなたにまったく同感です. **5**〔文〕〔時に a ~〕注視, 凝視 ‖ with *a* hostile *regard* 敵意に満ちた目つきで.
in this [*that*] *regárd* この[その]点に関しては.
without regárd to [*for*] A =*with nó regárd to* A 《正式》…を無視して, 顧みずに, にお構いなく (in spite of) ‖ *without regard to* cost 費用にかかわりなく.
with [*in*] *regárd to* A 《正式》A〈人・物・事〉に関しては, …について(about) ‖ I have nothing to say *with regard to* that problem. その問題について私は何も言うことはない.

†**re·gard·ing** /rigɑ́ːrdiŋ/ 前《主に商業》…に関して, …について《◆ about より堅い語》‖ *regarding* your recent inquiry この前の照会に関しまして.

†**re·gard·less** /rigɑ́ːrdləs/ 形《略式》〔…に〕無頓着(とんちゃく)な, 注意しない, 〔…を〕気にかけない〔*of*〕.
regardless of A 《正式》…にかかわらず, 関係なく

(in spite of) ‖ She will carry out her plan, *regardless of* expense. 彼女は出費にかかわらず自分の計画を実行するだろう.
── 副《略式》それにもかかわらず, それでも, 何が何でも ‖ We objected, but he went *regardless*. 我々は反対したが, 無視して彼は出かけた(=He went *regardless of* our objection.).

†**re·gat·ta** /rigǽtə, (米)-gɑ́ːtə/ 名 C ボート[ヨット]レース, レガッタ《主に英》(boat race).

re·gen·cy /ríːdʒənsi/ 名 **1** U C 摂政政治;摂政期間;C 摂政統治区. **2** 〔the R~〕摂政時代《英史》1811-20;〔フランス史〕1715-23》. **3**〔時に R~;形容詞的に〕〈家具の様式などが〉摂政時代風の.

re·gen·er·ate /ridʒénəreit/ 動 /-ərət/ 《正式》他 **1** …を改心[更生]させる. **2**〈希望などを〉よみがえらせる;…を一新[刷新]する, 再建する. **3**〈生物〉いった組織・器官などを再生する. ── 自 **1** 改心[更生]する, 再生する. ── 形 **1** 改心[更生]した. **2** 再生した;刷新[改造]された.

†**re·gen·er·a·tion** /ridʒènəréiʃən/ 名 U《正式》**1** 改心, 更生. **2** 再生, 復活. **3** 刷新;再建.

re·gen·er·a·tive /ridʒénərətiv, -èitiv/ 形《正式》**1** 改心[更生]させる;再生[刷新]力のある. **2** 改心[更生], 再生]の.

†**re·gent** /ríːdʒənt/ 名 C **1**〔しばしば R~〕摂政《補語的用法はふつう無冠詞》. **2** (米)〈州立大学などの〉理事, 評議員. ── 形〔名詞の後で;しばしば R~〕摂政職にある ‖ the Prince [Queen] *Regent* 摂政皇太子[王妃].

Re·ges /ríːdiːz/ 名 Rex の複数形.

reg·gae /réɡei, réiɡ-/ 名〔しばしば R~〕U レゲエ《ジャマイカ起源のロック音楽の一種》.

reg·i·cide /rédʒəsàid/ 名 **1** U 国王殺し, 弑(しい)逆. **2** C 国王殺害者.

†**re·gime, ré-** /rəʒíːm, rei-/ 名 C **1** 政治制度[形態], 政体;政権, 政府;管理体制, …の支配期間 ‖ a Communist *regime* 共産主義政体. **2** = regimen **1**.

reg·i·men /rédʒəmən, -mèn/ 名 **1** C〔医学〕(食事などの)養生[摂生]規則, 養生[摂生]計画;〔薬学〕処方[投薬]計画. **2** U 統治, 管理.

†**reg·i·ment** /rédʒəmənt, (英+)-mènt/ 名 C **1**〔軍事〕〔集合名詞;単数・複数扱い〕連隊《ふつう大佐(colonel)の指揮下にある》‖ an infantry *regiment* 歩兵連隊. **2**〔しばしば ~s〕〔…の〕大群, 大勢〔多数〕〔*of* …〕〔*of* …〕‖ whole *regiments* of termites シロアリの大群.
── 動 他〈人・生活などを〉厳しく[画一的に]管理する, 厳しく統制する.

reg·i·men·tal /rèdʒəméntl/ 形 連隊(付き)の.
── 名〔~s〕連隊服;(一般に)軍服 ‖ in full *regimentals* 軍服姿[正装]で.

reg·i·men·ta·tion /rèdʒəmentéiʃən/ 名 U《正式》連隊編成;統制, 組織化, 画一化.

Re·gi·na /ridʒáinə/《ラテン》名 **1** (英) 現女王《女王の公式称号. 名前の後に用いる cf. Rex》‖ Elizabeth *Regina* 現エリザベス女王. **2**〔法律〕女王;国王《◆女王[国王]が統治者である時の訴訟の件名に用いる. cf. Rex》‖ *Regina* v. Jones 王国[女王]対(臣民)ジョーンズ.

*****re·gion** /ríːdʒən/ 名〔「支配する」が原義〕派生 regional (形)
── 名(複 ~s/-z/) C **1** (広大な)**地域**, 地方;(地理的・機能的・社会的・文化的特徴による)地方, 地帯;(大気・海水の)層 ‖ Elephants live in hot *re-*

gions. ゾウは暑い地方に生息している. **2** 《正式》(興味・活動の)領域, 分野(field) ‖ the *region* of music 音楽の領域 / a *region* of research 研究分野. **3** 《正式》(体の)部位, 部分(part) ‖ the chest *region* 胸部 / the *region* of the liver 肝臓の部分. **4 a** (国の)行政区, (スコットランドの)州. **b** (フランスの広域行政圏としての)地域圏《県部(department)からなる》. **5** [通例 ~s] (世界・宇宙の)領域, 界, 域 ‖ the upper [lower] *regions* 天国[地獄].

in the région of ⓐ 《正式》…の近くで[に]; およそ, ほぼ…で(nearly).

†**re·gion·al** /ríːdʒənl/ 形 **1** (特定の)地域の, 地方の; 局地的な; 地域全体の ‖ American English has many *regional* dialects. 米語にはたくさんの地域方言がある. **2** (体の)局部的.

†**reg·is·ter** /rédʒɪstər/ 名 **1** ⓒ (名前・出来事などの)記録(表), 登録(表), 記録簿, 登録簿 ‖ keep a *register* of class attendance 授業の出席をつける / sign a hotel *register* 宿泊者名簿に名前を書く. **2** ⓒ レジ(スター), 自動登録機 ‖ a cash *register* 金銭登録機. **3** ⓒ (楽器の)音域; 声域 ‖ His voice has a wide *register*. 彼の声域は広い. **4** ⓒ (米) (暖房機などの)通風装置. **5** ⓒ 記録係, 登記係. **6** ⓒⓊ [言語] (語・文法などの)使用域, (特定の状況での)言語形態. **7** ⓒⓊ [印刷] (線・欄・色などの)整合. **8** ⓒ 船籍証明書. **9** ⓒ [コンピュータ] レジスター《小容量のデータを一時的に保存する記憶回路》.

— 他 **1** 〈人が〉〈事・物を〉[…に/…として]登録する, 記録する, 登記する(in, with / as) ‖ *register* a child's birth 子供の出生を届ける. **2** 〈人が〉〈郵便物を〉書留にする ‖ I want to have this letter *registered*. この手紙を書留にしてください(→文法 3.5(3)). **3** 〈機器が〉…を自動的に示す, 示す ‖ The thermometer *registers* (a temperature of) minus six (degrees). 温度計は零下6度を示している. **4** 《正式》〈人・顔などが〉〈感情を〉表す, 示す(show), 〈人が〉〈不平などを〉述べる ‖ Her face *registered* sorrow. 彼女の顔は悲しみを表していた. **5** [印刷・写真] 〈行・欄・色などを〉ずれないように合わせる.

— 自 **1** 〈人が〉[…に/…として]登録する, 記名する〔at, for, with, in / as〕 ‖ The criminal *registered* at the hotel under a false name. 犯人は偽名でそのホテルに宿泊した / *register* with the police 警察に登録する / *register* for a course in politics 政治学の課程履修の登録をする. **2** 《略式》[通例否定文で] 〈物・事が〉〈人に〉効果がある, 印象づける〔with〕 ‖ His face did *not register with* me. 彼の顔は印象に残らなかった.

reg·is·trar /rédʒəstrὰːr | ˌ-ˈ-/ 名 **1** ⓒ 登録官, 登記係. **2** (英) (大学の)総務係, 学籍係 《◆日本の大学の教務係・学生係などに相当する》. **3** (高等裁判所などの)登録官. **4** (英) GP上級研修医; 中堅勤務医(→ consultant).

*****reg·is·tra·tion** /ˌrédʒəstréɪʃən/
— 名 (複 ~s/-z/) **1** ⓒⓊ 登録(する[される]こと), 登記, 登録; 書留 ‖ the *registration* of students for a course in ethics 学生の倫理学の課程履修登録 / When is the deadline for *registration*? 履修登録の締め切りはいつですか? **2** ⓒ 登録人数[件数]. **3** ⓒ 登録証明書.

registrátion nùmber (英) (自動車の)登録[プレート]番号((米) license number).

reg·is·try /rédʒəstri/ 名 **1** ⓒ =registry office. **2** ⓒⓊ 船籍. **3** ⓒ 記録簿, 登録簿. **4** ⓒⓊ 登録, 登記.

régistry òffice (英) 出生登録所.

reg·nant /régnənt/ 形 《正式》[名詞の後で] 統治する, 君臨する(cf. queen ①).

re·gress /動 rɪɡrés; 名 ríːɡres/ 動 自 **1** […に]後戻りする(to) (↔ progress). **2** 《正式》より悪い状態に戻る; [心理] 退行する. — 他 …に退行する行為を引き起こす. — 名 Ⓤ 《正式》 **1** 後退; 復帰. **2** 退歩, 退化 (↔ progress); 悪化; 衰退; [心理] 退行.

*****re·gret** /rɪɡrét/ 《再び(re)泣く(gret). cf. greet》
— 他 ~s/-ɡréts/; 過去・過分 ~·gret·ted/-ɪd/; ~·gret·ting

— 他 **1** 〈人が〉〈事〉を後悔する, 悔いる; [regret doing / regret having done / regret that節] 〈人が〉…したことを残念に思う(→文法 12.2) 《◆ that の省略はふつう不可》 ‖ He *regretted* what he had said to her. 彼は彼女に言った言葉を後悔した / I *regret* telling [having told] you. = I *regret that* I told you. あなたに話したことを後悔している.

2 《正式》[regret to do] 残念ながら…する(be sorry to do), [regret that節] …であることを残念に思う《◆ふつう現在または近い未来の事柄についていう》 ‖ I *regret to inform you that* she is seriously injured. 《正式》遺憾ながら彼女は重傷を負っておられると申し上げねばなりません(= I'm sorry to say that ...) / We *regret that* you 「have to [should have to] leave. あなたが行かねばならないなんて残念です / Japan Airlines *regrets* to announce a delay in the departure of flight number JL142 to Rome. 日本航空よりお詫び⁽⁾申し上げます. ローマ行きJL 142便の出発は遅延いたします.

3 …を惜しむ, なつかしく思う ‖ I deeply *regret* the passing of your father. ご尊父様のご逝去をいたみます.

it is to be regrétted that …とは遺憾[残念]である, 気の毒である[類語] it is a matter of *regret* that … / it is *regrettable* that … / we *regret* that … / we are *regretful* that …).

— 名 (複 ~s/-ɡréts/) **1** ⓒⓊ […に対する]遺憾, 残念; 後悔, 悔い〔for, at, over〕 ‖ I have no *regrets about* leaving college before graduation. 大学を中途退学することを後悔していません / She felt *regret* for having been rude to him. 彼女は彼に失礼な態度をとったことを後悔した / We heard *with regret* that your application for the job had been unsuccessful. あなたの就職の申し込みがうまくいかなかったと聞いて残念に思いました / *Much* [*Greatly*] *to my regret* (↘),⏐ I missed the concert. =*To my great regret* … とても残念なことにコンサートに行きそこなった.

2 ⓒⓊ […に対する]悲しみ, 失望; 哀悼の気持ち〔for, at, over〕 ‖ She expressed *regret over* her mother's death. 彼女は母親の死を悼んだ.

3 [~s] (招待に対する)ていねいな断り(状) ‖ send one's *regrets* 《正式》断り状を出す.

re·gret·ful /rɪɡrétfl/ 形 〈人が〉[…に対して]後悔している, 残念がっている(sorry) 〔for / that節〕; 〈行為・表情が〉遺憾の意を表す.

re·grét·ful·ly 副 後悔して, 残念そうに; 悲しんで [文全体を修飾] 残念なことに.

re·gret·ta·ble /rɪɡrétəbl/ 形 《正式》[他動詞的に] [遺憾に] 〈事が〉〈人を〉後悔させる, 残念な, 遺憾な, 悲しむべき ‖ It is *regrettable that* such a hopeful young man died so young. そのような将来有望な若者がそんなに若くして亡くなったのは遺憾である(= It is a matter of *regret* that … /

reg·ret·ta·bly /rigrétəbli/ 副 **1**〔文全体を修飾; 通例文頭で〕遺憾ながら, 残念なことには ‖ *Regrettably* (⌇), they failed in the attempt. 残念なことにその試みは失敗した (＝It is *regrettable* that they failed ...). **2** 残念そうに, 残念なほど.

*reg·u·lar /régjələr/ 派 regularly (副), regulate (動)
— 形
I〔定期的な〕
1 規則正しい, 規則的な〈生活を送っている〉;〈便通・月経などが〉きちんとある, 正常な (↔ irregular) ‖ She has a *regular* pulse. ＝Her pulse is *regular*. 彼女の脈拍は規則正しい / He keeps *regular* hours. 彼は規則正しい生活をしている / Are your bowel movements *regular*? 便通はきちんとありますか / on a *regular* basis 規則正しく, 定期的に(regularly). **2**〔通例名詞の前で〕一定の, 決まった, 不変の ‖ The bus ran at a *regular* speed. バスは一定の速度で走った / I'm looking for a *regular* job. 私は定職を捜している.
3〔名詞の前で〕定期的な, 定例の《◆比較変化しない》‖ a *regular* meeting 定例集会 / a *regular* concert 定期演奏会.
4〔名詞の前で〕いつもの, 通常の(usual) ‖ He is a *regular* customer. 彼はうちの常連です / This is her *regular* seat. ここは彼女がいつも座る席です / The child's *regular* bedtime is 9:00 p.m. その子のいつも寝る時間は午後9時です.
5 均整[調和]のとれた ‖ have *regular* teeth 歯並びがよい / *regular* features 整った目鼻だち.
II〔正規の〕
6〔正式〕〔名詞の前で〕正規の, 正式の; 本職の《◆比較変化しない》‖ a *regular* lawyer 資格のある弁護士 / the *regular* army 正規軍. **7**〔主に米〕〔名詞の前で〕ふつうの, 標準の《◆比較変化しない》‖ *régular cóffee* (カフェインの入ったままの細かくひいた豆でたてて飲む) ふつうのコーヒー / (by) *regular* mail 普通郵便で (↔ airmail). **8**〔数学〕〈多角形が〉等辺等角の;〈多面体が〉各面の等しい《◆比較変化しない》. **9**〔文法〕規則変化の《◆比較変化しない》(↔ irregular). **10**〔宗教〕〈修道士などが〉修道会に属する, 修道会の戒律に従う《◆比較変化しない》(↔ secular).
III〔評価〕
11〔略式〕〔名詞の前で〕〔強意語として〕しばしば皮肉で〕完全な, まったくの, まぎれもない(thorough) 《◆比較変化しない》‖ He is a *regular* genius. 彼はまぎれもない天才だ《◆天才ではないが本物の天才みたいだ》. **12**〔米〕〔名詞の前で〕感じのいい, すてきな《◆比較変化しない》‖ a *regular* guy いいやつ.
— 名 ⓒ **1** 正規兵. **2** 正規の修道士[女]. **3**〔米〕忠実な党員. **4**〔略式〕常客, 常連; 常雇い, 正職員, 正社員. **5** レギュラーの選手. **6**〔米〕(服などの)標準サイズ.

†**reg·u·lar·i·ty** /règjəlǽrəti/ 名 Ⓤ 規則正しさ; 整然, 一定不変; 均整, 調和; 正規 (↔ irregularity) ‖ with great *regularity* とても規則正しく.

reg·u·lar·ize /régjələràiz/ 動 他〔正式〕…を規則正しくする;…を調整する;…を合法化する, 正式なものにする.

*reg·u·lar·ly /régjələrli/
— 副 **1** 定期的に, 時間通りに(決まったように)必ず, いつも. **2** 規則正しく; 整然と, つり合いよく; 本式に ‖ increase *regularly* 規則的に増加する / *regular-*

ly arranged books きちんと並べた本.

†**reg·u·late** /régjəlèit/ 動 他 **1**〔正式〕〈人・力などが〉〈人・事〉を規制する, 規定する, 統制する(control); [regulate wh節] …かを規制する ‖ *regulate* working conditions 労働条件を規制する / *regulate* the price of rice 米価を統制する. **2**〈機器・組織・率などを〉調整する, 調節する ‖ *regulate* the volume of a radio ラジオの音を調節する.

†**reg·u·la·tion** /règjəléiʃən/ 名 **1** Ⓤ 規制, 統制 ‖ the government *regulation* of oil import 政府による石油の輸入の規制. **2** Ⓤ〔正式〕調整, 調節 ‖ the automatic *regulation* of the humidity of the room 室内の湿度を自動的に調節すること (➡ 文法 14.4). **3** Ⓒ〔通例 ~s〕規則, 規定, 法規 ‖ rules and *regulations* 規約 / a city *regulation* against air pollution 市の大気汚染規制条例 / It is *against regulations* to park here. ここに駐車するのは規則違反です.

reg·u·la·tor /régjəlèitər/ 名 **1** 規定する人. **2**(ガス・電気などの)調節器. **3** 標準時計.

re·gur·gi·tate /rigə́:rdʒitèit/ 動〔正式〕他〈飲み込んだ食物〉を吐く;〈人が言った事〉をおうむ返しに言う.
— 自 吐き戻される; 逆流する.

re·ha·bil·i·tate /rì:həbíliteit/ 動 他〔正式〕**1** …を修復する, 再建する. **2**〈傷病者などの〉機能回復訓練をする, …を社会復帰させる;〈犯罪者などを〉更生させる. **3**〈人〉を復職[復位, 復権]させる;…の名誉を回復させる ‖ *rehabilitate* oneself 名誉を回復する.

†**re·ha·bil·i·ta·tion** /rì:həbìlitéiʃən/ 名 Ⓤ **1** リハビリテーション〈傷病者の機能回復訓練・職業訓練及び社会的支援活動〉;(犯罪者などの)更生 ‖ the *rehabilitation* of the handicapped 身障者のリハビリテーション / the *rehabilitation* of the juvenile delinquents 非行少年の更生. **2**〔正式〕修復, 復興, 再建; 復位, 復権; 名誉回復.

rehabilitátion cénter リハビリテーションセンター.

†**re·hears·al** /rihə́:rsl/ 名 Ⓒ Ⓤ **1**〈劇・儀式などの〉リハーサル, 下稽古(ﾞﾞ), 試演(会), 予行演習 ‖ need a lot of dress *rehearsal*(s) 何回も衣装をつけての稽古を必要とする / have [give] a wedding *rehearsal* 結婚式のリハーサルをする / put a play *into rehearsal* 劇を試演する / *in rehearsal* リハーサル中で[の, に]. **2**〔正式〕詳しく話ること, 繰り返し, 列挙;(詳しい)話[物語].

†**re·hearse** /rihə́:rs/ 動 他 **1**〈劇・音楽・儀式など〉を下稽古(ﾞﾞ)する, 試演する, 予行演習する ‖ *rehearse* 'a play [one's part]' 劇[役割]のリハーサルをする. **2**〈俳優・楽団など〉に稽古をつける, …を訓練する ‖ *rehearse* (the members of) an orchestra オーケストラ(団員)に稽古をつける. **3**〔正式〕〈物語・出来事など〉を〔…に〕詳しく話す, 繰り返して言う(describe) 〔to〕;〈苦情・不平など〉をくどくど並べたてる ‖ *rehearse* all the events of the day その日の出来事をすっかり話す. — 自 (劇・役割などの)リハーサルをする; 詳しく話す, 繰り返して言う.

re·heat /rihí:t/ 動 他 **1** …を暖め直す. **2** …を再び熱する.

re·house /ri:hàuz/ 動 他〔正式〕…に新しい[よりよい]住居を与える, …を新しい[よりよい]住居に住まわせる.

†**Reich** /ráik, ráiç/〔ドイツ〕名〔the ~〕ドイツ帝国 ‖ *the First Reich* 第一帝国, 神聖ローマ帝国《962-1806》 / *the Second Reich* 第二帝国《1871-1918》 / *the Third Reich* (ナチスの)第三帝国《1933-45》.

†**reign** /réin/ 発音注意 同音 rain, rein 名 **1** Ⓒ 治

世，(君主の)統治[在位]期間(cf. rule) ‖ during three successive *reigns* 3代の治世にわたって / during [in] the *reign* of Queen Victoria ビクトリア女王の治世に《◆during は継続を，in は他の時代との対比を強調》. **2** [U] 君主の地位にあること，君臨，統治，支配；主権，統治権 ‖ Under the *reign* of Louis XIV, France increased her [its] territory. ルイ14世の統治のもとでフランスは領土を拡大した. **3** [U] (事の)支配，君臨，影響(力) ‖ the *reign* of reason [violence] 理性[暴力]の支配.

réign of térror (1) (権力者による)恐怖政治(の時期). (2) [the R~ of T-] 恐怖時代《フランス革命が荒れ狂った1793年6月から94年7月の時期》.

――[動] [自] **1** 〈君主・王朝などが〉〔国・人々に〕君臨する，〔…を〕統治[支配]する〔*over*〕(cf. rule) ‖ ***reign over*** France [the people] フランス[国民]を統治する《◆rule と対照させて次のようにも用いる: The sovereign *reigns* but does not rule. 君主は君臨すれど統治せず》. **2** 《正式》〈事が〉〔場所・人心などを〕支配する，〔…に〕行き渡る〔*in, over, through, throughout*〕.

re·im·burse /rìːimbə́ːrs/ [動] [他] 《正式》〈経費などを〔…に〕返済する〔*to*〕；〈人〉に〔…を〕弁済する〔*for*〕‖ We will *reimburse* you *for* the expenses. = We will *reimburse* the expenses *to* you. あなたに経費を返済します.

†rein /réin/ ([同音] rain, reign) [名] **1** [しばしば ~s] [C] **a** (馬などの)手綱 ‖ tighten [pull (on), loosen] the *reins* 手綱を締める[引く，ゆるめる]《◆比喩的にも用いる》. **b** [~s] 引き手綱《歩き始めた幼児の両肩につける安全用のバンド[ひも]》. **2** 《正式》[the ~s; 複数扱い；比喩的に] 手綱，制御手段，支配[指揮]の手段 ‖ ***hold the reins*** 統率[支配，管理]している；手綱をつかんでおく / ***tàke the réins*** 統率[支配，管理]する；手綱を取る，(馬車の)御者を務める / assume [hold, drop, give up] *the reins* of government [おおげさに] 政権を取る[握っている，失う，譲る].

dráw réin = ***dráw ín the réins*** (1) 手綱を引き締める，馬を止める. (2) 速度をゆるめる，止まる.

give (***frée*** [***fúll***]) ***réin to*** A = ***give*** A (***frée*** [***fúll***]) ***réin*** = ***give the réin***(***s***) ***to*** A = ***give*** A ***the réin***(***s***) 《正式》(1) 〈馬など〉を自由に歩ませる. (2) 〈想像・欲望など〉にひたる，…の赴(おもむ)くままにする. (3) 〈人〉にしたいようにさせる.

kèep a sláck [***lóose***] ***réin on*** A 《正式》(1) 〈馬など〉を自由に歩ませる. (2) 〈人・事〉を厳しく監督[管理]しない，放任する.

kèep a tíght réin of A (1) 〈馬など〉をしっかり御する. (2) 〈人〉を厳しく監督[管理]する. (3) 〈感情・支出など〉を厳しく抑制する.

――[動] [他] **1** 〈馬など〉を手綱で御する. **2** 〈感情・言葉など〉を抑える，抑制する ‖ *rein* one's tongue 言葉を慎む. **3** 〈馬など〉に手綱をつける.

réin báck [自] 手綱を引いて馬を止める[馬の歩調をゆるめる]. ―[他] (1) 〈馬など〉を手綱を引いて止める，…の歩調をゆるめる. (2) 〈感情・物価・出費・食物の摂取など〉を控える，抑制する.

réin ín = REIN back.

réin úp = REIN back [自], [他] (1).

re·in·car·na·tion /rìːinkɑːrnéiʃən/ [名] [C] [U] 《正式》霊魂の生まれ変わり，転生；霊魂転生説[信仰]；化身.

†rein·deer /réindìər/ [名] ([複] **rein·deer, ~s**) [C] 〔動〕トナカイ《◆サンタクロースのそりをひくとされる》.

†re·in·force /rìːinfɔ́ːrs/ [動] [他] 《正式》《(米) re-enforce》 **1a** 〈物〉を〔…で/…(すること)によって〕補強する〔*with* / *by* (doing)〕. **b** 〈議論・気持ちなど〉を〔…で〕より強力[効果的]にする，強固にする〔*with*〕‖ ***reinforce*** a theory ***with*** new evidence 理論を新証拠で強固なものにする. **2** 〈軍隊など〉を増強する.

†re·in·force·ment /rìːinfɔ́ːrsmənt/ [名] **1** [U] [比喩的にも用いて] 補強(する[される]こと) ‖ This bridge needs some *reinforcement*. この橋は多少補強の必要がある / That argument is in need of *reinforcement*. あの議論は足場をもっと固める必要がある. **2** [C] 補強材. **3** [C] [通例 ~s] 援軍，増援物資.

re·in·state /rìːinstéit/ [動] [他] **1** 《正式》〈人〉を〔…に/…として〕復帰[復職，復位，復権]させる〔*in*/*as*〕. **2** …を元通りにする.

re·in·vest /rìːinvést/ [動] [他] **1** 〈前の投資で得た利益〉を再投資する. **2** …に〔…を〕再び授ける〔*with*〕. **3** …を〔…に〕再び就任させる〔*in*〕.

re·is·sue /riːíʃuː/ 《主に英》[動] [他] 〈本〉を(体裁や値段を変えて)再発行[再刊]する；〈切手など〉を再発行する.
――[名] [C] 再発行；再発行物.

†re·it·er·ate /riːítərèit/ [動] [他] 《正式》〈命令・嘆願など〉を何度も繰り返して言う[する](repeat).

***re·ject** /[動] ridʒékt; [名] ⌐⌐/ 〚もとへ(re)投げる(ject). cf. project, subject〛 [派] rejection (名)

――[動] (~s/-dʒékts/; [過去・過分] **~·ed**/-id/; **~·ing**)
――[他] **1** 〈人が〉〈援助・提案・申し出など〉を(きっぱり，すげなく)**拒絶する**，(受け入れるのを)断る；〈人〉をはねつける《◆refuse, turn down より強調的で堅い語》(↔ accept) ‖ *reject* [refuse] an offer of assistance 援助の申し出を拒絶する / She *rejected* [×refused] my plan [suggestion, decision]. 彼女は私の計画[提言，決定]をはねつけた / She feels *rejected* by her class. 彼女はクラスの仲間から拒まれていると感じている. **2** 〈物〉を(不良・無価値・不完全なものとして)捨てる ‖ *Reject* all the bad oranges. 悪くなったオレンジはみな捨てなさい. **3** 〈人・口などが〉〈食べた物〉をもどす，吐く；〔医学〕…に拒絶反応を示す.
――[名] /ríːdʒekt/ [C] (不適格のため)拒絶された人，徴兵不合格者；不合格品，不良品.

†re·jec·tion /ridʒékʃən/ [名] **1** [C] [U] 拒絶(する[される]こと)，却下；廃棄(物) ‖ the *rejection* of the union's demands 労働組合の要求を拒絶すること. **2** [U] 〔医学〕拒絶反応.

***re·joice** /ridʒɔ́is/
――[動] (~s/-iz/; [過去・過分] **~d**/-t/; **-joic·ing**) 《正式》
――[自] 〈人が〉〔…を/…して/…ということを〕(大いに)**喜ぶ**，うれしく思う〔*at, over, in* / *to* do / *that*節〕《◆(1) be glad [delighted, pleased] の方がくだけた言い方. (2) that の省略は不可》‖ ***rejoice at*** [***over***] good news 吉報を喜ぶ / She ***rejoiced to*** hear of his success. =She ***rejoiced*** (*to* hear) ***that*** he (had) succeeded. 彼が成功したことを聞いて彼女はうれしかった.
――[他] 〈物・事が〉〈人〉を(大いに)喜ばせる.

rejóice in A 〈人が〉〈健康・富など〉に恵まれている.

†re·joic·ing /ridʒɔ́isiŋ/ [名] 《正式》 **1** [U] (特に大勢で分かち合う)喜び，歓喜. **2** [~s] 祝賀の催し.

†re·join[1] /rìːdʒɔ́in/ [動] [他] **1** 〈人〉と再び一緒になる，再会する；《主に英》〈仲間・所属団体など〉に復帰する，再び加わる. **2** 〈物〉を再接合する.

†re·join[2] /ridʒɔ́in/ [動] 《正式》[他] (しばしばきつい口調で)…と答える，言い返す；「…」と答える，言い返す ‖ "Absolutely not!" she *rejoined* sharply to his criticism. 「絶対に違う」と彼女は彼の批判につっけんどんに答えた. ――[自] 答える，答弁する.

re·join·der /ridʒɔ́indər/ 名 ⓊⒸ《正式》(しばしば乱暴な)〔…という〕返答, 答弁, 言い返し〔*that*節〕.

re·ju·ve·nate /ridʒúːvəneit/ 動 他〈人を若返らせる; …に元気を回復させる. ― 自 若返る; 元気を回復する. **re·ju·ve·ná·tion** 名 Ⓤ 若返り, 元気回復.

re-kindle /riːkíndl/ 動 他〈火〉を再びつける;〈感情など〉を再び燃え立てる. ― 自 再発火する;〈感情などが〉再び燃え上がる.

†**re·lapse** /riláeps/《正式》動 自 **1**〈人などが〉〔元の悪習などに〕再び陥る(return)〔*into*〕;〔元の状態に〕再び戻る〔*into*〕‖ The suspect *relapsed into* silence. 容疑者は再び黙り込んだ / *relapse into* deep thought 深く考え込む. **2** (一時的な回復の後)病気を再発する[ぶり返す];ぶり返して〔…の状態に〕再び陥る〔*into*〕. ― 名 **1** (病気の)再発, ぶり返し. **2**〔元の悪習などへの〕逆戻り, 再転落〔*into*〕.

***re·late** /riléit/《もとは(re)運ぶ(late). cf. trans*late*》《舊》relation〈名〉, relative〈形·名〉
― 動 (~s/-léits/;過去·過分 ~d/-id/; ~·lat·ing)
― 他《正式》**1**〈人が〉〈A〉を〔B〈人·物·事〉と〕〈英 *with*〕B〕;〈人が〉〈B〈人·物·事〉と〉A〈人·物·事〉を**関係づける**〈複数のもの〉を**関連させる**(connect) ‖ I can't *relate* these two events. この2つの事件を関連づけては考えられない. **2**《正式》〈人·物語などが〉〈話·事実などを〉〔…に〕(順序立てて)**話す**, 述べる, 物語る(tell)〔*to*〕;〔*relate that*節〕…ということを話す ‖ She *related* (*to* us) the story of her first trip to India. 彼女は(私たちに)初めてのインド旅行の話をしてくれた.
― 自 **1**〈物·事が〉〔…に〕**関係がある**, かかわる(have something to do with)〔*to*〕. **2**〔しばしば否定文で〕〈人が〉〔…に〕なじむ, 順応する;〔…と〕うまく合う〔*to*〕 ‖ He doesn't *relate* very well *to* his father. 彼は父親とあまりうまくいっていない.

†**re·lat·ed** /riléitid/ 形 **1**〈人が〉〔…に〕親戚(髪)の[縁続き, 同家系]の;〈物·事が〉〔…に〕**関係**[関連]のある〔*to*〕 ‖ other *related* subjects 他の関連科目 / He is *related* to me by marriage. 彼は結婚して私と親戚になった. **2**(音楽)近親の.

re·lát·ed·ness 名 Ⓤ 関係のあること.

***re·la·tion** /riléiʃən/ 名《→ relate》舊 relationship〈名〉
― 名 (種 ~s/-z/) **1** [~s; 複数扱い]〔人·団体との〕〈…の〉**関係**, 交渉, 取引関係, 外交関係〈*with*/*between*〕‖ sever [break off] *relations with* ……との国交を断絶する; 絶交する / Both countries established full diplomatic *relations*. 両国は完全な外交関係を確立した.
2 ⒸⓊ〔…の間の〕**関係**, 関連〔*between*, *among*〕,〔…との〕関係〔*to*〕(♦(米)では relationship の方がふつう) ‖ There's no *relation between* crime and poverty. 犯罪と貧困とは無関係である. **3** Ⓤ 親戚(髪)〔血縁〕関係; Ⓒ 親族, 親類, 親戚の人. **4**《正式》Ⓤ 語ること; Ⓒ 話(story).

béar nó [**líttle, sóme**] **relátion to** A …と関係がない[少しある, 少しある].

in [**with**] **relátion to** A《正式》…に関して, …について; …と比較して(in comparison with).

***re·la·tion·ship** /riléiʃənʃip/《→ relate》
― 名 (種 ~s/-s/) **1** Ⓒ〔…の間の/…との〕**関係**, 関連, 結びつき〔*between* / *to*, *with*〕‖ the *relationship between* literature and music 文学と音楽との関係 / form a lasting *relationship with* a musician 音楽家と永続的な親交を結ぶ.

2 Ⓤ〔…との〕親戚(髪)[血縁]関係〔*to, with*〕.

***rel·a·tive** /rélətiv/《→ relate》舊 relatively〈副〉
― 形 《◆ 比較変化しない》**1**《正式》比較上の, **相対的な** (↔ absolute) ‖ live in *relative* luxury 比較的ぜいたくな生活をする.
2《正式》[補語として]〔…に〕**関係のある**, 関連した, 適切な〔*to*〕‖ The amount of gas a car uses is *relative to* its speed. 車が使用するガソリンの量はそのスピードに関係がある.
3 相関的な, 相互に,[補語として]〔…に〕比例した〔*to*〕‖ Price is *relative to* demand. 価格は需要に比例する.

rélative to A (1) …に関して. (2)《正式》…に比例して; …と比較して, …の割に(compared to).

― 名 (種) **1** Ⓒ《正式》**親族**, 身内 ‖ She is one of my dependent *relatives*. 彼女は私の扶養家族です / 〖対話〗"I wonder who that lady is.""She is a distant *relative* of mine."「あの婦人はだれかしら」「私の遠い親戚(髪)の人です」.
2 同類[同族]の動物[植物].
3〔文法〕**relative**, =relative pronoun.

rélative ádverb〔文法〕関係副詞.
rélative cláuse〔文法〕関係(詞)節.
rélative prónoun 関係代名詞.

†**rel·a·tive·ly** /rélətivli/ 副 **1** 比較的, 割合に (↔ absolutely);〔文全体を修飾〕比較して言えば《♦ *relatively speaking* ともいう》‖ Prices are *relatively* high in this city. この町は物価が割合高い. **2**〔…との〕関連で〔*with*〕; 相対的に. **3**〔…に〕比例して, 比べて〔*to*〕.

†**rel·a·tiv·i·ty** /rèlətívəti/ 名 Ⓤ **1** 関連性, 相対性; 相互依存. **2**〔しばしば R~〕〔物理〕相対性理論.

***re·lax** /riláks/《もと普通に(re)ゆるめる(lax)》
― 動 (~·es/-iz/;過去·過分 ~ed/-t/; ~·ing)
― 他 **1**〈人·物·事が〉〈人〉を**くつろがせる**, …の緊張をほぐす;〔feel ~ed〕くつろぐ, リラックスする ‖ Listening to his music *relaxes* me. 彼の音楽を聞くと心の緊張がほぐれる (◎文法23.1) / in a *relaxed* posture くつろいだ格好で.
2《正式》〈人などが〉〈緊張·力などを〉**ゆるめる**, 和らげる ‖ *relax* one's muscles 筋肉の緊張をゆるめる, 筋肉の凝りをほぐす / She *relaxed* her grip on my arm. 彼女は私の腕をつかんでいた力をゆるめた.
3〈人などが〉〈規律·規則·規制などを〉**ゆるめる**;〈人が〉〈注意·努力などを〉怠る ‖ *relax* discipline 規律をゆるめる.
― 自 **1**〈人が〉〔…で/…して〕**くつろぐ**, リラックスする〔*with* / *by doing*〕‖ Now, please *relax*. さあ気持ちを楽にしてください / On holidays I enjoyed *relaxing*「*with* detective stories [*by going to* the movies]. 休日には探偵小説を読んで[映画を見に行って]のんびりするのが好きだった.
2〈緊張·力などが〉**和らぐ**, ほぐれる, ゆるむ;〈表情などが〉和らいで〔…に〕変わる〔*in*, *into*〕‖ Her worried face *relaxed* in [*into*] a smile. 彼女の心配そうな顔が笑顔に変わった.
3〈規律·厳しさなどが〉ゆるくなる, 緩和される, 和らぐ;〈人が〉〔努力·反対などを〉ゆるめる, 弱める〔*in*〕.

†**re·lax·a·tion** /rìːlækséiʃən/ 名 **1** Ⓤ くつろぎ, 息抜き, 休養; Ⓒ 気晴らしにすること, 娯楽, レクリエーション ‖〖対話〗"What's your favorite *relaxation*?" "It's taking a leisurely bath."「お気に入りの息抜きは何ですか」「のんびりとふろに入ることです」. **2** ⓊⒸ〔緊張などの〕ゆるみ;〔規律などの〕緩和,〔義務·罰などの〕軽減〔*of, in*〕‖ a *relaxation* of the muscles

筋肉の弛緩(しかん) / a *relaxation* of the rules 規則の緩和.

re·lax·ing /riláeksiŋ/ 形 [他動詞的に] 1〈物・事が〉〈人を〉くつろがせる, リラックスさせる. 2〈今古〉〈気候・天気が〉人をだらけさせるような, けだるい(↔ bracing).

†**re·lay** /名 ríːlei, (英<) ríːléi; 動 ríːléi, ríːléi/ 名 1 C (リレーなどの) 交替(で すること), (一団の) 交替要員; (狩猟・旅の) (1組の) 換え犬[馬], 継走馬; 新供給資材 ‖ send a new *relay* of men 新交替要員を送る / *work in [by] relay(s)* 交替で働く. 2 (放送・電信) 中継装置; 中継(放送, 番組, 通信); [R~] (米) リレー衛星 ‖ *by relay* 中継で. 3 (略式) (スポーツ) = relay race. ── 動 他〈番組・ボールなどを〉[…に] 中継する(to); 〈伝言・ニュースなどを〉(中継ぎして) […に] 伝える(+*over*)(to) ‖ I will *relay* the message to her. 伝言は彼女に伝えましょう.

rélay ràce リレー競走.

rélay stàtion (放送) の中継局.

†**re·lease** /rilíːs/ 動 他 1〈人が〉〈人・動物を〉〔束縛・苦痛などから〕解き放す, 自由にする(*from*)(◆ set free より堅い語) ‖ *release* a prisoner 囚人を釈放する / *release* a bird *from* the cage 鳥を鳥かごから逃がしてやる / She has become well enough to be *released from* the hospital. 彼女は退院を許されるほどに健康が回復した. 2〈人が〉〈何かを固定しているものを〉放す, 外す; 〈矢などを〉〔…から〕放つ; 〈爆弾などを〉〔…から〕投下する(*from*)(◆ let go よりも堅い語) ‖ She *released* her hold of [on] my arm. 彼女は私の腕をつかんでいる手を放した / *release* the handbrake of a car 車のハンドブレーキを解く (⊃文法 16.2(2)) / *release* an arrow *from* a bow 弓から矢を放つ. 3〈人などが〉〈人〉を〔任務・負債などから〕解く, 免除する(*from*) ‖ *release* her *from* her promise 彼女の約束を取り消してやる / *release* her *from* (a) debt 彼女の借金を免除してやる / be *released from* the army 除隊になる. 4〈人などが〉〈事・物〉の公開[公表, 販売]を正式に許可する; 〈映画などを〉公開する; 〈情報などを〉[…に]公開[公表]する(*to*); 〈レコード・本などを〉発売する ‖ recently *released* films 最近封切られた映画. 5 (法律) 〈権利・財産などを〉放棄する.

── 名 1 U [時に a ~]〔束縛・苦痛などからの〕解放, 釈放, 放免, 救出(*from*); C (仕事・緊張などから) 解放するもの; 〔釈放命令〕‖ his *release from* the hospital 彼の退院(◆ his は「目的格関係」を表す) / *release him from the hospital* の名詞化表現) / The medicine gave him *release from* pain. その薬を飲むと彼は痛みが取れた. 2 U (固定しているものを) 放す[離す, 外す]こと, 放出; (爆弾などの) 投下; (制動などの) 解除; C 解除[始動] 装置, (カメラの) レリーズ ‖ the *release* of the safety catch 安全装置の解除 / the *release* button 始動ボタン. 3 UC (義務・負債などの) 免除, 解除(*from*) ‖ obtain a *release from* one's promise 約束を取り消してもらう. 4 UC (映画などの) 一般公開, 封切り; (情報などの) 公表[発表] (許可); (レコード・本などの) 発売; C 封切り映画, (レコードの) 新譜, 新発売の本 ‖ the *release* of a new movie 新作映画の封切り. 5 U (法律) (権利・財産などの) 放棄, 譲渡; C (その) 証書.

on géneral reléase (英) 〈映画が〉一斉封切りで[一般公開]されて.

rel·e·gate /réləgèit/ 動 他 (正式) 1〈人・物を〉〔より低い地位・状態に〕格下げする, 落とす, 〈物・事を〉〔目立たない場所などに〕移す, 遣(*to*). 2 〈事柄・仕事などを〉〔人などに〕任せる, ゆだねる, 委託する

(*to*).

†**re·lent** /rilént/ 自 (正式) 〈人が〉優しくなる, 同情的になる, (厳しい決定をした後で) 態度を軟化する; 〈厳しい天気などが〉和らぐ, 弱まる.

†**re·lent·less** /riléntləs/ 形 (正式) 1〈人・事などが〉[…の点で] 情け容赦のない, 無慈悲な, 厳しい〔*in*〕‖ be *relentless* in executing traitors 反逆者を容赦なく処刑する. 2 絶え間のない, 間断ない.

re·lént·less·ly 副 情け容赦なく, 厳しく.

rel·e·vance, --van·cy /réləvəns(i)/ 名 U (当面の問題との) 関連(性); (社会的) 適合性[妥当性] ‖ *have relevance [no relevance] to* …と関係がある[ない].

†**rel·e·vant** /réləvənt/ 形〔当面の問題と〕(密接な)関連がある(*to*); 適切な, 妥当な(↔ irrelevant) ‖ a *relevant* remark 的を射た意見 / Your question is not *relevant to* the subject. 君の質問は当面の話題とは関係がない.

rél·e·vant·ly 副 関連して, 適切に.

re·li·a·bil·i·ty /rilaiəbíləti/ 名 U 当てになること, 信頼性[度], 確実性, 信憑(ぴょう)性.

†**re·li·a·ble** /rilaiəbl/ 形 信頼できる, 頼りになる, 当てにできる, 確実な ‖ a *reliable* secretary 信頼できる秘書 / have it from a *reliable* source that … だと確かな筋から聞いている.

re·lí·a·ble·ness 名 U 信頼性[度], 確実性.

†**re·li·ance** /riláiəns/ 名 1 U (…への) 依存する] 信頼, 信用〔*on, in*, (正式) *upon*〕‖ *have [feel] complete reliance on* one's friends = *place complete reliance in* … 友人を完全に信頼する. 2 C 頼りになる物[人].

†**rel·ic** /rélik/ 名 C 1 (正式) a (過去の時代の) 遺物, 遺品; [~s] 遺跡, 廃墟(きょ); 遺体 ‖ *relics* of an ancient civilization 古代文明の遺跡 / a *relic* of the War of Independence 独立戦争の遺物. b (過去の風習・信仰などの) 名残り, 遺風 ‖ a *relic* of a bygone age 過去の時代の名残り. c 思い出の品, 記念品, 形見, 遺品 ‖ *relics* of Grandfather's childhood 祖父の幼年時代の記念品. 2 (キリスト教) (聖人・殉教者などの) 聖遺物, 聖遺物.

†**re·lief** /rilíːf/ 名 1 U [時に a ~] (苦痛・心配・恐怖などの) 除去, 軽減 ‖ *get [obtain] relief from* pain 痛みが消える / This medicine gives immediate *relief for [from]* headaches. この薬は頭痛に効果てきめんだ. 2 U [時に a ~] (苦痛・心配などの去った後の) 安堵(あんど) (感), 安心 ‖ *feel relief at* the news その知らせにほっとする / She gave [breathed, heaved] a sigh of *relief*. 彼女はほっと安堵のため息をついた. 3 U (略式) [時に a ~] (…にとって) ほっとさせるもの, 慰め[気晴らし] となるもの(*to*) ‖ 【対話】"The baby survived the dangerous operation." "What a *relief*!〔⌒〕"「その赤ちゃんは難しい手術を乗り切りました」「本当によかった」. 4 U (正式) 救済, 救援; 救援物資[金]; (米) (貧窮者などの) 福祉金; [形容詞的に] 救援の ‖ *relief* of the poor 貧しい人の救済 / *send relief to* the earthquake victims 震災被害者へ救援物資を送る. 5 a U (任務の) 交替; C 交替者, 代行者; [the ~; 集合名詞; 単数・複数扱い] 交代班; [形容詞的に] 交替の. b C (バス・飛行機などの) 増便; [形容詞的に] 増便の.

on relíef (米) (失業・貧困のため) 生活保護を受けて.

to one's **relíef** ほっとしたことには.

relíef pìtcher (野球) 救援投手.

relíef wòrks 失業対策事業; (それによって建設され

た) 公共施設《道路・橋・建物など》.

†**re·lief**² /rilíːf/ 图 **1**〔建築・美術〕 ⓤ 浮彫, レリーフ; ⓒ 浮彫細工[作品], 浮彫模様 ‖ a profile of Haydn in high *relief* ハイドンの横顔の高浮彫像. **2** ⓤ〔美術〕(陰影などによる)浮彫的効果. **3** ⓤ 〔…に対する〕きわだち, 鮮明さ, 対照効果〔*against, from*〕‖ The white church stands out *in* bold [*sharp*] *relief against* the blue sky. 白い教会は青空を背景にくっきりとそびえている.
thrów [*bríng*] **A** *into relíef* 〈物〉を目立たせる.
relíef máp 起伏地図, 模型地図.

†**re·lieve** /rilíːv/ 動 他 **1**〈物・事から〉〈人〉の〔苦痛・心配などを〕取り除く, 和らげる, 軽減する ‖ *relieve* his mind 彼の不安を取り除く / Take this medicine to *relieve* your headache. 頭痛を治すにはこの薬を飲みなさい / Her humorous remark *relieved* the tension I felt. 彼女のユーモアのある言葉が私の緊張をほぐしてくれた. **2**〈物・事が〉〈人〉を〔心配・苦痛・恐怖などを除いて〕安心させる, 楽にさせる〔*from*〕; [be ~d]〔…して〕安心する〔*at* / *to do*〕‖ I was *relieved* (*to* hear) *that* there had not been a fight. 争いがなかったと聞いて私はほっとした. **3**〔正式〕…を救済する, 救援する ‖ *relieve* the victims of the flood 洪水の被害者を救済する. **4**〈人〉と交替する, …を交替させる; 〔野球〕〈投手〉を救援する; 〔正式〕〈人〉を〔地位・職務から〕解雇[解放]する〔*of*〕《◆ fire の遠回し表現》‖ He *was relieved of* his duties. 彼は職務を解かれた. **5**〔正式〕〈人〉から〔やっかいな事・物などを〕取り除く, 〔略式〕〈人〉から〈金品を〉盗む, ふんだくる(rob)〔*of*〕. **6** …を〔…で〕単調でなくする, まぎらす〔*with, by*〕‖ *relieve* the sorrow *with* songs 歌で悲しみをまぎらす. **7** …を〔…に対して〕引き立たせる〔*against*〕.
relíeve onesélf 用を足す, トイレに行く.

*__re·li·gion__ /rilídʒən/ 〖再び(re)〈神〉に結ぶこと(ligion)〗 ㊓ religious (形)
——图 (複 ~s/-z/) **1** ⓤ 宗教 ‖ She believes in one of the new *religions*. 彼女は新興宗教の1つを信じています.
2 ⓒ 宗派, 宗旨, [複合語で] …教 ‖ The Tokugawa shogunate banned the Christian *religion*. 徳川幕府はキリスト教を禁止した.
3 ⓤ 信仰, 宗教心; 信仰生活 ‖ enter (into) *religion* 修道生活に入る / her name in *religion* 彼女の修道名. **4** [a/one's ~]〔…にとっての〕信条, 主義, 生きがい〔*with*〕‖ *make a religion of* doing … …するのを信条とする / Soccer is his *religion*. = Soccer is *a religion with* him. サッカーは彼の生きがいだ.

†**re·li·gious** /rilídʒəs/ 形 **1** 宗教の, 宗教に関する ‖ *religious* music 宗教音楽 / *religious* rites and burials 宗教的儀式と埋葬. **2**〈人・行動などが〉信心深い, 敬虔(ﾞけい)な(pious) (↔ irreligious); (一般に) 熱心な ‖ His family is very *religious*. 彼の家族は信心深い. **3** 修道(会)の. **4**〔正式〕厳正な; 良心的な, 細心の(very careful) ‖ *with religious care* 細心の注意を払って.
re·li·gious·ly /rilídʒəsli/ 副 **1**〔正式〕誠実に, 規則正しく, きちんと; 細心に. **2**〔正式〕堅く, 本気で, 心から. **3** 宗教的に, 宗教上; 信心深く.

†**re·lin·quish** /rilíŋkwiʃ/ 動 他〔正式〕**1**〈希望・信仰・計画・習慣などを〉捨てる, 断念する, 止める; 〈地位・職などを〉辞す, 譲る(give up) ‖ *relinquish* all hope あらゆる希望を捨てる. **2**〈権利・所有物・支配などを〉いやいや手放す, 放棄する, 〔…に〕譲る, 譲渡する, 引き渡す

(give up)〔*to*〕‖ *relinquish* one's claim *to* the estate 財産に対する権利を放棄する.

†**rel·ish** /réliʃ/ 图 **1** ⓤ **a**〔…をそそるような〕味, 香り, 風味 ‖ Great appetite gives *relish* to plain food. 食欲旺盛だと質素な食べ物もおいしいものだ. **b** [時に a ~]〔物事の〕面白み・興味, 興趣. **2** ⓤ **a** [時に a ~]〔物事・物事に対して持つ〕楽しい味わい[興奮], 喜び ‖ eat *with relish* おいしそうに食べる. **b** [通例否定文で; 肯定では a ~]〔…に対する〕好み, 興味, 欲求〔*for*〕‖ a boy *with* little *relish for* sports スポーツにほとんど関心のない少年 / I have no *relish for* fishing. 魚釣りは好きではない. **3** ⓒ (風味を添える)薬味, 香辛料, 調味料; 付け合わせ《ピクルスなど》; 前菜.
——動 他 **1** [通例否定文で] …を好む, 楽しむ, 〔…することを〕喜ぶ(doing)‖ *relish* a good joke 面白い冗談を楽しむ / I don't much *relish* (the idea of) having to tell him the bad news. 彼にその悪い知らせを伝えなくてはならないのはあまりうれしいことではない. **2**〈飲食物を〉おいしく食べる[飲む], 賞味する. **3** …に風味[薬味]を添える. ——自〈飲食物が〉〔…の〕味がする, 風味がある〔*of*〕; 〈話・文体・感情などが〉〔…の〕感じ[気味]がある〔*of*〕.

re·live /riːlív/ 動〈過去の時代・体験などを〉再び経験する, (想像によって)追体験する.

re·load /riːlóud/ 動 他 自 (銃に)弾丸をこめ直す; (荷車などに)荷を積み直す.

†**re·luc·tance**, †**—·tan·cy** /rilʌ́ktəns(i)/ 图 ⓤ [時に a ~]〔…することに〕気が進まないこと, 気乗り薄, 嫌気〔*to do*〕‖ consent *with reluctance* しぶしぶ同意する / She showed (a) *reluctance* to go on to college. 彼女は大学進学に乗り気でなかった.

*__re·luc·tant__ /rilʌ́ktənt/ 〖「逆らう」が原義〗

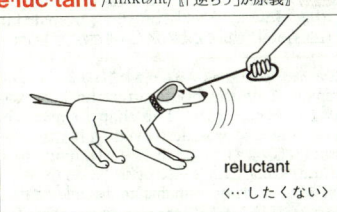

reluctant
〈…したくない〉

——形 **1**〈人が〉〔…〕したくない, することに気が進まない〔*to do*〕; 〈人が〉〈行為を〉いやに思う, しぶる, 乗り気でない《◆ unwilling, not willing ほど拒否の気持ちは強くない》‖ She was *reluctant to* talk with anyone. 彼女はだれとも話したくなかった / She took her *reluctant* child to school. 彼女はいやがる子を学校に連れて行った.
2〈行為が〉しぶしぶの, いやいやながらの, 不承不承の ‖ give a *reluctant* answer [promise] しぶしぶ返事[約束]する.

†**re·luc·tant·ly** /rilʌ́ktəntli/ 副 いやいやながら, しぶしぶ ‖ He joined the strike *reluctantly*. 彼は不承不承ストに参加した.

*__re·ly__ /rilái/ 〖「強く縛る」が原義〗㊓ reliable (形)
——動 (re·lies/-z/; 過去・過分 re·lied/-d/; ~·ing)
——自 (*rely on* [〔正式〕*upon*] **A**〕〈人が〉(これまでの経験から) **A**〈人・物・事〉に〔…を/…することを〕頼る〔*for* / *to do*〕; 〈人・物・事〉を当てにする, …を信頼する(trust)《◆ (1) depend, count の方が一般的な語. (2) **A** の代わりに doing, it that 節を用いることもある》‖ You can't *rely on* her help. = You can't

rely on her *for* help. 彼女の援助は当てにできないよ / He can be *relied on*. 彼は信頼できる / We can *rely on* his [《略式》him] *coming* on time. =We can *rely on it that* he will come on time. 彼はきっと時間通りに来ますよ / You can never *rely on* her *to* be punctual. 彼女が時間を守ることは絶対当てにできない.

rem /rém/ 〖roentgen equivalent in man〗 名 (複 **rem**, ~**s**) C 〔物理〕レム〈人体組織の吸収放射線量の計測単位〉.

*re·main /riméin/ 〖「もとのままにとどまる」が本義〗
——動 (~s/-z/; 過去・過分 ~ed/-d/; ~·ing)
——自 1 [remain C]〈人・物が〉依然として C (の状態)のままである, 相変わらず C である(keep)《◆C は名詞・形容詞・分詞・副詞辞・前置詞句など》‖ Many stores *remain* open until 8:00 p.m. 午後8時まであいている店は多い / The light *remained* on. 明かりがついたままだった / Did the bird *remain* in sight? 鳥を十分観察できましたか / They *remained* good friends. 彼らはずっと親友であった / *I remain yours truly.* 敬具《◆手紙で》.
2〔正式〕〈人・物・事が〉(ある場所に)とどまる, 居残る〈人・物・事が〉(記憶などに)とどまる《◆(1) stay より堅い語. (2) 修飾語句は省略できない》(↔ leave)‖ I *remained* [stayed] (at) home yesterday. 昨日は(外出しないで)家に残った / She *remained* [stayed] in the room. 彼女は部屋に残っていた / *Remain* [Stay] just where you are. そこを動くな / This trip will always *remain* [×stay] in my memory. この旅はいつまでも私の記憶に残ることでしょう.

> 語法 ホテルなどに滞在するという文脈では remain は不可: How long will you stay [×remain] in this hotel? 当ホテルにどのくらい滞在のご予定ですか.

3 a〈物・事が〉残っている, 残されている ‖ Nothing *remained* of the house after the fire. 火事の後家は跡形もなくなった / The chapel *remains*; everything else was destroyed. 礼拝堂だけが残り, 他はすべて破壊されている. **b**〔正式〕[remain to be done]〈事が〉これから…されねばならない, まだ…されない でいる ‖ Nothing *remains* to be told. これ以上言うことは何もない / It *remains* to be seen if he can find the solution to the problem. 彼がその問題を解決できるかどうかはまだわからない.
——名 (~s) **1** 残り, 残りもの. **2** 遺物, 遺跡 ‖ the *remains* of an ancient city 古代都市の遺跡. **3**〔正式〕遺体, なきがら, 遺骨《◆dead body, corpse の遠回し語》; 化石.

†**re·main·der** /riméindər/ 名〔正式〕〖通例 the ~; 集合名詞; 単数・複数扱い〗残り, 残りのもの[人](rest)‖ The *remainder* [rest] of the day was wasted. その日の残りはむだに費やされた. **2** C〔数学〕〖the ~〗(割り算の)余り, 剰余. (引き算の)残り, 差 ‖ Ten divided by ten is 1, with zero *remainder* [×rest]. 10割る10は1で余り0. **3** C 残本, 売れ残りの本.

re·mand /rimænd | -má:nd/ 動 他 **1**〔法律〕〈囚人・被告人〉を再拘留[再留置]する; 〈事件〉を(原審に)差し戻す〔to〕; 〈人〉を〔…に〕送り返す, 送還する〔to〕.
——名 U〖時に a ~〗再拘留, (裁判の)差し戻し ‖ on *remand* 再拘留中で[の].

*re·mark /rimá:rk/ 〖「再び(re)印をつける(mark)」〗
派 remarkable (形)
——動 (~s/-s/; 過去・過分 ~ed/-t/; ~·ing)
——他 **1**〈人が〉(所見として)…と言う, 述べる; [remark that節]…だと言う《◆say よりも堅い語》‖ He *remarked* (to me) *that* he liked my new dress. 彼は(私に)私の新しいドレスが気に入ったと言った. **2**〔正式〕…に気づく, 注意する(notice); [...に]気づく[that節].
——自〔…について/人に〕所見[感想, 意見]を述べる〔on, upon, about / to〕‖ I *remarked* on his hairstyle. 彼の髪型についてひとこと述べた(=I made a few *remarks* on ...).
——名 (~s/-s/) C〔…についての〕所見, 意見, 発言, 感想, 見解〔about, on〕‖ make an unkind *remark about* her 彼女の悪口を言う.
2 U〔正式・古〕注目, 注意; 観察 ‖ escape *remark* 気づかれずにすむ / be worthy of *remark* 注目に値する.

*re·mark·a·ble /rimá:rkəbl/ 〖→ remark〗
——形 **1** [...に]注目すべき, 注目に値する〔for〕‖ Nothing *remarkable* happened. これといった出来事は何も起こらなかった.
2 [...で]目立った, 異常な, 例外的な, 珍しい〔for〕‖ He is *remarkable for* his fierce temper. 彼は異常なほど激しい気性である / *It is remarkable that* he should have passed the bar examination. =*It is remarkable for* him to have passed the bar examination. 彼が司法試験に合格したのは驚きだ(⊇文法11.5).

†**re·mark·a·bly** /rimá:rkəbli/ 副 **1** [形容詞・副詞を修飾して]目立って, 著しく, 異常に ‖ It is *remarkably* hot for this time of year. この時期にしては異常なほど暑い. **2**〔文全体を修飾して〕珍しいことに.

re·mar·riage /ri:mǽridʒ/ 名 U C 再婚.

re·mar·ry /ri:mǽri/ 動 自 **1** 再婚する. **2**〈離婚した男女が〉(同じ相手と)再結婚する. **2** …と再婚する. ——他 **1**〈前配偶者〉と再結婚する. **2** …と再婚する.

re·mas·ter /ri:mǽstər | -má:s-/ 動 他 (通例デジタル録音により音質を向上させて)…の新しいマスターテープ[原版]を作る.

Rem·brandt /rémbrænt/ 名 レンブラント〈~ **van Rijn**/vən ráin/, 1606-69 : オランダの画家〉.

re·me·di·al /rimí:diəl/ 形 **1** 治療の(ための). **2** 矯正の. **3** (読み書きの能力の低い学生のために行なう)補習の.

†**rem·e·dy** /rémədi/ 名 C U **1** 〔病気の〕治療(法), 医薬品〔for, against〕《◆cure より堅い語》‖ What is your favorite *remedy for* headache(s)? 頭痛にきくあなたの特効薬は何ですか / There is no sure *remedy against* the disease. その病気を確実に治す薬はない. **2**〔欠点・悪などの〕矯正法, 救済策, 改善法〔for〕‖ find a *remedy for* air pollution 大気汚染の改善策を見つける / This decayed tooth is *beyond* [*past*] *remedy*. この虫歯は治療できない / *have no remedy but to* move out of the city 町を出るしか手がない. ——動 他〔正式〕**1**〈病気など〉を治す, 治療する(put right). **2**〈悪・欠点など〉を矯正する, 改善する(correct).

:**re·mem·ber** /rimémbər/ 〖「記憶にとどめていて, 必要なときに思い出す」が本義〗派 remembrance (名)

index 他**1** 覚えている **2** よろしく伝える **4** 思い出す

remembrance … remind

―動 (~s/-z/; 過去・過分 ~ed/-d/; ~ing /-bəriŋ/)《◆3以外では通例進行形不可》
― 他
I [覚えている]
1a 〈人が〉〈人・物・事を〉**覚えている**, 記憶している, 忘れないように注意する; [remember (that)節] / remember wh節] …ということを[…かを]覚えている; [remember to do] 忘れないで…する《⇒文法 12.7(4)》; [remember A as [to be] C]《正式》A〈人・物〉を C と覚えている《◆C は名詞・形容詞・分詞》‖ Did you *remember to* lock the door? 忘れずに戸に錠をおろしましたか(=Didn't you forget to …?) / She *remembered not* to go out alone. 彼女はひとりで外出してはいけないことを覚えていた / I *remember* (that) I posted your letter. あなたの手紙を出したことを覚えている / I (can) *remember* my father *to* have been kind.《正式》父が優しかった記憶がある(⇒文法 11.5) / I (can) *remember* you *as* having a sister. あなたには妹さんがあったと記憶しています《◆can をつけると「覚えている状態」を強調する. 進行形の代用表現》《ショック》The best way to *remember* your wife's birthday is to forget it once. 妻の誕生日を忘れない一番いい方法は, 一度忘れることだ《◆ 4 (思い出す)と取れば, いちおう論理的ぞ》.
b [remember doing /《まれ》remember having done] …したことを覚えている《◆明らかに過去を強調する時以外は完了動名詞を使わない》《⇒文法 12.2》‖ I *remember* posting [*having posted*] your letter. あなたの手紙を出したことを覚えている / I *remember* you [your] *saying* that. あなたがそう言ったのを覚えています《◆I *remember* (my [×me]) *saying* that. ((自分が)そう言ったのを覚えている)では my の代わりに me を用いることは不可》《⇒文法 12.5》.

使い分け [remember doing と remember to do]

　remember doing は「過去に…したことを覚えている」の意.
　remember to do は「これから忘れずに…する」の意.
I *remember* reading [ד*to read*] the book. It was a really good book. 私はその本を読んだことを覚えている. 本当によい本だった.
Remember ⌈*to read* [ד*reading*] the book. I'm sure you'll like it. 忘れずにその本を読みなさい. きっと気に入ると思う.

2 《米文・英略式》[remember **A** to **B**] 〈人が〉A〈人〉のことを B〈人〉によろしくと伝える ‖ *Remember* me (kindly) *to* your wife. 奥さんによろしく(=Give my (best) regards to your wife.) / Mother asked *to be remembered to* you. あなたによろしくと母が申しておりました.
3 《正式》[しばしば遠回しに] 〈人〉に贈り物をする, チップをやる ‖ I always *remember* my mother on Mother's Day. 母の日にはいつも母に贈り物をします.

II [覚えていることを思い出す]
4 〈人が〉〈人・物・事を〉(自然に)**思い出す**; (意識的に)思い起こす; [remember (that)節 / remember wh節 / remember wh to do] …ということを[…かを思い出す](↔ forget)《◆類語 remember, recall, recollect は後のものほど意識的努力によって思い出す度合いが強い》‖ I can't *remember* his name.

彼の名が思い出せない / She suddenly *remembered* (that) she had some homework to do. 彼女は宿題のあったことを突然思い出した / I will *remember* your kindness forever. あなたのご親切はいつまでも忘れません.

― 自 〈人が〉覚えている; 記憶力がある; 思い出す ‖ I don't *remember* well. 物覚えがよくない / *ever since I can remember* 思い出せる限りずっと / Now I *remember*. 思い出した / *if I remember correctly* もし私の記憶に間違いがなければ.

be remembéred for A 〈人・物・事が〉…(の理由)で人の記憶に残っている.
remémber A in one's **práyers** 〈人〉のためにお祈りをする.

†re·mem·brance /rimémbrəns/ 名《正式》**1** Ⓤ **a** 記憶, 記憶力, 覚え(られ)ていること(memory) ‖ I *have no remembrance of* my childhood. 私は子供のころのことは覚えていない. **b** 記憶期間. **2** Ⓤ Ⓒ 思い出, 回想, 追憶 ‖ I have many sad *remembrances* of my boyhood. 私には少年時代の悲しい思い出が数々ある. **3** Ⓒ 思い出となるもの[事], 記念(品), 形見 ‖ She gave me her watch as a *remembrance* of her. 彼女は形見として時計をくれた.

in remémbrance of A …を記念して; …の思い出に.
to the bést of A's remémbrance 〈人〉の覚えている限りでは(as far as … can remember).
Remémbrance Dày《英》英霊記念日《◆第1・2次世界大戦の戦没者を記念する日. 11月11日に最も近い日曜日. cf. Armistice [Memorial] Day》.
Remémbrance Sùnday《カナダ》=Remembrance day.
re·mem·branc·er /rimémbrənsər/ 名 Ⓒ《正式》思い出させる人[物].

*re·mind /rimáind/《再び(re)気づく(mind)》
― 動 (~s /-máindz/; 過去・過分 ~ed /-id/; ~ing)
― 他 **1** [remind **A** (of **B**)] 〈人が〉A〈人〉に(B〈人・物・事〉を)(言って)**気づかせる**, 思い起こさせる; [remind **A** to do] 〈人が〉A〈人〉に…することを気づかせる ‖ I *reminded* him *of* our dinner this evening. 今晩の夕食のことを忘れないように彼に言ってやった / Please *remind* me ⌈*to* buy [ד*of* buying] some beef. 牛肉を買うのを忘れていたら注意してね / We must *remind* him *that* he's on duty tonight. 今夜は当直だということを忘れるなと彼に念を押してやらねばならない / I *reminded* her (about) where we met. 私たちがどこで会ったか彼女に思い出させた / She *reminded* me *about* our plans to go shopping. 買物に行くことになっているのを忘れないでと彼女は私に念を押した《◆about を用いると「念を押す」ことを強調》.
2 [remind **A** of **B**] 〈物・事・人が〉(B〈人・物・事〉を)(結果的に)**思い出させる**, 連想させる; 〈人〉に […することを / …ということを / …かを] 思い出させる(*to* do / *that*節 / *wh*節)《⇒文法 23.1》‖ This picture *reminds* me *of* our holiday. =Whenever I see this picture, I'm *reminded of* our holiday. この写真を見るといつもあの休日のことを思い出す(=I always remember our holiday when I see this picture.) / Her voice *reminds* me *of* my mother. 彼女の声を聞くと母のことを思い出す / This will *remind* him ⌈*to* meet [ד*of* meeting] the train. これを見たら[聞いたら]彼は列

†**re·mind·er** /rimáindɚ/ 《名》ⓒ 思い出させるもの[人]；(思い出させるための)合図, 注意；催促状 ‖ She tied a string on her finger as a *reminder*. 彼女は忘れないように指にひもを結んだ.

rem·i·nisce /rèmənís/ 《動》⾃ ふつう2人以上の人が〉〈過去の〉思い出話をして楽しむ〔*about*〕.

rem·i·nis·cence /rèmənísns/ 《名》**1** Ⓤ (ふつう楽しいものについての)回想, 追憶. **2** Ⓒ 〔…についての〕思い出, 思い出させるもの〔*of*〕；〔通例〜s〕〔…についての〕思い出話, 回想〔回顧〕録〔*of*〕. **3** Ⓒ 〔…を〕思い出させる物[事, 人]〔*of*〕 ‖ There is a *reminiscence* of his father in his way of speaking. 彼の話し方には父親を彷彿(ほうふつ)とさせるところがある.

†**rem·i·nis·cent** /rèmənísnt/ 《形》**1** 〔…を〕思い出させる, しのばせる〔*of*〕 ‖ His way of speaking is *reminiscent* of his father. 彼の話し方には父親を思わせるものがある. **2** 〈人が〉思い出にふけりがちな, 追憶にふけっている ‖ *reminiscent* old people 追憶にふけりがちな老人 / become [grow] *reminiscent* 昔を懐かしむ. **3** 〈話などが〉思い出に関する；追憶的な ‖ a *reminiscent* talk 懐旧談 / be in a *reminiscent* mood 懐古的な気分になっている.

rem·i·nis·cent·ly 《副》昔を懐かしんで；回顧的に.

re·miss /rimís/ 《形》(正式)〈人が〉〔任務・仕事などで〕怠慢な, 不注意な, いいかげんな〔*in*〕 ‖ be *remiss* in one's duties [in writing letters] 職務怠慢[筆無精]である / It was *remiss* of me to forget all about it. =I was *remiss* to forget …. そのことをすっかり失念していたのは私の不注意だった(◯文法 17.5).

re·mis·sion /rimíʃən/ 《名》**1** Ⓤ (正式) (特にキリスト教での)〔罪の〕赦し〔*of*〕. **2** Ⓤ (正式) 〔借金・税金などの〕免除, 減免. **3** ⒸⓊ (病気・苦痛などの)小康状態[期間]；(努力・寒暑などの)ゆるみ, 和(やわ)らぎ；[医学]寛解. **4** ⒸⓊ (善行による)刑期短縮.

†**re·mit** /rimít/ (正式)《動》(過去・過分) **~·ted**/-id/, **~·ting** ⦅他⦆ **1** 〈金銭を〉〔郵便などで〕送る；〔remit A B = remit B to A〕〈人が〉〈人・場所に〉〈金銭を〉送る(send) ‖ I *remitted* her the money yesterday. =I *remitted* the money to her yesterday. 昨日彼女にその金を送りました. **2** 〈神が〉〈罪を〉許す, 赦免する；〈負債・税金・刑罰などを〉免除する, 減免する(cancel). **3** 〈苦痛・怒り・注意・努力などを〉和らげる, 緩(ゆる)める, 軽減する. **4** 〈問題・報告などを〉〔審議・決定のために〕〔権威者・機関に〕任せる〔*to*〕. ─⦅自⦆送金する.
─《名》ⒸⓊ (英) 審議のための付託(事項)；[法律] 訴訟記録の他の裁判所への移送.

†**re·mit·tance** /rimítəns/ 《名》ⒸⓊ (正式) 送金(された金) ‖ *Remittance* was sent by check. 送金は小切手でなされた.

re·mix 《動》rimíks; **ri:miks**/ ⦅他⦆ **1** …をミキシングし直す. ─ 再び混ぜる. ─ 《名》ⒸⓊ ミキシングし直した録音, リミックス版[曲].

†**rem·nant** /rémnənt/ 《名》ⒸⓊ **1** 〔しばしば〜s〕〔…の〕残り, 残部, 残存者, 残骸〔*of*〕 ‖ throw away the *remnants* of a meal 食べ物の残りを捨てる. **2** (正式) 残り切れ, 端切れ；[形容詞的に] 残り物の. **3** (正式) 〔物事の昔の〕名残り, 遺物, 残りかす〔*of*〕.

†**re·mod·el** /ri:mɑ́dl | -mɔ́dl/ (過去・過分) **~ed** or (英) **~·mod·elled**/-d/, **~·ing** or (英) **~·el·ling** ⦅他⦆ **1** 〈服などの〉型を直す, …を仕立て直す；〈人体の部分などの〉形を変える；〈小説などを〉改作する ‖ have one's house [nose] *remodeled* 家を直して[鼻を整形して]もらう. **2** 〈建物などを〉〔…に〕建て替える, 改造する, 模様替えする〔*into*〕.

re·mon·e·tize /ri:mʌ́nətàiz, -mɔ́ni-/ 《動》⦅他⦆〈金銀などを〉再び法定通貨として使用する.

†**re·mon·strance** /rimɑ́nstrəns | -mɔ́n-/ 《名》ⒸⓊ 〔…に対する〕抗議, 反対[不満]表明〔*against*〕；忠告, 諫言(かんげん), いさめ.

re·mon·strant /rimɑ́nstrənt | -mɔ́n-/ 《形》(正式) 抗議の, 反対する；いさめる, いさめの. ─《名》Ⓒ 抗議する人.

†**re·mon·strate** /rimɑ́nstreit | rémən-/ 《動》(正式) ⦅自⦆〈人が〉〔人などに〕〔事に対して/事について〕〔…の理由で〕抗議する, 異議を唱える, 不満を表明する；忠告する, いさめる, 論(さと)す〔*with / against / about, on, upon, over / for*〕(◆ *protest* より強意的) ‖ *remonstrate with* the government *against* high prices 物価高に対して政府に抗議する / The doctor *remonstrated with* her *for* not taking her pills. 彼女が薬を飲まないので先生はよく言い聞かせた. ─⦅他⦆〔…であると〕抗議する, 異議[不満]を唱える〔*that* 節〕.

†**re·morse** /rimɔ́ːrs/ 《名》Ⓤ (正式) (罪悪などに対する)激しい後悔, 痛悔, 深い悔恨；良心の呵責(かしゃく), 自責の念(regret)〔*for*〕 ‖ **in** *remorse* **for** the crime 犯した罪を後悔して / I felt [suffered, was filled with] *remorse* for having stolen the money. その金を盗んだ事をひどく後悔した. **without** *remorse* 情け容赦なく[ない], 冷酷に[な].

re·morse·ful /rimɔ́ːrsfl/ 《形》(正式) 〔…に対して/…について〕悔恨の, 悔恨にあふれた〔*for / about*〕 ‖ feel *remorseful about* … のことで後悔している.

re·morse·less /rimɔ́ːrsləs/ 《形》情け容赦ない, 無慈悲な, 冷酷な；〈風雨などが〉容赦なく続く.

†**re·mote** /rimóut/ [「隔り」が本義]
─《形》(**more 〜**, **most 〜**；**〜r**, **〜st**)
Ⅰ [距離が遠い]
1 (距離的に)遠い, 遠方の, 遠隔の；〔…から〕遠く離れた〔*from*〕(◆ *far away* より堅い語) ‖ a *remote* island in the Pacific 太平洋上にあるはるかかなたの孤島 / She lives (in a house) *remote from* the town. 彼女は町から遠く離れて(離れた家に)住んでいる.
2 へんぴな, 都会から離れた, 人里離れた；〈文明分かなどから〉隔絶した〔*from*〕 ‖ She lives in a *remote* village. 彼女はへんぴな村に住んでいる.
3 遠隔操作の ‖ *remote* compùter operátion コンピュータの遠隔操作.
Ⅱ [時間的に遠く離れている]
4 [名詞の前で] (時間的に) 遠く隔たった, 遠い ‖ **in the** *remote* **past [future]** はるか昔[遠い未来]に.
Ⅲ [関係が離れている]
5 〔…と〕関係が薄い, かけ離れた〔*from*〕 ‖ His question was *remote from* the matter under consideration. 彼の質問は審議中の事柄とはかけ離れていた. **6** [名詞の前で] 〈血縁関係が〉遠い, 遠縁の ‖ a *remote* relative [ancestor] 遠い親戚(せき)[先祖]. **7** 〈人・態度などが〉よそよそしい, そっけない, 無関心な；〈人が〉〔事から〕遠ざかって〔*from*〕 ‖ Her manner was *remote* and cold. 彼女の態度はよそよそしく冷淡だった. **8** [しばしば 〜st で] 〈考え・可能性・関係などが〉かすかな, わずかな(→ **idea** 《名》 **3**) ‖ I haven't the *remotest* idea (of) when he will come back. 彼がいつ帰って来るかまったく見当がつきません.

remóte contról 遠隔操作[制御], リモコン ‖ *by remote control* リモコンで.

remóte·ness /-/ 名 U 遠隔；疎遠.

†**re·mote·ly** /rimóutli/ 副 **1** 遠く離れて；人里離れて. **2**〈関係が〉薄く, 遠く ‖ *be remotely related to her* 彼女と遠縁[疎縁]である. **3** よそよそしく, 冷淡に. **4**［しばしば否定文で］ほんのわずか(も) ‖ *be not remotely worried about it* そのことをちっとも心配していない. **5** 間接的に；遠くで[から].

re·mount /ri:máunt/ 動 他 **1**〈馬・自転車などに〉再び乗る；〈はしご・丘などに〉再び登る. **2**〈絵・写真などを〉新しい台紙にはり替える；〈宝石などを〉はめ替える.
——自 (馬・自転車などに) 再び乗る；再び登る.

re·mov·a·ble /rimú:vəbl/ 形 **1** 除去できる. **2** 解任[転任]できる. **3** 移動できる.

†**re·mov·al** /rimú:vl/ 名 C U **1** […からの]除去 〔*from*〕‖ *the surgical removal of a tumor* 外科手術で腫瘍を除去すること / *This industrial waste needs immediate removal.* この産業廃棄物はすぐ撤去しなければならない. **2**〈主に英正式〉〈…の/…からの〉移動, 転居, 転勤〔*to/from*〕‖ *his removal from* Tokyo 東京からの彼の引越し. **3** 解雇, 解任.

remóval ván (英) 引越しトラック.

*****re·move** /rimú:v/ 動〔再び(re)動かす(move). cf. *movement*〕removal (名)
——動 (~s/-z/; 過去・過分 ~d/-d/; -mov·ing)
——他 **1** [remove A (from B)]〈人が〉〈B〈場所・物〉から〉A〈物〉を取り去る, 持ち去る；〈人を〉連れ去る；〈物を〉〈…へ〉移す, 移動させる, 運ぶ〔*to, onto*〕‖ *remove the dishes from the table* テーブルから皿を片付ける / *remove the picture to another wall* 絵を別の壁に掛け替える.
2〈正式〉〈人が〉〈衣類を〉脱ぐ(take off) ‖ *Remove your hat.* 帽子を取りなさい.
3 [remove A (from B)]〈人・物・事が〉〈B〈物・場所〉から〉A〈汚れ・疑い・恐れなど〉を取り除く, 取り払う ‖ *Remove the dirt from your shoes.* 靴のほこりを取りなさい.
4〈正式〉〈人を〉〈…から/…のため〉解任する, 免職[解雇]する〔*from/for*〕‖ *remove a man from office for taking bribes* 収賄のかどで人を解雇する.
——自〈人・事務所などが〉〈…から/…へ〉移転する, 引越しする〔*from/to, into*〕(◆ *move* の方がふつう) ‖ *remove to* Oxford *(from* London) (ロンドンから)オックスフォードへ転居[移転]する.
——名 C **1** = removal **1**, **2**. **2**〔…の〕距離, 隔たり, 相違〔*from*〕‖ *I live at quite a remove from here* ここからとても離れた所に住む. **3**〈正式〉[数詞と共に]〔…との〕相違の程度, 等級〔*from*〕；[序数詞と共に] 世代の隔たり ‖ *Genius is only one remove from insanity.* 天才と狂人は紙一重のören / *at several removes from the truth* 真実からほど遠い / *a cousin at first remove* いとこの子；親のいとこ. **4**(英)〈学校での〉進級.

†**re·moved** /rimú:vd/ 形 **1**〈正式〉〔…から〕〔距離・関係が〕隔たった, 離れた(away)〔*from*〕‖ *a village (which is) far removed from the big city* 大都市から遠く離れた村. **2**〈親族などが〉…世代離れた ‖ *a second cousin once removed* またいとこの子.

re·mov·er /rimú:vər/ 名 C **1** (英) 引越し運送業者((米) mover). **2** 移動する[させる]人；除去する人. **3** [複合語で] 剥離(り)剤, 除去剤 ‖ *a paint-remover* ペンキ取り / *a hair-remover* 脱毛クリーム

re·mu·ner·ate /rimjú:nərèit/ 動 他〈正式〉**1**〈人〉に〔骨折りなどに対して〕報酬を与える, 謝礼する〔*for*〕；〈骨折りなど〉に報いる. **2**〈人〉に〔損害・経費などに対して〕償いをする, 補償する〔*for*〕.

†**re·mu·ner·a·tion** /rimjù:nəréiʃən/ 名 U〈正式〉[時に a ~]〔…に対する〕報酬〔*for*〕.

†**re·mu·ner·a·tive** /rimjú:nərətiv, -nərèi-/ 形〈正式〉**1**〈仕事などが〉(十分に)報酬のある, 割に合う, 有利な. **2** 報いる, 償う.

Re·mus /rí:məs/ 名〖ローマ神話〗レムス(→ Romulus).

†**Re·nais·sance** /rènəsá:ns, -zá:ns | rənéisəns, rénes-/ 名 **1** [the ~] ルネサンス, 文芸復興(運動)；文芸復興期(ほぼ14-17世紀)；(美術・建築などの)ルネサンス様式 ‖ *This painting is from the early Renaissance.* この絵はルネサンス初期のものだ. **2** [形容詞的に] ルネサンスの[的な], ルネサンス様式[時代]の ‖ *Renaissance* art ルネサンス美術. **3** [時に r~] C (特に学問・芸術上の)復興(期, 運動), 復活；[r~] 新生, 再生；復活, 再流行 ‖ *a renaissance of religious interest* 宗教に対する関心の復活.

re·nal /rí:nl/ 形〖医学〗腎(じ)臓の, 腎臓部の(cf. kidney).

re·name /rinéim/ 動 他 …に〈…と〉新しい名を付ける；…を改名する.

re·nas·cence /rinæsns/ 名 C U **1** 新生, 再生. **2** 復興, 再流行. **3** [the R~] = Renaissance **1**.

†**rend** /rénd/ 動 (過去・過分 rent/rént/) 他〈文〉**1**〈物を〉引き裂く, ずたずたに引きちぎる；〈団体・国などを〉分裂させる(split, tear) (●文法 23.1) ‖ *the tree (which was) rent by the lightning* 雷で引き裂けた木. **2**〈人・物を〉〔…から〕もぎ取る, むりやりに引き離す(+*off, away*)〔*from, out of*〕. **3**〈衣服などを〉引きちぎる, 〈髪などを〉かきむしる(◆ 怒り・悲しみを表すしぐさ).

†**ren·der** /réndər/ 動 他〈正式〉**1** [render A C]〈物・事が〉A〈人・物・事〉を C にする, させる, 変える(make)(◆ C は主に正常な機能を失ったことを意味する speechless, impotent, obsolete のような形容詞. 次のような語は不可: alive, full, free) ‖ *The flood rendered them homeless.* 洪水で彼らは家を失った / *The typhoon rendered the rice crop worthless.* 台風のため米作はだめになった. **2**〈人が〉〈援助などを〉〔…に〕与える, 〈注意などを示す, 払う〉(give)〔*to*〕(◆ render A B の型になることもある) ‖ *render help to her* 彼女を援助する / *render a service to him* = *render* him *a service* 彼に尽くす / *render thanks to* God 神に感謝する. **3** …を返す(+*back*)；…で[…に対して]報いる, 返礼する〔*for, to*〕‖ *render thanks for her kindness* 彼女の親切にお礼を述べる / *render blow for blow* なぐり返す. **4** …を(言葉・絵などで)表現する, 表す；〈劇・役などを〉演ずる；〈曲を〉演奏する, 歌う. **5**〈詩・言語などを〉〔…に〕翻訳する, 直す(into) ‖ *render a passage from* Shakespeare *into* Japanese シェイクスピアの一節を日本語に訳す. **6**〖建築〗〈石・れんが・壁などを〉をにぐいぬりする〈下塗り, 荒塗りする〉.

rénder úp [他] (1)〈正式〉…を〔…に〕言う；〈祈りを〉ささげる〔*to*〕. (2) 〈古〉〈要塞・市・町などを〉〔…に〕明け渡す, 放棄する〔*to*〕.

——名 C **1**〖建築〗下塗り. **2** 年貢, 地代.

†**ren·dez·vous** /rá:ndəvù:, -dei- | rɔ́ndi-/ [発音注意]〖フランス〗名 (複 ren·dez·vous/-z/) C〈正式〉**1** (予定した時・場所で)〔…と〕会う約束〔*with*〕；(約束によ

rendition

ク)会合, 集合, 待ち合わせ, ランデブー ‖ **máke a réndezvous with** him 彼と会う約束をする. **2** 会合[待ち合わせ]場所; (軍隊・艦船・航空機・宇宙船などの)集合場所, 集結地点, ランデブー地点. **3** (仲間などの)たまり(場), 会合に好んで利用される場所 ‖ *a rendezvous* for artists and poets 画家や詩人のたまり場. **4** (宇宙旅行の)〔…との〕ランデブー, 宇宙船会合〔*with*〕.
　——動 自 (所定の時・場所で)会う, 待ち合わせる; 集合[集結]する; ランデブーする. ——他 (軍隊・艦船・宇宙船などを)所定場所に集合[集結, 会合]させる.

ren·di·tion /rendíʃən/ 名 UC (正式) (音楽・劇の)解釈, 演奏, 上演.

ren·e·gade /rénəgèid/ 名 C (正式) **1** 裏切り者; [形容詞的に] 裏切りの. **2** (主にキリスト教からイスラム教への)改宗者. ——動 自 裏切る, 背教[変節]者になる.

†re·new /rinjúː/ 動 他 **1** 〈人・物・事が〉〈物を再び新しくする, 新品のようにする, 元どおりにする ‖ *renew* the walls by painting them ペンキを塗って壁を新しく見せる. **2** 〈人が〉〈行為などを〉再び始める, 繰り返す; …を再び言う[する] ‖ *renew* an attack 攻撃を再開する / They *renewed* their old friendship. 彼らは旧交を温め直した. **3** 〈人が〉〈人などの〉元気・力・健康などを〉取り戻す, 回復する(recover) ‖ *renew* one's health 健康を回復する / Her advice *renewed* my spirits. 彼女の助言で私は気分を新たにした. **4** 〈人が〉〈契約などを〉更新する, 継続する ‖ *renew* one's driver's license 運転免許を更新する / *renew* a magazine subscription 雑誌の購読の予約を継続する. **5** 古いものを新しいものと取り替える.

re·new·a·ble /rinjúːəbl/ 形 更新できる[すべき], 回復できる[すべき], 再開できる[すべき]; *renewable* sources of energy 再生可能なエネルギー源《太陽熱・風など》.

†re·new·al /rinjúːəl/ 名 **1** U 新しくすること; 更新; 回復; 再開; 取替え. **2** C 新しくされたもの.

ren·net /rénit/ 名 U レンネット《子牛などの胃膜から取った凝固酵素. チーズの材料》.

ren·nin /rénin/ 名 U (化学) レンニン, 凝乳酵素.

Re·noir /rənwɑ́ːr | rénwɑː/ ルノワール (Pierre Auguste /piːeɑr ɔːgúst/ ~ 1841-1919; フランス印象派の画家).

re·nom·i·nate /riːnɑ́mənèit | -nɔ́m-/ 動 他 …を再指名する, 再任命する.

†re·nounce /rináuns/ 動 他 (正式) **1** 〈権利・活動・所有物など〉を(正式に)断念[放棄]する(give up) ‖ *renounce* one's claim to the throne 王位継承権を放棄する / 日本発 Japan has *renounced* war in its constitution. Article Nine prohibits the country from maintaining a military force. 日本は憲法で戦争を放棄しています. 9条は戦力保持を認めていません. **2** 〈人と〉絶交する; …を拒否[破棄]する; …を(自発的に)やめる.

ren·o·vate /rénəvèit/ 動 他 (正式) **1** 〈古い建物・絵画など〉を修理[復元]する. **2** 〈元気・健康など〉を再興する.

†re·nown /rináun/ 名 U (正式) 名声, 有名(fame) ‖ a person of great [high] *renown* 著名人 / win *renown* 名声を博す.

†re·nowned /rináund/ 形 (正式) 〔…として/…で〕有名な, 高名な(famous)〔*as/for*〕.

***rent¹** /rént/ 類音 lent /lént/) 『返されるもの』が原義 cf. render/
　——名 UC 〔…の〕賃貸(5ん), 使用料〔*for, of*〕《(英)では賃料・地代・部屋代などの長期の使用料をいう

が,《主に米》では自動車・ボート・貸衣装などの短期の使用料についてもいう》‖ How much *rent* do you pay *for* the apartment? アパートの家賃はいくら払っていますか / pay a high *rent* for the room 高い部屋代を支払う / I still owe two months' *rent*. まだ2か月分の家賃の支払いが残っている.

for rént 《米》[名詞の後で] (使用料をとって)貸すための(《英》to let) ‖ *a room for rent* 貸し間 / For Rent.（米）掲示 貸家[貸間]あり《英》To Let.)

——動 (~s /rénts/; 過去·過分 ~·ed /-id/; ~·ing)

——他 **1** 〈人が〉〈家・土地など〉を〔…から〕賃借りする〔*from*〕使い分け → borrow 動 **1** ‖ I *rent* this apartment *from* Mr. Jones. 私はこのアパートをジョーンズさんから借りています(→3 語法).
2 [rent A B =rent B to A] 〈人などが〉A〈人〉にB〈家・土地など〉を〔…で〕賃貸しする(+*out*)〔*at*,《主に米》*for*〕(→ let¹ 他 **6**) ‖ We *rented* Mr. Brown our summer cottage. =We *rented* our summer cottage *to* Mr. Brown. 私たちはブラウン氏に避暑地の別荘を貸した(◆文法 3.3) / We *rent* a flat (*out*) to her *at* [*for*] £50 a month. 私たちは月額50ポンドで彼女にアパートを貸している.
3 《米》(一時的に)〈自動車・ボート・衣装など〉を賃借する(《主に英》hire)(+*out*).

語法 本来短期間の賃借りは hire だが, 《米》では長期・短期にかかわらず rent を用いることが多い: *rent* a car 車を借りる. 《米》では hire は主に「〈人〉を雇う」意に用い, *hire* a car で「運転手付きで車を借りる」意. 船・飛行機・バスなどを団体で借り切る場合は《米》《英》とも charter.

——自 〈家・土地などが〉〔…で〕賃借りできる, 賃貸しされる〔*at*,《主に米》*for*〕《◆修飾語(句)は省略できない》‖ This room *rents* at [for] $300 a month. この部屋代は月に300ドルだ.

rent² /rént/ 動 rend の過去形・過去分詞形.

rent-a- /rɛ́ntə/ 語要素一覧(2.1).

rent-a-car /rɛ́ntəkɑ̀ːr/ 名 C レンタカー, 貸自動車.

†rent·al /réntl/ 名 **1** C (正式) 賃貸[賃借]料; 賃貸料総収入 ‖ at a *rental* of $5 a day 1日5ドルの使用料で. **2** C 地代[家賃]表. **3** C 《米》賃貸[賃借]物件, 貸家, 貸しアパート. **4** U 貸し賃. **5** C レンタル業. ——形 賃貸[賃借]の; 賃貸[賃借]できる; レンタル業の.

réntal library 《米》貸本屋, 貸出し文庫.

rent·er /réntər/ 名 C **1** 借地[小作, 借家]人. **2** 家主, 地主. **3** 《英》映画配給業者.

†re·nun·ci·a·tion /rinʌ̀nsiéiʃən/ 名 (正式) **1** CU (快楽・要求・権利などの)断念, 放棄. **2** U (厳格な)克己(こっき).

re·oc·cu·py /riːɑ́kjəpai | -ɔ́kj-/ 動 他 …を再び占有する.

†re·o·pen /riːóupən/ 動 他 **1** …を(閉めた後で)再び開く ‖ *reopen* a shop 店を再び開く. **2** (中断の後)〈討論・考察など〉を再開する, 再び始める.

†re·or·gan·i·za·tion /riːɔ̀ːrgənəzéiʃən | -nai-/ 名 U 再組織[編成]; (企業の)再建.

†re·or·gan·ize, 《英ではしばしば》**-ise** /riːɔ́ːrgənaiz/ 動 他 …を再編成[組織]する. ——自 (会社を)再編成する.

Rep. 略 *rep*resentative; *rep*ublic; *Rep*ublican (Party).

re·pack /riːpæk/ 動 他 **1**〈物〉を元通りに詰める,詰め直す. **2**〈物〉を別の容器に詰める.
re·pack·age /riːpækidʒ/ 動 他 …を(見栄えのするように)包装し直す;〈主に米〉…の外見をよくする.
re·paid /riːpéid/ 動 repay の過去形・過去分詞形.
re·paint /riːpéint; 動 riːpéint/ 動 他 …を塗り直す. ――名 U C 再塗装(したもの).

*****re·pair** /ripéər/ 『再び(re)用意する(pair). cf. pre*pare*』派 reparation (名)
――動 (~s/-z/; 過去・過分 ~ed/-d/; ~ing /-péəriŋ/)
――他 **1**〈人が〉〈物〉を**修理する**,修繕する(語法→ mend 動 他 1)‖ *repair* a broken lock こわれた錠前を修理する / *repair* the road 道路を補修する / I'd like to have [get] these shoes *repaired*. この靴を直してほしいのですが(➡文法 3.5(3)).

> 使い分け [**repair** と **mend**]
> repair は機械など複雑なものを「修理する」の意.
> mend は比較的単純なものを「直す」の意.
> Please *repair* [*mend*] my radio. ラジオを直してくれませんか(◆〈英〉では機械の修理に mend が使われる場合もある).
> Can you *mend* the hole in my shirt? ワイシャツの穴をつくろってくれる?

2〈正式〉〈人が〉〈損失・不足など〉を**償う**,補償する(make up for)‖ *repair* an injury 損害を償う / He tried to *repair* the harm he had done. 彼は自分が与えた損害を償おうと努めた.
3〈正式〉〈健康・体力など〉を取り戻す,回復する(recover);〈誤り・不正など〉を正す,直す(correct).
――自〈物が〉修繕[修理]がきく.
――名 (観 ~s/-z/) **1** U 修理(する[される]こと), 修繕, 手入れ;修復, 回復 ‖ My car is in need of *repair*. 私の車は修理が必要だ(=My car needs *repairing*.) / Their relationship was broken be*yond repair*. 彼らの関係は決裂して元に戻らなかった / The gym is under *repair*. 体育館は修理中です / Road Under *Repair*〈掲示〉道路工事中.
2 C [通例 ~s]〔…の〕修理作業, 修理の結果; 〈正式〉修理箇所〔on, to〕‖ *for repairs* 修理のために ‖ *make repairs on* one's own car マイカーの修理を自分でする / do the *repairs* and decorations 修理と飾りつけをする / The *repairs* to our house are going to cost a lot of money. わが家の修理は高くつきそうだ. **3** U 手入れの状態; 良好な状態 ‖ The old car is「in good [in a state of good] *repair*. その古い車は手入れがよく行き届いている(◆「手入れが行き届いていない」は … is「in bad [in a state of bad] *repair*.).
repáir jòb 修理作業.

re·pair·er /ripéərər/ 名 C 修理する人.
†**rep·a·ra·tion** /rèpəréiʃən/ 名〈正式〉**1** U〔…に対する〕賠償, 補償, 埋め合わせ〔for〕‖ *make reparation for* the injury 損害の賠償をする. **2** U 賠償金, 慰謝料. **3** [~s]〈敗戦国が払う〉賠償金.
rep·ar·tee /rèpərtí:, rèpɑː-/ 名 U C 当意即妙の会話[やりとり];その才能.
re·pass /riːpæs|-páːs/ 動 他 …を再び通過させる; …を逆戻りさせる. ――自 再び通過する;逆戻りする.
†**re·past** /ripǽst|-páːst/ 名 C〈正式〉食事;(1回分の)食事の量;食事時間.
†**re·pa·tri·ate** 動 riːpéitrièit |-pǽt-; 名 riːpǽtriət |-pé-/ 動 他 **1**〈戦争犯罪人・亡命者など〉を〔本国へ〕送還する〔*to*〕. **2**〈資産など〉を〔本国へ〕送り返す〔*to*〕. ――自 本国へ帰る. ――名 C 送還者, 引揚げ者.

†**re·pay** /ripéi/ 動 (過去・過分 --**paid**) 他 **1** [repay A B =repay B to A]〈人が〉A〈人〉に B〈金など〉を払い戻す;返金する(◆ *pay back* が硬い語)‖ When did you *repay* her the money you borrowed? 君の借りた金をいつ彼女に返済したのか. **2**〈人・事が〉〔行為に対して〕〈人〉に報いる, 恩返しをする〔*for*〕;〈人・行為〉に〔…によって〕報いる, 報復する〔*with, by doing*〕. ――自 返金[返済]する;〔…の〕埋め合わせとなる(make up)〔*for*〕;報いる, 報復する.
re·páy·ment 名 C U 返済(金), 報酬;報復.
re·peal /ripíːl/〈正式〉動 他〈法律など〉を廃止[撤回, 破棄]する((略式) do away with). ――名 U (法律などの)廃止, 撤回, 破棄.

*****re·peat** /ripíːt/ 『再び(re)求める(peat). cf. com*pete*』派 repetition (名)
――動 (~s/-píːts/; 過去・過分 ~ed/-id/; ~ing)
――他 **1**〈人が〉〈自分の言ったことなど〉を**繰り返して言う**, 繰り返し述べる; [repeat *that*節] …であると繰り返して言う ‖ Could you *repeat* what you said, please? もう一度おっしゃってくださいますか(◆ I bég your párdon. (↗) がふつう).
2〈人などが〉〈事〉を**繰り返す**, 繰り返し行なう ‖ Oh, I *repeated* the same mistake. ああ, また同じミスを繰り返した / *repeat* an experiment 再度実験する / *repeat* (the) tenth grade〈米〉高校 1 年をもう一度やり直す.
3〈人が〉〈詩・文など〉を**暗唱する**;〈他の人の言ったこと〉を復唱する, おうむ返しに言う ‖ *repeat* a poem 詩を暗唱する.
4 …を人に知らせる, 〔人に〕口外する〔*to*〕‖ Don't *repeat* this secret *to* anyone. この秘密はだれにも言うな.
――自 **1**〈人が〉**繰り返して言う[する]** ‖ *Repeat after me*. 私の後について言いなさい.
2〈数などが〉循環する. **3**〈略式〉〈食べた物が〉〔…の〕口に残る〔*on*〕.
repéat itsélf〈歴史・出来事などが〉同じように繰り返す ‖ History *repeats itself*.〈ことわざ〉歴史は繰り返す.
repéat one*sélf* 同じ事を繰り返して言う[行なう].
――名 C **1** 繰り返す[される]こと;[形容詞的に] 繰り返しの, 繰り返される. **2** 繰り返されるもの;再演, 再放送[放映](番組). **3**〈音楽〉反復楽節;反復記号. **4**〈商業〉再供給, 再注文.

†**re·peat·ed** /ripíːtid/ 形 繰り返して行なわれる] make *repeated* requests 度重なる要求をする (=request *repeatedly*).
†**re·peat·ed·ly** /ripíːtidli/ 副 繰り返して, 再三再四 (◆ often より堅い語).
†**re·peat·er** /ripíːtər/ 名 C **1** 繰り返す人[物]. **2** 2 度打ち時計. **3** 連発銃. **4**〈米〉再履修学生, 落第生. **5**〈米〉不正に 2 度以上投票する人. **6**〈略式〉常習犯.

†**re·pel** /ripél/ 動 (過去・過分 re·**pelled**/-d/; --**pelling**) 他 〈敵など〉**1**〈敵〉を〔…から〕追い払う, 〔…に〕寄せつけない〔*from*〕; …に抵抗する, …と戦う. **2**〈提案・懇願・申し出など〉を拒絶する, 受け入れない. **3**〈人〉をいや気や不快感を持たせる. **4**〈湿気など〉を通さない,〈水など〉をはじく, はね返す.

†**re·pel·lent, --lant** /ripélənt/ 形〈正式〉**1** 反発する[できる]. **2**〔…に〕嫌悪感を起こさせる〔*to*〕. **3** [しばしば複合語で]〈昆虫など〉を寄せつけない,〈水などを〉通

さない(proof) ‖ a water-*repellent* cloth 防水布. ━名CU 防water剤.

†**re·pent** /ripént/ (動)(正式) **1**〈人が〉〈行為を〉後悔する, 悔やむ;〔宗教〕ざんげする〔*of, for*〕‖ She *repented of* her rude words. 彼女は失礼な言葉を使ったのを後悔した(=She was sorry for her rude words.) / He soon *repented of* having deceived his wife. すぐに彼は妻をだましたことを悔やんだ(➔文法 12.2). **2**〔意向・考え・行為などを〕悔い改める〔*of*〕‖ I *repent of* my boasting. 自慢をするのを(悪いと思い)改めます.
━他〈人が〉〈事を〉後悔する, 残念に思う;[repent *do*ing / repent *that*節]…したことを後悔する《◆自 **1** のほうがふつう》‖ She *repented* her crimes. 彼女は犯した罪を後悔した / He *repented* having [*that* he had] made the same mistake again. 彼は同じ間違いをしたことを悔やんだ(➔文法 12.2).

†**re·pen·tance** /ripéntəns/ (名)U(正式)〔非行などに対する〕後悔, 悔恨; 悔い改め〔*for*〕‖ show great *repentance for* one's sins 罪に対して深い悔いを示す.

re·pen·tant /ripéntənt/ (形)(正式)〔非行などに対して〕後悔している, 悔いている〔*for, of*〕;〈言葉・態度などが〉後悔の気持ちを表している;[名詞的に;the ~;複数扱い]後悔している人々.

re·peo·ple /ri:pí:pl/ (動)他 …を再び植民する, …に新居住者を入れる;…を再び繁殖させる.

re·per·cus·sion /rì:pərkʌ́ʃən/ (名)(正式) **1**〔通例 ~s〕ふつう好ましくない間接的な〕影響(effect). **2** C U (音の)反響(echo);(銃などの)反動.

rep·er·toire /répərtwɑ́:r/ 〖フランス〗(名)C(正式)レパートリー《常に上演・演奏可能な劇・曲目の一覧[全体]》.

rep·er·to·ry /répərtɔ̀:ri | -təri/ (名)C **1**(正式)= repertoire. **2** = repertory theater. **3**(正式)貯蔵所;(知識・事実などの)蓄積, 宝庫.

répertory còmpany レパートリー劇団《repertory theater の劇団》.

répertory thèater レパートリー劇場《ロングランでなく, レパートリーの中の演目を次々と上演する》.

†**rep·e·ti·tion** /rèpətíʃən/ (名)(正式) **1** U C 繰り返す[される]こと, 反復;再上演, 再演奏;復唱;暗唱‖ The only way to learn words is *by repetition*. 単語を覚える唯一の方法は復唱することである. **2** C 模唱文.

rep·e·ti·tious /rèpətíʃəs/ (形)(正式)繰り返しの多い, くどい.

†**re·pine** /ripáin/ (動)自(正式) **1**〔…に〕ぐちをこぼす〔*at, against*〕. **2**〔…を〕切望する(long)〔*for*〕.

*re·place /ripléis/ 〖元に(re)置く(place). cf. dis*place*〗(名)replacement(名)
━(動)(~s-iz/; 過去・過分 ~d/-t/; ~plac·ing).
━他 **1**〈人・物・事が〉〔…として〕〈人・物・事に〉取って代わる, …の後継者となる〔*as*〕‖ Sugar *replaced* honey *as* a sweetener. 甘味料として砂糖がはちみつに取って代わった(=Sugar took the place of honey …).
2 [replace A with [by] B]〈人が〉A〈人・物〉をB〈人・物〉と**取り替える**;…の代わりを見つける‖ *replace* the broken window 壊れた窓を取り替える / We *replaced* our oil heating *with* gas. 灯油による暖房をガス暖房に取り替えた / We'll *replace* the book, of course. もちろん新しい本もお取替えいたします.
3(正式)〈人・物〉を(元の場所に)戻す, 返す(put

back)‖ *Replace* the magazine on the shelf. 雑誌を棚に戻しなさい.

re·place·a·ble /ripléisəbl/ (形)元へ戻される;取り替えられる, 代わりがきく(↔ irreplaceable).

†**re·place·ment** /ripléismənt/ (名) **1** U 元へ戻す[される]こと;取替え, 交替;返却, 返還‖ the *replacement* of the typewriter with the word processor タイプライターの代わりにワープロを使うこと. **2** C **a**〈ある人の〉交替者, 代理人, 交替要員〔*for*〕. **b** 〔…の〕取替え品;代用品〔*for*〕.

re·plant /ri:plǽnt | -plɑ́:nt/ (動)他 …を再び植える, 植え替える.

†**re·plen·ish** /ripléniʃ/ (動)他(正式)…を〔…で〕再び満たす〔*with*〕,〈燃料などを〉新しく補給する. ━自 再び満たす;償う.

†**re·plete** /riplí:t/ (形)(正式) **1**〔…で〕飽食した, 満腹した〔*with*〕. **2**〔ユーモアなどに〕満ちた;〔設備などを〕十分備えた〔*with*〕.

re·ple·tion /riplí:ʃən/ (名)U 充満;(食後の)飽食, 満腹.

rep·li·ca /réplikə/ (名)C (絵画などの)(精密な)複写, 複製品, レプリカ;(一般に)写し;生写し.

rep·li·cate /répləkèit; (形)répləkət/ (動)他 **1**…を折り返す. **2**(正式)…を再生する, 再現する. **3**(正式)…を複製する;…を模写する. ━自 **1** 折り重ねる. **2** 再生する.
━(形) **1** 折り重なった. **2** 複製された.
━(名)C 複製(品).

rep·li·ca·tion /rèpləkéiʃən/ (名) **1** U 折り返し. **2** U 再生. **3** C 複製.

*re·ply /riplái/ 〖元に(re)包んで(ply)返す. cf. ap*ply, im*ply*〗
━(動)(re·plies /-z/; 過去・過分 re·plied /-d/; ~·ing).
━自 **1**〈人が〉〔人・事・物に/…で〕**返事をする**, 答える, 回答する〔*to*/*with*〕‖ I spoke to Nancy, but she didn't *reply*. 私が声をかけてもナンシーは返事をしなかった / Please *reply* in English. 英語でご返事をください / You should have *replied to* him [his letter]. あなたは彼[彼の手紙]に返信を出すべきだったのに.
2(正式)〔…に/身ぶり・行為で〕応じる, 応える, 応酬(おう)する〔*to / with, by*〕‖ *reply to* his attack *with* punches 彼の攻撃にパンチで応戦する.
━他 **1**〔通例否定文で〕〈人が〉…と**答える**《◆目的語は返答の内容》‖ To my surprise she *replied* nothing. 驚いたことに彼女は何も答えなかった / I did not know what to *reply*. 私は何と答えてよいかわからなかった《◆目的語は返事そのものなので, ×*reply* him [his letter, his question など]は不可. → 自 **1**).
2 [reply *that*節]〈人が〉…と答える‖「…」と答える‖ He *replied that* he had been here all day. 1日中ここにいましたと彼は答えた(➔文法 10.1) / "Of course," *replied* Mrs. Brown, "I'll come." 「もちろん, 参ります」とブラウン夫人は答えた.

reply for A 〈グループなど〉を代表して答える[あいさつする].

━(名)(複 re·plies /-z/) C 《◆ answer より堅い語》 **1**〔…への〕**返事**, 答え〔*to*〕‖ write [receive] a *reply to* the letter 手紙の返事を書く[受け取る] / She made no *reply to* my question. 彼女は私の質問に返答しなかった(→ answer) / "I have nothing to do with her failure," was his *re-*

ply.「私は彼女の失敗とは無関係だ」というのが彼の返答だった. **2** (身ぶり・行為による)応答, 応酬.

***in replý** 《正式》〔要求・手紙などに〕答えて(の), 返事として(の)〔to〕‖ What will he say *in reply* (*to* our offer)? (私たちの申し出に)答えて彼は何と言うだろうか.

‡re·port /ripɔ́ːrt/ [アクセント注意] 〘元へ(re)運ぶ(port). cf. im*port*, trans*port*〙 [派] reporter (名)

―[名] ([複] ~s/-pɔ́ːrts/) **1** [C] **a** 〔…に関する〕**報告(書)**, レポート〔on, of, about〕《◆ on は意見などを加えた詳細な報告に, of, about は単なる事実の報告に用いる. 学生の「(学期末)レポート」は (term) paper》‖ write a *report on* the danger of smoking 喫煙の害に関する(調査)報告書を書く / He ***gàve*** [***màde***] ***a repórt of*** his visit to the museum. 彼は博物館へ行ったことを報告した.
b 《英》成績報告書, 通信簿.
2 [C] 〔…に関する〕**報道**, 記事〔on, of〕‖ The newspaper had a long *report on* the earthquake. 新聞はその地震の長い記事を載せていた.
3 《正式》[U][C] **うわさ**(rumor) ; [U] 評判 ‖ ***According to report***, he is going to resign. うわさだと彼は辞職するそうだ /「***Report has it*** [***The report goes***] ***that*** it will be a long hot summer this year. 今年は暑く長い夏になるそうだ / a man of good [bad, ill, evil] *report* 評判のいい[悪い]人.
4 [C] 《正式》銃声, 砲声 ; 爆発音 ‖ go off with a sharp *report* 鋭い音を立てて発射される.

―[動] (~s/-pɔ́ːrts/; [過去・過分] ~·ed/-id/; ~·ing)

―[他]

I [公に伝える]

1 〈新聞などが〉〈人・物〉を**報道する**, 伝える ; [report **that**節] …したことを報道する ; [report **A** (to be) **C**] **A**〈人・物〉が **C** であると報じる《◆ **C** は形容詞・名詞・分詞》‖ The newspaper *reports* the death of the minister. =***It is reported*** in the newspaper ***that*** the minister died. 新聞は大臣の死亡を報じている(➔文法 7.13) / Troops ***are reported to be*** moving to the border. 軍隊は国境へ移動中だと伝えられている.
2 〈記者などが〉〔新聞などに〕〈事件など〉の記事を書く, …を取材する〔for〕; 〈演説・議論など〉を(放送・出版のために)記録する, 速記する ‖ *report* the president's assassination 大統領の暗殺を取材する / She ***reported*** the mayor's speech ***for*** the local newspaper. 彼女は地方紙に市長の演説の記事を書いた.

II [個人的に伝える]

3 〈人などが〉〈物・事〉を**報告する**, 知らせる ; [report **doing** / report **having done** / report **that**節] …したことを報告する ; [report **A to do** / report **A**('s) **doing**] **A**〈人・物〉が…したと知らせる ; [report **A** (to be) **C**] **A**〈人・物〉が **C** であると報告する《◆ (1) **C** は名詞・形容詞・分詞. (2) to be を省略するのは主に《米》》; [report **A as doing**] **A**〈人・物〉が…すると報告する《◆ 実際に話された言葉が目的語にはならない》‖ He *reported* this incident to us. 彼は私たちにこの事件を報告した《◆[report **A** to **B**]の型のみ可: ×He reported us the incident.》/ They ***reported*** seeing [*having seen*] a UFO. (➔文法 12.2) =They ***reported that*** they had seen a UFO. 彼らはUFOを目撃したことを報告した / She ***reported*** the ship ***to*** have disappeared. その船は見えなくなったと彼女は報告した(➔文法 11.5) / She ***reported*** the ship's disappearance. 彼女はその船が見えなくなったこと[事実]を報告した.
4 〈人が〉〈人・事〉を〔…のかどで/…に〕告げ口する, 言いつける, 訴える〔for/to〕‖ They ***reported*** the bad boy ***to*** the headmaster. 子供たちはわるさをした子を校長に告げ口した.
5 [~ oneself] 〔…のところに〕出頭する〔at, to〕; 〔人に〕(到着などの)報告をする〔to〕‖ ***Repórt yoursèlf to*** the headmaster. 到着したことを校長に報告しなさい.

―[自] **1** 〈人などが〉〔…について/上位の人[機関]に〕**報告する**, 報告書を作る[提出する], 〈新聞などが〉報道する〔on, upon, of / to〕‖ I will *report* directly *to* the boss. 上司に直接報告する / Today's paper ***reports on*** the death of the author. 今日の新聞はその作家の死について報じている. **2** 〈記者が〉〔新聞などのために〕記事の取材をする ; 〔…の〕記者を務める〔for〕‖ ***report for*** *Time* タイム誌の記者である. **3** 〔…で/…に〕出頭する ; 出向く, 顔をみせる ; 所在を報告する〔for / to, at〕; 〔人の〕監督下にある〔to〕‖ *report for* duty [work] 出勤する / *Report to* the office at 9 o'clock. 9時に事務所に来なさい[行きなさい, 出頭せよ]. **4** [形容詞を伴って] …であると知らせる ‖ *report* sick 病気だと届ける.

repórt báck [自] 〔…に〕帰って[折り返し]報告する〔to〕. ―[他] …を帰って[折り返し]報告する《◆ 目的語は(代)名詞・that節・wh節》.

repórt càrd 《米》成績通知簿(《英》school report) ; 《英》生徒懲罰カード.

repórted spéech 〔文法〕間接話法(indirect speech) ; 被伝達部.

re·port·ed·ly /ripɔ́ːrtidli/ [副] 《正式》[文全体を修飾] 伝えられるところ[うわさ]によると ‖ He is *reportedly* not dead. 報じられているところでは彼はまだ生きている(=「It is *reported* that [According to *report(s)*] he is not dead.).

***re·port·er** /ripɔ́ːrtər/ 〘→ report〙

―[名] ([複] ~s/-z/) [C] **1** 〔新聞などの〕**報道記者**, 通信員 ; 取材者, レポーター〔on, for〕‖ a *reporter for* a local newspaper 地方紙の記者 / The news *reporter for* NHK interviewed the minister. NHKの報道記者はその大臣にインタビューした. **2** 報告者, 申告者. **3** (裁判所などの)記録係.

†re·pose[1] /ripóuz/ [名] [U] 《正式》 **1** (労働・活動の後の)休息, 休憩(rest) ; 睡眠 ‖ ***take*** [***make, earn***] ***repose*** 休息する. **2** 静けさ, 静寂(calm) ‖ the *repose* of the forest 森の静けさ. **3** 平静, 落ち着き ; (絵画の)落ち着き.

―[動] 《正式》 [自] **1** 〈人などが〉〔場所に〕横になる, 休む, 休息する(lie, rest)〔in, on〕; [遠回しに] 永眠している ‖ *repose in* an armchair ひじかけいすで休む. **2** 〈物が〉〔…の上に〕載っている〔on〕. ―[他] …を〔…に〕置く, 置いて休める〔on, in〕; [~ oneself] 横になる, 休む ‖ *repose* one's head *on* a pillow 頭を枕に載せて休める.

†re·pose[2] /ripóuz/ [動] [他] 《正式》〈人が〉〈信頼・信用など〉を〔人・行為などに〕置く(place)〔in〕‖ *repose* complete confidence *in* her 彼女を全面的に信用する.

re·pos·i·to·ry /ripázətɔ̀ːri | -pɔ́zətəri/ [名] [C] **1** 《正式》容器. **2** 保管場所, たんす, 押入れ ; 倉庫 ; 博物館 ; 商店 ; 地下納骨所 ; (知識の)宝庫. **3** 秘密を打ち明けられる人.

re·pos·sess /rìːpəzés/ [動] [他] 〈分割払い購入品〉を

rep·re·hend /rèprihénd/ 動 他 《正式》…を強く非難する, 叱責する.

rep·re·hen·si·ble /rèprihénsəbl/ 形 《正式》非難すべき, 非難に値する.

*rep·re·sent /rèprizént/ [アクセント注意] [「「前に置く」が原義] 商 representation (名), representative (名・形)

—動 (~s/-zénts/; 過去・過分 ~·ed/-id/; ~·ing)
—他

I [代表する]

1a 〈人などが〉〈人・団体などを〉［…において〕**代表する**, ［通例 be ~ed〕…の代理をする, 代表として出席している〔on, at, in〕《◆ on は地方議会・委員会などに, at は会合・儀式などに用いる》‖ She *represented* our homeroom *at* the athletic meet. 彼女は私たちのホームルームを代表して体育大会に出場した / His lawyer *represented* him *in* court. 法廷で弁護士が彼の代理を務めた. **b** 〈人が〉〈選挙区などの〉選出の国会議員である.

II [象徴する]

2 〈物が〉〈物・事を〉**表す**, 象徴する(symbolize), …の記号［しるし］である《◆ stand for より堅い語》‖ Dots on the map *represent* towns. その地図では小さい点は町を表す.

3《正式》…の役を演じる(play the part of), 〈劇を〉上演する‖ *represent* Juliet ジュリエット役を演じる. **4** …を［…に対して〕典型［見本］として示す〔to, for〕; ［通例 be ~ed〕〔…で〕代弁［代弁〕される〔by〕‖ His opinion *represents* the feelings of many people. 彼の意見は多くの人の気持ちを代弁している.

III [表現している]

5 〈人が〉〈人・物を〉描く, 〈絵などが〉〈人・物を〉描いてある; ［represent **A** doing〕**A**〈人・物が〉…しているのを描く; ［represent **A** as [to be] **C**〕**A**〈人・物を〉**C** として表現［描写］する《◆ **C** は as の場合は名詞・形容詞・分詞, to be の場合は名詞・形容詞》‖ The statue *represents* the first president of this university. 彫像はこの大学の初代学長である / This painting *represents* him reading a book. この絵は彼が読書しているところを描いている / She *represented* herself *as* being prettier than her sister. 彼女は自分の方が妹よりきれいだと言った《◆実際はそうでないという含みがある》.

6 …を［…に〕説明する, はっきり述べる, 指摘する〔to〕;《正式》〈考え・不平などを〉［…に〕表明する, 断言する〔to〕; ［represent **that**節〕…であると表明する, 断言する‖ She *represented* her idea to the rest of the committee. 彼女は委員会の他のメンバーに自分の考えを説明した / I *represented* to the police *that* I was innocent. 何もしていないと私は警察に断言した.

†rep·re·sen·ta·tion /rèprizentéiʃən/ 名 **1** ① 表現（する［される］こと), 描写‖ a vivid *representation* of the people's life in the Meiji era 明治時代の庶民の生活を生き生きと描写すること. **2** ① 代表(する［される］こと), 代理, 代行‖ No taxation without *representation*. 代表なければ納税の義務なし《◆米国独立戦争のスローガン》. **3** ［集合名詞〕代表者, 議員団. **4** ⓒ《正式》表現［描写〕した［された〕もの, 肖像(画), 絵画, 彫像; 記号‖ a phonetic *representation* 音声表示. **5** ⓒ 上演, 演出. **6** ⓒ ［しばしば ~s〕説明, 陳述. **7**《正式》［~s〕［…についての/…への〕陳情, 抗議〔about/to〕‖ We made *representations* to the government *about* the rise in the price of rice. 米価の値上げに対して私たちは政府に陳情［抗議〕した.

rèp·re·sen·tá·tion·al /-ʃənl/ 形 〔美術〕〈絵が〉具象的な, 写実的な(↔ abstract).

†rep·re·sent·a·tive /rèprizéntətiv/ [アクセント注意] 名 ⓒ **1a** 代表者, 代理人, 後継者, 相続人‖ Our class chose Tom for our *representative*. 私たちのクラスは代表としてトムを選んだ / The lawyer acted as her *representative*. 弁護人が彼女の代理人を務めた / Japan's *representative* to the summit 日本のサミット代表. **b**（会社の）外交員. **2** 代議士, 国会議員; ［R~〕（米国国会の）下院議員《◆「上院議員」は Senator》‖ the Hóuse of Representátives 下院, (日本の)衆議院 / He is a Japanese Diet *representative*. 彼は日本の国会議員です. **3**〔…の〕典型, 見本;〔…の〕［物〕〔*of*〕‖ *a representative of* the cat family ネコ科を代表する動物.

—形《正式》**1**〔…を〕表現する, 描写する, 象徴する〔*of*〕‖ This line is *representative of* longitude. この線は経度を表している(=This line *represents* longitude.). **2**〔…を〕代表する, 代表の, 代理の〔*of*〕‖ *representative* government 代議政体 / She was present in a *representative* capacity. 彼女は代表の資格で出席していた. **3** 典型的な;〔…の〕典型を示す〔*of*〕, (typical)‖ This picture is *representative of* his work. この絵は彼の作品の典型である.

*re·press /riprés/ 動 他 **1**《正式》〈自然な感情・行動などを〉抑える, こらえる, 抑制する‖ *repress* a sneeze くしゃみをこらえる. **2**〔心理〕〈いやな思い出・考えなどを〉抑圧する.

re·préssed 形 抑圧された, 抑圧に悩む.

*re·pres·sion /ripréʃən/ 名《正式》**1** ① 制止, 抑制; 鎮圧. **2** ⓒ ① 〔心理〕(感情・欲望の)抑圧; (抑圧された)感情［欲望〕.

re·pres·sive /riprésiv/ 形《正式》弾圧的な; 鎮圧の.

re·prieve /ripríːv/ 動 他 **1**〈人〉の死刑執行を延期［猶予〕する; (危険・困難から)…を一時的に救う［自由にする〕. —名 ⓒ 死刑執行猶予(命令書); (危険・苦痛などからの)一時的救済.

*rep·ri·mand /名 réprəmænd | -màːnd; 動 ⌣, ⌣/《正式》名 ⓒ ① (職務に関する)叱責(しっせき), 懲戒《◆大人が子供をしかる場合は scold》. —動 他 〈人〉を〔…の理由で〕叱責する(rebuke), 懲戒する〔*for*〕.

*re·print [動 ríprínt; 名 ⌣/動 他 〈本などを〉増刷［復刻, 再刊〕する; 〈論集などに〉再録する. —自 〈本などが〉増刷［復刻, 再刊〕される. —名 ⓒ 増刷, 復刻, リプリント; 抜き刷.

re·pris·al /ripráizl/ 名 ① (政治・軍事上の)報復;［しばしば ~s; 単数扱い〕(報復的な物品の)強奪(一般に)報復行為.

*re·proach /ripróutʃ/ 動 他 **1**〈人〉が〈人〉を〔…の理由で〕非難する, とがめる, 叱責［しっせき〕する〔*for, with*〕‖ She *reproached* me *for* my laziness *[for* being lazy]. 彼女は私の怠惰をしかった. **2** …の恥辱［不面目〕となる. —名《正式》**1** ① 非難, 叱責‖ a look of *reproach* 非難の視線 / a term of *reproach* 非難の言葉 / abóve [beyónd] *repróach* 非の打ちどころのない, 申し分ない. **2** ⓒ 非難［叱責〕の語, 小言. **3** ①《正式》不面目, 恥. **4** ⓒ ［a ~〕［…にとっての〕汚点, 面［⌣〕汚し〔*to*〕.

re·proach·a·ble /ripróutʃəbl/ 形《正式》非難すべき.

re·proach·ful /ripróutʃfl/ 形 《正式》非難する、非難がましい、とがめるような.

rep·ro·bate /réprəbèit | réprəʊ-/《正式》動 他 …を拒絶する；〔神学〕〈神が〉…を見捨てる. ― 形 **1** 節操のない、品行の悪い. **2** 神に見放された. ― 名 C 道楽者、放蕩(い)者、節操のない人.

†**re·pro·duce** /ri:prədjú:s/ 動 他 **1** 〈人が〉〈音などを〉再生する ‖ Can you *reproduce* the criminal's face accurately? 犯人の顔を正確に再現できますか. **2** 〔生物〕〈子を〉繁殖させる. **3** …を(機械で)複写する. ― 自 **1** 〔生物〕子を産む, 繁殖する. **2** 〔様態の副詞と共に〕〈音楽・絵などが〉再生される.

†**re·pro·duc·tion** /ri:prədʌ́kʃən/ 名 **1** U 〔生物〕生殖作用. **2** U (音などの)再生. **3** C 再生されたもの；(芸術作品の)複製. **4** U (劇などの)再演. **5** 〔形容詞的に〕〈家具などが〉古い時代の様式をまねた ‖ *reproduction* furniture 復古調家具.

re·pro·duc·tive /ri:prədʌ́ktiv/ 形 生殖の；複写の, 多産の.

reproductive health (女性の)生殖に関する健康.
reproductive right (女性の)生殖に関する権利.

†**re·proof** /riprú:f/ 名 《正式》U (過失・誤りに対する)叱責(ぶ), 非難；C 非難[不満]の言葉.

†**re·prove** /riprú:v/ 動 他 《正式》〈人を〉[…の理由で]しかる, たしなめる, 戒める[for] ‖ *reprove* a boy *for* staying out late 帰宅が遅いと子供をしかる.

†**rep·tile** /réptl | -tail/ 名 C **1** 〔動〕爬(は)虫類の動物《snake, lizard, crocodile など》. **2** 卑劣な人, 意地の悪い人間. ― 形 **1** 爬虫類の；はい回る. **2** 〈人間が〉卑劣な, 卑しい, ずるい.

†**re·pub·lic** /ripʌ́blik/ 名 **1** C 共和国, 共和政体(cf. monarchy) ‖ 《対話》 "What's the official name of China?" "It's the People's *Republic* of China." 「中国の正式な名称は何ですか」「中華人民共和国です」. **2** C (旧ソ連・ユーゴスラビアなどの)共和国. **3** [the R~] (近代フランスの5期間それぞれの)共和制《第1共和制は1789-1804, 第2は1848-1852, 第3は1871-1940, 第4は1947-1958, 第5は1958-》.

†**re·pub·li·can** /ripʌ́blikən/ 形 **1** 共和国の；共和政体の；共和主義の ‖ The government is *republican* in form. その政府は共和政体である. **2** [R~] (米国の)共和党の(cf. Democratic).
― 名 C **1** 共和主義者, 共和政支持者. **2** [R~] (米) 共和党員[支持者](cf. Democrat).

Repúblican Párty [the ~] (米国の)共和党《奴隷制反対の目的で1854年設立. 《俗称》 the Grand Old Party. the Democratic Party (民主党)と共に米国の2大政党》.

re·pub·li·can·ism /ripʌ́blikənìzm/ 名 U 共和制, 共和主義.

re·pub·li·ca·tion /ri:pʌ̀blikéiʃən/ 名 **1** U 再発行. **2** C 再発行物.

Republican Party のシンボル

†**re·pub·lish** /ri:pʌ́bliʃ/ 動 他 …を再刊する；〔法律〕…に再び効力を与える.

†**re·pu·di·ate** /ripjú:dièit/ 動 他 《正式》 **1** …を拒絶する(refuse). **2** …を(…と)認めない, 否認する.

re·pug·nance, -·nan·cy /ripʌ́gnəns(i)/ 名 U 《正式》[時に a ~] […に対する]嫌悪, 反感[*to*, *against*].

re·pug·nant /ripʌ́gnənt/ 形 《正式》 **1** 〈物が〉[…にとって]とてもいやな, 嫌悪感を起こさせる[*to*]. **2** […と]

矛盾した, 両立しないで[*to*, *with*].

†**re·pulse** /ripʌ́ls/ 動 他 《正式》 **1** …を[…から]撃退する, 退ける[*from*]. **2** 〈...を〉〈冷たく〉拒否する, 〈ねつけ〉. **3** 〔通例 be ~d〕〈人に〉嫌悪感[不快感]を持つ. ― 名 **1** 〔軍事上の〕撃退. **2** (友情の)拒否.

re·pul·sion /ripʌ́lʃən/ 名 **1** U 《正式》大嫌い, 嫌悪. **2** U 〔物理〕反発作用(↔ attraction).

†**re·pul·sive** /ripʌ́lsiv/ 形 **1** 〔人にとって〕大変いやな, 嫌悪感を起こさせる[*to*]. **2** 〔物理〕反発の.
re·púl·sive·ly 副 ぞっとするほど.

†**re·pur·chase** /ri:pə́:rtʃəs/ 動 他 …を買い戻す.
― 名 C 買戻し品.

†**rep·u·ta·ble** /répjətəbl/ 形 《正式》 **1** 尊敬すべき, 立派な(respectable)；評判のよい(↔ disreputable). **2** 〈言葉などが〉正用法として認められている, 標準的な.

†**rep·u·ta·tion** /rèpjətéiʃən/ 名 U **1** [時に a ~] […という]評判, 世評；うわさ[*for*, *of*] ‖ Does she *have a good reputation as* a doctor? 彼女は医者として評判がいいですか / *have the reputation of* being a miser けちん坊だという評判である / a person of good [bad] *reputation* 評判のよい[悪い]人 / live up to one's *reputation* 評判通りの生活[行ない]をする◆よい意味でも悪い意味でも用いられる》. **2** 《正式》名声, 好評；信望(fame) ‖ The scandal will *ruin* [*damage, make you lose*] *your reputation*. そのスキャンダルによってあなたは名声を失う[あなたの評判に傷がつく]でしょう / The new novel「*built up* [*established*] *his reputation* as a writer. その新しい小説は彼の作家としての名声を築いた.

†**re·pute** /ripjú:t/ 名 U 《正式》 **1** 評判, 世評(reputation) ‖ a man of good [bad, low] *repute* 評判のよい[悪い]人 / *by repute* 世評では. **2** 名声, 好評；信望(good reputation)(↔ disrepute).
― 動 他 《正式》〔通例 be ~d〕〈人・物が〉[…である]と評される, みなされる, 考えられる(consider)[*as, to be*] ‖ She is reputed (*to be*) very wealthy. 彼女は大金持ちだという評判だ / He is reputed as [*to be*] the best lawyer in this city. 彼はこの都市で最もすぐれた弁護士だと考えられている.

語法 ˟They reputed her to be very wealthy. のような能動態は存在しない.

†**re·put·ed** /ripjú:tid/ 形 《正式》 **1** …と一般に称せられる[言われる] ‖ the *reputed* father of the child その子供の父親だと言われる人. **2** […という]評判の, うわさの[*as, to be*].
re·pút·ed·ly 副 [文全体を修飾] 評判によれば.

✱**re·quest** /rikwést/《再び(re)求める(quest). cf. conquest》
― 動 (~s /-kwésts/; 過去・過分 ~ed /-id/; ~·ing)
― 他 《正式》〈人が〉〈物・事などを〉[人などに]頼む[*from, of*]；[request **A** to do] **A** 〈人〉に…するように懇願する；［…であることを］要請する[*that*節] ‖ *request* a loan *from* a bank 銀行にローンを頼む / She *requested* me to write a letter of recommendation. = She *requested* (*of* me) *that* I (*should*) write a letter … 推薦状を書いてくれるように彼女は私に頼んだ《◆ should を用いるのは《主に英》. ⇒文法 9.3》 / Smokers are *requested to* occupy rear seats. 《掲示》喫煙者は後部座席にお座りください.

使い分け [request と demand]
request は依頼として「要請する」の意.
demand は当然の権利があって「要求する」の意.
The company *demanded* [×*requested*] our apology. 会社が我々に謝罪を要求してきた.
Guests are kindly *requested* [×*demanded*] to refrain from smoking in bed. ベッドでの喫煙はご遠慮ください.

—图 (圈 ~s/-kwésts/) **1** ⓊⒸ […に]頼むこと[*to, of*], […の/…という]要請, 依頼[*for/that*節] ‖ We made a *request* to [*of*] them for the advice. 彼らに助言を要請した. **2** Ⓒ 依頼した物[事], 頼み[願い]事; 依頼状, 請願書, 要求書 ‖ grant a *request* 頼みに応じる. **3** Ⓤ〘正式〙需要 (demand) ‖ a singer who is「in great *request* [much in *request*] to give concerts コンサートにひっぱりだこの歌手.
as requested 要望[要求]通りに《◆類例: as planned, as expected》.
at A's *requést* = *at the requést of* A 〈人〉の依頼[要請]により.
by requést 〔人の〕依頼によって, 要求に応じて[*of*].
on [*upón*] *request* 請求[申込み](あり)次第.
requést cárd 〘図書館で貸出し中の書籍に対する〙返還要請カード.
requést stòp 〘英〙乗降客がある時だけ止まるバス停留所.

req·ui·em /rékwiəm/图Ⓒ **1**〘しばしば R~〙〘カトリック〙=Requiem Mass. **2** Ⓒ 死者のためのミサ曲, レクイエム, 鎮魂曲; (一般に死者への)哀歌.
Réquiem Máss 〘しばしば r~ m~〙死者のためのミサ《死者の魂の平安を祈る儀式》.

*****re·quire** /rikwáiər/〘再び(re)求める(quire). cf. in*quire*〙覆 requirement〖图〗
—動 (~s/-z/; 過去·過分 ~d/-d/; --quir·ing /-kwáiəriŋ/)
—他 **1** 〈人·物·事〉が〈人·物·事〉を必要とする《◆ need よりも堅い語》, 〔…することを/…ということを〕必要とする[*doing/that*節] ‖ The sick man *required* constant attention. その病人は片時も目を離せなかった / To finish the work by the end of this month *requires* increasing the staff by 30%. その仕事を今月末までに仕上げるために職員を30%増やす必要がある / Her health *requires that* she (*should*) go to bed early. 健康状態からみて彼女は早く床につく必要がある《◆ should を用いるのは(主に英). ⊃文法 9.3》.
2 〘正式〙〈人など〉が〈物·事〉を〔人に〕要求する (demand)[*of*]; 〈人に〉〔…するように〕命ずる, 要求する[*to do*], 〈…であることを〉命ずる (order, ask) [*that*節] ‖ Courage *is required of* everyone. 勇気がみんなに求められている / All passengers *are required to* show their tickets. 〘掲示〙乗客の皆様の切符を拝見いたします / The rules *require that* we all (*should*) be present. 規則では我々は全員出席しなければならない《⊃文法 9.3》.
—自〘法律などが〙要求する, 求める.

†**re·quire·ment** /rikwáiərmənt/图Ⓒ〘正式〙**1**〘通例 ~s〙必要なもの, 必要品 ‖ This shop can supply all your *requirements*. この店で君が必要品はすべてそろえられる. **2** 要求されるもの, 要求物; […の]必要条件, 資格[*for*] ‖ A knowledge of French is among the *requirements* for admission. フランス語の知識が入学資格の1つです.

†**req·ui·site** /rékwəzit/〘正式〙形 […に](外的条件として)必要な (necessary)[*for, to*] ‖ the qualities *requisite for* being a leader 指導者になくてはならない資質. —图Ⓒ […のための/…の点での]必要品, 必要条件[*for/in*].

†**req·ui·si·tion** /rèkwəzíʃən/图 **1** Ⓤ〘軍事〙徴発, 調達; Ⓒ [補給品の]調達命令書[*for*]. **2** Ⓤ〘正式〙必要, 入用; 必要条件. **3** Ⓤ 〘政府間の犯罪人引渡し〙要求. —動他〘軍事〙…を徴発する, 接収する.

re·quit·al /rikwáitl/图Ⓤ〘正式〙返済(金); 報酬; (好意に対する)お返し, 返礼; (不正に対する)報復, 復讐(ﾌ) ‖ in *requital* of ... …の返礼[報復]に.

†**re·quite** /rikwáit/動他〘正式〙…に[…で]報いる (repay), 返礼する, …に[…で]報復する[*with*]; 〈人〉に[…に対して]復讐(ﾌ)する[*for*] ‖ *requite* kindness *with* ingratitude 恩を仇(ｱﾀ)で返す.

re·read /ríːríːd/動 (過去·過分 re·read /-réd/) 他 …を再読する, 読み返す.

re·sale /ríːsèil, ⸗⸌/图Ⓤ 再販売; 転売.

re·scind /risínd/動他〘法律〙〈法律などを〉無効にする, 撤回する.

re·script /ríːskript/图 **1**〘歴史〙ローマ皇帝[教皇]答書. **2** (一般に)政府の勅令, 布告.

†**res·cue** /réskjuː/動他 〈人などが〉〈人など〉を(さし迫った危害·危険などから)(迅速に)救う, 救助する《◆ rescue は救出行為に, save は救出の結果の安全に重点がある》; …を解放する (set free) [*from*] ‖ We *rescued* the child *from* drowning. 私たちは子供がおぼれているのを助けた / *rescue* the soldiers *from* captivity 捕らわれの身から兵士たちを解放する.
—图Ⓤ 救助, 救出; Ⓒ 3件の水難救助 / a *rescue* party 救助隊.
cóme to the [A's] *réscue* (…を)救助に来る.
gó to the [A's] *réscue* (…を)救助に行く.

res·cu·er /réskjuːər/图Ⓒ 救助[救出]する人.

*****re·search** /ríːsəːrtʃ, risəːrtʃ/⸌, ⸗; 動 ⸗/〘再び(re)捜し求めること〙
—图 (圈 ~·es/-iz/) Ⓤ 〔…についての〕(個々の)研究; 〖通例 one's ~s; 複数扱い〙(科学的な)研究, 学術研究, 探求 [*in, into, on*] ‖ They *dò* [×*make*] (×a) *research* in genetics. 彼らは遺伝学を研究している / be engaged in cancer *research* ガン研究に従事している / He began *his research into* the causes of brain damage. 彼は脳障害の原因についての研究を始めた.
—動自 […を]研究[調査]する[*in, into, on*] ‖ *research on* [*into*] the effects of cigarette smoking 喫煙の影響を研究する.
—他 …を研究[調査]する.

re·search·er /ríːsəːrtʃər/图Ⓒ 研究者, 調査する人.

re·seat /ríːsíːt/動他 **1**〈教会·劇場などに〉新しい座席を取り付ける; 〈いす·ズボンなど〉の座部を取り替える. **2** …を別の席に案内する; [~ oneself / be ~ed] 再び座る.

re·sell /ríːsél/動 (過去·過分 ~·sold) 他 …を転売する.

†**re·sem·blance** /rizémbləns/图 **1** Ⓤ […と/…の間で](外面的に)似ていること; Ⓒ […との/…の間の]類似点, 似ている点[*to/between*] ‖ She *bears* [has, shows] *a resemblance to* her mother. 彼女は母親に似ている / There is a strong *resemblance between* the two brothers. その2人の兄弟はよく

resemble

似ている. **2** ⓒ《正式》類似物; 似顔, 肖像, 像(image).

re·sem·ble /rizémbl/『再び(re)同じように見える(semble)』
— 動 (~s/-z/; 過去・過分 ~d/-d/; --sem·bling)
— 他 〈人・物など〉〈人・物・事に〉〔…の点で〕似ている〔in〕《◆ふつう進行形にしないが,「だんだん似てきている」という推移をいうときは可》: He is resembling his father more and more as the years go by. 年をとるにつれて彼はだんだん父親に似てきている‖She resembles her sister in appearance but not in character. 彼女は外見は姉と似ているが性格は異なる(=She takes after her sister …)‖John and Bill resemble each other. ジョンとビルはお互いに似ている.

†re·sent /rizént/ 動 他 **1**〈人が〉〈人・行為などに〉(心の中で・言葉などに出して)憤慨する;〔…に対し〕〈人〉に腹を立てる〔for〕‖resent an insult 侮辱に憤慨する‖He resents everyone's silence. だれもが何も言わないことに彼は腹を立てている(→文法 12.5)‖I never resent her for「doing anything [what she has done]. 何をやっても[やったことに対し]彼女に腹を立てたことがない. **2** [resent doing]〈人が〉…するのをひどく嫌う‖He resents having to do his homework. 彼は宿題をしなければならないのをひどくいやがる.

†re·sent·ful /rizéntfl/ 形《正式》〔…ということに/…に〕憤慨している;腹を立てている,怒りっぽい(angry)〔that 節/about, at, toward〕.
re·sént·ful·ly 副 憤慨して.

†re·sent·ment /rizéntmənt/ 名 Ⓤ《正式》〔…に対する〕憤り,憤慨(anger)〔against, at, toward〕.

†res·er·va·tion /rèzɚvéiʃən/ 名 **1** Ⓤ (権利などの)保留, Ⓤ Ⓒ 限定,制限,条件;差し控え,留保‖accept a proposal with reservation(s) 条件つきで提案に同意する. **2** Ⓤ Ⓒ 〔しばしば ~s〕 (列車・ホテル・劇場の座席などの)予約,指定((主英) booking);Ⓒ 予約席[室]‖I'd like to reconfirm my reservation. 予約の再確認をしたいのですが/〈対話〉"I am Jiro Sato. I have a reservation." "OK. Could you fill out this form?"《フロントで》「佐藤次郎です.予約したのですが」「かしこまりました.このカードにご記入いただけますでしょうか」/I'd like to make a reservátion for Flight 50 on Saturday. 土曜日の50便を予約したいのですが.

≡ 日英比較 ≡ [「予約」と reservation]
「人と会う約束」の意味では reservation ではなく appointment: You can't see him without an appointment [×reservation]. 予約なしでは彼に会えません.

3 Ⓒ **a**《米》(公共・特殊利用のための)特別保留地‖a Native-American reservation 先住民特別保留地. **b**《主に米》禁猟区域. **4** Ⓒ Ⓤ 〔…についての〕(口に出せない)疑い;不安〔about〕‖I have some reservations about the truth of his story. 彼の話は本当かどうか少々疑わしい.

★re·serve /rizɚ́ːv/
— 動 (~s/-z/; 過去・過分 ~d/-d/; -serv·ing)
— 他 **1**〈人が〉〈席などを〉予約する《英》book);…を〔人のために〕取っておく〔for〕‖I reserved a single room at the hotel 私はそのホテルのシングルの部屋を予約した《◆日本語では「ホテルを予約する」ともいうが,英語ではふつう ×reserve a hotel とはいわず reserve a room という》/I have reserved front seats for you. 君のために最前列の座席を取っておい

reset

た. **2**〈人が〉〈物など〉を〔万一に備えて,将来使うために〕取っておく,使わずに残しておく[保存しておく]〔for〕[類義 keep). ‖ reserve a tablecloth for special occasions 特別な場合のためにテーブルクロスを取っておく/ reserve Saturday evenings for reading 土曜日の晩を読書にあてる. **3**〈権利・利益などを〉留保[保留]する;…を〔…のために〕保有する〔to〕‖ reserve the right to refuse 拒否権を留保する. **4** …を延期する,持ち越す;〈判断などを〉(当分)差し控える,見合わせる‖reserve judgment on a certain matter ある問題に関する判断を差し控える / reserve criticism 今のところ批判を差し控える. **5** [通例 be ~d]〈人が〉〔…に〕運命づけられている;〈運命・経験などが〉〈人に〉用意されている〔for〕‖ Great success is reserved for you. 君のゆく手には大成功がある.

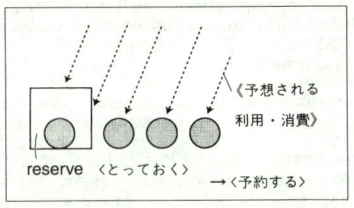

reserve〈とっておく〉 → 〈予約する〉 《予想される利用・消費》

— 名 **1** Ⓒ《正式》〔しばしば ~s〕〔…の〕たくわえ,備え,蓄積(store)〔of〕;保存物,予備品‖ keep「a reserve [some reserves] of food 予備の食料をたくわえる. **2** Ⓤ《正式》遠慮,慎み,控え目(shyness);自制;無口,沈黙‖It is difficult to break through Mary's reserve. メリーの控え目な態度を打ち解けさせるのは難しい. **3** Ⓒ《経済》(銀行などの)準備金,積立金‖the bank's reserves 銀行準備金. **4** Ⓒ〔軍事〕[~s] 予備軍,予備隊[艦隊];[the R~;単数扱い]予備兵力[軍]‖a soldier in the reserves 予備役軍人. **5** Ⓒ (特定目的のための公有の)保留地,指定地‖a forest reserve 保安林/ a game reserve 禁猟地. **6** Ⓤ Ⓒ 制限(条件);除外. **7** Ⓒ〔競技〕補欠[二軍]選手;(品評会などの)予備入賞者.

in resérve《正式》(将来のために)取って[たくわえて]ある;予備の[に].
without resérve《正式》**(1)** 腹蔵なく,遠慮なく. **(2)** 無条件で.

— 形《正式》たくわえてある(stored),予備の(spare)‖a reserve stock 予備品/a reserve force 余力.

†re·served /rizɚ́ːvd/ 形 **1** 予備の;取って置いた,残してある‖a reserved right 留保された権利. **2**〈座席などが〉予約してある,貸し切りの,指定の‖reserved seats 予約[指定]席. **3**〈人・言動が〉控え目な,遠慮がちな,〔…に〕打ち解けない〔with〕;無口な,内気な.

†res·er·voir /rézɚvwɑ̀ːr, -vwɔ̀ːr/《フランス》名 Ⓒ **1** (天然または人工の)貯水池,ため池,給水所;貯水槽. **2** (液体を入れる)容器,つぼ. **3**《正式》〔知識・事実などの〕貯蔵,蓄積,宝庫〔of〕‖ This book is a reservoir of information about India. この本はインドに関する情報の宝庫である.

re·set /ⅰ動 rìːsét, 名 ⁼/ 動 他 (過去・過分 re·set; --set·ting) **1**…の刃を研ぎ直す. **2**〈宝石〉をつけ直す;〈髪〉をセットし直す. **3**〈折れた骨〉を継ぎ直す,整形する. **4**〔印刷〕〈活字〉を組み直す. **5**〈ダイヤル〉を0に戻す;〔コンピュータ〕〈コンピュータ内の登録やその

re·shuf·fle /ri:ʃʌfl/ 動 他 **1** 〈トランプ〉〈札〉を切り直す. **2** 《略式》〈内閣などを〉改造する.
— 名 C **1** 〔トランプ〕（札の）切り直し, シャッフル. **2** 〔内閣などの〕改造.

†**re·side** /rizáid/ 動 自 《正式》 **1** 〔…に〕住む, 居住する(live) 〔in, at〕; 〈公務員などが〉〔…に/…のもとに〕駐在する〔at / with〕. **2** 〈物·性質などが〉〔…に〕ある, 存在する(lie) 〔in〕.

†**res·i·dence** /rézidəns/ 名 《正式》 **1** C （ふつう独立した）住宅, 家, 邸宅; 官舎, 官邸 ‖ The White House is the official *residence* of the president. ホワイトハウスは大統領の官邸である. **2** U 居住, 在住, 居留; 駐在 ‖ Proof of *residence* is required for voting. 投票するには居住証明が必要である / take up *residence* in Tahiti タヒチに居を定める / The suspect has no fixed *residence*. 容疑者は住所不定です. **3** C 在住[滞在, 駐在] 期間 ‖ during his *residence* in Spain 彼のスペイン駐在期間中に.

in résidence 《正式》(1) 〈公務員などが〉駐在して, 官邸に住んで. (2) 〈大学生などが〉学内に居住して.

†**res·i·dent** /rézidənt/ 名 C **1** （特に一時的な）居住者, 在住者(cf. inhabitant) (⟷ visitor) ‖ foreign *residents* in 在留外国人 / She is a *resident* of Nara. 彼女は奈良に住んでいる. **2** 〔英史〕（インドなどの）英国総督代理. **3** 《米》（病院住込みの）研修医, レジデント（インターンの上の地位）. — 形 **1** 《正式》〔…に〕住む, 居住[在住]している(living) 〔at, in〕 ‖ He is now *resident* abroad. 彼は今外国に住んでいる. **2** 住み込みの; 駐在している; 専任の ‖ *resident* doctor （病院内）住込み医師. **3** 〔コンピュータ〕常駐の《プログラムやデータがメモリーに常に存在する状態》.

†**res·i·den·tial** /rèzidénʃəl/ 形 **1** 住宅の; 住宅向きの, 住宅に適した ‖ a *residential* area [district] 住宅地区. **2** 《正式》居住の, 居住に関する. **3** 宿泊設備のある.

re·sid·u·al /rizídʒuəl, -zídjuəl/ 形 《正式》残りの, 残余の. **2** 〔数学〕剰余の; 〈モデルとの差が〉説明されない. — 名 C **1** 残り, 残部. **2** 〔数学〕剰余. **3** 残留物.

re·sid·u·ar·y /rizídʒuèri | -zídjuəri/ 形 《正式》残りの, 残余の.

†**res·i·due** /rézidjù:/ 名 C 《正式》〔通例 a/the ~〕残された物; 〔法律〕残余財産〔遺産〕; 〔化学〕残留物; 〔数学〕剰余.

†**re·sign** /rizáin/ 動 **1** 〈人が〉〈地位·仕事などを〉(ふつう途中で)辞職する, やめる《◆ quit より堅い語》 使い分け → retire 動 2〕‖ He *resigned* his position on the school board. 彼は教育委員の職を退いた / *resign* one's position as secretary of the organization 協会の秘書を辞任する. **2** 〈人が〉〈希望·要求などを〉断念する; 〈権利などを〉放棄する《◆ give up より堅い語》‖ *resign* all hopes あらゆる希望を捨てる. **3** 〔通例 ~ oneself [~ed]〕〈運命·状況などに〉身を任せる, 甘んじて従う(give up) 〔to, to doing〕‖ He *resigned* himself [He was *resigned*] to his fate. 彼は運命に身を任せた[任せていた] / She *resigned* herself to spending a boring evening. 彼女は退屈な夜を過ごさざるをえなかった. **4** 《正式》〈人·仕事などを〉〔…に〕譲り渡す, 委託する〔to〕‖ *resign* one's children to the care of the state 子供を国の世話に委託する.
— 自 〔…を〕辞職[退職, 辞任]する, 退く〔from, as〕(cf. retire) ‖ *resign* from the army 軍隊から退く / *resign* as secretary 秘書を辞任する.

†**res·ig·na·tion** /rèzignéiʃən/ 名 **1** U C 辞職, 辞任. **2** C 〔通例 one's ~〕辞表, 辞職願 ‖ give [offer, send in, hand in, tender, submit, turn in] one's *resignation* to … に辞表を出す. **3** U 《正式》あきらめ, 甘受; 〔…に対する〕忍従〔to〕; （権利などの）放棄, 断念 ‖ accept [meet] one's fate *with resignation* 運命を甘受する.

re·signed /rizáind/ 形 **1** 〈顔つきなどが〉あきらめた. **2** 辞任した, 退職した.

re·sil·i·ent /rizíliənt/ 形 《正式》 **1** （圧縮に対して）弾力のある, はね返る. **2** 〈不運·病気などから〉立ち直り〔回復〕の早い; 快活な.

†**res·in** /rézin/ 名 U C 樹脂; 松やに《ニス·ラッカー·塗料用》‖ synthetic *resin* 合成樹脂. — 動 他 …に樹脂を塗る, 樹脂加工する.

res·in·ous /rézinəs/ 形 樹脂（性）の; 樹脂に似た; 脂を含む.

†**re·sist** /rizíst/ 動 他 **1** 〈人などが〉〈人·物·事〉に抵抗する, 反抗する[敵対]する; 〈敵などを〉阻止する, 食い止める; 〈誘惑などに〉負けない; [resist doing] …することに抵抗する ‖ They *resisted* the enemy bravely. 彼らは敵に勇敢に抵抗した / *resist* being carried off 連れ去られまいと抵抗する(⇒文法 12.3). **2** 〈物·人などが〉〈熱·物質·化学作用·自然力などに〉耐える, 侵されない, 影響されない ‖ a metal that *resists* rust [acids] さび[酸]に侵されない金属 / This material *resists* crushing. この素材は衝撃に強い. **3** 〔通例 can't ~〕〈人が〉…を我慢する, こらえる ‖ I just can't *resist* strawberries. 私はいちごには目がない / I could not *resist* laughing. 笑わずにはいられなかった(= I couldn't *help* laughing). — 自 抵抗[反抗]する; 〔通例 can't ~〕我慢する, 耐える ‖ The boy could *resist* no longer. その男の子はもう耐えられなかった / It's no use *resisting*. 抵抗してもむだだ. **re·síst·er** 名 C 抵抗する人.

†**re·sist·ance** /rizístəns/ 名 **1** U 〔時に a ~〕〔…に対する〕抵抗, 抗戦, 反抗〔to〕‖ put up (a) strong *resistance* 強く抵抗する. **2** U 〔…に対する〕抵抗力〔to〕‖ have little *resistance* to disease 病気に対する抵抗力がほとんどない. **3** U （空気などの）抵抗; 障害 ‖ overcome air *resistance* 空気の抵抗を克服する. **4** 〔しばしば(the) R~〕U 〔集合名詞; 単数·複数扱い〕レジスタンス, （地下）抵抗運動(*resistance* movement) ‖ He was a French *Resistance* fighter in World War II. 彼は第2次世界大戦中フランスのレジスタンスの闘士だった. **5** 〔電気〕U 抵抗. **6** U C 〔精神分析〕抵抗. *the line of léast resístance* U C 《略式》最も楽な方法 《◆ take, follow, choose と共によく用いる》.

resístance fórce 抵抗勢力, 守旧派.

resístance móvement = 4.

re·sist·ant /rizístənt/ 形 《正式》〔しばしば複合語〕〔…に〕抵抗する, 抗力を示す〔to〕; 〈熱などを〉通さぬ, 不浸透の, 耐…の〔to〕‖ He was *resistant* to leaving the position. 彼はその地位を降りるのに抵抗した.

re·sist·less /rizístləs/ 形 《正式》 **1** 抵抗できない, 不可抗力の. **2** 抵抗しない, 抵抗力のない.

†**res·o·lute** /rézəlù:t/ 〔アクセント注意〕形 (more ~, most ~; 時に ~r, ~st) **1** 《正式》〈人·性格が〉〔…

resolutely

に/…に対して]決心の堅い、意志の堅い、断固たる(determined)〔in/for〕‖ **be resolute for** [against] peace 和平の決意を[和平を続けないm決意を]固めている / a *resolute* man 意志の堅い人. **2** たえず目的を追求する；大胆な.

†**res·o·lute·ly** /rézəluːtli/ 圖《正式》堅く決心して、断固として.

†**res·o·lu·tion** /rèzəlúːʃən/ 图 **1** UC 〔…しようという〕決意、決心、決断〔to do, that節〕；決断力《◆decision より堅い語》‖ I *made* a *resolution* to face the realities of society. 社会の現実に直面していこうと私は決心した / His *resolution* to go to America is firm. アメリカへ行こうとする彼の決意は揺るがない. **2** C《正式》(議会などの)決議；決議案[文]‖ a *resolution* for [against] building a new gymnasium 新しい体育館建設に賛成[反対]の決議案. **3** U《正式》強固な意志、不屈‖ a man of great *resolution* 意志の強固な人. **4** U《化学》〔…への〕溶解、分解〔into〕‖ the *resolution* of a chemical mixture *into* simple substances 化学混合物の単体への分解. **5** UC《正式》(問題などの)解答、解決；(疑問などの)解明、解消. **6** U《光学》解像力[度]；分解能.

re·solv·a·ble /rizálvəbl | -zɔ́lv-/ 圏《正式》**1** 解決できる. **2**《化学》分解[分割]できる、溶解性の.

†**re·solve** /rizálv | -zɔ́lv/ 動 (他)《正式》**1** 〔…しようと/…ということを〕決心する、決意する(decide)〔to do / that節〕；[be ~d]〔…しようと/…ということを〕決心[決意]している〔to do / that節〕‖ I *resolve* to do better work next time 次回はもっとよい仕事をしようと決心する / He *resolved that* he would do his best. 彼は最善を尽くそうと決心した / I am *resolved to* go, and nothing will stop me. 行く決心をしているのでどんなことがあっても私はやめないだろう. **2** 〈人・物・事が〉〈問題・難事などを〉解決する(solve)；〈疑いなどを〉解明する、晴らす‖ The problem will *resolve* itself eventually. 結局のその問題はおのずと解決するだろう. **3** 〈人・事・物が〉〈物などを〉〔構成要素に〕分解[分離]する〔into〕‖ Water is *resolved into* oxygen and hydrogen. 水は分解して酸素と水素になる. **4** 〔…することを/…であることを〕決議する、票決する〔to do / that節〕‖ The group *resolved to* oppose the new highway. その団体は新しい幹線道路に反対することを決議した / It was *resolved that* our school (*should*) have an outing. 学校は遠足を行なうことが決議された《◆should を用いるのは(主に英)》. **→文法 9.3**). **5** [しばしば ~ oneself]〔…を[別のものに]〕変える、変化させる〔into〕‖ The panel *resolved itself into* a review board. その委員会は再審委員会に変わった.

——(自) **1** 〈人が〉〔…しないことを/…することを〕決定する、決心する(decide)〔*against* [*on, upon*] (*doing*)〕‖ She *resolved on* becoming a teacher. 彼女は教師になることに決めた / She *resolved against* seeing them again. 彼らには二度と会うまいと決心した. **2**《化学》(成分・部分に)分解する、変わる〔into〕‖ Water *resolves into* oxygen and hydrogen. 水は酸素と水素に分解する.

——图《正式》**1** UC 〔…する〕決心、決意(decision)〔to do〕‖ *keep* one's *resolve* 決意を変えない / He *made* a *resolve* to keep a diary. 日記をつけようと彼は決心した. **2** U 決断(力)‖ a man of *resolve* 不屈の人. **3** (議会などの)決議、議決.

re·solved /rizálvd | -zɔ́lv-/ 圏《正式》不屈の決意の堅い、断固たる(cf. resolve (他)**1**).

res·o·nance /rézənəns/ 图 **1** U《正式》反響、響き. **2** CU《物理・化学・音楽》共鳴、共振.

res·o·nant /rézənənt/ 圏《正式》**1** 反響する、鳴り響く、朗々とした. **2**〈場所が〉〔音などで〕共鳴する、響き渡る〔with〕.

res·o·nate /rézəneit/ 動 (自)《正式》鳴り響く、反響する；共鳴する、共振する.

res·o·na·tor /rézəneitər/ 图 C 共鳴するもの、共鳴器.

†**re·sort** /rizɔ́ːrt/ 图 **1** C [通例複合語で] 行楽地、保養地‖ at the mountain *resort*(s) 山の観光地[保養地]で / a súmmer *resórt* 避暑地；夏の行楽地 / a wínter *resórt* 冬の行楽地；避寒地. **2** C〔人の〕よく行く所〔*of, for*〕‖ a student *resort* 学生がよく行く[集まる]所. **3** U (人の)集まり、人出；《正式》(ある場所へ)しばしば行くこと(通う)こと‖ a place of popular [great] *resort* 人がたくさん行く所、盛り場. **4** U 〔…に〕頼る[訴える]こと〔to〕‖ have *resort* to force 暴力[腕力、力]に訴える / without *resort* to compulsion 強制せずに. **5** C 頼りにする人[物]；手段、方策‖ That was her only *resort*. それが彼女の唯一の頼みの綱だった.

as a [**the**] **lást resórt** = **in the lást resórt** 〔通例文頭・文中で〕最後の手段として、結局.

——動 (自) **1**《正式》(楽しい所へ)しばしば行く、いつも行く. **2** 〈人が〉〔人・物・手段に〕…することに訴える、たよる〔*to* / *to doing*〕‖ *resort to* arms 武力に訴える.

†**re·sound** /rizáund/ [発音注意] 動 (自)《正式》**1** 〈場所が〉〔音・声・楽器などで〕鳴り響く、こだまする〔*with*〕‖ The hall *resounded with* the applause of the audience. ホールには聴衆の拍手が鳴り響いた. **2** 〈音・声・楽器などが〉〔…に〕鳴り響く[続く]、共鳴する；〈名声・事件などが〉〔…に〕知れ渡る、鳴り響く〔*through*(*out*), *in, all over*〕.

†**re·source** /ríːsɔːrs, -zɔːrs | rizɔ́ːs, -sɔ́ːs/ 图 **1** C [通例 ~s] 資源、富；(一般に)財源、資金、資力；(まさかの時に)援助をしてくれる人[物]、供給源；貯蔵、蓄積‖ human *resources* 人材 / Alaska is rich in *nátural resóurces*. アラスカは天然資源に恵まれている / the *resources* of our company わが社の資産. **2** C《正式》[通例 ~s] (まさかの時の)手段、手段、方策、方便、やりくり、頼み(の綱)(means)‖ *as* a last *resource* 最後の手段として / *be* at [*come* to] the end of one's *resources* 万策尽きる. **3** C 暇つぶし、退屈しのぎ、気晴らし(の方法、手段)‖ a person of no *resources* 趣味のない人 / Reading is a great *resource*. 読書は暇つぶしにはもってこいだ. **4** U 臨機応変の才‖ a man of *resource* [no *resource*] 機転のきく[きかない]人.

léave A to A's ówn resóurces (特に困難な状況で、助言などを与えないで)〈人〉の思うようにさせる.

re·source·ful /ríːsɔ́ːrsfl, -zɔ́ːrs- | rizɔ́ːs-, -sɔ́ːs-/ 圏《正式》**1** (難局に当たって)機知[工夫]に富んだ、臨機の才のある、やりくり上手な. **2** 資源に富んだ、資力のある.

*†**re·spect** /rispékt/ [「人としての価値を認めること」が本義. cf. inspéct, suspéct] 圏 respéctable (形)、respéctive (形)

index
動 **1** 尊敬する **2** 尊重する
图 **1** 尊敬 **2** 尊重 **3** ていねいなあいさつ **4** 点

——動 (~s/-spékts/; (過去・過分) ~·ed/-id/; ~·ing)
——他 **1** 〈人が〉〈人〉を〔…に対して〕**尊敬する**、敬う

(look up to) [for] (↔ despise) ‖ We *respect* your honesty. 我々はあなたの誠実さを尊敬しています / I *respect* you for what you said. 君の述べたことには敬服する / *respect* oneself 自尊心をもつ.

2 〈人が〉〈物・事を〉**尊重する**, 重んずる; …に注意する ‖ *Respect* the feelings of others. 他人の気持ちを尊重せよ / I wish people would *respect* my privacy. プライバシーを尊重してほしい.

──名 (複 ~s/-spékts/)

I [尊敬]

1 Ⓤ […に対する]**尊敬**, 敬意 [for, to, toward] (↔ disrespect) ‖ The headmaster *is held in* the greatest *respect* by teachers and parents. その校長は教師と父母たちから最も深く尊敬されている.

II [大切に思うこと]

2 Ⓤ […に対する]**尊重**, 重視 [for, to]; […への]顧慮, 配慮 [for]; […への]注意, 関心 [to] ‖ We must *have respect for* her opinion on the subject. その問題で彼女の意見を尊重しなければならない / *have* no *respect for* the speed limit 速度制限をまったく顧慮しない.

3 (正式) 〈one's ~s; 複数扱い〉(よろしくという)〔人へのていねいなあいさつ, 伝言 [to] ‖ go to *páy one's respécts to* him 彼のところへごきげん伺いに行く / *Give my respects* to the widow and surviving children. (ご主人を亡くされた)奥様と残されたお子さんたちによろしくお伝えください.

4 Ⓒ 点, 箇所 (point); 事項, 細目 (detail) ‖ *in this respect* この点に関して / *in* the *respect* that … …であるという点で / These two poems are similar *in some* [*all*] *respects*. これら2つの詩はいくつか[すべて]の点で似ている.

5 Ⓤ (正式) […との]関係, 関連 (relation) [to].

in respéct of A (1) (正式) 〈物・事〉に関して, …については. (2) 〈商業〉…の支払い[報酬]として.

withòut respéct to A …を顧慮せずに, …にかまわずに.

with respéct to A (1) (正式) =in RESPECT of 《◆ 特に新しいまたは前に述べた主題を導入するときに用いる》. (2) 〈人〉に敬意を表して.

re·spect·a·bil·i·ty /rispèktəbíləti/ 名 **1** Ⓤ (社会的に)ちゃんとしていること, 立派な態度; 体面, 世間体. **2** Ⓤ 立派な社会的地位. **3** [the ~; 集合名詞; 単数・複数扱い] 立派な人々, お歴々. **4** Ⓒ [しばしば ~-respectabilities] (社会的)慣習, しきたり; 因習.

†**re·spect·a·ble** /rispéktəbl/ 形 **1** 〈人などが〉(社会的に), 立派な, ちゃんとした; [皮肉的に], 人品ぶった, 世間体を気にする (cf. respectful) ‖ a *respectable* woman (堅実な)立派な女性. **2** [皮肉的に] 〈行為などが〉品のよい, 下品でない; 世間的慣習にかなった. **3** (略式) 〈数量・大きさの点で〉かなりの, 相当な; (質的に)まあまあの, 悪くない ‖ a *respectable* income かなりの収入 / *respectable* talents それ相応の才能. **4** 〈服装などが〉見苦しくない, 体裁のよい ‖ put on a clean shirt and look *respectable* 清潔なワイシャツを着てきちんとした格好をする.

†**re·spect·ful** /rispéktfl/ 形 礼儀正しい, ていねいな; […に]敬意を表する [to, toward, (米) of] (↔ disrespectful) ‖ We are all *respectful toward* him when we speak to him. 彼と口をきくとき我々はみな彼に敬意を表する.

†**re·spect·ful·ly** /rispéktfli/ 副 うやうやしく, 慎んで, 丁重に ‖ Yours *respectfully* =*Respectfully* yours 敬白, 敬具 《◆目上の人などに対するかしこまった手紙の結び文》.

†**re·spect·ing** /rispéktiŋ/ 前 (正式) …に関して, …について.

†**re·spec·tive** /rispéktiv/ 形 (正式) [通例複数名詞を伴って] それぞれの, 各自の, めいめいの ‖ The five boys were given presents according to their *respective* ages. 5人の男の子はそれぞれの年齢に応じて贈り物が与えられた / Go back to your *respective* homes. 各自の家へ戻りなさい.

†**re·spec·tive·ly** /rispéktivli/ 副 (正式) [通例文尾で] (述べられた順に), めいめいに (each) ‖ Joe, Michael, and Mark play football, basketball, and baseball *respectively*. それぞれジョーはフットボールを, マイケルはバスケットボールを, そしてマークは野球をする.

†**res·pi·ra·tion** /rèspəréiʃən/ 名 (正式) **1** Ⓤ 呼吸(作用), Ⓒ 一呼吸, 一息 ‖ artificial *respiration* 人工呼吸. **2** Ⓤ 〈生物〉呼吸(作用).

res·pi·ra·tor /réspərèitər/ 名 Ⓒ **1** 人工呼吸器, (人工呼吸用などの)ガーゼマスク. **2** (英) 防毒マスク ((軍事)) gas helmet).

re·spi·ra·to·ry /réspərətɔ̀ːri | rispáiərətəri/ 形 (正式) 呼吸(用)の, 呼吸に関連のある.

re·spire /rispáiər/ 動 ⓘ (正式) **1** 呼吸する, 息をする. **2** 一息入れる, ほっと一息つく.

†**re·spite** /réspət | -spait/ 名 Ⓤ (正式) [時に a ~] **1** (仕事・苦情などの)一時的中断, 小休止, 小康 (rest) [from] ‖ *without (a) respite* 休みなく / take *a respite from* hard work 激しい仕事を少し休む. **2** (債務・責務の)猶予, 延期; 〈法律〉(死刑の)執行猶予.

†**re·splen·dent** /rispléndənt/ 形 (正式) きらきら輝く, まばゆい, 華麗な (splendid).

†**re·spond** /rispánd | rispɔ́nd/ 動 〔約束し (spond) 返す (re). cf. correspond〕⊕ response (名)
──動 (~·s -spándz | -spɔ́ndz/; 過去・過分 ~·ed /-id/; ~·ing)
──ⓘ **1** 〈人などが〉(動作などで)[…に]**反応する** (正式) react), 応ずる [with, by / to] ‖ He *responded to* her offer「*with* a laugh [*by* laughing]. 彼は彼女の申し出に笑いで答えた / You *respond to* someone who is friendly by being friendly yourself. 人は親切にしてくれる人には自分も親切な態度で応ずる.

2 〈人が〉[…に]**答える, 返答[応答]する** [to] 《◆answer よりも堅い語》‖ She didn't *respond to* my question. 私の質問に彼女は答えなかった / *respond to* a letter 手紙に返事を書く.

3 〈人・病気が〉[治療などに対して]好反応を示す, […の]効果を現す [to] ‖ *respond to* medical treatment 医療の効果が現れる.

──他 [respond *that* 節] …であると答える, 応答する.

†**re·sponse** /rispáns | rispɔ́ns/ [→ respond]
──名 (複 ~·s/-iz/) **1** Ⓒ Ⓤ […に対する/…からの)反応, 反響 ‖ the *response* to the show ショーに対する反響 / *in response to* … …に応じて / He was disappointed by the lack of *response* from his spectators. 観客の反応が少ないので彼はがっかりした.

2 Ⓒ […への/…からの]**返答**, 応答 [to/from] 《◆answer よりも堅い語》‖ She màde [gàve] no *respónse to* my question. 私の質問に彼女は返答しなかった / *There was no response* when I knocked on the door. ドアをたたいたが何一つ応答はなかった.

3 [C]〔教会〕[通例 ~s] 応唱, 応答文[歌]; 応唱聖歌. 4 [U][C]〔心理・生理〕(刺激に対する)反応.

†re·spon·si·bil·i·ty /rispɑ̀nsəbíləti | rispɔ̀n-/ 〔アクセント注意〕 [名] **1** [U] 〔…に対する/…という/…する〕(自分自身の個人的)責任, 責務(accountability) 〔*for* / *of*, *that*節 / *to* do〕(↔ irresponsibility) ‖ If anything happens, I will accept the *responsibility*. もし何か起これば私が責任を取る / I *táke* [*assúme*] full *responsibílity for* this action. この行為に対しては私が全責任を負う. **2** [C] 責任を負っている人[もの]; 〔人にとっての〕(具体的な)責任, 負担, 重荷〔*to*〕‖ The father of a family has many *responsibilities*. 家族を養う父親には多くの責任がある. **3** [U] 信頼度; 義務履行能力, 支払い能力.

on one's ***ówn responsibílity*** 自分の責任で.

***re·spon·si·ble** /rispɑ́nsəbl | rispɔ́n-/ 〖約束(spons)し返すことができる(ible). cf. possible〗 [派] responsibility (名)

―[形] **1** [補語として] 〈人が〉〔人(の世話など)に/事に〕**責任がある**, 責任を負うべき〔*to*, *for* / *for*〕(↔ irresponsible) ‖ A bus driver is ***responsible for*** the safety of the passengers. バスの運転手は乗客の安全に責任がある / She was not *responsible*. 彼女には責任はなかった《◆「彼女は無責任だった」の意にもなりうるので, She was not *responsible for* that. / She was not *responsible*. It was his fault. のようにいう方がよい. → **2**》.

2 〈人・人格などが〉**信頼できる**, 責任感のある, 頼りになる; 義務履行能力のある; 〈行動・態度が〉賢明な(↔ irresponsible) ‖ He needed a *responsible* man for the task. 彼にはその事業に対して信頼できる人が必要だった.

3 [通例名詞の前で] 〈仕事・地位などが〉責任の重い, 責任のある ‖ a *responsible* job 責任の重い仕事. **4** [補語として] 〈物事が〉〔…の〕原因である〔*for*〕; 〈人が〉〔…を〕招いた〔*for*〕. **5** [補語として] 善悪の区別ができる; 合理的に考え行動できる.

re·spon·si·bly /rispɑ́nsibli | -spɔ́n-/ [副] 責任を持って, 確かに.

†re·spon·sive /rispɑ́nsiv | -spɔ́n-/ [形] **1** 〈人・性格などが〉〔…に〕敏感な, 感じやすい〔*to*〕‖ She was *responsive to* her friend's misery [needs]. 彼女は友人の不幸[ニーズ]に敏感に反応した. **2** 〈物事が〉〔…に〕答える, よく反応する〔*to*〕‖ This disease is *responsive to* environmental stimuli. この病気は環境の刺激によく反応する.

‡rest[1] /rést/ ([同音] wrest; [類音] lest /lést/) 〖「(仕事・苦痛などの)一時的な休止」が本義〗

index
[名] **1** 休息
[動] [自] **1** 休む　**3** 静止する　**8** 頼る
[他] **1** 置く

―[名] ([複] ~s/résts/) **1** [C][U] **休息**; 休憩(break); 休養, 静養; 睡眠 ‖ Let's *take* [*have*] *a rest*. (運動などの後で)ひと休みしませんか《◆デスクワークなどの後では Let's take [have] a break.》/ get a good night's *rest* 一晩ぐっすり眠る / go to *rest* 寝る.

2 [U] [時に a ~] 〔疲労・労苦・心労などからの〕解放〔*from*〕; 安楽, (心の)平静, 安心; 休息期間 ‖ some *rest from* one's labors 労働からのある程度の解放. **3** [U] (正式) [時に a ~] 停止, 静止, 動かないこと ‖ The driver ***brought*** the car ***to a rest***. 運転手は車を止めた. **4** [C] [しばしば複合語で] (物を載せる)台; 支え; (銃砲の)照準台; 〔ビリヤード〕キュー台 ‖ an arm *rest* ひじ掛け. **5** [C] (旅行者などの)休息所, 宿泊所. **6** [C]〔音楽〕休止(符). **7** [C][U] 死, 永眠 ‖ ***go*** [***be called***] ***to*** one's (***eternal***) ***rest*** 永眠する《◆die の遠回し表現》.

at rést (正式) (1) 眠って. (2) 静止して. (3) 安心して, 平静で. (4) 永眠して《◆dead の遠回し表現》.

còme to rést (正式) 停止する; (自然に)止まる.

láy A ***to rést*** (1) (正式) 〈死者など〉を埋葬する《◆bury の遠回し表現》. (2) 〈うわさなど〉を鎮める.

sèt [***pùt***] A's ***mínd*** [***féars***] ***at rést*** (正式) 〈人〉を安心させる; 〈不安など〉を鎮める.

―[動] (~s/résts/; [過去・過分] ~·ed/-id/; ~·ing)

―[自]

I [人が休む]

1 〈人が〉**休む**, 休憩[休息]する; 〔仕事などを〕休む〔*from*〕; 眠る ‖ *rest* up 十分に休む / *rest* and relax ゆっくり休む《◆「かぜを治すには…」という文脈で使われる》/ lie down and *rest* 横になって休む / It is better to *rest* for an hour after dinner. 夕食後1時間休息するのがよい.

2 [否定文で] 〈人が〉安心している, 落ち着いている ‖ I will *never rest* until my son returns safe. 息子が無事に帰って来るまでは決して安心しておれない.

II [休むように静止している]

3 〈物が〉**静止する**, 休止する, 動かなくなる ‖ After skidding ten feet, the car finally *rested* in a ditch. 車は10フィート横滑りして, 溝でやっと止まった.

III [休むためにもたれる]

4 (休息・安楽のために)横になる, もたれる, 座る.

5 〔…に〕置かれている, 支えられている〔*on*, *upon*〕, 〔…に〕もたれている(lean)〔*against*〕‖ The roof *rests upon* eight columns. 屋根は8本の柱に支えられている / The broom *rests against* the closet door. ほうきが押入れの戸に立てかけてある.

6 (正式) 〈目・視線などが〉〔…に〕注がれる, 向けられる(fix)〔*on*, *upon*〕‖ His ***eyes rested on*** the girl. 彼の目はその女の子に向けられていた.

7 (正式) 〈事が〉〔…に〕基づく, 基礎を置く〔*on*, *upon*〕‖ His theory *rested on* few facts. 彼の理論はほとんど事実に基づいていなかった.

8 (正式) 〈人が〉〔…に〕**頼る**, 〔…を〕当てにする(depend)〔*on*, *upon*〕‖ I ***rested on*** her promise. 彼女の約束を当てにした / He *rests on* his parents' advice. 彼は両親の忠告を当てにしている.

9 (正式) 〈決定・選択などが〉〔…〕次第である, 〔…に〕かかっている(depend)〔*with*, *on*, *upon*〕‖ It *rests with* you to decide. =The decision *rests with* you. 決定は君にかかっている[君次第だ].

―[他] **1** 〈人が〉〈人・物〉を〔…に〕**置く**, のせておく〔*on*, *upon*〕, よりかからせる〔*against*〕‖ He *rested* his arm ***on*** the table. 彼は腕をテーブルについていた / *Rest* the ladder [bicycle] *against* the fence. はしご[自転車]を垣根に立てかけなさい.

2 …を〔仕事などから〕休ませる, 休養[休息]させる〔*from*〕; [~ oneself] 休む, 休養[休息]する ‖ *rest* a horse 馬を休ませる / Stop reading for a minute and *rest* your eyes. しばらく読書をやめて目を休ませなさい / She sàt dówn to *rést hersèlf*. 彼女は腰をおろして休んだ.

3 …を止める, 休止[静止]させる. **4** (正式) 〈問題など〉をそのままの状態にとどめる ‖ *Rest* the matter there [as it is]. その問題はそこまでにしておきなさい.

5 …を[…に]基づかせる, 頼らせる[on, upon]; 〈希望などを〉[人に]かける[on, upon] ‖ They *rest* their hope on him. 彼らは彼に望みをかけている. **6** [正式] 〈視線などを〉[人・物に]向ける(fix)[on, upon] ‖ She *rested* her gaze on the jewels. 彼女は視線を宝石に向けていた.

rést àrea (道路の)一時停車[待避]所.
rést hòme (老人・病人などの)保養[療養]所.
rést hòuse (旅行者用の)簡易宿泊所.
résting plàce 墓場《◆ grave の遠回し表現》.
rést ròom =restroom.
rést stòp (1) =rest area. (2) 《米》(長距離バスの)トイレ(のための)の停車.

rest² /rést/ [「後ろに立つ」が原義]
—名 (愎 ~s/résts/) **1** [the ~ of +Ｕ名詞; 単数扱い] …の残り, 残余 ‖ the *rest* of the meal 食事の残り / the *rest* of the world 外国 / for the *rest* of one's life その後死ぬまで / Please keep the *rest* for yourself. 残り(のおつり)はどうぞ取っておいてください.
2 [the ~ of + 複数名詞; 複数扱い] その他の人々[物] ‖ John is American, and the *rest* of us are Canadian. 私たちのうちジョンはアメリカ人であとはカナダ人です《◆ The *rest* of the food was rotten. (食べ物の残りは腐っていた) → 1》.
and the rést = **ánd áll the rést of it** (略式) その他何もかも[何やらかやら], …などなど.
(as) for the rést (文) [文頭・文中で] その他については, 後のことは.
—動 (自) [正式] [補語を伴って] …のままである, 依然…である(remain) ‖ 「You may *rest* [*Rest*] assured that you will be rewarded handsomely. 報酬は十分ですからご安心ください.

res·tau·rant /réstərənt, -rà:nt | réstərənt, -rɔ̀ŋ/ [「疲労を回復させる場所」が原義]
—名 (愎 ~s/-rənts, -rà:nts, -rɔ̀:ŋz/) Ｃ レストラン, 料理店, 飲食店, (ホテル・劇場などの)食堂《◆「軽食堂」は lunchroom, coffee shop など》 ‖ Let's eat lunch at a [the] fast-food *restaurant*. ファストフードレストランで昼食を食べましょう(⇒文法 16.2) / I know a very good *restaurant* near here. この辺においしいレストランがありますよ.
réstaurant càr (英) =dining car.

res·tau·ra·teur /rèstərətɔ́:r, (英+) rèstə-/, **--ran·teur** /-ra:ntɔ́:r/ 《フランス》 名 Ｃ [正式] レストラン支配人[経営者], 料理[飲食]店主.

†rest·ful /réstfl/ 形 **1** [正式] 休息[安らぎ]を与える ‖ colors that are *restful* to the eyes 目に安らぎを与える色彩. **2** 落ち着いた, 静かな, 平和な.

res·ti·tu·tion /rèstətjú:ʃən/ 名 Ｕ **1** 正当な返還, 損害賠償, 補償. **2** 回復, 復権, 復職, 復元.

res·tive /réstiv/ 形 **1** 落ち着きのない, いらいらした. **2** 〈馬などが〉御しがたい, じっとしていない. **3** [正式] 〈人などが〉反抗的な, 強情な.

†rest·less /réstləs/ [→ rest¹]
—形 (more ~, most ~) **1** 〈人などが〉[事で]落ち着かない, 不安な[at] ‖ The dog became [got] *restless* at the scent of the fox. 犬はキツネのにおいでそわそわした / a *restless* child 落ち着かない子供. **2** [名詞の前で] 眠れない, 休めない ‖ I was overtired and spent a *restless* night. 疲れすぎてよく眠れなかった. **3** 〈物などが〉絶えず動いている ‖ the *restless* waves 休みなく寄せる波. **4** 絶えず変化する[変化を求める]; 不満である ‖ a *restless* mind 絶えず変わる気持ち.

rést·less·ness /-nəs/ 名 Ｕ 落ち着かないこと, 不安, 動揺.
†rest·less·ly /réstləsli/ 副 落ち着きがなく, そわそわと; 休まずに.

re·stock /rì:stɑ́k|-stɔ́k/ 動 他 …に[…で]補充[補給]する[with]; …を再び仕入れる. — 自 補充する; 再び仕入れる.

†res·to·ra·tion /rèstəréiʃən/ 名 **1** Ｕ [正式] 返還, 返却(return) ‖ the *restoration* of a borrowed book 借りた本の返却. **2** Ｕ 〔制度・秩序などの〕復活, 回復, 復興 [of] ‖ the *restoration* of peace 平和の回復 / the *restoration* of friendship 仲直り. **3** Ｕ 〔もとの状態・地位などへの〕復帰, 復職, 回復, 復活 [to] ‖ one's *restoration* to health 健康の回復. **4** Ｃ Ｕ (美術品・建築物・文献などの)修復, 復元; 校訂; Ｃ 復元図[模型] ‖ the *restoration* of a painting 絵の修復. **5** [the R~] 〔英史〕(Charles II の)王政復古《1660》; 王政復古時代《Charles II の在位期間(1660-85); 時に James II の治世(1685-88)も含む》, 〔フランス史〕Bourbon 王朝の復位《1814》; 〔日本史〕明治維新(the Meiji Restoration).

re·sto·ra·tive /ristɔ́:rətiv/ 形 [正式] **1** 復活[復仇, 回復, 復職]させる. **2** (健康・体力を)回復させる.
—名 Ｃ Ｕ 健康食, 強壮剤.

†re·store /ristɔ́:r/ 動 他 [正式] **1** 〈人〉が〈物・人〉を[人・場所へ]戻す, 返還する, 返却する(return)[to] ‖ *restore* the stolen money to its owner 盗まれた金を持ち主に返す. **2** 〈人などが〉[…の状態に]回復する, 復活させる[to] ‖ *restore* law and order 法と秩序を回復する / *restore* an old custom 古い習慣を復活させる / 〈日本発〉 It was in 1972 that Japan *restored* diplomatic relations with China. 日本と中国との国交が回復したのは1972年です. **3** 〈人などが〉〈人〉を[元の地位に]復帰させる, 復職させる[to] ‖ *restore* an employee to his old position 従業員を元の地位に復帰させる. **4** 〈人などが〉〈データ・古い建築物・美術品などを〉[元の形に]修復する, 復元する[to] ‖ The ruined castle is now being *restored*. その荒城は現在修復中です(⇒文法 7.5). **5** [通例 be ~d] 〈人が〉〈健康〉を回復する ‖ I feel completely *restored* (to health). すっかり気分がよくなりました.

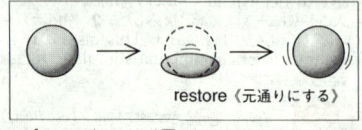

restore 〈元通りにする〉

re·stor·er /ristɔ́:rər/ 名 Ｃ 元へ戻す人[物], 修復業者[専門家] ‖ a picture *restorer* 絵画修復家.

†re·strain /ristréin/ 動 他 [正式] **1** 〈人が〉〈感情・行動など〉を抑える, 抑制する(control) ‖ She *restrained* her anger [tears, curiosity] with difficulty. 彼女はやっとのことで[涙, 好奇心]を抑えた. **2** 〈人が〉〈人に〉[…するのを]やめさせる, 断念させる[from (doing)]《◆ prevent よりも堅い語》 ‖ *restráin* oneself *from* overeating 自制して食べ過ぎない. **3** …を規制[制限]する(limit) ‖ *restrain* a dog 犬の行動範囲を制限する / *restrain* trade 貿易[取引]を制限する. **4** 〔法律〕〈人〉を拘束[検束]する.

†re·straint /ristréint/ 名 [正式] **1** Ｕ 〔行動などの/…に対する〕抑制, 制止(check), 禁止; 拘束, 束縛 [on/to]《↔ freedom》 ‖ My anger was be-

yond restraint. 怒りの抑制ができなかった / frée from restráint 束縛のない,自由な / láy restráint on his activity 彼の行動を抑制する. **2** Ⓒ 抑制力, 拘束力,束縛するもの ‖ the restraints of illness [poverty] 病気[貧困]による妨げ. **3** Ⓤ 監禁,拘束, 拘禁 ‖ be kept [placed, put] under restraint (特に精神病院に)収容[拘束,監禁]される. **4** Ⓤ 〖…の〗自制,遠慮,慎み;節度,控え目 〘in (doing)〙 ‖ lack of restraint 慎みがないこと.
without restráint 自由に,遠慮なく,十分に.

*re・strict /rɪstríkt/ 〖もとへ(re)縛る(strict). cf. constrict〗 🅿 restriction (名)
—動 (~s /-stríkts/; 過去・過分 ~・ed /-ɪd/; ~・ing)
—他 〈人・団体が〉〈事を〉〖…に〗制限する,限定する 〘to, within〙 ‖ We were restricted to a speed of 30 kilometers an hour. スピードを時速30キロに制限されていた / be restricted within narrow limits 狭い範囲に限られる.

re・strict・ed /rɪstríktɪd/ 形 〔正式〕 **1** 制限された,限られた. **2** 〔特定の人種[集団]に〕限られた〔to〕,白人専用の.

†re・stric・tion /rɪstríkʃən/ 名 **1** ⓊⒸ 制限,限定,制約 ‖ restriction of expenditure 経費制限 / We are permitted to use the library without restriction. 図書館を自由に利用できる. **2** Ⓒ 〔通例 ~s〕 制限[限定]するもの;〖…に対する〗制限条件,制限規定〘against, on〙 ‖ place [impose, put] restrictions on foreign trade 外国貿易に制限を加える / currency restrictions 通貨持ち出し制限.

re・stric・tive /rɪstríktɪv/ 形 **1** 〔正式〕 制限[限定]する;制限的な. **2** 〔文法〕 制限[限定]的の.
restríctive cláuse 〔文法〕 制限節.
restríctive práctices 〔英〕 (1)〔経済〕(企業間の)競争[生産]制限協定. (2)〔正式〕(労働者・雇用者の自由を制限する)労働組合慣行.

rest・room /réstrùːm/, rést ròom 名Ⓒ 〔米〕 〔遠回しに〕(ホテル・劇場などの)トイレ,洗面所 ‖ Where is the restroom? トイレはどこですか《◆一般の家庭では bathroom》.

re・struc・ture /riːstrʌ́ktʃər/ 動 他 (…を)再構築[再編成]する,リストラする.

re・struc・tur・ing /riːstrʌ́ktʃərɪŋ/ 名Ⓤ リストラ (downsizing) ‖ 日本発» Risutora is the Japanese abbreviation for restructuring and is virtually synonymous with "layoff." リストラとはリストラクチャリングを略した日本語で,ほとんど「解雇」を意味する.

*re・sult /rɪzʌ́lt/ 〖はね(sult)返る(re). cf. insult〗
—名 (~s /-zʌ́lts/) **1** ⓊⒸ 結果 (↔ cause),結末,成り行き;成果,効果 ‖ The result of the election surprised everyone. 選挙の結果にみんなが驚いた.
2 Ⓒ 〔英〕 〔通例 ~s〕 (試験などの)成績,結果;(試合などの)最終得点 ‖ He had very good exam results. 彼は非常によい試験の成績をおさめた. **3** Ⓒ 〔数学〕(計算の)結果,答え.

as a **[**〔まれ〕the**]** **resúlt of** ... …の結果として ‖ The world has become more stable as a result of the prime minister's leadership. 首相のリーダーシップの結果として,世界はより安定してきた.

語法 もたらされたいろいろな結果のひとつという気持ちで as a result of ... がふつう. of句が省略された場合は常に as a result.

without (much) resúlt むだに,成果なく.
with the resúlt that 〔前にコンマを置いて,結果を強調して〕 その結果 (consequently) ‖ He made bad investments in the stock market, with the result that he lost his entire fortune. 彼は株式市場にひどい投資をし,その結果全財産を失った.
—動 (~s /-zʌ́lts/) 過去・過分 ~・ed /-ɪd/; ~・ing
—自 〔正式〕 **1** 〖result from A〗 〈物・事が〉A〈条件・原因・前提など〉から結果として生じる,…に起因[由来]する(follow) ‖ Tooth decay often results from eating sweets. 甘いものを食べるとしばしば虫歯になる (=Eating sweets often results in tooth decay.).
2 〖result in A / result in doing〗 〈物・事が〉Aに終わる;…という結果になる (end up) ‖ The extra-inning game resulted in a draw. 延長戦は引き分けに終わった.

†re・sult・ant /rɪzʌ́ltənt/ 形 〔正式〕 **1** 結果として生じる,結果の ‖ war and its resultant agony 戦争とその結果として生じる苦悩. **2** 〔物理〕 合成的な ‖ a resultant force 合力.

†re・sume¹ /rɪzjúːm/ 動 〔正式〕 他 **1** 〈人が〉〈中断した仕事・話などを〉再び始める,再び続ける;〖resume doing〗 …することを再び始める ‖ We resumed the meeting after a short rest. しばらく休憩した後で会議を再開した / She resumed reading the novel where she left off. 彼女は小説の続きを読み始めた. **2** 〈元の場所・席などを〉再び占める;〈衣服などを〉再び着用する ‖ resume one's seat もう一度席に着く. **3** 〈健康・権利などを〉取り戻す,回復する ‖ resume a former name 元の名前を再び用いる.
—自 〈話・会議・仕事などが〉再び始まる,再開する.

ré・su・mé, re・su・mé², re・su・mé /rézʊmèɪ, ┄┄˥ | rézjʊmeɪ/ 〔フランス〕 名Ⓒ **1** 〔正式〕 レジュメ,要約,概要,あらまし,摘要. **2** 〔米〕 履歴書,身上書 《正式 curriculum vitae》.

†re・sump・tion /rɪzʌ́mpʃən/ 名Ⓤ 〔正式〕 〔時に a ~〕 **1** 再開,続行 ‖ the resumption of the Diet session 国会の再開. **2** 取り返し,回収,回復.

re・sur・gence /rɪsə́ːrdʒəns/ 名Ⓤ 〔正式〕 〔時に a~〕 復活;再起.

res・ur・rect /rèzərékt/ 動 他 〔略式〕 〈習慣・記憶などを〉復活させる,よみがえらせる.

†res・ur・rec・tion /rèzərékʃən/ 名 **1** 〔the R~〕 キリストの復活;(最後の審判の日の)万人の復活 (cf. Easter). **2** Ⓤ 〔正式〕 (生命・希望などの)よみがえり,復活,再生;再流行 ‖ the resurrection of hope 希望の復活. **3** Ⓒ 〔正式〕 (死者の)復活,よみがえり.

re・sur・vey /動 rìːsərvéɪ; 名 ríːsəːrvèɪ, ┄┄˥/ 動 他 名Ⓤ Ⓒ (…を)再調査[再測量]する.

re・sus・ci・tate /rɪsʌ́sɪtèɪt/ 動 他 〔正式〕 **1** …を生き返らせる,〈人を〉蘇生[復興]させる.

†re・tail /ríːteɪl; 動 ríːteɪl/ 名Ⓤ 小売り (cf. wholesale) ‖ buy a camera at [〔英〕by] retail カメラを小売り値で買う.
—副 小売り価格で(by retail) ‖ sell retail 小売り値で売る.
—動 他 **1** …を小売りする ‖ retail tobacco タバコを小売りする. **2** 〈うわさなどを〉言い触らす.
—自 小売りされる ‖ This umbrella retails at [for] $8. この傘は8ドルです.

rétail bánking (銀行の)小口取引,個人対象銀行業

務.
rétail dèaler 小売商人.
rétail stòre 小売店.

†**re·tail·er** /ríːteɪlər, -;2 riːteɪlər/ 名 C **1** 小売業者(retail dealer). **2** (うわさなどを)受け売りする人, 言いふらす人.

†**re·tain** /rɪtéɪn/ 他 **1** 〈人などが〉〈物·事〉を保つ, 持ち続ける; …を維持する(◆ keep より堅い語) ‖ *retáin* one's téars 涙をこらえる / *retain* the confidence and support of superiors 上役の信任と支持をずっと得ている. **2** …を記憶[銘記]しておく ‖ *retain* a clear memory of one's school days 学生時代をはっきりと覚えている. **3** 〖正式〗〈顧問料などを払って〉〈人〉を雇う ‖ *retain* a young aggressive lawyer 新進気鋭の弁護士を雇う.

retáined óbject 〖文法〗保留目的語 〈二重目的語構文を受身にするとき, 一方の目的語が主語になり, もう一方の目的語がそのまま残される. この残された方の目的語をいう. A book was given me (*to* me).〉

†**re·tain·er** /rɪtéɪnər/ 名 C 保持[保有]者; (公的に)保持, 維持(権).

re·take 動 riːtéɪk; 名 ⹁/ 動 (~**took**, 過分 ~·**tak·en**) 他 **1** …を取り戻す, 奪い返す. **2** 〈写真・録音などを〉撮り[取り]直す, 再撮影[再収録]する.
── 名 C (略式) (写真などの)撮り直し, 再撮影(した写真[場面, 画面], 再録音[画].

†**re·tal·i·ate** /rɪtǽlieɪt/ 自 〈人·攻撃などに〉報復する, 復讐(ふくしゅう)する(*against, on, upon*); [ある行為に対して]仕返しする[*for*] ‖ *retaliate for* an insult (受けた)屈辱の仕返しをする. ── 他 …に仕返しをする, 報復する.

re·tal·i·a·tion /rɪtæliéɪʃən/ 名 U 〖正式〗仕返し, 報復.

re·tal·i·a·tive /rɪtǽliətɪv/|-ətɪv/, **~·a·to·ry** /-ətɔ̀ːri|-ətəri/ 形 〖正式〗報復的な, 復讐(ふくしゅう)心の強い.

†**re·tard** /rɪtáːrd; 名 ²riːtaːrd/ 〖正式〗動 他 〈物·事が〉…を[…から]遅らせる(delay); …を妨げる(prevent) ‖ Lack of good food *retarded* the boy's growth. 良質の食べ物の欠乏でその少年の発育が遅れた / The process *retards* milk *from* turning sour. その(殺菌)方法で牛乳が腐るのを防止できる. ── 自 〈潮の干満・天体の運行などが〉遅れる.
── 名 **1** UC 遅れ, 遅滞; 妨害. **2** 〖知恵の発達が遅れた人〗(♦ mentally handicapped [challenged] person(知的ハンディのある人)を用いる).

re·tard·ed /rɪtáːrdɪd/ 形 知能障害の, 知恵遅れの ((PC) with special needs, with learning difficulties, mentally handicapped).

re·tell /rìːtél/ 動 (過去·過分 ~·**told**) 他 …を再び語る, 形をかえて語る; …を数え直す ‖ *retold* stories (やさしく)書き直された物語.

re·ten·tion /rɪténʃən/ 名 UC 〖正式〗 **1** 維持[保持](力); 保有, 保存. **2** 記憶(力).

re·ten·tive /rɪténtɪv/ 形 〖正式〗 **1** […を]保持[維持]する[できる][*of*] ‖ be *retentive of* heat 保温性が高い. **2** 記憶力のある.

†**ret·i·cence** /rétəsəns/ 名 UC 〖正式〗無口(なこと), 沈黙; U 控え目, 遠慮.

ret·i·cent /rétəsənt/ 形 〖正式〗 **1** 〈人〉無口な; […について](全部を)話したがらない[*about, on*]. **2** 〈表現などが〉控え目な.

ret·i·na /rétənə/ (複 ~s, -**nae**/-niː/) 名 C 〖解剖〗網膜(cf. cornea) (図) → eye).

†**ret·i·nue** /rétənjùː/ 名 〖正式〗 [集合名詞; 単数・複数扱い] (王侯·高官などの)従者, 随行員(団).

†**re·tire** /rɪtáɪər/ 動 **1** 〖正式〗〈人が〉[…から/…に]引き下がる, 退く (go away) [*from/to*] ‖ She *retired* to her room with a magazine. 彼女は雑誌を持って自室に下がった. **2** 〈人が〉(ふつう定年で)[…を/…をもらって]退職する, 引退する(*from/on*) 〈♦短期間働いて「辞める」場合は quit one's job〉 ‖ *retire from* the railway company 鉄道会社を退職する / *retire from* the editorship 編集長を辞める / *retire from* the army [as a soldier] 退役する / *retire on* a pension at 65 年金のもらえる65歳で退職する.

> 使い分け [**retire** と **resign**]
> *retire* は定年で「退職する」の意.
> *resign* は自分の意志で「辞任する」の意.
> Most professors *retire* [×*resign*] at 65. ほとんどの教授が65歳で定年退職する.
> The prime minister *resigned*. 首相は辞任した.

3 〖正式〗[…から/…に]身を引く, 隠居する[*from/to*] ‖ *retire to* [*into*] the country 田舎に引きこもる / *retire from* the world 隠居生活をする. **4** 〖正式〗床につく, 寝る(go to bed) (↔ rise). **5** 〈選手が〉(レース·ゲームなどを)棄権する, リタイアする. **6** 〖軍事〗〈軍隊が〉(戦闘情勢から, 計画的に)[…に]退去[撤退]する(*to*) (cf. retreat). **7** 〖正式〗後退する, 遠のく; 消える, 隠れる(disappear).
── 他 **1** 〈人〉を(定年などで)解雇[解職]する; [be ~d] 〈人が〉辞める, 退職する, 退役する ‖ *retire* a military officer 士官を辞めさせる. **2** 〖軍事〗〈軍隊〉を[〜から]撤退[撤退]させる(*from*). **3** 〖野球〗[通例 be ~d] 〈打者などが〉アウトになる, チェンジになる ‖ The side *is retired*. チェンジです.
── 名 C 隠遁(いんとん)場所; 〖軍事〗退去[撤退]命令[合図] ‖ sound the [a] *retire* 退去ラッパを鳴らす.

†**re·tired** /rɪtáɪərd/ 形 **1** (ふつう定年で)退職[引退]した; 〖軍事〗退役した(↔ active) ‖ a 72-year-old *retired* doctor 72歳の引退医. **2** 隠遁(いんとん)[隠居]した.

re·tir·ee /rɪtàɪəríː/ 名 C (米)退職者; 年金[恩給]生活者.

†**re·tire·ment** /rɪtáɪərmənt/ 名 **1** UC 退職, 引退, 退役; U (退職後の)余生 ‖ take early *retirement* 定年前に退職する / fórced *retirement* 定年退職. **2** U 隠遁(いんとん), 隠居; C 隠遁所 ‖ *retirement from* the world 世捨て / go into *retirement* 隠居する. **3** U [形容詞的に] 退職の, 退職に関する ‖ a *retirement* pension(er) (ふつう週給の)老齢[退職]年金(受給者, 生活者) / a *retirement* community (米) (金持ちの)退職者居住地域〈Florida 州など〉.

retírement áge 停年, 定年 ‖ 日本発》Many Japanese companies are adopting a *retirement age* of 60. 日本の企業の多くは60歳定年制を採用している.

retírement allòwance [**bènefits**] 退職金.

†**re·tir·ing** /rɪtáɪərɪŋ/ 形 〖正式〗 **1** 内気な, 引っ込み思案な. **2** 退職する; 退職の ‖ (the) *retiring* age 定年. ── 名 U 退くこと.

†**re·tort**¹ /rɪtɔ́ːrt/ 動 他 **1** 〈人が〉[…と]言い返す, 逆襲する(*that*節) ‖ "That's none of your business," he *retorted*. 「それは君の知ったことではない」と彼は言い返した / She *retorted that* it was entirely my fault. それはすべて私の責任だと彼女は反

retort

駁(ぎゃく)した. **2**〔正式・まれ〕〈非難などに〉(同じやり方で)やり返す, しっぺ返しをする(return) ‖ *retort* insult *for* insult 侮辱には侮辱で応ずる. ―⦿〈人に〉鋭く言い返す, 言い返す[*on*, *upon*, *against*].

――图 U C〔正式〕しっぺ返し, 応酬; 口答え, 当意即妙の返答 ‖ in *retort* 言い返して, 切り返して.

re·tort² /rɪtɔ́ːrt/ 图 C **1**〔化学〕レトルト, 蒸留器. **2** レトルト《〔冶金〕製錬用容器;〔化学〕石炭・ガス製造用容器》.

――動 他〈水銀〉をレトルトで熱して分解する.

retórt pòuch レトルト食品.

re·touch /動 riːtʌ́tʃ/; 图 ⁼/動 他〈絵・写真・メーキャップなど〉に手を加える, …を修正する. ――图 C 加筆, 修正, レタッチ.

†**re·trace** /riːtréɪs/ 動 他〔正式〕**1**〈道〉を引き返す, あと戻りする; …を注意して見直す ‖ *retrace* one's stéps [wáy, róute] 来た道をあとで戻りするで(略式) go back). **2** …を回想する, ふり返る. **3** …の起源をたどる ‖ *retrace* one's family line 家系を調べる.

†**re·tract** /rɪtrǽkt/ 動〔正式〕他 **1**〈身体の一部など〉を引っ込める, 収縮させる ‖ An aircraft *retracts* its landing gear while flying. 飛行機は飛行中車輪を引っ込める / A snail can *retract* its horns. カタツムリは角を引っ込められる. **2**〈前言・約束など〉を撤回する, 取り消す ‖ *retract* one's opinion [statement] 自分の意見[発言]を取り下げる. ――图 **1**〈身体の一部など〉が引っ込む. **2**〈約束・前言など〉を取り消す, 撤回する.

re·trac·tion /rɪtrǽkʃən/ 图 U C **1**(つめなどを)引っ込めること; 収縮(力). **2**(前言などの)撤回.

re·trac·tor /rɪtrǽktər/ 图 C **1** 引っ込める人[物]; (前言・約束などを)取り消す[撤回する]人. **2**〔解剖〕後引筋. **3**〔医学〕レトラクター, 開創器.

†**re·treat** /rɪtríːt/ 图 **1** U C 〔…からの/…への〕退却, 後退, 撤退〔*from* / *to*, *into*〕《◆仕方なく退却すること; withdrawal は「計画的・自主的な退却」》‖ Napoleon's *retreat from* Moscow ナポレオンのモスクワからの退却 / cover [cut off] the *retreat* 退却の援護をする[退路を断つ] / be in full *retreat* 総退却する. **2**〔軍事〕[the ~] 退却の合図; 日没時の(帰営・国旗降下式の)合図 ‖ sound [beat] the *retreat* 退却のらっぱ[太鼓]を鳴らす. **3** C〔正式〕隠遁(いん), 避難, 隔絶. **4** C〔正式〕休養の場所, 保養所; 療養所;(精神障害者・アルコール中毒者などの)収容所; 隠遁所, 隠れ家.

béat a (**hásty**) **retréat** (略式)(1)〔…から〕(急いで)逃げ出す, 退却する〔*from*〕. (2)企てを放棄する, 手を引く.

máke góod one's **retréat** 首尾よく[無事に]のがれる.

――動 自 **1**〈軍隊などが〉〔…から/…へ〕(敵に圧倒されてやむなく)退却する, 撤退する〔*from* / *to*, *into*, *on*〕(cf. retire) ‖ *retreat from* the front 前線から撤退する. **2**〔…から/…へ〕退く, 引退する, 隠遁(いん)する, 逃げこむ〔*from* / *to*, *into*〕‖ *retreat to* one's home town 故郷の町に引きこもる.

re·trench /rɪtréntʃ/ 動 他〔正式〕**1** …を切り詰める. **2** …を削除する, 切り詰める.

re·tri·al /riːtráɪəl/ 图 U C〔法律〕再審.

ret·ri·bu·tion /rètrəbjúːʃən/ 图 U〔正式〕[時に a ~]〔…に対する〕(当然の)報い, 懲罰; 報復;〔神学〕天罰〔*for*〕.

†**re·triev·al** /rɪtríːvl/ 图 U **1**〔正式〕回復, 回収, 復旧, 挽(ばん)回; 埋め合わせ. **2**〔コンピュータ〕(情報)検索.

beyónd [**pást**] **retríeval** 取り返しがつかない.

retríeval sýstem〔コンピュータ〕情報検索方式.

†**re·trieve** /rɪtríːv/ 動 他〔正式〕**1** …を〔…から〕取り戻す, 取り返す(get back)〔*from*〕‖ *retrieve* freedom 自由を取り戻す. **2** …を回復[復旧]する, 挽回する; …を〔不幸などから〕救う, 救出する, 更正させる(save)〔*from*〕‖ *retrieve* one's hónor 名誉を回復する / *retrieve* onesélf 更生する, 改心する / *retrieve* her *from* [*out of*] ruin 彼女を破滅から救う. **3**〈過失・損害など〉を埋め合わせる, 償う(make up for);〈誤り〉を訂正する. **4**〔コンピュータ〕〈情報〉を検索する. **5**〈猟犬が〉〈獲物〉を捜して持ってくる. ――動 自〈猟犬が〉獲物を捜して取ってくる.

re·triev·er /rɪtríːvər/ 图 C **1** 取り戻す人[物]. **2**〔動〕レトリーバー《仕留めた獲物を捜して取ってくるよう訓練された猟犬の一種》.

ret·ro /rétroʊ/ 图 C 〔米略式〕(音楽・服装などの)リバイバル, レトロ.

ret·ro·grade /rétrəgrèɪd | rétrəʊ-/ 形 **1**〔正式〕後退する; 逆行する. **2** 退化する, 退歩する.

ret·ro·gres·sion /rètrəgréʃən | rétrəʊ-/ 图 U **1**〔生物〕退化, 退歩, 退行;〔天文〕逆行. **2** 後戻り, 後退, 退行.

ret·ro·spect /rétrəspèkt | rétrəʊ-/ 图 U〔正式〕追想, 追憶, 回想, 思い出 ‖ **in** *retrospect* 回想して, 振り返ってみて.

ret·ro·spec·tion /rètrəspékʃən | rétrəʊ-/ 图 U〔正式〕回想, 回顧, 追想, 追憶, 思い出.

ret·ro·spec·tive /rètrəspéktɪv | rétrəʊ-/ 形〔正式〕**1** 回想の; 回顧的な, レトロな ‖ a *retrospective* (exhibition) 回顧展. **2**〈法律などの効力が〉遡及(そきゅう)する; 遡(さ)及的な. ――图 C (画家などの)回顧展.

‡**re·turn** /rɪtə́ːrn/《もとの場所に(re)戻る(turn)》

――動 (~s /-z/; 過去・過分 ~ed /-d/; ~·ing)

――自

I [元に返す]

1〈人が〉〔…から/元の場所・位置に〕戻る, 帰る〔*from* / *to*〕; 〔…を〕再訪する(to)《◆ go [come] back より堅い語. 「すぐに戻る」は be back soon がふつう》‖ *return* safe *to* Akita *from* one's expedition 探検旅行を終えて無事秋田に帰る《◆この例は [return C]》/ His wife *returned from* work late at night. 彼女は仕事から夜遅く帰った.

2〈元の話題・状態などに〉戻る, 帰る(to); 再び〔…〕する(to doing)《◆ come back より堅い語》‖ Now, to [let's] *return to* 「the subject [what's happening in Mexico]. さて本題[メキシコの事件]に戻ろう / *return* to dust [life] 死ぬ[生き返る] / *return* to power 権力の座に返り咲く / She *returned* to starting to tell the story of her life. 彼女は再び身の上話をし始めた.

3〔正式〕〈季節などが〉戻って[巡って]来る(come around) ‖ Spring has *returned*. 春が再びやって来た. **4**〔正式〕〈病気などが〉再発する;〈健康が〉回復する ‖ The fits *return* at intervals. 時折発作に襲われる.

II [返答する]

5〔正式〕応答[返答]する, 言い返す((略式) answer back).

――動 他 **1**〈人が〉〈物〉を戻す;[return **A** to **B**] **A**〈物・人〉を **B**〈人・元の場所〉に返す(give [bring, put] back)《使い分け》→ PAY back [他]》‖ He *returned* the book *to* the library on time. 彼

は期限通りに本を図書館に返却した.

> 語法 I returned her the book. (彼女に本を返した). のような [return **B A**] という文型もあるが、まだ十分確立していない.

2 〈事〉を〔元の状態に〕戻す, 回復する〔to〕;〔…に〕向ける〔to〕 ‖ *return* his attention *to* something across the valley 谷の向こう側にあるものに彼の注意を向ける.

3 [*return* **A** for **B** =*return* **B** with **A**] 〈人〉がB〈人・物〉に **A**〈物・事〉で応じる, 返す ‖ *return* thanks *for* the meal (正式) (食事の際) 感謝の祈りを捧げる / She *returned* her parents' love *with* contempt. =She *returned* contempt *for* her parents' love. 彼女は不名誉なことをして両親の愛を踏みにじった.

4 〈受けたもの〉を…で返す ‖ *return* one's stare 見返し, にらみ返す / *return* a favor 恩返しをする / *return* an answer 返答する.

5 (正式) 〈判決など〉を言い渡す, 評決 [答申] する;…を申告する, 公式に発表する (announce);[*return* **A** (to be) **C**] 〈人・事〉を**C** と判断 [評決, 答申] する ‖ *return* a verdict of guilty [not guilty] 有罪 [無罪] 判決を言い渡す.

6 (正式) 〈利益など〉を生む, もたらす (yield) ‖ Investment *returns* a good profit. 投資はかなりの利益を生む.

──名 (複 ~s/-z/) **1** CU 〔…から/…に〕戻ること, 帰ること〔*from*/*to*〕; 帰宅, 帰国, 帰還 ‖ on their *return* from a long trip 彼らが長旅から帰るとすぐに.

2 U 返すこと, 戻すこと; 返却, 返送, 返品; C [通例 ~s] 戻り荷 [品], 返 (送) 品 ‖ demand the *return* of the book 本の返却を督促する.

3 CU 〔…に〕帰る [戻る] こと〔to〕; 復帰, 回復 ‖ a *return-to-work* order 職場復帰命令.

4 C (病気の) 再発; (健康の) 回復; (季節などが) 再び戻って [巡って] 来ること, 再訪 ‖ the *return* of winter 冬の再来 / We wish you many happy *returns*. =Many happy *returns* (of the day)! (英) (誕生日などの人に) 今日のよき日がいくたびも巡って来ますように.

5 C 〔…の〕お返し, 返礼, 報酬〔*for*〕 ‖ 返事, 返答, 答礼 ‖ a good *return* for service done もてなしに対してきちんとお礼をする [言う] こと.

6 C 〔しばしば ~s〕**収益**, 利益; 総売上高.

7 C 公式回答 [発表]; 答申 [報告] 書; 納税申告 (書); 統計表 ‖ election *returns* 選挙投票 [開票] 報告 / 'make out [file] an income-tax *return* 納税申告をする. **8** CC (テニス) 返球; (フェンシング) 突き返し. **9** C (英) =return game [match]. **10** C (略式) =return ticket. **11** C (コンピュータ) リターン, 行送り; =return key.

by return (米) *mail*, (英) *of post* (郵便で) 折り返し, 至急 (に).

*in return 〔…の〕お返しに, 返礼として, かわりに〔for〕‖ She gave me a valentine, so I gave her some candies *in return*. 彼女は私にバレンタインの贈り物をくれました. だからそのお返しに私は彼女にお菓子をあげました.

──形 〈◆比較変化しない〉**1** 返送 [返信] 用の; 帰路 (料金) の; 帰りの; (英) 切符が町往復 [往復]用の ‖ a *return* cárd (申し込みに対する) 返信はがき / a *return* addréss 差し出し人 [返信用] 住所 / a *return*

trip [jóurney] 帰り旅, (英) 往復旅行 (a round trip) / a *return* road 帰り道, 帰路 / a *return* home 帰国 [帰宅]. **2** 返送された, 返された ‖ a *return* cárgo 帰り荷. **3** お返しの, 返礼の; 答礼の, 再度の, 二度目の ‖ a *return* vísit 答礼訪問.

return fáre 帰りの運賃;(英)往復運賃.
return gáme [mátch] 雪辱戦.
return hálf 帰路 [片道] 切符 (米) one-way ticket).
return kèy 〔コンピュータ〕リターンキー, 行送りキー.
return tícket 帰りの切符; (主に英) 往復切符 ((米) round-trip [two-way] ticket) (↔ single).

re·turn·a·ble /rɪtə́ːrnəbl/ 形 (正式) (再利用のため) 返却 [回収] できる; 帰還できる.

re·turn·ee /rɪtəːrníː/ 名 ○ 強制送還者;帰国者;(旅行・抑留などからの) 帰還者, 帰国子女 ‖ 日本発 » Japanese children, who were raised and educated overseas, are called *kikoku-shijo* or *retumee* children. 海外で育ち, 教育を受けた日本人の子供たちは帰国子女と呼ばれる.

†**re·u·nion** /riːjúːnjən/ 名 **1** U 再結合 [再合同] すること; 再会. **2** ○ (旧友, 親睦 (ぼ) 会 ‖ hold a class *reunion* クラス会を開く.

†**re·u·nite** /riːjuːnáɪt/ 動 他 …を〔…と〕再結合 [再合同] させる, 再会させる〔*with*〕. ──自 再統合 [再合同] する, 再会する.

Reu·ters /rɔ́ɪtərz/ 名 ロイター通信社 (ロンドンにある通信社の1つ. cf. AP, UPI).

rev. (略) reverse; review(ed); revise(d).
Rev. (略) Revelation(s); Reverend.

re·val·ue /riːvǽljuː/ 動 他 …を評価し直す;〈通貨などを〉上方に再評価する.

re·vamp /riːvǽmp/ 動 他 **1** (略式) …を改良 [修理] する. **2** 〈靴〉に新しいつま皮を付ける;…を繕う.

†**re·veal** /rɪvíːl/ 動 他 **1** 〈人がふつう知られていない事〉を明らかにする, 示す; …を〔人に〕漏らす〔to〕; [*reveal that*節] …であることを明らかにする (◆ show, tell より堅い語だが disclose よりくだけた語) (↔ conceal) ‖ *reveal* my real intention 私の真意を明かす / The suspect *revealed* himself. その容疑者は正体を表した / *reveal* a secret *to* him 彼に秘密を漏らす / She *revealed* that the culprit was herself. 彼女は自分が犯人だと漏らした. **2** (正式) [*reveal* **A** to be [as] **C**] 〈物・事〉が**A**〈人・物・事〉が**C** であることを示す, 明らかにする; [*reveal that*節] …ということを示す (show) ‖ This letter *reveals* him *to be* [*as*] a dishonest man. =This letter *reveals* (*that*) he is a dishonest man. この手紙から彼は正直でないことがわかる. **3** (正式) 〈物・事がふつう隠されている〉物を見せる, 現す ‖ Her smile *revealed* her white teeth. 彼女は白い歯を見せて笑った.

re·veal·ing /rɪvíːlɪŋ/ 形 **1** 明らかにする; 〈服などが〉透けている. **2** 意味深い, 啓蒙 (もう) 的な; 暴露的な.

†**rev·el** /révl/ 動 (正式) 自 (~ed or (英) rev·elled/-d/; ~·ing or (英) -el·ling) **1** 〔…に〕大いに楽しむ [喜ぶ]; 〔…に〕ふける, 夢中になる〔*in*〕 ‖ *revel* in one's success 自分の成功を大いに喜ぶ. **2** お祭り [どんちゃん] 騒ぎをする. ──他 〈金銭・時間などを〉浮かれ騒いで浪費する (waste) (+*away*). ──名 [通例 ~s] お祭り [どんちゃん] 騒ぎ; 酒宴.

†**rev·e·la·tion** /rèvəléɪʃən/ 名 **1** U (正式) 暴露, すっぱぬき, 発覚. **2** C 意外な新事実, 新発見, 初体験 ‖ It was quite a *revelation* to me. それは私にはったく意外な事だった. **3** U 〔神学〕啓示, 黙示, お告

†**rev·el·ry** /révəlri/ 名 ⓊⒸ《正式》〔時に revelries〕お祭り［どんちゃん］騒ぎ, 歓楽.

†**re·venge** /rivéndʒ/ 動 他 **1**《通例 ~ oneself / be ~d》〈人が〉〈人に/…のことで〉復讐(ふくしゅう)する〔on, upon / for〕《◆本来, revenge は被害者自身の恨みをはらすこと, avenge は被害者のためにあだを討ってやること》‖ *revenge* oneself *on* one's enemy 自分の敵に復讐する. **2**〈人が〉〈他人に代わって〉〔人・事に対して〕〈人・事のあだを討つ, 恨みをはらす〔on〕《◆ avenge との混用》‖ take up arms to *revenge* one's friend 友の仇(あだ)を討つために武器を取る［立ち上がる］/ He *revenged* his father's death on his uncle. 父を殺したおじに彼は復讐した. **3**〈事の〉仕返しをする‖ *revenge* an insult [injustice] 侮辱されたことに[不正に対して]お返しをする / *revenge* defeat 雪辱する.

── 名 **1** Ⓤ〔時に a ~〕〔人への/事に対する〕復讐, 仕返し, 遺恨〔on/for〕‖ a terrible *revenge* ひどい仕打ち / in [out of] *revenge* for his attack on me 彼が私をやりこめた仕返しに /「take *revenge* [have, *revenge*, get] one's *revenge*] on him for the insult 彼の侮辱にしっぺ返しをする / be full of *revenge* 復讐の鬼である. **2** Ⓤ 雪辱戦(の機会).

re·venge·ful /rivéndʒfl/ 形 復讐心に燃えた; 報復的な.

re·veng·er /rivéndʒər/ 名 Ⓒ 復讐者.

†**rev·e·nue** /révən(j)uː/ 名《正式》**1** Ⓤ (国・地方自治体の)歳入(↔ expenditure), (個人などの)収入(income). **2** Ⓤ 歳入項目, 財源, 収入源. Ⓒ〔しばしば ~s〕(会社の)総利益, 総収益(金)(profit); 歳入の内訳‖ oil *revenues* 石油収益金. **4** Ⓒ〔通例 the ~〕国税庁；=revenue office.

révenue òffice 税務署.

révenue òfficer [**àgent**] 税務官, 密輸監視官.

révenue stàmp 収入印紙(fiscal stamp).

révenue tàriff [**tàx**] 収入関税.

re·ver·ber·ate /rivə́ːrbərèit/ 動《正式》**1** 他〈音が〉反響する, 鳴り[響き]渡る. **2**〈光・熱などが〉反射する, 屈折する. ── 他〈音を〉反響させる；〈光・熱を〉反射[屈折]する.

re·ver·ber·a·tion /rivə̀ːrbəréiʃən/ 名 **1** Ⓤ 反響；反射; Ⓒ 反響熱[光]. **2** Ⓒ〔通例 ~s〕反響音.

†**re·vere** /rivíər/ 動 他《正式》…を崇敬する(respect), あがめる.

†**rev·er·ence** /révərəns/ 名 Ⓤ〔時に a ~〕〔…への〕尊敬, 崇敬；敬愛(respect)〔for〕(↔ irreverence)‖ show [have] *reverence for* the old 老人に敬意を払う / feel *reverence for* one's teacher 先生を尊敬する / Elephants are regarded *with reverence* in our country. 私たちの国ではゾウは神聖視されている. ── 動 他〈物・事を〉尊崇する, 敬う(respect).

†**rev·er·end** /révərənd/ 形《正式》**1** 尊敬に値する(respectable). **2** 聖職者の, 聖職者に関する, 聖職者のような‖ *reverend* utterances 聖職者の言葉. **3**〔the R~;聖職者などの呼びかけ・尊称で〕敬愛する(敬称)(尊) from ‖ the Reverend John Smith ジョン＝スミス師.

── 名 Ⓒ《略式》〔通例 ~s〕牧師, 聖職者(clergyman)《◆呼びかけも可》.

†**rev·er·ent** /révərənt/ 形《正式》うやうやしい, うや

やしい《◆ reverential より意味が強い》‖ a *reverent* silence 厳粛な静けさ. **2**《米方言》〈酒が〉度の強い.

rev·er·en·tial /rèvərénʃl/ 形《正式》うやうやしい, 敬虔(けい)な；おごそかな, 威厳のある(cf. reverent).

†**rev·er·ent·ly** /révərəntli/ 副《正式》うやうやしく, 敬虔(けい)に.

rev·er·ie, **-y** /révəri/ 名 ⓊⒸ《文》空想, 夢想, 幻想‖ be lost in (a) *reverie* 空想にふける.

re·vers /rəvíər, -véər/〔フランス〕名 (複 re·vers /-z/) Ⓒ〔通例複数扱い〕(コートなどのえりの)折り返し, ラペル.

re·ver·sal /rivə́ːrsl/ 名 ⓊⒸ《正式》**1** 反転, 逆転；どんでん返し. **2**《法律》(ふつう下級審判決の)取り消し, 撤回, 破棄, 差し戻し(cf. reverse 他 5).

†**re·verse** /rivə́ːrs/ 動 **1** 他〈人が〉〈物の上下・左右・裏表・順序などを〉入れ替える；…を逆にする；…を反対にする, ひっくり返す, 裏返す《◆ turn over [upside down, around]より堅い語》‖ This coat can be *reversed*. このコートは裏返しでも着られる. **2** …を反対方向に向ける‖ *reverse* one's steps 踵(きびす)を返す, 引き返す. **3** …を逆にする, 変える‖ *reverse* the situation 立場を変える. **4**《米》〔通例 ~ oneself〕〈人が〉〔…のことで〕態度が変わる, 自説を翻(ひるがえ)す〔about, over〕. **5**《法律》〈判決などを〉取り消す, 破棄する, 覆(くつが)す(repeal)‖ *reverse* its decree [policy] 命令[政策]を撤回する. **6**《機械》…を逆進[逆回転]させる；〈車を〉後退させる. ── 自 **1**〈エンジンが〉逆回転をする, 〈車が〉後退する. **2**〈ダンス・ワルツで〉逆回りする, 反対向きになる.

── 名 **1** Ⓤ〔通例 the ~〕逆, 反対；裏返し, 逆転‖ I do the *reverse* of what one is expected to do 期待を裏切る / He is the *reverse* of honesty. 彼は正直どころかその反対だ / 対話 "Is he seriously injured?" "No, quite the *reverse*. He is well and fine." 「彼は重傷ですか」「いいえ, まるで逆です. ぴんぴんしています」. **2** Ⓒ〔the ~〕(コインなどの)裏(面)(back)(↔ obverse)；(レコードの)裏面, B 面；裏ページ《ふつう偶数ページ》(verso)(↔ recto)；(山の)裏側, 裏山‖ the *reverse* of the cloth 布の裏地. **3** ⓊⒸ《機械》逆転, 後退；逆推進[後退]装置, バックギア(reverse gear)；(タイプライターなどの)後退[逆転]装置. **4** Ⓒ《正式》〔通例 ~s〕不運；被害, つまずき, 敗北.

in revérse (1) 反対に, さかさまに, 逆に. (2)〔軍事〕後方〔背面〕に. (3)〔機械〕バックで.

── 形 **1** 逆の, 反対の；〔…と〕あべこべの〔to〕《◆ opposite の遠回しの語》‖ a *reverse* dictionary 逆引辞典 / in a *reverse* way 逆のやり方で / in *reverse* order 逆の順に / a *reverse* curve ball 〔野球〕シュートボール(=a screwball). **2** 裏の, 裏面の；(上下・左右が)反対の, さかさまの. **3**《機械》逆転する, バックの‖ a *reverse* gear 後退装置, バックギア《◆ ×back gear は不可》.

── 副 逆に(reversely).

revérse discriminátion《米》逆差別《雇用・教育などで, 少数派・女性などを優先したことによる白人や男性に対する差別》.

re·vérse·chárge càll /rivə́ːrst͡ʃɑːrdʒ-/《英》料金受取人払い通話(《米》collect call).

re·vers·i·ble /rivə́ːrsəbl/ 形 **1** 逆にできる. **2**〈衣服などが〉裏返しでも使える, 両面仕立ての. ── 名 Ⓒ リバーシブルコート, 両面の織物.

re·ver·sion /rivə́ːrʒən, -ʃən|-ʃən/ 名《正式》**1** Ⓤ〔前の習慣・状態に〕戻ること；〔…への〕逆戻り, 復帰

revert

[to]. **2** ⓊⒸ《主に米》反転, 逆転.

†**re・vert** /rivə́ːrt/ 《動》⑥《正式》**1**〔前の状態・話題などに〕戻る《come [go] back》[to]；〈病気などが〉再発する ∥ *revert to* normal 平常に戻る. **2**〔法律〕〈財産などが〉…に復帰する[to].

rev・er・y /révəri/ 《名》= reverie.

****re・view** /rivjúː/ 〖再び(re) 見る(view)〗

—《名》(複〜s/-z/) **1** ⓊⒸ **再調査, 再検討** ∥ her *review* of the research その研究に対する彼女の再検討.

2 ⓒⓊ (新聞・雑誌・放送番組での新刊書・劇などの) **批評, 論評**；ⓒ 評論(雑)誌 ∥ a *review* of a book = a book *review* 書評 / a favorable *review* 好評.

3 a ⓒⓊ《米》復習, 練習 ∥ *do a review of* the last lesson 前の課の復習をする. **b** ⓒ = review exercise. **4 a** ⓒⓊ 回顧, 反省. **b** ⓒ 概観, 展望. **5** ⓊⒸ《正式》検査, 検閲；閲兵, 観兵[艦]式. **6** ⓒ〔演劇〕= revue.

únder revíew 再検討[吟味]中の.

—《動》(〜s/-z/;《過去・過分》〜ed/-d/; 〜・ing)

—他 **1**〈事件などを〉**再調査する**《正式》…を再検討する ∥ The committee is *reviewing* your situation. 委員会はあなたの置かれていた状況を再調査しています.

2《米》〈人が〉〈学科を〉**復習する**(go over,《英》revise) ∥ I *reviewed* today's lesson after supper. 私は夕食後に今日の授業の復習をしました.

3 …を回顧[回想]する.

4〈人が〉〈書物を〉**批評する**, 論評する ∥ *review* a novel [play] 小説[劇]の批評をする.

5 …を検閲する；…を閲兵する.

—⑥〔新聞・雑誌などに〕批評[書評]を書く[for].

revíew cópy(新刊)書評用見本.

revíew èxercise 練習[復習]問題.

re・víew・er ⓒ 評者, 批評する人；検閲者.

re・vis・a・ble /riváizəbl/《形》校訂できる.

†**re・vise** /riváiz/《動》⑥ **1**〈人が〉〈書物を〉**改訂する**, …を修訂する[校正, 訂正]する ∥ a *revised* edition 改訂版 / The encyclopedia will soon be *revised*. その百科辞典はまもなく訂正されるでしょう. **2**《正式》〈意見などを〉変える；〈法律などを〉改正する. **3**《英》〈試験に備えて〉復習する(《米》review). —⑥《英》〈試験に備えて〉復習する[for]. —《名》ⓒ 校訂(版), 改訂(版)；〔印刷〕(通例 〜s) 再校刷り[ゲラ].

Revised Vérsion [the 〜] 改訳聖書《Authorized Version の改訂版(1881-85)》. 《略》RV, Rev. Ver.》

re・vís・er, –・ví・sor 《名》ⓒ **1** 校訂者；[〜s] 聖書改訳者. **2** [印刷] 校正者[係].

†**re・vi・sion** /rivíʒən/《名》**1** ⓊⒸ 校訂, 訂正, 修訂；校訂, 改訂；〈法などの〉改正. **2** ⓒ (本の)改訂版；改訳(書). **3**《英》復習(《米》review).

re・ví・sion・ism《名》Ⓤ 修正論《マルキストの間で唱えられている修正社会主義》. **re・ví・sion・ist**《名》ⓒ 《形》修訂(社会)主義者の().

re・vis・it /riːvízət/《動》⑥ …を再び訪れる；…を考え直す, 再考する. —《名》ⓒ 再訪問, 再遊；再考.

†**re・viv・al** /riváivl/《名》**1** ⓊⒸ 生き返らせること, 生き返り, 蘇(*)生；〈健康・元気の〉回復 ∥ have an amazing *revival* 驚くほど回復する. **2** ⓊⒸ よみがえらせること, 復活, 復興, 再生 ∥ the *Revival of an old custom* 古い習慣の復活 / the *Revival of Learning* [Letters, Literature] 文芸復興. **3** ⓒ 再上演[映], リバイバル ∥ a *revival* of a play by Maugham モーム作の劇の再上演.

revolutionary

****re・vive** /riváiv/〖再び(re) 生きる(vive). cf. survive, vivid〗《略》revival《名》

—《動》(〜s/-z/;《過去・過分》〜d/-d/; 〜・ving)

—⑥ **1**〈人が〉**生き返る**, 意識を回復する《♦come to (life) より堅い語》；〈物・事が〉生き生きとする, よみがえる ∥ Hope *revived* in her. 彼女の心に希望がよみがえった / The drooping flowers *revived* in water. しおれていた花が水を得て生き生きしてきた.

2〈物・事が〉**復活する**, 復興[再興]する；活発になる ∥ The old custom *revived* after the war. 戦後その古い習慣は復活した.

3 再上演[再放送]する.

—他 **1**〈物・事・人が〉〈物・事を〉**復活させる**, 復興させる, 再びはやらす ∥ The government *revived* an old law. 政府は昔の法律を復活させた.

2〈物・事・人が〉〈人を〉**生き返らせる**, 意識を回復させる；〈物・事を〉よみがえらせる, 蘇(*)生させる ∥ *revive* an almost drowned swimmer おぼれて半死半生の人を生き返らせる / *revive* memories of the war 戦争の記憶をよみがえらせる.

3 …を再上演[再放送]する.

re・viv・i・fy /riːvívəfai/《動》他《正式》…を生き返らせる, よみがえらせる；…を復活[復興]させる.

rev・o・ca・tion /rèvəkéiʃən | rèvəu-/《名》ⓒⓊ **1** 廃止, 取り消し. **2**〔法律〕(遺言などの)撤回, 無効.

†**re・voke** /rivóuk/《動》他《正式》〈許可・命令などを〉無効にする, 廃止[撤回]する.

†**re・volt** /rivóult/《動》⑥ **1**〈人が〉〔…に〕そむく〔from〕, 〔…に対して〕反乱を起こす, 反旗をひるがえす(rebel)〔against〕, 〔…に〕寝返る〔to〕∥ *revolt against* the dictator 独裁者に反抗する[反乱を起こす]. **2**〔…に〕むかつく, 〔…に〕不快感を覚える；〔…から〕目をそらす, 顔をそむける〔at, against, from〕∥ She *revolted from* the scene of the murder. 彼女には殺人現場は到底耐えなかった. —他〈人を〉むかつかせる；〈人〉に反感を抱かせる；[通例 be 〜ed]〈人が〉不快に思う ∥ I am *revolted at* [by] his idea. 彼の考えは不愉快極まる.

—《名》ⓊⒸ **1** 〔権威・体制などへの〕反乱, 反逆(心)(rebellion)〔against〕∥ *revolts against* oppression 抑圧に対する反乱 / 「put down [get under] a *revolt* 反乱を鎮圧する. **2** 〔…への〕反感；反感, むかつき, 不快(感)〔against, in〕.

in revólt (1)〔…に〕反乱を起こして；反対して〔against〕∥「break out [rise] *in revolt against* the rule その支配にそむく[対して暴動を起こす]. (2) 〔…に〕胸が悪くなる, 不快を覚える〔from〕.

re・volt・ing /rivóultiŋ/《形》**1** 反乱を起こしている, 反抗的な. **2**〔…に〕むかつかせる, 〔…に〕不快な〔to〕.

****rev・o・lu・tion** /rèvəljúːʃən/《略》revolutionary《形》

—《名》(複 〜s/-z/) **1** ⓊⒸ (政治的)**革命**, [思想・技術などの]革命, 大変革〔in〕；革命的な出来事 ∥ the American [French, Rússian] *Revolútion* アメリカ独立戦争[フランス革命, ロシア革命] / the Indústrial *Revolútion* 産業革命 / the sexual *revolution* 性革命.

2 ⓊⒸ〔天文〕(天体の)(…の周りの)運行, 公転〔round〕；《略式》自転(rotation).

3 ⓒ 回転, 旋回(運動)；〔工〕周期, 循環；一巡 ∥ make [carry out] 78 *revolutions* a minute 毎分78回転する / the *revolution of the four seasons* 四季の一巡り.

†**rev・o・lu・tion・ar・y** /rèvəljúːʃənèri | -ʃənəri/《形》**1**

革命の ‖ *revolutionary* ideas [songs] 革命思想 [歌] / the *Revolutionary* War アメリカ独立戦争. **2** 変革的な, 画期的な. **3** 回転する. ──名 =revolutionist.

rev・o・lu・tion・ist /rèvəl(j)úːʃənist/ 名 ○ 革命家；革命支持者[論者].

†**rev・o・lu・tion・ize**, (英ではしばしば) **-ise** /rèvəl(j)úːʃənàiz/ 動《正式》他 **1** …に革命思想をふきこむ. **2** …を大改革する ‖ *revolutionize* science 科学を大刷新する. ──自 革命を起こす；大改革する.

†**re・volve** /riválv | -vɔ́lv-/ 動 他 **1** 〈物が〉〈物を〉回転させる, 旋回させる. **2**《正式》…を心の中で思い巡らす；…を思案[熟考]する ‖ *revolve* the problem in one's mind 頭の中でその問題をあれやこれやと考える.
──自 **1** 〈物が〉[…の周りを]回転する[(a)round, about]；(略式)自転する；循環する, 一巡する ‖ The earth *revolves* (a)round [about] the sun. 地球は太陽の周りを公転する / The earth *revolves* on its axis. 地球は自転している. **2** [比喩的に] […を中心に]回る, 営まれる, 展開する[(a)round, about, on, upon] ‖ His whole life *revolves* (a)round [about] his work. 彼の全生活は仕事中心に動いている. **3** [...について]熟考する[*upon*].

†**re・volv・er** /riválvər | -vɔ́lv-/ 名 ○ リボルバー, 回転式連発拳銃.

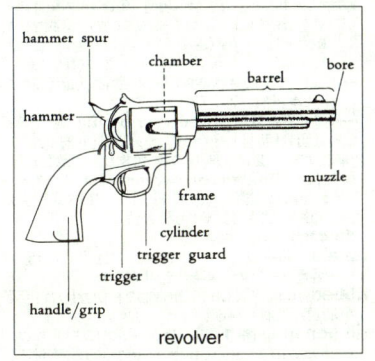

revolver
(hammer spur, chamber, bore, barrel, hammer, muzzle, frame, cylinder, trigger guard, trigger, handle/grip)

re・volv・ing /riválviŋ | -vɔ́lv-/ 形 回転[旋回]する ‖ a *revolving* door 回転ドア[ステージ] / a *revolving* fund 回転資金. ──名 ○ 回転；循環.

re・vue /rivjúː/ 名 ○ ○ **1** 時事風刺劇. **2** レビュー《歌・踊りからなる軽喜劇》.

†**re・vul・sion** /riválʃən/ 名 ○ ○《正式》[しばしば a ~] **1**（感情・考えなどの）激変, 急変, 急激な反動. **2** […への]強い反感, 嫌悪, 憎悪(against, at). **3** 引き戻し；回収.

Rev. Ver.（略）*Revised Version*.

****re・ward** /riwɔ́ːrd/ 名 [後に(re)見守る(ward). cf. regard].
──名 (複 ~s/-wɔ́ːrdz/) ○ ○ **1**（奉仕・功労などに対する）報酬, 報奨, 報い, ほうび[*for*] (cf. award)；[~s] 得るもの, 価値 ‖ *give a reward for* good behavior 善行にほうびを与える / cheat him out of his just *reward* 彼の正当な報酬をだまし取る. **2** ○ […に対する]謝礼金, 報奨[懸賞]金[*for*] ‖ *Rewards* are given *for* the capture of criminals. 犯人逮捕に謝礼金が与えられる / I gave the boy「a *reward* of £1［£1 as a *reward*] for returning the lost dog. 迷い犬を連れてきてくれた子に1ポンドの礼金を与えた.
in reward […の]返礼に, […に]報いて[*for*].
──他 (~s/-wɔ́ːrdz/；過去・過分 ~ed/-id/；~ing)《正式》〈人・事が〉〈人・物に〉[…(したこと)に対して／…で]報いる[*for* (doing) / *with*] (cf. repay) ‖ *reward* his research *with* prize money 彼の研究に賞金を与えて報いる / Success *rewarded* him *for* his efforts. 努力のかいがあって彼は成功した.

re・ward・ing /riwɔ́ːrdiŋ/ 形 (…する)価値のある；有益な, ためになる；謝礼としての ‖ a *rewarding* job やりがいのある仕事. ──名 ○ 報いること.

re・wind（動）riwáind,（名）ríː-/（動）(過去・過分 re・wound/-wáund/；~・ed/-id/) 他 …を巻き戻す. ──名 ○ 巻き戻し.

****re・write**（動）/riːráit,（名）ríːrait/《再び(re)書く(write)》.
──(~s/-ráits/；過去 re・wrote/-róut/；過分 re・writ・ten/-rítn/；re・writ・ing)
──他〈人が〉〈文などを〉書き直す；(米)（新聞記事用の）原稿に…を書き直す ‖ She *rewrote* the difficult story for children. 彼女は難しい物語を子供のために書き直した.
──名 /ríː-/ ○ **1**（略式）書きかえ(ること), 書きかえられたもの. **2**（米）（新聞記事の）書き直し記事[ニュース]；改訂(教科書).

†**Rex** /réks/ 名 **1** レックス《男の名. 雄犬の名にも用いる》. **2**（複 Re・ges/ríːdʒiːz/；〈女性形〉Re・gi・na）[ラテン] ○ 国王《◆現国王の名の後につける公式の称号で, 宣言や署名や訴訟に用いる. （略）R》‖ George *Rex* 国王ジョージ.

Rey・kja・vik /réikjavìk/ 名 レイキャビク《アイスランド共和国の首都・海港》.

Reyn・ard /rénɑːrd, réin-, -nərd/ 名 **1** ルナール《最初フランスで編集された中世の寓話 *Reynard the Fox* に登場するキツネの名》. **2** [r~] ○ キツネ.

Reyn・olds /rénəldz/ 名 レノルズ《Sir Joshua ~ 1723–92；英国の肖像画家》.

RF, r.f.（略）*radio frequency*.

r.f.（略）[野球] *right field* [*fielder*].

Rh（略）[生化学] *Rhesus* (factor)；=Rh factor.

Rh factor [the ~] リーサス因子, Rh 因子《赤血球にある凝血素》.

RH（英）（略）*Royal Highlanders* 高地連隊；*Royal Highness*.

rhap・so・dy /rǽpsədi/ 名 ○ **1**（古代ギリシアの）叙事詩(の一節). **2**（○）熱狂的文章[発言, 詩歌] ‖ go into *rhapsodies* over …について熱狂的に語る. **3** ○ [音楽]狂詩曲, ラプソディー. **4** ○ 有頂天, 夢中.

rháp・so・dist 名 ○ （古代ギリシアの）吟遊詩人；狂詩曲[狂想的詩文]の作者.

rhe・a /ríːə | ríə/ 名 ○ [鳥]レア《南米産のダチョウに似た大型の飛べない鳥》.

rheme /riːm/ 名（出題に対する）陳述, 題述 (↔ theme).

rhe・o・stat /ríːəstæt/ 名 ○ [電気]加減抵抗器.

rhe・sus /ríːsəs/ 名 ○ ○（動）=rhesus monkey.

Rhésus fàctor =Rh factor.

rhésus mònkey アカゲザル《インド産の短尾種のサル；医学実験用》.

Rhésus négative [pósitive]（血液型における）Rh マイナス[プラス].

rhet. (略) rhetoric(al).

†rhet·o·ric /rétərik/ [アクセント注意] 名 1 ⓤ (正式) a 修辞学, 修辞法. b 特別な効果をねらった言語表現, レトリック. 2 ⓒ ⓤ (正式) 美辞麗句, おおげさな言葉; 誇辞. 3 ⓒ 修辞学書.

rhe·tor·i·cal /rɪtɔ́(ː)rɪk(ə)l/ 形 修辞学[法]の; 修辞法を用いた. 2 美辞麗句を もちいる[ならべる]; 誇張した言葉の.
rhetórical quéstion 〔文法〕修辞疑問《肯定疑問文で強意の否定を表す技法. 例: Who knows? だれが知っているようか(=Nobody knows.)》.
rhe·tór·i·cal·ly 副 修辞(学)的に; 誇張して, 大げさに.

rhet·o·ri·cian /rìtə(ː)ríʃən/ 名 ⓒ 1 修辞学者, 雄弁家, 修辞法に通じた人. 2 美辞麗句をもちあそぶ人.

†rheu·mat·ic /ruːmǽtɪk/ 形〔医学〕リューマチ(性)の; リューマチにかかった.
rheumátic féver〔医学〕リューマチ熱.

†rheu·ma·tism /rúːmətɪz(ə)m/ 名 ⓤ〔医学〕 1 リューマチ. 2 リューマチ性関節炎.

†Rhine /ráɪn/ 名 [the ~] ライン川《ドイツ・オランダを流れ北海に注ぐ. ドイツ語名 Rhein》.
Rhíne wíne ラインワイン《特に辛口のものをいう》;(広義)白ワイン.

Rhine·land /ráɪnlænd, -lənd/ 名 ラインラント《ドイツのライン川以西の地方》.

rhine·stone /ráɪnstòun/ 名 1 ⓤ〔鉱物〕ライン石. 2 ⓒⓤ ライン石《模造ダイヤモンド》.

rhi·no /ráɪnoʊ/ 名 (複 rhi·no, ~s) ⓒ (略) = rhinoceros.

†rhi·noc·er·os /raɪnɑ́səɹəs, -nɔ́s-/ 名 (複 ~es, rhi·noc·er·os) ⓒ〔動〕サイ.

rho /róʊ/ 名 ⓒ ギリシアアルファベットの第17字(ρ, P). 英字の r, rh に相当. → Greek alphabet.

Rhode Island /róʊd áɪlənd/ 名 ロードアイランド《米国北東部の州. 州都 Providence.《愛称》Little Rhody.《略》RI,《郵便》RI》.

†Rhodes /róʊdz/ 名 ロードス《エーゲ海にあるギリシア領の島. その島の港町》.

Rho·de·si·a /roʊdíːʒə | -ʃə/ 名 ローデシア《アフリカ南東部の旧英国植民地. 現在は Zambia, Zimbabwe の2国に分かれて独立》.

rho·do·den·dron /ròʊdədéndrən/ 名 ⓒ〔植〕シャクナゲ, ツツジ.

†rhu·barb /rúːbɑːrb/ 名 ⓤ 1〔植〕ルバーブ, マルバダイオウ; 食用ダイオウ(garden rhubarb)《料理に好まれることから》《米》= pieplant ともいう》. 2 ダイオウの根《下剤》. 3《米俗》口論, 騒ぎ; (試合中の)物言い;(主に英式)群衆の低い話し声.

rhum·ba /rʌ́mbə/ 名 = rumba.

†rhyme /《米ではまれに》rime /ráɪm/ 名 1 ⓤ 韻(を踏むこと), 押韻, (特に)脚韻《詩の各行の終わりに同音を繰り返すこと: sale と mail など》‖ The song is written *in rhyme*. その歌は韻文で書かれている. 2 ⓒ〔…の〕同韻語〔for, to〕. 3 ⓒⓤ 押韻詩;[~s; 集合名詞] 詩歌, 韻文. **have néither rhýme nor réason** = *be withóut rhýme or réason* まったく意味を成さない, 筋道が立っていない.
——動 圁 1〔文〕詩を作る. 2〔…と〕韻を踏む, 韻が合う〔with, to〕‖ "Sky" *rhymes with* "high." sky は high と韻を踏む. 3 韻を用いる; 同韻語を見出す. ——圐 1 ~を詩に作る; 〈物語・詩などを〉韻文で書く. 2 〈…を〉[…と]〔韻を〕踏ませる〔with〕.

rhymed /ráɪmd/ 形 韻を踏んだ.

rhyme·ster /ráɪmstə(r)/ 名 ⓒ〔文〕詩人, へぼ詩人.

rhym·ing /ráɪmɪŋ/ 形 押韻する, 同韻の.

rhýming cóuplets 押韻対句《脚韻を踏んでいる時の2行》.

rhyming díctionary 押韻辞典.

rhýming sláng 押韻俗語《wife の意を表す trouble and strife など》.

*rhythm /ríðm,《英》+/ríðəm/『「調子よく流れるもの」が原義. cf. rhyme』
——名 (復 ~s/-z/) ⓒⓤ 1 リズム, 調子;〔詩学〕韻律; ⓤ (略式)リズム感 ‖ tango [waltz, rumba] *rhythm* タンゴ[ワルツ, ルンバ]のリズム / iámbic *rhýthm* 弱強格韻律 / Play in a little faster *rhythm*. もう少し速いリズムで演奏してください. 2 律動的な動き; 周期[規則]的な変動; 周期性 ‖ the *rhythm* of a heart 心臓の鼓動 / a [the] *rhythm* of the tides 潮の干満.

rhýthm and blúes リズム・アンド・ブルース《米国の黒人音楽の一形式.《略》R & B》.

†rhyth·mic, †-·mi·cal /ríðmɪk(l)/ 形 律動的な, きちんと韻をふんだ; リズミカルな, 調子のいい ‖ in a steady *rhythmic(al)* motion [movement] 規則的に動いて / *rhythmic* (*sportive*) gymnastics 新体操. **rhýth·mi·cal·ly** リズミカルに.

RI《郵便》Rhode Island.

†rib /ríb/ 名 ⓒ 1〔解剖・動〕肋骨(ろっこつ);あばら骨 ‖ false [true] *ribs* 仮[真]肋骨 / floating *ribs* 浮遊肋骨 / *póke* [*díg*, *núdge*] *him in the ríbs* (ふざけて, 注意を引くため)そっとひじで彼のわき腹をつつく / *tickle* his *ribs*《略式》彼を面白がらせる. 2 (肋骨つきの)あばら肉 ‖ a *rib* of beef 牛のあばら肉(図→ beef). 3 肋骨状の物; (船の)肋材, (こうもりがさの)骨. 4〔植〕(葉の)肋(ろく).
——動 (過去・過分 ribbed/-d/; rib·bing) 圐 1〈船などに〉肋骨[肋材]を付ける; …を肋骨[肋材]で[補強する]. 2 〈土地・編み物・織物などに〉畝(うね)[模様]を付ける ‖ a *ribbed* sweater 畝編みのセーター / *rib* a fabric 織物に畝模様を付ける. 3《略式》〈人〉を〔…のことで〕からかう, いじめる〔for〕.

ríb càge〔解剖〕胸郭.

rib·ald /ríbəld/ 形 (古)下品な, みだらな; 口汚い. ——名 ⓒ (みだらな言葉を使う)下品な人.

ribbed /ríbd/ 形[しばしば複合語で] 肋骨[うね, (葉の)肋]のある.

†rib·bon /ríbn/ 名 1 ⓒⓤ リボン, リボン布地 ‖ have a *ribbon* in [×on] one's hair 頭にリボンを付けている. 2 ⓒ (勲章の)綬(じゅ), 飾りひも ‖ the blue *ribbon* (競技会・展覧会での)ブルーリボン賞, 最高賞 / wear the *ribbon* of the Victoria Cross「on his chest [on him] 彼の(左)胸に[彼に]ビクトリア勲章を付ける. 3 ⓒ リボン状の細長いもの, テープ ‖ *a ribbon of* mist 一条のもや. 4 [~s] 手綱(たづな) (reins) ‖ handle [take] the *ribbons* (馬車の)手綱を握る, (馬車を)御する. 5 [~s] ぼろ, 切れ端 (tatters, shreds) ‖ be *in ribbons* ぼろぼろになっている / cut [tear] a letter *to ribbons* 手紙をずたずたにする / cut [tear] him *to ribbons* 彼をこきおろす. 6 ⓒ〔植〕リボン状の葉.
——動 圐 …をリボンで飾る.

ríbbon building《英》幹線道路に沿った家並み(cf. sprawl).

ríbbon devélopment《英》(幹線道路沿いの)帯状開発.

ríbbon flówer リボンフラワー《◆ 贈り物などに付けられる》.

ri·bo·nu·clé·ic ácid /ráɪbəʊnju(ː)klíːɪk-/〔生化学〕リボ核酸(《略》RNA).

rice

rice /ráis/ 名 **1** Ⓤ **a** 米, 飯(⁽ᵉ⁾) ‖ brown [unpolished] rice 玄米 / white [polished] rice 白米 / boiled rice (たいた)ごはん(◆一般に以上を区別せず rice という. 米粒を数える場合は a grain of rice) / rough rice もみ / curry and [with] rice カレーライス (→ curry) / We'll have a good crop of rice this year. 今年は米が豊作でしょう / 日本発》The Japanese are a rice-cultivating people who have lived for more than 2,000 years with rice as their staple food. 日本人は稲作民族であり、2000年以上前から米を主食として生活してきました. **b** = rice plant.

文化 (1) 英米では rice は主食ではなく料理の材料としての野菜の1つであり、肉料理に添える場合はバターでいためることが多い. またケーキやプディングなどの材料にする.
(2) 幸福・多産の象徴. 欧米では結婚式後の新郎新婦に米粒を投げて子宝を祈る習慣がある.

2 [形容詞的に] 米の, 稲の ‖ a rice crop [field] 稲作[稲田] / rice pudding ライスプディング.

ríce pàper ライスペーパー《カミヤツデの木の髄から作る薄い上質紙》.

ríce plànt 稲.

ric·er /ráisər/ 名 Ⓒ 《主に米》ライサー《ゆでた野菜をつぶす器具》.

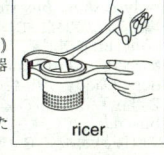

†rich /rítʃ/ [「お金や物がたくさんあって豊かな」が本義]

index **1** 裕福な **2** 金持ちの人々 **3** 富んでいる **4** 豊かな **5** 高価な

— 形 (~·er, ~·est)

Ⅰ [経済的に豊かな]

1 〈人かが〉**裕福な**, 金持ちの (↔ poor) (cf. riches; → wealthy) ‖ She was born into a rich family. 彼女は金持ちの家に生まれた / rich oil men 金持ちの油井(⁽ᵉⁱ⁾)所有者 / (as) rích as Crœsus 大金持ちの.

2 [the ~; 集合名詞的に; 複数扱い] 金持ちの人々[階層](rich people) ‖ (The) rich and (the) poor are afraid of death. 金持ちも貧乏人も死を恐れる(◆ poor と対比して用いられると, the はふつう省かれる. → 文法 16.3(3)).

Ⅱ [あるもので豊かな]

3 [補語として] [...に] **富んでいる** [in], [...で] 満ちている [with] ‖ a country (which) is rich in natural resources 天然資源に恵まれた国.

4 〈作物などが〉**多量の, 豊かな**; 〈土地が〉肥えた (↔ poor) ‖ a rich harvest 豊作 / rich soil 肥沃(⁽ᵉⁱ⁾)な土壌[農地] / rich meadows 青々とした牧草地.

5 [名詞の前で] 〈宝石などが〉**高価な**(expensive), 貴重な(valuable); 〈衣服・食事・家具などが〉豪華な, ぜいたくな, 高級な / a rích jewels 価な宝石 / a rich collection of antiques 骨董(⁽ᵘ⁾)品の貴重なコレクション / rich garments 華美な服 / a rich diet 豪勢な食事.

6 〈食物が〉栄養価[カロリー]の高い, 味のこってりした (↔ bland) ‖ a rich fruit cake クリームたっぷりのフルーツケーキ. **7** [正式]〈色が〉濃い (deep); 〈音·声

が〉朗々とした, 豊かで太い; 〈においが〉きつい (strong) ‖ a rich red 深紅[鮮紅]色 / a rich voice [tone] 豊かな声[音色] / a rich odors 強い香り.

†Rich·ard /rítʃərd/ 名 **1** リチャード《男の名》. **2** ~ I リチャード1世(1157-99; イングランド王(1189-99). the Lion-Hearted(獅子心王)と呼ばれた).

†rich·es /rítʃiz/ 名 (文) [通例複数扱い] **1** 富, 財産(wealth) ‖ rise from rags to riches 無一文から大金持ちになる / amass great riches 巨万の富を築く / Riches have wings. 《ことわざ》富には翼がある; 富はすぐなくなる. **2** 豊かなこと, 豊かさ.

†rich·ly /rítʃli/ 副 **1** 〈正式〉ぜいたくに, 豪華に. **2** 十分に, 完全に.

Rich·mond /rítʃmənd/ 名 **1** リッチモンド《米国 Virginia 州の州都》. **2** リッチモンド《米国 New York 市西部の地域. ここは区名は Staten Island》. **3** リッチモンド《米国 California 州の港湾都市》. **4** リッチモンド《ロンドン郊外の住宅都市. Kew Gardens で有名》.

†rich·ness /rítʃnəs/ 名 Ⓤ **1** 豊富であること; 肥沃(⁽ᵉⁱ⁾), 高価; 重要性. **2** (まれ) 金持ちであること.

†rick /rík/ (同音 wrick) 名 Ⓒ **1** (ふつう雨よけ用の屋根のついた干草・わら・穀物などの)山, 稲むら. **2** (熟成中の酒だるを積む)たな. — 他 〈干草・わらなどを〉積み上げる.

rick·shaw, --sha /ríkʃɔ:/ [日本] 名 Ⓒ 人力車.

rick·ets /ríkits/ 名 Ⓤ [医学] 《米》単数扱い; 《英》単数·複数扱い くる病 ‖ Rickets is caused by a lack of vitamin D. くる病はビタミンDの不足によって引き起こされる.

†rick·et·y /ríkiti/ 形 **1** 《略式》〈家具などが〉ぐらぐら[がたがた]する; 〈ひざが〉がくがくする. **2** 〈車が〉がたつく ‖ a rickety old car ポンコツ車. **3** 〈人が〉くる病の.

ric·o·chet /ríkəʃéi/ ⎯ 名 Ⓒ [軍事] 跳飛, 跳弾(の音). — 動 ~ed/-d/ or 《英》--chet·ted/-ʃétid/; ~·ing or 《英》--chet·ting 自〈弾丸·石などが〉跳飛する (+off).

*rid /ríd/ [「(土地を切り開くため木などを)取り除く」が原義]

— 動 (~s/rídz/; 過去·過分) rid or rid·ded/-id/; rid·ding) ◆ 過去形·過去分詞形は,《米》では rid がふつう.《英》では能動形では ridded, 受身形では rid がふつう》

— 他 《正式》**1** 〈人·物·事が〉〈物〉から [...を] **取り除く,** 除去する (remove) [of] ‖ rid the world of crime 世の中から悪事を一掃する.

2 (まれ) [通例 ~ oneself] [...から] 解放される, 抜け出す (free) [of] ‖ He ríd himsélf of his tróuble(s). 彼は苦しい状態から抜け出した.

be ríd of A ...を免れる, ...から解放される ‖ I am glad to be rid of a bad habit. 悪い癖が抜けてうれしい.

*gèt ríd of A (◆ 受身可) (1)〔好ましくないこと〕から**抜け出す**, ...を免れる ‖ I can't get rid of this cold in the head [nose]. この鼻かぜがなかなか治らない《◆重い病気には recover from を用いる》. (2) ...を片付ける, 取り除く ‖ get rid of one's debt 借金を片付ける.

rid·dance /rídəns/ 名 **1** Ⓤ [しばしば a ~] 取り除くこと, 片付けること, 除去. **2** Ⓤ [...からの] 解放 [from].

*rid·den /rídn/ 動 ride の過去分詞形.
— 形 [通例複合語で] ...に支配[抑圧]された; ...に悩まされた, 苦しめられた ‖ debt-ridden 借金で首が回らない.

ricer

†**rid·dle**¹ /rídl/ 名C **1** なぞ, 判じ物 ‖ ask her a *riddle* 彼女になぞなぞをする / Who will find the answer to the *riddle*? だれがそのなぞなぞの答えがわかるでしょうか / *read a riddle* なぞ解きをする ‖ She sometimes speaks in *riddles*. 彼女は時々なぞめいたことを言う. **2** なぞの[不可解な]人[物] ‖ Her character is a *riddle* to me. 彼女の性格は私にはさっぱりわからない. ── 動 他 …のなぞを解く. ── 自 なぞをかける; なぞめいたことを言う.

†**rid·dle**² 名C (目の粗い)ふるい. ── 動 他 **1**〈砂利・穀物など〉をふるいにかける. **2**〈証拠など〉を精査[吟味]する.

:**ride** /ráid/ 〖「(物の上に)乗る・乗っている」が本義〗
── 動 (~s/ráidz/; rode/róud/ or 《古》rid/ríd/, rid·den/rídn/; rid·ing)
── 自
Ⅰ [馬などに乗る]
1〈人が〉(馬に)乗る, 馬を乗りこなす; 乗馬をする ‖ The cowboy *rode* off [away]. カウボーイは馬に乗って走り去った.
2〈人が〉〈自転車・乗物・馬などに〉乗る, 乗って行く〈*in, on*〉〈自動車などを運転する場合は *drive*〉‖ *ride* to school *on* a bicycle 自転車通学をする《◆馬・自転車・オートバイなどまたがって乗るものには on を使う》/ *ride on* my mother's bicycle 母の自転車に乗せてもらう / *ride in* a car [a taxi, an elevator] 車[タクシー, エレベーター]に(乗客として)乗る[乗って行く] / *ride on* a *bus* [boat, train, truck] バス[船, 列車, トラック]に(乗客として)乗る[乗って行く]《◆ふつう大型の乗物には on を用いるが内部を意識する場合は in も可能: *ride in* a plane》.

使い分け [**ride on** と **get on**]
get on は乗り物に「乗りこむ」の意.
ride on は乗り物に「ずっと乗っている」の意.
He ⌈*got on* [×*rode on*] the train at Kyoto Station. 彼は京都駅で電車に乗った.
The hunters came *riding on* their horses. ハンターたちは馬に乗ってやって来た.

3 [様態の副詞と共に]〈馬・車などが〉(…のように)乗れる, 乗り心地が…である;〈地面が〉走り具合が…である ‖ This car *rides* well. この車の乗り心地はいい.
Ⅱ [馬乗りになる]
4 [〈…に〉馬乗りになる〈*on*〉‖ *ride on* his shoulders 彼に肩車してもらう.
Ⅲ [馬に乗って進むように漂う]
5〈月が〉空に浮かぶ; 〈波〉〈船が〉浮かぶ, 停泊する;〈…に〉乗って進む〈*on*〉,〈気流などに〉乗る〈*on*〉‖ The eagle *rode on* the wind. ワシは風に乗って飛んだ.
── 他 **1a**〈人が〉〈馬・乗り物・自転車などに〉乗る, 乗って行く《◆車などを自分で運転する場合は drive》‖ *ride* a horse [camel, bicycle] 馬[ラクダ, 自転車]に乗る / *ride* the bus バスに乗って行く《◆乗車する動作をいう場合は get on : get on the bus at Shinjuku 新宿でバスに乗る》. **b**《主に米略式》〈人が〉〈人〉を(車に乗せて)[…まで]送る, 行く〈*to*〉‖ I'll *ride* you *to* the bus stop. バス停まで車で送ってあげましょう《◆目的地へ行く途中で人を乗せる場合の言い方. 最初から乗せていく時は drive がふつう. cf. PICK up [他](3)》. 語法 *ride on* a bus は「バスに重点がある」が, *ride* a bus は「歩くのではなく乗って移動すること」に重点がある.
2 〈風・波などに〉乗っていく, …に浮かぶ;〈船〉を停泊さ

せる ‖ The glider *rode* the winds. グライダーは風に乗って飛んだ / The small boat *rode* the waves. 小船が波に乗って進んだ.
3 〈馬・乗物で〉…を乗り越える, 通る, 行く ‖ *ride* 「the prairies [a desert] 草原[砂漠]を走破する / *ride* fence (調教で)垣根を飛び越える. **4** …を馬乗りにする. **5** [通例 be ridden]〈人が〉[…に]支配される, 苦しむ〈*by*〉‖ He *was ridden by* foolish anxiety. 彼はばかげた不安に悩まされた.

lét a ríde《略式》〈事〉をそのままにしておく, 保留にしておく.

ríde dówn [他] (1) …を馬で踏みつける. (2) 馬に乗って…に追いつく. (3)〈馬〉を乗りつぶす.

ríde on A《略式》〈事〉が〈事〉に依存している, 左右される.

ríde óut [他] (1)〈船〉が〈暴風・あらしなど〉を乗り切る. (2)〈困難なこと〉を乗り切る.

ríde úp [自]〈服〉がまくれ上がる, ずり上がる.

── 名 (~s/ráidz/) C **1** [馬・自転車・乗物などに]乗る[乗せる]こと〈*on, in*〉, (陸上の乗物・馬などによる)旅行; 肩車 ‖ *gó for a ríde* (馬・自転車・乗物に乗って)出かける《◆車などを自分で運転する場合は go for a drive》/ *hàve* [*tàke*] *a ríde on* one's bike 自転車[モーターバイク]に乗る / The zoo is only *a short bus ride from* the station. 動物園は駅からバスに乗って来です《◆途中で乗せること. → 動 他 1b》 / Give me *a ride on* your shoulders, Daddy. パパ, 肩車して.
2〈乗物に乗っている時間〉‖ How long is the bus *ride*? バスに乗っている時間はどのくらいですか, どのくらいかかりますか. **3** (遊園地などの)乗物. **4** (森の中の)乗馬道.

hítch a ríde [*líft*]《略式》ヒッチハイクする; 〔…の車に〕便乗する〈*in*〉.

táke A *for a ríde* (1)〈人〉をドライブに連れて行く. (2)《略式》〈人〉をだます, かつぐ.

†**rid·er** /ráidər/ 名C **1** 乗り手; 騎手; (馬の)調教師 ‖ a good [bad] *rider* 馬乗りがうまい[へたな]人. **2**《正式》追加[補足]条項; 添え書き 〖 by way of *rider* 追加として, 添付して《◆無冠詞》.

†**ridge** /rídʒ/ 名C **1** (狭い)山の背, (やせた)尾根; 分水嶺(ミシ) ‖ a *ridge* walk 尾根伝いの道 / The climber walked along a mountain *ridge*. その登山家は山の背を歩いた. **2** (屋根の)棟(ネ). **3a** (一般に細長い)[…の]隆起部〈*of, in, on*〉‖ the *ridge of* the nose 鼻すじ / the *ridge of* a wave 波の背. **b** (動物の)背, 背筋; (織物の)畝(ネ); (田畑の)畝, 畦(タ).
── 動 他〈家・屋根〉に棟をつける;〈土地〉に畝を作る;〈顔など〉にしわを寄せる;《英》〈作物〉を畝の中に植える. ── 自〈物〉が畝となす, 尾根に降起する, 波立つ.

rídge line (尾根の)稜(ス)線.

ridge·pole /rídʒpòul/ 名C (テントの)はり材.

rid·i·cule /rídikjùːl/《正式》名U 嘲(ネ)笑, あざけり, あざ笑い, 冷やかし.

hóld A *úp to rídicule* = *bring* A *into rídicule* = *cást rídicule upòn* A〈人〉をあざ笑う, 冷やかす.

láy onesélf *ópen to rídicule* 人の物笑いになるようなことをする.

── 動 他 …を嘲笑する, あざける《正式》make fun of);〈人〉を[…と言って]嘲笑する, 冷やかす《*that*節》《◆しばしば悪意を伴う》.

†**ri·dic·u·lous** /rɪdíkjələs/ [アクセント注意] 形 **1a**〈事・物〉がばかげた, ばかばかしい;〈人・外見などが〉こっけい

いな, おかしな; 〈考え・話・値段などが〉途方もない, とんでもない ‖ Don't be *ridiculous*! ばかげたことを言うな. **b** [it is ridiculous for **A** to do / it is ridiculous (that)節] **A**〈人が〉…するなんて（その行為は）ばかげている ‖ *It is ridiculous of* you *to* study harder after the exam. =You *are ridiculous to* study harder after the exam. 試験が終わってから試験前より熱心に勉強するなんて（君って人は）ばかげている (→文法 17.5). **2** [the ~; 名詞的に] こっけい; ばかばかしさ.

語法 ridiculous にはすでに very の意味が含まれているので, 強調の副詞は very より強い absolutely, utterly, really などが好まれる.

ri‧dic‧u‧lous‧ly /rɪdíkjələsli/ 副 ばかばかしいほど, あきれるほど.

rid‧ing /ráɪdɪŋ/ 動 ← ride. ━━名 **1** ⓤ 乗ること; 乗馬, 乗車. **2** ⓒ 乗馬道路.
 ríding brèeches 乗馬ズボン.
 ríding hàbit (主に女性用の)乗馬服.
 ríding hòrse 乗用馬.
 ríding màster 馬術教師.
 ríding schòol 乗馬学校.

rife /ráɪf/ 形 (正式)〈病気・飢餓などが〉広まって, 流行して;〈場所などが〉[…に]満ちて[*with*].

rif‧fle /rɪ́fl/ 名 ⓒ (米) 浅瀬, 早瀬; さざ波(ripple). ━━動 他 **1** (米) …にさざ波を立てる. **2** 〈トランプを〉切る. **3** (米) さざ波が立つ. **2** [ページなどを]ぱらぱらめくる[*through*].

riff‧raff /rɪ́fræf/ 名 [the ~; 集合名詞; 複数扱い] 下層民; 人間のくず.

†**ri‧fle** /ráɪfl/ 名 ⓒ **1** ライフル銃, 施条 (しじょう) 銃《銃身の内部に旋条 (せんじょう)(らせん状の溝)を施した銃》; 小銃 ‖ an air *rifle* 空気銃 / The robber pointed his *rifle* at the bank clerk. 強盗は銀行員にライフルを向けた. **2** 施条〔線〕砲. **3** [~s] ライフル銃隊. ━━動 他 **1** 〈銃身・砲身〉にらせん状の溝を付ける. **2** …を勢いよく打つ[飛ばす].
 rífle rànge 小銃射撃場; 小銃射程.

†**rí‧fle‧man** 名 (複 **‑men**) [しばしば R‑; 称号で] ⓒ ライフル銃兵, 小銃兵; ライフルの名人((PC) sharpshooter).

ri‧fling /ráɪflɪŋ/ 名 ⓤ (銃身・砲身などに)らせん状の溝を施すこと, らせん状の溝.

†**rift** /rɪft/ 名 (正式) **1** [地質] 平断層; 〔岩の〕亀裂; 〔雲・霧などの〕切れ目, すき間[*in*]; (一般に)裂け目, 割れ目. **2** [比喩的に] 〔地層・岩石〕の亀裂, 〔友情・愛情などの〕ひび, 不和, 対立[*in*/*between*].
 rift vàlley 地溝(谷), 裂谷.

†**rig** /rɪɡ/ 動 (過去過分 **rigged**/‑d/; **rig‧ging**) 他 **1** 〈船に〉〔索具などを〕装備する[*with*];〈船〉を艤装(ぎそう)する ‖ *rig* a ship *with* new sails 船に新しい帆をつける. **2** (広義) …を装備する, 整える(equip)(+*up*, *out*) ‖ *rig out* the barn for the dance あらしに備えて納屋を補強する. **3** (略式) [通例 ~ oneself / be ~ged] 〈人が〉〔服を〕着る(dress), 着飾る (+*up*, *out*); 〈人に〉〔服を〕着せる (+*out*) (*as*). **4** (略式) …を間に合わせに作る, 急ごしらえする;《略式》〈(悪い)事〉を思いつく(+*up*) ‖ *rig up* a tent for the night 今晩休むためのテントを急遽 (きゅうきょ) 張る. ━━自〈船〉が艤装する.
━━名 ⓒ **1** 帆装, 艤装. **2** [通例複合語で] …装置, 用具;〔油井(ゆせい)の〕掘削装置, 海底油田開発基地用. **3** (略式)(ひとそろいの)衣服, 服装, 身なり ‖ in full *rig* 盛装して.

rig‧ger /rɪ́ɡər/ 名 ⓒ **1** 〔海事〕艤装(ぎそう)する人. **2** 相場師; 不正工作員.

†**rig‧ging** /rɪ́ɡɪŋ/ 名 ⓤ 〔海事〕[通例 the ~] **1** 索具装置《マスト・帆を支える支索・ハリヤードなど》. **2** 艤装 (ぎそう); 操船装置.

right /ráɪt/ (同音) write, rite; (類音) light /láɪt/ 〖『知恵者の心は右にあり(聖書)』から「右手」は「正しい」という連想が生まれた〗 **ríghtly (副)

index 形 **1** 正しい **4** 適切な **8** 健康な **11** 右の
 副 **1** ちょうど **2** すぐに **3** 正しく **4** 適切に **5** ずっと **6** まっすぐに **8** 右に
 名 **1** 権利 **2a** 右 **3** 正しいこと

━━形 (more ~, most ~)◆ふつう比較変化しない)

【道徳的に・ある基準に照らして正常な】

1〈答え・説明・事実などが〉(事実・道理に合って)正しい, 正確な;〈時間・時計・料金などが〉(基準に合って)正確な, 合っている ‖ the *right* answer 正解 / This watch gives the *right* time. この時計は合っている [正確だ] /(対話)"Only six hours to drive there?""Yes, that's about *right*, I reckon."(地図を見ながら)「そこまで車でたった6時間?」「ああ, そんなものだと思うよ」.

語法 (1) [**That's right. と That's it.**] That's *right*. は文字通り「その通りだ」の意で相手への同意を表すが, That's it. は自分の考えを他の人に先を越されて言われた時などに「そうだ, その通りだ」の意で用いる. That's good. は同意というより賞賛を表す.
(2) [**right と correct**] 「彼女は正しい英語を話す」は She speaks correct [accurate, exact, good] English. などと言う. right は用いない.

2 [通例補語として]〈行為などが〉(道徳・法律・社会通念上)正しい, 正当な, 当然の(just);[it is right for **A** to do =it is right that **A** should do] **A**〈人が〉…するのは(道徳的に)正しい; [it is right to do] …するのは正しい (◆**1** と違って correct と交換不可) ‖ *It is* quite *right* for her *to* scold him. =*It is* quite *right that* she (*should*) scold him. 彼女が彼をしかるのはまったく当然だ / *It is* not *right* for teenagers *to* smoke. 10代の子がタバコを吸うのはよくない.

3 a [補語として]〈人が〉〔判断・意見などにおいて〕正しい, 当を得た, 間違いのない[*in*]; [**A** is right to do / **A** is right in doing / it is right of **A** to do] **A**〈人が〉…するのは(判断として)正しい ‖ You're *right*, I suppose. あなたの言うことは正しいと思う(◆ You're *right*. は人の性質ではなく言動についていう) / *Right* you are! (略式)=(正式) How *right* you are! そうだ, その通りだ, よろしい (◆強い同意・肯定を表す. → **b**) / Now you hate me, *right*? (略式) じゃあ君は僕を嫌っているんだね (◆付加疑問的に用いて相手に念を押す) / You *are* only *right* 'to complain [*in* complaining] *in* your complaint. =*It is* only *right of* you *to* complain. 君が不平を言うのももっともだ (→文法 17.5). **b** (略式) [間投詞的に] (要求・命令に同意して) よろしい, 承知した; (発言に同意して) ごもっとも, その通り ‖ (対話)"He should never have tried to do that.""(Dead) *right*."「彼は決してそんなこと

をしようとすべきではなかった」「(まったく)その通り」.
4〔名詞の〕[通例 the ~]**a**〈物・人・事に/…するのに〉(最も)**適切な**, ふさわしい(proper,《正式》appropriate)〔*for, to* / *to do*〕‖ *the right* man 「*in the right place* [*for the right job*] 適材適所 / He is just *right* [*the right* man] *for* the position. 彼はその地位にちょうどぴったりだ / You've come 「just at [at just] *the right* time. 本当にいいところへ来てくれた. **b**〈道・列車などの〉(目的に合った)適切な方向に導く[行く], 正しい ‖ Is this *the right* train for Kobe?(列車の外で)これ神戸行きの列車ですか《列車内では Am I on the *right* train for Kobe? などと言う》. **c**〈人・物が〉社会的に認められた, れっきとした.
5〈人が〉〈人などにとって〉都合がよい, 好ましい, うまくいって〔*with*〕‖ All's *right with* the world. 世はすべて事もなし, 天下泰平だ《◆ R. Browning の詩の一節》.
6〈人が〉〔人・事・物に関して〕心配無用で, 大丈夫で〔*about*〕.
7〈物・事が〉整った, 秩序正しい; 満足な状態の.
Ⅱ|体の調子が正常な|
8 a《略式》[補語として]〈人が〉健康な, 体の調子がよい《◆ all right ともいう》‖ 対話 "Are you all *right* now?""Yes, but it will take a few days to go back to work." 「もう体の具合はいいの」「はい, しかし仕事に戻るにはあと数日かかります」. **b**〔通例否定文・疑問文で〕〈人が〉〔頭・精神において〕正常な, 正気の〔*in*〕‖ She is *not* (quite) *right* in the [her] mind [《略式》head]. 彼女は(少し)頭がおかしい / ジョーク According to the results of his brain scan, in his left brain nothing's *right*, and in his right brain, nothing's left. 脳検査によれば, 彼の左脳はどこにも正常なところがなく, 右脳には何も残っていなかった《◆ right 形 **8 b** と 形 **11**, left¹ 形 **1** と left² 形 のしゃれ》.
Ⅲ|地理的に正常な ＝表・直角・右|
9〔通例 ~ side〕〈布などが〉表の, 上面の, 正面の ‖ *right* side up [down] 表側を上[下]にして.
10〔幾何〕**a**〈線が〉まっすぐな(straight)《◆ 幾何用語以外は〔正式〕》‖ a *right* line 直線. **b**〈角が〉直角の;〈図形が〉直角を含む(cf. acute, obtuse) ‖ a *right* triangle 直角三角形.
11 [名詞の前で] 右の, 右側の, 右方への, 右向きの ‖ No *right* turn ahead.(掲示)この先右折禁止 / the *right* bank of a river (川下に向かって)右岸 / the *right* side of a stage ＝*right* stage ＝stage *right* 〔演劇〕(舞台から見て)右手, 下手(しも).
12 [しばしば R~]〔政治上〕右派の, 右翼の, 保守の, 国粋主義の(→ 名 **5**).

***all right** [形]《略式》(1)〔=〕[補語として] a) → **8 a**. b)〈人にとって〉**申し分ない**, 満足な; 差しつかえない, 心配のいらない〔*with, by, for, to*〕《◆ right が「同意」を表す時は〔*with*〕, 「適切さ」を表す時は〔*for, to*〕》. 使い分け → You are WELCOME.(welcome 形 成句); [it is all right (for A) to do / that 節](A が)…するのは差しつかえない ‖ Is your dog *all right* with children? 君の犬は子供にかみついたりしないだろうね / I propose catching the 3:15 train. Will that be *all right with* [*by*] you? 3時15分の列車に乗ろうよ. それでいいかい / This TV set appears *all right* to me. 私にはこのテレビは故障してないように見える / That's [It's] *all right*.（↘）〔感謝・謝罪に答えて〕どういたしまして. (2)〔=〕《米俗》[名詞の前で]〈人・物・事が〉信頼できる, ちゃんとした. ―[副]《略式》[通例文・節の最後で] (1)〔=〕申し分なく, 立派に, うまく;〔文全体を修飾〕本当に ‖ She is a good student, *all right*.（↗）彼女は本当にいい学生だ. (2)〔=〕〔しばしば but と共に〕確かに, 間違いなく ‖ It's time to leave, *all right*, *but* the bus hasn't come yet. 確かに発車の時間だが, バスはまだ来ていない. ―[間] [All right!] ◆ Alright ともつづる》《略式》(1)(同意・賛成して)はい, よろしい, それで結構です;(承知した, いやいや同意する時にも用いる》◆ 対話 "Shall we have a glass of wine?""*All right*." 「ワインを一杯飲みましょうか」「はい」. (2) よろしい,(勝手に)やってみろ. (3)《米》すてきだ, それはすばらしい《◆ 予期しなかった楽しみなどが与えられた時に用いる》.

gét right [自] 正しくなる; きちんとなる. ―[他] [get A ~]〔計算・演技などを正しくする, ちゃんとする; …をきちんとする[理解する, 言う](→ get A WRONG).
gò the right wáy〈物・事が〉うまくいく, よい結果となる.
kéep A right〈人〉の間違いを防ぐ.
pút oneself **right**〔人に〕自分が正しいと主張する;〔人と〕仲なおりする, 仲よしになる〔*with*〕.
pút A right (1)〈物事〉を正常(な状態)に戻す[する];〈物〉を修理する;〈時計〉の時間を合わせる. (2)〈人〉の思い違いを訂正する. (3)〈人〉の健康を回復させる.
right enóugh《主英》(1) [補語として] 申し分ない, 満足な. (2) 案の定, 予想通り(sure enough).
sée A right〔しばしば will ~〕〈人・金などが〉〈人〉を養う, 不自由させない.
sérve A right《略式》[it を主語にして]〈人〉には〔…して)当然の報いだ, ざまみろ, いい気味だ〔*for doing*〕《◆会話では It serves you *right*! の代わりに Serve(s) you *right*!（↗）がしばしば用いられる》‖ It *serves* him *right* that he was not invited to the party. パーティーに招待されなかったとは, やつめ, いい気味だ.
sét oneself **right** ＝put oneself RIGHT.
sét A right ＝put A RIGHT.
the right wáy (1) 正道, 本道; 最も適切な方法;〔事の真相〕*of*〕. (2)〔副詞的に〕正しく, 適切に(→ go the RIGHT way).
***You're right**.(相手の意見などを肯定して)君の言う通りだ, ごもっともです;(人にぶつかったときなどにあやまる相手に)あなたが悪いんじゃありませんよ.

―[副]《◆ ふつう比較変化なし》**1**《主に米》[前置詞・副詞の前で] [位置を示して] **ちょうど**, すぐ ‖ *right* in the middle (of …)（…の)真ん中に[で] / *right* at the stárt 一番初めに / *right* across the stréet 通りの真向かいに / He brought his chair *right* next to mine. 彼は自分のいすを私のすぐ隣へ持って来た.
2《主に米》[前置詞・副詞の前で] [時を示して] **すぐに**, ただちに ‖ I'll be *right back*. すぐ戻って来ます / It began to rain *right after* she left. 彼女が出かけるとすぐ雨が降り出した.
3(道徳・法律・社会通念上)**正しく, 公正に, 正当に;(事実・道理に合って)正しく, 正確に, 間違いなく**《◆ rightly より口語的. 動詞の後のみで用いる》‖ guess *right* 正しく言い当てる / act *right* 正しい行動をする / do one's homework fast and *right* 宿題をてきぱきと正確にする / if I remember *right* 私の記憶に間違いなければ, 確か.
4《略式》**適切に**, ふさわしく, ぴったりと; 都合よく, 順調に ‖ My father would know how to do it *right*. 私の父ならそれをうまくやる方法を知っているだろ

う / This phone doesn't work *right*. この電話は調子が悪い.

5 [前置詞・副詞の前で] **a** ずっと, はるばると(all the way)《◆しばしば to, into, till, round, through などを従える》∥ read a book *right through* 本を読破する / read *right through* the week 1週間ぶっ通しで. **b** まったく, すっかり, 完全に(completely)《◆しばしば off, out, through, around などを従える》∥ turn *right around* 体をぐるりと回す.

6 [前置詞・副詞の前で] まっすぐに, 一直線に; まともに, 直接に ∥ go *right* home まっすぐ家に帰る / look her in the eye *right* 彼女の目を直視する / A little mountain railway goes *right* up to the Jungfrau. 小さな登山鉄道がユングフラウまで直進で出ています.

7 《俗・方言》非常に(very); 十分に《正式》to the full)《◆特に米国南部では好まれる》∥ know ... *right* well …を十分よく知っている / We'll be *right* glad to see you. 喜んでお会いします.

8 右に, 右へ, 右側に[へ], 右の方に[へ](↔ left) ∥ *Right!* 《米》《海事》おもかじ! (→ starboard) / Turn *right* at the next light. 次の信号を右に曲がってください / look *right* 右を見る.

9 [接続詞的に] ＝RIGHT then.

cóme ríght 〈物・事が〉元通りになる, 都合よくなる(↔ go wrong); 〈合計が〉正しく出る.

gó ríght 〈事が〉〈人に対して〉うまくいく〈with, for〉; 〈物がうまく動く〉(作動する].

kéep ríght 〈交通が〉右側通行である《◆進行形不可》(↔ keep left); [掲示] 右側通行.

right alóng 《主に米略式》(1) (その間)ずっと《(略式)all along》. (2) 順調に; 遅れずに, どんどん.

right and léft 《米》四方八方へ[から]; 至る所に(in every direction); 思う存分; 片っ端から ∥ borrow money *right and left* あちこちで[片っ端から]金を借りる.

*****right awáy** [(主に米)óff] 《略式》すぐに, ただちに; ためらわず(at once) ∥ She said she would be back *right away*. すぐ帰って来ると彼女は言っていました.

right dówn 《略式》(1) ありのままに, 率直に. (2) [修飾語の前で] まったく.

right hére 《主に米略式》ちょうどここに[で]; 今この場で, 今すぐ(here and now).

*****right nów** 《略式》ちょうど今, ただ今は (英) at this very moment)《◆現在の状態を表す文脈で用い, 過去や未来を表す文脈では用いない. cf. *right away*》∥ She is not here *right now*. 彼女は今はここにいません. (2) 《主に米略式》すぐに, ただちに (right away)《◆未来または過去を表す文脈で用いる》∥ Call an ambulance *right now*. すぐ救急車を呼びなさい.

right óff 《主に米》＝RIGHT away.

right or wróng よかれあしかれ, 是が非でも《◆ˣwrong or right とはいわない》.

right thén [接続詞的に] それじゃ(《米略式》OK now)《◆単に right ともいう》∥ *Right then*, how many of you were there? それじゃ君らのうち何人がそこにいたんだ.

—— 名 (*~s*/ráits/) **1** ⓤ 《通例 a/the ~》［…する/…に対する］権利［to do, of doing / to, of］《◆法律・道徳・伝統などのいずれに由来する場合にも用いる》(↔ duty) ∥ *a basic human right* 基本的な人権 / *rights and duties* 権利と義務 / five years' deprivation of civil *rights* 5年間の公民権剥奪 / Freedom of speech is *a right* of all Japanese. 言論の自由はすべての日本人の権利である / renounce [give up] one's *right* 権利を放棄する / By what *right* do you say that? 君はどんな権利があってそんなことを言うのかね / People have *a* [*the*] *right*「to pursue [of pursuing, to the pursuit of] happiness. 人々には幸福を追求する権利がある.

2 a ⓤ 《通例 the/A's ~》右, 右側; 右方, 右手(↔ left); 〔軍事〕(戦闘隊形の)右翼; 〔演劇〕下手 (→ 形**11**) ∥ *turn to the right* 右に曲がる(=turn right) / *on his right =on the right of* him 彼の右側に / to [from] *right* and left 左右へ[から]. **b** 《米》 [a/the ~] (分岐点での)右折 ∥ tàke [màke] *a right* =turn to the *right* 右に曲がる. **c** ⓒ (靴などの左右あるうちの)右(の物); [ボクシング]右のパンチ; (行進・ダンスなどでの)右脚. **d** 〔野球〕 ⓤ ＝ right field; ⓒ ＝right fielder.

3 ⓤ (道徳・法律上)正しいこと, 正当, 公正; 正義, 正道; 正しい[正当な]行ない, 公平な扱い《◆しばしば might や wrong と対にして用いる》 ∥ *do right* 正しいことをする / fight for the right 正義のために戦う / *Might is [makes] right.* 《ことわざ》力は正義なり, 「勝てば官軍」 / The child doesn't yet *know right from wrong*. その子はまだ善悪の区別がつかない.

4 [~s] (事の)真相, 実情, 本来の状態 ∥ the *rights* of the case 事件の真相(→成句 the RIGHTs and wrongs).

5 [通例 the R~] ⓤ 〔政治〕[集合名詞; 単数・複数扱い] 右翼[右派, 保守派]の議員; 右翼団体; 右翼の立場《◆ヨーロッパでは伝統的に議長席から向かって右側に席を占めることから》(↔ left) (cf. conservative).

by right of A 《正式》…の権利[権限]で; …の理由で.

by ríghts 当然(の権利によって); 本来は, 正しくは (rightfully)《◆by (good) right や of right は《正式》》.

dò A ríght ＝do right by A 《古》〈人〉を公平に扱う[評価する].

dò A to ríghts 《略式》〈人〉に仕返しする.

gèt A déad [báng] to ríghts 〈人の〉(特に欠点・不正直さなどの)本性[本心]をつく.

give A ríghts 《略式》(1)〈容疑者〉に〈黙秘権・弁護士請求権などの〉正当な権利のことを知らせる. (2) 〈配偶者〉に〈弁護人(など)に離婚の相談をする〉権利があると言って関係を断つ.

in one's **ówn ríght** [通例名詞・形容詞の後で] 自己[生得]の権利で, 親譲りで; 本来の資質[価値]で; 自分だけで, 他に頼らずに ∥ a queen *in her own right* (結婚によらず)生得権で王位を継承した女王 / This is a charming song *in its own right*. (他にも魅力的な歌があるが)この歌はこれとして魅力的だ.

in ríght of A ＝by RIGHT of.

in the ríght (人の方が)〈言い分が〉正しい, 道理がある; […するのも]もっともで[*to* do, *for* doing]《◆right より堅い言い方》(↔ in the wrong).

kéep on one's **ríght** 右側を進む; 正道を歩む.

Kéep to the ríght. [掲示] 右側通行.

right of wáy → 見出し語.

sèt [pùt] A to ríghts 《略式》〈人などが〉〈場所・物などを〉正常にする; …を整頓する, …を修理する; 〈薬・睡眠などが〉〈人〉を健康にする.

the ríghts and wróngs [複数扱い] [事の]真相, 実情[of].

—動 他 1 ⟨(倒れた・転覆した・傾いた)物を⟩まっすぐにする, 立て直す, 起こす; ⟨船・ボートなどを⟩水平に立て直す ‖ *right* the helm [海事] (曲げた)舵(が)をまっすぐにする. 2 ⟨事・物⟩を本来の[正常な状態][関係, 秩序]にする; …を整える, 整理[調整]する. 3 [正式] ⟨誤り・不正などを⟩正す, 直す; ⟨事⟩の誤りを正す, 訂正[矯正]する(correct); ⟨損害などを⟩償う ‖ *right* a wrong 不正を正す.

ríght onesélf (1) ⟨船などが⟩水平に立ち直る; ⟨人・動物などが⟩平衡を取り戻す, 起き直る. (2) ⟨事が⟩平常の状態に戻る; ⟨過失などが⟩自然に直る. (3) ⟨法廷で⟩弁明する, 名誉を回復する.

ríght ángle [数学] 直角.

ríght círcular cóne [数学] 直円錐(な).

ríght fíeld [野球] 右翼, ライト ‖ a *right field* stand ライトスタンド.

ríght fíelder [野球] 右翼手, ライト.

ríght hánd (1) [the/one's ~] 右手. (2) [通例動詞の補語として; A's ~] 最も頼りになる人, 片腕, 右腕, 腹心(◆ A's *right* arm, a [A's] *right-hand* man ともいう). (3) [the/one's ~] 右側, 右方向(◆ 優位の側とされる). (4) [the ~] 名誉ある地位.

Ríght Hónourable [英] [the ~] 閣下.

ríght wíng (↔ left wing) (1) [the ~; しばしば R~ W~; 集合名詞的に] 右翼, 保守党員, 右派の人々; [政治的・社会的組織の]右翼, 右派. (2) [スポーツ] 右翼(手).

ríght-an·gled /ráɪtæŋɡld/ 形 直角の, 直角をなす, 直角を含む.

right·eous /ráɪtʃəs, (英+) ráɪtɪəs/ 形 [文] 1 a ⟨行為・生活などが⟩道徳的に正しい, 正義の(right); ⟨人が⟩正しいことをする, 高潔な(↔ iniquitous). b [the ~; 集合名詞的に; 複数扱い] 正義の人々. 2 ⟨感情などが⟩もっともな, 当然の, 無理もない.

right·ful /ráɪtfl/ 形 [正式] ⟨人が⟩正当な権利を持っている, 合法的な, 正統な; ⟨地位・財産などが⟩正当な, 当然の.

right·ful·ly /ráɪtfəli/ 副 1 正しく; 正当に, 合法的に. 2 [文全体を修飾] 当然なことに, 当然ながら(rightly).

right-hand /ráɪthænd/ 形 1 右の, 右側の; 右の方への. 2 右手の, 右手による; 右手でする. 3 ⟨綱などが⟩右縒(は)りの; ⟨機械などが⟩右回転の.

ríght-hand mán [one's ~] 最も頼りになる人, 片腕, 右腕((PC) right hand).

right-hand·ed /ráɪthændɪd/ 形 1 右ききの; 右手による; 右手用の. 2 右回りの, 時計回りの; ⟨ロープなどが⟩右縒(は)りの. —副 右手で; 右側へ; 右回りに.

†**right·ly** /ráɪtli/ 副 1 (↔ wrongly) 1 (道徳的に)正しく, 公正に; 公平に ‖ act *rightly* 正しく行動する(= act right). 2 a [文全体を修飾] 当然(のことだが), 正しく, 正当に ‖ They are *rightly* served. 彼らは当然の報いを受けたのだ(→ serve A RIGHT (right 形 成句)) / *Rightly*(⤵), he was scolded. 彼はしかられたがそれも当然だった(=It was *right* for him to be scolded [*that* he should be scolded].). b 適切に, ふさわしく, きちんと. 3 (事実に合って)間違いなく, 正確に, 正しく ‖ if I remember *rightly* 私の記憶に間違いがなければ(→ right 副) / *Rightly* or wrongly 正しいにせよ間違っているにせよ. 4 [略式] [通例否定文で] はっきりとは, 確信を持って(は) ‖ I ┌don't *rightly* know [can't *rightly* say]. はっきりとは知りません[言えません].

and ríghtly só (前文を受けて)そしてそれは正しかった, まさにその通り.

ríghtly or wróngly 正しくても間違っていても.

right-mind·ed /ráɪtmáɪndɪd/ 形 ⟨人が⟩まともな考え[主義, 習慣]を持った; 誠実な.

right·ness [名] 回 [しばしば the ~] 1 正しさ; 公正, 正義, 高潔. 2 正確. 3 適切, 適正.

right-of-way, right of way /ráɪtəvwéɪ/ 名 (複 rights-, ~s) 1 (the/one's ~] [法] (人・乗物などの)通行[通過]優先権. 2 回 (他人の所有地内の)通行権; (一般または特定の人に)通行される道路 ‖ *Give right-of-way.* (掲示) 止まれ. 3 回 (米) 公用地; 公道用地; 鉄道用地; 送電線用地; (天然ガスの)輸送管用地.

†**rig·id** /rídʒɪd/ 形 1 [正式] 1 ⟨物が⟩堅い, 堅くて曲がらない(hard)(◆「無理に曲げると壊れる」の意を含む. cf. stiff); ⟨人が⟩[…で]こわばった, 硬直した(stiff) [with] ‖ *rigid* icicles 堅く凍りついたつらら / her *rigid* face with fear 恐怖でひきつった彼女の顔. 2 ⟨物・目つきなどが⟩固定した, (じっと)動かない. 3 ⟨意見・考え・予定などが⟩柔軟性のない, 固定した; ⟨人が⟩[…に関して]融通のきかない(in, on) (◆マイナスのイメージが強い. → stubborn) ‖ You are too *rigid in* your ideas. 君は考え方が堅すぎる. 4 ⟨規則・行為・人などが⟩厳しい, 厳しい ‖ *rigid* economy 厳しい節約. 5 ⟨検査などが⟩厳密な, 厳正な.

ri·gid·i·ty /rɪdʒídəti/ 名 回 [正式] 1 堅いこと; 硬直; [物理] 剛性. 2 厳格; 厳密, 厳正.

†**rig·id·ly** /rídʒɪdli/ 副 [正式] 1 堅く; こわばって. 2 厳格に.

rig·ma·role /rígmərὸʊl/ 名 回 [略式] [時に a ~] 1 くだらない長話 [長文]. 2 手のこんだ手順.

†**rig·or,** (英) **—our** /rígər/ 名 [正式] 1 厳格, 厳しさ, 過酷さ; 回 厳しい行為. 2 [時に ~s] (気候などの)厳しさ; (生活などの)苦しさ, 困苦. 3 (論理などの)厳密さ.

rígor mór·tis /~ mɔ́ːrtɪs/ [医学] 死後硬直, 死体硬直.

†**rig·or·ous** /rígərəs/ 形 [正式] 1 ⟨人・規則などが⟩厳格な, 厳しい(strict) ‖ *rigorous* discipline 厳しい規律[しつけ]. b ⟨気候・風土・生活などが⟩非常に厳しい. 2 厳密な, 正確な.

rig·or·ous·ly 副 厳しく, 厳密に.

rile /ráɪl/ 動 他 [略式] 1 …を怒らせる, いらだたせる. 2 (米) ⟨液体⟩をかきまわして濁らせる.

rill /ríl/ 名 回 [詩] 小川, 細流(brook).

†**rim** /rím/ 名 回 1 [通例 the ~] (円い物の)縁, へり, わく(cf. brim) ‖ *the rim* of a cup 茶碗の縁 / spectacle *rims* めがねの縁 / fill a cup to *the rim* with coffee コーヒーをカップになみなみと注ぐ. 2 (車輪の)リム, 外輪(⚙ → bicycle, motorcycle); (機械の)動輪, はずみ車. —動 (過去分) rimmed-/d/; rim·ming 他 …に[…で]縁[へり]をつける, 縁を(…で)縁どる(with); …のへりになる.

Rim·baud /ræmbóʊ/ /~/ 名 ランボー⟨Arthur /ɑːrtjỳɑːr/ ~ 1854–91; フランスの象徴派詩人⟩.

rime /ráɪm/ 名 動 =rhyme.

†**rind** /ráɪnd/ 名 回 1 (樹木・果物・野菜などの)皮, 外皮⟨柑橘(な)類では peel とも呼ばれる. 関連 → skin⟩, (種子の)から, さや(crust); (チーズ・ベーコンなどの)皮; 回 皮の1片.

‡**ring**[1] /ríŋ/ (同音) wring) 〖「金属の輪」が本義〗 —名 (複 ~s /-z/) 回

I [輪の形をしたもの]

ring

1 指輪；輪形の飾り《耳輪・首輪・腕輪など》‖ a wedding ring 結婚指輪 / Did she wear an engagement ring? 彼女は婚約指輪をはめていましたか. 2 輪, 環(circle)，〈人・物の〉輪形(のもの)，円，車座；〈浴槽などの〉あかの環，輪状の汚れ‖ fórm a ríng 輪をなす；指で輪をつくる《◆物事の順調さ・完全さの象徴》/ sit in a ring 輪になって座る / a dirty neck ring 〈シャツの〉襟の汚れ / with a ring of trees around 樹木に囲まれて /"What ring is square?""A boxing ring."「四角い輪って何?」「ボクシングのリング」《◆図5 とのしゃれ》. 3 〈用具の〉輪 ‖ a key ring 輪になったキーホルダー. 4 〈貨幣・圓・その他円い物の〉へり；らせんの1巻き，1回り. 5 [the ~] (円形の)競技場[競馬場，動物展覧会場など]；ボクシングなどの〉リング《◆もとは円形であった》，〈相撲の〉土俵；プロボクシング. 6 〈選挙などの〉争い[政争]の場. 7 [植] [~s] 年輪. 8 [体操] [~s] つり輪.

‖ [集団が作る輪]

9 [the ~，しばしば R~]；集合名詞〈(競馬などの)賭(か)け屋. 10 〈私利などを得るための〉徒党，一味，一団 ‖ a spy ring = a ring of spies スパイ団.

rún [máke] ríngs (a)róund A 《略式》〈人〉よりはるかに早く行く[走る]，〈人〉にはるかにまさる，〈人〉に圧倒的に勝つ.

——動 他 1 《正式》…を〔…で〕取り囲む (surround) (+about, (a)round, in) [with, by]；〈家畜などを〉周囲を乗りおとして1か所に集める ‖ ring (up) cattle 牛を1か所に集める. 2 …を輪の形にする；〈タマネギ・リンゴなどを〉輪切りにする；〈木の〉皮を輪状にはぎとる. 3 …に輪[指輪]をはめる；〈家畜に〉鼻輪を付ける，《主に英》〈鳥〉に足輪を付ける.

——自 輪になる，ぐるぐる回る；〈タカ・トビなどが〉輪を描いて高く舞い上がる；〈キツネなどが〉環状に進む[走る]；〔語などを〕丸く囲む[round].

ring binder リングバインダー《ルーズリーフを輪で綴(と)じるバインダー》.

ring finger 左手の薬指《ふつう結婚指輪をはめる》.

ring ròad 《英》〈都市を囲む〉環状道路.

*ring[2] /ríŋ/ [擬音語. cf. scream, shriek]

——動 (~s/-z/; 過去 rang/ráŋ/ or 《略式・方言》rung/rʌ́ŋ/, 過分 rung；~ing)

——自 1 a 〈鐘・ベル・金属[ガラス]製品・電話などが〉鳴る，響く，〈らっぱ などが〉鳴り響く (+out) ‖ At ten o'clock my phone rang. 10時に私の電話が鳴った / The bell is ringing. (玄関・電話の)ベル[鐘]が鳴り続いている. b 〈音・声などが〉響き渡る，鳴り渡る (+out, through) ‖ A volley of shots rang out. 一斉射撃の銃声が鳴り響いた. c 〈耳・頭が〉〈音・声のために〉鳴る，じーんとする〔with, from〕‖ The shrill voice made my ears ring. かん高い声に耳が鳴りだした. d 〈言葉・賞賛などが〉〈心・耳・記憶に〉響く，残る〔in〕；〈行為が〉〈場所中に〉鳴り響く，評判になる〔through〕‖ Their insults rang in my ears. 彼らの侮辱的な言葉が私の耳に残った(=My ears rang with their insults.) / Tales of our courageous deeds rang through the country. 彼女の勇敢な行為に国中がわきあがっていた(=The country rang with tales ... → 4 b).

2 a 〈人が〉〈呼び出し・合図の〉〈鐘[ベル]〉を鳴らす；鐘[ベル]を鳴らして〈人・物を〉呼ぶ[求める][for]，〔人・物に…するように〕ベルを鳴らす[for / to do]‖ ring at the door 玄関のベルを鳴らす / ring for breakfast [a maid] ベルを鳴らして朝食を持って来させる[女中を呼ぶ] / ring for the dirty dishes to be taken away ベルを鳴らして汚れた食器を下げさせる. b 〈鐘・ベルが〉〈食事・礼拝などを〉告げて鳴る[for, to]‖ ring for [to] dinner [prayers] 食事[礼拝]の合図の鐘を鳴らす.

3 [ring C] 〈硬貨が〉〈硬い物に当たって〉Cのような音がする；〈言葉・約束などが〉Cのように聞こえる《◆主に true, false, hollow などが Cとなる》‖ The coin rang true [false]. そのコインは本物[にせ物]のような音がした / His excuse rings hollow. 彼の弁解はしらじらしく聞こえる.

4 〈場所が〉〔音・声などで〕鳴り響く，響き渡る 〔with, to〕《◆ with は音, to は音またはその原因》‖ The hall rang with [to] the sound of laughter. ホールは笑い声でいっぱいだった. 〈場所が〉〈名声・話題などで〉/〈人のことで〉わき返る，持ち切りである〔with, of〕‖ The whole land is ringing with the scandal. 国中のその汚職事件のことで持ち切りだった.

5 《英》〈人に/…について/…を呼ぶために〉電話をかける (《主に米》 call) (+up, through) [to/about/for] ‖ He rang up to say he'd be late. 彼は遅れると電話してきた.

——他 1 a 〈人が〉〈鐘・ベル・ブザー・電話などを〉〈人・物を求めて〉鳴らす〔for〕‖ The mailman rang the bell loudly. 郵便集配人は玄関のベルをけたたましく鳴らした / ring the bell for a secretary ベルを鳴らして秘書を呼ぶ. b 〈人が〉〈硬貨を〉鳴らして真偽を確かめる．〈鐘・ベルなどを〉…を鳴らしてたてる (+out).

2 a 〈鐘・ベル・時計などが〉〈リンリンと〉〈時刻を〉告げる，…を響き渡らせる(+out). b 〈鐘・ベルなどが〉〈警報などを〉知らせる, 告げる ‖ ring a fire alarm ジリジリと火災警報を告げる.

3 〈人が〉〈人〉を〈礼拝・教会などに〉ベル[鐘]を鳴らして呼ぶ[to] ‖ ring a servant up [down, in, out] ベルを鳴らして召使いを上へ[下へ，中へ，外へ]呼ぶ.

4 《英》〈人が〉〈人・事務所などに〉電話をかける，〈人〉を電話口に呼び出す((米) call, 《略式》buzz) (+up) ‖ ring her up on the phone 彼女に電話で呼び出す / 〈対話〉"Hello, this is John. Is Mary in?" "Sorry, she's out.""OK. I'll ring her again later."「もしもし，ジョンです．メリーさんはいますか」「あいにく，外出しています」「そうですか，それじゃまた電話します」.

5 〈賛辞などを〉高らかに言う，言い広める ‖ ring his praises 彼を盛んにほめそやす.

ríng báck 《英》[自] 〈相手と十分連絡がとれず〉電話をかけ直す. ——[他] 〈電話をくれた人に〉電話をかけ直す.

ríng ín [自] (1) 《米》〈タイムレコーダーで〉出勤時間を記録する(↔ ring out). (2) 〈主に英〉電話で報告する，電話を入れる. ——[他] (1) 〈新年などを〉鐘を鳴らして迎える(↔ ring out). (2) 〈人を含めて考える〉，算入する. (3) 〈伝言などを〉電話で伝える.

ríng óff [自] 〈主に英〉電話を切る(hang up).

ríng óut [自] (1) 《米》〈タイムレコーダーで〉退社時刻を記録する(↔ ring in). (2) 〈相手の電話(番号)が〉呼び出し音を出す. (3) 〈主に英〉電話をかける. (4) → [自] 1 a, b. ——[他] (1) → [他] 1 c, 2 a, 3. (2) 〈旧年などを〉鐘を鳴らして送る ‖ ring out the old (year) and ring in the new (year) 鐘を鳴らして行く年を送り，来る年を迎える.

ríng úp [自] (1) → ring in. ——[他] (1) → [他] 3, 4. (2) 〈売り上げ(金額)を〉金銭登録器[レジ]に記録する；〈事〉を記録する. (3) 〈教会の鐘を梁(はり)の上にあげて鳴らす.

——名 (複 ~s/-z/) 1 a [a/the ~] 〈鐘・ベル・電話な

どの)**鳴る音**，響き《リンリン，チリンチリン，ジリジリ》‖ She answered on *the* fourth (telephone) *ring*. 彼女は4回目のベルで電話に出た．

> 関連 ［いろいろな擬音語］
> clang (ガンガン；ジャンジャン), ding (ゴーン), jangle (ジャランジャラン), clash (ジャンジャン) 鐘などの音 / ting, tinkle, jingle (チリンチリン) 鈴などの音 / clang (ガンガン；カチャカチャ), clash (ガチャン) 金属などの音 / clank (ガチャンガチャン；チャリン) 鎖・刀の刃などの音 / clatter (カチャカチャ) 食器などの音 / jingle (ジャラジャラ) かぎ束・硬貨などの音 / clink (チャリン；チリン) コップ・硬貨などの音．以上は動詞としても用いる．また鐘や鈴の音にそれぞれ ting-a-ling (チリンチリン), ding-dong (ゴーンゴーン，ガンガン)なども用いる．

R

b Ⓒ (鐘・ベルなどを[が])〔人・物を求めて〕**鳴らす[鳴る]こと**〔*for*〕‖ He gave three short *rings* at the door. 彼は玄関のベルを短く3回押した．

c 《英略式》[a ～] 電話(をかけること) (《米》 call) ‖ I'll *give* her *a ring* tomorrow. あす彼女に電話します．

2 [a/the ～] (金属・ガラス・らっぱなどの)鳴る音，響き；(硬貨の真偽を示す)響き ‖ try *the ring* of a coin 硬貨を鳴らして本物かどうか試す．

3 [a/the ～] **a** (笑い・声・拍手などの)響く音 ‖ *the ring* of laughter 響き渡る笑い声． **b** (言葉・文章・声などの)響き，調子，感じ ‖ Her name has *a* nice *ring* to it. 彼女の名前はごろがいい / His story has *a ring* of falsehood about it. =There is *a ring* of falsehood in his story. 彼のその話はうそのように聞こえる(=His story *rings* false.).

give the béll a ríng =***hàve the trúe*** [***right***] ***ríng*** 本物の響きがする．

†ringed /ríŋd/ 形 **1** 指輪をはめた；正式に結婚[婚約]した． **2** 環[輪]のある，環[輪]に囲まれた；環状の．

ring·er /ríŋər/ 名Ⓒ **1** 囲う人[物]． **2** (輪投げの)鉄輪，蹄鉄(ていてつ)；その1投．

ring·lead·er /ríŋlìːdər/ 名Ⓒ (暴動・不法行為などの)リーダー，首謀者，張本人．

†ring·let /ríŋlət/ 名Ⓒ (長い毛髪の)巻き毛(curl).

ring-pull /ríŋpùl/ 名Ⓒ (かんの)引き開けリング，プルタブ．

ring·side /ríŋsàid/ 名Ⓒ [the ～] (ボクシング・サーカスなどの)リングサイド，最前列の席，かぶりつき．

ring·worm /ríŋwə̀ːrm/ 名Ⓤ〔医学〕白癬，タムシ．

rink /ríŋk/ 名Ⓒ アイススケート場；ローラースケート場．

†rinse /ríns/ 動 他 **1** 〈コップ・口など〉をゆすぐ，すすぐ(+*out*, *away*). **2 a** 〈石けん・汚れなど〉を〔…から〕すすぎ落とす〔*out of*, *from*〕‖ *rinse* the shampoo *out of* one's hair 髪をすすいでシャンプーを洗い落とす． **b** 〈物〉を〔…で〕きれいにする〔*with*〕． ── 自 〈汚れなどが〉水洗いで落ちる(+*out*). ── 名ⒸⓊ **1** ゆすぐこと；すすぎ(洗い)． **2** ゆすぎ用の水，(ヘア)リンス(液)；頭髪染料．

Ri·o de Ja·nei·ro /ríːou dei ʒənéərou | -dəʒəníərəu/ 名 リオデジャネイロ《ブラジルの海港》．

Ri·o Gran·de /ríːou grǽndi/ 名 [the ～] リオグランデ(川)《米国とメキシコとの国境をなす川》．

†ri·ot /ráiət/ 名 **1** Ⓒ (集団による公的な場所での)〔…に反対する〕暴動，騒動，一揆(いっき)；〔法律〕騒擾(そうじょう)(罪)〔*against*〕；大混乱 ‖ raise [suppress, put down] a *riot* 暴動を起こす[鎮圧する] / A race *riot* broke out in Los Angeles. 人種暴動がロサンゼルスで勃発した． **2** 《正式》[a ～ of] (色・音などの)豊かさ，多彩さ；(感情・想像などの)ほとばしり，奔放 ‖ The garden was *a riot of* color. 庭にはさまざまな花が咲き乱れていた． **3** 《略式》[a ～] 笑いを巻き起こす人[物].

réad (**A**) ***the ríot áct*** =***réad the ríot áct*** (***to*** **A**) (1) (〈暴徒〉に)騒擾取締令を読み上げて解散を命じる． (2) 《略式》〈親・教師などが〉(〈子供など〉を)〔…のかどで〕(言うことを聞かないとひどいぞと言って)きつくしかる〔*for*〕.

rùn ríot (1) 〈人などが〉自由奔放にふるまう；騒ぎ回る；〈想像などが〉とどまることがない；〈言葉が〉言いたい放題である． (2) 〈植物・花などが〉はびこる，咲き乱れる；〈伝染病などが〉猛威をふるう．

── 動 自 〈集団が〉〔…を求めて/…に反対して/…に関して〕暴動を起こす，暴動に加わる〔*for*/*against*/*over*〕‖ The students *rioted against* the bill. 学生たちはその法案に反対して暴動を起こした．

ríot gàs (暴動鎮圧のための)催涙ガス．

ríot gùn (暴動鎮圧用)短銃身散弾銃．

ríot police [集合名詞的に；the ～；複数扱い] (暴動鎮圧の)警察機動隊．

ríot shield (警官の)暴徒鎮圧用の盾．

ríot squàd [集合名詞的に；単数・複数扱い] =riot police.

ri·ot·er /ráiətər/ 名Ⓒ 暴徒，暴民．

†ri·ot·ous /ráiətəs/ 形 **1** 《正式》暴動を起こす，暴動に加わる；〈行動が〉暴動的な． **2** 〈生活などが〉放埒(ほうらつ)な；飲み騒ぐ． **3** 〈笑い・声などが〉騒々しい． **4** 〈行動などが〉にぎやかな．

†rip /ríp/ 動 (過去・過分 **ripped**/-t/; **rip·ping**) 他 **1 a** 〈人などが〉〈紙・布・服など〉を(びりっと)(引き)裂く(+*up*) (→ tear)；〈布・服など〉を〔…に引っかけて〕裂く〔*on*〕；[rip **A C**] **A**〈物〉を裂いて[破って] **C** にする ‖ *rip* a parcel open 小包を破って開ける《◆しばしば **A** と **C** の位置が入れ替わる． → open 形**1**》． **b** 〈釘(くぎ)などが〉〈裂け目・穴など〉を〔…に〕作る〔*in*〕‖ The jagged edge *ripped* a hole *in* his trousers. ぎざぎざのかどが彼のズボンに引っかかって穴があいた． **c** 〈木材〉を縦びきにする． **2** 〈人などが〉〈物〉をもぎ[はぎ，切り]取る(+*off*, *out*, *away*)《◆off は強風・刃物などが主語の時にも用いる》；〈物〉を〔…から〕はぎ取る〔*from*, *off*〕《◆《米略式》では「…から」を強調するため off of となることがある》‖ He *ripped* a poster *off* a wall. 彼はポスターを壁からはぎ取った．

── 自 〈物が〉裂ける，破れる，ほころびる；裂けて[破れて]…になる ‖ The sack caught on a nail and *ripped* open. 袋は釘に引っかかって口があいた(cf. 他 **1a**).

lèt her [***it***] ***ríp*** 《略式》 (1) 〈車〉をぶっとばす；〈機械など〉をフル回転する． (2) =let things RIP.

lèt thíngs ríp 《略式》物事を成り行きに任せる．

ríp* A *apárt (1) 〈人・爆弾などが〉〈物〉をばらばらに引き裂く；(捜し物のため)〈物・場所〉を散らかす． (2) 〈事が〉〈人〉を悲しく[苦し]ませる；[通例 be ～ped] 〈人が〉悲嘆にくれる．

ríp awáy [他] 〈物〉を[物から]もぎ[はぎ，切り]取る〔*from*〕.

***ríp ínto* A** 《略式》〈人などが〉〈人など〉を〔…のかどで〕(言葉で)激しく攻撃する[非難する，しかる]〔*for*〕.

ríp* A *to [***into***] **B** 〈人・強風などが〉 **A**〈物〉をひき裂いて **B**〈状態〉にする《◆**B** は pieces, shreds, tatters など》．

ríp úp [他] (1) → 他 **1a**. (2) 〈道路・床板など〉を引きはがす． (3) 〈協定・計画など〉を破棄する，取り消す．

━━名 C〔服などの〕裂け目, ほころび〔in〕; 引き裂くこと.

ríp còrd 〈パラシュートの〉開き綱, 〔航空〕曳索(ぇぃ); 〈気球の〉引き裂き綱.

RIP 〖略〗〖ラテン〗 requiesca(n)t in pace《墓碑銘》安らかに眠れ(=May he [she, they] rest in peace.).

†**ripe** /ráip/ 形 (~r, ~st) **1** 熟(う)れた, 熟した, 実った, 収穫できる 類語 mellow, mature) (↔ unripe) ∥ *a ripe apple* 熟したリンゴ / *ripe grain* 取り入れ間近の穀物 / *Soon ripe, soon rotten.*《ことわざ》早熟れの早腐れ;「大器晩成」. **2**〈ワイン・チーズなどが〉飲み[食べ]頃の(類語 mellow) ∥ *ripe wine* [*cheese*] 熟成したワイン[チーズ]. **3**〈くちびるなどが〉赤くふっくらした, 〈胸が〉*ripe* busts 豊満な胸. **4**《正式》円熟した, 熟達した; […に]円熟した〔*in*〕; [遠回しに] 老齢[高齢]の(old) ∥ *ripe* judgment 大人の分別 / *a person of ripe*(*r*) *years* 大人, 若いとは言えない人 / *a man「ripe with experience* [*of ripe age*] 人生経験豊かな人 / *die at* [*the*] *ripe* (*old*) *age of 95* 95歳の高齢で死ぬ. **5**《正式》〈機が〉熟した, 準備の整った〔*for, to do*〕∥ *The time is ripe「for investment* [*to invest our money*]. 今こそ投資の時だ / *a ripe opportunity to go abroad* 外国へ行く絶好のチャンス / *a girl* (*who is*) *ripe for marriage* 結婚適齢期の娘.

†**rip·en** /ráipn/ 動他 **1**〈植物などが〉熟れる, 実る ∥ *The tomatoes will ripen early this year.* 今年はトマトの実りが早いでしょう. **2** 成熟[円熟]する; 熟して[…になる]〔*into*〕∥ *His sympathy ripened into* affection. 彼の同情は愛情に発展した. ━━他 **1**〈物が〉植物などを熟させる, 実らせる ∥ *The sun ripened the grapes.* 日光を浴びてブドウが成熟した. **2** …を成熟させる.

rip-off /rípɔ̀(ː)f/ 名 (複 ~s) C 《略式》 **1** [通例単数形で] 盗み; 詐欺; 暴利; 泥棒; まやかし, でたらめ. **2** 盗作映画[小説, 作品]など. **3** ばか高い品物. ━━形 《略式》ばか高い, 盗みの, いんちきな.

rip·per /rípər/ 名 C 引き裂く[はぎ取る]人[道具]; 縦びきのこぎり; 切り裂き魔, ばらばら殺人犯人.

†**rip·ple** /rípl/ 名 **1a** さざ波, 小波 ∥ *There isn't a ripple on the lake this morning.* 今朝は湖にさざ波一つない. **b** 波紋; 影響; うわさ. **2** 波状の動き[形]; (毛髪などの)ウェーブ; (リボンなどの)小むら; = ripple mark. **3** [a/the ~; 修飾語句を伴って] さざ波の(ような)音, さらさら; (声・笑いなどの)さざめき ∥ *a ripple of laughter* さざめく笑い声. ━━動 他《正式》〈風などが〉水面などにさざ波を立てる; …に波形[ウェーブ, 小じわ]をつける ∥ *The wind rippled the surface of the water.* 風が水面にさざ波を立てた. ━━自 **1**《正式》**a** さざ波を立てる; 〈水・船などが〉さざ波を立てて流れる[進む]. **b** 〈毛髪などが〉波打つ; 〈穀物などが〉(風で)さざ波のように揺れる. **c** (1点を中心として)波紋が広がる; 〈知らせなどが〉波紋のように広がる. **2**〈水・小川などが〉さらさら音をたてる; 〈声などが〉さざめく.

rípple màrk (波や風による砂や岩の上の)波紋, 風紋.

rip·saw /rípsɔ̀ː/ 名 C 縦びきのこぎり.

Rip Van Winkle /rìp væn wíŋkl/ 名 リップ=バン=ウィンクル《Irving 作 *The Sketch Book* 中の物語の主人公》. 浦島太郎の米国版》; 時代遅れの人.

‡**rise** /ráiz/ 〖「下から上へ動く」→「発生する」. cf. raise, arise〗

index 動 自 **1** 増す **4a** 高くなる **5** 出る **6** 上がる **7** そびえ立っている **8** 出世する **9** 立ち上がる **10** 起きる **15** 源を発する
名 **1a** 増加(量) **b** 昇給(額) **3** 上昇 **4** 上り坂

━━動 ~s/-iz/; 過去 rose/róuz/, 過分 ris·en /rízn/; ris·ing》

━━自 ◆対応する他は raise》.

Ⅰ[数量・程度が増加する]

1〈物・事が(数・量・程度・力などが)〉増す; 〈価格・温度(計)などが〉[…に/…だけ]上がる, 高くなる; 〈商品などが〉値上がりする〔*to/by*〕(↔ fall) 類語 ascend, soar, advance, go up)《使い分け → raise 他 2》∥ *The dollar rose against the pound yesterday.* きのうはポンドに対してドル高だった / *The price of milk rose「to a dollar* [(*by*) *eight cents*]. =*Milk rose「to a dollar* [(*by*) *eight cents*] (*in price*). 牛乳が1ドルに[8セント]値上がりした / *The temperature today rose above 95°F.* 今日の温度は華氏95度以上に昇った.

2〈川・洪水などが〉増水する; 〈水かさが〉増す; 〈潮が〉満ちる ∥ *The river* [*water*] *rose fifteen feet with the heavy rains.* 豪雨のため川[水かさ]が15フィート増水した[増えた].

3〈感情などが〉〈事に対して/人・心の中で〉高まる, 激しくなる(+*up*)〔*at/in*〕; 〈元気が出る〉; 〈士気が〉上がる ∥ *His anger rose at her insult.* 彼女の侮辱で彼の怒りがつのった.

4a〈声・音が〉**高くなる**, 大きくなる ∥ *Her voice rose in* [*with*] *excitement.* 彼女は興奮して大声を出した. **b**〈風が〉強くなる ∥ *The wind rose to gale force.* 風は強くなって大風の勢いになった. **c**〈色が〉濃くなる ∥ *Color rose in her cheeks.* 彼女のほおに赤みが増した.

Ⅱ[上がる]

5〈太陽・月・星などが〉(地平線上に)**出る**, 昇る; 〈朝・夜明けが〉来る; [rise C] C の状態で昇る[明ける](↔ set, sink) ∥ *The sun rises in the east.* 太陽は東から昇る.

6a〈煙・風船などが〉[…から/空へ]**上がる**(+*up*)〔*from/in*〕; 〈臭気・香りなどが〉[…から]立ちのぼる〔*from, out of*〕; 〈霧などが〉現れる 類語 ascend, soar, go up) ∥ *Smoke could be seen rising from the chimneys.* 煙突から煙が上がっているのが見えた《➡ 文法 7.9》. **b**〈幕が〉上がる; 〈鳥などが〉(空へ)飛び立つ〔*into, in*〕∥ *The curtain rises.* 幕が上がる; 新しい局面が展開される / *The curtain rises on a noisy cocktail party.*《劇の書き》幕が上がってにぎやかなカクテルパーティーの場面となる. **c**〈泡などが〉(水底から/水面に)浮かび上がる〔*from/to*〕; 〈魚が〉(えさを求めて)〔水面などに〕浮かび上がる〔*to*〕(cf. arise) ∥ *rise to the surface* 水面に浮かび上がってくる / 〈隠れていた事実などが〉明らかになる / *rise to the [a] bait =rise to「the fly* [*it*] 〈魚がえさに食いつく〉; 〈人が〉誘惑にのる《◆ it はえさを漠然と示す》.

7a〈山・建物などが〉そびえ立っている(+*up*)《◆修飾語(句)は省略できない》∥ *The steeple rises (to a height of) 90 feet* [*rises to 90 feet*]. 塔は90フィートの高さにそびえている / *A big rock rose out of the sea.* 大きな岩が一つ海面から突き出ていた. **b**

〈道・土地などが〉上り(坂)になる, 高くなる.
8 a 〈地位などが〉〔…から/…に/…において〕**出世する**, 昇進する. 〔*from, through / to / in*〕 類語 ascend, advance, promote ‖ rise in one's profession [*in* the world] 出世する / *rise from* typist *to* vice-president タイピストから副社長に出世する / She *rose in* (her) status this year. 彼女は今年地位が上がった.

III [立ち上がる]
9 a [正式]〈人などが〉〔場所・姿勢などから〕**立ち上がる**, 起き上がる, 起立する(arise) (+*up*)〔*from*〕《◆ふつう a stand up》; [rise **C** で C の状態で立ち上がる ‖ He *rose* from his chair to welcome them. 彼はいすから立ち上がって彼らを歓迎した《◆*rose in his chair*「いすに座っていた位置で立ち上がる」の意で, その場所を動かないことを表す》 / *rise* to「*one's feet* [*one's* (*full*) *height*] 立ち上がる / *rise on* one's *toes* つま先で立つ / *rise from* (the) *table* (食事を済ませて)食卓を離れる / He *rose* victorious. 彼は勝ち誇って立ち上がった. **b** 〈毛・髪などが〉(恐怖などで)逆立つ.
10 [正式]〈特に夜の眠りからさめて〉**起きる**, 起床する(+*up*)《◆ふつう get up》‖ She *rises* early. 彼女は早起きだ(=She is an early *riser*.).
11 [正式]〈議会・法廷などが〉**閉会**[散会]する(↔ sit).
12 [正式]〈人々が〉〔人・政府などに反抗して〕**立ち上がる**, 反乱を起こす(rebel) (+*up*) 〔*against, on, upon*〕《◆修飾語(句)は省略できない》(cf. revolt) ‖ *rise* (*up*) in revolt *against* … …に反抗して反乱を起こす.
13 [正式]〔要求・危機・場合などに〕(能力を発揮して)うまく対処する〔*to*〕‖ *rise to* the occasion [challenge] magnificently 機に応じて見事な才能を発揮する.
14 [正式]〈死者などが〉〔死などから〕生き返る, 甦(ﾖﾐｶﾞｴ)る(revive) (+*again*) 〔*from*〕‖ Jesus *rose from* the dead [grave]. イエスは甦った.

IV [発生する]
15 a 〈川・天地などが〉〔…に〕**源を発する**, 始まる〔*from, in, at*〕;〔詩〕〈物事・感情などが〉〔…のせいで〕起こる〔*from, out of*〕《◆修飾語(句)は省略できない》‖ The river *rises* 「*from* a spring [*in* the mountains]. その川は泉[山脈]に源を発している. **b** 〈風・あらしなどが〉起こる, 発生する; 〈うわさなどが〉立つ, 広まる. **c** 〈声などが〉起こる, 聞こえる(+*up*).
16 a 〈物が〉現れる, 見えてくる;〈音が〉聞こえてくる(+*up*);〈涙が〉〔目に〕浮かぶ〔*to*〕(cf. appear) ‖ Tears were *rising to* her eyes. 彼女の目には涙が浮かんできた. **b** 〈考えなどが〉〔心に〕浮かぶ〔*before, in, to*〕;〈感情などが〉〔人に〕わく〔*in*〕‖ An idea *rose before* [*in, to*] my mind. ある考えが私の心に浮かんだ.

ríse abóve A (1) 〈物の上にそびえる[上がる]. (2) [正式]〈感情・行動・思想などを〉超越する, …の域を脱する. (3) 〈困難などを〉克服する(overcome)《◆受身不可》.

── 名 (複 ~s/-iz/)
I [数量などの上昇]
1 ⓒ **a**〈数・量・価格・温度などの〉**増加**(量), 増大(量) 〔*in, of*〕;〈水位などの〉増加(量) 〔*of*〕(↔ fall) ‖ a *rise in* living expenses 生活費の高騰(ﾄｳ) / the *rise* of the stream 流れの増水. **b** (英) 昇給(額), 賃上げ((米) raise) ‖ He asked his boss for a *rise* (in pay). 彼は上司に昇給を求めた.

II [上昇]

2 ⓒ 〈ある地位への〉**出世**, 昇進〔*to*〕; 向上, 進歩 栄, 隆盛 ‖ máke [háve, achíeve] a *rise* in life [the world] 出世する / Castro's *rise* to power カストロの権力獲得.
3 ⓒ Ⓤ **上昇**, 上がること;〈文〉(太陽・月・星などが)出ること;〈魚がえさを求めて〉浮かびト来ること;〈演劇〉幕開き ‖ the *rise* of a balloon 風船の浮上.
4 ⓒ 〈…の〉**上り坂**, 勾(ｺｳ)配〔*in, of*〕; 高台, 丘;〈大陸〉斜面 ‖ a steep [gentle] *rise* in the road 急な[なだらかな]坂道.

III [見えないところから見えるところへの上昇]
5 ⓒ **a**〈川などの〉〔…に発する〕源, 起源, 起こり〔*in, from, among, at*〕‖ the *rise* of a stream in a mountain 山中の川の源 / Where does this problem have [take] its *rise*? この問題の発端はどこにあるのか. **b**〈文明・産業などの〉出現, 発生.

gèt [tàke, hàve] a [the] ríse out of A (略式)〈人をからかって怒らせる;…を怒らせて思い通りの反応を得る.
***give ríse to* A**[正式]〈物・事が〉A〈特に悪い事〉を引き起こす, …のもとになる ‖ His careless words will *give rise to* misunderstanding(s). 彼の不注意な言葉は誤解を産むであろう.
on the ríse 〈物価などが〉上昇中で[の];〈経済などが〉上向きで[の];〈物事が〉増加して(いる);〈人が〉新進の[で], 出世の道を歩んで(いる).
the ríse and fáll (潮の)干満;(温度・声・音などの)高低;(国の)盛衰, 興亡.

*****ris・en** /rízn/ [発音注意] 動 rise の過去分詞形.

ris・er /ráizər/ 名 ⓒ **1** [通例形容詞を伴って]起きるが…の人[動物] ‖「an early [a late] *riser* 早起き[朝寝坊]の人. **2** 蹴(ｹ)上げ板〔階段の踏み板の間の縦板〕.

ris・ing /ráiziŋ/ 動 → rise. ── 形 **1** 昇る, 上がる;〈太陽・月・星などが〉出る; 上向きの; 高まる, 増大する. **2** 新進の; 売り出し中の ‖ a 「*rising star* [*Rising Star*] 目下売り出し中の新人, 成長株. **3** 上り坂の; 高くなった. ── 名 **1** ⓒ 上昇, 昇ること; 上昇;〈太陽・月・星などの〉出; 昇進; 起立; 閉会, 散会; 復活; 出現. **2** ⓒ 反乱, 暴動. **3** ⓒ 突起, 突出物; 上り坂; 高台.

*****risk** /rísk/ 『「絶壁の間を船で行く」が原義』
── 名 (複 ~s/-s/) **1 a** ⓤⓒ〔危害・損害などの(人が)…する/…という〕**危険**(性), 恐れ〔*of / of (one's) doing / that* 節〕‖ There is no [not much, (a) great] *risk of* your being late for school. 君が学校に遅れる恐れはまったくない[あまりない, 大いにある] ⇒ **文法** 12.5).
2 ⓒ〈保険〉〔…に対する〕**危険**(率), リスク; 保険金(額) 〔*for*〕; [形容詞を伴って]被保険者[物] ‖ Smokers have a high *risk for* cancer. 喫煙者はガンにかかる危険が高い.

at ány rísk どんな危険を冒しても, ぜひとも.
at one's (*ówn*) *rísk* 自分の責任において ‖ Park [Leave] your car here *at your own risk*. 自分の責任においてここに駐車しなさい(当方は責任を負いません)《◆警告の掲示》.
at rísk (英式)〈人・事業などが〉危険にひんして.
at A's rísk 〈人が〉どんな損失も負担して.
at the rísk of =*at rísk to* A [正式]〈命などを〉賭(ｶ)けて, …の危険を冒して;〔…することを〕覚悟で〔*doing*〕《◆ A はふつう one's life A 動名詞》‖ He saved her *at the risk of* his life. 彼は自分の命を賭けて彼女を救った(=He *risked* his life to save her.).

*rùn [tàke] a rísk 〔…において/…ということを覚悟で〕**危険を冒す**, 危ない橋を渡る〔in (doing) / that 節〕∥ She took the risk that she might lose a lot of money. 彼女は多額の金を失うかもしれないと承知の上で一か八かやってみた.
　rùn [tàke] the rísk of doing … …する危険を冒す, …を覚悟でやる∥ He ran the risk of losing his present position. 彼は現在の地位を失う危険を冒した.
──**動** (~s /-s/; 過去・過分 ~ed /-t/; ~ing)
──他 **1**〔命・財産などを〕**危険にさらす**, 賭(か)ける;〈金などを〉〔競馬などに〕賭ける〔on〕∥ risk one's neck (略式)首(命)を賭ける. **2** …を思い切ってやってみる; 思い切って〔…〕する〔doing〕. **3**〔(人が)…することを〕覚悟でやる〔(...'s) doing〕∥ Don't risk losing everything. すべてを失うような危険を犯すな.
　rísk fàctor 危険因子.
　rísk mànagement 危機管理.

†**risk·y** /ríski/ 形 (通例 ‑i·er, ‑i·est) 危険な, 冒険的な∥ It is risky for you to go there alone. 君が1人でそこに行くのは危険だ《◆×It is risky that you go there alone. は不可》.

ri·sot·to /risɔ́ːtou, (英+) ‑zɔ́t‑/《イタリア》名 UC リゾット《野菜・チーズ・肉などの入った雑炊(ぞうすい)》.

†**rite** /ráit/ 同音 right, write 名 C (正式) **1** [通例 ~s] (宗教上のあるいは厳粛な)儀式 (ceremony)∥ the rite of baptism 洗礼式. **2** 儀式の形式; (キリスト教会の)典礼.

*ri·tu·al /rítʃuəl/ 〖「厳粛な儀式」が本義〗(正式)
──名 (複 ~s /‑z/) **1** UC (宗教的)**儀式** (ceremony)《◆ rite より堅苦しい儀式》∥ A religious ritual is being performed at the church. 宗教儀式がこの教会で行なわれている. **2** C 儀式. **3** C [しばしば ~s] (儀式上の)形式, 式次第, しきたり. **4** C [比喩的に] 日常の習慣的行為.
──形 [名詞の前で] 儀式の, 儀式として行なわれる《◆ 比較変化しない》.

rít·u·al·ism 名 U **1** 儀式偏重, 儀式主義. **2** 儀式学. **rít·u·al·ist** 名 C 儀式主義者.
rit·u·al·is·tic /rìtʃuəlístik/ 形 (正式) **1** 儀式の. **2** 儀式主義の, 儀式偏重の.

†**ri·val** /ráivl/ 名 C 〔…を求め合う/…における〕競争相手, 対抗者, 敵手〔for, in〕∥ a strong rival 強敵 / a rival in love [business] 恋[商売]がたき / They are rivals for the girl next door. 彼らは隣の女の子をめぐる恋がたきである. **2** 〔人・物に…において〕匹敵する人[物], 好敵手〔to, of / in〕∥ Shakespeare has no rival as a tragic dramatist. 悲劇作家としてシェイクスピアに匹敵する者はいない.
──形 競争[対抗]している, 張り合っている.
──動 (過去・過分 ~ed or (英) ri·valled /‑d/; ~ing or (英) ‑val·ling) 他 **1** 〈人などが〉〈人などと〉〔…を求めて/…(すること)において〕競争する, 対抗する, 張り合う〔for / in (doing)〕∥ The two teams rivaled each other for the championship. 2つのチームが優勝を競(きそ)い合った. **2**(正式)〈人・物などが〉〈人・物などに〉〔…(すること)において〕匹敵する, 比肩する, 劣らない〔in (doing), for〕∥ No other college or university ours in linguistics. 言語学においてどの大学も我が大学には及ばない.

†**ri·val·ry** /ráivlri/ 名 CU 〔…との/…の間の/…における〕…を求める〕競争[抗争, 対立, 張り合い]《(意識)関係・行為)〔with / between, among / in / for〕∥ friendly rivalry 相互に励ましあう競争 / be in rivalry 張り合っている / enter into rivalry with …と競争を始める.

****riv·er** /rívər/ 〖「水によって引き裂く(rive)れたもの」→「川岸」が原義. cf. arrive, rival〗
──名 (複 ~s /‑z/) **1** C **川**《◆船が航行できるくらいの中規模以上の川. 豊饒(ほうじょう)・力の象徴》類語 brook, stream, creek, rivulet, rill》∥ go swimming in the river 川に泳ぎに行く / houses on the river 川沿いの家 / They sailed down [up] the river Nile. 彼らはナイル川を船で下った[上った] / There is a bridge across [over] the river. その川には橋が1つかかっていた / This river is rich in fish. この川は魚が多い.

語法 (1) 川の名称をいう時は, (米)では the Hudson River, (英)では the river [River] Thames の語順.
(2) まぎらわしくない場合は, ふつう the Hudson, the Thames のようにいい, また地図などでは the を省略して Thames River のようにする.
(3) 川の名称が2つ以上並べて用いられる時は the を省略する: Tweed or Thames トゥイード川かテムズ川.

関連 [いろいろな種類の川などの流れ]
branch, tributary 支流 / canal 運河 / creek 小川 / headwaters 源流 / rapids 瀬, 急流 / river mouth 河口 / stagnation, back-water ふち, よどみ / trunk 本流.

2 (正式) 流れ; [~s] 大量の流れ∥ a river of lava 溶岩の流れ / rivers of blood (戦争などの)おびただしい流血 / rivers of tears とめどなく流れる涙.
　ríver bàrge はしけ, 川船.
　ríver bàsin 河川流域.
　ríver hòrse カバ (hippopotamus).
riv·er·bank /rívərbæŋk/ 名 C 川岸, 川の土手 (bank).
†**riv·er·side** /rívərsàid/ 名 [the ~; 時に形容詞的に] 河岸, 河畔, 川辺(の)∥ She lives on the riverside. 彼女は川辺に住んでいる / a riverside restaurant 川沿いのレストラン.

†**riv·et** /rívət/ 名 C リベット, 鋲(びょう). ──動 他 **1** …を〔…に〕リベットで留める(+together)〔on, to〕. **2** くぎなどの先をつぶして固定させる. **3** …を固定する; [比喩的に] …を〔…に〕釘づけにする〔to〕;〈目・注意などを〉〔…に〕集中させる〔on〕.

Riv·i·er·a /rìviéərə/ 名 [the ~] リビエラ地方《地中海沿岸の避暑地》; [時に r~] 海岸の避暑地.

†**riv·u·let** /rívjulət/ 名 C (文) **1** 小川, 細流《◆ stream よりも細いもの》. **2** (雨・汗などの)したたり.

Ri·yadh /rijɑ́ːd/ 名 リヤド《サウジアラビアの首都》.
RM (略) Royal Marines.
Rn (記号) (化学) radon.
RNA (略) (生化学) ribonucleic acid.
roach /róutʃ/ 名 (複 roach) C (魚) ローチ《ユーラシア産のコイ科の淡水魚》.

****road** /róud/ 発音注意 同音 rode; 類語 load /lóud/) 〖「馬でいく道」が原義. cf. ride〗
──名 (複 ~s /róudz/) **1** C (ふつう車の通れる)**道路**, 道, (町の)通り《◆ 人生・冒険の象徴》∥ a village [town, city] road 田舎[町]の道 / a public road 公道 / holes in [(米) on] the road 道のくぼみ.

関連 [いろいろな種類の道路]
country road [lane, track] 田舎道 / drive, road 車道 / fast [passing] lane 追い越し車線 / freeway, expressway, turnpike, interstate (米) 大きな道路 / main road, highway, motorway (英) 大きな道路 / occupation [private] road 私道 / sidewalk 歩道(英) pavement) / street, avenue, boulevard (町の)通り, 街路 / toll road 有料道路.

使い分け [road と street]
road は都市や府県を結ぶ「道路」の意.
street は市街地や町の中を通る「道路」の意.
The road [*street] through the mountains is very narrow. 山を通る道路はとても狭い.
I met John in the street. 通りでジョンに会った.

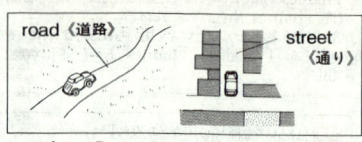

road 〈道路〉　　　street 〈通り〉

2 a [the ~ R~] …街道 ‖ the Oxford Road オックスフォード街道《◆小文字の the Oxford road では「オックスフォードへの道」(the road to Oxford). →**4**》. **b** [通例無冠詞;…R~] …街(Street) (略 Rd.) ‖ Victoria Road (住所の)ビクトリア街 / His address is 30 York Rd., London. 彼の住所はロンドン市ヨーク街30番だ.
3 [形容詞的に] 道路(上)の ‖ a road accident 交通事故 / a road junction 交差点 / a road sign 道路標識 / Road Works Ahead. (掲示) 前方道路工事中((米) Construction Ahead.)《◆単に Working Ahead ともいう》.
4 ⓒ [通例 the ~] (…への)道, 道筋(way); (正式) (目的などへの)道, 方法(route) [to] ‖ Is this the road to Weston? この道をゆくとウェストンに行けますか / You're on the wrong road. 道を間違えていますよ / the road to ruin [success, peace] 破滅[成功, 平和]への道 / **There is no royal road to learning.** (ことわざ) 学問に王道なし / It might be a rough road ahead, but … この先険しい道かもしれませんが…《◆相手を励ますときの前置きの言葉》.
5 ⓒ (米) 鉄道(railroad). **6** ⓒ 〔海事〕 [しばしば ~s] (港外の)停泊地, 錨地.
by róad 陸路で, 車[バス]で.
hít the róad (略) 出発する, 旅に出る.
on the róad (1) 〈劇団・野球チームなどが〉地方巡業中の. (2) 〈セールスマンが〉地方回りの, 出張して. (3) 旅行して; 放浪して. (4) [… の/…するに] 途上の[to / to doing] ‖ be on the road to happiness 幸福になりつつある.
óut of A's [the] róad 〈人〉の道をふさがないで;(主にスコット略式) A〈人〉の邪魔をしないで ‖ Get out of the road. 邪魔をするな.

róad còmpany (米) 旅芸人, 地方巡業の劇団.
róad màp (自動車用)道路地図; (目標達成の)予定表, 長期計画表.
róad mètal (道路の)舗装材料《砕石・バラスなど》.
róad sàfety 交通安全.

róad shòw =roadshow.
róad tèst (車の)路上性能試験.
road·bed /róudbèd/ 图 ⓒ (米) [通例 a/the ~] 1 〔鉄道〕 路盤, 道床. 2 路床; 路床材料《砂利など》.
road·block /róudblɑ̀k|-blɔ̀k/ 图 ⓒ 1 (検問などの)路上バリケード. 2 (主に米) 路上障害物; [比喩的に] 障害物.
road·run·ner /róudrʌ̀nər/ 图 ⓒ 〔鳥〕 ミチバシリ.
road·show /róudʃòu/, **road show** 图 ⓒ 1 (劇団の)地方巡業. 2 (まれ)(映画の)ロードショー.
†**road·side** /róudsàid/ 图 ⓒ 圏 道端(の), 路傍(の) ‖ by [on, at] the roadside 道端に.
road·stead /róudstèd/ 图 ⓒ (港外の)停泊地.
†**road·ster** /róudstər/ 图 ⓒ 1 〔歴史〕 ロードスター《2人乗りのオープンカー》. 2 (道路上で用いる) 乗用馬.
†**road·way** /róudwèi/ 图 ⓒⓊ 道路; (特に)車道 (cf. pavement, sidewalk).
road·work /róudwə̀ːrk/ 图 1 Ⓤ ロードワーク《ボクサーなどの長距離ランニング》. 2 (英) [~s] 道路工事 (→ road **3**).
road·wor·thy /róudwə̀ːrði/ 圏 〈乗り物が〉路上使用に適した; 〈人が〉旅行できるほど元気な.
†**roam** /róum/ (同音) Rome) (正式) 動 (自) 〈人などが〉〈場所を〉(自由に楽しく広範囲に)歩き回る, ぶらつく, 放浪する〔about, around, over, through〕‖ roam through [about] the fields 野原を歩き回る.
── 他 …を歩き回る, 放浪する ‖ dogs (which are) roaming the streets 通りをうろついている犬 / roam the world 世界を漫遊する.
── 图 ⓒ 歩き回ること, 徘徊(はいかい), 散策.
†**roan** /róun/ 圏 〈馬・牛などが〉葦毛(あしげ)の, 茶色と白色の混じった. ── 图 ⓒ 葦毛の動物《特に馬》.
*****roar** /rɔ́ːr/ (同音) raw) 〖『雄ジカが鳴く』が原義〗
── 動 (~s/-z/; (過去・過分) ~ed/-d/; ~·ing /rɔ́ːriŋ/)
── (自)
I [ほえる]
1 〈野獣・牛などが〉ほえる, うなる(+out) ‖ A lion is roaring in the distance. ライオンが遠くでほえている.
2 a 〈人が〉[興奮などで/…を求めて/…に対して]大声をあげる, わめく, どなる〔in, with / for / at〕; (略式) 〈子供が〉泣き出す ‖ The audience is roaring for an encore. 聴衆はアンコールを求めて大声をあげている / roar in [with] pain 痛くてうめく / The captain roared at the crew. 船長は乗組員に大声でどなった. **b** (略式) 大笑いする(laugh loudly).
II [とどろく]
3 〈風・波・火などが〉ごうごうと鳴る, 〈雷・大砲などが〉とどろく, 鳴り響く ‖ The wind roared in the trees. 風は木立をごうごうと鳴った.
4 〈車・飛行機が〉轟音(ごうおん)を立てる[立てて走る](+along, away, past) ‖ The motorbikes roared down the hill. バイクは轟音を立てて丘を下って行った. **5** (正式) 〈場所が〉鳴り響く.
── (他) **1** 〈命令・賛成などを大声で言う〉(+out) ‖ roar one's approval 大声で賛成を叫ぶ. **2** 〈人〉をどなって〈ある状態〉にする ‖ roar oneself hoarse 声をからしてどなる / roar him down 彼をやじり倒す.
── 图 ⓒ **1** (野獣の)ほえ声, 咆哮(ほうこう)《◆lion, bull, tiger などに用いる》; (人の)叫び声, 怒号; 大きな笑い声, どよめき ‖ a roar of pain 苦痛のうめき. **2** 轟音, とどろき.
sét the róom [tàble] in a róar 部屋中[一座]の人々をどっと笑わせる.
roar·ing /rɔ́ːriŋ/ 圏 **1** ほえる, とどろく; 騒々しい; 荒々

の. **2** 活気のある ‖ do [drive] a *roaring* trade《略式》商売が大繁盛する.

róaring fórties [the ~; 複数扱い] 荒れ狂う40度台《太平洋・大西洋の北緯・南緯40-50度の暴風海域》.

Róaring Twénties《米》ジャズと狂騒の1920年代.

†**roast** /róʊst/ 動 他 **1 a**〈人が〉〈肉・じゃがいもなどを〉(オーブンまたはじか火で)焼く, あぶる;〈豆などを〉炒(い)る (→ cook 他**1** 関連) ‖ *roast* the turkey in the oven シチメンチョウを天火で焼く / *Roast* this chicken on a spit. このにわとりを焼き串に刺して焼いてください. **b** [*roast* A C]〈人が〉A〈肉・豆などを〉焼いて[炒って] C にする ‖ *roast* coffee beans brown コーヒー豆をこんがり炒る. **2**〈体・手などを〉暖める. ── 自 **1**〈肉などが〉(オーブン・じか火で)焼かれる;〈豆などが〉炒(い)られる. **2** ひどく熱くなる.
── 名 **1** Ⓤ Ⓒ 焼き肉(の大きな切り身), ロースト. **2** Ⓒ Ⓤ 焼き肉用の肉(の塊). **3** Ⓒ 焼く(あぶる, 炒(い)る)こと ‖ give the meat a good *roast* 肉をよく焼く. **4** Ⓒ《米》戸外の焼き肉パーティー. **5**[形容詞的に] 焼いた, あぶった, 炒った ‖ *roast* beef ローストビーフ《イングランドの代表的な料理》.

roast·er /róʊstər/ 名 Ⓒ **1** 肉焼き器用オーブン. **2** 肉をロースト焼きにする人. **3** 丸焼き用チキン[子豚].

*****rob** /rɑ́b | rɔ́b/ 発音 rub /rʌ́b/〚「衣服を剥(は)ぐ」が原義. cf. robe〛robber (名), robbery (名)
── 動 (~ s/-z/; 過去・過分 robbed/-d/; rob·bing)
── 他 **1** [*rob* A of B]〈人が〉A〈人〉から B〈金・物〉を奪う, 強奪する ‖ They *robbed* the man *of* his watch. 彼らはその男から腕時計を奪った / She was *robbed of* her rings last night. 彼女は昨夜指輪を奪われた《◆ A は人であるから ˟Her rings were robbed (of her) last night. / ˟She had her rings robbed of last night. は不可. 奪われた物を主語にする steal ならば可》.

> **使い分け** [rob と steal]
> rob は「力ずくで取る, 奪う」.
> steal は「こっそりと相手にわからないように盗む」.
> I've been *robbed*. ひったくりにあいました.
> My bike's been *stolen*. 自転車が盗まれました.

2 [*rob* A (of B)]〈人が〉A〈場所〉から〈B〈金・物〉を〉強奪する; A〈場所〉から金品を盗む, …を襲う ‖ They *robbed*「the bank of its money [the jeweler of his jewels]. 彼らは銀行から金を[宝石商から宝石を]奪った / The bank was *robbed* yesterday. その銀行は昨日(強盗に)襲われた《◆休日や夜間にかぎらず金品を奪う目的で侵入した場合は The bank was broken into. がふつう》.

> **語法** [*rob* A of B] A は〈持っていた人・あった場所〉で, B が〈奪う対象となった物〉. *rob* B from A は誤り: ˟They robbed his watch from the man. / ˟They robbed the money from the bank.

3《正式》〈物・事が〉〈人・物・事から〉[事を]奪う, 失わせる[of]《◆ deprive よりくだけた語》 ‖ Fear *robbed* her *of* speech. 恐怖のあまり彼女は口がきけなかった.
── 自 強盗[盗み]を働く.

Rob /rɑ́b | rɔ́b/ 名 ロブ《男の名. Robert の愛称》.

†**rob·ber** /rɑ́bər | rɔ́b-/ 名 Ⓒ 強盗, 盗賊(の1人) (→

thief) ‖ The bank *robber* has been caught. 銀行強盗が捕まった.

†**rob·ber·y** /rɑ́bəri | rɔ́b-/ 名 Ⓤ Ⓒ 強盗(行為), 盗難; Ⓒ 強盗[盗難]事件; Ⓤ《法律》強盗罪 ‖ commit *robbery* on [upon] a bank = commit a bank *robbery* 銀行強盗を働く.

†**robe** /róʊb/ 名 Ⓒ **1 a** ローブ《長くてゆったりとした外衣; (特に)バスローブ(bathrobe),《米》部屋着 (dressing gown), ベビー服》‖ She wrapped herself in an elegant *robe* after bathing. 彼女は入浴後エレガントなローブに身にまとった. **b** ローブ《長いワンピースの優雅な婦人服. ふつう正装用》. **2** [しばしば ~s] 礼服, 式服; 官服, 職服《裁判官・司教・大学教授などが位階や職位を象徴するため平服の上にまとう》‖ royal *robes* 王衣 / a judge's *robes* 裁判官の法服. **3** [~s] (一般に)衣服 ‖ a woman in her costly *robes* 高価なドレスを着た女性. **4**《主に米》(毛・布などの)ひざ掛け ‖ a lap *robe* ひざ掛け.
── 名 (他)(礼)式服, 礼服などを着せる; (正式)[be ~d] […を]着ている[in]; [~ oneself] 衣服を着る. ── 自 ローブ[衣服, 礼服など]を着る.

Rob·ert /rɑ́bərt | rɔ́b-/ 名 ロバート《男の名. 《愛称》Bob, Bobby, Rob, Robin など》.

†**rob·in** /rɑ́bɪn | rɔ́b-/ 名 Ⓒ《鳥》**1**《英》ロビン, ヨーロッパコマドリ《◆胸毛がだいだい色なので **róbin réd·breast** ともいう》. **2**《米》コマツグミ.

Rob·in /rɑ́bɪn | rɔ́b-/ 名 ロビン《男の名. Robert の愛称. 女の名》.

Róbin Góodfèllow [英昔話](いたずら好きの)妖精《◆ Puck ともいう》.

Róbin Hóod ロビン-フッド《12世紀ごろの英国の伝説的英雄・義賊. 緑色の服を着て Sherwood の森に住んだ》.

†**Rob·in·son Cru·soe** /rɑ́bɪnsn krúːsoʊ | rɔ́b-/ 名 ロビンソン-クルーソー《Daniel Defoe 作の小説 (1719). その主人公》.

*****ro·bot** /róʊbɑt, -bət | -bɔt, -bɒts/ アクセント注意 《チェコの作家チャペクの劇の主人公の名から.「働く奴隷(ど)」が原義》
── 名 (複 ~s /-bɑts | -bɒts/) Ⓒ **1** [しばしば比喩的に] ロボット, 機械人間; 自動装置. **2** 考えずに機械的に行動する人.

róbot bòmb ロボット爆弾.

†**ro·bust** /roʊbʌ́st | rəʊ-/ 形 (時に ~·er, ~·est) **1** (見るからに) 強健な;〈意志などが〉強固な;〈人・物が〉(つくりが)がっしりした. **2**〈仕事などが〉力のいる.

‡rock¹ /rɑ́k | rɔ́k/ 同音 lock /lɑ́k | lɔ́k/ 〚「土の固い部分」が原義〛rocky (形)
── 名 (複 ~s/-s/)

Ⅰ [物体としての岩]

1 Ⓤ Ⓒ 岩, 岩盤, 岩石 ‖ drill into the *rock* 岩壁に穴をあける.

2 Ⓒ (1つの)岩石(使い分け → stone 名**1**) ‖ A large *rock* fell on the hut. 大きな岩がその小屋に落ちた / Danger! Falling *rocks*.《標識》「落石注意」.

3 Ⓒ《主に米》(種々の大きさの)石, 小石(stone) ‖ throw *rocks* at him 彼に石を投げる. **4** Ⓤ《英》= rock candy (2).

Ⅱ [岩の特性]

5 Ⓒ [しばしば ~s] 暗礁, 岩礁 ‖ see *rocks* ahead 船の前方に暗礁が見える, 危険が迫っているのがわかる / The ship may strike a *rock*. 船は暗礁に乗り上げるかもしれない.

6 © 堅固な支え[基礎], よりどころ ‖ the *Rock* of Ages《新約》千年(%)の岩《よりどころとしてのキリスト》.
(as) fírm [sólid, stéady] as a róck (1) 岩のように堅固な, ぐらつかない. (2)〈人が〉信頼できる.
(as) hárd as róck〈物が〉とてもかたい.
on [upón] the rócks (1) 座礁して. (2)《略式》金に困って; 破産して;《略式》〈結婚生活などが〉破綻(%)寸前で.

róck càke [bùn]《英》ロックケーキ《表面がごつごつした小さなケーキ》.
róck cándy《米》(1) 氷砂糖. (2)(堅い) 棒あめ.
róck climber ロッククライマー.
róck gàrden 岩石庭園《高山植物の植えられた岩の多い庭》;(日本などの) 石庭.
róck plànt 岩生植物.
róck sálmon《英》岩サケ《♦ 魚屋で売る時の dogfish の名》.
róck sàlt 岩塩 (cf. sea salt).
róck wòol 岩綿(%%)《絶縁・防音用材》.

*rock² /rák | r5k/〖類音〗lock /lák | l5k/)
——動 (~s/-s/; 過去・過分 ~ed/-t/; ~·ing)
——他 **1**〈人などが〉(前後・左右に規則的に)〈赤ん坊・揺りかごなどを〉揺り動かす(+*about, around*)《♦ swing より揺れは小さい》‖ Ann *rocked* her baby in her arms. アンは赤ん坊を腕に抱いて揺り動かした / The waves were *rocking* the boat *about*. 波で船が揺れていた(=The boat was *rocking about* on [in] the waves.). **2**〈人を〉(ある状態に)させる(*to*) ‖ *rock* a baby *to* sleep 赤ん坊を揺すって眠らせる. **3**〈地震などが〉…を(激しく)揺さぶる, 振動させる ‖ The earthquake *rocked* the town. 地震で町は揺れた. **4**〈人を〉(精神的に)揺さぶる, 動揺させる ‖ The news of his death *rocked* the village. 彼の死の知らせで村は動揺した.
——自 **1**〈船・人などが〉(前後・左右に)揺れ動く(+*about, around*)《♦「縦に揺れる」のは pitch,「横に揺れる」のは roll》‖ This chair *rocks*. このいすは揺れ動くんですよ. **2** 激しく揺れる. **3**〈人が〉動揺する, 動転する.
——名 **1** ©Ⓤ 揺れ; 動揺. **2** Ⓤ =rock'n'roll.
róck and róll = rock'n'roll.
rócking chàir 揺りいす, ロッキングチェア(《主に米》rocker).
rócking hòrse 揺り木馬((《主に米》rocker).
róck mùsic ロック音楽.
rock-bound /rákbáund | r5k-/ 形 岩に囲まれた, 岩だらけの.
rock-climb·ing /rákkláimiŋ | r5k-/ 名 Ⓤ ロッククライミング, 岩登り.
Rock·e·fel·ler /rákəfèlər | r5k-/ 名 ロックフェラー《John Davison /déivisn/ ~ 1839-1937; 米国の石油王》.
Róckefeller Cénter ロックフェラー=センター《New York 市 Manhattan 区の高層ビルの商業・娯楽地区》.

†rock·er /rákər | r5k-/ 名 **1 a** 揺れるもの. **b** 揺り子《揺りかご・揺りいすなどの弓状の部分》. **c**《主米》=rocking chair. **d**《米》=rocking horse. **2** 揺り動かす人[もの]. **3**《米略式》ロック歌手[音楽(家)].

*rock·et /rákət | r5kət/〖小さな(et)糸巻き棒 (rock)〗
——名 (複 ~s/-its/) © **1 a** ロケット《宇宙船・ミサイルなどを打ち上げる》‖ launch a long-range *rocket* 長距離ロケットを打ち上げる. **b** =rocket engine. **2** ロケット弾. **3** 打ち上げ花火 (skyrocket); のろし; 救命索発射装置. **4**《英略式》きびしい叱責(%).
——動 自 **1** ロケットで飛ぶ; 突進する(+*off, away*). **2**《略式》〈物価・地位などが〉急上昇する (skyrocket) (+*up*). **3**〈猟鳥が〉一直線に飛び上がる.
——他 **1** …をロケット弾で攻撃する. **2** …を[…に]打ち上げる[運ぶ] (*to, into*).
rócket bàse ロケットミサイル基地.
rócket èngine ロケットエンジン.
rócket-rìbbed ロケット砲.
rócket gùn ロケット砲.
rócket làuncher ロケット(弾)発射機.
rócket mòtor ロケットエンジン.
rócket plàne ロケット機; ロケット砲を装備した軍用機.
rócket scientist (1) ロケット工学[科学]者. (2)《主に米略式》すごく頭のいい人, 頭の切れる金融スペシャリスト.
rócket ship 宇宙船.
Rock·ies /rákiz | r5k-/ 名 → Rocky.
rock'n'roll /rákənróul | r5k-/ 名 Ⓤ ロックンロール (rock); そのダンス.
rock-ribbed /rákríbd | r5k-/ 形 **1** 岩層のある. **2** 頑固な; 不屈の.

†rock·y /ráki | r5ki/ 形 (-i·er, -i·est) **1** 岩の多い; 岩でできた ‖ a *rocky* path 岩のごつごつ出た小道. **2** 岩のように固い; ごつごつした. **3** 意志堅固な;〈人・心が〉頑固な.

Rock·y /ráki | r5ki/ 名 [the Rockies] the ~ Mountains ロッキー山脈《北米西部の大山脈》.
ro·co·co /rəkóukou | r5k-/ 名 Ⓤ ロココ様式《18世紀に流行した建築・美術などの様式》. ——形 **1** ロココ式の. **2** 華美な, 飾り過ぎの.

†rod /rád | r5d/ 名 © **1**(木・金属・プラスチックなどの細くてまっすぐな)棒, さお; [しばしば複合語で] …棒 ‖ a divining *rod* 占い棒 / piston rod ピストン棒. **2** 釣りざお ‖ a *rod* and line 釣り糸とさお(一式)《♦ 単数扱い》/ fish with *rod* and line 釣りをする. **3 a**(まっすぐに伸びた)若い小枝. **b** むち; [the ~] むち打ち; おしおき ‖ Spare the *rod* and spoil the child.《やや古》《ことわざ》むちを惜しむと子供をだめにする;「かわいい子には旅をさせよ」. **4** ロッド《長さ・面積の単位. =16.5 feet / 30.25平方ヤード. pole ともいう》.

*rode /róud/ 動 ride の過去形.
ro·dent /róudənt/ 名 © 齧歯(%)類の動物《rat, rabbit, squirrel など》.
ro·de·o /róudiòu, roudéiou/ 名 © (米) **1** 牧牛のかり集め; (牛の)囲い. **2** ロデオ《カウボーイが荒馬乗りや投げなわなどの腕を競う会》.
Ro·din /roudǽn/ 名 ロダン《Auguste /ɔːgúst, -gíst/ ~ 1840-1917; フランスの彫刻家》.

†roe¹ /róu/ 名 Ⓤ © 魚の卵(の塊), はららご (hard roe); 魚精, しらこ (soft roe); (エビ・両生類の)卵, 卵塊 ‖ cod *roe* タラコ.
roe² /róu/ 名 (複 roe, ~s) © 動 =roe deer.
róe dèer ノロジカ.
roe·buck /róubʌk/ 名 © 動 ノロジカの雄.
Roent·gen, Rönt·- /réntgən, r5ntgən/ 名 **1** レントゲン《Wilhelm Konrad /kánræd | k5n-/ ~ 1845-1923; ドイツの物理学者》. **2** [r~] © レントゲン《放射線量の単位》; [形容詞的に] X線の.
Röentgen ràY X線.

ro·ga·tion /rougéiʃən | rəu-/ 名 Ⓒ 《キリスト教》[通例 ~s] (Rogation Days に行なわれる)祈願, 連禱(%%).

Rogátion Dàys 祈願節《キリスト昇天祭(Ascension Day)前の3日間》.

Rogátion Sùnday 祈願節前の日曜日.

Rogátion wèek 祈願節週間.

rog·er /rάdʒɚ | rɔ́dʒə/ 〖間〗 **1**〘通信〙了解です◆現在ではタクシー運転手の間で連絡を受けたとき応答に用いる》. **2**〘略式〙よし、わかった、オーケー.

Rog·er /rάdʒɚ | rɔ́dʒə/ 〖名〗 ロジャー《男の名. 愛称 Hodge》.

rogue /róuɡ/ 〖名〗 Ⓒ **1** 悪漢, ごろつき; 不正直者, 詐欺師 〖類語〗 knave, rascal, scamp, scoundrel, villain》∥ play the *rogue* 悪事[詐欺]を働く. **2** いたずらっ子, 腕白者. **3** 群を離れた狂暴な野獣.
— 〖動〗 〘他〙 **1** …をだます, …からだまし取る. **2**〘園芸〙〈悪い苗〉を取り除く;…から不良の変種を取り除く.

ro·guer·y /róuɡəri/ 〖名〗〘正式〙**1** Ⓤ 悪事, 悪業, 悪業; 詐欺. **2** Ⓤ 〘時に rogueries〙いたずら, 悪ふざけ.

rois·ter /rɔ́istɚ/ 〖動〗 **1** (飲んで)どんちゃん騒ぎをする. **2** いばり散らす.

ROK /rάk | rɔ́k/ 〖the Republic of Korea〗 〖名〗 大韓民国, 韓国.

*role, rôle /róul/ 〖同音〗 roll 〖「役者のせりふを書いた巻物」が原義〗
— 〖名〗 (榎 ~s/-z/) Ⓒ **1**〘正式〙(人・物の)役割, 任務, 機能(part)∥ *fill the role of* …の役を務める[果たす] / Repetition plays a vital *role* in language acquisition. 言語の習得では繰り返しが重要な働きをする.
2 (劇などの)役∥ play the *role* of Othello オセロ役を演じる / in the *role* of … …の役で.

róle mòdel (役割として) […の]模範となるもの, 理想の姿〖for〗.

róle plày(ing) 〘心理〙役割演技, ロールプレイング《語学教育・心理療法で用いる》.

*roll /róul/ 〖同音〗 role 〖「回転運動をする[させる]」が本義〗 榎 roller 〖名〗

index
〖動〗 〘自〙 **1** 転がる　**5 a** 横揺れする　**7 a** 進む
9 ゴロゴロ鳴る
〘他〙 **1** 転がす　**2** 巻く　**3** ローラーでならす
〖名〗 **1** 巻いた物　**2** 名簿　**3** とどろき

— 〖動〗 (~s/-z/; 過去・過分 ~ed/-d/; ~·ing)
— 〖自〙
Ⅰ [転がる]
1〈球・車輪など〉が**転がる**, 転がって行く(+*away*);〈涙など〉が流れ落ちる∥ The ball *rolled* under the car. ボールは車の下にねかけ込んだ / Tears *rolled* down my cheeks. 涙がほほを伝わった.
2〈人・動物〉が**転がる**, 転げ回る∥ The cat *rolled* on the ground. ネコが地面の上で転がった.
3〈糸・紙など〉が丸くなる,〈動物〉が(背を丸めて)丸くなる(+*up*).
4〈目〉がぎょろぎょろ動く;〈…〉をぎょろっと見る[*at*]∥ His eyes *rolled* with surprise. 彼はびっくりして目をぎょろつかせた.

Ⅱ [揺れる]
5 a〈船・飛行機など〉が**横揺れする**, 揺れる(↔ pitch) ∥ The ship *rolled* heavily in the storm. 船はあらしの中で激しく揺れた. **b**〈人〉が体を揺すって歩く, 千鳥足で歩く.
6 a〈波〉がうねる;〈海など〉が波立つ∥ The waves *rolled* (in) to the sands. 波が砂浜に打ち寄せていた. **b**〈雲・煙など〉が漂う. **c**〈土地〉が起伏する, うねる∥ *rolling* hills 起伏する丘陵.

Ⅲ [転がるように進む]
7 a〈車〉が**進む**, 走る(+*along, by*)∥ The bus *rolled* along the street. バスは通りを進んだ. **b**〈人〉が車で行く(+*along*)∥ She *rolled* along in her car. 彼女は車に乗って行った.
8 a〈年月が〉過ぎる, 経過する(+*on, by*)∥ The years *rolled by* quickly. 年月があっという間に過ぎた. **b**〘略式〙〈季節など〉が巡る(+(*a*)*round*)∥ Summer has *rolled around* again. また夏が巡って来た. **c**〈天体〉が(周期的に)運行する, 巡る.
9〈雷・太鼓など〉が**ゴロゴロ鳴る**, とどろく∥ The thunder *rolled* [rumbled] last night. 雷が昨夜鳴り響いた.
10 [様態の副詞を伴って]〈練り粉・ペンキなど〉(ローラーで)伸びる∥ This dough *rolls* easily. この練り粉は容易に伸びる. **11 a**〈機械〉が作動する, 始動する. **b**〈事〉が進む, 順調に行く.

— 〖他〙 **1 a**〈人〉が〈球など〉を**転がす**;〈車など〉を走らせる∥ I *rolled* a ball down the road ボールを転がした. **b** …を足車[ころ]で運ぶ∥ *roll* a piano to the stage ピアノの足車を転がして舞台に運ぶ.
2 a〈人〉が〈物〉を**巻く**(↔ unroll);〈物〉を巻いて[…の]形にする(+*up*)[*into*]∥ *roll* a carpet じゅうたんを丸める / Mother *rolled* the yarn (*up*) *into* a ball. 母は糸を巻いて玉にした. **b**〈人・物〉を[…に]くるむ, 包む(+*up*)[*in*]∥ *roll* a child *in* a blanket 子供を毛布にくるむ. **c** [*roll* A B =*roll* B *for* A] A〈人〉に B〈タバコなど〉を巻いてやる∥ *roll* a cigarette *for* him =*roll* him a cigarette 彼に巻きタバコを作ってやる.
3〈人〉が〈地面・芝生など〉を**ローラーでならす**;〈金属・練り粉など〉を伸ばす; [*roll* A C]∥ She *rolled* A を ならして[伸ばして] C にする∥ *roll* a lawn 芝生をならす / *roll* the dough *for* biscuits 練り粉を伸ばしてビスケットを作る / *roll* a court flat コートをならして平らにする.
4〈目〉を白黒させる;〘略式〙〈女〉が(注意をひくために)〈目〉を[男]に向ける[*at, on*] ∥ She *rolled* her eyes *at* [*on*] him. 〘略式〙彼女は彼に色目を使った.
5〈波など〉をうねらせる;〈煙など〉を押し出す. **6**〈船〉を横揺れさせる, 揺する. **7**〈太鼓など〉を鳴らす. **8** …を巻き舌で発音する. **9**〈さいころ〉を投げる. **10** カメラなどを作動させる.

róll báck 〖自〙 (1)〈波・敵など〉が後退する. (2)〈時が〉過ぎ去る. — 〖他〙 (1)〈広げた物〉を巻き戻す, 巻いて片付ける. (2)〈敵など〉を後退させる.

róll ín 〖自〙〘略式〙 (1) [しばしば be ~ing]〈人・物・注文など〉が殺到する, たくさん来る. (2)〈予定の目的地に着く》(予告なしに)やって来る. (3) 寝る, 床につく. (4) → 〖自〙 **6 a**. — 〖他〙 …を転がして入れる. — 〖自〙] 〘略式〙 [be ~ing]〈金など〉をうなるほど持っている;〈ぜいたくなど〉に暮らす《◆受身不可》.

róll ón 〖自〙 (1) → 〖自〙 **8 a**. (2)〘英〙〖命令文で; R~ on …!〗…よ早く来い∥ *Roll on*, Sunday! 日曜日よ早く来い《◆主語は on の後に置く》. (3)〈川など〉がとうとう流れる. (4)〈靴下など〉を(たくおいて)伸ばしながらはく. (5)〈乗物〉が(荷物を積んだまま)船に着く. — 〖他〙 (1)〈靴下〉を伸ばしながらはく. (2)〈乗物〉を(荷物を積んだまま)船に乗せる.

róll onesélf〈人・動物〉が背を丸くする, 丸まる.

róll óut 〖自〙〈物〉が転がり出る;〈人〉が(寝床から)起き上がる. — 〖他〙 (1) …を転がして出す. (2)〈じゅうたんなど〉を広げる. (3)〈練り粉・金属など〉を(ローラーで)伸ばす(cf. 〖他〙 **3**). (4)〘略式〙…を(大量に)作り出す.

róll óver 〖自〙 転がる;〈車など〉が反転する;寝返りを

うつ(cf. 自2). ―他〈人〉を転がして, 倒す.

*róll úp /自(1) 丸くなる. (2) (略式)〈人が〉[車で]乗り入れる《in》;〈人が〉〈大勢で〉来る, 遅れて現れる;〈車が乗り入れる ‖ Roll up, roll up! (英)(見せ物の呼び込み)いらっしゃい! (3) (略式)〈金などが〉たまる, 増える. (4) 〈煙などが〉巻き上がる. ―他(1)〈人・機械が〉〈物〉を巻き上げる, 巻く(cf. 他 2 a) ‖ roll up a map 地図を巻く. (2) …を[…で]くるむ, 包む《in》.

―名(複 ~s/-z/)C 1a (円筒形・輪状に)巻いた物, 1巻き, 1本《◆しばしば量を表す単位》‖ a roll of film 1本のフィルム / a roll of toilet paper トイレットペーパー1巻. b 巻き物(scroll).

2 [しばしば R~]名簿;出席簿;目録 ‖ cáll the róll 出席をとる / an electoral roll 選挙人名簿 / His name is on the roll of honor [(米) honor roll]. 彼の名前は戦死者[合格者]名簿にのっている.

3 [a/the ~ of …](雷などの)とどろき;(太鼓の)連打音 ‖ a roll of thunder [drums] 雷[太鼓]のとどろき.

4 a U (船の)横揺れ(↔ pitch) ‖ The ship's roll made us all (feel) sick. 船が揺れて我々は皆船酔いした. b (体の)揺さぶり. c (飛行機の)横転.

5 巻いて作った物, ロールパン(bread roll) (→ bread 関連), ロールケーキ, 巻き肉. 6 [通例 a/the ~](球などの)転がり, 回転. 7 (土地の)起伏.

bé on the [a] róll (略式)(1)(ギャンブルで)勝ちが続いている. (2)(一般に)事がうまくいっている.

róll bòok 出席簿.

róll càll 出席調べ, 点呼 ‖ have a roll call 出席をとる(cf. roll-call).

rólled góld (英)かぶせ金, 金メッキ.

róll fìlm (写真)巻きフィルム.

roll-call /róulkɔːl/ 動 他 …の出席[点呼]をとる(cf. roll call).

†róll·er /róulər/ 名 C 1 転がす[る]人. 2 ローラー《地ならし・圧延・ペンキ塗りなどに用いる円筒状の物》;(運搬用)ころ;足車, キャスター;(舗装用の)ロードローラー / The heavy desk was moved on rollers. その重い机はキャスターで移動された. 3 (地図などの)軸, 巻き軸. 4 ヘアカーラー. 5 大波, 大うねり.

róller còaster (遊園地などの)ジェットコースター((英) switchback).

róller skàter ローラースケートをする人.

róller skàting ローラースケート(遊び).

róller tòwel ローラータオル《両端を縫い合わせローラーに巻いた環状タオル》.

roll·er·skate /róulərskèit/ 動 自 ローラースケートをする.

roll·ing /róuliŋ/ 名 U 1 (球などの)転がり, 回転. 2 (土地の)ゆるやかな起伏. 3 (波などの)うねり. 4 (船の)横揺れ(↔ pitching);(体の)揺さぶり. 5 (雷などの)とどろき. ―形 1 転がる, 回転する. 2 (土地の)ゆるやかに起伏する. 3 (略式)大金持ちの. 4 (波などが)うねっている. 5 (船が)横揺れする;〈人が〉体を揺する, よろめく. 6 (雷などが)とどろく. 7 (目が)ぎょろつく.

rólling pìn めん棒, のし棒.

rólling stóne 転々と職[住所]を変える人 ‖ A rolling stone gathers no moss. → gather 他 1 用例.

Rólling Stónes [the ~] ローリング=ストーンズ《英国のロックバンド. 1962年結成》.

Rolls-Royce /róulzrɔ́is/ 名C (商標) ロールス=ロイス 《英国製高級自動車》.

róll-tòp désk /róultàp-|-tɔ̀p-/ たたみ込み式かけつき机.

ro·ly-po·ly /róulipóuli/ 名 C 1 =roly-poly pudding. 2 (略式)丸々太った子供, ずんぐりした人[動物]. ―形 丸々太った, ずんぐりした.

roly-póly pùdding (主に英)(ジャム入りの)渦巻きプディング.

ROM /rɑ́m|rɔ́m/ [read-only memory] 名 C (コンピュータ)ロム, 読み出し専用メモリ(cf. RAM).

ro·maine /rouméin|rəu-/ 名 U (米)(植)=romaine lettuce.

romáine léttuce タチチシャ《レタスの一種》.

*Ro·man /róumən/
―形《◆比較変化しない》1 a 古代ローマ(人)の ‖ She is studying Roman history. 彼女は古代ローマの歴史を研究しています. b (現代)ローマ(市民)の. 2〈性格などが〉古代ローマ人ふうの ‖ Roman honesty 古代ローマ人の正直さ. 3 (建築物の)古代ローマ様式の. 4 カトリック教(会)の. 5 [通例 r~](印刷)ローマン体の(cf. italic, Gothic).

―名(複 ~s/-z/)C 1a (古代)ローマ人 ‖ The Romans added three letters to the Greek alphabet. ローマ人はギリシア語のアルファベットに3文字加えた. → Rome 1. b (現代)ローマ市民. 2 C [=Roman Catholic (2). 3 [新約][the ~s; 複数扱い]ローマ人への手紙, ロマ書. 4 [通例 r~] U ローマン体(活字).

Róman álphabet [the ~] ローマ字.

Róman Cátholic (1)(ローマ)カトリック教会の. (2)(ローマ)カトリック教徒《単に Catholic ともいう》.

Róman Cátholic Chúrch [the ~] (ローマ)カトリック教会.

Róman Catholicism (ローマ)カトリック教;その教義・制度・儀式.

Róman Émpire [the ~] ローマ帝国《紀元前27年 Augustus により成立. 395年に東西に分裂》.

Róman hóliday 他人を苦しめて得る娯楽《◆古代ローマで奴隷を戦わせて楽しんだことに由来》.

Róman létter [týpe] [通例 r~] ローマン体(活字).

Róman nóse 段鼻, わし鼻.

Róman númerals ローマ数字《1から10は I, II, III, IV, V, VI, VII, VIII, IX, X. 50 =L, 100 =C, 500 =D, 1000 =M. 例: 1996 =MCMXCVI, 2006 =MMVI. cf. Arabic numerals》.

†ro·mance /rouméns|rəu-/ 名 1 C (特に情熱的だが長続きしない)恋愛(関係), ロマンス, U 恋愛感情; 情事(love affair);小説的な事実[出来事] ‖ My romance with Bill didn't last. ビルとの恋愛は続かなかった / a summer romance (米) = (英) a holiday romance 夏の(休日の)恋[ロマンス] / An office romance is budding. 社内恋愛[オフィスラブ]が芽生えている. 2 [時に R~] C (文)(中世)騎士物語 ‖ the romance of King Arthur アーサー王物語. 3 a C (現実離れした)空想小説, 冒険小説;恋愛小説(→ novel) ‖ He likes romances. 彼は空想小説が好きだ. b U (文学の一部門である)ロマンス. 4 a U ロマンチックな雰囲気[気分] ‖ The room had an air of romance. その部屋はロマンチックな雰囲気につつまれていた. b U 冒険心. 5 C 作り事, 誇張した話. 6 [R~] U C =Romance languages.

―動 自 1 […について]作り話をする《about》;ロマンチックに話す[考える]《◆romanticize の方がふ

つう). **2** 〔…と〕恋愛する〔*with*〕. ── 他《米略式》…と恋愛する；…に求愛する(woo).

Románce lánguages [the ~] ロマンス語, ロマンス系言語《ラテン語から分化したフランス語・イタリア語・スペイン語など》.

ro·manc·er /róumænsər/ 名 ⓒ **1** 空想[伝奇]小説作家. **2** 作り話をする人. **3** 空想家.

Ro·man·esque /ròumənésk/ 形 ⓤ《建築・美術》ロマネスク様式.

Ro·ma·ni·a, Ru- /ru:méiniə, rou-/ 名 ルーマニア《ヨーロッパ南東部の共和国. 首都 Bucharest》.

Ro·ma·ni·an /ru:méiniən, rou-/ 形 ルーマニア(人, 語)の. ── 名 ⓒ ルーマニア人；ⓤ ルーマニア語.

Ro·man·ic /rəmǽnɪk | rəu-/ 形 ⓤ ロマンス語. ── ロマンス語の；古代ローマ人の, 古代ローマに由来する.

Ro·man·ize /róumənàɪz/ 動 他 **1** …を(古代)ローマ(人)風にする. **2** …を(ローマ)カトリック教徒にする. **3** [しばしば r~] …をローマ字で書く；ローマ体で印刷する.

Ro·ma·no- /rəméinou- | rəu-/ 語要素 ─ 語要素一覧(1.3).

Ro·ma·nov, -noff /róumənɔ́:f/ 名 ロマノフ王朝《ロシアの王朝；1613–1917》.

*‡**ro·man·tic** /roumǽntɪk | rəu-/ [→ romance]
── 形 **1** [通例名詞の前で] **恋愛に関する** ‖ a *romantic* relationship 恋愛関係；情事.
2 a [俗用的に] **非現実的な, 実行しがたい** ‖ *romantic* notions 非現実的な考え. **b**《人が》空想にふける ‖ a *romantic* girl 夢見る少女. **c**《話などが》架空の, 事実に基づかない《◆ imaginary の遠回し語》.
3 [通例名詞の前で] **空想小説的な**, ロマンチックな ‖ a *romantic* tale [scene] ロマンチックな話[場面] / A *romantic* mood came over the girl. その少女はロマンチックな気分になった.
4 [しばしば R~] 〔芸術〕 [通例名詞の前で] ロマン派の, 浪漫主義の(↔ classical)《◆比較変化しない》.
── 名 **1** 空想家；ロマンチスト. **2** [しばしば R~] ロマン派の作家[芸術家]. **3** [~s] 空想的な考え[話].

Romántic Móvement [the ~] ロマン主義運動(→ romanticism).

ro·man·ti·cal·ly /roumǽntɪkəli | rəu-/ 副 空想的に, ロマンチックに；ロマン派ふうに.

ro·man·ti·cism /roumǽntɪsìzm | rəu-/ 名 ⓤ **1** [しばしば R~] ロマン主義, ロマンチシズム《18世紀末–19世紀初に西欧で興った, 感情の解放を主張する芸術・思想上の主義. cf. Romantic Movement, classicism, realism》. **2** 空想的気分[雰囲気].

ro·man·ti·cist /roumǽntɪsɪst | rəu-/ 名 [しばしば R~] ⓒ ロマン派芸術家《◆日本語の「ロマンチスト」は dreamy person または romantic にあたる》.

ro·man·ti·cize /roumǽntɪsàɪz | rəu-/ 動《正式》他 自 (…を)ロマンチックに話す[考える, する].

Ro·ma·ny /rámənɪ | rɔ́m-, róum-/ 名 ⓒⓤ 形 ジプシー(の)；ロマニー語の言語》.

*‡**Rome** /róum/ (同音 roam) 派 Roman (形・名)
── 名 **1** ローマ《イタリアの首都. 古代ローマ帝国の首都》 ‖ *All* roads lead to *Rome*. (ことわざ)「すべての道はローマに通ず」 / *Rome* was not built in a day. (ことわざ)「ローマは1日にして成らず」, 大きな仕事は長くかかる / *When in* Rome, do as the Romans do [*as Rome does*]. (ことわざ)ローマではローマ人のようにせよ；「郷に入っては郷に従え」. **2** 古代ローマ帝国. **3** ⓒ (ローマ)カトリック教会；ⓤ (ロー

マ)カトリック教.

Ro·me·o /róumiòu/ 名 **1** ロミオ《Shakespeare 作 *Romeo and Juliet* の主人公》. **2** ⓒ 恋する男, 恋人.

†**romp** /rámp | rɔ́mp/ 動 自 **1**《子供たちなどが》遊び騒ぐ, はね回る, 走り回る(+*about, around*). **2**《略式》楽々と[すばやく, 元気よく]進む(+*along*). ── 名 ⓒ 騒々しい[元気な]遊び.

romp·ers /rámpərz | rɔ́m-/ 名 [複数扱い] ロンパース (romper suit)《上着とブルマーが続いている小児の遊び着》 ‖ two pairs of *rompers* ロンパース2着.

Rom·u·lus /rámjələs | rɔ́m-/ 名 〔ローマ伝説〕ロムルス《ローマの建設者. 双子の兄弟 Remus と共にオオカミに育てられた》.

Ron /rán | rɔ́n/ 名 ロン《Ronald の愛称》.

Ron·ald /ránəld | rɔ́n-/ 名 ロナルド《男の名. 愛称 Ron》.

ron·do /rándou, rɔ́n-/ 名 ⓒ 〔音楽〕ロンド《形式》.

*‡**roof** /rú:f/ 〖『船小屋の覆い』が原義〗
── 名 (複 ~s/-s/) **1** ⓒ **a** 屋根；(ビルの)屋上；[比喩的に] 屋根, 家, 家庭 ‖ a slate [flat] *roof* スレート[平]屋根 / a thatched [tiled] *roof* わらぶき[かわら]屋根 / a leaky *roof* 雨が漏る屋根. **b**（ほら穴などの）天井(ਕ਼) ‖ the *roof* of a cave 洞窟(ਕ਼)の天井(➡文法 16.2(2)).
2 ⓒ (形・機能が)屋根のようなもの ‖ My car has a sliding *roof*. 私の車にはスライド式ルーフがついている / the *roof* of the mouth 口蓋(ਕ਼), 上あご. **3** [the ~] 最高部, 頂, てっぺん ‖ the *roof* of the world 世界の屋根《ヒマラヤ山脈など》/ the *roof* of heaven 青天井, 天空.

hit [**gó through**] **the róof** [**céiling**]《略式》(1) 頭にくる, ひどく腹をたてる. (2)《物価などが》最高限度まで上がる[最高限度を越える].

ráise the róof《略式》(1)《屋根が飛ぶほど》大騒ぎする, どっとわき立つ. (2) 激怒する；大声で不平を言う.
── 動 …の屋根を[…で]ふく《*with*》；…に屋根をつける ‖ a house *roofed over with* slates スレートぶきの家.

róof gàrden 屋上庭園；《米》屋上レストラン.

róof ràck《主に英》ルーフ=ラック《車の屋根に物を載せるための金属枠》.

roof·ing /rú:fɪŋ/ 名 ⓤ 屋根ふき材料；屋根ふき(工事).

roof·less /rú:fləs/ 形 屋根のない；〈人が〉家のない.

roof·top /rú:ftɑ̀p | -tɔ̀p/ 名 ⓒ 形 屋根；屋上.

rook¹ /rúk/ 名 ⓒ **1** 〔鳥〕ミヤマガラス《英国で最もよく見られるカラス. 群居性があり悪声で鳴く》. **2** (トランプなどの)いかさま師, ぺてん師. ── 動《相手》をぺてんにかける.

rook² /rúk/ 名 ⓒ 〔チェス〕ルーク (castle).

rook·er·y /rúkəri/ 名 ⓒ **1** ミヤマガラスの群れ；その群居する所[森, 巣]. **2** ペンギン[アザラシ]の群れ；その繁殖地.

rook·ie /rúki/ 名 ⓒ《略式》**1** 新入り, 新米；《米》新兵 (recruit). **2**《米》〔野球〕新人選手, ルーキー《◆ **rookey, rooky** ともつづる》.

*‡**room** /rú:m/ (同音 loom /lú:m/) 〖『空間』が原義〗 派 roomy (形)

index 名 **1** 部屋 **4** 空間 **5** 余地

── 名 (複 ~s/-z/)

I [部屋]

1 ⓒ 部屋, 室(略 rm. 複数形は rms.) ‖ The house has ten *rooms*. その家は10の部屋がある / She is in *Room* 102. 彼女は102号室にいます.

関連 [いろいろな種類の room]
bathroom 浴室 / bath room / bedroom 寝室 / changing room 更衣室 / dining room 食堂 / drawing room 応接室, 客間 / fitting room 試着室 / guest room 来客用寝室 / living room 居間 / rest room (会社や公共施設の)控え室 / single room 一人用寝室, シングルルーム / smoking room 喫煙室 / waiting room 待合室.

2 [~s; 複数扱い] (ひとそろいの)貸室, (数室からなる) 下宿(lodgings)《◆》(米) apartment, (英) flat と言って炊事設備がないこともある) ‖ (米) *Rooms* for *Rent*. = (英) *Rooms* to *Let*. 《広告·掲示》貸室あり.
3 [the ~; 集合名詞] 部屋にいる人々, 集合した人々 ‖ The whole *room* enjoyed her speech. 部屋中の人が彼女の話を楽しく聞いた.

‖ [空間]

4 Ⓤ 〈人·物が占める/…するための〉(まだ特定されていない)空間, 場所 (for / to do) ‖ This desk takes (up) a lot of *room*. この机は大変場所をとる / My garage has *room* for two cars. 私のガレージは車が2台入るスペースがある / The train was jam-packed. There was hardly any *room* to move. その列車はぎゅうぎゅうだった. 身動きできるすきまがほとんどなかった.
5 Ⓤ (…の/…する)余地; 機会, 可能性 (for / to do) (⇒文法 14.3(2)) ‖ There is *room* for correction in her report. 彼女の報告書は訂正の余地がある / His guilt leaves no *room* for doubt. = There is no *room* for doubt about his guilt. 彼の有罪は疑いの余地がない.

*máke róom for A 〈人·物〉のための場所〔通り道〕をあける ‖ We should *make room for* each other in the train. 電車ではお互いに席を詰め合うべきだ.

—— 動 ⓘ (米) (…に/…の家に)下宿する, 間借りする (at/with) ‖ *room* 〔at his house [with him] 彼の家に下宿する《♦ with him は「彼と同居する」の意も可能》.
—— ⓣ (米) …を泊める; …を下宿させる.
róom clèrk 客室係《ホテルで客の受付·部屋割りなどをする》.
róom divìder (部屋の)間仕切り家具.
róoming hòuse (米) (食事なしの)下宿屋 (cf. boardinghouse).
róom sèrvice (ホテルの)ルームサービス; [the ~; 集合名詞的に] ルームサービス係.
-roomed /-rúːmd/ (語基素) →語基素一覧(1.4).
room·er /rúːmər/ 名 ⓒ (米) 下宿人, 間借人.
room·ful /rúːmfùl/ 名 ⓒ 部屋いっぱい (of).
room·mate /rúːmmèit/ 名 ⓒ (寮などの)同室者, ルームメイト.
†**room·y** /rúːmi/ 形 (-i·er, -i·est) 〈略式〉〈場所が〉広々とした(spacious)《服などがゆったりした.
róom·i·ly 副 広々と; ゆったりと.
†**Roo·se·velt** /róuzəvèlt, (英+) rúːsvelt/ 名 **1** ローズベルト《**Franklin Delano** /dɪˈlɑːnoʊ/ ~ 1882-1945; 米国の第32代大統領(1933-45). ニューディール政策 (the New Deal) を遂行》. **2** ローズベルト《**Theodore** ~ 1858-1919; 米国の第26代大統領(1901-09). 日露戦争を調停した》.

†**roost** /rúːst/ 名 ⓒ **1** (鳥の)とまり木. **2** (一緒に寝ている)一群の鳥. **3** (人の)休息所, 寝所; 宿 ‖ go to *roost* ねぐらに帰る / 〈人が〉寝る.
at róost (1) ねぐらについて. (2) 眠って, 休息して.
còme hóme to róost 《嫌なことが》自分にはね返ってくる ‖ *Curses come home to roost*. 《ことわざ》呪いは〔呪う人の〕ねぐらに帰る;「人を呪わば穴二つ」.
—— 動 ⓘ **1** 〈鳥が〉とまり木にとまる, ねぐらにつく. **2** 〈人が〉泊まる. ‖ ~ ...をねぐらにつかせる; ~に宿る.
†**roost·er** /rúːstər/ 名 ⓒ (米) 雄鶏《略) 《♦ **cock** は「ペニス」の意を連想させるのでこの語で代用されることが多い》; (一般に)鳥の雄.

***root**¹ /rúːt/ 〖「(植物の)根」→「根本」》《同音》route)
—— 名 ~s/rúːts/ ⓒ

‖ [根·根に当たる部分]

1 [しばしば ~s] 根, 地下茎 ‖ put down *roots* 根付く.
2 根付き植物《移植用》; [~s] =root crops [vegetables]. **3** (髪·舌·歯·指などの)付け根, 根元; [~s] (山の)ふもと ‖ the *root* of [the hair [the tongue, a tooth, a nail] 髪[舌, 歯, つめ]の付け根.
4 〖言語〗語根(base form) ‖ the *root* form 原形. **5** 〖数学〗根(こん), ルート (記号) √) ‖ 3 is the square [cube, third] *root* of 9 [27]. 3は9[27]の平方[立方]根である.

‖ [根本·起源]

6 〖正式〗〖通例 the ~〗根本, 根底, 根源(origin) ‖ get at [to] the *root* of the matter その事の根本原因を究明する / The love of money is the *root* of all evil. 〖聖〗金銭欲が諸悪の根源である.
7 a [~s] (特に自分·先祖が生まれ育った土地の)文化的·感情的結びつき[所属感], ルーツ, 心のふるさと ‖ Many people living here have *roots* in China. ここに住んでいる多くの人のルーツは中国です. **b** 〖聖書〗子孫(offspring); 始祖, 祖先.
by the róot(s) 根こそぎ.
táke [máke] róot (…に)根付く; 定着する, 根をおろす (in, among) ‖ Democracy has not yet *taken root* in the country. その国ではまだ民主主義は根付いていない.
to the róot(s) とことんまで.

—— 動 (~s/rúːts/; 過去·過分 ~ed/-ɪd/; ~·ing)
—— ⓣ **1** 〈人が〉〈植物を〉根付かせる, 植え込む, 植え付ける ‖ *root* the plant cuttings in damp sand 湿った土にさし木する.
2 (根がはえたように) ...を動けなくする, 釘付けにする ‖ Terror *rooted* him to the spot [ground]. 恐怖で彼女はその場に金縛りになった.
3 〖正式〗〖通例 be ~ed〗〈信念などが〉[…に]しっかりと定着している, 根付いている (in) ‖ a principle which is *rooted* in the mind 心にねをおろした信念.
4 〈人·物·事が〉〈人·物·事を〉根絶する (+*out*), 根こぎにする(uproot) (+*up*), 一掃する (+*away*) ‖ *root out* members of the opposition 反対を唱えるメンバーを一人残らず排除する.
—— ⓘ **1** 根付く ‖ Some cuttings *root* easily. ある種のさし木はすぐ根付く. **2** (…に)定着する (in).
róot cròps [vègetables] 根菜類《carrot, turnip など》.

root² /rúːt/ 動 ⓘ **1** 〈ブタなどが〉鼻で地面を掘る, 掘って〔食物などを〕捜す (+*about, around*) (for). **2** 〈略式〉〔何かを捜そうと/...の中を〕ひっかき回す (+*about*) (for / in, away). —— ⓣ **1** 〈ブタなどが〉〈地面などを〉

掘り返してえさを捜す(+*up*) ‖ *root up* the ground 地面を掘り返す. **2** (略式)〈物〉を捜し出す(+*out*).

root[3] /rúːt/ [動]他 (米)〈味方のチームなどに〉声援を送る,〈…を〉応援する(cheer) [*for*].

root·er /rúːtər/ [名] (米俗) 応援者, 熱烈な支持者 ‖ a *rooter's* song 応援歌.

*****rope** /róup/
[名] (複 ~s /-s/) **1** ⓤ ロープ, 綱, なわ; ⓒ (1本の) ロープ 《thread, string, cord, rope, cable の順に太くなる》‖ a wíre rópe ワイヤーロープ / a climbing *rope* ザイル / a piece of *rope* 1本のロープ / júmp rópe (米) なわ跳びをする. **2** ⓒ (米)(カウボーイの)投げなわ((主に) lasso). **3** [the ~] 絞首索, 首つりなわ; (略式) 絞首刑. **4** [the ~s] (ボクシングのリングなどの)囲いなわ, ロープ. **5** ⓒ 1つなぎ, 1さげ ‖ a *rope* of pearls 1つなぎの真珠 [タマネギ].
on the rópes (1) (ボクシング) ロープに追いつめられて. (2) (略式) 窮地に陥って.
―[動] 他 (**rop·ing**) **1a** …をロープ[なわ]で縛る[くくる] (+*up*); …を[…に]縛りつける [*to*] ‖ *rope* a load 荷物になわをかける / *rope* him *to* a tree 彼を木にくくりつける. **b** 〈登山者〉をザイルで結び合わせる(+*together*). **2** 〈場所〉をロープ[なわ]で囲う[仕切る] (+*off, in, out*) ‖ *rope off* the field to keep children out 子供が入らないように畑にロープを張る. **3** (米)〈牛など〉を投げなわで捕える.
―[自] 〈登山者が〉ザイルで体をつなぎあう(+*up*).
rópe làdder なわばしご.

rope·danc·er /róupdænsər/ [名] ⓒ 綱渡り芸人 (ropewalker).

rope·walk·er /róupwɔ̀ːkər/ [名] ⓒ 綱渡り師.

rope·way /róupwèi/ [名] ⓒ (主に貨物を運ぶ)空中索道, ロープウェイ.

rop·ing /róupiŋ/ [動] → rope.

Roque·fort /róukfərt/ [名] ⓤ (商標) ロクフォールチーズ《羊の乳から作る香りの強いチーズ》.

Rór·schach tèst /rɔ́ːrʃɑːk-/ (心理) ロールシャッハテスト《インクのしみなど抽象的な図形の解釈による性格検査》.

Ro·sa /róuzə/ [名] **1** ローザ《女の名》. **2** Monte /mɑ́nti | mɔ́n-/ ~ モンテローザ《イタリア・スイス国境の高山》.

ro·sar·y /róuzəri/ [名] ⓒ **1** ロザリオ《カトリック教徒が祈りの際用いるじゅず》; (他宗教で用いる)じゅず. **2** [the ~; しばしば R~] ロザリオの祈り; ロザリオの祈りを収めた祈禱(きとう)書.

⁑rose[1] /róuz/ [名] rosy (形)
[名] (複 ~s /-iz/)
Ⅰ [植物としてのバラ]
1 ⓒ バラ(の花), ローズ; バラの木 (rose tree)《香水・料理・医薬用》‖ Wild *roses* are in bud. 野生のバラのつぼみがついている / *Roses* grow well in this soil. バラはこの土壌でよく育つ / (as) frésh as a róse (略式) 元気はつらつとして / I stop and smell the *roses* 立ち止まってバラのにおいをかぐ; リラックスして人生を楽しむ / No *rose* without a thorn. = Every *rose* has its thorn. (ことわざ) バラには必ずとげがある; どんな幸福にも不幸が伴う / A *rose* by any other name would smell as sweet. バラはどんな名で呼んでもかぐわしい; どんな名称で言い繕(つくろ)っても実体は変わらない.
【文化】イングランドの国花. また, 1986年米国の国花に制定された. New York, Iowa, North Dakota 各州の州花.

Ⅱ [バラの形・特質に似ているもの]
2 [the ~ of ...] …のバラ《◆次の句で》‖ the *rose* of Jericho アンゼンジュ / the *rose* of May 白スイセン (white narcissus). **3** ⓒ ばら模様. **4** ⓒ (正式)(じょうろなどの)散水口. **5** [the ~ of ...] (…の)花形(の女性), 名花.

Ⅲ [バラの色]
6 ⓤ バラの色香, バラの香水; ばら色, 淡紅色; [形容詞的に] バラの花の. **7** [the ~] ピンクの顔色 ‖ *roses* in her cheeks 彼女のほおのばら色.
a béd of róses バラの花道; (略式) 安楽な生活[身分].
ùnder the róse (正式) こっそり, 内密に.
―[動] 他 [通例 be ~d] ばら色になる,〈顔などが〉赤くなる; バラの香りがつけられる.

Róse Bòwl (アメフト) ローズボウル《毎年元日に行なわれるボウルゲーム. 最古の歴史を持つ》.

róse fèver [còld] (米) (医学) バラ熱《花粉アレルギーの一種. バラの花粉で起こる》.

Róse Gárden (米) ローズガーデン《ホワイトハウスの中庭》.

róse knòt ばら結び.

róse màllow (植) ハイビスカス; (米) タチアオイ.

róse òil ローズ油《香水・香料》.

Róse Paràde ローズパレード《Rose Bowl を祝って行なわれる》.

róse window ばら窓《教会の正面の丸窓》.

*****rose**[2] /róuz/ [動] rise の過去形.

ro·sé /rouzéi/ [/ː/] (フランス) [名] ⓤⓒ ロゼ《薄いピンク色のワイン》.

⁑rose·bud /róuzbʌd/ [名] ⓒ **1** バラのつぼみ. **2** バラのつぼみのようなもの; =rosebud mouth.
rósebud mòuth バラの花のようなくちびる.

rose-col·ored /róuzkʌ̀lərd/ [形] **1** ばら色の. **2** 有望な; 陽気な; 楽観的な.

rose·mar·y /róuzmèri | róuzməri/ [名] ⓒ (植) ローズマリー, マンネンロウ《常緑低木. 香水・調味料用》; ⓤ その葉.

Rose·mar·y /róuzmèri | róuzməri/ [名] ローズマリー《女の名》.

Ro·sét·ta stòne /rouzétə- | rəu-/ [the ~] ロゼッタ石《1799年ナイル河口のロゼッタで発見された石碑. 古代エジプト象形文字の解読の鍵となった》.

⁑ro·sette /rouzét | rəu-/ [名] ⓒ **1** (リボンなどの)ばら飾り[結び]; バラに似た物. **2** (建築) ばら形装飾, 円花飾り; ばら窓 (rose window).

rose·wa·ter /róuzwɔ̀ːtər/ [名] ⓤ バラ(香)水《バラの花弁の蒸留液. 化粧・料理用の芳香剤》.

rose·wood /róuzwùd/ [名] ⓒ **1** (植) タガヤサン; シタン《いずれもマメ科の有用材》. **2** ⓤ シタン材.

ros·in /rázin | rɔ́z-/ [名] ⓤ ロジン《樹脂から作る. 滑り止めなどに使われる》‖ a *rosin* bag ロジン・バッグ.
―[動] 他 …にロジンを塗る.

Ros·in·an·te, Roz· /ràzənǽnti | rɔ̀z-/ [名] ロシナンテ《Don Quixote の老いぼれ馬》; [r~] ⓒ 老いぼれ馬.

Ross /rɔ́ːs/ [名] ロス《Betsy ~ 1752-1836; 米国国旗を考案したとされる女性》.

ros·trum /rástrəm | rɔ́s-/ [名] (複 ~s, -tra /-trə/) ⓒ 演壇, 説教壇; (オーケストラの)指揮台.

⁑ros·y /róuzi/ [形] (-i·er, -i·est) **1** バラのような, ばら色の; 〈顔色などが〉〈健康で〉赤い, ピンク色の [*with*] 《◆pink と同じ連想を伴う》‖ *rosy* lips and cheeks 赤い唇と頬. **2** [比喩的に] ばら色の, 楽観的な ‖ a *rosy* future 明るい将来 / take a *rosy* view

楽観的に考える.

†**rot** /rάt | rɔ́t/ [動] (過去・過分 **rot·ted**/-id/; **rot·ting**) ⓐ 〈植物などが〉腐る; 腐敗する, 朽ちる(+*away*); 腐って落ちる[離れる](+*off*). **2 a** 〈文明・社会・制度などが〉(道徳的に)腐敗する, 衰退する;〈精神などが〉(機能的に)低下する, 衰える. **b** 〈囚人などが〉衰弱する. ——他 〈湿気などが〉〈物を〉腐らせる, 衰えさせる.
——名 **1** Ⓤ 腐敗(状態[作用]); 腐敗物;〈社会などの〉腐敗, 堕落, 衰退 ‖ (The) *rot* has started [set in] in the floor. 床が腐り始めた. **2** Ⓤ〔植〕腐敗病. ——間 くだらない!, 愚にもつかない!

†**ro·ta·ry** /róutəri/ [形](正式) **1**〈車輪のように〉回転する, 旋回する(turning) ‖ a *rotary* movement = rotary motion / a *rotary* blade 回転刃. **2**〈機械が〉回転式の. ——名 Ⓒ **1**(米)ロータリー, 環状交差点(〔英〕roundabout). **2** =rotary engine. **3**〔電気〕=rotary converter.

Rótary Clùb [the ~] ロータリークラブ《1905年 Chicago で創設された社会奉仕と国際親善を目的とする団体》.

rótary convérter 回転交流器.
rótary èngine ロータリーエンジン.
rótary mótion 回転運動.

†**ro·tate** /róuteit | -´-/ [動] ⓐ **1**〔自軸を中心に〕回転する[on];〔他の物の周りを〕回る[around]. **2**〈季節などが〉巡る, 循環する;〔…と〕交替する; 順繰りに, 交替[順番]でする(in, at). ——他 **1**〈車輪などを〉回転させる. **2**〈作物を〉輪作する. **3**〈人を〉交替させる.

†**ro·ta·tion** /routéiʃən/ [名] **1** Ⓤ 回転(運動); 旋回;〔天文〕自転(cf. revolution). **2** Ⓒ (1回の)回転. **3** ⓊⒸ (季節などの)循環;(3者以上の)交替(◆2者間の交替は alternation); 輪番, 順番 ‖ the *rotation* of the four seasons 四季の循環. **4**〔農業〕輪作(rotation of crops, crop rotation). *in* rotátion 交替で, 輪番で ‖ The chair is to be taken in *rotation*. 議長は交替でなることになっている.

ro·ta·tor /róuteitər | -´--/ [名] Ⓒ 回転する[させる]人[物, 部分, 装置];〔工業〕ヘリコプターの回転翼.

ro·ta·to·ry /róutətɔ̀ːri | -təri, rəutéitəri/ [形](正式)回転する[させる], 回転(性)の. **2** 循環[交替]する.

rote /róut/ [名] Ⓤ (略式)機械的な手順 ‖ learn by *rote* まる暗記する. **róte lèarning** 丸暗記.

ro·to·gra·vure /ròutəɡrəvjúər | rə̀utəu-/ [名] **1** Ⓤ 輪転グラビア(印刷). **2** Ⓒ グラビア印刷写真[印刷物]. **3** Ⓒ(米)(新聞の)グラビア写真欄, ページ.

ro·tor /róutər/ [名] Ⓒ **1**〔機械〕ローター, 回転子《モーター・発電機などの回転部》. **2**〔航空〕ヘリコプターなどの)水平回転翼, ローター.

rótor shìp 風筒船, ローター船.

†**rot·ten** /rάtn | rɔ́tn/ [形] (~·er, ~·est) **1 a**〈肉・魚・野菜・果物などが〉腐った, 腐敗した ‖ *rotten* meat 腐った肉 / Eggs go *rotten* quickly in summer. 夏は卵がすぐに腐る. **b** (腐って)悪臭を放つ, 臭い. **2**〈木などが〉朽ちた, 腐敗した. **3**〈石などが〉もろく壊れやすい. **4**(道徳的に)腐敗した, 堕落した ‖ The bad son is *rotten* to the core. その親不孝な息子は骨が腐敗している. **5**(略式)態度の悪い, 失礼な. **6**(略式)〈天気・気分などが〉ひどい(nasty); 気分が悪い ‖ *rotten* weather 悪い天気 / feel *rotten* 気分が悪い, ひどく気くさりする. **7**(略式)だめな ‖ a *rotten* idea つまらない考え.

rót·ten·ness [名] Ⓤ 腐敗; 堕落.

ro·tund /routʌ́nd | rəu-/ [形](正式) **1** 丸い(round), 円形の;〔遠回しに〕〈人が〉丸々と太った(↔ angu-

lar). **2**〈声が〉朗々とした. **3**〈演説・文体などが〉麗々しい, 美辞をろうした.

ro·tun·da /routʌ́ndə | rəu-/ [名] Ⓒ〔建築〕**1** ロタンダ《基面が円形の建物, 特にドームのあるもの》. **2** 円形大広間《ホテルのロビーなど》.

rou·ble /rúːbl/ [名] =ruble.

†**rouge** /rúːʒ/ 〔フランス〕[名] **1** Ⓤ ルージュ, ほお紅; 口紅 ‖ use lip *rouge* 口紅をぬる. **2** ベンガラ《宝石・金属・ガラスなどの研磨剤》. ——動 他 …に紅をぬる.

*****rough** /rʌ́f/ [発音注意]〔「きめのあらい」が本義〕 roughly (副)
——形 (~·er, ~·est)

I 【きめがあらい】

1 a (表面が)ざらざらした, きめのあらい(↔ smooth).〔類語〕harsh, coarse) ‖ *rough* skin きめのあらい皮膚 / That board is *rough* to the touch. = That board feels *rough*. その板は手ざわりがあらい. **b**〈道などが〉でこぼこした, 起伏の多い. **c** 毛むくじゃらの, 毛がもじゃもじゃの(shaggy).

2 a〈海などが〉荒れる; 荒天の(↔ calm) ‖ *rough* seas 荒れ狂う海 / *rough* weather 荒天. **b**〈航海などが〉荒天をついての. **3**〈宝石などが〉未加工の. **4**〈ワインなどが〉辛口の. **5**〈音などが〉耳ざわりな.

II 【心・行動などが大雑把な】

6 a〈人が〉〔怒りなどで〕乱暴な, 粗暴な, がさつな; 無骨な[with] ‖ a *rough* child 乱暴な子供 / Football players are expected to be *rough*. フットボール選手は荒っぽくないといけない《◆この例のようによい意味で用いることもある》. **b**〈スポーツなどが〉荒々しい, 激しい. **c**〈扱いなどが〉荒っぽい;〔人・物の〕扱いが乱暴な[with]; 手荒し ‖ The nurse is *rough* with patients. その看護師は患者の扱いが乱暴だ. **d**〈仕事などが〉力のいる.

7 a〔言動が〕粗野な, 不作法な, 下品な[in, of]《◆ rude と違って, 悪意はないが作法に無知なための場合もある》‖ That fellow has a *rough* manner. あいつは不作法だ / The teacher is *rough* in speech. その先生は言葉使いが乱暴だ. **b** 素朴な ‖ *rough* kindness かざらぬ親切.

8〔通例名詞の前で〕〈計画・計算などが〉大ざっぱな, おおよその, 概略の(◆比較変化しない) ‖ a *rough* drawing 略画 / a *rough* estimate 概算 / a *rough* draft 草稿, 下書き.

9 a(キャンプなどで)〈生活が〉きびしい, 不便な. **b**(略式)〔通例名詞の前で〕〈仕事などが〉つらい, 苦しい(difficult); 不快な ‖ have a *rough* time ひどい目にあう. **c**(略式)〔補語として〕(寝不足・飲みすぎで)気分が悪い, 疲れた.

be róugh *on* A (略式)〈人に〉とって不運[酷]である.
róugh and tóugh たくましい.

——副(◆比較変化しない) **1** 乱暴に, 手荒に(◆ roughly より口語的)‖ talk *rough* 乱暴な口をきく. **2** 大ざっぱに.

——名 **1** Ⓤ(略式)**a** でこぼこのある土地; 荒地. **b**〔ゴルフ〕the *rough*〕ラフ《雑草の刈っていないところ》. **2** Ⓒ(略式)乱暴者, ごろつき. **3** Ⓒ 下書き; 大ざっぱな絵.

in róugh (英)ざっと, 概略的に.
in the róugh (1) 未完成[未加工]のままの[で]. (2) =in ROUGH.

tàke the róugh *with the* smóoth 楽だけではなく苦しも受け入れる.

——動 他 **1 a** …をざらざら[でこぼこ]にする(roughen)(+*up*). **b**〈髪などを〉かき乱す(+*up*). **2**(スポーツで)…に反則の妨害をする.

roughage

―自 1 あらくなる. 2 乱暴にふるまう.
róugh ín [他] …を大まかに描く.
róugh óut [他] …のだいたいの計画をたてる.
róugh úp [他] (1) → **1a, b**. (2)《略式》《人》に暴力をふるう, …を(おどすために)こづく.
róugh díamond 未加工のダイヤモンド；荒削りが素質のある人(《米》diamond in the rough)；粗野だが善良な人.
róugh lúck《英略式》不運.
rough·age /rʌ́fidʒ/ 名 (正式)(ふすまなどの)粗い食料[飼料], (果物の皮などの)繊維食料[飼料](腸の蠕動(ぜん)を促進する) (cf. bulk 名 4).
rough-and-ready /rʌ́fəndrédi/ 形 1 間に合わせの；大ざっぱな. 2 無骨な, 粗野だが有能な.
rough·en /rʌ́fn/ 動 他 …をざらざらにする(+up)；…を荒くする. ―自 ざらざらになる；荒くなる.
rough·hew /rʌ́fhjúː/ 動 (過去) ~ed, (過分) ~ed or --hewn) 他 …を粗切りする；…を粗ごしらえする.
rough·ish /rʌ́fiʃ/ 形 ややざらざらする, やや乱暴[粗野, 大ざっぱ]な.
*rough·ly /rʌ́fli/ [→ rough]
―副 (more ~, most ~) 1《略式》およそ, 概略で(nearly)《◆比較変化しない》‖ *Roughly* speaking, pi is 3. 大ざっぱに言って, 円周率は3である / *roughly* 5 dollars 約5ドル.
2 [様態] 乱暴に, 手荒に ‖ Don't treat the baby so *roughly*. 赤ん坊を手荒に扱わないで.
3 粗雑に, 粗削りに ‖ a *roughly* made bookcase 粗作りの本箱.
rough·neck /rʌ́fnèk/ 名 ⓒ《略式》1 乱暴者(violent person). 2 石油採掘労働者.
†**rough·ness** /rʌ́fnəs/ 名 1 Ⓤ あらいこと, でこぼこ；ⓒざらざら[でこぼこ]しているところ. 2 Ⓤ 乱暴；不作法. 3 Ⓤ (天候・海などの) 荒れ.
rough·shod /rʌ́fʃɑ̀d | -ʃɔ̀d/ 形《馬が》滑り止め付きの蹄(ひづめ)鉄をつけた.
rou·lette /ruːlét/ 名 1 Ⓤ ルーレット《賭博(とばく)ゲーム》. 2 ⓒ《機械》目打ち(機械), ルーレット《ミシン目をつける歯車のついた器具》. ―動 他 …にルーレットでミシン目をつける.

☆**round** /ráʊnd/

index
形 1 丸い
名 1 繰り返し 2 回転 6 巡回 8 円
副 1 ひとまわりして 2 周りに 4 あちこちに 5 ぐるりと回って
前 1 …をひとまわりして 2 …の周りに 3 …を回って 4 …のあちこちに 5 …の中をぐるりと
動 他 1 丸くする

―形 (通例 ~·er, ~·est)
I [丸い]
1 丸い, 円形の；球状の, 円筒状の, 半円形の ‖ a *round* plate 丸い皿 / a *round* tower 円筒状の塔 / a *round* arch 半円アーチ / 〈対話〉 "Is the table *round*?""Yes, but it is not perfectly *round*."「そのテーブルは丸いですか」「はい, しかし完全に丸くはありません」. 2 角(かど)のない, 丸くなった；〈背などが〉湾曲(わんきょく)した；〈人・顔〉が丸々と太った ‖ *round* cheeks ふっくらとしたほお / *round* shoulders 猫背 / a *round* face 丸顔. 3 a [名詞の前で] 〈数量が〉ちょうどの, 全部の；端数のない《◆比較変化しない》‖ a *round* ton ちょうど1トン. b だいたいの, おおよその《◆比較変化しない》‖ a *round* estimate 概算の見積もり / *in round figures* [*numbers*] 概算で. c 〈金額などが〉かなりの, 相当な《◆比較変化しない》‖ a *round* sum of money 多額のお金. 4 [人に] 率直な, 包み隠しのない〔*with*〕；きびしい；[主張などが] きっぱりとした ‖ a *round* denial きっぱりとした否定 / scold her in good *round* terms かなりきつい言葉で彼女をしかる.
5 〈動きなどが〉活発な, きびきびした. 6 〈声・音が〉響き渡る, 太くて豊かな. 7 〈ワインなどが〉熟成した ‖ a *round* wine 味のまろやかなワイン. 8 〔音声〕 円唇(しん)の ‖ a *round* vowel 円唇母音《/u, o/ など》.

II [丸をぐるっと回って]
9 [名詞の前で] 1周の, 順に回る ‖ a *round* dance 円舞.

―名 (複 ~s/ráʊndz/) ⓒ
I [丸く回ること]
1 a (同じことの) 繰り返し, 連続 ‖ a *round* of talks (何回目かの) 一連の会談 / the daily *round* 日々の決まった仕事〔勤め, 出来事〕 / the *round* of the seasons 四季の循環〔めぐり〕. **b**《音楽》輪唱.
2 (円形物の) 周囲；全範囲, 限界；回転 ‖ the earth's yearly *round* 地球の公転.
3 (歓声などの) ひとしきり, 一斉射撃；(弾丸の) 1発 ‖ a *round* of applause 一斉に沸き起こる拍手かっさい / fire *round* after *round* 1発ずつ撃つ. **4** = round dance.

II [1周・巡回]
5 1試合, 1勝負, (ボクシング・ゴルフなどの) 1ラウンド, (トランプの) 1回り ‖ a match of 15 *rounds* (ボクシングの)15回戦 / play a *round* of golf ゴルフで1ラウンドプレーする《◆ふつう18ホールのこと》‖ The challenger was knocked out in the 2nd *round*. 挑戦者は第2ラウンドでノックアウトされた.
6 [しばしば ~s] 巡回, 巡視；《英》巡回[配達] 区域(《米》route)；巡路；[од り, 1周] ‖ a doctor's *rounds* 医者の回診 / a *round* of visits 訪問して回ること, 歴訪 / go for a long *round* 遠い道を1回りして来る / The mailman has just come back from his *round*(*s*). 郵便集配人はちょうど配達から帰ったばかりです / (out) on the *rounds* 巡回中.
7 (酒などの) 全員へのひとわたり(分) ‖ serve a *round* of drinks 全員に酒をつぐ / How about another *round*? お代わりはいかがですか.

III [丸いもの]
8 丸いもの；円, 輪, 球[円筒]状のもの；一団(の人々) ‖ draw a *round* 円を描く / *dance in a round* 輪になって踊る.
9 (パンの) 丸い1切れ；《主に英》サンドイッチ. **10** (牛の) もも肉 (図 → beef). **11** = rung² 1, 2.

gó [**màke, dò**] **the róund**(**s**) (1) 〈人が〉〈場所を〉 次々に回る, 巡回する〔*of*〕 ‖ *make the rounds of* the pubs パブを次々にはしごして回る. (2) 〈うわさなどが〉 〈町などに〉 広がる, 伝わる〔*of*〕.

in the róund (1)《正式》 円形の ‖ a theater in the *round* 円形劇場. (2) 丸彫りで[の]. (3)《正式》 四方八方から, 全体的に, 詳細に.

―副《◆(1) 比較変化しない. (2) 副詞・前置詞とも一般に《英》では round,《米》では around が好まれるが, 今日では《英》でも around がしばしば用いられる. 1, 2, 3, 4, 5, 6 の用例は → around 副 1, 2, 3, 6, 4, 5》.
1 (周りを) ひとまわりして, 巡って；回転して；周囲が…で.
2 周りに, 周囲に, 四方に, 取り巻いて.

3（周囲の一部を）回って；回り道をして．
4 あちこちに[を]，ほうぼうに[を]；近くに．
5 ぐるりと回って，反対側に；もとの方向[状態]に．
6（期間の初めから終わりまで；（みんなに・次々に）回して，回って，行き渡って．

róund abóut [形] 近くの，周囲の．──[前] …の近く[周囲]に．──[副] (1)（略式）約，…ごろ ‖ *round about* £5 約5ポンド．(2) ぐるりと回って，反対側に．(3) 輪になって．(4) 回り道をして．(5) 近くに．

róund and róund [副] ぐるぐる回って．──[前] …をぐるぐる回って．

tàke A **áll róund** 〈事〉をあらゆる角度から見る《ふつう take *it* all round の連語で用いる》，全体的に見る．

──[前]《◆ **1**, **2**, **3**, **4**, **5**, **6** は [副] **1**, **2**, **3**, **4**, **5**, **6**, にそれぞれ対応する．**1**, **2**, **3**, **4** の用例は → around [前] **1**, **2**, **3**, **4**》．

1 …をひとまわりして，巡って；〈軸〉を中心[もと]にして．
2 …の周り[周囲]に，…を取り巻いて．
3 a …を回って，〈角など〉を曲がった所に． **b**〈困難・法律など〉を避けて．
4 …のあちこちに[を]，…のほうぼうに[を]，…の近くに．
5 …の中をぐるりと ‖ look *round* a room 部屋を見回す． **6** …の間じゅう；（まんべんなく）…に回して ‖ *round* the year 1年じゅう / pass the picture *round* the class クラスの全員に写真を回す． **7** 約，およそ，…ぐらい，…ごろ ‖ *round* (about) noon 正午ごろ / (at) *round* nine o'clock 9時ごろに / somewhere *round* £1,500 約1500ポンド．

──[動]（~s /ráundz/；[過去・過分] ~ed /-ɪd/；~ing）
──[他] **1**〈人・物〉や〈物〉を**丸くする**，円形[球形，円筒形]にする ‖ *round* the clay into a sphere 粘土を丸めて球にする．
2 …を丸くふくらませる，丸々と太らせる ‖ *round* the lips くちびるを丸めて発音する． **3**〈角など〉を回る，曲がる ‖ *round* the corner 角を曲がる．
──[自] **1** 丸くなる，丸味がつく． **2** 回る，曲がる；回転する． **3** 巡回する．

róund dówn [他]〈数〉を[…に]切り捨てる(to)(↔ round up)．

róund óff [他]（すっかり (off [副] **9**）丸くする）(1) …の角〈かど〉を取って丸くする．(2)〈文章・話・生涯など〉を[…で]うまく終える，仕上げる，しめくくる(with, by) ‖ *round off* one's career by becoming president 大統領になって生涯を飾る．(3)〈数〉を概数で表す，四捨五入する．

róund on A (1)〈かかとなど〉を軸にして回る．(2)（不意に向きを変えて）〈人など〉を攻撃する．(3)（正式）（突然）〈人〉をとがめる，…に食ってかかる．(4)〈人〉を裏切る．

róund óut [自] (1) いっそう丸くなる[太る]；丸味がつく．(2) 完成[発達，成長]して[…に]なる(into) ‖ The boy *rounded out* into a great man. その少年は成長して偉大な人になった．──[他]（すっかり(out [副] **16**)丸くする）(1)〈物〉をすっかり丸くする，…に丸味をつける．(2)〈事〉をより完全なものにする，完成する ‖ She *rounded out* her education by studying in America. 彼女はアメリカで勉強して自分の教養にいっそうみがきをかけた．

róund úp（回って歩いて(round) …を集めた状態に(up [副] **14 a**)）[他] (1)〈家畜・人など〉をかり集める；〈散っている物など〉を(寄せ)集める ‖ *round up* the cattle 牛をかり集める．(2)〈犯人などを〉を検挙[逮捕]する．(3)〈数〉を切り上げる(to)(↔ round down)．(4)（主に米）〈ニュースなど〉を総括する．

róund brácket（英）（通例 -s）丸かっこ．
róund dánce 円舞，輪舞．
róund gáme ラウンドゲーム《数人がグループに分かれずにするゲーム．ばばぬきなど》．
róund hánd 丸みを帯びた書体．
róund stéak ラウンドステーキ《牛のももの厚切肉》．
róund táble (1) 円卓会議；[集合名詞的に] 円卓を囲んだ人たち(cf. round-table)．(2) [the R~ T~]（アーサー王が部下下を並ばせた大理石の）円卓；[集合名詞的に] アーサー王と円卓の騎士たち．
róund tríp 往復旅行，（主に米）return trip；（英）一周旅行，周遊旅行(cf. round-trip)．
róund·ness [名] U 丸いこと，円形；完全；率直．

†**róund·a·bout** /ráʊndəbàʊt/ [形] **1** 遠回りの ‖ take a *roundabout* course 回り道をする． **2** 遠回しの，婉曲(えんきょく)な；間接の ‖ She speaks in a *roundabout* way. 彼女は遠回しにしゃべる癖がある．──[名] C（英） **1** 回転木馬(merry-go-round, (米) carousel)． **2** 環状交差路，ロータリー（(米) rotary, (traffic) circle)《◆ここに公衆便所・電話ボックスなどがある》．

roun·del /ráʊndl/ [名] C（小さな）丸い物，円盤；（紋章）円形紋．

roun·de·lay /ráʊndəlèɪ/ [名] C **1** 短い折り返しのある歌． **2** 円舞，輪舞．

Round·head /ráʊndhèd/ [名] C（英史）議会党員《17世紀の内乱で国王 Charles I に反対した議会派清教徒》．

round·ly /ráʊndli/ [副] **1** 丸く，円形に． **2** 活発に，きびきびと． **3** 痛烈に，激しく． **4** 完全に，徹底的に． **5**（正式）率直に，はっきりと． **6** おおざっぱに，ざっと．

round-shoul·dered /ráʊndʃóʊldərd/ [形] 猫背の．
round-ta·ble /ráʊndtéɪbl/ [形] 円卓の(cf. round-table) ‖ a *round-table* conference 円卓会議．
round-the-world /ráʊndðəwə́ːrld/ [形]（英）世界一周の．
round-trip /ráʊndtríp/ [形]（主に米）往復旅行の；（英）一周旅行の(cf. round trip)．
round·up /ráʊndʌ̀p/ [名] C **1**（家畜・物など）かり集めること，寄せ集めること；[集合名詞的に] かり集めた家畜，かり集めをする人[馬]． **2**（犯人などの）一斉検挙；狩り． **3**（数の）切り上げ． **4**（主に米）（ニュースなどの）総括(報告)．

round·worm /ráʊndwə̀ːrm/ [名] C 回虫．

†**rouse** /ráʊz/ [動] [他] **1**（正式）〈声・音などが〉〈人〉を〔眠りから〕目覚めさせる，起こす(wake up)〔*from, out of*〕‖ Her shouts *roused* him *from* his sleep. 彼女の叫び声で彼は目が覚めた． **2 a**〈人が〉〈人〉を〔無気力などから〕奮起させる，活動的にする；〈獲物〉を〔場所から〕狩り出す(+*up*)〔*from, out of*〕；[~ oneself] 発奮する；〈物・事・人〉が〈人〉を奮い立たせて〔行動などの／…するように〕させる〔*to ／ to do*〕‖ *rouse* him to action 彼を奮起させて行動にかり立てる ／ I tried to *rouse* her *from* depression. 私は彼女をふさぎ込みから立ち直らせようとしました． **b**〈人〉を刺激する，怒らせる；〈人〉を刺激して〈感情など〉を起こさせる〔*to*〕‖ I was *roused* to anger by her cutting remark. 彼女の辛辣(しんらつ)な言葉に私はかっとなった． **3**〈感情など〉をかきたてる，喚起する(arouse) ‖ *rouse* his curiosity 彼の好奇心をかきたてる．
──[自] **1**（正式また）〔…から〕目を覚ます，起きる(wake)(+*up*)〔*from, out of*〕． **2** 奮起する(+*up*)．

―名 U 覚醒; 奮起.

Rous·seau /ruːsóu/ ニ-/名 ルソー《Jean Jacques /ʒɑ́ːn ʒɑ́ːk/ ~ 1712-78; スイス生まれのフランスの思想家・作家》.

roust·a·bout /ráustəbàut/ 名 C **1**《米》港湾労働者; 甲板員. **2**《米》サーカスの裏方. **3**《米》(牧場・油田などの) 未熟練[季節]労働者.

†**rout**¹ /ráut/ 名 **1** U C **1**《文》壊滅的敗走; 大敗北, 総崩れ, 退散 || put the enemy to rout 敵を潰走させる. **2** [集合名詞] 無秩序な群衆; 暴徒; やじうま. **3** U C 暴動, 騒動; U [法律](3人以上の)不法集合(罪). ―動 他 《正式》…を徹底的に打ち破る; …を追い散らす.

rout² /ráut/ 動 **1**〈ブタなどが〉〈地面を〉鼻で掘り起こす(root). **2** …を〈ベッド・家・隠れ家などから〉引きずり出す, たたき出す (+out) (out of).

†**route** /rúːt, (米+) ráut/ (同音) root) 名 **1** C〈(…への)道, 道路, ルート [to]《◆ふつう出発点から到着点まで》|| a tráde róute 通商(航)路 / an òverland [áir] róute 陸[航空]路 / the cheapest sea route from Japan to Paris 日本からパリへの一番安い海のルート / en route to … (→ en route) / a new route to the top of the mountain 山頂に登る新ルート.

[事情] 米国では国道の route number は奇数が南北, 偶数が東西に走る道を示し, 東と北から順になっている. 例えば, US Route 66 (国道 66 号線) はロサンゼルスとシカゴを結ぶ幹線道路.

2 C [比喩的に]〈(…への)道, 方法 (road) [to] || the route to victory 勝利への道. **3** C《米》配達[販売]区域 (《英》round) || a milk [newspaper, postal] route 牛乳[新聞, 郵便]配達区域.
―動 他 **1**〈人・旅〉の経路を定める, 道路を整える. **2**〈物〉を[…の経路で]発送する [through, by way of]; 〈人〉を一定のルートで行かせる.

rout·er /rúːtər/ 名 C [コンピュータ] ルーター《ネットワークで経路の選択・信号のやりとりの制御を行なう機器》.

†**rou·tine** /ruːtíːn/ [アクセント注意] 名 **1** U C **a** 決まってること, 日課 || "Add a half hour of walking to your daily routine," said the doctor. 「毎日 30 分の散歩をあなたの日課に加えてはどうですか」と医者は言った. **b** いつもの手順, 所定の順序 || check a car according to routine いつもの手順で車を検査する. **2** C (ダンスの) 所定のステップ; (演芸での) 決まった出し物. **3** C [コンピュータ] ルーチン《プログラム中の特定の機能を果たすひとまとまりの部分》. ―形 **1 a** いつもの, 日常の || routine work 決まりきった日常の仕事 / Our married life is becoming routine. 我々の結婚生活はマンネリ化し始めている. **b** 規定どおりの, 型どおりの. **2**《米》ありふれた, ふつうの.

rou·tine·ly /-li/ 副 いつものように; 規定通りに.

roux /rúː/ [フランス] 名《単複同》C [料理] ルー《溶かしたバターに小麦粉を加え, 火を通して練ったもの》.

†**rove** /róuv/ 動《文》 自 **1**〈人などが〉〈広い地域を〉うろつく, 歩き回る, 流浪する [over, through, about] || rove through the fields 野原を歩き回る. **2**〈視線・思考が〉〈…の上を〉〈目などが〉あちこち動く, さまよう [over, about]. ―他〈場所〉をうろつく, 歩きまわる. ―名 U [しばしば the ~] 徘徊, 流浪 || be on the rove 流浪している.

†**rov·er** /róuvər/ 名 C《文》流浪者, 放浪者; 遊び人.

Rov·er /róuvər/ 名 ローバー《◆犬の名》.

rov·ing /róuviŋ/ 形《文》 **1** 流浪する (wandering). **2** 移動する. **3** 移り気の || have a roving eye (略

式)(異性に)目移りする, 浮気っぽい.

‡**row**¹ /róu/ (同音) roe; 類音 low /lóu/)《「ひも, 細長い切れ」が原義》
―名(複 ~s/-z/) C **1a**(人や物の, ふつう横に並んだまっすぐな)列, 並び || a row of houses 家並み / a row of poplar trees ポプラ並木. **b**(劇場などの)座席の列 || sit in「the front [the fifth] row 最前列[5列目]に座る / Look at the man six rows in front of us. 私たちの 6 つ前の列の男を見てごらん. **c**(表の記載事項などの)横の列;〔数学〕(行列の横並びの)行(↔ column). **2**(両側[片側]に家の並んだ)通り, 街路;[R~]《英》(街路名として) …通り.

*in a rów **(1)** 1 列に || They were standing in a row. 彼らは 1 列に並んで立っていた. **(2)**《略式》連続して || three nights in a row 3 夜続けて《◆on end と異なり数詞を付けるのがふつう》.

in róws いく列にもなって.

rów hòuse《米》(壁を共有する)連続住宅, 長屋.

‡**row**² /róu/ (同音) roe; 類音 low)《「オール(oar)」が原義》
―動(~s/-z/; 過去・過分 ~ed/-d/; ~·ing)
―自〈人が〉〈オールで〉ボートをこぐ || row across [down] the river 川をこいで渡る[下る] / row to the island こいで島へ行く.
―他 **1a**〈ボート〉をこぐ (→ paddle 他 **1**)|| Can you row a boat? ボートをこげますか. **b**〈あるピッチ〉で船をこぐ || row a fast stroke 急ピッチでこぐ. **c**〈…番の位置〉でこぐ || row No. 5 in the Oxford crew オックスフォード大学クルーで 5 番でこぐ. **2** …をこいで運ぶ. **3**〈…で〉〈レース〉を〈…と〉行なう || row a race against Cambridge ケンブリッジ大学と競漕する. **4**〈ボート〉が〈オール〉を備えている || a boat rowing 8 oars 8 丁オールの舟.
―名(複 ~s/-z/) C [時に a ~] **1** オールでこぐこと, 舟遊び 《対話》"Let's go for a row on the river." "No, let's not. The river is swollen with rain."「川にボートこぎに行きましょう」「いいえ, やめときましょう. 川は雨で増水しています」. **2**(ボートの)こぎ時間, 距離 || It's only a short row to the island. 少しこげば島へ着く.

†**row**³ /ráu/ [発音注意] 名《主に英略式》 **1** C(時になぐりあいの)〔人との〕騒々しいけんか; 騒々しい議論 [with] || have a dreadful row over [about] one's share 分け前をめぐってひどいけんかをする. **2** U [しばしば a ~] 騒動, 騒音 || Don't màke such a rów. そんなに騒ぐな. **3** C 叱責 (scold) || get into [in] a rów (for …)(…のことで)お目玉をくう.
―動 自《略式》〔人と/…のことで〕けんかする, 口論する [with / over, about]. ―他〈人〉を〔…のことで〕とがめる (scold)〔about, over〕.

row·an /róuən, ráu-/ 名 C 〔植〕セイヨウナナカマド (rowan tree)《山地に自生し秋に赤い実をつける》; その実.

†**row·boat** /róubòut/ 名 C《米》こぎ船(《英》rowing boat)|| Rowboats for Hire《看板》貸しボートあります.

row·di·ness /ráudinəs/ 名 U 騒々しさ; 乱暴なふるまい.

row·dy /ráudi/《略式》形 (--di·er, --di·est) 騒々しい; がさつな, 乱暴な; けんか好きの. ―名 C 暴れん坊, 乱暴者; 与太者.

row·el /ráuəl/ 名 C 花車《拍車の後ろの小歯車》(図 → 次ページ). ―動 (過去・過分) ~ed または

(英) row·elled/-d/; ~·ing または (英) ~·el·ling) 他 …に花輪で拍車をかける.

row·er /róuər/ 名 C こぎ手; ボート選手(oarsman).

row·lock /rάlək, rǽ-|rɔ́lək/ 名 C (英) オール受け(米 oarlock).

Roy /rɔ́i/ 名 ロイ《男の名》.

*__roy·al__ /rɔ́iəl/ (類語 loyal /lɔ́iəl/) 『《王(king)の》が本義』

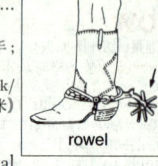

—— 形 《◆比較変化しない》《通例名詞の前で》**1 a** 国王の, 国王に関する; 王室の (類語 regal) ‖ a *royal* wedding 王族の結婚式. **b** 王家の血をひく ‖ the *royal* family 王室. **c** 王(室)の所有する; 王に属する ‖ a *royal* palace 王宮 / the *royal* estates 王室の領地 / the *royal* prerogative 国王大権. **d** 〈許可・命令などが〉王が行なう〈与える〉‖ a *royal* command 勅命 / a *royal* warrant (王室御用達(だ)の)勅許状.

2 〈通例 R~〉国王[国家]に奉仕する, 英国の; 王立の, 国立の; 勅許を受けた《◆英国の官庁・公共機関・団体名などの前に置く. 勅許を受けてはいないものもある》‖ the *Royal* Engineers 《複数扱い》英国陸軍工兵隊 / the *Róyal* Exchánge ロンドン取引所.

3 王者の風格のある, 威厳のある.

4 《略式》すばらしい(excellent), 超一流の ‖ a (right) *royal* welcome 下にもおかぬ大歓迎 / have a *royal* time とても楽しい時を過ごす / be in *royal* spirits 上機嫌である.

—— 名 C 《通例 ~s》王家の人.

Royal Acádemy (of Árts) 〈英〉〈the ~〉王立美術院《略 RA》.

Royal Air Fórce 〈the ~〉英国空軍《略 RAF》.

róyal flúsh 《トランプ》ロイヤルフラッシュ《ポーカーで同じ組の ace, king, queen, jack, 10の5枚続き》.

Róyal Híghness 《敬称》殿下《◆ Your *Royal Highness* で呼びかけも可》(→ Highness) ‖ His [Her] *Royal Highness* 殿下[妃殿下].

Róyal Institútion 〈the ~〉《英国の》王立科学研究所.

róyal jélly ロイヤルゼリー.

Róyal Marínes 〈the ~〉英国海兵隊《略 RM》.

róyal mást 《海事》ロイヤルマスト《帆船の一番上のマスト》.

Róyal Návy 〈the ~〉英国海軍《略 RN》.

róyal óak 《チャールズ2世の王政復古を記念して5月29日に身につけるオークの木の小枝》.

róyal róad 〈…への〉王道; 楽な方法〈to〉.

Róyal Society 〈the ~〉《英国》王立協会《略 RS》.

†**roy·al·ist** /rɔ́iəlist/ 名 C **1** 王政主義者, 王党員; 〈形容詞的に〉王政主義(者)の, 王党派の. **2** 〈R~〉《英史》《チャールズ1世支持の》王党員(Cavalier). **3** 〈R~〉《米史》《独立戦争時の》英国支持者(Tory).

roy·al·ly /rɔ́iəli/ 副 **1** 王として. **2** 堂々と, 王らしく. **3** 《略式》すばらしく.

†**roy·al·ty** /rɔ́iəlti/ 名 **1** C **a** 《本などの》印税; 著作権使用料 ‖ *royalties* (of 5 percent) on [for] her book 彼女の著書〔著書の価格の5%〕の印税. **b** 特許権使用料; 鉱山使用料. **2** 《集合名詞; 単数扱い》王家の人, 王族. **3** U 《正式》王位; 王権. **4** C 《通例 royalties》王の特権. **5** C U

領; 王国. **6** U 王らしさ, 気高さ.

Roz·in·an·te /rὰzənǽnti|rɔ̀z-/ 名 =Rosinante.

RP 《略》Radio Press ラヂオプレス通信社; received pronunciation.

rpm, r.p.m., RPM 《略》revolutions per minute 毎分回転数.

rps, r.p.s. 《略》revolutions per second 毎秒回転数.

RR 《略》Rolls-Royce.

R-rated /ὰːréitid/ 形 《米》〈映画が〉年齢制限指定の (→ film rating).

RS 《略》Royal Society.

RSFSR 《略》Russian Soviet Federated Socialist Republic.

RSV 《略》Revised Standard Version (of the Bible) 改訂標準聖書.

r.s.v.p., RSVP 《略》《フランス》 Répondez s'il vous plaît 折返し返事されたし (=Please reply.) (→ invite 表現).

Rt. Hon. 《略》Right *Honourable*.

r-t-w 《略》ready-to-wear 既製服の.

*__rub__ /rʌ́b/ (類語 rob /rάb|rɔ́b/, love /lʌ́v/) 『『こする(scrape)』が本義. → rubber』

—— 動 (~ s/-z/; 過去・過分 rubbed/-d/; rub·bing)

—— 他 **1** 〈人が〉〈物を〉《上下に・円形に繰り返して》こする, みがく; [rub A with B =rub B against [on, over, in] A] A〈物・体(の一部)〉を B〈布・手など〉でこする, ふく ‖ *rub* one's eyes 目をこする / *rub* a spoon スプーンをみがく / He *rubbed* the table *with* a cloth. 彼はテーブルを布でふいた.

2 [rub A C] 〈人が〉A〈物・体(の一部)〉をこすって〔ふいて〕C にする ‖ *rub* one's hair dry 髪をふいて乾かす.

3 〈汚れなどを〉こすり落とす, こすって消す〈*away, off, out*〉; 〈…から〉こすり取る〈*off, from*〉.

4 〈皮膚を〉すりむく, …をこすってひりひりさせる.

5 a 〈衣服・体(の一部)など〉を〈…に〉こすりつける〈*against, on*〉; 〈衣類などが〉…をこする ‖ *rub* one's back *against* a pillar 背中を柱にこすりつける / His trousers *rubbed* the table as he squeezed by. 彼がすり抜けようとした際, ズボンがテーブルをこすった. **b** 〈両手・物〉をこすり合わせる〈+*together*〉‖ She *rubbed* her hands (*together*). 彼女は手をこすり合わせた《◆暖めるため, または満足のしぐさ》.

6 a …をすり込む〈+*in*〉; [rub A in [into] B = rub B with A] A〈軟膏(ﾞ)・油などを〉を B〈皮膚・物の表面に〉すり込む. =She *rubbed* ointment *into* her arms. =She *rubbed* her arms *with* ointment. 彼女は腕に軟膏をすり込んだ. **b** …を〈…に〉塗る〈*on*〉‖ *rub* cream *on* one's face 顔にクリームを塗る.

—— 自 **1** 〈…に〉すれる, こすれる; 体をこすりつける〈*against, on*〉; すれ合う〈+*together*〉‖ The car *rubbed against* the wall. 車が壁をこすった. **2** こする, 摩擦する. **3** こすれて取れる〔落ちる〕〈+*off, out*〉‖ The paint will not *rub off* easily. そのペンキは簡単には取れないだろう. **4** 〈皮膚が〉すりむける; 〈布地などが〉すり切れる, すり減る.

__rub alóng__ 自 《英略式》(1) 〈苦境を〉〈…で〉なんとかやって〔暮らして〕いく〈*by, on*〉. (2) 〈人と〉仲よくやって〔暮らして〕いく〈*with*〉; 〈複数の人が〉折合いよくやって〔暮らして〕いく〈+*together*〉.

__rub at A__ …をごしごしこする ‖ She *rubbed at* the mark on the table with a cloth. 彼女は布で

テーブルのしみをこすった《◆一点に集中してごしごしこする感じなので、×She rubbed at the mark off the table.（彼女はテーブルからしみをすり取った）のようにはいえない。この場合は She rubbed the mark off the table. のようにいう．→他3).

rúb dówn /rʌ́bdàun/ 图 [a ~] (1) (運動・入浴の後)汗を拭くこと ‖ give a horse *a rubdown* 馬の汗を拭いてやる. 2 (運動の後の)マッサージ ‖ get *a rubdown* マッサージを受ける.

rúb ín [他] …をすり込む；…を頭にたたき込む.

rúb A ínto B (1) → 他 6 a. (2)《略式》A《教訓など》をB《人》に肝に銘じさせる《◆A にthat節, wh節も可. そのときは rub into B that節 [wh節] の語順》.

rúb it ín《略式》(いやな事を)繰り返し言う ‖ They *rub it in* that I am a big liar. 彼らは私が大うそつきだとしつこく言う.

rúb óff [自] (1) → 他 3. (2)《略式》〈栄光などが〉薄れる. (3)《略式》〈性質・気分などが〉〈人に〉乗り移る, 感染する, 受け継がれる[on, onto]. (4) はがれて[…に]付着する[on, onto]. —[他] → 他 3.

rúb óut [自] (1) → 他 3. (2)《主に英》消しゴムで消える. —[他] (1) → 他 3. (2)《主に英》…を消しゴムで消す(《米》erase).

rúb A the wróng wáy 〈人〉の神経を逆なでする.

rúb úp [自] (1) 〔物に〕すれる[against]. (2)《略式》〔人に〕(偶然に)会う, 接する[against]. —[他] (1) …をみがき上げる. (2)〈外国語などを〉勉強し直す《◆brush up の方がふつう》. (3)〈記憶などを〉呼び起こす.

—— 图 1 ⓒ (通例 a ~) こすること, 摩擦, みがくこと ‖ Give the floor *a good rub*. 床をよくみがきなさい. 2 [the ~] 障害, 困難 ‖ There's [lies] the rub.《やや古》それが困ることなのだ. 3 ⓒ 感情を害するもの；いやみ, 非難. 4 ⓒ (すれて生じた)ざらざら, でこぼこ.

†rub·ber /rʌ́bər/ 图 1 Ⓤ (天然・合成の)ゴム；[形容詞的に](ゴム(製)の)ゴムを産する ‖ *rubber* gloves ゴム手袋 / a *rubber* factory ゴム工場 / *Rubber* is an insulator. ゴムは絶縁体である. 2 ⓒ《主に英》消しゴム(《主に米》eraser, India rubber) ‖ Some pencils have a *rubber* at one end. 鉛筆の中には端に消しゴムがついているものがある. **b** 消すもの; 黒板ふき. 3 Ⓒ **a**《一般に》ゴム製品. **b** [~s]《米》(ゴム製の)オーバーシューズ(galosh) /《英》(岩登り用の)スニーカー. **c**《主に米略式》(避妊用)ゴム製品《◆condom の遠回し表現》(rubber goods). **d** = rubber band. **e** ゴムタイヤ. 4 ⓒ こするもの[人]；みがくもの[人].

rúbber bánd《米》輪ゴム, ゴムバンド(《英》elastic band).

rúbber cemént ゴムのり《皮革などの接着用》.

rúbber dínghy ゴムボート.

rúbber plànt〔植〕インドゴムノキ；(総称的に)ゴムを採る木.

rúbber stámp (1) ゴム印. (2)《略式》形式的に承認する[人[機関]]；形式的承認.

rub·ber·ize /rʌ́bəràiz/ 動 他 …にゴム加工をする.

rub·ber·y /rʌ́bəri/ 形 ゴムのような；弾性のある.

†rub·bish /rʌ́biʃ/ 图 Ⓤ 1 ごみ, がらくた, くず《◆《米》では garbage (生ごみ) と trash (その他のごみ) を区別するが,《英》ではまとめて rubbish という》‖ The *rubbish* is collected every Monday here. ここではごみは毎週月曜日に収集されます. 2 [比喩的に]くず, 駄物, ナンセンス ‖ *talk rubbish* くだらないことを言う / This book is just [a load of old] *rubbish*. この本はつまらない.

rúbbish bìn《英》ごみ箱(dustbin,《米》garbage can).

rub·ble /rʌ́bl/ 图 Ⓤ 1 (石・れんがの)破片, 瓦礫(がれき), 残骸；[比喩的に]がらくたの山. 2 荒石, 割り栗.

rub·down /rʌ́bdàun/ 图 [a ~] (1) (運動・入浴の後)汗を拭くこと ‖ give a horse *a rubdown* 馬の汗を拭いてやる. 2 (運動の後の)マッサージ ‖ get *a rubdown* マッサージを受ける.

ru·bel·la /rubélə/ 图 Ⓤ〔医学〕風疹(ふうしん), 三日ばしか(German measles).

Ru·bens /rúːbənz/ 图 ルーベンス《Peter Paul ~ 1577-1640；Flanders の画家》.

Ru·bi·con /rúːbikɑ̀n | -kn, -kɔ̀n/ 图 [the ~] ルビコン川《Caesar が「骰子(さいころ)は投げられた」と言って渡った川. cf. die² 1》.

cróss [páss] the [one's] Rúbicon《やや古》決定的な一歩を踏み出す, 重大決意をする.

ru·ble /rúːbl/ 图 ⓒ ルーブル, ルーブリ《ロシア・グルジアなど, および旧ソ連の貨幣単位. =100 kopecks.（記号）r., R., Rbl.》；1 ルーブル貨.

ru·bric /rúːbrik/ 图 Ⓒ 1 (印刷物の)赤刷り, 朱書き；(本・原稿・法令などの)題名, 見出し《◆昔は朱刷りされた》. 2 (手順などの)指令(祈禱(きとう)書中の)典礼規定, ルブリカ；(答案用紙などの)指示, 説明書き.

†ru·by /rúːbi/【発音注意】图 1 Ⓒ Ⓤ ルビー, 紅玉《7月の誕生石》. Ⓒ ルビーで造ったもの《時計用の石など》. 2 Ⓤ = ruby red. 3 Ⓤ 赤ワイン. 4 Ⓤ《英》(印刷)ルビ《約5.5ポイント活字》.

above rúbies きわめて貴重な.

—— 形 ルビー色の, 真紅の；ルビーの ‖ *ruby* lips 真紅のくちびる.

rúby gláss 紅色のガラス.

rúby réd ルビー色, 真紅色.

rúby wédding ルビー婚式《結婚45周年記念式(日)》.

ruck·sack /rʌ́ksæk, rúk-/ 图 Ⓒ リュックサック(《米》backpack).

ruc·tion /rʌ́kʃən/ 图《略式》[a ~ /《英》~s] 騒々しいけんか, 抗議；騒動.

rud·der /rʌ́dər/ 图 Ⓒ 1 (船の)かじ；(飛行機尾翼の)方向舵(だ)(⊙図)→ airplane). 2 指導原理, 指針；指導者. **rúd·der·less** 形 1 かじのない, かじのきかない. 2 方向の定まらない.

†rud·dy /rʌ́di/ 形 (**--di·er, --di·est**) 1 〈顔(色)が〉血色のよい. 2 〈文〉輝きをおびた, 赤みを帯びた.

*rude /rúːd/〖「生(き)のままの」が原義〗

—— 形 (**~r, ~st**) 1 〈人・行為などが〉(故意に他人への配慮を欠いて)[…に]失礼な, 無礼な, 不作法な(impolite) (*to*)《◆impolite よりも強意的で, 故意であることを暗示する》 類語 impertinent, impudent ‖ a *rude* reply ぶっきらぼうな返答 / Don't be *rude* to her. 彼女に失礼なことをしてはいけない / It was *rude* to ignore the guests. お客様をお構いしないのは失礼でした.

2 [名詞の前で] 野蛮な, 未開の《◆比較変化しない》‖ a *rude* land 未開の国. 3 [名詞の前で] 未加工の, 自然のままの《◆比較変化しない》‖ *rude* cotton 原綿. 4 《古》[名詞の前で] **a** あら作りの, 粗雑な《◆比較変化しない》‖ a *rude* hut 粗末な小屋. **b** 大ざっぱな, 概略の《◆比較変化しない》‖ a *rude* sketch ざっと描いたスケッチ / a *rude* estimate だいたいの見積もり. 5 [名詞の前で] 突然の, 激しい ‖ a *rude* shock 突然の衝撃 / a *rude* awakening 突然の自覚, 幻滅. 6 (扱い方などが)荒っぽい；〈海などが〉荒れ狂う. 7《略式》[遠回しに]〈言葉などが〉みだら

rugby図ラベル: dead ball line / goal line / 5 meters line / 22 meters line / 10 meters line / halfway line / touchline / goal / goal post / crossbar / prop forward / hooker / lock forward / flanker / no. 8 forward / linesman / left center / threequarter backs / right wing / right center / fullback / standoff half / scrum half / referee / prop forward / left wing / lock forward / flanker
rugby

な,〔子供に〕よくない〔*for*〕.
rúde·ness 名 ⓤ 失礼, 無礼; 粗雑.
†**rude·ly** /rúːdli/ 副 形 **1** 無礼に, 不作法に. **2**〈古〉粗雑に; 大ざっぱに. **3** 突然に. **4** 荒々しく.
†**ru·di·ment** /rúːdəmənt/ 名〔the ~s〕**1** 基本(原理), 初歩. **2** 初期の段階, 芽ばえ, きざし.
†**ru·di·men·ta·ry** /rùːdəméntəri/ 形 **1**〈正式〉初歩的な, 基本的な; 初期(段階)の, 原始的な. **2**〈生物〉未発達の; 発育不全の, 退化した.
†**true** /rúː/ 動 他〈英やや古〉〈自分の罪過など〉を悔やむ, 〔…したことを〕悔いる, 残念に思う〔*doing*〕.
rue·ful /rúːfl/ 形 **1**〈正式〉悲しそうな, 悔悟の念でいっぱいの. **2** 哀れを誘う, 痛ましい.
†**rue·ful·ly** /rúːfəli/ 形 悲しそうに; 後悔して, 沈んで, しょげて.
ruff /rʌf/ 名 ⓒ **1** ラフ, ひだえり《16-17世紀に流行したひだのあるえり》. **2** ひだえり状のもの;〈鳥・獣の〉ひだえり状の首毛.
ruffed /rʌft/ 形 ひだえりのついた;〈鳥・動物が〉ひだえり状の羽根[毛]のある.
rúffed gróuse〈鳥〉エリマキライチョウ.
ruf·fi·an /rʌfiən/ 名 ⓒ いじめっ子, がき大将.
†**ruf·fle** /rʌfl/ 動 他 **1**〈水面など〉を波立たせる;〈髪など〉をかきみだす(+*up*)‖ A breeze *ruffled* the smooth surface of the lake. そよ風が吹いて静かな湖面が波立った. **2**〈人・心〉を動揺させる, いら立たせる. **3**〈鳥など〉が〈羽毛など〉を逆立てる(+*up*). **4**〈布など〉にひだをとる[つける].
─ 自 **1**〈水面などが〉波立つ;〈羽毛などが〉逆立つ;〈旗などが〉はためく;〈服などが〉しわになる. **2**〈人が〉〔…に〕心を乱す, いら立つ, とまどう〔*at*〕.
─ 名 ⓒ **1**〈服などの〉ひだ飾り. **2** 鳥の首毛(ruff). **3** さざ波. **4** 心の動揺, いら立ち.
*****rug** /rʌɡ/〖『もじゃもじゃの毛』が原義〗 形 rugged(形)
─ 名(優〜s/-z/)ⓒ **1**〈床の一部に敷く〉敷き物, じゅうたん(cf. carpet, mat)《毛皮の敷き物》‖ a Persian *rug* ペルシアじゅうたん / Please vacuum the hall *rug*. 玄関ホールの敷物に掃除機をかけてください. **2**〈英〉ひざかけ毛布《(主に米) lap robe》.
*****rug·by** /rʌɡbi/
─ 名〔時に R~〕**1** ⓤ〈英〉ラグビー《◆正式には rugby football;《英略式》rugger》(cf. associa-

tion football)‖ a *rugby* player ラグビー選手 / *Rugby* is popular in New Zealand. ラグビーはニュージーランドで人気がある.〔関連〕競技場は field / ボールは rugby (foot)ball または rugger ball / 審判員は referee / 得点は point. **2**〔R~〕=Rugby School.
Rúgby fóotball〔時に r~〕〈英式〉ラグビー.
Rúgby Lèague〔時に r~ l-〕プロ=ラグビー《各チーム 13名》.
Rúgby Schòol ラグビー校《Eton, Harrow などと共に英国を代表する名門 public school. ラグビー発祥の学校》.
Rúgby Ùnion〔時に r~ u-〕アマチュア=ラグビー《各チーム15名》《主に英式》rugger》.
†**rug·ged** /rʌɡid/ 発音注意 形 (more ~, most ~; ~·er, ~·est) **1** でこぼこの, 起伏の多い, 険しい, 岩だらけの(↔ smooth)‖ a *rugged* dirt road (未舗装の)でこぼこ道. **2** いかつい, ごつごつした‖ very *rugged* features とてもいかつい顔付き. **3**〈人が〉頑丈な; 忍耐強い‖ *rugged* pioneers 頑健な開拓者たち. **4**〈人・作法などが〉粗野な, 無骨な, 洗練されていない《◆善良さを暗示する》; 耳障りな. **5** 厳しい, 困難な, 骨の折れる. **6**〈時候が〉荒れた, 厳しい‖ *rugged* weather 荒天.
rug·ger /rʌɡər/ 名 ⓤ〈英略式〉ラグビー(《英正式》rugby football).
*****ru·in** /rúːin/〖『くずれ落ちる』が原義〗
─ 名(優〜s/-z/)**1** ⓤ〈身の〉**破滅**, 没落;〈健康・地位・名誉などの〉喪失; 破産‖ the *ruin* of one's hopes 希望の消滅.
2 a ⓤ〈時の経過によって生じる建物などの〉**荒廃**, 崩壊(した状態)‖ **go**[**come**] **into** *ruin* 荒廃する. **3**〈人が〉**The abbey has fallen into** *ruin***.** その修道院は荒れ果てた. **b** ⓒ 荒廃した建物[町]; 〔しばしば ~s〕廃墟(はいきょ), 遺跡,〈物の〉残骸(ざんがい)‖ the *ruins* of Rome ローマの遺跡.
3〈正式〉〔one's/the ~〕破滅の原因, 禍根‖ Gambling will be 「his *ruin* [*the ruin* of him]. 賭(か)け事のために彼は身の破滅を招くだろう.
bring A **to rúin**〈人〉を破滅[没落]させる.
in rúins (1) 廃墟となって, 荒廃した. (2)〈計画・人生などが〉だめになった.

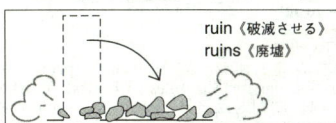

ruin《破滅させる》
ruins《廃墟》

——他 1〈事・年月・風雪が〉〈都市・建物など〉を**破滅させる**, 崩壊させる, 荒廃させる《◆destroy より堅い語》‖ A fire *ruined* everything inside the museum. 火事で美術館の中のものはすべてだめになった. **2 a**〈作物など〉を壊滅させる;〈機会・前途など〉をつぶす, 台なしにする‖ Alcohol *ruined* his *life*. 酒が彼の人生を台なしにした / The scandal *ruined* her chances of promotion. スキャンダルで彼女は昇進の機会を失った. **b**（略）〈物・人〉をだめにする, めちゃくちゃにする(spoil)‖ His new shoes were *ruined* in the mud. 彼の新しい靴は泥でだめになった. **3**〈人・会社〉を破産させる.

†**ru·in·ous** /rúːinəs/形 **1**（正式）破壊的な; 破滅を招く. **2** 荒廃した.

＊**rule** /rúːl/ 〖「ものさし」が本義〗派 ruler（名）

index
名 **1** 規則 **3** 習慣 **5** 支配
動 他 **1** 支配する **2 a** 思いのままにする
　　　　 b からされる
　　自 **1** 支配する

——名（複 ~s/-z/）
Ⅰ【規則】
1 ⓒ **規則**, 規程, 規約;（正式）〔…という〕規則(*that*節);（競技の）ルール;（教団の）宗規‖ the *rules* of tennis テニスのルール / obéy [bréak] the *rúles* 規則を守る[破る] ‖ It was once *against* the *rules* to kick the ball in volleyball. バレーボールではボールをけるのは以前は反則だった / Our school has *a rule that* we ((主に英)) *should*) wear a uniform. 制服を着るという校則がわが校にはある.
2 ⓒ（通例 ~s）（文法などの）規則;（数学などの）公式, 解法‖ the *rules* of English grammar 英文法の規則.
3 ⓒ（通例単数形で）（個人・一家の）**習慣**, 常習; 常のこと, 通例‖「His *rule* is [It is his *rule*] to go for a walk every morning. 毎朝散歩するのが彼の習慣です.
4 ⓒ（法律）法理; 原則; 規範; 裁判所規則.
Ⅱ【規則に従うこと】
5 Ⓤ **支配**, 統治; 支配[統治]の期間‖ the *rule* of law 法の支配 / That country is now *under* foreign *rule*. 今その国は外国の支配下にある.
Ⅲ【規則的にさせるもの】
6 ⓒ（古）定規, ものさし(ruler)‖ a foot *rule* 1フィート定規 / a slide *rule* 計算尺. **7** ⓒ（印刷）罫(ﾘ), 罫線.

＊**as a rúle**（正式）概して, 原則として, ふつうは(generally) ‖ *As a rule*, we have a lot of rain in June in Japan. 概して日本では6月にたくさん雨が降る.
by [according to] rúle 規則どおりに; 機械的に; 杓子(ﾚｬｸ)定規に.
máke it a rúle to *do* = **máke a rúle of** *doing*（正式）（いつも）…することにしている; …するのが常である《◆単に日常の習慣をいう場合は We always go

to bed … / We are in the habit of going to bed … がふつう》.
——動（~s/-z/; 過去・過分 ~ed/-d/; ~·ing）
——他 **1**〈君主・独裁者など〉が〈国・国民〉を（専制的・独裁的に）**支配する**, 統治する（→ govern 他 **1**) ‖ The king *ruled* his country for 20 years. その王は国を20年間統治した.
2 a〈人・物〉が〈人〉を思いのままにする, 指図する‖ She *rules* her husband. 彼女は夫をしりにしいている.
b（通例 be ~d）〈人〉が〔感情などに〕**かられる**, 左右される〔*by*〕‖ He is never *ruled by* his passions. 彼は決して感情にかられることがない.
3〈感情など〉を抑制する‖ *rúle* one's témper 怒りを抑える. **4**〈裁判官・議長など〉が…を裁決する,〔…であると〕裁定する(*that*節); [rule **A** (to be) **C**] **A**〈人・事〉が **C** であると裁決する《◆ **C** は形容詞（句）》(cf. decide) ‖ The judge *ruled that* he was guilty. 裁判官は彼に有罪判決を下した. **5**（正式）〈線〉を〔紙に〕定規で引く(draw)[*on*];〈紙〉に[罫(ﾘ)を]引く[*with*] ‖ *rule* (lines *on*) a blank sheet = *rule* a blank sheet *with* lines 白紙に線を引く.
——自 **1**〈君主・独裁者など〉が〈国・国民〉を**支配する**, 統治する[*over*]《◆受身可》‖ *rule with* justice 公正に統治する / The country *was ruled over* by a queen. その国は女王に統治されていた.
2〈裁判官など〉が〔…の件を〕裁決する[*on*];〔…に反対する/…に賛成する〕裁定を下す[*against / in favor of*]. **3**〈価格など〉が一般に…である.

rúle óff（他）〔欄〕を線を引いて区切る.
rúle óut（他）(1)〔…（の可能性）〕を除く《out **12 b**》と決定する(rule 他 **4**)〕; …を〔…として〕除外する〔*as*〕; …をありえないとする; …を認めない(dismiss, reject) ‖ *rule out* the possibility 可能性を否定する. (2) …をできなくする, 不可能にする. (3) 〔…〕に線を引いて(rule 他 **5**)消えた状態(out 副 **7**)にする〈文字など〉を線で消して読めなくする.

rule·book /rúːlbùk/ 名 **1** ⓒ 規則書; 就業規則書. **2** [the ~]（競技などの）規則集.

＊**rul·er** /rúːlər/ [→ rule]
——名（複 ~s/-z/）ⓒ **1 支配者** ‖ Napoleon was the absolute *ruler* of France. ナポレオンはフランスの絶対的な支配者であった.
2（直）定規《◆「三角定規」は triangle,「T（型）定規」は T square》‖ a 10-inch *ruler* 10インチの定規 / He drew a straight line without a *ruler*. 彼は定規なしでまっすぐな線を引いた.

rul·ing /rúːliŋ/ 動 → rule.

†**rum** /rʌm/ 名 ⓒ Ⓤ **1** ラム酒《糖蜜(ﾐﾂ)またはサトウキビから作る強い酒》. **2**（米）（一般に）酒.

Ru·ma·ni·a /ruːméiniə, rou-/ 名 =Romania.

rum·ba, rhum- /rʌ́mbə/ 名 ⓒ ルンバ《キューバの民族舞踊から派生したダンス》; その曲.

†**rum·ble** /rʌ́mbl/ 動 **1** 雷・砲声・機械・腹などが〉ゴロゴロ[ガラガラ, ゴトゴト]鳴る[音をたてる], とどろく. **2**〈車などが〉ガラガラ[ガタガタ]音をたてて進む(+*along, by, past*). ——他 **1** …を低いとどろくような声でいう(+*out, forth*). **2**（英式）…を見抜く, 見破る.
——名 **1** Ⓤ［時にa ~］ゴロゴロ[ガラガラ, ゴトゴト]いう音, 騒音. **2** ⓒ 回転ドラム; 転摩機.

rúmble sèat（米）（クーペやロードスター後部の）屋根なし折りたたみ補助席(((英))dickey).

ru·mi·nant /rúːmənənt/ 名 ⓒ 反芻(ﾊﾝｼﾞｭｳ)動物.
——形 **1** 反芻する, 反芻動物の. **2** 考え込む, 瞑想する, 思い巡らす.

†**ru·mi·nate** /rúːmənèit/ 動 自 **1**〈動物が〉食べ物を反

rumination 1332 **run**

鶩(鵞)する. **2**《正式》〈人が〉[…について](心の中で繰り返し)思い巡らす, 沈思する[*about, on, over*].
ru·mi·na·tion /rùːməneɪʃən/ 名 **1** 反芻(鵞) **2**《正式》思い巡らすこと, 黙考, 熟慮, 思索.
†**rum·mage** /rʌ́mɪdʒ/ 動 他 **1**〈場所を〉かき回して[ひっくり返して]捜す[…を]捜す, くまなく捜す[*for*]. **2** …を(ひっくり返して)[かき回して]捜し出す(+*around, up, out*) ‖ *rummage out* an old coat 古い上着を捜し出す. **3**〈船内を〉検査する. ― 自 **1**[場所を求めて]かき回して捜す(+*around, about*)[*in, through, among* / *for*] ‖ *rummage through* three drawers *for* one's gloves 引き出しを3つもかき回して手袋を捜す. ― 名 **1**[時に a ~] 捜索, くまなく捜すこと; (税関吏の)検査. **2**《米》(rummage sale に出す)がらくた, 雑品.
rúmmage sàle《米》慈善バザー;《米》がらくた市, 見切り売り(《英》jumble sale).
rum·my /rʌ́mi/ 名 U ラミー〈トランプゲームの一種〉.
*****ru·mor**, 《英》**ru·mour** /rúːmər/ *«ラ*「雑音」が原義. cf. *rumble*》
― 名(複 ~s/-z/) C U […についての/…という]うわさ, 風評, 流言[*about, of* / *that* 節] (cf. gossip) ‖ *There is a rumor that* our teacher is leaving. =*Rumor has it that* … =*Rumor says that* … =*The rumor is that* … =*Rumor is that* … (=They say that …).
― 動 他《正式》[通例 be ~ed] うわさされる, うわさが広まる ‖ *It is rumored* (abroad) *that* he has gone bankrupt. 彼は破産したといううわさだ ‖ *He is rumored to have gone* bankrupt. 彼は破産したといううわさだ(⊃ 文法 7.13).

| 語法 | ×They rumor that he has gone … / ×They rumor him to have gone … の型は用いない. |

rúmor mìll《米俗》うわさの出所《◆新聞用語》.
*****ru·mour** /rúːmə/《英》名 動 =rumor.
†**rump** /rʌ́mp/ 名 C **1** しばしば the ~](動物の)しり, 臀部(鵞); (鳥の)背尾部(⊃ bird); (人間の)しり, けつ(bottom) ‖ whip the horse on the *rump* 馬のしりにむちをあてる. **2**(牛の)しり肉(⊃ beef) ‖ a *rump* steak ランプステーキ. **3**《正式》残り物, 残りかす. **4**《正式》(政党·団体の)残党.
†**rum·ple** /rʌ́mpl/ 動 他 〈紙·織物·髪などを〉しわくちゃにする, くしゃくしゃにする. ― 自 しわくちゃになる. ― 名 C (紙·織物などの)しわ, ひだ.
rum·pus /rʌ́mpəs/ 名 U 《米略式》[通例 a ~] **1** 騒音, 大騒ぎ ‖ make [kick up] *a* terrible *rumpus about* … …のことでひどく騒ぐ. **2** 激論, 口論.
rúmpus ròom《米やや古》(家の地下にある)娯楽室, 遊戯室, ゲーム室.

‡**run** /rʌ́n/ 《「人·動物が走る」から「(連続して)進む·動く, 続く」,「競争する」から「競争に出る·立候補する」などの意が派生した》

index
動自 **1** 走る **2 a** 急いで行く **3** 逃げる **5** 競走に出る **8** 流れる **17 a** 延びている **22** …になる **24** 動く
他 **1** 走る **4** 出場させる **6** 走らせる **8** 流す **9** 動かす **10** 経営する
名 **1** 走ること **6** 得点 **7** 連続公演

― 動 (~s/-z/; 過去 **ran** /rǽn/, 過分 **run** /rʌ́n/; ~·ning)

I[人などが走る]
1〈人が〉**走る**, 駆ける[類語 race, dash, sprint, jog] ‖ She *ran* for「20 miles [3 hours]. 彼女は20マイル[3時間]走った / He *ran* to the station. 彼は駅まで走って行った / *Run* (and) close the window. 走って行って窓を閉めなさい《◆ and を省略するのは《米略式》》.
2 a〈人が〉[…へ, …のために/…を求めて]**急いで行く**, 駆けつける[*to*/*for*]《◆ 修飾語(句)は省略できない》 ‖ He *ran* to her help. 彼は彼女の救援に駆けつけた(=He *ran* to help her.) / She *ran for* the bus [doctor]. 彼女はバスに乗ろうとして[医者を呼びに]走った. **b**〈…へ〉短い[急ぎの]旅行をする, ちょっと訪問する(+*over, down, up, across*)[*to*] ‖ *run over* [*across*] *to* her house 彼女の家をちょっと訪ねる / I *ran up to* Paris for a day. 日帰りでパリへ行った(→ **5**).
3〈人·動物が〉**逃げる**, 逃走[逃亡]する ‖ The boy hit her on the head and *ran*. 少年は彼女の頭をなぐって逃げた / I *ran for* my [*dear*] life. 私は必死になって逃げた.
4〈人·動物が〉自由に動き回る, うろつく(+*about, around*)《◆ 修飾語(句)は省略できない》 ‖ The dog *ran* loose in the garden. 犬は庭を自由に動き回っていた.
5〈人·動物が〉**競走に出る**;[競走に]出場する[*in*] ‖ My horse will *run in* the Derby. 私の馬はダービーに出場します.
6《主に米》選挙で役職などに〉選挙[…の対抗馬]に**立候補**する(《英》stand for)[*for/in/against*] ‖ *run for* president [the presidency] 大統領に立候補する / *run in* an election 選挙に出る / *run against* Bush ブッシュの対立候補として出馬する.
7[…に]頼る, 援助を求める[*to*] ‖ *run to* a lawyer 弁護士に頼る.

II[もの·流体などが走るように動く]
8 a〈川などが〉**流れる**;〈波が〉立つ;〈水·涙·血などが〉流れる, したたる《◆ 修飾語(句)は省略できない》 ‖ The river *runs into* the Pacific Ocean. その川は太平洋に注いでいる / Tears of joy *ran down* my face. 喜びの涙が私の顔を伝った. **b**〈容器·からだの器官などが〉液体を流す[出す], […を]流す(*with*) ‖ Your nose is *running*. 洟(鼻)が出ているよ(=You've got a *runny* nose.) / Her eyes *ran* (*with* tears). 彼女の目から涙が流れた(=Tears *ran* from her eyes.) / ショーク "My nose is *running* and my feet smell." "Sounds like you're built upside down."「鼻は走るし, 足はにおいをかいでいる」「まるで逆立ちしたような体だね」《◆「鼻水は出るし, 足は臭い」がふつうの解釈》.
9〈目などが〉[…に]さっと走る[向く][*over, through*] (→ **12**). **10**〈バター·ろうなどが〉**融けて流れる** ‖ The wax melted and *ran*. ろうが融けて流れた. **11**〈ボールなどが〉転がる;〈物がすべるように動く〉 ‖ The rope *runs* in the pulley. ロープは滑車を動く. **12**〈色などが〉(洗濯すると)落ちる;〈インクなどが〉にじむ. **13**《主に米》〈靴下が〉伝線する, ほつれる(《英》ladder). **14**《話·ことわざなどが〉[…と] 書いてある, 述べられている ‖ The story *runs* as follows. その話は次のようになっている.

III[物事が動く]
15〈痛みなどが〉さっと走る ‖ A shiver *ran* down

her spine. 彼女は背すじがぞっとした. **16**〈事が〉(順調に)**進む**‖ The wedding is *running* smoothly. 結婚式は支障なく進んでいる. **17 a**〈道などが〉**延びている**, 続いている, 広がる《◆修飾語(句)は省略できない》‖ The road *runs* along the coast. 道路は海岸に沿って延びている. **b**〈蔓(ﾂﾙ)などが〉のびる, […に]はい上がる[*up*]. **18**〈物·事が〉続く, 継続する;〈劇·映画などが〉[…の期間]**続演**[**続映**]**される**[*for*]‖ The show *ran* for two months. そのショーは2か月間上演された. **19**〈法律などが〉[…の期間]**効力をもつ**[*for*]‖ The lease *runs for* ten years. その賃貸契約は10年間有効だ. **20**〈時が〉たつ, 過ぎる(+*by, on*);〈日などが〉経過して[…に]なる[*into*]‖ The weeks *ran into* months. 1週1週と過ぎて数か月となった. **21**〈物·事が〉(範囲·種類の点で)[…から/…に]**及ぶ**, わたる[*from/to*]‖ The topics *ran from* politics *to* food. 話題は政治から食物にまで及んだ. **22 a**[run C]〈物·事が〉C **になる**《◆ C はふつう悪い状態を表す形容詞》‖ The river has *run* dry. 川の水は干上がった / Mary's blood *ran* cold. メリーはぞっとした / He *ran short of* money. 彼の金は残り少なくなった. **b**(略式)(ふつう悪い状態に)陥る[*into*]‖ *run into* trouble 困難に陥る / *run into* debt 借金する.

IV [機械が動く]

23 a〈乗物が〉**走る**‖ The racing cars are *running* at full speed. レーシングカーは全速力で走っている. **b**〈乗物が〉運行されている, (定期的に)通っている(→**文法** 4.1(1))‖ The trains *run* every ten minutes. 列車は10分ごとに出る / The trains aren't *running* today. 電車は今日は運休している(→**文法** 5.2(3)) / The bus *runs*「*between* Boston and Chicago [*from* Boston *to* Chicago]. バスはボストンとシカゴの間を走る. **24**〈機械などが〉[…で]**動く**, 作動する[*on, by*];〈コンピュータ〉〈プログラムが〉〈コンピュータで〉**動作する**, 走る[*on*]‖ This old clock doesn't *run*. この古時計は動かない / Keep the motor *running*. モーターを動かしておきなさい / The toy car *runs on*[*by*] batteries. そのおもちゃの車は電池で動く.

V [比喩的に走る·速く動く]

25〈考えなどが〉[…に]ふと**浮かぶ**, よみがえる[*in, through*]‖ The thought kept *running through* my mind[head]. その考えが私の心にたえず現れた. **26**〈うわさなどが〉[…に]広まる, 伝わる;〈火·病気などが〉[…に]ぱっと広がる[*through, over, down*]. **27**(通例現在形で)〈性格などが〉[…に]伝わる, 遺伝する[*in*]‖ A sense of humor *runs in* his family. ユーモアを好むのは彼の家族の血筋です. **28 a**(通例現在形で)[…の]**傾向がある**[*to*]‖ Her tastes *run* to sweets. 彼女は甘いものに目がない. **b**平均[一般に]…である‖ Salmon are *running* small this year. 今年のサケは一般に小ぶりだ. ──他 **1 a**〈道·距離などを〉**走る**, 走って行く‖ She *ran* the marathon in two hours and 40 minutes. 彼女はマラソンを2時間40分で完走した. **b**〈場所〉を自由に動き回る, ぶらつく‖ *run* the streets〈子供が〉通りで遊ぶ. **c**〈用事などを〉走ってする‖ *run* an errand for him 彼の使い走りをする. **2**〈人が〉〈競走〉を**する**;〈人〉と競走する‖ I *ran* a race with her in the schoolyard. =I *ran* her in the schoolyard. 校庭で彼女と競走をした. **3 a**〈動物を〉**走らせる**, 駆けさせる‖ He *ran* the horse around the field. 彼は馬に原っぱを1周させた. **b**〈人·動物を〉走らせて…にする‖ *run* oneself out of breath 走って息を切らす. **4**〈人が〉〈動物を〉〔競走などに〕**出場させる**[*in*]《◆修飾語(句)は省略できない》‖ She will *run* her horse *in* the Derby. 彼女は自分の馬をダービーに出す.

5 a〈獲物などを〉[…まで]追う[*to*]‖ *run* a fox *to* earth (略式)キツネを(穴に)追いつめる. **b**〈うわさなどの〉〈出所などを〉突きとめる(+*back*)[*to*]‖ *run* the rumor *back to* its source うわさの出所を突きとめる. **6 a**〈人が〉〈乗物を〉**走らせる**‖ He *ran* his car *into* the parking lot. 彼は車を駐車場へ入れた. **b**〈乗物を〉運行させる, (定期的に)通わせる‖ They *ran* a special train from Tokyo to Osaka. 東京から大阪へ特別列車を走らせた. **c**(英)〈車〉を持っている. **7 a**(略式)〈物〉を〈乗物で〉運ぶ;(主に英)〈人〉を車に乗せて行く(drive)(+*across, along, over*)‖ She *ran* him *across* to his office. 彼女は彼を職場まで車で送った. **b**…を密輸する. **8 a**〈人が〉〈液体〉を**流す**(+*off*);〈場所が〉〈液体〉を放出する‖ *run* water into a bathtub 浴槽に水を入れる / You must *run* the water *off* after taking a bath. 入浴後は湯を流して捨てなければならない / Tom's eyes *ran* tears. トムの目から涙が流れた. **b**…を融かして[…に]流し込む[*into*]‖ *run* gold *into* molds 金を融かして型に流し込む. **9**〈人·動力源が〉〈機械などを〉**動かす**;〈コンピュータ〉〈プログラムを〉〈コンピュータで〉動かす‖ They *run* the motor by water. =Water *runs* the motor. 水力でそのモーターを作動させている / *run* several applications on Windows ウインドウズで複数のアプリケーションを実行する. **10**〈人が〉〈会社などを〉**経営する**;〈業務などを〉管理[運営, 指揮]する(manage)‖ She *runs* a *karaoke*-house in this neighborhood. 彼女はこの近くでカラオケ店を経営している / He *runs* the dramatic society well. 彼はその演劇協会をうまく運営している. **11**〈人が〉〈危険などを〉冒す, …に身をさらす‖ I don't want you to *run* a risk. 君に危険を冒してもらいたくない(→ risk 成句) / He *ran*「the chance [the danger] of being attacked. 彼は攻撃される かもしれないという危険に身をさらした / He was *running* a high fever from malaria. 彼はマラリアで高い熱を出していた. **12**〈人が〉〈…に〉さっと走らせる;〔…に〕ざっと〈目〉を通す[*over, through, down*]‖ *run* a comb *through* one's hair (略式)髪にくしを入れる / She *ran* her eyes *over* the bill. 彼女は請求書にざっと目を通した(=Her eyes *ran over* the bill.). **13**…を[…に]**突き刺す**[通す][*into, through*];〈糸などを〉通す‖ *run* a pin *into* one's finger 指にピンを突き刺す. **14**…を**突破する**, 通り抜ける‖ *run* a blockade 封鎖線を突破する / *run* a red light 赤信号を無視する. **15**…を[…に]**ぶつける**, 打ちつける[*into, against*]《◆ *into* は中にめり込むような, *against* ははね返されるような衝撃》‖ *run*「a car [one's head] *into* a wall 車[頭]を壁に打ちつける. **16**(主に米)〈党などが〉〈人〉を〈役職などに/選挙に〉**立候補させる**[*for/in*]‖ *run* her「*for* mayor [*in* an

election] 彼女を市長[選挙]に立候補させる.
17 a …を延ばす；…を張る ‖ *run* a rope between the two trees 2本の木の間にロープを張る. **b** 〈線〉を引く. **18** 《米》〈広告などを〉[新聞などに]掲載される[*in*]；〈新聞などに〉…を掲載する ‖ *run* an ad in a paper 新聞に広告を出す. **19**《略式》〈人を〉[〈ふつう悪い状態に〉]追い込む, 陥らせる[*into*] ‖ *run* him *into* death [debt] 彼を死に追いやる[彼に借金を負わせる].

rún abóut [自] (1)〈子供などが〉自由に遊ぶ. (2) 忙しく走り回る;〈車で〉走り回る. (3) → ㉕ **4**. —[他] = RUN around.

*__rún acróss__ [自] → ㉕ **2 b**.—[他⁺][~ *across* **A**] (1)《略式》〈人〉が〈人〉に**偶然出会う**(meet by chance);〈物を偶然見つける《◆受身可》》‖ I *ran across* an old friend of mine at the station. 昔の友だちに駅でひょっこり出会った. (2)〈道など〉を走って渡る.—[他] → ㉕ **7 a**.

*__rún áfter__ **A**《略式》 (1)〈人・動物が〉〈人・動物を〉**追いかける**, 追跡する(chase);…を探し求める, 追求する ‖ The policeman *ran after* a thief. 警官は泥棒を追いかけた. (2)《略式》[しばしば be ~ning]〈異性〉の尻を追い回す.

rún agàinst **A** (1)…にぶつかる, 衝突する(run into [自] (1)) (cf. ㉔ **15**, run down [他] (1), run over [他] (1)). (2)〈人〉に偶然出会う(meet). (3)《主米》〈人〉との対立候補として立候補する(cf. ㉕ **6**). (4)…に反対する, …に不利になる.

rún aróund [自] (1)《略式》[人と]付き合う, 次々[異性と]交際する(*with*). (2) → ㉕ **4**.—[他]《英》〈人〉を車で連れて回る(→ ㉕ **7 a**).

*__rún awáy__ [自] (1)〈人・動物が〉[…から]**逃げる**, 走り去る, 逃走する[*from*];…を避ける;駆け落ちする ‖ The criminal *ran away from* the scene. 犯人は現場から逃げた / He *ran away from* home twice when he was in high school. 彼は高校生のとき2回家出した. (2)〈液体が〉流れ去る.

rún awày with A (1)《略式》…を持ち逃げする, 盗む. (2) …と駆け落ちする. (3)〈感情などが〉〈人〉の自制心を失わせる. (4)〈馬・車などが〉〈人〉が制御できないほど速く走る. (5)《略式》〈競技などで〉一方的に勝つ, 圧勝する. (6)〈事が〉〈金・時間などを〉食う, 使わせる《◆ふつう進行形不可》.

rún báck [自]〈人などが〉走って[大急ぎで]帰る;〈水などが〉逆流する. —[他] (1) [~ **A** *back*] (1)〈フィルムなどを〉巻き戻す. (2)《主英》〈人〉を車で送る. → ㉕ **5 b**.

rùn báck over A …を回想する；…を再考する《◆ふつう進行形不可》.

rún behínd A (1) …の後をついて走る. (2) [通例 be ~ing] …予定の時間などに遅れる.

*__rún dówn__ [『下がる, 下げる」が本義] [自] (1)〈水・涙などが〉**流れ落ちる**(cf. ㉕ **8 a**). (2) 走り降りる. (3)〈時計などが〉(ぜんまいの巻きがとれて)止まる(stop);〈電池などが〉切れる. (4)《英》[しばしば be ~ning]〈人員・生産などが〉減少[縮小]される. (5) → ㉕ **2 b**. —[他] (1)〈車などが〉〈人など〉をはねる, 轢(ʰ)き倒す(cf. run into (1), run over [他] (1)). (2)〈小舟〉に衝突して沈没させる. (3)〈人など〉を追いかけてつかまえる;《主英》〈物・人〉を捜し出す;《米》…の出所を調べる. (4)〈人〉を車で[…へ]乗せて行く[*to*]. (5)《略式》〈人〉をけなす. (6)〈人〉を疲れさせる；[be run]〈人が〉疲れ切っている.

rún for ít 《略式》[通例命令文で] (危険などを避けるために)急いで逃げる, 命がけで走る(→ it ㉔ 9).

rún ín [自] (1) 駆け込む. (2)〈液体が〉流れ込む. (3) → ㉕ **6**. —[他] 〈液体〉を流し込む. (2)《英》[通例 be ~ning]〈新車などを〉ならし運転する《◆《米》では be breaking in がふつう》.

*__rún ínto__ **A** (1)〈人・車などが〉〈物〉に**ぶつかる**, 衝突する《受身可》(run against) (cf. ㉔ **15**, run down [他] (1), run over [他] (1))‖ The car *ran into* the fence. 車はへいにぶつかった. (2)《略式》〈人〉に偶然出会う(meet). (3)《略式》〈困難・悪天候など〉にあう. (4)〈借金などが〉〈金額など〉に達する, なる;〈本が〉…版に達する.

rùn óff [自] (1) 逃げる, (急いで)去る. (2)《米》〈液体が〉流れ出る. (3)《略式》〈話が〉横道にそれる. (4)《カナダ》〈水・雪が〉とける. —[他] (1) [~ *off* **A**]〈車などが〉〈道など〉から脱輪する;…からはみ出る;〈忠告などが〉〈人〉にきかめがない. (2) → ㉕ **8 a**. (3)〈人〉をすらすら言う[読む];…を暗唱する. (4)…のコピーを作る；…を刷る. (5)《競技》を行なう；…の決勝戦を行なう.

rùn óff with A = RUN away with.

rùn ón [自] (1) 走り続ける. (2)〈物・事が〉続く;〈文などが〉切れずに続く. (3)《略式》〈人〉が話し続ける. (4) → ㉕ **20**. —[他⁺] [~ *on* **A**] (1)《英》〈考え・話題などが〉…に向けられる, …に関する. (2)〈船が〉…に乗り上げる. (3) → ㉕ **24 a**. —[他]〈文字などを〉切らずに続ける;[印刷]…を追い込む.

*__rùn óut__ [「外に出る[出す]」「出してなくなる」が本義] [自] (1) **尽きた状態に**(out ㉖ **22 a**)〈なる〉(run ㉕ **22 a**)〈食料・金・忍耐などが〉**尽きる**;〈時間がなくなる ‖ Our money is *running out*. 私たちの金は底をつきかけている(= We are *running out* of money). (2)〈契約などが〉切れる, 無効になる. (3) […から]走り出る[*of*]. (4)〈液体が〉流れ出る, 漏れる. —[他] (1) 《主略式》〈人〉を追い出す, 追放する(cf. run out of (3)). (2) [~ *oneself*] 走って疲れ果てる.

*__rùn óut of__ **A** (1) [**A**〈物〉が尽きた状態に](out of (6))〈なる〉(run ㉕ **22 a**)〈人〉が〈物・時間などを〉**使い果たす**, 切らす(cf. RUN out [自] (1), run SHORT of) ‖ I have *run out of* beer. ビールを切らしてしまった (= I have no more beer.) / We are *running out of* food. 食糧がなくなりかけている (= Our food is getting scarce.) / 〉 ジョーク 〉 "Why is a moth in my soup?" "Because we've *run out of* flies." 「あいにく人に切らしております」. (2) → RUN out [自] (3). (3) [~ **A** *out of* **B**] 《主米略式》**A**〈人〉を**B**〈場所〉から追い出す ‖ *run* her *out of* town 彼女を町から追放する.

rùn óut on A 《略式》〈人〉を見捨てる；…の(責任)を放棄する(desert) 《◆受身可》.

*__rùn óver__ [自] (1)〈液体・容器が〉あふれる, あふれて[…に]流れる[*into*] 《◆ overflow の方がふつう》；〈人が〉〈元気などに〉あふれている[*with*]. (2)〈予定の時間など〉を超える. (3) → ㉕ **2 b**. —[他⁺] [~ *over* **A**] (1) →㉕ **6**. —[他] (1)《英》〈車・人が〉〈人・物〉を轢(ʰ)く(cf. run into (1), run down [他] (1)) ‖ The bus *ran over* a boy. そのバスは少年を轢いてしまった 《◆目的語が代名詞の場合 The bus *ran him over.*,《米》 The bus *ran over him.* の2通りが可能》. (2) …を復習する, 読み返す, 繰り返す；…をざっと調べる. (3)〈テープなどを〉(終わりまで)かける. → ㉕ **12**.

rùn thróugh [自] (1) 走り抜ける. (2) 流れ抜ける. —[他⁺] [~ *through* **A**] (1)〈うわさなどが〉…に広まる. (2)〈感情などが〉〈詩など〉に満ちている, …に対して支配

的である. (3) …を突き通る. (4) ＝ 自9, 25. (5) 〈金などを〉使い尽くす, 浪費する. (6) …にざっと目を通す; …を繰り返して来てくれませんか / 〈劇などを〉(通して)リハーサルする. ━ [他] (1) 〈テープなどを〉かける. (2) [～ A through B] a) (英) A〈線などを〉引いて B〈字を〉消す. b) → 自12, 13.

rùn to A (1) [英格式] [通例否定文・疑問文で] 〈収入などが〉…をする[買う]のに十分である; 〈人が〉…の資力がある. (2) ＝RUN into (4). (3) → 自 2 a, b, 28 a.

rùn úp (自) [‥に] 駆け寄る[to]. (2) 〈借金などが〉たまる, かさむ. (3) 〈金額などに〉達する[to]. (4) 〈値段などが〉上がる. (5) 急に成長する. ━(自[+]) [～ up A] (1) …を駆け上がる. (2) → 自 17 b. ━(他) (1) 〈旗などを〉掲げる. (2) 〈値段などを〉上げる, せり上げる. (3) 〈借金などを(どんどん)増やす, ためる. (4) 〈服などを〉急いで縫い上げる; 〈家などを〉急造する. (5) …をすばやく合計する. (6) 〈エンジンなどを〉温めて調子を出す.

rùn agáinst A [♦受身可] (1) [略式] 〈困難などに〉あう; 〈人に〉偶然会う. (2) …にぶつかる.

rún upòn A (1) …に乗り上げる. (2) 〈考えなどが〉…に向けられる. (3) 〈人に〉ひょっこり会う.

rùn úp to A 〈値段などが〉…に達する.

rùn with A (1) 〈人と〉付き合う. (2) → 自 8 b.

━(名) (復 ～s/-z/) 1 [C] a 〈人・動物・乗物が〉走ること, 一走り ‖ Would you make [take] *a run* to town to buy some bread? ちょっと町までパンを買いに来てくれませんか / *a trial run* of a new car 新車の試乗 / I went for *a run* in the park this morning. 今朝公園を一走りしに行った. b 競走 ‖ a 5-mile *run* 5マイル競走.

2 [a ～] (人・乗物の) 走行距離, 走程, 行程 ‖ My office is *a* 5 minutes' *run* from the station. ＝It is *a* 5 minutes' *run* from … 私の会社は駅から5分の所にある.

3 [C] (乗物の) 運行, 航行.

4 [C] **a** [通例 the ～] 乗物の通常の走路, 運行路, 航路. **b** (動物の) 通路.

5 [a ～] (急ぎの) 旅行, 小旅行 ‖ màke [tàke, gó for] *a rún* to Paris パリへ小旅行する (cf. 自 2 b).

6 [C] (野球・クリケット) 得点, 1点, 失点 ‖ hit a two-*run* double 2点2塁打を打つ / The team scored [made] two *runs* in the fifth inning. そのチームは5回に2点入れた.

7 [a ～] (劇・映画などの) 連続公演 ‖ *a long run* 長期公演 / The play had *a three-month run* [*a run of three months*]. その劇は3か月間上演された. **b** (状態・事などの) 連続, 続き (sequence) [of]; [C] (トランプの) 一続き (パイプなどの) 一続き ‖ *a run of good luck* 好運続き. **c** [主に米] […へ] の立候補, 出馬 [for] ‖ make *a run* for the presidency 大統領に立候補する.

8 [略式] [the ～] […の] 出入り [使用] 自由 (の許可) [of] ‖ give him *the run* of my library 彼に私の蔵書を自由に読むことを許す.

9 [C] [通例 the ～] (物・人の) 等級, 種類; ふつう [並み] のもの ‖ the usual [common, ordinary, general, normal] *run* of students 並みの学生.

10 [C] **a** [the ～] (事の) 成り行き, 形勢 ‖ *the run* of events 事の成り行き. **b** (物の) 方向, 向き.

11 [C] (米) (靴下などの) ほつれ, 伝線 (((英)) ladder) [in] ‖ have *a run* in a stocking 靴下の伝線.

12 [C] [しばしば複合語で] (家畜の) 囲い場, 飼育場; [主に豪] 放牧場 ‖ a chicken *run* 養鶏場. 13 [C]

(産卵期の魚の) 溯 (のぼ) り上, 移動; 移動する魚の群れ ‖ *a run* of salmon 川をのぼるサケの群れ. 14 [C] **a** (水などの) 流出, 奔(ほと)出; 流水量. **b** (米中部) 小川, 細流. **c** (水を流す) 水管, とい. 15 [C] (機械の) 運転, 操業 (時間); 仕事量, 生産量.

***in [óver] the lóng rùn** 長い目で見れば, 結局は (eventually, in the end) ‖ The more expensive goods will be less expensive *in the long run*. 高い商品は長い目で見れば安くつくでしょう / "Why is someone who runs marathons a good student?" "Because education pays off *in the long run*." 「なぜマラソンを走る人は立派な学生なの?」「長い目で見れば教育が報われるから」 (◆ in the long run は「長距離走で」とも取れる).

in the shórt rùn 目先のことを考えると, 短期的には.

kèep the rún of A (米) …と接触を保つ; …に遅れを取らない.

on the rún (1) 逃走中の; 退却中の. (2) [略式] 急いで; 多忙で, 動き回って. (3) 走りながら, 走って.

with a rún 急に, どっと.

rùn·a·bout /rʌ́nəbàut/ [名] 1 [略式] 小型 (無蓋 (ほう)) 自動車, 小型無蓋馬車; 小型飛行艇, 小型モーターボート. 2 うろつき回る人; 浮浪者.

rùn·a·round /rʌ́nəràund/ [名] [主に米] [the ～] 言い逃れ, ごまかし ‖ give her *the runaround* 彼女に言い逃れを言う, 彼女をごまかす.

†**rùn·a·way** /rʌ́nəwèi/ [名] [C] 1 逃亡者; 家出人; (御者を振り切って逃げた) 駆け出し馬. ━(形) 1 逃げた; 家出した ‖ *a runaway boy* 家出少年. 2 駆け落ちの. 3 〈馬などが〉制御できない, 手に負えない.

rùn-dówn /rʌ́ndáun/ [形] 1 疲れ切った. 2 荒廃した. 3 〈時計が〉(巻きが切れて) 止まった.

rune /rúːn/ [名] [C] 1 ルーン文字 《古代ゲルマン人, 特に Scandinavian と Anglo-Saxon の間で3世紀から使われた文字》. 2 (ルーン文字に似た) 神秘的記号, 魔法文字.

***rung**[1] /rʌ́ŋ/ [動] ring[2] の過去分詞形; (略式・方言) 過去形.

rung[2] /rʌ́ŋ/ [名] [C] 1 (はしごの) 格 (くさび), 段 ‖ start on [at] the lowest [bottom, first] *rung* of the ladder どん底からたたき上がる. 2 (いすの脚や背の) 桟 (さん), 横木. 3 (車輪の) 輻 (や), スポーク.

ru·nic /rúːnik/ [形] 1 ルーン文字の. 2 〈詩などが〉古代北欧風の.

run·let /rʌ́nlət/ [名] [C] 小川, 細流.

†**rùn·ner** /rʌ́nər/ [名] [C] **1 a** 走る人 [動物]. **b** 競走者; 出走馬 ‖ *a long-distance runner* 長距離走者. **c** 逃亡者. **d** (野球) 走者, ランナー. **2** 使い走りする人; 使者.

rúnner bèan (英) サヤインゲン ((米) string bean).

rùn·ner-úp /rʌ́nərʌ́p/ [名] (復 runners-, ～s) [C] (競技・競技などで) 2位の者, 2位のチーム.

†**rùn·ning** /rʌ́niŋ/ [形] 1 走る; 競走する; 走るための. 2 走りながらの, 走っている. 3 [通例 [行行] の] 〈水などが〉流れる, 流動する ‖ *running water* 流水, 水道水. 5 〈傷などが〉膿 (うみ) の出る. 6 〈機械などが〉動いている, 運転中の ‖ in *running* order 〈機械が〉正常に動いて. 7 連続する; 繰り返される ‖ *a running hand* 筆記 [草書] 体.

━(副) [数詞＋名詞の後で] 連続して, 続けざまに ((略式) in a row) (cf. on end) ‖ for two hours *running* 2時間続けて.

━(名) [U] **1** 走る [動く] こと, ランニング; 競走 (cf. jogging). **2** (店などの) 経営, 管理. **3** (機械などの) 運

転.
in the rúnning (1) 競走に参加して. (2)《略式》勝算があって.
óut of the rúnning (1) 競走に不参加で. (2)《略式》勝算がなくて.
rúnning cómmentary〘テレビ・ラジオ〙実況放送.
rúnning cósts(自動車などの)維持費.
rúnning fíght 追撃戦;論戦.
rúnning knót 投げなわ結び《引けば締まる》.
rúnning máte(米)一対になった候補者のうちの下位の者《大統領候補に対する副大統領候補》.
rúnning tíme 上映時間, 総演奏時間.
run·ny /rʌ́ni/形(略式) 1 流れでいる, 溶けている. 2 鼻水[涙]の出る ‖ You've got a *runny* nose. 鼻水が出てるよ(=Your nose is running.).
run-of-the-mill /rʌ́nəvðəmíl/形 並みの, ありふれた
(◆ run of the mill ともつづる).
run-scor·ing /rʌ́nskɔːriŋ/形〘野球〙得点になる ‖ a *run-scoring* double タイムリー二塁打.
runt /rʌ́nt/名 ⓒ 小型の動物[植物];(米)(ひと腹の子の中で)一番小さい豚.
run-through /rʌ́nθrùː/名 ⓒ 1 通しげいこ. 2 ざっと読むこと.
†**run·way** /rʌ́nwèi/名 ⓒ 1 走路, (飛行機の)滑走路. 2 (米)動物の囲い場. 3 (獣の)通い道.
ru·pee /ruːpíː/名 ⓒ〘ルピー《インド・パキスタン・スリランカなどの貨幣単位》;1ルピー貨.
†**rup·ture** /rʌ́ptʃər/《正式》名 ⓒⓊ 1 破裂. 2 (友好関係の)決裂, 断交, 不和. 3〘医学〙ヘルニア, 脱腸.
— 動 他 1 〈血管・組織など〉を破裂させる, 裂く. 2 〈関係〉を断つ, 仲違(たが)いさせる. 3〘医学〙[~ oneself]ヘルニアを起こす. — 自 破裂する, 裂ける.
*__ru·ral__ /rúərəl/
— 形《◆ふつう比較変化しない》[通例名詞の前で] **1** (よい意味で)**田舎(いなか)の**, 田園の, 農村の, 田舎ふうの (↔ urban) 〖類語〗 rustic, pastoral) ‖ a *rural* area 田園地帯 / *Rural* life is quiet. 田舎の生活は静かだ.

> 🖉 使い分け [rural と local]
> rural は田舎という意味での「地方の」の意.
> local は他人には渡らないひとつの「地方の」の意.
> My son goes the local [×*rural*] school. 息子は地元の学校へ行っている.
> Crops are grown in *rural* areas. 農作物は地方で育てられている.

2 田舎の人の.
rúral (frée) delívery [róute](米)地方無料郵便配達(略) RFD).
Ru·ri·tan·i·an /rùərətéiniən/形 ルリタニアの;(ルリタニアのような)冒険と陰謀の《◆英国の作家 Anthony Hope の小説 *The Prisoner of Zenda* の舞台となった架空の小王国 Ruritania から》.
ruse /rúːz/名 ⓒ 計略, 策略, たくらみ.
*__rush__¹ /rʌ́ʃ/ 〖原義 rash〗『「迅速にする」が本義』
— 動(~·es/-iz/ 過去・過分 ~ed/-t/; ~·ing)
— 自
■[急いで行く]
1〈人・車など〉**急いで行く**, 急ぐ (+*away, off, out*)《◆ hurry よりも行為・動作のあわただしさに重点がある》‖ A fire engine *rushed* to the scene. 消防車が現場に駆けつけた / The girl *rushed out* when she saw her mother. 女の子は母親の姿を見ると飛び出して行った.

2〈川など〉勢いよく流れる ‖ The river *rushes* past. 川が勢いよく流れる.
■[急にする]
3[…を]性急にする, (よく考えずに)急いでする[*into, to*];[rush to do]急いで…する ‖ *rush to* conclusions 軽率に結論を下す / Don't *rush into* marriage. あわてて結婚するな. **4**[…に]急に現れる, 突然思い浮かぶ[*to, into, on, upon*]‖ A good old memory *rushed into* her mind. 昔の懐かしい思い出がふいに彼女の心に浮かんだ.
— 他 **1**〈人〉が〈人・物〉を[…へ]**急いで送る**(+*off*) [*to*]《◆修飾語(句)は省略できない》‖ They *rushed* food and fresh water to the area. その地域へ食料と新鮮な水を急送した / The injured boy was *rushed to* a nearby hospital. けがをした少年はすぐに近くの病院へ運ばれた.
2〈人など〉〈人〉を**せきたてる**, 急がせる, 急いで[…]させる[*into*]‖ This problem is difficult, so don't *rush* me. この問題は難しいから私をせかさないで / I was *rushed into* joining the club. 私はせきたてられてそのクラブに入った.
3 a〈仕事など〉を急いでやる(+*through*);…を急いで作る(+*out, off, up*)‖ *Rush* this work in two days. この仕事を急いで2日間でしてくれ. **b**〈法案など〉を急いで[議会などを]通過させる[*through*]‖ *rush* the bill *through the* Diet その法案を急いで国会を通過させる. **4**《正式》〈敵陣など〉を急襲する;…を占拠[占領]する.
rúsh at A (1)…に突進する, …を襲う. (2)〈仕事など〉を急いでする.
rúsh on [upon] A =RUSH at (1).
— 名(~·es /-iz/) **1** ⓒ[しばしば a ~](水・風などが音をたてて)**勢いよく流れる[吹く]こと** ‖ a *rush* of water 激しい水の流れ / The *rush* of the wind carried my hat away. 突風で帽子が飛ばされた.
2 Ⓤ(略式) **a** [時に a ~]あわただしさ, 忙しさ ‖ the *rush* of modern life 現代生活のあわただしさ. **b**[時に a ~]急ぐこと, 急ぎ ‖ He finished his homework *with a rush*. 彼は一気に宿題を仕上げた / I'm *in a rush*. 私は急いでいる /〘対話〙"What's all the *rush*?" "I'm looking for a first-aid kit." 「何をあわてているの」「救急箱を探しているんです」. **c** =rush hour. **d**[形容詞的に]急ぎの ‖ *rush* service 早仕上げ / (写真の)翌日仕上.
3 a[~ の/…しようとする]需要の激増, 大量注文[*for, on* / *to do*]‖ a *rush for* umbrellas かさの需要の激増. **b** ⓒ[場所への/…を求めての](人の)殺到[*to/for*]‖ a *rush to* a bargain counter バーゲン会場への殺到. **4** ⓒ 突進;突撃, 急襲 ‖ Many people *made a rush* for the emergency exit. 多くの人々が非常口に突進した.
5 ⓒ(略式)〘映画〙[通例 ~es]ラッシュ《下見・編集用プリント》.
rúsh hòur(s)[しばしば the ~](出勤・帰宅時などの)混雑時間, ラッシュアワー ‖ The train is packed full during morning *rush hours*. その列車は朝のラッシュアワー時にはぎゅうぎゅう詰めです《日本見》In Japan's major cities, trains, buses and subways are packed full during the morning *rush hour*. 日本の大都市では, 朝のラッシュアワーの時には電車・バス・地下鉄は超満員です.
rush² /rʌ́ʃ/名 **1** ⓒ イグサ, トウシンソウ(灯心草)《むしろ, かごなどの材料》. **2**[a ~]つまらないもの《◆昔床に敷いたことから》‖ don't care *a rush* 少しも気にとめない.

rush·light /rʌ́ʃlàit/ 名 © 灯心草ろうそく；わずかな知識.

rush·y /rʌ́ʃi/ 形 (**-i·er**, **-i·est**) イグサの.

rusk /rʌ́sk/ 名 © **1** ラスク《オーブンでパンを固く焼いたケーキ》. **2**（柔らかく甘い）ビスケット.

Rus·kin /rʌ́skin/ 名 ラスキン《John ~ 1819-1900；英国の作家・批評家・社会改革家》.

Rus·sell /rʌ́sl/ 名 **1** ラッセル《Bertrand ~ 1872-1970；英国の哲学者，数学者，作家》. **2** ラッセル《**Lord John** ~ 1792-1878；英国の政治家・首相 (1846-52, 1865-66)》.

†rus·set /rʌ́sit/ 名 ⓤ《文》[時に a ~] 赤(黄)褐色, あずき色, 朽葉色. ― 形 赤褐色の.

†Rus·sia /rʌ́ʃə/ [発音注意] 名 **1 a** ロシア《正式名 Russian Federation (ロシア連邦). 首都 Moscow. 1991年成立》. **b** ロシア《正式名 the Russian Empire (ロシア帝国). 首都 St. Petersburg. ロシア革命 (1917) で倒れた》. **c** =Russian Soviet. **2** the Soviet Union の俗称.

†Rus·sian /rʌ́ʃən/ [発音注意] 形 **1** ロシアの；(旧)ソ連の ‖ Have you eaten *Russian* food? ロシア料理を食べたことがありますか. **2** ロシア人[語]の.
― 名 **1** © ロシア人；《広義》(旧)ソ連人 [語法] → Japanese) ‖ His father is a *Russian*. 彼の父はロシア人です. **2** ⓤ ロシア語 ‖ She speaks good *Russian*. 彼女はロシア語をうまく話す.
Rússian Federátion ロシア連邦《Russia **1 a** の正式名》.
Rússian (Órthodox) Chúrch [the ~] ロシア正教会《ロシア帝国の国教であったギリシア正教の一宗派》.
Rússian Revolútion [the ~] ロシア革命《1917年3月(旧暦2月)と同年11月(旧暦10月)の革命》.
Rússian roulétte ロシアンルーレット《弾丸が1個入った連発拳銃の弾倉を回し自分[他人]の頭に向けて引き金を引く遊び；生死にかかわる賭(ᵏ)け》.
Rússian Sóviet (Féderated Sócialist Repúblic) [the ~] ロシア=ソビエト連邦(社会主義共和国)《旧ソ連中最大の共和国》.

Rus·so- /rʌ́sou-/ [連要素] →語要素一覧(1.3).

Rus·so-Jap·a·nese /rʌ̀soudʒæpəníːz/ 形 ロシアと日本の ‖ the *Rússo-Jápanese* Wár 日露戦争 (1904-05).

†rust /rʌ́st/ 名 ⓤ **1**（金属の）さび；さび状のしみ ‖ Rub the *rust* off the knife. そのナイフのさびをこすり落としなさい / The machine is covered with *rust*. その機械はさびがついている(=The machine *rusted* [became *rusty*]). **2** さび色, 赤褐色. **3**《植物理》さび病. ― 動 自 **1**〈鉄などが〉さびる, さびつく (+*in*, *away*, *up*). **2**〈才能などが〉(使わないため)鈍る, だめになる. **3** さび色になる. ― 他 **1** ...をさびさせる. **2** ...を鈍らせる, だめにする. **3** ...をさび色にする.

†rus·tic /rʌ́stik/ 形 **1** 田舎の, 田園の《◆rural よりも素朴・粗野を強調》(⇔ urban). **2**《文》質素な, 素朴な. **3** 粗野な, 下品な. **4** 丸太[荒木]作りの ‖ a *rustic* seat 丸太作りの腰掛け.

rus·ti·cate /rʌ́stikèit/ 動 自《文》田舎(ᴵⁿᵃᵏᵃ)に住む；田舎へ行く. ― 他 **1** ...を田舎へ行かせる. **2** ...を田舎ふうにする. **3**《英》〈大学生を〉停学処分にする.

rus·tic·i·ty /rʌstísəti/ 名 ⓤ《正式》**1** 田舎(ⁱⁿᵃᵏᵃ)らしさ. **2** 田舎生活. **3** 質素. **4** 粗野；無知.

†rus·tle /rʌ́sl/ 動 自 **1**〈木の葉・絹の服・紙などが〉サラサラと音をたてる, サラサラいう ‖ Leaves were *rustling* in the wind. 風に木の葉がサラサラ鳴っていた. **2** サラサラ音をたてて動く. ― 他 ...をサラサラと音をたてさせる,〈紙などを〉ガサガサいわせて動かす.
rústle úp [他]《略式》(**1**) ...を寄せ集める, かき集める ‖ *rustle up* money 金をかきあつめる. (**2**) ...を(急いで)こしらえる.
― 名 ⓤ [a/the ~] サラサラ[カサカサ]という音, きぬずれの音.

rus·tler /rʌ́slər/ 名 © 《米略式》**1** 活動家, 精力的な人. **2** 牛[馬]泥棒.

rust·less /rʌ́sləs/ 形 **1**《主に英》さびない. **2** さびていない.

†rust·y /rʌ́sti/ 形 (通例 **-i·er**, **-i·est**) **1** さびた, さびついた, さびから生じた ‖ *rusty* nails さびた釘. **2**〈能力が〉鈍くなった, 衰えた；〈人が〉[...について]へたになった [on] ‖ My English is *rusty*. 私の英語はだめになっている. **3** さび色の. **4**《やや古》〈黒い服が〉色あせた.

†rut¹ /rʌ́t/ 名 © **1 a** わだち, 車の跡. **b** みぞ. **2** 決まりきったやり方［考え，生活］, 常軌.
gét into a rút 型にはまった単調な生活になる.
gét out of a rút 型にはまった単調な生活から抜け出す.
― 動 (過去・過分 **rut·ted**/-id/; **rut·ting**) 他 [通例 ~ted；形容詞的に] 車の跡がつけられた ‖ a *rutted* muddy field 車の跡がついたぬかるむ原っぱ.

rut·ted 形 [しばしば複合語で] わだちのある.

rut² /rʌ́t/ 名 ⓤ（雄ジカ・雄ヤシ・ヒツジなどの）さかり, 発情 (cf. **heat 7**)；[しばしば the ~] 発情期.
― 動 (過去・過分 **rut·ted**/-id/; **rut·ting**) 自 さかりがつく, 発情する.

Ruth /rúːθ/ 名 **1** ルース《女の名》. **2**《旧約》**a** ルツ《姑 Naomi に尽くしたモアブ人の寡婦. David の祖先》. **b** ルツ記《旧約聖書の一書》. **3** ルース《George Herman /hə́ːrmən/ ~ 1895-1948；米国の野球選手. 愛称 Babe Ruth》.

†ruth·less /rúːθləs/ 形 無慈悲な, 冷酷な, あこぎな, 情容赦のない (cruel).

†ruth·less·ly /rúːθləsli/ 副 無慈悲に, 冷酷に.

RV（略）Revised Version (of the Bible)；recreational vehicle レクリエーション用の車.

Rx /ɑ̀ːréks/ 記号 『ラテン』 recipe (=take)《◆処方せんで, 調合する薬品名のリストをこの後に書く》.
― 名 © 《医学》処方せん.

†rye /rái/ 名 **1** ⓤ〔植〕ライムギ；その穀粒《黒パン・ライウイスキーの原料；英米では主に家畜の飼料》. **2** ⓤ©《米略式》=rye whisk(e)y. **3** ⓤ《米》=rye bread.
rýe bréad ライ麦パン, 黒パン.
rýe whísk(e)y ライウイスキー(の1杯).

S

‡s, S /és/ 名 (複 s's, ss; S's, Ss/-iz/) **1** ⓒⓊ 英語アルファベットの第19字. **2** → a, A **2**. **3** ⓒⓊ 第19番目(のもの).
s (記号) second(s)².
S (略)〔化学〕sulfur; (略) small; sol; south(ern); subject; (記号)(米)〔教育〕可(Satisfactory) (→ grade 名 **4** 関連).
S, S, (略) Sabbath; Saint; Saxon; School; Sea; Senate; South(ern); Soprano.
s. (略) school; shilling(s); singular.
-s /有声音の後 -z; 無声音の後 -s; /s, z, tʃ, dʒ/の後 -iz, (米+) -əz/ (語要素) → 語要素一覧(2.2, 2.4, 2.5).
's /有声音の後 -z; 無声音の後 -s; /s, z, tʃ, dʒ/の後 -iz, (米+) -əz/ (略式) is, has, us の短縮語; [疑問詞の後で] does の短縮形 ‖ He's here. =He is here. / She's gone. =She has [is] gone. / Let's go. =Let us go. 語法 短縮形は文尾には用いない Sheis taller than he is [ˣhe's].
-'s /有声音の後 -z; 無声音の後 -s; /s, z, tʃ, dʒ/の後 -iz, (米+) -əz/ (語要素) → 語要素一覧(2.2).
SA (略) Salvation Army; South Africa [America, Australia]; service ace.
Saar /sάːr/ 名 [the ~] **1** ザール(地方) (Saarland)《ドイツ西部の石炭・鉄鋼産業地帯》. **2** ザール川.
†Sab·bath /sǽbəθ/ 名 ⓒ **1** [通例 the ~] 安息日《キリスト教ではふつう日曜日、ユダヤ教・一部のキリスト教では土曜日、イスラム教では金曜日》(Sabbath day) ‖ keep [observe] the Sabbath 安息日を守る / break [violate] the Sabbath 安息日を破る. **2** [s~] 休息の時. **Sábbath dày** =名 **1**.
sab·bat·i·cal /səbǽtikl/ 名 **1** [通例 S~] (旧約) 安息年《古代ユダヤ人が7年ごとに休耕した年》(sabbatical year). **2** 研究[充電]休暇、サバティカル《大学教授に対する、旅行・研究・休息のための通常は1年間の有給休暇》(sabbatical year [leave]) ‖ be on sabbatical 研究休暇中である / take sabbatical leave サバティカルをとる.
†sa·ber, (英) **sa·bre** /séibər/ 名 ⓒ **1**〔騎兵の〕サーベル, 軍刀. **2**〔フェンシング〕ⓒ サーブル; Ⓤ その試合.
†sa·ble /séibl/ 名 **1** 〔動〕クロテン《毛皮が珍重される》; Ⓤ その毛皮. **2** ⓒ クロテンの絵の具筆. **3** [~s] クロテンの服; 喪服 ‖ in sables 喪服をまとって. **4** Ⓤ (詩) 黒色, 濃い褐色. ― 形 **1** クロテンの毛(皮)の. **2** (紋章) [名詞の後で] 黒色の. **3** (詩) 黒い.
sab·ot /sæbóu/ 〔フランス〕名 ⓒ 木靴, サボ《フランスなどの農民がはく》; 木底の靴.
sab·o·tage /sǽbətɑːʒ/ 〔フランス〕名 Ⓤ **1a** サボタージュ《労働者が故意に機械・設備を損傷して生産を妨害すること. 日本語の「サボタージュ」「怠業」は(米) slow-down, (英) go-slow》. **b** 破壊工作《スパイによる橋・鉄道・工場の破壊》. **2** (一般的に) 妨害行為. ―動 他 (正式) …を(故意に)妨害[破壊]する. 表現「授業をサボる」は cut a class / play truant など.
†sa·bre /séibə/ 名 ⓒ (英) =saber.
sac /sǽk/ 名 ⓒ〔動・植〕嚢(の); 液嚢, 気嚢.
sac·cha·rin /sǽkərin/ 名 Ⓤ〔化学〕サッカリン.
sac·cha·rine /sǽkərin, -rìːn, -ràin/ 形 **1** 糖分の多

い, 糖分過多の. **2** 〈言葉・態度などが〉甘ったるい, 気味悪いほどていねいな.
sac·er·do·tal /sæ̀sərdóutl/ 形 (正式) **1** 聖職の, 司祭の. **2** 聖職[司祭]尊重(主義)の.
sa·chet /sæʃéi / 名 **1** ⓒ 匂い袋; Ⓤ (匂い袋の)香粉. **2** ⓒ 〔シャンプーなどの〕少量入りの袋.
†sack /sǽk/ 名 ⓒ **1** (狭義) (穀物・石炭などを入れる粗布の)大袋; その1袋分(の量) ‖ a sack of potatoes ジャガイモ1袋《◆a potato sack はジャガイモ用の袋》. **2** (広義) (米) (丈夫な)袋; 1袋分(の量) ‖ a paper sack 紙袋. **3** (女性・子供用の)ゆったりした上着; 女性用ガウン. ― 動 他 **1** …を袋に入れる. **2** (英略式)〈人〉をくびにする. **3** (米略式)〈利益〉を得る(+up). ― 自 (米略式) 寝る(+out, in).
sáck còat 背広上着.
sáck ràce 袋競走《袋に両脚・下半身を入れて跳ぶ競走》.
sack·cloth /sǽkklɔ̀(ː)θ/ 名 Ⓤ **1** 袋地. **2** (新約) 粗布(懺) ‖ in sackcloth and ashes 悲しみに沈んで, 深く悔いて.
sack·ful /sǽkfùl/ 名 ⓒ **1** 袋1杯分(の量); (略式) かなりの量.
†sac·ra·ment /sǽkrəmənt/ 名 **1** ⓒ (カトリック) 秘跡(䘏), サクラメント《洗礼・堅信・聖体・告解・終油・叙階・婚姻の7つがある》; (プロテスタント) 聖礼典《洗礼・聖餐(䛲)の2つがある》. **2** [the ~ / the S~] 聖餐(式); (聖餐用の)パン(とブドウ酒), 聖体《◆the Blessed [Holy] Sacraments ともいう》. **3** ⓒ 神聖なもの, 神秘的なもの; 神聖な儀式.
sac·ra·men·tal /sæ̀krəméntl/ 形 **1** 秘跡の, サクラメントの, 聖礼典(の); 聖餐(式)の; 聖体の. **3** 神聖な. 名 ⓒ (カトリック) 準秘跡.
Sac·ra·men·to /sæ̀krəméntou/ 名 サクラメント《米国 California 州の州都》.
*sa·cred /séikrid/
―形 (more ~, most ~) **1a** [名詞の前で] (宗教上の目的にささげられたために)神聖な, 聖なる《◆比較変化しない》(↔ secular) (cf. holy) ‖ sacred writings 聖典(聖書・コーランなど) / a sacred building 神聖な建物《教会・寺院など》 / a sacred number 聖なる数《特に7》. **b** 〈動物が〉神聖視される ‖ the sacred elephant (インドの)聖象.
2 (正式) **a** 厳粛な, 履行されるべき ‖ a sacred promise 厳粛な約束. **b** 尊ばれる, 尊敬に値する ‖ Nothing is sacred. 尊敬に値するものはない. **c** 侵されることのない ‖ sacred rights 不可侵の権利. **3** [補語として] 〈神など〉に捧げた, 〔人などに〕ささげた, 〔…を〕記念する(to) 《◆比較変化しない》 ‖ a temple (which is) sacred to a god ある神を祭った寺 / Sacred to the memory of Peter Robbins (墓石の言葉) ピーター=ロビンズの霊にささげて.
†sac·ri·fice /sǽkrəfàis/ 名 **1** ⓒ 〔神などにささげる〕いけにえ, ささげ物[to]; Ⓤ 神にいけにえをささげること ‖ the sacrifice of a chicken to a god 神へのニワトリのささげ物《❷文法 14.4》 / They offered a lamb as a sacrifice to their gods. 彼らは子ヒツジをいけにえとして神々にささげた. **2** ⓒ 〔…のための〕犠牲

(になったもの); ⓒⓊ 犠牲的行為 [for] ‖ **at the sacrifice of** one's health 健康を犠牲にして / The parents made many *sacrifices* to pay for their children's university education. 子供たちの大学教育にお金がかかるため両親は多くの犠牲を払った。 **3** ⓊⒸ【宗教】キリストの犠牲 [はりつけ]. **4** ⓒⓊ 投げ売り,捨て売り ‖ sell a car at a *sacrifice* 車を捨て値で売る. **5** ⓒ [野球] =sacrifice hit; =sacrifice fly.

── 動 他 **1**〈人が〉〈獣〉を〔神などに〕いけにえとしてささげる [to] ‖ They *sacrificed* an ox *to* their gods. 彼らは雄牛をいけにえとして神々にささげた. **2**〈人が〉〈命・人生など〉を〔…のために/…するために〕犠牲にする,投げうつ [to, for / to do] ‖ She *sácrificed* hersèlf [her life] *for* her husband. 彼女は夫のために自分 [一生] を犠牲にした. ── 自 **1**〔…にいけにえをささげる [to]; 〔…のために〕犠牲になる [for]; 〔…を〕犠牲にする [on]. **2** [野球] 犠打を打つ.

sácrifice flý 犠牲フライ.
sácrifice hít 犠打.

sac·ri·fi·cial /sækrəfíʃl/ 形 [正式] いけにえの; 犠牲的の, 犠牲的な.
sac·ris·tan /sækrəstən/ 名 ⓒ (教会などの) 聖具保管係.
sa·cris·ty /sækrəsti/ 名 ⓒ (教会などの) 聖具保管室.
sa·cro·sanct /sækroʊsæŋkt | sækrəʊ-/ 形 [正式] きわめて神聖な,侵すことのできない.

‡sad /sǽd/ 〔「十分な」「うんざりした」が原義〕派 sadly (副), sadness (名)
── 形 (**sád·der, sád·dest**) **1**〈人が〉悲しい [補語として];〔…を/…して〕…であると悲しむ [*about* / *to do* / *that* 節] (cf. sorrowful) (↔ glad, happy) ‖ Don't be *sad*. 悲しむなよ / I'm *sad that* [because] my best friend left me. 親友が去って私は悲しい / She was [felt] *sad about* her son's death. 彼女は息子の死を悲しんだ / I'm *sad to* hear the news. その知らせを聞いて私は悲しい 《◆ It's *sad to* hear the news. より主観的な表現. → 最終例》.
2〈物・事が〉悲しみ [哀れ] を誘う,悲しむべき ‖ *sad* news 悲しい知らせ / I like *sad* movies. 私は悲しい映画が好きだ / It is *sad* for him to resign. = It is *sad that* he should [has to] resign. 彼が辞職するとは [しなければならないのは] 残念だ / It is *sad* to hear the news. = The news is *sad* to hear. その知らせを聞くのは悲しい 《➡ 文法 17.4》.
3〈表情などが〉悲しそうな ‖ in a *sad* voice 悲しそうな声で. **4** [略式][名詞の前で] ひどく悪い, 嘆かわしい; 惨 (さん) めな; 始末におえない ‖ a *sad* coward ひどい臆病者 / The old castle is in a *sad* state. その古城は荒れ果てている. **5**〈色が〉くすんだ, 暗い.

sád to sáy (↘) [通例文頭で] 残念なことには.

†**sad·den** /sǽdn/ 動 他 …を悲しませる.

†**sad·dle** /sǽdl/ 名 ⓒ **1** (乗馬用の) 鞍 (くら); (自転車などの) サドル 《図 → bicycle, motorcycle》 ‖ **in the saddle** 馬 [自転車] に乗って; 権力を握って / put a *saddle* on a horse 馬に鞍をつける / **get into** [**take**] **the saddle** 馬に乗る, 権力を手に入れる. **2** ⓒ (馬具の) 鞍部 (あんぶ). **3** ⓒ 鞍に似たもの; (2つの峰の) 鞍部; [機械] サドル (旋盤の横送り台などベッド上を移動する台); (家禽 (きん) の) 背の後部. **4** ⓊⒸ [主英] (ヒツジ・シカの) 鞍下肉. ── 動 他 **1**〈人が〉〈馬〉に鞍 (くら) をつける [置く] (+*up*) (↔ unsaddle) ‖ *saddle* a horse 馬に鞍をつける. **2** [略式]〈人〉に仕事・責任な

どを負わせる [*with*] ‖ He is *saddled with* too many jobs. 彼は多くの仕事をかかえている.

sad·dle·bag /sǽdlbæg/ 名 ⓒ **1** 鞍 (くら) 袋. **2** (自転車・オートバイの) サドルバッグ.
sad·dler /sǽdlər/ 名 ⓒ 馬具製造 [修理] 人, 馬具屋.
sa·dism /séɪdɪzm, sæ-/ 名 Ⓤ [精神医学] サディズム; 加虐趣味 (↔ masochism).
sa·dist 名 ⓒ 形 サディスト; 加虐趣味の (人).
sa·dis·tic /sədístɪk/ 形 加虐的な, サディストの.

‡sad·ly /sǽdli/ 〔→ sad〕
── 副 (**more ~, most ~**) **1** [様態] 悲しそうに, 悲しげに; 悲しんで ‖ She spoke *sadly*. 《◆ 動詞を修飾して》彼女は悲しそうに話した 《◆ 動詞の前にくる時は主語の気持ちを表す: *Sàdly* (↘), he roamed the streets. / He *sádly* roamed … 悲しくて彼は通りをさまよい歩いた (=He was *sad* as he roamed …). **2** と比較.
2 [文全体を修飾; 主に文頭で] 残念なことには, 不幸 [不運] にも (sad to say) 《◆ 比較変化しない》 ‖ *Sadly* (↘), he is compelled to resign. 残念なことに彼は辞職を迫られている (=It is *sad that* he …).
3 (略式) ひどく, とても (badly) 《◆ 比較変化しない》 ‖ be *sadly* mistaken ひどい思い違いをする.

‡sad·ness /sǽdnəs/ 〔→ sad〕
── 名 Ⓤ (何となく沈んだ) 悲しさ, 悲しみ, 悲哀; ⓒ [通例 ~s] 悲しませるもの 《類語》 grief, sorrow) ‖ There is a touch of *sadness* in her voice. 彼女の声はちょっと悲しそうだった.

sa·fa·ri /səfɑ́ːri/ 名 ⓒⓊ (探険) 旅行, (特に東アフリカでの) 狩猟旅行, サファリ; 狩猟旅行隊 ‖ go out on *safari* サファリに出かける.
safári párk サファリ・パーク 《放し飼いの動物公園》.

‡safe /séɪf/ 〔「無憂の」が原義〕派 safely (副), safety (名)
── 形 (**~r, ~st**)
Ⅰ [安全な]
1〈人・物が〉安全な, 〔…の〕危険 [恐れ] のない [*from*] (↔ dangerous, unsafe) (cf. secure) ‖ My money is *safe* in the bank. お金は銀行に預けてあるので安全です / We are *safe from* the rain here. ここにいたら雨にぬれる心配はない.
2 〈場所・行為などが〉〈人にとって/…をするのに〉安全な, 危険 [危害] のない, 安全 [保護] を保証する [*for, with* / *to do, in* [*for*] *doing*] ‖ Keep your money in a *safe* place. お金は安全な所に保管しておきなさい / It is *safe* to swim in this river. = This river is *safe* to swim in. この川で泳いでも安全です 《➡ 文法 17.4》 / This street isn't *safe* at night. この通りは夜は物騒だ.
3 危険を引き起こさない, 危害を及ぼさない ‖ Is this dog *safe*? この犬はかみつきませんか.
4 [補語として] 無事な, 無傷な, 危機を脱した 《◆ arrive, be, bring, come, keep などの動詞と用いる》‖ The astronaut returned to earth *safe* and sound. 宇宙飛行士は無事地球に戻った / God keep you *safe*! 《やや古》どうぞご無事で.
5 [野球] セーフの [*out*] ‖ He was *safe* at second (base). 彼は2塁でセーフだった.

Ⅱ [安全で信頼できる]
6 [通例名詞の前で] 危なげがない, 慎重な, 信頼できる ‖ a *safe* driver 慎重な運転者 / *safe* driving 安全運転 / Is the plane the *safest* means of transport? 飛行機は最も安心できる交通機関ですか.
7 きっと [確かに]〔…する〕 [*to do*] ‖ He is *safe to*

safeguard

win. 彼はきっと勝ちます.
It is「sáfe to sáy [a sáfe bèt] that … …と言って間違いない.
pláy (it) sáfe (略式) 大事をとる, 用心をする, 危険を冒さない.
── 名 (複 ~s/-s/) C **1** 金庫 ‖ Put your money in the *safe*. お金を金庫にしまいなさい. **2** (食料品の)貯蔵庫, 冷蔵庫; 網戸棚.
sáfe bèt 必ず当たる賭(ゕ)け; 確実なこと.
sáfe hóuse 隠れ家, アジト.
sáfe·ness 名 U 安全性, 安全なこと.

†**safe·guard** /séifgɑ̀ːrd/ 名 C **1**〔…に対する/…する〕予防手段[措置], 保護手段〔*against / to do*〕‖ *a safeguard against* the flu 流感の予防策. **2** 安全装置. **3** 緊急輸出(入)制限制度. **4**(契約書などの)保護規定. ── 動 他〔…を〕…から保護する, 守る〔*against, from*〕‖ *safeguard* one's skin *against* sunburn 肌を日焼けから守る.
sáfeguard cláuse 緊急輸入制限条項, セーフガード.

***safe·ly** /séifli/[→ safe]
── 副 (*more* ~, *most* ~) **1**〔様態〕安全に, 無事に ‖ I return home *safely* 無事に帰宅する / The space shuttle landed *safely*. スペースシャトルは無事に着陸した. **2**〔文全体を修飾〕差し支えなく, 間違いなく ‖ I can *safely* say so. そう言って差し支えない.

†**safe·ty** /séifti/ 名 **1** U 安全, 無事(↔ danger); [形容詞的に] 安全の, 安全確保の ‖ a *safety* measure 安全対策 / a measure [degree] of *safety* 安全度 / reach home in *safety* 無事に家に着く. **2** C〔アメフト〕セーフティ(図) → American football). **3** C〔野球〕ヒット.
pláy for sáfety 危険な手を打たない, 大事をとる.
sáfety bèlt (1) シートベルト(seat belt). (2) (高所作業用の)安全ベルト.
sáfety cúrtain (英) (劇場の)防火幕《ステージと客席を遮断して延焼を防ぐ》.
sáfety glàss 安全ガラス《割れた時飛び散らない》.
sáfety ìsland (米) (道路の)安全地帯《(英) traffic island, refuge》.
sáfety làmp (坑道内で用いる)安全灯.
sáfety mátch (安全)マッチ.
sáfety nèt (1) (サーカスの)安全網. (2) (主に財政安全の)保証.
sáfety pìn 安全ピン.
sáfety ràzor 安全かみそり.
sáfety vàlve (1) (ボイラーなどの)安全弁. (2) (過度の感情・精力などの)無難なはけ口.
sáfety zòne (米) (道路の真ん中にある歩行者のための)安全地帯《(英) refuge》.

†**saf·fron** /sǽfrən/ 名 **1** C〔植〕サフラン《アヤメ科》. **2** U サフラン《1 のめしべの黄色い柱頭を乾燥させた香辛料・食品着色剤》. **3** U =saffron yellow.
sáffron yèllow 濃い黄色.

†**sag** /sǽg/ 動 (過去・過分 **sagged**/-d/; **sag·ging**) 自 **1** 〈道路などが〉(重みで中央部が徐々に)沈下する, 陥没する;〈ほほ・肩・桁(ᅜ)・ロープなどが〉(重みで片方に)かしぐ, たわむ;〈門・橋などが〉(重みで)たわむ, たるむ (+*down*). **2**〈人が〉気がめいる, がっかりする;〈元気などが〉弱まる. **3**〔商〕〈物価・相場が〉下落する, 〈売り上げが〉落ちる. **4**〈本・劇などが〉(途中で)面白くなくなる, 中だるみする.
── 名 U [時に a ~] **1** たるみ; C [… のたるんだ場所]〔*in*〕. **2**〔物価の〕下落; 沈下〔*in*〕.

sa·ga /sɑ́ːgə/ 名 C **1** サガ, サーガ《北欧中世の散文による英雄伝説》; 長編冒険物語. **2** =saga novel.
sága nòvel (一家一門の数代にわたる)大河小説.

†**sa·ga·cious** /səgéiʃəs/ 形〔文〕聡明な(wise), しっかりした判断力をもった;(実際的な面で)鋭敏な〈動物が〉(人間のように)利口な.

†**sa·gac·i·ty** /səgǽsəti/ 名 U〔文〕聡明さ, たしかな思慮;(実際的な)機敏さ.

†**sage**¹ /séidʒ/〔文〕形 **1** 賢い, 賢明な(wise), 思慮の深い, 経験に富む. **2** C [しばしば ~s] きわめて賢い人;知恵や経験に富む老人. **2** 賢人, 哲人;[皮肉的に]物知り ‖ the Seven *Sages* (古代ギリシアの)七賢人.

sage² /séidʒ/ 名 **1** U〔植〕セージ, サルビア《シソ科の薬草(cf. salvia). 香辛料にする》. **2** =sagebrush.
ságe gròuse〔鳥〕キジオライチョウ《北米産》.
ságe tèa セージ煎(ᅜ)茶《葉の煎じ汁にレモンや酢を加えた健康飲料. うがい薬・せき止め・健胃剤》.

sage·brush /séidʒbrʌ̀ʃ/ 名 U〔植〕ヤマヨモギ《Nevada 州の州花》. **Ságebrush Státe** (愛称) [the ~] ヤマヨモギ州(→ Nevada).

Sag·it·tar·i·us /sæ̀dʒitéəriəs/ 名 **1**〔天文〕いて座(the Archer). **2**〔占星〕人馬宮, いて座(cf. zodiac); C 人馬宮生まれの人《11月22日-12月21日》.

sa·go /séigou/ 名 (複 ~s) U サゴ《サゴヤシの木髄からの澱粉(ᅲ)》; C〔植〕=sago palm.
ságo pàlm サゴヤシ.

Sa·ha·ra /səhǽrə | -háːrə/ 名 **1** [the ~] サハラ砂漠(the Desert of Sahara, the Sahara Desert). **2** C U 不毛の地.

***said** /séd/ [発音注意] 動 say の過去形・過去分詞形.
── 形 (正式)[通例 the ~…]上述の, 前記の ‖ the *said* person 本人, 当該者.

Sai·gon /sàigɑ́n | -gɔ́n/ 名 サイゴン(→ Ho Chi Minh).

***sail** /séil/ (同音 sale)〔「切り取られた布」が原義〕(派生 sailor)
── 名 (複 ~s/-z/, 2 では **sail**) **1** C 帆;[集合名詞; 通例無冠詞] (一部または全部の)帆 ‖ There is no wind. The *sails* won't fill. 風がないので帆が張らない / carry *sail* 帆を揚げている / hoist [lower] the *sails* 帆を揚げる[降ろす] / shorten [furl, strike] *sails* 帆を絞る[たたむ, (急に)降ろす]. **2** (複 **sail**) C 帆船;(sailboat, sailing boat, yacht など);[集合名詞]帆船団, (…) 隻(ᅜ)(の船) ‖ a fleet of thirty *sail* [ˣ*sails*] 30隻の帆船団. **3** a C [通例 a ~] 帆走;(帆船での)航海;帆走遊び ‖ have a *sail* along the coast in his yacht 彼のヨットで沿岸を帆走する. **b** U [時に a ~] 航程 ‖ How many days' *sail* is it from Kobe to Dalian? 神戸から大連まではどれぐらいの航程ですか. **4** C 帆形のもの;(風車の)羽根.
màke sáil 帆を張る, 〔…に向けて〕出帆する〔*for*〕.
sèt sáil 帆を揚げる;〔…に向けて〕出帆する〔*for*〕.
trím one's *sáils* (*befóre* [*to the wínd*]) 〔風を前にして帆を調節する〕金を節約する;臨機の処置をとる.
ùnder sáil (文語) 帆を張って.
── 動 (~s/-z/;(過去・過分) ~ed/-d/;~·ing)
── 自
Ⅰ [航行する]
1a〈船が〉航行する;帆走する ‖ *sail* into harbor 入港する / *sail* along the coast 沿岸を航行する. **b**〈船が〉〔…から/…へ〕出帆する, 出航する;〈人が〉〔…から/…へ〕船旅をする〔*from / for, to*〕‖ When

does the ship *sail for* Hawaii? ハワイ行きの船はいつ出港しますか(➡文法 4.1(1)). **2** [通例 go 〜ing] ヨットを走らせる, 船遊びをする ‖ We went *sailing* on Lake Biwa yesterday. きのう我々は琵琶湖へヨット[船]遊びに行った. **3**〈鳥・飛行機などが〉滑らかに進む[飛ぶ]‖ The swans *sailed* along the lake. ハクチョウが湖をすいすいと泳いだ.

‖ **[航行するように進む]**

4 a 〈(女の)人が〉さっそうと[堂々と]歩く ‖ She *sailed* into the room. 彼女はもったいぶって部屋に入った. **b** (略式)〔試験・困難などを〕楽に切り抜ける〔*through*〕‖ He *sailed through* the difficult examination. 彼は難しい試験に楽々と合格した.

— 他 **1**〈人が〉〈海を〉**渡る**, 航行する ‖ She *sailed* the Atlantic. 彼女は大西洋を船で渡った(◆She *sailed across* the Atlantic. が一般的).

2〈人が〉〈帆船〉を**操(**あやつ**)る, 帆走させる** ‖ *sail* one's own yacht [boat, schooner] 自分のヨット[ボート, スクーナー]を操る.

3〈球などを〉滑べるように飛ばす.

sáil ín 〔自〕(1) 入港する. (2) 仕事[議論]を〈元気に〉始める.

sáil ínto A (1) → **自 1a, 4a**. (2) (略式)…をなぐる, 打つ. (3) (略式)…を批評する, 攻撃する, …に小言を言う. (4) (略式)〈仕事など〉に〈元気に〉取りかかる;〈食事〉を食べ始める.

†**sail·boat** /séilbòut/ 名 © (米) 帆船, ヨット((英) sailing boat)《帆のある船をいう一般的な語. 日本のヨットは小型のものが多いので, yacht というより sailboat》.

sail·er /séilər/ 名 帆船 (↔ steamer); [速さを表す修飾語を伴って]〔…の〕船 ‖ a fast [slow] *sailer* 船足の速い[遅い]船.

sail·ing /séiliŋ/ 名 **1** Ⓤ 帆走法;航海術. **2** Ⓤ ヨット競技[遊び]. **3** ⒰© 航海, 航行;(定期船の)出航.

sáiling bòat (英) = sailboat.
sáiling màster (主に米)(ヨットの)航海長.
sáiling shíp [**vèssel**] 大型帆船, 帆前(ま)船.

***sail·or** /séilər/ [→ sail]

— 名 (複 〜s/-z/) © **1 船員**, 海員, (ヨットの)乗組員;水夫《◆ふつう船長・艦長から水夫・水兵までの全乗員をさす (↔ officer)》‖ 50 *sailors* got on board the ship at Kobe. 神戸で 50 人の船員がその船に乗り込んだ. **2** 水兵, 海兵隊員;海軍軍人 (cf. soldier). **3**〔通例 good [bad] を伴って〕船によく[乗客に]‖ a good [bad, poor] *sailor* 船酔いしない[する]人. **4** = sailor hat. **5**〔形容詞的に〕水夫[水兵]用の ‖ a *sailor* cap (子供用の)水兵帽.

sáilor còllar セーラー・カラー《水兵服をまねた婦人服の折りえり》.
sáilor hàt 水夫帽《山が低く縁のせまい女性・子供用麦わら帽子. cf. straw hat》.
sáilors' hóme (低料金の)海員宿泊所.
sáilor's knót 水夫結び《水夫の用いる結索(法). それに似たネクタイの結び方》.

†**saint** /séint/ 名 © **1 a** 聖人, 聖者, 聖徒《キリスト教会から正式に認められ, 称号を与えられた人》‖ Stephen was named for a *saint*. スティーブンは聖人にちなんで名付けられた / I am no *saint*. 私は聖人なんかじゃない(ふつうの人間だ). **b**〔通例 〜s〕死者, 天国に行った人. **2** [S〜; a 名の前で] 聖…(◆ (英) 母音の前では /sənt/, 子音の前では /sən/, (米) いずれの場合も /seint/, 次の名詞に強勢を置く》. (2) (略) St., S;その複数形は Sts., SS》‖ *Saint* Nicholas is generally known as Santa Claus. 聖ニコラスは一般にはサンタクロースとして知られている. **3** (略式) 聖人のような人, 高徳な人, 清浄な人, 慈悲深い人 ‖ His mother is a *saint*. 彼のお母さんはよくできた人だ.
— 動 他 (正式) …を聖人の列に加える, 聖人とみなす.
《◆(1) 以下の分離複合語では Saint を St. と表記することも多い. (2) 聖人の名については, Saint を除いた各項参照》.

Sàint Ágnes('s) Éve 聖アグネス前夜祭《1月20日の夜. その儀式をする少女はその夜未来の夫の夢を見るといわれる》.

Sàint Ándrew's Cróss (1) 聖アンドレ十字《X 型の十字. スコットランドの旗章は青地に白の X 型十字》. (2) 〔植〕花弁が 4 枚で黄色の北米産オトギリソウ.

Sàint Bernárd 〔動〕セントバーナード犬《もとアルプスの Great St. Bernard にある修道院で飼われて道に迷った旅人を救助するのに使われた犬》.

Sàint Él·mo's fíre [**líght**] /-élmouz-/ 聖エルモの火《激しい雷雨の時, マストや飛行機の翼などの先端に起こるコロナ放電現象》.

Sàint Géorge's Cróss 聖ジョージ十字《白地に赤色の十字. イングランドの旗になっている》.

Sàint Jóhn's Dày = Midsummer('s) Day.

Sàint Lú·cia /-lúːʃə/ セントルシア《西インド諸島 Windward 諸島の一島》.

Sàint Már·tin's Dày /-máːrtinz-/ 聖マルタンの祝日《11月11日》.

Sàint Pául セントポール《米国 Minnesota 州の州都》.

Sàint Pé·ters·bùrg /-píːtərzbəːrɡ/ サンクトペテルブルグ《ロシア北西部の都市. 旧称 Leningrad》.

Sáint's dày 聖人の祝日.

Sàint Sté·phen's /-stíːvnz/ (英) 下院.

Sàint Válentine's Dày 聖バレンタインの祝日, バレンタイン・デー《2月14日. この日に鳥がつがうとされ, 恋人同士・親子・先生と生徒・友だち同士などで贈り物をしたり valentine と呼ばれるカードなどを贈る風習がある》.

saint·ly /séintli/ 形 (**-li·er, -li·est**) **1** 聖人のような, 聖人に適した[ふさわしい]. **2** 高徳の, 気高い.

Sai·pan /sáipǽn/ 名 サイパン島《西太平洋 Mariana 諸島中の島. 米国の国連信託統治領》.

†**saith** /séθ/ 動 (古)(聖書) = says《say の三人称単数直説法現在形》.

***sake** /séik/ [『訴訟』が原義]

— 名 (複 〜s/-s/) © ため;目的, 理由《◆次の成句で》.

***for A's sáke** = **for the sáke of A** = (略式) **sáke of A** 〈人・物・事〉の(利益)のために, …を目的として《◆(1) for A よりも強意的》. (2) **A** が /s/ 音で終わる場合は for conscience(') *sake* (気休めに) / for convenience(') *sake* (便宜上) のように 's または s を省略することが多い》‖ Do it *for* my *sake*. 私のためにそれをしてくれ / She moved to the country *for the sake of* her health. 彼女は健康のために田舎に移った / She was generous with her money *for* her name's *sake*. 彼女は自分の名の手前[自分の評判のため]気前よく金を出した.

***for Gód's** [**Chríst's, góodness('), héaven's,** (やや古) **píty('), gósh, mércy's**] **sàke** (略式) どうか, お願いだから;いったい全体《◆命令文を強めたり, 疑問文でいらだちや気持ちを表すために用いる. Christ's はかなり強意的で下品, goodness(') は穏やかな調子を表す》‖ *For God's sake*, give up smoking. お願いだからたばこを喫うのはやめてください.

for óld tímes' [(古) **sáke's**] **sàke** 昔のよしみで.

Sa·kha·lin /sǽkəliːn/ 名 サハリン《ロシア東部の島. 日本名は樺太(からふと)》.
sal /sǽl/ 名 ⓤ 〖化学・薬学〗塩(えん)《◆一般には salt》.
　sál ammóniac 〖化学〗サルアンモニアク.
　sál sòda 結晶ソーダ, 洗濯ソーダ.
　sál vo·lát·i·le /-vəlǽtəli/ 炭酸アンモニア水《もと気付け薬》(cf. smelling salts).
SAL (略) Surface Air Lifted Mail サル(国際郵便)《航空便と船便併用の国際郵便》.
sa·laam /səlάːm/ 〖アラビア〗名 ⓒ (イスラム教徒の)額手(ぬかで)礼; (イスラム国家の)敬礼, あいさつ; [~s] 敬意.
sal·a·ble, sale·a·— /séiləbl/ 形 売るのに適した, よく売れる (↔ unsalable).
sa·lac·i·ty /səlǽsəti/ 名 ⓤ 好色, みだら(であること).

__sal·ad__ /sǽləd/ 〖塩(sal)を入れた(ad)〗
── 名 (複 ~s /-ədz/) ⓤⓒ **1** サラダ《主に青菜・生野菜にドレッシングをかけて添え物とするもの. 肉・魚・卵などを入れた一品料理や米国ではサンドイッチ用のもある》‖ mix [prepare, make, ×cook] (a) salad サラダを作る.

[関連] 〖いろいろな種類の salad〗
Caesar salad シーザーサラダ / cheese salad チーズサラダ / fruit salad フルーツサラダ / green salad グリーン[野菜]サラダ / lobster salad ロブスターサラダ / potato salad ポテトサラダ.

2 レタス, サラダ菜, 青野菜.
　sálad bàr サラダバー《レストランのセルフサービスのサラダカウンター》.
　sálad bòwl (1) サラダボウル. (2) 《米》各人種が独自性を保ちながら共存している国[地域] (cf. melting pot (2)).
　sálad dàys 〈古〉[one's ~; 複数扱い] 世間知らずの青年時代.
　sálad drèssing [《主に英》 **crèam**] サラダ=ドレッシング.
†**sal·a·man·der** /sǽləmǽndər, 《英+》-mὰːn-/ 名 ⓒ **1** 〖動〗サンショウウオ. **2** 火トカゲ《火中に住んで焼けないと信じられた》; 火の精.
sa·la·mi /səlάːmi/ 名 ⓤ サラミ.
sa·lar·i·at /səlέəriǽt/ 名 ⓒ [集合名詞] サラリーマン階級.
†**sal·a·ried** /sǽlərid/ 形 〈正式〉 (↔ unsalaried) **1** 〈人が〉給料を受けている ‖ salaried workers [people] 給料生活者, サラリーマン. **2** 〈仕事・職・階級が〉給料で支払われる, 給料を受ける (→ salary 〖注〗) ‖ a salaried position [post] 有給職 / the salaried classes 給料生活者階級.

__sal·a·ry__ /sǽləri/ 〖『塩に関する』より. 古代ローマでは塩を買うために兵士に金が与えられた〗
── 名 (複 -ries /-z/) ⓒ ⓤ (white-collar worker, executive に支払われる)給料, サラリー (pay)《◆常雇いに支払われる固定給で, 年俸・3か月給・月給, 時には週給などがある. 時間給主に wage》‖ My husband gets a salary. 夫はサラリーマンです / That's two weeks' salary for me. それは私には 2 週間分の給料に当たる / Her salary is high. 彼女の給料は高い《「安い」は low, small を用いる》.
── 動 [通例 be salaried]〈人が〉給料を受ける.
　sálary incréase [《米》 **ràise**] 昇給.

__sale__ /séil/ (同音) sail) (派) salesman (名)
── 名 (複 ~s /-z/) **1** ⓤⓒ 販売, 売却 ‖ a cash sale = a sale for cash 現金販売 / He made $1,000 from the sale of his car. 彼は自分の車を売って1000ドルを得た / We had [made] only five sales today. 今日はたった5件の販売取引しかなかった.
2 ⓒ [~s] 売上高 ‖ Today's sales were larger than usual. 今日の売り上げはいつもより多かった.
3 ⓤ [時に a ~] 〔…の〕需要, 売れるチャンス, 市場 (じょう) 〔for〕‖ My old motorbike found a quick sale. 私の中古のオートバイはすぐに売れた.
4 ⓒ 特売, 大安売り; [形容詞的に] 特売の (使い分け → bargain 名 1) ‖ a clearance sale 在庫一掃セール / sale bargains 特売の買物 / a sale price 大特価 / The shop is having a sale [×bargain] of [on] shoes. その店では靴のバーゲンセールをやっている / I bought this dress cheap at [in] a sale. 《英》この服は特売で安く買った / (ジョーク) "Where can I get a cheap yacht?" "In a sale." 「安いヨットはどこで手に入る?」「特売で」《◆ sail(航海)とのしゃれ》.
5 ⓒ 競売, せり市 ‖ a cattle sale 牛のせり市.
6 [~s] 販売業務[活動]; 販売部[課]; [形容詞的に] 販売の.

__for sále__ (主に個人による)売り物の; 売り出し中の《◆(1) しばしば be [come, be put] up for sale として用いられる. (2) はり紙などでは 4-sale とすることもある》‖ Her house is up for sale. 彼女の家は売りに出ている.

__on sále__ (1)〈商品が〉販売されて ‖ The evening newspapers go on sale at around three. 夕刊は3時頃発売される. (2)《主に米》バーゲンセールの; 特価で ‖ I bought my shoes on sale. 靴を特売で買った.

　sále of wórk 《英》(家庭で作った小物などを売る)慈善バザー.
　sáles depártment (会社の)販売部, 営業部.
　sáles drìve 販売活動.
　sáles enginèer 販売専門技術者《商品及びその市場について技術的な知識を持つセールスマン》.
　sáles promòtion 販売促進活動[技術].
　sáles represéntative セールスマン(salesman, 《英略式》 **sales rep**, rep).
　sáles slìp 《米》レシート.
　sáles tàlk [《略式》 **chàt, pítch**] (1) (商品の)売り込みの口上. (2) 説得の議論.
　sáles tàx 《米》売上税《英》value added tax).
sale·a·ble /séiləbl/ 形 = salable.
Sa·lem /séiləm, -lem/ 名 **1** 〖詩〗サレム《今の Jerusalem の古代の名》. **2** セーラム《米国 Massachusetts 州の海港. 17世紀の魔女裁判で有名》.
sal·e·ra·tus /sǽləréitəs/ 名 ⓤ 《米》(ふくらし粉用)重炭酸ソーダ, 重曹 (baking soda) (cf. sodium bicarbonate).
sales·clerk /séilzklə̀ːrk | -klὰːk/ 名 ⓒ 《米》(販売)店員(《英》shop assistant).
sales·la·dy /séilzlèidi/ 名 ⓒ 《米》女子店員 ((PC) salesclerk).
†**sales·man** /séilzmən/ [発音注意] 名 (複 **-men** /-mən/; 〈女性形〉 **-wom·an**) ⓒ **1** (ふつう熟達した)男子販売員, 男子店員 ((PC) salesclerk, shop assistant, salesperson) ‖ I was attended to by a kind salesman. 私は親切な店員に対応してもらった. **2** 男子外交販売員, セールスマン ‖ an expert car salesman 有能な車のセールスマン.
sales·man·ship /séilzmənʃip/ 名 ⓤ 販売術[手腕] ((PC) sales ability).

sales·peo·ple /séilzpì:pl/ 名《米》[複数扱い] → salesperson.

sales·per·son /séilzpə̀ːrsn/ 名 © (販売)店員《◆男女別の -man, -woman を避ける表現》.

sales·wom·an /séilzwùmən/ 名 = salesman.

†**sa·li·ent** /séiliənt/ 形《正式》**1**《最も》顕著な, 目立つ;重要な ‖ a *salient* feature 特徴. **2** 突き出た, 突出した.

sa·line /séilin, -lain | -lain; 医 səláin/ 形《正式》塩分を含んだ, 塩からい ‖ a *saline* marsh 塩水性湿地. ──名 **1** © 塩水湖, 塩田. **2** Ⓤ 塩水.

†**Salis·bur·y** /sɔ́:lzbəri | -bəri/ 名 ソールズベリー《イングランド Wiltshire の都市》‖ (as) plain as *Salisbury* きわめて明瞭(ﾒｲ)な.

Sálisbury pláin [the ~] ソールズベリー平原《英国南部 Salisbury 北方の高原》.

Sálisbury stéak ソールズベリーステーキ《ハンバーグステーキの一種》.

†**sa·li·va** /səláivə/ 名 Ⓤ 唾液(ﾀﾞ), つば(spittle).

sal·i·var·y /sǽləvèri | sǽlivəri/ 形 唾液の, つばの;唾腺(ｾﾝ)の. **sálivary glànds** 唾腺.

†**sal·low** /sǽlou/ 形 (**-er**, ~**est**) [通例 be ~ed 〈顔などが〉黄ばんだ色になる.

†**sal·ly** /sǽli/ 名 **1** 《古》(包囲している敵へ向けての) 突撃, 出撃《◆急襲の後すぐ引きあげる》. **2** (行動·表現の) 突出, ほとばしり. **3**《略式》小旅行, ちょっとした遠出. **4**《正式》(悪意のない)気のきいた言葉《しゃれ·皮肉·警句など》. ──動 (自) **1**〈籠城(ﾛｳｼﾞｮｳ)兵などが〉打って出る(+*forth*), 〈…に〉反撃する(+*out*)《*against*》.

Sal·ly /sǽli/ 名 サリー《女の名. Sarah の愛称》.

sal·ma·gun·di /sælməgʌ́ndi/ 名 **1** ⒸⓊ サルマガンディー《ひき肉·アンチョビー·卵·タマネギなどで作るまぜ合わせ料理》. **2** © ごたまぜ, 寄せ集め;雑集, 雑録.

†**salm·on** /sǽmən/ 〈発音注意〉 名 (優 ~s; 優 **salm·on**) **1** © [魚] サケ ‖ *Salmon* are hatched in rivers. サケは川で孵化(ﾌ)する. **2** Ⓤ サケ肉;[形容詞的に] サケの, サケを用いた ‖ a piece [filet, can] of *salmon* サケの1切れ[切身, かん詰め]. **3** Ⓤ =salmon pink;[形容詞的に] サケ肉色の.

sálmon dòor (酒場などの)観音開きのドア.

sálmon ládder [**lèap, pàss, stàir**] 魚梯(ﾃｲ)《サケを上流に上らせるためにダムなどに造る魚道》.

sálmon pínk サケ肉色《黄色がかったピンク》《cf. salmon-pink》.

sálmon tròut [魚] サーモントラウト《河川生活性の強いサケ·マス類で降海するいくつかのもの》.

sal·mo·nel·la /sæ̀lmənélə/ (優 ~, **-lae**/-liː/) ⒸⓊ サルモネラ菌《食中毒を起こす》.

salm·on-pink /sǽmənpíŋk/ 形 サケ肉色の, サーモンピンクの《cf. salmon pink》.

Sa·lo·me /səlóumi/ 名《新約》サロメ《Herod 王の後妻 Herodias の娘. 王に John the Baptist の首を求めた》.

†**sa·lon** /səlán | sǽlon/ 名 **1**《服飾·美容の》店 ‖ a beauty *salon* 美容院[室]. **2**《フランス史》サロン《主に 17, 18 世紀の上流階級の社交会. 貴婦人宅に芸術家などが集まった》. **3**(大邸宅の)客間.

†**sa·loon** /səlúːn/ 名 © **1**《廃れ》酒場, バー(bar, tavern, 《主に英略式》pub). **2**《英》複合語の『[…用の]広い場所[部屋]』‖ a billiard [dining, dancing, shooting] *saloon* ビリヤード場[食堂, ダンスホール, 屋内射的場]. **3**(客船·ホテルなどの)談話室, 社交室, 大広間;(旅客機の)客室;(船の)主船室

(main cabin). **4**《英》**a** =saloon bar. **b** =saloon car.

saloón bàr《英》パブの上客室(lounge bar)《◆public [private, saloon] bar の順に高料金となる》.

saloón càr《英》特別客車《《米》parlor car》;セダン型自動車《《米·豪》sedan》.

saloón dèck 1 等船客用甲板.

saloón kèeper《米》酒場(bar)の主人;《英》《劇場》の食堂の主人.

sal·si·fy /sǽlsəfi/ 名 ⒸⓊ [植] バラモンジン;その根《キク科 2 年草で食用》.

*****salt** /sɔ́:lt/
──名 (優 ~s/sɔ́:lts/) **1** Ⓤ 塩;食塩(common salt, [化学] sodium chloride)《◆浄化·不滅などの象徴. 悪霊を追い払うため左肩越しに塩をまくとされる》‖ táble sált 食卓塩 / róck sált 岩塩 / cooking *salt* 食塩 / add *a pinch* [*grain*] *of salt* to the dish 料理に塩ひとつまみ[少量]加える / meat in *salt* 塩漬けの肉 / Please pass (me) the *salt*. 塩を取ってください《◆食卓で手の届かないとき腰を浮かせたりして取るのは失礼なのでこういう》(→ 文法 16.2(1)). **2** ⒸⓊ [化学] 塩(ｴﾝ), 塩類(sal). **3** © =saltcellar. **4** Ⓤ 刺激[興趣]を添えるもの, 機知, 「わさび」;痛快さ ‖ *salt* of life 生きがい. **5** © 《古·略式》[しばしば an old ~] 老練な水夫[船乗り].

rúb sált in A's [**the**] **wóund(s)**〈人〉の気持ちをさらに傷つける.

spíll sált 塩をこぼす《◆不幸の前ぶれとされている》.

the sált of the éarth [聖] 地の塩;[集合名詞的に;おおげさに] 社会の指導者, 世人のかがみ.

wòrth *one's* **sált** [形]《略式》[しばしば否定文で] 給料分の働きをする, 仕事の完全な, 尊敬されるに足る.

──形《◆比較変化しない》[名詞の前で] **1** 塩の, 塩からい, 塩味の. **2** 塩漬けの. **3** 海水につかった, 海水性の ‖ *salt* breezes 潮風.

──動(他) **1**〈食物に〉塩をかける, 塩味を加える;〈道〉に凍らないよう塩をまく. **2**〈食物を〉塩漬けにする(+*away, down*). **3**〈話などに〉[…で]興趣を添える, わさびをきかせる《*with*》.

sált làke 塩(分を含んだ)湖.

Sált Làke Cíty ソルトレークシティー《米国 Utah 州の州都》.

sált lick (1)(家畜がなめて摂取できるよう置かれた)岩塩. (2)(野生動物がなめに来る)岩塩のある場所.

sált màrsh 塩水性湿地《塩分を含んだ沼地》.

sált mìne 岩塩採掘坑.

sált pàn 塩田.

sált pòrk 塩漬けの豚肉.

sált shàker《米》(ふりかけ式の)塩入れ(《英》saltcellar).

sált spòon(食卓の皿式塩入れ用の)塩さじ.

sált wáter (1) 海水(sea water). (2) 塩水(cf. saltwater).

sált·ness 名 Ⓤ 塩け, 塩からさ, 辛辣(ｼﾝﾗﾂ)さ.

SALT, Salt /sɔ́:lt/《Strategic Arms Limitation Talks》名《米ソ間の》戦略(核)兵器制限交渉, ソルト.

salt·cel·lar /sɔ́:ltsèlər, sɔ́:lt- | sɔ́:lt-, sɔ́:lt-/ 名 ©《食卓用》塩入れ《小さじですくう皿式のもの. 《英》では上部に穴のあいたふりかけ式のものもさすが, これを《米》では salt shaker という》.

salt·ed /sɔ́:ltid/ 形 塩で味つけされた;塩分のある.

†**salt·pe·ter,**《英》**-tre** /sɔ̀:ltpíːtər, 《英+》~/ 名 Ⓤ 硝石《火薬·マッチ, または肉の保存用に使う》;チリ硝石.

salt·wa·ter /sɔ́ːltwɔ̀ːtər, sɑ́ːlt-|sɔ́lt-, sɔ́ːlt-/ [形] 海水[塩水]の, 海水に棲(す)む(↔ freshwater) (cf. salt water) ‖ *saltwater* fish 海水魚.

salt·y /sɔ́ːlti/ [形] (--i·er, --i·est) 塩の; 塩を含む, 塩の味のする.

†**sal·u·tar·y** /sǽljətèri|-təri/ [形] 《正式》有益な; 健康回復によい.

†**sal·u·ta·tion** /sæ̀ljətéiʃən/ [名] 《正式》**1** [C][U] あいさつ《おじぎやキスやあいさつの言葉など》. **2** [C] 〔手紙や演説の〕(出だしの)あいさつの文句〔*for*〕《Dear Sir, Dear Miss Jones, Ladies and Gentlemen など》.

†**sa·lute** /səlúːt, 《英+》-ljúːt/ [動] [他] **1** 《正式》〈人が〉(礼儀正しく)〈人〉に〔お辞儀したり帽子を上げたりして〕あいさつする, 会釈する〔*by, with*〕《◆"Hello!" など口で言うあいさつは greet》‖ He *saluted* me *by* raising his hat. 彼は帽子を軽く上げて私にあいさつした. **2** 〔主に軍事〕〈人が〉〈人・旗など〉に〔挙手・ささげ銃(つつ)・礼砲などで〕敬礼する〔*with*〕‖ The Queen was *saluted with* one hundred guns. 女王は100発の礼砲で迎えられた. **3** 〈人が〉〈人〉を〔笑み・歓声・賞賛の態度などで〕迎える; 〈人〉に〔ののしりの言葉・一斉射撃・石つぶてなどを〕浴びせる〔*with*〕‖ She *saluted* me *with* a cheerful wave (of the hand). 彼女はにこやかに手を振って私を迎えてくれた.

——[自] 〔…に〕(帽子を取るなどして)あいさつする, 会釈する, 敬礼する〔*to*〕.

——[名] **1** [C] 〔主に軍事〕**a** 敬礼《挙手の礼・礼砲・降旗・ささげ銃など》. **b** [通例 the ~] 敬礼の姿勢. **2** [C][U] 《正式》あいさつ《◆greeting がふつう》; お辞儀, 会釈(salutation) ‖ *in salute* あいさつとして.

Sal·va·dor /sǽlvədɔ̀ːr/ [名] =El Salvador.

†**sal·vage** /sǽlvidʒ/ [名] [U] **1** 海難救助; 遭難船貨物救助; (沈没船の)引き揚げ. **2** 海難救助料. **3** (火災・水難・難破船からの)財産救出. **4** 救出財貨(価格). **5** 救出, 救済. ——[動] [他] **1** …を〔難破船・火災などから〕持ち出す, 救い出す〔*from*〕. **2** 〈(使えそうな)部品〉を〔破損車などから〕取り出す〔*from*〕. **3** …を〔…から〕救う; …を〔失敗から〕得る〔*from*〕.

†**sal·va·tion** /sælvéiʃən/ [名] **1** [U] (主にキリスト教で罪業(sin)からの)魂の救済(された状態). **2** [U] (損害・破滅・失敗などからの)救済[救助](されること); 保護, 保存. **3** [C] 《正式》救う人[もの]; 救済手段, 救済の原因.

wórk óut** one's **ówn salvátion 独力で切り抜ける道を見つける; 目標を達成する.

Salvátion Ármy [the ~] 救世軍《1865年設立のキリスト教の国際的な団体. 慈善事業を軍隊式に行なう》.

sal·vá·tion·al [形]

†**salve** /sǽv|sǽlv, sɑ́ːv/ [名] 《正式》**1** [U][C] [時に複合語で] 軟膏(こう), 膏薬 ‖ lip-*salve* 唇用軟膏; おべっか. **2** [C] 心の傷[やましい気持ち]を直すもの. ——[動] [他] 《主に文》〈心の痛み・うぬぼれ〉を和らげる, いやす.

sal·ver /sǽlvər/ [名] [C] (金属製で円形の)盆《◆召使いが飲食物・名刺・手紙を正式に渡すのに使う》.

sal·vi·a /sǽlviə/ [名] [U][C] 〔植〕サルビア《シソ科アキギリ属の総称, また sage[2] **1** の観賞用品種》.

sal·vo /sǽlvou/ [名] ([複] ~s, ~es) [C] **1** (礼砲・戦争での)一斉射撃; 爆弾の一斉投下; 一斉投下された爆弾. **2** 一斉に起こる拍手[かっさい, 歓呼, やじ].

Salz·burg /sɔ́ːlzbəːrg|sǽlts-/ [名] ザルツブルク《オーストリアの都市. モーツァルトの生地》.

Sam /sǽm/ ([類音] some, sum /sʌ́m/) [名] サム《男の名. Samuel の愛称》.

SAM /sǽm/ 〚surface-to-air missile〛 [名] [C] 地対空ミサイル.

Sam. [略] 〔旧約〕*Samuel*.

Sa·mar·i·a /səméəriə/ [名] サマリア《古代 Palestine 北方の地域, 今の Jordan 西部. その都市》.

Sa·mar·i·tan /səmǽrətn/ [形] サマリア(Samaria)の; サマリア人[語]の. ——[名] **1** [C] 〔新約〕[しばしば good [Good] ~] よきサマリア人(びと); 困っている人に親切な人. **2** [C] サマリタン協会(the Samaritans)の人《慈善事業をする》. **3** [C] サマリア人; [U] サマリア語.

sam·ba /sǽmbə/ [名] [C] [the ~] サンバ《ブラジル起源の軽快なダンス》; その曲.

*****same*** /séim/

——[形] 《◆比較変化しない》**1** [名詞の前で] [通例 the ~] 同じ, 同様な(very similar)《◆(1) 別々のものであるが, 種類・外観・量などの点で異なっていないという意味. identical は同一物であること. (2) しばしば as と相関的に用いる》(↔ different) ‖ His car and mine are *the same*. =His car is *the same as* mine. 彼の車と私の車は同じ車種です / Three of the girls had *the same* umbrella. 女の子たちのうち3人が同じかさを持っていた / She'll give you *the same* advice again. 彼女はまた同じ忠告をあなたにしてくれますよ / Frozen peas taste much *the same as* fresh ones. 冷凍のエンドウは生のものとほとんど同じ味です《◆much the *same* は質について, about the *same* は量について用いる》/ George wrote in *the same* manner *as* his father did. ジョージは父親と同じ書き方をした / I have read *the same* book that you have. あなたの持っている本と同じ本を読みました《◆同一物でなくても that は使える. 同一物の場合は I have read your book. とする》.

2 [名詞の前で] [通例 the ~] 同一の, まさにその(identical)《◆(1) the same を強めるために, the very same; one and the same; this [that, these, those] same とすることがある. (2) as, that やまれに which, who, when, where などと共に相関的に用いられる》‖ Jerry and I went to *the same* school. ジェリーと私は同じ学校に通った / He wears *that same* blue suit to work every day. 彼は毎日あの同じ青い背広を着て通勤する / That's *the same* student *that* [《略式》*who*] was looking for you yesterday. あれはまさしく昨日あなたを捜していた生徒です / She put the magazine back in *the same* place *where* she found it. 彼女はその雑誌を見つけたところへ戻しておいた (➔文法 20.4).

3 [通例 the ~] (以前と)**変わらない**, 同じ ‖ She is always *the same* to us. 彼女はいつも私たちに対して変わらぬ態度を取る / The patient's condition is *the same* as it was yesterday. その患者の容態は昨日と変わらない / His attitude toward her seems just *the same* as ever [always]. 彼女に対する彼の態度は以前[いつも]とちっとも変わらないように見える.

4 [通例 the ~] 今言ったばかりの, 前述の, 例の《◆the の代わりに this, that, these, those などが用いられることもある》‖ *This same* man was later prime minister. この今言った男は後に首相となった.

****at the sáme time*** (1) 同時に ‖ The two runners reached the finish line *at* almost *the same time*. 2人のランナーはほとんど同時にゴールインした《◆in the same time は「同じ時間かかって」の意》. (2) [文または節の始めで; しばしば while に続けて] **でもやはり**, けれども ‖ He can be rude; *at the same time* everyone likes him. 彼は失礼なこと

S

the sáme óld〈略式〉昔からよくある、相変わらずの∥ the same old story よくある話.

— 代 **1**〔(the) ~〕**a** 同じこと[もの]；同じようなこと[もの]∥ She ordered coffee, and I ordered the same. 彼女がコーヒーを注文し、私も同じものを注文した / 〈対話〉"Merry Christmas, Johnny!" "[(And the) same to yóu! [I wish you the same.]]"〈略式〉「ジョニー、クリスマスおめでとう」「君もね」《◆侮辱に対して反発する時にも用いる: "What an ass!" "Same to you!"「なんてばかなんだ」「お前こそ」》/ "I'd like a coke." "Sáme for me, please (↗)."「コークを1杯ください」「ぼくにも同じものをお願い」《◆ Sáme hére, please. ともいう》/ The same goes for me. 同じことが私にも当てはまる. **b**〈古〉同じ人、同一人∥ From [To] the same. 同一人から[へ]《◆詩または手紙の始めに用いる》.

2〈正式〉〔法律文・商用文などで〕前述のこと[もの、人]《◆*the same としない》∥ Thank you for the book; I will return same soon. 本をありがとう. すぐお返しします《◆一般には it を用いる》.

*áll the sáme 〈略式〉**(1)**〔文・節の始めには終わりに〕にもかかわらず, やはり (nevertheless)∥ I hate to lie in the sun, but I'm going to the beach all the same. 私は日光浴をするのが大嫌いだけれどもそれでも海へ行くつもりです. **(2)** 似たりよったり, みんな同じ∥ Boys are all the same. 男の子ってみんな同じよ.

*be áll [júst] the sáme to A〈略式〉〈人〉にとってどうでもよいことである[たいしたことではない] (be all one)《◆ふつう it が主語》∥ It's all the same to me whether she marries or not. 彼女が結婚しようとしまいと私にはどうでもいいことです[私には関係がない].

*júst the sáme **(1)** =all the SAME (1)∥ Thank you just the same. 〔辞退して〕結構です, でもどうもありがとう《◆ No, thank you. よりていねい》. **(2)** まったく同じようにして. **(3)** =all the SAME (2).

— 副 〔the ~〕同じように∥ He speaks the same as [*that] his father. 彼は父親と同じ話し方をする《◆ as を伴う場合 the を省略することも《略式》》.

Sa·mo·a /səmóuə/ 名 サモア《南太平洋上の群島》.
Sa·mó·an /-ən/ 形 名 C サモア島の人(の)；U サモア語(の).
sam·o·var /sǽməvɑ̀ːr, ⌒−/〔ロシア〕名 C サモワール《お茶用湯沸し器》.
sam·pan /sǽmpæn/〔中国〕名 C〈海事〉サンパン(三板)《中国などの1本マストの小型平底船》.
†**sam·ple** /sǽmpl/ sáːm-/ 名 C **1** 見本, 標本, サンプル；実例；〔形容詞的に〕見本の, 標本の∥ Please send me some samples of curtain material. カーテン地の見本を送ってください / Speaking with her mouth full is a sample of her bad manners. 物を口一杯にほおばったまま話すのは彼女の行儀の悪さの一例です. **2** 商品見本, 試供品 (free sample). **3**〈統計〉標本, 抽出標本.
— 動 他 **1** …の見本をとる；…の見本をとって試す[試飲する]；試食[試飲]する∥ She sampled her daughter's soup. 彼女は娘の作ったスープの味をみた. **2** …を実際に試す, 経験して知る∥ sample the hardships of seafaring life 海上生活をしてみて辛苦を知る.
sam·pler /sǽmplər/ sáːm-/ 名 C 〔しばしば複合語〕見本検査係；試食[試飲]する人∥ a tea-sampler 紅茶の検査員.

sam·pling /sǽmpliŋ/ sáːm-/ 名 C 見本採[標本]抽出；U サンプル.
Sam·son /sǽmsn/ 名 **1**〔旧約〕サムソン《古代ヘブライの怪力の士師(し)》. 愛人 Delilah にだまされて盲目にされた. **2** C 怪力の男.
Sam·u·el /sǽmjuəl/ 名 **1** サミュエル《男の名》. **2**〔旧約〕サムエル《ヘブライの預言者》；サムエル記《旧約聖書の一書. 上下2巻からなる. 略 Sam.》.
sam·u·rai /sǽmurài/〔日本語〕名 **1** C sam·u·rai C 武士, 侍(蒜)；U 〔the ~；集合的；複数扱い〕武士階級.
†**San** /sɑːn, sæn/ 名 =Saint.
san·a·to·ri·um /sæ̀nətɔ́ːriəm/, **san·a·tar·i·um** /sæ̀nətéəriəm/ 名 (複 ~s, ··ri·a /-riə/) C 保養地；サナトリウム, 療養所《略 sanitarium》.
San·cho Pan·za /sǽntʃou pǽnzə, sɑ̀ːntʃou pɑ́ːnzə/ 名 サンチョパンサ《Don Quixote の従者》；(理想主義的人物の)現実的友人.
sanc·ta /sǽŋktə/ 動 名 sanctum の複数形.
†**sanc·ti·fy** /sǽŋktəfài/ 動 他〈正式〉**1**〈物〉を神聖にする；…を聖別する. **2**〔通例 be sanctified〕〈行為・誓約などが〉正当化される；是認される. **3**〈人〉を〔罪などから〕清める〔from〕.
sanc·ti·mo·ni·ous /sæ̀ŋktəmóuniəs/ 形〈正式〉信心深げな；神聖らしく見せかけた；ひとりよがりの.
†**sanc·tion** /sǽŋkʃn/ 名〈正式〉**1** U〔…に対する〕(公権力による法的)認可, 裁可；承認, 許可〔for〕∥ give (one's) sanction to … を当局が許可する. **2** U（伝統・慣習による）〔…の〕支持, 容認〔to〕. **3** C〔悪事をさせないための〕(道徳的・社会的)拘束力〔against〕∥ the sanction against murder 殺人防止の拘束力. **4** C〔違法者に対する〕制裁, 処罰；〔通例 ~s〕〔…に対する〕制裁(措置)〔against, on〕∥ apply [take] economic sanctions against …. …に対して経済制裁を加える.
— 動 他 …を認可する[是認, 正当化]する.
†**sanc·ti·ty** /sǽŋktəti/ 名〈正式〉**1** U 神聖(さ), 尊厳；神々(こうごう)しさ. **2**〔sanctities〕(家庭・教会などの)神聖な義務[感情, 儀式]；神聖なもの.
†**sanc·tu·ar·y** /sǽŋktʃuèri /-əri/ 名 **1** C〈文〉神聖な場所, 聖域 (holy place)《教会・神殿など》. **2** C 至聖(ξい)所, 内陣《教会・神殿内の最も神聖な所. 祭壇の前など》；〔主に米〕礼拝室. **3** C（中世に犯罪者などが逃げ込んだ）聖域,〔駆け込み寺〕；〔一般的なものの〕逃げ込み場, 避難所；U（教会などの）罪人庇護(の)権；(罪人などの)庇護, 保護∥ A Japanese sought sanctuary in the Japanese Embassy. ある日本人が日本大使館に保護を求めた / provide [give] sanctuary from … …からかくまう, 守る. **4** C 禁猟区[期間]；鳥獣保護区域, サンクチュアリ.
sanc·tum /sǽŋktəm/ 名 (複 ~s, ··ta /-tə/) **1** 聖所. **2** (落ち着ける)私室.
Sanc·tus /sǽŋktəs/ 名 〔the ~〕三聖唱《3度の「聖なるかな」("Sanctus, sanctus, sanctus") で始まる賛美歌》.
*†**sand** /sænd/ 派 sandy (形)
— 名 **1** U 砂∥ a grain of sand 1粒の砂 / Brush the sand off your trousers. ズボンの砂を落としなさい / as countless as the sands of the sea 〔比〕浜辺の砂のように数多くの. **2** U〈英〉〔通例 ~s〕砂浜, 砂地, 砂漠∥ the golden sands of a tropical island 熱帯の島の黄金色の砂浜. **3**〔the ~s〕(砂時計の)砂粒；時刻, 時間.
build A on sánd〈略式〉〈組織・関係などを〉を不安定

sandal

な基礎の上に築く．
──動❶ 1（主に滑らないように）…に砂をまく［かける］ ‖ *sand* an icy sidewalk 凍った歩道に砂をまく．2 …を砂［紙やすり］で磨く（+*down*）．

sánd càstle 砂の城．
sánd dùne 砂丘．
sánd flỳ〔昆虫〕サシチョウバエ《吸血し，種類によっては病原菌を運ぶ》．
sánd hìll 砂丘．
sánding machìne 研磨機（sander）．
sánd pàinting (1) 砂絵《Navaho 族などが儀式で描く色つき砂の模様》．(2) 砂絵の技法．
sánd tràp〈米〉〔ゴルフ〕バンカー（bunker）．

†**san·dal** /sǽndl/〔名〕Ⓒ **1** サンダル《古代ギリシア・ローマ人が用いた革製のはきもの》．**2** サンダル靴（→ slipper）．──動〔過去・過分〕～ed or〈英〉**san·dalled** /-d/;～ing or〈英〉**·dal·ling**〔他〕［通例 be ～ed］サンダルをはく ‖ *sandaled* feet サンダルをはいた足．

san·dal·wood /sǽndlwùd/〔名〕〔植〕Ⓒ ビャクダン《主に太平洋地域産》；Ⓤ ビャクダン材《堅くて芳香があり，工芸品・香料に利用》．

sand·bag /sǽndbæg/〔名〕Ⓒ 砂袋，土嚢（％）．──動〔過去・過分〕**sand·bagged** /-d/; **··bag·ging**〔他〕**1** …に砂袋を置く［積む］．**2**〈米式〉〈人〉に［…することを］強いる（*into* doing）．

sand·bank /sǽndbæŋk/〔名〕Ⓒ（河口などの）砂州（*），浅瀬．

sand·box /sǽndbɑ̀ks/ -bɔ̀ks/〔名〕Ⓒ〈主に米〉（公園などの）砂場（〈英〉sandpit）．

San Di·e·go /sæn diéigou/〔名〕サンディエゴ《米国 California 州南部の都市．海軍の基地》．

sand·i·ness /sǽndinəs/〔名〕Ⓤ 砂質；砂の多いこと．

sand·man /sǽndmæ̀n/〔名〕［the ～］眠りの精，睡魔《おとぎ話などで子供の目に砂を入れて眠くさせる》．

†**sand·pa·per** /sǽndpèipər/〔名〕Ⓤ 紙やすり，サンドペーパー ‖ two pieces of *sandpaper* 2枚の紙やすり．──動〔他〕…を紙やすりで磨く［滑らかにする］（+*down*）．

sand·pip·er /sǽndpàipər/〔名〕Ⓒ〔鳥〕シギ《特にくちばしの長い種の総称》．

sand·pit /sǽndpìt/〔名〕〈英〉=sandbox．

San·dra /sǽndrə, sɑ́ːn-/〔名〕サンドラ《女の名．Alexandra の愛称》．

†**sand·stone** /sǽndstòun/〔名〕Ⓤ 砂岩．

sand·storm /sǽndstɔ̀ːrm/〔名〕Ⓒ（砂漠の）砂あらし．

***sand·wich** /sǽndwitʃ, -widʒ, -witʃ/〔英国の Sandwich 伯爵の名から．食事でゲームを中断しないように，パンの間に肉をはさんで食べたという〕──〔名〕（複 ~·es/-iz/）Ⓒ **1** サンドイッチ，［複合語で］…サンド《◆縦長に切り込みを入れたロールパン（roll）を使ったものも sandwich という》 ‖ make cheese *sandwiches* チーズサンドを作る / I ate a double-decker *sandwich* for lunch. 昼食に二重サンドを食べた．**2**〈主に英〉ジャム［クリーム］ケーキ《サンドイッチのようにはさんだケーキ》．**3** サンドイッチ状のもの．──動〔通例 be ~ed〕〈人・物・計画などが〉…の間にはさまれる（*between, in*）．

†**sand·y** /sǽndi/〔形〕（通例 **··i·er, ··i·est**）**1** 砂の，砂を含んだ，砂だらけの ‖ The floor is *sandy*. 床が砂だらけだ．**2**〈髪などが〉砂色の，黄土色の；〈人が〉砂色の髪の．

San·dy /sǽndi/〔名〕サンディー《女の名．Alexander, Alexandra の愛称》．

sane /séin/〔形〕**1**〈人が〉正気の，まともな判断のできる；

1346

Santa Claus

狂っていない（↔ insane）．**2**〈人・考え方が〉健全な，穏健な；良識ある．

San Fran /sæn frǽn/〔名〕=San Francisco．

†**San Fran·cis·co** /sæn frənsískou/〔名〕サンフランシスコ《米国 California 州の都市．（略称）Frisco〔×Cisco〕．市民は SF, San Fran の方を好む》．

***sang** /sǽŋ/〔動〕sing の過去形．

†**sang-froid** /sɑ̀ːnfrwɑ́ː ǀ sɔ̀ŋ-/〔フランス〕〔名〕Ⓤ〈正式〉沈勇；（非常時の）落ち着き，冷静（さ），沈静．

san·gri·a /sæŋɡríːə/〔スペイン〕〔名〕Ⓤ Ⓒ サングリア《赤ワインを薄めて甘味を加えて冷して飲むスペインの飲料》．

†**san·guine** /sǽŋɡwin/〔形〕〈正式〉**1 a** 快活な，陽気な，楽天的な（cheerful）‖ a man of a *sanguine* temper 快活な性質の人．**b**〔成功などを〕信じている，あてにしている（*of, about, as to, that* 節）‖ He is *sanguine* of his chances of success．=He is *sanguine that* he has a good chance of succeeding．うまくいくだろうと彼は楽観している．**2 a**〔古生理〕多血質の《4つの体液のうち blood が他より多い性質．あから顔で，勇敢・陽気・好色とされた．→ humor **4**〕．**b**〈顔の色などが〉血色のよい．**3**〈文〉紅（*）色の；血の．──〔名〕Ⓤ 血紅色．

san·i·tar·i·an /sæ̀nətɛ́əriən/〔名〕〈主に米〉Ⓒ 公衆衛生学者［技師］．──〔形〕公衆衛生の．

†**san·i·tar·i·um** /sæ̀nətɛ́əriəm/〔名〕（複 ~s, ··i·a /-iə/）Ⓒ〈米〉保養地；療養所（sanatorium）．

†**san·i·tar·y** /sǽnətèri ǀ -təri/〔形〕**1**（公衆）衛生の ‖ a *sanitary* inspector 衛生検査官．**2**〈正式〉衛生的な，清潔な（↔ insanitary）‖ *sanitary* conditions 衛生状態．

sánitary nàpkin〈米〉=〈英〉**sánitary tòwel [pàd]** 生理用ナプキン（cf. tampon）．

†**san·i·ta·tion** /sæ̀nətéiʃən/〔名〕Ⓤ〈正式〉**1** 公衆衛生．**2** 衛生設備，下水設備．

sanitátion enginèer [wòrker]〈米〉［遠回しに］=garbage collector．

†**san·i·ty** /sǽnəti/〔名〕Ⓤ 正気（↔ insanity）；（思想・判断などの）健全さ，穏健 ‖ *lose* one's *sanity* 気が狂う / *return to sanity* 正気に返る．

San Jo·se /sæ̀nzéi ǀ -houzéi, sæ̀nəzéi/〔名〕サンノゼ，サンホセ《米国 California 州西部の都市》．

San Juan /sæ̀n hwɑ́ːn/〔名〕サンフアン《Puerto Rico の首都．主産業は砂糖の精製》．

***sank** /sǽŋk/〔動〕sink の過去形．

San Ma·ri·no /sæ̀n mərí:nou/〔名〕サンマリノ《イタリア半島北東部の小共和国およびその首都》．

San Sal·va·dor /sæn sǽlvədɔ̀ːr/〔名〕**1** サンサルバドル《エルサルバドルの首都》．**2** サンサルバドル島《Bahama 諸島中の島．Columbus が1492年に到着》．

San·scrit /sǽnskrit/〔名〕〔形〕=Sanskrit．

sans-cu·lotte /sæ̀nzkjulɑ́t ǀ -lɔ́t/〔フランス〕〔名〕（複 ~s, -lɑ́ts/）Ⓒ **1** サンキュロット《「半ズボンをはかない」の意．フランス革命期，culottes を着ていた貴族に対して pantaloons を着た下層階級の共和党員を表した語》．**2**（一般に）過激な共和主義者，急進的革命家．

San·sei /sɑːnséi, –/〔日本〕〔名〕（複 **San·sei, ~s**）［しばしば s~］Ⓒ〈米〉三世《市民権を持つ Issei の孫．cf. Nisei》．

San·skrit /sǽnskrit/〔名〕Ⓤ〔形〕サンスクリット語［梵語（*）］(の)，(で書かれた)《古代インドの言語．雅語として文学・経典などに用いられた》．

San·ta /sǽntə/〔名〕〈略式〉=Santa Claus．

†**San·ta Claus** /sǽntə klɔ̀ːz,〈米+〉sǽnti-, -klɑ̀ːz,〈英+〉sɑ̀ːntə-/〔名〕サンタクロース《◆（略称）Santa．〈英〉では Father Christmas がふつう》．

San·ta Fe /sǽntə féi/ 名 サンタフェ《米国 New Mexico 州の州都》.

San·ta·fé De Bo·go·tá /sǽntəféi də bòugətɑ́ː, ⸺ǀ-bɔ̀gətɑ́ː/ 名 サンタフェ=デ=ボゴタ《コロンビアの首都》.

San·ti·a·go /sæntiɑ́ːgou/ 名 サンティアゴ《チリの首都》.

San·to Do·min·go /sǽntou dəmíŋgou/ 名 サントドミンゴ《ドミニカ共和国の首都》.

São Pau·lo /sɑum pɑ́ulou, -luː/ 名 サンパウロ《ブラジル南東部の州. その州都》.

†**sap** /sǽp/ 名 **1** Ⓤ〖植〗(植物の)樹液, 液汁. **2** Ⓒ《主に米略式》お人よし, まぬけ. **3** Ⓒ《米》短(くて太)いこん棒(英略式) cosh).
 ⸺動(過去形 sapped/-t/; sap·ping) ⊕ **1** …から樹液をしぼり取る. **2**〈活力などを〉なくす, 弱める(weaken) ‖ *sap* one's strength [courage] 体力[勇気]をなくす.

sap·less /sǽpləs/ 形 **1**〈植物が〉樹液の枯れた, しおれた. **2**〈土地が〉ひからびた. **3** 活気[生気]のない; 気の抜けた, つまらない.

†**sap·ling** /sǽpliŋ/ 名Ⓒ **1** 若木, 苗木. **2**《文》青二才, 若者.

sap·phire /sǽfaiər/ 名 **1** Ⓒ サファイア, 青玉《♦9月の誕生石. → birthstone》. **2** Ⓤ《文》サファイア色, るり色.

Sap·pho /sǽfou/ 名 サッフォー, サッポー《紀元前600年ごろのギリシアの女性詩人》.

sap·py /sǽpi/ 形 (**-pi·er, --pi·est**) **1** 樹液の多い; 多汁の. **2**《米略式》とんまな.

sap·ro·phyte /sǽprəfait/ 名Ⓒ 死物寄生植物.

sàp·ro·phýt·ic /-fítik/ 形 死物寄生の.

Sar·a·cen /sǽrəsn/ 名Ⓒ サラセン人(の)《古代のシリア, アラビア砂漠の遊牧民》; (十字軍と戦った)アラビア人[回教徒](の).

Sar·ah /sér(ə)rə/ 名 **1** サラ《女の名. (愛称) Sally》. **2**《旧約》サラ《Abraham の妻で Isaac の母》.

Sa·ra·je·vo /sǽrəjéivou/ 名 サラエボ《Bosnia and Herzegovina の首都》.

†**sar·casm** /sɑ́ːrkæzm/ 名 **1** Ⓤ 皮肉, いやみ, 当てこすり《♦irony と違って個人の感情を傷つけようとする気持ちが強い. からかいは teasing という》. **2** Ⓒ 皮肉の言葉, 当てこすり.

†**sar·cas·tic** /sɑːrkǽstik/ 形 皮肉な, いやみな, 当てこすりの. **sar·cás·ti·cal·ly** 副 いやみっぽく, 皮肉をこめて.

sar·coph·a·gus /sɑːrkɑ́fəgəs, -kɔ́f-/ 名 (複 **-gi** /-gai, -dʒai/, **~·es**) Ⓒ (精巧な彫刻・装飾のある)石棺.

†**sar·dine** /sɑːrdíːn/ 名 **1** Ⓒ〖魚〗サーディン《ヨーロッパ産ニシン科の一種》; マイワシ類. **2** (イワシに似た)種々の小魚(cf. herring, anchovy). *be packed* (*in*) *like sardines*《略式》すし詰めになっている《♦主語は複数形》.

†**sar·don·ic** /sɑːrdɑ́nik, -dɔ́n-/ 形《正式》冷笑的な, 嘲笑(銭)的な, あざけりの(scornful) ‖ a *sardonic* smile [laugh] 冷笑, せせら笑い.

sar·don·yx /sɑːrdɑ́niks | sɑ́ːdən-/ 名 ⓊⒸ サードニックス, 縞紅めのう《8月の誕生石》.

sa·ri, sa·ree /sɑ́ːri/ 名Ⓒ サリー《主にヒンドゥー教徒の女性が体に巻くように着る綿または絹製の衣服》.

sa·rin /sɑ́ːrin, særíːn/ 名Ⓤ サリン《猛毒の神経ガス》.

SARS 略〖医学〗severe *a*cute *r*espiratory *s*yndrome 重症急性呼吸器症候群.

sar·sa·pa·ril·la /sǽsəpərílə | sɑ̀ːrsəpə-/ 名 **1** Ⓒ〖植〗サルサパリラ《ユリ科シオデ属の植物》. **2** Ⓤ サルサ根《香料・強壮薬》. **3** Ⓤ《主に米》サルサパリラ《サルサ根のエキスで味つけした清涼飲料》.

Sar·tre /sɑːrtrə/ 名 サルトル《**Jean-Paul** /ʒɑ́ːŋpɔ́ːl/ ~ 1905-80; フランスの実存主義哲学者・作家》.

SAS /sǽs/ 略 Scandinavian Airlines System スカンジナビア航空会社.

SASE 略 *S*elf *A*ddressed *S*tamped *E*nvelope (切手を貼った)返信用封筒.

sash¹ /sǽʃ/ 名 (複 ~·es) Ⓒ **1** (女性・子供の腰・肩に付ける)飾り帯, サッシュ; たすき. **2** 懸章《軍人などが肩から掛ける正装用の肩帯》. ⸺動⊕[通例 be ~ed / ~ oneself] 飾り帯[懸章]をつける.

sash² /sǽʃ/ 名Ⓒ **1** (ガラスをはめこむ)窓枠, サッシ; (上げ下げ窓の)滑り枠; (温室などの)明かり窓.

sas·sa·fras /sǽsəfræs/ 名Ⓒ〖植〗ササフラス(sassafras tree); Ⓤ その樹皮《薬用, 菓子類の香料》.

*__sat__ /sǽt/ 動 sit の過去形・過去分詞形.

SAT /⸺/ 略 *S*cholastic *A*ssessment *T*est《米国の》大学進学適性テスト.

Sat. 略 *Sat*urday; *Sat*urn.

†**Sa·tan** /séitn/ 名Ⓤ《正式》(ユダヤ教・キリスト教でいう)悪魔, 魔王(the Devil).

Sa·tan·ic /sətǽnik, sei-/ 形《正式》**1** 魔王の, 悪魔の ‖ His *Satanic* Majesty 魔王様. **2** [通例 s~]《主に文》悪魔のような, 邪悪な(evil); [強意語として]大変な ‖ *satanic* energy ものすごい精力.

satch·el /sǽtʃəl/ 名Ⓒ (時に肩から下げる, 教科書などを入れる)学生かばん, 小型かばん.

†**sate**¹ /séit/ 動 (正式) =satiate.

sate² /sǽt, séit/ 動《古》sit の過去形.

sa·teen /sætíːn, sæ-/ 名Ⓤ 綿繻子(ポ)(cf. satin).

†**sat·el·lite** /sǽtəlàit/ 名Ⓒ **1**〖天文〗衛星 ‖ The moon is a *satellite* of the earth. 月は地球の衛星である. **2** 人工衛星(artificial satellite) ‖ put a communication(s) *satellite* into orbit 通信衛星を軌道にのせる / The ceremony was broadcast live via *satellite* to more than 100 nations. その儀式は人工衛星で100か国以上に生中継された. **3** =satellite state. **4** 従者, 取り巻き. **5** [形容詞的に] (人工)衛星の(ような); 二次的な; 従属した ‖ a *satellite* nation 衛星国 / a *satellite* group 従位[二軍的]グループ.
 ⸺動⊕ (…を)衛星[宇宙]中継する.

sátellite bròadcasting 衛星放送.

sátellite dìsh (巨大な)パラボラアンテナ.

sátellite stàte (大国に従う)衛星国;《米》近郊都市, 衛星都市.

sátellite tòwn [cìty] 衛星都市; (都市近郊の)団地.

sa·ti·ate /séiʃièit/ 動⊕《正式》[通例 be ~d] (…に)十二分に満足する; (…に)飽く(with).

sa·ti·e·ty /sətáiəti/ 名Ⓤ《正式》飽満; 飽き飽きすること.

†**sat·in** /sǽtn | sǽtin/ 名Ⓤ 繻子(ポ)(織), サテン; その衣服. ⸺形 **1** 繻子の(ような), 繻子製の; 光沢のある ‖ a *satin* finish (銀器の)繻子仕上げ. **2** 繻子製の; 繻子で覆われた ‖ a *satin* dress 繻子のドレス.

sat·in·wood /sǽtnwùd | sǽtin-/ 名Ⓒ〖植〗インドシツボク《ミカン科》; Ⓤ その材《高級家具用》.

†**sat·ire** /sǽtaiər/ 名 [時にa~] 〘…に対する〙風刺; 皮肉, 当てこすり〘on, upon〙(cf. sarcasm) ‖ The play was a *satire* on political circles. その劇は政界の風刺だった / You have a talent for *satire*, don't you? 君は皮肉の才能

があるね. **2** ⓒ [(…の)]風刺文[詩][*on, upon*]; 落首 (cf. parody, lampoon); Ⓤ 風刺文学.

sa·tir·ic, -i·cal /sətírik, -əl/ 形 **1** 風刺の, 風刺的な, 風刺を含む[好む]. **2** [通例 satirical] 皮肉っぽい, いやみな. **sa·tír·i·cal·ly** 副 風刺的に; 皮肉っぽく, 当てつけがましく.

†**sat·i·rist** /sǽtərist/ 名 **1** 風刺作家[詩人]. **2** 皮肉屋.

†**sat·is·fac·tion** /sæ̀tisfǽkʃən/ 名 **1** Ⓤ 満足, [(…に/…することに)]満足する[させる]こと[*at, with, in / of* (doing)] (↔ dissatisfaction); 喜び ‖ Her success *gave* her mother *much satisfaction*. 彼女がうまくいったので母親はたいへん満足した (=Her success satisfied her mother very much.) / Her *satisfaction at* [*with*] my work was obvious. 彼女が私の仕事に満足していることは明らかであった / We heard the news *with satisfaction*. 私たちはその知らせを満足して聞いた (→ satisfactorily 語法). **2** ⓒ [人を]満足させるもの[事][*to*] ‖ Living here with her grandchildren was one of her greatest *satisfactions*. 孫と一緒にここで暮らすことが彼女にとってこの上ない喜びのひとつであった. **3** Ⓤ (正式) 〔欲望・必要などの〕実現, 達成, [(…の)]満足させること[*of*] ‖ The band played three encores, much to the *satisfaction* of the audience. 観客を大いに満足させるために, そのバンドは3回もアンコールに答えた. **4** Ⓤ (正式) 納得, 得心, 確信. **5** Ⓤ (正式) [借金の]返済; [損害などの]賠償, 義務の履行[*for*] ‖ make *satisfaction* for a debt 借金を返済する.

give satisfáction [(…を)]満足させる, [(…に)]賠償する[*to*].

***to** A's **satisfáction** =**to the satisfáction of** A (正式)〈人〉が満足したことには; …に申し分のない, 満足の, 満足のいくように ‖ The paper was written *to his satisfaction*. 論文は彼の満足のいくように書けた.

†**sat·is·fac·to·ri·ly** /sæ̀tisfǽktərəli/ 副 [話し手の判断を表して] 満足のいくように, 申し分なく ‖ He carried out the order *satisfactorily*. 彼は命令を申し分なく実行した. 語法 He looked at his painting 「*with satisfaction* [×*satisfactorily*]. 彼は絵を満足気に見た (◆満足しているのは話者でなく「彼」なので, satisfactorily は使えない).

†**sat·is·fac·to·ry** /sæ̀tisfǽktəri/ 形 **1** 〈事が〉[(人にとって)]満足な, 十分な[*to*]; 〈事・物にとって〉十分な[*for*] 《◆目的にかなう程度の満足な気持ち. → satisfying》(↔ unsatisfactory) ‖ The room may be small, but I hope you'll find it *satisfactory*. その部屋は小さいかもしれないがあなたはそれで満足してくれると思う / Your work is not *satisfactory to* me. 君の仕事は私には満足がいかない (=Your work does not *satisfy* me.). **2** (米教育) (成績の) 可, 申し分のない (→ grade 名 4 関連).

†**sat·is·fied** /sǽtisfàid/ 形 満足した (→ satisfy 他 1) ‖ a *satisfied* smile 満ち足りたほほえみ.

***sat·is·fy** /sǽtisfài/ [アクセント注意] [「十分にする」が原義] 形 satisfactory, 名 satisfaction (形) ── 動 (-fies/-z/; 過去過分 -fied/-d/; ~·ing)《◆ 1, 2 はふつう進行形不可》

Ⅰ[心を満たす]

1 a 〈物・事が〉〈人〉を満足させる (↔ dissatisfaction); [be satisfied] 〈人が〉[(…に/…して)]満足する[*with, by, about, at / to* do] ‖ My grade in English will *satisfy* my parents. 私の英語の成績は両親を満足させるでしょう / I *am satisfied with* my present salary. 私は現在の給料に満足しています. **b** 〈人・事〉を[(…で)]満足させる[*with, by*] ‖ I *satisfied* my thirst *with* [*by* drinking] a glass of milk. ミルクを 1 杯飲んでのどの渇きをいやした.

Ⅱ[条件などを満たす]

2 〈物・事が〉〈欲望・必要・好奇心・条件など〉を満たす, 充足させる《◆十分に与えて, しばしば積極的な反応を生じさせることを含意する. content はふつう「欠乏・不足部分を補って人が不平を言わない程度に満足させる」の意を含む》‖ One slice of toast barely *satisfied* my hunger. 1枚のトーストがかろうじて私の空腹を満たした / His explanation *satisfied* her curiosity. 彼の説明で彼女の好奇心は満たされた. **3 a** 〈義務など〉を果たす, 履行する; 〈借金〉を返済する. **b** 〈債権者〉に支払う. **4** 〈規準・規則など〉に合致する, 当てはまる.

Ⅲ[考えなどを満たす]

5 a (正式) 〈人〉が〈人〉に[(…を/…ということを)]納得させる, 確信[得心]させる[*of, about / that* 節]; [be satisfied / ~ oneself] 〈人が〉[(…を/…ということを)]納得する[*of, about, as to / that* 節] ‖ I'm quite *satisfied* (*that*) he's alive. 彼が生きていることを私ははっきり確信している / 「She *sátisfied hersèlf* [She *was satisfied*] *of* his innocence. = She *satisfied* herself *that* he was innocent. 彼が潔白であることを彼女は納得した. **b** 〈疑念・心配など〉を〈異論・疑問などに〉十分答える.

── 自 **1** 満足である, 喜ばせる. **2** 〈キリストが〉人間の罪の償いをする.

sat·is·fy·ing /sǽtisfàiiŋ/ 形 満足な, 十分な《◆心地よい満足の気持ち. satisfactory よりも満足の度合いが強い》

†**sat·u·rate** /動 sǽtʃərèit; 形 sǽtʃərət/ 動 他 (正式) **1** [通例 be ~d] [(…に)]完全に浸される; [(…で)]ずぶぬれになる; [(…を)]浴びる[*with, in*] ‖ Everyone at the beach *was saturated with* sun. 海岸でみんなが日光を浴びて楽しんだ. **2** …を[(…で)]一杯にする, 満たす[*in, with*] ‖ The air was *saturated with* the perfume of flowers. あたりには花の香りが満ちあふれていた. **3** [(…で)]…をしみこませる; [通例 be saturated *with* A / saturate oneself *in* A] 〈学問など〉に没頭[熱中]する ‖ She is *saturated with* American drama. 彼女はアメリカ演劇の研究に没頭している. **4** (化学) 〈物質〉を飽和させる.

── 形 〈色が〉濃い, 強い; 白色のまざっていない.

sat·u·ra·tion /sæ̀tʃəréiʃən/ 名 Ⓤ **1** 浸潤; 充満. **2** (化学) 飽和 (状態). **3** (軍事) 集中攻撃. **4** (色の) 濃さ, 彩度. **saturátion pòint** (化学) 飽和点.

***Sat·ur·day** /sǽtərdei, -di/ [[ローマ神話の農耕の神 Saturn から](Saturn's 日 (day))]

── 名 (複 ~s/-z/) Ⓤ Ⓒ 土曜日 (略 Sat.); [形容詞的に; (略式) 副詞的に] 土曜日の[に] (語法 → Sunday).

†**Sat·urn** /sǽtərn/ |-ə:n/ 名 **1** [ローマ神話] サトゥルヌス《農耕の神. 彼の子供 Jupiter 以前の黄金時代 (golden age) の主神. ギリシア神話の Cronus に相当》. **2** (天文) 土星. **3** (ⓒ) (米) サターン (ロケット).

†**sa·tyr** /sǽitər | sǽ-/ 名 [しばしば S~] ⓒ (ギリシア神話) サテュロス《酒神 Bacchus の従者で, 酒と女の好きな半人半獣の森の精. ローマ神話の faun に相当》.

†**sauce** /sɔ́:s/ 同音 source (英) 名 **1** Ⓤ Ⓒ ソース《◆食物にかける液状のもの一般をいう. 日本の従来の「ソース」は Wórcester(shire) sàuce》‖ (What's

sauce for the goose (*is sauce for the gander.*) 〈ことわざ〉甲に許されることは乙に許されて当然 / put a white *sauce* on fish 魚肉にホワイトソースをかける.

関連 [いろいろな種類の sauce]
apple *sauce* アップルソース / chocolate *sauce* チョコレートソース / hot *sauce* (チリソースなど)辛いソース / mint *sauce* ミントソース / soy *sauce* しょうゆ / tartar *sauce* タルタルソース / tomato *sauce* トマトソース / white *sauce* ホワイトソース.

---

2 UC 興趣を添えるもの, 刺激. **3** ⓒ 〈米〉果物のシチュー煮; (肉料理の付け合わせ)野菜. **4** U 〈略式〉[a/the/one's ~] 生意気な態度[言葉(づかい)](rude talk) ‖ Nóne of your *sauce*! 生意気な口をきくんじゃない《◆ 親・教師的なたしなめの言葉》.
—— 動 他 **1**〈食物〉にソースをかける, ソースで味付けをする. **2** …に興味を添える. **3**〈略式〉…に生意気なことを言う[する].

†**sauce·pan** /sɔ́ːspæn | -pən/ 名 ⓒ ソースパン《長柄ふた付きの深いなべ, 煮物・シチュー用》.

†**sau·cer** /sɔ́ːsər/ 名 ⓒ **1**(茶わんの)受け皿 ‖ a cup and *saucer* /kʌ́pnsɔ́ːsər/ コーヒー[紅茶]茶わんと受け皿(1組). **2** (縁がせり上がっている丸い)小皿; 小皿状のもの, くぼ地. **3** 空飛ぶ円盤 (flying saucer).
sáucer éyes (1) 皿のような丸い目. (2) (驚きなどで)大きく見開いた目.

sau·ci·ly /sɔ́ːsɪli/ 副 生意気に.

†**sauc·y** /sɔ́ːsi/ 形 (**-ci·er**, **-ci·est**) 〈略式〉**1** 生意気な, しゃこしゃな ‖ *saucy* language [conduct] 横柄な言葉[態度]. **2**〈米〉気の利いた; しゃれた (stylish). セクシーな.

Sau·di /sáudi, sɔ́ːdi/ 名 ⓒU 形 サウジアラビア人(の).
Sáudi Arábia サウジアラビア《 Kingdom of Saudi 》《アラビア半島の王国. 首都 Riyadh /rɪjɑ́ːd/》.

sau·er·kraut /sáuərkràut/《『ドイツ』》名 U ザウアークラウト《塩漬けにして発酵させたキャベツ》.

Saul /sɔːl/ 名 ⓒ **1**〈旧約〉サウル《 Israel 初代の王》. **2**〈新約〉サウル《使徒 Paul のヘブライ名》.

sau·na /sɔ́ːnə, sáu-/ 名 ⓒ **1** = sauna bath. **2** サウナ浴場. **sáuna báth** サウナ風呂《フィンランド特有の蒸し風呂》.

†**saun·ter** /sɔ́ːntər/ 動 自 ぶらつく, のんびり散歩する (+ *along, off, past, through*) ‖ I *saunter* through the street window-shopping ウインドウショッピングをしながら通りを歩く / *saunter* through life 生涯のんびり暮らす. —— 名 ⓒ **1**〈略式〉[通例 a ~] ぶらつくこと, 道遊(どうよう) (stroll) ‖ take [have] a *saunter* in the park 公園を散策する. **2** ゆっくりした足どり ‖ walk with a *saunter* ぶらつく.

sau·ri·an /sɔ́ːriən/ 名 形 ⓒ トカゲ類の(動物).

†**sau·sage** /sɔ́ːsɪdʒ/ 名 **1** ⓒU ソーセージ, 腸詰め. **2** ⓒ 〈略式〉ソーセージ形のもの. **3** ⓒ 〈米〉ドイツ人.
sáusage dòg 〈英略式〉= dachshund.
sáusage méat ソーセージ用ひき肉.
sáusage róll 〈英〉ソーセージ(用ひき肉)入りロール.

Saus·sure /sousjúər/ 名 ソシュール (**Ferdinand de** /feərdinɑ́ːndə/) 〈 ~ 1857–1913; スイスの言語学者〉.

sau·té /soutéɪ/ 〈『フランス』〉名 ⓒU ソテー《野菜や肉を軽くいためたもの》. ―― 形 ソテー風の.
—— 動 (過去・過分) ~ed or ~d) 他 …をソテー風に料理する (→ cook 他 **1**関連).

†**sav·age** /sǽvɪdʒ/ 形 (通例 ~r, ~st) **1** 獰猛(どうもう)な, 凶暴な; 残酷な ‖ a *savage* dog 獰猛な犬 / *savage criticism* 残酷な批評 / the newspaper's *savage attack* 新聞の猛烈な攻撃. **2**〈古〉未開の, 野蛮な, 未開地[人]の《◆遠征地・人の》 ‖ They still live in a *savage* state. 彼らはまだ野蛮な状態で暮らしている. **3**〈景色などが〉荒涼とした. **4**〈英略式〉かんかんに怒った (angry). **5** 粗野な, 下品な, 無礼な.
—— 名 ⓒ **1**〈正式〉残忍[残酷]な人, 野蛮人のような人. **2**〈古〉(主に狩猟で生活する)野蛮人, 未開人.
—— 動 他 **1**〈動物が〉暴れて…にかみつく[襲いかかる]. **2**〈批評家などが〉…を酷評する, 猛烈に非難する.

sáv·age·ness 名 U 未開; 獰猛; 残忍.
†**sáv·age·ly** /sǽvɪdʒli/ 副 獰猛(どうもう)に; 不作法に[で]; ひどく怒って.

sav·age·ry /sǽvɪdʒəri/ 名 〈正式〉**1** U 残忍さ, 獰猛(どうもう)さ. **2** U 未開, 野蛮. **3** ⓒ [通例 savageries] 残忍[残酷]な行為.

†**sa·van·na(h)** /səvǽnə/ 名 ⓒU サバンナ《(亜)熱帯地方の樹木のまばらな大草原》.

☆**save**¹ /seɪv/ 〈「人や物を危険・損失などから救う, 守る」が本義. cf. safe〉 派生 saving (形), savior (名)

index 動 他 **1** 救う **3** たくわえる **5** 守る **6** 節約する
自 **1** 貯金する

—— 動 (~s/-z/; 過去・過分 ~d/-d/; sav·ing) —— 他

I [救う]

1 [save **A** (from **B**)] 〈人・物・事が〉**A**〈人・物〉を(**B**〈危険・害・損失など〉から)救う, 教授[救助, 救出]する ‖ The doctors *saved* his life. 医者たちは彼の命を救った / They *saved* [rescued] the child from *burning* to death. 彼らは子供を焼死から救った《◆このように, 人・物を急に迫った危険から救出する文脈では rescue と交換可能》 / Only surgery could *save* her. 手術をするしか彼女を救う道はなかった / He *saved* the furniture from the burning house. 彼は燃えている家から家具を運び出した.
2 [神学] 〈人などを〉[…から] 救う [*from*].

II [失わないように守る]

3 [save **A** (for **B**)] 〈人が〉**A**〈金などを〉(**B**〈人・将来など〉のために) たくわえる, 貯蓄する; **A**〈物を〉(**B**〈使う機会など〉のために) とっておく (+*up*)《◆(1) **B** が人の場合 [save **B A**] も可能. (2)「…に備えて」の意を表す場合は for の代わりに against, toward が用いられることもある》; [コンピュータ] …をセーブする ‖ My mother *saved* the best wine *for* [*till*] Christmas. 母はクリスマス用に[まで]最高のワインをとっておいた / *Save* me some coffee. = *Save* some coffee for me. コーヒーを残しておいてね / *save* money (*up*) *for* a rainy day 万一に備えて貯金する / *Save* your voice *for* tonight's concert. 今夜の演奏会のために声を大事にしなさい / *save* your strength *for* the final effort. 最後のふんばりのため力を残しておきなさい / *save* money *toward* one's old age 老後に備えて貯金する / *Save* my seat, please. 席をとっておいてください.

4〈スポーツ〉〈シュート・得点などを〉防ぐ; 〔野球〕〈救援投手が〉〈勝利〉を守る.

III [失わないように取っておく]

5〈人などが〉〈物を〉(たくわえてそれを大切に)守る, 保護する; 〈名声・体面などを〉(失わないように)保持する ‖ *save* one's reputation 名声を保つ.

save

6 (主に英) [save (A) B] 〈人・物・事が〉(A〈人などの〉の)B〈労力・時間・金など〉を節約する, 省く((主に米) spare); [save doing] …することを省く; [save A (from) doing] A〈人〉が…することを不要にする ‖ Your help *saved* me a lot of work. あなたが手を貸してくれたのでとても手間が省けました / I *save* one's breath (話してもむだなので)黙っている / She went by plane to *save* time. 彼女は時間を浮かすために飛行機で行った / I *saved* myself writing a letter by phoning. 電話をかけたので手紙を書く手間が省けた(→文法 23.1) / He *saved* $5 on the bedroom suite. 彼はその寝具一そろいで5ドル節約した / A *stitch* in time *saves* nine. (ことわざ) 今日の1針あすの10針〈早めに1針縫っておけばあとでほつれて9針縫う手間が省ける〉; 「転ばぬ先のつえ」.

―― **1**〈人が〉〈物・特来のために〉貯金する(+up)(for) ‖ *save* (up) for a holiday [rainy day] 休暇[万一]に備えて貯金する(cf. 歯 3) / He is *saving* (up) for [to buy] a house. 彼は家を買うために貯金している. **2** 救う, 助ける.

God save the Queen [King]! (🔊) 女王[国王]陛下万歳《英国国歌》〈は願望・祈願を表す仮定法現在の形。「神様が女王[国王]を守ってくださいますように」が元の意味。save は 歯 5 の意味〉.

(God) *save us!* おやまあ, これは驚いた.

save on A 〈食物・燃料など〉を節約する.

―― 图 © **1** [スポーツ] 相手の得点を防ぐこと. **2** [野球] セーブ. **3** [コンピュータ] セーブ,(データの)保存.

†**save²** /séiv/ 前《◆(英)では(文·古)》‖ I answered all the questions *save* the last one. 最後の問題以外はすべて答えた.

save for A (英は文·古) …を除いては(except for).

―― 接 (文·古) [~ that節] …であることを除いて, …は別として(except that, unless) ‖ We have no news *save that* they arrived safely. 彼らが無事に到着したという以外何の知らせもない.

sav·er /séivər/ 图 © **1** [しばしば複合語で] 節約するもの[装置] ‖ a time-*saver* 時間を節約するもの. **2** 倹約家, 貯蓄家. **3** 救助者, 救済者.

†**sav·ing** /séiviŋ/ 動 → save.

―― 形 **1** 救いの, 守りの ‖ the *saving* grace of God 神の加護. **2 a**〈人が〉節約する, つつましい, 倹約の ‖ a *saving* person 倹約家. **b** [複合語で] 節約になる ‖ a labor-*saving* machine [instrument] 省力機械[器具]. **c**〈物が〉経済的な. **3**〈条項などが〉留保[除外]する ‖ a *saving* clause 保留条項, 但し書. **4** (欠点·弱点の)埋め合わせの, 償いの ‖ a *saving* grace (欠点を補う)とりえ.

―― 图 © ⋃ **1** 節約, 倹約; [通例 a ~] 節約されたもの ‖ The car gives him a *saving*(s) of fifty dollars a month. その車で彼は1か月に50ドル節約できる(→文法 23.1) / It is a great *saving* of time to be able to take this route. この道を行くことができるのは時間の大きな節約だ. **2** 救助, 救済. **3** 留保, 除外.

―― 前 (文·古) …のほかは, …を除いて.

saving your présence [*réverence*] こう申しては失礼ですが.

―― 接 (まれ) […ということを]除いて[*that*節].

sav·ings /séiviŋz/ 图 [複数扱い] (主に銀行·郵便局に預けた)預[貯]金(額) ‖ Her *savings* are small. 彼女の貯金は少ない / much [a little] *savings* 多[少]の蓄え《◆×many [×a few] *savings*》.

sávings accóunt (1) (米) 普通預金口座 (英) de-

posit account). (2) (英) 定期[定額]預金口座.

sávings bànk 貯蓄銀行(米) thrift).

†**sav·ior**, (英) --**iour** /séivjər/ 图 © **1** (文) 救済者, 救う人; 救国者. **2** [the [our] S~] 救世主, キリスト《◆この意味で (米) でも Saviour がふつう》.

†**sa·vor**, (英) --**vour** /séivər/ 图 © **1** [時に a ~] (正式) 味, 風味(taste) ‖ the wine which has lost its *savor* 風味の抜けたワイン《◆ … lost its flavor がふつう》. **2** ⋃ [時に a ~] 面白味, 興味, 持ち味 ‖ the *savor* of life 人生の興趣. **3** [a/the ~ of + ⋃ 名詞] …の気味い; いくぶん…なところ ‖ have a *savor* of indifference 冷淡な感じ[ところ]がある.

―― 動 **1** […の]味[香り]がする[*of*] ‖ This dish *savors* of mustard. この料理はカラシの味がする. **2** (正式) 〈言動·計画などが〉[…な]感じがある[*of*] ‖ His manners *savor* of arrogance. 彼の態度にはいくぶん尊大なところがある. **3** (正式) 〈飲食物の〉味·香りを(ゆっくり)味わう. **2** 〈勝利·幸福など〉を享受する. **3** …に味をつける.

†**sa·vor·y¹**, (英) --**vour·**― /séivəri/ 形 **1** 味[香り]のよい, 食欲をそそる, 塩味がほどよく効いた ‖ a *savory* dish 風味のある料理. **2** [通例否定文で] 快い, 健全な. **3** (英) 辛口の(⟷ sweet). **4** (英) セイボリー《オードブルやデザートに出す辛口の料理》.

sa·vor·y², (英) --**vour·**― /séivəri/ 图 **1** © [植] キダチハッカ《ヨーロッパ原産ツソ科の芳香性のある植物》. **2** ⋃ セイボリー《キダチハッカの葉で香辛料》.

sa·voy /səvɔ́i/ 图 ⋃ © [植] サボイキャベツ《冬キャベツの一種》.

Sa·voy /səvɔ́i/ 图 サボワ《フランス南東部の地域》.

***saw¹** /sɔ́ː/ 動 (同音) soar (英), sore (英) 動 see の過去形.

†**saw²** /sɔ́ː/ 图 © のこぎり; のこぎりのような道具《◆(1)木·金属·石など堅いものを切る道具一般についていう. (2) 西洋のものは押して切る》‖ the teeth of a *saw* のこぎりの歯 / cut through the wood with a *saw* のこぎりで木材を切る / a power *saw* 電動のこぎり.

―― 動 (過去) ~ed/-d/, (過分) (米) ~ed or (英) sawn /sɔ́ːn/) 個 **1** 〈人が〉〈木など〉をのこぎりで切る(+*away, down, off, through*); 〈板·穴など〉をのこぎりを使って作る ‖ *saw* a log in half 丸太を半分に切る / *saw* a hole in a board のこぎりで切って板に穴を作る / *saw* branches off (a tree) (木から)枝をのこぎりで切り落とす. **2** …をのこぎりを使うように[して]動かす[切る, 分ける] ‖ I *saw* the air 手を前後に[左右]に振る. ―― 自 **1a** のこぎりを用いる, のこぎりで切る(+*through*). **b** 〈木〉のこぎりかり切る. **2** [様態の副詞を伴って] 〈材木など〉のこぎりで切れる ‖ This stone *saws* more smoothly than oak. この石はオークの木よりつっかえずに切れる[切りやすい]. **3** (略) 弦楽器をひく.

sáw úp [他]〈木材など〉をのこぎりで小さく切る.

†**saw·dust** /sɔ́ːdʌ̀st/ 图 ⋃ おがくず ‖ a speck [pile] of *sawdust* おがくずの粒[山].

saw·horse /sɔ́ːhɔ̀ːrs/ 图 © 木(こ)びき台《◆しばしば脚が X 字形》.

†**saw·mill** /sɔ́ːmìl/ 图 © 製材工場[所]; (米) 製材機.

saw·yer /sɔ́ːjər/ 图 © 木(こ)びき.

sax·horn /sǽkshɔ̀ːrn/ 图 © [音楽] サクスホルン《金管楽器. cf. althorn》.

sax·i·frage /sǽksəfridʒ, -frèidʒ/ 图 ⋃ [植] ユキノシタ《英米で珍重される岩生植物で Alpine [rock] plant といわれる》.

†**Sax·on** /sǽksn/ 图 **1** © [歴史] サクソン人; [the ~]

Saxonism

サクソン族《5世紀以後北ドイツから英国に移住したゲルマン民族. アングル民族などと共に英国の基礎を築いた. → Anglo-Saxon》. **2** ⓤ サクソン語: アングロサクソン語《古英語の旧称》. ――[形] **1** サクソン(人, 語)の. **2** アングロサクソン人[語]の. **3** チュートン語起源の ‖ *Saxon* words チュートン語系[純粋]英単語.

Sax·on·ism /sǽksnìzm/ [名] ⓤ **1** (アングロ)サクソン気質(ｶﾞ); 英国魂. **2** アングロサクソン語(法). **3** アングロサクソンの特性(への愛着).

Sax·o·ny /sǽksəni/ [名] **1 a** ザクセン《ドイツ南東部の地域》. **b** ザクセン《ドイツ北西部の旧公国》. **2** [通例 s~] ⓤ (光沢のある)高級サクソニー毛糸[毛織].

sax·o·phone /sǽksəfòun/ [名] ⓒ [音楽] サクソフォーン《ベルギー人 A. Sax の発明した管楽器. (略式) sax》.

⁑say /séi/ 《「内容を伝えるために言葉で表現する」が本義》 (派) saying (名)
――[動] (~s/séz/; 過去·過分 said/séd/ [発音注意]; ~·ing)
――[他]
Ⅰ [人があることを言う]

1 ⟨人が⟩⟨意味のあることなどを⟩[人に]言う, 述べる, 話す, 口に出す[to]; 「…と言う《♦ ▢ talk, tell, speak, inform と異なり, say は実際に話される言葉そのものを目的語にすることが可能》‖ *He said*, "Yes." ="Yes," he *said*. 彼は「はい」と言った / She *said* good-by and left. 彼女はさようならを言って立ち去った / I want some more cake, please *say* so. もっとケーキが欲しかったら, そう言いなさい / "Wash the dishes," Mother *said to* us. 母は「お皿を洗いなさい」と私たちに言った (=Mother told us to wash the dishes.) (→文法 10.5(2)) / He *said* (*to* me), "Are you hungry?" ="Are you hungry?" he *said to* me. 「おなかがすいているのかい」と彼は(私に)聞いた(=He asked (me) if [whether] I was hungry.) (→文法 10.5(1)) / "I have nothing more to *say to* you," she *said*. 「あなたにこれ以上申し上げることは何もありません」と彼女は言った / The more we talk, the less we *say*. 口数が多ければそれだけ中身がとぼしくなる (→文法 19.3 (1)) / *Say* your name again. もう一度名前を口に出して言ってください.

2 [say (that)節 / say wh-節·句] ⟨人が⟩…と述べる, …という趣旨のことを言う; …と主張する ‖ *He said* (*that*) *he would return* here *the following day*. 明日ここへ帰ってくると彼は言った(=He *said*, "I will return here tomorrow.") (→文法 10.4(1)) / It is hard to *say which* car is nicer. どちらの車がいいかは言いにくい / In this letter she *says when to meet* us. この手紙で彼女はいつ私たちに会うかを言っている / No one can *say how much longer this drought will last*. =(正式)There is no *saying how …* =It is impossible to *say how …* この日照りがこの先いつまで続くか彼にもわからない / He *said to* me (*that*) the game would soon start. 試合はもうすぐ始まると彼は私に言った.

3 (略式) […せよと, 命じると[*to do*]] ‖ Mother *says* to come in at once. すぐに入るように母が言っています.

4 [挿入句として間投詞的に] たとえば, 言ってみれば(let us [me] say); なんと, まあでしょう(let's imagine); [数詞の前で] おおよそ, 約 ‖ Can you play a wind instrument, *say*, a flute? 管楽器が演奏できますかね, そうですね, フルートはどうでしょう / Let's run, *say*, 2 miles. 2マイルぐらい走ろう.

Ⅱ [特定の内容を言う]

5 [say (that)節] [people, they を主語にして] (世間で)…と言う, うわさする, 伝える 《♦ 受身形にして (正式) It is said (that) … となることもある →文法 7.13》; [be said to be [have done] …] …である[…した]と言われている ‖ *People [They] say* (*that*) there is oil under the North Sea. =(正式) *It is said* (*that*) *…* =There *is said to be* oil under the North Sea. 北海の海底には石油が埋蔵されていると言われている / "People *say* [It is *said*] *that* he got married last year. =He *is said to have got* married last year. 彼は昨年結婚したそうだ / "It is *said* [They *say*] (that) the disease has been spreading. =The disease is *said to be* spreading. その病気は蔓延(まんえん)しつつあるそうだ.

6 [通例命令形で] […と]仮定する, 仮に…としたら [*that*節] 《♦ that はふつう省略》‖ (Let's) *say* (*that*) he is lying, then what will you do then? 彼がうそをついているとするとあなたはどうしますか 《♦ then は say と呼応してその意味を強める》.

語法 仮定法を用いることもある: *Say* you were left ten million yen, what would you do with it? もし1000万円の遺産があったとしたらどのように使いますか (→文法 9.1).

7 ⟨祈りなどを⟩唱える; ⟨習ったことなどを⟩暗唱する ‖ *say* one's prayers 祈りを唱える / *say* one's lesson (先生の前で)習ったことを暗唱する.

Ⅲ [ある内容を言い表す]

8 《◆受身不可》⟨本·掲示などに⟩…と書いてある, …とある; ⟨ラジオ·天気予報などが⟩…だと言う; ⟨顔などが⟩[…であることを, …について] 示す [(*that*)節/*about*] ‖ The newspapers *say* it's going to be cloudy today. 今日は曇りだと新聞に出ている(=According to the newspapers, it's …) / *It says in this book* [(正式)This book *says*] *that* she was killed while sleeping. 彼女は眠っているうちに殺されたとこの本には書いてある / "WANTED," *said* the poster. ビラには「指名手配」と書いてあった / The look on her face *says that* she failed the exam. 彼女の顔色から試験に落ちたのだとわかる. **9** ⟨時計などが⟩⟨時刻などを⟩示している ‖ My watch *says* (it's) 9:10. 私の時計は9時10分をさしている.

――[自] **1** ⟨人が⟩言う, 話す, しゃべる; 意見を述べる ‖ Do as I *say*. 私の言うようにしなさい / It's hard to *say*. 言いにくいことだ / I cannot [couldn't] *say*. (略式) 私には何とも言えない, わからない. **2** [S~] (米略式) [間投詞的に] まあ; おい, ねえ; そうだ 《♦ 驚き·抗議·賞賛などを表す》‖ *Say*, be careful. おい, 気をつけろ / *Say*, now I remember! そうだ, 思い出した.

as one [you] might sáy 言ってみれば.

as you sáy [前に付けて] 一般に言われるように; [後に付けて] …って言うでしょう.

gó withòut sáying [言わなくても通用する(go [自] **17 b**)] [通例 it を主語にして] […ということは](言うまでもない, 論をまたない[*that*節] 《♦陳述をより印象的にするために用いる》‖ It goes without saying *that* she is an excellent pianist. 彼女がすばらしいピアニストであることは言うまでもない(=Needless to *say*, she …).

I'll sáy. (や古) まったくその通り, もちろんとも.

I múst sáy. (略式) まったく, 本当に 《♦文頭·文中·

文尾のいずれにも用いて文意を強める》 ∥ I must say I like this painting. この絵気に入ったよ《◆I like this painting. より強意的》.

I sáy〔英古〕(1) ねえ, ところで《◆相手の注意を引く言葉. say にストレスは置かない》. (2)〔古〕まあ, へえ, それはそれは《◆驚き・賛意・怒りなどを表す》.

I should [would] sáy (どちらかと言えば)まあ…でしょうね《◆文頭・文尾に用いて断言を避ける. I think よりも控えめな表現》.

lét us [lét's] sáy …と仮定する(→ 他 6).

nót tòo múch to sày that … (やや文)…と言っても過言ではない.

*__A nòt to sáy B__ 〔主に英〕B(だ)とは言わないまでも(少なくとも) A《◆A と B は文法的に対等なもの. B は A より程度がはなはだしい内容の語句》∥ He is impolite, not to say rude. 彼の態度は無礼だとは言えないが不作法だ(いや実に無礼だ).

sáy A about [of] B B〈人・物・事〉について A〈事〉と言う.

sáy áfter A 〈人〉の復唱をする.

Sày awáy. さっさと言ってしまえ.

sày múch for A …をほめる, …のことをよく言う.

Sày nó móre! (略式) もうわかった, それ以上言うな《◆遠回しの依頼などを気持ちよく引き受ける言葉》.

*__sáy to onesélf__ 〔that 節〕 (1) 心に思う, 心の中で考える《◆ひとりごとを言う〔that 節〕《◆ひとりごとをいうは talk to oneself の方がふつう》 ∥ "I didn't tell a lie," she said to herself.「うそは言わなかったわ」と彼女は思った.

sáy what you líke [will] 〔主に英〕君が同意しなくても ∥ Say what you like about it, (but) I think this car is nice. 君がそれについて何と言おうと, この車がいいと思う.

so to sáy [spéak] いわば(→ speak 成句).

Thát gòes without sáying. それは言うまでもちろんさ.

thát is to sáy (1) すなわち, 換言すれば, つまり《◆that is ともいう》. (2) 同格語の後に置くこともある ∥ She came last Monday, that is to say May 5. 彼女はこの前の月曜日, つまり5月5日に来た. (3) あるいは少なくとも.

Thát's whát you [péople] sáy. (略式) (本当かどうかわからないが)そう言われているね《◆対話》∥ "Is vitamin C good for you?" "Well, that's what people say." 「ビタミン C は体にいいの」「そうね, そう言われているけど」.

Thís [Thát] is nòt to sáy that … (といっても)これ[それ]は…というのではない.

*__to sày nóthing of A__ 〔肯定文・否定文で〕…は言うまでもなく《◆先行文を受けて》それに(加えて), それはまた, さらに《◆not to mention と異なりよくないことに用いられることが多い(⇒文法 11.3(3))》∥ The garden was a mess, to say nothing of the house. 家は言うまでもなく, 庭もひどいものだった.

*__Whát do you sáy?__ (1) どう思いますか, あなたのご意見は?(= What is your opinion?). (2) 〔しつなめて〕そういう時には何と言うの《◆子供に 'please', 'thank you' などの言葉を教える時に言う》 ∥ 〈対話〉 "Pass me the butter." "What do you say?" "Please." "Right. Here you are." 「バターを取ってよ」「あれ, それでいいのかな」「取ってください」「よろしい, はいどうぞ」. (3) = What do you KNOW? (1).

Whát do you sáy …? = (米) **Whàt sáy** …? (略式) …はどうですか《誘う時など》 ∥ What do you say we go for a walk? 散歩にでも行こうか《◆ what do you の部分は /hwʌ́dəjə/ と発音されるので whaddya (say) のように書くこともある》.

Whát do [would] you sáy to A [dóing]? (略式) 〔提案〕どうです?, 〈散歩など〉はいかがですか ∥ Let's do … と What do you say? の一種の短縮表現》 ∥ What do you say to going [ˣgo] for a drive? (↘) ドライブはいかがですか(= How about going …?) 《◆次のように節で言い換えることもできる: What do you say we go for a drive?》.

when áll is sáid and dóne 結局.

You dòn't sáy (sò)! (略式)あれ, 本当かね; まさか; ヘえ《◆(1) so を略す方がふつう. (2) 上昇調で疑問を, 下降調で驚き・皮肉などを表す. (3) 書く場合, ! でなく ? をつけることもある.

You sáid it. (↘) (略式) (認めたくないが)同意するよ; (米) まさにその通りだ; そこだよ, 問題は.

──名 Ⓤ 1 (略式) [one's ~] 言いたいこと, 言うべきこと, 言い分 ∥ She said [had] her say and sat down. 彼女は言うべきことを言って座った. 2 (米) 〔時に a ~〕発言権, 発言の機会[番] ∥ Let him have his say now. 今度は彼に発言させなさい. 3 〔しばしば the ~〕[…の/…について]決定権 [in/about] ∥ She had the final say about whether to go or not. 行くか行かないかについては彼女に最終的な決定権があった.

*__sáy·ing__ /séiiŋ/ [→ say] 名 (種 ~s/-z/) 1 Ⓒ 〔…という〕ことわざ, 格言, 言い習わし [that 節] ∥ As the saying goes [is], there is no smoke without fire. ことわざにあるとおり, 火のないところに煙は立たない / There is a common saying that even Homer sometimes nods. 「ホメロスも時に居眠りをする」というよく使われることわざがある. 2 [~s] 言う[言った]こと, 発言 ∥ one's sayings and doings 言行.

SC (郵便) South Carolina.

sc. 略 scale; scene; science; scilicet.

scab /skǽb/ 名 1 Ⓤ Ⓒ (傷の)かさぶた. 2 Ⓤ 〔医学〕疥癬(ホェヒル), 皮癬(ヒェヘ); 〔植〕腐敗病.

†**scab·bard** /skǽbɚd/ 名 Ⓒ (刀剣などの)さや.

†**scaf·fold** /skǽfəld, -fould/ 名 Ⓒ 1 (建築場の)足場, 足代(ホヒェ). 2 絞首[断頭]台; (文) [the ~] 死刑 ∥ go to the scaffold 死刑に処せられる. 3 (野外の)特設舞台.

scaf·fold·ing /skǽfəldiŋ, -fould-/ 名 Ⓤ (建築場の)足場; 足場材料.

sca·lar /skéilɚ/ (数学) 名 Ⓒ Ⓕ スカラー(の).

scal·a·wag /skǽləwæɡ/ 名 Ⓒ 〔呼びかけにも用いて〕(米略式) ならず者, 悪漢; 不正直な人.

†**scald** /skɔ́ːld/ 動 ⦿ 1 …を〔熱湯・湯気などで〕やけどさせる 〔with, on, by〕《◆火によるやけどは burn》 ∥ scáld onesèlf with [on] hot oil 熱い油でやけどする. 2〈容器など〉を熱湯消毒[処理]する, …に熱湯をかける; …を湯通しする. 3〈牛乳〉を沸騰点近くまで熱する. ── ⦾ やけどする(ように熱い). ──名 Ⓒ やけど.

†**scale**[1] /skéil/ 名 1 Ⓒ Ⓤ 規模, 程度, スケール 1 ∥ give a party **on a large scale** 大々的にパーティーを催す / The business was reduced **in scale**. 業務は規模が縮小された. 2 a Ⓒ 目盛り(の) 〔of, on〕 ∥ This ruler has a scale marked in centimeters. この定規はセンチの目盛りがついている / 日本発 Clinical thermometers in Japan use the centigrade scale. 日本の体温計は摂氏の目盛りを使用している. b Ⓒ 物差し. 3 Ⓒ 段階, 等級, 階級; (賃金などの)率, 等級表 ∥ We are all paid on the same salary scale. 私たちの給料はみな同じ給料

表で支給される / Are lawyers high on [in] the social *scale*? 弁護士は社会的地位が高いのですか. **4** ⓒ Ⓤ 縮尺, 縮小比; 縮尺目盛 ‖ a map to the *scale* of one inch to the mile 1マイルを1インチに縮小した地図. **5** ⓒ 〖数学〗記数法, …進法 ‖ the decimal *scale* 10進法. **6** ⓒ 〖音楽〗音階 ‖ the major [minor] *scale* 長[短]音階 / play [sing] *scales* (指・発声の練習のために)音階を奏する[歌う] / the *scale* of B flat major 変ロ長調の音階.

in scále (1) 〔…と〕つり合いがとれて〔*with*〕. (2) → **1**.

——動 他 **1** 〈はしご・がけなど〉を(よじ)登る《◆主に垂直な面を素早く登るのに用いる》;〔詩〕〈山〉に登る. **2** …を縮尺で製図[設計]する; …を一定の基準で決める. ——自 **1** (よじ)登る. **2** 〈物・事ながだんだん高くなる.

scále dówn [他] 〈賃金・経費・生産などを一定の割合で減じる;〈提案・攻撃などの規模を小さくする.

scále úp [他] 〈賃金・経費・生産などを一定の割合で増す;〈提案・攻撃などの規模を大きくする.

scále módel [**dráwing**] 縮尺図.

scáling ládder 攻城ばしご; 消防ばしご.

†**scale²** /skéil/ 名 **1** ⓒ (主に~s)〔しばしば~s; 時に単数扱い〕てんびん《◆正式には a pair of ~s》; (一般に)はかり ‖ an accurate *scale* = accurate *scales* 正確なはかり / I weighed six apples on the *scale*. りんごを6個はかりで計った. **2** ⓒ てんびんの皿. **3** [the Scales]〖天文・占星〗= Libra.

hóld the scáles éven 公平に判定[裁く].

——動 他 **1** …をてんびん[はかり]で計る. **2** …を計って同じ重さに分ける. ——自 〈ボクサーが〉…の目方[重量]がある《◆~ing に weigh》‖ He *scaled* (in at) 60kg. 彼の体重は60 kg であった(=His weight was 60kg.).

†**scale³** /skéil/ 名 **1** ⓒ (魚・ヘビなどの)うろこ ‖ scrape the *scales* off a fish 魚のうろこをこそぎ落とす / ショップ "Which part of a fish weighs the most?" "The *scales*." 「魚で一番重いのはどこ?」「うろこ」《◆ *scale²*(はかり)とのしゃれ》 **2** ⓒ Ⓤ 〔通例 ~s〕うろこ状のもの, 鱗片(%); (皮膚の)薄片, かさぶた ‖ The lacquer had come off in *scales*. ニスがあちこち取れていた.

The scáles fáll from A's éyes. 〖聖〗(文・正式)〈人〉の目からうろこが落ちる.

——動 他 **1** 〈魚〉のうろこを落とす; …の皮[殻]をむく ‖ *scale* peas 豆のさやをむく. **2** 〈ペンキなどを(薄片として)はぎ取る, …の湯あかを落とす, 〈歯石を取る(+*off*)‖ *scale* (*off*) the paint ペンキをはぐ. **3** …をうろこで覆う, …をはげ落ちさせる ‖ Hard water *scales* a boiler. 硬水はボイラーに湯あかを生じさせる. ——自 **1** 〈ペンキなどが〉〔…から〕はげ落ちる〔*off, from*〕‖ The paint is *scaling* off the shutters. 雨戸のペンキがはげかかっている. **2** 湯あかがつく.

†**scal·lop** /skάləp, skάl-| skάl-, skɔ́l-/ 名 **1** ⓒ 〖貝〗ホタテガイ, イタヤガイ; Ⓤ その貝柱;〔~s〕貝柱料理. **2** ⓒ ホタテガイの貝殻; 貝なべ. **3** 〖服飾〗〔~s〕スカラップ《縁取りに用いる扇形の連続模様. えり元・すそなどを飾る》. ——動 他 **1** …にスカラップで縁取りをする. **2** 〈カキなど〉を貝なべで(牛乳・バター・パン粉などを加えて)蒸し焼きにする.

†**scalp** /skǽlp/ 名 ⓒ **1** (頭髪のついた)頭皮《◆北米先住民などが戦利品として敵の頭からはぎ取った》. **2** (略式)戦利品. **3** (略式)(投機による)利ざや.

——動 他 **1** 〈人・動物〉の頭皮をはぐ;(略式)〈髪〉を短く刈る. **2** (米略式)〈株〉を(素早く転売して)利ざやを稼ぐ; 〈劇場の切符など〉を仲買いして高く売る. **3** 〈政治家など〉の地位を奪う, …をきびしく罰する.

scal·pel /skǽlpl/ 名 ⓒ 〖外科〗〖解剖〗用メス ‖ put a *scalpel* to [into] … [比喩的に] …にメスを入れる, 思い切った手段をとる.

scalp·er /skǽlpər/ 名 ⓒ **1** 頭皮をはぐ人. **2** (米略式)利ざや稼ぎ; ダフ屋(ticket scalper).

†**scal·y** /skéili/ 形 (**-i·er, -i·est**) **1** うろこに覆われた, うろこ状の. **2** うろこのようにはげ落ちる. **3** 湯あかのついた.

scamp /skǽmp/ 名 ⓒ **1** ならず者, ごろつき. **2** (略式)わんぱく坊主, いたずらっ子. ——動 他 〈仕事など〉をぞんざいにする.

†**scam·per** /skǽmpər/ 動 自 **1** 〈ネズミなどが〉素早く走り去る(+*away, by, off*);〔~を〕追いかける〔*after*〕. **2** 〈子供などが〉駆け回る, はね回る(+*about, around*). ——名 ⓒ **1** 疾走; (略式)はね[飛び]回ること. **2** 急ぎの旅行.

†**scan** /skǽn/ 動 (過去・過分 **scanned**/-d/; **scan·ning**) 他 **1** (正式)…を[…を求めて]細かく[入念に]調べる(examine); …をじっと見る〔*for*〕‖ I anxiously *scanned* her face. 私は心配して彼女の顔を眺めた. **2** 〈新聞など〉をざっと見る[読む]‖ *scan* the newspaper 新聞にざっと目を通す. **3** 〈詩〉の韻律を調べる, …を音脚に分ける, …を韻律的に朗読する. **4** 〖電子工学〗〈映像〉を走査する; 〈レーダーが〉〈ある地域〉を走査する. ——自 **1** 〈詩行が〉韻律に合う. **2**〖電子工学〗走査する. ——名 [a ~] 綿密な調査, 精査. **2** ちらっと見ること.

*****scan·dal** /skǽndl/ 〖「わな」が原義〗
——名 (複 ~s/-z/) **1** ⓒ 〔通例 a ~〕恥ずべきこと, 不面目; 不名誉な[恥ずべき]行為をする人 ‖ It is *a great scandal* that some policemen accepted [should have accepted] bribes. わいろを受け取った警官がいたとはまったく恥ずべきことだ / The price of meat is *a scandal*. 肉の値段にはあきれる. **2** ⓒ Ⓤ 〔…をめぐる〕スキャンダル, 醜聞, 素事; 疑獄, 汚職事件〔*over, about*〕‖「cover up [uncover] bribery *scandals* 贈収賄事件を隠す[あばく]/ His love affair caused [created] a great *scandal*. 彼の情事は大きなスキャンダルを巻き起こした. **3** Ⓤ (他人の行動についての)中傷, 陰口〔*about*〕‖ spread *scandal about* him 彼に関する中傷を広める.

scándal shèet 赤新聞; スキャンダル雑誌.

†**scan·dal·ize**, (英ではしばしば) **-ise** /skǽndəlàiz/ 動 他 (正式)〈人〉を(不道徳な行為などで)…して憤慨させる, あきれさせる〔*at, by / to do*〕.

†**scan·dal·ous** /skǽndələs/ 形 **1** 〈行為などが〉恥ずべき, けしからぬ, ひどい ‖ *scandalous* behavior 恥ずべきふるまい. **2** 〈言葉などが〉人を傷つける, 中傷的な, 悪口の ‖ *scandalous* articles 醜聞記事.

scán·dal·ous·ly 副 恥ずかしいほどに, ひどく; 中傷的に, 非難して.

Scan·di·na·vi·a /skændinéiviə/ 名 **1** スカンジナビア《デンマーク・ノルウェー・スウェーデン(時にアイスランド)の総称》. **2** スカンジナビア半島.

Scan·di·na·vi·an /skændinéiviən/ 形 スカンジナビア(人, 語)の. ——名 ⓒ スカンジナビア人; Ⓤ スカンジナビア語.

scan·ner /skǽnər/ 名 ⓒ **1** scan する人. **2** 〖電子工学・コンピュータ〗(映像)走査機, スキャナー, 走査板;(身体の内部を調べる)走査装置, スキャナー.

scan·ning /skǽniŋ/ 名 Ⓤ (荷物などの)X線チェック.

†**scant** /skǽnt/ 形 (正式)十分でない, 乏しい(little);

scantling

〔…が〕足りない〔*of*〕‖ *scant* attendance 少数の出席者 / be *scant* of breath 息を切らしている / a *scant* supply of information 乏しい情報の供給.

scant·ling /skǽntlɪŋ/ 图 C (5インチ角以下の)小角材; U [集合名詞] 小角材類.

†**scant·y** /skǽnti/ 形 (-i·er, -i·est) 1 不十分な, 乏しい, わずかな (↔ ample) ‖ a *scanty* knowledge of biotechnology 生物工学についての乏しい知識 / You cannot go out in such *scanty* clothing. そんな薄着では外出できませんよ / The wheat crop was *scanty* this year. 小麦の収穫は今年は少なかった. **2** 狭い, 小さい; まばらな.

scánt·i·ly 副 不十分に, 乏しく; 惜しんで.
scánt·i·ness 图 U 乏しいこと, 不足.

scape /skeɪp/ 图 C **1** 〖植〗花茎〖スイセンのように直接地中から出るもの〗. **2** 〖昆虫〗柄節; 〖鳥〗羽軸. **3** 〖建築〗柱身.

-scape /-skeɪp/ (語要素) →語要素一覧 (1.7).

scape·goat /skéɪpɡòʊt/ 图 C **1** 〖聖書〗贖罪(ﾋﾞﾒ)のヤギ〖古代ユダヤで贖罪日に民の罪を負わせて荒野に放された〗. **2** 他人の罪を負わされる者, 身代わり.

scap·u·lar /skǽpjələr/ 图 C 〖カトリック〗修道士の肩衣; 〖鳥〗肩羽.

†**scar** /skɑ́ːr/ 图 C **1** 傷あと, やけどの跡; (一般に) 跡 ‖ He has some acne *scars* on his face. 彼にはにきびの跡がいくつか顔に残っている / The operation left a bad *scar* on his stomach. その手術は彼の腹にひどい傷跡を残した. **2** 心の傷跡 ‖ My mother and father divorced, and I still feel the *scar*. 両親が離婚して私は今でも心に傷がある.
―動 (過去・過分) scarred/-d/; scar·ring) 他〈物・人の表面に〉傷跡をつける ‖ I *scar* the wood with a knife 木にナイフで傷をつける. ―自〈傷が〉跡を残す; (跡を残して) 直る (+over).

scar·ab /skǽrəb/ 图 C **1** 〖昆虫〗= scarab beetle. **2** スカラベ, 甲虫石〖古代エジプト人の護符・装飾品〗.

scárab bèetle オオタマオシコガネ〖◆古代エジプト人が再生の象徴とした〗.

†**scarce** /skeərs/ 形 〖「選ばれたわずかな」が原義〗 scarcely (副), scarcity (名)
―形 (~·r, ~·st) **1 a** 〈食料・金・生活必需品などが〉 (一時的に) 乏しい, 不十分な, 供給の少ない (↔ plentiful) ‖ Fresh vegetables are *scarce* in winter. 冬は生鮮野菜が乏しい. **b** (略式) 〈人が〉〔食料・金などに〕乏しい, 不足している〔*of*〕. **2** まれな, 見つかりにくい.
máke onesélf scárce (略式) (主にこそこそと) 立ち去る; 引っ込んでいる〖◆ふつう面倒な [いやな] ことを避けたい場合に用いる〗.

†**scarce·ly** /skéərsli/ 副 **1** 〖準否定語; 程度〗 ほとんど…ない〖◆ hardly より堅い語. 語法については ⇒文法 1.7(2), 23.3(2). → barely〗. **2** 〖おもだとに〗 とても…ない, まさか…しない ‖ I can *scarcely* believe it. そんなこと信じられないね / You can *scarcely* expect him to come when he is sick. まさか体が悪いのに彼が来るなんて思っていないでしょうね. **3** かろうじて, やっと〖◆ barely より否定的意味合いがやや強い〗 ‖ She is *scarcely* ten. 彼女はやっと10歳になったばかりだ.

scárcely ány =HARDLY any.
scárcely éver =HARDLY ever.
scárcely ... when [befóre] ... (正式) 〖しばしば倒置構文で〗…するかしないうちに(…)する ‖ *Scarcely* had he sat down *when* several men burst in. 彼が座るか座らないうちに数人の男が乱入してきた (=As soon as he sat down, several men burst in.) 〖◆as soon as, no sooner ... than より頻度の低い構文であるが, ある行為の完了が妨げられそうになったことを強調する文脈で好まれる〗.

†**scar·ci·ty** /skéərsəti/ 图 U 欠乏, (物資)不足; C 〖通例 a ~〗 〔…の〕不足〔*of, in*〕‖ There is a severe *scarcity* of oil. 石油不足が深刻である.

*****scare** /skeər/ (類語) scar /skɑ́ːr/) 〖「臆(ｵｸ)病た」が原義〗
―動 (~s/-z/; 過去・過分 ~d/-d/; scar·ing /skéərɪŋ/)
―他 **1** 〈人・事が〉〈人・動物〉をおびえさせる, 怖がらせる, びっくりさせる〖◆ frighten より口語的〗; [be ~d]〔…を/…するのを〕怖れる〔*of, at, about / to do*〕; 〔…ではないかと〕びくびくする〔*that* 節〕‖ The book about ghosts *scared* me. 幽霊について書かれた本がこわかった / I was *scared* by the strange noise. 変な物音にびっくりした / I'm *scared* of spiders. 私はクモが怖い.
2 [scare A into [out of] doing] 〈人・事が〉 A 〈人など〉をおどして…させる [させない] ‖ The robber *scared* the bank clerk *into* cramming the bag with bills. 強盗は銀行員をおどして袋に札を詰めさせた.
3 〈人・事が〉〈人など〉をおどして追い払う (+*away, off*) 〖◆修飾語(句)は省略できない〗 ‖ The barking dog *scared* the thief *away*. 犬はほえて泥棒を追い払った.
―自 〈人・動物が〉おびえる, こわいと思う, びっくりする ‖ I don't *scare* easily. 私は少しのことでは驚かない.
scáre A óut of A's lífe [wíts] = scáre A sílly [stíff, (hálf) to déath] (略式) 〈人〉を怖がらせる, びびらせる.
―图 C 〖通例単数形で〗 (突然の) 恐怖; (漠然とした) 恐れ, 不安, 恐慌〖◆ fright よりも口語的〗; [形容詞的に] こわがらせる ‖ a war *scare* 戦争が起こるのではないかという不安 ‖ The sound of a gunshot gave me a *scare*. その銃声で私はドキンとした.

scare·crow /skéərkròʊ/ 图 C **1** かかし. **2** こけおどし, (略式) みすぼらしい人, やせ衰えた人.

†**scared** /skeərd/ 形 おびえた, びっくりした (→ scare 動 他 1).

scar·ing /skéərɪŋ/ 動 → scare.

†**scarf** /skɑːrf/ 图 (~s/-s/, scarves/skɑːrvz/) C **1** スカーフ; えり巻き (muffler); 肩掛け; (英) ヘッドスカーフ 毛のスカーフで首を巻きなさい ‖ I wrapped a *scarf* tightly around my neck. 私はスカーフをぴったりと首に巻いた. **2** (首にゆるく結んで端をふわりと垂らす) 結びネクタイ. **3** (米) (たんす・テーブル・ピアノなどの) 掛け布.

†**scar·let** /skɑ́ːrlət/ 形 緋(ﾋ)色の, 深紅色の〖◆明るい赤色. crimson より明るい〗‖ a *scarlet* lipstick 真っ赤な口紅. **2** 罪深い; 〈女が〉ふしだらな.
―图 U 緋色, 深紅色〖◆しばしば判事・枢機卿(ﾂ) など高い地位・役職の外服に用いる〗. **2** 緋色の服 [布].

scárlet féver 〖医学〗猩紅(ｼｮｳ)熱.
scárlet hát 枢機卿の緋帽子 [地位].
scárlet létter 緋文字〖昔の米国清教徒の間で姦通 (adultery) を示した A の文字〗.

scarp /skɑːrp/ 图 C (外塁の内側の) 傾斜面; 急斜面.

scarves /skɑːrvz/ 图 scarf の複数形.

scar·y /skéəri/ 形 (-i·er, -i·est) (略式) **1** 恐ろしい, 怖い. **2** おびえる, 怖がる.

scat¹ /skæt/ 動 (過去・過分) scat·ted/-id/; scat·ting) 自 (略式) 〖通例命令文で〗急いで立ち去れ; (米)

scat² /skǽt/〚ジャズ〛動(過去・過分) scat·ted/-id/; scat·ting) 圓 スキャットで歌う.
scath·ing /skéiðiŋ/形 痛烈な, 容赦のない, 厳しい.
*scat·ter /skǽtər/〚「粉みじんにする」が原義〛
— 動(~s/-z/; 過去・過分 ~ed/-d/; ~ing/-riŋ/)
— 他 1a 〈人などが〉〈物〉を[…に]まき散らす, ばらまく 〔on, over, about, (a)round〕; [be ~ed]〈物·人が〉散在している, 点々と置かれる ‖ scatter corn for the pigeons ハトにトウモロコシをまいてやる / scatter money about 金をばらまく, 浪費する / The wind scattered the leaves. 風が吹いて木の葉が散らかった / The company has branches [offices] scattered throughout the world. その会社の支店は世界中に点在している / The men scattered sand on the icy road. 人は凍りついた道に砂をまいた. b 〈場所などに〉[…に](一面に)ばらまく 〔with〕.
2 a 〈人・動物などを〉追い散らす, 四散させる ‖ The police scattered the crowd. 警察は群衆を追い散らした. b 〈雲など〉を散らす / 〈希望など〉を消散させる.
— 圓 1 〈群衆などが〉散る, 四散する. 2 〈雨などが〉時折降る; 〈事が〉時折起こる.
— 名 1 Ⓤ まき散らすこと, 四散. 2 =scattering 名 2.
scat·ter·brain /skǽtərbrèin/ 名 Ⓒ(略式) 注意散漫な人, 軽薄な人, 浮ついた人. scát·ter·bràined 形(略式) 注意散漫な, 軽薄な, おっちょこちょいの.
scat·tered /skǽtərd/ 形 点在[散在]している, まばらの; 時折の ‖ scattered villages on the hills 丘に点在する村々 / scattered showers しぐれ.
scat·ter·ing /skǽtəriŋ/ 形 広く散らばった; 散発的な; (米) 散在する ‖ scattering votes 散票.
— 名 1 Ⓤ まき散らすこと; 散在するもの. 2 [a ~ of ...](分散した)少量[少数]の… ‖ a scattering of applause パラパラと起こる拍手.
scav·enge /skǽvindʒ/ 動 他 1 …を掃除する. 2 …をごみの中から捜す. — 圓 (再利用できるものを)あさる; (残飯・腐肉などを)あさって食べる.
scav·en·ger /skǽvindʒər/ 名 Ⓒ 腐肉を食べる動物, 清掃動物(◆ vulture, jackal, beetle などのある種類).
sce·nar·i·o /sənéəriòu, -néər-, -nάːr-|-nάːr-/〚イタリア〛名(複 ~s)Ⓒ 1 〈劇などの〉筋書き, 台本. 2〈映画の〉脚本, シナリオ. 3 (正式) 予定の計画(概要).
*scene /síːn/ 発音注意 同音 seen; 語源 sheen /ʃíːn/〚「劇場のテント」が原義〛

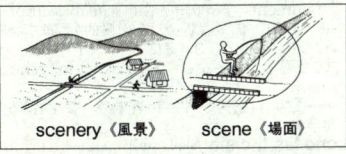

scenery 〈風景〉   scene 〈場面〉

index 1 場面 2 現場 3 舞台 4 眺め 6 …界

— 名(複 ~s/-z/) Ⓒ
I [場面]
1a 〈劇・小説などの〉場面, シーン(◆時・場所・状況などを含む) ‖ The opening scene in Shakespeare's Macbeth is terrifying. シェイクスピアの『マクベス』の冒頭場面は人をぞっとさせる. b 〈劇の〉場《act (幕)の下位区分》‖ Act Ⅰ, Scene 2 第1幕第2場(◆

/ǽkt wʌ́n, síːn túː/ と読む).
2 〈事件・行為などの〉現場, 場所 ‖ She happened to be at the murder scene. 彼女は殺人現場に居合わせた / A helicopter arrived on the scene to rescue the survivors of the accident. 事故の生存者を救助するヘリコプターが現場に到着した.
3〈劇・映画・小説などの〉舞台, 背景(setting) ‖ The scene is a living room. 舞台は居間である / The scene of this story is a beach in summer. この物語の舞台は夏の海辺である(⇒文法 21.2(3)).

II [自然の場面]
4 眺め, 光景, 景色(◆ある地方全体の景色は scenery) ‖ The children (who were) playing in the garden made a pleasant scene. 庭で遊んでいる子供たちの光景は見て気持ちのいいものだった.

III [その他]
5 [a ~ / ~s] 〈人前で感情を見せる〉大騒ぎ, 騒動; 口論 ‖ make [create] a (big) scene in Parliament 議会で大騒ぎする.
6 (略式) [the ~; 通例複合語で] …界, 活動分野 ‖ the film scene 映画界.
7 (略式) [one's ~; 通例否定文で] 興味の領域, 趣味 ‖ Loud music is not my scene. 騒々しい音楽は私の好みではない.

behind the scénes (1) 舞台裏で. (2) 〈人が〉黒幕で, 〈事が〉内々で, 陰で.
còme on the scéne (略式) 姿を現す, 到着する.
màke the scéne (俗) (1) やって来る, (活動などに)加わる, 出席する. (2) 派手にやる.
scéne pàinter 舞台の背景画家.

*scen·er·y /síːnəri/〚→ scene〛
— 名 1 (ふつう美しい) 〈地方などの〉風景, 景色, 景観 [in](◆ scenes の集合体. 図 → scene) ‖ a beautiful piece of scenery 美しい景色(=a beautiful scene) / The mountain scenery of [in] Scotland is just what I like. スコットランドの山の景色はまさしく私の好きなものだ.
2 〈舞台の〉装置, 背景.

*sce·nic /síːnik, sé-/ 形 1a 景色の, 風景の ‖ enjoy the scenic beauties of Rome ローマの風景の美しさを楽しむ. b 景色のよい, 眺めのよい, 景勝の ‖ a scenic highway 景勝に富んだ幹線道路. 2 舞台(装置)の, 背景の ‖ scenic effects 舞台効果. 3〈絵などが〉情景描写の, 芝居を見るような.
scénic ráilway (遊園地などの)豆鉄道.
scé·ni·cal·ly 副 1 演劇的に; 芝居じみて. 2 風景に関して.

†scent /sént/ 発音注意 同音 cent, sent 名 1 Ⓤ Ⓒ (快い)におい, かおり ‖ the scent of newly-mown hay 刈りたての干し草のにおい / This flower has a delightful scent. この花はよいにおいがする.
2 Ⓒ [通例 a/the ~] 〈動物の〉臭跡(track); 手がかり ‖ a false scent 誤った手がかり / a hot scent 強い[新しい]臭跡 / The dogs followed the criminal's scent. 犬は臭跡をたどって犯人を追った. 3 Ⓤ [時に a ~]〈猟犬などの〉嗅(きゅう)覚; 〈人の〉勘, 直感 ‖ a scent of danger 危険を察知すること[力] / Foxes have (a) strong scent. キツネは鋭い嗅覚を持っている. 4 Ⓤ (主英) 香水(perfume).
òff the scént (1)〈猟犬が〉〈獲物の〉臭跡を見失って. (2)〈人が〉〈発見・追求の〉手がかりを失って ‖ throw [put] the police off the scent 警察の追及をそらす.
on the scént of A (1) 〈猟犬が〉〈獲物の〉臭跡を追って; 〈警察などが〉〈犯人〉を追跡中で. (2)〈人が〉

scentless

〈発見など〉の手がかりをつかんで.
── 動 他 1 〈猟犬が〉〈獲物を〉かぎつける; 〈人が〉陰謀などをかぎつける(+*out*), […ということを]察知する〔*that* 節〕‖ *scent* a trick 計略に気づく / *scent out* the robber's hiding place 強盗の隠れ場所をかぎつける / The dog *scented* a fox. 犬がキツネをかぎ出した. **2**《正式》…をにおわせる; …に香水をつける; 〈物に〉〔香水〕をつける〔*with*〕; 〔通例 be ~ed〕[…の]においがする‖ a *scented* handkerchief 香水をつけたハンカチ / The flowers *scented* the whole house. 家中に花のかおりが漂っていた.

scént bàg におい袋.
scént bòttle《英》香水びん.
scent·less /séntləs/ 形 においのない; 臭跡の消えている.

†**scep·ter**, 《英》**-tre** /séptər/ 名 © (王の持つ)笏(じゃく); 〔the ~〕王権, 王位.
scep·tic /sképtik/ 名《英》= skeptic.
scep·ti·cal /sképtikl/ 形《英》= skeptical.
scep·ti·cism /sképtəsìzm/ 名《英》= skepticism.
scep·tre /séptə/ 名《英》= scepter.

*****sched·ule** /skédʒuːl |ʃédjuːl, skéd-/
── 名 (複 ~s/-z/) © **1 予定(表), 計画(表), スケジュール**‖ a factory production *schedule* 工場の生産計画 / He had a very heavy [tight, full] *schedule* of engagements. 彼は予定がぎっしり詰まっていた. /〖対話〗 "Shall we go out for dinner tonight?" "Sorry, my *schedule* is full." 「今晩夕食を食べに出かけませんか」「ごめんなさい, スケジュールがいっぱいです」.
2《主に米》時間表, 時刻表 (《英》timetable)‖ a train *schedule* 列車時刻表. **3**《正式》表, 一覧表, 目録;(本文に付属した)別表‖ a *schedule* of freight charges 貨物料金表.

(*according*) *to* (*the* [*one's*]) **schédule** 予定[計画]通りに; 予定[計画]によれば.
ahead of **schédule** 予定より早く.
behind **schédule** 予定より遅れて.
on **schédule** 予定通りに.
── 動 他 **1**《正式》…を予定する; [be *scheduled to do*] …する予定である; [be *scheduled for* A] 〈事か〉A 日時に予定されている‖ *scheduled* services (バスなどの)定期便 / The prime minister *is scheduled to* arrive at Narita at 3. 総理は成田に 3 時に到着する予定です / The regular meeting *is scheduled for* 10 a.m. 例会は午前 10 時に予定されている. **2** …の(予定)表[目録, 時間表]を作成する.

Sche·her·a·za·de /ʃəhèrəzɑ́ːdə, 《英》-zɑ́ːdi/ シャハラザード, シェーラザード『「千一夜物語」の語り手, ペルシア王の妻』.
sche·mat·ic /skiːmǽtɪk/ 形 概要の; 図式的の‖ That's only (a) *schematic* (diagram). それは大まかな図解にすぎない.
── 名 © = schematic diagram.
schemátic díagram 概略図, 図表 (diagram).

†**scheme** /skíːm/《発音注意》名 © **1**《主に英》[…の／…する]計画, 案 〔*for, of / to do*〕 (◆plan より堅い語); 《英》(政府の)公共計画, (会社の)事業計画‖ a business *scheme* 事業計画. **2** [しばしば ~s] 〔…する〕陰謀, たくらみ〔*plot*〕〔*to do*〕. **3** 大綱; 図式, 枠組; 計画表. **4** 組織, 機構 (哲学)体系; 配列; 配色‖ the exquisite color *scheme* of the room その部屋の繊細な配色 / the *scheme* of things 物事の成り立ち上 / one's *scheme* of

things 物事の在り方, 体制, 事態.
── 動 他 …をたくらむ(+*out*); …しようと策動する〔*to do*〕; …[人に対して／…を得ようと]たくらむ〔*against/for*〕; […について]策略をめぐらす〔*about*〕.

schem·er /skíːmər/ 名 © 陰謀をめぐらす人.
schem·ing /skíːmɪŋ/ 形 陰謀[計画]をたくらむ, 策士の. ── 名 Ⓤ 計画, 陰謀.
scher·zo /skéərtsou/《イタリア》名 (複 ~s) © 〖音楽〗スケルツォ『3拍子の急速で快活な曲』.
†**Schil·ler** /ʃílər/ 名〖**Jóhann Fríedrich von**〗/jóuhɑːn fríːdrɪk fɑn | fɔn/ ~ 1759–1805; ドイツの詩人・劇作家〗.
schism /sízm/ 名 ©Ⓤ 《正式》(団体・特に教会の/…の間の)分裂, 分離〔*in/between*〕; Ⓤ 宗派分立派.
schis·mat·ic, **-i·cal** /sɪzmǽtɪkl/ 形 分裂の, 分離の; 宗派分立(罪)の.
schiz·o /skítsou/《略》名 (複 ~s) © 形 統合失調症患者(の).
schiz·oid /skítsɔɪd/ 名 © 形 統合失調症(の人); 分裂病質の(人);《略》〈人が〉矛盾した態度の, スキゾ的な.
schiz·o·phre·ni·a /skìtsəfríːniə/ 名 Ⓤ〖精神医学〗統合失調症.
schiz·o·phren·ic /skìtsəfrénɪk/ 名 © 形〖精神医学〗統合失調症の(患者); 《略》(行動が)一貫性のない.

*****schol·ar** /skɑ́lər |skɔ́lə/ 〖《学校》(school)の人 (ar)〗 (派) scholarly (形), scholarship (名)
── 名 © **1 学のある人, 学者, 学識者, 物知り.
2 学者 〈◆特に人文系の学者をいう. 「科学者」は scientist〉‖ an eminent *scholar* of English [Shakespeare's writings] 著名な英語[シェイクスピア]学者. **3** 奨学生, 給費生 (cf. scholarship)‖ Brítish Cóuncil *scholars* ブリティッシュ＝カウンシル給費生. **4**《文·英で古》学生, 生徒.
†**schol·ar·ly** /skɑ́lərli |skɔ́ləli/ 形 〈人か〉学者らしい; 〈本などか〉学問的な‖ a *scholarly* book [journal] 学術書[雑誌]. ── 副 学者らしく, 学究的に.
*****schol·ar·ship** /skɑ́lərʃìp |skɔ́l-/ 〖→ scholar〗
── 名 (複 ~s/-s/) **1** ©(大学などの)**奨学金**, 育英資金〔*to*〕‖ win [offer, grant] a *scholarship* 奨学金を得る / apply for a *scholarship* 奨学金を申し込む / a student *on a scholarship* 奨学生. **2** Ⓤ《正式》(人文科学の)学問, 学識.
scho·las·tic /skəlǽstɪk/ 形《正式》形 **1** 学校の, 学校教育の; 学者の; 《米》中学校[高校]の‖ *scholastic* attainments 学業成績 / the *scholastic* profession 教職. **2** 学者ぶった, 衒(ゲン)学的な, あまりに細かいことを問題にする. **3** 〔通例 S~〕スコラ哲学(者)の, スコラ哲学に関する (cf. scholasticism, schoolman).
── 名 © **1** [通例 S~] スコラ哲学者. **2** 学者ぶる人, 衒学者.
scho·las·ti·cism /skəlǽstəsìzm/ 名 [しばしば S~] Ⓤ スコラ哲学.

*****school**¹ /skúːl/ 〖『ひま, 余暇』が原意. cf. *scholar*』(派) scholastic (形)

index 名 **1**校舎 **2**学校; 授業 **3**全校生徒 **4**流派 **6**教習所

── 名 (複 ~s/-z/)
Ⅰ [施設としての学校]
1 ©(建物・施設としての)**学校**, 校舎 (schoolhouse)

《◆この場合でも《略式》ではしばしば**2**と同じく無冠詞で用いられる》(**類語** institute, academy) ‖ establish [found] a *school* 学校を設立する / keep [run] a *school* 学校を経営する / My mother went to the *school* to get my report card. 母は私の通知表をもらいに学校へ行った《◆ **2** the をつけるのはふつう勉強以外の目的で学校へ行く場合の表現》/ teach at a country *school* 田舎(いなか)の学校で教える.

関連 [いろいろな種類の school]
boarding *school* 寄宿[全寮]制学校 / community college 《米》地域大学《地域に密着した短大. junior college ともいう》/ comprehensive *school* 《英》統合中等学校 / evening [night] *school* 夜間学校 / finishing *school* 《古い女性のための》教養学校 / girls' [girl's, girls] *school* 女子校 / grade [《米》elementary,《英》primary] *school* 小学校 / grammar *school* 《英》中等学校;《米》初等中学校 / junior high *school* 中学校 / kindergarten 幼稚園《4-5歳児》/ nursery *school* 保育園《5歳以下の幼児》/ preparatory *school* 《米》私立中学校 / preschool 未就学児施設《kindergarten, nursery *school* の総称》/ private *school* 私立学校 / public *school* 公立学校;《英》パブリックスクール / *school* for the blind 盲学校 / *school* for the deaf 聾学校 / secondary *school* 中等学校 / senior high *school* 高等学校 / Sunday *school* 日曜学校 / vocational *school* 職業学校.

II [教育としての学校]
2 Ⓤ[無冠詞で]《制度としての》学校. 学校教育《ふつう小学校から高校までをさす》; 授業《⊙文法 16.3(6)》‖ **go to school** 学校に行く; 学校に通っている(cf. go to college / go to (the) university) / send [put] one's child to *school* 子供を学校にやる / during *school* 授業中に / before [after] *school* 授業前 / after *school* 放課後 / **leave school** 下校する; 退学する; 卒業する《◆ enter a *school*(入学する)の場合は ▲ a *school* 学校をサボる / **do well in [at] school** いい成績をとる / *School* begins in September [at 9:00]. 新しい学年[授業]は9月[9時]に始まる《◆英・米では学年度は9月から6月まで》/ ***School is over.*** 学校[授業]が終わった《◆1時限ごとの授業については Class is over.》 / We have no *school* today. 今日は授業がない / I am a teacher [pupil] *at* [ˣ*of*] this *school*. 私はこの学校の教師[生徒]です / She is still at [《米》in] *school*. 彼女はまだ在学中です《(1) in the *school* では《英・米》共に「校内に, 学校の敷地内に」の意. (2) at *school* には「授業中で」「学校内で」の意もある》/ Where do you go to *school*? あなたの学校はどこにありますか;あなたはどこの学校に行っていますか / 日本発 Japanese *schools* were reformed after the Second World War in consultation with the American system. 日本の学校は, 第二次世界大戦後, アメリカの制度を参考にして改革されました / ジョーク "Why are fish so smart?" "Because they are always in *schools*." 「なぜ魚はあんなに頭がいいの?」「いつも学校にいるから」《◆「いつも群れているから(school²)」とのしゃれ》.

3 Ⓒ[主に the (whole) ~; 集合名詞; 単数・複数扱い] **全校生徒**(及び教員) ‖ Miss Temple stood up to *the whole school*. テンプル先生は立ち上がって全校生徒に話しかけた.

4 Ⓒ (学問・芸術の)**流派**, 学派, [複合語で] …派; (考え方が)…風 ‖ a *school* of thought 考えなどを同じくする人々; 学派; 学説, 考え方 / painters of the Kano *school* 狩野派の画家 / a politician of the old [new] *school* 古風な[進歩的な]考え方の政治家.

5 Ⓒ《略式》[通例単数形で] 鍛練の場 ‖ the hard *school* of adversity 逆境という厳しい鍛練の場 / the *school* of hard knocks 《古》実社会.

III [制度としての学校]
6 Ⓒ **教習所**, 養成所; 各種学校; 専門学校 ‖ a dríving [drívers'] *schòol* 自動車教習所 / a vocational *school* 職業訓練校 / a dáncing *schòol* ダンス教習所 / a ríding *schòol* 乗馬学校 / a lánguage *school* 語学学校.

7 Ⓒ[通例 the ~] (大学の)**専門学部**, 大学院(cf. department **3**); Ⓒ Ⓤ《米》大学, 単科大学 ‖ the *school* of law [medicine]《正式》法[医]学部 / Juilliard *School* (ニューヨークの)ジュリアード音楽院 / a graduate [postgraduate] *school* 大学院.

―― **動** 他《正式》〈人・動物を〉訓練する, 教育する; …に[…を]教え込む, しつける[*in, to*]; …に[…するように] 仕込む[*to do*] ‖ *school* a horse 馬を調教する.

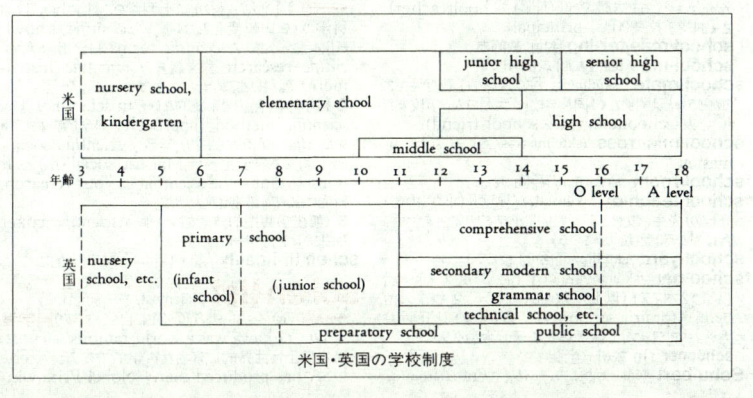

米国	nursery school, kindergarten			elementary school						junior high school			senior high school			
										middle school			high school			
年齢	3 4 5 6 7 8 9 10 11 12 13 14 15 16 17 18															
														O level	A level	
英国	nursery school, etc.		primary school							comprehensive school						
			(infant school)		(junior school)					secondary modern school						
										grammar school						
										technical school, etc.						
			preparatory school							public school						

米国・英国の学校制度

schóol àge 就学年齢, 学齢.
school bòard (米) 教育委員会.
schóol bùs スクールバス《◆米国ではふつう黄色の箱型バス. cf. busing》.
schóol dày (1) 授業日. (2) [-s] 学生時代 ‖ in one's *school days* 学校時代に.
school dínner [lúnch] 学校給食.
school district (米) 学区.
school edition (書物の) 学生用の版.
school fríend (親しい) 学校の友だち(cf. schoolmate).
schóol hòuse (英) (public school の) 校長公舎.
schóol inspèctor 視学官.
schóol phòbia 学校ぎらい[恐怖症].
schóol repòrt (英) 成績通知書《(米) report card》.
schóol tèaching 学校教育.
school yéar 学年(academic year).

school[2] /skúːl/ 名 C 〔魚・クジラ・イルカなどの〕群れ〔*of*〕 関連 → flock[1] ‖ *a school of* sardines イワシの群れ / in *schools* 群れをなして. ― 動 自 〈魚などが〉群れをなして[なして泳ぐ].

school·bag /skúːlbæɡ/ 名 C 通学用かばん.
school·book /skúːlbùk/ 名 C 教科書(textbook).
†**school·boy** /skúːlbɔ̀ɪ/ 名 C (主に英) 男子生徒《◆ふつう小・中学生をいう》(↔ schoolgirl) ‖ Some *schoolboys* are playing soccer there. 何人かの生徒がそこでサッカーをしてる.
school·child /skúːltʃàɪld/ 名 C 学童, 生徒.
school·fel·low /skúːlfèloʊ/ 名 C (やや古) =schoolmate.
†**school·girl** /skúːlɡɜ̀ːrl/ 名 C (主に英) 女子生徒《◆ふつう小・中学生をいう》(↔ schoolboy) ‖ My daughter is a bashful *schoolgirl*. 私の娘は恥ずかしがりの女子生徒です.
†**school·house** /skúːlhàʊs/ 名 C (主に田舎の) 小学校の) 校舎.
†**school·ing** /skúːlɪŋ/ 名 U 1 (正式) 学校教育(を受けること); (通信教育の) スクーリング. 2 (馬の) 調教.
school·kid /skúːlkɪd/ 名 (略式) =schoolchild.
school·man /skúːlmæn/ 名 C 1 (米) 学校教師《(PC) school teacher》. 2 [通例 S~] (歴史) (中世の) スコラ哲学者.
†**school·mas·ter** /skúːlmæ̀stər|-màs-/ 名 C 《女性形 -·mis·tress》 1 (主に英) (パブリックスクールの) 先生; (やや古) 男性教師《(PC) schoolteacher》. 2 (主に米) 校長《(PC) principal》.
schóol màs·ter·ing 名 U 教師業.
schóol màs·ter·ly 形 教師らしい.
†**school·mate** /skúːlmèɪt/ 名 C (やや古) (友だちであるかどうかとは関係なく) 同じ学校[クラス] の人, 学校友だち, 学友(schoolfellow) (→ school friend).
school·mis·tress /skúːlmìstrəs/ 名 → schoolmaster.
†**school·room** /skúːlrùːm/ 名 C 教室.
†**school·teach·er** /skúːltìːtʃər/ 名 C (小学・中学・高校の) 先生, 教員《◆一般的に小学校の先生をさす場合は she で受けるのがふつう》.
school·yard /skúːljɑ̀ːrd/ 名 C 校庭.
†**schoo·ner** /skúːnər/ 名 C 1 (海事) スクーナー船《ふつう2本マスト (以上) の縦帆船》. 2 (米) 大型ほろ馬車(prairie schooner). 3 (米・豪) (ビール用) 大ジョッキ[コップ]; (英) (シェリー用) 大型グラス.
schóoner ríg 縦帆式帆装.
Schu·bert /ʃúːbərt/ 名 シューベルト《**Franz** /frɑ́ːnts|fræ-/ ~ 1797-1828; オーストリアの作曲家》.
Schu·mann /ʃúːmɑːn|-mən/ 名 シューマン《**Robert** ~ 1810-56; ドイツの作曲家》.
schuss /ʃʊs/ /[ドイツ]/ 【スキー】 名 C 動 自 直滑降(する).
schwa /ʃwɑː/ 名 C U (音声) あいまい母音《◆/ə/の音のこと》.
Schweit·zer /ʃwáɪtsər, ʃváɪ-/ 名 シュバイツァー《**Albert** ~ 1875-1965; アルザス(当時はドイツ領) 生まれの医師・伝道者・音楽家》.

‡**sci·ence** /sáɪəns/ /[「知ること」が原義. cf. conscience]/ 派 scientific (形)
― 名 (複 ~s/-ɪz/) 1 U 科学, 科学的知識 ‖ advance [promote] *science* 科学を促進[振興] する / Modern *science* is mainly based on observation and experiment. 近代科学は主として観察と実験に基づいている.
2 U C (学問の分野としての) 科学; 自然科学, [複合語で] …学, …科学 ‖ the *science* of religion [astronomy] 宗教[天文]学 / I wonder when medical *science* will discover a cure for AIDS. 医学はいつエイズの治療法を見つけてくれるのでしょうか / a man of *science* 科学者 / financial support for the *sciences* 自然科学への財政援助 / I studied several *sciences* at school. 学校で数科目の自然科学を履習した.

関連 [いろいろな種類の science]
applied *science* 応用科学 / cognitive *science* 認知科学 / computer *science* コンピュータサイエンス / domestic *science* 家政学 / earth *science* 地球科学 / economic *science* 経済学 / historical *science* 歴史学 / information *science* 情報科学 / linguistic *science* 言語学 / natural *science* 自然科学 / physical *science* 物理学 / political *science* 政治学 / social *science* 社会科学 / space *science* 宇宙科学 / statistical *science* 統計学.

3 U わざ, 術 ‖ the *science* of self-defense 護身術 / the *science* of cooking 料理法.
science fíction 空想科学小説, SF 《(略式) sci-fi》.

‡**sci·en·tif·ic** /sàɪəntífɪk/ 【アクセント注意】 /[→ science]/
― 形 1 [通例名詞の前で] 科学の, 科学上の, 自然科学の《◆比較変化しない》 ‖ *scientific* knówledge 科学知識 / *scientific* térms 科学用語 / *scientific* reséarch 科学調査 / *scientific* instruments 理科の器具.
2 科学的な, 精密で系統的な(↔ unscientific) ‖ a *scientific* méthod [appróach] 科学的方法 / a *scientific* náme 〔生物〕学名 / *scientific* socialism 科学的社会主義(=Marxist socialism) / It is important to be *scientific* in your research. 研究においては厳密さが大切だ.
3 (競技で) 専門的な技術を持つ ‖ a *scientific* boxer わざにたけたボクサー.
sci·en·tif·i·cal·ly /sàɪəntífɪkəli/ 副 科学的に.

‡**sci·en·tist** /sáɪəntɪst/ /[→ science]/
― 名 (複 ~s/-təsts/) C (主に自然科学の) 科学者 ‖ Dr. Yukawa was a world-famous *scientist*. 湯川博士は世界的に有名な科学者であった / The USA has produced many Nobel Prize-win-

ning *scientists*. 合衆国はこれまでたくさんのノーベル賞受賞科学者を生み出してきた / a team of nuclear *scientists* 原子物理学者のチーム.

sci(-)fi /sáifái/ 〖**science fiction** の短縮形〗《略式》 图U形 空想科学小説(の), SF(の).

scim·i·tar /símətər/ 图C 三日月刀.

scin·til·la /sintílə/ 图《正式》[a ~; 通例否定文·疑問文で] 少量, わずか.

scin·til·late /síntəlèit/ 動自 1《文》火花を発する; きらめく. 2〈話などが〉[…に]ひらめく[*with*]. ——他〈才気など〉をひらめかせる.

scin·til·la·tion /sìntəléi∫ən/ 图CU 火花, 閃(^{せん})光; きらめき; (才気の)ひらめき.

sci·on /sáiən/ 图C 1《接ぎ木の》若枝, 接ぎ穂. 2《文》〈名門の〉子, 子孫, 子弟.

†**scis·sors** /sízərz/ 图 1 [複数扱い]〔発音注意〕はさみ《◆植木ばさみなどは通例 shears》∥ *a pair of scissors* はさみ1丁 / This pair of *scissors* is very sharp. このはさみはよく切れる / cut an envelope open with *scissors* はさみで封筒を切って開ける. 2 [a ~; 単数扱い]《体操》両脚開閉;《レスリング》はさみ締め;《走高跳び》はさみ跳び.

scíssors kìck《水泳》あおり足;《サッカー》オーバーヘッドキック(bicycle kick).

scle·rot·ic /sklərάtik/ -rɔ́t-/ 形《医学》硬化症の.

†**scoff** /skάf, skɔ́:f|skɔ́f/ 图C《通例 ~s》あざけり, 嘲(^{ちょう})笑 ∥ the *scoff* of the world 世間の物笑い. ——動自 […を]あざ笑う, 嘲笑する[*at*] ∥ *scoff* *at* his clumsiness 彼のぎこちなさをあざ笑う / His classmates *scoffed* *at* him, but he ignored it. 級友は彼をあざ笑ったが彼はそれを無視した.

*****scold** /skóuld/
——動(~s /skóuldz/; 過去·過分 ~ed /-id/; ~ing)
——他《英正式》〈親などが〉〈子供など〉を(面と向かって直接)[…の理由で]しかる, 説教する[*for*] ∥ My mother *scolded* me *for* my bad table manners. 母は私を食事の作法が悪いといってしかった(＝My mother told me off for my bad table manners.).

▶ 使い分け **[scold と blame, reprimand]**
scold は「(声に出して)〈主に子供など〉を責める」の意.
blame は「(責任があるとして)〈人〉を非難する」の意.
reprimand は「身分の上の人が下の者をしかる」の意.
The mother *scolded* her son for breaking the window. 窓を割ったと言って母親は息子を責めた.
The policeman *blamed* [*scolded*] the car driver for causing the accident. 警官は事故の原因は車の運転手にあるとした《◆scold は警官が言葉ではっきりと運転手を責めたという意味. blame は必ずしも言葉によらなくてもよい》.
He was *reprimanded* by his boss. 彼は上司にしかられた.

——自 […を]しかる, […に]がみがみ言う[*at*] ∥ Don't *scold* so much. そんなにがみがみ言うな.

sconce /skάns|skɔ́ns/ 图C《壁に取り付けた》張り出し燭台(^{しょく});そのろうそく受け;装飾のついた電灯.

scone /skóun, skάn|skɔ́n, skóun/ 图C 1《英》柔らかく平らで丸いパンケーキ. 2《米》＝biscuit 1.

†**scoop** /skú:p/ 图C 1 [しばしば複合語で] 小シャベル, すくいさじ, 大さじ;ひしゃく;《医学》外科用さじ ∥ an ice-cream *scoop* アイスクリームすくい. ◀対話▶ "How many *scoops*?" "Three *scoops*, please." (店で)「アイスクリーム何杯入れますか」「3杯ください」. 2《淡褐(^{たん})機の)泥すくい. 3 すくうこと, ひとすくい;ひとすくいの量 ∥ at one *scoop* ひとすくいに, 一挙に. 4《新聞の》特ダネ, スクープ;《俗》大もうけ, 大当たり.
——動他 1 〈…を〉[…から]すくい上げる, すくい取る, くむ(+*up, out*)[*from, out of*];…をすくい上げて[…に]入れる(*into*) ∥ *scoop* *up* the snow with one's hands 両手で雪をすくい上げる. 2〈穴などを〉掘る, えぐる(+*out*);《scoop *out*》holes in the ground 地面に穴を掘る / *scoop out* the inside《スプーンで》中味を取り出す. 3〈他社〉を《特ダネで》出し抜く;《略式》〈他社〉に先んじる. 4〈金〉を大もうけする.

scoop·ful /skú:pfùl/ 图C ひとさじ分, ひとすくい分, シャベル1杯.

scoot /skú:t/ 動自《略式》急いで行く, 駆け出す(+*along, away, past*).

†**scoot·er** /skú:tər/ 图C 1 スクーター(motor scooter). 2《ハンドル付き子供用》スクーター《片足を乗せ他の足でけって走る》. 3《米》《水上·氷上の》滑走帆船. 4《略式》 scooter に乗る.

scóot·er·ist 图C scooter に乗る人.

†**scope**¹ /skóup/ 图U 1《能力·理解·調査などの》範囲 ∥ This problem is *beyònd* [*òut of*] my *scòpe*. この問題は私の手に負えない / The matters are beyond the *scope* of an inquiry. その問題は調査の範囲を越えている. 2《活動などの》機会, 余地, 自由[*for*] ∥ *give scope to* one's ability 才能を発揮する / There is ample *scope for* improvement. 大いに改善の余地がある.

scope² /skóup/ 图C《略式》観察[観測]する器械.

†**scorch** /skɔ́:rt∫/ 動他 1〈人·アイロンなどが〉〈物〉《の表面》を焦がす(→ cook 图1関連). 2〈太陽などが〉〈草木〉を枯らす, しおれさせる. 3〈人〉を罵倒(^ば)する, 酷評する. ——自 1 焦げる. 2 枯れる, しおれる. 3《主に英略式》〈車など〉が疾走する(+*off, away*). ——图C 焼き焦げ(の跡).

scórched éarth 焦土(戦術).

scórched éarth pòlicy 焦土戦術.

scorch·ing /skɔ́:rt∫iŋ/ 形 1《略式》焼き焦がすような, 焼けつくような; [副詞的に]焼けつくように ∥ a *scorching* hot day 酷暑の日. 2 手厳しい, 痛烈な.

scórch·ing·ly 副 焼き焦がすように;痛烈に.

*****score** /skɔ́:r/ 〖『刻み目(notch)』が原義. 3 は羊飼いが20頭ごとに棒に刻み目をつけたことから〗
——图(複 ~s/-z/) C 1 [通例 a/the ~]《競技の》得点, 得点記録, 得点表, スコア ∥ ◀対話▶ "What was the final *score*?" "It was 2-0." 「最終得点は何点でしたか」「2対0でした」/ What's the *score* now? ＝How does the *score* stand? 何点ですか;《略式》形勢はどうなった? / win a game (*by* [*with*] *a score of*) 5-3 5対3で試合に勝つ《◆5-3 は 'five to three' と読む》.
2《米》《試験·テストの》点数, 成績[*in, on*] ∥ the average *score* 平均点 / get [make] a perfect *score on* the test ＝get a 100 percent [a 100, 100] *score on* the test テストで満点を取る.
3《複 score, ~s》《やや古》20, 20の1組《◆数の後では単複同形》∥ *a score* of people 20人 / four *score* [*scores*] and seven years ago 87年前《◆ Lincoln の Gettysburg Address の冒頭の言

葉)/ The Bible says that our life is but three *score* (years) and ten. 聖書には人の人生はわずか70年であると言われています《◆ threescore のように1語でつづるのがふつう》.
4 [~s (of) … ; 俗用的に] **多数の…** ‖ *scores of times* 何度も / receive *scores of* letters 手紙を多数受け取る.
5 切り目, 刻み目, ひっかいた傷跡 ‖ a bad *score* on the desk 机の上につけたひどい傷跡.
6 [古略式] [単数形で] 勘定, 借金(bill) ‖ settle a *score* 借金を払う, 清算する.
7 (＠音楽) **楽譜**, 総譜, スコア; (映画・劇の)付帯音楽 ‖ a piano *score* ピアノスコア.
8 [略] [the ~] 現状, 進捗状況, 真相 ‖ He knows the *score*. 彼は物事がわかっている, (人生の)苦(⁀)労を知っている.
kéep (the) scóre 得点を記録する, スコアをつける.
on the scóre of A 〈事〉の理由で.
on thís [thát] scóre この[その]点に関して; この[その]理由で.
── 動 (~s/-z/; 過去・過分 ~d/-d/; scor·ing /sk5:riŋ/)
── 他 **1 a** 〈人が〉(競技・テストなどで)〈得点・点数〉を**取る**, **得点する**(+up) ‖ *score* 5 runs in the 1st inning (野球で)1回に5点取る / *score* a goal [point] (サッカーなどで)1点をあげる 〔＊対話〕 "What's new?""I *scored* 100 on my math test." 「何か変わった？」「数学のテストで100点取ったんだ」. **b** [*score* **A B** = *score* **B to** [**for**] **A**] A〈競技者など〉にB〈点数〉を与える; (米) 〈試験・志願者など〉を採点する(grade). **c** [略式] 〈人が〉〈勝利・成功〉を得る, 収める; (米略式)〈物〉を手に入れる ‖ *score* a great success 大成功を収める. **2** 〈物〉に刻み目[切り目, 傷]をつける, 印をつける; 〈借金など〉を〈人に〉つけておく; 〈言葉など〉を[…に対して]根にもつ, うらむ(+up) (against, to) ‖ *score* the meat before cooking it 料理する前に肉に(包丁で)切り目をつける. **3** (米略式) 〈人〉をののしる, 非難する. **4** 〈曲〉を[…の(楽器の)ために]楽譜[総譜]に書く, 作[編]曲する(for).
── 自 **1** (競技・テストで)得点する; 得点(表)をつける. **2** [様態の副詞を伴って] (試験などで)(よい・悪い)成績をとる(by, in). **3** (略式)(…で)成功する, 得をする(by, with); (…を)負かす(over).
scóre óff [他] =SCORE out. ──[自＋] [~ off A] 〈人〉をやっつける, やりこめる.
scóre óut [他] (正式) …に線を引いて消す(cross out); …を削除する.
scóre thróugh [他] =SCORE out.
score·board /sk5:rbɔ:rd/ 名 ⓒ スコアボード, 得点掲示板.
score·book /sk5:rbùk/ 名 ⓒ スコアブック, 得点記入帳.
score·card /sk5:rkà:rd/ 名 ⓒ スコアカード, 得点表.
score·keep·er /sk5:rki:pər/ 名 ⓒ (競技の)記録係.
scor·er /sk5:rər/ 名 ⓒ (競技の)記録係員, スコアラー; 得点者.
scor·ing /sk5:riŋ/ 動 → score.
†**scorn** /sk5:rn/ 名 **1** Ⓤ […への]軽蔑(⁀), 嘲笑(⁀)(⁀), あざけり(contempt) (for) ‖ regard [treat] the offer with *scorn* 申し出を軽蔑の気持ちで扱う / *hold* irresolution *in scorn* 優柔不断をさげすむ / *feel* [*have*] *scorn for* the rich = *be filled with scorn for* the rich 金持ちに軽蔑の気持ちをもつ. **2** (正式) [the ~] 軽蔑的な, 物笑いの種 ‖ the *scorn* of the neighborhood 近所の物笑いの種.
láugh A to scórn =**póur** [**héap**] **scórn on A** =**hóld A úp to scórn** 《文》〈人・物・事〉をあざける [あざ笑う].
thínk scórn of A …を軽蔑する.
── 動 他 (通例文章)〈人・物・事〉を軽蔑する, さげすむ (cf. despise, look down on), (軽蔑して)はねつける; (正式) [*scorn* to do / (やや略) *scorn doing*] …することを(軽蔑して)拒絶する, 潔(⁀)しとしない ‖ They *scorned* our attempts at reconciliation. 彼らは我々の和解の試みを鼻の先で笑ってはねつけた.
†**scorn·ful** /sk5:rnfl/ 形 軽蔑(⁀)した, さげすむ, 横柄な; […を]軽蔑している(of) ‖ smile in a *scornful* way 冷笑的な笑いをする / He is always *scornful of* traditional thinking. 彼はいつも伝統的な考え方を軽蔑している.
†**scorn·ful·ly** /sk5:rnfli/ 副 軽蔑(⁀)して, ばかにして.
Scor·pi·o /sk5:rpiòu/ 名 **1** (天) さそり座(the Scorpion). **2** (占星) 天蝎(⁀)宮, さそり座(→ zodiac); ⓒ 天蝎宮生まれの人《10月24日-11月21日生》.
scor·pi·on /sk5:rpiən/ 名 **1** ⓒ (動) サソリ. **2** ⓒ サソリのような人[物]. **3** [the S~] (天文・占星) =Scorpio.
†**Scot** /sk5t | sk5t/ 名 **1** スコットランド人(→ Scotch). **2** [the ~s] スコット族(の人)《6世紀にアイルランドからイングランド北西部に渡ったゲール人の一種族》.
Scot. (略) Scotch; Scotland; Scottish.
†**Scotch** /sk5tʃ | sk5tʃ/ 形 **1** (時に侮蔑) スコットランドの, スコットランド人[方言, 産]の《◆ おもに産物を表す分離複合語に用いる. スコットランドとイングランド北部では特に人に用いると侮蔑(⁀)的とされ, Scottish と Scots が好まれる. 他地域では (略式) で Scotch, (正式) で Scottish を用いる》. **2** (米略式)(侮蔑) けちな, しみったれの(stingy). ── 名 **1** (時に侮蔑) [the ~; 集合名詞; 複数扱い] スコットランド人《◆ スコットランドでは the Scots, the Scottish, (個人は) Scotsman [Scotswoman] がふつう. 他地域で用いる the Scotch, (個人は) Scotchman [Scotchwoman] は侮蔑的とされる. → 形 1》. **2** Ⓤ スコットランド語[英語]. **3** (略式) =Scotch whisky; ⓒ グラス1杯のスコッチ《◆ 単独で用いるときはしばしば scotch: Give me some *scotch*. スコッチをください》.
Scótch bróth (主に英) スコッチスープ《羊肉・野菜に大麦を混ぜた濃いスープ》.
Scótch cáp スコッチキャップ《スコットランドの男子用縁なし帽子》.
Scótch égg (英) スコッチエッグ《ゆで卵をひき肉でくるんでパン粉をつけて揚げた料理》.
Scótch tápe 《◆/=/もある》[時に s~] (米)(商標) スコッチテープ《接着用セロハンテープ》(英) sellotape).
Scótch whísky スコッチウイスキー.
Scótch wóodcock スコッチトースト《練りアンチョビー(anchovy paste)を塗りいり卵をのせたトースト》.
Scotch·man /sk5tʃmən | sk5tʃ-/ 名 (複 --men; (女性形) --wom·an) ⓒ (男性の)スコットランド人; (一般に)スコットランド人(《PC》Scot, Scotch person).
Scotch·wom·an /sk5tʃwùmən | sk5tʃ-/ 名 (複 --wom·en) ⓒ (女性の)スコットランド人.
scot-free /sk5tfri: | sk5t-/ 形 (略式) 害を受けないで; 罪を免れて ‖ 「*get off* [*escape, go*] *scot-free* 無事に逃げる; 無罪放免になる.

Sco·tia /skóuʃə/ 名《詩》=Scotland.

†**Scot·land** /skátlənd | skɔ́t-/ 名 スコットランド《Great Britain 島の北部を占め England に接する地方. 首都 Edinburgh. 別称 the Highlands, Caledonia. 形容詞は Scottish, Scotch》‖ *Scotland used to be an independent nation.* スコットランドは昔独立国家だった.
　Scótland Yárd ロンドン警視庁, (特にその)刑事捜査部《◆もとの所在地の名にちなんだ通称. 現在は New Scotland Yard という》.

Scots /skáts | skɔ́ts/ 名 **1** [the ~; 集合名詞; 複数扱い] スコットランド人(→ Scotch). **2** ⓤ [単数扱い] スコットランド語[英語]. **3** Scot の複数形.
　──形 スコットランド(人, 方言)の(→ Scotch)‖ a *Scots* writer スコットランド作家 / *Scots* law スコットランド法.

Scots·man /skátsmən | skɔ́ts-/ 名 (複 **-men**); (女性形) **-wom·an** =Scotchman.

Scots·wom·an /skátswùmən | skɔ́ts-/ 名 (複 **-wom·en**) ⓒ =Scotchwoman.

†**Scott** /skát | skɔ́t/ 名 スコット (Sir Walter ~ 1771-1832; スコットランド出身の英国の小説家・詩人》.

†**Scot·tish** /skátiʃ | skɔ́t-/ 形 スコットランドの, スコットランド人[方言, 産, 種]の(→ Scotch 形1)‖ *Scottish* character スコットランド人気質. ──名 **1** [the ~; 集合名詞; 複数扱い] スコットランド人(→ Scotch)‖ *How are the Scottish different from the English?* スコットランド人とイングランド人はどのように違いますか. **2** ⓤ スコットランド語[英語].
　Scóttish térrier 〔動〕スコッチテリア(Scotch terrier)《スコットランド産の小型のテリア犬》.

†**scoun·drel** /skáundrəl/ 名 ⓒ《主に略式・やや古》悪漢, ふらちなやつ.

scour¹ /skáuər/ 動 他 **1** …を[…で]こすってみがく, 光らせる; ごしごし洗う(+*down*, *out*)〔*with*〕. **2** …をこすり取る, 流し去る(+*off*, *away*)‖ *scour* the rust *off* さびを落とす. **3** 〈水路・パイプなど〉を水を流して掃除する, …の通りをよくする(+*out*). ──名 [通例 a ~] こすること; 洗い流すこと‖ *give a pan a good scour* なべをよく洗う.

scour² /skáuər/ 動 他〈場所〉を[…を捜して]駆けめぐる, 捜し回る(+*over*, *round* (*about*))〔*for*〕. ──自 […を捜して]駆けめぐる, 捜し回る〔*for*, *after*〕.

†**scourge** /skə́ːrdʒ/ 名 ⓒ **1** むち. **2** 苦しみ[損害]を引き起こす[人物], 天罰, 災難, たたり. ──動 他 **1** …をむち打つ. **2** (文) …を激しく罰する.

†**scout** /skáut/ 名 **1** ⓒ 〔軍事〕斥候(せっこう), 偵察兵[機, 艦船]; (米) 〔スポーツ〕競技の相手チームの内情を偵察する人‖ *The commander ordered some scouts to be sent out.* 司令官は斥候を出すように命じた. **2** 〔スポーツ・芸能〕(新人を捜す)スカウト(talent scout). **3** [しばしば S~] ボーイ[ガール]スカウトの一員(boy [girl] scout)《◆(英)ではボーイスカウトについていう. cf. girl guide》. **4** (英) (Oxford 大学で学部学生の世話をする)用務員, (自動車道路などの)道路巡回救難員. **5** 《俗》[よい意味の形容詞を伴って] やつ(fellow) ‖ a good *scout* いい奴. **6** (略式)偵察すること.
　on the scóut […を求めて]偵察中で〔*for*〕‖ be [go] *on the scout* 偵察中である[偵察に出る].
　──動 自 偵察に出る, 斥候をつとめる; 新人スカウトとして働く; (略式) […を求めて]捜し回る(+*around*, *about*)〔*for*〕. ──他 […を求めて]〈…〉を偵察する; …を捜し出す(+*out*)〔*for*〕.
　Scóut Associàtion [the ~] ボーイスカウト連盟.

†**scow** /skáu/ 名 ⓒ (米) (箱型の)大型平底船《貨物・石炭・砂利を運ぶはしけ》.

†**scowl** /skául/ 動 自 (怒って・不快で)〔考えなどに〕顔をしかめる〔*at*, *on*〕; […に]にらみつける〔*at*〕‖ *Why are you scowling at me?* どうしてぼくをにらみつけるんだい. ──他 顔をしかめて〈不快なこと〉を表す‖ *scowl* one's displeasure いやな顔をして不快を示す. ──名 ⓒ [通例 a ~] 顔をしかめること, しかめっつら.
　scówl·ing·ly 副 顔をしかめて, こわい顔をして.

scrab·ble /skræbl/ 動 自 (略式) **1** […を捜して]動き回る, かき回す, 指を動かす(+*about*, *around*)〔*for*〕. **2** なぐり[走り]書きする.

Scrab·ble /skræbl/ 名 ⓤ 《商標》スクラブル《語のつづり替えを競うゲーム》.

scrag /skræɡ/ 名 **1** ⓒ やせこけた人[動物], ひからびた植物. **2** ⓤ ⓒ =scrag end. **3** ⓒ (略式) (人間の)首っ玉. ──動 (過去・過分) **scragged**/-d/; **scrag·ging** 他 …の首を絞める.
　scrág ènd ヒツジ[ウシ]の首の肉《スープ用》.

scrag·gly /skræɡli/ 形 (米略式)〈毛などが〉もじゃもじゃの; (米略式)ふぞろいの, まばらな; でこぼこの.

scrag·gy /skræɡi/ 形 (**-gi·er**, **-gi·est**) (略式) やせこけた; でこぼこした.

scram /skræm/ 動 (過去・過分) **scrammed**/-d/; **scram·ming** 自 (略式) [通例命令文で] さっさと立ち去れ, 失せろ, 逃げろ.

†**scram·ble** /skræmbl/ 動 **1** [副詞(句)を伴って] **a** 〈人が〉よじ登る, はい登る; はうように進む‖ *scramble* up a hillside 山腹をはい登る / *scramble* over the rocks 岩をよじ登る. **b** 急いで…する‖ *scramble* to one's feet 急に立ち上がる. **2** 〈…を〉奪い合う〔*for*〕; […に]先を争う〔*to do*〕‖ *scramble for* the ball ボールを奪い合う. **3** 〔軍事〕軍用機が緊急発進する. ──他 **1** …をごちゃ混ぜにする; …を[…から]かき集める(+*up*, *together*)〔*from*, *out of*〕‖ *scramble* the papers *together* 書類をかき集める. **2** 〈卵〉を(バターやミルクを加えて)かき混ぜながら焼く[いる]‖ two *scrambled* eggs いり卵2個分. **3** 〈電光・電話・無線通信〉を(盗聴できないように)暗号化する, 波長を変える.
　──名 **1** [a ~] よじ登る[はい登る]こと. **2** [a ~] […の]奪い合い‖ a *scramble for* the seats 席の奪い合い. **3** ⓒ 〔軍事〕緊急発進, スクランブル.
　scrámbled égg [単数扱い] いり卵‖ two *scrambled* eggs いり卵2個分《◆ two scrambled egg は「いり卵2人分」》.

†**scrap** /skræp/ 名 **1** ⓒ [通例 a ~] (しばしば好ましくない物質の)断片, かけら, 破片(bit); [否定文で] 〔真実などの〕ひとかけら〔*of*〕‖ *scraps of* broken glass 割れたガラスのかけら / a few *scraps of* news いくつかの断片的ニュース / a *scrap of* paper 紙切れ / *We gave scraps of bread to the birds.* 鳥にパンくずを与えた / *There wasn't a scrap of* truth *in the statement.* その声明には真実のかけらもなかった. **2** (誌)[~s] (新聞・雑誌などの)切り抜き, スクラップ《◆(米) clipping, (英) cutting がふつう》. **3** [~s] 残飯; 脂肪分, 魚かす. **4** ⓤ =scrap metal.
　a mére scráp of páper (条約などが)紙切れ同然のもの.
　──動 (過去・過分) **scrapped**/-t/; **scrap·ping** 他 …をスクラップ[くず]にする, 解体[廃棄]する; 〈制度・計画〉を廃棄する, 反故(ほご)にする.
　scráp hèap くず鉄の山, ごみ[くず]の山; (略式) [the ~] 不要なもの[人]の集積場‖ throw [put] … *on the scrap heap* …を捨てる[廃棄]する.

scrápbook

scráp iron くず鉄.
scráp mèrchant (英) くず(鉄)屋, 廃品回収業者.
scráp mètal くず(鉄)のくず, スクラップ.
scráp pàper くず紙, (英) =scratch paper.
†**scrap·book** /skrǽpbùk/ 图© スクラップ=ブック《新聞・雑誌の切り抜き帳》.

†**scrape** /skréip/ 動他 1〈人が〉〈物(の表面)〉をこする, こすってきれいに[なめらかに]する(+down);〈物(表面)から〉こすり取る, こすり落とす(+away, off)(wipe)〔from, off〕; [scrape A C] A をこすって C の状態にする ‖ scrape one's boots on the doormat (玄関の)ドアマットで長靴をぬぐう / scrape away mud from [off] one's shoes 靴の泥をこすり落とす / scrape off the paint ペンキをこすって落とす / Don't scrape the windowpane with your fingernail.=Don't scrape your fingernail across the windowpane. 窓ガラスをつめでこすってキーキーさせるな. 2〈人が〉〈体の一部〉を〔場所に〕すりつけてけがをする,〔場所で〕すりむく, こする〔on, against〕‖ scrape one's knee [elbow] on the wall 壁でひざ[ひじ]をこってすりむく / scrape a chair 「on the floor [against the wall] 床[壁]にいすをこする. 3 [種々のこする動作を表して]〈を〉なでる,〈楽器〉をこすって音を出す;〈道路〉を地ならし機で平らにする ‖ scrape one's chin あごのひげをそる. 4 …を〔…から/…の方に〕搔き出す(+away), 搔き寄せる(out of / toward);〈穴〉を搔き掘って作る(+out) ‖ scrape a hole (土を掻いて)穴を掘る. 5〈物・人〉を(苦労して)寄せ[搔き]集める(+together, up) ‖ scrape together [up] enough money to start a new business 新しく商売を始めるのに十分な金をかき集める.
――自 1〈人・物が〉〔…に〕こする, すれる;〔…をこするようにして〕進む〔against, on, along, through〕; もまれながらもぐり込む(+in);〔…を〕やっと切り抜ける,〔…に〕かろうじて合格する〔through, in, into〕‖ a branch scraping against the windowpanes 窓ガラスをこすっている枝 / They just scraped 「into university [through the examinations]. 彼らはなんとか大学に[試験に]合格した. 2〔…で〕なんとか暮らしていく(+by, along)〔on〕. 3 こつこつ倹約して貯蓄する(+up) ‖ work and scrape こつこつ働いてためる. 4〈弦楽器を〉ギーギー鳴らす〔on〕.
scrápe úp 他〈話・言い訳など〉を作り上げる.
――图© 1 [主に単数形で] こする[かする]こと, こする[される]音, きしる音 ‖ the scrape of the chalk on the blackboard 黒板でチョークのきしる音. 2 かすり傷 ‖ suffer scrapes on one's elbow ひじにかすり傷をつくる. 3 (略式)(自ら招いた)苦境, 面倒(difficulty) ‖ get into a scrape for breaking a rule 規則違反をして窮地に陥る.

†**scrap·er** /skréipər/ 图© 1 (玄関に置く)どろかき(ゴムのへりがついた台所用)へら; ペンキかきごて. 2 こする人.
scrap·py[1] /skrǽpi/ 形 (--pi·er, --pi·est)(略式)1 断片的な, まとまりのつかない. 2 くずの.
scrap·py[2] /skrǽpi/ 形 (--pi·er, --pi·est)(米略式)けんか好きな, けんか腰の; 断固とした.

†**scratch** /skrǽtʃ/ 動他 1〈人が〉〈人・体の部分〉を(で)ひっかく, …を(かゆいので)かく, (つめなどで)〈物に傷をつける(+up);〈マッチなど〉をこする(+on)‖ scratch one's head (悩んで)頭を(ごしごし)かく《◆日本のような照れかくしの動作ではない》/ Scratch [You scratch] my back and I'll scratch yours. (ことわざ)かゆい所をかいてくれたらかき返すぞ;

「魚心あれば水心」《◆しばしば不正な取引を暗示》/ I scratched my arm on the barbed wire. 私は有刺鉄線で腕に引っかかき傷をつくった / My car was scratched when it grazed [scraped] the fence. へいに接触したとき私の車にすり傷ができた. 2〈物〉を(つめなどで)〔…から〕かき取る, こすり取る(+away)〔off, from〕‖ scratch the paint off the siding 羽目板からペンキをはがす. 3〈字などを〉〔…に〕ひっかいて書く[刻む]〔on, in〕; …を走り書きする ‖ scratch one's initials on the rock with a sharp stone とがった石で岩に自分の名前の頭文字をひっかいて書く. 4 …をひっかいて掘り出す(+up);〈穴〉をひっかいて掘る; …をむしり取る(+up);〈書いたもの〉を線を引いて消す, 抹消する(+off, out, through); (略式)〈出場者(の名前)〉を[競技から]取り消す〔from〕;〔競馬〕〈馬〉の出場を取り消す. (米)〈候補者の名〉を記入せず消す. 6 (略式)〈金など〉をかき集める(+up, together).
――自 1〈…を〉(つめで)ひっかく〔at〕; (かゆいところを)かく, かき続ける(+away)‖ scratch behind one's ears 耳のうしろをかく. 2〈鳥・獣が〉(つめで)ひっかいて掘る(+about); (略式)あちこち(かき回して)〔…を〕探し回る(+about, around)〔for〕. 3〈ペン・チョークが〉〔物に〕ひっかかる, ひっかかって音をたてる〔on〕. 4 (略式)どうにか暮らしていく(+along, by)‖ scratch along [by] on his scanty salary 少ない彼の給料でやっていく. 5 (略式)〈競争者・馬が〉(試合の)出場を取りやめる〔from〕;(米)候補者の名前を消す.
――图 1 © ひっかき傷, かすり傷 ‖ The kitten left me with a scratch on the [my] face. その子ネコは私の顔をひっかいて逃げた / without a scratch 無傷で. 2 [a ～] (かゆくて)かくこと. 3 © (ペン・チョーク・レコード針の)こする音, きしる音. 4 © 〔ビリヤード〕罰球; フロック. 5 © 出場辞退[中止]の選手[競走馬]. 6 Ⓤ (米俗)金, 銭(money). 7 〔ゴルフ・スポーツ〕[形容詞的に]〈競技者・試合が〉ハンディなしの ‖ a scrátch ràce 対等のレース. 8 [形容詞的に]〈チームが〉よせ集めの;〈食事が〉ありあせせのもので作った.
a scrátch of the pén 一筆; 署名.
from 「at, on」 scrátch〔地面をひっかいて引いた(scratch 他3)スタートラインから〕(略式)最初から, ゼロから ‖ Starting from scratch, he became a millionaire. 裸一貫からたたきあげて彼は百万長者になった.
úp to (to) the) scrátch(略式)期待通りの, 一定の水準に達して ‖ bring one's French up to scratch フランス語の力をまあまあの線までつける.
scrátch càrd スクラッチカード《こすると当たりまたはずれの文字が現れるカード》.
scrátch pàd (主に米)雑記帳, 計算用紙帳.
scrátch pàper (米)メモ用紙, (英) scrap paper).
scratch·y /skrǽtʃi/ 形 (--i·er, --i·est) 1〈文字・絵が〉走り書きの, ぞんざいな. 2 かゆい;〈衣服が〉かゆくさせる, ちくちくする. 3〈ペンが〉ひっかかる, カリカリ音がする;〈レコードなど〉が雑音の多い.

†**scrawl** /skrɔ́ːl/ 動他 …をなぐり[走り]書きする, 落書きする. ――自 なぐり書きする, 落書きする. ――图 1 © ぞんざいに書いた文字[手紙]; 落書き. 2 (略式) [a/one's ～] へたな筆跡, 走り書き.
scrawn·y /skrɔ́ːni/ 形 (--i·er, --i·est) (略式)やせた.

*****scream***** /skríːm/ [擬音語]
――動 (~s/-z/; 過去・過分 ~ed/-d/; ~·ing)
――自
1 [人が金切り声を出す]

1 〈人が〉(驚き・恐怖・苦痛で)〔…を求めて〕**金切り声を出す**，きゃっと悲鳴をあげる〔*for*〕；〈子供が〉ぎゃあぎゃあ泣く；〈人が〉(喜んで)きゃっきゃっと声をあげる([類語] screech, shriek) ‖ *scream* in [with] pain [fright, fear] 苦痛[驚き，恐怖]の叫び声をあげる / ***scream for*** help 助けを求めて叫ぶ.
2 〔…に/…するように〕叫ぶ(+*out*)〔*at* / *to do*〕‖ ***scream at*** the soldiers *to* charge at the enemy 敵に向かって突撃するよう兵士に叫ぶ.
3 〔…について〕ヒステリックに抗議[要求]する，書き立てる(+*out*)〔*about*〕‖ *scream about* the wrongful arrest 不当な逮捕に声高に抗議する.
‖ [物・事が金切り声のような音を出す]
4 〈風が〉ピューピューうなる；〈汽笛・笛・サイレンが〉ピー[ウーウー]と鳴る；〈フクロウなどが〉鋭く鳴く；〈楽器・歌手が〉耳ざわりな高音を出す.
—[他] **1** …を絶叫して訴える，金切り声で…と言う(+*out*)；[scream **that**節] …と絶叫して訴える. **2** 〈新聞が〉〈ニュース〉をセンセーショナルに書きたてる(+*out*). **3** [scream oneself **C**] 金切り声をあげて **C** になる，**C** になるまで声をはりあげて叫ぶ ‖ *scream oneself* red in the face 顔を真っ赤にして叫ぶ.
—[名] ([複] ~s/-z/) **1** [C] [しばしば a ~]〔…を求める〕**金切り声，悲鳴**〔*for*〕；(鳥・動物の)鋭い鳴き声；(高い)笑い声；(機械・笛・風などの)鋭い音 ‖ give *a* hysterical *scream* ヒステリックな金切り声をあげる.
2 《古・略式》[a ~] ふき出してしまうような面白い人[事，冗談].

screech /skríːtʃ/ [動] [自] **1** 〈人が〉(恐怖・苦痛などで)かん高い声をあげる，金切り声で叫ぶ(+*out*)《◆ scream より耳ざわりな叫び》. **2** 〈サルなどが〉かん高い声で鳴く. **3** 《略式》〈ブレーキなどが〉キーと音を立てる；〈乗物などが〉急に止まる. —[他] …を金切り声で叫ぶ(+*out*).
—[名] [C] **1** (年配の女・鳥などの)かん高い叫び[鳴き]声. **2** (ブレーキなどの)キーという音.
scréech òwl 〔鳥〕《米》コノハズク；《英》メンフクロウ.

***screen** /skríːn/
—[名] ([複] ~s/-z/) [C] **1** (テレビ・コンピュータなどの)**スクリーン，映像**(small screen)；(映画の)スクリーン，映写幕(silver screen)；[U] [the ~；おおげさに] 映画[テレビ](界) ‖ He first appeared ***on the screen*** in 1970. 彼は1970年に映画界にデビューした / a star of stage and *screen* 舞台・映画スター.
2 [通例複合語で] 場所を仕切るもの，風などをさえぎるもの《ついたて・びょうぶ・すだれ・幌など》；(教会の)内陣仕切り；《米》網戸；《英》(車の)フロントガラス(windscreen,《米》windshield) ‖ a sliding *screen* (障子・ふすまなどの)横びらきの仕切り / a window *screen* 窓網戸 / a fire *screen* (暖房の)ついたて. **3** 遮蔽(しゃへい)物；〔軍事〕煙幕(smoke screen)；[比喩的に] 目隠し，煙幕；〔…を〕隠すもの〔*for*〕‖ behind a *screen* of trees 木に隠れて / put on a smile as a *screen for* one's embarrassment 当惑顔を隠すためにこりと笑う / The fog acted as a *screen for* the smugglers. 密輸入者にとって霧は煙幕の役割を果たした. **4** (鉱物・穀物用の)ふるい.
—[動] [他] **1** 《正式》…を〔光・熱から〕守る，覆う(shelter)；…を〔視野から〕隠す，見えなくする；…を〔危険から〕かばう(+*off*)〔*from*〕；〈物が〉〈光など〉をさえぎる(+*out*) ‖ *screen* one's eyes ***from*** the light with one's hand 手をかざしてまぶしさを避ける / The hedge *screened* her house *from* public view. 生け垣のおかげで彼女の家は人から見えなかった. **2** 〈人〉を〔罰・非難などから〕かばう〔*from*〕；〈人〉を〔…することから〕守る〔*from doing*〕；〈誤り〉をかばう ‖ *screen* her ***from*** blame 彼女を非難からかばう / *screen* him *from* suffering any losses 彼が損をしないようにする. **3** 〈場所〉を仕切る(+*off*) ‖ One corner of the room is ***screened off*** as a study. その部屋の隅が書斎として仕切られている. **4** 〈砂利・石炭など〉をふるいにかける；…を〔…から〕選別する；…を除外する(+*out*)〔*out of*〕‖ *screen* applicants 応募者を選抜する. **5** 〈家・窓〉に〔虫を防ぐために〕網戸を取付ける〔*against*〕. **6** [通例 be ~ed] 〈映画などが〉映写[上映]される；〈小説・劇が〉映画化される.
—[自] [様態の副詞を伴って] 〈劇・俳優が〉映画になる ‖ *screen* well [badly] 映画に適する[適さない] (cf. take [自] **4**).
scréen àctor [àctress] 映画男優[女優].
scréen dòor 網戸.
scréen sàver 〔コンピュータ〕スクリーンセイバー《ディスプレー画面の焼き付き防止ソフト》.
scréen tèst 試演撮影による映画俳優志願者のオーディション；その撮影映画.

screen·ing /skríːniŋ/ [名] **1** [U] [C] (鉱物の)選別；(一般に)選考；[U] 〔医学〕スクーリーニング《病気の有無などをふるい分けること》. **2** [U] [C] (映画の)上映(会).

screen·play /skríːnplèi/ [名] [C] 映画のシナリオ.

screen·writ·er /skríːnràitər/ [名] [C] (映画の)シナリオライター.

†**screw** /skrúː/ [発音注意] [名] [C] **1** ねじくぎ；もくねじ(woodscrew)；ねじボルト(screw bolt) ‖ Tighten the *screw* so that it won't come loose. ねじがゆがまないようにしっかり締めなさい / Turn the *screw* tightly. ねじをきつく締めなさい / a male [exterior] *screw* 雄ねじ / a female [interior] *screw* 雌ねじ.
2 らせん状のもの；(船の)スクリュー，(飛行機の)プロペラ(screw propeller)；コルク抜き(corkscrew) ‖ a boat propelled by one *screw* 1つのスクリューで推進する船. **3** [a ~] ねじり，ひとひねり，1回転 ‖ give it a few *screws* それを2, 3回回す. **4** 《英俗》(囚人から見て)看守.
hàve a scréw lóose [míssing] 《略式》〈人が〉頭が少々変である.
—[動] [他] **1** 〈人が〉〈物〉を〔…に〕ねじくぎで取り付ける(+*up*)《◆ 場所を示す副詞句を伴う》；〈物〉をねじで固定する(+*up*, *down*)〔*on*, *to*〕；〈弦〉を締める(+*up*)(↔ unscrew) ‖ ***screw*** a lock ***on*** the door 鍵をドアにねじくぎで取り付ける / ***screw down*** the lid ふたをねじで止める. **2** 〈ねじなど〉をねじる，回す；〈ふた〉をねじって開ける[閉じる]；〈腕・頭など〉をねじる，回す ‖ *screw* a lid on a bottle びんのふたを回して閉じる / *screw* a jar open =*screw* open a jar びんのふたをとる / *screw* his arm 彼の腕をねじ上げる. **3** 〈棒〉にねじを刻む. **4** 〈顔・顔の部分〉を〔…の表情に〕しかめる(+*up*)〔*into*〕‖ *screw up* one's eyes 目を細める《◆ まぶしい[よく見えない]時のしぐさ》. **5** 《略式》〈物・事〉を〔…から〕絞り出す(+*out*)；《略式》…を〔人から〕無理やり取る〔*out of*, *from*〕‖ *screw* a smile *out of* her 彼女を無理やりにっこりさせる.
—[自] 〈物が〉ねじれる，回る；ねじ込むことができる；〔…に〕ねじ留めできる(+*on*)〔*to*〕；〈2つの物が〉ねじで結合できる(+*up*, *together*).
scréw úp [他] (1) → [他] **1**, **4**. (2) 〈人〉を奮い立たせる；〈規律〉を厳しくする. (3) 《略式》〈事〉を台なしにしてしまう，〈試験など〉に失敗する. (4) 《略式》〈人〉をいらいらさせる，緊張させる；[通例 be ~ed]〔…に〕やきもきする，困る〔*about*〕‖ He was *screwed up* by

S

彼は無能な弁護士のためにいらいらさせられた.
scréw bòlt ねじボルト.
scréw nùt (ボルトの)ナット.
scréw propéller =名2.
scréw stèamer スクリュー船.
scréw wrènch 自在スパナ.
screw·ball /skrúːbɔ̀ːl/ 名 C **1** 〔野球〕スクリューボール, シュートボール. **2** (米略式)奇人, 変人. ── 形 突拍子もない.
screw·driv·er /skrúːdràivər/ 名 C **1** ねじ回し, ドライバー. **2** C スクリュードライバー《カクテルの一種》.
†**scrib·ble** /skríbl/ 動 他 (過去・過分) 〈…を〉急いで(なぐり)書きする, 〈…に〉落書きする ‖ scribble a message 伝言を走り書きする. ──名 **1** U 〔時にa~〕走り書き. **2** C 〔しばしば~s〕なぐり書きしたもの; 落書き.
scríbbling blòck (はぎ取り式の)雑記帳〔用紙〕.
scrib·bler /skríblər/ 名 C 乱筆家; へぼ文士.
†**scribe** /skráib/ 名 C **1** (印刷術発明以前の)写本筆写者, (一般に)筆記者, 書記; 物書き, ジャーナリスト. **2** 〔通例 S~〕〔ユダヤ史〕律法学者.
scrib·er /skráibər/ 名 C 画線器, けがき針.
scrim·mage /skrímidʒ/ 名 C **1** (略式)こぜり合い; つかみ合い, 乱闘. **2** (米) 〔アメフト〕スクリメージ《ボールがスナップされてからデッドになるまでのプレー》; 練習試合. **3** 〔ラグビー〕=scrummage. ── 動 自 **1** こぜり合いをする, 乱闘する. **2** 〔アメフト〕スクリメージをする; 練習試合をする.
scrimp /skrímp/ 動 他 〈金などを〉切り詰める, 節約する. 〈人に〉けちけちする, わずかしか与えない. ── 自 〔…を〕けちけちする, 節約する〔on〕‖ scrimp and save (略式) scrape] けちけちして金をためる.
scrip /skríp/ 名 C **1** 受取証, 証明書. **2** 仮証書, 仮証券, 仮株券.
script /skrípt/ 名 **1** U (印刷に対して)手書き; 筆跡, 文字 ‖ in Arabic script アラビア文字で. **2** U (印刷)筆記体, スクリプト体; C 書体. **3** C (劇・映画・放送などの)脚本, 台本. **4** C 〔英〕〔通例~s〕(試験の)答案.
script·ed /skríptid/ 形 台本による ‖ a scripted talk 下書きを見ながらの講演.
Script. Scriptural; Scripture.
scrip·tur·al /skríptʃərəl/ 形 聖書の, 聖書による, 聖書に基づく.
†**scrip·ture** /skríptʃər/ 名 **1** 〔the S~〕聖書(the Bible)《◆ Holy Scripture または the (Holy) Scriptures 〔複数扱い〕ともいう》; 〔形容詞的に〕聖書の, 聖書にある ‖ a Scripture lesson 聖書を読む日課 / Christians live by [in accordance with] the Scriptures. クリスチャンは聖書に従って生きる. **2** 〔時にS~〕C 聖書の一節. **3** C 〔時に~s〕(一般に)経典, 聖典 ‖ Buddhist scriptures 仏典.
†**scroll** /skróul/ 名 C **1** (皮・紙の)巻物, 巻本. **2** U 渦巻模様, 渦巻き形装飾. **3** C 〔コンピュータ〕スクロール, 画面内を上下に移動すること. ── 動 〔コンピュータ〕 自 **1** 〈…を〉スクロール〔画面内を上下移動〕する (+up, down). **2** 〈…を〉スクロールで表示する.
scróll bàr 〔コンピュータ〕スクロールバー《表示画面をスクロールするときに動かす》.
scróll sàw 雲型のこぎり, 糸のこ.
scrooge /skrúːdʒ/ 〔Dickens 作品中の人物から〕名 〔時にS~〕C (略式)守銭奴, けちん坊.
scro·tum /skróutəm/ 名 (複 ~·ta /-tə/, ~s) C 〔解剖〕陰嚢(のう).
scrounge /skráundʒ/ 動 自 (略式)金をせびる; ねだ

る. ── 他 …をもらう.
†**scrub** /skrʌ́b/ 動 (過去・過分) scrubbed/-d/; scrub·bing) 他 **1** 〈人が〉〈場所・物を〉(いかく)ごしごしみがく〔洗う〕, みがきあげる (+out, down); [scrub A C] 〈場所を〉みがいて C にする ‖ scrub the floor with soap 石けんで床をごしごしみがく / scrub oneself [one's back] with a washcloth タオルで自分の体〔背中〕をこする / scrub the wall clean 壁をきれいにする. **2** 〈汚れを〉〔…から〕こすって取り除く (+out, away) 〔off, from, out of〕; scrub the dirt off the carpet じゅうたんから泥をこすり取る. **3** 〈ガスの不純物を除く (+out). **4** (略式)…を中止する, を無効にする(cancel) (+out). ── 自 **1** ごしごしこする, こすり続ける (+away), 〔…に〕こすって取る〔at〕; 〈医者が〉手術前に手を洗う (+up).
── 名 **1** 〔a~〕ごしごしみがくこと ‖ give the floor a good scrub [scrubbing] 床をごしごしとよくこする. **2** U (俗)取り消し.
scrubbing 〔(米) scrúb〕 **brùsh** (床掃除用の)(洗い)たわし.
scrub·by /skrʌ́bi/ 形 (-·bi·er, -·bi·est) **1** 雑木の茂った, 雑木のような. **2** (略式)ちっぽけな, 発育の悪い, いじけた. **3** (略式)みすぼらしい.
scruff /skrʌ́f/ 名 C (動物・人の)首のうしろ, (つかむ対象としての)首筋 ‖ take [catch, grab, seize] a cat by the scruff of the neck ネコの首筋をつかむ.
scruff·y /skrʌ́fi/ 形 (-·i·er, -·i·est) (略式)だらしのない, みすぼらしい.
scrum /skrʌ́m/ 名 C **1** =scrummage. **2** (略式) 〔the ~〕(乗物・バーゲンなどで)殺到(する人たち).
scrúm hàlf 〔ラグビー〕スクラムハーフ(図) → rugby.
scrum·mage /skrʌ́midʒ/ 名 C 〔ラグビー〕スクラム. ── 動 自 スクラムを組む.
†**scru·ple** /skrúːpl/ 名 (正式) **1** 〔通例 ~s〕良心のとがめ; U 〔通例 no [without] ~s〕疑念, ためらい(hesitation) ‖ tell lies without scruples 平気でうそをつく. **2** C スクループル《薬量単位. 20 grain (=約 1.3 grams)》. ── 動 自 〔通例否定文で〕〔…するのを〕ためらう, 〔…するのに〕気がとがめる〔to do, about doing〕‖ She didn't scruple to tell lies to the police. 彼女は平気で警察にうそをついた.
scru·pu·los·i·ty /skrùːpjəlάsəti | -ls-/ 名 U (正式) **1** 綿密さ, きちょうめんさ. **2** 良心のとがめ.
scru·pu·lous /skrúːpjələs/ 形 (正式) **1** 良心的な, 誠実な. **2** 綿密な, きちょうめんな, きちょうめんなに ‖ a scrupulous record of events 出来事の綿密な記録.
scrú·pu·lous·ly 副 良心的に, 誠実に; 綿密に.
scrú·pu·lous·ness 名 U 誠実さ; 綿密(であること).
scru·ti·nize /skrúːtənàiz/ 動 他 …を綿密に調べる, 吟味する ‖ scrutinize the document closely その書類を入念に調べる. **scrú·ti·niz·er** 名 C 綿密に調べる人, 吟味者.
scru·ti·ny /skrúːtəni/ 名 (正式) **1** U 綿密な調査〔検査〕, 吟味. **2** U じろじろ見ること; 監視 ‖ under scrutiny 監視されて. **3** C 〔英〕 (開票の)再検査.
SCSI 〔コンピュータ〕Small Computer Systems Interface SCSI, スカジー《周辺機器を接続する規格の1つ》.
scu·ba /skúːbə/ 〔self-contained underwater breathing apparatus〕名 C 形 スキューバ(の)《自給式潜水用呼吸装置. Aqualung の新商標名》.
scúba diver スキューバダイバー.
scúba diving スキューバダイビング.

scud /skʌd/ 動 (過去・過分 scud·ded/-ɪd/; scud·ding) 自 **1** 《文》《雲などが》すばやく動く[走る] (move lightly). **2** 〔海事〕追い風にのって]走る〔before〕. ── 名 《正式》**1** [a ~] すばやく動くこと, 疾走. **2** ⓤ《風に追われる》飛雲, 雨雲. **3** ⓒ [しばしば ~s; 単数扱で] にわか雨.

scuff /skʌf/ 動 自 **1** 足を(だらしなく)引きずって歩く. **2** 〈靴・床などが〉すり減る, すり切れる, (こすって)傷がつく(+*up*). ── 他 **1** 〈地面・床など〉を足でこする(+*up*); 〈地面の上で〉〈足〉をこする. **2** 〈靴など〉をすり減らす(+*up*).

scuf·fle /skʌfl/ 動 自 **1** 〔…と〕乱闘[格闘]する, 取っ組み合う〔*with*〕. **2** 足を引きずって歩く(shuffle). ── 名 ⓒ 乱闘, 格闘.

scull /skʌl/ 名 **1 a** 櫓(ろ)《とも中央の切込みにはさんでこぐオール》. **b** スカル《両手に1本ずつ持ってこぐさじ型オール》. **2** スカル《競漕用軽ボート》. ── 動 他 自《ボート》をスカルでこぐ.

scul·ler·y /skʌ́ləri/ 名 ⓒ《主に英》(台所に付属した) 食器洗い場; 食器貯蔵室.

sculp·tor /skʌ́lptər/ 名 ⓒ 彫刻家.

†**sculp·ture** /skʌ́lptʃər/ 名 **1** ⓤ 彫刻(すること), 彫刻術 (cf. carving) ‖ I'm interested in modern *sculpture*. 私は現代彫刻に興味があります. **2** 〔集合名詞〕彫刻(作品); ⓒ（個々の）彫刻品, 彫像 ‖ a wonderful *sculpture* by Picasso ピカソによるすばらしい彫刻の作品. ── 動 他 **1** …を彫刻する ‖ *sculpture* a statue *out of* [*in*] stone 石を彫刻して像を作る. **2** …を彫刻で表現する, 彫刻のように形作る. **3** …を彫刻で飾る.

†**scum** /skʌm/ 名 ⓤ 〔時に a ~〕（沸騰・発酵などで液体表面に生じる）浮きかす[あわ], あく, 皮膜 ‖ green *scum*（沼などの）青あか.

scup·per /skʌ́pər/ 名 〔海事〕〔通例 ~s〕（舷側の）甲板排水孔, 水落とし. ── 動 他 《英》 **1** 〈船〉を(わざと)沈める. **2**《略式》〔通例 be ~ed〕〈人・計画など〉がだめになる.

scurf /skə́ːrf/ 名 ⓤ **1** ふけ, あか. **2** (一般に)うろこ状にはげ落ちるもの.

scur·ril·ous /skə́ːrələs, skʌ́rəl-/ 形 《正式》口の悪い; 下品な.

†**scur·ry** /skə́ːri, skʌ́ri/ 動 自 **1** 〔…を求めて〕あわてて〔ちょこちょこ〕走る, 急ぐ(+*about, along, away, off*) 〔*for*〕;〔仕事などを〕あわててする〔*through*〕‖ The mouse *scurried away* into its hole. ネズミは急いで穴に逃げ込んだ. **2**〈雪などが〉渦巻く. ── 名 **1** [a/the ~] 小走り, 急ぎ足(の音); 大あわて, 大急ぎ. **2** ⓒ (疾風を伴った)にわか雨[雪]; もうもうたるほこり.

†**scur·vy** /skə́ːrvi/ 名 〔医学〕壊血病.

'scuse /skjúːz/ → EXCUSE me (成句).

scut /skʌ́t/ 名 ⓒ (ウサギ・シカなどの) 短いしっぽ[尾].

†**scut·tle**[1] /skʌ́tl/ 名 ⓒ (室内用)石炭入れ, (石炭運搬用)バケツ.

scut·tle[2] /skʌ́tl/ 名 ⓒ 〔海事〕丸窓, 舷窓; 昇降口(のふた); (船底の穴). ── 動 他 水線下[船底, 舷側]に孔をあけて〈船〉を沈める; 〈船〉を(沈めるために)海水弁を開ける.

†**scythe** /sáɪð/ 名 ⓒ (長柄の)草刈りがま, 大がま (cf. sickle). ── 動 他 草刈りがま[大がま]を使う.

Scyth·i·an /sɪ́θiən, síð-/ 形 スキタイの; スキタイ人[語]の. ── 名 ⓒ スキタイ人; ⓤ スキタイ語.

SD (略) special delivery; (郵便) South Dakota.

SD, S. Dak. (略) South Dakota.

SDI (略) Strategic Defense Initiative 戦略防衛構想, スターウォーズ計画.

Se (記号) 〔化学〕selenium.
SE, s.e. (略) southeast(ern).

****sea** /síː/ (同音) see)
── 名 (複 ~s/-z/)
I [海]

1 ⓒ 〔通例 the ~〕海, 海洋《原初の創造・永遠・豊饒(ほう)・浄化などの象徴》《関連形容詞 marine, maritime》(→ ocean)(↔ land) ‖ The *Titanic* sank to the bottom of *the sea*. タイタニック号は海底に沈んだ / under *the sea* 海中で / jump into *the sea* 海へ飛び込む / a yacht sailing *on the sea* 海上を航行するヨット / a country girdled by *the sea* 海に囲まれた国.

2 ⓒ [前に形容詞を置いて] (ある状態の)海; [しばしば ~s] うねり, 荒波 ‖ a quiet [calm, glassy] *sea* 静かな海 / a long [short] *sea* うねり[小波]の海 / rough [heavy, raging, stormy] *seas* 荒波 / mountainous *seas* 山のような波.

3 [the ~] 海辺《主に英》seaside) ‖ go (down) to *the sea* 海辺に行く / be *at the sea* 海岸にいる / spénd a hóliday by the séa 海辺で休日を過ごす / The town is *on the sea*. その町は海岸沿いにある.

4 [しばしば S~; 固有名詞として] …海《◆ Ocean よりも小さなもの. 大きな湖・月の海(Mare)にも用いられる》.

> 関連 [いろいろな海の名]
> the Black *Sea* 黒海 / the Caribbean *Sea* カリブ海 / the Dead *Sea* 死海 / the East China *Sea* 東シナ海 / the Inland *Sea* of Japan 瀬戸内海 / the Mediterranean *Sea* 地中海 / the North *Sea* 北海 / the Red *Sea* 紅海 / the *Sea* of Japan 日本海 / the *Sea* of Okhotsk オホーツク海.

II [海のような]

5 [a ~ of + ~s of + ⓤ 名詞[ⓒ 名詞複数形]] たくさんの…, …の海 ‖ *a sea of* troubles 多くのやっかいごと / *a sea of* flame 火の海 / *seas of* blood 血の海 / *a sea of* faces 顔また顔.

6 [形容詞的に] 海の ‖ *sea* water 海水 / *sea* animals 海洋動物.

at séa (1) 航海中で[に]; 船乗りで; (陸地から遠く離れた)海上で(cf. **3** 第2例) ‖ Worse [Stranger] things happen *at sea*. 《略式》海上ではもっと悪い[おかしな]ことが起こるのだから,(これくらいのことは何だ)《◆悪いことが起こって落胆している人を励ます言葉》. (2) [(all) at ~] 〔…に〕途方にくれて(at a loss) 〔*about, with*〕, 〔どちらが〕まったく迷って〔*between*〕‖ I was all [completely, totally] *at sea* about what to do. どうしたらよいかまったくわかなくて困ってしまった.

by séa 海路で, 船で(by ship) (cf. by LAND, by AIR) (→ 文法 16.3(5)).

fóllow the séa 船乗りを職とする.
gó to séa (1) 船乗りになる(cf. **3**). (2) 出帆する.
pùt (óut [óff]) to séa 出帆する.
tàke the séa (1) 乗船する. (2) 出帆する.

séa áir (保養に適した)海辺の空気.
séa ànchor 〔海事〕海錨.
séa anèmone 〔動〕イソギンチャク《◆単に anemone ともいう》.
séa bànk 海岸堤防(seawall).

séa bàss〔魚〕ハタ類.
séa bàthing 海水浴.
séa bírd 海鳥.
séa brèeze 海風《昼間に海から陸へ吹く風》.
séa còw〔動〕海牛《ジュゴンとマナティー》;〔古〕セイウチ(walrus).
séa cùcumber〔動〕ナマコ.
séa dòg (1)〔動〕ゼニガタアザラシ. (2)〔魚〕=dogfish.
séa dùck〔鳥〕ウミガモ.
séa fòg 海霧.
séa gréen〔色〕海緑色.
séa gúll〔鳥〕カモメ.
séa hòrse〔魚〕タツノオトシゴ(類);〔動〕セイウチ;〔ギリシア神話〕海馬《半魚半馬の怪物》.
séa ísland (còtton) 海島綿.
séa làne シーレーン, 常設航路.
séa lèvel 平均海面 ‖ 2,000m above [below] sea level 海抜[海面下]2000メートル.
séa líly〔動〕ウミユリ.
séa líon (発) sea líon, -s〔動〕アシカ・トドの類.
séa mèw〔鳥〕カモメ.
séa míle 海里(nautical mile).
séa míst 海霧.
séa mònster 海の怪物.
séa òtter〔動〕ラッコ.
séa pòwer 海軍国; 海軍力.
séa sàlt 海塩.
Séa Scòut 海洋少年団員.
séa sèrpent〔動〕ウミヘビ;(伝説上の)大海蛇.
séa snàke〔動〕ウミヘビ.
séa úrchin〔動〕ウニ.
séa wìnd 海風.
séa wòlf 海賊;〔魚〕大食いする海水魚(類).
sea·beach /síːbìːtʃ/〔名〕〔C〕海辺, 海岸.
sea·bed /síːbèd/〔名〕[the ~] 海底.
†**sea·board** /síːbɔːrd/〔主に米〕〔名〕〔C〕海岸線 ‖ the Atlantic seaboard 大西洋沿岸. ——〔形〕海岸にある.
sea·born /síːbɔːrn/〔形〕海から生まれた[生じた] ‖ the seaborn goddess 海から生まれた女神《Venus, Aphrodite のこと》.
sea·borne /síːbɔːrn/〔形〕海を運ばれた; 海上輸送の.
†**sea·coast** /síːkòust/〔名〕〔C〕[通例 the ~] 海岸, 沿岸.
sea·far·er /síːfèərər/〔名〕〔C〕〔古・正式〕船員, 船乗り; 旅人.
†**sea·far·ing** /síːfèəriŋ/〔形〕〔文〕航海の; 船乗り稼業の ‖ a seafaring man 船乗り((PC) sailor, seafarer) / seafaring nations 海洋国. ——〔名〕〔U〕船乗り業. **2**〔U〕〔C〕航海.
sea·food /síːfùːd/〔U〕〔C〕海産食品.
sea·front /síːfrʌnt/〔名〕〔U〕〔C〕[the ~] 海岸に面した街区, 海岸通り.
sea·girt /síːɡɚːrt/〔形〕〔詩〕海に囲まれた.
sea·god /síːɡɑd/ -gɔd/〔名〕(《女性形》 ~·dess)〔C〕海神(cf. Neptune, Poseidon; Aphrodite, Venus).
sea·go·ing /síːɡòuiŋ/〔形〕**1** 遠洋航路(用)の; 大洋を航海する. **2** 船乗り稼業の. ——〔名〕=seafaring.
†**seal**¹ /síːl/〔名〕**1**《所有権や出所の正しさを示すための, ろうなどに押される》印, 印章, 紋章; 印鑑, 判,(リ)♦欧米ではとかしたろうや鉛(→ **3**)の上に印鑑を押して公文書などに添えるが, 日常は署名ですませ印鑑はほとんど用いない》 ‖ The document bears the official seal. その書類には公印が押してある /〈日本発〉 Instead of using a signature, Japanese use a personal seal. サインの代わりに日本人は印鑑を使います. **2** 封印, 封緘(ﾝ), 封 ‖ break the seal on a jar びんの封を切る / The seal of the envelope is broken. 封筒の封が破られている. **3** 封じ, 封鉛; 封印紙. **4** しっかり封をするもの;[通例 the ~](空気・水もれを防ぐ)密栓, 密閉. **5**(証拠となる)徴候, 印;(正式の)保証 ‖ a kiss as the seal of his love 彼の愛の印としてのキス / the seal of approval 認可のしるし. **6** (米) 装飾用シール, ステッカー ‖ a Christmas seal クリスマス用シール. ——〔動〕〔他〕**1**〈人が〉証文などに印を押す, 〈条約など〉に調印する ‖ The document was signed and sealed. 書類は署名・調印された. **2**〈人が〉〈物〉に[…で]封をする, 封緘する(up, down)(with)(↔ unseal) ‖ seal (up) an envelope 封筒に封をする / Keep the box properly sealed. その箱をきちんと封をしておきなさい. **3**〈人が〉〈物〉をふさぐ, 密閉[密封]する, 〈窓など〉に目塗り[目張り]する(+up) ‖ seal the cracks in a wall 壁の割れ目をふさぐ. **4**〈目・口など〉を堅く閉じる, 封じる〔用例 → lip **2**〕. **5**《正式》〈運命・死など〉を決める(decide), 〈勝利など〉を動かぬものにする(settle) ‖ The arrival of the police sealed her fate [doom]. 警官の到着で彼女の運命が決まった. **6**《正式》〈取引・約束など〉を[…で]確認する, 証明する(by, with).
séal ín〔他〕〈人・物など〉を閉じ込める.
séal óff〔他〕(1)〈ある場所など〉を密封[密閉]する. (2)〈地域など〉を封鎖[立入り禁止に]する.
séaling wàx 封ろう.
séal ring 印章つき指輪.
†**seal**² /síːl/〔名〕(《発》 ~s, seal)〔C〕**1**〔動〕アザラシ, アシカ ‖ the true seal アザラシ / the eared seal アシカ科の動物《オットセイ・アシカ》/ a fur seal オットセイ / a harbor seal ゼニガタアザラシ. **2**〔U〕アザラシ[オットセイ]の毛皮(sealskin). ——〔動〕〔自〕アザラシ[オットセイ]狩りをする.
seal·er /síːlər/〔名〕〔C〕捺印器, 押印する物; 防水剤; 《主に米》度量衡検査官;〔U〕〔C〕(塗装の)下地用塗料.
seal·skin /síːlskìn/〔名〕**1**〔U〕オットセイ[アザラシ]の毛皮;その衣服. **2**[通例 ~s] シール(スキン)《スキーに用いる滑り止め》.
†**seam** /síːm/〔同音〕seem〔名〕〔C〕**1**(布・革などの)縫い目, (板などの)継ぎ目, とじ目, (裏編みの)編み目;[通例 ~s](船板の)合わせ目 ‖ This coat is coming apart at the seams. このコートは縫い目がほころんでいます / the hall bursting at the seams (略式) 人であふれるほどのホール. **2** 傷跡;(顔などの)深いしわ;(岩などの)割れ目;(語などの)とぎれ. **3**〔医学〕縫合(線). **4**〔地質〕シーム《2つの地層間の岩石・石炭などの薄層》‖ a seam of coal =a coal seam 石炭層. ——〔動〕〔他〕**1** …を縫い[継ぎ, とじ]合わせる(+together). **2**[通例 be ~ed]〔…の〕傷跡[しわ, 溝(ﾂ)]がついている(by, with) ‖ a face seamed with age and sorrow 年月と苦労の刻まれた顔.
†**sea·man** /síːmən/〔名〕(《発》 ~·men)〔C〕**1** 船員, 海員((PC) mariner, sailor)(↔ landsman);《米》the *Seaman's Union* (英) 船員組合. **2**[通例 good [bad] を伴って] 船の操縦の…な人((PC) navigator) ‖ a good [bad] seaman 船の操縦の巧みな[へたな]人(cf. sailor〔名〕**3**). **3** 水兵;〔米海軍〕上等水兵.
seam·less /síːmləs/〔形〕縫い目[継ぎ目]のない, シームレスの.

seam·y /síːmi/ 形 (**-i·er, -i·est**) **1** 縫い目のある[出した] ‖ the *seamy* side 〈衣服の〉裏側. **2** 不快な《◆通例этом》‖ the *seamy* side of life 人生の裏面, 暗黒面.

sea·plane /síːplèin/ 名 © 水上飛行機《(古) hydroplane》; 水陸両用飛行機.

sear /síər/ 動 (正式) …の表面を[…で]焦がす, 焼く(burn) 〔with〕(→ cook 動 **1** 関連); 〈家畜〉に焼印を押す ‖ *sear* the cloth 布を焦がす / *sear* a wound *with* a hot iron 熱いこてで傷口を焼く.
— 名 ⓤ 焼け焦げ, やけどの跡.

***search** /sə́ːrtʃ/ 原義「ぐるぐると動き回る」が原義
— 動 (~·es/-iz/; 過去・過分 ~ed/-t/; ~·ing)

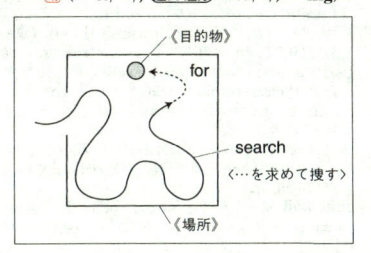

[図: 《目的物》 for search 〈…を求めて捜す〉 《場所》]

— 他 [*search* **A** for **B**]〈人が〉〈場所〉を[**B** を求めて]捜す〔for〕;〈武器を持っていないか〉〈人〉を所持品検査する;〈武器などを隠していないか〉〈家・場所〉を捜索する((略式) frisk);〔…を探ろうと〕〈顔〉をうかがう;〔…を思い出そうと〕〈記憶〉をたどる〔for〕;〈自分が正しいか〉〈心〉に問うてみる;(コンピュータで)検索する ‖ *search* one's pockets *for* a key あちこちポケットをさぐってかぎを捜す / *search* the drawer *for* the missing ring なくなった指輪を捜して引き出しを見る / *search* a wound〈外科医が〉傷口を探る / *search* one's conscience [heart] 良心に聞いてみる / I *searched* my memory *for* her telephone number. 彼女の電話番号を思い出そうと記憶をたどった / He *searched* my face for approval. 彼は同意の表情が浮かんでいるかと私の顔をうかがった.

> **⚠[search と seek]**
> search **A** for **B**   **A** は場所, **B** は捜す対象の物
> seek **A**   **A** は物・場所

> **語法** The police *searched* him. は「(凶器を持っていないか) 警官は彼をボディチェックした」, The police *searched* for him. は「(行方不明の)彼を捜索した」の意味(cf. 自).

— 自 〈人が〉〔…を〕捜す, 求める〔for, after〕《◆ after は主に「真実」「心の平静」など抽象的なものに用いる》;〈人が〉捜す〔among, through, in, behind などの前置詞を伴った句が必ずつく〕;〔…を〕究明する, 詮索する〔into〕‖ The police *searched for* a missing boy all night. 警察は行方不明の男の子を一晩中捜した / *search into* the affair その件を調査する / *search* carefully *among* the leaves 注意深く木の葉の中を捜す.

Séarch mé! (略式) (捜しても)答えは出ないよ, 知らないね ✓ 対話 "What happened?" "*Search* me." 「何があったんだ?」「わからないよ」.

séarch óut 他 …を捜し出す, 暴き出す.

— 名 (複 ~·es/-iz/) ⓤ © **1**〔…の〕捜索, 追求; 調査, 検査〔for, after〕‖ nationwide *search* 全国調査 / house-to-house *search* 戸別調査 / *make a search of* the room *for* the missing papers なくなった書類を求めて部屋を捜す《◆ *search the room* … の方がふつう》. **2** 〔コンピュータ〕サーチ, (情報)検索.

in séarch of A 〈人・物〉を捜して ‖ We went *in search of* the enemy destroyer. 敵の駆逐艦を求めて出撃した.

séarch èngine 〔コンピュータ〕サーチエンジン, 検索エンジン《インターネットで情報検索を行なうソフトウェア》.

✝**search·light** /sə́ːrtʃlàit/ 名 © サーチライト, 探照灯.

sea·shell /síːʃèl/ 名 © 貝, 貝殻.

✝**sea·shore** /síːʃɔ̀ːr, (英+) ≠/ 名 ⓤ © [(the) ~] 海岸, 海辺 ‖ She sells seashells on the *seashore*. 彼女は海辺で貝を売っている《◆ 早口言葉》.

sea·sick /síːsìk/ 形 船に酔った.   **séa·sick·ness** 名 ⓤ 船酔い.

✝**sea·side** /síːsàid/ 名 [主に英) [the ~] (保養・避暑に適した)海岸(の土地) 《(米) beach) (類語 → coast) ‖ a *séaside* hotél 海辺のホテル / spend a holiday *by* [*at*] *the seaside* 海岸で休日を過ごす.

S

:sea·son /síːzn/ 〔「種をまく時期」が原義. cf. seed, sow〕派 seasonal 形.
— 名 (複 ~s/-z/) © **1** 季節, 四季の1つ ‖ the four *seasons* 四季 / Which *season* do you like best? どの季節が一番好きですか / 日本発》Japan has four well-defined *seasons*, and these have had a strong influence on the Japanese way of life. 日本は四季がはっきりしており, それが日本人の生活様式に強い影響を与えてきた.

2 a (ある気候の)季節;(行事・仕事・活動などの)時期, 季節, シーズン;(野菜・魚などの)季節, 旬(しゅん);(狩猟の)期 ‖ the hot [cold] *season* 暑い[寒い]季節 / the holiday *season* (クリスマス・イースターなどの)休日期 / the football [baseball] *season* フットボール[野球]シーズン / the *season* of harvest 収穫期 / the high [low] *season* 商売がはやる[低調な]時期.

> **関連** [いろいろな種類の **season**]
> close [closed] *season* 禁猟期 / dry *season* 乾季 / fishing *season* 漁猟解禁期 / mating *season* 交尾期 / open [hunting] *season* 狩猟解禁期 / planting *season* 植物を植える時節 / rainy *season* 雨季 / tourist [(英) holiday] *season* 観光シーズン.

b (一般に)〔…に/…するのに〕よい時期〔for / to do〕‖ at the appropriate *season* 適当な時期に / Fall is the best *season* *for* (going on) a picnic. 秋はピクニックに最もよい季節だ.

3 (英略式) =season ticket (1).

at áll séasons 年中.

in séason (1)〈食物が〉旬(しゅん)で, 食べ頃で;[副詞的に](行楽などの)シーズン中は. (2)〈動物が〉狩猟期で. (3)〈雌が〉さかりがついて. (4) (文)〈忠告が〉最も時宜を得て ‖ a word *in season* 時宜を得た忠告.

ín sèason and óut (of sèason) =*in and out of season*.

óut of séason (1) 季節はずれで;[副詞的に](行楽などの)シーズンオフでは. (2) 禁猟期で. (3) さかりの時期ではない. (4) 時機を逸した.

Séason's Gréetings! 《主に米》時候のごあいさつを申し上げます《クリスマスのカードには、キリスト教徒にはMerry Christmas! と書くが、非キリスト教徒にはこの言葉を用いる》.

— 動 **1** 〈食物を〉〈調味料で〉味付けする;〈会話などに〉〈ユーモアなどを〉添える〔with〕‖ soup (which is) *seasoned* with spice and garlic 香辛料とニンニクで味付けしたスープ / highly *seasoned* gravy 強い味付けの肉汁. **2** [通例 be ~ed]〈木材を〉(使用後縮めぬよう)乾燥させる. **3** 〈経験的〉〈人〉を慣らす;[通例 be ~ed / ~ oneself]〈人が〉〔…に〕慣れている〔to〕.

season ticket (1) (英) 定期券 (米) commutation ticket) ‖ a three-month *season ticket* 3か月定期. (2) (音楽会などの) 通し切符《割安で買える》.

sea·son·a·ble /síːzənəbl/ 形《正式》**1** 季節[時候]にふさわしい,時節に合った. **2** 時機を得た.

†**sea·son·al** /síːzənl/ 形 **1** 季節の. **2** ある季節だけ必要な,季節的な ‖ *seasonal* workers 季節労働者.

sea·soned /síːznd/ 形 **1** 味付けした. **2** 〈木材が〉よく乾燥した. **3** 〈人が〉よく慣れた,ベテランの.

†**sea·son·ing** /síːzəniŋ/ 名 **1** UC 調味料[料];味付けする[こと]《◆salt, pepper, garlic, spice, herb をいい, sugar は含まない》. **2** C(話などに添えられる)面白味. **3** U 木材の乾燥;(風土への)順応.

‡**seat** /síːt/ 類語 sheet /ʃíːt/ 《sit と同じ語源; 「座席」から「議席」「中心地」などの意味が派生した》
— 名 (~s /síːts/) C

I [座席]

1 (いす,ベンチなどの) 座席,席;観客席;(劇場などの)席につく権利,着席券 ‖ the front [back] *seat* of a car 車の前[後]部座席 / a driver's [passenger] *seat* (自動車の)運転[助手]席 /「an aisle [a window] *seat* (飛行機の)通路[窓]側の席 / a reclining [sleeper] *seat* リクライニングシート / reserve three *seats*「for the concert [on the plane] 音楽会[飛行機]の切符を3枚予約する / I'm afraid you're in the wrong *seat*. 席を間違っていませんか / *Is this seat taken?* この席はあいていますか / Háve [Táke] a *séat*, please. (♪) どうぞお席にください《◆Please sit down. よりもていねいな言い方》/ Keep your *seat*, please. どうぞそのまま立たないでください / Would you mind trading [changing] *seats* with me? (乗物などで)席をかわっていただけませんか / I couldn't get a *seat* on [in] the bus. バスで座れなかった.

2 [通例単数形で](いす・ブランコなどの)座部;器械の台(座);(正式)しり《◆buttocks の遠回し語》;[the ~](ズボンなどの)しりの部分 ‖ the *seat* of the pants ズボンのしりの部分 / My *seat* got sore from riding a bicycle. 自転車に乗ってしりが痛くなった. **3** (馬などの)乗り方 ‖ have a good *seat* 馬の乗り方が上手である.

II [重要な意味をもつ席]

4 (正式) (ある活動・機関の)所在地,中心地,府;病巣 ‖ a *seat* of learning 学問の府 / Nara was the *seat* of government about twelve centuries ago. 奈良は約12世紀前は政庁所在地であった.

5 議席;会員権;(英)(国会の)選挙区 ‖ lóse one's *séat* 落選する / wín a *séat* in an election 選挙で議席を得る / háve a *séat* in the House of Representatives 衆議院議員である.

6 (英古) 田舎の屋敷(country mansion).

tàke a báck séat (1) 〔…の〕下位に甘んじる,〔より〕目立たないようにする〔to〕. (2) 〔…で〕後手に回る〔on〕.

tàke one's **séat** (1) (正式) 自分の席に座る,着席する. (2) (議員が)議席を占める.

— 動 (~s /síːts/; 過去・過分 ~ed /-id/; ~ing)
— 他 **1** (部屋・テーブル・ホールが)〈人員(分)〉の席がある,…を収容する ‖ This theater *seats* 2,000 (people). この劇場は2000人はいります.

2 〈人〉を座らせる,着席させる;〈人〉を〈席へ〉案内する《着席場所を表す副詞(句)を伴う》;[be ~ed / ~ oneself] 座る ‖ *seat* oneself on [in] a chair (正式) いすに座る / Please be *seated*. (正式) お座りになってください《◆be ~ed はふつう「座っている」状態を表すが,この場合は Please sit down. (座ってください)のていねい表現》/ The waitress *seated* us in a corner. ウェイトレスが隅の席に私たちを案内した / Please remain *seated* until the bus comes to a complete stop. バスが完全に止まるまで席を立たないでください.

3 〈いすに〉座部を付ける[付け替える];〈ズボンの〉尻当てを付ける[付け替える]. **4** 〈機器・部品〉を〈台座に〉(きちんと)つける〔on, in〕.

séat bèlt シートベルト(safety belt) ‖ fasten [wear] one's *seat belt* シートベルトをしめる[しめている].

—**seat·ed** /-síːtid/ 語要素 →語要素一覧(1.2).

seat·ing /síːtiŋ/ 名 U **1** 席につく[つかせる]こと. **2** 座席;座席の配列《◆しばしば形容詞的にも用いる》‖ We have *seating* (room) for 20 people. 20人の座席があります / change the *seating* 座席の配列を変える. **3** (いすの)張り布. **4** (機械の)台座.

Se·at·tle /siːǽtl/ 発音注意 名 シアトル《米国Washington 州の都市》.

sea·wall /síːwɔːl/ 名 C 防潮堤,護岸堤.

†**sea·ward** /síːwərd/ 副 海の方へ. — 形 海に向かう;〈風が〉海からの (↔ landward).

sea·way /síːweɪ/ 名 **1** C (公海に通じる内陸の)水路《◆大型船の航行可能なもの》,海路;(定期)航路. **2** [the ~] 外海;C 荒海. **3** U 船足,航行 ‖ make good *seaway* 船足がよい,快調に航海する.

†**sea·weed** /síːwiːd/ 名 UC 海藻《kelp, gulfweed, sargasso など. 「海草」は sea grass》.

se·ba·ceous /səbéɪʃəs/ 形 (生理) 脂肪(質)の,脂肪を分泌する ‖ a *sebaceous* gland 皮脂腺(せん).

sec[1] /sék/ (フランス) 〈ワインが〉辛(ゕ゙)口の.

sec[2] /sék/ 名 C (英略式) = second[2].

sec. 略 second(s)[2]; secondary; secretary; section(s); sector; security.

†**se·cede** /sɪsíːd/ 動 自 (正式) 〔政党・教会・同盟などから〕脱退[分離]する〔from〕.

†**se·ces·sion** /sɪséʃən/ 名 **1** UC (正式) 〔政党・教会・同盟などからの〕脱退,分離(withdrawal)〔from〕. **2** [通例 S~] U (米史) (南北戦争直前の)南部11州の連邦脱退.

†**se·clude** /sɪklúːd/ 動 他 (正式) **1** 〈人・物などを〉〔…から〕引き離す,遮断(ﾀ゙ん)する,閉じ込める(separate) 〔from〕;[~ oneself] 〔…に〕引きこもる〔from〕. **2** 〈人などから〉〔…から〕引きこもらせる,隠遁(いん)させる 〔from〕‖ *seclude* oneself *from* society 社会から隠遁する.

†**se·clud·ed** /sɪklúːdɪd/ 形 (正式) **1** 〈場所などが〉人目につかない,人里離れた;平静な ‖ a *secluded* country house 人里離れた田舎(いな)の家. **2** 〈人・生活などが〉世間と交わらない,隠遁(いん)した.

†**se·clu·sion** /sɪklúːʒən/ 名《正式》1 Ⓤ 隔離, 遮断; 隠遁(とん), 隠棲, 閑居 ‖ live in *seclusion* 隠遁生活をする. 2 Ⓒ 隔離された[人里離れた]場所.

sec·ond¹ /sékənd/ [「次に続く」が原義. cf. *sect*] 派 secondary (形)
——形
I［順番が2番目の］
1［通例 the ~］(序数の)第2の, 2番目の《◆ 2nd とも書く. 語法》= first 形**1**》‖ *the second* lesson 第2課(=lesson two) / *the second* man from the left 左から2番目の人 / She is in *the second* grade. 彼女は(小学校)2年生です / He is *the second* man to come [that came]. 彼は2番目に来た(=He came *second*.) / She is *second* only to Jane. 彼女はジェーンを除いてだれにもひけをとらない(→ 副**1**》 / Yokohama is *the second* (*largest*) city in Japan. 横浜は日本で2番目の大都市である.
2［名詞の前で］ [a ~] もう1つの, 別の, 他の(another) ‖ Read it *a second* time. もう1度読みなさい / Won't you give me *a second* chance? もう1度機会を与えてください / He is *a second* Edison. 彼は第2のエジソン[エジソンの生まれ変わり]だ.
II［質的に2番目の］
3［通例名詞の前で］最高のものに次ぐ, 二流の ‖ *the second* team (野球などの)二軍 / goods of *second* quality 2流品.
at second hánd =secondhand 副**2**.
for the sécond tíme 2度目に, 再び.
sécond to nóne 《だれに次いで2番目でもない. cf. 形**1**例》《米正式·英格式》だれ[何]にも劣らない ‖ She is *second to none* in French. 彼女はフランス語ではだれにも負けない(=She is the best [better than anyone else] in French.).
——副 **1**［通例文頭·文尾で］第2に, 2番目に;［…に次いで]第2位に, 次に[to] ‖ She came (in) *second*. 彼女は2番目に来た[2位になった] / He finished *second* to Tom. 彼はトムに次いで2位に終わった[なった](→ 形**1**).
2［列挙して］第2に(secondly).(→ first 副**2**).
3 =second-class.
——名 (~s/-əndz/) **1** Ⓤ［通例 the ~］(順序·重要性で)［…する]第2番目の人[もの], 第2位の人［もの][to do] 《単数形ではあるが省略された名詞によって複数扱いの場合もある》‖ He was *the second* to raise his hand. 彼は2番目に手をあげた / He came a close *second* in the exam. 彼はテストでわずかの差で2番目だった.
2 Ⓤ［通例 the ~］(月の)第2日 ‖ *the second* of May =May (*the*) *second* 5月2日(→ first 名**2**).
3［the S~］人名の後で］《◆本来は形容詞》‖ Elizabeth *the Second* エリザベス2世《◆ ふつう Elizabeth II と書く》. **4** Ⓒ **a** (競技などの)2位, 2等賞. **b**《英》(大学の優等試験の)第2級の成績(の学生). **5** Ⓤ =second gear. **6** Ⓒ［野球］ a *second* base. **b** =second baseman. **7** Ⓒ［通例 ~s］二級品; 傷物, 特価商品. **8** Ⓒ［ボクシング］セコンド, (決闘などの)介添人. **9** Ⓒ［音楽］2度(の音程). **10** (略式)［~s; 単数·複数扱い] =second helping.
——動 他〈提案·動議などを〉支持する, 採択することに賛成する《◆ I move that … という形式に対し, I *second* (it [the motion]). または *Second*(*ed*). と言えば採択される》‖ He *seconded* our motion and the vote was taken. 彼は我々の動議を支持し, 採決が行なわれた. **2**［通例 be ~ed]〈人が〉援助［補佐]を受ける. **3**〈ボクサーの〉セコンドを務める, 介添えする. **4** /sɪkǽnd | -kɔ́nd/《主に英》［通例 be ~ed]〈将校·公務員が〉一時的に[…に]配置転換される[*for, to*).

Sécond Ádvent《最後の審判の時の》キリストの再臨.
sécond báse［野球］(1)［通例無冠詞] 2塁, セカンド《◆単に second ともいう. 用例→ first base》. (2) =second baseman.
sécond báseman［野球］2塁手《◆ second base, 単に second ともいう》.
sécond bést［通例 one's/a ~] 2番目によいもの[人], 次善のもの.
sécond chíldhood［通例 one's/a ~; 遠回しに]老人ぼけ, もうろく(期); 第二の幼年期.
sécond cláss (cf. second-class) (1) (乗物の)2等(用例→ first class). (2)［郵便］《米》第2種. 《英》(速達に対する)普通郵便.
sécond flóor［the ~]《米》2階;《英》3階(→ floor).
sécond géar (自動車のギアの)第2段, セカンド(ギア)《◆単に second ともいう. 用例 → first gear》.
sécond generátion 第2世代; コピーのコピー(a copy of a copy).
sécond hélping (食事の)お代わり《◆単に seconds ともいう》 ▶対話 "May I please have a *second helping*?" "Help yourself."「お代わりをしてもいいですか」「どうぞ」.
sécond lánguage 第2言語.
sécond náme 姓(surname) (cf. first name).
sécond náture［…にとって]第2の天性[*to,* (今は古) *with*).
sécond opínion セカンドオピニオン《1人の医師だけでなく他の医師の意見を聞くこと, またはの意見》.
sécond pérson［文法]［the ~] (第)二人称《you, your など》.
sécond séx［the ~; 集合名詞的に]第二の性, 女性.
sécond síght 千里眼, 予知能力.
sécond thóught《英》**thóughts**] 再考 ‖ on *second thought* 考え直して(みると).
Sécond Wórld Wár《主に英》［the ~] =World War II.

*sec·ond² /sékənd/《秒は60進法で「分」に続く2番目の細分化であることから》
——名 (~s/-əndz/) Ⓒ **1** (時間·角度の)秒《記号 s;《略》sec.;《符号》″》‖ a three-*second* delay 3秒の遅れ / charge *by the second* 秒単位で料金を取る《電話など》 / 15° 10′ 5″ 15度10分5秒《◆ fifteen degrees, ten minutes, (and) five seconds と読む》 / 1h 10′ 5″ 1時間10分5秒《◆ one hour, ten minutes, (and) five seconds と読む》 / It's ten minutes, fifteen *seconds* past three. 3時10分15秒です.
2《主に略》［通例 a ~] ちょっとの間(moment) ‖ Wait *a second*. ちょっとお待ちください / The accident happened in *a split second*. その事故はあっという間に起こった / At the last *second* he gave up. 最後の瞬間に彼はあきらめた.
séconds láter 数秒もたたないうちに.
sécond hánd (時計の)秒針(cf. hour hand, minute hand).
sec·ond·ar·i·ly /sèkəndérəli | sékəndər-/ 副 2番目に; 二次的に; 副次的に.
†**sec·ond·ar·y** /sékəndèri | -əri/ 形 **1**〈地位·価値·重

second-class / **secrete**

要性などが]第2の, 2番目の, […の]次の[to]; 二次的な, 従位の (cf. primary, tertiary) ‖ the *secondary stage* 第2段階 / *secondary sources* 二次的資料 / That's a *secondary* matter. それは二次的な[あまり重要でない]問題だ. **2** 副次的な, 派生的な ‖ a *secondary* product 副産物. **3** 〈学校・教育が〉中等の ‖ *secondary* education 中等教育.
── 名 **1** © 〖アメフト〗[the ~] セカンダリー《守備チームのバックフィールドにいる第2守備軍》. **2** ⓊⒸ〈英略式〉=secondary modern (school).

sécondary áccent [stréss] 第2アクセント[強勢]《◆ふつう /ˋ/ で示す》.

sécondary módern (schòol) (英) 近代中等学校, モダンスクール《1944年に設置. 進学を主とする grammar school に対し, 実業教育的な科目に重点を置く. 現在は comprehensive school に人気が移りつつある.（略式）では単に secondary (mod) ともいう》.

sécondary schòol 中等学校《小学校と大学の間の学校. 米国の high school, 英国の grammar school, public school などの総称. 日本の中学校・高校に相当》.

sécondary séx charactèristic [chàracter]〖医学〗第二次性徴.

sécondary téchnical schòol (英) 中等実業学校, 技術中等学校.

†**sec·ond-class** /sékəndklǽs, -klɑ́ːs/ 形 (cf. second class) **1 a** 二流の, 劣った (inferior) ‖ a *second-class* hotel 二流のホテル. **b** 〈市民などが〉十分な権利のない. **2** 〈乗りものが〉2等の. **3** 〈郵便〉(米) 第2種の〈新聞・雑誌類〉; (英) 普通郵便の.
── 副 2等で; (米) 第2種で; (英) 普通郵便で (用例 → first-class).

sécond-cláss cítizen〈略式〉日の当たらない人, 社会の片隅で生きている人.

†**sec·ond·hand** /sékəndhǽnd/ 形 **1**〈商品などが〉中古の;〈人・店が〉中古品を扱う ‖ a *secondhand* car 中古車 (=(米) a used car)《◆一度人が使った車をさすが, 新品同様のものもある. an old car は「年式の古い車」》. **2** また聞きの, 間接の ‖ *secondhand* news また聞きのニュース. ── 副 **1** 中古で ‖ buy books *secondhand* 古本で買う. **2** また聞きで, 間接に (at second hand).

†**sec·ond·ly** /sékəndli/ 副〖文頭で〗第2に《◆ second より堅い言い方. first と呼応しても用いられる. → firstly 語法》.

sec·ond-rate /sékəndréit/ 形〈略式〉二流の, 劣った, 低級な.

†**se·cre·cy** /síːkrəsi/ 名 Ⓤ 秘密であること, 秘密にしておくこと; 秘密を守ること ‖ in [with] *secrecy* 秘密に.

*****se·cret** /síːkrət/
── 形 (more ~, most ~ ; 時に ~·er, ~·est)
I[秘密の]

1 秘密の, 内緒の; […に]内密で (classified, restricted) [from] ‖ a *secret* order 秘密命令 / have a *secret* desire to do ひそかに…したいと思っている / We kept the plan *secret from* him. 我々はその計画を彼に内緒にしておいた.
2〈正式〉〖通例補語として〗〈人が〉[…について]秘密にしがちな (about)《◆ secretive の方がふつう》.
3 神秘的な.
II[秘密のように隠している]
4〖名詞の前で〗〈場所が〉人目につかないように隠された[隠れた]; 人里離れた ‖ a *secret* underground passage 秘密の地下通路. **5**〖名詞の前で〗〈人が〉公表されていない《◆比較変化しない》‖ a *secret* marijuana smoker 隠れてマリファナを吸う人.
── 名 (複 ~s/-krits/) Ⓒ **1** 秘密, 機密, 内緒事 ‖ industrial *secrets* 企業秘密 / kéep a *sécret* 秘密を守る / He accidentally let the *secret* slip to his friend. 彼はうっかり秘密を友人にもらした / máke a [no] *sécret* of the plán その計画を秘密にする[しない] / keep the plan a *secret* from her その計画を彼女に秘密にしておく / let him into [in, on] a [the] *secret* 彼に秘密を明かす / It's an open [no] *secret* that … …は公然の秘密だ[秘密でも何でもない]. **2**〖しばしば ~s〗神秘, なぞ ‖ the *secrets* of nature 自然の神秘. **3**〖通例 the ~〗[…の]秘訣(ひけつ), 秘伝, かぎ, こつ, 要領 [of, to] ‖ the *secret of* success 成功の秘訣.

in sécret 秘密に[の], ひそかに (secretly).

sécret ágent 諜報(ちょうほう)部員, スパイ.

sécret bállot 秘密[無記名]投票.

Sécret Clássified (米) 機密扱い《役所の文書などの表示. → classified information》.

sécret ínk あぶり出しインク.

sécret políce [(the) ~ ; 単数・複数扱い] 秘密警察.

sécret sérvice (1) (英) [the ~] 秘密諜報機関. (2) [S- S-] (米) 財務省検察部《大統領など要人の警護及び通貨・証券偽造取り締まりを任とする》.

sécret socíety 秘密結社.

sec·re·tar·i·al /sèkrətéəriəl/ 形 秘書(官)の, 書記(官)の; a *secretarial* course 秘書コース.

sec·re·tar·i·at(e) /sèkrətéəriət/ 名 **1**〖しばしば S-〗; 単数・複数扱い〗Ⓒ 事務局, 書記局, 秘書課[室]; 官房 ‖ the Mínister's Secretáriate (日本の) 大臣官房 / the Uníted Nátions Secretáriate 国連事務局. **2** [the ~ ; 集合名詞] 事務局[秘書課]職員.

*****se·cre·tar·y** /sékrətèri/ -təri/《速い発話では /séktèri/ともする》 発音注意 名 秘書事 (secret) を取り扱う人 (-ary))
── 名 (複 ~·ies/-z/) Ⓒ **1**〖個人付きの〗秘書 [to], (団体の) 秘書(官), (官公庁の) 書記(官)《◆ 官名としては S ~》‖ a *secretary to* the president 社長付秘書 / the Fírst Sécretary of the Japanése Cónsulate 日本領事館一等書記官.
2 [S-] (米)(各省の) 長官《◆(1)「大臣」に相当. (2)「次官」は Undersecretary》; (英) 大臣《◆(1) Minister も用いる. (2)「次官」は Undersecretary. (3) 日本の「大臣」には Minister を用いる》.
=事情= [主な Secretary]
米国: the Secretary of State 国務長官《外務大臣に当たる首席閣僚, または(州政府の)州務長官. (英) では「各省大臣, 国務大臣」の意となる. cf. Minister of State》 / the Secretary of Commerce 商務長官 / the Secretary of Education 教育長官 / the Secretary of the Treasury 財務長官.
英国: the Secretary of State for Foreign and Commonwealth Affairs 外務大臣《◆ the Foreign Secretary と略す》.
日本: Chief Cabinet Secretary 内閣官房長官.
3 ライティング・ビューロー《引き出しつきの机. 上部にある棚のふたを手前に倒してその上で書き物をする》.

sec·re·tar·y-gen·er·al /sékrətèridʒénərəl/ 名 (複 sec·re·tar·ies-) 〖しばしば S- -G-〗 Ⓒ 事務総長; 書記長.

†**se·crete** /sikríːt/ 動 他〖生理〗〈器官が〉…を分泌す

se・cre・tion /sikríːʃən/ 名 1 ⓤⓒ〔生理〕分泌(作用). 分泌物《つばき・尿・やになど》. 2 ⓤ〔正式〕隠すこと, 隠匿.

se・cre・tive /síːkrətiv, sikríːtiv/ 形《人が》[…について]隠し立てをする《about》.

se・cret・ly /síːkrətli/ 副 秘密[内密]に, 内緒で.

se・cre・tor /sikríːtər/ 名 ⓤ〔解剖〕分泌腺[器官].

sect /sékt/ 名 ⓒ 1 《宗教上の》分派, 宗派;《特にアングリカンチャーチから分離した》教派. 2 学派, 党派;派閥, セクト.

sect. 略 section.

sec・tar・i・an /sektéəriən/〔正式〕形 1 分派の, 宗派[学派, 党派]（間）の. 2 党派[宗派]心の強い;派閥的な. ——ⓒ 1《分派した》宗徒, 教徒. 2 宗教心の強い人;学閥的な人.

sec・ta・ry /séktəri/ 名 ⓒ 1 =sectarian. 2〔しばしば S~〕〔英史〕非国教徒.

***sec・tion** /sékʃən/〔『切られること』が原義. cf. sect, dissect, intersection, sex〕
——名 (複) ~s/-z/) 1 ⓒ 切断された部分《◆piece, part より堅い語》;《顕微鏡用の》薄片(slice) ‖ The drama comprises three sections. その戯曲は3部からなる / a microscopic section 顕微鏡用切片. 2 ⓒ 切断面, 断面図 ‖ a cónic section〔数学〕円錐(ﾎﾝ)曲線 / a cross [vertical, longitudinal] section 横断［縦断］面. 3 ⓒ《竹などの》節間,《ミカンなどの》袋, 室, 房;組み立て部品 ‖ a desk in sections ユニット式机. 4 ⓒ 会社の部門[課, 部](→ division 2 a);社会階級[階層];党派, 派閥;〔音楽〕《オーケストラの》セクション;〔軍事〕分隊《小隊(platoon)の下位区分》;《米》《主に大学の》小クラス ‖ the accounting [personnel] section 経理[人事]課. 5 ⓒ《主米》《土地の》地域;《米》《公有地測量で》1平方マイル区画《◆36集まって township となる》‖ the business [residential] section 商業[住宅]地域. 6 ⓒ〔正式〕切断, 切開 ‖ Caesarean section〔医学〕帝王切開. 7 ⓒ《書物の》節, 項《chapter の下位区分》;《法令文の》項;《新聞・雑誌などの》欄;〔音楽〕楽節 ‖ the sports section of *The Asahi* 朝日新聞のスポーツ欄.
in séction 切断面で.
——動 他 1 …を区分する, 分ける. 2 …の《顕微鏡用》薄片をとる《about》.

séction gàng 《米》〔鉄道〕保線区班.
séction hànd [màn] 《米》〔鉄道〕保線夫.
séction màrk 〔印刷〕節記号《§》.
séction pàper 《英》方眼紙(graph paper).

sec・tion・al /sékʃənl/ 形〔正式〕1 部分の, 区分の. 2《家具・道具が》組み立て式の. 3 派閥の, 党派的な. 4 地方的な.

†**sec・tion・al・ism** /sékʃənəlìzm/ 名 ⓤ 派閥主義, セクト主義;地方主義.

†**sec・tor** /séktər/ 名 ⓒ 1《産業などの》部門, 分野 ‖ the industrial *sector* of a country 国の産業部門 / the private [public] *sector* 民間[公共]部門. 2《幾何の外周》関数尺, 尺規. 3〔軍事〕扇形戦区;作戦地区. 4〔コンピュータ〕セクタ《磁気ディスクなど記憶装置の最小区分》. ——動 他 …を扇形に分割する.

sec・u・lar /sékjələr/ 形〔正式〕1 非宗教的な, 宗教に関係のない(↔ religious, sacred);世俗的, 世俗的な, 俗的の;現世の, この世の(↔ spiritual) ‖ *secular* affairs 俗事 / *secular* education《宗教教育に対し》普通教育. 2〔カトリック〕修道院外の, 修道院に住まない(↔ regular). ——名 ⓒ 1 教区牧師. 2《宗教界に対して》俗人(layman).

***se・cure** /sikjúər/〔心配(cure→ care)のない(se). cf. sure〕㊂ security《名》
——形 (more ~, most ~;時に ~r/-kjúərər/, ~st/-kjúərist/)

I〔事・物・場所が確実な〕
1《事がゆるぎのない, 確保された, 確実な ‖ have a *secure* position in a trading company 商社で安定した地位にある.
2[通例補語として]《ドアなどが》きちんと閉まった《◆firm, fastened より堅い語》;《基礎などが》しっかりした;《物が》厳重に保管されて,《人などが》逃亡できないように監禁されて ‖ Is this bridge *secure*? この橋は大丈夫ですか.
3《場所が》《危害などに対して》《備えがあって》安全な《*from, against*》《◆safe より堅い語》(↔ insecure) ‖ The fortress was *secure from* [*against*] every kind of attack. その砦(ﾄﾘﾃﾞ)はどのような攻撃にも安全であった.

II〔気持ちが確実な〕
4[補語として]《人が》[…について]不安のない, 安心して《*about, as to*》;〈古〉《人が》[…を手に入れるのを]確信して, […を]確保して《*of*》‖ I feel *secure about* [*as to*] one's future 自分の将来に不安を感じない.
——動 (~s/-z/;過去・過分) ~d/-d/; --cur・ing /-kúəriŋ/)
——他〔正式〕1《人が》物を〔…から〕《苦労して》確保する, 手に入れる(get)[*from*];[secure A B =secure B for A]《人が》A《人》にB《物》を確保してやる, 手に入れてやる, 確実にしてやる;《財産などの》所有を《人に》保証する, …を[…に]遺言で譲る[*to*] ‖ *secure* order 秩序を確保する / *secure* him a front seat =*secure* a front seat *for* him 彼に前列の席をとっておく / It's important for you to *secure* (yourself) a stable job. 安定した職につくことは大切です.
2 …を《危険などから》守る, 安全にする(make safe) 〔*from, against*〕‖ *secure* the valuables *from* robbery 貴重品を盗まれないように守る.
3《窓・ドアなどを》しっかり閉めておく,《ロープなどを》固定する《◆fasten より堅い語》;《囚人を》監禁しておく, 縛っておく ‖ *secure* the ends of the hammock to the trees 木にハンモックの両端を固定する.

†**se・cure・ly** /sikjúərli/ 副 安全に;しっかりと.

***se・cu・ri・ty** /sikjúərəti/〔→ secure〕
——名 (複 --ties/-z/) 1 ⓤ 安全, 無事;安心(すること) ‖ national *security* 国家の安全 / live *in security* 安泰に暮らす / How well is *security* maintained in this area? この地区はどれほど治安がよいでしょうか. 2 ⓤⓒ […に対する]防護[防衛](すること), 警備;防護物;安全確保の手段;《インターネット》セキュリティ, 機密保護《*against, from*》;[しばしば S~;単数・複数扱い] 警備組織[局] ‖ be a good *security against* ... …に対するよい防御となっている. 3 ⓤⓒ […に対する]担保, ⓤ 保証《*for, against*》; ⓒ 担保物件, 保証人 ‖ lend money on *security* 担保をとって金を貸す / in *security for* ... …の担保として. 4 [securities; 複数扱い] 有価証券 ‖ *Secúrities and Exchánge Commíssion*《米》証券取引委員会《略 SEC》/ *government securities* 国[公]債.

gó [stánd] secúrity for A 《人》の保証人となる.

secúrity blànket 《子供が安心のためいつも持っている》

古い毛布[布きれ]；(一般に)安心感を与えるもの.
se·cu·ri·ty cámera 監視カメラ.
secúrity chèck =body search.
Secúrity Còuncil [the ~] (国連)安全保障理事会(《略》SC).
secúrity firm 警備保障会社.
secúrity fòrces (1) (要人警護の)保安隊. (2) 防衛軍；[S~ F~] 国連軍.
secúrity guàrd 警備員，ガードマン，護衛.
secúrity màn [**wòman**] =security guard.
secúrity pàct [**trèaty**] 安全保障条約.
secúrity police (要人の警護に当たる)保安警察.
secúrity rìsk (国家の安全を脅かす)危険人物.
secúrity vídeo 防犯(ビデオ)カメラ.

†**se·dan** /sidǽn/ 名 ⓒ **1**(米·豪) セダン型自動車《運転席と後部座席を仕切らない箱型自動車．5-6人乗り》((英) saloon car). **2** 〖歴史〗 =sedan chair.
 sedán chàir 1人乗り箱型いすかご.

se·date /sidéit/ 形 (正式)〈人·行動·場所などが〉平静な，落ち着いた；くそまじめな. — 動 他〈人に鎮静を与える. **sedáte·ly** 副 平静に，落ち着いて.

sed·a·tive /sédətiv/ 形 **1** 苦痛[興奮]を和らげる. **2** 鎮静(作用)の. — 名 ⓒ〖医学〗鎮静剤.

†**sed·en·tar·y** /sédəntèri | -tri/ 形 (正式) **1**〈人などが〉いつも座っている，ほとんど体を動かさない;〈仕事などが〉座ってできる，座業の. **2**〈鳥などが〉移住しない，定住性の(↔ migratory).

Se·der /séidər/ 名 (複 ~s, **Se·dar·im** /sèidɑːríːm/) ⓒ〖ユダヤ教〗(ユダヤ人のエジプト脱出を記念する)過ぎ越しの祭り(Passover)の祝宴.

†**sedge** /sedʒ/ 名 Ⓤ〖植〗〖集合名詞；単数扱い〗スゲ.
sedg·y /sédʒi/ 形 (**-i·er, -i·est**) スゲの生い茂った，スゲに似た.

†**sed·i·ment** /sédəmənt/ 名 Ⓤ (正式) **1**〖時に a ~〗(液体中の)沈殿物，おり. **2**〖地質〗堆積物.

sed·i·men·ta·ry /sèdəméntəri/ 形 **1** (正式) 沈殿物の(ような). **2**〖地質〗堆積(物)の ‖ *sedimentary rocks* 堆積岩.

†**se·di·tion** /sidíʃən/ 名 Ⓤ (主に法律) (反政府的な)扇動罪，扇動的な言行; 騒乱罪.

se·di·tious /sidíʃəs/ 形 (主に法律) 治安妨害の; 扇動的な.

†**se·duce** /sidjúːs/ 動 他 **1** (正式)〈人〉をそそのかす，誘惑する，堕落させる;〈人〉をそそのかして〔…させる/…させない〕(tempt) (+*away*) 〔*into*, *to do* / *from*〕‖ She was *seduced* by the offer of money *into* revealing the trade secrets. 金をやると誘われて彼女は商売上の秘密を漏らした. **2**〈(若い)経験の少ない主に)女〉を誘惑する，たらし込む，口説く. **3** (正式) …を魅惑する，引きつける.

se·duc·tion /sidʌ́kʃən/ 名 **1** Ⓤ ⓒ 誘惑，そそのかし；〖法律〗婦女誘拐(罪). **2** ⓒ (正式) 〖通例 ~s〗魅惑(するもの), 魅力.

se·duc·tive /sidʌ́ktiv/ 形 誘惑[魅惑]的な，魅力的な，人をそそのかしやすい.

sed·u·lous /sédʒələs | sédjuː-/ 形 (文) 勤勉な，よくする;〈行動などが〉入念な，周到な.

‡**see** /síː/ (同音 sea; 頭音 she /ʃíː/)『(目に)見える」から「見て知る」，「頭の中で考える，理解する」などの意味が派生】類 sight (名)

index 動 他 **1** 見える **2** 会う **3** 見送る **4** 見物する **6** 経験する **8** わかる **10** 予測する **12** 気をつける
自 **1** 見える **2** 調べる **3** わかる **4** 考える **5** 気をつける

— 動 (~s/-z/; 過去 saw /sɔ́ː/; 過分 seen /síːn/; ~·ing)

Ⅰ [目に見える]

1a 〈人が〉〈人·物が〉**見える**，目に入る；…を(夢などで)見る; [see *wh*節] …かを見る《◆ (1) ふつう進行形不可. (2) しばしば can, could を伴って進行形に相当する意味を表す. → can¹ 動 **2**》‖ I looked and looked, but I *couldn't see* it. 穴があくほど見つめたが，それは見えなかった / I (can) *see* many sheep in the pasture. 牧場にたくさんのヒツジがいる / What *can* you *see* in the hole? 穴の中に何が見えますか / I have never *seen* a butterfly like that before. あんなチョウはまだ見たことがない / She was nowhere to be *seen*. 彼女の姿はどこにも見えなかった(=I could find her nowhere.) / Did you *see* who started the confusion? その騒ぎはだれが始めたか見ましたか / ［ショラブン］ "Didn't you *see* the thirty miles per hour sign?" "No, officer, I was driving too fast to *see* it." 「時速30マイルの標識が見えなかったのかね?」「おまわりさん，見えませんでした. スピードを出しすぎていたもので」.

> **使い分け** [see, watch, look at]
> *see* は「(見る，見ないを問題にした場合に)見る」の意で「(自然に)目に入る」場合に用いる.
> *watch* は「(動きのあるものを目で追って)見る」の意.
> *look at* は「(動かないものを)見る」の意で「(意識して)視線を向ける」場合に用いる.
> I *watched* [×*saw*] TV until late last night. 私は昨夜遅くまでテレビを見た.

b〖知覚動詞〗 [see A *do*]〈人が〉A〈人·物〉が…するのが見える; [see A *doing*] A が…しているのが見える; [see A *done*] A が…されるのが見える《◆ふつう進行形·命令形不可》‖ We *saw* him *walk* [*walking*] across the street. 彼が通りを横切る[横切っている]のが見えた《◆ *walk* と *walking* の意味の違いについては ➡文法 3.4》 / He *was seen to* get over the fence. (正式) 彼は塀を乗り越えるところを見つかった(=Someone *saw* him get …) 《◆ 受身では *to* が必要. ➡文法 7.9》/ Have you ever *seen* a boxer knocked down? ボクサーがダウンさせられるのを見たことがありますか / I *saw* him looking at me. ふと彼と彼は私を見つめていた.

c …が見える《◆ 修飾語(句)は省略できない》‖ I *saw* you with Bill in that store yesterday. 昨日あなたがビルとあの店にいるのを見かけましたよ.

2〈人が〉〈人〉に**会う**(meet)，〈人〉を訪問する，〈病人〉を見舞う(visit);〈恋人〉と付き合う《◆ふつう進行形》‖ 対話 "I have a slight fever today." "You should *see* a doctor." 「今日は微熱があります」「医者に診てもらった方がいいです」 / *see* a lawyer 弁護士に会う / *see* **something** [*a lot*] **of** her (略式) 彼女にときどき[よく]会う / Do you *see much of* him? 彼にはよく会いますか(=Do you *see* him often?) / *see* **little** [**nothing**] **of** him (略式) 彼にほとんど[全然]会わない / She's *seeing* the professor about her research. 彼女は研究のことで教授に(今)会っています[これから会うことになっています]《➡文法 5.2(2)》 / I'm very glad [*pleased*] to

see you. お会いできてたいへんうれしいです《◆会った時のあいさつ. → meet 動 他 1》/ (*It's been*) *nice seeing you.* お会いできてよかったです《◆別れるときの言葉》/ We haven't *seen* each other for ages. もう長い間お会いしなかったですね, お久しぶりですね / *Come and see* us on Sunday. 日曜日に遊びにいらっしゃい / I have been *seeing* him for about ten months. 彼とはもう10か月ほど付き合っています《⊃文法 6.1(3)》《◆「付き合う」の意ではふつう進行形》.

3 〈人が〉〈人を〉**見送る**, 送る《◆(1) 場所を表す副詞(句)を伴う. (2) 進行形可》‖ *see* her home [back to her house] 彼女を家まで送り届ける / *see* him [to the bus [on the bus] 彼をバス停まで[彼がバスに乗るのを]見送る.

4 〈人が〉〈場所〉を**見物する**;〈映画・行事など〉を見る ‖ *see* a baseball game 野球の試合を見る / *see* (the sights of) Paris パリ見物をする / We went to *see* a movie last night. 昨夜映画を見に行きました(=We went to the movies ...).

5 …を調べる, 見てみる;[命令文で]〈本のページ〉を参照せよ;[*see* **wh** 節[句]] …を調べる, よく見る ‖ Let me *see* your passport, please. パスポートを拝見します / I'll *see* what I can do. [援助の求めに応じて] やってみましょう / *See* page 28. 28ページを参照せよ / *See how* I operate the computer. 私のコンピュータの操作の仕方を見ておきなさい / Will you first *see if* the car is worth repairing? まずその車が修理するだけの値打ちがあるか見てくれませんか.

6 〈人が〉〈経験を〉**する**;〈文〉〈場所が〉〈人が〉を目撃する ‖ She has *seen* [*a lot of life* [*the world*]. 彼女はかなり人生経験を積んでいる / I have never *seen* such rudeness. そんな無礼は今まで見たことがない / His word processor has *seen* little use. 彼のワープロはほとんど使われていない / His generation *saw* the day when there was no television. 彼の世代の人はテレビのなかった時代を知っている / The 18th century *saw* the American Revolution. 18世紀には米国独立戦争が起こった.

‖ [理解する]

7 〈新聞で〉〈事〉を**知る**,〈事〉[…ということ]を見て知る[*that* 節] ‖ I *saw* the accident in today's paper. 今日の新聞で事故のことを知った / We *saw* (it) in the paper *that* the candidate was defeated in the local election. その候補が地方選で敗れたことを新聞で知った.

8 〈人が〉〈事〉が**わかる**, …を理解する, 悟る;[通例疑問文・否定文で] …を[人に]認める[in];[*see* (*that*) 節 / *see* wh 節[句]] …ということがわかる, …に気づく, …を[…かを]理解する;[*see* A *to do*] 〈文〉Aが…であることがわかる《◆*to do* はふつう状態を表す動詞》使い分け → FIND out (2) ‖ *as I see it*, 私の考えでは(=in my opinion) / At first I did not *see* (*that*) she was so stingy. 最初彼女がそんなにけちだとはわからなかった / Do you *see* what I mean? 私の言うことがわかりますか; ほら言った通りだろ / *I see what you mean.* あなたの言いたいことはわかります; 本当にあなたの言った通りだ / I don't *see* why they are so cross with us to us. あなたが私たちになぜかつらくあたるのか私にはわかりません / I don't know what she *sees in* him. 彼女は彼のどこがいいと思っているのか私にはわからない / I cannot *see* the good [use, advantage, fun] of memorizing such unimportant details. そんな重要でない細かいことを覚えることに意味があるとは思えない / We *saw* the project *to* be impracticable. その計画は実行不可能だとわかった.

9 〈人が〉A〈人・物・事〉を…のように**考える**, A を(ある見方で)見る, みなす《◆修飾語(句)は省略できない》;[*see* A *as* C] A を C と想像する, 考える(imagine);[*see* **doing**] [通例否定文で] …するのを想像する;[*see* A **doing** / *see* A **done**] [通例否定文で] A が…する[される]と想像する ‖ *The way I see it*, your opinion is quite right. 私の見るところ, あなたの意見はまったく正しい / *see* death *as* one's only way out 死を唯一の解決法だと考える / I can still *see* the sun setting over the plain. 太陽が平原の彼方に沈んでいくのが今でもまぶたに浮かんでくる / I can't *see* her *as* chief of the department. まさか彼女が部長とはね / I can't *see* (myself) giving a present to him. 彼に贈りものをするなんてとんでもない.

10 …を**予測する**, […かを]予知する[**wh** 節] ‖ I *see* many troubles ahead. この先やっかいなことが多いのは目に見えている / I *see* no great danger in what he is doing. 彼がやっていることは特に危険であるとはいえない.

11 [通例否定文・疑問文で] [*see* A **do**(**ing**) / *see* A **done**] 〈人が〉A〈人〉が…する[される]のを黙って見ている; …が…なのを黙認する《◆修飾語(句)は省略できない》;[*see* **being done**] …されるのを黙っている ‖ I can't *see* her spending so much money for such useless things. 彼女がそんな役に立たない物に大金を費やしているのを見てはいられない.

12 [*see* **that** 節] 〈人が〉…するように**気をつける**, 配慮する《◆ [*see to it that* 節] より口語的》;[*see* A **done**] A〈事〉が…されるよう気を配る[取り計らう] ‖ *see* justice done 正義が行われるようにする / *See that* your name is written on the answer sheet when you hand it in. 答案用紙を提出するときに名前が書いてあるかどうか確かめなさい《◆*that* 節内では未来を示す助動詞は用いないのが原則であるが, 今は用いることもある. →成句 SEE to it that》.

— 自 **1** [(*can*) *see*] 〈人が〉**見える**, 見る ‖ The desert stretches as far as *we can see* [*the eye can see*]. 見渡す限り砂漠が広がっている / I was drunk and *saw* double. 酔っ払っていて物が二重に見えた / I *see* so much better with my new glasses. 新しい眼鏡をかけるとずっとよく見えます / He *cannot see* very well in [with] his right eye. 彼は右目があまりよく見えない.

2 〈人が〉**調べる**, 確かめる ‖ The best way is to go and *see* for yourself. 一番よい方法は自分で行って見ることだ.

3 〈人が〉(見て)**わかる**, 理解する, 悟る ‖ *as far as I can see* 私にわかる限りでは(=to the best of my understanding); 私が見る限りでは 《 対話》 "(*You*) *see*?(↗)" "*I see.*(↘)" 「わかりますね」「ええ, わかりました」/ as we have *seen* 周知のごとく / "Is he a man of ability?" "We shall *see*." 「彼は有能な男だろうか」「そのうちにわかるさ」

4 〈人が〉**考える**, 考えておく ‖ 《対話》 "Can you come?" "I'll *see* (*about that*)." 「来られますか」「考えておきましょう」《◆I'll have to *see* (about that). は拒絶に近い返答》/ When the concert is over, we must *see* about how to get home. コンサートが終わったらどうやって帰宅したらよいか考えねばならない.

5 〈人が〉**気をつける**, 注意する, 気を配る,「ほら」(cf. 他 **12**; 成句 SEE to it that, SEE to) ‖ *See*, the train is coming. ほら列車が来ますよ.

if you **see** (**what I** **méan**) (誤解を避けるために)おわかりでしょうが, ご存知でしょうが.

***(I'll) sée [(I'll be) séeing] you (láter, sóon)!** (略式)=SEE you later!

***Lèt me sée.** (↗) =**Let's sée.** (略式) ええっと, はて《◆答えがすぐに出てこない場合の文句》∥《対話》 "What would you like to have for dinner?" "*Let's see.* I feel like having a hamburger." 「夕食は何が食べたいですか」「ええっと, ハンバーグステーキが食べたいです」.

sée abóut A (1) …について考えておく(cf. 自4). (2) 〖A〈事〉について(about)気を配る(see 自5)〗 …を手配する, 処置する; 〈食事の用意をする〉; 〈人〉の面倒を見る, 世話をする. (3) 〖A〈事〉について(about)気を配る(see 自5)〗[~ about doing] …するよう取り計らう ∥ Did you *see about* renting a room for the meeting? その会合の部屋を借りるよう手配していただけましたか.

sée áfter A …の世話をする, 面倒をみる.

sée A agáinst B 《◆A を主題にしてふつう受身》 (1) A〈人・物〉を B〈物〉を背景にして見る ∥ *Seen against* the sky, the mountain looked really beautiful. 空を背景にして山は本当に美しく見えた. (2) A〈物・事〉を B〈物・事〉との関係で見る.

sée ahéad 〖自〗 (1) 前方を見る. (2) 〔…年の〕将来を見通す(*to*). ―〖他〗[~ A *ahead*] …を前方に見る.

see bétter days → day 名.

sée ín 〖自〗 のぞき込む(see out)《◆ふつう進行形不可. ―〖他〗〈人〉を案内して内に入れる; 〈車〉を導いてうまく入庫させる.

sée ínto A 〖自[＋]〗 (1) …をのぞき込む. (2) 〈事〉を調査する(look into). (3) 〈将来・人の心・事の原因〉を見抜く. ―〖他〗[~ A *into* B] A〈人〉を B〈場所〉へ案内する.

***sée óff** 〖他〗 (1) 〖A〈人〉が去っていく(off 副2)のを見る〗[通例 ~ A *off*] A〈人〉を[場所で]見送る(send off)[*at*](↔ meet)(cf. 他3) ∥ I have just been to the station to *see* my friend *off* for America. 友人がアメリカへ立つのを駅まで送ってきたところです. (2) (略式)〈人〉を〈自分の土地から〉追い払う; [~ A *off* B] 〈人〉を〈自分の土地〉から追い払う ∥ *See* them *off* the premises. 彼らを敷地から追い出せ. (3) [~ *off* A] 〈敵の攻撃〉を切り抜ける.

sée óut 〖自〗 外を(窓などから)見る. ―〖他〗 〈人〉を外まで送る, 送り出す(cf. 自3). (2) 〈運転者〉を〔車庫から〕誘導するよう指示〔誘導する〕[*of*]. (3) 〈人が〉〈期間〉を切り抜ける; 〈物が〉〈ある期間〉もつ, 補給が続く; (略式)〈人・物が〉〈人より長生き[長もち]する ∥ Will our stock of food *see* this month *out*? 私たちの食料の在庫は今月もつかしら. (4) 〔仕事〉を最後までやりとげる; 〈映画・公演〉を(中途で席を立たず)最後まで見る; 〈講座など〉を最後まで受ける.

sée óver 〖他〗 (1) 《英》〈場所・家〉を検分する, 調べる(see round). (2) [~ A *over* B] A〈人〉に B〈場所〉を案内する. (3) 〖自[＋]〗 [~ *óver* A] 〈物〉の上を越えて見る, …越しに見る.

***sée thróugh** 〖自〗 透かして見る. ―〖他〗 (1) 〈映画など〉を最後まで通して見る《◆進行形はまれ》. (2) (略式)[~ it *through*] …を最後までやり通す. (3) 〈苦難〉を乗り切る《◆進行形不可》. (4) 〈人・事〉が〈人〉に苦難を乗り切らせる. (5) (略式)〈金〉が〈人〉に(ある期間)切り抜けさせる. (6) [~ things *through*] なんとか事をうまくおさめる. (7) [~ A *through* B] B〈穴など〉から A を見る; 〈金・事〉が〈期間〉の間 A〈人〉を切り抜けさせる; B〈事〉が終わるまで A〈人・物〉の面倒を見る. ―〖自[＋]〗 [~ *through* A] 〈穴など〉をのぞく, …を透して見る; 〈人・計略など〉を見抜く ∥ Can't you *see through* her lies? 彼女のうそが見抜けないのですか.

***sée to** A (1) 〖A(に)の気を配る(see 自5)〗〈人・物・事〉の世話をする, …に気をつける(look after); 〔することを〕引き受ける〔*doing*〕《◆受身可》 ∥ Who is *seeing to* the arrangements for the meeting? だれがその会合の準備をしているのですか. (2) [~ A *to* B] 〈人〉を B〈玄関など〉に案内する.

***sée to it that** … (正式) …するように取り計らう, …するよう気をつける《◆(略式) では that または to it を省略可能》 ∥ Would you *see to it that* they get properly fed? 彼らが十分食べられるよう取り計らっていただけませんか / *See to it that* you don't make a mistake again. 再び間違いをしないように気をつけなさい.

> **語法** (1) ふつう進行形不可.
> (2) (略式)では that または to it を省略可能.
> (3) that 節内では will を用いないのが原則であるが, tomorrow, next week などを含む場合は, will はしばしば用いられる. 類似表現の make sure, make certain, ensure などの場合は will の頻度は低い.

***Sée you [ya]** [jə] **láter!** (略式) (1) (今日のところはこれで)じゃまた(またあとで)《◆友人の間で用いる. 次回に会う日がわかっているときは See you on Sunday. (じゃ日曜日にまた)など》 ∥ 《対話》 "I must be going now. *See you later*." "Goodby!" 「行かなくちゃ, それじゃ, また」「さようなら」.

Só I sée. (↘) [相手の言葉を受けて]どうもそのようだ; (↘) [反語的に]そんなこと(言わなくても)わかっている.

***you sée** 知ってのとおり, おわかりでしょうが《◆You know に比べ断定的・結論的. あとに続く陳述を和らげる》; [注意を促して]ほら, (あの)ねえ; [説明して]何しろ ∥ *You see* (↗), he's coming. ほら彼がやってくるよ / She isn't, *you see*, working yet. 何しろ彼女はまだ働いていないのですか.

†**seed** /síːd/ (同音 cede) 名 (複 ~s/síːdz/, [集合名詞] seed) **1a** ⓒⓊ 種(たね), 種子 ∥ a handful of *seeds* ひとにぎりの種 / a large bag of grass *seed* 多量の草の種《◆多量の種ではⓊ名詞扱い》/ The *seeds* will come through in April. その種は春には芽が出るでしょう. **b** ⓒ 〈果物〉の種に相当する部分《イチゴの実など》; 新しく成長する部分《球根・鱗茎(リンケィ)・芽など》. **2** ⓒ [通例 the ~s; 比喩的に] 種, 元, 根源 ∥ sow [plant] the *seeds* of strife 争いの種をまく. **3** Ⓤ 《聖書》[the ~; 集合名詞] 子孫 ∥ the *seeds* of Abraham アブラハムの子孫《ヘブライ人のこと》. **4** ⓒ (略式)〔スポーツ〕(特にテニスの)シード選手(seeded player) ∥ England's No. 1 *seed* イングランドの第1シード選手. ―〖他〗 **1** 〈人が〉〈種〉をまく; [seed A with B = seed B in A] 〈人が〉A〈土地〉に B〈種〉をまく《類語 sow》 ∥ *seed* rye in a field = *seed* a field *with* rye 畑にライ麦の種をまく. **2** 〈果物〉から種を取り除く ∥ *seed* raisins 干しブドウの種をぬく. **3** ⓒ (略式) [通例 be ~ed] 〈優秀選手・チームなど〉がシードされる ∥ a top-*seeded* player 第1シード選手(=a top seed). ―〖自〗 種をまく; 種を落とす; 種ができる, 芽が立つ.

séed bèd 苗床, 仮床; [比喩的に] […の]温床〔*of*〕.

séed còrn 〖植〗種用トウモロコシ; (将来役に立つ)貴重なもの.

séed plànt 種子植物.

seed·less /síːdləs/ 形 種のない, 種無しの.

†**seed·ling** /síːdlɪŋ/ 名 C 実生(みしょう)の苗木, 実ばえ; (3フィート以下の)若木, 苗木. ── 形 実生の; 未成熟の.

seeds·man /síːdzmən/ 名 (複 -·men) C 1 種をまく人((PC) sower). 2 種子商(人)((PC) seed dealer).

seed·time /síːdtàɪm/ 名 U 種をまく時期[季節].

seed·y /síːdi/ 形 (通例 -i·er, -i·est) (略式) 1 種の多い, 種のある(↔ seedless). 2 みすぼらしい, 貧弱な.

†**see·ing** /síːɪŋ/ 動 ⇒ see.

── 名 UC 1 見ること ‖ *Seeing is believing.* (ことわざ)「百聞は一見にしかず」(◆「見るまでは信じるな」の意にもなる). 2 視力, 視覚.

── 形 目の見える, 晴眼の(sighted); よく物のわかる ‖ the *seeing* 目の見える人たち(◆複数扱い) (↔ the blind).

── 接 [*seeing* (that [((略式)) as)]節] …であるから (には), …であることから(して)(since); …に照らしてみると ‖ *Seeing that* it seems as if it will rain soon, we had better leave now. まもなく雨が降ってきそうなのですぐ帰るほうがよいだろう.

Séeing éye (1) 盲導犬(guide dog). (2) [S~ E-] (米) シーイング=アイ《New Jersey にある盲導犬養成所》.

Séeing Éye dòg Seeing Eye で訓練した盲導犬.

***seek** /síːk/ [「熱心に見つめる」が原義]
── 動 (~s/-s/; 過去・過分 sought/sɔːt/; ~·ing)
── 他 (正式) 1 〈人が〉〈物・場所などを〉捜し求める, 捜す, 得ようとする; …を捜し出す(+*out*) (→ search 他) ‖ He *sought out* the lost manuscript. 彼は紛失した原稿を捜し出した.
2 […しようと]努める(try) [*to* do] ‖ *seek to* learn a foreign language 外国語を学ぼうと努める.
3 〈忠告などを〉[…に]求める, 要求する(ask for) [*from*] ‖ You should *seek* advice *from* your lawyer on this matter. この問題に関して君の弁護士に助言を求めるべきだ.
4 …へ自然に動く, 行く(go to) ‖ A magnet always *seeks* the north. 磁石は常に北を指す / *seek* the woods for peace 静けさを求めて森へ行く.

── 自 (正式) (主に内面的な物を)捜す, 求める (search) [*for*, *after*]; […を]詳しく調べる(*into*) ‖ *seek for* glory in football フットボールでの栄光を求める / He is *seeking after* a better life. 彼はもっと楽な生活を求めている.

be (mùch) sóught àfter (主に英正式) 〈人・物が〉求められている, 需要がある; もてはやされる.

séek tìme 〖コンピュータ〗シークタイム《ディスク上のデータを捜すのに要する時間》.

seek·er /síːkər/ 名 C 捜索者 ‖ a job *seeker* 仕事を求めている人, 求職者.

***seem** /síːm/ 同音 seam; 類音 theme /θíːm/ [「…のように見える」が本義. 主語ではなく話し手の主観的判断・推定を示す]
── 動 (~s/-z/; 過去・過分 ~ed/-d/; ~·ing)
── 自 (◆進行形不可) 1 [*seem* (to be) C] [人に] C のように思われる, C のように見える, C であるらしい; [*seem* to have been C] C であったように思われる, C であったらしい(◆(1) C は名詞・形容詞・過去分詞・現在分詞・前置詞句. (2) It seems (to A) that節 に言い換え可能. → 3) 〔類語〕 look, appear) ‖ He *seems* (*to be*) willing to help us. 彼は喜んで助けてくれそうだ / She did not *seem* (*to be*) a satisfactory candidate for the post. 彼女はその職の申し分のない候補者とは言いかねるようだった / It *seems to be* raining outside. 外は雨のようだ(◆この場合 be は進行形を表す be なので to be の部分不可) / It *seems* likely to rain. 雨が降りそうだ / She *seemed to* George *to be* on the verge of tears. ジョージが今にも泣き出さんばかりの様子にみえた / He *seems to have been* ill. 彼は病気だったようだ(=It *seems* that he was [has been] ill.)(◆ seems の部分で現在の判断を, to have been … の部分で過去の状態を表す(→文法 11.5). cf. He *seemed* (*to be*) ill. =It *seemed* that he was ill. 彼は病気のようだった).

[語法] 上例のように C が程度を表す語の場合 to be の省略可: She *seems* (*to be*) an idiot. / She *seems* (*to be*) a good doctor. doctor は単な職業名なので ×She seems a doctor. とはいわない. She *seems to be* a doctor. / She *seems* like a doctor. という必要がある.

[使い分け] [**seem** と **look**]
seem は〔話し手の主観的判断で〕…のようだ」.
look は〔外見からの判断で〕…のようだ」.
The climate here *seems* [×looks] unhealthy. ここの気候は体に悪いようだ.
He *looked* [*seemed*] tired after the game. 試合の後, 彼は疲れているようだった.

2 [*seem to do*] …するように[人に]思われる[*to*], …するらしい; [*seem to have done*] …したようである, …したらしい(→文法 11.5)(◆do は進行形を表す think, know など状態を表す動詞. 動作を表す動詞の場合は, 進行形・完了形にする: ×He seems to move to Osaka. は不可であるが, It *seems* that he will move to Osaka. / He *seems to* 「be moving [have moved] to Osaka. (彼は大阪に引越す[引越した]ようだ は可) ‖ She doesn't *seem to* think that way. 彼女はそんなふうには考えていないらしい / He *seems to have made* a mistake on that point. 彼はその点で間違いを犯したようだ(=It *seems* that he (has) made …) / She *seemed to have* already *received* the money. 彼女はすでにお金を受け取っていた様子だった(=It *seemed* that she had already received …)(→文法 10.1) / I *seem to have left* my hat behind. どうも帽子をどこかに置き忘れたらしい.

3 [it *seems* (that)節 / (米式) it *seems like*節] …である[…する]ように思われる, …であるらしい, …のようだ ‖ *It seems to* me *that* he knows everything. 彼は何でも知っているようだ(= He *seems to* know everything.) / *Seems* she didn't study at all. (略式) 彼女は全然勉強しなかったようですよ(◆くだけた会話では it が省略され seems が文副詞的に用いられることがある) / *It would seem that* he is not equal to the task. その仕事は彼の手に負えないですね(◆ It would *seem* that … は It *seems* that … より控え目な言い方).

4 [there *seems* to be A] A がある[いる]ように[人に]思える[*to*](◆(1) seem か seems かは A の数による. (2) no [not … any] A の型で用いる場合や A が U 名詞の場合は to be の省略も可) ‖ There

seems (to me) ｢(to be) no [to be a great] possibility of the typhoon hitting Tokyo. 台風が東京を襲う可能性はない[大いにある]ように思える (=It *seems* (to me) that there is no [a great] possibility ...).

5 [it seems **C** that節 / it seems **C** (for A) to do] …は**C**らしい，〔人には〕**C**のように思える[to] ‖ *It seemed* obvious *to* me *that* the plan needed some revisions. その計画には少し手直しの必要があることが明らかなように私には思えた / *It seems* (*to* me) wise *not to* buy such junk. そんなくだらぬ物は買わないほうが賢明だと思われる / *It seems* strange *for* Mary *to* have got such poor marks. メリーがそのような悪い成績を取るとは不思議だ (⇒ 文法 11.4(2)).

[語法] [否定語の位置]
She *seems not* to know the answer. (彼女は答えを知らないようだ)よりも She *doesn't seem* to know ... の方が口語的．同様に It *seems that* he is *not* aware of it. (彼はそのことに気づいていないようだが)よりも It *doesn't seem* that he is aware of it. の方がふつう (→ not 副 **7**).

can't seem to do 〔略式〕…することができないようだ (=seem unable to do) ‖ She *can't seem to* eat any more. もうこれ以上彼女は食べられないようだ (It *seems* that she can't eat any more.).

it seems 〔文頭・文中・文尾で〕そうらしい ‖ The ceremony has not, *it seems*, begun. 式はまだ始まってないようだ．

it seems as if [*though*] ... まるで…のようだ《◆節は仮定法・直説法》‖ *It seemed as if* I would die. 死ぬかと思ったほどだった．

it seems like ... 〔米略式〕…のように思われる(it seems that ...) ‖ *It seems like* there's no money left. 金が残っていないようだ．

It seems ⇒ *So it seems*.
〘対話〙 "She failed the exam." "*So it seems.*" 「彼女は試験に落ちたよ」「そうらしいね」《◆否定文に対する応答としては It seems not.》

what seems (*to be* [*like*]) ... …のようなもの，…と思われるもの ‖ We sat in silence for *what seemed* a century. 100年にも思われるほど長い間私たちは黙って座っていた．

†**seem·ing** /síːmɪŋ/ 形 《正式》うわべの，外見だけの，見せかけの．

seem·ing·ly /síːmɪŋli/ 副 うわべは，見せかけでは；〔文全体を修飾〕見たところでは ‖ a *seemingly* good job 見たところではよさそうな仕事．

***seen** /síːn/ see の過去分詞形．

seep /síːp/ 動 ⓘ 〈液体・情報・勢力が〉[…から]しみ出る，漏れる (+*out, away*) [*through, from*].

seep·age /síːpɪdʒ/ 名 Ⓤ 〔正式〕〈液体などの〉浸出，漏出；浸出[漏出]液[量].

†**seer** /síːər/ 名 Ⓒ **1** 見る人，千里眼の人． **2** 〔文・古〕予言者，先見者．

see-saw /síːsɔ̀ː/ (英+) =/ 名 **1** Ⓤ シーソー((米)teeter-totter)；Ⓒ シーソー板 ‖ 〘ショーク〙 "How can you cut the sea?" "With a *seesaw*." 「海は何で切れますか?」「シーソー(=◆sea saw (海用のノコギリ)〉のしゃれ)．**2** Ⓤ シーソー遊び． **3** Ⓤ Ⓒ 上下[前後]運動；〈戦闘・ゲームなどの〉一進一退．—— 動 ⓘ **1** シーソー遊びをする． **2** 〔正式〕〈物が〉上下[前後]に動く；〈価格などが〉変動する；〈戦闘・ゲームなどが〉一進一退をくり

返す．—— 他 〔正式〕〈物を〉上下[前後]に動かす．—— 形 上下[前後]に動く．

†**seethe** /síːð/ 動 ⓘ **1** 〔文〕〈波・水面などが〉泡立つ，逆巻く． **2** 〔略式〕〔通例 be seething〕〈人が〉[…に対して]腹を立てる〔*against*〕；〔正式〕〈人・国などが〉〔不満などで〕騒然としている，〈場所が〉〔ごった返し〕で騒然としている〔*with*〕 ‖ The crowd *was seething with* anger. 群衆は怒りで騒然としていた．**3** 〔古〕沸騰する．

see-through /síːθrùː/ 形 〔略式〕透けて見える，内部が見える．

†**seg·ment** /séɡmənt/ 名; /séɡment/ 動 —/ 名 Ⓒ **1** (自然にできた境目で分かれた)部分，区分，切片 ‖ a *segment* of an orange みかんの一房．**2** 〔幾何〕線分，(円の)弧(⌒)，弓形．
—— 動 他 …を[…に]分ける，分割[区分]する，分裂させる〔*into*〕．—— ⓘ 分裂する，分裂する．

seg·men·tal /seɡméntl/ 形 **1** 部分[区分，分節]の，部分からなる．**2** 〔幾何〕弧(⌒)の，弓形の．

seg·men·ta·tion /sèɡmənteɪʃən/ 名 Ⓤ 〔時に a ~〕区分，分割，分断．**2** 〔生物〕分節，分裂，卵割．

seg·re·gate /séɡrəɡeɪt/ 動 他 **1** 〔正式〕〈人・団体などを〉[…から]分離する；〈病人などを隔離する〔*from*〕．**2** 〈人種・階級などを〉差別(待遇)する (↔ integrate).
—— ⓘ **1** […から]分離[隔離]する〔*from*〕．**2** 人種差別をする，人種差別政策をとる．

†**seg·re·ga·tion** /sèɡrəɡéɪʃən/ 名 Ⓤ 〔正式〕**1** 〔時に a ~〕分離[隔離](状態)．**2** (主に黒人に対する)人種差別(待遇) (↔ integration).

sei·gneur /siːnjɜːr | senjɜː/ 〔フランス〕 名 Ⓒ (封建時代の)君主，領主．

seine /seɪn/ 名 Ⓒ =seine net．—— 動 他 ⓘ 〈魚を〉引き網でとる．**seine net** 引き網．

Seine /seɪn/ 名 〔the ~〕セーヌ川《Paris を通ってイギリス海峡に注ぐフランス北部の川》．

seis·mic /sáɪzmɪk/ 形 地震の ‖ the *seismic* center [focus] 震源．

seis·mol·o·gy /saɪzmɑ́lədʒi | -mɔ́l-/ 名 Ⓤ 地震学．

†**seize** /síːz/ [発音注意] 動 他 **1** 〈人が〉〈物・人・体の部分を〉急に〈ぐいと〉つかむ，…を[…から]つかみ取る《◆grab, grasp より堅い語》‖ *seize* my hand = *seize* me *by* the hand 私の手をぐいと握る (→ catch **1c**) / She *seized* the gun *from* the burglar. 彼女は強盗から銃をつかみ取った．**2** 〈犯人〉をとらえる，逮捕する．**3** 〔法律〕〈物件・財産〉を押収[没収]する，差し押える《◆seise ともつづる》‖ The police searched the house and *seized* 2 kilograms of heroin. 警察は家宅捜査をし2キロのヘロインを押収した．**4** 〈敵地・権力など〉を奪い取る ‖ *seize* a castle 城を奪取する / *seize* power 権力を手に入れる．**5** 〈人が〉〈感情・欲望など〉に襲われる ‖ She *was seized with* [*by*] a pang of conscience. 彼女は良心の呵責(がしゃく)にかられた．**6** 〈意味〉を理解する，〈ポイント〉をのみこむ《◆understand より堅い語》．**7** 〈機会〉をとらえる ‖ *seize* every opportunity あらゆる機会をつかまえる．
—— ⓘ **1** 〈物を〉つかむ〔*on*, 〔正式〕*upon*〕《◆1 より強調的》．**2** 〔機会〕をとらえる，〔考え・提案など〕に飛びつく〔*on*, 〔正式〕*upon*〕‖ He will *seize upon* any offer. 彼はどんな申し出にも飛びつくだろう．

†**sei·zure** /síːʒər/ 名 Ⓤ **1** Ⓤ 捕獲[つかむ]こと；つかまえられること．**2** Ⓤ 差し押え，押収．**3** Ⓤ (敵地の)奪取．**4** Ⓒ (やや古) (病気などの)発作，卒中．

***sel·dom** /séldəm/ 〖『起こる確率が2割ぐらい』が本義〗
—— 副 (more ~, most ~) 〔正式〕[準否定語] 頻

select

度副詞] めったに…ない, …の場合はほとんどない ◆ rarely より堅い語. 頻度は, very rarely, hardly [scarcely] ever とほぼ同じ. 語法については ➡文法 1.7(2), 23.3(2) ‖ We have *seldom* seen such a sight! そんな光景はめったにお目にかかれない / A dog *seldom* bites unless attacked. 犬は攻撃を受けさえしなければほとんどかむことはない(=Few dogs bite ...).

nòt séldom しばしば(often).
séldom, if éver (たとえあるにしても)めったに…しない(rarely, if ever).
séldom or néver めったに…(し)ない.

*se・lect /səlékt/ 『『古英の中からよく吟味して選ぶ(lect)こと』が本義. cf. elect』 ⊕ selection (名)
——動 (~s/-lékts/; 過去・過分 ~・ed/-id/; ~・ing)
——他〈人・物・事〉を〔多くのものから〕選び出す〔*from*, *among*, *from among*〕;〈最適な物・人〉を〔人に〕選んでやる〔*for*〕;〈人・物〉を〔事のために〕選ぶ〔*for*〕; …に〔…を〕選ぶ〔*as*〕; [select **A** to do] **A**〈人〉が…するように選ぶ ‖ She was especially *selected for* the post. 彼女はその職に特別に抜擢(ばってき)された / We must *select* one *from among* these applicants. この応募者の中から1人を選ばなくてはなりません / He was *selected as* [*to* be] new class leader. 彼は新しいクラス委員に選ばれた.

> 使い分け [**select** と **choose**]
> **select** は「(最高[最適]なものを)選ぶ」.
> **choose** は「(2つあるいはそれ以上の中から)選ぶ」.
> Choose [×Select] between accepting or refusing his invitation. 彼の招待を受けるか断るかどちらか選びなさい.
> My sister *chose* a black dress to wear to the party yesterday. 姉は昨日, パーティーへ着て行くのに黒いドレスを選んだ.
> The man *selected* a pasta dish from the menu. 男はメニューから最高のパスタ料理を選んだ.

——自〔…から〕選ぶ〔*from*〕.
——形 **1** (正式) [通例名詞の前で] えり抜きの, 上等の(choice); 選ばれた(selected) ◆ 比較変化しない ‖ a *select* hotel 上等のホテル. **2** [名詞の前で]〈会・学校など〉(上流階級・金持ちに)会員を限定した ‖ *select* school 入学資格の厳しい学校. **3**〔…の点で〕好みのやかましい〔*in*〕.

se・lect・ed /səléktid/ 形 選ばれた, えり抜きの.

*se・lec・tion /səlékʃən/ [→ select]
——名 (複 ~s/-z/) **1** U C (慎重に)選ぶこと, 〔…に〕選ばれること〔*as*〕, 選抜; U 〔生物〕淘汰(とうた), 自然選択 ‖ a *selection* committee 選抜委員会 / make a *selection from* many job applicants 多くの就職志願者から選択する.

2 C [通例 a ~]〔…から〕選ばれた物[人]〔*from*〕; 選集; 精選品, 極上のもの ‖ a *selection* of American poems 米詩選集.

se・lec・tive /səléktiv/ 形 **1**〈人が〉(よいものを)選択する力のある; 入念に選択する, 〔…について〕えり好みする〔*about*, *in*〕. **2** えり抜きの.
seléctive redúction [医学] 減数[減胎]手術《複数の胎児のうちから特定の胎児を死なせること》.
sélective sérvice [米] 選抜徴兵[兵役] (制度) ◆ ベトナム戦争後徐には志願兵制度(voluntary service)に変更) ((英) national service).

Se・le・ne /səlíːni/ 名 [ギリシア神話] セレーネ《月の女神. ローマ神話の Luna に相当》.

se・le・ni・um /səlíːniəm/ 名 U 〔化学〕セレン《非金属元素. 記号 Se》.
selénium céll 〔電気〕セレン光電池.

***self** /sélf/
——名 (複 **selves**/sélvz/) **1** U C 自分自身, 自己; それ自体, そのもの ‖ one's own *self* 自分自身 / analysis of the *self* 自己分析. **2** U 〔正式〕私利, 私欲, 私心, 利己心 ‖ A selfish person puts *self* first. 利己的な人は私利を第一に考える. **3** [通例 one's true [old] ~] (人・物の)個性, 本質;性格の一面, 本性. **4** U 〔哲学〕 [しばしば the ~] 自我.

†**self-** [語素] → 語要素一覧 (1.7).

self-ad・he・sive /sèlfədhíːsiv/ 形〈封筒などが〉のり付きの.
self-as・sur・ance /sèlfəʃúərəns, -əʃɔ́ːr- | -əʃɔ́ːr-/ 名 U 自信.
self-as・sured /sèlfəʃúərd/ 形 自信のある.
self-cen・t(e)red /sèlfséntərd/ 形 自己中心[本位]の, 利己的な.
self-com・mand /sèlfkəmǽnd | -áːnd/ 名 U 〔正式〕自制, 克己(こっき); 沈着.
self-com・pla・cen・cy, -com・pla・cence /sèlfkəmpléɪsns(i)/ 名 U 〔正式〕自己満足.
self-com・pla・cent /sèlfkəmpléɪsnt/ 形〔正式〕自己満足の, うぬぼれた.
self-con・ceit /sèlfkənsíːt/ 名 U 〔正式〕うぬぼれ, 虚栄心.
self-con・fi・dence /sèlfkánfidəns | -kɔ́n-/ 名 C 自信.
self-con・fi・dent /sèlfkánfidənt | -kɔ́n-/ 形 自信のある.

†**self-con・scious** /sèlfkánʃəs | -kɔ́n-/ 形 自意識の強い[過剰の]; (略式) 内気な, 人前を気にする;〔…を〕気にする〔*about*〕 ‖ feel *self-conscious* in front of the boss 上役の前であがる.
self-cón・scious・ly 副 自意識過剰で; 人前を気にして.
self-cón・scious・ness 名 U 自意識過剰.
self-con・tained /sèlfkəntéɪnd/ 形 **1** 必要物がすべて完備した; 自給自足の;〈機械など〉自給式の. **2**〈人が〉無口な, 打ち解けない; 控え目な, 自制心のある. **3** (英)〈アパートなど〉各戸独立した.
self-con・tra・dic・tion /sèlfkɑntrədíkʃən | -kɔn-/ 名 U C 自己矛盾; 矛盾した言葉[考え].

†**self-con・trol** /sèlfkəntróul/ 名 U 自制, 克己(こっき).

†**self-de・fense**, (英) **-de・fence** /sèlfdiféns/ 名 U 自己防衛, 自衛; 護身;〔法律〕正当防衛(の権利).
self-de・ni・al /sèlfdináɪəl/ 名 U 自制, 克己(こっき); 禁欲.
self-de・ny・ing /sèlfdináɪɪŋ/ 形 自制の, 克己(こっき)の; 禁欲の.
self-de・ter・mi・na・tion /sèlfditə̀ːrmənéɪʃən/ 名 U 自己[自主]決定, 自決; 民族自決.
self-de・vo・tion /sèlfdivóuʃən/ 名 U 献身, 自己犠牲.
self-dis・ci・pline /sèlfdísəplɪn/ 名 U 自己訓練, 自己修養.
self-em・ployed /sèlfɪmplɔ́ɪd/ 形 自家営業の, 自営の; [the ~; 複数扱い] 自営業者.
self-es・teem /sèlfɪstíːm, -es-/ 名 U 自尊心, うぬぼれ.
self-ev・i・dent /sèlfévɪdənt/ 形〔正式〕自明の.
self-ex・plan・a・to・ry /sèlfɪksplǽnətɔ̀ːri | -təri/ 形 自明の, 明らかな.

self-ex·pres·sion /sélfikspréʃən, -eks-/ 名 自己[個性]表現.

†**self-gov·ern·ment** /sélfgʌvərnmənt, -gʌvəmənt | -gʌvnmənt, -gʌvnmənt/ 名 U 自治, 民主政治.

self-help /sélfhélp/ 名 U 自助, 自立.

self-im·por·tance /sélfimpɔ́ːrtəns/ 名 U 尊大, うぬぼれ, 自尊.

self-im·por·tant /sélfimpɔ́ːrtənt/ 形 尊大な, もったいぶった, うぬぼれの強い.

self-im·posed /sélfimpóuzd/ 形 《正式》〈義務など が〉自ら課した, 自ら進んでする.

self-im·prove·ment /sélfimprúːvmənt/ 名 U 自己改善[修養].

self-in·dul·gent /sélfindʌ́ldʒənt/ 形 わがままな, 放縦な.

self-in·ter·est /sèlfíntərəst/ 名 U 《正式》私利, 私欲; 利己主義, 利己心.

self-in·tro·duc·tion /sélfintrədʌ́kʃən/ 名 C U 自己紹介.

self-in·vit·ed /sélfinváitid/ 形 〈客など〉押しかけの.

***self·ish** /sélfiʃ/【自己(self)的な(ish)】
——形 (more ~, most ~) わがままな, 自分本位の, 利己的な(↔unselfish) ‖ It was *selfish* of you to leave without me. =You were *selfish* to leave without me. 私を残して行くなんて君は身勝手だったよ.

self·ish·ness 名 U わがまま, 自己本位.

self·ish·ly /sélfiʃli/ 副 自分本位に, 利己的に.

self-knowl·edge /sélfnálidʒ | -nɔ́l-/ 名 U 自己認識, 自覚.

self-lock·ing /sélflákiŋ | -lɔ́kiŋ/ 形 〈ドアなどが〉自動的にかぎが閉まる.

self-love /sélflʌ́v/ 名 U 自己愛; 利己主義; うぬぼれ.

self-made /sélfméid/ 形 **1** 自分で作った, 自己製の. **2** 自力で出世した, 独立独行の.

sélf-máde mán たたきあげの人((PC) self-made person).

self-pit·y /sélfpíti/ 名 U 自己憐憫(みん), 自分に対するあわれみ.

self-por·trait /sélfpɔ́ːrtrət, -treit/ 名 C 自画像.

self-pos·sessed /sélfpəzést/ 形 冷静な, 沈着な, 落ち着いた.

self-pos·ses·sion /sélfpəzéʃən/ 名 U 冷静, 沈着, 落ち着き.

self-praise /sélfpréiz/ 名 U 自賛, 自慢, 手前みそ.

self-pres·er·va·tion /sélfprèzərvéiʃən/ 名 U 《正式》自己保存, 自衛(本能).

self-re·li·ance /sélfriláiəns/ 名 U 自己依存, 独立独行, 自力本願, 独立独行の.

sélf-re·lí·ant 形 自己依存の, 自力本願の, 独立独行の.

self-re·proach /sélfripróutʃ/ 名 U 自己非難, 自責, 後悔, 良心の呵責(しゃく).

†**self-re·spect** /sélfrispékt/ 名 U 自尊(心), 自重.

sélf-re·spéct·ing 形 [通例否定文で] 自尊心の強い; 《略式》名に値する, 立派な.

self-re·straint /sélfristréint/ 名 U 自制, 克己(き).

self-right·eous /sélfráitʃəs/ 形 ひとりよがりの, 独善的な.

self-sac·ri·fice /sélfsækrəfàis/ 名 U C 自己犠牲, 献身(的行為).

†**self·same** /sélfsèim/ 形 《文》[the/this ~] まったく同じ, 同一の (◆ same の強調形).

self-sat·is·fac·tion /sélfsætisfǽkʃən/ 名 U 自己満足; ひとりよがり.

self-seek·ing /sélfsíːkiŋ/ 名 U 形 利己主義(の), 身勝手(な).

self-ser·vice /sélfsə́ːrvəs/ 名 形 セルフサービス(の).

self-styled /sélfstáild/ 形 自称の, 自任の.

self-suf·fi·cien·cy /sélfsəfíʃənsi/ 名 U 自給自足; うぬぼれ, 自信　日本発≫ While Japan has a 40% rate of *self-sufficiency* for all foodstuffs, the country is entirely self-sufficient in its supplies of rice. 日本の食糧自給率は40%ほどしかありませんが, 米は自給しています.

self-suf·fi·cient /sélfsəfíʃənt/ 形 〔…の点で〕自給自足の〔in〕; うぬぼれの強い; 自立心のある.

self-suf·fi·cing /sélfsəfáisiŋ/ 形 =self-sufficient.

self-sus·tain·ing /sélfsəstéiniŋ/ 形 自立[自活]する; 自給の.

self-taught /sélftɔ́ːt/ 形 独習の, 独学の.

self-will /sélfwíl/ 名 U がんこさ, わがまま, 身勝手.

:**sell** /sél/ 同音 cell 派 sale (名)
——動 (~s /-z/; 過去分 sold /sóuld/; ~·ing)

I [売る]

1 〈人が〉〈物を〉[ある価格で]**売る**, 売却する〔at, for〕; [sell A B =sell B to A] 〈人〉に〈物〉を売る, 売り渡す(↔buy, purchase) 類語 vend, peddle, push〉 ‖ They *sell* these CDs at bargain prices. このCDを安売りしている / *Sold*. (掲示)売約済, 売り切れ / *To sell*. (掲示)売り物 / She sold 'the watch *to* me [me the watch] *for* [*at*] $60. 彼女は60ドルで私に時計を譲ってくれた(◆受身形は The watch *was* sold (*to*) me *for* $60. / I *was* sold the watch *for* $60. つ文法 7.8).

2 〈人・店が〉〈商品の〉販売をしている, …の商売をしている, …を商っている ‖ Do you *sell* playing cards here? ここでトランプを売っていますか / They [We] *sell* video tapes (*at that* [*this*] *shop*). =*That* [*This*] *shop sells* video tapes. あの店では[手前どもでは]ビデオテープを扱っている.

3 〈商品が〉〈部数・個数〉売れる ‖ The novel has *sold* almost 20,000 copies. その小説はほぼ2万部を売った.

4 〈安値・質・宣伝・名声などが〉〈商品の〉売れ行きを上げる, …の販売を促進する ‖ Shocking headlines *sell* newspapers. 新聞は衝撃的な見出しで売れる.

II [売り込む]

5 [sell A B =sell B to A] 〈人が〉 A 〈人〉に B 〈考え・人など〉を売り込む, 宣伝する; (略式) A 〈人〉に B 〈考え・話〉を納得させようとする(persuade); (略式) 〈人〉に〔案などを〕納得させる(on) ‖ *sell* an idea *to* a publisher =*sell* a publisher an idea 出版社に企画を売り込む / I'm *sold on* his latest idea. 彼の最新のアイディアがよいと納得している.

III [売って裏切る]

6 〈祖国・良心・名誉・貞節などを〉〔金のために〕売る〔for〕; 〈人など〉を〔警察などに〕売る〔to〕 ‖ *sell* one's vote 金で票を売る / *sell* a game (八百長をする) / *sell* one's country *for* money 金のために祖国を裏切る. **7** (略式) [通例 be sold] 一杯食わされる, ひっかかる, だまされる(be deceived) ‖ *Sold* again. またやられた.

——自 **1** 〈人が〉〔人・店などに〕**売る**〔to〕, 売り手を務め

る；〈人が〉商売をする, 商っている ‖ Their policy is to buy cheap and *sell* dear. 彼らの方針は安く買って高く売ることだ.
2〈商品が〉〈値段で〉売れる, 売られている[*at, for*]；〈商品の〉売れ行きが…である《◆ *well, quickly, badly* などの副詞を伴う》‖ The land now *sells at* 5% less than it did 10 years ago. その土地は10年前より5％安でしか売れない / On a rainy day umbrellas *sell well* [*quickly, briskly*]. 雨の日にはかさの売れ行きがよい.

sell like hot cakes → hot cake.

séll óff [他]〈売れ残りや買い手がつきにくい物を〉安い値段を売る.

séll onesélf (略式)(1)(商売で)〈客に〉自分を売り込む[*to*]. (2)[…のために]魂を売る[*for*].

séll óut (1)〈人が〉〈ある商品を〉売り切ってしまう[*of*]；〈商品が〉売り切れる, すべて出払う. (2) 店じまいする. (3) 資産を売り切る(sell up). (4) (退職のため)商売の自分の権利を売り渡す. (5)(略式)裏切る, 〔敵に〕寝返る[*to, on*]. ─[他](1)〈商品・持ち株を〉売り尽くす(cf. sellout) ‖ We are sorry, all the tickets are *sold out*. 申し訳ありませんが, すべての切符は売り切れました / 〘対話〙 "Do you have any French loaf?" "Sorry, we're *sold out*." 「フランスパンはありますか」「すみません, 売り切れました」(2)〈人に〉魂に売り渡す；〈約束・主義〉にそむく. **(3)** [be sold out of …]〈店が〉…が売り切れである.

séll úp (主に英)[自](店じまい・負債返済のため)すべてを売り払う. ─[他](1)〈資産を〉全部売り払う. (2)〈人に〉負債を支払うためすべてを売り払わせる.

─名(英略式)**1** [a ~] **a** ぺてん. **b** がっかりすること[もの]. **2** ⓤ 販売法 ‖ the hard [soft] *sell* 強引な[物柔らかな]売込み.

sélling póint 〔商業〕セールスポイント《◆ *sales point* ともいう》.

sélling príce 〔商業〕売り値.

†**sell·er** /sélər/ (同音) cellar) 名 Ⓒ **1** 売り手, 売る人(↔ buyer). **2** よく売れる物(cf. best seller) ‖ This book is a bad [good] *seller*. この本はあまり売れない[よく売れる](=This book *sells* well [badly]. → sell 自②) / This product will be *a big* [*longtime*] *seller*. この商品はヒットする[ロングセラーになる]だろう. **séllers' márket** [a/the ~] 売り手市場(↔ buyers' market).

sell-off /sélɔ̀:f/ 名 Ⓤ セルオフ《有価証券などの売却》.

sel·lo·tape /séləteip/ |séləʊ-/ (英)[しばしば S~] Ⓤ 〔商標〕セロテープ(cf. (米) Scotch tape). ─動 他 …をセロテープではりつける.

sell-through /sélθru:/ 形〔ビデオが〕販売用の.

Selt·zer /séltsər/ 名 Ⓤ **1** =Seltzer water. **2** [しばしば s~](一般的に)炭酸水.

Séltzer wàter セルツァー炭酸水.

sel·vage, -·vedge /sélvidʒ/ 名 Ⓒ (織物などの)耳, 織端(ﾐﾐ).

selves /sélvz/ 名 self の複数形.

se·man·tic /səmǽntik/ 形 (正式) **1** 意味に関する《◆名詞に meaning》. **2** 意味論の.

se·man·tics /səmǽntiks/ 名 Ⓤ〔言語〕[単数扱い] 意味論.

sem·a·phore /séməfɔ̀:r/ 名 **1** Ⓒ 〔鉄道〕腕木信号機[シグナル]《赤・緑の点滅灯付き》. **2** Ⓤ 〔軍事〕手旗信号 ‖ in [by] *semaphore* 手旗信号で. ─動 他(…を)腕木信号機[手旗信号]で知らせる.

†**sem·blance** /sémbləns/ 名 Ⓤ (正式)[通例 a/the

~] **1** 外見, 外観, うわべ. **2** 類似, 似より；写し.

se·men /sí:mən, -men/ 名 Ⓤ 精液(sperm).

se·mes·ter /səméstər/ 名 Ⓒ(米・独などの大学で年2学期制の)学期《ふつう各15-18週》《◆3学期制の学期は term, (米) trimester. cf. quarter **5**》.

†**sem·i-** /sémi-, (米) sémai-/ (語要素) →語要素一覧(**1.7**).

sem·i·an·nu·al /sèmiǽnjuəl/ 形 **1** 半年ごとの, 半年ごとに起こる. **2** 〔植〕半年生の, 半年続く.

sèm·i·an·nu·al·ly 副 半年ごとに.

sem·i·ar·id /sèmiǽrid/ 形〈気候が〉半乾燥の, 雨量の少ない《ふつう年間降雨量500 mm 以下》.

sem·i·breve /sémibrì:v, (米) -brèv/ 名 Ⓒ (英)〔音楽〕全音符《(米) whole note》.

†**sem·i·cir·cle** /sémisə̀:rkl/ 名 Ⓒ 半円, 半円形(の物).

sem·i·co·lon /sémikòulən/ 名 Ⓒ セミコロン《;》《period (.) よりは軽く, comma (,), colon (:) よりは重い性質をもつ句読点》.

sem·i·con·duc·tor /sèmikəndʌ́ktər, (米) -/ 名 Ⓒ 〔物理〕半導体 ‖ a *semiconductor* chip 半導体チップ.

sem·i·con·scious /sèmikɑ́nʃəs | -kɔ́n-/ 形 半ば意識のある.

sem·i·fi·nal /sèmifáinl/ 名 Ⓒ 準決勝(の).

sem·i·for·mal /sèmifɔ́:rml/ 形 準公式の, 準正式の. 形 半正装の, 準礼装の.

sem·i·liq·uid /sèmilíkwid/ 名 Ⓤ Ⓒ 形 半液体(の).

sem·i·lu·nar /sèmilú:nər/ 形 半月状の, 三日月形の(crescent).

sem·i·month·ly /sèmimʌ́nθli/ 形 副 半月ごとの[に], 月2回の(割で). ─ 名 Ⓒ 月2回の刊行物.

sem·i·nal /séminl, (英+) sí:mə-/ 形 (正式) **1**〔植〕種子の. **2** 精液の. **3** 発生の, 生殖の. **4** 将来性[可能性]のある.

sem·i·nar /séminɑ̀:r, -/ 名 Ⓒ **1** ゼミナール, ゼミ, 演習. **2** ゼミナールの課程[研究会]. **3** ゼミナール室, 演習室. **4** (大学の)研究科, 大学院課程.

†**sem·i·nar·y** /séməneri | -nəri/ 名 Ⓒ **1** (古正式)(特に high school 以上の)学校. **2** (米)(各派の)神学校；(英)(カトリックの)神学校.

sem·i·of·fi·cial /sèmiəfíʃl/ 形〈報道などが〉半ば公式の(筋からの)；半官半民の.

sem·i·pre·cious /sèmipréʃəs/ 形 準宝石の, 半貴石の《◆ a *semiprecious* stone は amethyst, garnet, turquoise など》.

sem·i·pro·fes·sion·al /sèmiprəféʃənl/ 形 **1**〈選手などが〉半職業的な, セミプロの. **2**〈仕事・スポーツなどが〉半専門的な. ─ 名 Ⓒ セミプロの人[選手].

sem·i·qua·ver /sémikwèivər/ 名 Ⓒ (英)〔音楽〕16分音符《(米) sixteenth note》.

Sem·ite /sémait | sí:m-/ 名 Ⓒ **1** セム人[族]《Phoenicians, Assyrians, Arabs, Jews など》. **2** (Noah の子)セム(Shem)の子孫. **3** ユダヤ人.

Se·mit·ic /səmítik/ 形 **1** セム族の, (特に)ユダヤ人の；アラビア人の. **2** セム語(族)の. ─ 名 Ⓤ セム語.

sem·i·tone /sémitòun/ 名 Ⓒ (英)〔音楽〕半音《(米) half step, halftone》.

sem·i·trop·ic, -·i·cal /sèmitrɑ́pik(l) | -trɔ́p-/ 形 亜熱帯の.

sem·o·li·na /sèməlí:nə/ 名 Ⓤ セモリーナ《パスタやプディングなどに使う粗く固い小麦粉》.

†**sem·pi·ter·nal** /sèmpitə́:rnl/ 形(主に詩)永遠の.

†**sen·ate** /sénət/ 名《◆**1, 3, 4** は[集合名詞 単数・複数扱い]》**1** [the S~]（米国・カナダ・オーストラリアなど

の二院制議会の)上院(the Upper House)(→house 関連). (米国州議会の)上院. **2** ⓒ 上院議事堂, 上院議場; (国・州の)議事堂, 立法府. **3** [(the~] (大学の)評議員会, 理事会. **4** [the S~] [ローマ史] 元老院.

†**sen·a·tor** /sénətər/ 图ⓒ **1** [しばしば S~] 上院議員. **2** (大学の)評議員, 理事. **3** (古代ローマの)元老院議員.

†**sen·a·to·ri·al** /sènətɔ́ːriəl/ 形 (正式) **1** 上院[元老院](議員)の, 上院議員にふさわしい. **2** (大学の)評議員会の.

‡**send** /sénd/ [「行かせる」が原義]
── 動 (~s/séndz/; 過去・過分 sent/sént/; ~·ing)

I [送る]

1 [send A (to B) = send B A] 〈人が〉〈物・伝言〉を〈B〈人〉に〉**送る**, 発送する, 届けさせる, 送信する(↔ receive), 伝える ‖ I send a book by post 本を郵送する / send an SOS 遭難信号を発する / He sent「her a congratulatory telegram [a congratulatory telegram to her]. 彼は彼女に祝電を打った / The check *was sent* to me. その小切手は私あてに送られた(◆ 受身形ではふつう to を略さない) (⇒文法 3.3) / She *was sent* a doll. 彼女は人形を送ってもらった.

> 語法 (1) B が場所の場合 send B A の語順は不可: I sent a package to Osaka. (×I sent Osaka a package.) 私は大阪に小包を送った.
> (2) ただし場所でも下記では人を連想させるので可: I sent the White House a letter. 私はホワイトハウスに手紙を送った.

II [送り込む]

2 〈人が〉〈人〉を[…させるために/…に/…を求めて]**行かせる**, 派遣する(to do / to, into / for); [send A B] 〈人が〉A〈人のもと〉へ B〈人〉を[…させるために]行かせる, 〈物〉を[…させるために]送り届ける ‖ I send him to college 彼を大学にやる / I'll send my son to you *for* the money. 息子にお金をいただきにあがらせます / He *sent* her home by taxi. 彼は彼女をタクシーで帰した(◆ 自分で送り届けた場合は He *took* her home.) / Mother *sent* me *to* bed at nine. 母は9時に私を寝かせた[私に寝なさいと言った] / I *was sent to* help her. 彼女の手助けに行かされた / 日本発≫ Japan *sent* its Self-Defense Forces to Iraq in 2004. 日本は2004年にイラクに自衛隊を派遣した.

> 語法 [自動詞 go と他動詞 send の対応関係]
> A go to bed ↔ send A to bed (他2)
> A go to sleep ↔ send A to sleep (他2)
> A go mad ↔ send A mad (他5)
> A go into exile ↔ send A into exile (他5)

III [送り出す]

3 〈人が〉〈物〉を**送り出す**, 飛ばす; 〈物・事が〉〈苦痛など〉を〈体などに〉走らせる(through) ‖ send「an arrow [a rocket] 矢[のろし]を放つ.

4 (主に) 〈物が〉〈光・熱・信号など〉を[…に]放出する, 発散する(to, into); 〈草木が〉〈芽・葉・枝〉を出す, 〈人が〉〈声などを発する(+out, (正式) forth)(◆ 修飾語(句)は省略できない) ‖ This flower *sends* out a strong smell. この花は強い香りを発散する.

5 [send A C] 〈人・物・事が〉A〈人〉を C にする; …を[…の状態にする](into, to); [send A doing] A〈人・物〉を…させる ‖ Jealousy often *sends* people mad (going off the rails). 嫉妬(と̄)はよく人を狂わせる / He was *sent*「*into* exile [*to* his death]. 彼は追放の身となった[死に追いやられた].

── 自 **1** (正式) […に]伝令を出す, 使者を派遣する(to/for); [[…するために]人を派遣する(to do)] ‖ He *sent to* inquire after her. 彼女の見舞いに彼は人をやった / The king *sent to* them to open an attack. 王は彼らに攻撃開始の伝令を出した. **2** 信号(など)を送る.

sénd àfter A (ⓐ[*]) 〈人〉に問い合わせる. ── [他] ── A **áfter** B ── A 〈人・物〉を B 〈人〉の後から行かせる[送る].

sénd alóng [他] 〈人・物〉を送り届ける.

sénd (a)róund [他] 〈物〉を回覧する, 〈人〉を〈他の所へ〉回らせる.

*****sénd awáy** [他] (1) 〈人〉を**追い払う**; 〈人〉を首にする. (2) 〈人・物〉を遠方に送り出す.

sénd awáy [óff] for A …を遠方から郵便で取り寄せる; …を取りに人を派遣する.

sénd báck [他] (1) 〈人・物〉を送り返す. (2) 〈人〉を[…を取りに]行かせる(for).

sénd dówn [他] (1) …を下方へやる. (2) 〈価格・温度・位など〉を下げる. (3) (英) [通例 be sent] 〈学生が〉(大学から)退学処分にされる(from).

*****sénd for** A (1) (電話・手紙などで)〈人・助けなど〉を**呼ぶ**, …に来てくれるように頼む(◆ 人を直接呼びに行くのは go for) ‖ *Send for* the doctor. 医者を呼びなさい. (2) 〈物〉を(郵送で)**取り寄せる** ‖ *send up for* a catalogue カタログを取り寄せる.

sénd fórward 〈伝言・手紙〉を前もって送る.

*****sénd ín** [他] (1) …を(受付などに)**提出する**, 届ける(to); …を[コンクールのために]出展する(for) ‖ Have you *sent in* your application yet? 願書をもう出しましたか. (2) 〈人〉を**招き入れる**, 通す; 〈人・選手〉を[競技に]出場させる; 〈名前〉を[競技などに]出して申し込む(for).

*****sénd óff** [他] (1) 〈人〉を**見送る**(◆ see off の方がふつう); …を[…へ]送り出す[追放する](to) ‖ She *sends off* her husband to work every morning. 彼女は夫を会社へ毎朝送り出している. (2) 〈手紙など〉を**ポストに投函(²⁵)する**, 郵便局に出す. (3) (英) (サッカーなどで)〈選手〉を退場させる. (4) 〈酒・覚えなど〉〈人〉の心を静める[ぼーっとさせる].

sénd óut [自] […を求めて/…へ]人をやる; […を/…へ]手に入れようと注文する(for/to). ── [他] (1) 〈伝令・物〉を発送する. (2) 〈人〉を**派遣する** ‖ Helicopters were *sent out* to rescue the climbers. 登山者の救援にヘリコプターが出動した. (3) 〈光・熱・香りなど〉を出す.

sénd úp [他] (1) …を上昇させる, 上げる. (2) 〈願書・提案など〉を提出する, 申し込む. (3) …を炎上させる, 爆破する.

send·er /séndər/ 图ⓒ (正式) **1** 発送人, 荷主; 発信人. **2** 送信機(↔ receiver).

send(-)off /séndɔ́(ː)f/ (英 -ɔ́f) 图 (複 ~s) ⓒ **1** 見送り, 送別; (略式) = send(-)off party. **2** 開店祝い.
  sénd(-)off párty 送別会.

send-up /séndʌ̀p/ 图ⓒ (英略式) (あざけりでの)もの[人]まね(parody).

Sen·e·ca /sénəkə/ 图 セネカ《Lucius Annaeus /lúːsias ǽniəs/ ~ 4?B.C.–A.D.65; ローマの哲学者・政治家・悲劇作家》.

Sen·e·gal /sénəgɔːl/ セネガル《アフリカ西部の共和国. 首都 Dakar》.

†sen·e·schal /sénəʃəl/ 名 **1** (中世王族・貴族の)執事, 家令. **2** (英)大聖堂(cathedral)の職員.

se·nile /síːnail, (米) se-/ 形 **1** 老年の, 老齢による. **2** (正式) 老衰した, もうろくした.

se·nil·i·ty /sənílə ti/ 名 (正式) 老衰, もうろく, ぼけ.

sen·ior /síːnjər | síːniə/ 『「より老いた」が原義』
—— 形 《◆比較変化しない》**1** 《公務員・会社員などが》(役職・地位などで)[…より]上位の, 先任の; 先輩の, (最)古参の{to}‖ *senior* army officers 先任陸軍将校 / a *senior* judge 首席判事.
2 《学年が》上級の; (米) (高校・大学の)最上級[最高学年]の, (大学の)専門課程の, 3·4年生の‖ a *senior* prom (米)最上級生のダンスパーティー / the *senior* class 上級のクラス.
3 年上の, 年長の(略 Sr., sr., Sen., sen.) (↔ junior)‖ John Smith, *Sr.* (主に米) 父の(方の)ジョン=スミス氏《◆ Sr. はふつう Senior と読む. 同名の父子の父・二人兄弟の兄・同名生徒の年長者をさす言い方で, 女性には用いない》.
4 《制度などが》[…より]古い, 以前の, […に]先だつ{to}.
—— 名 (複 ~s/-z/) C **1** (英) 上級生; (米) (高校・大学などの)最上級生{at} (cf. freshman)‖ My brother is a college *senior*. 私の兄は大学4年生です.
2 [one's ~] 先輩, 先任者; 上役, 上官, 首席‖ These gentlemen are my *seniors* in the office. この方々は会社の先輩です.
3 [one's ~] 年長者, 年上の人; 長老‖ He is six years my *senior*. = He is my *senior* by six years. 彼は私より6歳年上だ《◆前者がふつう》.

sénior cítizen (ふつう60歳以上の)高[老]齢者, お年寄り《◆(1) old person の遠回し表現. 特に65歳以上の退職した年金生活者. (2) (米)では今は older [elderly] person がふつう》‖ 日本発 As its name implies, *Keirō-no-hi* [Respect-for-the-Aged Day] is a day to honor the nation's *senior citizens*. 敬老の日は名前からわかる通り, 老人を敬う日です.

sénior hígh schòol (米) 高等学校 (cf. junior high school, elementary [(英) primary] school).

sénior officíal 政府高官(筋)‖ *senior* White House *official* 米政府高官《補佐官クラス》.

sénior více sécretary (日本の)副大臣.

sen·ior·i·ty /siːnjɔ́ːrəti | siːniɔ́r-/ 名 U **1** 年長, 年上. **2** 先輩[先任, 古参]であること; 年功(序列), 先任順位; (労働法の)先任権.

sen·na /sénə/ 名 **1** C (植)センナ(cassia)《マメ科》; センナ葉. **2** U センナ《下剤成分》.

†se·ñor /seinjɔ́ːr | se-/ 『(スペイン)』名 (複 ~·es/-eis/, ~s) **1** (呼びかけ) だんな様, あなた《sir に相当》; [S~; 敬称] …様, …氏《Mr. に相当. 略 Sr.》. **2** C (スペインの)紳士.

†se·ño·ra /seinjɔ́ːrə | se-/ 『(スペイン)』名 **1** (呼びかけ) 奥様, あなた《madam に相当》; [S~; 敬称] …様, …夫人《Mrs. に相当. 略 Sra.》. **2** C (スペインの)既婚婦人, 淑女.

se·ño·ri·ta /sèinjərìːtə | se-/ 『(スペイン)』名 **1** (呼びかけ) お嬢さん, あなた; [S~; 敬称] …様, …嬢《Miss に相当. 略 Srta.》. **2** C (スペインの)未婚婦人, 娘.

†sen·sa·tion /sénséiʃən, sən-/ 名 **1** U [時に a ~] (痛み・熱などの)感覚, 感じ《◆ feeling よりも堅い語》. 外的な刺激に対する感覚‖ lose all *sensation* すべての感覚を失う / When I drank some vodka, I had a burning *sensation* in my throat. ウォツカを飲んだらのどが焼けるような感じがした. **2** C [通例 a/the ~] […のような] 感じ{of, that 節} 《◆ feeling よりも堅い語》‖ a *sensation* of happiness 幸福感 / He had the *sensation* that he was still on the waves. 彼はまだ波の上にいるような気持ちだった. **3** C センセーション, 物議; U 物議をかもす要素‖ create a *sensation* センセーションを巻き起こす / Her marriage produced [caused] a great *sensation*. 彼女の結婚は大評判になった.

sen·sa·tion·al /sénséiʃənl, sən-/ 形 **1** 扇情的な, 人気取りの; 人騒がせの. **2** (略式)すばらしい. **3** 感覚に関する, 知覚上の.

sen·sá·tion·al·ism 名 U 扇情的意図[表現]; (哲学)感覚論, 官能主義(↔ rationalism).

*sense /séns/ 『「感じる」が原義. cf. scent』派 sensible (形), sensitive (形)
—— 名 (複 ~s/-iz/) **1** C 感覚, (五感の各)感覚《◆形容詞は sensitive》‖ a keen [sharp] *sense* 鋭い感覚 / a sixth *sense* 第六感 / Man has five *senses* — sight, hearing, smell, taste and touch. 人間には視覚, 聴覚, 嗅(きゅう)覚, 味覚, 触覚の五感がある.
2 U [時に a/one's ~] **a** […に対する]認識力, 判断力, センス{of}《◆形容詞は sensible》‖ a refined *sense* of taste ハイセンス / My teacher has a *sense* of humor. 私の先生はユーモアを解する心がある / She has no *sense* of direction. 彼女は方向音痴(おんち)だ. **b** […に対する]自覚, 観念{of}‖ moral *sense* 道徳観 / a *sense* of mortality 無常観 / He lacks the [a] *sense* of shame [responsibility]. 彼には羞恥(しゅうち)心[責任感]がない.
3 U […する]良識, 思慮分別{to do} (cf. common [horse] sense)‖ a man of *sense* 良識のある人 (= a sensible man) / see *sense* ものの道理がわかる行動をする / She had 「enough *sense* [*sense* enough, the *sense*] to understand what he really meant. 彼の真意を察するだけの分別が彼女にはあった (= She was sensible enough to understand …) / You should have more *sense* than to get into debt. 借金せずに暮らすぐらいの分別はあってしかるべきだ (= You should know better than to …).
4 [a ~] […という]感じ, 感触{of, that 節}(sensation) ‖ a *sense* of crisis 危機感 / She had a *sense* of it being her duty to do that. それをするのが自分の義務だとの自覚が彼女にはあった / I got a *sense* that I was trapped. はめられたと感じた.
5 [one's ~s] 正気, 意識‖ lose [regain] one's *senses* 平常心[意識]を失う[取り戻す] / in one's (right) *senses* 正気で / She is out of her *senses*. 彼女は正気にない.
6 C [通例 a ~] (語・文などの)意味, 意図, 趣旨 (meaning)‖ grasp the real *sense* of her speech 彼女の演説の真意を把握する / in a broad [narrow] *sense* (of the word) (その語の)広義[狭義]では / in the *sense* that … …という意味では.
7 U 価値, 意義, 効果‖ There is no [little] *sense* in complaining to him. (略式) 彼に不平を言ってもむだだ / What is the *sense* of learning Latin? ラテン語を学ぶ意義はどこにあるのですか[何です

か]. **8**〔正式〕[the ~ of ...]〈集団・会などの〉意向, 見解 ‖ take *the sense of* the meeting 会(員)の意向を確かめる / His speech didn't reflect the *sense* of the party. 彼の演説は党の意向を反映したものではなかった.

bríng A to A's sénses 〈失神から〉〈人〉の目を覚まさせる.

「**cóme to** [**be bróught báck to, regáin**] one's **sénses** 正気[意識]を取り戻す.

****in a** [**óne, sóme, a cértain**] **sénse** ある意味では.

****máke sénse** (1)〈事柄・説明などが〉**意味がわかる**, 道理にかなう(be reasonable) ‖ Her disappearance doesn't *make sense*. なぜ彼女が失踪したのか合点がゆかない. (2)賢明である ‖ It *makes sense* to stop smoking. タバコはやめた方がいい.

****máke sénse** (**óut**) **of A**〔通例疑問文・否定文で〕〈人が〉…を**理解する**, 納得する ‖ I can't *make sense* (*out*) *of* what he means. 彼の言っている意味が私にはわからない.

tálk sénse(略式)〈人が〉もっともな[道理の通った]ことを話す.

── 動 (~s/-iz/; 過去・過分 ~d/-t/; **sens·ing**)
── 他 **1**〈人が〉…を〈五感で〉**感じる**; …に**気づく**, …を感知する; …を[…から]理解する, 悟る(understand)《◆ *that* 節, *wh* 節[句], (to) *do*, *doing* も可》‖ I *sensed* something was wrong as soon as I saw her face. 彼女の顔を見た瞬間, なにか変だと感じた / She *sensed that* she was not welcome. 彼女は自分が歓迎されていないと察した / I *sensed* him coming up behind me. 背後に彼がやってくるのに気がついた. **2**〈機械が〉…を探知する;〔コンピュータ〕…を読み取る.

sénse gròup 意味の塊(chunk).
sénse òrgan 感覚器官, 五官の各器官.

†**sense·less** /sénsləs/ 形 **1**〈人が〉意識を失った,〈手足などが〉無感覚の ‖ fall *senseless* to the ground 地面に卒倒する. **2**〈人・行動が〉無分別な;〈言葉・行為が〉意味のない, 甲斐(ボ)のない. **sénse·less·ly** 副 無意識で, 無感覚で;無分別に.

†**sen·si·bil·i·ty** /sènsəbíləti/ 名(正式) **1** Ⓤ〔時に a ~; しばしば sensibilities〕〈芸術・倫理などに対する〉識別能力, 感性(*for*, *to*)(cf. sensibleness) ‖ *a fine sensibility for* [*to*] music 音楽に対する鋭い感受性 / He has little poetic *sensibility*. 彼は詩人としての感性がほとんどない. **2** Ⓤ〔時に a ~〕…に対する〕敏感さ(*to*) ‖ the *sensibility* of plants *to* light 光に対する植物の鋭敏さ / blunt *sensibility to* pain 痛みに対する感覚を鈍らせる. **3** [sensibilities]〈傷つきやすい〉感情, こまやかな神経, 逆鱗(ラミ) ‖ offend his *sensibilities* 彼の感情を害する.

†**sen·si·ble** /sénsəbl/ 形 **1 a**〈人・行動などが〉分別のある, 賢明な;〈服装などが〉目的にかなった, 実用本位の(practical) ‖ *Sensible* people wear *sensible* clothes for mountain climbing. 物のわかった人は山登りにはそれにふさわしい服装をする / a *sensible* approach to the problem 問題への賢明な取り組み方. **b** [it is sensible (**of A**) to *do* ...] …するとは A〈人〉は賢明だ ‖「It'll *be sensible of* you [You'll *be sensible*] *to* wear sneakers for tomorrow's hiking. 明日のハイキングには運動靴をはいていくのがよいでしょう(→文法 17.5). **2**(正式や古)[be sensible of [to] **A**]〈人などが〉…を認識している;〔…であることに〕気づいている(*that* 節)《◆ aware の方がふつう》‖ He was *sensible of* her position. 彼女の立場を彼は理解していた. **3**(古・正式)顕著な(obvious), よくわかる(aware).

sén·si·ble·ness 名 Ⓤ 分別のあること.

†**sen·si·bly** /sénsəbli/ 副 **1** 目立って, はっきりと. **2** わきまえて, 賢明にも.

sens·ing /sénsiŋ/ 動 → sense.

****sen·si·tive** /sénsitiv/《→ sense》
── 形 **1**〈問題などが〉**取り扱いに慎重を要する**;〈文書などが〉機密に属する;[S~](米)機密の, 秘〔役所の文書などの表示〕. → classified information》‖ Oil was the most *sensitive* subject on the agenda. 石油は協議事項のうち最も難しい問題だった. **2**〈人が〉〔…に〕**神経過敏な**, 傷つきやすい(*about*);〔…に〕思いやりを示している(*to*)‖ You should be more *sensitive to* her feelings. 彼女の気持ちをもっとよくわかってやらなきゃ / The student is very *sensitive about* her grades. その学生は成績のことをとても気にしている《◆ ふつう worried, anxious を使う》. **3**〈人が〉〔…の〕影響を受けやすい,〔…に〕敏感に反応する(*about*, *to*, *over*) ‖ He is *sensitive to* what I am trying to do. 彼は私がしようとしていることに影響を受けやすい. **4**〈物が〉〔…に〕**敏感な**(*to*);〈器械などが〉感度のよい ‖ light-*sensitive* paper 感光紙 / My skin is very *sensitive*. 私は敏感肌だ. **5**(正式)〈芸術などが〉微妙なところを巧みに表す ‖ a *sensitive* writer 心のひだのすみずみまで描ける作家 / a *sensitive* performance きめ細かな演技[演奏]. **6**〈傷などが〉痛む.

sén·si·tive·ness 名 Ⓤ 神経過敏, 気にすること(cf. sensitivity). **sén·si·tive·ly** 副 敏感に.

sen·si·tiv·i·ty /sènsətívəti/ 名 Ⓤ Ⓒ **1** 感じやすさ, 感受性. **2**(計器・ラジオなどの)感度. **3**〔写真〕(フィルムの)感度.

sen·si·tize /sénsətàiz/ 動 他(正式)…に敏感に反応する; [be ~d]〔…に対して〕敏感になる(*to*);〔写真〕感光性を与える.

sen·so·ry /sénsəri/ 形(正式)感[知]覚に関する, 知覚による.

†**sen·su·al** /sénʃuəl | -sjuəl/ 形 **1**(知的・精神的でなく, 肉体的)快楽趣味の, 好色な;性欲をそそる(cf. sensuous). **2**(文)〈ふつう女性が〉官能的な(↔ spiritual)〈◆ sexy の遠回し語〉. **sén·su·al·ism** 名 Ⓤ 肉欲[酒色]にふけること;〔美術〕官能主義;〔哲学〕= sensationalism. **sén·su·al·ist** 名 Ⓒ 快楽主義者, 好色な人;〔美術〕官能主義者.

sen·su·ous /sénʃuəs | -sju-/ 形(正式)感性に訴える, 感覚を喜ばせる《◆ sensual のような性的な意味はない》;〈人が〉感性の鋭い ‖ a *sensuous* poet 感覚派詩人.

****sent** /sént/《同音 cent, scent》動 send の過去形・過去分詞形.

****sen·tence** /séntəns | -təns/
── 名(複 ~s/-iz/) Ⓒ **1**〔文法〕文 ‖ This *sentence* is not grammatically correct. この文は文法的に正しくない / The object of this *sentence* is 'his son.' この文の目的語は 'his son' です.

関連 [いろいろな種類の文]
affirmative *sentence* 肯定文 / complex *sentence* 複文 / compound *sentence* 重文 / declarative *sentence* 平叙文 / exclamatory *sentence* 感嘆文 / full *sentence* 完全な文 / im-

perative sentence 命令文 / interrogative sentence 疑問文 / negative sentence 否定文 / simple sentence 単文 / topic sentence 主題を表す文.

2 [時に U]〔法律〕〔人への/罪に対する〕(刑罰の)宣告, 判決〔on/for〕《◆民事を含め一般に「判決」は ruling》‖ *pass* [pronounce, give] *a sentence* of death *on* him 彼に死刑を宣告する / a long [heavy] *sentence* 刑期の長い[刑の重い]判決《↔ a short [light] *sentence*》/ receive [serve] a five-year prison *sentence* 懲役5年の刑を受ける[刑に服する] / She was *under sentence of* life imprisonment. 彼女は終身刑に処せられていた / The *sentence* was a fine of $50. 判決は50ドルの罰金だった.

┌──関連──(1) [いろいろな種類の刑]
custodial *sentence* 留置刑 / death *sentence* 死刑宣告 / indeterminate *sentence* 不定期刑 / life *sentence* 終身刑, 無期懲役 / suspended *sentence* 執行猶予.
(2) 米英では通例 jury (陪審)の verdict (有罪・無罪の評決)に基づき judge (判事)が sentence (量刑の判決)を言い渡す.
└─────

──動 他〈人〉に〔…の〕(有罪)判決を宣告する, …を〔…の〕刑に処する〔to, to do〕《◆一般に「判決を下す」は rule》‖ The judge *sentenced* her 「*to* death [*to* die]. 判事は彼女に死刑を言い渡した / He was *sentenced to*「6 years *at* [*of*] hard labor [《英》6 years(') hard labour]. 彼は6年の重労働刑に処せられた.

séntence pàttern〔文法〕文型.
sen·ten·tious /senténʃəs/ 形《正式》説教調の, もったいぶった.
sen·tient /sénʃənt/ 形《正式》感覚をもった; 感覚の鋭い‖ a *sentient* artist 繊細な感覚的芸術家.
†**sen·ti·ment** /séntəmənt/ 名 **1** [時に a ~; しばしば ~s]《正式》〔…に対する〕心情, 心証〔on, about〕《◆理性ではなく感情に影響された思考・判断》‖ loyal *sentiment* 忠誠心 / public *sentiment on* the tax bill 税法案に対する国民感情. **2** ⓒ《正式》〔通例 ~s〕〔…についての〕(感情のまざった)意見, 感想 (opinion)〔on, about, toward〕‖ the president's *sentiments on* this issue この問題についての大統領の所感 / I'm of the same *sentiment*. 同感だね. **3** Ⓤ [時に a ~]〔…についての〕感傷, 感傷さ, 情味〔for, about〕‖ There is no place for *sentiment* in debate. 討論には感傷の入る余地はない. **4** ⓒ《正式》〔しばしば ~s〕簡単なあいさつ文句《"Happy birthday!"など》.
†**sen·ti·men·tal** /sèntəméntl/ 形 **1** (理屈でなく)心情的な, 感情に影響された‖ for *sentimental* reasons 心情的な理由で / This toy watch has *sentimental* value for me. 私にとってこのおもちゃの腕時計はなつかしい思い出として価値がある. **2**〈人が感情に影響されやすい, 涙もろい, ウェットな《↔ businesslike》‖ a *sentimental* person 情にもろい人. **3**〈文学・音楽などが〉〔…について〕(人の)感傷をそそる, お涙頂戴の〔about〕‖ a *sentimental* movie 感傷的な映画. **sèn·ti·mén·tal·ism** 名 感傷趣味. **sèn·ti·mén·tal·ist** 名 感傷的な人.
sen·ti·men·tal·i·ty /sèntəmentǽləti/ 名 Ⓤ 涙もろさ, 感傷; ⓒ 感傷的な行為[言葉].

†**sen·ti·nel** /séntnl/ 名《文·古》番人, 見張り; 歩哨(しょう), 番兵《◆現在では sentry がふつう》.
†**sen·try** /séntri/ 名 ⓒ Ⓤ《主に軍事》歩哨(しょう), 哨兵; 見張り(番)‖ *stand sentry over* … …の見張りをする.
†**Seoul** /sóul/ 名 ソウル《大韓民国の首都》.
Sep., Sep(略)September; Septuagint.
se·pal /sí:pl, sé-/ 名 ⓒ〔植〕萼(がく)片(図) → flower.
sep·a·ra·ble /sépərəbl/ 形《正式》〔…から〕分離[区分]できる〔from〕.

*__sep·a·rate__ /動 sépərèit; 形名 sépərət/ 〔アクセント注意〕(派) separation (名), separately(副)
――動(~s/-rèits/; 過去·過分)~d/-id/; ~·rat·ing)
――他 **1**〈人·事が〉〈複数の人·物など〉を(ばらばらに)引き離す, (区別して)分ける《◆ divide は集合体を2つ以上に統一を保って分割すること》‖ *separate* the white and yolk of an egg 卵の白身と黄身を分ける / *separate* two fighting boys けんかしている2人の男の子を引き離す.
2 [*separate* A *from* B] **a**〈人·物·事が〉A〈人·物〉を B〈人·物〉から引き離す, 分離する‖ *separate* cream *from* milk 牛乳からクリームを分離させる / I got *separated from* my family. 家族からはぐれてしまいました.
b〈物が〉A〈物〉を B〈物〉から隔てる, A と B の間を仕切る(+*off*)‖ Britain is *separated from* the Continent by the Channel. 英国はイギリス海峡によって欧州大陸と隔てられている.
c A〈物·事〉を B〈物·事〉から区別[選別]する, A と B と を区別する(+*out*)‖ How can you *separate* [distinguish] cultured pearls *from* imitation ones? 養殖真珠と人造真珠をどのように選別したらよろしいか.
3 [*separate* A *into* B]〈人·物·事が〉A〈人·物·事〉を B〈グループなど〉に分ける, 区分[分類]する(+*out, up*)‖ *separate* the oranges *into* 3 groups according to their size 大きさに応じてオレンジを3つのグループに分ける / This word can be *separated into* 3 syllables. この語は3音節に分けられる.
4〔通例 be ~d〕〈夫婦が〉別居する, 別れる‖ The couple has *been separated* [*apart*] for three years. その夫婦は別居して3年になる.
――自 **1**〈結合していた人·物が〉〔…に〕分離する(+*up, out*)〔*in, into*〕, 解散する;〈夫婦などが〉別居する, 離婚する‖ We *separated* at the station. 私たちは駅で別れました / The class *separated* [*divided*] *into* five groups. そのクラスは5つのグループに別れた. **2**〔…から〕分離する, 離脱する〔*from*〕‖ Those states *separated from* the Union. それらの州が連邦から脱退した.
――形 /sépərət/ **1**〔…から〕離れた, 別個の, 独立した〔*from*〕‖ The factory is quite *separate* from the office. 工場は事務所からかなり離れたところにある. **2** [名詞の前で] 思い思いの, 個々の《◆比較変化しない》‖ *separate* rooms 個別の部屋 / They tackled the problem using their own *separate* methods. 思い思いの方法でその問題に取り組んだ.
――名 /sépərət/ ⓒ **1**〔通例 ~s〕セパレーツ《組み合わせ自由の上下服》. **2**《学術雑誌などの》抜刷(り)《略》.
sep·a·rat·ed /sépərèitid/ 形 別居中の,〈家族などが〉離ればなれの.
†**sep·a·rate·ly** /sépərətli/ 副〔…から〕離れて, 別々に〔*from*〕; 単独に, 個別に‖ Wrap this item *sep-*

arately from the rest. 他のとは別にしてこれを包んでください.

†**sep·a·ra·tion** /sèpəréiʃən/ [名] **1** U [時に a ~] 分離(させる[する]こと); 離脱, 独立; 分類, 選別 ‖ *separation of powers* [政治] (立法・行政・司法の)三権分立 / *separation of church and state* 政教分離 / The *separation* of gold *from* sand is problematic. 砂から金をより分けるのは難問だ. **2** U C (肉親・友人などが)[…から] 離れていること [from]; 仲たがい; [法律] (夫婦の)別居; […との]離婚 [from] ‖ *after a long separation* (正式)久しぶりで. **3** C 分離箇所, 分岐点 ‖ the *separation* between the two towns 2つの町の境界線.

sep·a·ra·tist /sépərətist/ [名] C 分離主義者; (特に)政教分離主義者; (カナダ)ケベック州独立推進派.

sep·a·ra·tor /sépərèitər/ [名] C **1** 分離器《特に牛乳からクリームを分離させる》. **2** 分離する人[物].

se·pi·a /síːpiə/ [名] (複) ~s/-z/, ~ae/-piːiː/) **1** U セピア《イカの墨から作る暗褐色のインク・絵の具》; セピア色; [形容詞的に] セピア色の, セピアインク[絵の具]で描かれた. **2** C セピア色の絵[写真].

se·poy /síːpɔi/ [名] C [歴史] (英領インドの)英陸軍のインド人兵 ‖ the *Sepoy* Mutiny [Rebellion] セポイの反乱《1857-59》.

Sept., (主に英) **Sept** [略] *September*; *Septu*agint.

sep·ta /séptə/ [名] septum の複数形.

·**Sep·tem·ber** /septémbər/ [名] 《7番目 (sept) の月. ローマ暦では7月に当たる》
—— U 9月; [形容詞的に] 9月の《(略) Sept., Sep., Sep, S》[語法] → January.

sep·tet(te) /septét/ [名] C **1** [音楽] 七重奏[唱]曲; [単数・複数扱い] 七重奏[唱]団 《関連》 → solo). **2** 7人組, 7個一組のもの.

sep·tic /séptik/ [形] **1** [医学] 敗血症の. **2** 腐敗させる; 腐敗による.

Sep·tu·a·gint /séptjuədʒint, -tʃuə-/ [名] [聖書] [the ~] 70人訳聖書《旧約の最古のギリシア語訳. (略) Sep, Sep, Sept., LXX》.

sep·tum /séptəm/ [名] (複) ~ta/-tə/) C [生物] 中壁, 隔膜.

†**sep·ul·cher**, (英) **-chre** /sépəlkər/ [名] C (古)墓, 埋葬所《岩に掘られた墓や, 石・れんが造りの墓》.

†**se·pul·chral** /səpʌ́lkrəl/ [形] (文) **1** 墓の; 墓場のような. **2** 埋葬の. **3** 陰うつな.

†**se·quel** /síːkwəl/ [名] C **1** […の]続き [to]. **2** […の]結果, 帰結 [of, to]. **3** [小説・映画などの]続編, 後編 [to]. *in the sequel* 結局, あとで.

†**se·quence** /síːkwəns/ [名] **1** U 続いて起こること, 連続; 連続順 (order) ‖ in alphabetical *sequence* アルファベット順に / the *sequence* of even numbers 偶数の連続 / a genetic *sequence* 遺伝子の配列 / *in sequence* 次々と; 順番に. **2** C (規則的・論理的順序で)連続するもの (series); [a ~ of + C] 名詞複数形] 一連の…‖ a *sequence of lessons* 一連の課題. **3** U (主に米) […に伴う]結果 [of, to]. **4** C [トランプ] (同種の)続きれし.
sequence of tenses [文法] 時制の一致.

se·quent /síːkwənt/ [形] (文) **1** […に]続いて起こる, 順に続く. **2** 結果として生じる, 必然の.

se·quen·tial /sikwénʃəl/ [形] (正式) **1** (規則的に)連続して起こる. **2** 結果として生じる, 必然の.

se·quén·tial·ly [副] 連続して.

†**se·ques·ter** /sikwéstər/ [動] 他 (文) **1a** 〈人〉を[…から]隔離させる [from]; [~ oneself] […から]隠遁 する [from] ‖ *sequester oneself from* the world 世間から離れて引きこもる. **b** 〈人〉を隔離する. **2** [法律] [通例 be ~ed] 〈財産など〉が仮差し押えされる, 没収される.

se·ques·trate /sikwéstreit | síːkwəstrèit/ [動] 他 [法律] [通例 be ~d] 〈財産など〉が没収される, 仮差し押えされる.

se·quin /síːkwin/ [名] C スパンコール《装飾品として衣服などに縫い付ける円い小金属板》(spangle).

se·quoi·a /sikwɔ́iə/ [名] U C [植] **1** セコイア, セコイアスギ《米国西部産. スギ科. 世界で最も背の高い木とされる. (California) redwood ともいう》. **2** セコイアオスギ (giant sequoia, big tree).

Sequóia Nátional Párk セコイア国立公園《米国 California 州シエラネバタ山脈にある国立公園》.

se·ra /síərə/ [名] serum の複数形.

se·ra·glio /særéljou | -ráː-/ [名] (複) ~s/-z/) C (イスラム教国の)後宮 (harem).

ser·aph /sérəf/ [名] (複) ~s /-z/, ~·a·phim/-əfim/) C **1** [神学] 熾(し)天使《天使の9階級の第1位. → angel》. **2** (旧約) セラフィム, セラーピーム《神に仕える6枚の翼を持つ天使》.

Serb /səːrb/ [名] **1** C セルビア人. **2** U セルビア語.
—— [形] セルビアの, セルビア人[語]の.

Ser·bi·a /səːrbiə/ [名] セルビア《もと王国. ユーゴスラビア連邦の構成国を経て, 現在はセルビア=モンテネグロの構成国の1つ》. *Sérbia and Montenégro* /mɑntəní:grou, -néigrou | mɔn-/ セルビア=モンテネグロ《バルカン半島の国. 首都 Belgrade》. **Sér·bi·an** [名][形] = Serb.

sere /síər/ [形] (詩) 干からびた, しおれた.

ser·e·nade /sèrənéid/ [名] C セレナーデ, 小夜曲《夜, 男が恋人の窓の下で歌う[奏でる]甘美な旋律の曲》. —— [動] 自 他 〈人〉にセレナーデを歌う[演奏する].

†**se·rene** /səríːn/ [形] (more ~, most ~; ~·er, ~·est) (文) **a** 〈空・大気・天候が〉晴れた; 澄んだ; うららかな (calm) ‖ a *serene* sky 雲ひとつなく晴れた空. **b** 〈海などが〉穏やかな, 波立たない (calm) ‖ *serene* lake waters 静かな湖面. **2** 〈表情・態度・生活が〉落ち着いた, 平静な ‖ a *serene* smile 穏やかな微笑. **3** [S~] 〈やんごとなき〉 ‖ His [Her] *Serene* Highness 殿下《ヨーロッパの王侯の敬称》.

†**se·rene·ly** /səríːnli/ [副] 晴朗に; 穏やかに; 平静に.

†**se·ren·i·ty** /sərénəti/ [名] (正式) **1** U 晴朗, うららかさ. **2** U 静穏, 平静.

†**serf** /səːrf/ (同音) surf) [名] C **1** (土地と共に売買された)中世の農奴. **2** 奴隷(のような)人.

†**serge** /səːrdʒ/ (同音) surge) [名] U [形] サージ《服地用の織物の一種》.

†**ser·geant**, (主に英) **--jeant** /sɑ́ːrdʒənt/ [発音注意] [名] C [陸軍にも用いて] **1** [軍事] 軍曹. **2a** (米)陸軍・海兵隊) 3等軍曹. **b** (米空軍) 4等軍曹. **3** 巡査部長《(米) captain [lieutenant] の下. (英) inspector の下の階級の警官》.
sérgeant májor [軍事・海兵隊] 上級曹長; [陸軍] 特務曹長《(略) SM, Sgt-Maj》.

†**se·ri·al** /síəriəl/ (同音) cereal) [形] **1** 〈一番号などが〉連続的な, 通しの ‖ in alphabetical *serial* order 連続して《ショック》 "What do you call a person who puts poison in a person's corn flakes?" "A *serial* killer." 「他人のコーンフレークに毒を入れる人を何と呼ぶ?」 「連続殺人犯」《◆ *cereal*(シリアル) から》. **2** 名 〈小説などが〉続き物の, 連載の ‖ a *serial* story 連載小説. **b** 逐次刊行の. **3** [音楽] ミュージックセリエルの, 12音の. **4** [コンピュータ] 〈データの伝送・演算が〉シリアル

の. ──名C (小説などの) 続き物, 連載物; 逐次刊行物; (映画・ラジオ・テレビの) 続き物, 連続番組.
sérial nùmber 名, 認識番号.
sérial pòrt 〔コンピュータ〕シリアルポート《モデムやマウスなどをコンピュータにつなぐ接続端子》.

*se·ries /síəriːz/〖〘(同種のもの)が並んでいること(row)〙が原義. cf. sermon〗
──名 (複 se·ries) **1** C **連続**, ひと続き; [a ～ of + C 名詞] 一連の… [類語] sequence, succession, chain) ‖ *a series of* concerts [strange happenings] 一連のコンサート [不思議な出来事] / *A series of* rainy days spoiled their vacation. 雨の日が続いて彼らの休暇は台無しになった.

[語法] a series of … は, 後にくる名詞が複数形でも A series of lectures *was* given. のように単数扱いが原則. ただし (略式) では … *were* given のように複数扱いされることがある.

2 C **a** (出版物・放送番組などの) **続き物**, シリーズもの 《◆ serial と違って一作ずつ完結》; 叢書 ‖ the *Star Trek* television *series* テレビの「スタートレック」シリーズ / the first *series* (刊行物の) 第1集. **b** (切手・貨幣などの) 1組, ひとそろい (同時あるいは同時代に発行 [鋳造] したもの). **c** (野球などの) シリーズ, 連続試合 ‖ the Wórld Séries ワールドシリーズ. **3** U 〔電気〕直列(↔ parallel); [形容詞的に] 直列の ‖ *a series* connection 直列連結. **4** C 〔数学〕級数.
in séries 連続して, 1連として; 〔電気〕直列に.

*se·ri·ous /síəriəs/〖〘「まじめな, おごそかな」が原義〙(再) seriously (副)〗
──形 **1** 〈事態・病気など〉が**重大な, 危険をはらんだ**, 深刻な ‖ *serious* damage 深刻な損害 / I made a *serious* mistake in the exam. 私は試験で重大なミスをした.
2 〈人が〉〔…に対して〕**本気の, その気になって** 〔*about*〕; 本気で〔…するつもり〕で 〔*about* doing〕; 〈人の行為などが〉**本気の,** (冗談でなく) まじめな ‖ When talking about his hobby, he always puts on a *serious* expression. 趣味の話になると彼はいつも真剣な顔つきになる /〈対話〉"I'm going to divorce my wife." "Are you *serious*?" 「妻と離婚するんだ」「本気なの」/ He is *serious* about changing his job. 彼は真剣に転職を考えています.
3 〈人・性格が〉**生まじめな,** (陽気さ・快活さがなく) 考え込んだ (grave); 〈行事・状況などが〉**厳粛な** (solemn) ‖ *a serious* man まじめな人 / She is a *serious* child who works hard and does not laugh much. 彼女は一生懸命勉強するが, あまり笑わないまじめな女の子です.
4 [通例名詞の前で]〈作品など〉芸術本位の, 堅い (↔ light, popular) ‖ *serious* literature 純文学.
──副 (米略式) =seriously.

†se·ri·ous·ly /síəriəsli/ 副 **1** まじめに, 本気で ‖ I *seriously* considered leaving the office. 私は本気で会社をやめることを考えた / Don't take her too *seriously*. 彼女の言うことを真に受けてはいけない. **2** 深刻に, 重く, ひどく (↔ lightly) ‖ be *seriously* wounded 重傷である /〈対話〉"You look so depressed." "My mother is *seriously* ill."「ずいぶん気分的になっているようですね」「母が重病なのです」/ We must take the situation *seriously*. 事態を深刻に受けとめねばならない. **3** [文全体を修飾; 文頭で] 本気で言っているのだが ‖ *Seriously*? 本気かい?

†se·ri·ous·ness /síəriəsnəs/ 名U まじめ; 真剣; 深刻 ‖ in all *seriousness* (略式) 真剣に, 大まじめで.

ser·jeant /sάːrdʒənt/ 名 (主英) =sergeant.

†ser·mon /sə́ːrmən/ 名C **1** (教会での) 説教 〔*on*〕‖ The minister gave a *sermon on* God's love. 牧師は神の愛について説教した. **2** (略式) (長くて退屈な) お説教, 小言.
the Sérmon on the Móunt 〔聖〕(キリストの) 山上の垂訓.

†ser·pent /sə́ːrpənt/ 名C 〔文・古〕ヘビ《snake より大型のヘビ. 聖書を連想させる語》.

ser·pen·tine /sə́ːrpəntiːn | -tàin/ 形 〔文〕**1** ヘビのような. **2** 曲がりくねった ‖ a *serpentine* river 蛇行した川. ──名 [the S~] サーペンタイン池 《London の Hyde Park のヘビ形の池》.

ser·rate /形 sérət, sérət; 動 səréit, se-/形 〈葉などが〉鋸 (亮) 歯状の, ぎざぎざの. ──動 他 …にぎざぎざをつける.

ser·ried /sérid/ 形 〔文〕〈隊列・木など〉が密集した, ぎっしり並んだ.

†se·rum /síərəm/ 名 (複 ~s, se·ra /-ə/) UC 〔医学〕血清.

*ser·vant /sə́ːrvənt/ 〖→ serve〗
──名 (複 ~s/-vənts/) C **1** (ふつう住み込みの) **召使い, 使用人** (↔ master) ‖ a domestic *servant* 女中 (=a maid) / keep a staff of ten *servants* 10人からなる下働きを置いている. [事情] 米国の上・中流家庭では日を決めて通う housekeeper か help を雇う家が多い. *servant* を置けるのはほんとうの富裕家庭である. **2** 〔文〕(神・芸術・民衆などに) **奉仕する人** ‖ a *servant* of God 神に仕える身 / public [civil] *servants* 公務員 (cf. officer, official).

*serve /sə́ːrv/ 〖「人に仕える」が原義〗(再) servant (名), service (名).

index 動 他 **1** 出す **2** 仕える **4** かなう **5** 供給する **8** 務める
自 **1** 食事の世話をする **2** 勤務する **3** 役立つ

──動 (~s/-z/; 過去・過分 ~d/-d/; serv·ing)
──他
I [客に仕える]
1 [serve A (C)] 〈人〉が〈食べ物〉を〈C の状態で〉**出す**; 〈人〉に食事を出す; [serve A B =serve B to A] 〈人〉に B〈食べ物〉を出す ‖ My wife *served* beer *to* the guests. =My wife *served* the guests beer. 妻は客にビールを出した (➋文法3.3) / They *serve* good coffee. あの店ではうまいコーヒーを飲ませてくれる / This soup must be *served* hot. このスープは熱くして出しなさい.

II [人に仕える]
2 〈人が〉〈人・神・主君・客・国・主義など〉に〔…として〕**仕える,** 〔…のために〕**尽くす** [*as*]; [通例 be ~d] 〈客が〉応対をうける ‖ *serve* God 神に仕える / He *served* the Jones family for 20 years. 彼は20年間ジョーンズ家の召使いだった / "Are you being *served*, ma'am?" (デパートなどで)「ご用は承っておりましょうか」.

3 〈病院・学校など〉〈地域〉の必要を満たす; 〈医者など〉〈地域〉を**受け持つ** ‖ Two hospitals *serve* the town. 2つの病院がその町を受け持っている.

4 〔正式〕〈物・施設など〉〔…として〕〈必要・目的〉に**かなう,** 〈人〉に**役立つ** [*as*] ‖ The stump *served* the campers *as* [with] a good table. その切り株はキ

server

ャンパーにとってちょうどよいテーブルになる.

III [供給する]

5〔serve **A** with **B** =serve **B** to **A**〕〈人が〉〈人・町などに〉**B**〈必要物〉を**供給する**; 〈客〉に**B**〈商品〉を見せる ‖ They haven't yet been *served* with electricity. かの地ではまだ電気がきていない.

6〔球技〕〈ボール〉を〔相手に〕サーブする〔to〕.

7〔法律〕〔serve **A** on **B** =serve **B** with **A**〕〈人が〉**B**〈人〉に **A**〈令状など〉を送達［執行］する ‖ *serve* him *with* a writ =*serve* a writ *on* him 彼に令状を執行する.

IV [職務などに仕える]

8〈人が〉〔…として/…で〕職務・任期を**務める**〔as/in〕; 〔…の罪で〕〔刑期〕を**務める**〔for〕 ‖ *serve* the governorship 知事の職を務める / *serve* 5 terms *as* mayor 市長を5期務める / *serve* three years *in* the army 3年間兵役につく / She has *served* ten years *in* the Senate. 彼女は上院議員を10年やっている / He *served* (a sentence of) 3 years for grand larceny. 彼は重窃盗罪で3年の刑に服した.

9〔正式〕〈人〉を遇する, 扱う〔◆ 様態の副詞(句)を伴う〕; 〔serve **A B**〕**A**〈人〉に **B**〈行為〉をする ‖ I was *served* very badly. ひどい仕打を受けた.

──**自 1** 食事の世話をする ‖ We *serve* from 6:00 p.m. to 11:00 p.m. (レストランなどで) 当店の営業は午後6時から11時までです.

2〈人が〉〔…として/…の下で〕**勤務する**, 勤める, 働く, 仕える〔as/under〕; 〔…の一員として〕働く〔in, on〕‖ *serve as* a clerk *in* a shop 店で店員として働く / *serve on* the committee 委員を務める / Haig *served under* Reagan no more than two years. ヘイグはレーガンの下に2年しか仕えなかった.

3〔正式〕〈物・事が〉〔…として〕**役立つ**〔as, for〕; 〔…する〕役目をする〔to do〕‖ A glass of water will *serve* to dissolve this flour. この粉をとかすのにコップ1杯の水で十分でしょう / The pine trees「*serve* as a windbreak [*serve* to block the wind]. その松林は防風林の役をしている［風を防ぐのに役立つ］.

4〈天候・機会などが〉幸いする. **5**〔球技〕〔相手に〕サーブする〔to〕.

sérve óut 〔他〕 (1)〈任期・刑期・年季〉を務めあげる, 満了する. (2)〈物〉を分配する. (3)〈人〉に〔…の〕仕返しをする〔for〕.

sérve A right → right 〔形〕.

sérve úp 〔自〕料理を食卓に出す. ──〔他〕〈料理〉を出す, …をごちそうする.

──**名 1**〔球技〕サーブ(service); 〔one's ~〕サーブ権 ‖ What an excellent *serve*. 実にいいサーブだ.

†serv·er /sɔ́ːrvər/ **名** ⓒ **1** 給仕[奉仕]する人. **2**〔球技〕サーブをする人. **3**〔通例 ~s〕大皿, 盆; コーヒー[紅茶]道具一式. **4**〔カトリック〕侍者《ミサで priest を助ける人》. **5**〔コンピュータ〕サーバー《ネットワークで情報提供する側の機器》.

*ser·vice /sɔ́ːrvəs/〔[→ serve]〕
名 (複 ~s/-iz/)

I [公に利益をもたらす活動]

1 Ⓤ Ⓒ (通信・交通・電力などの) **公益事業**, 公益業務; 設備; (バスなどの)**便** ‖ wáter [gás] *sèrvice* 水道 [ガス] 事業 / póstal [bróadcasting] *sèrvice* 郵便 [放送] 事業 / The elevator has been *out of service* since this morning. そのエレベーターは今朝から動かない［故障している］/ a *service* of 200 beds 200台の寝台設備 / There is no bus [air, railway] *service* available in that area. その地

service

方にはバス[飛行機, 鉄道]の便がない / This is a rapid *service* train bound for Osaka. これは大阪行きの快速です.

2 Ⓤ 官公庁業務; Ⓒ (個々の)事業; (主に英)〔通例 (the) ~〕部局, 省庁 (department) ‖ enter government *service* 公務員になる / the diplomatic *service* 外交任務, 〔集合名詞〕外交官 / the Foreign *Service* 《米》海外勤務職(員).

3 Ⓤ〔正式〕〔通例 ~s〕〔…への〕**貢献, 奉仕**, 功労; 有用〔to, of〕‖ She rendered many *services* to the cause of education. 彼女は教育のために多大の貢献をした.

4 Ⓤ〔時に ~s〕兵役, 軍務; Ⓒ (陸・海・空)軍 ‖ enter the *service* =join the *services* 入隊する / He died *in service*. 彼は戦死した / the *services* 陸海空の3軍 / the Senior *Service*《英》海軍.

II [ある特定の人に利益をもたらす活動]

5 Ⓒ Ⓤ〔…での〕**勤務**〔with〕; 〔正式〕〔しばしば ~s〕(医者・弁護士などの)専門的**業務**; (一般に)サービス業務; Ⓤ〔今はまれ〕(召使い)奉公［仕事〕; 〔形容詞的に〕業務用の ‖ commend her for her 30 years' *service* with the company 会社勤続30年で彼女を表彰する / The library has started a copying *service*. その図書館は複写業務を始めた.

6 Ⓤ〔時に a ~〕接客, もてなし方《◆日本語の「サービス」は「値引き」「おまけ」の意味で使われるが, 英語の *service* にはそのような意味はない》.

7 Ⓤ (機械などの)**点検, 修理, アフターサービス** (after-sale(s)〔repair, guarantee〕*service*)《◆ *after service* は誤り》; Ⓒ (個々の)点検, 修理 ‖ The TV set needs *service*. そのテレビは修理が必要だ / I took my car for regular *services*〔servicing〕. 車を点検[定期点検]に出した《◆ … for *servicing*. の方がふつう》/ Would you like *service*? (ガソリンスタンドで係員が)お手伝いしましょうか《ガソリンを入れたり注油・給水・空気圧を調べたりすること. ふつう有料》.

8 Ⓒ〔(米)時に ~s; 単数扱い〕**集会礼拝**; (宗教上の)儀式; Ⓤ (定期的な)**礼拝** ‖ a marriage [burial] *service* 結婚[葬]式 / attend morning *services* 朝の礼拝に出席する / The Church holds 3 *services* on Sundays. その教会では日曜日には3回礼拝を行なう.

III [その他]

9〔球技〕Ⓒ サーブ(されたボール); Ⓤ サーブ権 (serve) ‖ It's your *service*. 君のサーブの番だ (=It's your turn to serve.).

10 Ⓒ (食器などの)ひとそろい(set) ‖ a coffee [tea] *service* コーヒー[紅茶]道具一式. **11** Ⓤ〔法律〕(令状などの)執行; (個々の)令状送達 ‖ *service* of process (令状[召喚状])の送達.

at A's sérvice〔正式〕〈人〉の役に立つように, …の用命のままに ‖ I am *at your service*. 何なりとお申しつけください.

dó A a sérvice =dó a sérvice to A 〈人〉の手助けをする, …の役に立つ ‖ She's *done* me *a great service* by collecting data. 資料収集で彼女に大いに世話になった.

in sérvice (1)〔機械などが〕使われて(いる), 利用されて(いる); 利用できる. (2)軍務に服して. (3)〔今はまれ〕召使い奉公をして.

*of sérvice〔人に〕役立って, 貢献して〔to〕‖ Can I be *of service* to you? 〔正式〕〔ていねいに〕私で何かお役に立ちましょうか (=Can I help you?).

on (áctive) sérvice 出征して; 戦闘中の［に].

On Her [His] Májesty's Sérvice〈英〉公用扱いで《略》OHMS《◆公文書などは無料送達》.
─**動 他 1**〈機械などのアフターサービス[点検, 修理]をする || I get my car *serviced* regularly. 私は車を定期的に点検に出している. **2**〈電力・ガス会社などが〉…に電力[ガス]を供給する;〈情報機関が〉…に情報を提供する.

sérvice áce〔テニス・バレーボールなどの〕サービスエース(ace)《略 SA》.

sérvice àrea (1)〈英〉〔高速道路沿いの〕サービスエリア《ガソリンスタンド・飲食店などを設置》. (2)〔公益事業・放送などの〕管轄区域.

sérvice brèak〔テニス〕サービスブレイク《相手のサーブを破って得た点. cf. ace》.

sérvice chàrge (1)〈英〉〔ホテルなどの〕奉仕料. (2) 手数料;〔アパートなどの〕管理費. (3)〔経済〕元利払い.

sérvice clùb〈米〉(1) 社会奉仕団体《Rotary Club など》. (2)〔軍隊・団体の〕厚生娯楽施設.

sérvice cóurt〔テニス〕サービスコート《サーブを打ち込むべき区画》.

sérvice dòg 介護犬.

sérvice enginèer 修理工.

sérvice flàt〈英〉食事・掃除付きアパート.

sérvice industry サービス産業.

sérvice lìfe〔工業製品の〕耐用年数.

sérvice lìne〔テニス〕サービスライン《サーブ球が越してはならないネットに平行な線.〔図〕→ tennis》.

sérvice ròad〔英〉〔高速道路の〕支線道路《主要車線から道路沿線の住宅などへの入用脇道路》.

sérvice stàtion (1) ガソリンスタンド《点検・修理もす る. cf. filling station》. (2)〔一般に〕点検・修理店.

sérvice strìpe〔米軍事〕年功分章.

†**serv·ice·a·ble** /sə́ːrvisəbl/〖形〗**1** 丈夫で長持ちする, 実用的な(↔ unserviceable). **2** 便利な, 使いやすい.

ser·vice·man /sə́ːrvəsmən/〖名〗《複》**-men**;《女性 形》**-wom·an**〔©〕**1** 軍人, 兵士《PC service member》. **2**《主に米》修理工《PC repair worker》.

†**ser·vile** /sə́ːrvl | -vail/〖形〗《正式》**1** 奴隷の(ような). **2** 卑屈な, こびへつらう;〔…に〕追従的な《to》, 自主性のない.

ser·vil·i·ty /səːrvíləti/〖名〗Ⓤ **1** 奴隷状態. **2** 奴隷根性, 卑屈;追従.

serv·ing /sə́ːrviŋ/〖動〗→ serve.

†**ser·vi·tude** /sə́ːrvət(j)uːd/〖名〗Ⓤ《文》**1** 奴隷の境遇;〔…への〕隷属《to》. **2**〔法律〕強制労働.

ses·a·me /sésəmi/〖名〗**1** Ⓤ〔植〕ゴマ;〔集合名詞〕 =sesame seeds. **2** Ⓤ =sesame oil. **3** ⓊⒸ → open sesame.

sésame òil ゴマ油.

sésame sèeds ゴマ(の実).

Sésame Strèet セサミストリート《米国の幼児向けテレビ番組》.

†**ses·sion** /séʃən/〖名〗**1 a**〔〈会議・議会などの〕開会, 〈裁判所の〉開廷;〔取引の〕立合い || The Diet is in *[out of] session*.《正式》国会は開会[閉会]中です. **b**〈会議, 会合 || The committee *held a session* to study new rules. 委員会は新規則を検討するため会合を開いた. **2** Ⓒ 会期, 開廷期 || a long *session* 長い会期. **3** Ⓒ《主に英》〔大学の〕学年(academic year);《米スコット》〔大学の〕学期(term), 授業(時間) || the summer *session* 夏学期 / Our school has two *sessions*, one in the morning and one in the afternoon. 本校は午前と午後の2回授業がある. **4** Ⓒ〔ある活動の〕集まり, 集団活動;その期間 || a dancing *session* ダンスの集い. **5** Ⓒ《略式》討論(discussion).

※**set** /sét/〖もと sit の他動詞. 「ある状態に置く」が本義〗

index
〖動 他〗**1**置く **2**向ける **4**定める **5**整える **6**つける **7**与える **12**…の状態にする **13**…させる
〖自〗**1**沈む **2**定まる
〖名〗**1**ひとまとまり **2**受信機 **3**セット **4**仲間
〖形〗**1**意を決した **4**所定の

─**動** (~s/séts/;〖過去・過分〗**set**; ~·ting)
─**他**
Ⅰ [ある位置に置く]
1〈人が〉〈人・物〉を(ある特定の場所・状態に)**置く**, 配置する《◆(1) put より堅い語で強意的. (2) 修飾語(句)は省略できない》 || *set* the dishes on the table 皿をテーブルの上に並べる / *set* guards around him 彼のまわりに護衛を配置する / Six rubies are *set* in the ring. =The ring is *set* with six rubies. その指輪には6つのルビーがはめこまれている.

2〈人が〉〈進路など〉を[…に]**向ける**《to, toward, on》 || *set* one's course *to* the north 進路を北に向ける / I *set* my dog *on* the bear. 私は犬をクマにけしかけた.

3〈人〉を着席させる《※ sit がふつう》.

Ⅱ [ある目的に見合うように置く]
4〈人が〉〈規則・制度・数量など〉を[…用[向き]に]**定める**;〈舞台〉を設定する《for》《◆fix より堅い語》 || *set* a limit *to [on]* the amount 量を制限する / *set* rules *for* the association 会の規定を作る / *set* the time of the meeting *at* 6 会合の時刻を6時に定める / *set (up)* a standard 基準を設定する / He *set* a world record in the pole vault. 彼は棒高跳びで世界記録を樹立した / *set* the price of the watch at $50 =*set* $50 on the watch 腕時計の価格を50ドルとする / Many of Akutagawa's stories are *set* in medieval Japan. 芥川の作品の多くは中世の日本を舞台にしている.

5〈人が〉〈物事〉を**整える**;〈わな・爆薬など〉を[…に]仕掛ける《for》;〈髪〉を[…の状態に]セットする《in》 || *set* a saw のこぎりの目立てをする / *set* a broken bone 接骨する / *set* sails 帆を張る / *set* dough パン生地を(ふくれあがるように)寝かせる / *set* a trap *for* a hare ウサギにわなを仕掛ける / I had my hair *set* in waves. 髪にウェーブをかけてもらった.

6〈人が〉〈物事〉を[…に]**つける**, あてがう《to》;…を[…に]**調整する**《to, for》;〈詩など〉に〈曲〉をつける《to》 || *set* a pipe to one's lips =*set* one's lips *to* a pipe パイプを口につける / *set* a poem *to* music 詩に曲をつける / *set* the filter scale *to* zero フィルターの目盛をゼロに合わせる / *set* the alarm clock *for* six 目覚し時計を6時に合わせる.

7〈英〉[set **A** B =set **B** (to **A**)]〈人が〉**A**〈人〉に**B**〈課題・模範など〉を**与える**, 示す || She *set* an example *(to [for])* the beginners.(初心者が)彼女は手本を示した.

8〈めんどりに卵を抱かせる, 〈卵〉を孵化(ふ)させる || *set* a hen [eggs] めんどりに卵を抱かせる[卵を孵化させる].

9 〔印刷〕〈活字〉を組む; 〈原稿など〉を活字にする(+ *up*) ‖ *set* a word [line] close [wide] 語[行]間を詰めて[広げて]組む.
10 〔ブリッジ〕〈敵のコントラクト〉をダウンさせる.
11 〔狩猟〕〈猟犬が〉獲物の位置を鼻で指し示す.
III [ある状態に置く]
12 [set **A** **C** / set **A** (to) doing]〈人・物・事が〉**A**〈人・物・事〉を…の状態にする◆**C** は形容詞・副詞辞・前置詞句など ‖ The slave was *set* free. その奴隷は自由の身になった / *set* the relationship right 関係を正常にする / *set* one's affairs in order 身辺を整頓(い)する / *set* the papers on fire 書類を燃やす(=*set* fire to the papers) / The music *set* her imagination working. その音楽は彼女の想像をかきたてた.
13 [set **A** to do]〈人・事が〉**A**〈人・物〉に…させる; [set oneself to do] …しようととりかかる, …するように努める ‖ *Set* a thief to catch a thief.(ことわざ)泥棒に泥棒を捕えさせよ; 〔蛇(ぶ)の道はヘビ〕/ It was *set* to explode at noon. それは正午に爆発するように仕掛けられた.
14 〈液体・柔らかいもの〉を固まらせる; [通例 be *set*]〈表情・筋肉〉を硬直させる, 〈染色〉を堅牢にする.

—自 **1** a〈太陽・月〉が沈む(↔ rise), 〈人・国など〉が衰退する ‖ The sun *sets* in the west. 太陽は西に沈む / Look. The moon is *setting* over the sea. ごらん, 月が海へ沈みかけている / Her star will *set* soon. 彼女のツキもすぐに消えよう.
2 a〈物・事が〉(ある特定の状態に)定まる; 〈液体などが〉固まる; 〈髪形が〉きまる; 〈染色などが〉堅牢になる; 〈表情などが〉こわばる; 〔海事〕〈帆が〉適帆になる ‖ It'll take the bone a month or so to *set* completely. 骨が完全にくっつくには1か月くらいはかかるだろう. b〈風・流れなどが〉(…へ)流れる, 動く[to, toward]; 〈心・意見などが〉(…)へ向かう, 傾く[to] ‖ The factory workers *set* homeward after 5. 5時を過ぎると工場から労働者が家路へ向かう.
3 〔様態の副詞(句)を伴って〕〈服など〉が体に合う. **4** 〔園芸〕〔通例様態の副詞(句)を伴って〕〈植物が〉花[果実]をつける; 〈花が〉咲く, 〈果実が〉結実する. **5** めんどりが〉卵を抱く(brood); 〔狩猟〕〈猟犬が〉獲物の方向を(鼻で)指し示す.

*sét abóut **A** [*doing*] 〔他+〕(1)〈主英〉〈(しばしば誤った)うわさなど〉を広める(〈米〉start). (2)[set (oneself) about **A** 自分自身を **A** に従事した(be about (about 副 成句)状態にする(set 他12)) …にとりかかる(begin); 扱う, 処理する ‖ He *set* about the work [writing]. 彼は仕事[執筆]にとりかかった. (3) 〈古・略式〉〈人〉を襲う. —他 〈主に英〉〈(しばしば誤った)うわさなど〉を広める.

sét abóve B (1) **A**〈物〉を **B**〈物〉より高い所に置く. (2) **A**〈人・物・事〉を **B**〈人・物・事〉より重視する.

sét ahéad 〔他〕〈事(の時期)・時計〉を早める(set forward)(↔ set back).

sét apárt 〔他〕(1) =SET aside. (2)〈人・物・事〉を〔…から〕分離する; …を〔…から〕引き立たせる〔*from*〕.

*sét asíde 〔他〕(1)〈金など〉を〔…として/…に備えて/…するために〕取っておく(reserve)〔*as* / *for* / *to* do〕 ‖ He *set* aside the next day *for* our shopping trip. 私たちのショッピングのために彼は翌日をあけてくれた. (2)〈物・事〉を(暫刻)たな上げにしておく. (3)〔正式〕…を無視する, 除外する(reject); 〔法律〕〈決定など〉を無効にする, 〈下級審判決〉を破棄する ‖ The union's demand was *set* aside. 労働組合の要求は無視された.

sét báck 〔他〕(1)〈物事(の進行)〉を遅らせる; …を妨害する; 〈時計〉を遅らせる(↔ set forward) ‖ *Set* your watch *back* one hour. 時計の針を1時間戻しなさい. (2)[~ **A** *back* **B**]〈略式〉**A**〈人〉に **B**〈金額〉を支払わせる ‖ How much will it *set* you *back*? いくらかかりそうですか. (3)〈物〉を〔…から〕少し離しておく〔*from*〕.

sét A besíde B A〈人・物・事〉を **B**〈人・物・事〉と比べる.

sét bý =SET aside (1).

sét dówn 〔自〕着陸する. —他 〔◆ put down がふつう〕(1)〈手に持っている物など〉を下に置く; 〈英〉〈乗客〉を下車させる; 〈飛行機などの〉を着陸させる. (2)〈規則・日時などを〉(…のために)取り決める〔*for*〕 ‖ *set down* the conditions *for* the joint venture 合併企業設立の条件を決める. (3)〈やや古〉…を書き留める; …を印刷する. (4)〔正式〕〈人・物・事〉を〔…と〕みなす, 〔…として〕扱う〔*as*〕. (5)〈米れ〉…の原因を〔…に〕考える〔*to*〕 ‖ He *set* her success *down* to her luck. 彼女の成功は幸運によるものだと彼は考えた.

sét fórward 〔他〕(1)〈物事〉を推進する, 促進する; 〈時計〉を進める(set ahead)(↔ set back). (2)〈意見など〉を発表する.

*sét ín 〔自〕(1)〈季節などが〉到来した状態に(in 副 **3**)なる(set 自 **2a**)(1)〈季節・天候が〉始まる〈◆暗さ・寒さなどを暗示する天候に用いることが多い〉‖ The rainy season has *set* in. 雨季に入った. (2)〈好ましくない事が〉定着する ‖ before influenza *sets* in インフルエンザがはやる前に. (3)〈風・潮が〉岸へ吹き始める, 流れ始める. —他 (1)〈物〉を(型などに)はめ込む; 〈髪〉をセットする; 〔印刷〕〈物〉を(特定の活字で)印刷する. (2)〈物〉を挿入する, 組み込む. (3)〈船〉を岸へ向ける. (4)[~ **A** *in* **B**]〈物〉に **A**〈物をはめ込む〉(→ 他 (1))〈ふつう受身で用いる〉. —[自+] [~ **A**] **1**.

sét óff 〔自〕(1)[set (oneself) off 自分自身を出発した状態に(off 副 **2**)する(set 他 **12**)][旅などに/場所に]出発する〔*on* / *for*, *to*〕. (2)[~ to do]…するつもりである〔*to* do〕. —他 (1)〈爆薬・花火など〉に点火する, …を爆発させる; …を作動[作用]させ始める; 〈犬など〉を放す. (2)〈爆発〉を引き起こす, 誘発する. (3)〈物〉を[…から/…で]引き立たせる〔*against/by*〕; [通例 be *set*]〔…と〕区別される〔*from*〕. (4)〈人〉に〔…に〕始めさせる〔*on*〕. (6)[~ **A** *off*] 〈人〉に **A**〈人〉をどっと…させる.

sét ón A 〔他+〕〔正式〕…を襲う(attack)〈◆ 受身可〉. —他 (1)[~ **A** *on* **B**] → 他 **2**. (2)[~ **A** *on* **B**] **A**〈人〉を扇動して **B**〈反乱など〉を起こさせる.

sét onesélf úp as …として身を立てる, 開業する (cf. set up 他 (4)) ‖ He *set* himself *up as* a music critic. 彼は音楽評論家として身を立てた〈◆「音楽評論家になりました」の意味にもなる〉 → set up 〔他〕(8)).

*sét óut 〔自〕(1)〔自分自身を外に出された状態に(out 副)する(set 他 **12**))〔旅などに〕出発する〔*for*, *on*〕; 〔事業・職業に〕門出する, 〔…に〕手がける〔*as*, *for*, *in*, *on*〕; 〈人〉を追跡する〔*for*〕 ‖ *set out* 「on a trip 〔*for* Africa〕 旅に〔アフリカに〕出かける / He *set out* 「*as* a copywriter 〔in the mail-order business〕 ten years ago. 彼はコピーライターになって[通信販売業を手がけて]10年になる. (2) 〈…し〉始める; 〔…しようと〕試みる〔*to* do〕. —他 (1)〈事〉を発表された状態に(out 副 **18**)する(set 他 **12**)〈意見など〉を(整理して)発表する; 〈物〉を(整えて)展示する, ならべる ‖ *set out* one's plan in the report

計画を報告書の中で説明する. **(2)** …を設計する. **(3)**〖苗木などを〗間隔をあけて植える. **(4)** [~ oneself out] わざわざ〖…〗をする [to do].

*sèt tó [自]《略式·やや古》**(1)**〖自分自身を活動を始めた状態に〗(to **2**)する (set 他 **12**)《英》(仕事などに)本腰を入れる (begin eagerly) ‖ If I *set to*, I can solve the math problem in half an hour. 本腰を入れればその数字の問題は30分で解ける (→ apply 他 **4**). **(2)** もりもり食べ始める. **(3)** けんかを始める《◆ふつう主語は複数形》. —[自]⁺ [~ *to* **A**] **(1)** 〈仕事〉に**とりかかる**;〈ダンスで〉〈相手〉の方を向く ‖ The boy *set to* work eagerly. その少年は熱心に勉強し始めた. **(2)** → [自] **2 b**.

*sèt úp [自] **(1)** [*…*として]身を立てる〔*as*〕; [*…の*]商売を始める〔*in*〕‖ *set up* as a lawyer 弁護士を開業する. **(2)** 《英》 (…の)ふりをする [to, for]; ―と主張する〔*as, for, to be*〕. —[他] **(1)** …を**建設する** (erect), 設置する; …を掲げる ‖ *set up* a monument 記念碑を立てる / *set up* a tent テントを張る. **(2)** 〈制度・施設〉を設立する《◆establish よりロ語的》; 〈新記録〉を樹立する ‖ *set up* a joint venture with them 彼らと合弁事業を設立する / *set up home* [*house*] 所帯をもつ / *set up shop* 事業を始める, 開業する. **(3)** 〖物・事〗を[…で / 人などに]**準備する**〔*with/for*〕《米略式》〈人〉に〖物〗をおごる [to, with] ‖ *set up* drinks *for* a party パーティーの飲み物を調達する / *set up* the type 活字を組む. **(4)** 〈人など〉を〖資金を与えて /…として /…に, …で〗…本立ちさせる〔*with/as/in*〕; 〈物が〉〈人〉の必要を満たす; [be *set*] 〈人が〉[…に] 供給されている〔*with*〕‖ He *set* her *up* in dress making. 彼は彼女に洋裁を始めさせた. **(5)** 〈病気·思い状況など〉を引き起こす《◆目的語が名詞のとき ×set … up は不可》. **(6)** [~ **A** **up**] 《略式》〈人〉を**上機嫌にさせる**, 元気にさせる. **(7)** 〈大声·騒音など〉を**申し立てる**《◆目的語が名詞のとき ×set … up は不可》. **(8)** 〈人〉を [*…*に] 仕立てる, まつりあげる; [~ oneself up] [*…*に] なりすます [*as*] ‖ She *set* herself *up as* [to be] a scholar. 彼女は学者気取りだった (→ SET oneself up as **A**).

―[名]《複》 ~s/séts/

I [ひとまとまりに置かれるもの]

1 [C] (一定の形式・単位の)**ひとまとまり**;〘数学・論理〙**集合** ‖ a dinner *set* 正餐(食事) 用食器一式 / two *sets* of furniture 家具2組 / a *set* of rules 一連の規則 / a negative integer *set* 負の整数の集合 / a complete *set* of Hemingway ヘミングウェイ全集 / The cups are sold in a *set* of 5. そのカップは5個1組で販売される.

2 [C] (ラジオ・テレビなどの) **受信機**, 受像機.
3 [C] (舞台・映画などの) **セット**, 大道具, 背景.
4 [a/the ~] (複合語で; 集合名詞; 単数・複数扱い) (職業・趣味などの) **仲間**, …族 ‖ a *set* of pickpockets スリ一味 / a motorcycle *set* オートバイ族《◆暴走族なら gang が適当》/ a literary *set* 文人仲間 / the jet *set* ジェット族.
5 [C] (テニスなど) **セット** (→ tennis 関連) ‖ Did you win the first *set*? 第1セットは勝ちましたか.

II [ある状態に置かれていること]

6 《正》[a/the ~] (髪・道具などの) 仕上げ, セット (poise) ‖ $5 for a shampoo and *set* 洗髪とセットで5ドル / the *set* of a saw のこぎりの目立て具合. **7** [the ~] (からだなどの) 格好, 様子. **8** [the ~] (衣服などの) 着心地. **9** [a/the ~] (風·潮流などの) 方向; (世論などの) 傾向.

―[形]

I [気持ちが固まっている]

1 [補語として] 〈人が〉[*…*に対して /…に関して]**意を決した**; 断固とした [*on*, 《正式》*upon* / *against*]《◆比較変化しない》‖ an old man (who is) *set* in his habits [ways] 頑固な老人 / She was very *set* on leaving the town. 彼女はその町を出ようと固く決心していた (=She *set* her mind *on* …) / He is [*feels*] *set against* your plan. 彼は君の計画には断固反対している.

2 [通例名詞の前で] 〈表現·表情などが〉型にはまった; 硬直した ‖ a *set* Christmas season greeting クリスマスの祝詞の決まり文句 / a *set* smile 作り笑い.
3 《略式》[補語として] [(all) ~] [*…への*/―する]**準備ができている** (ready) [*for* / to do] 《◆比較変化しない》‖ We are *set* to vote for the bill. その法案に賛成するつもりだ / I'm *all set for* the trip. すっかり旅仕度ができているよ《◆単に All *set*! ともいう》.

II [ある基準に固まっている]

4 [名詞の前で] **所定の**, 決まった《英》(レストランで) 〈料理が〉一定の献立で値段の決まった《◆比較変化しない》‖ at *set* hours 所定の時間で / a *set* lunch 定食ランチ / save a *set* percentage of one's earnings 稼ぎのうち決まった割合を貯金する.

be wéll sèt úp (1) 〈人が〉金が十分ある; [*…に*] 十分与えられている. **(2)** 〈人が〉がっしりした体格である.
gét sét 用意する ‖ "On your mark [Get ready]! Get *set*! Go!"《米》(競走で)「位置について, 用意, ドン!」(《英》Ready, steady, go!).
sét squàre 《英》三角定規 (《米》triangle).
sét thèory 〘数学・論理〙集合論.

set·back /sétbæk/ [名] [C] **1** (進歩の) つまずき, 後退, ぶり返し ‖ a *setback* in one's business 仕事上の失敗 / meet with a *setback* 挫折(ざっせつ)する, つまずく. **2** 〘建築〙壁面後退, セットバック.
Seth /séθ/ [名]〘旧約〙セト《アダムの3番目の息子》.
set·tee /setí:/ [名] [C] (背・ひじかけ付きの) 長いす;〔広義〕ソファー.
†set·ter /sétər/ [名] [C] **1** [動] **セッター**《猟犬》. **2** [しばしば複合語で] (物を) 置く [並べる, はめ込む, 整える] 人; 植字工 ‖ a bone *setter* 接骨医.
†set·ting /sétiŋ/ [名] **1** [U] set すること; (太陽·月が) 没すること. **2** [C] [通例 a/the ~] 背景, 環境; (小説·劇などの) 設定. **3** [C] 食器の配列; 1人分の食器. **4** [U] [時に a ~] (宝石の) はめ込みに用いる金属), 象眼 (物). **5** [C] 切り換え装置 ‖ 3 *settings* 3段切り換え.

*set·tle /sétl/ [動] 〖『流動的な』ものをある一定の場所·状態に落ち着かせるが本義. cf. seat, set, sit〗衍 settlement [名]

index [動] [他] **1** 決着をつける **2** 決める **3** 置く **5 a** 落ち着かせる **b** 住む **6** 静める
[自] **1** 定住する **2** 落ち着く **3** とまる **5** 沈む, 積もる, 澄む **6** 充満する

―[動] ~s/-z/; (過去·過分) ~d/-d/; **set·tling**

―[他]

I [ある解決策に落ち着く]

1〈人が〉〈問題·紛争など〉を (法的に) […と] **決着をつける**〔*with*〕,〈事〉を 〖金などで〗解決する〔*for*〕;〈借金·勘定など〉を清算する (+*up*) ‖ *settle* a dispute 紛争にけりをつける / *settle* a bill (*up*) *with* her 彼女に勘定を支払う / We *settled* the claim *with* the

settled / **seven**

insurance company. 補償問題を保険会社との間で処理した.
2〈人が〉…を決定する《◆ fix, decide よりも堅い語》; [settle **to** do] …することに決める; [settle **that**節] …ということに決める; [settle **wh**節] …かを決める ‖ *settle* the day for meeting 会合の日取りを決める / *settle* the price 値段を決める / *settle* to decline the offer ＝*settle that* we will decline the offer その申し出を断ることにする / *settle* a lawsuit out of court 訴訟を示談にする / We have not *settled when* to start the business. 事業をいつ始めたらよいかはまだ決定していない / That *settles* it [the matter]! 《略式》それで決まり, それで万事休す.
3〔法律〕〈財産などを〉〔人に〕譲る, 分与する〔*on*〕.

‖ [ある場所に落ち着く]

4《◆修飾語(句)は省略できない》**a**〈人が〉〈物を〉(落ち着きのよい場所・位置などに)置く《◆ put, fix より堅い語》‖ *settle* a camera on a tripod カメラを三脚に据える / He *settled* his eyes on the girl in red. 彼は赤い服を着た少女に目をとめた. **b**〈人が〉〈人を〉(ゆっくりと)座らせる(+*down*)‖ *settle* oneself in a chair いすにゆったりとくつろぐ.
5 a〈人・事が〉〈人を〉(土地・職業などに)落ち着かせる;〈人の〉身を固めさせる(+*down*)《◆修飾語(句)は省略できない》‖ *settle* him in a clean business 彼をかたぎの商売につかせる / She *settled* her aged parents in Hawaii. 彼女は年老いた両親をハワイに住まわせた. **b**〈人が〉〈土地などに〉(移り)住む ‖ Louisiana *was settled* mainly by French people. ルイジアナには主にフランス人が住み着いた. **c**〈人〉を静かにさせる(+*down*).

‖ [気持ちが落ち着く]

6 a〈人・物・事が〉〈人・心など〉を静める ‖ The mother *settled* her baby down for the night. 母親はその夜は赤ん坊をなだめて眠らせた / These pills will *settle* your stomach. この錠剤で胃のむかつきが治るよ. **b**〈人・液体・かす〉を静め, かすなどを沈ませる(+*down*)‖ *settle* wine ワインの澱(おり)を沈ませる / A shower will *settle* the dust. ひと雨降れば ほこりも立たない.

──自 **1**〈人が〉〔…に〕定住する, 新居を構える; 移住する(+*down*)〔*in*〕;〔宿などに〕泊まる〔*at*〕‖ Many Japanese *settled in* Brazil. 昔多くの日本人はブラジルに移住した.
2〈人が〉〔仕事などに〕落ち着く, 慣れる〔*in, into, at, to*〕;〔…することに〕本気になる(+*down*)〔*to* do / *to* doing〕《◆修飾語(句)は省略できない》‖ *settle* (*back* [*down*]) *in* a chair いすにゆったりと座る / *settle into* a new job [position] 新しい仕事[役職]に慣れる(＝get *settled* into …) / *settle down* to study [studying] 腰をすえて研究する / I couldn't *settle* (*down*) to anything that day. その日は何事にも身が入らなかった / It's about time you *settled down*. もうそろそろ身を固めてもいいころだろう(→文法 9.8).
3〈鳥・視線などが〉〔…に〕とまる(+*down*)〔*on, over*〕‖ A pigeon *settled on* my hand. ハトが私の手にとまった / Her gaze *settled on* the dancer. 彼女は踊り子に目をとめた.
4〈動揺している人・物・事が〉静まる, おさまる; 安定する(+*down*);〈食物が〉消化される ‖ My headache [excitement] *settled down*. 頭痛[興奮]がおさまった / The blizzard [quarrel] *settled down* at last. やっと猛吹雪[けんか]がおさまった.

5〈物が〉沈む,〈ほこりなどが〉〔…に〕積もる〔*on*〕;〈液体が〉(かすなどが沈んで)澄む(+*down*)‖ The cart *settled* in the mud. 荷車がぬかるみにはまり込んだ / Wait till the dust *settles* (*down*). ほこりがおさまるまで待ちなさい.
6〔正式〕〈沈黙・霧などが〉充満する,〔…〕を包む(hang)〔*over*〕‖ Gloom *settled* over us. 私たちは陰うつな雰囲気に包まれた.
7〔債権者と〕負債[勘定]を清算する(+*up*)〔*with*〕《◆受身可》‖ I must *settle with* them. 彼らに返済しなければならない / Have you *settled* (*up*)? 勘定は終わったの.

settle for A [*doing*] …で我慢しておく, (不本意だが[しかたなく])…で手を打つ ‖ I had to *settle for* my second choice. 私は第2候補で手を打たなければならなかった.

séttle [gét séttled] ín [自]《中に(in)住み着く(settle 自 1)》(1) (新居・環境などに)落ち着く, 慣れる. (2)〈悪い条件などが〉定着する ‖ The coming cold wave is likely to *settle in* for the time being. 今度の寒波は当分居座りそうだ. ──[他]〈人〉を慣れさせる. ──[自]〔～ **in A**〕→ 自 1, 2.

séttle on [*upón*] **A** [自]〔~ *on* [*upón*] **A** [*doing, wh*句]〕(1) …に決める, …を選ぶ《◆受身可》. (2) → 自 3, 5.

set·tled /sétld/ [形] **1** 定着[固定]した. **2**〈人が〉くつろいだ;〈天気などが〉落ち着いた. **3**〈問題・負債などが〉決着済みの, 清算済みの.

†**set·tle·ment** /sétlmənt/ [名] **1** ⓤ 移民すること, 入植; ⓒ 入植地, 居留地; 開拓部落 ‖ the Japanese *settlement* in Brazil ブラジルへの日本人開拓移民 / There was a foreign *settlement* here. ここは外国人居留地があった. **2** ⓤ (紛争・問題などを)解決(すること); ⓒ 決着, 合意 ‖ a court *settlement* 法廷での調停 / an out-of-court *settlement* 示談での解決 / There is no likelihood that the two countries will **reach** a peace *settlement*. 両国が和平調停に達する見込みはない. **3** ⓤ (負債などの)決済; ⓤ 支払い(金), 清算 ‖ give a 10% discount for *settlement* within one month 1か月以内の決済に対し1割引にする / monthly *settlements* 月毎の返済(金). **4** ⓒ (私設の)社会福祉事業団体; 厚生施設, 町の公民館. **5** ⓒ〔法律〕(財産などの)継承贈与(証書), 継承的不動産処分.

†**set·tler** /sétlər/ [名] ⓒ **1** (問題に)決着をつける人[物, 事]. **2** 開拓移民. **3** 沈殿器.

★**sev·en** /sévn, 《略式》子音の前で sébm/
──[名](趣)～s/-z/)《◆図解 とも用例は → two》**1** ⓤ ⓒ〔通例無冠詞〕(基数の)7《◆序数は seventh. 幸運・英知・安息などの象徴. 関連接頭辞 hepta-, septi-〕.
2 ⓤ〔複数扱い〕代名詞的に〕7つ, 7個, 7人. **3** ⓤ 7時, 7分; 7ドル[ポンド, ペンス, セントなど]. **4** ⓒ 7歳. **5** ⓒ 7の記号[数字, 活字]《7, VII など》. **6** ⓒ〔トランプ〕7の札;〔~s〕七並べ. **7** ⓒ 7つ[7人]1組のもの.
──[形] **1**〔通例名詞の前で〕7つの, 7個の, 7人の.
〔補語として〕7歳の.

séven déadly síns [the ~]＝deadly sins.
séven séas [the ~] (世界の)七つの海《南・北太平洋, 南・北大西洋, 南・北氷洋, インド洋》.
Séven Sísters [the ~] (1) セブン-シスターズ《もともと米国東部の名門女子大学. Barnard, Bryn Mawr, Mount Holyoke, Radcliffe, Smith, Vassar, Wellesley の7校. 現在では男女共学になっ

Séven Yèars' Wár 〔歴史〕[the ~] 7年戦争《1756-63》.

sev·en·fold /sévnfòuld/ 形副 七重の[に], 7倍の[に].

*__sev·en·teen__ /sèvntíːn, (略式) sèbm-/
── 名 (複 ~s/-z/)《名形 とも用例は → two》**1** ⓊⒸ [通例無冠詞] 17《◆序数は seventeenth》∥ sweet *seventeen* 芳紀まさに17歳, 妙齢. **2** Ⓤ [複数扱い; 代名詞的に] 17個; 17人. **3** Ⓤ 17時(午後5時), 17分; 17ドル[ポンド, ペンス, セントなど]. **4** Ⓤ 17歳. **5** Ⓒ 17の記号[数字, 活字]〈17, xvii, XVII など〉. **6** Ⓒ 17個[人]1組のもの.
── 形 **1** [通例名詞の前で] 17の, 17個の; 17人の. **2** [補語として] 17歳の.

†**sev·en·teenth** /sèvntíːnθ/《◆ 17th とも書く》形《◆ 形名 とも用例は → fourth》**1** [通例 the ~] 第17の, 17番目の《語法 → first 形1》. **2** [a ~] 17分の1の. ── 名 **1** Ⓤ [通例 the ~] (順位・重要性で)[…する]第17番目[17位]の人[もの](*to* do). **2** Ⓤ [通例 the ~] (月の)第17日(→ first 名2). **3** Ⓒ 17分の1(→ third 名5).

†**sev·enth** /sévnθ/《◆ 7th とも書く》形《◆ 形名 とも用例は → fourth》**1** [通例 the ~] (序数の)第7の, 7番目の《語法 → first 形1》. **2** [a ~] 7分の1の∥ *a seventh* part 7分の1. ── 名 (複 ~s/sévnθs, sévnz/) **1** Ⓤ [通例 the ~] (順位・重要性で)[…する]第7番目[7位]の人[もの]. **2** Ⓤ [通例 the ~] (月の)第7日(→ first 名2). **3** Ⓒ 7分の1(→ third 名5). **4** Ⓒ 〔音楽〕第7度(音程).

Séventh Dáy [the ~]〔ユダヤ教の〕安息日(Sabbath).

séventh héaven (1) [the ~]〔ユダヤ教の〕第七天《神と天使のいる最上天》. (2)(略式) 至福の状態.

sev·en·ti·eth /sévntiəθ/《◆ 70th とも書く》形《◆ 形名 とも用例は → fourth》**1** [通例 the ~] 第70の, 70番目の《語法 → first 形1》. **2** [a ~] 70分の1の. ── 名 **1** Ⓤ [通例 the ~] (順位・重要性で)[…する]第70番目[70位]の人[もの](*to* do). **2** Ⓒ 70分の1(→ third 名5).

*__sev·en·ty__ /sévnti, (略式) sébmti/
── 名 (複 **-ties**/-z/)《名形 とも用例は → two》**1** ⓊⒸ [通例無冠詞] (基数の)70《◆序数は seventieth》. **2** Ⓤ [複数扱い; 代名詞的に] 70個; 70人. **3** Ⓤ ドル[ポンド, ペンス, セントなど]. **4** Ⓤ 70歳. **5** Ⓒ 70の記号[数字, 活字]〈70, LXX など〉. **6** Ⓒ 70個[人]1組のもの. **7** [one's seventies; 複数扱い] (年齢の)70代. **8** [the seventies] (世紀の)70年代, (特に)1970年代; (温度・点数などの)70台.
── 形 **1** [通例名詞の前で] 70の, 70個の; 70人の. **2** [補語として] 70歳の.

sev·en·ty- /sévnti-/ 〘連要素〙→ 語要素一覧(1.1).

sev·en·ty-eight /sèvntiéit/ 名 **1** Ⓤ 78. **2** Ⓒ (略式) (1分間)78回転の旧式レコード盤. ── 形 78の(→ twenty **1**, **2**).

†**sev·er** /sévər/ 動 他 (正式) **1**〈物〉を(無理に・力ずくで)切る, 切断する; 〈体の一部〉から切断すること(cut off)〔*from*〕. **2**〈関係などを断つ, 〈人〉を引き離す[…から]分かつ, 〈場所〉を[…から]隔てる(separate)〔*from*〕. **3**〈縁〉を切る(以2)に裂ける. ── 自 **1** 切れる; (2つに)裂ける. **2**〈関係などが〉断絶する; 分かれる.

*__sev·er·al__ /sévərəl/〔「分割された」が原義〕── 形《◆比較変化しない》[通例名詞の前で] **1** (少ない感じで)**いくつかの**(a few); (多い感じで)**いくつもの**, かなり多くの∥ He died *several* days ago. 彼は数日前に亡くなった / My wallet has *several* thousand yen in it. 私の財布には数千円入っています.

〘語法〙 3つ以上から5, 6, 時に10ぐらいまでをさすが, 文脈によってはそれ以上の数を表すこともある. some は一般に several より少ない不定の数を漠然とさす. → some 形1.

2 (正式・古) [名詞の前で] [通例 one's ~+Ⓒ 名詞複数形] それぞれの, 各自の; **さまざまな**《◆ different, separate より堅い語》∥ *Several men, several minds.* (ことわざ)「十人十色」/ a joint and *several* responsibility 〔法律〕共同連帯責任 / We went our *several* ways. 我々は思い思いの方へ行った.
── 代 [複数扱い; 通例 ~ of + the +Ⓒ 名詞複数形] いくつか∥ *Several of* the questions were difficult. なかには難問もいくつかあった.

sev·er·ance /sévərəns/ 名 Ⓤ [正式] **1** 切断(cut). **2** 分離, 隔離(separation). **3** ⓊⒸ (関係などの)断絶. **4** 〔法律〕分割, 分離(部分).

séverance pày (会社都合による中途退職者への)退職手当; 手切れ金.

*__se·vere__ /sivíər/ 派 severely (副), severity (名)
── 形 (~r/-víərər/, ~st/-víərist/; (時に) more ~, most ~) **1** (正式) 〈天候・状況・病気・痛みなどが〉**厳しい**(serious), 耐え難い(hard)∥ the *severest* winter in [(英) for] ten years 10年来の厳しい冬 / *severe* [*heavy*] pain [illness] 激痛[大病] / The country is suffering from a *severe* food shortage. その国は深刻な食糧不足に悩んでいる.

2〈批評家などが〉**厳格な**, 容赦しない《◆人が厳しいことを言う場合は strict が好まれる》; 〈評価・規則などが〉厳しい, 辛辣(らつ)な(↔ mild); 〈表情がいかめしい, 近寄り難い∥ a *severe* critic 厳しい批評家 / a *severe* reprimand 厳しい叱責(しき) / a *severe* look こわい顔 / He is *severe with* his children. 彼は子供に厳格だ / 「The sentence on her [Her sentence] is too *severe for* the crime. 彼女への判決はその罪としては苛酷だ.

3〈競争・審査などが〉〈人に〉**能力**[努力]**を要求する**, 厳しい∥ a *severe* competition 激烈な競争.

4〈趣味・文体などが〉**簡素な**, 地味好みの∥ a *severe* style 簡素な様式 / a *severe* dress 地味なドレス.

†**se·vere·ly** /sivíərli/ 副 厳しく, 激しく; 簡素に∥ punish *severely* 厳しく罰する / a *severely*-dressed woman 地味な服装の女性.

†**se·ver·i·ty** /sivérəti/ 名 (正式) **1** Ⓤ 厳格, 激烈; 激しさ, 重大さ(hardness)∥ with *severity* 厳しく. **2** Ⓤ 簡素, 地味. **3** Ⓒ [severities] 厳しい仕打ち[体験].

*__sew__ /sóu/ 〘発音注意〙〘同音〙so, sow; 〘類音〙saw /sɔː/)
── 動 (~s/-z/; 過去 ~ed/-d/, 過分 sewn/sóun/ or (主に米) ~ed; ~·ing)
── 他 **1** [sew (**A**) **B** =sew **B** (for **A**)]〈人が〉〈**A**〈人〉に〉**B**〈衣服〉を縫う, 〈布地などを縫い合わせる; 〈靴・シャツなど〉を縫って作る(縫う)∥ My mother is busy *sewing* my skirt. 母は私のスカートを縫うのに忙しい / *sew* two pieces of cloth together 2枚の布を縫い合わせる. **2** [sew **A** on (to) **B**]〈人が〉**A**

<物>をB<物>に縫いつける；…を縫いつける(+*on*, *together*)；…を[…に]縫いこむ[入れて縫う](*in*, *into*, *onto*, *inside*) ‖ *sew* a button **on** (a blouse) (ブラウスに)ボタンを縫いつける. **3** <穴・傷口など>を縫い合わせる，縫合する(+*up*) ‖ *sew up* a wound 傷口を縫い合わせる / She *sewed* on a buttonhole on her blouse. 彼女はブラウスのボタン穴をかがった.
—自 縫い物[針仕事]をする，ミシンをかける.
séw úp [他] (1) →(1). (2) [[→]] **3**. (2) [(主に米略式) [通例 be sewn [～ed]] …を独占する，…の支配権を握る. (3) (略式)<交渉など>をうまくまとめる. (4) <協力など>を確保する，獲得する.
sew·age /súːidʒ, (英) sjúː-/ 名 下水(汚物)，汚水. **séwage dispòsal** 下水処理.
†**sew·er** /súːər, (英) sjúː-/ 名 C (地下の)下水道，下水管[溝]. —他 …に下水設備を施す.
séwer hòle マンホール(manhole).
sew·er·age /súːridʒ, (英) sjúː-/ 名 U **1** 下水設備，下水道. **2** 下水処理. **3** 下水(sewage).
†**sew·ing** /sóuiŋ/ 名 **1** U 裁縫，針仕事；縫製業. **2** U 縫い物. **3** [～s] 縫糸.
séwing machine (裁縫用・製本用)ミシン.
sewn /sóun/ *sew* の過去分詞形.
*****sex** /séks/ [[「(性別に)分けられること」が原義. cf. *section*]] 派 sexual (形)
—名 (複 ~·es/-iz/) **1** U (略式)性交 ‖ Her experience of *sex* was when she was 18. 彼女の初体験は18歳でした / He wanted to have *sex* with her. 彼は彼女とエッチしたかった.
2 U C 性，性別，男女[雌雄]の別 ‖ without regard to age or *sex* 年齢や性別にかかわらず / What is the *sex* of the new baby, male or female? 赤ちゃんは男の子，それとも女の子?
3 [集合名詞；形容詞句(句)を伴って] (一方の)性 ‖ Young people are conscious of the opposite [*other*] *sex*. 若者は異性を意識する. **4** U 性的要素[事柄]，性行動，性欲，性衝動 ‖ a TV program full of *sex* セックス描写の多いテレビ番組.
—形 [名詞の前で] 性の，性による，性の ‖ *sex* education 性教育 / *sex* urge =*sex drive* 性的欲求.
—動 他 <ひよこなど>の性別を判定する；(略式)<人>の性的魅力を増す(+*up*).
séx appèal 性的魅力，(主に米) 魅力.
séx chèck (スポーツで)セックスチェック.
sex·ism /séksizm/ 名 U 性差別(主義)，セクシズム《職業上の差別といった社会生活における性差別のみならず，特に女性差別を助長するような固定観念とか表現といったものも含めていう》.
sex·ist /séksist/ 名 C 性差別主義者(の)；性差別的な，セクシズムの.
sex·tant /sékstənt/ 名 C **1** 六分儀(航海・測量用) (cf. *quadrant, octant*) **2** 円周の6分の1.
sex·tet(te) /sekstét/ 名 C **1** (音楽) 六重奏[唱] 曲；[単数・複数扱い] 六重奏[唱]団(関連 = solo). **2** 6人組，6個組.
†**sex·ton** /sékstən/ 名 C 寺男(教会の使用人).
*****sex·u·al** /sékʃuəl, (英) -sju-/ [[→ *sex*]]
—形 **1** 性欲の，性的関心の強い，性行為の ‖ *sexual* desire 性欲 / get *sexual* 男と女の関係になる.
2 性の，両性(間)の，性の(◆比較変化しない) ‖ *sexual* equality 男女平等.
séxual abùse 性的虐待.
séxual haràssment 性的いやがらせ，セクシャルハラスメント.

séxual íntercourse (正式) 性交，性行為.
sex·u·al·i·ty /sèkʃuælɪti, (英) sèksju-/ 名 U **1** 性的特質；性別. **2** (人の)性的関心，性的な力.
sex·u·al·ly /sékʃuəli/ 副 性的に，性行為で ‖ a *sexually* transmitted disease 性感染症(略 STD).
sex·y /séksi/ 形 (**-i·er**, **-i·est**) (略式) **1** 性的な. **2** 性的魅力のある，セクシーな 3 (はなやかで) 人目を引く，挑発的な；俗受けする.
SF (略) science fiction; San Francisco.
SFX (略) special effects.
Sgt., Sgt. (略) Sergeant.
sh /ʃ/ 間 しっ，静かに(◆ shh, ssh ともつづる).
sh. (略) share; sheep; sheet; shilling(s).
shab·by /ʃǽbi/ 形 (**-bi·er**, **-bi·est**) **1** <衣服・帽子など>が使い古した，着古した，ぼろぼろの，すり切れた 2 <住居・場所など>が古ぼけた，むさくるしい ‖ a *shabby* coat よれよれの上着 / a *shabby* house 荒れ果てた家. **2** <人>がみすぼらしい，ぼろを着た ‖ a *shabby* boy 身なりのみすぼらしい男の子. **3** (正式)<人・行為など>が卑しい，卑劣な；けちな ‖ a *shabby* fellow [*trick*] 卑劣なやつ(たくらみ). **sháb·bi·ly** 副 みすぼらしく，卑しく.
†**shack** /ʃǽk/ 名 C **1** 掘っ立て[丸太]小屋. **2** 部屋 ‖ a radio *shack* 無線室.
—動 自 (英略式) [人と]同棲する，住む；一夜を共にする(+*up*, *together*) [*with*].
†**shack·le** /ʃǽkl/ 名 C **1** [通例 ~s] 手かせ，足かせ；足鎖. **2** (文) [通例 ~s] 束縛，拘束. **3** 連結用金具；(南京錠の)掛け金. —他 (通例 be ~d) **1** <人>の手[足]にかせをかけられる；[…に]鎖でしばられる[つながれる][*to*] ‖ be *shackled* **to** the wall 壁に鎖でつながれる. **2** <人(の自由)>が[…で]拘束される，束縛される(*with, by*).

shade /ʃéid/ [[「暗がり」が原義]] 派 shady (形)

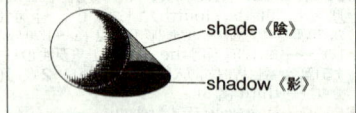

—名 (複 ~s/ʃéidz/)
I [陰]
1 U [しばしば the ~] 陰，日陰，物陰 ◆はっきりした形も境もない光の当たらない部分をいう. 光線がさえぎられて写ってできる輪郭のはっきりした黒い部分(が「影」は shadow) ‖ in the *shade* of a beach umbrella ビーチパラソルの陰に座る / These leafy trees give us a pleasant *shade*. この葉の茂った木は気持ちのよい陰を作ってくれる (◆形容詞によって修飾される場合不定冠詞がつく).
2 C [しばしば複合語で] 光[熱]をさえぎる物，日よけ；(電灯などの)かさ(lampshade)；(米)(窓の巻き上げ式)ブラインド；(英) roller blind；(米略式)[~s] サングラス(sunglasses) ‖ He was wearing a green *shade* over his eyes. 彼は緑のまびさしをしていた.
3 C (文) [(the) ~s] (夜など)のやみ.
II [色の濃淡としての陰]
4 C U [通例 ~s] (絵画・写真などの)陰影，陰(↔ *light*)；[修飾語句を伴って] (色の明暗の)度合い，色の濃淡 ‖ There are several *shades* of blue in the sky. 空にはいろいろ色調の違った青さがある.
III [陰のように薄い]
5 C [修飾語句を伴って] (意味などの)わずかな違い，

ュアンス ‖ all *shades* of opinion さまざまな意見 / This word has several *shades* of meaning. この語にはいくつかニュアンスの違う意味がある.
6 C 〖通例 a ~ of + U 名詞〗ほんの少し(の…), ごくわずか(の…)《◆ [a ~ + 形容詞]で副詞的にも用いる》‖ speak without *a shade of* hesitation 何のためらいもなく話す.

IV 〖その他〗

7 C 〖文〗亡霊, 幽霊(ghost).
8 C 〖文〗[the ~s] よみの国, 死者の国.
in the sháde (1) → **1**. (2) (温度が)直射日光の当たらない所で測って. (3) 気づかれなくて.
pút [**thrów, cást**] **A in** [**into**] **the sháde** (略式)〈人・物〉の影を薄くする.

—*動* (~s/-dz/; 過去・過分 ~d/-id/; shad·ing)
— 他 **1**〈人・物が〉〈人・物〉を[光・熱などから…で]隠す, …に陰を作る[from/with] ‖ She *shaded* her eyes *from* the sun *with* a book. 彼女は本をかざして太陽の光が目に当たらないようにした. **2** 〖絵〗〈人・物〉〈絵・絵の部分〉に**陰影をつける**(+in) ‖ I *shaded* the drawing of the apple to make it more natural. もっと自然に見えるようにリンゴの絵に陰をつけた. **3**〈発光体・光などを〉さえぎる, 覆う; …にかさをつける. **4**〈色・光などを〉徐々に暗くする;〈意見・慣習などを〉[…に]次第に変化させる(*into*).
— 自〈色・物・意見・質などが〉徐々に[…から/…に]変化する(+*off, away*)[*from / to, into*] ‖ The blue *shaded off* (*into*) green. 青は緑へと次第に変化した.

†**shad·ing** /ʃéidiŋ/ *動* → shade. —*名* **1** U 陰にすること, 日よけをすること. **2** U (絵の)陰影法, 明暗. **3** C (色・性格などの)わずかな変化[相違].

*****shad·ow** /ʃǽdou/ *形* shadowy (形)
—*名* (復 ~s/-z/)
I 〖影〗
1 C (人・物などの)**影**, 影法師(→ shade *名* **1**) ‖ He saw the *shadow* of a woman on the sidewalk. 彼は歩道に女の人の影を見た / The building cast a long *shadow* on the field. その建物が野原に長い影を投げかけていた.
2 U 〖時に ~s; 複数扱い〗**陰**, 暗がり; [~s] 夕やみ, 暮色 ‖ The north side of the house is in *shadow*(*s*). 家の北側は陰になっている.
3 C (絵などの)陰(shaded part); 黒くなった部分, くま. **4** C (鏡などに映る)映像(reflection).
II 〖影のように実体のないもの〗
5 C 影のようなもの, 表向き(↔ substance); 《略式》実体のないもの, ぬけがら; 幻 ‖ He is a mere *shadow* of his former self. 今の彼には昔の面影はない.
6 C 〖通例 a/the ~; 通例否定文・疑問文で〗[…の]ごくわずか, 気配[*of*] ‖ There is **not a** [*the*] ***shadow* of** (a) doubt that she is innocent. =She is innocent without [beyond] *a shadow* of (a) doubt. 彼女が潔白であることはいささかの疑いもない.
III 〖影のような暗さの象徴〗
7 C **a** 腰ぎんちゃく, 片腕となる人, 親友, 信奉者. **b** 尾行者, 探偵.
8 C (不幸・不信などの)暗い影, かげり.
—*動 他* **1** 〖文〗〖通例 be ~ed〗陰になる, 陰で暗くなる. **2** 《略式》…を尾行する(spy). **3** (比喩的に)…を暗くする; …を憂うつにする. **4** 〖絵〗…に陰影をつける.
Shádow Càbinet 影の内閣《英国で, 政権をとった時に備えて野党がつくる内閣》.

shádow plày [**shòw**] 影絵芝居.
shad·ow·graph /ʃǽdougrəf/ -grɑːf, -grӕf/ *名* C
1 影絵. **2** X線写真.
shad·ow·ing /ʃǽdouiŋ/ *名* U シャドウイング《語学学習法で聞こえてくる音声をほぼ同時に(もしくは少し遅れて)できるだけ正確に繰り返す練習法》.
†**shad·ow·y** /ʃǽdoui/ *形* (--i·er, --i·est) 《正式》**1** 影の多い, 陰になっている. **2** 影のような; はっきりしない, あいまいな ‖ a *shadowy* outline はっきりした輪郭 / a *shadowy* idea あいまいな考え. **3** 非現実的な; 架空の, 想像上の ‖ a *shadowy* hope 現実性のない望み.
†**shad·y** /ʃéidi/ *形* (--i·er, --i·est) **1** 陰の多い, 陰になっている(↔ sunny) ‖ It's too *shady* there for the geranium. そこは日があまり当たらないからゼラニウムには不向きだ / Walk on the *shady* side of the street. 道の陰になっている側を歩きなさい. **2** 陰を作る ‖ a large *shady* tree 陰を作る大きな木. **3** 《略式》疑わしい, 怪しい, うさん臭い ‖ a *shady* deal いかがわしい取引.
†**shaft** /ʃǽft|ʃɑ́ːft/ *名* C **1** 矢がら, やりの柄 ‖ a *shaft* of the spear やりの柄. **2** 〖文〗矢(arrow), やり;(矢のような)鋭い言葉 ‖ *shafts* of ridicule あざけりの言葉. **3** (ハンマーなどの)柄, 取っ手;(ゴルフクラブの)シャフト;(馬車の)ながえ. **4** (光の)一筋. **5** 〖機械〗軸, シャフト;(建物の)円柱の柱身, 柱体. **6** (米) 記念柱; 旗ざお. **7** 〖鉱物〗縦坑, 換気坑;(エレベーターの)シャフト, 通路.
†**shag·gy** /ʃǽgi/ *形* (--gi·er, --gi·est) **1** 毛深い, 毛むくじゃらの; もじゃもじゃの, ぼさぼさの ‖ a *shaggy* dog 毛むくじゃらの犬 / *shaggy* sideburns もじゃもじゃのほおひげ. **2**〈髪が〉くしを入れていない, くしゃくしゃの;〈外見が〉むさくるしい. **3**〈生地が〉けば立った, 毛足の長い ‖ a *shaggy* mat 毛足の長いマット.
Shah /ʃɑ́ː/ *名* [時に s~] C シャー《イラン国王. その称号》.

*****shake** /ʃéik/ 〖『外部の力で物が上下・前後・左右に動く』が本義〗
—*動* (~s/-s/; 過去 shook/ʃúk/, 過分 shak·en /ʃéikn/; shak·ing)
— 他
I 〖揺れる〗
1〈人・行為・風などが〉〈物〉を**振る**,〈人・物〉を揺り動かす, 揺さぶる; [shake **A** C]〈人が〉〈物・人〉を揺り動かして **C** (の状態)にする ‖ He *shook* the branches to make the chestnuts fall off. 彼はクリが落ちるように枝を揺さぶった / The earthquake *shook* the buildings. 地震で建物が揺れ動いた / I *shook* him by the shoulder. 私は彼の肩を揺さぶった / The dog *shook* himself dry. 犬が体をぶるっと震わせて水をはじいた / He *shook* me awake. 彼は私を揺すって起こした.
2〈棒・指など〉を[…に向かって]振り回す(*at*) ‖ *shake* one's finger *at* him 彼に向かって人差し指を上下に動かす《◆警告・不満などを表す》/ *shake* one's fist 「*at* him [*in his face*]」彼に向かって[彼の顔の前で]握りこぶしを振り回す《◆威嚇(*い*)を表す》.
II 〖振り落とす〗
3〈人など〉〈物〉を[…から]**振り落とす**, 揺すって落とす[*from, off, out of*];〈物〉を[…に]振りかける[*on, into*]《◆修飾語(句)は省略できない》‖ *shake* the snow *from* one's shoulders 肩の雪を払い落とす / The earthquake *shook* the clock *off* the wall. 地震で揺れて壁から時計が落ちた.

4 〈いやな人〉と手を切る, …からのがれる; 〈悪い習慣など〉を断ち切る(+*off*) ‖ I finally *shook off* a bad habit. 私はとうとう悪い習慣を断ち切った / They *shook* (*off*) the police. 彼らは警察の手をのがれた.

III [心が揺れる]

5 〈物・事が〉〈人・心〉を[…で]動揺させる, …の心をかき乱す(+*up*)[*by, with, at*] ‖ I was deeply *shaken by* my failure in the exam. 試験に失敗してひどく動揺した.

6 〈物・事が〉〈人・心・信念など〉をぐらつかせる, 乱す, 弱める ‖ Nothing could *shake* 「his faith [him from his faith]. 何事も彼の信念を揺るがすことはできなかった / The energy crisis *shook* the foundations of industry. エネルギー危機が産業を根底から揺さぶった.

──⦿ 1 〈物が〉揺れる, 揺れ動く, 震動する ‖ The leaves of the trees are *shaking* in [with] the wind. 風で木の葉が揺れている.

2 〈人・声などが〉[恐怖・寒さ・怒りなどで]震える[*with, from*] ‖ I *shake with* fear 恐ろしくて震える / Her voice was *shaking with* excitement. 彼女の声は興奮して震えていた.

[語法] [[震える]の意の動詞]
必ずしも普遍的なものではないが, with句で示される震えの主な原因と, 震え方の強弱はだいたい次の表のようになる.

	恐怖	興奮	怒り	寒さ	嫌悪	老齢	強弱
shake	+	+	+	+			中
tremble	+	+	+				中
quake	+			+			強
quiver		+	+				弱
shudder	+				+	+	中
shiver				+			弱

3 《略式》握手する.

sháke dówn ── ⦿ (1) 《英略式》仮の床で寝る. (2) 《英やや略式》(新しい環境などに)慣れる. (3) 《略式》〈機械などが〉順調になる. (4) 《略式》居を構えて静かに暮らす. ── [他] (1) …を揺り落とす. (2) 《米略式》〈数など〉を減らす. (2) 《主に米略式》〈人〉から金をゆする. (3) 《米略式》…を徹底的に捜す; 《米略式》〈人〉を所持品検査する. (4) 《英》〈船など〉を試運転する. (5) 〈物〉を揺すって落ち着ける.

*sháke hánds** (1) 〈…と〉握手する[*with*] ‖ I *shook hands with* him and said good-by. 彼と握手して別れた 《◆(1) 自分の手と相手の手という事で複数形 hands となっている. これを「相互複数」と呼ぶ. ×shake hand とはしない. (2) 出会いや別れのあいさつ・和解・祝福・契約完了の時などに行なう. (3) 必ずしも握った手を上下に振ることを意味しない》 / We *shook hands with* each other. 私たちは握手した. (2) 〔命令文で〕〈犬〉にお手.

sháke óff [他] (1) → ⦿ 4 (cf. ⦿ 3). (2) 〈病気など〉から回復する.

sháke on A …に同意して握手する.

shake *one's* **head** → head 名.

sháke óut [他] (1) 〈中にあるもの〉を[…から]振り出す[払う][*of*]; 〈毛布・服など〉を振ってほこり[中身]を落とす. (2) 〈袋・シート〉を振って広げる.

sháke úp [他] (1) 〈物〉をよく振って混ぜる; 〈クッション・枕など〉を振って形を直す. (2) → ⦿ 5. (3) 〈乗客など〉を(振動で)気分を悪くさせる. (4) 〈会社など〉を大規模に再編成する. (5) 《略式》〈人〉を奮い立たせる, 奮起させる.

──名 (複 ~**s**/-s/) 1 ⓒ 〔通例 a ~〕振ること, ひとゆすり, ひと振り; 握手 ‖ deny with *a shake* of the head 首を横に振って否定する / She gave her head *an* emphatic *shake*. 彼女は首を強く振った. 2 ⓒ 震動, 動揺. 3 《主に米略式》地震. 4 〔通例 the ~s; 単数扱い〕(熱・恐怖などによる)震え; 悪寒. 5 ⓒ 《略式》一瞬, 瞬間 ‖ I'll be back in (half) a *shake*. すぐに戻って来ます 《◆in two 〔(やや)a couple of〕 *shakes* など種々の表現がある》. 6 ⓒ 《米》ミルクシェイク. 7 《米略式》[a ~; 修飾語句を伴って] 取り扱い, 待遇 ‖ get *a* fair [good] *shake* 公平な扱いを受ける.

be nó gréat shákes 《略式》〔…としては/…には〕たいしたものでない, 並である〔*as/at*〕.

shake‧down /ʃéikdàun/ 名 ⓒ 1 《英略式》間に合わせの寝床. 2 《米略式》ゆすり, 強奪. 3 《米略式》徹底的捜索[所持品検査]. 4 《略式》(船・飛行機の)試運転.

*shak‧en /ʃéikn/ 動 shake の過去分詞形.

†**shak‧er** /ʃéikər/ 名 ⓒ 1 振る人[もの]. 2 (カクテルの)シェーカー; 食塩などの振り出し器.

†**Shake‧speare** /ʃéikspìər/ 名 シェイクスピア《William ~ 1564-1616; 英国の劇作家・詩人》.

Shake‧spear‧i‧an, ‑‧e‧an /ʃeikspíəriən/ 形 シェイクスピアの, シェイクスピア風の. ──名 ⓒ シェイクスピア研究家[学者].

shake‧up /ʃéikÀp/ 名 ⓒ 1 《略式》(組織・政策の)大改革, 再編成; (人事の)大刷新. 2 がっかりさせること.

shak‧ing /ʃéikiŋ/ 動 → shake.

†**shak‧y** /ʃéiki/ 形 (‑i‧er, ‑i‧est) 1 〈声・からだなどが〉(老齢・病気・興奮などで)震える(trembling), よろよろする ‖ a *shaky* hand [voice] 震える手[声]. 2 揺れる, ぐらつく, がたつく ‖ a *shaky* desk ガタガタの机. 3 〈…が〉当てにならない, 不確実な; 怪しい〔*in, at*〕; 〈議論などが〉根拠の薄弱な ‖ His theory stands on a *shaky* ground. 彼の理論は不確実な根拠に基づいている.

†**shale** /ʃéil/ 名 ⓤ 〔地質〕頁岩(けつがん), 泥板(でいばん)岩.

shále òil 頁岩油.

‡shall /(強) ʃǽl; (弱) ʃəl, (主に we, be の前で) ʃ/ 〔「負う」「義務がある」が原義〕

index 1 …することになるでしょうか 2 …するつもりですか 3 …させましょうか 4 …でしょう 5 …させよう

──助 (should/ʃúd/)《◆(1) 短縮形: **'ll**. (2) 《古》では二人称単数現在形は (thou) shalt, 同過去形は (thou) shouldst》.

I [疑問文における用法]

1 〔正式〕〔一人称主語: Shall I [we] …?〕 **a** 私[私たち]は…することになるでしょうか《◆単純未来の疑問文》 ‖ *Shall* we be there in time? 時間通りにそこに行けるでしょうか.

b 《英》(相手の意志を尋ねり)…しましょうか ‖ *Shall* I pick you up at the station? 駅まで君を迎えに

行ってあげようか《◆ 答えの「ええ, お願いします」は "Yes, please.（♫[↘]）" など, 「いえ, 結構です」は "No, thank you.（♫）" など》／**⦅対話⦆** "*Shall* we go to the movies tonight?" "Let's [Let's not]." 「今晩映画へ行きませんか」「ええ, 行きましょう[いや, やめとこう]」／ What *shall* I do?（自問自答で）どうしたらいいのだろう].

⦅語法⦆（1）日常語としては *Shall* I do …? の代わりに今はしばしば Do you want me to do …? を用いる.
（2）*shall* we? は時に Let's … の付加疑問に用いる: Let's do that, *shall* we?
（3）What *shall* I do? は「どうしたらいいのだろう」という困惑の気持ちを表す: I've lost my wallet, what *shall* I do? 財布をなくしてしまった. どうしよう. cf. What *shall* I do if I finish my work? 仕事が終わったら何をしよう《◆ 単なる自己疑問》.

2［二人称主語］: Shall you …? あなたは…するつもりですか ‖ *Shall you* go to the meeting on Sunday? 日曜日に会合に行くつもりですか. **⦅語法⦆** *Shall* you be going to …? の方が遠回しな表現.
3⦅正式・古⦆［三人称主語］: Shall he [she, it, they, etc.] …?］（相手の意志を尋ねて）彼［彼女など］に…させましょうか ‖ *Shall he* wait for you till you come back? あなたが帰ってくるまで彼を待たせておきましょうか（=*Shall* I ask him to wait …?）／ *Shall* the porter carry the bag upstairs? ポーターに荷物を二階へ運ばせましょうか. **⦅語法⦆** 日常語としては *Shall* he [they] do …? の代わりに Do you want him [them] to do …? を用いる方がふつう.

‖ ［平叙文における用法］

4［一人称主語］: I [we] shall … **a**［単純未来］《主に英》…でしょう, …だろう《◆（米）will》《◆《英》《略式》では 'll》‖ 'I *shall* [I'll] be sick if I eat any more. これ以上食べたら気分が悪くなるだろう. **b**⦅正式⦆［意志未来］‖ I *shall* [I'll] be at home at six. 6時には家に帰っております《◆ 単純未来（**a**）ともとれる》.

⦅語法⦆（1）決意を強く表す時は短縮形は用いない: I *shall* return. 私は必ず戻ってくる《◆ 第二次大戦中, D. MacArthur が日本軍に追われてフィリピンを去るときに言った有名な言葉》.
（2）軽く意志を表す用法は,《米》でも書き言葉では珍しくない: We *shall* return to the problem in the next chapter. 次章でこの問題に立ち帰ることにしよう.

5⦅英式⦆［二人称主語］: you shall ［話し手の意志］…させよう, …することになろう ‖ *You shall have* a new bicycle for your birthday. 誕生日には新しい自転車をあげよう（=I promise that) I will give you a new bicycle …)／ If you are late again, y*ou shall* be dismissed. もう一度遅刻したらくびだぞ（If …, I'll dismiss you.）.

⦅語法⦆ 神の意志などが反映される場合にはおごそかな予告・禁止となる: Thou *shalt* not kill. 汝殺すべからず.

6⦅正式⦆［三人称主語］: he [she, it, they] shall …］**a**［話し手の意志］…させよう, …することになろう ‖ No one *shall* stop me. だれも私を止めさせないぞ

(=I won't let anybody stop me.)／ The truth *shall* be told tonight. 真実は今夜お話しします（= I'll tell the truth tonight.）／ That man is a traitor, and he *shall* die. あの男は裏切り者なので生かしておくまい（=… I'll kill him. ／ … he is going to die.）.

⦅語法⦆ 神・自然の法則の意志などが反映される場合にはおごそかな予告, 運命の宣言となる: All men *shall* die.⦅文⦆人皆死すべきものなり.

b［法律・商業］…（すべき）である, …（するもの）とする, …のこと ‖ Passengers *shall* be permitted to board only at regular bus stops. 乗客は正規のバス停留所においてのみ乗るものとする.

shal·lot /ʃəlɑ́t|-lɔ́t/ ⦅名⦆ⒸⒷ エシャロット《ユリ科ネギ属》; その(小)鱗茎《野菜・香味料として用いる》.

†**shal·low** /ʃǽlou/ ⦅形⦆（～・er, ～・est）**1** 浅い（↔ deep）‖ a *shallow* stream [dish] 浅い小川［皿］／ Where is the river at its *shallowest*? 川のどこが最も浅いですか. **2**〈人・考えが〉浅はかな; 表面的な ‖ a *shallow* thought うすっぺらな考え. ——⦅名⦆ [~s] 浅瀬. ——⦅動⦆⦅正式⦆ⓘ 浅くなる. ——ⓣ …を浅くする.

†**shalt** /(強) ʃǽlt; (弱) ʃəlt/ ⦅助⦆⦅古⦆ shall の二人称単数直説法現在形.

†**sham** /ʃǽm/ ⦅名⦆**1** Ⓒ にせ物, まがい物, Ⓤ［時に a ~］見せかけ, いんちき. **2** Ⓒ 詐欺師, ぺてん師. ——⦅形⦆見せかけの, にせの. ——⦅動⦆（**shammed**/-d/; **sham·ming**）ⓣ **1** …のふりをする, …とみせかける ‖ *sham* sleep たぬき寝入りをする. **2** …を偽造する. ——ⓘ みせかける; ［形容詞を補語として］…のふりをする ‖ *sham* dead 死んだふりをする.

†**sham·bles** /ʃǽmblz/ ⦅名⦆⦅略式⦆[a ~; 通例単数扱い] 大混乱の場, 修羅(しゅら)場 (mess).

†**shame** /ʃéim/ ⦅名⦆**1** Ⓤ ［…に対する］恥ずかしさ, 恥ずかしい思い, 羞恥(しゅうち)心 ⟨at, for⟩《◆ とまどいなどによる恥ずかしさは embarrassment.》 → **dishonor** ⦅名⦆**1** ‖ cover one's face **in [for]** *shame* 恥ずかしくて顔を隠す／ I felt great *shame at* having lied to my teacher. 先生にうそをついてとても恥ずかしく思った（**⇒文法 12.2**）／ To my *shame*, my daughter always beats me at tennis. 恥ずかしいことだが, 娘にいつもテニスで負ける. **2** Ⓤ ［通例疑問文・否定文で］恥（と思うこと）, 恥辱 ‖ He has no (sense of) *shame*. =He is without *shame*. 彼は恥知らずだ／ The son's arrest brought *shame* on [to] his family. 逮捕されて息子は家族の顔に泥を塗った. **3** Ⓒ ⦅略式⦆[通例 a ~] ［…にとって］恥になる事［物, 人］⟨to⟩ ‖ That politician is *a shame to* his party. その政治家は党の恥をさらした. **4** Ⓒ ⦅略式⦆[通例 a ~; it, that などを主語にして] 残念な事, 遺憾な事 (pity) ‖ *That's a shame.*（♫）そりゃ残念だ, 何たることだ, けしからん／ *It's a shame (that)* it rained [should have rained] on the day of your picnic. ピクニックの日に雨が降ったなんてひどい事だ／ *It's a shame* for a child to stay indoors on a nice day. 天気のいい日に子供が家にこもっているなどとんでもない（**⇒文法 11.4**(2)）／ *What a shame about* your absence! あなたが欠席とは残念至極です ／⦅対話⦆ "She lost the final." "What a *shame*!" 「彼女は決勝戦で負けました」「何とも残念でしたね」.

pùt A to shâme（1）〈人など〉を赤面させる, 辱める.（2）…を圧倒する, しのぐ.

Sháme on yóu!〔略式〕恥を知れ，みっともない．
— 動 ⦿ 1 〈人〉を恥じさせる，赤面させる ‖ Her bad behavior *shamed* her parents. 彼女の行動の悪さに両親は恥ずかしくなった． **2** [shame A into [out of] doing]〈人〉を辱めて…させる[…するのをやめさせる]‖ I *shamed* him *into* apologi*zi*ng. 彼を恥じ入らせて謝罪させた． **3** …に不名誉を与える．

shame·faced /ʃéimfèist/ 形 **1** 内気な，つつましい． **2** 恥ずかしそうな，恥じ入った．

†**shame·ful** /ʃéimf(ə)l/ 形 **1** 〈事・人が〉恥ずべき，けしからぬ，みっともない ‖ a *shameful* lie 恥ずべきうそ / His behavior was absolutely *shameful*. 彼のふるまいははったくに恥ずべきものであった / It is *shameful* (for you) to break your word. 約束を破ることは恥ずかしいことだよ． **2** 下品な，いかがわしい．

†**shame·ful·ly** 副 恥ずかしくも，不面目に．

†**shame·less** /ʃéimləs/ 形 **1** 恥知らずの，羞恥心のない，ずうずうしい． **2** 慎みのない，不謹慎な．

sháme·less·ly 副 恥知らずにも，不謹慎にも．

sham·poo /ʃæmpúː/ 名 (複 ~s) **1** C〔通例 a ~〕洗髪． **2** CU 洗髪剤，シャンプー液．— 動 ⦿ **1** 〈髪〉をシャンプーで洗う，〈人〉の髪を洗う． **2** 〈じゅうたんなど〉を洗剤で洗う．

sham·rock /ʃǽmrɑk | -rɔk/ 名 **1** UC〔植〕オランダゲンゲ，シロツメクサ(英) white clover)《◆アイルランドの国章》． **2** 三つ葉植物の総称《wood sorrel, clover を含む》．

†**shank** /ʃǽŋk/ 名 **1** C〔古〕すね(の骨)；CU(牛・羊などの)すね肉(⇒ beef)；C〔動物〕すね(leg). **2 a** C すね状の物，(いかり・くぎ・さじ・釣針などの)軸，柄；〔印刷〕(活字の)ボディ；〔建築〕柱身；(靴底の)土ふまず(⇒ shoe)；ボタン裏の取りつけ部． **b**〔英〕(靴下の)脚部．

shan't /ʃænt | ʃɑːnt/〔主に英英式〕shall not の短縮形《◆(米)では won't, not be going to など》．

shan·ty /ʃǽnti/ 名 C (掘っ立て)小屋．

*****shape** /ʃéip/ 《「形作られたもの」が原義》
— 名 (複 ~s/-s/)
I[形・外形]

1 C 形，形状，外形(form)；姿，様子 ‖ take the *shape* of a king 王の姿で現れる / chocolate *in the shape* of a heart ハート形のチョコレート / clouds of [in] all different *shapes* and sizes あらゆる形と大きさの雲 / Italy is like a boot *in shape*. イタリアは形が長靴に似ている．

2 U〔略式〕〔通例形容詞を伴って〕状態，調子(condition) ‖ be in top *shape* 絶好調である / get the room into *shape* 部屋をきちんと片づける / The affairs of that company are in 「very poor [pretty bad] *shape*. あの会社の経営状態はかなり悪い / He is in excellent [good] *shape* for his age. 彼は年の割りに元気である．

3 C 種類，様態．

II[形作られたもの]

4 U〈人・物(への)〉具体化，実現 ‖ get [put, knock] one's thoughts *into shape*〔略式〕考えをまとめる / The plan will be *in shape* for the 2005 NASA budget. その計画は2005年度の NASA予算で具体化するであろう．

5 C (物に形をつける)型，鋳型；菓子型；(帽子の)木型． **6** C 型に入れて作ったもの〈ゼリー・プディングなど〉．

gét (onesélf) *into sháp*e 体調を整える，体力を増進する(→ **2**).

in ány shàpe or fòrm[名詞の後で]どんな種類の…でも；〔否定文で〕少しも，全然．

*in sháp*e (1) → **1**. (2)〔略式〕体調がよくて《◆ be, get, keep, stay などの後に用いる》(↔ out of shape)《◆対話》 "What do you do to keep *in shape*?" "I jog a few kilometers every morning." 「体調を維持するために何をしていますか」「毎朝数キロジョギングしています」． (3) 本来の形で．

*óut of sháp*e (1)〔略式〕体調が悪くて． (2) 形がくずれて《◆ be, get, go などの後に用いる》．

***tàke sháp*e [⋯で]はっきりとした形をとる，格好がつく，具体化する〔*in*〕‖ A new theory was *taking shape in* his mind. 新しい理論が彼の頭の中でしだいに具体化してきた．

— 動 (~s/-s/; 〔過去・過分〕~d/-t/; *shap·ing*) ⦿ **1** 〈人が〉〈物〉を[…に]形作る〔*into*〕；〈物〉を[…から]形作る〔*from, out of*〕‖ She *shaped* clay *into* a vase. 彼女は粘土で花瓶を作った． **2**〔正式〕〈人・事・時など〉の〈将来・態度など〉を決定する，方向づける ‖ This event *shaped* his character. この事件が彼の性格を決定づけた． **3**〔通例 be ~d〕〈物・事が〉[…に]適合する，合っている〔*to*〕‖ This suit is *shaped to* my figure. このスーツは身体に合わせて作ってある． **4**〈声明・質問など〉を言葉で表す．

— 自〔略式〕はっきりとした形をとる，具体化する，〔…へ〕発展[発達]する(+*up*)〔*into*〕；うまくいく，望ましい結果になる(+*up*) ‖ Her idea is *shaping* (*up*) well. 彼女の考えはうまくまとまりかけている / He will *shape up into* a fast runner. 彼は足の速い選手になるだろう．

**sháp*e úp* 自〔略式〕(1) → 自. (2) 行儀をよくする，えりを正す《◆ふつう脅したり怒ったりするときに使う》. (3) 体調をよくする，体調がよくなる《◆〔日本語の「シェイプアップする」のように「鍛えて均整のとれた体にする」という意味には get into shape を用いる．→ 名 成句》. (4) […に]勇敢に立ち向かう〔*to*〕．— 他 (1) …をできる限りうまく形づくる． (2) …をよくする，基準に合わせる．

**sháp*e mèmory (àlloy)* 形状記憶(合金)．

shaped /ʃéipt/ 形〔しばしば複合語で〕…の形をした ‖ an onion-*shaped* dome 玉ネギ形のドーム．

†**shape·less** /ʃéipləs/ 形 **1** 定形のない． **2** 〈姿・服などが〉格好の悪い；不格好な．

†**shape·ly** /ʃéipli/ 形 (**-li·er, -li·est**)〔正式〕〈主に女性の体・脚など〉が格好のよい，均整のとれた．

shap·ing /ʃéipiŋ/ 形 → **shape**.

*****share** /ʃéər/ 《「分割」「分割して共有する」が本義》
— 名 (複 ~s/-z/)
I[利益の分け前]

1 [a/one's ~] 分け前，取り分 ‖ Be sure to get a [your] *share* of the profits. きちんと利益の取り分[自分の取り分]を手に入れるようにしてください / receive *an equal share* of the property 同じだけの財産の分け前をもらう / Here is your *share* of the cake. これが君の分のケーキだよ．

2 C〔会社の〕出資；〔英〕[~s]〔会社の〕株，株式《(米) stock》〔*in*〕‖ They sell their *shares* at a low price. 彼らは安い価格で株を売る．

3 U C 〔商業〕〔通例 a ~〕市場占有率，シェア．

II[仕事などの分け前]

4 [a/one's ~]〔仕事・資金の〕割り当て，分担，負担〔*of, in*〕‖ I do more than one's (*fair*) *share of* the work 分担以上の仕事をする / *His share of* the expenses is greater than hers. 彼の費用の割り当ては彼女のより多い．

5 U〔時に a ~〕〔…の点での〕役割，参加，貢献〔*in*〕

‖「have *a share* [take no *share*] in the project その計画に貢献する[加担しない] / She did her *share* to make the party a success. パーティーがうまくいくように彼女は自分のすべき役割を果たした.

gó sháres (英略式)〔人と/…を〕(均等に)分ける;共同でやる;負担する〔*with/in*〕

the lion's share → lion.

——動 (~s/-z/; 過去・過分 ~d/-d/; shar·ing /ʃéəriŋ/)
——他

Ⅰ 共有する

1〈人が〉〈利害・仕事・感情・情報・考えなど〉を〈人と〉(公平に)**分かち合う**,〈物を分け合う,共有する,(分け隔てなく)一緒に使う〔*with*〕;…を〈人に〉話す〔*with*〕‖ *share* the job of cleaning up 一緒に掃除をする / I *shared* a taxi with her as far as my office. 会社まで彼女と一緒にタクシーに乗った / I *share* a bedroom *with* him. 私は彼と同じ寝室で寝ている / Will you *share* your thoughts *with* us? あなたの考えを話して[教えて]くれませんか / May I *share* your umbrella? かさに入れていただけますか.

Ⅱ 共有するために分ける

2〈人が〉〈食物・財産など〉を〈人と/…の間で〉(均等に)**分ける**(+*out*)〔*with, among, between*〕‖ *share* an apple *with* one's friends リンゴを友人と分ける / She *shared* (*out*) the property *between* her three children. 彼女は財産を3人の子供に均等に分けた ▶「分配」の意味では三者以上に *between* も使える.

——自〔…を/人と〕**分担する**,共にする;参加する〔*in/with*〕‖ *share in* the joy *with* her 喜びを彼女と分かちあう.

shared bathroom 共用バスルーム《アパートなどで洗面所・トイレ・浴槽が共用のもの》.

†**share·hold·er** /ʃéərhòuldər/名 C (主に英) **株主** ((主に米) stockholder).

share·ware /ʃéərwèər/名 U 〔コンピュータ〕シェアウェア《主にオンラインで流通し、コピーや試用は自由にできるが、継続使用する場合には料金を支払うシステムのソフト》.

shar·ing /ʃéəriŋ/動 → share. ——名 U 分かち合い,分かち合うこと.

†**shark** /ʃɑ́ːrk/名 C **1** サメ,フカ ‖ He fell victim to a killer *shark*. 彼は人食いザメの犠牲者となった. **2**(略式)高利貸;強欲な[地主];詐欺師. **3**(米略式)〔…の〕名人,達人〔*at, in*〕‖ He is a *shark at* mathematics. 彼は数学がずば抜けてよくできる.

‡**sharp** /ʃɑ́ːrp/『「切っ先の鋭くとがった」が本義』
派 sharpen (動), sharply (副)

index
形 **1** 鋭い **3** 急な **4** 激しい **5** 鋭敏な
8 はっきりした **9** きびしい
副 **1** ちょうど **2** 急に

——形 (~·er, ~·est)

Ⅰ 先がとがった

1a〈刃物・刃が〉**鋭い**,よく切れる,鋭利な(sharp-cut) 〔◆keen, acute より口語的〕(↔ blunt, dull) ‖ The knife has a *sharp* edge. そのナイフは鋭利な刃がついている / The axe is *sharp* enough to shave with. そのおのはひげがそれるくらいよく切れる. **b**〈針・先端などが〉とがった(sharp-edged), よく突き刺さる;〈砂などが〉角ばった粒の ‖ a *sharp*(-pointed) needle 先のとがった針 / a *sharp* pencil しんのとがった鉛筆 ◆「シャープペンシル」は an automatic [(米) mechanical, (英) propelling] pencil という》 / The kitten has *sharp* claws. 子ネコは鋭いつめをしている / She threw a *sharp* stone. 彼女は角のとがった石を投げた.

2〈顔・鼻などが〉とがった,かどばった(sharp-pointed);〈角が〉鋭角の ‖ She has a *sharp* nose. 彼女は鼻がとがっている.

3〔通例名詞の前で〕〈カーブなどが〉**急な**,〈坂などが〉急な,険しい;〈上昇・落下・旋回などが〉急激な ‖ a *sharp* bend in the road 道の急なカーブ / The car made a *sharp* U-turn. 車は急にUターンした / After the shower, there was a *sharp* drop in the temperature. 夕立のあと気温が急に下がった.

Ⅱ 感覚的な

4〔通例名詞の前で〕〈痛みが〉**激しい**(↔ dull);〈味・においなどが〉刺激性の, ぴりっとする;〈音・声などが〉耳をつんざく,鋭い;(略式)〈天気・風などが〉身を切るような ‖ a *sharp* cry かん高い叫び / a *sharp* cheese (米) ぴりっとしたチーズ / I felt a *sharp* pain in my chest. 胸に激痛を感じた / Vinegar has a *sharp* taste. 酢は舌につんとくる.

5〈目・耳・感覚などが〉**鋭敏な**,よくきく ‖ Dogs have *sharp* noses. 犬の鼻は鋭い.

6 a 抜け目のない,賢い(cf. keen 形**1**) ‖ a *sharp* politician 抜け目ない政治家 / He is too *sharp* for me. 彼は私より一枚上手だ. **b** 頭の切れる,利口な(sharp-witted) ‖ be (as) *sharp* as a needle [tack] (略式)聡明である ‖ be *sharp* at math 数学ができる. **7** (略式)〔通例名詞の前で〕〈人・服装などが〉いきな,スマートな,きちんとした(主に英) smart)‖ She always looks (as) *sharp* as a tack. 彼女はいつもきちんとした身なりをしている.

Ⅲ はっきりした

8〈像・輪郭・対比などが〉**はっきりした**,くっきりした,鮮明な ‖ The photo is very *sharp*. 写真はたいへん鮮明に写っている / We saw the *sharp* outline of the mountains against the sky. 空を背景にくっきりとした山並の輪郭が見えた.

Ⅳ きびしい

9〈人・言葉などが〉〔…に〕**きびしい**, 痛烈な, 辛辣(しんらつ)な 〔*with*〕‖ She was hurt by his *sharp* words. 彼のとげとげしい言葉で彼女は傷ついた / He was *sharp* with the student who was late for class. 彼は授業に遅れた生徒に厳しくした.

10〔通例名詞の前で〕〈攻撃・競争などが〉強烈な;〈欲望などが〉熱烈な ‖ a *sharp* appetite 旺盛な食欲 / give her a *sharp* poke in the ribs 彼女の脇腹を強くつつく. **11**〔通例名詞の前で〕〈人・行為などが〉素早い, 活発な ‖ a *sharp* walk きびきびした足どり.
12〈監視などが〉厳重な, 油断のない.

Ⅴ その他

13〔音楽〕〔音名の直後で〕〈音が〉半音高い, 嬰(えい)音の《比較変化しない》(↔ flat) ‖ in C *sharp* minor 嬰ハ短調で.

——副 (~·er, ~·est) **1**(略式)〔時刻を示す語の後で〕**ちょうど**, きっかり 《◆比較変化しない》‖ School begins *at* nine (*o'clock*) *sharp*. 学校は9時ちょうどに始まる.

2(略式)〔動詞・目的語の後で〕**急に**, 突然;急角度で ‖ turn *sharp* right 右に急角度に曲がる / The car stopped *sharp*. 車は急停車した / He drew up his horse *sharp*. 彼は馬を急に止めた.

3〔音楽〕正しい調子より高く. **4** 鋭く;油断なく;敏

速に；激しく.
Lòok shárp! 《主に英略式》油断するな；急げ，てきぱきやれ.
―― [名] [C] 〔音楽〕嬰(えい)音；嬰音[シャープ]記号《#》(↔ flat).
―― [動] 《米》〔音楽〕 [他] …を半音上げて歌う[演奏する]. ―― [自] 半音上げる.

†sharp·en /ʃɑ́ːrpn/ [動] [他] **1** 〈人が〉〈刃物・鉛筆など〉を鋭くする，とがらせる，とぐ(↔ blunt) ‖ *sharpen* a knife on a whetstone 砥石(といし)でナイフをとぐ / Your pencils need *sharpening* [to be *sharpened*]. 君の鉛筆は削る必要がある. **2** 〈欲望・機知・感覚など〉を激しくする，鋭敏にする ‖ Riddles can *sharpen* your wits. なぞ解きは機知を活発に働かすのに役立つ. **3** 〈表情・言葉など〉を厳しくする. **4** 〈味・においなど〉を刺激的にする. ―― [自] **1** 〈刃物・言葉・まなざしなどが〉鋭くなる. **2** 〈映像などが〉はっきりする. **3** 〈風などが〉激しく[強く]なる. **4** 〈感覚などが〉敏感になる.

sharp·en·er /ʃɑ́ːrpnər/ [名] [C] [通例複合語で] とぐ[削る]機械[道具] ‖ a pencil-*sharpener* 鉛筆削り.

†sharp·ly /ʃɑ́ːrpli/ [副] **1** 鋭く；ひどく ‖ The pencil is *sharply* pointed. その鉛筆は鋭くとがっている. **2** 急に，突然 ‖ The path turned *sharply* to the right. 道は急に右に曲がっていた. **3** はっきりと，くっきりと ‖ The picture is *sharply* focused. 写真はピントが合ってはっきりしている. **4** 厳しく，荒々しく，つっけんどんに，きびしい目つきで ‖ answer *sharply* とげとげしい口調で答える / She rebuked me very *sharply*. 彼女は私を非常に厳しくとがめた.

†sharp·ness /ʃɑ́ːrpnəs/ [名] [U] **1** 鋭さ. **2** 鋭敏，利口. **3** 鮮明.

†shat·ter /ʃǽtər/ [動] [他] **1** 〈人・石などが〉〈ガラスなど〉を(突然の衝撃で)粉々に割る，粉砕する(→ smash) ‖ *shatter* the mirror with a rock 石で鏡を粉々に割る. **2** 《正式》〈夢・希望など〉を(完全に)打ち砕く；〈神経・健康など〉を損なう，台なしにする ‖ Illness *shattered* his hopes of running for mayor. 市長選に立候補しようという彼の望みは病気のため打ち砕かれた. **3** 《略式》[通例 be ~ed] 〈人が〉〔…で〕取り乱す(shocked)〔*by*〕 ‖ *be shattered by* the news 知らせを聞いておろおろする. **4** 《英略式》[通例 be ~ed] 〈人が〉とても疲れる. ―― [自] 〈ガラスなどが〉粉々になる. ―― [名] [U] 粉砕すること.

***shave** /ʃéiv/ 〖「表面をこすりとる」が原義〗
―― [動] (~s/-z/; [過去] ~d/-d/, [過分] ~d or **shav·en**/ʃéivn/; **shav·ing**)《◆shaven は主に形容詞として用いる》
―― [他] **1** 〈人が〉〈顔・頭など〉を**そる**；〈ひげ〉をそり落とす(+*off*)；〈人〉のひげ[顔，頭]をそる；[~ onesèlf] ひげをそる ‖ ***shave off*** one's beard ひげをそる / My father ***shaves himself*** every morning. 父は毎朝ひげをそる《◆My father has a *shave* every morning. というのがふつう. → [名] **1**》.
2 〈人が〉〈もの〉を**薄く削る**(+*off*) ‖ *shave off* a thin piece of wood 木に薄くかんなをかける.
3 〈芝生など〉を短く刈り込む. **4** 《略式》…をかすめる，すれすれに通る ‖ The car just *shaved* the corner. その車は角をかすめて通った.
―― [自] 〈人が〉**ひげをそる**《◆have a *shave* がふつう. → [名] **1**》.
―― [名] [C] **1** [通例 a ~] ひげをそること ‖ have *a shave* ひげをそる《◆「散髪屋でそってもらう」の意にもなる》/ Give me *a* dry *shave*. (シェービングクリームなどをつけないで)ひげをそってください《◆「シェービングクリームなどをつけてひげをそること」は *a* wet *shave*》. **2** ひげそり道具，削る道具. **3** 薄片，削りくず. **4** 《略式》かろうじてのがれること ‖ have a narrow [close, near] *shave* 間一髪のところでのがれる《◆a close *shave* には「深ぞり」の意味もある》.

shav·en /ʃéivn/ [動] shave の過去分詞形.
―― [形] [しばしば複合語で] (ひげ・髪を)そった；〈芝生などが〉短く刈り込まれた ‖ a clean-*shaven* face きれいにひげをそった顔.

shav·er /ʃéivər/ [名] [C] **1** そる人，理髪師. **2** そる[削る]道具；電気かみそり(electric shaver).

†shav·ing /ʃéiviŋ/ [動] → shave. ―― [名] **1** [U] (ひげを)そること，ひげ[顔]そり；削ること. **2** [C] [通例 ~s] 削りくず，かんなくず.

Shaw /ʃɔ́ː/ [名] ショー《**George Bernard** ~ 1856-1950；アイルランド生まれの英国の劇作家・批評家》.

†shawl /ʃɔ́ːl/ [名] [C] ショール，肩掛け. ―― [動] [他] …にショールを掛ける，…をショールに包む.

‡she /ʃíː; (弱) ʃi/ ([類音] sea, see /síː/) 〖三人称単数主格の人称代名詞〗 (➔文法 15.3(1))
―― [代] ([単数] 所有格・目的格 **her,** 所有代名詞 **hers,** [複数] 主格 **they,** 所有格 **their,** 所有代名詞 **theirs,** 目的格 **them**) **1** [先行する女性名詞，文脈からそれとわかる女性をさして] **彼女は，彼女が，**その女が([語法] → he [代] **3**) ‖ [対話] "Where's your sister?" "*She's* /ʃiːz/ now in Hawaii." 「お姉さんはどこにいますか」「(彼女は)今ハワイにいます」 / *Shé* is to blame. 彼女が悪いのだ.
2 [擬人法] それは，それが《◆it の代用. (1) 愛着の表れとして，(特に男性が)自分の乗っている船・列車・自動車・動物や機械などをさすときに用いる. また，政治的あるいは経済的な単位として国をさすことがあるが今は《やや古》. (2) moon, sea, nature, fortune, peace なども she で受けることが多い. (3) she でさしても関係代名詞は which を用いる》 ‖ Look at my sports car. Isn't *she* a beauty? ぼくのスポーツカーを見ろよ. すてきなやつだろう / Iraq has made it plain that *she* will reject the UN proposal. イラクは国連の提案を拒否することを明らかにした《◆現在では it がふつう》.
3 《古》[she who … の形で] (…する)女は(だれでも)《◆現代ではことわざ・引用句でのみ用いられる》 ‖ *She who* loves an ugly man thinks him handsome. 醜い男を愛している女は彼を男前だと思っている；ほれてしまえばあばたもえくぼ.
―― [名] **1** [C] 《略式》[通例 a ~] 女，雌 ‖ Is that kitten *a she*? その子ネコは雌ですか. **2** [she-；形容詞的に] 雌の ‖ a *she*-goat 雌ヤギ《◆人間の女性には girl, woman を用いる: a girl [woman] student 女子学生》.

s/he /ʃiːərhíː, ʃíːhíː/ [代] =she/he, she or he《◆両性を示す三人称単数代名詞で書き言葉に用いる. 目的格・所有格を持たない. cf. wo/man》(→ he [代] **3** [語法]).

†sheaf /ʃíːf/ [名] ([複] **sheaves**/ʃíːvz/) [C] **1** (穀物などの)束 ‖ a *sheaf* of corn とうもろこしの束. **2** 《正式》(一般に)ひと束(bundle). ―― [動] [他] …を束にする，束ねる.

†shear /ʃíər/ ([同音] sheer) [動] ([過去] **~ed** or 《古》**shore**/ʃɔ́ːr/, [過分] **~ed** or **shorn** /ʃɔ́ːrn/) [他] **1** (大ばさみなどで)〈羊毛など〉を刈る；〈羊など〉の毛を刈る(+*off, away*) ‖ *shear* sheep =*shear* wool from sheep 羊から毛を刈る. **2** 《文》[通例 be shorn] 〈髪が〉切られる(+*off*)；[通例 be shorn] 〈人が〉〔髪

を)刈られる[of]；[力などを]奪われる, はぎ取られる[of] ‖ a closely shorn head 短く刈り込まれた頭 / The king was shorn of his power. 王は権力を奪われた. ― 自 1 はさみを入れる. 2 切るように進む(+ through). 3 〈ケーブルなどを〉切れる.
― 名 [~s] 大ばさみ(◆ scissors より大型で, 羊毛・植木の刈り込み用などがある); 剪定)断鋏 ‖ a pair of shears 大ばさみ1丁 / pinking shears 波状に切るはさみ / pruning shears 剪定ばさみ.

†**sheath** /ʃíːθ/ 名 (～s/ʃíːðz, ʃíːθs/) ⓒ 1 (刀などの)さや. 2 (さや状の)おおい, 入れ物;〔家・船などの〕屋根 (sheathing). 3〔植〕葉鞘(ょう);〔昆虫〕翅鞘(しょう);〔解剖〕鞘. 4 体にぴったりした服.

sheathe /ʃíːð/ 他 (過去・過分 ～d) 1 刀をさやに納める ‖ sheathe the sword 刀をさやに納める; 和解する. 2 …を[…で]おおう, 包む[with, in].

sheath·ing /ʃíːðiŋ/ 名 1 さやに納めること. 2 おおい, 被覆(ひふく)材料; 家屋の外壁.

sheaves /ʃíːvz/ 名 sheaf の複数形.

She·ba /ʃíːbə/ シバ《アラビア南西部の古王国》. 2 the Queen of ~ (旧約)シバの女王《Solomon 王の知恵を試しに訪れた女王》.

†**shed**[1] /ʃéd/ 名 ⓒ〔しばしば複合語で〕小屋; 物置; 車庫, 倉庫, 格納庫 ‖ a cattle shed 牛小屋 / There is a lawn mower in the tool shed. 道具小屋に芝刈り機があります.

†**shed**[2] /ʃéd/ 動 (過去・過分 shed ; shed·ding) 他 (正式) 1 〈人が〉〈血・涙などを〉流す, こぼす ‖ She sheds tears easily. 彼女は泣き虫だ. 2 a 〈木が〉〈葉などを〉落とす;〈動物が〉〈皮・羽・殻などを〉脱ぐ, 脱ぎ替える ‖ Snakes shed their skin each year. ヘビは毎年脱皮する. b 〈人が〉〈衣服を〉脱ぎすてる, …を取り除く, 捨てる;〈体重を〉落とす;〔英〕〈車が〉〈積荷を〉過って落とす ‖ He shed his clothing and jumped into the pool. 彼は服を脱ぎすててプールに飛び込んだ. 3〈布が〉〈水を〉はじく. 4〈光・熱・香りなどを〉発散する, 注ぐ ‖ The moon shed a pale light. 月が青白く輝いていた. 5〈影響・考えなどを与える.

shed A's blood → blood.

*__she'd__ /(強) ʃíːd; (弱) ʃid/ (略式) she had, she would の短縮形.

†**sheen** /ʃíːn/ 名 Ⓤ〔時に a ~〕輝き; (絹・髪の)光沢, つや ‖ the sheen of silk 絹の光沢.

shéen·y /-i/ 形 光る, つやのある.

*__sheep__ /ʃíːp/
― 名 (複 sheep) 1 ⓒ ヒツジ, メンヨウ《◆鳴き声は baa.「メーと鳴く」は bleat》 ‖ a stray [lost] sheep 迷えるヒツジ; 正道からはずれた人 / The sheep are bleating. ヒツジが鳴いている / A shepherd watches over a flock of sheep. 羊飼いはヒツジの群れを見張る / One may [might] as well be hanged for a sheep as (for) a lamb. (ことわざ) (略式) どうせ死刑になるなら子羊を盗むより親羊を盗んだ方がよい; 「毒を食らわば皿まで」. 関連 ram 雄羊 / ewe 雌羊 / lamb 子羊 / mutton 羊の肉. 2 ⓒ 気の弱い人, 温良な人, 臆病者. 3 ⓒ〔しばしば複数形で; 集合名詞〕他人のまねをする人. 4 Ⓤ 羊皮, ヒツジのなめし皮.

cóunt shéep (柵(さく)を跳び越える)ヒツジの数を数える《◆眠れない夜のまじない》.

sheep·dog, shéep-dòg /ʃíːpdɔ̀(ː)g/ 名 ⓒ 牧羊犬《collie など》.
sheep·fold /ʃíːpfòʊld/ 名 ⓒ ヒツジの囲い, 羊小屋.
sheep·herd·er /ʃíːphə̀ːrdər/ 名 ⓒ (米) 羊飼い(shepherd).

sheep·ish /ʃíːpiʃ/ 形 1 ヒツジのような; 内気な, 気の弱い. 2 おどおどした. **shéep·ish·ly** 副 内気に, おどおどして.

†**sheep·skin** /ʃíːpskìn/ 名 1 Ⓤ (毛のついた)羊皮. 2 ⓒ 羊皮のオーバー《帽子, 敷物, 上着など》. 3 Ⓤ 羊皮紙; ⓒ その書類. 4 ⓒ (米略式) 卒業証書.

†**sheer**[1] /ʃíər/ (同音 shear) 形 1 まったくの, 真の; 混ぜ物のない ‖ sheer madness まったくの気違いざた / sheer whisky 生(き)一本のウイスキー / The feast was a sheer delight. 祭りはすごく楽しかった. 2 (正式) 切り立った, 垂直の ‖ a sheer cliff 絶壁. 3〈織物が〉ごく薄い, 透き通った ‖ sheer nylon stockings 透明なナイロン靴下. ― 副 1 (略式) まったく. 2 (正式) 垂直に, まっすぐに.

sheer[2] /ʃíər/ 自 1〔海事〕針路からそれる, 針路を避ける(+ away, off). 2 (英略式) 〈嫌いな人・事などを〉避ける(+ off) [from]. ― 名 1 針路からそれること; 針路の転換. 2 (甲板の) 舷弧.

*__sheet__[1] /ʃíːt/ (類語 seat /síːt/)
― 名 (～s /ʃíːts/) ⓒ 1〔通例 ~s〕シーツ, 敷布 (bed sheet)《◆英米ではふつう上下2枚を対にして用いる. 防水布の「シート」は tarpaulin》 ‖ sleep between sheets ベッドで眠る / I have to change sheets. シーツを取り替えなければならない / You look as white as a sheet. 君, 顔が真っ青だよ.
2 a (主に標準の大きさの)1枚の紙;(紙の)1枚 ‖ a balance sheet 貸借対照表, バランスシート / a work sheet 作業票, ワークシート / Write your name at the top of the answer sheet. 答案用紙の上部に名前を書きなさい / The teacher gave each student a printed sheet. 先生は生徒に1枚ずつプリントを配った《◆教室で配る「プリント」は handout がふつう》/ May I have a fresh sheet of paper? きれいな紙を1枚いただけますか. b (金属・ガラスなどの)薄板 ‖ a sheet of glass ガラス1枚.
3 a〈水・雪・色などの〉薄い広がり ‖ The sidewalk is a sheet of ice this morning. 今朝は歩道に薄く氷が張っている. b〔しばしば ~s〕(水・炎などの)広がり, (…の)海 ‖ sheets of flames 一面火の海. 4 (切手の)シート.
― 動 他 1 …に敷布をつける. 2 …を敷布で覆う. 3 …を薄く覆う ‖ Snow sheeted the roof. 雪がうっすらと屋根に積もっていた.

shéet gláss 板ガラス.
shéet mètal (金属の)薄板.
shéet músic〔しばしば /＝/〕綴(と)じていない短い楽譜; その音楽.

sheet[2] /ʃíːt/ 名 ⓒ 1〔海事〕帆脚索(ほあしづな), シート. 2〔~s〕(ボートの艇首・艇尾の)空間.
sheet·ing /ʃíːtiŋ/ 名 Ⓤ 敷布(地); 保護被覆材, 板金(ばんきん).

†**Shef·field** /ʃéfiːld/ 名 シェフィールド《イングランド South Yorkshire 州の工業都市》.

†**sheik(h)** /ʃíːk | ʃéik/ 名 ⓒ 1 (アラビア人の)家長; 族長; 首長. 2 (イスラム教の)教主. 3 (俗)(女の目から見て)魅力ある男, 色男.

shel·drake /ʃéldrèik/ 名 (～s, shel·drake) ⓒ〔鳥〕ツクシガモの雄《◆雌は shelduck》.
shel·duck /ʃéldʌk/ 名 ⓒ〔鳥〕ツクシガモ.

*__shelf__ /ʃélf/〔『仕切り』が原義〕
― 名 (複 shelves /ʃélvz/) ⓒ 1 たな ‖「put up [take down] a shelf たなをつる[取りこわす]. 2 たなの上の物 ‖ a shelf of books たな一段分の本. 3 たな状のもの; 岩だな, 砂州, 岩礁 ‖ a shelf of coral さんご礁 / the shelf of rock 岩だな.

on the shélf (略式) (1) [be put on the ~] 〈人・物が〉たな上げされて, 用いられないで. (2) (やや古) [しばしば女性を差別して] [be (left) on the ~] 〈女性が〉婚期を過ぎて.

shélf life [通例 the ~] (食品・薬などの)貯蔵[保存]期間.

†**shell** /ʃél/ 图 ⓒ **1 a** 貝殻 (seashell)《◆中身は shellfish》, (カメ・エビなどの)甲羅, (カタツムリの)殻(ポ), (鳥の卵の)殻, (昆虫のさなぎなどの)外皮, (豆の)皮, (果物・ピーナツなどの)皮 / *cast the shell* 脱皮する / *While I was breaking the egg, a bit of shell fell into the soup.* 卵を割っているときに, 殻が少々スープに落ちた. **b** ⓤ (貝細工の材料としての)貝殻, べっこう ∥ *buttons made of shell* 貝ボタン. **2 a** (中身・内容に対する)外観, 外形, 見せかけ; (建物の)骨組み. **b** (計画の)大要, あらまし. **c** (人の心の)殻, 閉ざした心; 抜け殻, 虚脱状態 ∥ *He became a mere shell of a man.* 彼は単なる魂の抜け殻のようになってしまった. **4** 砲弾, 爆発物; (米)薬莢(ポ゚ハ)(cartridge)《◆この意味では単数・複数同形》. **5** シェル《1人か2人でこぐ軽いレース用ボート》.

gò [*retire, cráwl, withdráw*] *ìnto* one's **shéll** 打ち解けない, 無口になる.

── 動 他 **1** …の皮[殻]をとる, 〈豆のさやを〉とる((米) shuck) ∥ *shell oysters* カキの殻をとる. **2** 〈敵・町などを〉砲撃[爆撃]する ∥ *shell the enemy mercilessly* 敵を容赦なく砲撃する. ── 自 [様態の副詞を伴って]〈殻・皮などが〉むける, とれる ∥ *These peanuts shell easily.* このピーナツは簡単に皮がむける.

shéll óut (略式) 自 [人に/物・事に]金を(しぶしぶ)出す[*for*, *on*]. ── 他 (1) 〈金を〉[人に/物・事に]しぶしぶ出す[*for*, *on*]. (2) (米)(Halloween の日に)〈菓子などを〉用意して子供に与える.

***she'll** (強) ʃíːl; (弱) ʃil/ (略式) she will, she shall の短縮形.

shel·lac /ʃəlǽk/ 图 ⓤ **1** シェラック《lac を精製した薄板状のものでワニスなどの原料》. **2** シェラックワニス. ── 動 他 (過去・過分) **shel·lacked**; **-·lack·ing**) ⓤ **1** …にシェラックを塗る. **2** (米式) …を徹底的に打ち負かす.

shelled /ʃéld/ 形 **1** [複合語で] 殻のある. **2** 殻を取り去った. **3** 〈穀粒が〉軸から取られた.

Shel·ley /ʃéli/ 图 シェリー《**Percy Bysshe**/bíʃ/ ~ 1792–1822; 英国の抒情詩人》.

shell·fish /ʃélfìʃ/ 图 (複 → fish 語法) ⓒ 貝; 甲殻(ミャ)類《カニ・エビなど》; ⓤ (食用としての)貝.

†**shell·y** /ʃéli/ 形 (**-i·er**, **-i·est**) 貝殻の(ような).

***shel·ter** /ʃéltər/ 图 [『群れの保護』が原義]

── 名 (複 ~s/-z/) **1** ⓒ [通例複合語で] 避難所, 隠れ場 [類語] cover, refuge, sanctuary》; 雨宿りの場所, 小屋 ∥ 住まい, (雨露をしのぐ)宿 ∥ *a bus shelter* (屋根のある)バス停 / *an air-raid shelter* 防空壕(ポ) / *food, clothing and shelter* 衣食住《◆ふつうこの語順》/ *The old barn was their shelter that night.* 古い納屋がその夜の彼らの宿となった. **2** ⓤ (正式) […からの]保護, 避難 (protection) [*from*] ∥ *take shelter from* the rain 雨宿りをする / *We looked for shelter from* the storm. あらしを避ける場所を捜した.

── 動 (~s/-z/; 過去・過分) ~ed/-d/; ~·ing /-t(ə)rɪŋ/)

── 他 **1** 〈人・物・人を〉[…から]保護する, 守る [*from*] 《◆ protect より堅い語》∥ *The parasol*

sheltered her *from* the sun's rays. 日傘は太陽光から彼女を守ってくれた. **2** 〈人を〉かくまう, 宿泊させる ∥ *shelter runaway slaves* 逃亡奴隷をかくまう.

── 自 〈人が〉[…から]避難する, 隠れる [*from*] ∥ *shelter from* the rain 雨宿りする.

shélter *onesélf* (正式) (1) 身を守る. (2) [人の権威などに]頼る [*under, behind, beneath*].

shel·ty /ʃélti/ 图 ⓒ =Shetland sheepdog.

†**shelve** /ʃélv/ 動 他 **1** (正式)〈本などを〉たなにのせる[置く, 並べる]. **2** 〈問題・計画などを〉たな上げする, 延期する ∥ *shelve the plan* 計画を取りやめる. **3** 〈人を〉解雇する, 退職させる. **4** …にたなをつける.

shelves /ʃélvz/ 图 shelf の複数形.

shelv·ing /ʃélvɪŋ/ 图 ⓤ **1** たな材; [集合名詞] たな. **2** たなにのせること; たな上げ. **3** ゆるい傾斜.

Shem /ʃém/ 图 (旧約) セム《Noah の長子, セム族の祖と伝えられる》.

†**shep·herd** /ʃépərd/ 〔発音注意〕图 **1** ⓒ 羊飼い, 牧羊者《◆女性形は shepherdess》∥ *The shepherd takes care of about five hundred sheep.* その羊飼いはおよそ500頭のヒツジの世話をしています. **2** ⓒ 牧師 (pastor); 指導者. **3** [the Good S~] よき羊飼い《キリストのこと》. **4** =shepherd('s) dog.

── 動 他 **1** 〈ヒツジなどの〉世話をする, 番をする ∥ *shepherd a flock* ヒツジの群れの番をする. **2** 〈群衆などを〉[…へ]導く, 案内する (+*around, in, out*) [*into, onto*] ∥ *shepherd* the children *into* the bus 子供たちをバスに乗せる.

shépherd's cróok 牧杖(ポ゚), 羊飼いのつえ《先が曲がっていて羊をひっかける》.

shépherd('s) dòg 牧羊犬 (sheepdog)《◆日本の「シェパード」は German *shepherd* dog》.

shépherd's píe (英)〔料理〕シェパードパイ《ひき肉をマッシュポテトで包んで焼いた料理》.

Sher·a·ton /ʃérətn/ 图 (家具が)シェラトン風の《簡素で優美な様式. 英国の家具製作・設計家 Thomas Sheraton の名から》.

†**sher·bet** /ʃə́ːrbɪt/, /ʃə́ːrbət/ **-bert** /-bərt/ 图 ⓒ ⓤ **1** (米)シャーベット(《主に英》water ice, (英) sorbet)《果汁に砂糖・牛乳・卵白をまぜて凍らせた氷菓》. **2** (英)シャーベット水《果汁に砂糖・氷をまぜた清涼飲料》. **3** (粉末の)シャーベット水のもと.

Sher·i·dan /ʃérɪdn/ 图 **1** シェリダン《**Philip Henry** ~ 1831–88; 南北戦争の北軍の将軍》. **2** シェリダン《**Richard Brinsley** /brínzli/ ~ 1751–1816; 英国の劇作家・政治家》.

†**sher·iff** /ʃérɪf/ 图 ⓒ **1** (米) 郡保安官《選挙で選ばれた郡 (county) の最高職. 司法権と警察権を持つ》. **2** (英) 州長官 (High Sheriff).

Sher·lock Holmes /ʃə́ːrlɑk hóumz/, -lɔk-/ 图 シャーロック・ホームズ《Conan Doyle の推理小説中の名探偵》.

Sher·pa /ʃə́ːrpə/ 图 ⓒ **1** シェルパ族(の人)《ネパールのヒマラヤ山麓(ミ)に住むチベット系住民》. **2** シェルパ《ヒマラヤ登山の現地案内人[登山助手]》. **3** (略式) [時に s~] (首脳会談などの)裏方, お膳立てする人.

†**sher·ry** /ʃéri/ 图 ⓤ ⓒ シェリー酒《南スペイン産の強いワイン. 英国では白ワインに似た》白ワイン ∥ *I like sweet sherry.* 私は甘口のシェリーが好きです.

shérry gláss シェリーグラス《小ぶりのワイングラス》.

Sher·wood Fórest /ʃə́ːrwʊd-/ 图 シャーウッドの森《イングランド Nottingham 近くの王室林. Robin Hood が住んだとされる》.

she's /(強) ʃíːz; (弱) ʃiz; (略式) ʃəz/ she is, she has の短縮形.

Shet·land /ʃétlənd/ 名 シェトランド《スコットランド北東の諸島・州》; [the ~s] =the ~ **Islands** シェトランド諸島. **Shétland shéepdog** シェトランドシープドッグ《コリーに似た小型犬. shelty ともいう》.

SHF (略) superhigh frequency.

Shi·ah /ʃíːə/ 名 U 形 (イスラム教) シーア派(の)《Mohammed の婿 Ali をその正統の後継者とする宗派》.

shib·bo·leth /ʃíbəliθ | -leθ/ 名 C (正式) **1** (ある階級・集団のもはや無意味な) 特有の慣習, 言葉づかい). **2** ためし言葉, 合言葉.

†**shield** /ʃíːld/ 名 C **1** (盾) ‖ both sides of the *shield* 盾の両面/物事の裏表 / the other side of the *shield* 盾の隠れた半面; 物事の隠れた一面. **2** 〔…に対する〕防御物, 保護者[者]〔*against*〕‖ a *shield against* direct sunlight 直射日光から保護するもの / an eye *shield* 目を保護するもの. **3** (電気) (磁力線などに対する) シールド; (物理) (放射線などに対する) 遮蔽(さへい); 盾形記章; (米) 警官のバッジ. ── 動 他 **1**〈人・物が〉〈人・物を〉〔…から〕保護する, 守る〔*from, against*〕《◆ protect より堅い語》‖ They *shielded* me *from* unjust punishment. 彼らは私を不当な刑罰から守ってくれた. **2** …を遮蔽する, 隠す, 覆う ‖ *shield* one's eyes from the bright sun まぶしい太陽から目を覆う. ── 自 盾となる, 保護する.

†**shift** /ʃíft/ 動 他 **1**〈人が〉〈人・物・視線・注意などを〉〔…から/…へ〕移す, 変える〔*from/to*〕‖ She *shifted* her package from one arm to the other. 彼女は包みを別の腕に持ちかえた / He *shifted* two men *from* the factory *to* the shop. 彼は2人を工場から店へ配置転換した. **2** 〈責任などを〉〔人に〕転嫁する, なすりつける(+*off*)〔(*on*) *to, onto*〕‖ Don't try to *shift* the blame (*on*) *to* me. 私に責任をなすりつけるようなことをするな. **3** …を取り替える; …を変更する(change) ‖ *shift* seats with him 彼と席を替わる / *shift* the scene(s) 場面を変える / *shift* the scene from Monday to Friday 履習コースを月曜から金曜に変更する. **4** (主に米) (自動車などで) ギアを変える((英) change) (+*down, up*). **5** (略式) …を苦労して取り除く(◆ remove, eliminate より口語的); …を売り飛ばす.

── 自 **1**〈人・物・事が〉〔…に〕位置[方向]を変える〔*to*〕‖ *shift* in one's seat 席でもじもじする / The scene *shifts*. (小説・劇などで) 場面が変わる / The wind *shifted* to the east during the night. 夜の間に風向きは東に変わった. **2 a** (正式) なんとかやっていく, やりくりする. **b**(英古米)不正手段でやりくく, いんちきする. **3**(主に米)(自動車などの) ギアを〔…に〕入れ替える(+*up, down*)〔*into, to*〕‖ *shift into* neutral ギアをニュートラルに入れる.

shift for oneself (やや古) 自分でやりくりする, 自力でやる (類語) manage without help, take care of oneself).

── 名 C **1** (位置・方向・状況・地位などの) 変化, 移動, 変遷; 変更 《◆ change より口語的》‖ There was a *shift* in political opinion. 政治上の見解に変化があった. **2** (勤務の) 交替; [集合名詞; 単数・複数扱い] 交替のグループ; (交替制の) 勤務時間 ‖ I will come off the night *shift* tomorrow. 私は明日夜勤が明ける / work *in shifts* 交替制で働く. **3** (やや古) [通例 ~s] 急場しのぎの方法, 方便(way); 策略 ‖ try every *shift* to earn money 金をかせぐにあらゆる方法をとってみる / live on *shifts* 何とかやりくりして暮らす.

màke shíft (やや古) 〔…で/…なしで〕どうにかやりくりする〔*with/without*〕(cf. makeshift).

shíft kèy (コンピュータのキーボードの) シフトキー.

shíft stìck (米) 変速レバー ((英) gear lever).

†**shift·less** /ʃíftləs/ 形 (正式) 〈人が〉役に立たない, 無能な; 怠惰な, やる気のない.

shift·y /ʃífti/ 形 (通例 --i·er, --i·est) 狡猾(こうかつ)な, ずるい; こそこそする. **shífty éyes** (相手の目を見ないで) きょろきょろ動く目《◆ 不誠実さされる》.

†**shil·ling** /ʃílɪŋ/ 名 C **1** シリング《◆(1) 1971年以前の英国の貨幣単位 (略) s., sh.). 1ポンドの20分の1. 12ペンス. (2) 新制度では1ポンドは100ペンスとなり, シリングは廃止. → pound¹, penny》‖ five *shillings* seven pence =5s.7d. = 5/7 5シリング7ペンス《◆ five (and) seven とも読む》/ The *shilling* is no longer a monetary unit in England. シリングはもはや英国の貨幣単位ではない. **2** シリング銀貨《1946年以後は白銅貨. 1971年からは新5ペンスと同価値》. **3** シリング《ケニア・ウガンダ・タンザニア・ソマリアなどの貨幣単位. 100 cents》.

shílling màrk シリング記号 《/; shilling と pence の間に入れる斜線: 5/- 5シリング (ちょうど) (five shillings と読む)》.

†**shim·mer** /ʃímər/ 動 自 **1** (反射して) かすかに[ちらちら]光る ‖ Both the sea and the sand *shimmered* in the moonlight. 海も砂浜も月の光にかすかに光っていた. **2** (熱などで) 揺らめく. ── 名 U [時に a ~] きらめき, 微光; 揺らめき.

†**shim·mer·y** /ʃíməri/ 形 ちらちら光る, かすかに光る.

†**shin** /ʃín/ 名 C **1** 向こうずね; 脛(けい)骨 (図 → body). **2** U (英) 牛のすね肉. ── 動 (過去·過分 **shinned** /-d/; **shin·ning** /-iŋ/) 自 (略式) (速く, 容易に) よじ登る (+*up*); するすると降りる (+*down*) ‖ *shin up* (a tree) to get a better view もっとよく見るために (木に) よじ登る.

shin·bone /ʃínboʊn/ 名 C (解剖) 脛骨(けいこつ), すねの骨.

shin·dig /ʃíndɪɡ/ 名 C (略式·今はまれ) にぎやかな (ダンス) パーティー, 宴会.

⁑shine /ʃáɪn/ 動 ((類語) sign /sáɪn/) 〖「(発光体が) 光を出す」が本義〗 (派) shiny (形)

── 動 (~s/-z/; 過去·過分 **shone** /ʃóʊn | ʃɒn/ or 他 **1** ~d/-d/; **shin·ing** /-iŋ/) 《◆ 自 他 とも特に (米) では ~d に変わりつつある》

── 自

Ⅰ [輝く]

1 a 〈太陽·明かりなどが〉**輝く**, 光る (+*out*); 〈太陽·星などが〉(雲に隠されずに) 出ている ‖ In Alaska the sun sometimes *shines* during [in] the night. アラスカでは太陽は時に夜輝く / A lamp was *shining* brightly from the window. ランプが窓から明るく輝いていた. **b** 〈物が〉 (光を反射して) 輝く, 光る, きらめく ‖ She polished the furniture until it *shone*. 彼女は家具をぴかぴかになるまで磨いた.

2〈人·顔·目などが〉生き生きとする, 輝く ‖ The boy's eyes *shone* with curiosity. その少年の眼は好奇心で輝いていた.

Ⅱ [才能などを輝かせる]

3 (略式) 〈人·物が〉〔…に/…として〕すぐれる, 秀でる, 威力[素質]を発揮する〔*in, at / as*〕‖ *shine at* golf ゴルフがうまい.

── 他 **1** (~d) (略式) 〈人が〉〈靴·銀器などを〉**磨く**, 磨いて光沢をつける ‖ *Shine* your shoes with this

new polish. この新しい靴墨で靴を磨きなさい. **2** …を光らせる, 輝かせる;〈明かり・光線などを〉[…に]向ける〔at, on, in, into〕‖ *shine* a beam of light directly at a mirror 光線を直接鏡に当てる.
shíne úp to Ⓐ《主に米略式》〈人〉に取り入ろうとする;〈異性〉に好かれようとする.
──名(複 ~s/-z/)**1** Ⓤ[時に a ~]光, 輝き, 光沢, つや‖ He polished the knife to *a* brilliant *shine*. 彼はぴかぴかに光るまでナイフを磨いた.
2 [a ~]《主に靴を》磨くこと‖ Give my shoes *a* good *shine*. 靴をよく磨いてくれ.
táke a shíne to Ⓐ《略式》〈人〉を(ひと目で)好きになる (類語) take a liking [fancy] to.
shin·er /ʃáinər/ 名 Ⓒ **1** 光る[光らせる]人[もの]. **2**《米》《魚》シャイナー《北米産のコイ科の銀色の小淡水魚(類)》; サバ(類) (mackerel).
†**shin·gle**¹ /ʃíŋɡl/ 名 Ⓒ **1** 屋根板, こけら板. **2**《米略式》《医師・弁護士の》小看板.
shin·gle² /ʃíŋɡl/ 名 [集合名詞, 通例単数扱い]《海岸・河底の》小石, 砂利 (→ stone 名 **2**).
shin·gles /ʃíŋɡlz/ 名 Ⓤ《病理》《単数扱い》帯状疱疹(ほうしん).
shin·ing /ʃáiniŋ/ 動 → shine. ──形 **1** 光る, 輝く; 明るい. **2**《正式》すぐれた, 目立つ; 大いに賞賛されるべき.
Shin·to /ʃíntou/《日本》名 Ⓤ 神道.
†**shin·y** /ʃáini/ 形 (**-i·er**, **-i·est**) **1** 輝く, 光る; 磨いた(ような); 明るい‖ a *shiny* table ぴかぴかのテーブル. **2**〈衣服などが〉着古して光る‖ his *shiny* trousers 彼のてかてかのズボン. **3** 晴れた, 光あふれる.

:ship

/ʃíp/ (類音 sheep /ʃíːp/ sip /síp/)〖「木の幹をくり抜いた」が原義. cf. skip〗
──名(複 ~s/-s/) Ⓒ **1**《大型の, 遠洋航路の》船《◆(1) オール・櫂(かい)を用いない船で, ふつう boat よりも大きく vessel より小さい. (2) 自分の乗っている船では代名詞時には she [her] で受ける (→ she **2**). (3) 交通手段を表す場合は Ⓤ. (4) 成功・富・希望などの象徴》‖ The luxurious passenger *ship* was wrecked by a typhoon. その豪華客船は台風のために難破した / a cargo [merchant, passenger, whaling] *ship* 貨物船[商船, 客船, 捕鯨船] / the *ship* of the desert 砂漠の船《ラクダのこと》/ a *ship*'s boat (搭載)救命ボート / a *ship*'s journal 航海日誌 / **by** *ship* 船(便)で《◆「船便」は by surface (mail) が《米》ではふつう. ➡文法 **16**.3(5)》/ charter [handle] a *ship* 用船[操船]する / clear a *ship* 積み荷を下ろす / launch a *ship* 船を進水させる / take *ship* =go on board a *ship* 乗船する.

[関連] 〖いろいろな種類の船〗
aircraft carrier 空母 / boat ボート / ferry フェリー / freighter 貨物船 / liner 定期船 / sailboat, sailing ship 帆船 / submarine 潜水艦 / tanker タンカー / warship, battleship 戦艦 / yacht ヨット.

2《海事》シップ《bowsprit を備えた3本マストの大型横帆船》(cf. schooner, ketch, yawl, sloop).
when one's **shíp cómes ín [hóme]**〖荷を積んで行った船が代金を受け取って戻ってくれば商人が大儲(もう)けしたことから〗《略式》金持ちにでもなったならば, 出世でもしたならば.
──動 (~s /-s/; 過去·過分 shipped /-t/; ship·ping)
──他 **1**〈人が〉《列車・トラック・航空機などで》〈貨物など〉を送る, 輸送する;〈商品〉を発送[出荷]する‖ *ship* goods by freight train 貨物を急行列車で輸送する. **2** …を船積みする, 船で運ぶ[送る] (+*out*). **3**《略式》〈人・物〉を[…へ](やっかいなものとして)追い払う (send) (+*off*) [*to*]‖ The parents *shipped* the children *off to* boarding school. 両親は子供たちを追い払うように寄宿学校に入れた. **4**〈波〉をかぶる‖ *ship* water〈船·船員が〉波をかぶる. **5**〈船員〉を雇い入れる, 乗り組ませる.
──自 **1** 船に乗る, 乗船する. **2** 出航する (+*out*). **3** 水夫になる, 乗船して働く (+*out*) (*as*).

shíp canàl 大型船の通れる運河.
shíp('s) bíscuit《主に英》船用堅パン (hardtack).
shíp's bòy キャビンボーイ《船客・高級船員の世話をする》.
-ship /-ʃìp/ (語要素) →語要素一覧(2.1).
ship·build·er /ʃípbìldər/ 名 Ⓒ 造船業者; 造船技師.
†**ship·build·ing** /ʃípbìldiŋ/ 名 Ⓤ 造船(業); 造船術.
†**ship·load** /ʃíploud/ 名 Ⓒ 船1隻分の積荷量[船客数].
ship·mas·ter /ʃípmæ̀stər | -mɑ̀ːs-/ 名 Ⓒ《ふつう商船の》船長 (captain).
ship·mate /ʃípmèit/ 名 Ⓒ **1**《同じ船の》船員仲間. **2**《同じ船の》旅の道連れ.
†**ship·ment** /ʃípmənt/ 名 Ⓤ 船積み, 積み込み; 発送; Ⓒ 船積み荷, 積み荷, 発送品《◆《米》では航空機その他による荷を含む》.
ship·own·er /ʃípòunər/ 名 Ⓒ 船主, 船舶所有者.
†**ship·per** /ʃípər/ 名 Ⓒ 船主, 荷送り人《◆《米》では陸路·空路の荷送りにも用いる》.
†**ship·ping** /ʃípiŋ/ 名 **1** Ⓤ 船積み, 積出し. **2** 海運業,《米》運送業. **3** [集合名詞] 《1国·1港に属する》船舶.
ship-rigged /ʃíprìɡd/ 形《帆船が》全装の, シップ型装備の.
ship·shape /ʃípʃèip/ 副 形 整然と[した], きちんと[した].
ship·worm /ʃípwə̀ːrm/ 名 Ⓒ《貝類》フナクイムシ.
†**ship·wreck** /ʃíprèk/ 名 **1** Ⓤ 難破, 沈没; Ⓒ 破船, 難破船‖ suffer *shipwreck* 難破する‖ be saved from a *shipwreck* 遭難した船から救い出される. **2** Ⓤ《望み·計画などの》くだかれること, 挫折(ざせつ); 失敗〔*of*〕‖ the *shipwreck* of all one's hopes 大きな失望.
──動 他 **1**《通例 be ~ed》〈船が〉難破する;〈人が〉難破にあう‖ be *shipwrecked* by a hurricane [an iceberg] ハリケーン[氷山]で難破する. **2**〈人·望みなど〉をだめにする, くじく, 挫折させる.
ship·wrecked /ʃíprèkt/ 形 難破した‖ a *shipwrecked* schooner 難破したスクーナー.
ship·wright /ʃíprait/ 名 Ⓒ 船大工, 造船工.
†**ship·yard** /ʃípjɑ̀ːrd/ 名 Ⓒ 造船所 (dockyard).
†**shire** /ʃáiər/ 名 Ⓒ《英弱》州《《英·アイ》county》《◆今は主に州名の語尾に使われる. → -shire》.
†**shirk** /ʃə́ːrk/ 動 他〈仕事·責任·義務〉を《怠けて, おじけづいて》回避する, 怠ける《◆*evade* は(ずるく)回避する》. ──自 責任逃れをする, 怠ける. =shirk·er.
shirk·er 名 Ⓒ 責任を回避する人, 怠け者.
shirr /ʃə́ːr/ 名 Ⓒ《服飾》シャーリング, 飾りギャザー. ──動 他 **1** …にシャーリング[飾りギャザー]を寄せる. **2**《米》《卵》を皿に割ってオーブンで焼く.

‡**shirt** /ʃə́ːrt/ 〖「短いもの」が原義. cf. short, skirt〗
── 名 (複 ~s/-ts/) ⓒ **1** (主に男性用の)**ワイシャツ**《◆「ワイシャツ」は white shirt のなまり》; [複合語で] …シャツ ‖ a wrinkled *shirt* しわくちゃになったワイシャツ / *Near is my shirt, but nearer is my skin.* (ことわざ) シャツは(自分に)近いが肌はもっと近い; わが身ほどかわいいものはない / Your *shirt* is torn at the back. あなたのシャツは背中のところが破れています / Take off your dirty *shirt*. I will wash it. 汚れたシャツを脱ぎなさい. 洗濯してあげるわ.

関連 [いろいろな種類の **shirt**]
athletic *shirt* スポーツ用ランニングシャツ / button-down *shirt* ボタンダウン(一枚)のシャツ / dress *shirt* (米)(スポーツシャツに対する)ワイシャツ, (英)(French cuffs のついた)礼装用のワイシャツ, ドレスシャツ / polo *shirt* ポロシャツ / sport *shirt* スポーツシャツ / T-*shirt* Tシャツ.

2 (米) 下着, 肌着, シャツ.
bét one's **shírt** =bet one's boots(→ boot¹ 名).
gíve A **the shírt off** one's **báck** (略式) 自分のものを何もかも(人)にやる.
lóse one's **shírt** (略式) (ギャンブルなどで)無一文になる.
shírt blòuse (女性用の)シャツブラウス.
shírt drèss シャツドレス《身頃にシャツのデザインを取り入れたワンピース》.
shírt slèeve ワイシャツのそで.
shirt・ing /ʃə́ːrtɪŋ/ 名 ⓤⓒ ワイシャツ用布地, シャツ地.
shirt-sleeve /ʃə́ːrtslìːv/ 形 (略式) **1** ワイシャツ姿の. **2** 非公式の, 略式の; 気取らない, 率直な.
shirt・tail /ʃə́ːrttèɪl/ 名 ⓒ **1** ワイシャツのすそ. **2** (新聞記事末尾の)補足記事. ── 形 **1** 非常に若い. **2** (米) 遠い関係の. **3** 小さい, 短い.
shish ka・bob /ʃɪ́ʃ kəbɑ̀b/ /ʃɪ́ʃ kəbǽb/ シシカバブ《西アジアの羊肉のくし焼き料理. cf. kabob》.
†**shit** /ʃít/ (主に男性語・俗) (→ taboo words) 名 **1** ⓤ くそ, 大便《◆遠回しに bowel movement, waste material, (小児語) poop》‖ I wanna take a *shit*. うんこがしたい. **2** [a ~] 排便行為; [the ~s] 下痢. **3** ⓤ たわごと. **4** ⓒ [通例否定文で] くだらないもの[奴] ‖ not worth a *shit* 一文の値打ちもない / I don't give a *shit*. まったく気にしない.
── 動 (過去・過分 shit or shat /ʃǽt/ or shit・ted /-ɪd/; shit・ting) 自 大便[くそ]をする.
── 間 [しばしば Oh ~!] 《くっ, 畜生! 《怒り・嫌悪・失望などを表す》(→ dear 間)‖ No *shit*! まさか! / Tough *shit*! ざまあ見ろ!
Shi・va /ʃíːvə/ 名 [ヒンドゥー教] シバ《破壊と生殖の神. Brahma, Vishnu と共に3大神の1つ》.
†**shiv・er** /ʃívər/ 動 〈人・人の体が〉(寒さ・恐怖などで)(一時的に)**震える**, ぶるっと身震いする, おのぞく〈*with*〉 (語法 → shake 動 **2**) ‖ The kitten is *shivering with* cold. 子猫は寒さで震えています. ── 名 ⓒ (略式) (発熱による)震え, 悪寒(ぁ); [the ~s] 寒け, (恐怖などによる)身震い. **gíve** A **the shívers** (略式) 〈人〉を〈恐怖・不安などで〉身震いさせる.
shiv・er・ing・ly /ʃívərɪŋli/ 副 震えて, おののいて.
shiv・er・y /ʃívəri/ 形 ぶるぶる震える; ぞくぞくする(ほど寒い).
†**shoal¹** /ʃóul/ 名 ⓒ **1** 浅瀬, 州(ち), 砂州. **2** [通例 ~s] 隠れた危険[障害]. ── 動 自 浅くなる, 浅瀬にな

る. ── 他 〈船〉を浅い方へ進める. ── 形 浅い. *shoal* water 浅瀬.
shoal・y /-i/ 形 浅瀬の多い.
shoal² /ʃóul/ 名 ⓒ (魚の)**群れ**(school) (関連 → flock¹); (略式) [~s of …] (人・物などの)多数[多量]の… ‖ a *shoal* of fish 魚の群れ / *shoals* of children 大勢の子供たち.
in shóals 群がって, 多数, どっさりと.
── 動 自〈魚が〉群れる, 群遊する.
‡**shock¹** /ʃɑ́k/ /ʃɔ́k/ 〖「がたがた揺れぶる」が原義〗
── 名 (複 ~s/-s/) **1** ⓒⓤ [人にとっての] (精神的)**打撃, ショック**, 動揺〈*to*〉; ⓒ 精神的動揺のもと ‖ His death was [came as] a terrible *shock*. 彼の死は非常なショックであった / She got over the *shock* of divorce. 彼女は離婚のショックから立ち直った / He was speechless *from shock*. 彼は動揺してものも言えなかった.
2 ⓤ [医学] ショック(症) ‖ go into *shock* ショック症を起こす / die of *shock* ショック死する.
3 ⓒ (強い打撃・衝突・爆発などによる)**衝撃**, 激しい震動; 激突 ‖ vertical *shocks* 上下動 / The *shocks* of several explosions were felt for miles. 数回の爆発の衝撃は何マイルにもわたって感じられた.
4 ⓒⓤ **電撃**(electric shock) ‖ I got a slight *shock* when I touched the switch with wet hands. 濡れた手でスイッチにさわったら少しビリッときた.
5 ⓒ (略式) =shock absorber.
── 動 (~s/-s/; 過去・過分 ~ed/-t/; ~・ing)
── 他 **1**〈物事が〉〈人〉を**ぎょっとさせる, ぎくりとさせる**, 〈人〉にショックを与えて〔…の状態に〕させる〈*into*〉; [be ~ed]〈人が〉〔…に / …して / …ということに〕**ショックを受ける**, びっくりする〈*at, by, about* / *to* do / *that* 節〉‖ Her sudden death *shocked* everyone. 彼女の急死はすべての人にショックを与えた (◎対話)
"I'm terribly *shocked at* [*by, to* hear] the news of his accident." "I am, too." 「彼の事故の知らせにひどくショックを受けた」「私もだ」(◎文法 7.3) / Don't look so *shocked*. そんなにびっくりした顔はするな《◆この *shocked* は形容詞化している》.
2〈物事が〉〈人〉を**憤慨させる**, あきれさせる; [be ~ed]〈人が〉〔…に / …して / …ということで〕**憤慨する**, 腹を立てる, あきれる〈*at, by* / *to* do / *that* 節〉‖ I *was shocked at* her indifference. 彼女の無関心にはあきれた.
3 [通例 be ~ed]〈人が〉〔…に / …して〕電気ショックを受ける〈*at, by* / *to* do〉.
── 自〈人が〉ぎょっとする ‖ She *shocks* easily. 彼女はすぐにショックを受ける.
shóck absòrber [機械] 緩衝器, ショックアブソーバ.
shóck wàve 衝撃波; 爆風(暴動などの)大きな余波.
†**shock・ing** /ʃɑ́kɪŋ/ /ʃɔ́k-/ 形 **1** [他動詞的に] 〔人にとって〕衝撃的な〈*to*〉, ぞっとする ‖ a *shocking* plane crash ぞっとする飛行機墜落. **2** いやな, 不快な; 下品な ‖ her *shocking* language 彼女の下品な言葉づかい. **3** (英略式) ひどく悪い ‖ *shocking* weather ひどい天気. ── 副 (略式) ひどく.
shóck・ing・ly 副 **1** (略式) とても, ひどく (very). **2** とても悪く.
shod /ʃɑ́d/ /ʃɔ́d/ 動 shoe の過去形・過去分詞形.
shod・dy /ʃɑ́di/ /ʃɔ́di/ 名 ⓤ 形 (**--di・er, --di・est**) **1** 再生羊毛(の); 再生毛織[地](の). **2** 安物(の), 見かけ倒し(の).
‡**shoe** /ʃúː/
── 名 (複 ~s/-z/) ⓒ **1** [通例 ~s] 靴《◆豊饒

(り)・愛情・権威などの象徴》‖ *a pair of shoes* 靴1足 / *put on* [*take off*] *one's shoes* 靴をはく[脱ぐ] / *tie one's shoes* 靴ひもを結ぶ / *My shoes* are (too) tight. 私の靴がきつい / She had new *shoes* on. 彼女は新しい靴をはいていた / *Over shoes, over boots.*《ことわざ》短靴がつかるまで水に入ったからには，長靴がつかるまで入っていく《「毒を食らわば皿まで」》[日本発》》 It is the custom in Japan for people to take off their *shoes* when they enter a house. 日本には家の中へ入るときに靴を脱ぐ習慣があります.

[関連 [shoe と boot]
(1)《米》では shoe は boot（長靴）以外のものをさし，特に区別する場合は low shoe（ふつうの短靴でくるぶしより下のもの）と high shoe（くるぶしより上にくる靴）に分ける．
(2)《英》では shoe は low shoe のみに用い，boot は high shoe およびそれより長い靴をさす．これをまとめると次のようになる．

《米》	《英》
low shoe	shoe
high shoe	boot
boot	high boot

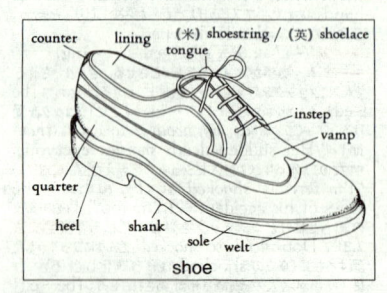

---

2 (馬の)蹄鉄(ていてつ) (horseshoe) ‖ *cast* [*throw*] *a shoe* ＜馬が＞蹄鉄を1つ落とす．**3** 靴に似た物；(車輪の)輪止め；(その滑走部の)すべり金；(自動車の)タイヤの外被；(自動車の制動のための)ブレーキシュー；(電車の)集電靴；(つえなどの)石突き．
fíll A's **shóes** ＜人＞に代わる，…の後がまに座る．
gét [**grów**] **tòo bíg for** *one's* **shóes** =get [grow] too big for one's boots (→ boot¹《英》).
in A's **shóes** ＜人＞に代わって，＜人＞の立場に身を置いて．

── 動 (過去・過分) shod/ʃɑ́d |ʃɔ́d/ or ～d; ～ing) 他 **1** …に［…の］靴をはかせる(with)；＜馬など＞に蹄鉄を打つ ‖ *be well shod*《主文》よい靴をはいている．**2** …(の先端)に金具をはめる．
shóe lèather 靴革；[集合名詞的に] 靴．
shóe pòlish 靴墨．
shóe repáirer [[遠回しに] **rebuilder**] 靴直し屋．
shoe·horn /ʃúːhɔ̀ːrn/ 名 C 靴べら．
shoe·lace /ʃúːlèis/ 名 C《英》靴ひも(《米》shoestring).
†**shoe·mak·er** /ʃúːmèikər/ 名 C 靴屋；靴直し屋．
shoe·mak·ing /ʃúːmèikiŋ/ 名 U 靴製造(業)，靴直し(業)．
shoe·shine /ʃúːʃàin/ 名《米》**1** C 靴磨き．**2** U [時

に *a* ～] 磨いた靴の光沢．
shoe·string /ʃúːstriŋ/ 名 C《米》靴ひも(《英》shoelace)＜◆「靴ひもを結ぶ」はふつう tie one's *shoes*＞. ── 形 **1**《米》細長い．**2** 少額(の資金)の．
sho·gun /ʃóugən, -gùːn/《日本語》名 C 将軍．
*shone /ʃóun |ʃɔ́n/ shine の過去形・過去分詞形．
shoo /ʃúː/ 間 シーッ!，シッシ!＜◆鳥や動物・子供を追い払う時に出す声＞．── 動 他 ＜鳥など＞を［…から］シッといって追い払う(+*away, off*) (*out of*).
*shook /ʃúk/ 動/形 shake の過去形．
*shoot /ʃúːt/ 動 (同音) chute 《「人が矢・石・弾丸などを弓や銃などの武器を用いて飛ばす」が本義．cf. shot¹》

▶ **index** 動 他 1 撃つ 2 発砲する 4 急に向ける
　自 1 撃つ 2 発射される 3 素早く動く
　4 走る 5 芽を出す
　名 1 射撃 2 b 新芽 4 撮影

── 動 (～s/ʃúːts/ ; 過去・過分 shot/ʃɑ́t |ʃɔ́t/; ～ing)
── 他 **1 a** ＜人が＞＜弾丸・矢などで＞＜人・動物＞を撃つ，射る；…の＜体の部分＞を撃つ(*in, through*) ＜◆弾丸などが当たること，その結果負傷させたり殺したりすることも含む．cf. 自1＞；…を射殺する ‖ He *shot* two rabbits in one day. 彼は1日でウサギを2匹撃ち止めた / *shoot* oneself in the side of the head with a pistol ピストルで側頭部を撃って自殺する．**b** [*shoot* A C] A＜人・動物＞を撃って C の状態にする ‖ *shoot* a tiger dead トラを撃ち殺す．**c** [～ one's way] 発砲しながら進む ‖ He *shot his way* out of prison. 彼は発砲しながら脱獄した．

2 a ＜人・武器が＞＜弾丸・矢・ロケットなど＞を［…に向かって／…へ］発砲する，放つ(+*off*) (*at, toward* / *into*) ‖ *shoot* an arrow *at* the target 標的に矢を射る / My gun *shoots (off)* six bullets. 私の銃は6発の弾が出る．**b** ＜銃・大砲など＞を撃つ，＜弓＞を射る(+*off*) ‖ *shoot (off)* a gun 銃を撃つ．

3 ＜人が＞＜質問・返答など＞を[人に]矢継ぎ早に出す，浴びせかける(*at*) ‖ The reporters *shot* questions *at* me. 記者たちは私に質問の雨を降らせた＜◆目的語は複数形名詞＞．

4 [*shoot* A *at* B =*shoot* B A] ＜人が＞B＜人＞に A ＜視線・微笑など＞を急に向ける，放つ ‖ The detective *shot* me a sharp look. 刑事は私に鋭いまなざしを向けた / She *shot* a warm smile *at* the old lady. 彼女は老婦人に温かい微笑を投げかけた．

5《主に英》＜場所＞で狩猟をする ‖ *shoot* the woods 森で猟をする．**6** ＜物＞を急に［素早く］動かす；＜ごみ・手紙など＞をさっと入れる；＜人・物＞をほうり出す．**7** ＜急流・海峡など＞を素早く通る；＜橋＞の下をさっと通る；《略式》＜信号＞を無視して突っ走る．**8** ＜光線など＞を放射する；＜炎・溶岩など＞を噴出する．**9** ＜芽・葉・枝など＞を出す(+*out, forth*).**10** ＜かんぬき＞をはめる，はずす．**11**〔スポーツ〕…にシュートする[を決める]；(シュートして)＜得点＞を上げる．**12**〔さいころばくち・ビリヤード・ゴルフなどなどで〕＜おはじき＞をはじく．**13**《主に米式》＜さいころばくち・ビリヤード・ゴルフなどなどで＞(ゴルフで)＜打数＞のスコアをあげる．**14**＜写真・映画など＞を撮影する；＜人・物・場所＞の写真を撮る．**15**《俗》＜麻薬＞を打つ(+*up*).

── 自 **1 a** ＜人が＞［…をねらって］撃つ，射る，発砲する，射撃をする(*at*) ‖ He *shot at* a bird but missed it. 彼は鳥をねらって撃ったがはずれた＜◆ 必ずしも命中することを意味しない．他動詞の場合は命中したことを意味する．cf. 他1＞．**b**《英》銃猟をする ‖ He went quail-*shooting* at dawn. 彼は明け方ウズラ狩りに行

った.
2〈銃などが〉**発射される** ‖ This gun *shoots* very well. この銃はとてもよく弾丸が飛ぶ.
3〈人・物が〉**素早く動く**, 勢いよく飛び出す(+*out, forth, along, in, up*) ‖ The cat *shot out* of the house. 猫が家から急に飛び出した.
4〈痛み・寒さなどが〉**走る**〔*through, up*〕;〈体の部分が〉ずきずき痛む ‖「Pain *shot up* [I had a *shooting* pain in] my left arm. 左腕にずきんと痛みが走った.
5〈植物・種などが〉**芽**[枝]**を出す**,〈枝・芽が〉出る(+ *forth, out, up, upward*) ‖ The tulip bulbs are *shooting* everywhere. チューリップが(植えた球根から)一面に芽を出している.
6〈岬・舌などが〉[…に]突き出る(+*out*)〔*into*〕. **7** 写真を撮る; 映画の撮影をする. **8**〔スポーツ〕シュートを放つ. **9**〔主に米略式〕〔通例命令文で〕さあ, (言いにくいことを)言ってしまえ.

shóot ahéad […を]さっと追い越す〔*of*〕.
shóot at A =SHOOT for. (2) → 圓**1a**.
shóot awáy (◆ fire away の方がふつう)[自] 間断なく打ち続ける; 先へ進む, 素早く逃げる. ―[他] (1) …を撃ち倒す[破る]. (2) 〈弾薬〉を撃ち尽くす.
shóot for A (主に米略式) …を得ようと骨を折る, めざす, 切望する.
shóot óut [他] (爆発により) 〈火山灰など〉を吹き出す.
shóot úp [自] (1) → 圓**3, 5**. (2) (略式) 〈人・植物が〉急に成長する. (3) 〈物価・温度・志願者などが〉急上昇[急騰]する. (4) 〈炎が〉立ち昇る. ―[他] (略式) 〈場所〉を(乱射して)通り抜ける, おびえさせる. (2) 〈ロケットなど〉を打ち上げる. (3) → 他**15**. ―[自[+] → 圓**4**.

―[名](~**s**/-ts/) [C] **1** 射撃, 発射 ‖ get *shoots* 注射をされる.
2 a 発芽, (植物の)成長. **b** 新芽; 若葉; 若枝; 若い茎; 若い球根 ‖ bamboo *shoots* たけのこ.
3 (英) 狩猟会; 狩猟隊; 狩猟場; 狩猟旅行.
4 (映画・写真などの)撮影.

―[間] [s] (驚き・不信などの発声. shit の遠回し語で女性も使用].

shoot·er /ʃúːtər/ [名] [C] **1** 射手, 撃つ人; 狩猟者. **2** シュートする人. **3** (クリケットの) シューター. **4** [複合語で] 銃[ピストル]; …の射手 (主に米俗) =gun ‖ a six-*shooter* 6連発銃.

shoot·ing /ʃúːtɪŋ/ [名] **1** [U][C] 射撃, 発射; 発砲. **2** [U] (主に米) 銃猟, 銃猟権. **3** [C] (英) 猟場. **4** [the ~] 撮影.

shóoting gàllery (ふつう囲いをした)射撃練習場.
shóoting ránge 射撃練習場.
shóoting stár 流星, 流れ星(meteor).
shóoting wár 熱い戦争, 撃ち合いの戦争(↔ cold war).

shop /ʃɒp | ʃɔp/ [『「小屋」が原義』]
―[名] (複 ~**s**/-s/) **1 a** [C] (ふつう小さな) 店, 小売店, 商店(◆(米)では store の方が好まれる) ‖ She bought some banana *at the* fruit *shop*. 彼女は果物屋でバナナを買った / The dress *shop* is having a half-price sale. =They are having a half-price sale at the dress *shop*. その服屋は半額セールをしている. **b** [C] (米) (百貨店などの)特定品売場, 専門店 ‖ the toy *shop* at Harrods ハロッズ(百貨店)のおもちゃ売り場. **c** [C] (サービス業の)店 ‖ a barber's (*shop*) (英) 理髪店(米) barbershop).
2 [U] **a** [通例複合語で] (物を作ったり修理したりする)仕事場, 作業場; 工場 ‖ He works in a repair *shop*. 彼は修理(工)場で働いている / a machine *shop* 機械工場. **b** アトリエ, 工房.
3 [C] (略式) 職場. **4** [U] 事業, 商売; 職業. **5** [C] (学校の)工作室; [U] (米) (教科の)工作; [U] 仕事の話.

dò the shóp (略式) 買物に行く(go shopping).
kèep a shóp 店を持つ, 商売をする.
sét up shóp (略式) 商売を始める, 店開きをする.

―[動] (~**s**/-s/; [過去・過分] **shopped**/-t/; **shop·ping**)
―[自] 〈人が〉買物をする, 〔特定の品を〕買いに行く〔*for*〕 ‖ Mother *shops* on Saturdays. 母は土曜日に買物をします / go to *shop* for skis スキー(用品)を買いに行く / go *shopping* in [on, ×to] the Ginza =go to the Ginza「to *shop* [to do some *shopping*] 銀座へ買物に行く / His wife *shopped for* groceries. 彼の奥さんは食料品を買いに行った.
―[他] **1** (米) (買物のため)〈店〉をあさる, 見て回る;〈特定の店〉で買物をする. **2** (英俗) 〈人〉を[…に]密告する〔*to*〕.

shóp (a)róund [自] (略式) (良い買物をしようと) [値段を]見て回る〔*for*〕.
shóp assístant (英) 店員((米) salesclerk).
shòp flóor (英略式) [the ~] (1) 作業場. (2) [集合名詞的に; 単数・複数扱い] (経営陣に対して)工場組織労働者.
shóp hóurs (商店の)営業時間.
shop·boy /ʃɒpbɔɪ | ʃɔp-/ [名] [C] (男の)店員, 売り子((PC) shop assistant, salesclerk).
shop·girl /ʃɒpɡɜːrl | ʃɔp-/ [名] [C] (女の)店員, 売り子((PC) shop assistant, salesclerk).
†**shop·keep·er** /ʃɒpkiːpər | ʃɔp-/ [名] [C] (主に英) (小売店の)店主, 店の経営者((米) storekeeper) ‖ a nation of *shopkeepers* 商人の国民, 英国人.
shop·lift /ʃɒplɪft | ʃɔp-/ [動] [自][他] (…で)万引きをする.
shóp·lìft·ing [名] [U] 万引き.
shop·lift·er /ʃɒplɪftər | ʃɔp-/ [名] [C] 万引きをする人, 万引き犯 ‖ *Shoplifters* will be prosecuted. (店内の掲示)万引きは犯罪です.
shop·per /ʃɒpər | ʃɔp-/ [名] [C] 買物客, 顧客(◆女性が多いので代名詞はしばしば she, her で受ける).
*****shop·ping** /ʃɒpɪŋ | ʃɔp-/
―[名] [U] 買物(をすること); (英) 買った品物 ‖ I went to town to *do some shopping*. (英) 買物をしに町へ行った(=I went *shopping* in town.) / Please put the *shopping* in the trunk of the car. 買ったものを車のトランクの中へ入れてください / My husband does most of the *shopping*. 夫がほとんどの買物をしてくれます.

shópping bàg 買物袋.
shópping càrt (米) ショッピング用カート((英) shopping trolley).
shópping cènter [(米) **màll**] 商店街, ショッピングセンター(◆ふつう駐車場がある. → mall **2**).
shópping chánnel (テレビの)商品専門チャンネル.
shop·soiled /ʃɒpsɔɪld | ʃɔp-/ [形] (主に英) =shopworn.
shop·walk·er /ʃɒpwɔːkər | ʃɔp-/ [名] [C] (主に英) (百貨店などの)売場案内員[監督]((米) floor manager).
shop·win·dow /ʃɒpwɪndoʊ | ʃɔp-/ [名] [C] ショーウインドー, 商品陳列窓.
shop·worn /ʃɒpwɔːrn | ʃɔp-/ [形] **1** (主に米) 〈商品など〉がたなざらしの((主に英) shopsoiled). **2** 〈考えなど〉が陳腐な.

shore

shore /ʃɔ́ːr/ 《「切り立った崖(がけ)」が原義》(頻)
ashore
—名 (複 ~s/-z/) **1** ⓒ Ⓤ (海・湖・河の)岸, 海岸, 湖畔, 河岸; (海に対して)陸〔頻語〕 → coast〕‖ The tired boy managed to swim to shore. その少年は疲れていたが岸まで泳ぎついた / I stood on the shore gazing at Lake Biwa. 私は湖畔に立って琵琶湖を見渡した. **2** ⓒ〔主に文〕[~s] (海に囲まれた)国; (海に面した)地方 ‖ his native shores 彼の祖国. **3** ⓒ〔法律〕海岸《春分・秋分の日における満潮線と干潮線の間》.

óff shóre 水中[上]に; 岸を離れて.
on shóre 陸上に[へ]; 船から離れて, 上陸して.
—動 (shor·ing) 他《船などを》陸に揚げる.
shore·less /ʃɔ́ːrləs/ 形岸のない; 果てしない, 無限の.
shore·line /ʃɔ́ːrlàɪn/ 名 ⓒ 海岸線, 湖岸線.
shore·ward /ʃɔ́ːrwərd/ 形副陸[岸]の方の[へ].
shor·ing /ʃɔ́ːrɪŋ/ 動 → shore.
shorn /ʃɔ́ːrn/ 動 shear の過去分詞形. —形 刈り込まれた.

short

short /ʃɔ́ːrt/ 《「基準に足りない」が本義》(頻)
shortage (名), shorten (動), shortly (副)

index 形 **1** 短い **2** 背の低い **6** 不足した **8** 簡潔な
副 **1** 急に

—形 (~·er, ~·est)
Ⅰ [長さ・距離が基準より以下である]
1 [長さ・距離・時間などが]短い (↔ long) ‖ Short hair seems cooler for summer. 短い髪の方が夏には涼しそうだ / The shortest night in the year is on June 22. 1年で一番夜が短いのは6月22日です / It's only a short way to the zoo. 動物園はすぐ近くです.
2 〈人・塔・木などが〉背の低い, 丈の短い (↔ tall) ‖ He is shorter than his brother. 彼は兄さんより背が低い / You see a house with a short chimney over there. あそこに低い煙突のある家が見えるでしょう.
3 [音声]〈母音・音節が〉短音の, 短い, 強勢のない. **4** [名詞の前で]〈アルコール飲料が〉小さいグラスについだ. **5** [通例名詞の前で]〈手形などが〉短期の.
Ⅱ [ある基準に届かない]
6 〈数量・期間・距離などが〉不足した, 乏しい; [名詞の後で] …足りない; [補語として]〈人が〉〈…が〉不足して〔of〕《場合によっては on, in も用いられる》; 標準に達しない ‖ give short weight 目量不足をする / Water is in short supply. 水は不足している《◆ Water is scarce. の方がふつう》/ We are short of change [hands, cash]. 我々は小銭[人手, 現金]が不足している / I am short of sleep. 昨晩寝不足です. 昨晩遅くまで起きていました / I need $5, but I am 50 cents short. 5ドル必要だが50セント足りない / She is short on experience and long on ambition. 彼女は経験が少ないが野心だけは大きい.
7 [通例名詞の前で]〈菓子などが〉(ショートニングが多くて)壊れやすい, さくくある.
Ⅲ [文の内容などが短い]
8 〈話・文などが〉簡潔な, 手短な ‖ She gave a short explanation of the accident. 彼女はその事故を簡単に説明した / Make your story short and to the point. 話は手短に要領よく言いなさい.
Ⅳ [気持ちなどが短い]
9 [補語として]〈人が〉〈…に対して〉ぶっきらぼうな, 無愛想な, つんけんどんな〔with〕‖ The salesman was short with me. セールスマンは私にそっけない話し方をした.

líttle shórt of A 〖A〈物・状態〉におよばない(short 形 **6**)ことはない〗ほとんど…以外のなにものでもない《◆ A は名詞・形容詞》‖ His success was little short of miraculous [a miracle]. 彼の成功はほとんど奇跡であった.
nóthing shórt of A まったく…以外のなにものでもない.
shórt and swéet 〈言葉などが〉簡潔で要を得た; [しばしば皮肉的に]ひどく簡単な, 舌足らずの.
shórt for A 〈名前・文字などが〉…を省略した, …の略語で ‖ Beth is short for Elizabeth. ベスはエリザベスを短くした呼び名である.
***shórt of A** (1) → **6**. (2)〈事〉以外は, …を除いて (except for) ‖ I can't think what to do with these papers, short of burning them. この書類をどう処理したらよいか, 燃やすとぐらいしか思いつかない. (3)〈場所・物〉の手前で ‖ She stopped the car several yards short of the gate. 彼女は門の数ヤード手前で車を止めた.

—副 (~·er, ~·est) **1** 急に, 不意に, 突然《◆比較変化しない》‖ The taxi stopped short at the red light. タクシーは赤信号で急に止まった. **2** 簡潔に. **3** ぶっきらぼうに, そっけなく. **4** 空〔売りによって《◆比較変化しない》.
be cáught shórt (1) 不意打ちを食う. (2)〔略式〕思いがけず必要なものがない.
cùt shórt (1) 〈物〉を短く切る. (2)〈話・事柄などを〉途中で終わらせる[切り上げる]. (3)〈人〉の話を止めさせる ‖ cut oneself short 急に口をつぐむ.
***fàll [còme] shórt** (1) 〖…に達しない(short 形 **6**)ことはない〗(come **12**, fall 自 **12**)〈目標・基準・期待などに〉達しない〔of〕(↔ come up to) ‖ His profits fell short of his expectations. 彼の収益は予想に反した. (2)〈金・物などが〉不足する.
***rùn shórt** [しばしば進行形で] (1)〈物が〉不足する ‖ Water is running short. 水が足りなくなっている. (2)〈人などが〉〈…〉を切らす〔of〕‖ They have run short of money. 彼らは金が足りなくなった.

—名 **1** ⓒ 短いもの; [the ~] 要点, 要旨. **2** ⓒ 欠けて[不足して]いるもの; (主に米) [通例 ~s] 不足分 [額], 資金難. **3** ⓒ (略式) =short circuit. **4** ⓒ 短母音; 短音節; 短母音符号. **5** [~s; 複数扱い] (運動用の)短パンツ, 半ズボン; (主に米)(男子用の)パンツ, ショーツ. **6** ⓒ〔野球〕ショート, 遊撃手(short-stop).
for shórt 略して, 短く言って ‖ The British Broadcasting Corporation is called the BBC for short. 英国放送協会は略して BBC と呼ばれる.
***in shórt** [文全体を修飾; 通例文頭・文中で] 要約すると, 手短に言うと《◆ ✍ 主に箇条書に述べてきたことを要約する時に用いる. 単に「手っ取り早く言えば」の意ではない》‖ The train was late, the car was broken and it began to rain. In short, we had a difficult trip. 列車は遅れ, 車は故障し雨まで降り始めた. 手短に言えば, 苦労の多い旅だった.
—動 (略式)〔電気〕…をショートさせる.
—自 ショートする (+out).
shórt círcuit 〔電気〕短絡, ショート (cf. short-circuit).

shórt drínk (略式) [a ~] (少しずつ飲む) 強い酒《ウイスキー・ジンなど》; 食前酒《カクテルなど》.

shórt síght (主に英) 近視; 近視眼的な見方.

shórt stóry 短編小説.

shórt·ness 名 U 1 短いこと; 低いこと. 2 不足. 3 簡単. 4 無愛想.

†**short·age** /ʃɔ́ːrtɪdʒ/ 名 C U 不足; 不足高 ‖ There was *no shortage of* water in the mountains after the hot summer. 暑い夏のあとでも山間部では水不足はなかった.

short·bread /ʃɔ́ːrtbrèd/ 名 C U ショートブレッド《バターをたっぷり使い, さくさくしたビスケット》.

short·cake /ʃɔ́ːrtkèɪk/ 名 U C 1 (米) ショートケーキ《shortening の入った生地と果物で作るケーキ. cf. short 形 7》. 2 (英) ショートケーキ《厚い shortbread の一種》.

short-cir·cuit /ʃɔ́ːrtsə́ːrkət/ 動 他 1 (電気) …を短絡[ショート]させる. 2 …を迂(う)回する; …を簡単にする, 簡略化する. 3 …を妨害する. ── 自 短絡[ショート]する. (◆ cf. short circuit)

†**short·com·ing** /ʃɔ́ːrtkʌ̀mɪŋ/ 名 C (通例 ~s) 欠点, 短所《♦ fault より堅い語》.

†**short·cut** /ʃɔ́ːrtkʌ̀t/ 名 C [比喩的にも用いて] 〔…への〕近道〔to〕; 〔コンピュータ〕ショートカット.

short·en /ʃɔ́ːrtn/ 動 他 1 〈人が〉〈物を〉短くする, 縮める, 短く見せる (↔ lengthen) ‖ *shorten* a dress by five centimeters 服(の丈)を5センチ短くする / *shorten* one's stay to four days 滞在期間を4日に短縮する. 2 〈菓子などを〉(バターなどを入れて)さくさくさせる. ── 自 〈物が〉短くなる, 縮む ‖ The nights *shorten* in summer. 夏は夜が短くなる. 2 〈価格・賭(か)けの歩(ぶ)が〉〈などが〉減少する.

†**short·en·ing** /ʃɔ́ːrtnɪŋ/ 名 1 U (主に米) ショートニング《菓子を軽やかな舌ざわりにするために用いるバター・ラードなど》. 2 U C 短縮(語).

short·hand /ʃɔ́ːrthænd/ 名 U 1 速記(法) (主に米) stenography); [形容詞的に] 速記の, 速記で書いた (↔ longhand) ‖ write *shorthand* 速記する. 2 簡潔な言い方. **shórthand týpist** (英) 速記タイピスト ((米) stenographer).

†**short-lived** /ʃɔ́ːrtláɪvd | -lɪ́vd/ 形 〈人・動物が〉短命の, はかない; 〈物事が〉長続きしない.

†**short·ly** /ʃɔ́ːrtli/ 副 **1a** (やや古) まもなく, すぐに, やがて (◆ soon がふつう) ‖ The rainy season will set in *shortly*. 梅雨がまもなく始まります / Come back *shortly*. すぐに戻って来なさい. **b** [after, before と] 少し, ちょっと ‖ We met him *shortly before* 5:30. 5時半少し前に我々は彼に会った / She arrived *shortly after* sunset. 日没後少しして彼女は到着した. **2** 手短に, 簡単に (◆ 通例次の句で) ‖ to put it *shortly* 簡単に言えば (◆「事の次第を手短に説明しなさい」というときは Explain briefly [×*shortly*] what has happened.). **3** そっけなく, ぶっきらぼうに ‖ answer *shortly* 無愛想に答える.

†**short-sight·ed, short-sight·ed** /ʃɔ́ːrtsáɪtɪd/ 形 **1** (主に英) 近視の ((米) nearsighted) (↔ longsighted). **2** 先見の明のない, 近視眼的な (↔ farsighted).

short·stop /ʃɔ́ːrtstɒ̀p | -stɔ̀p/ 名 C U (野球) 遊撃手[ショート] (の守備位置) (◆ short ともいう).

short-tem·pered /ʃɔ́ːrttémpərd/ 形 短気な, 怒りっぽい.

short-term /ʃɔ́ːrttə́ːrm/ 形 **1** 短期間の. **2** 短期満期の《ふつう1年以内》.

†**short·wave** /ʃɔ́ːrtwéɪv/ (通信) 名 C 形 短波(の) (略) SW).

†**shot**[1] /ʃɑ́t | ʃɔ́t/ 名 (複 **2 shot**) **1** C (鉄砲・弓などの) 発射, 発砲, 射撃; 銃声 ‖ fire a *shot* 発砲する / hear a *shot* 銃声が聞こえる. **2** C U 弾丸, 砲弾; U [集合名詞] 散弾 ‖ The hijackers were peppered with *shot*. ハイジャックの犯人に弾丸が浴びせられた / The gun was out of *shot*. 銃には弾丸が入ってなかった. **3** C 射手, 撃ち手 ‖ the best *shot* in the army 軍隊一の射撃の名人. **4** C (略式) **a** (球技) (1回の) シュート, ひと突き, ひと投げ, ひと蹴り ‖ He made a thirty-foot jump *shot* [×*shoot*] to win the game. 彼の30フィートのジャンプシュートで試合をものにした. **b** (野球) ホームラン. **5** C (略式) (ロケット・ミサイルなどの) 発射, 打ち上げ ‖ a moon *shot* 月ロケットの打ち上げ. **6** U 射程, 着弾距離; (音の) 到達範囲 ‖ be out of rifle *shot* ライフル銃の射程外である. **7** C (主に米式) 皮下注射; ワクチン接種 (injection) ‖ I had [got] a *shot* of penicillin. ペニシリンの注射を打ってもらった. **8** C (略式) **a** (米) 酒の一口 ((英略式) spot) 《1/2オンスの量》. **b** (英) (飲み屋の) 勘定. **9** C (略式) (薬の) 1服 (dose). **10** C 〔…への〕当てこすり〔at〕. **11** C [通例 a ~] 〔…に対する〕試み, 企て〔at〕 ‖ have [take] a *shot at* the puzzle パズルをやってみる. **12** C **a** 〔…に対する〕当て推量, あてずっぽう〔at〕 ‖ make a bad *shot at* the answer あてずっぽうで答えて間違う. **b** (略式) (賭(か)けの) 勝ち目. **13** C **a** (略式) 写真, スナップ (photograph) ‖ She took some *shots* of us eating pizza. 私たちがピザを食べている写真を彼女は撮った. **b** (映画・テレビで連続して撮影した) 一場面.

a shót in the dárk (1) [しばしば just [only] の後で] 当て推量, あてずっぽう. (2) 成功の見込みの少ない試み.

by a lóng shót (略式) (1) 大違いで, かけ離れて. (2) (英) [否定文で] まったく, 全然. (3) 断然, 並み外れて.

hàve [tàke] a shót at A (1) …をねらい撃つ. (2) → 11.

like a shót (略式) (主に喜んで) 鉄砲玉のように, すぐに, すばやく.

shót gláss (酒を量ったりついだりする) 小グラス.

***shot**[2] /ʃɑ́t | ʃɔ́t/ 動 shoot の過去形・過去分詞形.

shot[3] /ʃɑ́t | ʃɔ́t/ 形 1〈布地が〉玉虫色の, 〔…に〕色が変わって見えるような織り方[染め方]の〔with〕‖ a scarf of red silk *shot with* green 緑色にも見える赤い絹のスカーフ. **2** 〈板の端がかまわすでにきちんと削られた. **3** (主に米略式) 〈神経などが〉使い果たした, ぼろぼろになった ‖ This car is *shot*. この車はガタが来ている.

†**shot·gun** /ʃɑ́tgʌ̀n | ʃɔ́t-/ 名 C 散弾銃, 猟銃, ショットガン.

shótgun wèdding (妊娠させたためにする) 強制された[しかたなくする] 結婚, できちゃった婚.

should

should /(強) ʃʊ́d; (弱) ʃəd, ʃd, 無声子音の前では ʃt/ [義務・可能性を表す should 独自の用法の他, shall の直説法・仮定法過去としての用法を持つ]

index
1a …すべきである　**2a** たぶん…だ　**4** …であろうに　**6** …であるよう　**9a** …するとは　**b** いったい…

── 助
Ⅰ [独立用法]

should

1 [義務] **a** [should do] 〈人は〉…すべきである, …することである, …したらいいでしょう; [当然] …して当然である〈◆一般に must, ought to より意味が弱い。否定形 shouldn't は ought to の否定形としてよく用いられる〉‖ You *should* apologize for your rudeness. 君は無礼をわびるべきだ〈◆ You'd better … の方が強い表現となる〉/ We *ought to* go now, *shouldn't* we? もう行くべきですね〈◆付加疑問文で ought to の代用〉/ What *should* I do? (助言を求めて)どうしたらいいでしょうか / 〔対話〕 "Hadn't we better begin now?" "Yes, (maybe) we *should*." 「もう始めた方がいいですか」「ええ、そうすべきです」/ *Should* I wait for her to come back? 彼女が帰って来るのを待つべきですか〈◆ Should I [we] …? はへりくだって相手の意向を聞く表現。Shouldn't I [we] …? はよりていねいな言い方。Must I [we] …? だと「…しなくてもよいでしょう」といった開き直った気持ちを含むことが多い〉/ You *shouldn't* smoke here. 君はここでタバコをすうべきではない。

b [should have done] 〈人は〉…すべきであったのに〈◆実際にはしなかったことを含意〉(⇒文法 8.4) ‖ You *shóuld have knócked* before you came in. 入る前にあなたはノックすべきでした / You *shóuld have seen* the sunset. 君にあの夕陽を見せたかったよ / *Should* Tom *have gone* to the dentist yesterday? トムはきのう歯医者に行くべきでしたか。

2 [(現在時における)可能性・推量] **a** [should do] 〈人・事・物は〉**たぶん…だ**, …のはずだ〈◆(1) 話し手の期待に添う可能性についていう。(2) 話し手の確信度については → 助 **1**〉‖ She is leaving home now. She *shóuld* get to the office in an hour. 彼女は今出ます。1時間で会社に着くでしょう(= … She is expected to get to the office …) / According to this map, this *should* be our way. この地図によると これが我々の進路のはずだ / I've mended it, so it *should* be all right now. 繕(ざく)ったのだから もう大丈夫です / She *shouldn't* be here. 彼女はここにいないはずだ(=It is highly likely that she is not here.).

b [should have done] 〈人・物が〉…したはずだ, …してしまったはずだ(⇒文法 8.4) ‖ He left home twenty minutes ago. He *should have arrived* at the office by now. 彼は20分前に家を出たから もう会社に着いているはずだ / The letter *should have arrived* by now. 手紙はもう着いたはずだ / She *should have wound* up the clock. 彼女が時計を巻いたのはほぼ確実だ(=It is almost certain that she has wound up the clock.)〈◆「彼女は時計を巻くべきだったのに(巻かなかった)」の意にもとる(→ **1b**)〉.

II [shall の直説法過去]

3 〈主に英〉時制の一致(⇒文法 10)による I [we] shall の過去 ‖ I said (that) I *should* be 20 next birthday. 次の誕生日で20歳になると私は言った(=I said, "I *shall* be 20 next birthday.").

III [shall の仮定法過去]

4 [if節の帰結節で] **a** [should do] 〈主に英〉〈人・物・事が〉…であろうに(⇒文法 9.1) ‖ If I had a thousand pounds, I *should* take a long holiday. もし1000ポンドあれば, たっぷり休暇をとるのだが(=As I don't have a thousand pounds, I won't take a long holiday.).

b [should have done] 〈人・物が〉…したであろうに, …であったろうに(⇒文法 9.2) ‖ If I had had a thousand pounds, I *should have taken* a long holiday. もし1000ポンド持っていたら, たっぷり休暇をとったであろうに(=As I don't have a thousand pounds, I didn't take a long holiday.).

5 〈主に英式〉[if節・in case節の中で] 仮に[万一](…なら), たとえ(…でも)〈◆仮定・譲歩を表す節の内容をありそうもないもの, 起こりそうもないものとして述べる。帰結節の動詞は直説法または仮定法過去〉(→ IF **A** should) ‖ If I *should* live to be a hundred, I will [would; 〈英〉 shall, should] never understand Picasso. =〈文〉 *Should* I live to be a hundred, I will [would; 〈英〉 shall, should] … たとえ100歳まで生きても, 私はピカソを理解できないでしょう(⇒文法 9.4) / If anyone *should* call up, say that I'll be back at seven. もしだれかから電話があったら, 7時に帰ると伝えてください。

6 〈主に英〉[要求・提案・必要などを表す動詞・形容詞・名詞に続く名詞節の中で] …であるよう, …する[しる](こと)〈◆〈米〉ではふつう仮定法現在を用いる。⇒文法 9.3〉‖ They *suggested* (that) 'she *should* remain [〈米〉 she remain] here until next week. 彼女は来週までここにとどまるべきだと彼らは提案した / Her parents were *anxious* that she pass [〈主に英〉 *should* pass] the entrance exam. 彼女の両親は彼女が入試に合格することを願っている / It is *important* that she learn [〈主に英〉 *should* learn] to control her temper. 彼女が自分の感情を抑えられるようになることは重要だ.

7 〈正式〉 [lest節で] …(しない)ように(に) (→ lest 接) ‖ We hid behind the trees *lest* they *should* see us. 彼らに見つからぬよう私たちは木の陰に隠れた(= We hid behind the trees 'in case they *should* see us [for fear (that) they *should* see us].).

8 [say, think, like, prefer などの動詞の前に置いて控え目・ためらい・ていねいの気持ちを表す] …なのですが ‖ I *should say* [*think*] that about forty people were present there. 約40名が出席していたようですが / I *should prefer* to go by car. 車で行きたいのですが。

IV [その他]

9 [感情の should] [驚き・意外・怒りの感情を表す]. **a** [that節で] …する[した]とは ‖ It is *lucky* that the weather *should* be so nice. 天気がこんなにいい[よかった]なんてついている / I was *surprised* that she *should* have felt unhappy when she was in London. 彼女がロンドンにいたとき不幸な気持ちだったなんて驚いていた〈◆従節の should have felt を should feel にかえても意味は同じ。両者は共に過去時を指す〉.

> 語法 (1) 主に次の構文で用いられる: be alarmed [amazed, annoyed, delighted, pleased] (to find) that … / It is fortunate [horrible, impossible, improbable, inconceivable, marvelous, natural, strange, unfortunate, unlucky, unlikely, unthinkable] that …
> (2) 事実を述べる客観的表現では直説法が用いられる: It's lucky (that) the weather *is* so nice. / It's a pity (that) he *did* [*has done*] such a thing.
> (3) **6** の should と違って, 代わりに仮定法現在(⇒文法 9.3)を使うことはできない: ×It is lucky (that) the weather *be* so nice.

b [wh節] **いったい…** ‖ *How should I know?* どうして私が知っているの(知ってるわけがありません) / *Who should be there but Tom?* いったいそこにだれがいたと思いますか,トムですよ / *Why should they have destroyed those buildings?* いったいどうして彼らはあの建物を破壊してしまったのか.

should like [preferred] to have done = *should have liked [preferred] to do* (略式) *should have liked [preferred] to have done* …したかったのですが.

shoul·der /ʃóuldər/ [発音注意] 『「鋤(すき)に用いられた肩の骨」が原義』
—名 (複 ~s/-z/) **1** ⓒ 肩; [~s] 上背部(図)→ body, back)《◆上背部を含む》‖ *feel stiff in one's shoulders* =*have stiff shoulders* 肩が堅く張っている / *walk with a child on one's shoulders* 子供を肩車で歩く / *My coat is torn at the shoulder.* 上衣の肩が破れた.

[関連] [肩に関するしぐさ]
drop [*droop*] *one's shoulders* (落胆して)肩を落とす / *hold* [*throw*] *one's shoulders back* =「*perk up* [*square*] *one's shoulders* 肩をいからす, 張る《◆得意・決意・尊大を示す動作》/ *hunch one's shoulders* (寒さ・失望に)肩を丸くすぼめる / *pat him on the shoulder* 彼の肩をポンとたたく(→ 形 **2**, catch 動 **1 c**) / *straighten one's shoulders* (丸めていた)肩をしゃんと伸ばす / *shrug one's shoulders* 肩をすくめる(→ shrug 動).

2 ⓒ (略式) [通例 ~s; 単数扱い] (責任・重荷を負う)双肩(そうけん), 肩 ‖ *lay the blame on the right* [*wrong*] *shoulders* 責めるべき[責めるべきでない]人を責める / *take* [*carry*] *the plan on one's* (*own*) *shoulders* 計画の責任を負う / *Don't shift* [*place*] *the blame to* [*onto*] *other shoulders.* 他人に責任を転嫁するな.

3 Ⓤⓒ (食用動物の)肩肉《前足・前身部を含む(図)→ pork》. **4** ⓒ 路肩(ろかた) ‖ *A car stopped on the shoulder* (*of the road*). 車が路肩で止まった[動かなくなった].

crý on A*'s shóulder* (心配などを打ち明けて)〈人〉に同情[慰め]を求める.
gèt the cóld shóulder (略式) 冷たく[よそよそしく]扱われる.
gíve A *the cóld shóulder* =turn the cold SHOULDER to .
shóulder to shóulder (1) 肩を触れ合って[並べて]; 〈建物などが〉密集して. (2) 互いに協力[連合]して.
tùrn [*show*] *the cóld shóulder to* A =*turn a cóld shóulder on* A (略式)〈人〉によそよそしい態度をとる, 口をきかない;〈人〉を避ける.

—動 他 **1**〈人・物〉を肩で押す[突く]; [~ one's way] 肩で押し分けて進む ‖ *shoulder him aside* [*away, forward*] 彼を肩で押しのける《◆*shoulder aside* は比喩的にも用いる》. **2** …を肩にかつぐ. **3**〈責任・負担などを〉引き受ける, 双肩に担う ‖ *shoulder a task without delay* すぐに仕事を引き受ける.
shóulder bàg ショルダーバッグ.
shóulder bèlt [**hàrness**] (自動車の)肩かけ式シートベルト.
shóulder blàde [**bòne**] [解剖] 肩甲骨.
shóulder pàd 肩パッド.

*shouldn't /ʃúdnt/ should not の短縮形.
†**shouldst** /(強) ʃúdst, ʃədst; (弱) ʃədst, ʃətst/ 助 (古) shall の二人称単数過去形.

shout /ʃáut/ 『「大きな声で喜怒哀楽・警告などを表す」が本義』
—動 (~s/ʃáuts/; 過去・過分 ~·ed/-id/; ~·ing)
—自 叫ぶ(+out), 大声で言う[笑う]; […を求めて/…するように]叫ぶ(for / to do); […に]どなりつける(at); (興奮などで)叫ぶ(with, for); 〈人〉に大声で呼びかける(at, to)《◆(1) at と to の比較は → at 前 **6**. (2)「泣いて叫ぶ」は cry,「金切り声で叫ぶ」は scream》‖ *shout for help* 助けてくれと叫ぶ / *shout for* [*with*] *joy* 歓声をあげる / *She shouted at the children to go away.* 彼女は向こうへ行くように子供たちをどなりつけた / *She shouted to him to be careful.* 彼女は彼に注意するように叫んだ《◆最後の 2 例で, to 不定詞の意味上の主語は直前の(代)名詞. ⇒ 文法 11.4(4)》.
—他〈人〉が〈事〉を叫ぶ, 大声で言う(+out); [shout that節] …だと叫ぶ ‖ *He was shouting rude remarks.* 彼は大きな声で無礼な意見を述べていた / "*Come back!*" *she shouted.*「引き返して」と彼女は叫んだ / *The captain shouted* (*to his men*) *that the ship was sinking.* 船長は(部下に)船が沈むぞと叫んだ.
shóut onesèlf hóarse 大声で話して声をからす.
—名 (複 ~s/ʃáuts/) ⓒ 叫び(声), 大声《◆喜び・賛成・反対・抵抗などを表す語または大勢の人の叫び》‖ *She gave a shout.* 彼女は叫んだ《◆*She shouted.* より慣用的》.

†**shove** /ʃʌ́v/ (略式) 動 (他) **1 a**〈人・物〉を(手荒く)押す, 突く(push); …を押しのける(+away, aside); …を[…に]押しつける(against, at) ‖ *shove him aside* 彼を押しのける. **b**〈物〉を(後から)[…に]押す, 押し込む(to) ‖ *shove the sofa to the other side of the room* ソファーを部屋の向こう側に押しやる. **2** …を[…に]置く, つっこむ(in, into) ‖ *Bob shoved his hands in his pockets.* ボブは両手をポケットにつっこんだ. —自 **1** […を]押す, 突く(at); 押し進む(+along, past, through) ‖ *Stop pushing and shoving!* 押し合いへし合いするのをやめろ! **2** (英略式) 動く(+over).
shóve aróund 他〈人〉をこづき回す; (略式)〈人〉をこき使う.
shóve óff [*óut*] [自] (1) (略式) [通例命令文で] 出て行け, 立ち去れ. (2)〈船が〉…を離れる〔*from*〕. —[他]〈船〉を押し出す.
—名 [a ~] ひと突き, ひと押し ‖ **対話** "*My car got stuck in the mud.*" "*Let's give it a good shove.*"「私の車がぬかるみにはまり込んで動けなくなりました」「力いっぱい押してみましょう」.

†**shov·el** /ʃʌ́vl/ 名 ⓒ **1** シャベル; 動力シャベル ‖ *a snow shovel* 雪かき用シャベル. **2** シャベル 1 杯分.
—動 (過去・過分) ~ed or (英) shov·elled/-d/; ~·ing or (英) -el·ling) 他 **1**〈雪・石炭などを〉シャベルですくう ‖ *shovel snow off* [*away from*] *the path* シャベルで道路の雪を取り除く. **2**〈道など〉をシャベルで作る ‖ *They shoveled a path through the snow.* 彼らは雪の中にシャベルで道を作った. **3**〈食べ物など〉を(大量に)[口に]ほうりこむ(+down, in)〔*into*〕;〈金〉をどんどんもうける(+in).

shov·el·er, (主に英) **-·el·er /ʃʌ́vələr/** 名 ⓒ **1** シャベルですくう人[器械]. **2** [鳥] ハシビロガモ.
shov·el·ful /ʃʌ́vlfùl/ 名 ⓒ シャベル 1 杯(分).

⁑show /ʃóu/ 〘「人に見えるようにする」が本義〙

[index] [動] [他] **1** 見せる **2** 展示する **3** 表に出す **4** 明らかにする **6** 案内する
[自] **1** 見える
[名] **1** 見せ物；テレビ[ラジオ]番組 **2** 見せること **3** 展覧会 **4** 外観

―[動] (~s/-z/; [過去] ~ed/-d/, [過分] **shown**/ʃóun/ or (時に) ~**ed**; ~·**ing**)

―[他]

I [人に見せる]

1 〈人・物が〉〈物・事〉を**見せる**，示す；[show **A B** = show **B** to **A**] 〈人が〉**A**〈人〉に **B**〈物〉を見せる (➔文法 3.3)《◆(1) **B** が代名詞の場合はふつう後者の構文を用いる. (2) **B** を主語にした受身形は to **A** の構文を用いるのがふつう》‖ You have to *show* your membership card at the door. 入口で会員証を見せなくてはなりません / Will you ***show*** ⌈me your new car [your new car ***to*** me]? 新しい車を見せてくれませんか.

[語法] 文脈から明らかな場合，**A** あるいは **B** を省略できる: Mary and Bill *showed* their wedding presents (*to* their guests). メリーとビルは結婚祝いの贈り物を(招待客に)見せた / "Do you know what it is like?" she said, so I *showed* (it *to*) her. 彼女は「それはどんなものか知ってる?」と言ったので，私は彼女に(それを)見せた.

2 〈人・博物館などが〉〈物〉を**展示する**，陳列する，出品する《◆しばしば受身で使われる》；〈映画・劇など〉を上映[上演]する ‖ The store is *showing* Christmas goods already. その店はもうクリスマスの商品を並べている / She won (the) first prize for the rose she *showed* at the flower show. 花の品評会に出品したバラで彼女は1等賞をもらった / His paintings are being *shown* at the gallery. 彼の絵は美術館で展示中です.

II [表に出して見せる]

3 〈人・顔などが〉〈感情など〉を**表に出す**，表す；[show **that** 節] …ということを表に出す ‖ She *showed* her anger in her eyes. =Her eyes *showed* her anger. 彼女は目で怒りを表した.

4 〈人・事が〉〈事〉を**明らかにする**，証明する，さし示す；[show (**A**) **B**] 〈人・物・事が〉(**A**〈人〉に) **B**〈事〉を明らかにする，示す；(動作や言葉を用いて具体的に)説明する，教える；[show **wh**句・節 / show (**that**)節] …かを[…ということを]明らかにする；[show **A** (**to be**) **C**] 〈人・事などが〉 **A**〈人・事〉が **C** であることを証明する，示す《◆**C** は名詞・形容詞・分詞》；[show **A that**節] **A**〈人・事〉が…であることを証明する ‖ Please *show* me the way to the station. 駅へ行く道を教えてください《◆実際に連れて行くとか地図を書いて教えることを意味する. 単に言葉で教えるだけの場合は tell. ×Please teach me … は不可》/ He *showed* the falseness of the story. =He ***showed that*** the story was false. =He *showed how* false the story was. =He ***showed*** the story ***to be*** false [a falsehood]. 彼はその話が偽りであることを証明した / He *showed* himself *to be* stupid. 彼は愚かであることを自らさらけ出した / I *showed* her ⌈*where* to sit [*where* she should sit]. どこに座ったらよいか彼女に教えた.

5 (正式) [show **A B** =show **B** to **A**] 〈人が〉**A**〈人〉に **B**〈好意・親切など〉を尽くす，示す；〈慈悲など〉を〔人に〕垂れる〔*on*, *upon*〕‖ She *showed* him mercy. =She *showed* mercy *to* [toward] him. 彼女は彼に情をかけた.

III [方法・場所を示す]

6 〈人が〉〈人〉を〔…へ〕**案内する**〔*into*, *to*〕；…を中へ招き入れる(+*in*)；…を〔…から〕送り出す(+*out*)〔*out of*〕《◆修飾語(句)は省略できない》；[show **A into** [**to**] **B**] 〈人が〉 **A**〈人〉を **B**〈場所〉へ案内する，通す ‖ Please ***show*** the guest ***into*** the living room. お客さまを居間へお通ししなさい / I *showed* my aunt the sights of Tokyo. おばを東京の名所へ案内した / *show* him *in* [*out*] 彼を中へ通す[外へ送り出す].

―[自] **1** 〈物・事が〉**見える**，現れる；明らかにわかる；[show **C**] 〈人・物・事が〉…に見える《◆**C** は形容詞》‖ Does my slip *show*? (スカートの下から)スリップが見えていますか / Her happiness *showed* on her face. 幸せな様子が彼女の顔に現れた. **2** (略式) 〈人が〉展示会を開く，興行する；〈劇・映画などが〉上演[上映]される ‖ What's *showing* at that movie theater? あの映画館では何をやっていますか. **3** (主に米略式) 〈人が〉(予定の所に)来る，姿を現す.

***shów* A (*a*)*róund* (B)** **A**〈人〉を(**B**〈場所〉を)案内して回る，見学させる ‖ Let me *show* you *around* my new house. 私の新築の家をご案内させてください.

shów óff [自] (略式) 〈人が〉(能力・成果などを)見せびらかす. ―[他] (1) 〈人・物が〉…を引き立たせる，よく見せる. (2) 〈人が〉…を見せびらかす，誇示する.

shów* one*sélf (1) 〈人が〉姿を現す，顔を出す. (2) [通例 have shown oneself] 〈人が〉〔…だと〕証明する〔*to be*〕(cf. [他] **4**). (3) 〈物・事が〉〔…に〕現れる〔*in*〕(cf. [他] **3**).

*__*shów úp*__ [自] (1) (略式) 〈人が〉〔会などに〕**現れる**，来る(appear)〔*at*, *for*〕《◆予定より少し遅れて来る場合などによく用いられる》([使い分け] → appear [自] **2**). (2) 〈物・本性などが〉〔…を背景に〕はっきり[よく]見える〔*against*〕. ―[他] (1) 〈光などが〉…を**はっきりと見えさせる**. (2) …をあばく，暴露する. (3) (英略式) …に恥をかかせる. (4) (略式) 〈人〉の正体を〔…だと〕明かす〔*as*, *for*〕. (5) (主に英略式) 〈人〉をしのぐ.

―[名] ([複] ~s/-z/) **1** [C] (略式) **見せ物**，ショー；映画，芝居；**テレビ[ラジオ]番組** ‖ [対話] "What TV programs do you like?" "I like quiz *shows*." 「どんなテレビ番組が好きですか」「クイズ番組が好きです」.

2 [U] [通例 a ~] **見せること**，表すこと，表示 ‖ They raised their hands in *a show* of support. 彼らは支持を表して挙手した / He was pleased by her *show* of satisfaction. 彼は彼女の満足げな様子をうれしく思った.

3 [C] [しばしば複合語で] **展覧会**，展示会，品評会；[形容詞的に] 展示用の ‖ a car *show* 自動車の展示会 / We went to his first one-man *show*. 彼の最初の個展に行った.

4 [U] [通例 a ~] **外観**，様子；見せかけ，ふり ‖ He put on *a show* of courage. 彼は勇気があるように装った.

5 [U] [通例 a ~] みえ，見せびらかし，誇示 ‖ Everyone likes *a show*. だれにも見えっぱりのところがある.

6 [C] (略式) 仕事，事業；企て. **7** (略式) [a ~] 努力，試み，行為；(主に米略式) 機会，チャンス ‖ put up *a* good [poor] *show* よい[ひどい]出来ばえである.

for shów 注目させるためだけに、見栄(ﾐｴ)で.
on shów 展示されて, 陳列されて.
shów bill 演劇のポスター.
shów búsiness [(略式) **bíz**] 演芸業, 興行事業.
show·boat /ʃóubòut/ 图 C 演芸船, ショーボート《昔米国の Mississippi 川などを巡航した》.
show·case /ʃóukèis/ 图 C 陳列用ガラスケース. **2** (才能などを売り出す)場, 機会. ――動 他 (米) …を展示[陳列]する, 披露する.
†**show·down** /ʃóudàun/ 图 C [通例 a/the ~] **1** 大詰め, どたん場, 最後の対決. **2** [ポーカー] ショーダウン《手札を見せ合って勝負をつけること》.
†**show·er** /ʃáuər/ 图 C **1** [通例 a ~ / ~s] にわか雨, 短時間の雨《◆英国の天気予報では rain より shower の方がよく登場する》; にわか雪, 短い間降るみぞれ[あられ](cf. squall) ‖ I was caught in *a shower* on my way home. 私は家に帰る途中でにわか雨にあった. **2** [a ~ of …] (涙·弾丸などの)雨, 多量の… ‖ *a shower of* tears 涙の雨 / *a shower of* presents [paint] たくさんの贈り物[多量の塗料]. **3** (主に米) (結婚·出産のお祝い品贈呈パーティー) (bridal [baby] shower). **4** シャワー; シャワー装置 (shower bath) ‖ take [have] *a shower* シャワーをあびる.
――動 他 **1** …をにわか雨でぬらす, …に水をそそぐ. **2** (贈り物などを)[…に]惜しみなく与える, 浴びせる [on]; (人)に[物を]どっさり与える [with] ‖ *shower* someone *with* affection [kindness] 人に愛情[親切心]を惜しみなく与える. ――自 **1** [it を主語にして] にわか雨が降る. **2** […に]雨のように降りそそぐ (+ *down*) [*on*]. **3** シャワーを浴びる.
shówer bàth 图 **4**.
show·er·y /ʃáuəri/ 形 にわか雨の(ような); にわか雨の多い.
†**show·ing** /ʃóuiŋ/ 图 C [通例 a ~] **1** 見せること, 展示, 上演, 上映 ‖ *a private showing of Godzilla* 『ゴジラ』の試写会. **2** 出席者, 参加者 ‖ There was *a poor showing* for last night's town meeting. 昨夜の町内会の会合は出席者が少なかった.
†**show·man** /ʃóumən/ 图 (複 **-men**) C (略式) **1** 興行師 ((PC) show manager). **2** 演技的才覚のある人 ((PC) entertainer).
show·man·ship /ʃóumənʃìp/ 图 U 興行の才能; 演出術; 観客[聴衆]を引きつける手腕, ショーマンシップ ((PC) performing skills).
*****shown** /ʃóun/ 動 show の過去分詞形.
show-off /ʃóu(ː)f/ 图 (略式) **1** C 見せびらかす人, 自慢屋. **2** U 見せびらかし, 誇示.
show·room /ʃóurùːm/ 图 C 商品陳列室, ショールーム.
show-stop·per /ʃóustɑ̀pər | -stɔ̀p-/ 图 C (略式) 演技を中断させるほど長いかっさいを受ける演技[業, 役者].
show·time /ʃóutàim/ 图 C (映画·演劇·ショーなどの)興業開始時間.
†**show·y** /ʃóui/ 形 (**-i·er, -i·est**) (正式) **1** 〈物が〉目立つ, 人目を引く. **2** 〈人が〉目ざましい能力[技量]を見せる. **3** 派手な, けばけばしい.
shów·i·ly 副 目立って; 派手に. **shów·i·ness** 图 U 目立つこと; 派手さ.
shrank /ʃræŋk/ 動 shrink の過去形.
shrap·nel /ʃræpnl/ 『英国の発明者の名から』图 (複 **shrap·nel**) U C 榴散(ﾘｭｳｻﾝ)弾; (その)破片.
†**shred** /ʃréd/ 图 C **1** [通例 ~s] (細長い)切れ端, 断片, 破片 ‖ rip [tear] the towel *to shreds* タオルをずたずたに引き裂く / What's the matter?

Your shirt is *in shreds*. どうしたの. 君のシャツはズタズタになっているよ. **2** [a ~; 通例否定文で] わずか, 少量.
tear [cút] A to shréds (1) → **1**. (2) …を台なしにする. (略式) ひどくけなす; 〈意見〉を論破する.
――動 (過去·過分) **shred·ded**/-id/ or **shred**) 他 …を細かく切る, ずたずたに裂く, シュレッダーにかける ‖ *shred* secret documents 機密書類を完全に破砕する / *shredded* carrot ニンジンのみじん切り. ――自 ずたずたになる.
shred·der /ʃrédər/ 图 **1** おろし金(器). **2** 書類寸断機, シュレッダー. **shrédder dùst** シュレッダーダスト《産業廃棄物などを寸断したくず》.
shrew /ʃrúː/ 图 C **1** (文) 口やかましい女, 気性の荒い女.
†**shrewd** /ʃrúːd/ 形 〈人が〉〈物事·行動·判断〉にそつがない, 如才ない (*in, about*) ‖ *sly, cunning* のように「悪賢い」という含みはない》; 利口な, 鋭い ‖ a *shrewd* lawyer 抜け目のない弁護士.
shrewd·ly /ʃrúːdli/ 副 そつなく; 利口に.
shrewd·ness /ʃrúːdnəs/ 图 U そつのなさ; 利口さ.
†**shriek** /ʃríːk/ 動 自 **1** 〈人が〉(恐怖·苦痛などで)悲鳴をあげる, 金切り声を出す (+ *out*) [*with*] 《◆ *scream* よりかん高く, 恐怖·苦痛の度合いが強い》; きゃっと笑う ‖ *shriek* with laughter キャッキャッと笑う. **2** 〈楽器·笛·風などが〉かん高い音を出す. ――他 〈人などが〉警告[指示]を〈人に〉かん高い声で言う (+ *out*) [*at*] ‖ *shriek out* a warning 金切り声で警告する / *shriek* curses *at* him 彼を金切り声でののしる.
――图 C (恐怖·苦痛の)悲鳴, 金切り声; かん高い音 《◆ *cry* よりもかん高く, 言葉にならないヒステリックな悲鳴》 ‖ *shrieks* of laughter かん高い笑い声 / give a *shriek* (思わず)悲鳴をあげる; かん高い声[音]を出す.
†**shrill** /ʃríl/ 形 〈音·声が〉かん高い, 金切り声の, 鋭い ‖ The girl gave a *shrill* cry when she saw a snake. その少女はヘビを見てかん高い声をあげた. **2** 〈要求などが〉鋭い, きつい. ――動 自 (かん高い)音を出す, 金切り声を出す. ――他 …をかん高い声で言う[歌う]. **shrill·ness** 图 U (音·声の)鋭さ, かん高さ.
†**shril·ly** /ʃríli, (英+) ʃríli/ 副 かん高く, 鋭く.
†**shrimp** /ʃrímp/ 图 (複 ~s, [集合名詞] **shrimp**) C **1** [動] (食用の)小エビ, エビ《体長 3-9 インチぐらいまでのもの. cf. prawn, lobster》‖ fish for *shrimps* 小エビを取る. **2** (略式) ちび; 取るに足りない人. ――動 自 小エビを取る.
shrine /ʃráin/ 图 C **1** (聖人の遺骨·遺物を祭った)聖堂, 廟(ﾋﾞｮｳ); 礼拝堂, 祭壇, 神殿, (日本の)神社 (Shinto shrine) ‖ the Meiji *Shrine* 明治神宮 / We held our wedding (ceremony) at a (Shinto) *shrine*. = Our wedding was at a (Shinto) *shrine*. = We were married at a (Shinto) *shrine*. 我々は結婚式を神社で行なった / 日本発》 When children reach the age of 3, 5, or 7, their parents take them to a Shinto *shrine* to participate in a ceremony known as *Shichigosan*. 子供が 3 歳, 5 歳, 7 歳になると, 親は神社に連れて行き, 七五三の儀式をします. **2** 聖遺物箱. **3** (歴史上·連想上神聖視される)聖地, 殿堂.
†**shrink** /ʃríŋk/ 動 (過去) **shrank** /ʃræŋk/ or (米) (過分) **shrunk** /ʃrʌŋk/, **shrunk** or (米) **shrunk·en** /ʃrʌŋkən/) 自 **1** 〈物が〉縮む, 小さくなる ‖ This shirt won't *shrink*. このシャツは縮まない / Woolen clothes *shrink* 'in hot water [in the wash]. ウールの服は熱湯で洗うと[洗濯で]縮む. **2** [*shrink*

shrinkage

from A] 《主に文》《人などが》《(恐ろしい)物・事》からしりごみする, ひるむ(+*back*, *away*, *up*); […することを]いやに思う[*doing*] ‖ That shy girl *shrinks from* meeting strangers. その内気な女の子は知らない人に会うのを嫌がる / He *shrank from* the growling dog. 彼はうなる犬にひるんだ. **3**〈量・価値などが〉減少する, 減る ‖ Gradually the huge stacks began to *shrink*. 徐々に干し草の大きな山は減りはじめた. ──他 **1**〈布・衣服などを〉縮ませる ‖ Hot water *shrinks* wool. 熱湯はウールを縮ませる. **2** …を減らす. **3**〈布などに〉防縮加工を施す.
──名 **1** Ⓤ 収縮. **2** Ⓒ《略式》精神科医(psychiatrist).

shrink·age /ʃríŋkɪdʒ/ 名 Ⓤ 縮小, 減少; Ⓤ Ⓒ 縮小量[度], 減少量[度].

shrink–wrapped /ʃríŋkrǽpt/ 形 **1** 収縮包装された. **2**《コンピュータ》すぐ使える形でパッケージに入った.

†**shriv·el** /ʃrív(ə)l/ 動《過去・過分》 ~ed or《英》 **shriv·elled**/-d/; ~**ing** or《英》 ~**el·ling** 自 **1**〈老齢・乾燥・熱などで〉縮んでしわが寄る, しぼむ, しなびる(+*up*);〈人が〉〔恐怖で〕縮こまる(+*up*)〔*with*〕. **2** だめになる. ──他 **1** …にしわを寄らせる, 縮ませる, しぼませる. **2** …をだめにする.

†**shroud** /ʃráud/ 名 Ⓒ **1** 死者を包む白布, 経かたびら(winding sheet). **2** 覆う物, 幕, とばり ‖ the *shroud* of darkness やみのとばり. **3**《海事》 [~s] シュラウド, 横静(索)索《マストの先から両船側に張る支え索》. ──動 他 **1** …に経かたびらを着せる. **2**《通例 be ~ed》〔…で〕覆い隠される, 包まれる〔*in*〕 ‖ The city *was shrouded* in fog. 町は霧に包まれていた / *be shrouded* in mystery 謎に包まれている(→ **mystery** 名 **2**). **3**〈人が〉〈物を〉〔視線などから〕隠す〔*from*〕.

†**shrub** /ʃrʌ́b/ 名 Ⓒ 低木, 灌木(饌)(bush)《庭の生け垣用》 ‖ The children hid in the *shrubs*. 子供たちは低木の中に隠れた.

shrub·ber·y /ʃrʌ́bəri/ 名 Ⓤ Ⓒ《集合名詞》低木; 低木の植え込み, 生け垣.

shrub·by /ʃrʌ́bi/ 形 (--**bi·er**, --**bi·est**) 低木の(多い).

†**shrug** /ʃrʌ́g/ 動《過去・過分》 **shrugged**/-d/; **shrug·ging**) 他〈人が〉〈肩〉をすくめる《◆両肩をあげ, 肩の平らを上に向けて両手を広げ, 不快・疑い・絶望・無関心・当惑・不賛成などを示す》 ‖ He only *shrugged* his shoulders when we asked for directions. 私たちが道順をたずねたら彼はただ肩をすくめただけだった. ──自 肩をすくめる.

shrug óff 他 (**1**) …を〔取るに足らぬものとして〕忘れよう, 無視する, 受け流す;〈眠気・不快感などを〉払いのける. (**2**)〈追っ手などを〉振り切る. (**3**)〈衣服を〉体をよじって脱ぐ.
──名 Ⓒ **1**《通例 a ~》肩をすくめること ‖ with a *shrug* (of the shoulders) 肩をすくめて. **2** 短い上着.

shrunk /ʃrʌ́ŋk/ 動 shrink の過去形・過去分詞形.
shrunk·en /ʃrʌ́ŋkən/ 動 shrink の過去分詞形.
──形《文》しなびた, 縮んだ, 縮小した.

shuck /ʃʌ́k/ 名 **1**《主に米》〔豆・クリなどの〕さや, 殻(?);〔カキなどの〕殻; 外皮. **2**《米式》 [~s; 間投詞的に] ちぇっ, くっそー. ──動 他《主に米》…の殻[皮]をむく.

†**shud·der** /ʃʌ́dər/ 動 自 **1**〈人が〉〔寒けで…して〕(恐れ・嫌悪などで)身震いする, (体全体が)震える〔*at* / *with* / *to do*〕 語法 → **shake** 自 **2**) ‖ I *shuddered with* [*from*] cold 寒さがたがた震えた / I *shud-*

shut

der 〔*at* the thought [*to* think] of going to the dentist. 私は歯医者に行くと思っただけでぞっとする. **2**〈建物・船などが〉震える, 揺れる ‖ The building *shuddered* when the bomb exploded. 爆弾が爆発した時建物が揺れた.
──名 Ⓒ《通例 a ~》身震い, 戦慄(?), 震え; 《略式》 [the ~] 身震いの発作 ‖ He stepped back *with a shudder*. 彼は身震いして後へ下がった / give him *a shudder* 彼をぞっとさせる.

†**shuf·fle** /ʃʌ́f(ə)l/ 動 自 **1**〈人が〉〔足〕をひきずって歩く ‖ *shuffle* one's feet 足をひきずって歩く. **b**〈ダンスで〉すり足で踊る. **2**〈物を移し替える; …をぞんざいに押しやる ‖ *shuffle* the papers from one file to another 書類を他のファイルに移し替える. **3** …をめちゃくちゃに混ぜる. ──自 **1a** […に]足をひきずって(ほろよろ)歩く(+*off*, *away*)(*along*, *past*). **b** すり足で踊る. **2** あちこちと動く. **3**《トランプ》シャッフルする, 切る; ごちゃまぜにする. **4** 言い抜ける, ごまかす. **5** […を]ぞんざいにやる〔*through*〕.

shúffle óff 他 (**1**)〈衣服〉をぞんざいに脱ぐ(↔ shuffle on). (**2**)〈動物が〉〈殻〉を脱ぐ. (**2**) …を除く, 捨てる. (**3**)〈責任などを〉〔人に〕押しつける, 転嫁する〔*upon*, *onto*〕.
──名 Ⓒ **1** [a ~] **a** 足をひきずって歩くこと ‖ with *a shuffle* 足をひきずって. **b**《舞踊》すり足の足づかい. **2** Ⓒ a 混ぜ合わせ, (位置の)入れ替え. **b**《トランプ》シャッフル, カードを切ること; カードを切る番〔権利〕. **3** Ⓒ ごまかし, 言い抜け. **4** Ⓒ《米・豪》(内閣の)改造,〈人事の〉異動.

†**shun** /ʃʌ́n/ 動《過去・過分》 **shunned**/-d/; **shun·ning** 他《正式》 […することを]避ける〔*doing*〕, …を遠ざける(avoid).

shunt /ʃʌ́nt/ 動 他 **1**《英》《鉄道》〈車両を〉[…に]入れ替える(《米》 switch)〔(*on*) *to*〕. **2**《略式》〈話題などを〉[…に]切り替える;〈責任などを〉〔人に〕押しつける〔(*on*) *to*〕;〈問題の審議をたな上げする, 回避する. **3**《略式》〈人を〉[…に]押しやる, 追いやる(+*off*)〔*to*〕. ──自 **1**《英》〈列車などが〉転轍(?)する(《米》 switch). **2** わきへ向ける. **2**《英》転轍機, ポイント(《米》 switch).

:shut /ʃʌ́t/ 動 [「戸にかんぬきをする」が原義]
──動 (~s/ʃʌ́ts/;《過去・過分》 **shut**; **shut·ting**)
──他 **1**〈人が〉〈戸・ふたなどを〉(急に)閉める, (素早く)閉じる(→ close[2])(↔ open) ‖ *shut* a box 箱を閉じる, ふたをする / *shut* one's mouth [eyes] 口をつぐむ[目を閉じる] / *shut* the door in her face 彼女の目の前でドアをバタンと閉める / He *shut* the door behind [after] him. 彼は入って[出て]から戸を閉めた.
2〈人が〉〈本・かさなどを〉閉じる, たたむ(+*up*)《◆close の方がふつう》 ‖ *shut* (*up*) a book 本を閉じる / *shut* 〔a knife [an umbrella] ナイフ[傘]をたたむ. **3**〈口・耳・心などを〉[…に]閉ざす〔*to*〕 ‖ She *shuts* her eyes [ears] *to* the facts. 彼女は事実に目を向けない[耳をかさない].
4 …を[…に]閉じ込める, はさむ(+*up*)〔*in*, *into*〕; …を[…から]閉め出す(+*out*)〔*from*, *out of*〕;〈店・事業などを〉閉鎖する(+*up*) ‖ *shut* a lion *into* [*out of*] a cage ライオンをおりに閉じ込める[おりから追い出す] / *shut* oneself (*up*) in a room 部屋に閉じこもる / *shut* one's finger in a door うっかりドアに指をはさむ(=*shut* a door *on* one's finger) / She *shut* (*up*) her store for a month. 彼女は1か月間店を閉じた.

━━自 (急に)閉まる, (素早く)閉じる ‖ The door won't *shut*. その戸はなかなか閉まらない(→ will¹ 助 3 a 語法) / This drawer *shuts* badly [easily]. この引き出しは閉まりにくい[やすい].

shút awáy [他] …を〔…に〕閉じ込める〔*in*〕, 〔…から〕遠ざける〔*from*〕.

shút dówn [自] (1) 〈店・工場などが〉休業する. (2) 〈夜・霧などが〉〔…を〕取り囲む〔*on, over*〕. (3) 〔…を〕禁止する〔*on*〕. ━[他] (1) 〈窓など〉を(下ろして)閉める. (2) 〈店・工場など〉を(一時的・永久的に)閉める; 〈電気など〉を止める.

shút ín [他] (1) [~ oneself / be shut] 〈人が〉(部屋などに)閉じこもる. (2) …を取り囲む, 遮(さえぎ)る ‖ The house *is shut in* by the fence. 家は塀に囲まれて見えない.

shút óff [他] (1) 〈水・電気・交通など〉を止める; 〈音・光など〉を遮る; 〈生産など〉をやめる. (2) …を〔…から〕切り離す, 隔離する〔*from*〕 ‖ *shut* oneself *off from* the rest of the world 世を捨てる.

shút óut [他] (1) …を〔…から〕締め出す〔*from, of*〕; 〈光・眺めなど〉を見えなくする, 遮る ‖ I can't *shut* her *out of* my life. 彼女を私の生活から締め出すことはできない. (2) (米)〔野球〕…を完封する《◆1イニングだけにも用いる》.

******shút úp*** (略式) [自] [通例命令文で] 黙れ《◆乱暴な表現》. ━[他] (1) 〈人〉を黙らせる. (2) → 他 **2, 4**.

━━形 [通例補語として] 閉じた(↔ open)《◆比較変化しない》 ‖ with one's eyes *shut* 目を閉じて.

shut-eye /ʃʌ́tài/ 名 U (略式) 眠り, 眠ること(sleep) ‖ a bit of *shut-eye* ひと眠り.

shut-in /形 ʃʌ́tín; 名 ⌐⌐/ (米) 形 名 C (家・病院などに)閉じこもった[寝たきりの](人).

shut·out /ʃʌ́tàut/ 名 C (米) **1** 締め出し, 工場閉鎖. **2** 〔野球〕完封(試合).

†shut·ter /ʃʌ́tər/ 名 C **1** 閉じる人[物]; [通例 ~s] よろい戸, 雨戸. **2** (カメラの)シャッター.

━━動 他 [通例 be ~ed] 〈窓などが〉よろい戸が閉まっている, よろい戸が取り付けられている.

†shut·tle /ʃʌ́tl/ 名 C **1** (織機の)杼(ひ)《たて糸の間を往復してよこ糸を通すもの》; (ミシンの)下糸入れ, シャトル; (レース編み用の)糸入れ. **2 a** (2点間を結ぶふつう短距離の)折返し運転, 定期往復便. **b** (略式) = shuttle train [bus]; 〔航空〕連続往復便. **c** スペースシャトル. **3** (略式) =shuttlecock. ━━動 自 左右に動く, (定期的に)往復する(+*back* and *forth*). ━他 往復運動させる; …を往復運転で運ぶ.

shúttle sérvice 短距離定期往復便, 折返し運転.

shúttle tràin [bùs] 近距離往復列車[バス].

shut·tle·cock /ʃʌ́tlkɑ̀k | -kɔ̀k/ 名 **1** C (バドミントン・羽根つきの)羽根. **2** U 羽根つき(→ battledore).

***shy** /ʃái/ 〖「おびえる」が原義〗

━━形 (~·er, ~·est; shi·er, shi·est) **1** 〈人が〉〔人に対して〕**恥ずかしがりの**, 内気な, 人見知りする〔*with*〕; [名詞の前で] 〈態度が〉恥ずかしそうな, はにかんだ(類語 bashful, timid, modest) (使い分け → ashamed 形 **2**) ‖ a *shy* youth 内気な男の子 / a *shy* smile はにかんだ笑い / She is [feels] *shy* and dislikes parties. 彼女は恥ずかしがりでパーティーは嫌いだ. **2** 〈動物が〉臆(おく)病な, 物に驚きやすい ‖ A deer is a *shy* animal. シカは臆病な動物だ. **3** [補語として] 〈人が〉〔人に〕**用心する**〔*of*〕; 〈人が〉〔…するのを〕ためらう, なかなか…しない〔*of* [(米) *about*] do*ing*, *to* do〕 ‖ Don't be *shy* ⌐*of* tell*ing* me [*to* tell me]. 遠慮なく言いなさい. **4** (主に米略式) [補語として] 〔…が〕不足して, 欠けている〔*of, on*〕《◆比較変化しない》.

━━動 (過去・過分 **shied**/-d/) 自 **1** 〈馬が〉(恐怖で)〔…から〕突然とびのく, あとずさりする〔*at*〕. **2** 〈人が〉(こわがって, 用心して)〔…から〕ひきさがる, しりごみする(+*away, off*)〔*from*〕.

━━名 C とびのき, あとずさり.

Shy·lock /ʃáilɑk | -lɔk/ 名 **1** シャイロック《Shakespeare の *The Merchant of Venice* 中の冷酷な高利貸》. **2** C (略式) 冷酷で無慈悲な高利貸.

†shy·ly /ʃáili/ 副 恥ずかしそうに, 内気に; おずおずと.

†shy·ness /ʃáinəs/ 名 U 内気, はにかみ; 臆(おく)病.

shy·ster /ʃáistər/ 名 C (米略式) 悪徳弁護士; いかさま師.

si /síː/ 名 U C 〔音楽〕シ(ti)《ドレミファ音階の第7音. → do²》.

Si 記号 〔化学〕Silicon.

SI 〖フランス〗 略 〔物理〕Systèm International d'Unités 国際単位系.

Si·am /saiǽm, (米+) ⌐⌐/ 名 シャム《Thailand の旧名》.

Si·a·mese /sàiəmíːz, (米+) -míːs/ 形 シャムの, シャム人[語]の《◆今は Thai》. ━━名 (複 **Si·a·mese**) **1** C シャム人; U シャム語. **2** =Siamese cat.

Siamése cát シャムネコ.

Siamése twíns シャム双生児《体の一部が接合したふたご》.

sib /síb/ 名 C (略式) =sibling.

†Si·be·ri·a /saibíəriə/ 名 シベリア《ロシア名 Sibir》.

†Si·be·ri·an /saibíəriən/ 形 シベリアの. ━━名 C シベリア人.

sib·i·lant /síbələnt/ (正式) 形 シューシューいう; 〔音声〕歯擦音の. ━━名 C 〔音声〕歯擦音《英語では /s, z, ʃ, ʒ, tʃ, dʒ/》.

sib·ling /síbliŋ/ 名 C (正式) (男女の別なく)きょうだい, 兄弟姉妹(の1人) ((略式) sib)《◆廃語だったが復活して今はよく用いられる》.

sib·yl /síbil, síbl/ 名 C (古代ギリシア・ローマ・エジプトの)巫女(みこ); 女予言者; 女占い者; 女の魔法使い.

sib·yl·line /síbəlain, (米+) -lìːn, (英+) sibílain/ 形 **1** 巫女の(書いた, 語った). **2** 予言的な, 神秘的な.

sic /sík/ 〖ラテン〗 副 原文のまま《◆誤りや疑いのある原文をそのまま引用した場合, その後に [*sic*] と付記する》.

†Si·cil·i·an /sisíliən, -síljən/ 形 シチリア島[王国, 人, 方言]の. ━━名 C シチリア人; U シチリア語.

†Sic·i·ly /sísəli/ 名 シチリア[シシリー]島《イタリア南方の地中海最大の島》.

***sick** /sík/ 〖「気が沈む」が原義〗 派 sickness (名)

━━形 (通例 ~·er, ~·est)

I [病気の]

1 病気の《◆(1) (米) では名詞の前でおよび補語として sick を用い, ill は堅い語. (2) (英) では名詞の前では sick, 補語としては ill, unwell を用いる. cf. poorly》(↔ well) ‖ a *sick* child [tree] 病気の子供[木] / *sick* people = (文) the *sick* 病人たち / be *sick* [(英) ill] with a cold [fever] かぜをひいて[熱を出して]いる / ***become*** [(米) ***get***, (英文) fall, (文) be taken] ***sick*** 病気になる / phone [call] in *sick* 病気で休むと電話する / She has been *sick* in bed for a week. 彼女は1週間も病気で寝ている.

2 (略式) [名詞の前で] 病人(用)の; 病的な, 悪趣味の; 困りはてた《◆比較変化しない》 ‖ a *síck* nùrse 看護師 / a *síck* ròom 病室 / *sick* humor [jokes] ぞっとするユーモア[冗談], ブラックユーモア / have a *sick* look 青白い[困りきった]顔つきをしてい

S

sickbed

る / take *sick* leave 病気で休暇をとる.

3〔英略式〕〔通例補語として〕〔…で〕**むかつく**, (精神的に)気分が悪くなる; 吐き気がする; [be sick]〔実際に〕吐く(vomit)〔*with, from*〕‖ be violently *sick* ひどく戻す / *feel sick* 〔=(米) be *sick* at [to, in] one's stomach〕吐き気がする ‖ The sight of the accident *made* me *sick*. =I felt *sick* at the sight of the accident. 事故の現場を見てひどく吐きそうになった[気分が悪くなった] / The child has been *sick* twice today. 今日その子は食べたものを二度吐いた (=(米) The child has thrown up twice today.). **b** [名詞の前で]〈においなどが〉むかつくような.

4 [複合語で] …に酔った ‖ car*sick* 車に酔った / sea*sick* 船酔いした.

III [病気のような心の状態]

5 [be sick *of* A](略式)〈人が〉うんざりして, いやになって(weary)《◆ be tired of より強意的》‖ I'm *sick* of this rain. この雨にはあきあきしている《◆強調のため I'm「sick and tired [*sick* to death, *sick* of the sight [sound]] of this rain. のようにいうことも多い》.

6〔補語として〕〔…が〕しゃくにさわって, 〔…を〕悲観して〔*at, about, that*節〕; 〔恐怖などで〕取り乱して〔*with*〕‖ (略式)彼女は失敗したのを残念がっている / I'm very *sick about* his future. (略式)彼の将来がとても心配だ(=I'm much worried about …). **7**〔補語として〕〔…に〕恋しくて, 待ちこがれて〔*for*〕‖ She is *sick for* home. 彼女はホームシックにかかっている(=She is homesick.).

lòok síck (1) 顔色が悪い. (2)《略式》〈他と比べて〉見劣りがする, 影が薄く見える.

síck and tíred (1)〈人が〉病み疲れて《◆ふつうこの順》. (2) → **5**.

—名 (U) 〔英略式〕吐くこと, ヘど(vomit).

—動 他〔英略式〕…を吐く, もどす(+ *up*).

síck bày (船内の)医務室; (学校などの)医務室, 保健室.

síck building sýndrome ビル疾患症候群《空調のよくないオフィスで働く人がかかる頭痛・目の炎症・倦怠(ﾀﾞﾙｻ)感など》.

síck lèave (病気による)欠勤; (年間の有給)病気休暇日数.

síck pày 病気欠勤中の給与, 疾病手当.

sick·bed /síkbèd/ 图 ⓒ 病床.

†**sick·en** /síkn/ 動 自 **1** 病気になる(become sick); [通例 be ~ing]〔病気の症状を示す〕〔(米), (英) *for*〕. **2** [〔…に / して〕吐き気がする, むかつく〔*at / to do*〕‖ I *sickened at* [to] hear the news. そのニュースを聞いて気持ちが悪くなった. **3**〔正式〕〔…に〕うんざりし, あきあきする〔*of*〕‖ I *sicken of* sweets. 甘い物にはもううんざりだ. —他 **1** …を病気にする. **2** …に吐き気を催させる.

sick·en·ing /síknɪŋ/ 形 (略式) 吐き気を催させる, うんざりする[させる], 不快な.

†**sick·le** /síkl/ 图 **1** ⓒ 小鎌(ﾅﾏ), かま(cf. scythe). **2** [the S~]〔天文〕(しし座の中の)鎌状星群.

†**sick·ly** /síkli/ 形 (**-li·er, -li·est**) **1** 病弱な;〈人・顔色などが〉病弱な, 青ざめた(pale) ‖ a *sickly* boy 病弱な少年 / a *sickly* look 青白い顔つき. **2**〈気候などが健康に悪い, 病気を起こす;〈場所・時期などが〉病気の多い. **3**〔…で〕吐き気を催させる〔*with*〕‖ *sickly* smell むっとするにおい.

*sick·ness** /síknəs/[→ sick]

—名 (複 **~·es**/-iz/) **1** Ⓤ **病気**(であること)(illness)《◆病名のはっきりしたものは disease》‖ a slight [light, minor] *sickness* 軽い病気 / *in sickness* and in health 健康時も病気の時も / suffer from a severe [major, *heavy] *sickness* 重病にかかる / feign [sham] *sickness* 仮病を使う.

[関連] [いろいろな種類の sickness]
air *sickness* 飛行中の酔い, 航空病 / falling *sickness* てんかん / morning *sickness* つわり / motion [car] *sickness* 乗り物酔い / mountain *sickness* 高山病 / radiation *sickness* 放射線病 / sea *sickness* 船酔い / sleeping *sickness* 眠り病 / train *sickness* 列車酔い.

2 Ⓤ 吐き気, むかつき ‖ feel *sickness* in one's stomach 吐き気がする.

síckness bènefit (英) (国民健康保険の)病気手当.

*side** /sáɪd/ [「長く伸びる」が原義. cf. aside, beside]

—名 (複 **~s**/sáɪdz/)

I [物の側面]

1 ⓒ **…側**(ｶﾞﾜ), **面**《◆前後・左右・表裏・内外・上下の面・点・線・方向に用いる》‖ the upper [under] *side* of a leaf 葉の表[裏]面 / the right [wrong] *side* of a piece of paper 紙の表[裏] / the obverse [reverse] *side* of a coin コインの表[裏] / on every *side* [all *sides*] 四方八方から / on either [each] *side* of the street =on both *sides* (of) … 通りの両側に / on this [the other] *side* of the river 川のこちら[向こう]側に / one *side* of the story [picture] 話の一面 / She often puts on her sweater *wrong side* out [inside out]. 彼女はよくセーターを裏返しに着る / (ジョーク)"On which *side* does a chicken have more feathers?" "The outside." 「ニワトリで羽が多いのはどちら側?」「外側」《◆ which *side* は「左右」とは限らない》.

2 ⓒ (本の)ページ.

II [中央に対する左右の部分]

3 ⓒ **わき腹**, 横腹; 〈動物の〉あばら肉; 山腹;(丘などの)斜面;〔海事〕船ばた ‖ I feel [have] a pain in the [my] *side*. =My *side* hurts. わき腹が痛い / Her house is on the *side* of a hill. 彼女の家は丘の中腹にある.

4 [形容詞的に] 横の, 側面の; わき道の; 主要でない, 副次的な ‖ a *side* door 横の入り口 / a *side* job アルバイト, 副業, 内職 / a *side* issue 副次的な問題. **5** ⓒ (通例 the/one's ~] 側面図, わき, 横, そば;〔幾何〕(三角形などの)辺;(立方体の)面 ‖ *the side* of a box 箱の側面 / a window at *the side* of the house 家の側面の窓 / jump to one side 横へ跳びのく / sit *at* [*by*] his *side* 彼の横[すぐそば]に座る / step to *the side* of the road 道の端へ寄る / A triangle has three *sides*. 三角形には辺が3つある.

III [対立関係にあるものの一方]

6 ⓒ 〔…の味方の/…の敵の/…に関しての〕**側**, 味方〔*with/against/in*〕, …派; 〔主に英〕[集合的に;単数・複数扱い] (試合の)組, チーム ‖ change *sides* 脱党する / take「*sides with* [*the side of*] him = take his *side* (一時的に)彼に味方する, 彼の肩を持

つ / pick [choose] sides (遊戯の前に)敵・味方を選ぶ / Which *side* are you on? 君はどちらの味方[側]だい.

7 ⓒ (血統の)関係, 系, …方(ﾎ) ‖ He is Irish on his mother's *side*. 彼は母方がアイルランド系だ.

IV [出来事のある側面]

8 ⓒ (問題などの)面, 局面 ‖ her weak [kind] *side* 彼女の弱点[やさしい面] / consider a question on [from]「all *sides* [every *side*] あらゆる面から問題を考える / look on the bright [dark, black] *side* of life [things] 人生[物事]の明るい[暗い]面を見る / see the funny *side* of … …の面白い面だけを見る / There is another *side* to this question. この問題にはもう1つの面がある / He errs on the *side* of justice [mercy, leniency]. 彼らはどちらかというと公正[寛大]すぎる.

9 Ⓤ 《英略式·まれ》気取り; 厚かましさ ‖「put on [have] *side* 尊大ぶる.

by the side of A =**by A's side** (1) …のわきに, 近くに(close to). (2) …と比べると.

***from síde to síde** 左右に, 横に (➡文法 16.3(3)) ‖ She turned *from side to side* in bed. 彼女は右に左にと寝返りをうった.

Nó síde! 《ラグビー》試合終了!

óff síde =offside.

ón síde =onside.

on the síde 《略式》(1) 内職として; 余分に; 《英》(不法手段で)よけいに. (2) 本題[要点]から離れて. (3) 《米》添え料理として. (4) ひそかに.

on the … síde 《略式》多少…の[で] 《◆ … は形容詞》 ‖ He is *on the* fat *side*. 彼は少し太りぎみだ.

pùt [pláce] A on [to] óne síde (1) A を横へよける, 片付ける; …を無視する 《◆ brush A aside, brush A to one side ともいう》. (2) …の処理を遅らせる.

***side by síde** 「(甲の脇腹(side)のそばに(by 前)乙の脇腹(side))」 […と](横に)並んで, 近接して, 一緒に[with] 《◆ 縦に並ぶ場合は one behind the other》; […に]関係して, 共存共栄して[with] (➡文法 16.3(3)) ‖ They were sitting *side by side* on the bench in the park. 彼らは公園のベンチに並んで座っていた.

thís síde (of) A 《略式》…のこちら側で[の]; …までいかないで ‖ the best tea *this side of* Ceylon セイロンまで行かずに手に入る最上の[セイロン茶の次によい]茶.

—動 (sid·ing) 圓 1 〔…の/…の反対の〕側につく〔with/against〕. **2** 横へ動く. —他 **1** …に側面をつける; …と並ぶ. **2** …の味方をする.

síde chàir ひじ掛けのない背のまっすぐない.

síde dìsh 添え料理(の小皿).

síde effèct [しばしば ‑s] 《薬》の副作用; 思わぬ結果.

síde hòrse 《米》《体操》鞍馬(ｻﾝ) (pommel horse).

síde mìrror サイドミラー (《英》wing mirror).

síde òrder (主に《米》) (料理店での)添え料理(の注文).

síde ròad [strèet] わき道, 横町.

síde stèp 《スポーツ》サイドステップ; (ダンスの)横歩(ｽ) (cf. sidestep).

síde tàble サイドテーブル, 補助テーブル.

síde view 側景, 側面図; 側面観, 横顔.

síde wind 側面から吹く風; 間接の攻撃.

side·arm /sáidɑ̀:rm/ 名 形 《米》横に腕を振って[た]; 横手投げで[の], サイドスローで[の]. —名 ⓒ [通例 ~s] 携帯武器《ピストル・剣など》.

síde bar /sáidbɑ̀:r/ 名 ⓒ 補足記事, 続報.

†**síde·board** /sáidbɔ̀:rd/ 名 **1** ⓒ 食器だな, サイドボード. **2** ⓒ 側面板. **3** 《英》[~s] =sideburns.

síde·burns /sáidbɜ̀:rnz/ 名 [複数扱い] (短い)ほおひげ; もみあげ (《英》sideboards).

síde·car /sáidkɑ̀:r/ 名 ⓒ (オートバイの)側車, サイドカー. **2** Ⓤⓒ サイドカー《カクテルの一種》.

síde·light /sáidlàit/ 名 **1** Ⓤ 側面からの光; ⓒ (問題などの)側面的説明[情報]. **2** ⓒ (船の)舷灯《右に緑, 左に赤》; 《英》(自動車の)側灯 (《米》parking light); (明かり取り用の)横窓; 舷窓 (cf. skylight).

síde·line /sáidlàin/ 名 ⓒ **1** 側線, 横線; 《スポーツ》サイドライン; [~s; 単数扱い] サイドラインの外側. **2** 副業, アルバイト, サイドビジネス 《◆ ×side business は不可》. —動 他 《米略式》[通例 be ~d] (事故などで)〈人が〉出場できない.

síde·long /sáidlɔ̀(:)ŋ/ 形 副 横の[へ, から], 斜めの; 遠回しの[に].

†**si·de·re·al** /saidíəriəl/ 形 《正式》星の, 恒星の; 星座の ‖ a *sidereal* day 恒星日(ｼﾞ) 《23時間56分4.09秒》 / a *sidereal* year 恒星年《365日6時間9分9.54秒》.

síde·slip /sáidslìp/ 名 ⓒ **1** (飛行機·自動車などの)横滑り (cf. skid); 横転. **2** (スキーなどの)横滑り. —動 圓 横滑りする.

síde·step /sáidstèp/ 名 ⓒ (打撃を避けて)横へ一歩寄ること. —動 他 …を横へ一歩寄って避ける;〈問題などを〉避ける. —圓 横に一歩寄る[避ける] (cf. side step).

síde·swipe /sáidswàip/ 名 《米や略式》 動 他 …をかするように横からなぐる[接触する]. —名 ⓒ かするような横なぐり; 《略式》(事のついでの)〔…への〕非難〔at〕.

síde·track /sáidtræk/ 名 ⓒ **1** 《米》《鉄道》側線, 待避線. **2** 〖比喩的に〗脱線, 回り道. —動 他 **1** 〈列車などを〉側線に入れる;〈車などを〉側路に入れる. **2** 〈人を〉(話しながら)横道にそらす ‖ She is easily *sidetracked*. 彼女は脱線しやすい.

síde·view mírror /sáidvjù:-/ (車の)サイドミラー.

†**síde·walk** /sáidwɔ̀:k/

—名 (複 ~s/‑s/) 《米》ⓒ (舗装された街路の)歩道(《英》pavement) ‖ walk along the *sidewalk* 歩道を歩く. **2** [形容詞的に] 歩道の, 素人の ‖ a *sidewalk* artist 大道絵師《路面にチョークで絵を描いて通行人から金をもらう》 (《英》pavement artist) / a *sidewalk* superintendent 《略式》建設現場をのぞき見る人 / a *sidewalk* critic 素人評論家.

síde·way /sáidwèi/ 形 =sideways. —名 ⓒ 横道; 歩道.

†**síde·ways** /sáidwèiz/ 形 副 横(側面)の[に], 斜めの[に] (on); 遠回しに[に] ‖ look *sideways* at her 彼女を横目で見る / knock [throw] him *sideways* 《略式》彼をがっくりさせる; 彼に害を与える.

síde·wind·er /sáidwàindər/ 名 **1** 《米略式》横からの強い一撃. **2** [S~] 《米》サイドワインダー《空対空ミサイル》. **3** [動] ヨコバイガラガラヘビ《米南西部産》.

síde·wise /sáidwàiz/ 形 副 =sideways.

sid·ing /sáidiŋ/ 動 → side. —名 ⓒ 《鉄道》側線, 待避線.

†**si·dle** /sáidl/ 動 圓 (こっそりと)横に歩く; 〔…に〕(おそるおそる)にじり寄る 〔to〕;〔…から〕そっと離れる 《*away, off*》 〔from〕. **2** 横歩きし, にじり寄り.

†**siege** /sí:dʒ/ 名 Ⓤⓒ **1** (都市・とりでなどに対する)包囲攻撃; 包囲期間; (犯人の)(人質を取った)立てこもり

‖ (be) under siege 包囲されて(いる) / lay siege to … …を包囲攻撃する / raise a [the] siege of … …の包囲を解く. **2** (病気などの)長く苦しい期間. **3** 執拗(と)な努力[説得].

Sieg·fried /síːɡfriːd, ziːkfríːt/ 图 ジークフリート《大竜を退治したドイツ伝説の英雄. *Nibelungenlied* の主人公》. **Síegfried Líne** [the ~] ジークフリート線《第二次大戦の, ドイツの対フランス防御線》.

†**si·er·ra** /siérə/《英+》síərə/ 图 C **1** [しばしば ~s](スペイン・中南米の)(のこぎり状の峰の)山脈. **2** [魚] シエラ《サワラ類の一種》.

Siérra Neváda [the ~] **(1)** シエラネバダ(山脈)《米国 California 州東部の山脈》. **(2)** シエラネバダ山脈《スペイン南部の山脈》.

si·es·ta /siéstə/《『スペイン』》图 C シエスタ《スペイン・イタリア・ラテンアメリカ諸国での昼寝, 午睡》.

†**sieve** /sív/ [発音注意] 图 C **1** ふるい, こし器, うらごし器《◆ *riddle* より目が細かい》. **2** (略式) 口の軽い人.
—動 他 …をふるいにかける, ふるいで分ける(+*out*).

sie·vert /síːvərt/ 图 C [物理] シーベルト《電離放射線の線量当量の国際基本単位. 記号 Sv》.

†**sift** /síft/ 動 他 **1 a** 《人が》《粉・砂などをふるいにかける ‖ *sift* the dirt to remove the rocks 小石を取り除くために土をふるいにかける. **b** …を[…と]ふるい分ける, より分ける, 区別する(+*out*) [from] ‖ *sift* ashes *from* the cinders 燃えがらと灰をふるい分ける. **2** 《粉・砂糖などを》(ふるいで)[…に]ふりかける[on, onto, over] ‖ *sift* sugar *on* a cake ケーキの上に砂糖をふりかける. **3** 《証拠・手がかりなどを》厳密に調べる, 吟味する ‖ *sift* the evidence 証拠を詳しく調べる.
—自 **1** ふるう, ふるいを通す; 〖証拠・手がかりなどを〗吟味する(*through*). **2** 〖粉などが〗ふるいを通って落ちる; 〖雪・光などが〗(ふるいを通るように)落ちる[降ってくる.

sift·er /síftər/ 图 C (小型)ふるい; (コショウなどの)ふり出し容器(shaker).

†**sigh** /sái/ 動 自 **1** 《人が》(悲しみ・疲れ・安堵(餁)・満足などのために)ため息をつく, 吐息をつく(+*away*) ‖ *sigh* with relief ほっとため息をつく / The father *sighed* at his son's poor marks. 父は息子の悪い成績にため息をついた. **2** (文) 《風などが》そよぐ, ため息のような音を立てる. **3** (文) […を]慕う, […に]あこがれる(long)(*for*). —他 …をため息をついて言う, 嘆き交じりに言う(+*out*). —图 C [通例 a ~] ため息; 嘆息; (風の)そよぐ音 ‖ *a sigh* of grief 嘆きのため息 / He lay on the bed with *a sigh*. 彼はため息をついてベッドに横たわった《◆次の方が自然: He *sighed* as he lay on the bed.》 / He heaved [uttered, let out] a deep *sigh*. 彼は大きくため息をついた(=He *sighed* deeply.).

****sight** /sáit/ ((同義) cite, site) 〖「見ること」が原義. cf. *see*〗
—图 (複 ~s/sáits/)

I [見る力]

1 U 視力, 視覚 ‖ the sense of *sight* 視覚 / long [far] *sight* 遠視 / short [near] *sight* 近視 / lose [recover] one's *sight* 視力を失う[回復する] / I have good [bad, poor] *sight*. 目がよい[悪い].

II [見ること]

2 U [時に a ~] 見ること, 見えること; 一見, 一目, 観察 ‖ *keep sight of* the flag =*keep* the flag *in sight* (引率用の)旗を見失わないようにする / long for *a sight of* … …を見たいと思う / The *sight* of snakes makes her tremble. =She trembles at the *sight* of snakes. ヘビを見ると彼女は身震いする / I can't bear [stand] the *sight* of him. =I hate the very *sight* of him. (略式) 彼を見るのもいやだ.

3 C [通例 ~s] ねらい, 照準; (銃の)照星, 照準器 ‖ adjust a gun's *sight(s)* 銃の照準を合わせる / have [get] … (lined up) in one's *sights* =have [get] one's *sights* (lined up) on … …に照準を合わせる / take a careful *sight* よくねらいをつける / lower [raise] one's *sights* 照準を下げる[上げる].

4 U (正式) 考え, 見解, 意見(opinion) ‖ do what is right in one's *sight* 正しいと思うことをする / in the *sight* of (the) law 法律の上では / In my *sight*, she is right. 私の見るところでは彼女は正しい.

III [見る対象]

5 U 視界, 見える範囲, 視野(cf. 成句 in sight) ‖ *come into* [*go out of*] *sight* 見えてくる[見えなくなる] / An island was barely in [within] *sight* far off. 島が遠くかすかに見えた.

6 C (目に入る)景色, 光景, 眺め《◆特定の場所からの眺めは view》; [the ~s; 複数扱い] 名所《museum, temple, church, palace, park など》; 見かけるもの, 目に入る物, 見るに値するもの ‖ a wonderful [touching, cruel] *sight* すばらしい[感動的な, むごい]光景 / *see the sights of* Paris パリの名所を見物する / a familiar *sight* よく見かけるもの.

7 (略式) [a ~] 見もの; 物笑い(の種) ‖ make *a sight* of oneself お粗末なふるまいをする / What *a sight* he [the room] is! 彼[その部屋]は何てざまだ(見られたものではない).

IV [その他]

8 (略式) [a ~ of …] 多数[多量]の…; [a ~ +比較級; 副詞的に] うんと, ずっと ‖ *a sight of* books [time] 多くの本[時間] / It's *a* (long) *sight* better. すごくいかすね.

at [(主に米) **on**] **first sight** 一目で; 直ちに; 一見したところでは ‖ fall in love with him *at first sight* 彼に一目ぼれする.

at sight **(1)** 見てすぐに ‖ play music *at sight* 譜面を見てすぐに演奏する《◆感情を表す動詞と共に用いるときは on [upon] sight がふつう》. **(2)** 〔商業〕一覧して ‖ a draft payable *at sight* 一覧払い手形.

***at** (**the**) **sight of** A …を見て(cf. 2) ‖ The thief ran away *at the sight of* a policeman. 泥棒は警官を見て逃げ去った.

be lóst to sight 〖視界(sight 图 5)から消えて(lost to)〗見えなくなる ‖ The bird *was* soon *lost to sight*. その鳥はすぐに見えなくなった.

***càtch** [**gét, háve**] **síght of** A …を見つける ‖ At last, the captain *caught sight of* land. ついに船長は陸地を見つけた.

***in sight** […が]見えるところに[の](cf. 5); […を]期待して(*of*) ‖ Our success is just *in sight*. 我々の成功は間近だ.

***knów** A **by sight** (略式) 《人・物を》見て知っている, …に見覚えがある ‖ I *know* her *by sight*, but I've never spoken to her. 彼女の顔は知っているが, 話をしたことはない.

***lóse sight of** A **(1)** …を見失う; …の消息がわからなくなる ‖ They *lost sight of* him in the crowd. =He was *lost sight of* in the crowd. 人ごみの中で彼を見失った. **(2)** …を忘れる, 見落とす《◆(1)(2)とも受身形は be lost sight of で, *sight is lost of A は不可. ➔文法7.11》.

sighted

on [*upón*] *sight* =at SIGHT.
òut of sight (1) 〔…の〕見えないところに[の]〔*of*〕 (cf. 5) ‖ The ship was soon *out of sight.* 船はまもなく見えなくなった / *Out of sight, out of mind.* (ことわざ)目に見えないもの[人,物,事]は忘れ去られる.〔「去る者は日々にうとし」〕 (2) 《米略式》〈値段・基準などが〉法外に〔の〕(incredible).
within sight =in SIGHT.
── 動 他 1 《正式》…に気付ける, 目撃する, 認める；…を観測する(observe) ‖ *sight* a new star 新星を見つける. 2 …をねらう；〈銃の照準を〉〔…に〕合わせる〔*on*〕；〈銃などに〉照準器を付ける. ── 自〔…に〕ねらいをつける, 〔…に〕注意して見る(*along, on*).

síght·ed /sáitid/ 形 目が見える, 晴眼の(seeing); [複合語で]視力が…の ‖ short-*sighted* 近視の.

síght·ing /sáitiŋ/ 名 C 見られる[観測される]こと; C 目撃(例), 見聞, 見どころ; 観測 ‖ take a *sighting* 観測する.

síght·less /sáitlɚs/ 形 《文》目の見えない(blind); 《詩》目に見えない(invisible).

síght·ly /sáitli/ 形 (**-li·er, -li·est**) 見て感じがよい, 見た目に美しい；《主に米》眺めのよい.

†**sight·see·ing** /sáitsìːiŋ/ 名 U 〔場所の〕観光, 見物, 遊覧〔*in*〕; [形容詞的に] 観光(用)の ‖ do some *sightseeing* 観光をする / take a *sightseeing* tour 観光旅行をする / *go sightseeing in* [ˣ*to*] Nara 奈良へ観光に行く(=go to Nara to see the sights).

síght·seer /sáitsìːɚ/ 名 C 観光客, 見物人.

sig·ma /sígmə/ 名 C 1 シグマ《ギリシアアルファベットの第18字(σ, ς, Σ). 英字の s, S に相当》. → Greek alphabet). 2 S字形のもの. 3 =sigma particle.
sígma pàrticle〔物理〕シグマ粒子.

sign /sáin/ 名 動 〔「[情報を伝えるための]しるし」が本義〕
派 signal (名・動), signature (名)

index 名 1 標識 2 符号 3 身ぶり 4 表れ
動 1 署名する 2 合図する

── 名 (複 **~s**/-z/) C
Ⅰ 〖何らかの意味を伝えるしるし〗
1 [通例複合語で] 標識, 標示, 看板 ‖ a road [street] *sign* 道路[街路]標識 / 「a shop [an inn] *sign* 店[宿屋]の看板《英国では絵が多い》.
2 符号, 記号 ‖ a call *sign*(無線などの)呼出し符号, コールサイン / denote by mathematical [phonetic] *signs* 数学記号[音声符号]で表す.

〚関連〛いろいろな種類の *sign*
at *sign* アットマーク《@》/ division *sign* ÷記号 / flat *sign* フラット記号《♭》/ minus *sign* −記号 / multiplication *sign* ×記号 / plus *sign* +記号 / radical [root] *sign* ルート記号《√》/ sharp *sign* シャープ記号《♯》.

3〔…という/…せよという〕身ぶり, 手まね, 合図, 信号, 暗号, サイン〔*that* 節 / *to do*〕‖「give her a *sign* [make a *sign* to her]to hold up 彼女に手を上げろと合図する / make the *sign* of the cross 十字を切る / make a *sign* with the eye 目くばせをする / talk in [by] *signs* 手まねで話す.

Ⅱ 〖何らかの事実を表すしるし〗
4〔…の/…という〕表れ, しるし, 徴候, 証拠〔*of*/*that* 節〕; 〔…がいる[ある]〕気配〔*of*〕; [主に否定文で]〔…の〕痕跡, 形跡〔*of*〕; 《米》[~s](動物の)足跡 ‖ bear *signs* クマの通った跡 / *as a sign of* thanks 感謝のしるしとして / hear [see, feel] a *sign of* spring 春のきざしを聞く[見る, 感じる] / A sharp increase in crime is a *sign of* the times. 犯罪の急増は時勢の表れだ / *There is no sign of* human habitation [life] around here. このあたりには人の住んでいる形跡もない.
5 宮(ಘ)《zodiac の12区分の1つ》; 生まれの年(zodiacal sign);《主に聖書》〔神の〕お告げ, 奇跡〔*of*〕‖ What's your (zodiacal) *sign*? 何座の生まれですか.

── 動 (**~s**/-z/; 過去・過分) **~ed**/-d/; **~·ing**)
── 他 **1**〈人が〉〈書類に〉**署名する**, 〈名前を〉〔…に〕サインする〔*on, to*〕(→ signature 名 1)‖ *sign* a check for $50 50ドルの小切手に署名する / *sign* a letter =*sign* one's name *to* [*on, in*] a letter 手紙にサインする(=put one's *signature* on …) / The actor *signed* his autograph. その俳優はサインした / ジョーク "Where was The Declaration of Independence *signed*?" "At the *bottom.*"「米国の独立宣言が署名されたのはどこ?」「文書の末尾.」
2 [*sign* A *to do*]〈人が〉A〈人〉に…するように**合図する**；〔…であることを〕(身振りで)知らせる(*that* 節)‖ I *signed* "my approval [*that* I approved]. 賛成だという身振りをした / I *signed* him to stop. = I *signed that* he should stop. 彼に止まれと合図した.
3〈人〉を署名させて雇う(→ SIGN up)‖ *sign* a new player 新人選手と契約する.

── 自 **1**〔…に, …, 受領の意で〕署名する〔*for*〕; 〔人と〕契約する, 契約書に署名〔*with*〕; 契約書で署名されて雇われる ‖ *sign for* a check 小切手に署名する / *sign in* full 姓と名を両方とも署名する. **2**〔人に/…せよと〕(身振りで)合図する〔*to, to do*〕《米略式》I *signed to* [*for*] him *to* run. 彼に走れと合図した.

sign ín [自]〔会社・クラブなどの記録簿に〕署名して入る〔*on*〕. ──[他]〈人〉を〔会社・クラブなどの記録簿に〕署名して入れる〔*on*〕.

sign óff [自] (1) 契約などを破棄する；《英》(署名して)手紙を終える. (2)《米略式》仕事を終える, 話をやめる；(略式)(1日の)放送を終える(↔ sign on). ──[他] (1)〈医者が〉〈人〉に(署名して)仕事をやめさせる；…を署名してやめる. (2)〈権利・契約などを〉破棄する.

sign ón [自] (1) 署名して雇われる, 入隊する；《米略式》職業安定所に登録する ‖ She *signed on* as a typist with the firm. 彼女はタイピストとしてその会社と契約した. (2)(1日の)放送を始める(↔ sign off). ──[他]〖〈人〉を署名して(sign)仕事についた状態に(on 副 2)する〗〈人〉を署名して雇う.

sign óut [自]〔会社・クラブなどの記録簿に〕署名して出る〔*on*〕. ──[他]〈人〉を〔会社・クラブなどの記録簿に〕署名して連れ出す〔*on*〕.

sign úp [自] (1)《米》=SIGN on. (2) (署名して)〔団体などに〕加わる〔*in*〕; 〔…と〕契約する〔*for*〕《ふつう受身》. (3) 自分の名を登録する；〔講義などの〕届け出をする(+*up*)〔*for*〕‖ He has *signed up for* the English course. 彼は英語コースを聴講した. (4)〔…する〕契約をする〔*to do*〕. ──[他]〈人〉を臨時に雇う, 〔…に〕入隊[入会]させる〔*for*〕；〈人〉と〔…すよう〕契約する〔*to do*〕‖ Several researchers have been *signed up for* the project. そのプロジェクトに数名の研究者が雇われた.

sígn lànguage 手まね言語, 手話(法); 看板などの文句 ‖ use some *sign language* with her 彼女に

手話で話す.
sígn páinter 看板屋.

*síg·nal /sígnl/ [→ sign]
— 名 (複 ~s/-z/) C **1** 信号, シグナル；[…するよう／…の／…という]合図(to do ／ for ／ that節)；信号機 (略 sig.)◆注意信号の色は英国・カナダの amber, 米国では yellow という‖ a traffic [stop] *signal* 交通[停止]信号／a dánger [distréss] *signal* 危険[遭難]信号／*by signal* 信号で／at a given *signal* 合図が出ると／I gave her the *signal* to start. 彼女に出発の合図をした(=I *signaled* her to start.).
2 […への]きっかけ, 動機 (for). **3** (テレビ・ラジオの)信号《電波・映像・音声など》.
— 形 (more ~, most ~)[名詞の前で] **1** 信号(用)の◆比較変化しない‖ a *signal* fire のろし. **2** (正式)めざましい, 注目に値する‖ make *signal* progress 顕著な進歩をとげる.
— 動 (~s/-z/; 過去・過分 ~ed or (英) sig·nalled /-d/; ~·ing or (英) ~·nal·ling)
— 他 **1**〈人が〉〈人に〉合図する, 信号を送る；…を信号で伝える；[signal A to do] 〈人・乗物などに〉…せよと合図する; [signal that節] …だと合図する‖ *signal* 「a message [an order] 通信[命令]を信号で送る／The policeman *signaled* my car to stop. = The policeman *signaled* me to stop my car. その警官は私の車に停まるように合図した／I *signaled* (to) him *that* I was ready. 準備ができていると彼に合図した (◆ A は省略可: I *signaled that* I was ready. 準備ができていると合図した).
2 …の証拠[特徴, きざし]となる.
— 自 合図する, 信号する；合図して[…を]求める (for)；[人・乗物などに…するように]合図する (to ／ to do) ‖ *signal* for help 信号で助けを求める／*signal* to a lighthouse 灯台に合図する／*signal for* her to begin 彼女に始めるよう合図する.

sígnal gùn (難破船などの)信号砲；号砲.
sígnal pòst 信号柱.
sígnal tòwer [(英) bòx] (鉄道の)信号所.
síg·nal·er, (英) **síg·nal·ler** 名 C 信号係[手, 兵, 機].
sig·nal·ize /sígnəlàɪz/ 動 他 (正式) …を目立たせる； [be ~d／~ oneself] […で]きわだつ, 有名になる (by).
sig·nal·ly /sígnəli/ 副 (正式) 目立って, 著しく.
sígnal·man /sígnəlmæn/ 名 (複 -·men) C (英) (鉄道の)信号手[係]；通信兵((PC) signaller).
sig·na·to·ry /sígnətɔ̀ːri｜-təri/ 形 署名[調印]した.
— 名 C (正式) 署名[調印]者；[条約などの]加盟 [調印]国 (of, to).

*síg·na·ture /sígnətʃər/ [→ sign]
— 名 (複 ~s/-z/) C **1** 署名(すること), サイン, 調印 (略 sig.)◆(1)芸能人などの「サイン」は autograph. (2)商業通信文以外はふつう姓名を書く‖ *write* [*give*, *put*] one's *signature* to [on] a paper 書類に署名する (◆ to の場合は賛同の含み). **2** (音楽) 記号‖ a time [key] *signature* 拍子[調子]記号. **3** =signature tune.
sígnature tùne (英) (番組の)テーマ音楽((米) theme song).
sígn·board /sáɪnbɔ̀ːrd/ 名 C 看板, 掲示板, プラカード.
†síg·net /sígnət/ 名 C 印鑑(指輪につける認め印；捺(なつ)印)；(英史) [the ~] 玉璽(ぎょくじ).
sígnet rìng 認め印[印章]つきの指輪(seal ring).

†sig·nif·i·cance /sɪɡnífɪkəns/ 名 U [時に a ~] **1** (正式) 意義, 意味(meaning)；意味ありげなこと‖ with a look of deep *significance* いかにも意味ありげな顔つきで／I fully understand the *significance* of her anger [smile]. 彼女の立腹[微笑]の意味を十分理解しています. **2** 重要性, 重大さ (◆ importance より堅い語) ‖ The event is *of great* [*little*, *no*] *significance*. その出来事は非常に重要である[あまり重要でない, 少しも重要でない].
signíficance lèvel (統計) (統計的検定の)有意水準.

*sig·nif·i·cant /sɪɡnífɪkənt/ [アクセント注意] 派 significantly (副)
— 形 (正式) **1**〈物・事が〉[…にとって]重大な, 重要な(important) (to, for)；〈数量などが〉有意の, 相当数の, かなりの；[it is significant to do] …すること が重要な；[it is significant that節] …であることが 重要な (↔ insignificant) ‖ a *significant* event 重大な行事.
2 意味のある；意味ありげな(suggestive)；[…を]意 味する, 表す (of) ‖ a *significant* day for me 私 にとって意義深い日.
†sig·nif·i·cant·ly /sɪɡnífɪkəntli/ 副 (正式) **1** 意味深く；意味ありげに. **2** はっきりと, いちじるしく. **3** [文全体を修飾] 意味深いことに(は).
sig·nif·i·ca·tion /sìɡnəfɪkéɪʃən/ 名 (正式) U (語の)意味； C (語の)意義； U C 表示.

*sig·ni·fy /sígnəfàɪ/
— 動 (-·ni·fies/-z/; 過去・過分 -·ni·fied/-d/; ~·ing)
— 他 (正式) **1**〈人が〉〈事を〉(合図・言動で)示す；[人 に…だと／…かどうかを]表明する (to/that節/wh節 [句]) ‖ *signify* consent 「by nodding [by raising one's hand] うなずいて[挙手で]同意を示す／I *signified* to him *that* I was pleased. 私は喜んでいることを彼に表明した. **2**〈態度などが〉〈事を〉意味 する；[…であることを／…かどうかを]意味する(that節/wh節[句]) ‖ Her look *signifies* 「her contentment [*that* she is contented]. 彼女の顔つきは満足を示している／What does your silence *signify*? 君が黙っているのはどういう意味なんだい. **3** …のしるし[前兆]である.
— 自 **1** (合図・言動で)知らせる. **2** (略式)[通例否 定文・疑問文で]重要である‖ Her plan 「doesn't *signify* much [*signifies little*]. 彼女の計画は取るに足りない.

†Si·gnor /síːnjɔːr, sɪnjɔ́ːr/ [イタリア] 名 (複 --gno·ri /-njɔ́ːriː/) **1a** [名前の前で] …様, 氏 (◆英語の Mr. に当たる). **b** [呼びかけで]あなた, だんな様 (◆英語の sir に当たる). **2** [s~] C 紳士.
Si·gno·ra /siːnjɔ́ːrə/ [イタリア] 名 (複 --gno·re /-rei/) **1a** [名前の前で]…夫人(◆英語の Mrs., Madam に当たる). **b** [呼びかけで]奥様(◆英語の madam に当たる). **2** [s~] C (既婚の)婦人.
Si·gno·ri·na /sìːnjɔːríːnə, -njə-/ [イタリア] 名 (複 --ne/-nei/) **1a** [名前の前で]…嬢(◆英語の Miss に当たる). **b** [呼びかけで]お嬢さん(◆英語の miss, madam に当たる). **2** [s~] C (未婚の)婦人, 令嬢.
sígn·post /sáɪnpòʊst/ 名 C **1** 道標, 案内標識. **2** 指標, 指針. —— 動 他 (英) [通例 be ~ed] 〈道の〉 案内標識を立てる.
Sikh /síːk/ 名 C 形 シーク教徒(の).
Síkh·ism 名 U シーク教.

*si·lence /sáɪləns/ [→ silent]
— 名 (複 ~s/-ɪz/) U **1** 静けさ, 音を立てないこと(◆

noisiness) ‖ The *silence* of the night was broken by a gunshot. 夜の静けさは銃声で破られた.

2 [U] **沈黙**, 無言；〔…に〕言及しないこと〔*on*〕；[C] 沈黙の期間；音信不通 ‖ a man of *silence* 無口な人 / buy her *silence* (金で)彼女に口止めする / listen to him ***in silence*** 黙って彼の話を聞く / break [keep] (the) *silence* 沈黙を破る[守る] / reduce [put] her to *silence* (議論などで)彼女をやりこめて黙らせる / an awkward *silence* 気まずい沈黙 / There was a short *silence* between us. 私たちはしばらくおし黙っていた / Please excuse (me) for my long *silence*. 長らくごぶさたしてすみません / ***Silence is golden.*** 《ことわざ》「沈黙は金」(→ speech [名] **2** 用例) / [ジョーク] My wife believes in "*Silence* is golden" and can talk about it for hours. 妻は「沈黙は金なり」をかたく信じている. だからこのことわざについて何時間でも話ができるんだ.

3 [U] 忘却；黙殺 ‖ pass over his comment in *silence* 彼の発言を黙殺する.

——[動] [他] 《正式》〈人・騒音など〉を沈黙させる；〈反対意見など〉を静める, 抑える ‖ *silence* a shouting man どなっている人を黙らせる / *silence* 「a revolt [the enemy's guns] 反乱[敵の砲火]を封じる.

——[間] 静かに, 静粛に《◆掲示にも用いる》.

si·lenc·er /sáilənsər/ [名] [C] (銃の)消音装置；《英》(エンジンなどの)消音装置[器](《米》muffler)；沈黙させる人[物].

***si·lent** /sáilənt/ 〖「声や音がまったくない」が本義〗 [派] silence (名), silently (副)

——[形] (**more ~, most ~ ; ~er, ~·est**) **1 無言の**, 沈黙した, 音[声]を立てない；音信不通の ‖ a *silent* prayer 黙禱(とう) / a *silent* protest 無言の抗議 / *silent* assent 黙諾 / a *silent* person 無口な人《◆「物静かな人」は a quiet person》/ fall *silent* 急に黙り込む / I'm sorry to have kept *silent* for such a long time. 長らくごぶさたしてすみません / The teacher told the class to be *silent*. 先生はクラスの生徒に口を閉じるように言った.

2 〈場所などが〉**静かな**, 音がしない(↔ noisy) ‖ a *silent* street [evening] 静まりかえった街[夕べ] / (*as*) ***silent as a tomb*** [grave] (不気味に)静まり返った / All was *silent* around us. あたりはしーんとしていた.

3 [補語として] 〈人・記録などが〉〔…に〕言及しない〔*about, on*〕；〔人に〕口をきかない〔*with*〕 ‖ I was *silent* 「on this point. この点に関しては何も言わなかった. **4** 〔音声〕発音されない, 黙音の(↔ pronounced)；〔映画〕無声の《◆比較変化しない》 ‖ The 'l' is *silent* in the word 'calm'. 'calm' の 'l' は発音しません《◆こういう文字を *silent* letter「黙字」という》/ a *silent* film 無声映画(↔ a sound film).

——[名] [C] 《略式》[通例 ~s] 無声映画.

sílent majórity [通例 the S~ M-] 《略式》声なき大多数, もの言わぬ一般大衆《◆「声なき大多数の1人」は **Sílent Majoritárian**/-téəriən/》.

sílent spríng 沈黙の春《◆公害による自然破壊がもたらした, 小鳥の声もしない春. R. Carson の著作名から》.

sí·lent·ness [名] [U] 静けさ, 無言.

***si·lent·ly** /sáiləntli/ 〖→ silent〗

——[副] [様態] **静かに, 黙って** ‖ Read the passage *silently*, not aloud. その個所を声を出さずに黙読してください.

+sil·hou·ette /sìlu(ː)ét/ [アクセント注意] [名] [C] **1** シルエット, 影絵《◆ふつう黒く塗った半面影像》. **2** 《正式》(人・物の)輪郭, 全体の形(shadow)《◆明るい背景に対する黒い姿をいう》.

in silhouétte シルエットで[の]；輪郭だけで[の].

——[動] [他] 《正式》…の輪郭を〔…を背景に, …に対して〕みせる, …をシルエットで描く(outline)〔*against*〕；[be ~d] 〈人・物〉の輪郭が浮かびあがる ‖ The roosting pigeons *were silhouetted against* the sky. 止まり木にとまっているハトの姿が空を背景に浮かびあがっていた.

silhouétte àrt [集合名詞的に] 影絵.

+sil·i·ca /sílikə/ [名] [U] 〔化学〕シリカ, 珪土(けいど), 無水珪酸《SiO_2》. **sílica gèl** 〔化学〕シリカゲル《乾燥剤用》.

+sil·i·con /sílikn, -kàn | -kn, -kɔ̀n/ [名] [U] 〔化学〕ケイ素, シリコン《非金属元素. [記号] Si》.

sílicon chìp 〔電子工学〕シリコン=チップ《ケイ素の薄片上に微小な電気回路を作ったもの》.

sílicon dióxide 〔化学〕二酸化ケイ素, シリカ(silica).

Sílicon Válley シリコン=バレー《米国サンフランシスコ郊外のエレクトロニクス産業の集まった地域の通称》.

***silk** /sílk/ [派] silken (形), silky (形)

——[名] (複 **~s**/-s/) **1** [U] **絹**；絹糸, 生糸；絹織物, 絹布 ‖ raw *silk* 生糸.

2 《古》[~s; 複数扱い] 絹の衣服, 絹物 ‖ be dressed in *silks* and satins 《文》豪華な服を着ている. **3** 《米》[~s] 騎手服《帽子とジャケットひとそろい》.

4 [C] 《英》(勅(ちょく)選弁護士の)絹製のガウン；《英略式》勅選弁護士(King's [Queen's] Counsel). **5** [U] (宝石などの)絹糸光沢. **6** [U] 《米》トウモロコシの毛.

7 [形容詞的に] 絹(製)の；絹のような, 絹状の ‖ *silk* stockings 絹の靴下(cf. silk-stocking).

sílk còtton カポック(kapok), 木綿(きわた).

sílk hát シルクハット.

Sílk Ròad [the ~] シルクロード, 絹の道《中国とローマを結んだ古代の東西交通路》.

sílk-còt·ton trèe /sílkkàtn- | -kɔ̀tn-/ 〔植〕=kapok tree.

+silk·en /sílkn/ [形] **1** 《文》絹の, 絹製の. **2** 《文》= silky **1**. **3** 絹を着た；ぜいたくな.

silk·screen /sílkskrìːn/ [名] [C] =silkscreen printing. ——[動] [他] …を孔版捺染(なっせん)する.

sílkscreen prínting シルクスクリーン《絹などの孔版で捺染する方法》.

silk-stock·ing /sílkstákiŋ | -stɔ́kiŋ/ 《米》[形] 絹の靴下をはいている；ぜいたくな服装の；上流の, 富裕な, 上品な. ——[名] [C] ぜいたくな服装をした人；上流階級の人, 富裕な人.

+silk·worm /sílkwə̀ːrm/ [名] [C] 〔昆虫〕カイコ；絹をとるガの幼虫.

+silk·y /sílki/ [形] (通例 **--i·er, --i·est**) **1** 絹のような；柔らかな, つやのある. **2** 〈態度・声などが〉もの柔らかな ‖ a *silky* voice ねこなで声. **3** 〔植〕〈葉が〉絹毛のある.

+sill /síl/ [名] [C] **1** 敷居, 窓敷居. **2** (建物の外壁などの)土台.

sil·li·ness /sílinəs/ [名] [U] [C] ばかなこと[行為].

***sil·ly** /síli/ 〖「幸せな」が原義. cf. nice〗

——[形] (**--li·er, --li·est**) **1** 〈人が〉**ばかな**, 愚かな, 考えのない；〈考えなどが〉ばかばかしい, ばかげた《◆foolish より口語的》 ‖ a *silly* question ばかげた質問 / *silly* little things 取るに足らぬ事柄 / I was ***silly to*** forget to write my name on the answer sheet. =*It was silly of* me *to* forget to write my name on the answer sheet. 答案用紙に名前を書き忘れるとは私は愚かだった(➔文法 17.5). **2** 《略式》[補語として] [通例目的補語で] 気絶して, 頭がぼーっとして《◆比較変化しない》‖ knock [bore] him *silly* 彼をなぐって気絶させる[頭がぼーっとするほど退屈させる].

Dòn't be sílly. 《略式》 (1) ばかなことを言うな. (2) (親しい友人に礼をいわれたときに)水くさいことを言うなよ, 遠慮するな.

――[名][C]《略式》=silly billy.

sílly bìlly ばか(な人)《◆子供に対して, または子供同士で用いる》.

sílly sèason 《略式》[the ~] (新聞の)夏枯れ時《重要な記事が少ないのでつまらない記事が載る夏の時期》.

si·lo /sáilou/ [名] (複 ~s) [C] **1** サイロ《飼料用穀物・牧草を貯蔵する塔状建物》; (地下の)室(むろ), 貯蔵庫. **2** 〔軍事〕(発射設備のある)地下ミサイル格納庫.

silt /sílt/ [名][U] 沈泥(ちんでい). ――[動][自] 沈泥でふさがる(+*up*). ――[他] …を沈泥でふさぐ(+*up*).

Si·lu·ri·an /sailúəriən, si-, (英+) -ljúər-/ [形] **1** (古代英国の)シルリア人の. **2** 〔地質〕シルリア紀[系]の.

――[名]〔地質〕[the ~] シルリア紀[系].

sil·van /sílvn/ [形][名] =sylvan.

***sil·ver** /sílvər/

――[名] (複 ~s/-z/) **1** [U]〔化学〕**銀** ([記号] Ag)《◆純潔・知恵などの象徴》‖ *(as) bright as silver* (銀のように)輝いている / She wears a watch made of *silver*. 彼女は銀時計をしている.

2 [U] 《英古》銀貨; 金銭; 《米》1ドル硬貨; 《米俗》小銭 ‖ pay in *silver* 銀貨で支払う.

3 [集合名詞] 銀器; (一般に)食器類 ‖ table *silver* 銀食器類《フォーク・スプーン・ナイフなど》. **4** [U] 銀色, 銀白. **5** [C]《略式》=silver medal.

――[形]《◆比較変化しない》**1 銀製の**, 銀の ‖ toss a *silver* coin to the manager マスターに銀貨を投げる / a *silver* pen 銀のペン.

2 [名詞の前で] **銀色の**, 銀白の; 銀のような ‖ *silver* hair 銀髪, 白髪 / the *silver* moon 銀色の月.

3 《文》〈音・声が〉澄んだ, さえた; 雄弁な ‖ He has a *silver* tongue. 彼は弁舌さわやかだ.

――[動][他] **1** …に銀めっきする, 銀をかぶせる ‖ *silver* knives ナイフに銀めっきする. **2** 《文》…を銀色にする.

――[自]《文》銀色になる[光る].

Sílver Àge [the ~, 時に the s~ a-] (1) 〔ギリシア神話〕銀時代《Golden Age に次ぐ逸楽の時代. Bronze Age, Iron Age へ続く》. (2) (文芸上の)銀時代.

sílver anniversary (結婚などの)25周年記念日.

sílver bírch 〔植〕シラカバ.

sílver fóx 〔動〕ギンギツネ; その毛皮.

sílver gílt 銀めっき(cf. silver-gilt).

sílver gráy [《英》**gréy**] 銀白色, 銀灰色.

sílver íodide 〔化学〕ヨウ化銀.

sílver júbilee 《主に英》[the ~] 25周年記念日[祭].

sílver lèaf 薄手銀箔《silver paper の薄いもの》.

sílver médal 銀メダル.

sílver páper 《略式》銀フォイル, 銀箔(silver foil).

sílver pláte [集合名詞的に] 銀器類; 銀めっき.

sílver scréen 〔映画〕スクリーン; 《古》[the ~; 集合名詞的に] 映画(界), 映画産業.

sílver spóon (1) 銀のスプーン. (2) 富, (相続)財産(→ spoon 成句).

sílver wédding (annivèrsary) 銀婚式《結婚25周年》.

sil·ver-gilt /sílvərgílt/ [形] 銀めっきの(cf. silver gilt).

sil·ver-grey /sílvərgréi/ [形]《英》銀白色の.

sil·ver·smith /sílvərsmìθ/ [名][C] 銀細工師.

†sil·ver·ware /sílvərwèər/ [名][U]《米》[集合名詞] 銀器(《英》cutlery); (主に)食卓用銀製品.

†sil·ver·y /sílvəri/ [形] **1** 銀の(ような); 銀白色の. **2** 銀を含む, 銀で飾った. **3** 《文》〈音などが〉澄んだ, さえた.

Sim·e·on /símiən/ [名]〔旧約〕シメオン《Jacob の息子, シメオン族の始祖》; [C]〔旧約〕シメオン族.

***sim·i·lar** /símələr/ [派] similarity (名)

――[形] **1** 〔…と〕**よく似た**, 類似した, 同類の〔*to*〕(↔ dissimilar) ‖ a car (which is) *similar to* mine =a *similar* car *to* mine 私のと同じ(車種の)車 / A wildcat is *similar to* but smaller than a lion. ヤマネコはライオンに似ているが, より小さい. **2** 〔数学〕相似の《◆比較変化しない》‖ *similar* triangles 相似三角形.

***sim·i·lar·i·ty** /sìməlǽrəti/ 〖→ similar〗

――[名] (複 --ties/-z/) [U] 〔…の間の/…との〕**類似**, 相似; [C] **類似**[相似]**点**〔*between*/*with*〕《◆likeness よりも類似性が弱い. また resemblance と違い同じ種類・特質である意味を含む》‖ There is a *similarity between* cats and tigers. ネコとトラには共通点がある.

†sim·i·lar·ly /símələrli/ [副] 類似して; [接続詞的に] 同様に.

sim·i·le /síməli(ː)/ [名][C][U]〔修辞〕直喩(ちょくゆ)《like, as などを用いて, あるものを直接他のものと比較する修辞法. (as) brave as a lion など. cf. metaphor》.

†sim·mer /símər/ [動][自] **1** 〈シチューなどが〉とろ火でとろとろ煮える(→ cook [他] **1** [関連]); 〈やかんなどが〉静かにチンチン鳴る. **2** [通例 be ~ing] 〈人が〉〔怒りなどで〕爆発寸前である〔*with*〕‖ *simmer with* rage いまにも怒り出しそうになる. ――[他] …をとろ火でとろとろ煮る.

símmer dówn [自] (1) 〈スープなどが〉煮つまる. (2) 《略式》[しばしば命令文で] 〈人・事態などが〉静まる.

――[名] [a/the ~] 沸騰[感情の爆発]寸前の状態 ‖ at *a* [on *the*] *simmer* とろとろ煮えて / to *a simmer* とろとろ煮える状態に.

Si·mon /sáimən/ [名] **1** サイモン《男の名》. **2** シモン《キリストの12使徒の1人ペテロの本名》.

Símon Le·grée /-ligríː/ (1) サイモン=リグリー《H. B. Stowe 作 *Uncle Tom's Cabin* 中の残忍な奴隷商人》. (2) 冷酷で無慈悲な雇主.

Símon Péter 使徒ペテロ.

si·moom /simúːm, (米+) sai-/, **si·moon** /-múːn/ [名][C] シムーム, シムーン《アラビア地方の砂漠の砂あらし》.

sim·per /símpər/ [動][自] にたにた笑う, 間の抜けた(作り)笑いを浮かべる. ――[他] …をにたにた笑いながら言う.

――[名][C] (間の抜けた)にたにた笑い, つくり笑い.

***sim·ple** /símpl/ 〖1つの(sim)折り(ple). cf. single, triple〗 [派] simplicity (名), simply (副)

index 1単純な 2単一の 3質素な 4無邪気な 5お人よしの 6まったくの

――[形] (~r, ~st)

I [単純な]

1 単純な, **簡単な**; わかり[扱い]やすい; 〔…するのが〕容易な〔*to* do〕(↔ complex) ‖ It was a *simple*

simple-minded

question *to* answer. =It was *simple to* answer the question. =The question was *simple to* answer. 簡単に答えられる質問だった(➡文法17.4) / write in *simple* English 平易な英語で書く / It's really quite *simple*. それはとも簡単だよ / It's *as simple as that*. 〈略式〉わかりきったことだ; 〔話の締めくくりとして〕話は単にそれだけだ.
2 [通例名詞の前で] 単一の, 単独の《◆比較変化しない》∥ a *simple* compound 単純化合物 / a *simple* leaf [eye] 単葉[眼] / *simple* harmonic motion 〔物理〕単調和振動.

Ⅱ [様が単純な]
3 [質素な] 簡素な, 飾り気のない ∥ a *simple* dress [style] 地味な服[飾らない文体] / a lady of *simple* beauty 飾り気のない美しさの人 / live [lɪ́ːd] a *simple* life 〈略式〉質素な生活をする.

Ⅲ [考えが単純な]
4 無邪気な, 気取らない; 純真な ∥ a *simple* heart 誠実な心 / a *simple* way of speaking 気さくなしゃべり方 / He is (*as*) *simple as a child*. 彼は子供のように無邪気だ.
5 […に関して]お人よしの, だまされやすい, おめでたい; 〈略式〉〔補語として〕〔遠回しに〕愚かな (simple-minded); 無知な〔*about*〕∥ I was *simple* enough to believe the salesman. 私はそのセールスマンの言うことを真に受けるほどお人よしだった.
6 [名詞の前で] まったくの, 純然たる《◆比較変化しない》∥ the *simple* truth まったくの真実 / *pure* [*plain*] *and simple* 〈略式〉まったくの《◆名詞の後に置く》.
── 名 C 単純物, 単体; ばか者.
símple fráction〔数学〕単分数.
símple frácture〔医学〕単純骨折.
símple machíne 単純機械〔作業を助ける基本的装置. 滑車・ねじなど〕.
símple séntence〔文法〕単文 (cf. complex [compound] sentence).
símple ténse〔文法〕単純時制.
sim·ple-mínd·ed /símplmáindid/ 形 お人よしの, 単純な; 愚かな, 精神薄弱の.
†**sim·plic·i·ty** /simplísəti/ 名 U **1** 平易, 簡単, 単純, 容易さ ∥ The problem is「*simplicity itself* [*all simplicity*]. 〈文〉その問題はまったく簡単だ.
2 質素, 簡素, 飾り気のなさ. **3**〈正式〉純真, 無邪気, 実直 ∥ I like the *simplicity* of her manner. 私は彼女の無邪気な態度が好きです. 名 & かさ.
sim·pli·fi·ca·tion /sìmpləfikéiʃən/ 名 U 〈正式〉簡単[平易]化; 単一化.
†**sim·pli·fy** /símpləfài/ 動 他 …を簡単[単純]にする, 平易[容易]にする ∥ *simplify* a book 本を平易に書き直す / *simplify* exercises 練習を簡単にする.
sim·plis·tic /simplístik/ 形 簡単に割り切った, 単純な.
***sim·ply** /símpli/《→ simple》
── 副 (*more* ~, *most* ~)

Ⅰ [単に]
1〈略式・主に女性語〉〔強意語として〕まったく, とても (very); 〔否定語の前で〕どうしても, ぜったいに《◆比較変化しない》∥ Your dress is *simply* elegant, isn't it? あなたのドレスはとても上品ですね / I *simply* can't believe what you say. 君の言うことがどうしても信じられない.
2〔すぐ後の語句・節を修飾して〕単に, ただ (only)《◆比較変化しない》∥ He works *simply* to succeed. 彼はただ出世したに働く / She was absent *simply* *because* she caught cold. 彼女はかぜをひいただけで欠席した / *Simply* write him a thank-you note. 彼に礼状だけは出しなさい.

Ⅱ [単純に]
3 簡単に, 平易に ∥ She explained the rules of chess *simply*. 彼女はチェスのルールをやさしく説明した / *to put it simply* 手短に言えば (➡文法11.3(3)).
4 質素に, 飾り気なく; 無邪気に; 愚かに ∥ be *simply* dressed 地味な服を着ている / speak *simply* 率直に話す.
not simply **A** *but* (*also*) **B** → not 成句.

†**sim·u·late** /símjəlèit/ 動 他 **1** …のふりをする, …を装う. **2** …をまねる; …の扮装(ふん)をする;〔生物〕…に擬態する. **3** …の模擬実験をする.
sim·u·la·tion /sìmjəléiʃən/ 名 U C **1**〈正式〉まねること; ふりをすること; みせかけ; 仮想現実. **2**〔生物〕擬態. **3**〔コンピュータ〕シミュレーション, 模擬実験.
†**si·mul·ta·ne·ous** /sàiməltéiniəs, si-|sìməltéiniəs/ 形 [*with*] ∥ *simultaneous* interpretation 同時通訳 / two *simultaneous* shots 同時に発射された2発の銃声.
2〔数学〕連立の ∥ *simultaneous* equations 連立方程式.
†**si·mul·ta·ne·ous·ly** /sàiməltéiniəsli, si-|sìməltéiniəs-/ 副 […と]同時に〔*with*〕.
†**sin** /sín/ 名 **1** U〔宗教・道徳上の〕罪, 罪悪《◆(1) 具体的な罪・罪業(ざいごう)をいう場合は C. (2) 法律上の罪は crime》∥ original *sin* 原罪 / the seven deadly *sins* 七つの大罪《傲慢(ごう), 貪欲(どん), 邪淫(じゃ), 怒り, 大食, ねたみ, 怠惰》/ *commit a sin* 罪を犯す.
2 C […に対する]過失, 違反〔*against*〕∥ a *sin against* good manners 無作法. **3** C〈略式〉ばかげたこと, 常識はずれのこと ∥ It's *a sin to* be cruel to animals. 動物を虐待するのはひどい事だ.
── 動 (過去・過分 sinned; sin·ning)〈正式〉自 […に対して]〔道徳・宗教上の〕罪を犯す (do wrong); 悪事を働く;〔法律慣習・規範に〕そむく〔*against*〕∥ *sin against* man and God 人と神に対して罪を犯す. ── 他〔罪〕を犯す.
live in sín〈やや古〉〔遠回しに〕〔結婚せずに〕同棲(どうせい)する.

sin 略 *sine*.
Si·na·i /sáinài/ 名 **1** シナイ半島《紅海に突き出た半島》. **2 Mount ~** シナイ山《モーセが神から十戒を与えられたという山》.
Sin·bad /sínbæd/ 名 =Sindbad.

***since** /síns/
── 接 **1a** …して以来, …してから〔今[その時]まで〕《◆ ✓ ✗ 過去の一定時から話題の時〔今[その時]〕までの継続の観念を表す. したがって主節は現在[過去]完了時制を用いるのが原則》∥ He 「*has worked* [*has been working*, ˟*is working*] *since* he left school. 彼は学校を出てから働いている《◆現在進行形が不可の理由は ➡文法 5.1》/ We have known each other (*ever*) *since* we were children. 私たちは子供のころからお互いによく知っている《◆ ever is since の意味を強める》/ She *has moved* house *six times since* she came here. 彼女は当地へ来て以来6回引っ越しをした《◆ ✓ ✗ 主節に瞬時的動詞を用いると since が表す「継続」と矛盾するので, 頻度を表す語(句), 名詞の複数形などが必要. ただし, 否定されているときや現在完了進行形では可》/ I feel shaky *since* I was sick. 病気になってから体が震えるのを感じる《◆現在形を用いるのは継続を示す動詞に限る. *it is*

sincere

b [it is C since ...] ...してから C になるのは期間を表す語. (2) ふつう主節は現在形で, since 節は過去形: How long is it *since* you came to Japan? 日本に来られてからどのぐらいになりますか ‖ *It is* [(米) *has been*] two years *since* I saw Tom last. 2年トムと会っていない《◆書き換え例: Two years *have passed since* I saw Tom last. / I last saw Tom two years ago.》.
2 a ...だから, ...なので; ...である以上《◆(1) ふつう文頭で用いる. (2) 事実を前提にしたり, すでに自明の理由をあげる場合に好まれる. (米) では as の代わりに好んでよく用いられる》‖ *Since* she is ill, I can't take her with me. (君も知っての通り)彼女は病気だから連れて行くことはできない / *Since* you don't trust him, you should not employ him. 彼を信頼できない以上, 雇うべきではない.
b ...なので言うが《◆ *Since* ..., *I say* ... の省略》.
──前 [原則として完了時制で] 1 a) ...以来, から(今[その時]まで); ...の後までに; (略式)(物・出来事などが)...の時代以来 ‖ the greatest invention *since* 1950 1950年以来の最大の発明 / I *have* been here *since* [×*from*] five o'clock. 5時からずっとここにいる / We *haven't seen* her ˈ*since then* 〔卒業〕以来彼女に会っていない / I *have known* him *since childhood* [kindergarten]. 彼を子供の頃から[幼稚園以来]知っている.
──副《◆比較変化しない》 1 [(現在)完了時制で; 通例 ever ~] それ以来(ずっと) ‖ He caught cold last week and has been in bed *ever since*. 彼は先週かぜをひき, 以来ずっと寝込んでいる《◆ He has been in bed *ever since* he caught cold last week. (since は接続詞)の he caught ... が前に出た場合》.
2 (正式) [(現在)完了時制で] その後(今までの間に) ‖ They have *since* become more friendly. 彼らはその後いっそう親密になった.
3 (略式) [過去・現在完了時制で; しばしば long ~] (今から)...前に《◆ ago の方がふつう》‖ The old watch has *long since* been out of use. その古い時計はとっくの昔に役に立たなくなっている.

*sin·cere /sɪnsíər, sən-/ [「きれいな(pure)」が原義] sincerely (副), sincerity (名)
──形 (通例 ~r/-síərə*r*/, ~st/-síərɪst/) 1 〈言動・感情などが〉偽りのない, 心からの; 真剣な ‖ *sincere* thanks 心からの感謝 / "He made a *sincere* effort [He was *sincere* in his effort] to succeed. 彼は目的達成を目指してひたすらに努力した / You have my *sincerest* [most *sincere*] sympathy. 心から御同情申し上げます.
2 〈人が〉(心から)誠実な, まじめな《◆ polite に対して, 自己に忠実で常に本音を通すといった美質を暗示する》‖ a *sincere* friend 誠実な友 / She is *sincere in* her promise. 彼女は約束を破らない.

*sin·cere·ly /sɪnsíərli, sən-/ [→ sincere]
──副 心から, 誠実に ‖ *Sincerely* (yours) [(米) = (英) *Yours*] (very) *sincerely* 敬具《手紙の結び》/ *Sincerely*, I apologize for being so rude. 失礼なことをして心からお詫びいたします.

†**sin·cer·i·ty** /sɪnsérəti, sən-/ 名 U (思ったままを表現する)率直さ, 誠実, 真実, 誠意 ‖ speak *with total sincerity* 誠心誠意ままの心で話す / I don't doubt your *sincerity*. 君がうそをついているなんて思っていない

Sin·clair /síŋkleər/ 名 シンクレア《**Upton** ~ 1878-1968; 米国の小説家・社会改革家》.
Sind·bad /síndbæd/ 名 シンドバッド《*The Arabian Nights* 中の人物. Sindbad the Sailor ともいう》.
sine /sáɪn/ 名 C (数学)サイン, 正弦(略 sin).
si·ne·cure /sáɪnɪkjùər/ 名 C (収入だけで実務のない)閑職; 名目だけの牧師職.
†**sin·ew** /sínju:/ 名 (正式) **1** C U 腱(けん)(tendon). **2** U (通例 ~s) 筋肉; 体力, 精力. **3** U (通例 ~s) (根源としての)力; 資力.
†**sin·ful** /sínfl/ 形 **1** (主に文) 罪深い; 邪悪な. **2** (略式) 恥ずべき, 法外な《食べ物が》(体に悪いとわかっていて)つい食べたくなるような.

★sing /síŋ/ [原義] swing /swíŋ/, thing /θíŋ/, 名singer (名)
『声を合わせて歌う原義』singer (名)
──動 (~s/-z/; 過去 sang/sǽŋ/ or (まれ) sung /sʌ́ŋ/, 過分 sung; ~ing)
──自 **1** 歌う《◆楽器に合わせて/人のために》歌う[*to, for, to*] ‖ *sing away* [*on*] 歌い続ける / *sing in chorus* 合唱で歌う / *sing solo* 独唱する(= *sing a solo*) / *sing in* [*out of*] *tune* 調子正しく[はずれて]歌う / *sing to the piano for* the children ピアノに合わせて子供たちに歌ってやる / She *sings* well. 彼女は歌がうまい(= She is a good *singer*.) / He can't *sing*. 彼は歌えない; 彼は音痴だ.
2 〈鳥・虫などが〉鳴く ‖ The birds *sang on* [*away*] merrily in the trees. 鳥が木立の中で楽しげにさえずり続けた.
3 (文) 〈湯わかし・小川などが〉音を立てる(+*away*); 〈風・弾丸などが〉うなる; 〈耳が〉鳴る; 〈胸が〉(喜びで)高鳴る. **4** (文) (歌) [詩]を作る; (歌) (...を)詩[歌]にする, 賛美する[*of, about*] ‖ She *sang of* world peace. 彼女は世界平和を歌いあげた.
──他 **1** (歌) を歌う; [sing A B; sing B for [to] A] 〈人が〉A〈人に〉B〈歌〉を歌う; 〈人に〉歌って[...]させる[*to*] ‖ I *sang* my baby *to* sleep with a lullaby. 赤ん坊に子守歌を歌って寝かしつけた《◆ この sleep は名詞》.
2 ...を歌って過ごす[忘れる](+*away*); 〈年〉を歌って送る[迎える](+*out, in*) ‖ *sing out* the old year and the new year *in* 歌を歌って旧年を送り新年を迎える. **3** (文) ...を詩[歌]に歌う, 詩[歌]で賛える.

sing out 自 (略式) 大声で歌う[言う]. ──他 (1) ...を大声で歌う[言う]; [...だと]大声で言う(*that* 節). (2) → 自 **2**.
──名 C (米略式) 合唱の集い.

sing. (略) singular.
Sin·ga·pore /síŋɡəpɔ̀:r/ 名 シンガポール《マレー半島南端の島国. 首都島》.
†**singe** /síndʒ/ 動 (~ing) 他 **1** ...の表面を(軽く)焼く, ...を焦がす ‖ The (burning) cigarette *singed* my shirt. (火のついている)タバコは私のシャツを焦がした. **2** (理髪で)〈毛など〉の先端を焼く. **3** 〈豚〉を毛焼きする; 〈布〉のけばを焼く. ──自 焦げる, 表面が焼ける.
──名 C 焦げあと, 焼け焦げ; U 焦がすこと.

*sing·er /síŋər/ [発音注意][→ sing]
──名 (複 ~s/-z/) C **1** 歌う人, 歌手, 声楽家; 詩人 ‖ a male [female] *singer* 男性[女性]歌手 / 'a jazz [an opera, a folk] *singer* ジャズシンガー[オペラ歌手, フォーク歌手] / He is a famous pop *singer* in Japan. 彼は日本では有名な流行歌手です.
2 [形容詞を伴って] 歌が...な人 ‖ She is a good

[bad] *singer*. 彼女は歌がうまい[へただ]；[職業として] 上手[下手]な歌手だ.

sing·er-song·writ·er /síŋərsɔ́:ŋràitər/ 图 © シンガーソングライター.

Sin·gha·lese /sìŋəlíːz/ sìŋə-, sìŋhə-, sìŋgə-/ 《◆ Sinhalese ともいう》形 シンハラ人の, 《スリランカの主要民族; その言語》. ── 图 (複 **Sin·gha·lese**) © シンハラ人; Ⓤ シンハラ語.

sing·ing /síŋiŋ/ 图 Ⓤ © 1 歌うこと, 歌唱, 声楽 ‖ take *singing* lessons 声楽のレッスンをする. **2**（鳥・虫の）鳴くこと；鳴くこと；ブンブン[シューシューなど]いう音；耳鳴り ‖ have a *singing* in one's ears 耳鳴りがする.

*__sin·gle__ /síŋgl/ 〖「1つの(simple)」が本義〗
── 形《◆ 比較変化しない》
I 〔たった1つ[1人]の〕
1〔名詞の前で〕たった1つの, たった1人の；〔否定文で〕ただの1つ[1人]も ‖ a *single* piece of bread たった1切れのパン / I "didn't say [said not] a *single* word. 一言も言わなかった / There is no [*not a*] *single* mistake in his answer. 彼の答えにはただ1つの誤りもない《◆ There is *not a* mistake よりも否定の気持ちが強い. There is *not one single* mistake ... とすれば用例よりも否定の気持ちがいっそう強くなる》.

2 独身の (↔ married) ‖ remain *single* = live a *single* life 独身でいる / Her sister is married, but she is still *single*. 彼女の妹さんは結婚していますが, 彼女はまだ独身です / ジョーク "Do you know why a room full of married people looks empty?" "There's not a *single* person in it." 「既婚者で一杯の部屋はどうしてがらんとしているかわかる?」「独身者が1人もいないから」《◆ There's not a *single* person ... は「ただの1人もいない(形1)」と取れる》.

II 〔個々の〕
3〔名詞の前で〕[each, every, 数詞と共に] 1つ1つの, 各々の ‖ *Each single* string must be tied separately. ひもはそれぞれ別々に結ぶこと.
4〔名詞の前で〕1人用の (↔ double) ‖ a *single* bed シングルベッド (cf. double bed) / I'd like to reserve a *single* room, please. 1人部屋を予約したいのですが.

III 〔単一の〕
5〔名詞の前で〕単一の, 単式の；〈花などが〉一重の；〈競技が〉シングルスの ‖ a *single* lens 1眼レンズ / a *single* track [line] (鉄道の) 単線.
6 (英)〔名詞の前で〕片道の ((米) one-way) (↔ return) ‖ a *single* ticket 片道切符.
── 图 © **1** (CDの) シングル盤. **2** (野球) シングルヒット, 単打；(ゴルフ) 1人試合 (cf. foursome)；(テニス) [~s; 単数扱い] シングルス ‖ line a *single* ライナーの単打を打つ / play *singles* シングルスの試合をする. **3** 1個, 1人；(略式) 1人用の部屋[ベッド, 席] ；(主に米) [通例 ~s] 独身者 ‖ I'd like a *single* for two nights. シングルの部屋を2泊お願いします. **4** (英) 片道切符 ((米) one-way). **5** (略式) [~s] 1ドル[ポンド]札.
── 動 他 …を[…のために] 選び出す (+*out*) 〔*for*〕；〈人を〉〔…するよう〕選出する (+*out*) 〔*to do*〕 ‖ *single* him *out* as captain 彼を主将に選び出す.
── 自 (野球) 単打を打つ.

síngle créam (英) （コーヒー・紅茶用の）クリーム ((米) table cream).
síngle cùt 〔宝石〕シングル=カット.
síngle fígures [複数扱い] 1桁(はた)の数.
síngle fíle 1列縦隊（で）.
síngle párent ひとり親〔父子家庭の母[父]親〕.
síngle stámp 〔郵便〕単片切手.

sin·gle-breast·ed /síŋglbréstid/ 形〔服飾〕〈上着などが〉前身の, 一列ボタンの, シングルの (cf. double-breasted).
sin·gle-hand·ed /síŋglhǽndid/ 形 副 片手の[で]；独力の[で].
sin·gle-heart·ed /síŋglhɑ́:rtəd/ 形 誠実な；ひたむきな.
sin·gle-mind·ed /síŋglmáindid/ 形 1つの目的をもった, […に] ひたむきな, 一心な, 誠実な〔*about*〕.
sin·gle·ton /síŋgltn/ 图 © **1** 1つずつ起こること[もの]；1個のもの, ひとりっ子；(常に) 単独行動する人. **2**〔トランプ〕1枚札.
sin·gle-use /síŋglju:s/ 形 1回だけ使用の, 使い捨ての ‖ a *single-use* bottle 使い捨てのビン.

†**sin·gly** /síŋgli/ 副 **1** 一つ一つ, 個々に (↔ together)；単独に[で] ‖ go out *singly* 別々に出かける / try each dish *singly* 料理を1つ1つ試食する. **2**〔古〕独力で.

sing·song /síŋsɔ̀ːŋ/ 图 Ⓤ **1**〔時に a/the ~〕一本調子の抑揚, 単調な調子；© 単調な詩[歌]. **2** © (英略式) 即席合唱会 (米略式 sing). ── 形 単調な, 一本調子の ‖ read in a *singsong* manner [fashion, tone] （一本調子で）歌うように朗読する.

†**sin·gu·lar** /síŋgjələr/ 形 **1**〔正式〕並はずれた, 非凡な；珍しい, まれに見る ‖ a girl of *singular* beauty 並はずれて美しい少女. **2**〔正式・やや古〕奇妙な, 風変わりな ‖ The box is *singular* in design [color]. その箱はデザイン[色]が変わっている. **3** 1つ1つの；別々の, 各自の ‖ *all and singular* どれもこれも. **4**〔文法〕単数の (略 s., sing.) (↔ plural) ‖ The *singular* form of 'men' is 'man'. 'men' の単数形は 'man' です / the *singular* number 単数. ── 图 Ⓤ〔文法〕〔通例 the ~〕単数（形）(略 s., sing.)；© 単数形の語 (↔ plural).

†**sin·gu·lar·i·ty** /sìŋgjəlǽrəti/ 图〔正式〕 **1** Ⓤ 奇妙, 異常；非凡. **2** © 奇妙[異常] なもの. **2** Ⓤ 単一, 単独.
†**sin·gu·lar·ly** /síŋgjələrli/ 副〔正式〕きわだって；特に, 非常に；〔英やや古〕珍しく, 奇妙に.

†**sin·is·ter** /sínəstər/ 形 **1** 悪意のある, 邪悪な ‖ a *sinister* smile 意地悪そうな笑い. **2** 不吉な, 縁起の悪い.

*__sink__ /síŋk/ （類音 think /θíŋk/) 〖「人が倒れる」が原義〗

index 動 ❶ 1 沈む　2 落ち込む　4 a 衰える
　　　　　　b 弱まる　6 陥る　7 しみ込む
　　　❷ 1 沈める
　　 名 流し

── 動 (~s/-s/; 過去 **sank** /sǽŋk/ or (まれ) **sunk** /sʌ́ŋk/, 過分 **sunk** or (米まれ) **sunk·en** /sʌ́ŋkn/; ~**ing**) ── 自

I 〔沈む〕
1〈物などが〉（水面下などに）**沈む**, 沈没する, 没する (↔ float) ‖ *sink* in the sand [sea] 砂[海]に沈み込む[海中に沈む] / a *sunken* [*sunk*] ship 沈んだ船；沈められた船 / The sun *sank* (down) ˈin the west [below the horizon]. 太陽が西[地平線の下]に沈んだ《◆ set の方が一般的. go down はくだけた語》.

II 〔落ち込む〕

2 〈土地・建物などが〉〔…の方に〕**落ち込む**, 沈下する; **傾く**〔*to, toward*〕‖ *sink to* the sea 海の方へ傾斜する / The foundations have *sunk* two inches. 土台が2インチ沈下した.
3 〈目・ほおなどが〉**落ち込む**(+*in*); 〈腕・首などが〉垂れ下がる; 〈目が〉下を向く ‖ Her heart [spirits] *sank* at the news. 彼女はニュースを聞いてがっくりした / His eyes [cheeks] *sank in* after his son's death. 息子の死で彼の目はくぼんだ[ほおはこけた].
4 a 《正式》〈人・体力・気力などが〉**衰える**, なえる ‖ The patient is *sinking* fast. 病人は目に見えて弱っている. **b** 〈音・声・勢い・程度・数量などが〉〔…に〕**弱まる, 減る**; 〈水位・地位・名声・価値などが〉〔…に〕下がる〔*to*〕; 〈人が〉〔…に〕落ちぶれる ‖ Her voice *sank to* a whisper. 彼女の声は低くなってささやき声になった / The price *sank to* $1. 値段が1ドルに下がった.
III [沈んである状態になる]
5 〈人・体が〉〔…に〕崩れ落ちる, 倒れる(+*down, back*)〔*into, to*〕‖ *sink* (*down*) *to* [on] one's knees がっくりひざをつく / *sink into* [on *to*] a chair いすにぐったりと腰をおろす / *sink down* out of sight 身をかがめて隠れる / Oh, I could *sink* through the floor. ああ, 穴があれば入りたい.
6 〔状態に〕**陥る**, 落ち込む, 熱中する〔*in, into*〕‖ *sink into* poverty 貧乏になる / *sink into* sleep [silence] 眠り[沈黙]に陥る / *sink* down *in* despair [thought] 絶望[物思い]に沈む.
7 〔場所・心などに〕**しみ込む**, 入り込む(+*in*)〔*in, into*〕; 理解される(+*in*) ‖ The rain *sank into* the ground. 雨が土地にしみ込んだ / His kindness *sank into* my heart. 彼の親切が身にしみた / My warning hasn't *sunk in* yet. 私の警告はまだわかってもらえない.
—[他] **1** …を**沈める**, 沈没させる ‖ *sink* a metal rod in before the concrete sets コンクリートが固まらないうちに金属棒を差し込む / A gale *sank* the boat. 強風でボートが沈んだ.
2 〈音・声・価格・数量・程度など〉を低くする, 落とす; …の水位を下げる; 〈目・首など〉をうつむける; 〈計画など〉をつぶす ‖ *sink* the dam ダムの水位を下げる.
3 …を〔…に〕押し込める〔*in, into*〕; …を〔…に〕打ち込む, 埋める; 〈歯など〉を〔…に〕くい込ませる〔*into*〕; 〈井戸・穴など〉を掘る ‖ *sink* a well [mine] 井戸[鉱山]を掘る / *sink* a post deep *into* the ground 柱を地中深く打ち込む / The hungry boy *sank* his teeth deep *into* a roll. 腹をすかせた少年はロールパンにがぶりと深く食らいついた. **4** 《略式》〈資本など〉を〔…に〕つぎ込む〔*in, into*〕‖ *sink* all one's money *into* the business [stock] 有り金をすっかり事業[株]につぎ込む. **5** 〈財産・金など〉をなくす; 〈人〉を(競技などで)負かす; [be sunk] がっくりする. **6** 〔スポーツ〕〈球〉をゴール[ホール, バスケット]に入れる.
sínk or swím (1) 一か八か, のるかそるか ‖ It was *sink or swim* with me. 私にとってのるかそるかだった. (2) [S~ or swim.] おぼれたくなければ泳げ《米国の英語同化政策で唱えられた標語》.
—[名] (複 ~s/-s/) [C] **1** (台所などの)**流し**(kitchen sink); 《米》洗面台(《英》washbasin). **2** 下水溝, 汚水だめ; 《文》(悪の)はきだめ, たまり場(den).
sínk ùnit 台所設備一式《流し・排水設備などを含む》.
†sin·ner /sínər/ [名] [C] 《文》(宗教・道徳上の)罪人(cf. criminal); 罪深い人; 不信心者; ならず者.
Si·no- /sáinou-/ [語要素] →語要素一覧(1.3).
Si·no-Jap·a·nese /sáinoudʒæpəníːz/ [形] 中国と日本間の, 日中の ‖ the *Sino-Japanese* War 日清戦争《1894-95》.
sin·u·os·i·ty /sìnjuásəti | -ɔ́s-/ [名] **1** [U] 曲がりくねり, 湾曲. **2** [C] (川・道の)湾曲部, 曲がり目.
si·nus /sáinəs/ [名] (~·es/-iz/) [C] **1** 〔解剖〕[通例 ~es] 洞(どう). **2** 〔医学〕ろう.
-sion /-ʃən, -ʒən/ [語要素] →語要素一覧(2.2).
Sioux /súː/ [名] (複 Sioux) **1** [C] スー族(の人)《北米先住民の一部族. もと主に Dakota 地方に居住》. **2** [U] スー語. —[形] スー族[語]の. **Síoux Státe** 《愛称》[the ~] スー族の州(→ North Dakota).
†sip /síp/ [動] (過去・過分 sipped/-t/; sip·ping) [他] 〈人が〉〈茶・酒など〉を少しずつ飲む, ちびちび飲む(+*up*) ‖ *Sip* quietly. Don't slurp! 静かに少しずつ飲んで音をたてないように. —[自] 〈人が〉〔酒などを/容器から〕少しずつ飲む〔*at/from*〕‖ *sip at* liqueur リキュールをちびちび飲む. —[名] [C] (酒などの)一口(の量); ちびちび飲むこと ‖ He *took a* final *sip of* sake. 彼は酒を飲み干した / drink wine *in sips* ワインを少しずつ飲む.
†si·phon /sáifn, 《米+》-fɑn/ [名] [C] **1** サイフォン, 吸い上げ管. **2** 《略式》(炭酸水を入れる)サイフォン瓶(《英》soda siphon). **3** 〔動〕(貝などの)水管, 吸管.
—[動] [他] **1** 〈液体〉を(サイフォンで)〔…から/…へ〕吸い上げる[移す](+*off, out*)〔*from/into*〕. **2** 《略式》〈利益など〉を吸い上げる, しぼりとる; …を〔…から/…へ〕流用する(+*off*)〔*from/into*〕.

‡sir

/sə́ːr/ 《◆《英》で敬称として用いられるときにはふつう /sə/ と発音される》
—[名] [C] **1** [時に S~] 《正式》[男性への呼びかけ・敬称で] (目上の人・店の客・見知らぬ人に)**あなたさま**, だんな (cf. madam, ma'am) ‖ ***Can I help you, sir*** /sə́ːr/ ***?*** (店員が客に)いらっしゃいませ / ***Very good, sir.*** かしこまりました.

> [語法] (1) sir 自体は日本語に訳さない場合が多い: Good morning, *sir*. おはようございます.
> (2) 文脈によって「お客さん」「もし」(《英》ではしばしば)「先生」など適当な訳にする: *Sír* (↗「↘」), may I ask you a question? 《英》先生, 質問してもよろしいですか.
> (3) ふつう女性には ma'am を用いるが, 《米略式》では Yes, No を強める時, 女性にも用いる: Yes [No], *sír*. はいそうです, そうですとも[いいえちがいます, とんでもない]《◆ sir に強勢》.
> (4) 文頭以外はふつう弱く発音する.

2 [S~] 《正式》[手紙の書き出しで] **拝啓** ‖ Dear *Sir* (商用・事務的な手紙で)拝啓《◆ My Dear *Sir* ともいう》/ Dear *Sirs* (会社などへの手紙で)各位《◆《米》では Gentlemen を多用》.
3 [S~] サー, **卿**(きょう)《◆英国のナイト(knight)・準男爵(baronet)の姓名または名前の前に置く. この場合 Mr. はつけない. cf. Dame, Lady》‖ *Sir* /sər/ Winston (Churchill) ウィンストン(チャーチル)卿《◆ *Sir* Winston はややくだけた言い方. ×Sir Churchill は不可》.
4 /sə́ːr/ (少年・目下の者に)おい, こら ‖ Do it, *sir*. おい, それをするんだ《◆ 怒り・皮肉・小言》.
—[動] [他] …に sir とあいさつする.
†sire /sáiər/ [名] [C] (家畜, 特に馬の)雄親, 種馬.
†si·ren /sáiərən/ [名] **1** [C] サイレン, 警笛 ‖ an air-raid *siren* 空襲警報のサイレン / sound a fire-engine *siren* 消防車のサイレンを鳴らす. **2** [しばしば S~] 〔ギリシア神話〕セイレン《美しい歌声で船乗りを誘

に寄せ, 船を難破させた半人半鳥の海の精). **3** ⓒ 《やや古》魅惑的な美女, 妖婦. **4** 美声の女性歌手.

Sir·i·us /síriəs/ [名] 《天文》 シリウス, 天狼《(3)h) 星.

sir·loin /sə́ːrlɔin/ [名] ⓒⓊ サーロイン《牛の腰上部の良質の肉. 図 → beef》.
sírloin stéak サーロインステーキ.

si·roc·co /sərákou | -rɔ́k-/ [名] (複 ~s) ⓒ シロッコ《北アフリカから南欧に吹く熱風》; うっとうしい熱風.

sir·up /sírəp/ [名] (米) = syrup.

sis·sy (英) **cis·sy, cis·sie** /sísi/ (略式) [名] ⓒ めめしい男子[少年]; 弱虫, いくじなし. ── [形] (**~·si·er, ~·si·est**) めめしい.

sis·ter /sístər/
── [名] (複 ~s/-z/) ⓒ
Ⅰ [姉妹]
1 姉妹, 姉, 妹 (↔ brother) ‖ a full *sister* 実の姉妹 (cf. a half *sister* → **2**) / my elder [older, big] *sister* 私の姉 / my younger [little, baby, kid] *sister* 私の妹《◆姉と妹を特に区別せず, 単に one's *sister* のようにいうことが多い》/ the Brontë *sisters* ブロンテ姉妹《◆Brontë *Sisters* とも》.
2 異父[異母]姉妹(half sister); 継(ぎ)姉妹; 義姉妹; 乳姉妹.
Ⅱ [姉妹のような関係の人]
3 (姉妹のように)親しい女性, 親友.
4 (特に社会主義·女権運動の)団体に属する女子; 同僚; 同級生; 同業者; 仲間, 同志, 同胞 ‖ a sorority *sister* 女子友愛会の仲間 / Fight for your rights, *sisters*! 同志諸姉, 権利獲得のために奮闘しなさい.
5 [しばしば S~] (称号) (女の)宗徒, 信者仲間; **修道女**, シスター ‖ Sister Bates 修道女ベイツ.
6 [しばしば S~] (英) 看護婦長, (米) head nurse); (略式) 看護婦(nurse)《◆男子の場合もある》‖ a night *sister* 夜勤看護婦《◆称号·呼びかけでは S~》.
7 [しばしば形容詞的に] 姉妹的関係(にある), 同系[同類, 同型]の ‖ a *sister* language 姉妹言語 / *sister* schools 姉妹校 / *sister* cities (米) 姉妹都市((英) twin towns). **8** (米略式) [呼びかけ] お嬢さん, ねえちゃん.
Sísters thrée [the ~] 運命の三女神(→ fate **4**).
sis·ter·hood /sístərhùd/ [名] **1** Ⓤ 姉妹の間柄, 姉妹愛. **2** ⓒ [the ~] 婦人団体, [単数·複数扱い] 修道女会. **3** [集合名詞; 単数扱い] (女子の)同僚たち, 仲間たち; 修道女たち.
†**sis·ter-in-law** /sístərinlɔ̀ː/ [名] (複 sisters-in-law, 《英では しばしば》 ~s) ⓒ 義理の姉[妹], 義姉[妹].
sis·ter·ly /sístərli/ [形] **1** 姉妹(として)の; 姉妹のような, 姉妹にふさわしい. **2** 優しい, 親切な. **3** 修道女の.
Sis·y·phus /sísəfəs/ [名] 《ギリシア神話》 シ(-) シュポス, シジフォス《コリントの王. 死後地獄に落とされ, 大石を山頂に押し上げる罰を科されたが, 石は頂上近くで必ず転がり落ち, その苦業には果てしがなかった》.

*****sit** /sít/
── [動] (~s/síts/; 過去 sat/sǽt/ or 《古》 sate/séit, sǽt/, 過分 sat; -ting)
── [自]
Ⅰ [ある場所に座る]
1 a 〈人が〉[…に/…のそばに] **座る**, 座っている(be seated), 着席する(seat oneself) [at, in, on / by] 《◆
(1) 必ず修飾語(句), たとえば場所を表す語(句)を伴う. (2) ふつう「座る」動作は sit *down* で, この場合座る場所は特にいわなくてよい. → 成句 sit *down* 》《↔ stand》‖ *sit at* (the) table 食卓につく《◆the を省くのは (英) に多い》/ *sit in* an armchair [*on* a chair, *in* the car] ひじ掛けいすにすわる[いす, 車の席]に座る《◆ひじ掛けのないいすにはふつう on》/ *sit behind* [*at*] the steering wheel ハンドルの前に座る, 車を運転する / He *sat on* his hat by mistake. 彼はうっかり帽子の上に座ってしまった.
b [sit C] C の状態で座っている; [sit *doing*] …しながら座っている ‖ The man *sits* surrounded by his grandchildren. その男の人は孫たちに囲まれて座っています / *sit* (on the bed) brushing her hair 髪をとかしながら(ベッドに)座っている《◆場所を表す語句が間に入ることもある》/ He has been *sitting* cross-legged reading the paper. 彼はあぐらをかいて新聞を読んでいる《◆has sat よりもふつう》.
2 〈鳥などが〉[…に]止まる[on]; 〈犬などが〉「お座り」する; 〈鳥が〉卵を抱く, 巣につく ‖ *sit on* a branch [in a tree] 枝[木]に止まる.
3 […のために](ポーズをとって)座る[for]; [画家に]肖像を描かせる; [写真家に]写真をとらせる[for, to] ‖ *sit for* [one's portrait [an artist] 肖像画[画家]のモデルになる / *sit for* [an examination [an interview] (英) 試験[面接]を受ける《◆(米) では take を用いる》.
Ⅱ [ある位置·地位に座る]
4 (文) 位置する, 存在する(lie); じっとしている; 〈風が〉[…から]吹く[in]; 〈物が〉[…に]使われずに置いてある[in] ‖ let the matter *sit* 問題をそのままにしておく / *sit* at home all day 一日中家で(何もしないで)いる / Her house *sits* at the foot of the hill. 彼女の家は丘のふもとにある.
5 (正式) [委員会·陪審員などの] **一員になる**, (役)職についている[on, in]; (英) […地区の]議員になる[for] ‖ *sit in* Congress [(英) Parliament] 国会議員になる / *sit on* [as a member of] the committee 委員になる.
6 〈議会·法廷などが〉 **開かれる** (↔ rise) ‖ The Diet [court] is *sitting* now. 今議会が開会[裁判所が開廷]中だ.
Ⅲ [ある状態にいる]
7 […に]負担[責任]となる[on]; 〈食物が〉[胃に]もたれる[on] ‖ Meat *sits* heavily on the stomach. 肉は胃にもたれる. **8** 〈衣服·職などが〉[…に]合う, 似合う, ふさわしい(fit)[on] ‖ The suit *sits well on* her. その服は彼女(の体)にぴったりだ.
── [他] **1** …を座らせる, 着席させる(+*down*); …を[…に]置く[in, on] ‖ *Sit yourself down* beside me. 私のそばに座りなさい / This room *sits* 50 people. ＝We can *sit* 50 people in this room. この部屋では50人座れる. **2** 〈馬などに〉乗る. **3** (英) 〈試験〉を受ける.

sit abóut [**aróund**] (略式) [自] (何もせずに)ぶらぶらする[している], 座ってぼけっとしている, 傍観する. ── [他⁺] [~ *about* [*around*] **A**] 〈場所〉で何もせずぶらぶらする.

sit báck [自] **(1)** (いすなどに)ゆったり座る[*in*]. **(2)** (仕事の後で)くつろぐ. **(3)** (何もせずに)傍観する; (仕事から)手を引く. **(4)** 〈家などが〉[…から]引っ込んだ所にある[*from*].

sit by [自] [通例 ~ by and watch] 静観する, 無関心な態度をとる.

*****sit dówn** [自] **(1) 座る**, 〈鳥が〉止まる ‖ She *sat down* at the old piano. 彼女は古いピアノの前に座った. **(2)** しりもちをつく; 座り込みをする. **(3)** […の

前に[…に]陣どる[before/at]. **(4)**《米俗》〈計画などに〉反対する, [反対者などを]抑える[on, upon]. **(5)**〔仕事などを〕熱心に始める[to].

> 語法 sit down には「座っている」という継続の意もある: He *sat down* on the sofa all afternoon. 彼は午後はずっとソファーに座っていた.

——[他]〈人を〉座らせる(→ 他❶).
sit ín [自] **(1)**〔競技・会議などに〕参加する[at, with];〔討論などを〕傍聴する[on]. **(2)**《英略式》〔雇われて〕〈…の〉子守りをオする(baby-sit)[with]. **(3)**〔人の/…として〕代理をする[for/as]. **(4)**〔デモで〕座り込む.
sit ón [自] 座り続ける, 座り込みを続ける. ——[他][~ on A] **(1)**〈事件などを〉審理する, 調べる. **(2)**《略式》〈手紙・申込書などを〉ほうっておく;〈ニュース・活動などを〉抑える, 握りつぶす; …をしばらく持っておく. **(3)**《略式》〈人を〉しかる, やりこめる. **(4)**→ 他❶, **2**, **5**, **7**, **8**.
sit óut [自] **(1)** 戸外に座っている. **(2)**〔ダンスなどに〕加わらない. ——[他] **(1)**〔劇・講演などの〕終わりまでいる, 居残る. **(2)**〈苦しみなどに〉耐える. **(3)**〈ダンス・競技などに〉加わらない.
sit through A = SIT out [他] **(1) (2)**.
sit úp [自] **(1)** 起き上がる, 上半身を起こす, 背筋を伸ばしてきちんと座る《◆修飾句(句)は省略できない》‖ The teacher said, "*Sit up* (straight)." 先生は「姿勢を正しなさい」と言われた / The patient managed to *sit up* in bed. 患者は何とか床の上に上半身を起こした. **(2)**〔夜遅くまで〕寝ずに起きている《◆ stay up より堅い言い方. → STAY up》‖ I *sat up* late at night studying for the exam. 試験勉強をして夜遅くまで起きていました / *sit up* for [with] him 彼を寝ずに待つ[看病する]. **(3)**〔食卓に〕着く[to, at]. **(4)**〔…に〕興味をもつ, びっくりする. **(5)**〈犬がちんちんする. ——[他]〈人を〉起こして座らせる;《米略式》〈人を〉食卓につかせる.
sit upón [自] = SIT on [他]❶.
sit with A **(1)**〈病人などを〉世話する. **(2)**〈人と会談する. **(3)**《略式》〔通例否定文・疑問文で〕〈人・物・事が〉〈人に〉合う, …に受け入れられる.

si・tar /sitáːr/ [名]ⓒ シタール《インドの撥弦(ばつげん)楽器》.
sit・com /sítkɑm | -kɔm/ [名]《略式》= situation comedy.
†site /sáit/ (同音 cite, sight) [名]ⓒ **1** 〔しばしば複合語で〕〈建物・都市などの〉場所, 位置; […の]敷地, 用地,(建設)予定地[for] ‖ a building *site* 建設用地 / a *site* for a new factory 新工場用地. **2** 遺跡;〈事件などの〉現場 ‖ historic *sites* 史跡. **3**〔インターネット〕サイト(Website)《情報が登録されているサーバー》. ——[動]《正式》…の用地を定める;〔通例 be ~d〕〈建物などが〉位置する.
sit・ter /sítɚ/ [名]ⓒ **1** 座る人,《略式》〔肖像画・写真などのために〕ポーズをとる人, モデル. **2**《略式》= babysitter. **3** 卵を抱くめんどり. **4**《略式》容易な射撃[的], 楽な仕事.
†sit・ting /sítiŋ/ [名] **1** ⓤ 座っていること, 着席;ⓒ〔肖像画などの〕ポーズをとること, ひと仕事 ‖ read a book in [*at*] one [a (single)] *sitting* 一気に本を読む. **3** ⓒ《英》〔議会・法廷などの〕開会[開廷](期間). **4** ⓤⓒ〔鳥の〕巣ごもり, 抱卵(期);(1回の)抱卵数. **5** ⓒ〔教会・劇場などの〕座席. **6** ⓒ〔船内の〕食事時間[場所];〔多人数用の〕1回分の食事の用意. ——[形] **1** 座っている, 巣についている, 卵を抱いている. **2**〔議会などで〕現職の ‖ a *sitting member*〔選挙中の〕現職の議員. **3**《英》〔借家人などが〕現住の.
sítting ròom〔主に英〕居間(living room).
si・tu /sáitu, sítu/《フランス》[名]ⓤ 原位置 ‖ in *situ* 原位置に, もとの場所に.
†sit・u・ate /sítʃuèit, (英+) sítju-/ [動] [他]《正式》…を〔ある場所に〕置く[at, in, on]; …の位置を定める.
†sit・u・at・ed /sítʃuèitid, (英+) sítju-/ [形] **1**《正式》〈市・町などが〉[ある場所に]位置している, ある(located)[at, in, on];〔副詞(句)を伴って〕位置が…の ‖ Her town is *situated* at the foot of Mt. Hakkoda. 彼女の町は八甲田山のふもとにある《◆《英》*situated* を省いても意味は同じ》/ a favorably *situated* city 地の利を得た都市. **2**《略式》〔様態の副詞を伴って〕〈人が〉…の境遇[立場, 状態]にある ‖ be comfortably [awkwardly] *situated* 裕福な[困った]境遇にある / He is badly *situated* financially. 彼は財政的に困っている.

*sit・u・a・tion /sìtʃuéiʃən, (英+) sìtju-/
[名](複 ~s/-z/)ⓒ **1**〈人が置かれた〉立場, 境遇, 状態, 状況 ‖ an awkward *situation* まずい立場 / This put him in a difficult *situation*. このことから彼は困難な立場に追いこまれた.
2〔事の〕情勢, 事態, 形勢 ‖ save the *situation* 事態を収拾する / the tight supply-demand *situation* for oil 石油の需給の逼迫(ひっぱく).
3《正式》〈建物・都市などの〉位置, 場所(place); 敷地, 用地; 立地条件 ‖ The best *situation* for growing tomatoes is one which gets plenty of sun. トマトを育てる最もよい場所はたっぷり太陽の光が当たるところです.
4《正式・古》勤め口, 職《◆ふつう低い地位のもの》‖ be in [out of] a *situation* 就職[失業]している / *Situations* Wanted [《英》Vacant]《新聞広告》求人[求職]. **5**〔物語・劇などの〕急場, きわどい場面, 大詰め.
situátion cómedy〔テレビ・ラジオの〕連続ホームコメディー《同じ登場人物で毎回違った場面とエピソードを扱う》《略式》sit-com).
situation ròom《米》危機管理対策本部.
sit-up, sit-ups /sítʌp/ [名]ⓒ〔通例 ~s〕〔手を使わない〕起き上がり体操《仰向けの姿勢から上体を起こす腹筋運動》.

*six /síks/ (類音 sex /séks/)
[名](複 ~・es/-iz/)《◆[名][形] とも用例は → two》
1 ⓤⓒ〔通例無冠詞〕〈基数の〉6《◆序数は sixth. 神が天地創造に要した日数で完全・調和を表す. 関連接頭辞 hexa-, sexi-》.
2 ⓤ〔複数扱い; 代名詞的に〕6つ, 6個; 6人.
3 ⓤ 6歳の; 6ドル[ポンド, ペンス, セントなど]. **4** ⓤ 6歳. **5** ⓒ 6の記号[数字, 活字]《6, vi, VIなど》. **6** ⓒ〔トランプ〕6の札;〔さいころの〕6の目. **7** ⓒ 6つ(6人)1組のもの《アイスホッケーなどの》6人チーム.
in síxes 6人[個]ずつ.
It is síx of óne and hálf a dózen of the óther.《英略式》〈2者が〉似たり寄ったりだ, 五十歩百歩.
——[形] **1**〔通例名詞の前で〕6つの, 6個の; 6人の. **2**〔補語として〕6歳の.
†six・pence /síkspəns/ [名] **1** ⓤ〔単数・複数扱い〕《英国の〉6ペンスの金額. **2** ⓒ《英》6ペンス銀貨《1946年以前は白銀貨となり1971年の10進法施行に伴って2ペンス半として通用したが, 1980年廃止(cf. fivepence). 新しいコインは幸運をもたらすとされる》.
†six・pen・ny /síkspəni/ [名] = sixpence **2**. ——[形] 6

ペンスの; 安物の ‖ the sixpenny bit 6ペンス銀貨.

*six・teen /síkstín/
──形 (級) ~s/-z/ 〈名 形 とも用例は → two〉 1 UC [通例無冠詞] (基数の)16 《◆序数は sixteenth》. 2 U [複数扱い; 代名詞的に] 16個; 16人. 3 U 16時(午後4時), 16分; 16ドル[ポンド, ペンス, セントなど]. 4 U 16歳. 5 C 16の記号[数字, 活字]《16, xvi, XVI など》. 6 C 16個[人]1組のもの.
──形 1 [通例名詞の前で] 16の, 16個の; 16人の. 2 [補語として] 16歳の.

†six・teenth /síkstínθ/ 《◆ 16th とも書く》〈形 ◆形 とも用例は → fourth》1 [通例 the ~] 第16の, 16番目の(語法 → first 形1). 2 [a ~] 16分の1.
──名 1 U [通例 the ~] (順位・重要性で)[…する]第16番目[16位の人[もの]](to do). 2 C [通例 the ~] (月の)第16日(→ first 名2). 3 C 16分の1(→ third 名5). sixteenth nóte (米)《音楽》16分音符((英) semiquaver, sixteenth).

†sixth /síksθ, (米+) síkst/ 《◆ 6th とも書く》〈形 ◆ 形 とも用例は → fourth》1 [通例 the ~] (序数の)第6の, 6番目の(語法 → first 形1). 2 [a ~] 6分の1の. ──名 1 U [通例 the ~] (順位・重要性で)[…する]第6番目[6位の人[もの](to do). 2 C [通例 the ~] (月の)第6日(→ first 名2). 3 C 6分の1(→ third 名5). 4 C 《音楽》第6度(音程). 5 [the ~] (小学校の)第6学年(sixth grade).

síxth fórm (英) [the ~; 集合名詞的に; 単数・複数扱い] (中等学校の)最上級学年, 第6学年《義務教育最後の第5学年(the fifth form)(満16歳)修了後一般教育証明書(GCE)を取るための学年(1-2年間). 日本の高校3年に相当し、その間に GCSE, A level の試験を受ける(cf. form 名8)》.

síxth sénse [the/a ~] 第六感, 直感.

six・ti・eth /síkstiəθ/ 《◆60th とも書く》〈形 ◆形 とも用例は → fourth》1 [通例 the ~] 第60の, 60番目の(語法 → first 形1). 2 [a ~] 60分の1の.
──名 1 U [通例 the ~] (順位・重要性で)第60番目[60位]の人[もの](to do). 2 C 60分の1 (→ third 名5).

*six・ty /síksti/
──形 (複 ~・ties/-z/) 〈名 形 とも用例は → two〉1 UC [通例無冠詞] (基数の)60 《◆序数は sixtieth》. 2 U [複数扱い; 代名詞的に] 60個; 60人. 3 U 60ドル[ポンド, ペンス, セントなど]. 4 U 60歳. 5 C 60の記号[数字, 活字]《60, LX など》. 6 C 60個[人]1組のもの. 7 [one's sixties; 複数扱い] (年齢の)60代. 8 [the sixties] (世紀の)60年代, (特に)1960年代; (温度・点数などの)60台.
──形 1 [通例名詞の前で] 60の, 60個の; 60人の. 2 [補語として] 60歳の.

six・ty- /síksti-/ (語要素) →語要素一覧(1.1).

*size /sáiz/ 『assize (法律・条例)の頭字消失』
──名 (複 ~s/-iz/) 1 UC (人・物などの)大きさ, 寸法; 大きいこと ‖ the size of a building 建物の大きさ / life [full, natural, real] size 等身[実物]大 / a pocket size camera ポケットサイズのカメラ / The two suits are (of) the same size. その2着のスーツはサイズが同じです《◆ of のない方がふつう》/ a city the size of Nagoya 名古屋ぐらいの大きさの都市《◆ city の次に of が省略されている》/ My house is half the size of yours. 私の家は君の家の半分の大きさだ《日本発》》Japan has an area of about 370,000 square kilometers, which is about one-twenty-fifth the size of the US or about the same size as the state of California. 日本の面積は約37万平方キロメートルで、アメリカの約25分の1, カリフォルニア州とほぼ同じ広さである.

2 C (衣服・商品の)サイズ, 寸法, 型, 番, 判 ‖ Do you have another one in the same color and size? 同じ色、同じサイズの品が別にありますか / take her waist size 彼女の腰の寸法をとる / put on the dress size 合うかどうか服を着てみる / What is your shoe size [the size of your shoes]? =What size shoes do you take [wear]? =What size do you take [wear] in shoes? 靴のサイズはいくらですか《◆最初の質問には次のように答える: (It's) 9. 9号です》.

[関連] [いろいろな種類の size]
average [standard] size 標準型 / king [super] size 特大型 / large size 大型, Lサイズ / medium size 中型, Mサイズ / small size 小型, Sサイズ.

3 U 数量, 規模; UC 器量, 力量 ‖ a man of size 手腕家 / an undertaking of great size 大規模な事業 / the average size of Japanese households 日本の平均的家族数.
4 U (略式) [the ~] (事件などの)実情, 真相 ‖ That's (about) the size of it. (相手に相づちをうって)まあ, そんなところだ.

cút A dówn to síze (略式)〈(過大評価されている)人〉を実力どおりの評価にひきさげる; 〈問題・人の能力〉の限界を示す.
──動 (siz・ing) 他 …を[…の]大きさ[寸法]に合わせて作る[to, for]; …を大きさ[寸法]によって[等級などに]分ける, 並べる, 品定めする[into] ‖ size glass for a window 窓に合わせてガラスを切る.

síze úp 自 […の]規準に達する, […に]匹敵する(to, with). ──他 (1) (略式)〈情勢・人・価値など〉を評価[判断]する. (2) …の寸法をはかる.

size・a・ble, (まれ) siz・a- /sáizəbl/ 形 かなり[相当]に]大きな.

-sized /-sáizd/ (語要素) →語要素一覧(1.1).

siz・ing /sáiziŋ/ 動 → size.

siz・zle /sízl/ 動 自 1 シューシュー[ジューシュー]いう《油で揚げる時のような》音. 2 (略式) (場所・天候などが)じりじりしそうに暑い[熱い]; かんかんに怒る; 深い恨みを抱く; じりじり暑い. ──名 C シューシュー[ジューシュー]いう音.

:skate¹ /skéit/ 〖『高足』(stilt)が原義〗派 skater (名), skating (名)
──名 (複 ~s/skéits/) C [通例 ~s] 1 (アイス)スケート靴《◆(1) figure skate, hockey skate, racing skate などがある. (2) ◢ skate は「スケート靴」をいい, スポーツとしての「スケート」は skating》 ‖ Can you buy me a pair of skates? スケートを1足買ってくれませんか / put on skates スケート靴をはく, スケートのエッジをつける. 2 ローラースケート(靴)(roller skate).

pút ón one's skátes = gét [pút] one's skátes òn (英略式) 急ぐ.
──動 (~s /skéits/; 過去・過分 ~d /-id/; skat・ing)
──自〈人が〉(アイス)スケートをする, スケートで滑る(ice-skate) ‖ go skating on the pond =go to the pond to skate [*for skating] 池へスケー

に行く(cf. ski).

skáte óver [**(a)róund**] A《英》…への言及を避ける; …をうまく切り抜ける.

skate² /skéit/ 〖名〗(複 skate) Ⓒ 〖魚〗ガンギエイ(類); Ⓤ その身.

skate·board /skéitbɔ̀:rd/ 〖名〗Ⓒ スケートボード.
——〖自〗スケートボード遊びをする、スケートボードに乗る.
  skáte·bòard·ing 〖名〗Ⓤ スケートボード遊び.

†**skat·er** /skéitər/ 〖名〗Ⓒ スケートをする人《◆アイススケート・ローラースケートの両方をいうが, 前者がふつう》‖ a good [poor] *skater* スケートが上手な[下手な]人.

skat·ing /skéitiŋ/ 〖動〗→ skate. ——〖名〗Ⓤ スケート; ローラースケート.
  skáting rìnk スケートリンク; ローラースケート場.

†**skein** /skéin/ 〖名〗Ⓒ 1 (糸の)かせ. 2 [比喩的に]もつれ, 混乱. 3 (飛んでいる野鳥の)群れ.

skel·e·tal /skélətl/ 〖形〗骨格の; 骸骨(蚁)の(ような); 概略だけの. **skél·e·tal·ly** 〖副〗

†**skel·e·ton** /skélətn/ 〖名〗Ⓒ 1 骨格; 骸骨(蚁); やせこけた人[動物]《◆ a mere [living, walking] *skeleton* やせ細った人 / be reduced [worn] to a *skeleton* 骨と皮ばかりになっている. 2 〖正式〗骨格状の物; (建物などの)骨組み, 焼け残り; 〖植〗(葉の)組織, すじ, 葉脈 ‖ the steel *skeleton* of a building 建物の鉄骨. 3 (作品・計画などの)概略, 骨子. 4 [形容詞的に] 骨格[骸骨]の; 骨組みだけの; 概略の; 最小限度の, 少数の ‖ a *skeleton* staff [crew] 最小限度の人員[乗組員, 奉仕].

a [**the**] **skéleton in the clóset** [《英》**cúp·board**] 〖略式〗他人に知られたくない家庭の事情[秘密]; 隠蔽(蚁)すべき恥ずかしい過去.
  skéleton kèy 合いかぎ.

skep·tic, 《英》**scep·**– /sképtik/ 〖名〗Ⓒ 〖正式〗懐疑論者, 疑い深い人; キリスト教不信仰者; 無神論者.

†**skep·ti·cal**, 《英》**scep·**– /sképtikl/ 〖形〗〖正式〗…について)懐疑的な, 疑い深い(doubtful) 《of, about, that 節》‖ I'm *skeptical* of their claims. 私は彼らの主張を疑っています.

skep·ti·cism, 《英》**scep·**– /sképtəsìzm/ 〖名〗Ⓤ 〖正式〗懐疑的態度, 疑い(doubt); 〖哲学〗懐疑論; キリスト教不信仰, 無神論.

†**sketch** /skétʃ/ 〖名〗Ⓒ 1 スケッチ; 写生図[画], 下絵, 素描; 見取り図, 略図 ‖ make a *sketch* of an old castle 古い城をスケッチする. 2 下書き, 草案. 3 (通例 a ~) 概略, 大要, 粗筋; 点描 ‖ Please give me a short *sketch* of your career. あなたの略歴を教えてください. 4 (小説・随筆などの)小品, 短編; (演芸などの)寸劇, スキット ‖ a travel *sketch* 旅行記.

——〖動〗1 …をスケッチする, 写生する; …の略図[見取り図, 下絵]をかく; …をかき加える(+in). 2 …の概略を述べる; …を略記[略述]する(+out, in) ‖ She *sketched out* the plan for a new house. 彼女は新しい家の計画の概要を話した. ——〖自〗スケッチする; 略図をかく.
  skétch màp 見取り図, 略図.

sketch·book /skétʃbùk/ 〖名〗Ⓒ 1 スケッチブック, 写生帳《◆ sketch-pad ともいう》. 2 小品[随筆]集, 短編集.

sketch-pad /skétʃpæd/ 〖名〗=sketchbook 1.

sketch·y /skétʃi/ 〖形〗(-·i·er, -·i·est) 1 スケッチ風の, 略図の, 素描の; 概略の. 2 大ざっぱな, 不完全な; 皮相な.

skew·er /skjúər/ 〖名〗Ⓒ (料理用の木・金属製の)串, 焼き串. ——〖他〗…を串に[で]刺す.

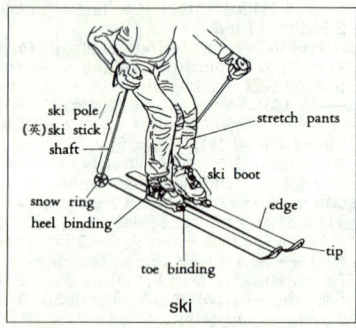

ski /skíː/ 〖〖木片〗が原義〗
——〖名〗(複 ~s/-z/, ski) Ⓒ スキー(の板)《◆ ふつう複数形で用いる. (2) ☑ ski は「スキー板」をいい, スポーツとしての「スキー」は skiing; (乗り物に取りつけた)スキー板》‖ a pair of *ski(s)* スキーの板1組 / bind on one's *skis* スキーをしっかりつける / Have you ever been on *skis*? スキーをしたことがありますか.

[図: ski pole/《英》ski stick, shaft, snow ring, heel binding, toe binding, stretch pants, ski boot, edge, tip]

ski

——〖動〗(~s/-z/, 〖過去・過分〗 ~ed/-d/; ~·ing)
——〖自〗〈人が〉スキーをする ‖ go skiing in Hokkaido=go to Hokkaido [ˣfor skiing] 北海道へスキーに行く(cf. skate).
——〖他〗〈場所〉をスキーで行く ‖ *ski* that slope あの斜面をスキーで滑る.

skí bòot スキー靴.
skí jùmp スキーのジャンプ; スキーのジャンプ台; [the ~] スキージャンプ競技.
skí lìft (スキー場の)スキーリフト(chair lift, lift).
skí màsk スキー用マスク《走行中顔を保護する》.
skí pòle [《英》 **stìck**] (スキー用の)ストック.
skí rùn (スキー用の)スロープ, ゲレンデ.
skí sùit スキー服[ウエア].
skí tòw (1) スキートウ《スキーをはいたままロープにつかまって斜面を登って行く仕掛け》. (2) =ski lift.

†**skid** /skíd/ 〖名〗Ⓒ 1 (通例 a ~) 横滑り(sideslip); 滑り ‖ go [get] into a *skid* (車が)横滑りする. 2 (車輪の)滑り止め, 輪止め(cf. drag 〖名〗3). 3 (通例 ~s) (重い物を滑らせる)滑り材; 枕木, ころ. 4 〖航空〗(着陸用)そり.

on the skíds 〖略式〗(1) 〈名声・評判などが〉落ち目になって. (2) 解雇されそうになって.

pùt the skíds ùnder [**on**] A 〖略式〗(1) 〈人〉を失敗させる, 挫折させる. (2) 〈人〉を急がせる, せかす.

——〖動〗(〖過去・過分〗skíd·ded/-id/; skíd·ding) 〖自〗〈車・飛行機が〉横[外]滑りする(+off); 〈車輪が〉(ブレーキをかけた時)滑る, スリップする. ——〖他〗〈車輪〉に滑り止めをかける; 〈車〉を横滑りさせる.

skíd úp 〖他〗〈木など〉をそるをする登る.
skíd ròad 《米》(1) ころ道, 丸太道. (2) きこりの集まる町. (3) =skid row.
skíd ròw 《米俗》どや街, スラム街.

ski·er /skíːər/ 〖名〗Ⓒ スキーヤー, スキーをする人.

skiff /skíf/ 〖名〗Ⓒ 1 〖海事〗(かいでこぐ)小船, スキフ《1本マストで三角帆の》短艇. 2 小型モーターボート.

†**ski·ing** /skíːiŋ/ 〖名〗Ⓤ (スポーツ・旅行の手段として)スキーで滑ること, スキー術.

†**skil·ful** /skílfl/ 〖形〗《主に英》=skillful.
  skíl·ful·ly 〖副〗《主に英》=skillfully.

skill /skíl/ 〖『区別するもの』が原義. cf. scale, shell〗
派 skillful (形)
―名 (複 ~s/-z/) 1 ⓤ 〔…の/…する〕(すぐれた)腕前〔in, on, at / to do〕, 熟練 ‖ a man of skill 熟練者, 名人 / write [draw] with skill うまく書く〔描く〕/ one's skill in skating スケートの技量 / She showed great skill on the piano. 彼女はピアノに非凡な腕を示した.
2 ⓒ (特殊な)技能, 技術, わざ.

†**skilled** /skíld/ 形 1 〔…に〕熟練した, 〔…が〕上手な〔in, at〕《◆ skillful よりも今までの積み重ねを重視》(↔ unskilled) ‖ a skilled carpenter 腕の立つ大工 / He is skilled in handiwork [at making mosaics]. 彼は手細工[モザイク細工]が上手だ《◆ ふつう at の後は動名詞》. 2〈仕事が〉熟練[特殊技術]を要する ‖ skilled labor 熟練労働; [集合名詞]熟練工.

†**skil·let** /skílət/ 名 ⓒ 1 (米)フライパン(frying pan).
2 (主英) (ふつう脚付きの)煮込み鍋.

†**skill·ful**, (主英) **skil·-** /skílfl/ 形〈人が熟練した; …が〉上手な〔in, at, with〕‖ a skillful doctor 腕のいい医者 / She is skillful at [in] skiing. 彼女はスキーがうまい / She is skillful with her rod. 彼女は釣りがうまい《◆ 腕前の巧みさ・器用度は skillful, 技能・学問の面では good》.

†**skill·ful·ly**, (主英) **skil·-** /skílfəli/ 副 上手に, 熟練して.

†**skim** /skím/ 動 (過去・過分 **skimmed**/-d/; **skim·ming**) 他 1〈人が〉〈浮遊物〉を〈液体から〉すくい取る(+off)〔from, off〕‖ Please skim (off) the fat from the broth. =Please skim the fat off the broth. 浮いた脂肪のかすをスープから取り除いてください. 2〈人が〉〈液体〉から出た浮遊物をすくってきれいにする. 3 〔正式〕〈水面など〉をかすめて飛ぶ, 滑るように〔すれすれに〕動く ‖ Gulls skimmed the waves. カモメが水面をかすめて飛んだ. 4〈石など〉を〔…に〕すれすれに飛ばす〔over〕‖ He skimmed a stone over the water. 彼は石を水面切って投げた. 5〈本など〉を飛ばし読みする, ざっと読む ‖ skim the headlines 見出しに目を通す.
―自 1 〔正式〕〈人・鳥などが〉〔…を〕かすめて飛ぶ, なめらかに滑って行く〔along, across, over〕‖ a breeze skimming along the field 野原を吹き抜けるそよ風 / The skater skimmed across the ice. スケーターが氷上をかすめるように滑って行った. 2〈要点を かいつまんで〉〔…に〕ざっと目を通す, 〔…を〕拾い読みする〔through, over〕.

《1 (あくなどを)すくい取る》
《3 (水面を)かすめる》

―名 1 ⓒ すくい取られた物. 2 ⓤ すくい取ること.
3 ⓤ =skim(med) milk.
skím(med) mílk スキムミルク, 脱脂乳.
skim·mer /skímər/ 名 ⓒ 1 (浮きかすをすくう)穴あき杓子(しゃくし). 2 〘鳥〙ハサミアジサシ《下のくちばしが上より長い》.
skim·ming /skímiŋ/ 名 ⓤ 浮きかすをすくい取ること; ⓒ [通例 ~s] すくい取った浮きかす[クリーム].
skimp /skímp/ 動 他 1〈食物・金銭など〉をちびちび与える, けちる; …を出し惜しむ. 2〈仕事〉をいいかげんにやる. ―自 けちけちする; 〔…に〕節約する〔on〕.

skimp·y /skímpi/ 形 (**-i·er**, **-i·est**) (略式) 1〈数量, 時間など〉が不十分な, 貧弱な; 〈服など〉が窮屈な, 小さすぎる. 2 けちけちした〔on〕.

†**skin** /skín/ 名 1 ⓤⓒ (人間の)皮膚, 肌, 皮 ‖ have (a) fair [dark] skin 肌が白[黒]い / soft skin もち肌 / the outer [inner] skin 表[裏]皮 / She's all [only] skin and bone(s). (略式)(骨と皮ばかりに)彼女はやせ細っている《◆ 語順に注意》 / I was wet [drenched, soaked] to the skin from the rain. 雨でずぶぬれになった. 日英比較 「スキンシップ」は skin contact など. ×skinship とはいわない.

関連 [いろいろな種類の皮]
bark 樹皮 / fur 柔らかい毛の皮 / hide 大きな動物の生皮(なまかわ) / leather 動物のなめし革 / peel (果物・野菜などの)皮 / pelt 小動物の生皮 / rind (果物・チーズなどの)堅い皮.

2 ⓤⓒ (動物の加工された)皮, 皮革; (敷物用の)獣皮; ⓒ (酒などを入れる)革袋 ‖ the skin of a bear クマの皮. 3 ⓒ 皮状の物; (一般に物の)外皮, 表皮; (果物・穀物・ソーセージなどの)皮; (真珠の)外皮; (船・飛行機の)外板, 外殻(shell); ⓤⓒ (液体の表面にできる)膜, 上皮 ‖ slip on a banana skin バナナの皮で滑る / This apple has a smooth skin. このリンゴは表面がすべすべしている.
by the skín of one's **téeth** (略式)かろうじて(narrowly), 危ないところで.
gét ùnder A's **skín** (略式)〈人〉を怒らせる, いらいらさせる; 〈人〉を夢中にさせる.
in A's **skín** 〈人〉の身になって.
in one's **skín** 何も着ないで, 裸で.
júmp [**flý**, **léap**] **òut of** one's **skín** (喜び・驚きで)飛び上がる.
ùnder the skín ひと皮むけば, 内実は; うわべこそ違うが.

―動 (過去・過分 **skinned**/-d/; **skin·ning**) 他 1 〈獣・果物など〉の皮をはぐ, むく; 〈衣服など〉を脱ぎすてる(+off); 〈膝・手など〉をすりむく ‖ skin a fox キツネの皮をはぐ / skin one's knee 膝をすりむく. 2 (略式)〈人から〉〈物〉を奪う[巻き上げる]〔of〕‖ The gambler skinned him of all his money. 賭博(とばく)師は彼から有り金残らず巻き上げた.
―自 1〈傷口などが〉皮で覆われる(+over). 2 (米俗) (狭い所を)通って抜け出る; 〈試験など〉をかろうじて通る(+by, through)〔through〕.
skín A **alíve** (1)〈動物・人〉の生皮をはぐ. (2) (略式)…をひどくしかる[罰する].
skín diver スキンダイビングをする人.
skín diving スキンダイビング《水中肺・足ひれをつけて潜水服はつけない潜水法》.
skín effèct 〔電気〕表皮効果.
skín gàme (米略式)詐欺, ぺてん.
skín gràft 〔医学〕移植された皮膚, 皮膚移植手術.
skín gràfting 〔医学〕植皮術.
skín lòtion スキンローション《化粧水》.
skin-care /skínkèər/ 名 ⓤ 肌の手入れ.
skin-deep /skíndiːp/ 形 (正式) 表面だけの.
skin-dive /skíndàiv/ 動 自 スキンダイビングをする.
skin-flint /skínflìnt/ 名 ⓒ (略式)非常なけちんぼう.
skin·head /skínhèd/ 名 ⓒ 1 坊主頭(の人). 2 スキンヘッド《坊主頭・長靴の(右翼的・暴力的な)若者》.

†**skin·ner** /skínər/ 名 ⓒ 1 皮をはぐ人; 毛皮商. 2 (米略式)荷車用家畜の御者.

†**skin·ny** /skíni/ 形 (**-ni·er**, **-ni·est**) 1 (略式) やせ

こけた、骨と皮ばかりの. **2** 皮の(ような), 皮質の. **3** けちな.

skin·tight /skíntáit/ 形 〈衣服などが〉ぴったり体に合う.

***skip** /skíp/
—動 (~s/-s/; 過去・過分 skipped/-t/; skip·ping)
Ⅰ [飛び跳ねるように移動する]
1 (略式) 抜かす, 拾い読みをする, [...を]飛ばして読む〔over, through〕; [...に]急に話題が移る(+about, around)〔to〕∥ read a book without *skipping* 本を飛ばさずに読む / *skip to* the last chapter (途中を読まず)最後の章へ飛ぶ.
2 (略式) [...へ]急ぎの旅をする〔to〕; 急いで立ち去る, ずらかる, 逃亡する(+off, out) ∥ *skip* over to Tokyo ちょっと東京へ行く / *skip out [off]* without paying the bill 支払いをせずにずらかる.
3 (米) (教育) 飛び進級する.
Ⅱ [飛び跳ねる]
4 〈人・子ヒツジなどが〉軽く跳ぶ, スキップする; 跳ね回る(+around, about) ∥ *skip over* a fence さくを跳び越える.
5 (英) なわ跳びをする(cf. jump rope) ∥ Children like *skipping*. 子供たちはなわ跳びが好きだ.
6 〈石などが〉[...の]表面をはずみながら飛ぶ〔over〕 ∥ *skip over* the water 水面をはずみながら飛ぶ.
—他 **1** (略式) を抜かす, 飛ばす, 省く(+over) ∥ *skip* breakfast 朝食を抜く / *skip* the second chapter 第2章を飛ばす. **2** (略式) 〈授業などを〉休む, サボる ∥ *skip* a class 授業をサボる. **3** 〈人・子ヒツジなどが〉...を軽く跳び越す; 〈米〉〈なわ〉を跳ぶ ∥ *skip (a)* rope (米) なわ跳びをする / *skip* the fence さくを跳び越える. **4** 〈石など〉を水面にはずむように投げる ∥ *skip* a stone *across* [*on*, *over*] the river 川の上に石をはずませて投げる. **5** (略式) 〈場所〉から急いで立ち去る, ずらかる.
—名 (~s/-s/) C **1** スキップ, 軽く跳ぶこと ∥ the hop, *skip*, and jump (陸上競技の)三段跳び(→hop 名 成句) / with a hop, *skip* and jump 三段跳びで. **2** 飛ばす[抜かす]こと, 省略; 飛ばし読み(した部分).
skíp ròpe (米) =(英) skipping-rope.

†**skip·per** /skípər/ (略式) 名 C 〔♦呼びかけも用〕(小型商船・漁船などの)船長; (主に)(航空機の)機長; (英) (運動チームの)主将. —動 他 ...の船長[主将]を務める.

skip·ping-rope /skípiŋròup/ 名 C (英) なわ跳びのなわ((米) skip [jump] rope).

†**skir·mish** /skə́ːrmiʃ/ (正式) 名 C **1** (戦争での無計画な)小競り合い, 小戦闘. **2** 小論争. —動 (自) [...と]小競り合い[小衝突]をする〔with〕.

skír·mish·er /-ər/ 名 C 小競り合いをする人; (軍事) 斥候兵; 散兵.

***skirt** /skə́ːrt/ 名 「短いもの」が原義. cf. shirt, short]
—名 (複 ~s/-s/ts/) C **1** スカート; (衣服などの)すそ(ウエストから下の部分) ∥ the *skirt* of a gown ガウンのすそ / 「put on [take off] a *skirt* スカートをはく[脱ぐ].

〔関連〕(1) [スカートの丈と名称] micro (超ミニ) / mini (ひざ上10-20 cm) / midi (ふくらはぎまで) / maxi (くるぶしが隠れる) / long skirt (ひざ下10-20 cm ぐらいのもの).
(2) [種類] flared *skirt* フレア[ギャザ

ー]スカート / tight [straight] *skirt* タイトスカート / hoopskirt フープで広げたスカート / slit *skirt* スリットスカート.

2 [通例 ~s; 複数扱い] 郊外, 周辺, 町はずれ(outskirts); (物の)へり, 端, ふち.
3 [しばしば ~s] (機械・車などの)スカート, 覆い.
—動 (正式) 他 **1** 〈川・道などが〉...の周辺にある; ...の境をなす; ...を囲む, めぐる; ...を縁どる ∥ The road *skirts* the town. その道は町の周辺をめぐっている. **2** ...にすそをつける, ...をすそで覆う. **3** ...の端[へり]を通る ∥ They *skirted* the town. 彼らは町のはずれを通って行った. **4** (問題などを)避けて通る, 回避する.
—自 **1** 〈川・道などが〉[...の]周辺にある; 〈人などが〉[...の]周辺を通る((*a*)round); [...の]ふち[へり]に沿って進む〔along〕 ∥ We *skirted along* the park. 我々はその公園に沿って行った. **2** [...を]回避する〔(*a*)round〕.

skirt·ing /skə́ːrtiŋ/ 名 **1** U すそ[スカート]地; [時に ~s] (羊毛の)すそ毛. **2** UC (英) (建築) =skirting board. **skírting bòard** (壁下の)幅木((米) baseboard).

skit /skít/ 名 C [...を扱った]寸劇, スキット; (軽い)風刺文, 戯文〔on〕.

skit·ter /skítər/ 動 自 〈野鳥が〉水面をかすめて飛ぶ; 軽快に進む[走る].

skit·tish /skítiʃ/ 形 **1** 〈馬などが〉驚きやすい, 物おじする. **2** 〈人が〉内気な, はにかみ屋の. **3** 〈女が〉はねっ返りの, おてんばの; 陽気な; 移り気な.

ski·wear /skíːwèər/ 名 U スキー服, スキーウエア.

skoal /skóul/ 間 乾杯! —名 C 乾杯, 祝杯.

†**skulk** /skʌ́lk/ 動 自 **1** こそこそ隠れる[逃げる]. **2** (人目をしのんで)こそこそ動く, こそこそする(+about) ∥ *skulk up* and *down* あちこち忍び歩く.

†**skull** /skʌ́l/ 名 C (複 → body), (略式) 頭, 頭脳 ∥ I have 「a thick [an empty, a dense] *skull* 頭が悪い / That drove me *out of my skull*. そのことで私は狂乱状態に陥った.
the skúll and cróssbones 頭蓋骨の下に大腿(だい)骨を十字に組み合わせて描いた図形《死の象徴. 昔は海賊の旗印, 今は毒薬びんの警告の印》.

skull·cap /skʌ́lkæ̀p/ 名 **1** C スカルキャップ (聖職者などがかぶる縁なし帽). **2** 脳天.

†**skunk** /skʌ́ŋk/ 名 **1** C (動) スカンク; U その毛皮. **2** C (略式) 卑劣でいやなやつ, 軽蔑[軽度]すべきやつ. —動 他 (米式) (競技で)〈相手〉を完敗させる.

***sky** /skáí/ [「雲」が原義]
—名 (複 skies/-z/) C **1** [通例 the ~] 空, 天, 上空 〔♦形容詞がついて a ... sky. (詩) などではしばしば (the) skies を用いる. 神聖・純潔などの象徴〕 ∥ A bird is flying high up *in the sky*. 鳥が空高く飛んでいる / a starry *sky* =(the) starry *skies* 星空 / *under the open sky* 野天で.
2 [しばしば skies] 天候, (気象上の)空模様; 気候, 風土 ∥ *from* [*judging by*] *the look of the sky* 空模様からすると / threatening *skies* 雨模様 / the sunny *skies* of California カリフォルニアのうららかな空 / *under a foreign sky* 異郷で.
3 [the ~ / the skies] 天, 天国(heaven) ∥ *be raised to the skies* 昇天する, 死ぬ〔♦die の遠回し表現〕.

in the skíes 有頂天になって; → **3**
práise [*extól, láud*] **A** *to the skíes* 〈人(の業績・才能など)〉を大いにほめる.

The sky is the limit. (略式)〈金額などが〉制限なしである、天井知らずだ;〈成功などに〉上限がない.

ský blúe 空色, スカイブルー((正式) azure) (cf. sky-blue).

ský màrshal (米) 航空警官《ハイジャックなどを防止するための武装私服警官》.

sky-blue /skáiblú:/ 形 空色の (cf. sky blue).

sky·cap /skáikæp/ 名 C (米) 空港の手荷物運搬係〔赤帽〕.

sky·dive /skáidàiv/ 動 自 スカイダイビングをする.
  ský·diver 名 C スカイダイバー.
  ský·diving 名 U スカイダイビング.

sky-high /skáihái/ 副 形 天まで高く[高い], 非常に高く[高い]; 粉々に ‖ sky-high prices うなぎのぼりの物価 / be blown sky-high 粉砕[論破]される.

†**sky·lark** /skáilà:rk/ 名 C 〖鳥〗 ヒバリ (→ lark¹).
  —動 自 (やや古) ばか騒ぎする(+about).

sky·light /skáilàit/ 名 C 〈天井の〉明かり取り, 天窓 (🔲 → house).

†**sky·line** /skáilàin/ 名 1 スカイライン《山や高層建築物などの空を背景としたシルエット》. 2 地平線 (horizon).

sky·rock·et /skáirà:kət | -rɔ̀k-/ 動 自 (略式)〈物価などが〉急上昇する;〈名声などが〉高まる. —他〈物価などを急上昇させる;〈名声などを〉高める.
  —名 C ロケット花火, のろし.

†**sky·scrap·er** /skáiskrèipər/ 名 C 超高層ビル, 摩天楼 ‖ a fifty-story skyscraper 50 階の超高層ビル (cf. building 名 1 注).

sky·ward(s) /skáiwəd(z)/ (文) 副 形 空の方へ[の], 空へ[の].

†**slab** /slæb/ 名 C 1〈石・木・金属の〉厚板, 平板. 2〈パン・肉などの〉厚切り (fat piece). 3 (英略式) [the ~]《病院・死体置場の》石の死体置き台.

†**slack** /slæk/ 形 1〈綱などが〉ゆるい (↔ tight), 締まっていない ‖ a slack rope ゆるい綱. 2 不注意な,〔…に〕怠慢な (in, at); 非活動的な;〈規律・統制などが〉ゆるんだ ‖ She is slack in service 彼女はサービスが行き届かない. 3 のろい, ぐずぐずした. 4〈商売などが〉活気のない, 不景気な (inactive) (↔ busy).
  —副 ゆるく, 遅く; だらしなく; 不活発に.
  —名 1 U [通例 the ~] たるんだ部分. 2 C 沈滞, 不況;〈商売などの〉不振[中だるみ]の時期.
  —動 他〈綱などを〉ゆるめる, たるませる (+off, away);〈義務などを〉怠る, 遅らせる (+up, up) ‖ slack off one's pace 速度をゆるめる. —自 ゆるむ, たるむ; (略式) 怠ける, 手を抜く; 弱まる, 滞(とどこお)る (+off, up) ‖ slack off on quality 質を落とす.

sláck sùit (主に米) スラックススーツ《スラックスとブラウスまたはジャケットを組み合わせたカジュアルなスーツ》.

sláck·ly 副 ゆるく, だらしなく, 不活発に.

sláck·ness 名 U ゆるみ, たるみ; 不振; 怠慢.

†**slack·en** /slækn/ 動 他 1〈綱などを〉ゆるめる, 緩和する (+up, off, away). 2〈力・速度などを〉減ずる, 弱める (+up). 3〈仕事を〉怠る, …をぞんざいにする.
  —自〈綱などが〉ゆるむ, たるむ (+off, away); 速度を落とす;〈商売・人などが〉不活発になる,〈風・火などが〉弱まる (+up, off).

slack·er /slækər/ 名 C (略式) 義務・仕事・責任などの回避をする人; 兵役忌避者.

†**slacks** /slæks/ 名 複 (やや古) [複数扱い] スラックス 関連 → trouser.

†**slag** /slæg/ 名 U 1 〖冶金〗 スラグ, 溶滓(ようさい). 2 火山岩滓(さい). —動 (過去・過分 slagged/-d/; slag-ging) 他 …をスラグにする. —自 スラグになる.

slain /sléin/ 動 slay の過去分詞形《◆新聞見出しでは killed より好まれる》.

†**slake** /sléik/ 動 他 (文)〈欲望・飢え・渇きなどを〉満たす, いやす;〈恨みを〉晴らす;〈怒りなどを〉和らげる;〈火を〉消す ‖ slake one's thirst 渇きをいやす.

sla·lom /slá:ləm, (英) sléi-/ 名 C U 〖スキー〗 [通例 the ~] スラローム, 回転滑降, 回転競技 (→ giant slalom, super-G).

†**slam** /slæm/ 動 (過去・過分 slammed/-d/; slam·ming) 他 1〈戸などを〉ピシャリ[バタン]と閉める ‖ He slammed the door (shut) in my face [on me]. 彼は私の目の前でドアをバタンと閉めた; 私の発言をはねつけた. 2 (略式) a〈物を〉〈物の上に〉ドシンと置く (+down), カいっぱい投げる (on, upon, onto);〈ドアを〉バタンと閉める ‖ She slammed the receiver down. 彼女は受話器をガチャンと置いた. b〈ブレーキなどを〉急に踏む (+on) ‖ slam on the brakes 急ブレーキを踏む. 3 (略式) …を打つ;〖野球〗…でホームランを打つ. 4 (略式) …を酷評する《◆主に新聞用語》.
  —自 1 [時に ~ shut]〈戸などが〉バタン[ピシャリ]と閉まる (+to). 2 (略式) ドシン[ガチャン]とぶつかる《動く》‖ slam into the wall 壁にドシンと突っ込む.
  —名 C 1 [a ~] バタン[ピシャリ]《という音》‖ close the door with a slam ドアをバタンと閉める. 2 (米略式) 酷評. 3 〖トランプ〗《ブリッジでの》スラム, 全勝 (cf. grand slam, small [little] slam).

†**slan·der** /slændər | slá:n-/ 名 C U 中傷, 悪口, 誹謗(ひぼう); 虚偽の宣伝. 2 〖法律〗(口頭による) 名誉毀損(きそん). —動 他 (…を) 中傷する, (…の) 名誉を毀損する; (…の) 虚偽宣伝をする.

slan·der·ous /slændərəs | slá:n-/ 形 中傷的な, 口の悪い, 名誉を毀損(きそん)する.

†**slang** /slæŋ/ 名 U 1 〔…に対する〕俗語, スラング (for) ‖ use slang スラングを用いる / talk [speak] in college slang 学生俗語でしゃべる. 2《特定の社会や職業の》通用語, 専門用語. —動 自 俗語を使う. —他 (英略式) …をののしる.

†**slant** /slænt | slá:nt/ 動 自 1〈家屋・土地などが〉〔左右などに〕傾斜する, 傾く (+away) (to); 斜めになる ‖ slant to the right 右に傾く. 2〔…の〕傾向がある (toward); …を傾ける, 傾斜させる; …を斜めに切る. 2 (米略式) [通例 be ~ed]〈記事・事実などが〉ゆがめて伝えられる[書かれる];〈記事などが〉〔…向きに/…に〕好意的に/…に〕批判的に〕書かれる (for, toward / in favor of / against).
  —名 C 1 [a/the ~] 傾斜; 坂; 斜面[線] ‖ Our driveway has a sharp slant. 我家の車道は傾斜が急だ / on [at] a slant 傾斜して, 斜めに, はすかいに. 2 傾向, 偏向;〈物の〉見方, 観点, 見地 (on) ‖ a new slant on the problem その問題に対する新しい見方.
  —形 斜めの, 傾いている.

slant·ing /slæntiŋ | slá:nt-/ 副 斜めに, 傾斜して.

slant·wise /slæntwàiz | slá:nt-/ 副 形 斜めに[の], はすに[の].

†**slap** /slæp/ 名 C 1 平手打ち,《平たいもので》ぴしゃりと打つこと[打つ音]‖ She gave me a slap on the cheek. 彼女は私のほおを平手で打った. 2 非難, 侮辱. *a sláp in the fáce* 顔の平手打ち;《痛烈な》非難, 皮肉, 侮辱, 拒絶 ‖ get a slap in the face 非難される, 拒絶される.
  —動 (過去・過分 slapped/-t/; slap·ping) 他 1 (平手・平たいもので)〈人の〉…をぴしゃりと打つ

slapdash

[*in, on, across*] ‖ He *slapped* me *in* [*on*] *the face.* =He *slapped* my face. 彼は私の顔をぴしゃりと打った(→ catch ⑯ **1c**) / *slap* one's knee ひざを打つ《◆ 同意や決断を示す動作》. **2**〈平たい物〉を〔…に〕すばやく[むぞうさに, ぞんざいに]置く, 打ち当てる; …を〔何かに〕つける, 塗る(+*down*)〔*on*〕;〈衣服・帽子〉をむぞうさに身につける(+*on*)‖ He *slapped* a thick dictionary (*down*) on the desk. 彼は分厚い辞書をバタンと机の上に置いた / *slap* some butter on the bread パンにバターをつける.
— ⓐ〔…に当たって〕ピシャリと音を立てる〔*against*〕;〔…を〕めがけてぴしゃりと打つ〔*at*〕‖ Waves *slapped against* the rowboat. 波はボートに当たってピチャピチャと音を立てた / He *slapped at* the mosquito. 彼は力をたたいた《◆ 殺すことができたかは不明》.

sláp úp 〔他〕**1** 〈食事などを〉急いで作る.
— 圖（略式）**1** まっすぐ, まともに. **2**（英）突然, 急に.

slap·dash /slǽpdæ̀ʃ/ 形 副 向こう見ずな[に], ぞんざいな[に].

slap·skate /slǽpskèit/ 名 ⓒ《スケート》〔通例 ~s〕スラップスケート靴《スピードスケート用で, かかとの部分が固定されていないのでカーブを曲がるときに効果がある. 'magic' boots とも呼ばれる》.

slap·stick /slǽpstìk/ 名 Ⓤ ドタバタ喜劇; ⓒ（ドタバタ喜劇用の）先の割れたしなやかな打棒.

†**slash** /slǽʃ/ 動 他 **1**〈刃・ナイフなどで〉…をさっと切る; …を〔…から〕切り取る〔*off*〕;〔~ one's way〕〔…の中をかき分けて進む〔*through*〕‖ *slash* him on the hand with a knife ナイフで彼の手を切る. **2**〔通例 be ~ed〕〈衣服などが〉〔…に〕あき口をつけられる〔*with*〕‖ a *slashed* sleeve 切れ目のついたそで. **3**〈人・動物〉をむち打つ. **4**（略式）〔通例 be ~ed〕〈予算・価格などが〉大幅に切り下げられる[削減される].
— ⓐ **1**〔…にめがけて〕切りつける〔*at*〕. **2**〈雨が〉〔…に〕さっと打ちつける〔*against*〕.
— 名 ⓒ **1**〔a ~〕一撃, ひと打ち. **2**〔a ~〕切りつけること; 切り傷, 深い傷. **3**（衣服の）スラッシュ, 切り込み. **4**（予算などの）切り下げ, 削減〔*in*〕. **5**〔印刷〕=slash mark.

slásh màrk 斜線, スラッシュ〈/〉.

slásh·er 名 弱いきり目をする人; 剣.

slásh·ing 形 鋭い, 容赦のない; 威勢のよい;（略式）すごい, すばらしい.

†**slat** /slǽt/ 名 ⓒ（木・金属などの）細長い薄板（ブラインドの）羽根板, よろい板.

slát·ted 羽根板でできた, 羽根板のついた.

†**slate** /sléit/ 名 **1 a** Ⓤ スレート, 粘板岩; ⓒ（屋根ふきの）スレート（類）; Ⓒ スレートの屋根‖ a *slate* roof スレートぶきの屋根. **b** Ⓒ 石板《昔筆記のために用いた》. **c** Ⓤ スレート色《濃い青味がかった灰色》. **2** Ⓒ（米）公認候補者名簿（試合などの）予定表.
— 動 他 **1**〈屋根〉をスレートでふく‖ *slate* a roof 屋根をスレートでふく. **2**（米式）〔通例 be ~d〕**a** 〈人または候補者名簿に載る;〔…するう〕候補者に選ばれる〔*for* / *to do*〕‖ He *was slated for* (the) chairmanship of our committee. 彼は我々の会の議長候補に選ばれた. **b**〈事が〉〔日時に〕予定される〔*for*〕;〔…する〕予定である〔*to do*〕‖ The meeting *was slated for* January. 会合は1月に予定されていた / She *is slated to* arrive at nine. 彼女は9時に到着することになっている.

sláte péncil 石筆.

slat·tern·ly /slǽtərnli/ -tnli/ 形 副 だらしない[なく], 不精な[に].

†**slaugh·ter** /slɔ́ːtər/ 名 **1** Ⓤ（ヒツジ・牛などを食肉用に）殺すこと. **2** Ⓤⓒ 虐殺; 大量殺人, 大量殺戮（ぎゃく）. **3** Ⓒ（略式）〔通例 a/the ~〕完敗.
— 動 他 **1**（食肉用に）〈動物〉を殺す‖ *slaughter* sheep（食料にするために）ヒツジを殺す. **2**〈多数の人〉を虐殺する. **3**（略式）…を完敗させる; …を酷評する.

slaugh·ter·house /slɔ́ːtərhàus/ 名 ⓒ 食肉処理場; 修羅場.

Slav /slɑ́ːv/（米+）/slǽv/ 名 ⓒ スラブ人;〔the ~s〕スラブ民族.

*****slave** /sléiv/〔「中世に奴隷にされたスラブ人 (Slav)」が原義〕 派 slavery（名）
— 名 ⓒ（↔ freeman）**1** 奴隷（↔ freeman）‖ He works like a *slave*. 彼は奴隷のように働く.
2（正式）〔欲望・習慣・仕事などに〕とらわれている人;〔人の言いなりになる人,〔…に〕とりこ〔*of, to*〕‖ a *slave* to duty (convention, passion) 仕事[因習, 情熱]の奴隷 / She is a *slave of* [*to*] fashion. 彼女は流行に憂き身をやつしている.
3（奴隷のように）あくせく働く人 (drudge)‖ make a *slave of* him 彼を奴隷のようにこき使う.
— 動 (*slav·ing*) ⓐ（奴隷のように）〔仕事などで〕あくせく働く(+*away*)〔*at, on, over* / *at doing*〕‖ *slave* for money 金のためにあくせく働く.

sláve ànt〔昆虫〕奴隷アリ.
sláve làbor〔歴史〕奴隷労働;〔集合名詞的に〕奴隷. (2)（低賃金または無報酬の）割に合わない仕事, 奴隷の労働, 強制労働.
sláve márket〔歴史〕奴隷（売買）市場.
sláve shíp〔歴史〕奴隷（貿易）船.
Sláve Stàte(s)（米史）〔the ~〕奴隷州《南北戦争当時まで奴隷制度が認められていた南部の15州. cf. Free State(s)》.
sláve tràde〔**tráffic**〕〔歴史〕〔the ~〕奴隷売買《特に16-19世紀のアフリカから米国への黒人売買》.

slave·hold·er /sléivhòuldər/ 名 ⓒ〔歴史〕奴隷所有者.

slav·er /sléivər/ 名 ⓒ〔歴史〕**1** 奴隷商人[所有者]. **2** =slave ship.

*****slav·er·y** /sléivəri/〔→ slave〕
— 名 Ⓤ **1** 奴隷制度; 奴隷所有‖ *Slavery* was abolished in 1865. 奴隷制度は1865年に廃止された. **2** 奴隷であること, 奴隷の身分〔境遇〕. **3**〔欲望・悪習などに〕とらわれること,〔…の〕とりこ〔*to*〕. **4**（略式）割に合わないつらい仕事, 苦役, 重労働.

Slav·ic /slɑ́ːvik, slǽv-/ 形 スラブ人[民族]の; スラブ語の. — 名 Ⓤ スラブ語《略 Slav.》.

slav·ing /sléiviŋ/ 動 → slave.

slav·ish /sléiviʃ/ 形 奴隷の（ような）, 奴隷にふさわしい. **2** 独創性のない, 模倣的な（↔ original）.

†**slay** /sléi/〔同音 sleigh〕動（過去 **slew** /slúː/, 過分 **slain** /sléin/）他（文章）…を殺す; …を殺害[虐殺]する《◆ kill の遠回し言葉として新聞で用いられることが多い》.

†**sláy·er** /sléiər/ 名 ⓒ 殺害者 (killer); 殺人犯.

slea·zy /slíːzi/ 形 (-**zi·er**, -**zi·est**)〈織物が〉薄っぺらな;（略式）安っぽい, 取るに足りない; みすぼらしい; だらしのない.

†**sled** /sléd/ 名 ⓒ（米）（ふつう子供用）小型そり;（雪・氷上を滑る）そり, 犬ぞり（英）sledge)‖ The child is riding a *sled* down the hill. その子はそりに乗って丘を下っている.
— 動 (過去・過分 **sled·ded** /-id/; **sled·ding**)（米）ⓐ そりに乗る, そりで行く‖ go *sledding* そり滑りに行く. — 他 …をそりで運ぶ.

sléd dòg (南極などでの)そり用犬.

†**sledge**¹ /sléd3/ 名 (英) =sled.

†**sledge**² /sléd3/ 名 動 =sledgehammer.

sledge‧ham‧mer /slédʒhæmər/ 名 C (かじ屋が両手で使用する)大つち[ハンマー]. ── 動 他 (…を)大ハンマーで打つ.

†**sleek** /slíːk/ 形 **1** なめらかな, つやのある, すべすべした; (飾り気がなく)小ぎれいな ‖ sleek hair つやのある髪. **2** しゃれた身なりの, スマートな. **3** 栄養がよい, よく太った. **4** (正式) 人あたりのよい(social); 口先のうまい. ── 動 他 …をなめらかにする, なでつける(+*down, back*).

sleep /slíːp/ 「「ずり落ちる」が原議」派 sleepy (形)

── 動 (~s/-s/; 過去・過分 slept /slépt/; ~·ing)
── 自 **1** 〈人・動物が〉**眠る**, 睡眠をとる; 眠り続ける(+*away, on*) ‖ sleep well [badly] よく眠る[眠れない] / She was sleeping soundly [heavily] 彼女はぐっすり眠っていた(=She was fast [sound] asleep.) / sleep like a baby [log, top] ぐっすり眠る / sleep lightly 眠りが浅い / Good night. Sleep tight. (略式)おやすみ, よく[ゆっくり]おやすみ《◆ベッドに入った人に対して言う. 主に命令文で用いる》/ I slept late this morning. けさは寝坊をした. **2** 〈人が〉[…に]**泊まる**, 寝る, 夜を過ごす(*in, at*) ‖ We slept outside last night. 昨夜は野宿した / Five people can sleep in my tent. 私のテントには5人寝られる. **3** 〈機能・才能などが〉活動していない; 〈文〉〈町などが〉静まりかえっている; 〈人がぼんやりしている; 〈動物が〉冬眠する; 〈こま(top)が〉(速く回って)静止しているように見える ‖ The town was still sleeping. 町はまだ眠っていた. **4** 永眠している《◆ be dead の遠回し語》(死んで)葬られている ‖ sleep in the grave 墓地に眠る.

── 他 **1** [sleep a ... sleep] 〈人・動物が〉眠る《◆形容詞に強勢》‖ I didn't sleep a sóund [déep] sléep last night. 昨夜は熟睡しなかった(=I didn't sleep soundly [deeply] last night). **2** 〈人〉を泊める[られる(設備がある)] ‖ This hotel sleeps [can sleep] 500 persons. このホテルには500人泊まれる. **3** …を眠って過ごす(+*away, out*); 〈心痛などを〉眠って直す[除く](+*away, off*); [~ oneself ...] 眠って…にする ‖ sleep the afternoon away 午後を寝て過ごす / sleep off [away] a headache [hangover] 眠って頭痛[二日酔い]を治す / sleep it [beer] off (略式)眠って酔い[ビールの酔い]をさます / sleep oneself sober 寝て酔いをさます.

sléep ín 〔自〕(1)〈雇人が〉住み込みである(⟷ sleep out). (2) (主に英) (意図的に, またはうっかり)朝寝坊する(英) lie in)《◆うっかりして朝寝坊する場合は oversleep がふつう》. ── 〔自⁺〕(1) → 自 2, 4. (2) [be slept] 〔否定文で〕〈ベッドが〉使用されている ‖ The bed was not slept in last night. ベッドには昨夜人の寝た形跡がなかった.

sléep on A 〈ベッドなどの上で寝る; (略式) …を一晩寝て考える, …の決断[回答]を翌朝まで延ばす ‖ I can't answer right now. Let me sleep on it, and I'll tell you my decision tomorrow. 今すぐ答えられません. 一晩考えさせてください. 明日結果をお知らせします.

sléep óut 〔自〕(1)〈雇人が〉通いである(⟷ sleep in). (2) 外泊する, 屋外で眠る. (3) 〈浮浪者が〉野宿する.

sléep óver 〔自〕《主に米略式》(…の家に)外泊する(*at*).

── 名 **1** U 眠り, 睡眠; 眠気 ‖ She *dropped off to sleep* (while) reading a book. 彼女は読書をしていて寝入ってしまった / read [sing] a child *to sleep* 本を読んで[歌を歌って]子供を寝かせつける / talk *in one's sleep* 寝言を言う / rub the sleep *out of one's eyes* (目をこすって)眠気をさます. **2** C [通例 a ~] ひと眠り(の時間) ‖ *a dead sleep* 前後不覚の熟睡 / *a deep* [light] *sleep* 深い[浅い]眠り / *have a good night's sleep* 一晩ぐっすり眠る. **3** U 活動休止, 静止; まひ. **4** U 永眠 ‖ *one's last* [big, long] *sleep* 永眠《◆ death のおおげさな遠回し表現》.

gèt to sléep 〔睡眠状態(sleep)に到達する(get to)〕〔通例疑問文・否定文で〕(やっと)寝つく ‖ She couldn't *get to sleep* last night because of financial troubles. 昨夜彼女はお金のことが心配でどうしても寝つけなかった.

gó to sléep (1) 眠る; 寝入る(fall asleep → fall 自 12). (2) (略式)〈手・足などが〉しびれる.

húm A to sléep 〈子供〉に小声で歌を歌って寝かしつける.

pút [**sénd**] **A to sléep** (1) 〈人〉を眠らせる, 寝つかせる《◆子供に対して用いたり, 子供が使う表現》; (略式) 〈人・動物〉に麻酔をかける. (2) 〈動物〉を安楽死させる《◆ kill painlessly の遠回し表現》.

sleep‧er /slíːpər/ 名 C **1** [通例形容詞を伴って] 眠っている[人をむ]人(動物, 植物); ‖ a *good* [bad] *sleeper* ぐっすり眠る[眠れない]人 / a *heavy* [light] *sleeper* 眠りの深い[浅い]人. **2** (英)(鉄道の)まくら木((米) tie). **3** 寝台車 (sleeping car)(の段ベッド). **4** (米略式)思いがけなく成功する人; 掘り出し物《映画・劇・本など》. **5** (米) [~s] (足先まで覆った幼児用)寝まき, パジャマ, おくるみ.

sleep‧i‧ly /slíːpili/ 副 眠そうに, 眠たくて.

sleep‧i‧ness /slíːpinəs/ 名 U 眠気, 眠さ.

sleep‧ing /slíːpiŋ/ 名 U 眠ること, 睡眠, 休止. ── 形 [後にくる名詞に強勢を置いて] 眠っている, 活動していない, しびれた.

sléeping bàg 寝袋.

Sléeping Béauty [the ~] 眠り姫《魔法によって100年間眠らされた美しい王女》.

sléeping càr [(英ではしばしば) **càrriage**] (鉄道の)寝台車.

sléeping dràught [**pòtion**] (英古)(水薬の)睡眠薬.

sléeping pìll [**tàblet**] (錠剤・丸薬・カプセルの)睡眠薬.

sléeping sìckness 眠り病《アフリカの伝染病》.

†**sleep‧less** /slíːpləs/ 形 **1** 眠れない, 不眠(症)の ‖ spend a *sleepless* night 眠れない夜を過ごす. **2** 油断のない, 不断の ‖ *sleepless* care 不断の注意. **3** (文) 休む[静まる]ことのない ‖ the *sleepless* tides 休みない潮の流れ.

sléep‧less‧ness 名 U 眠れないこと, 不眠.

sleep‧walk‧er /slíːpwɔːkər/ 名 C 夢遊病者.

*‎**sleep‧y** /slíːpi/ 形 (-i‧er, -i‧est) **1** 〈人・動物が〉**眠い**, 眠そうな(drowsy) ‖ become [get] *sleepy* 眠くなる / I feel [am] *sleepy*. 私は眠い / He looks *sleepy*. 彼は眠そうだ / *with sleepy eyes* 眠そうな目で. **2** [名詞の前で] 〈土地などが〉**活気のない**, 眠った ‖ a *sleepy* little town 活気のない町. **3** 〈果物などが〉熟しすぎた.

†sleet /slíːt/ 名 U **1** みぞれ《雨まじりの雪；秋や春先にも多い》. **2**《米》雨氷《雨が凍った氷の膜》.
——動 自《話式》[it を主語にして]みぞれが降る.

sleet·y /slíːti/ 形 (**-·i·er, -·i·est**) みぞれの(ような), みぞれの降る.

***sleeve** /slíːv/【『滑るこ(slip)が原義』
——名 (複 ~s/-z/) C **1**《衣服の》そで, たもと《(図)→jacket》‖ *roll* [*turn*] *up* one's *sleeves* (けんか[仕事]を始めようと)そでをまくり上げる；仕事の用意をする / *long* [*short*] *sleeves* 長[半]そで / *Every man has a fool in his sleeve.* (ことわざ)だれでも自分のそでの中にばかがいる；「弱点のない人はない」. **2**《機械》スリーブ, 軸ざや《車軸などをはめる金具》. **3**《英》レコードのジャケット(《米》jacket)；《風見用・標的用の》吹流し.

have ▲ *up* one's *sléeve*《略式》《妙案などを》いつでも出せるよう用意している.

láugh up [*in*] one's *sléeve* 腹の中で笑う, ほくそえむ.

sleeved /slíːvd/ 形 そでのある, そでのついた；[複合語で]…のそでの‖ *half-sleeved* 半そでの.

sleeve·less /slíːvləs/ 形 そでのない.

†sleigh /sléi/ (同音 slay) 名 C《略式》**1**《米》馬車そり《ふつう1頭立ての乗用・荷物運搬用》(《米》sled, 《英》sledge)‖ *go for a ride in a sleigh* そりで行く；そり乗りに行く(=*go sleighing*) / *Santa Claus was coming on a sleigh.* サンタクロースはそりに乗ってやって来る.
——動 自 そりで行く, そりに乗る.

sléigh bèlls [複数扱い]そりの鈴《♦Santa Claus はトナカイの引く sleigh に乗り sleigh bells を響かせて来るとされる》.

sleigh·ing /sléiiŋ/ 名 U **1** そりに乗ること；そり運搬. **2** そりを走らす道路の状態.

†sleight /sláit/ 名《◆通例次の句で》‖ *sleight of hand*《正式》(手品の)巧妙な早わざ；巧妙なごまかし[トリック].

†slen·der /sléndər/ 形 (通例 ~·**er**/-dərər/, ~·**est**/-dərist/)《正式》**1**《柱などが》細長い；《人・体格がほっそりした, すらりとした(slim)‖ *slender* fingers ほっそりした指 / *a slender girl* すらりとした少女. **2**《収入などが》わずかな, 乏しい(small)‖ *a slender income* わずかな収入. **3**《見込みなどが》希薄な；《価値・根拠などが》弱い, 頼りない‖ *hold out a slender hope that* … …というかすかな望みを抱く.

†slept /slépt/ 動 sleep の過去形・過去分詞形.

slew¹ /slúː/ 動《英》=sue.

slew² /slúː/ 動 slay の過去形.

***slice** /sláis/ 名【『裂片(splinter)』が原義】
——名 (複 ~s/-iz/) C **1**《パン・肉などの》薄切り[スライス]1枚[*of*]‖ *a slice* of bread 1枚のパン《♦「1塊[1切れ]の」パンは a loaf [piece] of bread》 / sandwiches with *slices* of ham ハムの薄切りをはさんだサンドイッチ. **2**《略式》部分(part)；分け前(share)‖ *a slice* of luck ささやかな幸運 / *get a slice of the take* 利益の分け前を取る. **3** 薄刃《包丁》, 食卓用ナイフ, へら. **4**《ゴルフ・テニスなど》スライス(ボール)《利き腕の方向へ曲がる打球. cf. hook》.

a slice of life 現実[実人生]の一面.
——動 (~s/-iz/, 過去過分 ~d/-t/; slic·ing)
——他 **1**《パン・肉などを》薄く1枚切り取る(+*off*)；[slice ▲ ▲ = slice ▲ for ▲]《人が》▲《人》に ▲《人》に▲《人》を切って[スライスして]あげる(⊃文法 3.3)‖ *slice off a piece of ham* ハムを1切れ切り取る. **2**《野菜・肉などを》薄く切る(+*up*)；[slice ▲ ▲] ▲ を薄く切って ▲

▲ にする‖ *slice up* the sausage ソーセージを薄切りにする / *slice* the bread thin [in six]パンを薄切り[6枚切り]にする. **4**《スポーツ》《ボール》をスライスさせる.
——自 **1**〔…を〕(間違って)切ってしまう(*into, through*). **2** スライスさせてボールを打つ.

any wày you slice it《米略式》どのように考えても.

slic·er /sláisər/ 名 C 薄く切る人；[しばしば複合語で]薄切り機, スライサー《パン・肉などを薄く切る道具》.

slic·ing /sláisiŋ/ 動 → slice.

†slick /slík/ 形 **1**《略式》なめらかな, すべすべした；《道路などが》《油・水などで》つるつる滑る(*with*)‖ The floor is *slick* with wax. 床はワックスで滑りやすい. **2**《略式》如才ない；《口のうまい；巧みな, 器用な》‖ He's a *slick* talker. 彼は口が達者だ. **3**《俗》しゃれた, すばらしい；一流の. ——名 C **1** なめらかな部分[表面]；水面の油膜. **2**《米略式》[通例 ~s] (つや出し上質紙を使っているが内容が平凡な)豪華雑誌《米》glossy). ——副 **1** なめらかに；巧みに. **2** まっすぐに, まともに. ——動 他《略式》…をなめらかにする；《髪》をきちんとする, りっぱにする(+*up*)；《略式》《髪》を〔油などで〕なでつける(+*down*)(*with*).

slick·er /slíkər/ 名 C **1**《略式》**1**《米》《長いゆったりした》防水レインコート《雨がっぱ》. **2** ぺてん師；あかぬけした都会人.

slid /slíd/ 動 slide の過去形・過去分詞形.

slid·den /slídn/ 動《米》slide の過去分詞形.

†slide /sláid/ 動 (過去 slid /slíd/, 過分 slid または《米》slid·den /slídn/) 自 **1**《人などが》《(意図的に)なめらかに滑る, 滑るように進む；滑走する〔*on, over*〕(cf. slip¹) 動 自 **1**)‖ *slide on* the ice 氷の上を滑る / We *slid down* a snow-covered hill. 雪に覆われた丘を滑りおりた. **2**《物が》《なめらかに〕すーっと動く；《手などから》滑り落ちる(*from, off*)；《人がつるりと》《場所から》滑る(*out of*)(slip)；《車などが》スリップする(slip) ‖ The plate *slid from* my hand. 皿が私の手から滑り落ちた. **3**《人・視線などが》(人に気づかれずに)そっと動く, こっそり移動する, 〔…から〕こっそり抜ける；《責任などを》逃れる(*out of*)‖ *slide into* [*out of*] a room そっと部屋に入る[部屋から出る]. **4**《時が知らぬ間に過ぎ去る(+*by, past, away*)‖ Time *slid by*. 時が知らぬ間に過ぎていた. **5**《人が》《状態・習慣などに》知らず知らずに陥る[る][*into, to*]‖ *slide into* bad habits いつの間にか悪習に陥る. **6**《野球》滑り込む. ——他 [slide ▲ ▲ = slide ▲ to ▲] ▲《物》を ▲《人》に滑らせて渡す；…を滑走させる, 〔…に〕滑り込ませる(*into, in, under*)‖ He *slid* a 10,000-yen note *into* his wallet. 彼は1万円札を財布に滑り込ませた / *slide* a note *under* the door ドアの下にそっとメモを滑り込ませる.

lèt things slíde《略式》物事を成り行きにまかせる, のんびりする.

slíde óver [*aróund*] ▲ (1)《難しい問題などを》避けて通る. (2) → 自 **1**.
——名 C **1**[通例 a ~] 滑ること, 滑走‖ *take* [*have*] *a slide* on the ice 氷の上をひとり滑りする. **2** 滑り台；滑走路[面]. **3**(幻灯・顕微鏡の)スライド；《機械》=slide valve. **4**《地質》地滑り(landslide)；なだれ(snowslide). **5**《トロンボーンの》スライド管. **6**《英》髪留め.

slíde rùle 計算尺.

slíde vàlve スライド弁, 滑り弁.

slid·er /sláidər/ 名 C **1** 滑る人[物]；《機械》滑動部. **2**《野球》横に曲がる速球《♦「スライダー」「シュート」の両方》.

slid·ing /sláidiŋ/ 形 滑動する; 移動する; 変化する.
— 名 U 滑り, 滑走; 〔野球〕滑り込み.
sliding dóor 引き戸.
sliding scále (1) スライド制《賃金・税金などを物価の変動に応じて上下させる方式》. (2) =slide rule.

†**slight** /sláit/ 形 **1** (主に)〈人が〉ほっそりした, やせた, きゃしゃな ‖ a *slight* person [body] きゃしゃな人 [身体]. **2** (量・程度が)わずかな, 少しの, 軽い, 弱い ‖ a *slight* difference わずかな違い / a *slight* smell of paint かすかなペンキのにおい / 《対話》"How do you feel?" "I have a *slight* fever." 「気分はどうですか」「微熱があるんです」/ make a *slight* inquiry 少し調べる. **3** つまらない, 取るに足りない ‖ a *slight* book つまらない本.
I dón't have [háven't] the slíghtest idéa. (略式)《質問されて》さっぱりわかりません (→ idea 3).
nót ... in the slíghtest. 少しも…ない.
— 動 他 〈人〉を軽視する, 軽蔑(ミラ)する; (米)〈仕事など〉をなおざりにする.
— 名 C (正式) 軽視(すること), 〔…に対する〕軽蔑, 侮辱(insult); なおざり 〔on, to〕.

__slight·ly__ /sláitli/
— 副 (**more** ~, **most** ~) **1** (程度・量が)わずかに, いささか《◆比較変化しない》‖ It's *slightly* warmer today. 今日は少しだけ暖かい / She was *slightly* better yesterday. 彼女は昨日少し具合がよかった. **2** (体格などが)ほっそりと, (建物などが)もろく ‖ a *slightly* built boy ほっそりとした少年.

sli·ly /sláili/ 副 =slyly.

__slim__ /slím/ 『「悪い」が原義』
— 形 (**slim·mer, slim·mest**) **1** ほっそりした, すらりとした, スリムな《正式》slender》‖ Regular exercise keeps you *slim*. 定期的に運動するとはっそりした体が保てます. **2** (略式)〈希望・可能性などが〉わずかな, 不十分な.
— 動 (~ **s**/-z/ 過去·過分 **slimmed**/-d/; **slim·ming**)
— 自 (減食・運動などで)やせる; 細くなる (+*down*).
— 他 …をやせさせる, 細くする;〈計画など〉を削減する (+*down*).

†**slime** /sláim/ 名 U **1** (川底などの)ねば土, 軟泥《◆ぬるぬるした生き物を連想させる》. ヘドロ. **2** (カタツムリ・魚などの)粘液. **3** いやな物, 悪臭のする物.

†**slim·y** /sláimi/ 形 (**-i·er, -i·est**) **1** ねば土の(ような). **2** 泥だらけの, どろどろした, ねばねばした; 粘液性の. **3** (略式)不快な, いやらしい. **4** (主に英略式)へつらう, ぺこぺこする.

†**sling** /slíŋ/ 名 C **1** 投石器《昔の武器》; ぱちんこ. **2** (投石器による)投石; 振り投げ; 一撃. **3** 三角巾(巻), つり包帯. **4** (銃などの)つり革, 負い革.
— 動 (過去·過分 **slung**/sláŋ/) **1** 〈石など〉を投石器で射る; (略式)…を〔…に〕投げる(つける, ほうる (*at*); [**sling A B**] 〈人〉に〈B〈物・侮辱など〉を投げ(かけ)る ‖ *sling* stones *at* a dog 犬に石を投げる. **2** (つり革などで)…をつるす(+*up*); (綱などで)…をつり上げる[降ろす]; (一般に)…を下げる, (…に)掛ける 〔*over, around*〕‖ *sling* (*up*) a barrel たるをつり上げる.

sling·er /slíŋər/ 名 C 投石器を使う人; つり索を用いる人.

sling·shot /slíŋʃɑt│-ʃɔt-/ 名 C (米) ぱちんこ(sling, (英) catapult).

†**slink** /slíŋk/ 動 (過去·過分 **slunk**/sláŋk/) 自 こそこそ歩く〔逃げる〕, こっそり動く (+*off, away*); 〔…から〕そっと出て行く (+*out*) 〔*of*〕.

*__slip__*¹ /slíp/ 『「なめらかな」が原義』 関連 slippery (形)

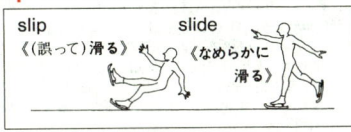

slip 《(誤って)滑る》　slide 《なめらかに滑る》

— 動 (~**s**/-s/; 過去·過分 **slipped**/-t/; **slip·ping**)
— 自
I 〔つるっと滑る〕
1 〈人・物が〉(誤って)〔…の上で〕滑る, 〈人が〉(つるっと)滑って転ぶ 〔*on*〕《◆意図的に滑る場合は slide》‖ *slip off* the horse 馬から滑り落ちる / a *slip on* the ice 氷の上で滑って転ぶ / The bird *slipped through* my fingers and flew away. 小鳥は指の間からするりと抜けて飛んでいった (cf. slip through A's FINGERS).

II 〔滑るようにすり抜ける〕
2 〔…の上に/…に〕ずり落ちる (+*down*)〔*over / (on) to*〕, すり抜ける ‖ The tear *slipped down* her cheeks. 涙が彼女のほおを流れ落ちた.
3 〈人・物が〉〔…に/…から〕こっそり動く, 滑るように行き過ぎる[進む] (+*away, out, past, off*) 〔*into / out of*〕;〔責任などを〕のがれる 〔*out of*〕《◆修飾語(句)は省略できない》‖ The tired boy *slipped into* bed. 疲れた少年はベッドにするりともぐり込んだ / The coin *slipped out of* my hand. 硬貨が私の手から滑り落ちた / The boat *slips through* the waves. 舟が波を分けて滑るように進む.

III 〔滑り落ちる〕
4 〈服など〉をするりと着る[脱ぐ] 〔*into* 〔*out of*〕;〈人がスリップが(スカートの下に)出る ‖ *slip into* one's clothes 着物をさっと着る. **5**〔質・価値・景気などが〕下がる, 低下する, 悪化する (+*back*); (能力などが)衰える, 落ちる; 〔ふつう悪い状態に〕なる 〔*into*〕 ‖ His grades in English have *slipped* this term. 今学期彼の英語の成績は下がった.

IV 〔滑るようにうっかり…する〕
6 〈時・機会が〉いつの間にか過ぎ去る (+*by, away, along, on, past*) ‖ Years *slipped by*. 年月がいつの間にか過ぎ去った.
7 〔記憶などから〕消え去る 〔*from, out of*〕;〈秘密などが〉うっかりもれる (+*out*) ‖ The word *slipped out of* my mind [memory]. その単語がどうしても思い出せなかった. **8** (略式)〔…の点で/…に関して〕つまらない間違いをする (+*up*) 〔*in, on, over*〕‖ *slip up in* one's grammar うっかり文法上の誤りを犯す.
— 動 他 **1** 〈物〉を〔…に〕滑り込ませる, なめらかに滑らせる, 〈言葉など〉を〔…に〕さしはさむ, 書き込む (+*in*) 〔*in, into*〕;〈金・手紙など〉を〔…から〕そっと出す 〔*from, out of*〕; [slip A B = slip B to A] 〈人〉に〈B〈物〉をそっと渡す ‖ *slip* a note *into* one's pocket メモをそっとポケットに入れる〔から出す〕/ The boy *slipped* his friend a note. =The boy *slipped* a note *to* his friend. 少年は友だちにメモをそっと渡した.
2 〈心・記憶〉から消え去る ‖ That *slipped* my attention. その事には気がつかなかった / Her name has *slipped* my mind [memory]. 彼女の名前を忘れてしまった (=I have forgotten her name).
3 〈束縛など〉から脱する, 逃げる ‖ *slip* one's pursuers 追跡者を巻く. **4** 〈猟犬などを〉放す, 解放する ‖ *slip* the hounds *from* the leash 猟犬を革ひ

slip

もからはずす. **5**〈留め具・結び目などを〉解く(untie).はずす ‖ *slip* a knot 結び目をほどく.

lét slíp [他]〈人〉を逃がしてやる. (2)『捕えそこねて手中から滑らせる』〈好機などを〉のがす, 失う. (3)〈秘密など〉をうっかり漏らす(+*out*); [let ~ that ...] …だと口を滑らせる ‖ She *let* a word *slip out* about the matter. 彼女はその事件についてうっかり口を滑らせた.

slip úp [自] (1) 滑って転ぶ, つまずく. (2) → [自] **8**.

──**名** (複) **~s**/-s/) ⓒ **1** 滑ること, 滑り; 滑って転ぶこと, スリップ, 横滑り ‖ a *slip* on the sidewalk 歩道で滑って転ぶこと.

2 (ちょっとした)**間違い**, (不注意による)過失(error) ‖ make a *slip* of the tongue [lip] うっかり口を滑らす / a *slip* of the pen 書き損じ / There's many a *slip* 'twixt [between] (the) cup and (the) lip. (ことわざ)コップを口に持っていく間にも多くのしくじりがある, 成功を目前にしながらも失敗することがしばしばある, 「油断大敵」.

3 (ゆるそでのない女性用)下着, スリップ; 枕カバー; 女性用体操着. **4** [the ~s] (水中へ傾斜した)造船台, 修理用船台. **5** (英) [通例 ~s] 舞台のわきの〈◆ wings の方がふつう〉.

gíve₄ ***the slíp*** = ***gíve the slíp to*** ₄ (略式)〈ちょっとだけすきを見て〉〈人〉からのがれる, 〈人〉をまく.

slípped dísk [**dísc**] 椎(?)間板ヘルニア, ぎっくり腰 ‖ get a *slipped disk* 椎間板ヘルニアになる.

†**slip**¹ /slíp/[名]ⓒ **1** (紙・木・土地などの)細長い一片, 紙片, 小片; 伝票 ‖ a *slip* of paper 細長い紙片 / a sales *slip* 売上伝票. **2** さし木, 継ぎ木(の切り枝). **3** (古) [通例 a ~] ほっそりした若者 ‖ a *slip* of a boy [girl] ひょろっとした男[女]の子.

***slip·per** /slípər/〈足をすべり(slip)こませてはく物〉

──**名** (複) **~s**/-z/) ⓒ [通例 ~s] (軽い)**部屋ばき**((正式) carpet slipper); (かかとの付いた)スリッパ; (舞踏用などの)上靴〈◆ ふつうはサンダルと靴との中間のもの. 日本のかかとのない「スリッパ」はふつう mule, (米) scuff〉‖ a pair of *slippers* スリッパ1足 / ballet *slippers* バレエシューズ / in *slippers* 室内ばきをはいて.

slip·per·y /slípəri/[形] (**more ~**, **most ~**; 時に **-i·er**, **-i·est**) **1**〈道などの表面が〉つるつる滑る, 滑りやすい ‖ Be careful. The floor is *slippery*. 気をつけて下さい. 床は滑りやすいですよ. **2**〈物が〉つかみにくい;〈人・物事が〉理解しにくい((正式) elusive). **3** (略式)〈人・行動が〉当てにならない, 信頼できない; ずるい ‖ a *slippery* customer 頼りにならないやつ. **4** 不安定な ‖ be on a [the] *slippery* slope (英略式)先行きが危ぶまれる不安定な状態にある / We are on *slippery* ground when we discuss this matter. この問題を討論する時には注意を要する.

slip·shod /slípʃɑ̀d|-ʃɔ̀d/[形] ((正式)) かかとのつぶれた(靴をはいた);〈人・服装・仕事などが〉だらしない, ぞんざいな, ずさんな ‖ *slipshod* shoes かかとのつぶれた靴 / a *slipshod* piece of work ぞんざいな作品.

†**slit** /slít/[動] (過去・過分) **slit**; **slit·ting**) (他) **1** …を細長く切る[破る] ‖ *slit* a sheet into strips 1枚の紙を細長い紙きれに切る. **2** …を切り開く[離す] (+*up*). **3** (略式)〈人〉を切り裂く. ──(自) 細長く(縦に)裂ける. ──**名**[ⓒ] **1** (…の/…の間の)細長い切り口, 裂け目, 穴, すき間(*in/between*). **2** スリット《公衆電話・自動販売機などの》料金投入口.

slít pócket 縦に切り口のあるポケット.

slith·er /slíðər/[動] (自) **1** ずるずる滑る;〔…に〕滑り降りる

(*down*);〈ヘビなどが〉滑るように進む. ──(他) …をずるずる滑らせる. ──**名**[ⓒ] ずるずる滑ること.

slith·er·y /-ri/[形] 滑りやすい.

sliv·er /slívər/, (英) sláiv-/[名][ⓒ] 細長い木切れ, 裂片. ──**動** (他) …を縦に長く裂く. ──(自) 縦に長く裂ける.

slob /slɑ́b|slɔ́b/[名][ⓒ] (略式) だらしない人, がさつ者, まぬけ, でぶ.

slob·ber /slɑ́bər|slɔ́b-/[動] (自) **1** (ペチャペチャ)よだれ[飲食物]をたらす;〈…をこぼしながら食べる(*over*). **2** (略式) 〈…を〉溺(?)愛する;〈無分別に〉激賞する (*over*).

sloe /slóu/[名][ⓒ] [植] (ヨーロッパ産の)スモモの原種; その実. **slóe gín** スロージン.

slog /slɑ́g|slɔ́g/[動] (過去・過分) **slogged**/-d/; **slog·ging**) (他) [クリケット]〈ボール〉を強打する; …に精を出して完了する. ──(自) **1** 重い足どりで歩く, 苦労して進む (+*on*);〈…に〉精を出す (+*away*) 〔*at*〕. **2** 強く打つ. **3** [クリケット]強打する. ⓤ [時に a ~] つらい仕事[行進]; 苦闘.

†**slo·gan** /slóuɡən/[名][ⓒ] スローガン, 標語, モットー; キャッチフレーズ.

†**sloop** /slúːp/[名][ⓒ] [海事] スループ型帆船《1本マストの縦帆式》.

slóop of wár [英史] スループ型砲艦《小口径の砲を装備した小型快速砲艦》.

†**slop**¹ /slɑ́p|slɔ́p/[動] (過去・過分) **slopped**/-t/; **slop·ping**) (他) 〈液体〉を(ぱとぱと)こぼす, (ピチャピチャ)はねを上げる (◆ spill, splash より口語的); …をこぼして汚す;…を〔…で〕ぐしゃぐしゃにする (*with*) ‖ *slop* milk on (to) the floor 床に牛乳をこぼす. ──(自) **1**〈液体が〉〔…に〕こぼれる, あふれ出る (+*into*). **2** ぬかるみの中を歩く (+*along*). **3** (主に米) 〔…のこと〕で感傷的に[オーバーに]話す[なる] (*over*). ──**名 1** [~s] こぼれ水, はね水; 汚水, (台所の)捨て水, 流し水;〈人の〉排泄(漿?)物. **2** ⓤ 泥水, ぬかるみ. **3** [~s] 水っぽい食物; (病人などの)流動食;〈家畜用の〉残飯.

slóp bàsin [**bówl**] (英) 茶[湯]こぼし.

slop² /slɑ́p|slɔ́p/[名] **1** [海事] [~s] (水夫に支給される)衣服, 寝具. **2** ⓤ ゆるい作業服. **3** [歴史] [~s] (16世紀の)ゆるい半ズボン. **4** [~s] 安物の既製服.

***slope** /slóup/ [受け身] slop /slɑ́p|slɔ́p/) (**aslope** (斜めに)の頭音消失)

──**動** (過去・過分) **~d**/-t/; **slop·ing**)

──(自) 〔…の方に〕**傾斜する**, 坂になる; 斜めに動く (+*up*, *down*) 〔*to, toward*〕(◆ 修飾語(句)は省略できない) ‖ a *sloping* roof 傾斜した屋根 / The field *sloped* (sharply) *toward* the river. 野原は川の方へ(急に)傾斜していた.

──(他) …を傾斜させる, …に勾配(究?)をつける ‖ *slope* a roof 屋根に勾配をつける. **2** [英軍] 〈銃など〉を担(?)ぐ.

──**名** (複) **~s**/-s/) **1** ⓒ **坂**, 斜面, スロープ; [通例 ~s] 丘 ‖ a steep *slope* 急な坂 / go up [down] a slight *slope* ちょっとした坂を上る[下る]. **2** ⓒ ⓤ 傾斜(度), 勾配; [数学] 傾き, 勾配; [印刷] 字体の傾斜 ‖ a *slope* of 1 in 20 20分の1の勾配で. **3** [英軍] [the ~] 担え銃の姿勢.

slop·ing /slóupɪŋ/[動] → **slope**.

slop·ing·ly /slóupɪŋli/ [副] 傾斜して, 斜めに, はすに.

slop·py /slɑ́pi|slɔ́pi/[形] (**--pi·er**, **--pi·est**) (略式) **1** じくじくぬれた, 泥んこの;びしょびしょの, だぶだぶの. **2** 〈飲食物が〉水っぽい, まずい. **3** 不注意な, ずさんな; だらしない ‖ a *sloppy* job ずさんな仕事. **4** 感傷的な.

slóppy Jóe /-dʒóu/《俗》(1940年代に流行した)ゆったりした厚手の女性用セーター.

slop・pi・ly /-li/ 副 じくじくと; だらしなく, いいかげんに.

slop-shop /slάp∫ὰp | slɔ́p∫ɔ̀p/ 名 C 安物の既製品店.

slosh /slάʃ | slɔ́ʃ/ 動 自 1 (泥水・水の中を)バチャバチャはねて歩く(+ *about, around*); だらしなく, いいかげんに歩く(+ *along*); 〈液体が〉パチャパチャはねる(+ *about, around, over*). ― 他 1 〈液体〉を盛んにはねかえす(+ *about, around*); 〈液体の中で〉〈物〉をかきまぜる. 2 《主に英略式》…を強く打つ. ― 名 1 =slush 1. 2 U 《略式》水っぽい飲み物, ビール. 3 U 〔時に a ~〕バチャバチャ水のはねる音. 4 〔主に英略式〕ドン〕一撃, 強打.

sloshed /slάʃt | slɔ́ʃt/ 形 《英略式》酔っ払った (drunk).

†**slot** /slάt | slɔ́t/ 名 C 1 細長い穴〔溝, くぼみ〕, (自動販売機などの)料金差し入れ口. 2 〔コンピュータ〕(拡張)スロット《拡張ボード・ICカードなどの差し込み口》; 〔航空〕スロット《主翼の前縁につけたすきま》. 3 (リスト・組織などの中の)地位, 位置, 場所. 4 (テレビなどの)時間帯 ‖ the 7 o'clock time *slot* on the radio ラジオの7時台の番組.
― 動 (~**ted**/-id/; ~**ting**) 他 《略式》…に細長い穴〔溝〕をつける; 《主に英》…を[…に]組み込む, はめ込む(+ *in*)[*in, to, into*]. ― 自 (…に]はまる, 収まる〔*in, into*].

slót càr 《米・カナダ》(リモコン式)ミニ・レーシングカー.

slót machine 《米》スロットマシーン (《英》fruit machine); 《英》自動販売機 (vending machine).

†**sloth** /slɔ́:θ, slóuθ/ 名 1 U 《正式》怠惰, ものぐさ, 無精. 2 C 〔動〕ナマケモノ.

sloth・ful /slɔ́:θf(ə)l, slóuθ- | slóuθ-/ 形 《正式》怠惰な, 無精な.

†**slouch** /sláutʃ/ 動 自 1 前かがみになる[座る, 立つ, 歩く]《無気力でだらしのない様子》‖ *slouch along* [*about, around*] うろつく. 2 〈帽子の〉ふちをたらす. ― 他 1 〈肩など〉を前かがみにする. 2 〈帽子のへり〉をたらす(cf. cock¹). ― 名 C 1 〔通例 a ~〕前かがみの姿勢, だらけた態度〔歩き方〕. 2 〈帽子のへり〉のたれ. 3 《略式》〔通例否定文で〕無能な, 無精者.

slóuch hàt 縁のたれたソフト帽.

†**slough**¹ /sláu; 2 《米》slú:/ 名 C 1 《正式》ぬかるみ, 泥深い場所; 泥道. 2 沼地, 湿地, 入り江. 3 〔比喩的に〕泥沼. **the Slóugh of Despónd** 〔文〕〔おおげさに〕絶望の沼 《♦ John Bunyan 作 *Pilgrim's Progress* より》; 絶望のふち.

slough² /slʌ́f/ 名 C 1 (ヘビなどの)抜けがら. 2 脱ぎ捨てた習慣[偏見]. ― 動 他 1 《正式》〈ヘビなどが〉〈皮など〉を脱ぎ捨てる(+ *off*). 2 《主に米》〈習慣など〉を捨て去る, 脱却する(+ *off*). ― 自 〈ヘビなどの〉皮などが抜け落ちる; 〈かさぶた・不要の皮膚など〉がはがれる(+ *off*).

Slo・vak /slóuvæk, -vɑ:k/ 名 C スロバキア人; U スロバキア語. ― 形 スロバキア(人, 語)の.

Slo・va・ki・a /slouvɑ́:kiə | slɑvǽ-/ 名 〈ヨーロッパ中部の国. 首都 Bratislava〉.

Slo・vá・ki・an 形 名 =Slovak.

Slo・vene /slóuvi:n/ 名 C スロベニア人; U スロベニア語. ― 形 スロベニア(人, 語)の.

Slo・ve・ni・a /slouví:niə | slə-/ 名 〈スロベニア《ヨーロッパ中部の国. 首都 Ljubljana》.

Slo・vé・ni・an 形 名 =Slovene.

†**slov・en・ly** /slʌ́v(ə)nli/ 形 《軽蔑的に》ずさんな, 不注意な, ぞんざいな; 乱雑な. ― 副 だらしなく, ぞんざいに.

‡**slow** /slóu/ [『『怠けた』が原義. cf. *sloth*]
― 形 (~**er**, ~**est**)

I [速度が遅い]

1 a 〈速度・動作などが〉**遅い**, のろい, ゆるやかな (↔ fast, quick, rapid) ‖ a *slow* train 普通[鈍行]列車 / *slow* music ゆるやかな音楽 / a *slow* poison きき目の遅い毒 / The child is a *slow* learner. その子はものを覚えるのが遅い / The child learns slowly. / **Slow and [but] steady wins the race.** (ことわざ) ゆっくりと着実なのが結局はレースに勝つ; 「急がば回れ」. **b** 〔補語として〕〔…するのが〕**遅い**, 〔…するのに〕手間どる〔*in* [*at, about*] (doing), *to* do〕; 〔…の状態〕になりにくい〔*to*〕‖ The police were *slow in* [*at, about*] taking action against the motorcycle gang. =The police were *slow to* take action against … 警察は暴走族を取り締まるのが遅かった《♦《略式》では in [at] をしばしば省略》.

2 〈人が〉**鈍い**, 理解が遅い (↔ good, quick) ‖ a *slow* learner 理解が遅い学習者 / My daughter is *slow in* understanding. うちの娘はのみこみが悪い(=My daughter is *slow to* understand).

3 〔通例補語として〕〈時計が〉**遅れている** (↔ fast); (時間のたつのが)遅い ‖ The clock is 5 minutes *slow*. 時計は5分遅れている (cf. lose 他 9) / a *slow* day 長い1日.

> **使い分け [slow と late]**
> slow は「(速度が)遅い」「(時計が)遅れている」の意.
> late は「(決まった時間に)遅れる」の意.
> Your watch is two minutes *slow* [×late].
> 君の時計は2分遅れている.
> He was often ten minutes *late*. 彼はよく10分遅刻した.

4 〈表面の関係で〉早い動きができない; 〔名詞の前で〕低運用の ‖ a *slow* running track (雨などでぬかって)速く走れない走路.

5 〈変化・作用などが〉遅い; 〔写真〕低感光度の.

II [遅いと感じる]

6 〔通例補語として〕**不景気な**, 〈商売などが〉活気のない; 〈人・物・事が〉面白くない, 退屈な; 〈火力が〉弱い ‖ Business is *slow* just now. 商売は今のところ景気が悪い / We found the game *slow*. その試合はつまらなかった / a *slow* fire とろ火.

― 副 (~**er**, ~**est**) 遅く, のろく, ゆっくり ‖ Drive *slow*. 徐行せよ / Read *slower*. もっとゆっくり読みなさい.

> **☑ 語法** slowly が文頭や動詞の前後で用いられるのに対し, 副詞の slow は常に動詞の後ろに置き, この語に重点が置かれる. 動詞なしで slow 単独で命令文にも用いる.

gó slów (1) ゆっくりやる[行く]; あわてずに[気をつけて]やる. (2) 《英》〈労働者が〉サボタージュ[怠業]をする.

― 動 (~**s**/-z/; 〔過去・過分〕~**ed**/-d/; ~**ing**)
― 自 1 〈人・乗り物が〉スピードを落とす, 遅くなる, 遅れる(+ *down, off, up*) ‖ The train *slowed down* [*up*]. 列車は速度を落とした. 2 〈人が〉ゆっくりする, のんびりやる(+ *down, up*).
― 他 〈人など〉〈乗り物〉の速度を**遅くする**[落とす], 〈雪などが〉〈交通など〉を遅らせる, 〈工場などが〉〈生産〉を減ずる (+ *down, off, up*) ‖ He *slowed down* (the speed of) his car at the intersection. 彼は交差点で車の速度を落とした.

slòw dówn [自] (1) → 自①. (2) 《米》〈労働者が〉サボタージュをする(《英》go-slow). ― [他] → 自.
slów láne (高速道路の)低速用レーン.
slow·down /slóudàun/ [名]C ① 減速, スピードダウン; 減産 ‖ a business *slowdown* 景気減退. ② 《米》サボタージュ, 怠業(《英》go-slow).

:slow·ly /slóuli/
― [副] (**more ~, most ~**) 遅く, のろのろと, ゆっくり(↔ quickly, rapidly) ‖ Oil prices are dropping *slowly*. 石油の価格がゆっくり下落している / Walk more *slowly*. もっとゆっくり歩きなさい(→ slow [副] 語法).

slow-mo·tion /slóumòuʃən/ [形] のろい; (高速度撮影による)スローモーションの.
†**slow·ness** /slóunəs/ [名]U 遅いこと, 緩慢.
sludge /slʌdʒ/ [名]U ① 泥; ぬかるみ, 雪解け; 軟泥, ヘドロ; (タンクなどの中の)沈殿物. ② (海上の)軟氷, 小浮氷.
slue, 《英》**slew** /slúː/ [動]自 回転する; ねじれる(+around). ― [他] …を回転させる; …をねじる(+around).
†**slug**¹ /slʌɡ/ [名]C ① [動] ナメクジ. ② なまけ者, のらくら者(sluggard). ③ 《主に米略式》(空気銃などの)ばら弾, 弾丸. ④ 金属の小塊, あら金.
slug² /slʌɡ/ [動] 〔過去・過分 **slugged**; **slug·ging**〕《略式》自 他 (…を)ひどく打つ, なぐる.
slúg it óut 《米略式》とことん戦う.
†**slug·gish** /slʌ́ɡɪʃ/ [形] ① 怠惰な, 無精な. ② 反応が遅い, 機能が鈍い; 〈体が〉だるい. ③ のろい; ゆるやかな, 緩慢な. ④ 不振の, 不活発な.
†**sluice** /slúːs/ [名]C ① =sluice gate, =sluice valve. ② 人工水路, 放水路. ③ せき水; 水門から流れる水. ④ [比喩的に] はけ口; 源.
― [動] 他 ① (水門を開いて)〈水〉を流す[引く]. ② …を流水で洗う(+*out, down*). ③ 《正式》〈水が〉水門から流れ出る(flow)(+*out*).
slúice gàte 水門.
slúice vàlve 仕切り弁.
†**slum** /slʌm/ [名]C ① [しばしば the ~s; 単数・複数扱い] スラム街, 貧民街 ‖ He was born in the *slums*. 彼はスラム街で生まれた / a plan to clean up *slums* スラム街をきれいにする計画. ② 《略式》[通例単数形で] 非常に汚い所[家, 部屋].
― [動] 〔過去・過分 **slummed**/-d/; **slum·ming**〕自 (通例 be ~ming) スラム街を訪れる; 《略式》貧しい生活をする(◆*slum it* ともいう).
slúm clèarance スラム街撤去.
†**slum·ber** /slʌ́mbər/ [動]自 ① 《文》〈人が〉(すやすや)眠る, まどろむ, うとうとする(sleep). ② 〈火山などが〉活動を休止している. ③ 〈人が〉〈時・生涯などを〉眠って[無為に]過ごす(+*away, out, through*).
― [名]C U [しばしば ~s] (軽い)眠り, まどろみ; 無活動[休止]状態 ‖ *fall into a slumber* 寝入る.
†**slump** /slʌmp/ [動]自 ① 〔…に〕ドスンと落ちる(*on, into, on*) *to*); 〈雪・泥地などに〉はまり込む; バタンと倒れる(+*down*). ② うなだれる, 前かがみになる(+*over*). ③ 気力などが衰える; 物価などが下落する.
― [名]C ① ドスン, ドシン, ドサッ. ② (物価の)暴落, 不況(↔ boom). ③ 不評; 衰退. ④ 前かがみの姿勢. ⑤ 〈人が〉不振, 不調, 不調(in) ‖ be in a *slump* スランプである.
slung /slʌŋ/ [動] sling の過去形・過去分詞形.
slunk /slʌŋk/ [動] slink の過去形・過去分詞形.
†**slur** /sləːr/ [動] 他 ① 〈事実など〉を片付ける, 見逃す(+*over*) ‖ *slur over* the fact その事実を見落とす. ② 〈音・語など〉を不明瞭(ﾒｲ)に発音する; 〈文字〉を1つに続けて書く. ③ 《正式》…とけなす, 中傷する. ④ 〔音楽〕〈音符〉を続けて奏する[歌う]; 〈音符〉にスラーを付ける.
― 自 不明瞭に発音する[書く, 歌う]; 〔…を〕巧みに処理する(*over*).
― [名]C ① 不明瞭な発音. ② 中傷, 悪口; 《米正式》〈人に対する〉汚名, 恥辱(*on, upon*) ‖ cast [put] a *slur* on him =cast *slurs* at him 彼に汚名をきせる, 彼をけなす. ③ 〔音楽〕 スラー, 連結線. ④ 〔印刷〕 スラー《不鮮明な印刷箇所》.
slurp /sləːrp/ [動] 自 他 (…を)音を立てながら飲食する ‖ Don't *slurp* noisily from your cup! 音を立てて飲むのはやめなさい. ― [名]C 音を立てての飲食; その音.
slush /slʌʃ/ [名]U ① 半解けの雪, 雪解け. ② 潤滑油. ③ 《略式》安っぽい感傷; 感傷的な話[文, 映画].
slut /slʌt/ [名]C 《卑》だらしのない[身持ちの悪い]女; 売春婦.
†**sly** /slái/ [形] (**~·er, ~·est; slí·er, slí·est**) ① ずるい, 悪賢い(cunning) ‖ (as) *sly* as a fox キツネのようにずるい; とてもずるい / a *sly* look ずるそうな顔つき. ② こそこそした; 陰険な ‖ a *sly* trick 陰険なたくらみ.
on the slý 《略式》[文尾で] ひそかに, こっそりと, 内緒で(secretly).
†**sly·ly, slí·ly** /sláili/ [副] ① ずるく, 悪賢く; 陰険に; こっそりと. ② ちゃめに.
†**smack**¹ /smæk/ [動] 他 ① [~ one's lips] 〔…に〕舌鼓を打つ(*over*). ② 〔[…の]…〕にピシャッと音を立ててキスをする(*on*). ③ (平手などで)…をピシャリと打つ; 〈むち〉をピシッと打ち鳴らす.
― 自 ① 舌鼓を打つ; 〔人・唇など〕にチュッとキスをする(*at*); ピシャッと音を出す.
― [名] ① C 舌鼓, 舌打ち; 《略式》[a ~] 〔…に〕チュッと音を立ててするキス ‖ He gave her *a smack on the* [her] *face*. 彼は彼女の顔にチュッとキスをした(→ 文法 16.2(3)). ② C 《略式》 [通例単数形で] 〔…への〕平手打ち(*on, in*); ピシャリと打つ音, ドシンと落ちる音(*of*); むちなどの)ピシピシいう音.
― [副] 《略式》ピシャリと; いきなり; まともに ‖ run *smack* into a wall 壁に正面衝突する.
†**smack**² /smæk/ [名]C ① [a ~ of +U 名詞] ① …の味, 風味, 香り. ② 気味, …風(ｸﾞ); …じみたところ ‖ *a smack of* pride in him 彼の尊大ぶったところ.
― [動] 自 ① (…の)味がする, 風味がある(*of*). ② 《正式》 (…の)気味がある, 色合いがある(*of*) ‖ Her attitude *smacks of* prejudice. 彼女の態度には偏見の気味がある.

smack³ /smæk/ [名]C (1本マストの)小型帆船(cf. sloop, cutter); 《米》(いけすのある)小型漁船.

:small /smɔːl/
― [形] (**~·er, ~·est**)

I [大きさが小さい]

① (大きさが)小さい, 狭い, 小型の《◆ little が持つ「かわいい・愛らしい」などの感情的要素は含まれないため, ふつう感情的要素を含む pretty のような形容詞と並べては用いない(↔ large); [通例名詞の前で] [文字が小さい小文字の(↔ capital) ‖ a *small* room 小さな[狭い]部屋 / a *small* country (面積の)狭い国《◆☑「面積が狭い」という意味では narrow は用いない. → narrow [形]①) / a *small* family 小家族 / a *small* man 小柄な人《◆「しばしば度量の狭い人」の意味にもなる》 / The boy is *small* for his age. その子は年の割には小柄だ.

2 (年が)**若い**(young), 幼い ‖ My father lived in China when he was *small*. 父は若いときに中国に住んでいました.
3 [通例名詞の前で]〈仕事・活動などが〉**小規模の**, つつましい, ささやかな ‖ a *small* farmer 小農場主 / a *small* birthday party ささやかな誕生パーティー / on a *small* scale 小規模に / a *small* eater 小食家「「体の小さい食べる人」ではない. → **big** 形 **4 c**).
4 《正式》〈数量などが〉**少ない**, わずかな(↔ large) ‖ a *small* income わずかな収入 / a *small* number of tools わずかな道具 / a *small* sum of money 少額の金 / My expenses were *small* last month. 先月は出費が少なかった.
5〈音・声が〉弱い, 小さい ‖ in a *small* voice 小声で.

II [程度が小さい]
6 取るに足りない, ささいな, 重要でない ‖ Don't worry. It's a *small* fault. 心配しないで. つまらない間違いですよ.
7《正式》[名詞の前で] [U] 名詞を修飾 **たいしてない**, ごくわずかな ‖ a matter of *small* importance たいして重要でない問題 / *small* hope of success わずかな成功の望み / She paid *small* attention to what I said. 彼女は私の言うことにほとんど耳を貸さなかった.
8 [名詞の前で] けちな, 狭量な ‖ a *small* nature けちな性質 / a man with a *small* mind =a *small* man 心の小さい人〈小銃・ピストルなど〉. It is *small* of [*x*for] you *to* say bad things about her. =You are *small* to say … 彼女の悪口を言うなんてみっともないぞ(➡文法 17.5).

fèel smáll 肩身の狭い思いをする, 気がひける.
lòok smáll 肩身の狭い様子をする, しょげている.
nó smáll〔控え目に〕少なくない, たいした, かなりの‖ have no *small* interest [delight] in … …にかなりの興味を持つ[喜びを感じる].

━━ 副 (～·er, ～·est) **1** 小さく, 細かく, つつましく. **2**〈声などが〉低く, 弱く. **3** こぢんまりと, 小規模に.
━━ 名 [C] **1** [the～] 小さな物, (背中などの真ん中の)細い部分 ‖ the *small* of one's back 腰の(くびれた)部分. **2** [英古略式] [～s] (洗濯に出す)小物類, 下着.

small arms /⌣|⌣|/ [集合名詞的に; 複数扱い] 携帯用武器, 小火器《小銃・ピストルなど》.
smáll cápital [**cáp**] スモールキャピタル《CAPITAL のように小文字 x の高さにそろえた大文字》.
smáll change 小銭, はした金.
smáll létter 小文字(↔ capital letter).
smáll slám《トランプ》《ブリッジ》でスモールスラム《13組中12組まで取ること》; little slam ともいう. cf. grand slam》.
smáll tálk 世間話, おしゃべり《◆chat よりもていねい》.
smáll·ness 名 微小, 短小; 狭量.
small·ish /smɔ́ːliʃ/ 形 やや小さい.
†**small·pox** /smɔ́ːlpɑ̀ks|-pɔ̀ks/ 名 [U]《医学》天然痘, 疱瘡(ほうそう).
small-scale /smɔ́ːlskéil/ 形 小規模の;〈地図などが〉小縮尺の.
small-time /smɔ́ːltáim/ 形《略式》取るに足りない.

*****smart** /smɑ́ːrt/ 〔「ひりひりする」が原義〕
━━ 形 (～·er, ～·est)

I [頭がよい]
1 《主に米》**利口な**, 賢い 《◆clever より口語的》; 気のきいた, 才気のある, [… に]抜けめのない[in];〈子供がませた ‖ a *smart* boy 頭のよい少年 / a *smart* reply 気のきいた返答 / You're *smart* [It is *smart* of you] to quit smoking. タバコをやめたのは賢明ですね(➡文法 17.5).

II [身なりがよい]
2《英》〈身なりの〉**きちんとした**, 洗練された,〈衣服などが〉ぱりっとした, 流行の, ハイカラな《◆「細身」の意には用いない. slender, slim で表す》‖ the *smart* set 上流社交界の連中 / She looks *smart* in her new clothes. 彼女は新しい服を着てすてきに見える.
3《正式》[…に]活発な, きびきびした; 機敏な(brisk) [at, in] ‖ at a *smart* pace 足早に.

III [その他]
4《正式》厳しい, 激しい;〈傷などが〉ひりひりする; 打撃などが強い.

━━ 副 (～·er, ～·est) 厳しく, 激しく; すばやく, きびきびと; 利口に; こぎれいに ‖ **play it smart**《米やや略式》(損得を判断して)うまく行動する.

━━ 動 ⓘ **1**〈傷などが〉[… で]うずく, ずきずき痛む [with, from] ‖ The wound *smarts*. 傷が痛む. **2**〈薬などが〉ひりひりする, しみる;〈打撃などが〉痛みを与える. **3** […で]感情を害する, 怒る [from, with]; [… のために]悩む, 傷心する [under, over] ‖ She *smart*ed from the insult. 彼女は侮辱されて憤慨した. **4** […の]罰を受ける [for].
━━ 名《正式》[C][U] 痛み, うずき; [U] 苦痛; 苦悩, 傷心, 怒り.

smárt àlec(k) [**Àlec(k), Àlick**]《略式》うぬぼれ屋, 出しゃばり屋, 利口ぶる人.
smárt càrd《コンピュータ》スマートカード《マイクロチップ[メモリーチップ]を組み込んだプラスチック製クレジット[デビット]カード》.
smárt móney 実質以上の懲罰的賠償金;《賭博(とばく)》節の投資金;《英》負傷手当.
smárt·ness 名 ハイカラ, 粋; 抜け目のないこと, 機敏; うずき; 厳しさ.

†**smash** /smǽʃ/ 動 ⓣ **1**〈人が〉…を粉々にする(+up, down, in); …を(その状態に)粉砕する [to, into]《◆shatter の方が粉々になって飛び散る感じが強い(→ ⓘ 用例). cf. crush》‖ The firemen *smashed* the door open and rescued the child in the room. 消防士たちはドアをたたき壊してあけて部屋の中にいる子を救出した. **2** …をバシッと打つ;〈人〉(の体の一部)を強打する [on, in]; …を〈ビンに〉投げつける [against, into];《テニス》〈球〉をスマッシュする ‖ *smash* him 「*on the* nose [*in the* face] 彼の鼻を[顔を]なぐる(→ **catch** 他 1 c). **3**《略式》…を撃破する;〈記録〉を破る.
━━ ⓘ **1** […に当たって]粉々になる, 割れる (+up) [on] ‖ The glass fell on the stone floor and *smashed* [*shattered*] into tiny pieces. グラスが石の床に落ちて粉々になった. **2** [… と]ガチャンと激突する [against, into]. **3** 破産[倒産]する (+up).
━━ 名 [C] **1** 粉砕(音); 衝突; 墜落. **2** 破産, 破滅. **3**《略式》強打;《テニス》スマッシュ. **4**《略式》= smash hit.

gò [còme] to smásh《略式》めちゃめちゃになる; つぶれる; 破産する, 失敗に終わる.
━━ 副 ガチャンと; まともに.
smásh hít 大当たり, 大ヒット.
smash·up /smǽʃʌ̀p/ 名 [C] **1**《略式》大衝突; 大破. **2** 倒産, 破産; 崩壊. **3** 大災難. **4**(体の)不調.
smat·ter·ing /smǽtəriŋ/ 名 [C] [通例 a ～] 生かじりの知識; 少数.

†**smear** /smíər/ 動 他 **1** [smear **A** on [over] **B** = smear **B** with **A**] 〈人が〉**A**〈油などを〉**B**〈物〉に塗りつける; …を汚す《◆ *smear* butter on bread = *smear* bread *with* butter パンにバターを塗りつける《◆ 後者では一面に塗りつけることを含意》. **2** …をこする〈文字など〉をこすって不鮮明にする. **3** 〈名誉など〉をけがす; 〈人〉を中傷する. ── 自 汚れる; 広がる. ── 名 C **1** (汚れ・油などの)しみ, 汚点. **2** (顕微鏡用)塗布標本. **3** 名誉毀損(きそん), 中傷.
sméar attàck 中傷攻撃.
sméar(ing) campàign 中傷合戦.

:**smell** /smél/ 〖「こげるにおい」が原義〗
── 動 (~s/-z/; 過去・過分 (主に米) ~ed/-d/ or 《主に英》 smelt/smélt/; ~ing)
── 他
Ⅰ [においがする]
1 [しばしば can, could を伴って] 〈人が〉…の**においがわかる**, においで [...ということに] 気づく(*that* 節), …であるかを]かぎつける(*wh* 節); [smell (**A**) *doing*] (**A** が)…するにおいがする《◆ 進行形不可. can [could] smell の代用表現》. → can¹ 動 **2**》 ‖ I *can smell* something cooking. 料理をしているにおいがする / Don't you *smell* something unusual? 何か妙なにおいがしませんか / I *can smell* the toast burning. トーストが焦げているにおいがします.
2 《略式》 …に感づく, …をかぎ [探り] 出す(+*out*) ‖ They *smelled out* the plot. 彼らはその陰謀に気づいた / The dog *smelled* the thief *out*. 犬が泥棒をかぎ出した.
Ⅱ [においをかぐ]
3 〈人・動物が〉…のにおいをかぐ, かいでみる ‖ The police dog *smelled* [sniffed] the criminal's handkerchief. 警察犬は犯人のハンカチの匂いをかいだ / She's *smelling* the milk to see if it is sour. 彼女は牛乳がすっぱくなっているかどうかにおいをかいでいる / Rebecca *smelled* the perfume. レベッカは香水のにおいをかいだ《◆「香水のにおいにレベッカは気づいた」(→**2**)ともとれる》.
── 自 **1** [smell **C**] 〈物・人が〉**C のにおいがする**《◆ ふつう進行形不可. **C** は形容詞; [smell of [like] **A**] …のにおいがする《◆ **A** は名詞》 ‖ This flower *smells* sweet [×sweetly]. この花はいいにおいがする / These books *smell* musty. これらの本はかびくさい《◆ **C** に対応する疑問詞は: How [×What] does the rose *smell*? バラはどんなにおいがするか》 / Do I *smell* good? 私は(香水などで)よいにおいがしますか / It *smells* like lilacs. それはライラックのにおいがする / His breath *smells* strongly of brandy. 彼の息はひどくブランデー臭い《◆ **A** に対応する疑問詞は what: What does it *smell* like [*of*]? 何のにおいがするか》.
2 〈物・人が〉**いやなにおいがする**, 悪臭を放つ《◆ smell のみで smell bad の意を表す》 ‖ The fish are beginning to *smell*. 魚が臭くなってきた / I wonder if my breath *smells*. 私の息はにおうかしら.
3 〈人・動物が〉[…の]**においをかぐ**(*at*, 《米式》*of*) ‖ She is *smelling at* roses. 彼女はバラのにおいをかいでいる.
4 〈事・物が〉[…の]気味がある; 〈人・物が〉[…の]においがする[*of*]《◆ ふつう悪い意味で用いる》 ‖ His alibi *smells of* dishonesty. 彼のアリバイは怪しい.
5 嗅覚(きゅうかく)がある, においを感じる ‖ The old dog can hardly *smell* any longer. その老犬はもうずいぶん鼻が利かない.

sméll (a)róund [abóut] [自] (1) → 自 **3**. (2) 〈人が〉せんさくする.
sméll óut [他] (1) → 他 **2**. (2) 〈物〉〈場所〉に悪臭を放つ.
sméll úp [他] 《米式》〈場所〉を悪臭で満たす.
── 名 ~s/-z/; 過去・過分 **1** C U **におい**, 香り《◆ 修飾語のない時はしばしば「悪臭」の意味》 ‖ What 'a nice [a nasty, an unusual] *smell*! 何とよい[いやな, 異様な]においでしょう / This flower doesn't have much *smell*. この花はあまり香りがない / I like the *smell* of gardenias. 私はクチナシの花のにおいが好きです / What a *smell*! 何という悪臭だ.

関連 [いろいろな種類のにおい]
aroma (特にワインなどの)芳香 / fragrance よい香り / odor (物から出る)におい《◆ 香気にも用いるが主に臭気》 / perfume (香水などの快い)香り《◆ scent より堅い語》 / scent (快い)におい, 香り / stink 悪臭, いやなにおい / whiff 刺激臭.

2 U 嗅覚(きゅうかく) ‖ He has a good sense of *smell*. 彼は鼻がよい [利く].
3 C [通例 a ~] […の]においをかぐこと, ひとかぎ(*at*, *of*) ‖ *Take a smell at* [*Have a smell of*] this wine. このワインをかいでごらん.
4 C …の気味, 感じ, 雰囲気(*of*).
sméllingsàlts [複数扱い] かぎ薬, 気付け薬.
smell・y /sméli/ 形 -i・er, -i・est 《略式》 (いやな)においのする, 悪臭を放つ.

*smelt¹ /smélt/ 動 《主に英》 smell の過去形・過去分詞形.
smelt² /smélt/ 名 (複 smelt) C 〔魚〕キュウリウオ(類).

:**smile** /smáil/ 〖「声を出さずに笑う」が原義〗
── 動 (~s/-z/; 過去・過分 ~d/-d/; smil・ing)
── 自 **1** 〈人(の顔・口もとなど)が〉[…に/…して]**ほほえむ**, 微笑する, にっこり笑う; 苦笑する, 冷笑する(*at*, *on*; *to do*) 《関連》 → laugh 自 ‖ *smile* happily [sadly, sweetly, bitterly] うれしそうに[悲しげに, にこやかに, 苦々しそうに]笑う / *smile* back ほほえみ返す / The baby *smiled* at her mother. 赤ん坊は母親を見てにっこり笑った[母親にほほえみかけた] / Let's all *smile* at [for] the camera. みんなカメラのほうを見てにっこりしましょう / He *smiled* cruelly [unpleasantly] at me. 彼は私に残忍[不愉快]な笑い方をした / She *smiled* to think how foolish she had been. 自分はなんて愚かであったかと思い彼女は苦笑した.
2 〈運などが〉開く, 向く; 《主に文》〈好運が〉[…に]ほほえむ(*on*, *upon*) ‖ The weather *smiled on* us [our athletic meeting]. 我々[運動会]は天候に恵まれた / Fortune *smiled on* him at last. ついに彼に運が向いてきた.
── 他 **1** [~ a + 形容詞 + smile] …の笑い方をする ‖ *smile a* happy [hearty, forced] *smile* うれしそうに[心から, 無理に]笑う《◆ 形容詞に強勢を置く》.
2 …をほほえんで示す ‖ *smile* one's approval [thanks] ほほえんで賛意[感謝の意]を表す《◆ *smile* a smile of one's approval [thanks] の意. 同族目的語の省略》 / *smile* a welcome [greeting] ほほえんで歓迎[あいさつ]の意を表す. **3** 〈悩みなど〉を笑って忘れる(+*away*); ほほえんで〈人〉を〔ある状態に〕させる〔*into*, *out of*〕.
còme úp smíling 《略式》(逆境などから)元気よく

ち直る; ⟨ボクシング選手などが⟩次のラウンド[難事]に元気に立ち向かう.
──**名** (複 ~s/-z/) **1** ⓒ ほほえみ, 微笑, 笑顔; あざ笑い, 冷笑 ‖ a half *smile* かすかな微笑 / a broad *smile* 大きな笑み / *with a smile* 顔に笑みをたたえて / *without cracking a smile* にこりともしないで / *give a bright* [*faint, friendly*] *smile* 明るく[かすかに, 親しそうに]笑う / He was *all smiles*. 《略式》彼は満面笑みを浮かべていた / ⟨ショーク⟩ "What is the longest word in the English language?" "*Smiles* — because there's a mile between the first and last letter."「英語でいちばん長い単語は何?」「*smiles* です. 最初の文字と最後の文字の間に1マイルあるから」.
2 ⓒ [~s] 恩恵, 恵み ‖ the *smiles* of fortune 運命の恵み. **3** ⓒ ⟨文⟩ (風景などの)晴れやかさ.

smil·ey /smáili/ 形 にこにこした, ほほえんだ.
──**名** [~s] 《コンピュータ》顔文字 (◆ ×face mark とはいわない).

smil·ing /smáiliŋ/ 動 → smile.
smil·ing·ly /smáiliŋli/ 副 ほほえみながら, 微笑して.
smirk /smə́ːrk/ 動 自 [にたにた][にたにた]笑う.
──**名** ⓒ にやにや笑い, 作り笑い.

†**smite** /smáit/ 動 (過去 smote /smóut/, 過分 smit·ten /smítn/ or smit /smít/) ⟨文⟩ 他 **1** …を[手・武器で]強打する, なぐる (strike) [*with*]; [主に聖書で]…を殺す, 滅ぼす; …を打ち負かす (defeat). **2** [主に聖書]⟨神が⟩…を罰する (punish). **3** [通例 be smitten] ⟨人が⟩[病気・感情などに]襲われる, 悩まされる [*with, by*], [病気で]倒れる (+*down*) [*with*] ‖ He *was smitten with* [*by*] her beauty. 彼は彼女の美しさにすっかり参った (◆ 受身). ──自 ⟨古⟩ぶつかる; […を]強打する[*at*]; ⟨光・音・においが⟩…を襲う[*on upon*].

†**smith** /smíθ/ 名 ⓒ **1** [通例複合語で] 金属細工人, 飾り屋 (cf. goldsmith). **2** かじ屋 (blacksmith), (PC) farrier).
Smith /smíθ/ 名 スミス ⟨Adam ~ 1723-90; スコットランドの経済学者⟩.
smith·er·eens /smìðəríːnz/ 名 ⟨略式⟩ [複数扱い] (小)破片 ‖ be smashed into [to] *smithereens* 粉々にくだける.
Smith·só·ni·an Institútion /smìθsóuniən-/ [the ~] スミソニアン協会《ワシントンにある科学知識の普及を目的とした研究機関. 英国の化学者 J. Smithson の名から. その博物館は特に有名》.
†**smith·y** /smíθi | smíði/ 名 ⓒ **1** かじ場; かじ工場. **2** かじ屋.
†**smock** /smɑ́k/ 名 ⓒ **1** (子供・女性などの)上っ張り, スモック. **2** =smock frock. ──動 ⟨人⟩ にスモックを着せる; ⟨織物を⟩スモッキングで飾る.
smóck fròck (農夫などの)仕事着, 野良(ろう)着.
smóck·ing /-iŋ/ 名 Ⓤ スモッキング⟨亀甲(きっこう)型のひだ飾り⟩.

†**smog** /smɑ́ɡ | smɔ́ɡ/ 〘smoke + fog〙 名 ⓒⓊ スモッグ⟨◆この語の発祥地はロサンゼルス⟩, 煙霧 ‖ photochemical *smog* 光化学スモッグ.
smog·gy /smɑ́ɡi | smɔ́ɡi/ 形 (**--gi·er, --gi·est**) スモッグの多い.

※**smoke** /smóuk/
──**名** (~s/-s/) **1** Ⓤ 煙 ‖ emit heavy [dense, thick] black *smoke* 濃い黒い煙を吐く / *a trail of smoke from* the chimney 煙突からたなびいている煙 / (*There is*) *no smoke without fire.* = *Where there's smoke, there's fire.* (ことわざ)「火のないところに煙はたたぬ」/ His room was full of tobacco *smoke*. 彼の部屋はタバコの煙でいっぱいであった. **2** ⓒ ⟨略式⟩ [通例 a ~] (タバコの)一服, 喫煙 ‖ *have* [*take*] *a smoke* 一服する. **3** Ⓤⓒ 煙に似たもの⟨蒸気・土ぼこりなど⟩;⟨煙のように⟩実体のないもの, はかないもの ‖ come to *smoke* ⟨計画などが⟩立ち消えになる. **4** ⟨英・豪⟩[the S~] ロンドン.
gò úp in smóke (1) ⟨物が⟩燃え上がる[尽きる]. (2) ⟨略式⟩⟨計画などが⟩だめになる, 水泡に帰する. (3) ⟨略式⟩⟨人が⟩かっと怒る.
smóke and mírrors (奇術のように)錯覚を起こさせるもの, 目をくらますもの.
──**動** (~s/-s/; 過去・過分 ~d/-t/; smok·ing)
──**自** **1** ⟨人が⟩ タバコを吸う ‖ He *smokes* heavily. 彼はたくさんタバコを吸う (= He's a heavy *smoker*.) / He is *smoking* and drinking too much. 彼はいつも酒やタバコを飲みすぎるよ⟨◆語順に注意⟩.
2 ⟨工場・火山などが⟩煙を出す[吐く], 噴煙を上げる; 湯気[水蒸気, ほこり]を出す[立てる]; ⟨火・ストーブなどが⟩くすぶる, いぶる ‖ The chimney is *smoking*. その煙突から煙が出ている / ⟨ショーク⟩ "What did the big chimney say to the little chimney?" "You're too little to *smoke*."「大きな煙突は小さな煙突に何と言った?」「お前は煙を出すにはまだ子供だ」⟨◆自1とのしゃれ⟩.
3 ⟨タバコ・パイプなどが⟩喫煙できる.
──他 **1** ⟨人が⟩⟨タバコ・マリファナなどを⟩吸う, ふかす ‖ *smoke* a cigar [pipe] 葉巻を吸う[パイプをふかす] / She *smokes* 20 cigarettes a day. 彼女は1日に20本タバコを吸う.
2 ⟨煙で⟩…をいぶす, すすけさせる; ⟨肉・魚⟩を燻(くん)製にする, ⟨煙でいぶして⟩⟨ハム⟩を作る ‖ *smoke* ham [fish] ハム[魚]を燻製にする / *smoked* salmon 燻(くん)製のサケ, スモークサーモン. **3** ⟨虫などを⟩いぶし殺す, いぶし出す (+*out*); ⟨部屋・植物などを⟩燻蒸消毒する (fumigate) ‖ *smoke* insects 昆虫をいぶして殺す / *smoke* a room 部屋を燻蒸消毒する.
smóke óut [他] **(1)** ⟨動物・人などを⟩⟨穴・隠れ家などから⟩いぶし[狩り]出す (*from*). **(2)** ⟨略式⟩⟨秘密などを⟩探り出す, あばく ‖ *smoke out* a suspect 容疑者をかぎ出す.
smóke alàrm 煙探知器.
smóke bòmb [**grenàde**] 発煙弾, 発煙筒.
smoked /smóukt/ 形 燻製にした ‖ *smoked* salmon 燻製のサケ, スモークサーモン.
smoke–free /smóukfríː/ 形 禁煙の.
smoke·less /smóukləs/ 形 煙を出さない, 無煙の.
†**smok·er** /smóukər/ 名 ⓒ **1** 喫煙家 (↔ nonsmoker); 発煙物 ‖ a heavy [hard] *smoker* タバコをたくさん吸う人. **2** 喫煙できる車両, (列車の)喫煙できる客室.
smoke·stack /smóukstæk/ 名 ⓒ (工場・汽船の)(大)煙突; 《米》(蒸気機関車の)煙突⟨◆家の「煙突」は chimney⟩.
†**smok·ing** /smóukiŋ/ 動 → smoke.
──**名** **1** Ⓤ タバコを吸うこと, (特に常習的な)喫煙 ‖ No Smoking. ⟨揭示⟩ *Smoking* is bad for the [your] health. タバコは健康に悪い. **2** [形容詞的に] ⟨場所などが⟩喫煙用の, 喫煙できる ‖ *No smoking seats*. ⟨揭示⟩ 禁煙席.
──**形 1** 煙る, 湯気を出す. **2** [副詞的に] 湯気を立てる(ほど) ‖ *smoking* hot dishes 湯気の立っている料理.
smóking càr 喫煙車 (→ smoker **2**).

smóking compártment (列車の)喫煙できる客室 (smoker).
smóking gùn 決定的証拠.
smóking jàcket スモーキング＝ジャケット《男性がくつろぐ時に着るしゃれた室内用上着；昔は喫煙服》
smóking ròom 喫煙室《◆a smóking róom は「(ばやなどで)煙の出ている部屋」の意味で, smoking は現在分詞 → smoke 自2》.
†**smok·y** /smóuki/ 形 (--i·er, --i·est) 1 (たくさんの)煙を出す, くすぶる；煙が立ちこめる. 2 (正式) 煙のような, (煙で)くすんだ, こげ臭い.
smol·der, (英) **smoul-** /smóuldər/ (米) 動 自 1 〈火·物が〉くすぶる, いぶる. 2 (正式)〈怒り·不満などが〉くすぶる, 内向する；抑えきれない感情を示す ‖ His eyes *smoldered with* anger. 彼の目は怒りに燃えていた. ―― 名 CU (通例 a/the ~) くすぶり, くすぶる火.

***smooth** /smúːð/ 【発音注意】[『平らな』が原義] 派 smoothly (副)
―― 形 (~·er, ~·est)
I [表面がなめらかな]
1〈物の表面が〉なめらかな, すべすべした, 平滑な (↔ rough) ‖ a *smooth* stone すべすべした石 / Her skin is (as) *smooth as satin* (silk, a baby's bottom). 彼女の肌はとてもなめらかだ.
2〈水面が〉静かな, 波立たない. 3 体毛［ひげ］のない；〖植〗無毛の ‖ a *smooth* face つるりとした顔.
II [動きがなめらかな]
4 (名詞の前で)〈動作·運動などが〉なめらかな, 円滑に動く；(文)〈物事が順調な, 障害のない ‖ make things *smooth* 事を順調にする.
5 (ふつう男性が)お世辞のうまい；人当たりのよい, 人をそらさない ‖ a *smooth* talker 口先のうまい人《◆反語的に「口先だけの, 中味のない」といった意味合いで用いられることが多い》.
III [なめらかに感じる]
6〈文体·音楽などが〉流暢(りゅうちょう)な, なだらかな. 7〈飲食物が〉口当たりのよい, 柔らかい. 8〈ソースなどが〉よく練れた. 9〈音などが〉耳に快い；〖音声〗気息音のない.
―― 動 (~s/-z/;〖過去·過分〗~ed/-d/; ~·ing)
―― 他 1 …をなめらかにする, 平らにする；〈道などを〉ならす；〈しわなどを〉伸ばす；〈髪などを〉なでつける (+down, out);〈でこぼこ·ざらざら〉を取り除く ‖ *smooth* (down) one's hair 髪をなでつける / He *smoothed out* a bed sheet. 彼は敷布をのばした.
2〈困難·障害などを〉取り除く, 解決する (+away, out, over)；(正式)〈進路〉の障害を除く. 3 (正式)〈化粧水など〉を〈肌に〉塗る, 伸ばす (rub) (+in, on) (into, over). 4〈感情など〉を静める, なだめる (+down). 5〈過失など〉をごまかす, 取り繕(つく)う (+over).
―― 自 なめらかになる, 平らになる；円滑になる, 静まる (+down).
―― 名 1 [a ~] なめらかにすること；ならし；なでつけ ‖ give one's hair a *smooth* 髪をなでつける《◆make one's hair smooth の方がふつう》. 2 C なめらかな部分[表面], 平面, 平地, (米) 草原.
―― 副 =smoothly.

smooth·bore /smúːðbɔːr/ 形 (銃砲の)滑腔(かっこう)の, 旋条のない. ―― 名 C 滑腔銃[砲].
†**smooth·ly** /smúːðli/ 副 1 なめらかに ‖ The space shuttle landed *smoothly*. スペースシャトルはなめらかに着陸した. 2 たやすく, 円滑に. 3 流暢に, 口先うまく. 4 穏やかに.
†**smooth·ness** /smúːðnəs/ 名 U 1 なめらかさ, 平坦(たん), 静穏. 2 流暢(ちょう)さ；口上手, 人当たりのよさ. 3 (飲食物の)口当たりのよさ.

smor·gas·bord /smɔ́ːrɡəsbɔ̀ːrd/《スウェーデン》 名 U C スモーガスボード, バイキング式料理《◆buffet の方がふつう. Viking とはいわない》.
†**smoth·er** /smʌ́ðər/ 動 他 1 …を窒息させる《◆choke より怒い語》. 2〈火〉を(…で)覆って消す (with). 3〈あくび〉をかみ殺す；〈感情·反応などを〉抑える；〈事実などを〉もみ消す, 隠す (+up) ‖ *smother* a yawn あくびをかみ殺す. 4 …を(…で)厚く包む[覆う]；…に(…を)たっぷりかける (with, in) ‖ *smother* someone *with* affection 人にたっぷり愛情を注ぐ. 5 …を[キスなどで]息もつけないようにする (with). 6 〖料理〗…を蒸焼き[蒸煮]にする.
†**smoul·der** /smóuldər/ (英) 動 自 =smolder.
†**smudge** /smʌdʒ/ 名 C 汚れ, しみ；(米) 〈霜よけ·除虫のための〉いぶし火. ―― 動 他 …を汚す, …にしみをつける；(米) 〈霜よけ·除虫のため〉…をいぶす. ―― 自 汚れる, にじむ；煙る.
†**smug** /smʌɡ/ 形 (smug·ger, smug·gest) ひとりよがりの, うぬぼれの強い；自己満足した.
†**smug·gle** /smʌ́ɡl/ 動 他 1 …を(…へ/…から)密輸する, 密輸入[出]する (+in, out); …を密入[出]国させる (into / from, out of) ‖ *smuggle* jewels *into* Japan 日本へ宝石を密輸入する. 2 (略式)…を[…に/…を通って]こっそり持ち込む[出す] (+through) (to, into / through, past); …を隠す. ―― 自 密輸をする；密航する.
smúg·gler 名 C 密輸業者；密輸船.
smut /smʌt/ 名 1 C U 汚す物（の一片）. 2 U (略式) みだらな言葉, わい談, わいせつ(本). 3 U 〖植〗(麦の)黒穂病；その菌. ―― 動〖過去·過分〗smut·ted/-id/; smut·ting/-/. 他 (すすなどで)汚れる. ―― 他 …をすすなどで汚す.
smut·ty /smʌ́ti/ 形 (-ti·er, -ti·est) 1 すすけた, 汚れた. 2 (略式) みだらな, わいせつな.
Sn 記号〖化学〗 tin.
†**snack** /snæk/ 名 C 軽食《主に間食》, 急いでする食事 ((略式) bite) ‖ have [eat] *a bedtime snack* [a *snack* lunch] 夜食[軽い昼食]をとる. ―― 動 自 (米) [(…の)軽食をとる；急いで[…を]食べる (on).
snáck bàr [còunter] (主にカウンター式の)軽食堂, スナック《◆日本の「スナック」と違って酒類は出さない》.
snaf·fle /snǽfl/ 名 C =snaffle bit. ―― 動 他 1 (英) 〈馬〉にはみをかませる；〈馬〉をはみで制御する. 2 (英略式) …をかすめる, かっぱらう.
snáffle bìt (馬のくつわの)はみ.
snag /snæɡ/ 名 C 1 鋭い（ぎざぎざした）突起物《とげ, 折れ残った枝[幹], 抜けた残りなど》. 2 (航行を妨げる)沈み木, 倒木；隠れ岩. 3 (主に英略式) (思いがけぬ)障害, 困難 ‖ hit [strike, come upon, run into] a *snag* 思わぬ障害にぶつかる. 4 (ひっかけてできる衣類の)裂け目, 破れ, かぎ裂き. ―― 動〖過去·過分〗snagged/-d/; snag·ging 他〈衣類〉を[…に]ひっかける, 裂く (on).
†**snail** /snéil/ 名 C 〖動〗カタツムリ ‖ (as) slow as a *snail* 非常にのろい / at a *snail*'s pace のろのろと. 2 のろま, 無精者.
snáil màil (カタツムリがはうようにのろい) (ふつうの)郵便《◆e-mail に対していう》.

***snake** /snéik/
―― 名 (複 ~s/-s/) C 1 ヘビ（類語 serpent）《◆「とぐろを巻く」は coil up.「シューッという」は hiss》 ‖ A poisonous *snake* bit me on the ankle. 毒ヘビが私の足首にかみついた / *Snakes* have forked tongues. ヘビは2つに割れた舌をしている. 2 陰険な

a snáke in the gráss (略式)目に見えない敵[危険];偽りの友,油断ならない友.
──(snak·ing) (文) ⓐ 〈へビのように〉くねって歩く[動く],〈道などが〉くねる.
──他 1〈人が〉〈体など〉をくねらす. 2 [~ one's way]〈人などに〉進む,蛇行する.
snáke chàrmer ヘビ使い.
snáke dànce (アメリカ先住民の)ヘビ踊り;ジグザグ行進[デモ].
snak·ing /snéikiŋ/ 動 → snake.
snak·y /snéiki/ 形 (--i·er, --i·est) 1 ヘビの,ヘビのような;ヘビの多い. 2〈道などが〉曲がりくねった,〈動きが〉くねくねした. 3 陰険な,冷酷な,ずるい.

†**snap** /snǽp/ 動 (過去·過分) snapped/-t/; snap·ping) ⓐ 1〈物が〉ポキンと折れる,ブツンと切れる(+ off);[比喩的に]〈神経などが〉プツンと切れる,参る ‖ The rope *snapped*. ロープがプツンと切れた / The branch *snapped* when he hung his bag on it. 彼がバッグを掛けるとその枝はポキンと折れた / Her nerves *snapped*. (緊張で)彼女の神経は参ってしまった. 2 パチン[ピシッ,カチッ]と音を立てる;バタンと閉まる(+ to, down);音を立てて〈ある状態に〉なる ‖ The door *snapped* shut. ドアがバタンと閉まった / The lock *snapped* open. カチッと錠が開いた. 3 [英][…に]パクッとかみつく,かみつこうとする(at) ‖ The watchdog *snapped* at a visitor. 番犬は訪問者にかみついた[かみつこうとした]. 4 すばやく動く ‖ *snap* to attention すばやく気をつけの姿勢をとる. 5 (スナップ)写真を撮る. ──他 1 …をポキンと折る,プツンと切る(+off) ‖ *snap* a twig in two 小枝をポキンと2つに折る. 2 …をパチン[ピシッ,カチッ]と鳴らす,…を鳴らして〈ある状態に〉する ‖ *snap* a lid on [down] ふたをパチンと閉める. 3 …にパクッとかみつく(bite) (+up);…をパクッとかみつく. 4〈命令などを〉鋭い口調で言う,かみつくように言う(+out). 5 (略式)…の(スナップ)写真をとる(take a snapshot of).
snáp báck (1)〈跳ねなどが〉はね返る;(米略式)(病気などから)急速に回復する. (2) 鋭く言い返す.
snáp óut of A (略式)(通例命令形で)〈ある気分・習慣〉からさっと抜け出せ(◆ しばしば snap out of it の句で用いる).
snáp úp [他](1)〈物〉をすばやくつかむ[取る];(略式)〈特売品など〉を先を争って買う ‖ *snap up* bargains 特売品に飛びつく. (2) →他 3. (3) …とさっと結婚する. (4) → 他 2.
──名 1 ⓒ ポキンと折れる音[こと],パチン[ピシッ]という音 ‖ My arm broke *with a snap*. 私の腕はポキンと折れた. 2 (略式)=snapshot. 3 ⓒ [通例 a ~] かみつくこと;すばやくつかむこと ‖ The dog made a *snap* at him. 犬が彼にパクッとかみついた. 4 ⓒ [主に米] =snap fastener(s). 5 ⓒ ⓤ [通例複合語で]薄くてさくさくしたクッキー. 6 ⓤ (略式)精力,活気(vigor) ‖ Put some *snap* in your work. 仕事に力を入れよ. 7 (米略式) [a ~] 楽な仕事, 朝飯前のこと. 8 ⓒ 急に来る一時的な寒さ[天候] ‖ a cold *snap* 急な寒さ. *in a snáp* すぐに.
──形 ポキン[プツン,パチン]と. 1 (略式)即座の ‖ a *snap* decision 即座の[軽々しい]決定. 2 (米俗)簡単な ‖ a *snap* course (大学の)楽に単位のとれる科目. 3 パチンと締まる ‖ a *snap* lock パチンと締まる錠.
──動 ポキン[プツン,パチン]と.
snáp fàstener(s) (米)止めがね,スナップ(留め) ((英) press-stud).

snap·drag·on /snǽpdræɡən/ 名 ⓒ [植]キンギョソウ (antirrhinum)《観賞用. 《異名》dragon's mouth》.
snap·per /snǽpər/ 名 ⓒ 1 パチッと鳴るもの;がみがみ言う人. 2 (米略式) [~s] 歯(teeth), 義歯.
†**snap·py** /snǽpi/ 形 (--pi·er, --pi·est) 1 (略式)元気のよい, 活発な(lively), きびきびした ‖ walk at a *snappy* pace きびきびした足どりで歩く. 2 (略式)しゃれた, いきな ‖ a *snappy* dresser しゃれた服装をする人. *Máke it snáppy! =*(英) *Lóok snáppy!* (略式)急げ!, てきぱきやれ!
†**snap·shot** /snǽpʃɑt/ -ʃɔt/ 名 ⓒ スナップ写真 (snap).
†**snare** /snéər/ 名 ⓒ 1〈小動物·鳥などを捕える〉(輪わの)わな (cf. trap) ‖ *catch* a dove *with [in] a snare* わなで野ハトを捕える. 2 〈主に文〉[しばしば ~s]〈人を陥(おとしい)れ〉わな, 誘惑 ‖ fall into the *snares* of evil 悪の誘惑に乗る. ──動 他 1 …をわなにかける;〈物を〉[…に]からませる, ひっかける(in). 2〈人などをわなにかける, 誘惑に陥れる ‖ *snare* a thief 泥棒をわなにかける. 3 (略式)〈仕事などを〉巧みに得る ‖ *snare* a good job よい仕事にありつく.
†**snarl** /snɑ́ːrl/ 動 ⓐ 1〈イヌなどが〉[…に]歯をむいてうなる(at). The dog always *snarls at* the postman. その犬はいつも郵便屋さんに向かってうなる. 2〈人が〉[…に]がみがみ言う, どなる(at, against). ──他 …をどなるように言う, …をつっけんどんに言う(+out) ‖ *snarl out* the answer つっけんどんな返事をする.
──名 ⓒ [通例 a ~] うなること, がみがみいうこと.
†**snatch** /snǽtʃ/ 動 他 1〈人が〉〈物·機会などを〉〈人·場所から〉ひったくる, さっと取る, 強奪する(+up, away, off) [from, out of] ‖ He *snatched* the bag *from* her [*out of* her hand]. 彼は彼女[彼女の手]からバッグをひったくった(◆ grab の方が荒々しい. 「つかんで放さない」ことを強調する場合は grasp, clutch》/ She *snatched up* her briefcase and went out. 彼女はさっとカバンを持って出て行った / The strong wind *snatched* my umbrella (*away*). 強風は私のかさをさらっていった. 2 (機会をのがさずに)〈食事·眠りなど〉を急いで取る ‖ *snatch* a meal 急いで食事する / *snatch* an hour's sleep 暇を見て1時間眠る. 3〈人を〉〈現世などから〉急に運び去る(+away) [from] ‖ She was *snatched away (from us)* by her sudden death. 彼女は突然死んだ. ──ⓐ 1〈物を〉ひったくろうとする, ひったくろうと手を伸ばす(at)《実際にひったくったかどうかは文脈による》. 2〔機会などに〕飛びつく(at) ‖ *snatch at* the chance to meet her 彼女に会う機会に飛びつく.
──名 ⓒ 1 [a ~] […を]ひったくろうとすること, […に]飛びつくこと(at);(略式)ひったくり, 強奪 ‖ *make a snatch* at her purse 彼女のハンドバッグをひったくろうとする. 2 [通例 ~es] (活動·眠りなどの)短い期間, ひと時 ‖ catch *snatches* of sleep ちょっと眠る. 3 [通例 ~es](歌·話などの)断片, 一片(bit) ‖ overhear *snatches* of conversation 話のところどころを立ち聞きする. 4 [重量挙げ] スナッチ《バーベルを一気に床から頭上に挙げる. cf. jerk》.

†**sneak** /sníːk/ 動 (過去·過分) ~ed or (米略式) snuck/snʌ́k/) 1 [通例副詞(句)を伴って] **a** こそこそ動く, うろうろする;[…へ/…から]こっそり入る[出る] [*into / out of*] ‖ *sneak* around (the house) (家の)周りをうろつく / *sneak in [out]* by the back way 後ろの方からこっそり入る[出る]. **b** ひそかに立ち去る (+off, away). 2 こそこそ卑劣なふるまいを

する ‖ Why don't you act openly instead of *sneaking*? こそこそしないで堂々とやったらどうだ. **3**〔英略式〕〔他の生徒のことを…に〕告げ口する(on/to). ──他 **1**〔略式〕〈物〉をこっそり盗む. **2**〈人・物〉を〔…へ/…から〕こっそり連れて[持って]行く[来る](*into* / *out of, from*) ‖ I *sneak* some food *out of* the house 家から食物をこっそり持ち出す. ──名 **1**Ⓒ **a** こそこそする人; 臆(%)病で卑劣な人. **b** こそこそした行為. **2**[形容詞的に] 思いがけない, ひそかに行なわれる. **3**Ⓒ〔英略式〕告げ口する生徒[人]. **4**〔米程式〕[~s] =sneakers.

snéak préview〔米〕〔映画〕覆面試写会《客の反応を見るために内容の予告なしに行なわれる特別試写》.

sneak·ers /sní:kərz/ 名〔米〕〔複数扱い〕ゴム底の運動用ズック, スニーカー(tennis shoes,〔英〕plimsolls, creeper, trainer) ‖ *a pair of sneakers* スニーカー1足.

†**sneak·ing** /sní:kiŋ/ 形 **1**〈行動などが〉こそこそした, ずるい; 卑劣な ‖ in a *sneaking* manner 陰険に. **2**〈感情などが〉ひそかな, 口に出せない.

sneak·y /sní:ki/ 形 (-i·er, -i·est)〔略式〕卑劣な, 陰険な; 臆(%)病な, こそこそする[なされた].

†**sneer** /sníər/ 動 自 **1**〔人・物・事を〕あざ笑う, 冷笑する, せせら笑う(at)〔◆scoff, jeer よりも強い軽蔑(%)感を表す〕‖ *sneer at* her poor clothes 彼女のみすぼらしい服装をあざ笑う. **2**〔言葉・書きかたで〕〔人・物・事を〕あざける, 軽蔑する(at) ‖ This poem is not to be *sneered at*. この詩は一笑に付せない〔注目に値する〕. ──他 **1**〈事などを〉あざけって言う[表す] ‖ *sneer* a retort to their insult 彼らの侮辱に冷笑的な言葉でやり返す. **2**〔副詞(句)を伴って〕〈人など〉を嘲笑(%5)して〔ある状態に〕する; 〈事〉を嘲笑して取り合わない(+*down, away*) ‖ *sneer* him to silence 冷笑して彼を黙らせる / *sneer down* a proposal 提案を一笑に付す. ──名 Ⓒ〔…に対する〕冷笑(すること), 冷笑的表情〔言葉, 言いかた, しゃべり方〕(at) ‖ answer with a *sneer* 冷ややかに答える.

†**sneeze** /sní:z/ 名 Ⓒ くしゃみ〔◆(1) 音は a(h)choo, atchoo, atishoo, kerchoo. (2) くしゃみをした人に(God) bless you! とか Gesundheit!〔お大事に〕と言う習慣がある. 言われた人は Thank you. と返すのがふつう〕‖ *give* [*make*] *a sneeze* くしゃみをする. ──動 自 くしゃみをする.

nót snéeze at A〔略式〕〔しばしば not to be ~d at〕〈提案・金額など〉を軽々しく考えない[考えるべきでない], ばかにしない[できない].

snell /snél/ 名 Ⓒ 鉤素(¾)《釣針をみち糸につなぐてぐす》.

snick·er /sníkər/ 名 Ⓒ〔主に米〕(主に大人の男性の, 軽蔑(%)的な) 忍び笑い, くすくす笑い(〔主に英〕snigger). ──動〔主に米略式〕〔…を〕忍び笑いする, くすくす笑う.

†**sniff** /sníf/ 動 自 **1**〔人・物のにおいを〕くんくんかぐ(at) ‖ The dog *sniffed* (at the bag) when it smelled the drug. 麻薬のにおいがした時犬は(カバンを)くんくんかいだ. **2**鼻をすする. ──他 **1**〈人・物のにおい〉をかぐ, かいでみる ‖ *sniff* the rose バラのにおいをかぐ. **2**〈空気などを〉鼻で吸い込む; 〈(麻薬)〉を鼻から吸い込む(+*up*) ‖ *sniff* the clean air 澄んだ空気を吸う. **3**〔略式〕〈危険など〉をかぎつける, 見つけ出す, …に気づく(+*out*) ‖ *sniff* (*out*) *danger* [*a plot*] 危険[陰謀]を察知する. **4**〈事〉をふんと鼻をすすって不平そうに言う. ──名 Ⓒ 鼻で吸う〔においをかぐ〕こと; 鼻で吸う[かぐ]音; (かぎつけられた)におい ‖ Take a *sniff*. ちょっとにおいをかいでごらん / *get a sniff of* the meat 肉をひとかぎする / *give a sniff of* contempt 軽蔑(%)してふんと鼻をならす.

snif·fle /snífl/〔略式〕動 自 (かぜなどで)鼻をする; すすり泣く. ──名 **1**Ⓒ 鼻をすすること[音]. **2**[the ~s] (軽い)鼻かぜ; 鼻づまり; すすり泣き.

snig·ger /snígər/ 〔主に英〕名 動 =snicker.

†**snip** /sníp/ 動 (過去・過分 snipped/-t/; snip·ping) 他〈物〉をはさみでちょきん[ちょきちょき]と切る; …を〔…から〕ちょきんと切り取る[+off]〔*from, of*〕‖ *snip* (*off*) *dead leaves from* the plant = *snip dead leaves off* the plant はさみで植物から枯れ葉を切り落とす. ──自 …をはさみでちょきん[ちょきちょき]と切る(at). ──名 **1**Ⓒ ちょきんと切ること[音]; 切り目, 切り口 ‖ make a *snip* in the cloth 布をちょきん[ちょきちょき]と切る. **2**Ⓒ **a** 切り取られた小片, 切れ端 ‖ the *snips* of thread 糸の切れ端. **b** 少量, 少し ‖ *a snip of* food わずかな食物. **3**[~s] (金属板を切る)手ばさみ. **4**Ⓒ〔英略式〕〔通例 a ~〕買い得品, 格安品.

†**snipe** /snáip/ 名 (複 ~s, [集合名詞] snipe) Ⓒ **1**〔鳥〕シギ. **2**ねらい撃ち, 狙撃(%). ──動 自 **1**(はねが) シギ類化する. **2**〔軍事〕〔…を〕(遠い所・隠れた所から)狙撃する(at). **3**〔…の〕あら探しをする, 〔…を〕非難する(at)〔◆受身可〕. ──他〔軍事〕…を狙撃する; …を射ち殺す.

snip·er /snáipər/ 名 Ⓒ 狙撃兵; 狙撃者, スナイパー.

snip·pet /sníptt/ 名 Ⓒ **1**切り取られた小片, 切れ端. **2**〔略式〕〔しばしば ~s of A〕(情報・ニュース・会話・書き物などの)断片, 短い抜粋.

snip·py /snípi/ 形 (-pi·er, -pi·est) **1**〔米略式〕(横柄で)ぶっきらぼうな; 口うるさい. **2**断片的な, 寄せ集めの.

snitch /sníʧ/〔英略式〕動 自〔人/…に〕告げ口をする(on/to). ──他 …を盗む, ひったくる, 失敬する. ──名 Ⓒ 告げ口屋, 密告する人.

sniv·el /snívl/ 動 (過去・過分 ~ed or 〔主に英〕sniv·elled/-d/; ~·ing or 〔主に英〕-el·ling) 自 **1**鼻をする, 鼻(水)をたらす. **2**〔略式〕すすり泣く; めそめそ泣きごとを言う(略式)whine). **3**しおらしげな振りをする, 空涙を流す. ──他 …をすすり泣いて言う.

snob /snáb| snɔ́b/ 名 Ⓒ **1**スノッブ, 俗物《社会的地位が下の人々をばかにし, 地位や財産などを崇拝する上流気取りの人》. **2**〔形容詞を伴って〕学問や知識を鼻にかける人 ‖〔an intellectual [a cultural] *snob* 学者[文化人]ぶる人.

snob·ber·y /snábəri| snɔ́b-/ 名 Ⓤ 俗物根性, いやらしい上流崇拝[気取り], (学芸・趣味などの)気取り; [snobberies] 俗物的言動.

snob·bish /snábiʃ/ 形 俗物(根性)の, 地位などを鼻にかけた, 〔…に対し〕お高くとまった(with).

snoop /snú:p/〔略式〕動 自〔人の持ち物・問題などを〕こそこそ詮索(%5)する, 探る(*into*); 〔…の周りを/…を求めて〕ひそかにかぎ回る, うろつき回る(+*about,* (*a*)*round*) 〔(*a*)*round/for*〕〔◆「個人の秘密を詮索する」は pry〕. ──名 Ⓒ かぎ回る人《探偵・スパイなど》; 詮索好きの人, おせっかい屋; Ⓤ 詮索好き, おせっかい.

snoop·y /snú:pi/ 形 (-i·er, -i·est) 〔略式〕詮索(%5)好きの, こそこそかぎ回る. ──名 [S~] スヌーピー《米国の C. M. Schulz 作の漫画 *Peanuts* に登場する犬》.

snoot·y /snú:ti/ 形 (-i·er, -i·est) 〔略式〕上流ぶった, 排他的な; 傲(%)慢無礼な, 横柄な.

snooze /snú:z/ /snú:z/〔略式〕動 自 居眠り[うたた寝]する (doze). ──名 Ⓒ [通例 a ~] 居眠り, うたたね.

†snore /snɔ́ːr/ 動自 いびきをかく ‖ I just can't stand his [him] *snoring*. 彼のいびきにはまったく我慢ならない. ――他 〈時〉をぐうぐう寝て過ごす(+*away*, *out*). ――名 ⓒ いびき(の音)《漫画などでは zzz, z-z-z /z/などで表される》‖ give a loud *snore* 高いびきをかく.

snor·kel /snɔ́ːrkl/ 名 ⓒ **1** シュノーケル, スノーケル《潜水艦の排気・通風装置》. **2** シュノーケル, スノーケル《潜水者が用いる》字型呼吸管》.

†snort /snɔ́ːrt/ 動自 **1** 〈ウマなどが〉鼻息を荒立てる, 鼻を鳴らす. **2** 〈人が〉[…に]鼻を鳴らして不満[怒り, 軽蔑(ミっ), 驚き, いらだち, おかしさ]を表す[*at*] ‖ *snort at* her ふんと軽蔑した態度を彼女に示す. **3** 〈蒸気機関が〉シュッシュッと蒸気を吐く. **4** (略式) 軽蔑したように騒々しく笑う. ――他 **1** (正式)〈軽蔑・怒りなどの言葉〉を荒々しく言う(+*out*), 〈挑戦などを〉[…に]投げかける[*at*] ‖ *snort* defiance at him 荒々しく彼に反抗する. **2** (俗)〈麻薬〉を吸う.
――名 ⓒ **1** 荒い鼻息, 息をはずませること ‖ give a *snort* of impatience いらいらして荒い息づかいをする. **2** (略式)〈酒〉をぐいと飲むこと; (麻薬の)吸飲.

snot /snát | snɔ́t/ 名 **1** Ⓤ (略式) 鼻汁. **2** ⓒ (俗) 横柄な人.

†snout /snáut/ 名 ⓒ **1** (ブタなどの)鼻《◆あご・口を含む》; (ゾウなどの)口先; (動物の)口ばし状突起. **2** (略式) (人の)鼻(nose), 大きな(醜い)鼻. **3** 鼻先状の物; (水管の)筒口, (飛行機の)機首, (崖(ミっ)の)突端.

‡snow /snóu/ (類音) snore /snɔ́ːr/
――名 (複 ~s/-z/) **1** Ⓤ 雪《◆盲目・死・純粋などの象徴》‖ play *in* the *snow* 雪の中で遊ぶ / The ground was covered with [in] *snow*. 地面は雪で覆われていた / The fresh *snow* is one foot deep. 新雪は深さ1フィートに積もっている / The first *snow* falls in November here. 当地では11月に初雪が降ります.
2 [a ~; 形容詞を伴って] (1回の)降雪(snowfall); [無冠詞で] (ある期間中の)降雪量; [the ~s] 降雪期 ‖ We *had a heavy snow* yesterday. 昨日大雪が降った / a light *snow* 小雪 / We had heavy *snow* last winter. 去年の冬(全体で)雪が多く降った.
3 ⓒ (文)[通例 ~s] 積もった雪, 積雪, 降雪 ‖ The *snows* began to melt. 積もった雪は解け始めた.
4 (俗) 粉末コカイン, ヘロイン.
――動 (~s/-z/; 過去・過分 ~ed/-d/; ~·ing)
――自 **1** [it を主語にして] 雪が降る ‖ It is *snowing* thick and fast. 雪がしんしんと降っている / It *snowed* last night. 昨夜雪が降った(= We had *snow* last night.) / 日本発》 It doesn't *snow* very much in Tokyo, but, when it does, it causes many problems such as train delays. 東京ではあまり雪は降りませんが, いったん降れば電車の遅れなど多くの問題を引き起こします.
2 〈物が〉雪のように降る; 大量に来る(+*in*).
――他 **1** [通例 be ~ed]〈人・場所が〉雪で閉じ込められる[覆われる] (+*in*, *up*, *over*, *under*) ‖ We were *snowed* in at the hotel for two days. 私たちは雪のため2日間ホテルに足止めをくった. **2** …を雪のように降らす.
be snówed únder (1) → 他 **1**. (2)〈人が〉[仕事などで]圧倒される, 多忙である 〈*with*, *by*〉. (3)(米や略式)(選挙などで)大差で負ける.

snów búnting 〔鳥〕ユキホオジロ(snowbird).

snów fènce 防雪柵.
snów gòose 〔鳥〕ハクガン.
snów ìce 雪氷《解けた雪でできた不透明な氷》.
snów lìne [the ~] 雪線《これより上では積雪が万年雪になる》.
snów tìre [(英) týre] スノータイヤ.
†snów·ball /snóubɔ̀ːl/ 名 ⓒ **1** 雪だるま式に増えるもの. ――動 自 **1** 雪だるま式[加速度的]に増える. **2** 雪合戦をする; […に]雪の玉を投げつける(*at*). ――他 **1** …に雪の玉を投げる. **2** …を雪だるま式に増やす.
snów·bank /snóubæ̀ŋk/ 名 ⓒ 雪の吹きだまり, 雪堤.
snów·bird /snóubə̀ːrd/ 名 **1** 〔鳥〕= snow bunting. **2** (俗) コカイン常用者.
snów·board /snóubɔ̀ːrd/ 名 ⓒ スノーボード《surfboard に似た雪面滑走用の板》. ――動 自 スノーボードですべる.
snówboard hálf pípe [スノーボード] ハーフパイプ《パイプを半分に割ったような所を, 各種の技を入れて滑り下りる競技》.
snów·bòard·ing 名 Ⓤ スノーボード競技, 大滑降.
snów·bound /snóubàund/ 形 雪に閉じ込められた.
snów-capped /snóukæ̀pt/ 形 (文) 雪をいただいた.
snów·drift /snóudrìft/ 名 ⓒ 雪の吹きだまり; 風に吹かれる雪.
snów·drop /snóudràp | -drɔ̀p/ 名 ⓒ 〔植〕スノードロップ, ユキノハナ, マツユキソウ《◆雪の消え残る初春, 下に垂れた一輪の白い花をつける. 《異名》fair maid of February》.
snów·fall /snóufɔ̀ːl/ 名 ⓒ 降雪; Ⓤ [時に a ~] 降雪量 ‖ the annual *snowfall* 年間降雪量.
†snów·flake /snóuflèik/ 名 ⓒ 雪片, 雪の1片.
†snów·man /snóumæ̀n/ (複 **-men**) 名 ⓒ **1** 雪だるま, 雪人形《◆英米のはふつう日本の雪だるまとちがって手の付いた人間に近い形をしている》‖ build a *snowman* 雪だるまを作る. **2** [通例 S~] = Abominable Snowman.
snów·mo·bile /snóuməbìːl/ 名 ⓒ スノーモービル, 雪上車.
snów·plow, (英) **-plough** /snóuplàu/ 名 ⓒ **1** 除雪機[車]. **2** Ⓤ 〔スキー〕ブルーク《スキーをハの字に開いて滑ること》.
†snów·shoe /snóuʃùː/ 名 ⓒ [通例 ~s] かんじき ‖ a pair of *snowshoes* かんじき1足. ――動 自 かんじきをはいて歩く.
snów·slide /snóuslàid/, (英) **-slip** /-slìp/ 名 ⓒ なだれ.
†snów·storm /snóustɔ̀ːrm/ 名 ⓒ ふぶき.
snów-white /snóuhwáit/ 形 雪のように白い, 純白の.
†snów·y /snóui/ 形 (**-i·er**, **-i·est**) **1** 雪の多い, 雪の降る ‖ *snowy* weather 雪の降る天気. **2** 雪に覆われた, 雪の積もった ‖ a *snowy* road 雪に覆われた道. **3** (文) 雪のように白い ‖ *snowy* hair 雪のように白い髪. **4** 清らかな, けがれのない, 高尚な(pure).
†snub /snʌ́b/ 動 (過去・過分 **snubbed**/-d/; **snub·bing**) 他 〈人〉を鼻であしらう, わざと無視[侮辱]する; 〈申し出などを〉すげなくはねつける ‖ feel *snubbed* 鼻であしらわれたと感じる / *snub* him into silence つれなくして彼を黙らせる. ――名 ⓒ **1** つれない言葉[ふるまい], 冷遇, 侮辱; すげない拒絶 ‖ suffer a severe *snub* ひどい冷遇を受ける. **2** 厳しい叱責(ﾗ̇ｹ).
――形〈鼻が〉短く低く上を向いた ‖ a *snub* nòse しし鼻.
snúb·ber 名 ⓒ **1** 鼻であしらう人; しかりつける人. **2** 綱などを止める装置. **3** (米) 自動車の緩衝器.
snub·by /snʌ́bi/ 形 (**-bi·er**, **-bi·est**) **1** しし鼻の

snuck 2 鼻あしらいする，冷淡に扱う．

snuck /snʌk/ 動 《米略式》sneak の過去形・過去分詞形．

†**snuff** /snʌf/ 動 他 1 〈香り・空気などを〉吸う〔吸い込む〕(+up). 2 〈動物が〉〈においを〉かぐ，かぎわける，かいで調べる．— 自 1 鼻から吸う〔吸い込む〕. 2 〈動物が〉〈…に〉鼻をつける〔at〕《◆今は sniff の方がふつう》. 3 かぎタバコを吸う．— 名 1 U かぎタバコ ∥ take (a pinch of) snuff （1つまみの）かぎタバコを吸う． 2 C 《通例 a ~》スースー空気を吸うこと〔音〕∥ take a snuff of the strong cheese においの強いチーズをかぐ．

snuff-box /snʌfbɑks|-bɔ̀ks/ 名 C 《携帯用》かぎタバコ入れ．

snuff-er /snʌfər/ 名 C 1 ろうそく消し《取っ手の先端がベル状になっていてそれをかぶせて消す》. 2 〔~s; 通例複数扱い〕ろうそくのしん切りばさみ．

snuf-fle /snʌfl/ 動 自 1 《略式》（かぜで鼻が詰まった時などに）クスンクスン鼻をならす，うるさく鼻をならして呼吸する． 2 鼻声で話す〔歌う〕．— 他 …を鼻声で言う〔歌う〕(+out).
— 名 1 鼻をクスンクスン〔クンクン〕いわせること；その音． 2 鼻声で話す ∥ speak in [with] a snuffle 鼻声で話す． 3 《略式》〔the ~s〕鼻詰まり；鼻かぜ．

†**snug** /snʌg/ 形 (**snug-ger**, **snug-gest**) 1 〈場所・人が〉心地よい，気持ちのよい，快適な（cozy） 1 a snug corner by the hearth 炉端の暖かく気持ちのいい一角 / The children were (lying) snug in bed 子供たちはベッドの中で暖かく心地よかった． 2 こざっぱりした，こぎれいな，こぢんまりと整っている〔機能的である〕∥ a snug little cabin [summer house] こぢんまりした船室〔夏の別荘〕. 3 〈衣服などが〉ぴったり合った，〔副詞(句)を伴って〕きつい，窮屈な ∥ a snug jacket ぴったり体に合うジャケット． 4 《略式》〈収入などが〉ささやかながら不自由しないだけの，そこそこの ∥ a snug little income そこそこの収入．
— 副 ぴったりと，きっちりと ∥ a snug-fitting coat ぴったり合うコート．
— 動 (**snugged**/-d/; **snug-ging**) 自 ぴったり寄り添う，気持ちよく横になる．— 他 1 …を暖かく快適にする，安全にする，整える． 2 …をぴったり合わせる．
— 名 C 《英》宿屋〔パブ〕の小個室．

†**snug-gle** /snʌgl/ 動 自 《略式》〈人・動物などが〉〈暖かさや愛情を求めて〉心地よく横になる，心地よく体を丸める〔ちぢこまる〕(+down), 〈人などに〉寄り添う，すり寄る (+up) (to, into, against) ∥ the children snuggling down in their beds ベッドに心地よく丸くなっている子供たち．— 他 1 〈自分〔体の一部〕・他の人〔動物〕などを〉〈…に〉すり寄せる，引き〔抱き〕寄せる (+down) (to, against); …を〔…の中に〕抱きしめる〔in〕.

snug-ly /snʌgli/ 副 1 きちんと，ぴったり． 2 心地よく，暖かく，快適に． 3 こぢんまりと．

‡**SO** /sóu, (時に)(弱) sə/ 同音 sew, sow¹; 類音 saw /sɔ́ː/

index 副 1 とても 2 それほど 3 その〔この〕ように 5 …も(また)そうである 6 …は(まさに)その通りです 7 そのように 9 そのようで 接 1 それで 2 …するように 3 それでは

— 副

I 〔そのような程度で〕
1 〔強調語として〕《略式》**とても**，非常に《◆(1) 2 と違って比較の観念を含まない．(2) very, very much の代用で主に女性や子供に好まれる表現．(3) so に強勢を置く》 a 〔副詞・形容詞（化した過去分詞）修飾〕I'm só sorry. とてもすいません / I'm só sorry. ほんとうにごめんなさい / It's só kind of you! ご親切にありがとう / You are só obstinate! なんて頑固なの / He's ever só nice! 彼はとても親切な人だよ《♦ so の前に ever を置くことがある》 b 〔動詞修飾〕He loved her so! 彼は本当に彼女に首ったけだったの / I do so hope you can come! あなたにぜひ来ていただきたいわ！

2 〔程度〕 a 〔副詞・形容詞の前で〕**それほど**，そんなに《so ... as ... の as 以下が文脈から明らかなため省略されたもの》∥ Don't walk so fast. そんなに速く歩くな《♦ Don't walk so fast as this. の省略表現．したがって Don't walk very fast. と同じではない．《略式》では Don't walk that fast. も用いる》 b 〔動詞の後で〕**そんなに，こんなに** ∥ Don't upset yourself so! そんなにうろたえるな《♦ so much の省略表現》 / He frightened me so! あの人ったら，本当に驚いたわ！

┌─────────────────────────────
│ 語法 〔so + 形容詞 + a + 名詞〕
│ (1) I didn't realize that he was **so** big **a** fool.
│ 彼がそんな大ばかだとは知らなかった《♦ so を用いるのは堅い表現で，今日では such を用いて … he was such a big fool とするのがふつう》.
│ (2) a(n) のない表現は不可：×so big fool(s) / ×so big the fool(s)《♦ such big fools とする》.
│ (3) a + so + 形容詞 + 名詞もリズムの関係で避けられる．×a so good man → such a good man.
└─────────────────────────────

3 〔限界〕〔通例 just [about] so〕この程度まで，これくらいまで ∥ My legs will go just so fast and no faster. 私の脚(をし)はこれ以上速くは動かない / She is about so tall. 彼女の身長はだいたいそんなところです．

II 〔そのような様態で〕
4 〔様態〕 a 〔直喩的に〕**そのように**，このように，そう，そんな風に；次のように《♦ 具体的な動作・状態を直接さす》∥ Stand just so 〔《略式》that way〕. そのままじっと立っていなさい / Hold the writing brush so. こんなふうに筆を握りなさい / You must not behave so. そんなふるまいをしてはいけません / Cut the paper like so. 《略式》紙をこんなふうに切りなさい．b 〔先行する語(句)を受けて〕そのように．

III 〔そのようなこと〕
5 〔so do A〕A **も(また)そうである**(too)《♦(1) 肯定文を受け，先行節の主語と同一指示でない場合に用いる．(2) 強勢は A にある》 対話 "She likes wine." "So do I."（）「彼女はワインが好きです」「私もそうです」(=I like it, too.) / I was tired and so were the others.（）私は疲れたが他の者もそうだった．

6 〔so A do〕A **は(まさに)その通りです**《♦(1) 聞き手の強い同意を表す．時に驚きを含む．(2) 強勢は do にある．(3) 《英略式》で just so ともいう》 対話 "It is raining outside." "So it is." 「外は雨が降っています」「そうですね」/♦ "It is not raining."（雨は降っていない）に対して "So it ís." は「いや，降っているよ」の意／"You've spilled your coffee." "Oh dear, so I háve." 「コーヒーがこぼれましたよ」「あらまあ，ほんとね」．

7 〔先行する句・節の代用〕 a 〔that節の代用〕〔say, think, hope, suppose, guess, expect, believe, imagine などの目的語として〕**そのように**，そう ∥

《対話》"Will it rain tomorrow?" "I'm afraid *sò*."「明日雨が降るでしょうか」「そのようですね」◆ so it will rain tomorrow so の代用》/ 《対話》"Will the operation be successful?" "I guéss *sò*."「手術はうまくいくでしょうか」「ええ、たぶん」/ I don't believe *so*. そうは思いません / I tóld you *so*. だからそう言ったでしょう; だから言わないことではない.

[語法]「そうは思いません」は次のようにいえる: I don't believe [suppose, think] *so*. / I believe [suppose, think] *not*. 《◆ believe, think の場合は I don't believe [think] *so*. の方が一般的. hope は I hope not. の型がふつう》.

b [so **A** say [hear, tell, understand, believe など] で] そのように, そういう風に ‖ 《対話》"Susie is getting married." "*Só* I heard."「スージーが結婚するって」「そのようね」《◆ この構文は think, suppose, hope などにはふつう用いない》.

8[動詞句の代用]‖ I hoped he would reserve the room before my arrival, but he didn't do *so*. 私が着く前に彼が部屋を予約してくれるものと思っていたが, 彼はそうしなかった《◆ do so は reserve 以下 arrival までの代用》.

9[先行する語の代用] **a** そのようで, そうで《◆ be, become, seem, appear, remain, find などの主格[目的格]補語として先行する形容詞・名詞を受ける》‖ 《対話》"Was she especially clever?" "I found her *so*."「彼女は特別に頭がよかったのですか」「その通りです」. **b**[形容詞的に] ほんとうで(true) ‖ Is that *so*? そうですか; ほんとうですか《◆ 驚きを表す》; そうですかねえ《◆ 不信を表す》/ It can't be *so*. ほんとうであるはずがない.

and sò (1) それで, だから(↔ and yet) ‖ The problem was too difficult, (*and*) *so* the students gave up. 問題が難しすぎて, 生徒はあきらめた《◆(1) and はしばしば略される. (2) 2文に分けて The problem was too difficult. *So* the students gave up. としても同じ. → [接] **1**》. (2) それから.

and so on [*forth*] → and.
be só for **A** …にあてはまる(be true of).
éven sò たとえそうだとしても.
Hów sò? (略式) なぜ(そうなのか)(why).
if sò もしそうならば(↔ if not).
jùst só (英) まったくその通り.
nót so **A** *as* **B** (やや古) =not AS **A** as **B** ‖ These oranges are *not so* sweet *as* I expected. これらのオレンジは期待していたほど甘くない.
or sò [数詞・数量を表す語の後で] …かそのくらい, …ほど ‖ a mile *or so* 1マイルくらい / She must be thirty *or so*. 彼女は30歳ぐらいにちがいない.
Perháps sò. たぶんそうだろう.
Quíte sò! (英) まったくその通り.

sò as to do /sóuztə/ = (略式) *so's to do* (1) [目的] …するように, するために《◆(1) in order to はこの堅い言い方. (2) in order to とは違って, 純粋な目的以外にも自然な成り行き・結果を同時に含意される. またふつう文頭には用いない. ●文法 11.3》‖ He spoke loudly *so as to* be heard. 彼は聞こえるように大声で話した《◆ ×He spoke loudly so as for us to hear him. のように意味上の主語を置くことはできない《●文法 11.4(1)》/ I took a bus *so as not to* be late. 遅れないようにバスに乗った《◆「…しないために」は not to do よりも so as not to

do, in order not to do, so that … will not do がふつう: I got up early [*so as not* to [(文) *in order not*] be late for the train. その列車に遅れないように早く起きた》. (2) [様態・程度] …であるほどに ‖ The day was dark, *so as to* make a good photograph impossible. その日はい写真を撮るのが不可能なくらい暗かった.

sò … as to do [程度・結果] (正式) …するほどに…な ‖ He was *so* foolish *as to* leave his car unlocked. 彼は愚かにも車にロックをしていなかった《◆ He was foolish *enough to* leave... / He was *so* foolish *that* he left... 構文がふつう》/ Would you be *so* kind *as to* forward my letters? 私の手紙を転送してくださいませんか《◆ 非常にていねいな依頼; 言いすぎて皮肉になることもある》.

So bé it. = *Bè it só.* = *Lét it be só.* (正式) [あきらめて] そういうのならそうだろう.

sò só (略式) よくも悪くも, まあまあ(cf. so-so).

sò that … (1) [目的] …するために, [様態] …するように《◆(1) so that節には can [could], will [would], may [might], should など(ほかに略式)では直説法現在形)を用いる. ただし, may [might] を用いるのはやや堅い表現. (2)(略式)ではしばしば that を省略する. →接2》‖ Talk louder *so that* I may hear you. 聞こえるようにもっと大きな声で話してください / We tied him up *so that* he *wouldn't* be able to escape. 逃げられないように彼をきつくしばった《◆ 否定の意味を伴う場合, can, could は用いないことが多い》.

[語法] (1) so を略するのは(文): They died *that* we *might* live. 我々が生きられるようにと彼らは死んでいった.
(2) 主文の主語と so that節の主語が一致する場合, 不定詞構文が好まれる: He painted the gate so that *he* could please his mother. → He painted the gate *to* please his mother. 彼は母親を喜ばせようと門にペンキを塗った.

(2) [結果] それで, そのため, その結果《◆ 話し言葉では(1)の「目的」の意味とは音調によって区別される》‖ Someone removed his brushes *so that* he couldn't paint. だれかが画筆を片付けたので彼は絵をかけなかった / She overslept, *so that* she missed the train. 彼女は寝過ごしたので列車に乗り遅れた《◆ この場合, 今は that の省略がふつう》.

sò … that … (1) [程度・結果] [so の後には形容詞・形容詞化した過去分詞・副詞を伴って] (非常に)…なので… ; [後ろから訳して] …するほど…《◆(1)(略式)ではしばしば that を省略する. (2) … enough to do との関係については → enough [副]**1**[語法]》‖ The sea was *so* rough *that* the ship couldn't get into the harbor. 海が非常に荒れていたので船は入港できなかった《◆(1) 書き言葉では変化・強調のために so … を文頭に置きしばしば倒置: *So* rough was the sea *that* … (2) (略式) では The ship couldn't get into the harbor, the sea was *so* [×*very*] rough. のようにも表現される》/ He said it 'in *so* loud a voice *that* [in a voice *so* loud *that*] we were able to [×could] hear him clearly. 彼は(とても)大きな声でそう言ったので私たちにはよく聞こえた《◆(1) so の次に名詞句がくるときは such を用いて … such a loud voice that … とするのがふつう. → 副**2**[語法] (3). (2) このような

肯定文では could は不可》． (2) [様態] [受身の過去分詞の前で] [後ろから訳して] …するように ‖ The article is *so* written *that* it gives a wrong idea of the facts. その記事は事実と違った観念を抱かせるように書かれている.

só thèn それじゃ, それだから.

Why só? なぜそうなのか.

―[接] **1** [結果]《略式》[so の前にコンマを置いて] それで, だから, その結果《◆(1) so that, and so の省略表現. (2) 相手の発言を受けて(ン)でいらだちの気持ちをこめて「それでどうなったのか」という意味になる》‖ It was getting dark, *so* all the children went home. 暗くなってきたので子供たちは全員家に帰った.
2 [目的]《略式》[so の前にコンマを置かないで] …するように, するために《◆ so that の省略表現》‖ Check the list carefully *so* there will be no mistakes. 間違いのないように入念にリストをチェックしなさい.
3 [結論・要約] [文頭で] **それでは, してみると, じゃあ**《(1)相手の言いたいことを先回りして言う場合に用いることが多い. (2) so, therefore / so, consequently のような連語を重ねることもある. (3) 脱線した話題をもとに戻すときにも用いられる》‖ *So* you are back again. じゃまた帰って来たんだね / *So* you're publishing a book! さあ, 本を出版するんだね / *So* here we are again. さあ, また始まった.
4《略式》[後にポーズを置いて; 相手に話を引き継いでほしい気持ちをこめて] それで(…).
5 [しばしば just ～] もし…ならば, …さえすれば.

So (what)? → what [代].

―[間] **1** [驚き・意外・不信などを表して] ほんとうか, まさか, やっぱり, さては. **2** [是認] それでよし, それで結構. **3** [停止命令] そのまま, じっとして, やめて.

†**soak** /sóuk/ [動] [他] **1 a** 〈人が〉〈物・身体(の一部)〉を〈液体に〉浸す, つける [; ～ oneself in … / be ～ed in …] 〈人が〉〈研究・学問などに〉没頭する[している], 〈雰囲気・日光などに〉浸る ‖ *Soak* the dirty shirt *in* warm water. 汚れたシャツを湯につけなさい / She enjoys *soaking* herself *in* a hot bath. 彼女は熱い風呂につかるのが好きだ《◆ herself は省略可.《→[自]1》. **b** 〈人が〉〈物〉を〈液体で〉十分に湿らせる[ぬらす], 〈液体に〉たっぷり浸す〔*with*〕‖ The ground (which was) *soaked with* water became slippery. 地面が水びたしになって滑りやすくなった. **c** [be ～ed] [… に] いっぱいである, 満ちている[*in*, *with*] ‖ a place (which is) *soaked with* mystery 神秘に満ちた所. **2** 〈雨などが〉〈人・物〉をびしょぬれにする《◆ drench より結果に重きが置かれる》‖ We *were* caught in a shower「and *soaked to* the skin [and got *soaked* (through) / and thoroughly *soaked*]. 私たちは夕立ちにあってずぶぬれになった / The sudden rain *soaked* our clothes. にわか雨で服がびしょぬれになった. **3** 〈人が〉〈汚れ・しみなどを〉〔衣服などから〕〈水などに浸して〉落とす, 抜く, 消す〔*out of, from*〕(→成句 soak out) ‖ She「*soaked* the stain *out of* the skirt [*soaked out* the stain from the skirt]. スカートからしみを抜いた. **4**《略式》〈人〉に法外な料金をふっかける; …に重税を課す. **5**《略式》[通例 ～ oneself / be [get] ～ed] 〈人が〉酔っ払う, 酔っ払っている〈酒〉を浴びるほど飲む.

―[自] **1** 〈人・物が〉〈液体・容器に〉浸る, つかる〔*in*〕‖ Let your dirty clothes *soak in* soapy water for a while before you wash them. 汚れている服を洗濯する前に石けん水にしばらく浸けておきなさい. **2** 〈液体が〉〈物に〉しみる, しみとおる, しみ込む, 浸透する〔*through, into*〕《◆範囲・広がりには through, 対象・方向には into》; 〈物から〉しみ出る〔*out of*〕‖ The blood *soaked through* the bandage. 血が次第に包帯からにじみ出た. **3**《主に米式》〈事実・考えなどが〉〈心・頭に〉しみ込む, 理解されてくる〔*into*〕.

sóak ín [自] (1)〈水が〉〈物に〉しみ込む, しみとおる. (2) [主に米式] 〈人が〉次第に理解される. ―[他] [～ **A in** B] → [他] **1 a**. ―[自][+] → [自] **1**.

sóak óut [自] 〈汚れ・しみなどが〉〈水・湯などに浸されて〉落ちる, 抜ける, 消える. ―[他]〈汚れ・しみなど〉を〈水・湯などに浸して〉落とす, 取る, 消す(cf. [他] **3**) ‖ *soak out* the stain しみを取る.

***sóak úp** [他] (1)〈物が〉〈液体・音など〉を**吸収する, 吸い取る[込む]** ‖ Dry ground *soaks up* water quickly. 乾いた地面はすぐ水を吸収する. (2)〈人が〉〈液体〉を〔布などで〕吸い取る〔*with*〕‖ I *soaked* it *up with* my handkerchief. 私はそれをハンカチで吸い取った.

―[名] **1** [通例 a ～] 浸す[つける]こと; 浸ること; 浸漬;《略式》入浴 ‖ have a good *soak*〈人が湯などに〉十分浸る / give the clothes a good [thorough] *soak in* warm water 服を温水によく浸す. **2**《略式》[通例 old ～] 大酒飲み, 飲んだくれ;《略式》酒宴. **3**《英略式》大雨, 豪雨.

soak·ing /sóukiŋ/ [形] **1** ずぶぬれの, ずぶぬれにする ‖ *soaking* rain どしゃ降り. **2** [副詞的に; 通例 ～ wet] びしょびしょに ‖ be [get] *soaking wet* ずぶぬれである[ずぶぬれになる]. ―[名] [C] (英) ずぶぬれ ‖ get a *soaking* びしょぬれになる.

†**so-and-so** /sóuənsòu/ [名] (履 ～s, ～'s) [しばしば S～]《略式》**1** [U] だれそれ, なんとかさん; 何々 ‖ Mr. *So-and-so* 某氏. **2** [C] [しばしば that ～, those ～s] あいつ, やつ, いやなやつ.

***soap** /sóup/ [類音] soup /sú:p/

―[名] **1** [U] **石けん** ‖ a cake [bar, tablet, cube] of *soap* 石けん1個 / insoluble *soap* 硬質石けん (↔ soft soap) / toilet [washing] *soap* 化粧[洗濯]石けん / soapless *soap* 合成洗剤(synthetic detergent) / wash with *soap* 石けんで洗う. **2** [C]《略式》= soap opera.

nó sóap 《米略式》(1) (申し出などに対して)いやだ, 不承知だ ‖ I asked her for help, but she said, "No *soap*." 彼女に手助けを頼んだが「いやだ」と言われた. (2) [but の後で] むだで, 効果のない.

―[動] [他] **1** …を石けんで洗う[こする]《+*up, down*》; …に石けんをつける ‖ *soap* oneself *down* で体のあかを落とす / *soap* (*up*) one's hands and face 手と顔を石けんで洗う. **2**《略式》〈人〉におべっかを使う《+*up*》.

sóap bùbble (1) シャボン玉. (2) 美しいが実質のないもの.

sóap òpera (テレビ・ラジオの)連続(メロ)ドラマ《◆しばしば石けん会社がスポンサーであったことより》.

sóap pòwder 粉石けん.

soap·box /sóupbɑ̀ks | -bɔ̀ks/ [名] [C] **1** 石けんを詰める箱. **2** 即席の街頭演説台.

soap·suds /sóupsʌ̀dz/ [名] [複数扱い] 石けんの泡, 泡立った石けん水.

soap·y /sóupi/ [形] (-i·er, -i·est) **1** 石けんだらけの; 石けんを含んだ ‖ *soapy* hands 石けんの泡だらけの手. **2** 石けんのような; すべすべした. **3**《略式》へつらった, ご機嫌とりの. **4**《略式》メロドラマのような.

†**soar** /sɔ́ːr/ ([同音] sore) [動] [自] 《主に文》**1**〈鳥・飛行

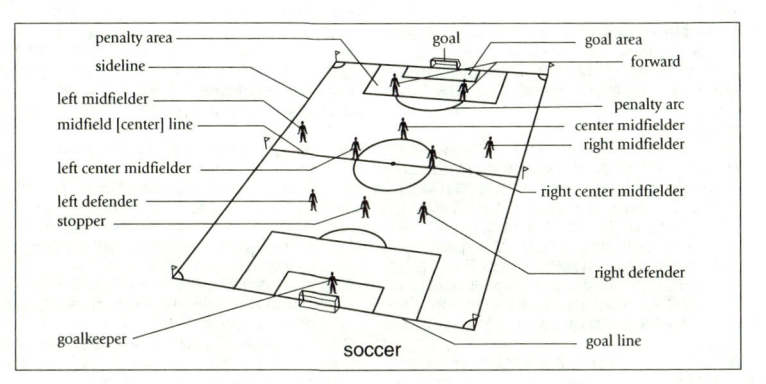

soccer (diagram labels)

- penalty area
- sideline
- left midfielder
- midfield [center] line
- left center midfielder
- left defender
- stopper
- goalkeeper
- goal
- goal area
- forward
- penalty arc
- center midfielder
- right midfielder
- right center midfielder
- right defender
- goal line

soccer

機・ボール・スキーヤーなどが〉(空高く)舞い上がる(fly) (+*up*); 〈鳥が〉(翼を羽ばたかず広げたまま)[…の上を]空高く飛ぶ[舞う]〔*above, over*〕‖ The bird *soared high* [*up*] *into the sky*. 鳥は空高く舞い上がった. **2** 〈物価・利益などが〉急に上がる〔◆主に新聞語法〕; 〈温度などが〉[…まで]急上昇する〔*to*〕‖ The price of vegetables is *soaring*. 野菜の価格が急騰している. **3** そびえ立つ, 高くそびえる‖ *soaring* skyscrapers そびえ立つ摩天楼 / The tower *soars* [ˣ*is soaring*] *1,300 feet into the air*. 塔は1300フィートの高さにそびえている. **4** 〈希望・野心・意気などが〉[…まで]ふくれ上がる, 天(⁇)する〔*to*〕. **5** 〔航空〕〈グライダーなどが〉滑空する.

†**sob** /sάb | sɔ́b/ 動 (過去・過分 **sobbed**/-d/; **sobbing**) 自 〈人が〉(声を出して)むせび泣く, 泣きじゃくる, しゃくり上げる, 嗚咽(⁇)する〔◆(1) cry や weep よりも語調が強く哀れをさそう状況. (2)「声を出さないで泣く」は weep〕‖ *sob* with grief 悲しくてせびび泣く / *sob hysterically* ヒステリックに泣きじゃくる. **2** (正式)〈人が〉(運動の後などで)あえぐ, 荒い息づかいをする. **3** (文)〈風・波・鐘などが〉むせび泣くような音を立てる; 〈動物が〉もの悲しそうに鳴く, 苦しそうに鳴く.
—他 **1** 〈人が〉むせび泣きながら…を言う[語る, 表す](+*out*) ‖ *sob* an answer むせび泣きながら答える / *sob out* one's troubles 悲しみながら悩みを語る. **2** [~ oneself] むせび泣いて[…]する〔*to, into*〕 ‖ *sob oneself* asleep [*to* sleep] しゃくり上げながら寝入ってしまう.
—名 C むせび泣き, 泣きじゃくり; むせび泣く声; (風などの)むせび泣くような音‖ *give a sob* (of grief [relief]) (悲しくて[安心して])むせび泣く / *tell a sad story with sobs* むせび泣きながら悲しい話をする.

sób sister (1) 感傷的なお涙ちょうだい記事を書く記者〔◆男性にも使う〕. (2) (米)感傷的で非実際的な人〈特に慈善家〉.

sób stòry (1) お涙ちょうだいの感傷的な話[記事]〔◆ sob stuff ともいう〕. (2) 聞き手の同情を引くような言い訳[弁解].

SOB /ésoubí:/ 名 C (俗) =son of a bitch (→ son 成句).

†**so·ber** /sóubər/ 形 (通例 ~-**er**/-bərər/, ~-**est**/-bərist/) **1** 〈人が〉酔っていない, しらふの(↔drunk(en))‖ a *sober* state しらふの状態 / A driver must always stay [be] *sober*. 運転者は常にしらふでなくてはいけない. **2** 〈生活・習慣などが〉

度のある, 地味な; 〈人が〉節制している, (特に)節酒[禁酒]している‖ lead a *sober* life まじめな生活を送る. **3** (正式)〈生活・人・態度・表情などが〉まじめな, 謹厳(⁇)な‖ He is a *sober* man who seldom smiles. 彼はほとんど笑わない. **4** (正式)〈判断・考え・表現などが〉冷静な, 穏健な, 均衡のとれた; 〈事実などが〉ありのままの, 誇張[歪(⁇)曲]のない‖ a *sober* judgment 冷静な判断 / *sober* facts ありのままの事実. **5** (正式)〈色彩・服装などが〉地味な, 落ち着いた, 控えめな.
—動 他 〈人を〉まじめにする, 冷静にする, 静かにさせる(+*down*). —自 〈人が〉まじめになる, 冷静になる, 静かになる.

sóber dówn =SOBER up 自 (2), 他 (2).

sóber úp [自] (1) 酔いがさめる. (2) まじめな生活をする. —[他] (1) 〈人の〉酔いをさます. (2) 〈人を〉まじめにする, おとなしくさせる.

só·ber·ness 名 U しらふ; まじめさ; 冷静さ.

†**so·ber·ly** /sóubərli/ 副 **1** まじめに; 冷静に. **2** 酔わないで.

†**so·bri·e·ty** /soubráiəti | sə-/ 名 U (正式) **1** 酒に酔っていないこと, しらふ; 節制, (特に)節酒, 禁酒(↔insobriety). **2** まじめ, 謹厳; 冷静. **3** 節度, 穏健.

*****so-called** /sóukɔ́:ld/
—形 [通例名詞の前で] (本当かどうか疑わしいが)いわゆる, 世間でいう〔◆ what we [you] call, what is called には悪い意味はないが so-called には時に悪い意味が伴なう〕‖ the *so-called* generation gap いわゆる世代の断絶〔◆名詞の後に置いた場合は so called と2語でつづることもある〕 / a *so-called* Christian 自称クリスチャン〔◆次のように引用符をつけても同じ意味になる: a "Christian"〕.

*****soc·cer** /sɑ́kər | sɔ́kə/ 〘association (football) + *er*〙
—名 U (略式) サッカー, (英) (association) football) ‖ *Soccer* is the national sport in Brazil. サッカーはブラジルの国技です.

関連 play *soccer* サッカーをする / *soccer* ball サッカーボール / *soccer* field サッカー競技場 / *soccer* game サッカーの試合 / *soccer* player サッカー選手 / *soccer* star サッカーのスター選手 / *soccer* stadium (観客席も含めた)サッカー競技場.

so·cia·bil·i·ty /sòuʃəbíləti/ 名 U 交際好き, 社交性,

交際上手.

†so·cia·ble /sóuʃəbl/ 形 **1**〈人が〉交際好きな, 社交的な; 交際上手な, 愛想のよい (↔ unsociable). **2**〈会などが〉なごやかな, 打ち解けた ‖ a *sociable* atmosphere なごやかな雰囲気. ―名 C (米) 懇親会 (social).

*so·cial /sóuʃl/ [→ society]
―形 (more ~, most ~) **1**〔通例名詞の前で〕社会の, 社会に関する, 社会的な〈◆比較変化しない〉‖ *social* problems [welfare] 社会問題[福祉]. **2**《◆この意味では sociable がふつう》**a**〔名詞の前で〕〈会などが〉社交の, 親睦の(ための)〈◆比較変化しない〉‖ a *social* gathering 懇親会 / We spent a *social* evening. 私たちは懇親の夕べを過ごした. **b**〈性格・人が〉社交的な, 打ち解けた ‖ a *social* nature 社交的な性格 / I want her to be a bit more *social* [sociable]. 彼女にもう少し人づきあいをよくしてもらいたい. **3**〔正式〕〔名詞の前で〕社会生活を営む;〔植〕群生する,〔動〕群居する ‖ Man is a *social* animal. 人間は社会的動物である. **4**〔名詞の前で〕社会的地位[階級]の, 社会的地位[階級]による〈◆比較変化しない〉‖ one's *social* equals 社会的地位[階級]が同じ人. **5** 上流社会の, 社交界の.
―名 C (やや古) 懇親会, (内輪の人の)パーティー.

sócial demócracy [時に S~ D~] 社会民主主義.
Sócial Démocrat 社会民主党員[主義者];[s~ d~] 社会民主主義者.
sócial diséase (米) 社会病《劣悪な生活環境に起因する病気》.
sócial dynámics 社会力学.
sócial enginéer 社会工学者; 社会事業家《social worker の遠回し表現》.
sócial enginéering 社会工学.
sócial promótion お情け進級.
social science /—́ —̀|—̀ —́/〔通例 -s〕社会科学.
sócial secúrity (1) 社会保障(制度). (2) (英) 生活保護, 福祉援助(略式) welfare).
sócial secúrity númber (米国の) 社会保障番号《◆個人に割りふられている》.
social service /—́ —̀|—̀ —́/ (1) (英)〔通例 the -s〕(政府が行なう) 社会事業. (2) 公共事業; 社会奉仕, 慈善活動.
sócial stúdies〔単数扱い〕(学校の教科の) 社会科.
sócial wòrk 社会(福祉)事業.
sócial wòrker ソーシャル＝ワーカー, 社会事業相談員, 民生委員《(1) ふつう常勤の公務員. (2) 遠回しに social engineer ともいう》.

†so·cial·ism /sóuʃəlìzm/ 名〔時に S~〕U 社会主義; 社会主義の政策[運動] (cf. capitalism) ‖ My father believes in *socialism*. =My father is an advocate of *socialism*. 父は社会主義がよいと信じている.

†so·cial·ist /sóuʃəlist/ 名 C **1** 社会主義者 ‖ They say he turned a *socialist*. 彼は社会主義に転向したそうです / a Marxist *socialist* マルクス主義の社会主義者. **2**〔通例 S~〕社会党員. **Socialist Party)** =Socialist Party. ―形 **1** 社会主義(者)の. **2**〔通例 S~〕社会党の.
Sócialist Párty [the ~] (一般に) 社会党;〔英略式〕労働党(the Labour Party).
so·cial·is·tic /sòuʃəlístik/ 形 社会主義(者)の; 社会主義的な.
so·cial·ite /sóuʃəlàit/ 名 C〔略式〕社交界の名士.

so·cial·ize /sóuʃəlàiz/ 動 他 **1** …を社会主義化する;〔通例 be ~d〕国有[国営]化される. **2** …を社会生活に適応させる, 社交的にする. ―自〔…と〕打ち解けて交際[おしゃべり]する(*with*); 社会的な活動に参加する.
sócialized médicine (米) 医療社会化制度.

†so·cial·ly /sóuʃəli/ 副 **1** 社会的に. **2** 打ち解けて, 社交的に.

*so·ci·e·ty /səsáiəti/ 名〔仲間(companion)〕が原義〕
―名 (複 ~·ties/-z/) **1** U〔通例無冠詞で〕(人間を全体としてとらえた) 社会 (↔ individual), 世間(の人々) ‖ the progress of *society* 社会の発展 / for the good of *society* 社会のために / a danger to a *society* 社会に対して危険なこと. **2** C U (共通の文化・利害を有する) 社会, 共同体 (community) ‖ western *societies* 西洋社会 / (a) primitive *society* 原始社会. **3** C (共通の目的・関心などで作られた) 協会 (association), 会, クラブ, 団体 ‖ a photographic *society* 写真クラブ / a medical *society* 医師会. **4** U **a** (社会の一部としての) 社会層, …界 ‖ polite *society* 上流社会. **b**〔時に形容詞的に〕上流社会(の人々), 社交界(の) ‖ a *society* gossip 社交界のうわさ話 / a *society* party 社交界のパーティー / She will make her debut in *society* soon. 彼女はまもなく初めて社交界に出るでしょう. **5** U〔正式〕交際, 付き合い, (人との)同席 (company) ‖ in *society* 人前で / I enjoyed his *society*. 彼と話をして楽しかった.
the Society of Friends フレンド会《俗に Quakers と呼ばれるキリスト教の一派》.

so·ci·o- /sóusiou-|-ʃiəu-/〔語要素〕→語要素一覧 (1.6).
so·ci·o·log·i·cal /sòusiəládʒikl|-ʃiɔ́ldʒ-, -siə-/ 形 社会学の.
so·ci·ol·o·gist /sòusiáləʒist|-ʃiɔ́l-/ 名 C 社会学者.
†so·ci·ol·o·gy /sòusiáləʒi|-ʃiɔ́l-/ 名 U 社会学.

‡sock /sák|sɔ́k/〔類音〕sack /sǽk/, suck /sʌ́k/〔「低いかかとの靴」が原義〕
―名 (複 ~s/-s/,〔商業〕sox/sáks|sɔ́ks/)〔通例 ~s〕(短い) 靴下, ソックス《◆ひざまで達しないもの. cf. stocking》(靴の) 中敷き ‖ a pair of *socks* ソックス1足 / She was wearing knee *socks*. 彼女は(ひざまでの)ハイソックスをはいていた.
―動 他 …にソックスをはかせる.

†sock·et /sákət|sɔ́k-/ 名 C **1** (物を差し込む) 穴, 受け口, 軸受け ‖ a candle *socket* (燭(しょく)台の) ろうそく差し. **2** (電球の) ソケット; (主に英) (電気プラグの) 差し込み口, コンセント (wall socket)((米) (wall) outlet ともいう) ‖ a light bulb *socket* 電球用のソケット. **3**〔解剖〕(目などの) 窩(か), (歯の) 槽 ‖ 'an eye [a tooth] *socket* 眼窩[歯槽].
sócket wrènch (米) 箱スパナ ((英) box spanner).

†Soc·ra·tes /sákrətìːz|sɔ́k-/ 名 ソクラテス《470?-399 B.C.; ギリシアの哲学者》.
So·crat·ic /səkrǽtik|sɔ-/ 形 ソクラテス(哲学)の, ソクラテス式の. ―名 C ソクラテス学徒[門下生].
Sócratic írony ソクラテス式アイロニー《無知を装って逆に相手の無知を悟らせる方法》.
Sócratic méthod [the ~] ソクラテス式問答法[弁証法].

†sod /sád|sɔ́d/ 名〔正式〕**1** U 芝生[地] (turf), 草地. **2** C (四角にはぎ取った移植用の) 芝.

so・da /sóudə/
— 名 **1** Ⓤ ソーダ《ナトリウム化合物．特に炭酸ナトリウム・重炭酸ソーダ・苛(か)性ソーダ》‖ baking *soda* パン焼き[料理]用ソーダ，重曹 / washing *soda* 洗濯ソーダ．**2** Ⓤ Ⓒ =soda water．**3** Ⓤ Ⓒ《主に米》《味付き》ソーダ水，炭酸清涼飲料 (soda pop)；Ⓒ クリームソーダ‖ a glass of *soda* 1杯のソーダ水．

sóda àsh ソーダ灰《粗製の工業用炭酸ソーダ》．
sóda bíscuit (1) ソーダビスケット《重曹でふくらませて焼いたビスケット》．(2)《米》=soda cracker．
sóda bréad ソーダパン《イーストでなく重曹でふくらませて作ったパン》．
sóda cràcker《米》ソーダクラッカー《重曹でふくらませて焼いた薄いクラッカー》．
sóda fòuntain《米》(1) ソーダ水売場[売店]《カウンターで清涼飲料・アイスクリーム・軽食などを売る》．(2)《蛇口つき》ソーダ水容器．
sóda póp = 3.
sóda wàter (1) ソーダ水，炭酸水《炭酸ガスを圧入した味のない炭酸飲料》．(2)《米》=soda pop．(3) 重炭酸ソーダの薄い溶液《健胃薬として用いる》．

†**sod・den** /sάdn | sɔ́dn/ 形 **1** びしょぬれの，水浸しの‖ the clothes [ground] *sodden* with rain 雨でびしょぬれの服[水浸しの地面]．**2**《パン・ケーキなどが》生焼けの．**3**《酔い・疲労などで》〈人・顔つきなどが〉ぼんやりした，ぼけた．

†**so・di・um** /sóudiəm/ 名 Ⓤ《化学》ナトリウム《アルカリ金属．記号 Na》．
sódium chlóride《化学》塩化ナトリウム，食塩．
Sod・om /sάdəm | sɔ́d-/ 名《旧約》ソドム《死海南岸の古代都市．住民の悪徳のため，隣町の Gomorrah と共に天の火で焼き滅ぼされたという》．

so・ev・er /souévər/ 副 **1**《how + 形容詞の後で》《詩》どんなに…(とも)‖ *how* great *soever* he may be どれほど彼が偉大であろうとも．**2**《正式》《any, no, what によって修飾される名詞の後で》どんな…も‖ give *no* information *soever* 全然情報を与えない．**3**《詩》《the + 最上級形容詞を強調して》この上ないほど．

***so・fa** /sóufə/ 【発音注意】《「長いベンチ」が原義》
— 名 (複 ~s/-z/) Ⓒ ソファー，《背もたれ・ひじ付きの》長いす (cf. couch)‖ She is sitting *on* [*in*] the *sofa* reading a newspaper. 彼女はソファーに座って新聞を読んでいる．
sófa béd ソファーベッド，寝台兼用のソファー．
So・fi・a /sóufiə/ 名 ソフィア《ブルガリアの首都》．

‡**soft** /sɔ́ːft/ 派 **soften** (動), **softly** (副)
— 形 (~・er, ~・est)
Ⅰ［触って柔らかい］
1a《物が》《押せば形が変わるほど》**柔らかい** (↔ hard)‖ *soft* ground 柔らかい地面 / Is your bed too *soft* for you? 君のベッドは柔らかすぎますか．**b**《金属などが》《同種の中では》柔らかい‖ Lead is a *soft* metal. 鉛は柔らかい金属だ．
2 手ざわりの柔らかい，なめらかな，すべすべした (↔ rough)‖ *soft* hair [skin] なめらかな髪[肌] / This fur feels fairly *soft*. この毛皮はとてもすべすべしている．
3《略式》〈体・筋肉などが〉弱い，軟弱な (↔ strong)；めじい‖ *soft* muscles 弱い筋肉 / I became *soft* through lack of exercise. 運動不足で体が弱くなった．

Ⅱ［柔らかく感じる］
4a《通例名詞の前で》〈色・光などが〉穏やかな，柔らかい (↔ glaring)‖ a *soft* light 柔らかな光 / *soft* colors 落ちついた色彩 / *soft* eyes 柔らかな視線．**b**〈声・音が〉**静かな**，穏やかな，低い (↔ loud)‖ He speaks in a *soft* voice. 彼は静かな声で話す．
5a〈気候・風などが〉**心地よい**，穏やかな‖ a *soft* climate 穏やかな気候 / a *soft* breeze 心地よいそよ風．**b**《英》〈天候が〉雨の，湿気のある，雪解けの．
6a《名詞の前で》〈飲み物が〉アルコール分を含まない．**b**〈音・色が〉味の〈bland〉《 比較変化しない》．
7〈水が〉軟性の (↔ hard)‖ *soft* water 軟水．
8《 比較変化しない》《音声》**a**《俗用的に》軟音の《 c と g が ace の /s/, gem の /dʒ/ のように発音される》．**b**《スラブ系言語で》〈子音が〉軟音の，口蓋(こう)化された (↔ hard **10**)．

Ⅲ［心が柔らかい］
9a〈性格などが〉**優しい**，情け深い 類語 gentle, mild, tender, sympathetic‖ She has a *soft* heart. 彼女は心が優しい (=She is softhearted.) / *Soft and fair goes far*.《ことわざ》「柔よく剛を制す」．**b**《略式》《通例補語として》〈人・行動・処分などが〉〔…に〕厳しくない，寛大な，甘い〔on, with〕《♦人・事どちらの場合にも on があつう．人の場合は with も可》‖ be *soft* on [×with] crime 犯罪に甘い / Our homeroom teacher is *soft* on [*with*] us. 私たちの担任の先生は私たちに甘い．… is easy on us.がふつう．**c**〈言葉などが〉甘い，口のうまい‖ *soft* words お世辞，甘い言葉．
10《略式》《名詞の前で》〈仕事などが〉楽な (easy) (↔ difficult, tough)‖ a *soft* job 楽でもうかる仕事．
11a《略式》〈人・考えが〉ばかな，まぬけな (silly)‖ He is *soft* in the head. 彼は頭が足りない / a *soft* idea ふぬけた考え．**b**《略式》だまされやすい，だまされやすい．

be sóft on［《英》*about*］**A**《略式》(1) → **9b**．(2)〈人〉に恋している．

sóft báll =softball．
sóft còpy《コンピュータ》ソフトコピー《ディスプレイに表示された情報》．
sóft drínks 清涼飲料，ソフトドリンク．
sóft gòods《英》=dry goods．
sóft lánding《宇宙船の》軟着陸．
sóft léns《しばしば -es》《コンタクトの》ソフトレンズ．
sóft móney《個人でなく》政党への政治献金．
sóft spòt 弱点．

soft・ball /sɔ́ːftbɔ̀ːl/, **sóft bàll** 名《スポーツ》Ⓤ ソフトボール；Ⓒ その球．
soft-boiled /sɔ́ːftbɔ́ild/ 形 **1**〈卵が〉半熟の．**2**《略式》心のやさしい，感傷的な．

†**soft・en** /sɔ́ːfn/ 【発音注意】動 **1**〈物〉を柔らかくする (↔ harden)‖ She *softened* the wax by heating it. 彼女はろうを暖めて柔らかくした．**2**〈光・色・音などが〉和らげる．**3**〈心・態度〉を優しくする；〈苦痛などを〉和らげる‖ His smile *softened* her heart. 彼のほほえみは彼女の心を和らげた．
— 自 **1**〈物が〉柔らかくなる (+up)‖ Butter *softens* with heat. バターは熱で柔らかくなる．**2**〈光・色・音などが〉和らぐ，穏やかになる．**3**〈心・態度が〉やさしくなる，軟化する；〈苦痛などが〉和らぐ．**sóften úp**〔自〕→ 自 **1**．— 他 **1**《略式》〈人〉の態度を《説得して》軟化させる．(2)《爆撃などで》〈敵の戦力〉を弱める．
soft・en・er /sɔ́ːfnər/ 名 Ⓒ **1** 柔らかにする人[物]；和らげる人[物]．**2** 硬水軟化剤《装置》．
soft-heart・ed /sɔ́ːfthάːrtəd/ 形 心の優しい，情け深い《♦「お人よしの」というニュアンスを含む》．

†**soft・ly** /sɔ́ːftli/ 副 **1** 柔らかに；静かに‖ Walk *softly* down the corridor. 廊下を静かに歩きなさい．**2**

†**soft·ness** /sɔ́(ː)ftnəs/ 名 U 柔らかさ；穏やかさ；優しさ．

soft-shell /sɔ́(ː)ftʃèl/ 形 (脱皮直後で)殻()の軟らかい；穏健な．**sóft-shèll cráb** 〘動〙(脱皮後の)殻の軟らかいカニ．

soft-spo·ken /sɔ́(ː)ftspóukn/ 形〈人が〉穏やかに話す；〈言葉が〉当たりの柔らかい．

†**soft·ware** /sɔ́(ː)ftwèər/ 名 U **1** 〘コンピュータ〙ソフトウェア《プログラムやその作成技術などの総称．cf. hardware》．**2**（機械・設備の）利用法，利用技術；視聴覚教育の教材．

soft·wood /sɔ́(ː)ftwùd/ 名 **1** U 軟材；針葉樹材．**2** C 針葉樹．

sog·gy /sɑ́gi | sɔ́gi/ 形 (**-gi·er, -gi·est**) **1**〈地面などが〉水浸しの，びしょぬれの．**2**〈生焼けパンなどが〉べとべとした，ふやけた．**3**〈天気・空気が〉じめじめした，蒸し暑い．**4**〈文体・会話などが〉重々しく退屈な．

So·ho /sóuhou, souhóu/ 名 ソーホー《ロンドン中心部の一画．外国人経営のレストラン・ナイトクラブが多い》．

So·Ho /sóuhou/ 名 ソーホー《米国 New York 市マンハッタン西部の地区．もとは芸術・画廊などの中心地としてにぎわったが，今は化粧品広告街としても知られる》．

SOHO /sóuhou/ 〘small office home office〙 名 C ソーホー《ネットを使って自宅などで仕事をする事業者》．

***soil**¹ /sɔ́il/
—名（複 **~s**/-z/）**1** U C 土，土地，土壌（earth）‖ till [dig] the *soil* before planting 植付け前に土を耕す[掘る] / put (some) *soil* in a flowerpot 植木鉢に(少し)土を入れる / Marigolds grow in most *soils*. マリーゴールドはほとんどどんな土地でも育ちます．**2** U C〘文〙土地，国(土)，地(land)‖ die on foreign *soil* 異郷の土となる．**3**〘文〙[the ~]〈農民が働く〉大地；農業《◆日常的な文脈で使うとおおげさにひびく》‖ men of *the soil* 農民，百姓 / make one's living from *the soil* 農業で生計をたてる．

†**soil**² /sɔ́il/ 動 **1**〘正式〙〈衣服・手などを〉[…で](少しまたは全体に)汚す，…に[…で]しみをつける(*with*)；…を大便で汚す‖ *soil* one's hands 手を汚す；汚い仕事をする；品位を落とす；悪事[不正]に関与する．**2**〈名声・家名などを〉傷つける，けがす．—自〈衣服などが〉(少しまたは表面だけ)汚れる，しみがつく‖ Light-colored clothing *soils* easily. 薄い色の衣類は汚れやすい．
—名 U **1** 汚れ，しみ；汚すこと．**2** 不潔な物，汚物；汚水，下水．**3** 人糞()．
sóil pipe（水洗便所の）汚水管（cf. waste pipe）．
†**soiled** /sɔ́ild/ 形（特に表面が少し）汚れた，しみがついた．

†**so·journ** /sóudʒəːrn, ━́━ | sɔ́dʒəːn, ━ dʒəːn, sʌ́━/〘文〙動 自［場所に/…方に/人々の間に〕（一時的に）滞在する，逗留(ṓ)する，住む(stay)〔*at, in, with, among*〕(cf. reside) ‖ *sojourn* "*at* the beach [*in* Paris, *with* her] for a month 海辺に[パリに，彼女の家に]1か月滞在する．—名 C（一時的）滞在，逗留，居住．

sol¹ /sóul | sɔ́l/ 名 C U〘音楽〙ソ《ドレミファ音階の第5音．so, soh ともいう．→ do²》．

sol² /sɑ́l | sɔ́l/（米+）sɑ́l/ 名 C〘化学〙ゾル，コロイド溶液（cf. gel）．

Sol /sɑ́l, sɔ́ːl | sɔ́l/ 名〘ローマ神話〙ソル《太陽神．ギリシア神話の Helios に相当》．

***sol·ace** /sɑ́ləs | sɔ́l-/ 名 U〘文〙（悲しみなどに対する）慰め，慰安，安堵()〔*for / from*〕；C〔人・心などにとって〕慰めとなるもの[人]〔*to, for*〕‖ give *solace* to a friend 友人を慰める / take *solace* in … …に慰めを求める，…に慰められる / She found *solace* (*for* [*from*]) her grief) in (listening to) music. 彼女は音楽を(聞くこと)に〔悲しみに対する[悲しみを忘れる]〕慰めを見いだした．
—動 他〈人・心などを〉[…で]慰める，〈悲しみ・苦痛などを〉和らげる(*with, by*) ‖ *solace* oneself by [*with*] reading the Bible 聖書を読んで自らを慰める．

***so·lar** /sóulər/ 形 太陽の，太陽に関する，太陽から生じる；太陽光線[熱]を利用した；太陽の運行を基準にした（cf. lunar）‖ *solar* phenomena 太陽現象 / This watch "runs on [is run by] *solar* energy. この時計は太陽熱[エネルギー]で動く / on *solar* power 太陽熱発電で / *solar* time 太陽時．
sólar báttery 太陽電池．
sólar céll 太陽電池《太陽光は宇宙船などで用いられる》．
sólar colléctor 太陽熱温水器．
sólar eclípse〘天文〙日食．
sólar héating 太陽熱暖房．
sólar hóuse [**hóme**] ソーラーハウス，太陽熱冷暖房住宅．
sólar sýstem (1) [the ~] 太陽系．(2) 太陽熱利用[ソーラー]システム．
sólar yéar〘天文〙[the ~] 太陽年《365日5時間48分46秒．tropical year ともいう》．

***sold** /sóuld/ 動 sell の過去形・過去分詞形．

†**sol·der** /sɑ́dər, sɔ́ː- | sɔ́ldə, sóul-/〘発音注意〙名 **1** U C はんだ，しろめ ‖ hard [soft] *solder*(s) 硬[軟]ろう．**2** U 結合［接合］するもの，きずな．—動 他 **1** …をはんだ付けにする(*+up*) ‖ *solder* the severed wires together 切れた針金をはんだ付けする．**2** …を固く結合する(*+up*). —自 **1** はんだ付けにする．**2** 固く結合する．

***sol·dier** /sóuldʒər/〘発音注意〙〘類音〙solder /sɑ́dər | sɔ́l-/〘〈給料のために働く人」が原義〙
—名（複 **~s**/-z/）C **1**（陸軍の）軍人《◆将校以外の兵士の全部を含む．呼びかけも可》‖ *soldiers* and sailors 陸海軍人 / play at *soldiers* 兵隊ごっこをする / go for a *soldier*〘略式〙軍人になる，軍隊に入る / an old *soldier* 老兵，退役軍人；古参兵；老練な人，古つわもの / Old *soldiers* never die. They just fade away. 老兵は死なず．ただ消え去るのみ《D. MacArthur が引用した歌詞》．**2** 兵士，兵卒，兵；下士官 ‖ officers and *soldiers* 将兵．**3**［通例形容詞を伴って］軍人，指揮官，歴戦の勇士 ‖ a great [fine, poor] *soldier* 大将軍[名将，無能な将軍]．**4**（主義・主張のために闘う）戦士，闘士，闘将 ‖ a *soldier* for [in the cause of] women's rights 女権運動の闘士 / Christian *soldiers* = *soldiers* of Christ キリスト教の戦士たち．
—動〘正式〙兵役につく，軍務に服する ‖ go soldiering 兵役につく．
sóldier ón〖自〗(1)〘主英〙(仕事・努力などを困難にめげず)辛抱して続ける，頑張る；〈物が〉機能し続ける．(2) 続けて良き仕事につく．

†**sol·dier·y** /sóuldʒəri/ 名 U **1**〘文〙[集合名詞；単数・複数扱い] **a** [the ~]（ある国・地域の）軍人，軍隊．**b**（ある種類の）軍人，軍隊．**2** 軍事教練；軍事的知識[技能]．

†**sole**¹ /sóul/〘同音〙soul) 形［名詞の前で］〘正式〙**1**［単数名詞に付けて］唯一の，ただ1人[1つ]の；［複数名詞に付けて］ただ…だけの《◆ only よりも強調的で堅

sole¹ 《語》 the *sole* reason [purpose] 唯一の理由 [目的] / The child was the *sole* survivor of the plane crash. その子が飛行機墜落事故の唯一の生存者でした. **2** (権利などが) 1人 [1団体] だけに属する, 独占的な ‖ The company has the *sole* rights [to publish [of publishing] the book. その会社がその本の独占販売権を握っている. **3** 単独の, 独力の.

sole² /sóul/ 名 © **1** 足の裏 (図→ body); ひづめの底. 足靴状のもの, 靴底 (図→ shoe); (そり・スキーの) 底面; (すき・ゴルフクラブの) 底; 〔機械〕底板‖ a rubber *sole* (靴の) ゴム底. ── 動 (通例 be ~d) 〈靴などが〉底を付けられている; 〔ゴルフ〕〈球を打つため〉クラブの底を地面につける.

sole³ /sóul/ 名 (徽 **sole**, ~**s**) © 〔魚〕ササウシノシタ類, シタビラメ; その肉 ショウク "What fish leaves footprints at the bottom of the sea?" "A *sole*."「海底に足跡を残す魚は何?」「シタビラメ」《◆ *sole*² とのしゃれ》.

sol·e·cism /sάləsìzm/ 名 © 〔正式〕**1**〔文法〕文法 [語法] 違反, 破格. **2**〔おおげさに〕不作法. **3** 不適切, 不調和.

†**sole·ly** /sóulli/ 副〔正式〕**1** ただ 1人で, 単独で; ただ…だけで ‖ Tom was *solely* responsible for the loss. その損失は 1人の彼の責任だった. **2** 単に; もっぱら ‖ She married the rich man *solely* for money. 彼女はお金のためだけにその金持ちと結婚した.

†**sol·emn** /sάləm | s5l-/ 〔発音注意〕形 (通例 ~**·er**, ~**·est**) **1a**〈音楽・儀式などが〉荘厳な, 荘重な (感じを与える), 〈祝祭などが〉〈宗教的〉儀式にのっとった; 〈布告・協定・宣誓などが〉正式の, 公式の《◆ grave より宗教的厳粛さを強調》‖ *solemn* music 荘重な音楽 / a *solemn* funeral procession 厳(ゾ)かな葬列. **b**〈時・真理などが〉重大な, 重要な, 厳粛な ‖ at this *solemn* moment この重大な時に / a *solemn* truth [warning] 重大な真理 [警告]. **2**〈人柄・表情・態度・気分などが〉まじめな, 謹厳(ケン)な, 重々しい; 〈くそまじめな, しかつめらしい, もったいぶった; 〈約束・保証などが〉まじめな, 心からの, 真剣な《◆ serious より堅い語》‖ The new teacher looks *solemn*. 新しい先生はしかつめらしい顔をしている / in a *solemn* voice [mood] 重々しい声 [気分] で. **3** 宗教上の, 神聖な ‖ a *solemn* holy day (宗教上の) 聖日 / a *solemn* hymn 聖歌.

sól·emn·ness 名 ⓤ 厳粛 [荘厳, 荘重] さ; まじめさ.

†**so·lem·ni·ty** /səlémnəti/ 名〔正式〕**1** ⓤ 厳粛, 荘厳, 荘重; まじめさ, しかつめらしさ ‖ *with solemnity* 厳粛に, しかつめらしく. **2** © (通例 solemnities) 荘厳な儀式, 式典.

sol·em·nize /sάləmnàiz | s5l-/ 動 他〔正式〕**1**〈宗教的儀式, 特に結婚式〉を正式にとり行なう. **2**〈祝日などを〉(儀式を行なって) 祝う. **3** …を厳粛 [荘重] なものにする.

†**sol·emn·ly** /sάləmli | s5l-/ 副 厳粛に, おごそかに; まじめに.

so·li /sóuli/ 名 solo **1, 2** の複数形.

†**so·lic·it** /səlísət/ 動 他 **1a**〈人・店などが〉〈愛顧・援助・金銭など〉を請い求める, 懇願 [懇請] する (ask) ‖ *solicit* his advice [help] 彼の忠告 [援助] を求める. **b** [solicit A from B = solicit B for A]〈人が〉B〈人〉にA〈愛顧・援助・金銭など〉を請い求め, 懇願 [懇請] する, せがむ ‖ She *solicited* her neighbors *for* contributions. = She *solicited* contributions *from* her neighbors. 彼女は隣人たちに寄付を頼んだ. **c**〈人〉に〔…するように〕せがむ〔*to do*〕‖ The barkers *solicited* people to buy tickets. 呼び込みは人々に入場券を買ってとせがんだ. **2**〈人〉を悪事に誘う ‖ *solicit* a judge (わいろを贈って) 裁判官を丸め込む. **3**〈状況などが〉〈注意・行動など〉を要求する (call for).
── 〜〔正式・今はまれ〕〔寄付・投票・愛顧などを〕懇願 [懇請] する〔*for*〕‖ No Soliciting.《掲示》勧誘お断り.

so·lic·i·ta·tion /səlìsətéiʃən/ 名 ⓤ © 懇願 [懇請] (すること); そそのかし, 誘惑, (売春婦の) 客引き.

†**so·lic·i·tor** /səlísətər/ 名 © **1** 懇願 [懇請] 者; (米) 選挙運動員, 寄付依頼者, 注文取り, 勧誘 [外交] 員, セールスマン ‖ *Solicitors* not allowed.=No *Solicitors*.《掲示》セールスマン [勧誘] お断り. **2**(英) ソリシター, 事務弁護士《法律書類の作成・法律相談, barrister と共同して訴訟準備をする弁護士》(cf. lawyer). **3**(米)(町・市・州などの) 法務官.

so·lic·i·tous /səlísətəs/ 形〔正式〕**1**〔…を〕心配して, 案じて〔*about, for*〕. **2**〔…を/…であることを〕念じて, 願って〔*for/that* 節〕. **3** しきりに〔…〕したいと思って〔*to do*〕;〔…を〕切望して〔*of*〕.

†**so·lic·i·tude** /səlísətjùːd/ 名 〔正式〕**1** ⓤ〔幸福などに対する〕気遣い, 配慮〔*for*〕;〔健康などに対する〕(時に過度の) 心配, 懸念《*about*》‖ *with great solicitude* 非常に気をもんで. **2**(通例 ~s) 心配事, 心配の種.

†**sol·id** /sάləd | s5l-/ 形 (〜·er, 〜·est) **1** 固体の, 固形の (cf. liquid, gaseous, fluid) ‖ a *solid* fuel 固形燃料 / Our baby can eat *solid* food now. 私たちの赤ちゃんは今では固形食 [離乳食] が食べられます (cf. a *solid* meal → 6). **2** 硬質の, 硬い;〈雲などが〉濃密な, 濃い ‖ *solid* rock 硬い岩 / a *solid* cloud of smoke もうもうたる煙. **3**〈建物・家具・体格などが〉頑丈な, 堅固な, がっしりした ‖ *solid* houses [furniture] 堅固な家 [家具] / a man ⌜of *solid* [with a *solid*] build 頑丈な体格の男. **4**〈人・仕事などが〉堅実な, 信頼できる《◆ 才知の欠如を意味することがある》;〈会社・投資などが〉財政的に健全な ‖ a *solid* citizen [business firm] 堅実な市民 [健全な会社]. **5** 中身がつまっている, 中空でない (↔ hollow) ‖ a *solid* tire ソリッドタイヤ. **6**〈学問・書き物・食事などが〉中身の充実した;〈理由・議論・事実などが〉根拠のある, 確固たる, 信頼できる;〈感情などが〉完全な ‖ a *solid* meal 食べごたえのある食事 / *solid* reasoning 根拠のある推論 / *solid* satisfaction 本当の満足. **7**〔略式〕〈時間が〉連続した, 切れ目なしの, まるまる;〈列・番組・壁などが〉中断 [すき間] のない ‖ a *solid* row of houses 切れ目なく続く家並み / She's been crying for ⌜a *solid* hour [an hour *solid*]. 彼女は 1時間泣いている. **8**〈金・銀などが〉中まで同質の, めっきでない;〈色彩が〉同一の, 一様な, 無地の ‖ a *solid* gold bracelet 中まで金のブレスレット《◆ 純度 100% は pure》/ The dress is *solid* white. その服は純白である. **9**〈人などが〉〔…に賛成して/…に反対して〕団結した, 満場一致の〔*for/against*〕;(略式)〔…と〕折合いがよい, 友好関係にある〔*with*〕‖ win the *solid* support of the townspeople 市民の一致した支持を得る. **10**〔数学・物理〕立体の, 3次元の.

── 名 © **1** 固体 (cf. liquid, gas). **2**(通例 ~s)(液体中の) 固形物; 固形食. **3**〔幾何〕立体.

Sólid Sóuth (米)[the ~](伝統的に民主党支持の) 南部諸州.

sol·i·dar·i·ty /sάlədǽrəti | s5l-/ 名 **1** ⓤ (共通の責任・利害などから生じる) 団結, 結束; 連帯意識, (利害・

solidify

目的などの)一致. **2** [S~] 連帯《ポーランドの自主管理労組》

sol·id·i·fy /səlídəfài/ 動 《正式》他 **1**〈液体などを〉凝固させる, 固体化させる. **2**〈関係・支持などを〉強固にする;〈意見などを〉固める ‖ *solidify* conclusions 結論をまとめる. ─ 自 **1**〈液体などが〉凝固する, 固体化する. **2**〈関係・支持などが〉強固になる;〈意見などが〉固まる.

sol·id·i·ty /səlídəti/ 名 U **1** 固いこと, 固体性; 固体[固形]状態. **2**《正式》(心・品性・財政などの)堅実さ, 健全さ. **3**《正式》堅固さ, 強固さ. **4** 中が詰まっていること, 充実.

†**sol·id·ly** /sάlidli | sɔ́lid-/ 副 **1** 堅固に, 強固に. **2** 満場一致で, こぞって. **3** 連続して, ぶっ通しで.

so·lil·o·quy /səlíləkwi/ 名 C U 《正式》ひとり言; C 《演劇》独白, モノローグ.

sol·i·taire /sάlətɛ̀ər | sɔ̀l-/ 名 U 《フランス》《米》〔トランプ〕1人トランプ《《英》patience》.

†**sol·i·tar·y** /sάlətèri | sɔ́lətəri/ 形 **1**《正式》〈人が〉ひとりだけの, お供[連れ]のない《◆ alone よりも強調的》;〈植物が〉単生の,〈動物が〉群居しない ‖ a *solitary* traveler ひとりで旅をする人 / lead a *solitary* life 孤独な生活を送る. **2**《正式》〈人・気質が〉孤独な, 孤独好きの, 寂しい ‖ a *solitary* person 孤独な人. **3**〈場所が〉めったに人の訪れない, 人里離れた ‖ a *solitary* village 人里離れた村. **4**〔否定文・疑問文で〕唯一の, たった1つ[1人]の(…でさえ) ‖ Not a *solitary* person remained in the room. 部屋には1人も残っていなかった.
─ 名 C 《文》隠遁(いんとん)者, 世捨て人.

†**sol·i·tude** /sάlətjùːd | sɔ́l-/ 名 **1** U 《正式》(よい意味で)(だれにもわずらわされず)ひとりでいること[なっていること], 孤独, 独居; (生活・場所などの)寂しさ, (場所などの)隔絶 ‖ enjoy living in *solitude* ひとり住まいを楽しむ / travel through regions of *solitude* 寂しい地方を旅行する. **2** C 寂しい[人里離れた]場所, 僻((^_^))地.

†**so·lo** /sóulou/ 名 《複 ~s, **1**, **2** で時に ~·li/-liː/) **1** C 〔音楽〕ソロ, 独唱, 独奏; 独唱[奏]曲, 独唱[奏]部 ‖ a violin *solo* バイオリンの独奏(曲) / sing two *solos* 2曲独唱する. 関連 二重唱[奏]は duet, 三重唱[奏]は trio, 以下 quartet, quintet, sextet, septet, octet, nonet. **2** C (ダンスなどの)単独演技. **3** C (特に初めての)単独飛行. ─ 形 **1**〔音楽〕独唱[奏]用の ‖ a part for *solo* flute フルート独奏部. **2**〈ダンス・演技などが〉独演の, (一般に)単独の;〈オートバイが〉サイドカーのない ‖ make a *solo* flight 単独飛行する / a *solo* homer ソロ·ホームラン. ─ 副 単独[独り]で ‖ fly [perform] *solo* 単独飛行[独演]する. ─ 動 自 (略式) **1** (特に初めての)単独飛行する. **2** 独奏, 独唱, 独演]する.

so·lo·ist /sóulouist/ 名 C ソリスト, 独奏[独唱]者, 独演者《◆「ソリスト」はフランス語 soliste から》.

†**Sol·o·mon** /sάləmən | sɔ́l-/ 名 **1** (旧約) ソロモン《紀元前10世紀のイスラエルの王》. **2** C (ソロモンのような)賢人, 賢者.
The Song of Sólomon =The SONG of Songs.
Sólomon's séal (1) ソロモンの封印《2つの3角形を組み合わせた星形; 神秘的な力があるとされた》. (2) 〔植〕アマドコロ《ユリ科》.

So·lon /sóulən | -lɔn/ 名 **1** ソロン《638?-558?B.C.; アテネの立法家でギリシア7賢人の1人》. **2** 〔時に s~〕C 賢人, 名立法家;《米略式》立法府の議員.

so-long, so long /sóulɔ́ː(ŋ)/ 間《略式》じゃ(また), さようなら(good-by)《◆ 親しい間柄で用いる》.

sol·stice /sάlstəs | sɔ́l-/ 名 C 〔天文〕至(し)《太陽が赤道から北または南に最も遠く離れる時》; 至点 ‖ the summer [winter] *solstice* 夏至[冬至].

†**sol·u·ble** /sάljəbl | sɔ́l-/ 形 **1**〈物質が〉(…に)溶ける, 溶けやすい[in] ‖ Sugar is *soluble* in water. 砂糖は水に溶ける. **2**《正式》〈問題などが〉解決[説明]できる.

†**so·lu·tion** /səlúːʃən, (英 +) -ljúː-/ 名 **1 a** C (問題などの)解決; (困難などの)解決策[to, of, for]; 〔数学〕解; 解法 ‖ 「arrive at [reach] the *solution* to [of, for] the problem 問題の解答に到る / I'm seeking a *solution* to this dilemma. 私はこのジレンマからの脱却法を探しています. **b** U 《正式》(問題などを)解くこと; (問題)解決, 解明. **2 a** U (砂糖などが)〔水などに〕溶ける[溶かす]こと[in]; 溶解 ‖ Salt is held in *solution* in seawater. 海水には塩が溶けている. **b** C U 溶液 ‖ a *solution* of sugar in water 砂糖水.

*solve /sάlv, sɔːlv | sɔlv/ 〖「(ゆるめる, 解く(loosen)」が原義. cf. dissolve, resolve〗 派 solution (名)
─ 動 (~s/-z/; 過去·過分 ~d/-d/; solv·ing)
─ 他 〈問題などを解く, 解明する;〈困難などを〉解決する, 打開する ‖ I can't *solve* this problem. 私はこの問題が解けない / The police managed to *solve* the major crime. 警察が何とかしてその重大犯罪を解決した.

> 使い分け [solve と answer]
> solve は problem と, answer は question と結びつくことが多い.
> *Solve* this problem. この問題を解きなさい.
> *Answer* this question. この問いに答えなさい.

sol·ven·cy /sάlvənsi | sɔ́l-/ 名 U **1** 〔法律〕支払い能力のあること. **2** 溶解力.

†**sol·vent** /sάlvənt | sɔ́l-/ 形 **1** 〔法律〕(負債などの)支払い能力のある(↔ bankrupt). **2**《正式》(…を)溶かす, 溶解する[of]. ─ 名 C **1** 〔化学〕(の)溶媒, 溶剤[for, of]. **2** C (…の)解決策[for, of].

solv·ing /sάlviŋ, sɔ́ːlv- | sɔ́lv-/ 動 → solve.

So·ma·li /soumάːli/ 名 (複 ~s or So·ma·li) **1** C ソマリ人. **2** U ソマリ語.

So·ma·lia /soumάːliə/ 名《アフリカ東部の共和国. 首都 Mogadishu》. **So·má·li·an** 形 名 C ソマリア(人)(の).

†**som·ber, 《英》--bre** /sάmbər | sɔ́m-/ 形《正式》**1** 薄暗い, 暗く陰気な(dark, gloomy) ‖ a *somber* day どんより曇った日 / a *somber* hallway 薄暗い廊下. **2**〈人・性格・気分・表情などが〉陰気な, 憂うつな, 深刻な(grave, serious);〈見通しなどが〉暗い, 暗たんたる ‖ in a *somber* mood 陰うつな気分で / Business prospects are *somber*. 景気の見通しは暗い. **3**〈色彩・服装などが〉黒ずんだ, 地味な.

som·bre·ro /sambréərou | sɔm-/ 名 (複 ~s) C ソンブレロ《米国南西部・メキシコ・スペインなどで用いられる広ぶちの麦わらまたはフェルトの帽子》.

‡**some** /(弱) səm; (強) sʌm/ (同音) sum)

index	形 **1** いくらかの **2** …する人[物]もある **3** ある **4** およそ
	代 **1** 若干 **2** …する物(もある), …する人(もいる)

-some

──形《◆比較変化しない》[名詞の前で] **1** /səm/ [肯定文で; some＋©名詞複数形; some＋Ⓤ名詞] **いくらかの**, 多少の, 一部の《◆不定の数や量を漠然とさし, 日本語にはふつう訳す必要がない. → several》‖ There are *some* rare fish(es) in the aquarium. 水族館に希少な魚がいます / I need *some* bread and milk. パンとミルクが欲しい《◆I like bread and milk very much. (パンとミルクが大好きです)のような場合は量的意味がないので some は不要》/ The movement spread to *some* students. その運動は一部の学生に波及した.

> 語法 (1) 否定文・疑問文では any: Are there *any* rare fish(es) ...? / I do *not* need *any* bread and milk. ただし物を勧めるような場合は相手が yes ということを期待している言い方になるので some の方がていねい: Would you like *some* tea? お茶はいかがですか. なお否定疑問文では some. ⇒文法 1.7).
> (2) some に強勢を置くと, 「十分ではないが, いくらかは」の意: I've got *sóme* /sʌ́m/ money. 少しならお金はある《◆but not *enough* を含意》.

2 /sʌ́m/ [しばしば (the) others, 時に他の some と呼応して] **…する人[物]もある**, なかには…もある ‖ *Sóme* students like science very much, and *others* like music. 理科がとても好きな学生もいれば, 音楽が好きな学生もいる.

> 語法 否定文・疑問文でも用いる: *Sóme* students are *not* good at mathematics. 学生の中には数学に弱いものもいる.

3 /sʌ́m/ [some＋©名詞単数形] **ある**, 何かの《◆a(n) とほとんど同じで人・物・事についてくわしいことを知らない場合に用い, しばしば無関心さを暗示する. ふつう a(n) を用いる. 知っていてわざと名前などを伏せる場合は a certain を用いる》‖ in *some* way (*or other*) 何らかの点で, どうにかして《◆or other は強調のため. in *some* ways は「いくつかの点で」という意味から》/ She is living in *some* village in India. 彼女はインドのどこかの村に住んでいます.

> 語法 some は強勢を置いて発音すると, 「どこのだれか知らないが」といった軽蔑(ケ)の意味が出てくる: He has been seeing *sóme* woman. 彼は女と付き合っていますよ, どこのだれともわからぬやつとね.

4 /səm/《正式》[some＋数詞] **およそ**, 約《◆about より漠然とした数を表す》‖ The trip will take *some* five hours. 旅はおよそ5時間くらいかかるでしょう.

> 語法「…ほども」といった気持ちが含まれる場合は /sʌ́m/: He earned *sóme* two million dollars. 彼はおよそ200万ドルも手に入れた.

5 /sʌ́m/《主に米略式》**相当な**, なかなかの ‖ He's *sóme* lawyer. 彼はたいした(すご腕の)弁護士だ; たいした(悪徳)弁護士だ《◆*Sóme* lawyer he is! ともする》/ *Sóme* weather for a picnic! ピクニックにはひどい天気だ / That's *some* car you're driving. すごい車に乗っているね.

──代 /sʌ́m/ **1** [しばしば some of＋the [one's, this, that, etc]＋複数名詞・代名詞; 単数・複数扱い] **若干**, 多少, 幾人か ‖ *Some* of these apples are bad. リンゴの中のいくつかは腐っている / *Some* of the milk was spilt on the carpet. ミルクの一部がじゅうたんにこぼれていた《◆動詞は of の後の(代)名詞の数に一致》◆対話◆ "Does she have any experience doing this work?" "Yes, she has *some*." 「彼女にはこの仕事の経験がありますか」「ええ, 多少あります」《◆文脈から明らかなので experience を省略》.

2 [しばしば others と呼応して] **…する物(もある)**, …する人(もいる), 中には…する物[人] (もある[いる]) ‖ *Some* agree with her, *others* disagree. 彼女に賛成する人もいれば賛成しない人もいる.

──副《◆比較変化しない》/sʌ́m/《米》**1** [補語として用いる形容詞の比較級の前で] **いくぶん**, 多少とも《(正式) somewhat》‖ I'm feeling *some* better now. 少し気分がよくなりました. **2** [動詞の後で]**a**《米》**少し**, いくぶん ‖ I slept *some*. 少しばかり寝た. **b**《略式》ずいぶん, ひどく.

(**at**) **sóme time or anóther** 《略式》いろいろな時に《(at) one time and another》.

(**at**) **sóme time or óther** ＝**sóme or óther time** 《略式》[過去・未来を表す語句の前で] ある時, いつか.

sóme dày (**or óther**) [副詞的に] (未来の)いつか, そのうち, ある日《◆「過去のある日」は one day》‖ *some day* next week 来週のある日《◆「来週のいつか」は *sometime* next week》.

some one (1) /sʌ́mwʌn/《まれ》=someone. (2) /sʌ́mwʌ́n/ [some one of＋the [one's, this, that, etc.] 名詞・代名詞] (…のうちの)だれかある人, ある物 ‖ *sóme óne* of the boxes 箱のうちのどれか1つ.

***sóme time** (1) [(for) ~] **しばらくの間**; かなりの間 ‖ It will be *some time* before the plane arrives. 飛行機が着くまでまだしばらく[かなり]かかるでしょう. (2) (未来の)**いつか**, そのうち; (過去の)ある時《◆sometime ともつづる》‖ Would *some time* [*sometime*] tomorrow be convenient? 明日のいつご都合がよろしいですか.

-some /-səm/《重要素》→語要素一覧(2.1).

✲**some·bod·y** /sʌ́mbɑ̀di, -bʌ̀di, -bədi | -bɔ̀di, -bʌ̀di, -bədi/

──代 =someone.

> 語法 [**somebody** と **someone**]
> (1) somebody は someone より口語的で, 呼びかけなどの場合に好まれる: What's the time, *somebody*? だれか, 今何時だい.
> (2) 話し手と親密な関係にある特定の人を念頭に置いている場合は someone が好まれる: ◆対話◆ "Who's the present for?" "*Someone* very special, very dear to me." 「このプレゼントだれにあげるの」「うん, そりゃあの意中の人さ」. somebody はだれでもいい, とにかくだれか, という気持ちを含む(→(1)).
> (3) 関係詞が続く場合も someone が好まれる.

──名 (複 **-ies** /-z/) © [通例単数形; しばしば無冠詞で] **大物**, 重要人物《⇔ nobody》‖ I want to be *somebody* when I grow up. 大きくなったら偉い人になりたい《◆疑問文・否定文では anybody: Is he *anybody*? 彼はひとかどの人物ですか》/ My uncle thinks that he is (a) *somebody* in his village. おじは自分は村では大物だと思っている《◆うぬぼれ

some・day /sʌ́mdèi/ 副
(未来の)いつか, そのうち《◆比較変化しない》(→ SOME day).

some・how /sʌ́mhàu/
——副《比較変化しない》**1** [文全体を修飾; 通例文頭・文尾; 時に ~ or other] (よくわからないが)どういうわけか, なぜか《◆先行詞との理由・結果の関係が明示されない. for some reason or other より口語的》‖ *Sómehow*, I've never liked him. =I've never liked him, *sómehow*. どうしてか, 彼が好きになれない.

2 [動詞修飾; 時に ~ or other] なんらかの方法で, **なんとかして**‖ I must *somehow* finish the term paper today. なんとか今日レポートを仕上げなければならない.

:some・one /sʌ́mwʌ̀n, -wən/
——代 **1** [肯定文で] **だれか**, ある人‖ I need to ask *someone* for advice. 私はだれかに助言を求める必要があります / I can't tell them the news. *Someone* else must tell them. 彼らにその知らせを伝える気になれない. 他のだれかが伝えるべきです.

2 [疑問文・否定文で] だれか, ある人‖ Is there *someone* at the bus stop? バス停にだれかいますか《◆たぶん1人や2人いるだろうという気持ちが話し手にある. Is there *anybody* ...? ではこのような含みはない》.

[語法] (1) 数・性については anyone と同じ(→ anyone 代 **4** [語法]). (2) somebody との比較は → somebody 代 [語法]. (3) 形容詞は後に置く(→ [文法] 17.1).

sómeone or óther だれか《◆ someone 単独より「どこのだれかは知らないが」の気持ちが強い》.

some・place /sʌ́mplèis/ 副《主に米略式》=somewhere.

†som・er・sault /sʌ́mərsɔ̀:lt/ 名 C とんぼ返り, 宙返り;(意見・政策などの)180度の転換‖ turn [do, throw] three *somersaults* one after the other 続けて3回宙返りをする. ——動 自 とんぼ返り[宙返り]をする.

:some・thing /sʌ́mθiŋ/《◆早い発話では /sʌ́mpm/ と発音される》
——代 **1** [通例肯定文で] **何かある物[事]**, 何か‖ She always tries *something* new. 彼女はいつも何か新しいことにアタックしている《◆形容詞は後に置く. →[文法] 17.1》/ Sorry, I have *something* to do tonight. すみません, 今夜はちょっと用事があります《◆誘いなどを断る際の決まり文句のひとつ》/ *Something* is better than nothing. 何かあるのは何もないよりもましだ; 枯木も山のにぎわいだ / I have *something* to tell you. ちょっとお話したいことがあります / [対話] "Do you have *something* to write with?" "Sure. Will a ball-point pen do?" 「何か書くものをお持ちですか」「はい, ボールペンでよろしいですか」 / *Something* about him annoyed me. =*There was something* annoying *about* him. 彼にはどことなく人をいらいらさせるところがあった / *You can't* [*don't*] *get something for nothing*. (ことわざ) ただで得られるものはあるわけがない; 「何ものも努力なしには得られない」.

[語法] (1) 否定文・疑問文では anything: She *never* tries *anything* new. 彼女は目新しいことにはまった手を出さない / Can you say *anything* in Swahili? スワヒリ語で何か言えますか《◆ Can you say *something* ...? だと「たぶん言えるでしょうが」という含みを持つので, 相手の能力を尊重していることになりていねい. cf. Can I ask you *something*? ちょっと質問していいですか》.
(2) if 節の場合: If there is *something* I can do, please tell me. もし何かできることがあれば, 言ってください《◆ anything は「もしひょっとしてあれば」を含むので, やや不親切》.

2《略式》[名詞句の後で; しばしば ~ or other] なんとか..., なにがし《◆断言を避ける言い方》‖ at six o'clock *something* かれこれ6時頃に(=somewhere [sometime] around six o'clock) / [対話] "What is his name?" "*Peter something or other*." 「彼の名前は」「ピーターなにがしです」.

[語法] I was born in 19—. (1900何年かに生まれた)では—は something と読む. 19-something と書くこともある》.

——名 **1** C 何かあるもの; 何か食べる[飲む]もの‖ a wonderful *something* 何かすばらしいこと《◆ *something* wonderful がふつう. →[文法] 17.1》/ I've brought a little *something* for you. =... just *something* small for you. あなたにちょっとしたものを持ってきました. **2** U [無冠詞で] 重要人物, 大物; けっこうな事, よい事‖ It is *something* that nobody got hurt. だれもけがをなかったのは何よりの事だ / There is *something in* what she says. 彼女の言うことには一理ある / He is *something in* the FBI. 彼は FBI の大物だ / Isn't that *something*? すごいじゃないの.

máke sómething of A (1) ...を活用[利用]する. (2) ...を重要視する. (3)《略式》...を争いの種にする.

máke sómething of *onesélf* [*one's lífe*] 成功する.

*or sómething《略式》[名詞・形容詞・動詞(句)・節の後で] ...**か何か**《◆断言を避ける表現》‖ She bought a present *or something*. 彼女はプレゼントか何か買った《◆会話で使われる. 次例も同様》/ He didn't attend the class. He cut it *or something*. 彼は授業に出なかった. サボったかなんかしたんだ.

sée sómething of A 《人》に時々会う(→ see 動 他 **2**).

sómething élse (1)《略式》何かほかのもの[事]; [one thing と対で] (それとこれとは)別問題, 話は別. (2)《米略式》人をはっとさせるもの《◆よい事にも悪い事にも用いる》.

something like ... → like² 前.

***sómething of a ...**《略式》[通例肯定文で] **ちょっとした...; かなりの...**‖ She is *something of a* musician. 彼女の音楽の才はかなりのものです《◆音楽家ではない人に用いる》/ I found it *something of a* disappointment. それにはかなりがっかりしました.

sómething or óther《略式》何か《◆ something 単独より「何かよく知らないが」の気持ちが強い. → 代 **2**》.

sómething télls me (*that*) ... 《略式》...という気がする《◆ that はふつう省略. *Something* tells [told] us (that) ... となることもある》.

——副《略式》いくぶん, やや, いくらか《◆比較変化しない》.

some·time /sʌ́mtàim/ ◆比較変化しない

—形 〔正式〕〔名詞の前で〕 かつての, 前の《◆former より口語的》‖ her *sometime* friends 彼女のかつての友だち.

—副 〔過去・未来を表す語句の前で〕 いつか, ある時《◆(1)〔英〕ではしばしば some time と2語つづり. (2) sometimes 〔ときどき〕の意》‖ The temple was built *sometime* around 1300. その寺は1300年ごろ建立(こんりゅう)された / *sometime* soon そのうちすぐ.

語法 (1) 単独で用いる場合は常に「(未来の)ある時」を表し, 位置は文頭か文尾: *Sometime* we'll tell you about it. そのうち, その件についてお話します. (2) some time との比較は → some 成句.

some·times /sʌ́mtàimz/ 〔「起こる頻度が半分ぐらいで, 特に多くも少なくもない」が本義〕

—副 ときどき(…する), 時には(…のことがある)《◆(1) occasionally より頻度は高く, often, frequently より低い. (2)比較変化しない》(→文法 18.2)‖ The door is *sometimes* open. そのドアは開いていることがある / I have *sometimes* seen him dancing with her. 彼が彼女とダンスをしているところをときどき見たことがある / She *sometimes* walked and *sometimes* [at other times] took a bus. 彼女は時には歩き, 時にはバスに乗った / A dog is *sometimes* a dangerous animal. 犬は時には危険な動物である / Mexico is *sometimes* not cold in winter. メキシコは冬でも寒くない時がある / She *sometimes* cannot go there. 彼女はそこへ行けないことがある /《対話》"Do you *sometimes* go there?" "Yes, I do." 「そこへ行くことはおありですか」「はい, あります」《◆この場合, 質問者はあくまで肯定の答えを予想している》.

—形 〔名詞の前で〕 時折りの, 時たまの《◆比較変化しない》.

some·way /sʌ́mwèi/ 副 〔米〕 = somehow.

some·what /sʌ́mhwʌt, -hwàt, -hwɑt|-wɔ̀t/

—副 〔正式〕 いくぶん, 多少, やや《◆比較変化しない》‖ She was *somewhat* late. 彼女は少し遅れた / He was *somewhat* puzzled for an answer. 彼はいささか返事に困った.

móre than sómewhat〔英正式〕〔おおげさに〕ひどく, とても(very).

sómewhat of a ...〔おおげさに〕ちょっとした…; いくぶん, 多少, どちらかと言えば‖ She is *somewhat of* a violinist. 彼女はちょっとしたバイオリン奏者だ《◆否定的にはふつう She is not much of a violinist. (たいしたバイオリン奏者でない)のように not much of a を用いる》.

some·where /sʌ́mwèər, 〔米〕 sʌ́mhwèər/

—副 〔肯定文で〕 どこかで[へ, に]《◆(主に米略式) someplace)《◆比較変化しない》‖ They live *somewhere* in Paris. 彼らはパリのどこかに住んでいる /《対話》"Excuse me, I wonder where Mr. Kato's house is." "I'm not sure, but it must be *somewhere* near here." 「失礼ですが加藤さんのお宅はどこでしょうか」「よくわかりませんが, 確かにこの近くにあります」.

語法 否定文・疑問文ではふつう anywhere: They do *not* live *anywhere* in Paris. / Is his house *anywhere* near here?《◆ Is his house *somewhere* near here? だと「この辺にあることはたぶん間違いなかろうか」という話し手の気持ちを表す》.

gét sómewhere〔略式〕目鼻がつく, なんとかなる(↔ get nowhere/not get anywhere).

sómewhere aróund [néar, abóut] A (1) 〔場所・位置〕 …のどこか近く[あたり]で. (2) 〔程度・時間など〕 およそ, ある頃に‖ *somewhere around* 10 o'clock 10時ごろに.

語法 文脈に応じて between, in なども用いる: *somewhere between 1960 and 1984* 1960年から1984年の間のある年に / *somewhere in the 1980's* 1980年代のころに.

sómewhere or óther (どこか知らぬが)その辺, そこいら.

som·no·lence, --len·cy /sʌ́mnələns(i)|sɔ́m-/ 名 ⓤ〔文〕 眠いこと, 眠気.

som·no·lent /sʌ́mnələnt|sɔ́m-/ 形〔文〕 **1** 眠い, 眠そうな. **2** 眠気を誘う.

*son /sʌ́n/ 【発音注意】【同音】sun

—名 (複 ~s/-z/) **1** ⓒ 息子, せがれ, 男の子供(↔ daughter); [(my) ~, S~] 〔呼びかけ〕 (息子に向かって)おまえ, おい;(年少者に対して)君, おい‖ one's eldest 〔米〕 oldest *son* 長男《◆one's first (born) *son* のようにもいう》/ Get out of here. You're no *son* of mine! ここから出ていけ. お前は私の息子じゃない /one's *son* and heir 跡取り息子 / You're your father's [mother's] *son*. 君は君の父親[母親]にそっくりだ / What's the matter with you, (my) *son*? 君, どうしたのだ.

2 義理の息子; 養子. **3** 〔通例 ~s〕〔男の〕子孫‖ the *sons* of Adam アダムの子孫; 人類((PC) children of Adam). **4**〔文〕〔団体などの〕男性構成員; 住民, 国民;〔時代・風潮・作用などの〕 生み出した男子, 落とし子; 産物(*of*)‖ the *sons* of Italy イタリアの男子国民 / a *son* of the soil 農民; 土着の人 / a *son* of darkness 無知の人 / a *son* of freedom 自由人 / a *son* of toil 苦労人 / the *son* of inflation インフレの産物. **5** [the S~] (神の子としての)キリスト(→ trinity 2)《◆the Son of God [Man] ともいう》.

a són of a bítch (複 son(s) of bitches)《◆ sumbitch ともつづる》. (1) 〔俗〕 野郎, やつ. (2) [S~ of a bitch!] 怒り・驚きを表して ちくしょう, くそ, な. (3) 〔呼びかけ〕 お前《◆親しい者同士の呼びかけに用いる. 軽蔑(けいべつ)的な含みはない》.

són of Gód (1) [S~ ...] 天使. (2) 神の子, 信者. (3) [the S~ ...] キリスト.

the Són of Mán〔聖〕人の子《キリストのこと》.

the sóns of mén 人類《◆男女平等なのは human beings》.

so·nar /sóunɑːr/ 〔sound navigation ranging〕 名 ⓤⓒ ソナー, 水中音波探知機.

†so·na·ta /sənɑ́ːtə/ 【アクセント注意】 名 ⓒ 〔音楽〕 ソナタ, 奏鳴曲‖ a piano *sonata* ピアノソナタ.

sonáta fórm 〔音楽〕 ソナタ形式《主題の提示・展開・再現の各部からなる楽曲形式》.

*song /sɔ́(ː)ŋ/ 〔「歌うこと(sing)」が原義〕

—名 (複 ~s/-z/) **1** ⓒ 歌, 歌曲《◆「国歌」は national anthem といい, national song とはいわない》‖ He likes to sing popular *songs*. 彼は流行歌を歌うのが好きだ / a record of her latest *song*

彼女の新曲のレコード / a folk *song* 民謡 / a love *song* ラブソング.
2 ⓤ 〔正式〕歌うこと ‖ We raised our voices *in song*. 我々は声を張り上げて歌った.
3 ⓤ 詩歌, 詩文 ; 〔短い〕詩, バラード ‖ The hill is renowned *in song*. その丘は詩に歌われて有名だ.
4 ⓤⓒ 〔鳥・虫などの〕鳴き声, さえずり ; 〔小川などの〕せせらぎ ; 〔沸騰するやかんの〕鳴る音 ‖ the *song* of a canary カナリアのさえずり.
fòr a sóng ただ同然で ‖ buy books *for a song* 本をただ同然で買う.
The Sóng of Sóngs〔旧約〕雅歌《旧約聖書の一書.(略) S. of S.》.
sóng bòok 唱歌集, 歌の本.
song・bird /sɔ́ːŋbə̀ːrd/ 图 **1** 美しい声で鳴く鳥. **2** 歌姫, 女の歌手.
†**song・ster** /sɔ́ːŋstər/ 图 ⓒ 〔文〕**1** 歌手 ; 詩人((PC) singer). **2** 美しい声で鳴く鳥(songbird).
son・ic /sánik | sɔ́n-/ 形 音の, 音波の ; 音速の(cf. supersonic).
sónic bárrier 〔the ~〕音速障壁《飛行機などの速度が音速に近づく時の空気抵抗. sound barrier ともいう》.
sónic bóom〔(英) báng〕ソニックブーム《飛行機などが超音速で飛ぶ時, 衝撃波が起こす爆発音》.
son-in-law /sʌ́ninlɔ̀ː/ 图 (複 **sons-**, (英ではしばしば) **~s**) ⓒ 娘の夫, 娘むこ.
†**son・net** /sánət | sɔ́n-/ 图 ⓒ ソネット, 14行詩《ふつう各行10音節5歩格》.
†**son・ny** /sʌ́ni/ 图 ⓒ 〔略式・今はまれ〕〔年長者の親しみをこめた呼びかけ〕坊や, お若いの.
†**so・no・rous** /sanɔ́ːrəs, sənɔ́ːrəs/ 形〔正式〕**1** 響き渡る, 鳴り渡る ;〈声が〉朗々とした. **2**〈演説・文体などが〉格調の高い, 堂々とした ;〈言葉遣いなどが〉仰々しい, もったいぶった.

:soon /súːn, (米+) sún/ ◆ 後者は特に米国北東部の発音
── 副 (**~・er**, **~・est**) **1**〔ある時を基準に〕まもなく, すぐに, そのうちに, 近いうちに《◆ 比較変化しない》‖ I'll be back (very [quite]) *soon*. すぐに戻ります / It will *soon* be dinner time. もうすぐ夕食時です / He died *soon* after the accident. 彼はその事故の後すぐに死んだ.
2〔予定より〕早く ‖ How *soon* can I get to Tokyo? どのくらいで[早く]東京に到着できますか / He came *sooner than* I thought. 彼は思っていたよりも[手間をとらせないで]早く来た《◆ ... *earlier than* I thought だと「思っていたより早い時刻に」》/ *The sooner, the better*.《略式》早ければ早いほどよい.

***as sóon as ...**〔接〕〔…すると同じくらい早く〕(1)…するとすぐに《◆〔米略式〕では soon as と略すこともある》‖ I'll give him your message *as soon as* he arrives. 彼が着いたらすぐにあなたの伝言を私は伝えます《◆ 節中では未来の will は用いない. ⊃文法 4.1 (4)》/ *As soon as* the criminal caught sight of a patrol car, he ran away. 犯人はパトカーを見るとすぐに逃げた (=The moment [instant, minute] the criminal caught sight of a patrol car, he ran away. / On catching sight of a patrol car, the criminal ran away). (2) …と同じくらい早く ‖ She didn't come *as* [*so*] *soon as* she had promised. 彼女は約束していたより早くは来なかった. 遅れて来た《◆ 否定語の後では

so も用いられる》.
***as sóon as póssible**〔one cán, (略式) maybé〕できるだけ早く《(略) ASAP, asap》‖ Please get this work done *as soon as possible* [*you can*]. できるだけ早くこの仕事をしてください.
at the sóonest いくら早くても.
***no sóoner ... than**〔正式〕〔しばしば倒置構文で〕…するとすぐに(…する) ‖ *No sooner* had we driven through one small town *than* we hit the next one. ひとつの小さな町を車で通り過ぎたかと思うと次の町に出くわした (=As soon as we drove through one small town, we hit the next one.) / *No sooner* said *than* done! (約束・要求などが)おやすいご用だ, すぐに実行に移される[された].
***sóoner or láter** 遅かれ早かれ, いつかは ‖ *Sooner or later*, human beings will perish from the earth. 遅かれ早かれ人類は地上から滅びる.
***would** [**had**] **(jùst) as sóon ... (as ...)**〔略式〕(…するよりも)むしろ…したい ‖ I *would just as soon* throw the money away *as* lend it to him. 彼に金を貸すくらいなら捨てたほうがましだ.
***would** [**had**] **sóoner ... than ...**〔正式〕…するよりも むしろ…したい ‖ I *would sooner* die *than* give up. 降参するぐらいなら死んだ方がまし《◆ しばしば sooner節を強めて *Sooner than give up*, I *would* die. ともいう》.

†**soot** /sút, (米+) súːt, sʌ́t/ 图 ⓤ すす ‖ (as) black as *soot* 真っ黒で. ── 動 ⓣ 〔通例 be ~ed〕すすだらけになる, すすで汚れる (+*up*).
†**sooth** /súːθ/ 图 ⓤ 〔古〕真実, 事実, 現実 ‖ in (good) *sooth* ほんとうに, 実際.
†**soothe** /súːð/ 動 ⓣ **1**〈人などが〉〈人・動物〉をなだめる, 落ち着かせる《◆ calm, comfort より堅い語》;〈人・物・言葉などが〉〈感情・神経〉を静める ‖ She *soothed* the crying baby *with* [*by* singing] a lullaby. 泣く赤ん坊を彼女は子守歌でなだめた. **2**〈薬などが〉〈痛みなど〉を和らげる, 楽にする《◆ ease より堅い語》 ‖ This medicine will *soothe* your headache. この薬で頭痛は和らぐでしょう. ── ⓘ 気持ちを落ち着かせる, 安心[慰め]をもたらす.
sooth・er /súːðər/ 图 ⓒ なだめる[機嫌をとる]人 ; 落ち着かせる人[物] ; 和らげる物.
sooth・ing /súːðiŋ/ 形 気持ちを落ち着かせる, 安心させる ; 痛みを和らげる, 鎮静効果のある.
sooth・ing・ly /súːðiŋli/ 副 なだめるように ; 和らげるように.
†**soot・y** /súti, (米+) súːti/ 形 (**-i・er**, **-i・est**) **1** すすだらけの, すすで汚れた. **2** すすの(ような) ; すすを出す. **3**〈動物・鳥が〉黒っぽい, 黒い.
sop /sáp | sɔ́p/ 图 ⓒ **1** 〔~s〕ソップ《牛乳・スープなどに浸して食べるパンのかけら》. **2** 〔a ~〕〔…の〕機嫌をとるための物, 鼻薬, 甘言, わいろ〔*to*〕. **3** 〔略式〕まぬけ, 弱虫. ── 動 (過去・過分) sopped/-t/ ; **sop・ping**)(ⓣ)**1**〈物〉を浸す. **2**〈物〉をびしょぬらしする. ── ⓘ **1** びしょぬれになる. **2** しみ込む. **sóp úp** 〔他〕〈水・牛乳など〉を〔布などで〕吸い取る〔*with*〕.
So・phi・a /soufíːə, sə-, -fáiə | səufáiə/ 图 ソフィア《女の名.(愛称) Sophie, Sophy》.
soph・ism /sáfizm | sɔ́f-/ 图 ⓤⓒ 〔正式〕詭弁(きべん)《を弄(ろう)すること》, こじつけ, 詭(き)弁 ; 謬(びゅう)論.
soph・ist /sáfist | sɔ́f-/ 图 ⓒ〔正式〕**1**〔しばしば S~〕ソフィスト《古代ギリシアの修辞学・哲学・倫理学などの教師》. **2** 詭弁(きべん)家, 屁(へ)理屈屋.
so・phis・tic, -・ti・cal /səfístik(l), sɑ- | sə-, sɔ-/ 形

so·phis·ti·cate /səfístikèit/ 名 -kət, -kèit | -kèit/ 動 ① 〈人〉を世慣れさせる、〈都会風に〉洗練させる；〈人〉を世間ずれさせる、…の純真さを失わせる。② 〈機械・装置・技術など〉を複雑[高度]化する、精巧にする。━━名 C〔正式〕世慣れた人；〔都会的に〕洗練された人；教養[知識]人.

†**so·phis·ti·cat·ed** /səfístikèitid/ 形 **1a** 〈人・ふるまい・服装・趣味など〉〔都会風に〕洗練された, 教養のある, 高級な, 凝った；熟練した (↔ unsophisticated)‖ *sophisticated* lady 知的で洗練された女性 / He looks quite *sophisticated* for his age. 彼は年の割にとても世慣れて見える. **b** 世間ずれした, すれっからしの, 上品ぶった, いやに凝った[高級な]《◆最近は **a** のよい意味で用いることが多い》. ② 〈小説・ера映画など〉教養[知識]人向きの, 高級な, 凝った‖ The play is far too *sophisticated* for high school students. その劇は高校生には高級すぎる. ③ 〈機械・装置・技術・思考など〉非常に複雑な, 精巧な, 高度な, こみいった‖ highly *sophisticated* computers 極めて精巧なコンピュータ.

so·phís·ti·càt·ed·ly 副 上品に, 都会風に, 高級に, 凝って；複雑に, 精巧に.

so·phis·ti·ca·tion /səfìstikéiʃən/ 名 U C ① 世間慣れ；世間ずれ. ② 洗練, 洗練されたやり方[考え, 趣味]；教養. ③ 複雑[精巧](化).

†**soph·ist·ry** /sáfəstri/ 名 s5f-/〔正式〕① C〔通例 sophistries〕(詭)(きん)弁, 詭弁(家)的屁理屈. ② U 詭弁を弄(ろう)すること. ③ U〔古代ギリシアの〕詭弁法.

†**Soph·o·cles** /sáfəklìːz | s5f-/ 名 ソフォクレス, ソポクレース《496?-406 B.C.；古代ギリシアの悲劇詩人》.

†**soph·o·more** /sáfəmɔ̀ːr, (米+) sáfmɔːr, s5fə-|s5fə-/ 名 C (米) ① 〔大学・高校の〕2年生 (cf. freshman). ② 〔活動などが〕2年目の人, 2年生議員[選手].

so·po·rif·ic /sàpərífik | s5-/ 形 ①〔正式〕〈話・天気・薬など〉が眠気を催させる, 眠くなるような, 催眠性の. ② 〈人が〉眠い, 眠そうな. ━━名 C 催眠剤, 睡眠薬.

sop·ping /sápiŋ | s5p-/ 形〔略式〕① びしょぬれの. ② 〔副詞的に〕びしょびしょに ‖ be *sopping* wet びしょぬれである / *sopping*-wet hair びしょぬれの髪.

so·pra·no /səprǽnou, -prɑ́ːnəu/〔音楽〕名 (複 ~s, -pra·ni/-præniː|-prɑ́ːniː/) ① U C ソプラノ《女性・少年の最高声域. cf. alto, mezzo-soprano》‖ sing *soprano* ソプラノで[と]歌う. ② C ソプラノ歌手. ③ C〔合唱の〕ソプラノ声部. ④ C ソプラノ楽器.
━━形 ソプラノの.

sor·bet /sɔ́ːrbət/ 名 C U (英)=sherbet 1.

Sor·bonne /sɔːrbán, -bʌ́n | -bɔ́n/ 名 [the ~] ソルボンヌ《旧パリ大学の文学部・理学部. 1968年の学制改革により今はパリ第4大学の通称》.

†**sor·cer·er** /sɔ́ːrsərər/ 名 C (悪霊の助けを借りた)魔法使い, 魔術師, 妖術師.

†**sor·cer·y** /sɔ́ːrsəri/ 名 U (ふつう悪霊の助けによる)魔法, 黒魔術, 妖術；[sorceries] 妖術師の仕業(しわざ).

†**sor·did** /sɔ́ːrdid/ 形〔正式〕① 〈場所・環境などが〉汚い, 不潔な, むさ苦しい (dirty)；みじめな, みすぼらしい. ② 〈人・行為などが〉下劣な, 卑しむべき, 浅ましい；強欲な, 利己的な.

†**sore** /sɔ́ːr/〔同音〕soar, (英) saw/ 形 **1a** 〈身体の一部が〉〔…で〕痛い, 触れると[動かすと]痛い, 〔けが・炎症・使いすぎなどで〕ひりひりする, ずきずき痛む (from)《◆painful より口語的》‖ a *sore* finger [wound] 痛い

指[痛む傷] / I have *sore* shoulders. (過度の運動などで)肩が痛い / I have *a sore throat* [*from* a cold [*from* smok*ing* too many cigarettes]. かぜ[タバコの吸いすぎ]でのどが痛い. **b**〔略式〕〈人が〉〔…で〕(体に)痛みを感じる〔*from*〕 ‖ I feel *sore* all over *from* [because of] all that exercise yesterday. 昨日あれほど運動したので体じゅうが痛い. ② 〈人(の心)が〉〔…のことで〕悲しんだ, 悲嘆に暮れた〔*over*, *after*〕 ‖ a *sore* conscience 苦悩する良心 / She is *sore* at heart over the loss of her husband. 彼女は夫を失ったことで心を痛めている. ③ (主に米略式)〈人が〉〔人に対して/…のことで〕感情を害した, いらだった, 怒った〔*at* / *about*, *at*, *over*, *for*〕 ‖ She felt *sore about* not being asked to the party. パーティーに招待されなかったことで彼女は気を悪くした(➔文法 12.4) / She was「*sore at* me *for* being late [*sore because* I was late]. 私が遅刻したので彼女は怒った. ④〔略式〕〈話題・記憶などが〉不快, 腹立たしい, 心の痛む, 悲しい ‖ a *sore* memory つらい思い出 / Don't tell her about that. It's a *sore* point with her. そのことを彼女に言ってはいけません. そこが彼女のいやがるところです. ⑤〔古・詩〕つらい, 激しい ‖ *sore* grief 耐えがたい悲しみ / in *sore* need (of money)(金に)ひどく困っている.

tóuch A on a sóre pláce [spót, póint] (1) 〈人〉の痛い所に触れる. (2) [比喩的に]〈人〉の痛い所を突く.

━━名 C ① 触れると痛い所《炎症[打撲]箇所・すりむいたところなど》 ‖ have festering *sore* on one's lips 唇のひどいあれ. ② いやな思い出, 苦痛[悲しみ, 怒り]の種 ‖ old *sores* 古傷.

sóre thróat [医学]咽喉炎；咽喉(いんこう)炎.

sóre·ness /sɔ́ːr/ 名 U 痛み, 苦痛, 痛さ；激しさ.

sóre·head /sɔ́ːrhèd/ 名 C (米略式)怒りっぽい人, 不平家.

†**sore·ly** /sɔ́ːrli/ 副〔正式〕① 痛ましいほど；激しく ‖ be *sorely* distressed 痛々しいほど苦しんでいる. ② 〔動詞の前後で〕ひどく, 非常に ‖ He is *sorely* in need of advice. =He *sorely* needs … 彼は大いに助言を必要としている.

sor·ghum /sɔ́ːrɡəm/ 名 ① C U 〔植〕モロコシ《トウモロコシに似た穀物》. ② U モロコシシロップ.

so·ror·i·ty /sɔːrɔ́ːrəti/ 名 C (米)〔集合名詞〕(大学の)女子学生社交クラブ (cf. fraternity)；女性(社交)クラブ. **sorórity hòuse** (米)ソロリティーハウス《女子学生社交クラブの会員が住む寮》.

sor·rel /sɔ́ːrəl/ 名 C U 〔植〕ギシギシ(common [wild] sorrel)；ミヤマカタバミ(wood sorrel, oxalis)；その葉.

*****sor·row** /sárou, sɔ́ːr- | sɔ́r-/〔→ sorry〕派 sorrowful (形)〔正式〕
━━名 ① U C 〔…に対する/人にとっての〕悲しみ, 悲哀, 悲痛 (grief)；〔しばしば ~s〕悲しいこと, 不幸〔*for*, *over*, *at* / *to*〕 ‖ a look of *sorrow* 悲しそうな表情 / 「To our great *sorrow* [*Much to our sorrow*], we learned our favorite uncle had died. 非常に悲しかったことには, 大好きなおじが死んだと知らされた / She has had many *sorrows* in her life. 彼女は人生でいろいろと不幸な目にあった / I felt deep *sorrow at* his death. 彼の死を嘆き悲しんだ(=I felt very sorry for …) / Her death was a great *sorrow to* us. 彼女の死は我々にとって大きな悲しみだった. ② U 〔…に対する〕後悔, 残念；惜別の感〔*for*〕 ‖ *sorrow* for sin 罪に対する悔恨.
━━動 自 〔…を〕悲しむ, 嘆く, 気の毒に思う (mourn)

[at, for, over]).

†**sor・row・ful** /sárəfl, sɔ́ːr-|sɔ́rəu-/ 形 **1** 〈人が〉悲しんでいる, 悲嘆にくれている《◆sad より堅い語》∥ She looks *sorrowful* and forlorn. 彼女は悲しくてさびしそうだ. **2**〈表情などが〉悲しげな ∥ a *sorrowful* face 悲しそうな顔. **3**〈物・事が〉悲しみをさそう, 哀れな ∥ a *sorrowful* event 痛ましい出来事.

†**sor・row・ful・ly** /sárəfəli, sɔ́ːr-|sɔ́rəu-/ 副 悲しそうに, 悲しんで.

:**sor・ry** /sári, sɔ́ːri|sɔ́ri/〖「痛い」が原義〗
—形 (**-ri・er**, **-ri・est**) **1** [補語として] すまなく思って; 後悔して;〔行為を/…することを/…ということを〕すまなく思う [*for*, *about* / *to do* / (*that*)節] ∥ I'm *sorry*. →成句 / *I'm sorry to have kept you waiting*. =I'm *sorry* (*that*) I have kept you waiting. =I'm *sorry* for having kept you waiting. お待たせして申し訳ありません / I'm *sorry* for my rudeness. 無礼をお許しください / You'll be *sorry* *about* this later. 後でこのことを後悔しますよ《◆文脈・語調によっては「覚えていろ」といった捨てぜりふにもなる》.
2 [補語として] 気の毒で, かわいそうで;〔人を/人の(のこと)事を〕気の毒に思う [*for/about*];〔…して/…ということを〕気の毒に思う [*to do* / (*that*)節] ∥ I'm *sorry* to hear that. それはお気の毒に《◆同情を表す他の表現に, That's a pity [shame]. / That's (too) bad. などがある》/ I'm *sorry* (*that*) you are ill. ご病気お察ししています / We are very *sorry* *about* your child. お子さんのことを非常にお気の毒に思います / I felt really *sorry* *about* what had happened to her. 彼女があんなことになってほんとうに気の毒に思った / I was *sorry* that she 「*should be* [*was*]」 ill just then. 彼女がその時病気だったとはお気の毒でした.
3 [補語として] 残念に思って, 遺憾に思って(regretful);〔…することを/…ということを〕残念に思う [*to do* / (*that*)節] ∥ I'm *sorry* I can't come. 行けなくて残念です《=(正式) I regret to say I cannot come. =I wish I could come.》/ I'm *sorry* (*to say so*), *but* you are wrong. 遺憾ながら「こう言っては思いいれが」あなたは間違っています.
4(正式)[名詞の前で] みじめな, 哀れな, 気の毒な;下手な, くだらない ∥ a *sorry* performance 下手な演技 / a *sorry* sight 悲惨な光景 / a *sorry* attempt むだな試み / in a *sorry* state (of affairs) みじめな状態で.

I'm sórry. (1)(とんだことをしてしまって) すみません, ごめんなさい(→**1**; 匡**1**, **2**). (2) → **2**, **3**.

[語法]
(1) 親しい間柄では I'm はよく省略する.
(2) 日常の儀礼的ないいさつとしては日本語の「すみません」とほぼ同様に用いられるが, 責任の所在を問われるような重大な場面では, 真に自分の過失や誤りを認めたときのみに用いる.
(3) 日本語の「すみません」と違って感謝の意味では使えない: "Would you like a cup of coffee?" "Thank you, please. [*×I'm sorry, please.*]"「コーヒーはいかがですか」「すみません, お願いします」
(4) 話し中にせきが出たり人にぶつかったりしたなどの場合, (米) では Excuse me. の方がふつう.

—間 **1**(略式)すみません ∥ Sorry!(↗) I've got the wrong number. すみません, 電話番号を間違えました / 対話 "Excuse me, would you tell me the way to the post office?" "*Sorry*, I'm a stranger here."「すみませんが郵便局への道を教えていただきたいのですが」「ごめんなさい, このあたりの者じゃないんです」.
2(主に英)[上昇調で]何とおっしゃいましたか.

[関連] 反復を求める言い方に, 丁重な方から I bég your párdon? (↗) / (米) Excúse me? / What did you say? (↗) / (主に英) Sorry? (↗) / (You) what? / Eh? などがある.

3(自分の発言を訂正して)すみません間違えました;(他人の発言を訂正して)失礼ですが ∥ "A belt of high pleasure — *sorry*, of high pressure …"「high pleasure おっと失礼 high pressure(高気圧)の帯が…」/ *Sorry*, *but* I think you've got the fact wrong. 失礼ですが, どうも誤解なさっているようです.

Sáy sórry to A. (主に英)〈人〉にすみませんとあやまってくれ.

*****sort** /sɔ́ːrt/(同音(英) sought)〖「運」が原義〗
—名 (複 ~s/sɔ́ːrts/) C **1**(主に英) 種類, タイプ; 性質, 品質 ∥ a new *sort* of car 新しい型の車《◆*sort* of に続く名詞はふつう無冠詞》/ *all sorts* of people =people *of all sorts* あらゆる種類の人たち / *this sort* of book =(略式) these *sort* of books 2 の種の本《◆種類も複数とみれば these *sorts* of books》/ cameras of an inferior *sort* 性能の悪いカメラ / What *sort* *of flower* [(通例) flowers, a flower] do you like best? どんな種類の花が一番好きですか / That's just the *sort* of thing I want. そういったものがちょうど欲しい / 対話 "Hey, listen to me. I saw a ghost last night." "Don't talk nonsense! I don't believe anything of that *sort*."「ちょっと聞いてよ. 昨夜幽霊を見ちゃった」「ばか言うなよ, ぼくはそんなものを一切信じないね」/ She is not my *sort*. 彼女は私と合うタイプの人ではない.
2(略式)[修飾語を伴って; 通例 a ~] 人(person) ∥ He is *a good sort*. 彼は感じのよい[信頼できる]人だ《◆悪い意味の形容詞(bad, mean など)と共起する時は否定文がふつう》/ It takes *all sorts* (to make a world). 世の中にはいろいろな(考え・性格の)人がいるものだ《◆時に他人の行動などを軽蔑(𝑘𝑒𝑖𝑏𝑒𝑡𝑠𝑢)して》.

a sórt of A 《◆ A は無冠詞の単数名詞だが(略式)では a を付けることがある》(1) …の一種 ∥ a *sort* of wine ワインの一種. (2)(主に英)…のようなもの, 一種の… ∥ As it were, he is *a sort of* foster parent [father]. いわば, 彼は育ての親だ.

of a sórt =*of sórts*(略式)たいしたものではない, おそまつな, 二流の ∥ a painting *of sorts* つまらない絵 / a meal *of sorts* おそまつな食事 / a politician *of a sort* へぼ政治家. (2) 一種の, ある ∥ Veterinarian is a doctor *of a sort*. 獣医は一種の医者だ.

óut of sórts(略式)(1)[通例 feel の後で] 気分がすぐれない, 元気がない ∥ feel a bit *out of sorts* ちょっと気分がよくない. (2) 憂うつで. (3) 機嫌が悪い, 怒って.

sórt of(略式)[動詞・形容詞・副詞の前で; 意味を弱めて] 多少, いくらか《(正式) somewhat》《◆しばしば /sɔ́ːrtə(r)/ と発音され, sorta, sorter とも書く. cf. KIND[1] of》/ I *sort of* [あいずちとして間投詞的に] まあね, なんということだ. (2) *sort of* expected it. そのことは多少予期していたな / I'm feeling *sort of* tired. ちょっと疲れた.

sortie

語法 否定文ではふつう用いないが、次のような場合は可能: Rebecca didn't *sort of* snickered; she positively guffawed. レベッカはちょっとくすくす笑いをしたのでなく思いきりゲラゲラ笑った.

—**動** 他 **1**〈物〉を〔…から〕分類[区分]する, えり分ける(+*out*, *over*, *through*)〔*from*〕‖ **sort** (**out**) letters [papers, documents] by date 手紙[書類,記録]を日付で仕分けする / *sort* the apples into good ones and bad ones リンゴを良品と不良品に分ける. **2**〔コンピュータ〕〈データ〉を(目的に合わせて)並べ換える, ソートする. **3**〈…〉を修理する.
—**自**《正式》[well, ill などと共に]〔…と〕調和する,〔…に〕似合う〔*with*〕.

sórt óut [他]《主に》→ 他1. (2)《主に英》〈問題・けんかなど〉を処理する, 解決する. (3)《英略式》〈陣容など〉を整える, …の立て直しをする, …を整理する. (4)《略式》[しばしば ~ oneself out]〈人・事が〉元の正常な状態に戻る. (5)《英略式》〈人〉を(暴力で)こらしめる, やっつける.

sor‧tie /sɔ́ːrtiː/ **名** C **1**〔軍事〕(被包囲陣地からの)出撃, 急襲. **2**〔軍事〕単機(爆撃)作戦任務. **3**《英略式》(未知の土地への)小(探検)旅行.

SOS /ésòuéss/ **名**（複 **~'s**）C **1** 遭難信号, エスオーエス《◆(1) 覚えやすく打電しやすいモールス符号(‥‥‥‥). (2) Save Our Souls [Ship] の略とするのは俗説. (3) 1999年2月1日から電子通信に移行した. 新しい救難システムは GMDSS》‖ send [an SOS [a Mayday (call)] 遭難信号を送る. **2**《略式》(一般に)危険信号.

so-so /sóusòu/《略式》**形** たいしてよくも悪くもない, まずまずの‖ The price is *so-so*. 値段はまあまあだ / 【対話】"How are you feeling?""Oh, (only) *so-so*."「気分はどうだい」「まあまあだよ」. —**副** まずまず(上手に, うまく), まあまあ.

sot‧tish /sɑ́tiʃ | sɔ́t-/ **形**《古》大酒飲みの, 飲んだくれの; (飲みすぎて)頭のぼけた.

sou /súː/ **名 1**〔歴史〕スー《フランスの旧5ないし10サンチームの銅貨》. **2**《略式》[a ~; 否定文で] 一文も(…ない) ‖ not worth *a sou* 一文の価値もない.

sou., Sou.《略》south(ern).

sou‧brette /suːbrét/《フランス》**名** C (喜劇やオペラに出る, 計略にたけ小生意気で色っぽい)小間使い, 侍女; その役の女優[歌手].

†**souf‧flé** /suːfléɪ | -́- /《フランス》**名** C U スフレ《卵黄・小麦粉・牛乳・チーズなどに泡立てた卵白を加え焼いたもの》.

sough /sáu, sʌ́f/《文》**動 自**〈風〉がヒュウヒュウ鳴る, ザワザワ音を立てる. —**名** C [通例 a ~](風の)ヒュウヒュウ[ザワザワ]いう音.

†**sought** /sɔ́ːt/ **動** seek の過去形・過去分詞形.

***soul** /sóul/（同音 sole）[「魂」が本義]
—**名**（複 **~s**/-z/）

I [魂・精神]

1 a C U 《肉体に対し》魂, 霊魂; 霊《◆ spirit よりも宗教的意味合いが強い. → heart **名 2 a**》《↔ body, flesh》‖ believe in the immortality of the *soul* 霊魂の不滅を信じる / A man's body dies, but his *soul* exists for ever. 人の肉体は滅びるが魂は永遠に存在する. **b** C 死者の魂, 亡霊 ‖ *souls* resting in heaven 天国に安らう魂 / pray for the *souls* of the dead 死者の魂(為)のために祈る. **2** U C 精神(力), 心(mind, heart) ‖ She worked on it with all her *soul*. 彼女はそれに精魂を込めた / He has no poetry in his *soul*. 彼

は詩情を解さない.
3 a U C (知性・知力に対し)(情と道徳性の総合としての)魂, 心の温かさと高潔さ ‖ a man with a great *soul* 偉大な魂を持った人. **b** C (芸術作品などにおける)熱情, 真情, 生気, 気迫 ‖ This painting [artist] lacks (in) *soul*. この絵[画家]には熱情が欠けている. **4** C (事物の)本質的の部分, 精髄, 生命 ‖ Brevity is the *soul* of wit. 〖Shak.〗簡潔は機知の精髄.

II [魂・精神の宿る人[もの]]

5 C 《正式》(運動・企画などの)中心人物, 指導者(leader) ‖ the (life and) *soul* of the party パーティーの中心人物, 人気者. **6** [the ~ of …] 《名詞》(徳性の)典型, 権化(ぜんか), 化身 ‖ She is *the* (*very*) *soul of* honor. 彼女は高潔そのものだ. **7** C **a**《主に文》[形容詞を伴って]…な人 ‖ an honest *soul* 正直者 / Poor *soul* (⤵), he has suffered terribly. かわいそうに, 彼はひどく苦しんだ. **b**《略式》[主に否定文で] 1人も(…ない), だれも(…ない) ‖ I won't tell a *soul* about this. このことはだれにも言うまい. **c**《文》[通例数詞を伴って; 通例 ~s] …人(ビと). **8** U =soul music. **9**《米略式》(特に soul music を通じて表現される)黒人魂, 黒人の民族意識[誇り].

bét *one's* **sóul** =bet one's boots(→ **boot**¹ **名**).

for the sóul of me =**for my sóul** [否定文で] 命にかけて, どうしても.

séll *one's* **sóul** (**to the dévil**) [金などのために]良心に反した行動をする, どんな犠牲をも払う〔*for*〕.

sóul fòod《米略式》(特に南部の)黒人の伝統的な料理[食べ物]《豚・子牛の小腸やサツマイモを多く用いる》.

sóul mùsic ソウル=ミュージック《ブルース・ゴスペルなどの混合した黒人音楽》.

soul‧ful /sóulfl/ **形** 感情[魂]のこもった; 悲しみでいっぱいの.

soul‧less /sóulləs/ **形 1**〈人が〉高貴な[繊細な]感情を欠いた, 卑しい. **2**〈仕事などが〉退屈な. **3**〈物などが〉魂のない, 無情な.

sound¹ /sáund/

—**名**（複 **~s** /sáundz/）**1** C U **音**, 音響, 響き; 物音; [the ~](テレビなどの)音量(volume)《◆耳障りな音は noise, 心地よい音楽的な音は tone》‖ the melodious *sound* of a piccolo ピッコロが奏でる美しい音色 / *at the sound of* the door opening ドアが開く音を聞いて / *Not a sound was heard*. 物音ひとつ聞こえなかった / The animal *made a* squeaking *sound*. その動物はキーキー鳴いた.
2 [a/the ~](声・言葉・手紙などの)調子, 感じ, 聞こえ ‖ a sad *sound* 悲しげな調子[声] / His voice has *a* worried *sound*. 彼の声には当惑した響きがある.
3 C U 〔音声〕音(ホン), 音声 ‖ a vowel [consonant] *sound* 母[子]音. **4** C U 騒音, 騒ぎ, ざわめき. **5** U《文likki》聞こえる範囲 ‖ *within* [*out of*] (*the*) *sound of* the waves 波音の聞こえる[聞こえない]所に.

—**動**（**~s** /sáundz/; **過去・過分** **~ed** /-id/; **~ing**）
—**自 1** [sound C] C のような音がする, C に聞こえる, (聞いたり読んだりして) C に思われる(seem)《◆ C は名詞・形容詞・前置詞句または like, as if に導かれる句・節》‖ That *sounds* interesting to me. (聞いたところ)それは面白そうだ / 【対話】"Why don't you go to the Chinese restaurant?""*Sounds* great. Let's go."「中華料理店に行きませんか」「いい

ねえ, 行こう」《◆このように It を省略して Sounds ... ということも多い》/ She didn't *sound* in high spirits. 彼女は意気盛んなようには見えなかった / That **sounds like** a train. それは列車の走るような音だ / ***It sounds as if*** [though] the government doesn't know what to do. 政府もなすすべがないようだ《◆It *sounds* [looks] as if ... 構文では, 仮定法よりも直説法がふつう》/ If he agrees, it *sounds* likely *that* she will, too. 彼が承知すれば彼女も承知するように思われる. **2** 〈鐘などが〉**鳴る**, 響く ‖ The bell *sounded*. 鐘が鳴った.

—[他] **1** 〈人が〉〈ベル・らっぱなど〉を**鳴らす**, 吹き鳴らす ‖ *sound* a trumpet トランペットを吹く / *Sound* your horn. クラクションを鳴らせ. **2** 〈文字・音節〉を発音する; 〈警報など〉を発する ‖ *sound* a warning 警告を与える / The 'b' in 'debt' is not *sounded*. 'debt' の 'b' は発音しない. **3** …を(鐘・らっぱなどで)知らせる, 合図する; 〈賞賛など〉を響き渡らせる ‖ *sound* an alarm 非常警報を鳴らす. **4** 《正式》〈車輪・レールなど〉をたたいて調べる; 〈胸など〉を打診[聴診]する.

sóund óff [自]《略式》〔…について〕あからさまにいう, まくしたてる〔*about, on*〕‖ *sound off about* too much work 仕事が多すぎると不平をいう.

sóund bàrrier [the ~] =sonic barrier ‖ break *the sound barrier* 音速を越える.

sóund bòoth 防音室《聴覚の検査用》.

sóund bóx (楽器の)共鳴箱.

sóund effècts [複数扱い] 音響効果, 擬音.

sóund engineèr 《主に英》=sound mixer.

sóund mìxer 《米》音響技師(《主に英》sound engineer).

sóund múltiplex bróadcasting 音声多重放送.

sóund pollùtion 騒音公害.

sóund recòrding 録音.

sóund trùck (拡声器を備えた)宣伝カー.

sóund wàve 〔物理〕[通例 -s] 音波, 可聴波.

***sound**[2] /sáund/

—[形] (~·er, ~·est)

I [判断などがよい状態]

1 〈土台などが〉**しっかりとした**; (財政的に)堅実な, 安全な; **信用できる**, 確かな; 正しい, 理にかなった ‖ a *sound* idea 健全な考え / a *sound* company 堅実な会社 / *sound* judgment 正しい判断 / *sound* advice もっともな忠告 / He is *sound* on educational reforms. 彼は教育改革に関してしっかりとした意見を持っている.

2 〈権利などが〉有効な ‖ a *sound* title to property 有効な財産所有権.

II [体・心がよい状態]

3 〈身体・精神などが〉**健全な**, 健康な ‖ She is in *sound* health. 彼女は健康だ / ***A sound mind in a sound body.*** 〘「健全な身体に健全な心が宿りますように」という祈願が原義〙《ことわざ》健全な身体に健全な精神《◆教育の理想を述べた言葉》.

4 [通例名詞の前で] 〈睡眠が〉**深い**, 安らかで途切れない; [名詞の前で] 〈打撃などが〉徹底的な, したたかな ‖ have a *sound* sleep ぐっすり眠る.

III [物がよい状態]

5 〈物が〉**いたんでいない**, 傷のない, 腐っていない ‖ *sound* teeth 虫歯のない歯.

—[副] (~·er, ~·est) [通例 ~ asleep] **ぐっすりと**, 十分に(soundly) ‖ He fell *sound asleep*. 彼はぐっすりと眠り込んだ.

sound[3] /sáund/ [動][他] **1** 〈海など〉の水深を(測鉛で)測る. **2** 〈人〉の意見・考えなどを打診する(+*out*) ‖ *sound* him [his idea] *out* on ... …について彼の考えを打診する.

sound·less /sáundləs/ [形] 音のしない, 静かな.

sóund·less·ly [副] 音もなく, 静かに.

†**sound·ly** /sáundli/ [副] **1** 堅実に, しっかりと. **2** ぐっすりと ‖ sleep *soundly* 熟睡する. **3** 激しく; まったく.

†**sound·ness** /sáundnəs/ [名][U] **1** 健全; 堅実. **2** (睡眠が)十分であること.

sound·proof /sáundprùːf/ [形] 防音の. —[動][他] …に防音装置を施す.

sound·track /sáundtræ̀k/ [名][C] (フィルムの縁にある)録音帯, サウンドトラック.

***soup** /súːp/ [発音注意] ([類音] soap /sóup/) 〘「(水・牛乳に)浸す」が原義〙

—[名] ([複] ~s/-s/) **1** [U] **スープ**《◆食事の最初に熱いまま出すのがふつう》‖ make vegetable *soup* 野菜スープを作る / various *soups* いろいろなスープ / (a) thick [rich] *soup* 濃いスープ《◆ ×dense soup は不可. → dense [表現](2)》/ ***eat*** [***have, take,*** ×drink] ***soup*** with a spoon スプーンでスープを飲む《◆スプーンは鉛筆を持つようにし皿の手前から向こうへすくう. カップに口をつけて直接飲むときは drink [sip] *soup* も可. どちらも音を立ててすするのは不作法とされる》. **2** 《主に米略式》[the ~] 濃霧.

in the sóup 《略式》困って; 身動きできなくて.

—[動][他]《◆次の成句で》.

sóup úp [他]《略式》(1) 〈エンジンなど〉の馬力をあげる; …を改良する. (2) 〈本など〉をもっと面白くする.

sóup kitchen (困窮者用の)スープ接待所, 無料食堂.

***sour** /sáuər/ [発音注意] ([類音] soar, sore /sɔ́ːr/) 〘「酸味を帯びた」が本義〙

—[形] (~·er/sáuərər/, ~·est/sáuərist/)

I [味がすっぱい]

1 〈果物などが〉**すっぱい**《◆不快感を伴うことが多い》(↔ sweet) ‖ This dish tastes too *sour*. この料理はすっぱすぎます / ***(as) sour as vinegar*** 酢のようにすっぱい.

2 〔農業〕〈土地が〉酸性の, 不毛の.

II [腐ってすっぱい]

3 〈牛乳などが〉(発酵して)すっぱくなった, 酸敗した; すえたにおい[味]がする ‖ *sour* milk (腐敗しかけて)すっぱい牛乳 / a *sour* smell すえたにおい.

III [すっぱくて不快な]

4 〈人・気質・表情・言葉などが〉**不機嫌な**, 気難しい, 意地悪な; 〈物事が〉不愉快な ‖ a *sour* remark [experience] 意地悪な言葉[不快な経験].

gò [tùrn] sóur (1) (酸敗して)すっぱくなる. (2) 《略式》〈物事が〉〔…にとって〕うまく行かなくなる, まずくなる, 悪くなる〔*on*〕. (3) 〈人が〉〔…に対する〕好み[関心]をなくす〔*on*〕.

—[動][他] **1** 〈物〉をすっぱくする, 酸敗させる ‖ Hot weather *sours* milk quickly. ミルクは暑い時には(腐って)すっぱくなりやすい(=Milk *sours* quickly in hot weather.). **2** 《正式》〈人・気質〉を気難しくする, ひねくれさせる; 〈物・事〉をまずくする ‖ Many years of hardship had *soured* him. 彼は何年もの苦労で気難しくなっていた.

—[自] **1** すっぱくなる. **2** 気難しくなる; まずくなる.

sóur crèam, 《英》**sóured crèam** サワークリーム《乳酸菌を加えて発酵させたクリーム. 料理用》.

sóur grápes 《略式》負け惜しみ(→ grape **1**).

sóur másh 《米》サワーマッシュ《モルトウイスキーの蒸留に用いられるブレンドされた麦芽汁》.

source /sɔ́ːrs/ (同音) (英) sauce) 〚「発生する起点」が本義. cf. surge〛
——名 (複 ~s/-iz/) C 1 (物・事の)源, 源泉, 源(直接の)原因;(植物・鉱物などの)産地 ‖ a major *source* of coffee コーヒーの主要産地 / the *source* of the engine trouble エンジン故障の原因 / at (the) *source* 源に[で] / The *source* of the infection has not been traced yet. 感染の源はまだ突き止められていない. **2** 水源(地) ‖ the *source* of this river この川の水源地. **3** [しばしば ~s] (情報などの)出所, 拠(り)所《◆人も含む》;原典, 典拠 ‖ Newspapers are a good *source* of information about what is going on in the world. 新聞は世界の出来事に関するすぐれた情報源である / consult original *sources* 原典を参照する.

sóurce bòok (歴史・文学などの)原典, 原本, 史料集.

sóurce còde [コンピュータ] =source program.

sóurce lànguage 起点言語《翻訳における原文の言語. cf. target language》.

sóurce prògram [コンピュータ] ソースプログラム《機械語に翻訳するためのもとになるプログラム》.

sour·ly /sáuərli/ 副 不機嫌に, 気難しく.

Sou·sa /súːzə/ 名 スーザ《**John Philip ~** 1854-1932;米国の作曲家・指揮者. 愛称 the March King(マーチ王)》.

souse /sáus/ 動他 **1** (略式)…を水浸しにする. **2** 〈魚などを塩[酢]漬けにする(+*in*). **3** (略式) [通例 be ~d] 酔っ払う.

✱south /sáuθ/ 冠 southern (形)
——名 [しばしば S~] [the ~] **1** 南, 南方, 南部(略 S, S, s.) (cf. east, north, west)《◆太陽・火・光などの象徴. 用例・語法その他は → east 名》.
2 a 南部地方;[the S~] (米) 南部(cf. Deep South);(南北戦争時の)南部諸州[同盟] (the Confederacy);第三世界. **b** [the S~] (英) (イングランドの)南部地方《Severn 川と Wash 入り江との線より南》.
——形 《◆比較変化しない》 [しばしば S~] [名詞の前で] **1** 南の, 南にある, 南部の(southern) (→ eastern 語法). **2** 南に向いた, 南へ行く;〈風が〉南から吹く《◆用例は → east》.
——副 [しばしば S~] 南へ[に], 南方へ[に];〈風が〉南へ《古》から)《◆(1) 比較変化しない. (2) 用例は → east》.

Sóuth África 南アフリカ《公式名 the Republic of South Africa(南アフリカ共和国). 首都 Pretoria》.

Sóuth América 南アメリカ(大陸), 南米.

Sóuth Carolína サウスカロライナ《米国南東部の州. 州都 Columbia. (愛称) the Free [Palmetto] State. (略) SC, (郵便) SC》.

Sóuth Chína Séa [the ~] 南シナ海.

Sóuth Dakóta サウスダコタ《米国中北部の州;州都 Pierre. (愛称) the Coyote [Sunshine] State. (略) SD, S.Dak., (郵便) SD》.

Sóuth Koréa 韓国《公式名the Republic of Korea(大韓民国). 首都 Seoul》.

Sóuth Póle (1) [the ~] 南極(点) (図) → earth》. (2) [the s~ p~] (磁石の)南極, S極.

Sóuth Séa Íslands [the ~] 南洋諸島.

Sóuth Séas [the ~] 南太平洋, 南洋;赤道以南の海洋.

South·amp·ton /sauθǽmptən, sauθǽmp-/ 名 サウスハンプトン, サウサンプトン《イングランド南部の海港》.

south·bound /sáuθbàund/ 形 〈船などが〉南へ向かう.

South·down /sáuθdàun/ 形 (英) (イングランド南部丘陵地帯(the South Downs)の;サウスダウン種の.

†**south·east** /sáuθíːst/ 名 **1** [しばしば S~] [the ~] 南東(略 SE). **2** [the S~] 南東部(地方)《◆英国ではロンドンを中心とする地域をさす》. ——形 [しばしば S~] **1** 南東の[にある]. **2** 〈風が〉南東から来る. ——副 [しばしば S~] **1** 南東へ[に]. **2** 〈風が〉南東から.

Sóutheast Ásia 東南アジア.

south·east·er /sàuθíːstər/ 名 C 南東からの強風.

†**south·east·ern** /sàuθíːstərn/ 形 (→ eastern 語法) **1** 南東の, 南東にある;南東部の. **2** 〈風が〉南東からの.

south·east·ward /sàuθíːstwərd/ 副 (米) 南東[に]に向かって. ——形 南東(へ)の;南東向きの. ——名 [the ~] 南東(方).

south·east·wards /sàuθíːstwərdz/ 副 (主に英) = southeastward.

†**south·er·ly** /sʌ́ðərli/ [発音注意] 形 **1** 南の;南への, 南方への(southward). **2** 〈風が〉南からの《◆*south* に比べ大体の方向をさす》 ‖ a *southerly* wind 南風. ——副 南へ[に], 南方へ[に];〈風が〉南から.

✱**south·ern** /sʌ́ðərn/ [発音注意] 〚→ south〛
——形 《◆比較変化しない》 [通例名詞の前で] (→ eastern 語法) [しばしば S~] **1** 南の, 南方の, 南にある ‖ Italy is in the *southern* part of Europe. イタリアはヨーロッパの南部にある(→ east 名 **1** 語法). **2** 南へ行く[向かう];南向きの. **3** 〈風が〉南からの. **4** 南部の;[S~] (米) 南部地方の ‖ *Southern* Europe 南ヨーロッパ / the *Southern* States (米国) 南部諸州.
——名 [S~] U (米) 南部方言.

Sóuthern Cróss [the ~] 南十字星.

Sóuthern Hémisphere [the ~] 南半球.

sóuthern líghts [the ~;複数扱い] 南極光(aurora australis).

south·ern·er /sʌ́ðərnər/ 名 C **1** 南部地方(生まれ)の人, 南国の人. **2** [S~] (米) 南部(生まれ)の人, 南部人.

south·ern·most /sʌ́ðərnmòust/ 形 (正式)最も南方の, 最南端の.

south·land /sáuθlænd/ 名 C **1** (詩) 南部地方, 南の国. **2** [S~] (米) 深南部(the Deep South).

south·paw /sáuθpɔ̀ː/ 名 C **1** (略式) [野球] 左腕投手, サウスポー(left-hander). **2** (米略式) (一般に)左利きの人, (英) 左利きのボクサー.

†**south·ward** /sáuθwərd/ 副 (主に米)南へ[に], 南方へ[に];南方に向かって. ——形 南(へ)の;南向きの. ——名 [the ~] 南(方).

south·wards /sáuθwərdz/ 副 (主に英) =southward.

†**south·west** /sáuθwést/ 名 [しばしば S~] [the ~] **1** 南西(略) SW). **2** 南西部(地方);[the S~] (米) 南西部地方《メキシコに隣接する New Mexico, Arizona, California 南部の地域》. ——形 [しばしば S~] **1** 南西の[にある]. **2** 〈風が〉南西から来る. ——副 [しばしば S~] **1** 南西へ[に]. **2** 〈風が〉南西から.

south·west·er /sàuθwéstər/ 名 C 南西からの強風.

south·west·er·ly /sàuθwéstərli/ 形 **1** 南西の;南西への;南西にある. **2** 〈風が〉南西からの. ——副 **1** 南西へ[に]. **2** 〈風が〉南西から.

†south·west·ern /sàuθwéstərn | -wéstn/ 形 **1** 南西の, 南西への; 南西部の(→ eastern 語法). **2** 〈風が〉南西の.

south·west·ward /sàuθwéstwərd/ 副 (米) 南西へ[に]; 南西に向かって. ── 形 南西(へ)の; 南西向きの. ── 名 [the ~] 南西(方).

south·west·wards /sàuθwéstwərdz/ 副 (主に英) =southwestward.

†sou·ve·nir /sù:vəníər, ⊥⊥/ 名 © [旅・出来事などの]記念品, みやげ(*of*, *from*); (忘れ)形見; (昔の)思い出 ‖ *a souvenir from* Hong Kong ホンコンのみやげ《◆場所の前では from がふつう》.

†sov·er·eign /sávərən | sɔ́v-/ 免音注意 名 © **1** (正式) 君主《emperor, king, queen など》; 主権者; 統治者, 支配者(↔ subject) ‖ Our present *Sovereign* is Queen Elizabeth II. 我々の今の君主はエリザベス女王2世だ. **2** (英古) ソブリン貨《旧1ポンド金貨》.
── 形 (正式) **1** 〈人が〉君主である, 王位の; 主権を有する ‖ *a sovereign* ruler 君主, 統治者. **2** 〈権力が〉最高の, 絶対の ‖ *sovereign* power 主権. **3** 〈国が〉自治を有する, 独立の, 自主の ‖ *a sovereign* state 独立国. **4** 〈事が〉最高の, 至上の, 重要な ‖ the *sovereign* good 至高善 / a point of *sovereign* importance 最も重要な点. **5** 容赦のない, まったくない [with [in]] (a) *sovereign* contempt この上なく軽蔑して. **6** [おおげさに] 〈薬が〉有効な ‖ *a sovereign* remedy for cancer 癌(がん)の特効薬.

†sov·er·eign·ty /sávərənti | sɔ́v-/ 名 (正式) **1** Ⓤ 君主であること; 主権, 統治権 ‖ the matter of national *sovereignty* 国家主権の問題. **2** © 独立国.

†so·vi·et /sóuvièt, sɑ̀- | sóuviət, sɔ́-/ 〖ロシア〗 名 **1** © (旧ソ連などの)評議会, 会議, ソビエト ‖ the Supreme *Soviet* (ソ連の)最高会議. **2** (米) [the Soviets; 複数扱い] ソ連の国民, ソ連政府. **3** (まれ) [the S~] =the Soviet Union.
── 形 [S~] ソビエト連邦の; ソ連国民の; 社会[共産]主義的な ‖ the *Soviet* bloc ソ連圏 / *soviet* ideas 共産思想.

Sóviet Rússia (1) =Russian Soviet. (2) (旧) ソ連(the Soviet Union)の通称.

Sóviet Únion [the ~] ソビエト連邦《正式名 Union of Soviet Socialist Republics ソビエト社会主義共和国連邦. ◆ USSR. 1991年解体》.

so·vi·et·ism /sóuvietìzm, sɑ̀- | sóuviət-, sɔ́-/ 名 Ⓤ ソビエト体制; 共産主義.

†sow /sóu/ 同音 sew, so/ (過去) ~ed/-d/, (過分) sown/sóun/ or ~ed) 他 **1** 〈人が〉〈種を〉[…に]まく, 〈植物〉の種を[…に]まく(*in*, *on*) (↔ reap); 〈土地〉に[…の]種をまく(*with*) ‖ *sow* seeds in spring 春に種をまく / We *sow* the garden *with* lettuce. = We *sow* lettuce *in* the garden. 私たちは庭にレタスの種をまく. **2** (正式) [比喩的に] 〈…の種を〉まく; 〈事を〉植える(spread); 〈不和を〉誘発する ‖ *sow* discord 不和の原因をつくる. ── 自 [しばしば比喩的に] 種をまく ‖ *As a man sows, so shall he reap.* (ことわざ) 種をまいたようにしか刈り取らねばならない; 「因果応報, 自業自得」(cf. reap 自 **2**).

sow·er /sóuər/ 名 © **1** 種をまく[植える]人. **2** 種まき機. **3** 流布する人, 扇動者.

†sown /sóun/ 同音 sewn) 動 sow の過去分詞形.
── 形 […の]植え付けられた, […をちりばめた(*with*).

soy /sɔ́i/ 〖日本〗 名 **1** Ⓤ しょうゆ《◆ soy(a) /sɔ́i(ə)/ sauce ともいう ‖ 日本発» Soy sauce is a type of Japanese condiment made from soy beans. The English word "soy" derives from the Japanese word *shōyu*. しょう油は大豆を原料とする日本の調味料の一種です. 英語の soy は日本語の「しょうゆ」からできた語です》. **2** © 大豆(soybean).

sóy cùrd 豆腐.

sóy mìlk 豆乳.

soy·bean /sɔ́ibìːn/ 名 © (植) ダイズ, ダイズの豆《◆ **soya bean** ともいう》.

sp. (略) space; species; specimen; spelling.

Sp. (略) Spain; Spaniard; Spanish.

spa /spɑ́ː/ 名 © 鉱泉, 温泉 ‖ a health *spa* (減量・健康維持のための)ヘルスセンター《◆ **health centre** は (英) 「保健所」》.

✱space /spéis/ /「何もない空間」が本義》 関連 spacious (形)
── 名 (複 ~s/-iz/)
I 空間
1 Ⓤ 空間 ‖ time and *space* 時間と空間 / look up into *space* 空(くう)を見上げる.
II 物理的な空間
2 Ⓤ 宇宙, 宇宙空間; [形容詞的に] 宇宙の ‖ *space* travel 宇宙旅行 / The rocket was launched *into space*. ロケットが宇宙に打ち上げられた.
3 ⒸⓊ [通例複合語で] 〈…の/…するための〉場所; 座席; Ⓤ 余地, 余白; 紙面(for / to do); [しばしば ~s] 空いた土地 ‖ open *spaces* 空地 / fill in the blank *spaces* on the form 用紙の空欄に書き入れる / Is there (enough) *space* to park a car (in)? 車をとめる余地がありますか / This table takes up too much *space*. このテーブルは場所を取りすぎる.
4 ⒸⓊ 間隔, 距離, スペース ‖ Leave a *space* after that word. その語のあとにスペースを置きなさい.
5 © (印刷) スペース《語間などの詰め物》; 字間, 語間, 行間; (音楽) 線間(図 → music).
III 時間という空間
6 [a/the ~] 時間, 期間; [a ~] しばらくの間; Ⓤ (テレビ・ラジオ) コマーシャルの時間 ‖ *for a [the] space of* five years 5年間 / The irises wilted in [during, within] *the space of* a day. アイリスは1日でしぼんだ《◆in a day のほうがふつう》.
── 動 (spac·ing) 他 〈物を〉一定の間隔に置く[配置する]; 〈事を〉一定間隔で行なう; 〈活字の語間[字間]〉をあける(+out); **2** (米) spread) 〈花を〉等間隔に並べる ‖ *space* the flowers *out* evenly 花を等間隔に並べる.

spáce bàr スペースバー《タイプライターで字間をあけるときに打つ横棒》.

spáce kèy 〖コンピュータ〗スペースキー.

spáce plàtform =space station.

spáce pròbe 宇宙探査用ロケット.

spáce science 宇宙科学.

spáce shìp =spaceship.

spáce shùttle [しばしば S~ S-] 宇宙連絡船, スペースシャトル.

spáce stàtion 宇宙ステーション.

spáce wàlk 宇宙遊泳(をする).

†space·craft /spéiskræft | -krɑ̀ːft/ 名 (複 **space·craft**) © 宇宙機, 宇宙飛行体 (spaceship).

†space·ship /spéiʃìp/, **spáce shìp** 名 © (有人)宇宙船 ‖ *Spaceship* Earth 宇宙船地球号.

spac·ing /spéisiŋ/ 名 **1** Ⓤ 間隔をあける[とる]こと. **2** © (文字・行などの)間隔.

†spa·cious /spéiʃəs/ 形 広々とした, 広い ‖ *a spacious* room 広々とした部屋.

spá·cious·ly 広々と.

†**spade**[1] /spéid/ 名 1 鋤(すき), 踏み[手]ぐわ(cf. shovel) ‖ dig the garden with a *spade* 踏みぐわで庭を掘る. 2 鋤の刃2column分の深さ(spit) ‖ ditches two *spades* deep 2くわの深さのみぞ.
cáll a spáde a spáde (略式)ありのまま言う, 歯に衣着せずに言う(speak plainly).

spade[2] /spéid/ 名 C 1 〖トランプ〗スペード; [~s; 単数・複数扱い] スペードの1組 ‖ the ten of *spades* スペードの10. 2 〖C〗 (俗)やつ(侮蔑) 黒人.

spa·ghet·ti /spəɡéti/ 〖イタリア〗 〖U〗 スパゲッティ (cf. pasta, macaroni).

***Spain** /spéin/
——名 スペイン《◆別称 (文) Hispania. 首都 Madrid. 形容詞は Spanish. cf. Spaniard》.

spam /spǽm/ 名 〖U〗〖コンピュータ〗スパム《宣伝・勧誘を目的としたジャンクメール》; 迷惑メール.

†**span** /spǽn/ 名 C 1 (ある一定の, 短い)期間, (時間)の長さ, (力の及ぶ)範囲 ‖ one's [the] allotted *span* (正式) 人の寿命《70年》 / our brief *span* of life はかない一生 / over a *span* of 5 years 5年間にわたって. 2 全長, さしわたし; 全期間[範囲] ‖ the *span* of a bridge 橋の全長 / a life *span* 寿命, 一生 / the whole *span* of Roman history 全ローマ史. 3 〖建築〗 (橋の)径間(けいかん), 張間《迫台(せりだい)間の距離》 ‖ a bridge with [of] four *spans* 4径間の橋. 4 〖航空〗翼幅, スパン.
——動 (過去・過分) **spanned**/-d/; **span·ning** 他 (正式) 1 〈橋が〉〈川〉にかかっている, 〈人が〉〈川〉などに[橋]をかける〔with〕; 〈虹(にじ)が〉〈空〉にかかる ‖ A bridge *spans* the river. 川に橋がかかっている(=There is a bridge over [across] the river). 2 …を指[手]で測る; …を目測する. 3 …に及ぶ; …を補う, …の橋渡しをする ‖ *span* the gap in our knowledge 知識不足を補う.

†**span·gle** /spǽŋgl/ 名 1 〖C〗 スパンコール, スパングル《舞台衣装などに付けるぴかぴか光る金銀・すず箔(はく)》. 2 〖C〗 ぴかぴか光る物《霜・雲母・星など》. ——動 他 〔通例 be ~d〕 〈衣装など〉を[…の]スパンコール[ぴかぴか光る物]を付けている〔with〕. 名 C (ぴかぴか光る物で)光っている〔with〕 (cf. star-spangled). ——自 ぴかぴか光る.

†**Span·iard** /spǽnjərd/ 名 C スペイン人《◆国民全体を表す場合は the Spanish》.

span·iel /spǽnjəl/ 名 C 1 〖動〗スパニエル《耳が長く脚の短い小[中]型犬. 愛玩(あいがん)・狩猟用》 ‖ the Japanese *spaniel* チン. 2 ごきげんとり.

***Span·ish** /spǽniʃ/ 〖→ Spain〗
——形 1 スペインの ‖ a *Spanish* dance スペインの踊り / Let's eat at the *Spanish* restaurant. あのスペイン料理店で食事をしましょう. 2 スペイン人[語]の.
——名 1 〖U〗 スペイン語 ‖ Is *Spanish* spoken in Mexico? メキシコではスペイン語が話されていますか. 2 [the ~; 集合名詞; 複数扱い] スペイン人[国民] (cf. Spaniard).
Spánish América スペイン語圏アメリカ《ブラジルなどを除く中南米諸国》.
Spánish Armáda [the ~] =armada 2.
Span·ish-A·mer·i·can /spǽniʃəmérikən/ 形 1 スペイン語圏アメリカの. 2 スペインとアメリカの.
——名 C スペイン語圏アメリカ住民の, (特に)スペイン系アメリカ人.
Spánish-Américan Wár [the ~] 米西戦争(1898年).

†**spank** /spǽŋk/ 動 他 〈子供のしりなど〉を(罰として)たたく, ピシャリと打つ. 2 〈波が〉〈舷(げん)側〉をひたひたと打つ. ——名 C 平手[スリッパ]でたたくこと, 平手打ち (slap, smack); ぴしゃりと打つこと.

spank·er /spǽŋkər/ 名 1 〖C〗 (略式)すばらしい人[物], 傑物. 2 〖C〗 駿馬(しゅんめ); (米)スポーツカー.

span·ner /spǽnər/ 名 〖C〗 (英)スパナ, レンチ《(米) wrench》 ‖ a box *spanner* (英)箱スパナ《(米) socket wrench》.

†**spar**[1] /spάːr/ 名 〖C〗 1 〖海事〗円材, スパー《boom, gaff, mast, yard などの総称》. 2 〖航空〗(胴体の)翼桁(けた).

spar[2] /spάːr/ 動 (過去・過分) **sparred**/-d/; **spar·ring** 自 1 〖ボクシング〗スパーリングする. 2 〈人と〉悪口を言い合う, 口論する〔with〕.
spárring màtch 〖ボクシング〗スパーリング(sparring); 論戦.
spárring pàrtner (1) 〖ボクシング〗スパーリング=パートナー. (2) (略式) (仲のよい)議論仲間.

***spare** /spéər/ 〖類音〗spar〗 〖「使うのを控える」が本義. cf. speed〗
——動 (~s/-z/; 過去・過分) ~d/-d/; **spar·ing** /spéəriŋ/)
——他

I [時間・手間をかけない]

1 [spare A B =spare B for A] 〈人が〉A〈人に〉 B〈物・事〉を取っておく, 与える; 〈人が〉(…のために) Bを割く〔for〕 ‖ Could you「*spare* me a few minutes [*spare* a few minutes *for* me]? 少し時間をいただけないでしょうか / I can't *spare* the time *for* the dinner party. 晩餐(ばんさん)会に出席する時間がとれない.

2 (略式) 〈人・物・事〉を〈人に〉与える ‖ I can't *spare* her today. 今日は彼女がどうしても必要だ.

3 [spare A B] 〈人が〉 A〈人に〉 B〈苦労などをかけないように気を配る, 与えないでおく ‖ *spare* you the trouble 君に手数[めんどう]をかけないようにする《◆(1)受身形で You are *spared* (from) the trouble. がふつう. (2) ×*spare* the trouble to you の型は不可》 / *spare* Bill's feelings ビルの感情を傷つけないようにする.

4 [通例疑問文・否定文で] 〈人が〉〈物・事〉を〈惜しんで〉費やす, 節約[倹約]する ‖ The police *spared* no effort(s) in searching for the missing girl. 警察は行方不明になっている女の子の捜索に労を惜しまなかった.

5 (文) 〈人・命〉を助ける, 助命する, 容赦する; …に気を配る ‖ I'll *spare* you this time. 今回は大目に見よう / *spare* him his life =*spare* him =*spare* his life 彼の命を助ける / if I am *spared* (神の御加護で)まだ生きていれば.

… enóugh and to spáre あり余るほどの…《◆ enough … and to spare = 有り余》 ‖ money enough and to *spare* あり余る金.

Spáre mè. 放っておいてくれませんか, 今はかんべんしてください, 話は後で.

spáre oneself 〖通例否定文で〗労を惜しむ.

… to spáre 余分の… ‖ time [money] to *spare* 自由に使える時間[金] / with two minutes to *spare* 2分余して.

——形 1 〖名詞の前で〗予備の, 備えの; 余分の《◆比較変化しない》 ‖ a *spare* room (米)客間; (英)予備の客用寝室 / *spare* clothes 着換用衣服 / *spare* parts (英)交換部品. 2 〖名詞の前で〗〈時間が〉あいた, 手すきの《◆比較変化しない》 ‖ in one's *spare* time 余暇時間に. 3 (略式) 〈席などが〉あいた, 空席

の. **4** 〔文〕〈人が〉(ぜい肉がなく)やせた, ほっそりした(↔ fat); 〈手・脚の〉細長い. **5** 〔文〕簡潔な. **6** 〔正式〕〔名詞の前で〕質素な; 切り詰めた ‖ a *spare* meal 簡素な食事.
— 名 © **1 a** (一般に)予備品. **b** =spare tire. **c** =spare man. **d** (英) 〔しばしば ~s〕=spare part. **2** (米)〔ボウリング〕スペア(の得点)(cf. strike).
spáre mán 補欠選手.
spáre párt 予備[交換]部品.
spáre tíre [(英) týre] スペアタイヤ; (略式)太鼓腹, 中年太り ‖ get a *spare tire* 太鼓腹になる.
spare·rib /spéərrìb/ 名 [~s] スペアリブ《豚の肉付きあばら骨》. (図) → pork).
†**spar·ing** /spéəriŋ/ 動 → spare. — 形 **1** 〔正式〕質素な; (…を)節約[倹約]する《*of, with, in*》(↔ unsparing) ‖ *sparing with* butter バターを使いすぎない / *sparing of* praise ほめすぎない / You should be *sparing in* your use of salt. 塩は控えなにすべきだ. **2** 〔~で〕乏しい, 少ない《*in, of*》‖ *sparing in* speech 口数が少ない.
†**spar·ing·ly** /spéəriŋli/ 副 節約して, 控え目に.
†**spark** /spáːrk/ 名 © **1** 火花, 火の粉 ‖ *Sparks* flew up from the fire. 火の粉が舞い上がった / make the *sparks* fly [比喩的に](議論に)火花を散らす. **2** 〔電気〕電気火花, スパーク(electric spark). **3** 生気, 活気 ‖ the vital *spark* 命, 生気. **4** (才知の)ひらめき; (宝石・目などの)輝き ‖ a *spark* of genius 天才のひらめき. **5** 〔通例 not a ~〕少しも(もない), 微塵(なん)も(ない) ‖ She doesn't show a *spark* of interest in the game. 彼女はそのゲームにはまったく関心を示さない.
— 動 ⓘ **1** 火花を散らす, 閃光を発する(+*off, out*). **2** 〔電気〕スパークする. **3** …が輝く.
— ⓣ **1** …への導火線[引き金]となる, …を引き起こす(+*off*) ‖ *spark* (*off*) a revolt 反乱の口火を切る. **2** …を刺激して〔…〕させる《*to, into*》.
spárk còil (電気)点火コイル.
spárk [(英) **spárking**] **plúg** 点火プラグ.
†**spar·kle** /spáːrkl/ 名 ⓒ ⓤ **1** 火花, 火の粉. **2** 輝き, きらめき, 閃(き)光 ‖ the *sparkle* of a diamond ダイヤの輝き / the *sparkle* of her eyes 彼女の燃えるようなまなざし. **3** 活気, 生気; 才気. **4** (ワインなどの)泡立ち, 発泡. — 動 ⓘ **1** 火花を発する(glitter)(+*out, forth*) ‖ The fireworks *sparkled*. 花火がパチパチと火花を散らした. **2** 〈宝石・星・目などが〉輝く, きらめく(◆ glitter の方が明るい.「暗やみを通して輝く」は glimmer, twinkle) ‖ The diamonds *sparkled* in the sunlight. ダイヤが日の光を浴びてきらきらと輝いた. **3** 〈才気などが〉ほとばしる, 異彩を放つ; 〔…で〕光る, 輝く《*with*》‖ His conversation *sparkles with* humor. 彼の会話はユーモアに富んでいる.
spark·ler /spáːrklər/ 名 ⓒ **1** 異彩を放つ人, 才人; 美人. **2** (俗)[~s] 宝石, ダイヤモンド(◆ 犯罪者の間でいう).
spar·kling /spáːrkliŋ/ 形 **1** 火花を発する[散らす], スパークする. **2** きらめく, 輝く; まばゆい. **3** 生気[活気]のある; ひらめく. **4** 発泡性の(↔ still).
†**spar·row** /spǽrou/ 名 ⓒ スズメ(◆ ふつうイエスズメ(house sparrow)を指す) ‖ *Sparrows* are chirping [twittering] in the garden. スズメが庭でさえずっている.
†**sparse** /spáːrs/ 形 **1** 〔正式〕まばらな; 〈人々が〉少ない; 〈植物が〉点在する(↔ dense). **2** 貧弱な, 乏しい.
sparse·ly /spáːrsli/ 副 まばらに, ちらほらと ‖ a *sparsely* populated area 過疎地.
†**Spar·ta** /spáːrtə/ 名 スパルタ(◆ アテネと並ぶ古代ギリシアの都市国家. 兵士の厳格な規律・訓練で有名. Lacedaemon ともいう).
Spar·tan /spáːrtn/ 形 〔時に s~〕**1** (歴史)(古代)スパルタ住民の. **2** 〔正式〕スパルタ風[式]の; 厳格な, 勇敢な; 簡素な ‖ *Spartan* courage 勇猛果敢.
— 名 ⓒ スパルタ住民; 質実剛健な人.
Spár·tan·ism 名 ⓤ スパルタ式[主義].
†**spasm** /spǽzm/ 名 **1** ⓤ ⓒ (医学)(筋肉の)けいれん, ひきつり. **2** ⓒ 〔通例 a ~ / ~s〕(感情などの)発作; 激発; (努力などの)突発的衝動《*of*》‖ a *spasm* of coughing せき込み.
spas·mod·ic, -i·cal /spæzmάdik| -mɔ́d-/ 形 **1** 〔医学〕(筋)けいれん性の ‖ *spasmodic* asthma 喘(ぜん)息. **2** 発作的な, 突発の ‖ *spasmodic* rage 激怒. **3** 長続きしない, 断続的な. **4** とりとめのない, むらのある.
†**spat**[1] /spǽt/ 名 ⓒ **1** (略式)(ちょっとした)けんか, 口論. **2** (方言)平手打ち; パシッと打つ音.
— 動 (過去・過分) spat·ted /-id/; spat·ting ⓘ (米略式)(ちょっとした)いさかい〔言い争い〕をする.
spat[2] /spǽt/ 動 spit[1] の過去形・過去分詞形.
spat[3] /spǽt/ 〔spatterdash の短縮語〕名 ⓒ 〔通例 ~s〕スパッツ《靴の甲と足首の少し上までを覆う短いゲートル》.
spate /spéit/ 名 **1** ⓤ ⓒ (主に英)大雨, 豪雨; 洪水, 大水(flood). **2** (主に英)〔a ~〕多数, 多量. **3** 〔通例 a ~〕(感情の)激発, ほとばしり.
spa·tial /spéiʃəl/ 形 〔正式〕空間の, 空間的な(cf. temporal).
†**spat·ter** /spǽtər/ 動 ⓣ **1** [spatter A with B = spatter B on〔onto, over〕A]〈人・物に〉A〈人・物〉に B〈泥・水など〉をはねかける((主に米)+ *up*)‖ The car *spattered* us with mud. =The car *spattered* mud *on* us. 車が私たちに泥をはねかけた. **2** …に〔…を〕撒(さ)く《*with*》; …に降り注ぐ ‖ *spatter* the ground *with* water 地面に水をまく. **3** 〈人に〉[悪口などを]浴びせる《*with*》‖ *spatter* him *with* disgrace 彼の名声を傷つける.
— ⓘ 〈油・水などが〉はねる, 飛び散る; 〔…に〕はねかる, 降り注ぐ《*on*》. **2** 口角泡を飛ばす.
— 名 ⓒ **1** はね(かけ), 飛び散り; 〔通例 ~s〕はねた物. **2** 雨音, 銃声; パラパラ, バーンバーン(いう音). **3** 〔通例 a ~〕少量, 少数.
spat·u·la /spǽtʃələ| spǽtju-/ 名 ⓒ (調理用の)へら.
†**spawn** /spɔ́ːn/ 名 ⓤ 〔集合名詞〕(魚・カエル・カキなどの)卵, はらこ ‖ shoot *spawn* 卵を産むむ.
— 動 ⓣ **1** 〈魚・カエル・カキが〉〈卵〉を産む. **2** (略式)〈物〉を多量に産む. — ⓘ **1** 〈魚・カエル・カキなどが〉卵を産む. **2** 生まれる.

‡**speak** /spíːk/ 〔「言葉を発する」が本義で, 短い話から長い話まであらゆる種類の発話に用いられる. cf. spark〕派 speaker (名), speech (名)
— 動 ⟨~s/-s/; (過去) spoke /spóuk/, (過分) spo·ken /spóukn/; ~·ing⟩ ⓣ
— ⓘ

I 〔人が声を出して話す〕

1 〈人が〉話す, しゃべる, 物を言う, 口をきく ‖ *speak* clearly はっきりと話す / *speak* from 〔without〕 notes メモを見ながら〔メモなしで〕話す / Please *speak* more slowly. もう少しゆっくり話してください / After their fight, they are not *speaking* to each other. (略式)けんかのあと彼らはお互いに口をきいていな

い / 《対話》 "*Who's speaking, please?*" "It's Mike." 《電話で》「どちらさまですか」「マイクです」/ "Hello! May I *speak* to Mary?" "*Speaking.*" 《電話で》「もしもし, メリーさんはいらっしゃいますか」「はい, 私です」/ 《ジョーク》"John has a bad cold and can't come to school today." "Who is this *speaking?*" "This is my dad *speaking.*" 「ジョンがひどいかぜで, 今日は学校には行けません」「どちら様がお電話をおかけでしょうか」「ぼくのお父さんです」.
2 〖人が〗〘…について〙**演説をする**, 講演する(make a speech) 〔*on, about*〕‖ *speak on* [*about*] modern art 近代美術について講演する《◆ふつう専門的な内容には on, 一般的な内容は about》/ *speak* to a women's group *on* "the generation gap" 女性のグループに「世代の断絶」について講演する.

Ⅱ [物が音を出す]

3 〈楽器・銃が〉鳴る;〈犬が〉〘…をもらうために〙ほえる 〔*for*〕‖ The guns *spoke* sharply. 銃が鋭い音を立てた.

Ⅲ [物が何かを表す]

4 《正式》〈表情・写真・行動などが〉〈事実・感情などを〉**物語る**, 表す, 示す〔*of*〕‖ The picture *speaks.* その写真はすべてを物語っている / His face *speaks of* suffering. 彼の顔は苦しみを物語っている.

―他 **1** 〈人が〉〈言葉〉を**話す**;〈事実・意見などを〉言う, 述べる《◆ say と違って話す内容を that節で示すことはしない》‖ *speak* the truth 真実を語る / *speak* sense 分別のあることを言う / *speak* one's mind 思うことをはっきり言う / She *spoke* a few words to us. 彼女は私たちに二言三言いった.

2 〈人が〉〈ある言語〉の**話し手である**, 使い手である《◆進行形不可》‖ What languages do they *speak* in India? = What languages are *spoken* in India? インドでは何語を話しますか.

cléarly spéaking〘通例文頭で〙はっきり言えば(➡文法13.5).

***génerally** [**róughly**] **spéaking**〘通例文頭で〙一般的に言って, 概して, 大ざっぱに言えば《◆ speaking を略すことが多い》(➡文法13.8) ‖「*Generally speaking* [*Speaking generally*], men are stronger than women. 概して男性は女性よりも筋骨たくましい.

***nót to spéak of A** …は言うまでもなく(➡文法11.3(3)) ‖ She is fluent in three languages, *not to speak of* her mother tongue. 彼女は自分の母語はもちろんのこと, 3か国語が流暢だ.

***so to spéak** [**sáy**]〘略式〙いわば(as it were)《◆耳新しい言い方などに対して気が引けるような場合に挿入的に用いる》(➡文法11.3(3)) ‖ He is, *so to speak*, a second Christ. 彼はいわばキリストの生まれ変わりだ.

***spéak abóut A** (1)〈人・事〉について話す《◆受身可》‖ She *spoke about* her old father. 彼女は年老いた父親のことを話した. (2) ➡⦿ **2**.

spéak agàinst A〈人・事〉に反対を唱える.

spéak for A (1)〈人〉を弁護[支持]する;〈事〉に賛成する‖ *speak for* the plan その計画に賛成する. (2)〈人・グループ〉を代表[代弁]する‖ *speak for* us at the meeting 会合で我々の代弁をする. (3)〈物〉を要求する(ask for), 〈物〉を求めて演説する. (4)〘通例 be spoken〙予約[注文]されている《◆比喩的に人にも用いる》.

spéak for onesélf (1) 自分の弁護をする. (2)〘略式〙[~ for yourself; 命令形で]〈他人のことについ

て〕勝手なことを言わないでくれ, 自分のことだけ言え. (3) [~ for itself [themselves]]で〕〈物・事が〉はっきりと証している‖ The facts *speak for themselves*. その事実はおのずから明らかだ(これ以上注釈の必要はない).

spéak híghly〘やや正式〙**wéll of A**〈人〉のことをよく言う, ほめる《◆今では praise などのほうがふつう》‖ The teacher is「*well spoken* [*やや稀* *spoken well*] *of* by his students. その先生は学生の間で評判がよい(=He is spoken of as a good teacher among his students.).

spéak íll for A〈物・事が〉〈人・事〉が悪いことを証明する.

spéak íll〘米・英式〙**bádly] of A**〘やや正式〙〈人〉のことを悪く言う, けなす(say bad things about) ‖ You should never *speak ill of* the teacher. あなたは決して先生の悪口を言ってはいけません.

spéaking of A …のことだが, …と言えば(➡文法13.8).

***spéak of A** (1)〈人・事〉に関して話す[言う], …に言及する《◆通例 of はやや堅い言い方で「軽く言及する」, about は「詳しくいろいろ話す」の含意がある》‖ The senator *spoke of* the horrible massacre. 上院議員は恐ろしい大量虐殺に言及した. (2) → ⦿ **4**.

spéak óut [**úp**] [自] (1) 大声で話す, はっきり話す‖ *Speak up*, we can't hear you. 大きな声で話してください, 聞こえません. (2) 思いきって[率直に]意見を述べる. (3)〘…を支持[弁護]して/…に反対して〙述べる〔*for/against*〕‖ *speak out against* [*for*] the new law 新しい法律に反対[賛成]する.

***spéak to A** (1)〈人〉と**話をする**《◆短い会話にも長い会話にも用いる》(《主に米》speak with)) ‖ Hello, may I *speak to* Mr. Smith? もしもしスミスさんをお願いします. (2)〈人〉に**話しかける**(→⦿ **2**)(《主に米》speak with)) ‖ I've never been *spoken to* like that. そんなふうに話しかけられたのは初めてだ. (3)《略式》〘遠回しに〙〈人〉をしかる. (4)《正式》〘委員会などで〙〈問題など〉について意見を述べる. (5)〈人〉に〘…について/…するよう〙promise する(*about / to* do). (6)〈物・事が〉〈人・人の心〉に訴える. (7)〈考えなど〉を支持する.

spéak wéll for A〈物・事が〉〈人・事〉がよいことを証明する‖ It *speaks well for* him that he always does his homework. 彼がいつも宿題を忘れないということは彼がよく勉強する証拠だ.

strictly spéaking〘文全体を修飾〙(➡文法13.8) (1) 厳密に言えば‖ Spiders are not, *strictly speaking*, insects. クモは厳密には昆虫ではない. (2) 規則によれば‖ *Strictly speaking*, you cannot come in if you are not a member. 規則では, 会員でない人は入場できません.

to spéak of〘否定文で前の(代)名詞を修飾して〙とりたてて言うほどの‖ Our country has no natural resources *to speak of*. 我が国にはこれといった天然資源がない.

***speak·er** /spíːkər/ 〖→ speak〗
―名 (複 ~s/-z/) C **1** 話す人, 話し上手‖ She is a good English *speaker*. 彼女は英語をよく話す(=She speaks English well.). **2** 演説者, 弁士, 講演者;雄弁家‖ a good [poor] *speaker* 雄弁[訥(⁵)の]家. **3**〘通例 the S~〙(米・英の下院の)議長《米・英上院の議長は the President》‖ Mr *Speaker*! 〘呼びかけ〙議長. **4**《略式》拡声機.

†**speak·ing** /spíːkɪŋ/ 形 **1** 話す, 物を言う‖ a *speaking* voice 話し声 / a *speaking* engagement 口

約束. **2** 物を言うような, 表情豊かな, 生きているような ‖ a *speaking* gesture 感情をよく表している身ぶり. **3** [複合語で] …語を話す ‖ English-*speaking* countries 英語を話す国々.
── 名 話すこと; 談話, 演説, 弁論.

spéaking tùbe 通話管, 伝声管.

†**spear** /spíər/ 名 C **1** (戦闘用の)やり, 投げやり《◆競技用は javelin》‖ He killed a lion with a *spear*. 彼はライオンをやりで殺した. **2** 〈魚を突く〉やす, やす使い. ── 動 他 …をやり[やす]で突く[刺す].
── 自 〈船などが〉やりのように突き進む.

spéar càrrier 旗手; 指導者, 幹部.

spéar gùn 水中銃.

spear·head /spíərhèd/ 名 C **1** やりの穂先; やりのようにとがった物. **2** 〖正式〗[通例 a/the ~]〈攻撃・事業などの〉急先鋒(きゅうせんぽう); 先鋒者; 最先端. ── 動 他 〈◆正式〉…の先頭[陣頭]に立つ.

spear·man /spíərmən/ 名 (複 -men) C **1** 槍(やり)兵, やり持ち[使い]((PC) spear soldier, spearer). **2** 魚をやすで突く人, やす使い((PC) spearer).

spear·mint /spíərmìnt/ 名 U 〖植〗オランダハッカ, ミドリハッカ.

spec. (略) *specific; specification; specimen*.

:**spe·cial** /spéʃl/ 〖「種類」が原義. especial の頭字消失から. cf. *species*〗派 specialize (動), specially (副), specialist (名)
── 形 (more ~, most ~; 時に ~·er, ~·est)
I [普通に対して特別な]

1 [通例名詞の前で]〈普通は一般と違って〉特別の, 特別な; 格別の(particular)〈◆比較変化しない〉〈◆ general〉‖ *special* training やり込み訓練 / a *special* camera 特殊カメラ / Can you give me a *special* price? ちょっとおまけしていただけませんか(= Will you take less?) / ◆*special* discount の遠回し表現〉/ 〈対話〉"Mom, what are you cooking tonight?" "I'm making a *special* dinner."「ママ, 今夜は何を作っているの」「今夜は特別料理よ」.

2 [名詞の前で] 特別の; 臨時の〈◆比較変化しない〉‖ a *special* envoy 特使 / a *special* edition 臨時増刊号 / a *special* train 臨時列車(=an odd train).

3 [名詞の前で] 異例の, 例外的な, 並はずれた〈◆ especial は堅い語〉‖ a *special* friend of mine 私の大の親友 / She has a *special* fondness for sweets. 彼女は甘いものにはまったく目がない.

4 特定の〈◆比較変化しない〉‖ on a *special* day ある決まった日に.

II [専門の]

5 〖正式〗[通例名詞の前で] 特有の, 〈物・事が〉〈国などに〉独特の[to]; 専用の〈◆比較変化しない〉‖ Building dams is a *special* talent of beavers. ダムを造るのはビーバー特有の才能だ / It is my *special* chair. それは私の専用のいすだ.

6 専門の, 専攻の〈◆比較変化しない〉‖ It is her *special* field. それは彼女の専門分野だ / What is your *special* subject? あなたの専門科目は何ですか.
── 名 C **1** 特別[臨時]の人[物], **2** 特使; 特派員. **3** 臨時列車[バス]; 特別番組; 〈新聞の〉号外. **4** 〈米略式〉〈料理店自慢の〉特別料理; 買得品, 特価(品) ‖ Eggs are *on special* today. 今日は卵がお買得品です〈◆無冠詞に注意〉.

spécial delívery 〈米〉速達((英) express delivery)((略) SD).

Spécial Educátion 特殊教育〈身障者などを対象とした教育プログラム〉.

spécial efféct (テレビ・映画などの)特撮, 特殊(視覚)効果((略) SFX).

Spécial Fórces 〈米〉〖軍事〗特殊部隊.

spe·cial·ism /spéʃəlìzm/ 名 C U 専門(分野).

†**spe·cial·ist** /spéʃəlɪst/
── 名 (複 ~s/-ɪsts/) C **1**〈…の〉専門家; 専門医 [in, on] ‖ a heart *specialist* 心臓外科医 / a *specialist* in children's diseases 小児科医 / Professor Suzuki is a *specialist on* ancient history. 鈴木教授は古代史の専門家です. **2** [形容詞的に]専門的な ‖ *specialist* theaters 専門劇場.

spe·ci·al·i·ty /spèʃiǽlətɪ/ 名〈英〉=specialty.

†**spe·cial·i·za·tion** /spèʃəlɪzéɪʃn | -aɪzéɪ-/ 名 U **1** 特殊[専門]化; 〈意味の〉限定. **2**〖生物〗分化.

†**spe·cial·ize**, 〈英ではしばしば〉 **-ise** /spéʃəlàɪz/ 動 自 〈人などが〉〈…を〉専門にする, 専門に研究する, 専攻する[in]〈◆〈米〉では大学院以上のレベルに用い, 学部レベルでは major を用いる.〈英〉ではどちらも specialize を用いる〉〈店などが〉〈…を〉専門に扱う[in] ‖ *specialize in* East Asian history 東洋史を専攻する / That cinema *specializes in* foreign films. あの映画館は外国映画を専門に上映する.
── 他 **1** …を特殊[専門]化する. **2**〈意味など〉を限定する.

spe·cial·ized /spéʃəlàɪzd/ 形 特殊[専門]化した ‖ *specialized* knowledge [education] 専門知識[教育].

†**spe·cial·ly** /spéʃəli/〖→ special〗
── 副 **1** 〈用途・目的に合わせて〉特別に; 特に, わざわざ (on purpose)〈◆(1)「同種の中で特に」の意では especially の方がふつう. (2)「特に」「わざわざ」の意では比較変化しない〉‖ I made this *specially* for you. 特にあなたのためにこれを作りました. **2**〈略式〉格別に, 並はずれて (exceptionally)〈◆比較変化しない〉‖ It is not *specially* hot today. 今日は格別に暑いというわけではない〈◆ especially も用いる〉.

†**spe·cial·ty** /spéʃlti/〈◆**1**, **2**は〈英〉ではふつう speciality〉 名 C **1** 専門, 専攻; 本職; 得意 ‖ *make a specialty of* … …を専門にする / My *specialty* is Latin. 私の専門はラテン語です(=I specialize in Latin). **2** 〈店などの〉名物, 得意料理; 特製[産]品; 高級専門品 ‖ What is your *specialty* [the *specialty* of the house]? この店の自慢料理は何ですか. **3** 〈人・物の〉特徴, 特色, 特質.

spécialty shòp 〈高級〉専門店.

†**spe·cies** /spíːʃiːz/ 名(複 ~) C **1** 〖生物〗(分類上の)種(しゅ)(→ classification **3**) ‖ a new [different] *species* of butterfly 新種[異種]のチョウ / an endangered *species* 絶滅の危機にさらされている種 / *Origin of Species* 『種の起源』(C. Darwin の著書). **2** C 〈略式〉種類(kind) ‖ a new *species* of typewriter 新型のタイプライター. **3** 〖正式〗[the/our ~] 人類(mankind).

***spe·cif·ic** /spəsífɪk/ (アクセント注意) 派 specifically (副)
── 形 **1** [名詞の前で] 特定の, 一定の〈◆比較変化しない〉〈↔ general〉‖ a *specific* sum of money 一定の金額. **2** 〈…の点で〉明確な, はっきりとした, 具体的な[in] ‖ *specific* instructions 具体的な指示 / She has no *specific* aim in life. 彼女は人生のはっきりとした目的を持っていない / Please be *specific in* your explanation. はっきり説明してください. **3** 〖正式〗〈…に〉特有の, 独特の[to] ‖ the *specific* characteristics of a region ある地域に見ら

specifically

れる固有の特徴. **4**〔医学〕〔…に〕特効のある〔for〕; 特殊な《◆比較変化しない》‖ a specific remedy for tuberculosis 結核の特効薬 / a specific treatment 特殊療法.
——名 **1** Ⓒ〔医学〕=specific remedy. **2**(米)(通例 ~s)詳細, 細目(particulars).
specífic rémedy /…の/特効薬〔for〕.

†**spe·cif·i·cal·ly** /spəsífikəli/ 副 **1** 明確に, はっきりと‖ Please explain specifically how this accident happened. この事故がどうして起きたのか明確に説明してください. **2** 特に, とりわけ ‖ This English dictionary is written specifically for beginners. この英語の辞典は特に初心者向きに書かれています. **3**〔文全体を修飾〕〔しばしば more ~ で〕もっと正確〔具体的〕に言えば, すなわち.

†**spec·i·fi·ca·tion** /spèsəfikéiʃən/ 名 **1**〔正式〕Ⓤ 明細に記す〔述べる〕こと, 詳述, 列挙; Ⓒ 明細事項. **2** Ⓒ (通例 ~s) (建物・機械などの) 仕様書, 設計明細書 ‖ specifications for a car 車の仕様書.

spec·i·fy /spésəfài/ 動 他 **1** …を明細に述べる〔記す〕, 具体的に挙げる, 〔…ということを〕指定〔規定〕する《that 節, wh 節》‖ specify the time and place for the meeting 会合の時間と場所を指定する. **2** 項目を明細書〔仕様書〕に記入する.

†**spec·i·men** /spésəmin/ 名 Ⓒ **1** 見本, 実例; 〔形容詞的に〕見本の ‖ a specimen page 見本刷り / She is a fine specimen of health. 彼女は健康な見本のようだ. **2** 標本 ‖ specimens of rocks and ores 岩石と鉱物の標本. **3**(略式)〔形容詞性を伴って〕…な人〔物〕‖ What an unsavory specimen he is! 彼はなんて不快なやつだろう.

spe·cious /spíːʃəs/ 形〔正式〕もっともらしい.

†**speck** /spék/ 名 Ⓒ **1** 小さなしみ〔斑(ﾊﾝ)点〕; 汚点; 欠点 ‖ a speck of ink インクのしみ. **2** (米) (通例 not a ~) 微塵(ｼﾞﾝ) (もない), 少し (もない) ‖ She doesn't have a speck of self-esteem. 彼女には自尊心などひとかけらもない. ——動〔通例 be ~ed〕〔…で〕しみがつく〔with, by〕.
spécked 形 しみになった, 汚れた; 斑点の付いた.

†**speck·le** /spékl/ 名 Ⓒ **1** (皮膚の) 斑(ﾊﾝ)点, ぽつぽつしみ; 色のついた小点. ——動 他 に しみ〔汚点, 傷〕をつける ‖ a speckled apple 傷のついたリンゴ.

†**spec·ta·cle** /spéktəkl/ 名 Ⓒ **1** (大仕掛けな) 見せ物, ショー, スペクタクル ‖ The wedding reception was a magnificent spectacle. 結婚披露宴はすばらしい見ものであった. **2** 壮観; 見もの, 光景, 美景《◆ sight より堅い語》. **3** (他人の) 惨状, 哀れな光景. **4**〔主(英)〕〔通例 (a pair of) ~s; 複数扱い〕めがね《◆glasses がふつう》; 〔形容詞的に〕めがね(用)の ‖ a spectacle case めがねケース.
máke a spéctacle of oneself 恥をさらす, 物笑いの種になる.

†**spec·ta·cled** /spéktəkld/ 形 めがねをかけた, 〔動〕めがね状の斑点〔ぶち〕のある.

†**spec·tac·u·lar** /spektǽkjələr/ 形 **1** 見世物の. **2** 壮観な, 目を見張る, 見ごたえのある(↔ unspectacular) ‖ a spectacular night view of Hakodate 函館の目を見張る夜景. **3**〔間投詞的に〕すごい! ——名 Ⓒ **1** (大々的な) 見世物. **2** 豪華ショー, 豪華番組; 超大作.
spec·tác·u·lar·ly 副 目覚ましく; 劇的に.

†**spec·ta·tor** /spékteitər, -́-̀-/ 名 Ⓒ **1** 見物人, 目撃者 ‖ from the spectator's point of view 第三者の立場から. **2** Ⓒ (スポーツ・催し物などの) 観客, 観衆; (事件などの) 観者〔at〕(cf. onlooker); 〔形容詞的に〕観客を引きつける (使い分け → audience 名 1)‖ There were about fifty thousand spectators at the baseball game. 野球の試合に約5万人の観客が集まった.
spéctator spórt (大観衆を集める) 見るスポーツ.

†**spec·ter**, (英) **-·tre** /spéktər/ 名 Ⓒ **1**〔正式〕幽霊, 亡霊, お化け (ghost). **2** 恐ろしい物; (将来への) 不安材料.

spec·tra /spéktrə/ 名 spectrum の複数形.

spec·tral /spéktrəl/ 形 **1**〔正式〕お化けの, 幽霊のような; ぼんやりした. **2**〔光学〕スペクトルの ‖ spectral analysis スペクトル分析 / spectral colors 分光色, 虹(ﾆｼﾞ)色.

†**spec·tro·scope** /spéktrəskòup/ 名 Ⓒ〔光学〕分光器. ——動 他 …を分光器で調べる.

spec·tro·scop·ic, -i·cal /spèktrəskápik(l) | -skɔ́p-/ 形 分光器の, 分光器を用いる.

†**spec·trum** /spéktrəm/ 名 (複) **-tra** /-trə/, (略式) ~s) **1**〔光学〕スペクトル ‖ a sound spectrum 音声スペクトル / spectrum analysis スペクトル分析. **2** Ⓒ (変動する) 範囲 ‖ a wide spectrum of interests 幅広い関心事.

spec·u·lar /spékjələr/ 形 **1**〔鉱物〕屈折性のある. **2** 鏡のような, 反射する. **3**〔医学〕検鏡の.

†**spec·u·late** /spékjəlèit/ 動 自 **1**〔…に〕投機する, 〔…を〕思惑買い〔売り〕する〔in, on〕‖ speculate in oil shares〔stocks〕石油株に手を出す. **2**〔正式〕〔…について〕熟考する, 思いを凝らす; (あれこれと) 推測する (guess)〔about, as to, on, upon〕‖ speculate about〔as to〕what's going to happen 何が起こるかと思いめぐらす. ——他〔正式〕…と思う; …という見込をつける; 〔…だと推測する《that 節》‖ I was speculating that this might be my last chance. これが私の最後のチャンスになるかもしれないと思っていた.

†**spec·u·la·tion** /spèkjəléiʃən/ 名 ⓊⒸ〔正式〕**1**〔…についての〕思索, 熟考〔on, upon, about〕‖ make intellectual speculations about〔on, upon, over〕the human behavior 人間の行動に関する思索をする. **2** (根拠のない) 推測, 〔…という〕推量 (guess)《that 節》; 空理, 空論(↔ practice, fact) ‖ in speculation 理論上. **3** 結論, 見解. **4**〔…への〕投機, 思惑 (買い) 〔in〕‖ his speculations in oil shares 石油株への彼の投資 / on speculations 思惑で, 投機的に.

†**spec·u·la·tive** /spékjəlèitiv | -lə-/ 形〔正式〕**1**〔人が〕思索的な, 思索にふける; 思わせぶりな ‖ give him a speculative glance 彼を思わせぶりに見る. **2** 理論的な; 推論にすぎない, 思いつき程度の. **3** 投機的な, 思惑の; 危険をはらんだ. **spécu·là·tive·ly** 副 思惑で; 投機的に.

†**spec·u·la·tor** /spékjəlèitər/ 名 Ⓒ **1** 思索家; 理論家, 空理空論家. **2** 投機〔投資〕家; 相場〔山〕師; (米) ダフ屋 (scalper).

***sped** /spéd/ 動 speed の過去形・過去分詞形.

‡**speech** /spíːtʃ/ 《⇒ **speak**》
——名 (複) ~·es /-iz/)

I 話すこと

1 Ⓒ〔…に関する〕演説, スピーチ, あいさつ〔on, about〕‖ give〔deliver〕an after-dinner speech テーブルスピーチをする《◆×table speech とはいわない》/ The prime minister made a speech on national defense. 首相は国防に関する演説をした. **2** Ⓤ 話すこと, 発言, 話 ‖ freedom of speech =

speechify

free speech 言論の自由 / *burst into rapid speech* 急に早口でしゃべる / *Speech is silver, silence is golden.*《ことわざ》雄弁は銀、沈黙は金《◆単に Silence is golden. ということも多い》.

3 Ⓤ〔通例 one's ~〕話し方, 言葉つき ‖ *Her speech* was difficult to hear. 彼女の言葉は聞き取りにくかった / We could tell from *his speech* that he was British. 話し方から彼がイギリス人であることがわかった.

Ⅱ ［話す力］

4 Ⓤ 話す能力, 言語能力 ‖ *lose* one's *speech* 口がきけなくなる / Man alone has the gift of *speech*. 人間だけに言語能力がある.

Ⅲ ［話す言葉］

5 Ⓤ 話し言葉(↔ written language), 言語; Ⓒ Ⓤ（個人・地方などに特有な）言葉, 方言 ‖ the native *speech* of Ireland アイルランドの言葉 / Her *speech* was full of slang. 彼女の言葉は俗語だらけだった.
6 Ⓤ〔文法〕話法(narration) ‖ direct (indirect) *speech* 直接［間接］話法. **7** Ⓒ（役者の）せりふ. **8** Ⓤ 弁論術, スピーチ研究.

spéech clìnic 言語障害矯正所.
spéech commùnity〔言語〕言語共同体.
spéech ìnput ùnit〔コンピュータ〕音声入力装置.
spéech recognìtion〔コンピュータ〕音声認識.
spéech thèrapist 言語療法士, 言語聴覚士《略 ST》.
spéech thèrapy 言語療法.

speech·i·fy /spíːtʃəfài/ 動 ⓘ《略式》演説をぶつ, 演説口調で弁じる, 長々とまくしたてる.

†**speech·less** /spíːtʃləs/ 形 **1**〈人が〉（一時的に）［…で］口がきけない［*with*］‖ be (left) *speechless with* surprise びっくりして口がきけない / *fall speechless* 急に静かになる. **2** 言葉では表せないほどの ‖ *speechless fear* 口もきけないほどの恐怖.

:**speed** /spíːd/ 〚「成功する」が原義〛 派 speedy(形)
——名 (複 ~s/spíːdz/) **1** Ⓒ Ⓤ（走る）速度, 速力 ‖ *(at) full* [*top, high*] *speed* 全速力［高速］で / at an average *speed* of 24 miles per [an] hour 平均時速24マイルで / increase [gather, put on] one's reading *speed* 読むスピードを増す.

2 Ⓤ（動作の）速いこと, 速さ, スピード ‖ move *at amazing speed* 目を見張る速さで動く.
3 Ⓤ Ⓒ（米）（自動車などの）変速装置, チェンジギア ‖ shift to low *speed* 低速ギアに変える / a four-*speed* car 4速の車. **4** Ⓤ Ⓒ〔写真〕（フィルムの）感光度; シャッタースピード, 露光速度.

——動 (~s/spíːdz/; 過去・過分 sped /spéd/ or ~ed/-id/; ~·ing)《◆ 2, 3, 他 3 は speeded》

——ⓘ **1**〈車などが〉急ぐ, 疾走する(+*off*); 〈時が〉過ぎ去る《◆ 修飾語(句)は省略できない》‖ The car *sped* away. 車はさっと過ぎ去った / The time *sped* quickly by. 時があっという間に経ってしまった. **2**〔しばしば be ~ing〕〈事が〉速度を増す, 加速する(+*up*)《◆ 修飾語(句)は省略できない》‖ The rise in prices has *been speeding up* recently. 最近物価上昇が速度を増してきている. **3**〔通例 be ~ing〕違反速度で走る, スピード違反をする ‖ have one's driver's license taken away for *speeding* スピード違反で運転免許証を取り上げられる.

——他 **1**〈人が…を〉急がせる, せき立てる, 早める(hasten) ‖ *speed* a horse 馬に拍車をかける. **2** …を早める, 促進する ‖ *speed* a bill through Congress 法案審議を急いで国会に通す. **3** …を加速する, 高める(+*up*) ‖ *speed up* your rate of work 仕事の能率をあげる / *speed up* production 増産する.

spéed gùn スピードガン《車のスピード・野球の球速の測定器》.
spéed indicator《正式》= speedometer.
spéed lìmit〔the ~〕制限（最高）速度.
spéed shòp スピードショップ《改造自動車部品店》.
spéed skàte スピードスケート用のスケート靴.
spéed skàting スピードスケート（競技）.
spéed tràp スピード違反監視区域, 「ネズミ取り」区域.
speed·boat /spíːdbòut/ 名 Ⓒ モーターボート, スピードボート.

†**speed·i·ly** /spíːdili/ 副 急速に; ただちに, すみやかに.
speed·om·e·ter /spidɑ́mətər, spiːd-|-5m-/ 名 Ⓒ (自動車などの)速度計, スピードメーター.

speed·way /spíːdwèi/ 名 Ⓒ **1**（米）高速道路. **2** モーターレース用トラック, 競馬場［オートバイ］競走路.
speed·well /spíːdwèl/ 名 Ⓒ〔植〕ベロニカ, クワガタソウ.

†**speed·y** /spíːdi/ 形 (-i·er, -i·est) **1** 速い, 快速の(fast) ‖ a *speedy* runner スピードランナー. **2** 迅速な, すみやかな(quick) ‖ a *speedy* recovery from illness すみやかな病気の回復.

***spell**¹ /spél/ (類音 spill /spíl/)〚「説明する」が原義〛派 spelling(名)
——動 (~s/-z/; 過去・過分 ~ed /spéld, spélt/ or spelt/spélt/; ~·ing)《◆主に（米）では ~ed,（英）では spelt》

——他 **1**〈人が〉〈（…の）語を〉つづる ‖ 〘対話〙 "How do you *spell* your name?" "S-p-e-n-c-e-r, not S-p-e-n-s-e-r." 「名前のつづりを言ってください」「S-p-e-n-s-e-r ではなく S-p-e-n-c-e-r です」/ She *spelt* the word incorrectly. 彼女はその単語のつづりを間違えた. **2**〈文字が〉〈…という語を〉形作る ‖ B-e-d *spells* bed. b, e, d の3字をつづると bed になる. **3**《略式》…を意味する,［…にとって］…という（不愉快な）ことになる［*for*］《◆主に新聞用語》‖ That look on her face *spells* trouble. 彼女のあの顔つきはただ事ではなかった.

——ⓘ 字を正しくつづる.

spéll óut 他 (1)〈文などを〉1字1字読み取る. (2)〈事を〉詳細に説明する. (3)〈（…の）語を〉1字1字書く［言う］, 略さないで書く.

†**spell**² /spél/ 名 **1** Ⓒ 呪文（じゅもん）, まじない; まじないの句 ‖ The witch recited a powerful *spell*. 魔女は強力な呪文を唱えた. **2**〔a/the ~〕魔法, 魅力 ‖ Snow White was placed *under a spell*. 白雪姫は魔法にかけられた / *cast a spell* on [over] her 彼女に魔法をかける［彼女を魅惑する］.

†**spell**³ /spél/ 名 Ⓒ **1**（天候などの）ひと続きの（期間）‖ a *spell* of rain 雨季 / a dry *spell* 乾季. **2**（病気・発作などの）一時期, ひとしきり ‖ *a spell of coughing* せきの発作. **3** ひと仕事, 仕事［服務］時間,（仕事の）交替(turn) ‖ *by spells* かわるがわる, 交替に / I took a *spell* at the wheel. 交替して私が運転した. **4** しばらくの間 ‖ rest for a *spell* しばらく休憩する.

——動 他《主に米・豪》（しばらく）〈人と〉［…と〕交替する, 代わって（働く）. ——ⓘ《豪》休息する.

spell·bind·er /spélbàindər/ 名 Ⓒ 魅了する人, 雄弁家.
spell·bound /spélbàund/ 形 魔法にかかった, 魅了された, うっとりした.

spell·er /spélər/ 名C **1** 字をつづる人 ‖ a good *speller* つづり字の正確な人. **2** (米) つづり字教本.

‡spell·ing /spélɪŋ/ 〖→ spell¹〗
— 名 (複 ~s/-z/) **1** C (語の)つづり, スペル (◆ spell とはいわない. 英語の spell は動詞 → spell¹); "Ax" has two *spellings*, "a-x" and "a-x-e." "ax"には a-x, a-x-e という2通りのつづりがある / correct a *spelling* mistake [error] つづりの間違いを直す. **2** C U つづり方, つづり; スペリング; スペリング能力; 正字法 ‖ Your *spelling* is terrible. 君のつづりはひどい.
spélling bèe つづり字競技(会).
spélling bòok つづり字教本.
spélling pronunciàtion つづり字発音.

†spelt¹ /spélt/ 名 動 spell の過去形・過去分詞形.

spelt² /spélt/ 名U スペルトコムギ《ヨーロッパの家畜用飼料として栽培される. 《異名》German wheat》.

spe·lunk·ing /spɪlʌ́ŋkɪŋ/ 名U 洞窟(幻)探検.

Spen·cer /spénsər/ 名 スペンサー《Herbert ~ 1820-1903; 英国の哲学者》.

‡spend /spénd/ 〖「金を支出する」が本義〗
— 動 (~s /spéndz/; 過去・過分 spent /spént/; ~·ing)
— 他 **1** 〈人が〉〈金額〉を〈物に〉使う (on, in, 《主に米》for); I *spent* £ 5,000 on [for] a new car 新車に5000ポンドを支払う (◆ (1) on では使う対象が, for では目的が, in では過程が強調される. (2) 〖むだに使う〗は waste〗 / She *spent* a lot of money (in [on, for]) traveling. 彼女は旅行にたくさんの金を使った. **2** 〈人が〉〈時間〉を過ごす; …に[…に]使う (on); [spend A doing] 〈人が〉…するのに A〈時間〉を使う (類義 → pass 他 **2**) ‖ I *spend* a week in Spain スペインで1週間を過ごす / He *spent* a sleepless night. 彼は眠れぬ夜を過ごした / She didn't *spend* much time on her work. 彼女は仕事にあまり(多くの)時間を費やさなかった / He *spent* two hours repairing the car. 彼は2時間かけて車を修理した.
3 (文) 〈人・事が〉〈精力・力など〉を〈徐々に〉〔…に〕使い果たす, 出し尽くす (use up) (on) ‖ The storm has *spent* [its force [itself]]. あらしはおさまった / She *spent* her energy on finishing the novel. 彼女は小説の完成に精力を使い果たした.
— 自 〈人が〉〔物・事に〕お金を使う; 浪費する (on) ‖ He *spent* freely. 彼は大金を使った.
spénd(ing) mòney 小遣い銭 (pocket money).
spend·thrift /spéndθrɪft/ 名C 金使いの荒い人, 浪費家, 放蕩(号)者.

†Spen·ser /spénsər/ 名 スペンサー《Edmund /édmənd/ ~ 1552?-99; 英国の叙情詩人》.

‡spent /spént/ 動 spend の過去形・過去分詞形.
— 形 **1a** (文) 〈人などが〉疲れはてた, 力の尽きた. **b** 〈人が〉金を使い果たしている (up). **2** 〈弾丸などが〉勢いのなくなった (◆比較変化しない).

†sperm /spə́ːrm/ 名 (複 ~s) **1** U 精液 (semen). **2** C 精子, 精虫 (cf. ovum).

sper·ma·to·zo·on /spə̀ːrmətəzóuən, -ɑn, spə̀ːrmæt-, spə̀ːmətouzóuən, -ən/ 名 (複 -zo·a /-zóuə/) C 精子.

spew /spjúː/ 動 (略式) 他 **1** …を吐く, もどす (《正式》vomit); …を吐き出す, 噴出する (+out). **2** 〈不敬な言葉など〉を吐く, 〈不満・怒りなど〉をぶちまける.
— 自 吐く, もどす (+up); 吐くように出る.

†sphere /sfíər/ 名C **1** 〔幾何〕球; 球体, 球面; (一般に)球, 丸い物 ‖ A ball is a *sphere*. ボールは丸い. **2a** (詩)〔天文〕天体, 惑星. **b** 天球 (globe); 天体〔地球〕儀. **3**〔正式〕(活動・勢力などの)範囲, 領域 (= range); 身分, 本領 ‖ These things aren't really on my *sphere*. これらは私の口出しできる事柄ではない / the British *sphere* of influence 英国の勢力圏. **4**〔正式〕地位, 身分 ‖ the *sphere* of the nobility 貴族の身分.

spher·i·cal /sférɪkl, (米+) sfíər-/ 形〔正式〕**1** 球の, 球形の, 球状の; 丸い. **2** 天球の.

sphe·roid /sfíərɔɪd/ 名C〔幾何〕回転楕(*)円体[面].

†sphinx /sfíŋks/ 名 (複 ~·es) **1** [the S~] 《ギリシア神話》スフィンクス, スピンクス. **2** [the S~] スフィンクス像《エジプト Giza 付近の巨像》. **3** C〔正式〕なぞの人物, 不可解な人.

＊spice /spáɪs/ 名 〖「物の種類」が原義〗(派 spicy (形))
— 名 (複 ~s/-ɪz/)
I [スパイス]
1a U 薬味, スパイス ‖ Pepper and cinnamon are my common *spices*. コショウとシナモンは私のよく使う薬味です. **b** [集合名詞] 香辛料 ‖ Don't add too much *spice* to the soup. スープに香辛料を入れすぎないでください.
II [スパイスのようにひと味効くこと]
2 U 風味(号), 面白味 ‖ Her jokes gave *spice* to the party. 彼女の冗談でパーティーははなやげだ. **3**〔正式〕[a/the ~] 〔…の〕味, 含意 (flavor) (of) ‖ a *spice* of mischief in his character 彼の性格でいたずらっぽいところ.
— 動 (spic·ing) 他 **1** …に香辛料を加える (+up). **2** [通例 be ~d] 〔…で〕味わいが加わる (+up) (with).

spic·ing /spáɪsɪŋ/ 動 spice の現在分詞形.

spick-and-span /spíkənspǽn/ 形《略式》こざっぱりした; 〈服が〉新調の; 真新しい.

†spic·y /spáɪsi/ 形 (-i·er, -i·est) **1** 香辛料を入れた, 香辛料のきいた. **2** 〈言葉などが〉気のきいた, 趣(号)のある. **3** 《略式》〈冗談などが〉きわどい.

＊spi·der /spáɪdər/ 名 〖「紡ぐもの (spinner)」が原義〗
— 名 (複 ~s/-z/) C **1** クモ ‖ a *spider*('s) web クモの巣. **2**〔正式〕人を陥(悸)れる悪者 ‖ a *spider* and a fly 人をうまく丸め込もとする者と丸め込まれる者.

spi·der·man /spáɪdərmæ̀n/ 名C《英略式》とび職人.

spi·der·web /spáɪdərwèb/ 名C (米) = cobweb **1**.

spi·der·y /spáɪdəri/ 形 (時に -i·er, -i·est) **1** クモの足のような; 〈筆跡などが〉細長い. **2** クモの巣状の, クモの巣だらけの; クモの多い.

spig·ot /spíɡət/ 名C **1** (木製の)たる栓. **2** (米) (戸外の)蛇口 (faucet, cock; (英) tap) (◆(英)では蛇口のひねる部分のみをさす).

†spike /spáɪk/ 名C **1** 大くぎ; (鉄道レール用)犬くぎ; 忍び返し; 先のとがった金属. **2** 靴底のくぎ; [~s] スパイクシューズ ‖ hang up one's *spikes* (俗語)野球界から引退する, ユニフォームを脱ぐ. **3** (折れ線グラフで(上に)山形に折れた部分. — 動 他 **1** …に大くぎを打ちつける; …を大くぎで止める[突き刺す]. **2** …に忍び返しをつける. **3** …にスパイクを打ちつける ‖ *spiked* shoes スパイクシューズ. **4** 〔野球〕〈選手〉をスパイクで傷つける, 〔バレーボール〕〈ボール〉をスパイクする. **5** (米) …を終わらせる, 〈連載など〉を打ち切る; …にくぎを刺す; …を妨げる. **6** (米略式) 〈飲み物〉にアルコールなどを加える.

spík·er /spáɪkər/ 名C 先のとがった物.

spik·y /spáɪki/ 形 (-i·er, -i·est) **1** スパイク状の, 先端のとがった; くぎのような. **2** (略式) かっとなりやすい,

怒りっぽい, 短気な.

spill /spíl/ (類音) spell /spél/ 『『破壊する』が原義』
—動 (~s/-z/; 過去・過分 (米) ~ed /spíld, spílt/, or (主に英) spilt/spílt/; ~ing)
—他 1〈人が〉〈液体などを〉(誤って)〔…から/…に〕こぼす〔from, out of / on, over〕‖ spill milk on [over] the floor 床にミルクをこぼす. 2 …を散らす, ばらまく. 3 〔文〕〈血などを〉流す. 4 (略式)〈馬などが〉〈人を〉〔…から〕振り落とす, 投げ出す〔from, out of〕‖ Her horse spilled her. =She was spilled from her horse. 彼女は馬から振り落とされた. 5 …を吐き出す, こぼれ(あふれ)さす‖ The train spilt its occupants onto the platform. 電車から乗客が降りてどっとプラットホームにあふれ出た(=The occupants spilt out of the train onto the platform.). 6 (略式)〈秘密などを〉漏らす, 言いふらす‖ spill「a secret [the beans] 秘密をばらす.
—自 1〔…から/…に〕こぼれる, あふれる(+over)〔from, out of / on(to), over, to〕‖ Milk spilled from the glass. ミルクがコップからあふれ出た. 2〔海事〕〈帆から〉風が抜ける.
spill óut 〔自〕こぼれる, バラバラと飛び出す. —〔他〕…をほうり出す;〈秘密などを〉漏らす.
spill óver 〔自〕(1) こぼれる, あふれる. (2) 発展して〔…に〕なる, はみ出る〔into〕.
—名 1 Ⓤ (水などが)こぼれる[あふれる]こと, 流出; Ⓤ こぼれた量[跡, 汚れ]‖ clean up coffee spills こぼしたコーヒーをふき取る. 2 Ⓒ (古)〔馬車・車などから〕振り落とされること; 落馬, 転落‖ in a spill 落馬[転落]して / take [have] a spill 落馬[転落]する.

spill·way /spílwèi/ 名 Ⓒ (ダムなどの)放水路, 水吐き口.

spilt /spílt/ 動 (主に英) spill の過去形・過去分詞形.
—形 こぼれた‖ spilt milk こぼれたミルク; 取り返しのつかないこと(→ it is (of) no USE doing).

†**spin** /spín/ 動 (過去 spun /spán/ or (古) span /spán/, 過去分 spun; spin·ning) 他 1〈人・機械が〉〈綿などを〉紡いで〔…に〕する(+out)〔into, to〕, …などを〔…から〕紡いで取る〔from, out of〕; …を紡績する‖ spin cotton [flax, wool] into threads = spin threads from [out of] cotton 綿を紡いで糸にする. 2〈クモ・カイコなどが〉〈糸を〉吐く, かける. 3〈ガラスなどを〉繊維状にする‖ spin fiberglass 繊維ガラスを作る. 4〈物語などを〉長々と話す;〈作り話などを〉語る‖ He spun me a yarn [tale] about adventures at sea. 彼は私に航海中の出来事を長々としゃべった. 5〈人かくこまなどを〉(軸を中心に)急速に回す, …を回転させる(cf. turn)‖ spin a coin (賭けなどで)コインをほうり上げる / spin a ball ボールをスピンさせる.
—自 1 紡ぐ. 2〈クモ・カイコなどが〉糸を吐く, かける; 巣[繭]を作る. 3〈こまなどが〉ぐるぐる回る, 回転する‖ The top is spinning on the floor. こまが床の上で回っている. 4〈血が〉ほとばしり出る(+out). 5 (略式)〈車が〉疾走する(+along);〈水が〉勢いきり舞いする. 6〈時間が〉あっという間に過ぎ去る(+away). 7〈ボールが〉スピンする. 8〈頭が〉くらくらする; 混乱する.
—名 1 Ⓤ〔時に a ~〕(ひねり)回転[させる]こと;(ボールの)ひねり, スピン‖ put spin on a ball =give a ball spin ボールをスピンさせる / the spin of a coin (裏・表を決めるための)コイン投げ. 2〔航空〕きりもみ〔降下〕‖ go into a spin きりもみ降下する. 3 (略式)〔経済〕〔a ~〕(価格などの)下落(傾向), 下降‖ send prices into a spin 価格を急下降させる. 4 (略式)〔a ~〕(自動車の)一乗り(ride);(自転車などの)一走り‖ 'go for [have, take] a spin

in a new car 新車で軽くドライブする. 5 (主に英略式)〔a ~〕混乱状態‖「go into [be in] a (flat) spin 動揺する[している]. 6 (米略式) 〔人〕好意的な情報提供‖ put a positive spin on … …に明確な情報を提供する.

spin contról (米略式) スピンコントロール, (マスコミに対する)情報操作.

spín dòctor (米略式) (スピンコントロール対策に長けた)スポークスマン; 選挙運動のコンサルタント.

†**spin·ach** /spínitʃ │ spínidʒ/ 【発音注意】名 1 Ⓤ ホウレンソウ; その葉. 2 Ⓤ (米) 不要なもの.

spi·nal /spáinl/ 形 〔解剖〕背骨の(ある), 脊(ʊ̃)柱の, 脊髄の. 2 とげ(状)の; 針状突起の. —名 (略式) 脊髄麻酔.

spínal còrd [màrrow] 脊髄.

†**spin·dle** /spíndl/ 名 Ⓒ 1 (手紡ぎ用の)つむ (紡績機の)紡錘, スピンドル(◆ distaff から spindle に巻き取る). 2 軸, 心棒, シャフト;(ラジオなどの)つまみダイヤル.

spin·dling /spíndliŋ/ 形〈植物が〉ひょろ長く伸びた; 細長い. —名 Ⓤ (植物の茎などが)ひょろ長く伸びること; Ⓒ ひょろ長い植物[動物, 人].

spin·dly /spíndli/ 形 (略式) =spindling.

†**spine** /spáin/ 名 Ⓒ 1 〔植〕(サボテンなどの)とげ, 針 (prickle, thorn);〔動〕〈ヤマアラシなどの〉刺状突起, とげ. 2 〔解剖〕背骨, 脊(ʊ̃)柱‖ Cold shivers ran up and down my spine. 背筋がぞくっとした. 3 Ⓤ 気骨, 負けじ魂, 根性. 4 本の背(図)→ book); 山の背; 尾根;(地面・岩の)背, 突起.

spine·less /spáinləs/ 形 1 〔動〕背骨のない, 無脊椎(ʊ̃)の(↔ spinal, vertebrate);〔植〕とげのない. 2 (略式) いくじのない, 気力のない.

spin·et /spínət │ spinét/ 名 Ⓒ 1 〔音楽〕スピネット《小型ハープシコード》. 2 (米) (初期の)小さい縦型ピアノ. 3 (米) 小型電子オルガン.

†**spin·ner** /spínər/ 名 Ⓒ 紡ぎ手, 紡績工, 紡績機.

spin·ner·et /spínərèt/ 名 Ⓒ 〔動〕(クモ・カイコの)出糸〔紡績〕突起;〔織〕スピナレット.

†**spin·ning** /spíniŋ/ 名 Ⓤ 1 糸紡績, 紡績. 2 Ⓤ 回転すること.

spin-off /spínɔ̀(:)f/ 名 Ⓒ 1 (主に米)〔経済〕スピン＝オフ《会社分割の一種. 親会社が子会社の株を株主に無償交付して会社を分離すること》. 2 Ⓤ Ⓒ (予期せぬ)副産物, 波及効果(by-product). 3 Ⓤ Ⓒ (連続テレビ番組の)続編.

Spi·no·za /spinóuzə/ 名 スピノザ《Baruch/bərú:k/ ~ 1632-77; オランダの哲学者》.

†**spin·ster** /spínstər/ 名 Ⓒ 1 〔英法律〕未婚女性(cf. bachelor)《◆ ふつうは unmarried [single] woman》. 2 (文) (中高年の)独身女性《◆ 中立的な言い方は single [unmarried] woman [person], 自分の意志による独身は single-by-choice. cf. old maid, bachelor girl》;〔形容詞的に〕独身の‖ my spinster aunt 私の独身のおば.

spin·ster·hood /spínstərhùd/ 名 Ⓤ (女性の)未婚(状態), 独身.

spin·y /spáini/ 形 (-·i·er, -·i·est) 1〈動・植物が〉とげ[針]のある, とげだらけの. 2 問題が厄介な.

†**spi·ral** /spái(ə)rəl/ 形 1 らせん(状)の, 渦巻き形[状]の‖ a spiral watch spring 時計のぜんまい / a spiral staircase らせん階段 / a spiral nebula 〔天文〕渦巻き銀河. 2〔幾何〕渦巻き線の. —名 Ⓒ 1 (しばしば文) らせん[渦巻き]形のもの; 巻き貝; 渦巻きばね, ぜんまい‖ move in a spiral らせん形に[くるくる回りながら]動く. 2〔幾何〕らせん, つる[渦]巻き線.

spire (動) 《過去・過分》 ~ed or 《英》 spi･ralled/-d/; ~･ing or 《英》 ~ral･ling (自) **1** らせん形になる；らせん状に動く(+*up, down*)．らせん状に回転をする．**2**《物価などが》急上昇する；急下降する(+*downward*)；《人が》地位が上がる(+*up*).

†**spire** /spáiər/ (名) **1** 尖(鉄)頂，（教会などの）尖塔，とがり屋根《ふつう steeple の先端の部分をいう》．**2** 円錐(ない)形の物.

***spir･it** /spírət/ 【『呼吸』が原義．生命力の根源は息の中にあると考えられていた】(形) spiritual (形)

—(名) (徳) ~s/-əts/)

Ⅰ [精神が宿るもの]

1 © 霊，霊魂；[the S~] 神霊，聖霊；幽霊，亡霊；悪魔；(小)妖(き)精 ‖ I don't believe *in spirits*. 私は霊魂の存在を信じない．《日本発》 Bon [Bon Festival] is a Buddhist observance held from the 13th to 16th of July or August as a memorial service for ancestral *spirits*. お盆は7月または8月の13日から16日に行なわれる仏教行事で，先祖の霊を供養するものです．

2 a ⓤ 〖化学〗〔通例 ~s〕（蒸留によって液体の形で得られる）エキス，エッセンス ‖ *spirits* of turpentine テレビン油．**b** ⓤ〔主に英〕〔通例 ~s〕蒸留酒，火酒《ウイスキー・ブランデー・ジン・ラムなど》；ⓤ〔英〕〔工業用〕アルコール．

Ⅱ [ある精神状態]

3 ⓒⓤ 〔文〕精神，心(cf. mind)(↔ body) ‖ I am here in body, but I am with you *in* (the) *spirit*. 体はここにあっても，心はあなたの所へ飛んで行っています / The *spirit* is willing but the flesh is weak.《聖》そうしたいのはやまやまですが，体がいうことをきかません《人からの頼みを断る時の言い訳文句》．

4 ⓒ [形容詞を伴って]（…の）人 ‖ a kind [brave] *spirit* 親切[勇敢]な人．

5 ~s; 複数扱い] 気分，精神状態；快活，元気 ‖ 《対話》 "You're *in high* [*good, great*] *spirits* today. What happened?" "My wife had a baby boy." 「今日は上機嫌だね，何かあったのかい」「息子が生まれたんだ」/ be *in low* [*poor*] *spirits* =〔文〕 be *out of spirits* 意気消沈している(=be low-spirited) / raise her *spirits* =〔略式〕 give her *spirits* a lift 彼女を元気づける．

6 ⓤ 気力，気迫，勇気，熱情；[a/the ~] 気質，気性 ‖ with considerable *spirit* かなり意気込んで / *enter into the spirit of* ... …に熱中する / She has *a* gentle *spirit*. 彼女は気性が優しい．

7 ⓤ 〔通例 the ~〕（時代の）特質，傾向 ‖ the *spirit* of the times 時代の精神．

8 [the ~] 真意，意図，趣旨(↔ letter) ‖ the *spirit* of the law 法の精神 / take ... in the right [wrong] *spirit* …の真意をくみとる[…を悪くとる]．

9 ⓤ 忠誠心 ‖ school *spirit* 愛校心 / team *spirit* チーム＝スピリット．

—(動) (他) **1**〈人〉を元気づける，励ます(+*up*)．**2**〈人・物〉を[…から]ひそかに連れ[持ち]去る(+*away, off*)〔*from*〕．

†**spir･it･ed** /spírətɪd/ (形) **1** 元気[威勢]のいい；活発な；勇気のある，猛烈な(↔ spiritless) ‖ a *spirited* discussion 活発な議論 / give a *spirited* reply 元気よく答える(=reply spiritedly). **2** [複合語で]…の精神を持つ，気分が…の ‖ high-*spirited* 元気のいい / low-*spirited* 意気消沈した．

spir･it･less /spírətləs/ (形)〔正式〕元気[勇気，熱意]のない，しょげた(↔ spirited).

spir･i･tu･al /spírɪtʃuəl/,〔英+〕 -tju-/〖→ spirit〗(形)〔通例名詞の前で〕**1** 精神的な，精神（上）の(↔ physical)；霊的な，魂の；知的な◆〖霊的な，魂，知的な」の意味では比較変化しない〗 ‖ a *spiritual* life 信仰[知的]生活 / the *spiritual* world 霊界 / her *spiritual* beauty 彼女の知性的な美しさ / one's *spiritual* home 精神のふるさと．**2** 崇高な，気高い，超俗的な◆〖比較変化しない〗(↔ earthly) ‖ a *spiritual* mind 崇高な精神．**3** 超自然的な，神の，聖霊の；神聖な；宗教上の；〔正式〕教会の◆〖比較変化しない〗(↔ secular) ‖ *spiritual* songs 聖歌 / lords *spiritual*〔英〕聖職上院議員．

—(名) ⓒ 霊歌 ‖ Negro *spirituals* 黒人霊歌．

spir･i･tu･al･ism /spírɪtʃuəlɪzm/,〔英+〕 -tju-/ (名) ⓤ **1** 精神主義；〖哲学〗唯心論，観念論(↔ materialism). **2** 降霊説[術]．

spir･i･tu･al･ist /spírɪtʃuəlɪst/,〔英+〕 -tju-/ (名) ⓒ **1** 精神主義者；唯心論者．**2** 降霊術師，巫女(ふ)．

spir･i･tu･al･is･tic /spírɪtʃuəlɪstɪk/,〔英+〕 -tju-/ (形) **1** 精神主義的な；唯心論的な．**2** 降霊術の．

spir･i･tu･al･i･ty /spírɪtʃuǽləti/ (名) ⓤ 〔正式〕精神的であること，精神性；霊的であること，霊性．

spir･i･tu･al･ize /spírɪtʃuəlaɪz/ (動) (他) **1**…を精神的にする；…を霊的にする；…を浄化する．**2** …に精神的な意味を与える；…を精神的な意味に解釈する．

†**spir･i･tu･al･ly** /spírɪtʃuəli/,〔英+〕 -tju-/ (副) **1** 精神的に(↔ physically)；霊的に．**2** 宗教的に．

spir･i･tu･ous /spírɪtʃuəs/,〔英+〕 -tju-/ (形) **1** アルコール分の多い．**2**（醸造ではなく）蒸留した．

spi･rom･e･ter /spaɪrɑ́mətər | spaɪrɔ́m-/ (名) ⓒ 肺活量計．

spir･y /spáɪəri/ (形) 尖(き)塔状の；らせん状[形]の．

†**spit** /spit/ (動) 《過去・過分》 **spat** /spæt/ or 《米》 **spit**; **spit･ting** (自) **1**〈人が〉[…に]つばを吐く，つばを吐きかける[*at, in, into, on, upon*] ‖ *spit on* the ground 地面につばを吐く．**2**〈ネコなどが〉[…に]フーとうなる[*at*]．**3**〈火が〉パチパチいう(+*out*)；〈エンジンが〉パタパタいう．**4**〔通例 it を主語にして〕 be ~ting で〈雨がしとしと[パラパラ]降る ‖ It's still *spitting* (with rain). 雨がまだぱらついている．(他) **1**〈人が〉…を[…に]吐く，吐き出す，ものすごい勢いで[…から]出す(+*out, up*)〔*at, on, onto*〕‖ *spit* blood (*up*) 血を吐く / *spit out* the nasty pill 苦い丸薬を吐き出す．**2** …を〈人に〉吐き出すように言う(+*out*)〔*at*〕．

—(名) ⓒ つばを吐くこと；その音《ペッ》；ⓤ〔略式〕つば，唾(た)液．

†**spite** /spaɪt/ (名) **1** ⓤ 悪意，意地悪(hatred) ‖ She broke my model car *out of* [*from*] *spite*. 彼女は腹いせにぼくのモデルカーを壊した．**2** [a ~] 恨み，遺恨 ‖ have *a spite* against him 彼に恨みを抱く．

・**in spite of A** …にもかかわらず(略式) for [with] all,〔正式〕despite）；…を無視して，物ともせず ‖ She went to school *in spite of* (having) a (slight) fever. 彼女は(微)熱があったのに学校へ行った．

in spite of éverything（あれこれ考えた末）結局，ともかく．

in spite of onesélf〖自分自身の（気持ち）にもかかわらず〗意志に反して，われ知らず，思わず．

—(動) (他)〈人〉に意地悪をする；…をわざと困らせる．

†**spite･ful** /spáɪtfl/ (形)〔人に対して〕意地の悪い，悪意のある，執念深い〔*to*〕‖ It is *spiteful of* [*×for*] you *to* break his model plane. = You are *spiteful to* break ... 彼の模型飛行機を壊すなんて，

ひどい人だね, 君は(➔文法 17.5).

spit·tle /spítl/ [名][U] **1** つば, 唾(だ)液(saliva). **2** 〔昆虫〕(アワフキムシの出す)泡.

spit·toon /spitú:n/ [名][C] たんつぼ.

spitz /spíts/ [名][C] 〔動〕スピッツ《愛玩犬》.

†**splash** /splǽʃ/ [動][他] **1** [splash **A** on [onto, over] **B** =splash **B** with **A**] 〈人・物が〉**A**〈水・泥など〉を**B**〈人・物〉に(ピシャッと)はねかける;〈水・泥など〉を飛び散らす(+*about, around, on, up*) ‖ A car ***splashed*** my clothes ***with*** mud. =A car ***splashed*** mud ***on*** my clothes. 自動車が私の服に泥をはねかけた. **2** 〈水・泥などが〉〈人・物〉に(ピシャッと)はねかかる ‖ The mud *splashed* her dress. 泥が彼女のドレスにはねかかった. **3** 〈足・かいなど〉をバチャバチャさせて水を飛び散らす;〈道〉に水を(バチャバチャ)飛び散らしながら進む ‖ *splash* one's way across the brook 水を飛び散らしながら小川を渡る. **4** [通例 be ~ed] 〈物〉に〔色などで〕散らし模様をつける〔*with*〕. **5** 《略式》〈広告など〉を〔…に〕派手に貼る;〈事〉を〔…に〕派手に書き立てる〔*across, on, over*〕; 《英略式》〈金〉を〔…に〕派手に使う(+*about, around, out*)〔*on*〕.

S

—[自] **1** 〈水・泥などが〉〔…に〕はねる, 飛び散る〔*on, against*〕;〈人・魚・噴水などが〉水[泥]を飛び散らす ‖ The children are *splashing* about in the river. 子供たちが川でバシャバシャ遊んでいます. **2** 〔…を〕水を飛び散らしながら進む〔*along, across, through*〕; 〔…に〕ザブン[ドボン, バシャン]と飛び込む[落ちる]〔*into*〕 ‖ A frog *splashed into* the pond. カエルがポシャンと音を立てて池に飛び込んだ(=A frog jumped into the pond with a *splash*.).

—[名] **1** [C] (泥などの)はね; しみ, 斑(はん)点; 模様 ‖ The dog was white with black *splashes*. その白犬には黒いぶちがあった. **2** [C] [しばしば a ~] ザブン[ドボン, バシャン]という音; [U] はねかけること ‖ ***make a splash*** ザブンと音を立てる. **3** [C] 《略式》派手な記事[見せかけ]. **4** [U] ダムの放水による丸太流し. **5** [C] 《英古略式》少量のソーダ水 ‖ a whiskey and [with] a *splash* 少量のソーダ水で割ったウイスキー.

máke a splásh (1) → [名] **2**. (2) 《略式》大評判をとる; センセーションを巻き起こす《◆称賛すべき事に用いる》; 金のあることを見せびらかす.

—[副] ザブン[ドボン, バシャン]と音を立てて ‖ fall *splash* into the river ザブンと音を立てて川に落ちる.

splat·ter /splǽtər/ 《正式》[名][C] はねちらす音; バチャ, ピシャ. —[動][他] …をはね散らす[かける](+*up*).

splay /spléi/ [動][他] **1** 〈窓などに〉斜角をつける, 隅(すみ)切りにする ‖ a *splayed* window 隅切り窓. **2** …をすそ広がりにする. —[自] 外に広がる, すそ広がりになる. —[名][C] **1** 斜面, 隅切り. **2** 〔建築〕(窓などの)朝顔口, 張り出し. —[形] **1** 〈足が〉扁平の. **2** すそ広がりの. **3** ぶかっこうな.

†**spleen** /splí:n/ [名] **1** [C] 〔解剖〕脾(ひ)臓. **2** [U] 《文》不機嫌, 短気, 悪意; かんしゃく; 《古》憂うつ ‖ *in a* fit of (the) *spleen* 腹立ちまぎれに.

***splen·did** /spléndid/ 〖「明るく輝く」が原義〗 [派] splendo(u)r (名)

—[形] (more ~, most ~; ~·er, ~·est) **1** 立派な, 光輝ある; 《略式》**すてきな**, すばらしい(fine) ‖ a *splendid* idea うまい考え / a *splendid* achievement 立派な業績 / We had *splendid* weather on the day of our school athletic meet. 学校の運動会の日はすばらしい天気だった.

2 **豪華な**, 華麗な; ぜいたくな ‖ The famous writer lives in a *splendid* hotel. その有名な作家は豪華なホテルで暮らしている.

†**splen·did·ly** /spléndidli/ [副] 立派に; 《略式》うまく.

†**splen·dor,** 《英》**-·dour** /spléndər/ [名][U] **1** [時に ~s; 複数扱い] 豪華さ, 壮麗 ‖ the *splendor(s)* of a palace 宮殿の壮麗さ. **2** 光輝, 輝き; 明るさ ‖ the beautiful *splendor* of a diamond ダイヤモンドの美しい輝き.

splice /spláis/ [動][他] **1** 〔海事〕〈ロープ〉を組み[より]継ぎする, …の端を〔…に〕結び合わせる(+*together*)〔*to, onto*〕. **2** 《正式》〈フィルムなど〉の端を重ね継ぐ.

—[名][C] (なわの)組み[より]継ぎ, (木などの)重ね[添え]継ぎ; [U][C] 結び[重ね]合わせること; 合わせたところ; 接合, 接着, 結合.

†**splint** /splínt/ [名][C] **1** 〔医学〕副木, 添え[あて]木 ‖ ***put*** her broken leg ***in a splint*** 彼女の折れた脚に副木をあてる. **2** へぎ板, つぎ板, 細板; 破片.

—[動][他] …に副木をあてる, …を添え木で支える[固定する].

splin·ter /splíntər/ [名][C] **1** (木の)そぎ, 裂片, とげ; (石・砲弾の)破片, かけら. **2** (政党などの)分派, 小派.

—[動][他] **1** …をばらばらにする, 裂く, 粉々にする(+*off*). **2** 分派する(+*off*). —[形] 分裂した.

***split** /splít/

—[動] (~s/splíts/; [過去・過分] **split; split·ting**)

—[他] **1** 〈人が〉〈物〉を〔…に〕**裂く, 割る**(+*up*)〔*in, into*〕(↔ join); 〈物〉〔…から〕裂き取る(+*off*)〔*from*〕 ‖ The wrestler ***split*** the block of ice ***in*** two. そのレスラーは氷柱を二つに割った / *split* a stick from end to end 棒切れを端から端まで割る.

2 〈事が〉〈党・グループなど〉を〔…に〕**分裂させる**(+*up*)〔*into*〕 ‖ The differences of opinion ***split*** the party ***into*** two factions. 意見の違いでその党は2派に分裂した.

3 〈物〉を〔…に/…の間で〕分ける, 分割する(+*up*)〔*into/between*〕; 〈費用・利益など〉を分配する, 分け合う, 分担する(+*up*) ‖ *split* the reward evenly 報奨金を平等に分配する / We always *split* the bill [check] when we go out. 私たちはデートする時はいつも割り勘にする. **4** 〔物理〕〈分子〉を分裂させる; 〈原子〉を核分裂させる; 〔化学〕〈化合物〉を〔…に〕分解する, 分離する(+*off*)〔*into*〕. **5** 〔文法〕〈単語・不定詞〉を分離する(→ split infinitive) ‖ *split* a word with a hyphen 単語をハイフンで分ける. **6** 〈場所〉から退散する.

—[自] **1** 〈物が〉〔…に〕**裂ける, 割れる**〔*in, into*〕; 〈船が〉難破する ‖ My trousers *split* at the seams. ズボンの縫い目がほころびた / *split* open ぱっくりと裂ける. **2** 〈党などが〉〔…に〕**分裂する**(+*up, off*)〔*into*〕; 《略式》〔…と/…のことで〕仲間割れする(+*up*)〔*with / over, on*〕. **3** 《略式》〔…と〕分配する, 分け合う〔*with*〕. **4** 《俗》(さっさと)帰る, 退散する; 散る, 逃げる ‖ It's getting late. Let's *split*. 遅いから帰ろう.

—[名] ([複] ~s/splíts/) [C] **1** 裂く[割る]こと; 裂ける[割れる]こと. **2** 〔…の〕**裂け目**, 割れ目〔*in*〕; 裂片, 破片; 2枚にはいだ薄皮; 薄板, ヤナギの割り枝. **3** 〔…の〕**仲間割れ**, 分裂〔*in*〕 ‖ A *split in* the party lost them the election. 党が分裂したために彼らは選挙に負けた. **4** 分け前 ‖ a *split* of the profits 利益の分け前. **5** 《略式》(ふつうのびんの2分の1の大きさの)小びん; グラス半杯の酒; 半パイント. **6** 〔体操〕[the ~s] 開脚座《股(また)を裂くように一直線に両脚を広げて座る演技》, 全開脚跳び《両脚が水平になるように広げて跳ぶ技》. **7** 〔ボウリング〕スプリット《ピンが2つのグループに分かれた形になること》. **8 a** スプリット《果物を2つに切ってその上にアイスクリームをのせたもの》 ‖ a ba-

nana *split* バナナスプリット. **b** 《英》スプリット《横に切れ目を入れてジャムとクリームをはさんだロールパン》.
——[形] **1** 裂けた, 割れた. **2** 分裂した, 仲間割れした. **3** 分離した；分割した.
split fíngers 〔野球〕スプリット=フィンガー《フォークボールを投げる時の球の握り方》.
split infínitive 〔文法〕分離不定詞《He failed to entirely comprehend it. (彼はそれを完全に理解することはできなかった)のように to と動詞との間に副詞(句)がはいったもの》.
split mínd 統合失調症.
split personálity (1) 二重人格. (2) 統合失調症.
split scréen (1) 〔映画・テレビ〕分割スクリーン[画面]《画面上に2つ(以上)の映像を同時に映し出す方法》. (2) 〔コンピュータ〕分割表示《1つの画面に同時に2つ(以上)の分割画面を表示する方法》.
split sécond ほんの一瞬 ‖ for a *split second* ほんの一瞬間.
†split·ting /splítiŋ/ [形] **1** 裂ける, 割れる. **2** 《略式》〈頭が〉割れるように痛む；〈頭痛が〉頭が割れるような.
splurge /splə́ːrdʒ/ [動] [自] 《略式》誇示する；〔…に〕気前よく金を使う〔on〕.
splut·ter /splʌ́tər/ [動] [他] **1** …を(興奮[当惑]して)早口でしゃべる, つばを飛ばして言う(spatter)(+*out*) ‖ *splutter* a hasty apology 口早にあやまる / ***splutter out*** a threat おどしの言葉を浴びせる. **2** 〈液体など〉をはねかける. ——[自] **1** 〔…に〕早口で言う, ぶつぶつ言う〔*at*〕. **2** パチパチ音を出す[立てる]. **3** 〈エンジンなどが〉だんだん動かなくなる(+*out*).
——[名] [C] [通例 a/the ～] ぶつぶつ言うこと；その声《ペチャペチャ》；(物の)パチパチという音.
***spoil** /spɔ́il/
——[動] (～s/-z/; [過去・過分] **～ed**/-d, -t/ or **spoilt** /spɔ́ilt/; **～·ing**)《♦ spoiled より spoilt の方が完全にだめになった感じがある》
——[他] **1** 〈物・事・人が〉〈物・事〉を**台なしにする**, だめにする, 損なう ‖ *spoilt* ballot papers 無効票 / The typhoon *spoiled* our school picnic. 台風で学校の遠足がだめになった / Too many cooks *spoil* the broth. → cook [名] / He has *spoiled* the whole thing. 彼がなにもかも台なしにしてしまった.

> [語法] 道具・機械などには用いない: The refrigerator is broken [×spoiled]. 冷蔵庫がだめになった.

2 〈人が〉〈子供・ペットなど〉を〔…に不向きなほどに〕**甘やかす**, 増長させる〔*for*〕；〈客など〉を大事にする, …にサービスよくする ‖ They *spoiled* their child by giving in to his every wish. 彼らは子供のしたがることをすべて許すことで甘やかした.
——[自] 台なしになる, だめになる ‖ Some foods *spoil* quickly if not kept refrigerated. 食物の中には冷しておかないとすぐに腐るものがある.
——[名] [U] 《正式》[通例 ～s] 強奪[略奪, 戦利]品；[U] 《古》強奪, 略奪. **2** 《米》[～s] 利権, 役得.
spoil·er /spɔ́ilər/ [名] [C] **1** 台なしにする人[物]；甘やかす人. **2** 《文》強奪[略奪]者.
spoil·sport /spɔ́ilspɔ̀ːrt/ [名] [C] 《略式》他人の楽しみを台なしにする人.
spoilt /spɔ́ilt/ [動] spoil の過去形・過去分詞形.
——[形] (甘やかされて)増長した.
***spoke**[1] /spóuk/ [動] speak の過去形.
spoke[2] /spóuk/ [名] [C] **1** (車輪の)輻(や), スポーク([図] → bicycle)；〔海事〕舵(だ)輪の取っ手. **2** はしごの横桟. ***pùt a spóke in* A*'s whéel*** 《英》〈人〉の計画などをじゃまする, 阻止する, くじく.
——[動] [他] …にスポークを取り付ける, 歯止めをする.
***spo·ken** /spóukn/ [動] speak の過去分詞形.
——[形] **1 話し言葉の**, 口語の(↔ written) ‖ Her *spoken* English has a French accent. 彼女の話す英語にはフランスなまりがある. **2** [複合語で] …の話し方をする；口先の…な ‖ soft-*spoken* やわらかい口ぶりの.
†spokes·man /spóuksmən/ [名] ([複] **--men**/-mən/) [C] 〔団体などの〕代弁者, スポークスマン；代表者〔*for*〕((PC) spokesperson, representative) ‖ act as *spokesman for* the consumer group 消費者グループの代弁者としてふるまう / a government *spokesman* 政府のスポークスマン.
spokes·per·son /spóukspə̀ːrsn/ [名] → spokesman.
spo·li·a·tion /spòuliéiʃən/ [名] [U] 《正式》強奪, 略奪.
†sponge /spʌ́ndʒ/ 【発音注意】 [名] **1** [C] 〔動〕海綿動物 ‖ The *sponge* has no backbone. 海綿動物は無脊椎(せきつい)動物です. **2** [C] [U] [通例 a ～] スポンジ, 海綿；海綿状のもの(ですばやくふくこと), 清拭(せいしき) ‖ have *a sponge* ぬれ海綿で体をふく / He gave the table *a* quick *sponge* over. 彼はテーブルの上をスポンジですばやくふいた. **3** [C] [U] =sponge cake. **4** [C] [U] 〔医学〕外科用ガーゼ.
***páss the spónge òver* A** (1) …を海綿でふく. (2) …をもみ消す, 水に流す, 〈怒りなど〉を忘れる.
——[動] [他] **1** 〈物〉(の汚れ)を(海綿で)ふく, 洗う, 〈汚れなど〉を〔…から〕洗い落とす(+*off, down, out*)〔*from*〕 ‖ *sponge* the child's face 子供の顔をスポンジで洗う / ***sponge out*** a memory 記憶をぬぐい消す. **2** 〈物〉を(海綿で)吸い取る(+*up, away*) ‖ *sponge* the mess *up* off the table 食卓の食べ散らかしをぬぐい取る. **3** 《略式》(人のよさにつけ込んで)〈食事など〉を〔人に〕たかる〔*from, off, on*〕 ‖ *sponge* a dinner *from* [*off*] a friend 友人に食事をおごってもらう.
——[自] **1** 〈物が〉液体を吸収する. **2** 《略式》〔人に〕寄食する, たかる〔*off, on, upon*〕 ‖ *sponge off* one's parents 親のすねをかじる.
spónge bàg 《英》(ふつうプラスチック製の)携帯洗面用具入れ.
spónge càke スポンジケーキ《ショートニングを用いないカステラ風ケーキ》.
†spong·y /spʌ́ndʒi/ [形] (**--i·er, --i·est**) **1** 海綿状の, 多孔質の. **2** スポンジのような, 柔らかい.
†spon·sor /spɑ́nsər | spɔ́n-/ [名] [C] **1** 〔…の〕引受人, 保証人〔*of, for*〕. **2** 名付け親, 命名者. **3** 番組提供者, スポンサー；スポンサー付き番組. **4** (選挙の)後援者[会]. ——[動] [他] …の保証人となる, …のスポンサーを務める.
spon·sor·ship /spɑ́nsərʃìp | spɔ́n-/ [名] [U] 後援；名付け ‖ ***under the sponsorship of*** … …の後援で.
spon·ta·ne·i·ty /spɑ̀ntəníːəti | spɔ̀n-/ [名] [U] 《正式》自発性.
†spon·ta·ne·ous /spɑntéiniəs | spɔn-/ [形] **1** 自発的な, 進んでする, 自らの, 任意の(↔ forced) ‖ a *spontaneous* offer to help 援助の自発的申し出. **2** 自然に起きる, 無意識の ‖ *spontaneous* combustion 自然発火. **3** 〔植〕野生の, 自生の. **4** 〔動〕本能的な, 自動的な.
spoof /spúːf/ 《略式》[名] [C] ちゃかし；ペテン；[形容詞的に] もじりの. ——[動] [他] …をだます, かつぐ；…をからかう；…をもじる. ——[自] ばかなまねをする, ふざける.

S

spook /spúːk/ 名 C (略式) 幽霊. ― 動 他 (米略式) …を驚かす. ― 自 […に]おびえる(at). **spóok·y** /-i/ 形 幽霊の出そうな, おびえさせる.

†**spool** /spúːl/ 名 C 1 (米) 糸巻き((英) reel); (釣糸・フィルムなどの)巻き枠, スプール. 2 一巻きの量.
― 動 他 …を糸巻きに巻く.

‡**spoon** /spúːn/ 名 [「木の小片」が原義]
― 名 (複 ~s/-z/) C 1 **スプーン**, さじ ‖ eat soup with a *spoon* スプーンでスープを飲む / He must have a long *spoon* that sups with the devil. (ことわざ) 悪魔と食事するには長いスプーンが必要である; ずるい人を相手にする時は用心が必要である.
2 スプーン1杯(分) (spoonful).
be born with a sílver spóon in one's *móuth* 『銀のさじで食べさせてもらえるような家に生まれる』金持ちの家に生まれる, よい星の下に生まれる.
― 動 他 1 …をスプーンですくう(+*out, up*). 2 (球)をすくうように打ち上げる.

***spoon·ful** /spúːnfùl/ 名 (複 ~s, spoonsful) C スプーン1杯(分) ‖ two *spoonfuls* of olive oil オリーブ油スプーン2杯.

spo·rad·ic /spərǽdik/ 形 (正式) 点在する, ばらばらの, ちりぢりの; 時折の, 散発的な.

spo·ran·gi·um /spərǽndʒiəm/ 名 (複 --gi·a /-dʒiə/) C (植) 胞子嚢(のう).

†**spore** /spɔ́ːr/ 名 C (生物) 胞子, 芽胞.

‡**sport** /spɔ́ːrt/ [*dis*port (気晴らしをする)の頭音消失]
― 名 (複 ~s/spɔ́ːrts/)
I [運動としてのスポーツ]
1 U C [(米) ではしばしば ~s] **スポーツ**, 運動競技《◆集合的にも個々の競技にも用いる. fishing, hunting など勝敗を争わないものも含む》‖ indoor [outdoor] *sports* 室内[屋外]スポーツ / professional *sports* プロスポーツ / be fond of [enjoy] *sport(s)* スポーツが好きである / He was good at *sport(s)* and highly competitive. 彼はスポーツが得意で競争心旺盛だった / provide disabled people with opportunities to play [do, take part in, participate in] *sport(s)* 身体に障害のある人々にスポーツをする機会を提供する / Bill plays [does, ˟takes part in, ˟participate in] *sport(s)* better than John. ビルはジョンよりスポーツが得意だ《◆Bill is better at sports than John. がふつう》/ What *sport* do you like best? どんなスポーツが一番好きですか.

語法 sport(s) は本来的には狩猟, 釣り, 乗馬などを含むので, play sport(s) の連語関係に抵抗を感じる人もいる. take part in sports, participate in sports は「スポーツに参加する」意なので, 技術を問題にする場合は使えない. 上例参照.

2 [通例 ~s; 形容詞的に] スポーツの, 運動(用)の, 略式の((米) sport) ‖ a *sports* center スポーツセンター, 体育館 / the *sports* page of the (news)paper 新聞のスポーツ欄.
3 (英) [~s; 複数扱い] 競技会, 運動会.
4 C (古略式) スポーツマンらしい人, 公明正大な人, 負けっぷりのよい人, 気さくな人; (主に豪略式) きみ《◆主に男への呼びかけ》; (米) 遊び人 ‖ He is a (good) *sport*. 彼はさっぱりしたいいやつだ.
5 U [人にとっての] **楽しみ**, 娯楽, 気晴らし[*for*] ‖ just for the *sport* of it ほんの楽しみに / What *sport*! 愉快愉快.

II [楽しむこと]
6 C [(米) =sportsman 1. 7 U (正式) たわむれ, からかい, あざけり, 冗談 ‖ The older girls were **making sport of** her. 年上の少女たちが彼女をからかっていた. 8 [the ~] もてあそばれるもの, 物笑いの種 ‖ the *sport* of chance [Fortune] 運命[運命の女神]にもてあそばれた人.

III [その他]
9 C (生物) 突然変異, 変種.
in [*for*] *spórt* 冗談に, ふざけて《◆(米) では in fun [jest] の方がふつう》.
― 動 自 1 (正式) [通例 be ~ing] <子供・動物などが>たわむれる, 遊ぶ. 2 (略式) […を]もてあそぶ, からかう [*with*]. ― 他 (略式) …を見せびらかす.

spórt fishing スポーツ=フィッシング.
spórts càr スポーツカー.
spórts [(米)ではしばしば **spórt**] **còat** [(英) **jàcket**] レジャー用背広上着; (男性用)スポーツウエア.
spórts dày (英) =field day (1).
spórts gèar スポーツ用品.
spórts mèdicine スポーツ医学.
spórt utílity vèhicle (ふつう四輪駆動のジープ型)オフロード=スポーツ車(略) SUV).

†**sport·ing** /spɔ́ːrtɪŋ/ 形 1 スポーツ(用)の; スポーツ好きな ‖ *sporting* goods スポーツ用品, スポーツグッズ / a *sporting* dog 狩猟犬. 2 公正な, 正々堂々たる (↔ unsporting). 3 当てにならない, 賭博(とばく)的な ‖ a *sporting* chance (略式) いちかばちかの機会.

†**sports·man** /spɔ́ːrtsmən/ 名 (複 --men; (女性形) --wom·an) C 1 スポーツマン, スポーツ愛好者((PC) (outdoor) sportsperson, sports lover, athlete) 《◆戸外スポーツ, 特に狩猟・釣り・乗馬などを愛好する人. 「彼はスポーツマンだ」は He's an athlete. / He's athletic. / He enjoys sports. のように言う方がよい》. 2 スポーツマンシップを持っている人, 正々堂々たる人((PC) fair player).

†**sports·man·ship** /spɔ́ːrtsmənʃɪp/ 名 U スポーツマンシップ[精神], 競技者の正々堂々とした[公平な]態度((PC) fair play).
sports·wear /spɔ́ːrtswèər/ 名 U スポーツウエア.
sports·wom·an /spɔ́ːrtswùmən/ 名 (複 --wom·en) C sportsman の女性形((PC) sportsperson, sports lover, athlete).
sports·writ·er /spɔ́ːrtsràɪtər/ 名 C スポーツ記者.
sport·y /spɔ́ːrti/ 形 (--i·er, --i·est) (略式) 1 (主に英) <人が>スポーツ好きの, いろいろなスポーツに手を出す. 2 <人が>快楽を追う, だらしのない; けばけばしい, 派手な. 3 <服装などが>スポーティな, 軽快な.

***spot** /spɑ́t | spɔ́t/ ((類義)) *spat* /spǽt/) [「小さな点」が原義]
― 名 (複 ~s/spɑ́ts | spɔ́ts/) C
I [小さい場所]
1 **地点**, **場所**, 現場; 箇所 ‖ We found a cool *spot* in the shade. 木陰の涼しい場所を見つけた / It's a sore [weak, tender] *spot* with him. そこが彼の泣きどころ[弱点]だ / a penalty *spot*〔サッカー〕(ペナルティエリア内の)ペナルティキック点.
2 (略式) スポットライト.

II [小さい点]
3 **斑**(はん)**点**, まだら, ぶち《◆dot より大きい》; **しみ**, 汚れ; (英) 吹き出物, にきび; ほくろ, あざ; (太陽の)黒点 ‖ remove ink *spots* from clothes =get ink *spots* out of clothes 服のインクのしみを取る / Her dress was blue with white *spots*. 彼女の服は青

に白の水玉模様だった. **4** 〔人格・評判などの〕汚点, 欠点, 傷〔on〕∥ It was a *spot* on his name. それは彼の名声の汚点であった. **5** 〔英略式〕少し, 少量；1滴；1杯 ∥ a few *spots* of rain 数滴の雨.

III [社会的な点]
6 〔略式〕仕事；地位, 立場. **7** 〔略式〕(ラジオ・テレビの番組の切れ目に放送される) 短いニュース [広告]；〔定期的な〕短い出演 ∥ I have a five-minute *spot* on TV テレビに5分間出演している. **8** 〔商取引の際の〕現物；現金.

hit the spót 〔略式〕〈飲食物が〉〈人を〉満足させる, 元気づける〔with〕∥ A cup of coffee would *hit the spot with* me. (こんな時)コーヒーはもってこいだ.
in a (*bád* [*tíght, tóugh*]) *spót* 〔略式〕(ひどく)困って〈◆ちょっと困っている場合は in 'a bit of [somewhat of a] *spot*〉.
*on [*upón*] *the spót* (1) 〔通例文尾で〕ただちに, 即座に ∥ apply for the job *on the spot* その場で職に応募する. (2) 現場の[に, で]；その場所で. (3) 責任ある[説明できる]立場に.

── 動 (**~s**/spáts | spɔ́ts/; 過去・過分 **spot·ted**/-id/; **spot·ting**)
── 他 **1** 〔略式〕**a**〈人・物〉を見つける, 発見する；〈犯人・勝者など〉を言い当てる；〈人〉を〔…と〕見抜く〔*as, for, that* 節, *wh* 節〕∥ The pickpocket *spotted* him immediately *as* a cop. すりは彼を警官だと見抜いた. **b** [*spot* A *doing*]〈人〉が…するのを見つける ∥ We *spotted* them going through the gate. 彼らがゲートを通り抜けようとするところを見つけた. **2**〈人・物〉が〈物〉に〔…の〕斑(ﾊﾟ)点をつける, しみをつける,〈物〉に〔…で〕汚す〔*with*〕∥ The mud *spotted* her dress. 彼女の服が泥で汚れた. **3**〈人格・名声など〉を〔…で〕汚す, 傷つける〔*by*〕. **4** 〔通例 be ~ed〕〈人・物〉があちこちに配置される, 散在している〔*with*〕. **5** (米) 〔スポーツ〕[*spot* A B]〈相手に〉B〈点〉をハンディとして与える ∥ *spot* him two points 彼に2点のハンディを与える.
── 自 **1**〈油・インクなど〉しみになる；〈布など〉がしみがつく, 汚れる. **2** 〔英略式〕[it を主語にして] ポツリポツリ雨が降る.
── 形 [名詞の前で] **1** 即座の；即金の；現物の ∥ *spot* cash 即金 / a *spot* price 現物価格 / give a *spot* answer 即座に答える. **2**〈報道など〉が現地[現場]からの. **3** 〔テレビ・ラジオ〕番組の間に挿入され, 臨時の ∥ *spot* news スポットニュース, ニュース速報 / a *spot* announcement (広告の)スポット(アナウンス).
── 副 〔英略式〕正確に〈◆比較変化しない〉∥ arrive *spot* on time ちょうど定刻に到着する.

spót chèck [**tèst**] 〔…の〕無作為抽出[抜き打ち]検査〔*on, for*〕.

†**spot·less** /spátləs | spɔ́t-/ 形 **1** しみ[汚れ]のない, 清潔な. **2** 〔正式〕〈名声・性格など〉欠点のない, 非の打ちどころのない.

spot·light /spátlàit | spɔ́t-/ 名 C スポットライト, (舞台の)集中照明(具)；(自動車の)照明灯 ∥ direct a *spotlight* on to ...…にスポットライトを向ける. **2** [the ~] 世間の注目 ∥ *be in* [*hold*] *the spotlight* 世間に注目されている / *steal the spotlight from* ...…から自分の方に人目を引きつける.
── 動 (過去・過分) **~·lit**, **2** では **~·ed**) 他 **1** …にスポットライトを向ける. **2** …を目立たせる；…に人の目を向けさせる.

spot·ted /spátid | spɔ́t-/ 形 **1** 〔…の〕斑(ﾊﾟ)点のある, まだらの；しみのついた〔*with*〕. **2** 〔正式〕〈名声などが〉傷つけられた.

spótted díck [**Díck, dóg**] (1) ぶちの犬. (2) (英) 干しブドウ入りプディング.

spótted féver 〔医学〕斑点熱 [脳脊(ﾉｳｾｷ)髄膜炎・発疹(ｼﾝ)チフスなど].

spótted hyéna 〔動〕ブチハイエナ.

spot·ter /spátər | spɔ́t-/ 名 C **1** 斑(ﾊﾟ)点をつける人[物]；(クリーニングで)しみを取る人[物]. **2** 民間対空監視員；偵察兵 [機]；(従業員・客などの不正行為の)監視人.

spot·ty /spáti | spɔ́t-/ 形 (**-ti·er, -ti·est**) **1a** 斑(ﾊﾟ)点のある, まだらの〈◆**Spottie** というつづりでぶちの犬の名によく使われる〉. **b** 〔英略式〕〈顔などが〉ふき出物[にきび]のある；まだにきびのできる年齢の. **2** (米)〈仕事・作品など〉がむらのある, 不均等の, 一貫性がない.

†**spouse** /spáus, spáuz/ 名 C 〔正式〕配偶者.

†**spout** /spáut/ 動 他 **1** …を吹き出す, 噴出する(+*out*) ∥ a well *spouting* oil 油井(ｾｲ)の1. …をべらべらしゃべる, まくしたてる. ── 自 **1** 〔…から〕ほとばしり出る〔*from, off*〕；〈クジラなどが〉潮を吹く. **2** 〔略式〕〔…について〕べらべら言う[しゃべる](+*off*)〔*about*〕.
── 名 C **1** 噴出口, 雨どい, 漏れ口 ∥ the *spout* of a teapot きゅうすの口. **2** 噴出, 噴水. **3** =spout hole.

úp the spóut 〔英略式〕質に入って；困って, どうしようもない.

spóut hòle (クジラの)噴気孔；噴気孔から出た潮.

†**sprain** /spréin/ 動 他 くじくこと, 捻挫(ﾈﾝｻﾞ)する. ── 名 C くじくこと, 捻挫〈◆**strain** よりひどいもの〉；その痛み[はれ].

***sprang** /spréŋ/ 動 **spring** の過去形.

sprat /spræt/ 名 C **1** 〔魚〕スプラット〈ヨーロッパ産ニシン科の魚〉. **2** 子供, 小者.

†**sprawl** /sprɔ́ːl/ 動 自 **1** (ぶざまに)手足を伸ばし, 大の字に寝そべる, 腹ばう (spread) (+*out, about*) ∥ The boy *sprawled* on the bed. 少年はベッドに大の字に寝そべった. **2** 〈文字が〉のたくる. **3** 〈植物などが〉だらしなく伸びる；〈町などが〉不規則に広がる, スプロール化する(+*out*). ── 他 **1** 〈手足・体など〉を伸ばし, 投げ出す(+*out*)；[通例 be ~ed]〈人が〉大の字に横になる. **2** …を散らかす. ── 名 C [通例 a/the ~] **1** 大の字に寝そべること, (手足を)伸ばすこと. **2** まとまりのない町並み, (町の)スプロール現象.

†**spray**¹ /spréi/ 名 **1** U しぶき, 水煙；[a ~ of …]…の雨 ∥ *a spray of* dust 塵(ﾁﾘ)煙 / *a spray of* bullets from the enemy 敵からの弾丸の雨 / The waves cast [tossed up] *spray* on the breakwater. 波が防波堤にしぶきをあげていた[立てていた]. **2** C スプレー, 噴霧器, 香水吹き；U その液, 散布剤 ∥ a hair *spray* ヘアスプレー.
── 動 他 **1** 〈人・物〉にしぶきを飛ばす[かける][類語] spatter, splatter, splash, slosh). **2** [*spray* A on [over] B = *spray* B *with* A](スプレーで)A〈ペンキ・殺虫剤など〉を B〈物〉に吹きかける(+*with*) ∥ *spray* paint *on* the wall = *spray* the wall *with* paint 壁にペンキを吹きつける. **3**〈人〉に〔…を〕浴びせる〔*with*〕∥ *spray* the convoy *with* bullets 船団に砲弾を浴びせる. ── 自 霧を吹く.

spráy càn スプレー用の缶.

spráy gùn (ペンキなどの)吹き付け器；スプレーガン.

spray² /spréi/ 名 C **1** [集合名詞] (葉・花・実のついた)小枝〈◆装飾用のもの. ふつうまき用の小枝は dry twigs〉. **2** (宝石などの)小枝飾り[模様].

spray·er /spréiər/ 名 C **1** スプレー, 噴霧器, 霧吹き.

spread /spréd/ [発音注意] [「広げ伸ばす」が本義]
— 動 (~s/sprédz/; 過去・過分 spread; ~・ing)
— 他
I [広げる]
1〈種子・肥料などを〉〔…に〕まく, 散布する (+about, around)〔on, over〕;〈人々を〉散らす (+out);〈ニュースなどを〉〔…に〕流布させる (+about, around, abroad)〔through, around, to〕;〈費用・責任などを〉〔…に〕分散させる〔over, among〕;〈病気を〉蔓延(まん)させる ‖ Wind or birds can *spread* seeds. 風あるいは小鳥が種をまくことがある.

II [広げるようにのばす]
2〈人が〉〈物を〉**広げる** (+out);〈人・動物・木などが〉〈手・枝などを〉伸ばす (+out);[spread A C]〈物を〉**C の状態に広げる**;[spread **A on** [over] **B**] = spread **B with A**]〈テーブルかけなどを〉〈B〈テーブルなど〉に掛ける ‖ *spread* one's arms *wide* 両腕を大きく広げる / *spread* (*out*) the map *on* the desk 机の上に地図を広げる / *spread* the toys all over the room おもちゃを部屋中に広げる.

3 [spread **A on B** = spread **B with A**]〈人が〉〈A〈物〉を〈B〈物〉に薄く塗る, 薄く広げる ‖ They were *spreading* tar *on* the road. = They were *spreading* the road *with* tar. 彼らは道路にコールタールを塗っていた《◆後者では道路一面にという含みがある》.

4〈支払い・試験などの〉期間を〔…に〕引き延ばす;…の間隔をあける (+out)〔over〕 ‖ You can *spread* your payments *over* five years. 支払い期間を5年間に引き延ばしされてもかまいません.

— 自 **1**〈…が〉**散らばる**, 分布する (+out)〔over〕;〈ニュースなどが〉広まる, 流布する;〈病気が〉蔓延(まん)する;〈会社などが〉伸びる, 発展する (+out) ‖ The news of the accident *spread* quickly. その事故のニュースはすぐに広まった.　**2**〔…に〕(空間的に)**広がる** (+out)〔on, over〕;〈バターなどが〉伸びる ‖ The cornfield *spread out* before us. 我々の眼前にトウモロコシ畑が広がっていた.　**3**〈支払い・試験などが〉〔期間に/…まで〕わたる, 延びる〔over/into〕.

spréad one**sèlf**　(1) 大の字に寝ころぶ.　(2)《略式》みえを張る;自慢する;気前のよいところを見せる.　(3) 長々としゃべる[書く].　(4) 気まぎれにふるまう.

spréad one**sèlf** (**too**) **thín**(**ly**)《略式》手を広げすぎる, 一度に多くのことをやりすぎる.

— 名 (榎 ~s/sprédz/) **1** U [(the) ~]〈ニュースなどの〉**広まり**, 流布;〈教育などの〉普及, 発展;〈病気の〉蔓延 ‖ the *spread* of the business 会社の発展.　**2** U C **パンに塗るもの**《バター・ジャムなど》;C《略式》〈テーブルの上に並べた〉ごちそう.

3 C [通例 a/the ~] (土地などの)広がり, 広さ, 幅 ‖ *a spread of* three feet 3フィートの幅 / *the spread of* the cornfield トウモロコシ畑の広さ.　**4** U [時に a ~] 胴回りが太ること ‖ (*a*) *middle-aged spread* 中年太り.　**5** C ベッドカバー;テーブル掛け.　**6** C《主に米》(広大な)牧場, 農場;家畜の群れ.　**7** C《略式》〈新聞・雑誌の〉見開き;見開き記事[広告] ‖ *a three-page spread* 3ページにわたる記事.

spréad éagle　(1)《米》翼を広げたワシの紋章.　(2)《フィギュアスケート》両手を広げた滑走姿勢.

spread-eagled /sprédi:gld/ 形 大の字になって.

spread·er /sprédər/ 名 C **1** 広げる人[物].　**2** バターナイフ;肥料散布機, 干草拡散機, 種まき機.

spread·sheet /sprédʃi:t/ 名 C《コンピュータ》スプレッドシート, 表計算(ソフト).

2 スプレーをかける人.

†**spree** /sprí:/ 名 C《略式》浮かれ[ばか]騒ぎ;酒盛り.
— 動 自 浮かれ[飲み]騒ぐ (+about).

†**sprig** /sprɪ́g/ 名 C **1** 小枝, 若枝.　**2** 小枝装飾[模様].　— 動 (過去・過分) **sprigged**/-d/; **sprig·ging**) 他〈陶器・壁紙などに〉小枝模様をほどこす.　**2**〈草木〉から小枝を切り取る.

†**spright·ly** /spráɪtli/ 形 活発[敏活]な.　— 副 活発[陽気]に, 明るく.

‡**spring** /sprɪ́ŋ/《「突然飛び出す」が原義. 名1は「芽が出る」ことから》

index 名 **1**春　**2**泉　**5**ばね
　　　動 自 **1**はじく　**2**はねる

— 名 (榎 ~s/-z/)
I [はねるように現れるもの]
1 [時に S~] U C **a** 春, 春期《(1) ふつう北半球では3, 4, 5月, 南半球では9, 10, 11月. 天文学では春分から夏至まで. (2) 若さ・清純・成長などの象徴》;[形容詞的に]春の(ような) ‖ *spring* rain 春雨 / *Spring* is here [*approaching*]. 春が来た[近づいてきている] / *this* [*last, next*] *spring* [副詞的に] 今年の[去年の, 来年の]春 (◆文法 21.6(1)) / It was early *spring*. 時は早春だった / It was early in (the) *spring*. = It was in early *spring*. それは「事が起こったのは]早春のことだった《◆強調構文の that 以下が省略されたと考えてもよい. ◆文法 23.2(1)》.
b 初期, 青春期 ‖ She is just in the *spring of* life now. 彼女は今青春のまっただなかにある.

2 C [しばしば ~s] 泉, 水源地;源, 起源, 根源;(行動などの)原動力, 動機 ‖ *hot* [*mineral*] *springs* 温[鉱]泉. 事情 米国では地名にこの語が多い: *Springfield, Palm Springs* など.

II [はねること]
3 C [通例 a ~] 跳ぶ[はねる]こと, 跳躍《◆ jump より堅い語》 ‖ *make a spring at* [*over*] … …に飛びかかる[…を跳び越える].　**4** U [時に a ~] (足取りの)軽快さ ‖ There was *a spring* to his step. = He walked with *a spring* in his step. 彼の足取りは軽快だった.

III [はねるもの]
5 C **ばね**;[形容詞的に]ばね仕掛けの;U [時に a ~] 弾力, 弾性;反動;精力, 活力 ‖ *a spring watch* ばね仕掛けの時計.

— 動 (~s/-z/; 過去 **sprang**/sprǽŋ/ or《米》**sprung**/sprʌ́ŋ/, 過分 **sprung**; ~・ing)
— 自
I [跳ぶ, はねる]
1 はじく, はね返る;[spring **C**] ぱっと開いて **C** の状態になる ‖ The box *sprang open*. その箱はぱっと開いた / The door *sprang shut* [*to*]. 戸がバタンと閉まった.

2〈人・動物が〉**はねる**, 跳ぶ, 跳び上がる (+up, down, out, back)《◆修飾語(句)は省略できない》;〔…に〕飛びかかる〔*at*, *for*, *upon*〕;〈鳥が〉ぱっと飛び立つ ‖ *spring to* one's *feet* 急に立ち上がる / *spring* over the wall へいを跳び越える / *spring at* the chance その好機に飛びつく.

II [はねるように突然現れる]
3《略式》突然現れる,〈風などが〉急に起こる (+up);急に〔…になる〕, 急に〔…する〕者になる〔*into*〕 ‖ A doubt *sprang up* in my mind. ある疑念が私の心に湧き起こった / *spring into* a fury 突然激怒する / The actress *sprang* to fame with the new movie.

その女優は新作映画で一躍有名になった / Where did you *spring* from? どこからふらりとやって来たのですか.
4 〔…から〕出る, 生じる《♦ come より堅い語》; 〈人が〉〔…からの〕出である; 〔…に〕源を発している〔*from*〕‖ They say that Toyotomi Hideyoshi ***sprang from*** peasant stock. 豊臣秀吉は百姓の出といわれている. **5** 〈水が〉〔…から〕わき出る; 〈人が〉急に成長する; 〈植物が〉〔土・種などから〕生長する, 芽[葉]を出す(+*up*)〔*from, out of*〕.
——[他] **1** …を裂く, 割る, そらせる, ひび入らせる. **2** 《略式》〈人〉を〔…から〕脱獄させる, 釈放する〔*from*〕. **3** 《略式》…を〔人に〕急に持ち出す[言い出す]〔*on, upon*〕‖ He *sprang* a surprise *on* me. 彼は私を突然驚かした. **4** 〈船が〉〈水もれ〉を起こす ‖ *spring* a leak 水もれする. **5** …を跳ぶ, 跳び越す. **6** 〈わななど〉を作動させる. **7** 〈時計など〉にばねを付ける.
spríng béd スプリングつきマットレス(のベッド).
spríng chícken (1) 《主に米》若鶏. (2) [通例否定文で] 若者, うぶな女.
spríng équinox [the ～] 春分(点)(↔ autumn equinox).
spríng hòok ばねホック.
spríng máttress スプリングつきマットレス.
spríng ónion 《英》〔植〕ネギ(《米》scallion).
spríng ròll 《英》春巻(pancake roll, 《米》egg roll).
spríng tíde 大潮(cf. neap tide); 高潮, 洪水; 最盛期.
spríng tráining 〔野球〕スプリングキャンプ《♦ 米国ではオープン戦も含めていう》.

spring·board /spríŋbɔ̀ːrd/ [名] [C] **1** 〔水泳〕飛び板, スプリングボード; 〔体操〕跳躍板, 踏み切り板, スプリングボード. **2** 〔…への〕出発点, 踏み台〔*to, for*〕.

Spring·field /spríŋfìːld/ [名] **1** スプリングフィールド《米国 Illinois 州の州都》. **2** スプリングフィールド《米国 Massachusetts 州南部の都市》. **3** スプリングフィールド《米国 Missouri 州南西部の都市》.

spring·like /spríŋlàik/ [形] 春のような.

spring·tide /spríŋtáid/ [名] 《詩》=springtime.

†spring·time /spríŋtàim/ [名] [U] **1** [(the) ～] 春, 春期; [形容詞的に] 春の ‖ in *the springtime* 春に. **2** 初期; 青春.

spring·y /spríŋi/ [形] (**-·i·er, -·i·est**) **1** ばねのような, 弾力性のある; 軽快な. **2** 〈土地が〉泉の多い.

†sprin·kle /spríŋkl/ [動] [他] **1** 〈人が〉〈場所〉に〔…を〕(一面に)まく, ふりかける〔*with*〕; 〈場所〉に散水する; 〈物〉を〔…に〕まく, まき散らす〔*on, over, along*〕《♦ ふつう狭い範囲に水・砂・塩などを意図的にまく場合に用いる. → scatter》‖ ***sprinkle*** water ***on*** the grass = ***sprinkle*** the grass ***with*** water 芝生に水をやる / *sprinkle* sand *on* [*along*] the icy path = *sprinkle* the icy path *with* sand 凍結した道に砂をまく. **2** 〈物〉を〔…に〕散在[点在]させる〔*over, about*〕; …に〔…を〕ちりばめる〔*with*〕‖ a book ***sprinkled with*** humor 随所にユーモアの見られる本 / Her black hair is *sprinkled with* gray now. 彼女のふさふさした黒髪にもうちらほらと白髪が目につく. ——[自] [通例 it を主語にして] 小雨がぱらつく ‖ *It sprinkled* this morning. 今朝小雨が降った.
——[名] **1** [U] 振りまく[まき散らす]こと. **2** [C] [通例 ～s] 振りまかれた[ちりばめられた]物. **3** [C] 少量散布; 小雨. **4** [a ～ of ...] 少数[少量]の….

sprin·kler /spríŋklər/ [名] [C] **1** 振りかける道具. **2** (芝生などの)水まき機, スプリンクラー; ノズル ‖ a *sprinkler* system 自動消火装置.

sprint /sprínt/ [動] [自] [他] (短距離を)全速力で走る.
——[名] [C] **1** [通例 a/the ～] 短距離競走, スプリント. **2** (長距離競走などでゴール直前での)ラストスパート, 全力疾走.

sprint·er /spríntər/ [名] [C] 短距離(競走)選手, スプリンター.

sprit /sprít/ [名] [C] 〔海事〕スプリット, 斜桁(しゃこう).

†sprite /spráit/ [名] [C] 《文》小人, 妖(よう)精, 小鬼.

†sprout /spráut/ [名] **1** [C] 芽, 新芽; 若枝; 側根. **2** [C] 《略式》若者. **3** 《略式》[～s] 芽キャベツ.
——[動] [他] …を発芽させる, 芽ばえさせる. ——[自] **1** 発芽する, 芽をふく; 〔木から〕葉[枝]を出す(+*up*)〔*from*〕‖ Buds were already *sprouting*. 芽がすでに出始めていた. **2** 〈町などが〉(急に)成長する, 〈子供が〉背が伸びる(+*up*).

†spruce /sprúːs/ [名] [C] 〔植〕トウヒ; (特に)オウシュウ[ドイツ]トウヒ; [U] トウヒ材.

***sprung** /sprʌ́ŋ/ [動] spring の過去分詞形.
——[形] バネの入った ‖ a *sprung* mattress バネ入りマットレス.

spry /sprái/ [形] (**～·er, ～·est; spri·er, spri·est**) 《正式》〈老人などが〉元気な, 活動的な; かくしゃくとした.

spud /spʌ́d/ [名] [C] スパッド《除草用の小鋤(すき)》.
——[動] ([過去・過分] **spud·ded**/-id/; **spud·ding**) [他] 〈雑草〉をスパッドで刈り取る(+*up, out*).

spun /spʌ́n/ [動] spin の過去形・過去分詞形.
spún ráyon 紡績人絹.
spún sílk 絹紡糸.
spún súgar 《米》綿菓子.

spunk /spʌ́ŋk/ [名] [U] **1** 火口(ほくち), つけ木. **2** 《やや古略式》勇気, 気力. ——[動] 《米略式》《♦ 次の成句で》.
spúnk úp [自] 元気を出す. —[他] 〈人〉を元気づける.

†spur /spɜ́ːr/ [名] [C] **1** 拍車 ‖ put [set] *spurs* to a horse 馬に拍車をかける. **2** 《正式》[比喩的に] 〔…に対する〕拍車, 刺激〔*to, for*〕‖ ***by the spur of*** ambition 野心にかられて. **3** (鳥の)けづめ([図] → chicken); (闘鶏の)鉄けづめ; (けづめのような)鋭く突き出た[とがった]物; 〔海事〕錨爪(いかりづめ)の先端. **4** 《正式》山脚《山・山脈の突出部》; (城の)稜(りょう)障; 〔海事〕潜岬(こう) ‖ the southern *spurs* of the Pyrenees ピレネー山脈の南尾根. **5** 〔鉄道〕=spur track.
***on the spúr of the mómen*t** (個人的な)出来心で, 衝動的に; 時のはずみで; 突然, 即座に.
——[動] ([過去・過分] **spurred**/-d/; **spur·ring**) [他] **1** 〈人が〉〈馬〉に拍車をあてる, 〈馬〉を急がせる(+*on*) ‖ The jockey *spurred on* his horse. その騎手は馬にむちをあてた. **2** 〈人〉を〔…するように/…へと〕せきたてる, …に拍車[はっぱ]をかける〔*to do / to, into*〕; 〈人〉を駆りたてる(+*on*) ‖ ***spur*** the team ***to*** victory 選手にはっぱをかけて勝利に導く / Ambition ***spurred*** him ***on***. 彼は野心に駆りたてられた. **3** 〈事が〉〈進歩など〉を促す.
spúr tràck 〔鉄道〕(短い)支線, 待避線.

†spu·ri·ous /spjúəriəs/ [形] 《正式》にせの(↔ genuine), 不純な, まがいの, 偽造[作]の; いい加減な.

†spurn /spɜ́ːrn/ [動] [他] 《正式》…をはねつける, 拒絶する ‖ *spurn* (accepting) a bribe わいろを受け取らない / a *spurned* lover 振られた恋人.

spurred /spɜ́ːrd/ [形] 拍車をつけた; けづめのある.

†spurt /spɜ́ːrt/ [動] [自] **1** 〔…から〕ほとばしり出る, 噴出する(+*out*)〔*from*〕‖ The water ***spurted from*** the broken pipe. 穴のあいたパイプから水が吹き出した. **2** 〔…をめがけて〕疾走する〔*for*〕; 〔スポーツ〕スパー

S

sputa

トをかける. ―他 …を噴出させる.
名C **1** (液体の)噴出, ほとばしり; (怒りなどの)激発 激昂(ら) *spurts* of water 水の噴出 / *a spurt of anger* 激昂(ら). **2** 努力の集中; 〔スポーツ〕スパート *work in [by] spurts* 思い出したように一生懸命働く / *put a spurt on* = *put on a spurt* (略式)スパートをかける. **3** 〔株式〕(相場の)急騰; 急増.

spu・ta /spjúːtə/ 名 sputum の複数形.

†**sput・nik** /spútnik, spʌ́t-, (スキ+) spúːt-/ 〔ロシア〕名C スプートニク〔ソ連製人工衛星〕.

†**sput・ter** /spʌ́tər/ 動自 **1** 〔…に〕早口で言う, せきこんで言う〔at〕; 口ごもる, どもる(stammer) ‖ *sputter incoherently in anger* 怒ってしどろもどろになる. **2** パチパチ[プツプツ, ブルブル]という音を立てる; (ろうそくが)パチパチ音を立てて消える. ―他 **1** …を早口でしゃべる. **2** …をペッと吐き出す; …をパチパチと飛ばす.
―名UC **1** 早口で[せきこんで]しゃべること; ペッと吐き出すこと. **2** プツプツ[パチパチ]という音.

spu・tum /spjúːtəm/ 名 (複 -ta/-tə/, ~s) UC 〔医学〕つば, 唾(ẹ)液; たん; 鼻汁.

*****spy** /spái/ 〔「(隠れたもの)を見つける」が原義〕
名 (複 **spies**/-z/) C **1** スパイ(agent), 密偵, 間諜(^{かんちよう}), (私立)探偵 ‖ *She was arrested as a CIA spy*. 彼女はCIA のスパイとして逮捕された.
動 (**spies**/-z/; **spied**/-d/; ~**ing**)
―自 **1** 〔人を〕ひそかに見張る〔探る〕〔on, upon, for〕; スパイをする[働く]; 〔事件などを〕詮索(^{せんさく})する, ほじくる〔into〕, 〔…を〕調査する〔かぎ出す〕〔out〕◆修飾語(句)は省略できない) ‖ *spy on* one's neighbor 近所の人のことを探る / *spy into* others' affairs 他人の事を詮索する.
―他 **1** 〈文〉…を見králvする; …を探り[見つけ]出す〔notice〕(+out); 〔spy A doing〕A〈人・物〉が…するところを目にする ‖ *I spied him leaning against a mailbox*. 私は彼が郵便ポストにもたれかかっているところを目にした.
spý hòle のぞき穴(peep hole).
spý sàtellite 偵察衛星(◆*spy in the skỳ*ともいう).
spy・glass /spáiglæs|-glɑ̀ːs/ 名C (携帯用)小型望遠鏡.
spy・plane /spáiplèin/ 名C スパイ機.

sq., Sq. (略) *square*.

squab /skwɑ́b|skw5b/ 名C (羽のはえそろわない)ひな鳥, (特に)ひなバト〔食用〕.
―形 (**squab・ber, squab・best**) ずんぐりした; 〈鳥が〉まだ羽のはえそろわない.

†**squab・ble** /skwɑ́bl|skw5bl/ 名C 小ぜりあい, 口げんか, 口論. ―動自 〔…と/…のことで〕言いあう〔with / about, over〕 ‖ *He squabbled with his sister about* who should use the bicycle first. 最初にどちらが自転車に乗るかで彼は妹と口論した.

squad /skwɑ́d|skw5d/ 名C 〔集合名詞; 単数・複数扱い〕 **1** 〔軍事〕分隊, 班 ‖ *Scotland Yard's flying squad* ロンドン警視庁緊急機動隊. **2** チーム, 一団 ‖ *a squad of workers* 一団の労働者. **3** (米)体操チーム. **squád cár** (米)パトロールカー.

†**squad・ron** /skwɑ́drən|skw5d-/ 名C 〔集合名詞; 通例複数・単数扱い〕 **1** 〔米空軍〕飛行大隊, 〔英空軍〕飛行(中隊(→flight¹(名)4); 〔S~〕英国空軍(Royal Air Force). **2** 〔海軍〕(2隻以上の同種艦艇からなる)小艦隊. **3** 〔陸軍〕中隊(company), 戦車中隊; 騎兵大隊. **4** 大群; 集団, 団体.

squal・id /skwɑ́ləd|skw5l-/ 形 (時に ~・er, ~・est)

1 不潔な; むさ苦しい ‖ *a squalid* slum 汚らしいスラム / *squalid* living conditions ひどい生活状況. **2** 下劣な.

†**squall** /skw5ːl/ 名C **1** (時に雨や雪を伴う)突風. **2** (略式)(一時的な)騒ぎ. ―動自 (通例 *it* を主語にして)突風が起こる.

squal・or /skwɑ́lər|skw5l-/ 名U 不潔さ, むさ苦しさ; 卑劣.

†**squan・der** /skwɑ́ndər|skw5n-/ 動他 (正式)〈時・金などを〉〔…に〕浪費[乱費, 散財]する(waste)〔in, on, upon〕.

*****square** /skwéər/ 〔「四角にする」が原義〕

index 名 **1** 正方形, 四角 **2** 四角い広場 **3** 平方
形 **1** 正方形の, 四角の **2** 平方の **3** 直角の
動 他自 **1** 面積を求める; 2乗される

―名 (複 ~**s**/-z/) C **1** 正方形, 四角; 四角い物; (将棋盤などの)目, ます ‖ *a head square* 頭を包むスカーフ / *a square* of cake 四角いケーキ.
2 (市街地の)四角い広場(◆「円形の広場」は(米)circle, (英)circus. cf. park); スクウェア(四角い広場周辺の建物が並んだ街区); (四方を街路に囲まれた方形の)街区(の建物); 街区の一辺の距離((米)block) ‖ in Trafalgar *Square* (ロンドンの)トラファルガー広場で / walk two *squares* 2丁歩いて行く. **3** 〔数学〕〈数の〉平方, 2乗(略 sq, sq.(cf. cube)); 〔建築〕スクウェア(100平方フィート. 床の面積などを測る単位) ‖ *The square* of 3 is 9. 3の2乗は9である. **4** 直角定規, T〔L〕定規, 曲尺(^{かねじやく}). **5** 〔軍事〕方陣; 〔チェス〕盤上の1マス.
gò báck to squáre óne 〔チェスなどで最初の位置に戻ることから〕(英略式)出発点[振出し]に戻る.
on the squáre (1) 直角に. (2) (略式)正直な[に]; 公平な[に]. (3) 同じ条件で, 平等に.
óut of squáre (1) 直角をなさない(で). (2) (略式)不規則で[な], 乱雑で[な].
―形 (~・r/skwéərər/, ~・st/skwéərist/)
I 〔正方形の〕
1 正方形の, 四角の(◆比較変化しない) ‖ *a square house* 四角い家 / *a square* piece of paper 正方形の紙(=a *square* of paper).
2 〔名詞の前で〕平方の, 2乗の(◆(1) 数字を伴った名詞の後でも用いる. (2) 比較変化しない) ‖ ten *square* miles 10平方マイル / A room 9 feet *square* contains [has an area of] 81 square feet. 9フィート四方の部屋は広さ81平方フィートとなる.
II 〔正方形の角が直角の〕
3 (正式)直角の, 直角に交わる; 垂直の.
4 角張った, がっしりした; しっかりした, 安定した; 〔…と〕同じ高さの〔with〕 ‖ *a man of square* frame がっしりした体格の人.
III 〔正方形のように対等できちんとした〕
5 (略式)〔補語として〕〔…と〕互角の, 同点の(even); 〔人に対して〕貸借のない, 勘定済みの〔with〕(◆比較変化しない) ‖ make accounts *square* 勘定を決済する. **6** 公平な, 公明正大な; 〔…に対して〕正直な〔with〕. **7** 率直な, きっぱりした ‖ give a *square* refusal きっぱりと断る. **8** 〔補語として〕きちんとした, 整然とした(tidy). **9** (略式)〔名詞の前で〕〈食事が〉十分な, 満足できる《◆比較変化しない》 ‖ have a *square* meal 十分な食事をとる. **10** (略式・まれ)旧式

squarely

の, 古風な, 因襲的な; 融通のきかない.

― 副 (~·r, ~·st) 〔略式〕 **1** 四角に(なるように); 直角に ‖ *cut a piece of paper square* 紙を四角に切る. **2** がっしりと, しっかりと. **3** 公平に; 正直に. **4** まともに, 直接に〈◆比較変化しない〉‖ *look her square in the eye* 彼女の目をまともに見る.

― 動 (~s/-z/; 過去·過分) ~d/-d/; **squar·ing**)
― 他 **1** …の面積を求める; 〔通例 be ~d〕〈数〉の2乗される ‖ *square the circle* 円の面積を求める / <対話> "What's four *squared*?" "It's sixteen." 「4の2乗はいくつですか」「16です」. **2** …を正方形[四角, 立方体]にする(+*up*); …を四角に仕切る[区切る](+*off*) ‖ *square the circle* 円を四角にする, 不可能なことを試みる. **3** …を直角にする;〈オール(の水かき)を〉水面と直角にする. **4**〈肩などを〉角張らせる. **5**〈試合を〉同点[タイ]にする;〈借金を〉清算する ‖ *square accounts with him* 彼に借金を支払う; 彼に仕返しをする. **6 a** 〔略式〕…を[…に]合わせる, 一致させる(*with*). **b** 〈事を[人に]〕矛盾させる(*with*). **7** 〔略式〕〈人を〉買収する;〈事を〉わいろを使う.

―自 **1** 〔…と〕直角になる(*with*). **2** 〔略式〕〔…と〕一致する(*with*). **3** 〔略式〕〔…に〕借金を支払う(+*up*)(*with*).

squáre úp 〔自〕 (1) 〔略式〕〔人と〕清算する(*with*). (2) 〔略式〕〔相手に対して〕身構える;〔事に〕立ち向かう, 真剣に取り組む(*to*). (3) ― 他 **2**.

squáre brácket 〔通例 -s〕 角括弧〔[ ]〕.

squáre dánce 〔米〕 スクエアダンス〈2人ずつ組み, 4組が方形を作って踊る〉.

squáre déal 〔略式〕 公平な取引; 公平な取り扱い ‖ *get a square deal* 公平に取り扱われる / *give him a square deal* 彼を公平に取り扱う.

squáre gáme (トランプなどで)2人ずつ向かい合って行なうゲーム.

squáre knót 〔米〕 こま結び〔〈英〉reef knot〕.

squáre méasure 〔数学〕 平方積, 面積.

squáre númber 〔数学〕 平方数〈1, 4, 9, 16 など〉.

squáre róot 〔数学〕 平方根〈記号: r, √〉‖ The *square root* of 4 is ± 2. 4 の平方根は ±2 である.

†**square·ly** /skwéərli/ 副 **1** 四角に(なるように); 直角に. **2** しっかりと. **3** まともに, 直接に.

squar·ing /skwéəriŋ/ 動 ⇒ square.

†**squash**[1] /skwɑ́ʃ | skwɔ́ʃ/ 動 他 **1**〈物を〉(誤って)〔…の上で〕押しつぶす[on]; [square A C]〈人·車が〉A を踏んで C にする〈◆crush よりくだけた語〉‖ *squash a fly on the windowpane* 窓ガラスに止まっているハエをたたきつぶす / The bread got *squashed* flat. パンがぺちゃんこになった. **2** 〔…に〕押し[詰め]込む(+*up*)(*in, into*)‖ *squash many clothes in [into] the case* たくさんの衣服を旅行かばんにぎゅうぎゅう詰める〈◆squash の代わりに squeeze も可〉. **3** 〔略式〕〈暴動などを〉抑える, 鎮める;〈人を〉(弾圧的に)黙らせる, やりこめる;〈提案などを〉拒絶する. ― 自 **1** つぶれる, ぐにゃりと[ぺちゃんこ]になる. **2** ぎゅうぎゅう詰める(+*up*). (無理に)〔…に〕割り込んでいく(*into*);〔…の中を〕押し合いながら進む(*through*)‖ May I *squash* in next to you? お詰め願えませんか. **3** ピチャピチャ音を立てて歩く(+*through*).

― 名 **1** ⓤ 押し[踏み]つぶれた物[状態]‖ go to *squash* ぐにゃぐにゃにつぶれる; だめになる. **2** ⓒ グシャ[ペシャ, ピチョ](という音)‖ with a *squash* グシャリ[ペチャ, ピチャピチャ]と. **3** 〔略式〕〔通例 a ~〕押し合い; 群衆; ぎゅうぎゅう詰めの状態 ‖ *a squash of people* 大勢の人. **4** ⓤⓒ 〔英〕スカッシュ〈ふつう無炭酸果汁飲料. cf. crush〉‖ lemon *squash* レモンスカッシュ. **5** ⓤ **a** =〔正式〕squash racket. **b** =squash tennis.

squásh ràckets 〔単数扱い〕スカッシュ=ラケット〈ふつう壁に囲まれたコートで柄の短いラケットとゴムボールを使って2人または4人で行なうゲーム〉.

squásh ténnis スカッシュ=テニス〈少し大きいラケットとゴムボールを使ってふつう2人で行なうスカッシュ=ラケットに似たゲーム〉.

squash[2] /skwɑ́ʃ | skwɔ́ʃ/ 名 (複 ~·es, 〔集合名詞 squash〕) ⓒⓤ 〔米〕〔植〕ウリの類, カボチャ〈pumpkin, zucchini などを含む〉; その実〔木〕.

†**squat** /skwɑ́t | skwɔ́t/ 動 (過去·過分) **squat·ted** /-id/; **squat·ting**) 自 **1** (両手でひざをかかえるようにして)〔…に〕しゃがむ; うずくまる(+*down*)(*on*)‖ *squat* (*down*) around the fire 火を囲んでしゃがみこむ. **2** 〔英略式〕座る(+*down*)‖ *squat down cross-legged* あぐらをかいて座る. **3**〈動物が〉身をひそめる, 地に伏す. ― 他 〔~ oneself〕 しゃがむ, 座る(+*down*). ― 形 (**squat·ter, squat·test**) **1** しゃがんだ; ひそんだ. **2** ずんぐりした, 脚の短い. ― 名 ⓒ **1** しゃがむこと; 〔通例 a ~〕しゃがんだ姿. **2** 〔英略式〕(公有地の)不法建築物.

†**squaw** /skwɔ́ː/ 名 ⓒ **1** (北米) 先住民の妻[女]. **2** めぼしい男. **3** 〔米俗〕〔one's ~〕(うちの)かみさん; (老)婦人.

†**squawk** /skwɔ́ːk/, 〔英+〕sk5ːk/ 動 自 **1**〈鳥が〉ガーガー鳴く. **2** 〔略式〕〈人が〉ブーブー不平を言う, やかましく抗議する. ― 名 ⓒ ガーガー(鳴き声); 〔略式〕ブーブー《不平の声》.

†**squeak** /skwíːk/ 動 自 **1**〈ネズミなどが〉チューチュー鳴く;〈車輪·楽器·ベッドなどが〉キーキー[キューキュー]鳴る, きしむ(cf. creak);〈赤ん坊が〉ギャーギャー泣く(+*out*). **2** 〔略式〕密告する, 告げ口する, 裏切る. **3** かろうじて成功する[勝つ], やっと逃げおおす(+*by, through*). ― 他 …をキーキー声で言う(+*out*).

― 名 ⓒ **1** チューチュー, キーキー ‖ the *squeaks* of the mice ネズミのチューチュー鳴く声. **2** 〔略式〕 [narrow, close, near などと共に] 間一髪逃れたこと, 危ない瀬戸際 ‖ a narrow *squeak* 危機一髪の逃亡.

squeak·y /skwíːki/ 形 (**-i·er, -i·est**) **1** キーキーいう; ギャーギャー[チューチュー]鳴く; ミシミシいう, きしる. **2** キーキー[金切り]声の. **3** (主に米略式)〔通例次の句で〕‖ *squeaky clean*〈髪の毛が〉清潔そのもので; 清純な, 清廉潔白な.

†**squeal** /skwíːl/ 動 自 **1** キーキー[ブーブー, ギャーギャー]いう, 金切り声[キャーという悲鳴, 歓声]をあげる〈◆squeak よりも大きく長い耳ざわりな音〉‖ The puppy *squealed* with pain. 子犬は痛さでキャンキャン鳴いた. **2**〈ブレーキなどが〉キーときしむ音を出す. **3** 〔略式〕不平[不満]を言う. **4** 〔俗〕〔…を[…に]〕密告する, 売る(*on/to*). ― 他 (金切り声で) …を発する(+*out*).

― 名 ⓒ **1** 金切りりん高い[声; 悲鳴 ‖ with *squeals* of delight キャーと歓声をあげて. **2** きしむ音, キーキーいう音 ‖ a [the] *squeal* of brakes ブレーキのきしみ. **3** 不平, 不満, 〔俗〕(仲間の)密告, 裏切り.

squea·mish /skwíːmiʃ/ 形 **1** 吐き気をもよおさせる, 胸の悪くなる;〈人が〉すぐ気持ちが悪くなる. **2** 冷淡な, よそよそしい. **3** 気難しい, 神経質な.

†**squeeze** /skwíːz/ 動 他 **1**〈人が〉…を(両側から)圧搾(ḁっ)する, 締めつける;〈粘土などを〉こねる ‖ *squeeze one's fingers in the doorway* 戸口で

squeezer

指をはさむ / *squeeze* the clay into a ball 粘土をこねてだんごを作る. **2**〈人が…を〉絞る, …を[から]絞り出す〔取る〕; 〈人を〉[…から]締め出す〔*from, out of*〕‖ *squeeze* a lemon (dry) レモンを(からからに)絞る / I *squeezed* out (some) toothpaste onto a toothbrush. 私は練り歯みがきをはブラシに絞り出した / *squeeze* more juice *from* [*out of*] an orange オレンジの汁をもっと絞る. **3** …を[…から]捻(ひね)り出す〔取る〕‖ *squeeze* 10 pages out of a small subject 取るに足りない問題について10ページも書く. **4** …を(意味ありげに)強く握る; …を抱擁する‖ *squeeze* his hand 彼の手をぎゅっと握る. **5**(略式)…を〔から〕強要する, 絞り取る〔*from, out of*〕; 〈人を〉〔税金などで〕苦しめる〔*with*〕; 〈人〉から搾取する‖ *squeeze* a promise *from* her 彼女に無理に約束させる / *squeeze* money *out of* her by blackmail =*squeeze* her for money … おどして彼女から金を巻き上げる / Heavy taxes are *squeezing* small firms. 重税が小企業を苦しめている. **6** …を[…の中へ](無理に)押しこむ, 押し進める〔*into*〕; [~ one's way]〔…の中を〕押し進む〔*through*〕; …を割り込ませる(+*in*);〔日時に〕〈予定など〉を詰め込む〔*into*〕‖ *squeeze* six people *into* the car 6人も車にむりに押し込む / *squeeze* one's way *through* a crowd 群衆の中をなんとかかき分けて進む.

――⸺⦿〈スポンジなど〉が絞れる;〔…を〕ぎゅっと握りしめる〔*at*〕. **2**〔…の中へ〕…の中に押し入る〔進む〕(+*in*)〔*into*/*through*〕(cf. 他 **6**); そばをやっとのことで通る(+*by*); かろうじて合格する(+*in, through*)‖ *squeeze* into a seat 無理に席に割り込む / *squeeze* through [in] (the examination) (試験に)合格する / Can I *squeeze* in? =(英) *Squeeze* up a bit more, please. (満員電車・エレベーターなどで)もう少しつめてください.

――⸺名 **1**ⓒ 絞ること, 圧搾;(少量の)絞り汁‖ *a squeeze of* lemon レモン汁. **2**ⓒ ぎゅっと握る(つかむ)こと; 抱擁‖ give her hand a gentle *squeeze* 彼女の手を軽く握る. **3**ⓒ 〔通例 a ~〕押し合い, 雑踏; すし詰め‖ We all got in, but it was a tight *squeeze*. みんな乗るには乗ったが, 身動きもできなかった. **4**(略式) [a ~]多くの人の集まり, 多数, 多勢‖ *a squeeze* of people 大勢の人々. **5**Ⓤ〔通例 the ~〕強要, 圧力; ゆすり; 収賄, わいろ, 不正手数料‖ I put the *squeeze* on him (略式)彼の弱みにつけこんでおどす, 彼に圧力をかける. **6**(略式) [a ~]窮地, 苦境; 間一髪(squeak)‖ be in *a* (tight) *squeeze* 危機に立つ / *a close* [narrow, tight] *squeeze* 危機一髪, 九死に一生. **7**ⓒ(略式)【経済】〔通例 a/the ~〕経済的圧迫, 引き締め; 不足. **8**(野球)=squeeze play.

squéeze bòttle (プラスチック製の)絞り出し容器.
squéeze bùnt〔野球〕スクイズ(バント).
squéezed òrange 用済み, 役立たず.
squéeze plày〔野球〕スクイズ.

squeez・er /skwíːzər/ 名 ⓒ **1** 圧搾(*あっさく*)器; 絞り器‖ a lemon *squeezer* レモン絞り器. **2** 絞り出す人; 搾取する人.

squelch /skwéltʃ/ 動 他 **1** …を押し[たたき]つぶす, ぺちゃんこにする. **2**(略式)…を抑える, 鎮圧する; …をやりこめる, 黙らせる. **3** …にピチャピチャ[クチャクチャ]音がする. ――⸺⦿〔…を〕ピチャピチャ[バシャバシャ]音をたてて歩く〔*through*〕. ――⸺名 **1** Ⓤ〔時に a ~〕ピチャピチャ[ピシャピシャ](いう音). **2** Ⓒ(略式)やりこめること; 意気阻喪.

squid /skwíd/ 名 (圏 **squid, ~s**) ⓒ 動 イカ《ヤリイカ・スルメイカ・アカイカなど》; イカ型の擬餌(ぎじ) (cf. cuttlefish).

squig・gle /skwígl/ 動 ⦿ (米) **1** のたくる, もがく. **2** 走り書きをする. ――他 …を走り書きする. ――名 ⓒ **1** のたくること, もがき. **2** くねった線; 走り書き, なぐり書き.

†**squint** /skwínt/ 名 Ⓒ **1** 【医学】斜視; やぶにらみ‖ have a bad *squint* ひどい斜視である. **2**(ねたみ・悪意などの)横目, 流し目; 盗み目;〔…を〕細目で見ること〔*at*〕. **3**(英略式)一瞥(いちべつ).
――⸺形 (~・er, ~・est)**1**(まれ)斜視の; 横目[流し目]の. **2**(略式)傾いた, 斜めの.
――⸺動 ⦿ **1** 斜視である; 〔…を〕やぶにらみで見る〔*at*〕. **2**〔…を/…を通して〕横目で[目を細めて]見る〔*at*/*through*〕‖ *squint* up [*into*] the bright sunshine 明るい太陽光線に目を細める. **3**〔…を〕一瞥する〔*at*〕. ――他 **1**〈目〉を斜視にする. **2**〈目〉を細める.

†**squire** /skwáɪər/ 名 Ⓒ **1**(古)地方の素封(そほう)家, 大地主《◆上流階級の敬称にも用いる》‖ *Squire* Jones ジョーンズだんな様. **2**〔歴史〕(騎士・高貴な人の)従者, 付添い人. **3**(米)治安判事《◆敬称にも用いる》. **4**(英略式)「呼びかけ」(店員が客に対して)だんな, お客さん《◆*Sir* はより丁寧な言葉》.

†**squirm** /skwɔ́ːrm/ 動 ⦿ **1**〈人・虫・魚が〉身をよじる, もがく; (退屈して)ごそごそ[もぞもぞ]する. **2**くねり[のたくり]ながら進む; (略式)なんとか〔…から〕のがれる〔*out of*〕. **3**(略式)当惑・心配などで〕もじもじする〔*with*〕. ――他 …をのたくらせる; [~ one's way]〔…を〕のたくりながら進む〔*through*〕.

†**squir・rel** /skwə́ːrəl, skwʌ́rəl | skwírəl/ 名 (圏 **~s, squir・rel**) ⓒ リス《chipmunk がよく知られている》; Ⓤ その毛皮‖ A *squirrel* is eating nuts. リスが木の実を食べている. ――squir・rel(l)ed/-d/; ~・ing or (英) ~・rel・ling 他〈食料など〉を大切に貯蔵する; (主に米)〈金など〉を(隠して)蓄える(+*away*).

†**squirt** /skwə́ːrt/ 動 他 …を〔…から/…に〕噴出させる, 吹きかける〔*out of, through* / *at, over*〕; …に〔…で〕水を浴びせる〔*with*〕‖ *squirt* water *out of* a squeeze bottle 容器から水を勢いよく出す / *squirt* him *with* a water pistol 彼に水鉄砲で水をかける. ――⸺⦿〔…から〕噴出する, ほとばしる〔*from*〕;〔…に〕かかる〔*over*〕. ――名 **1** Ⓒ噴出すること, ほとばしり. **2**(略式)いやな[下劣な]やつ; 青二才; 気取り屋.

Sr(記号)【化学】strontium.
Sr, Sr.(圏)Senior.
Sri Lan・ka /sríː lɑ́ːŋkə, sríː-|-lǽŋ-/ スリランカ《旧称セイロン(Ceylon). 首都 Sri Jayawardanapurakotte》.
SRO(圏) standing room only《座席は満員で》立席のみ.
SS(圏) steamship《◆SS, S/S とも略し, 船名の前に付ける: the SS Kobe 神戸丸》; [ドイツ] Schutz-Staffel ヒトラー親衛隊; Secretary of State; Sunday school.

†**St.,**(主に英) **St** /séɪnt | sənt, sən/《◆(英)では母音で始まる人名の前では /sənt/ がふつう》(圏 **SS., Sts.**)(略)=saint《◆St. という形の複合語については saint の項参照. 聖人の名でない St. を除いた人名の項参照》.
St.(圏) Saturday; Strait; Street.
-st /-st/ 語要素 →語要素一覧 (2.1, 2.3, 2.5).

stab /stǽb/ 動 (過去・過分 **stabbed**/-d/; **stab·bing**) 他 1 〈人が〉〈人・物〉を〔とがった物で〕刺す〔with〕;〈人に〉突き刺す〔into〕‖ *stab* him **with** a dagger =*stab* a dagger *into* him 彼を短刀で刺す / He *stabbed* her *in* the arm. =He *stabbed* her **in** the arm. 彼女は彼女の腕を刺した(→ catch 他 1c) / *stab* her **in** the back (だまし討ちｰｰ)彼女の背中を刺す;〈略式〉〈卑劣な方法で〉人を中傷する,ｰｰ中に; 裏切る. 2 〈指などが〉を〔…で〕刺す〔in, at〕. 3 〈正式〉〈比喩的に〉…を鋭く傷つける‖ *stab* his reputation 彼の名声をそこなう.
— 自 1 〔人を〕突き刺す〔at〕‖ *stab* **at** her with a knife ナイフで彼女を刺す. 2 〔…の〕心に鋭く〔深く〕刺さる〔at〕‖ Every word *stabs* **at** me. どの言葉を聞いても心が痛い.
— 名 C 1 刺し〔突き〕傷; 〔…を〕(突き)刺すこと〔at〕‖ make several *stabs* at her 彼女を数回突き刺す / a *stab* in the back 背中の刺し傷; 〈略式〉(卑劣な)中傷; 裏切り. 2 刺すような痛み,心の痛み ‖ with a *stab* of remorse 深い悔恨の情を持って. 3 〈略式〉〔…に対する〕試み〔at〕〈◆「できないとすぐあきらめる」という語感がある〉‖ **have [make] a stab at** a hard job 難しい仕事にちょっと手を出してみる.

stab·bing 名 ⓤ 刺すこと.— 形 1 刺さる. 2 刺し込むような,ずきずきする ‖ a *stabbing* pain 激痛. 3 〈言葉が〉辛辣(らつ)な.

†**sta·bil·i·ty** /stəbíləti/ 名 ⓤ 〔時に a ~〕 1 安定(性),固定,(船・飛行機の)復元力 ‖ the *stability* of prices 物価の安定性. 2 〈人が〉しっかり〔断固と〕していること.

†**sta·bi·li·za·tion** /stèɪbələzéɪʃən/ | -lai-/ 名 ⓤ 安定〈させる[している]こと〉,固定化.

†**sta·bi·lize**, 〈英ではしばしば〉 **-lise** /stéibəlàiz/ 動 他 1 〈正式〉…を安定〔固定〕させる ‖ *stabilize* prices [a government] 価格[政府]の安定をはかる. 2 〈船・飛行機など〉を〈安定装置で〉安定させる〔with〕.

†**sta·ble**[1] /stéibl/ 形 (more ~, most ~; ~r, ~st) 1 安定した,びくともしない〈◆steady より堅い語〉(↔ unstable) ‖ a *stable* government [currency, economy] 安定した政府[通貨, 経済] / a *stable* price 安定した価格. 2 一定の,不変の ‖ a *stable* relationship 変わらない関係 / a *stable* peace 恒久平和. 3 堅忍不抜な,断固とした ‖ a calm, *stable* person 物静かでしっかりした人. 4 〈化学〉安定した,変質[分解]しにくい.

†**sta·ble**[2] /stéibl/ 名 Ⓒ 1 〔しばしば ~s; 単数扱い〕 馬(小)屋(cf. stall) ‖ It is getting dark. Put the horses in the *stable*. 暗くなってきました。馬を馬小屋に入れてください. 2 〔しばしば ~s; 時に単数扱い〕(競馬用)厩(きゅう)舎(racing stable); 〔しばしば ~s; 集合的; 単数扱い〕競走馬,〈…の〉所有馬;〈…の所有の〉レーシングカー. 3 〔通例 a ~〕 **a** 〈目的を同じくする〉一群,一連,集まり(cf. string) ‖ a publisher's *stable* of authors [writers] 出版社かかえの作家連. **b** 〈略式〉(プロ選手育成用)訓練施設[部屋],…クラブ,…団〈◆相撲の「部屋」にもこの語をあてる「九重部屋」は Kokonoe Stable,「親方」は *stable* master〉.
— 動 他 〈馬など〉を馬屋に入れる.

stáble màte [**compànion**] 同じ厩舎の馬; 同じ釜(かま)の飯を食った仲間; 同じクラブ[ジム]の選手.
sta·ble-boy /stéiblbɔ̀i/ 名 Ⓒ 1 少年の馬丁. 2 = stableman.
sta·ble-lad /stéibllæ̀d/ 名 =stableboy.

sta·ble·man /stéiblmæ̀n/ 名 Ⓒ 馬屋の世話人, 馬屋番, 馬丁((PC) stable attendant).
stac·ca·to /stəkάːtou/ 〈イタリア〉〈音楽〉 形 1 スタッカートの[で]. 2 きれぎれの[に], 突然の[に].

†**stack** /stǽk/ 名 Ⓒ 1 干し草[麦わら]の山(haystack); しばり束. 2 〔a ~〕(きちんとした)積み重ね, 堆(たい)積; 〈略式〉[a ~ / ~s]〔…の〕山, 多数, 多量〔of〕‖ a *stack* of grain 穀物の山 / a *stack* of papers to get through 仕上げを要する山積みした書類. 3 叉(さ)銃《銃3丁を銃口をそろえてピラミッド型に組み立てること》.
— 動 他 1 [stack A onto [on, in] B = stack B with A] A〈物〉を B〈場所〉に積み重ねる, 積む ‖ *stack* hay in the barn =*stack* the barn **with** hay 納屋に干し草を積む. 2 〈銃〉を〈銃口をそろえて〉ピラミッド型に組み立てる(pile).

stáck úp 自 〈米略式〉〔…と〕比較する〔with〕,〔…に〕比肩できる, 太刀打ちできる〔against, to〕.

The cárds [ódds] are stácked against A. 形勢が人〈A〉に不利である.

†**sta·di·um** /stéidiəm/ 発音注意 名 Ⓒ 競技場, 野球場, スタジアム ‖ the National *Stadium* 国立競技場.

†**staff** /stǽf / stάːf/ 名 (複 ~s/-s/ or **staves**/stǽvz, stéivz; staves/; 1 では ~s) Ⓒ 1 〔通例単数形; 集合的名詞; 単数・複数扱い〕職員, 部員, 局員, 社員, スタッフ (⇒ 文法 14.2(5)); 〈軍事〉参謀, 幕僚; 〔形容詞的に〕職員の ‖ The editorial *staff* are [is] well-experienced. 編集部員(全体)は経験豊富だ〈◆複数扱いがふつう〉 / the teaching *staff* 教授陣 / a manager in charge of 30 *staff* 30人の職員を管理している部長 / She has recently joined the *staff* of the hotel. 彼女は最近ホテルの職員になったばかりだ / How many people do you have on the [your] *staff*? =How large [×much] is your *staff*? あなたの部員はどれくらいいますか / I am **on** the *staff* of this company. 私はこの会社の社員です.

✓ 使い分け [**staff** と **staff member**]
staff は「職員全体」の意の集合名詞.
staff member は「個々の職員」の意.
He is 「a *staff member* [×a *staff*] at the restaurant. 彼はそのレストランの社員だ.
The *staff* signed a birthday card for me. スタッフ全員が僕あての誕生日カードにサインした.

2 〈古〉杖, 棒; 支え〔頼り〕になるもの; さお;〈権威の象徴としての〉職杖 ‖ a flag *staff* 旗ざお / the *staff* of life 〈おおげさに〉生命を支えるもの; パン.
— 動 他 〔通例 be ~ed〕〈職員が〉〔…に〕配置される〔with〕, …に職員を配置する; …の職員として働く[勤める].

stáff òfficer 〈軍事〉幕僚, 参謀将校.
stáff sérgeant 〈米陸軍〉2等軍曹;〈英陸軍〉最上位の軍曹.

†**stag** /stǽg/ 名 (複 ~s/-z/, **stag**) Ⓒ 1 〈動〉雄ジカ〈◆特に5歳以上の成長した red deer〉(関連→ deer). 2 ニワトリ[シチメンチョウ]の雄, 去勢したブタ[ウシ].
stág bèetle 〈昆虫〉クワガタムシ.
stág pàrty 〈略式〉男だけのパーティー(cf. hen party).

*****stage** /stéidʒ/ 〖「立っている場所」が原義〗
— 名 (~s/-iz/) Ⓒ

Ⅰ〔段階〕

1 (発達・発展などの)段階, 時期 ‖ a rebellious *stage* 反抗期 / *at the early stage* =*in the early stages* 初期に. **2** (古風式) (昔の)駅馬車; 宿場, 宿駅; (宿場間の)旅程, 行程; (英) (バスの)同一料金区間. **3** (ロケットの)段; (建物の)階, 層; (期に対応する)階; (川の)水位 ‖ a 2-*stage* rocket 2段ロケット.

[劇など発表の場]

4 舞台, ステージ; 演壇; (主に文) [the ~] 演劇; 劇文学; 俳優業 ‖ stand on a *stage* 演壇に立つ / *be on (the) stage* =tread *the stage* 舞台に上がっている; 俳優である / go on the *stage* 舞台に上がる; 俳優[女優]になる / put a play on the *stage* 劇を上演する.

5 (文) [a/the ~] (活動の)舞台, 場所 (for, of) ‖ Europe was the *stage* for the First World War. ヨーロッパは第一次世界大戦の舞台であった.

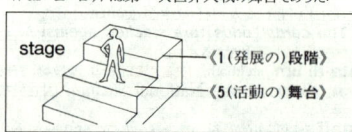

```
stage
         《1 (発展の)段階》
         《5 (活動の)舞台》
```

── 動 (~s/-iz/; 過去・過分 ~d/-d/; stag·ing)
── 他 **1** 〈人・団体などが〉〈劇を〉上演する, 〈試合などを〉(興行として)行なう ‖ Our dramatic society will *stage* a play by Shakespeare next year. 演劇部は来年シェイクスピア劇を上演します.
2 〈ストライキなどを〉企てる, 計画する; …をやってみせる ‖ *stage* a comeback 立派にカムバックする.
── 自 **1** 上演できる ‖ This play *stages* well [badly]. この劇はうまく上演できる[できない]. **2** 駅馬車で旅行する.

stáge diréction (1) (脚本の)卜書き. (2) 演出.
stáge diréctor (1) 演出家. (2) (英) =stage manager.
stáge dóor 楽屋出入口.
stáge efféct 舞台効果.
stáge léft [ríght] (観客に向かって)舞台中央から左側[右側]; 上手(ピッ)[下手(ピッ)].
stáge mánager 演出家を助ける)舞台主任.
stáge náme 舞台名, 芸名.
stáge whísper (1) (観客に聞こえるように言う)わきぜりふ. (2) 聞こえよがしの私語.

†**stage·coach** /stéidʒkòutʃ/ 名 C (歴史) 駅馬車, 乗合い馬車; 郵便馬車.

stag·fla·tion /stægfléiʃən/ [*stag*nation + in*fla*tion] 名 U (経済) スタグフレーション, 不況下のインフレ.

†**stag·ger** /stǽgər/ 動 **1** 〈人などが〉よろめく, ふらつく (+*about, around*); [...を]よろよろと[千鳥足で]歩く (*along, down*); (略式) [...へ]ふらふらと入り込む (*into*) ‖ The drunken man *staggered* across the street. その酔っ払いはふらよろしながら通りを横切った. **2** [...に]ためらう, ちゅうちょする, 動揺する; ひるむ, たじろぐ (*at*) ‖ She *staggered at* the news. 彼女はその知らせを聞いて動揺した.
── 他 **1** 〈人〉をよろめかせる, ふらつかせる ‖ His punch *staggered* the boxer. 彼のパンチでそのボクサーはよろめいた. **2** 〈人〉をためらわせる, 動揺させる; 〈決心などを〉ぐらつかせる. **3** (略式) [通例 be ~ed] 〈人〉をびっくりさせる, 呆(ṡ)然とする ‖ She *was staggered by* [*to*] hear the news. 彼女はその知らせを聞いて呆然となった. **4** (通例 be ~ed] 〈物を互い違いに置きかえる; 〈勤務時間などがずらされる; 〈複葉機の翼が〉前後にずらされる ‖ *staggered working hours* 時差出勤.
── 名 C **1** [~s] よろめき, ふらつき; 千鳥足 ‖ with a *stagger* よろよろと. **2** [the ~s; 単数・複数扱い] めまい; (牛馬の)旋回病.

stag·ger·ing /stǽgərɪŋ/ 形 **1** よろめく, ふらつく; 〈強打などが〉人をよろめかす. **2** びっくりさせる, 呆然とさせる; 〈数量が〉信じ難いほどの.

stag·ing /stéidʒɪŋ/ 動 → 名 **1** C U (劇の)上演, 演出. **2** C U 駅馬車業; 駅馬車旅行. **3** U C (建築などの)足場; (温室の)棚, 台.
stáging pòst (1) 発展のための重要な段階. (2) (飛行機などの)途中着陸地.

†**stag·nant** /stǽgnənt/ 形 **1** 〈水などが〉流れない, よどんだ; (よどんで)悪臭を放つ. **2** 停滞[沈滞]した, 不景気な. **3** (正式) 鈍い, ぼんやりした (dull).

stag·nate /stǽgneit/ |-´-| 動 自 **1** 〈水などが〉よどむ, 流れない. **2** 沈滞する, 不活発になる, 〈心が〉たるむ.
── 他 …を沈滞させる.

stag·na·tion /stægnéiʃən/ 名 U **1** よどみ; 沈滞, 停滞. **2** (経済) 不況, 不振, 景気停滞, 不景気.

†**staid** /stéid/ 動 (古) stay の過去形・過去分詞形.
── 形 まじめすぎる; 落ち着いた, 威厳のある ‖ a person of *staid* appearance 見るからに落ち着いた人.

†**stain** /stéin/ 名 **1** C U [...についた]汚れ, しみ (*on*) ‖ (対話) "Will the coffee *stain* come off?" "I'll try my best, sir." 「コーヒーのしみは取れるでしょうか」「できるだけやってみますよ」. **2** C (文) [...の]汚点, きず (*on, upon*) ‖ That left a *stain on* his good reputation. それによって彼の名声にきずがついた. **3** U C 染料, 着色剤. ── 他 **1** 〈人・物が〉〈物を〉[...で]汚す; 〈物に〉[...の]しみをつける (*with*) ‖ Her fingers were *stained with* red ink. 彼女の指は赤インクで汚れていた. **2** 〈人〉〈名声などを〉[...で]汚す, 傷つける (*by, with*). **3** 〈人が〉〈物を〉着色する, 染色する; [stain A C] A〈物〉を C (色)に着色[染色]する.
── 自 汚れる, しみがつく.
stáined gláss ステンドグラス《教会の窓などに用いる》.

stain·less /stéinləs/ 形 **1** 汚れ[しみ]のない; 〈金属が〉さびない. **2** (文) 〈評判などが〉汚点[きず]のない.
── 名 U ステンレス製の食器類.
stáinless stéel ステンレス(鋼), さびない鋼鉄.

*★**stair** /stéər/ 同音 stare; 類語 star /stáːr/) [(のぼる段)が原義]
── 名 (複 ~s/-z/) C **1** [通例 ~s; 複数扱い] (階と階[階と踊り場]を結ぶ)階段, はしご段 (staircase, stairway) (♦ (米) では時には a *stairs* ともする. 上昇の象徴. 玄関などの短い石段は steps) ‖ go up the steep *stairs* to the attic 屋根裏部屋への急な階段を上る / fall down the spiral *stairs* らせん階段から落ちる. (階段の)1段 (♦ 一続きの階段は flight) ‖ six *stairs* 階段6段 / a pair of *stairs* (途中に踊り場が1つある)階段 / climb the *stairs* two at a time 一度に2段ずつ上る. **3** [比喩的に] [...への]階段, 道 (*to*) ‖ the *stairs* to success 成功への道.
stáir càrpet 階段用じゅうたん.
stáir ròd 階段用じゅうたん押えくふつう黄銅の金棒).

†**stair·case** /stéərkèis/ 名 C (手すり・踊り場などを含む, ひと続きの)階段 (a flight of stairs), はしご段; 階段室 (cf. stair **2**) ‖ a circular (winding, spiral) *staircase* らせん階段 / a moving *staircase* エスカレーター (=(米) escalator).

†**stair·way** /stéərwèi/ 名 =staircase 《♦ staircase より「通路」としての階段に重点を置いた語》.

stake /stéik/ 名 ⓒ **1** くい, 棒; (トラックなどの荷台を支える)柵(ᵏ)柱 ‖ tie a horse to a *stake* 馬をくいにつなぐ. **2** 火刑柱; 火刑, 火あぶりの刑 ‖ die at the *stake* 火あぶりになる. **3** 賭(ᵏ)け; [通例 ~s] 賭け金, 賞金; [通例 Stakes; 主に固有名詞で; 単数・複数扱い] 賭け競馬 ‖ play mahjong for high *stakes* 大きな賭けでマージャンをする. **4** 〈…への〉利害関係; 関心〈*in*〉‖ have a *stake* in … …にかかわり合いがある, …に関心がある, (事業に)出資している.

at stáke (1) 賭けられて. (2) 危険にさらされて.

── 動 他 **1** 〈人が〉〈命・金などを〉[…に]賭(ᵏ)ける; 〈希望などを〉[…に]置く[*on, upon*] ‖ *stake* all one's money *on* the horse その馬に有り金を全部賭ける(→ gamble 他 **1 a**). **2** 〈苗木などを〉くいで支える(+*up*). **3** 〈土地などを〉くいで囲む[仕切る](+*in, off, out, up*). **4** 〈責任範囲・専門分野などを〉はっきりさせる(+*out*).

sta·lac·tite /stəlǽktait | stǽləktàit/ 名 ⓒ 〔鉱物〕**1** 鍾(ᵖ)乳石. **2** 石灰岩[石].

sta·lag·mite /stəlǽgmait | stǽləgmàit/ 名 ⓒ 〔鉱物〕石筍(ᵖ); 床面にタケノコ状にできた石灰岩の沈殿物.

†**stale** /stéil/ 形 **1** 〈食物などが〉新鮮でない, 古くなった (↔ fresh) ‖ *stale* bread 固くなったパン / This soda is *stale*. このソーダは気が抜けている. **2** 〈考え・表現などが〉陳腐な, 面白味のない ‖ *stale* jokes 言い古された冗談. **3** 〈人・馬などが〉(過労・病気で)生気がない; 〈運動選手などが〉(練習しすぎて)不調の.

stale·mate /stéilmèit/ 名 ⓤⓒ **1** 〔チェス〕ステイルメイト, 〈「千日手」の状態〉. 引き分けになる). **2** 行き詰まり ‖ in *stalemate* 膠着(ᵏ)状態におちいって. ── 動 他 **1** 〔チェス〕 [通例 be ~d] 〈相手が〉手詰まりになる, さし手がなくなる. **2** 〈交渉などを〉行き詰まらせる.

Sta·lin /stɑ́:lin, -li:n, stǽlin/ 名 スターリン 〔**Joseph V.** 1879-1953; 「鋼鉄の人」の意味の筆名. ソ連共産党書記長 (1922-53), 首相 (1941-53)〕.

Stá·lin·ism /-ìzm/ 名 ⓤ スターリン主義.

†**stalk**¹ /stɔ́:k/ 動 他 **1** 大またに[もったいぶって, ゆっくりと]歩く, 闊歩する (+*off, out, away*). **2** 獲物をそっと追う, そっと近づいて仕留める. **3** 〈文〉〈疾病などが〉はびこる, 静かに広がり始める (+*through*). ── 他 **1** 〈動物・人が〉〈獲物などに〉忍び寄る, …の跡をそっと追う (+*down*) ‖ watch a lion *stalk* its prey ライオンが獲物にそっと忍び寄るのを見る. **2** 〈文〉〈病気・災害・紛争などが〉…に蔓延(ᵐ)する. **3** …を闊歩する. ── 名 ⓒ **1** こっそり獲物を追う[獲物に近づく]こと. **2** もったいぶって[偉そうに]歩くこと, 闊歩.

†**stalk**² /stɔ́:k/ 名 ⓒ **1** 〔植〕茎, 幹; 花柄, 花梗(ᵏ); 葉柄 (stem). **2** 〈動〉〈ザリガニの目などの〉茎状部, 肉茎.

stalk·er /stɔ́:kər/ 名 ⓒ **1** 獲物をそっと追う人. **2** ストーカー〈関心のある人物をつけ狙う人〉.

stal·ke·raz·zo /stɔ̀:kərǽtsou/ 名 ⓒ =paparazzo.

stalk·ing /stɔ́:kiŋ/ 名 ⓤ ストーカー行為.

†**stall**¹ /stɔ́:l/ 名 ⓒ **1** (馬小屋・牛舎などの)一仕切りの間 [部屋], 馬房, 牛房 〈ふつう stable の中の 1 頭分の 1 仕切りの空間〉 ‖ two *stalls* with a manger かけおけのある 2 つの仕切りの部屋. **2** 〈主に英〉 [しばしば複合語で] 露店; (市場・駅などの)売店 (stand) ‖ a coffee [book] *stall* コーヒー[本]の売店 / a candy *stall* at a fair 縁日でのキャンディー屋台店. **3** 〈英〉 [通例 the ~s; 複数扱い] (劇場の)最前列の 1 等席の部分 (〈米〉parquet) (cf. pit¹ 図 **7**); オーケストラ席 (〈英〉orchestra stalls; 〈主に米〉orchestra) (cf. pit¹ 図 **8**) ‖ a front *stall* seat 1 階正面席. ‖ [~s] 大教会内陣(choir, chancel)の仕切り席, 聖職者[聖歌隊]席; 貴賓席; 首席牧師の任席. **5** [通例複合語で] 狭い仕切り部屋 ‖ a shower *stall* シャワー室. **6** 指サック (finger stall). **7** (飛行機の)失速; (車の)エンスト; 停止 ‖ go into a *stall* 失速[停止]する.

── 動 他 **1** (太らせるために)〈家畜を〉畜舎に入れる[囲う] ‖ *stalled* oxen (牛肉用に)牛舎で囲われて育った雄牛. **2** 〈米〉[通例 be ~ed] 〈人・馬・馬車などが〉(泥・雪・ふぶきの中に)立ち往生する; 〈事が〉行き詰まる. **3** 〈車を〉(エンストなどで)止まらせる; 〈エンジンを〉止める; 〈飛行機を〉失速させる. ── 自 **1** 馬屋[牛舎]に入れて置く[住む]. **2** 立ち往生する, 〈車が〉止まる, 〈飛行機が〉失速する.

stall-fed /stɔ́:lfèd/ 形 (家畜を)太らせる, 飼育する; (太らせるために)牛舎に囲って飼われた.

stal·lion /stǽljən/ 名 ⓒ 〔動〕 (成長した)種馬.

†**stal·wart** /stɔ́:lwərt/ 形 **1** 〈文〉頑健な, 丈夫な (strong); 勇敢な. **2** 〈略式〉断固とした; 不屈の; 愛党心の強い.

†**sta·men** /stéimən/ -men, -mən/ 名 ⓒ (複 ~s/-z/, **·mi·na**/-mənə/) 〔植〕雄ずい 〈anther と filament からなる. 図 → flower〉; (一般的に)雄しべ.

stam·i·na /stǽmənə/ 名 ⓤ 〈正式〉(疲労などに耐える)根気, 気力, スタミナ.

stam·i·nate /stǽmənit, -nèit/ 形 〔植〕雄ずい (stamen)のある; 〈花が〉雄性の〈雌しべのない〉.

†**stam·mer** /stǽmər/ 動 自 (恐怖・当惑などで)どもる, どもりながら[言葉を発しながら]言う (+*out*) 〈◆stutter は習慣的にどもること〉‖ She *stammers* when she feels nervous. 彼女はあがるとどもる. ── 他 …をどもって言う, 口ごもって言う (+*out*) ‖ *stammer* (*out*) a few words 二言三言どもりながら話す. ── 名 [通例 a ~] (恐怖・当惑などで)どもること, 口ごもった話し方 ‖ with a *stammer* どもって / have a nervous *stammer* あがって口ごもる.

‡**stamp** /stǽmp/ (〔類音〕stump /stʌ́mp/) 〔「足で踏む」が原義〕

── 名 (複 ~s/-s/) ⓒ **1** **切手** (〈正式〉postage stamp); 印紙, 証紙; 景品引換券 (trading stamp) ‖ five ten-cent *stamps* 10 セントの切手 5 枚 / put [stick] a *stamp* on the envelope 封筒に切手をはる / cancel a *stamp* 切手に消印をする / a *stamp* (vending) machine 切手自動販売機 / a sheet of *stamps* 切手シート / a memorial [revenue] *stamp* 記念切手[収入印紙].

2 刻印, スタンプ; (郵便の)消印; 押し型による模様[文字] ‖ put a *stamp* on … …に印を押す.

3 刻印機; 打ち[押し]型; 砕鉱機 ‖ a rubber *stamp* ゴム印; すぐに同意する人. **4** [通例 a ~] 痕(ᵏ); 跡; 特質, 特徴; 印象. **5** 〈正式〉[通例 a the ~; おおげさに] 種類, 型 (form), タイプ (type) ‖ Statesmen of this *stamp* are hard to find. こういうタイプの政治家はめったにいない. **6** 足で踏みつけること[音].

gíve [gét, obtáin] a stámp of appróval お墨付きを与える[得る].

── 動 (~s/-s/; 過去・過分 ~ed/-t/; ~·ing)
── 他 **1** 〈人などが〉〈物を〉**踏みつける**, 〈足〉を踏みおろす; [stamp **A** **C**] 〈物を〉踏んで **C** (の状態)にする ‖ *stamp* the floor 床を踏み鳴らす / *stamp* the

ground flat 地面を踏んでならす / She *stamped* the mud off [from] her shoes. 彼女は足踏みして靴の泥を落とした.
2 [stamp A on [onto] B =stamp B with A]〈人が〉B〈物〉に A〈名前・日付など〉をスタンプで押す；B〈物〉に A〈模様などを押し型でつける；〔正式〕〈事・物が〉B〈心など〉に A〈印象など〉を刻み込む ‖ his words *stamped on* [in] my memory 記憶に焼き付いた彼の言葉 / The name of the maker was *stamped on* the goods. =The goods were *stamped with* the name of the maker. その商品にはメーカーの名がついていた.
3〈手紙〉に切手をはる；〈書類〉に印紙をはる ‖ Remember to *stamp* the letter before mailing it. その手紙を出す前に切手をはるのを忘れないでください (=Remember to put a *stamp* on the letter ...). **4**〔正式〕[stamp A (as/to be) C]〈人・物・事が〉A〈人〉が C であることを示す；〈人柄など〉を印象づける.
── 自〔…を〕踏みつける[on]；じだんだを踏む；足を踏み鳴らして歩く ‖ *stamp* on a cockroach ゴキブリを踏みつぶす. **2**〔略式〕〈提案など〉を拒否する[on].

stámp óut [他] (1)〈火など〉を踏み消す. (2)〈病気など〉を根絶する；〈反乱などを〉鎮圧する.
stámp àlbum 切手アルバム, 切手帳.
stámp collècting 切手収集.
stámp collèctor 切手収集家.
stámp dùty [tàx] 印紙税.
stámping gròund〔略式〕〔しばしば ~s〕〈人・動物が〉よく集まる場所, たまり場.

†**stam·pede** /stæmpíːd/ (もと米) 名 **C 1**〔通例 a ~〕〈家畜などが〉驚いてどっと[一斉に]集団暴走すること；〈人が〉右往左往して逃げまどうこと. **2** 殺到；〔通例 a ~ of〕多数の… ‖ a *stampede* of shoppers どっと押し寄せた買物客.
── 動 自 **1**〈家畜が集団で暴走する, 疾走する. **2** 殺到する. ── 他〔略式〕**1** …を急いで[…]させる[into]; **2** …をどっと逃げ出させる.

stance /stǽns/ 名 **C**〔正式〕〔通例 a/one's ~〕**1**〔ゴルフ・野球〕打者の足の構え[構え], スタンス. **2**〔…に対する〕構え, 立場, 態度[on].

†**stanch, staunch** /stɔ́ːntʃ, stɑ́ːntʃ/ 動 他〔正式〕**1**〈血を止める；〈傷口〉の血を止める. **2** …を止める, 抑える.

stan·chion /stǽntʃən│stɑ́ːnʃən/ 名 **C 1** 梁(はり)・柱；支柱. **2**〔米〕〔牛舎の〕仕切り棒. **3**〔米〕交通標識.
── 動 他 **1** …を支柱で支える. **2**〈牛〉を仕切り棒につなぐ.

:**stand** /stǽnd/ 派 standing (名)

index
動 自 **1** 立っている **2** 立ち上がる **4** 位置している **8** …である
他 **1** 立たせる **2** 我慢する
名 **1** 台 **3** 立つこと **4** 立場

── 動 (~s /stændz/; 過去・過分 stood /stúd/; ~·ing)

I[立っている]
1〈人が〉立っている, 立つ (↔ sit) ‖ The dancer *stood* on her tiptoes. その踊り子はつま先で立った / All the seats were taken, so we had to *stand*. 席は全部ふさがっていたので立っていなくてはならなかった / 〈対話〉"Who is that girl *standing* over there?""Oh, that's Sara." 「あそこに立っている少女はだれですか」「ああ, サラです」《◆ この進行形は「立っている状態」を表す》 / She *stood* looking at the waves. 彼女は波を見ながら立っていた.
2〈人が〉立ち上がる, 起立する (+up)《◆ rise より口語的》(↔ sit down) ‖ When the visitor entered the room, we *stood* (*up*) to greet him. 客が入室した時, 私たちは立ってあいさつした / *stand tall* 立ちはだかる.
3〈物が〉立っている, (立てて)置いてある《◆ 修飾語(句)は省略できない》(↔ lie) ‖ The potted plant *stands* on the sideboard. 鉢植えの植物がサイドボードの上に置いてある / The bookcase was *standing* in the middle of the room. 本箱は部屋の真ん中に置いてあった《◆動かせる物は進行形も可能》.
4〈建物・町などが〉位置している, ある《◆ (1) 移動できない物はふつう進行形不可. (2) 修飾語(句)は省略できない》‖ As it *stands* [〔正式〕Standing as it does] on the hill, the church commands a fine view. 丘の上にあるのでその教会は見晴らしがよい / The castle *stands* over the river. 城は川を見下ろす場所にある. / 〈ジョーク〉"Why does the Statue of Liberty *stand* in New York harbor?""Because it can't sit down." 「なぜ自由の女神はニューヨーク港に立っているの?」「座れないから」《◆ *stand* は「立っている(自) 1」と取っての答え》.
5〈人が〉…の身長である；〈物が〉…の高さ[丈]がある ‖ He was a huge man, *standing* more than six and a half feet (tall). 彼は背丈が6フィート半以上もある大男だった《◆進行形にできない動詞も分詞構文では可. ➡文法 13.4》/ The Eiffel Tower *stands* over 300 meters high. エッフェル塔は300メートル以上の高さがある.
6 [stand at A]〈温度計などが〉…を示す；〈得点・値段・水準などが〉…である, …に達する ‖ The thermometer *stands at* 30℃. 温度計は30℃を示している《◆ thirty degrees centigrade と読む》/ The score stood at 6 to 1. 得点は6対1であった.
7〔主に英〕〔…に〕立候補する, 出馬する《〔主に米〕run》〔for〕‖ *stand for* mayor [class president] 市長[学級委員長]に立候補する(➡文法 16.3(4)).

II[立っている状態にいる]
8〔正式〕**a** [stand C]〈人・物が〉C の状態に立っている, …(の状態・関係・立場)である《◆ be 動詞に近い. C は名詞・形容詞(句)・分詞など；〈人・物が〉C の地位[価値]を占める ‖ She *stands* in great danger. 彼女はとても危険な状態にある / She *stands* accused of the murder. 彼女は殺人で告訴されている / This is *how it stands*. こういう次第だ. **b**〈人・物が〉…の地位[価値]を占める ‖ Where do you *stand* in your class? あなたはクラスで何番なのか.
9〈人が〉〔…に〕賛成の/…に反対の〕態度をとる, 主張をする〔for/against〕‖ *stand for* nuclear disarmament 核軍縮に賛成である.
10 a〈人・車・物が〉立ち止まる；〈機械・車などが〉停止している；〔…の〕状態で〕動いていない〔in〕‖ I *stood* and waited for the light to change. 私は立ち止まって信号が変わるのを待った / The sightseeing bus *stands* idle during the winter. 観光バスは冬の間は運行していません. **b**〔米〕〈車・列車などが〉一時停車する《◆ エンジンをかけたままの一時的状態に用いる》‖ *No Standing.*〔米〕〔掲示〕停車禁止.
11 [stand (C)]〈規則・決心などが〉変わらないでいる, 元のままである, 有効である ‖ Her decision still *stands*. 彼女の決心はまだ変わっていない. **12**〈建物

どがもちこたえる ‖ The house has *stood* for fifty years. その家は建てられて50年になる. **13**〈水などが〉よどむ, 流れない;〈涙・汗などが〉たまる ‖ Drops of rain *stand* on the lotus leaves. 雨のしずくがハスの葉にたまっている. **14**〖海事〗針路をとる ‖ The ship *stood* to the north. 船は北へ向かった. **15** [stand to do]〈賭(か)けや投機などで〉…しそうである, しそうな形勢にある《◆不定詞的動詞は gain, lose, realize, win などがふつう》‖ What do we *stand* to gain by the agreement? その取り決めでどんな得がありそうですか.
──⦅他⦆ **1**〈人が〉〈人・物などを〉〔…に〕**立たせる**, 立てる, 置く, すえる〔*against*〕《◆(1) 場所を表す副詞(句)を伴う. (2) 目的語は移動できるもの》‖ She *stood* the potted plant on the sideboard. 彼女は鉢植えの植物をサイドボードに置いた / They *stood* the ladder *against* the barn door. 彼らははしごを納屋の戸に立てかけた.
2 a〔通例否定文・疑問文, if節で; can, could と共に〕〈人・物などが〉〈事・人〉を我慢する, 辛抱する, …に耐えている; [stand to do / stand doing] …することを我慢する《◆進行形・受身不可. bear が一般的な語で, stand は bear, withstand より口語的. また endure は多少堅い語》‖ 《対話》"I have a bad headache. I *can't stand* it.""OK, take this medicine right now."「ひどい頭痛だよ. 我慢できないよ」「わかったよ. 今すぐこの薬を飲みなさい」/ I *couldn't stand* [*to* wait [wait*ing*] for three hours. 3時間待つことは耐えられなかった / I *can't stand* that she should hear it. 彼女がそれを聞くなんてことは忍びない. **b**〈物が〉…に耐える ‖ *stand* washing〈衣服が〉洗濯がきく / This metal can *stand* high temperatures. この金属は高温に耐えられる.
3〈攻撃など〉に立ち向かう, 抵抗する. **4**〖裁判など〉を受ける, …に服する. **5**〈見張りなど〉の任務につく, …を務める ‖ *stand* watch 見張りにつく. **6**〔略式〕[stand (A) B]〈人〈人〉に〉B〈食事などを〉おごる ‖ I'll *stand* you a dinner. =(まれ) I'll *stand* a dinner for you. 夕食をご馳走しましょう.

as it stánds =*as thíngs stánd* 現状では; 現状のままで, そのまで.

stànd alóne → alone 形 3.

stànd aróund [*abóut*] [自] 何もしないでつっ立っている.

stànd asíde [自] (1)〔しばしば命令文で〕わきへ寄る. (2) 何もしないで傍観する. (3)〈候補者などが〉(予定していた)立候補を辞退する.

stànd báck [自] (1) 後ろへ下がる. (2)〔…から〕遠ざかって考える〔*from*〕. (3)〔…から〕離れたところにいる〔ある〕;〔論争・事件などから〕身を引く〔*from*〕.

stànd behínd A (1)〈人〉を支持する. (2)〈事〉の指導原則である. (3) …の後ろに立つ.

stànd betwèen A **and** B (1)〈障害物などが〉A〈人〉と B〈しようとする事〉の間に立ちはだかる. (2) A と B の間にある.

***stànd bý (1) その場〔近く〕にいる. (2) 傍観する. (3) 〔…に〕備えて〔…するために〕待機する〔*for / to do*〕. (4)〈テレビなどの出演者が〉出番に備える, スタンバイする. ──⦅自⁺⦆ [~ *by* **A**]**A**〈人〉のかたわらに(by 前 4 a)立つ〔stand〕;**A**〈人〉を**支持する**(support), …の力になる;〈意見など〉を主張する ‖ Please *stand by* me when the need arises. 困った時には力になってください. (2)〈人・物〉のそばに立つ〔立っている〕. (3)〈約束など〉を守る.

stànd cléar [自]〔…から〕(安全などのために)離れている 〔*of*〕 (→ clear 副 **3**).

stànd dówn [自] (1)〔主に米〕証人台から降りる. (2) 〈競争・公職などから〉身を引く;〈英〉〈立候補者などが〉(競争相手のために)辞退する.

***stànd for A (1)〖A 語句〗の代わり(for 前 **7**)である(stand 自 **8 a**)〗…を表す, 意味する, 象徴する(represent, mean); …の略である ‖ 《対話》"What do the letters US *stand for*?""They *stand for* the United States."「US という文字は何を表していますか」「それは United States (合衆国) を表しています」. (2) …を**支持する**, …の味方をする《◆進行形不可》; …のために戦う. (3)〔略式〕〔通例否定文・疑問文で, しばしば will, would と共に〕…を我慢する, …に耐える《◆tolerate より口語的》‖ I *won't stand for* this kind of treatment. こんな扱いを受けるのはごめんだ. (4)〖海事〗…の方へ進む. (5) → 自 **7**.

stànd ín [自] (1)〈人〉の代わりに(for 前 **7**)参加して (in 副) 立つ (stand). 〔…の〕代理〔代役〕を務める〔*for*〕. (2) 〔主に米略式〕〔通例 well を伴って〕〔…と〕仲がよい, 結託する〔*with*〕. (3)〔略式〕〈人と〉費用を分担する〔*with*〕. (4)〈船が〉〔…の方へ〕進む〔*to, toward*〕.

stànd óff [自] (1)〔…から〕離れている〔*from*〕. (2) 行き詰まる. (3)〖海事〗岸から離れている. ──[他] (1) …を離しておく. (2)〈英〉〈従業員を一時解雇する. (3)…を避ける, はぐらかす. (4)…を受け入れない, 承諾しない. ──[⦅自⁺⦆][~ *off* **A**]〖海事〗〈岸など〉から離れている.

stànd ón [自]〖海事〗針路を保つ. ──⦅自⁺⦆ [~ *on* **A**] (1)…に基づく;…に依存する. (2)…を主張する, 要求する. (3) → 自 **3**.

stànd on énd [自] (1)〔直立の状態に〕(on end) 立っている (stand) 〗〈髪が〉逆立つ. (2)〔本などが〉一方に傾けて立つ. ──[他] [~ **A** *on end*]〈本などを〉一方に傾けて立てる.

stànd óut [自] (1)〔突き出て〕(out 副 **11**) 立っている (stand) 〗〈物 が〉〔…から〕突き〔浮き〕出ている〔*from*〕. (2)〈物・事が〉〔…を背景に〕目立つ, よく見える形〔色〕をしている〔*against*〕;〈人・物が〉〔…から/…の中で〕〔…として〕きわ立つ〔*from, among, in / as*〕. (3)〖正式〗〔…に〕抵抗する, 屈しない〔*against*〕. (4)〔略式〕…を強く要求する〔*for*〕.

stànd óver [自]〈事が〉延期される《〔米〕be postponed》. ──[他] …を延期する. ──⦅自⁺⦆ [~ *óver* **A**] (1)〈人など〉を見おろすようにして立つ《◆受身可》. (2) 〈人〉を監督する.

stànd stíll [自] (1) じっとしている; 現状を維持する. (2)〔米〕〔…を〕我慢する〔*for*〕.

stànd úp [自] (1) → 自 **2**. (2)〈物が〉まっすぐに立っている; もつ, 耐える. (3)〈話などが〉受け入れられる. ──[他] (1)〈物〉を立てる, 〈人〉を立たせる. (2)〔略式〕ふつう異性に(わざと) 待ちぼうけをくわせる, …とのデートの約束を破る.

stànd úp for〈人・権利など〉を守る, 擁護する.

stànd úp for onesélf 自立する, 人に左右されない.

stànd úp to (1)〈人・危険などに〉敢然と立ち向かう;…を生き抜く. (2)〈使用・熱などに〉耐える《〔正式〕 withstand》《◆ **A** に doing も可》. (3)〈人・物が〉〈試験などに〉合格する;…と互角である.

stànd úp with [*for*] **A**〔略式〕(結婚式で) 〈新郎・新婦〉の介添をする.

stànd (wéll) with A〈人〉によく思われる; …とうまくやっていく.

——名(複 ~s/stǽndz/) C 1 [しばしば複合語で](物を載せる[立てる])台, …立て, …掛け ‖ an umbrella *stand* かさ立て / a plant *stand* 植木鉢置台.
2 [しばしば the ~s] 観覧席, スタンド ‖ hit a home run into the right field *stands* ライトスタンドにホームランを打つ.
3 [しばしば a ~] 立つこと, 立っていること; 立ち止まること, 停止 ‖ I got tired from the two-hour *stand*. 2時間立っていて疲れた / come to a *stand* 停止する; 行き詰まる(◆この場合 stand より standstill の方がふつう).
4 立場, 態度, 見解 ‖ She took a firm *stand* against racial discrimination. 彼女は人種差別に反対する強硬な態度をとった.
5 […に](防衛, 抵抗)[against] ‖ make a *stand* on equal rights for women 女性のために男女平等の権利を擁護する. **6** (巡回興行団の)巡業地; 興行. **7** [しばしば a ~] (人・物の)立つ位置[場所] ‖ take one's *stand* in the doorway 戸口に立つ. **8** [しばしば複合語で]屋台, 売台, 売店 ‖ a newspaper *stand* 新聞売場. **9** (主に米)(バス・タクシーなどの)駐車場, 乗り場. **10** (米)[通例単数形で](法廷の)証人席((英) witness box).

stand-alone /stǽndəlòun/ 形 **1** (会社・組織などが)(金銭的に)独立した. **2** [コンピュータ]スタンドアローンの《ネットワークに接続しておらず, 独立して使用されている》.

*__**stan·dard**__ /stǽndərd/ 『「集まる場所を示す旗」が原義』
——名(複 ~s/-dərdz/) C **1** [しばしば ~s] (判断・比較のための)[…の/…のための]基準, 標準, 規範, 規格 [of/for] ‖ fix [set] a *standard* 基準を設定する / meet [satisfy, qualify for, be up to] the *standard* 標準に達する; 合格する / the *standard* of living =the living *standard* 生活水準 / The *standards for* admission to this college are high. この大学の入学基準は高い / His work is below [of a low] *standard*. 彼の作品は標準以下である[水準が低い]. **2** (度量衡の)基本単位, 原器. **3** (貨幣制度の)本位. **4** 旗, 王旗, 軍旗, 団体旗 ‖ raise the *standard* of revolt 反旗を翻(ひるがえ)す.
——形 (more ~, most ~) **1** [名詞の前で]標準の, 基準となる ‖ The meter is the *standard* measure of length in Japan. 日本ではメートルが長さの標準単位である. **2** [通例名詞の前で]ふつうの, 通例の, 特別でない(usual, normal). **3** [名詞の前で]権威のある, 一流の《◆比較変化しない》‖ *standard* authors 一流作家. **4** (米)(肉が)並の《◆prime, choice, good, standard, commercial, utility の順に品質が落ちる》. **5** (英)(卵が)標準サイズの《large と medium の間の大きさ;今は Grade A, AA, AAA の順に小さくなる》.

stándard deviátion [統計]標準偏差.
stándard Énglish 標準英語.
stándard lámp (英)フロアスタンド((米) floor lamp).
stándard time (一国・一地方の)標準時《◆米本土では西経75度, 90度, 105度, 120度を基準とする4つの標準時があり, それらを Eastern (Standard) Time, Central (Standard) Time, Mountain (Standard) Time, Pacific (Standard) Time と呼ぶ. ほかに Alaska [Bering] (Standard) Time がある》.
stand·ard·bear·er /stǽndədbɛ̀ərər/ 名 C **1** (軍隊・行列などの)旗手. **2** (政党・運動などの)旗頭, 唱導者.

stan·dard·i·za·tion /stæ̀ndərdaizéiʃən/ |-dədai-, -dədi-/ 名 U 標準化, 規格統一.
†**stan·dard·ize**, (英では,いしばしば) **--ise** /stǽndərdàiz/ 動 他 **1** (正式)…を標準[規格]に合わせる, 規格化する. **2** …を標準に照らし合わせる.
stan·dard·ly /stǽndərdli/ 副 標準的に.

stand·by /stǽndbài/ 名 (複 ~s) C **1** (危急の場合の)頼りになる人[物]; 味方, 交替要員. **3** (飛行機の)キャンセル待ち客. **4** (テレビなどの)予備番組. **on stándby** 待機して.
——形 予備の, 代替の;《飛行機の乗客が》キャンセル待ちの;〈切符が〉(キャンセルの代替のため)割安の.
——副 (キャンセルの代替のため)割安料金で.

stand·ee /stændíː/ 名 C (米式)立見客.
stand-in /stǽndìn/ 名 C **1** (映画などの)代役, 吹き替え, スタンドイン. **2** 身代わり; 代用品.
†**stand·ing** /stǽndiŋ/ 名 **1** U C 地位, 身分; 評判 ‖ Her social *standing* is low. 彼女の社会的地位は低い / He has a high *standing* among [with] his friends. 友人間では彼は高い評判を得ている. **2** U 立派な身分の人 ‖ a man of (good) *standing* 身分の高い人. **3** U [しばしば long ~] 存続, 継続; 存続期間 ‖ a friendship of long [old] *standing* 長く続いている友情 ‖ a long-standing friendship). **4** U =standing room. ——形 **1** 立っている, 立ったまま《作物などが収穫されていない》‖ *standing* wheat まだ刈り取られていない小麦. **2** 立ったままで行なう ‖ a *standing* broad jump 立ち幅跳び. **3** 〈水が〉流れていない. **4** (機械・工場などが)動いて[働いて]いない. **5** 永続的な, ずっと効力のある.

stánding commíttee (主に立法府の)常任委員会.
stánding ovátion 全員起立しての拍手, スタンディングオベーション.
stánding ròom 立つだけの余地; 立見席 ‖ *Standing room only*. (掲示)(席は満員で)立見のみ (略 SRO).

stand·off /stǽndɔ̀(ː)f/ 名 **1** U C 行き詰まり, 膠着(こうちゃく)状態. **2** C =standoff half.
stándoff hálf [ラグビー]スタンドオフ(ハーフ), フライハーフ《スクラムの後方でスクラムハーフからの送球を受ける》図 → rugby).
†**stand·point** /stǽndpɔ̀int/ 名 C 観点, 見地, 立場 (viewpoint).
†**stand·still** /stǽndstìl/ 名 [a ~] 停止, 休止; 行き詰まり; [形容詞的に]停止している; 停止させる; 行き詰まった ‖ be at a *standstill* 止まっている; 行き詰まっている / The car came to a *standstill*. 自動車は止まった / All the traffic was brought to a *standstill* by the accident. 事故ですべての交通は止まった / a *standstill* agreement 現状維持の協定.

stand-up /stǽndʌp/ 形〈えりが〉立っている, 折り返していない(↔ turn-down) ‖ a *stand-up* collar 立ちえり.

stank /stæŋk/ 動 stink の過去形.
†**stan·za** /stǽnzə/ 名 C **1** [詩学]節, 連《ふつう 4 行以上の詩の単位. 略 st.》. **2** (俗)(ふつう 1 週間程度の)1 か所での興行期間;(スポーツ試合の)ひと区切り《イニング・クォーターなど》.
†**sta·ple**[1] /stéipl/ 名 C **1** U 字形の止めくぎ; かすがい. **2** ステープル《ホッチキスの針・製本用の針金など》.
——動 他 …をかすがい[ホッチキス]でとめる.
†**sta·ple**[2] /stéipl/ 名 C (正式) **1** [通例 ~s] 主要産物, 特産物 (chief product). **2** [通例 the ~] 主要

素；中心話題． ——形 主要な；中心的な．

sta・pler /stéiplər/ 名C ホッチキス《◆日本語の「ホッチキス」は考案者 Hotchkiss の名による商標．英語では用いられない》．

star /stá:r/ (類音) stir /stə:r/)

——名 (複 ~s/-z/) C

I [空に輝く星]

1 (一般に)星；〔天文〕恒星(fixed star)《◆運命・希望・理想などの象徴》；[形容詞的に]星の ‖ Vega is the fifth brightest *star* in the whole sky. ベガは全天で5番目に明るい恒星です / the evening [morning] *star* 宵(よい)[明]の明星 / The North *Star* is shining brightly. 北極星が明るく輝いている．

関連 [いろいろな種類の星]

asteroid 小惑星 / comet 彗星 / constellation 星座 / galaxy 銀河系 / meteor 流星，隕石《◆通信的には shooting [falling] star》／ nebula 星雲 / planet 惑星 / satellite 衛星 / supernova 超新星．

2 a 星形(のもの) ‖ a golden *star* on the Christmas tree クリスマスツリーについた金色の星形． **b** 星章，星形の勲章． **c** 星印(asterisk)《＊☆★など》；(等級・格付けを示す)星印《◆ホテルの格付けなどではふつう5段階で表示する》．

II [星のように輝いている人]

3 (略式) (芸能界などの傑出した)スター，花形；(芸術・学問などの分野の)大家，大立者；[形容詞的に]花形の，スターの；優れた，際立った ‖ I want to be a film [baseball] *star*. 映画スター[野球の花形選手]になりたい / a *star* pupil (クラスで)よくできる生徒 / a *star* professor 看板教授．

III [星で決まる運命]

4 (略式) [通例 ~s] (運勢を左右するとみなされる)星，星回り；運勢，運命 ‖ The *stars* are against me. 運勢は私には不利だ / be born under a lucky *star* 幸運な星の下に生まれる．

sée stárs (略式) 〈人が〉(頭などを強く打ったりして)目から火が出る．

the Stárs and Strípes (米) [単数扱い] 星条旗(the Star-Spangled Banner)．

——動 (過去・過分 starred/-d/; star・ring) 他 **1** …を星(形のもの)で飾る；を(…で)星のようにちりばめる[with]． **2** …に星印をつける． **3** 〈映画などが〉俳優などを主演させる；[be ~red] 〈俳優などが〉(…に)主演する[in] ‖ a movie *starring* Jim Carrey ジム=キャリー主演の映画．

——自 **1** 〈俳優などが〉(…に)主演する[in] ‖ He *starred* in that film. 彼はその映画に主演した． **2** 際立つ，目立った仕事[行為]をする．

stár dùst (1) 星くず． (2) (略式) うっとりするような魅力．

stár shèll 照明弾．

Stár Trèk /-trèk/ スター=トレック《米国のSF漫画・テレビドラマ・映画シリーズ》．

stár tùrn (主に英) (ショーなどの)呼び物，看板の出しもの．

Stár Wàrs (1) [時に ~ w-] (略式) スター=ウォーズ《SDI の愛称》． (2) スター=ウォーズ《米国のSF映画シリーズ》．

†**star・board** /stá:rbərd/ 名C 〔海事〕右舷(げん)《船首に向かって右側》(↔ port)；(飛行機の)右側 ‖ *to starboard* 右舷に．

†**starch** /stá:rtʃ/ 名 **1** U デンプン． **2** U (洗濯用)のり． **3** C U 〔通例 ~es〕デンプンを多く含んだ料理[食品]． **4** C (態度などの)堅苦しさ，形式ばること． **5** U (米略式) 活力． ——動 他 〈シーツなど〉にのりをつける(+*up*)．

starch・y /stá:rtʃi/ 形 (--i・er, --i・est) **1** 澱粉(質)の． **2** 〈シャツなどが〉のりのきいた． **3** (略式) 堅苦しい，四角四面の．

star・dom /stá:rdəm/ 名U **1** スターダム，スターの地位[身分]． **2** [集合名詞] スターたち．

†**stare** /stéər/ (同音) stair) 《「1か所をじっと見る」が原義》

——動 (~s/-z/; 過去・過分 ~d/-d/; star・ing /stéəriŋ/)

——自 〈人が〉(驚き・恐れで)(…を)(目を大きく開いて)じっと見つめる，〔人などを〕じろじろ見る，にらむ[at, in, into, upon]《◆at は人・物，upon は物に用いる．「(喜び・興味をもって)見つめる」は gaze》‖ *stare* in wonder *at* the doll in the window ショーウインドーの人形を驚きの目で見る / *stare into* her eyes 彼女の目をじっとのぞきこむ / *stare after* her 彼女をじっと見送る / Don't *stare*. It's rude! じろじろ見るな．失礼だ．

——他 **1** 〈人が〉〈人・物〉をじろじろ見る，凝視する ‖ *stare* her with anger 腹が立って彼女をにらみつける． **2** 〈人が〉〈人〉を見つめて(…)させる[*into*, *out of*] ‖ *stare* him 「*into* silence [*out of* countenance] 彼ににらみをきかせて黙らせる[赤面させる]．

stáre ▲ **dòwn** [(英) **òut**] 〈人・動物〉をにらみつけて目をたじろがせる．

——名 (複 ~s/-z/) C じっと見つめること，じろじろ見ること，凝視 ‖ give her a rude *stare* 彼女を無礼にもじろじろ見る / with a vacant *stare* うつろなまなざしで．

†**star・fish** /stá:rfiʃ/ 名 (複 → fish 語法) C [動] ヒトデ ジョーク "Which fish signs autographs?" "A *starfish*." 「サインをするのはどんな魚？」「ヒトデ」《◆star fish (スターの魚)から》．

star・ing /stéəriŋ/ 動 → stare． ——形 **1** じろじろ見る，凝視する． **2** (英) 目につく，けばけばしい． **3** [副詞的に] まったく ‖ stark *staring* mad すっかり気が狂って．

†**stark** /stá:rk/ 形 **1** (正式) 〈死体が〉硬直した，こわばった． **2** (正式) 正真正銘の；〈描写などが〉ありのままの，むき出しの(sheer) ‖ the *stark* facts 赤裸々な事実． **3** (正式) 〈場所などが〉不毛の，荒涼とした(bare)． **4** まったくの(utter) ‖ *stark* madness [horror] まったくの狂気[本物の恐怖]． ——副 (略式) まったく ‖ *stark* naked 素っ裸の．

star・less /stá:rləs/ 形 星の出ていない[見えない]．

†**star・let** /stá:rlət/ 名C **1** 売り出し中の若手女優(PC) rookie star》． **2** 小さい星．

†**star・light** /stá:rlàit/ 名U 星の光，星明かり；[形容詞的に] 星の出ている，星明かりの ‖ *by starlight* 星明かりで．

star・ling /stá:rliŋ/ 名C [鳥] ホシムクドリ；ムクドリ(類)．

†**star・ry** /stá:ri/ 形 (--ri・er, --ri・est) **1** 〈空・夜などが〉星の多い，星明かりの． **2** 〈目が〉星のように輝いた． **3** 星形の． **4** 星(から)の，星に関する．

star・ry-eyed /stá:riàid/ 形 (略式) 何にでも単純に目を輝かせる，空想的な，非現実的な．

star-span・gled /stá:rspæŋgld/ 形 星で飾られた，星をちりばめた．

Stár-Spàngled Bánner [the ~] (1) 米国国旗． (2) 米国国歌の題名．

start

/stáːrt/ 『「静止の状態から運動の状態へ移る」が本義』 **派** starter（名）

── **動**（~s/stáːrts/; **過去・過分** ~·ed/-id/; ~·ing）
── **自**

I [始まる]

1（略式）〈人〉が〈事・物〉に**着手する**, とりかかる〔*in* (*on*), *on*〕; [start (*out* [*off*]) C] 〈人〉が C の状態で人生を始める ‖ *start on* our journey 旅に出かける / Has he *started on* breakfast yet? 彼はもう朝食を食べ始めたか / She *started* [*in to* tell [*in on* tell*ing*] me about her son. 彼女は息子さんのことを私に話し始めた.

2〈事〉が[…に/…で]**始まる**(begin,（正式）commence)(+*out*)[*in*, *at* / *with*, *from*] ‖ School *starts* in April. 学校は4月に始まる / The Sanyo Line *starts from* Kobe. 山陽本線は神戸が起点である.

3〈機械など〉が動き始める(+*up*) ‖ The car won't *start*. 自動車のエンジンがどうしてもかからない / The engine has *started*. エンジンが始動した.

4（競走などで）出場選手である;（試合などで）先発メンバーである.

II [出発する]

5〈人・乗物など〉が[…から/…へ向かって]**出発する**, 動き始める(+*off*, *out*)[*from* / *for*, *toward*] ‖ *start for* school 学校へ出かける / *start for* home 家路につく / The bus is *starting*. Be quick. バスが発車します. 急いで / The train *started from* Plymouth *for* London. 列車はロンドンへ向けプリマスを出発した.

III [飛び出すように始める]

6（正式）〈人・動物〉が**突然動く**, […に]ぎくっとする, ぴくっと動く〔*at*〕; […から]急に出る, 飛び出す〔*from*, *out of*〕《◆ jump より堅い語. 無意識の動作なので肯定の命令文は不可》 ‖ *start* in [*with*] surprise 驚いて跳び上がる / *start* to one's feet さっと立ち上がる.

7〈物・事〉が（急に）現れる, 生じる, 起こる(+*up*) ‖ The fire *started* in the laboratory. 火事は実験室から起こった. **8**（正式）〈涙・血など〉が[…に/…から]出る[突き出る]〔*to* / *from*〕;〈目〉が突き出る.

IV [動くようになり, ゆるむ]

9〈材木・機械部品など〉がゆるむ, はずれる, ずれる.

── **他**〈人・物など〉が〈行事・仕事・行為など〉を**始める**, 開始する, …しかかる; [start *do*ing / start *to do*] …し始める(begin) ‖ What time do you *start* work? 仕事は何時に始めますか / I *started* working on time and kept on more than an hour. 私は時間通りに仕事を始め1時間以上続けた / The barometer *started to* fall [×*falling*] last night but stopped in the morning. 気圧計は昨夜下がり始めたが朝止まった.

> **語法**（1）次の場合は to do が好まれる. a) 主語が物の場合. b) start が進行形の場合. c) start の次の動詞が知的活動や心的状態を表す場合: I have now *started* to appreciate classical music. クラシックがわかりかけてきた. d) 動作の開始(時)に関心があり, 中断を暗示することがある場合(→第3例).
> （2）開始された動作がしばらく継続すると考えられた場合には doing が用いられる傾向がある(→第2例): He *started* walking slowly toward the door. 彼は玄関のドアの方へゆっくり歩き始めた.

2 a〈人が〉〈機械など〉を**始動させる**, 動かす(+*up*) ‖ I can't *start* (*up*) the (engine of the) car. 車を始動させることができない. **b**〈人・事が〉〈出来事など〉を引き起こす, 生じさせる(+*up*) ‖ *start* a fire 火を起こす. **c**〈事業など〉を興す, 設立する.

3 a [start **A** doing] 〈人・物・事が〉**A**〈人・物・事〉に…し始めさせる ‖ His careless remarks *started* the audience buzz*ing*. 彼の不注意な言葉で聴衆がざわめいた. **b** [start **A** on [in] **B**] 〈人・物・事が〉〈人〉に **B**〈商売・旅など〉を始めさせる ‖ What *started* you *on* English conversation? 英会話を始めたきっかけは何ですか.

4〈論題・話題など〉を持ち出す. **5**〈物〉を使い始める.〈人〉を雇い始める. **6**〈人〉を（競技などに）出場させる, 先発メンバーとして出す; …にスタートの合図をする,〈競走など〉をスタートさせる. **7**〈部品など〉をゆるませる, ずれさせる;〈板など〉をそらせる, ねじれさせる. **8**（正式）〈獲物〉を[…から]狩り出す, 飛び立たせる〔*from*〕.

gét stárted on A（略式）…を始める;…のことを話し始める.

stárt (**áll**) **óver**（米略式）＝（英）**stárt** (**áll**) **óver agáin** 再出発する, やり直す.

stárt ín [自]（1）→ **自 1**.（2）（略式）[…として]人生のスタートを切る〔*as*〕.（3）（略式）[人を]しかり[批評し]始める〔*on*〕. ──[他]（略式）＝ START off. ──[他[+]] → **他 1**.

stárt óff [自]（1）[…から/…に]出かける, 旅立つ〔*from* / *for*, *on*〕.（2）〈ウサギなど〉が（驚いて）急いで逃げる.（3）[…しようと]話を始める〔*to do* / *do*ing〕.（4）（長々と）話し始める. ──[他]（1）～を[…で]始める〔*with*〕.（2）[~ **A** *off*]〈人〉に[…を]始めさせる〔*do*ing〕.

stárt óut [自]（1）＝START off.（2）[…として]社会に出る, 生活を始める〔*as*〕.（3）（略式）〔事業などを/…することを〕始める〔*in*, *on* / *to do*〕.（4）→ **自 2**. ──[他]（1）＝START off.（2）（略式）…に初めて[…として/…の]仕事につかせる〔*as*/*in*〕.

stárt úp [自]（1）（驚いて）急に立ち[飛び]上がる.（2）〈事が〉起こる, 始まる.（3）〈機械など〉が動き出す.（4）[商売などを]始める, […で]仕事を始める〔*in*〕(cf. start-up). ──[他]（1）→ **他 2 a**, **b**.（2）〈商売など〉を始める.（3）〈主に鳥など〉を飛び立たせる.

to stárt with（副詞的に）《◆ to begin with ともいう. **●文法 11.3**(3)》（1）[文頭で]まず第一に.（2）[文頭・文尾で]始めは, 最初は.

── **名**（**複** ~s/stáːrts/）**1** C [the ~]（映画・劇などの）**最初の部分**, 出だし ‖ *The start* of the story is rather exciting. その物語の最初の部分はかなり面白い.

2 C […への]**出発**, スタート〔*toward*〕; [活動・発展などの]始まり, 開始〔*of*, *on*〕; [the ~] 出発点 ‖ *make* [*get*] *an* early *start* 早く出発する / *right at* [*from*] *the start* しょっぱなから.

3 C [通例 a ~]（驚いたりして）**突然動き出すこと**, はっとすること《◆ jump より堅い語》 ‖ wake up *with a start* はっとして目をさます / *give a start of* fright 驚いてぎくっとする / He gave me quite a *start*. 本当にはっとさせられた.

4 C U [通例 a/the ~] […に対する]先発(権), 優先(権), 有利な位置, 機先〔*over*, *on*〕 ‖ I have a *start on* my classmates. 私は級友より有利だ.

5 [~s] 発作, 衝動.

for a stárt（略式）まず第一に.

from stárt to fínish 終始一貫して, 徹頭徹尾（**●文法 16.3**(3)）.

stárt dàte 出発日.
stárting line-up (試合の)先発メンバーの陣容.
stárting mèmber 先発メンバー.
stárting pítcher 〔野球〕先発投手(starter).
stárting pòint 出発点, 起点.
START /stɑ́ːrt/ 『Strategic Arms Reduction Talks』〖名〗〖U〗 戦略兵器削減交渉, スタート.

†**start·er** /stɑ́ːrtər/ 〖名〗〖C〗 **1** 始める人〔物〕, 出発する人 (↔ nonstarter) ‖ a slow *starter* 出足の遅い人〔物〕/ for *starters* (略式)まず最初に(=first of all, to begin with). **2**(競走・競馬などの)スタート係；〔列車・バス・駅などの〕発車係. **3** 競走に出る人〔馬など〕, 出走馬. **4**(自動車などの)始動機；始動機付き自動車《◆self-starter ともいう》. **5**(主に英略式)(食事の)最初に出る料理, スターター((主に米) appetizer). **6**〔野球〕先発投手.

star·tle /stɑ́ːrtl/ 〖動〗⦿ **1**〈人・事・物が〉〈人・動物をびっくりさせる, 飛び上がらせる(→ surprise) ‖ I was *startled* by [*at*] the news of her sudden death. =The news of her sudden death *startled* me. =I was *startled* to *hear* the news of her sudden death. 彼女の急死の報に接して私、はびっくりした(⇒文法7.3). **2**〈人〉を刺激して[…]させる〔into, out of〕‖ *startle* him *out of* his mind [wits] (略式)彼を目玉が飛び出るほど仰天させる. ―⦿ 驚く ‖ *startle* easily すぐびっくりする.
―〖名〗[a ~] 飛び上がるほどの驚き.

†**star·tling** /stɑ́ːrtlɪŋ/ 〖形〗[他動詞的に] びっくりさせる, 仰天させる.

†**star·va·tion** /stɑːrvéɪʃən/ 〖名〗〖U〗 餓死, 飢餓；窮乏, 欠乏 ‖ die of *starvation* 餓死する / *starvation* wages 生活できない低賃金 / *starvation* cure 断食療法.

*****starve** /stɑ́ːrv/ 〖『死ぬ』が原義〗〖派〗 starvation〖名〗
 ―〖動〗(~s/-z/; 過去・過分 ~d/-d/; starv·ing)
 ―⦿ **1a**〈人が〉餓死する；飢える ‖ Many children in Africa are *starving* to death. アフリカの多くの子供たちは飢え死にしかけている《◆この進行形は動作の初期段階を表す. → stop⦿ 1語法》. **b**〔知識・仲間などを〕切望[渇望]する〔for, of〕‖ *starve for* news 情報に飢える〔ニュース〔愛情〕に飢える〕. **2**(英略式) [be *starving*] 〈人がひもじい(be very hungry) ‖ "What time's lunch? I'm *starving* [(米) *starved*]!" 「昼食はいつ？ おなかがぺこぺこだよ！」.
 ―⦿ **1**〈人・動物・事が〉〈人など〉を餓死させる(+out)；[~ oneself] 餓死する ‖ *starve* out a plant 植物を枯らす / *starve* the enemy *out* 敵を兵糧攻めで餓死〔降参〕させる. **2**(米)[通例 be ~d]〈人が〉〈愛・知識・仲間などを〉切望[渇望]する〔for, of〕‖ The child was *starved of* [*for*] affection. その子は愛情に飢えていた. **3**〈人を飢えさせて[…]させる〔into〕‖ *starve* the opposing forces *into* surrender(ing) 敵軍を兵糧攻めで降伏させる.

starv·ing /stɑ́ːrvɪŋ/ 〖動〗→ starve.

*****state** /stéɪt/『『立っていること』が原義』〖派〗 state·ly〖形〗, statement〖名〗, statesman〖名〗
 ―〖名〗(覆 ~s/stéɪts/)

I [物理的な状態]

1〖C〗(通例 a/the/one's ~) 状態, ありさま, 様子, 事情 類語 condition, situation) ‖ a *state* of emergency 緊急事態 / solid [liquid] *state* 固体[液体](状) / *in a* torpid *state* 冬眠状態で / We are in a *state* of war. 私たちは戦争中だ / The *state* of relations between the two countries is getting worse. その2国間の関係はさらに悪化している.

II [心理的な状態]

2〖C〗 心理[感情]状態；(略式)[通例 a ~] 極度の緊張[興奮]状態 ‖ be disturbed by her depressed *state* 彼女のふさぎ込んだ状態が不安である / get into a *state* 〔興奮する. **3**〖U〗 威厳, 威儀, 堂々とした様子 ‖ live in great *state* たいへん立派な生活をする / keep *state* 威厳を保つ, 近づきがたい.

III [社会的な状態]

4〖U〗(正式)地位, 身分(position), 階級(class) ‖ a man of good *state* 身分の高い人.
5〖C〗(主権を有する)国家, 国；[しばしば S~]〖C〗〖U〗 国政, 政府, (church に対する)国家(→ country 1) ‖ Japan is a capitalist *state*. 日本は資本主義国だ / discuss **affairs** [**matters**] **of state** 国事について議論する.
6 [しばしば S~]〖C〗(米国・オーストラリアなどの)州《◆カナダの州は province》‖ the *state* of Maine メイン州《◆単に Maine のように州名だけを用いるのが普通. ただし州と市が同一名の場合は the State of New York / New York *State* のようにいうことも多い. cf. New York City》/ Hawaii was the 50th *state* to join the Union. ハワイは合衆国の50番目の州となった.
7 (略式) [the States; 複数扱い] 米国, 合衆国《(1) 正式には the United States (of America). (2) 主に米国人が国外で自国のことを呼ぶのに用いられる》.
8 [S~]〖U〗(米国の)国務省(the Department of State).

the Státe of the Únion Méssage [*Áddress*] (米) (大統領の)一般教書, 年頭教書.
 ―〖形〗[名詞の前で] **1** [時に複合語で] 国の, 国家の ‖ a *state* law 国法 / *state* control 国家統制 / *state*-owned railways 国有の鉄道. **2** (米)州の, 州立の ‖ a *state* university 州立大学；(連邦政府直轄の)国立大学. **3** 公式の, 儀式(用)の ‖ a *state* call [visit] (略式)公式訪問 / a *state* function [occasion] 公式行事.
 ―〖動〗(~s/stéɪts/; 過去・過分 ~d/-ɪd/; stat·ing)
 ―⦿〈人などが〉〈意見・問題・事実などを〉(人に)(正式に)はっきり述べる, 十分に述べる, 言明する, 言う〔to〕；[*state that*節 / *state wh*節・句]…ということを[…かを]はっきり述べる《◆say より堅い語》‖ *State* your name, age, and occupation. 氏名・年齢・職業を言いなさい / as *stated* above 上述の通り / *Stated* quite simply, it is wrong. ごく簡単に言うと、それはまちがっている(⇒文法13.4). **2** [通例 be ~d]〈日時・価格などが〉指定されている, 決まっている ‖ on a *stated* day 指定された日に.

státe ámateur (旧ソ連などの)国家養成選手, ステートアマ.
státe bírd (米) 州鳥(→ bird〖名〗関連(2)).
Státe Depártment (米) [the ~] 国務省《◆the Department of State ともいう. その長官は the Secretary of State》.
státe flówer (米) 州花.
státe sécretary (日本の)政務次官.
state·craft /stéɪtkræft|-krɑːft/ 〖名〗〖U〗 国政術；政治的手腕.
state·hood /stéɪthʊd/ 〖名〗〖U〗 **1** 独立国家であること.

2 州であること[地位].

state·house /stéitḥàus/ 名 [時に S~] ⓒ (米) 州議事堂.

†**state·ly** /stéitli/ 形 (-·li·er, -·li·est) (正式) 人・風采(さい)・言葉づかい・文体などが威厳のある, 堂々とした, 荘重な ‖ live in a *stately* mansion 豪壮な大邸宅に住む. ── 副 堂々と, 威厳をもって.
 státely hóme (英) (一般に公開されている)田舎の大邸宅.
 státe·li·ness 名 Ⓤ 威厳, 荘重.

†**state·ment** /stéitmənt/ 名 1 ⓒ […に関する/…という] 声明(about/that物), 声明書, ステートメント ‖ make [issue] a *statement* to the press 新聞に声明を出す / a joint *statement* 共同声明. 2 ⓒ 陳述, 申し立て, 言葉 ‖ make a full *statement* to the police 警察に何もかも話す. 3 Ⓤ (正式) 述べること, 陳述の仕方. 4 ⓒ [商業] 計算書, 報告書.

Stát·en Ísland /stǽtn-/ 名 スタテン島《New York 湾内にある New York 市の1区. 旧称 Richmond》.

†**state·room** /stéitrùːm/ 名 ⓒ 1 [歴史] (客船・(米)列車の)個室, 特別室《◆寝台・洗面所・トイレ付き》. 2 (英) (宮中の)国賓室.

†**states·man** /stéitsmən/ 名 (褀 -·men/-mən/; 女性形) **-·wom·an** /-wùmən/ ⓒ (大物)政治家, (PC) statesperson, political leader) 使い分け → politician 名1) ‖ Lincoln was a great *statesman*. リンカンは大政治家であった.
 states·man·like /stéitsmənlàik/ 形 政治家としての資質のある[ふさわしい]((PC) diplomatic).
†**states·man·ship** /stéitsmənʃìp/ 名 Ⓤ 政治家の資質[手腕]((PC) statecraft).

state·wide /stéitwàid/ 形 [時に S~] (米) 形 副 州全体にわたる[わたって], 全州的の[に].

†**stat·ic**, **-·i·cal** /stǽtik(l)/ 形 1 (正式) 静的な, 固定的な, 元気のない, 活気のない(↔ dynamic). 2 (通信) 空電の. ── 名 Ⓤ (通信) 空電(妨害).

stat·ing /stéitiŋ/ 動 → state.

***sta·tion** /stéiʃən/ 『「立っているところ」が原義』── 名 (褀 ~s/-z/) ⓒ 1 駅, 停車駅[場]; (待合室のある)バス発着所, 停留所《◆バス・鉄道の屋根のない小さな駅を(米) stop, (英) halt》‖ a train [(英) railway, (米) railroad] *station* 鉄道駅 / a way *station* (米) (主要駅間の)小駅 《(米) では(普通列車)のみ停車》 / a bus *station* バス発着所 / see her off *at* Ueno *Station* 上野駅で彼女を見送る《◆駅名はふつう無冠詞》.
 2 ⓒ **a** 署, 局;(サービスをする)所《◆施設をさす. 抽象的な機構としては department》‖ a fire *station* 消防署 / a filling [gas, (英) petrol] *station* ガソリンスタンド《◆×gasoline stand とはいわない》/ a pay *station* (米) 公衆電話ボックス((英) call box) / a polling *station* (英) 投票所 / a power *station* 発電所 / a television *station* テレビ局 / an AM [FM] *station* AM[FM]放送局 / a research [space] *station* 研究所[宇宙ステーション]. **b** 警察本部(police station); 放送局(broadcasting station), (米)(郵便局の)支局(postal station).
 3 ⓒ (正式) 場所, 位置; 持ち場, 部署(post) ‖ *take up* one's *station* 持ち場につく / *be out of station* 持ち場を離れている. 4 ⓒ [軍事] 駐屯地; (軍艦の)根拠地, 停泊所 ‖ a naval *station* 海軍基地.
 5 Ⓤ ⓒ (古) 社会的地位, 身分(rank) ‖ a man of high *station* 高貴な身分の人.
 ── 動 他 (正式) [例 be ~ed] 〈人や部隊につく, 配置される〉‖ The soldiers *were stationed* in Guam. その兵士たちはグアム島に配置された.

státion hòuse (主に米) 警察署; 消防署《◆建物をさす》.

státion wàgon (米) ステーション-ワゴン《折りたたみ式後部座席から荷物が出し入れできる乗用車》((英) estate car [wagon]).

sta·tion·ar·y /stéiʃənèri |-əri/ 形 1 動かない, 静止した, 止まっている(still) ‖ The train is *stationary*. 列車は止まっている. 2 固定された ‖ a *stationary* gun 据え付けの大砲.
 státionary bícycle [**bíke**] エアロバイク《運動用固定自転車》.
 státionary frónt [気象] 停滞前線.
 státionary órbit (人工衛星の)静止軌道.
 státionary sátellite 静止衛星(synchronous satellite).

sta·tion·er /stéiʃənər/ 名 ⓒ 文房具商(人);文房具店((英) stationer's).

†**sta·tion·er·y** /stéiʃənèri |-əri/ 同音 stationery) 名 Ⓤ 1 文房具, 筆記(用)具, 事務用品. 2 便箋, 便せん. **Státionery Óffice** (英) [the ~] 政府刊行物発行所.

sta·tion·mas·ter /stéiʃənmæ̀stər/ 名 ⓒ (鉄道)駅長((PC) station official [manager]).

sta·tion-to-sta·tion /stéiʃəntəstéiʃən/ 形 (長距離電話で)番号通話の《相手の番号に通じた時に料金がかかる. cf. person-to-person》.

stat·ist /stéitist/ 名 ⓒ 国家統制主義者.

†**sta·tis·ti·cal** /stətístikl/ 形 統計の, 統計上の; 統計学の ‖ *statistical* mechanics [physics] 統計力学[物理学]. **sta·tís·ti·cal·ly** 副 統計的に, 統計上.

†**stat·is·ti·cian** /stætistíʃən/ 名 ⓒ 統計学者.

†**sta·tis·tics** /stətístiks/ 名 1 [複数扱い] 統計(の数字) ‖ the recent divorce *statistics* 最近の離婚の統計 / *Statistics suggest that* the population of this town will be doubled in five years. 統計から推測すると, この町の人口は5年で2倍になるだろう. 語法 「統計によれば」は according to statistics / Statistics show that ... などともいい, 一般的に言う際にはいずれも無冠詞. 2 Ⓤ [単数扱い] 統計学[論].

sta·tive /stéitiv/ 形 [文法] 〈動詞・形容詞などが〉状態を表す(↔ dynamic) ‖ *stative* verbs 状態動詞.

stats /stǽts/ 名 (略式) =statistics.

stat·u·ar·y /stǽtʃuèri |-əri, -tju-/ 名 Ⓤ 1 (正式) [集合名詞] =statue. 2 彫塑術.

***stat·ue** /stǽtʃuː, (米+) stǽtju-/『「立てられたもの」が原義. cf. *state*, *status*』
 ── 名 (褀 ~s/-z/) ⓒ (人・動物などをかたどった)像《彫像・塑像など》‖ a *statue* of the Virgin 聖母マリアの彫像 / (as) *dumb as a statue* 黙りこくって / (as) *still as a statue* (特別な理由・目的のために)動いて[話して]いない / 日本発》 Giant snow *statues* are displayed at the Sapporo Snow Festival, which is held in early February every year in Sapporo, Hokkaido. 北海道の札幌で毎年2月上旬に行なわれるさっぽろ雪まつりでは, 巨大な雪像が展示される.

the Státue of Líberty (米国の)自由の女神像.

státued 形 彫像で飾った.

stat·u·esque /stǽtʃuésk, (英+) stǽtju-/ 形 (正式) 彫像のような; 威厳のある; 優雅な, 均整のとれた.

stat·u·ette /stætʃuét, (英+) stætʃu-/ 名C 小像.

†stat·ure /stætʃər/ [発音注意] 名U **1** (正式) 身長 (height), (人の) 背(ﾀｹ) ‖ *a person of average stature* 平均身長な人. **2** (知的・道徳的)資質, 能力, (心・身体などの)発達(程度); 達成(の度合い), 名声 ‖ *a man of (high) stature* 能力の高い人.

†sta·tus /stéitəs, stǽtəs/ 名 **1** CU (正式) (通例 a/the/one's ~) 地位, 身分(position) ‖ *What's her status in this university?* この大学での彼女の身分は何ですか. **2** U 高い社会的地位(prestige). **3** C 状態, 状況 ‖ *the status of diplomatic talks between Japan and the US* 日米間の外交会談の状況.

státus quó /-kwóu/ (ラテン) (正式) (the ~) 現状; 体制 ‖ *preserve [defend] the status quo* 現状を守る, 体制を維持する.

státus sèeker 出世主義者.

státus sỳmbol 地位の象徴(所有物・言動・身分など).

†stat·ute /stætʃut, (英+) stætʃut/ 名CU **1** (正式) (法律) 制定法, 成文法. **2** (法人などが定めた) 規則, 定款(ﾃｲｶﾝ).

státute bòok (the ~) 法令全書.

státute làw (法律) 成文法(cf. common law).

†stat·u·to·ry /stætʃətɔri/stætʃutəri/ 形 (正式) **1** 法令の, 法令による, 法定の ‖ *statutory control of wages* 賃金の法定統制. **2** 制定法の(↔ common)) ‖ *statutory law* 制定法. **3** 法律上罰せられる.

†staunch¹ /stɔːntʃ/, (米+) stɑːntʃ/ 形 **1** (正式) 信頼に足る, 忠実な. **2** 頑強な. **3** 水を通さない.

staunch² /stɔːntʃ/stɑːntʃ/ 動=stanch.

†stave /stéiv/ 名C **1** (正式) おけ[たる]板. **2** (音楽) 譜表, 五線(staff). ──動 (過去・過分) ~d or stove/stóuv/) 他 **1** 〈くる・ボートなど〉に穴をあける, を傷(ｷｽﾞ)める(+in). **2** …におけ板を付ける. ──自 穴があく, 壊れる(+in).

staves /stéivz, stéivz | stéivz/ 名 staff の複数形.

★stay /stéi/
──動 (~s/-z/; 過去・過分 ~ed or (古) staid /stéid/; ~·ing)
──自

I 〔ある場所に動かずにとどまっている〕

1 〈人などが〉〈場所に〉とどまる, とどまっている, いる 《◆修飾語(句)は省略できない》 ‖ I'll *stay* ((英) at) home tomorrow. 明日は家にいます / The doctor said that I had to *stay* in bed. 寝ていなくてはだめだと医者に言われた / Won't you *stay for* [to] dinner? 一緒に食事をしていきませんか 《◆しばしば遠回しに退去を促す表現》 / *Stay* where you are. そのままでこちらへ.

II 〔滞在する〕

2 [stay at [in] A] 〈人が〉A〈場所に〉滞在する(《略式》 stop); [stay with A] 〈人が〉A〈人の家に泊まる ‖ *stay with* my uncle [*at* my uncle's (house)] おじの家に滞在する / (対話) "How long will you *stay* in this country?" "A week." 「この国にはいつまでご滞在ですか」「1週間です」.

III 〔ある状態のままでとどまっている〕

3 [stay C] 〈人などが〉C の(状態の)ままでいる[ある] 《◆(1) C は形容詞(句)・分詞・名詞. (2) remain より口語的》 ‖ Most stores *stay* open all night in this town. この町ではたいていの店は夜ずっと(寝るまで)あいている.

📝 語法 「動作を続ける」意では不可: The sun kept [×stayed] shining. 太陽はずっと輝いていた / It kept [×stayed] raining all afternoon. 午後ずっと雨だった.

4 (略) (競走などで)〔相手に〕抜かれずにもちこたえる, 遅れ[離れ]ないようについていく(*with*); 〔計画などを〕あきらめずに続ける(*with, on*) ‖ *stay with* the leaders 先鋒集団についていく.
──他 **1** …を止める, 防止する; …を抑制する ‖ *stay* one's tongue 黙る. **2** (正式) 〈判断・決定などを〉延期する, 猶予する ‖ *stay* judgment 判断[判決]を延ばす. **3** (主に文) 〈空腹・食欲などを〉 (一時的に) 和らげる, 〈人・胃などの〉飢えをいやす ‖ *stay* one's hunger with a snack 軽食で口中(腹の虫)をおさえる. **4** (期間)を通して滞在する ‖ *stay* the night at her house 彼女の家で一晩泊まる. **5** (競走・仕事などで)〈時間・距離などを〉もちこたえる, 耐えぬく ‖ *stay* the course (レースで)最後まで続ける; 最後まで頑張る.

stáy awáy [自] (1) 〔…から〕離れている, 〔危害などを〕避ける(*from*) ‖ *stay away from* salt [oily food] 塩分 [油っこい食べ物]を避ける. (2) 〔…を〕欠席する(*from*).

stáy báck [自] 〔野球〕〈打者が〉前へ体が動かないようにする.

stáy ín [自] (1) (罰として)学校に残される. (2) 〈物が〉収まっている, はまっている. (3) 家にいる. (4) 〈火が〉燃え続ける. (5) 最後まで行[出]ている. (6) (抗議などで)持ち場を固守する. ──[自+] [~ in A] (1) 〈ふつうよい状態〉のままである. (2) → 自 1, 2.

stáy ón [自] (1) 上に乗ったままである. (2) 〈電灯などが〉ついたままである, 〈火が〉燃えている. (3) 〔…に/…として〕(任務などが終わったあとに)居残る(*at/as*). ──[自+] [~ on A] (1) …の上にある. (2) 〈薬・行為など〉を続ける.

stáy óut [自] (1) 〔…から〕外に出ている(*of*); (米) (日が暮れてから)家に帰らない, 外出したままである(略式・英方言)stop out). (2) ストライキを続行する. (3) 〔…と〕かかわりをもたないでいる(*of*). (4) 頑張る. ──[他] …の最後まで居残る.

stáy pút [自] (略式) 〈人・物が〉動かないでいる ‖ *Stay put!* 動くな.

★stáy úp [自] (1) 〔起き上がった状態(up 副)のままでいる(受身 3)〕 〔…を持って〕(寝ないで) 夜ふかしする(*for*) 《◆ sit up とほぼ同意だが, 仕事・勉強などではなく, 遊んでいて遅くなる場合によく用いる》 ‖ Don't *stay up* for me. I may be home late. 私が帰るまで起きていないでね, 帰りが遅くなるかもしれないから. (2) 上の方に残る, 落ちない. (3) 〈値段・熱などが〉上がったままである.

──名 **1** C (通例 a/the/one's ~) 〔…での〕滞在, 滞在期間(*at, in, with*) ‖ Have a nice *stay* in LA. ロスでは楽しくお過ごしください / How long was your *stay with* your uncle? おじさんの所でどのくらいいらっしゃったのですか. **2** C 抑止[抑制]する[される]こと; 止めること, 停止. **3** CU 〔法律〕 (執行などの)延期(*stày of execútion*), 停止. **4** U (略式) =staying power.

stáying pòwer スタミナ, 耐久[持久]力.

stay-at-home /stéiæthòum/ (略式) 名CC 形 出無精の(人); 冒険心のない人 ‖ the *stay-at-home* wife 家にばかりいる主婦.

stead /stéd/ 名U **1** (正式) 代理; 助け, 利益で(◆下の成句で). **2** (古) 場所, 位置.

in A's *stéad* (正式)〈人・物〉の代わりに(cf. instead of).

stánd A *in góod stéad* (正式)〈物・事が〉(苦しい立場・時期に)〈人〉に大いに役立つ.

stánd A *in líttle stéad* (正式)〈物・事が〉(苦しい立場・時期に)〈人〉にほとんど役に立たない.

†**stead·fast** /stédfæst, -fəst | -fɑ:st, -fəst/ 形 (正式) **1** 〔…に〕忠実な, 忠実に尽くす〔to〕◆プラスのイメージが強い頑固さ. → stubborn 形 **1**〉 ‖ *a steadfast friend* 忠実な友. **2** 〔…の点で〕しっかりした, 不動の〔*in*〕‖ *a steadfast gaze* 凝視.

stead·fàst·ness 名 U 確固たること, 不動.

†**stead·fast·ly** /stédfæstli, -fəst-, -fɑ:st-, -fəst-/ 副 しっかりと, 断固として.

†**stead·i·ly** /stédəli | -ili/ 副 しっかりと, 着々と ‖ He works *steadily*. 彼はたゆまず働いて〔勉強している〕 (=He is a *steady* worker.) / His studies are improving *steadily*. 彼の研究は着々と進んでいる / I've been losing money *steadily*. ずっと損続きだ.

†**stead·i·ness** /stédinəs/ 名 U 堅実(さ), 着実(さ), 安定.

†**stead·y** /stédi/ 形 (-i·er, -i·est) **1** しっかり固定され, 安定した (↔ unsteady) ‖ *a steady* eye 凝視 / Hold the camera *steady*. カメラをしっかりもっていなさい / The chair isn't *steady*. そのいすはぐらぐらする / be *steady* on one's legs 足どりがしっかりしている. **2** 変わらない, 一様な ‖ *steady* progress 一定の進歩 / *a steady* job [income] 定職[定収入]. **3** (略式)落ち着いた, 着実な ‖ marry a *steady* young man まじめな若者と結婚する. **4**〈主義などが〉ぐらつかない, 確固とした, びくともしない ‖ *steady* friendship 不変の友情.

gó stéady (1) (米中・英古)〔決まった一人の異性と〕付き合う〔*with*〕◆今は go out with A がふつう. (2) まじめに〔着実に〕やる.

Stéady (*ón*)*!* (英略式) 気を付けろ!, 落ち着け!

——名 C (略式・今はまれ)〔one's ~〕決まった恋人[異性の友人], ステディー.

——動 他〈…を〉安定させる, 落ち着かせる(+*down*)‖ A dose of medicine will *steady* your nerves. 薬を1服のめば神経が落ち着きます. ——自〈人・脈などが〉落ち着く(+*down*).

stéady státe (**úniverse**) **théory** (天文)〔the ~〕定常宇宙説.

***steak** /stéik/ 同音 stake / 『「串にさした焼き肉」が原義』

——名 (複 ~s/-s/) **1** C|U ステーキ, ビフテキ(beefsteak). 対話 "How would you like your *steak* (done)?" "Rare, please." 「ステーキはどう焼きましょうか」「レアにしてください」(→ beefsteak). **2** U 焼き肉料理(用); 肉や魚の(厚い)切り身 ‖ salmon [cod] *steak* サーモン[タラ]ステーキ / hamburger *steak* ハンバーグステーキ. **3** U (英) こぎれの牛肉.

stéak knife (主に米) 食卓用ステーキナイフ〈刃のこぎりのような歯になっている〉.

‡**steal** /stí:l/ 同音 steel / 類音 still /stíl/)

——動 (-s/-z/; 過去 stole/stóul/, 過分 sto·len /stóulən/; ~·ing)

——他 **1** 〈人などが〉〈物を〉〔人・場所から〕(こっそり)盗む(+*away*)〔*from*〕;〈人の考え・言葉などを盗用する(使い分け → rob 他 **1**)‖ A thief *stole* some money *from* the safe. 泥棒が金庫から金を盗んだ / Somebody has *stolen* my watch. = My watch has been *stolen*. = I have *had* my watch *stolen*. 私は時計を盗まれた(➡ 文法 13.3(2)). **2** (正式)〈盗み見・キス・うたた寝などを〉(気づかれないように)する ‖ *steal* a kiss from her 彼女が知らない間にキスをする / *steal* a look [glance] at him 彼をちらと盗み見する. **3** 〈物を〉[…へ]こっそり動かす〔*into*〕. **4** (野球)〈走者が〉〈塁〉に盗塁する.

——自 **1** 〈人などが〉〔…から〕(こっそり)盗みをする, 窃盗を働く〔*from*〕.

2 〈人など〉こっそり動く(+*away*); 〈時が〉いつのまにか過ぎる[来る]; 〈感情などが〉〔…に〕いつしか忍び寄る〔*over*〕; 〈音が〉だんだんと聞こえてくる◆方向・経路・起点などを表す副詞(句)を伴う ‖ *steal into* [*from, out of*] a room 部屋へ忍び込む[からこっそり出る] / *steal away* without a word 一言も言わずにそっと立ち去る.

——名 (~s/-z/) **1** (米略式) U 盗み, 窃盗; C 盗品. **2** (主に米略式)〔a ~〕掘り出し物, 格安品, もうけ物(bargain). **3** C (野球) 盗塁.

†**stealth** /stélθ/ 名 U (正式) ひそかなやり方, 内密.

by stéalth こっそりと, ひそかに.

†**stealth·i·ly** /stélθili/ 副 (正式)こっそりと, ひそかに.

†**stealth·y** /stélθi/ 形 (-i·er, -i·est) (正式) ひそかな, 人目を忍んだ ‖ *a stealthy* glance 盗み見.

stéalth·i·ness 名 U 内密.

†**steam** /stí:m/ 名 U **1** 水蒸気, 蒸気, スチーム;〔形容詞的に〕蒸気の ‖ This room is heated by *steam*. この部屋はスチーム暖房である. **2** 霧, もや; 蒸発気, 湯気. **3** (略式) 力, 精力, 元気, 体力.

at fúll stéam 全速力で.

gèt úp stéam 〔*get ~ up*〕(1) (略式)〔…しようと〕元気を出す〔*to do*〕. (2) 〈火夫・列車などが〉蒸気圧を上げる; 速度を上げる. (3) 徐々に怒る, 興奮する.

lóse stéam 〔…しようとする〕元気を失う, 勢いが衰える〔*to do*〕.

rùn óut of stéam (略式)(仕事などで)息切れする, 疲れる◆走ったりしての息切れは get out of breath).

ùnder one's *ówn stéam* (略式)自力で, 助けを借りないで(by oneself).

ùnder stéam 蒸気で[の], 進行中で[の]; 奮起して.

——動 自 **1** (水)蒸気を出す, 湯気を立てる(+*away*) ‖ The pot is *steaming*. ポットが湯気を立てている. **2** 蒸発する, 発散する. **3** 蒸気力で動く(+*along*)‖ The ship *steamed* out of the harbor. 船は港から出て行った. **4** (略式) **a** 勢いよく進む; 精力的に働く. **b** 怒る, いらいらする. ——他 …を蒸気で料理する, 蒸す, ふかす(→ cook 他 **1** 関連);…に蒸気を当てる ‖ *steam* (sweet) potatoes サツマイモをふかす.

stéam úp 自 〈窓などが〉(蒸気で)くもる. ——他 〈窓などを〉(蒸気で)くもらせる.

steam bàth スチームバス, 蒸しぶろ.

stéam èngine 蒸気機関.

stéam hèat 蒸気熱.

stéam ìron スチームアイロン.

stéam locomòtive 蒸気機関車◆SL は和製略語.

stéam pòwer 蒸気力.

stéam ròom スチームバスルーム.

stéam shòvel (米) (掘削用の) 蒸気シャベル.

stéam whìstle 汽笛.

†**steam-boat** /stí:mbòut/ 名 =steamship.

†**steam·er** /stí:mər/ 名 C **1** 汽船(steamship, steamboat) ‖ an ocean-going *steamer* 外洋船. **2** 蒸気機関(steam engine). **3** 蒸し器, せいろ(料理用・洗濯用など).

stéamer rùg 〔米〕(デッキチェアで用いる)ひざ掛け用厚毛布.

steam·roll·er /stíːmròulər/ 图 1 (道路を平らにする)蒸気ローラー. 2 〔略式〕反対を制圧する人[力] ; [形容詞的に]強圧的な. ── 動 他 1 …を蒸気ローラーでならす. 2 〔略式〕…を制圧する, 押し切る. ── 自 1 強引に進む. 2 〔略式〕反対者を制圧する.

†**steam·ship** /stíːmʃìp/ 图 C 汽船, 蒸気船(略 SS, S/S).

steam·y /stíːmi/ 形 (-i·er, -i·est) 1 蒸気の(ような). 2 蒸気[湯気]の多い; 蒸気[湯気]を出す; 湯気のたちこめる. 3 高温多湿の.

†**steed** /stíːd/ 图 C 〔詩〕 1 馬《主に乗用馬》. 2 元気な馬, 軍馬.

***steel** /stíːl/ 同音 steal; 類似 still 〘「堅い状態の物」が本義〙
── 图 U 1 鋼鉄, はがね(cf. iron); 鋼製品 ‖ tools of the finest *steel* 最高の鋼鉄でできた道具 / Is this knife made of *steel*? このナイフは鋼鉄(製)ですか. 2 〔詩〕武器, 剣, 刀 ‖ cold *steel* 〔古〕刀剣類. 3 (はがねのような)硬さ, 強い力; 非情さ ‖ He has「a grip of *steel* [a very strong grip]. 彼は握力がとても強い / a heart [nerves] of *steel* 冷酷な心 [極めて強い神経]. 4 [形容詞的に] 鉄鋼製の; 〈堅さなどが〉鋼鉄のような.
(**as**) **hárd as stéel** 鋼鉄のように硬い.
── 動 他 1 …に鋼で刃をつける. 2 〈心などを〉 […に対して]堅く[無情に]する(for, against); [~ oneself] 非情にする; […しようと]決心する(to do) ‖ She *steeled* herself [her heart] *against* their complaint. 彼女は彼らの苦情に対し情けをかけなかった.

stéel industry 鉄鋼業(界).

stéel wóol (研磨用の)鉄綿.

steel·y /stíːli/ 形 (-i·er, -i·est) 鋼鉄製の; 〈色·硬さが〉鋼鉄のような.

†**steep** /stíːp/ 形 1 険しい, 〈坂などが〉急な ‖ a *steep* rise in prices 値段の急騰 / a *steep* path 険しい道. 2 〔略式〕〈値段などが〉不法に高い, 法外な(unreasonable) ‖ a *steep* price 法外な値段 / That's a bit *steep*! そいつはむちゃだ[ひどい, 高すぎる]. 3 〈話·発言などが〉おおげさな, 極端な.

†**stee·ple** /stíːpl/ 图 C (教会などの)尖塔(せんとう) ◆先端部は spire, その中に bell がある ‖ a church *steeple* 教会の尖塔.

steep·ly /stíːpli/ 副 1 急勾配(こうばい)で; 急角度に. 2 急に.

†**steer**¹ /stíər/ 動 他 1 〈人が〉〈船·車などを〉操縦する, 運転する ◆航空機にはふつう fly, pilot, operate を用いる ‖ *steer* the boat into the port かじをとって船を港に入れる. 2 …を案内する, 導く(+ through); …を[…に]導く, 向ける(to, into), 向ける[…から]そらす(from) ‖ *steer* a child *through* a crowd 子供を連れて雑踏を通り抜ける / *steer* the team *to* victory チームを勝利に導く. 3 〈進路〉を取る, 進む ‖ *steer* one's course 自分の道を進む.
── 自 1 かじを取る, 操縦する, […に]向かう, 進む(for) ‖ *steer* **for** [**toward**] the coast 岸に向けてかじをとる. 2 かじがとれる, 操縦できる ‖ This car *steers* well. この車は運転しやすい(≒… is easy to *steer*.).
stéer cléar of A (1) 〈暗礁など〉を避けてかじをとる. (2) 〈困難など〉を避ける; 〈人〉に近寄らない.
── 图 C 〔主に米略式〕指針, 助言(tip) ‖ give her a bum *steer* 彼女に間違った指図[助言]をする.

steer² /stíər/ 图 C 〔動〕(食肉用に去勢された)雄の子牛.

steer·age /stíəridʒ/ 图 U C 1 〔海事〕操縦, 操舵; 舵効; 操縦装置 ‖ have easy *steerage* かじがよく効く. 2 〔古〕[通例 the ~] 3等船室 ; [形容詞·副詞的に] 3等の[で] ‖ a *steerage* passenger 3等船客. 3 [比喩的に] かじとり, 指揮.

steer·ing /stíəriŋ/ 图 U かじをとること, 操縦, 操舵.

stéering commíttee [単数·複数扱い] 運営委員会.

stéering gèar (船·車などの)操縦装置.

stéering lòck (車の)ハンドルロック.

stéering whèel (船の)舵輪; (車の)ハンドル(図 → car)◆この意味で handle とはいわない.

†**stein** /stáin/ 〔ドイツ〕图 C 1 〔米〕スタイン《陶器製のビール用ジョッキ》((英) tankard). 2 ジョッキ1杯の量.

Stein·beck /stáinbek/ スタインベック《John (Ernst) ~ 1902-68; 米国の小説家》.

stel·lar /stélər/ 形 〔正式〕〔天文〕星の(ような) ‖ *stellar* magnitudes 星の等級.

†**stem** /stém/ 图 C 1 (草の)茎(stalk), (木の)幹(trunk); 軸(axle) ‖ a flower with a long *stem* 茎の長い花. 2 葉柄; 花梗(こう), 花柄, 小花柄, 果柄, へた; 茎. 3 茎状のもの; 〈ワイングラスの〉脚(さじ·パイプの)柄; (時計の竜頭(りゅうず)の)心棒く(寒暖計の)胴; 鍵のはいる円棒. 4 〔言語〕語幹. 5 〔海事〕船首(↔ stern); (竜骨とやりだしの間の)直立船首材 ‖ from *stem* to stern 船首から船尾まで; 余す所なく, くまなく. 6 〔正式〕系図, 家系, 血統.
── 動 (過去·過分 stemmed /-d/; stem·ming) 他 1 〈葉柄·花柄·へたなど〉を取り除く. 2 …に軸をつける.
***stém from** A …に起因する, 由来する; …から起こる; …から分岐する.

stemmed /stémd/ 形 [通例複合語で] 1 茎(軸)の, 茎(軸)のある ‖ long-*stemmed* 茎の長い. 2 茎(軸)を取り去った.

stench /sténtʃ/ 图 C 〔正式〕[通例 a/the ~] 悪臭.

†**sten·cil** /sténsl/ 图 C 1 型板, 刷込み型. 2 (謄写版の)原紙 ‖ cut a *stencil* 原紙を切る.
── 動 (過去·過分 ~ed or sten·cilled/-d/; ~·ing or (英) -·cil·ling) 他 …を[…に]ステンシル[謄写版]で刷る(on); …に[…を]刷り出す(with).

Sten·dhal /stendɑ́ːl, stæn-| stʌ́ndɑːl/ 图 スタンダール《1783-1842; フランスの小説家. 本名 Marie Henri Beyle》.

sten·o·graph /sténəgræf | -grɑ́ːf/ 图 C 速記用タイプライター. ── 動 他 …を速記する.

†**ste·nog·ra·pher** /stənɑ́grəfər | -nɔ́g-/ 图 C (英では古) 速記者; 速記タイピスト((主に英) shorthand typist).

†**ste·nog·ra·phy** /stənɑ́grəfi | -nɔ́g-/ 图 U 速記(術).

sten·o·type /sténətàip | sténəu-/ 图 [時に S~] C 1 〔商標〕ステノタイプ, 速記用タイプライター. 2 (ステノタイプ用の)速記文字.

sten·to·ri·an /stentɔ́ːriən/ 形 〔正式〕〈声が〉大きい.

‡**step** /stép/ 〘「歩いて行く」が原義. cf. stamp〙

index 图 1歩み   3段階   6足どり   8足跡
9処置 10段 11階段
動 自1歩く 他1踏み入れる

── 图 (複 ~s/-s/)
▎[歩みの一歩]
1 C **歩み**, 一歩; 一歩の距離; (歩いて行く)短い距離

‖ He took a *step* closer [back]. 彼は一歩近づいた[後ろへ下がった] / My car is parked only a short *step* [distance] (away) from here. (略式) 私の車はここからほんの少し行った所に停めてある / make [take] a false *step* 足を踏みはずす; へまをやる.
2 Ⓤ 歩調, 足並み; Ⓒ [しばしば ~s] (ダンスの)ステップ.
3 Ⓒ […への]段階, 一歩[*to, toward*]; […における]前進, 進歩[*in*] ‖ Athens took large *steps* toward becoming a democracy. アテネは民主国家になるべく大きく飛躍した.
4 Ⓒ (温度計などの)目盛り. **5** Ⓒ (米俗式) (音楽) 音, 音程.

II [歩み]

6 Ⓒ (正式) 足どり, 足の運び, 歩き[走り, 踊り]方 ‖ walk with a light *step* 軽い足どりで歩く.
7 Ⓒ 足音(footfall, footstep) ‖ hear her *step* in the attic 屋根裏で彼女の足音を聞く.
8 Ⓒ 足跡(footprint, footstep) ‖ His *steps* were clearly marked in the snow. 雪の中に彼の足跡がはっきりとついていた.
9 Ⓒ (ある結果を生むべき)<u>処置</u>, 手段, 行動[*to do*]; 段階 ‖ take *steps* to reduce [*for reducing*] expenses 経費削減の措置を講じる.

III [歩む場所]

10 Ⓒ (はしご·階段などの)段, ステップ; 踏み段 ‖ The top *step* on the ladder is broken. はしごの一番上の段がこわれている.
11 [~s; 複数扱い] (ふつう屋外の)階段, 石段 (◆(1) しばしば a flight of steps という表現で用いられる. (2) 階と階[階と踊り場]を結ぶ階段は stairs; (英) きゃたつ, 段ばしご (◆1脚は a pair of steps) ‖ go up the *steps* 階段を上がる.
12 Ⓒ (地位などの)階級; 昇進.

in stép (1) […と]歩調を合わせて[*with*]. (2) ⟨人·行動など⟩が […と]調和[一致]して[*with*].
kéep stép [人と/音楽などに]歩調を合わせる[そろえる][*with/to*].
óut of stép (1) […との]歩調を乱して[*with*]. (2) […に]調和[一致]しないで[*with*].
***stép by stép** 一歩一歩, 少しずつ, ゆっくりと (➡文法16.3(3)) ‖ *Step by step*, he is mastering the foreign language. 一歩一歩彼は外国語を習得している.
watch [mind, pick] one's *stép* (1) 用心して行動する. (2) 注意して歩く, 足元に気をつける.

—— 動 (~s/-s/; 過去·過分 **stepped**/-t/; **stepping**)

—— 📓 ⟨人が⟩⟨ある歩き方で⟩歩く, 歩を進める; (正式) (短い距離を)歩いて行く; ⟨通りなどに⟩出る [*onto*] (◆修飾語(句)は省略できない) ‖ *step* lively 軽快な足どりで歩く / *step* into the rowboat ボートに踏み入れる / *step* by [*past*] (英) そばを通る, すれ違う ((米) walk by). **2** […を]踏む, 踏みつける [*on*], […に]踏み入れる[*in*] ‖ *step* on the brake ブレーキを踏む.

—— 他 **1** ⟨人が⟩⟨足⟩を**踏み入れる** ‖ *step* foot into a room 部屋に足を踏み入れる. **2** (距離·地面などを)歩測する [+*off, out*] ‖ *step off* ten meters 10メートルを歩いて測る. **3** …に(階)段をつける. **4** ⟨歩⟩を進める; ⟨場所⟩を歩いて進む ‖ *step* five paces 5歩進む.

stép asíde 自 (1) 脇へ寄る, よける. (2) 脇道にそれる. (3) […として/…のために]身を引く, 辞職する [*as / in favor of*].

stép dówn 自 (1) […から]降りる [*from*]. (2) (後任のために)…の地位を退陣[辞職]する [*in favor of / as*]. (3) 議論に屈する. —他 ⟨電圧·量など⟩を下げる.
stép ín 自 (1) (事件などに)介入する, 干渉する. (2) ちょっと(家に)入る. —他[+] [~ *in* A] ⟨事件など⟩に干渉する.
stép into A (1) ⟨財産·地位など⟩を苦もなく[労せず]手に入れる, ⟨役割など⟩を引き受ける. (2) → 自 1.
stép it óff 活発に踊る.
stép óff 自 (1) (高い所·乗物などから)降りる. (2) 行進を始める. —他 → 他 2. —[+] [~ *off* A] ⟨乗物などから⟩降りる.
stép on [**upón**] A [A⟨人の気持ち⟩を]踏みつける (step 自 2)] (1) (略式) ⟨人の感情⟩を害する. (2) (略式) ⟨人⟩をしかる. (3) → 他 2.
stép on it [(米) **the gás**] [しばしば命令文で] (米) (1) 急ぐ. (2) アクセルを踏む.
stép óut 自 (1) (古) 早足で歩く; 大また[元気な足どり]で歩く; (廊下などに)出る [*into*]. (2) (略式) [通例 be ~ping] (人生を)楽しむ. (3) (主に米) 外出する, (パーティーなどに)出かける. (4) (米) 引退する, 引き下がる. —他 → 他 2.
stép óver A ⟨障害物⟩をまたぐ.
stép úp 自 (1) (低い所から)上がる. (2) […へ]近づく[*to*]. (3) 昇進する. (4) ⟨量·度合·強さ⟩が向上する. —他 ⟨量·度合·強さ⟩を高める, 増す, 上げる, 促進する, 加速する.

step- /step-/ (重要素) →語要素一覧 (1.7).
step-broth·er /stépbrʌ̀ðər/ 名 Ⓒ まま兄弟 ⟨まま父[母]の息子⟩.
step-by-step /stépbàistép/ 形 段階的な.
step·child /stéptʃàild/ 名 (複 **-chil·dren**) Ⓒ まま子.
step·daugh·ter /stépdɔ̀ːtər/ 名 Ⓒ まま娘.
step·fa·ther /stépfɑ̀ːðər/ 名 Ⓒ まま父.
Ste·phen /stíːvn/ 【発音注意】名 スティーブン ⟨男の名. 愛称 Steve⟩.
Ste·phen·son /stíːvnsn/ 名 スティーブンソン ⟨George ~ 1781-1848; 英国の技師, 蒸気機関車の発明者⟩.
step-in /stépìn/ 形 ⟨衣服·履物⟩が足を突っ込んで着る[はく]. —— 名 Ⓒ [しばしば ~s] (略式) 足を突っ込んで着る衣服[はく靴].
step·lad·der /stéplæ̀dər/ 名 Ⓒ きゃたつ, 段ばしご.
step·moth·er /stépmʌ̀ðər/ 名 Ⓒ まま母.
step·par·ent /stéppè(ə)rənt/ 名 Ⓒ まま親 ⟨まま父[母]⟩.
steppe /stép/ 名 **1** Ⓒ ステップ ⟨樹木のない大草原⟩. **2** [the Steppes; 複数扱い] (シベリア·アジアの)大草原地帯.
step·ping-stone /stépiŋstòun/ 名 Ⓒ **1** 飛び石, 踏み石. **2** [昇進·成功などへの]足がかり, 手段, 方法 [*to*].
step·sis·ter /stépsìstər/ 名 Ⓒ まま姉妹 ⟨まま父[母]の娘⟩.
step·son /stépsʌ̀n/ 名 Ⓒ まま息子.
-ster /-stər/ (重要素) →語要素一覧 (2.1).
†**ste·re·o** /stíəriòu, stiári-/ [*stereophonic* の短縮語] 名 (複 ~s) **1 a** Ⓤ ステレオ(録音)方式, 立体音響, ステレオ効果 ‖ broadcast *in stereo* ステレオで放送する. **b** Ⓒ ステレオ(装置) (stereo set); ステレオレコード[テープ] ‖ listen to music on the *stereo* ステレオで音楽を聴く. **2** =stereotype 2. **3** = stereograph. —— 形 =stereophonic.

ster·e·o·graph /stériougræf, stíəri-|-grà:f/ 名 立体写真, 立体画. ── 動 …の立体写真を作る.

ster·e·og·ra·phy /stìəriágrəfi, stìəri-|-5g-/ 名 U 立体[実体]画法.

ster·e·o·phon·ic /stèriəfánik, stìəri-|-f5n-/ 形 (正式) ステレオ(録音)方式の, 立体音響(効果)の (stereo).

ster·e·o·scope /stériəskòup, stìəri-/ 名 C 立体(写真)鏡.

ster·e·o·type /stériətàip, stìəri-/ 名 1 C U ステレオ版, 鉛板. 2 C (正式) 固定観念, 通念(idea); 決まり文句 ‖ outdated *stereotype* 時代遅れの固定観念.

sté·re·o·typed 形 1 ステレオ版の. 2 〈意見・言葉が〉固定観念にとらわれた, 型にはまった.

†**ster·ile** /stérl | stéraɪl/ 形 1 〈動物が〉子ができない, 不妊の;〈植物が〉繁殖力のない ‖ a *sterile* male 生殖力のない男性. 2 〈土地が〉不毛の, やせた(↔ fertile) ‖ Months of drought made the land *sterile*. 何か月もの日照り続きで土地は作物が作れなかった. 3 殺菌した, 無菌の ‖ *sterile* culture 無菌培養. 4 (正式) 不毛の, 効果のない; 独創性のない ‖ a *sterile* discussion 無益な討論.

†**ster·i·lize** (英ではしばしば) **-lise** /stérəlàɪz/ 動 他 1 …を殺菌[消毒]する ‖ *sterilize* the instruments 器具を殺菌する. 2 〈人・動物〉に不妊手術をする.

ster·ling /stə́ːrlɪŋ/ 名 U 1 英貨(British money). 2 = sterling silver.
── 形 1 英貨の, ポンドの, 英貨による(略 stg, ster.) ‖ £1,000 *Sterling* [*stg.*] = one thousand pounds *sterling* 1000 英ポンド (cf. US \$100). 2 〈金・銀が〉法定純度の. 3 〈性格などが〉すぐれた, 立派な, 真正の ‖ *sterling* character 立派な性格[人柄].

stérling sílver スターリングシルバー, 英国法定純銀〈純度 92.5％〉; [集合名詞] スターリングシルバー製品.

†**stern**¹ /stə́ːrn/ 形 1 〈人などが〉 […の点で / …に対して] 厳格な, 厳しい (in / to, with) (↔ soft) ‖ be *stern* with one's son 息子に厳しい. 2 〈顔つきなどが〉いかめしい, こわい ‖ a *stern* face いかめしい顔. 3 手厳しい, 過酷な ‖ a *stern* punishment 厳罰 / *stern* treatment 過酷な扱い.

stérn·ness 名 U 厳格さ, 厳しさ, いかめしさ.

†**stern**² /stə́ːrn/ 名 C (海事) 船尾, とも (↔ bow, stem) ‖ down by the *stern* 船尾を下げて / the *stern* deck 船尾甲板.

†**stern·ly** /stə́ːrnli/ 副 厳格に, きびしく; いかめしく.

ster·num /stə́ːrnəm/ 名 (複 ~s, -na/-nə/) C (医・動) 胸骨; (昆虫) 胸板.

ster·oid /stíərɔɪd/ 〔生化学〕 名 U 形 ステロイド(の).

steth·o·scope /stéθəskòup/ 名 C (医学) 聴診器.

steth·o·scop·ic /stèθəskápik | -skɔ́pik/ 形 聴診器の, 聴診器に関する. **stèth·o·scóp·i·cal·ly** 副 聴診器を用いて.

Steve /stíːv/ 名 スティーブ《男の名. Steven, Stephen の愛称》.

ste·ve·dore /stíːvədɔ̀ːr/ 名 C (主に米) (船荷の)積みおろし人足, 港湾労働者.

Ste·ven /stíːvn/ 名 スティーブン《男の名. (愛称) Steve》.

Ste·ven·son /stíːvnsn/ 名 スティーブンソン《Robert Louis ~ 1850-94; 英国の小説家・詩人・随筆家. (略) R.L.S.》.

ste·vi·a /stíːviə/ 名 〔植〕 ステビア《パラグアイ原産の低木. 葉から低カロリーの甘味料がとれる》.

†**stew** /stjúː/ 動 他 〈人が〉〈肉・果物などを〉(とろ火で)とろとろ煮込む (→ cook 他 1 関連) ‖ *stewed* beef ビーフシチュー(= beef stew). ── 自 とろ火でとろとろ煮える. ── 名 1 C U シチュー(料理)《肉・野菜などをとろ火で煮込んだ料理》. 2 (古風式) [a ~] 心配; 混乱状態 ‖ be *in a stew* over [about] the missing dog いなくなった犬のことで気をもんでいる.

†**stew·ard** /stjúːərd/ 名 C 1 (客船・旅客列車・旅客機の)給仕, ボーイ, スチュワード《(女性形) stewardess》《◆米国の航空会社によっては flight attendant, 遠距離列車にいる人は service attendant という》 ‖ a baggage [cabin] *steward* (船の)手荷物係[船室係]. 2 (英) (晩餐)会・舞踏会・競馬などでの世話人, 幹事. 3 (クラブ・大学などの)用度係, 給仕長. 4 (主古) (大きな家の)執事, 家令; (有給の)管財人.

stew·ard·ess /stjúːərdəs | stjùːədés/ 名 C スチュワーデス (→ steward 名 1).

†**stew·ard·ship** /stjúːərdʃìp/ 名 U (正式) 1 steward の職[仕事]. 2 管理, 経営.

stew·pan /stjúːpæ̀n/ 名 C シチューなべ.

stg, stg. (略) sterling.

⁕**stick**¹ /stík/ 『「刺すもの」が原義. cf. stake』
── 名 (複 ~s/-s/) C 1 **棒切れ**, 木切れ; (切り取った)**小枝** ‖ support the sweet peas with long *sticks* 長い棒切れでスイートピーを支えをする.
2 [しばしば複合語で] (ある目的に使用する)棒状の物, (英) ステッキ (walking stick, cane); (スキーの)ストック, (ゴルフの)クラブ ‖ a hockey *stick* ホッケーのスティック / a drum*stick* ドラムのばち.
3 棒状のもの, (菓子などの)棒, (野菜の)茎, じく (of) ‖ a *stick* of chalk チョーク 1 本 《◆ a piece of chalk より長い》 / a *stick* of chewing gum チューインガム 1 枚. 4 こん棒; (体罰用の)むち; (英) [(the) ~] (罰としての)むち打ち; 厳しい処置 ‖ give him (the) *stick* take a stick to him 彼をむちで打つ; 彼を罰する. 5 〔航空〕 操縦桿(かん). 6 (やや古風式) [通例 old ~ で] (…な)やつ(fellow) ‖ a dry [dull, boring] old *stick* 面白くないやつ.

gét [**háve**] (**hóld of**) **the wróng énd of the stick** (略式) (理論・話の筋などを)取り違える, 勘違いする.

stíck fígure [**dráwing**] 棒線画.

stíck ìnsect 〔昆虫〕 ナナフシ.

⁕**stick**² /stík/
── 自 (~s/-s/; 過去・過分 stuck /stʌ́k/; ~ing)
── 他

I [突き刺して動かなくする]

1 (略式) 〈人が〉〈物に〉〈物を〉はり付ける, くっつける, 固定する (on, over, to, in, into); 〈物を〉(のりなどで)くっつける (with) ‖ *stick* a stamp *on* the envelope 封筒に切手をはる. 2 〈車や人・車などを〉動かなくさせる, 〈仕事などを〉行き詰まらせる; [be [get] stuck] 〈人・事などが〉動かなくなる, 〈仕事などが〉行き詰まる ‖ The car was *stuck* in the snow. 自動車は雪の中で立往生した. 3 (略式) 〈人・事が〉〈人〉を困らせる, 当惑させる (puzzle); [be stuck] 〈人が〉 […で / …に対して] 困る (with, on, by / for) ‖ Her question *stuck* me. = I was *stuck* by her question. = I got *stuck* on the question. 彼女の質問には手こずった. 4 (英略式) [否定文・疑問文で; can ともに] 〈人・事〉を我慢[辛抱]する.

II [突き刺す]

5 [stick A with B = stick B into A] 〈人が〉B〈鋭い物〉を A〈物など〉に**突き刺す**; 〈物が〉〈人〉の〈身体

の一部に)突き刺さる[in];(主に略式)〈人・動物〉を刺し殺す ‖ Be careful not to *stick* your finger *with* [on] the needle. 針で指を刺さないように気をつけなさい(→文法 11.7) / He *stuck* the butter *with* a knife. =He stuck a knife *into* the butter. 彼はバターにナイフを突き刺した / He *stuck* a catfish *in* the tail *with* a spear. 彼はナマズの尾をやすで突いた.

III [突き刺すように突っ込む]

6〈人が〉〈物・身体の一部など〉を[…に/…の間に]突っ込む[in, into / between];〈身体の一部〉を[…から/…に向かって]突き出す(+out, up)[out of / at];(略式)〈物を置く(put)[◆主に素早く]とか「無雑作に]置く場合に用いる]‖ The kitten *stuck* its nose *into* the milk. 子ネコはミルクの中に鼻を突っ込んだ / He *stuck* his arm *out of* the window. 彼は窓の外に腕をつき出していた.

7(略式)〈人に〉〈いやな仕事など〉を押しつける[with];〈人〉に[…の]代金を(策略的に)払わせる[for] ‖ I was *stuck with* doing the dishes. 皿洗いを押しつけられた.

――⊜ **1**〈物が〉〈場所に〉突き刺さる[in, into, through] ‖ A fish bone *stuck* in my throat. 魚の骨がのどに刺さった. **2**〈人・物が〉[…に]くっつく,くっついて離れない[to, on](◆adhere より口語的) ‖ Chewing gum *stuck* to the bottom of my shoe. チューインガムが靴の底にくっついた. **3**〈物が〉[…から]突き出る,はみ出る(+ out)[out of, through] ‖ His handkerchief was *sticking out* of his breast pocket. 彼の胸ポケットからハンカチが顔を出していた. **4**〈車・戸などが〉[…にはまって]動かなくなる[in],はまり込む ‖ The bus *stuck* in the soft sand. バスが軟かい砂地にはまって動かなくなった. **5**〈説明などが〉説得力のある ‖ The indictment does not *stick*. その告発は説得力がない.

be stúck on A(略式)(1)→⊕ **1, 3**. (2)〈人・物〉が大好きである,…に夢中である.

be stúck with *doing*(1)→⊕ **7**. (2)…にかかりきりである,…することしかできない.

stíck aróund[*about*](⊜)(略式)(待つために)そのあたりにいる ‖ Why don't you *stick around* for a while?[去ろうとする相手に]もう少しこのへんにいろよ.

stick at A(1)(英)(通例否定文・疑問文で)(悪い行為)をためらう,思いとどまる. (2)〈仕事など〉を(困難ではあるが)一生懸命続ける. (3)…に落胆する.

stíck at it(略式)辛抱強くやる,こつこつやる.

stíck ín(⊜)(1)(意に反して,必要から)屋内にいる;[…と]一緒に暮らす[with]. (2)仕事に精を出す. (3)根気よくがんばる. ――⊕(1)(俗)…を武器として使う.

stíck it óut(略式)我慢する,じっと耐える;最後まで頑張る.

stíck ón(⊜)(1)上にのった[くっついた]ままである. (2)(略式)(仕事などで)居残る[at]. (3)(表面に)残る,くっつく. (2)(電気器具など)を作動させる. (3)(略式)…を加える. ――⊕[~ on A](通例 be ~ing)〈事〉を疑う,…について説得されるのを拒む.

stíck óut(⊜)(略式)(時に ~ out like a sore thumb)(1)〈人・物が〉目立つ,人目につく(◆stand out の方が普通). (2)しつこく反対を示す. ――⊕(1)[~ *out* A](略式)(…という)正当性を主張し続ける[that 節]. (2)→⊕ **6**(◆project より口語的). (3)(略式)…をやり抜く.

stíck óut for A[A を求めて(for 前 **2**)最後まで(out 副 **16**)ねばっている(stick)](略式)…をあくまでも要求する[stand[hang, hold]out for).

***stíck to A**(1)〈主義・決定など〉を**守り抜く**,堅持[固守]する ‖ I'll *stick to* my decision. 自分の決心を守り抜きます. (2)(英)〈人など〉に忠実である. (3)〈主題などから〉それない. (4)(米)〈仕事など〉を**最後までやり遂げる**(cf. stick at (2)) ‖ He can *stick to* nothing. 彼は何をやっても三日坊主だ. (5)〈人・物〉にぴったりくっついている.

stíck togéther(⊜)(1)〈2つ以上の物〉がくっつく. (2)(略式)〈人々が〉協力し合う,かばい合う. ――⊕ [~ A *together*](2)〈2つ以上の物〉をくっつけ合わせる.

stíck úp(⊜)(1)〈物が〉(上に)突き出る. ――⊕(1)〈物〉を突き立たせる. (2)→⊕ **6**. (3)(略式)…を掲示する,〈旗など〉を掲揚する. (4)(略式)…に[で]ピストル強盗を働く.

stíck úp for A(略式)〈人・事〉を支持する,弁護する;〈権利など〉を守る.

stíck wíth A(略式)(1)〈仕事など〉を続ける. (2)〈人〉と一緒にいる;〈人〉に負けずについていく. (3)〈人〉に忠実である;〈考えなど〉を支持する ‖ She *stuck* with me in spite of all my faults. いろいろ欠点があるのに彼女は私を見捨てなかった.

Stíck with it! がんばれ,最後まで続けろ.

sticking plàster(英)ばんそうこう.

stick・er /stíkər/ 名 ⓒ **1** ステッカー,のり付きラベル[ポスター]. **2**(略式)粘り強い人[競走馬],がんばり屋.

stick・le /stíkl/ ⊜ **1**(小さいことについて)うるさく言う,こだわる. **2**[…に]異議を唱える;[…のことで]ためらう[at, about].

stick・le・back /stíklbæk/ 名 (覆 stick・le・back, ~s) ⓒ [魚]トゲウオ(類).

stick・ler /stíklər/ 名 ⓒ (略式)[…に]うるさい人[for] ‖ a *stickler* for accuracy 正確さにうるさい人.

†**stick・y** /stíki/ 形 (--i・er, --i・est) **1**くっつく,粘着性の;[…で]べとべとする[with] ‖ Her fingers are *sticky* with honey. 彼女の指はハチミツでべとべとしている. **2**(略式)〈天候などが〉蒸し暑い,暑苦しい. **3**(略式)難しい;とても不愉快な ‖ a *sticky* situation ややこしい状況. **4**(略式)[…のことで]気難しい,文句を言う[about]. **stick・i・ly** 副 ねばって;蒸し暑く. **stick・i・ness** 名 ⓤ ねばついていること;蒸し暑さ.

***stiff** /stíf/ [「押し固める」が原義](覆 stiffen (動)
――形 (~・er, ~・est)

I [筋肉・物が堅い]

1〈筋肉などが〉こった,(動かすと)痛い ‖ I have *stiff*, aching muscles 筋肉がこって痛い.

2〈紙・布地など〉が**堅い**,曲がりにくい(cf. rigid);死後硬直した ‖ a book with a *stiff* cover 堅い表紙の本.

3 堅めの,堅練りの ‖ Beat the eggs until *stiff*. 固まるまで卵をかき混ぜなさい. **4**(略式)(通例名詞の前で)アルコール分の多い,〈薬などが〉強い(strong)‖ a *stiff* whiskey 強いウイスキー.

II [態度などが堅い]

5[人に対して]堅苦しい,よそよそしい[with] ‖ a *stiff* smile よそよそしい微笑 / a *stiff* bow 四角張ったおじぎ. **6**頑固な,頑強な,強硬な ‖ *stiff* opposition 強硬な反対,頑強な抵抗. **7**(略式)やっかいな,骨の折れる;〈競争などが〉厳しい ‖ a *stiff* job 難しい仕事. **8**(略式)〈値段・罰などが〉法外な,ひどい ‖ a *stiff* price べらぼうに高い値段.

——副 (~·er, ~·est)《略式》途方もなく，ひどく.

†**stiff·en** /stífn/ 《動 他》 **1** …を堅くする，こわばらせる(+ *up*) ‖ *stiffen* cotton with starch 綿をのりで固める. **2** …を堅く練りにする. **3**〈態度などを〉堅苦しくする. ——《自》 **1**〈態度などが〉[…に対して]堅くなる，こわばる(*at*). **2** 固くなる，凝固する(+*up*). **3**〈筋肉などが〉こる. **stíff·en·er**《名》C 堅くする物，(えりなどの)しん.

stiff·en·ing /stífniŋ/《名》U 固める材料《のりなど》.

†**stiff·ly** /stífli/《副》堅く，堅苦しく.

stiff-necked /stífnékt/《形》**1** 肩がこった. **2**《正式》がんこな，強情な.

†**stiff·ness** /stífnəs/《名》U 堅いこと，堅苦しさ，がんこさ.

†**sti·fle** /stáifl/《動 他》**1** …の息を止める，…を窒息させる；…を息苦しくさせる《◆choke より堅い語》. **2**《正式》〈あくび・笑いなどを〉汚名，殺す，抑制する(keep back)；〈反乱などを〉抑制する，抑える，もみ消す ‖ *stifle* a sob [yawn] すすり泣き[あくび]をこらえる / *stifle* a rebellion 反乱を鎮圧する. **3**《正式》〈火などを〉消す. ——《自》**1** 息苦しくなる[感じる]；窒息する. **2** 窒息死する，(息ができず)意識を失う.

sti·fling /stáifliŋ/《形》息詰まるほど暑い，息苦しい；窮屈な，重苦しい.

†**stig·ma** /stígmə/《名》(複 ~s, ~·ta /-tə, (米+) stigmɑ́:tə/) C **1**【通例単数形で】汚名，恥辱，不名誉. **2**《正式》(欠点・異常を示す)特質，印；徴候. **3**【植】(雌しべの)柱頭(図) → flower).

stig·ma·tize /stígmətàiz/《動 他》《正式》**1**〈人に〉[…の]汚名を着せる，〈人を〉[…だと]非難する(*as*). **2** …に焼印[烙印(羃)]を押す.

†**stile** /stáil/《同音》style)《名》C **1** 踏越し段《人だけ通して家畜は通さないように牧場などの垣・へいなどに設けた階段・踏み台》. **2** 回転式木戸，回り木戸.

‡**still**¹ /stíl/《類音》steal, steel /stí:l/)『『「固定された」が原義』』

index
《副》**1** まだ **2** なおいっそう **3** それでも
《形》**1** 動かない **2** 静かな

——副《◆比較変化しない》**1**【通例肯定文で】**まだ**，(今も[その時も])，依然として，相変わらず《しばしば長く続いていることに対して意外・驚きを表す》(⇔ no longer) ‖ I'm *still* busy. 私はまだ忙しい / She was *still* in bed when I left home. 私が家を出る時，彼女はまだ床にいた / He will *still* be here tomorrow. 彼は明日もまだここにいるだろう / I *still* love him. =I love him *still*. 私はまだ彼を愛しています《◆《略式》では後者のように時に文末にくる》 / Her new book *is* [has] *still to* be written. (これまでのところ)彼女の新作はまだ執筆されていない.

語法 (1) 否定の行為の継続を強調する場合は否定文にも用いる．ただし否定語より前に置く：You *still* haven't answered my question. 君はまだ私の質問に答えていない．
(2) still に強勢を置いて驚き・当惑を表す：Is Jane *still* not here? ジェーンはまだここに来ていないか ‖ Isn't Jane here yet? より強意的).

2【比較級を強めて】**なおいっそう**，さらに(even) ‖ *still* better さらによいことには(→ better《副》**3**) / Tom is tall, but Joe is *still* taller. トムは背が高いが，ジョーはもっと高い / She opened her eyes, opened them much wider *still*, then opened her mouth. 彼女は目を開け，さらにもっと大きく開け，そして口を開けた.

3《主に略式》【しばしば接続詞的に】**それでも**，それにもかかわらず ‖ She gave a brief but *still* interesting report. 彼女は簡単だがそれでも興味深い報告をした / Everyone knew I was wrong; *still*, no one said a word. 私が間違っていることをみんなが知っていたが，それでもだれひとり一言も言わなかった / I've never met Sue. *Still* I know a lot about her. スーには一度も会っていません．それでも彼女のことはよく知っています.

4【another, other, further, more などと共に】…だその上，さらに ‖ give *still* another example その上もうひとつ例を挙げる.

stand still → stand
still and áll《米略式》[対比を表して](それ)でもやはり.

*****still less** =much LESS (less《副》成句).

——《形》(~·er, ~·est) **1 a** 動かない，静止した，じっとした ‖ Keep [Hold] *still* while I cut your hair. 散髪する間じっとしていなさい / The lake is *still* today. 今日は湖は静かだ. **b** 風のない ‖ a *still* day 風のない日.

2〈場所・時などが〉**静かな**，音のしない，しんとした；〈人が〉黙っている ‖ The concert hall was quite *still*. そのコンサートホールはまったく静かだった / It was a *still* night. 静かな夜だった / *Still* waters run deep. → water《名》**6**.

3〈心などが〉平静な，平穏な. **4**〈声・音などが〉低い，小さい，ひそかな ‖ *the still small voice* (*of conscience*) 低く小さい声；良心の声. **5**《英》【名詞の前で】〈飲み物が〉発泡性でない.

——《名》**1** U《文》[the ~] […の]静寂，静けさ(*of*) ‖ break *the still of* the night 夜のしじまを破る. **2** C (主に映画宣伝用の)スチール写真.

——《動 他》《文》**1**〈声・音などを〉静かにさせる，〈人を〉黙らせる. **2**〈怒り・苦痛・恐怖などを〉和らげる(calm)；〈空腹・欲望などを〉満たす(satisfy). **3**〈音・波などを〉静める(calm). ——《自》静まる，静かになる.

still life《複 ~ lifes》(画材としての)静物；静物画.
still²《名》C 蒸留酒製造器[所].
still-born /stílbɔ̀:rn/《形》**1** 死産の. **2** 不成功の.
†**still·ness** /stílnəs/《名》U **1** 静けさ，静寂. **2** 静止，不動.
still·ly /stílli/《副》静かに，落ち着いて.
†**stilt** /stílt/《名》C **1**【しばしば (a pair of) ~s】竹馬，高足(鐙)《◆英米のものは足踏台が手前でなく内側についているのがふつう》. **2** (水上・沼地で家・小屋などを支える)支柱，脚柱.
stilt·ed /stíltid/《形》**1** 竹馬に乗った；〈建物が〉支柱で支えられた. **2** 誇張した，おおげさな；堅苦しい.
†**stim·u·lant** /stímjələnt/《名》C **1**【医学】興奮剤，刺激剤. **2**《正式》【通例 a ~】(…を)刺激[興奮]させるもの；[…に対する]動機；誘因(*to*)《◆stimulus がふつう》. **3**《略式》アルコール飲料，酒.
†**stim·u·late** /stímjəlèit/《動 他》**1**〈物・事が〉…を刺激する，興奮させる《◆excite より堅い語》‖ Reading good books *stimulates* thought. 良書を読むことは思考を刺激する / The smell of cooking *stimulates* my appetite. 料理するにおいをかぐと私は食欲が出てくる. **2**〈人・事が〉〈人を元気づける，激励する (encourage)；〈人を〉励まして[行為などを]させる(*to, into*)；〈人を〉刺激する[…]させる(*to do*) ‖ Praise *stimulated* her *to* work hard. 彼女はほめられてよく勉強した(→ stimulus《名》**1**). ——《自》刺激(剤)

stim・u・lat・ing /stímjəlèitiŋ/ 形 **1** 刺激[興奮]する. **2** 非常に興味のある; 激励する.

†**stim・u・la・tion** /stìmjəléiʃən/ 名 U 刺激, 興奮; 激励, 鼓舞.

stim・u・la・tive /stímjəlèitiv, -lə-/ 形 刺激的な, 興奮性の, 興奮させる; 激励する.

†**stim・u・lus** /stímjələs/ 名 --li/-lài/ **1** C U (正式) 刺激, 激励するもの; [a ~] (…に)(反応などになる)もの[to] (↔ response) ‖ work harder under the *stimulus* of praise ほめられてますますよく勉強する. **2** C [医学] 刺激物; 興奮剤.

†**sting** /stíŋ/ 動 (過去・過分 stung /stʌŋ/) 他 **1** ⟨ハチ, サソリ・植物などが⟩⟨人・物を⟩針[とげ]で刺す(prick) (◆ mosquito, ant は bite). ‖ A wasp *stung* his head. =A wasp *stung* him *on* the head. スズメバチが彼の頭を刺した(→ catch **1 c**). **2** ⟨煙・味などが⟩⟨体⟩をひりひりさせる, …に刺すような痛みを与える ‖ Smoke *stings* my eyes. 煙で目にしみる. **3** ⟨非難・侮辱などが⟩⟨人⟩を傷つける, 苦しませる ‖ be badly *stung* by the reproaches 非難にひどく傷つく / Her conscience *stung* her. 良心が彼女を苦しめた. **4** ⟨嘲笑・非難などが⟩⟨人⟩を刺激して⟨事・行為を/…するように⟩させる, …へとかりたてる(to, into / to do). **5** (略式) ⟨人⟩に(…の)高値をふっかける, ⟨人から⟩(金額を)だまし取る(for) ‖ If you get the car repaired there, they'll *sting* you *for* £ 150. あそこで車を修繕してもらうと 150 ポンドまき上げられるよ. — 自 **1** ⟨虫・植物など⟩が刺す, とげ[針]がある ‖ Roses *sting*. バラにはとげがある. **2** ⟨体か⟩[…で]ひりひりする[痛む][from, with] ‖ My eyes are *stinging from* [*with*] the smoke. 煙で目がちかちかしている. **3** ⟨言葉などが⟩心を苦しめる, 悩ます; ⟨心などが⟩苦しむ, いらだつ.
— 名 C **1** (ハチなどの)針, (植物の)とげ, (ヘビの)毒牙 ‖ the *sting* of a bee ミツバチの針. **2** 刺す[刺される]こと, 刺し傷 ‖ A scorpion gave me a poisonous *sting on* my [the] ankle. サソリが私の足首に毒を刺し込んだ / swell with the *sting* 刺し傷ではれあがる. **3** (正式) (体の)痛み, 激痛; (心の)苦痛(pain) ‖ the *sting* of remorse 後悔の念. **4** 辛辣(しんらつ)さ, 皮肉, いやみ ‖ criticism with a *sting* in the [its] tail 最後にとげのある批評.

sting・er /stíŋər/ 名 C **1** 刺すもの[人]. **2** C ⟨米⟩ 刺す動物[植物]; ⟨動⟩ 針; ⟨植⟩ 刺毛. **3** (略式) 嫌味, 当てこすり, 皮肉; 痛罵, 痛打. **4** U スティンガー⟨ブランデーとリキュールのカクテル⟩. **5** [S~] C (米軍事) スティンガー⟨携帯用地対空ミサイル⟩.

sting・ing /stíŋiŋ/ 形 刺すような, 辛辣(しんらつ)な.

†**stin・gy** /stíndʒi/ 形 (--gi・er, --gi・est) **1** (略式) けちな, しみったれの, みみっちい(mean) (↔ generous); [… を]出し惜しみする[with, of] ‖ Don't be so *stingy with* your money. 金をそうけちけちするな. **2** 乏しい, 少ない, 不足の.

†**stink** /stíŋk/ 名 **1** C (略式) 悪臭, いやなにおい(bad smell). **2** C (略式) 騒動, 物議(trouble) ‖ make a *stink* 騒ぎを引き起こす.
— 動 (過去 **stank** /stæŋk/ or **stunk** /stʌŋk/, 過分 **stunk**) 自 (略式) **1** ⟨…の⟩悪臭を放つ, [比喩的に] ⟨…の⟩においがする(of); ⟨…の⟩原因で臭い(with). **2** ‖ She *stank* of garlic. 彼女はニンニク臭かった. **2** ひどく評判が悪い, 鼻持ちならない. **3** ⟨人が⟩[金などを]腐るほど[たんまり]持っている[of, with] ‖ He *stinks of* [*with*] money. 彼には金が腐るほどある. **4** (性質・質)ひどく劣る[低い]. — 他 (米略式) ⟨場所など⟩を臭くする(+ up).

†**stint** /stínt/ 動 他 [通例否定文で; しばしば ~ oneself] ⟨人⟩を制限する; ⟨人に⟩[…]を切り詰める, 出し惜しむ(of, in, on). — 自 [通例否定文で] (…を)切り詰める, 出し惜しみする(on). — 名 U 出し惜しみ, 制限, 節約 ‖ give without *stint* (正式) 惜しみなく与える.

sti・pend /stáipend/ 名 C (正式) **1** (牧師などの)給料, 俸給. **2** (一般的に)定期的な支払い; 奨学金, 給費, 手当; 年金.

stip・ple /stípl/ 動 他 **1** …を点刻[点描, 点彩]する. **2** …に点々[斑(はん)点]をつける. — 名 U C 点刻[点描, 点彩](法); それによる効果[作品].

†**stip・u・late** /stípjəlèit/ 動 他 (正式) (契約の条件として) …を規定する, 明記する(state); (条件として) …を要求する(demand) ‖ It is *stipulated* in the contract *that* we (should) work 40 hours (in) a week. 我々は契約で週 40 時間の労働の義務が規定されている (◆ should を用いるのは (主に英). ●文法 9.3). — 自 (条件として) […を]要求する, 取り決める(ask) (for).

stip・u・la・tion /stìpjəléiʃən/ 名 U C 規定(すること) ‖ There is a *stipulation* that … …という規定がある.

†**stir** /stɔ́ːr/ 動 (過去・過分 **stirred** /-d/; **stir・ring**) 他 **1** ⟨人・風などが⟩…を動かす, 揺り動かす, ゆする ‖ The wind *stirred* the surface of the water. 風で水面が揺れた. **2** ⟨人が⟩…を[…で]かき回す, かき混ぜる[with]; ⟨…を⟩⟨液体などに⟩入れて混ぜる(with); ⟨火などを⟩かき立てる(+ up) ‖ He *stirred* his tea *with* his spoon. 彼はスプーンで紅茶をかき回した / *stir* cream *into* one's coffee コーヒーにクリームを入れてかき混ぜる. **3** (文) ⟨人⟩を奮起させる, ⟨人の心をかき立てる⟩(excite) (+ up) ‖ *Stir yourself.* 奮起せよ. **4** (文) ⟨人⟩を刺激[感動, 興奮]させる, ⟨感情⟩を起こさせる; [be ~red] ⟨人が⟩感激[感動, 興奮]する. **5** (正式) ⟨人⟩を扇動する, そそのかす; ⟨騒ぎ⟩を起こす(+ up); ⟨人⟩を扇動して[…]をしさせる(to, into) ‖ Discontented men *stirred* the crew *to* mutiny. 不満分子たちは船員を扇動して反乱を起こさせた. **6** (略式) …を目覚めさせる, 揺り起こす; [~ oneself] 急ぐ. **7** …の注意を促す, …を議題にのせる.
— 自 **1** ⟨人・物が⟩動く; 身動きする, 動き出す ‖ The sleeping child didn't *stir* all night. 眠っている子供は一晩中身動きしなかった. **2** 起きている; 活動している; […から]目覚める, 離れる(from) ‖ They are not *stirring* yet. 彼らはまだ起きていない. **3** (文) ⟨感情などが⟩起こる(arise); ⟨人や⟩感動する ‖ Interest began to *stir* among the listeners. 聞き手の間に興味がわき始めた. **4** (様態の副詞を伴って) かき混ぜられる, かき回せる ‖ This paint *stirs* hard. このペンキは混ぜにくい.

stir úp 他 (1) ⟨面倒などを⟩引き起こす; ⟨興奮など⟩をかき立てる. (2) → **3, 5**.
— 名 C **1** (かすかに)動く[動かす]こと; (風の)そよぎ. **2** (コーヒーなどを)かき混ぜること, かき回すこと. **3** [通例 a ~] 活動, 騒ぎ, 混乱; 興奮. **4** [通例 a ~] 感動, 感激; 刺激.

†**stir・ring** /stɔ́ːriŋ/ 形 **1** 感動[興奮]させる, 感激的な ‖ a *stirring* tale 感動的な話. **2** 活動的な, 活発な; 多忙な ‖ lead a *stirring* life 多忙な生活を送る.

†**stir・rup** /stɔ́ːrəp, stíːr- | stírəp/ 名 C (通例 ~s) あぶみ; =stirrup iron.

stírrup cùp (1) (旅に出る馬上の人にすすめた)別れの

杯. (2) (一般に)別れの杯.
stírrup íron あぶみがね《乗馬の足をかける金具》.
stírrup pùmp (消火用の)手押しポンプ.
†**stitch** /stítʃ/ 名 **1** ⓒ (縫い物の)ひと針, ひと縫い; (編み物の)ひと編み; [通例 ~es] (傷口を縫う)ひと針 ‖ take up a *stitch* ひと針縫う / put four *stitches* in a garment 衣服を4針縫う / *A stitch in time saves nine.* → save 6 用例. **2** ⓒ ひと針の糸, 針目, 段目; 目; 編み目; 編んだ[縫った]部分 ‖ drop a *stitch* (編み物で)ひと目落とす / remove the *stitches* from the wound 傷口の糸を抜く. **3** Ⓤⓒ [通例複合語で] かがり方, ステッチ, 縫い方; 編み方 ‖ a buttonhole *stitch* ボタン穴かがり / a cross-*stitch* クロスステッチ.

[関連] [いろいろな種類の stitch]
backstitch 返し縫い / blind [slip] *stitch* まつり縫い / chain *stitch* 鎖縫い / hem *stitch* ヘムステッチ / rib *stitch* ゴム編み / running *stitch* 並縫い.

4 ⓒ (略式) [a ~; 通例否定文で] 小さな布切れ, 布地 ‖ *haven't got a stitch* on = *be not wearing a stitch* 一糸もまとっていない. **5** (略式) [a ~; 否定文で] ほんの少し, わずか ‖ He *hasn't done a stitch* of homework today. 彼は今日全然宿題をやらなかった. **6** [a ~] (わき腹などの)激痛, さしこみ ‖ *a stitch* in the side わき腹の激痛.
in stítches (略式) おなかがよじれるほど笑って, 笑いこけて.
—動 他 **1** …を縫う(sew), 縫い合わせる[とじる](+ *up*) ‖ *stitch up* a net ネットをつくろう [語法] 「縫って作る」の意では sew, make: I *sewed* [*made*, ×*stitched*] that dress myself. あのドレスは自分で縫ったものです. **2** …を刺繍(しゅう)する, …に縫い取りをする. **3** 〈本などを〉(止金で)とじる(+ *up, together*). **4** 〈けんかなどを〉とり繕う.
—自 縫う; とじ合わせる.
＊**stock** /stɑ́k | stɔ́k/
—名 (複 ~s/-s/) **1** Ⓤⓒ [しばしば ~s] 在庫品, ストック, 仕入れ品 ‖ This shop keeps [lays in] *a large stock of* kitchen utensils. この店は台所用品の在庫[仕入れ]が多い ‖ be *in* [*out of*] *stock* 在庫がある[が切れている]. **2** Ⓤⓒ 貯蔵, 蓄え; (知識などの)蓄積 ‖ He has *a large stock of* knowledge. 彼は豊富な知識を持っている / a *stock* of provisions 食料の蓄え. **3** Ⓤⓒ (米) 〖金融〗 [通例 ~s; 複数扱い] 株, 株式, (英) share); (株式の)資本金, (個人の)株数, 株券; (英) [the ~s] 国債, 公債, 地方債 ‖ invest a lot of money in *stocks* 多額の金を株に投資する / trade *stock(s)* 株を売買する(=buy and sell *stocks*) / preferred [common] *stock* 優先[普通]株 / Bill has *stock* in that company. ビルはあの会社の株を持っている. **4** ⓒ (木の)切り株, 〖植〗 幹, 茎; 地下茎. **5** [集合名詞] (農場の)家畜(livestock); 〖植〗 fat *stock* 食肉用家畜. **6** Ⓤⓒ 血統, 家系; 人種, 民族; 〖動・植〗 種族; 先祖, 祖先; 〖言〗 語系, 語族 ‖ be *of* [*come from*] *good stock* 名門の出だ. **7** ⓒ (器具・機械などの)台, 台木, (銃の)台じり, (むちすきなど)の柄. **8** Ⓤⓒ (米) 原料[分]. **9** Ⓤⓒ 〖料〗(肉・魚などの煮出し汁, スープのもと. **10** ⓒ (昔の)幅広のえり飾り, ストックタイ. **11** ⓒ 〖園芸〗(つぎ木の)台木, 親木.
on the stócks 〈船が〉建造中で[の].
stóck in tráde = stock-in-trade.

tàke stóck (1) 在庫調べ[たな卸し]をする. (2) 評価[吟味]する.
tàke [**pùt**] **stóck in** A (米) (1) (略式・やや古) 〈物・事などに〉関心をもつ; [通例否定文で] 〈物・事などを〉重んずる; 〈人〉を信用する. (2) 〈会社〉の株を買う.
tàke stóck of A (1) 〈情報など〉を再検討する, 判断する; 〈能力など〉を評価する.
—形 **1** 手持ちの, 在庫の. **2** ありふれた, ふつうの, 平凡な.
—動 他 **1a** 〈人が〉〈店などに〉〈商品などを〉仕入れる, 在庫にしておく, 蓄える(+*up*) [*with, on, for*] ‖ *stock* a shop with goods 店の商品を仕入れる. **b** 〈容器に〉〈…を〉入れる(+*up*) [*with*]. **2** 〈人・店が〉〈商品などを〉貯蔵している, 蓄えている, 〈品物などを店に置いている〉(+*up*) ‖ That hardware store *stocks* all kinds of tools. あの金物店にはあらゆる種類の道具をそろえている / Wine is *stocked* all year round. ワインは1年中蓄えがある.
—自 **1** 仕入れる, 蓄える(+*up*). **2** 〈トウモロコシ・草などが〉新芽[新枝]を出す.
stóck ùp on [*with, for*] A …をたっぷり用意する, 買い込む, 買いだめする.
stóck càr (1) レース用改造自動車. (2) (米) 家畜運搬車.
stóck exchànge [the ~; 通例 S~ E~] (1) 株式[証券]取引(所); (特に)ロンドン株式取引所. (2) 株式仲買人組合.
stóck fàrmer 牧畜業者.
stóck màrket (1) 株式市場[取引所]. (2) 株式取引[相場]. (3) 家畜市場.
stóck òption ストックオプション, 自社株取得[購入]権.
†**stock·ade** /stɑkéid | stɔk-/ 名 ⓒ **1** (太くて丈夫なくいで作った)防御さく, 砦柵(さいさく). **2** (家畜・捕虜などを収容する)さくで作った囲い, 牢. —動 他 …をさくで防ぐ[囲う].
stock·bro·ker /stɑ́kbròukɚ | stɔ́k-/ 名 ⓒ 株式仲買人.
†**stock·hold·er** /stɑ́khòuldɚ | stɔ́k-/ 名 ⓒ (主に米) 株主(shareholder).
Stock·holm /stɑ́khoum | stɔ́khəum/ 名 ストックホルム《スウェーデンの海港・首都》.
stock·i·net, **-·nette** /stɑ̀kənét | stɔ̀k-/ 名 Ⓤ **1** (英) (下着用)メリヤス地. **2** メリヤス編み.
‡**stock·ing** /stɑ́kiŋ | stɔ́kiŋ/
—名 (複 ~s/-z/) ⓒ [通例 ~s] (女性用の)(長い)靴下, ストッキング《ふつうひざまたはその上までするもの. クリスマスの象徴. cf. sock¹》 ‖ *a pair of stockings* 1足のストッキング / 「*put on* [*take off*] one's *stockings* ストッキングをはく[脱ぐ].
in one's **stócking** [**stóckinged**] **féet** (靴をはかないで)靴下だけで.
stócking càp (先端に飾りの房の付いた)毛糸の円錐(えん)形の帽子.
stócking màsk (強盗などの)ストッキングを利用した覆面.
stock-in-trade /stɑ́kintréid | stɔ́k-/, **stock in tráde** 名 Ⓤ **1** 在庫品, 手持ち商品. **2** [通例比喩的に] 商売道具; 必要手段, 常套(じょうとう)手段.
stock-list /stɑ́klist | stɔ́k-/ 名 ⓒ (株)の相場表.
stock·man /stɑ́kmən | stɔ́k-/ 名 ⓒ (米) 牧畜業者, 家畜所有者((PC) stockbreeder, stockholder).
stock·pile /stɑ́kpàil | stɔ́k-/ 名 ⓒ (非常時・不足時に備えての)食糧備蓄, 原料備蓄; 備蓄品, 核兵器保

stock-still /stάkstíl | stɔ́k-/ 形 動かない, じっとしている.

stock·y /stάki | stɔ́ki/ 形 (**-i·er**, **-i·est**)〈人が〉がっしりした, ずんぐりした.

stock·yard /stάkjɑ̀:rd | stɔ́k-/ 名 **1** (米)〈屠(ほふ)殺・積み出し前に一時留めておく〉家畜置き場. **2** 家畜飼育場.

stodg·y /stάdʒi | stɔ́dʒi/ 形 (時に **-i·er**, **-i·est**) **1** (略式)〈人・本などが〉興味のない, 退屈な. **2** (略式)〈食物が〉こってりした, 腹にもたれる. **3**〈袋などが〉いっぱい詰まった.

†**Sto·ic** /stóuik/ 形 **1** ストア学派の; ストア哲学の《ゼノン(Zeno)が創始》. **2** [s~] 禁欲的な; 冷静な.
── 名 C ストア哲学者; [s~] (正式) 禁欲主義者.

Sto·i·cism /stóuəsìzm/ 名 U **1** ストア哲学[主義]. **2** [s~] (正式) 禁欲, 克己; 冷静, 平然.

stoke /stóuk/ 動 他 **1** 〈…を燃やして〉〈火〉をかき立てる(+*up*)〔*with*, *on*〕; 〈炉・ボイラーなど〉に火をたく, 燃料をくべる(+*up*). **2** 〈興奮などを〉かき立てる, あおる(+*up*). ── 自 燃料をくべる(+*up*).

STOL /stάl, stɔ́ːl | stɔ́l/ [*short takeoff and landing*] 名 U 形 短距離離着陸の(の). ── C 短距離離着陸機(の).

*****stole**[1] /stóul/ 動 steal の過去形.

stole[2] /stóul/ 名 C **1** (正式) ストール《聖職者が肩からひざ下までたらす帯状の布》; 法衣. **2**〈女性用の〉ストール, 肩掛け.

*****sto·len** /stóulən/ 動 steal の過去分詞形.

stol·id /stάlɪd | stɔ́l-/ 形〈人が〉ぼんやりした, 無感覚な, 鈍感な(dull). **stól·id·ly** 副 ぼんやりと, 無感覚に.

sto·lid·i·ty /stəlídəti | stɔl-/ 名 U 鈍感, 無神経.

sto·ma /stóumə/ 名 (複 ~**·ta**/-tə/, ~**s**) C **1**〔解剖・動〕〈血管などの〉小穴, 口, 気門. **2**〔植〕気孔.

*****stom·ach** /stʌ́mək/ 〔発音注意〕
── 名 ~**·s**/-s/ **1** C 胃 ‖ a sour *stomach* 胸やけ / a strong [weak, delicate] *stomach* 丈夫な[弱い, すぐにこわす]胃 / be sick at [to] the *stomach* むかむかする / have a pain in the [one's] *stomach* 胃が痛い(→ catch 他 **1c**) / lie [sit] heavily on one's *stomach*〈食物が〉胃にもたれる / on 「a full [an empty] *stomach* 満[空]腹の時に.
2 C (略式) 腹, 腹部 ◆ belly より上品な語 ‖ crawl [lie (flat)] on [upon] one's *stomach* 腹ばいになる / Your *stomach* is showing. おなかが出ているよ.
3 U C (通例否定文で)〔…に対する〕食欲〔for〕‖ have a good *stomach* for the sweets 甘い物を食べたい.
háve nó stómach for do**ing** [A] =**dón't háve the stómach to** do (正式) …したくない, …を好まない.
túrn A's **stómach**〈人〉をむかむかさせる, …に吐き気を催させる.
── 動 **1** …を食べる, 消化する. **2** (略式)〔通例否定文・疑問文で; can, could と共に〕〈侮辱・軽蔑(さ)など〉に耐える, …を許す.

†**stom·ach·ache** /stʌ́məkèɪk/ 名 C (主に米) U 腹痛, 胃痛 ◆ stomach ache [pain] ともいう ‖ have (a) *stomachache* 〈一時的に〉/ Off and on he suffers from a *stomachache*. (米) =(英) On and off he suffers from (the) *stomachache*. 彼は時折り胃痛に悩まされている ◆ 冠詞に注意.

stomp /stάmp | stɔ́mp/ (略式) 動 **1** …を踏みつける. **2** 〈力を込めて〉足を踏み鳴らす. ── 自 〈力を込めて〉足を踏み鳴らす〔*about*〕. ── 名 C ストンプ《足を強く踏み鳴らして踊るダンス, その曲》.

‡**stone** /stóun/ 〘「固いもの」が原義〙派 **stony** (形)
── 名 (複 ~**·s**/-z/) **1** U 〔しばしば複合語で〕〈岩石を構成する〉石, 石材 ◆ 堅さ・土台・律法・列柱・冷徹の象徴》; 〔形容詞的に〕石の, 石造りの; 炬石(たていし)の; [複合語で] …石, …岩 ‖ tools made out of *stone* 石で作った道具 / *stone* weapons 石の武器 / turn (to) *stone*〈人・顔などが〉石のように[冷酷に]なる.

> **使い分け** [**stone** と **rock**]
> *stone* は「石, 石材」, *rock* は「岩石」の意.
> His house is made of *stone* [×*rock*]. 彼の家は石造りだ.
> The ship sank when it hit a *rock*. 船は岩に衝突して沈んだ.

2 C 小石, 石ころ《◆ boulder, cobblestone, pebble, shingle, gravel の順に小さくなる》‖ He threw a *stone* into the pond. 彼は池に石を投げた / (as) hard as (a) *stone* 石のように堅い, 非情な.
3 C 〔通例複合語で〕〈特定の目的に用いる〉切り石; 墓石(tombstone, gravestone); 臼(うす)石(millstone); 砥(と)石(whetstone, grindstone); マイル標石(milestone).
4 C 石のような物; ひょう, あられ.
5 C 宝石(precious stone, gem).
6 C 〔時に複合語で〕〈モモなどの〉種, 核 ((米) pit).
7 C 〔医学〕〔時に複合語で〕〈腎〉臓などの〉結石 ◆ 専門用語は calculus 〙 ‖ a kidney *stone* 腎臓結石. **8** (複 *stone*, ~**s**) C (英) ストーン《重量の単位. =14ポンド(約6.35 kg). ふつう体重について用いる》.
cást [**thrów**] **stónes** [**a stóne**] **at** A …を中傷する, …の悪口を言う.
── 動 (*stónes*, *stón·ing*) 他 **1** (正式)〈主に儀式的罰として〉〈人〉に石を投げる ‖ be *stoned* to death 石を投げられて死ぬ. **2** 〈果物から種を取る((米) pit). **3** …に石を敷く[張る, 積む].

Stóne Áge [the ~] C 石器時代《青銅器時代の前の原石器, 旧石器, 中石器, 新石器の各時代から成る》.

stóne àx(e) 石切りおの.

stóne's thrów [a ~] 石を投げて届くほどの距離, 近距離 ‖ He lives within *a stone's throw* of his school. 彼は学校のすぐ近くに住んでいる / *a stone's throw* (away) from …… …からすぐ近く.

stoned /stóund/ 形 〈果物などの〉核を除いた; (俗) 〈酒・麻薬で〉酔った.

Stone·henge /stóunhèndʒ, -́-̀/ 名 ストーンヘンジ《英国南部の Salisbury 平原にある古代先住民族の環状巨石群遺跡》.

stone·ma·son /stóunmèɪsn/ 名 C 石工, 石屋(mason).

stone·work /stóunwə̀:rk/ 名 **1** U 石造物, 石造建築; 石造部分. **2** U 石細工, 石工事. **3** [~s] 石切り場; 石材工場.

ston·ing /stóunɪŋ/ 動 → stone.

†**ston·y** /stóuni/ 形 (**-i·er**, **-i·est**) **1** 石の, 石の多い; 石でおおわれた ‖ a *stony* road 石を敷いた道. **2** 石のような, 石のように堅い. **3** 冷酷な, 無情な ‖ a

stony heart 無慈悲な心. **4** 無表情な, じっと動かない || a stony stare 凝視. **5** 《英略式》無一文の.
— 副 《英略式》無一文に.

ston·y-broke /stóunibróuk/ 形 《英略式》無一文の.

*__stood__ /stúd/ 動 stand の過去形・過去分詞形.

stooge /stúːdʒ/ 名 **1** 《喜劇役者の》引き立て役, ばけ役. **2** 《略式》手下, 人の手先;「さくら」 **3** 《米略式》《警察の》スパイ, 密告者, イヌ.

†**stool** /stúːl/ 名 **1** © (ひじ掛け・背のない1人用の)腰掛け, スツール (cf. campstool) || *sit on a stool* at the bar drinking beer バーでスツールに座ってビールを飲む / a piano-*stool* ピアノのいす. **2** © 踏み台, 足のせ台, ひざ突き台. **3** ©© 《正式》[しばしば ~s] 便通; [遠回しに] 大便 || Please bring in a *stool* sample. (検便のため)便を持ってきてください. *fáll betwéen twó stóols* あぶはち取らずに終わる.
stóol pìgeon 《主に米略式》《警察の》スパイ, 密告者.

†**stoop** /stúːp/ 動 ⊜ **1** 〈人などが〉かがむ, 身をかがめる (+*down*)《◆*bend* より堅い語》(+*over*) || *stoop over* one's work かがんで仕事をする / *stoop down* to talk to the child 子供と話すため身をかがめる. **2** 〈人が〉腰が曲がる, 猫背である《◆*bend* より堅い語》|| *stoop* with old age 高齢のせいで腰が曲がる. **3** 前かがみになって歩く[立つ]. **4** 〈木・がけなどが〉前傾する, おおいかぶさる. **5** [通例疑問文・否定文で]〔…に〕身[品位]を落とす [*to*]; 身[品位]を落として〔…する〕[*to, to do, to doing*] || He *never stoops to* cheating. 彼は人をだますまで身[品位]を落とさない / I wouldn't *stoop* so low *as to* take that money. 身を落としてまでその金を手に入れたくない. **6** 〈タカなどが〉〔…に〕飛びかかる, 襲いかかる [*at, on*]. — 他 **1** 〈身体・背など〉をかがめる, 曲げる. **2** 《古》…を卑しくする, 卑下する;…を屈服[屈従]させる.
— 名 **1** [a ~] (前へ)かがむこと. **2** © [通例 a ~] 前かがみ, 猫背, 腰の曲がり || walk with a *stoop* 前かがみになって歩く. **3** © 〈タカなどの〉急襲.

‡**stop** /stɑ́p | stɔ́p/

index
動 他 1 止める　7 やめる　8 中止させる
⊜ 1 止まる　2 中断する
名 1 止まること　2 停留所

— 動 (~s /-s/; 過去・過分 stopped /-t/; stop·ping)
— 他
[動いているもの・ことを止める]
1 〈人などが〉〈動いているもの〉を止める, 停止させる《◆cease, halt よりくだけた語》|| *stop* oneself 立ち止まる / *stop* a car [the blood] 車[血]を止める / How long has your gas been *stopped*? いつも宅のガスは止められているのですか / The accident *stopped* traffic. その事故で交通は止まった.
2 〈穴・傷口・割れ目・通路など〉をふさぐ, 閉鎖する (+*up*); 〈びんなどに栓〉をする (+*up*) || *stop up* a bottle びんに栓をする / *stop* a wound 傷口をふさいで止血する / *stop* a leak with a piece of cloth 布ぎれで割れ口をふさぐ / *stop* one's ears (指を入れて)耳をふさぐ, 聞こうとしない. **3** 〈銀行が〉〈小切手などの〉支払いを停止する; 〈給料・支給など〉を控える; …を〔給料などから〕差し引く 〔*from, out of*〕 || *stop* (payment of [on]) a check 小切手の支払いを停止する. **4** 《ボクシング》〈打撃など〉を阻止する, かわす;〈相手〉をノックアウトする. **5** 《スポーツ》〈相手〉を打ち負かす. **6** 《音楽》〈管楽器の音孔・弦楽器の弦〉を指で押える.
[行なっていることを中断する]
7 〈人などが〉〈(進行中の)行為〉をやめる, 中断する; [stop doing] …するのをやめる《◆cease, halt よりくだけた語》|| She *stopped* smok*ing*. 彼女はタバコを吸うのをやめた (= She is off cigarettes.)《◆一時的・習慣的のいずれの場合もある. She gave up smoking. は習慣的意味のみ. cf. ⊜1, 2》 / *Stop* what you're doing. していることをやめなさい / It *stopped* snowing an hour ago. 雪は1時間前に降りやんだ.

> ✏ stop doing　…するのをやめる
> stop to do　…するために立ち止まる, 立ち止まって…する (⊜1)

8 a 〈人・事などが〉〈人・事など〉を中止させる || The game was *stopped* by a heavy rain. 試合は大雨で中止された. **b** [stop A (from) doing] 〈人・事などが〉A〈人など〉が…している[する]のを止める[妨げる] || She *stopped* the child (*from*) play*ing* with matches. 彼女は子供がマッチであそんでいるのをやめさせた / I couldn't *stop* myself *from* longing for her. 私は彼女を思いこがれる気持ちを抑えられなかった / What *stopped* him [《文》his] go*ing* to bed? どうして彼は床につかなかったのか.

> 語法 (1) stop A doing の型の場合, 文語では A の代わりに A's も用いられる.
> (2) prevent は「未然にやめさせる」の意.
> (3) A doing はすでに進行中の動作を, A from doing はこれからの動作をやめる場合に用いる. 前者は《英略式》.

— ⊜ **1** 〈動いている人・物〉が止まる;〔…するために/…のために〕立ち止まる, 停止する 〔*to do / for*〕;立ち止まって〔…する〕〔*to do*〕《◆場所などの副詞(句)を伴う》|| *Stop!* Thief! 泥棒, 待て / This train does not *stop* at small stations. この列車は小さい駅では止まらない / She *stopped* to tie her shoelaces. 彼女は立ち止まって靴ひもを結んだ; 靴ひもを結ぶために立ち止まった (cf. ⊜2)《◆「靴ひもを結ぶのをやめた」ではない. cf. 他7》 / The watch has *stopped*. 時計が止まった / She *stopped* there and waited. 彼女はそこで立ち止まり待っていた / The bus is *stopping*. バスが止まりかけている《◆「止まっている」という状態をいうときは The bus is standing.》.

> 語法 arrive, die, leave, stop などの推移を表す動詞が進行形に用いられるときは「…しかけている」の意となる. arrive, leave には He's *arriving* [*leaving*] tomorrow. (彼はあす到着する[出発する])のような未来を表す用法もある.

2 〈話・仕事などが〉中断する;〈雨などが〉やむ;〈人が〉〔…するために〕手を休める [*to do*] || The music *stopped* suddenly. 音楽が急にやんだ / He *stopped to* sip his coffee. 彼は手を休めてコーヒーを飲んだ; コーヒーを飲むために手を休めた《◆(1) **1**の意の **2**の意の違いは文脈による. (2) He turned the pages of the magazine, and *stopped to* smoke. 〈彼は雑誌のページをめくっていたがタバコを吸うためにそれをやめた〉では *stopped turning them to* smoke を補って考える. → 他7》.

stopgap

3《英略式》〈人などが〉〔…に/人の所に〕(特に短期間)滞在する, とどまる (stay);泊まる [in, at / with]《◆修飾語(句)は省略できない》‖ stop at home 家にいる (=《英》stop in /《米》stay in) / We stopped there for a few days. 数日間そこに滞在した / Won't you stop to [for] dinner? 夕食がてらいらっしゃいませんか《◆しばしば遠回しに退去を促す表現.》
→**文法 1.4**》/ I'm stopping with my aunt. おばの家に泊まっています (=… at my aunt's).

stóp at nóthing 〘どんな事に(at)もためらう(stop)ない〙[通例 will, would と共に] 〔…するために〕どんなことでもする (stick at nothing) [to do].

stóp bý《主米》〖自〗〔…に〕立ち寄る[at]. ―〖前〗〖~ by A〗…に立ち寄る.

stóp dówn〖自〗(1)〈低い位置にいる. (2)〈風などが〉静まったままである. (3)〈熟などが〉下がったままである. (3)〈食べたものが〉胃に残る. (4)〔写真〕レンズを絞る. ―〖他〗〈レンズを〉絞る.

stóp óff〖自〗(略式)(途中で)立ち寄る, 〔…で〕途中下車する;〔…に〕旅の途中で泊まる[at, in]. ―〖前〗〖~ off A〗〈学校などを〉欠席する.

stóp óut〖自〗(1)(略式・英方言)(日暮れのあと)家に帰らない, 外出したままである. (2)ストライキを続ける. (3)(米)一時休学する. ―〖他〗〈を〉印刷〖エッチング〗されないように覆う.

stóp óver〖自〗《主米》旅の途中で〔…に〕泊まる;〔…で〕途中下車する[at, in]《◆空の旅にも用いる》.

stóp shórt〖手前で(short of) 立ち止まる(stop)〗〔…に〕〈…を〉思いとどまる[at / of doing];‖ They will stop short ^lat an increase in [of increasing] taxes. 彼らは増税まではしないだろう.

stop to thínk じっくり考える, 考え直してみる《◆「はて」「まてよ」と考え直してみるの意. (略式)では stop and think》.

stóp úp〖自〗寝ないで起きている. ―〖他〗→ 〖他〗2.

―〖名〗 (複 ~s /-s/) 〖C〗 **1** 止まること, 止めること, 停止;中止, 中断;終わり ‖ Her car came to a sudden stop. 彼女の車は急に止まった / We had to make frequent stops on the way. 私たちは途中でたびたび止まらねばならなかった.

2 停留所, 停車場, 駅, 停車地 ‖ 〖対話〗 "What's the last stop?" "It's Shin-Osaka." 「終点の停車駅はどこですか」「新大阪です」/ He'll get on at the next bus stop. 彼は次のバス停で乗車してきます / The city of Mecca was a busy caravan stop. メッカの町はにぎやかな隊商の宿泊地であった.

3 (旅の途中などでの)滞在, 立ち寄り ‖ make a stop at a store 店に立ち寄る. **4** 障害物;(通路などの)閉鎖. **5** 栓, つめ;止め具. **6** 《主英》句読点;(特に)終止符(英) full stop, (米) period). **7** 〔音楽〕 **a** (管楽器の)音孔(弦楽器の)指おさえどころ. **b** (管楽器の)音孔. **c** (弦楽器の)フレット. **d** (パイプオルガンの)音栓列;音栓, ストップ. **8** 〔写真〕(レンズの)絞り;F値. **9** 〔音声〕(息の)閉鎖音, 閉鎖音〖p, t, k, b, d, g/など〗(cf. plosive).

bríng A to a stóp …を止める, 終わらせる.

púta stóp to A …を終える, やめさせる ‖〖対話〗"Officer! Two drunks are fighting in the street." "OK. I'll soon put a stop to that." 「おまわりさん, 2人の酔っ払いが道でけんかしています」「わかりました. すぐやめさせます」.

stóp sign(道路などの)一時停止標識.

stop·gap /stɑ́pgæp | stɔ́p-/〖形〗一時〖当座〗しのぎの, 間に合わせの ‖ a stopgap measure 一時しのぎの措置.

stop·light /stɑ́plàit | stɔ́p-/〖名〗〖C〗《主米》**1** 交通信号;赤信号. **2** (自動車の)ブレーキライト, 制動灯.

stop·o·ver /stɑ́pòuvər | stɔ́p-/〖名〗〖C〗旅行途中の短い滞在地;途中下車.

†**stop·page** /stɑ́pidʒ | stɔ́p-/〖名〗**1** 〖U〗〖C〗中止〖停止〗すること. **2** 〖C〗(管内の流動の)障害, 閉塞. **3** 〖C〗《主英》支払い停止.

†**stop·per** /stɑ́pər | stɔ́p-/〖名〗〖C〗**1** 止める人〖物〗. **2** (びんなどの)栓, つめ(plug) ‖ Put the stopper in the brandy bottle. ブランデーのびんに栓をしなさい (= Stop (up) the brandy bottle.). **3** 〔野球〕切り札投手, ストッパー《特にひっ迫した試合で9回の1イニングを投げるリリーフ投手》;〔サッカー〕ストッパー《後方で敵のフォワードやトップ下の選手をマークする》.(図) → soc-cer).

pút 〖**a stópper** [**the stópper(s)**] **on** A《英略式》…を(故意に)止めさせる, 知られないようにする.

―〖動〗〖他〗…に栓をする.

stop·watch /stɑ́pwɑ̀tʃ, -wɔ̀:tʃ | stɔ́pwɔ̀tʃ/〖名〗〖C〗ストップウォッチ.

†**stor·age** /stɔ́:ridʒ/〖名〗**1** 〖U〗貯蔵, 保管, 保管法 ‖ put furniture in storage 家具を保管してもらう / The plane's wings can be folded for easy storage. その飛行機は簡単に格納できるように翼を折りたためる. **2** 〖C〗保管〖貯蔵〗所. **3** 〖U〗保管〖貯蔵〗料. **4** 〖U〗 (蓄電池の)蓄電, 充電;〖C〗〔コンピュータ〕(外部)記憶装置.

stórage bàttery [**cèll**] 蓄電池.

stórage càbinet (台所の)食器棚, 収納棚.

stórage hèater (英)蓄熱ヒーター.

※store /stɔ́:r/〖「補充する(renew)」が原義〗〖派〗storage (名)
―〖名〗 (複 ~s/-z/) 〖C〗

I 〖店〗

1《主米》店, 商店, 小売店《英》shop)《◆《米》ではいろいろな種類の品物を売る店に用い, 特定の品を売る専門店は shop という a flower shop 花屋. ただしレストラン・飲食店は含まない》.

〖関連〗〖いろいろな store〗

antique store 古美術店 / apparel [clothing] store 衣服店 / book store 書店 / convenience store コンビニ / department store デパート / drug store 薬品店 / electronics store 電器店 / food store 食料品店 / grocery store 食料雑貨店 / jewelry store 宝石店 / liquor store 酒店 / pet store ペットショップ / retail store 小売店 / shoe store 靴店《◆[×]shoes store とならない》.

2〖英〗**a**〖(the) ~s; 単数・複数扱い〗百貨店, デパート(《米》department store). **b**〖a/the ~s; 単数・複数扱い〗よろず屋.

II 〖店のように貯えること〗

3 〖時に ~s〗〔…の〕蓄え, 貯蔵, 蓄積〔of〕‖ We made a store of wood for the winter. 私たちは冬に備えてたきぎを蓄えた.

4 〖~s〗必需品, 備品, 用品 ‖ ship's stores 船舶用品. **5** 〖the ~s; 単数・複数扱い〗貯蔵所, 倉庫. **6** 〖a ~〗多量, 多量 ‖ a store of information 多くの情報. **7** 〖英〗〔コンピュータ〕記憶装置.

in stóre (1) 〖英〗〔…に備えて〕蓄えた[て], 用意した[て][for] ‖ He had some energy in store for the final lap of the race. 彼は競走の最後の1周

のために力を温存していた. (2)〔人に〕降りかかろうとする〔して〕,〔人を〕待ち構えた〔で〕〔for〕‖ I've got a surprise *in store for* you. 君をあっといわせることがあるよ.

sèt [làv, pùt] ... stóre by [on] A《あまり蓄え[価値を]置かない》…を重んじる, 重視する《◆store の前に little, no, great, much などを置いて程度を表す》‖ I don't *set* much *store by* weather forecasts. 私は天気予報をあまり当てにしない.

—形 **1** 蓄えられた;〈牛などが〉まだ肥やされていない. **2**(米)〈自然のものや自家製でなく〉店で買える;〈服が〉既製の.

—動 (~s/-z/; 過去・過分 ~d/-d/; stor·ing /stɔ́ːrɪŋ/)

—他 **1a** 〈人などが〉〈物〉を[…に備えて]蓄える, 貯蔵する; …を取っておく(+*up*, *away*/*for*)‖ The farmer *stores* (*away*) hay *for* his cattle to eat during the winter. 農夫は冬の間牛に食べさせる干し草を蓄える. **b**〈情報などを〉とっておく(+*away*),〈怒りなどを〉胸にしまっておく(+*up*). **2**〈場所などに〉[…を]供給する, 備える〔*with*〕‖ *store* one's mind *with* knowledge 頭に知識を詰める. **3**〈物〉を倉庫[貯蔵所]に保管する‖ *store* the winter clothes in a closet 冬服を押入れにしまう.

†**store·house** /stɔ́ːrhaùs/名C **1** 倉庫, 貯蔵所. **2**〔比喩的に〕宝庫.

†**store·keep·er** /stɔ́ːrkìːpər/名C **1**(米)商店経営者, (商)店主(主に英) shopkeeper). **2** 倉庫管理人.

†**store·room** /stɔ́ːrrùːm/名C 貯蔵室, 物置き.

†**sto·rey** /stɔ́ːri/名(主に英)=story².
 -sto·reyed /stɔ́ːrid/ 語要素 → 語要素一覧(1.4).
sto·ried /stɔ́ːrid/形 **1**(文) 物語[伝説など]で名高い. **2** 歴史画[彫刻]で飾った.
 -sto·ried /stɔ́ːrid/ 語要素 → 語要素一覧(1.4).
stor·ing /stɔ́ːrɪŋ/動 → store.
†**stork** /stɔ́ːrk/名C[鳥]コウノトリ《◆欧米ではこの鳥が赤ん坊を連れて来るという伝説がある》‖ a visit from the *stork* 赤ん坊の誕生.

*****storm** /stɔ́ːrm/『「揺り動かす(物)」が原義』派 stormy(形)

—名(複 ~s/-z/)C **1a** あらし, 暴風(雨); 激しい雨[あられ, 雪, 雷]《◆ rainstorm, snowstorm, thunderstorm のような複合語を作る》‖ A *storm* hit the town. あらしが町を襲った / Many houses were damaged by the *storm*. 多くの家屋があらしで被害を受けた / *After a storm comes a calm.*《ことわざ》あらしのあとには凪(な)がくる.

関連 [いろいろな種類のあらし]
cyclone サイクロン / typhoon 台風 / hurricane ハリケーン, 暴風雨 / waterspout 豪雨 / tornado トルネード, 竜巻 / whirlwind つむじ風.

 b 砂あらし(sandstorm); 砂塵(じん)あらし(dust storm). **c**[気象] 暴風《秒速 28.5–32.6 m. → wind scale). **2** [a ~ of ...] 〈感情・拍手などの〉あらし, あらしのよう な...; 激発‖ His speech produced *a storm of* anger. 彼の演説はあらしのような怒号を招いた / She was greeted with *a storm of* cheers. 彼女は歓呼のあらしで迎えられた.
3(弾丸・ミサイルなどの)雨(あられ).
a stórm in a téacup(英)=a TEMPEST in a tea-pot.

—動(~s/-z/; 過去・過分 ~ed/-d/; ~·ing)

—自 **1**[通例 it を主語として] あらしが吹き荒れる,〈風・雨などが〉荒れ狂う‖ It *stormed* all day. 一日中あらしが吹き荒れた. **2**(文)〈人に〉がみがみ言う, 怒鳴る(*at*, *against*); 〈事に〉激怒する(*at*, *about*, *over*). **3**(正式)激しい勢いで[怒って]突進する(+*in*, *out*)‖ *storm* into the room 勢いよく部屋に飛び込む.

—他 **1**(正式)〈とりでや町など〉を強襲[猛攻]する, 攻略する《◆ふつう成功する含み》. **2**〈人など〉を〈あらしのように〉攻撃する.

stórm cènter(1)暴風の中心, 台風の目.(2)(問題・騒動などの)中心(人物).
stórm clòud(1)あらし雲.(2)[通例 -s](動乱などの)前兆, 前ぶれ.
stórm dòor(米)防風用補助扉.
stórm pètrel[鳥]ウミツバメ《北大西洋や地中海にいる鳥で Mother Carey's chicken ともいい, あらしの前には活動的になるといわれる》.
stórm sèwer 雨水の排水管.
stórm sìgnal 暴風警報標識.
stórm wàrning(1)暴風警報.(2)暴風警報標識.(3)(危険な事の)前兆.
stórm wìndow(米)防風[防寒]用補助窓.
†**storm·y** /stɔ́ːrmi/形(-i·er, -i·est) **1** あらしの, 暴風(雨)の(↔ calm); あらしの来そうな‖ Don't go out in this *stormy* weather. このあらしの天気に出かけるな. **2**〈感情・言動・会議などが〉激しい, 荒れた, 乱暴な‖ They had a *stormy* argument. 彼らは激しく口論した / She lived a *stormy* life. 彼女は波乱に満ちた一生を送った.

:sto·ry¹ /stɔ́ːri/『「歴史」が原義. cf. history』
 —名(複 --ries/-z/)
I [物語]
1C(事実に基づく, また架空の)〔…についての〕話, 物語〔*about*, *of*〕(cf. tale)‖ He told me the *story of* how it happened. 彼はその出来事の一部始終を話してくれた / Many girls like the *story of* Cinderella. 多くの少女はシンデレラ話が好きである / He wrote a lot of *stories* for children. 彼は子供向けにたくさんの物語を書いた.
2 C =story line. **3** C (novel より短く簡単な)小説, 短編小説(short story). **4** U (文学の一部門としての)物語.
II [ある種の話]
5 C (新聞・雑誌などの)記事(の種)‖ Journalists always look for a good *story*. 記者はいつもいいネタを捜している. **6** C **a** (事実の)報告, 陳述, 説明‖ *according to* her *story* 彼女の言うところによれば. **b** (広まっている)〔…という〕うわさ, 風評(*that* 節). **7** C (面白い)逸話, 冗談. **8** C (略式・小児語) うそ, 作り話; うそつき《◆ lie の遠回し語》‖ He invented a false *story*. 彼は根も葉もない話をでっちあげた / That's your *story*. そんなことは君の作り話だ.

it [*that*] *is* (*quite*) *anóther* [*a dífferent*] *stó·ry nów*(略式)事態は大きく変わっている, 事情はまったく変わっている.
(*It's*) *the* (*óld*), *óld stóry.* =(*It's*) *the* (*sáme*) *óld stóry.*(略式)(それは)例のよくあること[話](だ), いつもの話(さ).
The stóry gòes (*that*) *...* …という話[うわさ]だ.
to cùt [(米) *màke*] *a lóng stóry shórt*(略式)かいつまんで言うと, 早い話が, 要するに《◆ to cut

short a long story の語順はまれ).
stóry line (小説・劇・叙事詩などの)筋, プロット (plot).

*__sto·ry__², (主に英) __sto·rey__ /stɔ́ːri/ 〖中世建築で各階の別を示すため装飾として窓にそれぞれ異なった歴史(story)の絵を描いたことから〗
── 名 (複 --ries/-z/) C 1 (建物の)階 (◆floorとの違いは floor 名 2 の注および 事情 参照)(cf. floor). ‖ *How many stories does his house have?* = *How many stories are there in his house?* 彼の家は何階建てですか / *She lives in a two-story* [*two-storied*] *house.* 彼女は2階建ての家に住んでいる / *The building is ten stories high.* そのビルは10階建てです. **2** (水平な)層.

sto·ry·tell·er /stɔ́ːritèlər/ 名 C **1** 物語を話す人；講談師；話し家. **2** 物語作家. **3** (略式)(主に子供の)うそつき (◆liar の遠回し語).

sto·ry·tell·ing /stɔ́ːritèliŋ/ 名 U 形 **1** 物語を話す(こと), 物語の話術. **2** (略式) うそをつく(こと).

†**stout** /stáut/ 形 **1** (文)(作り・構造などが)強い, 頑丈(な), 丈夫な (strong). **2** 〈人が〉太った；ずんぐりした, かっぷくのよい；〖しばしば fat の遠回し語〗‖ a *stout* old lady でっぷりした老婦人. **3** (文) 勇敢な (brave)；大胆な (bold)；断固とした ‖ a *stout* heart 雄々(認)しい心, 勇気. **4** 頑強に；しっかりした, ぐらつかない ‖ *stout* resistance 頑固な抵抗.
── 名 **1** U (強い)黒ビール, スタウト (→ beer 事情 (2), ale), C グラス1杯のスタウト. **2** U (服飾) スタウトサイズ 〖肥満体の服の寸法〗；C (主に米) [通例 ~s] 肥満型の服.

†**stout·ly** /stáutli/ 副 **1** 強く；でっぷりと；(文) 勇敢に (bravely)；頑強に.

*__stove__ /stóuv/ 〖「暖められた部屋」が原義〗
── 名 (複 ~s /-z/) C **1** (料理)レンジ, こんろ (cooker) ‖ Cook on the kitchen *stove.* その調理用のレンジで料理しなさい.
2 [通例複合語で] ストーブ, 暖炉 ‖ a gas *stove* ガスストーブ (◆a gas heater がふつう).

†**stow** /stóu/ 動 他 **1** 〈物などを〉〔場所・容器などに〕しまい込む, 詰め込む (+*away*)〔*in, into*〕；〈入れ物などに〉〔…を〕詰め込む〔*with*〕‖ *stow* things *away* in the attic 屋根裏部屋に身の回り品をしまい込む / *stow* clothes *into* a trunk = *stow* a trunk *with* clothes トランクに衣服を詰め込む. **2** 〈場所・容器などが〉…を収容できる, 入れる余地がある.
stów awáy [自] 密航する. ── [他] (1) → 1. (2) 〈物〉をしまう, 隠す. (3) (略式)〈食物〉を平らげる, がつがつ食い尽くす.

strad·dle /strǽdl/ 動 **1** 大またに歩く；またを広げて立つ〔座る〕；またぐ, またがる. **2** (主に米略式) 日和見(認)する, 賛否を明らかにしない. ── 他 **1** 〈両脚〉を広げる. **2** 〈馬・自転車・いす・溝などに〉またがる, …をまたぐ. **3** (主に米略式) …について賛否を明らかにしない, 日和見をする.
── 名 **1** U C 両脚を広げること, またがること. **2** U C またがり幅. **3** C (主に米略式) 日和見, どっちつかずの態度.

†**strag·gle** /strǽgl/ 動 (正式) **1** 〈進路などから〉それる, (本隊から)はぐれる, 落後する. **2** さまよう, うろつく；だらだらと連なる [進む]；だらしなく広がる, 〈草木が〉はびこる. **3** (略式) 散り散りに散在する, 散らばる.
── 名 [a ~] 〔…の〕ばらばらの一団 [配列] 〔*of*〕.

strag·gly /strǽgli/ 形 (-·i·er, -·i·est) **1** 落後した, はぐれた. **2** (略式) 〈家などが〉散在した；〈髪などが〉乱れた. **3** ばらばらに進む.

‡**straight** /stréit/ (同音 strait) 〖「伸ばされた」が原義〗 ㊂ straighten (動)
── 形 (~·er, ~·est)
I [直線のようにまっすぐな]
1a まっすぐに, 一直線の, 曲がっていない ‖ draw a *straight* line 直線を引く / His hair is curly, not *straight.* 彼の髪は直毛でなくカールがかかっている. **b** 直進する, 直行の ‖ a *straight* throw まっすぐに投げること. **c** 〈エンジンが〉直列の；〈スカートが〉フレアのない. **2** 直立した, 垂直な, (位置が)曲がっていない ‖ The picture isn't *straight.* 絵はまっすぐにかかっていない. **3** [通例補語として] きちんとした, 整理した (tidy) ‖ *Keep* [*Set, Put*] your room *straight.* 部屋をきちんとしておきなさい. **4** (米) 完全な, 徹底した ‖ a *straight* Democrat 生粋(誌)の民主党員.
II [人がまっすぐな]
5a 〈人・行為などが〉〔…に〕正直な, 誠実な, 公正な；率直な〔*with*〕‖ Give me a *straight* answer to my question. 私の質問に正直に答えなさい / She was quite *straight with* me. (略式) 彼女はまったく正直に言ってくれた. **b** 〈思考・人などが〉正しい, 論理的な, 感情に左右されない (correct) ‖ *straight* thinking 整然とした思考 / *put* him *straight* 彼の思い違いを正す / Now let's get this *straight*! これだけははっきりさせておこう! **6** [名詞の前で] 〔演劇〕〈役者が〉真面目な役を演じる.
III [まっすぐで連続している]
7 [名詞の前で] **a** 連続した, とぎれない ‖ get *straight* A's (米) (成績で)オールA [全優]をもらう (◆「全優の学生」は a *straight*-A student) / eat and drink for two *straight* days 2日間ぶっつづけに飲み食いする / win eight *straight* games 8試合に連勝する. **b** (ポーカーで)5枚連続した, ストレートの.
IV [その他]
8 〈ウイスキーなどが〉薄めていない, 生(*)の, ストレートの 〈比較変化しない〉‖ I like my brandy *straight.* ブランデーは割らないのが好きだ. **9** (略式) **a** 異性愛の, ホモでない. **b** 麻薬[酒]をやっていない.
gèt A stráight 〈物事を〉きちんとする, 整理する.
── 副 (~·er, ~·est) **1** まっすぐに, 一直線に (◆比較変化しない) ‖ This plane will go *straight* to New York. この飛行機はニューヨークに直行する / The motorbike came *straight* at me. バイクは私めがけてまっしぐらにやって来た.
2 垂直に, 直立して；水平に ‖ stand *straight* まっすぐに立つ.
3 回り道をしないで；ぐずぐずしないで；じかに, まともに 〈比較変化しない〉‖ Come *straight* home after school. 学校が終わったら道草せずに帰って来なさい / drink the beer *straight* from the bottle ビールをらっぱ飲みする / ショック "Be sure that you go *straight* home." "I can't. I live just round the corner." 「まっすぐ家に帰るのですよ」「無理です. ちょうど角を曲がったところに住んでいるのです」(→ 副 1). **4** (略式) 率直に, あからさまに；はっきりと 〈比較変化しない〉‖ *Tell* it to me *straight.* それを率直に言いなさい. **5** (略式) 正しく, 高潔に ‖ She is not playing *straight.* 彼女のふるまいは正しくない. **6** 連続して, 続いて 〈比較変化しない〉‖ sleep *straight* through till eight 8時まで眠り続ける.
stráight óut (略式) 率直に, あからさまに.
── 名 (複 ~s /stréits/) C **1** [通例 the ~] **a** (英) (競走路の)直線コース；ホームストレッチ. **b** 直線, まっすぐ；水平；垂直；まっすぐな姿勢. **2** 〔トランプ〕 (ポー

カーでの)5枚続き(の手). **3** (略式) **a** 同性愛でない人. **b** 正常な人, 保守的な人. **c** 麻薬を用いない人.
on the stráight まっすぐに, 一直線に; 正直に.
óut of the stráight 曲がって, ゆがんで.
stráight fíght (英)(選挙で2人[2党]の)一騎打ち.
stráight flúsh [トランプ] (ポーカーでの)ストレートフラッシュ (《同一組札の5枚続き》).
stráight rázor (米) 西洋かみそり (《(主に英) cut-throat razor》).

†**straight・en** /stréitn/ 動 他 **1** 〈人や〉〈物・体などを〉まっすぐにする(+*up, out*) ‖ *straighten* a bent nail 曲がった釘を伸ばす / *straighten* oneself out [*up*] からだをしゃんと伸ばす; 身づくろいする. **2** 〈物を〉整頓(ﾃﾝ)[整理]する, きちんとする(+*up, out*) ‖ *straighten* one's desks 机をきちんと並べる / *straighten up* the living room 居間をきちんと整理する.
— 自 〈物が〉まっすぐになる, 〈人が〉背筋を伸ばして立つ; きちんとなる(+*up, out*).
stráighten óut [自] (1) → 自. (2) 〈人が〉まじめになる. — [他] **1, 2**. (2) 〈問題などを〉解決する, 〈誤解などを〉解く. (3) (略式) 〈人を〉正す, 改心させる, まともな人間にする.

†**straight・for・ward** /strèitfɔ́ːrwərd/ 形 **1** 〈人・言動などが〉正直な, 率直な. **2** まっすぐに進む. **3** (主に英) 〈仕事などが〉簡単な, わかりやすい, すっきりした. **4** 徹底的な. — 副 **1** 率直に. **2** まっすぐに; 正直に.
stràight・fór・ward・ly 副 まっすぐに; 正直に.
stràight・fór・ward・ness 名 U まっすぐなこと; 正直さ.
straight・for・wards /strèitfɔ́ːrwərdz/ 副 = straightforward.

†**straight・way** /stréitwèi/ 副 (英では古) すぐに, ただちに.

***strain**[1] /stréin/
— 動 (~s/-z/; 過去・過分 ~ed/-d/; ~・ing)
— 他
I [引っ張りすぎて痛める]
1 (無理をして)〈体などを〉痛める, 弱める; 〈筋などを〉違える(cf. sprain) ‖ You'll *strain* your eyes by reading in such poor light. こんな暗い所で本を読んでいると目が悪くなるよ / *strain* a muscle in one's leg 脚の筋を違える.
II [引っ張る]
2 〈人・荷などが〉〈針金・綱などを〉(ぴんと)張る, 引っ張る ‖ The weight of the cargo *strained* the net. 積荷の重さでネットがぴんと張った.
III [最大限に引っ張る]
3 〈人が〉〈筋肉などを〉最大限に使う; …を緊張させる; 〈身体の一部・忍耐力などを〉精いっぱい働かせる ‖ *strain* one's ears for a sound 物音に聞き耳を立てる / *strain* every muscle to lift the stone 石を持ち上げるのに力をふりしぼる / Don't *strain* yourself. (略式) 気楽にやれ, 無理するな.
4 (正式) 〈意味・事実・法などを〉曲げる, 曲解する, こじつける ‖ The story *strains* the truth. その話は事実を曲げている / *strain* the meaning of a word 言葉の意味を曲解する.
5 〈液体を〉〈濾(ｺ)し器などで〉漉す[*through*]; 〈かすなどを〉(漉して)取り除く(+*out, away, off*); 〈水気を〉[野菜などから]切る[*from*] ‖ *strain* the soup スープを漉す / *strain* off the water *from* the vegetables 野菜から水気を切る.
— 自 **1** […に]強く引っ張る[*at, on*] ‖ The terrier *strained at* his leash. テリアは革ひもを強く引っ張った / *strain at* the oars オールをこぐ力に力を入れる. **2** […を得ようと]懸命に努力する[*for, after*], […しようと]全力を尽くす[*to do*]; […に]こだわる[*at, on*] ‖ *strain* for victory [*after* effects] 勝利を目指して[効果を得ようと]懸命に努力する / She *strained to* catch his every word. 彼女は彼の言うことを一言も聞きもらさないようにした. **3** (文) 〈人が〉体を[…に]押しつける[*against*].

— 名 (複 ~s/-z/) **1** U 過労, 疲れ; 精神的緊張 ‖ the *strain* of grief 心労 / He broke down under the *strain*. 彼は過労のため倒れた.
2 C U […に対する]負担, 重圧; 圧力[*on*] ‖ Can you stand the *strain of* urban life? 都会生活の重圧[ストレス]に耐えられますか.
3 C U 緊張, 張り; 引っ張る力[重さ] ‖ The rope broke under too much *strain*. 強く引っ張りすぎて綱が切れた / There is nothing else to take the *strain*. 緊張をほぐしてくれるものはほかに何もない.
4 U C (無理をして体などを)痛めること, 筋違い(muscular strain) (cf. sprain).

strain[2] /stréin/ 名 (正式) **1** C (人・動植物の)血統, 家系, 種族, 祖先. **2** [a ~] (家系に伝わる)素質, 気質; 傾向, 特徴(trend).

strained /stréind/ 形 **1** 緊張した, 張り切った; 緊迫した. **2** 不自然な, わざとらしい; こじつけの. **3** 疲れた, 神経質な.

stráined reláations (国際間などの)緊迫した関係.

strain・er /stréinər/ 名 濾過(ｶ)器, 漉(ｺ)し器, 茶漉し(cf. filter, sieve).

†**strait** /stréit/ (同音 straight) 名 C **1** [しばしば Straits; 単数扱い] 海峡, 瀬戸(《ふつう channel より狭い》) ‖ the *Straits* of Dover ドーバー海峡 / the Bering *Strait* ベーリング海峡. **2** (正式) [通例 ~s] 苦境, 難局, 困窮(difficulty) ‖ be in desperate [dire] *straits* for money 金にひどく困っている.

stráit gáte [the ~] (聖) 狭き門.

strait・en /stréitn/ 動 他 **1** …を限定[制限]する. **2** …を狭くする, せばめる.

strait・jack・et /stréitdʒæ̀kit/ 名 C **1** (凶暴な狂人・囚人などに着せる)拘束服. **2** (成長・発展などを)妨げるもの.

†**strand** /strǽnd/ 動 他 [通例 be ~ed] 〈船が〉座礁する; 〈魚などが〉岸に打ち上がる; 〈人が〉取り残される, 立ち往生する. — 自 座礁する. — 名 C (詩) 浜, 磯辺, なぎさ(beach) (《◆地名に残る》).

‡**strange** /stréindʒ/ [「外の」が原義. cf. extra] 派 stranger (名)
— 形 (~r, ~st)
I [よく知らなくて奇妙・不思議に感じる]
1a [人にとって] 奇妙な, 変な, 不思議な, 一風変わった (↔ ordinary); (変で)驚くべき[*to*] [類語] odd, queer, peculiar] ‖ *Fact is stranger than fiction*. (ことわざ) 事実は小説よりも奇なり / *strange* customs 奇妙な習慣 / *strange* behavior 異常なふるまい / a *strange* costume 一風変わった衣装 / It's *strange* (that) [you should have never met [you have never met] him. 君が彼に会ったことがないなんて不思議だ(《◆should は意外性が強い場合に用いる》). **b** (略式) [文全体を修飾] [文前で] (…なんて)不思議だ ‖ *Strange*, he didn't show up. 彼が来ないなんておかしいよ.
2 [通例補語として] 〈人が〉体の調子がおかしい, 落ち着かない; 不愉快な ‖ My stomach feels *strange*. どうも胃の調子がよくない.
II [よく知らない]

strangely / **strawberry**

3 〔人にとって〕見知らぬ, 見た[聞いた]こともない, 初めての, 未知の〔to〕《◆比較変化しない》(↔ familiar) ‖ a *strange* country 未知の国 / The town is *strange* to her. 彼女にはその町は初めてだ.

Ⅲ [不慣れな]

4 [補語として]〔場所・物・事に〕不慣れな, 不案内な, 経験のない〔to〕《◆比較変化しない》‖ The foreign student is still *strange* to his new home. その留学生はまだ新しい家に慣れていません.

stránge to sáy [*téll, reláte*]〔米ではやや古〕奇妙なことに, 不思議な話だが(strangely enough, (略式) strange) (◆文法 11.3(3)) ‖ *Strange to say*, she did pass her exam after all. 不思議なことに彼女は最終的には試験に合格した.

†**strange·ly** /stréindʒli/ 副 1 奇妙に, 珍しく. 2 [文全体を修飾]不思議なことに 3 *Strangely* (*enough*) (◇) I rarely see her. 不思議なことに彼女にめったに出会わない(=It is strange that I (*should*) rarely see her.).

†**strange·ness** /stréindʒnəs/ 名 ⓤ 未知; 奇妙, 不思議, 珍しさ.

***strang·er** /stréindʒər/ [⇒ strange]
— 名 (複 ~s/-z/) ⓒ 1 〔人にとって〕見知らぬ人, よそから来た人, 新来者, 外国人; (略式) 訪問客(visitor)〔to〕‖ a passing *stranger* 通りがかりの人 / Don't talk to *strangers*. 見知らぬ人に話しかけるな / You're quite a *stranger*. (略式) =Hello, *stranger*! ずいぶんお久しぶりですね(=I haven't seen you for a long time.) / She is [quite *a* [*a complete, a perfect, a total*] *stranger* to me. 彼女はあかの他人です(=I don't know her at all.).

2 (米) 不案内な人, 不慣れな人〔in〕‖ ◀対話▶ "Would you please tell me the way to the station?" "I'm sorry *I'm a stranger* (*around*) *here*." 「駅への道を教えてくれませんか」「すみません, 私もこの辺は初めてなんです」

3 [正式]〔事を〕経験したことのない, 〔物を〕知らない人〔to〕‖ He is no *stranger* to suffering. 彼は多くの苦しみを経験している.

†**stran·gle** /strǽŋgl/ 動 ⊕ 1 …を絞め殺す, 窒息させる ‖ The killer *strangled* his victim with his bare hands. 犯人は被害者を素手で絞殺した. 2 (えりなどがく)首を締めつける. 3 〈あくび・笑いなどを〉抑える, かみ殺す.

†**strap** /strǽp/ 名 ⓒ 1 (バス・電車などの)つり革 ‖ hold (on to) a *strap* つり革につかまる. 2 (革)ひも, 帯革; 肩ひも; [the ~] (革ひもによる)せっかん ‖ a watch *strap* 時計の革バンド. 3 (かみそりをとぐ)革砥(ピヒヒ) (strop). 4 ⓤ on a *strap* 革砥で.
— 動 (過去・過分) strapped/-t/; strap·ping) ⊕ 1 …を革ひもでしばる(+*up, in, down*), …に革ひもをつける(+*on, to*); 〈人に〉ベルトをする ‖ *strap* on a new watch 新しい時計に革バンドをつける / *strap* oneself *in* [be *strapped in*] before a car starts 車が発車する前にシートベルトを締める. 2 …を革砥でとぐ. 3 〔子供〕を革ひもでむちうつ. 4 (英) …に包帯をする((米) tape) (+*up*).

— シートベルトをする(+*in*).

†**strap·ping** /strǽpɪŋ/ 形 (略式) 背が高くてがっしりした. — 名 ⓤⓒ 革ひもで打つこと.

stra·ta /stréitə, strǽ- | strάːtə, stréi-/ 名 stratum の複数形.

†**strat·a·gem** /strǽtədʒəm/ 名 ⓤⓒ [正式] 1 戦略, 軍略(trick). 2 (一般に)計略, 策略.

stra·te·gic, --gi·cal /strətíːdʒɪk(l)/ 形 戦略上の, 戦略に基づく; 戦略上役立つ. 2 戦略上重要な. 3 戦略物資の, 戦略物資に関する.

Stratégic Defénse Initiative [米軍事]戦略防衛構想 (略) SDI.

stratégic wéapons 戦略兵器.

†**strat·e·gy** /strǽtədʒi/ 名 1 ⓤ 兵法, 用兵学 2 ⓤ 〔…の〕〔…という/…するための〕(大規模な)戦術, 戦略 〔*for* / *of* / *to do*〕; ⓒ 軍事行動〔作戦〕計画 《◆ strategy は全体の用兵戦略. tactics は個々の戦闘の用兵》‖ naval [military] *strategy* 海軍[陸軍]行動計画. 3 ⓤⓒ (巧みな)計略, 策略.

Strat·ford-on [**-upon**]**-A·von** /strǽtfərdɑn [əpɑn] éivən [əpɔn] éivn/ ストラトフォード·オン[アポン]-エイボン《英国 Warwickshire 州の Avon 川沿いの町. Shakespeare の生地》.

stra·ti /stréitai/ 名 stratus の複数形.

strat·i·fi·ca·tion /strǽtəfikéiʃən/ 名 ⓤ 1 層にすること, 層化, 層形成. 2 [地質]成層, 履理; 地層. 3 [社会]階層化, 成層化; [文法]階層.

strat·i·fy /strǽtəfai/ 動 ⊕ 1 …を層に(配列)する. 2 〈社会などを〉階層化する, 階層に分ける. — ⓘ 1 層になる, 層を形成する. 2 [社会]階層化する.

strat·o·cu·mu·lus /strǽtoukjúːmjuləs, strǽtou-/ 名 (複 -li /-lai/) [気象]層積雲.

strat·o·sphere /strǽtousfɪər, stréɪtou-/ 名 [気象] [the ~] 成層圏《対流圏の上の大気層で高度約10-60 km》.

†**stra·tum** /stréitəm, strǽ- | strάːtəm, stréi-/ 名 (複 -ta /-tə/, ~s) ⓒ 1 [正式] (水平に重なった)層(layer). 2 [地質]地層, 岩層. 3 [正式] (社会的)階級, 階層.

stra·tus /stréitəs/ 名 (複 -ti /-tai/) ⓒ [気象]層雲.

Strauss /stráus/ 名 1 シュトラウス《Johann /jouhάːn/ ~ 1804-49; オーストリアの作曲家》. 2 シュトラウス《Johann ~ 1825-99; 1の息子で作曲家; 「ワルツ王」》. 3 シュトラウス《Richard ~ 1864-1949; ドイツの作曲家・指揮者》.

†**straw** /strɔː/ 名 1 ⓤ 麦わら, わら; ⓒ 麦わら1本 ‖ a roof of *straw* わらぶき屋根 / A drowning man will catch at a *straw*. (ことわざ) → CATCH at A. 2 ⓒ (飲み物用の)ストロー ‖ suck a glass *straw* ガラスのストローを吸う. 3 ⓒ わらでできたもの, 麦わら帽子. 4 (やや古) [疑問文・否定文で; a ~] 少し(も…ない), 無価値なもの ‖ He doesn't care a *straw* (about) what other people think. 彼は世間体を少しも気にしない.

a stráw in the wínd 動向[風向き]を示すもの, 何かが起こりそうな徴候.

nót wórth a stráw 一文の価値もない.

Thát's the lást straw. [もうこれ以上わら1本でも耐えられない]もうこれが我慢の限界だ.

thrów stráws agàinst the wínd 不可能なことを企てる.

— 形 1 麦わら製の ‖ a *straw* hat 麦わら帽子. 2 黄色がかった.

stráw màn (1) わら人形. (2) おとり, 手先. (3) つまらない人.

***straw·ber·ry** /strɔ́ːbèri, -bəri | -bəri/
— 名 (複 -ries/-z/) 1 ⓒ イチゴ; [植] =strawberry plant ‖ *strawberry* jam イチゴジャム / Do you like picking *strawberries*? イチゴを摘むのは好きですか. 2 ⓤ イチゴ色, 深紅色.

stráwberry blónd (女性の)黄赤色の毛.

stráwberry plànt オランダイチゴ.

†**stray** /stréɪ/ 動 🈒 《正式》 **1** 〈動物などが〉道に迷う (lose one's way); 〈…から〉はぐれる〔*from*, *off*〕; 〈…に〉迷い込む〔*into*, *onto*〕; さまよう (wander) ‖ The kitten must have *strayed from* its mother. そのネコは親からはぐれたにちがいない / A homeless dog *strayed into* our neighborhood. のら犬が近所に迷い込んできた. **2** 〈考え・話題などが〉〔…から〕わき道へそれる, はずれる, 脱線する〔*from*〕 ‖ You must not *stray from* the point. 要点からはずれてはいけない. ――形 **1** 〈動物などが〉道に迷った, さまよっている (lost)《◆補語として用いるときは astray》; 家のない (homeless) ‖ *stray* cats and dogs 野良のネコとのらイヌ. **2** はなれた, まぱらな, 離れ離れの ‖ There were a few *stray* cabins along the beach. 海岸沿いに小屋が数軒散在していた. ――名 **1** 迷った人〔動物〕, 迷い子; 家なし子; 放浪者 ‖ waifs and *strays* 浮浪児たち, (がらくたの) 寄せ集め.

†**streak** /stríːk/ 名 🄲 **1** 〔…の〕筋, 線, しま〔*of*〕 ‖ *a streak of* lightning 稲妻 / *a streak of* dirt on one's clothing 衣服のしま状の汚れ. **2** (脂肪などの) 層 ‖ There are *streaks* of fat and *streaks* of lean in this meat. この肉には脂肪と赤味の層がある. **3** 〔a ~〕〔…の〕わずかな徴候, 気味〔*of*〕 ‖ There's *a streak of* vanity in his character. 彼の性格には少しうぬぼれたところがある / She has *a* yellow *streak* (in her). 彼女には臆(おく)病なところがある. **4** 《米略式》短期間; ひと続き (spell) ‖ *a* lucky *streak* = *a streak of* luck 幸運続き.
like a stréak (*of lightning*) 《略式》電光石火のように; 全速力で.
――動 他 〔通例 be ~ed〕〔…で〕筋〔しま〕がつく〔*with*〕 ‖ The child's face *was streaked with* tears. その子の顔は涙の筋になっていた. ――🈒 **1** 筋〔しま〕がつく. **2** 筋〔しま〕になる.

***stream** /stríːm/
――名 (複 ~s /-z/) **1** 🄲 小川, 流れ, 細流《◆ふつう brook より大きく river より小さい川》 ‖ cross a *stream* 小川を渡る / A small *stream* ran down among the rocks. 岩の間を細流が走っていた.
2 🄲 〔通例 a/the ~〕 (水・潮・空気などの) **流れ** [類語] flow, current ‖ the Gulf *Stream* メキシコ湾流 / *a stream of* light 一条の光 / *a stream of* cold air 寒気流 / swim against the *stream* 川の流れに逆らって泳ぐ.
3 🄲 〔通例 a/the ~〕**連続**, (人・物・事のとだえない) 流れ ‖ *a stream of* words よどみない言葉 / *a stream of* people going in and out of the theater 劇場に出入りする人の流れ.
4 〔the ~〕(時勢・世論などの) 流れ, 動向, 趨(すう)勢 ‖ the *stream* of the times 時流 / go [swim] against [with] the *stream* 時勢に逆らう〔従う〕.
5 🄲 《主に英》能力〔学力〕別クラス ((米) track).
in a stréam = *in stréams* 続々と, 流れをなして.
――動 (~s /-z/; 過去・過分 ~ed /-d/; ~·ing)
――🈒 **1** 〈水・涙などが〉〔…で〕**流れる**; 〈光が〉さし込む; 〈目などから〉〈涙などを〉流す〔*with*〕《◆修飾語句 (句) は省略できない》 ‖ Blood *streamed from* the wound. 傷口から血がどっと流れた. **2** 〈人・物などが〉流れるように動く ‖ The spectators *streamed* out of the stadium. 観客がスタジアムから続々と出てきた (= A *stream of* people came out ...). **3** 〔通例 be ~ing〕〈髪・旗などが〉なびく, 翻(ひるがえ)る ‖ Her hair *was streaming* in the wind. 彼女の髪が風になびいていた. **4** 〈動画などが〉ストリーム再生する.

――他 **1** 〈物・場所が〉〈水・涙など〉を流す ‖ His eyes were *streaming* tears. 彼の目から涙が流れていた. **2** 〈風などが〉〈髪・旗など〉をなびかせる, 翻らせる. **3** 《主に英》〔通例 be ~ed〕〈生徒〉を能力別クラスに編成する ((米) track).

stream·er /stríːmər/ 名 🄲 **1** 流れるもの; 吹き流し, 長旗. **2** 飾りリボン〔羽毛〕. **3** 〔~s〕(北極光などの) 射光. **4** = streamer headline. **stréamer héadline** 《米》(新聞の) 全段抜きの大見出し.

stream·let /stríːmlət/ 名 🄲 小川, 細流.

stream·line /stríːmlaɪn/ 名 🄲 形 流線形〔型〕(の).
――動 他 **1** …を流線形〔型〕にする. **2** 〈仕事・組織など〉を合理化〔能率化, 簡素化〕する. **3** …を最新式にする.

‡**street** /stríːt/ 〖「舗装された道」が原義〗
――名 (複 ~s /stríːts/) **1** 🄲 (町の) **通り**, **街路**, 街(ちまた)《◆(1) 町中の, ふつう両側に建物が立ち並んだ道をいう. 歩道と車道の両方を含む (cf. road) (2) 町から町に続く公道は road》(略 St., st., 使い分け ➡ road **1**) ‖ a main [《英》high] *street* 本通り / a broad *street* 広小路 / meet a friend *on the street* (主に米) =(主に英) … *in the street* 通りで友人に会う / play on [in] the *street* 通りで遊ぶ《◆《米》ではふつうは「歩道」, in は「車道」》/ *up* [*down*] *the street* 通りを向こうへ 〔こちらへ〕.
2 〔通例 S~〕…街, …通り 《◆戸番を伴うときはふつう St. と略. the はつけない》 ‖ Oxford *Strèet* オックスフォード街《ロンドンの有名な通り》= the Oxford Road オックスフォード街路 / 「His address is [He lives at] 4 Rose *St.* 彼の住所はローズ街 4 番です《◆戸番を伴う時は on, in は用いない》
🈁事典🈁 (1) New York 市のマンハッタン地区では南北の通りを avenue, 東西の通りを street と呼ぶ. 通りの番号は南から北へ行くほど大きくなる. 英国ではふつう番号でなく Oxford Street などという.
(2) 戸番はしばしば通りの片側が奇数, 反対側が偶数. ➡ number 名 **2**.

3 🄲 車道, 往来 ‖ a busy *street* 往来の激しい通り. **4** 〔形容詞的に〕**a** 街路〔通り〕の ‖ a *street* gang 町のちんぴら一味 / a *street* peddler 行商人. **b** 外出用の ‖ *street* clothes 外出着. **5** 〔通例 the whole ~; 集合名詞; 単数複数扱い〕町の人々.
by a strèet 〔1 位と 2 位の差が通りの端から端まである くらいの〕《英》大差で, 断然で, 勝ちに.
tàke to the strèets デモ行進する; 〔祭りなどに〕 練り歩く, 街頭に繰り出す.
wàlk the strèets 《英略式》〔職を探して・宿がなくて〕町を歩き回る.
stréet màp ストリートマップ《町や市の通りが載っている地図》.
stréet pèople 〔集合名詞的に〕ホームレス.
stréet ràilway 《米》市街鉄道, 路面電車.
stréet smàrts 《米略式》都会生活の知恵 (cf. streetsmart).
stréet vèndor 《米》街頭の物売り.
†**street·car** /stríːtkɑːr/ 名 🄲 《米》路面電車, 市街電車; 路面電車型車両 ((英) tram) ‖ The city still has *streetcars*. その町はまだ路面電車が走っています / 🈁対話🈁 "Shall we go there by *streetcar*?" "Yeah, it's cheaper." 「路面電車でそこへ行きましょうか」「はい, それは安上がりです」.
street·smart /stríːtsmɑːrt/ 形 《米略式》都会の生活に慣れた (cf. street smarts).

***strength** /stréŋkθ/

strengthen

―名 (複) ~s/-s, stréŋks/) ⓊⒸ 1 (肉体的・物理的・心理的な)力, 強さ; 体力, 知力, 精神力 [類語] power, force, vigor) ‖ a man of great **strength** 力[精神力]の強い人 (=a very *strong* man) / the *strength* of will 意志力 / the *strength* of a blow 打撃の強さ / kick the ball **with all** one's **strength** 力いっぱいボールをける / the *strength* of a dog's love for its master 飼主に対する犬の愛情の強さ / He **has the strength to** lift it. 彼はそれを持ち上げる力がある (=He is *strong* enough to lift it.).

2 (物の)強度, 抵抗力, 耐久力 ‖ the *strength* of a rope ロープの強度 / the *strength* of a bridge 橋の耐久力. **3** Ⓤ (人の)強み, 長所; ささえ, よりどころ ‖ the *strengths* of one's argument 議論のよりどころ. **4** Ⓤ (色・光・音・味などの)強さ; 濃さ, 濃度; (薬などの)効力; (正式)(作品などの)訴える力, 迫力 ‖ the *strength* of light 光の強さ. **5** [時に a ~] 兵力; 兵員, 艦数;(一般に)人数, 定員; 優越, 多数 ‖ the normal *strength* of the regiment 連隊の通常の人数 / *Strength* of numbers favors our side. 大多数は我々の味方だ.

in (fúll [gréat]) stréngth 大勢で, 大挙して.

on the stréngth of A (1)〈事〉に基づいて, …を当てにして, …の力を得て.(2)〈事〉という見込みで.

†strength・en /strέŋkθən/
―動 (~s/-z/; (過去・過分) ~ed/-d/; ~・ing)
―他〈人・物・事が〉〈物・事を〉強くする, 強化する, 増強する. (↔ weaken) ‖ Exercise *strengthens* muscles. 運動は筋力を鍛える.
―自 強くなる, 強固になる; 元気づく ‖ The dollar is *strengthening* against the yen. ドルは円に対して強くなっている.

†stren・u・ous /strénjuəs/ 形 **1**〈人などが〉非常に活発な, 精力的な, 熱心な;〈反対などが〉激しい [類語] active) ‖ a *strenuous* check 非常に活発な子供 / *strenuous* opposition 猛烈な反対. **2**〈仕事などが〉非常な努力を要する, 奮闘する, 奮闘する.

stren・u・ous・ly /strénjuəsli/ 副 激しく, 頑強に ‖ *strenuously* deny 頑強に否定する.

strep・to・my・cin /strèptəmáisin | -təʊ-/ 名Ⓤ (薬学) ストレプトマイシン《抗生物質の一種》.

‡stress /strέs/ [[distress の di- が消失したもので「重圧」「ひずみ」が本義]]
―名 (複) ~・es/-iz/)

I [精神的圧迫]

1 ⓊⒸ (精神的・感情的な)緊張, ストレス ‖ a disease (which is) related to *stress* ストレスに関連した病気.

II [物理的・状況的圧迫]

2 ⒸⓊ 圧迫, 圧力, 重圧 ‖ steal food under the *stress* of hunger 空腹に迫られて食べ物を盗む.

3 Ⓤ (正式)〔時に a ~〕〔…に対する〕強調, 力説, 重点 (emphasis) 〔*on, upon*〕‖ a school that **lays** [**puts**] (a) **stress on** foreign languages 外国語に重点をおく学校.

4 ⒸⓊ 〔音声〕強勢, 語勢, ストレス, アクセント (accent) (cf. intonation, pitch¹) ‖ (a) primary *stress* 第1アクセント / When you pronounce the word 'manager', put the *stress* on the first syllable. 'manager' を発音するときは第1音節にアクセントを置きなさい.

5 ⒸⓊ (機械)応力; (物理)〔…への〕圧力〔*on*〕.

―動 (~・es/-iz/; (過去・過分) ~ed/-t/; ~・ing)

―他 **1a**〈人が〉…を強調する; 〔*that* 節〕力説する ‖ The speaker *stressed* the need for better education. 講師は教育改善の必要性を強調した / She *stressed that* it was out of the question. それは問題外だと彼女は強調した 《◆ *that* は省略可》. **b**〈心身に〉緊張を課する ‖ feel *stressed* 緊張する.

2〈人が〉〈音節・語〉に強勢をつける, …を強く発音する ‖ The verb 'present' is *stressed* on the second syllable. 動詞 present は第2音節にアクセントがある.

stréss còping 〔心理〕ストレスにうまく対処すること.
stréss hòrmone 〔医学〕ストレスホルモン《ストレスを感じるときに防御するために分泌される》.
stréss màrk 〔音声〕強勢[アクセント]符号《´ ` 》.
stress・ful /strésfl/ 形 ストレスの多い, 緊張を強いる.
stres・sor /strésər/ 名Ⓒ〔医学〕有害因子, ストレス因子《◆ これが日本語のストレスに当たることも多い》.

†stretch /strétʃ/ 動 ⓒ **1**〈人・動植物が〉〈身体・手足・翼などを〉いっぱいに伸ばす, 広げる;〔~ *out*〕〈背〉伸びをする (+*out*)‖ He *stretched* himself *out* on the grass and soon fell asleep. 草の上に大の字になって彼はほどなく眠り込んだ / She *stretched* her arms and yawned. 彼女は両腕をいっぱいに伸ばしてあくびをした / *stretch* one's **legs** (長く座っていた後で)足を伸ばしに散歩に行く. **2**〈手や腕を〉〔…へ〕差し出す[伸べる], 前に出す (+*out*) ‖ *stretch* one's hand *out* to shake hands 握手するため手を差し出す. **3**〈ロープなどを〉張る, 渡す ‖ *stretch* a clothesline from a tree to the pole 木から柱まで物干し綱を渡す. **4** (無理に)〈靴などを〉広げる, 伸ばす (+*out*) ‖ *stretch* shoes until they fit 足が入るまで無理に靴を広げる. **5 a**〈筋肉などを〉張りつめる;〈弦などを〉ぴんと[強く]張る ‖ *stretch* a string until it snaps 弦を切れるまでぴんと張る. **b** [be ~ed / ~ oneself]〈人が〉力を出しきる[出しきる]. **6** (法律・言葉の意味などを)拡大解釈する; …を曲解する, こじつける ‖ *stretch* the law to suit one's purposes 目的にかなうように法律を拡大解釈する / *stretch* it a bit (略式)事実を少し曲げる. **7**〈筋などを〉くじく, ちがえる. **8** (略式)〈真実などを〉誇張する, おおげさに言う ‖ *stretch* the truth 真実を誇張する, うそをつく. **9**〈食料・持ち金などを〉(…まで)やりくりする, なんとか間に合わせる (+*out*)〔*until*〕;〈飲食物を〉〔…で〕薄めて量を増やす〔*with, by*〕;〔通例 be ~ed〕金に困っている ‖ *stretch* a meal by thinning the soup スープを薄めて量を増やす.

―自 **1** 身体[手足]を伸ばす, 長々と横になる (+*out*) ‖ *stretch out* on a sofa ソファーに長々と寝そべる. **2**〈ゴムなどが〉伸びる, 伸縮する ‖ Rubber *stretches* easily. ゴムはすぐ伸びる. **3**〈土地・時間などが〉〔…に〕広がる, 広がっている, 及ぶ (+*away, out*)〔*over*〕;〔期間に〕及ぶ〔*over*〕‖ The experiment *stretched over* a period of two years. その実験は2年間にも及んだ. **4** 〈手を取ろうと〉手を伸ばす (+*out*)〔*for*〕‖ *stretch out for* the book 本を取ろうと手を伸ばす. **5** 大いに努力する.

―名 **1** Ⓒ〔通例 a ~〕(とぎれのない)広がり, 伸張; 範囲 ‖ We flew over a *stretch* of desert. 一面に広がる砂漠の上空を飛行した / a wide *stretch* of road 長く伸びた道路. **2** Ⓒ〔通例 a ~〕(仕事・時間などの)ひと続きの時間, 一気, ひと息 ‖ work for *a stretch* of six hours 6時間ずっと働く. **3** Ⓒ (俗)〔通例 a/the ~〕懲役, 禁固; 刑期. **4** Ⓒ (法律・言葉などの)拡大解釈, 曲解, こじつけ; 誇張; 濫用,

悪用 ‖ a **stretch** of the law 法律の拡大解釈. **5** C 伸ばす[伸びる]こと, 伸張; 拡張; 背伸び; 《略式》(疲れをとるための)散歩; ① 伸縮性, 伸長力. **6** C 《米》《競馬》《通例 a/the ~》(最後の)直線コース, ホームストレッチ;(選挙などの)最後の追い込み.
at a strétch 一気に, 一息に, 連続して.
at fúll strétch 全力で.
by ány strétch of the imaginátion [通例否定文で] どんなに想像をたくましくしても.
—形 伸びる, 伸縮性のある; 伸縮加工した.

†**stretch·er** /strétʃər/名 C **1** 伸ばす[広げる, 張る]人[物]; 伸張具. **2** 担架 ‖ carry an injured man to the ambulance on a *stretcher* けが人を担架で救急車に運ぶ.

stretch·ing /strétʃiŋ/動《過去》名 U ストレッチ体操.

†**strew** /strúː/動《過去》~ed,《過分》strewn/strúːn/ or ~ed) 他 **1**〈砂・ごみ・種・花などを〉〔…に〕ばらまく, 敷きつめる〔on, over〕;〈場所に〉〔…を〕まき散らす〔with〕‖ She *strewed* seeds *on* the field. = She *strewed* the field *with* seeds. 彼女は畑に種をまいた. **2**《詩》…の上に散らばって[ばらまかれて]いる.

stri·at·ed /stráieitid/–/–/形《正式》筋[溝, 線, 縞]のある.

*__strick·en__ /strík(ə)n/ 《古》strike の過去分詞形.
—形《◆比較変化しない》《主文》[しばしば複合語で] **1**〈病気に〉かかった,〔…に〕ふせっている〔with, by〕‖ She was *stricken with* food poisoning after eating raw oysters. 彼女は生ガキを食べて食中毒になった / cancer-*stricken* 癌(ガン)にかかった. **2**(悲しみ・不幸などに)襲われた, 打ちひしがれた ‖ a city *stricken* by the big fire 大火災で打撃を受けた都市 / grief-*stricken* 悲しみに打ちひしがれた.

†**strict** /stríkt/形 **1**〈人・法律・規則などが〉〔人に/規律などに〕厳しい〔with / on, about〕《類語》severe, stern)‖ the *strict* school rules あの厳しい校則 / The professor was *strict with* her students but fair. その教授は生徒に厳しいが公平だった / He was very *strict on* discipline. 彼は規律に大変厳しかった. **2** 厳密な, 精密な, 正確な ‖ a *strict* interpretation of the rules 規則の厳密な解釈 / in the *strict* sense of the word その語の厳密な意味で / the *strict* truth 厳正な事実. **3** 完全な; まったくの; 絶対の, 絶対的な ‖ in *strict* confidence [secrecy] 極秘で.

†**strict·ly** /stríktli/副 **1** 厳しく, 厳格に ‖ Photography is *strictly* forbidden here. ここでは写真撮影は厳禁です. **2** 厳密に, 精密に, 正確に; 完全に, まったく, 絶対に; [文全体を修飾] 厳密に言えば《◆ *strictly* speaking よりふつう》‖ √2 is not *strictly* 1.4. √2 は厳密には1.4ではない.
strictly speaking → speak 動.

stric·ture /stríktʃər/名 C **1**《正式》[しばしば ~s]〔…に対する〕非難, 酷評; 批判〔on, upon〕. **2**〔医学〕狭窄(きょうさく). **3** 拘束, 制限.

†**stride** /stráid/動《過去》strode/stróud/,《過分》strid·den/strídn/)《◆現在形・過去分詞形の使用はまれ》自 **1**〈人が〉大またで歩く〔+along〕 ‖ *stride* off [away] 大またで歩き去る / Suddenly he *strode* right into my office. 突然彼は大またで私の事務所に入ってきた. **2**〈人が〉…をまたぎ越す, またぐ〔over, across〕‖ She *strode* over the brook. 彼女は小川をひょいとまたいだ. —名 C 1 大また, ひとまたぎ ‖ walk with vigorous *strides* 元気よく大またで歩く / Can you cross the puddle *in a stride*? ひとまたぎでその水たまりを越えられますか. **2** 大またで歩くこと, 闊歩(かっぽ). **3**《通例 a ~》(馬などの)ひと歩き, ひと駆け; 歩幅.
máke gréat [rápid] strídes in A …において長足の進歩をする, 急速に進行する.
táke A in 《主英》one's) stríde …を難なく処理する;〈困難などを〉苦もなく切り抜ける.

stri·dent /stráidnt/形《正式》かん高い, 金切り声の,〈音などが〉耳ざわりな, キーキーいう.

strid·er /stráidər/名 C〔昆虫〕アメンボ.

strid·u·late /strídʒəleit/ stríd jʊ–/動 自 **1**〈コオロギなどが〉羽をすり合わせて鳴く. **2** かん高く鳴く, チリチリッと鳴く.

†**strife** /stráif/名 U《正式》**1** 争い, 闘争, 紛争 ‖ family *strife* 家族紛争 / a time of political *strife* 政治闘争の時代. **2** けんか, 口論.

:**strike** /stráik/‖〔(道具などに)打撃を与える〕が本義》派 striking(形)

index 動 1 打つ　3 突き当たる　4 行き当たる
　　　6 襲う　7 心に浮かぶ
　　　自 1 打つ　2 襲う　3 ぶつかる
　　　名 1 ストライキ　2 攻撃　4 発見

—動 (~s/-s/,《過去》struck/strʌk/,《過分》struck or《古文》strick·en/stríkn/; strik·ing)
▶他
I [打つ]
1a《正式》〈人が〉〈人・物などを〉打つ, たたく, なぐる《◆この意味では hit, smack, punch などを用いることが多い》;〈人などが〉〈敵などを〉攻撃する ‖ *strike* a ball ボールを打つ / *strike* him down《正式》彼を殴り倒す / I *struck* the nail with my hammer. ハンマーで釘を打った / She *struck* me *on* the chin. =She *struck* my chin. 彼女は私のあごをなぐった(→ catch 他 **1c**) / Bombers *struck* the city at dawn. 爆撃機が夜明けに町を襲撃した.
b [strike (A) B]〈人が〉〈A〈人〉に〉B〈打撃〉をくらわす ‖ He *struck* me a hard blow (in the face). 彼は私の(顔)にガンと一撃をくらわせた.
II [突き当たる]
2a〈人が〉〈刃物などを〉〔人などに〕突き刺す〔*into*〕‖ *strike* a dagger *into* her heart 彼女の心臓に短剣を突き刺す. **b**《正式》〈恐怖・驚きを〉〔人・心に〕起こさせる〔*into, to*〕《◆通例次の句で》‖ The scream *struck* terror [fear] *into* [*to*] my heart. その悲鳴を聞いて私はぞっとした.
3a〈人・物が〉〈物などに〉突き当たる, ぶつかる;〈光・音が〉〈目・耳などに〉達する ‖ The ship *struck* a reef. 船は暗礁に乗り上げた / That building was *struck* by lightning. その建物に雷が落ちた / A curious sound *struck* my ear. 奇妙な音が聞こえた. **b**〈人が〉〈体の一部〉を〔物に〕打ち当てる, ぶつける〔*on, against*〕《◆修飾語(句)は省略できない》‖ I *struck* my foot *on* a stone. 足を石にぶつけた / She *struck* her head *against* the shelf. 彼女は頭をたなにぶつけた.
4《正式》〈人が〉〈場所に〉行き当たる;〈金鉱などを〉掘り当てる;〈名前などを〉偶然見つける;〈困難などに〉遭遇する ‖ At last we *struck* the main path. ついに大きな通りに出た / They drilled and *struck* oil. 彼らはボーリングを行い石油を掘り当てた.
III [不意に打つ]
5[通例 be struck]〈事が〉…(の状態)になる ‖

The boxer *was struck* dead by the blow. そのボクサーは一撃で死んだ / The news *struck* me speechless. そのニュースを聞いて言葉が出なかった.

IV〖心を打つ〗
6《正式》〈あらし・病気・恐怖などが〉(突然)〈人など〉を襲う《+*down*》《◆この意味で《米》では過去分詞として stricken を用いることがある》‖ The plague *struck* Europe. ペストが突然ヨーロッパを襲った / They were *struck* with terror. 彼らは恐怖に震えおののいた / The Kinki district was *struck* by a typhoon. 近畿地方は台風に襲われた.

7 a《考えなどが〉〈人〉の心に浮かぶ》‖ An idea suddenly *struck* her. ある考えが突然彼女に浮かんだ(= She suddenly *struck* [*hit*] on an idea.).
b〈事が〉〈人〉に印象を与える、…の心を打つ；[strike **A as C**]〈人〉に **C**(である)という感じを与える《◆主格補語 **C** は形容詞・名詞・現在分詞. → impress 他 2》‖ It *strikes* me (that) you are wrong. 君は間違っているように思う《◆It seems to me that ... より口語的》/ The plan *strikes* me *as* impossible. その計画は不可能のように思える(=I regard [think of] the plan as impossible.).
c [be struck **by** [**on, with**] **A**]《略式》…に好感を持つ, …に感銘を受ける《◯文法 7.3》‖ I was *struck by* [*with*] her beauty. 彼女の美しさに打たれた.

V〖打って作り出す〗
8《時計が〉〈時〉を打って知らせる；〈人が〉〈鍵(💿)〉を打ち鳴らす,〈音調〉を鳴り出させる ‖ *strike* a note on the piano ピアノの鍵を打つ / The clock has *struck* ten (o'clock). 時計が10時を打った.
9〈人が〉〈マッチ〉をする；〈火〉をつける, 起こす ‖ *strike* [*light*] a match マッチをつける / *strike* sparks from a flint 火打石で火花を出す. **10**〈貨幣・メダル〉を鋳造する. **11**〈契約など〉を取り決める〔*with*〕‖ *strike* 'a bargain [an agreement] *with* him 彼と契約[協定]を取り決める. **12**〈態度・姿勢など〉をとる ‖ *strike* an attitude [a pose] of defiance 反抗的な態度をとる. **13**《米》…に対してストライキを行なう.

IV〖打ちなくす〗
14《正式》〈旗・帆など〉を降ろす；〈テント〉をたたむ, 取りはずす；…を〔記録などから〕削除する〔*from*〕‖ *strike* a sail 帆を降ろす；降服する.
──圓 **1**〖…を目がけて〗打つ, なぐる, 攻撃する〔*at*〕；〈動物が〉不意におそいかかる, かみつく ‖ *Strike at* the dog with a stick 棒を持って犬に打ちかかる / *Strike while the iron is hot.*(ことわざ)→ iron 名 1 用例.
2《正式》〈あらし・病気・不幸などが〉襲う ‖ The storm *struck* at dawn. 夜明けにあらしが襲った.
3《正式》〈物などが〉〔…に〕ぶつかる, 突き当たる, 衝突する〔*on, against*〕‖ The tanker *struck against* a rock. タンカーは暗礁にぶつかった.
4《正式》〈光・寒さなどが〉〔…に;…に〕突き通る, しみ込む〔*through* / *into, to*〕‖ The light *struck through* the darkness. 光が闇を突き破った / This *strikes* to the heart of the problem. これは問題の核心を突いている. **5**《正式》〈ある方向へ〉向かう, 行く(go) ‖ *strike* northward 北の方へ行く / We *struck* across the fields to the river. 畑を横切って川へ行った. **6**《マッチなどが〉点火する, つく. **7**〈時計・鐘が〉打つ, 鳴る ‖ One o'clock *struck*. 1時が鳴った. **8**〖…を要求して/…に反対して〗ストライキを行なう〔*for/against*〕‖ *strike* [go on (a)

strike] *for* higher pay 賃上げ要求のストライキをする / *strike against* bad working conditions 悪い労働条件に反対してストを行なう.

stríke at A (1)→ 圓 1. (2)〈人・事〉を非難する, 攻撃する.

stríke dówn [他]《正式》(1)〈人〉を打ち倒す, なぐり倒す ‖ He was *struck down* by a bus. 彼はバスと接触して倒れた. (2) [通例 be struck]〔病気などで〕倒れる, 死ぬ〔*by, with*〕(→ 圓 6). (3)《米》〈規則など〉を取り消す.

stríke hóme〖ねらった所に〗(home 圓 3)当たる (strike(圓 3))〗圓《正式》(1)〈打撃などが〉命中する. (2)〈言葉などが〉所期の効果をあげる, 急所を突く；よくわかる. (3)〈人〉に強い印象[感銘]を与える〔*to*〕.

stríke ín[自]横から口を差しはさむ, 割り込む《◆ interrupt や break in の方がふつう》.

stríke óff[自](道を)横それる, 進んで行く ‖ *strike off* through the woods 森を通って行く. ──[他](1)〈首・枝など〉を切り落とす, 取り除く. (2) a)〈名前など〉を削除する, b)(英) [~ **A** *off* **B**]〈名前など〉を **B** リストなどから除く. (3)〈本など〉を印刷[複写]する. (4)〈記事など〉をはっきりわかりやすく書く.

***stríke ón** [**upón**] **A** (1)〈考えなど〉を思いつく；〈物・事〉を偶然見つける《◆受身可》‖ *strike upon* a good idea. 名案が浮かんだ. (2)→ 圓 3.

stríke óut[自](1)(しばしば八つ当たりして)[…を]激しく打つ, 強打する〔*at*〕；けんかを始める. (2)(勢いよく)[…に向かって]泳ぎ出す, 出かける, (特に)泳ぐ, 〈道を〉離れる〔*for*〕‖ *strike out* bravely *for* the shore 岸に向かって勇敢に泳ぐ. (3) [~ *out on one's own*]自立する, 自営をする. (4)《野球》三振する. (5)《主に米略式》失敗する. ──[他](1)《正式》〈名前・語など〉を削除[抹消]する ‖ *strike out* her last remark 彼女の最後の言葉を削除する. (2)〈計画など〉を作り出す. (3)《野球》〈打者〉を三振させる.

stríke thróugh [他]=STRIKE out [他] (1).

stríke úp [自]〈楽団などが〉演奏を始める；〈演奏・歌〉が始まる. ──[他](1)〈楽団などが〉〈曲・歌〉を演奏し始める；〈指揮者が〉〈楽団などに〉演奏[歌]を始めさせる. (2)〈会話・交際〉を〔初対面の人と〕始める〔*with*〕‖ *strike up* a conversation *with* a girl on the train 列車で出会った女の子と話をする.

──名 (圈 ~s/-s/) **1** ⓒⓊ〖…を求める/…に反対する〗ストライキ〔*for/against*〕‖ **go** [**come**] (**out**) **on** ((米)) *a*) **strike** ストライキをする / They are (**out**) **on** ((米)) *a*) **strike.** 彼らはストをしている / call a general [hunger] *strike* ゼネスト[ハンスト]を指令する.

2 ⓊⓒC 打つこと, 打撃, 殴打；〔…に対する〕**攻撃**〔*on, against*〕‖ make a *strike* at the thief 泥棒にとびかかる / a bombing *strike* 爆撃.

3 ⓒ《野球》ストライク；《ボウリング》ストライク；その得点 ‖ one ball and two *strikes* ツーストライク・ワンボール《◆ ball を先にいう》.

4 ⓒ(油田などの)発見, 掘り当て；《略式》(事業などの)大当たり, 大成功 ‖ an oil *strike* 石油の発見.

háve twó stríkes agáinst one ストライクを2つとられている；《略式》決定的に不利な立場にある.

stríke fúnd(s) (ストのための)プール基金.

stríke pày [**bènefit**] (労働組合が支払う)スト手当.

stríke zòne 《野球》ストライクゾーン.

strike·bound /stráikbàund/ 形 ストライキで閉鎖された[停止した].

strike-lead·er /stráiklìːdər/ 名 ⓒ ストライキ指導

strike·out /stráikàut/ 图 C〖野球〗三振.

†**strik·er** /stráikər/ 图 C 1 打つ人［物］；（時計の）打器；（銃の）撃鉄；（捕鯨の）もり（打ち）． 2 ストライキをする人．3〖サッカー〗ストライカー《チームで最も得点力のある選手》．

†**strik·ing** /stráikiŋ/ 動 → strike.　——形 1 著しい，目立つ，際立った ‖ a *striking* difference between the two species of monkey その2種類のサルの目立った違い． 2 打つ；《時計が》時刻を打つ．3 スト中の．

striking fórce (すぐ出撃できる)攻撃部隊.

strik·ing·ly /stráikiŋli/ 副 著しく，際立って．

string /stríŋ/〖『(固く結ぶ(物)』が原義〗
　——图 (働 ~s/-z/)
　Ⅰ〖ひも状のもの〗
　1 CU ひも, 糸(→ rope) ‖ a ball [piece] of *string* 糸のたま[1本]．
　2 C 結びひも ‖ apron *strings* エプロンのひも．
　3 C **a** (弦楽器の)弦；[the ~s; 複数扱い] 弦楽器(群)，弦楽合奏；(オーケストラの)弦楽器奏者 ‖《対話》"How many *strings* does the guitar have?""Six, I guess."「ギターには何本弦がありますか」「6本だと思います」／ a violin *string* バイオリンの弦／ Air on the G *string*「G線上のアリア」． **b** (弓の)つる(bowstring).
　Ⅱ〖ひものようなひと続き〗
　4 C ひも[糸]に通したもの，じゅずつなぎにしたもの；ひと続き，一連 ‖ a *string* of beads [pearls] 一連のビーズ[真珠]． **5** C (人などの)ひと続き，一列，一隊 ‖ a *string* of trucks トラックの列． **6** C (言葉・うそ・質問などの)連発，連続 ‖ The writer produced a *string* of best sellers. その作家はベストセラーを次々と発表した． **7** C《略式》[通例 ~s] 付帯条件 ‖ an offer with *strings* attached to it ひも付きの申し出． **8** C〖競技〗(1チーム内で技術に応じた選手の)段階，級，組 ‖ These players will practice against the second *string*. この選手たちは2軍相手に練習することになっている． **9** C《略式》(特別な馬具や所有者に所属する)競走馬(racehorse). **10** C 同系列の人[もの].

púll (the) stríngs《略式》ひそかに[陰で]人をあやつる，糸を引く，黒幕となる．

　——動 (~s/-z/;〖過去・過分〗**strung**/stráŋ/; ~·ing)
　——他 1 …をじゅずつなぎにする，ひもで結ぶ ‖ *string* beads for a necklace ネックレスにするためにビーズを糸に通す． 2《弓・バイオリン・ラケットなどに》弦を張る(つける)；《ギターなどの》弦の調子を合わせる ‖ *string* a racket ラケットの弦を張る． 3 …を糸[ひも]で結ぶ[つるす](+*up, together*) ‖ He *strung up* colored lights on the Christmas tree. 彼は色電球をクリスマスツリーにひもでつるした． 4《電線などを》張る，張り渡す ‖ *string* a clothesline across a yard 中庭に物干し綱を張る． 5 …を一列に並べる，ひと続きに配列する(+*out*); [be strung] 《車などが連なっている ‖ *string* words together 語句をつなぎ合わせる／ Cars were *strung* for miles on the highway. 車が何マイルも幹線道路に連なっていた． **6**《略式》[通例 be strung / ~ oneself]《人が緊張する，興奮する(+*up*) ‖ She's a bit *strung up* about her exam. 試験のことで彼女は少し緊張している． **7**《略式》《人》を絞首刑にする，締め殺す(hang) (+*up*).

string alóng [他]《略式》(1)《人》をだます，かつぐ．(2)《人》をすっかり信用[信頼]する．(3)《人》を待たせ

ておく，引き止める．

string óut［他］(1) a) → 働 **5**. b)《物》をつるす． (2)《略式》(時間的に)…を引き延ばす，延長する． (3)《略式》[be strung] 麻薬を常用している．

string bàg（糸・ひもで編んだ）手さげ袋．

string bèan (1)《米》サヤインゲン，サヤエンドウ《(英) runner bean》. (2)《米略式》背の高いやせた人．

string órchestra 弦楽合奏団，ストリングオーケストラ．

string quartét 弦楽四重奏団[曲].

string tie ひもネクタイ《◆ふつうちょう結びにする》．

†**strin·gent** /stríndʒənt/形 1《正式》《規則などが》きびしい，厳格な(strict). 2〖経済〗《金融市場などが》切迫した，金詰まりの．

string·y /stríŋi/形 (**-i·er, -i·est**) 1 糸[ひも]の(ような). 2 繊維質の，すじの多い ‖ *stringy* meat すじだらけの肉． 3 贅(ぜい)肉がなくて筋骨たくましい．

†**strip**¹ /stríp/動 (〖過去・過分〗**stripped**/-t/; **strip·ping**) 1《人から》《人・木など》をはぎ取る；《物》をむく ‖ *strip* the banana バナナの皮をむく ／ a *stripped* tree 丸裸にされた木． **b** [strip A C] 《人・木など》を C の状態にする《◆ C は naked, bare など》 ‖ The pirates *stripped* him naked. 海賊たちが彼を丸裸にした． **2** [strip A of B = strip B from [off] A] 《人から》 A《人・物》から B《物》をはぎ取る，取り除く ‖ *strip* the paint *from* [*off*] the wall 壁のペンキをはがす ／ She *stripped* the tree *of* its bark. = She *stripped* the bark *off* [*from*] the tree. 彼女は木の皮をむいた． **3**《正式》《人が》《場所》から《物》を取り去る；《人から》《財産・権利など》を奪う(deprive)〔*of*〕 ‖ *strip* a room of furniture 部屋から家具を取り去る／ The king was *stripped* of his power. 王は権力を剥奪(はくだつ)された． ——（自） 衣服を脱ぐ，裸になる(+*off, down*) ‖ *strip* to the waist 上半身裸になる．

strip dówn [他](1)《ペンキ・壁紙など》をはぎ取る．(2)《人》の衣服を脱がせる，…を丸裸にする．(3)《機械など》の部品を取りはずす，…を分解する．(4)《人》をしかる(scold).

†**strip**² /stríp/ 图 C 1 (土地・布・板などの)細長い1片，切れ ‖ a *strip* of land [paper] 細長い土地［紙片］／ She tore a handkerchief *into strips*. 彼女はハンカチをずたずたに裂いた． 2 滑走路． 3《英》(新聞などの)数コマの漫画(comic strip). 4《英略式》(サッカー選手などが着る)ユニフォーム．

†**stripe** /stráip/图 C 1 しま，筋，ストライプ ‖ a suit with a narrow black *stripe* 細い黒じまの背広／ the Stars and Stripes 星条旗． 2《軍事》 [~s] (階級・勤続年数などを示す)記章，そで章． 3《主に米》(人物・見解などの)型，種類(type) ‖ a person of a very different *stripe* 非常に違うタイプの人．
——動 他 …にしまをつける；…をしまで飾る．

†**striped** /stráipt/形 筋[しま]のある，しま模様の．

striped báss《米》〖魚〗ストライプバス《アメリカ両岸産のスズキ科の一種》．

strip·per /strípər/图 1 C《略式》ストリッパー． 2 C U 除去液.

strip·tease /stríptì:z/图 C U ストリップショー．

†**strive** /stráiv/動 (〖過去〗**strove**/stróuv/, 〖過分〗**striv·en** /strívn/) （自） 1《正式》《人が》〈…しようと〉努力する，骨折る(to do)，〔…を目指して〕励む(try)〔*for, after, toward*〕 ‖ *strive to* improve working conditions 労働条件改善の努力をする／ *strive for* accuracy in one's work 仕事の正確さを目標に励む． **2**《正式》〔…に抗して〕奮闘する〔*against*〕 ‖ *strive*

against temptation 誘惑と戦う.
striv·en /strívn/ 動 strive の過去分詞形.
strobe /stróub/ 名 C 〘略式〙 =strobe light.
stróbe líght 〘写真〙ストロボ, 閃(せん)光灯.
strode /stróud/ 動 stride の過去形.

†**stroke**¹ /stróuk/ 名 C **1** 一撃, ひと打ち, 打つこと, 打撃 ‖ *with one stroke* of the axe おのの一撃で / *a stroke of* the whip むちのひと打ち. **2** (繰り返される動作の)1回の動作(水泳・オールなどのひとかき, 泳法;〈ゴルフなどの〉ひと打ち) ‖ row with a powerful *stroke* of the oars オールの強いひとかきでボートをこぐ / He cannot swim a *stroke*. 彼はひとかきも泳げない. **3** [a ~] (運などの)訪れ, 巡り合わせ; 発生 ‖ *a stroke of* luck [bad luck] 思いがけない幸運[不運]. **4** (心臓などの)鼓動, 脈拍. **5** (ペン・鉛筆・筆などの)ひと筆, 筆の運び, 筆法;(文学作品の)筆致;(文字の)一画;〘英〙斜線 ‖ This picture is painted with vigorous *strokes*. この絵は力強い筆の運びで描いてある. **6** [a ~] ひと働き[仕事];(目的を達成しようとする)努力, 奮闘 ‖ *a stroke* for freedom 自由を求める努力. **7** 〘通例 a ~〙手腕, 手ぎわ;手柄, 業績;成功 ‖ *a stroke* of genius 天才的手腕. **8** (卒中・日射病などの)発作. **9** (時計・鐘などの)打つこと[音];打つ時間 ‖ *on* [*at*] *the stroke of* three ちょうど3時に. **10** (ボートの)整調(手). **11** 〘機械〙(ピストンなどの)一行程(の距離).
at [*in*] *a* [*óne, síngle*] *stróke* 一撃で;一挙に, たちまち.

†**stroke**² /stróuk/ 動 他 **1** 〈人が〉〈動物など〉をなでる, さする;〈手など〉で[…を]なでる〔*on, over*〕‖ She *stroked* the fur with her right hand. 彼女は右手で毛皮をなでた / She *stroked* her right hand *on* [*over*] the fur. 彼女は右手で毛皮をなでた. **2** 〈人〉をなだめる(+*down*).
——名 C ひとなで, なでること.

†**stroll** /stróul/ 動 自 **1** 〈人が〉ぶらぶら歩く, 散歩[散策]する(cf. wander) ‖ The couple *strolled* arm in arm in the park. カップルは腕を組んで公園を散歩した. **2** 放浪する, さまよう;〈芸人などが〉巡業する.
——他 …をぶらつく, 散歩[散策]する ‖ *stroll* the streets 街をぶらつく.
——名 C 〘通例 a ~〙 ぶらぶら歩き, 散歩 ‖ He went for a short *stroll* after dinner. 彼は夕食後短い散歩に出かけた.

†**stroll·er** /stróulər/ 名 C **1** ぶらぶら歩く[散歩する]人. **2** 放浪者;旅役者, 巡業者. **3** 〘米〙(折りたたみ式の)ベビーカー(〘英〙 push-chair).

:**strong** /str5(:)ŋ/
⑭ strength (名), strengthen (動), strongly (副)
——形 (~·er/str5(:)ŋgər/, ~·est/str5(:)ŋgist/)〈◆ 比較変化の発音注意〉
I [人が強い]
1 〈人などが〉力が強い(powerful);〈人・体が〉丈夫な, 健康な, 強健[壮]な;筋骨のたくましい(⇔ weak);〔遠回しに〕太った(→ fat 形 1a) ‖ *strong* arms 強い腕 / a *strong* body たくましい体 / the *stronger* sex 男性((PC) man) (⇔ the weaker sex) / He is *strong* enough to undergo an operation. 彼は手術を受けられるだけの体力がある 〈◆ be *strong* to do ではなく, be *strong* enough to do の構文で用いる〉.
2 [名詞の前で] 〈意志・信念などが〉強い, 強固な;熱心な, 熱烈な ‖ *strong* beliefs 強い信念 / a *strong* will 強固な意志 / *strong* determination 固い決意 / a *strong* socialist 熱烈な社会主義者 / He

has a *strong* desire to meet you. 彼はあなたに会いたいという強い願望を持っている.
3 (ある点・分野に)強い, 有能な;〔学科などが〕得意である〔(米) *in*, (英) *on*〕‖ one's *strong* point (人の)得意な点;長所 / She is「*strong in* [good at] French. 彼女はフランス語が得意である.
4 〈議論・論拠などが〉説得力のある, 納得させる;〈劇・場面などが〉感動的な;〈出演者が〉豪華な ‖ a *strong* argument 説得力のある議論;強力な論拠. **5** 勢力[権力, 能力]のある, 有力な;多数の, 優勢な ‖ a *strong* army 優勢な軍隊 / a *strong* candidate 有力な候補者 / a *strong* ruler 強大な支配者.
II [物が強い]
6 〈物が〉丈夫な, 頑丈な, もちがよい;〈握りなどが〉しっかりした;(攻撃などに対して)強力な ‖ *strong* furniture 丈夫な家具 / a *strong* bench 頑丈なベンチ / *strong* glue 強力な接着剤 / She took a *strong* hold on the rope. 彼女はロープをしっかりと握った.
7 a 〈手段などが〉強い;〔…に〕手厳しい〔*on*〕;〈作品などが〉力強い;〈言葉が〉激しい, 下品な ‖ *strong* measures 強硬な措置. **b** 〘主に英略式〙〔補語として〕〈事が〉強くて受け入れられない. **8** 〈風・打撃などが〉強い, 激しい;〈光・色・香りなどが〉強烈な;〈においが〉鼻をつくような, 悪臭を放つ;〈声がしっかりとして〉高い ‖ a *strong* wind 強い風 / a *strong* smell 強烈なにおい / a *strong* heartbeat しっかりした心臓の鼓動 / *strong* cheese つんと鼻をつくようなにおいのするチーズ / the *strong* light of the sun 太陽の強烈な光. **9** 〈お茶・コーヒーなどが〉濃い;〈飲料がアルコールを含んだ, (特に)強いアルコール性の(⇔ weak);〈薬が〉強い成分の, よく効く 〈使い分け〉 → thick 形 5〙 / *strong* tea 濃い紅茶 / a *strong* remedy よく効く薬. **10** 〈可能性が〉大きい;〔数詞の後で〕総勢…人の ‖ a force 5,000 *strong* =a 5,000-*strong* force 総勢5千人の勢力. **11** 〘商業〙〈市場・価格が〉強気の, 上昇気味の. **12** 〘文法〙〔通例名詞の前で〕強変化の, 不規則変化の(⇔ weak) 〈◆(1) 英文法では irregular がふつう.(2) 比較変化しない〉. **13** 〘光学〙〈レンズが〉強力な, 高倍率の出る.
——副 強く, 強力に, 強烈に;激しく, 勢いよく.
be (*still*) *góing stróng* 〘略式〙〈人が(老いてなお)〉元気[達者]である;〈機械などが(古くなってなお)〉機能している, 動いている.

stróng bréeze 〘気象〙大風《秒速10.8-13.8m.→ wind scale》.

stróng gále 〘気象〙大強風《秒速20.8-24.4m.→ wind scale》.

stróng póint (1) 長所, 利点;得意. (2) 〘軍事〙 [one's ~] 拠点.

strong-arm /str5(:)ŋà:rm/ 〘略式〙 形 腕ずくの, 高圧的な.——動 他 〘主に米〙…に暴力をふるう;…から強奪する. **stróng-àrm táctics** 実力行使.

strong·box /str5(:)ŋbɑ̀ks | -bɔ̀ks/ 名 C (貴重品・金銭を保管する)金庫.

†**strong·hold** /str5(:)ŋhòuld/ 名 C **1** (やや古) とりで, 要塞(fort). **2** (活動などの)本拠地, 拠点.

†**strong·ly** /str5(:)ŋli/ 副 **1** 強く;強硬に ‖ a *strongly*-worded reply 強い調子の返事 / I *strongly* advise you to do so. そうするように強く忠告します. **2** 強固に, 頑丈に.

〖語法〗次の例では strongly は不可: She held his hand *firmly* [*tightly*, ˣ*strongly*]. 彼女は彼の手を強く握った.

strong-mind·ed /strˈɔːŋmάindid/ 形 断固とした, 決然とした.

stron·ti·um /strάnʃiəm|strɔ́tiəm/ 名 U〖化学〗ストロンチウム《アルカリ土類金属. 記号 Sr》.

stróntium 90 ストロンチウム90《核分裂により放射される人体に有害な放射性同位元素》.

strop /strάp|strɔ́p/ 名〖(かみそりをとぐ)革砥(か).

stro·phe /stróufi/ 名 1〖歴史〗(古代ギリシアの)舞踏隊の左方転回; その時に歌う合唱歌. 2〖詩〗連, 節(stanza).

strove /stróuv/ 動 strive の過去形.

★struck /strˈʌk/ 動 strike の過去形・過去分詞形.
—— 形 ストで閉鎖中の, ストの影響をうった.

†struc·tur·al /strˈʌktʃərəl/ 形〖正式〗構造の, 構成の; 構造上の ∥ *structural* defects 構造上の欠陥.

★struc·ture /strˈʌktʃər/ 名〖組み立てる(struct)こと(ure). cf. construct〗 structural(形)
—— 名 (複~s/-z/) 1 C U 構造, 構成, 組織, 機構, 組み立て ∥ cell *structure* 細胞組織 / The family *structure* in Japan has changed recently. 日本の家族構成は最近変化した / the *structure* of the atom 原子の構造. 2 C 建物, 建造物, ビル, 橋《◆ building より堅い語》.
—— 動 他 …を組み立てる.

★strug·gle /strˈʌɡl/ (類語 straggle /strˈæɡl/)〖「争う」が原義〗
—— 動 (~s/-z/) (過去・過分) ~d/-d/; **strug·gling**)
—— 自 1〈人が〉(自由になろうと)〔…と〕闘う(fight, combat)〈◆「敵と戦う」意では用いない〉; 〔…に〕取り組む〔with, against〕; 〔…しようと/…のために/…のことで〕奮闘する, 努力する〔to do / for / over〕 ∥ *struggle* with illness [*against* injustice] 病気[不正]と戦う / *struggle* for independence 独立のために戦う / *struggle* to preserve freedom 自由を守るために戦う.
2〔人・動物が〕(自由になろうと)もがく, あがく, じたばたする; 〔…しようと〕もがく〔to do〕∥ A bird *struggled* to get free from the snare. 小鳥がわなからのがれようともがいた.
3〔…へ/…の中を〕苦労して進む〔+along, through〕〔to / through, in〕; 〈略式〉苦労してやっていく, 苦しい生活をする〔+along, on〕 ∥ *struggle* through the mud. 泥の中を苦労して進む.
—— 名 (複~s/-z/) C 1 〔通例 a ~〕苦闘, 努力 ∥ have a *struggle* to keep up with the times 時勢に遅れないでついていくのに苦労する.
2〔…の間の〕戦い, 戦闘〔between〕; もみ合い; 〔…を得ようとする〕争い〔for〕 ∥ a *struggle* for existence [life] 生存競争.
3〔…しようとする〕もがき, あがき〔to do〕.

strum /strˈʌm/ 動 (過去・過分) **strummed**/-d/; **strum·ming**) 他〈楽器·弦〉をへた[いい加減]にひく, かき鳴らす. —— 自〔…を〕へた[いい加減]にひく, かき鳴らす〔on〕.

strung /strˈʌŋ/ 動 string の過去形・過去分詞形.

†strut /strˈʌt/ 動 (過去・過分) **strut·ted**/-id/; **strut·ting**) 自〈クジャク・シチメンチョウなどが〉尾を立てて誇らしげに歩く; 〈人が〉気取って[そりかえって]歩く(+about, along). —— 名 [a ~] 気取って歩くこと; その歩きぶり[歩き方].

†strych·nine /strˈiknain, -niːn|-niːn/ 名 U〖化学〗ストリキニーネ, ストリキニン.

†Stu·art /stjúːərt/ 名 1 スチュアート《男の名》. 2〖英史〗[the ~s] スチュアート王家《スコットランド(1371-1603)とイングランド(1603-1714)を統治

した. James I, Charles I & II, James II, Mary, Anne など》. 3 C スチュアート家の一員.

†stub /stˈʌb/ 名 C 1 (鉛筆・ろうそくなど)使い残り, (タバコの)吸いがら. 2〔主に米〕(小切手帳・受取帳などの)控え, (切符・入場券などの)半券(英) counterfoil.
3 (木の)切り株, (倒木・歯などの)根, 切り[折れ]残り.
—— 動 (過去・過分) **stubbed**/-d/; **stub·bing**) 他 1〈つま先など〉を[切り株・石などに]ぶっつける〔against〕.
2〈タバコ〉を押しつぶして火を消す〔+out〕.

†stub·ble /stˈʌbl/ 名 U 1〖時に ~s〗(麦・トウモロコシなどの)刈り株; [集合名詞] =stubble field. 2 刈り株に似たもの; 無精ひげ.

stúbble field /刈り株畑.

†stub·born /stˈʌbərn|-bn/ 形 1〈人が〉〔…に関して〕(生まれつき)頑固な, 強情な, 片意地な(obstinate)〔about〕《◆マイナスのイメージが強い語. obstinate, pig-headed, rigid も同様. firm, steadfast にはプラスのイメージがある》∥ a *stubborn* child 頑固な子供 / He is too *stubborn* to change his mind. 彼はまったく強情だから決心を変えない. 2〈行動などが〉頑強な, 断固とした; 〈信念などが〉不屈の ∥ *stubborn* resistance 頑強な抵抗 / a *stubborn* refusal 断固たる拒絶. 3〈動物などが〉扱いにくい; 〈問題などが〉処理しにくい, 手に負えない; 〈病気などが〉治りにくい; 〈石・木材などが〉堅い; 〈金属などが〉融けにくい ∥ a *stubborn* cough なかなかとまらないせき.

†stub·born·ly /stˈʌbərnli|-bn-/ 副 頑固に; 強情に, 断固として.

†stub·born·ness /stˈʌbərnnəs|-bn-/ 名 U 頑固さ, 強情, 不屈.

†stuc·co /stˈʌkou/〖イタリア〗名 (複 ~es, ~s) U C 化粧しっくい(細工).

†stuck /stˈʌk/ 動 stick² の過去形・過去分詞形.

stuck-up /stˈʌkˈʌp/ 形〈略式〉高慢な; うぬぼれた; 傲(ご)慢な, 横柄な.

†stud /stˈʌd/ 名 C 1 びょう, 飾りびょう[くぎ]. 2 飾りボタン, カフス[カラー]ボタン《(米) collar button》《◆〔英〕では collar stud ともいう》. 3 (建物の)間柱(ましら).
—— 動 (過去・過分) **stud·ded**/-id/; **stud·ding**) 他 1 …に飾りボタンをつける, 飾りびょうを打つ.
2〖文〗〖通例 be ~ded〗〔…が〕ちりばめられている〔with〕 ∥ a crown (which is) *studded* with diamonds ダイヤモンドをちりばめた王冠. 3〖通例 be ~ded〗〔…が〕点在[散在]する〔with〕 ∥ a sea (which is) *studded* with sails of yachts ヨットの帆が点在する海.

stud·ding /stˈʌdiŋ/ 名 U〖建築〗間柱(ましら)(材).

★★stu·dent /stjúːdnt/〖努力する(study)人(ent). cf. president〗
—— 名 (複 ~s /-dnts/) C 1 学生《◆〔米〕では中学以上の生徒・学生, 今では時に小学生をさすこともある.〔英〕では大学生をさしたが, 今ではそれより下の生徒にも用いられるようになってきた. cf. pupil¹》∥ Next April she will be a university *student*. 来年の4月に彼女は大学生になる / a medical *student* 医学生 / She is *a student at* Oxford University [High School]. 彼女はオックスフォード大学[高校]の学生だ《◆She *studies* at Oxford … の連想から at が用いられる》.
2〖正式〗研究者, 学者, 研究家 ∥ He is *a student of* English. =He is an English *student*. 彼は英語学者だ, 英語の研究者だ《◆ He *studies* English から目的を表す前置詞の of が用いられる》.

stúdent cóuncil 学生自治委員会.

stúdent extrémist 過激派学生.
stúdents[(英) **stúdents'**] **únion** (1) [単数・複数扱い] 学生自治会. (2) 学生会館.
stúdent téacher 教育実習生, 教生.
†**stu・di・o** /stjúːdiòu/ 图 © **1** (画家・写真家などの)仕事場, アトリエ, 工房 ‖ The painter has a newly-built studio. その画家は新しく建てたアトリエを持っている. **2** (テレビ・ラジオの)スタジオ, 放送室 ‖ a TV [recording] studio テレビスタジオ[録音室]. **3** [しばしば ~s] 映画撮影所[室, 会社]. **4** ダンス練習場.
stúdio apàrtment (米)(台所・浴室付きの)1室アパート, ワンルームマンション((英) studio flat; cf. (英) bed-sitter).
stúdio áudience [集合的名詞として] (公開番組に観客として参加する)視聴者.
stúdio flát (英) =studio apartment.
†**stu・di・ous** /stjúːdiəs/ 形 (正式) **1** 勉強好きな, 学問に励む(hard-working) ‖ a studious pupil 勉強好きな生徒. **2** 熱心な; […に]気を配った(of). **3** (正式) 慎重な, 入念な.
†**stu・di・ous・ly** /stjúːdiəsli/ 副 (正式) **1** 熱心に. **2** 慎重に, 注意して.

:**stud・y** /stʌ́di/ [『「努力する」が原義. cf. student]
──图 (複 **~ies**/-z/) **1** © (…の)研究, 学問; 調査, 検討; [しばしば studies] (従事している)研究, 学業(in, on, of) ‖ the study of literature 文学の研究 / She made Chinese history her life('s) study. 彼女は中国史を一生の研究課題とした / make a study of ancient history 古代史を研究する / Studies in English Adverbial Usage (書名)『英語副詞用法の研究』.
2 Ⓤ [時に studies] 勉強, 勉学, 学習 ‖ He spent two hours each day in study. 彼は毎日2時間を勉強に費やした.
3 © 研究対象[題目]; 研究論文, 論考; [通例 studies] 学科 ‖ cultural studies 教養学科 / His study was mass psychology. 彼の研究対象は群集心理であった.
4 © [a ~] 研究に値するもの, 見もの ‖ The picture was a real study. その絵はほんとに見ものだった.
5 © 書斎, 勉強部屋, 研究室(cf. den) ‖ 《対話》"Where is Dad?" "He is in his study." 「パパはどこ」「書斎にいるわよ」.
6 © [美術] 習作, スケッチ; [音楽] 練習曲, エチュード(étude) ‖ a study of a flower 花のスケッチ.
──動 (**~ies**/-z/; 過去・過分 **~ied**/-d/; **~・ing**)
──他
Ⅰ [勉強する]
1a 〈人が〉〈学科などを〉**勉強する**, 研究する, 習う 《◆ learn は「覚える」「習得する」という結果的意味で, study は「そのために努力して勉強する」の意》; 〈本などを注意深く読む〉 ‖ study medicine 医学を勉強する. **b** 〈俳優が〉〈せりふを〉覚えようとする, 練習する ‖ study a part for a play 劇のせりふを覚える.
Ⅱ [研究のために調べる]
2 〈人が〉〈物・事を〉(詳しく)**調べる**, 調査する(look up) ‖ study the matter その問題をよく吟味する / study the road map [his works] 道路地図[彼の業績]を詳しく調べる.
3 (正式) 〈人・物を〉注意深く観察する, 注視する, じろじろ見る ‖ He studied my face before he answered. 彼は返事をする前に私の顔をじっと見た.

Ⅲ [その他]
4 〈他人の希望・利益などを〉考慮する ‖ study the convenience of others 他人の便宜をはかる.
──自 **1** 〈人が〉[…に関して/…のもとで] **勉強する**, 研究する; 調査する(about / under, with) ‖ study about English 英語について勉強[研究]する / study English 英語(そのもの)を勉強(する)] / study for an entrance exam 受験勉強をする / study under [with] Dr. Johnson ジョンソン博士の指導のもとで勉強する / She studies at T College. 彼女はT大学で勉強している[T大学の学生だ].
2 (正式) […するよう]努力する, 気を配る(try hard) (to do).
stúdy óut 他 (1) 〈人が〉〈方法などを〉考え出す, 案出する. (2) 〈人が〉〈問題などを〉解く, 解決する.
stúdy úp on A (米略式) 〈物・事を〉注意深く調べる [研究する].
stúdy gròup [**cìrcle**] 研究グループ.
stúdy hàll (米) 自習室, 自習時間.
stúdy pèriod (米) (時間割に組み込まれた)自習時間.

*****stuff** /stʌf/ [原音] staff /stæf | stɑːf/ [「物質(material)」が原義]
──图 Ⓤ
Ⅰ [物]
1 [通例複合語で] (略式) (漠然と)**物**, こと; 持ち物《◆ thing, matter という口語的; 食べ物, 飲み物《◆ food, drink の代用語》; 薬; (俗) 麻薬; マリファナ ‖ the hard stuff ウイスキー / kid's stuff いとも簡単なこと / I can't drink such sweet stuff. こんな甘いものを飲めやしない / She baked cakes and stuff like that. 彼女はケーキとかそういったものを焼いた.
2 Ⓤ© (英古) 織物, (特に)毛織物, ラシャ.
3 (略式) [しばしば poor [weak, dreadful] ~] くだらないもの, がらくた; ばかげたこと[考え, 話].
Ⅱ [物の材料]
4 (略式) 材料, 原料, 資料《◆ material より口語的》 ‖ the stuff for a book 本を書く資料.
5 (略式) (物事の)要素, (人の)素質, 才能; 専門(分野); (文) [the ~; おおげさに] 本質 ‖ She has the stuff in her to be a great pianist. 彼女には偉大なピアニストになれる素質がある.
and stúff (主に米略式) =and all (all 囮 成句).
dó [**shów**] **one's stúff** (略式) 本領を発揮する, 実力を示す.
Thát's the stúff (**to gíve 'em** [**the tróops**]). (略式) (同意・是認を表して)その通りだ.
──動 (**~s**/-s/; 過去・過分 **~ed**/-t/; **~・ing**)
──他 **1** [stuff A with B =stuff B in [into] A] 〈人が〉A〈入れ物〉にB〈物を〉詰める, 詰め込む; まくらなどに〉詰め物をする《◆ しばしば急いで乱雑に詰め込むことを含意》 ‖ stuff a pillow まくらに詰め物をする / stuff one's head with facts 頭に事実を詰め込む / She stuffed her old letters (down) into the box. =She stuffed the box with old letters. 彼女は古い手紙を箱に詰め込んだ.
2 …を[…で]ふさぐ(+up)(with) ‖ My nose is stuffed up. 私は鼻が詰まっている.
3 〈食用の鳥に〉調味料を詰める. **4** 〈鳥・獣などを〉剥(は)製にする(ために詰め物をする). **5** (略式) 〈人に〉[…を]腹いっぱい食べさせる(with); 〈食物を〉〈人に〉腹いっぱい食べさせる(into) ‖ stuff oneself with cake ケーキを腹いっぱい食べる.
──自 (略式) たらふく食べる.
stuff・ing /stʌ́fiŋ/ 图 Ⓤ 詰めること; (枕などの)詰め物;

stuff·y /stʌ́fi/ 形 (-i·er, -i·est) **1**〈部屋などが〉風通しの悪い；〈空気などが〉むっとする． **2**〈鼻が〉詰まった． **3** 面白くない，つまらない． **4**《略式》〈人が〉堅苦しい，古くさい(dull)；思いあがった，うぬぼれた；不機嫌な，むっつりした．

stul·ti·fy /stʌ́ltəfài/ 動 他 **1**《正式》…を無益[無意味]なものにする． **2**〈時に ~ oneself〉…を愚かに見せる，…の恥をかかす．

†**stum·ble** /stʌ́mbl/ 動 自 **1** 〔…に〕つまずく〔on, over〕，よろよろ[つまずき]ながら歩く(+along, through)，あちこちぶつかり[つまずき]ながら歩く(+along, about, around)；〔…に〕(ぎこちなく)ぶつかる〔against〕；〔…に〕ぎこちなく動く〔to〕‖ *stumble on* [*over*] *a stone* 石につまずく / *A drunken man is stumbling along the street*. 酔っ払いがよろよろと通りを歩いている． **2**〔…で〕とちる，まごつく，間違える〔at, over〕；〔…を〕とちりながら言い終える〔through〕‖ *stumble at* [*over*] *a long word* 長い単語でとちる / *stumble through a recitation* とちりながら暗唱する． **3** 偶然〔…に〕出くわす，〔…を〕発見する〔across, (up)on, on(to), into〕；〔…に〕偶然入り込む〔into〕‖ *stumble across* [*upon*] *a clue* 偶然手がかりをつかむ / *stumble into him in the store* 店でばったり彼に会う．──名 C **1** つまずき，よろめき‖ *take a bad stumble* ひどくつまずく． **2** 失敗，へま(blunder)，とちり‖ *a stumble in one's speech* 演説中のとちり． **3** 罪，過失．

stúmbling blòck 〖聖〗〔…の〕妨げ，障害(物)〔to〕；難点．

†**stump** /stʌ́mp/ 名 C **1**（木の）切り株；《略式》(折れた)歯の根，(切れた)手[足，尾]の基部；(鉛筆・巻きタバコなどの)短い使い残り‖ *sit on a tree stump to rest* 木の切り株に腰をおろして休む． **2**《主米》(政治演説をするための)演壇《◆ 木の切り株を台に使ったことから》；遊説．

ùp a stúmp 《米略式》困惑して，途方に暮れて，しどろもどろで．

──動 他 **1**《主米》〈地域〉を遊説して回る． **2**《クリケット》〈打者〉をアウトにする． **3**《略式》〈人〉を困らせる，途方に暮れさせる(puzzle)‖ *be stumped for words* 言葉に詰まる / *This question stumped me completely*. この問題にはほとほと手を焼いた．──**1**《主米》遊説する；〔…を〕応援する〔for〕． **2** 重い足取りで[どしんどしんと音をたてて]歩く(+along, about).

stúmp úp《英略式》[自] 金をしぶしぶ払う．──[他]〈金〉を(しぶしぶ)払う．

stúmp òrator [**spèaker**] 選挙演説をする人．

stump·y /stʌ́mpi/ 形 (-i·er, -i·est) **1**〈土地が〉切り株の多い． **2**《略式》短くて太い，ずんぐりした．

†**stun** /stʌ́n/ 動（過去・過分 **stunned**/-d/; **stunning**) 他 **1**…を気絶させる，失神させる． **2**〈通例 be ~ned〉(喜び・驚きなどで)動転[当惑]する，茫(ぼう)然とする‖ *be stunned by* [*at*] *the news of king's death* 王の死を知って気が動転する．──名 C U 打撃，衝撃．

stung /stʌ́ŋ/ 動 sting の過去形・過去分詞形．

†**stun·ning** /stʌ́niŋ/ 形 **1**《略式》美しい，とても魅力的な；かっこいい． **2** 驚くべき，びっくりさせる；(耳を)つんざく．

†**stunt**[1] /stʌ́nt/ 動 他〈成長などを〉妨げる，…の成長を妨げる‖ *stunt the growth of a plant* 植物の成長を止める．

stunt[2] /stʌ́nt/ 名 C《略式》**1** スタント，曲芸(飛行)；離れわざ，妙技． **2**〈通例 a ~〉扇情的な[人目を引く]行為；危険な[無謀な]行為．──動 自《…で》曲芸(飛行)をする；離れわざ[妙技]を見せる．

stúnt flýing 曲芸飛行(aerobatics).

stúnt màn [**wòman, pèrson**]〖映画〗スタントマン《危険なシーンで代役をつとめる人》．

stunt·ed /stʌ́ntid/ 形 矮小(わいしょう)化した，成育不全の‖ *stunted pine trees* いじけた[盆栽の]松の木．

†**stu·pe·fy** /st(j)úːpəfài/ 動 他〈通例 be stupefied〉**1** ぼーっとする，意識[感覚]が鈍る． **2**《正式》驚愕(きょうがく)[仰天]する．

†**stu·pen·dous** /st(j)uːpéndəs/ 形《正式》並みはずれた(astonishing)；とてつもない．

*†**stu·pid** /st(j)úːpəd/ 形 〖『驚いてぼんやりした』が原義〗──形 (**more** ~, **most** ~; ~**er**, ~**est**) **1**〈人・動物がばかな，愚かな(↔ clever)；〈行為などが〉ばかげた，くだらない《◆ **foolish** より強意的．遠回しには backward, retarded》‖ *make a stupid decision* ばかげた決定をする / *It was stupid of* [*for*] *me to leave the secret documents in the train.* = *I was stupid to leave the secret documents in the train.* 秘密書類を電車の中に置き忘れるなんてどうかしていました(⇨文法 17.5).
2〈本・話などが〉面白くない，退屈な． **3**《正式・今はまれ》[補語として]〈人が〉[疲労などで]ぼーっとした，無感覚の〔with, from〕；(酔って)正気を失って(dazed)． **4**《略式》[名詞の前で]いまいましい，むかつく‖ *This stupid door won't open.* このくそいまいましいドアはどうしても開かない．──名 C《略式》[呼びかけ] ばか，おばかさん，まぬけ，のろま．

†**stu·pid·i·ty** /st(j)uːpídəti/ 名 U 愚かさ；愚鈍；C〈通例 stupidities〉愚行，愚かな考え[発言]．

†**stu·pid·ly** /st(j)úːpədli/ 副 愚かに(も)，ばかげたことに；[文全体を修飾] 愚かなことに‖ *He stupidly loaned his boss some money.* 彼は愚かなことに上司に金を貸してしまった．

†**stu·por** /st(j)úːpər/ 名 C U 《正式》**1** 意識朦朧(もうろう)，人事不省；麻痺(ひ)[昏睡(こんすい)]状態． **2** 茫(ぼう)然自失，当惑．

†**stur·di·ly** /stə́ːrdili/ 副 しっかりと；断固として．

†**stur·dy** /stə́ːrdi/ 形 (-**di·er**, -**di·est**) **1**〈人・動植物が〉たくましい，屈強な，元気な《◆ **strong** より堅い語》‖ *He is small but sturdy.* 彼は小柄だが頑強だ． **2**〈物が〉丈夫な(作りの)，頑丈な‖ *sturdy furniture* しっかりした家具． **3**〈勇気などが〉不屈の，〈考えなどが〉しっかりした，健全な；〈反対などが〉断固とした‖ *sturdy courage* 不屈の勇気．

stúr·di·ness 名 U たくましさ；強健，不屈．

stur·geon /stə́ːrdʒən/ 名〖魚〗チョウザメ(類)《◆ 「はらこ」の塩づけが caviar》．

stut·ter /stʌ́tər/ 動 自 他〈…を〉(ふつう最初の子音で)つまる，どもる；(習慣的に)どもってしゃべる(+out)；つまったような音を出す．──名 C〈通例 a ~〉どもること[癖]．

stút·ter·er 名 C どもる人．**stút·ter·ing·ly** 副 どもりながら．

sty[1] /stái/ 名 C **1** 豚小屋《◆ **pigsty** がふつう》． **2** うすぎたない[いかがわしい]所[家]，売春宿．──動 自 豚小屋に住む．──他 …を豚小屋に住ませる[入れる]．

sty[2], **stye** /stái/ 名〖医学〗麦粒腫，ものもらい，めぼ‖ *have a sty(e) in the* [*one's*] *eye* 目にものもらいができる．

Styg·i·an /stídʒiən/ 形 **1** 三途(さんず)の川(Styx)の；地獄[あの世](Hades)の． **2**〈しばしば s~〉《文》暗い，

陰気な; 地獄のような.

***style** /stáil/ 「とがった書く道具」が原義. cf. stimulus) **stylish** (形)
——名 (複 ~s/-z/)
I [行動などの様式]
1 ©U (行動・生活などの) **様式, 方法**, しかた ‖ *styles of living* 生活様式 / cook ((in)) (the) French *style* フランス風に料理する.
2 (略式) (個人の) 流儀, 趣向; 特徴, 個性.
3 ©U (服・髪などの) **型**, スタイル (◆体つきについては用いない. 「よいスタイル(の体つき)」は a good figure); 流行型 [類語] fashion, mode, trend, vogue) ‖ a new *style* of hat 新型の帽子 / set the *style* of dress 新型の服を作り出す / Her dress is *in [out of] style*. 彼女の服は流行に合って[遅れて]いる.
4 Ⓤ (正式) 上品さ, 気品, 品格, 風格 ‖ She has *style*. 彼女は気品がある(cf. She has *a style*. → 7). **5** © [~ of ...] 種類 (◆of の後の名詞は単数形で無冠詞) ‖ every size and *style* of mirror あらゆる大きさと種類の鏡 / This is not my *style* of poem. これは私の好きなタイプの詩ではない. **6** © (正式) 称号, 称呼, 肩書き; 商号, 屋号(title).
II [書くときの様式]
7 ©U 文体; 話しぶり; 表現形式 ‖ many different *styles* of architecture いろいろな種類の建築様式 / write *in a formal style* 形式ばった文体で書く / She has a good *style*. 彼女はよい文体の文章を書く.
8 © (ろう板に字を書く) 尖(た)筆; (日時計・蓄音機の) 針; 彫刻刀; [医学] さぐり針, スタイレット; [植] 花柱 (図 → flower).
in style (1) ~ 3. (2) [live と共に] ぜいたくに; [do things の後で] りっぱに, さっそうと.
——動 (**styl·ing**) ⓣ **1** (正式) ...を(...と)呼ぶ, 称する(call) ‖ They *style* him a revolutionary. 彼は革命家と呼ばれている. **2** ...を(流行に合わせて)作る[デザインする, 設計する].

-style /-stail/ [語要素] → 語要素一覧(1.2).

style·book /stáilbùk/ 名 **1** スタイルブック (◆ドレスメーカーが服を図式で研究するためのもの). **2** 執筆[印刷]便覧.

sty·li /stáilai/ 名 stylus の複数形.

sty·ling /stáilin/ 動 → style.

†**styl·ish** /stáiliʃ/ 形 流行の, 流行に合った; 上品な, スマートな ‖ dress in *stylish* clothes 流行に合った服を着る. **stýl·ish·ly** 副 流行に合わせて; スマートに.

styl·ist /stáilist/ 名 © **1** 名文家, 名演説家. **2** (服・室内装飾などの)デザイナー, スタイリスト (◆「服装などにこる人」の意はない). **3** 美容師(hairstylist).

sty·lis·tic, -ti·cal /stailístik(l)/ 形 (正式) 文体(上)[絵画様式]の, 文体論の.

sty·lis·tics /stailístiks/ 名 Ⓤ [単数扱い] 文体論.

sty·lus /stáiləs/ 名 (複 -**li**/-lai/, ~ **es**) © **1** (レコードプレーヤーの)針. **2** (ろう板に字を書く)尖(た)筆.

sty·mie, sty·my /stáimi/ 名 © **1** [ゴルフ] スタイミー 《妨害球が置かれている状態》. **2** (略式) 妨害(物), 障害(物), 難局. ——動 他 **1** [ゴルフ] [通例 ~ oneself] スタイミーの状態にする, 困った状態になる. **2** ...を妨害する, じゃまする. **3** (略式) [通例 be stymied] 困った目にあう.

styp·tic /stíptik/ 形 [医学] 血止めの; 収斂(れん)性の ‖ a *styptic* pencil 止血棒剤. ——名 © 血止め[収斂]剤.

†**Styx** /stíks/ 名 《ギリシア神話》[the ~] ステュクス, 三途(ず)の川 (◆その渡し守は Charon) ‖ (as) black as *Styx* 真っ暗な / cross *the Styx* 死ぬ (◆die の遠回し表現).

†**suave** /swɑ́ːv/ 形 (時に ~r, ~st) (人が) 温和[温厚]な, 態度などがやわらかい; (表面上) ていねいな, 上品な.

sua·vi·ty /swɑ́ːvəti/ 名 **1** Ⓤ 温厚, 上品さ; まろやかさ. **2** © [通例 suavities] 温和な[いんぎんな]態度, 上品な言葉.

sub /sʌ́b/ (略式) 名 © **1** =*sub*altern. **2** =*sub*marine. **3** =*sub*ordinate. **4** (英) =*sub*scription. **5** =*sub*way. **6** =*sub*stitute (控え選手). **7** (英) (給料の)前借り.
——動 (過去・過分 **subbed**/-d/; **sub·bing**) 自 [(...)の]代わりをする [*for*]. ——他 (英) (...に) (給料の前借り)を渡す[受ける].

sub- /sʌb-, səb-/ [語要素] → 語要素一覧(1.7).

sub·al·tern /səbɔ́ːltərn | sʌ́bəltn/ 名 © **1** [英軍] 准大尉(の). **2** 下級者[部下](の), 助手(の).

sub·com·mit·tee /sʌ́bkəmìti-/ 名 © [単数・複数扱い] 小委員会; 分科会.

sub·com·pact /sʌ̀bkɑ́mpækt/ ∠∠′ 名 © (米) 準小型(経済)自動車(subcompact car).

†**sub·con·scious** /sʌbkɑ́nʃəs |-kɔ́n-/ 形 潜在意識の ‖ from a *subconscious* [×*unconscious*] desire for praise 人にほめられたいというなかば無意識的な願望から.

[語法] 次例では subconscious は不可: The blow knocked him *unconscious* [×*subconscious*]. その一撃で彼は意識を失った.

——名 [the/one's ~] 潜在意識.

sub·cón·scious·ly 副 潜在意識的に, 意識下で.

sub·cón·scious·ness 名 Ⓤ 潜在意識.

sub·con·ti·nent /sʌ̀bkɑ́ntənənt |-kɔ́nti-/ 名 [しばしば the S~] © 亜大陸《インドなど》.

sùb·con·ti·nén·tal 形 亜大陸の.

sub·con·tract 名 /sʌ̀bkɑ́ntrækt |-kɔ́n-/ 名 下請負(契約). ——動 /sʌ̀bkəntrǽkt/ 他 ...を[...に]下請させる [*to*].

sub·cu·ta·ne·ous /sʌ̀bkjuːtéiniəs/ 形 皮下の.

sub·dea·con /sʌ̀bdíːkn/ 名 © 【カトリック】副助祭, 副補祭; 副執事.

sub·deb·u·tante /sʌ̀bdébjutɑ̀ːnt/ 名 © (米) 社交界デビュー直前の娘; ミドルティーンの娘.

sub·di·rec·to·ry /sʌ̀bdərékətəri, -dai- |-dai-, -də-/ 名 © (コンピュータ) サブディレクトリ.

†**sub·di·vide** /sʌ̀bdiváid/ 動 他 ...を[...に]再分(割)する; ...を解体する(*into*); (米) (土地)を分譲地用に小分けする. ——自 細分する.

†**sub·di·vi·sion** /sʌ̀bdivíʒən/ 名 **1** Ⓤ 再分(割); 解体. **2** Ⓤ© 再分された部分, 分譲地.

†**sub·due** /səbdjúː/ 動 他 (正式) **1** (軍隊などが) (地域・敵など)を征服する, 支配する(conquer); (反乱・暴徒など)を鎮圧[制圧]する ‖ After a long struggle, our army *subdued* the enemy. 長い戦いの末, わが軍は敵を征服した. **2** (人が) (感情)を抑える, 抑制する(control) ‖ I managed to *subdue* the urge to laugh. なんとかして笑いたいのを抑えた. **3** (照明・声などを)を和らげる, 弱める.

sub·dued /səbdjúːd/ 形 **1** 征服された, 服従させられた (↔ unsubdued). **2** (人が) おとなしい, 控え目な. **3** (声・色・光などが)和らげられた, 弱められた, 地味な.

***sub·ject** /sʌ́bdʒekt, -dʒikt, 動 sʌbdʒékt/ 「「下へ(sub) 投げる(ject)」から「研究・支配

subjection

などの対象となるもの」が本義. cf. project》

index
[名] 1 題目 2 学科 3 主語 5 臣民
[形] 1 属している 2 かかりやすい
[動] 他 1 服従させる

——[名] (複 ~s/-dʒekts, -dʒikts/) C

I [主題]

1 [題目], 主題, 話題, 議題 (類語) topic, theme); 〔音楽〕主題, テーマ ‖ Shall we change the *subject*? 話題を変えましょうか.

2 [学科], 科目, 教科 ‖「a required [an elective] *subject* 必修[選択]科目 / 〈対話〉 "What is your favorite *subject* in school?" "I like PE. I'd like to be an athlete."「学校で好きな科目は何ですか」「体育です. 運動選手になりたいです」.

3 〔文法〕[しばしば the ~] **主語**, 主部(↔ predicate)(cf. object) ‖ What is *the subject* of the following sentence? 次の文の主語はどれですか.

4 〔論理〕主辞; 〔哲学〕主観, 自我; 実体.

II [支配を受けるもの]

5 [臣民], (君主国の)国民 (◆ 共和国の場合は citizen); 家来, 臣下 ‖ I am a British *subject*. 私はイギリスの一国民です.

III [対象]

6 〈正式〉〔賞賛・苦情などの〕原因, 種; 対象(matter) 〔*for, of*〕‖ a *subject for* complaint 不平の原因.

IV [分析の対象となるもの]

7 (医学・心理学などの)実験材料になる人[動物]; 〔…の〕被験者, 患者〔*of, for*〕; 解剖死体.
Góing báck to the súbject. もとの話に戻ります.
Nót to chànge the súbject. 話題を変えるわけではありませんが《◆ 唐突に話題を変えるのは失礼なので, 前置きとしてこのように言う. 実質的には「話題を変えますが」》.

——[形] 《◆ 比較変化しない》〈正式〉**1** 〔…に〕**属している**, 服従している, 〔…の〕支配下にある〔*to*〕(↔ independent) ‖ a *subject* state 属国 / We are *subject to* the laws of our country. 我々は国の法律に従わねばならない.

2 [補語として]〔…に〕**かかりやすい**, 〔…を〕受けやすい, 〔…に〕左右される〔*to*〕‖ *Subject to* Weather Conditions. 《掲示》天候により変更することあり / The road is *subject to* flooding. その道路は冠水しやすい.

3 [補語として]〔同意などを〕条件とする, 必要とする〔*to*〕.

——[動] /səbdʒékt/ (~s/-dʒékts/; 過去・過分 ~ed/-id/; ~ing)

——[他] 〈正式〉**1**〈人・国が〉〈人・国などを〉〔…に〕**服従させる**〔*to*〕;〈心などを〉支配する ‖ The king *subjected* all the surrounding countries *to* his rule. 王は周囲の国々をすべて支配下に置いた.

2 [しばしば ~ oneself]〈人・物を〉〔…に〕さらす; 〈正式〉〈人・物に〉〔…を〕受けさせる〔*to*〕‖ *subject* a captive *to* torture 捕虜を拷問にかける / They were *subjected to* great hardships. 彼らはたいへん苦労した.

súbject màtter (1) (本などの)内容; 主題. (2) 素材, 材料.

†**sub·jec·tion** /səbdʒékʃən/ [名] U 〈正式〉征服, 支配, 制圧;〔…への〕服従, 屈服, 従属〔*to*〕‖ She lives *in subjection to* her husband. 彼女は夫の言いなりになる生活をしている.

†**sub·jec·tive** /səbdʒéktiv/ 〈正式〉**1** 主観的の, 主観的な(↔ objective); 想像上の ‖ *subjective* judgment [views] 主観的判断[見解]. **2** (まれ)〔文法〕主語の, 主格の ‖ a *subjective* case 主格 / a *subjective* complement 主格補語.

——[名] C 〔文法〕主語, 主格.

sub·jec·tiv·i·ty /sʌbdʒektívəti/ [名] U 主観性(↔ objectivity).

sub·join /sʌbdʒɔ́in/ [動] 他 〈正式〉〔おしまいに〕…を〔…に〕付け加える, 書き足す〔*to*〕.

†**sub·ju·gate** /sʌ́bdʒəgèit/ [動] 他 〈正式〉**1** …を支配[征服]する. **2** …を手なずける, 押える.

†**sub·junc·tive** /səbdʒʌ́ŋktiv/ 〔文法〕仮定[叙想]法の.

——[名] =subjunctive mood; C =subjunctive equivalent.

subjúnctive equívalent 仮定法相当語句.
subjúnctive móod [the ~]〔文法〕仮定[叙想]法.

sub·let /[動] sʌblét/ [名] =/ [動] (過去・過分) sub·let; -·let·ting) **1** …をまた貸し[また借り]する. **2** 〈略式〉…を下請に出す. ——[動] 自 また借りする.

——[名] C 〈略式〉また借り住宅.

sub·li·mate /[動] sʌ́bləmèit; [形] -mət, -mèit/ [動] 他 **1** 〔化学〕…を昇華させる;〔心理〕〈性衝動などを〉〔…に〕昇華[転化]させる〔*into*〕. **2** 〈古〉…を純化[理想化]する. ——[自] 昇華する. ——[形] 昇華された. ——[名] C 〔化学〕昇華物; 昇汞(こう).

sub·li·ma·tion /sʌ̀bləméiʃən/ [名] U **1** 〔化学〕昇華. **2** 〔心理〕昇華; 純化, 高揚; [the ~] 極致.

†**sub·lime** /səbláim/ [形] (~r, ~st) 〈正式〉**1** 荘厳な, 崇高な, 雄大な;〈女性語〉すばらしい ‖ *sublime* scenery 雄大な景観. **2** 卓越した, 抜群の, 高尚な. **3** 〈略式〉〈無知・無関心が〉ひどい, 途方もない ‖ a *sublime* lack of understanding ひどい理解不足.

——[名] [the ~] 荘厳, 崇高; 極致, きわみ ‖ *the sublime* of folly 愚の骨頂 / from *the sublime* to the ridiculous 崇高からこっけいへ; 極端から極端へ.

sub·lim·i·ty /səblíməti/ [名] U 気高さ; 高尚, 精緻(ち);[通例 the ~] 絶頂; C [しばしば sublimities] 気高い人, 高尚な物.

sub·lu·na·ry /sʌblúːnəri, 〈米+〉sʌ́blunèri/ [形] **1** 月下の, 月軌道下の. **2** 地球上の, 現世の.

****sub·ma·rine** /sʌ́bməriːn, ̀ ̀/ 〔海の(marine)下に(sub)〕

——[名] (複 ~s/-z/) C **1** 潜水艦(〈略式〉sub; 〈略〉sub.) ‖ an atomic *submarine* 原子力潜水艦. **2** 海底動[植]物.

——[形] 《◆ 比較変化しない》〈正式〉[名詞の前で] **1** 海底の, 海底に生じる ‖ *submarine* plants 海底植物. **2** 海中で使う ‖ a *submarine* cable 海底ケーブル. **3** 潜水艦による ‖ a *submarine* attack 魚雷攻撃.

súbmarine sándwich 〈米〉サブマリンサンドイッチ《◆ 形が潜水艦に似ていることから》.

†**sub·merge** /səbmə́ːrdʒ/ [動] 他 〈正式〉**1** …を〔…に〕沈める(sink); …を水びたしにする〔*in*〕. **2** …を覆い[包み]隠す(cover); …を没する ‖ He was *submerged* in debt. 彼は借金で首が回らなくなっていた.

——[自] **1**〈潜水艦が〉潜水する(↔ surface). **2** 埋もれる.

sub·merged /səbmə́ːrdʒid/ [形] **1** 水中で育つ. **2** 〈正式〉水中に隠れた, 海面下の; 秘密の (hidden). **3** 極貧の ‖ the *submerged* tenth 〈英〉社会の最下層の人々(↔ the upper ten). **4** 浸水した.

sub·mer·gence /səbmə́ːrdʒəns/ [名] [U] 《正式》潜水, 冠水; 沈没, 浸水.

†sub·mis·sion /səbmíʃən/ [名] **1** [U][C] 《正式》〔…への〕服従, 屈服, 降服〔*to*〕‖ ***in submission to*** the boss's order 上司の命令に服従して / ***make*** one's ***submission to*** … …に屈服する. **2** [U] 《正式》従順 ‖ ***with submission*** へいこらして. **3** [C] 《正式》(意見の)開陳, 具申, 〔…という〕提案〔*that*節〕. **4** 《正式》(報告書などの)提出; (意見を求める)付託; 仲裁付託合意.

†sub·mis·sive /səbmísiv/ [形] 《正式》〔…に〕服従的な, 従順な〔*to*〕‖ She is not ***submissive to*** her husband. 彼女は夫の言いなりにはならない.

†sub·mit /səbmít/ [動] ([過去・過分] **--mit·ted**/-id/; **--mit·ting**) 《正式》[他] **1** 〈人が〉〈人・意志など〉を〔…に〕服従させる; 屈服させる〔*to*〕; [submit oneself to A] 〈侮辱など〉を甘受する ‖ She ***submitted herself to*** the judgment of the court. 彼女は法廷の判決に従った. **2** 〈人が〉〈書類・案など〉を〔…に〕提出する〔*to*〕‖ I ***submitted*** the paper ***to*** my teacher yesterday. きのう先生にレポートを提出した. **3** 〔法律〕〔…だと〕思う, 〔…と〕意見を述べる〔*that*節〕‖ I ***submit that*** that is a leading question. それは誘導尋問ではないかと思います. ——[自] 〈人が〉〔…に〕服従する, 屈服する; 〔…を〕甘受する; 〔…を〕受ける〔*to*〕‖ ***submit to*** a blood test 血液検査を受ける / ***submit to*** the decision 決定に従う.

S

sub·nor·mal /sʌ̀bnɔ́ːrml/ [形] 《正式》普通[標準]以下の; 知能の低い. ——[名] [C] 知恵遅れの子[人].

sub·or·der /sʌ́bɔ̀ːrdər/ [名] [C] 下位区分; 〔生物〕亜目[科].

†sub·or·di·nate /[形][名] səbɔ́ːrdənət; [動] -dənèit/ [形] **1** 副次[補助]的な, 〔…に〕付随する〔*to*〕‖ a *subordinate* job 補助的な仕事. **2** 《正式》下位の, 下級の (lower); 〔…より〕下の〔*to*〕‖ a *subordinate* officer 副官, 次官. **3** 〔…に〕従属する〔*to*〕; 追従的な ‖ be ***subordinate to*** one's superiors 自分の上役にぺこぺこする. **4** 〔文法〕従属[従位]の (↔ coordinate) ‖ a *subordinate* clause 従(属)節 / a *subordinate* [subordinating] conjunction 従位接続詞.

——[名] [C] **1** 《正式》従属[付属]物; 従業員, 部下, 平(ひら), 助手. **2** 従(属)節 (↔ main clause).

——[動] [他] 《正式》**1** …を〔…より〕下に置く, …を〔…の〕次にする〔*to*〕‖ He ***subordinated*** his wishes ***to*** the children's good. 彼は何をさておいても子供の幸福をまず考えた. **2** …を〔…に〕従属させる〔*to*〕‖ ***subordinate*** the passions ***to*** reason 情より理性に重きをおく.

sub·or·di·na·tion /səbɔ̀ːrdənéiʃən/ [名] [U] **1** 《正式》服従, 従属; 従位, 下位. **2** 〔文法〕従属関係.

sub·or·di·na·tive /səbɔ́ːrdənèitiv | -nətiv/ [形] **1** 従属[服従]する. **2** 〔文法〕従属関係の (↔ coordinative).

sub·orn /səbɔ́ːrn, sʌb-/ [動] [他] **1** 〔法律〕(わいろなどで)〈人〉に偽証させる. **2** 《正式》…をそそのかして〔…〕させる〔*to* do〕.

sub·poe·na, --pe·na /səpíːnə, səbpíː-/ 〔法律〕[名] [C] (罰則付き)召喚状, 呼び出し状. ——[動] [他] …を召喚する, 呼び出す.

sub·rou·tine /sʌ́bruːtìːn/ [名] [C] 〔コンピュータ〕サブルーチン《特定の処理をするひとまとまりのプログラム》.

†sub·scribe /səbskráib/ [動] [他] **1** 《正式》…を〔…に〕寄付[義援]する〔*to, for*〕, …の援助を与える(give money) ‖ ***subscribe*** fifty dollars ***to*** a local charity 地元の慈善基金に50ドルを寄付する. **2** 《正式》…に署名[サイン]する, 記名する, 〈名前〉を〔…に〕書く(sign)〔*to*〕‖ ***subscribe*** one's name ***to*** a petition 嘆願書に署名する.

——[自] **1** 〔雑誌・メールなどを〕(前金を払って・無料で)(予約)購読する, 予約する〔*to*〕‖「***subscribe to*** [take] *the New Yorker*『ニューヨーカー』誌を(定期)購読する. **2** 〔…に〕予約金[前金]を払う〔*to*〕. **3** 〔株式〕〔…を〕応募[予約]する〔*for*〕‖ *subscribe for* 1,000 (worth of) shares 1000株申し込む. **4** 《正式》〔…を〕寄付する〔*for*〕, 〔…に〕寄付する〔*to*〕‖ ***subscribe for*** £2 2ポンドを寄付する / ***subscribe to*** several charities いくつかの慈善事業に寄付する. **5** 《正式》〔…に〕署名[記名]する〔*to*〕‖ *subscribe to* the agreement 同意書に署名する. **6** 《正式》[通例疑問文・否定文で]〔…に〕同意[賛成]する〔*to*〕‖ I ***can't subscribe to*** your opinion. あなたの意見に同意しかねる.

†sub·scrib·er /səbskráibər/ [名] [C] **1** 〔雑誌などの〕(予約)購読者[申し込み者]〔*to, for*〕; 株式引受人; (電話)加入者. **2** 寄付する人. **3** 署名[記名]人[者]. **4** 支持[同意]者.

subscríber trúnk dialling 《英》ダイヤル直通長距離電話 ([略] STD).

sub·script /sʌ́bskript/ [形] (文字・数字などの)下[横]に小さく書かれた (cf. superscript).

——[名] [C] 下[横]に小さく書かれた文字[数字]《H_2O の $_2$ など》; セディーユ《ç の ¸》.

†sub·scrip·tion /səbskrípʃən/ [名] **1** [U][C] 〔…の〕(予約)購読(料) (《英略式》sub)〔*to*〕; [U] 株式の申し込み[引受け]; [C] 《英》(社交クラブの)会費; 〔コンピュータ〕(メールマガジンなどの)購読 ‖ renew one's *National Geographic subscription*『ナショナルジオグラフィック』誌の予約更新をする. **2** [U][C] 〔…への〕寄付[義援](金); 基金, 出資金 (《略式》sub)〔*to*〕‖ by public *subscription* 公金で. **3** [C] 《正式》署名, 記名 (signature); [U] (署名による公式)認可; 同意.

subscríption cóncert 予約者専用コンサート, 定期演奏会.

subscríption ràte (予約)購読料.

sub·sec·tion /sʌ́bsèkʃən/ [名] [C] **1** 小節; (法令・条文の)款(かん). **2** 小[細]区分. **3** 〔英軍〕(砲兵)分隊.

†sub·se·quent /sʌ́bsəkwənt/ [形] **1** 後の, 次の; 後に起こる[来る] ‖ *Subsequent* events confirmed her guilt. 後に起こった事件で彼女が有罪であることがはっきりした / in *subsequent* issues of this magazine この雑誌の後の号で. **2** [名詞の後に置いて]〔…の〕後の, 〔…に〕続く〔*to*〕‖ on the day *subsequent to* his arrival 彼が到着した翌日に.

†sub·se·quent·ly /sʌ́bsəkwəntli/ [副] その後で, 〔…の〕後に〔*to*〕‖ I *subsequently* received his letter. 私はその後で彼からの手紙を受け取った.

sub·ser·vi·ence, --en·cy /səbsə́ːrviəns(i)/ [名] [U] **1** 役立つこと, 補助. **2** 従属状態. **3** 追従, おべっか.

sub·ser·vi·ent /səbsə́ːrviənt/ [形] **1** 《正式》〔…の〕補助をする, 〔…に〕従属する〔*to*〕. **2** 〔…に〕盲従する〔*to*〕; 卑屈[追従的]な. ——[名] [C] 追従的な人.

†sub·side /səbsáid/ [動] [自] **1** 《正式》平常の位置[状態]に戻る; 〈水・洪水が〉ひく; 〈風雨・暴動・怒りなどが〉おさまって〔…に〕なる〔*to*〕, 〈海が〉なぐ; 〈熱・腫(は)れ物が〉ひく ‖ "The fever will soon *subside*," said the doctor.「熱はすぐおさまるでしょう」と医者は言った. **2** 〈建物が〉平常の位置より下がる; 〈地面が〉陥没する; 〈船が〉沈む; 〈吊(つ)っている物が〉落ちる. **3** 《略

式)〔…に〕身を沈める，ゆったりと座る(into). **4** 黙る，静かになる；〔…に〕陥(#)る(into) ‖ *subside into sleep* 眠りに落ちる.

sub・si・dence /səbsáɪdns, sʌ́bsə-/[名]UC(正式) **1** 沈下, 陥没；倒壊. **2** 沈殿, 堆(#)積. **3** 鎮静.

†**sub・sid・i・ar・y** /səbsídièri/ɹ-əri-/[形](正式) **1** 補助的な；派生[副次]的な(secondary) ‖ a *subsidiary* subject in the course of study 研究過程に生じる副次的問題. **2** 〔…に〕付随[従属]する(to). **3** 支援[援助, 助成]する ‖ a *subsidiary* payment to an ally 同盟国への支援金. **4** 支流[支川]をなす ‖ a *subsidiary* stream 支流.
—[名]C **1** 補助員. **2** 子会社.

sub・si・dize, (英ではしばしば) **-dise** /sʌ́bsədàɪz/[動]他 …に助成金[補助金]を与える；…を援助[助成]する ‖ *subsidized* industries 助成産業.

†**sub・si・dy** /sʌ́bsədi/[名]C 補助金；助成[奨励]金 ‖ a *subsidy* for education 教育交付金 / food [housing] *subsidies* 食糧[住宅]助成金.

†**sub・sist** /səbsíst/[動](正式) **1** 生存する；〔…で〕生計を立てる(by), 〔…で〕生きながらえる(live)〔on〕. **2** 存続する, 生き残る.

†**sub・sist・ence** /səbsístəns/[名]U(正式) **1** 生存；存続. **2** 生存最低生活, 生計；食糧.

subsístence allówance 生活手当.

subsístence fàrming〔**àgriculture**〕自給自足農業.

subsístence lèvel 最低生活水準.

sub・soil /sʌ́bsɔ̀ɪl/[名](通例 the ~]底土, 下層土.

sub・spe・cies /sʌ́bspìːʃiːz, (米+) -ʃs-/[名](複 **sub・spe・cies**)C[生物] 亜種.

†**sub・stance** /sʌ́bstəns/[名] **1** C 物質, 物；薬物；(織物などの)地(◆ **material** より堅い語)‖ What is this *substance* made of? この物質は何からできていますか. **2** U(正式) 実質, 内容, 中身；真実；[哲学] 本質, 実体 ‖ Her ideas have *substance*. 彼女の意見には中身がある. **3** [the ~] 要旨, 趣旨, 骨子(essence)‖ Can you give *the substance* of the governor's speech in your own words? 知事の演説の要旨を自分自身の言葉で言えますか. **4** U(文) 富, 資産, 財産 ‖ a man [woman] of *substance* 資産家 / waste one's *substance* 財産を浪費する. **5** C 薬物, 麻薬.

in súbstance (正式) (1) 本質[実質]的には. (2) 実際には.

súbstance abùse 薬物乱用.

sub・stan・dard /sʌ̀bstǽndərd/[形] 標準[通常]以下の；非標準の.

†**sub・stan・tial** /səbstǽnʃəl/[形] **1** (正式) 実体のある, 実在する(real), 現実の(actual). **2** 〈家具などが〉しっかりした, 丈夫な, 堅固な. **3** (正式) 実質的な, 本質的な；重大な, 重要な；内容のある ‖ a *substantial* argument 内容のある議論 / make a *substantial* change 根本的に改める. **4** (正式)〈人が〉裕福な, 資産のある(wealthy)；〈会社が〉健全な運営をしている. **5** (正式) 物의, 物質的な(material). **6** たくさんの, 十分な, 相当な(↔ **unsubstantial**)‖ a *substantial* sum 相当な金額 / have a *substantial* breakfast 朝食をたっぷりとる.

sub・stan・ti・al・i・ty /səbstæ̀nʃiǽləti/[名]U(正式) **1** 実在；実質. **2** 頑丈. **3** 実質的価値.

sub・stan・tial・ly /səbstǽnʃəli/[副] **1** 実質的に[は]；おおむね, だいたいは；実際に[は] ‖ Their characters are *substantially* the same. 彼らの性格は実質的には同じである. **2** しっかりと, がっしりと. **3** 十分に, たっぷりと, 相当に.

sub・stan・ti・ate /səbstǽnʃièɪt/[動]他(正式) …を実証する；…を具体化する, 実現させる.

sub・stan・tive /sʌ́bstəntɪv/[形] **1**(正式) 実在の；独立した ‖ a *substantive* motion 正式動議. **2** 実質的な((substantial))；永続的な(↔ transitory)；本質的な ‖ *substantive* information 確かな情報.

sub・sta・tion /sʌ́bstèɪʃən/[名]C **1** 簡易[特定]郵便局；分[支]局. **2** 変電所.

sub・sti・tut・a・ble /sʌ̀bstətjúːtəbl/[形] 代用可能の.

†**sub・sti・tute** /sʌ́bstətjùːt/【アクセント注意】[動]他〈人が〉〈物〉を〈物の代わりに〉用いる；〈別の人〉に〈人の〉代理をさせる(for)‖ I *substitute* honey *for* sugar. 私は砂糖の代わりにはちみつを使います. —[動]自〈人・物が〉〔…の〕代用[代理]になる(for)‖ The principal *substituted for* our teacher who was ill. 病気になった私たちの先生の代わりを校長先生がした.
—[名]C 〔…の〕代用品；代理人；代役, 補欠, 控え選手(for)‖ A Japanese abacus is used as *a substitute for* a calculator. 日本のそろばんは電卓の代わりに使われる / She could not come, so she sent *a substitute*. 彼女は来ることができなかったので代理人をよこした. **2**〔文法〕代用語.
—[形] 代用の, 代理の ‖ a *substitute* teacher (米) 代用教員 /《日本発》If a Japanese national holiday falls on a Sunday, the following Monday is then observed as a *substitute* holiday. 日本では祝日が日曜日に当たると次の月曜日が振替休日となる.

†**sub・sti・tu・tion** /sʌ̀bstətjúːʃən/[名]UC 代用, 代理；[化学] 置換. **2** C 代用品, 代用人.

sub・struc・ture /sʌ́bstrʌ̀ktʃər, -/[名]C **1** 基礎, 土台；橋台. **2** 下部構造[組織].

sub・tend /səbténd/[動]他 **1** [数学]〈辺・弦が〉〈角・弧〉に対する. **2** [植]…を囲むようにつく, 包む.

sub・ter・fuge /sʌ́btərfjùːdʒ/[名]UC(正式) 言い訳, 言いのがれ, 口実；ごまかし, ぺてん.

†**sub・ter・ra・ne・an** /sʌ̀btərétɪniən/[形] **1** 地下の(underground), 地下で働く；表面下の ‖ a *subterranean* tunnel [passage] 地下道. **2** 隠れた, 秘密の.
—[名]C 地下で働く人；地下で生息する動物.

sub・ti・tle /sʌ́btaɪtl/[名] (まれ) 1 C 副題, 説明題, サブタイトル(subhead). **2** [~s] (映画・テレビの)字幕, スーパー(インポーズ) (cf. **superimposition**).
—[動]他(通例 be ~d]〈本などに〉副題がつけられている；〈映画に〉字幕がついている.

†**sub・tle** /sʌ́tl/【発音注意】[形] (**~・r**, **~・st**)(正式) **1** 〈においなどが〉かすかな, ほのかな(faint)；〈ガス・空気などが〉薄い, 希薄な ‖ a *subtle* smile かすかなほほえみ. **2** 微妙な, とらえがたい(delicate)；〈問題などが〉難解な, 理解しにくい(difficult)；複雑な, 手の込んだ(↔ **unsubtle**)‖ a *subtle* difference 微妙な違い. **3** 器用な, 巧みな；狡猾(&)な；〈人・感覚などが〉鋭敏な, 敏感な, 繊細な ‖ a *subtle* observer 鋭い観察者. **4** 〈毒などが〉知らぬ間に作用する.

sub・tle・ty /sʌ́tlti/[名] **1** U 希薄. **2** 微妙, とらえがたい；C [しばしば subtleties] 鋭い考え, 微細な区別. **3** 巧妙；狡猾；鋭敏.

†**sub・tly** /sʌ́tli/[副] 微妙に；巧妙に；ずるく；鋭敏に.

†**sub・tract** /səbtrǽkt/[動]他 [数学]〈人が〉〔…から〕…を引く, 減じる(from)(↔ **add**)‖ *Subtract* 7 *from* 98 and add 2, what is the result? 98から7を引いて2を足すといくつですか.

関連 [引き算の読み方]
9−4=5 は Nine minus four is five. と読む.「引かれる数」は minuend, 「引く数」は subtracter [subtrahend], その答えは remainder.

―📳 引き算をする;〈物・事が〉(…を) 減じる(from).

sub·trac·tion /səbtrǽkʃən/ 图 ⓤⓒ **1**〔数学〕引く[引かれる]こと; 引き算, 減法〔算〕(↔ addition). **2** 控除.

sub·trac·tive /səbtrǽktiv/ 形 **1**〔数学〕減法の, 引き算の(↔ additive). **2** 差し引きできる, 控除の.

sub·trop·ic, -·i·cal /sʌ̀btrɑ́pik(ə)l/ 形 亜熱帯(地方)の; 亜熱帯植物の. ―图 ⓒ =subtropic plant.

subtrópic plánt 亜熱帯植物.

†**sub·urb** /sʌ́bə:rb/ 图 [the ~s; 集合名詞; 複数扱い] 郊外; [a ~] 郊外の一地区 ‖ live in a fashionable suburb near Chicago シカゴ近くの郊外高級住宅地に住む / a suburb of Boston =a Boston suburb ボストンの郊外(cf. outskirts).

†**sub·ur·ban** /səbə́:rbən/ 形 **1** 郊外の, 郊外にある, 郊外に住む. **2** 偏狭な; 田舎(いなか)くさい. ―图 ⓒ 郊外居住者.

sub·ven·tion /səbvénʃən/ 图 ⓒ 〔正式〕援助; 助成[補助]金, 寄付金.

sub·ver·sion /səbvə́:rʒən, -ʃən/ 图 ⓤ (政府の)転覆; 破壊.

sub·ver·sive /səbvə́:rsiv/ 形 〔正式〕〈政府を〉転覆させる; 破壊活動をする; かき乱す.

sub·vert /səbvə́:rt/ 動 他 〔正式〕**1** …を転覆させる[倒す]; …を破壊する. **2** …を堕落[腐敗]させる. ―📳 破壊[打倒]する; 転覆する.

‡**sub·way** /sʌ́bwèi/ 〖「下の(sub)道(way)」〗 ―图 (🅟 ~s/-z/) ⓒ **1** (米) **地下鉄**(◆ (1) ふつう (英) では underground, (英略式) tube. (2) ヨーロッパ大陸のは metro という) ‖ Don't wait for a taxi — go by subway. タクシーを待たずに地下鉄で行きなさい ◘ 文法 16.3(5) / Take the subway from the nearest station. 最寄りの駅から地下鉄に乗りなさい. **2** (主に英)〈道路横断用の〉**地下道**((米) underpass) ‖ You can go over to the other side of the street quicker if you use the subway. 地下道を行けば通りの向こう側に早く行けます. **3** (電気・水道・ガスなどの)地下通路.

sub-ze·ro /sʌ̀bzí(ə)rou/ 形 氷点下の.

suc- /sʌk-, sək-/ 〔語要素〕→ 語要素一覧(1.7).

‡**suc·ceed** /səksí:d/ 〖「(事が)次に(suc)来る(ceed)」→「(よい)結果」「成功」. cf. exceed, proceed〗 📳 success (名)(1), succession (名), successor (名), successive (形) (以上 2)
―動 (~s /-si:dz/; 過去過分 ~ed /-id/; ~·ing)
―📳

I [うまくいく]
1〈人が〉(…に) **成功する**(in, at) (↔ fail); 立身出世する;〈事が〉(人に) うまくいく(with) ‖ succeed in life 出世する(=get on in life) / All my plans have succeeded. 私の計画はすべて成功した / She succeeded「in getting [*to get] what she wanted. 彼女は欲しい物をうまく手に入れることができた / He will succeed as a doctor. 彼は医者として成功するだろう(=He will be a successful doc-

tor.) / It succeeds. (計画などが)うまくいっている.

II [うまくあとに続く]
2〈人が〉あとを継ぐ, 後任となる; (…を)継承する, 相続する(to);〈財産などが〉遺贈される(to) ‖ succeed to the throne 王位を継承する.
3 〔正式〕(…に)続く, (…の)あとに来る(follow) (to) ‖ The war ended, and a panic succeeded. 戦争が終わり, 次に恐慌がやってきた.
―📳**1**〈人が〉〈人の〉あとを継ぐ ‖ He has no son to succeed him. 彼にはあとを継いでくれる息子がいない / Who succeeded Bush as president? だれが大統領としてブッシュのあとを継いだのか.
2 〔正式〕〈事が〉〈事〉に次いで起こる, …のあとに来る (follow) ‖ Sadness and gladness succeed one another. (ことわざ)悲しみと喜びはかわるがわる来るものである.

suc·ceed·ing /səksí:diŋ/ 形 次の, あとの, 続いて起こる.

*__**suc·cess** /səksés/ 图 〖アクセント注意〗 〖→ succeed〗 🅟 successful (形)
―图 (🅟 ~·es /-iz/) **1** ⓤ [時に a ~] (…における/…に対しての) **成功** (in/with) (↔ failure); 立身出世 ‖ make a success of life 出世する / I wish you success. ご成功をお祈りいたします / I worked hard without much success. 一生懸命やりましたが, あまりうまくいきませんでした / Nothing succeeds like success. (ことわざ)一事成れば万事成る.
2 ⓒ [通例 a ~] 成功した人[事] ‖ He was a success as an actor. 彼は俳優として成功した(=He succeeded as an actor.) / The book was a great success. その本は大当たりをとった.

hàve succéss in dóing うまく…する.

màke a succéss of A …を首尾よくやる, 成功させる(→ **1**).

succéss stòry 立身出世物語, 成功談.

*__**suc·cess·ful** /səksésfl/ 形 〖→ succeed〗 🅟 successfully (副)
―形 〈人が〉(事に/物に) **成功した, 好結果の**(in, at / with); 立身出世した;〈事が〉(人・事に)うまくいく(with) (↔ unsuccessful) ‖ He was a successful businessman. 彼は実業家として成功した / be successful in life 出世する / The dangerous operation was successful. 危険な手術はうまくいった / The Government has been「successful in fighting [*successful to fight] inflation. 政府はインフレ対策で成果を挙げてきた.

†**suc·cess·ful·ly** /səksésfəli/ 副 首尾よく, 成功裡に, うまく (↔ unsuccessfully) ‖ She made her point successfully. 彼女は首尾よく目的を達した(= She「was successful [succeeded] in making her point.).

†**suc·ces·sion** /səkséʃən/ 图 **1** ⓤⓒ [a/the ~; 単数・複数扱い] **連続(物)**(◆ series より堅い語) ‖ The succession of traffic accidents was a great shock to us. 連続して交通事故が起こったことは私たちに大きなショックを与えた / a succession of misfortunes 度重なる不幸(◆ of の後は複数名詞) / in quick [rapid] succession 矢継早に / Where does Kennedy stand in the succession of US presidents? ケネディは合衆国の何番目の大統領ですか. **2** 〔正式〕(…の)**相続, 継承; 相続[継承]権 [順位] (to); ⓒ 相続[継承]者 ‖ the succession to the throne 王位継承(権) / by succession 世襲によって / He is first in succession to the

†**suc·ces·sive** /səksésiv/ 形《正式》連続する, 引き続いての ‖ win five *successive* games 5 連勝する / It rained (for) three *successive* days. 3 日続けて雨が降った.

†**suc·ces·sive·ly** /səksésivli/ 副《正式》連続して, 引き続いて.

†**suc·ces·sor** /səksésər/ 名 C **1**〔…の/…としての〕後継者, 後任者, 相続者〔to/as〕‖ Bush was Clinton's presidential *successor*. =Bush was the presidential *successor to* Clinton. ブッシュがクリントンの後任の大統領だった / The Prince is the most likely *successor to* the throne. 王子が王位継承者として最も呼び声が高い. **2** 取って代わるもの.

suc·cinct /səksíŋkt/ 形 (時に ~·er, ~·est) **1** 簡潔な(brief); ずばりの(precise). **2**《文》〈服が〉体にぴったりの. **suc·cínct·ly** 副 簡素に.

†**suc·cor**,《英》**-·cour** /sʌ́kər/〈同音〉sucker〉名 U《文》援助, 支援 ‖ *give succor to* the poor 貧者に援助の手を差しのべる.

suc·cu·lence /sʌ́kjələns/ 名 U **1**《正式》多汁, 多液. **2** 興趣.

suc·cu·lent /sʌ́kjələnt/ 形 **1**《正式》〈果実・肉などが〉汁の多い. **2**〔植〕多肉の. **3** 興味深い, 多趣の. ── 名 C 多肉多汁植物〈サボテンなど〉.

†**suc·cumb** /səkʌ́m/ 動 自《正式》**1**〔…に〕負ける, 屈する〔to〕‖ *succumb to* every temptation あらゆる誘惑に負ける / *succumb to* persuasion 説得される. **2**〔…で〕死ぬ, 倒れる〔to〕‖ *succumb to* illness 病死する; 病床にふす.

‡**such** /(弱) sətʃ; (強) sʌ́tʃ/
── 形《◆(1) 冠詞の a, an は such の後に置く. the と共には用いない. (2) 比較変化なし》**1**〔前方照応的に〕そのような, そんな, あんな ‖ *Such* weather is unusual here. そのような天気はここでは異常である / I never heard of *such a* method. そんな方法のことは一度も聞かなかった / We're usually at home at *such* times. 私たちはそんな時はたいてい家にいます.

語法 [語順] all, (an)other, any, each, many, no, some や数詞は前に置く: I said *no such* thing. そのようなことは言わなかった(=I said nothing like that.) / *some such* man そのような人 / *fifty such* boxes そのような箱 50 個 / *all such* errors そのような誤りすべて / *other such* necessary staples 他のそのように必要な材料.

2〔強調的に〕**a**〔程度形容詞＋名詞の前で〕とても…な, 非常に…な ‖ They are *such* clever people. 彼らはとても利口な人たちです / I have had *such* a [ˣthe] busy morning. 本当に忙しい朝だった / There were *such* a lot of ants. ものすごくたくさんのアリがいた.
b《略式・主に女性語》〔程度名詞の前で意味を強めて〕それほどの, そんなよい[悪い, ひどい], 大変な ‖ Don't be in *such* a hurry. そんなに急がないで / Did you ever see *such* waves? あんなすごい波を見たことがありましたか / Why are you *such* a baby? どうしてそんなに子供じみたことをいうの.
3《正式》〔法律〕前述の, 上記の, 当該の.
súch and súch → such-and-such.
súch A as ...《正式・古》《…する》ような A《◆(1) as は関係代名詞・接続詞. (2) A のない場合がある. →

代 **2**》‖ The invitations went to *such* guests *as* seemed likely to please him. 招待状は彼の気に入りそうな客に送られた(➡ 20.10).

*súch A as B =A(,) súch as B B のような A. A たとえば B《◆B は 2 個以上の名詞を列挙することもある》‖ They export a lot of fruit, *such as* oranges and lemons. 彼らはオレンジ, レモンなどたくさんの果物を輸出する / I wouldn't give it to a man *such as* he [him]. =I wouldn't give it to *such* a man *as* he [him]. 私だったら彼のような男にはそれをやらない / Many questions *such as* how the guests were to be seated remained unanswered. 多くの問題, たとえば客をどういうぐあいに座らせたらいいかというようなことが未解決のままであった / 対話 "There are more important things for you to know." "*Such as*?" 「あなたが知らなければならないもっと大切なことがありますよ」「たとえば？」

*súch A as to *do* …するほどの A ‖ She was in *such* bad health *as to* require home help. 彼女はホームヘルパーが必要なほど健康を害していた / I am not *such* a fool *as to* believe that. そんなことを信じるほど愚かではありません. 語法 主節の主語と不定詞の意味上の主語が一致しない場合は次の *such* A *to* ... を用いる.

*súch A that ... 非常に A なので…《◆A が省略される場合については → 代 **2**, 成句 SUCH that》(→ that² 3 b) ‖ I was in *such* a hurry *that* I left my umbrella somewhere. とても急いでいたのでかさをどこかに忘れてしまった.

──代 **1**〔単数・複数扱い〕そのような人[物, 事] ‖ *Such* is life. 人生なんてそんなものだ / He's a wonderful husband. There aren't many *such*. 彼はすばらしい夫だ. あんな人は多くはいない /「*Such* being [If *such* is] the case, I have to resign from my post. そういうわけだから, 私は職を辞さなければならない(➡文法 13.8).
2〔~ as [that]〕…のようなもの[人, 物]《as, that は関係詞》‖ Her actions were *such as* to offend everyone.《正式・古》彼女の行動はみんなの感情を害するようなものであった / Lend money only to *such as* will repay it. お金は返してくれる人にだけ貸しなさい《◆*such as* の代わりに those who を用いる方がふつう》/ Our finances are *such that* we cannot eat beef all through this month.《正式・古》うちの経済は今月はずっと牛肉を食べられないような状態だ《◆so を使うと ... are so bad that we cannot ...》.
3《俗》〔商業〕〔単数・複数扱い〕前述のこと[もの], それ, それら.

áll súch そのようなすべての人たち.
and súch《略式》…など.

*as súch **(1)** そういうものとして, それなりに ‖ She is still a student teacher and should be treated *as such*. 彼女は教育実習生であるからそのように扱われるべきである. **(2)** それ自体で(は) ‖ Money, *as such*, does not always bring happiness. 金はそれ自体では必ずしも幸福をもたらすとは限らない.

súch and súch =such-and-such.
súch as it ís こんな[そんな]程度のものだが, つまらぬものだが《◆*such* を指す場合は it is it they となる》‖ She gave me her help, *such as it was*. あまり役にも立たなかったが, 彼女は私を援助してくれた / My services, *such as they are*, are entirely at your disposal. あまりお役に立ちませんが,

私を好きなようにお使いください。
súch that 〖正式〗(1) [be ～ that]〈驚き・怒りなどが非常に〉…なので《◆形 成句 such A that …の異型．堅い言い方では such の後にコンマを置くこともある》‖ My anger was *such that* I lost control of myself. 私はたいへん腹を立てたので自制心を失ってしまった(=〖まれ〗*Such* [*So great*] *was my anger that* …). (2) [be ～ that] …のような〈種類の〉もの(=be the kind that)《用例→代2》. (3) [副詞的に]…のようなやり方で，…のよう〈なぐあいに〉(in a way that).

such-and-such /sʌ́tʃənd*s*ʌ̀tʃ/, **súch and sùch**〖略式〗形 [通例 ～ a [an]] これこれの，しかじかの《◆名前を忘れたりあえて明言を避けたりするときに用いる．代の場合も同じ》‖ We went to *such-and-such a* place. 我々はこれこれの所へ行った． ── 代 これこれの[人] ‖ do *such-and-such* これこれのことをする．

such-like /sʌ́tʃlàik/〖略式〗[通例 and ～] 形代 その種の，そのような〈人・物〉‖ plays, films, *and suchlike* (things) 演劇や映画などなど．

†**suck** /sʌ́k/ 動 他 **1** 〈人が〉〈液体を〉吸う，すする；〈果物などの〉汁を吸う；〈果物などを〉…になるまで吸う‖ *suck* an orange dry オレンジを汁がなくなるまで吸う / *suck* (*up*) ice coffee through a straw アイスコーヒーをストローで飲む / A baby *sucks* milk from [its mother [its mother's breast]. =A baby *sucks* its mother's breast. 赤ん坊は母親の乳を吸う． **2** 〈あめ・指などを〉しゃぶる，なめる(cf. lick) ‖ Don't *suck* your thumb [pencil]. 親指[鉛筆]をなめてはいけません． **3** …を(…に)吸い込む(+*in* [*into*])；〈渦巻・沼地などが〉…をのみ込む(+*down, under*)；〈植物などが〉…を吸い上げる(+*up*)；〈毒などを〉吸い出す‖ The cork was *sucked into* the bottle. コルクはびんの中に落ちてしまった． **4** 〈知識などを〉吸収する(+*in, up*)；〈利益などを〉…〈から〉得る(*out of*).
── 自 **1** 〈…を〉吸う，すする；しゃぶる(+*away*) [*at, on*]；〈ストローなどが〉吸いやすい‖ This straw *sucks* well. 〈利益などを〉 *suck at* one's pipe パイプを吸う． **2** 〖米略式〗〈商店・行為・処置などが〉取るに足りない；〈品質がよくない，くだらない‖ That *sucks*! それはひどいものだ．

súck úp to A〖英略式〗〈人〉におべっかを使う，ごまをする．

── 名 **1** Ⓤ (乳を)吸う[吸わせる]こと；吸い込む力[音]；(うずの)巻き込み． **2** Ⓒ 〖植〗吸枝，吸根． **3** Ⓒ ひと口，ひとすすり ‖ take [have] a *suck at* … …をひと口含む[ひとなめする].

súck·er /sʌ́kər/ 〔同음 succor〕 名 Ⓒ **1** 吸う人[物]；乳児；(まだ乳離れしていない)ブタ[クジラ]の子． **2** 〈壁にくっつけるためのゴム製の〉吸着盤；〘動〙吸盤；〈歯がなくえさを吸い込む魚〉；〘植〙吸枝，吸根． **3** 〖米〗棒付きキャンディー(〈主に英〉lollipop). **4** 〖略式〗青二才；[…に]だまされやすい人；[…に]夢中になる人[*for*] ‖ She is a *sucker for* good-looking men. 彼女は面食いだ．

Súcker Státe (愛称) [the ～] サッカー州(→ Illinois).

†**suck·le** /sʌ́kl/ 動 他 **1** …に乳を飲ませる〈母親の〉乳を飲む． **2** …を育てる；…を栄養とする．── 自 乳を飲む．

suck·ling /sʌ́kliŋ/ 名 Ⓒ 〖文〗乳児；乳獣‖ babes and *suckling* 無邪気でだまされやすい人． ── 形 [比喩的にも用いて] 乳離れしていない．

su·crose /súːkrous, 〈英+〉sjúː-, -krəuz/ 名 Ⓤ 蔗糖(とう)，サッカロース．

†**suc·tion** /sʌ́kʃ*ə*n/ 名 **1** Ⓤ 吸引，吸収；吸引力． **2** Ⓤ 〈英〉飲酒． **3** Ⓒ 吸水管；=suction cup.
súction cùp 吸盤．

†**Su·dan** /suːdǽn, -dɑ́ːn/ 名 **1** [しばしば the ～] スーダン《アフリカ東北部の共和国．首都 Khartoum》． **2** [the ～] スーダン地方《アフリカのサハラ砂漠南方》．

****súd·den** /sʌ́dn/ 〖「そっと来る」が原義〗 形 suddenly (副)
── 形 (*more* ～, *most* ～) 突然の，思いがけない，急な‖ My mother's *sudden* death was a great shock to me. 母の突然の死は私には大きなショックであった． / make a *sudden* attack on the enemy 敵を急襲する(=attack the enemy *suddenly*) / We were caught in a *sudden* shower. 我々はにわか雨にあった．
── 副 〖詩〗 =suddenly.
── 名 《◆次の成句で》．

(**áll**) **of a súdden** 〖略式〗 =**on a súdden** 〖古〗突然に，急に，不意に(suddenly)(→ all of (all 代 成句)).

súdden déath (1) 急死． (2) [サッカーなど] サドンデス《延長戦で，一方が得点した瞬間に試合が終了する方式》．

‡**sud·den·ly** /sʌ́dnli/ [→ sudden]
── 副 突然，思いがけなく，急に，不意に (↔ *gradually*) ‖ *Suddenly* the weather changed and it began to rain. 突然天気が変わって雨が降り出した．

†**sud·den·ness** /sʌ́dnnəs/ 名 Ⓤ 突然，急，不意‖ with *sudden* suddenness 突如．

†**suds** /sʌ́dz/ 名 〖略式〗[単数・複数扱い] 石けんの泡，石けん水．

†**sue** /súː/ 動 他 …を[…で]訴える，…に[…を求めて]賠償訴訟を起こす[*for*] ‖ *sue* him *for* damages 彼に損害賠償請求を起こす． ── 自 〖正式〗[…に]求める，請う(ask) [*for/to*]；[…で]訴訟を起こす[*for*] ‖ *sue for* damages [peace, pardon] 損害賠償[平和，許し]を求める / *sue for* divorce 離婚訴訟を起こす．

suede, suède /swéid/ 名 Ⓤ **1** スエード革． **2** =suede cloth. **3** [形容詞的に] スエード革の．
súede clòth スエードまがいの織物[生地]．

su·et /súːit, 〈英+〉sjúː-/ 名 Ⓤ スエット〈牛・羊などの腎臓の堅い脂肪．料理用〉．

Su·ez /suːéz, ― ̀ ― | súːiz/ 名 スエズ〈エジプトの港町〉‖ the *Suez* Canal スエズ運河 / the Gulf of *Suez* スエズ湾 / the Isthmus of *Suez* スエズ地峡．

suf- /səf-, sʌf-/ 〖語素〗→ 語要素一覧 (1.7).

†**suf·fer** /sʌ́fər/ 〖「…の下で(suf)支える[耐える](fer)」〗 派 suffering (名)
── 動 (～*s* /-z/; 過去・過分 ～*ed* /-d/; ～·*ing* /-fəriŋ/)
── 他 **1** 〈人が〉〈心身の苦痛などを〉経験する；〖正式〗〈損害などを〉こうむる，受ける(undergo) ‖ *suffer* terrible pain from one's injury 負傷のひどい痛みに苦しむ(cf. 自 **2**) / *suffer* defeat 惨敗を喫する． **2** 〖文〗 [通例否定文・疑問文で] …を容認[黙認]する；…を耐え忍ぶ． **3** 〖古〗 […するのを]許す(*to do*).
── 自 **1** 〈人が〉[人・物・事のために]苦しむ，悩む[*for*], 〈人・商売などが〉困った目にあう，痛手をこうむる ‖ If you are lazy, only you yourself will *suffer*. 怠けていると，他ならぬ君が困ることになるよ．
2 〈人などが〉〈病気などで〉苦しむ，悩む；〈商売が〉〈事のあおりを受ける，[…で]落ち目になる[*from, with*] ‖ She is still *suffering from* jet lag. 彼

女はまだ時差ぼけがひどい / Britain *is suffering* badly *from* inflation. 英国はインフレにひどく苦しんでいる.

> [語法] 慢性的な病気の場合は進行形にしないのがふつう: He *suffers from* TB. 彼は結核だ(=He has TB.)《◆He *is suffering from* ... は主に一時的な病気に用いる》.

3 《正式》〈人などが〉〔事で〕報いを受ける〔*for*〕‖ *suffer for* one's laziness 怠けた罰が当たる.

†suf·fer·ance /sʌ́fərəns/ [名][U]《文》**1** 許容, 容赦 ‖ *on* [*by, through*] *sufferance* 黙許されて. **2** 忍耐(力) ‖ *beyond sufferance* 我慢できない.

†suf·fer·er /sʌ́fərər/ [名][C] 苦しむ人, 受難[被災]者, 病人, 患者 ‖ a *sufferer* from rheumatism リューマチ患者.

***suf·fer·ing** /sʌ́fəriŋ/ 〖→ suffer〗
——[名] ([複] ~s /-z/) 《正式》**1** [U] 苦しむこと, **苦痛**, 不幸(misery) ‖ Only death will ease my *suffering*. 死だけが私の苦しみを和げてくれるでしょう / What else can cause more *suffering* than war? 戦争以上に苦しみをもたらすものがほかにあるだろうか / mental *suffering* 精神的苦痛 / [ジョーク] In many marriages there have been three rings: an engagement ring, a wedding ring — and *suffering*. 多くの結婚には3つのリングがある. エンゲージリング, ウェディングリング, そして, サファリング.
2 [~s] 難儀, 苦難, 被害(pains).

†suf·fice /səfáis/ [動]《正式》[自]〈物・事が〉〔…にとって/…するのに〕十分である〔*for* / *to* do〕‖ This meat won't *suffice for* the six of us. これだけの肉では我々6人に間に合わない. ——[他] …を満足させる(satisfy), …に十分である《◆受身不可》.
Suffice it to sáy that ... 《正式》…と言えば十分だ, 事足りる(=It will be *sufficient* to say that ...).

suf·fi·cien·cy /səfíʃənsi/ [名]《正式》**1** [U] 十分, 充足; たっぷりあること; [a ~ of +[U]名詞] 十分の…, たくさんの… ‖ There was ***a sufficiency of*** money. =There was money ***in sufficiency***. お金はたっぷりあった(=There was *enough* money.). **2** [U][時に a ~] 十分な資産[資力, 蓄え].

***suf·fi·cient** /səfíʃənt/ [アクセント注意] 〖→ suffice〗 [派] sufficiently (副)
——[形]《正式》〔…に/…するのに〕**十分な**, 足りる〔*for* / *to* do〕《◆(1) enough より堅い語. (2) 比較変化しない》(↔ insufficient) ‖ £100 will be ***sufficient*** ˹*for* your trip [*for* you *to* make a trip]. 100ポンドもあれば君の旅行に十分でしょう / Add just *sufficient* milk. ちょうど必要なだけミルクを加えなさい.

†suf·fi·cient·ly /səfíʃəntli/ [副] 十分に, たっぷりと; 〔…するのに〕足りるほど〔*to* do〕《◆enough より堅い語》‖ Everyone has eaten *sufficiently*. みんな満腹だ / He does not work *sufficiently* hard. 彼はもうひとつ働きが足りない.

suf·fix /sʌ́fiks/ [名][C]〔言語〕接尾辞(↔ prefix). ——[動][他]〔言語〕…に接尾辞を付ける.

†suf·fo·cate /sʌ́fəkèit/ [動][他] **1** …を窒息(死)させる. **2** …の息を詰まらせる, …を息苦しくさせる ‖ She was *suffocated* with [by] grief. 彼女は悲しみのあまり声も出なかった(➡文法 7.3). **3** …を抑圧する, 阻害する. ——[自] **1** 窒息(死)する. **2** 息が詰まる, むせる; 息苦しく感じる.

suf·fo·ca·tion /sʌ̀fəkéiʃən/ [名][U] 窒息(死)させる[すること].

Suf·folk /sʌ́fək/ [名] **1** サフォーク《イングランド南東部の州. [略] Suff.》. **2** [C] サフォーク種の食用羊[黒ブタ]; =Suffolk punch.
Súffolk pùnch サフォーク種の農耕馬.

suf·fra·gan /sʌ́frəgn/ [名][C]〔カトリック〕付属司教; 〔ギリシア正教〕属主教; 〔プロテスタント〕=suffragan bishop. ——[形] 司教[主教, 監督]補佐の.
súffragan bìshop 牧師補.

†suf·frage /sʌ́fridʒ/ [名]《正式》**1** [U] 選挙[参政]権, 選挙(《正式》franchise) ‖ universal *suffrage* 普通選挙権 / manhood [female, woman] *suffrage* 成年男子[成年女子]選挙権. **2** [C] 投票, 賛成票.

suf·fra·gette /sʌ̀frədʒét/ [名][C] (女性の)婦人参政権論者(《PC》suffragist).

suf·fra·gist /sʌ́frədʒist/ [名][C][形] 参政権拡張論者[支持者](の); 婦人参政権論者(の).

suf·fuse /səfjúːz/ [動][他]《正式》[通例 be ~d]〔涙・光・色などで〕一面覆われる, いっぱいになる〔*with*〕‖ A broad smile *suffused* her face. =Her face ***was suffused with*** a broad smile. 彼女の顔には満面笑みが浮かんでいた.

suf·fu·sion /səfjúːʒən/ [名][U][時に a ~]《正式》**1** 一面にみなぎること, 充満. **2** 紅潮, 赤面.

***sug·ar** /ʃúgər/ [発音注意] 〖「砂つぶ」が原義〗
——[名] ([複] ~s /-z/) **1** [U] **砂糖**(→ seasoning)《関連形容詞 saccharine》, 糖分 ‖ ***a spoonful of sugar*** スプーン1杯の砂糖 / two ***lumps of sugar*** 角砂糖2個(=two *sugars* (→ **2**)) / I don't ***take sugar*** in my tea. 私は紅茶に砂糖は入れません / The doctor advised me to avoid *sugar*. 医者は私に糖分を避けるように言った.
2 [C] **砂糖スプーン1杯**(a spoonful of sugar); **角砂糖1個**(a lump of sugar) ‖ ***How many sugars*** (do you want) in your coffee? コーヒーに砂糖を何杯[何個]お使いですか.
3 [U]〔化学〕糖(類). **4** 《主に米略式》[呼びかけ] (ふつう男性が好きな女性に対して, なれなれしく)あなた, おまえ.
——[動] (~s/-z/; ~d/-d/; ~·ing)
——[他] **1** 《主に米略式》…に**砂糖を入れる**, …を甘くする. **2** …に砂糖をまぶす. **3** 〈言葉など〉をやわらげる, 甘美なものにする.
——[自] 甘くなる.
sugar the pill → pill 成句.
súgar bèet 〔植〕テンサイ, サトウダイコン.
súgar bòwl [《英》**bàsin**] 卓上砂糖入れ.
súgar cándy (1) 《英》氷砂糖(《米》rock candy). (2) 《主に米》菓子, あめ.
súgar càne [集合名詞的に] サトウキビ.
súgar còrn 《英》=sweet corn.
súgar lòaf (1) (円錐形に固めた)棒砂糖《◆現在ではまれ》. (2) 棒砂糖状のもの[丘].
súgar màple 〔植〕サトウカエデ《◆New York, Vermont, West Virginia, Wisconsin 州の州木》.

sugar-free /ʃúgərfrìː/ [形] 砂糖の入っていない, 無糖の.

sugar·less /ʃúgərləs/ [形] =sugar-free.

sug·ar·y /ʃúgəri/ [形] **1** 砂糖の(ような), 甘い. **2** 〈言葉・態度などが〉甘ったるい, おべっかの.

***sug·gest** /sʌgdʒést | sədʒést/ 〖「…の下へ(sug)持ち出す(gest)」→「提示する」〗 [派] suggestion (名), suggestive (形)
——[動] (~s/-dʒésts/; [過去・過分] ~·ed/-id/; ~·ing)
——[他] **1a** 〈人が〉〈人・物・事〉を〔人などに〕(控え目に)

S

提案する, 勧める〔*to*〕《◆ *propose* の方が積極的な提案》‖ *suggest* a remedy 救済策を提案する / *suggest* a new plan *to* the committee 新計画を委員会に提案する.
b [suggest (to A) (that)節 / suggest wh節・句]〈人が〉(A〈人〉に)…しようと(控え目に)提案する; [suggest (A's) doing]〈人に〉…しようと提案する‖ I('d like to) *suggest* (*that*) we start now. = I('d like to) *suggest* start*ing* now. さあ, 出発したらどうでしょう / They *suggested* [It was *suggested*] *to* him (*that*) he (*should*) go alone. 1人で行ってはどうかと彼らは彼に言った《◆(1) *should go* は《米》でも義務の含みを残して *should go* を用いる人が多い. (2) They *suggested* his going alone. もほぼ同じ意味だが, 彼に直接言ったとは限らない》/ Did she *suggest where* we (*should*) meet? どこで待ち合わせるかについて彼女は何か言っていましたか.
2〈人・物・事が〉〈物・事〉をそれとなく示す[言う], 暗示[示唆]する; [suggest (that)節] …だと暗示[示唆]する《◆that節の中は直説法》[類語] imply, hint, indicate》‖ Are you *suggesting* (*that*) I'm not telling the truth? 僕がうそをついているというのかね.
3 …を〔…に〕連想させる, 思い起こさせる〔*to*〕‖ This picture *suggests* many things to me. この絵は私にいろいろなことを連想させる / An idea *suggested* itself *to* me. ある考えが私の心に浮かんだ.

‡sug・ges・tion /səɡdʒést∫ən | sədʒés-/《→ *suggest*》
──名(複 ~s/-z/) **1**⒞⓾〔…という/…についての〕提案, 提唱(*that*節/*about*)《◆that節の中は《米英正式》仮定法現在(→文法9.3), 《主英》直説法, 《米英略式》直説法》‖ They *made* [offered] *the suggestion that* she (*should*) try again. もう一度彼女はやってみようかと彼らは彼に勧めた.
2⒞ (通例 a ~)〔…の〕気配, 気味〔*of*〕; [疑問文・否定文で]〔…の/…という〕(わずかな) 見込み〔*of/that*節〕‖ a faint *suggestion* of garlic かすかなニンニクの臭い / There is not the faintest *suggestion* of intelligence about her. 彼女には知性を感じさせるものは少しもない.
3⓾《正式》暗示, ほのめかし, 示唆(すること), 提案(すること)‖ *At* my teacher's *suggestion*, I took the entrance exam for the university. 先生の勧めで私はその大学を受験した.
4⓾ 連想;〔心理〕(催眠術の)暗示(作用).

†sug・ges・tive /səɡdʒéstɪv | sədʒés-/ 形 **1** 示唆[暗示]的な **2**《正式》〔…を〕連想させる, 思い起こさせる〔*of*〕‖ weather *suggestive* of spring 春を思わせる天気. **3** 挑発的な, 挑発的な《◆ obscene の遠回し語》.

su・i・ci・dal /súːɪsáɪdl, (英+) sjúːɪ-/ 形 自殺の, 自殺用の;〈人が〉自殺志願の, 自殺しそうな(くなる);〈行動などが〉自殺的な.

‡su・i・cide /súːɪsàɪd, (英+) sjúːɪ-/《自身(sui)の殺人(cide). cf. homicide》
──名(複 ~s/-saɪdz/) **1**⒞⓾ 自殺‖ He *com*mitted *suicide* when he rejected his proposal. 彼女が彼のプロポーズを断った時彼は自殺した《◆ He killed himself when … の方が口語的》/ This is the third time he's attempted [*com*mitted] *suicide*. 彼が自殺を試みたのはこれが3回目である《◆ commit suicide は実際に「死ぬ」ことを含意するのでこの場合は不可》/ Have you ever thought of *suicide*? あなたは自殺を考えたことがありますか / three *suicides* among students 学生の3件の自殺.
2⒞《正式》自殺者. **3**⓾〔比喩的に〕自殺的な行為;[形容詞的に]自殺的な‖ political [moral, social, economic] *suicide* 政治的[道徳的, 社会的, 経済的]自殺 / a *suicide* attack 自殺攻撃.

‡suit /súːt, (英+) sjúːt/『「従うもの」が原義. cf. sect』 suitable (形)
──名(複 ~s/súːts/)
Ⅰ [ひとそろいのもの]
1⒞ スーツ《◆ふつう同じ生地の衣服のそろい. 男性用は上着(coat)とズボン(trousers)のそろい, またはチョッキ(vest)を加えた3つぞろい. 女性用は上着(coat), スカート(skirt)またはズボン(trousers)の2つぞろい, 時にはブラウス(blouse)が加わる》‖ a two-piece [three-piece] *suit* 背広上下[3つぞろい]; ツー[スリー]ピース / a *suit* of clothes 背広[スーツ]1着 / *in* one's *birthday suit* すっ裸で.
2⒞〔通例複合語で〕(ある目的のための)衣服, 一着‖ a dress *suit* (男子用)夜会服 / a bathing *suit*〔主に米・英古〕水着 / a space *suit* 宇宙服.
3⒞〔馬具・よろいなどの〕ひとそろい, 1組.
4⒞〔トランプ〕組札, スーツ《hearts, diamonds, clubs, spades のいずれか1組13枚》; 同じ組の持ち札‖ a long [short] *suit* 同種の札4枚以上[3枚以下]の持ち札.

Ⅱ [法・正義に合うもの]
5⒞⓾〔法律〕訴訟(lawsuit)‖ a civil [criminal] *suit* 民事[刑事]訴訟 / a *suit* for the damages against the lawyer 弁護士に損害賠償を求める訴訟事件 / bring [file, start] a *suit* against him 彼を告訴する.
6⒞⓾《正式》要請(request); 請願, 懇願‖ make *suit* 嘆願する / have a *suit* to her 彼女に嘆願したいことがある. **7**⒞《米》= suite.
fóllow súit (1)〔トランプ〕前に出た札と同種の札を出す. (2) 人まねをする, 先例にならう.
──動(~s/-súːts/; 過去・過分) ~・ed/-ɪd/; ~・ing)
──他 **1**〈食物・気候などが〉〈事・物〉に適する, 合う;〈事が〉〈人など〉に好都合である, …の気に入る, …を満足させる(satisfy)‖ This climate does not *suit* tropical plants. この気候は熱帯植物に適していない / It is not easy to *suit* everybody. みんなを満足させるのは容易なことでない.
2〈服装・色などが〉〈人・物など〉に似合う《◆大きさ・型には用いない. → fit¹ 他1a》‖ Black *suits* you well. 黒がよくお似合いです / The beard *suits* his personality. あごひげは彼の人柄にぴったりだ.

> **使い分け** [suit と fit]
> suit は「(色やデザインが人に)似合う」の意.
> fit は「(型やサイズが)ぴったり合う」の意.
> The color blue doesn't *suit* [×*fit*] you. 青い色はあなたには似合わない.
> This coat doesn't *fit* me — it's big. この上着は僕には合わない, 大きすぎるから.

3《正式》**a**〈人が〉…を〔…に〕合わせる, 一致させる(adjust)〔*to*〕‖ She *suited* her speech *to* her audience. 彼女は聴衆に合わせて講演した. **b** [be ~ed]〔場所・人・仕事・目的などに/…するのに〕適している, ふさわしい〔*to, for* / *to* do〕;〈男女が〉お似合いである‖ His speech *was suited to* the occasion. 彼の演説はその場にふさわしかった / She *is suited to*

[for] teaching. =She *is suited to* be a teacher. 彼女は教師としての適性を持っている。
4 (略式)[~ oneself, しばしば命令形で] 自分の好きなようにせよ ∥ *Suit yourself*. 勝手にしろ。
— 自 **1** (通例 ~ well) [物・事に]適する, 合う；好都合である；似合う〔*with*〕∥ Friday will *suit well*. 金曜日が都合がいい。**2** 〈主に米〉(仕事などを)着る (+*up*).

suit·a·bil·i·ty /sùːtəbíləti/ 名 U […に]適切[適当]なこと, ふさわしい[似合う]こと〔*for*〕, 適合。

*suit·a·ble /súːtəbl, 〈英〉sjúːt-/〖→ suit〗
— 形 (more ~, most ~)[…に/…にするのに]適した, ふさわしい〔*for, to / to do*〕；…向きの(↔ unsuitable)〖類語〗appropriate, fit) ∥ Is the time of the interview *suitable for* you? この対談の時間で都合がよろしいでしょうか / a *suitable* playground *for* the children =a playground (which is) *suitable for* the children 子供たちにうってつけの遊び場 / He is ⌈a *suitable* person [a person *suitable*] *for* her to marry. 彼は彼女が結婚するのにふさわしい人だ。

*suit·case /súːtkèis, 〈英〉sjúːt-/〖服(suit)のかばん(case)〗
— 名 ~s/-iz/〖 C スーツケース, 旅行かばん ∥ 〖対話〗"Have you finished packing your *suitcase*?" "Yes, but it won't shut." 「スーツケースを詰め終わりましたか」「はい、だけどなかなか閉まりません」/ My *suitcase* was examined by the police. 私のスーツケースは警察に調べられた。

†**suite** /swíːt; 2 (米+) súːt/ 〖発音注意〗〖同音〗sweet〗
名 C **1** (ホテルなどの)一続きの部屋《寝室・浴室のほか居間などがある》；(米) アパート(apartment) ∥ a penthouse *suite* 高級アパート / an executive *suite* 重役室。**2** 一式[一組]の家具 ∥ a lounge *suite* 居間家具一式 / a three-piece *suite* ソファーの3点セット《長いすと2つの小さないす》。**3** (組)一揃,ひとそろい ∥ a computer *suite* for SOHO ソーホー向けコンピュータ機器一式。**4** (音楽) 組曲。

†**suit·or** /súːtər, 〈英〉sjúːt-/ 名 C **1** (法律) 原告 (plaintiff). **2** (正式) 請願[嘆願]者。**3** (古) (男の)求婚者。

†**sul·fa, --pha** /sʌ́lfə/ 〖*sulfa*nilamide の短縮語〗(薬学) サルファ(剤)の。=sulfa drug.
súlfa drúg サルファ剤《感染症の治療薬》。

†**sul·fate** /sʌ́lfeit/ 〖化学〗名 C U 硫酸塩[エステル]；[化合物名で] 硫酸—.
— 動 他 自 (…を)硫酸化する。
súlfate pàper (製紙) クラフト紙《硫酸パルプ(sulfate pulp)から作った紙》。

†**sul·fur, --phur** /sʌ́lfər/ 名 U (化学) 硫黄《非金属元素, 〖記号〗S》.
súlfur dióxide 二酸化硫黄《SO_2》, 亜硫酸ガス。

†**sul·fur·ous, --phu·rous** /sʌ́lfərəs/ 形 **1** (化学)硫黄の ∥ *sulfurous* acid 亜硫酸。**2** 硫黄のように燃える。**3** 硫黄色の。**4** 地獄[業火]のような；烈火のごとく怒った；興奮した；邪悪な。

†**sulk** /sʌ́lk/ 動 自 すねる, ふくれる。— 名 (略式)[the ~s] むっつりすること, すねること ∥ have [be in] (a fit of) the *sulks* むっつりする, ふくれる病。
sul·ki·ly /sʌ́lkili/ 副 不機嫌に, 黙りこくって。

†**sulk·y** /sʌ́lki/ 形 (--i·er, --i·est) むっつりした, すねた《◆子供っぽさを暗示》∥ a *sulky* scowl 渋面 / be in a *sulky* mood 不機嫌である / be [get] *sulky* with her about a trifle ちょっとした事で彼女にすねている[すねる]。**2** 〈天候が〉陰うつな ∥ *sulky* weather 陰気な天候。**3** (正式) 不活発な, 緩慢な。

†**sul·len** /sʌ́lən/ 形 (more ~, most ~；時に ~·er, ~·est) **1** むっつりした, すねた, 不機嫌な(↔ genial)〖類語〗sulky) ∥ a *sullen* face むっつりした顔 / He is *sullen* about the results of the examination. 彼は試験の結果に御機嫌斜めだ。**2** 〈文〉〈空・天気が〉うっとうしい, 重々しい ∥ a *sullen*, gray sky 雨の降りそうな重苦しい空。
sul·len·ly /sʌ́lənli/ 副 むっつりと, 不機嫌に。

sul·pha /sʌ́lfə/ 形 名 =sulfa.
sul·phur /sʌ́lfər/ 名 (英) =sulfur.
sul·phu·rous /sʌ́lfərəs/ 形 (英) =sulfurous.

†**sul·tan** /sʌ́ltn/ 名 **1** ((女性形) ~·ess) C サルタン, スルタン《イスラム教国の君主》；絶対[専制]君主。**2** [the S~] (歴史) トルコ皇帝。

sul·tan·a /sʌltǽnə / -tάːnə/ 名 C **1** サルタンの王妃[王女, 姉妹, 皇太后]。**2** (植) サルタナ《地中海沿岸産の種なしブドウ》。

sul·tan·ate /sʌ́ltənèit / -ət/ 名 C U [通例 the ~] スルタンの地位[権力, 領地].

†**sul·try** /sʌ́ltri/ 形 (--tri·er, --tri·est) **1** (文) 蒸し暑い, うだるような；焼けつくような《◆(米)では muggy, stifling の方がふつう》∥ hot, *sultry* days of summer 蒸し暑くてむっとする夏の日々 / a *sultry* sun 灼(ヒャク)熱の太陽。**2** 情熱的な；官能的な。

†**sum** /sʌ́m/〖同音〗some〗名 [the ~ (total)] 合計, 総計, 和；総体 ∥ *the sum* of things 森羅万象 / the ⌈*sum total* [total *sum*] of the expenses 費用の総額 / What is *the sum* of 5 and 10? 5 + 10 はいくつですか。**2** [the ~ (total)] 大意, 概要《◆summary よりも短く簡単なもの》∥ *in sum* 要するに。**3** C [通例修飾語を伴って；時に ~s; 単数・複数扱い] (ある)金額 ∥ raise a huge *sum* (of money) 多額の金を募金する。**4** C 算数の問題, 計算；[~s] 算数 ∥ do a *sum* in one's head 暗算をする。
— 動 (過去・過分) summed/-d; sum·ming) 他 **1** …を合計する, 合計する (+*up*). **2** …を要約する, かいつまんで言う(+*up*) ∥ *sum up* one's main points 要旨をまとめる。**3** 〈人・状況などを〉すばやく評価する, 見抜く(+*up*). — 自 **1** 要約[概説]する (+*up*). **2** 総計[…に]なる (*up to, into*).
to súm úp 要約すれば。

Su·ma·tra /sumάːtrə/ スマトラ島《大スンダ列島西端にある世界第5位の大きさの島》。

Su·me·ri·an /suːmíəriən, -míəri- / -míəri-/ 名 C U 形 シュメール人[語](の).

†**sum·ma·rize** /sʌ́məràiz/ 動 他 …を要約する, 手短に述べる。
sùm·ma·ri·zá·tion 名 U 要約。

***sum·ma·ry** /sʌ́məri/
— 名 (--ries /-riz/) C 要約, 概略, 大要(cf. sum 名2) ∥ Give a brief *summary* of the event. その事件の概略を述べてください / the ⌈a] *summary* of the new theory 新しい理論の要約 / *in summary* 要約すれば。
— 形 (正式) [通例名詞の前で] 手短な, かいつまんだ；(法律) 略式の；即決の《◆比較変化しない》∥ a *summary* explanation of the test results 検査結果の簡単な解説。
súmmary cóurt 簡易裁判所。

sum·ma·tion /sʌméiʃən/ 名 (正式) **1** U 合計すること；C 合計；U (数学)求和, 総和(〖記号〗Σ). **2** C 総括；要約。

sum·mer /sʌ́mər/
—名 (複 ~s /-z/) **1** [時に S~] ⓊⒸ 夏, 夏季《ふつう米国では6, 7, 8月, 英国では5, 6, 7月とされ, 最も快適な季節》[形容詞的にも] 夏のような ‖ Indian *summer* (米) 小春日和 / *Summer* in Kyoto is hot and humid. 京都の夏は暑くて湿気が多い / in high *summer* 真夏に / (the) *summer* vacation 夏休み《◆学校では英米ともに6月末ごろから8月下旬まで》《◆ *summers* を複数形で前置詞をつけず副詞として用いるのは (米略式). cf. Sundays, nights》.
2 Ⓒ (古・詩) [通例 ~s] 1年. **3** (文) [the (high) ~] (人生などの)盛り, 全盛期.
súmmer càmp サマーキャンプ《林間[臨海]学校など》.
súmmer jòb (アメリカの高校生などの)夏休み中のアルバイト.
súmmer schòol 夏期学校[講習会].
súmmer séssion 夏期講習.
súmmer sólstice [the ~] 夏至(↔ winter solstice).
súmmer tìme (英) 夏時間(の期間)(cf. summertime).
†**sum·mer·house** /sʌ́mərhàus/ 名Ⓒ (庭や公園などにある)あずまや.
sum·mer·time /sʌ́mərtàim/ 名Ⓤ 夏季, 暑中; [the ~] 盛り, 全盛期(cf. summer time) ‖ in the *summertime* of life 壮年期に.
sum·ming-up /sʌ́miŋʌ́p/ 名 (複 **sum·mings-up**) Ⓒ 要約, 概要, 摘要; (法律) (判事が陪審員に対して行なう事件概要の)説示.
†**sum·mit** /sʌ́mit/ 名 **1** [the ~] 頂上, いただき, (正式) 極致, 頂点《◆ top より堅い語》(cf. peak) ‖ At last, Napoleon reached the *summit* of his power. とうとうナポレオンは権力の頂点に立った / They succeeded in climbing to the *summit* of Mt. Everest. 彼らはエベレストの登頂に成功した. **2** [the ~] 首脳(陣). **3** Ⓒ =summit conference [meeting, talks].
súmmit cónference [méeting, tálks] 首脳会議, サミット.
sum·mit·eer /sʌ̀mitíər/ 名Ⓒ 首脳会議出席者.
†**sum·mon** /sʌ́mən/ 動 他 (正式) **1**〈人から〉〈人〉を呼び出す, 呼びつける(call for) ‖ *summon* a doctor 医者を呼ぶ《◆「呼んでやる」は send for》. **2**〈人〉を〔…から/…に〕召喚する〔from/to〕 ‖ *summon* a jury 陪審員の出廷を求める / be *summoned* before a judge 裁判所に出廷を命ぜられる. **3**〈人が〉〈会議など〉を招集する ‖ *summon* a council 会議を開く / *summon* shareholders to a general meeting 株主を総会に招集する. **4**〈人〉に〔…するように〕(命令的に)知らせる, 勧める〔to do〕 ‖ The boss *summoned* her to do her best. 上司は彼女に最善を尽くすようにと強く言った. **5**〈勇気・力など〉を奮いたたせる, 奮い起こす(+*up*) ‖ *summon* (*up*) all one's strength 全力をしぼる.
†**sum·mons** /sʌ́mənz/ 名 (複 **~·es**) Ⓒ **1** 呼び出し, 招集 ‖ I came at his *summons* for help. 彼の援助の要請に応じて来ました. **2** (裁判所への)出頭命令(書), 召喚(状) ‖ receive a *summons* for tax evasion 脱税の呼び出し状を受け取る / serve a *summons* on ... …に召喚状を発する. **3** 緊急招集. **4** 降伏通知[勧告]. —動 他 (略式) [通例 be

~ed] 召喚を受ける; 出頭する.
sump·tu·ar·y /sʌ́mptʃuèri, -əri, -tju-/ 形 (正式) (法で)倹約を課す, ぜいたく規制の.
†**sump·tu·ous** /sʌ́mptʃuəs, (英+) -tju-/ 形 **1** 高価な(dear). **2** 豪華な; ぜいたくな.

sun /sʌ́n/ (同音) son 派 sunny (形)
—名 (複 ~s /-z/) **1** [the ~] 太陽, 日《(1) 代名詞は he, it で呼応する(the moon は she, it). (2) 荘厳・英雄・青春・理性・真理などの象徴《関連形容詞 solar》‖ The *sun* rises in [×from] the east and sets in the west. 太陽は東から昇って西に沈む / Two *suns* cannot shine in one sphere. (ことわざ) ひとつの空にふたつの太陽は輝かない; 「両雄並び立たず」.
2 Ⓤ [通例 the ~] 日光, 陽光; 日なた(↔ shade) ‖ bathe in the *sun* 日光浴をする / The *sun* beat down fiercely. 日がぎらぎらと照りつけた / You'll get plenty of *sun* in that country. その国では太陽の光には不自由しません.

語法 形容詞を伴う場合にはしばしば a を用いる: a burning [scorching] *sun* 焼きつくような日ざし.

3 Ⓒ (惑星に対してその中心となる)恒星.
cátch [(米) **gét**] **the sún** (1) 日当たりがよい. (2) (略式) 日に焼ける.
hóld a cándle to the sún 無用なことをする.
táke the sún (口) 日光浴をする.
ùnder the sún (略式) (1) この世で[の]. (2) 《まれ》 [通例 What ...? 構文で] いったいぜんたい.
—動 (過去・過分 **sunned**/-d/; **sun·ning**) 他 …を日干しにする, 日にさらす; [~ oneself] 日なたぼっこをする.
—自 日なたぼっこをする.
Sún Bèlt (米) [the ~] サンベルト《Florida から California に至る》.
sún hàt 日よけ帽, 麦わら帽.
sún hèlmet 日よけヘルメット.
sún pàrlor (英) **lòunge** サンルーム, 日光浴室.
sún pòrch ガラス張りのベランダ, サンルーム.
sún shòwer (米) 天気雨, 「きつねの嫁入り」.
sún tràp 日当たりのいい場所.
Sun. 略 Sunday.
sun-baked /sʌ́nbèikt/ 形 **1** 天日で焼いた. **2** (略式) 日光の強い.
sun-bath /sʌ́nbæθ | -bɑ:θ/ 名Ⓒ 日なたぼっこ, 日光浴.
sun-bathe /sʌ́nbèið/ 動自 日なたぼっこ[日光浴]をする.
†**sun·beam** /sʌ́nbi:m/ 名Ⓒ (文) 太陽光線(sunlight); (略式) 陽気な人[子供].
sun-block /sʌ́nblɑ̀k | -blɔ̀k/ 名ⓊⒸ 日焼け止め《クリーム・オイル・ローション》.
sun-bon·net /sʌ́nbɑ̀nit | -bɔ̀n-/ 名Ⓒ 日よけ帽《女性用》.
†**sun·burn** /sʌ́nbə̀:rn/ 名Ⓤ (炎症を起こした)日焼け《◆「健康的」は suntan》.
—動 (過去・過分) ~ed or --burnt) 他 …を日焼けさせる. —自 日焼けする.
†**sun-burned** /sʌ́nbə̀:rnd/, **--bùrnt** /-bə̀:rnt/ 形 (米) 日焼けで炎症を起こした, ひりひりする, 水ぶくれの, (英) (健康に)日焼けした, きつね色の(suntanned).
sun·cream /sʌ́nkri:m/ 名ⓊⒸ 日焼け止めクリーム. —形 日焼け止め.

sun·dae /sʌ́ndei, -di/ 名C サンデー《果物・ナッツなどをのせシロップをかけたアイスクリーム》.

*Sun·day /sʌ́ndei/ [『太陽の(Sun)日(day)』]
── 名 (複 ~s/-z/) 1 UC 日曜日(略 S., Sun.) ◆《米》ではふつう Sunday は「週の最初の日」だが，《英》は「週の最後の日」∥ last [next] *Sunday* =《主に英》on *Sunday* last [next] この前の[次の]日曜日に / It was a clear *Sunday*. 快晴の日曜日った《◆形容詞を伴うときは不定冠詞を付ける》.

> **語法** [曜日と前置詞]
> on Sunday 日曜日には(いつも)；この前の[今度の]日曜日に《◆文脈により last [this, next] Sunday を表す》.
> on a Sunday ある日曜日に(=one Sunday)；日曜日には(いつも).
> on Sundays 日曜日には(いつも)《◆on (a) Sunday より習慣的観念が強い》.
> on Sundays last month 先月の何度かの(全)日曜日に.
> of a Sunday《文》日曜日に(いつも)；《まれ》ある日曜日に.

2 C (通例 ~s) 日曜新聞. **3** [形容詞的に] 日曜日の ∥ on *Sunday* morning [night] 日曜日の朝[夜]に. **4** 《米略式》[副詞的に] 日曜日に ∥ I sleep late *Sunday(s)*. 私は日曜日には遅くまで寝ています.

Súnday bést [**clóthes**] 《略式》[one's ~] 晴れ着，よそ行きの服 ∥ in *one's Sunday best* 晴れ着を着て.

Súnday páinter 日曜画家.
Súnday schóol (教会の)日曜学校.
Sun·day-go-to-meet·ing /sʌ́ndeigòutəmíːtiŋ, -di-/ 形《主に米略式・やや古》最上の，よそ行きの；盛装した. **Súnday-gò-to-méeting clóthes** いっちょうら.

†sun·der /sʌ́ndər/ 動他《文》 ～を切断する, 分ける.
sun·dew /sʌ́ndjùː/ 名C《植》モウセンゴケ.
sun·di·al /sʌ́ndàiəl/ 名C 日時計.
†sun·down /sʌ́ndàun/ 名U《米》日没(時刻)(sunset) (↔ sunup).
sun·dried /sʌ́ndràid/ 形〈れんが・果実などが〉日干しにされた.
sun·dries /sʌ́ndriz/ 名[複数扱い] 雑品, 雑貨, 雑件, 雑費.
†sun·dry /sʌ́ndri/ 形《正式》雑多な, 種々さまざまの. **áll and súndry**《略式》[複数扱い] それぞれ, みんな, 各自. **súndry góods** 雑貨.
sun·fish /sʌ́nfìʃ/ 名 (複 ~ fish 語法) C《魚》マンボウ；サンフィッシュ類《北米産の淡水魚》.
†sun·flow·er /sʌ́nflàuər/ 名C《植》ヒマワリ.
Súnflower Státe《愛称》[the ~] ヒマワリ州(→ Kansas).
*sung /sʌŋ/ 動 sing の過去分詞形；《まれ》過去形.
sun·glass·es /sʌ́nɡlæ̀s -ɡlàːs-/ 名[~es] サングラス.
sun·god /sʌ́nɡɑ̀d |-ɡɔ̀d/ 名C 太陽神, 日神.
†sunk /sʌŋk/ 動 sink の過去分詞形[《まれ》過去形]《◆sunken はふつう形容詞として用いる》.
── 形 **1** =sunken. **2**《略式》救いのない, お手上げの ∥ I am *sunk*. もうだめだ.
súnk fénce 隠れ垣《◆眺望をそこなわないように溝を掘って作る》.
†sunk·en /sʌ́ŋkn/ 動《まれ》sink の過去分詞形.
── 形 **1**《文》沈没した, 海底の；水中の ∥ a *sunken* ship 沈没船 / *sunken* treasures 海底に埋もれた財宝 / a *sunken* rock 暗礁. **2** 周囲より低い[下がった], ひっこんだ ∥ a *sunken* garden《周りにテラスで囲まれた》沈床園. **3**〈目・ほおなどが〉落ち込んだ, くぼんだ ∥ *sunken* cheeks やせこけたほお.

Sun·kist /sʌ́nkist/ 名《商標》サンキスト《米国 Sunkist Growers, Inc. 販売の果物・果汁》.

*sun·light /sʌ́nlàit/ 名U 日光, 陽光(《文》sunbeam).

sun·lit /sʌ́nlìt/ 形 日光に照らされた.

Sun·nism /súnìzm/ 名U スンニー主義《イスラムの口伝律法スンナ(Sunna)を Koran と同様に正典とする多数派イスラム主義》.

*sun·ny /sʌ́ni/ [『← sun』]
── 形 (**--ni·er, --ni·est**) **1** 日当たりのよい, **明るく日が照る**[さす](↔ shady) ∥ a *sunny* day 日が照ってぽかぽかする日. **2**《略式》[通例名詞の前で] 快活な, 陽気な ∥ a *sunny* disposition 快活な性質.

sún·ny-side úp /sʌ́nisàid-/ 形《米》目玉焼きの《片面だけ焼いたもの. 関連 → egg》 **対話**"How would you like your eggs, sir?" "*Sunny-side up*, please."《レストランで》「卵はいかがなさいますか」「目玉焼きにしてください」.

*sun·rise /sʌ́nràiz/
── 名 (複 ~s /-iz/) UC 日の出(の時刻), 暁(《略式》sunup) (↔ sunset) ∥ *at sunrise* 日の出時に, 日の出と共に.

súnrise industry 成長産業.

sun·roof /sʌ́nrùːf, -rùf/ 名C サンルーフ《建物の屋上の平らな部分または自動車の屋根の一部を開閉できるようにしたもの. sunshine roof ともいう》.

sun·room /sʌ́nrùːm/ 名C サンルーム, 日光浴室.

*sun·set /sʌ́nsèt/
── 名 (複 ~s/-sèts/) **1** UC 日没(時刻), 入り日 (↔ sunrise) (《米》sundown) ∥ *at sunset* 日没時に. **2** U 夕焼け空[色]. **3** U 終局, 末期；満了, 満期.

súnset industry 斜陽産業.

sun·shade /sʌ́nʃèid/ 名C 日よけ(になるもの)《◆parasol, canopy, awning など》；[~s] サングラス.

*sun·shine /sʌ́nʃàin/
── 名U **1** [しばしば the ~] **日光**, 日ざし, 太陽光線《◆sunlight, sunray に加えて暖かさを含意》；晴天, 好天気(↔ rain) ∥ enjoy *the sunshine* outside 戸外で日光を浴びて楽しむ / My room gets a lot of *sunshine*. 私の部屋は日当たりがよい / *April weather, rain and sunshine both together*.《英》《ことわざ》4月の天気は雨と晴れが同時にやってくる《◆4月は天候が不順だということ》.
2 日なた, 日だまり ∥ play about in the warm *sunshine* 日なたで遊び回る.
3《略式》輝き, 快活, 陽気；晴れ晴れさせるもの.

a ráy of súnshine《略式》(1)(逆境での)喜び, 光. (2) 快活な人.

súnshine láw《米》情報公開法.

súnshine ròof =sunroof.

Súnshine Státe《愛称》[the ~] 日光の州(→ Florida, South Dakota, New Jersey).

†sun·spot /sʌ́nspɑ̀t |-spɔ̀t/ 名C **1**《天文》太陽黒点. **2**《英略式》日光に恵まれた観光地.

sun·stroke /sʌ́nstròuk/ 名U 日射病(heatstroke).

sun·tan /sʌ́ntæ̀n/ 名 UC (健康的な)日焼け(tan) (cf. sunburn)；U きつね色 ∥ *get a suntan* 日焼けする.

súntan lòtion 日焼け止めローション.
sún·tànned 形（健康的に）日焼けした, きつね色の.
sun·up /sʌ́nʌp/ 名（米略式）=sunrise（↔ sundown）.
†**sup**¹ /sʌ́p/ 動（過去・過分）supped/-t/; sup·ping）自（まれ）…で夕食をとる(on, off). ──他 …に夕食〔軽食〕を供する(+up).
sup² /sʌ́p/ 動（過去・過分）supped/-t/; sup·ping（スコット）他 名 =sip.
sup- /sʌp-, səp-/ 接頭 →語要素一覧(1.7).
su·per /súːpər, (英+) sjúː-/ 名 C **1**（略式）（アパート・事務所の）管理人, 監督者（《正式》supervisor, superintendent). **2**（略式）（映画の端(は)）役; 補助員（《正式》supernumerary). **3**（英略式）警視, （米略式）警察署長（《正式》superintendent). **4**（商業）特大品; 特級〔優等〕品. **5** =supermarket.
──形（略式）**1** すばらしい, 最高級の ‖ What a super idea! 何とすばらしい考えだ. **2** 特大の；[名詞の前で] すぐれた.
──副 大変, とても.
──間（主に英）すばらしい!
su·per- /súːpər-, (英+) sjúː-/ 接頭 →語要素一覧(1.7).
su·per·a·bun·dance /sùːpərəbʌ́ndəns/ 名 U （正式）[時に a ~ of …] 過多, 過分, 十二分（の…）.
su·per·a·bun·dant /sùːpərəbʌ́ndənt/ 形（正式）十二分な, あり余る程の.
  sù·per·a·bún·dant·ly 副 十二分に, あり余る程.
su·per·add /sùːpərǽd/ 動他（通例 be ~ed）（…に）さらに追加される, 過分に加えられる(to).
su·per·an·nu·ate /sùːpərǽnjueit/ 動他 **1**（病気・年齢のため）…を辞職させる；…を定年退職させて年金を与える. **2**…を時代遅れにする. ──自（病気・年齢のため）退職する；定年退職して年金をもらう. **2** 時代遅れになる.
sù·per·án·nu·àt·ed 形 **1** 老齢〔病弱〕で退職した; 年金暮らしの. **2**（略式）老朽化した, 時代遅れの.
†**su·perb** /supə́ːrb, (米+) sə-/ 形（more ~, most ~; ~·er, ~·est）**1**（略式・主に女性語）すばらしい, 見事な；極上の ‖ a superb singer 一流の歌手. **2**[間投詞的に] すごい!, 最高! **3**〈建物・装飾などが〉荘厳〔壮麗〕な, 華美を極めた ‖ a superb view 絶景. **4**〈食事などが〉豪華な ‖ a superb meal 豪勢な食事.
  su·pérb·ly 副 見事に, 豪華に.
su·per·bomb /súːpərbɑ̀m/ -bɔ̀m/ 名 C 超強力爆弾, 水素爆弾.
su·per·bomb·er /súːpərbɑ̀mər/ -bɔ̀m-/ 名 C 超爆撃機.
su·per·car /súːpərkɑ̀ːr/ 名 C 超高性能自動車, スーパーカー.
su·per·car·go /súːpərkɑ̀ːrgou/ 名（複 ~s, ~es）C（商）（古）（人）（船荷などの監督のために商業船に乗り組む高級船員）.
su·per·charge /súːpərtʃɑ̀ːrdʒ/ 動他 **1**〈内燃機関に〉過給する, …に（過給機で）与圧する. **2** …を[…で]あふれるほど満たす(with).
su·per·com·put·er /súːpərkəmpjùːtər/ 名 C スーパーコンピュータ（大量のデータを高速で処理できる強力なコンピュータ）.
su·per·con·duct /sùːpərkəndʌ́kt/ 動自 超伝導〔超電導〕を起こす.
sù·per·con·dúc·tor 名 C 超伝導〔超電導〕体.
su·per·em·i·nent /sùːpərémənənt/ 形（正式）抜群の, 卓抜な.
†**su·per·fi·cial** /sùːpərfíʃəl/ 形（正式）**1** 表面の, 上皮の, 浅い(↔ deep) ‖ a superficial wound 浅い傷, 外傷 / superficial burn 軽いやけど. **2** 表面的な, うわべだけの(↔ thorough); 〈人がうわさ・考えが, 思慮の〉浅い ‖ superficial knowledge 浅薄な知識 / a superficial relationship 見かけだけの関係.
su·per·fi·cial·ly 副 表面的に.
su·per·fi·ci·al·i·ty /sùːpərfìʃiǽləti/ 名（正式）**1** U 表面的なこと, 浅薄, 皮相. **2** C 表面的〔皮相〕なもの.
su·per·fi·cies /sùːpərfíʃiːz/ 名（複 su·per·fi·cies）C（正式）**1** 表面, 外面; 面. **2** 体裁, 外観.
su·per·fine /sùːpərfáin/ 一'/ 形 **1**〈商品などが〉極上の, 最高級の. **2** 細かすぎる; 上品すぎる. **3** 超微粒の.
su·per·flu·i·ty /sùːpərflúːəti/ 名（複 -ties）**1** U C [通例 a ~ of] 過分, 過多, 十二分の（の…）. **2** C [通例 superfluities] 余分なもの; ぜいたく品.
†**su·per·flu·ous** /supə́ːrfluəs, (米+) sə-/【アクセント注意】形（正式）過分の, 十二分な; 無用の, 不必要な ‖ a superfluous warning 過度の警戒.
su·per-G /sùːpərdʒíː/ 名 U（スキー）スーパー大回転.
sú·per·hígh fréquency /sùːpərhài-/（電信）超高周波（略）SHF, shf, s.h.f.）.
su·per·high·way /sùːpərháiwei/ 名 C（米）高速道路（◆ expressway, freeway, parkway, speedway, turnpike などの総称）.
su·per·hu·man /sùːpərhjúːmən/ 形 **1**（正式）超人的な, 神わざの. **2** 超自然的な, 神に近い.
su·per·im·pose /sùːpərimpóuz/ 動他 **1**〈…に〉重ねる〔載せる〕(put)(on, upon); …を添える. **2**〔写真・映画〕…を二重焼きに付ける. **3**〈考えなど〉を〔既存のものに〕押しつける(on).
sù·per·im·po·si·tion 名 U（写真）二重焼き；（映画）字幕スーパー.
su·per·in·cum·bent /sùːpərinkʌ́mbənt/ 形（正式）**1** 上にある, 上に重なる；〈圧力が〉上から加わる.
su·per·in·duce /sùːpərindjúːs/ 動他 …を併発させる；…を新たに引き起こす.
†**su·per·in·tend** /sùːpərinténd/ 動（正式）他 〈…を〉監督〔指揮〕する; …を管理する. ──自 監督する.
su·per·in·ten·dence /sùːpərinténdəns/ 名 U（正式）監督, 管理 ‖ under the superintendence of a manager 支配人の指図で.
su·per·in·ten·den·cy /sùːpərinténdənsi/ 名 C（正式）監督者の地位〔職, 任期〕.
†**su·per·in·ten·dent** /sùːpərinténdənt, (米+) -pərən-, (英+) sjùː-/ 名 C **1** 監督者, 指揮〔管理〕者；（アパート・事務所の）管理人（《略式》super;（略）supt.）‖ a superintendent of a factory 工場長. **2** 最高責任者〈長官・重役・社長・校長など〉. **3**（米）警察署長（《略式》super;（略）supt.）；（英）警視(正).
──形 監督〔指揮〕する.
†**su·pe·ri·or** /supíariər, (米+) sə-, (英+) sju-/ 形 **1** [be superior to A]〈人・物・事が〉〈人・物・事が〉よりもすぐれている, まさっている (↔ inferior)（◆ be better than A より堅い言い方）‖ This car is superior to [*than] that one. この車はあの車より性能がよい. 語法 強調語は far, much, clearly, definitely など ‖ This car is far [much] superior to that one. very は不可. **2**[…の点で]相手を上回る, 優秀な(in) ‖ They attacked us in superior numbers. 彼らは我々を上回る人数でもって攻撃してきた. **3** 上級の, 上官の, 上役の; […より] 上位の(to) ‖ one's superior officer 上官. **4** 優越感にひたった, 傲慢(ごうまん)な ‖ with a superior smile [air] 相手

を見下した笑いを浮かべて[態度で]. **5**《正式》優秀な, 上等の(good)《◆この意では very, most で強調可能). **6**《正式》[…を]超越した, 問題にしない{to}‖ be *superior to* flattery おだてに乗らない.
——图C **1**〔学科などで/トランプなどで〕すぐれた人{in, at}；〔通例 the ~〕上級, 上司, 上官；先輩, 年上の人. **2** [the Father [Mother, Lady] S~] 男子[女子]修道院長. **3** =superscript. **4** Lake S~ スペリオル湖《米国・カナダの間にある五大湖中最大の湖》.

†**su·pe·ri·or·i·ty** /supiɔ́riɔ̀rəti/ 图① 〔…に対する/…における〕優越, 優勢, 卓越{to, over / in}(↔ inferiority); 高慢, 〔…に対する〕 優越感{to}‖ I admit her *superiority* to others. 彼女が他の人より抜きん出ていることを私は認めている(=I admit that she is *superior* to others.).

superiórity cómplex〖精神医学〗優越複合(↔ inferiority complex); 《略式》(一般に)優越感.

†**su·per·la·tive** /supə́ːrlətiv, (米+) sə-/ 图 **1**《正式》最高[最上]の(best), 無比の(highest) ‖ a man of *superlative* wit 最高の知恵者 / with *superlative* ease いともたやすく. **2**〖文法〗最上級の(略 sup., superl.)(cf. positive, comparative) ‖ a *superlative* adjective 最上級形容詞.
——图 **1**〖文法〗[the ~] 最上級 (superlative degree); 最上級の語. **2**C〔通例 ~s〕極端な言葉, 誇張した表現 ‖ speak in *superlatives* おおげさに話す.

su·per·lin·er /súːpərlàinər/ 图C 大型豪華船.

su·per·man /súːpərmæn/ 图 (複 -**men**; 《女性形》 -**wom·an**) C **1** 超人 ((PC) superhuman person). **2**〖哲学〗理想的人間 ((PC) ideal person); 《略式》才能豊かな人. **3** [S~] スーパーマン《米国の漫画の主人公》.

***su·per·mar·ket** /súːpərmɑːrkət, (英+) sjúː-/
——图 (複 ~**s**/-kəts/) C スーパーマーケット, スーパー (簡 super) ‖ Will you go and buy some milk at the *supermarket*? スーパーへ行ってミルクを買ってきてくれませんか / 《対話》"Until what time does this *supermarket* stay open?" "It stays open till 10 o'clock in the evening."「このスーパーは何時まで開いていますか」「夜の10時まで開いています」

†**su·per·nat·u·ral** /sùːpərnǽtʃərəl/ 图 **1** 超自然の, 不可思議な ‖ *supernatural* happenings 神秘的な出来事. **2** 人間離れした, 神わざの.——图 [the ~] 超自然現象[作用].

sù·per·nát·u·ral·ist 图CE超自然現象論者 [信奉者]. **sù·per·nát·u·ral·ly** 副 超自然的に; 不可思議に.

su·per·nat·u·ral·ism /sùːpərnǽtʃərəlìzm/ 图① **1** 超自然現象, 不可思議現象. **2** 超自然現象[超自然力]信仰.

su·per·nu·mer·ar·y /sùːpərnjúːməreri | -mərəri/《正式》形C **1** 定員外の(人); 余分な(人, 物). **2**〖演劇·映画〗端(は)役(の).

su·per·pose /sùːpərpóuz/ 動他《正式》**1** …を〔…の上に〕重ねて置く{on, upon}. **2** …に付加[追加]する. **3**〖幾何〗〈図形〉を重ねる.

su·per·pow·er /súːpərpàuər/ 图 **1**① 超大な力, 異常な力. **2**C 超強大国; (超大国を抑制する)国際管理機関.

su·per·scribe /súːpərskràib, -́-̀-/ 動他 …を上段 [上]に書く, …の外側に書く.

su·per·script /súːpərskrìpt/ 形〈文字が〉上[右肩]に書かれた. ——图C 右肩文字[数字], 上付き記号 (↔ subscript)《a³ の ³, ñ の ˜ など》.

su·per·scrip·tion /sùːpərskrípʃən/ 图C **1** 上[表]書き. **2** 表題. **3** (小包·手紙の)あて名, 上書き.

†**su·per·sede** /sùːpərsíːd/ 動他《正式》**1**〈古いものなど〉に取って代わる. **2** …の後任となる; …を〔…と〕入れ替える{by, with}.

su·per·son·ic /sùːpərsɑ́nik | -sɔ́n-/ 形 **1**〖航空〗超音速の(→ sonic) ‖ a *supersonic* aircraft 超音速航空機. **2**〖物理〗超音波の.
——图① 〖物理〗=supersonic wave.

supersónic tránsport 超音速旅客機(略 SST)《英仏の Concorde など》.

supersónic wáve 超音波.

su·per·star /súːpərstɑːr/ 图C《略式》(スポーツ·芸能界の)大スター, スーパースター.

†**su·per·sti·tion** /sùːpərstíʃən, (英+) sjúː-/ 图UC **1**〔…という/…に関する〕迷信{that 節/about}; 盲信; 迷信的習慣[行為] ‖ the *superstition that* 13 is an unlucky number 13は不吉な数という迷信 / Do you still believe in such a silly *superstition about* AIDS? エイズに関するそんなばからしい迷信をまだ信じているのですか. **2** (未知·神秘に対する)不合理な恐怖, 偶像崇拝.

†**su·per·sti·tious** /sùːpərstíʃəs/ 形 迷信の, 迷信的な; 〔…について〕迷信を信じる{about}.

sù·per·stí·tious·ly 副 迷信的に, 迷信深く.

su·per·store /súːpərstɔ̀ːr/ 图C スーパーストア《超大型小売店》.

su·per·struc·ture /súːpərstrʌ̀ktʃər/ 图C **1** (建物·船·橋脚などの)上部構造, 上部構築物. **2** (一般に)上部構造.

su·per·tax /súːpərtæ̀ks/ 图UC **1**《米略式》付加税 (surtax). **2**〖英史〗累進付加税.

su·per·vene /sùːpərvíːn/ 動《正式》自他 (…に)付随して起こる.

†**su·per·vise** /súːpərvàiz/ 動他 …を監督[管理]する, …の指揮をとる ‖ *supervise* (the work of) the typists タイピストたち(の業務)を管理する.

†**su·per·vi·sion** /sùːpərvíʒən, (英+) sjúː-/ 图U 〔…の〕監督, 管理, 指揮{over, of}‖ under the *supervision* of the manager 支配人の指図で.

†**su·per·vi·sor** /súːpərvàizər/ 图C **1** 監督(管理, 指揮)者 (≒ foreman). **2**《米》(主に公立学校の)指導主事; 《英》(大学(院)生の)指導教官. **3**《米》(民選の)町行政執務官; (町議会)議員.

su·per·vi·so·ry /sùːpərváizəri, -́-̀--/ 形 監督[指揮](者)の ‖ *supervisory* duties 監督の職務.

su·pine /suːpáin, -́-/ 形《正式》**1** あお向けの (↔ prone). **2** 怠惰な, 無精な; 受け身の.

su·píne·ly 副 あお向けになって.

*★**sup·per** /sʌ́pər/〖「夕食をとる(sup)こと」が原義〗
——图 (複 ~**s**/-z/) **1**UC 夕食, 晩ごはん(→ dinner 文化) ‖ The phone rang *at* [*during*] *supper*. 夕食中に電話が鳴った / They are *at supper*. 彼らは夕食中である /《対話》"Why don't you come over to our house for *supper*?" "I'll be glad to."「私たちの家に夕食を食べに来ませんか」「はい, 喜んでまいります」/ I had a small *supper* and went to bed early last night. 昨晩は簡単な夕食を食べて早く寝ました (cf. breakfast). **2**UC (簡単な)夜食《◆夕食が dinner になった場合, そのあとでとる軽い食事》. **3**C 夕食会.

súpper clùb《米》(小規模)高級ナイトクラブ.

sup·per·less /sÁpərləs/ 形 夕食抜きの[で].
sup·per·time /sÁpərtàim/ 名 U 夕食時.
†**sup·plant** /səplǽnt/ -lάːnt/ 動 他〖正式〗**1** …に取って代わる(supersede) ‖ Word processors have *supplanted* typewriters. ワープロがタイプライターに取って代わった. **2** 〔不正な手段・策略で〕…に取って代わる, …の後釜(ﾟ)にすわる.
†**sup·ple** /sÁpl/ 形 **1** 〈心が〉素直な, 柔順な; 融通のきく; 追従的な. **2** 曲げやすい, しなやかな, 柔軟な. ━ 動 他 …をやわらかく[しなやかに]する. ━ 自 やわらかく[しなやかに]なる.
súp·ple·ness 名 U 柔軟さ.
†**sup·ple·ment** 名 /sÁpləmənt/ 動 /sÁpləmènt/ 名 C **1** 〔…の〕補足, 補遺, 増補; 増刊号, 別冊付録〔*to*〕 (cf. appendix); 栄養補助食品, サプリメント ‖ a travel *supplement* in [of] the Sunday newspaper 新聞の日曜版の旅行特集 / *The Times Literary Supplement*『タイムズ文芸付録』(略) TLS / take a vitamin *supplement* ビタミンのサプリメントをとる. **2** 〔数学〕補角 (略 sup., supp.).
━ 動 他 …を〔…で/…することで〕補う; …に付録[補遺]を付ける〔*with* / *by doing*〕‖ *supplement* a diet *with* vitamins 制限食にビタミンを補強する / *supplement* one's income *by writing* books 副業として本を書いて収入の足しにする.
†**sup·ple·men·ta·ry** /sÀpləméntəri/ 形〖正式〗**1** 〔…の〕補遺[増補, 追加, 付録]の〔*to*〕‖ a volume *supplementary* to the dictionary その辞書の補遺1巻. **2** 〔数学〕補角をなす (cf. complementary) ‖ *supplementary* angles 補角.
━ 名 C 補充[追加]された物.
supplementary bénefit 〖英〗(生活保護者への)付加給付金.
supplementary búdget 補正予算.
†**sup·pli·ant** /sÁpliənt/ 形〖文〗懇願[哀願, 悲願]する(ような). ━ 名 C 嘆願[哀願]する人.
†**sup·pli·ca·tion** /sÀplikéiʃən/ 名 U C〖文〗**1** 嘆願[哀願](すること). **2** 〖通例 ~s〗祈願, 祈り.
sup·pli·er /səpláiər/ 名 C 〖しばしば ~s〗供給者[会社, 国]; 供給[納入]業者, 原料供給国.
†**sup·ply** /səplái/ 動 他 **1** 〈人・機関などが〉(足りない)物を供給する, 配達[支給]する; 〖supply A *with* B = 〖米〗supply B *to* [*for*] A〗〈人〉に B〈物〉を供給する, 支給する, 提供する (cf. provide) (➡ 文法 3.3)
‖ *supply* starving villagers *with* food = *supply* food *to* [*for*] starving villagers 飢えた村人に食べ物を供給する.

〖語法〗(1) 〖米〗では [supply A B] の supply starving villagers food も用いる.
(2) [supply B to [for] A] の型は 〖英〗ではもっぱら受身形で用いられる: A lot of food *was supplied to* the starving villagers. 多くの食料が飢えに苦しむ村人たちに支給された.

2 〖正式〗…を補充する, 埋め合わせる; …の代役[代行]をする; 〈必要〉を満たす.
be wéll supplíed with A …に恵まれている, 不自由しない.
━ 名 **1** U 供給, 支給 (↔ demand); 〖形容詞的に〗補給用の, 貯蔵用の ‖ *supply*-demand imbalance 需給不均衡. **2** C 〖通例 a ~〗供給[支給]物[量] ‖ have *a* good *supply of* … の十分な手持ちがある. **3** C 〖しばしば supplies〗必需品, 糧食, 備蓄, ストック; 〔軍事〕補給品, 在庫[貯蔵]量[品].

4 〖英〗[supplies] 歳出, 国費.
in shórt supplý 〈商品などが〉不足して《♦ scarce の方がふつう》.
supplý tèacher 〖英〗代用教員(〖米〗substitute teacher).
sup·ply·side /səpláisàid/ 形 供給面重視の.

*****sup·port** /səpɔ́ːrt/ 〖『下(sup)から支える(port)』〗
━ 動 (~s/-ts/; 過去・過分 ~ed/-id/; ~ing)
━ 他 **1** [比喩的に] 〔人が〕〈人・物・事〉を支える, …を扶養する; 〈人・主義など〉を〔…に対して / …の点で〕支持する(*against* / *in*); 〈人・団体など〉を援助する, 後援する, 援護する; 〈理論など〉を立証する ‖ I have a large family to *support* 扶養家族が多い / *support* one's local baseball team 地元の野球チームを応援する / Show me a fact which *supports* your idea. 君の考えを立証する事実をあげてほしい.
2 〈人・物が〉〈人・物〉を(倒れないように)〔…で〕支える〔*with*〕(類語) sustain ‖ The roof is *supported* by pillars. 屋根は柱で支えられている. **3** 〖正式〗〖しばしば can [cannot] ~〗…を我慢[辛抱]する, …に耐える(endure). **4** 〔演劇〕…を十分に勤める, 助演する, …のわき役を務める.
━ 名 (複 ~s/-ts/) **1** U [比喩的に] 〔…の〕ささえ, 支持, 頼り(になるもの); 援助, 扶養, 後援〔*for, of*〕‖ the chief *support* of a family 一家の大黒柱 / her *support* for the sick 病人に対する彼女の援助 / some phenomena *in support of* a new theory 新しい理論を支えるいくつかの現象 / *give support to* a motion 動議を支持する.
2 U 支え; C 支柱, 土台 ‖ The bridge has two *supports* in the center. その橋は中央に2つの支柱がある.
3 U 生活費, 衣食. **4** C 〔演劇〕=supporting actor [actress]; U 助演. **5** U C 〔軍事〕援軍, 予備軍(support arms) ‖ troops in *support* 予備隊.
support árms = 名 **5**.
supporting àctor [**àctress**] わき役, 助演者.
supporting pàrt [**ròle**] (劇の)脇役.
†**sup·port·er** /səpɔ́ːrtər/ 名 C **1** 支持者, 後ろだて(↔ dissident), 味方, ときには; (サッカーなどの)サポーター, ファン. **2** 扶養者. **3** 支柱; 〔医学・スポーツ〕サポーター.

*****sup·pose** /səpóuz/ 〖『下(sup)置く(pose)』→『…を前提とする』. cf. compose, impose〗
━ 動 (~s/-iz/; 過去・過分 ~d/-d/; ~·pos·ing)
━ 他 **1** [suppose (*that*)節] 〈人が〉…だと思う, 考える《♦ 語調をやわらげるだけで, ふつう think より意味の軽い語》‖ I don't *suppose* (*that*) she'll come. 彼女は来ないと思う《♦ I *suppose* (*that*) she won't come. といっても同じだが, 頻度は低い》/ I *suppose* (*that*) you like coffee, don't you? コーヒーがお好きなんですね《♦ I *suppose* の場合の付加疑問は that 節の中の主語と動詞に呼応》.

〖語法〗(1)〖**suppose so** と **suppose not**〗
"Is he coming?"(「彼は来ますか」)という問いに対し, 「ええ, 来ると思います」は "I *suppóse* sò. (↘)"《♦ so は that he is coming の代用》, 「そう思いません(来ないと思います)」は I don't *suppóse* sò. と I *suppóse* nòt. (↘)《♦ not は that he is not coming の代用》.
(2) I *suppose* so. は気のない受け答えを表すこともある: "Can you spare me a few minutes?" "I *suppose* so." 「ちょっと時間をいただけますか」「まあいいでしょう」/ "Are you coming to the par-

supposed … 1533 … **sure**

ty?" "I *suppose* so."「パーティーに来ますか」「ええまあね」.

2(正式) [suppose (**that**) 節]〈人が〉…であると**想定する**; [suppose A (**to be**) C]〈人・事〉をCと推測[仮定]する《◆**C**は形容詞》‖ They *supposed that* he was a dishonest man. 彼らは彼をうさんくさいやつだと考えていた / I *supposed* her (*to be*) dead. 彼女は死んだと考えていた.

3[通例 Suppose (**that**) 節]…もし…としたら《◆後続節の中は内容の可能性が高い場合は直説法, それ以外は仮定法過去》‖ *Suppose* she does not come? もし彼女が来なかったら?(=What if she does not come?) / *Suppose* you were in my place. What would you do? もし君が私の立場にあるとしたら, どうします. **b**(略式)[提案]〈◆Suppose you did [do] your homework first? まず宿題を片付けてしまったら?《◆仮定法過去(did)の方がていねいな提案》.

4(正式) …を前提とする.

be suppósed to *do* **(1)**(略式)[be ~d to be ...]…だと思われている ‖ She is *supposed to be* an able lawyer. 彼女は有能な弁護士であると考えられている. **(2)** /səpóustə/ …することになっている, するはずである; [二人称平叙文で] …しなければならない ‖ You *are supposed to* come at 7 o'clock. 君は7時に来ることになっている《◆相手に命令を下す感じの言い方になるので使うときには注意が必要》 / She *was supposed to* arrive at three. 彼女は3時に着くことになっていた《◆過去形では物事が期待通り運ばなかったことを含意》.

be nót suppósed to *dó* …してはいけないことになっている(be not allowed to do) ‖ You *are not supposed to* wear a ring in the classroom. 教室では指輪をしてはいけないことになっている / *Don't be supposed to* dump here.(掲示)(英略式)ここにごみ捨てるべからず《◆No Dumping., Don't dump [garbage]. などより遠回しの禁止》.

I don't suppóse (that) …というのは無理でしょうね《◆that 節の中は仮定法過去など. ●**文法**9.1》‖ *I don't suppose* you *could* lend me 10 dollars. 10ドルお借りするのは無理でしょうか《◆Could you lend me ...? などよりていねいな依頼》.

†**sup·posed** /səpóuzd/形 [しばしば皮肉に](そう)考えられている, (…で)あるはずの; 仮定の, 想像上の, 想定上の ‖ the *supposed* spy スパイと考えられていた人《◆実際はそうでなかったことを含む》.

†**sup·pos·ed·ly** /səpóuzidli/副 たぶん, 恐らく; [文全体を修飾] 推定するところでは, 察するところでは.

†**sup·pos·ing** /səpóuziŋ/接[時に ~ that 節]もし…なら(どうするか)(if); [提案]…したらどう …してもまうものか(what if)《◆直説法・仮定法で用いられる》‖ *Supposing* (*that*) he does not come, what shall I do? もし彼が来なかったらどうしよう《◆if 節に準じて, supposing 後の動詞は未来のことでも現在形. ●**文法** 4.1(4)》.

sup·po·si·tion /sʌ̀pəzíʃən/名 UC(正式) 仮定, 推測, 想定(↔ fact); 仮説; [the [one's] supposition **that** 節]…という仮説 ‖ argue from *supposition* 臆測に基づいて議論する / *on the supposition that* … …という仮定に立って.

sup·pos·i·to·ry /səpázətɔ̀ːri | -pózitɔ̀ri/名 C [医学] 座薬.

†**sup·press** /səprés/動他(正式) **1**〈人・事〉を〈反乱・暴動など〉を鎮圧する, 抑圧する, 静める(crush) ‖ All criticism of the Nazis was strongly *suppressed*. ナチスによる批判はすべて強力に抑えられた. **2**〈人が〉〈笑いなど〉を抑える, 我慢する(check) ‖ *suppress* a yawn [laugh] あくび[笑い]をかみ殺す / *suppress* one's feelings 感情を表に出さない. **3**〈証拠など〉を隠す ‖ *suppress* evidence [the truth] 証拠[真実]を伏せておく. **4**〈本など〉を出版禁止にする, 〈本などの一部〉を削除する ‖ *suppress* a newspaper 新聞を発禁にする.

†**sup·pres·sion** /səpréʃən/名 U **1** 鎮圧[抑圧](すること) ‖ the army's *suppression* of the revolt 軍隊による反乱鎮圧. **2**(感情などを)抑えること ‖ the *suppression* of a smile 笑いをかみ殺すこと. **3**(事実などを)隠すこと; (発売)禁止; 削除. **4**〔精神分析〕抑圧.

sup·pu·ra·tion /sʌ̀pjəréiʃən/名 U 化膿, うみ(pus).

†**su·prem·a·cy** /supréməsi, (米+) sə-/名 UC(正式) **1** 至高, 最高, 無上; 最高位, 最上位. **2** 優位, 優勢(primacy) ‖ Shakespeare's *supremacy* as a playwright 劇作家としてシェイクスピアが断然抜きんでていること / male *supremacy* 男尊女卑. **3** 主権, 至上権; [(…に対する)支配権, 絶対的権力(*over*)] ‖ a struggle for *supremacy* 覇権争い / hold *supremacy* over Europe ヨーロッパを支配する.

†**su·preme** /suprím, (米+) sə-, (英+) sju-/形(正式) **1**[しばしば S~]〈地位・権威・権力などが〉最高の, 最高位の, 至上の ‖ *supreme* power 最高権力 / the *supreme* ruler 最高統治者. **2**(程度・質・重要性などが)最高の, 最大の, 絶大な, この上ない ‖ the *supreme* good [wisdom] 最高の善[英知] / *supreme* joy [happiness] 無上の喜び[幸福] / treat him with *supreme* contempt 軽蔑(ツ)しきって彼を扱う / This is a matter of *supreme* importance. これは最重要問題だ. **3** 最後の, 終局の, 究極の ‖ the *supreme* goal [end] 究極の目的 / at a [the] *supreme* moment [hour] いよいよという時に / make the *supreme* sacrifice 究極の犠牲を払う《戦争などで命を落とすこと》.

——名 [the S~] =Supreme Being; [the ~] 絶頂 ‖ the *supreme* of folly 愚の骨頂.

Suprême Béing **(1)**(文) [the ~] 至高の存在, 神(God). **(2)** [s~ b~] 絶対的存在, 絶対的権力者.

suprême commánder 最高司令官.

Suprême Cóurt [the ~] **(1)**(米)(国または州の)最高裁判所. **(2)**(米国以外の日本やその他の諸国の)最高裁判所.

su·preme·ly /suprí:mli/副 最高に; この上なく《◆感情を表す形容詞を修飾する》‖ a *supremely* embarrassing question きわめて答えにくい(やっかいな)質問.

sur- /sər:, sər-/ [**語要素**]→語要素一覧(1.7).

sur·charge /名 sə́ːrtʃɑ̀ːrdʒ; 動 -´, -´/名 C **1** 追加料金, 課徴金. **2**(切手・切手などの)加刷; 加刷切手. **3**(荷物の)積みすぎ, 過重.
——動 **1**〈人〉に[(…に対して)追加料金を請求する, 追徴金を課す(*on*, *for*). **2**…に荷を積みすぎる; …に過充電する. **3**〈切手〉に加刷する.

‡**sure** /ʃúər, ʃɔ́ːr | ʃɔ́ː, ʃúə/[「心配のない」が原義. cf. secure] 副 surely(副)

——形 (**more** ~, **most** ~ ; **sur·er**/ʃúərər | ʃɔ́ːrə/, **sur·est**/ʃúərist | ʃɔ́ːrist/) **1**[be sure of [about] A]〈人が〉〈物・事〉を**確信する**; [be sure (**that**) 節]

〈人が〉…を**確信している**, …に自信がある《♦(1) confident は強意的. (2)比較変化しない》(↔ unsure) ‖ Are you *sure* about her phone number? 彼女の電話番号は確かですか / I'm *sure* of his success. =I'm *sure* (*that*) he「will succeed [has succeeded]. 彼はきっとうまくやる[やった]でしょう / I'm *sure* we'll see each other again, won't we? またお互いにきっと会えますよね《♦付加疑問は I think (that) … と同じで that節中の主語・動詞と呼応. ➜文法 1.7》/ Are you *sure* you can jump that far? そんなに遠くまで跳べる自信があるのかい / 〈対話〉"Will you go?" "I'm not *sure*." 「君は行くのか」「さあ, わからない」/ Are you quite *sure*? 本当に間違いないのだな《♦上の2例は that節が省略されていると考えられる》.

語法 [**sure** と **certain**]
(1) 確かな証拠や根拠に基づく確信を表す certain に対し, sure は主観的な判断に基づく確信を表す. ただし否定文ではその差はあまり意識されない: I'm not *sure* [*certain*] that's a good idea. それはどうもいい考えとはいえません / She is *sure* [*certain*] to come to the party. 彼女はきっとパーティーにやって来る.
(2) It is *sure* that he will come. も確立した用法ではないので, It is *certain* that he will come. / I'm *sure* [*certain*] that he will come. などを用いるのがよい.

---
2 [通例否定文・疑問文で; be sure wh節 / wh句 / if節]〈人が〉…を確信している《♦比較変化しない》‖ I'm not *sure* why she suddenly quit her job. 彼女がなぜ急に仕事をやめたのかはっきりしない / I'm not *sure* 「where to park [where I should park] the car. どこに車を止めたらいいかわかりません. (➜文法 11.7》/ I'm not *sure* if he will come back. 彼が戻るかどうかよくわからない.
3 [話し手の確信を表して] [be sure to do]〈人・物が〉きっと…する, …するのは確実である《♦比較変化しない》‖ It's *sure* to rain this afternoon. 午後にはきっと雨が降る / She is *sure* to succeed. 彼女はきっと成功する《=I am *sure* she will succeed.》《♦成功することを確信している主体は she ではなく, この文の話し手である「私」》.

☑ **be sure of A**〈物・事〉を確信している《♦確信している主体は主語》.
be sure to do〈人が〉…するのは確実である《♦確信している主体は話し手》.

---
4 [be sure (*that*)節]〈人が〉…するように**気をつける**, 注意する《♦比較変化しない》‖ *Be sure* you call at ten. 10時に必ず電話するように《♦that節の中はふつう現在時制. → SEE to it that …》.
5 [通例名詞の前で]〈人・物が〉信頼できる, 頼りになる‖ a *sure* reporter 信頼できる記者. **6** [正式] [通例名詞の前で]〈証拠などが〉疑いの余地のない, 確かな‖ *sure* proof 確証 / a *sure* sign 確かな兆し. **7** [通例名詞の前で]〈信念・足どりなどが〉ぐらつかない, しっかりした‖ *sure* convictions 確固とした信念 / *sure* footing しっかりした足どり. **8** 必ず起こる, 避けられない, 必然的な‖ Our victory is *sure*. 我々の勝利は確実だ.
be [**feel**] **súre of** onesélf 自信が(過剰に)ある.
Be súre to *do* =(略式) **Be súre and** *do* …する

ように気をつけなさい, 必ず…しなさい(Don't fail to) ‖ 「*Be sure to* [*Be sure and*] lock the door before you go to bed. 寝る前に必ず戸締まりをしなさい / *Be sure to* take good care of yourself. くれぐれもお体を大切に.
for súre(略式)(1)確かに[な], 確実に[な] ‖ I knew *for sure* that the couple would get married. 私はその2人が結婚することは確かに知っていた / That's *for sure*! 確かにその通り. (2) [否定文で]確実には ‖ I don't know *for sure*. はっきりとはわかりません.
I'm súre(略式)(1) [文頭・文中・文尾で]本当に, 確かに《断言の強調》‖ I don't know, *I'm sure*. 私, 知らないんです, 本当に. (2) =to be SURE (2).
*__**màke súre**__ (1)(略式) [事実などを; …したことを]**確かめる**, 念を入れる《*of* / (*that*)節, wh節》‖ *make* doubly *sure* 念には念を入れる / just to *make sure* 念のために / You should *make sure* of the facts before you begin. 始める前には事実を確かめるべきだ / I consulted a native speaker of English to *make sure* (*that*) my English sentences sounded natural. 私のつくった英文が自然であるかを確かめるために英語の母語話者に見てもらった. (2)〈物を〉確実に手に入れる; [(必ず)…するように]手配する, 注意する《*of* (*doing*), (*that*)節》‖ *Make sure* (*that*) you get to the airport two hours before the flight. 出発2時間前に空港へ着くようにしなさい《♦未来のことをいっていても that節内では will を用いない. → SEE to it that …》.
*__**to be súre**__ (1)(略式)確かに(➜文法 11.3(3)) 〈対話〉 "Didn't you say so?" "Oh, yes. *To be sure*, I did." 「そう言わなかったかい」「いや言ったとも, 確かに」. (2) [正式] [but と呼応して]**なるほど**, 確かに ‖ He is young, *to be sure*, *but* he has had a lot of experience. なるほど彼は若いが経験は豊富だ. (3) [just の後で]念のために.
――**副**《♦比較変化しない》**1**(米略式) [文全体を修飾]確かに, ほんとに(surely) ‖ She's *sure* pretty. 彼女は本当にかわいい子ちゃんだ / 〈対話〉 "It's cold out here." "*It sure is.*"「ここは寒いね」「本当にね」.
2(主に米) [返答として] **いいとも**, もちろん, その通り((英)OK, Yes)《(お礼やおわびに対して)どういたしまして, いやいや》‖ 〈対話〉 "Can I borrow your book?" "*Sure*." 「本を借りてもいいですか」「ああいいとも」/ "Thank you." "*Sure*." 「どうもすみません」「いやいや(かまいませんよ)」《♦ You're welcome. より軽い気持ち》.
3 [文全体を修飾] [sure … but] なるほど…だが.
*__**sùre enóugh**__ (略式)確かに, 案の定 ‖ She was afraid she would fail her exam, and *sure enough* she did. 彼女は自分が試験に落ちると思っていたが, 案の定落ちた / It will start to rain *sure enough*. 大丈夫きっと雨が降るよ.
súre thíng(略式)(1) [a ~]確実なこと, 疑いないこと ‖ He is a *sure thing* to win the race. 彼は間違いなくレースに勝つ. (2) [主に米略式] [相手の依頼などに対して]もちろん, 確かに, いいですとも, かしこまりました 《♦承諾・了承の返事》.

sure·foot·ed /ʃúɚfútid, ʃɔːr-ǀʃɔː-, ʃúə-/ **形 1**〈人・物が〉足元の確かな. **2**〈人が〉(判断などに関して)確かな, 着実な, しっかりした.
†**sure·ly** /ʃúɚrli, ʃɔːr-ǀʃɔː-, ʃúə-/ **副 1** [文全体を修飾; 文頭・文中・文尾で]確かに, 必ず; きっと《♦相手の発言を否定して,「(まさかそんなことはありませんよ)きっと」という気持ちを表す》(I feel sure) ‖ She will *sure-*

ly succeed. =*Surely*, she will succeed. =She will succeed, *surely*. 彼女はきっとうまくやりますよ(まさか失敗することはありません).

> 語法 単に強い確信を述べるには I'm *sure* [*positive*] that she will succeed. / I'm *sure* [*positive*] of her success. などを用いる.

2〖通例文頭・文尾に置き, 疑問符や感嘆符を付けて〗〈主に英〉確かに, きっと, 必ずや; まさか, よもや〖◆驚き・疑い・不信・念を押す気持ちを表す〗‖ *Surely* you haven't finished your homework already. まさかもう宿題を終えてしまったわけじゃないだろうね. **3** 確実に, 着実に‖ She works *surely* and steadily. 彼女は着実にしっかり働く. **4**〈主に米略式〉〖返答として〗いいですとも, もちろん, その通り〖◎返答〗 "Will you give me a helping hand?" "*Surely*." 「ちょっと手を貸してくれないか」「いいとも」〖◆〈米略式〉では sure の方が多用される. 〈英〉では certainly や of course が一般的〗.

†**sur·e·ty** /ʃúərəti, ʃúːrə-|ʃúːrə-, ʃúərə-/ [発音注意] 名 〖古〗〖法律〗保証(人), 〖損失・不履行などに対する〗保証; Ⓒ 保証物[金], 担保, 抵当. **2** 〖a ~〗確実さ; (行動の)自信.

†**surf** /sə́ːrf/ [同音] serf 名 Ⓤ (海岸・岩礁などへ)寄せる波, 寄せては砕ける(白い)波. ── 動 ⓐ **1** (surf-board を用いて)波乗りをする, サーフィンをする. **2** (漫然と)インターネットを見てまわる. ── ⓑ **1**〈波〉に乗る. **2**〈インターネットを見てまわる〉‖ *surf* the Net [the Web] (インターネットで)ネットサーフィンをする.

†**sur·face** /sə́ːrfəs/ [発音注意] 名 **1** Ⓒ (物体の)表面, 表, 外面‖「a smooth [an uneven, a rough] *surface* なめらかで[でこぼこの, ざらざらした]表面 / Much of the earth's *surface* is covered with [by] water. 地球の表面の多くは水域である. **2** Ⓒ 〖通例単数形で〗(液体の)表面, 水面(↔ bottom)‖ Mt. Fuji is beautiful when (it) is reflected on the *surface* of the lake. 湖水に映った富士山は美しい / A beaver came up to the *surface* for air. ビーバーが空気を吸うために水面に浮き上がってきた. **3** Ⓒ〖幾何〗面‖ a plane [curved] *surface* 平面[曲面]. **4** 〖the ~〗外見, 外観, うわべ, 見かけ‖ look below [beneath] the *surface* of the matter その問題の本質を見る / scratch the *surface* 〖通例否定で〗表面的に扱う.

còme [**ríse**] **to the súrface** (1)〈水中の人・物などが〉浮上する. (2)〈問題・秘密などが〉表面化する.

on the súrface 外見は, うわべは, 表面上は‖ This problem seems to be easy *on the surface*, but it's really difficult. この問題は一見簡単そうだが実は難しい.

── 形 **1** 表面の, 外面の‖ *surface* gloss 表面のつや / a *surface* wound 外傷 / *surface* noise (レコードなどの)表面の雑音. **2**(空中・水中・地中に対して)地上の, 陸上(輸送)の‖ *surface* line (地下鉄に対して)地上の鉄道路線 / a *surface* worker (地下でなく)地上(付近)で働く坑夫 / *surface* transport 陸上[水上]輸送. **3** うわべだけの, 外見上の, 皮相な‖ *surface* kindness [resemblance] うわべの親切[類似].

── 動 ⓑ 〖正式〗**1** ...の表面を[...で]平らに[なめらかに]仕上げる,〈道路などを〉舗装する,〈紙などに〉表をつける〖*with*〗‖ *surface* a road *with* tarmac タールマックで道路を舗装する. **2** 〈潜水艦などを〉浮上させる. ── ⓐ **1**〈魚・潜水艦・ダイバーなどが〉水面に浮上する; [比喩的に]浮上する. **2**〈問題・秘密・怒りなどが〉表面化する, 明るみに出る. **3**〖略式〗起床して顔を見せる, 姿を現す, 行動を取り戻す.

súrface máil(航空便に対して)海上[〈米〉地上]輸送郵便, 普通郵便.

surf·board /sə́ːrfbɔ̀ːrd/ 名 Ⓒ 波乗り板, サーフボード.
── 動 ⓐ 波乗りをする, サーフィンをする.

surf·boat /sə́ːrfbòʊt/ 名 Ⓒ 荒波用の船〖救命用〗.

†**sur·feit** /sə́ːrfət/ [発音注意] 名 〖正式〗**1** 〖a ~ of + Ⓤ Ⓒ 名詞〗過度の..., ...の過剰(excess)‖ *a surfeit of* advice うんざりするほどの忠告. **2** Ⓤ ...の食べすぎ, ...の飲みすぎ; 食傷, 飽満(感). ── 動 ⓑ ...を過度に食べさせる[飲ませる], 〖...で〗あきあきさせる〖*with*〗‖ *surfeit* oneself *with* drink 酒をいやになるほど飲む. ── ⓐ 食い[飲み]すぎる, あきあきする.

surf·er /sə́ːrfər/ 名 Ⓒ サーファー, 波乗りをする人.

surf·ing /sə́ːrfɪŋ/ 名 Ⓤ サーフィン, 波乗り.

†**surge** /sə́ːrdʒ/ [同音] serge 動 ⓐ 〖正式〗**1** 〈海が〉波となって打ち寄せる(+in); 〈群衆などが〉波のように押し寄せる(+in)‖ The soldiers *surged* ahead. 兵隊たちがどっと押し寄せた. **2**〈感情が〉沸きあがる(+up)‖ Pity *surged up* within her. 彼女の心に哀れみの気持ちがこみあげてきた. ── 名 〖正式〗〖通例 a ~〗**1** 大波, うねり. **2** (群衆の)殺到; (感情の)高まり, 動揺‖ a *surge* of excitement 興奮の高まり, 沸きあがる興奮.

†**sur·geon** /sə́ːrdʒən/ 名 Ⓒ **1** 外科医(cf. physician)‖ The *surgeon* will carry out the difficult operation. その外科医は難しい手術を行ないます / a cosmetic *surgeon* 美容整形外科医 / a heart *surgeon* 心臓外科医 / a practicing *surgeon* 開業医. **2** 軍医, 船医.

†**sur·ger·y** /sə́ːrdʒəri/ 名 **1** Ⓤ 外科, 外科医学(cf. medicine).

> 関連 〖いろいろな種類の surgery〗
> brain *surgery* 脳外科 / clinic *surgery* 臨床外科 / cosmetic *surgery* 美容整形外科 / plastic *surgery* 形成外科 / spare-part *surgery* 〖略式〗臓器移植外科.

2 Ⓤ Ⓒ 外科手術, 外科的処置‖ laser *surgery* レーザー手術 / perform [undergo] *surgery* on the eye 目の手術を行なう[受ける]. **3** Ⓒ 〈米〉(外科)手術室. **4** Ⓒ 〈英〉医院, 診療所, 歯科医院(の診療室)〖◆ふつう診察し処方せんを渡すだけで薬剤の調合はしない〗(cf. clinic). **5** Ⓒ Ⓤ 〈英〉診療時間, 手術時間.

†**sur·gi·cal** /sə́ːrdʒɪkl/ 形 外科の, 外科手術の, 外科医による; 外科的な(↔ medical); 外科用の‖ (a) *surgical* treatment 外科的治療[処置] / a *surgical* operation 外科手術 / *surgical* instruments 外科(手術)用具.

†**sur·ly** /sə́ːrli/ 形〈表情・態度が〉不機嫌な, むっつりした; ぶっきらぼうな.

†**sur·mise** /sərmáɪz, sə́ːrmaɪz; 〈英〉-/ 名 Ⓒ 〖正式〗推量, 推測, 憶測(guess). ── 動 ⓑ ...を推量[推測]する, 〖...だと〗推測する(guess)〖*that*節〗. ── ⓐ 推量する.

†**sur·mount** /sərmáʊnt/ 動 ⓑ 〖正式〗**1**〈困難・障害〉に打ち勝つ, ...を克服する(overcome)‖ *surmount* all objections to the plan 計画に対する反対を抑える. **2**〈山〉に登る, ...を登って越える, 〈ヘいなどを〉乗り越える. **3** ...の上に置く; 〖通例 be ~ed〗〖...が〗載っている, 〖...で〗覆われる〖*with*, *by*〗‖ peaks *surmounted with* snow 雪をいただく峰々. **4** ...の上

にそびえる, …の上にある ‖ One peak *surmounts* all the rest. 1つの峰が周囲の峰々の上にそびえている.

sur·mount·a·ble /-əbl/ 形 克服できる, 乗り越えられる.

†**sur·name** /sə́ːrnèim/ 名 C 姓, 名字(family name, last name)(→ name) ‖ Smith is his *surname*. スミスというのが彼の名字です.

‡**sur·pass** /sərpǽs | -páːs/ 動 他《正式》**1**〈人が〉〈人に〉〈量・程度・能力などで〉まさる, …をしのぐ[in, at](cf. excel) ‖ She *surpasses* her sister in arithmetic. 彼女は算数では姉よりもすぐれている. **2**〈範囲・限界の点で〉…を越える ‖ The beauty of the sunset *surpassed* description. 日没は言葉で表現できないほど美しかった.

sur·plice /sə́ːrpləs/ 名 C〔カトリック・アングリカン〕サープリス《聖職者・聖歌隊が儀式に着るその広い白衣》.

†**sur·plus** /sə́ːrplʌs, -pləs/ 名 **1** C U 余り, 残り; 過剰 ‖ The trade *surplus* has been rising recently. 貿易黒字が最近増加している / a *surplus* of divorces over marriage 結婚件数に対する離婚件数の増加. **2** C〔商業〕剰余金(↔ deficit).
——形 余った, 過剰の;〔…に対して〕余分の[to] ‖ the *surplus* population 過剰人口.

‡**sur·prise** /sə(r)práiz/〔『上から(sur)つかまえる(prise)』→『不意をつく』〕(派) surprising (形)
——動 (~s/-iz/; 過去・過分 ~d/-d/; --pris·ing)
——他

I〔驚かす〕

1 a〈人・物・事が〉〈人・動物を〉(不意に)驚かす, びっくりさせる, あきれさせる, …に意外に思わせる《◆ startle, astound, astonish, amaze, surprise の順に意味が弱くなる》 ‖ You *surprise* me! びっくりするじゃないか. **b** [be ~d]〈人・動物が〉〔…に〕驚く, あきれる[at, by];〔…して/…ということに/…であるかに〕驚く[to do / that 節 / wh 節] ‖ I was very *surprised* to receive a telegram. 電報を受け取って私は本当にびっくりした / I am *surprised* that your wife objects [should object]. あなたの奥様が反対されると意外です / I am *surprised* at [your rudeness]. 君には[君の無作法には]あきれるよ / I'm not *surprised*. そんなこと言われなくても知っているさ / I wouldn't be *surprised* if it snowed this afternoon. 午後雪が降っても驚かない(たぶん雪になるだろう) / It's nothing to be *surprised* at [about]. それは別に驚くにはあたらない / I was pleasantly *surprised* at [by] her sudden visit. =I was pleasantly *surprised* that she visited me suddenly. =She pleasantly *surprised* me with a sudden visit. 彼女の突然の訪問に私は面くらったがうれしかった / You'll be *surprised* how kind he is. 彼が親切なに驚くだろう.

II〔驚かすように不意を打つ〕

2《正式》〈敵(のとりで)などを〉不意に襲う, 奇襲して占領する;〈人・獲物を〉不意打ちにする, 不意をつき捕える ‖ The islanders were *surprised* by the attack. 島民は不意の攻撃を受けた.

3〈人を〉不意打ちに〔…で〕驚かせる[with, by] ‖ The children *surprised* their mother with a present. 子供たちは母親に贈り物をしてびっくりさせた.

4〈人を〉驚かせて思いがけなく〈行為を〉させる[into];〈人を〉驚かせて〈状態〉にする[into] ‖ The news on the radio *surprised* me into tears [laughter]. ラジオのニュースに私は思わず泣いて[笑って]しまった.

5〔人に〕不意打ちをかけて〈情報・秘密などを〉聞き出す

[from, out of] ‖ The detective *surprised* the truth [a secret] from the waitress. 刑事はウエイトレスから不意をついて真相[秘密]を聞き出した.
——名 (複 ~s/-iz/) **1** C〔通例 a ~〕〔…にとっての〕驚くべき事[物], 意外な事[物], びっくりさせる事[物][to, for]《不意の贈り物パーティー・贈り物など》 ‖ His scandal was [came as] a great [big] *surprise* to me. 彼のスキャンダルは私にとって非常な驚きだった[となった] / I have a *surprise* for you. 君がびっくりする知らせ[贈り物]がある.

2 U〔突然のこと・思いがけないことに対する〕驚き[at], 驚かせること, 驚くこと ‖ a pleasant *surprise* (予想していなかった)うれしい驚き / shout with a look of *surprise* 驚いた表情で叫ぶ / "My father was hospitalized?" she asked in [with] *surprise*. 「父が入院したんですって」と彼女は驚いて尋ねた《◆ in は状態, with は原因を表す》/ The policeman's sudden visit caused him much [great] *surprise*. 突然警官の訪問を受けて彼は大いに驚いた / I felt some *surprise* at seeing him there. そこで彼と会って私はいささか驚いた.

3 U C 不意打ち, 奇襲. **4**〔形容詞的に〕不意の ‖ a *surprise* test 抜き打ち試験.

*take A by surprise (1)〔軍事〕A〈敵陣など〉を奇襲する, 奇襲して占領する;〈人など〉を不意をついて捕える ‖ *take* a fort [town] *by surprise* 砦(とりで)[町]を奇襲して占領する. (2)《正式》A〈人〉の不意をつく;〈人〉を驚かす ‖ The news took him *by surprise*. そのニュースに彼はびっくり仰天した.

*to one's [A's] surprise =to the surprise of A [文全体を修飾]〈人〉が驚いたことに(surprisingly) ‖ *To my great surprise* [Much *to my surprise*], my house was on fire when I came home. とてもびっくりしたことに, 私が帰宅してみると自宅が火事であった(=I was very much *surprised* that my house …).

sur·prised /sə(r)práizd/ 形 驚いた; 驚きを表す.

†**sur·pris·ing** /sə(r)práiziŋ/ 形〔他動詞的に〕驚くべき,〈人を〉驚かせるような, 意外な, 不思議な ‖ a *surprising* report びっくりするようなレポート / There is nothing *surprising* in it. それには何ら驚くべきことはない〔驚くにはあたらない〕 / It is *surprising* that no one has [should have] objected to the plan. だれも計画に反対しなかったのは意外だ.

*‡**sur·pris·ing·ly** /sə(r)práiziŋli/
——副 驚くほど(に), 意外に;〔文全体を修飾; 文頭で〕意外にも, 驚いたことに(to one's surprise) ‖ in a *surprisingly* short time 驚くほど短期間で / *Not surprisingly*, he protested strongly about it. もっともなことだが彼はそのことに強く抗議した(=It is not *surprising* that …) / The typhoon did little damage, *surprisingly*. 驚いたことに, 台風は被害をほとんどもたらさなかった.

sur·re·al·ism /sərí:əlìzm | -ríəl-/ 名 U〔文学・美術〕超現実主義, シュールレアリスム.

sur·re·al·is·tic /səri:əlístik | -ríəl-/ 形 超現実主義的な, シュールレアリスムの.

†**sur·ren·der** /səréndər/ 動 他 **1** [surrender B to A]〈人が〉B〈砦(とりで)・船など〉を A〈敵など〉に引き渡す, 明け渡す;〈物を〉譲り渡す《◆ give up より堅い語. ふつう yield より決定的・恒久的な引き渡しに用いる》; [~ oneself]〔…に〕自首する, 降伏する[to] ‖ *surrender* the castle *to* the enemy 敵に城を明け渡す / She *surrendered* herself *to* the authorities. 彼女は当局に自首した / The man *surren-*

dered the gun to the police. 男は警察に銃を引き渡した《◆ ×The man surrendered the police the gun. は不可》. **2** 〔正式〕〈人が〉〈希望などを〉放棄する, 捨てる ‖ We *surrendered* all hope. 我々は一切の望みを捨てた. **3** 〔文〕〔~ oneself〕〔感情・影響などに〕おぼれる, おぼれる(*to*). ──⊜ **1**〔砦(とりで)・船・軍隊・指揮官が〕〔敵に〕降伏する, 降参する(*to*) ‖ *surrender* to the enemy 敵に降伏する. **2**〔感情などに〕身を任せる, おぼれる(*to*).
──名 ⓒⓊ **1** 引き渡し, 明け渡し ‖ the *surrender* of the fortress 要塞(ようさい)の明け渡し. **2** 降伏, 降参 ‖ unconditional *surrender* 無条件降伏.

†**sur·rep·ti·tious** /sə̀ːrəptíʃəs | sʌ̀r-/ 形 〔正式〕内密の, こそこそした; 不正な. **sùr·rep·tí·tious·ly** 副 秘密に, こっそりと; 不正に.

sur·ro·ga·cy /sə́ːrəgəsi/ 名 Ⓤ 代理母制(度), 代理母の役を務めること.

sur·ro·gate /sə́ːrəgèit, -gət | sʌ́rəgət/ 名 ⓒ **1**〔正式〕代理人, 代行者; 代用物. **2**〔アングリカン〕監督代理. **3**〔米〕〔法律〕(New York など数州の)検認判事. **súrrogate mòther** 代理母《不妊の女性に代わり子供を産む》.

*****sur·round** /səráund/〔上に(sur)水が流れる(ound)〕⤷ surrounding〈名〉
──動 (~s /-ráundz/; 過去・過分 ~ed /-id/; ~ing)
──他〈人・物が〉〈人・物を〉〔…で〕〔四方から〕囲む, 取り巻く〔*with, by*〕;〔軍事〕〈敵などを〉包囲する;〈危険・神秘などが〉類語 encircle, enclose, encompass〕‖ High walls *surround* the fortress. 高い壁が砦(とりで)を囲っている / He *surrounded* the farm *with* barbed wire fences. 彼は農場を鉄条網で囲った / Silence *surrounded* them. 沈黙が彼らを包んだ / Japan *is surrounded by* [*with*] (the) sea. 日本は四方を海に囲まれている(➡文法 7.3) / The teacher *was surrounded by* her students. 先生は学生たちに囲まれた[囲まれていた].
──名 ⓒ **1**〔主に英略式〕壁とじゅうたんの間の〔床〕(border); そこに敷く物. **2**〔主に英〕(窓回りなどの)外枠; 装飾的な縁取り. **3**(ある区域・範囲の)取り囲むもの; 近郊, 周辺.

†**sur·round·ing** /səráundiŋ/ 名 **1**〔~s; 複数扱い〕(人・場所を取り巻く)地理的な環境, 周囲(の状況), 境遇 ‖ We all want to live in pleasant [beautiful] *surroundings*. 我々はみな快適な[美しい]環境で生活したいと思っている《◆精神面に影響を与える環境は environment》/ It is easy for children to adapt to new *surroundings*. 子供たちは新しい環境に適応するのが容易である. **2** ⓒ (都市の)周辺地域, 近郊, 郊外, 田園地域. ──形 周囲の, 取り囲んでいる, 付近の ‖ the *surrounding* country 近郊, 近隣地域 / Israel and its *surrounding* nations イスラエルとそれを取り囲む諸国.

sur·veil·lance /sərvéiləns/ 名 Ⓤ 〔正式〕(囚人・容疑者などの)(調査)監視, 見張り(watch), 監督 ‖ keep him under *surveillance* 彼を監視する.

†**sur·vey** /動 sərvéi, sə́ːrvei; 名 ˊ -, -/ 動 他 **1**〔正式〕〈人が〉〈人・場所〉をざっと見渡す, 見渡す ‖ *survey* the view 景色を見渡す / We *surveyed* the farm from the top of the hill. 我々は丘の頂上から農場を見晴らした. **2**〈人・物が〉〈状況・学問の分野など〉を概観する, 概説する, 概括的に見る, 大ざっぱに眺める ‖ The professor *surveyed* the history of postwar Japan. 教授は戦後の日本の歴史をひとわり説明した. **3**〈人・当局・機関などが〉〈人口・世論・情勢などを〉(綿密に)調査する, 観察する ‖ The board *surveyed* the opinions of housewives. 委員会は主婦の意見を調査した. **4**〈土地などを〉測量する(→ measure). ──⊜ (土地の)測量をする.
──名 **1** ⓒ 見渡すこと; 概観, 概説, 通覧 ‖ a *survey* of politics [Japanese literature] 政治学[日本文学]概説 / a brief *survey* of her academic career 彼女の学者としての略歴. **2** ⓊⒸ (正式の詳細な)調査, 検査 ‖ the results of an international *survey on* attitudes toward the Japanese 日本人観に関する国際的な調査の結果 / conduct [carry out] a *survey* of the uses of English 英語の用法の調査を実施する / a population *survey* 人口調査. **3** ⓒⓊ (土地などの)測量図, 測量地 ‖ The building is under *survey*. その建物は今測量中です. **4** ⓒⓊ 〔英〕(家屋などの)検分, 査定.

†**sur·vey·ing** /sərvéiiŋ/ 名 Ⓤ 測量(術); 測量学.
†**sur·vey·or** /sərvéiər/ 名 ⓒ **1** (土地・家屋の)測量士, 測量技師. **2**〔しばしば S~〕(もと米国の)税関吏.

†**sur·viv·al** /sərváivl/ 名 **1** Ⓤ 生き残ること, 生き延びること, 助かること, 残存;〔形容詞的に〕生存の, (どうにか)生き残れる ‖ *survival* instincts 生存本能 / There is no hope of *survival*. 生存の見込みはない / the *survival* of the fittest 適者生存 / *survival* English [French] (なんとか)用を足せる程度の英語[フランス語]. **2** ⓒ 生存者; 残存物; (古い時代の)遺物, 遺風《習慣・儀式・考え方など》‖ *survivals* of the feudal age 封建時代の遺物.
survíval kit 非常用携帯品一式《冒険・旅行・災害などに備えて持って行く薬品・食糧など》.

*****sur·vive** /sərváiv/〔越えて(sur)生きる(vive). cf. revive〕⤷ survival〈名〉
──動 (~s /-z/; 過去・過分) ~d /-d/; ~·viv·ing)《◆命令形不可》
──他 **1**〈人が〉〈事故・災害・危機・逆境などを〉切り抜けて生き残る;〈物が〉…の後まで残る, 耐える ‖ *survive* the energy crisis エネルギー危機を切り抜ける / Only the driver *survived* the accident. 運転手だけが事故で助かった / My grandfather *survived* two wars. 私の祖父は2つの戦争を生き抜いた / Such a house would not *survive* a hurricane. そんな家ではハリケーンに耐えられないだろう.
2〔正式〕〈人が〉〈人・名声など〉より**長生きする**(live longer than)‖ She *survived* her husband by six years. 彼女は夫に先立たれた後6年生きた / The mayor is *survived by* his wife and two children. 市長が死に後に妻と2人の子が残った. 市長の遺族は夫人と子が2人である / The writer *survived* his fame. その作家は長生きしてその名も忘れ去られた.
──⊜〈人・生物が〉(危機・逆境などを切り抜けて)**生き残る**, なんとかやっていく;〈物・事が〉残存する ‖ Early customs still *survive* in most uncivilized tribes. ほとんどの未開の部族には古くからの習慣がいまだに残っている / He *survived* on only water in the drifting boat for a week. 彼は漂流船で水だけで1週間生き延びた.

†**sur·vi·vor** /sərváivər/ 名 ⓒ 生き残った人[生物], 生存者; 遺族; 残存物; 遺物 ‖ the *survivors* of the airplane crash 飛行機墜落事故の生存者たち.

sus- /sʌs-, səs-/〔語要素〕→語要素一覧(1.7).

Su·san /súːzn/ 名 スーザン《女の名.〔愛称〕Sue, Susie》.

sus·cep·ti·bil·i·ty /səsèptəbíləti/ 名 〔正式〕**1** Ⓤ 感

susceptible

じやすいこと，感受性；[…に]影響を受けやすいこと[to]. **2** [susceptibilities] (傷つきやすい)感情.

†sus·cep·ti·ble /səséptəbl/ 形 《正式》**1** [⋯の]影響を受けやすい，[⋯に]感染しやすい[to] ‖ *susceptible to* suggestion 暗示にかかりやすい / My mother is *susceptible to* colds. 母はかぜをひきやすい. **2** 感じやすい，敏感な ‖ a girl of a *susceptible* nature 多感な少女. **3** […を]許す，[…が]できる[of] ‖ The theory is *susceptible* of various interpretations. その理論はさまざまな解釈が可能である.

*sus·pect /動 səspékt/ 名形 sáspekt/ 〖『好ましくないことがあるのではないかと疑う』が本義. cf. doubt〗派 suspicion (名), suspicious (形)
——動 (~s/-pékts/; 過去・過分 ~·ed/-id/; ~·ing)
——他

Ⅰ [漠然と思う]

1 《略式》[suspect (that)節] 〈人が〉…だと思う；[suspect A to be C] A を C だと思う (suppose, 《米略式》guess)◆(1) ふつう好ましくないことや都合の悪いことに用いる. (2) 「…ではないと思う」は doubt. → doubt 他 **2** ‖ I *suspect* (*that*) he is lying. = I *suspect* him *to be* lying. 彼はどうもうそをついているように思う.

Ⅱ [怪しいとうすうす感じる]

2 〈人が〉〈危険・悪事など〉をうすうす感じる ‖ The enemy *suspected* danger. 敵は危険を感じた.

3 a 〈人が〉〈人・物〉を**怪しいと思う**，…に容疑をかける，…がしたのではないかと疑う ‖ a *suspected* person 容疑者 / the *suspected* leader of the terrorists テロリストのリーダーではないかと疑われている人物 / I *suspect* her. どうも彼女は怪しいと私は思っている.
b [suspect A of B] 〈人が〉A〈人〉にB〈悪事・犯罪などの**嫌疑をかける**，A が B をしたのではないかと疑う；[suspect A to be C] 〈人〉を C ではないかと疑う；[…だと思う] (*that*節) ‖ He was *suspected of* "underground action [being a spy]. = 《ややれ》He was *suspected* ⌈*to be* involved in underground action [*to be* a spy]. 彼は地下活動[スパイ]の疑いをかけられた.

4 〈人が〉〈物事の信憑度など〉を**怪しいと思う**，疑う，信用しない ‖ He *suspected* the truth of her statement. 彼は彼女の供述の信憑(ひょう)性を疑った◆この意味では doubt と交換可能.

——自 怪しいと思う，疑う，邪推する.

——名 /sáspekt/ (~s/-pékts/) C (犯罪の)**容疑者**，被疑者；(伝染病の)感染の疑いのある者 ‖ a murder *suspect* 殺人容疑者 / The *suspect* was released because she had an alibi. 容疑者はアリバイがあったので釈放された.

——形 /sáspekt/ (more ~, most ~) 《正式》〈人・事・正しさなど〉が疑わしい，怪しい ‖ a *suspect* ship 怪しい船，不審船 / The documents are *suspect*. その書類は疑わしい.

†sus·pend /səspénd/ 動 他 **1** 《正式》〈人が〉〈物〉を[…から/…で]つるす，かける，ぶら下げる (hang) [*from*/*by*] ‖ A chandelier is *suspended from* the ceiling. シャンデリアが天井からつるされている. **2** 〈人が〉〈権利・法の効力・機能・事業活動など〉を一時停止する，一時中断[中止]する，一時的に差し控える，延期する ‖ *suspend* rules 規則(の効力)を一時無効にする / *suspend* business [publication] 営業[刊行]を一時停止する / *suspend* a license 免許を一時取り消す / Railroad service was *suspended* because of the accident. 事故のため鉄道がしばらく不通になった. **3** (不正・非行などの罰として)〈人〉を[…から]停職[休]

職]させる[*from*]；〈医者・弁護士など〉を営業停止にする；[通例 be ~ed] 〈選手が〉出場停止になる；(主に米)〈学生が〉[…の理由で]停学になる[*for*] ‖ He was *suspended from* school for three days *for* cheating. 彼はカンニングで3日間の停学処分を受けた. **4** 《正式》〈決定・承諾など〉を保留する，決めずにおく，延ばす (delay) ‖ I'll *suspend* judgment until all the facts are in. 全事実がそろうまで判断を差し控えよう. **5** [否] [通例 be ~ed] (空中・液体中に)〈ちり・微粒子など〉が浮く，浮遊する ‖ dust particles *suspended* in the air 空中に浮いているちりの粒子 / Smog *was suspended* over the city. 都会の上空にスモッグがたなびいていた.

sus·pend·er /səspéndər/ 名 **1** (米) [~s] ズボンつり ((英) braces). **2** (英) [~s] ガーター，靴下留め(《主に米》garters). **3** C つるす人[物].

suspénder bèlt (英) =garter belt.

†sus·pense /səspéns/ [アクセント注意] 名 U **1 a** (結果がどうなるかわからない，早く知りたいなどのための)不安，気がかり，懸念 ‖ wait *in* great *suspense* for the results of the entrance examination 入試の結果をひどくはらはらして待つ / *The suspense is killing me*. = *Don't leave me in suspense*. 気をもませないでよ(早く言ってよ). **b** (小説・劇・映画などの)サスペンス(先がどうなるかという緊張感・興奮). **2** (精神的な)どっちつかずの状態，あやふやな気持ち. **3** 未決定，決心がつかないこと，未定.

keep [*hold*] **A** *in suspénse* (1) 〈人〉に気をもませる，〈人〉をはらはらさせる. (2) 〈判断など〉を保留しておく[しぼる].

sus·pense·ful /səspénsfl/ 形 サスペンスに満ちた.

†sus·pen·sion /səspénʃən/ 名 **1** U つるす[つるされる]こと，宙づり，宙ぶらりん. **2** U 未決定，保留. **3** U (権利・法・活動などの)一時的停止，中止，差し止め ‖ *suspension* of hostilities 停戦. **4** UC […の理由での](一時的)停職，(議員・医師などの資格の)一時的剝(ぱ)奪；停学；出場停止[*for*] ‖ *suspension from* school for bad conduct 非行による停学 / a minimum ten-day *suspension* 最低10日間の出場停止. **5** U (精神的に)どっちつかずの状態. **6** UC [物理・化学] 懸濁液，サスペンション. **7** C つるす道具，掛け具；UC (自動車の)車体懸架装置，サスペンション.

suspénsion bridge つり橋.

†sus·pi·cion /səspíʃən/ 名 **1** UC […に対する]疑い，怪しむ気持ち(*about*, *against*, *for*)；うさんくさく思うこと(cf. doubt) ‖ My *suspicions* will soon prove true. 私の疑惑はもうすぐ正しいとわかるでしょう / My brother fell *under suspicion for* fraud. 兄に詐欺の疑いがかかった / There is a strong *suspicion against* him. 彼に強い嫌疑がかけられている / The student was regarded *with suspicion*. その学生は疑いの目で見られた / He was arrested *on* (*the*) *suspicion of* having accepted a bribe. 彼はわいろを受け取った容疑で逮捕された. **2** C […ではないかと思うこと，[…らしいという]感じ(*that*節)；[…に]感づくこと[*of*] ‖ I *have a suspicion* [*of* his having accepted] a bribe. どうも彼がわいろを受け取ったように思う(➡文法12.2) / I hadn't the slightest *suspicion of* her guilt. 私はまさか彼女が有罪だとは思ってもみなかった(➡文法19.5). **3** 《正式》 [a ~ of + UC 名詞] ほんの少しの(…)，かすかな(…)，(…)の気味 (small amount) ‖ *a suspicion of* tears 涙のひとしずく / There is *a suspicion of* cowardice about her. 彼女にはどこか少し臆(ぷ)病なところがある.

†**sus·pi·cious** /səspíʃəs/ 形 **1**〈人・事が〉疑惑を起こさせる, 怪しい ‖ a *suspicious* character [action] 不審な人物[挙動] / under *suspicious* circumstances 不審な状況下で. **2**〈人・目つき・性格などが〉〔…に対して〕疑い深い, 疑念に満ちた〔*of*, *about*〕‖ with a *suspicious* look いぶかしげな目つきで / The police are *suspicious* of him [his alibi]. 警察は彼[彼のアリバイ]を疑っている / My flimsy excuse made my husband *suspicious*. へたな言い訳で夫が私に疑いをもってしまった.

†**sus·pi·cious·ly** /səspíʃəsli/ 副 疑い深く, 怪しそうに, うさんくさそうに; ひどく(似ている).

Sus·sex /sʌ́siks/ 名 **1** サセックス《イングランド南部の旧州. 現在 East Sussex と West Sussex に二分》. **2**〔英史〕サセックス王国.

†**sus·tain** /səstéin/ 動 他 **1**〔正式〕〈物が〉〈建造物〉を支える(support, hold up), 〈重さに耐える(bear) ‖ Heavy posts are needed to *sustain* this bridge. この橋を支えるには重い柱が必要だ. **2**〈人などが〉〈困難・被害・衝撃などに耐える, 屈しない(bear) ‖ *sustain* hardship 苦難に耐える / manage to *sustain* an oil crisis 石油危機をなんとか乗り切る. **3**〈人が〉〈家族などの〈生命〉〉を維持する, 扶養する(support); 〈生計〉を支える; 〈食べ物などが〉〈人の〉活力を維持する ‖ *sustain* one's family 家族を養う / eat a *sustaining* meal スタミナのつく食事を取る. **4**〈行動・努力・興味〉を持続させる; 〈施設などを〉維持する ‖ *sustain* a conversation 会話を続ける / *sustain* interest 興味を持続させる / *sustain* the same pace for three hours 3時間同じペースを持続させる. **5**〈希望などが〉〈人・心〉を元気づける, 激励する. **6**〔法律〕〈裁判官が〉〈発言など〉を認める ‖ The judge *sustained* (her in) her objection. 裁判官は彼女の異議を認めた.

sus·tain·a·ble /səstéinəbl/ 形 維持できる; 持続可能な.

sustáinable devèlopment 持続可能な開発.

†**sus·te·nance** /sʌ́stənəns/ 名 U **1**〔正式〕(生命維持の)食物, 滋養物, 糧食. **2** 生計(の手段), 生活維持. **3** 維持する[される]こと.

su·ture /sú:tʃər/ 名 **1** U〔医学〕(傷口などの)縫合; C その糸. **2** C〔解剖〕(頭蓋(ぶ)骨の)縫合線. **3** C〔動・植〕(二枚貝・豆のさやなどの)縫い目, 縫合線. ── 動 〈傷口〉を縫い合わせる.

Su·va /sú:vɑ/ 名 スバ《Fiji の首都, 海港》.

su·ze·rain /sú:zərən, -rèin | sú:zərèin, sjú:-/ 名 C **1**〔正式〕(属国に対する)宗主, 宗主国. **2**〔歴史〕(封建時代の)領主, 藩主, 宗主.

sú·ze·rain·ty /-ti/ 名 U〔正式〕宗主権; 宗主[領主]の位[権力].

Sv〔記号〕〔物理〕sievert.

s.v., sv〔略〕sailing vessel; side valve;〔ラテン〕sub verbo [voce] …という(見出し)語の下に《辞書を参照させるときの指示》.

SW〔略〕short wave; southwest(ern).

swab /swɑb | swɔb/ 名 C **1**(床・甲板用の)モップ, 棒ぞうきん. **2**〔医学〕(綿棒の)消毒綿, 綿球. ── 動 (過去過分 swabbed/-d/; swab·bing)他 **1**〈甲板など〉をモップでふく(+*down*); 〈水などで〉ふきとる(+*up*). **2**…を消毒綿でふく(+*out*), …に〔薬などを〕塗って塗る.

swad·dle /swɑ́dl | swɔ́dl/ 動 他 **1**〔~ oneself〕〔…に〕くるまる〔*in*〕. **2**〔古〕〈赤ん坊〉を細長い布でくるむ〔*巻く*〕. ── 名 C 産着, おむつ; 包帯.

†**swag·ger** /swǽɡər/ 動 自 **1** いばって歩く, ふんぞり返って歩く ‖ *swagger* onto the stage 肩で風を切って舞台に登場する. **2**〔…について〕自慢する, ほらを吹く〔*about*〕; いばりちらす. ── 名 〔a ~〕いばった歩き方[態度] ‖ walk with a *swagger* いばって歩く. ── 形〔略式〕いきな, しゃれた.

swágger còat ゆったりした女性用コート.

Swa·hi·li /swɑːhíːli, swə-/ 名 (複 ~s, [集合名詞] Swa·hi·li) **1** U スワヒリ語. **2** C スワヒリ族《アフリカの Zanzibar や隣接海岸に住む Bantu 族》.

†**swain** /swéin/ 名 C〔古(詩)〕**1** 田舎の若者. **2**(男の)愛人, 求婚者.

swale /swéil/ 名 U C〔主(米)〕低湿地; 低地.

†**swal·low¹** /swɑ́lou | swɔ́lou/ 動 他 **1**〈人が〉〈食物〉を飲みこむ, 飲み下す, 〈飲み物〉をごくりと飲む(+*up*) (1) 無理に飲みこむ時は *down* を伴う. (2)「ごくごく飲む」は gulp ‖ *swallow* food 食物を(かまずに)飲みこむ / He *swallowed* a yellow-and-red capsule. 彼は黄と赤のカプセルを飲んだ. **2**〈地面・水などが〉〈人・物など〉をのみこむ, 包みこむ(〔正式〕absorb) (+*up*); 〈お金〉を使い尽くす ‖ They were *swallowed up* by the crowd. 彼らの姿は群衆の中に消えてしまった. **3**〔略式〕〈人の〉〈話〉をうのみにする, たやすく信じる, 早合点する ‖ *swallow* a person's story 人の話をうのみにする. **4**〔略式〕〈軽蔑(ぷ)など〉を我慢する; 〈怒り・涙など〉を抑える(+*down*) ‖ You don't have to *swallow* their insults. 彼らに侮辱されて我慢することはない. **5**〈言葉〉を取り消す; …をぼそぼそ言う ‖ She *swallowed* her words. 彼女は前言を取り消した.
── 自 飲みこむ; (感情を抑えて)のどをごくりとさせる; 〈薬などが〉飲みこめる ‖ These pills *swallow* easily. この薬は飲みこみやすい.
── 名 C ひと飲み; 飲み物の量 ‖ I took the bitter medicine *in* [*at*] *one* [時に] *a*] *swallow*. 私は苦い薬をぐいとひと飲みにした.

†**swal·low²** /swɑ́lou | swɔ́lou/ 名 C ツバメ《◆(米)では barn swallow ともいう》‖ *Swallows* are migratory birds. ツバメは渡り鳥です / One *swallow* does not make a summer.《ことわざ》ツバメが1羽来たからといって夏にはならない; 早合点してはいけない.

swal·low·tail /swɑ́loutèil | swɔ́l-/ 名 **1** ツバメの尾(の形をした物). **2**〔昆虫〕アゲハチョウ. **3** 燕尾(ぷ)服(swallow-tailed coat).

swal·low–tailed /swɑ́loutèild | swɔ́l-/ 形 燕尾(形)の.

*****swam** /swǽm/ 動 swim の過去形.

†**swamp** /swɑmp | swɔmp/ 名 C U 沼地, 湿地(marsh) ‖ the mangrove *swamps* マングローブの生える沼地.
── 動 他 **1**…を水浸しにする; 〈船〉を水浸しにして沈める ‖ be *swamped in* …に飲み込まれる. **2**〈仕事・物などが〉…に押し寄せる; [通例 be ~ed] 〔仕事などで〕圧倒される(*with*, *by*) ‖ She was *swamped with* invitations.=Invitations *swamped* her. 彼女は招待攻めにあった. ── 自 水浸しになって沈む.

swámp fèver〔略式〕マラリア.

†**swamp·y** /swɑ́mpi | swɔ́mpi/ 形 (--i·er, --i·est) 沼地(のような), 柔らかくて湿った; 沼の多い.

†**swan** /swɑ́n | swɔ́n/ 名 C **1** ハクチョウ(白鳥) ‖ Several *swans* are paddling on the lake. 数羽の白鳥が湖で水をかいて泳いでいる. **2** 詩人, 歌手; すばらしい人[物], 優雅な人[物] ‖ the (sweet) *Swan* of Avon エイボン川の白鳥《Shakespeare のこと》.

swank

──動 (過去・過分) swanned/-d/; swan·ning (自) (英略式) ぶらぶらあてもなく歩く (+*off, around*).

swan dive (米) スワンダイブ《両腕を空中では広げ, 入水時には頭上にまっすぐ伸ばす飛び込み法》.

Swán Làke『白鳥の湖』《バレエ曲の名》.

swan song 白鳥の歌《伝説で白鳥が臨終まぎわに歌うという美しい歌》; (正式) 最後の作品, 絶筆.

swank /swǽŋk/ 名 (略式) [けなして] **1** U 高慢; 見せびらかし. **2** U (主に米) スマートさ. **3** C (英) 気取り屋《◆ swánk·pot ともいう》.
──動 (自) (略式) 見せびらかす; 気取って歩く.
──形 (米略式) しゃれた, いきな.

swank·y /swǽŋki/ 形 (-i·er, -i·est) (略式) **1** 高慢な, みえをはる. **2** しゃれた; 派手な.

swans·down, swan's-down /swǽnzdàun | swɔ́nz-/ 名 U **1** ハクチョウの綿毛《衣服の縁どり・おしろいのパフに使う》. **2** けば立った柔らかいウール地; (片面をけば立てた)綿ネル《産着などに使う》.

†**swap** /swáp | swɔ́p/ 動 (過去・過分) swapped/-t/, swap·ping (他) **1** (略式)〈物を〉〈物と〉交換する, 取り替える(for);〈物を〉〈人と〉交換しあう(with); [swap A B] A〈人〉と B〈物〉を〈…に〉交換する(for) || swap a camera *for* a bicycle カメラを自転車に換える / I swapped seats *with* her. 私は彼女と席を替わった. **2**〔コンピュータ〕〈データなどを〉スワップする《メインメモリーとハードディスクの間で一部のデータを交換する》.──(自)(略式)〈物々〉交換する; 場所を交換する(+(a)*round, over*).──名 C (略式) **1** [通例 a/the ~] 交換. **2** 交換品.

swáp mèet (米) 古物交換会《家庭の不用な物を売り, 欲しい物を買う》.

swap·ping /swápiŋ | swɔ́p-/ 名 U C 〔コンピュータ〕(データなどの)スワッピング, 入れ換え.

sware /swéər/ 動 (古) swear の過去形.

†**swarm** /swɔ́ːrm/ 名 C [集合名詞; 単数・複数扱い] **1** (群をなして移動する)昆虫の群れ; 巣別れする八チの群れ(→flock¹) || *a swarm of* ants アリの群れ. **2** (略式) [しばしば ~s of …] (人などの)群れ, 群衆, (移動する集団の)群れ ||「a *swarm* (swarms) *of* refugees 難民の群れ.──動 (自) **1**〈ミツバチが〉群がって巣別れする[飛び回る]. **2**〈人・動物が〉群をなして動く[+to);〔…に〕群がる, うようよする(round, about, over, through). **3** (略式)〈場所が〉〈人・動物などの動く群れで〉いっぱいになる(with) || The hall swarmed *with* a large audience. 会場は多数の聴衆で埋まった.──(他)〈人・動物が〉…に群がる.

†**swarth·y** /swɔ́ːrði, swɔ́ːrθi/ 形 (-i·er, -i·est)〈皮膚・顔色が〉浅黒い, 黒ずんだ; 日に焼けた.

swash /swáʃ | swɔ́ʃ/ 動 (自)〈水が〉バシャバシャはねる.──(他)〈水などを〉はねとばす.──名 U 水がはねること, バシャバシャ(いう音); 奔流.

swas·ti·ka /swástikə/ 名 C〔サンスクリット〕**1** まんじ《卍, 卐など》; かぎ十字《旧ナチスドイツの紋章》.

swat /swát | swɔ́t/ 動 (過去・過分) swat·ted/-id/, swat·ting (他) 〈ハエなどを〉ピシャリと打つ.──名 C (略式) **1** ピシャリと打つこと, 強い一撃. **2** (英) ハエたたき(swatter). **swát·ter** 名 C ピシャリと打つ人; ハエたたき; 強打者.

swathe /swάð, swɔ́ð, swéið | swéið/ 動 (他) (正式) **1** [通例 be ~d]〈包帯・布に〉くるまれ[巻かれ]ている(in) || a baby *swathed in* blankets 毛布にくるまれた赤ん坊. **2** …を包帯する.──名 C 包帯, 巻き布.

SWÁT tèam /swát- | swɔ́t-/ (主に米) スワット, 警察特殊部隊《危険な任務に当たる警察部隊. SWAT は Special Weapons and Tactics の略》.

†**sway** /swéi/ 動 (自) **1**〈木・人などが〉揺れる, 揺れ動く || The trees are *swaying* in the wind. 木々が風に揺れている / She *swayed* and fell in a faint. 彼女はふらふらとして気を失って倒れた. **2** (揺れて)〔…へ〕傾く(to). **3**〈意見などが〉〔…に〕傾く(to), 〔…の間で〕ぐらつく(between).──(他) **1**〈人・物が〉〈体・物〉を揺さぶる, 揺り動かす || The breeze *swayed* the leaves. そよ風が葉を揺り動かした. **2**〈事が〉〈人・意見などを〉動かす, 左右する || His speeches *swayed* public opinion. 彼の演説は世論を動かした.──名 U **1** 揺れ, 動揺 || the *sway* of the bus バスの振動. **2** (文) 支配, 統治; 影響(力), 勢力 || a country under the *sway* of a tyrant 独裁者の支配する国 / hold *sway over* the screen world (正式) 映画界を牛耳る.

†**swear** /swéər/ 動 (過去) swore/swɔ́ːr/ or (古) sware/swéər/, (過分) sworn/swɔ́ːrn/ (他) **1**〈人が〉〈事を〉誓う, 誓約する; [swear to do] …することを誓う; [swear (that)] …ということを誓う || swear a solemn oath 厳粛な誓いを立てる / swear loyalty to the party 党への忠誠を誓う / She *swore* not *to* be late. =She *swore that* she would not be late. 彼女は絶対に遅れないと誓った(⊖文法 11.7). **2** (略式) [swear (that)節]〈人が〉〈神・人に〉…だと断言する(to) || I *swear (to* you) I can't remember. = I can't remember, I *swear (to* you). 絶対思い出せっこないよ / I could have *sworn (that)* she was there. 彼女は確かにそこにいたはずだが(=I was sure …). **3**〈人〉に〔…を〕…することを〕誓わせる(to / to do) || The witness was *sworn (to* tell the truth). 証人は(真実を述べることを)宣誓させられた / They *swore* me *to* secrecy. 彼らは私に秘密を守ることを誓わせた / I'll be *sworn*. きっとだ, 誓ってだ. **4** [swear oneself C] のろって C になる || He's *sworn* himself hoarse. 彼はのろって声がかれてしまった.
──(自) **1**〔…にかけて〕誓う, 宣誓する(by) || swear *by* [*to, before*] God 神にかけて誓う / swear *on* the Bible = swear *on* a stack of Bibles 聖書に手をかけて誓う.

事情 swearing (誓言)とは本来神や神聖な事物にかけて誓うことであるが, みだりに神・神聖な事物を口にすることはキリスト教では神への冒瀆(ᡨᡩ)であり禁忌視されている. 最近では, 若い世代を中心にこのタブーも崩れてきているが, 教養のある人は Jesus, God, damn などそれぞれ gee, gosh, darn などの遠回し語を好む. hell, devil, shit, fuck などにも同様の用法がみられる. → God **5**.

2 (略式) [swear to A]〈人が〉〈事を〉断言する, …が真実だと誓う《◆ A は名詞・動名詞》|| He *swore* to not cheating on the exam. カンニングなどしていないと彼はきっぱり言った / Can you *swear to it that* she is innocent? 彼女が本当に無実だとあなたは誓えますか. **3**〔人を/人・物について〕ののしる, 乱暴な口をきく(at/about)《◆ Jesus Christ!, Lord!, for God's sake, damned などの語句を用いることをいい, 日本語の「ちくしょう」「くそっ」などに相当する》(→curse **3**) || Don't *swear* so much. そんなに罰あたりなことを言わないで / The drunken fellow *swore at* the policeman. 酔っ払いは警官に「くたばれ」とからんだ.

swear by A (1) →(自) **1**. (2) (略式) …を大いに信頼する || She *swears by* that brand. 彼女はあの銘柄が一番だと思っている.

swear in (他) [通例 be sworn]〈人が〉宣誓して職

swéar óff A（略式）（酒・タバコなど）をやめると誓う ‖ *swear off* (smoking) cigarettes 禁煙を誓う．
——名 C（略式）ののしり, 悪口雑言 (swearword).

swear·word /swéərwə̀ːrd/ 名 C ののしりの言葉, 口汚い言葉.

*__sweat__ /swét/ [発音注意]『「汗をかく」が原義』
——名 (複 ~s/swéts/) 1 U 汗; [a ~] 1回の発汗(作用), 汗をかくこと; [しばしば ~s] (運動後・病気などの)ひどい汗《◆上品な堅い語は perspiration》‖ break [work up] *a sweat* 汗をかく / wipe the (beads of) *sweat* off [from] one's forehead 額から(玉の)汗をふく / His back is dripping with *sweat*. 彼の背中から汗がしたたり落ちています / The *sweat* stood on his face. 彼の顔には汗がにじんでいた / He was covered *in* (*a*) *sweat* after running. 彼はランニングをして汗だくになった / I broke into *a* cold *sweat*. 冷や汗をかいた.
2 U [時に a ~] (壁・窓・コップなどの表面に生じる)水滴, 湿気. 3 U [古･略式] [時に a ~] 骨の折れる[つらい]仕事, ひと苦労 ‖ I can't stand *an* awful *sweat* like this. こんなきつい仕事はごめんだ.

áll of a swéat =**in a swéat**（略式）(1) 汗びっしょりになって, 汗をかいて. (2) =in a cold SWEAT.
by [in, with] the swéat of one's **brów [fáce]**〖聖〗額に汗して, 正直に一生懸命働いて.
in a cóld swéat 冷や汗をかいて, ひやひや[びくびく]して.
nó swéat（略式）(1) 実に簡単で, 朝飯前で. (2) [間投詞的に] 平気だ, 何でもない, 心配無用.

——動 (~s/swéts/; 過去・過分 sweat or ~·ed/-id/; ~·ing)
——自 〈人・動物(特に馬)が〉**汗をかく**, 汗ばむ《◆上品な堅い語は perspire》‖ I'm *sweating* all over. 全身びっしょりです / You're *sweating* from playing tennis. テニスをやって汗だくですね / He *sweat* with fear. 彼は恐怖のあまり冷や汗をかいた. 2〈壁・ガラスなどが〉湿気を帯びる, 水滴がつく, 〈分泌物が〉にじみ出る. 3（略式）[…を得ようと/…で] 汗水たらして働く [for/over], (低賃金で)酷使される; 猛烈に取り組む ‖ *sweat* (away) at my work 仕事に精出す.
——他 1〈人・馬などに〉**汗をかかせる**. 2（米）…を汗で ぬらす. 3〈なめし革などの〉水分を取る. 4 発汗させて〈体重・かぜなど〉を取る[+off, away, out] ‖ *sweat out* a cold 汗をかいてかぜを治す / *sweat off* [*away*] one's excess weight 汗をかいて余分な体重を減らす. 5（略式）〈労働者〉を低賃金[悪条件]でこき使う. 6（昇進・賛辞など〉を苦労してかち取る.

swéat it óut（略式）(1) つらい思いをする; ひどく気をもむ, はらはらして待つ; (いやなことを)我慢して待つ, がんばり通す. (2) 激しい運動をする.
swéat óut（他）（略式）(1)（米）〈結果などを〉はらはら[いらいら]して待つ. (2)→動 4. (3)〈米〉〈いやなことを〉我慢して待つ; …を苦労して[解決する].
swéat pànts（米）[複数扱い]（すそと腰に絞りひものついた）トレーニングパンツ, トレパン.
swéat shirt（主に米）（そでつき）トレーニングシャツ, トレーナー.
swéat sòcks（運動用の厚手の）ソックス.
swéat sùit（主に米）トレーニングスーツ.

*__sweat·er__ /swétər/ [発音注意]
——名 (複 ~s/-z/) C セーター ‖ a hand knit *sweater* 手編みのセーター / Try this *sweater* on. I've knit(ted) it for you. このセーターを着てみてください. あなたのために編んだのです.

swéater girl（略式）（ぴっちりしたセーターを着た）胸のふくよかな若い女性.

sweat·ing /swétiŋ/ 名 U 発汗; 苦役; 搾取.

swéating ròom（サウナ風呂などの）発汗室; チーズの余分な水分を取る部屋.

sweat·y /swéti/ 形 (-·i·er, -·i·est)（略式）1〈人・身体が〉汗びっしょりの, 汗をかく. 2〈衣類などが〉汗まみれの; 汗臭い. 3（汗の(ような). 4〈天候・仕事などが〉暑くて汗をかかせる; きつい.

Swed.（略）Sweden; Swedish.

†**Swede** /swíːd/ 名 1 C スウェーデン人《◆国民全体を表す場合は the Swedish》. 2 [しばしば s~] C U（主に英）=Swede turnip. **Swéde túrnip**〖植〗カブハボタン; その球根《食用・飼料用》.

†**Swe·den** /swíːdn/ 名 スウェーデン《北欧の王国. 首都 Stockholm. 形容詞 Swedish. cf. Swede.》.

†**Swe·dish** /swíːdiʃ/ 形 1 スウェーデン(風)の. 2 スウェーデン人[語]の. the ~; 集合的に; 複数扱い] スウェーデン人 (cf. Swede). 2 U スウェーデン語. **Swédish túrnip**〖植〗=Swede turnip.

*__sweep__ /swíːp/ 〖『(物の表面を)払う』が本義〗
——動 (~s/-s/; 過去・過分 swept/swépt/; ~·ing)
——他
I [さっと掃く]
1 a〈人が〉（ほうき・ブラシなどで）〈床・部屋などを〉**掃く**, **掃除する**[+out, up] ‖ He told the maid to *sweep up* the floor. 彼は女中に床をきっちりきれいに掃くように言った / *sweep* (*out*) the floor [room] 床[部屋]を(きれいに)掃く. **b** [sweep A C]〈人が〉A〈床・部屋などを〉掃いて C〈の状態〉にする ‖ Volunteers have *swept* the walk clean. ボランティアの人たちが歩道をきれいに掃いた.
2〈人が〉〈ごみなどを〉掃いて払いのける[+*away*], 掃いて集める[+*up*] ‖ *sweep* the dust *away* ほこりを掃いてのける / *sweep up* dead leaves 枯れ葉を掃き集める.

II [一掃して運び去る]
3〈風・急流・人などが〉〈人・物を〉**さっと運び去る**, さらう, 押し流す[+*away, off*]; 〈人が〉〈人・物を〉さっと抱き[拾い]上げる[+*up*] ‖ A gust *swept* his hat *off*. 突風が彼の帽子を吹き飛ばした / All the houses were *swept away* by the flood. 家屋は残らず洪水にさらわれた / She *swept* her children into the bedroom. 彼女は子供たちをさっと寝室へ連れていった.
4〈人・物が〉〈敵・じゃまな物・よくない物〉を**一掃する**, 追い払う[+*away*]; (また)〈場所〉から(じゃまな物などを)取り除く[*of*] ‖ *sweep away* all the evils すべての害悪を一掃する / *sweep* the city *of* the slums 市からスラム街を一掃する.
5（略式）〈選挙(区)〉に圧勝する; 〈連戦・全ゲームに〉連勝する, 完勝する; 〈賞など〉をすべて獲得する, さらう ‖ The Mets *swept* their 4-game series with the Braves. メッツはブレーブスとの4連戦に全勝した.

III [一掃するように動く]
6〈台風・ニュース・人気・流行(病)などが〉〈場所〉を**さっと通過する**, …を席捲（けん）する, …にまたたく間に広まる ‖ The [A] typhoon *swept* the Kyushu area. 台風が九州地方に吹き荒れた / The video craze is likely to *sweep* this country. この国でビデオが大流行しそうだ.
7 a〈手足・目・道具などを〉さっと動かす[走らせる] ‖ *sweep* a brush across the canvas カンバスに絵

筆を走らせる / *sweep* the light over the audience 観客の上にライトをさっと走らせる. **b** 〔しばしば文〕〈明かり・線・指先などが〈場所〉をさっと撫でる〕‖ The pianist's fingers *swept* the keyboards. ピアニストの指は鍵(%)盤の上を走った. **c** 〈服のすそなどが〉…にさっと触れる, 引きずる‖ Her skirt *sweeps* the floor. 彼女はスカートを床に引きずっている.
──自 **1** 〈人が〉掃き掃除をする(+*up*), 〈ほうきが掃ける〉‖ *A new broom sweeps clean.* (ことわざ) → broom 名1.
2 〈人・物が〉[…のそばを]さっと通る[*along, by, past*]; 〈あらし・疫病などが〉またたく間に広がる, 襲来する; 〈感情などが〉湧き上がる (◆修飾語(句)は省略できない)‖ A car *swept* past in a cloud of dust. 車がもうもうと土ぼこりをあげて疾走して行った / The epidemic *swept* all over America. その伝染病はアメリカ中にあっという間に広まった / The troops *swept* into the city. 軍隊は市中になだれ込んだ.
3 〈人が〉さっそうと[ゆうゆうと]歩く; 〈物が〉堂々と進む.
4 〔正式〕〈丘・道などが〉ゆるやかに湾曲して伸びている(curve); 〈平野などが〉どこまでも広がっている(extend). **5** 〈目・視線が〉さっと見渡す, 届く ‖ as far as the eye can sweep 見渡す限り.
sweep A *off* A's *feet* → foot 名8.
──名Ⅽ
Ⅰ [掃くこと]
1 [a/the ~] **a** 〈腕・刀などを〉さっと動かすこと[動作]; 弧を描く流れるような動き; 〈オールの〉一こぎ‖ with *a sweep* of one's arm 腕をさっと振った. **b** 〔正式〕〈腕・視線などを〉さっと動かして届く範囲; 〈議論などの〉範囲, 領域 ‖ He came within the *sweep* of my searchlight. 彼は私のサーチライトの光の届く所に来た.
2 a 〔英〕〔通例単数形で〕掃き掃除, 掃くこと ‖ I gave the room *a* (good) *sweep*. 部屋を(きれいに)掃除した / This floor needs a *sweep*. この床は掃く必要がある. **b** 〔英略式〕掃除人, 〔特に〕煙突掃除人((略式)chimney sweep). **c** [~s] 掃き集めたごみ. **3** 〔正式〕[通例 a/the ~] 〈道路・川・海・土地などが〉延々と続くこと, 広がり. **4** 〔正式〕[a/the ~] 〈大きくゆるやかな〉曲線, 湾曲, カーブ.
Ⅱ [一掃すること]
5 一掃, 全廃; 掃討, しらみつぶしの捜索. **6** 〈物が〉押し寄せること; 突進; 〈水などの〉流れ; 〈文明・科学などの〉進歩, 発展. **7** 〔略式〕〈選挙・試合などの〉圧倒的勝利, 全勝; 〔競技での〉賞のひとり占め.
(*as*) **bláck as a swéep** 真っ黒な, 汚らしい.
máke a cléan swéep of A (1) 〈古物・旧弊・人員・不要なものを〉一掃する, 全廃する. (2) 〈火事などが〉…を総なめにする. (3) …に圧勝する.
†**sweep·er** /swíːpər/ 名Ⅽ **1** 掃く人, 掃除人. **2** 掃除機(carpet sweeper); 掃海艇. **3** 〔略式〕〔サッカー〕スイーパー《最後方で守備にあたるポジション・選手》.
†**sweep·ing** /swíːpɪŋ/ 形 **1** 〈大きなカーブを描いて〉さっと動く‖ a *sweeping* gesture 手をさっと払うしぐさ《断固としてノーと言う時》. **2** 広範囲にわたる, 全面的な, すさまじい ‖ a *sweeping* attack 大攻勢. **3** 徹底的な, 完全な, 決定的な ‖ win a *sweeping* victory 大勝利を得る, 圧勝する / a *sweeping* majority of votes 圧倒的多数の票 / *sweeping* reforms 抜本的改革. **4** 大ざっぱな, 細部にこだわらない ‖ make a *sweeping* generalization 大ざっぱな一般論を述べる.
──名 **1** Ⓤ 掃除, 一掃. **2** 〔略式〕[~s] 掃き集めた[ごみ, ちり]. **3** Ⓒ 人間のくず.

sweep·ing·ly /swíːpɪŋli/ 副 **1** さっと. **2** 一掃して. **3** 大ざっぱに. **4** 徹底的に, 大々的に.

‡**sweet** /swíːt/ 派 sweetly (副)
──形 (~·er, ~·est)
Ⅰ [味が甘い]
1 (味の)甘い, 甘口の, 砂糖を入れた(cf. sour, salty, bitter) ‖ *sweet* cakes 甘いケーキ / *sweet* wine 甘口のワイン《◆「辛口」は dry》 / This peach is *sweeter* than that one. このモモはあちらのよりも甘い / I don't like *sweet* coffee. 砂糖を入れたコーヒーは嫌いだ.
2 [···で] 甘い香りの, かぐわしい[*with*] ‖ This rose has a *sweet* smell. =This rose smells *sweet*. このバラはよい香りがする.
3 〈水などが〉塩分を含まない(↔ salt) ‖ *sweet* water 真水 / *sweet* butter 無塩バター.
Ⅱ [甘く感じる]
4 よい声の, 美声の ‖ He is a *sweet* singer. 彼は美しい声の歌手[で歌う人]だ(=He sings sweetly.).
5 a 〈人が〉[…に] (親切で)思いやりのある, 優しい(kind, nice)[*to*] ‖ 「It's very *sweet* of you [You are very *sweet*] to invite me to the party. パーティーにお招きいただいてとてもうれしく思いますわ(➡文法 17.5). **b** 〔主に英〕かわいい, 愛らしい ‖ a *sweet* face [smile] かわいい顔[笑顔].
6 快い, 気持ちのよい; 〈空気などが〉新鮮な, おいしい ‖ *sweet* air 新鮮な空気 / a *sweet* carrot 新鮮なニンジン.
──副 やさしく, 甘く.
──名 **1** Ⓤ 甘さ, 甘味, 〔米〕[~s] 甘い菓子[ケーキ], キャンディー. **2** Ⓒ 〔英〕〔しばしば ~s〕あめ, キャンディー, 砂糖菓子(〔米〕candy) ‖ 「Don't eat too many *sweets*. 甘いものを食べすぎてはいけません(=〔米〕Don't eat too much candy.). **3** ⒸⓊ 〔英〕甘いデザート(〔米〕dessert)《◆プディング・タルト・ゼリーなどをいう. dessert は〔英〕ではふつう果物や木の実などをさす》. **4** 〔文〕[the ~s] 快いもの, 喜び ‖ the *sweets* of victory 勝利の喜び. **5** 〔主に古略式〕[my ~] 〔呼びかけで〕かわいい人, ねえあなた, おまえ(sweetie). **6** Ⓒ 〔略式〕すてきな人.
swéet cíder (1) 〔英〕甘いリンゴ酒. (2) (発酵していない)リンゴジュース.
swéet còrn 〔主に英〕(甘味種の)トウモロコシ, スイートコーン(〔英〕sugar corn, 〔米〕corn).
sweet pea /ɛ́ɛ̀/ 〔植〕スイートピー.
swéet pépper 〔植〕アマ[シシ]トウガラシ, ピーマンの実.
swéet potàto 〔植〕サツマイモ; (食用の)その根. (2) 〔略式〕=ocarina.
swéet tóoth → tooth 名4.
swéet víolet 〔植〕ニオイスミレ.
swéet wílliam 〔植〕アメリカ[ビジョ]ナデシコ.
†**sweet·bri·er, -bri·ar** /swíːtbràɪər/ 名Ⓒ 〔植〕スイート=ブライアー《葉に香りのあるノバラの一種》.
†**sweet·en** /swíːtn/ 動他 **1** 〈食物を〉(砂糖などを加えて)甘くする. **2** 〈人・気分・色などを〉和らげる, 愉快にする. **3** 〔略式〕…を買収する, 甘言でつる(+*up*).
──自 甘くなる, 甘味を増す.
sweet·en·er /swíːtnər/ 名 **1** ⒾⓊ (人工)甘味料. **2** Ⓒ 〔略式〕わいろ, 歓心を買うための贈り物.
sweet·en·ing /swíːtnɪŋ/ 名 **1** Ⓤ 甘味を加えること. **2** Ⓒ 甘味料.
†**sweet·heart** /swíːthɑ̀ːrt/ 名 **1** Ⓒ (やや古)恋人, 愛人. **2** [呼びかけ] ねえ, きみ(darling)《◆女性・子供に対して使う》. **3** Ⓒ 〔略式〕すてきな人.

sweet・ie /swíti/ 名 (略式) 1 ⓒ (主に女性版) 恋人, (主に英) かわいい人 [物]. 2 (英-スコット・小児語) [~s] キャンディー, 砂糖菓子. 3 [呼びかけで] =sweetie pie.

swéetie píe ねえ, きみ (darling) ◆女性・子供に対して使う.

sweet・ish /swíːtɪʃ/ 形 やや甘い; ちょっと愛らしい.

†**sweet・ly** /swíːtli/ 副 1 [動詞の後で] 甘く, 心地よく, 調子よく ∥ She sings *sweetly*. 彼女はいい声で歌う (=She is a *sweet* singer.). 2 [動詞の前後で] 優しく, 親切に; 愛らしく ∥ She spoke to a stranger *sweetly* and asked him the way. 彼女は見知らぬ人に優しく話しかけ, 道を尋ねた.

†**sweet・ness** /swíːtnəs/ 名 ⓤ 1 甘さ, 甘味; 美味; 芳香. 2 (音・声の) 美しさ, 甘美さ. 3 愛らしさ; 優しさ, 親切, 柔和. 4 快さ, 楽しさ.

sweétness and líght 優しさと精神的理解. ヘレニズム文明における人間性の発展の中心的概念 [今は皮肉的に] とても優しくて物わかりがよいこと.

sweet-scent・ed /swíːtséntɪd/ 形 香りのよい, 芳香のある.

sweet・shop /swíːtʃɑp | -ʃɔp/ 名 ⓒ (英) 菓子屋.

sweet・tem・pered /swíːttémpərd/ 形 気立ての優しい, 感じのよい.

†**swell** /swél/ 動 (過去 ~ed/-d/, 過分 **swol・len** /swóʊln/ or ~ed) 自 1 ⟨物が⟩ふくらむ, ふくれる, ⟨手足などが⟩はれる(+up, (英) out) ∥ My injured ankle is *swelling*. けがをした足首がだんだんはれてきた / He blew into the balloon, and it *swelled* bigger and bigger. 彼が風船に息を吹きこむと, 風船はどんどんふくれた. 2 ⟨数量・程度・強さなどが⟩増大する, 増加する(+up); (文) ⟨音・声が⟩高くなる, 大きくなる ∥ The membership of the Boy Scout troop *swelled*. ボーイスカウトの団員が増えた / Her voice *swelled* into a roar. 彼女の声が大きくなって叫び声になった. 3 ⟨土地などが⟩隆起する, 盛り上がる(+up, out). 4 (文) ⟨感情が⟩⟨…に⟩高まる(in); ⟨感情で⟩胸が一杯になる(with); 得意になる(+up) ∥ *swell* with pride 誇らしさで胸が一杯になる.
— 他 1 …をふくらませる, 大きくする(+out) ∥ *swollen* eyes はれあがった目 / A blast of wind *swelled* the sails. 一陣の風を受けて帆がふくらんだ. 2 ⟨数量・強さなど⟩を[…で]増す(with); ⟨音・声など⟩を高める ∥ The stream was *swollen* with rain. 雨で小川が増水した. 3 ⟨人の心⟩を[感情で]いっぱいにする(with) ∥ His heart was *swollen* with pity. 彼の胸は哀れみでいっぱいになった.
— 名 1 ⓒⓤ 増大, 膨張, ふくれ上がること ∥ a *swell* in population 人口の増加. 2 [a/the ~] (土地の) 隆起; 丘; ふくれた部分; (波の) うねり ∥ a heavy *swell* (海の) 荒れ / the *swell* of the ocean 大海原のうねり. 3 (正式) [a/the ~] (音声の) 高まり. b [音楽] (音量の) 増減; 増減記号 ⟨<>⟩; (オルガン・ハープシコードの) 増音器. 4 ⓒ (古・米略式) しゃれ者; 名士.
— 形 1 (米略式) すてきな, すばらしい ∥ I think it's *swell*. すごいと思いますよ. 2 (略式・古) いきな; 上流社会の.

swélled héad (米略式) [通例 a ~] → have a swollen [swelled] HEAD.

swell・fish /swélfɪʃ/ 名 (複 → fish 語法) ⓒ [魚] フグ (puffer fish).

†**swell・ing** /swélɪŋ/ 名 1 ⓤ はれ, はれ上がっていること; ⓒ はれもの, こぶ. 2 ⓤ 増大, 膨張. 3 ⓤ 隆起, 突起.
— 形 隆起した, 盛り上がった.

swel・ter /swéltər/ 動 自 ⟨人が⟩蒸し暑さに苦しむ. — 名 ⓤ うだるような暑さ.

swel・ter・ing /swéltərɪŋ/ 形 (苦しいほど) 蒸し暑い.

†**swept** /swépt/ 動 sweep の過去形・過去分詞形.

†**swerve** /swə́ːrv/ 動 自 1 ⟨車・人が⟩ (急に) […から/…へ]それる(from/to); ⟨人が⟩車のハンドルを (急に) きる. 2 (正式) [通例否定文で] […から]それる(from) ∥ Don't *swerve* from your purpose. 目的を見失うな. — 他 1 ⟨事⟩をそらせる; …のハンドルを(急に)きる. 2 ⟨球⟩を(急に)曲げる.
— 名 ⓒ 1 それる[曲がる, カーブする]こと ∥ make a fast [sudden] *swerve* 急カーブする. 2 曲球.

*****swift** /swíft/ [『回転する』が原義] 圏 swiftly 副
— 形 (~・er, ~・est) 1 (正式) 迅速な, すばやい; つかの間の ⟨♦ fleet ほど文語的ではないが, fast, quick より堅い語⟩ (↔ slow) ∥ in a *swift* manner 敏速な動作で (=swiftly) / make a *swift* trip into town ちょっと町へ行く / She is *swift* of foot. (文) =She is a *swift* runner. 彼女は足が速い. 2 即座の, さっそくの ∥ a *swift* reply 即答 / a man of *swift* decision 即断力に富む人. 3 [補語として] すばやく […する] (to do, in [at] doing); すぐ […に…する] (to) ∥ be *swift* to respond [in responding] 反応が速い / be *swift* to anger (文) すぐに腹を立てる.
— 副 (~・er, ~・est) [しばしば複合語で] 迅速に ∥ a *swift*-running dog 足の速い犬.
— 名 ⓒ [鳥] アマツバメ.

Swift /swíft/ 名 スウィフト ⟨**Jonathan** ~ 1667-1745⟩. アイルランド生まれの英国の作家. 主著 *Gulliver's Travels*⟩.

†**swift・ly** /swíftli/ 副 (時に --li・er, --li・est) すばやく, 迅速に ∥ An ostrich runs *swiftly*. ダチョウは速く走る.

†**swift・ness** /swíftnəs/ 名 ⓤ 迅速さ.

swig /swíg/ 名 (略式) [a ~] ぐいぐい飲むこと, 痛飲. — 動 (過去・過分 **swigged**/-d/; **swig・ging**) 他 …をぐいぐい飲む(+away, off, down). — 自 […を]ぐいぐい飲む(at).

swill /swíl/ 動 他 1 (略式) …をがぶがぶ飲む. 2 (英) …を水洗いする(+out, down). — 自 (略式) がぶ飲みする. — 名 1 ⓤ (ブタなどに与える) 残飯; 台所くず. 2 ⓒ (略式) がぶ飲み. 3 [a ~ (down [out])] 洗い流し.

*****swim** /swím/ 派 swimmer (名)
— 動 (~s/-z/; 過去 **swam**/swǽm/, 過分 **swum** /swʌ́m/; **swim・ming**)
— 自

I [水中を泳ぐ]

1 ⟨人などが⟩泳ぐ, 水泳する ∥ *swim* across a river 川を泳いで渡る / *swim* in the ocean 海で泳ぐ / *swim* on one's back [chest] 背[平]泳ぎする ⟨♦ 名詞は backstroke, breaststroke⟩ / go *swimming* in the river =go to the river to *swim* 川へ泳ぎに行く, 川で泳ぐ / I cannot *swim* at all. =I am very poor in [at] *swimming*. 私は全然泳げない(=I'm a very poor *swimmer*.).

II [泳ぐように進む・泳いでいるように感じる]

2 ⟨人・物が⟩⟨泳ぐように⟩すっと行く, 滑るように進む; ⟨考えなどが⟩[頭に]すっと浮かぶ(into) ∥ Clouds were *swimming* across the sky. 雲が空を流れていた.

3 a [通例 be ~ming] [液体に] ひたる, つかる, […で] いっぱいである(in, with) ∥ eyes *swimming* in tears 涙のあふれた目. **b** ⟨物が⟩⟨液体・感情などで⟩あ

ふれる，いっぱいになる〔*in, with*〕‖ Her heart *swims with* happiness. 彼女の心は幸せでいっぱいだ. **4**〈頭が〉ふらふらする，〈物が〉ぐるぐる回るように見える[感じる]‖ Her head *swam* after the dance. 彼女はダンスのあとめまいがした / His punch made my head *swim*. 彼のパンチをくらって私はふらふらした.

──[他] **1**〈川など〉を泳ぐ，泳いで渡る ‖ *swim* the English Channel イギリス海峡を泳いで横断する《◆小さな川を泳いで渡る場合は swim across …: I *swam across* the stream. →[自]**1**》. **2 a**〈ある泳ぎ方〉で泳ぐ ‖ *swim* the backstroke 背泳ぎをする / I cannot *swim* a stroke. 私はまったく泳げない. **b**〈距離〉を泳ぐ；〈競泳〉に参加する. **c**〈人〉と競泳する. **3**〈人・動物〉を泳がせる.

──[名] ([複] ~s/-z/) **1** [C] [通例 a ~] 泳ぐこと，**ひと泳ぎ** ‖ *have* [(米) take] *a swim* ひと泳ぎする / [対話] "Shall we *go for a swim* in the lake?" "Yes, that's good idea." 「湖に泳ぎに出かけましょうか」「はい，いい考えですね」. **2** [the ~] 大勢，傾向.

be in the swím (略式) 実情に明るい，時流に乗っている.

be òut of the swím (やや まれ) 実情に暗い，時流から取り残されている.

swím blàdder 〔魚〕浮き袋.

†swim·mer /swímər/ [名] [C] 泳ぐ人[動物]，泳ぎ手 ‖ a good [poor] *swimmer* 泳ぎの上手[下手]な人[動物].

swim·ming /swímiŋ/ [名] **1** [U] 水泳，泳ぐこと. **2** [a ~] めまい. ──[形] **1** 泳ぐ；水泳用の. **2** 泳げる. **3** 〔水・汗などで〕あふれた〔*in, with*〕. **4** めまいがする.

swímming bàth(s) (英) (ふつう屋内の) 水泳プール.

swímming còstume (英) =(米) swimming suit.

swímming pòol 水泳プール.

swímming sùit (米) (ワンピース型女性用) 水着.

swímming trùnks [複数扱い] (英) (男性用) 水泳パンツ.

swim·ming·ly /swímiŋli/ [副] (略式) すらすらと，とんとん拍子に ‖ go *swimmingly* 順調にいく.

swim·suit /swímsùːt/ [名] [C] (主に男性用) 水着 (bathing suit).

swim·wear /swímwɛ̀ər/ [名] [U] (一般に) 海水着.

†swin·dle /swíndl/ [動] (略式) [他]〈人〉をだまして〔金を〕取る〔*out of*〕，〈金〉を詐取する ‖ *swindle* him *out of* money 彼から金をだまし取る. ──[自] 詐欺(さぎ)を働く. ──[名] [C] **1** 詐取，詐欺，かたり. **2** (略式) ごまかし，にせ物 (cf. fraud).

†swine /swáin/ [名] ([複] **swine, 2** では **swine, ~s**) [C] **1** (古・文) [通例集合名詞] ブタ《◆個々のブタは (米) hog, (英) pig》. **2** 卑劣なやつ，好色漢；(略式) いやなやつ[物].

***swing** /swíŋ/ ([類音] sing /síŋ/) 〚「固定された部分を軸に前後左右に揺れ動く」が本義〛

──[動] (~s/-z/; [過去・過分] **swung**/swʌ́ŋ/; ~·ing)

──[他]

I [ゆらゆら揺らす]

1〈人が〉〈物〉を**揺らす**，(繰り返し) 振る ‖ Don't *swing* your stick (around). つえを振り回すな / She sat on the desk *swinging* her legs. 彼女は机に座って足をぶらぶらさせていた.

2〈ランプ・バッグなど〉を**つるす**，ぶら下げる ‖ *swing* a lantern from the branch 枝にランタンをつるす.

3 a〈人が〉〈物〉を (…へ) (弧を描くように) **動かす**，ぐるりと回す《◆方向の副詞を伴う》‖ *swing* a knapsack over [on to] one's back リュックサックをひょいと背負う / He *swung* his car in my direction. 彼はぐるっと私の方に車の向きを変えた.

b [swing **A C**]〈人などが〉**A**〈戸など〉をさっと **C** (の状態) にする《◆**C** は open, shut など》‖ She *swung* the door *open*. =She *swung open* the door. 彼女はドアをさっと開けた.

II [心を揺り動かす]

4 (主に米略式)〈仕事・取引など〉を上首尾にやってのける；〈人・世論など〉に影響力をもつ；〈人〉を〔…(の考え)に/…に反対するように〕変えさせる (+ *round*)〔*to*/*against*〕.

──[自] **1**〈(つってある) 物が〉**揺れ動く**，ぶらぶらする；〔…に〕ぶら下がる〔*from, on*〕‖ A hammock was *swinging* slowly. ハンモックがゆっくり揺れていた.

2 a〈人・物が〉(弧を描くように) **動く**，回る；〔かどなどを〕ぐるっと曲がる〔(*a*)*round*〕‖ He *swung* off the bed. 彼はベッドからひょいとおりた / The car *swung* on to Highway 32. 車はぐるりと回って幹線道路32号線に入った. **b** [swing **C**]〈戸などが〉**C** (の状態) になる《◆**C** は open, shut など》‖ The car door *swung* open. 車のドアが勢いよく開いた.

3 (正式) (体で調子をとったりして) 元気[威勢]よく進む.

4〈道・川などが〉急に曲がっている；〈風などが〉〔…に〕変わる〔*to*〕‖ The river *swings* away from the road. 川は道から急カーブでそれている. **5** (略式) 〔音楽〕スイングで演奏する[歌う]；〈曲が〉スイングする. **6** (略式)〈人・物・場所が〉刺激的である；(パーティーなどが) 活気がある；〈人が〉陽気で流行の先端を行く.

──[名] ([複] ~s/-z/) **1** [C] **ぶらんこ (乗り)** ‖ ride on a *swing* ぶらんこに乗る.

2 [C] [U] **a** (物が) **揺れること**，揺れ方，振動，振幅 ‖ *be on the swing* 振れている. **b** (物を) 揺らすこと，打つ[なぐる]こと，打ち方 ‖ walk with a *swing* of one's arms 腕を振って歩く / The golfer has a beautiful *swing*. そのゴルファーは美しいスイングをする.

3 [C] [U] 律動的[活発]な動き. **4** [U] 自由な[思うままの]行動 ‖ have free [full] *swing* to manage a firm 会社を思い通りに経営してみる. **5** [C] 〔価格・世論などの〕変動，転向〔*in*〕. **6** [C] (米) (選挙キャンペーンなどの) 巡回[遊説]旅行. **7** [U] 〔音楽〕**a** [しばしば a ~] (詩・音楽の) 一定の抑揚[リズム，調子]，(反復される) 律動感. **b** =swing music.

gèt into the swíng of **A** (略式)〈仕事など〉の調子[情勢]をつかむ.

gò with a swíng (略式) **(1)**〈会・仕事などが〉成功裡に進む. **(2)** 〔音楽〕リズミカルで調子がよい.

in fúll swíng (略式)〈仕事・パーティーなどが〉真っ最中で，たけなわで，最高潮で ‖ The party is *in full swing*. 宴はたけなわです.

swíng brìdge (船を通すため中央部が水平に回転する) 旋開[旋回]橋.

swíng dòor [しばしば -s] 自在戸，スイングドア.

swíng mùsic スイング《1930-40年代に米国で流行したジャズの一形式》.

swíng shìft (米略式) **(1)** (24時間制工場の) 午後交代 (制)《ふつう午後4時から深夜12時まで》. **(2)** [集合名詞的に] 午後交代番の労働者たち.

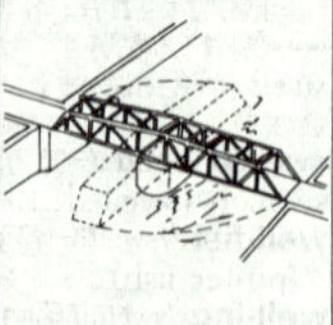
swing bridge

swíng vòte (主に米) 浮動票.

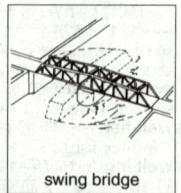

swing vòter (主に米)浮動票投票者.
swing·ing /swíŋiŋ/ 形 **1** (前後・左右に)揺れる. **2** (略式)現代的な, いきな, 「とんでる」.
swínging dóor =swing door.
swipe¹ /swáip/ (略式) 名 C (…への)強打, すごい一撃 (at); 非難の言葉 《動他 **1** …を強打する, 力一杯打つ. **2** (俗) …を盗む, かっぱらう. —自 (八工などを)強打(しようと)する (at).
swipe² /swáip/ 動 他 〈磁気カード(wipe card)〉を読み取り機に通す. —名 U (磁気カードを)読み取り機に通すこと.

✝**swirl** /swə́ːrl/ (正式) 動 自 **1** 〈水・空気などが〉渦巻く, 旋回する (about, around). **2** 〈頭が〉ふらふらする, 目まいがする. —他 …を渦に巻いて運ぶ (+off, away); …に渦巻きを起こす. —名 **1** 渦巻き, 渦. **2** (米) 渦巻き形; 巻き毛; 巻き飾り.

✝**swish** /swíʃ/ 動 自 〈むち・棒などが〉ヒュッと音を立てる; 〈鳥などが〉ヒューッと風を切って動く「飛ぶ」(+along, down); 〈絹・衣服が〉〔…に〕 サラッと音を立てる ‖ The lady swished in. 婦人はきぬずれの音を立てて入って来た. —他 **1** 〈むち・つえなど〉をヒュッと振る. **2** 〈草などを〉さっと切り取る〈落とす〉(+off). **3** …をヒュッとむち打つ.

—名 C **1** ヒュッ, シュッ《きぬずれの音》. **2** (正式) [a/the ~] (むちなどの)ひと振り, 一撃; (懲罰用の)棒. —形 (主に英式・やや古) おしゃれな, スマートな.

✝**Swiss** /swís/ 形 スイスの; スイス人の; スイス風 [製, 産]の《「スイス」という国名は Switzerland》.
—名 (複 **Swiss**) C **1** スイス人 (語法) → Japanese); [the ~; 集合名詞; 複数扱い] スイス国民 ‖ She is a Swiss. 彼女はスイス人です. **2** [時にs~] U =Swiss muslin. **3** U =Swiss cheese.
Swiss chéese スイスチーズ《穴が多く堅い》.
Swiss múslin スイスモスリン《カーテン用. 薄くてすけて見える》.
Swiss stéak スイス風ステーキ《小麦粉でまぶしタマネギやトマトと一緒に焼く》.

✝**switch** /swítʃ/ 名 C **1** (電気器具の) スイッチ, 開閉器 ‖ flick the switch スイッチを入れる[切る] / with the switch on [off] スイッチを入れた[切った]ままで / This switch is faulty. このスイッチは欠陥がある (《対話》) "Where is the light switch?" "It's just above the telephone." 「電灯のスイッチはどこですか」「電話のちょうど上です」. **2** (米)〔鉄道〕〔~es〕転轍(ぐ)機, ポイント((英)) points). **3** (計画・考え・設備などの)(突然の)変更, 転換 《◆change より口語的》. **4** (主に生木から折った)しなやかな小枝, 小枝のむち; むちで打つこと, (むちで打つような)鋭い動き. **5**(結髪用の)入れ毛, かもじ.

—動 他 **1** 〈電気器具のスイッチ〉を切り換える(+on, off) 《◆turn on [off] は水道・ガスにも用いる》(→成句). **2** 〈話題・注意など〉を〔…から/…へ〕変える, 転じる〔from/to〕 ‖ switch one's liking to coffee コーヒー党に変わる《◆change より口語的》. **3** 〈物〉を交換する; 〈人と〉〈物〉を交換する(exchange) (with) ‖ switch places [ideas] 席[意見]を交換する. **4** (米)〔鉄道〕〈列車〉を転轍機で〔…へ〕移す ((英)shunt) [to, onto].

—自 **1** 〈人が〉スイッチを切り換える (+on, off) (→成句). **2** 〔…から/…へ〕変更する, 切り換える〔from/to〕 ‖ switch to another job 他の仕事に変わる / He often switches. 彼は(態度・主義などが)よく変わる. **3** (米)〔鉄道〕転轍する ((英))shunt).

✻**switch aróund** 自 席を取り替える. 場所を交換する;〔…と〕交替する〔with〕. —他 C 〔配置[決定]し

た]人・物〉を取り替える, 別のものに変更する ‖ You have no right to switch my vacation around. 私の休暇を(他の人のと)差し替える権利はあなたにはない.

✻**switch óff** 自 (1) 〈人が〉スイッチを切る(turn off). (2) (略式) 〈人が〉話を聞き込む, ふさぐ気分. —他 (1) 〈電気器具〉のスイッチを切る(→ SWITCH on) 他 (1) ‖ She switched the TV set off. 彼女はテレビのスイッチを切った. (2) (略式) 〈音楽・薬など〉を退屈 [ぐったり]させる. (3) (略式) 〈人〉の話をやめさせる, …の話を聞くのをやめる.

✻**switch ón** 自 (1) 〈人が〉スイッチを入れる(turn on). (2) (略式) (麻薬などで)うっとりとなる. —他 (1) 〈電気器具〉のスイッチを入れる 《◆最近はガスにも switch on [off] を用いるが, ガス・水道には turn on [off]》 ‖ She switched the vacuum on. 彼女は掃除機のスイッチを入れた. (2) (略式) 〈人・物〉が〈人〉を興奮させる, 引きつける.

switch óver 自 (1) 〈人が〉〔…から/…へ〕変わる, 宗旨変更する〔from/to〕. (2) 〈人が〉〔…から/…へ〕スイッチを切り換える〔from/to〕. —他 (1) 〈工場・家庭などが〉〈熱源〉を〔…に〕切り換える〔to〕. (2) 〈工場・国などが〉〈生産〉目的などを〔…に〕変更する〔to〕.

swítch hítter 〔野球〕スイッチヒッター《右打ち・左打ちの両方をこなす打者》.

switch·a·ble /swítʃəbl/ 形 スイッチで切り換え可能な.
switch·back /swítʃbæk/ 名 C **1** 〔鉄道〕スイッチバック. **2** ジグザグの山道. (英)起伏の多い道. **3**(英)=roller coaster.
switch·board /swítʃbɔ̀ːrd/ 名 C (電話の)配電[交換]盤, 交換手.
Switz. C Switzerland.

✝**Switz·er·land** /swítsərlənd/ 名 スイス《現在の正式名 the Swiss Confederation. 首都 Bern》.

swiv·el /swívl/ 名 C **1** 〔機械〕回り継ぎ手, さるかん, 自在軸受け. **2** (回転いす・旋回砲の)台. **3** =swivel gun. —動 (過去・過分) **~ed** or (英) **-velled** /-d/; **~·ing** or (英) **-vel·ling** /-iŋ/) 他 …をさるかんで回転[旋回]させる (+round). **2** …をさるかん[回り継ぎ手]で支える[留める], …にさるかんをつける. —自 旋回[回転]する (+round).
swível cháir 回転いす.
swível gún 旋回砲[銃].

✝**swol·len** /swóuln/ 動 swell の過去分詞形.
—動 **1** ふくれた, はれ上がった; 増大[水]した. **2** 誇張した; おおげさな.
swol·len-head·ed /swóulnhédid/ 形 思い上がった, うぬぼれた.
swoon /swúːn/ 動 自 (主に古) 気絶する, 卒倒する《◆今は faint の方がふつう》; (文) 無我夢中になる.
—名 C (主に古) 気絶, 卒倒《◆今は faint の方がふつう》; 恍惚 ‖ be in [fall into] a swoon 気絶している[する].

✝**swoop** /swúːp/ 動 自 (時に文) 〈鳥などが〉(突然上から) 〈獲物に〉飛びかかる, (舞いおりて)襲いかかる; 〈飛行機が〉急降下する(↔ zoom); (略式) 〈軍警などが〉〔…を〕急襲する(+down) [on, upon]; (略式) 〔…を〕がっがつ食う (+on, upon) ‖ The owl swooped down on its prey. フクロウが突然えものに襲いかかった. —他 (略式) …をひったくる(snatch)(+up, off, away) ‖ swooped up a bag かばんをひったくる.
—名 C (時に文) 〔…への〕急襲 [on] ‖ make a swoop 急襲する. **at a síngle swóop** =at [in] óne (féll) swóop 一挙に.

✝**sword** /sɔ́ːrd/ (発音注意) 名 C **1** 剣, 刀; 剣の形をし

swordfish 1546 **sympathize**

たもの ‖ a ceremonial *sword* 儀式用の剣／Samurai used to carry *swords*. 昔侍(㋐)は剣を身につけていた. **2** [the ~] 武力, 権力, 司法権 ‖ All they that take *the sword* shall perish with *the sword*. 【聖】剣をとる者は剣で滅びる◆「He who lives [They that live] by *the sword* shall die [perish] by *the sword*. などという」／*The pen* is mightier than *the sword*. (ことわざ) → pen 名 2.

at swórd póint =**at the póint of the swórd** 刀をつきつけて, 力ずくでおどして.

cross swórds (1) 〔人と〕剣を交える〔with〕. (2) (略式) [比喩的に] 〔人と〕剣を交える; 論争する〔with〕.

shéathe [**pút úp**] **the swórd** (1) 剣を納める. (2) 戦争をやめる; 仲直りする.

swórd cút 刀傷.

swórd dànce 剣舞.

swórd dàncer 剣舞を踊る人.

swórd knòt (剣の)つかのふさ.

sword·fish /sɔ́ːrdfiʃ/ 名 (複 → fish 語法) C 〔魚〕メカジキ.

sword·play /sɔ́ːrdplèi/ 名 U 1 剣術, 剣さばき, フェンシング. 2 (英) 当意即妙の答え.

swords·man /sɔ́ːrdzmən/ 名 (複 --**men**) C 1 剣士, 剣術家, 剣客; (PC fencer). 2 (剣で武装した)軍人, 兵士, 武士; (PC sword fighter).

swórds·man·ship 名 U 剣術, 剣道; その腕前.

swore /swɔ́ːr/ 動 swear の過去形.

†**sworn** /swɔ́ːrn/ 動 swear の過去分詞形.
── 形 誓った, 契(㋐)った; 宣誓によって結ばれた; 公言した, 絶対の ‖ *sworn* friends 盟友／*sworn* enemies 不倶戴天(㋐)の敵.

***swum** /swʌ́m/ 動 swim の過去分詞形〔(古) 過去形〕.

swung /swʌ́ŋ/ 動 swing の過去形・過去分詞形.

†**syc·a·more** /síkəmɔ̀ːr/ 名 1 C (米) 〔植〕アメリカスズカケノキ, プラタナス; (英) サイカモアカエデ (sycamore maple). 2 U プラタナス材.

syc·o·phant /síkəfənt/ 名 C (正式) おべっか使い, ごまをする人.

Syd·ney /sídni/ 名 シドニー《オーストラリア南東部の海港》.

sy·e·nite /sáiənait/ 名 U 〔鉱物〕閃長(㋐)岩.

syl− /sil−/ (語要素) →語要素一覧 (1.7).

syl·la·bar·y /síləbèri/ -bəri/ 名 C 音節文字表, 字音表《日本語の五十音図など》.

syl·la·bi /síləbài/ 名 syllabus の複数形.

syl·lab·i·cate /siléəbəkèit/ 動 他 …を音節に分ける, 分節する. **syl·làb·i·cá·tion** 名 U 音節に分けること, 分節法.

†**syl·la·ble** /síləbl/ 名 C 1 〔音声〕音節, シラブル; 音節を表すつづり〔文字〕 ‖ a word of three *syllables* 3 音節語／When you pronounce 'nevertheless,' stress the last *syllable*. nevertheless を発音するときは最後の音節にストレスを置きなさい. 2 [a ~; 通例否定文で] ひとこと, 一語 ‖ *Not a syllable*! ひとことも口にするな.

nòt bréathe a sýllable =not breathe a WORD.

syl·la·bus /síləbəs/ 名 (複 ~**es**, --**bi** /-bài/) C (講義などの) 摘要, 概要, 要旨; 教授細目, 時間割.

syl·lo·gism /sílədʒìzm/ 名 1 〔論理〕 C 三段論法; U 演繹(㋐)(法). 2 C 手のこんだ論法, 詭弁(㋐).

sylph /sílf/ 名 C 1 空気の精 (→ nymph). 2 (正式) ほっそりとして優美な女性[少女].

†**syl·van, sil·van** /sílvn/ 形 (文) 森の(ある); 樹木の茂った; 森に住む[ある]. ── 名 C 〔生物〕 森の精[神, 住人].

sym− /sim−/ (語要素) →語要素一覧 (1.7).

sym·bi·o·sis /sìmbióusis, -bai-/ 名 (複 --**ses** /-siːz/) C 〔生物〕 共生; 〔寄生と区別して〕 共存.

***sym·bol** /símbl/ 〔同音〕 cymbal 〖共に (sym) 投げる (bol)〗
── 名 (複 ~**s** /-z/) C 1 〔…の〕 象徴, 表象, シンボル 〔of〕 ‖ The color black is a *symbol* of death. 黒色は死を象徴する (=… is *symbolic* of death.). 2 〔…の〕 記号, 符号 〔for〕 ‖ "X" is *the symbol for* Christ. X はキリストを表す記号である. 3 〔神学〕 信条 (creed).

†**sym·bol·ic** /simbálik/ -bɔ́l-/ 形 1 〔…を〕 象徴する 〔of〕 ‖ a *symbolic* event 象徴的な事件／The olive branch is *symbolic* of peace. オリーブの枝は平和の象徴である (=The olive branch *symbolizes* peace.). 2 〔…の〕 記号による, 符号の. 3 象徴主義〔派〕 の. **symbólic lógic** 記号論理学.

sym·bol·i·cal /simbálikl/ -bɔ́l-/ 形 =symbolic. **sym·ból·i·cal·ly** 副.

sym·bol·ism /símbəlìzm/, (英+) -bul-/ 名 U 1 象徴化, 象徴性, 象徴的の意味. 2 [しばしば S~] 〔文学・美術〕 象徴主義〔派〕. 3 〔集合名詞〕 記号体系.

sym·bol·ist /símbəlist/ 名 C 1 象徴を用いる人; 記号学に明るい人. 2 〔文学・美術〕 象徴派詩人[画家], 象徴主義者.

sym·bol·i·za·tion /sìmbələzéiʃən/ -bəlai-, -bul-/ 名 U 象徴化; 記号化.

†**sym·bol·ize**, (英ではしばしば) --**ise** /símbəlàiz/, (英+) -bul-/ 動 他 1 …を象徴する, …の象徴である◆ 用例 → symbolic 1). 2 …を記号で表す, 象徴化する.

†**sym·met·ri·cal** /simétrikl/, (米) sə−/ 形 (正式) 1 (左右の) 相称的な, 対称の (↔ asymmetric(al)); 〔幾何〕 対称 (的) な; 〔植〕 相称の; 〔化学〕 対称の; 〔医学〕 対称[相称]性の. 2 均整 (つり合い) のとれた.

sym·me·trize /símətràiz/ 動 他 …を対称にする; …のつり合いをよくする.

†**sym·me·try** /símətri/ 名 U (正式) 1 (左右の) 対称, 相称, (↔ asymmetry). 2 つり合い (balance), 調和; 調和[均整] 美 (harmony).

†**sym·pa·thet·ic** /sìmpəθétik/ 〈アクセント注意〉 形 1 〔人などが〕 〔人・苦しみなどに〕 同情する, 同情に満ちた, 思いやりのある, 慰めをさそう 〔to, toward〕 (↔ unsympathetic) ‖ a *sympathetic* letter 同情の手紙◆ ˟The letter is *sympathetic*. とはいわない／You might be more *sympathetic* to the sufferers. 罹災(㋐)者たちにもっと同情してもよさそうなものだ. 2 〔災害・提案などに〕 共感する, 共鳴する, 好意[賛意] を示す 〔to, toward〕 ‖ Phil was *sympathetic* to my proposal. フィルは私の提案に賛意を示してくれた. 3 (まれ) 気の合った, うまの合う. 4 〔文学〕 読者の心を引きつける.

sympathétic ínk あぶり出しインク (→ ink).

†**sym·pa·thet·i·cal·ly** /sìmpəθétikəli/ 副 1 同情して. 2 共感して. 3 〔生理〕 交感して; 〔物理〕 共振して.

***sym·pa·thise** /símpəθàiz/ 動 (英) =sympathize.

***sym·pa·thize**, (英ではしばしば) --**thise** /símpəθàiz/ 〖← sympathy〗
── 動 (~**s** /-iz/; 〈過去・過分〉 ~**d** /-d/; --**thiz·ing**)
── 自 1 〔人が〕 〔人・事に/事に〕 同情する, 気の毒に思う 〔with / in, about, over, on〕 《◆修飾語 (句) は当

略できない〕‖ I *sympathize with* you *about* your son's death. 御子息の御不幸をお悔み申し上げます / I *sympathized with* him *in* his suffering. =I *sympathized with* his suffering. 私は彼の苦しみを気の毒に思った.

2〈人が〉〔人・意見などに〕**共感する, 賛同する**〔*with*〕《◆ agree より堅い語》‖ Why doesn't she *sympathize with* my plan? なぜ彼女は私の計画に賛成してくれないのか.

sym·pa·thiz·er /símpəθàɪzər/ 名 C **1** 同情者. **2** 共感者, 支持者, シンパ.

sym·pa·thiz·ing·ly /símpəθàɪzɪŋli/ 副 同情〔共感〕して.

***sym·pa·thy** /símpəθi/ 〚感情(pathy)を共に(sym)すること. cf. anti*pathy*, sym*phony*〛派 **sympathetic**(形), **sympathize**(動)
——名 (複 --thies/-z/) **1** C U 〔人・事への〕**同情, 思いやり**〔*for, with*〕; [sympathies] 悔み《◆相手を見下す含みはない, cf. pity》(↔ antipathy)‖ You have my *sympathies*. =My *sympathies* are *with* you. 心中お察し致します.

2 C U 〔人・意見などへの〕**共感, 同感**; [sympathies] **同意; 支持, 支援**〔*for, with*〕‖ I have some *sympathy for* your ideas. あなたの考えにはある程度同意します / My *sympathies* are [lie] *with* the students on this matter. この件に関しては私は学生側を支持します.

3 U 〔生理〕交感; 〔物理〕共鳴, 共振.

*in sýmpathy〔人・意見などに〕**同情して, 賛成して**〔*with*〕‖ cry in *sympathy* もらい泣きする.

*òut of sýmpathy〔人・意見などに〕**共感しないで, 不賛成で**〔*with*〕‖ The party is *out of sympathy with* the new policy. その政党は新しい政策に同意していない.

sym·phon·ic /sɪmfɑ́nɪk | -fɔ́n-/ 形 **1**〔音楽〕交響曲の; 交響的な. **2** 協和音の[的な]; 類似音の.

†**sym·pho·ni·ous** /sɪmfóʊniəs/ 形〔文〕調和した; 協和音の, 和声の.

***sym·pho·ny** /símfəni/ 〚音(phony)の調和(sym)〛
——名 (複 --nies/-z/) **1** C 〔音楽〕**交響曲, シンフォニー**‖ 対話 "Who composed this *symphony*?" "I think Beethoven did." 「この交響曲の作曲者はだれですか」「ベートーベンだと思います」 / the Pastoral *Symphony*「田園交響曲」. **2** C 〔主に米〕= symphony orchestra; C (米俗)交響楽団の演奏会. **3** U (一般に)調和; (音・色彩などの)調和; C (古)協和音.

sýmphony órchestra 交響楽団.

sym·po·si·um /sɪmpóʊziəm/ 名 (複 ~s, --si·a/-ziə/) C 〔正式〕**1**〔特定の問題についての〕(公開)討論[談話]会, **シンポジウム**〔*on*〕. **2** ある問題に関する諸家の論文[評論]集.

†**symp·tom** /símptəm/ 名 C **1** (物事の)**徴候, きざし, しるし**(sign)《◆よう望ましくない, 悪い事態・出来事などに用いる》‖ Juvenile crime is a *symptom* of the failure of our schools. 青少年の犯罪は我々の学校教育の失敗の現れだ. **2** 〔医学〕微候, 症状, 症候‖ a *symptom* of neurosis 神経症の症状 / A sneeze can be a *symptom* of a cold. くしゃみはかぜの徴候である.

symp·to·mat·ic /sìmptəmǽtɪk/ 形〔正式〕徴候となる; 〔…を〕示す〔*of*〕; 症状[症候]に関する; 症状に基づく.

syn- /sɪn-/ (語要素) →語要素一覧(1.7).

†**syn·a·gogue** /sínəgɑ̀g | -gɔ̀g/ 名 C ユダヤ教の礼拝堂, シナゴーグ; [the ~] ユダヤ教徒の集会[会衆].

syn·chro·nism /síŋkrənɪzm/ 名 **1** U 〔正式〕同時発生, 同時性. **2** U 〔正式〕(歴史などの)事件の年代順配列; C 対照歴史年表. **3** U 〔物理・電気〕同期(性). **4** U 〔映画・テレビ〕映像と音声との一致, シンクロ.

syn·chro·nize /síŋkrənàɪz/ 動 自 〔正式〕**1** 同時に起こる; 〔…と〕同時に動く〔*with*〕. **2** 〈数個の時計が〉標準時[同一時刻]を示す. ——他 **1** …に同時性を持たせる; 〈時計などの〉時間を合わせる; …を同時に動かす; …を〔…と〕一致させる〔*with*〕. **2** 〔映画・テレビ〕…を同時録音する; 〈写真〉〈シャッター〉をフラッシュと同調させる.

sýnchronized swímming シンクロナイズド=スイミング.

syn·chro·nous /síŋkrənəs/ 形〔正式〕同時(性)の; 同時に起こる; 同一速度で動く.

sýnchronous communicátions sátellite (米)シンコム衛星 (略 Syncom).

syn·co·pate /síŋkəpèɪt/ 動 他 **1** 〔文法〕(中間音節を省略して)〈語〉を短縮する《◆ every を ev'ry とするなど》. **2** 〔音楽〕…を切分する. **sỳn·co·pá·tion** 名 U 〔音楽〕シンコペーション, 切分音.

†**syn·di·cate** 名 /síndɪkət/, 動 -dɪkèɪt/ 〔集合名詞; 単数・複数扱い〕**1** シンジケート, 企業連合, 債券[株式]引受け組合; 狩猟[漁業]権組合. **2** 通信社; 新聞雑誌記事配給業. **3** (特に大学の)理事会, 評議員会. **4** (米)組織暴力団, 犯罪シンジケート.
——動 他 **1** …をシンジケート組織にする. **2** 〈記事・漫画などの〉を通信社[新聞雑誌連盟]を通して同時発表する. ——自 シンジケートを組織する.

†**syn·drome** /síndroʊm/ 名 C **1** 〔医学〕**症候群, シンドローム**; 病的現象. **2** (略式)(一般に)徴候, 行動様式.

†**syn·o·nym** /sínənɪm/ 名 C (…の)**同義[意]語, 類義語, シノニム**〔*for, of*〕(↔ antonym)‖ "Sorrow" is a *synonym* for 'grief.' sorrow は grief の同義語である ("Sorrow" is *synonymous* with 'grief.').

syn·on·y·mous /sɪnɑ́nəməs, (米+) sə- | -nɪ-/ 形〔正式〕〔…と〕**同意語の, 同義[類義]語の**〔*with*〕(↔ antonymous) (用例→ synonym).

syn·op·sis /sɪnɑ́psɪs, sə- | sɪnɔ́p-/ 名 (複 --ses /-siːz/) C 〔文芸〕梗概(窓), 概要, 大意.

syn·tax /síntæks/ 名 U **1** 〔文法〕統語論, シンタックス; 統語法. **2** 系統的配列.

syn·the·sis /sínθəsɪs/ 名 (複 --ses/-siːz/) U 総合, 統合 (↔ analysis).

syn·the·size /sínθəsàɪz/ 動〔正式〕他 …を総合する; …を総合的に扱う (↔ analyze); 〔化学〕…を合成する. ——自 総合する. **sýn·the·siz·er** 名 C 総合[合成]する人[もの]; シンセサイザー.

†**syn·thet·ic** /sɪnθétɪk/ 形 **1** 〔正式〕総合の, 統合的な (↔ analytic). **2** 〔化学〕合成の‖ *synthetic* resin 合成樹脂 / *synthetic* fibers 合成繊維. **3** (略式)本物でない, つくりものの(↔ genuine). **4** 〔言語〕総合的な; 〔哲学〕総合哲学の‖ a *synthetic* language 総合言語. ——名 C 〔化学〕合成物質.

synthétic detérgent 合成洗剤.

synthétic fíber 合成繊維(man-made fiber).

sy·phi·lis /síf(ə)lɪs/ 名 U 〔医学〕梅毒.

Syr·i·a /síriə/ 名 シリア《西アジアの共和国. 首都 Damascus》.

Syr·i·ac /síriæ̀k/ 名 U 形 古代シリア語(の).

†**Syr·i·an** /síriən/ 形 シリア(人)の. ── 名 C シリア人.

sy·ringe /sirínʤ, ́-/ 名 C **1** 注射器, 洗浄器, 浣(ｶﾝ)腸器. **2** 注入器, スポイト; 水鉄砲. ── 動 他 …に注射する; …を洗浄する.

syr·inx /síriŋks/ 名 (複 ~·es, --in·ges /sərínʤi:z/, ~·es) C 牧神パン(Pan)の笛; 草笛; [鳥]鳴管.

†**syr·up,** (米ではしばしば) **sir·up** /sə́:rəp, sír-; sírəp/ 名 U **1** シロップ《砂糖や果汁を煮つめた汁》; 糖みつ. **2** シロップ剤.

*****sys·tem** /sístəm/ [共に(syn)組み立てるもの(stem)] 派 systematic (形)
── 名 (複 ~s/-z/)

I [組織]

1 C 制度, 組織; (略式) [the ~] 体制, 社会秩序 ‖ a system of education =an education(al) system 教育制度 / The family is the most basic social system. 家族は最も基本的な社会的組織である / We work on the four-day week system. 私たちは週 4 日制で働いている / the feudal system 封建制度 / The tax system will soon be changed. 税制がもうすぐ変わる.

2 [one's/the ~] 身体, 体 ‖ food which is good for the system 体によい食べ物.

3 C [コンピュータ] システム; 制御系.

II [組織的な体系]

4 C 体系; 系統, 学説; 装置 ‖ a system of philosophy 哲学体系 / the digestive system 消化器系 / the solar system 太陽系 / an air-conditioning system 空気調節装置.

5 C 〔…のための〕体系的方法, 方式 (for) ‖ the English number system 英語の数(ｶｽﾞ)を表す方法 / the metric system メートル法 / work by a system 一定のやり方で仕事をする.

6 U 整然とした手順, 秩序 ‖ without system 正しい手順がなく, 行き当たりばったりで.

Áll sýstems (are) gó! 〖宇宙船打ち上げの時の合図から〗《略式》準備完了.

gét A óut of one's **sýstem** 《略式》〈心配事・人などを〉忘れようとする, 頭から追い払う.

sýstem prògram [コンピュータ] システムプログラム《コンピュータシステムを動かすための基本的なプログラム》.

sýstem(s) enginèering システム工学.

*****sys·tem·at·ic** /sìstəmǽtik/ [→ system]
── 形 **1** 〈研究・方法などが〉組織的な, 体系的な ‖ a systematic way [research] 系統立った方法 [調査]. **2** 〈人が〉〔事を〕秩序立ててできる, 計画に沿って仕事をする [in] ‖ a systematic worker 整然と仕事をする人. **3** 意図的な.

†**sys·tem·at·i·cal** /sìstəmǽtikl/ 形 =systematic.

†**sys·tem·at·i·cal·ly** /sìstəmǽtikəli/ 副 **1** 組織的に, 体系的に. **2** 整然と. **3** 意図的に.

sys·tem·a·tize /sístəmətàiz/ 動 他 《正式》 **1** …を組織[体系]化する. **2** …を順序立てる. **3** …を分類する. **sỳs·tem·a·ti·zá·tion** 名 U 組織[体系]化; 分類.

sys·tem·ic /sistémik, -tí:m-/ 形 **1** [生理・病理]〈病気・薬物が〉全身(浸透)の. **2** 〖文法〗体系的な. **3** 組織[体系]的な.

T

t, T /tíː/ (同音) tea 名 (複 → **t's, ts; T's, Ts**/-z/)
1 C U 英語アルファベットの第20字. **2** = a, A 2. **3** U 第20番目(のもの).

T̄ cèll 〔解剖〕T細胞《免疫を調節するリンパ球の1つ》.
T̄ jùnction =T-junction.
T̄ shìrt =T-shirt.
T̄ squàre T定規.

t. (略) teaspoon(s); tenor; ton(s); town(ship); transitive.
T., t. (主英) (略) tenor; Testament; Tuesday; Turkish.
't /t/ (古·詩) it の短縮形 ∥ 'tis /-tìz/ (=it is).
TA teaching assistant.

tab /tǽb/ 名 C **1** (服などの)垂れ飾り,つまみ;(英) ひもの金具. **2** 付け札, ラベル;(帳簿などの見出しの)つまみ. **3** (米略式) =tabloid.
kèep a táb [tábs] on A (略式)(1) …の勘定をつけている. (2) …を見張る.
pick úp the táb (米略式) […の]勘定を払う[for].
—— 動 (過去·過分 **tabbed**/-d/; **tab·bing**) 他 …につまみ[垂れ]をつける;(米) …を選び出す.

táb kèy (略式) (キーボードの)タブキー.
tab·ard /tǽbərd | -ɑːd/ 名 C (主君の紋章入りの)伝令官服.
Ta·bas·co /təbǽskou/ 名 [時に t~] U C (商標)= Tabasco sauce. **Tabásco sàuce** タバスコソース《トウガラシで作る赤色の辛いソース》.
tab·by /tǽbi/ 名 C 動 =tabby cat. **tábby càt** ぶちネコ,トラネコ.
†**tab·er·na·cle** /tǽbərnəkl/ 名 **1** C 仮の住まい《テントなど》. **2** C (霊魂の仮宿としての)身体, 肉体. **3** [the T~] 〔旧約〕幕屋《古代ユダヤ人のテント式の移動可能な神殿》;(一般に)礼拝所[堂];(非アングリカンチャーチの)会堂.

⁑**ta·ble** /téibl/ 〖「(平らな)板(board)」が原義. cf. *tablet*〗

index **1** テーブル **3** 食事 **4** 一覧表

—— 名 (複 ~**s**/-z/)

I [テーブル·台]

1 C **a** テーブル, 食卓《◆宴会·会議などの象徴》; 仕事台, ゲーム[手術]台《◆ふつうは食卓を指すが, 書き物·日常的手仕事·トランプ·話し合いなどに用いられるもいう》 ∥ sit around the breakfast *table* 朝食の食卓を囲む / <対話> "Help me *cléar the táble*, Jane." "Yes, Mom." 「ジェーン, 食卓の後片付けを手伝ってちょうだい」「はい, お母さん」/ a work *table* 仕事台《◆比較的小型で特別な用途の台は board, stand》/ the head of the *table* 宴会の主人席, 食卓での父親の席 / sit down at the negotiation *table* 交渉のテーブルにつく. **b** [形容詞的に] テーブルの, 卓上用の ∥ a *table* lamp 電気スタンド. **2** [the/a ~; 集合名詞; 単数·複数扱い] (食事·会談などで)テーブルを囲む人たち.

3 (やや古) [the/a ~; おおげさに] 食事, 料理 (fare); 食事の席 ∥ provide [keep, set] *a* good *table* ごちそうを出す / lay [spread, (主米) set] *the table* 食事の用意をする / pay for their *table* 彼らの食事代を払う.

II [テーブルのようなもの]

4 C 一覧表, 目録; 九九の表 (multiplication table(s));〔コンピュータ〕表, 表計算データ ∥ a *table* of verb patterns 動詞型一覧表 / learn one's (multiplication) *tables* 九九の表[換算表など]を覚える / See the special uses of 'it' in *Table* 4. 表4の it の特別用法を見よ.

at the táble [おおげさに] 食事をしている(時に) ∥ You are not supposed to make a sound *at the table*. 食事中にずるずる音をたてるのはよくないことです《◆(英正式)では the を省略することもある》.
láy A on the táble (1) (米)〈議案などを〉たな上げにする, 無期限に後回しにする. (2) (英)〈議案などを〉上程する; …を議事にかける.
ríse from táble (食事を終えて)食卓を離れる.
sit dówn to [at] táble 食卓につく.
túrn the tábles 〔人に〕仕返し[報復]する[on];〔優勢な相手に対して〕形勢を逆転させる[on].
únder the táble (略式) (1) (夕食のあと)酔いつぶれて. (2) (米)やみ取引で;わいろとして, こっそりと((英) under the counter).
wáit at táble(s) (主英) =wait TABLE(s).
wáit táble(s) = wáit on [at] táble (主米) [しばしば be waiting] (レストランで)ボーイを務める, 給仕する.

—— 動 他 **1** (米)〈議案などを〉たな上げにする, 審議延期にする. **2** (英)〈議案などを〉上程する.

táble bòard (米) (下宿の)まかない.
táble crèam (米) (コーヒー·紅茶用の) ((英) single cream).
táble knife 食卓用ナイフ.
táble lìnen テーブル掛け, ナプキン.
táble mànners テーブルマナー.
táble sàlt 食卓塩.
táble tàlk 食卓での[食事の時の]おしゃべり, 茶飲み話.
táble tènnis (正式) 卓球, ピンポン ((略式) ping-pong).
táble wìne テーブルワイン《食事をしながら飲む》.
tab·leau /tǽblou, (米+) -/ 〖フランス〗名 (複 ~**x**/-z/, ~**s**) C **1** 絵, 絵画的描写, タブロー. **2** 劇的場面. **3** = tableau vivant. **tableau vivánt** /-viːvɑ́ːn/ 〖フランス〗(複 **tableaux vivánt(s)**/~/) 活人画.
†**ta·ble·cloth** /téiblklɔ̀ːθ/ 名 C テーブルクロス.
ta·ble-cut /téiblkʌ̀t/ 名 U 形 (宝石の)テーブル=カット(の).
ta·ble d'hôte /tɑ̀ːbl dóut/ 〖フランス〗名 (複 **tables d'hôte**/~/) C [the ~] 定食 (↔ à la carte).
ta·ble·land /téibllæ̀nd/ 名 C [しばしば ~s] 台地, 高原.
†**ta·ble·spoon** /téiblspùːn/ 名 C **1** テーブルスプーン《ボウルなどから個人の皿によそう時に用いる》. **2** = tablespoonful.

ta・ble・spoon・ful /téiblspuːnfùl/ 名C テーブルスプーン[大さじ]1杯(分)《teaspoon 3杯分》.

†**tab・let** /tæblət/ 名C **1** [しばしば複数形で] 錠剤 ‖ Take two aspirin *tablets* for your headache. 頭痛にはアスピリンを2錠服用しなさい. **2** 銘板, 刻板《銘文を彫った石・金属の板. 記念碑・床石などには埋め込む》;〖建築〗笠石 ‖ a mural *tablet* 壁掛け銘板 / a *tablet* to the memory of Dr. White ホワイト博士を記念する銘板. **3** (石けん・チョコレートなどの)1個, 1片.

ta・ble・ware /téiblwèər/ 名U 食卓用食器類.

tab・loid /tǽbloid/ 名C **1** タブロイド版新聞《(米略式)tab》《写真・漫画中心の半ページ大の新聞》. ――形 タブロイド版の; 要約した.

†**ta・boo** /təbúː, tæ-/ 《◆文化人類学では tabu ともつづる》 名 **1** CU タブー, 禁忌(ポん);C 忌(ポ)み言葉 ‖ be *under* (a) *taboo* タブーになっている. **2** CU (一般に)禁制, 法度(ポっ). ――形 タブーの, (社会の慣例として)禁忌された; 禁制の ‖ The subject is *taboo*. その話題はタブーだ. ――動他 …をタブーにする.

tabóo wòrds 禁句《◆(1) 遠回しに filthy [dirty, indecent] words ともいう. (2) taboo words のうち米最高裁がテレビでの使用を禁止した7語は shit, piss, fuck, cunt, cocksucker, mother(-)fucker, tits. cf. four-letter word》.

ta・bu /təbúː, tæ-/ 〖文化人類〗 名 形 動 =taboo.

tab・u・lar /tǽbjələr/ 形〖正式〗**1** 平板の, 平らな, テーブル状の; 薄板からなる. **2** 表(ポょ)の, 表にした; 表で計算された.

†**tab・u・late** /tǽbjəlèit/ 動他〖正式〗**1**〈数字・事実などを〉表にする, 表で表す. **2** …を平らにする.

táb・u・là・tor 名C **1** 図表を作成する人. **2** (キーボードの)タビュレーター, タブ.

tab・u・la・tion /tæ̀bjəléiʃən/ 名C 表作成.

ta・chom・e・ter /tækɑ́mətər | -kɔ́m-/ 名C タコメーター, 回転速度計.

†**tac・it** /tǽsit/ 形〖正式〗**1** 暗黙の(understood) ‖ *tacit* approval 暗黙の承認. **2** 発言のない, 無言の(silent); しんとした ‖ *tacit* prayer 黙祷. **tác・it・ly** 副〖正式〗黙って; 暗黙のうちに; それとなく. **tác・it・ness** 名U 暗黙; 無言.

tac・i・turn /tǽsətəːrn/ 形〖正式〗無口な, 口数の少ない; むっつりした(⇔ talkative). **tác・i・túrn・ly** 副無口で. **tac・i・túr・ni・ty** /-tə́ːrnəti/ 名U 無口.

Tac・i・tus /tǽsətəs/ 名 タキトゥス《Publius Cornelius /pʌ́bliəs kɔːrníːliəs/ ~ 56?-120?; ローマの歴史家》.

†**tack** /tæk/ 名 **1** C びょう, 留め金. **2** C (裁縫のしつけ, 仮縫い. **3** UC 針路, 進路, 方針, 政策 ‖ be on the right [wrong] *tack*(略式)方針が誤っている[いる]. ――動他 **1** …をびょうで留める; 下ぬい …を仮に縫いつける(+*down*, *on*); 〈2つの物を〉接合する. **2**(略式)…を[…に]付加する, 添える(+*on*)[*onto*, *to*) ‖ *tack on* an amendment *to* the bill 法案に修正文を付け加える.

†**tack・le** /tǽkl/ 名 **1** UC〖機械〗滑車装置, 複滑車, 巻き揚げ装置;〖海事〗テークル, 船の索具. **2** C 器具, 用具, 道具; 釣り道具(fishing tackle). **3** C a〔アメフト・ラグビー〕タックル ‖ make a smashing *tackle* 猛烈なタックルをする. **b**〔アメフト〕タックル《センターの両側, すぐ外側のガードとエンドの間に配置されている2人の選手のうち1人. 図〗→ American football.
――動 **1**〔アメフト・ラグビー〕…にタックルする;〈人・動物などに〉組みつく, …をつかまえる ‖ *tackle* a thief 泥棒にタックルする. **2**〈仕事・問題などに〉取り組む(deal

with). **3**〈人〉と〔…のことで〕論じ合う, 渡り合う(*about*, *on*, *over*) ‖ The president will *tackle* the Congress *on* the immigration issue. 大統領は移民問題で議会と渡り合うだろう. ――自 タックルする.

tack・y /tǽki/ 形 べとつく, ねばっこい.

ta・co /tɑ́ːkou | tǽ-/ 名 (複 ~s) C タコス《メキシコ料理》.

†**tact** /tækt/ 名 **1** U (人の気をそらさない)機転, 如才なさ; こつ ‖ have *tact* in teaching pupils 生徒を教えるこつを心得ている. **2** CU 手ざわり, 触感.

tact・ful /tǽktfl/ 形 如才ない, 機転のきく(⇔ tactless). **táct・ful・ly** 副 如才なく, 機転をきかせて; 手際よく.

tac・ti・cal /tǽktikl/ 形〖正式〗戦術(上)の, 戦術的な; かけひきのうまい.
táctical núclear wèapons 戦術核兵器.
tác・ti・cal・ly 副 戦術的に, かけひき上.

tac・ti・cian /tæktíʃən/ 名C〖正式〗戦術家; 策士, 策略家.

†**tac・tics** /tǽktiks/ 名U **1** [単数・複数扱い] (個々の)戦術, 用兵(学), 兵法(→ strategy). **2** [複数扱い] 策略, かけひき, 作戦.

tac・tile /tǽktl, -tail | -tail/ 形〖正式〗触覚の(ある); 触知できる.

tact・less /tǽktləs/ 形 機転のきかない, へまな(⇔ tactful). **táct・less・ly** 副機転をきかずに, へまなことに.

tad・pole /tǽdpòul/ 名C〖動〗オタマジャクシ.

†**taf・fe・ta** /tǽfətə/ 名U タフタ, こはく織り《絹などの光沢のある平織り》.

taff・rail /tǽfreil, -rəl/ 名C〖海事〗船尾手摺(ポり); 船尾上部.

taf・fy /tǽfi/ 名UC(米)タフィー《キャンディーの一種》((英)toffee).

táffy pùll(米)タフィーパーティー《タフィーを食べる会》.

Taft /tæft, (英+) tɑːft/ 名 タフト《William Howard ~ 1857-1930; 米国の第27代大統領(1909-13)》.

†**tag**[1] /tæg/ 名C **1**(米)付け札, 下げ札, 荷札, 付箋(ポん), 自動車のナンバープレート ‖ a claim *tag*(飛行場などの)荷物預り. **2**(服などの)垂れ飾り. **3**(ひも先の)金具(靴の後ろの)つまみ皮;(服の)えりぐり. **4**(ラテン語などの)紋切り型の引用句; 決まり文句; 話の終わりの教訓. **5**〖コンピュータ〗タグ《XML, HTML形式などの文書で, テキストの中に埋め込んで書式その他の情報を示す記号》.
――動(過去・過分)**tagged**/-d/; **tag・ging**)他 **1** …に下げ札[付箋, 荷札]を付ける; …に金具[つまみ]を付ける ‖ *tag* the watch *at* $50 その腕時計に50ドルの値札をつける. **2** …を〔…と〕名付ける[称する](*as*). **3**〈話などに〉引用句を添える, …を〔…に〕付加する(+*on*)(*at*, *to*, *onto*). **4**(主に略式)…にぴったりついていく, …を〈人に〉つきまとう(+*along*, *on*)(*with*, *behind*, *to*); 〈人の後について行く(+*on*)(*after*).
tág quéstion〖文法〗付加疑問《平叙文の後に添える簡単な疑問文. ▶文法 1.7》.
tág sàle (1) (商店の)売り出し. (2) =garage sale.

tag[2] /tæg/ 名U **1** 鬼ごっこ(tig)《◆「鬼」は it, tagger という》‖ play *tag* 鬼ごっこをする. **2** C〖野球〗タッチすること. ――動(過去・過分 **tagged**/-d/; **tag・ging**) 他 **1** (鬼ごっこで)鬼が…をつかまえる(+*out*). **2**(主に米)〖野球〗〈走者を〉タッチアウトにする(+*out*).

Ta・ga・log /təɡɑ́ːlɔːɡ | -lɔɡ/ 名(複 **Ta・ga・log**, **~s**) C タガログ人《フィリピンの主要民族の1つ》; U タガログ

語《フィリピンの公用語. cf. Pilipino》.
Ta·hi·ti /təhíːti, tɑː-/ タヒチ(島)《南太平洋の Society 諸島の主島》. **Ta·hí·tian** /-ʃən/ 名 U 形 タヒチの; タヒチ島人(の); タヒチ語(の).

:tail /téil/ (同音) tale) 「「動物のしっぽ」から(形から)尾に似たもの、(場所の)後部を表すようになった」
——名 (複 ~s/-z/)
I [動物の尾]
1 C (馬・犬・魚などの)**尾, しっぽ** ‖ The dog wags its *tail*. 犬はしっぽを振る.
II [尾のようなもの]
2 a C 尾に似たもの, 弁髪; (洋服の)垂れ ‖ the *tail* of a shirt シャツのすそ. **b** (略式) [~s] 燕尾服(tailcoat). **c** (婦人服の)長いすそ; 彗(ゑい)星の尾, たこ(kite)のしっぽ.
III [後ろの部分]
3 C [通例 the ~] (物の)**後部,** 末尾; 終わり ‖ the *tail* of eyes 目じり / at the *tail* of the lesson 授業の終わりに.
4 C (チーム・政党などの)下っぱ, 末輩. **5** C 従者, 供回り; (略式) 尾行者《刑事など》. **6** C [通例 ~s; 単数扱い] 貨幣の裏面(↔ head) 《硬貨を投げて物事を決める場合に言う. → head 名 **7**》.
túrn táil (**and rún** [**flée**]) (背を向けて)逃げる.
with one's [**the**] **táil betwèen** one's [**the**] **légs** (略式) (犬が)しっぽを巻いて; おじけづいて; こそこそと《◆ leave, go off, run off などと共に用いる》.
——動 他 **1** 〈人〉を尾行する, つける. **2** 〈果物・野菜など〉の軸[柄]を切りとる; 〈子ヒツジなど〉の尾を切る.
——自 〈人の後に〉ついて行く, ぞろぞろと列をなす(*after*); 〈音などが〉次第に小さくなる[消えて行く], 〈需要などが〉少なくなる, 〈話などがかり切れになる(+ *away, off, down, out*); 〈主に英〉〈車などが〉渋滞する(+ *back*) ‖ His voice *tailed off* into silence. 彼の声はだんだん小さくなってとうとう聞こえなくなった.
táil énd (略式) [通例 the ~] 末端, 後尾; 終末部, 最終段階; 尻(しり).
táil fín (魚の)尾びれ (図 → fish).
táil làmp (英) =taillight.
tail·coat /téilkòut/ 名 C 燕尾服(tails); モーニング.
tailed /téild/ 形 尾のある; [複合語で] 尾が…の ‖ long-*tailed* 尾が長い.
tail·gate /téilgèit/ 名 C (米) (荷馬車・トラックなどの)後部開閉板. ——動 自 (米略式) 前の車のぴったりつけて運転する.
tail·less /téilləs/ 形 尾[尾部]のない, しっぽのない.
tail·light /téillàit/ 名 C (自動車の赤い)尾灯, テールライト.
†**tai·lor** /téilər/ 名 (女性形) ~·**ess**) C 仕立屋, 洋裁師, テーラー; 注文服店《◆ 主に紳士服や婦人用コート類を注文で作る. その他の婦人もの・子供ものは dressmaker》 ‖ a *tailor* shop (米) (英) a *tailor's* (shop)) / Who is your *tailor*? どこで仕立てたのか / The *tailor* makes the man. (ことわざ) 仕立屋が人をつくる; 「馬子にも衣装」/ Nine *tailors* make a man. (ことわざ) 仕立屋は9人で一人前《◆ 仕立屋は力が弱いという俗説より》. ——動 他 **1** 〈服〉を仕立てる, 注文で作る. **2** (正式) 〈方法・計画・脚本など〉を(特別の目的・対象のために)合わせる(*to*).
tai·lored /téilərd/ 形 **1** (婦人服が)紳士服の仕立ての, **2** オーダーメイドの, あつらえの ‖ a *tailored* suit 注文服 / semi-*tailored* =tailored without fitting イージーオーダーの《◆ ˣeasy-ordered は不可》.
3 直線断ちの.
tai·lor·ing /téiləriŋ/ 名 **1** 洋服仕立業. **2** 仕立方.
tai·lor-made /téilərmèid/ 形 **1** オーダーメイドの(tailored)《◆ ˣorder-made は不可》. **2** 〔…に〕合わせた(*for*).
tail·pipe /téilpàip/ 名 C 排気管; 吸込み管.
tail·race /téilrèis/ 名 C (水車の)放水路.
†**taint** /téint/ (正式) 動 他 **1** 〈人・性格など〉を〔悪などで〕染める, 堕落させる(*with*); 〈評判など〉を汚す, 傷つける ‖ His fame was *tainted* by his bad conduct. 彼の名声は悪行によって打ち消された. **2** 〈空気・水など〉を汚染する; 〈主に米〉〈食物〉を腐らす, いたませる.
——名 **1** C U 不名誉, 恥辱, 汚点; 汚名. **2** U [通例 a ~ of + 名詞] (悪いものの)気味, 痕(あと)跡. **3** U 腐敗, 堕落.
Tai·pei, --peh /táipéi/ 名 タイペイ(台北)《台湾の首都》.
Tai·wan /táiwáːn, (英+) -wǽn, -wɒ́n/ 名 台湾《◆ 旧称 Formosa》.
Tai·wa·nese /tàiwəníːz/ 名 (複 ~) 台湾人; 形 台湾の 台湾語(Formosan).
Taj Ma·hal /táːdʒ məhɑ́ːl, táːʒ-, (英+) -hǽl/ 名 [the ~] タージ=マハル《インドの Agra にある霊廟(れいびょう)》.

:take /téik/ 「「何かを手にして自分のところに取り込む」が本義. 「取る」「持って行く」「引き受ける」「必要とする」が主な意味」

index
動 他 **1** する **2** 講じる **4** 持って行く **5** 乗って行く **8** 手に取る **9** a 力づくで取る **b** つかまえる **10** 獲得する **11** 撮る **12** 選ぶ **16** 引き受ける **19** 受け取る **20** 飲む **23** 受け止め **32** 必要とする **33** 占める

——動 (~s /-s/; took /túk/; **tak·en** /téikn/; **tak·ing**)
——他
I [ある行動をとる]
1 〈人が〉〈ある行動〉を**する**《◆ 目的語はふつう動詞派生名詞》‖ *take* a walk 散歩する / *take* a bath (主に米)入浴する《◆ 上2例は対応する動詞 walk, bathe よりくだけた言い方》/ *take* legal action 訴訟を起こす / *take* an oath 誓いを立てる / *take* a nap [rest] 居眠り[休息]する / *take* a vacation 休暇をとる.
2 〈人が〉〈手段など〉を**講じる**, とる; 〈道具など〉を〔…に〕用いる, 使う(*to*) ‖ We must *take* measures to prevent traffic accidents. 交通事故の防止対策を講じなければならない / *take* a mop to the floor モップで床をふく / *take* scissors to her hair 彼女の髪をはさみで切る.
3 〈体温・寸法など〉を計る, とる; …を調べる ‖ *take* his temperature [pulse] 彼の体温を計る[脈をとる] / *take* stock 在庫を調べる / The tailor *took* her measurements. 仕立屋は彼女の寸法をとった.
II [手に取る・手に持って行く] 《◆ 自動詞 go に対応し, take の主語が話し手および聞き手の所から他の場所に「持って[連れて]行く」の意(↔ bring)》.
4 a 〈人が〉〈物〉を〔…へ〕**持って行く**, 〈人・動物〉を〔…へ〕**連れて行く**, 案内する(+ *along*) (*to*)《◆ 修飾語(句)は省略できない》; [take **A B**] 〈人が〉A〈人〉のところへ B〈物〉を持って行く ‖ I *took* my child *to*

the movies yesterday. きのう子供を映画に連れて行った / He **took** [ˣsent] her *home* in his car. 彼は車で彼女を家に送った / *Take* your camera *with* you. カメラを持って行きなさい《◆「携帯する」の意では with one を伴うことが多い》/ She **took** the dog for a walk. 彼女は犬を散歩に連れて行った / I **took** him a book. =I **took** a book *to* him. 彼に本を1冊持って行った《◆受身形は A book *was taken to* him (by me).》(→文法3.3).

使い分け [take と bring]

take は「(話し手がある場所へ)連れて[持って]行く」.
bring は「(話し手が聞き手のほうへ)連れて[持って]行く」の意.
Do you mind if I *bring* [ˣtake] my boyfriend to your party? あなたのパーティーにボーイフレンドを連れて行ってもかまいませんか.

---

b〈乗物が〉〈人〉を[…に]連れて行く;〈道が〉〈人〉を[…へ]導く(lead);〈仕事などが〉〈人〉を[…へ]行かせる(*to*) ‖ This bus [road] *takes* you *to* the city. このバスに乗れば[道を行けば]その町に行ける《◆乗物はふつう bus, train など路線の決まっているもので, car などは不可》/ The work *took* her *to* Paris. 仕事で彼女はパリへ行った / His ability *took* him to the top of his field. 彼は有能だったのでその分野の第一人者にのし上がった.

5〈人が〉〈乗物〉に**乗って行く**, …を利用する ‖ *take* ˈa taxi [an elevator] タクシー[エレベーター]に乗る / I always *take* the subway to school. 私はいつも地下鉄で通学している / She *took* a train to Boston. 彼女は列車でボストンへ行った(=She went to Boston by train.).

6…へ入る, 逃げ込む ‖ *take* shelter 避難する.

7…を飛び越す;〈角〉を曲がる.

III [物を取る]

8〈人が〉〈人・物〉を**手に取る**, つかむ, 握る, 抱く 類語 clutch, grab, grasp, seize, snatch)‖ *take* a glass *from* the shelf たなからコップを1個取る / She *took* her son in her arms. 彼女は息子を抱きしめた / She *took* me *by* the hand. 彼女は私の手を取った《◆「手を取ってある場所へ連れて行く」を意味することもある. → 4a)》(catch 他 1c).

9 a〈軍隊などが〉〈場所〉を**力ずくでとる**, 占領する(capture)‖ The army *took* the city [fortress]. 軍隊はその町[とりで]を奪取した. **b**〈人が〉〈人・獲物など〉を**つかまえる**, 捕らえる ‖ be *taken* prisoner 捕虜になる. **c**〈チェスなど〉〈駒など〉を取る. **d**〈試合の相手〉に勝つ. **e**[法律]〈財産など〉を押収する.

10〈人が〉〈賞など〉を**獲得する**, 手に入れる ‖ He *took* (the) first prize in the race. 彼は競走で1等賞を取った / *take* the [one's] degree 学位を取得する 《◆「運転免許を取る」は get a driver's license で ˣtake a driver's license は不可》.

11 a〈人が〉〈写真〉を**撮る** ‖ She *took* 「Bob's picture [a picture of Bob]. 彼女はボブの写真を撮った. **b**…を書き留める, 記録する(+*down*);…を[テープに]録音する(+*down*)[*on*] ‖ *take* his name and address *down* 彼の名前と住所を書き留める / *take* notes of [at] a lecture 講義のノートをとる.

12 a〈人が〉〈物〉を[…から]**選ぶ**, 選んで取る(*from*)‖ 対話 "*Take* any card *from* the pack." "I'll *take* this one." 「1組のトランプからどれでも1枚選んでください」「これにしよう」. **b**〈人が〉〈道など〉を取って進む ‖ *take* the shortest way home 最短の道を通って帰宅する / *Take* the road on the right. その道を右に曲がりなさい. **c**[授業・試験などを(選択して)受ける, 学ぶ, 習う] ‖ *take* a supplementary lesson 補習を受ける / *take* an exam 試験を受ける.

13 a …を**持ち去る**;…を[…から]盗む(*from*)《◆ steal の遠回し語》‖ Someone has *taken* my bicycle. だれかが私の自転車を持って行った / He *took* her flowers. 彼は彼女の花を持って行った[盗んだ]《◆「彼は彼女のところへ花を持って行った」の意にもとれる. → 4 a》. **b**…を[…から]引き去る(+*away*)〔*from, off*〕‖ If you *take* 2 *from* 6, you have 4. 6から2を引けば4です. **c**[通例 be taken]〔…の〕残して死ぬ(*from*)‖ She *was taken from* us by cancer. 彼女はがんで亡くなった.

14 …を(例として)取り上げる;〈事例など〉をあげる ‖ *Take* this car for instance. この車を例にあげよう.

15(俗)〈人〉をだます.

16 a〈人が〉〈仕事など〉を**引き受ける**, 〈責任など〉を負う ‖ Who will *take* our class this year? 今年はだれが私たちのクラスの担任ですか / *take* the initiative 主導権をもつ / *take* control of a business 仕事を指揮する / *take* the trouble to visit him わざわざ彼を訪問する. **b**〈地位・職など〉につく ‖ *take* his place 彼の代わりをする. **c**…の側につく, …に味方する.

17[野球]〈投球〉を見送る.

IV [物などを自分の所に取り入れる]

18(主に文)〈女〉と性交する, …をものにする.

19 a〈人が〉〈差し出されたもの〉を**受け取る**, もらう;〈金額〉を(代金・賃金として)受け取る(cf. 13) **使い分け** → get 他 2)‖ He *took* a present from her. 彼は彼女から贈り物を受け取った / He *took* money from her. 彼は彼女から金を受け取った / She *takes* 200 dollars a week in salary. 彼女は週200ドルの給料をもらっている / *take* 1,000 dollars for the car 車の代金として1000ドル受け取る / Don't *take* rides from strangers. 知らない人の車に乗せてもらってはいけない. **b**〈忠告など〉を受け入れる, …に従う;〈賭(ʰ)けなど〉に応じる;〈提案〉に同意する ‖ *take* his advice [suggestion] 彼の忠告[提案]に従う / *take* a bet 賭けに応じる. **c**〈非難など〉を甘受する, …に耐える《(正式) endure》‖ *take* criticism 批判を受ける, 非難に耐える / *take* a joke 冗談を受け流す.

20〈人が〉〈薬・飲み物〉を**飲む**, 〈空気など〉を吸う ‖ *take* a cup of tea 紅茶を1杯飲む / *Take* [Drink] this medicine three times a day. 1日3回この薬を飲みなさい《◆液体の薬に限り drink も用いる》/ I *take* cream in my coffee. 私はコーヒーにクリームを入れて飲む.

21〈人が〉〈チャンスなど〉を利用する ‖ She *takes* every opportunity to improve her English. 彼女はあらゆる機会を利用して英語を磨いている.

22 a〈病気〉にかかる ‖ *take* (a) cold かぜをひく《◆ catch (a) cold の方がふつう. 「かぜをひいている」は have a cold》. **b**[通例 be taken]〈人が〉〔病気などに〕(突然)襲われる(*with*)‖ She *was taken with* a sharp pain. 彼女は激痛に襲われた.

23 …を〈事・物・人〉を(ある特定の仕方で)**受け止める**, 解する《◆修飾語(句)は省略できない》‖ *take it easy* [*seriously*] 気楽[真剣]にやる《◆ it の代わりに things も可. → take it easy (easy 副 成句)》/ *take* things badly 物事を悪く考える / He *took* it

take

ill [amiss] *that* she went home without his permission. 《正式》彼女が無断で家に帰ったことを彼は不快に思った《◆ it は形式目的語の》.
24 a …を[…だと]思う, みなす[*as, to be, that*節](→成句 take **A** for **B**) ‖ I *take* him *to be* a Chinese. 彼は中国人だと思う / *take* her words *as* praise 彼女の言葉を賞賛ととる / I *take* it (*that*) she is sick. 彼女は病気だと思う《◆ *that*節を伴う時は形式目的語が必要》. **b**《主に米略式》〈意味などを〉理解する, …がわかる ‖ I *take* his meaning 彼の言わんとするところを理解する.
25〈物を〉買う;〈家などを〉(金を払って)借りる;〈新聞などを〉定期購読する, とる;〈座席などを〉予約する ‖ *take* tickets for the play その劇の切符を買う / *take* a cottage for the summer 夏の間別荘を借りる / *take* a newspaper 新聞をとる.
26 a〈人を〉(ある関係に)迎え入れる;〈人を〉採用する;〈弟子などを〉とる;〈下宿人を〉置く(cf. take in (2)) ‖ *take* him into the business 彼を仕事に加える / *take* new members in spring 春に新入部員を迎える. **b**〈部屋などが〉…の収容能力がある;〈容器が〉…の容量がある ‖ Our school cannot *take* girls. 私たちの学校は女子をとりません.
27 a〈言葉などを〉〈本などから〉取ってくる, 引用する[*from*] ‖ This passage is *taken from* the Bible. この一節は聖書からの引用です / The school *takes* its name *from* the founder. その学校の名前は設立者から取ったものだ. **b**〈性格などを〉[親などから]ひきつぐ[*from*] ‖ He *took* his bad manners *from* his father. 彼の行儀の悪いのは父親ゆずりだ.
28〈関心などを〉ひく; [通例 be *taken*]〈人を〉[…に]夢中にさせる[*by, with*] ‖ She was *taken by* the kitten. 彼女はその子ネコがとても気に入った. **29**〈感情・興味などを〉抱く, もつ ‖ Do you *take* pride [pleasure] in your work? 自分の仕事に誇りを持って[喜びを感じて]いますか. **30**〈人の〉[体の部分に]当たる[*on, in, over*];〈体の部分を〉打つ ‖ The blow *took* him *in* the nose. 一撃が彼の鼻に当たった. **31**〈染料などを〉吸収する;〈磨きが〉かかる ‖ *take* dye well よく染まる / *take* a polish 磨きがかかく.
V[ある対象に対して時間・労力をとる]
32 a[*take* (**A**) **B** (to do) / it *takes* (**A**) **B** (to do)]〈物・事が〉(**A**〈人〉の)〈…するのに〉(**B**〈時間・労力・勇気など〉を)**必要とする**, …がかかる《◆ お金の場合はふつう cost》‖ 《対話》"Do I have to do the homework in a day?""No. You can *take* your time."「その宿題は1日で終えなければなりませんか」「いや, 十分時間をかけてやりなさい」/ It *takes* two to make a quarrel. (ことわざ)「けんかは一人ではできない; けんかは両方が悪い」(「けんか両成敗」)/ All it *takes* is a little kindness to others. 必要なのは他人へのちょっとしたいたわりです(=What is needed is …) (〇文法 23.2(2)) / She's got what it *takes* to be a leader. 《略式》彼女は人の上に立つ器である. **b**〈人が〉〈時間などを〉[…に/…するのに/…するまでに]**かける**, 必要とする, かかる[*over / to do / before*節] ‖ How long did you *take to* do the job? その仕事にどれだけ(時間が)かかりましたか.

[語法] The novel *took* him two years *to* write. 彼はその小説を書くのに2年かかった. この文は次の種々の言い換えが可能.
(1) He *took* two years *to* write the novel. は「…2年間かけた」と訳す場合も多く, 時間をかける行為を表す.

(2) It *took* him two years *to* write the novel. は所要時間中の行為者の努力などを暗示する.
(3) It *took* two years for him *to* write the novel. は結果として時間がかかったことを表す.
(4) Writing [To write] the novel *took* him two years. は書く行為に重点が置かれている.

c …を必要とする, 身につける(wear) ‖ He *takes* a size 7 shoe. 彼はサイズ7の靴をはく.
33〈人が〉〈場所・位置を〉**占める**,〈物が〉〈場所を〉とる(+*up*) ‖ *take* a seat 席につく / Is this seat *taken*? この席あいていますか / *take* a chair いすに座る / The desk *takes* (*up*) too much space. その机は場所をとりすぎる.
34[文法]〈目的語などを〉とる.

—**自 1** 取る, 捕える ‖ It is better to give than *take*. 取る[奪う]より与える方がよい. **2 a**〈植物が〉根づく, 芽を出す. **b** 予想した効果を出す;〈接種が〉つく;〈薬などが〉効く ‖ The injection *took* well. その注射はよく効いた. **c**〈染料などが〉染まる, つく. **d**〈火が〉つく. **e**〈魚が〉(エサに)食いつく. **3**〈劇などが〉人気を博する, 受ける ‖ The novel *took* well. その小説は評判がよかった. **4**[様態の副詞を伴って] 写真に写る.

be tàken íll [**síck**] 《英正式》病気になる《◆ become [get] ill の方がふつう》.

be tàken úp with A〈人・物・事に〉魅せられる.

****táke àfter A** (1)《略式》〈人が〉〈親などに〉[容姿・性質などの面で]**似ている**[*in*]《◆(1) resemble より口語的. look like は「(外見上)似ている」の意. (2) 目的語は血縁関係のある主語より年上の人》‖ He *takes after* his father in disposition. 彼は性質が父親に似ている. (2)《米》〈人・動物・物〉を追いかける. (3)〈人〉を手本にする.

táke agàinst A《英》〈人を〉嫌う;〈人に〉反抗する.

tàke apárt A (1) 分解できる, ばらばらになる. —[他]〜 **A apárt** (1)〈小機械〉を分解する. (2)《略式》〈人〉をひどくしかる, 罰する.

tàke A as it ís =**táke A as they áre**〈事〉をありのままに受けとる.

****tàke awáy** [自] (1) 奪う. (2) 食卓を片付ける. —[他] (1)〈物・人を〉[…から]**持ち去る**, 運び去る, 連れ去る;〈権利などを〉奪う[*from*] ‖ *take* a toy *away* from a child 子供からおもちゃを取りあげる. (2)〈苦痛・喜びなどを〉**取り除く** ‖ The sad news *took* away his appetite. 悲しい知らせに彼は食欲がなくなった / *take* **A**'s breath *away* → breath 成句. (3)《英》=TAKE out (5). (4) → 他 **13 b**.

****tàke báck** [他]「『元の状態に戻す』が本義」《略式》(1)〈借りた物を〉[…に]**返す**;〈人を〉[…へ]送って帰らせる[*to*];〈別居中の妻・夫を〉再び迎え入れる ‖ Did you *take* the book *back to* the library? その本を図書館に返却しましたか. (2)〈客が〉〈買った商品を〉返品する;〈商店が〉〈商品の返品に〉応じる. (3)〈物を〉取り戻す. (4)《略式》〈言葉などを〉取り消す, 撤回する. (5)[〜 **A** *back*]〈人に〉[昔の事を]思い出させる[*to*] ‖ The old notebook *took* me *back* to my school days. その古いノートを見て学生時代を思い出した(=The old notebook reminded me of my …) (〇文法 23.1).

tàke dówn [自]〈機械などが〉分解できる《◆ 進行形不可》. —[他]〈人を〉[…から]降ろす;〈大きな機械〉 [*from*]. (2)〈建物などを〉取りこわす(cf. TAKE apart (1)). (3) → 他 **11 b**.

****táke A for B** (1)《略式》**A**〈人・物〉を **B**〈人・物〉だと

思う;誤って A〈人・物〉を B〈人・物〉だと思い込む《◆進行形不可》‖ Don't *take* me *for* a coward. 僕を臆病者だと思ってはいけないよ / *take* him *for* a policeman 彼を警官だと勘違いする. (2) → ⇨ 4 a, 19 a.

táke A fróm B (1) A〈歌など〉を B から繰り返す,もう一度やる. (2) → ⇨ 8, 12 a, 13 a, b, 27 a, b.

*__táke ín__ [自⁺] (1)〈水などを〉吸収する. (2) …を含める;…を旅程に入れる.━[他]『「中に入れる」が本義』(1)〈物を〉(内部に)取り入れる ‖ *Take* the washing *in* before it begins to rain. 雨が降らないうちに洗濯物を取り入れなさい. (2)〈客などを〉受け入れる, 泊める;〈下宿人などを置く;〈人を〉(同じ職場に)採用する(cf. ⇨ 26 a) ‖ She earns money by *taking in* students. 彼女は学生を下宿させて収入を得ている. (3)〈講義などを〉理解する(understand) ‖ I couldn't *take in* the lecture at all. 私はその講義がまったくわからなかった. (4)(米)〈金額などを〉手に入れる, (寄付などとして)集める. (5)(略式)〈人〉をだます(deceive) ‖ Don't be *taken in* by his story. 彼の話にだまされるな. (6) …を訪問する(visit);(米)〈劇などを〉見に行く. (7)〈服の寸法を〉つめる. (8)…に気づく. (9) …を現実のものとして受け入れる. (10) …を見て時を過ごす, じっと見る.

táke it (1) (略式) [can/could 〜 it]〈困難・非難などに〉耐える. (cf. ⇨ 24 a) ‖ Mr. Brown, I *take it*? ブラウンさんですね / As I *take it*, she won't be coming. どうも彼女は来ないようだ.

táke it on [upón] onesélf (1) [よい意味で][…する]責任を負う, […することを]引き受ける[*to do*] ‖ I took it *upon myself* to do the work. 必ずその仕事をすると請け負った《◆「仕事をした」という結果まで含意する》. (2) [悪い意味で](相談もしないで)[…することを]独断で決め込る, 勝手に[…する[*to do*].

táken [táking] áll in áll = táking óne thing with anóther 全体的に見ると.

*__táke óff__ [『「全体から一部を取り去る」が本義』[自] (1)〈飛行機などが〉離陸する《◆ do a takeoff ともいう》;〈動物が〉飛びはねる[立つ] ‖ The helicopter is *taking off*. ヘリコプターは離陸しようとしています (→ stop 自 ① 語法). (2) (略式)〈人・車などが〉…に向かって[…に](急いで)出発する[*for, to*]. (3) 〈事業などが〉うまくいく, 波に乗る. (4) [学校・仕事などから]休みをとる[*from*] ‖ I *took off from* school school を休む.━[他] (1)〈衣類・靴などを〉脱ぐ,〈眼鏡などを〉はずす(↔ put on) ‖ *Take off* your dirty shirt [shoes]. 汚れたシャツ[靴]を脱ぎなさい. (2)〈物を〉取り除く, 取りはずす ‖ *take off* the cover 覆いを取る. (3)〈人を〉[…へ]連れて行く[*to, for*]. (4)〈人を〉(勤務・仕事などから)(急いで)去らせる. (5) (略式)〈人〉のものまねをする. (6)〈手足などを〉〈手術で〉切断する. (7) バス・列車などの運行を廃止する. (8) 劇などの上演を中止する. (9) 料理をメニューからはずす. (10)〈体重〉を減らす. (11)〈値段を〉割引く;〈税を〉免じる, 減じる. (12) [〜 A *off*]〈ある期間・日〉を休暇として取る ‖ *take* 「a day [tomorrow morning]」 *off* 1日[明朝]休む. (13) [〜 A *off* B] a) A を B から取り去る[割り引く] ‖ *take* the book *off* the table テーブルから本を取り去る / *take* 20% *off* the price 定価から2割引く. b)→ ⇨ 13 b.

*__táke ón__ [自] (1) (略式)人気を得る. (2) いばる.━[他⁺] [〜 on A]〈様相・色彩などを〉帯びる, 呈する.━[他] (1)〈乗り物に乗っている人〉が〈人・物を〉乗せる. (2)〈人を〉雇う;〈生徒など〉をとる. (3)〈仕事などを〉引 き受ける;〈責任〉を負う ‖ You'll wear yourself out if you *take on* too much work all at once. 一度にたくさんの仕事を引き受けると体を悪くするぞ.

táke A on [upón] onesélf 思い切って…をする.

*__táke óut__ [『「外へ出す」が本義』[自] (略式) 出発する.━[他] (1)〈物を〉[…から]取り出す(produce), 持ち出す(remove);〈貯金などを〉引き出す(withdraw)[*of, from*] ‖ He took his hands *out* (of his pockets). 彼は(ポケットから)手を出した. (2)〈人・動物を〉[食事・散歩などに]連れ出す[*to, for*];(略式)〈人〉とデートする ‖ *take* her *out for* dinner 彼女を食事に連れ出す. (3)〈物を〉[…から]取り除く,〈しみなどを〉抜く[*of, from*]. (4) (申請して)〈免許など〉を取得する;〈保険〉をかける;〈購読の〉申し込みをする. (5)〈食べ物を〉(店で食べずに)持ち帰る(cf. to go (go 成句)(2)) (英) take away) ‖ To drink here or to *take out*? ここでお飲みになりますか, それともお持ち帰りですか《◆…or to go? ということが多い》.

táke A óut of B (1) → TAKE out [他] (1), (3). (2) A〈文など〉を B〈本など〉から引用する. (3) A〈バスなどの〉運行を廃止する. (4) B〈支払い金〉から A〈一部〉をさし引く.

*__táke óver__ [自] (1) […から]引き継ぐ[*from*]. (2) (前のものに代わって)優勢になる.━[他] (1)〈業務などを〉譲られて(over 圖 10 a)受け取る(take);〈職務などを〉[…から]引き継ぐ(succeed to)[*from*];〈事業などを〉接収する, …の支配権を得る;…を乗り換える ‖ I took *over* the class *from* her. 私は彼女からそのクラスの担任を引きついだ. (2)〈人・馬を〉[…へ]連れて[運んで]行く. (3)〈生活様式などを〉とり入れる, まねる. (4) [〜 A *over* B]〈人〉が〈B〉をするのを手伝う. (5) [〜 A *over* B] A〈人〉に B〈場所〉を案内する. (6) → ⇨ 32 b.

*__táke to A__ (1) [しばしば have taken]〈趣味など〉に没頭する, ふける;…が習慣になる《◆進行形不可》‖ *take to* drink(ing) 飲酒にふける. (2) (略式) A〈人・物〉を好きになる《◆受身・進行形不可》(like) ‖ Tom hasn't *taken to* his new class. トムは新しいクラスになじめない.

*__táke úp__ [『「手で持ち上げる」が本義』[自] (1) (主に英) (中断したところから)再び始める, 引き継ぐ(pick up). (2) 引きしまる, 縮む. (3)〈乗り物が〉乗客を乗せる. (4)〈天気などが〉よくなる.━[他] (1)〈物を〉取り上げる, 持(拾い)上げる;〈マットなどを〉はがす;〈人を〉抱き上げる ‖ The mother *took* her baby *up*. そのお母さんは赤ちゃんを抱き上げた. (2)〈問題などを〉取り上げる;〈仕事・研究などに〉取りかかる;〈任務・地位など〉につく. (3)〈乗物が〉〈人・物を〉[…まで]乗せる[*to*]《◆ take on の方がふつう》. (4)〈大勢が〉〈声などを〉一斉にあげる. (5)〈人の注意力など〉を占める. (6)〈液体を〉吸収する《◆ふつう進行形不可》. (7)〈時間・場所など〉をとる. (8)〈事〉を趣味として始める;[…し]始める(*doing*). (9) (中断した話・活動などを)続ける, 引き継ぐ. (10)〈寄付金などを〉集める.

táke A upón [on] onesélf (1)〈責任など〉を負う. (2) =TAKE it on [upon] oneself.

táke úp with A (略式)〈特に好ましくない人〉と親しくなる《◆ふつう進行形不可》.

━[名]Ⓒ 1 取ること, 獲得. 2 取った[取られた]物, (1回の)捕獲[漁獲]高. 3 (主に米略式) [通例 a/the 〜] 売上高(takings), (入場料の)上がり高;利益. 4 [通例 a 〜] 取り分, 分け前. 5 [映画・テレビ] 1シーン(の撮影), 1ショット;(演奏会の)1回分の録音, 1テイ

take·a·way /téikəwèi/ 《英·豪》形 名 =《米》takeout.

tak·en /téikn/ 動 take の過去分詞形;《黒人語》take の過去形(=took).

†**take·off** /téikɔ̀(ː)f/ 名 (複 ~s) C U (飛行機などの)離陸(地点)(→ TAKE off 自 (1));(跳躍などの)踏切り(地点);[比喩的に] 離陸, 出発.

take-out 《米》形 (略式) 持ち帰り用の(《英·豪》takeaway, 《米·スコット》carryout). ─名 U C 1 (略式) 持ち帰り用の料理(店). 2 取り[持ち]出された物.

take·o·ver /téikòuvər/ 名 U C (管理·支配権などの)奪取, 接収, 引き継ぎ;(会社の)乗っ取り.

tak·er /téikər/ 名 1 取る人; 捕獲者. 2 (株を)取る人;《略式》[通例 ~s] (申し込みに)応じる人. 3 賭けに応じる人.

†**tak·ing** /téikiŋ/ 動 → take. ─名 1 [~s] 売上高, 収益. 2 U 取ること, 獲得; 捕獲. 3 C 取った物; 捕獲高. **for the táking** (欲しければ)無料で, 自由に.

talc /tǽlk/ 名 1 [鉱物] タルク, 滑石. 2 (略式) =talcum powder. 3 雲母.

tálc pòwder =talcum powder.

tal·cum /tǽlkəm/ 名 U 1 =talc 1. 2 =talcum powder.

tálcum pòwder タルカム·パウダー(talc powder) 《滑石粉に香料を加えた化粧用パウダー》.

†**tale** /téil/ (同音 tail) 名 1 C (架空·伝説上·実際の)話, 物語 《◆ story より堅い語》|| fairy tales おとぎ話 / a tale about ghosts 幽霊物語, 怪談 / an American folk tale アメリカ民話 / She told me her tale of misery. 彼女は私にいろんな身の上話をした. / ジョーク You should never tell a secret to a peacock because it always spreads tales. クジャクには決して秘密を打ち明けてはいけない. いつも話を広げるからね《◆ spread tails (尾羽を広げる)とのしゃれ》. 2 C 作り話, うそ, 偽り || That was just a tale. それは真っ赤なうそだった. 3 C [通例 ~s] (悪意ある)うわさ;告げ口,中傷.

téll tàles (òut of schóol) (やや古) (1) (人の)秘密を漏らす, 悪評を言いふらす, 〈子供が〉告げ口をする《about, on》. (2) (…の)作り話をする, うそをつく《about》.

tale·bear·er /téilbɛ̀ərər/ 名 C (やや古) 他人の悪評を言いふらす人, 告げ口屋(taleteller).

†**tal·ent** /tǽlənt/
─名 (複 ~s/-ənts/) 1 C U (…に対する)(生まれつきの, 主に芸術的な)才能, 適性《for》《◆ gift の方が強意的》|| a pianist of great talent 優れた才能を持つピアニスト(=a very talented pianist) / develop one's talent as a singer 歌手としての才能を伸ばす / **have a talent** [have no talent] 才能がある[ない] / Bob has a talent for getting into trouble. [皮肉的に] ボブはもめごとを起こす才能がある.
2 U [集合名詞; 単数·複数扱い] 才能ある人々, 人材; C 《米》[形容詞を伴って] 才能ある人《◆ 音楽家·俳優などのほか, 実業家などについても用いる》|| encourage (the) local talent 《略式》地方の人材を育成する / That singer is a real talent. あの歌手は本当に才能がある.
[表現] 「彼はテレビタレントだ」 He is a TV performer [personality, star]. などといい, ×He is a TV talent. は不可.
3 C [歴史] タレント《古代ギリシャ·ローマなどで用いられた貨幣·重量の単位》.

tálent scòut [**spòtter**] (略式) スカウト《芸能·スポーツ界などで新人の発掘を職業とする人》.

†**tal·ent·ed** /tǽləntid/ 形 (生まれつきの)才能のある.

ta·les·man /téilzmən | téiliːz-/ 名 (複 **-men**) C [法律] 補欠陪審員 ((PC) substitute juror).

tale·tell·er /téiltèlər/ 名 1 =talebearer. 2 C 物語をする人, 語り手.

Ta·li·ban, Ta·li·baan /táːləbɑ̀ːn/ [[神学生たち]が原義] [the ~; 集合名詞; 複数扱い] タリバン《アフガニスタンのイスラム原理主義集団》.

tal·is·man /tǽləsmən | -iz-/ 名 (複 ~s) C (正式) 護符, お守り, 魔よけ《指輪·石など》.

‡**talk** /tɔ́ːk/ [[「気軽に話す」が本義]]
─動 (~s/-s/; 過去·過分 ~ed/-t/; ~·ing)
─自
I [話す]
1a 〈人が〉(…について)話す, しゃべる《about, (正式) of, on》《◆ (1) speak とほぼ同義だが speak ほど話の内容は堅くない. (2) speak は聞き手がいなくてもよいが, talk はふつう聞き手が必要. (3) on は専門的な話の内容をさす. (4) 受身可. (5) 修飾語(句)は省略できない》|| What are you talking about? 何について話しているの / We talked about the future. 私たちは将来のことについて話し合った.
b 〈人が〉〈人と〉(重大なこと, 重要なことを)話し合う, 相談する《to, with》《◆ (1) 《英》では to の方がふつうで, with は《正式》.(2) 《米》では to に「しかける」, with に「話し合う」の意で用いることが多い.(3) 時に受身可》|| You'd better talk about your health with your doctor. 健康について医者と相談した方がいいよ / She is waiting to talk to you. 彼女が君と話をしようと待っている.
2 〈人が〉ものを言う, しゃべる || Please be quiet. Don't talk. 静かにして, しゃべらないで / She is talking in her sleep. 彼女は寝言を言っている / Listen to him. He's talking seriously. 彼の言うことを聞きなさい. まじめにものを言っているのだから / ジョーク I don't deny that money talks. I heard it once. It said "good-by." 金がものを言うということは否定しないね. 一度聞いたことがある. お金が「さようなら」って言ったんだ(→ 自 6).
3a おしゃべりをする, ぺらぺらしゃべる || My mother likes to talk. 母はおしゃべりが好きです. **b** (略式) 〈…の〉うわさ話をする, 陰口をきく《about, of》|| **Peóple will tálk.** (ことわざ) 世間はうるさいものだ;「人の口に戸は立てられぬ」. **c** 〈スパイなどが〉(しぶしぶ)情報を漏らす, 秘密を明かす.

II [話すような行動をする]
4 〈物·動物が〉言葉に似た音を立てる. **5** 〈人が〉(合図·信号などで)意思を伝える, 話す《by, with》|| talk with the fingers 手話で話す. **6** 〈金などが〉ものを言う, 人に影響を及ぼす || Money talks. → money 1.

─他 **1** 〈人が〉〈話題〉について話す[語る, 論じる] || We talked music [baseball] while we were having dinner. 夕食の時私たちは音楽[野球]の話をした《◆ 目的語は分野を表す U 名詞で無冠詞. talk about music [baseball] がふつう(→ 自 1a)》/ talk nonsense [sense] わけのわからない[筋の通った]事を言う.
2 〈外国語など〉を話す《◆ speak の方がふつう》.
3a 〈人〉に話をして(ある状態に)する《to, into》;(うまく話しかけて)〈人〉から(…を)取る《out of》|| talk a

talkative

child to sleep 話をして子供を寝かしつける. **b** [talk **A** into doing [B]] 〈人〉を説得して…させる [B〈事〉に至らせる] ‖ I *talked* my father *into* buying me a camera. 父にねだってカメラを買ってもらった. **c** (略式) [talk **A** out of doing [B]] 〈人〉を説得して…するのを [B〈事〉から] やめさせる ‖ I *talked* her *out of* running away from home. 彼女を説得して家出を思いとどまらせた.

talk abòut A (1) → 圓 **1a**, **3b**. (2) =TALK of (2). (3) (略式) 何という…だ, すごい…だ, …どころか(とんでもない)《◆反語用法》‖ *Talk about* luck! I passed the examination. 何たついてるんだ. 試験に通るなんて. (4) [通例文頭で] …と言えば《◆話題になっていることをよく理解させるために、他に似たような例をもち出す》 → TALKing of **A**.

talk aróund [他] [~ **A** around] (1) 〈人〉を […するように] 説得する(to doing)(cf. 圓 **3b**)‖ Mother *talked* them *around* to staying home. 母は家にとどまるよう彼らを説き伏せた. ━[圓+] [~ *around* **A**] 〈話題など〉について回りくどく言う.

tálk at A (1) (略式) 〈人(の集団)〉に(聞いているかいないかおかまいなしに)一方的に話す ‖ I want you to *talk* with me rather than *at* me. 一方的に話さずに話し合ってもらいたい. (2) (米) 〈人〉に(面と向かってではなく)聞こえよがしに言う.

tálk awáy [自] 話し続ける. ━[他] 〈時間・夜など〉をおしゃべりをして過ごす. (2) 〈恐怖などを話をしてまぎらす. (3) 〈問題など〉を話をしてはぐらかす.

tálk báck [自] (略式) 〈人〉に口答えする(answer back); […に]応答する [to] ‖ Don't *talk back* to your mother. お母さんに口答えをするな.

tálk bíg [自] ほらを吹く, 自慢する.

tálk dówn [他] (1) (米) 〈人〉を言い負かす, 黙らせる. (2) 〈パイロット・飛行機〉に無線で着陸の誘導をする. (3) 〈人〉をけなす; …を軽視する. (4) (略式) 〈人〉に話をして気分を落ち着かせる.

tálk dówn to A (略式) 〈人〉に見下して話す; …に話の内容を落として話す.

*****tálking of A** (略式) [通例文頭で] …と言えば, …の話のついでだが(◆文法 13.7) ‖ *Talking of* cars (⤵[↗]), I hear you've got a Toyota. 車と言えば, 君はトヨタを買ったそうですね.

tálk ìnto A 〈マイクなど〉に声を入れる.

tálk of A (1) → 圓 **1a**, **3b**. (2) [~ of doing] (ふつう実行するとか…するつもりだと言う; …すること を考える《◆現在形で用いる時は be talking of で用いる》‖ He is *talking of* studying abroad. 彼は留学しようかと思っている[留学を考えている]. (3) = TALK about (3).

tálk on =TALK away [自].

tálk onesélf … 話をして…しゃべりすぎて]…になる ‖ She *talked* herself hoarse. 彼女はしゃべりすぎて声をからした.

tálk óut [他] (1) (略式) [通例 be talked] 〈問題などか〉徹底的に論じられる; 〈人〉が話し疲れる. (2) (英) 〈時間切れまで討議を延ばして〉〈議案など〉を廃案にする. (3) …を話し合いで解決する.

*****tálk óver** [他] (1) 〈事について〉〈人と〉(十分に) 話し合う, 相談する(discuss) [with] ‖ I'll *talk* the matter *over with* my father. その件について父に相談します. (2) [~ **A** over] 〈人〉を説きふせる.

tálk róund (英) =TALK around.

tálk to A (1) → 圓 **1b**. (2) (略式) 〈人〉をしかる, 非難する.

tálk to onesélf ひとり言を言う(cf. SAY to oneself).

tálk úp [自] (1) 大きな声で話す. (2) (略式) ためらわずに言う, はっきり言う. (3) 《上の人などに》生意気な口をきく [to]. ━[他] (米) 〈物・事〉をほめる, 好意的に論じる, 〈議案〉の支持を求める.

tálk with A (1) → 圓 **1b**. (2) (略式) 〈人〉をしかる.

━ 名 (圏 ~s/-/) **1a** ⒸⓊ […についての] 話 [about]; [人との] 話し合い, 相談 [with]; 話すこと 《[類語] conversation より口語的》discussion, chat, gossip ‖ small [tall] *talk* 日常的なつまらない [おおげさな] 話 / They had a serious *talk about* their future. 彼らは自分たちの将来について まじめな話をした / I had a *talk with* my son yesterday. きのう息子と話し合った《◆with の代わりに to を用いると「しかる, 小言を言う」を含意する》. cf. TALK to (1). **b** Ⓒ [通例 ~s] (正式) の協議, 会談 《◆新聞見出しでは conference より好まれる》‖ peace *talks* 和平会談.

2 Ⓒ […についての] (形式ばらない) 講演, 講話 [on, about] (cf. speech) ‖ Our teacher gave a *talk* to the class *on* swimming. 先生はクラスの生徒に水泳について話をした.

3a Ⓤ (略式) うわさ, 世評 ‖ There is *talk* of a general election. 総選挙のうわさがある. **b** [the ~] (町などの)うわさの種, 話題 [of] ‖ Her beauty is the *talk* of the town. 彼女の美しさは町の話の種だ. **4** Ⓤ 空言(終終), 空論 ‖ He is all *talk* (and no action). (略式) 彼は口先だけの男だ.

tálk jòckey (米) (ラジオ) トークジョッキー.

tálk shòw (米) (テレビ) (有名人への) インタビュー番組 ((英) chat show).

talk·a·tive /tɔ́ːkətiv/ 形 〈人〉が話好きな, おしゃべりな.
tálk·a·tive·ness 名 Ⓤ 話好き.

†talk·er /tɔ́ːkər/ 名 Ⓒ **1** 話す人, 話し手 《◆公開の場での「話し手」は speaker》‖ a good [poor] *talker* 話のうまい [へたな] 人. **2** よくしゃべる人. **3** 口先だけの人.

†talk·ie /tɔ́ːki/ 名 Ⓒ (古略式) [the ~s] トーキー, 発声映画(talking picture).

talk-in /tɔ́ːkìn/ 名 Ⓒ (くだけた) 討議集会, 集会; 抗議集会.

talk·ing /tɔ́ːkiŋ/ 形 **1** 話をする, しゃべる. **2** [比喩的に] ものを言う ‖ *talking* eyes ものを言う目.
━ 名 Ⓤ 話(をすること), 会話; 討議.

tálking pícture [**fílm**] トーキー.

‡**tall** /tɔ́ːl/ 〈類音〉toll /tóul/ 〖「細長く垂直方向に伸び高い」が本義〗

tall	high
〈背の〉高い	〈位置の〉高い

━ 形 (~·er, ~·est)

[背が高い]

1 〈人が〉背の高い, 〈木・建物・煙突などが〉(細長く)高い(↔ short) ‖ He is a *tall* man. =He is *tall*. 彼は背が高い / I am *taller than* he is. =I am *taller than* she is *by* one inch. 私は彼女より 1 インチ背が高い / a *tall* building [tower] 高い建物 [塔] (→ high) / a *tall* lamp 背の高いランプ / ショーク "What stories are told by bas-

ketball players?" "*Tall stories!*"「バスケットボール選手が語る話はどんなもの?」「背の高い話」(→ 形 3).
2 [数詞付きの後で] 身長が…ある, 高さが…ある《◆ 乳児にはふつう long を用いる. → long 2》‖ Tom is only four feet [略式] foot] *tall*. トムは身長がわずか4フィートです《◆(略式)ではよく tall を省略する》(=Tom stands only four feet.) / How *tall* are you? あなたの身長はどれくらいですか《◆ 背が高いことを前提にして,「どれくらい高いのか」をたずねる場合は How に強勢を置く》/ a tree ten feet *tall* 高さ10フィートの木.

II [予想した基準より高い]

3 (略式)〈話などが〉信じられない, おおげさな ‖ a tàll stóry [(米) tale] ほら話, 大ぶろしき.

táll drínk 背の高いグラスに入れて飲む酒類.
táll hàt シルクハット.
táll òrder (略式)無理な注文, 困難な仕事.
táll·ness 名 U 高いこと, 高さ.
tall-boy /tɔ́ːlbɔ̀i/ 名 (英)=highboy.
†**tal·low** /tǽlou/ 名 U 獣脂《ろうそく・石けんなどの原料》; 獣脂に似た油脂.
†**tal·ly** /tǽli/ 名 ⒸⒷ 1 割り符; =tally stick; (割り符の)刻み目. **2** ⒸⒷ(物品受渡しの)計算単位《1ダース・1組・20個など》;(計算単位で)ちょうどきりのいい数《◆ 単位数が100のとき, 96, 98の tally は100となる》; 数を記録する印《◆ 卌または卌. 日本の「正」の字に相当》.
── 動 他 **1** 〈話などを〉一致させる, 合わせる ‖ We must *tally* our stories. 話のつじつまを合わす必要がある. **2** …を計算[集計]する(+*up*). ── 自 〈話などが〉[…と]一致[符合]する(*with*).
tálly stick 合札(あいさつ)《昔, 負債額や支払い額の刻み目をつけた木片を縦に割り, 借り手・貸し手がその半片を保持した》.
tal·ly·ho /tǽlihóu/ [キツネ狩り] 名 ⒸⒷ 間 ホーホーという声; ホーホー! 《猟師が犬を見つけた時の掛け声》.
Tal·mud /tǽlmud, (米+) tɑ́ːl-/ 名 [the ~] タルムード《ユダヤ教の律法の集大成となる》.
†**tal·on** /tǽlən/ 名 ⒸⒷ [通例 ~s]《特にワシ・タカなど猛鳥の》(大きな)かぎづめ(cf. claw).
tam /tǽm/ 名 =tam-o'-shanter.
TAM (略)《英》television audience measurement テレビ視聴者数.
tam·a·ble, tame·a· /téiməbl/ 形 飼いならすことができる.
tam·a·rack /tǽmərǽk/ 名 Ⓒ[植]アメリカカラマツ; Ⓤ その木材.
tam·a·rind(o) /tǽmərind(ou)/ 名 ⒸⒷ(複 ~(o)s) Ⓒ[植]タマリンド《熱帯産のマメ科高木》; Ⓤ そのさや《料理・清涼飲料・医薬用》; タマリンド材.
tam·a·risk /tǽmərisk/ 名 ⒸⒷ[植]ギョリュウ.
tam·bour /tæmbúər, (米+) -/ 名 ⒸⒷ **1** [音楽]太鼓; 鼓手. **2** 刺繍(ししゅう)枠;(それで作られた)刺繍.
tam·bou·rine /tæmbərín/ 名 Ⓒ[音楽]タンバリン.
†**tame** /téim/ 形 **1** 〈動物が〉飼いならされた, なれた(↔ wild) ‖ She keeps a *tame* monkey as a pet. 彼女はペットとして人によくなれたサルを飼っている. **2** 〈人・性格が〉柔順な, すなおな; 無気力な. **3** (略式)単調な, 退屈な ‖ a *tame* ending つまらない結末.
── 動 他 **1** 〈野生の〉動物を飼いならす. **2** 〈人〉を従順にする;〈勇気・熱情〉を抑える, くじく. **3** 〈物・川・天然資源など〉を完全に利用できるようにする.
tame·a·ble /téiməbl/ 形 =tamable.
tame·ly /téimli/ 副 なれて; おとなしく, 従順に; 意気地なく.
tam·er /téimər/ 名 [しばしば複合語で] 調教師.

Tam·il /tǽmil/ 名 ⒸⒷ(複 **Tam·il, ~s**) **1** [the ~(s)] タミル族《インド南部・スリランカに住む》; Ⓒ タミル族の人. **2** Ⓤ タミル語. ── 形 タミル人[語]の.
Tam·ma·ny /tǽməni/ 名 [the ~] タマニー協会, タマニー派《1789年 New York 市に設立された民主党の政治団体. 市政を私物化したことから政治腐敗の代名詞となった》.
tam-o'-shan·ter /tǽməʃǽntər/ 名 Ⓒ タモシャンター《スコットランドの農民が用いるウールで作る大黒ずきん型の帽子》.
tamp /tǽmp/ 動 他 (まれ)…を軽くたたいて詰める.
†**tam·per** /tǽmpər/ 動 自 〔機械などを〕不法に手を加えて変える[壊す], いじくる;〔遺言状・原稿などを〕勝手に書き変える(*with*)《◆ 受身可》‖ This floppy disk has been *tamper*ed *with*. このフロッピーにはいじられた形跡がある.
tam·pon /tǽmpan, (英+) -pən|-pɔn/ 名 Ⓒ 動 他 (…に)タンポン(を詰める)《生理用・止血用など》.
†**tan** /tǽn/ 動 (過去分 **tanned**/-d/; **tan·ning**) 他 **1** 〈獣皮〉をなめす. **2** 〈皮膚〉を日焼けさせる《◆ 美容・健康のために肌を焼くこと. cf. (sun)burn》‖ The sun *tanned* his face brown. 彼の顔は日に焼けて小麦色になった / *tan* oneself on the beach 海辺で肌を焼く / get [become] *tann*ed 日焼けする. **3** (略式)〈人〉をひっぱたく, ぶんなぐる(beat). ── 自 日焼けする ‖ She *tans* easily [quickly]. 彼女は日焼けしやすい.
── 名 **1** Ⓤ 黄褐色; Ⓒ(日焼けした皮膚の)小麦色 ‖ have [get] a good *tan* こんがり小麦色に日焼けしている[する]. **2** Ⓤ タンニン(の溶液).
── 形 (**tan·ner, tan·nest**) **1** 黄褐色の; 日焼けした. **2** 皮なめし(用)の.
tan (略)[数学]tangent.
Ta·nach, --nakh /tɑːnɑ́ːx/ 名《ユダヤ教》[the ~] 聖書《キリスト教の「旧約聖書」》(→ Bible).
tan·bark /tǽnbɑ̀ːrk/ 名 Ⓤ タン皮《皮なめし用の樹皮》.
tan·dem /tǽndəm/ 形 副 (2頭の馬・自転車の2つの座席とペダルが)縦[前後]に並んだ[Ⓒ] ‖ ride *tandem* タンデム式自転車に乗る;(自転車に)二人乗りする.
── 名 Ⓒ **1** 縦につないだ2頭の馬; 縦並びの2頭立て2輪馬車. **2** =tandem bicycle.
tándem bícycle タンデム式自転車《2つの座席とペダルが前後に並んだもの》.
tang /tǽŋ/ 名 Ⓒ [通例 a/the ~] **1**(しばしば文)(カラシなどの)強い味[香り];(海の潮などの)特有のにおい. **2** […の]気味, 気味(*of*).
Tang, T'ang /tɑːŋ|tǽŋ/ 名 唐《中国の王朝. 618-907》.
tan·gent /tǽndʒənt/ 名 Ⓒ[数学]接線, 接面; タンジェント, 正接 (略 tan).
tan·gen·tial /tændʒénʃl/ 形[数学]接線の, […に]接する(*to*).
tan·ge·rine /tǽndʒəríːn, --/ 名 **1** Ⓒ =tangerine orange. **2** Ⓤ ミカン色, オレンジ色.
tangeríne órange タンジェリンオレンジ《北アフリカ原産のミカン. mandarin (orange) と共に日本の温州ミカンに近い》.
†**tan·gi·ble** /tǽndʒəbl/ 形 (正式) **1**〈物などが〉触れることができる, 触れてわかる(↔ intangible). **2**〔理由・証拠などが〉明白な, 確実な(clear);(想像的でなく)現実の, 実際の(real). **3** 〈考えなどが〉容易に理解できる.
tàn·gi·bíl·i·ty 名 Ⓤ 触知できること; 確実, 明白.
tán·gi·bly 副 明白に; 触れてわかるほどに.
†**tan·gle** /tǽŋgl/ 動 他 **1**〈糸・髪などを〉[…に]もつれ

せる, からませる(+*up*)(*in*); [be [become, get] ~d](…に)からまっている[からまる], もつれている[もつれる](+*up*)(*in, with*) ‖ While he was swimming in the ocean, his legs *became tangled with* seaweeds. 海で泳いでいるうちに彼の足に海藻がからまった. **2** …を[混乱などに]巻き込む(+*up*)(*in*); 〈物事〉を紛糾させる; [be [get] ~d]〔人と〕かかわり合っている[かかわり合う]〔*with*〕. ―(自) **1** 〈糸・髪などが〉…にからまる〔*in*〕. **2** (略式)〔人などと/…のことで〕口論する, 争う〔*with/over*〕.
―(名) **1** 〔髪・糸・枝などの〕もつれ, からまり. **2** 〔通例 a ~〕もつれた[からみ合った, 混乱した]状態.

tan·go /tǽŋgou/ (名) (複) ~s) ⓒ 〔通例 the ~〕タンゴ; その曲〔音楽〕. ―(動) (自) タンゴを踊る.

tang·y /tǽŋi/ (形) (時に -i·er, -i·est) 強い味[におい]の, 風味の強い.

*__tank__ /tǽŋk/ [「せきとめられたもの」が原義]
―(名) (複) ~s/-s/) ⓒ **1 a** 〈液体・ガスなどを蓄える〉タンク; (機関車のボイラー用の)水槽 ‖ a gasoline *tank* ガソリン=タンク. **b** タンク1杯分の量(tankful) ‖ buy a *tank* of gas ガソリンをタンク1杯分買う. **2** (軍事) 戦車, タンク 《◆ 第1次大戦中 water tank と呼ばれたことから》.
―(動) (他) …をタンクに入れる[蓄える].

tánk úp (自) 《主に米》(ガソリン)を補給する, 満タンにする〔*on, with*〕.

tánk cár (鉄道の)タンク車《液体・ガスなどの輸送用》.

tánk sùit (肩ひも付きの)ワンピース型水着.

tánk tòp タンクトップ《女性用のランニング型のシャツ》.

tánk trúck (米)タンクローリー.

tank·age /tǽŋkidʒ/ (名) Ⓤ **1** タンク容量. **2** (液体の)タンク貯蔵, 水; 貯蔵金.

tank·ard /tǽŋkərd/ (名) **1** 《英》タンカード《取っ手・ふた付きのビール用大ジョッキ》. **2** タンカード1杯(分).

†**tank·er** /tǽŋkər/ (名) ⓒ タンカー, 油槽船(tankship). タンクローリー, タンク車(tank truck).

†**tan·ner** /tǽnər/ (名) ⓒ なめし皮業者.

tan·ner·y /tǽnəri/ (名) ⓒ 皮なめし工場.

tan·nic /tǽnik/ (形) 〔化学〕タンニン(性)の.

tánnic ácid 〔化学〕タンニン酸.

tan·nin /tǽnin/ (名) Ⓤ 〔化学〕タンニン(酸) 《なめし・染色用》.

tan·ning /tǽniŋ/ (名) **1** Ⓤ 皮なめし(法). **2** Ⓤ 日焼け.

Tan·noy /tǽnɔi/ (名) 〔時に t~〕ⓒ (英)(商標)タノイ, タンノイ《スピーカーの一種. 特に駅・空港などの案内用の拡声装置》.

tan·ta·lize /tǽntəlaiz/ (動) (他) (正式)〈人・動物〉を(望みをかなえるかにみせかけて)〔…で/して〕じらす, からかう〔*with/by doing*〕.

tan·ta·liz·ing /tǽntəlaiziŋ/ (形) 気をもたせる.

Tan·ta·lus /tǽntələs/ (名) 〔ギリシア神話〕タンタロス《Zeus の息子. 地獄の池に落とされ永劫(ごう)の罰を受けた》.

tan·ta·mount /tǽntəmaunt/ (形) (正式)〔…に〕等しい, 〔…と〕同じである〔*to*〕.

tan·trum /tǽntrəm/ (名) ⓒ 〔しばしば a ~〕不機嫌.

Tan·za·ni·a /tænzəníːə/ (名) タンザニア《アフリカ中東部の共和国》.

†**tap**¹ /tǽp/ (名) ⓒ **1** (英)(水道などの)蛇口, コック, 栓 《(米) faucet》《(英) faucet》 ‖ a water [gas] *tap* 水道[ガス]栓 / drink water out of the *tap* 蛇口から水を飲む / turn on [off] the *tap* 蛇口をひねって開ける[閉める]. **2** (たるの)栓, 飲み口.

―(動) (過去・過分) tapped/-t/; tap·ping) (他) **1** 〈液体〉を〈容器から〉栓を抜いて出す(+*off*)〔*from*〕; 〈たるなどの〉栓を抜く; 〈たるに〉栓[飲み口]をつける ‖ *tap* (*off*) beer *from* a barrel 栓を抜いてたるからビールを出す / This cask hasn't been *tapped* yet. このたるはまだ口を切っていない. **2** 〈木・幹〉から樹液を取る; 〈樹液〉を〔木・幹から〕取る(+*off*)〔*from*〕 ‖ *tap* a rubber tree ゴムの木の樹液を取る. **3** 〔医学〕〈体腔〉から液を抜き取る; 〈腹水など〉を出す. **4** 〈資源・土地・市場〉を開発[利用, 開拓]する ‖ *tap* new resources 新資源を開発する.

táp wàter なま水《水道から出たままの水》 ‖ 日本発 We can drink *tap water* without sterilizing it in Japan. 日本では水道水を殺菌しなくてもそのまま飲めます.

†**tap**² /tǽp/ (名) (過去・過分) tapped/-t/; tap·ping) (他) **1** 〈人が〉〈物・人の肩などを〉〈指・足・つえなどで〉軽くたたく〔*with*〕; 〈人が〉〈人・物の(一部分)を〉軽くたたく〔*on*〕 (cf. pat) ‖ She *tapped* the desk (*with* her pen [fingers]). 彼女は(ペン[指]で)机をトントンたたいた / He *tapped* me *on* the shoulder. =He *tapped* my shoulder. (注意を引くため)彼は私の肩をポンとたたいた(→ catch **1c**). **2** 〈人が〉〈指・足・つえなどで〉〈物を〉軽く打ちつける〔*on, against*〕 ‖ He *tapped* his pen [fingers] (*on* the desk). 彼はペン[指]で(机を)トントンたたいた. **3** …をトントンたたいて作る[打ち出す, 打ち込む](+*in, out*); 〈通信文を〉打ち出す(+*out*) ‖ *tap* a nail (into a wall) (壁に)くぎをトントン打ち込む / *tap* (*out*) rhythm [beat] トントンたたいてリズム[拍子]をとる / *tap out* an SOS SOSを打つ.
―(自) **1** 〈人・動物・物などが〉〈物などを・指・足・つえなどで〉軽くたたく, コツコツたたく(+*away*)〔*on, at, against/with*〕 ‖ *tap on* a coffee cup (食後のスピーチが始まる時などに参会者の注意を引くため)コーヒー=カップの縁をたたく. **2** コツコツ音を立てて歩く.
―(名) ⓒ 〔しばしば a ~〕〔…を〕コツコツたたく音[こと]〔*on, at, against*〕 ‖ I heard a *tap on* [*at*] the door. ドアをコツコツたたく音が聞こえた.

táp dànce タップダンス(cf. tap-dance).

táp dàncer タップダンサー.

táp dàncing =tap dance.

tap-dance /tǽpdæns|-dɑːns/ (動) (自) タップダンスを踊る(cf. tap dance).

*__tape__ /téip/ 〔「裂かれた部分」が原義〕
―(名) (複) ~s/-s/) **1** Ⓤⓒ (録音・録画用)磁気テープ(magnetic tape); ⓒ 録音[録画]済みテープ(tape recording) ‖ record a program *on tape* 番組をテープに録音[録画]する / have the speech *on tape* その講演をテープに録音してある / play a new song *on* the *tape* テープで新曲をかける.
2 Ⓤ 接着テープ; ばんそうこう ‖ Scotch *tape* (米商標)セロハンテープ《(英商標) Sellotape) / dúct tàpe ダクトテープ《パイプのひび割れの補修などに使う粘着テープ》 / seal a parcel with adhesive *tape* 接着テープで小包を封ずる.
3 Ⓤⓒ (包みなどにかける)平ひも, テープ, リボン; ⓒ 〔the ~〕(決勝線・開通式用)テープ ‖ breast [break] the *tape* 1着でゴールインする.
4 ⓒ =tape measure.
5 Ⓤ **a** (受信機などの)印字テープ. **b** (コンピュータ)紙テープ, 穿孔(<u>せん</u>)テープ.
―(動) (tap·ing) (他) **1** 〈番組などを〉(テープに)録音[録画]する(tape-record) ‖ *tape* a play from TV テレビの劇を録画する. **2** 〈包みなど〉を平ひもでくく

[結ぶ](+*up*); 〈割れ目など〉を接着テープでふさぐ[封じる](+*up*); 〈物〉に平ひも[テープ]をつける; 〈本の各部〉をテープでくくる ‖ *tape* (*up*) a parcel 包みを平ひもでくくる. **3** 〈主に米〉〈負傷箇所〉に包帯を巻く (英) strap)(+*up*). **4** …を[…に]貼り付ける[to].

tápe dèck
tápe mèasure (布·金属製の)巻き尺.
tápe recòrder テープレコーダー.
tápe recòrding (1) テープ録音[録画]. (2) 録音[録画]済みテープ. **3** 録音された音声, 録画された映像.
tápe ùnit (コンピュータ) 磁気テープ装置.

†**ta·per** /téipər/ 图 **1** Ⓤ Ⓒ [通例単数形で] (厚さ·幅などの)先細になること, 漸(ぜん)次的減少; (力などの)減退. **2** Ⓒ (尖(せん))塔など先細の物. **3** Ⓒ (ガス灯などの点火用)ろう引き灯心. **4** Ⓒ 細長い小ろうそく.
── 圓〈物の端が〉次第に細くなる; 次第に減る, 弱まる(+*off*) ‖ The stick *tapers* (*off*) *to* a sharp point. その棒は先が細くなって鋭くとがっている / The number of students is *tapering off* at our college. 私たちの大学では学生数が減少傾向にある. ── 他〈物の端〉を次第に細くする; …を次第に減らす(+*off*) ‖ *taper off* smoking 喫煙を次第にやめる.

tape-rec·ord /téipərikɔ́ːrd/ 動 他 …をテープ録音[録画]する(tape).
†**tap·es·try** /tǽpistri/ 图 Ⓤ タペストリー, つづれ織り; Ⓤ その技法. ── 動 他 **1** …をつづれ織りで飾る[覆う]. **2** …をつづれ織りに描く[織り込む].
tape·worm /téipwɜːrm/ 图 Ⓒ 〔動〕サナダムシ, 条虫.
tap·ing /téipiŋ/ 動 → tape.
†**tap·i·o·ca** /tǽpióukə/ 图 Ⓤ タピオカ (cassava の根を乾燥させて作った食用澱(でん)粉).
ta·pir /téipər/ 图 ⑯ **ta·pir**, ~s〕 Ⓒ 〔動〕バク.
†**tap·root** /tǽpruːt/ 图 Ⓒ **1** 〔植〕直根, 主根. **2** 主因, 主動力.
tap·ster /tǽpstər/ 图 Ⓒ (酒場の)ボーイ, バーテン.
†**tar**¹ /táːr/ 图 Ⓤ **1** タール(黒い粘着性物質. 道路舗装, 木材の防腐剤, 染料·薬品の原料などに用いる) ‖ coal *tar* コールタール. **2** (タバコの)タール, やに; [形容詞的に] タールを含んだ.
── 動 (過去·過分) tarred/-d/; **tar·ring**) 他〈道路·屋根など〉にタールを塗る.
tar² /táːr/ 图 Ⓒ 〔古式〕船乗り, 水夫(Jack tar).
ta·ran·tu·la /tərǽntʃələ|-tju-/ 图 ⑯ ~s, -lae /-liː/) Ⓒ 〔動〕タランチュラ(毒グモ).
†**tar·dy** /táːrdi/ 形 (**-di·er**, **-di·est**) **1** [正式] 〈進歩などの〉のろい, 遅々とした; 〈白白·改革などが〉遅い; 〈人が〉遅い(slow)[in]. **2** 〈米〉〈人が〉[…に]遅れた(late)[for, to], 遅刻した(↔ punctual) ‖ *tardy for* [*to*] school 学校に遅刻する. **3** いやいやながらの. **tár·di·ly** 副 のろのろと; 遅れて.
tár·di·ness 图 Ⓤ のろいこと, 緩慢; 遅刻.
tare /téər/ 图 Ⓒ 〔植〕スズメノエンドウ, ヤハズエンドウ(vetch)(家畜の飼料).
†**tar·get** /táːrgət/ 图 Ⓒ **1** (射撃·弓術などの)的, 標的; 攻撃目標 ‖ hit the *target* 的に当たる[当てる] / miss the *target* 的をはずれる[はずす]. **2** [非難·冗談などの的, 対象(*of*, *for*) ‖ become the *target of* bullying いじめの対象となる. **3** (生産·貯蓄·募金などの)達成目標(額), (運動·計画などの)対象, 目標(goal). ── 動 他 **1** …を[目標]にする; …を[…に]向ける, …の対象を[…に]する(*on, at, for*).
tárget dàte (計画遂行の)目標期日.
tárget lànguage (1) 目標言語〔学習·教授対象の言語〕. (2) 目標言語(翻訳で原文に対し訳文の言語. cf. source language).

†**tar·iff** /tǽrif/ 图 Ⓒ **1** [...にかかる]関税(率)[*on*]; 関税表 ‖ lower [raise] the *tariff* 関税を下げる[上げる]. **2** (鉄道·電信などの)運賃[料金]表; (主に英)(ホテル·レストランの)料金表, メニュー. ── 動 他 **1** …に関税をかける. **2** …の料金を決める.
táriff wàll [**bàrrier**] 関税障壁.
tar·mac /táːrmæk/ 图 Ⓒ **1** [T~] (商標) =tarmacadam. **2** (主に英) [the ~] タールマカダム舗装の滑走路[空港エプロン, 道路].
tar·mac·ad·am /tàːrmækǽdəm/ 图 Ⓤ (正式) タールマカダム(タールと小砕石を混ぜた道路舗装剤).
tarn /táːrn/ 图 Ⓒ [しばしば T~] Ⓒ 山中の小湖[小池].
†**tar·nish** /táːrniʃ/ 動 他 **1** 〈金属などの光沢〉を曇らせる, …を変色[退色]させる. **2** 〈評判·名誉など〉を汚す, 傷つける. ── 圓 光沢を失う, 変色する ‖ Silver *tarnishes* easily. 銀器は曇りやすい. ── 图 **1** Ⓤ (金属などの)変色, 退色, 曇り, (銀器面などの曇りを起こす)被覆(ふく)膜, 薄膜. **2** (名誉·評判などの)傷, 汚点.
ta·ro /táːrou/ 图 ⑯ ~s) Ⓒ 〔植〕タロイモ, サトイモ(地下茎を食用とするサトイモ科の植物).
tar·ot /tǽrou/ 〔フランス〕 图 Ⓒ [通例 the ~] タロットカード(78枚1組. 主に占い用).
tar·pau·lin /taːrpɔ́ːlən/ 图 **1** Ⓒ Ⓤ (タールを塗った)防水布[シート]. **2** Ⓒ (水夫の)防水帽.
tar·ra·gon /tǽrəgən|-gɒn/ 图 Ⓤ 〔植〕タラゴン, エストラゴン(その葉(香料, サラダ·スープ用)).
tar·ry /tǽri/ 動 (古) **1** […に](予定より長く)とどまる, 滞在する[*in, at*]; […を]待つ[*for*]. **2** (主に行き来で)遅れる, ぐずぐずする.
tar·sus /táːrsəs/ 图 ⑯ ~**si**-sai, -si:/) Ⓒ 〔解剖〕**1** 足首, 足根. **2** 眼瞼(けん)板.
†**tart**¹ /táːrt/ 形 **1** 〈食物·味が〉すっぱい, ぴりっとした(◆sour より心地よい味). **2** 〈言葉·態度などが〉痛烈な, 辛辣(らつ)な. **tárt·ly** 副 痛烈に; すっぱく.
†**tart**² /táːrt/ 图 Ⓒ Ⓤ タルト(果物·ジャムなど甘いものの入った丸いパイ. (米·カナダ)では主に小さな open pie (中身が見えるもの)をいう. (英)では小さなものは tartlet という. cf. pie).
tar·tan /táːrtn/ 图 **1** Ⓤ **a** (スコットランド高地人が着用した)格子縞(じま)の毛織物[服], タータンチェック(◆氏族により模様が異なる). **b** (一般に)格子縞織. **2** Ⓒ 格子縞(模様).
tar·tar /táːrtər/ 图 Ⓒ **1** 歯石. **2** 酒石(ワイン醸造時の沈殿(でん)物. 酒石酸の原料).
Tar·tar /táːrtər/ 图 Ⓒ **1** 〔歴史〕タタール人, 韃靼(だったん)人. **2** Ⓤ タタール語.
tártar sàuce タルタルソース(マヨネーズにピクルス·パセリなどを加えたソース).
tártar stèak タルタルステーキ(牛肉のあらびきを生で食べる料理).
tar·tare sàuce /táːrtər-/ =tartar sauce.
tar·tar·ic /taːrtǽrik/ 形 〔化学〕酒石(酸)の.
Tar·ta·rus /táːrtərəs/ 图 **1** 〔ギリシア神話〕タルタロス(冥(めい)界(Hades)の下の深淵). **2** Ⓒ 地獄(Hades).
tart·let /táːrtlət/ 图 Ⓒ Ⓤ (英) 小さなタルト(→tart²).
tar·trate /táːrtreit/ 图 Ⓤ 〔化学〕酒石酸塩[エステル]; [化合物名で] 酒石酸….

*****task** /tǽsk|táːsk/ (関連形) **tusk** /tʌsk/)〔領主から税金(tax)の代わりに課せられた仕事〕が原義.
── 图 ⑯ ~s/-s/) Ⓒ **1** (正式) (一定期間にやるべき)仕事, 課業; (つらくて骨の折れる)任務; 職務; (自発的に請け負う)作業(work) ‖ perform [carry

taskmaster

out] a difficult *task* 困難な任務を遂行する. **2** [コンピュータ] タスク《コンピュータが処理する仕事の単位》. ━━⟨動⟩ ⟨他⟩ **1**〈物・事が〉〈人の能力などに〉重い負担をかける;…を酷使する ‖ Solving math problems *tasked* her brain. その数学の問題で彼女は頭を悩ました. **2**〈人〉に〔…の〕仕事を課す〔*with*〕.

task·mas·ter /tǽskmæ̀stər/tɑ́ːskmɑ̀ːs-/ ⟨名⟩ (《女性形》**-·mistress**) ⟨C⟩ [主に a hard ~] 厳しく (主に骨の折れる) 仕事を課す人((PC) overseer, supervisor).

Tas·ma·ni·a /tæzméiniə/ ⟨名⟩ タスマニア《オーストラリア南東の島. 略 Tas., Tasm》.

Tas·má·ni·an ⟨形⟩ ⟨名⟩ タスマニア (人, 語) の; ⟨C⟩ タスマニア人; ⟨U⟩ タスマニア語.

Tass, TASS /tǽs/tɑ́ːs/ ⟨名⟩ タス《旧ソ連国営通信社》.

†**tas·sel** /tǽsl/ ⟨名⟩ ⟨C⟩ **1** (帽子などに付ける) ふさ, 飾りふさ. **2** ふさ状のもの; (トウモロコシの) 雄花の穂; (書物の) しおりひも. ━━⟨動⟩ (《過去・過分》 **~ed** or (英) **-·selled**; **~·ing** or (英) **-·sel·ling**) ⟨他⟩ **1** (…に) (飾り) ふさをつける; …をふさにする. **2** ⟨トウモロコシの穂を除く. ━━⟨自⟩ (米) ⟨トウモロコシが〉穂を出す.

tás·seled, (英) **-·selled** ⟨形⟩ (正式) ふさのついた, ふさをつけた.

tast·a·ble /téistəbl/ ⟨形⟩ 賞味できる; 風味のよい.

‡**taste** /téist/ [「触れる」が原義]
━━⟨名⟩ (《複》 ~**s** /téists/)

I [味]

1 ⟨C⟩ ⟨U⟩ (飲食物の) 味, 風味《◆flavor は taste と smell (香り) のまじった風味をいう》 ‖ This orange *has* a bitter *taste*. このオレンジは苦い味がする (= This orange *tastes* bitter.) / Give the soup more *taste* with some spice. 何かスパイスを入れてスープにもっと風味を出しなさい.
2 [通例 a ~] 試食, 味見 ‖ She *had* [*took*] *a taste* of the pudding. 彼女はプディングの味をちょっとみた.

II [味に対する感覚]

3 ⟨C⟩ ⟨U⟩ [しばしば the/one's ~] 味覚 ‖ Since I have a cold, my *taste* has gone. かぜをひいているので味がわかりません (=..., I can't *taste* (anything).) (→ ⟨他⟩ **2**, ⟨自⟩ **3**) / These foods are salty *to* my [*the*] *taste*. これらの料理は私には塩辛い (=These foods *taste* salty to me.) / This cake doesn't agree with my *taste*. このケーキはあまり好きではない.
4 ⟨C⟩ ⟨U⟩ 〔…の〕好み, 嗜(たしな)好〔*in*, *for*〕 ‖ *have a taste for* [*in*] modern music 現代音楽を愛好する / He has costly [expensive] *taste(s)* in all things. 彼は何でも高価な物を好む / a matter of *taste* 好みの問題 / There's no accounting for *taste* (ことわざ) 人の好みは説明のしようがない; [たで食う虫も好きずき].
5 ⟨U⟩ 〔…の点での〕審美眼, 鑑賞力, センス, 品(しな), 判断力 〔*in*〕 ‖ a person of *taste* 趣味のよい人, 風流人 / He shows excellent *taste* [ˣ*sense*] *in* clothes. 彼の服装のセンスはすばらしい.

III [その他]

6 ⟨C⟩ (略式) 〔…の〕一端, 小量, ちょっぴり〔*of*〕 ‖ He gave us *a taste* of his talents. 彼は才能の一端を私たちに示した. **7** ⟨C⟩ [通例 a/the ~] 経験.

in bád taste = *in the wórst of táste* 下品な, 儀礼に反した.

in góod táste = *in the bést of táste* 上品な, 儀礼に合った.

to táste (料理の味などが) 好みに応じて, 好きなだけ.
to A's táste = *to the táste of A* (1) [挿入的に] 〈人の〉判断で [鑑賞力] では ‖ The feeling of this poem is, *to my taste*, sentimental. この詩の情感は私が読んだところでは感傷的だ. (2) [しばしば否定文で] 〈人の〉気に入って, 好みに合って ‖ That hat won't be (*to*) *her taste*. あの帽子は彼女の趣味に合わないだろう. (3) → **3**.

━━⟨動⟩ (~**s** /téists/; 《過去・過分》 **~d** /-id/; **tast·ing**)
━━⟨他⟩ **1** 〈人が〉 〈飲食物の〉**味見をする**, …を試食する ‖ She *tasted* the cake to see if it was sweet enough. 彼女は甘さ加減がよいかどうかケーキの味見をした / I have never *tasted* such nice oysters. 私はこんなにおいしいカキは味わったことがありません.
2 [しばしば can を伴って] 〈人が〉〈物の〉**味がわかる**, 味を感じる (→ can¹ ⟨助⟩ **2**) ‖ Since I have a cold, I *can't* taste anything. かぜをひいているので何の味もわかりません / I (*can*) *taste* garlic in this stew. このシチューにニンニクの味が入っている (→ ⟨自⟩ **3**).
3 [通例否定文で] 〈飲食物〉を食べる, 飲む, 味わう ‖ ⟨対話⟩ "Won't you have some bread?" "Thanks. I haven't *tasted* anything since morning." 「パンでも食べませんか」「ありがとう. 朝から何も食べてないんだ」. **4** [比喩的に] …を味わう; 〈喜び・悲しみ・生活など〉を経験する ‖ *taste* defeat 敗北をなめる / *taste* the delights of country life 田園生活の楽しみを味わう.

━━⟨自⟩

I [舌で味わう]

1 [*taste* ⟨C⟩] 〈飲食物が〉 ⟨C⟩ な**味がする** 《◆⟨C⟩ は味の種類・具合を示す形容詞》 ‖ *taste* good よい味がする, おいしい / This fruit *tastes* bitter [ˣ*bitterly*]. この果物は苦い味がする (=This fruit has a bitter *taste*.) / This soup *tastes* salty. このスープは塩辛い 《◆名詞形 salt を用いる時は ˣ*taste of salt*. とはいわず *taste of salt*. → **2**) / How [ˣ*What*] did the sauce *taste*? ソースはどんな味がしましたか.
2 〈飲食物が〉〔…の/…のような〕**味がする** 〔*of/like*〕 《◆必ず修飾語 (句) を伴う》 ‖ This stew *tastes* too much of garlic [salt]. このシチューはニンニク [塩] の味が強すぎる 《◆程度の副詞は too much のほかに strongly, slightly, a little などがある. 位置に注意》 / What [ˣ*How*] did the sauce *taste of* [*like*]? ソースは何の味がしましたか.
3 〈人が〉味見する, 味見がきく, 味がわかる 《◆進行形不可》 ‖ He had a bad cold, so he couldn't *taste*. 彼はひどいかぜだったので味がわからなかった.

II [比喩的に味わう]

4 (文)〔…を〕経験する〔*of*〕‖ *taste of* freedom 自由を味わう.

táste búd [解剖] 味蕾(みらい)《◆舌にある感覚器官》.

taste·ful /téistfl/ ⟨形⟩ 〈人が〉趣味のよい, 上品な; 審美眼の; 〈美術品などが〉趣味のよい (略式) tasty).

táste·ful·ly ⟨副⟩ 趣味がよく, 上品に.

taste·less /téistləs/ ⟨形⟩ 〈食物が〉味のない, まずい (↔ tasty); 面白味のない, 退屈な; 悪趣味な (cf. distasteful).

tast·ing /téistiŋ/ ⟨動⟩ → taste. ━━⟨C⟩ ⟨U⟩ (ワイン・飲食物の) 味見会, 品評会, 審査会 ‖ wine *tasting* ワイン試飲会.

tast·y /téisti/ ⟨形⟩ (**-·i·er, -·i·est**) **1** 風味のきいた, おいしい (↔ tasteless). **2** (略式) =tasteful.

tat /tǽt/ ⟨動⟩ (《過去・過分》 **tat·ted** /-id/; **tat·ting**) ⟨自⟩ ⟨他⟩ (…で) タッチングをする, タッチングで作る《レース編みの一種》.

Ta·tar /tɑ́ːtər/ ⟨名⟩ =Tartar.

†**tat·ter** /tǽtər/ 名 C《しばしば文》(通例 ~s)(紙・布などの)ぼろ, ぼろきれ; 切れはし; [~s] ぼろ服; 無用の物.
——動 他 …をぼろぼろにする. ——自 ぼろぼろになる.
tát·tered 形 ぼろぼろに裂けた; ぼろを着た.
tat·ter·de·mal·ion /tætərdiméiliən/ 形 C ぼろぼろの(を着た)人.
tat·tle /tǽtl/《古・略式》動 自 […について]ぺちゃくちゃしゃべる, むだ口をきく(about, over);〈人のことを〉告げ口をする, 秘密をしゃべる[on] ‖ tattle on him to the teacher 彼のことを先生に告げ口する. ——名 U むだ口, うわさ話; 告げ口.
tat·tle·tale /tǽtltèil/ 名 C《主に米略式》(特に先生などに)告げ口をする子供; おしゃべり屋.
†**tat·too**[1] /tætúː, tat-/ 名 (複 ~s) 1《軍事》[the ~](深夜の)帰営らっぱ[太鼓](の合図) ‖ beat [sound] the tattoo 帰営太鼓[らっぱ]をたたく[吹く]. 2 C 連続的な太鼓の音; […に]ドンドン[コツコツ]たたく音(on); (心臓の)ドキドキいう音.
——動 自 (…を)コツコツたたく.
tat·too[2] /tætúː, tat-/ 名 (複 ~s) C 入れ墨, タトゥー.
——動 他 …に入れ墨を入れる.
†**taught** /tɔ́ːt/ (発音注意)(同音語) taut) 動 teach の過去形・過去分詞形.
†**taunt** /tɔ́ːnt,《米+》tɑ́ːnt/ 動 他《正式》〈人〉を[…だと]なじる, 責める; …をあざける[with, for];〈人〉をあざけって[…させる[into]. ——名 C [しばしば ~s] 侮辱[挑発]的な言葉; あざけり.
táunt·ing·ly 副 あざけって.
taupe /tóup/ 名 U 形 濃い灰褐色(の).
Tau·rus /tɔ́ːrəs/ 名 1 U《天文》おうし座(the Bull)《北天の星座》. 2 U《占星》金牛宮, おうし座(cf. zodiac); C 金牛宮生まれの人《4月20日–5月20日生》.
†**taut** /tɔ́ːt/(同音語) taught) 形 1〈綱・帆などが〉ぴんと張った(◆ tight より堅い語). 2〈筋肉・神経などが〉緊張した. 3 規律正しい.
tau·tol·o·gy /tɔːtɑ́lədʒi | -tɔ́l-/ 名 U C 1《修辞》類語反復, トートロジー《He lives alone by himself. など》. 2《論理》同語反復.
tav·ern /tǽvərn/ 名 C 1《古》酒場, バー(bar);《英古・文》居酒屋(pub)《◆ 特に, むさ苦しい低級な酒場をさす》. 2 C《古》宿屋, はたご屋(inn).
taw /tɔ́ː/ 名 C はじき石; U おはじき(遊び).
taw·dry /tɔ́ːdri/ 形 (-·dri·er, --dri·est)《正式》派手で安っぽい; 下品な. ——名 U 安ぴか物.
taw·ny /tɔ́ːni/ 形 U (-·ni·er, -·ni·est) 黄褐色(の).
†**tax** /tǽks/ 名 C『「手で触れて評価する」が原義. cf. task』(派 taxation (名))
——名 (複 ~·es/-iz/) 1 C U〈人・物への〉税金, (租)税[on, upon, to](cf. duty 3, tariff); [形容詞的に]税金の ‖ heavy tax / tax exemption 免税 / tax reduction [cut] 減税 / tax increase 増税 / evade (paying) taxes 脱税する / impose [lay, levy, put] a tax on him [his incomes] 彼[彼の所得]に税金を課する / A third of my wages go for tax. 私は賃金の3分の1が税金にとられる / She has a large income even after tax(es). 彼女は税引後でも大きな収入がある / a camera (which is) free of tax 免税のカメラ(= a tax-free camera).

|関連|[いろいろな種類の tax]
business tax 営業税 / consumption tax《日本の》消費税 / corporation tax 法人税 / direct tax 直接税 / income tax 所得税 / indirect tax 間接税 / inheritance [death] tax《米》相続税 / local tax 地方税 / national tax 国税 / property tax《米》財産税 / sales tax《米》売上税 / value-added tax 付加価値税 / withholding tax《米》源泉徴収税.

2《正式》[a ~][…への]重い負担, 無理な要求(strain)[on, upon] ‖ The research was a tax on his brain. その研究は彼の頭脳には重い負担であった.
——動 (~·es/-iz/;(過去・過分) ~ed/-t/; ~·ing)
——動 他 1〈政府などが〉〈人・物〉に税金を課する, 課税する ‖ tax imports 輸入品に課税する / We're heavily taxed. 我々は重税を課せられている.
2《正式》〈人・物・事が〉〈人・能力など〉に重い負担をかける, 無理な要求をする, …を酷使する ‖ You're taxing my patience with such stupid questions! そんなばかげた質問には我慢ならない!.
táx A with B [**dóing**]《正式》(1) A〈人〉を B〈事〉のかどで責める, 非難する(accuse A of B); A〈人〉を B〈窮地など〉に直面させる ‖ tax him with having neglected his duty 義務を怠ったという理由で彼をしかる. (2) A〈人〉に B〈事〉の重荷を負わせる(→ 2).
táx avóidance 節税.
táx brèak《米》(税制上の)優遇措置, 減税.
táx colléctor 収税吏, 税務署員.
táx dedúction 税控除(額).
táx evásion 脱税.
táx háven 租税回避[避難]地, 税金天国《企業誘致のため税金のない, または安い国》.
táx ràte 税率.
táx retúrn 納税申告(書).
tax·a·ble /tǽksəbl/ 形 課税できる, 有税の.
†**tax·a·tion** /tækséiʃən/ 名 U 課税, 徴税; (支払うべき)税金(額) (taxes); 税制; 税収 ‖ taxation at the source 源泉課税 / progressive taxation 累進課税 / be subject to taxation 課税対象となる / be exempt from taxation 免税されている.
tax-free /tǽksfríː/ 形 副 免税の[で], 非課税の[で]; 税引きの.
***tax·i** /tǽksi/[[taxicab の短縮形]]
——名 (複 ~s/-z/, (まれ) ~·es/-z/) C《主に英》タクシー(《正式》taxicab,《主に米》cab) ‖ go by [in a] taxi タクシーで行く(⇒文法 16.3(5)) / hail a taxi (手をあげて)タクシーを止める / hire [pick up] a taxi タクシーを頼む[ひろう].

|事情|[米英の taxi]
(1) New York などのタクシーはふつう黄色なので yellow cab ともいう. London ではふつう黒塗りの箱型オースティン車(Austin).
(2)料金の10–15%程度の tip が必要. 大きな荷物には割増し料金が必要.
(3)自動ドア・冷房などは一般的ではない.
(4)「空車」表示は《米》Vacant,《主に英》For Hire. 夜間は上にランプがつく.

——動 (過去・過分) ~ed or (まれ) taxi'd/-d/; ~·ing or tax·y·ing)
——自〈飛行機が〉(離陸の前・着陸の後に)ゆっくり滑走路を移動する.
táxi driver タクシー運転手(《主に英》taximan, cabman, (略式) cabby, cabbie).
táxi fàre タクシー代[料金].
táxi stànd [**tèrminal,**《英》**rànk**] (駅前などの)タクシー乗り場(《米》cabstand, 《英》cab rank).

tax·i·cab /tǽksikæb/ 名 ⓒ《正式》タクシー(《米》cab, 《主に英》taxi).

tax·i·man /tǽksimæn/ 名 (複 **-men**) ⓒ《主に英》=taxi driver.

tax·on·o·my /tæksɑ́nəmi/ -sɔ́n-/ 名 Ⓤ《正式》分類学(上);生物分類(学).

†**tax·pay·er** /tǽkspèiər/ 名 ⓒ 納税(義務)者 ‖ *taxpayer*'s money 血税.

Tay·lor /téilər/ 名 **1** テーラー《Elizabeth ~ 1932-;英国生まれの米国の女優》. **2** テーラー《Zachary /zǽkəri/ ~ 1784-1850;米国の第12代大統領(1849 -50)》.

Tb, TB, tb., t.b.(略) tuberculosis.
TB(記号)〔コンピュータ〕tera*b*yte.
tb.(略) tablespoon.
T-bone /tíːbòun/ 名 ⓒ=T-bone steak.
T-bone steak Tボーンステーキ《T字型骨付き上肉ステーキ》.
tbs., tbsp.(略) tablespoon(ful)(s).
TCBM(略)〔軍事〕transcontinental ballistic missile 大陸間弾道ミサイル.
Tchai·kov·sky /tʃaikɔ́ːfski/ 名 チャイコフスキー《Pyotr Ilyich/pjɔ́ːtər íːljitʃ/ ~ 1840-93;ロシアの作曲家》.
TCP/IP(略)〔商標〕〔コンピュータ〕Transmission Control Protocol / Internet Protocol(ネットワークの)転送制御プロトコル, インターネット=プロトコル.

▸**tea** /tíː/ 名(同音)t)〖中国語の「茶」(te)から〗
— 名 ~s/-z/) **1** Ⓤ 茶 ◆(1)英米では単に tea といえば紅茶のこと. green tea(緑茶)などと区別する場合は特に black tea という. (2) お茶の濃い·薄いは strong, weak で表す(→ dense 形1b表現(2))‖ make [pour] (the) *tea* for him 彼にお茶を入れる[つぐ] / have [drink, take] a cup of *tea* お茶を1杯飲む ◆ a cup of *tea* は /ə kʌ́p ə tíː/ と発音するのがふつう / How would you like your *tea*, strong or weak? 濃いお茶にしますかそれとも薄いのにしますか /《日本発》Japanese green tea can be classified into the following three varieties: *gyokuro* [high-quality green tea], *sencha* [leaf tea of medium grade and size], and *bancha* [coarse Japanese tea]. 日本の緑茶は次の3種類の等級に分けられる. 玉露・煎茶・番茶である /〖ジョーク〗"What kind of *tea* does a footballer dislike?" "A penal *tea*." 「サッカー選手が嫌いなお茶は?」「罰茶」《◆ penalty とのしゃれ》.

2 ⓒ **お茶1杯**(a cup of tea) ‖ Two *teas*, please. お茶を2つください.

3 Ⓒ Ⓤ《英》**a** 午後のお茶(の時間)(《正式》afternoon tea)《紅茶と共にサンドイッチ·ケーキなどが出される. ふつう3-5時. cf. high tea》 ‖〖対話〗"What would you like for *tea*?" "A pancake, and *tea* with lemon, please."「午後のお茶には何がお好みですか」「パンケーキとレモンティーをお願いします」. **b** =high tea.

4 Ⓤ Ⓒ お茶の集い, ティーパーティー(tea party) ‖ She has no one to invite her to (a) *tea*. 彼女にはお茶会に招いてくる人がいない. **5** Ⓒ 茶の木;Ⓤ 茶の葉. **6** Ⓤ(茶に似た)飲み物, 薬用茶, せんじ汁. *one's* cup of *tea*《《その人の好みに合った紅茶」から》(略式)〔通例否定文で〕好きなもの, 好物, 性(しょう)に合うもの ‖ Boxing is *not* her *cup* of *tea*. ボクシングは彼女の趣味ではない《◆ one's が複数でも their *cup* of [ˣcups] of tea のように cup は単数形で用いる. 肯定文ではふつう just, exactly, absolutely などを伴う》.

téa bàg ティーバッグ.
téa báll ティーボール《球形の金属茶こし器》.
téa bíscuit《英》《お茶の時に出す》丸い小型ビスケット;《米》=teacake.
téa brèak《主に英》ティーブレイク, お茶の休憩時間(→ coffee break).
téa cèremony(日本の)茶の湯, 茶道, 茶会 /《日本発》In *sado* [the *tea ceremony*], a great emphasis is placed on spiritual tranquility and simplicity of taste. 茶道では心の落ち着きと味の素朴さが重視される.
téa pàrty = **4**.
téa plànt 茶の木.
téa sérvice [sèt] ティーセット, 紅茶道具一式《ふつう cups, saucers, plates, teapot, cream jug, sugar bowl, tray からなる》.
téa shòp 喫茶店(tearoom);《英》軽食堂(lunchroom).
téa tòwel《英》(食器用)ふきん(teacloth,《米》dish towel).
tea-cake /tíːkèik/ 名 ⓒ Ⓤ《英》ティーケーキ《お茶の時に食べるケーキの総称》;《米》茶菓子《紅茶に添えるクッキー》.

▸**teach** /tíːtʃ/〖「知識·知恵·技能を授ける」が本義. cf. token〗関 *teacher*(名), *teaching*(名)
—(動)(過去·過分 **taught** /tɔ́ːt/)
—他 **1a**〈人が〉〈学科·クラス·人などを〉**教える**;[~ oneself]独習する;〈事が〉〈人に〉悟らせる(類語 educate, coach, train, instruct) ‖ *teach* school《米》学校の教師をする(=*teach* in a school) / *teach* five classes a day 1日に5クラスを教える / *teach* riding 乗馬を教える / *I teach* history at this school. 私はこの学校で歴史を教えています(=I am a *teacher* of history at this school.) / Is Chinese *taught* in Japanese schools? 日本の学校では中国語を教えますか / We were *taught* by Miss Tanaka last year. 昨年は田中先生に教わった.

b [teach A B =teach B to A]〈人が〉A〈人〉に B〈学科などを〉**教える**, 教授する;〈人が〉A〈動物などに〉B〈芸など〉を仕込む;〈事が〉A〈人〉に B〈教訓など〉を悟らせる ‖ She *taught* Bill English. =She *taught* English *to* Bill. 彼女はビルに英語を教えた《つ文法3.3》◆ 前者の語順では, 結果としてビルが英語を身につけたことがしばしば含意される. 後者では「教えた」ことにとどまり, 結果がどうであったかについては中立的》 / *teach* him skiing 彼にスキーを教える / *teach* him a lesson《略式》彼をこらしめる.

c [teach A to do]〈人が〉〈人〉に…するように教える ‖ My parents didn't *teach* me *to* lie. They *taught* me to tell the truth. 両親は私にうそをつくことを教えなかった. 本当のことを言うよう教えた.

d [teach A (how) to do]〈人·事が〉〈人·動物〉に…(のしかた)を教える ‖ She *teaches* me (*how*) *to* drive. 彼女は私に車の運転のしかたを教えてくれる.

〖使い分け〗**[teach と tell]**
teach は「(説明や訓練をしながら)教える」の意.
tell は「(自分の知っていることを相手に)伝える」の意.
Please *tell* [ˣteach] me the way to the station. 駅への行き方を教えてください.

He *taught* [×*told*] me mathematics. 彼は私に数学を教えてくれた.

e [teach A to be C / teach ((to) A) (that)節]〈人·事が〉A〈人〉に C と(いうことを)教える, 悟らせる; [teach ((to) A) wh節]〈A〈人〉に〉…かを教える ‖ *teach that* the world is round 地球が丸いことを教える / Failure in the exam *taught* him「*to be* [*that* he should be] more hardworking. 試験に失敗して彼はもっとがんばらなければいけないと悟った / She *taught* her son *how* important it is [was] to be honest. 彼女は正直なことがどれほど大切であるかを息子に教えた《◆ 教えた内容が一般的真理·歴史上の事実のときは時制の一致に従わなくてもよい. ➡文法 10.3》.

[語法]「知識や技能を教える」の意味の最も一般的な語. 教える人は必ずしも教師でなくてもよい: *teach high-school students twice a week* 週2回高校生相手の家庭教師をしている.

2(略式)〈通例未来形〉〈人が〉〈人〉に[…すれば]思い知らせる, ひどい目にあわせる(*to do*) ‖ I'll *teach* you *to* lie to me! うそをついたらひどい目にあわせるぞ.
——(自)〈人が〉[…で]教師をする(*at*, *in*), 教授する ‖ She *teaches at* [*in*] a junior high school. 彼女は中学校の教師をしている(=She is a junior high school *teacher*.)《◆ *teach* junior high school ともいえる. ⇨(他) 1 a. cf. teacher》.
That'll teach you. (略式) それで君も思い知るだろう, それみろ, いうこときいとけば身にしみたかい.

teach·a·ble /tíːtʃəbl/[形] **1**〈人が〉よく教えを聞く, 素直な. **2**〈学科·芸などが〉教えられる, 教えやすい.

*teach·er /tíːtʃər/ [→ teach]
——[名](複) ~s/-z/)[C] 教える[仕込む]人; 教師, 先生, 教員 [類語] instructor, lecturer, master, mistress, professor) ‖ an English *tèacher* =a *teacher of* English 英語の教師《◆ an English *téacher* では「イングランド[英国]人の教師」の意》/ She's a primary school *teacher*. =She's *a teacher at* a primary school. 彼女は小学校の先生をしている(=She *teaches at* a primary school.).

[語法] (1) 英米の小·中学校には女性教員が多いので, 一般的にいう場合 she で受けることが多い.
(2) 先生を呼ぶ場合, 姓を添えて Mr. [Mrs., Miss] Tanaka (田中先生) という. ×Teacher Tanaka とか ×Tanaka Teacher とはいわない. 小学校の低学年·幼稚園児では単独で Teacher! と呼ぶことがある. cf. professor.

téacher's àid 教師の助手.
téachers còllege(米)(ふつう4年制の)教員養成大学(略 TC)((英)college of education).
teach-in /tíːtʃɪn/[名][C](古風式)ティーチ・イン《大学内で行なわれる討論集会》; (一般に)討論会.

*teach·ing /tíːtʃɪŋ/ [→ teach]
——[名](複) ~s/-z/) **1**[U] 教えること; 教授, 授業, 教職 ‖ *go into* [*take up*] *teaching* 教職につく / a *téaching* mèthod 教授法. **2**[U] 指導, 手引き(guidance). **3**[C] [しばしば ~s] (特に偉人による)教訓, 教義 (doctrine) ‖ Christ's *teaching*(s) キリストの教え.

téaching àid 補助教材.
téaching assistant [**fèllow**]《米》学生助手《授業料免除の代わりに教職義務を負う大学院生. 略 TA》.
téaching machine ティーチング=マシーン《プログラム学習ができる教育機器》.
tea-cup /tíːkʌp/[名][C] **1** 紅茶[湯のみ]茶わん. **2** =teacupful.
tea-cup·ful /tíːkʌpfʊl/[名](複) ~s, --cups·ful)[C] 紅茶茶わん1杯分(の量).
tea-house /tíːhaʊs/[名][C](日本·中国などの)茶店, 茶房;(茶道の)茶室.
teak /tíːk/[名] **1**[C] チーク(の木). **2**[U] チーク材 (teakwood)《造船·家具用の堅い木材》.
tea-ket·tle /tíːkɛtl/[名][C] やかん, 湯わかし.
teal /tíːl/[名](複) ~s, [集合名詞] teal)[C]《鳥》コガモ.

*team /tíːm/ [同音]teem) 《原義「引くもの」から 2 が生まれて発展した》
——[名](複) ~s/-z/)[C][集合名詞; 単数·複数扱い]
1(競技などの) チーム, 団, 組《◆ [!] 単数扱いが原則だが, チームの個々のメンバーを考える時は複数扱い》 ‖ a baseball *team* 野球チーム / a *team of* engineers 技術者の一団 / He is *on* [《英》*in*] our soccer *team*. 彼は私たちのサッカーチームの一員だ / The *team* are [is] driving to the ball park in their own cars. チームのメンバーはそれぞれ自分の車で球場入りしつつある《➡文法 14.2(5)》.
2(荷車·そり·すきなどを引く2頭以上の)一連の馬[牛, 犬など];車とそれを引く動物 ‖ a *team of* four horses ひとつなぎの4頭の馬.
——(動) **1**(他)〈馬·牛などを〉一連にする, 一連にして車につなぐ. **2**〈人などを〉チームにまとめる.
——(自)(略式)[…と]協力する, 協同する(+*up*, *together*)(*with*) ‖ GM will *team* (*up*) *with* Ford. GM はフォードと提携するだろう.
téam spirit(チームの)団結心.
team tèaching ティーム·ティーチング《2人の教師(外国語話者と母語話者など)の協同授業》.
team·mate /tíːmmèɪt/[名][C] 同じチームの仲間, チームメート.
team·ster /tíːmstər/[名][C]《米》トラックの運転手.
team·work /tíːmwɜːrk/[名][U] チームワーク, 協同作業, 協力.
***tea·pot** /tíːpɑt | -pɒt/[名][C] ティーポット, 茶瓶, きゅうす.

*tear¹ /tíər/ [発音注意][同音]tier)(派) tearful (形)
——[名](複) ~s/-z/)[C] **1**[通例 ~s]涙(のひとしずく)(teardrop); 泣くこと ‖ *tears* of joy うれし涙 / bitter *tears* つらい涙 / *shed tears* 涙を流す / *with tears in* one's *eyes* 目に涙を浮かべて(=with *tearful eyes*) / *be bathed* [*drowned*, *dissolved*] *in tears* 涙にくれる / *dry* [*wipe away*] one's *tears* 涙をふく / *burst* [*break*] *into tears* わっと泣き出す / *hide* [*keep back*] one's *tears* 涙を隠[こらえ]る / *be easily moved* [*reduced*] *to tears* 涙もろい / *bore* him *to tears* 死ぬほど彼を退屈させる / Her story brought *tears* to my eyes. 彼女の話を聞いて私は泣けてきた. **2**[~s] 悲嘆, 悲哀.
in téars → **1**; 涙を浮かべて.
téar gàs 催涙ガス.

*tear² /téər/ [発音注意] 《「破壊する」が原義》
——(動)(~s/-z/; (過去) tore/tɔːr/, (過分) torn/tɔːrn/;

tearful

~・ing /téəriŋ/
— 他 **1**〈人・物が〉〈紙・布などを〉(無理に引っ張ってぎざぎざに)**引き裂く**, 引きちぎる(+up); …を引き裂いて[ある状態]にする(in, to, into); tear A C〈物を〉裂いて C にする《◆ C は形容詞》[類語] rend, rip, rive》∥ *tear* the paper in two [half] / *tear* the paper across その紙を2つに裂く / *tear* it *into* [*to*] *pieces* それをずたずたに引き裂く / *tear* one's coat on a nail コートをくぎにひっかけて破る / *tear* the package open =*tear* open the package その小包を破って開ける(→ open 形) / She *tore* the letter *up* after reading it. 彼女はその手紙を読んだあと破いてしまった.
2〈人・物が〉〈物を〉[…から](無理に)**引きはがす**, もぎ取る;〈~ oneself〉引き離す;[…を]無理に離れさせる(*away, down, off, out, up*)[*from, out of, off*]《◆(1) 目的語が人の場合は from. (2) 修飾語句(句)は省略できない》∥ *tear* one's *clothes* =*tear* one's *clothes off* 服を脱ぎ捨てる / a book with its jacket *torn off* カバーがちぎれた本 / Someone *tore* some pages *off from* this book. だれかがこの本の数ページを破ぎ取ってしまった / *tear* one's eyes *from* … から無理に目をそらす / My father couldn't *tear* himself *away from* the television. 父はどうしても目からテレビから離れなかった.
3 a〈皮膚などを〉裂いて傷つける, 裂傷を負わせる. **b** 裂いて〈穴などを〉作る ∥ *tear* a hole in the dress 服に穴をあける. **4**[受] [通例 be torn]〈国・党などが〉分裂する(+apart) ∥ a political party *torn* by dissension 意見が合わず分裂した政党. **b**〈人(の心)が〉[…で]かき乱される, 非常に苦しむ(+apart) [*by, with*] ∥ Her heart *was torn by* grief. 彼女の胸は悲しみでさけそうだった.
— 自 **1**〈物が〉**裂ける**, 破れる;[…を]強引に引っ張る, 引き裂こうとする(*at*) ∥ The paper doesn't *tear* straight. 紙はまっすぐには破れない / *tear* at one's heart 胸をかきむしる.
2《略式》〈人・物が〉猛烈な勢いで動く, 駆ける《◆方向の副詞語句を伴う》∥ *tear* around [*round, about*] 暴れ回る / *tear* home 大急ぎで家に帰る / *tear* out of the room 部屋から飛び出す.

be tórn betwéen A …のどちらを選択すべきか迷う, …の間で板ばさみになっている.

téar apàrt〈他〉(1)〈物を〉裂いて分ける, ばらばらにする;〈物を捜して〉…の中をひっくり返す. (2)→ 他 4.

téar awày〈自〉《略式》大急ぎで走り去る.

téar dòwn〈他〉(1) → 他 **2**. (2)〈建物などを〉取りこわす;〈機械などを〉分解する. —[自+] [~ *down* A]〈丘などを〉駆け下りる.

téar ìnto A (1)〈物を〉ずたずたに裂く, …に穴をあける. (2) …をがつがつ食べる. (3)〈人・場所などを〉猛烈に襲う;《略式》〈人・事を〉激しく非難する. (4)〈人を〉しかる.

téar óff〈自〉《略式》=TEAR away. — 〈他〉(1) → 他 **2**. (2)《略式》〈仕事・手紙などを〉一気にやってのける[書き上げる].

téar úp〈他〉(1) → 他 **1**. (2)〈木などを〉根こそぎにする;〈道路などを〉掘り起こす. (3)〈契約などを〉破棄する. —[自+] [~ *up* A]〈丘などを〉駆け登る.

— 名 C **1** 裂ける[裂ける]こと; 裂け目, 破れ目. **2** 突進, 大急ぎ; 狂暴, 激怒.

†**tear・ful** /tíərfl/ 形 **1** 涙でいっぱいの; 泣いている; 涙もろい. **2** 涙を誘う, 悲しい. **téar・ful・ly** 副 涙ぐんで.

tear・ing /téəriŋ/ 形《略式》猛烈な, すさまじい.

tear・less /tíərləs/ 形《主に文》涙を流さない ∥ *tearless* grief 涙も出ない深い悲しみ.

tea・room /tí:rù:m/ 名 C《主に女性客向きの》喫茶[店].

†**tease** /tí:z/《同音 teas》動 他 **1**〈人が〉〈人・動物を〉[…のことで]いじめる, 悩ます; …をからかう, 冷やかす(*about*); …が[…を]させる[*into doing*]《◆相手を悩ませる度合いは tease, bother, pester, nag, worry, plague, harass の順で強くなる》∥ *tease* one's father *about* his bald head 父親のはげ頭をからかう / *tease* the cat by pulling its tail ネコのしっぽを引っ張っていじめる. **2**《主に米》〈人〉に[…を/…してくれと]しつこくねだる, せがむ[*for / to do*]. **3** …をじらせて苦しめる. — 自〈人がいじめる, からかう〉気をそそる;[…を]ねだる[*for*]. — 名 C《略式》いじめる人, (男の気をそそる)なまめかしい女; 悩ますもの, 難問.

†**tea・spoon** /tí:spù:n/ 名 C **1** 茶さじ, ティースプーン. **2** =teaspoonful.

†**tea・spoon・ful** /tí:spù:nfùl/ 名 (複 ~s, ~・spoons・ful) C 茶さじ1杯(分)(tablespoon の1/3).

teat /tí:t, 《米+》tít/ 名 C《雌の哺(ほ)乳動物の》乳首, 乳頭《◆人の場合は nipple》.

tea・time /tí:tàim/ 名 U《午後のお茶の時間.

tech /ték/ 名[しばしば T~] C U **1**《英略式》=technical college [school]. **2** [institute of technology]《米略式》工業学校, 工科大学.

tech・ie /téki/ 名 C《略式》コンピュータ専門家[マニア]; =technician **1**.

tech(n). 略 technical(ly); technician; technological(ly); technology.

techn- 連結《語彙》→語要素一覧(1.6).

†**tech・nic** /téknik/ 名 **1**《primary =technique. **2**《通例 ~s》=technicality **1**. **3**[~s; 単数扱い]工(芸)学, 産業技術.

†**tech・ni・cal** /téknikl/ 形 **1** 工業技術の, 機械技術の, 応用科学の;《一般に》実業専門の ∥ *technical* assistance overseas 海外(工業)技術援助. **2** 技術上の, 技巧上の(→ technique). ∥ The musician has *technical* skill but little imagination. その音楽家は技巧に長じているが想像力に乏しい. **3** 専門の, 専門語の, 術語を使った ∥ This book is too *technical* for me. この本は専門用語が多くて私には難しすぎる. **4** 厳密な規定解釈に従う; 判定による.

technical còllege《英》テクニカル=カレッジ,《実業》専門学校《専門技術・職業の高等教育機関((略式)) tech)). 最近では polytechnic [((略式)) poly]ともいう》.

technical knóckòut〔ボクシング〕テクニカル=ノックアウト(略 TKO).

technical mérit〔フィギュアスケートなど〕技術点(cf. artistic impression).

technical schòol《英》中等実業学校((略式)) tech).

technical suppòrt〔コンピュータ〕テクニカル=サポート《コンピュータ会社が登録ユーザーへ行なう技術面でのアフターサービス》.

téch・ni・cal・ly 副 技術[専門]的に;[文全体を修飾] 技術的観点から言えば[すると].

tech・ni・cal・i・ty /tèknəkǽləti/ 名 **1** C[しばしば technicalities] 専門的事項[細目]; 専門用語. **2** U《正式》専門[学術]的であること; 専門語の使用.

tech・ni・cian /tekníʃən/ 名 C **1**〈ある分野の〉専門家;(専門)技術者. **2**〔絵画・音楽などで特に独創性・想像力に欠ける〕技巧家.

Tech・ni・col・or /téknəkʌ̀lər/ 名 U《商標》テクニカラ

―《カラー映画方式の一種》.

†**tech·nique** /tekníːk/ 【アクセント注意】 名 U C （科学・芸術・職業などの）（専門）技術, 技巧, テクニック; （芸術などの）技法, 手法, 表現手法; 技量, 手腕, こつ ‖ The pianist「has poor *technique* [is poor in *technique*]. そのピアニストは弾き方が下手だ / develop a new teaching *technique* for disabled pupils 障害児童に対する新しい教授法を開発する.

tech·no- /téknou-/ 〔語要素〕→語要素一覧 (1.6).

†**tech·noc·ra·cy** /teknɑ́krəsi | -nɔ́k-/ 名 U C テクノクラシー, 技術主義《科学者・技術者に一国の産業を支配させようという説》; 技術家政治; C 技術家支配団.

tech·no·crat /téknəkræt/ 名 C テクノクラシーの提唱者; 科学者・技術者出身の政治家, テクノクラート, 技能集団.

tech·no·crat·ic /tèknəkrǽtik/ 形 テクノクラシー[テクノクラート]の.

†**tech·no·log·i·cal, –ic** /tèknəlɑ́dʒik(l) | -lɔ́dʒ-/ 形 1 科学[工業]技術の, 工学の ‖ *technological* breakthrough 技術的大躍進. 2 科学技術の進歩による; （生産）技術革新による ‖ *technological* unemployment 生産技術進歩のため生じる失業.

tech·nol·o·gist /teknɑ́lədʒist | -nɔ́l-/ 名 （英）科学技術者.

†**tech·nol·o·gy** /teknɑ́lədʒi | -nɔ́l-/ 【アクセント注意】 〖技術(techno)学(logy). cf. technical〗―名 （複） –gies/-z/〗 1 U 科学技術, 工業技術, テクノロジー; 工(芸)学; 応用科学（略 tech(n).）‖ hard *technology* ハード技術《特に原子力発電などの技術. 風力・太陽熱などの利用技術は soft technology》/ an institute of *technology* 《米》工科[工業]大学.
2 C 科学[技術]的方法[過程]; （個々の）技術 ‖ advance in medical *technology* 医療技術の進歩. 3 U 〖集合名詞〗（ある分野の）専門用語.

tech·nop·o·lis /teknɑ́pəlis | -nɔ́p-/ 名 C （先端技術を生かした）技術産業都市, テクノポリス.

tec·ton·ic /tektɑ́nik | -tɔ́nik/ 形 地質構造の, 地殻変動の[による].

tectónic pláte 〔地質〕プレート《地球最表層の岩板. 単に plate ともいう》.

tec·ton·ics /tektɑ́niks | -tɔ́-/ 名 U = tectonic plate.

Ted /ted/ 名 1 テッド《男の名. Theodore の愛称》. 2 [t~]（英略式）= Teddy boy.

Ted·dy /tédi/ 名 テディー《男の名. Theodore の愛称》.

Téddy bèar [しばしば t~]（縫いぐるみの）クマの人形《◆米国の第26代大統領 Theodore Roosevelt ((愛称))Teddy）が猟で子グマを助けた漫画から. 英米の子供はたいていこの種のものを１つは持っている》.

Téddy bòy [しばしば t~] テディーボーイ《（英略式）ted）《1950年代に現れた Edward VII 時代風の服装をする英国の反抗的青少年》.

†**te·di·ous** /tíːdiəs, （米）-dʒəs/ 形 〖他動詞的に〗（単調・冗長・長時間で）退屈な, うんざりする, あきあきする (tiresome)（◆ boring より堅い語》‖ I sit out a *tedious* speech 冗長で退屈な話を最後まで我慢する.

té·di·ous·ly 副 退屈[飽き飽き]するほど.

te·di·um /tíːdiəm/ 名 U 退屈, 長たらしさ.

tee[1] /tíː/ 名 C 1 （文字の）T, t. 2 T字形の物; T字管. 3 (curling, quoits などの) 目標, 的.

tée shirt = T-shirt.

tee[2] /tíː/ 名 C 1 〔ゴルフ〕ティー《各ホールの出発点. また第１打を打つ時に球をのせる小さな台》. 2 〔アメフト〕ティー《キックオフ・プレースキックの時に球をのせる台》.
―動 他 〔ゴルフ〕〈ボールを〉ティーにのせる (+*up*).
tée óff 〔自〕（主に米略式）〈人に〉怒りをぶちまける, しかりとばす (*on*).

tee-hee /tíːhíː/ 間 名 ウフフ(という笑い); 忍び笑い, 冷笑. ―動 他 クスクス笑う; 冷笑する.

†**teem** /tíːm/ 〖同音〗team〗 動 自 （主に文）〈場所などが〉[…で]いっぱいである (be full)〔*with*〕; 〈人・動物・物が〉[…に]たくさんいる[ある]〔*in*〕‖ The pond *teemed with* carp. その池にはコイがたくさんいた.

téem·ing 形 （主に文）（動物などが）たくさんいる[ある], うようよいる; 多産の, 実りのある.

teen /tíːn/ （略式）形 = teenage(d). ―名 = teenager.

†**-teen** /-tíːn/ 〔語要素〕→語要素一覧 (2.2).

†**teen·age(d)** /tíːnèidʒ(d)/ 形 10代の若者の《◆ 10代のうち語尾に -teen の付く13歳から19歳まで》‖ *teenage(d)* boys 10代の少年 / *teenage(d)* fashions 10代の若者ファッション.

†**teen·ag·er** /tíːnèidʒər/ 名 C 10代の少年[少女], ティーンエイジャー《◆ 21, 22歳ぐらいまで含むこともある》.

†**teens** /tíːnz/ 名 〖複数扱い〗 1 [one's ~]（年齢の）10代《◆ 13歳から19歳まで》; 少年[少女]時代 ‖ She is *in* her early [late] *teens*. 彼女はローティーン[ハイティーン]だ / be just out of *one's teens* 20歳になったばかりだ. 2 [the ~] 10代の若者たち (teenagers).

tee·pee /tíːpiː/ 名 = tepee.

tee-shirt /tíːʃə̀ːrt/ 名 C = T-shirt.

tee·ter /tíːtər/ 動 自 1 （米）シーソーをする. 2 a （落下しそうに）ぐらつく. b […に]ためらう〔*on*, *between*〕. ―動 他 …をぐらつかせる, …を動揺させる. ―名 C （米）シーソー (seesaw); ぐらつき; 動揺.

*†**teeth** /tíːθ/ 名 tooth の複数形.

teethe /tíːð/ 動 自 〖通例 be teething〗〈幼児が〉歯が生える.

Tef·lon /téflɑn | -lɔn/ 名 U 〔商標〕テフロン.

Te·he·ran, Te·hran /terɑ́ːn, -ræn, tèiə- | tèərɑ́ːn, -ræn, -/ 名 テヘラン《イランの首都》.

tel. 〔略〕telegram; telegraph; telegraphic; telephone (number).

tel·e /téli/ 名 U C （英略式）テレビ（《英略式》telly）.

tel·e- /télə- | téli-/ 〔語要素〕→語要素一覧 (1.6).

tel·e·cam·er·a /téləkæ̀mərə | téli-/ 名 C 1 〖television *camera*〗テレビカメラ. 2 〖telephotographic *camera*〗望遠写真機.

tel·e·com·mu·ni·ca·tion /tèləkəmjùːnəkéiʃən, -ki- | tèli-/ 名 〖通例 ~s; 単数扱い〗テレコム《電話・テレビ・ラジオなどによる遠距離通信》; 電気通信学《略 telecom）‖ a *telecommunications* satellite 通信衛星.

tel·e·com·mute /tèləkəmjúːt | tèlikəmjúːt/ 動 自 在宅勤務をする《コンピュータ・モデム・Eメールなどを使って顧客やオフィスと連絡する》.

tel·e·com·mut·er /tèləkəmjúːtər | tèlikəmjúːtə/ 名 C 在宅勤務者《◆ teleworker ともいう》.

tel·e·com·mut·ing /tèləkəmjúːtiŋ | tèlikəmjúːt-/ 名 U 在宅通信, 在宅勤務《◆ teleworking ともいう》.

tel·e·fac·sim·i·le /tèləfæksíməli | tèli-/ 名 = telefax.

tel·e·fax /téləfæks | téli-/ 〖*tele*facsimile の短縮語〗名 U C 電送写真 (→ fax).

†**tel·e·gram** /téləgræm | téli-/ 名 C 電報, 電信《《米略式》wire, （英）telemessage》《◆「海外電報」は ca-

telegraph | 1566 | **television**

ble ともいう》‖ *by telegram* 電報で《◆無冠詞》/ send a *telegram* of congratulations to him 彼に祝電を送る / We got [had, received] a *telegram* saying [which said] that they were coming. 彼らが来るという電報を受け取った.

†**tel·e·graph** /téləɡræf | téliɡràːf, -ɡræf/ 〖名〗❶ Ⓤ (制度・組織としての)電信, 電報(略 tel.); Ⓒ 電信機[装置]; [形容詞的に]電信[電報]の ‖ send a message *by telegraph* 電信で伝言を送る / a *telegraph* office [station] 電報局. **2** [T~] …通信《◆新聞名に用いる》.
——〖動〗 他〈人に〉〈人・場所に〉電報を打つ,〈用件など〉を電報で伝える,〈金などを〉電報為替で送る; [telegraph **A B** = telegraph **B** to **A**]〈人に〉〈人に〉〈…するように〉〈…だと〉電報を打つ[*to do* / *that* 節]《◆米略式》では wire を用いる》‖ *telegraph* her the result = *telegraph* the result *to* her 彼女にその結果を電報で知らせる(➔文法 3.3) / *telegraph* her *to* come 電報で彼女を呼ぶ.
——〖動〗 自〈…に〉電報を打つ[*to*].

te·leg·ra·pher /təléɡrəfər/ 〖名〗Ⓒ 電信技手[係].
tel·e·graph·ic /tèləɡræfik | tèli-/ 〖形〗電信[電報]の; 電送の.
te·leg·ra·phy /təléɡrəfi/ 〖名〗Ⓤ 電信(術).
tel·e·mar·ket·ing /téləmàːrkitiŋ/ 〖名〗Ⓤ 電話による販売[売り込み].
tel·e·path·ic /tèləpǽθik/ 〖形〗(略式) テレパシーのある; テレパシー(のような), テレパシーによる.
te·lep·a·thy /təlépəθi/ 〖名〗Ⓤ テレパシー, 精神感応, 以心伝心; (略式) その能力.
te·lép·a·thist 〖名〗Ⓒ **1** テレパシーの力のある人. **2** テレパシー研究家[信仰家].

‡**tel·e·phone** /téləfòun | téli-/ 〖『遠くの(tele)音(phone). cf. microphone』〗
——〖名〗(複 ~s/-z/) Ⓤ [通例 the ~] (制度・組織としての)電話; Ⓒ 電話(telephone set); 受話機(receiver); [形容詞的に]電話の《略式ではふつう phone. (略 tel.) ‖ speak to her on [over] the *telephone* = speak to her *by telephone* 彼女と電話で話す(➔文法 16.3(5)) / a pay [public] *telephone* 公衆電話 / make a (long-distance) *telephone call* (長距離)電話をかける / pick up the *telephone* 電話を受ける, 受話器をとる / hang up the *telephone* 電話を切る, 受話器を置く《◆昔は電話を使っていないときは, 壁・柱などに取りつけの電話器に受話器を掛けておいたことから,「電話を切る[置く]」ことを hang up という》/ If the *telephone* rings, can you answer it? 電話が鳴ったら出てくれますか / May I use [borrow] *your telephone*? 電話をお借りしていいですか / call him *on* [*to*] the *telephone* 彼を電話口に呼び出す《◆on the *telephone* は「彼に電話口にいる」ことに, to the *telephone* は「電話だといって彼にとりつぐ」こと》/ He is *on* the *telephone.* 彼は電話に出ている;(英) 彼は家に電話を引いている(=He has a *telephone* in his house.) / Mrs. Green, you're wanted on the *telephone.* グリーンさん, お電話です / There was 「a *telephone call* [×a telephone] for you this morning. 今朝あなたに電話がありました《◆a call, a phone call ともいう. a telephone は「電話機」のこと》.
——〖動〗 (~s/-z/; 過去過分)~d/-d/; ··phon·ing)
——他《英式》〈人が〉〈人・場所に〉〈…を求めて〉電話をかける[*for*] /〈用件などを〉電話で伝える; [telephone **A B** = telephone **B** to **A**]〈人に〉〈B〈用件など〉を電話で伝える;〈人に〉〈…するように〉〈…だと〉電話する[*to do* / (まれ) *that* 節] ‖ I'll *telephone* you. お電話します《◆(略式)では I'll *phone* you. / (米) I'll *call* you (up). / (英) I'll *ring* you (up). / I'll give you 「a *call* [(英) a *ring*]. などがふつう》/ Please *telephone* your reply *to* me. = Please *telephone* me your reply. 電話で返事を聞かせてください / I'll *telephone him to* come over. 私に電話して来てもらおう.
——自 (英正式)〈人が〉[…に/…を求めて]電話する[*to*/*for*] ‖ I'll *telephone* him later. 後で電話します / *telephone to* him 彼に電話する《◆*telephone* him がふつう》.

télephone bòok [(正式) diréctory] 電話帳.
télephone bòoth (米) 公衆電話ボックス((英) telephone [call] box)《◆単に booth ともいう》.
télephone bòx (英) =telephone booth.
télephone nùmber 電話番号.
télephone sèt =〖名〗.
tel·e·phon·ic /tèləfɑ́nik | tèlifɔ́nik/ 〖形〗電話の, 電話による.
tel·e·pho·to /téləfòutou | tèli-/ 〖形〗望遠(写真)の; 望遠レンズの. ——〖名〗(略式) =telephotograph.
telephóto lèns 望遠レンズ.
tel·e·pho·to·graph /tèləfóutəɡræf | tèlifóutəɡràːf/ 〖名〗Ⓒ **1** 電送写真. **2** 望遠写真. ——〖動〗自他 ❶ 望遠レンズで撮影する; 電送する.

†**tel·e·scope** /téləskòup | téli-/ 〖名〗Ⓒ **1** 望遠鏡 ‖ a reflecting [refracting] *telescope* 反射[屈折]望遠鏡 / an astronomical *telescope* 天体望遠鏡 / a binocular *telescope* 双眼鏡 / look at stars through a *telescope* 望遠鏡で星を見る. **2** [形容詞的に](望遠鏡の筒のように)はめ込み式の, 入れ子式の ‖ a *telescope* bag たたみ込み式旅行カバン.
——〖動〗 他 **1** …を(望遠鏡の筒のように)順にはめ込む, 入れ子式にする ‖ The two cars were *telescoped* by the collision. その衝突で2台の車は互いにめり込んだ. **2** 〈内容などを〉[…に]短縮[圧縮]する[*into*].
——自 はまり込む, 自在に伸縮する.

tel·e·scop·ic /tèləskɑ́pik | tèliskɔ́pik/ 〖形〗**1** 望遠鏡の; 望遠鏡で(のみ)見える. **2** 〈目などが〉遠くが見える; 先見の明のある. **3** はめ込み式の, 伸縮自在な ‖ a *telescopic* radio antenna 伸縮自在のラジオのアンテナ.

tel·e·thon /téləθɑ̀n | -θɔ̀n/ 〖『television + marathon』〗〖名〗Ⓒ (慈善などのための寄付を呼びかける)長時間テレビ番組, テレソン.

tel·e·type /télətàip | téli-/ 〖名〗**1** [T~] Ⓒ (商標)テレタイプ((米) teletypewriter). **2** Ⓤ テレタイプ通信[網]. ——他 …をテレタイプを操作する. ——他 …をテレタイプで送信する.

tel·e·type·writ·er /tèlətáipràitər | tèli-/ 〖名〗Ⓒ (米) テレタイプ, 印刷電信機(cf. Telex).

†**tel·e·view·er** /téləvjùːər | tèli-/ 〖名〗Ⓒ テレビ視聴者《◆単に viewer ともいう》.

tel·e·vise /téləvàiz | tèli-/ 〖動〗自他 (…を)テレビ放送[受像]する.

‡**tel·e·vi·sion** /téləvìʒən, (英+) ˌ--ˈ--/ 〖『遠い(tele)像を見ること(vision)』〗
——〖名〗(複 ~s/-z/) **1** Ⓒ (正式) テレビ(受像機) (television set) ‖ a color [black-and-white] *television* カラー[白黒]テレビ / turn on [off] the *television* テレビをつける[消す].

関連 [いろいろな種類のテレビ受像機]
high-definition *television* 高品位テレビ, ハイビジョン / liquid crystal display *television* 液晶テレビ / plasma display *television* プラズマテレビ.

2 ⓤ テレビ(放送), テレビ番組; テレビ産業《◆ふつう無冠詞だが the をつけることもある. (略) TV. (米俗) the tube, (英略式) telly, (英略式) the box》‖ *watch* ('a lot of [a little]) *television* (たくさん[少しだけ])テレビを見る / watch [see, enjoy] a boxing match on ((主に略式)) the *television* テレビでボクシングの試合を観戦する / The Olympic games are on (the) *television* now. 今テレビでオリンピック中継をやっています / work in *television* テレビ界で働く / appear [be] on *television* = make a *television* appearance テレビに出る.

関連 [いろいろな種類のテレビ放送]
cable *television* ケーブルテレビ / commercial *television* 商業[民間]放送 / educational *television* 教育テレビ / instructional *television* (教室用)教育有線テレビ番組 / interactive *television* 双方向テレビ / pay *television* 有料放送 / public *television* 公共放送 / satellite *television* 衛星放送.

3 [形容詞的に] テレビの, テレビによる ‖ a *television* camera テレビカメラ / a *television* program テレビ番組 / *télevision* shòpping テレビショッピング.
télevision sèt = 1.

tel·e·work·er /téləwə̀ːrkər | téli-/ 图 ⓒ = telecommuter.

tel·e·work·ing /téləwə̀ːrkiŋ | téli-/ 图 ⓤ = telecommuting.

Tel·ex /téleks/ 〖*teletypewriter + exchange*〗 图 [しばしば t~] **1** ⓤ 〔商標〕テレックス, 加入者電信〖加入者が teletypewriter で直接ލ文を交換する国際通信システム〗. **2** ⓒ テレックス(の機械); テレックス(通信文). ── 動 ⓗ 〈人が〉テレックスを送る. ── 他 〈人に〉テレックスで送る.

:tell /tél/〖原義は「数える」. 「情報を言葉で相手に伝える」が本義〗

index 動 ⓗ **1** 話す **2** …しなさいと言う **3 a** わかる **b** 見分ける
ⓗ **1** 話す **2** 言いつける **3** わかる

── 動 (~s/-z/; 過去・過分 **told**/tóuld/; ~ing)
── ⓗ
I [人がある情報を伝える]
1a [tell **A** **B** = tell **B** to **A**] 〈人が〉**A**〈人〉に **B**〈事〉を話す, 語る, 言う; …を伝える, 知らせる (⊃文法 3.3) (類語) convey, impart, inform, narrate, recount, report, relate) (使い分け → teach ⓗ **1d**) ‖ *tell* her goodbye (米) 彼女にさよならを言う (= say goodbye to her) / They *told* us jokes. 彼らは私たちに冗談を言った《◆受身は We were *told* jokes. / Jokes were *told* (to) us. の2つが可能. ⊃文法 7.8》/ I have something to *tell* you. ちょっと話があります / Please *tell* him 'Congratulations' from me. 彼におめでとうと伝えてください / Will you *tell* [×*teach*] me *the way* to the station? 駅へ行く道を教えてくれませんか《◆案内したり地図で示す場合は tell の代わりに show を用いる》/ You can't *tell* him anything. 彼には何も言うな《彼は秘密を守れないから》; 彼には言わなくてよい《もう知っているから》.

語法 (1) [tell **A** **B**] の構文で **B** が a story, a lie, a joke, the truth などの場合, **A** は省略可能: tell 'the truth [a lie] 本当のこと [うそ] を言う.
(2) [tell **A** **B**] の構文で **B** が省略されることがある: Don't *tell* anybody, but Tanaka is going to be transferred far away. だれにも言うなよ, 田中が遠くに飛ばされるらしい《◆内緒の話を切り出す時の決まり文句》.

b [tell **A** about [〔正式〕of] **B**] **A**〈人〉に **B** について話す ‖ He *told* me *about* [*of*] the accident. 彼は私にその事故のことを話してくれた《◆ ×He *told* me the accident. とはいわない. 直接目的語の名詞はそれ自体が話す内容を含んだものに限られる. cf. He *told* me ˈthe secret [the facts, the story, his name].》.

c [tell **A** (that)節 / tell **A** wh節・句] 〈人〉に…だと[…かを]話す; […だと話す, 言う ‖ She *told* me *that* she had been busy. 彼女は私に忙しかったと言った《⊃5.10.4》《◆直接話法で用いられる場合はふつう被伝達文の後に置く: "I was busy," she *told* me.》/ They *tell* me [I am *told*] (*that*) Jane passed the exam. ジェーンが試験に合格したと聞いています《◆ ×It is told that … とはいわない》/ *Tell* [×*Teach*] me *which* dress to wear. どの服を着たらよいか教えてください / I can't *tell* you how pleased I am. どんなに喜んでいるか言葉では表せません.

語法 [tell と say]
that節を伴う場合, tell では伝える相手をいう必要があるが, say はなくてもよい: He ˈ*told* me [said to me] *that* he bought a new car. 彼は私に新車を買ったと言った / He *said* [×*told*] *that* he bought a new car. 彼は新車を買ったと言った.

d 〈物・事が〉〈事〉を教える, 表す; [tell that節] …であることを物語る; [tell wh節] …かを示す(indicate) ‖ His drooping shoulders *told* ˈhis sorrow [*that* he was in sorrow]. 肩を落とした彼の姿から悲しみが伝わってきた / Clocks *tell* the time. 時計は時刻を告げる.

2 [tell **A** to do] 〈人などが〉**A**〈人〉に…しなさいと言う, 命じる《◆ ask や require より強い命令》‖ She *told* her son *to* put the toys away at once. 彼女は息子におもちゃをすぐに片付けなさいと言った(= She *told* her son that he should put the toys away at once.) / I *told* him not *to* go. 彼に行くなと言った《◆(1) 直接話法では "Don't go," I *told* [said to] him. ⊃文法 10.5(2)》(2) that節を用いて言い換え可能: I ˈ*told* him [said] that he was not *to* go.》/ Do as you are *told* (*to* do). 言われたとおりにやりなさい.

II [物が情報を伝えることでわかる]
3 [通例 can, be able to を伴って] **a** 〈人が〉…を知る, […で] がわかる(know) [by, from], [tell that節] …であることを知る; [tell wh節・句] …かがわかる ‖ You can *tell* a policeman *by* his uniform. 制服で警官だとわかる / I can't *tell why*. なぜなのかわからない / The only way to *tell* if she loves you is by her attitude. 彼女があなたを愛し

ているかどうか知る唯一の方法は彼女の態度からです.
b《人が》《人・物・事》を**見分ける**(+*apart*), [tell **A** from **B**]《人が》**A**《人・物・事》と**B**《人・物・事》との区別[識別]ができる《◆ distinguish よりくだけた語》‖ *tell* them *apart* =*tell* one *from* the other それらを区別する(→ apart 成句)/ *tell* the difference between a duck and a goose アヒルとガチョウを区別する.

──⦿ **1**《人が》〔…のことを〕**話す,語る;人に告げる,**知らせる〔*about*,(文)*of*〕;《主文》〈事・物が〉〔…の〕物語る,表す〔*of*〕‖ *tell about* one's adventures 冒険談をする / Don't *tell of* it. それを口外するな / His worn look *tells of* his suffering. 彼のやつれた表情は苦労を物語っている / The story *told* well. その物語は語り口がうまかった / Time will *tell*. 時がたてばわかる.
2《略式》〈子供などが〉〔人のことを/事を〕**言いつける,**告げ口する〔*on*, *of* / *about*〕《◆ 修飾語句(句)は省略されない》‖ I'll *tell on* you when the teacher gets back! 先生が戻ってきたら言いつけてやるから!《◆ *tell* the teacher on you 「君のことを先生に言いつける」も可》.
3[通例 can, be able to を伴って]〈人が〉**わかる,** 見分ける ‖ Who can *tell* [say]? =Nobody can *tell* [say]. だれにもわからない《⇨文法 1.6》/ I can *tell* at a glance. 一目でわかる.
4《正式》〈物・事が〉ききめがある, 非常に大切である, ものをいう;〔…に対して〕こたえる, 影響する〔*on*, *upon*, *against*, *in favor of*〕‖ Efforts begin to *tell*. 努力がものをいい始める / Hard work is beginning to *tell on* him. 激しい労働が彼にはこたえ始めている.

áll tóld[通例文尾で]全部で, 合計して(in all);[通例文頭で;文全体を修飾語]全体として(on the whole).
Don't téll me (*that* …)! まさか(…ではないでしょうね)! / Don't *tell me* you failed! まさか失敗したんじゃないでしょうね《◆ほめる時にも使える: Don't *tell me* you made this cake! まさか, あなたがこのケーキを作ったのではないですよね.
I (**can**) **téll you.** =**Lét me téll you.**《略式》[通例文尾で;強調して]確かに, ほんとに ‖ It's easy, I *tell* you. 簡単ですよ, ほんとに.
I('ll) téll you whát. → what 代.
téll (**the**) **tíme** → time 名.
There is nó télling … =THERE is no doing …(→ there 副).
To téll (**you**) **the trúth** … =**Truth to tell** … of truth.
You can néver téll. =**You néver càn téll.**(先のことは)わからないものだ, どうなることやら《外観・予測はあてにならない》.

Tell/tél/名 テル《William ～. スイスの伝説的英雄》.
†**téll·er**/télər/名ⓒ **1** 話す人;語り手. **2**《主に米》(銀行の)金銭出納(係)係), 窓口. **3** 計算係;(議会などの)投票集計係.
téll·ing/téliŋ/形《正式》ききめのある, 効果的な(effective);印象的な;強烈な. **2**〈感情・秘密などを〉おのずと表す ‖ a *telling* look 意味ありげな目つき.
téll·ing·ly 副 効果的に.
tell·tale/téltèil/名ⓒ **1 a**《略式》人の秘密[内情]を言いふらす人, 告げ口する人. **b** 証拠. **2** 表示[記録]器;タイムレコーダー.
tel·ly/téli/名ⓤ《英略式》[通例 the ～]テレビ.
Tel·star/télstɑ̀:r/名《商標》テルスター《米国の通信衛星》‖ by *Telstar* 通信衛星によ[で].

te·mer·i·ty/təmérəti/名ⓤ《正式》(無分別な)大胆さ;向こう見ず ‖ He had the *temerity* to correct his teacher's pronunciation. 彼は厚かましくも先生の発音を直そうとした.

temp. 略 temperature;temporary.

†**tem·per**/témpər/名 **1**[a/the ～;通例修飾語の後](習性的な)**気質, 気性**(cf. disposition);(一時的な)**気分, 機嫌** ‖ have「an even [a hot, a quick]*temper* 穏やかな[すぐかっとする]気性である / be in a good *temper* 機嫌がよい / She is in a bad [an ill]*temper*. 彼女は機嫌が悪い. **2**ⓤ《略式》[通例 a ～]**かんしゃくを起こした状態, 腹立ち;**怒りっぽい**気質** ‖ fly [get]*into a temper* かっとなる / in a fit of *temper* かっとなって / She's *in a temper*. 彼女はかんしゃくを起こしている / He has a terrible *temper*. 彼はひどいかんしゃく持ちだ. **3**ⓤ **平静な気分,落ち着き;自制**《◆通例次の句で》‖ keep one's *temper* 平静を保つ, 我慢する / lose one's *temper*「with him [over the noise]彼[その騒音]に腹を立てる / He was out of *temper* with me. 彼は私に怒っていた《◆ He was angry. の方が口語的》;彼が不機嫌であった(→ 1) / *Temper*, *temper*!《略式》落ち着け, 落ち着け.

──動 他《正式》…を〔…で〕**調節[加減, 抑制]する**(control), …の(強さ)を**和らげる**(moderate)〔*with*〕‖ *temper* whiskey *with* water ウイスキーを水で割る / The mountains *temper* the wind. 山があるので風が和らぐ. ── 自 和らぐ, 適度になる.

tem·per·a/témpərə/名ⓤ テンペラ絵の具[画法].
†**tem·per·a·ment**/témpərəmənt/名 **1**ⓤⓒ《正式》**a**(思考・行動に表れる)**気質, 気性** ‖ She is of a nervous *temperament*. =She is nervous by *temperament*. 彼女は神経質なたちだ. **b**《古生理》体質, 気質《四体液(four humors)の割合で決まるとされていた》. **2**ⓤ 興奮しやすい気質, 感情の起伏の激しい気性 ‖ The actress has *temperament*. その女優は激しい気性の持ち主だ. **3**ⓤ《音楽》音律 ‖ equal *temperament* 平均律.
†**tem·per·a·men·tal**/tèmpərəméntl/形 **1** 気質(上)の, 気性による. **2** 興奮しやすい
†**tem·per·ance**/témpərəns, -pərns, -pərəns/名ⓤ《正式》**1** 節制, 自制;控え目 ‖ *temperance* in behavior 控え目な行動. **2** 禁酒;節酒.
†**tem·per·ate**/témpərət/形 **1**《正式》〈人・態度などが〉〔…において〕**節度のある**(moderate), 自制した, 穏やかな, 〈飲食〉**度を過ごさない**〔*in*〕;節酒[禁酒]の ‖ a *temperate* disposition 穏やかな気質 / You must be more *temperate in*「your behavior [smoking]. もう少し行動[喫煙]を慎みなさい. **2**〈気候・地域などが〉**温和な**(mild)‖ a *temperate* climate 温暖な気候.
Témperate Zóne[通例 t～ z～][the ～]温帯(cf. Frigid Zone, Torrid Zone).
tém·per·ate·ly 副 節制して, 適度に.
***tem·per·a·ture**/témpərtʃuər, -pətʃər, -pərə-, -tʃər/ |-prətʃər, -prətʃə, -pərə-/témptʃər/《◆《米》ではしばしば/témptʃər/》[→ temper]
── 名(複 ～s/-z/)ⓤⓒ **温度;気温;体温**(body temp.);(感情などの)強さ;《略式》[a ～]**熱, 高熱**(fever)‖ What is the *temperature* of this room? この部屋の温度は何度ですか / He **has got** [**is running**]**a** *temperature* **of** 101°F. 彼は今(華氏)101度(摂氏約38度6分)の熱がある / After the typhoon, the *temperature* went way up.

-tempered

台風のあと温度がうんと上った / There was a sudden drop in *temperature*. =The *temperature* dropped [went down] suddenly. 気温が急に下がった / Water begins to boil at a *temperature* of 212°F. 水は華氏212度で沸騰し始める / take his *temperature* [their *temperatures*] 彼の[彼らの]体温を計る / If you have a *temperature*, you may leave school. 熱があるのなら早退してもよろしい. 関連 centigrade, Celsius 摂氏の / Fahrenheit 華氏の / thermometer 温度計.

-tem·pered /-témpərd/ 語要素 → 語要素一覧 (1, 2).

†**tem·pest** /témpəst/ 名 ⓒ 《主に文》 大あらし(violent storm), 暴風雨[雪]; [比喩的に] (…の)あらし(*of*); 大騒ぎ, 騒動(tumult) ‖ *a tempest of* applause かっさいの大あらし. *a témpest in a teapót* 《米》「コップの中のあらし」, ささいなことでの大騒ぎ, から騒ぎ(《英》a storm in a teacup).

†**tem·pes·tu·ous** /tempéstʃuəs/ 形 《文》 **1** 大あらしの(ような). **2** 激情に駆られた; 騒々しい.

tem·pi /témpi:/ 名 tempo **1** の複数形.

Tem·plar /témplər/ 名 [歴史] テンプル[聖堂]騎士団員(Knight Templar).

tem·plate /témplət/ |-pleit/ 名 ⓒ 型取り工具, 型板, テンプレート; [コンピュータ] テンプレート《ワープロ文書などの用途に応じたひな型・定型書式》.

*__tem·ple__¹ /témpl/ 『「切り離された場所」が原義』
── 名 (複 ~s/-z/) ⓒ **1** (キリスト教以外の宗教の)聖堂; (古代ギリシャ・ローマ・エジプトの)神殿; (仏教・ヒンドゥー教の)寺, 寺院《◆ふつう日本の寺は temple, 神社は shrine とする. 固有名詞では the をつけないこともある》‖ Horyuji *Temple* 法隆寺. **2** [the T~] (古代エルサレムの)エホバの神殿. **3** (キリスト教の)礼拝堂, 教会堂《◆今はふつう church, chapel》.

tem·ple² /témpl/ 名 ⓒ 《正式》 [通例 ~s] こめかみ(cf. forehead) (図 → body).

tem·plet /témplət/ 名 =template.

tem·po /témpou/ 《イタリア》 名 (複 **1** ~**pi** /-pi:/, **2** ~**s**) ⓒ **1** [音楽] テンポ, 速度 ‖ at a slow *tempo* スローテンポで. **2** (仕事・活動などの)速さ(pace), テンポ ‖ 'step up [slow down] the *tempo* of production 生産テンポを速める[遅くする].

†**tem·po·ral** /témpərəl/ 形 《正式》 **1** 時の, 時間の(↔ spatial). **2** 現世の, この世の(worldly) (↔ spiritual) ‖ *temporal* pleasures 浮世の快楽. **3** (聖職者・教会に対して)世俗の, 俗界の(secular) (↔ ecclesiastical). **4** [文法] 時を表す; 時制の.

tem·po·ral·i·ty /tèmpəræləti/ 名 《正式》 **1** Ｕ 一時的なこと, 一時性(↔ perpetuity). **2** ⓒ [通例 temporalities] (教会などの)世俗的所有物《財産・収入など》.

†**tem·po·rar·i·ly** /tèmpəréərəli, ─¦─¦─ | témpərərəli/ 《◆《米》の前者は特に強調した発音に多い. 《英》では嫌われることが多い》副 一時, ほんのしばらく; 一時的に, 仮に(for the time being) ‖ The elevators are *temporarily* out of service. エレベーターは今は運転していません.

†**tem·po·rar·y** /témpəreri |-rəri/ 形 一時の, つかの間の, はかない(↔ permanent); 仮の, 一時的, 仮の, 間に合わせの(類語 transient) ‖ *temporary* pleasures つかの間の快楽 / a *temporary* school building 仮設校舎 / a *temporary* job 臨時の仕事 / I made a *temporary* repair to the broken door. 壊れたドアに応急的な修理をしました. ── 名 ⓒ 臨時雇いの人, パートタイマー(《略》temp.).

témporary emplóyment àgency 人材派遣会社.

tém·po·rar·i·ness /-nəs/ 名 Ｕ 一時的であること.

tem·po·rize /témpəraiz/ 動 自 《正式》 (時間かせぎのために)決定[返答]を遅らせる, あいまいな態度をとる.

témp stáff·er /-stǽfər | -stɑ́ːfər/ 名 派遣社員.

†**tempt** /tém(p)t/ 動 他 **1a** 《人・物・事が》《人》を〔悪事・愚行などに〕誘惑する(*into*, *to*); そそのかして〔…する〕気にさせる(to *do*) (類語 allure, entice, lure, seduce) ‖ *tempt* him with a bribe わいろで彼を誘惑する / The boy's friends *tempted* him 「to steal [*into* stealing] the money. 仲間らは少年に金を盗ませようとした / Some video games *tempted* him to neglect his studies. いくつかのテレビゲームのおかげで彼は学業をおろそかにした. **b** 《人・物・事が》《人》を〔…へ〕誘う, 引きつける(attract) (*into*, *to*); 〈食欲など〉をそそる,〈人〉をふと〔…する〕気にさせる(to *do*); [be ~ed] …したくなる ‖ Can I *tempt* you to try another piece of cake? ケーキをもう1つ召し上がりませんか? / The sunshine *tempted* them (to go) out. 晴天に誘われて彼らは戸外へ出かけた. **2** 《正式》〈運命・危険など〉にあえて挑む, 立ち向かう.

†**temp·ta·tion** /tem(p)téiʃən/ 名 **1** Ｕ 誘惑(すること); 〔…したい〕衝動(to *do*) ‖ *fall into temptation* 誘惑に陥る / *lead* him *into temptation* 彼を誘惑に陥(おちい)れる / overcome [resist] *temptation* 誘惑に負けない / She 「gave way [fell victim, yielded] to the *temptation* to buy the jewel. 彼女は誘惑に負けてその宝石を買ってしまった. **2** ⓒ 誘惑するもの, 心を引くもの ‖ The world is full of *temptations*. 世の中は誘惑に満ちている.

†**tempt·er** /tém(p)tər/ 名 《文》 **1** ⓒ (特に悪事へ)誘惑する人[もの]. **2** [the T~] 悪魔(the Devil).

†**tempt·ing** /tém(p)tɪŋ/ 形 誘惑する; 心[味覚]をそそる, 魅力的な(attractive) ‖ a *tempting* offer 心が動く申し出 / The pie looks very *tempting*. そのパイはとてもおいしそうだ / It was *tempting* to say so. そう言ってみたかった. **témpt·ing·ly** 副 魅力的に.

tem·pu·ra /témpərə, tempúərə, tèmpərɑ́ː/ 《日本語》名 ⓒ Ｕ てんぷら.

‡**ten** /tén/
── 名 (複 ~**s**/-z/) 《◆ 名 形 とも用例は → two》 **1** Ｕ ⓒ [通例無冠詞] (基数の) 10 《序数は tenth. 完全性・宇宙の全体性を象徴. 関連形容詞 decimal. 関連接頭辞 deca-, deci-》.
2 Ｕ [複数扱い; 代名詞的に] 10個; 10人.
3 Ｕ 10時, 10分; 10ドル[ポンド, ペンス, セントなど].
4 Ｕ 10歳. **5** ⓒ 10の記号[数字, 活字] 《10, x, X など》. **6** ⓒ [トランプ] 10の札. **7** ⓒ 10個[人] 1組のもの. **8** ⓒ 《略》 **a** 《米》 10ドル紙幣. **b** 《英》 10ポンド紙幣. **9** ⓒ [通例 ~s] =ten's place.

táke tén 《略》 (仕事などを) 10分間休む, ひと休みする(cf. take FIVE).

téns of thóusands of … 何万という… (→ hundred 名 **9**).

*__tén to óne__ 《略》副 [形] 十中八九, 九分九厘(リ) 《◆ (1) a hundred to one, a thousand to one の順に意味が強くなる. (2) 肯定文では「…する確率大」, 否定文および否定的分脈では「…する確率小」「…することはまずありえない」の意を表す》‖ It's a *ten to one* that he won't be late. 彼が遅れるなんて考えられないよ; 絶対に時間通りに来るさ》‖ '*Ten to one* [It is a good *ten to one* that] she will pass the exam. 彼女が試験に合格することはまず間

— 形 **1** [通常名詞の前で] 10の, 10個の; 10人の. **2** [補語として] 10歳の.

*tén tímes 10倍も; (略式) はるかに ‖ I'd ten times rather go somewhere. どこかへ行った方がずっとましだ.

Tén Commándments 〔ユダヤ教・キリスト教〕[the ~] (モーゼの) 十戒.

tén's pláce 〔数学〕10の位 (の数).

ten·a·ble /ténəbl, (英) tíːn-/ 形 《正式》攻撃に耐えられる; 〈地位などが〉[…の期間] 維持できる [for] ‖ a scholarship tenable for two years 2年間受けられる奨学金 (◆ available がふつう).

te·na·cious /tənéɪʃəs/ 形 **1** 《正式》[…を] しっかりつかんでいる; [意見などを] 固守する [of]. **2** 《正式》頑強な, 不屈の; 断固とした (firm).

te·nac·i·ty /tənǽsəti/ 名 Ⓤ 固持, 固執, 頑強.

ten·an·cy /ténənsi/ 名 **1** 《正式》Ⓤ (土地・家屋などの) 借用[保有]. **2** Ⓒ 借用期間.

†**ten·ant** /ténənt/ 名 Ⓒ (土地・家屋・部屋などの) 賃借人; 借家人, 借家人, 間借り人 (↔ landlord) ‖ 〔対話〕"What a fine house you own!" "Unfortunately, I'm just a tenant." 「すばらしい家をお持ちですね」「残念ながら、私はこの家を借りているだけなんです」.

ténant fármer 小作農 (民).

ten·ant·less /ténəntləs/ 形 借り手 [居住者] のない, 空き地 [家] の.

ten·ant·ry /ténəntri/ 名 《正式》**1** [集合名詞; 単数・複数扱い] (1人の地主から借りている) 借地人. **2** Ⓤ 借地権 [借家人] の身分.

*tend[1] /ténd/ 〔「伸ばす, …へ向かう」が原義〕 関連 tendency (名)
— 動 (~s /ténd z/; 過去·過分 ~·ed /-ɪd/; ~·ing)
— 自 **1** [tend to do] 〈人·物·事が〉…する傾向がある, …しがちである, よく…する (類語 be apt, be likely, incline, trend); […への] 傾向がある [to, toward] ‖ He tends to boast. 彼はほら吹きだ (= He has a tendency to boast.) / His class tends to be silent. 彼のクラスは黙ってしまいがちだ / Oil shares are tending upward. 石油株は上昇傾向にある.
2 《正式》〈道·進路などが〉[…の方向に] 向かう, 進む; 〈事柄が〉[ある状態·結果に] 向かう, 至る [to, toward]; […する] 結果となる [to do] ‖ a river tending [to the] east 東へ流れる川.

†**tend**[2] /ténd/ 動 《正式》他 〈家畜·店などの〉 番をする; 〈植物·機械などを〉 手入れする; 〈病人·子供などを〉 (義務·慈善で) 世話する (◆ 以上の意では take care of, look after の方がふつう); (米) 〈店で〉 (飲み物を出して) 客の応待をする ‖ Tom sometimes tends the florist's. トムはときどき花屋の店番をすることがある. — 自 **1** (主に米) […に] 注意する, […の] 世話をする, 面倒を見る [to] ‖ tend to a baby 赤ん坊に気をつける. **2** (文) 〈…に〉 仕える, かしずく [on, upon].

†**ten·den·cy** /téndənsi/ 名 Ⓒ **1** 《正式》[…への] 傾向; 性向 [to, toward]; […する] 傾向, 風潮; 性癖 [to do] (類語 trend, inclination) ‖ the upward tendency of prices 物価上昇の傾向 / show a marked [rising, declining] tendency 著しい [高まる, 衰える] 傾向を示す / She has a tendency to be fat [toward fatness]. 彼女は太るたちだ / The tendency is toward higher taxes. 税金が高くなる傾向にある. **2** […への] 天分, 素質 [toward] ‖ a girl with artistic tendencies 芸術的素質のある少女. **3** [集合名詞] (党内の) 反対勢力.

†**ten·der**[1] /téndər/ 形 (~·er, ~·est) **1** 〈物が柔らかい (soft), 〈肉などが〉 柔らかくかみやすい (↔ tough) ‖ I like tender [×soft] steak. 私は柔らかいステーキが好きです. **2** 壊れやすい, 傷つきやすい (easily damaged), もろい (fragile); 〈名声などが〉 もろい; 〈体格·体質などの点で〉 弱い, 虚弱な, きゃしゃな (delicate); 〈動植物が〉 弱い, (寒暑に) 傷みやすい ‖ tender porcelain もろい磁器 / her tender fingers 彼女のか細い指 / a tender plant 育ちにくい植物, 手のかかる人. **3** (文) (年齢が) 幼い, 若い ‖ a [the] tender age (正式) 幼年, 幼齢. **4** 〈音·色·光などが〉 柔らかい, 弱い (soft, delicate) ‖ tender green 新緑. **5** 〈人·心などが〉 優しい, 愛情のこもった, 親切な (kind) ‖ a tender smile 優しい微笑 / She is tender toward children. 彼女は子供に優しい. **6 a** 〈傷などがさわると〉 痛い, 敏感な; 〈話題などが〉 触れると人の気を傷つける, 慎重な扱いを要する ‖ a tender spot 痛い所, 弱点. **b** 敏感な, 感じやすい (sensitive) ‖ a woman of tender sensibilities 感受性の鋭い女性. **c** (人の気持ちに) 敏感な; 同情的な ‖ have a tender heart 情にもろい.

†**ten·der**[2] /téndər/ 動 他 《正式》〈人が〉〈辞表など〉を [人などに] (受理を求めて) 差し出す, 提出する; 〈礼などを〉 述べる, 〈援助などを〉 行なう [to]; 〈損害賠償として〉〈人に〉 B 〈物·事〉 を提出 [提供] する (offer) ‖ tender him a banquet = tender a banquet to him 彼のために宴会を催す. — 自 《正式》提出, 提供, 申し込み. **2** (請負の) 見積もり [書]; 〔法律〕 […に対する〕 弁済金の提供 [for].

tend·er[3] /téndər/ 名 Ⓒ **1** (特に子供·病人の) 世話をする人, 看護人; [しばしば複合語で] 番人, 見張り人.

ten·der·foot /téndərfʊt/ 名 (複 ~s, -·feet) Ⓒ (米) 米国開拓地のつらい生活に不慣れな者, 新参者; 初心者, 新米.

ten·der·heart·ed /téndərhɑ́ːrtəd/ 形 心の優しい, 情にもろい, 同情心のある.

ten·der·loin /téndərlɔɪn/ 名 Ⓤ Ⓒ テンダーロイン 《牛·豚の腰部の柔らかい肉. (英) では豚の腰肉の真ん中あたり. (米) では sirloin の上肉》 (図) → pork).

ten·der·ly /téndərli/ 副 優しく, 愛情をこめて; 柔らかく, そっと; 慎重に ‖ Her mother kissed her tenderly. 母は彼女に優しくキスをした.

ten·der·ness /téndərnəs/ 名 Ⓤ **1** 柔らかさ; か弱さ. **2** 敏感; 扱いにくさ. **3** [時に a ~] 優しさ, 愛情.

ten·di·nous /téndənəs/ 形 〔解剖〕 腱(けん)(質)の.

ten·don /téndən/ 名 Ⓒ 〔解剖〕 腱(けん) (sinew).

ten·dril /téndrəl/ 名 Ⓒ 〔植〕 巻きひげ.

†**ten·e·ment** /ténəmənt/ 名 Ⓒ **1** = tenement house. **2** 家屋, 住宅; (特に) 借家. **3** (主に英) 貸し間, フラット.

ténement hòuse (主に米) (大都市のスラム街にある) 安アパート, 共同住宅 (◆ 高級アパートは apartment house).

ten·et /ténət, (英+) tíːn-, -et/ 名 Ⓒ 《正式》(個人·学派·教団などの) 主義 (principle); 教義 (doctrine).

ten·fold /ténfóʊld/ (正式) 形/副 10倍の [に].

Tenn. Tennessee.

Ten·nes·see /tènəsíː, (米+) ニニー/ 名 **1** テネシー 《米国南東部の州. 略 Nashville. (愛称) the Volunteer [Big Bend] State. ニニ Tenn., 〔郵便〕TN》. **2** [the ~] = Tennessee River.

Tennessée Ríver テネシー川.

Tennessée Válley Authority [the ~] テネシー川流域開発公社 (略 TVA).

ten·nis /ténəs/ [[フランス語 Tenez! ((球を)取れ!)(サーブする人の呼びかけ)から] ─名 U **1** テニス, 庭球《◆**2**と区別して lawn tennis ともいう. 屋内の場合は indoor (court) tennis》‖ *play* (a game of) *tennis* テニスをする. **2** = court [(英)] real tennis.

関連 [テニスの得点]
得点は love (0点), fifteen (1点), thirty (2点), forty (3点)と数え, The score is 30 - 0 [thirty love]. (得点は2対0)のようにいう. 4点取れば1ゲーム(game)勝ち, 先に6ゲームを取れば1セット(set)勝ち, 2[3]セットを取れば1つの試合(match)に勝ったことになる.

ténnis bàll テニス=ボール.
ténnis còurt テニス=コート.
ténnis élbow テニス(が原因で痛む)ひじ.
ténnis ràcket テニス=ラケット.
ténnis shòe テニスシューズ.

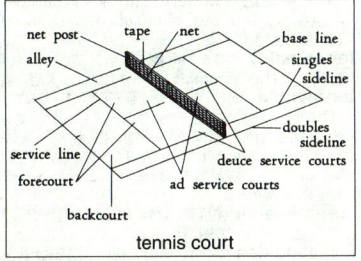

tennis court (図: net post, tape, net, base line, alley, singles sideline, doubles sideline, service line, deuce service courts, forecourt, ad service courts, backcourt)

Ten·ny·son /ténəsn/ 名 テニスン《Alfred ~ 1809-92; 英国の桂冠(けいかん)詩人》.
ten·on /ténən/ 名 C (材木の)ほぞ(cf. mortise).
†**ten·or** /ténər/ 名 (音楽) U テナー(cf. bass¹); C テナー声部; テナーの声の人, テナー歌手; テナー楽器; =tenor bell; [形容詞的に] テナーの‖ a *tenor* voice テナーの声 / a *tenor* saxophone テナーサックス.
ténor béll テナーベル《1組の鐘(peal)の最低音の鐘》.
†**ten·pen·ny** /ténpəni/ (英) 名 C 10ペンス白銅貨. ─形 10ペンスの.
ten·pin /ténpìn/ 名 [~s; 単数扱い] テンピンズ, 十柱戯(tenpin bowling)《10本のピンを用いるボウリング》; C そのピン.
†**tense¹** /téns/ 形 **1** (正式)〈筋肉・繊維などが〉ぴんと張った(↔ lax)‖ a *tense* rope ぴんと張った綱(=a tightly stretched rope) / *tense* muscles 張った筋肉. **2** 〈神経・感情などが〉〔…で〕緊張した, 張りつめた;〈人が〉緊張した(strained), 神経質な(nervous);〈状況などが〉緊迫した, 堅苦しい〔*with*〕‖ become *tense with* anxiety 不安のあまり堅くなる. ─動 自 〔…に備えて〕緊張する(+*up*)〔*for*〕. ─他〔…に備えて〕緊張させる(+*up*)〔*for*〕.
ténse·ly 副 ぴんと張って; 緊張して.
ténse·ness 名 U ぴんと張っていること, 緊張(状態).
†**tense²** /téns/ 名 U C (文法) (動詞の)時制, テンス.
ten·sile /ténsl, -sail | -sail/ 形 (正式) **1** 張力の‖ *tensile* strength [物理] 張力. **2** 引き伸ばせる.
ten·sil·i·ty /tensíləti/ 名 U 張力; 伸張性.

†**ten·sion** /ténʃən/ 名 **1** U (正式) ぴんと張ること, 伸ばすこと, 伸張; 張った状態; 張りの度合い; [物理] (膨)張力; 蒸気の圧力‖ Too much *tension* will break the string. あまり強く糸を引っ張ると切れる. **2** U C (精神的な)緊張, 不安; [通例 ~s]〔個人・国家間などの〕緊迫状態〔*between*〕‖ *feel tension* 緊張する / Too much *tension* will lead to heart disease. 極度の緊張は心臓病を誘発する / lessen [reduce] international *tension*(s) 国際間の緊張を緩和する.

*****tent** /tént/ 〖類音〗tint /tínt/〗「張られるもの」が原義. cf. tend¹. ─名 (徴) ~s/ténts/ C **1** テント, 天幕(bell tent); [形容詞的に] テント(のような)‖ *pitch* [*pull down, strike, lower*] a *tent* テントを張る[たたむ]. **2** テント状のもの‖ an oxygen *tent* [医学] 酸素テント.
tént shòw 小屋がけショー, テントショー《テントを劇場(tent theater)に仕立てての興行・サーカス》.
†**ten·ta·cle** /téntəkl/ 名 C [動] 触手, 触角; [植] 触毛.
ten·tac·u·lar /tentǽkjələr/ 形 [動] 触手[触毛]のある.
†**ten·ta·tive** /téntətiv/ 形 (正式) **1** 試験的な, 実験的な, 確定的でない, 仮の, 内定の(↔ final)‖ a *tentative* plan 試案. **2** 不確かな(uncertain), ためらいがちな. ─名 C 試み, 試案, 仮説.
ten·ta·tive·ly /téntətivli/ 副 試験的に, 一応, 仮に ‖ ◆対話◆ "Where will you go on vacation?" "*Tentatively*, we are thinking about Paris." 「休暇はどこへ行くの」「一応, パリを予定しています」.
†**tenth** /ténθ/ 〖◆ 10th とも書く〗形〖◆形とも用例は → fourth〗 **1** [通例 the ~] (序数の)第10の, 10番目の(語法 → first 形1). **2** [a ~] 10分の1の. ─名 (徴) ~s/ 1 U [通例 the ~] (順位・重要性で)〔…する〕第10番「10位」の人[もの]〔*to do*〕. **2** U [通例 the ~] (月の)第10日(→ first 名2). **3** C 10分の1(→ third 名5)‖ A *tenth* of the population is [are] poor in that country. その国では人口の10分の1が貧民だ. **4** C [音] 第10度(音程).
ténth·ly /ténθli/ 副 第10に, 10番目に.
ten·u·ous /ténjuəs/ 形 (正式) **1** 非常に薄い, 細い;〈空気などが〉希薄な. **2**〈意見など〉内容のない;〈根拠などが〉薄弱な;〈差異が〉微妙な.
†**ten·ure** /ténjər, ténjuər/ 名 (正式) **1** U C (財産・地位・官職などの)保有[在職](権). **2** U C 保有条件, 保有[在職]期間. **3** U (米) (特に大学教員の)終身在職権.
te·nu·to /tɑnúːtou, tei-/ 〖イタリア〗[音楽] 形 テヌートの[で], (音を)(音符の長さいっぱいに)持続した[で].
te·pee, tee~ /tíːpiː/ 名 C ティピー, テント小屋《北米先住民の獣皮製住居. cf. wigwam》.
†**tep·id** /tépid/ 形 **1**〈液体が〉なまぬるい‖ *tepid* water ぬるま湯 / I want my coffee hot, not *tepid*! コーヒーは熱いのがいい, ぬるいのはだめだ! **2**〈感情・反応などが〉熱意のない, 微温的な.
tép·id·ness, te·pid·i·ty /təpídəti | te-/ 名 U 生ぬるいこと; 熱意のなさ.
te·qui·la /təkíːlə/ 名 U C テキーラ《メキシコ産の蒸留酒》.
ter·a- /térə-/ [語素] →語要素一覧(1.1).
ter·a·byte /térəbàit/ 名 C 〖コンピュータ〗テラバイト《2⁴⁰ バイト, 1024 ギガバイト. 記号 TB》.
ter·cen·ten·ni·al /tɚrsenténiəl/ (主に米) 形 名

300年記念日[祭], 300年(間, 記念)の.
tercenténnial annivérsary 300年記念日.

***term** /tə́ːrm/ 〖原義「限界」から, 時間的・条件的・表上の限界の意が派生. cf. terminus, terminal〗

index 图 **1** 専門用語 **2 a** 期間 **b** 学期 **3** 条件

——图 (複 ~s/-z/) C

I [表現の枠]

1 a (ある種の)言葉；専門用語；術語 ‖ a student's term 学生語 / legal terms 法律用語. **b** [しばしば ~s] 言葉遣い, 言い方 ‖ in no uncertain terms きっぱりと / in flattering terms お世辞を言って.

II [時間の枠]

2 a (特定の)期間 ‖ serve one's term in prison 刑期を務める / Her term of office expired. 彼女の任期は終了した / in the long [short, medium] term 長[短, 中]期的には. **b** [英] (学校の)学期 (→ quarter 图 **5**, semester) 《in, of, during の後では無冠詞》‖ *during* term 学期中に / *this* term 今学期に 《◆副詞的にも用いる ➡ 文法 21.6 ⑴》/ the spring [fall] term 春[秋]の学期 / When does the first term begin in your country? 君の国では一学期はいつ始まりますか ‖ be out of term 休暇中である. **c** [商] [通例単数形で] (支払いなどの)期日, 満期；(妊婦の)出産予定日 (full term). **d** [法律] (裁判所の)開廷期間.

III [取り決めの枠]

3 [~s] (支払い・値段などの)条件, (契約・条約などの)条項；料金, 価格 ‖ terms of surrender 降伏条件 / *on our (own)* terms 我々の条件[言い値]通りで.

4 〔数学〕 項, (分数の)分母, 分子.

be on ... térms [人と]…な間柄[仲]である (*with*) 《◆…は形容詞》‖ *be on* bad [good, speaking, friendly, visiting, equal] terms *with* him 彼と仲の悪い[仲のよい, 言葉を交わし, 親しい, 行き来するような, 対等の]間柄である / We're on first name terms. (名で呼びあうほど)親しい仲だ.

bring A *to térms* 〈人〉を[…に]無理やり降伏[承服]させる

còme to térms =*màke térms* 〔人と〕合意に達する；〔困難などを〕あきらめて受け入れる (*with*) ‖ It will take a long time for the victim's families to *come to* terms *with* their loss. 犠牲者の家族が失ったものをあきらめるのには長い時間がかか

*in térms of A ⑴ …に特有の言葉で (→ **1 b**). ⑵ …によって；…の観点から；…に換算して ‖ think about the matter *in* terms *of* your future あなたの将来の観点からその問題を考える / be measured *in* terms *of* calories カロリーで計算される.

térms of réference [英式] (調査委員会などの)活動の責任範囲, 委任事項, 権限.

——動 他 [正式] [通例 be termed C] Cと呼ばれる, 称される《◆Cは名詞・形容詞》‖ The play may be termed (×as) a tragedy. その劇は悲劇と呼べるだろう.

térm examinátion 期末試験《◆end-of-term examination ともいう》.

térm pàper 学期末レポート.

ter·ma·gant /tə́ːrməɡənt/ 〔主に文〕 图 C 形 けんか好きの[口やかましい] (女).

†**ter·mi·nal** /tə́ːrmənl/ 形 **1** (鉄道の)終点の, 終着(駅)の ‖ a terminal station 終着駅, ターミナル / terminal velocity 〔物理〕終端速度. **2** 期末の ‖ a terminal examination (やや堅) 期末考査《◆a term [an end-of-term] examination の方がふつう. cf. midterm examination》 / terminal accounts 期末決算. **3** 〈支払いが〉最終の, 最後の ‖ a terminal payment on a loan ローンの最終支払い. **4** 〔医学〕末期の, 終末の ‖ terminal cancer 末期がん / a terminal patient 末期の患者 / His illness is terminal. 彼の病気は末期的だ (=He is terminally ill.).

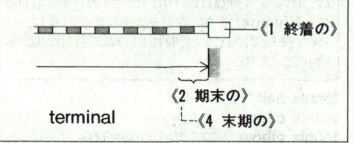

<1 終着の>
<2 末期の>
terminal
<4 末期の>

——图 C **1** (鉄道・バス・飛行機・船などの)終点；終着[始発]地(駅, 港) 《◆建物を含む》；(空港の)ターミナルビル, 発着ロビー (air terminal) 《◆空港 (airport) のビルをさす》‖ a bus terminal バスターミナル. **2** 〔コンピュータ〕端末.

ter·mi·nal·ly /tə́ːrmənli/ 副 末期に；期末に；末期症状で ‖ be terminally ill (主に がんの)末期症状で.

†**ter·mi·nate** /tə́ːrmənèit/ 動 [正式] **1** 〈物・事〉を終わらせる, 終結させる；…の終わりにくる (end). **2** …を(空間的に)限る, 仕切る. ——⑥ 〈物・事が〉[…で]終わる, 終結する (*in*, *with*)；〈列車などが〉 […で]終点となる (*at*)；[…の結果で]終わる (*in*, *with*). ——形 有限の, 限界のある.

tér·mi·nà·tor /-nèitər/ 图 C **1** 終結させる者[物]. **2** 〔天文〕(月・惑星などの)明暗境界線.

†**ter·mi·na·tion** /tə̀ːrmənéiʃən/ 图 U C [正式] 終了, 終結；満了；終末；末尾 ‖ put a termination to … =bring … to a termination …を終結させる.

ter·mi·nol·o·gy /tə̀ːrmənɑ́lədʒi | -nɔ́l-/ 图 U **1** [正式] 術語, 専門用語《◆term **1 a** の集合をいう. その集合の1つ1つは C》‖ medical terminology [terms] 医学用語. **2** 術語学.

†**ter·mi·nus** /tə́ːrmənəs/ 图 (複 **-ni**/-nài/, ~·es) C (特に鉄道・バスの)終点；終着駅, ターミナル.

ter·mite /tə́ːrmait/ 图 C 〔昆虫〕シロアリ.

tern /tə́ːrn/ 图 C 〔鳥〕アジサシ《海鳥》.

ter·ra /térə/ 〔ラテン〕 图 U C 土 (earth, soil)；地, 大地 (the earth, land)；(月面の)陸地.

térra cót·ta /-kátə | -kɔ́tə/ テラコッタ(の)《赤土の素焼き》；テラコッタ人形[花瓶]；赤褐色(の).

†**ter·race** /térəs/ 图 C **1** (傾斜面の)台地, 段地；(庭などの)土壇；(海・河岸などの)段丘；[the ~] 段通り《英》 front). **2 a** テラス《庭に張り出したふつう屋根なしの舗装された空間》 (patio). cf. porch, veranda》. **b** バルコニー. **3** 〔建〕 roof. **4** 台町, 坂町〈高台[坂]の家並み〉；《英》連続住宅《ふつう3-4階建ての道路沿いの長屋式住宅. → terraced house》《◆しばしば … Terrace として街路名に用いる. 略 Ter(r)》. ——動 他 …を台地[段]にする；…にテラスを付ける ‖ terraced fields 段々畑.

térraced hòuse 《英》 テラスハウス, 連続住宅 (《米》row house) 《隣同士壁で仕切られた連続住宅の1戸分》.

térraced róof (東洋・スペイン風家屋の)平屋根.

ter·race-house /téraʃhàus/ 图 C =terraced

ter·rain /təréin, ter-, téréin/ 名 U C 《正式》(自然地理·軍事上から見た)地形, 地勢.

ter·ra·pin /térəpin/ 名 (複 **ter·ra·pin**, ~s) 1 C U 〖動〗ヌマガメ, ダイヤモンドガメ《北米産の食用ガメ》. 2 C 《英》(1階建てのプレハブ住宅.

†**ter·res·tri·al** /təréstriəl/ 形 《正式》1 地球(上)の (↔ celestial) ‖ this [the] *terrestrial* globe 地球 / a *terrestrial* globe 地球儀. 2 (水·空中に対して)陸(上)の;〖動·植〗陸生の (↔ aquatic). 3 現世の. ── 名 C 地球に住むもの, 人間.

***ter·ri·ble** /térəbl/ 《3 が原義. 強意語として(悪さの)程度の強さを示す》派 **terribly** (副)
── 形 1 **猛烈な**, ひどい ‖ *terrible* heat [suffering] 猛烈な暑さ[過酷な苦しみ] / be in a *terrible* hurry ひどく急いでいる / He's a *terrible* bore. 彼はとても退屈な男だ (=He's *terribly* boring.). 2 《略式》**ひどく悪い** (very bad), 〔…が〕とても下手な〔*at*〕; 不愉快な (unpleasant) ‖ *terrible* food ずい食物 / be *terrible at* driving =be a *terrible* driver 運転が下手だ / have a *terrible* toothache ひどい歯痛である. 3 恐ろしい《◆ fearful の方が口語的》‖ a *terrible* sight 恐ろしい光景.
── 副 《略式》=terribly.

***ter·ri·bly** /térəbli/ 〖→ terrible〗
── 副 1 《主に英》**とても** (very), ひどく《◆ 1 よい意味·悪い意味の両方に用いる. (2) 比較変化しない》‖ I'm *terribly* tired. ひどく疲れている / dance *terribly* well とても踊りが悪い. 2 恐ろしく, ものすごく ‖ The house shook *terribly*. 家はひどく揺れた.

†**ter·ri·er** /tériər/ 名 C 〖動〗テリア《小型の主として愛玩(%)用の犬》.

†**ter·rif·ic** /tərífik/ 形 1 《略式·主に男性語》**a** (程度が)すごい (very great) ‖ *terrific* pain 激痛. **b** すごくいい (marvelous) ‖ a *terrific* book とても面白い本 / She looked *terrific*. 彼女はすごくすてきにみえた. 2 恐ろしい.

ter·rif·i·cal·ly /tərífikəli/ 副 《略式·主に男性語》すごく, ひどく.

ter·ri·fied /térəfàid/ 形 1 〔…に〕ぞっとする, おびえた〔*at*〕; 〔…(するの)を〕怖く思う〔*of* (doing)〕. 2 〔…で/…することが〕心配で, 不安で〔*of* /*that* 節〕.

†**ter·ri·fy** /térəfài/ 動 他 1 〈人·物·事が〉〈人〉を恐怖でいっぱいにする, ひどく怖がらせる《◆ frighten より強意的》◆対話 "How was your flight?" "I was *terrified* by all the turbulence." 「空の旅はどうでしたか」「ずいぶん揺れて怖かったです」/ You *terrify* me! 驚かさないでよ! 2 〈人〉をおどかして〔…を〕失わせる〔*out of*〕; 〔…〕させる〔*into* (doing)〕‖ be *terrified out of* one's senses [wits] 仰天して肝をつぶす / *terrify* him *into* compliance 彼をおどして同意させる.

ter·ri·fy·ing /térəfàiiŋ/ 形 恐ろしい; すごい.
tér·ri·fy·ing·ly 副 恐ろしく.

ter·rine /tərín, te-/ 『フランス』名 C テリーヌ《肉·魚などの身を蒸焼きにして冷ました料理. その容器》.

†**ter·ri·to·ri·al** /tèrətɔ́:riəl/ 形 《正式》領土の; 土地の; 地域的な (local) ‖ *territorial* possessions 領土.

territórial áir (**spáce**) 領空.
territórial wáters (**séas**) 〔通例 the ~; 複数扱い〕領海 (cf. high seas).

†**ter·ri·to·ry** /térətɔ̀:ri | térətəri/ 名 1 **a** C U (領海を含む)領土, 領地; C 外国にある領土《植民地など》‖ The island over there is British *territory*. あそこにある島は英国領です. **b** C U (広い)地域, 地方 (region) ‖ unexplored *territory* 未開地. 2 [T~] C (米国·カナダ·オーストラリアの)準州《◆ 米国では戦後 Alaska と Hawaii が準州から州 (state) に昇格した》. 3 U C 《略式》(興味·活動などの)領域, 範囲 (field). 4 C U (外交員·警察署などの)受持ち[管轄]区域; 〖動〗なわ張り.

†**ter·ror** /térər/ 名 1 **a** U 〔時に a ~〕(非常な)恐怖, 恐ろしさ《cf. fear》‖ I scream *with* [*in*] *terror* 恐ろしさのあまり叫ぶ / strike *terror* into him [his heart] 彼の度肝を抜く / The child 'has a [lives in] *terror* of thunder. その子供は雷をひどく怖がる. **b** C 〔…にとって〕恐ろしいもの[事, 人]〔*to*〕‖ The indiscriminate bombing was a *terror* to everyone in the city. 無差別爆撃は市民の恐怖の的だった. 2 C 《略式》やっかいな人[物], 手に負えない子供. 3 C テロ(行為); テロ集団[計画].

ter·ror·ism /térərìzm/ 名 U 1 テロリズム, テロの行使 (terror) 3; (その結果生じる)恐怖(状態). 2 (政府による)恐怖政治.

ter·ror·ist /térərist/ 名 C テロリスト, テロ行為者; 恐怖政治家[主義者] ‖ simultaneous multiple *terrorist* attacks 同時多発テロ攻撃《2001年9月11日にニューヨークなどで起こった一連のテロ事件》.

ter·ror·ize /térəràiz/ 動 他 《正式》…を恐れさせる; …をテロ手段[恐怖政治]で脅迫[弾圧]する.

ter·ror–strick·en /térərstrìkn/, **–struck** /-strʌk/ 形 《正式》恐怖におびえた, びくびくした, 肝をつぶした.

terse /tə:rs/ 形 《正式》〈文体·話し手が〉簡潔な, ぶっきらぼうな. **térse·ly** 簡潔に.

ter·tian /tə́:rʃən/ 形 〖医学〗三日熱の.

ter·ti·ar·y /tə́:rʃièri | -ʃəri/ 形 《正式》第3(位)の (third) (cf. primary, secondary).
Tértiary pèriod 〖地質〗〔the ~〕第3紀.

TESL /tésl/ 〖Teaching English as a Second Language〗名 U 第二言語としての英語教授(法).

tes·sel·late /tésəlèit/ 動 他; 形 -lət, -lèit/ 動 他 〈床·敷道など〉をモザイク模様にする. ── 形 =tessellated.
tés·sel·làt·ed 形 モザイクの.
tès·sel·lá·tion 名 U モザイク細工.

⁂**test** /tést/ 〖「試金用の容器」が原義〗
── 名 (複 ~s/tésts/) 1 C U 検査, 試験; (学力·技能などの)**試験**, 小テスト (short examination), 《主に米》quiz) ‖ 'a blood [a urine, an eyesight] *test* 血液[尿, 視力]検査 / a *test* for radioactivity 放射能(の有無を調べる)検査 / an achievement [intelligence] *test* 習熟度判別[知能]テスト / 「an oral [a written] *test* 口頭[筆記]試験 / an open-book *test* 持ち込み可の試験 / give a history *test* =give *a test in* [*on*] history 歴史の試験をする / She did well on the *test*. 彼女は試験の出来がよかった / carry out a nuclear *test* 核実験を行なう / His wife put his love *to* the *test*. 彼の妻は彼の愛情を試した.

2 C **試す手段**, 試金石, 試練;(判断などの)基準 ‖ Poverty is a *test* of character. 貧乏によって人格が試される / bear [stand, withstand] the *test* of time 時の試練に耐える, 長く歴史[記憶]に残る.
── 動 (~s/tésts/; 《過去·過分》~·ed/-id/; ~·ing)
── 他 1 〈人が〉〈人·物·事〉を**試験する**, 検査する, 試す;〈物·事が〉…を試す; 〖化学〗…を分析する ‖ *test* a class on spelling クラスにスペルの試験をする / I'll have my eyes *tested* today. 今日, 眼を検査して

もらうつもりです.

> **使い分け [test と try]**
> test は「(実験や試験で基準を満たしているかどうか)試す」の意.
> try は「(人・物・飲食物などを)試す」の意.
> It will be a good opportunity to test [×try] your ability. あなたの能力を試す良い機会になるでしょう.
> He tried eating octopus, but didn't like it. 彼はタコを食べようとしたが, 好きになれなかった.

2 〈物・場所〉の(…の(有無)を)調べる(for) ‖ test the water for purity 水の純度を検査する.
──⑥ **1** (…の)試験を受ける(行なう)(for) ‖ test for a job 就職試験を受ける / Testing, testing ABC [one, two, three, four]. ただいまマイクのテスト中, 本日は晴天なり. **2** (主に米)試験(検査)の結果が…である(とわかる) ‖ test high in mathematics 数学で高得点をあげる / The patient tested positive for drugs. 患者は薬物検査に陽性と出た.
tést óut [他] 〈理論などを〉(うまくいくかどうか)試してみる; …を徹底的に検査する.
tést càse (法律)試訴《新判例をうち立てることを目的にして試験的に行なわれる訴訟》; (一般に)テスト＝ケース.
tést drive (車の)試乗(cf. test-drive).
tést pàper [shèet] 試験問題[答案]用紙, (化学)試験紙.
tést pàttern (テレビの)テストパターン.
tést pìlot (航空)テスト＝パイロット.
tést rùn 試験走行.
tést tùbe 試験管.

Test. (略) *Testament*.

†**tes·ta·ment** /téstəmənt/ 名 (正式) **1** ⓒ (法律)(特に財産処分に関する)遺言(書)(will) ‖ make one's (last will and) testament 遺言状を作成する. **2** ⓒ (古)(聖書)(神と人との間の)契約, 誓約. **3** [the T~] 聖書(略 T., Test.); (略式)新約聖書; [T~] (1冊の)新約聖書 ‖ the Old [New] Testament 旧約[新約]聖書. **4** (…を)証明するもの(to).

tes·ta·men·ta·ry /tèstəméntəri/ 形 **1** (法律)遺言(書)の, 遺贈の. **2** 聖書の.

tes·ta·tor /tésteitər │ -∠-/ ((女性形)-·trix) ⓒ (法律)遺言人.

test-drive /téstdràiv/ 動 (過去) -drove, (過分) -driv·en) 他 …を試乗運転する(cf. test drive).

test·ed /téstid/ 形 [しばしば複合語で] 試験[検査]済みの; 信頼できる ‖ time-*tested* principles 時の試練に耐えた原理.

test·ee /testí:/ 名 ⓒ (試験の)受験者.

test·er /téstər/ 名 ⓒ **1** 試験する人, 検査人. **2** 試験器[装置], テスター.

test-fire /téstfàiər/ 動 他 〈ミサイルなど〉を試験発射する.

†**tes·ti·fy** /téstəfài/ 動 ⑥ **1** 〈人が〉〔…に不利に/…に有利に〕(に対して)(法廷で宣誓の上)証言する, (一般に)証言する(against/for/to); The witness *testified against* [for, in favor of, on behalf of] the accused. 証人は被告に不利[有利]な証言をした. **2** (正式) **a** 〈人が〉(…の真実性)を)証明[証言]する, 保証する(to); The lawyer *testified to* his innocence. 弁護士は彼の無罪を証明した. **b** 〈物・事が〉〈事〉の証拠となる, (…を)示す(to); His

words *testify to* his anger. 彼の言葉で腹立ちがよくわかる. ──他 〈人・物・事が〉〈事〉を証言する, 証明する; [testify that節] …であることを証明する; [testify wh節] …かを証明する ‖ She *testified that* she saw the robbery. 彼女は強盗の現場を目撃した.

†**tes·ti·mo·ni·al** /tèstəmóuniəl/ 名 (正式) **1** 証明書. **2** =testimonial letter. **3** 功労賞, 記念品, 賞金. **testimónial lètter** 推薦状.

†**tes·ti·mo·ny** /téstəmòuni │ -məni/ 名 **1** ⓤⓒ (正式)〔…の/…という〕証拠, 証明(of, to / that節)《◆ proof より堅い語》‖ **in testimony of** one's respect and affection 敬愛のしるしに / (a) testimony to [of] one's good luck 人の幸運の証(あかし) / produce [provide] *testimony of* the murder 殺人の証拠を提出する / produce *testimony to* … …を証明する. **2** ⓤ (法律)(宣誓)証言, 供述[陳述]書 ‖ *call* him *in testimony* 彼を証人に立たせる / *give testimony that* … …と証言する / *bear testimony to* what the man said その男が述べたことを証明する.

tes·ty /tésti/ 形 (--ti·er, --ti·est) (正式)短気な, 怒りっぽい; とげのある.

tet·a·nus /tétənəs/ 名 ⓤ (医学)破傷風.

tête-à-tête /téitətéit, tèitətét ; (名) 2 ではまた tí:tətí:t/《フランス》 (正式) 形 **1** 2人だけで[の]; 差し向かいの[で]. ──名 ⓒ **1** (2人だけの)内緒話, 密会. **2** ⓢ 字型2人用ソファー.

†**teth·er** /téðər/ 名 **1** ⓒ 〈牛・馬などをつなぐ〉ロープ[鎖], 足かせ. **2** (正式)(知識・権威などの)範囲, 領域. ──動 他 〈牛・馬〉をつなぎ綱で〔…に〕つなぐ(to) ‖ *tether* the horse to a post 馬を柱につなぎとめる.

Teut. (略) *Teuton(ic)*.

Teu·ton /tjú:tn/ 名 ⓒ **1** チュートン人; [the ~s] チュートン族《ゲルマン民族の一派》. **2** ゲルマン人; ドイツ人(German).

†**Teu·ton·ic** /tju:tánik │ -tón-/ 形 **1** チュートン人[民族]の, チュートン[民族語, 風]の(Germanic)《◆「徹底主義」「好能率」などのイメージがある》. **2** ドイツ語の, ゲルマン語の. ──名 ⓤ チュートン[ゲルマン]語; ドイツ語.

Tex. (略) *Texan*; *Texas*.

Tex·an /téksn/ 形 名 ⓒ テキサス州の(人).

†**Tex·as** /téksəs/ 名 テキサス《米国南西部の州. 州都 Austin. (愛称) the Lone Star State, the Jumbo State. (略) Tex., (郵便) TX》.

Téxas léague(r) (hít) (野球)テキサスヒット《内野手と外野手の中間に落ちるフライ性のヒット》.

✱**text** /tékst/ 『「文字・情報としてのテキスト」が本義』 (派) **textile** (名)
──名 (複 ~s/téksts/) **1** ⓒ (コンピュータ)文書, テキスト《文書データ・高級言語プログラムなど文字のみで構成されるデータ》.
2 ⓤⓒ (注釈・序文・図表などに対して)本文 ‖ This book contains 280 pages of *text*. この本の本文は280ページある.
3 ⓒ (通例複合語で)版本; 校訂本 ‖ the original *text* 原版 / a corrupt *text* 改悪版.
4 ⓒ (米) =textbook.
5 ⓤⓒ [通例 a/the ~] (翻訳・論説などに対して)原文, 原典 ‖ examine the *text* of one's speech 演説の元の字句を吟味する.
6 ⓒ (詩・劇などの)言い回し, 語法. **7** ⓒ (情報などの)典拠; (討論などの)主題, 題目, 論題 ‖ stick to one's *text* (話などで)脱線しない.

téxt edìtion 教科書版.
téxt mèssage 携帯電話で送るメッセージ.
téxt mèssaging 携帯電話でメッセージを送ること.

‡text·book /tékstbùk/〖「本文(text)」が集まったもの〗
——名 (復 ~s/-s/) **1** ⓒ 教科書, テキスト; 教本 ‖ a *textbook*「*on* grammar [*in* English composition] *for* senior high school 高等学校用文法[英作文]教科書. **2** [形容詞的に] 教科書の; 標準の, 典型的な; 的確な ‖ a *textbook* publishing company 教科書出版社 / a *textbook* example [case] 模範例.

†tex·tile /tékstàil, (米+) -tl/ 名 ⓒⓊ **1** 織物, 布地《◆cloth より堅い語》. **2** 織物の原料《ナイロン・毛など》.
——形 1 織物の ‖ the *textile* industry 織物工業. **2** 織られた; 織ることのできる ‖ *textile* fabrics 織物.

tex·tu·al /tékstʃuəl, (英+) -tju-/ 形 《正式》本文[原文]の; 〈引用などが〉原文のままの.
téx·tu·al·ism 名 Ⓤ (聖書の)原典主義; 原文批判. **téx·tu·al·ist** 名 ⓒ (聖書の)原典主義者; 原文学者[批評家]. **téx·tu·al·ly** 副 逐語的に; 原文どおりに.

†tex·ture /tékstʃər/ 名 ⓒⓊ **1** 《正式》(織物の)織り方; 織地, 生地 ‖ cloth with a loose [close] *texture* 目のあらい[細かい]布地. **2** (岩石・木材・皮膚などの)肌理(きめ); 手ざわり. **3** 《正式》(社会などの)組織, 構造. **4** 性格, 質, 特質. **5** 《美術》質感; [音楽] テクスチュア《和声と旋律の作曲上の特徴》.

TGIF(略) Thank God. *It's Friday*. (→ Friday).
-th /-θ/ (語要素) →語要素一覧(2.1).
Thack·er·ay /θǽkəri/ 名 サッカレー《**William Makepeace** /méikpi:s/ ~ 1811-63; 英国の小説家》.
Thai /tái/ 名 **1** ⓒ タイ人; [the ~(s)] タイ国民. **2** Ⓤ タイ語. ——形 タイ(語, 人)の(Siamese).
Thai·land /táilænd, -lənd/ 名 タイ《公式名 the Kingdom of Thailand. 旧称 Siam. 首都 Bangkok》.

tha·lid·o·mide /θəlídəmàid/《薬学》名 ⓒ 形 サリドマイド(障害)の ‖ a *thalidomide* baby [child] サリドマイド児.

†Thames /témz/ (発音注意) 名 [the ~] **1** テムズ川《London を貫流して北海に注ぐ川. (中・南部イング)では単に the River ともいう》. **2** テムズ川《カナダ南東の川》.

sét the Thámes on fíre《やや略式・やや古》[通例否定文で] (世間をあっと驚かせるようなことをして)大成功する, 名声を博する.

Thámes Embánkment [the ~] (London の)テムズ河岸通り.

‡than /(弱) ðən, (強) ðæn/《◆強形は1語で発音するときなどのみ》《もとは then と同一語》
——接 **1** [形容詞・副詞の比較級に続いて] …よりも, …に比べて《◆than節では前後からわかる部分は省略される場合が多い》‖ He spoke *less* eloquently *than* usual [*before*]. 彼はいつも[以前]ほど雄弁を振わなかった / They were *more* upset by the accident. 彼らはその事故でとてもあわてた / She regards me *more* highly *than* he (does). 彼に比べて彼女の方が私を尊敬している《◆比較: She regards me *more* highly *than* (she regards) him. 彼に比べて私の方を彼女は尊敬している》/ It is much *worse* to cheat on your test *than* to fight at school. 学校ではけんかをするよりテストでカンニングする方がずっと悪い《◆ than の後は動名詞・不定詞に可》/ Nowadays everything is *more* expensive *than* before. このごろは何でも(以前より)高くなっている《◆ 時期の異なる同じ物を比べる時, ふつう than 以下は省略》/ He accomplished *more than* (what) was expected of him.《略式》彼は期待以上のことをなしとげた / She is *cleverer than* I am [《略式》*than* me, 《古・まれ》*than* I]. 彼女は私より頭がいい.

〔語法〕 (1) than any other … は The boy is taller in the team *than any other*. (その少年はチームの他のだれよりも背が高い)のように同種のものの中での比較に用いる. … *than any boy* とすると any boy 〈に 彼 も 含 ま れ る の で 非 論 理 的 だ が, 実際にはよく用いられる(→文法 19.7)《◆ The two boys are taller *than any other* boys … のように, 主語が複数ならばふつう *than any other* boys).
(2) The boy is taller *than any other* in the team. には「少年は背は高くないが, それでもチームの他のどの少年よりも高い」といった含みがある. The boy is the tallest in the team. にはそのような含みはない.
(3) 異種のものとの比較には *than any* を用いる: This horse is cleverer *than any dog*. この馬はどの犬よりも利口だ.

2 [関係代名詞的に] …よりも, …以上に(→文法 20.10) ‖ We have more apples「*than* we could eat [*than* could be eaten] in a day. 1日では食べきれないほどのリンゴがある《◆ 時に than 以下に否定的意味が含まれる》.
3 [rather, sooner; prefer, preferable, preferably の後で] …するよりはむしろ, …するくらいなら(いっそ)‖ *Rather than* worry about your health, you should consult the doctor. からだのことをあれこれ心配するより医師に診(み)てもらうべきだ.
4 《正式》[other, otherwise, else, another, 《米》different(ly) などの後で] …より*ほか*の[に], …以外に ‖ She doesn't respect any person *other than* her mother. 彼女は母親以外のどんな人にも敬意を払わない / It was *no* [*none*] *other than* my old friend Irving. だれかと思えば旧友のアービング自身だった / The fact is not known *elsewhere than* in America. その事実はアメリカ以外では知られていない.
——前《略式》[比較級の後で] …より, …に比べて ‖ drive at *more than* sixty miles per hour 時速60マイル以上で運転する / He is *older than* me [myself] by three years. =He is three years *older than*「I am [《略式》me]. 彼は私(自身)より3歳年上だ.

‡thank /θǽŋk/〖「思慮深い」が原義. cf. think〗 派 thankful (形)
——動 (~s/-s/; 過去・過分 ~ed/-t/; ~ing)
——他 **1** 〈人が〉〈人に〉[…に対して] 感謝する, 礼を言う〔for〕(→ THANK you.) ‖ *Thank you for*「*invit*ing [*having invited*] me to the party. パーティーに招待していただきありがとう《◆ (1) 動名詞の前には you, your を入れない. (2) これから依頼する場合にも用いられる: *Thank you for* your support. どうぞよろしくご支援をお願いします》/ He *thanked* you. 彼は君に感謝していた; ありがとうと伝えてくれと言

っていた / *Thanking* you in anticipation. 《略式》(照会状などで)まずはお願いまで / **対話** "Would you like a little tea?" "*Yes,*「*thánk you* [*pléase*]. (↗)"「"*Nó, thánk you.* (↘)"" 「紅茶を少しいかがですか」「ええ, いただきます」「いいえ, 結構です」/ *Thank you* for nothing. 大きなお世話だ / I cannot *thank* you *enough*. = I don't know how to *thank* you (enough). お礼の申しようもありません.
2 〔通例 I will ~ you; 皮肉・非難・強制的依頼を表して〕〈君〉に[…するように／…を求めて]お願いする, どうか…してください[*to do* / *for*]; さっさと…してくれ ‖ *I'll thank you* to get that dictionary. その辞書をとってくれないか / *I'll thank you* **to** *be* a little more quiet. 《正式》もう少し静かにしてもらいたいのだが / *Thank you* for not eating in the store. 《掲示などで》店内で物を食べないでください.

Thánk Gód [**góodness, Héaven(s), the Lórd, Chríst**]! =**Gód be thánked**! 《略式》〔喜び・安堵(を)を表して〕ありがたい, ああ助かった, しめた.

Thánk you.* (↘) (1) […を]ありがとう**, どうも [*for*] (→ ⓘ **1**)〈♦(1) 感謝を表す幅の広い言葉で, 多くの場面で気軽に用いる. 「すみません」と訳せることも多い. 軽い意味のときは (↗) となる. (↘) の方が本気の感謝. (2) I *thank* you. は《正式》〉 **対話** "Excuse me, where is the city office?" "I'm sorry, I'm a stranger here." "*Thank you anyway* [just the same, all the same]." 「すみません, 市役所はどちらでしょうか」「申し訳ありませんが, 私もこの辺は初めてなんです」「ともかく, ありがとうございました」〈♦こちらの思い通りにならなくても, 相手の協力に感謝を表す場合の表現〉 / *Thank you in advance*. どうぞよろしく〈♦依頼状などの末尾に添える〉/ *Thank you very mùch.* どうもありがとう. (2) 以上です〈♦アナウンスの最後に用いる〉. (3) よし, そこまで; もう結構だ《ていねいな拒絶》.

語法 [Thank you. への返答]
(1) *Thànk yóu*. 《↘》こちらこそ, どういたしまして/〔単に儀礼的に〕どうも, たしかに, どうぞお願いします.
(2) 次のような返答もあるが, 小さなことでは特に返答しないのがふつう:《正式》Not at all. /《正式》It's a pleasure. /《略式》That's all right. /《主に米》You're welcome. /《米》Sure. /《略式》No problem. /《英やや古風》Don't mention it. /《英》Kyuh.

——名 (複 ~s/-s/) [~s; 複数扱い] **1** 《略式》〔間投詞的に〕**ありがとう**〈♦Thank you. よりくだけた言い方. 後に That's really nice of you. などとつけることがある〉‖ *Many* [*A thousand*] *thanks*. = *Thanks* a lot [awfully, very much, a million]. どうもありがとう〈♦a million を短縮して *Thànks* a míl. ともいう〉.〔やや押し殺すような調子でゆっくりと; 皮肉的に〕よくもまあそんなことをした[言った]ね. 大きなお世話だ〈♦*Nó, thànks.*（↘）いや, 結構だよ〈♦ˣ*Yes, thanks.* は避ける〉/ *Nó thánks* (↘)! ありがたい迷惑だよ.
2 〔…に対する〕**感謝**(の言葉), 謝意[*to, for*] ‖ smile [bow] one's *thanks* ほほえんで[頭を下げて]礼を言う / give [return] *thanks* to … …に感謝を捧げる〈♦特に食卓で〈神〉に感謝する場合》/ …に礼を述べる / express my sincere [heartfelt] *thanks* to him for telling me 教えてくれたことに対して彼に心から礼を述べる〈♦ express の代わりに

address, add, convey, extend, offer, mention なども可》.

***thánks to A** [前]〔しばしば皮肉に〕**…のおかげで, …のために**〈♦結果が望ましいときにもそうでないときにも用いる. 後者の場合, And no *thanks* to you. を使うことがある〉‖ *Thanks to* you, I was able to get the job I wanted. 君のおかげで思っていたところに就職できました / *Thanks to* you, I spent all my money and had to walk home. 君のせいで, お金を全部使ってしまい歩いて帰宅せねばならなかった.

†**thank·ful** /θǽŋkfl/ 形 **1** 〈人が〉[…に／…のことで]**感謝している**[*to* / *for*]; [*…することを*／*that* 節]**…ということを**] ありがたく思う [*to do* / *that* 節]〈♦神への感謝に用い, 人に用いると grateful より強意的〉‖ be *thankful* for small mercies [しばしば命令文で] わずかの恵みに甘んじている / You should be *thankful* ˈto have escaped [(*that*) you have escaped] without harm. 無事のがれたことを感謝すべきです. **2**〈言葉・行為などが〉感謝の念を表す‖ give a *thankful* sigh 感謝に満ちたため息をつく.

thank·ful·ly /θǽŋkfli/ 副 **1** 感謝して;〔文全体を修飾〕ありがたいことに‖ *Thankfully*, I managed to pay off my debts. ありがたいことにどうにか借金を返せた.

†**thank·ful·ness** /θǽŋkflnəs/ 名 Ⓤ 感謝(していること).

thank·less /θǽŋkləs/ 形 〈仕事などが〉感謝されない, 割に合わない ‖ a *thankless* act 報われない行為.

†**thanks·giv·ing** /θæŋksɡíviŋ/ |ー| 名 **1** Ⓤ (特に神への)感謝, 謝恩 ‖ a public service of *thanksgiving* 感謝の公式集り. **2** Ⓤ© 感謝の祈り[言葉] ‖ General Thanksgiving(祈禱(ぎ)書中の) 一般感謝の祈り. **3** © 感謝[謝恩]祭. **4** [T~](米) = Thanksgiving Day. **5** [T~; 形容詞的に] 感謝祭の‖ a *Thanksgiving* dinner [prayer] 感謝祭のごちそう[お祈り].

Thanksgíving Dày 感謝祭(の日)《法定休日で米国では11月第4木曜日, カナダでは10月第2月曜日》.

thank-you, thánk·you /θǽŋkjuː/ 形 感謝の, お礼の ‖ a *thank-you* note 短い礼状. ——名 © 感謝の言葉.

‡**that**¹ /ðǽt/ 《指示代名詞の1つ. 形容詞用法(*that* book)と独立用法(*That* is a book.)があり, また照応関係から言語外照応と言語内照応(これには前方照応と後方照応とがある)とに分けられる》

index 代 **1** あの, その **6** あれ, それ
　　　　 副 それほど

——代 (複 those/ðóuz/)
I [形容詞用法; 言語外照応的]
1 あの, その 〈♦空間的・心理的に話し手から遠いものを指す〉(⇔ this) ‖ What's *that* song he is singing? 彼が歌っているあの歌は何という歌ですか / I like *that* dress better than this (one). これよりもあっちの服の方が好きだ.
2 あの, 例の ‖ I was very sleepy (on) *that* morning. その朝はとても眠かった《♦ this の場合前置詞は用いない ⇒**文法** 21.6(1)》/ Do you intend to repay *that* five dollars? あの5ドルはいつ返すつもりなんだ《♦ five dollars を1つの集合体と考えて that で修飾する》.
3 あの, 例の《♦「one's＋名詞」の強調で, しばしばな

that

すなどの感情的色彩を添える》(→文法 15.3(4)) ‖ I hate *that* laugh of hers. 彼女のあの笑い声が気にくわない / Here is *that* awful Gray and those daughters of his. あのいやなグレーとその娘たちがここにいるんだ / *that* kind wife *of yours* 君のあのやさしい奥さん.
4 [this と対照して] (不定の)あの ‖ He walked *this* way and *that* way. 彼はあちらこちらを歩いた.
II [形容詞用法；言語内照応的]
5 [後方照応的] [that **A** which ...] (…するところの)]あの **A**, (…する)そんな **A** ‖ Pay back *that* ten dollars *which* I lent you yesterday. 昨日君に貸したあの 10 ドル返してくれよ.
III [独立用法；言語外照応的]
6 あれ, それ, その[あの]事[物, 人] ◆(1) 空間的・心理的に話し手から遠いものを示す (2) 人をさすのは主語に用いた場合のみ) (cf. this 代 5) ‖ What is *that*? あれは何ですか / Who is *that*? あれはだれですか;《(英) (電話で)そちらはどなたですか》《◆(米) is *this*》/ Which coat do you prefer, this one or *that*? こちらのとそちらのとではどちらの上着がお気に入りですか.
7 その時, その《◆[時間的に話し手から遠いものをさす]》‖ After *that* we went out. その後で私たちは出かけた.
IV [独立用法；言語内照応的]
8 [前方照応的] それが ‖ Father died of cancer. *That's* why I decided to become a doctor. 父ががんで死にました. それが医者になろうと決心した理由です《◆このように今述べた[書いた]ことをさす用法はこの I にもある》.
9 [後方照応的] (まれ) 次のこと ‖ I like *that*. Bob smashes up my car and then expects me to pay for the repairs. それはないでしょう. ボブが私の車を壊して私にその修理代を出させようとするなんて《◆これから述べる[書く]ことをさす用法；内容的な内容をさす場合にのみ用いられる. cf. this 代 9》.
10 [前方照応的；反復の代用語として] (正式) (…の)それ ◆(1) **✓** 名詞の代わりに用い, ふつう後に修飾語句を伴う. 前置詞句, 特に *of* 句で修飾されることが多い. (2) one は a(n) + C 名詞の代用だから交換不可》‖ The temperature here is higher than *that* [×one] in Tokyo. ここの気温は東京(の気温)より高い / The English spoken in rural Georgia is quite different from *that* of rural Indiana. ジョージア州の田舎(口)で話されている英語はインディアナ州の田舎で話されている英語とはまったく違う.
11 [前方照応的；this と対照して] (後者に対して)前者《◆the latter と対照して用いられる the former より堅い表現であり, またそれほど相関性もない. (古)になりつつある》‖ Work and play are both necessary to health; *this* gives us rest, and *that* gives us energy. 仕事と遊びはいずれも健康に必要である. 後者は休養を, 前者は活力を与えてくれる.
12 (正式) [that which ...] (…する)事[物] ◆(1) ふつう what を用いる. (2) which が目的格の場合は省略することがある》‖ *That which* has cost a sacrifice is always endeared. 犠牲を払ったものは必ず大事にされる.

*__and thát__ ... (英) しかも…《◆前の語句によって表されたことを繰り返す代わりに強意的に表す》‖ I must repair my house, *and that* in three days. 私は家を修理しなければならない. しかも 3 日でだ.

__at thát__ (略式) (1) [通例文・節の最後で] その上, おまけに (as well). (2) そのままで《◆「それ以上は…しない」の意》‖ I'll just warn you, and leave it *at that*. 私はあなたに警告するだけです. どう受け取ってもらおうとかまいません. (3) それども, けれども.

*__thát is to sáy__ = __thát is__ → say.
__Thát's ít__. (略式) (1) それが問題だ. (2) [同意して] ああそれだ, その通りだ《◆必要なことがわかったり, 入った時などに用いる. → right 形 1 語法》
__Thát's ríght__. (1) よろしい. (2) (略式) 賛成, そのとおりだ(→ right 形 1 語法).
__Thát's thát__. (1) (略式) それで話は決まった, これで閉会にします《◆議論などで決着をみた時の言葉》. (2) さあすんだぞ《◆仕事などが終わった時に言う》, それで一巻の終わりだ《◆[過去の用法]》, おしまいだ《◆あきらめの気持ち》. (3) 以上話してももださ, もう結構《◆強い拒否. この意味では That's thát.》.

── 副 《比較変化しない》(略式) **1** それほど, そんなに《◆前述の具体的な数量・程度をさし, 形容詞・副詞を修飾する》‖ I hope he'll be *that* lucky. 彼にそのくらい運が向いてくれるといいが / Has she been away from home *that* long? 彼女はそんなに長いことを家をあけている[いた]のですか. **2** [通例疑問文・否定文で] [(all) that ...] あまり(…でない) ((not) very)《◆否定を弱める》‖ He isn't (*all*) *that* rich. 彼はあまり裕福ではない(→ ALL that). **3** (略式) [結果を表す節を伴って] とても, それほど(so) ‖ I can hardly move; I am *that* tired. 私はとても疲れてほとんど動けない.

*__thát__² /(弱) ðət, (強) ðǽt/《◆強形はまれ》
── 接 **1** [名詞節を導いて] (…する)ということ. **a** [動詞の目的節を導く]《◆(1) この場合の that は (略式)ではしばしば省略される. 特に wish, hope, think, believe など日常的な動詞の場合に多い. (2) 前置詞の目的節となる用法は **e** を除いて不可. →文法 21.6(2)》‖ I know (*that*) you are my friend. あなたが私の友人だということはわかっている / I don't think (*that*) there'll be time to visit the museum. 博物館に行っている時間はないと思う《◆that節か there is 構文で始まる場合は, that は省略》/ He knew, I guess, *that* she was married. 彼女が既婚だということを彼は知っていたと思う《◆動詞と that 節が離れているときはふつう省略しない》/ She told us (*that*) the road was closed. その道路は通行禁止になっていると彼女は私たちに教えてくれた(="The road is closed," she said to us.) →文法 10.4(1)》/ He said (*that*) it was a mean practice and *that* I must try not to do it any more. それは卑劣なことだから二度とやらないようにと彼は言った(=He said, "It is a mean practice and you must try not to do it any more.")《◆and の後の that は said の目的節であることを明確にするためふつう省略しない》(→文法 22.1) / She suggested *that* John (should) leave at once. ジョンが直ちに出発することを彼女は提案した(→文法 9.3) / He takes it for granted *that* children should obey their parents. 彼は子供が親に従うのは当然だと思っている《◆最後の例は形式目的語 it を先行させて真の目的語である that節を後に置いたもの》.
b [文の主語となる節を導く] ‖ *That* you study French now is a good idea. =It is a good idea *that* you study French now. あなたが今フランス語を学ぶというのはいい考えだ《◆形式主語 it を用いた後者の語順が一般的》/ It is odd (*that*) he hasn't let us know. 彼が私たちに知らせてこないのは変だ《◆(略式) では that は省略》.

c [補語となる節を導く]《◆(略式)では that はしばしば省略されたり, コンマになることもある》‖ My opinion is (*that*) he really doesn't understand you. 私の意見は, 彼は本当にあなたのおっしゃることがわからないのだということです《◆この文型が可能な主な名詞: chance, fact, problem, reason, rumor, trouble, truth》/ It seems (*that*) the baby is asleep. 赤ん坊は眠っているようだ.

d [同格を導く] [名詞＋that節] (…する, …である)という…《◆(1) that節は先行名詞の内容を説明する. (2) 名詞と that節が離れることがある. (3) 語法および同格の that をとる主な名詞については ➡文法 22.5》‖ We were surprised at the news *that* Tom had beaten the chess champion. トムがチェスのチャンピオンを負かしたという知らせに私たちは驚いた / The chances are very good *that* she'll be promoted. 彼女が昇進する見込みは大いにある.

e [in that節] (…する, …である)という点において, (…する, …である)から《➡文法 21.6(2)》; [except that節] (…する, …である)という点を除いて《◆but that節, save that節ともするが(まれ)》‖ We are blessed *in that* we travel freely in our country. 国中を自由に行き来できるという点で私たちは恵まれています / I forgot everything *except that* I wanted to go home. 家に帰りたい一心だった.

2 [(so) that **A** may do, (正式) in order that **A** may do として目的を表す副詞節を導いて] **A** が…できるように, …するように ⇔ so that … (1) (so 副); in order that … (order 名).

3 [結果・程度を表す副詞節を導いて] **a** [so … that として] 非常に…なので, (…)ほど(→ so … that) (so 副). **b** [such (…) that として] 非常に…なので, (…)ほど…《◆(1) …は程度名詞または程度形容詞つき名詞. (2) (略式)ではしばしば that を省略. → such A that … (such 形)》‖ It was *such* a wonderful movie *that* I saw it five times. あれはとてもすばらしい映画だったので私は5回見た / The news gave him *such* a shock *that* his face turned pale. その知らせに彼はたいへんなショックを受け顔が真っ青になった /「Her excitement was *such* [*Such* was her excitement] *that* she lost control of herself. 彼女はあまりにも興奮したので自分を見失ってしまった(→ such that (1) (such 代)).

4 [so that … として結果を表す副詞節を導いて] それで, だから(→ so that … (2) (so 副)).

5 [形容詞・分詞に続く節を導いて] (…する, …である)ことを, ことについて, …なので《◆(1) (略式)ではふつう that は省略. (2) that の前に前置詞は用いない ➡文法 21.6(2)》‖ She is very glad (*that*) you are able to come. あなたが来られることを彼女はとても喜んでいます / She was angry (*that*) he had not won the race. 彼が競走に勝たなかったことを彼女は怒った / I was disappointed (*that*) he was going to be away all day. 彼が一日中留守をするということで私はがっかりした.

6 [it is **A** that …] (…する)のは **A** である《◆(1) **A** を強める強調構文 ➡文法 23.2(1). (2) **A** は副詞(句, 節). **A** に(代)名詞がくる場合は → that³ 3》‖ It *was* at the age of eight *that* I learned to ride a bicycle. 私が自転車に乗れるようになったのは8歳のときです / It *was* because she was ill *that* she didn't come to the party. 彼女がパーティーに来なかったのは病気のせいだ / It is tomorrow *that* he'll leave. 彼が発(た)つのは明日だ / When *was* it *that* this meeting took place? この会合が催されたのはいつだったか《◆When did this meeting take place? の強調形》.

7 [判断の根拠を表す副詞節を導いて] (…する, …である)とは, なんて《◆(1) 驚き・意外・怒りなどを表す. (2) that節中にはしばしば感情の should が用いられる. → should 9》‖ Is he mad *that* he should say such a foolish thing? そんなばかなことを言うなんて彼は気でも違ったのか / Am I a cow *that* he *should* offer me grass? 私に草をくれるなんて, 私は牛かい.

8 (文) [願望の意を表す感嘆節を導いて] (…する, …である)といいのだが《◆(1) I wish, If only を省略したもの. (2) 動詞は仮定法》‖ (Oh) *that* I could buy a new computer! 新しいコンピュータが買えたらなあ(= I wish I could buy new a computer.).

9 [it is that …] 実herは…ということである; [(It is) nòt thát …; 前文を受けて] だからといって…というわけではない ‖ *It is that* I have my own business to attend to. 実は私には自分の用事があるのです / I agreed. *Not that* I am satisfied. 私は同意した. だからといって私が満足しているわけではない.

☆*that³ /(弱) ðət, (強) ðǽt/《◆強形は故意にあるいは1語で言う場合を除ききわめてまれ》
——(代) (主格・目的格) that;(所有格)なし) **1** [関係代名詞] **a** [主格・目的格]

> **語法** (1) 先行詞を説明する節を導く語.
> (2) 先行詞は人・動物・物.
> (3) ふつう制限用法として用いる.
> (4) 先行詞が人以外であれば which と交換可能. 人の場合は who がふつう. ただし, 先行詞が人以外で, all, every, any, no, the only, the same, the very, 形容詞の最上級, 序数詞がついているときや something, anything, everything, all, much, little などの不定代名詞がついているときは which よりも that を用いる方がよいとされる. しかし実際には物・事には which, 人には who を用いることが多い.
> (5) 目的格の場合, (略式)ではふつう省略.
> (6) 先行詞が such を伴う場合は as を用いる.
> (7) 先行詞が比較級を伴う場合は than を用いる.

‖ He's the man *that* lives next door to us. 彼は私たちの隣に住んでいる人です / The man (*that*) you spoke to in the street is my music teacher. あなたが道で話しかけた人は私の音楽の先生です《◆that節の目的語になる場合は, その前置詞は必ず動詞より後に置く:ˣThe man *to* that you spoke …》/ He is the pupil (*that*) I gave the book to. 彼は私がその本をあげた生徒です《◆目的語を2つとる動詞の場合, 節内の前置詞を省略できない:ˣ… the pupil (that) I gave the book.》/ These are the only good books (*that*) there are on the subject. その問題を論じた本で現存するよい本はこれだけです《◆主格でも, この例のように節内が there is で始まる場合はふつう省略される》/ There's a shop across the street (*that*) sells shoes. 道の向かい側には靴を売っている店がある《◆There is で始まる文では主格でも省略可能》.

b [補語として]《◆人が先行詞でも who で代用されない》‖ He isn't the hero (*that*) he thought he was. 彼は今では以前そうだと思っていたような英雄ではない / Fool *that* I am! 私はなんてばかなんだ《◆この場合先行詞の単数名詞には冠詞をつけない》.

2 [関係副詞的に]《◆(1) at [in, on] which, when, why, where に相当する. (2)《略式》では省略するのがふつう》∥ That was the day (that) he left (on). それは彼女が出発した日だった《◆ on があれば that は純粋の関係代名詞であるが, 省略するのがふつう. on がなければ when または on which に相当》/ I didn't like the way (that) he spoke to us. 私たちに対する彼の口のきき方は気に入らなかった《◆ in which に相当》/ This is the reason (that) I don't like fish. これが私が魚を好きでない理由です.

3 [it is A that ...]《(…する)のは A である》《◆(1) A を強める強調構文 **⊃文法 23.2**(1)》. A は(代)名詞で強勢を受ける. (2) that が that 節の主語の場合, その動詞は A の数に呼応する. (3) that の代わりに who, which も可能. → it 代**8**, that² **6**》∥ It was Táylor that [which] met Roy. ロイに会ったのはテイラーでした(=Táylor met Roy. テイラーが[ˣは]ロイに会ったのです) / It was the dóg (that [which]) I gave the water to. 私が水をやったのはその犬にだったのです / Those are my feet (that) you're stepping on. 君の踏んでいるのは私の足だよ《◆ このように it の代わりに that, these を用いられることもある》.

†**thatch** /θǽtʃ/ 名 U C 草ぶき(屋根) ; U 屋根ぶき材料《わら・アシ・シュロなどの葉》. ——動 他《屋根など》をわら[アシ]ぶきにする ∥ Houses with *thatched* roofs still remain in Japan. 日本にはわらぶき屋根の家がまだ残っている.

Thatch・er /θǽtʃər/ 名 サッチャー《Margaret ～ 1925-; 英国の政治家. 首相(1979-90)》.

***that'll** /(強) ðǽtl /(弱) ðətl/《略式》that will の短縮形.

***that's** /(強) ðǽts /(弱) ðəts/《時に that has》の短縮形.

†**thaw** /θɔ́ː/ 動 自 **1**《氷・雪・霜などが解ける, 液体になる》《◆ melt より堅い語》;《冷凍食品が解凍される》(+*out*)∥ The frozen brook is *thawing out*. その凍った小川が解けだした / How long will the frozen meat take to *thaw* (*out*)? 冷凍肉を解凍するのにどのくらいかかりますか. **2** [通例 it を主語にして]《天候が》(水や雪が解けるほど)穏やかになる, なごむ∥ It's *thawing* fast. 急速に暖かくなってきている. **3**《体などが》暖かみをつける;《正式》《態度・緊張などが》なごむ, やわらぐ,《人が》うちとける(+*out*)∥ The atmosphere began to *thaw out* with her warm welcome. 彼女の温いもてなしでその場の雰囲気がなごみだした. ——他 **1**《人・物などが》《氷・雪など》を解かす;《冷凍食品》を解凍する, 戻す(+*out*)∥ *thaw* (*out*) frozen food before cooking 冷凍食品を調理前にもとに戻す. **2**《体など》を暖めてほぐす;《態度・人》をなごませる(+*out*). ——名 C [通例 a/the ～] **1**《雪・氷などが》解けること, 雪解け, 霜解け, 解氷. **2**《雪解けの》陽気, 時期, 季節∥ A [The] *thaw* has set in. 雪解けの季節になった. **3** [比喩的に] 雪解け, (緊張などの)緩和.

****the** /(弱) ðə (ふつう子音の前) , ði (ふつう母音の前) ; (強) ðí:/《**1**の意が原義; 冠は格変化によって生じたもの. [定冠詞](definite article)と呼ばれる》
——形《◆ this, these, that, those より指示性は弱く, 日本語には訳さないことが多い》**1** [前方照応的; 前述の C U 名詞をさして]その, この, あの, 例の∥ Here's *a* glass, some water and three coins. I pour *the* water into *the* glass, then drop *the* coins one by one into *the* water. ここにグラスが1個と水と硬貨が3枚あります. 水をグラスに入れます, それからその水の中へ1枚ずつ硬貨を落としていきます(→ a **1**).

2 [前後関係で何をさすかわかる名詞の前で]その∥ His car struck a utility pole; you can still see *the* mark on the pole. 彼の車は電柱にぶつかった. その跡が電柱にまだある《◆ the pole の the は**1**の用法のもの》/ She *hit* me *on the* head with a hammer. 彼女はハンマーで私の頭をなぐった(→ catch 他**1c**).

3 [その場の状況で何をさすかわかる名詞の前で]∥ Please pass *the* salt. 塩を回してください《◆自分たちが座っている食卓の塩をさす》/ I came across my old friend at *the* post office. 郵便局で旧友にばったり会った《◆いつも利用する郵便局などに用いる》.

4 [団体の長を表す名詞の前で; しばしばその名詞に前置詞句がつく]∥ *The* principal of our school is Mr. Wada. 私たちの学校の校長は和田先生です《◆このような the + 名詞を先行詞とするときは, 関係詞は非制限用法 **⊃文法 20.6**(2))となる: *The* principal of our school, *who* comes from Kyushu, is Mr. Wada. (3) Mr. Wada is (the) principal of our school. のように補語の場合は冠詞をつけることもつけないこともある. つけるのは《正式》, 省略するのは《略式》. **⊃文法 16.3**(4)》/ *The* book you handed me isn't mine. あなたが渡してくれた本は私のではない / He is said to be *the Edison of* Japan. 彼は日本のエジソンといわれている《He is an Edison. は「彼はエジソンのような発明家だ」(→ a **8**)》.

5 [最上級・序数詞の前で]《最上級を表す については **⊃文法 19.6**》∥ Mont Blanc is *the highest* mountain in Europe. モンブランはヨーロッパ最高の山である / Take *the* second turn to the left. 2つ目の曲がり角を左に曲がれ《◆ *the* left の the は**6**の用法のもの》.

6 [ただ1つしかない(と考えられる)ものを表す名詞の前で]∥ *the* sun 太陽 / *the* moon 月 / *the* sky 空 / *the* east 東 / *the* right 右.

> 語法 (1) moon, sky, sea などは形容詞を伴うとその様相を表し a(n) を用いる: *a* cloudy sky 曇り空 / *a* full moon 満月.
> (2) 太陽系の地球以外の惑星は固有名詞で the を用いない: Mars 火星 / Mercury 水星.

7 [固有名詞と共に] **a** [複数形の固有名詞; 山脈・群島・連邦国家・家族など]∥ *the* Alps アルプス山脈 / *the* Rocky Mountains =*the* Rockies ロッキー山脈 / *the* Philippine Islands =*the* Philippines フィリピン諸島 / *the* United States (of America) (アメリカ)合衆国 / *the* Kennedys ケネディ一家, ケネディ夫妻《◆ a Kennedy は「ケネディ家の1人, ケネディという(姓の)人」》. **b** [海・海峡・川・運河など]∥ *the* Pacific (Ocean) 太平洋 / *the* Sea of Japan 日本海 / *the* (English) Channel イギリス海峡 / *the* Nile (River) ナイル河《《英》では *the* (River) Nile という》/ *the* Panama Canal パナマ運河. **c** [半島・砂漠]∥ *the* Malay Peninsula マライ半島 / *the* Sahara (Desert) サハラ砂漠. **d** [船・建造物・道路・鉄道など]∥ *the* Cleveland クリーブランド号 / *the* White House ホワイトハウス / *the* Grand (Hotel) グランドホテル / *the* Louvre ルーブル博物館 / *the* Tokaido Line 東海道線《◆駅名は無冠詞: Atami Station 熱海駅》/ *the* Pacific Freeway パシフィック高速道路. **e** [新聞]∥ *The* New York Times ニューヨークタイムズ紙. **f**

[人名に伴う同格名詞[形容詞]の前で]《◆形容詞が poor, good, little などの感情的な語の場合は無冠詞》‖ William *the* Conqueror ウィリアム征服王 / *the* late Mr. Smith 故スミス氏.

語法 (1) 固有名詞に the がつくかつかないかは一概に規定できず, 上記の場合でも省略されることがあるし, ついたりつかなかったりするものもある: (*the*) Golden Gate Bridge ゴールデンゲートブリッジ.
(2) 所有地名を伴えば常に無冠詞. New York's Central Park ニューヨークのセントラルパーク / Kyoto's Ryoanji 京都の竜安寺.

8 [the＋形容詞・分詞] **a** …な人たち ‖ *The* rich are sometimes said to be self-centered. 金持ちは往々にして利己的だといわれることがある(＝Rich people are …)《◆主題の場合は複数扱い》.

語法 (1) 同じように用いられる形容詞・分詞は able-bodied, blind, brave, dead, deaf, disabled, dumb, elderly, guilty, homeless, injured, innocent, living, old, poor, rich, sick, unemployed, wealthy, wise, wounded, young など.
(2) *the* accused (被告), *the* deceased (故人), *the* pursued (追跡されている人) はしばしば単数の人を表す.
(3) *the* Dutch (オランダ人) など「the＋国籍を表す形容詞」についても同じという国民全体を表し, 複数形として用いられる(→ Japanese 語法).

b …なこと《抽象名詞の代用. 単数扱い》‖ She has an eye for *the* beautiful [=beauty]. 彼女は審美眼がそなわっている《◆ *the* beautiful は美しい人々[物]にもなる. → **8 a**》/ *The* unexpected is [*are] bound to happen. 予期せぬことは必ず起こる.

9 《正式》[総称用法;ⓒ 名詞の単数形の前で] …というもの《◆(1) 同種類・同種類別のものの全体を代表させる. 特に別の種類と区別するような場合に用いる. (2) 名詞は人間のタイプ・動物・植物・宝石・発明品・楽器・文学芸術の部門・体のタイプなど. (3) 《略式》では動植物に関しては the を用いないで複数形で表すのが一般的. (4) man, woman は単独で「人・男「女」を意味する》‖ *The* housewife is very busy on weekday mornings. 主婦は平日の朝がとても忙しい《◆「その主婦は…」のように特定の主婦をさす意味にもなる. → **1**》/ *The* olive grows only in warm climates. オリーブは温暖な気候にのみ成育する / Who invented *the* computer? だれがコンピュータを発明したのですか / *The* Japanese crested ibis is in danger of extinction. トキは絶滅の危機にある《◆ A Japanese … とするとその種族のうちの任意のどの1個体にも言及することになるので, この場合は不可》.

10 [the＋単数形の普通名詞] …の性質, …の機能‖ *The* pen is mightier than the sword. → pen[1] **名 2** 用例 / When one is poor, *the* beggar will come out. 貧乏すればこじき根性が出る.

11 [計量単位を表す名詞の前で] …という単位(で) 《◆前置詞の後に用いる》‖ We buy eggs *by the* dozen. 卵はダース単位で買う / My car gets fifteen kilometers to *the* liter. 私の車は(ガソリン1)リッタあたり15キロメートル走る.

12 [the＋複数形の普通名詞・集合名詞] すべての《◆all を伴っても同意》‖ These are *the* pictures she painted. これは彼女が描いた絵の全部である《◆ *the* がなければ「一部」の意味で some … と同意》/ He knew most of *the* gentry. 彼は上流階級のたいていの人を知っていた.

13 /ðíː/ [強調する名詞の前で] 真の, 一流の, あの有名な, 典型的れた, 最も必要な《◆印刷する場合はイタリック体》‖ This is not *the* method but a method. これは唯一の方法でなく1つの方法である / This is *the* place for young people. ここは若い人にうってつけの場所である《対話》"Hello, this is Tom Hanks speaking." "Tom Hanks? You're not *the* /ðíː/ Tom Hanks, are you? The famous actor?"「もしもし, トム=ハンクスですが」「トム=ハンクス, あの有名な俳優のトム=ハンクスさんではないでしょうね」.

14 [twenties, thirties, forties などの複数形の前で] …年代, …点台‖ from *the* thirties to *the* sixties of the nineteenth century 19世紀の30年代から60年代まで / His grades in math were always in *the* eighties. 彼の数学の成績はいつも80点台だった《◆年齢について用いると「…歳代」の意となるが, 個人的な場合には the ではなく所有格がふつう》.

15 [時を表す語の前に用いて] 現在の《◆著名な人・行事などを示す句・名称に用いる》‖ books of *the* month 今月の本 / the match of *the* day 本日の試合.

16 《英略式》私の, 私たちの‖ *The* wife likes this flower. うちのかみさんはこの花が好きなんです.

── 副《◆比較変化しない》**1** [the＋比較級…, the＋比較級…として] …すればするほどますます…《◆(→文法 19.3(1))》‖ *The* longer you work, *the* more you will earn. 長く働けば働くほどそれだけたくさん稼ぐことになる(＝As you work longer, you will earn more.).

2 [比較級の前で] それだけ, ますます, かえって(→文法 19.3(2))‖ I like him *(all) the better for* his frankness. 彼は正直だから一層好きだ(＝… because he is frank.).

3 [副詞の最上級の前で](→文法 19.5)‖ She practices *the* hardest in the team. チームのなかで彼女が一番よく練習する.

the- /ðiː/ (語要素)→語要素一覧(1.6).

theat. 略 theater, theatrical.

the·a·ter, 《主に英》**-tre** /θíːətər | θíətə, θíéta/ 形 theatrical 〈形〉
── 名 (複 ~s/-z/) **1** ⓒ 劇場《◆現象界・社交生活の象徴》;《主に米・豪》映画館(《英》cinema);(古代ギリシア・ローマの)野外円形劇場《◆《米》でも劇場名としては theatre のつづりが多い》‖ a performing *theater* 劇場 / a film [movie, picture] *theater* 映画館 / a drive-in *theater* ドライブイン劇場 / *go to the theater* 芝居[映画]を見に行く. 表現「歌舞伎(ぶき)座」は the Kabukiza *Theater* とすればわかりやすい.

2 Ⓤ 《通例 the ~》 演劇;演劇界[関係者], 劇団;[集合名詞] (作家・国・時代の)劇作品[文学]‖ *the* modern Russian *theater* 近代ロシア戯曲 / *the theater* of cruelty [the absurd] 残酷[不条理]演劇 / a good piece of *theater* すばらしい一編のドラマ.

3 Ⓤ 劇上演[製作, 執筆];(劇の)できばえ, 上演効果‖ The school play was [made] good *theater*. その学校劇はよいできばえだった. **4** ⓒ 階段教室[講堂];《英略式》手術室(operating theater)《◆無冠詞の in theater でも用いる》.

the·a·ter·go·er /θíːətərɡòuər | θíətə-/ 名C 芝居好き, 芝居の常連.

the·a·ter·go·ing /θíːətərɡòuiŋ | θíətə-/ 名U 芝居見物, 観劇. ── 形 芝居好きの.

the·a·tre /θíːətər | θíətə, θiéɪtə/ 名《主に英》=theater.

the·at·ric /θiǽtrɪk/ 形 =theatrical.

†**the·at·ri·cal** /θiǽtrɪkl/ 形 **1** 劇場(用)の; 演劇の; 芝居に向いた ‖ *theatrical* costumes 舞台衣装 / a *theatrical* film 劇場用映画 / a *theatrical* company 劇団 / a *theatrical* performance 演劇, 上演 / *theatrical* skills 演技力. **2**〈態度・人などが〉芝居じみた, わざとらしい; 不自然で; 偽りの, 不実な. ── 名 [~s] (しろうとの)演芸, 演劇 ‖ private [amateur] *theatricals* しろうと芝居.

The·ban /θíːbn/ 形 名C テーベ(Thebes)の(人).

Thebes /θíːbz/ 名 **1** テーベ《古代エジプトの首都》. **2** テーベ《古代ギリシアの都市》.

†**thee** /ðíː, (弱) ði/〖thou の目的格代名詞〗代《古・詩》**1** なんじを[に]. **2**《まれ》[主語として] なんじは《◆昔 Quaker 教徒間で用いられた》.

†**theft** /θéft/ 名 **1** UC 盗み, 窃盗(罪) (cf. thief); […を]盗むこと[*of*]. **2** C〔野球〕盗塁.

their /ðéər, (弱+)(弱) ðər/《◆(英)でも母音の前では時に (弱)/ðər/》(同音 there, they're)〖they の所有格〗(→文法 15.3⑵)
── 代 [形容詞的に] **1** [特定・総称・不特定・権威の they の所有格] [名詞の前で] **彼らの, 彼女らの, それらの, その人たちの** ‖ Tom helps his brothers with *their* homework. トムは弟たちの宿題を手伝ってやる / In that village they wash *their* rice and vegetables in the river. あの村では川で米や野菜を洗う.
2 [everyone, anyone などの不定代名詞を受けて] (その)人の(→ they **4**) ‖ I told everyone to bring *their* notebook(s). みんなにノートを持ってくるように言った(=I said to everyone, "Bring your notebooks.").

theirs /ðéərz/ (同音 there's)〖they の所有代名詞〗(→文法 15.3⑷)
── 代 **1** [単数・複数扱い] **彼らのもの, 彼女らのもの, それらのもの, その人たちのもの**《◆*their* + 先行名詞の代用》‖ That house is bigger than *theirs*. あの家は彼らの(家)より大きい.
2 [everyone, anyone などの不定代名詞を受けて] (その)人のもの《◆「his + 先行名詞」の代用》‖ I do my best, and I hope everyone else does *theirs*. 私はベストを尽くすから皆もそうであってもらいたい.
3 [a [this, that, etc.] + noun + of ~]《◆名詞の前に their と a, this, no などとを並置できないので, of theirs として名詞の後に置く》‖ Do you like *that* dog *of theirs*? 彼らの飼っているあのイヌがお好きですか.

the·ism /θíːɪzm/ 名U《正式》有神論(↔ atheism); 一神論. **thé·ist** 名C 有神論者.

them /(弱) ðəm, əm; (強) ðém/〖they の目的格代名詞〗(→文法 15.3⑶)
── 代 **1** [動詞の目的語として] **彼らを(に), 彼女らを(に), それらを(に), その人たちを(に)**《◆特定・総称・不特定・権威の they の目的格》‖ Please take *them* to the zoo. 彼らを動物園へ連れて行ってくださ

い.
2 [everyone, anyone などの不定代名詞を受けて] (その)人を(→ they **4**).
3《略》**a** 彼らが《◆動名詞の意味上の主語 their の代用》. **b** 彼らが《◆be動詞の後で they の代用》‖ The man cried, "That's *them*." その男は「あいつらだ」と叫んだ.

†**theme** /θíːm/ 名C **1**《正式》[…の]主題, テーマ(subject)〔*of, in*〕(↔ rheme) ‖ the *theme* for tonight's talk 今夜の話の題目. **2**《米》(学校の)作文, エッセイ; (作文の)題, 題材 ‖ a *theme* paper 作文, レポート. **3**〔音楽〕主題, テーマ, 主楽想, 主旋律.

théme pàrk テーマパーク《特定のテーマ・コンセプトで統一した大型レジャー施設》.

théme sòng [tùne] 主題歌[曲], テーマソング;《米》(テレビ・ラジオの)テーマ音楽《(英) signature (tune)》.

them·self /ðəmsélf/ 代 自分自身《◆himself, themselves に代わる再帰代名詞》‖ Everybody should believe in *themself*. だれも自己を信じるべきだ《◆まだ確立した用法ではない. Everybody should believe in themselves. がよい. → themselves **3**》.

them·selves /ðəmsélvz/〖they の再帰代名詞〗(→文法 15.3⑸)
── 代 **1** [再帰用法] **彼ら自身を[に], それら自体を[に], 彼女ら自身を[に]** ‖ The children are enjoying *themselves*. 子供たちは楽しんでいる.
2 [強調用法] [強勢を置いて] **彼ら自身**《◆they または them と同格に用いる》‖ Why didn't the children apologize *themselves*? なぜ子供たちが自分であやまらなかったのだ.
3 [everyone, anyone などの不定代名詞を受けて] 自分自身を《◆himself の代用. → they **4**, themself》‖ *Everyone* has to take care of *themselves*. だれしも体を大切にしなければならない.

then /ðén/〖→ than〗

index 副 **1** その時 **2** それから **3** それなら
名 その時

── 副 **1 その時**, そのころ, あの時(は)《◆過去・未来の両方に用いる》‖ He was still at school *then*. あのころ彼はまだ在学中だった / the *then* existing laws =the laws *then* existing 当時行なわれていた法律.
2 [順序を示して] **それから**(すぐ), そのすぐあとで; 次には, 今度は《◆時に first と対照的に用いる》‖ *First*, we'll go to the museum, and *then* have lunch. まず美術館に行ってそれからお昼にしよう / The car swerved, (and) *then* crashed into a wall. 車は道をはずれ, それから壁に激突した《◆(1) and は省略されることが多い. (2) and の代わりに; や: の場合もある》/ What happened *then*? それからどうなりましたか.
3 [推論を示して] **それなら**, そうすると, そういうことなら, その節は《類語 in that case, in other words,《正式》this [that] being so, right (then), OK now》《◆if との呼応については→ if 腕》, say との呼応については→ say 他 **6**》‖ *Then* why don't you ask him? それではどうして彼に尋ねないのか / But *if* we refuse to accept your proposal, what *then*? しかしもし我々が君の申し出を断れば, その場合ど

うするのか《◆then は if と呼応してその意を強める》. **4** その上, さらにまた, そのほかに ‖ I don't like the color of this shirt, and *then* it's too expensive. 私はこのシャツの色が気に入りません, それに値段が高すぎます. **5** それゆえ, したがって, してみると ‖ His mind is made up, *then*. それで彼の心は決まったんだね. **6** 別の時には; そのうち《◆しばしば sometimes, now と相関的に用いる》‖ Now it's warm, *then* cool. 時には暖かく, また時には涼しい / Sometimes the car runs smoothly, *then* (it) stalls at every corner. その車は時にはすいすい走るかと思うと曲がり角ごとにエンストしたりする.

but thén (**agáin**) [対照] しかしまた一方では; そうはいっても.

*__thén and thére__ =(主に英) **thére and thén** (略式) すぐその場で, それと同時に; その場で「昔も今も」の意》(cf. HERE and now) ‖ He answered *then and there*. 彼は即座に答えた.

── 名 U [通例前置詞の目的語として] **その時**, 当時 ‖ since [before] *then* その時以来[以前] / by [until, till] *then* その時までに[まで] / from *then* on [onwards] その時以来.

── 形《正式》[名詞の前で] [the ~] その当時の(at that time)《◆比較変化しない》‖ the *then* mayor そのころの市長《◆形容詞として用いるのを認めない人も多い》.

†**thence** /ðéns/ 副《正式》**1** そこから《◆ from *thence* ともいう》. **2** (まれ) それゆえに, したがって.

†**thence·forth** /ðènsfɔ́ːrθ/ 副《正式》その時から, それ以後.

the·o- /θíːə-|θíːou-/ (語要素) →語要素一覧(1.6).

the·oc·ra·cy /θiːɑ́krəsi|-ɔ́k-/ 名 -5k-; **2** U 神政[神権]政治, 祭政一致; **2** C 神政国家.

The·o·dore /θíːədɔ̀ːr/ 名 シオドア《男の名. 《愛称》Ted》.

theol. (略) theology, theologian, theological.

†**the·o·lo·gi·an** /θìːəlóudʒiən/ 名 C 神学専門家, (キリスト教)神学者.

†**the·o·log·i·cal** /θìːəlɑ́dʒikl|-lɔ́dʒ-/ 形 神学(上)の, 神学に関する; 宗教学の ‖ a *theological* school 神学校 / *theological* virtues キリスト教基本徳目《信·望·愛》. **thè·o·lóg·i·cal·ly** 副 神学的に.

†**the·ol·o·gy** /θiːɑ́lədʒi|-ɔ́l-/ 名 **1** U (キリスト教の)神学. **2** C U 神学体系[教義], 神学説.

†**the·o·rem** /θíːərəm|θíːə-/ 名 C **1** 《数学·論理》定理 (cf. axiom). **2** 原理, 論理的命題.

†**the·o·ret·i·cal** /θìːərétikl|θìːə-/ 形 **1** 理論的な, 理論(上)の, 理論に基づいた(↔ applied, practical, empirical) ‖ *theoretical* mechanics 理論力学 / the *theoretical* maximum efficiency 理論上の最大効率. **2** 《人が》理論好きな, 思索的な; 《知識·存在などが》架空の, 仮説的な.

thè·o·rét·i·cal·ly 副 理論上は, 名目上は.

the·o·rist /θíːərist|θíːə-/ 名 C (芸術·科学などの)理論家.

the·o·rize /θíːəràiz|θíːə-/ 動《正式》自 […に関して] 理論を立てる; 理論により分析する; 思索する《*about*, *on*》. 他 《…であると》立論する《*that*節》.

†**the·o·ry** /θíːəri|θíːəri/ 名 **1** C [通例 a/the ~] 《事実·現象を説明する》[…という/…に関する]学説, …論; 仮説[*that*節/*about*] ‖ hypothesis より妥当性がある》‖ many *theories* about the origin of life 生命の起源に関する多くの説 / support [propound] the *theory that* the universe is continuously expanding 宇宙は絶えず膨張しているという説を支持[提起]する. **2** U 《実践に対する》理論; (学問的)原理; [時に a ~] 理屈, 空論(↔ practice) ‖ the *theory* of music =music [musical] *theory* 音楽理論 / This plan is excellent [good] *in theory*. この計画は理論的には申し分ない. **3** C 《…という/…に関する》推測, 憶測; (個人的)意見, 持論[*that*節/*about*] ‖ one's pet *theory* 持論 / have a *theory about* the outcome 結末の予想がつく. **4** U 《数学》…論; 定理, 公理, 体系 ‖ the *theory* of probability =probability *theory* 確率論.

ther·a·peu·tic, ‒·ti·cal /θèrəpjúːtik(l)/ 形 **1** (正式) 治療法の; 治療学の. **2** 母体保護上の.

ther·a·pist /θérəpist/ 名 C 療法士, 治療専門家.

ther·a·py /θérəpi/ 名 U C [時に複合語で] 《ふつう薬や外科手術によらない》治療; (物理)療法 ‖ speech *therapy* 言語療法.

:**there** /ðéər, 弱 ðər/ 《**2** では (弱) ðər/ ‖《母音の前では (弱) ðər/ も用いられる》[同音] their; [類音] dare /déər/》『話し手のなわ張りの外に』が本義で指示代名詞 that に対応する副詞. cf. here』

index 副 **1** そこに, そこで; そこへ **2** …がある **4** その点で
名 そこ

── 副《◆比較変化しない》**1** [指示的·前方照応的に] **そこに, そこで; そこへ**, そちらへ《◆さらに離れた「あそこに」は over there》‖ Your car is (right) *there*. 君の車は(ちょうど)そこにある / Isn't the nurse *there*? 看護師はそこにいないのか / Are you *there*, Bob? (階上[下]や隣の部屋に向かって)おい, ボブいるかい / My uncle lives in Hokkaido. I'm going *there* next summer. おじが北海道にいます. 今度の夏そこへ行くつもりです / Let's go *there* now. 今そこへ行こう / Hello, is Mr. Smith *there*? (電話) もしもし, スミスさんですか.

[語法]《**here** に対応する用法》(→ here 副 **1** 語法)
(1) 名詞の後に置いて形容詞的に使うことができる: The bóys *thére* want to see you. そこにいる少年たちがあなたに会いたがっています / Take that bóok *thére*. (略式)そこの本を取りなさい.
(2) 大まかに位置を示し, 後に同格的に正確な位置を示すことがある: The bag is *thére*(,) on the table. そのバッグはそこのテーブルの上にある.
(3) しばしば強勢を示す副詞と共に置いて用いる(→ 名1): It's cold *úp thére*. そこ(高い所·緯度の高い地方など)は寒い / The school is *óver thére*. 学校は(向こうの)あそこにある.
(4) 眼前のことについて相手の注意を引くために文頭に置く. ふつう現在単純時制で用い主語の位置が倒置される. here に比べ離れている場合に用いる: *Thére* is my car. (ほら,)私の車がそこにある(cf. **2** 語法 (3)) / *Thére* goes the train. ほら, 列車が行くぞ / **Thére goes [Thére's] the bell.** ほら, ベルが鳴っている. ただし, 代名詞では倒置は不可: *Thére he comes*. / ✕There comes he. ほら, 彼がやって来たぞ.

2 /ðər/ a [there is [are] A] A **がある**, A《人が》いる《◆☑ (1) 主語は A で the, my, this などのつかない名詞句. (2) be動詞の単数·複数は A に一致させる》‖ There is a dog at the door. 玄関のところに犬

かいる / 〖対話〗 "What's on at the theater this evening?" "*There is* [(略式) *There's*] a film I want to see." 「今夜はどんな映画やってるる」「僕の見たいのをやってるんだ」/「*There will* [(略式) *There'll*] *be* a dance at the town hall tomorrow. 明日公会堂でダンスパーティーがある / *Are there* many useful recipes in this book? 役に立つ調理法がこの本にはたくさんありますか (= Does this book have many …?) / *There is* no difference of opinion between Japan and the US. 日米間に意見の違いはない / *There were* some [three] dictionaries on the shelf. そのたなには辞典が何冊か[3冊]置いてあった《◆ A に基数は使用可》/ *There are* five (of us) in our family. 私の家族は5人です (= We are a family of five in all.) 《◆ ×Our family is [are] five. は不可》/ *Where is there* pain? どこが痛みますか / 〖対話〗 "Is there any bus service to the station?" "Yes, the next bus will start from there." 「駅までバスの便がありますか」「はい. 次のバスはそこから出発します」《◆ from there の there は名詞》.

 b [there + 存在・出現などの動詞 + A] A〈不定の人・物・事〉が…する ‖ *There seems* (*to be*) no room for doubt. 疑いの余地はないようだ (= It seems that there is no …) / *There* once *lived* in Greece a very wise man. 昔, ギリシアに非常に賢い人が住んでいた / *There stands* a church on the hill. 丘に教会が建っている / *There* began [occurred] a long and bloody battle. 長い血なまぐさい戦闘が始まった[起こった]《◆ 新しい話題を導入する働きをする動詞が用いられる》.

> 語法 (1) ふつう自明である場合を除き副詞(句)を必要とする: ×*There is a dog.*(→ **2 a** 第1例)cf. *There is a God.*
> (2) この構文は不定のものに用い, 特定のものには用いない (cf. **1** 語法 (4)): ×*There is the cat in the kitchen.*《◆ *The cat is in the kitchen.* とする》ただし, of句や that節によって限定されたり, 物事を列挙したりする場合には the と共に用いられる: *There is the* problem of race in America. アメリカには人種という問題がある (→ *the* は of 句によって限定されることから生じた the の 形 **4**).
> (3) この there は単にものの存在を表すだけで, 場所の観念がなく, 形式的な主語の役割を果たしている. したがって, 疑問文 (→ **2 a** 第4例) や付加疑問文だけでなく次のように不定詞・分詞・動名詞の意味上の主語にも用いられる: *There was* one more pupil, *wasn't there*? もうひとり生徒がいたね / I except *there* to be room for improvement. 改良の余地があると思う / *There being* no rain, the ground was hard. 雨が降っていないので地面は堅かった (= As *there* was no rain, …) ⇒文法 **13.7**) / No one would have dreamed of *there* being such a place. そんな所があろうとはだれも思わなかっただろう (= … dreamed that *there* was such …).
> (4) 次の分を比較: Across the street *there* is a market. 通りの向う側にマーケットがある / Across the street is a market. ほら, 通りの向こう側にマーケットがあるよ《◆ *there* のない形は眼前で指をさして示している状況で用いる》

 3 [文頭・文尾で] **その点で, そこで; その時** ‖ *There* she paused. そこで彼女は話すのをやめた / He isn't wrong *there*. その点では彼は間違っていない.

 4 [間投詞的に] **a** さあ, ほら, おい; よしよし (言った[思っていた]通りでしょう)《◆ 満足・挑戦などを表す》‖ So *there*! さあそうだ, わかったか《◆ 決意を表す. 子供がよく使う》/「*There, there* [*There now*], you'll soon feel better. [相手を慰めて]よしよしすぐ気分がよくなるよ. **b** [呼びかけ] おい君 ‖ Hello, *there*! やあ君 / Stop fooling, *there*! 君, ばかなまねはよせ.

*   ***There is nó dóing …*** (略式) **(1)** …することができない, …するのはとても難しい ‖ *There is no telling* how many people will show up. 何人来るかわからない. **(2)** …することは許されない ‖ *There is no parking* here. ここに駐車してはいけない.
    Thère it ís. (略式) = THERE you are (1), (2).
*   ***There's A and A.*** → **and A**. そこに.
*   ***Thère you áre.*** (略式) **(1)** 君そこにいたの. **(2)** [人に物を渡すとき] ほら, そこにあります, さあどうぞ (→ HERE you are). **(3)** [通例 but, still などの後で] ほれごらんなさい, 言ったとおりだろう; 実情はそうである《仕方がない》.

—— 名 [U] **1** [主に前置詞・他動詞の目的語として] そこ (→ 形 **1** 語法 (3)) ‖ leave *there* そこを去る / How far is it *from there* to Tokyo? そこから東京まではどれくらいありますか / a river east of *there* そこの東にある川 / He lives near *there*. 彼はそこの近くに住んでいる. **2** 「あそこ」(down there)《◆「陰部」をさす遠回し語》.

†**there・a・bout, ー・a・bouts** /ðɛərəbáut(s), ˈー-/ 副 [通例 or ~] **1** (どこか)その辺で[に]. **2** そのころに, その前後に. **3** およそ, …ぐらい.

†**there・af・ter** /ðɛəráftər/ 副 (正式) その後は, それから先 (after that)《◆ 文意強勢を置かないで前にくる名詞に対し形容詞的にも用いられる》. hereafter の用例参照》.

†**there・by** /ðɛərbái/ 副 (正式) **1** [法律] それによって. **2** それに関して. **3** その辺に.

*   ***there'd*** /ðɛərd/; (弱) ðərd/ (略式) there would, there had の短縮形.

*   ***there・fore*** /ðɛərfɔːr/
—— 副 (正式) [文頭・文中で] **それゆえに, したがって, その結果**《◆ so より堅い語》‖ She missed the train and *therefore* was late. 彼女は列車に乗り遅れたので遅刻した / I think, *therefore* I exist [am]. 我思う. 故に我あり《◆ Descartes の言葉》.

†**there・in** /ðɛərín/ 副 (古) (正式) その中に, そこに; それに関して.

there・in・after /ðɛərináftər | -ɑːftə/ 副 (法律) (文書などで) 以下で, 後文に.

†**there'll** /ðɛərl; (弱) ðərl | ðəl/ (略式) there will の短縮形.

†**there・of** /ðɛəráv | -ɔ́v/ 副 (正式) それの, その; そこから, そのために.

†**there・on** /ðɛəɑ́n | -ɔ́n/ 副 (正式) その上に.

*   ***there's*** /ðɛərz; (弱) ðərz | (同意) theirs) (略式) there is [時に there has] の短縮形.

The・re・sa /tərí:sə, -zə, -réisə | -zə/ 名 St. ~ 聖テレジア《1515-82; スペインの修道女》.

†**there・to** /ðɛərtú:/ 副 (正式) **1** (法律) それ[その文書]に, そこへ. **2** それに加えて, その上にまた, さらに.

there・un・der /ðɛərʌ́ndər | ðɛər-/ 副 (正式) (法律) **1** その下に. **2** (文書などで) それに従って.

†**there・up・on** /ðɛərəpɑ́n | -ɔ́n/ 副 (正式) **1** その問題に関して, その結果として. **2** そのすぐ後で, そこで(さっく).

there·with /ðèərwíθ | -wíð/ 副 **1** (正式) それとともに, それで. **2** (正式) その上に, おまけに.

ther·mal /θə́ːrml | -ml/ 形 **1** 熱の, 温度の. **2** 〈湯が〉温かい; 温泉の. **3** 保温用の. ── 名 C 上昇温暖気流.

thérmal páper 感熱紙.
thérmal prínter [コンピュータ] 感熱式プリンター.

ther·mo- /θə́ːrmə- | θə́ːməʊ-/ (語要素) =語要素一覧 (1.6).

ther·mo·e·lec·tric, --e·lec·tri·cal /θə̀ːrmə-iréktrɪk(l) | θə̀ːməʊ-/ 形 熱電気の.

＊ther·mom·e·ter /θərmάmətər | -mɔ́m-/
── 名 C 温度計, 寒暖計 ‖ a clinical *thermometer* 体温計 / a Celsius [centigrade] *thermometer* 摂氏温度計 / a Fahrenheit *thermometer* 華氏温度計 / The *thermometer* reads [stands at] 16°C. 温度計は摂氏 16 度をさしている(◆ 16°C is sixteen degrees centigrade と読む).

ther·mos /θə́ːrməs, (英) -mɒs/ 名 [時に T~] C (商標) サーモス(thermos flask [jug, (主米) bottle])(◆魔法びん(vacuum flask)の商標名).

ther·mo·stat /θə́ːrməstæt/ 名 C サーモスタット, 温度自動調整器.

the·sau·rus /θɪsɔ́ːrəs/ 名 (複 ~·es, -ri /-raɪ/) C シソーラス, 分類語彙(ごい)辞典, 類義語辞典.

‡these /ðíːz/ 〖指示代名詞の 1 つ; this の複数形〗
── 代
I [形容詞用法; 言語外照応的] [名詞の前で]
1 これらの《《空間的・時間的・心理的に話し手に近いものをさす. 訳すときは「この」とした方が自然な場合が多い》(↔ those) ‖ *These* keys are mine. このかぎは私のです / She doesn't smoke much *these* days. このごろ彼女はあまりタバコを吸わない(◆(1) in *these* days とはいわない(➡文法21.6(1)). (2) these days はふつう現在(進行)時制, 時に現在完了と共に用いる) / He will go to America one of *these* days. 彼は近いうちにアメリカへ行くだろう / I haven't seen her *these* past five years. この 5 年というもの彼女に会っていない.
II [形容詞用法; 言語内照応的] [名詞の前で]
2 a [前方照応的] (すでに述べたことを受けて)この, 例の ‖ He produced several diamonds out of his pocket. I put *these* diamonds in the safe. 彼はポケットからいくつかのダイヤを取り出した. 私はこれを金庫にしまった. **b** [後方照応的] 次に述べる ‖ On the blackboard *these* words were written : Reading, Writing, Arithmetic. 黒板には次に述べることが書かれていた. 読み, 書き, 算数.
III [独立用法; 言語外照応的]
3 これら(のもの, の人)(↔ those) ‖ *These* are my books. これ(ら)は私の本です / I'll take *these*. これ(ら)をいただきます / *These* are my sons. これが息子たちです(◆ 2 人以上一緒に紹介する場合. cf. this 代 5).
IV [独立用法; 言語内照応的]
4 a [前方照応的] (すでに述べたことを受けて)これらのもの ‖ There are five books on the table. I bought three of *these* yesterday. テーブルの上に本が 5 冊ある. このうち 3 冊は昨日買った. **b** [後方照応的] 次に述べること, これからのこと ‖ The reasons were *these*. その理由は次に述べることです.

†the·sis /θíːsɪs/ 名 (複 -ses /-siːz/) C **1** (正式) (通例 one's ~) 主題, 論旨(argument); 題目 ‖ argue one's *thesis* well 論題をよく論ずる. **2** (学位請求の)論文; 修士[博士]論文 ‖「a doctoral [a master's] *thesis* 博士[修士]論文 / write a graduation *thesis* on the effectiveness of coeducation 男女共学の有効性について卒業論文を書く. **3** 命題(position), 定立, テーゼ(↔ antithesis); [哲学] (ヘーゲル哲学で)命題「正」.

Thess. (略) *Thessalonians*.

Thes·sa·lo·ni·an /θèsəlóʊniən/ 形 テサロニケの.
── 名 C テサロニケ人; [聖書] [~s; 単数扱い] テサロニケ人への手紙《St. Paul による. 第 1, 第 2 の 2 つがある. (略) Thess.》.

Thes·sa·ly /θésəli/ 名 テッサリア《ギリシア東部の一地域》.

the·ta /θéɪtə | θíː-/ 名 U C シータ《ギリシアアルファベットの第 8 字(Θ, θ). 英語の th に相当. → Greek alphabet》.

†thews /θjuːz/ 名 (文) [複数扱い] 筋肉(muscle); [通例 ~ and sinews] 筋力, 体力.

‡they /ðeɪ; 強 ðeɪ/ ðe/ 《特に母音の前で (弱) /ðe/ はしばしばあらわれる. they の are が (弱) /ər/ の時, they は (強) /ðeɪ/ となり they are は there と同音となる》〖三人称複数主格の人称代名詞〗 (➡文法15.3 (1))
── 代 (所有格 **their**, 所有代名詞 **theirs**, 目的格 **them**) **1** [特定の they] 彼らは[が], 彼女らは[が], それらは[が], その人たちは[が] (◆ he, she, it の複数形. すでに話題になっている人・物・事を受ける. 語法 ➡ he 代 **3**) ‖ 〈対話〉 "Who are those boys?" "*They* are exchange students from the United States." 「あの少年たちはだれですか」「アメリカからやってきた交換留学生です」 / In those days ships were not fitted with cold storage as *they* are today. 当時, 船は今日と違って冷蔵装置を備えていなかった.

[語法] (1) 先行名詞が総称的・不特定的に用いられている場合, 単数形であっても they で呼応することがある(→ **4**): A tiger is dangerous. *They* have big, sharp teeth. トラは危険な動物だ. 大きくて鋭い歯がある.
(2) 先行名詞が集合名詞の場合, it (全体), または they (個々)で受ける. The class held *its* election. クラスは選挙をした / The class turned in *their* papers. クラスの者はレポートを出した.

2 [総称の they] (一般に)人々は, みんなは; [不特定の they] (ある地域・場所・店の)人たちは (◆(1) 話し手と聞き手は含まない. (2) 日本語には訳さないことが多い) ‖ *They* say we won't have any classes on Tuesday. 火曜日は授業がないそうだ(=(正式) It is said that ...) / In Australia *they* celebrate Christmas in summer. オーストラリアでは夏にクリスマスを祝う(◆オーストラリア人の発話であれば … we celebrate …, 聞き手がオーストラリア人であれば … you celebrate …).
3 [特定の they] 権威者, 当局 ‖ *They* have put a tax on cheese. 政府はチーズに税をかけた.
4 [everyone, anyone などの不定代名詞を受けて] (その)人は[が] (◆ he, he or she, he/she, s/he などの代用) ‖ Everyone thinks *they* have the answer. だれもが自分は答えがわかっていると思っている / No one was hurt, were *they*? だれもけがをしなかったね.

*they'd /ðéid/ they had, they would の短縮形.
*they'll /ðéil, ðəəl/ they will, they shall の短縮形.
*they're /ðéər; (弱)(米+) ðər/ they are の短縮形.
*they've /ðéiv/ they have の短縮形.
Thi・bet /tíbet/ 名 =Tibet.

thick /θík/ (類音) sick /sík/) [「太った, ふくれた」が原義] 派 thickness (名)

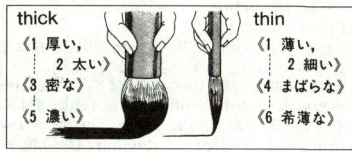

thick	thin
《1 厚い, 2 太い》	《1 薄い, 2 細い》
《3 密な》	《4 まばらな》
《5 濃い》	《6 希薄な》

── 形 (~・er, ~・est)
I [厚みのある]
1a 〈物が〉厚い, 厚みのある(↔ thin) ‖ several thick even slices 数枚の厚くてなめらかなスライス / the thick spectacles 分厚いめがね〈対話〉"How thick was the board?""It seemed to be an inch thick.""その板はどの位の厚さでしたか""1インチぐらいに思えました".
b [数量名詞の後で] 厚さ…の ‖ a wall (which is) five inches thick =a five-inch-thick wall 厚さ5インチの壁.
2 〈針金・指などが〉太い; 〈活字・筆跡などが〉肉太の; 〈人が〉ずんぐりした(thickset)(↔ thin) ‖ a thick line [log] 太い線[丸太] / He is pretty thick through the midriff. 彼は腹のあたりがむっちりしている.
II [厚みができるほど中が密な]
3 〈群衆などが〉密な, 込み合った; 〈やぶ・生け垣などが〉茂った, こんもりした; 〈髪などが〉濃い(↔ thin) ‖ a thick forest 密林 / a thick crowd outside the theater 劇場の外の大群衆 / The flowers grow thickest near the lake. 花は湖の近くで最も密生している.
4 [補語として] […で]いっぱいの, 覆われた〔with〕 ‖ a piano (which is) thick with dust ほこりをかぶったピアノ / a sky thick with stars 星で満ちた空.
5 〈液体が〉濃い, どろっとした; 〈川などが〉濁った ‖ a thick syrup [soup] 濃厚なシロップ[スープ].

(使い分け) [thick と strong]
thick は「(液体がどろっとしていて)濃い」の意.
strong は「(茶・コーヒーなどの味が)濃い」の意.
I'd like to have a cup of strong [*thick] coffee. 濃いコーヒーを一杯飲みたい.
This soup is too thick. このスープは濃すぎる(◆ strong を使うと「スパイシーで辛い」の意味になる).

6 〈気体が〉濃い; 〈空気が〉汚れた; 湿って重苦しい ‖ a thick [dense, heavy] fog 深い霧. **7** 〈天候がどんよりした, 曇った; 霧深い. **8** 〈やみなどが〉深い, 深い; 見通せない ‖ thick silence 深い静寂 / a thick, gloomy blackness 濃い重苦しい暗やみ. **9** (略式)〈声・話などが〉不明瞭(‿‿)な(↔ clear), しわがれた; 低くて太い ‖ a voice thick with emotion 感激してかすれた声. **10** 〈なまりなどが〉非常に目立つ, 強い ‖ speak with [in] a thick French accent ひどいフランス語なまりで話す. **11** 〈頭が(痛くて)ぼんやりし

た; (英略式)頭の悪い, 愚かな(stupid) ‖ a thick pupil 頭の鈍い生徒 / (as) thick as two (short) planks (俗)とてもばかな. **12** (英略式)[補語として] […と]親しい, 仲のよい〔with〕[通例補頭and Tom are very thick with each other. =… are (as) thick as thieves. ジェーンとトムはとても親密だ. **13** 《主に英略式》[補語として] [通例 a bit (too), rather (too), a little (too), too の後で] [人に]どすぎる, 度が過ぎる〔on〕.

── 名 [通例 the ~] **1** […の]一番太い[厚い]部分〔of〕 ‖ the thick of the [one's] thumb 親指の最も太い部分. **2** [活動などの]最中(ぎぃ﹅), たけなわ, 最も激しい所; [群衆・森などの]最も密集した部分; [暗やみなどの]最も濃い部分〔of〕 ‖ **in the thick of** 「a job [one's difficulties] 仕事[苦境]のまったのまっただ中に.

through thick and thín よい時も悪い時も, どんなことがあっても.

── 副 (~・er, ~・est) **1** 厚く; 太く; 濃く(thickly) ‖ The dust lay thick everywhere. ほこりがいた所に厚く積もっていた. **2** しきりに, 頻繁(哈)に; 多数で; 密に ‖ The grain was sown thick. 穀物はぎっしりとまかれた. **3** The insults flew thick and fast. 無礼な言葉がひっきりなしに飛んだ.

†**thick・en** /θíkn/ 動 他 **1** 〈壁などを〉厚くする; …を太くする. **2** …を〈どろどろに〉する(+up)〔with〕. **3** …を密にする; …のすき間を詰める.
── 自 **1** […へと]厚く[太く]なる(+out)〔into〕. **2** 〈霧・やみなどが〉濃く[濃く]なる(+out, up)〔into〕. **3** 〈群衆などが〉密集する; 〈生地などの〉目が詰まる; 茂る. **4** 〈筋などが〉複雑になる.

†**thick・et** /θíkit/ 名 C 低木の茂み, やぶ(cf. bush).
thick-head・ed /θíkhédid/ 形 (略式) **1** 頭の鈍い. **2** 〈人が〉(寒さ・酒などで)ぼんやりした.
†**thick・ly** /θíkli/ 副 **1** 厚く, 太く, 濃く; 密集して. **2** 茂って, おびただしく; しきりに, 激しく. **3** 不明瞭(ﾘ;)に; だみ声で.
†**thick・ness** /θíknəs/ 名 **1** U C 厚いこと, 太いこと; 厚さ, 太さ(→ length, width) ‖ two inches in thickness =a thickness of two inches 2インチの厚さ. **2** U 濃いこと; 濃さ; 密集, 密生; (生地の)緻密さ(度); 頻繁. **3** U C [通例 the ~] [特に太い]部分. **4** C (厚いものの)一層, 1枚, 一重 ‖ Three thicknesses of newspaper will suffice [do]. 新聞紙3枚重ねれば足りるだろう.
thick・set /θíksét/ 形 **1** 繁茂した, […が]密生した〔with〕. **2** 〈生地などが〉目のつんだ. **3** ずんぐりした, 太くがっしりした.
thick-skinned /θíkskínd/ 形 皮[皮膚]の厚い; (非難・侮辱などに)鈍感な, 無神経な.

*†**thief** /θíːf/ [「うずくまる」が原義] 派 thieve (動)
── 名 (複 **thieves**/θíːvz/) C (こっそり持ち去る)泥棒, こそどろ, かっぱらい 〔類語〕robber は暴力・おどしによる強盗, burglar は押し込みの夜盗 ‖ arrest a bicycle thief 自転車泥棒を逮捕する / thieves' Latin 泥棒仲間の合言葉 / a good thief 熟練した泥棒 / Stop(,) thief! 泥棒だ / **Set a thief to catch a thief.** (ことわざ) 泥棒には泥棒をつかまえさせよ;「蛇(ﾍﾋ)の道はへび」.
†**thieve** /θíːv/ 動 自 (略式)物を盗む, 泥棒する(steal).
thiev・er・y /θíːvəri/ 名 C U 《正式》窃盗(theft).
thieves /θíːvz/ 名 thief の複数形.
thiev・ish /θíːviʃ/ 形 《主に文》盗癖のある; 泥棒のような, こそこそした.

thigh /θái/ 名 C **1** もも((図) → body, horse). **2**

大腿(だい)骨.
†**thim·ble** /θímbl/ 图 C (裁縫用の)指ぬき.
thim·ble·ful /θímblfùl/ 图 (獨 ~s) C (略式) (ふつう酒の)少量, ひとすすりの量.

:thin /θín/ [「十分に伸ばす[広げる]こと」が原義]
── 形 (thin·ner, thin·nest)

I [薄い]

1 ⟨物が⟩**薄い**; ⟨コート・毛布などが⟩薄手の; ⟨物が⟩(事で)薄くなった(*from*) (↔ thick) ‖ a *thin* layer of paint 薄く塗ったペンキ / a paper-*thin* board 紙のように薄い板 / a *thin* slice of bread 1切れの薄っぺらなパン.

2 ⟨針金・指などが⟩**細い**, 細長い; ⟨活字・筆跡などが⟩肉細の(↔ thick) ‖ a *thin* piece of string 1本の細いひも / The line between good and evil is (as) *thin* as a knife's edge. 善悪の差は紙一重だ.

3 ⟨人・動物・顔などが⟩(病気・栄養不足などで)**やせた**, ほっそりした ‖ She grew *thinner* than before. 彼女は以前よりやせた.

類語 [「やせた」の意の形容詞]
(1) thin はやせていることを表す最も一般的な語であるが, 弱々しさと不健康を暗示するときがある. slim, skinny と異なり呼びかけ不可.
(2) slender, slim は, ほっそりしてスタイルがよいこと. slim の方がよく使われ, 特にダイエットまたは運動によってやせた人に用いる.
(3) lean は強くて健康的にやせていること.
(4) やせすぎている場合は (略式) skinny, underweight. emaciated は飢餓のためにやせ衰えた状態をいう. underweight が最も中立的な語.
(5) skinny, scrawny は否定的に弱々しさを暗示するときがある.

II [薄くて中身のない]

4 ⟨葉・群衆などが⟩**まばらな**; ⟨会合・劇場などが⟩入りの少ない; ⟨髪などが⟩薄い (↔ thick) ‖ a *thin* audience 少ない聴衆 / His hair is getting *thin* on top. (略式) 彼の髪はてっぺんが薄くなりかけている.

5 ⟨供給・手当などが⟩乏しい; ⟨年などが⟩不作の; 不景気な ‖ a *thin* market 不景気な市況.

6 ⟨気体が⟩**希薄な**, ⟨液体が⟩薄い, 水っぽい; ⟨酒が⟩弱い; ⟨土地が⟩地味の薄い ‖ *thin* air 希薄な空気 / *thin* beer [wine] 水っぽいビール[ワイン] / a *thin* gravy こくのない肉汁.

7 ⟨色・光などが⟩淡い, 弱い; ⟨声・調べなどが⟩か細い; [写真] コントラストの弱い ‖ *thin* applause まばらな拍手 / a *thin* shade of green 緑色の淡い色合い.

8 ⟨言い訳・話の筋などが⟩浅薄な, 実質のない ‖ a *thin* argument 内容の乏しい議論 / a *thin* disguise 見え見えの[バレバレの]変装.

── 副 (thin·ner, thin·nest) **1** 薄く; 細く ‖ cut (the) bread *thin* パンを薄く切る. **2** まばらに.

── 图 U [通例 the ~] 薄い[細い]部分.

── 動 (過去·過分) **thinned**/-d/; **thin·ning**) 他 **1** …を薄く[細く]する(+*down*) (↔ thicken) ‖ The illness *thinned* her *down*. 病気のために彼女はやせてしまった. **2** …をまばらにする (+苗木などを間引く) (+*out*). **3** ⟨液体・気体などを⟩[…で]薄める(*with*); …を弱める (+*down*, *out*).
── 自 **1** 薄く[細く]なる (+*down*); 体重が減る (+*out*). **2** ⟨群衆・交通などが⟩まばらになる (+*out*, *down*). **3** ⟨液体・気体などが⟩薄くなる (+*down*, *out*).

thin·ness 图 U 薄いこと; 希薄; 細さ; 貧弱.

†**thine** /ðáin/ ðəin/ [thou の所有格代名詞] 代 (古)詩) **1** [形容詞的に] なんじの, そなたの, そちの ◆母音には h で始まる語の前に用いる. cf. thy. **2** [単数・複数扱い] なんじの[そなたの, そちの]もの.

:thing /θíŋ/ (類音 sing/síŋ/) [「公の集会(で討議されるもの)」が原義]

index 1 事 3 事情 4 物 6 持ち物

── 图 (獨 ~s/-z/)

I [ものとして認識されること]

1 C (…する)**事**, 事柄, 行為(to do); 出来事 ‖ the next *thing* to do 次にすること ◆the *thing* to do は時に「流行, はやり」を意味する / Walking everyday is the healthy *thing* to do. 毎日歩くことは健康のために大切なことです / Theory is one *thing* and practice (is) another. (成式) 理論と実際は別である (=Theory is different from practice.) / Such *things* often happen. そのような事はよく起こる ◆(米) では複数形が好まれる. such *things* は今起こっているとか存在している1つの具体例に言及する).

2 C **a** 言いたい事, 言葉, 話; 考え, 意見; 主題, 問題 ‖ There's another *thing* I'd like to ask you. もう1つ君に尋ねたいことがある. **b** 情報, ニュース ‖ Tell him the important *thing* about the party. パーティーに関して大事なことを彼に話してください.

3 [~s] **事情**, 事態, 形勢 ⟨環境・職業・生活などの一切のものを含む⟩ ‖ as *things* are [go, stand] 現状では / *Things* will get better. 状勢はよくなるだろう / How's [How are] *things* (with you)? (略式) ご機嫌はいかが, 調子はどうですか (→ how 副 3 用例).

II [もの]

4 C (一般に)**物**, 物体; 無生物; (略式) (言葉で述べられない)何かある物 ‖ all *things* in the universe 宇宙の万物 / Sweet *things* are bad for your teeth. 甘いものは歯に悪い.

5 C 生き物, 動物; 草木; (略式) [軽蔑(・非難・愛情などをこめて; 形容詞の後で] 人, やつ (person) ◆ふつう女性か子供をさす) ‖ a sweet little *thing* of this *thing* of a black cat この黒ネコのやつ / Oh, poor *thing*! まあかわいそうに / You stupid *thing*! このおばかさんたら / There is not a living *thing* anywhere in sight. どこを見ても生き物一ついない.

6 (主に英) [one's ~s; 複数扱い] **持ち物**, 携帯品 ‖ pack (up) one's *things* 身の回り品を荷造りする.

7 (主に英) [~s] 道具, 用具 ‖ tea [sewing] *things* 茶[裁縫]道具 / one's tennis *things* テニス用品.

8 C (主に英) [通例 one's ~s] **衣服**, (女性用) 外出着 ‖ change one's *things* 衣服を着替える / I haven't [I've not] got a *thing* to wear. 着るものが何もない. **9** C 作品·音楽などの作品 ‖ a few *things* that she painted 彼女が描いた数枚の絵画. **10** C 事項, 項目, 点, 件; 詳細 ‖ an understood *thing* 了解事項 / check every little *thing* あらゆる細かい点まで調べる / I don't owe you a *thing*. あなたには何一つ借りはない. **11** [~s] 物事, 事物; [形容詞の前で] 風物, 文物 ‖ the *things* of the mind 精神的な事柄 / in [by] the nature of *things* (物事の)本質上, 本来 / *things* Japanese (英では正式やぼれ) 日本(特有)の文物[風俗の事物] ◆ この意味を含め広い意味では Japanese *things*

が一般的》/ *things* political [feminine] 政治[婦人]に関する事柄 / take *things* seriously [easy] 物事を深刻に受け取る[楽観する] / She's into many *things*. 彼女はいろいろなことに手を出している / *Worse* [*Stranger*] *things happen* (*at sea*). (略) (ことわざ)もっとひどいことはいくらでもある. **12** Ⓒ (言葉・記号などに対する)実体; 事実, 実在 ‖ the *thing in itself* 物自体.

… and things (略)…など.
for óne thing … (*for anóther* (*thing*) …) 1つには…(もう1つには…)《◆理由を述べるのに用いる》‖ He can't go — *for one thing*, he has too much work, and *for another*, he has no money. 彼は行けない―第一仕事が多すぎるし, 次にお金が全然ないからだ.
of áll things [驚き・怒りを表して] こともあろうに, よりによって.

think /θíŋk/ (顕音) sink /síŋk/) ‖『思慮深さ』が原義. 思考動詞の中核語. cf. thank. (派) thinking (形・名), thought (名)

index 動 他 **1** 思う **2** 考える **5** じっくり考える **6** わかる
自 **1** 考える

——動 (~s/-s/; 過去・過分 **thought**/θɔ́ːt/; ~-ing)
——他 **1** [think (that)節] 〈人が〉…と**思う**, 信じる ‖ I don't *think* it is expensive. それは高くないと思う《◆思う内容が否定文のときは, that節中の述部を否定するより動詞 think 自体を否定するのがふつう. 同種のものに believe, expect, imagine などがある》/ You *think* [don't *think*] he is honest. 君は彼が正直だ[正直でない]と思っているんだね《◆二人称主語の場合は相手の考えを確認する意味で用いる》/ I *thought* you might like some cakes. ケーキがお好きではないかと思いまして《◆過去形 thought を用いると, よりていねいになる. ➔文法 4.2(2)》 / I had *thought* that we would [were going to] be invited to dinner. ディナーに招かれるだろうと思っていたのに(残念だった) (➔文法 6.2(5)) /〔対話〕"Do you *think* she will come?" "Yes, *I think* so." ["No, *I don't think* so." =(正式)"No, *I think* not."] 「彼女が来ると思いますか」「はい, そう思います」「いいえ, そうは思いません」《◆ *I thínk* sò. は確信のないぶっきらぼうな応答であり, Yes, *I should thínk* sò. や No, *I should thínk* nòt. のように should を用いるとていねいになる》/ *I should* [*would*] *think* it is better to go alone. 1人で行かれた方がよいのではないかと思いますが /「Everyone *thought* (*that*) [(正式) *It was thought that*] she had left the job. みんなは彼女がその仕事をやめたと考えていた《◆ She was *thought* to have left the job. の構文が多く用いられる. → **3**》.

2 a 〈人が〉…を**考える**, 心に抱(いだ)く ‖ *think* happy [good] thoughts 楽しい[よい]ことを考える.
b [疑問詞の後で; wh節 + do **A** think …?] (…だと)思う, 想像する ‖ *What do you think* he is doing now? 彼が今何をしていると思いますか《◆ do you *think* が疑問文なので ×is he doing とはしない》/〔対話〕"*Where do you think* she lives?" "I *think* she lives in Osaka." 「彼女はどこに住んでいると思いますか」「大阪に住んでいると思います」《◆ Yes, No で答えられないので ×Do you *think where* she lives? とはいえない》.

c [関係詞の後で; 関係詞 + **A** think …] …と思う ‖ Jack is the man *who I think* can help you. ジャックはあなたの力になれると私が思う人です《◆ who is can help の主格》/ You should live in a town *where you think* you can realize your dream. 自分の夢を実現できると思う町に住むべきです《◆「その町で思う」のではない》.

3 (正式) [think **A** (to be) **C**] 〈人が〉 **A**〈人・物・事〉を **C** と思う ‖ She *thínks* hersèlf prétty [a pretty girl]. 彼女は自分のことをかわいいと思っている(=(略式) She *thinks* that she is pretty.) / He *was thought*「*to be*) lost [*to* have gone there]. 彼は道に迷った[そこへ行った]と考えられた.

4 [… しようかと]思っている; 意図する《(that)節, (英では古・略式) to do》《◆that節内に will, would を用いる》 ‖ I *think* (that) I'll go to the cinema this evening. 今夜映画に行こうかと思っている.

5 [しばしば be ~ing] 〈人が〉(どうしようかと)**じっくり考える**, 思いめぐらす, 〔…であるかを〕勘案[思案]する《*wh*節[句]》 ‖ *think* it *out* [*through*, *over*]〔*wh*節[句]〕 *think* it *through* [*over*] それをじっくり考える / *think out what to do* next 次にどうしようかとよく考える / He is *thinking* (to himself)「*how* complex the apparatus is [*that* he ought to know better]. その装置がどんなに複雑であるか[もっと分別を持つべきだ]と彼は思いめぐらしている.

6 (略式) [通例 cannot, could not の後で]〔…であるかが〕**わかる**, 見当がつく《*wh*節[句]》(cf. know 他 **2**) ‖ You *can't think why* he *should* have done it. なぜ彼がそんなことをしたのか想像つかないでしょう《◆従節に should を使って話し手の疑い・意外性を表す》.

7 [通例否定文・疑問文で] **a** 〔…であると/…することを〕予想[予期]する《(米) *that*節 / (主に英米式) *to do*》《◆*think to do* は(英)では古風であり expect to do がふつう》 ‖ I *never thought*「*to* find [*of* finding / *that* I'd find] her here. ここに彼女がいるなんて思いもよらなかった / Who would have *thought* to invite them? 彼らを招くことをだれが予想しただろうか(➔文法 1.6). **b** 〔…することを〕考え[思い]つく, 〔…することに〕気づく《*to do*》《◆肯定平叙文では(まれ). think of の方がふつう. → THINK OF (4)》; [通例 cannot, could not, try [want] to の後で]〔…であるかを/…することを〕思い出す; …を覚えている《*wh*節[句] / (主に米) *to*〔米〕 He *tried* to [*could not*] *think what* her address was. 彼女の住所がどこだったか彼は思い出そうとした[思い出せなかった] / I didn't *think to* mail the letter. 手紙を出すのを忘れていた《◆ I forgot [didn't remember] to … の方がふつう》.

8 考えごとをして…を忘れる《+*away*》; [~ oneself] 黙案にふける〔…に〕なる《*into*》; 考えすぎて…の状態になる ‖ *think away* one's fears 考えごとをして恐怖をまぎらす.

9 (略式・主に米) …のことばかり考える ‖ talk and *think* business every day 毎日商売のことばかり話し考える / He is always *thinking* promotion. 彼はいつも出世のことばかり考えている.

——自 **1** 〈人が〉[…を/…について]**考える**, 思う, 思考する, 頭を働かす〔*of/about*〕《◆修飾語(句)は省略できない》→ THINK OF, THINK about) ‖ *think* deeply [(very) hard indeed] 徹底的に[一心に]考える / *think only of* efficiency 能率のことしか頭にない.

2 […を]熟考[検討]する, 思いめぐらす〔*of*, *about*〕(→

THINK of); [通例 be ~ing] […しようかと]考えている[of [about] doing]; […に]心を向ける[to] ‖ *think about* oneself [the future] 反省する[将来のことをじっくり考える] / *think* ahead to the next move あらかじめ次の処置に心を向ける / I'm *thinking of* emigrating to America. アメリカに移住しようかと思案している. **3**《正式》予期[予想]する ‖ when I least *think* 思ってもない時に / It may happen sooner than you *think*. 事は君が予期するより早く起こるかもしれない. **4**《英方言》[…を]思い出す; 記憶している[on].

I dòn't thínk.《略式》[先行する文に付加して皮肉・いやみを表して](いやはや)まったくねえ ‖ You can't be a bad boy, I *don't think*. いやウソだね, いやはやまったく.

I thóught as múch. そんな事だと思ったよ.

think abóut Ⓐ (1) → 自 **1**, **2**《◆*think of* より積極的に考える意》‖ We'll *think about* that. 考えておきましょう《◆遠回しに断る言い方》. (2) …のことを思いやる. (3) [しばしば be ~ing] …のことを思い起こす ‖ *think about* one's childhood days 子供時代のことを思い出す.

thínk agáin […について](再考して)考えを変える[about].

thínk a grèat déal of Ⓐ =THINK much of.

thínk (àll) the bétter of Ⓐ […のために]〈人〉をいっそう尊敬する[for, because].

thínk a lót of Ⓐ =THINK much of.

thínk alóud [通例 be ~ing] 考えごとを口に出す, 思わずひとり言を言う.

thínk báck to [on, over] Ⓐ〈過去の出来事など〉を思い出す.

thínk bádly of Ⓐ =THINK ill of.

think bétter of Ⓐ〈人〉を見直す, いっそう高く評価する; …を**考え直してやめる** ‖ She decided to buy a new car, then *thought better of* it and kept her old one. 彼女は新しい車を買うことに決めたが, 考え直して古い車を乗り続けることにした.

thínk íll of Ⓐ …を悪く思う(↔ think well of).

think líghtly [méanly] of Ⓐ …を軽蔑(ﾍﾞﾂ)する, 軽視する.

think líttle of Ⓐ[Ⓐをほとんど考えない]…を軽んじる; …を苦にしない ‖ All the people *thought little of* him. すべての人が彼にあまりいい評価をしなかった.

think múch [híghly] of Ⓐ …を重んじる, 高く評価する ‖ His play was *highly thought of* by the critics. 彼の劇は批評家にもてはやされた《◆ (1) much はふつう否定文で用いる. (2) much, highly (及び上 3 つの成句の ill, little, lightly, meanly など)に対応する疑問詞は what : What do you *think of* this plan? この計画をどう思いますか》.

think nóthing of Ⓐ =THINK little of.

thínk of Ⓐ (1) → 自 **1**, **2**. (2) …のことを想像する ‖ Just *think of* the cost of that furniture! あの家具の値段をちょっと想像してもごらんなさい / He *thought of* Jane frequently. ジェーンのことをしばしば思い出した. (3) [通例 can't, won't, couldn't, wouldn't, shouldn't と共に] …を夢想[予想]する ‖ I *couldn't think of* her running away from home. 彼女が家出するなんて思ってもみなかった. (4) [通例 can't, couldn't と共に] …を思い出す; …を考えつく(→ 他 **7 b**) ‖ I can't *think of* his name. 私は彼の名前が思い出せない / I wonder why no one *thought of* the idea. だれもなぜその考えを思いつかなかったのかしら / Try to *think of* her address. 彼女の住所を思い出してごらん. (5) …のことを思いやる, 面倒みる ‖ *think of* her feelings 彼女の気持ちを考える. (6) …を[…と]みなす(regard)[as, like] ‖ He *thinks of* himself as 「a novelist [(being) easy-going]. 彼は自分のことを小説家だ[のんきだ]と思っている. (7)〈人〉を[…に]ふさわしいと考える, …の候補と考える[for] ‖ *think of* him for president [that position] 彼を議長[その地位]に適すると考える.

thínk óut [自] よく考える. ― [他] (1)〈計画・案・話など〉を考え出す. (2)〈問題・物事など〉を(最後まで)考え抜く, 慎重に検討する; …をよく考えて解決する ‖ All possible ways have been *thought out*. あらゆる可能な方法が案出されてきた.

thínk óver [他]〈問題・計画など〉を熟考する; …を再吟味する ‖ *think over* what she said 彼女が言ったことをよく考える / *Think it over*, my dear. よく考えておいてよ, いいね.

thínk poórly of Ⓐ =THINK little of.

thínk úp [他]《略式》〈弁解・計画など〉を考え出す, 発明[考案]する ‖ *think up* some outrageous scheme 「for escape [to evade taxes]」途方もない逃亡[脱税]計画を考え出す.

think wéll of Ⓐ …をよく思う ‖ She's 「*well thought* [*thought well*]*of* in literary circles. 彼女は文学界では評判が高い.

To thìnk (that) …! [驚き・悲しみなどを表して] …だとは, …を考えると ‖ *To think* I should live to hear such words coming from the mouth of my son. 生きて息子の口からそんな言葉を聞こうとは(驚いた).

Whát do you thínk of [abóut] Ⓐ*?* …はどう思いますか ‖ *What do you think of [about]* Japanese food? 日本料理をどう思いますか《◆ of は一般的に好きかどうかを尋ねる言い方. about はこれから食べる食事は和食にしようかという意図を含む》.

―― 名《略式》[a/another ~] 考えること, 思考; […に関する]考え, 見解(*about*) ‖ have a fresh *think about* a problem ある問題について新たに考える.

―― 形《略式》[名詞の前で] 考え[思考]の, 考え[思考]に関する; 考えさせる.

thínk tànk [fàctory] [単数・複数扱い] 政策研究機関, 頭脳集団, シンクタンク.

think・a・ble /θíŋkəbl/ 形 [通例否定文で] 考えられる, 想像できる;〈企画などが〉ありそうな.

†**think・er** /θíŋkər/ 名 Ⓒ **1** 思想[思索]家. **2** [通例形容詞と共に] 考え方が…の人 ‖ 「an original [a careful, a shallow, a quick] *thinker* 独創的に[注意深く, 浅薄に, すばやく] ものを考える人.

†**think・ing** /θíŋkiŋ/ 形〈人・動物など〉考える, 思考力のある;〈人が〉分別のある, 思慮深い ‖ *thinking* citizens 心ある[道理のわかる]市民 / the *thinking* public 良識のある大衆 / Man is a *thinking* animal. 人間は考える動物である.

―― 名 **1** 考えること, 思考, 思索; [~s] 考えたこと, 瞑(ﾒｲ)想 ‖ do some hard *thinking* もう少しよく考える. **2** […に関する]意見, 判断; 思想, 思潮(*on*) ‖ (according) *to* my (*way of*) *thinking* 私の考えでは / wishful *thinking* 希望的観測, そら頼み / bring him around [round] to my way of *thinking* 彼に意見を変えさせて私の考え方に同調させる / She is of my way of *thinking*. 彼女は私と

同じ意見だ / That's good *thinking*. それはいい考えです.

†thin・ly /θínli/ 副 薄く；細く；まばらに；弱く（↔ thickly）.

thin・ner /θínər/ 名 U C （ペンキなどの）薄め液, シンナー.

thin・ning /θíniŋ/ 名 U 間引き.

*third /θə́ːrd/ [three の r とそれに続く母音が音転位したもの]
── 形 **1** [通例 the ~]（序数の）**第3の**, 3番目の《◆ 3rd, 3d とも書く. 語法 → first 形 1）‖ *the third lesson* 第3課 / *in the third place* 3番目に（thirdly）/ *every third* day 3日ごとに, 2日おきに（=every three days）/ *for the third time* 3度目に, みたび / He is *the third* fastest runner in the class. 彼は走るのがクラスで3番目に速い / *Third time lucky*.（ことわざ）三度目の正直.
2 [a ~] 3分の1の ‖ *a third* share 3分の1の分け前 / *a third* part of the country 国の3分の1.
── 副 **1** 第3に, 3番目に, 3位に ‖ She came (in) *third*. 彼女は3番目に来た[3位になった]. **2** [列挙して] 第3に（thirdly）（→ first 副 2）.
── 名 (複 ~s/θə́ːrdz/) **1** U [通例 the ~]（順序・重要性で）[…する]**第3番目の人**[もの], 3位の人[もの]〔to do〕《◆単数形ではあるが省略された名詞によって複数扱いの場合もある》‖ She was *the third* to raise her hand. 彼女は3番目に手をあげた（=She raised her hand *third*.）.
2 [a ~] [one …, another … と続いた後で]（3番目の任意の）もうひとりの人, もうひとつの物 ‖ One of the Japanese coins is made of silver, another, copper, and *a third*, aluminum. 日本の硬貨のうち1つは銀, もう1つは銅, もう1つはアルミ製です.
3 U [通例 the ~]（月の）**第3日**（→ first 名 **2**）‖ *the third* of May =May (*the*) *third* 5月3日.
4 [the T~; 人名の後で] 3世《◆本来は形容詞》‖ Edward *the Third* エドワード3世《◆通例 Edward III と書く》.
5 C 3分の1 ‖ two *thirds* 3分の2 / A [One] *third* of the houses there *were* [×was] burnt down. そこの住宅の3分の1が焼失した《◆「a ~ of + 複数名詞」では複数扱い》.
6 C **a**（競技などの）3位, 3等賞. **b**（英）（大学の優等試験の）最下位の成績（の学生）. **7** U =third gear. **8** [野球] **a** U =third base. **b** C =third baseman. **9** C [音] 3度音程；第3音.

thírd báse [野球] **(1)** [通例無冠詞] 3塁, サード《◆単に third ともいう. 用例 → first base）. **(2)** = third baseman.

thírd báseman [野球] 3塁手《◆単に third ともいう》.

thírd clàss (cf. third-class) **(1)**（乗物の）3等（用例 → first class）. **(2)**（米）（郵便）第3種《新聞・雑誌以外の印刷物》=third 名 **6 b**.

thírd degrée（略式）[the ~] 拷問（ɡ̊ɯ̊ɲ）.

thírd diménsion (1) [the ~] 第3次元《長さ・幅に対し, 厚み・深さ》. **(2)** [a ~]（絵・物語などの）立体感, 迫真性, 生彩.

thírd fórce 第3勢力《相対立する政治勢力の中間にある勢力・国家》.

thírd géar（自動車のギアの）第3段, サードギア《◆単に third ともいう. 用例 → first gear）.

Thírd Internátional [the ~] 第3インターナショナル.

thírd párty (1) [法] [a/the ~] 第三者《当事者でない人》. **(2)** [the ~] 2大政党対立国の）第3党.

thírd pérson [文法] [the ~]（第）三人称.

Thírd Wórld [しばしば t~ w~] [the ~] 第三世界《アジア・アフリカ・中南米などの発展途上国》.

third-class /θə́ːrdklǽs/ - klɑ́ːs/ 形 副《乗物の》3等の[で]；（米）（郵便）第3種の[で]（用例 → first-class) (cf. third class)

thírd・ly /θə́ːrdli/ 副 [文頭で] 第3に《◆(1) third 副 より堅い言い方だが first, second と呼応して用いられる. **2** = firstly 副.

third-rate /θə́ːrdréit/ 形 三流の；下等な, くだらない.

†thirst /θə́ːrst/ 名 U **1** [時に a ~]（…を求める）（のどの）渇き, 渇き（for）；（体の）脱水状態；（略式）酒を飲みたい願望 ‖ have ⌈*a terrible* [*an insatiable*] *thirst* 一杯飲みたくてたまらない / die of *thirst* 脱水症で死ぬ / satisfy [quench, slake, relieve] one's *thirst* のどの渇きをいやす. **2**（正式）[時に the ~]（…に対する/…したい）渇望, 切望《for, 《文》after）[to do] ‖ the *thirst* for fame 有名になりたいという熱望 / have a burning *thirst* for knowledge [revenge, success] 知識欲[復讐（ɕ̊ɯ̊ɯ̊）心, 成功欲]を燃やす.
── 動 自 **1**（古）のどが渇く；のどが渇いて[…を]飲みたい《for》‖ I *thirst* for a cool drink 冷たい飲み物がとても欲しい. **2**（文）〈人が〉[…を]渇望する, 切望する《for,《文》after》‖ *thirst* for recognition as a pianist ピアニストとして認めてほしいと強く願う.

*thirst・y /θə́ːrsti/
── 形 (--i・er, --i・est) **1**〈人・動物が〉[…で]**のどの渇いた**《with, from》；（略式）酒の好きな ‖ a *thirsty* soul のんべえ / a man tired and *thirsty* from walking 歩き疲れてのどの渇いた人 / feel [be, get, become] *thirsty* のどが渇く《◆「のどが渇いた」は ×My throat is thirsty. とはいわない. → throat **1** 表現》.
2（文）[通例補語として]〔…を〕**渇望する**, 切望する《for,《文》after》‖ be *thirsty* for news [information] ニュース[情報]を知りたがる.
3（略式）[通例名詞の前で]〈仕事・食物などが〉のどの渇く.

thirst・i・ly 副 のどが渇いて；切望して.

*thir・teen /θə̀ːrtíːn/《◆名詞の前で用いる場合は /́́/, 補語として用いる場合は /́́/ が普通》
── 名 (複 ~s/-z/)《◆名 形 とも用例は → two） **1** U C [通例無冠詞]（基数の）**13**《序数は thirteenth》‖ the *thirteen* superstition 13を不吉とする迷信.
事情 元来は聖なる数字だが, キリストの最後の晩餐（さん）のときの人数が13人だったことから縁起の悪い数とされ, 病院・ホテルなどで13をとばすことがある. 死・破壊・不幸を意味する.
2 U [複数扱い；代名詞的に] 13個；13人. **3** U 13時（午後1時）, 13分；13ドル[ポンド, ペンス, セントなど]. **4** U 13歳. **5** C 13 の記号[字, 活字]《13, xiii, XIII など》. **6** C 13個[人]1組のもの.
── 形 **1** [通例名詞の前で] 13の, 13個の；13人の. **2**〔補語として〕13歳の.

†thir・teenth /θə̀ːrtíːnθ/《◆13th とも書く》形《◆形 名 とも用例は → fourth）**1** [通例 the ~] 第13の, 13番目の《語法 → first 形 1). **2** [a ~] 13分の1の.
── 名 **1** U [通例 the ~]（順序・重要性で）[…する]第13番目[13位]の人[もの]〔to do〕. **2** U [通例 the ~]（月の）第13日（→ first 名 **2**）. **3** C 13分の1（→ third 名 **5**）.

†**thir·ti·eth** /θɚ́ːrtiəθ/《◆ 30th とも書く》形《◆形 名 とも用例は → fourth》**1** [通例 the ~] 第30の, 30番目の → first [形]5. **2** [a ~] 30分の1の.
──名 **1** ⓤ [通例 the ~] (順位・重要性で) […する] 第30番目 [30位] の人 [もの] 《to do》. **2** ⓤ [通例 the ~] (月の) 第30日 (→ first [名]2). **3** ⓒ 30分の1 (→ third [名] **5**).

***thir·ty** /θɚ́ːrti/
──名 (徴) **-ties**/-z/《◆名 形 とも用例は → two》**1** ⓤⓒ [通例無冠詞] (基数の) 30 ♦ 序数は thirtieth. 神聖な数とされ, 太陽・男性に関連). **2** ⓤ [複数扱い; 代名詞的に] 30個; 30人. **3** ⓒ 30ドル [ポンド, ペンス, セントなど]. **4** ⓒ 30の記号 [数字, 活字] 《30, xxx, XXX など》. **5** ⓒ 30個 [人] 1 組のもの. **7** [one's thirties; 複数扱い] (年齢の) 30代. **8** [the thirties] (世紀の) 30年代, (特に) 1930年代; (温度・点数などの) 30台. **9** ⓤ (テニス) サーティ, (ゲームの) 2点目 (→ tennis 関連).
──形 **1** [通例名詞の前で] 30の, 30個の; 30人の ‖ the *Thirty* Years(') War 30年戦争 《ヨーロッパの宗教戦争. 1618-48》. **2** [補語として] 30歳の.

thir·ty- /θɚ́ːrti-/ 語素 ─語要素一覧(1.1).

:**this** /ðís/《♦ this morning [afternoon, evening] では (弱) /ðəs/ となることもある》《指示代名詞の 1つ. 形容詞用法(this book)と名詞用法(This is a book)があり, また照応関係から言語外照応と言語内照応 (これには前方照応と後方照応とがある) とに分けられる》
──代 (徴) **these** /ðíːz/

Ⅰ [形容詞用法; 言語外照応的]
1 この, ここの, こちらの 《◆空間的・心理的に話し手に近いものをさす》(cf. that) ‖ *this* book *of mine* (略式) 私のこの本《♦ ˟*this* my book, ˟my *this* book* とは言わない》**文法** 15.3(4)》/ How much is *this* pen? このペンはいくらですか / *This* book is more interesting than that one. こっちの本はあの本より面白い / Let's sing *this* song. さあこの歌を歌いましょう.
2 現在の, 今日の; この次 [前] の《◆時間的に話し手に近いものをさす. しばしば時を表す名詞を伴って副詞句となる. ⮞文法 21.6(1)》‖ *this* morning [*afternoon, evening*] 今朝 [今日の午後, 今晩] は [中で] 《「今日」「今朝」は修飾語を伴わなければ today, tonight という》/ *this* week [*month, year*] 今週 [今月, 今年] / *this* day last week [month] 先週 [先月] の今日 / I'll have finished the work by *this* time next week. 来週の今ごろまではその仕事は終わっているでしょう.
3 《略式》[物語などで] ある1人の [1つの] … 《♦ a の強調形として用いられる》‖ Then *this* man came up to me and asked me the way to the station. するとある男が私のところへやって来て, 駅へ行く道を教えてくれと言った.

Ⅱ [形容詞用法; 言語内照応的]
4 [前方照応的] (すでに述べたことを受けて) この, 例の ‖ Mary looked directly at Mike. There was something phony about *this* man. メリーはマイクを直視した. この男にはどこかうさん臭いところがあった 《♦ this man =Mike》.

Ⅲ [独立用法; 言語外照応的]
5 これ, この人 [物, 事]《◆空間的・心理的に話し手に近いものをさす》(cf. that¹ [代] **6**) ‖ What's *this*? これは何ですか / *This* is Mrs. Jones. 《略式》[紹介で] こちらはジョーンズ夫人です《♦ 独立用法で「人」をさ

すのは主語の場合のみ》/ *This* is my brother Andrew and his wife Ann. これが私の兄のアンドルー, そしてその妻のアンです《♦ 個々に紹介する場合. cf. these [代] **3**》/ Take *this* to Tom. これをトムのところに持って行きなさい / *This* was her marriage they were discussing. 彼らが今問題にしているのは彼女の結婚のことであった《♦ 目の前に行なわれていることについて感情を込めていう言い方. 強調構文 It is ... that ... の代わりに (略式) で用いられる.
6 今, 今日; ここ《◆時間的に話し手に近いものをさす. しばしば前置詞の目的語として用いられる》‖ *This* is my birthday. 今日は私の誕生日です / *This* is where I live. ここが私の住んでいるところです / After *this*, you should know better. 今後はもっと分別を持つべきです.
7 [電話で] こちら, 話している人; (米) そちら, 話し相手 ‖ *This* is Tim (*speaking*). こちらはティムです《♦ ˟I am Tim. とはふつういわない》/ Who is *this* [(英) that], please? どちらさまですか《この文脈では Who are you? は不可》《◆対話》"Is *this* [(英) that] Bill?""*This* is he." 「ビル君ですか」「そうです」《◆くだけて "*This* is [It's] me." ともいう》.

Ⅳ [独立用法; 言語内照応的]
8 [前方照応的] **a** すでに述べたこと, このこと《♦ that と同じように用いられる》‖ Our teacher told me to look over the document at the library. I will do *this* tomorrow. 先生はその文書を図書館で調べるように言いました. このことを明日するつもりです / All is well that ends well. *This* we must keep in mind. 終わりよければすべてよし. このことを私たちは心しておかなければならない. **b** [that と対照して] 後者 ◇ the *former* と対照して用いられる the *latter* より堅い表現》[用法 → that¹ [代] **11**].
9 [後方照応的] 次に述べること, このこと (cf. that¹ [代] **9**) ‖ I'll say *this*. She's completely honest. これだけは言っておこう. 彼女はまったく正直だ / "*This* is [That's] how it is. → how 成句.

at thís これを見て [聞いて]; [現在形と共に] そこで《ぐに》.
at this póint この時に, 今.
thís and thát = thís, thát, and the óther (**thing**) あれやこれ, あれこれ, いろいろなこと, あらゆる種類のもの ‖ We talked about [*this and that* [ˣ*that and this*]. 私たちはあれこれと話し合った.
this tíme 今度 (こそ) は.
this tíme around [名詞の後で] これより前に (起こった) ….

──副 《略式》こんなに, これだけ《♦ 形容詞または副詞, 時に代名詞を修飾》‖ The fish I caught was about *this* big. とった魚はこれくらいの大きさだった (= … about as big as *this*.) / What did you bring *this* lot for? どうしてこんなにたくさん持って来たんだ.

†**this·tle** /θísl/ 名 ⓒ 《植》アザミ (の花) 《スコットランドの国花》. **文化** 内側の苞(ほう)が悪天候などの前に自然と閉じるところからヨーロッパでは天候予知のために植える.

this·tle·down /θísldaʊn/ 名 ⓤ アザミの冠毛.

†**thith·er** /θíðɚr, ðíð-/ 名 (古) 副 形 向こうに [の], あちらに [の] (↔ hither).

tho, tho' /ðóʊ/ 《略式・詩》接 副 =though.

thole /θóʊl/ 名 ⓒ (船のかいの) へそ, かい受け軸.

***Thom·as** /tɑ́məs/ 名 ── **1** トマス (男の名. 《愛称》Tom, Tommy). **2** St. ─ トマス 《キリスト12使徒の1人. キリストの復活を疑ったので doubting Thomas といわれる》.

†**thong** /θɔ́(ː)ŋ/ 名 ⓒ 革 ひも 《端綱・手綱・むちなど》.

——[動][他] …に革ひもをつける；…を革ひもで打つ.

†Thor /θɔ́ːr/ [名]〔北欧神話〕トール《雷・戦争などの神》.

tho·rax /θɔ́ːræks/ [名] ([複] **～·es, -·ra·ces**/-rəsìːz/) [C]〔解剖・動〕胸部, 胸腔(きょう)；(昆虫の)胸部.

Tho·reau /θərōu | θɔ́ːrəu/ [名] ソロー《**Henry David ～** 1817-62. 米国の博物学者・作家》.

†thorn /θɔ́ːrn/ [名] **1** [C] (草木の)とげ, はり；[C][U] とげのある植物, いばら《háwthòrn, bláckthòrn など》‖ prick one's finger on a *thorn* 指にとげがささる / ***Every rose has its thorn.*** 《ことわざ》どんなバラにもとげがある；「苦あれば楽あり」. **2** [C] (動物の)とげ, 針. **3** [C] (人を苦しめるものとしての)針, いばら ‖ the crown [bed] of *thorns* いばらの冠[針のむしろ], つらい境遇 / a *thorn* in the [one's] flesh [side] 心配の種, 苦労の種 / be [sit, stand, walk] on *thorns* たえずびくびくする.

†thorn·y /θɔ́ːrni/ [形] (**-·i·er, -·i·est**) **1** とげのある, とげだらけの；とげのような. **2** やっかいな, 困難な ‖ a *thorny* path 苦難の道.

†thor·ough /θɔ́ːrou | θʌ́rə/ (発音注意) [形] (時に **～·er, ～·est**) **1**〈捜索・知識などが〉〔…の点で〕徹底的な, 完全な〔*in, about*〕‖ a *thorough* person 完全主義者 / give a room a *thorough* cleaning 部屋を徹底的に掃除する / He is very ***thorough about*** his work. 彼は仕事が徹底している. **2**〈混乱・悪漢などが〉まったくの ‖ a *thorough* waste of time まぎれもない時間の浪費. **3**〈人が〉きちょうめんな；〈芸術家などが〉熟達した ‖ a *thorough* housewife きちょうめんな主婦.

†thor·ough·bred /θɔ́ːroubrèd | θʌ́rə-/ [形] **1**〈主に馬が〉純血種の. **2** [通例 T～]〈馬が〉サラブレッド種の. **3**〈人が〉育ちのよい, 教養のある；元気のよい, 威勢のいい. **4** 優秀な. ——[名][C] **1** 純血種の馬, サラブレッド. **2** 育ち[毛なみ]のよい人, 教養のある人.

†thor·ough·fare /θɔ́ːroufèər, θɔ́ːrə- | θʌ́rə-/ [名] **1** [C] (通り抜けられる)道路. **2** [C] 往来, 本通り.

thor·ough·go·ing /θɔ́ːrougòuiŋ/ [形] 徹底した, 完全な.

†thor·ough·ly /θɔ́ːrouli, θɔ́ːrə- | θʌ́rə-/ [副] 徹底的に；まったく, 完全に, 余すところなく《◆ enjoy, disapprove, dislike などの動詞と共によく用いられる》‖ feel *thoroughly* tired 疲れ切る / We *thoroughly enjoyed* the show. 我々はそのショーを存分に楽しんだ.

†thor·ough·ness /θɔ́ːrounəs | θʌ́rə-/ [名][U]〔…の点での〕徹底, 完全〔*in, about*〕.

‡those /ðóuz/〖指示代名詞の1つ；that の複数形〗

——[代]

I [形容詞用法；言語外照応的]

1《◆ 空間的・心理的・時間的に話し手から遠いものをさして》 **a** [名詞の前で] **それらの**, その；あれらの, あの(cf. these)《◆ 複数のものをさしていう語. 訳すときは「あの」「その」とした方が自然な場合が多い》‖ *Those* keys are mine. そのかぎは私のです / Look at *those* girls in the garden. 庭にいるあの女の子たちを見てごらん / There were no televisions in Japan in *those* days. そのころ日本にはテレビはなかった.

b あの, 例の《◆ 感情的な含みを持つ》‖ *Thóse* néighbors! あの隣の人たちときたら / Have you properly provided for *those* children of yours and that little wife? あなたはお子さんとあのかわいらしい奥さんをきちんと養ってきましたか.

II [形容詞的用法；言語内照応的]

2 a [後方照応的] [those **A** who [which]] (…する)**その A**《◆ (1) **A** は複数の人・物. (2) those の指示性は強くない》‖ *Those* students *who* came late to school were scolded by the teacher. 学校に遅刻した生徒たちは先生にしかられた / *those* toys *which* return to an upright position no matter how often they are pushed over 何度倒してもまっすぐ起き直るあのおもちゃ.

b [前方照応的] (すでに述べたことを受けて)それらの, その ‖ We can see ten students over there. I know three of *those* students. 向こうに10人の学生が見えます. 私はそのうちの3人を知っています.

III [独立用法；言語外照応的]

3 それ(ら), あれ(ら), それらの物[人] (cf. these)《◆ 複数でも訳はふつう「それ」「あれ」となる》‖ *Those* are my sisters. あれが私の妹たちです / *Those* are sold out. あれは売り切れです.

IV [独立用法；言語内照応的]

4 [前方照応的] [反復の代名詞として] (…の)**それ(ら)**《◆「the + 前出の名詞(複数形)」の代わりに用い, ふつう後に修飾語句を伴う. 特に of 句で修飾されることが多い》‖ We picked the coolest apartment among *those* [the ones] available. 私たちは入居できるアパートの中から一番涼しいところを選んだ / Your food and wine are better than *those* in that restaurant. お宅の料理とワインはあのレストランのよりおいしい.

V [非照応的；総称用法]

5 [those who ...] (…する)**人たち** ‖ ***Those who*** are lazy will never pass. 怠け者は決して合格しない.

†thou /ðáu；《弱》ðau/〖二人称単数主格の人称代名詞〗[代] ([単数] 所有格 **thy, thine,** 目的格 **thee;** [複数] 主格・目的格 **you, ye,** 所有格 **your, yours**) 《古・詩・英方言》なんじは, そなたは, そちは.

[語法] (1) 現在は祈りなどでの神への呼びかけの時や Quaker 教徒間で用いられる.
(2) 動詞の形は, are が art, have が hast, will が wilt, shall が shalt, were が wert のほか, canst, didst, prayest のように -st, -est がつく.

——[動][他] 《古》〈人〉に thou を用いて話しかける.

——[自] (you の代わりに) thou を用いる《◆ 親しみを表す場合もあり, 目下の者に対しては侮辱などの感じを含む》.

‡though, 《略式・詩》**tho', tho** /ðóu/

——[接] [譲歩] **1** (…である)**けれども**, にもかかわらず《◆ although と同義だが, より口語的. 文頭で使われるとより堅い言い方となる. 形容詞・副詞・句をつなぐこともある》‖ I went out yesterday *though* I still had a little fever. まだ少し熱があったが昨日は外出した(= *Though* [Although] 'still having [I still had] a little fever, ... / I still had a little fever, but [yet, however] ...) / *Though* (it is) cold, it is a fine day for soccer. 寒いけれど, サッカーには上々の天気だ《◆「though 節の主語 + be」は, 主節の主語と同じ場合しばしば略される. ➔文法 23.5(2)》/ Late *though* it is, we'll stay a little longer. 遅くなったが, もう少しいます(→ as [接] **6 a**) / a shabby *though* comfortable sofa 座り心地はよいがみすぼらしいソファー.

2《正式》[しばしば even の後で] **たとえ…(する)にしても**(even if) ‖ ***Even though*** he is [《文》should

thought

be, be] the premier, he shall hear us. たとえ彼が首相でも、私たちの言い分を彼に聞いてもらう《◆(1) Even though ... は Even if ... の文ことは異なって、実際に「彼が首相である」場合に用いる. (2) 仮定法を用いるのは《文》》.

3 [主節の後の従節を導いて; 等位接続詞的に] **もっとも…だが**, とは言っても…だけれど《◆あとから思いついたことを軽くつけ足す. 1 の用法とまぎらわしいことも多い》∥ Her English has not improved greatly, *though* she should continue to attend classes. 彼女の英語はあまり上達していない, もっと授業には続けて出るべきだが.

as though =AS if (→ as 前).

――副 [文中·文尾で] **でも**, けれど《◆ 文頭不可.くだけた言い方では文尾の though の前にコンマを打たないことも多い》∥《対話》"That's very nice music, isn't it?" "Yes, a little noisy, *though*." 「とてもいい音楽だね」「そうだね, すこし騒々しいけど」.

*‡**thought**[1]* /θɔ́ːt/ 動 think の過去形·過去分詞形.
*‡**thought**[2]* /θɔ́ːt/ [→ think] 名 thoughtful (形)

index 1 考え, 意見 4 思いやり 5 考えること, 思考

――名 (複 ~s /θɔ́ːts/)

[考え]

1 UC […に関する/…という]**考え**, 思いつき《◆ idea より理性的》; [しばしば ~s]**意見**, **所信**(on, of, about, as to / that節) ∥ a happy *thought* 妙案 / a train of *thought* 一連の考え / keep one's *thoughts* to oneself 自分の考えを人に話さない / Let me have your *thoughts* on [about] the proposition. その提案について君の考えを聞かせてください / Her face brightened up *at the* (very) *thought* that she would see him soon. 今すぐに彼に会えるのだと思って彼女の顔はぱっと輝いた.

2 U (ある時代·階級·国民などの) **思想**, **思潮** ∥ modern scientific *thought* 近代科学思想 / working-class *thought* 労働者階級の考え方.

3 UC [通例疑問文·否定文で] […しようという] **意向**, **意図**; […だろうという] **期待**, **予期**(of *doing*) ∥ have no [some] *thought* of resigning 辞職しようと思わない[思っている] / I had no *thought* of meeting you here. ここで君に会おうとは思ってもみなかった.

4 UC […に対する] **思いやり**, 配慮, 心配(for) ∥ with no *thought for* one's own safety 自分の身の安全もかまわずに / take [have] no *thought of* [*for*] one's appearance 自分の身なりを全然かまわない.

[考えること]

5 U **考えること**, **思考**; **思案**; UC **熟考**, 考慮 ∥ after serious *thought* 本気で考えたすえ / take *thought* 熟考する / act *without thought* 無分別に行動する / be lost [deep, engrossed] in *thoughts* ひとり物思いにふける / I have never given the matter any *thought* [any *thought* to the matter]. そのことには思いも及ばなかった / I felt uneasy *at the* mere *thought* of the test. テストのことを思うだけで不安になった.

6 U 思考[推理, 想像]力 ∥ lack *thought* 思考力を欠く / *Thought* helped me solve the puzzle. 推理のおかげでの難問が解けた.

7 [a ~; 副詞的に] 少し, ちょっと(a little).

on sécond thóught [《英》**thóughts**] 考え直して,再考して.

thóught contròl 思想統制.

*‡**thought·ful*** /θɔ́ːtfl/ 形 (↔ thoughtless) **1** 〈人·表情·足どりなどが〉**考え込んだ**, 物思いにふけった ∥ in a *thoughtful* mood 考えごとをしている様子で / He looked *thoughtful* for a minute. 彼はしばらく思案ありげのようだった. **2** 〈人·本·言葉などが〉思慮深い, 思想に富んだ ∥ a *thoughtful* paper 思慮に富む論文 / a *thoughtful* plan 周到な計画. **3** 〈人が〉[…に]注意深い, 気をつける[of, about] [類語 considerate), [〈贈り物などが〉心尽くしの] ∥ be *thoughtful of* your personal safety. 君自身の安全に注意しなさい. **4** 〈人·行為などが〉[…に] 思いやりのある, 親切な[of, about] [類語 considerate], [〈贈り物などが〉心尽くしの] ∥ be *thoughtful of* patients 病人に親切である / *It* was very *thoughtful* [How *thoughtful*] *of* you to send me some flowers the other day. 先日はお花を送ってくれてどうもありがとう 《◆ 面と向かって You are very *thoughtful* to … とはあまりいわない. ●文法 17.5》.

thóught·ful·ness 名 思慮深いこと, 思いやりのあること; 親切.

*‡**thought·ful·ly*** /θɔ́ːtfəli/ 副 考え込んで; 思慮[用心]深く; 親切に. (↔ thoughtlessly).

*‡**thought·less*** /θɔ́ːtləs/ 形 (↔ thoughtful) **1** 〈人·行為などが〉不注意な, 軽率な; 向こうみずな, 考えのない; 〈人が〉[…に]気をつけない[of, for] ∥ a *thoughtless* essay 無思慮な随筆 / He is often *thoughtless for* [*of*] the future. 彼はしばしば将来のことを甘く考える. **2** 〈人·批評などが〉思いやりのない, 冷たい[of] ∥ *It is thoughtless of* her to forget her mother's birthday. 母親の誕生日を忘れるなんて彼女も薄情だ 《●文法 17.5》. **thóught·less·ly** 副 軽率に. **thóught·less·ness** 名 U 不注意, 軽率.

*‡**thou·sand*** /θáuznd/ -znd/
――名 (複 ~s /-zndz/) 《◆(1) 数詞または数を示す形容詞のあとにくるときの複数形は thousand. (2) 名形とも用いる → two, hundred》 **1** C (基数の)1000, 千 《◆序数は thousandth. 関連接頭辞 kilo-. しばしば不特定多数を表す. → 形2》 ∥ a [one] *thousand*, 千《◆ a が強意的》 / three hundred *thousand* 30万 / a man [chance] in a *thousand* 千に1人の男[1つの機会], 男の中の男[千載一遇の機会]《語法 → hundred 名1》.

2 U [複数扱い] 代名詞的に] 1000個; 1000人.

3 U 1000ドル[ポンドなど].

4 C 千の記号[数字, 活字]《1000, M》.

5 U 1000個[人]1組のもの.

6 [~s; 数詞と共に] …千年代; [~s of + C 名詞] 何千という…; 《略式》非常に多数の…(cf. hundred 名9) ∥ waste *thousands* of dollars on a gamble 何千ドルもギャンブルに費やす.

a thóusand and óne 非常にたくさんのもの.

a thóusand to óne 《略式》[形] まず間違いない, 絶対に確実な[に]《用例 → TEN to one》.

húndreds of thóusands of A 何十万という(多数の)…(→ hundred 名9).

óne in [amóng] a thóusand 《略式》千にひとりの人[ひとつのもの], めったに現れない人[もの](→ 1; cf. one in a MILLION).

téns of thóusands of … 何万という(多数の)…(→ hundred 名9).

thóusands and [upón] thóusands of … 何千何万という(…)(→ hundred 名9).

thousandfold

──形 **1** [通例名詞の前で] 1000の, 千の; 1000個の; 1000人の ‖ five *thousand* people 5000人. **2** [a ~] 無数の, 多数の ‖ A *thousand* thanks [pities]. 本当にどうもありがとう[残念です].
a thóusand and óne ... 非常にたくさんの, 山ほどの ...(cf. a HUNDRED and one).
the Thóusand and Óne Nights =Arabian Nights.

thou·sand·fold /θáuzəndfòuld | -znd-/ 形副 [通例 a または数詞を伴って] 1000倍の[に].

thou·sandth /θáuznθ, -zntθ | -zntθ/ 《◆ 1,000th とも書く》《◆形名 とも用例は → fourth》 **1** [通例 the ~] 第1000の, 1000番目の([語法] → first 形 1). **2** [a ~] 1000分の1の.
──名 **1** ⓊⒸ [通例 the ~] (順位・重要性で)[…する]第1000番目[1000位]の人[もの] [to do]. **2** ⓒ 1000分の1 (→ third 形 5).

†**thrall** /θrɔ́ːl/ 名 **1** ⓒ (文) 奴隷; 農奴. Ⓤ […への]奴隷の状態, 束縛された状態 [in] ‖ in *thrall* to ... (古) …にとらわれて. **thráll·dom**, (英) **thrál·dom** /-dəm/ 名 ⓒ 奴隷の状態, 束縛.

†**thrash** /θræʃ/ 動 他 **1** (今はまれ) =thresh. **2** (体罰としてむち[棒]で)〈子供を〉強くたたく[打つ]; (一般に)〈人を〉ぶちのめす, ぶつ. **3** (略式) …を打ち負かす, 完敗させる. ──自 **1** 〈船の外輪・枝が〉からざおのように動く. **2** のたうつ, 打ち続ける.
thrásh·er 名 =thresher. **thrásh·ing** 名 ⓒⓊ むち打ち, (略式) 大敗.

†**thread** /θréd/ [発音注意] 名 **1** ⓒⓊ 糸, (特に)縫い糸 《◆「織り糸」はふつう yarn. → rope 名 1》; (米) 木綿糸, (英) 麻糸 ‖ silk *thread* 絹糸 / *a néedle and thréad* 糸を通した針(→ needle 名 1) / a coat worn to a *thread* すり切れたよれよれの上衣 / sew with *thread* 糸で縫う / A path ran like a *thread* through the forest. 森の中をひとすじの路が縫うように走っていた(=A path *threaded* its way ...). **2** ⓒ (金属・グラスなどの) 細線, 繊維. **3** ⓒ 糸のように細いもの, 筋; 毛, クモの糸, 細流, (光・色などの)線 ‖ a *thread* of smoke [hope] 一筋の煙[一縷の望み]. **4** ⓒ (議論・話などの)筋道, 脈絡, (考えなどの)続き ‖ She lost the *thread* of the conversation. 彼女は途中で話の筋がわからなくなった.
háng by a (síngle) thréad =hang by a (single) HAIR.
──動 他 **1** 〈人が〉〈針〉に糸を通す; …に[…を]突き通す (*with*), …を[…に]突き通す (*through*); 〈ビーズなど〉を糸でつなぐ (+*together*), …に糸を通す ‖ *thread* a pipe *with* wire =*thread* wire *through* a pipe パイプに針金を通す. **2** 〈悲しみなど〉…にゆきわたっている; …に […で]しまをつける (*with*). **3** …にねじ山をつける. ──自 **1** […を]縫うように通る (*across, along, through*). **2** 〈川などが〉曲がりくねって続く.

†**thread·bare** /θrédbèər/ 形 (時に ~r, ~st) **1** すり切れた, 着古した 《◆古くても清潔で品があるという含みを持つことが多い》 **2** 〈人が〉ぼろを着た; みすぼらしい. **3** 議論などが陳腐な.
thread·like /θrédlàik/ 形 細糸状の.

†**threat** /θrét/ [発音注意] 名 **1** ⓊⒸ 〔…するという / …であるという〕脅迫, おどし [*to do / that*節]; ⓒ [通例 a/the ~] […を]脅(ｵﾄﾞ)かすもの[人, 考え] [*to, against*] ‖ *a* menace *a* / *a* serious *threat* to Japan's trade 日本の貿易にとってこわい存在 / be *under* (*the*) *threat* of expulsion 除名されるとおどされている / utter [make] *a threat against* him 彼に脅迫の言葉を発する / She carried out her *threat* [*to* reveal [*that* she would reveal] his secret. 彼女は彼の秘密をばらすというおどしを実行した. **2** ⓒ [通例 a/the ~] (悪い物・事の)きざし, 前兆 [*of*] ‖ There is *a threat* of frost tonight. 今夜は霜のおそれがある.

†**threat·en** /θrétn/ 動 他 **1a** 〈人が〉〈人〉を〈物・事・行為などで〉おどす (*with*); 〈復讐・ストライキなどを〉するぞと […を]脅迫する (*to*) ‖ *threaten* an employee *with* dismissal =threaten dismissal *to* an employee 従業員を解雇するぞと脅す / *threaten* him ˈ*with* a gun [*by* a gesture] 銃[身ぶり]で彼をおどす / She was *threatened with* death. 彼女は死線をさまよっていた. **b** 〈…するぞと〉脅(ｵﾄﾞ)かす (*to do, that*節) ‖ Tom *threatened* ˈ*to* report [*that* he would report] me to our teacher for cheating on the test. トムはテストでカンニングしたことを先生に言いつけるといって私をおどした. **2** 〈物・事が〉…を[…を]おどす (*with*); 〈危険などが〉…に迫っている, 脅威をつきつける 〈安全などを〉おびやかす ‖ Air pollution *threatens* our life. 大気汚染は我々の生活を危険にさらす / Some species of animals are *threatened* with extinction. ある種の動物が絶滅の危機に瀕(ﾋﾝ)している. **3** 〈物・事などが〉(悪いきざしについて)…の恐れがある; [*threaten* to do] …する兆候を示す; [*threaten* that節] …だという兆候を示す ‖ It is *threatening* to rain heavily. 大雨になりそうだ / The dark clouds *threaten* a heavy rain. あの暗雲では雨が降りそうだ 《◆日常的には Looks like it's going to rain. や It looks like rain. などがふつう》/ Soaring prices *threaten* to damage the economy. うなぎ登りの物価は経済に打撃を与えそうだ.
──自 〈人・目などが〉おどす, 脅迫する; おどされる; 〈悪いことが〉迫っている.

threat·en·ing /θrétnɪŋ/ 形 **1** 脅迫的な. **2** 〈天候が〉今にもくずれそうな, 〈空・雲が〉雨の降りそうな.
threat·en·ing·ly /θrétnɪŋli/ 副 脅迫的に, おどして; 荒れ模様で.

‡**three** /θríː/ ([類義] tree /tríː/) 《cf. *third, thrice*》
──名 (複 ~s/-z/) 《◆形名 とも用例は → two》 **1** Ⓤⓒ [通例無冠詞] (基数の)3 《◆ 序数は third. 3相を持つ神々と関連し聖なる数とされる. 関連接頭辞 ter-, tri-》. **2** Ⓤ [複数扱い; 代名詞的に] 3つ, 3個, 3人. **3** Ⓤ 3時, 3分; 3ドル[ポンド, ペンス, セントなど]. **4** Ⓤ 3歳. **5** ⓒ 3の記号[数字, 活字] 〈3, iii, III など〉. **6** ⓒ [トランプ] 3の札, (さいころの)3の目. **7** 3つ[3人]1組のもの.
──形 **1** [通例名詞の前で] 3つの, 3個の; 3人の. **2** [補語として] 3歳の.
thrée chéers 万歳三唱 《Hip! Hip! Hooray! と叫ぶこと》 ‖ *Three cheers* for him [*that*]. 彼の[その]ために万歳三唱.
thrée R's [**Rs**] [the ~] (1) (古) [複数扱い] (教育の基礎としての)読み・書き・算数 《*r*eading, w*r*iting and a*r*ithmetic》. (2) [単数扱い] 基礎(知識).
thrée-bàse hít /θríːbèɪs-/ [野球] 3塁打.
†**three·fold** /θríːfòuld/ (正式) 形 3倍の, 三重の; 3要素[3部分]のある (triple). ──副 3倍に, 三重に (triply).
three-leg·ged /θríːlégɪd/ 形 **1** 3本足の. **2** (略式) 3本マストの. **thrée-lègged ràce** 二人三脚(競走).

three·pence /θrépəns, θrí-, θrʌ́-/ 图 U 《英》《単数・複数扱い》3ペンス(の金額).

three-piece /θríːpíːs/ 形 三つぞろいの, スリーピースの; 3点セットの. —图 1 =three-piece suit. 2 =three-piece set.

thrée-piece sét 3点セットの家具.

thrée-piece súit 三つぞろいの服.

three-quar·ter /θríːkwɔ́ːrtər, -kɔ́ːr-/ 形 4分の3の(長さの), 七分(½)の. —图 C 〖ラグビー〗 スリークォーター 《図》 = rugby.

†**three·score** /θríːskɔ́ːr/ 《古》形 U 60(の), 60歳(の) ‖ *threescore* (years) and ten 《聖》70年《◆人の寿命》.

thresh /θréʃ/ 動 他 〈穀物を〉脱穀する;〈脱穀のためにからざおで〉…をたたく ‖ *thresh* the corn in the barn 納屋で穀物作業をする.

thresh·er /θréʃər/ 图 脱穀する人, 脱穀機.

†**thresh·old** /θréʃhould/ 图 C 1 《正式》《玄関・戸口の》敷居, 鴨居; 戸口, 玄関口 (doorway) 《図》 = house) / cross the *threshold* 《家に》入る (enter) / Carry me over the *threshold*. 私を抱いて家に運び入れて《◆「私と結婚してちょうだい」の意. 新婚の夫は花嫁を抱いて新居に入る習慣から》/ Watch your head. *Thresholds* are low in Japan. 頭に注意しなさい. 日本では鴨居が低いですから. 2 《通例 the ~》 出発点, とっかかり ‖ *at* the *threshold of* an era of peace 平和の時代の始まりに. 3 《心理・生理》 閾(*), 《刺激や変化に対して反応が出現・移行する境界点》 (limen) ‖ She had a high "pain *threshold* [*threshold* of pain]. 彼女は痛みを感じにくい人だった.

†**threw** /θrúː/ 《同音》 through) 動 throw の過去形.

†**thrice** /θráis/ 副 《文·まれ》 3度, 3回《◆ three times の方がふつう. cf. once, twice》.

†**thrift** /θríft/ 图 U 《正式》質素, 節約.

thrift·less /θríftləs/ 形 むだの多い; 価値のない.

thrift·y /θrífti/ 形 《時に -i·er, -i·est》《正式》質素な (frugal); 《金の使い方がうまい》, つましい.

†**thrill** /θríl/ 動 他〈物·事が人を〉…で〉ぞくぞくさせる, わくわくさせる (with, at, by) ‖ He *was thrilled at* [by] the invitation. 彼は招待されてうきうきしていた / She *is thrilled* to bits *with* her new car. 《略式》彼女は自分の新車にとても心がはずんでいる. —自〈人・心が〉[…で]ぞくっとする; 感動[感激]する (with, at, to);〈感動·恐怖などが〉〈体などを〉通り抜ける, しみ渡る (through, over, along) ‖ *thrill with* horror [delight] 恐怖[喜び]でぞくぞくする / His heart *thrilled* to [at] the good news. その吉報で彼の心はときめいた. —图 1 《喜び·恐怖·感動などで》ぞくぞく[わくわく]すること[感じ], 身震い; スリル, ぞくぞくさせるもの ‖ It was a great *thrill* to be with the movie star. 映画スターと一緒で本当にわくわくした. 2 《地面などの》振動; 脈搏(½), 動悸(*).

thrill·er /θrílər/ 图 C ぞくぞくさせるもの[人]; 手に汗握る試合; 《略式》〈小説·劇·映画などの〉スリラーもの.

thrill·ing /θrílɪŋ/ 形 1 ぞくぞくする[させる], 身の毛のよだつ, スリル満点の. 2〈声などが〉震える.

thrill·ing·ly 副 ぞくぞく[わくわく]するほど.

thrips /θríps/ 图 《複 thrips》 C 《昆虫》 アザミウマ《害虫》.

†**thrive** /θráiv/ 動 《過去》 ~d/-d/, 《過分》 ~d or 《米》 thriv·en /θrívn/ 自 1〈植物などが〉成長する, うまく[すくすく]育つ (on, with) ‖ Few plants or animals *thrive* in the desert. 砂漠では動植物がほとんど生育[成育]しない. 2〈人·事業などが〉栄える (類語) prosper, flourish) ‖ Information industries are now *thriving*. 情報産業が今成長中です. 3〈人が〉…で〉うまくやっている, 成功している, 〔…を〕生きがいにする (on) ‖ She *thrives on* work. 彼女は仕事に生きがいを持っている.

thro, thro' /θrúː/ 前 《主に略式·詩》 =through.

†**throat** /θróʊt/ 图 C 1 《体の内部から見ての》のど; 《略式》[a (sore) ~] 咽喉(½)炎[痛] ‖ *clear* [*gargle*] one's *throat* せき払い[うがい]をする / I hàve a sóre *throat* today. 今日はのどが痛い. 《表現》「のどが渇いた」は I'm thirsty. / My *throat* is dry. / I hàve a drý *throat*. などという. 2 U 《広義》《体の外部から見ての》のどくび ‖ *take* [*grip*] him *by* the *throat* 彼ののどを締める / wear a brooch at one's *throat* 襟元にブローチをつける / clutch one's *throat* =bring [put] one's hand(s) to one's *throat* のどを押さえる《女性の不安・ショック・緊張などを表すしぐさ》. 3 C のど状の物; 〖器物などの〗首, 口 (of); 狭い通路.

be at èach óther's thróat(s) =be at òne anóther's thróat(s) 互いにいがみ合っている.

thróat microphone のど当てマイク《のどぼとけの振動音声で話す》.

-throat·ed /-θróutid/ 《語要素》 →語要素一覧 (1.2).

†**throb** /θráb|θrɔ́b/ 動 《過去·過分》 throbbed/-d/; throb·bing) 自 1 〈心臓が〉〈痛いほど〉鼓動する; 激しく動悸(*)を打つ (beat) ‖ My heart was *throbbing* with joy. うれしさのあまり私の胸が高鳴っていた. 2 〈傷·頭などが〉ずきずき痛む ‖ My head [sore hand] is *throbbing*. 頭ががんがん[手の傷がずきず]する. —图 C 1 鼓動, 脈打つこと ‖ the *throb* of the heart 心臓の鼓動. 2 ずきずき痛むこと ‖ a *throb* of pain ずきずきずきんとする痛み. 《表現》日本語の次の擬音に相当: どきどき, ずきずき, ぴくぴく, ガンガン, ドンドン.

throb·bing 形 どきどきいう.

throe /θróʊ/ 图 [~s] 《文》 ひどい苦しみ, 激痛; 陣痛, 断末魔の苦しみ.

throm·bus /θrámbəs|θrɔ́m-/ 图 《複 **·bi**/-bai, -biː/》 C 血栓.

†**throne** /θróʊn/ 《同音》 thrown) 图 1 C 王座, 王位; 教皇聖座, 司教座 ‖ *mount* the *throne* 王位につく. 2 [the ~; 時に the T~] 王権, 君主の地位; 王, 君主 ‖ Louis XIII *came to* the *throne* in 1610. ルイ13世は1610年に即位した《◆ XIII は the thirteenth と読む》/ swear allegiance [loyalty] *to* the *throne* 王に忠誠を誓う. —動 他 《文》…を王位につかせる (enthrone);…を頂点に置く. —自 王位につく.

†**throng** /θrɔ́ːŋ/ 图 C 《正式》《集合名詞; 単数·複数扱い》群衆 (crowd); 人だかり, 大勢; 多数 ‖ a *throng* of ants アリの群れ / At Christmas there are *throngs* in the street. クリスマスには通りは人でごった返す. —動 《正式》 自〈人が〉…に/…の周りに〉群がる, 押し寄せる (crowd) (into, toward / around) ‖ The students *thronged* toward the notice board to see the test results. 生徒たちはテストの結果をみようと掲示板のところへ押しよせた. —他〈人が〉〈場所などに〉群がる; 押しかける (fill) ‖ commuters *thronging* the subway 地下鉄に押し寄せる通勤者 / The railway stations were *thronged with* people going away for their

holiday. 駅は行楽に出かける人々で混み合っていた.

†**throt·tle** /θrátl | θr5tl/ 名 C **1** 〖機械〗絞り弁, スロットル(throttle valve) ‖ (at) full *throttle* 全速力で. **2** =throttle lever. **3** 絞り. ── 動 他 **1** …ののどを締める;…を窒息させる. **2** …を圧迫する, 抑圧する. **3** 〖機械〗(絞り弁で)ガソリンなどの流れを調整する;〈エンジン・車など〉を減速する(+*down, back*).
── 自 自動車を減速する(+*down, back*).
thróttle lèver 絞りレバー, スロットルレバー.
thróttle vàlve =名**1**.

:**through**, 《主に略式・詩》**thro, thro',**《米略式》**thru**/θru;, θrú:/ [発音注意] [同音] threw] 〖「ある空間を通り抜けること」が本義〗関連 throughout (前・副)

index 前 **1** …を通り抜けて **2** …を通じて **3** …のために **4** …の至る所を **5** …の初めから終わりまで **6** …の間じゅう
副 **1** 通り抜けて **2** 初めから終わりまで
3 まったく **4** 終えて

── 前

I [通り抜けて]
1 [通路・貫通] **a** …**を通り抜けて**, …を貫いて; …を通して ‖ walk *through* a wood 歩いて森を通り抜ける / go *through* a red light 赤信号を無視して行く / go *through* the room to the kitchen 部屋を通って台所へ行く《床の平面を意識する場合は go across the room …》/ push one's way *through* the crowd 群衆を押し分けて進む / She got into the house *through* the window. 彼女は窓から家の中に入った. **b**〈騒音などにかき消されずに〉‖ I could hear his voice *through* the noise. 騒音にかき消されずに彼の声が聞こえた.
2 [手段] **…を通じて, …によって; …のおかげで** ‖ look *through* a telescope 望遠鏡で見る / do it *through* an agent 代理店を通じてそれを行なう / It was *through* him that I met her. 彼女と会えたのは彼のおかげだ / I got the information *through* my friend. 友人からその情報を得た.
3 [原因・理由] **…のために** ‖ The vase was broken *through* my carelessness. 私の不注意で花びんを割ってしまった.

II [ある場所・期間を通り抜けてずっと]
4 [場所] **…の至る所を, …のあちこち, …じゅうを** ‖ travel *through* Turkey トルコ各地を旅行する / stroll *through* the streets of a city 町の街路をあちこち歩く.
5 [過程・終了] **…の初めから終わりまで; …を終えて, …を切り抜けて; …を経て** ‖ pass *through* adversity 逆境を切り抜ける / go *through* an operation 手術を受ける / The lawyer went *through* the evidence. 弁護士は証拠を全部調べた / Is she *through* college yet? 彼女はもう大学を卒業したのですか.
6 [時] **a** …**の間じゅう**《◆強調形は all [right] ~》‖ *all through* one's *life* 一生涯 / We camped *through* the summer. 私たちは夏の間ずっとそこでキャンプしていた.《◆during では「夏の間のある時に」の意もある》**b**《主に米》[通例(from) **A** through **B**]**A**から**B**《日時》から**B**《日時》までの終わりまで ‖ stay here (*from*) Monday *through* Friday 月曜日から金曜日までここにいる《◆(1) from はしばしば省略される. (2) Monday を含む. from Monday to Friday では金曜日を含むか否かやや曖昧い.

cf. to 前 **5 b**》

── 副 《◆比較変化しない》**1** 通り抜けて, 貫いて ‖ They opened the gate, and the procession passed *through*. 彼らが門を開けると行列が通っていった (⊃ 文法 18.7).
2 初めから終わりまで; ずっと; 〈切符など〉通しで ‖ the whole night *through* 一晩中ずっと / read a book *through* 本を通読する / This train goes (right) *through* to London. この列車はロンドンまで(乗り換えなしに)直行する.
3 まったく, すっかり; 首尾よく ‖ be wet [soaked] *through* ずぶぬれになる / carry *through* a plan 計画を遂行する / get *through* an exam 首尾よく試験に受かる.
4《主に英》[仕事など]**終えて, 終わって(finished) [*with*]**;〈人など〉役に立たなくなって ‖ She's *through* financially. 彼女は破産した / Are you *through with* the work? 仕事をすませましたか(= Have you got *through* the work?)《◆ with は省略も可. → 前 **5**》/ I'll be *through* talking to him in a minute.《略式》彼との話はすぐ終わります.
5《米》電話が終わっている;[…に]電話は通じて[*to*] ‖ *I'm through.*《米》通話は終わりました;切ります; 《英》(相手と)つながりました / 〘 対話 〙 "Could you put me *through* to the manager?" "You are *through* now." 「支配人につないでいただけますか」「はい, つながりました」.

*be *thróugh with A* 《略式》(1) → **4**. (2)〈人・事〉との関係を断つ, …と手を切る(finished);…にうんざりする ‖ be *through with* alcohol 酒を断つ / I'm *through with* her. 彼女と手を切った[絶交した].

thróugh and thróugh まったく, すっかり, 徹頭徹尾 (cf. **3**) ‖ He is a gentleman *through and through*. 彼はまったくの紳士だ.

── 形 《◆比較変化しない》[名詞の前で] **1**〈列車などが〉直通の;〈切符など〉通しの ‖ a *through* ticket 通し切符 / a *through* train to Paris パリ直行列車. **2**〈道など〉通り抜けられる.
thóugh strèet (直進車両の)優先道路; 通り抜け道路.
thróugh tràffic (掲示) 車両通行可能.

*__through·out__ /θru:áut/ 〖→ through〗
── 前 **1** [場所] …**の至る所に, …のすみからすみまで, …じゅうをずっと** ‖ search *throughout* the house 家の中をくまなく捜す. **2** [時] …**の間じゅう, …を通じて** ‖ It rained *throughout* the morning. 午前中ずっと雨が降っていた.
── 副 《◆比較変化しない》[通例文尾で] **1** 初めから終わりまで, 最後まで ‖ The film was so moving that Susie cried *throughout*. その映画はとても感動的でスージーは最後まで泣き続けていた. **2** まったく, すっかり; 徹頭徹尾 ‖ The house was carpeted *throughout*. その家にはじゅうたんが敷き詰めてあった.
through·put /θrú:pùt/ 名 U C 《原料の》処理量, 〖コンピュータ〗(コンピュータの)情報処理量.

:**throw** /θróu/ 〖「ねじれる」が原義. cf. thread〗

index 動 他 **1** 投げる **7** さっと着る[脱ぐ] **11** 投げ込む
自 **1** 投げる
名 **1** 投げること **2** 投げて届く距離

── 動 (~s/-z/; 過去 threw/θrú:/, 過分 thrown

throw

/θróu/; ~·ing

I ― 他

｜[物を投げる]

1a 〈人が〉〈物を〉[…に/…めがけて/…を越えて]**投げる**〔to/at/over〕, [throw **A B**] 〈人・動物・物に〉〈物を投げる〉〈◆ **to** は〔ある方向に〕，**at** は〔ねらいをつけて〕〉∥ *throw* the ball *to* him ＝ *throw* him the ball 彼の方へボールを投げる（➡文法3.3）/ *throw* [pass] her a low ball 彼女に低いボールをパスする / *throw* one's clothes onto the bed ベッドに衣服をほうり投げる / *throw* stones *at* a tree 木をねらって石を投げる / The boy *threw* a hat out of the window. 少年は窓から帽子を投げた / The pitcher *threw* four balls in a row *to* Ichiro. ピッチャーはイチローに4球続けてボール球を投げた. **b** [~ oneself] 身を投げかける∥ *throw* oneself down 身を低くする；横になる / *throw* oneself in front of a car 車の前に身を投げ出す / *throw* oneself on his mercy 彼の慈悲を求めて地面に身を伏[ひれ伏]せる. **c**〈レスリングなどで〉〈人を〉投げる，倒す；〈馬が〉〈人を〉振り落とす. **d**〈釣糸・網などを〉投げ込む；〔クリケット〕〈球を〉急にひじを伸ばし反則して打つ. **e** [be thrown]〈船などが〉〔海岸などに〕打ち上げられる〔on, upon, against〕.

2〈弾丸などを〉発射する；〈水・炎などを〉[…に]噴出する〔on, upon〕∥ *throw* water on a fire 火に水を噴きかける. **3**〔トランプ〕〈札を〉出す，わきへ捨てる；〈さいころを〉振る，投げる；〈さいころを振って〉〈数を〉出す∥ *throw* two fives 5の目を2回出す.

｜｜[無形のものを投げる]

4a〈視線・影・光などを〉〈人・物に〉向ける，浴びせる〔at, on, upon, over〕∥ *throw* a fierce look at me ものすごい顔つきで私をにらむ / The lamp *throws* a poor light *on* [*over*] the street. 灯火が街路にかすかな光を落としている. **b**〈影響などを〉[…に]及ぼす，注ぐ〔into〕；〈疑い・責任などを〉[…に]かぶせる〔on〕. **c**〈援軍などを〉〔戦闘などに〕投入する〔into〕；〈言葉・話題などを〉[…に]不意に差しはさむ（+in）〔into〕；〈略式〉〈非難などを〉[…に]浴びせる，（繰り返して）〈誤りなどを〉[…に]指摘する（+back, up）〔at, to, toward〕∥ *throw* a word *into* the conversation 会話に一言口を差しはさむ. **d**〈障害物などを〉[…に]置く〔before, around など〕.

｜｜｜[体の一部を投げるように動かす]

5〈頭・足などを〉急に[激しく]動かす（+about, back, out, up, down）∥ *throw*「one's head [one's shoulders] *back* 頭を急にのけぞらせる[肩をさっと引く] / *throw* one's chest *out* 胸をぐいと張る〈◆自信・自慢などのしぐさ〉.

6〈打撃などを〉[…に]加える〔to, at〕∥ *throw* a punch *at* [*to*] him 彼にパンチを加える.

7a〈人が〉〈衣服などを〉さっと**着る**[脱ぐ]（+on [off]）；〈コートなどを〉〔肩などに〕引っかける〔on, about, over〕〈◆急ぎ・無雑作の動作〉∥ *throw* a sweater *over* a chair いすにセーターをかける. **b**〈へびが〉〈皮を〉脱ぐ（+off）；〈馬が〉〈蹄(ひづめ)鉄を〉落とす；〈鳥が〉〈毛を〉落とす.

8a〔陶芸〕〈陶器を〉ろくろで形作る. **b**〈生糸などを〉よりをかける，…を糸にする. **c**〈木材などを〉旋盤にかける. **9**〈橋などを〉(急いで)造る，かける∥ *throw* a pontoon bridge across [over] the river 川に浮橋を急設する. **10**〈牛・馬などが〉〈子を〉産む；〈畑などが〉〈作物を〉産する.

Ⅳ[投げてある状態にさせる]

11〈人・事などが〉〈人・物を〉[ある状態に](突然に)**投げ込む**，投げ入れる，陥(おとしい)れる〔into〕〈◆ 修飾語(句)は省略できない〉∥ *throw* the foreign policy *into* high gear 外交政策展開のテンポを早める.

12〈車・ギアを〉[トップ・ローなどに]入れる〔in, into〕；〈スイッチ・レバーを〉[…に]連結する〔to〕，動かす，切る. **13**〈米略式〉〈試合などを〉〈金のために〉わざと負ける；〈人を〉あざむく. **14**〈略〉〈パーティーなどを〉催す∥ *hold* [*give, have*] a party がふつう.

― 自 **1**〈人が〉**投げる**，ほうる；〈弾丸[ミサイル]を〉発射する∥ *throw* ninety yards 90ヤード投げる. **2**〈犬などが〉[…に]とびかかる〔at〕. **3** さいころを振る.

thrów about[他]〈1〉〈物を〉まき散らす. 〈2〉→ 他 **5**. 〈3〉（見せびらかすため）〈金を〉[…に]浪費する〔on〕. 〈4〉〈権力などを〉振りまわす.

thrów around A ＝ THROW about.

thrów aside[他]〈1〉…を放棄する〈◆〈米〉では put aside がふつう〉∥ *throw* one's school work *aside* 学業を放り出す. 〈2〉〈人と〉関係を絶つ（cf. THROW over）. 〈3〉〈人を〉捨てる.

*****thrów awáy**[他]〈1〉〈物を〉**捨てる**（discard）∥ I *threw* all my old books *away*. 古本はすべて処分しました. 〈2〉〈機会などを〉ふいにする，見のがす；〈金・親切などを〉[…に]むだに費やす〔on, by〕∥ My advice was *thrown* away on her. 私の忠告も彼女には通じなかった / *Buy cheap goods and you throw money away*.《ことわざ》安物買いの銭失い. 〈3〉[~ oneself away]〈人に〉夢中になる〔on〕.

thrów báck[自]〈1〉〈動植物などが〉[…に]先祖返りする〔to〕. 〈2〉〈話などで〉[…に]あと戻りする，さかのぼる〔to〕. ― [他]〈1〉〈ボールなどを〉投げ返す. 〈2〉→ 他 **5**. 〈3〉〈夜具・コートなどを〉さっとはがす；〈カーテンなどを〉さっと開ける. 〈4〉〈光などを〉反射する. 〈5〉〈(進行している)生産・進歩などを〉遅らせる；〈敵などを〉撃退する∥ His illness *threw* him *back* one whole year of college. 彼は病気のためによる1年留年した. 〈6〉[通例 be thrown] [...に] 頼る〔on, upon〕∥ *be thrown back upon* one's own resources [reserves] 自力に依存せねばならなくなる〈◆時に back は省略される〉.

thrów dówn[他]〈1〉〈物を〉投げ下ろす；〈食物などを〉のどへ放り込む∥ *throw down* a couple of drinks 酒を2, 3杯ひっかける. 〈2〉〈建物などを〉引き倒す. 〈3〉〈武器などを〉投げ捨てる；〈人などを〉見捨てる，はねつける∥ *throw down*「one's tools [one's arms]」 働くのを拒否[敵に屈服]する.

thrów ín[自]〈略式〉[…と]仲間になる〔with〕. ― [他]〈1〉〈物を〉投げ込む；〈水を〉注ぎ込む. 〈2〉→ 他 **4 c**. 〈3〉〈略式〉…をおまけとして添える∥ She bought the violin for £300, with the case *thrown in*. 彼女はケースをつけて300ポンドでバイオリンを買った. 〈4〉〈研究・仕事などを〉やめる.

*****thrów óff**[自]〈1〉〈犬が〉狩を始める；〈広義〉行動などを始める. 〈2〉[...に関して]悪口を言う〔on〕；〈豪略式〉…をからかう〔at〕. ― [他]〈1〉→ 他 **7a**. 〈2〉〈束縛・習慣などを〉**振り捨てる**；〈仮面・変装などを〉捨てる∥ *throw off* a prejudice 偏見を捨てる. 〈3〉〈病気などを〉治す，…から抜け出す. 〈4〉〈追跡者などを〉まく.

thrów ón[他]〈1〉→ 他 **7 a**. 〈2〉〈ブレーキを〉急にかける. 〈3〉〈物を〉積む[積み重ねる].

thrów onesélf at A〈略式〉〈女が〉〈男に〉こびを売る，…の愛[注目]を得ようと努める.

thrów onesélf into A〈いす・腕などの中に身を投げ入れる. 〈2〉〈仕事・活動などに〉没頭[専念]する∥

He *threw* himself *into* work. 彼は仕事に専念した.
thrów onesèlf on [**upòn**] **A** 〈文〉〈人・慈悲などにすがる〉(→ 他 **1b**). (2)〈敵などを攻撃する. (3)〈食物〉に飛びつく.
thrów ópen [他] (1)〈戸・窓など〉をぱっと[押し]開ける. (2) (通例 be thrown)〈庭園・家などが〉[…に]開放[公開]される[*to*].
thrów óut [他] (1) =THROW away (1). (2)〈偏見など〉を捨てる. (3) [~ **A** *out of* **B**]〈略式〉**A**〈人・政府など〉を **B**〈場所・役職〉から[無価値として]追い出す; …を急に罷免(ﾋﾒﾝ)する ‖ The mayor was *thrown out* for having accepted bribes. その市長は収賄行為で罷免された. (4)〈提案・ヒントなど〉をさりげなく言う, […に]ほのめかす[*to*]. (5)〈熱・光などを発する;〈信号・旗など〉を掲げる;〈枝・葉など〉を出す.
thrów óver [他] (1)〈物を投げてよこす. (2)〈やや古〉〈友人・恋人・政党など〉を[…の代わりに]見捨てる[*for*];〈約束・原理・計画など〉を破棄する《◆ over の代わりに overboard も使用》. (3)〈政府など〉を打倒する.
thrów úp [自]〈略式〉(食べたものを)吐く, もどす.
――[他] (1)〈手・窓など〉をすばやく[急に]上げる,〈頭・目など〉を上に向ける. (2)〈略式〉〈食物〉を吐く. (3)〈略式〉〈職〉を辞す;〈ゲーム・仕事など〉を放棄する;〈機会などをむだにする.
――名 (複 ~s/-z/) C **1a** 投げること; 投球;(弾丸の)発射 ‖ a well-aimed *throw* よくねらった投球 / make a good *throw* to home ホームへ好返球する. [表現]【野球などの投法】 an óverhand *thrów* 上手投げ / an únderhand *thrów* 下手投げ / a sídearm *thrów* 横手投げ. **b**【クリケット】(ひじを伸ばした)反則投球;【レスリング】投げ(技). **c** さいころを振ること; さいころの(出た)目.
2 投げて届く距離;(光線・ミサイルなどの)照射[射程]距離 ‖ *at* [*within*] *a stone's throw of* the sea 海から石を投げれば届く距離に, 海のすぐ近く.
throw·a·way /θróuəwèɪ/ 名 C **1**〈主に米略式〉広告びら, ちらし. **2** 投棄物. ――形 **1**〈物が〉使い捨ての. **2**〈劇などの〉せりふ・ユーモアなどがさりげない.
throw·back /θróubæk/ 名 C **1** 投げ返し. **2**〈…のあと戻り[逆行, 後退](したもの)[*to*], 復活; 阻止, 妨げ.
throw-in /θróuɪn/ 名 C【サッカー・バスケットボール】(サイドからの)スローイン.
***thrown** /θróun/〈同音〉throne) 動 throw の過去分詞形. ――形〈絹糸などが〉撚り合わされた.
thru /θru:, θrʊ/〈米略式〉前 副 形 =through.
thrum /θrʌm/ 名 C (織物の)耳; 糸くず, 織り端の糸; ほぐれ糸 ‖ thread and *thrum* 糸と糸ぐず; 玉石混交, 何もかも.
†**thrush** /θrʌʃ/ 名 C ツグミの類《◆ 別称 song bird, 鳴き声は whistle》.
†**thrust** /θrʌst/ 動 (過去·過分 thrust) 他 **1**〈正式〉〈人が〉(突然, 激しく)…をぐいと押す, 押しつける (push); …を[…に]突っ込む[*into, in*];〈道〉を[…に]押し分けて通す[*through*] ‖ *thrust* the money *into* [*in*] one's bag 金をかばんに突っ込む / *thrust* him *in* [aside, away / back] 彼を中へ押し込む[わきへ押しのける / 後退させる] / *thrust one*·*self* [one's] way] (forward) *through* the crowd 群衆を押しのけて進む / She *thrust* her weight (up) against the door. 彼女は自分の体重をのせて戸を押した. **2**〈人が〉〈ナイフ・フォークなど〉を[…に]突き刺す[*into, in*];〈人・背中などを〉[ナイフなどで]刺し通す[*with*]《◆ pierce, stab の方がふつう》‖ *thrust* a dagger *into* [*in*] his back. 彼の背中に短剣を刺す. **3**〈頭・手・足などを突然突き出す(+ *out, forward*);〈体・技など〉を[…に]伸ばす(+*up*) [*into*);〈人〉を不当に追い出す(+*out*) ‖ *thrust* (*out*) a letter *at* [*to, toward*] him 彼に手紙を差し出す. **4**〈決定・責任など〉を[…に]無理に押しつける(*on, upon*);〈人〉を〈ある状態・行動に〉追いやる; [しばしば ~ oneself]〈…に〉割り込む, 押し入る(+*forward, past*) [*in, into*); 出しゃばる(+*forward*) ‖ *thrust* oneself (one's nose] *in* … に干渉する 《対話》"I heard George was fired." "He *thrust* his nose *into* too many things." 「ジョージが解雇されたそうですね」「彼は出しゃばりすぎたんだよ」/ *thrust* home an [one's] advantage 機会を有効に使う / He *thrust* himself *on* me. 彼は私に対し押しつけがましくふるまった.
――自 **1**〈正式〉〈人が〉突然ぐいと押す, [武器で]突く[*with*]; […に]突きかかる[*at*]; 刺す ‖ *thrust at* him *with* the umbrella 雨がさで突きかかる(= *thrust* the umbrella *at* him) / *thrust against* the door. 戸に強くのしかかる. **2**〈植物などが〉どんどん生長する; 広がる(+*up*);〈建物が〉[…へと]突き出る[*into, toward*) ‖ an oak *thrusting* upward [*up*] *toward* the sky 空に向かって上へと伸びるオークの木. **3**〈人が〉突き進む[*into*), [群衆などを]押し分けて進む(+*forward*) [*through, past*] ‖ *thrust into* [*toward*] the forest 森へ突き進める.
――名 **1** C〈正式〉(突然, 力強く)ぐいと押すこと, 突き刺すこと; […への]押し, 突き[*at*] ‖ a home *thrust* 急所の一突き. **2** C […への]猛攻, 襲撃[*into*); 鋭い批評, 皮肉[*at, against, on*] ‖ plan a *thrust into* enemy land 敵地への突撃を計画する / make a *thrust against* the government 政府を酷評する. **3** U (科学などの)推進, 前進;(人の)迫力. **4** UC【機械】推力,(ジェット機などの)推進力.
Thu·cyd·i·des /θjuːsídədìːz/ 名 ツキディデス《460?-400?B.C.; 古代ギリシアの歴史家》.
†**thud** /θʌd/ 名 U (ドスンと落ちる[落とす]こと《重い物が固いところに落ちた時などの音》‖ *with a thud* ドスンと[ドン, ゴツン]と. ――(過去·過分 thud·ded /-id/; thud·ding) 自 ドスンと落ちる; […に]ブスン[ズシン]と当たる[*into*]. [表現] 日本語の次の擬音語に相当: ドタン, ドカン, ドシン, バサッ, ドサッ, ドン, ゴツン, ブスリ, ズドン, バタン.
thug /θʌg/ 名 C **1** (通例 T~)【インド史】暗殺団, 盗賊. **2** 悪党, 暴漢, 暴力団.
†**thumb** /θʌm/〈発音注意〉名 C (手の)親指;(手袋などの)親指 ‖ rub one's *thumb* and index finger together (親指と人さし指をこすり合わせて)金をねだる / hóld úp [ráise] one's *thúmb*(s) 親指を立てる《◆勝利·同意の身振り》/ jerk one's *thumb* 親指をぐいと動かす《◆方向を示したり, 相手に出て行けというしぐさ. → hitchhiker》.
áll thúmbs〈人が〉無器用な(→ finger 名 **1** 用例).
bíte one's [**the**] **thúmb** *at* **A** 『[人に向かって親指をかんでみせる]ことから』〈人〉をばかにする,〈人〉にけんかをふっかける.
thúmbs dówn〈略式〉[T~ down!] だめだ, だってないぞ《◆不賛成·拒否を示す(→ turn up [down] the THUMB)》.
thúmbs úp〈略式〉[T~ up!] いいぞ, 承知した《◆賛成·受容を示す(→ turn up [down] the THUMB)》.

tùrn dówn the [one's] **thúmb** 不満の意を示す, けなす.

tùrn úp the [one's] **thúmb** 《《他の4本は握って》親指を立てるしぐさから》満足の意を示す, ほめる.

━━動 他 1 《ページを》親指でいためる[汚す]; 《ページを》親指で早くめくる, 飛ばし読みする(+through) ‖ *thumb through the catalogue* カタログにさっと目を通す.

━━自 (略式)(親指を立てて)車に乗せてくれと合図する, ヒッチハイクする.

thúmb index (辞書などの)端の切り込み, つめかけ.

thumb·nail /θʌmnèil/ 名 C 1 親指のつめ. 2 (コンピュータ) サムネイル《レイアウト用の縮小画像》.
━━形 親指のつめぐらいの.

thumb·tack /θʌ́mtæ̀k/ 名 C (米) 画鋲(びょう) 《(英) drawing pin》.

†**thump** /θʌ́mp/ 動 (略式) 自 1 《…を》《こぶし・鈍器で》強くなぐる[打つ](hit)〔*at, on*〕‖ *thump at* [*on*] *the door* ドアをドンとたたく. 2 《…に》激しく当たる〔*against, into*〕‖ The car *thumped against* the wall. 車がドーンと塀にぶつかった. 3 ドシンドシンと歩く; ドキンドキンと鼓動する ‖ *thump* noisily along the passage 通路をドタンドタンと騒々しく歩く / Her heart *thumped* with joy. うれしくて彼女の胸は高鳴った. ━━他 1 …を《こぶし・鈍器で》ゴツンとたたく[打つ]〔*with*〕‖ *thump* the table angrily 怒ってテーブルをたたく / *thump* him *on the back* 彼の背中をドンとたたく(→ **catch** 他 **1** c). 2 〈ピアノなど〉を打ちならす; 〈曲〉を《楽器で》やかましく弾く(+*out*)〔*on*〕‖ John was *thumping óut* a tune on the piano. ジョンはピアノの鍵(けん)盤をガンガン弾いていた.

━━名 C (略式) (鈍器で)強くなぐること, 激しく打つこと(heavy blow); ゴツン, ドスン ‖ *give* her *a thump on the back* 彼女の背中をバンとたたく. 表現 日本語の次の擬音に相当: ドシン, ゴツン, ドスン, ドキン, ガンガン, ドン, ガタガタ, ボンボン.

***thun·der** /θʌ́ndər/ 名 『「稲妻に伴う音」が原義』(派) **thunderous**(形)
━━名 (複 ~s/-z/) 1 U 雷(かみなり), 雷鳴 《◆ thunder は雷鳴だけをさし, 「稲妻」は lightning. 「雷に打たれる」 is be struck (by lightning)》. (詩) 落雷 ‖ a clap [a peal, a crash, a roll] of *thunder* 雷鳴. 文化 ギリシア神話で雷は Zeus 神の顕現と考えられている. 英国では oak は家の近くに雷よけとして植える風習がある. 2 C U (しばしば ~s)雷鳴のような音[声] ‖ *thunders* [a [the] *thunder*] *of* applause 万雷のかっさい / *the thunder of* cannons [hooves] 大砲[ひづめ]のとどろき.

lóok [**háve a fáce**] **like thúnder** (略式)ひどく怒っている様子[顔つき]である.

stéal A's thúnder 〈人〉の工夫[アイデア]を横取りする;〈人〉を出し抜く.

thúnder and líghtning 雷鳴と電光, 雷電; 非難(攻撃), 悪口.

━━動 (~s/-z/; 過去・過分 ~ed/-d/; ~ing /-dəriŋ/)

━━自 (略式) 1 〖非人称の it を主語にして〗雷が鳴る ‖ It was *thundering* all night long. 一晩中雷が鳴っていた. 2 〈雷のような〉大きな音[声]を立てる, とどろく(+*out*); ごう音を立てて走る ‖ *thunder* at [*on*] *the* door 戸をドンドンたたく / The train *thundered* past [*into* the station]. 列車が大音響を立てて通り過ぎた[駅へ入った]. 3 (文) 〈人〉にどなる〔*at*〕;〖計画・方法などを〗激しく非難する〔*against,* *at*〕‖ The teacher *thundered against* bullying in our class. 先生は私たちのクラスの中でのいじめを激しく非難した.

━━他 (文) 〖命令・支持などを〗大声で言う(+*out*); 〖ドラムなどを〗ドンドンたたく; 〖礼砲などを〗とどろかす(+*out, forth*).

thun·der·bird /θʌ́ndərbə̀ːrd/ 名 C 1 サンダーバード《♦アメリカ先住民の神話で雷雨を招くとされる巨鳥》. 2 [T~] サンダーバード《英国製の地対空誘導弾》.

†**thun·der·bolt** /θʌ́ndərbòult/ 名 C 1 雷電〈thunder(雷鳴)と lightning (稲妻)を合わせたもの〉; 落雷 ‖ A *thunderbolt* struck the tree. 雷が木に落ちた. 2 (正式) **a** 〔…にとって〕思いがけないこと, 不意打ち〔*to*〕‖ The merger happened like a *thunderbolt to* us. その合併は私たちにとっては思ってもみない出来事[おどし]であった. **b** 悪い知らせ[おどし], 凶報. 3 突然激しく行動する人[物]. 4 (神話で神が放つ)飛ぶ道具.

thun·der·clap /θʌ́ndərklæ̀p/ 名 C 雷鳴; 突然の出来事[悪い知らせ] ‖ like a *thunderclap* 思いがけなく.

thun·der·cloud /θʌ́ndərklàud/ 名 C U 雷雲; 不穏な様子.

†**thun·der·er** /θʌ́ndərər/ 名 1 C 大声でどなる人. 2 [the T~] 〔ローマ神話〕=Jupiter 1.

thun·der·ous /θʌ́ndərəs/ 形 1 雷を生じる; 雷の来そうな. 2 (正式) 雷鳴のような, とどろき渡る.

thun·der·show·er /θʌ́ndərʃàuər/ 名 C 雷雨.

thun·der·storm /θʌ́ndərstɔ̀ːrm/ 名 C 激しい雷雨.

thun·der·struck /θʌ́ndərstrʌ̀k/ 形 1 (まれ)雷にうたれた. 2〈人・表情が〉肝をつぶした.

Thurs.day, Thurs.

***Thurs·day** /θə́ːrzdei, -di/ 名 [〖北欧神話トールの(Thor's) 日 (day)〗]

━━名 (~s/-z/) C U 木曜日(略 Thur(s)., Th.); [形容詞的に]; [米略式) 副詞的に] 木曜日の[に] 語法 → **Sunday**.

***thus** /ðʌ́s/
━━副 (正式) 1 したがって, だから《◆ ふつう thus の前に : (コロン)か; (セミコロン)または and を置く. 文頭で文全体を修飾するのにも用いる》‖ I didn't study *and thus* failed the examination. 勉強しなかったのでその結果試験に落ちた.

2 このように, そのように, 上の[次のように](in this way) ‖ *Thus* this strange incident ended. かくしてこの奇妙な出来事は終わりを告げた.

3 〖主に形容詞・副詞を修飾して〗 この程度まで, これだけ(so) ‖ *thus far* これまでのところ, 今までは《◆ 現在完了形では have と過去分詞の間に置くのがふつう. これ以外は強意的》/ *thus much* これだけの.

thwack /θwǽk/ (略式) 名 C (平たい板などで)バシ[パチ, ピシャリ]とたたくこと(blow). ━━動 他 (平たい棒などで)…を激しくたたく(hit).

†**thwart** θwɔ́ːrt; 動 他 (正式) 〖計画・目的などを〗挫折(ざせつ)させる, くじく;〈人〉の〔…を〕妨げる〔*in*〕.

━━名 C 〔海事〕 (ボートの)こぎ座.

***thy** /ðái, (弱) ðai/ 〖thou の所有格〗 代 (古・詩・英方言) 〖形容詞的に〗 なんじの, そなたの, そちの《ふつう子音で始まる語の前で用いる(母音の前では thine)》.

thyme 1

thyme /táim/ [発音注意] (同音) time. 名 〔植〕 **1** ⓤⓒ タイム, タチジャコウソウ《シソ科の草状の低木. 図》→前ページ). **2** ⓤ タイム《**1** の葉を香辛料としたもの》.
thýme tèa タイム茶《頭痛などに効く》.
thy·mus /θáiməs/ 名〔複 ~·es, -mi/-mai/〕ⓒ〔解剖〕= thymus gland. **thýmus glànd** 胸腺.
thy·roid /θáiròid/〔解剖〕形 甲状腺の; 甲状軟骨の. — 名ⓒ **1** = thyroid gland. **2** 甲状軟骨.
thýroid glànd 甲状腺.
thyr·sus /θə́ːrsəs/ 名〔複 -si/-sai/〕ⓒ **1**《ギリシャ神話》テュルソス《バッカスの杖》. **2**〔植〕密錐(ホミ)花序.
†thy·self /ðàisélf/〔**thou** の再帰代名詞〕代〔古・詩〕**1 a**〔再帰用法として〕なんじ自身を[に] ‖ Know *thyself.* おのれを知れ《◆ Apollo 神殿の碑文にある句》.**b**〔強調用法として〕なんじ自身. **2**〔主格補語として〕いつものなんじ.
ti¹ /tíː/ 名ⓒ〔植〕センネンボク, ニオイシュロラン.
ti² /tíː/ 名ⓤⓒ〔音楽〕シ(si)《ドレミファ音階の第7音. → do²》.
Ti〔記号〕〔化学〕titanium.
TIA〔略〕〔コンピュータ〕Thanks in advance 前もってありがとう《◆ 依頼のメールの最後につけて返事を促す》.
Tián·an·men Squáre /tjáːnɑːnmèn-/ 天安門広場《北京の故宮前の広場》.
Tian·jin /tiɑ́ːndʒín, tjɑ́ːn-/ 名 テンシン (天津)《中国の都市. Tientsin ともいう》.
ti·ar·a /tiǽrə | tiɑ́ːrə/ 名ⓒ **1** ティアラ《宝石をちりばめた女性用頭飾り》. **2**《ローマ教皇の》三重冠, 教皇冠; [the ~] 教皇位, 教皇の職権. **3**〔歴史〕《古代ペルシア王の》頭飾り.
Ti·ber /táibər/ 名〔the ~〕テーベレ川《ローマを貫いて流れる川》.
Ti·bet /tibét/ 名 チベット《中国南西部の地方, 現在は自治区》. **Ti·bét·an** 名ⓒⓤ 形 チベット人[語](の); チベット(文化)の.
tic /tík/ 名ⓒ〔医学〕(特に顔面の)けいれん, チック.
†tick¹ /tík/ 名ⓒ **1**《時計などの》チクタク[カチカチ]という音. **2**《主に英略式》瞬間 (moment) ‖ **to** [**on**] *the tick* 時間どおりに / *in* [*a tick*] [*two ticks*] すぐに / Wait [Half] a *tick.* ちょっと待って. **3**《英》照合印, (点検済みの)しるし《米》check)《ふつう√. 日本と違ってテストの正答にもチェックをつける》‖ put a *tick* チェックする.
— 動 自 **1** チクタク[カチカチ]となる;《文》刻々とすぎる(+*by, away*) ‖ The hours *ticked away.* 時が刻々と過ぎた. **2**《略式》動く, 行動する ‖ I'd like to know [find out, discover] what makes her *tick.* 彼女がなぜそうなるのか動き機を知りたい[つきとめたい]ものだ. **3**《英》しるし(√)をつける, 照合する《米》check). —他 **1**《カチカチという音で》…を計る, 数える(+*off*). …を打ち出す(+*off*)‖ The taxi meter *ticked* off the fare. タクシーの料金メーターがカチカチと上がっていった. **2** …にしるしをつける(+*off*) ‖ *tick off* the items one by one 項目をひとつずつ照合する.

tíck awáy〔自〕 → 自**1**. —他〈時〉を刻む[進める] ‖ The clock *ticked away* the minutes. 時計はカチカチ時を刻んでいった.

tíck óff〔他〕(**1**) → 他**2**. (**2**)《印をつけるように》…を的確に述べる ‖ *tick off* all the important points 重要な点をもらさず的確に述べる.

tick² /tík/ 名ⓒ 動 ダニ ‖ a dog *tick* イヌダニ.

★tick·et /tíkət/〔「はりつけるもの」が原義. cf. etiquette〕

— 名〔複 ~s/-əts/〕**1** ⓒ **a**〔しばしば複合語で〕切符, 券, 入場券, 乗車券, チケット ‖ a lóttery *ticket* 宝くじ券 / a ráilroad *ticket*《鉄道》乗車券 / a one-way [round-trip] *ticket*《主に米》片道[往復]切符《主に英》a single [return] *ticket* / a *ticket for* tonight's show 今夜のショーの切符 / Admission by *ticket* only.《掲示》「切符のない方入場お断り」.

〔関連〕[いろいろな種類の **ticket**]
airline [plane] *ticket* 航空券 / circular tour *ticket* 周遊切符 / commuter *ticket* [pass] 定期券《英》season *ticket* / discount *ticket* [coupon] 割引券 / meal *ticket* 食券 / movie *ticket* 映画鑑賞券 / one-way *ticket*《主に米》片道券《主に英》single *ticket* / party *ticket* 団体割引券 / platform *ticket* 入場券 / round-trip *ticket*《主に米》往復切符《主に英》return *ticket* / theater *ticket* 観劇券 / through *ticket* 通し切符.

b《主に米》[比喩的に]《…への》切符, 近道《to》‖ the *ticket to* happiness [a good job] 幸福[いい仕事]をつかむ手段.
2 ⓒ 交通違反切符《チケット》《呼び出し状・罰金支払い命令書など》‖ get a *ticket* for speeding スピード違反カードを渡される. **3** ⓒ 正札, 定価札 (price ticket); 札, 荷札. **4** ⓒ《米政治》(通例単数形で)(政党の)公認候補者(名簿);《主に米》(政党の)綱領 ‖ vote a straight *ticket* (同じ党の)公認候補者に投票する / be on the Democratic *ticket* 民主党の公認候補者.

— 動 他 **1**〈商品など〉に札[正札]を付ける;〈手荷物など〉に荷札を付ける. **2**《米》〈車〉に《…の》違反カードをはる;〈車〉を《違法行為で》取り締まる《for》.

tícket àgency《乗り物・芝居・映画などの》切符販売所, プレイガイド《◆ *play guide* とはいわない》.
tícket collèctor《ふつう駅の》集札係, 改札係[口].
tícket màchine 切符販売機.
tícket óffice [**wíndow**]《駅・球場・催し物などの》切符売場, 出札口《英》booking office)《◆ 空港などの切符売場は ticket counter, 劇場などの切符売り場は box office)》.
tícket wícket 改札口.

†tick·le /tíkl/ 動 他 **1**〈人が〉〈人・体など〉をくすぐる;〈触覚〉を刺激する ‖ *tickle* her [the soles of her feet] with a feather 羽根で彼女[彼女の足の裏]をくすぐる / *tickle* his ribs = *tickle* him *in* the ribs 彼の脇腹をくすぐる; 彼を大いに喜ばす(→ catch 他 c) / The smell of soup *tickled* her taste buds. スープのにおいで彼女は食指が動いた. **2**〈事が〈人・感覚〉を喜ばす; [be ~d] 《…に》満足する《at, by, that 節》‖ *tickle* his vanity 彼の虚栄心をくすぐる / Your story *tickled* me pink [to death]. =I *was tickled* pink [to death] *at* your story.《略式》あなたの話は私にはとても面白かった / We're highly *tickled* (*that*) you got the prize. あなたが入賞したことに大いに満足している.

— 自 〈体が〉くすぐったい, こそばゆい;〈物が〉むずむず[ちくちく]する ‖ My nose *tickles.* 鼻がむずむずする / The rough blanket *tickles* a little. 毛の荒い毛布は少しちくちくする.

— 名ⓤⓒ くすぐる[くすぐられる]こと; こそばゆさ, むずかゆさ ‖ a *tickle* in one's throat のどのかゆみ.

tick·lish /tíkliʃ/ 形 **1**〈人が〉くすぐったがりの,〈体の一

部が〉こそばゆい. **2** 注意を払っている. **3**《略式》問題・人などが扱いにくい, 重大な.

tick·tack /tíktæk/ 图 **1**《米》(時計などの)カチカチ[チクタク]という音. **2** (心臓の)ドキンドキンという音.
——動 圓 チクタクと音をたてる.

tick-tack-toe, tic-tac-toe /tíktæktóu/ 图 Ⓤ《米》三目ゼ並べ《英》noughts and crosses《3×3のます目に○と×を並べる》.

tick·tock /tíktɑ́k, -tɔ́k-|-tɔ́k, ≂/ 图 Ⓒ (ふつう大時計の)カッチンカッチンという音.

†tid·al /táidl/ 形 潮の, 潮による, 干満[潮流]の ‖ a tidal current 潮流 / a tidal river 干満のある川 / a tidal steamer 潮まかせの汽船《満潮時にだけ出航すること》.

tídal wàrning 津波警報.

tídal wàve 津波(tsunami), 高波, 高潮;(津波のように)押し寄せること, 大きく広がること.

tid·bit /tídbid/ 图 Ⓒ《米式》《通例 a ~》一口のうまい食べ物;(ニュースなどの)断片, さわり ‖ a tidbit of gossip ちょっとしたうわさ話.

†tide /táid/ 图 **1** Ⓤ Ⓒ 潮の干満;潮汐(ｾ);《略》hálf tíde 間潮 / a néap [spríng] tíde 小潮[大潮] / The tide comes in [goes out]. 潮がさす[引く] / The tide is in [high]. =It is high tide. 満潮である / The tide is out [low]. =It is low tide. 干潮である / The tide is ebbing [on the ebb]. 潮が引いている. **2** Ⓒ 潮流;《詩》(川・血などの)流れ, [通例 ~s] 海(の水);《》strong tides 激流. **3** [the ~] (世論・運命などの)傾向, 形勢, 風潮;時流 ‖ **go with** [**against**] **the tide**《略式》時流に乗る[逆らう] / **turn the tide** 形勢を変える / The tide is against him. 形勢は彼に不利だ / The tide turned in her favor. 形勢は彼女に有利になった. **4** Ⓒ (事業などの)栄枯盛衰, 消長.

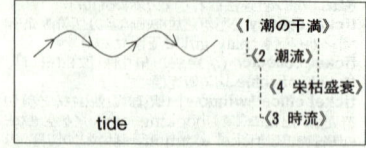

〈1 潮の干満〉
〈2 潮流〉
〈4 栄枯盛衰〉
〈3 時流〉
tide

——動 圓 潮のまにまに漂う;なんとかやっていく;生き残る(+on). ——他 …を潮に乗せて運ぶ[運び去る](+ off).

tíde óver 他《略式》(1)〈人〉に困難[危機]を乗り切らせる, 切り抜けさせる ‖ This food will tide us over till spring. これだけの食糧があれば春までもちこたえられるだろう. (2) [~ A over B] A〈人〉に B〈困難・危機〉を乗り切らせる.

tide·wa·ter /táidwɔ̀:tɚ/ 图 Ⓤ 潮水《上げ潮のとき干潟・河口にさしてくる水》.

†ti·dy /táidi/ 形 (-·di·er --·di·est) **1**〈部屋・考えなど〉が整理をして〉きちんとした, 整然とした;〈服装などが〉(よく手入れをして)さっぱりした, こぎれいな;〈習慣が〉きれい好きな(neat)(↔ untidy) ‖ keep one's hair tidy 髪にくしをえれいにしている / Your kitchen always looks tidy. あなたの家の台所はいつ見てもきちんとしていますね. **2**《略式》満足な, なかなかよい;〈収入・仕事などがかなりの(fairly big), 相当の ‖ leave a tidy fortune 相当な財産を残す.
——動 他 …をきちんとする, 整頓(ｽ)する, 片付ける(+ up, away) ‖ tidy (up) oneself 身づくろいする.

tídy úp 他 …をきちんとする, 片付ける.

——图 Ⓒ 小間物入れ;(流しの)水切りかご.

‡tie /tái/《「引っぱる」が原義. cf. tug》

index
動 他 1 結ぶ 2 くくる 3 縛りつける 4 同点になる
 圓 1 結ぶ 2 同点になる
图 1 ネクタイ 2 結びもの, ひも 3 つながり 4 重荷 5 同点, 引き分け

——動 (~s/-z/; 過去・過分 ~d/-d/; ty·ing)
——他

Ⅰ [結ぶ・縛る]

1〈人が〉〈ひも・ネクタイなど〉を**結ぶ**;〈靴・エプロンなど〉のひもを結ぶ(+on);[tie A into B =tie B with A] A〈ひもなど〉に B〈結び目〉を作る(↔ untie) ‖ She tied the string into a knot. =She tied a knot with the string. 彼女はひもを結んで結び目を作った.

2 a〈人が〉〈物〉を[…で]**くくる**, 縛る(+up)[with];〈物〉を〈物に〉**つなぐ**, 結びつける(+up)[to, on, onto] ‖ He tied the box with the string. 彼は箱を縛った(=He tied the string around the box.). **b** [通例 be ~d] […に]関係がある, 依存している[to].

Ⅱ [束縛する]

3 [比喩的に]〈物・事が〉〈人〉を[…に]**縛りつける**, 束縛[拘束]する(+down)[to, on] ‖ He is tied to the house because he is expecting a new bed to be delivered. 新しいベッドが配達されてくるのを待っているので, 彼は今日は家にくぎづけだ.

Ⅲ [離れている状態から同じ状態になる]

4〈人・チームが〉〈相手〉と**同点になる**;[通例 be ~d]〈試合・得点に同点になる ‖ I tied her for second place. 私は彼女と2位を分けあった.

——圓 **1**〈ひもなどが〉**結べる**(+up);〈服が〉結ばれる《◆修飾語(句)は省略できない》‖ This rope doesn't tie well. このロープはよく結べない. **2** [相手と/…を競って]**同点になる**[with/for] ‖ Two horses tied for first place. 2頭の馬が1位を分けあった.

*****tie úp** [圓] (1) […と]関連がある, 一致する[with];tie up with another company 別の会社と合併する. (2)〈会社が〉[…と]合併する[with]. (3)〈船が〉停泊する. ——[他] (1) …を**結ぶ**. **2 a**. …を〈小包などに〉包装する;〈傷口〉を包帯する. (3)〈船〉を停泊させる. (4) […と]関連させる, 連合させる[with]. (5)〈契約〉を結ぶ;〈取引・計画など〉を完遂させる. (6)〈活動〉を停止させる;〈交通〉を渋滞させる ‖ The accident tied up traffic. その事故で交通渋滞が生じた. (7)《略式》[通例 be ~d] […に]忙しい[with, in] ‖ I was tied up at the office until eight o'clock. 私は忙しくて8時まで会社にいた.

——图 (複 ~s/-z/) Ⓒ

Ⅰ [結ぶもの]

1 ネクタイ 《《米正式》necktie》 ‖ a bów tie ちょうネクタイ.

2 a 結ぶもの, ひも, なわ;《略式》[~s] ひも付き短靴. **b** 結び目, 飾り結び.

Ⅱ [結ばれた関係]

3《正式》[通例 ~s] **つながり**, きずな, 縁;(国家間の)関係, 提携 ‖ Tom is bound to John **by ties of** friendship. トムはジョンと友情のきずなで結ばれている / She rose to the top through her use of government ties. 彼女は政府のコネでトップまでのしあがった / 日本発》 Japan has no diplomatic ties with North Korea. 日本は北朝鮮とはいまだ国交がありません.

tie-breaking vote

4 《略》[通例 a/the ~] 重荷, 足手まとい; 束縛, 拘束 ‖ If you enjoy traveling, your pet can be a *tie*. あなたが旅行を楽しみたいなら、ペットは足手まといになるかもしれない.

III [離れたものがくっついた状態になった結果]

5 同点, 引き分け; 引き分け試合; 優勝決定戦; 勝ち抜き試合 ‖ **pláy** [**shóot**] **óff** a *tíe* 優勝決定戦をする / The baseball game ended in a *tie*, 5 to 5. 野球の試合は5対5の引き分けに終わった.

6 《米》(鉄道の)枕木《英》sleeper).

tie-brèak·ing vóte /táibrèikiŋ-/ 《議長の》決定投票《◆ casting [deciding] vote ともいう》.

tie-pin /táipìn/ 图 ネクタイピン《米》stickpin》.

†tier /tíər/《同音》tear》图 C《正式》(棚・ケーキなどの重なったり並んだりした)層, 列, 段; (劇場の階段状の)座席.

tie-up /táiλp/ 图 C 《略式》[...間の/...との]提携, 協力, タイアップ; 関係, つながり〔between/with〕.

*ti·ger /táigər/ 『『すばやい動物』が原義』
── 图 (榎 ~s/-z/, [集合名詞] **ti·ger**) [女性形] **ti·gress**) C ❶ トラ; トラに似た動物《cougar, jaguar など》《◆ 子供は cub, whelp. 鳴き声は roar, growl》‖ an American *tiger* ジャガー(jaguar) / the red *tiger* クーガー(cougar) / *Tigers* are only found in Asia. トラはアジアにしかいません.
2 獰猛(ごい)な男, 乱暴者.

ti·ger·ish /táigəriʃ/ 形 トラのような; 獰猛(ごい)な, 残忍な.

*tight /táit/ 氟 tighten (動)
── 形 (~·er, ~·est)

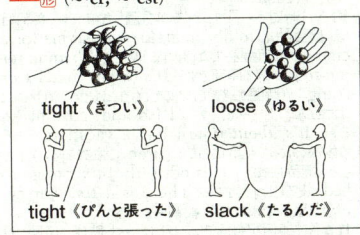

tight《きつい》 loose《ゆるい》
tight《ぴんと張った》 slack《たるんだ》

I [すき間なく詰まってきつい]
1〈服・靴などが〉きつい, ぴったり合った, 窮屈な;〈感じなどが〉締めつけられるような ‖ This shirt is a little too *tight*. このシャツは少しきつすぎる.
2 きつい, 堅い, しっかりした(↔ loose)‖ a *tight* drawer [lid] 堅い引き出し[ぴったりと合った蓋] / take a *tight* grip on the rope ロープをしっかりと握る.
3〈ひもなどが〉ぴんと張った(↔ slack)‖ a *tight* canvas ぴんと張った画布 / Keep the clothesline *tight*. 物干し綱をぴんと張っておきなさい.
4〈布などが〉目の詰んだ, 隙間のない; 水[空気]の漏らない. **5**《略式》[通例補語として]〈お金などに〉けちな, 締まり屋の〔with〕(↔ generous)‖ be *tight* **with** (one's) money 金に細かい. **6**〈予定などが〉ぎっしり詰まった;〈容器が〉一杯になった;〈部屋などが〉身動きできない, 狭い ‖ a *tight* [×hard] schedule ハードスケジュール. **7** [通例名詞の前で] 厳しい, 厳格な ‖ maintain *tight* discipline きびしい訓練を続ける. **8**〈試合などが〉互角の, 接戦の ‖ a *tight* election 伯仲した選挙戦.

II [きつくてつらい]
9 [名詞の前で] 厄介な, 困難な ‖ be in a *tíght* **cór·ner** [**place**, **spot**]《略式》進退きわまっている.
10《略式》[通例補語として]〈物などが〉動きにくい, 不足している;〈金が〉高利で借りにくい;《商業》〈金融市場が〉逼迫(ひっぱく)した, 金詰まりの(↔ easy)‖ Jobs were *tight* when I graduated from college. 私が大学を出たときは就職難でした. **11**《古・略式》[通例補語として][...を飲んで]酔っ払った〔on〕.
── 副 (~·er, ~·est)《◆ 過去分詞の前では tightly を用いる》**1** 堅く, しっかりと, きつく, ぐっと, ぴったりと ‖ Keep your mouth shut *tight*. 口を堅く結んでおきなさい. **2**《略式》十分に ‖ "Good night. Sleep *tight*. Don't let the bedbugs bite."「おやすみなさい. ぐっすり眠ってね. ベッドの虫にかまれないようにね」.

tíght·ness 图 U **1** 堅い[きつい]こと. **2** 窮屈. **3** 金融逼迫; 迫, 金詰まり.

†tight·en /táitn/ 動 他〈人が〉〈なわなどを〉ぴんと張る;〈ねじなどを〉しっかり締める;〈結び目などを〉堅くする(+ *up*);〈制限〉をきつくする(↔ loosen, slacken)‖ *tighten* one's belt ベルトを締める, 食事なしで済ます;《略式》倹約する. ── 自 〈物・事が〉ぴんと張る; しっかり締まる; 堅くなる(+ *up*).
tighten úp [自] (1)→ 自. (2)[...に]厳しくなる〔on〕. ── [他] (1) → 他. (2)〈規制などを〉厳しくする.

tight-lipped /táitlípt/ 形 口を堅く閉じた, 無言の, 秘密を漏らさない; 口数の少ない; いかめしい顔つきの.

†tight·ly /táitli/ 副 堅く, しっかりと, きつく.

tight·rope /táitròup/ 图 C 綱渡りの綱 ‖ walk (on) a *tightrope* 綱渡りをする; 危ないことをする.
tíghtrope wálker 綱渡り芸人.

tights /táits/ 图 [複数扱い] **1** タイツ; 肉じゅばん. **2**《英》パンティーストッキング《米》panty hose).

ti·gress /táigris/ 图 C **1**《動》雌のトラ(→ tiger). **2** 狂暴な女, たけだけしい女.

Ti·gris /táigris/ 图 [the ~] チグリス川《Mesopotamia の川. この流域で古代バビロニア文化が栄えた》.

til·bur·y /tílbèri | -bəri/ 图 C《歴史》ティルバリー《19世紀に流行した無蓋軽装二輪馬車》.

til·de /tíldə/ 图 C《コンピュータ》チルダ(~).

†tile /táil/ 图 C U《屋根・壁・床・舗装用の》かわら, タイル;《プラスチックなどの》化粧タイル ‖ a roof of *tile* = a *tile* roof かわら屋根.
── 動 他〈屋根〉をかわらでふく,〈床〉にタイルを張る.

til·ing /táiliŋ/ 图 U **1** かわら[タイル]張り工事. **2** [集合名詞] かわら[タイル]類. **3** かわら屋根; タイル面.

*till /til/ 前 《弱》təl/
── 前《◆ until と意味は同じ. 用法については→ until》**1** [主に肯定文で] ...まで(ずっと)(= until 前 1). **2** [否定文で] ...まで(...しない)(= until 前 2). **3**《米略式》...時)前に(to),〈スロット〉...へ[に](to).
── 接 = until 前 1, 2.

†till·age /tílidʒ/ 图 U **1**《古》耕作; 耕作地; 農作物.

†till·er /tílər/ 图 C《海事》かじの柄(cf. rudder).

†tilt /tílt/ 動 他〈テーブル〉を傾ける,〈首〉をかしげる(+ *up*),〈...〉を倒す(+ *over*)‖ *tilt* a boat *up* [*over*] ボートを傾ける[ひっくり返す]. ── 自 **1** 傾く, かしぐ;〈船が〉上下に揺れる. **2** [...を]〈槍(を)〉で突く, 攻撃する;《正式》[...を]口頭・文書で]攻撃[非難]する〔at, against〕; [...と]争う, 論争する〔with〕.
── 图 **1** C U [通例単数形で] 傾けること; 傾き, 傾斜, かしぎ ‖ wear a hat at a slight *tilt* 帽子を少しかしげてかぶる / have a *tilt* to the left 左に傾いている. **2** C 《中世騎士の》馬上槍試合; 試合, 論争; [...への]槍の突き; 〈口頭・文書による〉[...への]非難[攻撃]〔at〕‖ make [have] a *tilt* at a rival 敵を攻撃する.

tilth /tílθ/ 名 U **1** 耕作；耕作地. **2** (精神的)陶冶(とうや), 啓発.

tilt・yard /tíltjɑ̀ːrd/ 名 C (中世の)馬上槍(やり)試合場.

tim・bale /tímbl, (英+) tæmbάːl/ 名 C 〔料理〕タンバル《鶏肉・魚・野菜などを型に入れて焼いた料理》.

†tim・ber /tímbər/ 名 **1** U (英) (建築用の)材木, 木材；板材((主に米・カナダ) lumber)／◆ wood は製材する前の材木. **2** U 〔集合名詞〕(製材用の)樹木, 立ち木；森林. **3** C (建物の)梁(はり)；(船の)フレーム, 肋(ろく)材.

tim・bered /tímbərd/ 形 **1** 木造の，[複合語で] 造りが…の木の. **2** 木の茂った.

tim・ber・ing /tímbəriŋ/ 名 U 建築用材；木組み.

tim・ber・land /tímbərlæ̀nd/ 名 U (米) 森林地.

tim・ber・line /tímbərlàin/ 名 [the ~] (高山・南北両極の)樹木限界線.

tim・bre /tǽmbər, tím-/ 名 U C 〔音楽〕(声・楽器の)音色, 音質.

:time /táim/ (同音) thyme)

index 名 **1** 時, 時間 **3** 期間 **4** 暇 **8 a** 時刻 **b** …時 **10** 適した時 **11** 時代 **13** 一生 **15** …回 **16** …倍 **17** …する時に 動 他 **1** 計る **2** 合わせる

―― 名 (複 ~s/-z/)

I [時間]

1 U [無冠詞で] 時，(空間に対して)時間；時の経過，歳月《◆ 循環・流転の象徴》‖ *time and space* 時間と空間 / *as time passes* [*rolls on*] 時がたつにつれて / *Time* is the best medicine. 時は最良の薬だ；時が解決してくれる / *Time is money.* (ことわざ)「時は金なり」/ *Time and tide wait for* ˹*no man* [*none*]˼. (ことわざ)「歳月人を待たず」.

2 U 〔音楽〕拍子；テンポ, リズム；〔軍事〕歩調‖ beat *time* 拍子を取る.

II [ある一定の長さの時間]

3 U [時に a ~] 期間, 間‖ *for a lóng* [*shórt*] *time* 長い[短い]間 / You have been *a long time.* ずいぶん手間取ったじゃないか《◆ be動詞と共に用いて, 副詞的に用いる》/ She has lived here for *a considerable time.* 彼女はここにかなり長く住んでいる[いた] / It will take some *time* to overcome this obstacle. この障害に打ち勝つにはしばらく時間がかかるだろう.

4 U […する] 暇, 余裕；[…をするための] 所要時間, タイム, 規定の時間 [*for, to do*] ‖ Do you have some *time?* お時間ありますか / I will come *if I have the time.* 時間があれば参ります / *have no time to lose* ぐずぐずしている暇はない / The time is up. 時間になりました / Give me *time* to try again. もう一度やってみる時間をください / I'll be back *in* twenty minutes' *time.* 20分したら戻ってきます《◆ … *in* twenty minutes より堅い言い方》/ *There's* still *time for* us to see the film. まだ映画を見る時間はある.

5 U [a ~] (経験する)時間, ひと時‖ I *had* a *good* [*great, big*] *time* at the party. (略式)パーティーはたいへん楽しかった(=I enjoyed myself at …) / I *had* a difficult *time* finding her house. 彼女の家を見つけるのに苦労した《◆ have a good time は進行形・受身可能. We *are having* a *good time.* 楽しく過ごしています / A *good time was had* by all. みんな愉快に過ごした》.

6 U [時に one's ~] 見習い期間；兵役期間；(略式)刑期‖ do [serve] *time* for robbery 強盗の罪で服役する. **7** [one's ~] 妊娠期間‖ be born before *its time* 月足らずで生まれる.

III [ある特定の時間]

8 U **a** 時刻‖ opening [closing] *time* 開[閉]店時刻 / *What time is it?* =(主に英) *What is the time?* =(米) What *time* do you have? =(英) What *time* do you make it? =(米) *Do you have the time?* =(英略式) Have you got the *time* (about you)? 何時ですか / What *time* is it in the kitchen? 台所の時計は何時ですか / What does the clock in the kitchen say?) / Look at the *time.* 時間を見よ，さあ時間だよ《◆ 出発の時間だ, など》/ *It's time for* lunch. 昼食の時間です / He cannot tell [(英) the] *time.* 彼はまだ時計の見方を知らない. **b** [複合語で] …時；標準時‖ súmmer *time* (英) =(米) daylight saving (*time*) 夏時間 / stándard *time* 標準時間 / Gréenwich *time* グリニッジ標準時 / I am still on New York *time.* ぼくの体はまだニューヨーク時間だ《◆ 時差ぼけの表現》.

9 U (特定の)時, おり；時期；時節‖ *at that* [*the*] *time* その当時(=then) / *at the time of* the explosion 爆発時に / I'll be in Tokyo *at this time* next year. 来年の今頃には東京にいます / *The time will come when* you *will* repent having said so. そう言ったことを後悔する時が来るだろう《◆ when は *time* を先行詞とする関係副詞 (◯文法 20.4)》.

10 U [時に a ~] […するのに]適した時；[…する]時機, 機会 [*for, to do, (that)*] ‖ *It's time* for a change. 変化が必要な[起きる]時だ / *It's time for me to go.* 帰る時間です / *It's* (*high*) *time* I *was going.* (時間が過ぎているので)もうおいとましなければなりません(◯文法 9.8)《◆ … I (should) go も用いられる》/ *It's about time* I had a vacation. そろそろ休暇を取ってもよいころだ；[やや強勢を置いて] やっと休暇が取れた / It is not (×*the*) *time* to go to bed. 寝るにはまだ早い / *There is a time for* everything. 物事にはすべて潮時がある.

11 a C [通例複合語で；しばしば ~s] 時代；時勢, 景気；[the ~(s)] 現代‖ Victorian *times* ビクトリア朝時代 / *hard* [*good*] *times* 不[好]景気 / *Times* are changing very fast. 時勢はめまぐるしく変わっている / the leading scientists *of our time* 我々の時代の一流の科学者たち / *in the time of* Shakespeare =in Shakespeare's *time* シェイクスピアの時代に. **b** [Times] → Times.

12 U 勤務時間；時間[日]給‖ work fúll [párt] *time* 常勤[非常勤]として働く / get *time* and a half for working on Saturday 土曜日に勤務して1倍半の超過勤務手当をもらう.

13 [one's ~] **a** 一生‖ His fame will outlast *his time.* 彼の名は彼の死後も残るであろう. **b** 若いころ‖ She was beautiful *in her time.* 彼女は若いころは美人だった(=… when she was young.).

14 [one's ~] 死期‖ *Her time was* 「*drawing near* [*approaching*]. 彼女の死期が近づいていた.

15 C [複合語で] …回, 度‖ *this* [*next*] *time* 今回[次回]は / *this one time* これ一度っきり(でいいから) / Say it three *times.* 3度言いなさい(→ twice 副 **1**) / I've heard it hundreds of *times.* そのことは何百回となく聞きました.

16 [複合語で; ~s] …倍‖ Four *times* five is

[equals] twenty. 5の4倍は20です. 5×4＝20(→ multiply ⑯ **2** 関連) / This rope is three *times as long as* that one. =This rope is three *times longer than* that one. このロープはあのロープの3倍の長さがある《◆「2倍」は as ... as 構文では twice がふつう(cf. twice 副**2**). ただし *twice longer は不可. 3倍以上は上例のように three [four] times のように用いる》.

17 [複合語で; 接続詞的に] **...する時に** ‖ *The first time* I saw him, he was a bachelor. 初めて会った時は彼は独身だった(=When I first saw him, he was ...) / *Every time* he goes out, he carries his cellphone. 彼は外出するときはいつでも携帯電話を持っていく(=Whenever he ...).

abréast of the tímes 時勢に遅れないで(↔ behind the times); 現在のことに通じて.

agáinst tíme (1) 全速力で, 時計とにらめっこしながら. (2) わざと時間をかけて.

ahéad [in advánce] of one's **tíme** 時代に先んじた考えを持って.

ahéad of tíme 定刻より早く(↔ behind time).

áll in góod tíme やがては, ついには, 時が来れば.

***all the tíme** (1) その間ずっと(all of the time) ‖ He wasn't listening *all the time.* [全否定](↗[↘]) 彼はその間ずっと聞いていなかった; [部分否定](↘↗) ...ずっと聞いていたわけではなかった. (2) いつでも, 常に. (3) [接続詞的に] ...している間中 ‖ She looked vacantly at the sky *all the time* her teacher was talking. 彼女は先生が話している間ずっとぼんやり空を見ていた.

ány tíme =anytime.

at áll tímes いつも, 常に.

at ány tíme (1) いつでも, どんな時でも《◆(米)では anytime がふつう》. (2) いつなんどき.

at a tíme 一度に; 続けざまに ‖ She went up the stairs two steps *at a time*. 彼女は階段を一度に2段ずつ上った.

at óne tíme (1) 昔は, かつては(formerly). (2) 同時に, 一斉に(all at once).

at óther tímes ほかの時に.

at the same tíme → same 形.

at thís tíme of (the) dáy 今ごろになって, こんな段階[時期]にきて.

at A's **tíme of lífe** 〈人〉の年ごろには.

at tímes 時々, たまに.

befóre one's **tíme** (1) =ahead of one's TIME. (2) まだその時とならないうちに; ...が生まれる[覚えているより, 関与する]前に. (3) 寿命が尽きる前に ‖ die *at a young age before one's time* 天寿を全うせず若死にする. (4) → **7**.

behínd the tímes 時勢に遅れて.

behínd tíme (1) 定刻より遅れて(↔ ahead of time)《◆ late, behind schedule がふつう》‖ Our lesson began ten minutes *behind time* today. 今日私たちの授業は10分遅れで始まった. (2) 〔支払いなどが〕滞って〔in, with〕.

by the tíme (1) その時までに. (2) [接続詞的に] ...する時までに《◆(1) till/until は「...まで(ずっと)」の意. (2) 節中に未来の will を用いない(⊃文法 4.1(4))》‖ *By the time* you come home, supper will be ready. あなたが家に帰るまでには, 夕食の用意はできているでしょう.

for a lóng tíme → long¹ 形.

for a tíme しばらく, 少しの間(→ **3**).

for the fírst tíme → first 形.

for the tíme béing → being 形.

from tíme to tíme 時々, 時折(now and then); 時あるごとに.

gáin tíme (1)〔古〕〈時計が〉進む(run fast). (2)(口実をもうけて)時をかせぐ, 引き延ばし戦術をとる.

hálf the tíme (1) 半分の時間, 思ったより短い時間; 長い間. (2)〔略式〕しばしば; ほとんどいつも.

háve a góod tíme 楽しく過ごす.

háve a hárd [míserable, tóugh] tíme (of it)〔...で〕いやな[ひどい]目に会う〔with〕.

in góod tíme〔略式〕(1) 時間どおりに. (2) 予定より早く; 〔...に〕十分間に合う時刻に〔for〕. (3) やがて, ついには(all in good time).

in nó tíme (at áll) =**in léss than nó tíme** = **in néxt to nó tíme**〔略式〕すぐに, 間もなく; あっという間に ‖ She will be here *in no time*. 彼女はすぐ来るでしょう《◆文頭に置いても倒置構文にしない》.

in one's **ówn góod tíme**〔略式〕(1) 都合のよい時に. (2) 急がないで, 自分なりのペースで.

***in tíme** (1) そのうちに, 早晩(in the course of time); 結局は, ついに. (2)〔...するのに〕**間に合って**, 遅れずに〔for, to〕(↔ late) ‖ I didn't send my application *in time*. 願書を出すのが間に合わなかった. (3)〔音楽〕正しい拍子[リズム, 歩調]で; 〔...に〕調子を合わせて〔to, with〕. (4)〔正式〕〔古〕の時に(は)〔of〕‖ *in time of* peace 平和な時には《◆in peace time の方が口語的》.

kéep tíme (1)〈時計が〉時を刻む; 速度を測る; 時間を記録する ‖ *keep* good [bad] *time*〈時計が〉時間が正確[不正確]である. (2) 正確な拍子で演奏する[歩調で行進する]; 〔...に〕調子を合わせて演奏する[行進, ダンス]する〔to, with〕.

kíll tíme〔略式〕〔...で〕(予期に反して生じた)時間をつぶす〔by〕‖ How did you *kill time* while you were waiting? 待っている間のどのようにして時間をつぶしたのですか.

lóse tíme〔...に〕時間を浪費する〔in, on〕‖ He *lost no time (in)* phoning the doctor. 彼はただちに医者に電話した《◆in を省略するのは〔略式〕》.

máke tíme (1) 急ぐ; 〈乗り物が〉(遅れを取り戻すために)スピードを出す ‖ We *made good time* between Nara and here. 奈良からここまでにだいぶ遅れを取り戻した. (2)〔...する〕時間をつくる, 都合をつける〔to do〕.

mány a tíme〔文・古〕いく度も, しばしば.

mány tímes〔米略式〕何度も.

ónce móre tíme〔米〕=ONCE again.

once upon a tíme → once 副.

óne at a tíme (一度に)ひとつ[1人]ずつ.

***on tíme** (1) [文尾で] **時間どおりに**, 定刻に(punctually)‖ Our teacher always comes *on time*. 先生はいつも時間どおりやって来る. (2)〔米〕分割払いで ‖ I bought this house *on time*. ローンでこの家を買った.

óut of tíme (1)〔音楽〕調子はずれの; 歩調が合わない. (2) 季節はずれの.

óver tíme (1) 時がたてば; (過去のことについて) やがて. (2) 次第に, 徐々に.

páss the tíme of dáy〔古〕〔人と〕朝晩のあいさつをかわす〔with〕.

táke one's **tíme**〔...を/...するのに〕ゆっくり[のんびり, 自分なりのペースで, 必要以上に時間をかけて] やる〔at, about, over / to do, in doing〕《◆動名詞が続く場合前の前置詞はしばしば省略》.

tàke (the) tíme óff [***òut***] 〔…するのに/…に〕時間をさく〔*to* do / *for*〕‖ Thank you very much for *taking time out to* see me. お忙しいところをわざわざお会いくださいましてありがとうございます.
tàke the tíme to do わざわざ時間をさいて…する.
tàke tíme 〈人·事が〉〔…には/…するのに〕時間がかかる〔*for* / *to* do, *doing*〕.
téll (the) tíme 〈子供などが〉時計を見て時刻がわかる (→ **8 a**).
There was a tíme when節 =***Tíme was when***節 以前は…だった ‖ *Time was* (*when*) old patients were taken care of at home. 以前は年老いた病人は家で看護を受けたものだった.
the tíme of dáy 時刻.
thís time aróund 今回は, 今度は.
tíme àfter tíme =***tíme and (tíme) agáin*** しばしば, いく度も, 繰り返し.
wáste tíme =lose TIME.
——[動] (~s/-z/; [過去·過分] ~d/-d/; **tim·ing**)
——[他] **1** 〈人が〉〈速度〉を**計る**; 〈レース·走者など〉の**タイムを計る**[記録する] ‖ Will you *time* me in the race? レースでぼくのタイムを計ってくださいませんか.
2 〈人が〉〈時計〉を**合わせる**; 〈エンジンなど〉を調節する; 〈行為など〉に**ふさわしい時を選ぶ**; [通例 be ~d] 〈列車などが〉〔…するように〕時間が決められている〔*to* do〕‖ Our flight ***was timed to*** reach Narita at 9:00. 私たちの便は成田に9時に到着する予定になっていた. **3** 〈ステップなど〉を〔…に〕合わせる〔*to*〕‖ *Time* your steps *to* the drumbeat. 足を太鼓の音に合わせなさい. **4** 〔スポーツ〕〈ボールなど〉をタイミングよく打つ.
tíme bòmb (**1**) 時限爆弾. (**2**) 危険な状態.
tíme bòok 勤務時間記録簿.
tíme càpsule タイムカプセル《未来の人のため現在の文書·品物を保存する容器》.
tíme càrd 勤務時間記録票, タイムカード.
tíme clòck (出退社時刻を記録する)タイムレコーダー.
tíme dìfference 時差 ‖ What's the *time difference* between London and Tokyo? ロンドンと東京の時差は何時間ですか.
tíme immemórial (記録·記憶にない)大昔 ‖ from [since] *time immemorial* 《文》[おおげさに] 大昔から.
tíme kìller ひまつぶしになるもの[をする人].
tíme lìmit 時限, 日限, タイムリミット ‖ set a *time limit* for … …の締め切りを決める.
tíme lòck 時限錠《セットした時刻まで開かない》.
tíme machìne タイムマシン《過去·未来へ行ける装置》.
tíme óut =time-out.
tíme shèet =time card.
tíme sìgnal (ラジオなどの)時報 ‖ set a watch by the *time signal* 腕時計を時報に合わせる.
tíme trìal 〔スポーツ〕(特に自転車[ロード]レースなどの)タイムトライアル《一定距離で所要時間を競う》.

Time /táim/ [名] タイム《米国の代表的週刊誌》.

time-con·sum·ing /táimkənsj̀uːmiŋ/ [形] 時間のかかる, 時間のかかりすぎる.

time-hon·o(u)red /táimɑ̀nərd | -ɔ̀n-/ [形] 《正式》昔からの; 由緒[伝統]ある.

time·keep·er /táimkiːpər/ [名] [C] **1** 〔スポーツ〕時計係, 時間記録係. **2** 時間を守る人; 作業時間係. **3** 時計.

time·lag /táimlæ̀g/ [名] [C] (2つの関連する現象の間の)時間的なずれ, 時間差.

time·less /táimləs/ [形] 《正式》**1** 永遠の, 永久の. **2** 時間を超越した, 特定の時と関係のない.
tíme·less·ly [副] 永遠に.

†time·ly /táimli/ [形] (**-·li·er, -·li·est**) 時を得た, タイムリーな ‖ a *timely* hit 〔野球〕適時打, タイムリーヒット.

time-out, time·out, time out /tàimáut/ [名] [C] 《米》**1** 〔スポーツ〕タイム, 試合の一時中止. **2** (仕事の)小休止.

tim·er /táimər/ [名] [C] **1** 時計係; 作業時間係. **2** タイムスイッチ, タイマー; 時計.

Times /táimz/ [名] **1** [The ~]『タイムズ』《英国の新聞》. **2** [新聞名で] …タイムズ ‖ *The Néw Yórk Tímes*『ニューヨークタイムズ』.
Tímes Squáre タイムズ広場《New York 市の中心部にある. 付近には劇場が多い. もと The New York Times 社があった》.

†time·ta·ble /táimtèibl/ [名] [C] (交通機関の)時刻表; (学校の)時間割; (行事の)予定表. ——[動] [他] [通例 be ~d] 〔…時に/…するように〕予定されている〔*for* / *to* do〕, 予定[時間]表が作られる, 予定[時間]表に載せられる.

time·worn /táimwɔ̀ːrn/ [形] 《文》古ぼけた; ありふれた, 陳腐な.

†tim·id /tímid/ [形] (通例 ~·**er**, ~·**est**) **1** 〈人·動物が〉〔人に対して/…に〕おどおどした, 臆(おく)病な; 内気な (shy); 気の弱い〔*with* / *about, of*〕; 〔…を〕恐れる〔*of*〕‖ She is (as) *timid* as a mouse. 彼女はとても弱虫だ. **2** 〈言動が〉自信のない, 決断に欠ける; 大胆さのない, 及び腰の. **tím·id·ness** [名] [U] 臆病.

†ti·mid·i·ty /timídəti/ [名] [U] 臆(おく)病, 小心; 内気.

†tim·id·ly /tímidli/ [副] こわごわ, おどおどして.

tim·ing /táimiŋ/ [動] → time. ——[名] [U] タイミング, 好機の選択; 時間調整; (演技·打撃·スタートの)間のとり方; (ストップウォッチによる)計時.

tim·or·ous /tímərəs/ [形] 《文》きわめて臆(おく)病な, 腰抜けの; 〔…を〕ひどくこわがる〔*of*〕.

tim·pa·ni, tym- /tímpəni/ 〘イタリア〙[名] [複] [U] 〔音楽〕[集合名詞; 単数·複数扱い] ティンパニ《◆ふつう1人で数個を演奏する. 単数形は **tim·pa·no**/-nou/》.

tim·pa·nist /tímpənist/ [名] [C] ティンパニ奏者.

***tin** /tín/
——[名] (〘複〙 ~s/-z/) **1** [U] 〔化学〕**スズ**《金属元素. [記号] Sn》; **ブリキ**(tinplate) ‖ Is this kettle made of *tin*? このやかんはブリキでできていますか. **2** [C] 《英》スズ[ブリキ]製の容器; 平なべ(《主に米》 pan); **かん詰めのかん**(《主に米》 can)《◆《英》でも今は can の使用が多い》‖ ***a tin of*** beans 豆のかん詰め. **3** [C] 《米俗》警官(のバッジ).
——[形]《◆比較変化しない》**1** スズ[ブリキ]製の. **2** 〈人·物が〉安っぽい, つまらない.
——[動] ([過去·過分] **tinned**/-d/; **tin·ning**) [他] 〈人が〉…にスズをかぶせる, めっきする; 《英》〈肉·果物〉をかんに入れる, かん詰めにする(《主に米》 can).
tín cán ブリキかん[コップ].
tín òpener =tin-opener.
Tín Pàn Álley 《略式》[集合名詞的に] ポピュラー音楽業界《◆ポピュラー音楽の作曲家·出版者が多く住んだ New York 市の横丁の名から》.
tín sóldier (ブリキ製の)おもちゃの兵隊.

tinct /tíŋkt/ 《詩》[形] 色をつけた[染めた].
——[名] [C] 色彩, 色合い(cf. tint).

†tinc·ture /tíŋktʃər/ [名] **1** [U] [C] 《正式》チンキ剤《アルコールに薬品を溶かしたもの》‖ *tincture* of iodine ヨードチンキ. **2** 《まれ》[a ~] 色, 色あい. **3** 《文》[a ~

tinder

of …]〈色・味・においで〉…の気味[様子]，…じみた所；〈知識・性格など〉かじりの[付け焼き刃的]もの ‖ with *a tincture of* blue 青みがかった. **4** ⓒⓊ〔紋章〕[しばしば ~s]色・金属・毛皮の総称.
── 動 他〔文〕[通例 be ~d]〈…の〉風味[臭味, 気味, 色彩]を帯びる〔with〕‖ The texture *was tinctured with* red. その生地は赤みを帯びていた.

tin·der /tíndər/ 名Ⓤ〔正式〕(火打ち石から出る火花を捕える)火口(ほくち)；火のつきやすいもの ‖ *tinder dry* =(as) dry as *tinder* 火口のように乾燥している.

tin·der·box /tíndərbɑ̀ks/ -bɔ̀ks/ 名ⓒ **1** 火口(ほくち)箱. **2** 一触即発の危険地域[情勢].

tin·foil /tínfɔ́il/ 名Ⓤ (食物を包む)スズ箔(はく)，アルミホイル.

ting /tíŋ/ 動名 =tinkle.

†**tinge** /tíndʒ/〔文〕動 他 [通例 be ~d]〈…で〉薄く着色する〔with〕. **2** 〈…の〉気味を帯びる，添えられる〔with〕.── 名 **1** [a ~]色，色合い ‖ *a gray tinge* =a tinge of gray 灰色がかった色. **2** [a ~ of +Ⓤ名詞] (色・感情などの) …の気味, …じみた所 ‖ There is *a tinge* of sadness in the music. その音楽はどことなくもの悲しい.

†**tin·gle** /tíŋɡl/ 動 自 [しばしば be tingling] **1**〈耳・手が〉…で〉ひりひり[きりきり, ちくちく]痛む〔with, from〕‖ My face *is tingling with* cold. 寒さで顔がひりひり痛む. **2**〈人・体が〉…で〉ぞくぞく[うずうず]する‖ She *was tingling with* anger. 彼女は怒りではらわたが煮えくり返っていた.── 他 …をひりひり[ぞくぞく]する.── 名 [a ~]ひりひり[きりきり]など] する痛み, うずき; ぞくぞくする興奮.

†**tin·ker** /tíŋkər/ 名ⓒ **1** (巡回して歩く) 鋳掛け屋; へまな職人, (米)なんでも屋, よろず屋. **2** [a ~] (へたな) (…の) 修理; いじくり回し〔with, at〕‖ have *a tinker at* the TV set テレビをいじる.
── 動 自 **1** 鋳掛け(屋)をする. **2** へたな修理[改造]をする; (…を)修理・改造のために)いじくり回す〔with; …に〕時間を浪費する〔+*about, around*〕〔*with, at*〕‖ *tinker about with* a broken clock こわれた時計をいじくりまわす ── 他 **1** 〈なべ・かまの〉鋳掛けをする. **2** 〈機械〉をへたに[間に合わせに]修理する.

†**tin·kle** /tíŋkl/ 動〔文〕**1** (鈴・電話の)チリンチリン[リンリン]と鳴る;〈雨など〉が音をたてる ‖ The rain *tinkled on* the tin roof. 雨がぱらぱらとトタン屋根を打った.── 他 **1**〔文〕〈鈴など〉をチリンチリン[リンリン]鳴らす ‖ *tinkle* the piano ピアノをポロンポロンと弾く. **2** …をチリンチリン[リンリン]鳴らして知らせる, 警告する;〈笑い声〉をあげる, 出す〔+*out*〕‖ *tinkle out* the time ベルで時刻を知らせる.
── 名 [a/the ~] **1**〔文〕(鈴などの)チリンチリン[リンリン]という音 ‖ give him *a tinkle*〔英略式〕彼に電話をする. **2**〔英略式〕[遠回しに]小便(urine).

tin·ny /tíni/ 形 (**-ni·er, -ni·est**) **1** スズの(ような); スズを含んだ;〈かん詰めが〉スズの味がする. **2**〔略式〕〈声など〉が甲高い. **3**〔略式〕安ぴかの.

tin-open·er /tínòupnər/, **tín òpener** 名ⓒ〔英〕かん切り(〔米〕can opener).

†**tin·sel** /tínsl/ 名Ⓤ **1** ぴかぴか光る金属片[糸]〈衣装・クリスマスツリーなどの装飾用〉; 金銀糸. **2** 安ぴか物.── 形 金ぴかの; 見かけ倒しの.── 動 (過去・過分 **~ed** or〔英〕**tin·selled**; **~·ing** or〔英〕**-sel·ling**) 他 …を金ぴかに飾る; うわべを飾る.

†**tint** /tínt/ 名 **1** ⓒ〔文〕色, 色合い, 色調(shade of color), [複合語で]…がかった色 ‖ (a) green of [with] a yellow(ish) *tint* 黄色がかった緑. **2** ⓒ ほのかな色; (白のような)淡色; (色の)濃淡, 映り. **3** ⓒ〔エッチング〕線ぼかし, 毛羽(けば). **4** ⓒ〔印刷〕平網〈挿絵などの下刷り用の淡い地色〉. **5** ⓊⒸ 毛染め; [a ~]毛を染めること. ── 動 他 …を染める; …に〈色合い[陰影]〉をつける〔with〕‖ *tint* her hair 〔with〕red 彼女の髪を赤く染める.

T-in·ter·sec·tion /tíːìntərsékʃən/ 名ⓒ =T-junction.

tin·tin·nab·u·la·tion /tìntinæ̀bjəléiʃən/ 名Ⓤⓒ〔正式〕[おおげさに]鈴が(チリンチリンと)鳴ること; 鈴の音.

†**ti·ny** /táini/ 形 (**-ni·er, -ni·est**)〈人・物・事が〉ごく小さい, ちっちゃな(↔ huge); ごくわずかの ‖ *a tiny* little girl ちっちゃなかわいい女の子 / I don't want a *tiny* piece of advice. 私は忠告など少しも欲しくない.

-tion /-ʃ(ə)n; /s の後で -tʃ(ə)n/ 語要素 →語要素一覧(2.1, 2.2).

***tip**¹ /típ/
── 名 他 **~s**/-s/ ⓒ **1** (とがった)先, 先端; (山などの)頂上, 頂点 ‖ the *tips* of one's fingers 指先 / the *tip* of the iceberg 氷山の一角 / walk on the *tips* of one's toes つま先で歩く (=walk on tiptoe). **2** 先端に付ける物 ‖ a cigarette with a filter *tip* 先にフィルターの付いた巻きタバコ.
from tip to tip (鳥の)翼の先から先まで.
── 動 (過去・過分) **tipped**/-t/; **tip·ping**) 他〈物〉の先に〈…〉を付ける; …の先を〈…で〉覆う〔with〕‖ The mountain *was tipped with* snow. 山の頂上は雪に覆われていた.

*****tip²** /típ/
── 名 他 **~s**/-s/ ⓒ **1** チップ, 心づけ, 祝儀 ‖《対話》"This is your room, sir. Here is your baggage." "Thank you. Here's a *tip* for you." 「ここはお客様のお部屋です. 荷物はこちらに」「ありがとうチップです」. **2** (…という)内報, 秘密情報〔that 節〕(♦ information より口語的); (…についての)予想; …についての)助言, 警告; (…の秘訣(ひけつ))〔*about, for, on*〕‖ a *tip* for the race レースについての予想 / a *tip on* how to save money 金をためる秘訣 / miss one's *tip* 予想がはずれる / Take my *tip*. =Take a *tip* from me. 私の忠告どおりにしなさい / They got a *tip that* the bank would be robbed the next day. 翌日その銀行が襲われるというたれこみがあった.
── 動 (過去・過分) **tipped**/-t/; **tip·ping**) 他〈人〉にチップをやる; [tip **A B**]〈人〉が **A**〈人〉に **B**〈金額〉のチップをやる ‖ She *tipped* the waiter ten dollars. 彼女は給仕に10ドルのチップをやった /【日本発】*Tipping* for standard service is not a Japanese custom. 日本には一般のサービスに対してチップを渡す習慣はありません. **2**〈人〉に内報する;〈勝馬など〉を予想する;〈競走者[馬]など〉が〈…すると〉予想する〔*to* do〕;〈人〉が〈…になると〉…を得ると〉予想する〔*as/for*〕‖ Mr. Tanaka is widely *tipped as* the next principal. 田中先生は次期校長だと予想されている.
── 自 チップをやる.

tip óff [他] (過去・過分)〈人〉に〈…について/…と〉内報[警告]する〔*about, on / that* 節〕.

tip úp [自] (米) (…の)代金を支払う〔*for*〕.

tip³ /típ/ 名ⓒ **1** 傾ける[く], 傾斜. **2**〔英〕ごみ捨て場(dump);〔英略式〕汚い場所.
── 動 (過去・過分) **tipped**/-t/; **tip·ping**) 他 **1** …を傾ける〔+*up*〕; …をひっくり返す〔+*over, up*〕. **2**〔英略式〕…を〈…から/…へ〉捨てる, 放り出す, 移し入れる

(+*off*, *out*)〔*out of* / *in*, *into*, *onto*〕. **3** 《米略式》(敬意を表すため)(ちょっと)(帽子)を傾けて[上げて, にさわって]〔…に〕あいさつする〔*to*〕‖ He *tipped* his hat to me. 彼は帽子にちょっとさわって私にあいさつした. ─ ⓐ 傾く(+*up*); ひっくり返る(+*over*, *up*).

tip[4] /típ/ 名 © [通例 a ~] 軽打て; 〔野球・クリケット〕チップ. ─ 動 (過去・過分) **tipped**/-t/; **tip·ping** ⓗ …を軽く打つ; 〔野球・クリケット〕(ボール)をチップする.

tip-off /típɔ̀(ː)f/ 名 © **1** (略式) 内報; 警告. **2** Ⓤ © 〔バスケットボール〕チップオフ《ジャンプボールを投げ上げて試合を開始すること》.

tip·pet /típit/ 名 © (聖職者などが身につける)肩帯, 肩ぎぬ.

tip·ping /típiŋ/ 名 Ⓤ チップを渡すこと, チップの習慣.

tip·ple /típl/ (略式) 動 ⓗ (酒)を常習的に(多量に)飲む. ─ 名 Ⓤ © [通例 a/the ~] 強い酒.

†**tip·sy** /típsi/ 形 (**--si·er**, **--si·est**) (略式) ほろ酔いの; (足がふらついた); (物が)倒れそうな ‖ a *tipsy* lurch 千鳥足.

†**tip·toe** /típtòu/ 名 © 形 副 つま先(の, で); 忍び足(の, で).
on tiptoe (1) つま先で ‖ walk *on tiptoe* つま先で歩く. (2) 静かに; こっそりと. (3) 期待して, うずうずして.
─ 動 つま先で立つ; つま先で[忍び足で]歩く.

tip-top /típtɑ̀p/ 名 ⊑, ⇌ [the ~] (山などの)頂上; 絶頂, 最高. ─ 形 極上の, 最高の ‖ be in *tiptop* condition 最高のコンディションである.

tip-up /típʌ̀p/ 形 上げ起こし式の.
tipup séat (劇場などの)上げ起こしいす.

ti·rade /táireid, -⸗-⸗/ 名 © (正式) 激しい非難[攻撃]の長演説.

Ti·ra·na /tirɑ́ːnə/ 名 チラナ《アルバニアの首都》.

*****tire**[1] /táiər/ (「肉体的・精神的に弱る」が本義) 形 tired (形), tiresome (形)
─ 動 (~**s**/-z/; 過去・過分) ~**d**/-d/; **tir·ing** /táiəriŋ/)
─ ⓗ **1** (事が)(人・動物の体)を**疲れさせる**(+*out*) ‖ The long walk *tired* me *out*. 長く歩いたのでくたくたになった(=I was *tired out* by the long walk.).
2 (人・事が)(人)をあきさせる, うんざりさせる ‖ His long talk *tired* me. =He *tired* me with his long talk. 彼の長い講話にはうんざりした.
─ ⓐ **1** 疲れる ‖ I *tire* easily. 私は疲れやすい.
2 (人が)(…に)あきる, うんざりする〔*of*〕《◆be *tired of* がふつう》‖ He never *tires of* listening to classical music. 彼はクラシック音楽をいくら聞いてもあきない.

*****tire**[2], (英) **tyre** /táiər/
─ 動 (~**s**/-z/; ⓗ (乗物の)**タイヤ**(図 → car). (車輪の)輪金 ‖ I have a flat *tire*. Can you change it for me? パンクしたんですが, タイヤの交換をしてもらえますか / a spáre tíre 予備のタイヤ / a snów tíre スノータイヤ / place a *tire* on the wheel [vehicle] 車輪[車]にタイヤをつける / pump air into a *tire* =pump up a *tire* タイヤに空気を入れる.
─ 動 (**tir·ing**) ⓗ …にタイヤをつける.

⁑**tired** /táiərd/ 〔→ tire[1]〕
─ 形 (**more ~**, **most ~**; **~·er**, **~·est**) **1** [肉体的疲労] (…で/…の後で) **疲れた**〔*from*/*after*〕‖ *tired* muscles 疲れた筋肉 / I'm still a little *tired* from the plane trip. 飛行機の旅でまだ少し疲れています / You must be (very) *tired* after walking so far. そんな遠い距離を歩いたあとではさぞお疲れでしょう / Her arms got *tired* holding the rod in position all the time. 彼女は釣りざおをずっと支えていたので腕が疲れた《◆doing の前では前置詞はしばしば省略》/ ジーニアス "Why can't a bicycle keep standing?" "Because it's too *tired*." 「自転車はどうして立っていられないの?」「あまりにも疲れているから」《◆two-tyred (タイヤ中2)とのしゃれ》.
2 [精神的疲労] [補語として] (…に)**飽きた**, うんざりした〔*of*〕‖ I am *tired of* the same food every day. 毎日同じ食事ばかりでうんざりだよ.
3 (表現が)陳腐な, 使い古された, 創造力に欠けた.
déad tíred = **tíred óut** = **tíred to déath** (略式) へとへとになって, 疲れ果てて.
síck and tíred (…が)すっかりいやになって〔*of*〕.
tíred·ly 副 疲れて, うんざりして. **tíred·ness** 名 Ⓤ 疲労, 倦怠(けんたい).

†**tire·less** /táiərləs/ 形 (正式) **1** (人が)疲れない, 疲れを知らない. **2** (努力などが)たゆみない, 不断の.
tíre·less·ly 副 疲れずに.

†**tire·some** /táiərsəm/ 形 [他動詞的に] **1** (仕事・演説などが)あきあきさせる, 退屈な ‖ 《対話》 "How was the lecture?" "It was very *tiresome*." 「講義はどうだった」「とても退屈だったよ」. **2** (人が)疲れさせる, 骨の折れる; いやな, やっかいな, いらいらさせる 《◆annoying より堅い語》‖ those *tiresome* children あやかっかいな子供たち.
tíre·some·ly 副 あきあきするほど.

tir·ing /táiəriŋ/ 形 → tire[1], [2]. ─ 形 (仕事などが)疲れさせる, 骨の折れる; 退屈な. **tíring róom** (古) (劇場の)楽屋.

ti·ro, ty·ro /táiərou/ 名 (⸗**s**) © 初心者, 新入り.

Ti·rol, Ty-- /tiróul/ 名 [the ~] チロル《オーストリア西部とイタリア北部のアルプス山岳地方》.

†**'tis** /tiz/ (古・詩) it is の短縮形.

†**tis·sue** /tíʃuː, (英+) tísjuː/ 名 **1** Ⓤ 〔生物〕(動植物の)細胞の**組織**《◆1つ1つの組織は ⓒ》‖ nervous [muscular, brain, connective] *tissue* 神経[筋肉, 脳, 結合]組織. **2** Ⓤ © (文) (薄くて軽い)織物 (fabric)《絹[化繊, 綿, ガーゼなどの織物, ガーゼなど》. **3** © [普通 a ~ of + © 名詞] (…の)織り交ぜ, 連続 ‖ a *tissue of* absurdities [lies] でたらめだらけ[うそ八百].
4 Ⓤ 薄葉(うすよう)紙 (tissue paper)《包装, 挿絵の覆いに用いられる》; © Ⓤ ティッシュペーパー; (写真) 炭素印画紙 ‖ blow one's nose with (a) *tissue* ティッシュペーパーで鼻をかむ.
tíssue pàper = **4**.

†**tit**[1] /tit/ 名 **1** © 〔鳥〕カラ《(正式) titmouse)《シジュウカラ属の小鳥の総称》. **2** (米) 小馬, やせ馬.

tit[2] /tit/ 名 ©《次の成句で》**tít for tát** (略式) (1) しっぺ返し; 売り言葉に買い言葉 (blow for blow) ‖ give him *tit for tat* 彼に仕返しをする. (2) 議論.

Tit. = Epistle to Titus.

†**Ti·tan** /táitn/ 名 **1** © 《ギリシャ神話》タイタン《Uranus (天)と Gaea (地)の間に生まれた大力の巨人族の1人》‖ the weary *Titan* 天を双肩で支える Atlas 神のこと. また (英国など) 老大国》. **2** (詩) [the ~] =Helios. **3** [t~] © (主文) 巨人, 怪力の主; (学識・才能の)傑出した人, 大家, 巨匠.
4 = Titanic **1**.

Ti·ta·ni·a /titéiniə, -táː-/ 名 ティターニア《Shakespeare の *A Midsummer Night's Dream* に登場する妖精の女王》.

Ti·tan·ic /taitǽnik/ 形 **1** タイタン(Titan)の. **2** [t~] 巨大な, 怪力の. ── 名 [the ~] タイタニック号《1912年 Newfoundland 南方で沈没した英国豪華客船》.

ti·ta·ni·um /taitéiniəm, ti-/ 名 U 【化学】チタン《金属元素. 記号 Ti》.

†**tithe** /táið/ 名 C 【歴史】[しばしば ~s] 10分の1税《昔収穫物・収益の10分の1を教会に納めた税》;（一般に）10分の1税.

Ti·tian /tíʃən/ 名 **1** ティツィアーノ《1477?–1576；イタリアのベネチア派画家》. **2** [時に t~] U =Titian red; [形容詞的に] 赤褐色の, 金褐色の；ティツィアーノ風の.
Títian réd (髪の毛の) 赤褐色, 金褐色.

***ti·tle** /táitl/ 『『刻まれた銘』が原義』
── 名 (複 ~s/-z/)
I [物のタイトル]
1 C (本・絵などの) 題, 表題, 題名, 書名；本；(本の章・節などの) 見出し；[~s] (映画の) 字幕 ‖ give a *title* to a book 本に題名をつける / I saw *War and Peace* with English *titles*. 私は『戦争と平和』を英語字幕で見た.
2 C =title page.
3 C (競技の) 選手権, タイトル ‖ win [fight for] the world *title* 世界選手権を取る[かけて争う].
II [人のタイトル]
4 C U 称号, 敬称, 肩書《◆Mr., Senator, Doctor, General など》；肩書のある人, 貴族 ‖ a man of *title* (貴族の) 肩書のある人.
5 (法律) U [時に a/the ~] (特に不動産の) […に対する／…する] 根拠, (財産的) 権利(right)〔to / to do〕；〔…の〕所有権〔to〕；C 権利証書(title deed) ‖ He has the *title* to this house. この家の所有権は彼にある.
── 動 他 **1** [title A (C)] A〈本などに〉(C と) 表題をつける ‖ She *titled* her picture 'Peace.' 彼女は自分の絵に「平和」と題名をつけた. **2** 〈人に〉肩書を与える；[title A C] A〈人〉を C と称する.
── 形 **1** 題名と同じの ‖ the *title* song (映画の) 題名と同一名の歌. **2** 選手権の ‖ a *title* match 選手権試合.

title dèed 名 5.
title pàge (書物の) 表題紙；本, 出版物.
title ròle 題名役 ‖ play the *title* role in *Macbeth* 『マクベス』でマクベスの役を演じる.

ti·tled /táitld/ 形 〈人が〉爵位[肩書]のある.
ti·tle-hold·er /táitlhòuldər/ 名 C 選手権保持者[チーム].

tit·mouse /títmàus/ 名 (複 --mice) C 【正式】【鳥】カラ(tit¹) ‖ a blue *titmouse* アオガラ.

Ti·to /tíːtou/ 名 チトー《1892–1980；ユーゴスラビアの大統領》. **Tí·to·ism** 名 U チトー主義《スターリン主義に反対するき非同盟中立の共産主義》.

tit·ter /títər/ 動 自 くすくす笑う, 忍び笑いをする《◆giggle より口語的. 主に子供や若い女性に用いる. cf. snicker》. ── 名 くすくす笑い, 忍び笑い.
tit·ter·ing·ly 副 くすくす笑って.

tit·tle /títl/ 名 C (文字の上・下につける) 小点, 点画《i の(·), j の(·), ä の(¨) など》.

tit·tle-tat·tle /títltæ̀tl/ (略式) 名 U 動 自 うわさ話 [むだ話] (をする).

tit·u·lar /títʃulər, 《英》 -tju-/ 形 (正式) **1** 名ばかりの. **2** 肩書に伴う；正当な権利の. **3** 表題[題名]と同じ.

Ti·tus /táitəs/ 名 **1** ティトゥス (40?–81；ローマ皇帝). **2** (新約) **a** テトス《使徒 Paul の弟子》. **b** テトスへの手紙《新約聖書中の, Paul が Titus にあてた手紙；略 Tit.》.

T-junc·tion /tíːdʒʌ́ŋkʃ(ə)n/, **† júnction** 名 C T字(形三叉) 路(T-intersection);（パイプなどの）T字形接続部.

TKO (略) 《ボクシング》technical knockout.
tn (略) ton; town; train.
TN (略) 《郵便》Tennessee.

****to** /前)《弱》子音の前 tə, t, 母音の前 tu; 文または節の終わりで tuː, 《強》túː; 副 túː/ (同音) △too, △two)

index
前 1 …の方へ[に] 2 …へ 4 c …にとって
5 …まで 7 …のために 8 …になるまで
9 …したことには 17 …すること 18 …
すべき 19 a …するために b …することを

── 前
I [対象に向かって(移動)]

1 [方向] …の方へ[に], …に向かって ‖ turn *to* the left 左側へ曲がる / point *to* the door ドアの方を指す / on one's way *to* school 学校へ行く途中 / They live a few miles *to* the north of Paris. 彼らはパリから数マイル北に住んでいる.
b [比喩的に] …の方へ[に] ‖ He tends *to* laziness. 彼は怠惰に走りがちだ.
2 [到達] …へ, …に, …まで ‖ sail from Europe *to* Canada ヨーロッパからカナダまで船で行く / go *to* and *from* the office by bus バスで会社へ通勤する / I went *to* Sri Lanka. スリランカへ行った / The tree fell *to* the ground. その木は地面に倒れた.
3 [状態の変化] …に, …へ, …まで(cf. into 3) ‖ rise *to* greatness 偉くなる / bring it *to* a stop それをやめさせる / The number of its applicants amounts *to* one thousand. 志願者数は1000人に達した / The traffic light changed *to* green. 信号は青に変わった.
4 a [動作の対象] …に, …へ ‖ appeal *to* public opinion 世論に訴える / give approval *to* the proposal その提案を承認する / She spoke *to* me and (*to*) my parents. 彼女は私と私の両親に話しかけた.
b [目的語を2つとる動詞の間接目的語を導いて] …に ‖ I gave it *to* him. それを彼にやった.
c [名詞・形容詞・動詞の適用方向を示して] …にとって, …に ‖ You are everything *to* me. 君はぼくにはなくてはならない存在だ / *To* me this seems silly. これは私にはばかげているように思われる / The fact is known *to* everyone. その事実はみんなが知っている / It doesn't matter *to* me what you say. 君が何を言おうと私には問題ではない.

II [範囲・程度の限界に向かって]

5 [限界] [しばしば up to] **a** …まで；[数詞 + to + 数詞] …と…の間で ‖ count (*up*) *to* 50 50まで数える / be rotten *to* the core しんまで腐っている / be wet *to* the skin ずぶぬれになる / drink it *to* the last drop 最後の一滴まで飲み干す.
b [時間の限界] …まで(until)；(…分) 前 ‖ work *from* Monday *to* Friday 月曜から金曜まで働く《◆ふつう Friday は含まれるが, 包含の意を明確にするためしばしば 《主に米》では (from) … through …, 《英》 (from) … to … inclusive の形をとる》 / The game lasted *to* 10:30. 試合は10時30分まで続いた / It's an hour *to* [*till*] dinner. 夕食まで1時間ある《◆to の方がふつう》 / It's five (minutes) *to* [《米》*before*, 《米式》*of*] six. 6時5分前です《=(略

式) It's five fifty-five.) (→ past 前1). 語法 次例では to は不可: I waited for him till [until, ˣto] eight o'clock.
6 [程度・範囲] …に至るまで ‖ to some extent ある程度まで / to the minute 1分とたがわず / a prize to the value of £80 80ポンドの賞金 / She was kind to the end. 彼女は最後まで親切だった / To the best of my knówledge, he is honest and reliable. 私の知る限り彼は誠実で信頼できる.

III [目的・結果に向かって]

7 [目的] …のために ‖ go to work 働きに出かける / sit down to dinner 食事のため席につく / Here's to your health! 君の健康を祝して乾杯 / The police went to their aid. 警察は彼らの救助に行った.
8 [結果] …になるまで, その結果 ‖ starve to death 餓死する / be moved to tears 感激して涙にむせぶ / sing a baby to sleep 歌を歌って赤ん坊を寝かせる / The glass was smashed to bits. ガラスはこわれて粉々になった.
9 [感情を表す名詞を用いて] 〈人が〉…したことには ‖ He failed, to his dismay. 彼は失敗してひどくろばいした / To my surprise, she objected to the plan. 驚いたことに彼女はその計画に反対した《◆強意形は「to my great [much to my] surprise = much [greatly] to my surprise》.

IV [対象に対して向かって(接触など)]

10 [接触・結合] …に, …へ, …に付けて ‖ put one's ear to the door ドアに耳をあてる / apply paint to the wall 壁にペンキを塗る / stick to one's opinion 自分の意見に固執する / The cars were moving bumper-to-bumper. 車はじゅずつなぎで走行していた.
11 [付加・付属] …に属する, …の; …に加えて ‖ the key to [for] the door ドアのかぎ / a róom to onesélf 自分一人だけの部屋 / add salt to the soup スープに塩を加える / the US ambassador to Japan 駐日米国大使.
12 [随伴・一致] …に合わせて, …に合って, …に応じて ‖ dance to (the accompaniment of) the music 音楽に合わせて踊る / clothes (which were) made to measure 寸法に合わせて作った服 / Your dress isn't to my liking. 君のドレスは私の好みに合わない.
13 [構成] …に含まれて, を構成して ‖ There are 100 pence to the [《米》a] pound. 100ペンスで1ポンドになる / 25 to the box 1箱に25個.
14 [比較・対照] …と比べて, …に対比して; …よりも; …につき(per) ‖ I prefer walking to cycling. 僕は自転車で行くより歩くほうが好きなんだ / This is superior to that. これはあれよりもまさっている / This car gets 25 miles to the gallon. この車は1ガロンで25マイル走る / Our team won by a score of six to five. 我々のチームは6対5で勝った.
15 [対立] …に対して ‖ sit face to face(◆文法 16.3(3)) 面と向かって座る / be averse to working 働くのをいやがる / draw a line at a right angles to side AB 辺ABに直角に交わる線を引く.
16 [対応・関連] …について, …に対して ‖ reply to my question 私の質問に答える / her attitude to me 私に対する彼女の態度 / That's all there is to it. 《略式》ただそれだけの話だ.

V [不定詞を導いて]

17 [名詞的用法] …すること《◆主語・目的語・補語として用いる》(◆文法 11.1) ‖ To walk is healthy exercise. 歩くことは健康によい《主語》 / I like to read. 読書が好きだ《目的語》 / The best way is for you to make efforts. 最善の方法は君が努力することだ《補語》.
18 [形容詞的用法] **a** [前の名詞を修飾して] …すべき, …する(ための), …するだけの価値のある(◆文法 11.2 (1)) ‖ a house to let 貸家 / Give me something to eat. 何か食べ物をください / She was the first to come. 彼女が最初に来た.
b [前の名詞と同格的に] …するという(◆文法 11.2(2)) ‖ a plan to go hiking ハイキングに行く計画 / There is no need to hurry. 急ぐ必要はありません.
19 [副詞的用法] **a** …するために, …して, …するなんて(◆文法 11.3(1)) ‖ I got up early to catch the train. 列車に間に合うように早く起きた《目的》 / He grew up to be a great man. 彼は成人して立派な大人になった《結果》 / She must be a fool to say so. そんなことを言うとは彼女はばかに違いない《理由・判断の根拠》 / To hear him speak English, you would take him for an American. 彼が話す英語を聞けばアメリカ人と思うだろう《仮定》 / To tell the truth, I don't like him. 実を言えば彼を好きではない《独立不定詞》.
b [形容詞・分詞を修飾して] …することを, …して, …するとは(◆文法 11.3(2)) ‖ He's anxious to buy the painting. 彼はその絵を買いたがっている《原因》.

── 副《◆比較変化しない》**1** 元の状態[位置]に; 閉まって, 止まって, 正気づいて《◆通例次の句動詞で》‖ He came to. 彼は正気づいた / 「正気づかせる」は bring him tó》 / The door slammed [went, banged] to. ドアはバタンと閉まった《◆「閉める」は slam [bang, push, etc.] the door to》. **2** 活動[仕事など]を始めて. **3 a** 《米》前方に[へ]. **b** 《海事》(船首を)風上に向けて(forward).

> 語法 on, up などからなる句動詞と違って, to は目的語の前へ出せない: push the door to / ˣpush to the door. cf. put a hat on / put on a hat(◆文法 18.7(2)).

tó and fró《正式》あちこち, 行ったり来たり(cf. to-and-fro) ‖ She was walking to and fro in the room. 彼女は部屋をあちこち動き回っていた.

TO《略》turnover; turn over (→ PTO).

✝**toad** /tóud/ 图 C 動 ヒキガエル, ガマ《◆悪魔・魔女を連想させる》.

toad·stool /tóudstùːl/ 图 C 《菌類》(一般的に食でない)キノコ《キコリダケを塗った》; 毒キノコ.

toad·y /tóudi/《略式》图 C おべっか使い. ── 動 〔…に〕おべっかを使う(to).
tóad·y·ìsm 图 U おべっか(を使うこと).

to-and-fro /túːənfróu/ 形 あちこち[前後]に動く. ── 图 U《略式》[(the) ~] 行きかうこと, あちこち動くこと.

✝**toast**[1] /tóust/ 图 U トースト ‖ How many slices of toast do you have for breakfast? 朝食にトーストを何枚食べますか / dry [buttered] toast 何も塗らない[バターを塗った]トースト.
(as) wárm as (a) tóast《略式》ほどよく暖かい.
── 動 他 **1**《パン・ベーコンなどを》こんがり焼く, トーストにする(→ cook 動**1**関連). **2**《足・体などを》十分に暖める ‖ toast oneself [one's feet] by the fire 火で体[足]を暖める. ── 自 こんがり焼ける.
tóasting fòrk(トースト用の)長柄のフォーク.
tóast ràck(食卓用)トースト立て.

toast

†toast² /tóust/ 名 **1** Ⓒ 乾杯, 祝杯; 乾杯の発声 ‖ propose a *toast* to him 彼のために乾杯しようと提案する / *Let's drink [give] a toast to* your success. あなたの成功を祝して乾杯する / express [acknowledge] gratitude for a *toast* 乾杯に対して謝辞を述べる.
表現「乾杯!」の発声としては Toast! / Cheers! / (略) Bottoms up! のほかに, Here's to you! (君の健康を祝って), To our happiness! (我らの幸福のため)などがある.
2 [the ~] 乾杯を受ける人. **3** [the ~] 〔地域の〕花形, 評判の人〔*of*〕;〔主に古〕評判の美人.
——動 他〈人〉に乾杯する;〈健康・成功・新造船などを〉祝して乾杯する. ——自〔…に〕乾杯する〔*to*〕.

toast·er /tóustər/ 名 **1** トースター. **2** パンなどを焼く人.

toast·mas·ter /tóustmæstər│-mà:s-/ 名 ((女性形) **--mis·tress**) Ⓒ 乾杯の発声者; 宴会の司会者 ((PC) head speaker).

†to·bac·co /təbækou/ 名 (複 **~s**, **~es/-z/**) **1** Ⓤ 〔植〕タバコ《熱帯では多年草, 温帯では一年草》. **2** 刻みタバコ《パイプ・キセルに詰めるもの. cf. cigar, cigarette, snuff》 ‖ mild [strong] *tobacco* 軽い[強い]タバコ / buy some pipe *tobacco* パイプ用のタバコを買う. **3** 喫煙の習慣(smoking) ‖ give up *tobacco* 禁煙する.

tobácco hèart 〔医学〕タバコ心(½)《過度の喫煙による喫煙者心臓病》.

to·bac·co·nist /təbǽkənist/ 名 Ⓒ 〔主に英〕タバコ屋;タバコ商人 ‖ *at a tobacconist's* タバコ店で.

-to-be /-təbí:/ 〔語要素〕→語要素一覧(1.5).

To·bi·as /təbáiəs/ 名 トビアス書《Douay Bible の一書》.

†to·bog·gan /təbɑ́gn│-bɔ́g-/ 名 Ⓒ (米) トボガン《平底で先端が曲がったそりで遊戯・競技用. cf. luge》.

To·by /tóubi/ 名 トビー《男の名. Tobias の愛称. 犬にもよくある呼び名》.

toc·ca·ta /təkɑ́:tə/ 〔イタリア〕名 Ⓒ 〔音楽〕トッカータ《鍵盤(½)楽器のための即興曲風の楽曲》.

toc·sin /tɑ́ksn│tɔ́ksin/ 名 Ⓒ 〔主に文〕警鐘; 警報.

★to·day, 〔古〕**to-day** /tədéi, (英+) tu-/〔「この日(day)に(to)」〕
——副 **1** きょう(は), きょう中に ‖ *today week* (英)来週[先週(かこ)の日曜(→ week)] / It's nice *today*. きょうは天気がよい / Finish your homework *today*. 宿題はきょう中にしてしまいなさい ◆ ˟*within today* [this day] とはいわない / What's new *today*? 何か変わったことはないですか.
2 今日(ぷし)では, 今や, このごろは《◆ふつう現在形で用いる》(類語) nowadays, now, these days, at present (cf. recently) ‖ Many women work in the business world *today*. 今日では多くの女性が実業界で働いている.
——名 Ⓤ **1** きょう(今日) ‖ Bring me *today's* newspaper. きょうの新聞を持ってきてくれ / the lesson for *today* きょうの授業 / *Today* is Sunday. きょうは日曜日です / *Today* will be fine. i) (主に英) きょうは天気がよいでしょう(=The weather [It] will be fine *today*.). ii)（会合などで)きょうは都合がいい.
2 現代, 今日(?ぷ) ‖ He is one of the best writers *of today*. 彼は最もすぐれた現代作家の1人です / Customs (of) *today* are different from those of a century ago. 今日の習慣は1世紀前の習慣とは異なる.

tod·dle /tɑ́dl│tɔ́dl/ 動 自 **1** 〈幼児が〉よちよち[ちょこちょこ]歩く. **2** (略式) 散歩する, ぶらぶら歩く(+*round*, *over*). ——名 Ⓒ **1** よちよち[ちょこちょこ]歩き; ぶらぶら歩き, 散歩. **2** (略式) よちよち歩きの幼児.

tod·dler /tɑ́dlər│tɔ́d-/ 名 Ⓒ よちよち歩きの幼児, 歩き始めの子.

tod·dy /tɑ́di│tɔ́di/ 名 **1** ⒸⓊ トディ《ウイスキー・ブランデー・ラム酒などに湯・砂糖・スパイスを加えた飲み物》. **2** Ⓤ シュロ[ヤシ]酒, シュロの樹液.

†toe /tóu/ 発音注意 同音 tow¹,² 名 Ⓒ **1** 足の指 (cf. finger); つま先 (↔ heel) (図) (◆ body); (略式) 足 ‖ a big [large] *toe* (足の)親指 《◆その他の指は親指の次から a second *toe*, a third *toe*, a fourth *toe*. そして「足の小指」は a little [small, pinky] *toe* という》 / get wet *from head to toe* 頭のてっぺんからつま先までびしょぬれになる ⊙文法 16.3 (3). **2** (靴・靴下などの)つま先 ‖ a hole in the *toe* of his sock 彼の靴のつま先にあいた穴. **3** 足指状の物; (道具の)先端, (ゴルフのクラブの)先端.
on one's *tòes* (活動の)準備を整えた; (精神・肉体的に)緊張して.
trèad [*stèp*] *on* A's *tòes* (1) 〈人〉のつま先を踏む. (2) (略式)〈人〉の感情を害する, 〈人〉を(意に反することを言って[して]) 怒らせる, 〈人〉の領分を侵す.
——動 他 **1** …につま先で触れる; …をつま先でける[つぶす]. **2** 〈靴・靴下などに〉つま先をつける.

TOEFL /tóufl/ 〔Test of English as a Foreign Language〕 名 Ⓒ Ⓤ (商標) トーフル《米国留学のための英語学力検定テスト》.

TOEIC /tóuik/ 〔Test of English for International Communication〕 名 Ⓒ Ⓤ (商標) トーイック《国際コミュニケーション英語能力テスト》.

toe·nail /tóunèil/ 名 Ⓒ 足指のつめ.

toe·shoe /tóuʃù:/ 名 Ⓒ [通例 ~s] トウシューズ《バレエ用の靴》.

tof·fee /tɔ́:fi/ 名 Ⓤ Ⓒ (英) タフィー《砂糖・バターを煮つめた菓子》((米) taffy). *cán't do for tóffee* (英略式) まったく…できない.

to·fu /tóufu:/ 〔日本〕名 Ⓤ 豆腐《◆米国では健康食品として人気がある》.

to·fut·ti /toufú:ti/ 名 Ⓒ (米)豆腐で作ったアイスクリーム[ヨーグルト].

tog /tɑ́g│tɔ́g/ (略式) 名 Ⓒ **1** 上着(coat). **2** [通例 ~s] 服, 衣類(clothes). ——動 (過去・過分 **togged** /-d/; **tog·ging**) 他 [通例 ~ oneself / be ~ged] 〔…を〕着る (+*up*, *out*) 〔*in*〕.

to·ga /tóugə/ 名 (複 **~s**, **~gae**/-dʒi:, -gi:/) Ⓒ トーガ《古代ローマ市民の着たゆるやかな外衣》.

★to·geth·er /təgéðər/ 〔「共に(to)集まる(gether =gather)」が原義〕
——副 《◆比較変化しない》
I [一緒に]
1 共に, 一緒に, 協力して (↔ singly) ‖ live *together* 同居[同棲(弘)]する / go out *together* 一緒に外出する; デートする / The children were playing well *together*. 子供たちはみんなでよく遊んでいた.
2 一緒にして, 合わせて; 相互に, お互いに; 一か所に ‖ Let's put our heads *together*. 知恵を出し合おう / Gather *together* your belongings and leave. 自分の物を全部まとめて出て行ってくれ.
3 緊密に, きちんと, 首尾一貫して.
II [時間的に一緒に]
4 同時に, 一斉に ‖ Bad things happen *togeth-*

er. 悪いことは同時に起こるものだ / The pupils answered *together*. 生徒たちは一斉に答えた.
5 〔古〕 続けて, 連続して, 間断なく 《◆ 今は *running, on end* などを用いる》 ‖ It rained for days *together*. 何日も続けて雨が降った.
àll togéther (1) みんな一緒に. (2) 全部合わせて.
get togéther → get.
tàke A togéther …をひとまとめにして考える ‖ *Taken together*, ... 全体として考えれば…である.
togéther with A …と共に；…に加えて《cf. plus 前 1》 ‖ The teacher, *together with* her pupils, has (略式) have] lunch in the classroom. 先生は生徒と一緒に教室で昼食を取ります《◆動詞は主語の the teacher に呼応するのが原則であるが, (略式) では the teacher and her pupils のように考え複数動詞になることもある》.
――形 (more ~, most ~) 〔略式〕〈人が〉冷静な；〈物が〉きちんと整った.
to·geth·er·ness /təgéðərnəs/ 图 U **1** 連帯感, 一体感, 親しみ. **2** 統一, 共同, 緊密関係.
tog·gle /tάgl | tɔ́gl/ 图 C **1** (結び目などに通す) 留め木, 留めくぎ. **2** 〈上着のボタン代わりに使う留め木〉. **3** 〔電気・コンピュータ〕 トグルスイッチ《押すごとにオン・オフをくり返すスイッチ》.
To·go /tóugou/ 图 〔the ~〕 トーゴ 《アフリカ中西部の共和国》.
†**toil** /tɔ́il/ 图 U 苦役, 骨折り仕事；苦労, 骨折り《◆ *work* よりもつらい, 不快な仕事》.
――動 (自) **1** 〈人が〉精を出して働く；せっせと働く (+*away*) [*at*] ‖ *toil* and moil あくせく働く / *toil at* [*on, over, through*] one's work こつこつ仕事をする / *toil* away all day long over the research 一日中研究に精を出す. **2** 苦労して[骨折って]移動する[進む] (+*along*) ‖ *toil up* the hill 苦労して山に登る. ――他 **1** 〈人・動物・頭〉を激しく動かす. **2** 〈仕事など〉を苦労して達成する (+*out*).
toil·er /tɔ́ilər/ 图 C 使役人；骨折る人.
*†**toi·let** /tɔ́ilət/ 〖〖小さい布〗が原義〗
――图 (復 ~s/-ləts/) **1** C 〔通例 the ~〕 **a** 〔主に英〕 便所, トイレ；洗面所, 化粧室；〔主に英〕 浴室《米 bathroom》 ‖ Where can I find *the toilet*? 便所はどこにありますか 《◆これは直接的に響くので Where is the bathroom? / Where can I wash my hands? / Where can I find the men's [ladies'] room? / Where can I powder my nose? 《女性のみの表現》などの遠回しの表現を用いる. → nature 图 3 》. **b** = toilet bowl.

flush tank/cistern
cover
seat
rim
bowl

toilet

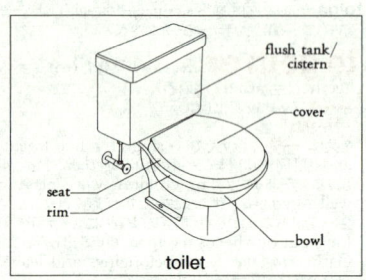

関連 「トイレ」は個人の家では bathroom, washroom が, 公共の建物・ホテルなどでは rest room,

lavatory, lounge, water closet, (英) cloakroom, (米俗) can, (英略式) loo, (男性) men's room, (女性) powder [ladies'] room が, 街角や公園などでは comfort station, (英) (public) conveniences などが用いられる.

2 U 〔古〕〔one's ~〕化粧, 身じたく；〔正式の〕服装, 〔はやりの〕衣装 ‖ make *one's toilet* 身じたくをする.
3 C 化粧道具.
――動 (自) **1** 化粧[身じたく]する. **2** 〈子供が〉用便する. ――他 **1** 〈人〉に身じたくをさせる. **2** 〈子供〉に用便させる.
tóilet bàg 洗面用具入れ.
tóilet bòwl 便器.
tóilet pàper [**tissue**] トイレットペーパー《◆ 数えるときは a roll [two rolls] of ...》.
tóilet pòwder (入浴後に用いる) 化粧用パウダー.
tóilet ròll (一巻きの) トイレットペーパー.
tóilet sèat 便座.
tóilet sèt 化粧道具.
tóilet sòap 化粧石けん.
tóilet tàble 化粧台, 鏡台.
tóilet tràining (幼児に対する) 用便のしつけ.
tóilet wàter 化粧水.
toi·let·ry /tɔ́ilətri/ 图 C (復 **toiletries**) 化粧水.
toi·lette /twɑ:lét/ 〖フランス語〗 图 = toilet 2.
toil·some /tɔ́ilsəm/ 形 つらい, 骨の折れる.
toil·worn /tɔ́ilwɔ̀:rn/ 形 〔文〕 苦労でやつれた；苦労の跡の見える.
To·kay /toukéi/ 图 U C トカイ (ワイン) 《ハンガリーのトカイ産の甘口ワイン》；トーケーワイン《トカイワインに似た米国 California 産のワイン》.
†**to·ken** /tóukn/ 图 C **1** しるし, 証拠, 象徴. **2** 記念品, 形見；土産 ‖ She gave Mary a ring as a *token*. 彼女はメアリーに形見として指輪を与えた. **3** 権利〔真正性〕を示すもの, 証拠品. **4** 商品〔引換〕券 ‖ a bóok tòken 図書券. **5** (地下鉄・バスなどに用いられる) 代用貨幣, トークン.
in [**as a**] **tóken of A** 《正式》…のしるし[証拠]に.
by the same [this] token 《正式》同じ理由で；その上.
To·kyo·ite /tóukiouàit, -kjou-/ 图 C 東京都民.
†**told** /tóuld/ 動 tell の過去形・過去分詞形.
†**tol·er·a·ble** /tάlərəbl | tɔ́l-/ 形 **1** (正式) 〈人・物・事が〉耐えられる, 我慢できる (bearable) (↔ intolerable). **2** 《収入・食事・演奏など》かなりよい, 悪くない；まあまあの ‖ be in *tolerable* health かなり健康である.
†**tol·er·a·bly** /tάlərəbli | tɔ́l-/ 副 《正式》 我慢できる程に, 〔おおげさに〕 まあまあ；かなり (fairly).
†**tol·er·ance** /tάlərəns | tɔ́l-/ 图 **1** U C 〔しばしば a ~〕 〔…に対する〕 忍耐(力), 我慢 (*of, to, with*) (↔ intolerance). **2** U 〔宗教・人種・行為に対する〕 寛容, 寛大さ；許容, 容認 (*for, of, toward*) ‖ The country has a reputation for *tolerance toward* racial minorities. その国は少数民族に対して寛大であるとの評判だ.
†**tol·er·ant** /tάlərənt | tɔ́l-/ 形 〔…に対して〕 寛大な；〔…を〕 容認する, 寛容する (*toward, of, to*) (↔ intolerant) ‖ be *tolerant of* her failure 彼女の失敗を大目に見る.
†**tol·er·ate** /tάlərèit | tɔ́l-/ 動 他 〈宗教・言動など〉を容認する, 寛大に取り扱う, 大目に見る；…に耐える, …を我慢する, 耐え忍ぶ《◆ *put up with* より堅い語》 ‖ *tolerate* his criticism 彼の批判を甘受する / I won't *tolerate* his telling a lie. 彼がうそをつくの

は許せない.

†**tol·er·a·tion** /tàləréiʃən | tɔ̀l-/ 名 U **1**（宗教・見解・言動に対する）寛容, 寛大さ; 許容, 容認. **2** 忍耐, 我慢, しんぼう.

†**toll**[1] /tóul | tɔ́ul/ 名 C **1a**（道路・橋などの）通行料,（港湾などの）使用料 ‖ pay a toll to cross the bridge 橋を渡るのに通行料を支払う. **b**〔形容詞的に〕有料の ‖ a toll bridge [ròad] 有料橋[道路]. **2**（米）長距離通話料. **3**（正式）〔通例 the/a ~〕（…による）被害, 損害; 犠牲（者）, 死傷者（数）《from》‖ the déath tòll〔集合名詞〕（事故・災害による）死者 / The flood took a heavy toll of [in] lives. その洪水で多くの人命が奪われた. **4**〔…に対する〕損害, 損失〔on〕‖ His worries took their toll on his health. 心配のあまり彼は健康を害した / The earthquake took a heavy toll on Kobe. その地震で神戸は大被害を受けた.
tóll bàr（有料道路・橋などの）遮(しゃ)断棒.

†**toll**[2] /tóul | tɔ́ul/ 動 他 **1**〈鐘〉を（晩鐘・弔鐘として）（ゆっくり）撞(つ)く, ゴーンゴーンと鳴らす ‖ toll a bell at his death 彼の死を弔って鐘を鳴らす. **2**〈鐘・時計が〉〈時刻〉を打つ, 告げる;…が鐘を鳴らして知らせる;〈鐘〉を鳴らして集める[解散させる] ‖ For Whom the Bell Tolls「誰(た)がために鐘は鳴る」《E. Hemingway 作の小説の題名》/ toll him in [out] 鐘を鳴らして彼を入らせる[送り出す]. ― 自〈鐘〉が間を置いて鳴る ‖ toll in 会衆を教会の中に入れる.
―名 [(the) ~]（間を置いて鳴る）鐘の音.

toll·booth /tóulbùːθ/ 名 C（米）（有料道路などの）料金徴収所（tollgate）.
toll-free /tóulfríː/ 形 副 フリーダイヤルの[で]《◆×free-dial は不可》.
toll·gate /tóulgèit/ 名 C 通行料徴収所[ゲート], 料金所.
Tol·stoi, --stoy /tóulstɔi | tɔ̀l-/ 名 Tolstoi《Lev /lév/ [Leo/líːou/] ~ 1828-1910; ロシアの小説家》.
tol·u·ene /tɒ́ljuiːn | tɔ̀l-/ 名 U〖化学〗トルエン.
†**Tom** /tɑ́m | tɔ́m/ 名 **1** トム《男の名. Thomas の愛称. ばか者・のぞくこと（→ Peeping Tom）・笛吹きと関連》. **2** C（米俗）白人に従順な黒人（→ Uncle Tom）.
Tóm Thúmb 親指トム《童話の主人公の小人》;（一般に）小さな人[植物].
tom·a·hawk /tɑ́məhɔ̀ːk | tɔ̀m-/ 名 C **1** トマホーク《北米先住民の戦闘・狩りに用いるおの》. **2**[T~] トマホーク《米国の巡航ミサイル》.

***to·ma·to** /təméitou, -máːtou/〖メキシコの先住民の言葉「ふくれる果物」から〗
―名（複 ~es/-z/）**1** C U トマト（の実）; トマトの木 ‖ tomato juice トマトジュース / egg and tomato reception（いやな人に）卵やトマトをぶつけること. **2** U トマト色.
†**tomb** /túːm/【発音注意】名 C **1**（墓石のついた）墓, 墓穴; 霊廟(れいびょう), 地下[地上]納骨堂（cf. grave[1]）‖ bury him in the family tomb 彼を一家の墓に埋葬する. **2** 墓石, 墓標（tombstone）.
tom·boy /tɑ́mbɔ̀i | tɔ̀m-/ 名 C（略式）おてんば娘, おきゃん（(PC) active child）.
†**tomb·stone** /túːmstòun/ 名 C（碑銘のある）墓石, 墓碑.
tom·cat /tɑ́mkæ̀t | tɔ̀m-/ 名 C〖動〗雄ネコ.
tome /tóum/ 名 C（重い・学術的な）本, 大冊.
tom·fool·er·y /tɑ̀mfúːləri | tɔ̀m-/ 名 U C（略式）ばかなまね;[通例 tomfooleries] くだらない冗談, つまらぬ飾り.
Tom·my /tɑ́mi | tɔ́mi/ 名 トミー《男の名. Thomas

の愛称》.
to·mog·ra·phy /toumɑ́grəfi | -mɔ́g-/ 名 U〖医学〗X線断層写真撮影（法）（cf. CT）.

☆**to·mor·row** /təmɑ́rou, -mɔ́ːr- | -mɔ́r-, tu-/〖朝（morrow）に（to）〗
―名 U **1** あした, あす ‖ tomorrow morning [afternoon, evening] あすの朝[午後, 晩]《◆前置詞なしでこのまま副詞としても用いる》/ tomorrow's newspaper あすの新聞 / Tomorrow is Sunday. あすは日曜日です / The party is tomorrow. パーティーは明日だ / Tomorrow is another day. あしたはあしたの風が吹く（から希望を失うな）/ leave Japan (the) day after tomorrow 明後日日本を発(た)つ《◆（略式）では the が省略されることがある》.
2（文）〔時に a ~〕未来, 将来 ‖ the world of tomorrow 未来の世界 /「as if [like] there were [was] no tomorrow《略式》がつがつと, 大急ぎで, やけくそになって.
―副 **1** あす（は） ‖ tomorrow week（英）来週[先週]のあす / this time tomorrow あすの今頃（は）/ She is always here today and gone tomorrow. 彼女はいつ来てもすぐ帰る / He said, "I'll see you tomorrow."「明日お目にかかりましょう」と彼は言った（→ 文法 10.4(3)）. **2** 将来には, いずれ.

tom·tit /tɑ́mtìt | tɔ́mtìt/ 名 C〖鳥〗トムティット《アオガラとジュウカラをさす》.
†**tom-tom** /tɑ́mtɑm | tɔ́mtɔm/ 名 C 動 トムトム（を打ち鳴らす）《北米先住民やアフリカの先住民などの胴長の太鼓. ジャズ・ラテン音楽などでも用いる》.

***ton** /tʌ́n/（同音 tongue /tʌ́ŋ/）/tun（大だる）から〗
―名 **1**（複 ~s/-z/, 《時に》 ton）〖重さの単位〗（**a**（米・カナダ）=short ton 小トン: 2000ポンド（約907 kg）. **略** s.t. **b**（英）=long ton 大トン: 2240ポンド（約1016 kg）. **c**=metric ton, tonne メートルトン: 1000 kg. **略** m.t.）‖ ten ton(s) of iron scrap 鉄くず10トン.
2〖海事〗トン《**a** =register ton 登簿トン: 船の容積単位. 100立方フィート（約2.8 m³）. **b** =measurement ton, freight ton 容積トン: 船舶などの貨物容積単位. 40立方フィート（約1.13 m³）, **略** M/T. **c** =displacement ton 排水トン: 軍艦の大きさの単位. 海水35立方フィート分の重さ》.
3（英略式）[~s; 単数扱い] 大量, 多数;[a ~] かなりの重量;〔副詞的に〕ずっと ‖ I have tons of assignments today. 今日は宿題がとてもたくさんあります / Mine is tons better. 私のがずっといい / This stone weighs a ton.《略式》この石はひどく重い.
4（古略式）[a/the ~] 時速100マイル ‖ do the [a] ton 時速100マイルで飛ばす.

ton·al /tóunl/ 形 **1**〖音楽〗調子の, 音色の. **2**〖絵〗色調の, 色合いの.
†**tone** /tóun/ 名 **1** C **1** 音色, 音調; 音, 声;U 音質 ‖ héart tònes〖医学〗心音 / tones of a piano ピアノの音色 / in a high [low, soft] tone 高い[低い, 柔らかい]音で / the dial tone（電話で）（ダイヤルOKを示す）ツーという音 / the pay tone（電話で）「料金入れよ」の合図のピッピッという音. **2** C〔しばしば ~s; 単数扱い〕語調, 口調;（談話・文章の）調子, 論調 ‖ speak in an angry tone 怒った口調で話す / The tone of the press was strong that day. その日の新聞の論調はきびしいものだった. **3** C〔通例 a/the ~〕気風, 風格; 風潮, 傾向 ‖ the tone of the school 校風 / set a new tone in govern-

-toned ment 政治に新風を吹き込む. **4** C 色合い, 濃淡, 明暗; U 〔絵画・写真〕色調《◆shade より堅い語》‖ green with a bluish *tone* 青色がかった緑色 / many *tones* of red 濃いろいろ異なった色合いの赤. **5** U 〔医学〕正常な身体[精神]の調子, 健康な状態‖ keep one's body in fine *tone* 体を健康な状態に保つ. **6** C 〔言語〕音色の高低[強弱]; 抑揚; 音調, 声調‖ the four *tones* (中国語の)四声 / a rising [falling] *tone* 上昇[下降]調. **7** C 〔米〕〔音楽〕楽音; 全音(程)《(米略式) step》‖ the *tone* of C ハ音.
── 他 …をある調子[色調]にする. ── 自 ある調子[色調]になる.
tóne dówn 〔自〕和らぐ, 弱まる. ── 〔他〕…を和らげる; 〈ラジオなど〉の音量を下げる.
tóne ín 〔自〕(…と)調和する〔*with*〕.
tóne úp 〔自〕(色が)調和する. ── 〔他〕…の調子を高める; 〈人(の体)〉を強くする, 健康にする.
tóne còlor 音色.
tóne déafness 音痴.
tóne lànguage 音調言語《中国語のように声調によって語の意味が区別される言語》.
-toned /-toʊnd/ 〔語要素〕→語要素一覧(1.2).
tone-deaf /ˈtoʊndɛf/ 形 音痴の; まったく無知の‖ be *tone-deaf* about money 経済観念が無い.
tong /tɑŋ, tɔːŋ | tɔŋ/ 〔中国語「堂」から〕名 C 中国人の友愛組織[協会]《もと在米中国人の秘密結社》.
Ton·ga /ˈtɑŋɡə | ˈtɔŋ-/ 名 トンガ《南太平洋の3群島から成る王国》.
†tongs /tɑŋz, tɔːŋz | tɔŋz/ 名 〔通例複数扱い; a pair of ~〕物をはさむ[つかむ]道具, やっとこ; 〔複合語で〕…ばさみ[こて]‖ a pair of *fire* [*sugar*, *ice*] *tongs* 火[角砂糖, 氷]ばさみ1丁.

†tongue /tʌŋ/ 〔発音注意〕名 **1** C **1** 舌‖ bite one's *tongue* 舌をかむ / click one's *tongue* 舌打ちする《◆不満・いらだちなどの表現》/ put [stick, shoot] out one's *tongue* at him 彼に舌を出す, あかんべえをする. **2** C 〔a/the~〕(話す能力を象徴する)舌, 言葉遣い; 話しぶり; 発言‖ have a long *tongue* おしゃべりである / a flattering *tongue* おべっか / a slip of the *tongue* 言い間違い, 失言 / have a bitter [smooth] *tongue* 口が悪い[うまい]. **3** C 〔正式〕(特定の)言語; (特定の言語を話す)民族, 国民‖ one's [*the*] *móther tóngue* 母語(one's native language). **4** C 〔正式〕舌状の物, (靴の)舌の皮 《⟨図⟩ → shoe》, (鐘・鈴の)舌, (炎の)舌, (管楽器の)リード. **5** U C (牛・羊などの)舌肉, タン‖ stewed *tongue* タンシチュー.
at the típ of A's [*the*] **tóngue** =on the tip of A's TONGUE.
hóld one's **tóngue** 〔しばしば命令文で〕黙る, しゃべらない.
lóse one's **tóngue** (恥ずかしさ・驚きなどで)口がきけなくなる.
on the típ of A's [*the*] **tóngue** ⟨物・事が⟩のどまで出かかって(思い出せなくて)‖ ⟨対話⟩ "Do you know what that woman's name is?" "Just a second, it's *on the tip of my tongue*." 「あの女性の名前を知っていますか」「ちょっと待ってください. 口の先まで出かかっているんですが」.
tóngue twister 早口言葉《◆例: She sells seashells by the seashore.》.
tongued /tʌŋd/ 形 舌のある; 〔複合語で〕…の舌の, 言葉遣いが…の‖ sharp-*tongued* 毒舌の / double-*tongued* 二枚舌を使う.

tongue·less /ˈtʌŋləs/ 形 舌のない; ものが言えない.
tongue-tied /ˈtʌŋtaɪd/ 形 (恥ずかしくて)口ごもる; 舌足らずの, 舌のもつれた.
†ton·ic /ˈtɑnɪk | ˈtɔn-/ 名 C **1** (肉体的・精神的に)元気づけるもの; 強壮剤[薬]; 養毛剤, ヘアトニック‖ The clean country air was a good *tonic* to us. 田舎のきれいな空気が我々を元気づけてくれた. **2** C 〔音楽〕主音; 〔音声〕揚音アクセント(のある音節). **3** トニックウォーター(tonic water)《キニーネなどで香りをつけた炭酸水》‖ a gin and *tonic* ジントニック.
── 形 **1** 〔正式〕(肉体的・精神的に)元気づける; ⟨薬が⟩強壮にする‖ a *tonic* medicine 強壮剤. **2** 〔音楽〕主音の; 〔音声〕強勢のある.
tónic wàter =名 **3**.

**to·night /təˈnaɪt, 〔英+〕tu-/ 〔夜(night)に(to)〕
── 副 今夜(は)‖ Do you think it will rain *tonight*? 今夜雨が降ると思いますか.
── 名 U 今夜, 今晩《◆×this night とはいわない. cf. this evening》‖ *tonight's* television programs 今夜のテレビ番組 / *Tonight* is sultry. 今夜は蒸し暑い.

†ton·nage /ˈtʌnɪdʒ/ 名 U C **1** (船舶の荷物の)積載トン数, 容積トン数; (商船・軍艦の)排水トン数. **2** 〔a~〕(一海軍・港・国の)船舶総トン数. **3** (積荷1トン当りの)輸送費; トン税. **4** (生産量の)トン数.
†ton·sil /ˈtɑnsl | ˈtɔn-/ 名 C 〔解剖〕〔通例~s〕扁桃腺 (へんとうせん).
ton·si(l)·li·tis /ˌtɑnsəlˈaɪtəs | ˌtɔn-/ 名 U 〔医学〕扁桃腺炎.
ton·sure /ˈtɑnʃər | ˈtɔn-/ 名 U 〔キリスト教〕(聖職者になるための)剃髪(ていはつ); C トンスラ, 剃髪式.
To·ny /ˈtoʊni/ 名 トニー《男の名. Anthony, Antony の愛称》.

*too /tuː/ 〔同意〕ᴬto, two》〔to の強意形〕
── 副 ❶ 《比較変化しない》**1** 〔副詞・形容詞の修飾〕あまりにも, …すぎる, 必要以上に; [too ... for A] ⟨人・事に⟩とって…すぎる; [too ... to do] …するには…すぎる‖ You're driving *tóo fást*. スピードの出しすぎだよ / There are *tóo mùch* nóise. 騒音がひどすぎる《◆The noise is *too much*. は(略式)》/ There are *far too many* people here. ここは人が多すぎる / This question is *too difficult for* me. この問題は私には難しすぎる / It's *much* [*far*] *too cold* ⌜*to swim* [*for swimming*]. 泳ぐにはずいぶん寒すぎる‖「ちょっと寒すぎる」は「a bit [a little] *too cold*」/ The grass was *too* wet (for us) *to* sit on. 草はぬれていて座れなかった(= The grass was so wet (that) we couldn't sit on it.) / She is *not too* foolish to do it. 彼女はそれができないほどのばかではない / It is *tóo hót a dáy for* work. きょうは仕事をするにはあまりにも暑い.
〔語法〕ふつう「too+形容詞+a+C 名詞」の語順をとる: *too* hot a day.

2 〔肯定文で〕…もまた, 同様に, その上; しかも《◆より口語的, as well より堅い語》《使い分け》=ALSO 副, either 副 **2**》‖ John is ready. I am *tóo*. ジョンは用意ができています. 私もです《◆(1)˟I'm too. ではない. I'm ready *too*. は可. 》くだけた会話では Mé(,) *tóo*. がふつう》/ We have a cat, and a puppy, *too*. 私たちはネコとそれに子イヌも飼っている / ⟨対話⟩ "I think he is wrong." "I do *tóo*." 〔(略式)"Me(,) too."〕「私は彼が間違っていると思う」

「私もそう思います」(=“So do I.”)《♦否定文の後では → either [副] **2**》/ Bob, *too*, frequently interrupted rehearsals to give advice. ボブも助言を与えるためたびたびリハーサルを中断させた《♦too の前後のコンマは意味のあいまいさがなければなくてもよいが，この場合はコンマがないと「あまりにもたびたび」の意になる. → **2**》/ There was frost on the grass this morning — in May *too*! けさ草に霜が降りていた. しかも，5月に!

> [語法] 話し言葉では強勢の位置により意味が異なる. Jóhn teaches skating, *tóo*. は「ジョンもスケートを教える」(=John, *too*, teaches skating), skáting では「スケートも」, téaches では「教えることもする」の意を表す.

3 《略式》[時に only ~] **非常に**，とても，大変(very)；[否定文で] あまり(…でない)《♦好ましくないことの控え目表現として用いることが多い》；《豪》[応答に用いて] まったく ‖ It's *too* kind of you. 本当にご親切さま / He was ***ònly tóo*** glád to come with you. 彼はあなたとご一緒できてとても喜んでいた / [対話] “She's kind.” “*Too* right, she is.” 《英》「彼女は親切だ」「まさしくその通りだ」/ I don't like it *too* much. それはあまり気に入らない《♦I hate it. の控え目表現》.

4 《略式》[否定の言葉に対する強い肯定として] 本当に，ところがどうして ‖ [対話] “I won't come.” “You will *tóo*!” 「私は行けません」「いやぜひ来るんだ」/ “I know French.” “You're kidding.” “I do *tóo* (know it).” 「僕はフランス語を知っているよ」「冗談だろう」「本当に知っているんだ」. [語法] 主語はしばしば略される: “I didn't start it.” “Díd *tóo*. (↘)” 「私が始めたんじゃない」「いや君さ」.

áll tòo … 《略式》まったく…すぎる ‖ The party ended *all too* soon. パーティーはあっけなく終わった.

****cannòt be*** [do] ***tóo*** … いくら…しても…しすぎではない ‖ You *cannot be too* cautious (in) investing in stocks. 株式投資するときはいくら注意してもしすぎることはない.

nóne tòo … =***nót àny tòo*** → none.

ònly tóo … 《略式》(1) → **3**. (2) [ややおおげさに] 残念[遺憾]ながら… ‖ The news of the accident was *only too* true. 事故のニュースは残念なことに本当であった.

tóo bád 《略式》残念な，遺憾な ‖ [対話] “I have a cold.” “That's *too bad*.” 「かぜをひいてるのです」「それはいけませんね」/ It's *too bad* you can't come. あなたが来られなくて残念だ.

tòo múch (1) 《略式》ひどすぎること，たえられないこと《♦of a good thing をあとに続けることもある》. (2) 《主に米俗》[しばしば間投詞的に] すばらしい! (3) → **1**.

***took** /túk/ [動] take の過去形.

****tool** /túːl/ [発音注意] 〚「準備する(物)」が原義〛

——[名] (複 **~s**/-z/) [C] **1** (職人の使う) **道具**，工具；工作機械(の切断する部分) ‖ the *tools* of writing 筆記用具 / *tools* of one's trade 商売道具 / ***A bad workman (always) blames*** [***quarrels with***] ***his tools.*** 《ことわざ》へたな職人は(いつも)道具のせいにする.

2 《正式》**仕事に必要な物**，商売道具；手段 ‖ DNA testing is a powerful *tool* to catch criminals. DNA鑑定は犯罪者をつかまえる強力な手段である.

3 《正式》(人の)**手先**，道具に使われる人 ‖ Don't make a *tool* of me. =Don't use me as a *tool*. おれを手先に使うな.

4 〔コンピュータ〕ツール《小道具的なユーティリティ=プログラム》.

——[動] [他] **1** 〈物〉を道具で造る[細工する]. **2** 〈工場など〉に機械を備えつける(+*up*).

——[自] **1** 道具で細工する，道具を使う. **2** 機械を備えつける(+*up*). **3** 《米略式》〔…を〕ドライブする〔*along*〕.

tool·bar /túːlbɑ̀ːr/ [名] [C] 〔コンピュータ〕ツールバー《よく使う機能を素早く起動するため，ボタンをまとめて帯状に並べたアイコン》.

tool·box /túːlbɑ̀ks | -bɔ̀ks/ [名] [C] 道具箱；刃物台.

†**toot** /túːt/ 《略式》[動] [自] **1** 警笛を鳴らす；〔らっぱを〕吹く〔*on*〕. **2** 〈警笛・らっぱが〉鳴る. ——[他] 〈警笛・らっぱ〉を吹く，鳴らす(blow). ——[名] [C] 警笛[らっぱ]を鳴らすこと[音].

****tooth** /túːθ/ 〚「かむ・食べる道具」が原義〛

——[名] (複 **teeth**/tíːθ/) [C]

I [歯]

1 歯《♦舌を保護するものとされ，力・知恵などの象徴》《関連形容詞 dental》‖ brush one's *teeth* 歯をみがく / have bad [good] *teeth* =have a bad [good] set of *teeth* 歯が悪い[よい]；虫歯がある[ない] / pull out his *tooth* 彼の歯を抜く / ***have a tooth out*** [***pulled out***] (歯科医で)歯を抜く《♦ひとりでに抜ける場合は A *tooth* comes [falls] out.》.

> [関連] [いろいろな種類の tooth]
> artificial [false] *tooth* 入れ歯 / back *tooth* 奥歯 / bad [decayed] *tooth* 虫歯 / canine *tooth* 犬歯 / front *tooth* 前歯 / milk [baby] *tooth* 乳歯 / permanent [adult] *tooth* 永久歯 / wisdom *tooth* 親知らず.

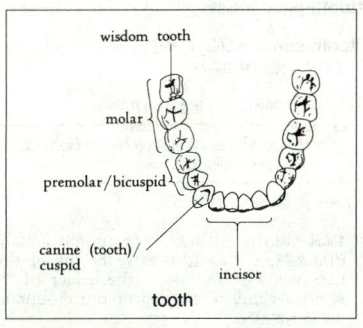

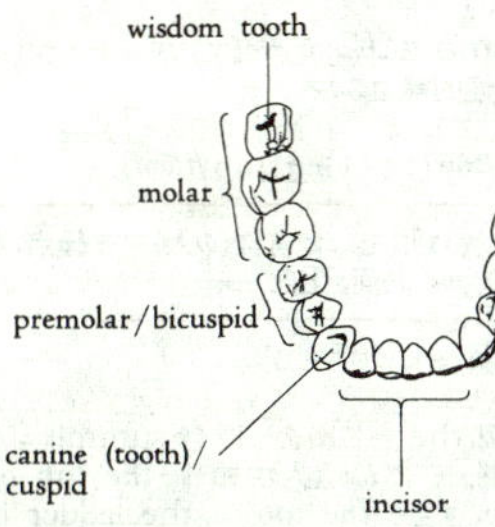
wisdom tooth
molar
premolar / bicuspid
canine (tooth) / cuspid
incisor
tooth

II [歯に似ているもの]

2 歯状の物；(歯車・くし・くま手などの)歯；(のこぎり・やすりなどの)目；(動植物の)歯状突起.

III [歯による力]

3 《略式》[通例 teeth] (かみつくような)力，反抗，猛威；威力，実行力，権限(→ in the teeth of **A**, show one's teeth (tooth 成句)).

4 [通例 a ~] 〔食べ物の〕**好み**，**趣味**〔*for*〕‖ have *a* sweet *tooth* 《略式》甘い物に目がない，甘党だ / He has *a* great *tooth for* Chinese cuisine. 彼は中華料理が大好物だ.

(*a*) *tóoth for* (*a*) *tóoth* 〖聖〗歯には歯(でする報復)(→ (an) EYE for (an) eye).

clench [clamp] one's **teeth** (困難・怒りに対して)歯をくいしばる,固く決意する.
get one's **teeth into** A (略式)〈食物などに〉かぶりつく;(略式)〈問題・仕事などに〉熱心に取り組む,夢中になる.
grind one's **teeth** 歯ぎしりする.
grit one's **teeth** =clench one's teeth (tooth 成句).
in the [one's] **teeth** 面と向かって,反抗して,公然と.
in the teeth of A (正式)…にもかかわらず(in spite of);…にさからって(against) ‖ row *in the teeth of* the wind 風にさからってこぐ / *in the teeth of* all opposition あらゆる反対をものともせずに.
long in the tooth 『馬は年とともに歯茎が後退して歯が長くなることから』(略式)年をとっている.
set one's **teeth** =clench one's teeth (tooth 成句).
show one's **teeth** 歯をむき出す,怒り[不満]をぶちまける;おどす;力を発揮する.
tooth and nail 必死に,全力を尽くして.
to the [one's] **teeth** 完全に ‖ a warrior armed *to the teeth* 完全武装の戦士.
tooth powder 歯みがき粉.
†**tooth·ache** /tú:θèik/ 〔名〕 U C 歯痛《◆特に激しい歯痛は twinge》 ‖ *have* (a) terrible *toothache* ひどい歯痛だ / suffer from *toothache* 歯痛で苦しんでいる.
†**tooth·brush** /tú:θbrʌ̀ʃ/ 〔名〕 C 歯ブラシ.
toothed /tú:θt, tú:ðd/ 〔形〕 歯のある,のこぎり状の;[複合語で] 歯が…の ‖ *even-toothed* 歯並びのいい.
tooth·less /tú:θləs/ 〔形〕 歯のない[抜けた];鋭さ[効果]のない.
†**tooth·paste** /tú:θpèist/ 〔名〕 U 練り歯みがき ‖ a tube of *toothpaste* 練り歯みがき 1 本.
†**tooth·pick** /tú:θpìk/ 〔名〕 C (木・プラスチックの)つまようじ.
tooth·some /tú:θsəm/ 〔形〕 (文)おいしい;快い,気持ちがいい;性的魅力のある.

:top¹ /tάp|tɔ́p/ (類音 tap /tǽp/)

index 〔名〕 1 頂上 2 首位(の人) 3 極点,極点 4 表面,上部

— 〔名〕 (複) ~s/-s/

I [一番上]

1 C [通例 the ~] 頂上,頂《◆ summit より口語的》;先端,てっぺん;(人の)頭 ‖ *the top of* the tree 木のこずえ / *the top of* the ladder はしごの最上段 / climb to *the top of* the mountain 山の頂上まで登る.
2 [the ~] 首位(の人),首席[最上位](の人) ‖ He is (*at*) *the top of* the class. 彼はクラスで一番である.
3 a [the ~] 極点,極度,絶頂;最高限度 (↔ bottom);〖トランプ〗[~s] 最高の札,最良の部分 ‖ *at the top of* one's voice 声を限りに / *The top of* the morning (to you)! おはようございます. **b** U (略式)=top gear.

II [物の上の部分]

4 [the ~] **a** (テーブルなどの)表面;(ページなどの)上部 ‖ Write your name *at the top of* the paper. 書類の一番上に名前を書きなさい / There are scratches on *the top of* my desk. 私の机の表面にはひっかいた傷がある. **b** (食卓などの)上座 ‖ I was seated at *the top of* the table. 私はテーブルの上座に座った.
5 C [通例 the ~] (自動車などの)屋根,ほろ;ふた,栓(%ん)‖ *the big top* (サーカスの)大テント / put *the top on* a box 箱にふたをする / Where is *the top of* [to] this bottle? このびんのふたはどこにありますか.
6 C **a** (略式)[時に ~s] (ツーピースの)上半分 ‖ a pajama *top* パジャマの上着. **b** (靴・靴下の)履き口,折り返し.
7 [the ~] 最初,冒頭;〖野球〗(回の)表 (↔ bottom) ‖ *the top of* the ninth inning 九回の表.
8 U 〖スポーツ〗 ボールを回転させ地に着きて上部を打つこと.
9 C [通例 ~s] (ダイコン・ニンジンなどの)地上に出ている部分,葉の部分.

blow one's **top** (略式) [...に]かっとなる,激怒する[*at*];気が狂う.
come out on top 勝利を収める,1位になる.
come to the top 成功する,名声を博する;〈人・物〉が表面に出る.
from top to bottom 〈場所・組織が〉一番上から一番下まで,完全に,徹底的に(→文法 16.3(3)).
from top to toe =from HEAD to foot.
in [into] top (1) 〈自動車が〉トップギアで[に](→ 3 b). (2) 〈人〉が最も健康な状態で[に].
on top (1) 上に,上方に. (2) 頭のてっぺんの. (3) さらに,その上に. (4) 成功して,勝って ‖ come out *on top* 勝利[成功]者となる. (5) 高い地位に,支配して.
***on (the) top of** A (1) …の上に《◆ on の強調形》‖ put the skis *on (the) top of* the car 車の上にスキーを乗せる《◆ (米式)では of も略して *on top* the car ともいう》. (2) …に加えて(in addition to) ‖ If you go by that train, you have to pay a special fee *on top of* the ordinary fare. その列車に乗るには普通の乗車料金に特別料金を払わなければなりません. (3) (略式) …のすぐ後[側](ぢ)に. (4) (略式) …を完全に支配して;…に通じていて. (5) 〈人〉を困らせて.
top down 〔副〕頭を下にして,さかさまに.

— 〔形〕 〈比較変化しない〉 **1** [通例名詞の前で] 〈位置が〉一番上の (↔ bottom) ‖ *the top* floor 最上階 / on *the top* shelf 一番上のたなに. **2** (英)首位[首席,最上位]の ‖ She is [came (out)] *top* in English. 英語では彼女がトップである[トップになった]. **3** 〈程度が〉最高の,最大の,最良の ‖ *at top speed* 最高速度で / get *top marks* 最高点をとる.

— 〔動〕 (過去・過分) **topped**/-t/; **top·ping** /-iŋ/ **1** 〈他人[物]〉よりまさる,すぐれる;〈ある数などを〉越える,上回る;〈チーム〉を負かす《◆新聞見出しで好まれる》‖ I *top* my sister by ten centimeters. ぼくは妹より 10 センチ背が高い. **2** …の頂上にある;〈クラスなど〉の首席である;〈表などの〉トップに載っている ‖ Our team *topped* the league this season. 今シーズンは我々のチームがリーグで優勝した. **3** …の頂上を[…で]覆う;…の先端[頂]に[…を]付ける (*with*);〈箱・馬車など〉にふた[屋根]を付ける ‖ the ice cream (which is) *topped with* chocolate 上にチョコレートソースがかかったアイスクリーム. **4** (文)〈山などの〉頂上に達する;〈太陽が〉地平線の上に昇る. **5** 〈果物・野菜などの〉先端を切り取る. **6** (主にゴルフで)〈ボール〉の上部を打つ.

top off 〔自〕 (1) 〈数量が〉最高額に達する. (2) 終わる.
— [他] (1) 〈野菜などの〉先端を切り取る. (2) (主米) …を[…で]しめくくる,終える (*with*).

tóp óut [自]《主に米》→ TOP off (1). ——[他]〈建物〉の骨組みを完成する.

tóp úp [他] =TOP off (2). (2)《主に英》〈容器〉を[…で]いっぱいにする《米》fill up〔*with*〕. (3)《英略式》〈人(のグラスなど)〉に飲み物をなみなみと注ぐ;〈飲み物〉をなみなみと注ぐ.

to tóp it áll (*óff*)《略式》遂に(finally); なおその上に《◆ふつう好ましくないことに用いる》.

tóp géar《英》(自動車の)最高速ギア《米》high gear).

tóp hát シルクハット《略式》topper).

tóp mánagement 最高幹部.

tóp sécret 極秘(事項).

†**top**² /tάp | tɔ́p/ [名]ⓒ こま(独楽) ‖ spin a *top* こまを回す. **sléep like a tóp** ぐっすり眠る, 熟睡する.

†**to·paz** /tóʊpæz | -pæz/ [名] **1** Ⓤ〔鉱物〕黄玉(ぎょく); 黄水晶. **2** ⓒ トパーズ《黄玉の宝石; 11月の誕生石》.

top-class /tάpklǽs | tɔ́pklάːs/ [形] 第一級の, 最高級の.

top·coat /tάpkòʊt | tɔ́p-/ [名]ⓒ 軽いオーバー, トップコート; ⓒ Ⓤ 上塗り.

To·pe·ka /təpíːkə/ [名] トピーカ《米国 Kansas 州の州都》.

top·er /tóʊpər/ [名]ⓒ 大酒飲み, のんだくれ.

top·gal·lant /tɑ̀pgǽlənt | tɔ̀p-/,〔海事〕/təgǽlənt/ [名]ⓒ〔海事〕**1** =topgallant mast. **2** =topgallant sail.

topgállant màst 上檣(しょう), トガンマスト《下から3番目のマスト》.

topgállant sàil トガンスル《トガンマストの帆》.

top-heav·y /tάphèvi | tɔ́p-/ [形] 頭でっかちの, 不安定な;〈企業などが〉幹部が多すぎる; 資本過大の.

*****top·ic** /tάpik | tɔ́pik/〖「平凡なこと」が原義〗
——[名](複 ~s/-s/)ⓒ **1**[…の]話題, トピック;〔議論などの〕論題, 題目[for]《◆subject より堅い語》‖ cúrrent *tópics* =*topics* of the day 時事問題 / a proper *topic* for a school debate 学校討論会に適した話題 / We're on a different *topic* now. 話がずれている. **2** (論文・講演などの)見出し, 項目. **3**〔言語〕話題(↔ comment).

tópic sèntence (節・章などの初めの)要旨説明文.

top·i·cal /tάpikəl | tɔ́p-/ [形] **1** 話題の; 時事問題の; 題目の; 項目の. **2** 地方的な;〔医学〕局部[所]の, 局部[所]に用いる.

top·knot /tάpnὰt | tɔ́p-/ [名]ⓒ (鳥の)冠毛; (頭の頂の)毛の房; (人の)まげ, ちょんまげ.

top·less /tάpləs | tɔ́p-/ [形]〈女性の服が〉トップレスの, 胸部を露出した;〈女性が〉トップレスを着た.

top-lev·el /tάplèvl | tɔ́p-/ [形] 首脳の, 最重要な ‖ a *top-level* conference 首脳会談.

top·mast /tάpmæst | tɔ́pmὰːst/《◆専門的には /-məst/》[名]ⓒ〔海事〕中檣(しょう)《2番目のマスト》.

†**top·most** /tάpmòʊst | tɔ́p-/ [形]〈峰などが〉最も高い, 一番上の.

top-notch /tάpnάtʃ | tɔ́pnɔ́tʃ/ [名]《略式》[the ~] 一流, 最高.

top-notch /tάpnάtʃ | tɔ́pnɔ́tʃ/ [形]《略式》一流の, 最高の.

topog. (略) *topo*graphical; *topo*graphy.

to·pog·ra·pher /təpάgrəfər | -pɔ́g-/ [名]ⓒ 地形[地誌]学者; 地誌[風土記]作者.

top·o·graph·ic /tὰpəgrǽfik | tɔ̀p-/ [形] 地形[地勢]上の.

top·o·graph·i·cal /tὰpəgrǽfikəl | tɔ̀p-/ [形] 地形上の.

to·pog·ra·phy /təpάgrəfi | -pɔ́g-/ [名] **1** Ⓤ 地形[地勢]学, 地形学. **2** ⓒ 地形[地勢]図; 地誌. **3** ⓒ〔医学〕局部解剖学.

to·pol·o·gy /təpάlədʒi | -pɔ́l-/ [名] Ⓤ 地誌研究;〔数学〕トポロジー, 位相, 位相幾何学;〔化学〕(分子内の)原子配列.

top·ping /tάpiŋ | tɔ́p-/ [形] 一流の, 抜きん出た. ——[名] **1** Ⓤ 上部を取り除くこと; ⓒ 取り除かれた上部. **2** Ⓤ 上にのせるもの; (コンクリートの)上塗り; (料理の上にかけるソース類) (ケーキの)上飾り, トッピング.

†**top·ple** /tάpl | tɔ́pl/ [動] [自] **1** ぐらぐら, よろけて倒れる. **2** (倒れそうに)前に傾く〔*onto*〕. ——[他] **1** …を(ぐらつかせて)倒す. **2** 〈人〉を〔地位から〕没落させる〔*from*〕;〈政府など〉を転覆する.

top-rank·ing /tάprǽŋkiŋ | tɔ́p-/ [形] 最高位の.

tops /tάps | tɔ́ps/《略式》[形] 一流の, 最高級の ‖ Who is *tops* in the business world? 実業界のトップの人はだれですか. ——[the ~] 一流の人[物], トップ. ——[副] 最大で; 最大限に ‖ Ten minutes, *tops*. せいぜい10分.

top·sail /tάpsèil | -sl/,〔海事〕/-sl/ [名]ⓒ〔海事〕中檣(しょう)帆, トップスル《topmast の帆. upper と lower がある》.

top-se·cret /tάpsíːkrət | tɔ́p-/ [形] 極秘(事項)の(cf. top secret).

top·soil /tάpsɔ̀il | tɔ́p-/ [名] Ⓤ 表土.

top-sy-tur·vy /tάpsitə́ːrvi | tɔ́p-/《略式》[形][副] 逆さまの[に]; めちゃくちゃの[に]; 混乱した[して].

-tor /-tɔːr/ (要素) → 語要素一覧(2.1).

†**torch** /tɔ́ːrtʃ | tɔ́tʃ/ [名] ⓒ **1** たいまつ; (学問・知識・文化の)光, 光明 ‖ the *torch* of knowledge 知識の光 / gó úp like a *tórch* 猛烈に燃え上がる / *hand on the tórch* (文化などの)伝統の灯を後世に伝える. **2**《英》懐中電灯 (electric torch,《米》flashlight);《米》(溶接用の)ブローランプ.

torch·bear·er /tɔ́ːrtʃbɛ̀ərər/ [名]ⓒ たいまつ持ち; 啓蒙家.

torch·light /tɔ́ːrtʃlàit/ [名] Ⓤ [通例形容詞的に] たいまつの光.

†**tore** /tɔ́ːr/ [動] tear² の過去形.

to·re·a·dor /tɔ́ːriədɔ̀ːr/《スペイン》[名]ⓒ 騎馬闘牛士.

†**tor·ment** [名] /tɔ́ːrment/; [動] /-´-/ [名]《正式》**1** Ⓤ[しばしば ~s] (肉体的・精神的な)苦痛, 苦悩; 激痛 (great pain) ‖ be *in torment* from [with] the wound 傷の傷で苦しんでいる / suffer *torments* ひどい苦しみを受ける. **2** ⓒ[しばしば a ~][人に]苦痛[苦悩, 激痛]を与えるもの〔*to*〕; やっかいもの, うるさいもの (headache).
——[動] [他]〈人・物・事が〉…を[…で]ひどく苦しめる, 痛めつける; …を悩ます, 困らす;…をいじめる (trouble)〔*with*〕‖ *torment* him *with* [by asking] questions うるさく彼に質問をする / be *tormented with* a toothache 歯痛で苦しんでいる / Don't *torment* the girl! 《略式》その女の子をいじめるな.

tor·mént·ed·ly [副]《正式》苦しんで, 困って.

tor·mént·ing·ly [副]《正式》うるさく, 苦しめて.

tor·men·tor /tɔːrméntər/ [名]ⓒ 苦しめるもの, 悩ますもの.

†**torn** /tɔ́ːrn/ [動] tear² の過去分詞形.

†**tor·na·do** /tɔːrnéidoʊ/ [名](複 ~es, ~s) ⓒ トルネード《アフリカ西部などの雷雨を伴う竜巻; 米国中西部の竜巻》;(広義)大旋風, 大暴風雨.

To·ron·to /tərάntoʊ | tərɔ́n-/ [名] トロント《カナダ南東部の都市. Ontario 州の州都》.

tor・pe・do /tɔːrpíːdou/ 名 (複 ~es) C 1 魚雷, 水雷 (aerial torpedo) ; 敷設機雷. 2 (米) (鉄道) 発車信号に (英) (油井用の) 雷管, 発破. 3 爆竹, かんしゃく玉. ——動 他 〈艦船〉を魚雷[水雷]で攻撃[破壊]する ; (略式) 〈政策・制度〉を攻撃[麻痺(ま)]させる[無力にする].

tor・pid /tɔːrpəd/ 形 〔正式〕1 不活発な, 無気力な ; 無感覚な, 鈍感な ; なまくらの. 2 〈休眠・冬眠〉で眠っている.

tor・pid・i・ty /tɔːrpídəti/ 名 U 〔正式〕不活発 ; 無感覚.

tor・por /tɔːrpər/ 名 U 〔正式〕1 不活発, 無気力 ; 無感覚, 鈍感. 2 〈動物の〉冬眠[休眠]状態.

torque /tɔːrk/ 名 U 〔機械〕トルク《回転モーメント》; 〔物理〕回転[回転力]モーメント.

†**tor・rent** /tɔːrənt/ 名 C 1 (水などの)急流, 激流, 奔流 ‖ a *torrent* of lava 溶岩流. 2 〔正式〕〔通例 ~s〕どしゃ降り ‖ The rain came down *in torrents*. 雨はどしゃ降りだった. 3 (涙・悪口・悲嘆の)迸発 ; (感情の)激発, ほとばしり ‖ a *torrent* of questions [bad language] 質問[悪口]の連発.

tor・ren・tial /tɔːrénʃəl/ 形 急流[激流]のような ; (奔流のように)激しい.

†**tor・rid** /tɔːrəd/ 形 (通例 ~・er, ~・est) 1 〔正式〕〈気候・地域など〉が焼けつくように暑い, 炎熱の, 焦熱の ; (略式) scorching ‖ It is *torrid* in that region. その地方は猛烈に暑い. 2 〈恋愛物語など〉が熱烈な, 強烈な ; 激しい.

Tórrid Zóne 〔時に t- z-〕 〔the ~〕 熱帯.

tor・sion /tɔːrʃən/ 名 U 〔正式〕ねじること, ねじれ. 2 〔機械〕トーション, ねじり力 ; 〔数学〕ねじれ(率).

tor・so /tɔːrsou/ 名 (複 ~s, (まれ) -si/-siː/) C 1 トルソー《胴だけの彫像》. 2 (人体の)胴 ; 〔競技〕トルソー《◆ トラック競走ではトルソーがゴールラインを通過した順を決める》.

tort /tɔːrt/ 名 C 〔法律〕不法行為.

torte /tɔːrt/ 〔ドイツ〕名 (複 tor・ten/tɔːrtn/, ~s) C トルテ《パン粉・クルミ・卵で作るケーキ》.

tor・til・la /tɔːrtíːə/ 〔スペイン〕名 U C トルティーヤ《トウモロコシの粉で作るメキシコのパンケーキ》.

†**tor・toise** /tɔːrtəs/ ◆[発音注意] 名 C (陸上・淡水の)カメ《◆〈ウミガメ〉は turtle》 ‖ the hare and *tortoise* → hare 成句.

tor・toise(-)shell /tɔːrtəsʃel/ 名 形 べっ甲色の ; べっ甲製の. 1 U べっ甲 ; 人造べっ甲. 2 C = tortoise(-)shell cat.

tortoise(-)shell cát 三毛ネコ.

tor・tu・ous /tɔːrtʃuəs, (英+) -tju-/ 形 〔正式〕1 ねじれた, 曲がりくねった. 2 遠回しの, 回りくどい.

†**tor・ture** /tɔːrtʃər/ 名 1 U (肉体的な)苦痛を与えること ; (罰としての)拷問[責苦] ; C 拷問の方法 ‖ be put to *torture* 拷問にかけられる. 2 U C 〔しばしば ~s〕(肉体的・精神的な)苦痛, 苦悩 ; 激痛 ; 苦痛[苦悩]の種 ‖ undergo terrible *torture*(s) ひどい苦痛をなめる.
——動 1 …を拷問にかける ; 〈真相など〉を拷問にかけて引き出す ‖ *torture* him to extract a confession = *torture* a confession out of him 彼を拷問にかけて自白させる. 2 〈事・物〉が〈人〉をひどく苦しめる[悩ます] (with, by) 《◆ trouble より堅い語》 ‖ *be tortured by* [with] jealousy [neuralgia] しっと[神経痛]に苦しめられる. 3 〈言葉・経験など〉を曲解する, こじつける.

tór・tured・ly 副 苦しんで, 悩んで. **tór・tur・er** 名 C 拷問する人 ; 苦しめる[悩ます]もの.

†**To・ry** /tɔːri/ 名 1 〔英史〕[the Tories] トーリー党 《1688年 James II を擁護し革命に反対した王党派. 今の保守党(The Conservative Party)の源流. cf. Whig》. 2 〔トーリー党員. 2 〔略式〕U (英国)保守党 ; C 保守党員. 3 〔しばしば t~〕 C (広義)保守主義者.

To・ry・ism /tɔːrìzm/ 名 U 保守主義 ; トーリー党主義 (cf. Conservatism).

Tos・ca・ni・ni /tàskənìːni | tɔ̀s-/ 名 トスカニーニ《Arturo/ɑːrtúərou/ ~ 1867-1957 ; イタリア生まれの指揮者》.

†**toss** /tɔːs|tɔs/ 動 (過去・過分) ~ed/-t/ or (詩) tost/tɔːst/) 他 1 [toss A B = toss B to A] 〈人〉A 〈人・物〉に B 〈ボールなど〉を投げる, ほうる ; …を〈…めがけて/…に〉軽く[無造作に]投げる (+*up, down*) (*at / on, onto, in, into*) ; …を投げ捨てる (+*away, aside*) ‖ *toss* a book *onto* the desk (略式) 本を机の上に投げ出す / *toss* a three-hitter 〔野球〕(1試合投) 3安打に抑える / *be tossed into* the confusion 混乱に巻き込まれる. 2 〈人などが〉〈人・物〉を投げ上げる ; 〈馬など〉〈騎手〉を振り落とす ; 〈牛〉を(角で)ほうり上げる (+*about, around*) ‖ The boat was *tossed about* by big waves. その船は大波にもまれた. 3 〔頭など〕を急にもち上げる[動かす] ; 〈グラスなど〉をぐいと傾ける ; (やや略式)〈酒〉を大量に飲む (+*back*) ‖ *toss* one's head (*back*) 頭をつんと後ろにそらす《◆軽蔑(けい)・いらだちのしぐさ》. 4 〈人・心〉を(激しく)動揺させる, かき乱す ‖ be *tossed* by anxiety 心配で気が気でない. 5 (略式)〈言葉など〉を急に差し出させる ; …をずけずけ言う (+*out*) ; 〈問題など〉をとことん論じる (+*about, around*). 6 〔順番を決めるために〕〈硬貨〉を投げて決める (+*up*) [*to do*] ; (硬貨を投げて) 〈人〉と[…の]決着をつける [*for*] ‖ *toss up* a coin *to* decide コインを投げて決める / Won't you *toss* me *for* it? それはコインを投げて決めませんか. 7 …を〔ドレッシングなどと〕軽くかき混ぜる〔*in, with*〕.
——自 1 〈船・旗などが〉上下に動く[揺れる] ; 〈人が〉寝返りをうつ ; ぱっと行動する ‖ *toss about* のたうち回る / *toss out of* the room 部屋から飛び出して行く. 2 〔人と…〕を投げ銭で決める (+*up*) 〔*with/for*〕 ‖ 〔対話〕 "Let's *toss* (it *up*)." "Head or tails?" 「コインを投げて決めよう」「表か裏か」/ I'll *toss with* you *for* it. それは君と投げ銭で決めよう.

tóss óff 他 (1) 〈着物など〉をさっと脱ぐ, …を振り払う. (2)〈酒など〉を一気に飲み干す. (3) (略式)〈仕事など〉をさっとけ[やすやすと]片づける.

tóss óut 他 (1) …を外へ投げ出す. (2) 〈着物・殻などを投げ捨てる.

tóss úp (自) (略式) → 自 2. —— 他 (1)〈料理など〉を急いで用意する. (2)〈飲食物〉を吐く[もどす]. (3) → 自 1, 6. (4)〈機会など〉をもたらす.
——名 1 C 〔通例 a ~〕(1回の)投げ上げ, トス ; 投げて届く距離. 2 C 体(の一部)を急に動かすこと ‖ stop a taxi with a *toss* of the right hand 右手をさっとあげてタクシーを止める. 3 〔the ~〕(上下の)揺れ ; (心の)動揺, 興奮. 4 〔the ~〕(事を決めるための)コイン投げ ; 五分五分(の見込み) ‖ win [lose] the *toss* 銭投げで勝つ[敗ける].

tot /tɑt|tɔt/ 名 C (略式) 1 小児, 幼児. 2 (強い酒の)少量, ひと口.

to・tal /tóutl/ ◆[「全部」が原義]
——形 ◆比較変化しない〔通例名詞の前で〕1 完全な, まったくの ‖ *total* darkness 真っ暗やみ / That's *total* nonsense! それはまったくばかげたことだ / She is in *total* ignorance of the law. 彼女は法律の

totalitarian

ことはまったく知らない. **2** 総計の, 全部の, 全体の ‖ the *total* cost 全費用 / a *total* number 総数 / a *total* eclipse of the sun [moon] 皆既日食[月食]. **3** 総力をあげての ‖ *total* war 総力戦.
―名 (複 ~s/-z/) C 総計, 総数 ‖ A *total* of 1,200 people were present. 総数1200名が出席した / The *total* of our expenses came to fifty dollars. 費用の総額は50ドルになった.
in tótal 全体で, 総計で.
―動 (~s/-z/; 過去 ~ed or (英) to·talled/-d/; ~·ing or (英) ~·tal·ling)
―他 〈人・物・金額などの〉総計してくある数〉になる; …を総計[合計]する(+up) ‖ *total úp* the bills 請求金額を合計する / Our expenses *totaled* twenty dollars apiece. 費用は1人につき合計20ドルとなった.
―自 〈ある数に〉合計が達する(+up)〔to〕; 合計する(+up).

†**to·tal·i·tar·i·an** /toutæləteəriən/ 形 (正式) 全体主義の. ―名 C 全体主義者.

to·tal·i·ty /toutæləti/ 名 **1** U (正式) 全体, 総数. **2** U (正式) 全体(性), 完全(性). **3** UC 皆既食(の時間). **in totálity** 全体として, まったく.

†**to·tal·ly** /tóutəli/ 副 まったく, すっかり, 完全に ‖ He is totally a stranger. 彼はあかの他人だ(=He is a *total* stranger.) / He was not *totally* acceptable. 彼が完全に認められたというわけではない《◆否定語とともに用いるが部分否定になる》.

to·tem /tóutəm/ 名 C **1** トーテム《北米先住民が種族の象徴として神聖視する動植物または自然物》. **2** トーテムの像.
tótem pòle トーテム・ポール《トーテム像を描いたり彫ったりした柱》.

†**tot·ter** /tátər | tɔ́t-/ 動 自 **1** よろめく, よちよち歩く ‖ *totter* to one's feet よろよろと立ちあがる. **2** 〈建物などが〉ゆらぐ; 〈国・制度などが〉ぐらつく. ―名 C よろめき.

★**touch** /tʌ́tʃ/ 発音注意 《「軽く打つ」が原義. 擬音語から》

index
動 他 **1** 触れる, さわる **2** 軽く打つ **3** 接触する **4** 関係する, 手をつける **9** 感動させる
自 **1** さわる
名 **1** 触れること, 接触, 感触 **2** 手法, 筆致, 演奏ぶり

―動 (~·es/-iz/; 過去・過分 ~ed/-t/; ~·ing)
―他
I [触れる]
1 〈人が〉〈物・人に〉[手などで]触れる, さわる〔with〕; [*touch* **A** to **B**] **A**〈物〉をB〈物〉に当てる, 接触させる ‖ Don't *touch* these paintings. これらの絵にさわらないでください / He *touched* the hive *with* a stick. 彼はステッキでハチの巣にさわった / He *touched* his hand *to* his hat. 彼は帽子に手をやった / Somebody *touched* my shoulder. =Somebody *touched* me *on the* shoulder. だれかが私の肩にさわった(→ catch **1c**).
2 〈人が〉〈物〉を軽く打つ[たたく, 押す] ‖ She *touched* the keys of the piano. 彼女はピアノのキーを軽くたたいた.
3 〈手・物が〉〈物〉に接触する, 接する; 〈土地などが〉隣

touch

接する ‖ Take care not to let your clothes *touch* the wet paint. 服が塗りたてのペンキに触れないように気をつけてください / Their country *touches* the sea on the south. 彼らの国は南側が海と接している.
4 [通例否定文で]〈人・事が〉〈事〉に関係する(concern); …に手を出す;〈試験問題・飲食物など〉に手をつける;〈人〉にかかわり合う ‖ She has never *touched* liquor. 彼女は酒を飲んだことはない / I don't want to *touch* the business. その商売には手を出したくない.
5 〈人・会談が〉〈問題などに〉言及する, …を扱う, 論じる ‖ The summit *touched* many points. 首脳会談でいろいろな点が論じられた《◆*touch* on [upon]がふつう》.

II [届く, 達する]
6 …に達する, 届く ‖ The mercury *touched* 100 degrees. 水銀柱は100度まで上がった.
7 (略式) [通例否定文で]〈人〉に〔…という点で〕匹敵する, 比肩する〔*at, for, in / as*〕 ‖ No one in the school can *touch* her *in* English. 校内で英語では彼女にかなう者はいない.

III [影響を及ぼす]
8 (古/正式) 〈人・利害など〉に影響を与える, …にとって重大[重要]である.
9 〈物・事が〉〈人〉を感動させる;〈人の心〉を動かす ‖ *touch* his heart = *touch* him to the heart 彼を感動させる / I was greatly *touched by* [*with*] her kindness. 彼女の親切さにとても感動した / We're *touched* that you have expected more of us. 私たちにより期待をかけてくださったことに感激しています.
10 〈人(の自尊心など)〉を傷つける;〈人〉の気を狂わす;〈物〉を痛める, 害する;〈物〉に作用する ‖ He is *touched* in the head. (略式) 彼は気が狂っている / The vegetables were *touched* by (the) frost. 野菜が霜でやられた.

―自 〈人・物などが〉さわる, 触れる;接触する, 隣接する ‖ Our hands *touched*. 我々の手が触れ合った.

tóuch dówn [自] (アメフト・ラグビー) タッチダウンする(→ touchdown). ―[他] [~ **A** *down*]〈ボール〉をタッチダウンする.
tóuch on [(正式) *upòn*] **A** (1) …に関係[関連]する. (2) …に近づく, 接近する. (3) 〈問題など〉に簡単に言及する[触れる].
tóuch úp [他] (1) 〈絵など〉に仕上げのため加筆する, …を修正する. (2) (米) 〈馬などに〉軽くむちを当てる;〈人〉を軽くたたいて起こす. (3) 〈記憶など〉を呼び起こす.

―名 (複 ~·es/-iz/) **1** UC 触れること, 軽く打つこと, 接触; [通例 a/the ~] 感触, 手ざわり ‖ the sense of *touch* 触覚 / *at a touch* of a button ボタンを押すだけで(簡単に) / Jim felt *a touch* on his shoulder. ジムはだれかが肩にさわったのを感じた.
2 C U [a/the/one's ~] (芸術的)手法, 特質, (画家の)筆致, (音楽家の)演奏ぶり, (タイプの)打ち方;(仕上げのための)加筆, 一筆 ‖ I have to add [put] the finishing *touches* to this painting. この絵を仕上げるのに少し筆を入れなければならない.
3 (略式) [a ~ of …] 少量の…;…気味; [a ~; 副詞的に] 少し, ちょっと ‖ *Just a touch of* sugar, please. ほんの少し砂糖をお願いします / There was *a touch of* sadness in his resignation speech. 彼の辞任の言葉は少し悲しそうだった / This skirt is

a touch (too) long. このスカートは少し長い. **4** ⓤ 〖…との〗連絡, 交渉〖*with*〗. **5** 〖a/one's ~〗(ピアノ・コンピュータのキーなどの)調子, タッチ ‖ a piano with a stiff *touch* タッチの堅いピアノ. **6** ⓤ 〖ラグビー〗タッチ ;〖フェンシング〗(ポイントになる)突き.

*in tóuch with A (1) 〈人〉と連絡して, 接触して ‖ We'll keep in close *touch with* all of you. 皆さんと緊密に連絡をとります. (2) 〈新しい思想など〉についての理解がある.

*kèep [*gèt*] *in tóuch* 〖人などと〗交通〖接触, 交際〗を続ける〖する〗〖*with*〗 ‖ I *keep in touch with* my parents by mail. 両親とは手紙のやりとりを続けています / He will *get in touch with* me by tomorrow. 彼は明日までにご連絡するでしょう / *Keep in touch.*《手紙の終わりで》またお便りをください.

lòse tóuch with A 〈…と〉接触を失う ‖ *lose touch with* her 彼女との連絡が途絶える.

òut of tóuch with A (1) 〈…と〉連絡がとだえて. (2) 〈…についての理解がない.

to the tóuch 手[肌]ざわりでは ‖ This cloth is soft *to the touch*. この服地は手ざわりが柔らかい.

touch・a・ble /tʌ́tʃəbl/ 形 **1** 触れることのできる, 触知できる(↔ untouchable). **2** 感動させることのできる.

touch–and–go /tʌ́tʃəndɡóu/ 形 **1** 〈飛行機の〉着陸やり直しの. **2** 〖略式〗急いでなされた, ぞんざいな ; 危険な, きわどい.

touch・down /tʌ́tʃdàun/ 名 ⓒ **1** 〖アメフト〗タッチダウン《ボールキャリアーがゴールラインを越えるか, パスされたボールをレシーバーがエンドゾーン内でキャッチすること. 得点は6点). **2** 〖ラグビー〗タッチダウン《けられたボールを防御側が自陣のインゴールで押えること). **3** 〖航空〗着陸, 着地.

touched /tʌ́tʃt/ 形 **1** 感動した, 心を動かされた. **2** 〖略式〗気がふれた(→ touch 趣 10).

***touch・ing** /tʌ́tʃiŋ/ 形 感動的な, 人の心を動かす, 胸を打つ. — 前 〖正式〗…に関して, …について《◆ as touching ともいう》.

touch・ing・ly 副 感動的に.

touch・line /tʌ́tʃlàin/ 名 ⓒ 〖ラグビーなど〗タッチライン, 側線(図) → rugby, soccer).

touch・stone /tʌ́tʃstòun/ 名 ⓒ 試金石 ;〖正式〗基準, 標準.

Touch–Tone /tʌ́tʃtóun/〖通例 t~-t~〗〖米〗形 名 ⓒ 〖商標〗プッシュホン式[押しボタン式]の(電話).

touch–type /tʌ́tʃtáip/ 動 ⓘ 〖コンピュータ〗ブラインドタッチで入力する.

touch–typ・ing /tʌ́tʃtáipiŋ/ 名 ⓤ 〖コンピュータ〗ブラインドタッチ《◆ *blind–touch は不可》.

touch・y /tʌ́tʃi/ 形 (-i・er, -i・est) **1**《略式》神経質な, 怒りっぽい ; 敏感な. **2** 扱いにくい, やっかいな. **3** 点火しやすい.

***tough** /tʌ́f/ 発音注意 〖「強くて弾力性のある」が原義〗
— 形 (~・er, ~・est)

Ⅰ [堅くて扱いが困難な]

1 〈仕事などが〉〖…にとって〗骨の折れる〖*for*〗《◆ difficult より口語的》;〈達成・解決・解答・取り扱い〉難しい ‖ These were *tough* tickets to get. =These tickets were *tough* to get. この切符は入手困難だった(❷文法 17.4).

2〖英〗〈人にとって〉不運な, 不幸な〖*on*〗‖ *Tough* (luck)! [皮肉的に] それは運が悪いね, ついていないね. **3**〈主に米〉〈人が〉乱暴な, 無法な ;〈場所が〉無法者が出入りする, 物騒な.

Ⅱ [堅くて丈夫な]

4〈人・動物などが〉丈夫な, 強い, タフな ; 粘り強い ; 気の強い ;〈人に対して〉がんこな, 不屈の〖*with, on*〗 ‖ (*as*) *tough as steel* [old boots] とても丈夫な / He hung [got] *tough with* the examining police officer. 彼は調べに当たった警官に食い下がった.

5〈物が〉堅い, 折れ[破れ, 切れ, かみ]にくい(↔ tender);〈粘土などが〉粘りのある ‖ This steak is too *tough*. このステーキは堅すぎる.

— 動 ⓣ 〖略式〗〖◆ 通例次の句で〗‖ *tough it out* がんばり抜く.

tóugh・ness 名 ⓤ 堅さ, 頑強さ ; 難しさ.

tough・en /tʌ́fn/ 動 ⓣ **1** 〈物を堅くする. **2** 〈人を〉丈夫に[たくましく]する(+*up*). **3**〈事を〉困難にする. — ⓘ **1** 堅くなる. **2** 丈夫に[たくましく]なる(+*up*). **3** 困難になる.

†**tour** /túər, (英+) tɔ́ːr/ 発音注意 名 ⓒ **1**〖…をめぐる〗(観光・視察などの)旅行, 周遊旅行〖類語〗→ trip〗; 見学〖(*a*)*round*〗 ‖ a bus *tour* to Miami マイアミまでのバス旅行 / **màke** [**tàke**] *a tóur of* Kyushu 九州一周旅行をする / *go on a tour* 周遊旅行に出かける / He died during the *tour*. 彼はその旅行中に亡くなった. **2**(劇団などの)巡業. **3**(工場の)勤務交替 ;〖正式〗〖…での〗(特に軍隊・外交官の)外国勤務期間〖*in*〗‖ work in three *tours* a day 1日3交替で働く.

on tóur 旅行中で[の]; 巡業中で[の].

— 動 ⓣ **1** 〈命令形不可〉〈国・地域〉を旅行する ;〈美術館などを〉見学する ‖ I am planning to *tour* India. 私はインドを見て回るつもりです. **2**〈地方〉を巡業する ;〈劇などを〉巡業で上演する.

— ⓘ **1** 〖…を〗旅行する〖*in, through*〗; 旅行して回る(+*about,* (*a*)*round*). **2** 巡業する.

tóur guide 旅行ガイド.

***tour・ist** /túərist, (英+) tɔ́ːr-/
— 名 (複 ~s/-ists/) **1** ⓒ 観光客, 旅行者 ‖ Kyoto is visited by many foreign *tourists*. 京都には多くの外国人観光客が訪れる. **2** ⓒ (巡業中の)スポーツ選手. **3** ⓤ =tourist class.
— 副 ツーリストクラスで.

tóurist attráction 観光名所.

tóurist cláss ツーリストクラス(船・飛行機の一般の旅行者が利用する安い料金の席).

tóurist hóme 旅行者を民宿させる家.

Tóurist Tróphy ツーリスト–トロフィー《毎年マン島で行なわれる国際オートバイレース》.

tour・ma・line /túərməlin, -lìːn/ 名 ⓤ ⓒ 〖鉱物〗トルマリン, 電気石《10月の誕生石》.

†**tour・na・ment** /túərnəmənt, tɔ́ːr-, tʌ́ːr-/ 名 ⓒ **1** トーナメント, 勝ち抜き試合, 選手権争奪戦 ‖ a tennis *tournament* テニス–トーナメント. **2**(中世騎士の)馬上試合.

tour・ney /túərni/ 名 ⓒ **1** 馬上試合. **2**〖正式〗〖おおげさに〗トーナメント, 勝ち抜き試合.

tour・ni・quet /tʌ́ːrnəkət, túər-/ tɔ́ːnikei/《フランス》名 ⓒ 止血帯.

tousle /táuzl/ 動 ⓣ 〖通例 be ~d〗〈髪などが〉乱れる ; 手荒く扱われる. — 名 ⓤ 乱れ髪 ; 乱雑.

tou・sled /táuzld/ 形 〈髪・服・身なりが〉乱れた, 見苦しい.

tout /táut/《略式》動 ⓘ **1**〈客・仕事・投票などを〉うるさく勧誘する(+*about, around*)〖*for*〗. **2**〖英〗〖…の〗予想屋をやる(*round*);(馬の)情報を探る. — ⓣ **1** …をうるさく勧誘する(+*about, around*);〖英〗〈切符

などをプレミアム付きで売る. **2** を〔…に〕ほめすぎる〔*as*〕. **3**〔英〕…の予想をする;〔米〕〔競走馬〕に賭(か)けるようにすすめる. ━━名 C[複合語で] **1**客引き, 勧誘者. **2**〔米〕〔競馬の〕予想屋, ダフ屋.

†**tow**¹ /tóu/〔同音〕toe)動 他 **1**〈船・車などを綱[鎖]で引っ張る〉(*away*)(→ trail); 〈人が〉〔駐車違反で〕車を駐車違反で引いていかれる. **2**〈人・犬などを〉引っ張っていく.
━━名 UC **1**〔綱などで〕引く[こと]; ひと引き ‖ The lorry was *on tow*. トラックが引かれていた. **2**引かれていく船[車]; 引く船[車]. **3**引き綱, 曳航(えいこう)索. **4** =ski tow.
in tów (1)〔綱・鎖で〕引かれて.(2)〔略式〕引き連れて,従えて;世話になって ‖ with my family *in tow* 家族連れで / take [have] him *in tow* 彼を連れて.

tow² /tóu/名 U(ロープ製造の)麻くず; 粗麻糸.
tow・age /tóuidʒ/名 U 引き船にする[される]こと; 引き船料, 引き賃.

‡**to・ward** /tɔ́ːrd | təwɔ́ːrd; 形 tɔ́ːrd | tóuəd/前〔…の(to)方へ(ward)〕
━━前〔主に米〕(〔主に英〕**--wards**/-dz/)
I〔ある対象に向かって〕
1〔運動の方向〕**a** …の方へ, …に向かって ‖ look *toward* the sea 海の方を見る / I walked *toward* the door. 私はドアの方へ歩いて行った. **b**〔比喩的に〕…の方へ, …に向かって ‖ steps *toward* peace 平和への歩み / a tendency *toward* communism 共産主義への傾き.
2〔位置の方向〕**a** …に向いて, …に面して ‖ sit with one's back *toward* me 私に背を向けて座る / The house faces *toward* the sea. その家は海に面している. **b** …の近くに ‖ His house is *toward* the top of the hill. 彼の家は丘の頂上近くにあります.
II〔ある対象に気持ちが向かって〕
3〔対象・関連〕…に対して, …に関して ‖ his attitude *toward* life 彼の人生に対する態度; 人生観 / How do you feel *toward* her? =What are your feelings *toward* her? 彼女をどう思いますか.
4〔補助・目的〕…のために, 足しに ‖ save money *toward* a new car 新車を買うために貯金する.
III〔ある時間・状態に向かって〕
5〔時間的・数量的接近〕…近く(near), …ごろ, …くらい ‖ *toward* the middle of the 19th century 19世紀の中ごろ / It stopped raining *toward* noon. 昼ごろ雨がやんだ.

‡**to・wards** /tɔ́ːrdz | təwɔ́ːrdz/前〔主に英〕= toward.

tów・a・way zòne /tóuəwèi-/〔米〕駐車違反車撤去区域.

*****tow・el** /táuəl/〔発音注意〕〔「洗う(布)」が原義〕
━━名(複 ~s/-z/)C [通例複合語で]**タオル**, 手ぬぐい ‖ She dried herself with a bath *towel*. 彼女はバスタオルで体をふいた. / wipe one's face on a *towel* 顔をタオルでぬぐう. / 日本発≫ Many Japanese restaurants first offer *oshibori*, or hot steamed *towels*, to their customers when they sit at their tables. 多くの日本料理店では客が席につくとまずおしぼりを出す.

〔関連〕〔いろいろな種類の towel〕
bath *towel* バスタオル / dish *towel* ふきん((主に英)) tea *towel*) / electronic *towel*〔手を乾かす〕電気温風器 / paper *towel* 紙タオル / roller *towel* 巻きタオル / sanitary *towel*〔英〕(生理用の)ナプキン.
---

thrów [*chúck, tóss*] *ín the tówel*〔略式〕〔ボクシング〕負けを認める; 降参する.
━━動〔過去・過分〕~**ed** or〔英〕**tow・elled**/-d/; ~**ing** or〔英〕**-el・ling**〕他〔正式〕〈手などを〉〈タオルで〉ふく(+*down, off*). ━━自 タオルでふく.
tówel ràck [*hòrse, ràil*]〔浴室の〕タオル掛け.
tówel rìng タオルリング《環状のタオル掛け》.

*****tow・er** /táuər/
━━名(複 ~s/-z/)C **1**[しばしば複合語で]**塔**, タワー(cf. steeple); やぐら; 高さ・熱望・純潔・見張り・幽閉などの象徴》‖ the *Tower* (of London) ロンドン塔 / the Eiffel *Tówer* エッフェル塔 / a television *tower* テレビ塔 / a clóck *tówer* 時計台 / I went up Tokyo *Tower*. 東京タワーにのぼりました.
2〔コンピュータ〕タワー《縦置き型のコンピュータ》.
━━動〔~**s**/-z/; ~**ed**/-d/; ~**ing**/-əriŋ/〕
━━自〔正式〕**1**〈建物・人などが〉〔…の上に〕**高くそびえる**;〔…より〕はるかに高い(rise high)〔*above, over*〕‖ *tower* into the sky 空にそびえる / He *towers* *above* the rest of the class. 彼はクラスのだれよりも背が抜けて高い. **2**〔…より〕抜きんでている〔*above, over*〕.
tówer blòck〔主に英〕住宅[オフィス]用高層ビル.
Tówer Brídge [(the) ~] タワーブリッジ《ロンドンのテムズ川にかかり, 船の通過の際に上方に開く》.

†**tow・er・ing** /táuəriŋ/形 **1**そびえ立つ ‖ a *towering* baseball player とても背の高い野球の選手. **2**〈人・業績などが〉偉大な, すばらしい ‖ *towering* ambition 大きな野心. **3**激しい, 強烈な ‖ be in a *towering* rage 激怒している.

‡**town** /táun/〔「柵で囲まれた場所」が原義〕
━━名(複 ~s/-z/)C **1町**《◆ village (村)より大きく city (市)より小さい.〔英〕では行政上は city であっても実際には town ということが多い. cf. city **2**〕;〔略式〕市 ‖ There are four factories in the *town* where [in which] she was born. 彼女が生まれた町には工場が4つある / I live in a *town*, but my parents live in the country. 私は町に住んでいるが, 両親は田舎に住んでいる.
2 C [通例 the ~]〔田舎に対して〕**都会**, 町なか ‖ Do you prefer the country to *the town*? 町よりも田舎が好きですか.
3 U〔通例無冠詞で〕〔地域の中心となっている〕**都市**;〔英〕ロンドン;〔自分の住む, または話題になっている近くの〕商業地区, 繁華街 ‖ *gó úp to town* 町に出る, 上京する / *be in* [*out of*] *town* 町に[から離れて]いる / The circus will *come to town*. 町にサーカスがやってくる.
4 [the ~; 集合名詞; 単数・複数扱い]**町民, 市民**; U 大学町の住民; [the ~]**都会生活** ‖ the talk *of the town* 町の人の話題になっていること[人] / The whole *town* is talking about him. 町中の者が彼のうわさをしている.
gó to tówn (1) → **3**. (2)〔最寄りの町で派手な買物をすることから〕〔略式〕〔…に〕大金を費やす;〔…を〕詳しく扱う〔*on, over*〕.
tówn and gówn (大学町の)市民と大学側.
tówn cènter〔主に英〕町の中心部, 繁華街.

tówn cóuncil (英) [the ~; 集合名詞的に] 町議会.
tówn cóuncil(l)or 町議会議員.
tówn gás 都市ガス.
tówn háll 町役場, 市役所; 公会堂.
tówn mèeting 町民集会, (日本の)タウンミーティング; 町民会.
tówn plánning (英) 都市計画((米) city planning).
town·house /táunhàus/ 名 ⓒ **1** (田舎に家を持つ人の)都会の別邸. **2** タウンハウス《隣家と壁を共有する住宅》. (英) terraced house. **3** 町役場, 市役所.
town·scape /táunskèip/ 名 ⓒ 都会の風景(画).
towns·folk /táunzfòuk/ 名 [古] [集合名詞; 複数扱い] [the ~] (特定の町の)町民, 市民.
†town·ship /táunʃip/ 名 ⓒ **1** (米・カナダ) 郡区, (英) 町区(住民). **2** (米) (測量で)36平方マイルの公有地.
†towns·man /táunzmən/ 名 (複 **-men**) ⓒ (古) 都会人; 同じ町の人((PC) townsperson, town dweller).
towns·peo·ple /táunzpìːpl/ 名 [集合名詞; 複数扱い] townsperson の複数形(townsfolk).
towns·per·son /táunzpə̀ːrsn/ 名 ⓒ 都会人; 同じ町の人.
tox·ic /táksik | tɔ́ks-/ 形 [正式] **1** 毒物に起因する, 中毒(性)の. **2** 有毒な ‖ *toxic chemicals* 有害化学物質 / *toxic waste* 有害廃棄物.
tox·i·col·o·gy /tàksikáləʤi | tɔ̀ksikɔ́l-/ 名 Ⓤ 毒物学.
tox·in /táksin | tɔ́ksin/ 名 ⓒ 毒素.

:toy /tɔ́i/
名 (複 ~s/-z/) ⓒ **1 おもちゃ**, 玩(ガン)具《◆誘惑の象徴》‖ Put away your *toys*. おもちゃを片づけなさい.
2 つまらない[価値のない]物, 子供だまし; 慰み物, 娯楽物 ‖ **make a toy of** ... …をもてあそぶ. **3** (ペットとして飼われる)小型の犬; 小さい人. **4** 《スコット》(昔の女性がかぶった)たれが肩まである帽子.
——形 [名詞の前で] **1** おもちゃの(ような) ‖ a *toy* car おもちゃの車. **2** 《犬》小型の.
——動 ⓘ […を]いじくる, ふまじめに扱う; [考えなどを]漠然と持つ(*with*) ‖ **toy with** a pencil 鉛筆をいじくる / The government has *toyed with* the military base problem. 政府は軍事基地問題をいいかげんに扱ってきた.

toy·shop /tɔ́iʃàp | -ʃɔ̀p/ 名 ⓒ おもちゃ屋.
tr. train; transitive; translated; translation; translator.

†trace¹ /tréis/ 名 **1** Ⓤⓒ [通例 ~s] (人・車などが通った)[足]跡 ‖ *traces* of deer on the trail けものの道についたシカの足跡 / We've lóst tráce of him. 彼の足跡を見失った《◆この場合 (米) では track が好まれる》. **2** ⓒ (事件・事物などの)痕(コン)跡, 形跡 ‖ *traces* of an ancient civilization 古代文明の跡. **3** [a ~ (traces) of + Ⓤ 名詞] ほんのわずかな…, 微量の… ‖ There was *a trace of* color in her cheeks. 彼女のほおがほんのり赤くなっていた. **4** ⓒ 線, 図形, 見取り図. **5** ⓒ (自動記録装置による)記録.
——動 ⓣ **1a** 〈人が〉〈道・足跡などを〉たどる; …を捜し出す ‖ *trace* a missing person 行方不明者を捜す / *trace* a river to its head 川を上流までたどる. **b** 〈由来・原因・出所などを〉調べる, 明らかにする ‖ *trace* the history of a word 語の歴史を明らかにする / *trace* a phone call 電話を逆探知する. **2a** 〈図面などを〉敷き写す, トレースする(+*over*) ‖ make a copy of the map by *tracing* it 地図をトレースして複写を作る. **b** 〈線・輪郭・図などを〉引く, 描く(+*out*); …を立案[画策]する(+*out*) ‖ *trace out* the site of an old castle on a map 古い城のあった場所を地図に書く. **c** 〈文字・図などを〉書く. **3** 〈人・動物・事柄などを〉[場所・由来・出所まで]追跡[調査]する(+*back*) [*to*] ‖ The police have *traced* her to Paris. 警察は彼女をパリまで追跡した / The rumor was *traced back* to a journalist. そのうわさの出所は(突きとめてみると)あるジャーナリストだった / His family can *trace* its history *back to* the 12th century. 彼の家系は12世紀までさかのぼることができる.
——ⓘ 〈物・事が〉[源・出所などまで]さかのぼる, […を]突きとめる(+*back*) [*to*] ‖ Our feud *traces back to* our childhood. 私たちの不和は子供時代までさかのぼる.

trace² /tréis/ 名 ⓒ [通例 ~s] **1** (荷車・馬車を引く)引き綱[革]. **2** (機械) (機関などの)連接棒.
trace·a·ble /tréisəbl/ 形 **1** […まで]起源・跡をたどれる, さかのぼれる[*to*]; […に]由来する, 起因することがわかる[*to*]. **2** 透写できる, 書くことができる.
trac·er /tréisər/ 名 ⓒ **1** 追跡者; 逆探知器. **2** 紛失物[行方不明者]捜索係, 紛失物の照会状. **3** 模写する人; 透写用ペン, 鉄筆.
trac·er·y /tréisəri/ 名 Ⓤⓒ トレーサリー; トレーサリー模様, 網目模様《ゴシック建築の窓の上部などを飾る》.
tra·che·a /tréikiə | trəkíə/ 名 (複 ~**s**, **-che·ae** /tréikiìː | trəkíː/) ⓒ (医学) 気管(windpipe).
tra·cho·ma /trəkóumə/ 名 Ⓤ (医学) トラコーマ.
trac·ing /tréisiŋ/ 名 **1** Ⓤ (図面・地図などの)透写, トレーシング. **2** ⓒ 透写図, 写し.
trácing pàper トレーシングペーパー, 透写紙.

*track /træk/ 名 (複 ~**s**/-s/) [時に複合語で] 〖→ trace¹〗
I [通った跡にできた道]
1 (踏みならされてできた)**小道**, 道 ‖ a bicycle *track* 自転車道 / a mountain *track* 山道.
2 a (競技場の)トラック(cf. field); (米) (競馬場の)走路(racecourse); [the ~; 集合名詞] トラック競技; 陸上競技(track and field) ‖ a running *track* 競走路. **b** [形容詞的に] トラックの ‖ *track* evènts トラック競技[種目].
3 鉄道線路, 軌道(rail, line); 進路; (米) プラットホーム ‖ a single [double] *track* 単線[複線] / an economy getting back *on track* 再び軌道に乗った経済 / the *track* of the storm 暴風雨の進路 / leave [jump, (英) run off] the *track* 脱線する / Your train leaves on [from] *Track* No. 10. あなたの乗る列車は10番線から出ます.
4 (レコードの)溝; 〈磁気テープの〉トラック, 1曲(録)音帯(soundtrack); 〈磁気ディスク・光ディスクなどの〉トラック, 記録帯.

II [通ってきた跡]
5 a [通例 ~s; 単数扱い] (人・車などの)**通った跡**, 足跡, わだち(traces) ‖ a road bumpy with car *tracks* わだちででこぼこの道. **b** (自動車) 両輪の間隔.
6 (人生の)行路, 処世の道.
in one's **trácks** (略式) その場で, すぐに.
in the tráck of …の例にならって; …の途中で.
kéep tráck of 🄰 (略式) (1) 〈事態の成行きなどとの〉接触を保ち, …を見失わない. (2) 〈犯人・人工衛星などの〉行方を見失わない.
lóse tráck of 🄰 (略式) (1) 〈事態の成行きなどとの〉

接触を失う, …を見失う ‖ We had such a great time (that) we completely lost track of the time. 私たちはとても楽しかったので時間のたつのがまったくわからなかった. (2) 〈犯人・人工衛星など〉の行方を見失う.
máke trácks (略式) 〔…に向けて〕急いで立ち去る, 逃げる〔for〕.
óff the béaten tráck 人里離れた; 常道をはずれた.
on the ríght tráck 〈考え・行動が〉正しく.
on the tráck of A =**on A's tráck** 〈人・動物・物〉を追跡して, …の手がかりを得て(at A's heels).
on the wróng tráck 〈考え・行動が〉間違って.
── 動 他 〈人・動物が〉〈人・動物〉の(足)跡を〔…まで〕追う〔to〕; 〈道・進路など〉をたどる; …を突きとめる, 探知する(+out) ‖ track the tiger トラの足跡を追う.
── 自 **1** 〈物が〉跡をつける. **2** (米) 〈人・動物が〉足跡をつける. **3** 〈針が〉〈レコードの〉溝を走る, トレースする. **4** 〔映画・テレビ〕〈カメラ(マン)が〉ドリー(dolly)に乗って撮影する.
tráck dówn 他 (1) 〈獲物など〉を追いつめる; 〈犯人など〉を追いつめて捕える, …をやっと見つけ出す. (2) 〈物〉を徹底的に調べる.
tráck mèet 陸上競技会.
tráck rècord (米) 陸上競技の成績; (略式) (一般に)業績, 実績.
tráck shòe (1) 〔鉄道〕減速装置. (2) スパイク=シューズ.
tráck sùit トラックスーツ〈運動選手の保温着〉.
tráck sỳstem 〔教育〕 =tracking 2.
tráck·age /trǽkidʒ/ 名 **1** 〔集合名詞〕鉄道総路線. **2** ⓊⒸ 路線使用権〔料〕.
tráck·ing /trǽkiŋ/ 名 Ⓤ **1** 追跡. **2** (米) 〔教育〕能力別学級編成 ((主に英) streaming).
tráck·lay·er /trǽkleiər, -lèər/ 名 Ⓒ (米) 〔鉄道〕保線作業員.
tráck·less /trǽkləs/ 形 **1** (文) 道のない, 人跡未踏の. **2** 無軌道の ‖ a trackless trolley (米) トロリーバス.
†**tract** /trǽkt/ 名 Ⓒ **1** (正式) (陸・海などの)広がり, 広い面積, 地域, 土地(a piece of land) ‖ tracts of desert in Australia オーストラリアの砂漠地帯. **2** 〔解剖〕器官系 ‖ the digestive tract 消化管.
trac·ta·ble /trǽktəbl/ 形 **1** (正式) 〈人・動物が〉扱いやすい, 従順な. **2** 〈材料が〉細工しやすい.
trac·tate /trǽkteit/ 名 Ⓒ 論文(treatise).
trac·tion /trǽkʃən/ 名 Ⓤ 〔時に複合語で〕 **1** 牽引(けんいん)(力). **2** (レールと車輪の)粘着摩擦.
†**trac·tor** /trǽktər/ 名 Ⓒ **1** (農機用)トラクター; 牽引車 ‖ cultivate by tractor トラクターで耕す. **2** 牽引式飛行機(のプロペラ)(↔ pusher). **3** 牽引機関車. **tráctor tràiler** (米) 〈大型〉貨物トラック.
trad /trǽd/ /*traditional* の短縮語/ 形 (英略式) トラッド(伝統的)な. ── 名 Ⓤ 伝統的なジャズ[フォーク]; (略式) =trad jazz.
trád jázz (特に)トラッド〈1920年代ニューオーリンズで起こったジャズで1950年代にリバイバルした〉.

*****trade** /treid/ /『「道」が原義. cf. tread, track』/ 関 trader〈名〉
── 名 (徼 ~s/tréidz/)
Ⅰ 〔貿易・商売〕
1 Ⓤ 〔…との〕貿易, 通商〔with〕 ‖ fóreign [frée] tráde 外国〔自由〕貿易 / Japan does a lot of trade with France. 日本はフランスと多くの取引をしている.
2 Ⓤ 〔時に a ~〕〔…の〕商売, 商い〔in〕; 小売り業(商); 〔the ~; 修飾語と共に〕…業 ‖ be in trade (英) 小売商である / They do a good trade in books. あの店では本がよく売れている / This is good [bad] for trade. これは買う気を起こさせる[起こさせない]. **3** 〔the Trades〕=trade wind. **4** Ⓒ (米) トレード, トレード交換.
Ⅱ 〔商業上の職業〕
5 ⓒⓊ (主に手を使う)職業, 仕事〔類語〕employment, occupation, job, profession ‖ He is a carpenter by trade. 彼の職業は大工だ / They are of a trade. 彼らは皆同じ職業だ.
6 (Ⓒ) 〔the ~; 集合名詞; 単数・複数扱い〕同業者; (英) 酒類販売業者. **7** 〔the ~; 集合名詞〕顧客, 得意先.
── 動 (~s/tréidz/;〔過去・過分〕~d/-id/; trad·ing)
── 他 **1** 〈人が〉〔…と〕貿易する, 取引する〔with〕; 〈商品を〉売買する, 商う; 〔下取りしてもらう〔in, for〕 ‖ Japan trades with many foreign countries. 日本は多くの海外の国々と貿易している / We trade in recent used cars. 我々はあまり年数のたっていない中古車を扱っています. **2** 〔相手と〕交換する〔with〕 ‖ 〔対話〕"You have a large collection of stamps, don't you?" "Yes, I'll trade with you, if you want." 「たくさん切手を集めているんですね」「お望みならば是非と交換しましょう」. **3** (米) 〔…で〕いつも買物をする〔at, with〕.
── 他 〈物〉を交換する, 〈物〉を〔人と/物と〕交換する〔with, to / for〕 ‖ trade seats 席を交換する ‖ I traded my ball for a knife. 私はボールをナイフと交換した / John likes to trade baseball cards with his friends. ジョンは友だちと野球のカードを交換するのが好きです.
tráde ín 他 〈古い物〉を〔…を買うのに〕下取りに出す〔for〕 ‖ I traded in my car for a new one. 車を下取りに出して新車を買った. ── 自 (+) ── 自 1.
tráde óff 他 〈物・選手など〉を〔…と〕交換する〔for〕.
tráde bàrrier 貿易障壁.
tráde dèficit 貿易赤字.
tráde fríction 貿易摩擦.
tráde príce 卸し値.
tráde schòol 実業学校〈◆ 今は (PC) 表現として vocational [technical] school というのがふつう〉.
tráde(s) únion (主に英) 労働組合 ((米) labor union).
Trádes Ùnion Cóngress 〔the ~〕 (英国の)労働組合会議(略) TUC.
tráde wìnd 貿易風.
trade-in /tréidìn/ 名 Ⓒ 下取り; 下取り品[価格].
trade·mark /tréidmɑːrk/ 名 Ⓒ **1** (登録)商標, トレードマーク. **2** (人の)目立った特徴. ── 他 …に商標をつける; …の商標を登録する.
trádemark rèsearch 市場調査.
†**trad·er** /tréidər/ 名 Ⓒ **1** 貿易業者; 商人 ‖ My father is a trader in antiques. 父は骨董品を扱う貿易業者です. **2** 貿易船, 商船.
trades·folk /tréidzfòuk/ 名 〔集合名詞; 複数扱い〕(小売り)商人.
†**trades·man** /tréidzmən/ 名 (徼 ~·men) Ⓒ **1** (小売り)商人((PC) tradesperson, shopkeeper, retailer). **2** 職人, 熟練工((PC) skilled worker); (英) 技術兵.
trades·peo·ple /tréidzpìːpl/ 名 〔主に英〕〔集合名詞; 複数扱い〕=tradesfolk.
trad·ing /tréidiŋ/ 動 → trade. ── 名 Ⓤ 貿易, 通商. **tráding pòst** (未開発地の)交易所.

tra·di·tion /trədíʃən/〖「引き渡されたもの」が原義. cf. treason〗派 traditional〘形〙
——名 (複 ~s/-z/) ⓊⒸ **1** 伝統, 慣習, しきたり; (芸術上の)流儀 ‖ "build up [follow, break] *tradition* 伝統を築き上げる[伝統に従う, 伝統を破る] / We dress in black for formal parties *by tradition*. 私たちは正式のパーティーには黒い服を着ていく.
2 〔…という〕言い伝え, 伝説, 伝承, 口碑〖*that*節〗‖ according to *tradition* 伝説によると.

tra·di·tion·al /trədíʃənl/〖[→ tradition]〗
——形〖通例名詞の前で〗**1** 伝統的な, 慣習的な; 因襲的な, 保守的な; 従来の ‖ *traditional* rituals [festivities] 伝統的な儀式[祝いの催し] / It's *traditional* in Japan to eat with chopsticks. 日本では伝統的に箸(はし)を使って食事をします. **2** 伝説[伝承]の, 伝説[伝承]に基づく.

tra·di·tion·al·ism /trədíʃənlìzm/〘名〙Ⓤ 〘正式〙伝統主義.

tra·di·tion·al·ly /trədíʃənəli/〘副〙[しばしば文全体を修飾] 伝統的に, 伝統に従って; 伝承によって.

tra·di·tion·ar·y /trədíʃənèri/ |-ʃənəri/〘形〙=traditional.

tra·duce /trədjúːs/〘動〙他 〘正式〙…の悪口を言う, …を中傷する.

Tra·fal·gar /trəfǽlgər/〘名〙トラファルガー《スペイン南西岸の岬. その沖合で1805年英国の Nelson がスペイン·フランス連合艦隊を破った》.

Trafalgar Square トラファルガー広場《London の中心部にあり, 中央に Nelson の立像がある》.

traf·fic /trǽfik/〖[横切って(tra)押す(fic)]〗
——名Ⓤ **1 a**(人·車の)交通(量), 往来, 通行 ‖ óne-wáy *traffic* 一方通行 / *control* [block, obstruct] *traffic* 交通を整理[遮断, 妨害]する / (The) *Traffic* is heavy [light] on the street. その通りは交通量が多い[少ない]《◆「多い」場合 The street is busy. も可》/ There's a lot of [little, not much] *traffic* on this road. この道路は交通が激しい[ほとんどない, 少ない]《◆「多い·少ない」に many, few は不可》. **b** [形容詞的に] 交通の ‖ a *traffic* accident 交通事故 / *traffic* control 交通整理 / *traffic* law [regulations] 交通法[規則].
2 a(貨物の)運送(量); (商品の)取引(高)‖ railroad *traffic* 鉄道運送. **b**(人·貨物の)運送業 ‖ passenger *traffic* 旅客運送業.
——動(過去·過分)**-ficked**/-fíkt/; **-fick·ing** 自 **1**〔…と/…を〕売買[取引]する〔*with/for*〕‖ *traffic with* natives for fur 先住民から毛皮を買う. **2**〖けなして〗〔…と/…の〕密売買をする, 不正〔やみ〕取引をする〔*with/in*〕‖ *traffic in* narcotics 麻薬の密売買をする. **3**〔…と〕(不正に)交渉を持つ〔*with*〕; 〔…を〕(不正に)利用する〔*in*〕‖ *traffic with* criminals 犯人と通じる.
——他 **1** …を往来する. **2** …を(不正に)売買する, 取引する.

tráffic cìrcle〘米〙環状交差路, ロータリー(rotary, 〘英〙roundabout).

traffic congèstion [jàm] 交通渋滞 ‖ I was caught in traffic congestion [a traffic jam]. 交通渋滞にひっかかった.

tráffic còurt 交通裁判所.

tráffic ìsland 〘英〙(車道にある)安全地帯.

tráffic light 〘米〙 [〘英〙**lights**] 交通信号灯.

tráffic repòrt 道路情報《◆route information ともいう》.

tráffic sìgn 交通標識.

tráffic tìcket 〘米〙交通違反切符.

tráffic violàtion 交通違反.

†**trag·e·dy** /trǽdʒədi/〘名〙**1**ⒸⓊ 悲劇《◆1つの作品をいう場合はⒸ, 劇の一部門をいう場合はⓊ》(↔ comedy) ‖ Shakespeare's *Macbeth* is a *tragedy*. シェイクスピアの『マクベス』は悲劇である. **2**ⒸⓊ 悲しい事件, 惨事; Ⓤ 悲劇的要素 ‖ It's a *tragedy* for me that my favorite TV program will end. 大好きなテレビ番組が終わってしまうのはぼくにとって悲しいことだ / a family [domestic] *tragedy* 家庭悲劇.

†**trag·ic, -i·cal** /trǽdʒik(l)/〘形〙**1** 悲劇の, 悲劇的な (↔ comic); 悲劇を演じる[書く] ‖ a *tragic*(al) ending 悲劇的結末 / a *tragic*(al) actor 悲劇俳優 / the *tragic*(al) 悲劇的要素. **2** 悲惨な, 痛ましい ‖ The *tragic* accident took ten lives. その痛ましい事故で10名が亡くなった.

trag·i·cal·ly /trǽdʒikəli/〘副〙悲劇的に; 悲惨に.

trag·i·com·e·dy /trǽdʒikámədi/|-kɔ́m-/〘名〙ⓊⒸ **1** 悲喜劇. **2** 悲喜劇的な事件[状態].

†**trail** /tréil/〘名〙Ⓒ **1** 跡, 通った跡, (獣の)臭跡 ‖ the *trail* of the bear クマの通った跡. **2**(人や動物が通ってできた)道 ‖ a mountain *trail* 山道. **3**(ほこり·煙などの)たなびき; (人·車の)列 ‖ *a trail of* smoke 煙のたなびき / The van left a *trail of* dust. バンは一すじのほこりを残していった.

hót [hárd] on the tráil [...の]後にぴったりついて〔*of*〕(cf. at A's HEELs).

òff the tráil 手掛かりを失って.

òn the tráil 手掛かりを得て.

on A's tráil 〈人〉を追跡して.

——動 他 **1**〈人·動物が〉〈人·動物〉の跡を[…まで]つける[*to*] ‖ *trail* a fox [thief] キツネ[泥棒]の跡を追う. **2**〈人が〉〈衣服など軽い物〉を(無意識に)引きずる, 引きずって行く《◆(1)「重い物を意識して引きずる」はtow. (2) tow と同じく, 空中·水中で引っ張る場合にも用いる. cf. drag》‖ *trail* a toy train on a string おもちゃの列車をひもで引っ張って歩く / The girl *trailed* her gown through the mud. その少女は泥の中をガウンを引きずって行った. **3**〘米〙〈人〉の後を追う; (長い列にして)〈人〉の後からついて行く.
——自 **1**〈着物など〉が引きずる;〈髪など〉が垂れる(+*along, behind, down*) ‖ Her long dress *trailed* (*along*) on the ground. 彼女の長いドレスは地面を引きずっていた. **2**〈煙·雲など〉がたなびく. **3**〖略式〗〈人など〉が[…の後を]だらだらとついて行く, のろのろ歩く;〔…に〕遅れをとる, 劣っている〔*behind*〕‖ children *trailing* home 遊び半ばで家に帰ってくる子供たち. **4**〘正式〙〈植物など〉がはう, 伸びる;〔…から〕みつく〔*over, along, by*〕‖ Vines *trailed* by the path. ツタが道ばたをはっていた. **5**〈話題などが〉本筋からそれる;〈音·声などが〉次第に消える(+*away, off*); 次第に薄れて[…の状態]になる(+*off*)〔*into*〕‖ His voice *trailed off* into silence. 彼の声はしだいに小さくなって聞こえなくなった. **6**〈猟犬が〉獲物を追う. **7**[…の差で]試合に負けている〔*by*〕.

†**trail·er** /tréilər/〘名〙Ⓒ **1** 引きずる人[物]; 追跡者. **2**[映画] 予告編. **3**(他の車に引かれる)トレーラー. **4** =trailer house. **5** つる草.

tráiler càmp [pàrk, còurt] 〘米〙トレーラーハウスの駐車場.

tráiler hòuse 〘米〙(自動車で引く)トレーラーハウス, 移動住宅, キャンピングカー(travel [house] trailer, 〘英〙caravan).

tráiler trùck 〘米〙トレーラートラック.

‡train /tréin/ 〚「引きずって行くもの」→「列車」;「引きずって行く」→「従わせる」「仕込む」〛 [派] training (名)

—[名] ([複] ~s/-z/) [C]

I [列車]

1 列車, 電車《◆ 個々の車両は,「客車」は coach, (米) car, (英) carriage,「貨車」は wagon》, 電車(electric train) ‖ catch [miss] the 5 o'clock *train* for London 5時発のロンドン行き列車に間に合う[乗り遅れる] / You have to ***change trains at*** Himeji ***for*** Okayama. 姫路で岡山行きに乗り換えなければなりません / get into [out of] ***a train*** = ***get on*** [off] ***a train*** 列車に乗る[から降りる]《◆ 前者の方が乗り降りの動作を強調》/ meet her on [(英) in] the *train* 列車内で彼女に会う / ***take the*** 7:20 ***train*** to Chicago 7時20分発の列車に乗ってシカゴに行く《◆ to の代わりに for を使うと「シカゴ行きの列車に乗る」の意味になり, 下車地はシカゴとは限らない》/ travel ***by*** [on a] ***train*** to Glasgow グラスゴウまで列車で旅行する《◆ in a train とはふつう言わない》.

> [関連] [いろいろな種類の train]
> (1) [速さ] commuter express 通勤快速 / express *train* 急行列車 / limited express (米) 特急列車 / local [way] *train* (各駅停車の)普通列車 / semi-express 準急列車 / super express *train* 超特急列車《◆ 日本の新幹線(bullet train)など》.
> (2) [用途] commuter *train* 通勤列車 / freight *train* (米) 貨物列車((主に英) goods *train*) / long-distance *train* 長距離列車 / mail *train* 郵便列車 / night *train* 夜行列車 / off-duty [deadhead] *train* 回送列車 / passenger *train* 旅客列車 / regular *train* 定期列車 / seasonal *train* 季節列車 / shuttle *train* 折り返し列車 / special *train* 臨時列車 / through *train* 直通列車.

II [列車のように連なるもの]

2 (人·車などの)列, 隊 ‖ ***a train of*** camels =a camel *train* ラクダの列. **3** [通例単数形で] (思考·事件などの)連続, つながり; (事件などの)結果 ‖ a long *train* of misfortunes 長びく一連の不幸 / keep up with her *train* of thought 彼女の考えに遅れずについて行く / in the *train* of the war 戦争の結果として. **4 a** (衣服の引きずる)すそ ‖ wear a wedding dress with a *train* すその長いウェディングドレスを着ている. **b** (彗(すい)星などの)尾; (クジャクなどの)尾; (雲·煙などの)たなびき.

in tráin (正式)〈準備·討論などが〉順調に運んで, 手はずが整って ‖ put [set] things *in train* 事の手順を整える.

—[動] (~s/-z/; [過去·過分] ~ed/-d/; ~·ing)

—[他] **1** 〈人が〉〈人·動物〉を〔…するように/…として/…に備えて〕訓練する, 教育する, 鍛える(+*up*)〔*to* do / *as* / *for*〕; …に〔作法·習慣などを〕仕込む〔*in*〕 ‖ ***train*** a child ***to*** respect his parents 両親を敬うような子供に育てる / He was *trained to* be a surgeon. 彼は外科医になる訓練を受けた / ***train*** horses ***for*** a race 馬を競馬用に訓練する / ***train*** the players *for* an important game 大切な試合に備えて選手を鍛える / She was *trained as* a violinist under a famous musician. 彼女は有名な音楽家のもとでバイオリン奏者としての教育を受けた. **2** (米略式)〈子供·犬など〉にトイレのしつけをする. **3** 〈枝など〉を好みの形に仕立てる ‖ *train* roses against [over] a wall バラを壁にはわせる. **4** 〈鉄砲·カメラなど〉を〔…に〕向ける〔*on, upon*〕.

—[自] 訓練される; 〔…に備えて/…で〕鍛える; 体調を整える〔*for*/*in*〕 ‖ *train* as [to be] a secretary 秘書としての[秘書になるための]教育を受ける / *train in* weight lifting *for* the Olympics オリンピックに備えて重量挙げの練習する.

train·a·ble /tréinəbl/ [形] 訓練[教育]できる.

trained /tréind/ [形] [しばしば複合語で] **1** 訓練された, 練達された(↔ untrained). **2** 裾(すそ)のついた.

tráined núrse (英) =graduate nurse.

train·ee /treiníː/ [名] [C] 訓練を受ける人[動物]; 職業[軍事]訓練を受ける人.

†train·er /tréinər/ [名] [C] (運動選手·動物の)訓練をする人, トレーナー, (馬の)調教師《◆ 衣類の「トレーナー」は sweat suit》.

***train·ing** /tréiniŋ/ 〚→ train〛

—[名] [U] **1** [時に a ~] 〔…の〕**訓練**(を受けること)〔*in*〕 ‖ circuit *training* サーキットトレーニング / resistance *training* 筋力トレーニング / weight *training* ウエイトトレーニング / She had special(ized) *training* as an announcer. 彼女はアナウンサーとしての専門的な教育を受けました. **2** 訓練[教育]課程; [時に a ~] (スポーツ選手の)養成, (馬などの)調教. **3** (練習·食事などによってつくる)コンディション.

be in tráining コンディションがよい.

be òut of tráining コンディションが悪い.

by tráining (…の)教育を受けた ‖ He is an anthropologist *by training*. 彼は人類学者としての教育を受けている; 彼の専攻は人類学である.

gò into tráining 〔…に備えて〕練習を始める〔*for*〕.

tráining cöllege (英) (昔の)教員養成大学《◆ 今は college of education》((米) teachers college).

tráining pànts [複数扱い] 小児用パンツ《◆ おしめをはずして用便のしつけをする時に小児にはかせる. 「トレーニングパンツ」は sweat pants などに当たる》.

tráining schòol 職業訓練所; 少年院.

tráining ship 練習船[艦].

train·load /tréinlòud/ [名] [C] 1列車分の旅客[貨物].

train·man /tréinmən/ [名] ([複] **-·men**) [C] (米) 鉄道乗務員((PC) train worker, conductor).

†trait /tréit | tréi/ [名] [C] **1** (正式) (生活·習慣の)特色, 特性, 特徴(characteristics) ‖ Patience is one of her good *traits*. 忍耐強いことは彼女の美点の1つです. **2** [a ~ of ...] …の気味.

†trai·tor /tréitər/ [名] [C] 〔…の〕反逆者, 裏切者〔*to*〕 ‖ He ***turned traitor to*** his lord. 彼は主人に対して謀反を起こした《◆ この構文ではふつう無冠詞》/ He was a *traitor to* his party. 彼は党の裏切者だった.

trai·tor·ous /tréitərəs/ [形] (文) 反逆(罪)の, 裏切りの. **trái·tor·ous·ly** [副] 裏切って.

trai·tress /tréitrəs/ [名] (まれ) traitor の女性形.

tra·jec·to·ry /trədʒéktəri, (英+) trǽdʒik-/ [名] [C] 弾道, 軌道.

†tram /trǽm/ [名] [C] **1 a** (英) 路面電車, 市街電車, 市電((英) tramcar, (米) streetcar, trolley car) ‖ ***tàke a trám*** 市電に乗る / ***by trám*** 市街電車で. **b** [~s] 市電路線. **2** (英) =tramway. **3** (石炭などを運ぶ)トロッコ(lorry truck).

tram·car /trǽmkɑ̀ːr/ [名] (英) =tram **1**, **3**.

†tram·mel /trǽml/ (正式) [名] [C] **1** [通例 ~s] 拘束物, 束縛, 障害. **2** (魚·鳥を捕える)網.

tramp

──動 (過去・過分) ~ed or (英) tram・melled/-d/; ~・ing or (英) --mel・ling ⑲ 1 …の自由を拘束する. 2 …を網で捕える.

†**tramp** /trǽmp/ 動 ⑲ 1〈人が〉[…を]ドシンドシン歩く[進む], 重い足どりで歩く(across, over)‖ He tramped up and down the platform. 彼はプラットホームを重い足どりで行ったり来たりした. 2 […を]踏みつける(on, upon)‖ Someone tramped on my toes in the dark room. 暗い部屋の中でだれかが私の足先を踏みつけた. 3 (長距離を)てくてく[とぼとぼ]歩く. ──⑮ 1〈町などを〉てくてく歩く;…を放浪する‖ tramp it (略式) 徒歩で行く. 2〈物を〉踏みつける.

──名 1 ⓊA[the ~] 重い足音. 2 [通例単数形で] (長距離の)徒歩旅行‖ go for a tramp in the country 田舎をハイキングに出かける. 3 Ⓒ (主に英) ルンペン, 放浪者, 無宿者. 4〈主に米略式〉ふしだらな女, 売春婦(prostitute). 5 Ⓒ =tramp steamer. **on (the) trámp** 放浪して; (職を求めて)渡り歩いて.
trámp stèamer 不定期貨物船.

†**tram・ple** /trǽmpl/ 動 ⑲ 1 …を踏みつける, 踏みつぶす(+down)‖ trample (down) the flowers = trample the flowers under foot 花を踏みつける‖ be trampled to death by an elephant 象に踏み殺される‖ trample the fire out 火を踏んで消す. 2〈権利・感情などを〉踏みにじる(+down)‖ trample her feelings 彼女の感情を踏みにじる. ──⑮ 1 ドシンドシン歩く(+about). 2〈人の・人・感情などを〉踏みつける, 踏みにじる(on, upon, over).
──名 Ⓤ ドシンドシン歩くこと[音], 踏みつけること[音].

tram・po・lin(e) /trǽmpəli:n, ㆍㆍㆍ/ 名 Ⓒ トランポリン; その網[用具].

tram・road /trǽmròud/ 名 Ⓒ (主に鉱山の)トロッコ用軌道.

tram・way /trǽmwèi/ 名 Ⓒ 1 (英) 市電軌道. 2 =tramroad. 3 (米) 空中ケーブル[索道].

†**trance** /trǽns | trɑ́:ns/ 名 Ⓒ [通例 a ~] 1 夢うつつ, 恍惚(こうこつ), 夢中‖ The girls kept dancing in a trance. 少女たちは我を忘れて踊り続けた. 2 人事不省, 失神‖ fall [go] into a trance 失神する / send [put] him into a trance 彼に催眠術をかける. 3 Ⓒ〈心霊〉トランス(状態); 一時的な神がかり状態.

†**tran・quil** /trǽŋkwil, -kwəl/ 形 (more ~, most ~; 時に ~・er or (英) --quil・ler, ~・est or (英) --quil・lest) (正式) 1〈場所・環境などが〉静かな, 穏やかな(quiet)‖ a tranquil life in the country 田園の平穏な生活 / a tranquil lake 静まりかえった湖. 2〈心などが〉平静な, 落ち着いた‖ a tranquil smile 穏やかな微笑.

tran・quil・ize, (主に英) --quil・lise [ize] /trǽŋkwəlàiz/ 動 ⑲〈心などを〉静める. ──⑮〈心などが〉静まる. **trán・quil・iz・er**, --**liz・er** 名 Ⓒ Ⓤ 精神安定剤, トランキライザー.

†**tran・quil・li・ty**, (米ではしばしば) --**quil・i・ty** /træŋkwíləti/ 名 Ⓤ [時に a ~] 静寂, 平穏, 冷静.

tran・quil・ly /trǽŋkwili/ 副 平穏に, 静かに.

trans. 略〔文法〕transitive; translation; translated; translator.

trans- 接頭 trans-, trænz-, (英+) tra:ns-, tra:nz-/ 〔語要素〕→語要素一覧 (1.7).

†**trans・act** /trǽnsǽkt | trǽnz-/ 動 ⑲ (正式)〈業務・取引などを〉[人と]行なう(carry out)(with)‖ transact business with retailers 小売業者と取引する. ──⑮ [業務・取引などを] [人と]行なう(with).

trans・ác・tor 名 Ⓒ 処理者, 取り扱い人.

†**trans・ac・tion** /trænsǽkʃən | trænz-/ 名 1 Ⓤ [the ~] (業務の)処理, 処置. 2 Ⓒ 取引. 3 (正式) [~s] (学会・会議などの)紀要, 会報, 議事録 (records). **trans・ác・tion・al** /-ʃənl/ 形 処理上の, 取引の.

trans-A・mer・i・can /trǽnsəmèrikən | trǽnz-/ 形 アメリカ横断の《◆ (略式) や (商標) では Trans-Am /trǽnsæm/》.

†**trans・at・lan・tic** /trænsətlǽntik | trænz-/ 形 1 大西洋横断の‖ a transatlantic flight [liner] 大西洋航路飛行便[定期船] / a transatlantic cable 大西洋横断ケーブル. 2 大西洋の対岸の《ヨーロッパからみた「アメリカの」, アメリカからみた「ヨーロッパの」》; 大西洋をはさんだ両国間の‖ transatlantic cultural influences 大西洋の対岸の文化的影響.
──名 Ⓒ 1 =transatlantic ship [liner]. 2 大西洋の対岸の国に住む人.

transatlantic shíp [líner] 大西洋航路(定期)船.

trans・ceiv・er /trænsí:vər/ 名 Ⓒ〈無線〉トランシーバー.

tran・scend /trænsénd/ 動 ⑲ (正式) 1〈経験・理性などの限界〉を越える. 2 …にまさる, …をしのぐ (exceed). 3〈神学〉〈神が〉宇宙などを越える. ──⑮ 1〈経験・理性などの限界〉が越える, 超越的である. 2 まさる, しのぐ. 3〈神学〉〈神が〉宇宙を越える.

tran・scen・dent /trænséndənt/ 形 1 =transcendental 1. 2 〔哲学〕超越的な.

tran・scén・dence, --en・cy 名 Ⓤ 超越.

tran・scen・den・tal /trænsendéntl/ 形 1 (正式)〈知識・経験などが〉卓越した, すぐれた. 2 超自然的な. 3 観念論の; (略式) あいまいな.

tràn・scen・dén・tal・ism 名 Ⓤ〔哲学〕先験論.
tràn・scen・dén・tal・ist 名 Ⓒ 先験論者.

†**trans・con・ti・nen・tal** /trǽnskantənéntl | trǽnzkɔn-/ 形 1 大陸横断の‖ a transcontinental railway 大陸横断鉄道. 2 大陸の対岸の.

tran・scribe /trænskráib/ 動 ⑲ 1 …を書き写す; …を[…に]複写する(onto). 2〈音声などを〉発音記号[文字]で書き表す. 3 …を(他の言語に)書き換える, 翻訳する(into). 4〔音楽〕〈曲を〉[(他の)楽器用に]編曲する(for). 5〈放送〉…を録音[録画]する.

†**tran・script** /trǽnskript/ 名 Ⓒ 1 (手書きやタイプによる)写し, コピー; (音声・録音などの)書写, 転写; (公式の)謄本, 転写. 2 (米) 学業成績証明書.

tran・scrip・tion /trænskrípʃən/ 名 1 Ⓤ 写すこと, 複写; 発音記号に書き表すこと; (音声・録音などの)書写, 転写. 2 Ⓒ 写本, コピー・謄本. 3 Ⓤ Ⓒ〈放送〉録音[録画](による放送); 〔音楽〕編曲.

tran・sept /trǽnsept/ 名 Ⓒ〔建築〕(十字形教会堂の)翼廊.

†**trans・fer** 動 /trænsfə́:r/ 名 /trǽnsfə:r/ 動 (過去・過分) **trans・ferred** /-d/, **-fer・ring**; (正式) 1a〈人・物・店などを〉[…から/…へ] 移動させる (remove);〈人を〉[…から/…へ] 転任させる, 転校[移籍]させる(from/to)‖ The office has been transferred to the sixth floor. 事務所は6階に移った / He was transferred from the head office to a branch in Fukuoka. 彼は本社から福岡支社へ転勤になった. **b**〈電話を〉[…へ] 転送する(to). ●〈対話〉 "Could you please connect me to Mr. Sherman's office?" "Hold on, I'll transfer your call right away." 「シャーマンさんの部屋を

願いします」「そのままお待ちください. すぐに電話を回しますから」. **2**〔法律〕〈人が〉〈財産・権利など〉を[…から]…に移転する, 譲渡する(give)[*from/to*]‖ He *transferred* his property to his daughter. 彼は財産を娘に譲った. **3**〈愛情などを〉[…に]移す;〈責任などを〉[…に]転嫁する(shift)[*to*]‖ He *ferred* his love to another girl. 彼は別の女の子が好きになった. **4**〈絵などを〉[…に]転写する, 模写する[*to*]. **5**〔コンピュータ〕〈データ〉を[…に]転送する[*to*]‖ He *transferred* computer data to a floppy disk. 彼はコンピュータのデータをフロッピーにコピーした.
—自 **1**〈人が〉[…から/…へ]転任する, 転校[移籍]する; 移転[移動]する(move)[*from/to*]‖ She *transferred to* another school. 彼女は転校した. **2**〈人が〉[…で/…から/…へ]乗り換える[*at, in / from / to*]‖ I *transferred to* another train *at* Nagoya. 名古屋で別の列車に乗り換えた(=I changed trains …). **3**〔コンピュータ〕データを転送する.
—名 (正式) **1** UC […への]移転, 移動; 転任, 転校, 移籍[*to*]; C 転勤者, 転校生;(米)転校証明書‖ He got a *transfer* to the Hiroshima office. 彼は広島支店へ転勤になった. **2** UC (財産・権利などの)譲渡; 譲渡証書. **3** UC 乗り換え; C (主に米)乗り換え切符[地点]. **4** C (英)写し絵, 模写画. **5** U 〔コンピュータ〕データの転送.
tránsfer pàssenger 乗り換え客.
trans·fer·a·ble /trænsfə́ːrəbl/ 形 (正式)移動[譲渡, 転写]することのできる.
trans·fer·ence /trænsfə́ːrəns | trænsfər-/ 名 U (正式) **1** 移動, 移転; 転勤, 転校, 転籍. **2** 譲渡.
trans·fig·u·ra·tion /trænsfìɡjərérʃən, -̀-- | -fiɡə-/ 名 (正式) **1** UC 変容, 変形. **2** [the T~] キリストの変容; 変容の祝日《8月6日》.
†**trans·fig·ure** /trænsfíɡjər | -fíɡə/ 動 (正式) **1** …の外観を変える. **2** …を神々しくする, 美化する.
trans·fix /trænsfíks/ 動 (他) **1** …を[…で]突き通す, 突き刺す(*with*). **2** [通例 be ~ed]〈人が〉[…で]くぎづけになる(*with*).
trans·fix·ion /trænsfíkʃən/ 名 U 貫通; 立ちすくみ.
†**trans·form** /trænsfɔ́ːrm/ 動 (他) **1**〈人・物・事が〉〈物〉を[…に]変形させる; …を[…から/…に]変質させる[*from / into, to*]《◆change より堅い語》‖ He was *transformed into* another man. 彼は別人のようになった / Staying overseas has completely *transformed* him. 海外滞在で彼はすっかり変わりました. **2**〔物理・数学〕…を[…に]変換する[*into*];〔電気〕〈電流〉を変圧する;〈細胞に〉遺伝子変化を起こさせる;〔言語〕〈文など〉を変形する. —(自) […に]変わる, 変形[変質]する[*into*].
†**trans·for·ma·tion** /trænsfərméɪʃən/ 名 UC **1** […への]変化, 変形, 変質[*into*]《◆change より堅い語》. **2**〔動〕変態;〔数学・物理〕変換;〔言語〕変形‖ the *transformation of* a tadpole *into* a frog オタマジャクシのカエルへの変態.
†**trans·form·er** /trænsfɔ́ːrmər/ 名 C **1** 変化させる人[物]. **2** 変圧器, トランス.
trans·fuse /trænsfjúːz/ 動 (他) **1** (正式)〈人・動物〉に輸血する. **2**〈人〉に[思想など]を吹き込む, 教え込む[*with*].
†**trans·fu·sion** /trænsfjúːʒən/ 名 UC 注入, 移入;(正式)輸血.
†**trans·gress** /trænsɡrés | trænz-/ 動 (正式)(他) **1**〈限界など〉を越える, 逸脱する. **2**〈法・協定・命令など〉を破る, …に違反する. —(自) 罪を犯す, 規則違反する, 道徳的罪を犯す.
trans·gres·sor /trænsɡrésər/ 名 C 法律違反者,(宗教・道徳上の)罪人.
†**trans·gres·sion** /trænsɡréʃən | trænz-/ 名 UC (正式)違反, 犯罪(offense),(宗教・道徳上の)罪(sin).
†**tran·sient** /trǽnʃənt | -zɪənt/ 形 (正式) **1** つかの間の‖ *transient* happiness つかの間の幸福. **2** 短期滞在の, 通過するだけの. —名 C =transient resident.
tránsient résident (米)(ホテルなどの)短期滞在客 (↔ permanent resident).
trán·sient·ly 副 一時的に.
tran·sis·tor /trænzístər,(英+) -sís-/ 名 C 〔電子工学〕**1** トランジスタ. **2** =transistor radio.
transístor rádio (正式)トランジスタ=ラジオ.
tran·sit /trǽnsət, -zət/ 名 **1** U 通過, 通行. **2** (米)(人・荷物の)運送, 輸送.
†**tran·si·tion** /trænzíʃən, -síʃən,(英+) -síʒən/ 名 UC (正式) **1** 移り変わり, 推移, 変遷《◆change より堅い語》. **2**[…から/…への]過渡期, 変わり目[*from/to*](transition period)‖ be in *transition* 過渡期にある. **tránsition pèriod** = **2**.
tran·si·tion·al /trænzíʃənl,(英+) -síʒənl/ 形 (正式)移り変わる, 過渡期の.
tran·si·tive /trǽnsətɪv, -zə-,(英+) trɑ́ːn-/ 〔文法〕形 他動(詞)の(↔ intransitive). —名 C =transitive verb.
tránsitive vérb 他動詞(略 vt, v.t.).
trán·si·tive·ly 副 他動詞的に.
tràn·si·tív·i·ty 名 U 移行性;〔文法〕他動性.
tran·si·to·ry /trǽnsətɔ̀ri, -zə- | -tari/ 形 (正式)一時的な, つかの間の, はかない.
transl. (略) translated; translation; translator.
†**trans·late** /trænsléɪt, trænz-/ ̀-̀-, trɑːns-/ 《◆越えて(trans)運ぶ(late)》 発 translate (名)
—(動) ~s/-léɪts/; (過去・過分) ~d/-ɪd/; ~·lat·ing
—(他) **1**〈人が〉〈文章など〉を[…から/…に]翻訳する, 訳す[*from / into, to*];〈専門用語など〉を[…に]わかりやすく説明する[*to, for*];〈専門用語など〉を[わかりやすい言葉などに]言い換える[*into*]‖ *translate* a sentence literally [freely] 文を直訳[意訳]する / He *transláted* the book from English *into* Japanese. 彼は小説を英語から日本語に翻訳した / His words *were translated into* sign language by an interpreter. 彼の言葉は通訳によって手話に翻訳された.
2 (正式)〈行為など〉を[…と]解釈する(interpret)[*as*]‖ We should *translate* her silence *as* disapproval. 我々は彼女の沈黙を不賛成と解釈するべきだ. **3**〈事〉を[…に]移す, 変える, 直す(put)[*into*]‖ *translate* dreams *into* reality 夢を現実のものとする / *translate* ideas *into* action 考えを実行に移す. **4** (正式) …を[…から/…へ]移動させる[*from/to*];〔教会〕〈司教〉を[別の管区に]転任させる;〈聖人の遺体〉を[別の所へ]移す;〈人〉を生きたまま昇天させる[*to*].
—(自) 翻訳する;〈作品などが〉翻訳できる‖ This novel *translates* easily [well]. この小説はたやすく[うまく]翻訳できる.
†**trans·la·tion** /trænsléɪʃən, trænz-/ [⇨ translate]
—名 (複 ~s/-z/) **1** U 翻訳; C 翻訳書, 訳文‖ literal [free] *translation* 直訳[意訳] / màke [dò] *a translátion of* this story *into* English この物語を英語に翻訳する(=*translate* this story

into English) / I have read the novel *in translation*. その小説は翻訳で読んだことがある. **2** ⓤ《正式》解釈, 言い換え.

trans·la·tor /trænsléitər/《米+》─/ 图 ⓒ 翻訳家, 訳者; 通訳; 翻訳機械.

trans·lu·cence, ─·cen·cy /trænslúːsns(i), trænz-/ 图 ⓤ 半透明.

†**trans·lu·cent** /trænslúːsnt, trænz-/ 形《正式》**1** 半透明の. **2** わかりやすい, 明快な.
trans·lú·cent·ly 副 半透明に.

trans·mi·gra·tion /trænsmaigréiʃən | trænz-/ 图 ⓤ 転生, 輪廻(りんね); 移住, 移動.

trans·mis·si·ble /trænsmísəbl | trænz-/ 形 送ることのできる, 伝達できる.

†**trans·mis·sion** /trænsmíʃən | trænz-/ 图《正式》**1** ⓤ 伝達（すること); 伝送されたもの(message); (病気の)伝染. **2** ⓒ《テレビ・ラジオ》放送（番組）. **3** ⓒ（自動車の)トランスミッション, 変速機, 伝動装置. **4** ⓒ《コンピュータ》(データ)伝送.

†**trans·mit** /trænsmít | trænz-/ 動 (過去過分 **-·mit·ted**/-id/, **-·mit·ting**) 他《正式》**1**〈物などを〉〈…に〉送る, 送り届ける[to]. **2**〈病気などを〉〈人に〉伝染させる[to] ∥ Cholera is easily *transmitted* when conditions are unsanitary. コレラは不衛生な状態ではすぐに伝染する. **3**〈信号・知識などを〉〈人に〉伝える, 知らせる[to]. **4**〈物理〉〈熱・電気などを〉伝える;〈光を〉透過させる ∥ Wood does not *transmit* electricity. 木は電気を通さない. **5**〈性質などを〉〈子孫に〉伝える, 遺伝させる[to].

†**trans·mit·ter** /trænsmítər | trænz-/ 图 ⓒ **1** 伝える人[物], 伝達者, 伝達装置. **2** 送信器, (電話の)送話器.

trans·mute /trænsmjúːt | trænz-/ 動 他《正式》…を〔高度なものに〕変える[into]. **trans·mút·a·ble** 形 変形できる. **tràns·mu·tá·tion** 图 ⓒⓤ 変形, 変質, 変化.

trans·o·ce·an·ic /trænsòuʃiǽnik | trænz-/ 形 **1** 大洋横断の. **2** 大洋の対岸の.

tran·som /trænsəm/ 图 ⓒ **1** まぐさ（ドア・窓などの上の横木）(lintel). **2**（米）= transom window. **3**〔海事〕船尾梁(りょう). **tránsom window**（ドアの上の)引かざり窓[(英) fanlight).

tran·son·ic /trænsɑ́nik | -sɔ́n-/ 形〔航空〕音速に近い《時速970-1450 km》(→ sonic, supersonic).

trans·pa·cif·ic /trænspəsífik | trænz-/ 形 太平洋横断の ∥ a *transpacific* liner 太平洋航路定期船.

trans·par·en·cy /trænspǽrənsi, -péər-/ 图 **1** ⓤ 透明(度). **2** ⓒ 透明なもの; 透かし絵[模様]; 透明陽画, スライド.

†**trans·par·ent** /trænspǽrənt, -péər-/ 形 **1** 透明な, 透き通った(↔ opaque); 〈織物が〉透けて見える, 薄い ∥ *transparent* window glass 透明な窓ガラス / a *transparent* curtain 透けて見えるカーテン. **2**《正式》明白な, 見えすいた(obvious) ∥ a *transparent* lie [excuse] 見えすいたうそ[言い訳]. **3**《正式》〈文体などが〉平明な, わかりやすい. **trans·pár·ent·ly** 副 透き通って, 透明に.

tran·spi·ra·tion /trænspəréiʃən/ 图 ⓤ《正式》蒸発, 排出; 秘密の漏れること.

†**tran·spire** /trænspáiər/ 動 ⓘ **1**〈植物・皮膚などが〉水分を発散する, 〈水分などが〉発散する. **2**《正式》[it *transpires* that節]〈秘密などが〉漏れる, 知れわたる. **3**《略式》〈事件などが〉起こる《◆ happen, occur のおぼえる代用語》. ── 他〈植物などから〉〈水分を〉発散する.

†**trans·plant** /-/ trænsplǽnt | -plɑ́ːnt/ 图 ⓒ/ 他 **1**〈花・木などを〉〔…から/…へ〕移植する[from/to] ∥ *transplant* the flowers *to* the garden 花を庭に植え替える. **2**〔医学〕〈器官などを〉〔…から/…へ〕移植する[from/to] ∥ *transplant* a heart 心臓を移植する. **3**〈人・物を〉〔…から/…へ〕移住させる, 移動させる[from/to]. ── 图 ⓒ **1**〔医学〕移植(手術) ∥ She had a kidney *transplant* (operation). 彼女は腎臓移植を受けた. **2** 移植された物[器官, 皮膚, 毛など].

trans·plan·ta·tion /trænsplæntéiʃən | -plɑːn-/ 图 ⓤ **1** 移植(したもの). **2** 移住, 移民.

†**trans·port** /-/ trænspɔ́ːrt/ 動 他 **1**〈人・車などが〉〈人・物を〉(大量に)〔…から/…へ〕輸送する, 運送する, 運ぶ[from/to]《◆ carry, take より堅い語》∥ *transport* oil by tanker 石油をタンカーで輸送する. **2**（文）〔通例 be ~ed〕〔…で〕夢中になる; いっぱいになる[with] ∥ She *was transported* with joy. 彼女は喜びでいっぱいになった. **3**〔歴史〕…を〔国外へ〕追放する[to](cf. deport).
── 图 **1 a** ⓤ（英）輸送, 運送《米）transportation) ∥ air *transport* 空輸 / goods lost *in transport* 輸送中になくなった荷物 / be used for *transport* of freight 貨物輸送に使われる. **b** ⓤ（英略式）輸送手段[機関]; （略式）交通手段((主に米) transportation) ∥ *by* public *transport* 公共の交通機関で / Have you got any *transport*? (車か何か)交通手段がありますか. **c** [形容詞的に] 輸送(用)の ∥ *transport* charges 輸送料 / a *transport* system 輸送システム. **2** ⓒ（軍用)輸送船《軍人・軍需品輸送》; = transport plane. **3** (文) [a ~ / ~s] 夢中, 忘我 ∥ be in *transports* [a *transport*] of joy [rage] 有頂天になっている[激怒している].

transport café /-/《英》(長距離運転手用)軽食堂((米) truck stop).

tránsport cràft 輸送船[機].

tránsport plàne 輸送機.

trans·port·a·ble /trænspɔ́ːrtəbl/ 形 輸送[運送]できる.

†**trans·por·ta·tion** /trænspərtéiʃən | -pɔː-/ 图 ⓤ **1** ⓐ 輸送, 運送; （主に米）輸送機関[手段], 運送業《航空機・船・列車・車など》((英) transport); [形容詞的に] 輸送の ∥ the *transportation* of (the) mail by air 郵便物の空輸 / public *transportation* (主に米) 公共交通機関 / *transportation* authority 交通局 / *transportation* route 輸送ルート / *Do you have any transportation?* (主に米) 乗物がありますか《◆観劇の帰りなどに車のある人に声をかけるときの言葉》. **b** 運送業(transportation business). **2**（主に米）輸送[運送]料; 運賃; 切符 ∥ I get 5,000 yen a month for *transportation*. 1か月5000円の通勤費をもらっている.

transportátion búsiness = 1 b.

trans·port·ed /trænspɔ́ːrtid/ 形 うっとりした.

trans·port·er /trænspɔ́ːrtər/ 图 ⓒ **1** 運送者; 運搬装置; (自動車の運送用)大型トラック. **2** = transporter bridge. **3** = transporter crane.

transpórter brìdge 運搬橋.

transpórter cràne (貨物用)起重機.

trans·pose /trænspóuz/ 動 他 **1**《正式》…を入れ替える, 置き換える. **2**〔音楽〕…を移調する.

trans·po·si·tion /trænspəzíʃən/ 图 ⓒⓤ（位置・順序の)置き換え; 〔文法〕転置(法); 〔音楽〕移調; 〔数学〕移項.

tran·sub·stan·ti·a·tion /trænsəbstænʃiéiʃən/ 名
① 1 変質. 2 〔神学〕全質変化《パンとブドウ酒がキリストの肉と血に変わるという説》.

Trans·vaal /trænsvάːl | trænzvɑːl/ 名 [the ~] トランスバール《南アフリカ共和国の州. 金の産地》.

trans·ver·sal /trænsvə́ːrsl | trænz-/ 形 名 横断線(の).

†**trans·verse** /trænsvə́ːrs | trænz-/ 形 〔正式〕横の, 横切る, 横断の.
　trans·vérse·ly 副 横に, 横切って.

trans·ves·tite /trænsvéstait | trænz-/ 名 形 服装倒錯者(の).

†**trap** /trǽp/ 名 © 1 〔鳥・獣を捕えるための〕(ばねしかけの)わな 〔for〕 ‖ *catch* rabbits *in a trap* わなでウサギを捕える. **2**〔人に対する〕わな; 計略, 策略〔for〕‖ *fall into a trap* わなに陥る / *lead him into a trap* 彼を計略にかける / *set traps* to make a thief confess 泥棒に自白させるためにわなをかける. **3**（排水管の）防臭弁《管をＵ［Ｓ］字形に曲げてある》;（管が詰まらないようにするための）不用物除去装置. **4**（スピード違反取り締まりのための）速度測定場所. **5**〔コンピュータ〕トラップ, 内部割り込み.
　──動（過去・過分 **trapped**/-t/; **trap·ping**）他〈人などが〉〈鳥・獣を〉わなで捕える;〈場所に〉わなを仕掛ける. **2** 略 be ~ped〈人が〉〔…に〕閉じ込められる,〔（身動きのできないような）状況に〕置かれる〔in〕. **3**〈人を〉〔…するように〕だます, 計略にかける〔into doing〕. **4**〈排水管などに〉防臭装置を取り付ける;〈水・ガスなどの〉流れを止める.
　tráp *ìnto* Ａ …を盗聴する.

†**trap·door** /trǽpdɔ̀ːr/ 名 ©（屋根・床などの）落とし戸, 上げぶた.

tra·peze /træpíːz | trə-/ 名 ©（曲芸・体操用の）ぶらんこ.

trap·e·zoid /trǽpəzɔ̀id/ 名 ©〔幾何〕（米）台形;（英）不等辺四辺形.

†**trap·per** /trǽpər/ 名 ©（毛皮を取る）わな猟師.

†**trap·pings** /trǽpiŋz/ 名 [複数扱い] **1** 馬飾り. **2**〔正式〕（官位を示す）装飾, 衣裳; うわべの装飾, 虚飾.

Trap·pist /trǽpist/ 名 ©〔カトリック〕トラピスト会の修道士; [the ~] トラピスト修道会.

trap·shoot·ing /trǽpʃùːtiŋ/ 名 ① クレー射撃《クレーピジョン（鳥をまねた素焼の標的）が空中に発射されるのを撃つ》.

†**trash** /trǽʃ/ 名 ① **1**（米）くず, がらくた《主に英》rubbish）‖ 日本発 In order to solve environmental problems, *trash* in Japan is separated into several types before disposal. 環境問題を解決するために, 日本ではごみは数種類に分別収集しています. **2**〔米俗〕〖集合名詞; 単数・複数扱い〗くだらない人. **3**〔略〕くだらない考え, むだ話,〔文学の〕駄作.
　trásh càn [**contàiner**]（米）（乾いたくず用の）くず入れ《英》dustbin）（cf. garbage can).

†**trash·y** /trǽʃi/ 形（-i·er, -i·est）〔略〕くだらない, 価値のない.

trau·ma /tráumə, trɔ́ː- | trɔ́ː-/ 名（複 ~·ta/-tə/, ~s）① © **1**〔医学〕外傷. **2**〔心理〕心的外傷, トラウマ.

trau·mat·ic /trəmǽtik, trɔː-, trɑː-, trau- | trɔː-/ 形〔心理〕心的外傷をもつ, 心の不快な ‖ It was *traumatic*. それは一生心に残る傷ですね《◆大失敗をした時の悔恨の言葉. 専門用語が一般化したもの》.

†**tra·vail** /trəvéil/ 名 ① 〔正式〕〔しばしば ~s〕骨折り, 労苦; 苦悩, 苦痛. ──動 ① 苦労する.

---

‡**trav·el** /trǽvl/ 《〖『骨折り』が原義. cf. travail》
㊟ travel(l)er 〈名〉
　──動 (~s/-z/; 過去・過分 **~ed** or《英》**trav·elled**/-d/; **~·ing** or《英》**··el·ling**)
　──@〈人などが〉〔…へ〕**旅行する**〔to〕‖ *travel* light 身軽な旅をする / *go traveling* 旅行にでかける / *travel* to Paris パリへ旅行する / *travel abroad* [in Asia] 海外［アジア］旅行をする / *travel* (a)round [over] the world 世界一周の旅行をする / We *traveled* (for) 「500 miles [two months]. 我々は500マイル［2か月間］旅行した. **2**〈人が〉〔…へ〕行く, 通う〔to〕《◆修飾語（句）は省略できない》‖ I *traveled* to Sendai by train. 私は列車で仙台へ行った. **3**〔様態の副詞を伴って〕〈光・音・知らせなどが〉**伝わる**;〈列車・宇宙船などが〉進む, 走る《◆修飾語（句）は省略できない》‖ Sound *travels* through water. 音は水中を伝わる / The train is traveling a hundred miles an hour. その列車は時速100マイルで走っています. **4**〈目が〉〔…を〕次々に見る;〈心が〉〔…に〕次々に思い出す〔over〕. **5**〔会社の〕外交をして回る〔for〕;〔商品の〕セールスをして歩く〔in〕. **6**〔バスケットボール〕ボールを持ったまま3歩以上歩く《◆反則》.
　──他 **1**〈地域を〉(くまなく)旅行する;〈道を〉通る ‖ *travel* Africa from coast to coast アフリカ全土を旅行する (=travel *all over* Africa) / mileage traveled 走行マイル数. **2**〈区域を〉セールスして回る.
　──名（複 ~·s/-z/）**1** ① **旅行**《◆長期にわたる（外国）旅行は複数形で複数扱い》【類語】→ trip》‖ *travel* expenses 旅費 / set out on one's *travels* 旅行に出かける (=go traveling)《◆ ×go on a *travel* とはいわない. cf. go on a journey》/ I came across him during [on, in] my *travels*. 旅行中にひょっこり彼に会った / Did you enjoy your *travels* in China? 中国旅行は楽しかったですか / *Gulliver's Travels*「ガリバー旅行記」. **2** ①〔旅〕旅行者数, 交通量. **3** ① 移動; 進行, 運行.

trável àgency [**àgent's, bùreau**] [the ~; 集合名詞的に] 旅行案内所.

trável àgent 旅行（案内）業者.

trável alàrm（ケース入りの小型）旅行用目覚まし時計.

trável tràiler（旅行用）移動住宅.

†**trav·eled,**《英》**–elled** /trǽvld/ 形 **1**〔正式〕〖通例 well-[much-]~〗〈人かが〉広く旅をした, 見聞の広い;〈道・地域などが〉旅行者の多い. **2**〔地質〕〈石が〉漂移性の.

‡**trav·el·er,**《英》**–ler** /trǽvələr/《→ travel》
　──名（複 ~·s/-z/）© **1**〔正式〕**旅行者**, 旅人《◆tourist の方がふつう》‖ a *traveler's* tale ほら話《◆旅行者がしばしば大げさな話をすることから》‖ The old palace attracts many *travelers*. その古い宮殿は多くの旅行者を引きつける. **2**（英）（商社の）外交員, セールスマン (traveling salesman).

tráveler's chèck [《英》**chéque**] 旅行者用小切手.

trav·el·ing,《英》**–el·ling** /trǽvliŋ/ 形 旅行する; 巡業をする. ──名 ① 旅行; 巡業; 移動 ‖ I did a lot of *traveling* when I was young. 若いころずいぶん旅行した.

tráveling bàg 旅行かばん.

‡**trav·el·ler** /trǽvələr/ 名《英》=traveler.

trav·el·sick /trǽvlsìk/ 形 乗物に酔った.
trável·sìck·ness 名 U 乗物酔い.
trav·el-worn /trǽvlwɔ̀ːrn/ 形 旅疲れした.
†**tra·verse** /trəvə́ːrs/ 動 trǽvərs/ 動 他《正式》**1**〈人などが〉〈場所〉を横断する,渡る,越える(cross); 〈橋が〉〈川など〉にかかる || traverse the plains in covered wagons ほろ馬車で平原を横断する. **2** …をあちこち動く,交差する. **3**〈山など〉をジグザグに登る[スキーで滑降する]. ── 自 **1** 横断する,横切る. **2** 前後に動く,ジグザグに動く. ── 名 **1** 横切ること,横断(旅行). **2** 横切るもの,横断物; 横木. **3** [登山] ジグザグに登ること; ジグザグ道; トラバース《山腹を横切って進むこと》.
trav·er·tine /trǽvərtìn | -tin/ 名 U [鉱物]温泉沈殿物,traverti 石灰華.
trav·es·ty /trǽvəsti/ 名 C《正式》**1**(まじめな文学作品・主題の)戯画化,パロディー. **2**(一般に)にせ物,こじつけ,曲解. ── 動 他 …を滑稽(ニネ)化[戯画化]する.
†**trawl** /trɔːl/ 名 C **1** =trawlnet. **2**《米》=trawl line.
── 動 自 **1** トロール漁業をする. **2** 引きなわ釣りをする. ── 他〈魚〉をトロール網で取る;〈トロール網〉を底引きする;〈場所〉を[…を求めて]トロール漁をする[for].
trawl line /trɔ́ːllàɪn/ 名(=setline).
tráwl nèt =trawlnet.
tráwl·er 名 C トロール船.
trawl·net /trɔ́ːlnèt/, **tráwl nèt** 名 C トロール網,底引き網.
†**tray** /treɪ/ 名 C **1** [しばしば複合語で] 盆,トレー;(ふちの浅い)盛り皿て || a pén-tràyペンざら / a téa-tràyお茶盆. **2** 料理をのせた盆;[通例 a ~ of +U 名詞] 盆ひと盛り分の… (trayful) || a breakfast tray朝食をのせた盆 / a tray of food 盆ひと盛りの食物. **3**(トランク・たんすなどの)仕切り箱,かご;(書類・標本用などの)整理箱 || in [out] tray《書類・手紙などが》未決[既決](の).
tráy·ful /tréɪfʊl/ 名 C 盆に1杯(分)の.
†**treach·er·ous** /trétʃərəs/ 形《正式》**1**〈人・行為などが〉裏切りの(disloyal);〈人が〉〔人に〕不誠実な,背く,[人を] 陥れる[to](↔ loyal) || a treacherous act 裏切り行為. **2** 天候・記憶などがあてにならない;〈岩・水流などが〉危険な,油断できない || treacherous weather あてにならない天気 / a path treacherous with mud 泥で滑りやすい小道.
tréach·er·ous·ly 副 裏切って,不実に.
†**treach·er·y** /trétʃəri/ 名(複 -ies) **1** U 裏切り,不信,背信,反逆(treason). **2** C《通例 treacheries》裏切り[背信]行為.
trea·cle /tríːkl/ 名 U **1**《英》糖みつ(《米》molasses);シロップの一種. **2** 甘い言葉,甘ったるい感情.
*†**tread** /tred/《発音注意》[『足で踏む』が原義. cf. trace]
── 動 (~s/trédz/, 過去 trod/trɑd | trɔd/ or ~ed /-id/ or《古》trode /tróʊd/, 過分 trod or trod·den /trɑdn | trɔdn/; ~ing)
── 自 **1** 〈…に〉踏む;踏みつける[つぶす];〔感情を〕踏みにじる[on, upon] || tread on his foot(誤って)彼の足を踏む(◆会話では step の方がふつう). **2**《人が》歩く,歩いていく(walk) || tread lightly [softly, cautiously] そっと歩く;慎重に[扱う] / tread through the grass 芝地を歩いていく. **3**〈雄鳥が〉〈雌鳥と〉つがう[with].
── 他 **1** …を踏む, …を[…に]踏みつける(+down, out)[on]; …を踏んで作る || tread grapes to make wine ワインを作るためにブドウを踏みつける / tread out a riot 暴動を鎮圧する / tread (out) the juice from grapes ブドウを踏んでジュースを絞る / tread down her feelings《文》彼女の感情を踏みにじる.
2《正式》〈人が〉…を歩く,歩いていく || tread the streets 通りを歩く / tread the path of virtue 有徳の道を歩く,善に生きる.
tread A in B 名 B に A〈穴〉を踏みあける.
── 名 **1**《文》[a/the ~;通例修飾語を伴って] 歩くこと;足取り,足音(cf. step) || walk with a heavy [cautious] tread ドシンドシンと[そっと]歩く / hear a loud tread on the stairs 階段にやかましい足音が聞こえる. **2** C(階段・はしごの)踏面(ひぅ),踏み板(tread-board)(cf. riser);踏み幅. **3** U C(タイヤの)接地面,トレッド;(タイヤのトレッドの)溝形模様.
trea·dle /trédl/ 名 C(ミシン・旋盤・自転車などのペダル,踏み板. ── 動 自 ペダル[踏み板]を踏む.
tread·mill /trédmìl/ 名 C **1**(動物が無限ベルトを踏んで動かす)足踏み水車. **2** [the ~] 踏み車(の罰)《◆昔,刑罰として踏ませた》. **3** U (踏み車のように)単調[退屈]な仕事.
†**trea·son** /tríːzn/ 名 U(国家・統治者に対する)反逆(罪) || high treason 大逆罪.
trea·son·a·ble /tríːznəbl/ 形 =treasonous.
trea·son·ous /tríːznəs/ 形《正式》**1** 反逆の,大逆の. **2** 裏切りの,不信の.
treas·ur·a·ble /tréʒrəbl/ 形 貴重な,高価な.
†**trea·sure** /tréʒər/《発音注意》名 **1** U C 財宝,宝物; U 富,財産 || go to the island looking for treasure その島へ宝捜しに出かける / My greatest treasure is a necklace. 私のいちばんの宝物はネックレスです. **2** C 貴重品,重要品 || Art treasures are on exhibition in the gallery. 貴重な美術品が展示してある. **3** C《略式》大事[貴重]な人;最愛の人,かわいい人 || She is a treasure for us at the office. 彼女は事務所になくてはならない人だ / 日本発》The designation of a living national treasure [ningen kokuhō] is given to those individuals who have excelled in traditional Japanese arts and crafts. 人間国宝は日本の伝統芸能や伝統工芸に卓越した能力を持った人に与えられる称号です.
── 動 他《正式》**1**〈人が〉〈物〉を(宝として)蓄える,大切に保存する;〈物〉を(将来のために)取っておく;〈思い出など〉を心にしまっておく || treasure up gold and silver 金銀を蓄える / I'll treasure your kind words. 親切なお言葉は大事にし心に刻み付けておきます. **2**〈人が〉〈人・物・事〉を大事にする,重んじる,尊ぶ || He treasures the model plane more than all his other toys. 彼は他のどのおもちゃよりも模型飛行機を大事にしている.
tréasure hòuse 宝庫,宝物庫.
tréasure hùnt 宝捜し;隠された物を捜し出す遊び.
tréasure hùnter(沈没船などの)宝探しをする人.
Tréasure Státe《愛称》[the ~] 宝の州(→ Montana).
tréasure tròve(知識などの)宝庫.
†**trea·sur·er** /tréʒərər/ 名 C(会社・クラブなどの)会計[出納]係;(州・市などの)収入役,出納官.
tréa·sur·er·ship 名 U 会計[出納]係の職.
†**trea·sur·y** /tréʒəri/ 名 C **1** 宝庫,宝物庫 || a treasury of wisdom 知識の宝庫. **2** C 基金,資金;国庫,公庫. **3** [the T~;単数・複数扱い]《米》財

treat /tríːt/ [発音注意] 『「引く」が原義. cf. tract』
㋐ treatment (名), treaty (名)

index
動 他 1 扱う 2 みなす 3 治療する 4 処理する 5 論ずる 6 おごる
自 1 論ずる
名 1 楽しみ 2 おごり

──動 (~s/tríːts/) (過去・過分) ~·ed /-id/, ~·ing
──他

Ⅰ [扱う]

1 〈人などが〉〈物・人・動物〉を〔…のように/…として〕扱う, 待遇する〔like/as〕《◆様態の副詞(句)を伴う》‖ treat a new car with care 新車を大事に扱う / treat animals kindly [cruelly] 動物をやさしく扱う[虐待する] / treat him with respect 敬意をもって彼を遇する / Don't treat me like a child. ぼくを子供扱いするなよ / She was treated as a state guest. 彼女は国賓扱いだった.

2 [treat A as C] 〈人が〉A〈言葉・事など〉を C とみなす《◆C は名詞・形容詞》‖ He treated it as important [a joke]. 彼はそれを重大なこと[冗談]だと彼は思った.

Ⅱ [ある対象に応じた扱いをする]

3 〈人が〉〈病人・病気〉を**治療する**, 手当てする; 〈人〉の〈病気〉を治療する〔for〕《◆修飾語(句)は省略できない》‖ have one's bad teeth treated 虫歯を治療する / Which doctor is treating you for (your) rheumatism? どの医者があなたのリューマチの治療にあたっていますか.

┌─ 使い分け [treat と cure] ─────────────┐
│ cure と treat は治療の程度の差で, cure は「(病
│ 気やけがなどを完全に)治す」の意. treat は「(歯など
│ の痛みを和らげるために一部を)治療する」の意.
│ Unfortunately, I cannot *cure* your disease.
│ I can only *treat* the symptoms. (医者のせりふで) 不幸にも病気を完全に治すことができませんが, 症状の治療はできます.
└─────────────────────────────┘

4 〈人が〉〈物〉を〈化学薬品などで〉**処理する**〔with〕《◆修飾語(句)は省略できない》‖ treat a metal plate with acid 金属板を酸で処理する.

5 《正式》〈人が〉〈問題など〉を**論ずる**, …について述べる ‖ The subject will be treated in the second chapter. その問題は第2章で論じられる.

6 〈人が〉〈人〉に〔…を〕**おごる**〔to〕; 〈選挙人〉を(買収の目的で)供応する ‖ He treated me to a drink. 彼が1杯おごってくれた《◆ He bought me a drink. がふつう》/ I'll treat you to a trip. 君に旅行させてやろう / She treated herself to 'a new dress [a few months of analysis]. 彼女は奮発して服を新調した[思い切って数か月精神分析療法を受けた] / I was treated to a good dinner. 私は豪華な食事にありついた.

──自 **1** 《正式》〈本などが〉〔…を〕**論ずる**, 扱う(deal with, discuss)〔of〕‖ This book treats of politics. この本は政治学を論じたものです.

2 《正式》〔…と/…のことで〕交渉する, 取引する(negotiate)〔with/for〕‖ Neither side in the dispute was willing to treat with the other. 紛争中の双方がお互いに進んで交渉しようとはしなかった.

3 (人に)おごる; (選挙人を買収目的で)供応する ‖ I'll treat today. きょうはぼくがおごるよ.

──名 (㉜ ~s/tríːts/) **1** ⓒ (通例 a ~) **楽しみ**, 喜び; 喜びを与えてくれるもの[催し] ‖ Living in the country is *a treat to* me. 田舎の生活は私には楽しい / The muffin was always *a treat for* me. そのマフィンはいつも楽しみだった.

2 (やや古) [one's ~] **おごり**; おごり番 ‖ This is my treat. これはぼくのおごりです《◆ This is on me. (→ on 前 14) / Let me pay for this. などがふつう》.
stánd tréat 《略式》おごる.

†**trea·tise** /tríːtəs | -tiz, -tis/ 名 ⓒ 《正式》〔…に関する〕(学術)論文(paper), 専門書〔on, upon〕.

*‡**treat·ment** /tríːtmənt/ 名 (㉜ ~s/-mənts/) **1** Ⓤ **治療**; ⓒ 〔…の〕**治療法**〔for〕‖ an effective *treatment for* hay fever 花粉症の効果的治療法 / be under the doctor's *treatment* [care] その医者にかかっている.

2 Ⓤ **取り扱い**, 待遇 ‖ They received (the) cold treatment from the boss at the office. 彼らは会社で社長から冷遇された.

3 Ⓤ 《正式》(問題の)論じ方; (化学薬品などによる)処理 ‖ the *treatment* of a metal plate with acid 酸による金属板の処理.

*‡**trea·ty** /tríːti/ 名 (㉜ -ties/-z/) **1** (時に T~) ⓒ (国家間の)**条約**, 協定, 盟約; 条約文書 ‖ *conclude* [*make*] a péace tréaty *with* … …と平和条約を結ぶ. **2** Ⓤ 《正式》(個人間の)交渉; 約束 ‖ be *in* treaty *with* him *for* … 彼と…のことで交渉中である.
tréaty pòrt (中国・日本などにあった)条約に基づく開港場, 条約港.

†**tre·ble** /trébl/ 形 **1** 3倍の, 三重の, 三様の (cf. double) ‖ She earns *treble* my wages. 彼女は私の給料の3倍ももかせぐ《◆ all, both と同様に冠詞などの前に置く》. **2** 《音楽》〈声・楽器などが〉(最)高音部の, ソプラノの **3** 〈声などが〉調子の高い, かん高い.
──名 **1** ⓒ 3倍[三重]のもの. **2** 《音楽》Ⓤ 最高音部, ソプラノ; ⓒ 最高音部の声[歌手, 楽器]. **3** ⓒ かん高い声[音].
──動 他 …を3倍[三重]にする. ──自 3倍[三重]になる.

tréble chánce 《英》[the ~] トレブルチャンス《サッカー試合の引き分け数と勝ち数を予想する一種の賭博(とばく)》.

tréble clèf 《音楽》高音部記号, ト音記号.

tre·bly /trébli/ 副 三重に.

‡**tree** /tríː/
──名 (㉜ ~s/-z/) ⓒ **1 木**, 樹木, 立ち木; (低木に対して)高木(arbor)《◆生命・避難所などの象徴; 木のように高く成長する草にも用いられる. 「低木は bush, shrub; 「引き材」は《主に米・カナダ》lumber, 《英》 timber; 「丸木」は log」》‖ cut down *tree* for timber 材木用に木を切り倒す / *A tree is known by its fruit*. (ことわざ) → know 他 10.

┌─ 関連 [木の各部の名称] ──────────┐
│ bark 樹皮 / bough 大枝 / branch 小枝 / fork
│ 幹や枝のまたの部分 / leaf 木の葉 / roots 根 / sap
│ 樹液 / stump 切り株 / trunk 幹 / twig 細枝.
└────────────────────────┘

2 [通例複合語で] 木製の柄; (いろいろな用途の)木,

木製のもの ‖ a boot *tree* (形を保つための)靴型 (shoetree) / a saddle *tree* 鞍(š)骨[枠(š)]. **3** 樹形状のもの;樹形図 ‖ a family [genealogical] *tree* 系図 / a *tree* díagram [言語]枝分かれ図.

bárk úp the wròng trée (略式) [通例進行形で] 見当違いなことをする, おかど違いの非難をする. ── 動 ❶ 〈人・動物〉を木の上に追いつめる. **2** (米略式)〈…〉を困った立場に追い込む. ── 自 木に逃げ登る.

trée·less 形 樹木のない.

tree·nail /tríːneɪl, trénl, trʌ́nl/ 名 (木+) 木くぎ.

†**trée·top** /tríːtɑ̀p | -tɔ̀p/ 名 [主に正式] [通例 ~s] こずえ.

tre·foil /tríːfɔɪl, tré-/ 名 **1** [植] シャジクソウ, シロツメクサ, ウマゴヤシ. **2** [建築] トレフォイル, 三つ葉模様 [飾り] (cf. tracery); [紋章] 三つ葉葉.

trek /trék/ 動 (過去・過分) **trekked**/-t/; **trek·king**) 自 **1** ゆっくり[難儀して]旅行する. **2** (南ア)牛馬で旅行する. **3** (略式) 歩いて行く. ── 他 (南ア) 〈牛などが〉〈車〉を引く. ── 名 C **1** (長くつらい)旅; 旅の1行程 ‖ ‛Star *Trek*' 「スタートレック」《米の人気 SF番組》. **2** (略式)(徒歩による)小旅行, 山麓歩き, トレッキング.

†**trel·lis** /trélɪs/ 名 **1** C 格子. **2** C U (ブドウ・ツタなどをはわせる)格子, つる, つる格子作りのあずま屋. ── 動 **1** …に格子をつける. **2** …を格子(垣)で囲む; 〈つる植物〉を格子で支える.

trel·lis·work /trélɪswə̀rk/ 名 =latticework.

★**trem·ble** /trémbl/ [「ぶるぶる動く」が本義] 源 tremendous (形) ── 動 (~s/-z/; 過去・過分) ~d/-d/; **trem·bling**) 自 **1** 〈人・手足などが〉〈恐怖・興奮・怒りなどで〉(ひどりに)震える, 身震いする, おののく (with, from, at) 語法 → shake (自) **2** ‖ *tremble* with fear 恐怖でおののく / *tremble at* the traffic accident 交通事故に身震いする.
2 〈…〉に気をもむ, 〈…〉を心配する (for); 〈…〉と考えると心配になる (to do).
3 〈地面・建物などが〉震動する, 〈木の葉などが〉揺れる, そよぐ; 〈輪郭などが〉震える ‖ The leaves *trembled* in the breeze. 木の葉が風にそよいだ.
── 名 (複 ~s/-z/) [a/the ~] 震え, おののき, 身震い; 振動, 揺れ ‖ He was all (of) a *tremble*. (英略式)(心配・興奮などで)全身がぶるぶる震えていた (= He was *trembling* all over.) / There was a *tremble* in her small voice. 彼女の小さな声は震えていた(◆ この文では tremor が 用いられる).

trem·bling·ly /trémblɪŋli/ 副 震えて, 振動して; おのので.

†**tre·men·dous** /trɪméndəs/ 形 **1** すさまじい, ものすごい, 恐ろしい ‖ *tremendous* crimes committed in a war 戦争で犯した恐ろしい犯罪 / a *tremendous* explosion すさまじい爆発. **2** (大きさ・量・程度などが)とても大きい, 巨大な, 莫(š)大な (enormous) ‖ a *tremendous* appetite ものすごい食欲 / make *tremendous* progress in skiing スキーがとても上手になる. **3** (略式) すてきな, すばらしい (wonderful); 並はずれた (extraordinary) ‖ a *tremendous* time at a party パーティーでのすばらしいひととき.

†**tre·men·dous·ly** /trɪméndəsli/ 副 **1** すさまじく, ものすごく, 恐ろしく. **2** (略式) とても, 非常に, 猛烈に (◆ very の強意語) ‖ It's *tremendously* interesting. それはとても面白い.

trem·o·lo /trémǝlòu/ [イタリア] 名 (複 ~s) C [音楽] **1** トレモロ. **2** (オルガンの)トレモロ[震音]装置. **3** (声楽での)ビブラート, 震え声.

†**trem·or** /trémǝr/ 名 C [正式] **1** (地面などの)震動, 揺れ(shake). **2** (光などの)ゆらめき, 微動. **3** (恐怖・病気・興奮などによる)震え, 身震い, 声の震え.

†**trem·u·lous** /trémjələs/ 形 [正式] **1** 震える, おののく. **2** 臆(š)病な, 神経質な.

†**trem·u·lous·ly** /trémjələsli/ 副 [正式] 震えて, びくしくして.

†**trench** /tréntʃ/ 名 C **1** [軍事] [しばしば ~es] 塹壕(šgš). **2** (深い)溝, 堀, (細長い)くぼみ ‖ dig *trenches* for irrigation 灌漑(šnǵ)用の溝を掘る. **3** [地理] 海溝.
── 動 他 **1** …に溝[堀, 塹壕]を掘る. **2** …を溝[堀]で囲む; …を塹壕で守る. ── 自 溝[堀, 塹壕]を掘る.

trench còat トレンチコート《ベルト付きダブルのレインコート》.

trench·ant /tréntʃənt/ 形 [正式] **1** 〈言葉などが〉痛烈な, 辛辣(šgš)な, 鋭い. **2** 〈政策などが〉厳しい, 強力な; 効果的な. **3** 〈輪郭などが〉はっきりした, 明確な.

trench·er /tréntʃər/ 名 C **1** [歴史] 木皿; 食事. **2** 食卓で肉を切り分ける人.

trench·er·man /tréntʃərmən/ 名 (複 -men) C 食べる人 ((PC) eater), (文) 大食家 ((PC) hearty eater).

†**trend** /trénd/ 名 C **1** [正式] (川・道路などの)方向 (direction), 傾き (bent) ‖ The hills have a western *trend*. 丘は西に向いている. **2** 〈…への〉の点での〉傾向, 趨勢(š), 動向, 風潮 (toward/in) ‖ a *trend toward* smaller cars より小さい車を求める傾向. **3** (…の) 流行, はやり (in) (◆ 今は fashion がふつう) ‖ set the latest *trend in* clothes 服の最新流行を作り出す.
── 動 自 [正式] **1** 〈川・道路などが〉(ある方向に)向かう, 傾く, 向く (to, toward). **2** 〈事態・考え方などが〉〈…〉に傾向がある (toward).

†**trend·y** /tréndi/ 形 (**-i·er**, **-i·est**) 〈人・物・事が〉最新流行の, 流行を追う, トレンディな. ── 名 C [主に英略式] 最新流行を追う人.

Tren·ton /tréntn/ 名 トレントン《米国 New Jersey 州の州都》.

tre·phine /trɪfáɪn | -fíːn/ [医学] 名 C 動 他 冠状のこぎりで…を手術する.

†**trep·i·da·tion** /trèpɪdéɪʃən/ 名 U [正式] おののき, 恐怖; 不安, 動揺, 狼狽(š).

†**tres·pass** /tréspæs, (米+) -pəs/ 動 自 **1** [法律] 〈土地・建物など〉に不法侵入する (on, upon) ‖ You are *trespassing on* my land. あなたは私の土地に不法侵入している. / "No Trespassing." (掲示)「立入禁止」. **2** [正式] 〈他人の権利・生活・時間などを〉侵害[じゃま]する; 〈好意などに〉つけ込む (on, upon) ‖ *trespass* on his hospitality 彼の好意につけ込む.
── 名 **1** U C [法律] (財産・権利への)不法侵害; (身体に対する)暴力行使; (土地・家屋への)不法侵入; 侵害訴訟. **2** U [正式] (他人の時間・生活への)侵害, 切害, 迷惑.

trés·pass·er 名 C 侵入者; 侵害する人.

†**tress** /trés/ 名 **1** [~es] (女性の)ふさふさした髪. **2** C (女性の)髪のひと房, 編んだ髪.

tres·tle /trésl/ 名 C **1** 架台, うま《2つ並べて板を渡しテーブル代わりにする》. **2** (鉄道・道路を支える橋として用いる)構脚.

tréstle bridge 構脚橋.

tréstle tàble 架台式テーブル.
tréstle wòrk 構脚構造；トレッスル橋.
tri- /trai-/ 〔語要素〕→語要素一覧(1.1).
tri・a・ble /tráiəbl/ 形 1 試される［証明される］ことができる. 2 〔法律〕公判[審問]に付せられる.
tri・ad /tráiæd, -əd/ 名 1 〔まれ〕[the ~; 集合名詞] 3つ組, 3人組. 2 〔音楽〕三和音.
†**tri・al** /tráiəl/ 名 1 ⓤⓒ 試み, 試し, 試験 ‖ *give* a new car *a trial = put* a new car *to trial* 新車を試運転してみる / *have* a *trial* of strength with ... ...と力だめしをする / *make* a *trial* やってみる / pass the exam on one's second *trial* 2度目で試験に合格する. 2 ⓤⓒ 〔犯罪などに対する〕裁判, 公判, 審判〔*for*〕‖ a public *trial* 公判 / *bring* him *to trial = bring* him *up for trial = put* him *on trial* 彼を裁判にかける / The bribery case will *come to trial* next month. その汚職事件は来月公判を迎えます / The case is *under trial*. その訴訟事件は公判中である. 3 ⓤⓒ 試練, 苦労, 苦難 ‖ a bitter *trial* 苦しい試練 / *trials* and tribulations 苦難, 辛苦 / in time of *trial* 試練の時の[に] / be *under* a *trial* 試練を受けている / Her life has been full of *trials*. 今までの彼女の人生は苦難に満ちたものだった. 4 [a ~] 〔...にとって〕やっかいな人[物], うるさい人[物]〔*to*〕‖ She is *a trial* to her parents. 両親は彼女に手をやいている.
(**by**[**through**]) **tríal and érror** 試行錯誤(で[をくり返した末に]).
on tríal (1) 〔...の容疑で〕裁判にかけられる〔*for*〕‖ go [be put] *on trial* for theft 盗みの容疑で裁判にかけられる. (2) 試しに, 試験的に; 試してみると, 試験の結果では ‖ He took the car *on trial*. 彼は試しにその車に乗ってみた / She was found *on trial* to be competent. 使ってみた結果, 彼女は有能であることがわかった.
stánd (one's) **tríal** 〔...の罪で〕裁判を受ける〔*for*〕.
── 形 1 試験的な, 試験的に行なわれる; 〔スポーツ〕予選の ‖ a *trial* flight 試験飛行 / a *trial* game 予選試合 / a *trial* offer 試験的提供《◆見本誌[品]の送付など》. 2 裁判[公判, 審理]の.
tríal rùn 〔乗り物の〕試運転, 試乗, 〔一般に〕試験, 実験 ‖ *màke* a *tríal rún* 試運転をする.
†**tri・an・gle** /tráiæŋgl/ 名 ⓒ 1 三角形 ‖ a 90 degree [a right-angled] *triangle* 直角三角形. 関連 base 底辺 / altitude 高さ / side 辺 / vertex 頂点. 2 三角形をしたもの. 3 〔音楽〕トライアングル. 4 3つ組, 3人組; (男女の) 三角関係(the eternal triangle). 5 《米》三角定規(《英》set square).
†**tri・an・gu・lar** /traiǽŋgjələr/ 形 1 三角の; 三角形[柱, 錐(ⁿ)]の ‖ *triangular* numbers 〔数学〕三角数. 2 〔正式〕〈競技・条約などの〉3者(間)の.
Tri・as・sic /traiǽsik/ 〔地質〕名 [the ~] 三畳紀(系)《三畳紀の岩石》.
── 形 三畳紀(系)の; その紀の岩石の.
tri・ath・lon /traiǽθlən/ -lən, -lɑn/ 名 ⓤ トライアスロン《1人で遠泳・自転車走行・マラソンを連続して行ない, 総合成績を競う競技》.
†**trib・al** /tráibl/ 形 種族の, 部族の.
†**tribe** /tráib/ 名 ⓒ 〔通例 the ~; 集合名詞; 単数・複数扱い〕1 種族, 部族 ‖ American Indian *tribes* アメリカ先住民諸部族. 2 〔動・生物〕族, 類. 3 〈共通の特徴・職業・思想などをもつ〉仲間, 集団, 連中.
tribes・man /tráibzmən/ 名 (⑯ ~・**men** /-mən/) [女性形] ~**wom・an**) ⓒ 種族の一員, 部族民(《PC)

tribal member, member of a tribe).
†**trib・u・la・tion** /trìbjəléiʃən/ 名 ⓤⓒ〔正式〕苦難, 苦しい試練; 深い悲しみ; 苦労の種.
†**tri・bu・nal** /traibjúːnl, tri-/ 名 ⓒ〔正式〕裁判所, 法廷 (court).
†**tri・bune** /tríbjuːn/ 名 1 ⓒ〔ローマ史〕護民官;《6人で2か月ずつ交替で指揮する》軍団司令官. 2 ⓒ 人民の権利・利益の擁護者; 民衆の指導者. 3 [*The ... T~*; 新聞名で] ...トリビューン.
†**trib・u・tar・y** /tríbjətèri/ -təri/ 名 ⓒ 1 (川の)支流. 2〔正式〕[...に]貢物を納める人[国];〔...の〕進貢国, 属国〔*to*〕. ── 形 1〔...の〕支流の, 支線の〔*to*〕‖ *tributary* streams 支流. 2〔正式〕〈国家・支配者などが〉貢物を納める[求められる];〔...の〕属国の〔*to*〕.
†**trib・ute** /tríbjuːt/ 名 ⓒⓤ 1 (保護・平和の代償として他国などへの)貢物(ⁿ), 貢; 年貢 ‖ *pay tribute to* the ruler 支配者に貢物を差し出す. 2〔正式〕〔...に対する〕賛辞, 感謝[賞賛, 尊敬]の印(gratitude), 贈り物〔*to*〕; [a ~]〔...を示す〕証拠, あかし〔*to*〕‖ She received numerous floral *tributes*. 彼女は数多くの花の贈り物を受け取った. 3〔正式〕(一般に) 強制的な支払い[納付金].
trice /tráis/ 名 ⓒ 瞬間《◆次の成句で》.
in a tríce 〔略式〕またたく間に, たちまち.
tri・ceps /tráisɛps/ 〔解剖〕名 (⑯ **tri・ceps**, ~・**es**) ⓒ 形 (上腕の)三頭筋(の).
*****trick** /trík/ 〔「欺く」が原義〕
── 名 (⑯ ~**s** /-s/) ⓒ
Ⅰ [策略]
1 計略, 策略, たくらみ, ごまかし ‖ use every *trick* あの手この手を使う / He got the money from her *by a trick*. 彼は彼女の金を彼女からだましとった / The telegram was a *trick* to get her to come home. その電報は彼女を帰郷させるための手であった.
2〔しばしば play a ~〕〔人に対する/物での〕(悪意のない) いたずら, わるさ, 悪ふざけ〔*on, upon / with*〕‖ Let's *play a trick on* her, shall we? 彼女にひとついたずらをしてやろうじゃないか.
Ⅱ [策略に用いる手段・方法]
3 芸当, 妙技; 手品, 奇術; トリック ‖ do magic *tricks* 手品をする / *like* a magic *trick* 手品のように; いとも簡単に / Can your dog *do tricks?* あなたの犬は芸当ができますか / You can't teach an old dog new *tricks*.〔ことわざ〕老犬に新しい芸当を教えることはできない; 老人は新説に従い難い.
4《略式》〔通例 a/the ~〕〔...する〕こつ, 秘訣, 要領〔*of* [*for*] *doing*〕《◆*knack* より口語的》‖ *a trick* [*the tricks*] *of* the trade 商売のこつ / ⓒ対話 "The door won't open." "There's *a trick* to it. Slide it up, and it can easily go."「ドアが開かないのです」「こつがあるんよ. 持ち上げてごらん. 簡単に開けますよ」. **5**〔...する〕癖, 習慣, 特徴〔*of doing*〕《◆*habit* より口語的》. **6**〔トランプ〕トリック《ブリッジなどの1回のプレイ》; 1回の得点; 1回に出された札.
trick or tréat《主に米》お菓子ちょうだい, くれないといたずらするよ(→ Halloween).
── 形 [名詞の前で] 1 芸当[手品, トリック]の; 手品[トリック]用の ‖ a *trick* dog 芸当ができる犬 / *trick* cards 手品用トランプ札. 2《米》〈関節が〉がくがくする ‖ a *trick* knee がくっとなるひざ. 3〈試験問題などが〉落とし穴のある, 迷わせる.
── 動 (~**s** /-s/; 〔過去・過分〕 ~**ed** /-t/; ~**・ing**)
── ⑯ 1〈人が〉〈人〉を〔...するように〕だます, かつぐ

trickery

[into (doing)] ‖ She was *tricked* out of her money. 彼女は金をだまし取られた / He *tricked* her *into* buy*ing* a used car. 彼は彼女をだまして中古車を買わせた. **2** 〔文〕〈人・物を〉[…で]飾りたてる (+*out*, *up*) [*in*] ‖ She was *tricked up* in jewels. 彼女は宝石で飾りたてた.
— 自 だます; いたずらをする.

trick・er・y /tríkəri/ 名 U C 〔正式〕ぺてん, ごまかし, 詐欺; 計略, 策略 (trick).

✝**trick・le** /tríkl/ 動 自 **1**〈液体が〉少しずつ流れる (+*away*, *in*, *out*);〈血・涙・雨などが〉[…を/から]したたり落ちる, ポタポタ落ちる [*down/from*] ‖ Tears [Blood] *trickled down* his face. 涙[血]が彼の顔からポタポタ落ちた. **2**〈人が〉少しずつ来る[行く, 進む, 動く]; 〈情報などが〉徐々に伝わる (+*away*, *in*, *out*). — 他〈水などを〉[…に]したたらす, 少しずつ流す [*into*]. — 名 C 〔通例 a ~〕**1** したたり, しずく; 細流; 少量, 少数. **2**〈人・物などの〉ゆっくりとした動き [流れ].

trick・ster /tríkstər/ 名 C 〔やや古〕手品師, ぺてん師, 詐欺師.

trick・sy /tríksi/ 形 (--si・er, --si・est) **1** いたずら好きな, ふざける. **2** =tricky **2**.

trick・y /tríki/ 形 (--i・er, --i・est) **1**〈人・行為などが〉狡猾(ご)な, 油断のならない. **2**〔略式〕〈問題・仕事などが〉つかみにくい, 扱いにくい, 落とし穴のあることがある (difficult) ‖ Mine sweeping is *tricky* work to do. 地雷除去は油断の許されない作業だ.

✝**tri・col・or**, --**our** /tráikʌlər | tríkələ/ 形 **3** 色の. — 名 C 三色旗〔the T~〕 フランス国旗.

tri・cot /tríkou | tríkou/ 〔フランス〕 名 U **1** トリコット《毛糸・絹・ナイロンなどの手編物》; それに似た織物. **2** トリコット, トリコ《一種のうね織り. 婦人服地などにする》.

tri・cus・pid /traikʌspid/ 形 **1**〈歯が〉三尖(ぱ)の. **2**〔解剖〕〈心臓の〉三尖弁の ‖ the *tricuspid* valve 三尖弁. — 名 C **1**〈歯の〉三尖頭. **2** 三尖弁.

tri・cy・cle /tráisikl/ 名 C **1**〈子供用〉三輪車 (《略式》 trike) (cf. monocycle, bicycle) ‖ ride [be on] a *tricycle* 三輪車に乗る. **2** オート三輪 (tricar). — 動 自 三輪車 [オート三輪] に乗る.

tri・dent /tráidnt/ 名 C **1** 三つ又の道具 [武器]. **2**〔ギリシャ神話・ローマ神話〕三つ又のほこ《◆海神 Poseidon [Neptune] の標章》.

tried /tráid/ 動 try の過去形・過去分詞形.
— 形 試験 [経験] 済みの, 信頼できる.

tri・en・ni・al /traiéniəl/ 形 **1** 3 年続く. **2** 3 年ごとの, 3 年ごとに起こる (cf. annual, biennial). — 名 C **1** 3 年ごとの行事, 三年祭. **2**〔カトリック〕三年忌.

tri・er /tráiər/ 名 **1**〔略式〕努力家, 常に最善を尽くす人. **2** 試験官, 実験者; 審査官.

✝**tri・fle** /tráifl/ 名 **1** C くだらない物, つまらない物; ささいな事 ‖ stick at *trifles* つまらぬ事にこだわる / quarrel over *trifles* ささいな事でけんかする / Don't waste your time on *trifles*. くだらないことに時間を浪費するな. **2** [a ~] 少量; わずかな金; 〔正式〕〔副詞的に〕少し, ちょっと ‖ *a trifle of* sugar 少量の砂糖 / It will cost you only *a trifle*. お安いですよ / I'm *a trifle* tired. 私ちょっと疲れています. **3** C U〔英〕トライフル《スポンジケーキ・フルーツ・クリームなどで作った菓子》. — 動〔正式〕自 **1**〈人を〉いいかげんに扱う, 軽くあしらう; 〔他人の感情などを〕もてあそぶ;〈物を〉いじくる (toy) [*with*] ‖ *trifle with* a woman's affections 女の愛情をもてあそぶ. **2** 時間を浪費する, ぶらぶら過ごす. — 他〈時間・金などを〉[…に]浪費する (waste) (+*away*) [*on*].

tri・fler /tráiflər/ 名 C ふざける人 [いいかげんな人, 軽薄な人].

✝**tri・fling** /tráifliŋ/ 形 〔正式〕 **1** くだらない, つまらない (unimportant) ‖ This is no *trifling* matter. これは重大なことです. **2**〈人・行為などが〉ふざけた, 軽薄な. **3** わずかな, 少しの ‖ a *trifling* sum わずかな金額.

trí・fling・ly 副 ふざけて; 軽薄に; ばかにして.

trig /tríg/ 〔古・方言〕 形 (時に trig・ger, trig・gest) **1** こぎれいな, さっぱりした, いきな. **2**〔主に英〕元気な, 健康な. — 動 (過去・過分) trigged/-d/; trig・ging 他 〔主に英略式〕〈服装などを〉こぎれいにする, めかす (+*up*, *out*).

✝**trig・ger** /trígər/ 名 C **1**〈銃砲の〉引き金 (図) → revolver) ‖ pull the *trigger* at [on] ... …に向けて引き金を引く. **2**〔正式〕〔比喩的に〕引き金, 誘因, きっかけ.

be quick on the trigger (1) 早撃ちができる. **(2)**〔略式〕動作 [反応] が早い; 抜け目がない (alert).
— 動 他 **1**〈引き金を〉引く, 〈引き金を引いて〉〈銃〉を発射する. **2**〈爆発・事件などの〉きっかけとなる, …を誘発する (+*off*).

trig・ger-hap・py /trígərhǽpi/ 形 〔略式〕 **1** ささいな事ですぐに発砲したがる. **2** ひどく攻撃 [好戦] 的な.

trig・o・no・met・ri・cal, --**ric** /trìgənəmétrik(l)/ 形 三角法の.

trig・o・nom・e・try /trìgənámətri | -nɔ́m-/ 名 U〔数学〕三角法.

tri・lin・gual /trailíŋgwəl/ 形 **1** 3 言語が話せる [併用]の. **2** 3 言語で書かれた [表現された].

✝**trill** /tríl/ 動 他 **1**〈声を〉震え声で歌う [話す]. **2**〔文〕〈鳥などが〉〈鳴き声を〉震わせて鳴く. — 自 **1** 震え声で歌う [話す]. **2** 震え声; 〔文〕〈鳥などの〉震えた鳴き声, さえずり.

tril・lion /tríljən/ 名 C **1** 1 兆 (10¹²);〔英古〕100 京(亡) (10¹⁸). **2**〔略式〕何兆億, 無数 (zillion).

tril・o・gy /tríləʤi/ 名 C〔劇・オペラ・小説などの〕三部作 [曲];〔古代ギリシャの〕悲劇の三部作.

✝**trim** /trím/ 動 (過去・過分) trim・med/-d/; trim・ming 他 **1**〈人が〉〈芝・生け垣などを〉刈り込む, 手入れする;〈材木などを〉削って仕上げる ‖ Have you *trimmed* the hedge clean? 生け垣をきれいに刈り込みましたか / She had her hair *trimmed*. 彼女は髪を切ってそろえてもらった (→ 文法 3.5.(3)) / This lumber needs to be *trimmed*. この材木はかんなをかけて仕上げる必要がある (=... need trimming). **2**〈人が〉〈余分なものなどを〉[…から]刈り取る, 切り取る, 削除する;〈写真などを〉トリムする (+*away*, *off*);〈経費などを〉[予算などから]切り詰める (+*down*) [*from*, *off*] ‖ *trim* branches *off* a tree 木から枝を切り取る / *trim* social expenses *off* the budget 交際費を予算から削る / *trim* the fat *off* 肉の脂身を切り落とす. **3** …を […で] 飾る, …に […で] 飾りを付ける [*with*] ‖ a coat (which is) *trimmed with* fur 毛皮で飾りを付けたコート / *trim* a dress *with* lace ドレスをレースで飾る. **4**〔海事・航空〕〈積み荷などの配置を変えて〉〈船・飛行機などの〉のり合いをとる (balance);〔海事〕〔風向き [針路] に合わせて〕〈帆・帆桁 (ξ)〉などを調整する. **5**〈事情に応じて〉〈意見・方針などを〉変える. **6**〔略式〕〔主にスポーツで〕…に完敗させる;〈人を〉しかる, とがめる; …をだます.
— 自 **1**〔海事〕〈船が〉のり合いがとれる;〈風向き・針路に応じて〉帆を調整する. **2**〈政治家などが〉中道 [中立] 政策を取る;〈都合に合わせて〉意見 [方針] を変える, 日和見(ξ)をする.

──形 (**trim・mer, trim・mest**) **1**〈人・物などが〉こぎれいな,きちんとした ‖ keep a garden *trim* 庭をこぎれいにしておく. **2**〈船などが〉よく整備された,状態のよい.

──副 こぎれいに,きちんとして.

──名 **1** Ⓤ (略式) 準備,整頓(ﾄﾝ);(体の)調子,気分 ‖ get *into* (good) *trim* for a race レースに備えて体調を整える. **2** Ⓤ (ドレスなどの)装飾,飾り. **3** ⒸⓊ 身なり,容姿;服装,晴れ着. **4**〔通例 a ~〕刈り[切り]込み;調髪;刈り[切り]取られた物.

trím・ly 副 こぎれいに,きちんとして,整頓して.

tri・mes・ter /traiméstər/ 名 Ⓒ **1** (米) 3 か月の期間 ‖ She's in the second *trimester* (of her pregnancy). 彼女は妊娠中期(第2期の3か月)に入っています. **2** (学校の3学期制の)学期《◆2学期制では semester》(cf. semester).

trim・e・ter /trímətər/ [詩学] 名 Ⓒ 形 三歩格(の詩行)(の).

trim・mer /trímər/ 名 Ⓒ **1** 刈る[手入れする,整備(ﾋﾞ)する]人[もの];ペット美容師,トリマー. **2** 日和見(ﾐ)主義者. **3** 刈り[切り]取る道具《なた・はさみ・包丁・小刀・(ランプなどの)芯(ｼﾝ)切りなど》.

trim・ming /trímiŋ/ 名 ⒸⓊ **1**〔通例 ~s〕〔…の〕飾り(付け)〔*for*〕. **2** (略式) 大目玉;打ち負かすこと,敗北;詐欺. **3** 整理[整頓(ﾄﾝ)]すること,削減. **4** (写真) トリミング.

trine /tráin/ 形 **1** 3倍の,三層[重]の. **2** [占星] 三分一対座の. ──名 **1** Ⓒ 三つ組[ぞろい],三つどもえ,3人組. **2** Ⓒ [占星] 三分一対座. **3** [the T~] = trinity 2.

Trin・i・dad /trínidǽd/ Ⓒ トリニダード島.

Trinidad and To・ba・go /-təbéigou /-tou-/ トリニダード・トバゴ《南米ベネズエラ沖の共和国. 首都 Port-of-Spain》.

Trin・i・tar・i・an /trìnitéəriən/ (キリスト教) 形 **1** 三位(ﾐ)一体(説)の. **2** 三位一体を信じる(cf. Unitarian). **3** [t~] 三つ組[3人組]の. ──名 Ⓒ 三位一体説信奉者.

Trin・i・tár・i・an・ism 名 Ⓤ 三位一体論.

†**trin・i・ty** /tríniti/ 名 **1** (正式) [the ~;集合名詞;単数・複数扱い] 三つ組,3人組,三つぞろい(trio). **2** [the T~] [神学] 三位(ﾐ)一体《唯一の神に父・子・聖霊の三位格があること. cf. person 5》. **3** [T~] Ⓤ =Trinity Sunday.

Trinity Súnday (キリスト教) 三位一体の主日《神霊降臨祭(Whitsunday)の次の日曜日》.

†**trin・ket** /tríŋkit/ 名 Ⓒ **1** 小さな装身具《宝石など》. **2** つまらない物.

†**tri・o** /tríou/ 名 (複 ~s) Ⓒ **1** (音楽) 三重奏[唱]曲;[単数・複数扱い] 三重奏[唱]団 関連 → solo. **2** (音楽) (三部形式の曲の)中間部,トリオ. **3** [a/the ~;集合名詞;単数・複数扱い] 3人組,三つぞろい,三幅対.

tri・ox・ide /traiɑ́ksaid/ -5ks-/ 名 Ⓒ (化学) 三酸化物;[化合物名で] 三酸化….

‡**trip** /tríp/ [「軽く踏む」が原義]
──名 (複 ~s) Ⓒ **1**〔…への〕旅行〔*to*〕 ‖ a round *trip* 往復旅行 / (英) 周遊旅行 / a sightseeing [shopping, honeymoon, business] *trip* 観光[買物,新婚,出張]旅行 / his first *trip* to Canada 彼のカナダへの初めての旅行 / *táke* [*gó on*] *a tríp to* India インドへ旅行する《◆take a *trip* は観光旅行に,make a *trip* は仕事の旅行に主に用いられる》/ What countries have you visited during your *trip*? 旅行ではどのような国を訪れましたか / Did you have a nice *trip*?《旅行者の出迎えで》いい旅でしたか / 日本発»Most Japanese high-school students go on a school *trip* in their second year. 日本の高校生はたいてい2年生のときに修学旅行に行く.

[類語] [trip, travel, tour, journey, voyage] trip (米) では長・短いずれの旅行にも用いるが,(英) では短い旅行. travel ふつう旅行[観光]旅行. (英) では長距離[外国]旅行 / tour 組織化された計画的な視察[観光]旅行 / journey ふつう陸路の長い旅行に用い,より形式ばったロマンチック[文学的]な色合いを持つ / voyage 船[飛行機,宇宙船]による長い旅行. **2** (仕事による)外出,出勤;短い距離の移動 ‖ make two *trips* to the library 図書館へ2度行く / Please mail this letter on your next *trip* to the post office. 今度郵便局へ行く時のこの手紙をポストに入れてください. **3** つまずき,足の踏みはずし;[レスリング] 足すくい. **4** (略式) 過失;失言 ‖ make a *trip* へまをやる. **5** (俗) (LSD などによる) 幻覚経験,幻覚症状(の期間);(一般に)妄(ﾓｳ)想,想ひ ‖ take a *trip* 幻覚剤を飲む / He is on an ego *trip*. 彼はエゴを満足させることに夢中だ.

──動 (過去・過分 tripped/-t/; tríp・ping) 自 **1**〔…に〕つまずく,つまずいて倒れる(+*up*) 〔*on, over*〕 ‖ *trip* on one of the stairs 階段でつまずく. **2** (文) 軽快に歩く[走る,踊る],《リズムなどが》軽快である. **3** (略式)〔…で〕間違いをする(+*up*) 〔*on, over*〕 ‖ *trip up on* the math test 数学のテストで失敗する. **4** (俗) 幻覚経験をする(+*out*). ──他 **1**〈人〉をつまずかせる,よろめかせる(+*up*). **2**〈ダンスなど〉を軽快に踊る. **3** (略式) 〈人〉に〔…で〕間違い[へま]をやらせる,矛盾したことを言わせる(+*up*) 〔*with, over*〕.

tri・par・tite /tràipɑ́ːrtait/ 形 (正式) **1** 3つに分かれた,3部から成る. **2** (植) 〈葉が〉三深裂の. **2**〈文書などが〉同文3通の. **3**〈協定・条約などが〉3者間の.

tripe /tráip/ 名 Ⓤ **1** ウシの胃《食用となる部分》. **2** (略式) くだらないもの,たわごと.

triph・thong /tríf(θ)ɔ(ː)ŋ/ 名 Ⓒ (音声) **1** 三重母音《英語では /eiə/ /aiə/ など》. **2** 三重音字.

tri・plane /tráiplein/ 名 Ⓒ 三葉飛行機.

†**tri・ple** /trípl/ 形 **1** 3倍の ‖ *triple* income 3倍の収入. **2** 3重の ‖ a *triple* joy 三重の喜び. **3** 3つの部分から成る ‖ a *triple* mirror 三面鏡. **4** (音楽) 3拍子の. ──名 **1** Ⓤ (数・量などの) 3倍. **2** Ⓒ [野球] 3塁打. ──動 自 3倍[三重]になる;[野球] 3塁打を打つ. ──他 …を3倍[三重]にする.

tríple áxel [フィギュアスケート] トリプルアクセル.

tríple júmp [the ~] 三段跳び(hop, step, and jump).

tríple pláy [野球] 三重殺,トリプルプレー.

trip・li・cate 動 Ⓒ tríplikèit/, -kət/ 名/ 動 **1** …を3倍[三重]にする. **2**〈書類など〉を3通作成する《原本と写し2通》(cf. duplicate). ──形 **1** 3倍[三重]の. **2**〈書類が〉3通作成された(cf. duplicate). ──名 **1** 3通の1つ,3通書類の1通;[~s] 三つ組.

tri・ply /trípli/ 副 三重[3倍]に.

†**tri・pod** /tráipɑd/ -pɔd/ 名 Ⓒ **1** (カメラなどの) 三脚. **2** 三脚台《テーブル,いす》.

Trip・o・li /trípəli/ 名 **1** トリポリ《リビアアラブ共和国の首都》. **2** トリポリ《レバノン共和国の港湾都市》.

trip・ping /trípiŋ/ 名 ⒸⓊ [サッカー] 足をすくうこと,トリッピング《反則》.

trip·tych /tríptik/ 名 1 3枚続きの祭壇画. 2 (古代ギリシア・ローマの)三つ折り書字板.

Tris·tan /trístn/ 名 トリスタン《Arthur 王の騎士団の一人》.

tri·syl·lab·ic /tràisiléebik, (英+) trì-/ 形 3音節の.

tri·syl·la·ble /tráisìləbl, --, tri-/ 名 ⓒ 3音節語 [詩脚].

trite /tráit/ 形 《正式》使い古された, 陳腐な, ありふれた.

Tri·ton /tráitn/ 名 《ギリシア神話》トリトン《Poseidon の息子で半人半魚の海神. 手にほら貝を持つ》.

†**tri·umph** /tráiəmf, -ʌmf/ 名 1 ⓒ 〔…に対する〕勝利, 征服〔over〕《◆ victory より堅い語で意味が強く,「決定的な勝利」をいう》. 大成功, 功績 ‖ achieve a great *triumph* 大勝利を収める / The Internet is one of the *triumphs* of computer technology. インターネットはコンピュータ工学の功績の1つだ. 2 Ⓤ 勝ち誇ること, 勝利感, 勝利[成功]の喜び ‖ with shouts of *triumph* 勝利の歓声をあげて / go [return] home in *triumph* 勝ち誇って[意気揚々と]帰る. ── 動 自 1 〔人・チームなどが〕勝利を得る《◆ win より堅い語》; 成功する; 〔…を〕打ち負かす, 克服する〔over〕‖ I've *triumphed* over that coward. あの臆(おく)病者の鼻をあかしてやった. 2 〔…に対して〕勝ち誇る〔over〕; 〔…の〕勝利[成功]を喜ぶ〔in〕. 3 凱旋(がいせん)式を行なう.

†**tri·um·phal** /traiʌ́mfl/ 形 《正式》勝利の, 凱旋(がいせん)の; 勝利の, 凱旋式の ‖ a *triumphal* march 勝利の行進. **triúmphal árch** 凱旋門.

†**tri·um·phant** /traiʌ́mfnt/ [アクセント注意] 形 1 勝利を得た; 成功した ‖ The shift to a semestrial year was not *triumphant*. 2期制への移行は成功とはいえなかった. 2 勝ち誇った, 意気揚々とした ‖ speak in *triumphant* tones 得意の口調で話す.

†**tri·um·phant·ly** /traiʌ́mfntli/ 副 勝ち誇って, 意気揚々と, 大得意で.

tri·um·vi·rate /traiʌ́mvərət/ 名 ⓒ 〔単数・複数扱い〕 1 三者連合政治[政府]. 2 《正式》三人組, 3人組. 3 《ローマ史》三人執政の職[任期]; 三頭政治.

tri·u·ni·ty /traijúːnəti/ 名 Ⓤ 三位一体.

triv·et /trívit/ 名 1 五徳《やかんなどを火にかけるための三脚》. 2 《米》食卓用三脚台《熱い皿が直接テーブルに触れるのを防ぐ》.

triv·i·a /tríviə/ 名 覆 《正式》〔複数扱い〕ささいな[つまらない]こと, くだらないこと.

†**triv·i·al** /tríviəl/ 形 ささいな, つまらない; ありふれた, 平凡な; 〈人が〉浅薄な, ふまじめな ‖ a *trivial* offense against the law ささいな法律違反.

triv·i·al·i·ty /trìviǽləti/ 名 Ⓤ 《正式》つまらないこと; ⓒ つまらない物[事柄, 意見].

tro·che /tróuki | trǝuʃ/ 名 ⓒ 《薬学》トローチ(剤).

tro·chee /tróuki | tʃíː/ 名 ⓒ 《詩学》長短格; 強弱格, 揚抑格.

trod /trɑd | trɔd/ 動 tread の過去形・過去分詞形.

trod·den /trɑ́dn | trɔ́dn/ 動 tread の過去分詞形.

troi·ka /trɔ́ikə/ 〖ロシア〗 名 ⓒ 1 トロイカ《ロシアの3頭立ての馬車・そりなど》. 2 (トロイカを引く)3頭並んだ馬. 3 トロイカ方式, 三頭制, 3人組.

Troi·lus /trɔ́ilas, tróuə-/ 名 《ギリシア神話》トロイロス《Troy の王 Priam の王子. Cressida の恋人》.

†**Tro·jan** /tróudʒən/ 形 トロイ(Troy)の, トロイ人(人)に関する. ── 名 ⓒ 1 トロイ人[住民] ‖ work like a *Trojan* トロイ人のように[一生懸命に]働く. 2 勇士; 奮闘家; 勤勉な人.

Trójan hórse (1) 《ギリシア神話》〔the ~〕トロイの木馬《Greek gift》. (2) (敵陣に潜入する)破壊工作(団, 団員). (3) 反体制分子[グループ]. (4) 《コンピュータ》トロイの木馬《コンピュータ内部に入りこんでデータやシステム破壊を行なうタイプの不正プログラム》.

Trójan Wár 〔ギリシア神話〕〔the ~〕トロイ戦争.

†**troll** /tróul | trǝl/ 名 ⓒ 〔釣〕(走る船の船尾から)〈魚〉を流し釣りする. ── 自 (まれ)〔魚〕を流し釣りする〔for〕. ── 名 Ⓤ 流し釣り.

†**trol·ley, --ly** /trɑ́li | trɔ́li/ 名 ⓒ 1 =trolley wheel. 2 a =trolley car. b =trolley bus. 3 《英》(軌道の上を走る貨物用の)高架移動式滑車. 4 《英》(2[4]輪の)手押し車; トロッコ. 5 《英》(食事を運ぶ)ワゴン車 ‖ on a *trolley* ワゴン車で.

trólley bús 《英》トロリーバス.

trólley cár 《米》路面[市街]電車《米》streetcar; 《英》tram).

trólley líne 《米》路面電車[《英》トロリーバス]運転系統.

trólley whéel トロリー, 触輪; 集電器.

trol·lop /trɑ́ləp | trɔ́l-/ 名 ⓒ 《古》だらしのない女; 身持ちの悪い女.

trol·ly /trɑ́li | trɔ́li/ 名 =trolley.

trom·bone /trɑmbóun | trɔm-/ 名 ⓒ 《音楽》トロンボーン《金管楽器》. **trom·bón·ist** 名 ⓒ トロンボーン奏者.

TRON /trɑn | trɔn/ 〖The Realtime Operating System Nucleus〗名 トロン《日本のコンピュータシステム標準化構想の1つ》.

†**troop** /trúːp/ 名 (略式) a 〔集合名詞; 単数・複数扱い〕(移動する人・サル・アリの)群れ, 一隊, 一団〔of〕(→ flock¹ 名 1 関連) ‖ We saw *a troop of* monkeys moving from tree to tree. サルの群れが木から木へ移って行くのが見えた. b 大勢, 多数, 大群(host) ‖ The students went home *in troops*. 学生たちは三々五々帰宅した / She was courted by *a troop of* young men. 彼女は大勢の若い男たちに言い寄られた. 2 〔~s; 複数扱い〕軍隊, 軍勢, 兵士(たち); 〔集合名詞; 単数・複数扱い〕(特に)騎兵隊. 3 《軍事》騎兵中隊; 騎兵中隊の指揮権 ‖ get one's *troop* 騎兵中隊長になる. 4 〔集合名詞; 単数・複数扱い〕ボーイスカウトの隊《2-4 班からなる》, (ガールスカウトの)団《8-32 人からなる》. ── 動 自 〔主語は通例複数形〕1 群らがる, ぞろぞろ集まる; ぞろぞろ立ち去る〔+off, away〕. 2 《略式》群れをなして歩く, 隊を組んで歩く〔+along, over〕. ── 他 《英》〈軍旗〉を先頭にたてて分列行進する. 2 〈騎兵隊〉を中隊に編制する.

tróop cárrier 軍隊輸送機[船].

†**troop·er** /trúːpər/ 名 ⓒ 1 《古》騎兵(cavalry). 2 《米・豪》騎馬警官; 《米》州警察官. 3 騎兵馬. 4 《主に英植民》輸送船. 5 いい人, 役に立ち協力的な人.

troop·ship /trúːpʃìp/ 名 ⓒ 軍用輸送船.

trop. 略 tropic; tropical.

trope /tróup/ 名 ⓒ 《修辞》1 言葉の比喩的な用法. 2 比喩, 言葉のあや.

†**tro·phy** /tróufi/ 名 ⓒ 1 (狩猟・戦勝などの)記念品, 戦利品, 戦勝記念物 ‖ hunting *trophies* 狩猟記念物《動物の頭・角・毛皮など》. 2 (競技などの)優勝記念品, 賞品, トロフィー ‖ The sumo wrestler received several *trophies*. その力士は賞品をいろいろもらった.

†**trop·ic** /trɑ́pik | trɔ́p-/ 名 1 〔the ~s; 複数扱い〕熱帯地方. 2 ⓒ 〔しばしば T~〕《天文・地理》回帰線(図)→ earth) ‖ the *Tropic* of Cáncer 北回帰線, 夏至線 / the *Tropic* of Cápricorn 南回帰

線, 冬至線. ──形 熱帯地方の, 熱帯性の.
trópic bírd 熱帯鳥.
†**trop·i·cal** /trɑ́pɪkl | trɔ́p-/ 形 **1** 熱帯(地方)の, 熱帯性の, 熱帯特有の；熱帯産の；〈気候が〉酷熱の, 灼(シャク)熱の ‖ *tropical* fish 熱帯魚 / a *tropical* depression 熱帯低気圧. **2** 回帰線の.
trópical ráin fórest 熱帯雨林(rain forest).
trópical yéar〔天文〕太陽年《365日5時間48分46秒》.
trop·o·sphere /trɑ́upəsfɪər | trɔ́pə-/ 名〔気象〕[the ~]対流圏.
†**trot** /trɑ́t | trɔ́t/ 動 (過去・過分) **trot·ted**/-ɪd/; **trot·ting**) 自 **1**〈馬などが〉速足で駆ける, トロットで進む, だく足を踏む(+*along, away*)◆馬の駆け方については→ gait 名 **2**). **2**(略式)〈人が〉急ぎ足で行く(hurry), (ちょこちょこ)小走りする ‖ The boy *trotted* to his father's side. その男の子は父親のそばへちょこちょこ走って行った.
──他〈馬など〉を速足で駆けさせる, だく足を踏ませる(+*along, out*). **2**〈人〉を急ぎ足で行かせる, 小走りさせる ‖ *trot* him around (the city) 彼を(市の)あちこちへ連れてまわる.
trót óut〔他〕(1)〈馬〉を引き出して足並みを見せる. (2)(略式)…を見せびらかす, ひけらかす；〈すでによく知られたこと〉を口にする〔書く〕.
──名 **1**[a ~]〈馬などの〉速足, だく足；〈人の〉急ぎ足, 早足；速足の乗馬 ‖ come *at a trot* 早足で来る. **2** C (米略式)(語学の)虎(トラ)の巻, 直訳本(crib, pony). **3**(俗)[the ~s; 複数扱い]下痢(diarrhea) ‖ have〔英〕be on〕*the trots* 下痢をしている.
on the trót(◆on the run [go] の方がふつう)(略式)(1) 連続して, 次から次へ, ぶっ続けに. (2) 絶えず活動して, 忙しくしている.
†**troth** /trɔ́ːθ | tróuθ/ 名 U (古) **1** 忠実, 誠実；真実, 本当 ‖ by my *troth* 誓って / in *troth* 本当に. **2** 約束；婚約.
Trot·sky /trɑ́tski | trɔ́t-/ 名 トロツキー《Leon/líːən/ ~ 1879-1940；ロシアの革命家・著述家》.
trot·ter /trɑ́tər | trɔ́t-/ 名 C **1** 速足の調教を受けた馬. **2** U C [通例 ~s](食用としての)ヒツジ〔ブタ〕の足. **3**(米)よく動き回る人, 活動家.
trou·ba·dour /trúːbədɔ̀ːr | -dùə/〚フランス〛 名 C **1** トルバドゥール《11-13世紀に南ヨーロッパで主に恋や騎士道を歌った叙情詩人》. **2**(一般に)吟遊詩人.

▶**trou·ble** /trʌ́bl/〚「混乱した」が原義. cf. turbulent〛 troublesome (形)

index 名 **1** 困難, 迷惑, 面倒 **2** 心配, 苦労 **3** もめごと
動 **1** 悩ます **2** 面倒をかける

──名 (複) ~**s**/-z/) **1** U 〔…に関する〕困難, 災難, 不運；迷惑, 面倒；骨折り〔*about, with*〕‖ They're always *having trouble with* their word processor. 彼らはワープロに(故障が多くて)いつも手を焼いている / These patients *have trouble* (*in*) walk*ing*. この患者たちは歩行が困難だ(◆in は省略するのがふつう) / I'm sorry to *put* you *to* a lot of *trouble*. =I'm sorry to *give* you a lot of *trouble*. たいへんご面倒をおかけしてすみません(◆単に儀礼的な謝罪には使わない. 実際に何か重大な迷惑をかけた時の用いる) / (It's) *no trouble* (at all). どういたしまして / She *is in* great *trouble*. 彼女は

困っている / It is *no trouble* for me to do this. こんなことをするのは私にはなんでもないことだ / What can I do to *save trouble*? 手数を省くためにはどうしたらいいですか /「The *tróuble* is 〈 〉 *that*〔*Trouble is,*〕 he is tired out. (略式)困ったことに彼はすっかり疲れてしまっている(➡文法 22.4).
2 U 心配, 苦労；C (正式)[通例 a ~]〔人にとっての/…の持つ〕心配事, 苦労〔悩み〕の種〔*to/with*〕；やっかい〔困り〕者；欠点, 短所 ‖ My heart is full of *trouble*. 私は悩んでばかりいる / He is *a* great *trouble* to me. 彼は私にとって大きな悩みの種だ / The *trouble with* yóu *is* 〈 〉 *that* you are forgetful. 君の欠点は忘れっぽいことだ(➡文法 22.4) / What's the *trouble with* you? いったいどうしたの(=What's *troubling* you? / What's the matter with you?).
3 U C [時に ~s]〔人との/…に関する〕もめごと, 紛争, 騒ぎ, 混乱, 騒乱(*with/over*)(◆disturbance, rebellion の遠回し語)‖ campus *troubles* 学園紛争 / They are having *trouble with* the police. 彼らは警察ともめごとを起こしている.
4 U C 病気(◆disease の遠回し語)‖ heart [chest, kidney] *trouble* 心臓[肺, 腎臓]病 / His stomach *troubles* come from overeating. 彼の胃病は食べすぎによるものだ / She has *trouble with* her breathing. 彼女は呼吸器の病気である. **5** U (機械などの)故障, 不調 ‖ engine *trouble* エンスト.
ásk for tróuble(略式)(1) 自ら災難を招くような余計なことをする, 軽率なことをする ‖ Anyone who criticizes him is *asking for trouble*. あいつにけちをつけるとあとが怖い. (2)〈女が〉男を挑発するようなことをする.
be in tróuble(1) → **1**. (2)〔警察などと〕ごたごたを起こしている(*with*). (3)〈船などが〉遭難している. (4)(略式やや古)[遠回しに]〈未婚の女性が〉妊娠している(◆be pregnant の遠回し表現).
gét into tróuble ごたごた[問題]を起こす.
gét A into tróuble〈人〉をごたごたに巻き込む ‖ Don't say anything that might *get* you *into trouble*. ごたごたに巻き込まれるようなことは言うな.
gíve oneself (**the**) **tróuble** =**gó to the tróuble**〔…するよう〕骨折る, 尽力する(*to do, of doing*)‖ He *went to the trouble* (*of*) *driving* me home. 彼はわざわざ私を家まで車で送ってくれた.
lóok for tróuble(略式)=ask for TROUBLE.
***táke** (**the**) **tróuble**〔…するのに〕骨折る, 尽力する, わざわざ〔…〕する(*to do*)(◆結果まで含む)‖ She *took the trouble to* find homes for them. 彼女は彼らのために労をいとわず家を見つけてやった.
──動 (~**s**/-z/; (過去・過分) ~**d**/-d/; **trou·bling**)(正式)
──他 **1**〈事が〉〈人〉を〔…で〕悩ます, 苦しめる, 心配させる(worry)；[~ oneself]〔…で〕悩む〔*about, over*〕‖ Her daughter's illness *troubles* her. 彼女は娘の病気で困っている / He is *troubled about* [*over*] his son's behavior. 彼は息子の行儀のことで頭を悩ませている(➡文法 7.3) / He has been *troubled with* [*by*] rheumatism. 彼はリューマチを患っている.
2〈人が〉〈人〉に〔…してもらうよう/…のことで〕求めて]面倒をかける, 迷惑をかける, …をわざわざさせる〔*to do/about, with/for*〕(◆ていねいな依頼表現)；[~ oneself] わざわざ〔…〕する(*to do*)‖ Can I *trouble* you *to* open the window? (正式)すみませんが窓をあけてくださいませんか(=Would you

open the window?) / Let me *trouble* you *with* a few more questions. ぶしつけですが, もう 2,3 質問させてください. / *I'm sorry to trouble you, but* can you tell me the way to the station? 《正式》すみませんが駅へ行く道を教えていただけませんか / May I *trouble* you *for* [*to pass me*] the pepper? 《正式》すみませんがコショウを取ってくださいませんか.

3 《主に文》〈水・空気などを〉波立たせる, 騒がす ‖ The storm *troubled* the sea. あらしで海は荒れていた.

—— 自 《通例否定文・疑問文で》 **1** 〔…のことで〕心配する, 苦しむ, 悩む〔*about, over*〕‖ *Don't trouble about* small matters. 小さいことでくよくよするな. **2** 〔…するように/…のことで〕努力する, 骨を折る〔*to do* / *with*〕‖ **対話** "I'll drive you to the nearest station, sir." "*Don't trouble*, thank you." 「近くの駅まで送っていきますからお乗りになってください」「せっかくですがおかまいなく」/ *Don't trouble to* come. わざわざお越しいただくには及びません.

trou·ble·mak·er /trʌ́blmèikər/ 名 もんちゃく[ごたごた]を起こす人; いたずらばかりする人.

trou·ble·shoot /trʌ́blʃùːt/ 動 《過去·過分 **--shot**》 他 《機械》を修理する, 《紛争》などを調停する. —— 自 問題点を調べ解決策を提案する.

trú·ble·shòot·er 名 C 修理係; 調停人.

trou·ble·shoot·ing /trʌ́blʃùːtiŋ/ 名 U 《故障》修理(の); 《コンピュータ》トラブルシューティング(の), トラブル解決(の).

trou·ble·some /trʌ́blsəm/ 〔→ **trouble**〕
—— 形 《正式》〔他動詞的に〕**1** やっかいな, 面倒な, うるさい ‖ a *troublesome* child うるさい子供. **2** 骨の折れる, 難しい ‖ a *troublesome* job 骨の折れる仕事.

trou·bling /trʌ́bliŋ/ 形 〈事が〉面倒な, やっかいをかける.

trou·blous /trʌ́bləs/ 形 《文》 **1** 〈時代などが〉騒然とした, 乱れた; 〈海などが〉荒れた. **2** =troublesome.

†**trough** /trɔ́(ː)f/ 名 C **1** (細長い箱形の)かいば[水]おけ, えさ入れ. **2** (パン屋の)こね鉢(*v*). **3** 雨どい, とい. **4** (波と波の間の)くぼみ, 谷(↔ crest).

trounce /trάuns/ 動 他 **1** 《古》…をひどくなぐる[罰する]. **2** 《略式》(試合などで)…を完全に負かす.

troupe /trúːp/ 名 C 《単数·複数扱い》(俳優·歌手·アクロバットなどの)一座, 一団. —— 自 《米》(座員として)巡業する.

troup·er /trúːpər/ 名 C **1** 《古》劇団員, 座員. **2** 《略式》老練な役者. **3** 《略式》勤勉で忠実な働き手.

†**trou·ser** /trάuzər/ **発音注意** 形 **1** 〔~s; 複数扱い〕ズボン《◆(1)《米》では pants がふつう. (2) trouser はズボンの片方. 数える時は「*a pair* [*two pairs*] *of trousers*」のようにいう》‖ a boy in [×on] dark-blue *trousers* ダークブルーのズボンをはいた少年. **2** 〔形容詞的に〕ズボンの ‖ a *trouser* press ズボンプレッサー / a *trouser* pocket ズボンのポケット《◆ one's *trousers* pocket(s) ともいうが, 両方のポケットをさす場合でも one's *trouser* pockets がふつう》.

関連 slacks (やや古) はくだけたスポーティ感覚のズボンで, 男女ともに用いる. pants は《米》では trousers に対するくだけた語. 女性は slacks は pants ということが多い.《英》では男子用下着パンツ(undershorts),《米》では主に半ズボンをさす. trunks は shorts よりさらに短い男性スポーツ着としての半ズボン.

gét [grów] tòo bíg for one's **tróusers** =get [grow] too big for one's boots (→ **boot**[1] 名).
wèar the tróusers 《主に英》〈妻が〉夫をしりに敷く, かかあ天下である《◆《米》では wear the pants がふつう; 通例主語に強勢を置く. まれには「〈夫が〉亭主関白である」の意味にも用いられる》.

trou·ser-suit /trάuzərsùːt/ 名 《英》=pantsuit.

†**trous·seau** /trúːsóu/ 名 C 《複 ~s, ~x/-z/》《正式》嫁入り衣装[道具].

†**trout** /trάut/ 名 C 《魚》トラウト《サケ科の一種》; (河川生活性の強いサケ属魚類《ニジマスなど》); U その肉 《◆《英》で fishing といえば主に trout-fishing をさす》 ‖ *You must lose a fly to catch a trout*. 《ことわざ》小を捨てて大につけ.

†**trow** /trόu, 《英+》 trάu/ 動 《古》 自 (…と)信じる(believe), 思う(think).

trow·el /trάu(ə)l/ 名 C **1** (左官などの)こて. **2** (園芸用の)移植ごて.

troy /trɔ́i/ 形 トロイ衡[金衡]の[による]. —— 名 U = troy weight.

tróy wèight トロイ衡, 金衡《金·銀·宝石などの計量単位の体系. 略 は t.; 1 pennyweight =24 grains, 1 ounce =20 pennyweights, 1 pound =12 ounces》.

†**Troy** /trɔ́i/ 名 **1** トロイ, トロイア《小アジア北西部の古代都市. 形容詞は Trojan》. **2** トロイ《米国 New York 州東部 Hudson 川沿いの都市》.

†**tru·ant** /trúːənt/ 名 C **1** ずる休み[無断欠席]する生徒. **2** 仕事を怠ける[サボる]人 ‖ Tom sometimes *plays truant* from school. トムはときどき学校をサボる. —— 形 無断欠席の, サボる. —— 動 ずる休みする, 無断欠席する, サボる.

trú·an·cy, trú·ant·ing 名 U ずる休み; 無断欠勤.

truce /trúːs/ 名 U C **1** (ふつう一時的な)休戦, 停戦; 休戦協定 ‖ arrange a Christmas *truce* with … …とクリスマス休戦を結ぶ. **2** (苦痛·苦難·口論などの)休止, 中断.

*§**truck**[1] /trʌ́k/ 《原義》《原音》track /trǽk/ 〖「車輪」が原義. cf. truckle〗
—— 名 《複 ~s-/-s/》 C **1** 《主に米》トラック, 貨物自動車(《英》 lorry)《◆ 英国では truck が次第に用いられつつある》; 〔形容詞的に〕トラックの ‖ My father is a *truck* driver. 私の父は(職業として)トラックの運転手をしています / My father drives a *truck*. 私の父はトラックを運転しています《◆ 必ずしも職業を表すとは限らない》.

関連 〖いろいろな種類の truck〗
camper *truck* キャンピングトラック / concrete *truck* コンクリートミキサー車 / container *truck* コンテナ車 / crane *truck* クレーン車 / dump *truck* 《米》ダンプカー(《英》dumper (*truck*)) / garbage *truck* ゴミ収集車 / ladder *truck* はしご車 / tanker *truck* タンクローリー.

2 運搬車; トロッコ. **3** (2[4]輪の)手押し車. 《米》台所用ワゴン(= trolley). **4** 《英》無蓋貨車.
—— 動 他 《主に米》…をトラックで運ぶ.
—— 自 《米》トラックを運転する.

trúck hòrse 〖野球〗足の遅い選手.

trúck·er 名 C 《米》 **1** トラックの運転手. **2** トラック運送業者.

truck[2] /trʌ́k/ 名 U **1** 《米》市場向け野菜[果物] (garden truck). **2** つまらない小物; 残り物, はんぱ

物. **3** (正式) くず, がらくた. **4** 物々交換, 交易(品); (略式) 取引, 交際; 関係 ‖ have no *truck* with him 彼と何の関係[取引]もない. **5** (賃金に代わる) 現物支給. ━━[動][他] (古) 〈物〉を〔物と〕交換する〔*for*〕. ━[自] 物々交換する, 〔人と/物を〕取引する〔*with*/*for*〕.

truck·le /trʌ́kl/ [名][C] **1** 小車輪; 脚輪, キャスター. **2** =truckle bed.

trúckle bèd 脚輪つき寝台《◆使用しないときは他のベッドの下に入れる》.

truc·u·lent /trʌ́kjələnt/ [形] (正式) **1** 残酷な, 獰猛(どうもう)な; 乱暴な(violent). **2** 好戦的な.

†trudge /trʌ́dʒ/ [動][自] **1** 歩いて行く, 歩く. **2** とぼとぼ[のろのろ]歩く, 重い足どりで歩く(+*along, around, up*). ━[他] 〈道など〉をとぼとぼ歩く. ━━[名][C] [通例 a/the ~] とぼとぼ[のろのろ]歩くこと, 重い足どり.

‡true /trúː/ 〖「忠実な」が原義〗 [派] truly (副), truth (名)

━━[形] (通例 **~r, ~st**)

I [真実の]

1 真実の, 本当の (↔ untrue); 〔…について〕当てはまる〔*for, of, with*〕 ‖ a *true* story 実話 / His story ***rings*** [***sounds***] ***true***. 彼の話は本当のように思える / ***It is true*** (*that*) she bought a new car. 彼女が新車を買ったというのは本当です《◆(略式) では *True*(,) she … ということもある》/ [対話] "We must overhaul our cars regularly." "That is also ***true of*** computers." 「車は定期的に整備しなくてはなりません」「それはコンピュータにも当てはまります」/ That may be *true for* yóu. あなたの経験ではそう言えるかもしれない.

2 [通例名詞の前で] **本物の**, 純粋な(genuine); 純種の; 〔生物〕典型的な ‖ a *true* adventure 真の冒険 / *true* gold 純金 / He is a *true* lawyer, a credit to his profession. 彼こそ真の弁護士であり, 弁護士の誉れである《◆a real lawyer も「本物の弁護士」という意味だが, a *true* lawyer は「弁護士の中でも特にすぐれた弁護士」をいう》.

II [心が真実の]

3 [名詞の前で] **誠実な**, 偽りのない; [補語として] 〔…に〕忠実な〔*to*〕 ‖ He is a *true* friend. 彼は誠実な友だ / She is ***true to*** her word [promise]. 彼女は約束は忠実に守る.

III [真実ゆえに正しい]

4 正確な, 間違いのない; 〔…と〕一致した, 寸分違わない〔*to*〕; 厳密な ‖ a *true* sign 確かな徴候 / in the *truest* sense 最も厳密な意味で / miniature furniture ***true to life*** 本物そっくりのミニ家具 / *True to* form, he got to his office five minutes before the bell. いつも通り, 彼はベルの5分前に会社に着いた / a *true* copy of the will 遺書の正確な写し / The translation is quite ***true to*** the original. その翻訳は原文にきわめて忠実である. **5** 正当な, 合法の ‖ He is the *true* heir to the throne. 彼が正当な王位継承者だ. **6** 〈器具などが〉ぴたりと合う, 正しい位置にある; 〈声などが〉調子が正しい. **7** 〈方向などが〉変わらない, 一定した ‖ The ship's captain steered a *true* course. 船長は針路をまっすぐに取った.

còme trúe 〈夢などが〉**実現する**, 本当になる ‖ His word *came* [×became] *true*. 彼の約束は果たされた / At last her dream has *come true*. ついに彼女の夢は実現した《◆対応する他動詞表現は realize》.

hòld trúe 当てはまる, 有効である.

Hòw trúe. (略式) まさにその通りだ《◆That's true. より強意的》.

It can't be true. そんなはずはありません; とんでもないことです《◆語調がきついので, 会話では I'm afraid it can't *be true*. のようにやや弱めていうことが多い》.

*「***It is trúe*** [***Trúe***(,)] ***…, but*** … なるほど…だがしかし… ‖ *It is true* he is well over sixty, *but* he looks young for his age. なるほど彼は60歳をゆうに過ぎているが, しかし, 年のわりには若く見える.

━━[副] (通例 **~r, ~st**) **1** 真実に, 正直に ‖ speak *true* 正直に話す. **2** 正確に, 狂わずに ‖ aim *true* 正確にねらう. **3** 純粋に ‖ breed *true* 純種を生む. **4** [文全体を修飾] なるほど, 確かに(→[形]**1**).

━━[名] (文) **1** [the ~] 真, 真実であること ‖ *the true* and the beautiful 真と美(=truth and beauty). **2** [U] 〈物·事が〉正確であること ‖ be in (the) *true* 正確である / be out of (the) *true* 狂っている.

━━[動] (**tru·ing** or **true·ing**) [他] (正式) …を正しく形作る[置く, 調整する](+*up*).

trúe blúe (主義·党派などに) 忠実な人, 信頼できる人; (英) 改革に反対する人(cf. true-blue).

true-blue /trúːblúː/ [形] 忠実な, 信頼できる; (英) 改革に強く反対の《◆特に保守党支持者についていう》(cf. true blue).

true-false /trúːfɔ́ːls/ [形] 真偽の, ○×式の.

trúe-fálse tèst 正誤問題テスト.

true·heart·ed /trúːhɑ́ːrtəd/ [形] (文) 忠実な, 誠実な; 正直な, まじめな.

true-life /trúːláif/ [形] 事実に基づく, 現実[実際]に起こった.

truf·fle /trʌ́fl, (米+) trúːfl/ [名][U][C] **1** 〔菌類〕トリュフ《高級料理の食材として珍重される》. **2** (主に英) トリュフ《ココアをまぶしたチョコレート菓子》.

tru·ing /trúːiŋ/ [動] → true.

tru·ism /trúːìzm/ [名][C] 自明の理, わかりきったこと; 陳腐な決まり文句(cf. cliché).

***tru·ly** /trúːli/ [つづり注意] 〖→ true〗

━━[副] (**more ~, most ~**) **1 本当に**, 真に, 実に, まったく, とても《◆very の強調語》 ‖ a *truly* noble action 真に気高い行為 / She looks *truly* pretty. 彼女は本当にかわいらしい. **2** 正確に, 寸分たがわず; 偽りなく, 事実のとおりに ‖ Tell me *truly* what you think about it. そのことについてどう思っているか本当のことを言ってください / It is *truly* said that time is anger's medicine. 時間は怒りの薬なりとはうまく言ったものである. **3** (正式) 忠実に, 誠実に; 心から ‖ ***Yours truly***. =***Very truly yours***. (主に米) 敬具《◆商業通信文などの結び. cf. sincerely》/ I *truly* love her. 私は心から彼女を愛している. **4** [文全体を修飾] 実を言えば, 正直なところ(I tell you truly); [疑問文で] まじめに尋ねますが(Tell me truly) ‖ [対話] "Are you sure that he left school?" "No, *truly* nobody knows what's actually happened." 「彼が退学したのは確かですか」「いいえ, 実のところ事実はだれにもわからないのです」.

Tru·man /trúːmən/ [名] トルーマン《**Harry S.** ~ 1884-1972; 米国の第33代大統領(1945-53)》.

†trump /trʌ́mp/ [名][C] **1** 〔トランプ〕切り札《◆「トランプ」は (playing) cards》 ‖ This time, diamonds are *trumps*. こんどはダイヤが切り札です. **2** = trump suit. **3** 奥の手, 最後の手段.

━━[動][他] **1** 〈札〉を切り札で切る[取る]. **2** …よりも勝る; 〈人〉を負かす. ━[自] 切り札を出す.

T

trúmp úp [他]《略式》〈うその話・口実など〉をでっち上げる, 捏(ﾂ)造する ‖ *trúmped-úp* chárges でっち上げられた容疑.

trúmp càrd (1) 切り札. (2) 奥の手 ‖ play one's *trump card* 切り札を出す; とっておきの手を使う.

trúmp sùit [しばしば ~s; 単数扱い] 切り札の組.

trúmp·er·y /trʌ́mpəri/ [形]《古》[限定]《無価値な]物. **2** たわごと, 無意味な言葉[意見, 行為]. ── [形] 安ぴかの, 見かけ倒しの.

†**trum·pet** /trʌ́mpət/ [名] ⓒ **1**【音楽】トランペット, らっぱ; (オルガンの)トランペット音栓(ｾﾝ); トランペット奏者, らっぱ手 ‖ play (the) *trumpet* トランペットを吹く (→ play 佃 **2 a**) / play a tune on one's [the] *trumpet* トランペットで曲を奏する. **2** らっぱ形の物; らっぱ型補聴器[拡声器] ‖ put a *trumpet* to one's ear 耳にらっぱ型補聴器をあてる. **3** トランペット(のような)音; [a/the ~] (特に象の)かん高い鳴き声.
blów one's **ówn trúmpet**《主に英略式》自慢する, 自画自賛する.
── [動] 〈ゾウなどが〉かん高い鳴き声をあげる. ── [他] …をトランペット[らっぱ]で知らせる; …を大声で宣告する; …を吹聴する.

trúmpet càll トランペット[らっぱ]による合図; 緊急行動の要請.

trum·pet·er /trʌ́mpətər/ [名] ⓒ **1** トランペット奏者, らっぱ手. **2** ラッパチョウ, 称賛者.

trun·cate /trʌ́ŋkeit/ [–´–´] [動] [他] **1** 〈幹・胴・円錐(ｽｲ)などの〉の先端を切る. **2** 〈引用文などを〉切り詰める.

†**trun·cheon** /trʌ́n(t)ʃən/ [名] ⓒ **1** (権威の標章としての)職杖(ｼﾞｮｳ), 権標. **2**《主に英》(巡査などの)棍(ｺﾝ)棒, 警棒 (《米》nightstick). ── [動] [他] …を棍棒[警棒]で打つ.

†**trun·dle** /trʌ́ndl/ [動] [他] 〈車を〉転がして[押して]いく(+ *along, down*) ‖ *trundle* a wheelchair into a hall 車いすを押してホールに入る. ── [自] **1** 転がる. **2**〈車が〉走る. ── [名] ⓒ **1** 小車輪, ローラー, キャスター (castor). **2** 転がす[転がる]こと[音].

†**trunk** /trʌŋk/ [名] ⓒ **1** [通例 the ~] (木の)幹 (関連 → tree) ‖ The *trunk* of the oak is 3 meters thick. そのオークの幹は3メートルの太さがある. **2** [通例単数形で][身体の]胴〈body から head, arms, legs を除いた部分〉(cf. torso); (体) ⓒ (昆虫の)胸部; (魚の)躯幹(ｸ̍ｶﾝ). **3** (物の)体本, 主要部; = trunk line; 【解剖】主神経, 大動脈 ‖ the *trunk* of the Amazon アマゾン川の本流. **4**(旅行者用の)大がばん, トランク. (関連)(かばんの種類) attaché [dispatch] case アタッシェケース / briefcase 柔らかい小型書類入れ / portmanteau《英》左右開きの皮製かばん / suitcase 衣類用の平らな小型かばん. **5** 幹状の物; (象の)鼻. **6**《米》[~s; 複数扱い](競技・水泳用の男子の)パンツ, トランクス (関連) → trouser). **7**【電話】(2市間の)中継線, 《英》[~s] 長距離電話. **8**《米略式》(自動車の)荷物入れ, トランク (《英》boot) (図 → car).

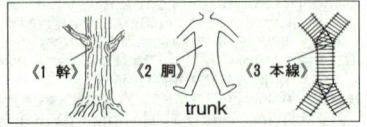

〈1 幹〉〈2 胴〉〈3 本線〉
trunk

── [動] [他] 〈物を〉トランクに入れる.

trúnk càll《英やや古》長距離電話(呼び出し) (long-distance call).

trúnk line(鉄道・空路の)本線, (ガス・水道の)本管.

trúnk ròad《英》幹線道路.

trun·nion /trʌ́niən/ [名] ⓒ **1** 砲耳(ｼﾞ)《砲架に砲身を支える軸》. **2**【機械】トラニオン, 耳軸.

†**truss** /trʌs/ [動] [他] **1**(やや古)(ひも・ロープなどで)…をきつく縛る, くくる; …を束ねる(+ *up*) ‖ The prisoner was *trussed up* hand and foot. 囚人は手足をきつく縛られていた. **2**(料理の準備用に)〈鳥〉の翼[足]を胴に固定する(+ *up*); 〈人の〉両腕をわき腹に縛りつける(+ *up*). ── [名] ⓒ **1**【工業】トラス, 桁構え; 【建築】腕木(bracket);【医】ヘルニア[脱腸]帯.

trúss brídge〔土木〕トラス橋, 構え橋.

＊**trust** /trʌst/《『堅固』が原義》(派) trustee (名), trusty (名)
── [名] (愎 ~s/trʌ́sts/)
Ⅰ [信頼]
1 Ⓤ 〈…に対する〉(直観に基づく)信頼, 信用 [*in*]; ⓒ 信頼できる人[物] ‖ God is our *trust*. 神は我らの信仰の対象である / You can *pùt* [*hàve*] your *trust* in him. 彼なら信用できます.
Ⅱ [信頼に基づいて成り立つこと]
2 Ⓤ 委託, 保管; 世話, 監督; ⓒ 委託物; 預けられる人 ‖ We left our car *in* our neighbor's *trust* while we were abroad. 私たちは外国にいる間車を隣人に預かってもらった / He holds [has] the house in *trust* for his sister. 彼は妹の家を預かっている / She gave [left] her property in *trust* with her uncle. 彼女は財産をおじに預けた.
3 Ⓤ《正式》(信頼から生じる)責任, 義務 (responsibility) ‖ fulfill one's *trust* 責任を果たす / He occupies a position of great *trust*. 彼はたいへん責任のある地位についている.
4 Ⓤ《正式》[時に a ~]〈…という〉強い期待, 確信 (*that*節) ‖ My *trust* is [I have a *trust*] that she will pass the examination. 彼女は試験に合格すると確信しています.
5 Ⓤ〔商業〕信用貸し, 掛売り (credit) ‖ buy [sell] a thing *on trust* 物を掛けで買う[掛売りする]. **6**〔法律〕Ⓤ 信託; 受託者の権利; ⓒ 信託財産; [形容詞的] *trust* fund 信託基金 / *trust* investment 投資信託. **7**《主に米》〔経済〕企業合同, トラスト.
táke A on trúst …を確かめもせずに信用する, うのみにする (類語) take A at face value (→ face value).
── [動] (~s/trʌ́sts/; ~ed/-id/; ~·ing)
── [他]
Ⅰ [信頼する]
1〈人が〉〈人・話など〉を信用する, 信頼する; 〈記憶・直観など〉を当てに[頼りに]する ‖ I don't *trust* him, to be frank with you. 率直に言うと私は彼を信用していない / *Trust* your own judgment. 自分の判断を頼りにしなさい.
Ⅱ [信頼に基づいて行なう]
2《正式》[*trust that*節]〈人が〉…と確信する (be sure); [*trust* (A) *to do*] (A〈人〉が)…すると示唆する《◆何か根拠があることを示唆する》‖ I *trust* (*that*) he will pass the examination. 彼は試験にきっと合格する / You can *trust* her *to* keep her word. 彼女は必ず約束は守ってくれるよ / I *trust to* be favored with your company. きっとご同行いただけるものと思っています.
3《正式》[通例否定文・疑問文で][*trust* **A** *to do*] 〈人が〉A〈人〉に安心して…させる, 〈人〉を安心して…に置く《◆場所の副詞(句)を伴う》‖ Can you *trust* your daughter *to* go out alone at night? 娘さんを夜1人で外出させられますか / I can't

trust my child out of my sight. 子供を目の届かないところに置いておけません.
4 [trust A to B =trust B with A]〈人が〉A〈大事なものなど〉をB〈人〉に委託する, 預ける, 任す《◆entrust の方がふつう》∥ *trust* him *with* secrets 彼に秘密を打ち明ける / She *trusted* her children *with* a baby-sitter. 彼女は子供を子守りに預けた / Can I *trust* him *with* a large sum of money? 彼に大金を預けても大丈夫だろうか.
5〈人が〉〈人に〉〈物を〉信用貸しする, 掛売りする〔*for*〕∥ The butcher *trusted* me *for* the meat. 肉屋は肉を掛売りしてくれた.
— 自 **1**〔文〕〔…を〕信じる, 信用[信頼]する〔*in*〕;〔…を〕当てに[頼り]にする〔*to*〕∥ *In* God we *trust*. 我らは神を信ずる《◆米国の紙幣の裏面に書かれている》/ *trust to* luck [intuition] 運[直観]に頼る. **2** 信ずる, 期待する.
trúst fùnd 信託資金.

†**trust·ee** /trʌstíː/ 图 C **1**(他人の財産の)受託者, 被信託者, 保管[管財]人. **2**(大学などの)理事, 評議員. **trustée sávings bànk**(英)信託貯蓄銀行.

†**trust·ful** /trʌ́stfl/ 形(やや古)〈人が〉信用[信頼]する, 信じやすい〔*of*〕. **trúst·ful·ly** 副 信用[信頼]して.

trust·ing /trʌ́stɪŋ/ 形 すぐ信用[信頼]する ∥ She is of *trusting* nature. 彼女はすぐ人を信頼するたちだ. **trúst·ing·ly** 副 すぐ信用[信頼]して.

trust·less /trʌ́stləs/ 形 **1** 信用[信頼]できない, 当てにならない. **2** 疑い深い, 信用しない(↔ trusting).

†**trust·wor·thy** /trʌ́stwɔːrði/ 形〈人・情報などが〉信用[信頼]できる, 当てになる(↔ untrustworthy). **trúst·wòr·thi·ness** 图 U 信用[信頼]できること.

†**trust·y** /trʌ́sti/ 形 (-i·er, -i·est)(古)(戯)信用[信頼]できる, 当てになる. — 图 C **1**(正式)信用[信頼]できる人[物], 当てになる人[物]. **2**(特典が与えられる)模範囚.

*__**truth**__ /trúːθ/ [類語] truce /trúːs/) [→ true]
— 图 (複 ~s/-z, -θs/) **1** U [しばしば the ~]〔…に関する〕真実, 事実, 真相 (*of*) ↔ falsehood) 〔*about*〕∥ tell [speak] the *truth* 本当のことを言う / The *truth* has come out. その真相がわかった / *the real truth* 本当の真実《◆the truth を強めて》.
2 C U (正式) [しばしば the ~] (確立された)事実 ∥ the *truths* of science 科学上の真理 / Einstein discovered an important *truth*. アインシュタインは重大な原理を発見した.
3 U [しばしば the ~] 真実性[味], 真実であること ∥ I doubt *the truth* of his statement. 彼の言っていることは本当かどうか疑わしい(=I doubt if his statement is *true*.) / There is some *truth* in what you say, but I don't agree with you. おっしゃることはわからないでもないですが, 私はそう思いません.
in (all) trúth (文) 実は(in fact); 本当に, 実際に (really).
Nóthing could be fárther from the trúth. (それは)とんでもないうそっぱちだ.
The trúth (of the mátter) ís (🔊) **that ...** 実は…である《(略式)では The truth is, ... となることもある》.
*__**to téll (you) the trúth ...**__ (🔊) =**trúth to téll**... (略式)実を言うと《◆この句は言い訳や人の言葉を否定する場合にも用いられるので, 多用するとよくろがっている人ととられる》(→ 文法 11.3(3)) ∥ *To tell the truth* (🔊), the hat you picked out doesn't go with my blue suit. 本当のことを言うと, 君が選んでくれた帽子は私のブルーのスーツには合わないんだ.

†**truth·ful** /trúːθfl/ 形〈人が〉誠実な, 正直な, 真実を語る;(正式)〈説明などが〉正しい, 事実に即した(true) (↔ untruthful) ∥ a *truthful* child 正直な子供 / a *truthful* report of the accident 事故に関する正しい報告書 / You must always be *truthful*. いつも本当のことを言わなければなりません.
trúth·ful·ness 图 U 誠実, 正直; 真実.

truth·ful·ly /trúːθfli/ 副 誠実に, 正直に;[文全体を修飾]正直に言えば, 本当のところ ∥ He always speaks *truthfully*. 彼はいつも正直に話す / We can *truthfully* say that ... …と言ってもうそではない / *Truthfully* (🔊), she is wrong. 正直に言えば, 彼女の考えは誤っている.

*__**try**__ /tráɪ/ [「ふるいにかけて分ける」が原義] 類 trial (名)
— 動 (tries/-z/; 過去・過分 tried/-d/; ~·ing)
— 他
I [試みる]
1〈人が〉〈事を〉試みる, やってみる; [try to *do*] …しようと試みる[努力する]《◆ attempt より口語的》∥ She *tried* her bést [hárdest]. 彼女は全力を尽くした / Since he could not work out the problem that way, he *tried* another method. 彼はその問題をあの方法で解けなかったので別の方法を試みた / He *tried to* write to her, but he could not. 彼は彼女に手紙を書こうとしたができなかった《◆ could not の次に省略されているのは write … であって, try to … ではない》(→ **2** 用例) / *Try* not *to* fail your math test. 数学のテストに落ちないようにしなさい《➔ 文法 11.7》 / *Try to* júmp over the fence. そのさくを跳び越えてごらん(=*Try and* jump ...).(→ 自).

▪ try to *do* …しようと試みる
　try *doing* 試しに…してみる

2〈人が〉〈物・事を〉試す;〈人・物を〉試用する;〈飲食物を〉試食[飲]する; …の品質・機能などを試す; [try *doing*] 試しに…してみる《◆ 反復的・継続的な試みを含意》; [try wh節] …かどうかを試してみる 使い分け → test 他 **1**) ∥ *try* one's strength 自分の力を試してみる / I *tried* the door, but it was locked. ドアが開くかどうか試してみたが, かぎが掛かっていた / *Try* [See] *how* fast you can run. どれくらい速く走れるか試してごらん / He *tried* writing to her, but she did not reply. 彼は彼女に手紙を書いてみたが返事はもらえなかった.

語法 try + 名詞における try の意味は名詞の内容によって変わってくる: *try* (reading) a new book / *try* (eating) sushi / *try* (solving) a problem.

II [ある対象に試みる]
3(法律)〈人が〉〈事件〉を審理する;〈人〉を〔…の罪名で〕裁判する〔*for*〕∥ Who is going to *try* this case? 誰がこの事件を裁くのでしょうか / He *was tried for* murder. 彼は殺人容疑で裁判を受けた. **4**〈鯨油など〉をしぼり取る, 精製する(+*out*).

III [精神的に試みる]
5(正式)〈事・人などが〉〈人〉を苦しめる, 悩ます(annoy);〈目など〉に負担をかける, …を疲れさせる

trying

(strain) ‖ Reading *tries* my eyes too much. 読書をするととても目が疲れる / Don't *try* her patience too much. 彼女をあまりいらいらさせてはいけません.

— 自 〈人が〉試みる, やってみる; 努力する ‖ I *tried* but failed. やってはみたが, 失敗した / *Try* and come early, won't you? 早く来てくださいませんか.

trý for A (英)(1)〈地位・奨学金などを〉得ようとする. (2)〈場所に〉達しようとする. (3)〔通例 be tried〕〈人が〉〈有罪〉を証明されかかっている.

trý on [他](1)〔サイズが合うか〕〈服などを〉着て[はいて, かぶって]みる[*for*] ‖ *Try* these shoes *on for* size. サイズがあうかどうかこの靴をはいてみてください. ❲対話❳ "How are these pants?""May I *try* them *on*?" 「このズボンはどうですか」「はいてみてよろしいですか」. (2)(英)〈人を〉だまそうとする[*with*] ‖ *try on* the old trick *with* him 古い手で彼をだまそうとする.

trý óut [他](1)→他 4. (2)〈人・物を〉試験的に使ってみる(test); 〈計画などを〉十分に試してみる ‖ I'll *try* her *out* as a secretary. 彼女を秘書として使ってみよう.

—名 C 1 〔しばしば a ~〕〔…に対する〕試み, 試し; 努力(at, on, for)〈◆ attempt, effort より口語的〉‖ make *a try* 試みてみる / The plan is worth *a try*. その計画はやってみる価値がある / She gave the new soap *a try*. 彼女は新しい石けんを使ってみた / Each of them had three *tries at* the running high jump. 彼らは走り高跳びをそれぞれ3回試みた / He passed the examination on the first *try*. 彼は1回目でその試験に合格した. 2〔ラグビー〕トライ《相手のインゴールにボールを持ち込むこと》;〔アメフト〕トライ《タッチダウンで得点したチームにさらに与えられる追加得点のチャンス. try for point ともいう》‖ score two *tries* トライを2本決める.

trý squáre 直角定規.

†**try·ing** /tráiŋ/ 形 1 苦しい, つらい,〔…に〕こたえる,〔…を〕疲れさせる[to] ‖ be *trying* to the health 体に悪い /〈人が〉しゃくにさわる, やっかいな.

try-on /tráiàn | -ɔ̀n/ 名 C 1 (仮縫いの服の)試着. 2 (英略式)だまそうとする試み.

try·out /tráiàut/ 名 C 1 (略式)(1)(選手・俳優などの)適性試験, テスト, オーディション; 予選(競技). 2 (劇などの)試験興行.

tryp·sin /tríp sin/ 名 U〔生化学〕トリプシン.

tsar /zɑ́ːr, tsɑ́ːr/ 名=czar.

tsa·ri·na /zɑːríːnə, tsɑː-/ 名 =czarina.

Tschai·kov·sky, --kow-- /tʃaikɔ́(ː)fski/ 名 = Tchaikovsky.

tset·se /tsétsi | tétsi/ 名 C〔昆虫〕=tsetse fly.

tsétse flý ツェツェバエ.

T-shirt, T shirt /tíːʃə̀ːrt/ 名 C Tシャツ(tee shirt).

tsp, tsp.(略)teaspoon(s); teaspoonful.

tsu·na·mi /tsunáːmi, su-/〔日本語〕名 (複 ~s, tsu·na·mi) C 津波 (tidal wave).

TU(略)Trade Union.

†**tub** /tʌ́b/ 名 C 1 〔しばしば複合語で〕おけ, たらい ‖ a rainwater *tub* 天水おけ / a wash-*tub* 洗濯だらい. 2 (略式)ふろおけ, 浴槽((主に米) bathtub). 3 おけ[たらい]1杯(tubful). 4 (略式)〔通例 a/the ~〕入浴, ふろ(bath) ‖ What you need is a good soak in a hot *tub*. 君に必要なのはたっぷり熱いふろに入ることだ. 5 (バター・ラードなどの)容器, 入れ物. 6 (略式)のろくて不格好な船; 練習用ボート.

— 動 (過去・過分) **tubbed** /-d/; **tub·bing** 自 (英

Tudor

略式)入浴する(take a bath).

tu·ba /tjúːbə/ 名 C〔音楽〕1 チューバ《最低音部用の金管楽器》. 2 (オルガンの)チューバ音栓.

†**tube** /tjúːb/ 名 C 1 (金属・ガラス・ゴムなどの)管,(タイヤなどの)チューブ ‖ a glass [rubber] *tube* ガラス[ゴム]管 / the inner tube of a bicycle [car] tire 自転車[自動車]のタイヤのチューブ / a tést [spéak·ing, léad] *tube* 試験[通話, 鉛]管.

2 (絵の具・歯みがきなどの)チューブ ‖ squeeze toothpaste out of a *tube* チューブから歯みがきを絞り出す. 3 〔しばしば the T~〕(英略式)(ロンドンの)地下鉄《(主に米) subway》‖ tàke a [the] *tube* to Oxford Circus オックスフォード・サーカスまで地下鉄に乗る. 4 (管楽器などの)管, 胴;〔通例 ~s〕(動植物の)管, 管状器官 ‖ the bronchial *tubes* 気管支. 5 (海底などの鉄道の)トンネル. 6 ブラウン管(cathode-ray tube);(主に米仮)[the ~] テレビ(TV) ‖ What's on *the tube*? テレビで何をやっていますか.

— 動(他)1 …に管をつける[差し込む]. 2 …を管の中に入れる. 3 …を管状にする.

túbe·less 形 〈タイヤなどが〉チューブのいらない.

†**tu·ber** /tjúːbər/ 名 C 1 〔植〕塊茎《ジャガイモなど》. 2 結節, 隆起.

tu·ber·cle /tjúːbərkl/ 名 C 1〔植〕小塊茎; 結節. 2〔解剖〕小結節.

tu·ber·cu·lar /tjuːbə́ːrkjələr/ 形 1 結節のある, 結節(状)の. 2(正式)結核(性)の.

tu·ber·cu·lin /tjuːbə́ːrkjələn/ 名 U〔医学〕ツベルクリン(注射液).

†**tu·ber·cu·lo·sis** /tjuːbə̀ːrkjəlóusəs/ 名 U〔医学〕結核(略) TB, t.b.); 肺結核.

tu·ber·cu·lous /tjuːbə́ːrkjələs/ 形 =tubercular.

tub·ing /tjúːbiŋ/ 名 U 1 管形の材料. 2〔集合名詞〕管類. 3 (1本の)管.

tu·bu·lar /tjúːbjələr/ 形(正式)1 管状の; 丸くてくぼんだ. 2 管の, 管に関する; 多くの管から成る, 多くの管で作った.

tu·bule /tjúːbjuːl/ 名 C 小管,(動植物の)細管.

†**tuck** /tʌ́k/ 動(他)1 …を(狭い場所・人目につかない所などに)押し込む, しまい込む, 隠す(+*away*)[in, into, among, under]‖ He *tucked* the money into his pocket. 彼はポケットにお金をしまい込んだ. 2〈衣服・シーツなどの〉端を〔…に〕押し込む, はさみ込む(+*in, down*)[into, under]‖ ❲対話❳ "*Tuck* your shirt *in*. You look sloppy.""OK, Mom. But I like this style." 「シャツをその中に入れなさい. だらしないから」「わかるよ, お母さん. でもこの格好が好きなんだ」. 3〈人〉を(毛布などで)包み込む, 寝具などに)くるむ(+*up, in*)[into, in]‖ *tuck* the baby *in* bed 赤ん坊をベッドに入れて毛布でくるむ. 4〈そで・すそなど〉をまくり[たくし]上げる(+*up*)‖ *tuck up* one's trousers [sleeves] ズボン[そで]をまくり上げる. 5〈衣類に〉縫いひだを付ける, タックを取る.

— 自(略式)…をたらふく食う[飲む].

túck ín〔自〕(英略式)〔…を〕たらふく食う[飲む](to).
— 他(1)(略式)…をたらふく食う[飲む]. (2)→他 2, 3.

túck ínto A (英略式)…をたらふく食う.

— 名 1 C 縫いひだ, 上げ, タック. 2 C 折り[押し]込まれた部分.

tuck·er /tʌ́kər/ 名 C 縫い上げをする人;(ミシンの)折取り器.

-tude /tjuːd/(語要素)→語要素一覧(2.2).

Tu·dor /tjúːdər/ 名 C(英史)チューダー王家の人

the Tudors =the House of Tudor チューダー王家《Henry VII から Elizabeth I までのイギリスの王朝(1485-1603)》. ― 形 1 チューダー王家[王朝]の. 2 〔建築〕チューダー様式の.
Tues., Tue. (略) Tuesday.
***Tues·day** /tjúːzdei, -di/〔チュートン族の軍神ティウ(Tiu's)の日(day)〕 ― 名 (複) ~s/-z/) UC 火曜日((略) Tue., Tues., T., Tu.) ;[形容詞的に](米·英式式)副詞的に)火曜日の[に] (語法) → Sunday).
tu·fa /tjúːfə/ 名 U 〔地質〕 1 トゥファ《多孔質の石灰華》. 2 =tuff.
tuff /tʌf/ 名 U 〔地質〕凝灰(ぎょう)岩.
†**tuft** /tʌft/ 名 C 〔髪·羽毛·糸·草などの〕ふさ ‖ a tuft of feathers ふさふさした羽の束.
túft·ed 形 房になって生えている.
†**tug** /tʌɡ/ 動 (過去·過分) tugged/-d/; tug·ging) 他 1 …を強く[ぐっと]引く, 引っ張る; …を[…から]引きずり出す, 引き離す[+away) [out of, from) ◆ pull に「ぐっと」「ぐいと」といった気持ちが加わる》‖ The baby tugged the cat's tail. 赤ん坊はネコのしっぽを強く引っ張った / tug the trunk out of the locker トランクをロッカーから引っ張り出す. 2 〈船〉を引き船で引く[押す]. ― 自 1 […を]強く引く, 引っ張る(at, on)‖ The child tugged at his mother's hand. 子供は母の手を強く引いた. 2 骨折る, 奮闘努力する; 熱心に働く. 3 競う, 争う.
― 名 C 1 [通例 a ~] 急に強く引く[引っ張る]こと ‖ give the rope a tug ロープを強く引っ張る(= tug at the rope)(→ give **16 a**) / a tug of war 綱引き. 2 =tugboat.
tug·boat /tʌɡbòut/ 名 C 引き船, タグボート(tug).
†**tu·i·tion** /tjuːíʃən/ 名 U 1 (主に米) (大学·私立校などの)授業料. 2 指導, 授業《◆ teaching より堅い語》‖ give music tuition =give tuition in music 音楽の授業をする.
***tu·lip** /tjúːlip/〔「ターバン(turban)」が原義〕 ― 名 (複) ~s/-s/) C チューリップ(の花, 球根)‖ Tulips open in the spring. チューリップは春に花が咲きます.
túlip trèe 〔植〕ユリノキ《北米産高木で tulip に似た花をつける. 米国 Indiana, Kentucky, Tennessee 州の州花》.
tulle /tjúːl/〔フランス〕名 U チュール《ベールなどに用いる薄い網状の絹》.
†**tum·ble** /tʌmbl/ 動 1 〈人〉が倒れる;[…につまずいて)転ぶ(over) ;〈人·物〉が[…から]転落する(off, out of, from); […に]転がり落ちる(down) ‖ tumble over the root of a tree 木の根につまずいて転ぶ / tumble off a horse [bicycle] 馬[自転車]から落ちる / tumble down the stairs 階段を転がり落ちる. 2 〔場所で〕転げ回る, のたうち回る(+about) (in, on) ‖ tumble restlessly in bed ベッドで絶えず寝返りをうつ. 3 〔…の中へ/…の外へ〕あわてて[ぶざまに]動く(into / out of); 混乱する. 4 とんぼ返り[宙返り]をする. 5 〈物価などが〉暴落する. 6 〈建物などが〉崩壊する, 壊れる(+down).
― 他 1 …を倒し, ひっくり返す. 2 …を[…の中へ/…の外へ]投げ散らかす, 乱雑にする(into / out of); 〈衣服·髪の毛など〉をめちゃくちゃにする.
túmble drỳ 〈衣服など〉を回転乾燥機で乾かす.
― 名 1 C (略式)転倒, 転落(fall) ‖ take a tumble on the stairs 階段で転ぶ. 2 [a ~] 混乱状態, 無秩序, 乱雑. 3 C とんぼ返り, 宙返り.
tum·ble-down /tʌmbldàun/ 形 〈建物などが〉今にも

つぶれそうな, 荒れ果てた.
†**tum·bler** /tʌmblər/ 名 C 1 タンブラー《取っ手のない大きめのガラスコップ. 足付きは goblet》. 2 (やや古)体操選手, 軽業師.
tum·brel, --bril /tʌmbrəl/ 名 C 〔歴史〕 1 (2輪の)肥料運搬車. 2 (フランス革命当時の)死刑囚護送車.
tu·mid /tjúːmid/ 形 (正式) 〈身体の一部が〉はれ上がった.
tum·my /tʌmi/ 名 C (略式·小児語)ぽんぽん, おなか ‖ a tummy button へそ(navel).
tu·mor, (英) --**mour** /tjúːmər/ 名 C 1 はれた部分. 2 〔医学〕腫瘍(しゅ) 《◆ cancer の遠回し表現としても用いる》.
†**tu·mult** /tjúːmʌlt, (英+) -məlt/ 名 UC (文) 1 [しばしば a ~] (けんかなどの)騒動, 大騒ぎ(uproar)‖ the tumult of a marketplace 市場の騒動. 2 [時に a ~] 混乱, 心の乱れ, 精神的動揺(confusion), 興奮 ‖ His mind was in (a) tumult at first sight. 一見しただけで彼の心は動揺した.
†**tu·mul·tu·ous** /tjuːmʌltʃuəs/ 形 (正式) 1 騒がしい, 騒々しい. 2 〈心·感情などが〉ひどく乱れた, 動揺[興奮]した. **tu·múl·tu·ous·ly** 副 騒がしく.
tun /tʌn/ 名 C 1 酒用大樽. 2 タン《酒類の容量単位. 252ガロン》.
tu·na /tjúːnə/ 名 (複 tu·na) 1 C 〔魚〕マグロ(類). 2 =tuna fish. **túna fish** マグロの肉, ツナ.
tun·a·ble /tjúːnəbl/ 形 〈楽器が〉調律できる; 調子の合った; 調和した.
tun·dra /tʌndrə, (米+) tún-/ 〔ロシア〕名 UC [通例 the ~] ツンドラ, 凍土帯.

***tune** /tjúːn/〔tone の変形〕
― 名 (複 ~s/-z/)
1 C 曲, 歌曲; 節, メロディー ‖ sing a popular tune 流行歌を歌う / She played a tune on the piano. 彼女はピアノで1曲弾いた / ショック "What tune makes everyone happy?" "Fortune." 「みんなを幸せにしてくれるのはどんな曲?」「幸運」.
2 U (音楽の)正しい調子 ‖ sing in tune 正しい旋律で歌う / This piano is out of tune. このピアノは調子が狂っている.
3 U 調和, 一致; 協調 ‖ play the American tune アメリカに調子を合わせる, アメリカの言うとおりにする / be in [out of] tune with … …と合っている[いない].
chánge one's **túne** =**síng** [**whístle**] **anóther** [**a dífferent**] **túne** (略式)意見[態度]をがらりと変える, (言動の)調子を変える, 謙遜(けんそん)する.
to sóme túne 相当に, ずいぶん.
to the túne of A (1) …の曲に合わせて. (2) (略式)額が…も《◆ ふつう法外に高いことを意味する》‖ I had to pay the bill to the tune of one hundred dollars. それに100ドルも払わなければならなかった.

― 動 (~s/-z/; 過去·過分) ~d/-d/; tun·ing)
― 他 1 〈楽器〉を調律する; 〈エンジンなど〉を最良の状態に調整する(+up).
2 [tune **A** to **B**] 〈人が〉**A**〈ラジオ·テレビなど〉を**B**〈放送局·チャンネルなど〉に合わせる, 同調させる ‖ She tuned her television set to Channel 6. 彼女はテレビを6チャンネルに合わせた / Stay tuned to ABC for the latest news. チャンネルはABCのまま最新のニュースをお聞きください 《◆ ラジオ·テレビ番組の中でよく使われる》.
3 …を[…に]調和[一致]させる(+in) (to) ‖ tune oneself to life in the tropics 熱帯地方の生活に

順ずる. ―他 1 楽器を調律する(+up). 2〔…と〕調子が合う;調和する〔with〕.

tune ín [自] (1)〔放送局・番組などに〕ダイヤル〔チャンネル〕を合わせる〔to, on, for〕. (2)〔…に〕順応する,耳を傾ける〔to, on〕. ―[他]〈ラジオ・テレビなどの〉ダイヤル〔チャンネル〕を〔…に〕合わせる〔to〕. (2) → [他] 3.

tune óut [自] (1) 雑音が入らないようにする;ダイヤル〔チャンネル〕を他へ回す,スイッチを切る. (2)〔俗〕そっぽを向く,無視する. ―[他]〈雑音・放送局〉が聞こえないようにダイヤル〔チャンネル〕を他へ回す,〈ラジオ・テレビ〉を切る. (2) 〔主に米略式〕…に耳を貸さない,…を無視する.

tune úp [自] (1) → [自] 1. (2) 〔略式〕歌[演奏]を始める. ―[他] → [他] 1.

†**tune·ful** /tjúːnfl/ [形] 1 調べの美しい,音楽的な. 2 音楽的な音を出す;〈ショーなど〉が音楽の多い.

tune·less /tjúːnləs/ [形] 調子はずれの,音楽的でない.

tun·er /tjúːnɚ/ [名] Ⓒ 1 〈ピアノなどの〉調律師. 2〔ラジオ・テレビ〕チューナー,同調器.

tune-up /tjúːnʌp/ [名] Ⓒ 〈エンジンなどの〉調整;〈運動選手の〉準備練習.

tung·sten /tʌ́ŋstən/ [名] Ⓤ〔化学〕タングステン(wolfram)《金属元素.〔記号〕W》.

Tun·gus, --guz /tuŋgúːz | túŋgus/ [名]〔⑯〕~·es, 〔集合名詞〕**Tun·gus, --guz**) [the ~(-es)] ツングース族《東部シベリアに住むモンゴルの一種族》; Ⓒ その一員; Ⓤ ツングース語.

†**tu·nic** /tjúːnik/ [名] Ⓒ 1 チュニック《古代ギリシア・ローマ人が着たひざ上までの上衣》. 2 チュニック《1に似た女性用オーバーブラウスまたは短いコート》.

tun·ing /tjúːniŋ/ [名] Ⓤ 調律;同調‖ **fine-tuning** 微調整. **túning fòrk** 音叉(きん).

Tu·nis /tjúːnis/ [名] チュニス《チュニジア(Tunisia)の首都》.

Tu·ni·si·a /tjuːníːʒiə | -níziə/ [名] チュニジア《北アフリカの共和国》.

***tun·nel** /tʌ́nl/ [発音注意]
―[名]〔⑯〕~s/-z/; Ⓒ 1 トンネル;地下道‖ a railroad [subway] *tunnel* 鉄道[地下鉄]用トンネル / through an underwater *tunnel* 海底トンネルを通って. 2〔鉱業〕坑道,(特に)横坑. 3〈モグラなどの〉穴.
―[動]〔過去・過分〕~ed or〔英〕**tun·nelled**/-d/; ~·ing or〔英〕**--nel·ling**〔他〕1 …にトンネルを掘る‖ *tunnel* a hill [cliff] 小山[がけ]にトンネルを掘る. 2 …を掘る;〈道〉を掘るように進む‖ *tunnel* a hole in the wall 壁をぶち抜く / *tunnel* one's way through [into] a crowd 人ごみを通り抜ける[人込みの中へもぐり込む]. ―[自]〔…に〕トンネル[地下道]を掘る〔into, through〕‖ *tunnel* under the sea 海底トンネルを掘る.

tun·ny /tʌ́ni/ [名]〔⑯〕**tun·ny, --nies**〔魚〕=tuna.

tup·pence /tʌ́pəns/ [名]〔英俗〕=twopence.

Tup·per·ware /tʌ́pɚwèɚ/ [名]〔商標〕タッパーウェア《プラスチック性の密封保存容器》.

Tu·ra·ni·an /tjuːréiniən/ [形] ウラル=アルタイ(Ural-Altaic)語族の. ―[名] Ⓒ ウラル=アルタイ語族の人;Ⓤ ウラル=アルタイ語.

†**tur·ban** /tɚ́ːbən/ [名] Ⓒ 1 ターバン. 2 ターバン風かぶり物;〈女性・子供用〉ターバン型帽子.
túr·baned [形] ターバンを巻いた.

tur·bid /tɚ́ːbid/ [形]〔正式〕1〈液体・色など〉が濁った(muddy), 不透明な(↔clear). 2〈思考・感情〉などが混乱した. 3〈煙・雲〉などが濃い;厚い(dense).

tur·bine /tɚ́ːbain, -bin/ [名] Ⓒ〔機械〕タービン《蒸気・水力・ガスなどで回転する原動機》.

tur·bot /tɚ́ːbət/ [名] Ⓒ〔魚〕ターボット《ヨーロッパ産のカレイ類の一種》. Ⓤ その肉.

†**tur·bu·lence,**〈古〉**--len·cy** /tɚ́ːbjələns(i)/ [名] Ⓤ 〔正式〕1 大荒れ,荒れ狂い;〈社会的〉動乱,騒乱. 2 〔気象〕〔通例 the ~〕〈大気の〉乱れ,乱気流.

†**tur·bu·lent** /tɚ́ːbjələnt/ [形]〔正式〕1〈天候・風波などが〉荒れ狂う(violent). 2〈感情などが〉かき乱された,混乱した. 3〈暴徒などが〉騒々しい,乱暴な,不穏な(disorderly). **túr·bu·lent·ly** [副] 荒れ狂って.

tu·reen /tərím | tju-/ [名] Ⓒ 食卓用のふた付き皿《これからスープ・野菜などを各自の皿によそう》.

†**turf** /tɚ́ːf/ [名]〔⑯〕~s/-s/,〈英正式〉**turves**/tɚ́ːvz/〕1 Ⓤ 芝土《芝の生えている草地. cf. lawn¹》‖ make a lawn by laying pieces of *turf*《芝草の種をまいてではなく》芝土を敷いて芝生を作る. 2 Ⓒ〈移植用に四角に切り取った〉芝土の一片. 3 Ⓤ 泥炭(peat);Ⓒ〈燃料用の〉泥炭塊. 4〔略式〕[the ~]〔競馬場;競馬. ―[動] 1〔英正式〕…を芝で覆う;…に芝を張る. 2〔主に英略式〕…を〔…から〕追い払う,ほうり出す(throw)〔+out〕〔of〕.

túrf accòuntant 〔英式〕〈競馬などの〉賭元(なとん).
túrf commìssion àgent =turf accountant.

Tur·ge·nev, --niev /tɚ́ːgéinjəf, tuəgéinjef/ [名] ツルゲーネフ《Ivan Sergeevich/iván sərgéiviʧ/ ~ 1818-83; ロシアの小説家》.

tur·gid /tɚ́ːdʒid/ [形] 1 はれ上がった,ふくれた(swollen). 2 おおげさな,誇張した.

Tur·in /tjúːrin/ [名] トリノ《イタリア北西部の都市》.

†**Turk** /tɚ́ːk/ [名] Ⓒ 1 トルコ人;[the ~s; 集合名詞] トルコ国民‖ the **Grand [Great] Turk** トルコ皇帝. 2 トルコ馬. 3〔略式〕残忍な人;手に負えないやつ,わんぱく小僧.

Turk. = Turkey; Turkish.

†**tur·key** /tɚ́ːki/ [名] 1 Ⓒ シチメンチョウ(七面鳥);その肉《◆ 頭部から首にかけての皮膚の色が青と赤にたえず変化する. クリスマスに〈米国では主に感謝祭のときに〉食べる. 〈オスの〉鳴き声は gobble で表す. オスは turkey cock, male turkey,〔略〕gobbler, メスは turkey hen, ひなは turkey poult)‖ turn (as) red as a *turkey* cock《怒りなどで》顔が真っ赤になる/(as) proud as a *turkey* 大得意で. 2 Ⓒ〔ボウリング〕ターキー《3回連続してのストライク》. 3 Ⓒ〔米俗〕〈演劇・映画などの〉失敗作. 4 Ⓒ〔米俗〕ばかなやつ,だめなもの[人];〈芝居などでの〉失敗,とちり.

tálk (cóld) túrkey 〔主に米略式〕《商談などで》率直に〔きっぱりと〕ものを言う‖ ◆ **cold** がつくと意味が強まる.

†**Tur·key** /tɚ́ːki/ [名] トルコ《アジアとヨーロッパにまたがる. 現在は共和国. 首都 Ankara. cf. Turk, turkey, ottoman》.

†**Turk·ish** /tɚ́ːkiʃ/ [形] トルコ(風)の;トルコ人[語]の.
―[名] Ⓤ トルコ語.

Túrkish báth (1) トルコ風呂《スチームバス(steam bath)の一種. cf. sauna》. (2) トルコ風呂の浴場《施設》.

Túrkish cóffee トルコ式コーヒー《水から煮立てて上澄みを飲む濃厚なコーヒー》.

Túrkish Émpire [the ~] トルコ帝国(the Ottoman Empire).

Túrkish tówel トルコタオル《けばが輪になったタオル》.

Túrk's-càp lily /tɚ́ːkskæp-/〔植〕カノコユリに似た小形の花を多数つける〕ユリ.

†**tur·moil** /tɚ́ːmɔil/ [名] Ⓤ〔正式〕[時に a ~] 騒ぎ,騒動,混乱(tumult).

turn

turn /tə́ːrn/ 〖「円を描く(器具)」が原義. cf. tour〗

index
動 他 1 向ける 2 向きを変える 5 ひっくり返す 6 回す 7 曲がる 9 変える
自 1 回る 2 曲がる 3 変わる 4 なる
名 1 順番 2 回転 3 方向転換 4 曲がり角 5 変化

—**動** (~s/-z/; 過去・過分 ~ed/-d/; ~・ing)
— **他**
I [向きを変える]
1 〈人が〉〈顔・事〉を〈…に〉**向ける**, 傾ける, 注ぐ〔to, toward, on〕; 〈人〉を〔…に〕専念[専心]させる〔to〕‖ He *turned* his face this way. 彼は顔をこちらに向けた / She was angry and *turned* her back *on* me. 彼女は怒って私に背を向けた / *Turn* your efforts *to* this job. この仕事に励みなさい / She *turned* her thoughts *toward* their reunion. 彼女は再会に思いをはせた.

2 〈人が〉〈車など〉の**向きを変える**; 〈暴徒など〉を退却[後退]させる; 〈攻撃など〉をそらす, かわす(+*off*) ‖ The captain *turned* the ship quickly. 船長はすばやく船の方向を変えた / He *turned* the computer so she could see the screen. 彼女にスクリーンが見えるように彼はコンピュータの向きを変えた.

3 〈人・動物〉を追いやる, 追い払う ‖ He was *turned* from her door. 彼は彼女に門前払いをくわされた.

4 …を熟考する, 思いめぐらす(+*over*) ‖ I *turned* the problem *over* in my mind. 私はその問題をじっくりと考えてみた.

II [回転して何かを変える]
5 〈人が〉〈物〉を**ひっくり返す**, 裏返す, 折り返す; 〈土・畑など〉を掘り[すき]返す; 〈ページ〉をめくる(+*over*) ‖ *turn* the soil in plowing 土をすき返す / *turn* a pancake ホットケーキを裏返す / He *turned* his pockets inside out. 彼はポケットを裏返しにした.

6 〈人などが〉〈物〉を**回す**, 回転させる; 〈栓など〉をひねる ‖ *turn* the tap to wash dishes 皿を洗うために水道の蛇口をひねる / *turn* the wheel to the left ハンドルを左に切る / *turn* the key in the lock かぎを錠に差し込んで回す.

7 〈人・車などが〉〈角など〉を**曲がる**; 〈敵などの反対側に〉回る; …を迂回(うかい)する ‖ We *turned* the corner and drove north. 我々は角を曲がり北へと車を走らせた.

8 …を旋盤[ろくろ]にかけて作る, 旋盤[ろくろ]で丸くする; 〈表現などを〉きれいにする.

III [ある状態を別の状態に変える]
9 [turn **A** into **B**] 〈人などが〉**A**〈物〉を**B**〈別の物〉に**変える**; 〈言語〉を〈別の言語〉に訳す, 翻訳する; [turn **A** C] **A**〈物〉を **C** にする, ならせる《◆ **C** は状態を表す形容詞(句)》‖ The witch *turned* the girl *into* a toad. 魔女は少女をヒキガエルに変えた / He *turned* his stock *into* cash. 彼は株を現金化した / The frost *turned* the leaves yellow. 霜で木の葉が黄色に紅葉した / I *turned* the ill-treated dog loose. いじめられていた犬を放してやった.

10 〈牛乳など〉を変質させる, 腐敗させる; 〈木の葉〉を変色させる; 〈人〉の生き方を変えさせる; 〈考え方など〉を変えさせる ‖ What *turned* the milk (bad)? なぜミルクが腐ったのですか / Fall *turned* the leaves. 秋になって木の葉が紅葉した / Nothing will *turn* him from his opinion. どんなことがあっても彼の意見は変わらないだろう.

11 〈胃〉をむかつかせる; 〈頭など〉を混乱[動転]させる; 〈手・足など〉をくじく ‖ The strong coffee in the morning *turned* my stomach. 朝の濃いコーヒーで胃がむかついた.

12 (略式)〈ある年齢・時刻・金額など〉に達する, …を越える ‖ It's just *turned* nine o'clock. 9時になったばかりです / Mother has *turned* seventy. 母は70歳を越えた.

— **自** **1** 〈人・物が〉**回る**, 回転する(+ *round*, *around*); 〔…の周りを〕回る, 回転する〔*round*, *around*〕 ‖ A door *turns* on hinges. ドアはちょうつがいを軸にして回転する / The earth *turns* (a)round the sun. 地球は太陽の周りを回っている / The key will not *turn*. かぎがどうしても回らない.

2 〈人・物が〉〈ある方向に〉**曲がる**, 向く, 向かう〔*to, toward*〕; 〔場所へ〕車を乗り入れる〔*in, into*〕‖ *turn* (*to the*) *right* [*left*] 右[左]へ曲がる / *turn* north 北へ向かう / She *turned* *to* [*toward*] me. 彼女は私の方を向いた《◆ **to** がふつう》〈ジョーク〉"When is a car not a car?" "When it *turns* into a garage." 「車が車でなくなるのはどんな時?」「ガレージに入ったとき」《◆ 自 3 と取れば「ガレージに変わったとき」》.

3 〈人・物・事が〉〔…から/…に〕**変わる**, なる〔*from/into, to*〕‖ *turn* into reality 現実になる / Caterpillars *turn into* butterflies. 毛虫がチョウに変わる / Ice *turns to* water when it gets warm. 暖かくなると氷が水に変わる.

4 [turn C] 〈人・物・事が〉 **C** になる 《◆ **C** は状態を表す形容詞など》‖ The mílk *túrned* sóur. ミルクがすっぱくなった / The léaves have *túrned* yéllow. 木の葉が黄色になった / John started out a music student before he *turned* linguist. ジョンは最初は音楽専攻の学生だったが言語学に変わった《◆ 補語が名詞の場合は無冠詞》/ Sally Quinn is a reporter-*turned* novelist. サリー=クインは新聞記者から小説家となった.

5 〈人が〉振り返る, ぐるりと回る; 寝返りを打つ(+ *over*); ひっくり返る, 転覆する(+ *over*); 引き返す ‖ *Turn* on your back. 仰向けになりなさい / Let's *turn* and go back now. もう引き返しましょう. **6** 〈潮・風などの〉方向を変える(cf. **自 2**); 〈形勢などが〉一変[一転]する ‖ The wind *turned* to the north. 風向きが北に変わった. **7** 〈物が〉変質する, 腐敗する; 〈空・葉などが〉〔…から/…に〕変色する; 〈人が〉〔…から/…に〕変節する, 改宗する, 生き方を変える〔*from/to*〕(cf. **自 4**) ‖ The leaves *turn* in autumn. 秋には木の葉が紅葉する. **8** 〈胃がむかつく〉(+ *over*); 〈頭が〉混乱する, ぐらぐらする(+ *over*) ‖ The scene made my stomach *turn*. その光景で気分が悪くなった. **9** 〈ページが〉めくれる; 〈裏返し〉になる. **10** 旋盤[ろくろ]を回す; 旋盤[ろくろ]にかけられる.

About [*Léft, Right*] *túrn!* (米軍事)(号令)回れ右 [左向け左, 右向け右].

túrn abóut [自] (1) 向きをぐるりと変える, 回れ右をする《◆ 命令では About turn! となる》. (2) 意見[考え]を変える. — [他] [~ **A** *about*] 〈軍隊など〉に回れ右をさせる.

túrn agàinst A 〈人〉に敵意をいだく, 反抗[敵対]する (↔ turn in favor of).

túrn A agàinst B 〈人〉を **B**〈別の人〉に反抗[敵対]させる ‖ What *turned* her *against* you? なぜ彼女はあなたに反抗したのですか.

túrn and rún (危険などに)背を向けて逃げる.

túrn (a)round [自] (1) → 自**1**. (2) ぐるりと向きを変える. (3) 意見[態度]を変える ‖ He has turned 180 degrees around. 彼の態度は180度変わった. ―[他] [~ **A** (a)round] (1) 〈自動車など〉の向きをぐるりと変える. (2) 〈人の意見[態度]〉を変えさせる.

túrn aside [自] [‥から]わきへはける[それる], [人に]同情を示さない[from]. ―[他] …をわきへはけ[それ]させる.

túrn awáy [自] (1) 向きを変えて立ち去る. (2) [‥から]顔をそむける; [‥に]そっぽを向く, 〈人に〉同情を示さない[from] ‖ She turned away in horror at the sight of blood. 彼女は血を見て怖くなり顔をそむけた. ―[他] (1) 〈人〉を[‥から]そむける[from]. (2) 〈人〉を[‥から]追い払う, 退ける; [‥を]見捨てる[from] ‖ He turned his eyes away from me. 彼は私から目をそらした.

túrn báck [自] (1) 来た道を引き返す; もとの状態まで戻る ‖ There is no turning back. もうあとには引けない. (2) 〈えりなどが〉折り返しになる. ―[他] (1) …を追い返す, 引き返させる ‖ turn back the rising tide of protectionism 高まりつつある保護貿易主義を阻止する. (2) 〈衣類・紙など〉を折り返す.

***túrn dówn** [自] (1) 〈えりなどが〉(下に)折り返しになる; 下に曲がる; 〈目尻が〉下がる. (2) 〈経済などが〉衰退する, 低下する. ―[他] (1) 〈ページ・えりなど〉を折り返す[曲げる]. (2) 〈トランプ〉を伏せて置く. (3) 〈明かりなど〉を弱くする, 細くする; 〈ラジオなどの音〉を低く[小さく]する; 〈音量〉を**下げる**(↔ turn up) ‖ Turn the radio down. ラジオのボリュームを下げてください. (4) 〈応募者・申し出など〉を**断る**, はねつける (◆ reject, refuse より遠回しな表現) ‖ I proposed to her, but she turned me down. 彼女に結婚を申し込んだが断られた. (5) [~ **dówn A**] 〈小道・わき道など〉に入る ‖ turn left down an alley 左に曲がって横道に入る.

túrn from A (1) 〈場所など〉から背を向けて離れる; 〈観察など〉をやめる, 断念する. (2) → 自**7**.

túrn ín [自] (1) 〈足の指などが〉内側に曲がる. (2) (略式) 寝る, 床にはいる(go to bed, (正式) retire). (3) (車で)わき道[私道]へ入る. ―[他] (1) 〈足の指など〉を内側に曲げる. (2) …を[‥と]交換する, 取り替える[for]. (3) (略式) 〈中身〉を[‥に]返却する. (3) [届けられた(in 副 **5**)状態にする(turn 他 **9**)] (主に米)…を[‥に]提出する, 手渡す, 差し出す((正式) submit, hand in, (英) give in) [to]. (4) (略式) 〈記録など〉を上げる, 獲得する. (5) (略式) 〈犯人など〉を[‥に]引き渡す, 密告する[to] ‖ The fugitive turned himself in to the police. 逃亡犯人は警察に自首した. (6) (略式) 〈仕事・酒など〉をやめる, あきらめる.

túrn in on [upon] onesèlf [自] 隠遁(とん)生活に入る; 〈国・地域など〉が孤立する.

túrn inside óut [自] (1) 裏返しになる. (2) 〈服が〉リバーシブルである. ―[他] [~ **A** inside out] (1) → 他 **5**. (2) 〈場所〉を徹底的に捜す. (3) 〈考えなど〉を混乱させる.

Túrn it ín [úp]! (俗) そんなこと[話]はやめろ.

***túrn óff** [自] (1) 〈道が〉分かれる; 〈人・車など〉[‥へと‥で]わき道へ入る[into/at]. (2) (略式) 興味を失う. ―[他] (1) 〈水・ガスなど〉を**止める**; 〈栓など〉を締める; 〈ラジオ・テレビ・明かりなど〉を消す((正式) extinguish) (↔ turn on) ‖ The water supply was turned off. 水道の水が止められた / Don't forget to turn the light off before you go to bed. 寝る前に明かりを消すのを忘れないように. (2) (略式) 〈人〉をうんざりさせる, …に興味を失わせる ‖ The principal's long talk turned us off. 校長の長話に私たちはうんざりした / It's enough to turn you off to women. それじゃ君が女嫌いになるのも無理はない. (3) [~ **A** off **B**] 〈人〉を **B** 〈人・事〉から遠ざける. ―[自+] [~ off **A**] 〈道路〉からわき道に入る ‖ turn off the main road (and) onto the side road 幹線道路を出てわき道に入る.

***túrn ón** [自] (1) 麻薬を吸う; 麻薬で陶酔状態になる. ―[他] (1) 〈水・ガスなど〉を出す; 〈栓〉をゆるめる; 〈ラジオ・テレビ・明かりなど〉を**つける**(↔ turn off) ‖ Turn on the light, please. どうか明かりをつけてください / They turned on the water (supply). 彼らは水道の水を出し始めた. (2) (略式) 〈人〉に…興味を起こさせる[to]; 〈人〉を興奮させる, 刺激する ‖ Rock music turns me on. ロックにはしびれる. (3) 〈魅力など〉を急に見せる[示す]. ―[自+] [~ on **A** (doing)] (1) (英) …しだいである, …によって定まる(◆ 受身則 depend の方がふつう). (2) 〈人〉を攻撃する, …に敵意を示す. (3) [~ on **A**] 〈人・物〉を方角に向く.

***túrn óut** [自] (1) (略式) 起きる, 起床する(get out of bed). (2) (略式) …に[‥するために]出かける, 出席する, 集まる[for / to do]. (3) 〈足の指などが〉外側に曲がる. (4) [副詞を伴って] …になる, 進行する. (5) [~ **out** (to be) **C** / ~out that 節] …であることが**わかる**[判明する](prove) ‖ The day turned out (to be) a fine one. その日は結局良い天気になった / What they said turned out (to be) true. 彼らが言っていることはうそではないことが判明した / It turned out (that) I couldn't do so. 私にはそうすることができないことがわかった / As it [things] turned out, she was never there. 結局のところ彼女はそこにはいなかった. ―[他] (1) 〈明かりなど〉を消す ‖ Turn out the light before you go to bed. 寝る前にライトは消しなさい. (2) 〈ポケット・札入れなど〉を裏返しにする, からにする; 〈中身〉を外に出す. (3) (略式) 〈物〉を生産する, 作り出す(produce); 〈生徒・選手など〉を訓練する ‖ This university has turned out excellent scientists. この大学は有能な科学者を世に送り出してきた. (4) [通例 be ~ed; well, badly などの副詞を伴って] 〈人が〉装う ‖ He was smartly turned out in a new suit. 彼は新しい服を着こなそうとしていた.

túrn óver [自] (1) → 他 **5, 8**. (2) 〈エンジンなどが〉始動する, 回転する. (3) (英) 〈人が〉ページをめくる. (4) 〈仕事などが〉まあ順調にいっている. (5) 〈労働者たちが〉辞職[転職]する. ―[他] (1) → 他 **4**. (2) …をひっくり返す, 〈人など〉を転覆させる; 〈書類・衣類など〉をひっくり返して調べる; 〈人〉を寝返らせる(→他 **5**). (3) 〈商品〉を売買する; 〈資金〉を運用する; 〈ある額〉の商売をする ‖ He turned over $10,000 a month. 彼は1か月に1万ドルの商売をした. (4) 〈会社など〉を[人に]譲る, まかせる; 〈犯人など〉を[警察などに]引き渡す[to] ‖ They turned the hostages over to the United States. 彼らは人質を米国へ引き渡した.

túrn to [自] 元気に仕事に取りかかる. ―[自+] [~ to **A**] (1) → 他 **2, 3**. (2) 〈人・辞書・計算器など〉に[‥を求めて]頼る[for]; 〈本など〉を参照する, 調べる.

túrn úp [自] (1) 上を向く. (2) 〈経済などが〉上向きになる, 上昇する. (3) (略式) 〈客・バスなどが〉現れる, 到着する; 〈機会などが〉訪れる; [会などに]出席する, 姿を見せる(show up) [for, at] ‖ She turned up later than usual. 彼女はいつもより遅く姿を現した / Something will turn up. きっといいことがある.

(4)《略式》〈紛失物が〉(偶然)見つかる, 出てくる. (5)[~ up C] C であることがわかる[判明する]. ━[他](1)…を上向かせる. (2)〈ズボン・そでなど〉を折り返す, (えり)を立てる. (3)〈土など〉を掘り起こす. (4)〈ラジオ・テレビなどの音〉を大きくする;〈明かり・ガスなど〉を強める(↔ turn down). (5)《略式》〈人〉に吐き気を催させる;〈人〉を道徳[感情]的に不愉快にする. (6)〈人〉など〉を調べる, 参照する;《略式》〈事実など〉を発見する.

tùrn ʌ úpside dówn (1) …をひっくり返す. (2) …を乱雑にする. (3)〈場所〉を徹底的に捜索する.

━名 (複 ~s/-z/) 1 C [通例 one's ~] **順番**, 番, 機会 ‖ They are waiting their turn. 彼らは自分の順番を待っている /《対話》"It's my turn to drive." "OK. Go ahead to the next break." 「今度は私が運転する番だ」「それじゃ次の休憩までお願いします」/ Whose turn is it next? 次はだれの番ですか.

2 C **回転**, 旋回, 回ること ‖ The wheel made two turns. 車輪は2回転した / Give the screw [dial] two turns to the right. ねじ[ダイヤル]を右へ2回まわしてください.

3 C **方向転換**, 折り返し, 曲がること, ターン ‖ take [make] a sudden turn to the right 突然右折する / No U turns allowed. Uターン禁止.

4 C **曲がり角**, 曲がり目 (turning) ‖ come to a turn in the road 道の曲がり角に来る / Táke the sécond túrn to the right. 2番目の角を右に曲がりなさい.

5 [a/the ~] **変化**, 転換, 転換期, 変わり目;傾向, 方向 ‖ the turn of the tide 潮の変わり目 / at the turn of the century [year] 世紀[年]の変わり目に / Matters took a turn for the worse. 事態はさらに悪化した / The union dispute took a new turn. 労働争議は新たな局面を迎えた.

6《略式・古》[a ~] ちょっとした散歩[ドライブ, 乗馬], ひと巡り;ひと仕事;ひと勝負 ‖ go for a turn in the car 車で1回りドライブする / tàke a túrn in the garden 庭をちょっと散歩する. 7 [a ~] 性質, 性向, 傾向;素質, 才能 ‖ She has a turn for music. 彼女には音楽の才能がある / He is of a serious turn of mind. 彼はまじめな性質です. 8 C [通例 a good [bad] ~] 行ない, 行為 ‖ do him ‘a good [an ill, a bad] turn' 彼に親切[不親切]にする / One good turn deserves another. 《ことわざ》恩に報いるには恩をもってせよ. 9《略式》[a ~] 驚き, ショック;(病気・めまい・失神などの)発作 ‖ She got a turn at the news. その知らせを聞いて彼女はショックを受けた. 10 C 目的, 要求, 急場. 11 C 表現, 言い回し ‖ He always uses idiomatic turns of speech. 彼はいつも慣用表現の多い話し方をする. 12 C《英》(寄席などの)出し物;芸人.

by túrns 代わるがわる, 順番に, 次々に ‖ There were five of us in the car, and we drove by turns. 私たちは自動車に5人で乗っていて, 代わるがわる運転した / She became pale and red by turns. 彼女は青くなったり赤くなったりした.

in one's túrn 自分の番になって, 順番に当たって;今度は自分で ‖ I will see you, each in your turn. 皆さんに1人ずつ会います.

in túrn [通例文尾で](1)(2人が)交替で;(3人以上が)順番に ‖ The teacher interviewed all the students in turn. 先生はすべての学生と順番に面談した. (2) 今度は, 同様に(as well) ‖ You dislike others and you are disliked by them in turn. ひとを嫌うと, 今度は自分が嫌われますよ.

on the túrn (1) 変わり口で ‖ The patient's condition is on the turn. 病人の容態は変わりかけている. (2)《主に英》〈牛乳などが〉腐敗しかけて.

óut of túrn (1) 順番を間違えて, 順番でないのに ‖ He has played his card out of turn. 彼は順番を間違えてカードを出してしまった. (2)《略式》不適な時に, 早まって, 軽率に ‖ The spokesman has spoken out of turn. スポークスマンは早まってしゃべってしまった.

tàke túrns […を/に…するのを]交替でする[about, at, in / to do] ‖ We took turns (at [in]) driving. 私たちは交替で運転した(◆ 不定詞を従え,《英》We took it in turn(s) to drive. ともいう).

túrn (and túrn) abóut 〈2人が〉代わるがわる, 交替で ‖ We took it turn and turn about to steer the boat. 我々は代わるがわる船を操縦した.

túrn sìgnal (líght)《米》方向指示灯(indicator).

turn·a·bout /tǻːrnəbàʊt/ 名 C 1 方向転換. 2《主に米》(思想などの)転向, 変節, 裏切り. 3《米》回転木馬. 4 仕返し, 返報(→ fair play 用例).

turn·a·round /tǻːrnəràʊnd/ 名 C 1 方向転換. 2 (思想などの)転向, 変節;[通例 a/the ~](よい方向への)転換. 3 (自動車の)Uターン場所. (船・飛行機の)往復時間, 寄港して出発するまでの過程[時間].

turn·buck·le /tǻːrnbʌ̀kl/ 名 C (索の長さを縮めて張り合わせるための)引き締めねじ.

turn·coat /tǻːrnkòʊt/ 名 C 変節者, 裏切り者, 背教者.

turn·down /tǻːrndàʊn/ 形〈えりなどが〉折り返しの(できる). ━名 C 1 折り返された物. 2 拒絶, 却下.

Tur·ner /tǻːrnər/ 名 ターナー《Joseph Mallord /mǽlərd/ William ~ 1775-1851;英国の画家》.

turn·ing /tǻːrnɪŋ/ 名 1 C 回転, 旋回, 方向転換. 2 C 曲がり目[角] ‖ take the second turning to the right 2番目の曲がり角を右に曲がる.

túrning pòint 転換点, 変わり目, 節目, 転機;危機(病気の)峠 ‖ Tom met her at the turning point in his life. トムは人生の転換期に彼女と出会った.

†tur·nip /tǻːrnəp/ 名 C《植》カブ《二年生植物》;U カブの根《食用. 家畜の飼料》.

turn·key /tǻːrnkìː/ 形〈機械・コンピュータシステムなどが〉(完全に組み立て・調整されて)すぐに使える.

turn·off /tǻːrnɔ̀ːf/ 名 C 1 わき道(へ入ること);(高速道路の)出口ランプ. 2《略式》[通例 a ~] 興味をそぐ人[物].

turn·out /tǻːrnàʊt/ 名 C 1 [通例 a/the ~;通例修飾語を伴って] 出席者, 人出;実投票者数 ‖ There was a good turnout at [for] the welcome party. 歓迎会にはかなりの出席者があった. 2 [a ~] 生産高[量].

†turn·o·ver /tǻːrnòʊvər/ 名 C 1 転覆, 転倒 ‖ a sudden turnover of the ship その船の突然の転覆. 2 C (ポケット・封筒などの)折り返しの部分. 3 C (パイ皮に詰め物をして)折り曲げたパイ. 4 C 次のページへ続く新聞記事. 5 C (意見などの)転向, 転換.

†turn·pike /tǻːrnpàɪk/ 名 C 有料道路;=turnpike road. túrnpike róad《米》有料高速自動車道, ターンパイク《pike ともいう. 今はほとんど廃っている》.

turn·spit /tǻːrnspɪ̀t/ 名 C 回転式焼き串;焼き肉を回す人[装置].

turn·stile /tǻːrnstàɪl/ 名 C (1人ずつ通るための)回転

式木戸, 回り木戸(stile).
turn・ta・ble /tɚ́rntèibl/ 图ⓒ (鉄道の)転車台; (レコードプレーヤーなどの)回転盤.
turn-up /tɚ́rnʌ̀p/ 图ⓒ 1 折り返ったもの. 2 (英)(ズボンの)折り返し(cuff).
†**tur・pen・tine** /tə́ːrpəntàin/ 图Ⓤ テレビン(油), 松やに《◆塗料・ニス・医療用》. ――動 他 1 …にテレビン油を塗る[混ぜる]. 2 …から天然のテレビン油をとる.
†**tur・pi・tude** /tə́ːrpətjùːd/ 图Ⓤⓒ《正式》《おおげさに》邪悪, 卑劣, 堕落.
†**tur・quoise** /tə́ːrkɔiz, -kwɔiz |-kwɔiz, -kwɑːz, -kwɔːz/ 图 1 Ⓤⓒ トルコ石(の), トルコ玉(の)《◆12月の誕生石》. 2 Ⓤ 青緑色(の).
†**tur・ret** /tə́ːrət, túr- | tʌ́rit/ 图ⓒ (建物の角の主に装飾用の)小塔, タレット.
†**tur・tle** /tə́ːrtl/ 图 1 (豫 **tur・tle, ~s**) ⓒ (動) ウミガメ, (広義)カメ(cf. tortoise) ‖ **日本発**》 In Japan there is a proverb that says, "Cranes live 1,000 years, turtles 10,000." Together with cranes, turtles are revered as symbols of long life. 日本には「ツルは千年, カメは万年」ということわざがあり, ツルとともにカメは長寿の象徴としてあがめられています. 2 Ⓤ (スープに使う)カメの肉.
túrtle shèll 亀の甲, べっ甲.
tur・tle-dove /tə́ːrtldʌ̀v/ 图ⓒ (鳥) キジバト.
tur・tle・neck /tə́ːrtlnèk/ 图ⓒ 1 タートルネック, とっくりえり(のセーター)《主に米》polo neck》.
――形 タートルネックの.
turves /tə́ːrvz/ 图《英正式》turf の複数形.
†**Tus・can** /tʌ́skn/ 图 1 トスカナ(人, 語)の. 2 《建築》トスカナ様式の. ――图ⓒ トスカナ人. Ⓤ トスカナ語《古典標準イタリア語》.
†**Tus・ca・ny** /tʌ́skəni/ 图 トスカナ《イタリア中部の州; 州都 Florence》.
†**tusk** /tʌ́sk/ 图ⓒ (ゾウ・イノシシなどの)きば(cf. fang); (人の)出っ歯. ――動 他 …をきばで突く, 掘り返す.
tusk・er /tʌ́skər/ 图ⓒ きばのはえた動物; 《略式》象.
tus・sah, 《英》tus・sore /tʌ́sə/ 图《米》 1 《昆虫》サクサン《作蚕》《中国・インドのヤママユガ科の方》. 2 Ⓤ =tussah silk. **tússah silk** サクサン絹《サクサンのまゆからとる目の粗い絹》.
tus・sle /tʌ́sl/ 《略式》图ⓒ 組み打ち, 格闘, 乱闘. ――自 (人・良心などと)激しく格闘する, 取っ組み合いをする(with).
tus・sock /tʌ́sək/ 图ⓒ 1 《正式》草むら, 茂み. 2 (髪・羽毛などの)房.
tússock mòth 《昆虫》ドクガ.
tus・sore /tʌ́sə, -sɔːr/ 图《英》 =tussah.
†**tut** /間 t; 图ⓒ tʌ́t/ 間 ちぇっ 《歯茎のところで舌打ちする音で, いらだち・不服・困惑などを表す. しばしば tut, tut! と2つ重ねる》. ――图ⓒ ちぇっ(という舌打ち).
――動 (過去・過分) **tut・ted**/-id/; **tut・ting** 自 《tut-tut ともする》…に舌打ちする. ――他 《人》に舌打ちする.
Tu・tan・kha・men /tùːtɑːŋkɑ́ːmən | tùːtnkɑ́ːmen/ 图 ツタンカーメン《紀元前14世紀のエジプトの王》.
tu・te・lage /tjúːtlidʒ/ 图Ⓤ《正式》 1 後見, 保護, 監督; 《時に a ~》保護[監督]を受けること[期間]. 2 教育, 指導.
tu・te・lar /tjúːtlər/ 形 1 《正式》後見人[保護者]の地位にある, 後見[人]の, 保護(者)の. 2 守護の. ――图ⓒ 守護神[神].
†**tu・tor** /tjúːtər/ 图ⓒ (女性形 ~**ess**)ⓒ 1 (時に住み込みの)(家庭)教師, 個人教師[to](cf. governess) ‖ She studied French under a tutor. 彼女は家庭教師についてフランス語を勉強した. 2 《米》(大学の)準講師. 3 《英》(大学の)個別指導教員, チューター. ――動 他 1 《正式》《家庭教師として》《人》に[…を]教える, 個人教授をする(in). 《人》を[…するように]しつける, 仕込む(to do); 《感情など》を抑える, 抑制する ‖ tutor oneself to be patient 辛抱するよう自制する. 3 …を後見[保護]する, 世話する. ――自 1 […の学科の]家庭教師をする(in)《◆《米》では「…の学科の個人教授を受けている」の意もある》. 2 《米略式》家庭教師につく.
tu・tor・ess /tjúːtəris/ 图《まれ》 tutor の女性形.
tu・to・ri・al /tjuːtɔ́ːriəl/ 形 《家庭教師[個人指導]の. ――图ⓒ 1 (主に英国の大学での)個別[グループ]指導時間[クラス]. 2 《コンピュータ》チュートリアル《コンピュータシステムやソフトウェアパッケージの使い方を教えるプログラム》.
tu・tu /túːtuː/ 图ⓒ チュチュ《バレリーナ用の短いスカート》.
tux・e・do /tʌksíːdou/ 图 (豫 ~**s**)[時に T~]ⓒ《米》タキシード《主に英》 dinner jacket》.
*__TV__ /tíːvíː/ [television の略]
――图 (豫 ~**s**, ~'**s**/-z/)《◆今は T.V. は用いない》 1 Ⓤ《略式》テレビ(放送) ‖ 《◇対話》"What program is on TV now?""A quiz show." 「今テレビは何をやってますか」「クイズ番組です」. 2 ⓒ テレビ(受像機)(TV set) ‖ She bought a color TV. 彼女はカラーテレビを買った. 3 [形容詞的に] テレビの ‖ a TV program テレビ番組 / a TV star [personality, performer] テレビタレント.
TV́ dínner テレビ食《加熱するだけで食べられる冷凍食品. アルミ箔(はく)の皿にのっている》.
TV́ sét = 2.
TVA ® Tennessee Valley Authority.
twad・dle /twɑ́dl | twɔ́dl/ 图Ⓤ《略式》むだ口, たわごと; 駄作. ――動 他 《人》にむだ口をきく, たわごとを言う. ――自 …をだらだら言う[書く].
†**twain** /twéin/《古・詩》图 形 =two.
Twain /twéin/ 图 → Mark Twain.
†**twang** /twǽŋ/ 图ⓒ 1 (弦楽器などの)ブーン[ビーン]と鳴る音. 2 《略式》[通例 a ~] 鼻声.
――動 他 1 《弦楽器など》をブーン[ビーン]と鳴らす, 奏(かな)でる. 2 《矢》をビューンと放つ; 《弓》を引く. 3 …を鼻声で話す. ――自 1 《弦楽器など》がブーン[ビーン]と鳴る; […を]かき鳴らす(on). 2 《矢》がビューンと鳴る. 3 鼻声で言う.
†'**twas** /《弱》twəz; 《強》twʌ́z | twʌ́z/《詩》it was の短縮形.
tweak /twíːk/ 動 他 《略式》…をつねる, つまむ; …をぐいと引っ張る[ひねる]. ――图ⓒ つねる[引っ張る]こと.
†**tweed** /twíːd/ 图Ⓤ ツイード《粗い目の毛織物》; [~s] ツイード製の服.
'**tween** /twíːn/ 前 《詩》 between の縮約語.
'**twéen dèck(s)** 《海事》中甲板.
tweet・er /twíːtər/ 图ⓒ ツウィーター《高音用(小)スピーカー》.
tweez・er /twíːzər/ 動 他 …をピンセット[毛抜き]で抜く. ――图 [~s; 複数扱い] 毛抜き, ピンセット《◆ *a pair of tweezers*, *two pairs of tweezers* … と数える》.
†**twelfth** /twélfθ/ 《◆ 12th とも書く》形《◆形・图 とも用例は → **fourth**》 1 [通例 the ~] 第12の, 12番目の(→ **first**) 形 1). 2 [a ~] 12分の1の.
――图 1 Ⓤ [通例 the ~] (順位・重要性で)[…する]第12番目[12位]の人[もの][to do]. 2 Ⓤ [通例 the ~] (月の)第12日(→ **first** 2). 3 ⓒ 12分

の1(→ third 名5).
Twélfth Dáy [しばしば t~ d-] 12日目, 公現日(Epiphany)《クリスマスから12日目の1月6日》.
Twélfth Níght [時に t~ n-] 12日目の前夜祭《1月5日の夜. → Epiphany》.
twelfth·ly /twélfθli/ 副 12番目に.

✱twelve /twélv/ 《10に残り(leave)2つ(twe). cf. eleven》
—名 (複 ~s/-z/)《名形 とも用例は → two》 **1** UC [通例無冠詞] (基数の)12《◆序数は twelfth. 宇宙の秩序を表す》.
2 U [複数扱い;代名詞的に] 12個; 12人.
3 U 12時, 12分; 12ドル[ポンド, ペンス, セントなど].
4 U 12歳. **5** C 12の記号[数字, 活字]《12, xii, XII など》 **6** C 12個[人]1組のもの. **7** [the T~;複数扱い] キリストの十二使徒(Apostles) (cf. eleven 名 7)).
—形 **1** [通例名詞の前で] 12の, 12個の; 12人の.
2 [補語として] 12歳の.

†**twelve·month** /twélvmʌ̀nθ/ 名《やや古》[a ~] 12か月, 1年.

twelve-note /twélvnóut/ 形《音楽》12音(組織)の.
twélve-nóte músic 12音音楽.

†**twen·ti·eth** /twéntiəθ/《米》twʌ̀n-/【つづり注意】《◆20th とも書く》形《名形 とも用例は → fourth》
1 [通例 the ~] 第20の, 20番目の(→ first 形 1). **2** [a ~] 20分の1の. —名 **1** U [通例 the ~] (順位・重要性で)〔…する〕第20番目[20位]の人[もの] (to do). **2** U [通例 the ~] (月の)第20日(→ first 名 2). **3** C 20分の1(→ third 名 5).

[語法] 第21以上は twenty-first (第21), twenty-second (第22), twenty-third (第23), twenty-fourth (第24)などのようにいう.

✱**twen·ty** /twénti, 《米》twʌ̀n-/ [2(twen)の10倍(ty). cf. twin]
—名 (複 --ties/-z/)《◆名形 とも用例は → two》
1 UC [通例無冠詞] (基数の)20《◆序数は twentieth. しばしば不特定多数を表す. → 形 3》.
2 U [複数扱い;代名詞的に] 20個; 20人.
3 U 20ドル[ポンド, ペンス, セントなど]. **4** U 20歳.
5 C 20の記号[数字, 活字]《20, xx, XX など》. **6** C 20個[人]1組のもの. **7** [one's twenties; 複数扱い] (年齢の)20代, 20歳から29歳まで ‖ He is still in his late twenties. 彼はまだ20代後半だ. **8** [the twenties] (世紀の)20年代, 20年から29年まで, (特に)1920年代; (温度・点数などの)20台 ‖ The novel was written during the twenties. その小説は(19)20年代に書かれた. **9** C《略式》 **a**《米》20ドル紙幣. **b**《英》20ポンド紙幣.

[語法] 21から99までは twenty-four のようにハイフンでつなぐ. four and twenty のような言い方は古風で感情がこめられ, 特に50歳以下の年輩の人に用いられる.

—形 **1** [通例名詞の前で] 20の, 20個の; 20人の.
2 [補語として] 20歳の. **3** (不特定)多数の, たくさんの(cf. fifty) ‖ twenty times 20回[倍]; 何度も.

twen- /twénti-, 《米》twʌ̀nti-/【語要素】→語要素一覧(1.1).

twen·ty-one /twéntiwʌ́n/ 名 U《米》《トランプ》21(《米》blackjack).

twen·ty-twen·ty, 20/20 /twéntitwénti/ 形 正常視力の. **2** よく見える, (観察・洞察が)鋭い.
—名 U =twenty-twenty vision.
twénty-twénty vísion [眼科] 正常の視力.

†**twere** /(弱) twər; (強) twə́ːr/《詩》it were の短縮形.

twi- /twai-/【語要素】→語要素一覧(1.1).

✱**twice** /twáis/ 《2(twi) + 副詞語尾(ce). cf. once》
—副 **1** 2度, 2回《◆ twice が一般的だが, 特に他の回数や倍数と対照される場合には two times もよく用いられる. → time 名 15》 ‖ Listen carefully; I won't say this twice. よく聞きなさい, 2度は言いませんから / I only saw her twice. 私は彼女に2回会っただけだ / We meet twice a week. 我々は週2回会う / He has twice flown the Pacific. 彼は太平洋を2度飛行機で横断した / Think twice about your future. 将来についてよく考えなさい.
2 2倍の ‖ You have twice my strength. =You are twice as strong as me. 君は私の2倍の力がある(=You are two times stronger than me.)《◆✱You are twice stronger than me. のように比較級とは用いない》 / This book is twice the size of that one. この本はあの本の2倍の大きさだ《◆「2.5倍」は two and a half times, 「2.4倍」は 2.4 times と書き two point four times と読む》/ He's become twice the man he was. 彼は以前よりずっとたくましく[立派に]なった / Twice three is [are, equals, makes] six. 3の2倍は6(=Two threes are [make] six.).

ónce or twíce → once 副.

twice-told /twáistóuld/ 形《文》2度話された, 陳腐な ‖ twice-told tales ありふれた話.

twid·dle /twídl/ 動 他《略式》(指で)…をくるくる回す, いじる(twist). —自 **1** 〔…を〕いじる, もてあそぶ 〔with〕. **2** くるくる回る(twirl). —名《略式》[a ~] ひねり(回し).

†**twig** /twíg/ 名 C **1** 小枝, 細枝(→ branch 類語) ‖ look for dry twigs to make a fire 火を起こすために乾いた小枝をさがす. **2** (血管・神経などの)細脈.

twig·gy /twígi/ 形 (--gi·er, --gi·est) **1** 小枝のような; 細々した. **2** 小枝の多い.

†**twi·light** /twáilàit/ 名 **1** U (日の出前・日没後の)薄明かり; 夕方, たそがれどき; 微光(→ dusk) ‖ My father goes for a walk 「at twilight [in the twilight] every day. 父は毎日たそがれ時に散歩に出かけます. **2**《正式》[the ~] 黎明(れいめい); 衰退期 ‖ the twilight of one's life 人生のたそがれ. **3** U ぼんやりした意識状態.

twill /twíl/ 名 U あや織り(物). —動 他 …をあやに織る. **twílled** 形 あや織りの.

†'**twill** /twíl, (時に弱) twəl/《詩》it will の短縮形.

†**twin** /twín/ 名 C **1** 双子の一方; [~s] 双生児, 双子 ‖ identical [fraternal] twins 一卵性[二卵性]双生児 / Siamese twins シャム双生児 / She is a twin. 彼女は双子(のうちの1人)です / My brother and I are twins. 私と弟は双子です. 関連 a triplet 三つ子 / a quadruplet 四つ子 / a quintuplet 五つ子 / a sextuplet 六つ子. **2** (非常によく似た1対の人[物]の一方, 〔…の〕対の片方 〔to〕; [~s] 対 (pair). **3** [the Twins] 〔天文・占星〕 [複数扱い] 双子宮[座](Gemini).

—形 **1** 双子の, 双生児の ‖ a twin brother 双子の兄弟の一方 / twin sisters 双子姉妹. **2** 対をなす, 対の(一方の); うり二つの; ツインの ‖ a twin

twine /twáin/ 名 **1** より糸；(包装用などの)麻糸，麻ひも，より〔編み〕合わせ；からみつき；もつれ，とぐろ巻き．—— 動 他 **1**〔正式〕**1**〈糸など〉をより，より合わせる；…より合わせて〔さびさびと〕作る(twist) (into) (↔ untwine)‖ *twine* flowers *into* a wreath 花を編んで花輪を作る．**2** …にからみつく．**3** …を〔…に〕からみつかせる，巻きつける(+*together*) (*about, around*). **4** …を〔…で〕巻く(*with*)‖ *twine* oneself 巻きつく．—— 自〔正式〕**1**〈植物など〉〔…に〕巻きつく，からまる(*about, around, over*). **2** 曲がりくねる，うねる．

twin-en-gined /twínéndʒənd/ 形 (飛行機が)双発の．

twín-én-gine pláne /twínéndʒən-/ 双発機．

†twinge /twíndʒ/ 名 C **1**(歯痛などの)刺すような痛み(pain). **2**(心の)苦痛，心痛‖ a *twinge* of conscience 良心の呵責(かしゃく)．—— 動 他 …に激痛を与える．

†twin-kle /twíŋkl/ 動 自 **1**〈星·遠方の光などが〉きらきら光る，きらめく，輝く‖ No stars were *twinkling* in the sky. 空に星は輝いていなかった．**2**〈目が〉〔喜びなどで〕輝く(*with, at*)‖ Her eyes were *twinkling* with fun. 面白くて彼女の目は輝いていた．**3**〔正式〕軽快に〔さびさびと〕動く(flit)；〈旗などが〉ひらめく，翻る．—— 他 …をきらりと光らせる．—— 名 [a/the ~] **1**(通例 the ~)(光などの)きらめき，ひらめき‖ the *twinkle* of the stars 星の輝き．**2** C (目の)輝き，きらめき(生き生きした目つき)‖ There was a happy *twinkle* in her eyes. 彼女は幸福そうに目を輝かせていた．**3** [a ~] またたく間，瞬間(instant)‖ turn pale in a *twinkle* 一瞬のうちに顔色が青ざめる．

twin-kling /twíŋkliŋ/ 形 きらきら〔ぴかぴか〕光る．—— 名 [a/the ~] **1**(星などの)きらめき，ひらめき．**2** またたき；〔略〕瞬間．

twinned /twínd/ 形 双子に生まれた；〔…と〕対になった(*with*).

†twirl /twə́ːrl/ 動 他 **1**〈棒など〉をくるくる回す，振り回す(whirl) (+*round, about*)‖ *twirl* a baton バトンをくるくる回す．**2** …をいじり回す，ひねる，ひねり上げる(+*up*)‖ *twirl* one's thumbs (退屈して)両親指をくるくる回す．—— 自 **1** くるくる回る．**2** 急に向きを変える．—— 名 C **1** くるくる回る〔回す〕こと，回転．**2** 曲がったもの，渦巻き．**3**(文字の)飾り書き．

twirl-er 名 C くるくる回す人〔物〕，くるくる回る人〔物〕；=baton twirler.

†twist /twíst/ 動 他 **1**〈人など〉をよる，より合わせる(+*together*)；〈いくつもの物〉をより合わせて〔…を〕作る，編む〔なって〕〔…に〕作る(*into*)；〈縄·網など〉を〔…を材料にして〕なう，編む，折りこむ(*from*)‖ *twist* wires *together* 針金をより合わせる / *twist* threads *into* a rope =*twist* a rope *from* threads 糸をよりロープを作る．**2**〈人〉を〔…の周りに〉巻く，巻きつける；[~ oneself]〔…の周りに巻きつく，か らまる〕(*a*)*round*)；…を〔…からませる〕(*with, in*) ‖ *twist* a cord *around* a stick 棒にひもを巻きつける．**3**…を(無理に)ねじる，ひねる；…をねじってはずす〔切る〕(+*off*) (*off*)；…をねじって抜く(+*out*)，ねじ込む(+*in*) ‖ *twist* a wire 針金をねじ曲げる / Can you help me (to) *twist* the cap *off* this bottle? このびんのふたをひねって取るのを手伝ってくれませんか．**4**〔苦痛など〕〈顔〉をゆがめる，しかめる(*with*)；…を〔…に〕ねじる(*into*)；〈足首·関節などを〉を捻挫(んざ)する；〈体の一部〉をねじる‖ *twist* one's ankle 足首を捻挫する / *twist* one's head 急に顔の向きを変える．**5**〈言葉·意味など〉を曲解する，こじつける(+(a)*round*)；〈英略式〉だます．**6**〔通例 be ~ed〕〈人·気持ちなど〉がゆがむ，ねじれる．**7** [~ one's way] 縫うようにして〔…の中を〕通る(*through*) ‖ He *twisted* his way through the crowd. 彼は人込みの中を縫うようにして通った．—— 自 **1**〈糸〉がよれる，ねじれる；らせん状になる(*into*)；〔…に〕からみつく(*around, about*). **2** 身をよじる，体をくねらす；〔…から〕身をよじって抜け出る(+*out, away*) (*from, out of*)，ねじれて取れる，落ちる(+*off*) ‖ She *twisted* in her seat to see what was happening. 何が起こっているのか見ようと彼女はいすに座ったまま体をねじった．**3**〈人が〉縫うようにして進む；〈川·道路などが〉〔…に〕曲がりくねる(*around*) ‖ The path *twisted* through the valley. その細道は谷間を曲がりくねって続いていた．**4**〈球が〉回転しながら進む．**5** 向きを変える(+(a)*round*). **6**〔ダンス〕ツイストを踊る．

twist and túrn (**1**)〈道などが〉曲がりくねっている．(**2**)〈人が〉(苦痛·苦悩などで)身をよじる．—— 名 **1** C よること，より；より糸〔ひも〕，絹糸‖ *give* the rope *a twist* ロープをよりよりする．**2** C ねじれ，よじれ，ゆがみ；〔…の〕もつれ(*in*)；ひねり‖ *put* a *twist* on one's words 曲解する，言葉をひとひねりする / the *twists in* a belt ベルトのよじれ．**3** C U 捻挫(ねんざ)(sprain). **4** C ねじりパン；C U ひねりタバコ．**5** C U〔野球など〕カーブ．**6** C (道·流れなどの)曲がり，湾曲‖ *twists and turns* of the river 川の曲がりくねり．**7** C (情勢などの)急変，意外な進展‖ a new *twist* in an old plot 古い筋書きの新しい展開．**8** C [しばしば a ~](性質·態度などのひねれ，ゆがみ，不正，不正直 ‖ She has *a twist in* her nature. 彼女は性質がひねくれている．**9**〔ダンス〕[the ~] C *do* the *twist* ツイストを踊る．

twist-er /twístər/ 名 C **1** より手；より糸機；ねじる人．**2**〔野球など〕曲球，カーブ，変化球(投手)．**3** 難問，難事；=tongue twister. **4**〔主に英略式〕(心の)曲がった人，不正直者，ごまかし屋．**5** ツイストを踊る人．

twit /twít/〔略式やや古〕動 (過去·過分 **twit-ted** /-id/；**twit-ting**) 他 …を〔…の理由で〕なじる，あざける，責める(*with, about, on*). —— 名 C なじること；あざけり，非難．

†twitch /twítʃ/ 動 他 **1** …をぐいと引く〔引っ張る〕(jerk)；…をひったくる(+*away, off*) ‖ He *twitched* her by the sleeve. 彼は(注意を引くために)彼女のそでを引っ張った．**2**〈体の一部〉をぴくぴく動かす，ひきつらせる．—— 自 **1**〔…に〕ぐいと引く(*at*). **2** ぴくぴく動く，ひきつる．**3** うずく．—— 名 C **1** ぴくぴく動くこと，けいれん．**2** ぐいと引くこと．**3**〔…の〕激しい痛み，うずき．

†twit-ter /twítər/ 動 自 **1**〈小鳥など〉が(チ，チ，チと)さえずる(chirp). **2**〔略〕〈女性が〉(興奮して)〔…のこと〕をしゃべりまくる(+*on, away*) (*about*). **2**(興奮して)震える．**3** くすくす笑う．—— 名 **1** U〔通例 the

two /túː/ 《同音》too, △to) 〖cf. twin, twice〗
──名 (複 ~s/-z/) **1** ⓊⒸ 〖通例無冠詞〗2 (基数の) 2 《◆序数は second. 外来系形容詞 binary, double, dual. 関連接頭辞 di, bi-》‖ Chapter *Two* [2] 第2章(the second chapter) / Act *Two* [2] 第2幕(the second act) / in Room *Two* [2] 2号室で / *two* and twenty 22 《◆ twenty-two の古風な言い方. → twenty 語法》.
2 Ⓤ 〖複数扱い; 代名詞的に〗2つ, 2個; 2人 ‖ the *two* who remained 残った2つ[人] / *Two* of my friends *were* present. 私の友人のうち2人が出席した / She had several books for children and lent me *two*. 彼女は子供向きの本を何冊か持っていて私に2冊貸してくれた / *Two* and *two* make(s) *four*. 〔ことわざ〕2たす2は4; 自明の理.
3 Ⓤ 2時, 2分; 2ドル[ポンド, ペンス, セントなど] ‖ *two* and *two* 2フィート2インチ; (英) 2ポンド2ペンス / He started at *two* past *two*. 彼は2時2分に出発した 《◆(略式)では 2:02 =2-oh-2, 2 after 2. ただし ×*two two* は不可》. **4** Ⓤ 2歳 ‖ a child of just *two* たった2歳の子. **5** Ⓒ 2の記号[数字, 活字]《2, ii, IIなど》《◆本文中では項目分け・時計などに使われる》‖ three *twos* 2の数字3つ. **6** Ⓒ 〖トランプ〗2の札; (さいころの)2の目 ‖ the *two* of hearts ハートの2. **7**〖こう〗2人1組のもの ‖ arrange them in *twos* それらを2個ずつそろえる. **8** Ⓒ 2番[号]サイズの物; [~s] 同サイズの靴[手袋など].
by [in] ónes and twós 1人(そして)2人と, ぽつぽつ[と].
by [in] twós and thrées 三々五々, ちらほら.
in twó 2つに ‖ rip A in *two* 〈物〉を2つに裂く.
pùt twó and twó togéther (and máke [gét] fóur) 〔当事者らが知られたくないことを〕あれこれと考えあわせる, 総合して正しく判断する.
the -er of the two ⊕文法 19.5(3).
twó by [and] twó in twós 2つ[2人]ずつ《◆「3人ずつ」も three by three というが, 10以上の場合 is in groups of 2 (20人ずつ)のようにいう》.
──形 **1** 〖通例名詞の前で〗2つの, 2個の; 2人の ‖ *two* sevenths 7分の2 / *two* hundred 200; 〔略式〕2時(→ hundred 語法 (3)) / His son is *two* years old. 彼の息子は2歳です / Wait one or *two* days. 1, 2日待ってください(→ one 形 成句) / *Two* heads are better than one. 〔ことわざ〕2つの頭は1つに勝る;「3人寄れば文殊(もんじゅ)の知恵」. **2** 〔補語として〕2歳の ‖ My father died when I was *two*. 私が2歳の時に父は亡くなった.

twó-bàse hít /-bèis-/ 名〔野球〕2塁打.
two-by-four /túːbaifɔ́ːr/ 名 Ⓒ 〔建築〕ツーバイフォー材木《厚さ2インチ, 幅4インチ; 米国・カナダの規格材》. ──形 厚さ2インチ幅4インチの; ツーバイフォー工法の.
two-di·men·sion·al /túːdiménʃənl | -dai-/ 形 **1** 2次元の[的な], 平面の. **2** 〈小説などが〉深みに欠ける, 浅薄な.
two-edged /túːédʒd/ 形 =double-edged.
two-faced /túːféist/ 形 **1** 両面[二面]ある. **2** 〔略式〕表裏[二心]のある, 偽善的な(double-faced).
†**two·fold** /túːfóuld/ (正式) 形 **1** 2倍の, 二重の. **2** 要素[2部分]のある(double). ──副 2倍に, 二重に.
two-hand·ed /túːhǽndid/ 形 **1** 両手の. **2** 〈刀などが〉両手で扱われる, 両用の. **3** 〈のこぎり・ゲームなどが〉2人用の, 2人で行なう.
two-in·come /túːìnkʌ́m | -íŋ-, -ín-, -kəm/ 形 共働き[共稼ぎ]の ‖ a *two-income* family 共働きの家庭《◆ a two-paycheck [two-earner] family ともいう》.
†**two-pence** /tʌ́pəns, 《米+》túːpèns/ 【発音注意】 名 (英) **1** Ⓤ 〖単数・複数扱い〗2ペンス(の金額) (英俗) tuppence). **2** Ⓒ 2ペンス青銅貨.
†**two-pen·ny** /tʌ́pəni, túːpèni/ (英) 名 Ⓒ =twopenny piece. ──形 **1** 2ペンスの. **2** 安っぽい, くだらない. **twópenny píece** 2ペンス青銅貨.
two-piece /túːpíːs/ 形 名 ツーピースの(服).
two-seat·er /túːsíːtər/ 名 Ⓒ **1** 2人乗り自動車 《(1) この種の車を commuter car という. (2) two-rider [two-passenger] car ともいう》. **2** 2人乗り飛行機.
two-sid·ed /túːsáidid/ 形 両面[表裏]のある.
two·some /túːsəm/ 形 **1** 2つ[2人]から成る. **2** 〈ダンスなどが〉2人でする. ──名 〔略式〕 **1** 〖通例 a/the ~〗1対のもの, 2人組(couple). **2** 〔ゴルフ〕2人でする試合.
two-strike /túːstràik/ 形 〔野球〕ツーストライクの ‖ a *two-strike* bunt スリーバント《◆ 失敗すればアウト》.
two-tone /túːtòun/ 形 2色(調)の, ツートンカラーの.
'**twould** /(弱) twəd; (強) twúd/〔詩〕 it would の短縮形.
two-way /túːwèi/ 形 **1** 〔電気〕2路の, 2方向の; 〔ラジオ〕送受信兼用の ‖ a *two-way* radio トランシーバー. **2** 〈道路などが〉両面[対面]交通の.
twp, twp. 〔略〕township.
TWX 〔略〕teletypewriter exchange テレックス.
TX 〔略〕〔郵便〕Texas.
-ty /-ti/ 〖語要素〗→語要素一覧(2.1).
ty·coon /taikúːn/ 〖日本〗名 Ⓒ **1** 〔時に T~〕大君, 将軍《徳川将軍に対する外国人の呼称》. **2** 〔略式〕(実業界・政界の)大物, 実力者, ボス.
ty·ing /táiiŋ/ 動 → tie. ──名 Ⓤ 縛ること; (作物などを)結ぶこと; Ⓒ 結び目, 結んだ, 縛った.
Ty·ler /táilər/ **1** タイラー《John ~ 1790-1862; 米国の第10代大統領(1841-45)》. **2** タイラー《Wat /wɑt | wɔt/ [Walter] ~ ?-1381; 英国の農民で, 1381年の農民一揆(いっき)の指導者》.
tym·pa·na /tímpənə/ 名 tympanum の複数形.
tym·pa·ni /tímpəni/ 名 =timpani.
tym·pan·ic /timpǽnik/ 形 太鼓のような; 〔解剖〕鼓膜の; 〔建築〕ティンパナムの.
tympánic mémbrane 〔解剖〕鼓膜.
tym·pa·num /tímpənəm/ 名 (複 ~s, -na/-nə/) Ⓒ **1** 〔解剖〕中耳(middle ear); 鼓膜(tympanic membrane). **2** 〔動〕(昆虫の)鼓膜.
Tyne and Wear /táin ənd wíər/ タインアンドウィア《イングランド北東部の州》.

*‡**type** /táip/ 〖「打ってできた跡」が原義〗(派) typical (形), typist (名)
──名 (複 ~s/-s/)
I 〖型〗
1 Ⓒ (共通の特徴を有する) 型, 類型, タイプ, (俗に)種類(cf. sort) ‖ this *type* of car =cars of this *type* この型の車《◆(1) type of に続く名詞はふつう無冠詞単数名詞. (2) of を省略した this type car の形を用いるのは〔主米略式〕》/ This watch is (of) *a* new *type*. この腕時計は新型です《◆ of はしばしば省略》/ grapes of the seedless *type* たねなし品種のブドウ.

2 a ⓒ 典型, 見本, 模範, 典型的なもの(model) ‖ a fine *type* of the English gentleman 英国紳士の好例. **b** [形容詞を伴って] (ふつう男の)…タイプの人; [略式] [通例否定文で] 好みのタイプの人 ‖ He is above the ordinary *type* of student. 彼は並みの学生ではない / He is that big, tall, wide, athletic *type*. 彼は大柄で, 背が高く, 肩幅も広いというスポーツマンタイプの男だ (➔文法 17.2) / I don't think we're each other's *type*. 私たちは互いに好みのタイプではないと思う.

3 ⓒ しるし, 象徴(symbol); (旧約聖書の中の)予型, 類型.

‖ **II** [文字の型]

4 ⓤⓒ [印刷] [集合名詞] 活字, 字体, (印刷された)文体; ⓒ (1個の)活字 ‖ a word in italic *type* イタリック体で印刷した語 / Braille *type* 点字活字.

trúe to týpe (1) 典型的な, 型通りの. (2) 〈動植物が〉純種の.

── ~s/-s/; 〈過去・過分〉 ~d/-t/; **týp·ing**
── ⑯ **1** 〈文字・文書・データなどを〉(キーボードで)打つ, 入力する(+*out*), (入力して文書として)仕上げる(+*up*) ‖ *Type* this letter for me. この手紙を打ってください. **2** 〈人・物〉を[…の]型に分類する(*as*).
── ⑯ パソコン・タイプライターを打つ; 〔原稿を〕キーボードで打つ(+*away*)[*at*] ‖ She *types* well [poorly]. 彼女はタイプがうまい[へただ] (=She is a good [poor] typist.).

-type /-tàip/ [語要素] →語要素一覧(1.7).

type·set /tàipsèt/ ⑯ (*type·set*; *-set·ting*) …を活字に組む, 植字する. ── ⑱ 活字に組み上がった. **týpe·sèt·ter** 图 植字工[機].

type·write /táipràit/ ⑯ (*過去* -*wrote*, *過分* -*writ·ten*) [今はまれ] (…を)タイプライターで打つ, タイプする; タイプライターを打つ(type).
týpe·wrìt·ing 图 ⓤ タイプライターを打つこと; タイプ技術; ⓒⓤ タイプライター印刷物.

†**type·writ·er** /táipràitər/ 图 **1** ⓒ タイプライター ‖ do a letter *on a typewriter* タイプで手紙を書く. **2** ⓒ [米まれ] =typist. **3** ⓤ [印刷] タイプライター字体[書体].

type·writ·ten /táipritn/ ⑯ typewriteの過去分詞形. タイプライターで打った.

†**ty·phoid** /táifɔid/ [医学] ⑱ 腸チフス(性)の ‖ *typhoid* bacillus チフス菌. ── 图 ⓤ =typhoid fever. **týphoid féver** 腸チフス.

★**ty·phoon** /taifúːn/ 【中国語の tai fung (大風), ギリシア語 tuphoōn (風の渦巻)】
── 图 (愎 ~s/-z/) ⓒ [正式] 台風《太平洋西部で発生する暴風. cf. cyclone, hurricane》 ‖ the eye [center] of a *typhoon* 台風の目 / Shikoku was hit [struck] by *Typhoon* No. 10. 四国は台風10号に襲われた / A major *typhoon* caused great damage in the Kinki district. 大型台風は近畿地方に大きな被害を与えた / *日本発*» The *typhoon* season in Japan lasts from July through October. 日本の台風シーズンは7月から10月まで続く.

ty·phus /táifəs/ 图 ⓤ [医学] =typhus fever. **týphus féver** 発疹(ほっしん)チフス.

★**typ·i·cal** /típikl/ [発音注意]
── ⑱ **1** 典型的な, 〔…を〕代表している[*of*] ‖ What is a *typical* British dinner? 典型的な英国の食事は何ですか / His actions are *typical of* those of his friends. 彼の行動は友だちの行動を代表している. **2** 〔…に〕特有の, 〔人・物などの〕特徴を示している[*of*] ‖ She gave me one of her *typical* answers. 彼女はいかにも彼女らしい返事をした / This excuse is *typical of* him. これはいかにもいい言い訳だ / It is just *typical of* her to refuse our offer by telephone. 電話で私たちの申し出を断るとはいかにも彼女らしい (➔文法 17.5) ◆ ˟She is typical to refuse … は不可).

týp·i·cal·ness 图 ⓤ 典型(であること), 代表; 象徴.

typ·i·cal·ly /típikəli/ ⑳ **1** 典型[特徴]的に; 典型として; 例にもれず. **2** [文全体を修飾] 概して, 主として, 一般的に, だいたいは.

†**typ·i·fy** /típifài/ ⑯ (⑥) [正式] **1** …の典型となる, …を代表する, …の特徴を表している ‖ He *typified* the times in which he lived. 彼はその時代の代表的人物だった (=He was typical of the times …). **2** …を象徴する; …を予表[予示]する. **3** …を型にとって示す.

typ·ing /táipiŋ/ ⑯ → type. ── 图 ⓤ キーボードを打つこと[技術]. **týping pòol** タイプ室[課] 《会社などでタイピストを集めている場所》.

★**typ·ist** /táipist/ [‖ → type]
── 图 (愎 ~s/-ists/) ⓒ (文章入力のため)キーボードを打つ人, **タイピスト** ‖ She is a good [poor] *typist*. 彼女はタイプがうまい[下手だ] (=She types well [poorly].).

ty·po /táipou/ 图 ⓒ **1** [米略式] =*typo*graphical error. **2** [略式] =typographer.

ty·pog·ra·pher /taipɑ́grəfər/ |-pɔ́g-/ 图 ⓒ 印刷[植字]工, 印刷技術者.

ty·po·graph·i·cal, -ic /tàipəgrǽfik(l)/ ⑱ 印刷(上)の, 印刷術の.

typográphical érror 誤植.

ty·pog·ra·phy /taipɑ́grəfi|-pɔ́g-/ 图 **1** ⓤ 活版印刷(術); 植字術. **2** ⓤⓒ 印刷の体裁, 刷り具合.

†**ty·ran·ni·cal** /tirǽnikl, tai-/ ⑱ [正式] 暴君の, 専制君主の; 暴君のような, 専制的な; 暴虐な, 非道な. **ty·rán·ni·cal·ly** ⑳ 暴君のように; 圧制的に.

tyr·an·nize /tírənàiz/ ⑯ ⑯ [正式] (〔…に〕暴政を行なう[*over*]). …に対して暴虐をふるう.

ty·ran·no·saur /tirǽnəsɔ̀ːr/, **-sau·rus** /tirǽnəsɔ́ːrəs/ 图 ⓒ [古生物] ティラノザウルス, 暴君竜《白亜紀の肉食恐竜》.

tyr·an·(n)ous /tírənəs/ ⑱ =tyrannical.

†**tyr·an·ny** /tírəni/ [発音注意] (cf. tyrant) 图 **1** ⓤ 暴政, 虐政; 専制[独裁]政治 ‖ People in the country were living under (a) *tyranny*. その国の人々は暴政下で暮らしていた. **2** ⓤ 圧制, 暴虐; ⓒ [しばしば tyrannies] 暴虐[非道]な行為.

†**ty·rant** /táiərənt/ 图 ⓒ **1** 暴君; 専制君主, 独裁者 ‖ Nero was a bloody *tyrant*. ネロは残忍な暴君でした. **2** [比喩的に] 暴君, ワンマン.

†**tyre** /táiər/ (英) ⑯ (〈過去・過分〉 ~d/-d/; **tyr·ing**) =tire².

Tyre /táiər/ 图 テュロス, ツロ《古代フェニキアの都市》.

Tyr·i·an /tíriən/ 图 [歴史] テュロス(人)の; ティリアン紫の, 古代紫の《古代ギリシア・ローマ時代に貝から採集した紫色または深紅色の高貴な染料》. ── 图 **1** ⓒ テュロスの住民. **2** ⓤ =Tyrian purple.
Týrian púrple ティリアン紫.

ty·ro /táiərou/ 图 (愎 ~s) ⓒ =tiro.

Ty·rol /tiróul, (英+) tìrəl/ 图 =Tirol.

Ty·rone /tiróun/ 图 ティローン《北アイルランド西部の州》.

tzar /zɑːr, tsɑːr/ 图 [通例 T~] =czar.

U

:u, U /júː/ 图 (閣) u's, us; U's, Us/-z/ **1** ⓒⓊ 英語アルファベットの第21字. **2** → a, A 2. **3** ⓒⓊ 第21番目(のもの).

U (⫽upper-class の略) 形《英式》〈言葉遣いなどが〉上流階級(特有)の.

U 〖記号〗 Universal 《英》《映画で》一般向きの(の)(→ film rating); unsatisfactory 《米》《教育》成績不良;〖化学〗uranium; 閣 uncountable.

UA (略) United Airlines ユナイテッド航空.

UAE (略) United Arab Emirates.

UAW (略) United Automobile Workers 全米自動車労働組合.

u·biq·ui·tous /juːbíkwɪtəs/ 形《正式》(同時に)至る所にある[いる], 遍在する.

U–boat /júːbòʊt/ 图ⓒ Uボート《旧ドイツ軍の潜水艦》.

UCCA (略)《英》Universities Central Council on Admissions 入学に関する大学中央評議会.

UCLA (略) University of California at Los Angeles カリフォルニア大学ロサンゼルス校.

†ud·der /ʌ́dər/ 图ⓒ (ウシ・ヤギなどの垂れた)乳房.

UFO /júːfòʊ, júːfoʊ/ (⫽unidentified flying object) 图 (閣 ~'s, ~s) ⓒ 未確認飛行物体《空飛ぶ円盤など》‖ Do you believe in UFO's? あなたはUFOの存在を信じますか.

U·gan·da /juːɡǽndə/ 图 ウガンダ《アフリカ東部の共和国. 首都 Kampala》.

†ugh /úː⫽x, ʌ́x, ǘ, úː⫽/ 圓《つづり字発音》ʌ́ɡ/ 圓 うっ, わっ《嫌悪・恐怖の声》; げほん(咳(*)の音); ぶうぶう《不平の声》‖ Ugh, how boring! あー, つまらない!

†ug·li·ness /ʌ́ɡlɪnəs/ 图Ⓤ 醜いこと, 醜悪.

†ug·ly /ʌ́ɡli/ 〖「嫌悪を感じさせるほど醜い」が本義〗
── 形 (--li·er, --li·est) **1** 醜い, 見苦しい, 不格好な(↔ beautiful, handsome)《◆女性については遠回しに《米》homely などを用いる(→ plain 形5)》. また, 現在は aesthetically challenged (美的障害のある)がうわべだけの (PC) として使用される. 本義はど意味が強くないこともある. →第3例》‖ an ugly memory いやな思い出 / (as) úgly as a tóad (ヒキガエルのように)大変醜い / his ugly little shop 彼のあまりきれいでない小さな店.
2 〈物・事が〉**不快な**, いやな(↔ pleasant) ‖ an ugly smell 悪臭 / ugly language 不愉快な言葉遣い.
3 (道徳的に)けしからぬ, 卑劣な(↔ fair) ‖ an ugly method 卑劣な手段. **4**《事態・天候などが》険悪な, 不穏な; やっかいな(↔ promising) ‖ an ugly situation 不穏な事態 / The sky looks ugly. 空模様があやしい. **5**《略》不機嫌な, 怒りっぽい; 意地の悪い(↔ good-natured) ‖ be in an ugly mood 機嫌が悪い.

úgly Américan 醜いアメリカ人《海外に住んでいたり, 海外を訪れたりして米国のイメージを傷つけるような米国人》.

úgly cústomer (略) 手に負えないやつ, 気難し屋.

úgly dúckling (略) 醜いアヒルの子《醜い[ばか]と思われていても大人になって美しく[偉く]なる子供》; そのような計画.

uh /ə, ʌ/《鼻にかかった音》圓 **1** あー, えー《適当な言葉が見つからない時に出す声》. **2** =huh.

uhf, UHF (略) ultrahigh frequency.

uh–huh /ʌ́hʌ̀ (鼻にかかった音), mhm/ 圓《略》**1** うん, ううん(yes)《◆ 肯定・同意を表す》. **2**《米》いいよ《◆ Thank you. に対する答えとして Sure. の代わりに軽く用いられる》.

uh–uh /ʌ̀ʌ̀/ 圓《略》ううん, いいえ(no)《◆ 否定を表す》.

†UK (略) [the ~] United Kingdom.

U·kraine /juːkréɪn/ 图 [(the) ~] ウクライナ《ヨーロッパ東部, 黒海の北にある国. 首都 Kiev》.

U·krain·i·an /juːkréɪniən/ 形 ウクライナ(人, 語)の.
── 图ⓒ ウクライナ人; Ⓤ ウクライナ語.

u·ku·le·le /jùːkəléɪli/ 图《音楽》ウクレレ.

U·lan Ba·tor /úːlɑːn báːtɔːr/ 图 ウランバートル《モンゴルの首都》.

ul·cer /ʌ́lsər/ 图ⓒ **1**《医学》潰瘍(ホ、)‖ a stomach ulcer 胃潰瘍. **2**(道徳的)腐敗, 汚点; 病根.

ul·cer·ate /ʌ́lsərèɪt/ 動《医学》⾃ 潰瘍(ホ、)になる.
── 他 …に潰瘍を生じさせる.

–ule /-juːl/ 〖語尾〗→語要素一覧(2.2).

†Ul·ster /ʌ́lstər/ 图 **1 a** アルスター《アイルランド北部地方の旧称》. **b** アルスター《北アイルランド(Northern Ireland)》. **2** [u~] ⓒ アルスター《長くゆったりしたふうベルト付きの男性用オーバー》.

ul·te·ri·or /ʌltíəriər/ 形 **1**《正式》《目的などが》言外の, 隠された. **2** 向こう(側)の, あちらの. **3** 今後の, 将来の. **ultérior mótive** 隠れた動機.

†ul·ti·mate /ʌ́ltəmət/ 形 **1** 究極の, 最後の《◆ last, final より堅い語》‖ the ultimate goal 究極の目標 / Atomic bombs are said to be the ultimate weapons. 原子爆弾は最終兵器といわれている. **2** 根本の《◆ basic より堅い語》; これ以上分析[細分化]できない‖ ultimate principles 根本原理 / the ultimate source of life 生命の本源. **3**《略》最高の, 最大の‖ the ultimate silliness 愚の骨頂. **4**(時間的・空間的に)最も遠い.
── 图 **1** [the ~] 究極点; 最終段階[結果]; 《略》最高[最大]の物. **2** ⓒ 基本的事実.

†ul·ti·mate·ly /ʌ́ltəmətli/ 副《正式》最終的に, 結局, 最後に (finally) ‖ He will ultimately pass the exam. 結局彼は試験に合格するでしょう.

†ul·ti·ma·tum /ʌ̀ltəméɪtəm/ 图 (閣 ~s, -ta /-tə/) ⓒ **1**《正式》最終提案; 最後通牒(ホ、). **2** 究極点. **3** 根本原理.

ul·tra /ʌ́ltrə/ 形ⓒ (思想などの)極端な(人), 過激な(人).

ul·tra– /ʌ́ltrə-/ 〖語要素〗→語要素一覧(1.7).

ùl·tra–hígh fréquency /ʌ́ltrəháɪ-/《電気》極超短波 (略) UHF.

ul·tra·ma·rine /ʌ̀ltrəməríːn/ 图Ⓤ《正式》ウルトラマリン, 群青(*)《天然または人工の青色顔料》; 群青色.

ul·tra·min·i·ature /ʌ̀ltrəmíniətʃər ⫽ -mínətʃə/ 形 超小型の.

ul·tra·mon·tane /ʌ̀ltrɑːmǽnteɪn, ⫽ -mɔ́n-/ 形 **1**

山脈の向こう側の;(特に)アルプスの南の, イタリアの. **2** 教皇権至上主義の.

ul·tra·tion·al /ʌltrənǽʃnəl/ 形 超国家主義の.

ul·tra·son·ic /ʌltrəsάnik | -sɔ́n-/ 形 〔物理〕超音波の.

ul·tra·sound /ʌltrəsàund/ 名 Ⓤ 〔物理〕超音波, 超音.

†**ul·tra·vi·o·let** /ʌltrəvάiəlit/ 形 〔物理〕(スペクトルの)紫外の; 紫外線の, 紫外線を利用した(cf. infrared). ── 名 Ⓤ 〔物理〕紫外部; =ultraviolet rays(圏) UV. **ultraviolet ráys** 紫外線.

*U·lys·ses /ju(ː)lísiːz, (英+) júː|əsiːz/ ユリシーズ《Odysseus のラテン語名》.

um /ʌm, əm, ɔːm, m:, ə (鼻にかかった音)/ 間 うーん, いや《♦疑い・ためらいなどを表す》.

um·ber /ʌ́mbər/ 名 Ⓤ **1** アンバー《鉄酸化物などを含む茶色の土. 顔料》. **2** 茶色, 赤褐色. ── 形 **1** アンバーの. **2** 茶色の, 赤褐色の.

um·bil·i·cal /ʌmbíləkl/ 形 へそ(の緒)の; へそ状の; へその近くの. **2** 中央の. ── 名 Ⓒ =umbilical cord. **umbílical còrd** (1)へその緒, 臍(さい)帯. (2)(発射前のロケットへの燃料電気などの供給管[線]; (船外の宇宙飛行士の)命綱《空気補給管, 通信用ケーブル》.

um·bra /ʌ́mbrə/ 名 (複 ~·brae /-briː/, ~s) Ⓒ 〔天文〕アンブラ, 暗area《太陽黒点の中央暗黒部分》.

um·brage /ʌ́mbridʒ/ 名 Ⓤ 〔正式〕(軽視・不当な扱いへの)立腹, 不愉快な気持ち.

:**um·brel·la** /ʌmbrélə/ 〔「小さな影」の原義〕── 名 (複 ~s/-z/) Ⓒ **1** かさ, こうもりがさ, 雨がさ ‖ *hold the umbrella* かさをさしている / open [raise, spread, unfold, put up] the *umbrella* かさをさす / *close* [fold] the *umbrella* かさを閉じる / carry a folding *umbrella* 折りたたみがさを持ち歩く[さして歩く] / Would you like to get [come, walk] under my *umbrella*? 私のかさに入りませんか / The couple shared one *umbrella*.= The couple walked under one [the same] *umbrella*. そのカップルはあいがさで歩いた / May I share your *umbrella*? あなたのかさに入れてもらえませんか.
2 〔比喩的に〕かさ, 保護, 保護する力[物]; 権限; (政治的・行政的)責任 ‖ the American nuclear *umbrella* アメリカの核のかさ / under the *umbrella* of UNESCO ユネスコの保護のもとで[援助で]. **3** 〔軍事〕 **a** (戦闘機による)上空からの援護(えん); 援護飛行隊. **b** 弾幕砲火, 砲火網. **4** 包括[総括, 統合]する物.

umbrélla pìne 〔植〕コウヤマキ.

um·laut /ʊ́mlaut/ 〔ドイツ語〕名 〔言語〕**1** Ⓤ ウムラウト《ドイツ語などの後続母音の影響による母音変異(mutation). 英語では foot → feet など》. **2** Ⓒ (ウムラウトによる)変母音. **3** Ⓒ ウムラウト記号《¨》.

†**um·pire** /ʌ́mpaiər/ 名 Ⓒ **1** 審判員, アンパイア(略 ump.)《♦ badminton, baseball, cricket, table tennis, tennis などに用いる. cf. referee》. **2** 〔論争・紛争などの〕仲裁者, 裁定人. ── 動 他 自 〔争議などの/人・団体の〕審判をする, 仲裁者となる〔in / for, between〕.

ump·teenth /ʌ́mptiːnθ/ 形 〔略式〕Ⓒ 何度目か(わからないほど)の(人, 物) ‖ for the *umpteenth* time 何度言ったら; 今まで何度も; 〔否定文で〕もう二度と.

†**UN** 略 〔the ~〕 United Nations.

†**un-** /ʌn-, ʌn-, ʌn-/ 接頭要素 → 語要素一覧(1.7, 2.1).

*·**un·a·ble** /ʌnéibl/ 〔→ able〕
── 形 〔やや正式〕〔補語として〕〈人が〉[…することが]できない(to do) 《♦比較変化しない》 (↔ able) ‖ He is *unable* to speak English well. 彼は英語を上手に話せない(=(略式) He cannot speak …) / It's not that I don't want to. It's just that I'm *unable* (to). それは私がしたくないからではなく, 単にできないからなのです.

un·ac·cept·a·ble /ʌnəkséptəbl/ 形 容認できない, 満足のいかない ‖ That is *unacceptable*. それは受け入れられない.

†**un·ac·count·a·ble** /ʌnəkáuntəbl/ 形 〔正式〕**1** 説明のできない; 不可解な, 奇妙な(↔ explainable). **2** 〔物・事に対して/人に対して〕責任がない(↔ responsible), 弁明を求められない〔for/to〕(↔ accountable). **ùn·ac·cóunt·a·bly** 副 〔正式〕説明できないほど; 奇妙なことに.

†**un·ac·cus·tomed** /ʌnəkʌ́stəmd/ 形 〔正式〕**1** […に]慣れていない(to)(↔ accustomed) ‖ She is *unaccustomed* to singing in public. 彼女は人前で歌うことに慣れていない. **2** 見[聞き]慣れない, ふつうでない(unusual), 奇妙な ‖ His *unaccustomed* silence showed how serious the situation was. 彼のふつうでない沈黙はいかに事態が深刻かを物語っていた.

†**un·af·fect·ed** /ʌnəféktid/ 形 〔正式〕**1** […によって]影響を受けない, 変わらない, 心を動かされない〔by〕(↔ affected) ‖ She was *unaffected* by her son's death. 彼女は息子の死に直面しても動揺しなかった. **2** 気取らない, ありのままの; 心からの ‖ welcome her with an *unaffected* manner 彼女を心から歓迎する.

†**un·aid·ed** /ʌnéidid/ 形 援助なしの, 自力の.

u·na·nim·i·ty /jùːnəníməti/ 名 Ⓤ 〔正式〕〔…における〕全員の合意[一致]; 満場一致〔in〕 ‖ reach *unanimity* 全員が合意に達する.

†**u·nan·i·mous** /ju(ː)nǽnəməs/ 形 **1** 〈人々・会などが〉〔…に〕〔…ということに〕(意見が)全員一致した, 満場一致の, 〈複数の人が〉同意見の〔in, for, as to, about / that節〕‖ They are *unanimous* 「in their praise of [in praising] the book. 彼らは異口同音にその本を賞賛している / The committee was *unanimous for* reform. 委員会は満場一致で改革に賛成した. **2** 〈意見・票・決定・合意などが〉満場一致の, 全員一致の, 全員一致による ‖ by a *unanimous* vote 満場一致の票決で / with *unanimous* approval 全員の賛成で.

†**u·nan·i·mous·ly** /ju(ː)nǽnəməsli/ 副 満場一致で, 一致して.

un·an·nounced /ʌnənáunst/ 形 発表[公表]されていない; 予告[警告]されていない; 〈到着などが〉突然の, 予期しない ‖ They arrived *unannounced*. 彼らの到着は発表されなかった.

un·arm /ʌnάːrm/ 動 他 自 (…を)武装解除する.

†**un·armed** /ʌnάːrmd/ 形 〔♦名詞の前で用いるときはふつう /-/〕非武装の, 無防備の; 武器を使用しない, 素手の(↔ armed).

un·au·thor·ized /ʌnɔ́ːrθəraizd/ 形 公認[認可]されていない, 未検定の; 権限のない ‖ an *unauthorized* version of the book その本の海賊版.

un·a·vail·a·ble /ʌnəvéiləbl/ 形 **1** 使用できない, 入手できない. **2** 〈人が〉自由に何かをすることができない; 手がふさがっている. **3** 〈人が〉会うことができない, 話をする時間がない《♦ not available ともいう》.

†**un·a·void·a·ble** /ʌnəvɔ́idəbəl/ 形 **1** 避けられない. **2** 〖法律〗不可避の.

†**un·a·ware** /ʌ̀nəwéər/ 形 〔…に〕気がつかない, 〔…を〕知らない〔*of, that*節, *wh*節〕(↔ aware) ‖ He was *unaware of* the danger. 彼は危険に気づかなかった / I was *unaware that* she was injured. 私は彼女がけがをしたことを知らなかった.

†**un·a·wares** /ʌ̀nəwéərz/ 副 〖正式〗**1** 気づかずに, うっかり. **2** 不意に, 思いがけなく; 気づかれずに. **tàke A unawáres** 〈人〉を驚かす; 〈人〉の不意を襲う.

un·bal·ance /ʌnbǽləns/ 動 他 **1** …の平衡[均衡]を失わせる (◆ put ... out of balance の方がふつう). **2** 〈人〉を乱す; 〈人〉を錯乱させる.

un·bal·anced /ʌnbǽlənst/ 形 **1** 不均衡な, 不安定な. **2** 〈人・心が〉取り乱した. **3** 〖勘定が〗未決算[未精算]の.

un·bar /ʌnbɑ́ːr/ 動 (過去·過分) **un·barred**/-d/; **--bar·ring** 他 〈ドア·扉〉のかけ金[かんぬき]をはずす; 〈道など〉を開く.

†**un·bear·a·ble** /ʌnbéərəbl/ 形 〈ふつう物·事が〉〔人に〕耐えられない, 我慢できない〔*to*〕(↔ bearable); 〈人が〉(我慢しないほど)ひどいるまいをする ‖ an *unbearable* toothache 我慢できない歯痛.

un·béar·a·bly 副 耐えられないほどに.

un·beat·a·ble /ʌnbíːtəbl/ 形 〈人·チームが〉負かすことのできない. **2** 非常によい, 最高の.

un·beat·en /ʌnbíːtn/ 形 **1** むち打たれない. **2** 負けた[征服された]ことのない, 無敵の. **3** 人跡未踏の.

†**un·be·com·ing** /ʌ̀nbikʌ́miŋ/ 形 **1** 〈服·色などが〉〈人などに〉似合わない〔*to*〕(↔ becoming) ‖ *unbecoming* clothes 似合わない服. **2** 〈行為などが〉〈人に〉ふさわしくない, 不適当な〔*to, for, of*〕(≒ suitable) ‖ an act *unbecoming to* a lady 淑女にふさわしくない行ない.

un·be·known /ʌ̀nbinóun/ 形[副] 知られていない(で), 気づかれない.

un·be·lief /ʌ̀nbilíːf/ 名 Ⓤ 〖正式〗(知識不足などによる)不信仰, 不信心.

†**un·be·liev·a·ble** /ʌ̀nbilíːvəbl/ 形 信じがたい, 驚くべき(↔ believable) ‖ 対話"Tom got full marks in the last exam.""That's *unbelievable*."「トムはこの前のテストで満点をとりました」「本当ですか」.

un·be·liev·a·bly /ʌ̀nbilíːvəbli/ 副 〖通例文全体を修飾〗信じられないほどに.

†**un·be·liev·ing** /ʌ̀nbilíːviŋ/ 形 〖正式〗信じない, 疑っている; 懐疑的な (◆ disbelieving の方がふつう) (↔ believing). **2** 信仰心のない.

un·bend /ʌnbénd/ 動 (過去·過分) **--bent**, 〈古〉**~·ed**) 他 〈曲がったもの〉をまっすぐにする; 〈人〉を打ちとけさせる. —自 〈曲がったものが〉まっすぐになる; 〈人が〉打ちとける. **un·bénd·ing** 形 〖正式〗〈態度などが〉確固たる; がんこな.

un·bi·ased, 〈英〉**·bi·assed** /ʌnbáiəst/ 形 **1** 先入観[偏見]のない, 公平な. **2** 〖統計〗偏りのない, 不偏の, 無作為の.

†**un·bid·den** /ʌnbídn/ 形 〔◆ しばしば副詞的に用いる〕〈文〉頼まれて[命じられて]いない; 自発的な ‖ She spoke out *unbidden*. 彼女は求められないのに発言した. **2** 招かれていない.

un·bind /ʌnbáind/ 動 (過去·過分) **--bound**) 他 **1** …の包帯[なわ]をほどく, 〈結び目など〉を解く. **2** 〈人〉を解放する.

†**un·born** /ʌnbɔ́ːrn/ 形 (◆ 名詞の前で用いるときはふつう/=/) **1** まだ生まれていない (↔ born) ‖ an *un-born* baby [child] 胎児. **2** 〖正式〗将来の ‖ *un-born* generations これからの[将来の]世代.

un·bos·om /ʌnbúzəm/ 動 他 〖正式〗自〈気持ち·考え·秘密などを〉〔…に〕打ち明ける〔*to*〕.

†**un·bound** /ʌnbáund/ 動 unbind の過去形·過去分詞形. —形 **1** 〈本·紙などが〉とじられていない, 未製本の; 〈髪が〉束ねられていない (↔ bound). **2** 〈人·動物が〉解き放たれた, 自由の身となった.

†**un·bro·ken** /ʌnbróukn/ 形 **1** こわれていない, 破られていない, 完全な. **2** とぎれない, 連続した ‖ I had ten hours of *unbroken* sleep. 10 時間ぶっ通しで眠った. **3** 〈馬などが〉慣らされていない, 訓練されていない. **4** 〖記録などが〉破られていない. **5** 〈規則などが〉守られている. **6** 乱されない, くじけない.

un·bur·den /ʌnbə́ːrdn/ 動 他 **1** …の荷を降ろす; 〈人〉から〔荷などを〕降ろす; 〈心配などを〉取り除く〔*of*〕‖ *unburden* him of his knapsack 彼のリュックサックを降ろしてやる. **2** 〖正式〗〈秘密などを〉〔人に〕打ち明ける〔*to*〕; [~ oneself] 〔人·…に〕打ち明ける〔*to/of*〕; *unburden* one's heart [*oneself*] *to* one's friend 友だちに胸の内を打ち明ける.

un·but·ton /ʌnbʌ́tn/ 動 他 **1** 〈衣服〉のボタンをはずす; 〈ボタン〉をはずす. **2** 〈心の中〉を打ち明ける. —自 ボタンをはずす.

un·called-for /ʌnkɔ́ːldfər/ 形 〖略式〗**1** 不必要な, 無用の, 差し出がましい ‖ an *uncalled-for* offer 差し出がましい申し出. **2** 〖正当な〗理由のない, いわれのない ‖ That's totally *uncalled-for*. それはまったくいわれのないことだ.

†**un·can·ny** /ʌnkǽni/ 形 (**-·ni·er, -·ni·est**) **1** 異様な; 神秘的な ‖ an *uncanny* silence 不気味な静けさ. **2** 〈感覚·能力などが〉人並みはずれて鋭い ‖ *uncanny* powers of observation 驚異的な観察力.

***un·cer·tain** /ʌnsə́ːrtn/
—形 **1** 〈人が〉〔…について〕**確信が持てない**, はっきりとは知らない, 自信がない〔*of, about, as to*〕(◆ 前置詞の目的語は名詞·動名詞. *wh*句·*wh*節·whether節を用いるときはふつう前置詞は省略) ‖ I was *uncertain of* my ability to do it. 私はそれができるかどうか自信がなかった / I am *uncertain when* he will come next. 彼が今度いつ来るかはっきりとは知らない. **2** はっきりしない; 疑わしい; ばくぜんたる ‖ an *uncertain* outcome 予測できない結果 / a woman of *uncertain* age 中年の女 (◆ 遠回し表現) / refuse his proposal in no *uncertain* terms 彼の申し出をきっぱりと断る. **3** 不安定な, 気まぐれな; 当てにならない ‖ *uncertain* weather 変わりやすい天気.

†**un·cer·tain·ly** /ʌnsə́ːrtnli/ 副 不確実に; 自信なく; 頼りなく, ぐらついて (↔ certainly) ‖ glance *uncertainly* at him 不安げにちらと彼を見る.

†**un·cer·tain·ty** /ʌnsə́ːrtnti/ 名 **1** Ⓤ 〔…についての〕不確かさ, 不確かな状態〔*of, about, as to*〕; 半信半疑; 変わりやすさ (↔ certainty) ‖ the *uncertainty* of the weather 天候の変わりやすさ. **2** Ⓒ [しばしば the uncertainties] 当てにしない事[物] ‖ the *uncertainties* of life 人生の無常.

un·chal·lenged /ʌntʃǽlindʒd/ 形 **1** 問題にされない, 疑問に思われない; 呼び止められない, 尋問されない ‖ go *unchallenged* 何の疑いもなく受け入れられる. **2** 〈特に権力者が〉対抗[対立]者のいない, 比類のない.

†**un·changed** /ʌntʃéindʒd/ 形 変化していない, もとのままの.

un·char·ac·ter·is·tic /ʌ̀nkærəktərístik/ 形 特徴的でない, 典型的でない, 〔…にとって〕珍しい〔*of*〕‖ It

un·checked /ʌntʃékt/ 形 **1** 抑制のない; 野放しの ‖ go *unchecked* 野放し状態である. **2** 検査を受けていない.

un·chris·tian /ʌnkrístʃən | -tʃən, -tʃən/ 形 **1** キリスト教的でない;《正式》〈行動などが〉キリスト教徒に値しない; 情け容赦のない. **2**《略式》野蛮な, 下品な;〈時間などが〉途方もない.

un·cir·cum·cised /ʌnsə́ːrkəmsaɪzd/ 形 **1** 割礼を受けていない. **2** ユダヤ人でない.

un·civ·i·lized /ʌnsívəlaɪzd/ 形 文明化されていない, 未開の; 洗練されていない.

**un·cle /ʌ́ŋkl/
―名〈~s/-z/〉C **1**［しばしば U~］おじ《父母の兄弟, おばの夫》; 甥(#)［姪(#)］のいる男性 (↔ aunt) ‖ Mike is my *uncle* on my mother's side. マイクは母方のおじです／become an *uncle* おじになる, 甥［姪］ができる／Take me to the park (↗), *Uncle* (John). (↗)（ジョン）おじさん, 公園へ連れていってください《◆自分のおじは my *uncle* だが, 身内の間や呼びかけの時は固有名詞的に Uncle とすることが多い》. **2**［しばしば U~］〈子供などに〉慕われる年配男性〔to〕, おじさん.

Úncle Sám《米国 (the United States) の(略)の US をもじったもの》《米国式》サムおじさん《米国(政府)を擬人化した呼び名》;《典型的な》米国民 (cf. John Bull).

Úncle Tóm〘H. B. Stowe 作の小説 *Uncle Tom's Cabin* から〙《米国式》《侮蔑》白人に卑屈な態度をとる黒人.

†**un·clean** /ʌnklíːn/《◆名詞の前で用いるときはふつう /-/》形 **1** 汚い, 不潔な. **2**〈道徳的に〉不純な; 不貞な;《聖書》邪悪な. **3**《正式》〈宗教儀式上〉汚れた, 不浄の;〈不浄で〉食用にできない《◆ユダヤ教のブタなど》.

un·clear /ʌnklíər/ 形 **1** はっきりしない, 明らかでない; あいまいな. **2** 十分理解していない.

un·clench /ʌnklentʃ/ 他〈固く閉じたもの〉をほどく, こじ開ける.―自〈固く閉じたものが〉ほどける, ゆるむ.

un·close /ʌnklóʊz/ 動 他 …を開ける; …を明らかにする.―自 開く, 明らかになる.

†**un·com·fort·a·ble** /ʌnkʌ́mftəbl, -fərtəbl/ 形 **1**〈物・事が〉〈居〉心地よくない; 不安にさせる ‖ an *uncomfortable* chair 座り心地の悪いいす／an *uncomfortable* situation 困った事態. **2**〈人が〉〔…について／人に対して〕居心地よく感じない〔*about/with*〕; 落ち着かない, 気詰まりな ‖ I felt *uncomfortable* with them watching. 彼らに見られて落ち着かない気分だった.

†**un·com·fort·a·bly** /ʌnkʌ́mftəbli, -fərt-/ 副 〈居〉心地悪く; 落ち着かないで (↔ comfortably).

†**un·com·mon** /ʌnkámən | -kɔ́mən/ 形 **1** めったにない, まれな ‖ Birds of this sort are becoming very *uncommon*. この種の鳥はどんどん見られなくなっている. **2**《正式》異常な; 著しい; すばらしい ‖ dance with *uncommon* grace すばらしく優雅に踊る.

†**un·com·mon·ly** /ʌnkámənli | -kɔ́m-/ 副《正式》**1** まれに. **2** 非常に.

†**un·com·pro·mis·ing** /ʌnkámprəmaɪzɪŋ | -kɔ́m-/ 形《正式》妥協しない, 不屈の; 断固たる, 確固たる (↔ compromising) ‖ take [assume] an *uncompromising* attitude 断固たる態度をとる.

†**un·con·cern** /ʌnkənsə́ːrn/ 名 U《正式》〔…に対す

る〕無関心, 冷淡さ〔*for*〕; 平気 ‖ with *unconcern* 平然と.

†**un·con·cerned** /ʌnkənsə́ːrnd/ 形 **1**〔…に〕無関心な〔*with, about*〕;〔…と〕かかわり合いがない, 無関係な〔*in, with*〕(↔ concerned) ‖ I am *unconcerned* with the problem. 私はその問題に興味［かかわり合い］がない (=The problem is no concern of mine.). **2**〔…について〕心配していない, 平気な〔*about, for*〕.

un·con·di·tion·al /ʌnkəndíʃənl/ 形 無条件の, 完全な ‖ *unconditional* surrender 無条件降伏.

ùn·con·dí·tion·al·ly /ʌnkəndíʃənli/ 副 無条件に, 完全に.

un·con·firmed /ʌnkənfə́ːrmd/ 形〈情報が〉〈真実・正当であるとして〉確認されていない ‖ an *unconfirmed* report 未確認情報.

†**un·con·quer·a·ble** /ʌnkáŋkərəbl | -kɔ́ŋ-/ 形 征服できない; 克服できない.

***un·con·scious** /ʌnkánʃəs | -kɔ́n-/ [→ conscious]
―形《◆比較変化しない》**1** 意識を失った, 気絶した ‖ knock him *unconscious* 彼をなぐって気絶させる／She was *unconscious* for a whole day after the accident. 彼女は事故のあと丸一日意識不明だった.
2 [be unconscious of A]〈人が〉〈事〉に気づかない, …を意識していない; [be unconscious that節 / be unconscious (of) wh節] …ということに［…かに］気づかない ‖ He *is unconscious* of his bad manners. 彼は自分の不作法に気づいていない／She *is unconscious* of having punished her son too severely. 彼女は息子を厳しく罰しすぎたことに気づいていない《文法 12.2》.
3 無意識の, 自覚していない; 意図していない ‖ an *unconscious* habit 無意識の癖／an *unconscious* insult 知らずにしている侮辱.
―名《心理》[the ~] 無意識, 潜在意識.

un·cón·scious·ness 名 U 無意識.

†**un·con·scious·ly** /ʌnkánʃəsli | -kɔ́n-/ 副 知らずに（知らずで）, 無意識に（↔ consciously).

†**un·con·trol·la·ble** /ʌnkəntróʊləbl/ 形 制御［抑制］できない, 手に負えない (↔ controllable).

un·con·trolled /ʌnkəntróʊld/ 形 **1**〈感情などが〉制御されていない. **2**〈法律などによって〉規制されていない.

un·cork /ʌnkɔ́ːrk/ 動〈びんなどの〉コルク栓(%)を抜く;〈感情など〉を吐き出す.

un·count·a·ble /ʌnkáʊntəbl/ 形 **1** 数えきれないほどの, 無数の. **2**〈性質などが〉数えられない;《文法》不可算の《◆本辞典では U で表示してある》.
―名 C《文法》不可算名詞《略》U) (↔ countable).

†**un·couth** /ʌnkúːθ/ 形《やや古》〈人が〉礼儀を知らない, 粗野な;〈行動・言葉などが〉ぎこちない, 洗練されていない.

†**un·cov·er** /ʌnkʌ́vər/ 動 他 **1**〈人が〉〈物〉の覆いをとる, ふたを取る ‖ *uncover* the dish 皿の覆いを取る／*uncover* the statue 像の除幕をする. **2**〈人が〉〈秘密など〉を暴露する, 打ち明ける ‖ His deceit was *uncovered*. 彼の欺瞞(#)が暴(;)かれた／She *uncovered* her heart to him. 彼女は彼に心を打ち明けた.―自 覆い［ふた］を取る.

un·cred·it·ed /ʌnkréditid/ 形 **1**〈取引記録に〉記入されていない;〈出版物・映画などで〉クレジットされていない. **2** 真価を認められていない.

unc·tion /ʌ́ŋkʃən/ 名 U **1** 塗油《人に油を塗る宗教儀式》;〈治療用〉油薬［軟膏(%)］を塗ること. **2**（塗油

用いる)聖油;油薬, 軟膏.
unc・tu・ous /ʌ́ŋktʃuəs, (英+) -tju-/ 形 《正式》〈人・言動に〉調子がよすぎる, いやに熱心ぶった, さも感動したような.
un・curl /ʌ̀nkə́ːrl/ 動 他 〈巻き毛などを〉まっすぐにする.
— 自 〈巻き毛などが〉まっすぐになる.
†un・daunt・ed /ʌ̀ndɔ́ːntid/ 形 《正式》〈人が〉[…を]恐れない, […に]ひるまない, くじけない[by];［…の点で]大胆な[in].
un・de・ceive /ʌ̀ndisíːv/ 動 他 《正式》〈人〉の迷夢をさまさせる, …に真実を悟らせる.
un・de・cid・ed /ʌ̀ndisáidid/ 形 **1** 未決定の, 決めかねている;〈試合などが〉決着のついていない ‖ It's an interesting idea, but I'm *undecided*. 面白い考えですが, 私はまだ決めかねています.
un・de・ni・a・ble /ʌ̀ndináiəbl/ 形 **1** 明白な, 否定[反論]できない;認めざるをえない. **2** 卓越した, すぐれた.
ùn・de・ní・a・bly 副 明白に, 否定の余地なく.

****un・der** /ʌ́ndər/ 本義の「広がりを持つ物のすぐ下に位置する」から「覆われて[隠れて]下方に」という意味が生じた. また「上から押さえつけられている」ことより圧迫・拘束を表し, さらに従属・包含の関係を表す

index
前 **1** …の(真)下に **2** …の中に **3** …未満の
副 **1** 下に, 下へ

— 前
Ⅰ [...の下に]
1 [下方の位置] …の(真)下に[の, を, へ]（↔ over）;…のふもとに 使い分け → below 形 **1** ‖ strike a person *under* the left eye 左目の真下をなぐる / dive *under* the water 水中にもぐる / the fields *under* water（大水で）水浸しになった畑 / He got out from *under* the car. 彼は車の下から出て来た. **2** [内側の位置] …の中に, 内側に, 表面下に;…に覆われて;〈土地が〉…を植えられて ‖ inject *under* the skin 皮下に注射する / fifty acres *under* wheat 小麦が植えてある50エーカーの土地 / hide one's face *under* the blanket 毛布の下に顔を隠す / wear a vest *under* [《英》 beneath] a coat 上着の下にチョッキを着る / She stood *under* [ˣin] an umbrella. 彼女はかさをさして立っていた.
3 [下位] …より少ない, …未満で[の], …より少ない(less than)（♦ 日本語の「A以下の」では A の値ちょうどの場合を含むので, この *under* とは一致しない）（↔ over）;〈地位・価値などが〉…より下で[の], …より劣る 使い分け → below 形 **2**）‖ incomes *under* [below] £200 200ポンド未満の収入（♦ *under* は「足りない」という含みを伴うのに対し, below は「ある基準をもとに客観的に少ない」ということを示す. いずれも200ポンドちょうどは含まない）/ in *under* two weeks 2週間足らずのうちに（⇨ 文法 21.1(3)）/ children *under* 16 (years of age) 16歳未満の子供 / A captain is *under* a colonel. 大尉は大佐より位が下である（→ below 前 **2**）.
Ⅱ [物理的・社会的関係において…の下に]
4 [圧迫・拘束] **a** …を背負って ‖ march *under* a heavy load 重い荷物を背負って進む. **b** 〈重荷・負担・圧迫などを〉負って, …のために;〈刑罰・試練などを〉受けて;〈義務・責任・拘束などのもとに〉‖ under arrest 拘束されて / groan *under* tyranny 圧政に苦しむ / *under* one's hand and seal 署名捺(ʼ)印して / give testimony *under* oath 誓って証言する / *under* sentence of death 死刑の宣告を受けて / Every player is *under* (an) obligation to keep the rules. 選手はすべてルールを守る義務がある. **5** [従属] **a** 〈支配・監督・保護・指導などのもとに, …の影響を〉受けて ‖ *under* control 抑制して[される] / Spain *under* Franco フランコ将軍統治下のスペイン / study *under* Prof. Schultz シュルツ教授の指導のもとで勉強する / *under* the influence of alcohol 酒の勢いで / *under* the auspices of the British Council ブリティッシュ=カウンシルの主催で. **b** 〈動作・行為の過程を示して〉…中で[の] ‖ *under* discussion [examination, consideration] 討論[試験, 考慮]中で / The road is *under* repair. その道路は修理中だ（＝… is being repaired.）.
Ⅲ [包含関係において…の下に]
6 [包含] **a** 〈条件・事情の〉もとで / *under* present conditions 現況では / *under* [in] these circumstances こういった状況のもとでは. **b** 〈偽装・口実の〉もとに, …に隠れて;…という名で, …の形をとって ‖ open a bank account *under* [an assumed [a false] name 偽名を使って銀行口座を開設する / *under* pretense of ignorance 無知を装って / He wrote a novel *under* the name of Smith. 彼はスミスという名で小説を書いた. **c** [行為・判断の基準を示して]…に基づいて, …に従って ‖ equality *under* the law 法のもとの平等. **d** [分類・区分] …の(項目の)中に ‖ See *under* L. L項(の中)を見よ / Whales come *under* (the heading of) mammals. クジラは哺(ʰ)乳動物に属する.
— 副 《♦比較変化しない》**1** [位置が]下に, 下へ;〈数・量が〉…未満に[で];〈地位・身分が〉下位に[へ] ‖ boys of [aged] ten and *under* 10歳およびそれ以下の少年 / The ship went *under*. 船が沈没した. **2** 〈従属・服従の状態に〉[へ] ‖ knuckle *under* 降参する / keep one's feelings *under* 自分の感情を抑える.
— 形 《♦比較変化しない》[名詞の前で] **1** 下の;より少ない, 不足の;下位の, 劣った ‖ the *únder* [lówer] jáw 下あご. **2** [補語として]〈人〉に支配されて;（薬などの）作用を受けて.

un・der- /ʌndər-/ 語要素 → 語要素一覧(1.7).
un・der・brush /ʌ́ndərbrʌ̀ʃ/ 名 Ⅱ《主に米》(林の中の)下ばえ.
un・der・clothes /ʌ́ndərklòuz, -klòuðz/ 名《複数扱い》下着, 肌着.
un・der・cloth・ing /ʌ́ndərklòuðiŋ/ 名 Ⅱ《正式》下着, 肌着.
un・der・coat /ʌ́ndərkòut/ 名 **1** © 下外套(ᵗ). **2** © (動物の長い毛の下の)下毛. **3** ©Ⅱ 下塗り, 下塗料. — 動 他 **1** …に下塗りをする. **2** 《米》…にさび止めを吹き付ける. **ún・der・còat・ing** 名 ＝undercoat **3**.
un・der・cov・er /ʌ̀ndərkʌ́vər/ 形 **1** 秘密で行なわれた[行なう];諜(ᶜ)報活動に従事する ‖ an *undercover* man おとり捜査員,（産業）スパイ. **2** 〈座席などが〉覆いのついた. — 副 こっそりと, 秘密裏に.
un・der・cur・rent /ʌ́ndərkə̀ːrənt, -kʌ̀r-/ 名 © **1** (水・空気などの)底流, 下層流. **2**《正式》(思想・感情などの)底流 ‖ an *undercurrent* of resentment 底流にある怒りの感情.
un・der・cut 動 ʌ̀ndərkʌ́t; 名 ʌ́ⁿ~ʌ̀ⁿ; 動 (過去・過分) **un・der・cut; --cut・ting**) 他 **1** …の下を切り[削り]取る. **2** 〈人〉より安く売る;〈相手〉より低賃金で働く. **3** [スポーツ] 〈球〉をアンダーハンドでカットする, 下から(上向きに)カットする.

―名 ⓒ 1 下部を切り取ること；その部分. 2 (米)(木の)切り込み. 3 (英)(牛の)腰部の肉，ひれ肉. 4 [スポーツ] アンダーカット.

un·der·dog /ˈʌndərdɔːg/ 名 ⓒ 1 (通例 the ~) (生存競争の)敗北者，(社会的不正の)犠牲者；弱者. 2 (競技などで)勝ち目の薄い人. 3 負け犬.

un·der·done /ˌʌndərdʌn/ 形 (主に英) (肉などが)生煮えの，生焼けの，さっと焼いた.

un·der·es·ti·mate 動 /ˌʌndərˈɛstɪmeɪt/；名 /-mət, -meɪt/ 動 他 (…を)過小評価する，みくびる；…を安く[少なく]見積もりすぎる. ――名 ⓒ 過小評価；安すぎる見積もり.

un·der·fed /ˌʌndərˈfɛd/ 形 十分に食料を与えられていない.

un·der·feed /ˌʌndərˈfiːd/ (過去・過分 **~fed**) 他 1 …に十分な食料[燃料]を与えない. 2 (エンジンなどに)下から燃料を補給する.

un·der·floor /ˌʌndərˈflɔːr/ 形 (主に英)(暖房装置が)床下式の.

un·der·flow /ˈʌndərˌfloʊ/ 名 ⓤ [コンピュータ] アンダーフロー，下位桁(けた)あふれ《演算の結果，絶対値がコンピュータで表現できる最小値より小さくなること》.

un·der·foot /ˌʌndərˈfʊt/ 副 1 足の下に[で]，踏みつけて；地面に. 2 邪魔になって. 3 屈服して. ――形 足の下の.

†**un·der·go** /ˌʌndərˈgoʊ/ 動 (**~es** /-z/; 過去 **~went** /-ˈwɛnt/, 過分 **~gone** /-ɡɔːn, -ɡɑːn/) 他 (正式) 〈人が〉〈不愉快な[苦しい]こと〉を経験する (cf. experience), …に耐える，〈人・物が〉〈変化・検査・治療など〉を受ける，経る (go through) ‖ *undergo* great disappointment 大きな失望を体験する / He *underwent* surgery to remove a small tumor. 彼は小さな腫瘍(しゅよう)を取り除く手術を受けた / Her expression *underwent* a sudden change. 彼女の表情がさっと変わった.

un·der·gone /ˌʌndərˈɡɔːn, -ɡɑːn/ 動 undergo の過去分詞形.

†**un·der·grad·u·ate** /ˌʌndərˈɡrædʒuət/ (英+)-gredju-/ 名 ⓒ (大学の)学部学生(⇨ graduate) ‖ an *undergraduate* degree in biology 生物学の学部の学位.

†**un·der·ground** 形 名 /ˈʌndərˌɡraʊnd/；副 /ˌ‐ˈ‐/ 形 1 地下の ‖ an *underground* passage 地下通路 / *underground* nuclear testing 地下核実験 / an *underground* shopping arcade [center] 地下街. 2 秘密の，隠れた；〈政治活動が〉地下組織の，非合法的な ‖ *underground* activities [publications] 地下活動[出版] / an *underground* leader 地下組織のリーダー / the *underground* press 反体制出版. 3 《芸術などが》前衛的な，アングラの ‖ *underground* músic [móvies] 前衛的音楽[映画].
――副 1 地下に[で]. 2 隠れて，内密に；(地下に)潜んで ‖ They went *underground* to escape from the police. 彼らは警察から逃れるために地下に潜伏した.
――名 1a ⓒ (通例 the ~)(英)地下鉄(underground railway, (主に米) subway); [the U-~](ロンドン・グラスゴウの)地下鉄《◆ロンドン地下鉄は(英略式)で the Tube ともいう》‖ go 「**by** (**the**) [**on the**] *underground* 地下鉄で行く. **b** (米) 地下；(米)地下鉄の地図. 2 [the ~；集合名詞；単数・複数扱い] 地下[秘密]組織 ‖ *the* French *underground* (第二次大戦中の)フランス地下組織. 3 [the ~；集合名詞；単数・複数扱い] 前衛運動[グループ]，アングラ.

únderground ráilroad (米) (1) 地下鉄(⇨ 1a). (2) (米史)南北戦争前の奴隷解放秘密結社.

únderground ráilway =1a.

un·der·growth /ˈʌndərˌɡroʊθ/ 名 ⓤ 1 (森の中の)下生え，やぶ. 2 (毛皮の)下毛. 3 発育不全.

un·der·hand /ˌʌndərˈhænd/ 形 1 [スポーツ] 下手投げ[打ち]の[で]，アンダースローの[で] (⇔ overhand). 2 (正式) 秘密[不正]の[で].

un·der·hand·ed /ˌʌndərˈhændɪd/ 形 1 =underhand. 2 人手不足の.

un·der·lain /ˌʌndərˈleɪn/ 動 underlie の過去分詞形.

†**un·der·lay¹** /ˌʌndərˈleɪ/；名 /ˈ‐ˌ‐/ 動 (過去・過分 **--laid**) 他 1 …の下に(…を)置く[敷く] (with). 2 …を(下に置いた物で)支える，持ち上げる. 3 …を(下に敷く物で)裏打ちする (with). ――名 ⓤ ⓒ 下に敷く物；じゅうたん[マットレス]の下敷き《絶縁・防音用》.

un·der·lay² /ˌʌndərˈleɪ/ 動 underlie の過去形.

†**un·der·lie** /ˌʌndərˈlaɪ/ 動 (過去 **--lay** /-ˈleɪ/, 過分 **--lain** /-ˈleɪn/; **-ly·ing**) 他 (正式) 1 〈人・物が〉〈人・物〉の下にある[横たわる]. 2 〈感情・考えなどが〉〈行動・主義など〉の基礎となる，背後にある《◆受身不可》‖ What *underlies* your opinion? あなたの意見の根拠となるものは何ですか.

∗un·der·line /ˌʌndərˈlaɪn, ˈ‐ˌ‐/；名 /ˈ‐ˌ‐/ [下に(under)線を引く(line)]
――動 (**~s** /-z/; 過去・過分 **~d** /-d/; **--lin·ing**)
――他 1 〈人が〉〈語・句など〉に下線を引く《◆強調・注意の喚起・イタリック体の指示など》(underscore) ‖ Translate the *underlined* part. 下線部を訳せ. 2 …を強調する，明白にする (emphasize) ‖ *underline* the differences between the two candidates 2人の候補者の違いを強調する.
――名 /ˈ‐ˌ‐/ ⓒ アンダーライン，下線 (underscore).

un·der·ling /ˈʌndərlɪŋ/ 名 ⓒ 下っ端，下役.

un·der·lip /ˌʌndərˈlɪp/ 名 ⓒ 下唇.

†**un·der·ly·ing** /ˌʌndərˈlaɪɪŋ/ 形 1 (正式) 下にある. 2 基礎をなす，基本的な. 3 隠された.

†**un·der·mine** /ˌʌndərˈmaɪn/ 2, 3 ではまた /ˈ‐ˌ‐/ 動 他 1 …の下に坑道[穴]を掘る，…の下を掘る. 2 (正式) 〈水などが〉…の土台[底部]を削り取る[侵食する]. ‖ The house was *undermined* by the flood. 洪水で家の土台が削り取られた. 3 (正式) 〈健康などを〉徐々に衰えさせる，蝕(むしば)む (weaken)；〈名声などを〉ひそかに[陰険な手段で]傷つける ‖ Internal rivalries *undermined* the opposition party's chances of winning the election. 内部抗争のため野党が選挙に勝てるチャンスは失われた.

†**un·der·neath** /ˌʌndərˈniːθ/ 前 (正式) 1 [位置] …の(真)下に[の, を]；…の下側[下面]に《◆ under よりも「覆われて，隠れて」の意がより強調される》‖ There was a rat *underneath* the floor. 床の下にネズミが潜んでいた. 2 〈支配など〉を受けて；〈外観・口実など〉の裏に ‖ work *underneath* the mayor 市長の下で働く. ――副 下に[を]；下側[下面, 下面]に[を, の]；根底は，(表面はともあれ)実は. ――形 下の；下側[下面, 下面]の. ――名 (略式) [the/one's ~] 下部；下側；底.

un·der·nour·ished /ˌʌndərˈnɜːrɪʃt/ 形 (正式) 栄養不良の.

un·der·paid /ˌʌndərˈpeɪd/ 形 十分な給料をもらっていない，薄給の. ――動 underpay の過去形・過去分詞形.

un·der·pants /ˈʌndərˌpænts/ 名 [複数扱い] ズボン

un・der・pass /ʌ́ndərpæs | -pɑːs/ 名 C ガード下, (鉄道・道路の下の)地下(豪 subway).

un・der・pay /ʌ̀ndərpéi/ 動 (過去・過分 **-paid**) (正式) 他 自 (…に)十分に(給料を)支払わない.

un・der・priv・i・leged /ʌ̀ndərprívəlidʒd/ 形 (正式) (社会的・経済的に)恵まれない《◆ poor など, 社会的弱者の状態をさす遠回し語. 身障者を含むことがある》|| the underprivileged =underprivileged people 恵まれない人々.

un・der・pro・duce /ʌ̀ndərprəd(j)úːs/ 動 他 自 (…を)(需要などより)少なく生産する.

ùn・der・pro・dúc・tion 名 U 生産不足; (能力以下の)過少生産.

un・der・proof /ʌ̀ndərprúːf/ 形 (酒類が)標準強度以下の(→ proof spirit).

un・der・rate /ʌ̀ndərréit/ 動 他 (正式) …を過小評価する; …を安く[少なく]見積もりすぎる(↔ overrate).

un・der・score /動 ʌ̀ndərskɔ́ːr/ ≒; /名 ≒/ 動 名 = underline.

un・der・sea /形 ʌ́ndərsìː/, 副 ≒/ 形副 海中の[に, で], 海底の[に, で].

un・der・sec・re・tar・y /ʌ̀ndərsékrətèri/ -təri, (米+) ≒≒/ 名 (しばしば U~) C 次官.

un・der・shirt /ʌ́ndərʃə̀ːrt/ 名 C (米) シャツ, 肌着((英) vest).

un・der・shoot /ʌ̀ndərʃúːt/ 動 (過去・過分 **--shot**) 他 自 (的に)届かない; 〈飛行機・ミサイルなどが〉(滑走路・目標まで)届かない.

un・der・shorts /ʌ́ndərʃɔ̀ːrts/ 名 (米) (複数扱い) (男性用)パンツ, 下着.

un・der・shot /ʌ́ndərʃɑ̀t | -ʃɔ̀t/ 動 ≒/ 形 〈水車が〉下を流れる水で動く, 下射式の.
—動 undershoot の過去形・過去分詞形.

un・der・side /ʌ́ndərsàid/ 名 C [(the) ~] 下側, 底面.

un・der・sign /ʌ̀ndərsáin/ 動 他 …の終わりに署名する.

un・der・signed /ʌ̀ndərsáind/ 形 (正式) **1** (文書の終わりに)署名した, 下名の; [the ~; 集合名詞的に]署名者. **2** 〈文書が〉署名入りの.

un・der・sized /ʌ̀ndərsáizd/, **--size** /-sáiz/ 形 ふつうより小さい, 小型の, 小柄な.

un・der・skirt /ʌ́ndərskə̀ːrt/ 名 C アンダースカート《スカートの下にはく》; ペチコート.

*✦**un・der・stand** /ʌ̀ndərstǽnd/ (アクセント注意) [「下に(under)立つ(stand)」→「ものについて深くはっきりした知識をもつ」] 派 understanding (名)

—動 (~s/-stǽndz/; 過去・過分 **-stood**/-stúd/; **~ing**) 〈◆命令形・進行形不可〉

—他 **1 a** 〈人が〉〈人・事・物を〉**理解する**[している], …の意味・気持ち・性質・扱い方などがわかる (類語) comprehend, make out, take in, perceive); [understand wh節・句] …かを理解している || understand the word [question] その単語[質問]の意味がわかる / I understand machinery 機械に詳しい / I understand German ドイツ語がわかる / understand when [where, how] to go いつ[どこへ, どのように]行ったらよいかわかっている / You don't understand me [what I say]. あなたには私の言うことがわかっていない / She needed someone who would understand her. 彼女には自分の気持ちをわかって(同調して)くれる人が必要だった / To understand all is to forgive all. (ことわざ) 全貌(ば)を理解すれば人を許すことができる. **b** [understand A('s) doing] A〈人〉が…するのがわかる || I cannot understand his [(略式) him] leaving so suddenly. (→文法 12.5) =I cannot understand why he left so suddenly. 彼がどうしてそんなに急に出て行ったのかわからない 《◆後者がふつう》.

2 (正式) [understand (that)節] 〈人が〉…と聞いている(learn)《◆(1) I hear と同意だが, よりていねいな言い方. (2) that節の代わりに so がくることもある. (3) 挿入句としても用いる》|| I understand this house is now for sale. この家は売り出し中だそうですね / (対話) "She had a baby on New Year's Day." "Só I understand." 「元日に彼女に赤ちゃんが生まれました」「そのようにうかがっています」《◆ *I understand, is in America. あなたのお兄さんは在米中と聞いていますが.

3 a [understand A to do] 〈人が〉 A〈人・事〉が…だと**了解する**[している], 解釈する; [understand (that)節] …だと思う || I understand him to be my best friend. =I understand (that) he is my best friend. 私は彼を無二の親友だと思っている 《◆後者がふつう》/ Am I to understand that you will call me back? あなたから電話をかけ直してもらえると思っていいのですね / That explanation is understood to be the wrong one. (正式) その説明は間違っていると思われている / What do you understand by freedom? 自由をどのように理解していますか. **b** [通例 be understood] …を当然だと思う(assume) || It is understood that they will all come to the party. (正式) 彼らは皆パーティーに来るものと思われている.

4 〈語・句など〉を補って解釈する; [通例 be understood] 〈語・句が〉省略されている || In "Just a moment, please," the verb "wait" is understood. "Just a moment, please." では動詞 wait が省略されている.

—自 **1** 〈人が〉**わかる**; 理解力がある; […について]よく知っている〔about〕|| Do you understand? わかりましたか, (もう)いいですね《◆親しい間柄や目下の者には (You) understand?(↗)ともいう》/ She understands quickly. 彼女はのみこみ[理解]が早い / The boy understands about trains. その少年は列車のことに詳しい / (対話) "I'm sorry I can't come." "That's all right. I understand." 「すみませんが行けません」「いいですよ, 承知していますから」.

2 理解[思いやり]を示す || He hoped that God would understand. 彼は神はわかってくださると思った.

give A to understánd that (正式) → give 動 他 **14 c**.

***máke** oneself **understóod** [自分自身を(oneself)理解された状態に(understood)する(make 他 **12 a**)] 自分の考え[言葉]を人に伝わらせる 《◆必ずしも上手に話せることを意味しない》|| Can you make yourself understood in German? ドイツ語で用が足せますか.

(Nów,) understánd me. (さあ)よく聞きなさい《◆しばしば警告・おどしの前置きとして使われる》.

†**un・der・stand・a・ble** /ʌ̀ndərstǽndəbl/ 形 〈物・事が〉理解できる, わかる || It is understandable that she didn't want it. 彼女がそれをほしがらなかったのはわかる(=Understandably, she didn't want it.).

un·der·stand·a·bly /ʌ̀ndərstǽndəbli/ 副 理解[同情]できるほど; [文全体を修飾; 通例文頭で] もっともなことだが; [後続の文を受けて] …であることは理解できる(用例 → understandable).

*__un·der·stand·ing__ /ʌ̀ndərstǽndiŋ/ [→ understand]
—— 名 1 ⓤ [通例 an ~] 理解(すること); (正式) 見解, 解釈 ‖ She has a cléar *understánding* of the theory. 彼女はその理論を完全に理解している(= She *understands* the theory clearly.) / to my *understanding* 私の理解の限りでは / My *understanding is that* there were 13 people on the boat. 船には13人が乗っていたと聞いています.
2 ⓤ [時に an ~] 理解力, 知性; 思いやり ‖ a man of great [keen] *understanding* 理解力のすぐれた人 / She showed (a) deep *understanding* toward me. 彼女は私に深い思いやりを示した.
3 ⓒ [通例 an ~] **a** […に関する/…するという] 合意, 相互理解 [*about, on* / *to do*] ‖ They [cáme to [réached] an *understanding about* how to spend their vacation. 彼らは休暇をどう過ごすかで合意に達した. **b** […との] (非公式な・私的な) 取り決め, 協定; [暗黙の] 了解事項 [*with, between*] ‖ I have an *understanding with* him that I can use his car once a week. 私は週に1度車を使わせてもらうという取り決めを彼としている.
on the ùnderstánding that ... …ということを理解の上で, …という条件で.
—— 形 […に関しての] 理解のある, 分別のある; 理解[思いやり]のある [*about, of*] ‖ an *understanding* person 物わかりのよい人 / an *understanding* reply 思いやりのある返事 / He is very *understanding*. 彼はなかなか話のわかる[話せる]人だ (◆進行形ではない. cf. interesting).
ùn·der·stánd·ing·ly 副 理解して; 思いやりをもって.

un·der·state /ʌ̀ndərstéit/ 動 (正式) 他 自 (…を) 控え目に述べる [表現する]; (数などを) 少なく言う (↔ overstate).

un·der·state·ment /ʌ̀ndərstéitmənt/ 名 ⓤ 控え目に言うこと; ⓒ 控え目な言葉 [表現] (◆ very good の代わりに, not bad ということなど. 英国人の言語表現の1つの特徴とされる) (↔ overstatement).

*__un·der·stood__ /ʌ̀ndərstúd/
—— 動 understand の過去形・過去分詞形.
—— 形 **1** 了解 [合意] 済みの. **2** 〈語・句が〉省略された.

un·der·study /ʌ̀ndərstʌ́di/ 名 ⓒ (けいこ中の) 代役俳優; (一般に) 代役. —— 動 他 自 **1** (役を) 代役としてけいこする. **2** (俳優の) 代役をつとめる.

†**un·der·take** /ʌ̀ndərtéik/ 動 (過去) --took , (過分) --tak·en (正式) 他 **1** 〈人が〉〈責任・仕事・地位など〉を引き受ける; 〈…すること〉を引き受ける (accept), 約束する (promise) (*to do*) ‖ *undertake* a task 仕事を引き受ける (◆ **2** の意味にもなる) / Did he *undertake* responsibility for the bankruptcy? 彼が倒産の責任を負ったのですか / He *undertook* (*to* do) the washing. 彼は洗濯を引き受けた / I *undertook* (with her) *to* come. 私は来ることを(彼女と)約束した(= I promised (her) to come.). **2** 〈人が〉〈事〉を始める, …に着手する; …を企てる ‖ *undertake* a journey 旅行に出かける / An air clean-up campaign was *undertaken*. 大気清浄化運動が始められた. **3** (英) 〈人が〉 […ということ〉を保証する, 断言する (*that* 節).

un·der·tak·en /ʌ̀ndərtéikən/ 動 undertake の過去分詞形.

†**un·der·tak·er** /¹ʌ̀ndərtéikər; ²-´--/ 名 ⓒ **1** 葬儀屋〈人〉((米) mortician, (正式) funeral director). **2** 引受人, 請負者; 企業家.

†**un·der·tak·ing** /ʌ̀ndərtéikiŋ; ³-´--/ 名 **1 a** ⓒ [通例 an ~] 事業, 企て, (大変な) 仕事 (task); 引き受けた事 (cf. enterprise) ‖ a large *undertaking* 大事業. **b** ⓤ 引き受ける [始める] こと. **2** ⓒ (正式) 〔…する/…という〕約束 (promise), 保証 (*to do* / *that* 節). **3** ⓤ 葬儀屋業.

†**un·der·tone** /ʌ̀ndərtóun/ 名 ⓒ (正式) **1** 小声, 静かな口調; 低音, 小さい音 ‖ *in an undertone* 小声で. **2** 潜在的性質 [要素], 底流 ‖ There is an *undertone* of hostility in his words. 彼の言葉にはどことなく敵意が感じられる. **3** (すけて見える) 地の色, 基調となる色; 薄い色.

un·der·took /ʌ̀ndərtúk/ 動 undertake の過去形.

un·der·val·ue /ʌ̀ndərvǽljuː/ 動 他 (正式) …を過小評価する; …を軽視する.

un·der·vest /ʌ̀ndərvèst/ 名 ⓒ (英) = undershirt.

un·der·wa·ter /ʌ̀ndərwɔ́ːtər/ 形 **1** 水面下の, 水中(用)の. **2** 喫水線下の. —— 副 水面下で, 水中で.

un·der·way /ʌ̀ndərwéi/, **under way** 形 **1** 〈事が〉起こって, 始まって (in progress) ‖ get *underway* (ショーなどが)始まる / A new project will be *underway* soon. 新企画が間もなく進行していくだろう. **2** 〈列車などが〉進行中で, 〈船が〉航行中で.

†**un·der·wear** /ʌ̀ndərwèər/ 名 ⓤ [集合名詞] 肌着類, 下着類.

un·der·weight /ʌ̀ndərwéit/ 形 重量不足の, 標準[必要] 重量[体重]以下の. —— 名 重量不足.

un·der·went /ʌ̀ndərwént/ 動 undergo の過去形.

†**un·der·world** /ʌ̀ndərwə̀ːrld/ 名 [the ~] **1** [通例 U-] (ギリシャ神話・ローマ神話) (地下の) 黄泉(よみ)の国, あの世. **2** 暗黒街, 悪[やくざ]の世界.

un·der·write /ʌ̀ndərráit, ´---/ 動 (過去) --wrote, (過分) --writ·ten 他 **1** (正式) 〈保険業者が〉 (署名して) …の保険を引き受ける; 〈明記された金額〉に補償する. **2** 〈株式・社債などを〉 (一括して) 引き受ける. **3** …に対して財政上の保証をする. **4** (署名などにより) …を支持する, …に同意する. **ún·der·writ·er** 名 ⓒ 保険業者, (証券の) 引受人; 保証人.

†**un·de·sir·a·ble** /ʌ̀ndizáiərəbl/ (正式) 形 望ましくない, 不快な, いやな ‖ an *undesirable* outcome 望ましくない結果. —— 名 ⓒ (社会にとって) 好ましくない人.

†**un·de·vel·oped** /ʌ̀ndivéləpt/ 形 **1** 未開発の; 未発達の, 未熟な. **2** 〔写真〕未現像の.

un·did /ʌndíd/ 動 undo の過去形.

un·dies /ʌ́ndiːz/ 名 (略式) [複数扱い] (女性・子供の) 下着類.

un·dine /ʌndíːn, -´/ 名 ⓒ (女の) 水の精, ウンディーネ, オンディーヌ (人間と結婚し, 出産すれば魂を得る).

†**un·dis·put·ed** /ʌ̀ndispjúːtid/ 形 異議のない, 明白な.

†**un·dis·turbed** /ʌ̀ndistə́ːrbd/ 形 乱されない, じゃまされない; 平静な.

un·di·vid·ed /ʌ̀ndiváidid/ 形 **1** 分けられていない, 分裂 [分割] されていない. **2** 1つのことに集中した ‖ *undivided* attention 全神経の集中. **3** 〈感情が〉強い, 純粋な.

†**un·do** /ʌndúː/ 動 (--does; (過去) --did, (過分) --done) 他 **1** 〈くもなどが〉…を, ゆるめる; 〈包んだもの〉を開く; 〈ボタンなど〉をはずす; 〈衣服〉を脱ぐ ‖ *undo* a shoelace [knot] 靴ひも [結び目] をほどく / *undo*

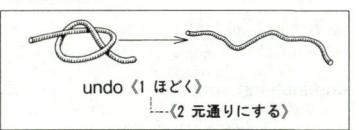

parcel 包みを開く / undo a shirt ワイシャツを脱ぐ / The button has come undone. ボタンがはずれた[取れた]. **2**〈人・事が〉…を一度した事を元通りにする; …を取り消す, 無効にする ‖ undo a verdict 評決をくつがえす / *What's done cannot be undone.* 《ことわざ》してしまったことは元に戻せない; 後悔先に立たず / He [The sudden fire] *undid* years of hard work. 何年も費やした苦心の労作を彼は[突然の火事が]台無しにした. **3**《文》《通例 be undone》〈人が〉破滅[零落]する ‖ I am *undone*. もうだめだ, やられた / He *was undone* by gambling. 彼はばくちで身を滅した.

undo 〈1 ほどく〉
〈2 元通りにする〉

——自 ほどける; 開く.

——名 © Ⓤ《コンピュータ》アンドゥ《直前に実行した操作を取り消して元の状態に戻すコマンド. 誤ってデータを削除した場合などに用いる》.

un‧dó‧er 名 © ほどく人; 取り消す人; 破滅に導く人.

†**un‧do‧ing** /ʌndúːiŋ/ 名 Ⓤ **1**《正式》破滅; [one's ~]破滅[失敗]の原因. **2** 元通りにすること, 取り消し. **3** ほどく[ゆるめる, 開く]こと.

un‧do‧mes‧ti‧cat‧ed /ʌndəméstikeitid/ 形 **1**〈動物が〉飼いならされていない. **2**〈女性が〉家事に興味がない.

†**un‧done**¹ /ʌ̀ndʌ́n/ 形 なされていない, 未完成の ‖ leave the job *undone* 仕事を放っておく.

†**un‧done**² /ʌ̀ndʌ́n/ 動 undo の過去分詞形.

†**un‧doubt‧ed** /ʌndáutid/ 形《正式》疑問の余地のない, 確かな(↔ doubted); 本物の.

†**un‧doubt‧ed‧ly** /ʌndáutidli/ 副 疑問の余地なく, 確かに; [文全体を修飾] 明らかに ‖ *Undoubtedly*, he said "Yes." 確かに彼は「はい」と言った(=There was no *doubt* that ...).

un‧dreamed(‑of) /ʌndríːmd(əv)/, **un‧dreamt (‑of)** /ʌndrémt(əv)/ 形 思いもよらない, 夢にも思わない, 想像しにくい ‖ luxuries *undreamt-of* a generation ago 30 年前には夢にも考えつかなかったぜいたく.

†**un‧dress** /ʌndrés/ 動 他 …の衣服を脱がせる; [~ oneself] 着物を脱ぐ. ——自 衣服を脱ぐ. ——名 Ⓤ **1 a** 平服, ふだん着; 部屋着. **b** [形容詞的に] 平服の; 形式ばらない. **2**《正式》裸(でいること).

†**un‧due** /ʌnd(j)úː/ 形《正式》**1** 過度の ‖ with *undue* interest 関心を持ちすぎて. **2** 不当な; 不法な; 不適当な.

†**un‧du‧late** /ʌ́ndʒəlèit | ‑dju‑/ 動 自《正式》**1**〈草・へびなどが〉波のように動く[揺れる], 波打つ;〈水面が〉波立つ. **2**〈土地などが〉起伏に富んでいる; 波形になっている.

un‧du‧la‧tion /ʌ̀ndʒəléiʃən | ‑dju‑/ 名 **1** Ⓤ 波のような動き[形]; 《正式》うねり. **2** © [通例 ~s](1つ1つの)波[波形, 起伏, 脈動]; 波形の物.

un‧du‧la‧to‧ry /ʌ́ndʒələtɔ̀ːri | ‑djulətəri, ʌ̀ndʒuléi‑/ 形 波状の; 波動性の.

†**un‧du‧ly** /ʌnd(j)úːli/ 副《正式》**1** 過度に. **2** 不当に, 不正に, 不法に.

†**un‧dy‧ing** /ʌndáiiŋ/ 形《正式》不滅の, 永遠の ‖ *undying* love 永遠の愛.

†**un‧earned** /ʌnə́ːrnd/ 形 **1**〈所得などが〉働かずに得た ‖ *unearned* income 不労所得. **2**《正式》〈賞などが〉受けるに値しない(↔ deserved);〈罰などが〉不当な.

†**un‧earth** /ʌnə́ːrθ/ 動 他《正式》**1** …を掘り出す, 発掘する ‖ *unearth* a buried city 埋もれていた都市を発掘する. **2** …を明るみに出す, あばく; …を発見する ‖ *unearth* new facts 新事実を発見する.

†**un‧earth‧ly** /ʌnə́ːrθli/ 形 **1** この世のものとは思われない; 超自然的な; 気味の悪い, 恐ろしい ‖ *unearthly* music 神秘的な[美しい]音楽 / an *unearthly* shriek ぞっとするような悲鳴. **2**《略》〈時刻が〉とんでもない, 非常識な ‖ a visit at an *unearthly* hour 非常識な時間の訪問.

†**un‧eas‧i‧ly** /ʌníːzili/ 副 **1** 不安そうに, 心配して. **2** 窮屈そうに. **3** 当惑して(↔ easily).

†**un‧eas‧i‧ness** /ʌníːzinəs/ 名 Ⓤ **1**[時に an ~] 不安(な気持ち), 心配(↔ easiness). **2** 窮屈. **3** 当惑.

*****un‧eas‧y** /ʌníːzi/〚気楽で(easy)ない(un)〛
——形 (‑‑i‑er, ‑‑i‑est) **1**〈…のことで/…のために〉人に対して〉不安な, 心配な, 落ち着かない(anxious) 〔about/at/with〕 ‖ become *uneasy* 不安になる, そわそわする / I am *uneasy about* the future. 私は将来のことが心配だ / He felt *uneasy at* her sudden appearance. 彼女が突然現れたので彼は不安を覚えた.
2〈状態が〉不安定な, 安心できない;〈考えなどが〉人を不安にする ‖ spend an *uneasy* day 不安な1日を過ごす / an *uneasy* atmosphere 不穏な空気[雰囲気] / an *uneasy* truce 不安定な休戦.
3〈からだが〉楽でない, 窮屈な; ぎこちない, 不自然な, 当惑したような ‖ give an *uneasy* laugh ぎこちなく笑う / in an *uneasy* manner もじもじして.

un‧ed‧u‧cat‧ed /ʌnédʒəkeitid | ‑édju‑/ 形 無教養な, 無学な; [the ~; 集合名詞的に; 複数扱い] 無学な人々.

†**un‧em‧ployed** /ʌ̀nimplɔ́id/ 形 **1 a** 失業した, 仕事のない (employed). **b** [the ~; 集合名詞的に; 複数扱い] 失業者. **2**《正式》利用[活用]されていない ‖ *unemployed* capital 遊休資本.

*****un‧em‧ploy‧ment** /ʌ̀nimplɔ́imənt/〘→ employ〙
——名 Ⓤ **1** 失業者数, 失業率 ‖ *Unemployment* has risen. 失業率が上昇した / a [the] rise [increase, growth] in *unemployment* 失業率の増加.
2 失業(状態)(↔ employment) ‖ on *unemployment* (compensation) 失業手当を受けて / be thrown into *unemployment* 失業する.

unemplóyment bènefit [pày]《英》(保険[《米》時に雇用主]による)失業手当, 失業給付.

unemplóyment compensàtion《米》(政府による)失業補償.

unemplóyment insùrance 失業保険.

†**un‧end‧ing** /ʌnéndiŋ/ 形《正式》終わりのない, 果てしない(endless);《略》たびたび繰り返される.

un‧en‧vi‧a‧ble /ʌnénviəbl/ 形 うらやましくない, 望ましくない, 困難な ‖ an *unenviable* task 気乗りのしない仕事.

†**un‧e‧qual** /ʌníːkwəl/ 形 **1**〈…の点で/…と〉等しくない, 同等でない〔in/to〕 ‖ two strings of *unequal* length 長さの異なる2本のひも / They are *unequal in* skill. 彼らの技能は同等でない. **2**《正式》〈能力などの点で〉〈…に〉不十分な, 適さない〈to, to do‑

un·err·ing /ʌnɜ́ːrɪŋ/ 形《正式》間違わない；的をはずれない；正確な.

†UNESCO, U·nes·co /juːnéskou/ 〖United Nations Educational, Scientific and Cultural Organization〗名 国連教育科学文化機関, ユネスコ.

un·eth·i·cal /ʌnéθɪkl/ 形 非倫理的な.

†un·e·ven /ʌníːvn/ 形 **1a** 平らでない, でこぼこした(↔ even). **b** まっすぐ[水平, 平行]でない ‖ an *uneven* pavement 段差のある舗道. **2** 一様でない, むらのある；変わりやすい；不規則な ‖ an *uneven* performance むらのある演技[演奏]. **3** 奇数の.

uneven (parallel) bars 〔体操〕[(the) ~] 段違い平行棒.

un·e·ven·ly 副 でこぼこに, 一様でなく.

*un·ex·pect·ed /ʌnɪkspéktɪd/ 〖→ expect〗
──形 思いがけない, 予期しない, 不意の(↔ expected) ‖ *unexpected* guests 不意の客. 〈対話〉 "The Giants ranked third this year." "That's *unexpected*."「ジャイアンツは今年3位に終わった」「それは意外ですね」.

†un·ex·pect·ed·ly /ʌnɪkspéktɪdli/ 副 **1** 思いがけなく, 突然に ‖ appear *unexpectedly* 不意に現れる / He felt *unexpectedly* shy. 彼は思わず恥ずかしく思った. **2**〔文全体を修飾〕意外なことに ‖ *Unexpectedly*, she was there. 意外なことに彼女がそこにいた.

†un·fail·ing /ʌnféɪlɪŋ/ 形《正式》**1** 尽きない, 常に変わらない；無尽蔵の ‖ with *unfailing* interest 尽きない興味を持って. **2** 確かな, 間違いのない；信頼できる ‖ an *unfailing* proof 確かな証拠.

†un·fair /ʌnféər/ 形 **1**〔人に〕不公平な, 片寄った〔to〕；不当な(↔ fair) ‖ receive *unfair* treatment 不公平な扱いを受ける. **2** 規則[慣行]に反した；商慣習に反した；不正な ‖ *unfair* (business) practices 不正な商取引. **un·fáir·ly** 副 不公平に；不当に.

†un·faith·ful /ʌnféɪθfl/ 形 **1**〔人に/…に〕不誠実な, 不誠実な, 信義に反する〔to/in〕(↔ faithful) ‖ an *unfaithful* lover 不実な恋人《男》. **2**〔夫婦に〕不貞な〔to〕；〔…と〕浮気する〔with〕. **3**〔翻訳・描写などが〕不正確な.

†un·fa·mil·iar /ʌnfəmíljər -iə/ 形 **1**〈物·事が〉〔人にとって〕未知の, なじみの薄い〔to〕(↔ familiar) ‖ an *unfamiliar* voice 聞き覚えのない声 / The place was *unfamiliar to* me. その場所のことはよく知らなかった(= I was *unfamiliar* with the place.). **2**《正式》〈人が〉〈物·事に〉精通していない, 慣れていない, 〔人などに〕親しくない〔with〕‖ be *unfamiliar with* politics 政治に精通していない.

†un·fas·ten /ʌnfǽsn -fάːsn/ 動 他 …をはずす, ほどく；…をゆるめる；…を開く(↔ fasten) ‖ *unfasten* (the buttons of) a jacket 上着のボタンをはずす.
──自 はずれる；ゆるむ；開く.

†un·fa·vor·a·ble,《英》**-vour-** /ʌnféɪv(ə)rəbl/ 形 **1**〔…にとって〕好ましくない, 不都合な, 不利な〔for, to〕‖ The weather was *unfavorable for* taking off. 離陸には不向きな天気だった. **2** 好意的でない；否定的な ‖ an *unfavorable* review of a book 好意的でない書評.

†un·feel·ing /ʌnfíːlɪŋ/ 形《正式》**1**〈人·言動などが〉思いやりのない, 冷酷な. **2** 感覚のない, 無感覚な.

un·fet·ter /ʌnfétər/ 動 他《正式》…の足かせを取り除く；…を釈放する.

†un·fin·ished /ʌnfínɪʃt/ 形 **1** 未完成の(↔ finished) ‖ have some *unfinished* business まだ途中の仕事がある. **2**〈磨く·塗るなどの〉仕上げが済んでいない, 生地のままの.

†un·fit /ʌnfít/ 形 (--fit·ter, --fit·test) **1**〔…に/…するのに〕適さない, 不向きな, 〔…の/…する〕資格[能力]に欠ける〔for / to do〕(↔ fit) ‖ quarters (which are) *unfit for* human habitation 人が住むのに向かない地区 / He is *unfit to* be a lawyer. 彼は弁護士には向かない. **2**〈肉体的·精神的に〉健康でない.

un·fit·ted /ʌnfítɪd/ 形 **1**《正式》〈人が〉〔…に/…するのに〕適応していない；適任でない〔for / to do〕. **2**〈家具などが〉備え付けられていない.

un·flinch·ing /ʌnflíntʃɪŋ/ 形 ひるまない, しりごみしない, 決然とした ‖ *unflinching* honor 常に変わらぬ誠意 / *unflinching* support 断固たる支持.

†un·fold /ʌnfóʊld/ 動 他 **1**〈人が〉〈折りたたんだ紙·布などを〉広げる, 開く(↔ fold) ‖ *unfold* a letter [a map] 便せん[地図]を開く. **2**《正式》〈秘密·計画などを〉〈人に〉明らかにする, 打ち明ける(reveal)〔to〕；~ itself〈物語などが〉展開する, 明らかになる. ──自 **1**〈物語·風景などが〉展開する, はっきりしてくる ‖ A splendid view *unfolded* before my eyes [me]. すばらしい眺めが目の前に広がった. **2**〈つぼみが〉開く.

†un·fore·seen /ʌnfɔːrsíːn/ 形 予期しない, 思いがけない.

†un·for·get·ta·ble /ʌnfərgétəbl/ 形 忘れられない.

*un·for·tu·nate /ʌnfɔ́ːrtʃənət/ 形 **1**〈人·事が〉〔人にとって/…の点で〕不運な, 不幸な〔for/in〕；〈事が〉不幸をもたらす(↔ fortunate) ‖ an *unfortunate* man [happening] 不運な男 [出来事] / an *unfortunate* turn of events 事件の不幸な展開 / He was *unfortunate in* missing the last train. 運悪く彼は最終電車に乗り遅れた.
2 不適当な, 適切でない；〈不適当なために〉遺憾な；[it is *unfortunate that* 節] 遺憾[残念]なことに〈…である〉《◆ ×it is *unfortunate* to do 構文は不可》‖ an *unfortunate* speech 不適当な[嘆かわしい]演説 / It was *unfortunate that* he missed [should have missed] the last train. 彼は運悪く最終列車に乗り遅れた. **3** 不首尾に終わる《◆ failed の遠回しな語》‖ an *unfortunate* plan 失敗に終わった企画.
──名 ⓒ 不運な人, 不幸な人；《正式》〔遠回しに〕〈社会的〉弱者.

*un·for·tu·nate·ly /ʌnfɔ́ːrtʃənətli/ 〖→ unfortunate〗
──副 **1**〔文全体を修飾〕〔人にとって〕不運にも, あいにく, 残念ながら〔for〕《◆比較変化しない》(↔ fortunately) ‖ *Unfortunately* (\\), he refused to come. あいにく彼は来ることを拒んだ(= It is *unfortunate* that he refused to come.). **2** 不幸ほどに ‖ live *unfortunately* みじめな生活をする.

un·found·ed /ʌnfάʊndɪd/ 形 **1**〈考え·罪状などが〉根拠のない, 事実無根の. **2** まだ確立していない.

†un·friend·ly /ʌnfréndli/ 形 **1**〔人に〕友好的でない, 友情のない, 敵意のある〔with, to, toward〕. **2**〔事に〕好ましくない, 不都合な〔to〕.

†un·furl /ʌnfɜ́ːrl/ 動《文》他〈帆〉を広げる, 張る, 〈旗〉を揚げる.
──自〈帆が〉広がる, 〈旗が〉揚がる.

†**un·gain·ly** /ʌnɡéinli/ 形 (時に --**li·er**, --**li·est**) 〔正式〕優美でない, 見苦しい, ぎこちない.

un·gen·er·ous /ʌndʒénərəs/ 形 度量の狭い, 寛容性のない, 取るに足りない, 容赦をしない; しみったれの, 金をけちる.

un·glazed /ʌnɡléizd/ 形 うわ薬をかけていない; ガラスをはめていない.

un·god·ly /ʌnɡɑ́dli | -ɡɔ́d-/ 形 (時に --**li·er**, --**li·est**) 〔文〕不信心な, 神を恐れない.

†**un·grate·ful** /ʌnɡréitfl/ 形 **1**〔人に/事に〕感謝しない〔to/for〕, 恩知らずの ‖ children ungrateful to their parents 親に感謝しない子供たち ‖ I was ungrateful of me [I was ungrateful] to say that to her. 彼女にそんなことを言うなんてぼくは恩知らずだった(⇒文法 17.5). **2**〔正式〕不愉快な/仕事などが〕報われない.

†**un·ground·ed** /ʌnɡráundid/ 形 **1** 正当な理由のない, 裏づけのない. **2**〔電気〕アース[接地]されていない. **3**〔…に関して〕基礎ができていない, 素地がない〔in〕.

†**un·guard·ed** /ʌnɡɑ́ːrdid/ 形〔正式〕**1** 守られていない, 無防備の, 警備員のいない ‖ Never leave your baggage unguarded at the airport. 空港では荷物を無警戒に置くな. **2** 油断した, 不注意な, 軽率な.

†**un·hap·pi·ly** /ʌnhǽpəli | -pili/ 副 **1** 不幸に, みじめに, 悲しく ‖ live unhappily みじめな生活をする(=live an unhappy life). **2**〔文全体を修飾〕不幸にも, 不運にも, あいにく ‖ Unhappily (＼), he was seriously injured. 不幸にも彼は大けがをした. **3** 不適切に, まずく.

†**un·hap·pi·ness** /ʌnhǽpinəs/ 名 U 不幸, 不運, 悲哀.

***un·hap·py** /ʌnhǽpi/ 〖→ happy〗
—— 形 (--**pi·er**, --**pi·est**) **1** 不幸な; 〔…で/…して〕悲しい, 不満な〔about, with, at, over, that 節 / to do〕‖ have an unhappy boyhood 不幸な少年時代を送る / Don't be unhappy about such a thing. そんなことでくよくよするな / People were unhappy with the king. 人々は国王に不満だった / She felt unhappy to hear that. 彼女はそれを聞いてみじめな気持ちになった / He was unhappy that he couldn't go out alone. 彼はひとりで外へ出られないことが悲しかった. **2**〔名詞の前で〕〈物・事が〉不運な, あいにくの ‖ in an unhappy moment 折悪(あ)しく. **3**〔正式〕〔通例名詞の前で〕〈発言・選択などが〉不適切な, まずい ‖ an unhappy combination of colors 色の不適当な組み合わせ.

†**un·harmed** /ʌnhɑ́ːrmd/ 形 損なわれていない, 無傷の, 無事な.

un·har·ness /ʌnhɑ́ːrnəs/ 動 他〈馬などの〉装具を取りはずす, …のよろいを取る.

†**un·health·y** /ʌnhélθi/ 形 (--**i·er**, --**i·est**) **1** 健康でない, 病弱な ‖ an unhealthy child [plant] ひ弱な子供[植物]. **2**〈顔色·顔拍などが〉病的な, 不健康を表す. **3**〈場所·気候·習慣などが〉健康によくない, からだに悪い. **4**〈趣味·態度などに〉不健全な, 有害な.

†**un·heard** /ʌnhɑ́ːrd/〔◆ 名詞の前で用いるときはふつう /─́─/〕形 **1** 聞こえない, 聞き取れない. **2**〔正式〕聞いてもらえない; 弁明を許されない; **go unheard** 〔1〕〈声などが〉聞こえない. 〔2〕〔正式〕〈警告などが〉傾聴されない, 無視される.

†**un·heard-of** /ʌnhɑ́ːrdʌv/ 形 **1** 聞いたことのない, 無名の. **2** 前例のない, 前代未聞の; 奇怪な; 法外な.

†**un·heed·ed** /ʌnhíːdid/ 形〔正式〕注意されていない, 顧みられない; 無視された.

un·hinge /ʌnhíndʒ/ 動 他 **1**〈ドアなどから〉外す. **2**〈心を〉乱す; 〔通例 be ~d〕〈人が〉錯乱している.

†**un·ho·ly** /ʌnhóuli/ 形〔名詞の前で〕**1**〔文〕神聖でない, 汚(けが)れた. **2** 邪悪な, 罪深い; 不敬な. **3**〔略式〕ひどい, ひどく不快な; とんでもない. **unhóly alliance**〈悪事をするための〉不自然な同盟, 野合.

un·hon·o(u)red /ʌnɑ́nərd | -ɔ́nə-/ 形 尊敬されない; 〈手形などが〉引き受けられない.

un·hook /ʌnhúk/ 動 他 **1** …をかぎ[掛け金]からはずす. **2** …のかぎ[掛け金]をはずす; 〈衣服などの〉ホックをはずす. —— 自 かぎ[ホック]がはずれる.

un·horse /ʌnhɔ́ːrs/ 動 他〔主に文〕〔通例 be ~d〕〈人が〉馬から振り落とされる.

†**un·hurt** /ʌnhɑ́ːrt/ 形 けがのない; 損なわれていない.

u·ni- /júːmi-, júːnə-/〔語要素〕→語要素一覧(1.1).

UNICEF /júːnisèf/〖United Nations International Children's Emergency Fund〗名 国連児童基金, ユニセフ《◆ 現在は United Nations Children's Fund となったが略称は同じ》.

u·ni·cel·lu·lar /jùːniséljələr, jùːnə-/〔生物〕単細胞の.

u·ni·corn /júːnikɔ̀ːrn/ 名 C 一角獣《額の中央に1本のねじれた角を持つ馬に似た想像上の動物》. **2** U〔紋章〕一角獣《◆ 英国王室の紋章では, ライオンと一角獣が両方から王室の楯(たて)を支えている》.

u·ni·cy·cle /júːnisàikl, júːnə-/ 名 C 一輪車.

un·i·den·ti·fied /ʌnaidéntəfàid/ 形〔正式〕〈人·物·事が〉未確認の, 身元[正体]不明の.

unidéntified flýing óbject =UFO.

u·ni·fi·ca·tion /jùːnəfəkéiʃən/ 名 U〔正式〕統合; 統一, 一体化, 一本化, 単一化 ‖ give unification to the league 連盟を統合する.

***u·ni·form** /júːnəfɔ̀ːrm/〖1つの(uni)形(form). cf. reform, conform〗
—— 形《比較変化しない》〔正式〕**1**〈外観·性質などが〉〔…の点で/…と〕同形の, そろいの〔in/with〕; 〔…の点で〕一様な, 均一の, むらのない(identical)〔in〕‖ boxes (which is) uniform in size =boxes of uniform size 同一サイズの箱 / These products are uniform in quality. これらの生産品は品質が同じだ.
2〈動きなどが〉一定の, 不変の, 規則正しい(constant) ‖ at a uniform pace 一定のペースで / turn round at a uniform rate 一定の速度で回転する. **3**〔時·所によって〕変わることのない, 同じの ‖ a man of uniform kindness いつも変わらず親切な人.
—— 名 (複 ~**s** /-z/) C U 制服, ユニフォーム, 軍服(cf. plain 形 **3**)‖ wear (a) sailor's (uniform(s) セーラー服を着る / **in úniform** 制服で[の]; 軍隊に入って / **óut of úniform** 私服で[の] / **in fúll úniform**〔軍業〕通常正装で /〔日本発〕Most senior high schools in Japan require students to wear uniforms. 日本の多くの高校では制服を定めている.
2〔the ~〕軍人, 制服組.

u·ni·formed /júːnəfɔ̀ːrmd/ 形 制服を着た.

†**u·ni·form·i·ty** /jùːnəfɔ́ːrməti/ 名 U〔正式〕**1** 一様であること, 均一性, 画一性. **2** 単調さ.

†**u·ni·form·ly** /júːnəfɔ̀ːrmli/ 副〔正式〕一様に, 均一に, むらなく.

†**u·ni·fy** /júːnəfài/ 動 他 **1** …を1つにする, 統合する. **2** …を〔…と〕一体化する〔with〕, 〔…に〕統一する〔into〕, 画一化する. —— 自 1つになる, 一体化する.

u·ni·lat·er·al /jùːnəlǽtərəl/ 形〔正式〕一方[片側]だけの; 単独の ‖ unilateral disarmament 単独軍

†**un·im·por·tant** /ʌnimpɔ́ːrtənt/ [形] 重要でない, つまらない, 取るに足りない.

un·in·fect·ed /ʌninféktid/ [形] 病原体に感染していない;〔コンピュータ〕コンピュータウイルスに感染していない.

un·in·formed /ʌninfɔ́ːrmd/ [形] 情報を持たない[利用しない];知られていない.

†**un·in·hab·it·ed** /ʌninhǽbətid/ [形] 人の住んでいない, 無人の;住むのに不適な.

†**un·in·jured** /ʌníndʒərd/ [形] 傷を受けていない;損われていない.

un·in·stall /ʌninstɔ́ːl/ [動]〔コンピュータ〕(自)(他)〔ソフトを〕アンインストールする《組み込まれたソフトを削除する》.

†**un·in·tel·li·gi·ble** /ʌnintélidʒəbl/ [形]〔正式〕理解できない, わけのわからない;判読できない ‖ Someone left an *unintelligible* message on my answering machine. 留守番電話にわけのわからない伝言が入っていた.

un·in·ter·est·ed /ʌníntərəstid, -estid/ [形]〈人が〉[…に]興味のない[*in*].

†**un·in·ter·est·ing** /ʌníntərəstiŋ, -estiŋ/ [形] 面白くない, 興味のない, 退屈な.

†**un·in·ter·rupt·ed** /ʌ̀nintərʌ́ptid/ [形] とぎれない, 連続した, 絶え間ない;〈風景などが〉さえぎられない.

***u·nion** /júːnjən/ 〖1つ(uni)であること(ion)〗
——[名] (複) ~s/-z/)

I [連合・組合]

1 [C] **a** [集合名詞;単数・複数扱い] **労働組合**((米) labor [(主に英) trade) union);[形容詞的に] 労働組合の ‖ join a *union* 労働組合に加入する. **b** (共通目的・相互利益のための)**同盟**, 組合, 連合 ‖ the Univérsal Póstal Únion 万国郵便連合.
2 a [しばしば U~] ①連邦, 連合国家 ‖ the Union of Myanmar ミャンマー連邦. **b** [the U~] 〔米史〕(南北戦争時の)米国;北部諸州;〔形容詞的に〕北部(支持)の;アメリカ合衆国(the United States of America);〔英史〕イングランド＝スコットランド連合《王位の連合 1603-1707. 議会の連合 1707 年以後》; 大ブリテン＝アイルランド連合《1801-1920》(イギリス連合王国 (the United Kingdom).

II [連合・組合のような結びつき]

3 [U] 〔正式〕結合, 合体, 団結 ‖ the *union* of the two cities into one 2 都市の合併 / the *union* of strength and beauty 強さと美しさの組み合わせ. **4** [U] 一致, 調和, 和合 ‖ live together in perfect *union* この上なく仲むつまじく暮らす.
5 [C][U] 〔正式〕結婚, 結びつき(marriage) ‖ Let's drink to the *union* of these two wonderful people. このすばらしい人の結びつきに乾杯しよう.
6 [C] (管などの)ユニオン継ぎ手.

únion càtalog[(英) **càtalogue**] (2つ以上の図書館の)総合目録.
Únion flàg [**Flàg**] =Union Jack (1).
Únion Jáck (1) [the ~] 英国国旗, ユニオン・ジャック《◆ イングランドの St. George, スコットランドの St. Andrew, アイルランドの St. Patrick の3つの十字(cross)の旗を組み合わせて Union Jack となった》. (2) [u~ j-] 連合表象旗.
únion shòp ユニオン・ショップ《従業員は一定期間内に労働組合に加入する規定になっている事業所》.

u·nion·ism /júːnjənìzm/ [名] [U] **1** 労働組合主義. **2** 連合[合同]主義. **3** [U~] (米史) 連邦主義(cf. unionist 3). **4** [U~] (英史) 統一主義(cf. unionist 4).

u·nion·ist /júːnjənist/ [名] [C] [形] **1** 労働組合員(の);

労働組合主義者(の). **2** 連合[合同]主義者(の).
3 [U~] (米) (南北戦争時南北分離に反対した)連邦主義者(の). **4** [U~] (英) (アイルランド自治に反対した)統一党員(の).

u·nion·ize /júːnjənaiz/ [動] (他) **1** 〈工場などに〉労働組合をつくる;〈労働者を〉労働組合に加入させる. ——(自) **1** 労働組合をつくる;労働組合に組織する. **2** 〈労働者が〉労働組合に加入する.

*****u·nique** /juːníːk/ 〖〔一つ(uni)の(que)〗
——[形] (more ~, most ~;時に ~r, ~st) **1** 唯一の, 独特の, 無比の;〔補語として〕[…に]特有の(to, with);〈比較変化しない〉 ‖ He has a *unique* personality. 彼には(他人にない)独特の個性がある / a plant (which is) *unique to* that country その国特有の植物.

[語法] この意味では強調の副詞は quite, really, absolutely, totally など. 比較級・最上級では用いない.

2 (略式) 大変珍しい, ふつうでない, ユニークな(unusual) ‖ a very *unique* experience 非常に珍しい体験.

[語法] この意味では very, enough, rather, almost で修飾したり, 比較級・最上級で用いることも可. ただし, この意味・用法は十分に確立していない.

——[名] [C] 唯一[無類]の人[物, 事].

u·ni·sex /júːnəseks/ [形] [U] 〈服・髪型などが〉男女の区別のない, 男女両用の.

†**u·ni·son** /júːnəsn, -zn/ [名] [U] **1** 〔音楽〕ユニゾン, 同音;斉唱, 斉奏. **2** 〔正式〕一致, 調和.

in únison [文中・文尾で] (1) 同音で;斉唱で, 斉奏で. (2) […と]一致して, 調和して〔*with*〕 ‖ Our opinions were *in unison*. 私たちの意見は一致していた. (3) 異口同音に, 一斉に.

*****u·nit** /júːnit/ 〖*unity* からの逆成〗
——[名] (複) ~s/-nits/) [C]

I [ある目的のためにまとまった部分]

1 [しばしば ~s;通例複合語で] (組織における)**部署**, (機械などのある働きをする)部分, (特定の用途を持つ)装置, 設備;(家具などの)ユニット《他の同型の物と組み合わせて使える》‖ storage *units* in a computer コンピュータの記憶装置 / a central processing *unit* コンピュータの中央演算装置 ((略) CPU) / an intensive care *unit* 集中治療室 ((略) ICU) / a waste disposal *unit* (家庭用の)生ごみ処理装置 / kitchen *units* 台所ユニット.
2 [集合名詞;単数・複数扱い] (構成)**単位**, (まとまりのある)1団;〔軍事〕隊;部隊 ‖ The family is a social *unit*. 家族は社会の単位である / This building is divided into ten living *units*. この建物は10世帯が生活できるよう区分されている.

II [まとまりのある部分]

3 〔正式〕(完全な)1つの物, 1個;1人 ‖ Five more *units* are necessary. それと同じものがもう5個必要だ.
4 (計量の)**単位** ‖ a *unit* of length [weight] 長さ[重さ]の単位.
5 〔数学〕単位;(通例 ~s) (数の)1;1 の位(unit's place).
6 (米) (学科目の)単位;(学習の)単元. **7** 〔形容詞的に〕単位の, 単位となる;〔数学〕単位の, 1の ‖ *unit* weight 単位重量.

únit fùrniture ユニット家具.

únit rúle 《米》単位選出制《民主党全国大会で, 州の選挙で過半数の票を得た候補者に州の代議員の票を全部を投げる制度》.

U·ni·tar·i·an /jùːnitéəriən/ 名 C 《キリスト教》ユニテリアン, キリスト教ユニテリアン派の信者《三位一体説に反対しキリストの神性を否定》. ── 形 ユニテリアン派の.

†**u·nite** /junáit/ 動 他 **1**〈人・物が〉〈物〉を[…と]結合する, 合体させる, 接合する[to, with]《◆ join together より堅い語》‖ *unite* two pieces of wood *with* adhesive 接着剤で2つの木片をくっつける / The pipe *unites* the parts. その管が部品をつないでいる. **2**〈人・事が〉〈人など〉を[行動・意見など]で結びつける, 団結させる[in, in doing]; …は[…と]結婚させる[to]‖ The common topic *united* them. 共通の話題が彼らを結びつけた / The couple were *united* by Father Ryan. 2人はライアン神父に結婚式を挙げてもらった. **3**〈性質などを〉合わせ持つ‖ She *unites* wisdom with [and] bravery. 彼女は知恵と勇気を兼ね備えている.

── 自 **1**〈物が〉[…と]結合する, 一体になる, 接着する[with]‖ Oil will not *unite with* water. 油は水とは混じらない. **2**〈人が〉[…と]行動・意見などで[…のために/敵などに対して]団結する, 一致する[with / in (doing) / for / against]; 協力して[…]する[to do]《◆ act together より堅い語》‖ The opposition parties *united*「*in* criticizing [*to* criticize] the policy. 野党は結束してその政策を批判した.

u·nit·ed /junáitid/ 形 **1** 結合した; (政治的に) 連合した. **2** 団結した, 結束した. **3** (精神的に) 結ばれた, 和合した‖ a *united* family 仲のよい家族.

United Árab Emírates [the ~] アラブ首長国連邦《首都 Abu Dhabi. 略 UAE》.

united frónt 共同戦線.

United Kíngdom [the ~] 連合王国, 英国《公式名 United Kingdom of Great Britain and Nothern Ireland. 略 UK》(→ **England 2**).

United Nátions [the ~] (1) [単数扱い] 国際連合, 国連《略 UN》《1945年発足. 本部 New York 市. 公用語は英・仏・ロシア・中国・スペイン・アラビア語》. (2) 反枢軸連合国《1942年ワシントン宣言に署名した26か国》.

United Nátions Dày 国連の日《10月24日》.

United Refórmed Chúrch [英] 統一改革派教会《1972年長老派教会と会衆派教会が合同してできた新教の一派》.

United States (of America) → 見出し語.

*__United Státes (of América)__
── 名 [単数扱い] アメリカ合衆国, 米国《略 US, USA》《(1) 文字どおりに「合州国」と表記することもある. (2) 単に the States ともいう》(→ **America 1**)‖ The *United States* is [《英》are] located in North America. アメリカ合衆国は北米にある.

*__u·ni·ty__ /júːnəti/
── 名 (覆 **--ties**/-z/) **1** U 《正式》単一(性), […との間の]統一(性), 結束性[between]; C 統一体, 個体‖ Racial *unity* is a widely accepted view. 民族の統一は広く受け入れられた見解である. **2** U C (芸術作品における諸要素の)効果的配列, まとまり; その効果‖ His essay lacks *unity*. 彼の随筆にはまとまりがない. **3** U (目的・行動などの)一貫性. **4** U […との間の]調和, 和合, 一致(agreement)[between]‖ live *in unity* 仲よく暮らす.

univ. 略 *universal*; *university*.

Univ. 略 *Universalist*; *University*.

---

*__u·ni·ver·sal__ /jùːnəvə́ːrsl/ [→ **universe**]
── 形《◆ 比較変化しない》 [通例名詞の前で] **1** 全世界の, 万人に通じる, […の間で] すべてに及ぶ, 普遍的な; 至る所に存在する[among]‖ a *univérsal* language 世界共通語 / an issue (which is) *universal among* Japanese 日本人に共通する問題 / a *universal* agent 総代理人 / a *universal* shortage of nurses 全国的な看護師不足.
2 (ある集団の)全員の, 全員に関する, 一般的な‖ by *universal* request 全員の要請で / a *universal* practice among primitive peoples 原始民族の間での一般的慣習.
3〈人が〉万能の, 博識の, (学問などが)多方面にわたる‖ a *universal* genius 万能の天才. **4**〈機械・道具などが〉あらゆる目的[用途]にかなう, 自在の, 万能の. **5** 宇宙の.
── 名 C (ある民族・全人類の)普遍的特性[行動様式]; 普遍的なもの.
univérsal desígn 万人向け設計.

U·ni·ver·sal·ist /jùːnəvə́ːrslist/ 名 C 形 **1**《キリスト教》万人救済論者(の), 万人救済派の信者(の). **2** [u~] (知識などの)多方面に通じる人, 万能の人; 博識家; 普遍的な人.

u·ni·ver·sal·i·ty /jùːnəvəːrsǽləti/ 名 U 《正式》 **1** 普遍性, 一般性; 遍在. **2** 多才, (知識などの)広範性.

†**u·ni·ver·sal·ly** /jùːnəvə́ːrsli/ 副 普遍的に, 例外なく; 至る所に‖ *universally* accepted 万人に受け入れられる.

*__u·ni·verse__ /júːnəvəːrs/ 【アクセント注意】《1つに(uni)回る(verse). cf. convérse》 派 *universal* (形).
── 名 (覆 ~**s**/-iz/) **1** [the ~ / the U~] (存在するすべてのものとしての)宇宙, 森羅(ら)万象《◆ 「(chaos に対し)秩序ある体系としての宇宙」は cosmos》‖ The *universe* is limitless. 宇宙は無限だ / Can you imagine a world outside *the universe*? 宇宙の外にある世界を想像できますか. **2** C 銀河系, (天文学的な)宇宙. **3** [the ~] 全世界, 全人類.

*__u·ni·ver·si·ty__ /jùːnəvə́ːrsəti/ 【アクセント注意】《(学者と学生が)1つに(uni)回る(verse)ところ(ity)》
── 名 (覆 **--ties**/-z/) **1** C 大学《◆ college に対し (上級の)学位授与の権限を持つ総合大学》‖ be *at* [*study at*] (*the*) *university* 大学に在学中である [大学で勉強する]《◆ the の省略は《英》. → 文法 **16.3 (6)**》/ He goes to a [the] *university*. 彼は大学に通っている《◆ a は「ある大学に」, the は「その(話に出た)大学に」という意味. 《英》には go to school に準じた go to *university* という言い方もある. → **college** 名 **2**》/ the *Univérsity* of Oxford = Oxford *Univérsity* オックスフォード大学《◆(1) 前者の方が形式ばった表現. (2) the University of … の言い方は地名を表す語でないときは不可: Rikkyo *University* [×the University of Rikkyo]》. **2** [the ~; 集合名詞] 大学の構成員《学生と大学当局》. **3** C 大学の建物と敷地. **4** [形容詞的に] 大学の, 大学に関係がある‖ a *university* student 大学生.

Univérsity Cóllege ユニバーシティーカレッジ《Oxford 大学・ロンドン大学のカレッジの1つ. それぞれ1249年, 1827年創設》.

univérsity exténsion 大学公開講座.

univérsity proféssor《米》特別教授《すぐれた学者のために提供される地位で, 学部に所属せず自由に研究・講義ができる》.

†**un·just** /ʌndʒʌ́st/ 形 **1**〔人にとって〕不当な〔to〕, 不公平な, 不当な裁判. **2**〈古〉不誠実な, 不正直な.
un·júst·ness 名 U 不当[不公平](であること).
†**un·just·ly** /ʌndʒʌ́stli/ 副〔時に文全体を修飾〕不当に(も), 不公平に(も).
un·kempt /ʌnkémpt/ 形 **1**〈髪が〉とかしていない. **2**〈正式〉〈人が〉だらしない身なりの；〈服装などが〉乱れた, 〈庭などが〉手入れをしていない.

***un·kind** /ʌnkáind/ 〖→ kind〗
── 形 (~·er, ~·est ; more ~, most ~) **1** 不親切な,〔…に対して〕思いやりのない, 冷酷な〔to〕(↔ kind) ‖ They were *unkind* to their aged mother. 彼らは年老いた母親に対して思いやりがなかった. **2**〈英方言・古〉〈天気・気候が〉悪い, 厳しい.
un·kínd·ness 名 U 不親切 ; C 不親切な行為.

†**un·kind·ly**[1] /ʌnkáindli/ 副 **1** 不親切に, 冷酷に. **2** 思いやりがないかのように ‖ I take the remark *unkindly* その発言を悪くとる.

†**un·kind·ly**[2] /ʌnkáindli/ 形 =unkind.

un·knit /ʌnnít/ 動 (過去・過分 **un·knit** or **-·knit·ted; -·knit·ting**) 他 **1** 結び目などを解く ; …をまっすぐに伸ばす；…をそこなう. ── 自 結び目などがほどける.

***un·known** /ʌnnóun/ 〈◆名詞の前で用いるときはふつう /=/〉 〖→ know〗
── 形 〈◆比較変化しない〉**1**〔…に〕知られていない〔to〕, 無名の ‖ an *unknown* artist 無名の画家 / The town was *unknown* to me. その町を私は知らなかった(=I didn't *know* the town.). **2** 未確認の, 不明の；計り知れない ‖ The cause of the accident is *unknown*. 事故の原因は不明だ / an *unknown* amount of water 大量の水.
unknown to A 〈人〉に知られないで, 知らせずに.
── 名 **1** 知られていない人[物], 無名の人；〔通例 the ~〕未知のもの, 未知の世界. **2**〖数学〗未知数；未知数の記号.
unknówn cóuntry (1) 未知の国. (2) 不得意な話題.
unknówn quántity (1)〖数学〗未知数[量]. (2)〔比喩的に〕未知数, その真価が予測できない人[物].

un·lace /ʌnléis/ 動 他 …のひもを解く〔ゆるめる〕；(ひもを解いて) …の衣服を脱がせる〔ゆるめる〕.

un·latch /ʌnlǽtʃ/ 動 他 自 〈ドアなどの〉かけ金[しめ金]をはずす.

†**un·law·ful** /ʌnlɔ́:fl/ 形 〈正式〉**1** 不法な, 違法な, 非合法の. **2** 庶出の[私生(児)]の.

un·lead·ed /ʌnlédid/ 形 〈ガソリンなどが〉無鉛の.

un·learn /ʌnlə́:rn/ 動 他 ~t or ~ed) 他〈習慣など〉をわざと捨てる；…を意識的に忘れる；…を学び直す.

†**un·learn·ed**[1] /ʌnlə́:rnid/ 形 無学な, 無知な ;〔…に〕精通していない〔*in*〕.

un·learn·ed[2] /ʌnlə́:rnd/, 〈英+〉-lə́:rnt/, 〈主に英〉**un·learnt** /ʌnlə́:rnt/ 形〈事が〉まだ学習していない；学んで得たのではない.

un·leash /ʌnlí:ʃ/ 動 他 **1** …の革ひも[綱]を解く；〈犬〉のひもを解き放す〔*on, upon*〕. **2** …の束縛を解く, …を引き起こす ;〈正式〉〈感情など〉を〈人に〉爆発させる〔*on, upon, against*〕.

un·leav·ened /ʌnlévnd/ 形 パン種を使っていない, ふくらんでいない.

***un·less** /ənlés, ʌn-/〈[on [at] less (than))の変形〉
── 接 **1** …でない限り, …しない限り, …する場合を除いて[のぞいて]；もし…でなければ(if ... not) ‖ He works late at night *unless* (he's) too tired. 彼は疲れすぎていない限り夜遅くまで働きます〈◆ *unless* 節は省略文になることが多い. ➋文法 23.5(2)〉 / *Unless* it rains (↘), I will go. 雨が降らない限り行きます.

語法 (1) if ... not と同じ意味のことが多いが,「…しない限り」「…でない場合に限り」という排他的な意味を含む. 特にあとから思いついたことを述べる場合に好まれ, 主節に意味の重点がある: You will hurt yourself *unless* you are careful. 注意していないとけがをするよ〈◆ if not ならば「だから気を付けよ」で従節に重点がある〉. (2) 節内が肯定文のときは, 否定的文脈とはみなされない: ... *unless* you have some [×any] funds 君が資金を持っていない限り…. (3) 疑問文では用いられない.

2〔主節の後で；追加的に〕もっとも…でなければの話だが〈◆この意味では if ... not と交換不可〉‖ I couldn't have got to the meeting on time ― *unless* I had caught the train. ぼくは定刻に着くことはできなかっただろう, その電車に乗っていなかったらね / How much did that cost you? *Unless* you prefer not to say. (↘) それはいくらしましたか. 言いたくなければ言わなくてもいいのですが.
── 前 …以外に, …を除いては(except).

***un·like** /ʌnláik/〈◆ふつう名詞の前で用いるとき /=/〉〖→ like[2]〗
── 形 (more ~, most ~) 似ていない, 違った ;〈…は〉〈強さ・大きさなどが〉同じでない ‖ The twins are completely *unlike* (each other). そのふたごはまったく似ていない〈◆ each other をつければ *unlike* は前置詞と考えられる〉 / *unlike* signs 異符号, +と−(の記号) / very *unlike* situations 極めて異なった状況.
── 前 **1** …に似ていない, …と違って ‖ The portrait is *unlike* her. その肖像画は彼女に似ていない / *Unlike* you, I hate to study. 君と違ってぼくは勉強がきらいだ.
2 …らしくない ‖ It is quite *unlike* her to find fault with others. 他人のあら捜しをするなんて彼女らしくない.

†**un·like·ly** /ʌnláikli/ 形 (more ~, most ~ ;時に **-·li·er, -·li·est**) **1** ありそうもない, 思いがけない,〔…〕しそうもない〔*to do*〕；本当らしくない(↔ likely) ‖ an *unlikely* story [tale] ありそうもない話 / an *unlikely* accident 考えもつかない事故 / That's *unlikely*! まさか / *It is unlikely that* she misunderstood you. 彼女が君のことを誤解したとは考えられない / He *is unlikely to* arrive in time. =It is *unlikely* that he will arrive ―. 彼は時間に合いそうもない. **2** 見込みのない, 成功しそうにない ‖ I bet on an *unlikely* horse 勝ちそうにない馬に賭(かけ)る.

†**un·lim·it·ed** /ʌnlímitid/ 形 **1** 際限のない, 果てしない(↔ limited) ‖ *unlimited* possibilities 無限の可能性. **2** 無制限の, 無条件の ‖ a government of *unlimited* power 絶大な権力を持つ政府.

un·list·ed /ʌnlístid/ 形 **1** リストに載っていない, 未掲載の. **2** 非上場の. **3**〈米〉電話帳に番号を載せていない ‖ I'm sorry, that's an *unlisted* number. 申し訳ありませんが, その番号は(電話帳には)載っておりません.

†**un·load** /ʌnlóud/ 動 他 **1**〈人・積荷を〉〈…から/…の上に〉おろす ;〈船・車などの荷をおろす〔*from/onto*〕‖ *unload* cargo [freight] *from* a truck トラックか

ら積荷をおろす / *unload* the ship 船の荷をおろす. **2** 《略式》…を取り除く(relieve); …を[…に]打ち明ける,ぶちまける〔on to〕; …を[…に]押しつける〔on, to〕‖ *unload* one's troubles *to* a friend 友人に悩み事を打ち明ける. **3** 〈鉄砲[カメラ]の〉弾丸[フィルム]を抜く. **4** 《略式》〈株・商品などを〉(大量に)処分する(dump) ‖ *unload* goods at low price 商品を低価格で放出する. ――⑪ **1**〈船が〉船荷をおろされる. **2** 弾丸[フィルムなど]を抜き取る.

†**un·lock** /ʌnlák | -lɔ́k/ 動 他 **1**〈戸・箱などの〉錠を開ける;〈錠を〉開ける. **2**〈くしゃり隠したものを〉開く, 開放する; …を明るみに出す ‖ She *unlocked* her heart [his heart]. 彼女は心を開いた[彼の心を開かせた]. ――⑪ **1** 錠が開く. **2** 解放される.

un·looked-for /ʌnlʊ́ktfɚ/ 形 《正式》思いがけない, 意外な.

***un·luck·y** /ʌnlʌ́ki/ 〚→ lucky〛
――形 (-·i·er, -·i·est) **1**〈人・事が〉運が悪い, ついていない;〈人が〉[…に関して]うまくいかない〔at, in, with〕(↔ lucky) ‖ an *unlucky* person 運が悪い人 / an *unlucky* year for the team チームにとって不運な年 / I was *unlucky*. I missed the bus by just one minute. 私はついてなかった. もうあと1分のところでバスに乗り遅れた. **2** 〔人にとって〕不吉な, 縁起の悪い〔for〕‖ Some people think that 13 is an *unlucky* number. 13が不吉な数だと信じている人々もいる. **3** 残念な, 期待外れの ‖ It was *unlucky* that he lost the election. 残念なことに彼は選挙に負けた(≒*Unluckily*, he lost …).

un·lúck·i·ly 副 [しばしば文全体を修飾] 不運に(も), あいにく; 残念なことに.

un·manned /ʌnmǽnd/ 形 **1**〈船などが〉乗組員のいない, 無人の((PC) unstaffed). **2**〈飛行機などが〉リモートコントロールの, 自動操縦の((PC) autopilot). **3** 住む人がいない((PC) uninhabited).

un·mapped /ʌnmǽpt/ 形 **1**〈地域・地形が〉地図に記されていない. **2** 探検されていない, 未知の.

†**un·mar·ried** /ʌnmǽrid/ 形 〔◆名詞の前で用いるときはふつう /ˈ−−/〕 独身の, 非婚の ‖ an *unmarried* mother 未婚の母.

un·men·tion·a·ble /ʌnménʃənəbl/ 形 (下品で)話題にすべきでない.

†**un·mis·tak·a·ble** /ʌnmɪstéikəbl/ 形 間違えようのない, 明白な ‖ an *unmistakable* fault 明らかな誤り.

†**un·moved** /ʌnmúːvd/ 形 **1** 心を動かされない, 冷静な; あわれみの情のない. **2** 目的[決心]を変えない, 断固たる. **3** 〈物が〉動かない, 不動の.

†**un·nat·u·ral** /ʌnnǽtʃərəl/ 形 **1** 不自然な, 自然の理に反する; 異常な(↔ natural) ‖ an *unnatural* phenomenon 異常現象. **2** 社会通念に反する, 人倫に外れた ‖ *unnatural* love 不倫の愛. **3**《文》人情に反する, 非人間的な; 残酷極まる(cruel) ‖ an *unnatural* mother 情愛に欠ける母親. **4** 〔人に対して〕わざとらしい, 人為的な〔with〕‖ an *unnatural* smile 作り笑い.

un·nat·u·ral·ly /ʌnnǽtʃərəli/ 副 **1** 不自然に; 異常なほど. **2** 社会通念[人情]に反して. **3** わざとらしく. *not unnaturally* [文全体を修飾] 無理もないことだが.

†**un·nec·es·sar·i·ly** /ʌnnèsəsérəli, -nésəsər- | ʌnnésəsərəli/ 副 不必要に, むだに; [文全体を修飾] 余計なことだが.

***un·nec·es·sar·y** /ʌnnésəsèri | -səri/ 〚→ necessary〛
――形 [通例補語として] **不必要な**, 余計な, 無用な; [通例名詞の前で] 必要以上の, 過度の《◆比較変化しない》‖ It is *unnecessary* for you to apologize. あなたはあやまる必要はない(≒You need not apologize.)《◆×You are unnecessary to apologize. は不可》/ with *unnecessary* care 必要以上に注意して / make an *unnecessary* trip むだ足を運ぶ.

un·nerve /ʌnnɚ́ːv/ 動 他 《正式》〈人〉の気力を失わせる; …をびっくりさせる.

†**un·no·ticed** /ʌnnóʊtəst/ 形 気づかれない; 顧みられない; 人目につかない ‖ The event passed *unnoticed*. その出来事は気づかれないままになった.

un·ob·served /ʌnəbzɚ́ːvd/ 形 気づかれない;〈規則などが〉守られていない; 無視された.

un·ob·tru·sive /ʌnəbtrúːsiv/ 形 《正式》人目につかない, 慎み深い, 遠慮がちな.

†**un·oc·cu·pied** /ʌnɑ́kjəpaid | -k- / 形 《正式》**1**〈家などが〉占有されていない, 空いている. **2**〈人・心などが〉働いていない; 暇な(↔ busy). **3** (外国軍隊に)占領されていない.

un·of·fi·cial /ʌnəfíʃl/ 形 **1**〈婚約などが〉正式でない. **2**〈報告などが〉非公式な; 公認されていない.
ùn·of·fí·cial·ly 副 非公式に.

un·or·tho·dox /ʌnɔ́ːrθədɑks | -dɔks/ 形 **1**〈宗教・信念・行動・行動習慣が〉正統的でない, 伝統的[慣習的]でない, 横紙破りの. **2** 不法な, 非論理的な.

†**un·pack** /ʌnpǽk/ 動 他 **1**〈包みなどを〉解く,〈かばんなどを〉開く; …を開いて中の物を取り出す. **2**〈包み・箱などから〉〈中の物を〉取り出す. **3**〈牛・馬などから〉荷を降ろす. **4**〈コンピュータ〉〈(圧縮して保存した)データを〉解凍する. ――⑪ 荷を解く,(かばんなどから)中の物を取り出す.

†**un·paid** /ʌnpéid/ 形 **1**〈借金・勘定などが〉未払いの;〈人が〉まだ支払ってもらっていない. **2** 無給の, 名誉職の.

†**un·par·al·leled** /ʌnpǽrəleld/ 形 《正式》[…の点で]並ぶもののない, 無比の, 無類の〔in〕‖ an *unparalleled* achievement 無類の偉業.

un·play·a·ble /ʌnpléiəbl/ 形 **1** プレイできない;〈グラウンドが〉プレイできる状態ではない. **2**〈音楽が〉(難しすぎて・ひどすぎて)演奏できない;〈楽器が〉(古すぎて・いたんでいて)演奏できない.

***un·pleas·ant** /ʌnplézn̩t/ 〚→ pleasant〛
――形 [他動詞的に]〈物・事が〉[人にとって]**不愉快な**, 不快にさせる, いやな〔for〕‖ an *unpleasant* [obnoxious] person [smell, color] いやなやつ[におい, 色] / an *unpleasant* job [interview] 面白くない仕事[インタビュー] / Stop being so *unpleasant* to me. 不愉快な態度はもうよせ.

un·pléas·ant·ly 副 不愉快に.
un·pleas·ant·ness /ʌnpléznt̩nəs/ 名 **1** Ⓤ 不愉快, 不快感. **2** ⓊⒸ **a** 不愉快なこと[経験, 状況]. **b** 言い争い; 不和, 悪感情.

un·plugged /ʌnplʌ́gd/ 形 (ポピュラー音楽で)〈演奏・演奏家が〉電気楽器を用いない.

un·plumbed /ʌnplʌ́md/ 形 **1** 測深されていない; 十分に調査されていない. **2** 深さの知れない ‖ the *unplumbed* depth of … …の測り知れないほどの深淵さ. **3**〈建物がガス・水道などの設備がない, 配管工事がなされていない.

†**un·pop·u·lar** /ʌnpɑ́pjələr | -pɔ́p-/ 形 […の間で]人気がない, 不評の, はやらない〔with, among〕‖ The teacher is *unpopular with* his pupils. その先生は生徒に人気がない.

†**un·prec·e·dent·ed** /ʌnprésədəntid/ 形 《正式》先

例のない, 空前の; 無比の; 新奇な ‖ an *unprecedented* victory 空前の勝利.

un·pre·dict·a·ble /ʌnprɪdíktəbl/ [形] 予測できない; 変わりやすい; 意外性のある.

†**un·pre·pared** /ʌnprɪpéərd/ [形] **1** 準備なしの, 即席の ‖ an *unprepared* speech 即席の演説. **2**〈…の/…する〉準備[用意]ができていない〔for / to do〕; 覚悟ができていない, 態勢が整っていない ‖ He was *unprepared* to deal with his sudden change of fortune. 彼は自分の突然の運命の変化に対処する準備ができていなかった.

un·pressed /ʌnprést/ [形] **1**〈食べ物・飲み物が〉圧縮[圧搾]されたものではない. **2**〈衣服が〉アイロンをかけられていない.

un·pro·duct·ive /ʌnprədʌ́ktɪv/ [形] **1**〈…を〉生み出さない〔of〕. **2** 非生産的な, 〈商品・サービスなど〉経済的な価値のあるものを生み出さない.

un·pro·fes·sion·al /ʌnprəféʃənl/ [形] **1** 専門家らしくない, プロとしてふさわしくない. **2** 素人の, 未熟な; 本職ではない, 専門家でない.

†**un·prof·it·a·ble** /ʌnprɑ́fətəbl│-prɔ́f-/ [形] **1** 利益のない. **2** 無益な, むだな ‖ an *unprofitable* meeting 実りのない会合.

un·pro·vid·ed /ʌnprəváɪdɪd/ [形]〔名詞の後で〕〈…を〉供給[支給]されていない〔with〕.
(be) *unprovided* for 生計の資[蓄え]がない ‖ She is *unprovided* for. 彼女は生計の資[蓄え]がない.

un·pro·voked /ʌnprəvóʊkt/ [形]〈攻撃・敵意などが〉挑発によるものでない.

un·qual·i·fied /ʌnkwɑ́ləfaɪd│-kwɔ́l-/ [形] **1** 資格のない, 無資格の. **2** 不適任な. **3**〈批判などが〉率直な. **3** 制限のない, 手加減しない; 全くの, 徹底的な.

†**un·ques·tion·a·ble** /ʌnkwéstʃənəbl/ [形]〔正式〕**1** 疑問[議論]の余地のない, 確かな. **2** 申し分のない.

†**un·ques·tion·a·bly** /ʌnkwéstʃənəbli/ [副]〔正式〕疑いなく, 明らかに.

un·ques·tioned /ʌnkwéstʃənd, -kwéʃtʃənd/ [形] **1** 疑問の余地なく受け入れられた, 完全に受け入れられた. **2**〈権力などが〉疑いのない, 絶対的な. **3** 質問されていない, 質問を発せられていない.

un·quote /ʌ́nkwoʊt, -´-/ [動] 引用を終わる《◆指示・電文などで quote と相関的に用いて引用文の終わりを示す》.

†**un·rav·el** /ʌnrǽvl/ [動](過去・過分) ~ed or (英) -rav·elled/-d/; ~·ing or (英) -el·ling) **1**〈編み物・もつれた糸などを〉ほどく, ほぐす《◆untangle より堅い語》‖ The cat *unraveled* my knitting. ネコが私の編み物をほどいてしまった. **2**〈難問などを〉解明する, 解く ‖ *unravel* a mystery なぞを解く. **3** …を崩す, つぶす ‖ *unravel* his power base 彼の権力基盤を崩す. —[自] ほどける, ほぐれる.

†**un·real** /ʌnríːəl│-ríːl/ [形]《◆名詞の前で用いるときはふつう /-´-/》実在しない, 想像上の; 非現実的な, (略式)(信じられないほど)すばらしい ‖ an *unreal* situation 架空の状況.

un·re·al·is·tic /ʌnrìːəlístɪk/ [形] 非現実的な, 非現実主義の; 実際的な.

†**un·rea·son·a·ble** /ʌnríːznəbl/ [形] **1**〈人・行ないが〉理性的でない, 道理をわきまえない; 〈物・事が不合理な, 不当な ‖ make *unreasonable* demands 不当な要求をする. **2**〈値段・要求などが〉法外な, 過度の.

un·réa·son·a·bly [副] **1** 無分別に; [文全体を修飾] 不合理なことだが. **2** 法外に.

un·re·lat·ed /ʌnrɪléɪtɪd/ [形] **1**〈…に〉無関係な〔to〕; 〈人が〉親戚でない, 〈動物などが〉同じ科に属さない.

un·re·li·a·ble /ʌnrɪláɪəbl/ [形] あてにならない, 信頼できない.

†**un·rest** /ʌnrést/ [名] Ⓤ〔正式〕**1** 不安, 心配(uneasiness). **2**(社会的な)不安, 不満, 不穏(な状態) ‖ social *unrest* 社会不安.

†**un·re·strained** /ʌnrɪstréɪnd/ [形]《◆名詞の前で用いるときはふつう /-´-/》 **1** 抑制されない, 手放しの; 慎みのない ‖ *unrestrained* anger 心底からの怒り. **2** のびのびした, 自由な; 自然な.

un·ri·valed, (英) --valled /ʌnráɪvld/ [形]〔正式〕比類ない, 比肩できない; 無敵の, このうえない.

un·roll /ʌnróʊl/ [動]〈巻いたものを〉解く.
—[自]〈巻いたものが〉解ける.

†**un·ru·ly** /ʌnrúːli/ [形](時に --li·er, --li·est) **1**〈人・動物などが〉言うことをきかない; 規則に従わない; 手に負えない. **2**〈物が〉場所に収まりにくい ‖ *unruly* hair まとまりにくい髪.

UNRWA /ʌ́nrə/《United Nations Relief and Works Agency》Ⓖ 国連パレスチナ難民救済事業機関.

†**un·safe** /ʌnséɪf/ [形] 安全でない, 危険な.

un·said /ʌnséd/ [形] 口に出されていない; 思っても口に出さない ‖ leave it *unsaid* 言わないでおく.

†**un·sat·is·fac·to·ry** /ʌnsæ̀tɪsfǽktəri/ [形] 満足のゆかない, 不十分な.

†**un·sa·vo(u)r·y** /ʌnséɪvəri/ [形] 芳しくない, いかがわしい ‖ an *unsavory* reputation いかがわしい評判.

un·scathed /ʌnskéɪðd/ [形] 無傷の, 痛手を受けていない.

un·schooled /ʌnskúːld/ [形] **1**(特に正式な)教育を受けていない, 無教育の. **2**〈才能などが〉生まれつきの, 自然に備わった. **3** 抑制されていない.

un·screw /ʌnskrúː/ [動] 他 …のねじを抜く; …のねじをゆるめてはずす; 〈ふた〉を回してはずす. —[自] ねじを抜く; ねじをゆるめてはずす.

†**un·scru·pu·lous** /ʌnskrúːpjələs/ [形]〔正式〕破廉恥(れんち)な, 無節操な, 無法な ‖ an *unscrupulous* behavior 破廉恥な行為.

un·seal /ʌnsíːl/ [動] 他 **1** …の封を切る, 〈手紙〉を開封する. **2**〈口など〉を開かせる; 〈行動など〉を自由にする.

un·sea·son·a·ble /ʌnsíːznəbl/ [形] **1**(特に天候が)季節はずれの, 季節に合わない. **2** 時宜を得ない, 間の悪い. **3** 例年にない.

un·sea·soned /ʌnsíːznd/ [形] **1**〈人が〉十分経験を積んでいない, 未熟な. **2** 熟していない, 成熟していない, 〈木材が〉乾燥していない. **3**〈食物が〉調味料で味付けされていない.

un·seat /ʌnsíːt/ [動] 他 **1**〈馬が〉〈人〉を落馬させる; 〈人〉を(自転車・席から)ふるい落とす. **2**〔正式〕〈議員など〉の議席を奪う; …を(公職から)追放する.

un·seem·ly /ʌnsíːmli/ [形]〔正式〕趣味の悪い; 似合わない; ふさわしくない.

†**un·seen** /ʌnsíːn/ [形] **1** 気づかれない ‖ an *unseen* error 見落とされた間違い. **2** 目に見えない. **3**(主に英)〈翻訳などが〉初見の, 即席の. —[名] (英) **1** Ⓒ 即席翻訳課題. **2** [the ~] 霊界.

†**un·self·ish** /ʌnsélfɪʃ/ [形] 利己的でない, 無私の, 他人思いの.

un·set·tle /ʌnsétl/ [動] 他 …を乱す, 不安定にする. —[自] 乱れる, 不安定になる.

†**un·set·tled** /ʌnsétld/ [形]《◆名詞の前で用いるときはふつう /-´-/》 **1 a**〈政府・生活などが〉安定していない. **b**〈時代などが〉不穏な, 動乱の. **c**〈心が〉不安定な, 乱れた. **d**〈人が〉住所不定の. **2**〈天気などが〉変わりやすい. **3**〈勘定などが〉未払いの, 〈不動産などが〉法的に未

unsettling 処理の. **4** 〈問題・論争などが〉未解決の, 未決定の.

un・set・tling /ʌnsétliŋ/ 形 動揺させるような, 混乱させるような.

un・shak(e)・a・ble /ʌnʃéikəbl/ 形 〈信念・態度・感情・確信が〉揺るがない, 不動の ‖ an *unshak(e)able* alibi 確固たるアリバイ / *unshak(e)able* confidence 揺るぎなき自信 / *unshak(e)able* courage くじけない勇気.

un・sight・ly /ʌnsáitli/ 形 (時に --li・er; --li・est) 〔正式〕見苦しい, 醜い (ugly), ひどい.

†**un・skilled** /ʌnskíld/ 《◆名詞の前で用いるときはふつう /=/》形 **1** 〈人が〉[…に]熟練していない, 未熟な (*in, at*). **2** 〈仕事などが〉熟練[専門的訓練]を要しない. **3** 〈作品・技術などが〉へたな, 粗雑な.

un・so・cia・ble /ʌnsóuʃəbl/ 形 交際嫌いの.

un・so・cial /ʌnsóuʃəl/ 形 **1** 〈人が〉非社会的な; 反社会的な (◆ antisocial より弱い語). **2** = unsociable. **unsócial hóurs** 〔英〕家庭生活[人との付き合い]の妨げとなる(規程外の)労働時間.

†**un・sound** /ʌnsáund/ 《◆名詞の前で用いるときはふつう /=/》形 〔正式〕 **1** 〈身体・精神が〉健康でない, 不健全な, 病的な. **2** 〈果実・木材などが〉痛んだ, 傷物の. **3** 〈建物・土台などが〉堅固でない, 崩れ[こわれ]そうな. **4** 〈考えなどが〉根拠のない, あやふやな; 頼りにならない; 受け入れられない. **5** 〈事業などが〉財政的に不安定な; もうかりそうにない.

†**un・speak・a・ble** /ʌnspíːkəbl/ 形 **1** 言葉に表せない ‖ an *unspeakable* nightmare 言語に絶する悪夢 / *unspeakable* happiness 言いようのない幸せ. **2** ひどく悪い, 大変不快な ‖ *unspeakable* manners ひどい無作法. **3** 〈言葉などが〉口に出せない, 口で言えない.

un・spo・ken /ʌnspóukn/ 形 **1** 暗黙の(うちに了解された). **2** 言葉にして発せられない.

†**un・sta・ble** /ʌnstéibl/ 形 **1** 〈人が〉不安定な, ぐらつく ‖ After the coup d'état, the political situation was left *unstable*. クーデターのあと, 政情は不安定なままだった. **2** 〈人・性格が〉気まぐれな, 無責任な, 情緒不安定な.

†**un・stead・i・ly** /ʌnstédəli/ -ili- 副 不安定に; 変動して.

†**un・stead・y** /ʌnstédi/ 形 (--i・er, --i・est) **1** 〈物が〉不安定な, ぐらつく; 〈歩き方などが〉ふらふらする ‖ You look rather *unsteady* on your feet. 足もとが危なっかしいですね. **2** 変わりやすい, 変動する; 頼りにならない ‖ *unsteady* winds 変わりやすい風. **3** 不規則な, 一様でない ‖ an *unsteady* voice 動揺した声.

†**un・suc・cess・ful** /ʌnsəksésfl/ 形 〈人が〉[…に]失敗した[*in*]; 〈事が〉うまく行かない, 不出来の.

†**un・suit・a・ble** /ʌnsúːtəbl/ 形 […に]適していない, 似合わない[*for, to*] ‖ a dress *unsuitable* for the ceremony その儀式にふさわしくない服.

un・sup・port・ed /ʌnsəpɔ́ːrtid/ 形 **1** 〈建物などが〉支えのない; 〈人が〉支えられていない. **2** 〈主張・仮説などが〉証拠[事例]を欠いた. **3** 〈人・行動が〉(経済的に)支援されていない. **4** 〔コンピュータ〕〈プログラム・言語・装置が〉製造元のサポートのない.

†**un・sus・pect・ing** /ʌnsəspéktiŋ/ 形 〔正式〕疑っていない, 怪しまない, 信用している.

un・swerv・ing /ʌnswə́ːrviŋ/ 形 〈目的などが〉不変の, 確固たる.

un・tan・gle /ʌntǽŋgl/ 動 〈もつれた物を〉ほどく; 〈もめ事などを〉解決する.

†**un・think・a・ble** /ʌnθíŋkəbl/ 形 〔正式〕 **1** 考えられない, 想像もできない. **2** ありえない; 問題外の.

—名 [the ~] 思いもよらないこと.

un・thread /ʌnθréd/ 動 **1** 〈…の〉糸を抜く; 〈迷路を〉抜け出す, 通り抜ける, 〈事を〉解決する.

†**un・ti・dy** /ʌntáidi/ 形 (--di・er, --di・est) **1** 〈人・服装などが〉だらしない, きちんとしていない (↔ tidy). **2** 〈部屋などが〉乱雑な, 散らかった ‖ an *untidy* room 乱雑な部屋.

†**un・tie** /ʌntái/ 動 (過去・過分 ~d; --ty・ing) 他 **1** 〈結んだ物などを〉ほどく, 解く; 〈包んだなどの〉ひもをほどく. **2** 〈…を〉解放する, 自由にする ‖ *untie* a dog 犬を放す. **3** 〈困難などを〉解決する, 解消する ‖ *untie* a traffic jam 交通渋滞を解消する. —自 解ける, ほどける.

‡**un・til** /əntíl, ʌn-; (弱) -tl/ (つづり注意) 〔「終わりまで」が原義〕《◆ till と意味の差異はない. 〔米〕〔英〕とも今は一般に until が好まれる. 特に文頭や〔正式〕の書き言葉では until がふつう. 強めて up until ともいう》.

—前 **1** [主に肯定文で; 継続を表す動詞と共にその継続の終了時を示して] **…まで(ずっと)** 使い分け → by 前13) ‖ I waited *until* noon. 私は正午まで待った / We've been having perfect weather *until* today. 今日まで天気は申し分なかった / *until after midnight* 真夜中すぎまで 《◆このように前置詞句を伴うこともある. ➡文法 21.1(3)》 / *until now* 現在まで / *until recently* 最近まで 《◆このように副詞を伴うこともある》 / *Until* when are you staying? いつまでいるのですか.

> 語法 (1) **2** と異なり, 瞬間を表す動詞とは用いない: ˣHe *arrived until* noon. ただし The guests arrived *until* noon. (客が(次々に)正午までに到着し続けた)のように, 複数主語で継続の意味が含まれる場合は可能.
> (2) until **A** は, **A** が日・月のように期間を表す語の場合は **A**〈時〉を含み, その期間の終わりまでをさす: I waited *until* Monday [the holidays]. 月曜日[休暇](の終わり)まで待った. ただし, → **2** 語法 (2).

2 [否定文で; 通例瞬間を表す動詞と共に; しばしば up ~] **…まで(…しない)** ‖ He won't come *until* five. 彼は5時まで来ないだろう.

> 語法 (1) until **A** は, **A** が期間を表す語の場合には, **A**〈時〉を含まない. つまり, **A** の「始点まで」を示し, その期間は含まない: She didn't arrive *until* Monday. 彼女は月曜日(の朝)になるまで来なかった. この場合, 日本語の「…まで」は「…」を含むことが多いので注意が必要.
> (2) Closed *until* Monday. ((掲示)日曜日まで休業, 月曜日営業[開店])のような場合は否定的含意 (closed = not open)のほかに社会的文脈・慣習が働く.

—接 **1** [主に肯定文で; 継続を表す動詞と共にその継続の終了時を示して] **a** [until の前にコンマを置かないで; 後ろから訳して] **…するまで(ずっと)** ‖ Stay here *until* she comes back. 彼女が来るまでここにいてください 《◆節内では未来の will を用いない. ➡文法 4.1(4)》 / He ate *until* he was full. 彼は腹いっぱいになるまで食べた / Go straight on *until* you reach the station. 駅までずっとまっすぐ行きなさい. **b** [until の前にコンマを置いて; 前から訳して] **(…して)ついに** ‖ She ran and ran, *until* she came to a small village. 彼女はどんどん走り, ついに小さな村にたどりついた《◆この用法では till より until が好まれる. また「ついに」を強調するため, until は at last とすることもある》. **2** [否定文で; 通例瞬間を表す動詞と共に] …するまで(…しない); [後うしろから訳して] …して初めて(…する)《◆ 前2》‖ Tom didn't start to read *until* he was eight. トムは8歳になるまで読書をしなかった; 8歳で初めて読書を始めた《◆書き言葉ではしばしば倒置構文で用いられる: *Not until* he was eight *did* Tom start to read. ➡文法 23.3》/ I didn't become a writer *until after* I was fifty. 私は50歳を過ぎるまで作家にならなかった《◆このように until の後に after を伴うことがある. ➡文法 21.1(3)》/ She didn't come *until* the meeting was half over. 会議が半分終わったところでやっと彼女はやって来た.

†**un·time·ly** /ʌntáimli/ 形《正式》**1** 時機を失した, 折の悪い; 時期[時刻|季節]はずれの‖ an *untimely* remark 時機をわきまえない言葉. **2** 早すぎる, 時機尚早(ょう)の‖ an *untimely* death 早死.

†**un·tir·ing** /ʌntáiəriŋ/ 形 **1**〈人が〉疲れを知らない. **2**〈努力・忍耐などが〉不屈の.

un·to /子音の前 ʌntə; 母音の前 ʌntu; 文または節の終わり ʌntu:/ 前《古》…に, へ; …まで(to).

†**un·told** /ʌntóuld/ 形《◆名詞の前で用いるときはふつう /ʌ=/》**1** 語られていない; 明らかにされていない‖ an *untold* story 秘話. **2**《文》数えられない, 無数の; 言い表せない, ものすごい‖ *untold* wealth 莫大(ばくだい)な財産 / *untold* suffering 言うに言えない苦しみ.

un·touch·a·ble /ʌntʌ́tʃəbl/ 形 **1** 触れることができない; 手が届かない; 手に入らない. **2** 触れてはならない. **3** 批判できない. **4** 汚(けが)らわしい. ──名 [しばしば U~] Ⓒ 不可触賤(せん)民《もとインドの最下層の人々》.

†**un·touched** /ʌntʌ́tʃt/ 形 **1** 触れられていない; 手をつけていない; もとのままの; 傷がついていない. **2** 言及されていない. **3** 心を動かされない; 影響を受けていない‖ I was *untouched* by her story. 私は彼女の話に感動しなかった.

un·trav·eled,《英》**--elled** /ʌntrǽvld/ 形 **1**〈人が〉あまり旅行していない; 偏狭な, 田舎(いなか)くさい. **2**〈道路などが〉あまり通った跡のない, 人があまり通らない.

un·treat·ed /ʌntríːtid/ 形 **1**〈患者・病気・容態が〉治療されていない. **2**〈水・有害物質が〉化学処理されていない. **3**〈木材が〉保存処理されていない.

†**un·tried** /ʌntráid/ 形 試みられていない, 確かめられていない; 未経験の.

†**un·true** /ʌntrúː/ 形 **1** 事実に反する, うその. **2** 標準[規格]に合わない; 不正確な‖ *untrue* doors ゆがんだ[寸法の狂った]戸.

un·typ·i·cal /ʌntípikl/ 形 典型的でない, 特有でない‖ It is *untypical* of Jim to make such a mistake. そんな間違いをするはジムらしくない.

UNU《略》United Nations University 国連大学.

†**un·used**[1] /ʌnjúːzd/《◆名詞の前で用いるときはふつう /ʌ=/》形 **1** 使われていない, 利用されていない. **2** 未使用の, 新しい‖ an *unused* toothbrush 新しい歯ブラシ.

†**un·used**[2] /ʌnjúːst/《◆ to を伴うと /-juːstə/ となる》形〈…に〉慣れていない[to]‖ He is *unused* to traveling alone. 彼は一人旅に慣れていない. / an old man *unused* to city traffic 都市の交通に不慣れな老人.

†**un·u·su·al** /ʌnjúːʒuəl/〖→ usual〗

── 形 **1** ふつうでない, 異常な, まれな(abnormal)《◆比較変化しない》‖ eyes of *unusual* size 異常に大きい目 / He is *unusual*. 彼は変わっている[変人だ] / It is *unusual* for her to be late. 彼女が遅刻するなんて珍しい / It is not *unusual that* we come to a quick decision. 私たちがすばやく決定をすることは珍しいことではない. **2** 独特の.

†**un·u·su·al·ly** /ʌnjúːʒuəli/ 副 異常に, 珍しく; 非常に‖ He is *unusually* cross today. 彼はきょうはいつになく機嫌が悪い.

†**un·veil** /ʌnvéil/ 動《正式》他 **1** …のベール[覆い]を取る; …の除幕式を行なう. **2** …を明らかにする, 公(おおやけ)にする(uncover); [~ oneself] 正体を現す‖ The new project was *unveiled* at the conference. その会議で新計画が公にされた. ──自 ベールを脱ぐ, 覆いを取る; 正体を現す.

un·want·ed /ʌnwɑ́ntid | -wɔ́nt-/ 形 求められていない, 望まれない, 不必要な.

un·war·rant·ed /ʌnwɔ́ːrəntid/ 形《正式》正当性を欠く, 不当な, 公認[認可]されていない.

†**un·wary** /ʌnwéəri/ 形 (**-i·er, -i·est**)《正式》〈危険・ごまかしなどに対して〉用心していない, 油断している, 不注意な.

†**un·wea·ried** /ʌnwíərid/ 形 **1** 疲れていない, 元気のある. **2** 疲れを知らぬ, 不屈の.

†**un·wel·come(d)** /ʌnwélkəm(d)/ 形 歓迎されない; ありがたくない, いやな‖ *unwelcome(d)* news いやな知らせ.

†**un·whole·some** /ʌnhóulsəm/ 形《正式》**1 a**〈食物・気候などが〉健康[からだ]に悪い. **b**〈人・物・事が〉〈道徳的に〉有害な, 不健全な. **2**〈顔つき・顔色などが〉不健康(そう)な.

un·wield·y /ʌnwíːldi/ 形 **1**〈大きすぎたり重すぎたりして〉扱いにくい; 非現実的な, 手に負えない;〈組織などが〉非効率的な. **2**〈人などが〉ぶかっこうな.

†**un·will·ing** /ʌnwíliŋ/ 形 **1** [be unwilling (for A) to do]〈人・動物が〉…する気がしない, 〈Aが〈人・物・事が〉…するのを望まない(↔ willing)‖ She was *unwilling to* give any information. 彼女は情報を提供するのをしぶった《◆提供しなかったことを含む. She was reluctant to …. だとしぶしぶながら提供したことを含意する》. **2**〈行為が〉気の進まない, いやいやながらの, 不本意な《◆名詞の前で用いるときは reluctant と交換可能》‖ He gave me *unwilling* consent to use his car. 彼はいやいやながら車を貸してくれた.

†**un·will·ing·ly** /ʌnwíliŋli/ 副 いやいやながら, しぶしぶ.

†**un·will·ing·ness** /ʌnwíliŋnəs/ 名 Ⓤ 不承不承, 不本意, 気が進まないこと‖ a strange *unwillingness* to help others 他人を手伝うことを不思議といやがること.

un·wind /ʌnwáind/ 動 (過去・過分) **--wound** 他 **1**〈巻いた[もつれた]もの〉をほぐす,〈ぱねなど〉をゆるめる(↔ wind). **2**《略式》〈人〉の緊張をほぐす, …をくつろがせる. ──自 **1**〈巻いた[もつれたものが〉ほどける. **2**《略式》〈話などが〉はっきりする. **3**《略式》〈緊張がとけて〉くつろぐ.

†**un·wise** /ʌnwáiz/ 形 (**~r, ~st**)《正式》愚かな, 無分別な(↔ wise)‖ It was *unwise of* you [You were *unwise*] *to* lend her money. 彼女に金を貸すなんてあなたもうかつだった《➡文法 17.5》.

†**un·wont·ed** /ʌnwɔ́ːntid | -wɔ́unt-/ 形《正式》ふつうでない, いつもと違う.

un·work·a·ble /ʌnwɔ́ːrkəbl/ 形 **1** 運転できない; 運営[管理]できない. **2** 実行不可能な. **3** 細工[加工]できない.

un·world·ly /ʌnwə́ːrldli/ 形 **1** この世のものでない, 精神界の, 超自然的な. **2** 世俗でない. **3** 世慣れていない, うぶな.

†**un·wor·thy** /ʌnwə́ːrði/ 形 (通例 ‑‑thi·er, ‑‑thi·est) **1 a** 〈人・物・事〉〈事に〉値しない, ふさわしくない, [...の]価値がない[of]; [...するに]値しない[to do] (↔ worthy) ‖ Such a story is *unworthy* of notice. そんな話は傾聴に値しない / She is *unworthy* of your kindness. 彼女はあなたの親切を受ける価値はない / He is *unworthy to* serve as our leader. 彼は私たちの指導者になるには値しない. **b** 〈物・事・人が〉〈人・地位など〉にふさわしくない, 不相応である ‖ That remark was *unworthy* of a mayor. その言葉は市長にあるまじきものであった. **2** (正式)〈行為・考えなどが〉卑劣な, 恥ずかしい(shameful). **3** (道徳的に)価値のない, 賞賛に値しない(↔ praiseworthy).

un·wound /ʌnwáund/ 動 unwind の過去形・過去分詞形. ——形 巻いていない; 巻きのとけた.

un·writ·ten /ʌnrítn/ 形 **1** 書かれて[記録されて]いない, 口頭の. **2** 〈ページなどが〉空白の.

unwrítten láw [rúle] 不文法, 慣習法, 不文律.

un·zip /ʌnzíp/ 動 (過去・過分) **un·zipped**/-t/; **‑·zip·ping** ⓒ 〈チャック(のついた物)〉を開ける; (コンピュータ)〈圧縮したファイルを〉解凍する, 元に戻す. ——ⓘ 〈チャック(のついた物)〉を開ける; (コンピュータ)〈(圧縮した)ジップファイル〉を解凍する, 〈ファイル〉をアンジップする.

▲up /ʌ́p/ [「上方への方向を示す副詞辞. 動作動詞と結びついて上への運動を, 状態動詞と用いて上方での静止した位置を表す. またさまざまな動詞と結合して動詞＋副詞結合を作り, 多くの比喩的意味を表す」]

index
副 **1 a** 上へ **b** 起きて **2 a** 上がって **b** 高まって **3** 上に **6** 北へ; 中心地へ **7** 方へ **8** 出現して **9** 尽きて **14** 合計した状態に **b** 無活動の状態に **c** しっかり固定した状態に **d** 完成した状態に **e** ばらばらの状態に
前 **1** ...の上へ **2** ...の上流へ **3** ...を通って
形 **2** 北方へ向かう

——副 《◆ 比較級はないが, 時に最上級に uppermost を用いる》 (↔ down).

I [3次元的に上方へ]

1 [運動] [動作動詞＋up] **a** (低い位置・地面・水中などから)**上へ**, 上方へ, 上がって ‖ lóok *up* 見上げる / put *up* a flag 旗を揚げて / Plants còme *up* in the spring. 植物は春に芽を出す / The birds flèw *up* in the sky. 小鳥は空高く舞い上がった. **b** (人が)**起きて**, 立って, 直立して ‖ stànd *up* / He gòt *up* from his chair. 彼はいすから立ち上がった. **c** (建物等が)建てられて ‖ pùt *up* a house 家を建てる.

2 [運動] [動作動詞＋up] **a** (地位・評価・温度・価格・音量など)**上がって**, 高まって, 増して; (人等が)成長して ‖ spéed *up* 速度を上げる / spéak *up* 声を高める / brìng *up* a child 子供を育てる / tùrn the radio *up* ラジオのボリュームを上げる / còme [gó] *up* in the world 出世する. **b** (活動・活気・度合などが)**高まって**, 勢いよく; 始動して, (コンピュータが)起動して; (文)反乱を起こして ‖ chéer *up* 元気を出す / stir *up* trouble 面倒を引き起こす / start *up* the engine エンジンをかける / pluck *up* (one's) courage 勇気を出す.

3 [状態] [状態動詞＋up] **上**に, 上方に, 上って; (顔・面などを)上に向けて; 起きて, 立って, 直立して; (建物が)建てられて, (略式)〈物・事〉が出現して, 起こって; (人が)現れて; (議論などに)のぼって[for]; (犯罪などで)訴えられて[for]《◆ **1, 2, 8** の動作を表す意味が状態を表すようになったもの》‖ fly 30,000 feet *up* 3万フィート上空を飛行する / 《対話》 "Are you *up* now?" "Yes, but I'm sleepy because I stayed up late last night." 「もう起きたかい」「はい, でも昨晩遅くまで起きていたから眠いんです」 / lie face *up* あお向けに寝ている / The river is *up*. 川が増水している / He lives five floors *up* [above]. 彼は5階上に住んでいる / What are you doing *up* there? そこで何をしているのだ《◆ 必ずしも高い所を意味しない》/ The house is *up* at last. ついに家が完成した / 《略式》Whát's *úp* (with her)?（彼女に）何が起こったのか; どうしたのか(→ what 代 成句) / He is *up* for murder. 彼は殺人罪で訴えられている / The house is *úp* for sale. その家は売るために建てられたもの[売りに出ている].

4 [命令文で; 動詞を省略して] ‖ Hands *up*! 手を上げろ / *Up*, workers! 労働者よ, 起(ᵗ)って / *Up* with you! 立ち上がれ, 起きろ / *Up* with the anchor! 錨(いかり)をあげろ.

5 [状態] [状態動詞＋up] (地位・価格などが)**上がって**, 高まって, 増して; (活動・度合いなどが)高まって, 勢いよく《◆ **2 a, b** の動作を表す意味が状態を表すようになったもの》‖ Prices are *up*. 価格が上昇している / Her temper is *up*. 彼女はかんしゃくを起こしている / The whole town is *up*. 町中が沸き立っている.

II [2次元的に上方へ]

6 [方角・方向] **a 上手へ**[に]; (沿岸より)内陸へ, 奥地へ; 上流へ; (海事)風上へ; (米)(地図で)**北へ**, (英)(地方)[田舎(ᵗ̂ᵗ)から]**中心地へ**; (商業地域から)住宅地域へ(cf. go up) ‖ They advanced five miles further *up* into the country. 彼らはさらに5マイル上手[奥地, 上流]へ進んだ / We went *up* North. (米) 我々は北部へ行った《◆ (米)では大都市を中心に考えて up, down を用いるのではなく, 北へ行く場合は up, 南へは down を用いる. (英)でも自動車旅行が増えるにつれて米式用法が広まってきた》/ take the train from Brighton *up* to London (英)ブライトンからロンドン行きの列車に乗る. **b** (英)大学へ[に]《◆ 主に Oxford または Cambridge 大学をさす》‖ My son is *up* at Cambridge. うちの息子はケンブリッジに行っている[ケンブリッジ大学の学生だ]. **c** (舞台の)後方へ[に].

7 [接近] [話し手・問題の場所の]**方へ**, (...に)向かって[to] ‖ Gó *úp* to that door and knock. あのドアの所へ行ってノックしなさい / She came *up* to me and shook hands. 彼女は私の所へ来て握手した.

III [上方へ上がって現れる]

8 [運動] [動作動詞＋up] (物事が)**出現して**, 起こって; (人が)現れて; (議論などに)のぼって[for]; (犯罪などで)訴えられて[for] ‖ brìng *up* the subject その話題を持ち出す / She shówed *úp* at last. 彼女はついにやって来た / The matter càme *up* for discussion again. その問題は再び論議にのぼった.

IV [ある基準にまで上がりきる]

9 (略式) [時間が]**尽きて**, 終わって; (議会etc.)閉会になって; (道が)閉鎖されて; (人が)もうだめで(over), ‖ Time's *up*. 時間です / It's áll *úp* [(俗) ÚP /ʌ́pːíː/] with her. 彼女はもうだめだ; 万事休すだ / My annual leave was *up*. 私は年次休暇を全部

使ってしまった.
10 [到達] (水準などに)達して, 追いついて, 遅れないで ‖ catch *up* 追いつく / *kéep úp with* the times 時代に遅れないでついていく.
11 (略式) [熟知] [通例 well ((米) way) の後で] [学科などに]精通して, よく知って[*on*, *in*] ‖ He is well *up* on Oriental art. 彼は東洋美術に造詣(ぞうけい)が深い.
12 [スポーツ] (…点)勝ち越して, [相手に/試合で]リードして[*on/in*] ‖ We are two games *up* on them. 我々は彼らに2ゲーム勝ち越している.
13 [スポーツ] それぞれ, ともに ‖ The score is 2 *up*. スコアは2対2だ.
V [主に「動詞＋副詞結合」を作って]
14 a 合計[整理, 要約など]した状態に; 寄せ集めて; 積み重ねて ‖ add *up* figures 数字を合計する / cóunt *úp* the number of pages ページ数を数える / búy *úp* all available land 手当たり次第土地を買い占める / sum the matter *up* briefly 問題の内容を簡潔に要約する / heap *up* the fallen leaves 落ち葉を積み上げる / gather *up* some mushrooms キノコをかき集めて拾い集める.
b 無活動[停止, 休止]の状態に; 貯蔵[保管]して ‖ The car púlled *úp*. 車が止まった / be laid *up* with a cold かぜをひいて休んでいる / store *up* food for the winter 冬に備えて食料を蓄える / save *up* money to buy a car 車を買うためにお金を蓄える.
c しっかり固定した[閉じた, ふさいだ, 結合した]状態に; ぎっしり詰めて ‖ páck *úp* 荷造りをする / stop *up* a hole 穴をふさぐ / fold *up* the papers 書類を小さくたたむ / board *up* a window 窓を板でふさぐ / dam *up* the river 川をせき止める.
d 完成[終結]した状態に; 完全に, すっかり(…してしまう) ‖ Drínk *úp*. 飲み干せ / eat *up* 全部食べてしまう(→ eat 成句) / pay *up* (借金を)全額返済する(→ pay 成句) / clean *up* the room 部屋をきれいに片付ける / write *up* one's assignment 宿題を書き上げる / The house burned *up*. 家が全焼した / The money's all used *up*. お金をみな使い果たした.
e ばらばらの状態に ‖ bréak *úp* rocks 岩を砕く / díg *up* the garden 庭の土を掘り起こす, 庭を耕す / tear *up* the newspaper 新聞紙をずたずたに破る / divide *up* the money equally お金を平等に分ける / The meeting broke *up*. 会合は散会した / The bomb blew *up*. 爆弾が爆発した.
VI [その他]
15 [野球] (打者が)打席に[へ]; 〈チームが〉攻撃中で ‖ You're *up* next! 次は君の打席だ.
be úp and abóut [*aróund*] (略式) 〈人が〉(病気・手術などから回復して)床を離れて動き回って[仕事をして]いる.
úp agàinst A (1) …と接触して. (2) (略式) 〈困難・敵など〉にぶつかって, 直面して〔◆ ふつう up against it の句で用いる〕 ‖ She will be *up against* a lot of opposition. 彼女は多くの反対に出会うだろう / She is *up against it*. 彼女は大きな困難に直面している.
úp and dó (略式) 〔do を強調して〕…してしまう ‖ He had his wife *up* and die on him. 彼は奥さんに先立たれてしまった.
***úp and dówn** [副] (1) 上がったり下がったり, 上下に ‖ Our blood pressure goes *up and down*. 血圧は上がったり下がったりする. (2) 行ったり来たり, あちこちに(to and fro). (3) 〈健康などが〉よかったり悪かったり. ―[前] (1) …を上がったり下がったり. (2) …を行ったり来たり, あちこちと ‖ walk *up and down* the terrace テラスを行ったり来たりする.
úp for A (1) → **3**, **8**. (2) …に立候補して. (3) 〔試験など〕を受けて. (4) (略式) 〔料理などを〕試してみて, やって ‖ Are you *up for* some Japanese food [another game]? 日本食を食べて[もう一勝負やって]みますか.
up óver [副] (地図の)上の方に.
***úp to A** [前] (1) [時間・空間] (最高)…まで, …に至るまで(up until [till]) ‖ count *up to* ten 10まで数える / The water was *up to* my waist. 水は腰まで来た(cf. ear 成句) / Broadband is *up to* 50 times faster than dial-up. ブロードバンドは電話接続よりも最大50倍速い / *Up to* now I have never met him. 今まで一度も彼に会ったことはなかった / master *up to* 30 pages a week 1週間に30ページをマスターする〔◆「up to ＋ 数詞」で形容詞的にも用いる〕. (2) [通例否定文・疑問文で] …と並んで, …に匹敵して〔◆ *up with* A ともいう〕;〈期待されているものに〉添って(cf. **10**) ‖ keep *up to* [*with*] her 彼女に遅れないでついて行く / Was the film *up with* [≒(米) *to*] your expectations? その映画は期待どおりのものでしたか / He is not *up to* his father as a scholar. 彼は学者としては父親に及ばない. (3) (略式) [通例否定文で] 〈人が〉〈仕事などを〉することができて, […に]耐えられて(doing) ‖ She is *not up to* the job. 彼女はその仕事はできない. 彼の任に耐えられない / I'm not *up to* talking about it. それについて話すのは耐えられん[話す気になれない]. (4) (略式) 〈人の〉義務で, 責任で;〈人の〉次第で ‖ It's entirely *up to* you. それはまったく君次第だ / It's *up to* you to decide what to do. 何をするかを決めるのは君の責任だ. (5) (略式) 〈ふつうよくないこと〉をして, しようとして ‖ He is *up to* no good. 彼はよからぬことをたくらんでいる / What's he *up to*? 彼は何をやらかすつもりなんだろうか. (6) 〔計略など〕を意図している ‖ What have you been *up to* lately? 近ごろは何をしようとしているの. (7) よく心得て, …の手の内を熟知して. (8) → **6 a**.
úp with A (1) 〈人〉にとって…が原因で. (2) ＝UP to A (2).
―[前] **1** …の上へ[に], …を登って, …を登った所に ‖ clímb *up* the tree 木に登る / líve *up* the hill 小高い丘に住んでいる.
2 a 〈川〉の上流へ[に]; …の奥地[内地]へ ‖ sail *up* the Hudson ハドソン川を船で上る / travel *up* country 奥地へ旅する. **b** 〈流れ・風など〉に逆らって ‖ go *up* wind 風上に向かって進む.
3 〈道路など〉を通って, …に沿って(along) ‖ walk *up* the drive to the gate 車道を通って門まで歩く / My house is *up* the road. 私の家は道路をずっと行った所にある / a dress with a slit *up* the back 背中にスリットの入っているドレス.
―[形] 〈◆ 比較変化なし〉[名詞の前で] **1** 上へ向かう, 上方への, 上向きの ‖ an *up* elevator 上りのエレベーター / an *up* glance 上目使いに.
2 (米) 〈列車などが〉北方[町の郊外]へ向かう〔(英) 上りの『ロンドン[大都市]へ向かう』の意味〕‖ an *up* train (米) 北行き列車(a north bound train) / an *up* platform (米) 北行きホーム;(英) 上り線ホーム.
―[名] C **1** 上り, 上昇; 上り坂. **2** 上りの列車[バス, エレベーターなど]. **3** [the ~] (ボールがバウンドしては)

ね上がっている状態.
on the úp (and úp) (1)《米略式》正直で,信頼できる,公正な. (2)《英略式》〈商売・会社などが〉上向いて,好調で.
*****úps and dówns** (1) 〈道などの〉上り下り,起伏. (2)《略式》[比喩的に] 上下, 浮き沈み, 栄枯盛衰 ‖ His life was full of *ups and downs*. 彼の人生は波状に富んでいた.
──**動** 《過去・過分》**upped**/-t/; **up·ping**《略式》**自 1** 立ち[起き]上がる. **2** [up and ＋ 動詞で] 急に[不意に]…する ‖ She *úpped* and márried him. 彼女は彼と電撃結婚をした《◆しばしば無変化のまま,単に次の動詞を強める働きをする場合がある: He *úp* and *léft*. 彼は不意に立ち去った.
──**他 1**《略式》〈価格など〉を上げる;〈生産など〉を増す. **2** …を持む[取り,引き]上げる.

UP《略》United Press 合同通信社《◆現在はUPI》;《俗》＝up 9.
up-/ʌp-/《接頭》＝語要素一覧(1,2).
up-and-down /ʌpəndáun/ **形 1** 上下する,高低[起伏]のある. **2** 変動する;浮き沈みのある. **3**《主に米》〈かけなどが〉垂直の,切りたった.
up-and-up /ʌpəndʌ́p/ **名**《◆次の成句で》.
on the úp-and-úp《略式》(1)《米》公平で,正直で. (2)《英》好調で,成功して.
U·pa·ni·shad /uːpǽnɪʃæd, -pάːnɪʃάːd | upǽnɪʃəd/ **名 ©** ウパニシャッド《Veda 教典の一部.古代インドの哲学書》.
up·beat /ʌ́pbìːt/ **名** [the ～] **1**《音楽》弱拍,上拍;アウフタクト;(指揮者の)上拍の指示(↔ downbeat). **2**《米》活発化. ──**形**《主に米略式》楽天的な;快活な.
†up·braid /ʌpbréɪd/ **動 他**《正式》〈人など〉を[…のことで]ひどくしかる,非難する[*for, with, for doing*] ‖ She *upbraided* her son for staying out late. 彼女は遅くまで外出していたことで息子をひどくとがめた.
up·bráid·er 名 © 非難者. **up·bráid·ing·ly 副** しかって,非難して.

up·bring·ing /ʌ́pbrɪ̀ŋɪŋ/ **名 Ⓤ** [または an ～] 子供(時代)のしつけ(方),教育(法).
up-country /**名 形** ʌ́pkʌ̀ntri| --; **副** --/ [the ～] **名** 奥地,内陸. ──**形** 奥地[内陸]の,内陸にある;辺ぴな;素朴な. **副** 奥地[内陸]へ[に, で].
up·date /ʌpdéɪt/ **動 他** 〈本・地図など〉を(改訂して)最新のものにする;〈人〉に[…の]最新情報を供給する〔*on*〕;《コンピュータ》〈ソフト〉をアップデートする,更新する. ──**名 Ⓤ©** 最新情報;最新化;最新版;新製品.
up·grade /**名** ʌ́pgrèɪd; **動** --/ **名** グレードアップ;©《米》上り坂,上り勾配(なっ) (↔ downgrade). ──**動 他 1**〈人〉を昇進[昇格]させる;〈仕事など〉を格上げする. **2**《コンピュータ》…を[…に]アップグレードする〔*to*〕;…を upgrade this software. このソフトウェアをアップグレードする必要がある.
up·growth /ʌ́pgrəʊθ/ **名 1**© 成長,進歩,発達. **2**© 成長[発達]したもの.
†up·heav·al /ʌphíːvl/ **名 ©Ⓤ 1** 持ち上げ[上げられ]ること,上がること. **2**《地質》隆起. **3**(社会上・経済上などの)大変動,激動,激変.
up·heave /ʌphíːv/ **動 他 1** …を持ち[押し]上げる. **2** 〈地盤など〉を隆起させる. **3** …を大混乱に陥(が)れる. ──**自 1** 持ち上がる. **2** 隆起する.
up·held /ʌphéld/ **動** uphold の過去形・過去分詞形.
†up·hill /ʌphɪ́l/ **形 1**〈道・旅などが〉上りの ‖ an *uphill* road ＝a road *uphill* 上り道. **2**〈仕事・戦いなどが〉困難な,骨の折れる. ──**副 1** 坂を登って,上の

方へ. **2** 逆境に立ち向かって,苦労して.
†up·hold /ʌphóʊld/ **動**《過去・過分》**--held》他**《◆support より堅い語》〈人〉が〈人・行為など〉を支持する,是認する,擁護する ‖ I *uphold* (him in) his belief. 私は彼の信念を支持します. **2**〈判決・決定など〉を確認する,支持する ‖ *uphold* a district court's decision 地裁の判決を支持する. **3**〈事が〉〈人など〉を励ます,鼓舞する.
up·hóld·er 名 © 支持者, 後援者.
†up·hol·ster /ʌphóʊlstər,《米+》əpóʊl-/ **動 他 1**〈いす・ソファーなど〉に覆い[スプリング,詰め物,クッション]を取り付ける;…に[…の]覆いをつける〔*with, in*〕. **2**〈部屋など〉にカーテン[カーペット,家具]を取り付ける.
†up·hol·ster·y /ʌphóʊlstəri/ **名 Ⓤ 1**[集合名詞]室内装飾品《じゅうたん・カーテン・クッションなど》,いす張り用品《詰め物・スプリングなど》. **2** 室内装飾業;いす張り職.

UPI《略》United Press International UPI 通信社《1958年に UP と INS とが合併してできた米国2大通信社の1つ》.
†up·keep /ʌ́pkìːp/ **名 Ⓤ 1**(家屋・自動車・道路・地所などの)管理,維持,保全,営繕. **2** 維持[管理,保全]費.
†up·land /ʌ́plænd/ **名 Ⓤ** [しばしば ～s; 単数扱い] 高地,台地.
†up·lift /**動** ʌplɪ́ft; **名** --/《正式》**動 他 1** …を(持ち)上げる,高く上げる(raise). **2**〈人〉を(社会的・知的・道徳的に)高める(improve);〈考え・精神など〉を高揚する. ──**名 1**© 持ち上げ[上げられる]こと; [形容詞的に] 高く上がった. **2** ©Ⓤ 精神的[感情的]高揚;道徳的[知的]向上(運動). **3** ©Ⓤ《地質》隆起,隆起した土地.
up·lift·ing /ʌplɪ́ftɪŋ/ **形** 楽しくさせる,幸せにする.
up·load /ʌ́plòʊd/《コンピュータ》**動 他**〈プログラム・データ〉をアップロードする (↔ download). ──**名 Ⓤ©** アップロード.
up·mar·ket /ʌ́pmάːrkɪt/ **形**《英》＝upscale.
*up·on /**副** əpάn,《米+》əpɔ́ːn| əpɔ́n;時に《弱》əpən/ [もと on の強意用法].
──**前** ＝on.

> **語法** (1) upon の方が on よりも文語的だが,どちらを使うかはリズムによって決定されることも多い.
> (2) 次のような句では常に upon が用いられる: *upon* my word《古》誓って / depend *upon* it 確かに / *once upon* a time 昔々.

*up·per /ʌ́pər/《もと up の比較級》
──**形**《◆比較変化しない》[名詞の前で] **1**(場所・位置の点で2つのもののうち)**上の(方の)**,高い方の,上部の(↔ lower) ‖ He wears a mustache on his *upper* lip. 彼は鼻の下にひげを生やしている.
2(地位・階級などが)**上位の**,上級の,上流の(↔ lower) ‖ She was promoted to the *upper* rank. 彼女は上の階級に昇進した.
3 [通例 U～]《地理・考古》上部の,後期の ‖ *Upper* Cambrian 後期カンブリア紀. **4 a** 上流の,奥地の ‖ the *upper* (reaches of the) Amazon アマゾン川上流. **b** 高地の. **c**《米》北部の.
──**名 ©1**[通例 ～s](靴の)甲皮(ジャ). **2**《米略式》(船室・寝台車の)上段の寝台. **3**《俗》[～s] 覚醒(*^{*})剤,(主に)アンフェタミン.

úpper cáse 大文字(で書くこと)《略》u.c., uc (cf. lower case).
úpper chámber [時に U～ C-] [the ～] (二院制

úpper-class [the ~(es); 集合名詞的に; 単数・複数扱い] (議会の) 上院.

úpper cláss [the ~(es); 集合名詞的に; 単数・複数扱い] 上流階級 [社会] (cf. upper-class).

úpper crúst (略式) [the ~; 集合名詞的に; 単数・複数扱い] 上流階級 (の), 貴族階級 (の).

úpper hánd 優勢, 優位, 支配 ‖ have [get, gain, win] *the upper hand* (略式) 〈人・感情などが〉〈人より〉優勢となる, 〈人を〉支配する(*of, over, on*).

úpper míddle cláss 上流中産階級.

up·per-class /ʌ́pərklæ̀s | -klɑ̀ːs/ 形 **1** 上流階級の (cf. upper class). **2** (米) 〈高校・大学の〉上級 [3, 4年] の.

up·per·cut /ʌ́pərkʌ̀t/ 名 C 《ボクシング》 アッパーカット.
— 動 (過去·過分) **up·per·cut; --cut·ting** 自 他 〈相手に〉アッパーカットを食わす.

†up·per·most /ʌ́pərmòʊst/ 形 (正式) **1** (位置・地位・階級が) 最高の, 最上の (↔ lowest) ‖ the *uppermost* floor 最上階. **2** 最も重要な [有力な].
— 副 **1** 最も高い所に [で]. **2** 真っ先に.

up·raise /ʌpréɪz/ 動 他 ...を持ち上げる, 高くする.

up·rear /ʌpríər/ 動 他 **1** ...を持ち上げる. **2** ...を立てる, 建てる. — 自 上がる.

†up·right /ʌ́pràɪt, -́-́/ 形 **1** 〈人・物が〉直立した; (いつも) 背筋の伸びた ‖ hold oneself *upright* 直立の姿勢をとる. **2** (正式) 〈人・性格などが〉正直な (honest), (道徳的に) 正しい; 〈行為が〉公正な (fair) ‖ He is always *upright* in his business affairs. 彼は商売ではいつも正直だ.
— 副 (上方に) まっすぐに, 直立して ‖ thrust the tent pole *upright* テントポールをまっすぐ差し込む.
— 名 **1** U 垂直 (な状態). **2** C まっすぐなもの〈支柱など〉. **3** C (略式) = upright piano.

úpright piáno 竪(たて)型ピアノ.

úp·right·ness 名 U **1** 直立. **2** (正式) 正直, 高潔.

†up·ris·ing /ʌ́pràɪzɪŋ/ 名 (正式) **1** C (ふつう局地的な) 反乱, 暴動 (riot). **2** C U 起床, 起立.

†up·roar /ʌ́prɔ̀ːr/ 名 U [時に an ~] 大騒ぎ, 騒動; わめき叫ぶ声 ‖ The meeting was thrown into an *uproar*. 会議は大騒ぎになった.

up·roar·i·ous /ʌprɔ́ːriəs/ 形 (正式) **1** (主に笑い声で) 騒がしい, 〈笑い声などが〉やかましい, とても大きい. **2** 〈話などが〉とてもおかしい, 爆笑を誘う.

up·róar·i·ous·ly 副

†up·root /ʌprúːt/ 動 他 **1** 〈人・風などが〉〈植物を〉根こそぎ引き抜く (+*up*) ‖ The typhoon *uprooted* some of the trees along the street. 台風でその通りの街路樹が何本か根こそぎにやられた. **2** 〈人・事件などが〉〔親しんだ場所・職業などから〕〈人を〉追い立てる, 強制的に退去させる〔*from*〕 ‖ *uproot* the inhabitants *from* their town 住民を町から退去させる. **3** 〈悪習・貧困などを〉根絶する, 絶滅する.

up·scale /ʌpskéɪl/ 形 (米) 上流 [高所得] 階級の ((英) upmarket).

†up·set /動 ʌpsét; 名 ʌ́pset; 形 -́-́, ʌ́-/ 動 (過去·過分) **up·set; --set·ting** 他 **1 a** 〈人・動物などが〉〈物を〉ひっくり返す; 〈船などを〉転覆させる (◆**overturn** より堅い語) ‖ *upset* a vase 花びんをひっくり返す / The cat *upset* a glass of milk. ネコがミルクの入ったコップをひっくり返した. **b** (容器を倒したり触れたりして) ...をこぼす, 散乱させる ‖ She *upset* her tea. 彼女はお茶をこぼした. **2 a** 〈事が〉〈計画などを〉だめにする, 狂わす, めちゃくちゃにする ‖ The rain *upset* all our holiday plans. 雨で休日の計画はすべてふいになった / His sudden visit *upset* our schedule. 彼が急に訪ねて来たので私たちの予定は狂った. **b** 〈組織・均衡などを〉くつがえす ‖ *upset* a government 政府を倒す. **c** 〈予想などを〉くつがえす ‖ The data *upset* most expectations. そのデータは大方の予想に反する. **3 a** 〈人・事が〉〈人〉の心を乱す, ...をうろうろさせる; 〈心・神経などを〉(一時的に) かき乱す ‖ The bad news *upset* her greatly [very much]. その悪い知らせを聞いて彼女はひどくうろうろした / Losing my way *upset* me badly. 道に迷って私はひどくうろうろした. **b** [be [get] upset] 〈人が〉[...に] 取り乱している [取り乱し], うろたえる, 落ち込む [*about, over, with*, その節] 〈◆この upset は形容詞化している〉 ‖ She's very *upset about* not finding a job. 彼女は仕事が見つからなくてむしゃくしゃしている (⊃文法 12.4) / George *was upset that* we did not invite him. ジョージは私たちが彼を招待しなかったことで心中穏やかでなかった. **4 a** 〈食物が〉〈胃・消化〉の調子を狂わせる, 〈人の体調を〉狂わせる ‖ Milk always *upsets* my stomach. 牛乳を飲むといつも私は胃の調子がおかしくなる. **b** [be upset] 〈胃などが〉異常である, 不調である ‖ My stomach *is upset* from eating too much. 食べすぎで胃の調子が悪い. **5** (米) 〈政敵・競技相手を〉(予想に反して) 打ち負かす ‖ The low ranking wrestler *upset* the Yokozuna on the first day of the Grand Sumo tournament. 大相撲の初日に下位の力士が横綱を破った.
— 自 ひっくり返る, 転覆する.
— 名 **1** C U 転倒, 転覆. **2** C U 混乱, 乱れ. **3** C (略式) (体の) 不調 ‖ have a stomach *upset* 胃の調子が悪い. **4** C 予想外の敗戦 (試合), 意外な結果.
— 形 転覆した, ひっくり返った ‖ an *upset* boat 転覆したボート.

†up·shot /ʌ́pʃɑ̀t | -ʃɔ̀t/ 名 [(the) ~] **1** (略式) (最終) 結果, 結末, 結論 (outcome) ‖ the *upshot* of the investigation 調査の結果. **2** (議論などの) 要点.

†up·side /ʌ́psàɪd/ 名 C **1** 上側, 上部 ‖ the *upside* of an iceberg 氷山の上部. **2** (ふつう悪い状況の中での) よい面 (↔ downside).

***úpside dówn** (1) (上下) さかさまに(inside out) ‖ hold a glass *upside down* コップをさかさまに持つ / He turned the table *upside down*. 彼はテーブルをひっくり返した. (2) (略式) 混乱して, ごたごたと ‖ She turned her room *upside down* looking for the key. 彼女はかぎを捜して部屋をひっかき回した. (3) 完全に, すっかり.

up·side-down /ʌ́psaɪddaʊ̀n/ 形 **1** さかさまの, ひっくり返った ‖ *upside-down* pages さかさまに印刷されたページ. **2** (略式) 混乱した, めちゃくちゃの ‖ an *upside-down* world 混沌(こんとん)とした世の中.

up·si·lon /júːpsəlɑ̀n, ʌ́p-, -sələn | juːpsáɪlən/ 名 U C イプシロン《ギリシャアルファベットの第20字 (u, Υ). 英字の u, U または y, Y に相当》. → Greek alphabet).

up·stage /ʌpstéɪdʒ/ 副 舞台の奥 [後方] で [へ].
— 動 **1** 〈役者が〉舞台の奥に動き 〈共演者〉に観客に背を向けさせる (て自分の方に注目を集める). **2** (略式) 〈人・物から〉人の注目 [関心] を奪う, 人気をさらう.

:up·stairs /ʌ́pstéərz/ 〖上の (up) ＋階段(stairs)〗 (↔ downstairs)
— 副 《比較変化しない》 **1** 階上へ [で]; 2階 [3階]

へ[で] ‖ *go upstairs* to the bedroom 階上[2階]の寝室へ行く《◆英米では寝室はふつう2階にあるので, *go upstairs* だけでも時に *go to bed* と同じ意になる》/ Don't run *upstairs*. 2階で走るな；2階へ走って上がるな.
2 (略式) **a** 一段と高い地位へ[で]. **b** (主に飛行機で)(いっそう)高い所へ[で].
kíck A *upstáirs* (略式)〈人〉を(名目だけの地位に)祭り上げる, ていよく追い払う.
──形 [名詞の前で] 階上の, 2階の ‖ an *upstairs* kitchen 階上の台所.
──名 (略式)[(the) ~] 階上(の部屋), 上り階段《◆1つの階をさすときは単数扱い, ある階より上の階全部をさす時は複数扱い》；(2階建てバス(double-decker)の)2階(cf. downstairs).

up·stand·ing /ʌpstǽndiŋ/ 形 (正式) **1** 直立した；がっしりした体格の, 強健な. **2** 正直な, りっぱな.

up·start /ʌ́pstɑ̀ːrt/ (略式) 名 © 形 成り上がり者(の), 成金(の).

†**up·stream** /ʌ́pstríːm/ 副 川上へ[で], 上流へ[で], 流れをさかのぼって(↔ downstream) ‖ row a boat *upstream* 流れに逆らってボートをこぐ. ──形 上流(へ)の, 流れをさかのぼる.

up·surge /ʌ́psə̀ːrdʒ/ 名 © (感情などの)急激な高まり, 盛り上がり；急増.

up·take /ʌ́ptèik/ 名 **1** © (煙・ガスなどの)吸い上げパイプ, 通風管. **2** ⓤ (体への)吸収, 摂取. **3** (略式) [the ~] (主に新しいことの)理解, のみ込み.

up·tight /ʌ́ptáit/ 形 (略式) **1** […に]緊張した, 神経質な；怒った(*about*). **2** 貧困な, 経済的に逼迫(ひっぱく)した. **3** (米) 保守的な.

*up-to-date /ʌ́ptədéit/ 〖本日(date)まで(up to)〗
──形 (more ~, most ~) **1** 最新(式)の, 時代に遅れない(↔ out-of-date)；最新の情報[事実など]に基づいた《◆補語として用いる場合や修飾語のない時はふつうハイフンなしの up to date を用いる. → up to DATE》‖ an *up-to-date* catalogue 最新のカタログ/ This method is very *up-to-date*. この方法は最新式だ/ I want an *up-to-date* cellular phone. 私は最新式の携帯電話が欲しい. **2** 現代的な, 当世風の.

up·town /副名 ʌ́ptáun；形 ~/ (米) 副 (都市の)山の手へ[で], (都心から遠く離れた)住宅地区へ[で](cf. downtown). ──形 山の手の, 山の手にある. ──名 © 山の手, 住宅地区.

†**up·turn** /動 ʌptə́ːrn；名 ~/ 動 他 **1**〈土地などを〉掘り返す, ひっくり返す. **2** ~を混乱させる. **3** ~を上に向ける. ──自 ひっくり返る；上に向く. ──名 © **1** 大変動, 激変, 激動. **2** 上がること；(…の)上昇, 向上, 好転(*in*) ‖ an *upturn* in the country's economy 国家経済の好転/ tàke an *uptúrn* 上向きになる/ màke a sudden *uptúrn* 急上昇する.

up·turned /ʌptə́ːrnd/ 形 **1** 先が上を向いた. **2** ひっくり返った.

UPU 略 Universal Postal Union 万国郵便連合.

†**up·ward** /ʌ́pwərd/ 副 (主に米)《◆(主に英)では upwards》**1** 上の方へ, 上向きに(↔ downward) ‖ look *upward* 上の方を見る/ lie face *upward* あお向けに寝る. **2** (地位・階級・身分などが)上の方へ, 上位へ ‖ struggle one's way *upward* from poverty 苦労して貧困からはい上がる. **3** 過去へさかのぼって.
from A *úpward* (1)〈年齢・時代〉以降 ‖ from childhood *upward* 子供のころから後. (2)〈数〉以上. (3)〈部位〉から上の方へ.
upward of A (略式)〈数・量〉A以上(more than).
──形 上向きの, 上の方へ動く[向かう]；高い位置にある ‖ the *upward* tendency 上昇傾向 / She cast him an *upward* glance. 彼女はうわ目づかいに彼に視線を向けた.

†**up·wards** /ʌ́pwərdz/ 副 (主に英) =upward.

up·wind /ʌ́pwínd/ 副 風上に[の], 逆風で[の](↔ downwind).

U·ral /júərəl/ 名 **1** [the ~] ウラル川《カスピ海に注ぐ》. **2** [the ~s] =**the ~ Mountains** ウラル山脈《ロシアの中央を南北に走り, アジアとヨーロッパの境となす》. ──形 ウラル川[山脈]の.

U·ral-Al·ta·ic /júərəlæltéiik/ 形 ウラル山脈とアルタイ山脈の(住民の)；ウラル=アルタイ語族の. ──名 ⓤ ウラル=アルタイ語族.

†**u·ra·ni·um** /juəréiniəm/ 名 ⓤ (化学) ウラニウム, ウラン《放射性元素の1つ. 記号 U》.

U·ra·nus /júərənəs, jɔ́ːr-, juréinəs/ 名 **1** 〖ギリシア神話〗ウラノス《天の神で宇宙の初期支配者》. **2** 〖天文〗天王星《太陽系の第7惑星》.

†**ur·ban** /ə́ːrbn/ 形 (正式) 都市の, 都会の, 町の；都市に住む；都市特有の(↔ rural) ‖ I do not like *úrban* life. 私は都会生活は好きではない/ What is the most serious *urban* problem? 最も深刻な都市問題は何ですか.

úrban guerrílla 都市ゲリラ.

úrban renéwal 都市再開発.

úrban spráwl 都市スプロール現象《都市化が徐々に無秩序に広がっていくこと》.

ur·bane /əːrbéin/ 形 (時に ~r, ~st) (正式) 都会風の；洗練された, あか抜けした.

†**ur·chin** /ə́ːrtʃɪn/ 名 **1** © (やや古) わんぱく坊主, 悪がき. **2** © 動 ウニ(sea urchin).

-ure /-jər/ ◆/j/ はふつう, 先行する /t, d, s, z/ と融合し, それぞれ /tʃ, dʒ, ʃ, ʒ/ となる》語要素 →語要素一覧 (2.1).

u·re·a /juəríːə, júəriə/ 名 ⓤ (化学) 尿素.

†**urge** /ə́ːrdʒ/ 動 他 **1a** [urge A to do / urge A's doing]〈人が〉A〈人など〉を~するよう説得する, 催促する；[urge (that)節] …だと強く迫る ‖ He *urged* her to work hard. =He *urged* that she (*should*) work hard. 彼は彼女によく働くように強く言った《◆should を用いるのは(主に英). →文法 9.3》.
b〈人・事が〉〈人などに〉[行為・状態へ]促す(*to*) ‖ *urge* him *to* more caution 彼にいっそうの注意を促す. **2**〈人が〉〈人・馬・心などを〉せきたてる, かりたてる《◆方向を示す副詞(句)を伴う》‖ *urge* the children *toward* the exit 子供たちを出口の方へ急がせる/ The boy *urged* the cows on [*forward*, *along*] with a stick. 少年は棒で牛を追いたてた. **b**〈事業などを〉強力に推し進める, 推進する ‖ *urge* an enterprise *onward* 事業を推進する. **3** (正式) [urge A (on [upon] B)]〈人が〉A〈重要性・必要・行動などを〉(B〈人〉に)力説する, 強く主張する[勧める](stress)；[…ということを]主張する[*that*節] ‖ She *urged* (on them) the importance of studying. 彼女は(彼らに)勉強することの重要性を力説した/ I *urge* the adoption of the new law =*urge that* the new law (*should*) be adopted 新しい法律を採用することを主張する《◆ should を用いるのは(主に英). →文法 9.3》.

──名 © [通例 an/the ~] […したいという/…への]衝動, かりたてられる欲望(*to do* / *for, to*) ‖ *hàve*

urgency 1674 **use**

an *úrge to* grab a gun 銃を握りたい気持ちにかられる / She felt [got] a sudden *urge to* go to the toilet. 彼女は急にトイレに行きたくてたまらなくなった / *have* an *urge for* a coke コーラを無性に飲みたくなる.

ur·gen·cy /ə́ːrdʒənsi/ 名 **1** 緊急(性), 切迫 ‖ a matter of great *urgency* 非常に緊急な事 / a sense of *urgency* 緊急性. **2** 強要, しつこさ.

†**ur·gent** /ə́ːrdʒənt/ 形 **1**〈物・事が〉急を要する, 緊急の, 切迫した; 〔…に〕緊急に必要とする〔in〕‖ go back on *urgent* business 急用で戻る / If anything *urgent* comes up, tell me. 何か急なことが起これば私に知らせてください / It is most *urgent that* they (*should*) be given food. 彼らに食べ物を与えることが最も急を要することだ(◆*should* を用いるのは〔主に英〕9.3). **2**〔正式〕〈要求などが〉執拗(らう)な ‖ *urgent* demands 執拗な要求 / fend off his *urgent* pleas 彼のしつこい嘆願を適当にあしらう.

†**ur·gent·ly** /ə́ːrdʒəntli/ 副 **1** 差し迫って, 緊急に ‖ She was *urgently* needed at the scene of the accident. 彼女は事故現場に緊急に呼ばれた. **2** しつこく, 執拗(らう)に.

u·ric /júərik/ 形 尿の.

u·ri·nal /júərənl | juəráinl/ 名 C 〔正式〕**1** 男子用便器; 小便所. **2** しびん.

u·ri·nar·y /júərənèri | -nəri/ 形 〔正式〕尿の, 泌尿器の ‖ *urinary* organs 泌尿器.

u·ri·nate /júərənèit/ 動 自 〔正式〕放尿[排尿]する, 小便をする.

u·rine /júərin/ 名 U 尿, 小便.

URL 略 〔インターネット〕uniform resource locator ユーアールエル《ウェブサイトのアドレス》.

†**urn** /ə́ːrn/ 名《同音》earn》名 C **1**(装飾的な脚・台座付きの)つぼ, かめ. **2** (古代ギリシア・ローマの)骨つぼ; 〔詩〕墓. **3** (蛇口のついた金属製の)コーヒー[紅茶]沸かし.

u·ro- /júərou-/ 〔語要素〕→語要素一覧(1.6).

Úr·sa Májor /ə́ːrsə-/ 名 〔天文〕おおぐま座 (the Great Bear).

Úr·sa Mínor /ə́ːrsə-/ 名 〔天文〕こぐま座 (the Little Bear).

U·ru·guay /júərəgwài, 〔米+〕-gwèi/ 名 **1** ウルグァイ《南米南東部の国. 正式名 Oriental Republic of Uruguay (ウルグァイ東方共和国). 首都 Montevideo》. **2** [the ~] ウルグァイ川.

Úruguay Róund 〔開催地名から〕ウルグァイラウンド《ガット(GATT)加盟国の行なった多角的貿易交渉》.

****us** /(弱) əs, s; (強) ʌ́s/ 〔we の目的格〕《**●**文法 15.3(3)》
— 代 **1**〔包括的 we の目的格〕私たち(を), 私たち(に), 我々(を, に)‖ He read *us* an interesting book. 彼は私たちに面白い本を読んでくれた / With *us* today for this program is Thomas Brown, professor at Yale University. 今日この番組に出ていただいたのはエール大学教授トマス・ブラウン氏です. **2**〔除外の we の目的格〕私たち(を, に)‖ Won't you play baseball with *us*? 僕らと野球をしないか. **3**〔総称の we の目的格〕人(に), 我々(に, を)‖ There is no knowing what will happen to *us*. 我々の身に何が降りかかるかわからない. **4**〔略式〕〔会社・乗物の we の目的格〕我々の会社〔車, など〕‖ The car overtook *us* [our car]. その車は我々の車に追いついた. **5**〔君主の we の目的格〕朕(ん)(を, に)《◆me の代

用》. **6**〔編集者の we の目的格〕我々(を, に). **7**〔親心の we の目的格〕あなた(を, に)《◆you の代用》. **8**〔略式〕〔we の代わりに; 独立的に用いて〕《**◉対話**》"Who made the cake?" "*Us*." 「だれがケーキを作ったの」「私たちです」(= *We* did.).

†**US** 略 [the ~] United States.

†**USA** 略 [(the) ~] United States (of America) 《◆正式には the をつける》.

us·a·ble, use·a·- /júːzəbl/ 形 使用できる; 使用に適した.

USAF 略 United States Air Force 米国空軍.

†**us·age** /júːsidʒ, júːz-/ 名 **1** C U〔言語の〕慣用法, 語法 ‖ modern American *usage* 現代米語語法. **2** U 〔正式〕(物の)使い方, 使用, 取り扱い(方), 処理. **3** C U 〔正式〕慣習, 慣例, しきたり; 〔法律〕慣行 ‖ a *usage* of the last 50 years 50 年来の慣習.

USB 略 〔コンピュータ〕universal serial bus ユーエスビー《コンピュータと周辺機器をつなぐバス規格およびその装置》.

:**use** /動 júːz; 名 júːs/ 〖『ある目的のために物を役立てる』が本義〗派 usable (形), used (形), useful (形), useless (形), user (名)

📓 【発音注意】
use 動 /júːz/ 名 /júːs/
used 形 **1** 慣れている /júːst/
2 中古の /júːzd/
useful, useless /júːs-/
user /júːzər/

index 動他 **1** 使う, 用いる **2** 働かせる **3** 費やす **4** 扱う
名 **1** 使用 **2** 使いみち **3** 役に立つこと

— 動 (~s/-iz/; 過去・過分 ~d/-d/; us·ing)

I 〖物を使う〗

1 〈人などが〉〈道具・器具・場所などを〉〔…のために/…するために/…として〕**使う**, 用いる, 使用する, 利用する〔*for* / *for doing* / *as*〕《◆utilize よりロ語的》《◇トイレ・電話などを(一時的に)借りる 〔使い分け〕 → borrow 他 1）‖ I *use* a pen *for* writing 書くのにペンを使う / May I *use* [borrow] your telephone? 電話をお借りしてもいいですか / *Use* this opportunity. この機会を利用しなさい / Please *use* the side entrance. (掲示)脇の入口からお入りください / He *used* her suitcase *as* a table. 彼は彼女のスーツケースをテーブルとして用いた.

2〈人が〉〈能力・год などを〉**働かせる**, 行使する, 使う ‖ *use* one's common sense [imagination, judgment] 常識〔想像力, 判断力〕を働かせる / *use* one's brain(s) [ears, eyes, legs] 考える[聞く, 見る, 歩く].

3〈人などが〉〈金・燃料などを〉**費やす**, 消費する; …を使い尽くす(+*up*)‖ This car *uses* a lot of gas. この自動車はガソリンがよく食う / How much electricity do you *use* in a month? お宅は 1 か月にどのくらい電気を使いますか / We *used up* all the butter at breakfast. 朝食時にバターを全部使ってしまった.

II 〖人を使う〗

4a〔正式〕〈人が〉〈人・動物を〉扱う, あしらう(treat, behave toward)‖ I was badly [ill] *used*. 私

は冷遇された / He *used* the workers cruelly. 彼は労働者を酷使した. **b**《略式》〈人〉を悪用する, 利用する. **c**〈人〉を起用する ‖ It may be a good idea to *use* her on the show. そのショーに彼女を使うのはいい考えかもしれない.
─── 自 1 使用する《◆目的語の省略》 ‖ Shake well before *using*.《薬の服用法の指示》使用前によく振ること. **2** → used TO.
could úse 《略式》**(1)**[遠回しに]〈物〉が欲しい, いただけるとうれしいんだが(want);〈行為〉をするとよくなるんだが, …しても悪くない(《英》could do with A, feel like A) ‖ I *could use* something cold to drink. 何か冷たい飲み物が欲しい / I *could use* some help. 助けてほしいんだけど《◆I *could use* some money. の意味》. **(2)**…が必要だ(need) ‖ Your stockings *could use* a wash. お前の靴下は(汚れているから)洗わなくちゃ.
úse úp [他] **(1)** → 他 **3**. **(2)**《略式》[通例 be ~d]〈人〉を疲れ果てさせる.
─── 名 /júːs/【発音注意】《類音》youth /júːθ/《複》**~s** /júːsiz/ **1**Ⓤ 使うこと, 使用, 使用[利用]されている状態 ‖ This room is for the *use* of girls. この部屋は女の子が使うためにあるのです / This typewriter wore out through constant *use*. このタイプライターは絶えず使用されてだめになった / for external *use* only 外用のみ《◆薬の注意書きとして用いる》 / The *use* of electricity was strictly restricted during the war. 戦時中は電気の使用が厳しく制限された / by (the) *use* of ... を使って.
2ⓊⒸ[…の]使いみち, 用途, 使用目的〔for〕 ‖ This tool has many *uses*. この道具はいろいろな用途がある / Can you find a *use* for this bottle? このびんの使いみちを見つけられますか.
3Ⓤ[しばしば疑問文・否定文で]役に立つこと, 効用, 有用 ‖ 「What is the *use* of [What *use* is] my going there? =It's no *use* my going there. 私がそこへ行って何の役に立つのですか.
4Ⓤ 使用する能力, 機能 ‖ She has lost the *use* of her right hand. 彼女は右手が使えなくなった. **5**Ⓤ 使用する権利 ‖ My father gave me the *use* of his car. 父は私に自分の自動車を使わせてくれた. **6**Ⓤ[時にa ~]使い方, 用法 ‖ the correct *use* of the tool その道具の正しい使い方 / a poor *use* of one's time 時間のまずい使い方. **7**Ⓤ[…を]使用する必要[機会]〔for〕 ‖ Do you have any *use* for another room? あなたはもう1部屋使う必要があるのですか. **8**ⓊⒸ《正式》習慣, 習わし, しきたり.
*__be in úse__ 使用されている ‖ That car *is* still *in use*. あの自動車は今なお使われている.
__be óut of úse__ 使用されていない.
*__cóme into úse__ 使われ始める ‖ When did the video recorder *come into* common *use*? ビデオテープレコーダーはいつ一般に使われ始めましたか.
__for úse as ...__ =for ... úse …として使用するために.
*__gò [fàll] óut of úse__ 使用されなくなる, すたれる ‖ Swords have *gone out of use* in the army. 軍隊では刀は使われなくなっている.
*__háve nó úse for A__ **(1)**〈人・物〉の必要がない, …に用はない ‖ I *have no* further *use for* this car. この車にはもう無い. **(2)**《略式》〈人・物〉が大嫌いだ(dislike), …には我慢できない, …を軽蔑(ゖい)する(despise) ‖ I *have no use for* you. 君とは絶交だ; もう付き合わない.
*__it is (of) nó úse doing [to do]__《略式》…して

もむだである《◆ふつう of は省略. there is no *use* (in) doing ともいう》 ‖ *It is* no *use* crying over spilled milk.《主に英》*spilt*] *milk*. 《ことわざ》こぼれた牛乳を嘆いてもどうにもならない;「覆(ゎ)水盆に返らず」《◆Crying over spilled milk is no *use*.
*__màke úse of A__ **(1)**〈物〉を使う, 利用する《◆(1) *use* を good, the best, wide, frequent などで修飾することもある. (2) *use* を主語にして受身形可》 ‖ *Make* full *use of* your chance. チャンスを最大限に生かしなさい. **(2)**〈人〉を食いものにする.
*__of úse__《正式》[…にとって]役に立つ, 有用な(useful)〔to〕《◆ふつう *use* に形容詞がつく》 ‖ You will soon find it *of* some *use*. やがてそれが少しは役に立つことがわかるでしょう / Your idea was of great [×much] *use*. あなたの考えはとても役に立った《◆ 肯定文では much は不可》.

[語法] [of の有無] **(1)** some, any, no と連語する場合は of の省略可: (of) some [any, no] *use*. **(2)** great, little と連語する場合は省略不可: of great [little] *use*.

__pùt [túrn] A to góod úse__ 〈物・人〉を有効に使う.
*__pùt A to úse__ =pùt A to úse A〈物・人〉を使う, 利用する ‖ Can you *put* this old motorbike *to use*? この古いオートバイは使えるようにできますか.
__thère is nó úse (in) doing__ =it is (of) no USE doing [to do].
use·a·ble /júːzəbl/ 形 =usable.
úse-by dàte /júːzbai-/ 使用日[賞味]期限(の日付).
*__used__ /1 júːst, to の前で júːs-t; 2 júːzd/《→ use》
─── 形 (more ~, most ~) **1**[be used *to* A]〈人・動物・感覚器官など〉事・物・人に慣れている(accustomed)《◆「慣れる」という意の状態への変化を表す場合は be 動詞の代わりに become, get また時に grow を用いる. cf. use to》〔to〕 ‖ They *are* not *used to* farm work. 彼らは畑仕事には慣れていない / You'll soon *get used to* sleep*ing* in this bed. このベッドで眠るのにもすぐ慣れるでしょう.
2 /júːzd/ [通例名詞の前で] **a** 中古(品)の(secondhand) ‖ a *úsed* cár 中古車. **b** 使用[利用]された.
used·n't /júːsnt, to の前で júːsnt/ 《主に英正式》used not の短縮形(→ used to 語法 (1)).
*__used to__ /子音の前 júːstə, 母音の前 -tu/ 【発音注意】《use 過 の過去形から》
─── 助 [過去の習慣] (以前は)よく…したものだ;[過去の状態](かつては)…だった《(1) かなり長期間にわたったことについて用い, 今はそうでないことを含意するのがふつう. (2) be [get] used to + 名詞[動名詞]は「…に慣れている[慣れる]」. → used 1》 ‖ I *used to* go fishing every Sunday. 日曜日にはいつも釣りに行ったものだ《◆過去の習慣を表す》 / I *used to* like vegetables. 昔は野菜が好物だった / There *used to* be an old apartment house around here. 昔このあたりに古いアパートがあった《◆前例と同様過去の状態を表す》.

[語法] **(1)**[疑問文と否定文] use(d) を用いる次のような疑問文・否定文は《古》:「*Used* he [*Did* he *use*] to be as slim as he is now? 彼は昔も今のようにスマートでしたか / He *usen't* [*didn't use*] to be so slim as he is now. 彼は昔は今ほどス

マートでなかった. use(d) を用いないで, Was he as slim as he is now? / He wasn't so slim as he is now. などのようにいう方がふつう.

(2) ■ [used to と期間[回数]を示す副詞句] used to は, 具体的な期間・回数を示す副詞句と共には使えない. これは次の used to と同じ: ＊I used to go fishing *twenty times*. / ＊I used to live in London *for five years*. 《◆ many times, often とか many years のように漠然とした回数・期間であれば可. would も同様(→ would 形4)》.

＊use・ful /júːsfl/ [⇒ use] 発 usefully (副)
――形 (more ~, most ~) **1** 〔人に/事・物に〕役に立つ, 有用な〔to/for〕(⇔ useless) ‖ She gave me a *useful* suggestion. 彼女は役に立つヒントを与えてくれた / A microwave oven is *useful* for cooking. 電子レンジは料理をするのに便利だ / These tools are very *useful* to us. この道具は私たちにはとても役に立つ(= ... are of great *use* to us.) / I think *it* is *useful* to take some vitamins as supplements. 栄養補助食品としてビタミンを取るのは有益だと思う.
2 〔略式〕すごく立派な; とても効果的な ‖ a *useful* performance 立派なできばえ.
còme in úseful (思いがけなく)役立つようになる.
máke oneself **úseful** 役立つ.

†use・ful・ly /júːsfli/ 副 有効に, 役に立つように, 有益に.

use・ful・ness /júːsflnəs/ 名 Ⓤ 役に立つこと, 有用, 有効性 ‖ This machine has lost its *usefulness*. この機械は役に立たなくなった. **outlíve [outlást]** one's **úsefulness** 古くなり[年をとり]役に立たなくてもまだ存在して[生きて]いる.

＊use・less /júːsləs/
――形 **1** 〈物が〉〔人に/事・物に〕役に立たない, 無用な〔to/for〕《◆ 比較変化しない》(⇔ useful) ‖ throw *useless* things 役に立たないものを捨てる / This English dictionary is *useless* to beginners. この英語の辞書は初心者には役に立たない / This knife is *useless* for cut*ting* meat. このナイフは肉を切るのは役に立たない / Both limbs on his left side became *useless*. 彼は左の手足の自由が利かなくなった. **2** 無益な, むだな《◆ 比較変化しない》 ‖ It is *useless* 'to talk [talk*ing*] to her. 彼女に話してもむだだ《◆ to talk の方がふつう》 / He gave *useless* advice to her. 彼は彼女に忠告したがむだであった. **3** 〔略式〕〈人が〉何もできない, 劣っている, 愚鈍な.

úse・less・ness /-nəs/ 名 Ⓤ 無用, 無益.
use・less・ly /júːsləsli/ 副 むだに, 無益に.
use・n't /júːsnt, noʊ sntː/ =usedn't.
†us・er /júːzər/ 名 Ⓒ 使用者, 利用者, 消費者; 使用するもの ‖ a road *user* 道路使用者.
úser-friendly =user-friendly.
úser interface 〔コンピュータ〕ユーザーインターフェース《ユーザーがコンピュータを利用するための情報の受け渡しの仕組みや規約, ハード, ソフトの総称》.
úser nàme =username.
úser suppòrt 〔コンピュータ〕ユーザーサポート《製品に対するサポートやサービス》.
us・er-friend・ly /júːzərfréndli/, **úser fríendly** 形 使いやすい, (利用者にとって)わかりやすい, ユーザーフレンドリーな ‖ This dictionary is very *user-friendly*. この辞書はとても使いやすい.
us・er・name /júːzərnèim/, **úser nàme** 名 Ⓒ 〔コンピュータ〕ユーザーネーム.

†ush・er /ʌ́ʃər/ 名 Ⓒ **1** (教会・劇場・競技場などの)(座席への)案内人. **2** (法廷などの)門番. **3** (米)(結婚式の)男の付き添い人.
――動 他 〈人〉を〔…へ〕案内する〔to, into〕; 〔…から〕外へ誘導する〔*out of*〕 ‖ He *ushered* us *to* our seats. 彼は私たちを席へ案内してくれた.
úsher ín [他] (1) 〈時・時代など〉の先がけとなる, 到来を告げる ‖ The launch of Sputnik *ushered in* the space age. スプートニクの打ち上げは宇宙時代の到来を告げた. (2) 〈客など〉を中へ案内する.

USIA 略 United States Information Agency 米国情報局《◆ 1978年に ICA (国際交流局)に吸収》.
us・ing /júːzɪŋ/ 動 ⇒ use.
†USSR 略 [(the) ~] Union of Soviet Socialist Republics 《◆ 正式には the をつける》(→ Soviet Union) (cf. Russian).
USTR 略 United States Trade Representatives 米国通商代表部.
usu. 略 usually.

＊u・su・al /júːʒuəl, júːʒl/ 〖「習慣化した」が本義. cf. use 名 8〗 発 usually (副)
――形 (more ~, most ~) 〔…には〕いつもの, 平素の, 通例の〔with, for〕(⇔ unusual) ‖ That's not the *usual* procedure. それはいつもの手順と異なっている / Such conduct is quite *usual with* old people. そのような行ないは老人にはまったくよくあることです / It is not *usual for* him *to* drink coffee with sugar in it. 彼がコーヒーに砂糖を入れて飲むのはいつもはいつもではない.
＊as is úsual with A 〈人・物〉にはよくあることだが《◆ 文頭・文尾・文中いずれにも用いる》 ‖ *As is usual with* him, he left his umbrella on the bus again. 彼にはよくあることだが, またかさをバスに置き忘れた.
＊as úsual いつものように, 例のとおりに ‖ *As usual*, we had nice weather on Culture Day. 例によって文化の日は晴れだった / She arrived late *as usual*. いつものように彼女は遅れて着いた.
than úsual [比較級の後で]いつもより ‖ There are more people present *than usual*. いつもよりたくさんの人が出席している.
――名 [英略式] [the/one's ~] いつもの事, お決まりのもの《飲み物・食事など》.

＊u・su・al・ly /júːʒuəli, júːʒli/ [⇒ usual]
――副 ふつうは, 通例, いつもは(➡文法 18.2) ‖ We *usually* go for a walk on Sunday. 私たちはふつう日曜日に散歩に行く(=It is *usual* for us to go ...) / 〔対話〕 "What do you *usually* do on Sundays?" "I go fishing if the weather is nice." 「日曜日にはたいてい何をするんですか」「天気がよければ釣りに行きます」.

■語法■ (1) ふつう一般動詞の前, またはbe動詞・助動詞の後に用いるが, be動詞・助動詞を強める時は, その前に置く. 前に述べた言葉と対比する場合には文頭に, また強調のため文尾に用いることもある.

(2) 否定の場合は not の後に置く: She doesn't *usually* have coffee for breakfast. 彼女はふだん朝食にはコーヒーを飲まない / He isn't *usually* busy on Sunday mornings. 彼はたいてい日曜日の午前中は忙しくない. ただし, be動詞の場合,

usually を be の前に置くこともある: He *usually* isn't busy on Sunday mornings.

u·sur·er /júːʒərər/ 图 (古) 高利貸し.
u·su·ri·ous /juːʒúəriəs | -zjúə-/ 形 (正式) 高利貸しの; 高利貸し特有の; (価格が)法外な.
†**u·surp** /juːsə́ːrp, -zə́ːrp | -zə́ːp/ 動 他 (正式) **1** 〈権力・地位などを〉暴力で[不法に]入手する. **2** 〈領地・財産などを〉占有する, 権限なしに用いる.
u·sur·pa·tion /jùːsərpéiʃən | -zə-/ 图 U C (正式) (地位などの)不法使用, 強奪, 横領.
†**u·surp·er** /juːsə́ːrpər | -zə́ː-/ 图 C (正式) (地位・権利などの)強奪者.
u·su·ry /júːʒəri/ 图 (英+) -ʒuəri/ U (古) (法定利率以上の)高利貸し(業); (違法な)高利.
UT (略) (郵便), **Ut.** (略) Utah.
U·tah /júːtɔː, -tɑː | -tɑː/ 图 ユタ 《米国西部の州. 州都 Salt Lake City. 《愛称》the Beehive State. (略) Ut., (郵便) UT》.
†**u·ten·sil** /juːténsl/ 图 C (正式) **1** (家庭, 特に台所の)用具, 器具 ‖ kitchen *utensils* 台所用品 / household *utensils* 家庭用品. **2** (一般の)道具 ‖ writing *utensils* 文房具.
u·ti·lise /júːtəlàiz/ 動 (英) =utilize.
u·til·i·tar·i·an /juːtìlitéəriən/ 形 (正式) **1** 実用的な, 実用に関する. **2** 実用本位の. **3** 実用的な. **4** 功利主義(者)の. ──图 C 功利主義者.
†**u·til·i·ty** /juːtíləti/ 图 (正式) **1** U 有用, 有益, 実用性(usefulness); [形容詞的に] 多目的に使える ‖ hàve nó *utility* 役に立たない. **2** C [しばしば utilities] 役に立つもの, 有用なもの. **3** C [しばしば utilities] 公共施設(public service) 《ガス・水道・電気など》; 公益事業(体); 公益料金. **4** [utilities] 公益事業株[債券]. **5** C 《コンピュータ》ユーティリティー 《圧縮・解凍ソフト, スクリーンセーバーなどコンピュータの機能拡張などのためのソフト》.
utility plàyer (1) 《スポーツ》どのポジションもこなせる選手. (2) (一般に) 何でも屋.
utility póle (米) 電柱.
utility ròom ユーティリティルーム 《ボイラー・冷蔵庫・洗濯機などを設置した小部屋》.
utility vèhicle [trúck] 万能車, 実用車.
†**u·ti·li·za·tion**, (英ではしばしば) **-·sa·tion** /jùːtəlizéiʃən | -lai-/ 图 U (正式) 利用する[される]こと.
†**u·ti·lize**, (英ではしばしば) **-·lise** /júːtəlàiz/ 動 他 (正式) [おおげさに] 〈人が〉〈物を〉…のために[…として]利用する, 役立たせる (use) (for/as) ‖ *utilize* solar heat as a source of energy エネルギー資源として太陽熱を利用する.
u·ti·liz·er /júːtəlàizər/ 图 C 利用する人.
†**ut·most** /ʌ́tmoust, -məst/ 形 (正式) **1** (程度・数量などの点で)最大の, 最高の ‖ I have the *utmost* respect for my father. 私は父をこの上なく尊敬している / Drive with the *utmost* care. 最大の注意を払って運転しなさい. **2** 最も遠い, 一番端の.
──图 [the/one's ~] (程度・量・範囲などの)最大限, 極限; 最高, 最大 ‖ try one's *utmost* 最善の努力をする / put one's *utmost* into one's work 仕事[勉強]に全力を傾倒する.
dò one's **útmost** 〔…しようと〕最善を尽くす〔to do〕.
to the útmost 極度に, できる[可能な]限り.
u·to·pi·a /juːtóupiə/ 图 **1** [時に U~] ユートピア 《Sir Thomas More 作 *Utopia* に描かれた理想郷としての空想の島》. **2** C 理想郷. **3** C (社会的・政治的な)理想的改革者.
†**u·to·pi·an** /juːtóupiən/ [しばしば U~] 形 **1** 理想郷の, 理想郷に似た. **2** 空想的な, 非現実的, 夢物語の. ──图 C **1** ユートピア[理想郷]の住人. **2** 空想的社会改革者.
†**ut·ter**[1] /ʌ́tər/ 形 [しばしば an ~] 完全な, まったくの, 徹底的な; 断固たる ‖ The room was in *útter* dárkness. 部屋は真っ暗だった / That man is an *utter* stranger. あの男はまったく見たこともない.
†**ut·ter**[2] /ʌ́tər/ 動 他 (正式) **1** 〈人などが〉〈叫び声・言葉などを〉発する, 口に出す ‖ *utter* a sigh ため息をつく / *utter* a cry of dismay 失望の叫び声をあげる / He did not *utter* a single word of sympathy. 彼は同情の言葉はひと言も口に出さなかった. **2** 〈考え・真実などを〉言葉で述べる, 表現する (express) ‖ *utter* one's opinions on religion 宗教に関して自分の意見を述べる.
†**ut·ter·ance** /ʌ́tərəns/ 图 (正式) **1** U (言葉を)発すること, 口に出すこと. **2** U [時に an ~] 話し方, 言い方 ‖ a rapid *utterance* 早口. **3** C 言葉, 発言; (言説) 発話(文). **give útterance to A** 〈悲しみ・考え・欲望・意見などを〉口[言葉]に出す.
***ut·ter·ly** /ʌ́tərli/ 副 まったく, すっかり, 完全に 《◆(1) 否定的または悪い意味合いを持つ語と共に用いられる傾向がある. よい意味ではふつう entirely, greatly を用いる. (2) 比較変化しない》 ‖ She is *utterly* dissátisfied. 彼女はまったく不満に思っている / You are not *utterly* mistaken. あなたがまったく間違っているというわけではない 《◆否定を表す語句と用いると部分否定となる》.
U-turn /júːtə̀ːrn/ 图 C **1** (自動車などの)Uターン ‖ do [make] a *U-turn* Uターンする; 完全に変える (→ 2). **2** (略) (政策などの)180度の転換, 方向転換. ──動 自 〈人・車が〉Uターンする.
UV (略) ultraviolet.
Uz·bek /úzbek, ʌ́z-/, **--beg** /-beg/ 图 (複) ~s, [集合名詞] **Uz·bek**, **Uz·beg**) **1** [the ~(s)] ウズベク族; C ウズベク族の人 《中央アジアのトルコ系民族》. **2** U ウズベク語.
Uz·bek·i·stan /uzbékəstæn, ʌz- | ùzbekistɑ́ːn, ʌ̀z-/ 图 ウズベキスタン 《中央アジアの国. 首都 Tashkent》.

V

v, V /víː/ (名) v's, vs; V's, Vs/-z/) **1** ⓒⓤ 英語アルファベットの第22字. **2** → a, A 2 (cf. V-sign). **3** ⓒⓤ 第22番目(のもの). **4** ⓤ (ローマ数字の)5(→ Roman numerals). **5** ⓒ (米略式)5ドル紙幣.
V sígn Vサイン ‖ **give a V sign** Vサインをする.
V (記号) [電気] volt(s).
V (略) [数学] vector; victory.
v. (略) verb; verse; version; (略式) very; vice-; [ラテン] vide (=see); village; violin; voice; volt; voltage; volume; vowel.
VA (略) [郵便] Virginia.

†va·can·cy /véikənsi/ (名) **1** ⓤ (正式) (時に a ~) 空(き), 空虚, 空間. **2** ⓒ (正式) 空(あ)いた所, あるべきものがない場所; すき間, 間隙(gap). **3** ⓒ 空地 ‖ **No vacancy.** (掲示)満室. **4** ⓒ (職・地位などの)空位, 空席, 欠員(**on, in, for**) ‖ **We have a vacancy for a secretary.** 秘書に1人欠員がある. **5** ⓤ 心のうつろな状態, 放心.

·va·cant /véikənt/
—(形) (**more ~, most ~**) **1** ⟨家・部屋・座席など⟩が(見たところ)空(あ)いている, 使用されていない(↔ occupied)(◆ **empty** と違って, ある空間を占めるべき物[人]が一時的にないこと. 先約があるかを問うときは **taken**, **occupied** を用いる)(→ **empty** 形 1); [V~] (米)(タクシーの表示)空車 ‖ **a vacant house [lot]** 空き家[地] / **This seat is vacant, but taken.** この席は今は空いていますが, 座る予定の人が決まっています. **2** ⟨職・地位など⟩が空位の, 空席の, 欠員になっている ‖ **There are no vacant positions in this company.** この会社には欠員になっている職はない. **3** ⟨時間など⟩が空(あ)いている, 暇な, 用事のない ‖ **one's vacant hours** 暇な時間. **4** ⟨言葉などの⟩内容のない, からの, 空虚な; ⟨人が⟩[思いやりなどを]欠いている(**of**) ‖ **be vacant of delicacy** 繊細さに欠けている. **5** ⟨心・表情・笑いなど⟩がうつろな, ぼんやりした, (略式)間の抜けた(↔ **expressive**) ‖ **a vacant look [smile]** ぼかんとした顔つき[うつろな笑い].

va·cant·ly /véikəntli/ (副) ぼんやりと, ぽかんと.

va·cate /véikeit, vəkéit, vei-/ (動) (他) (正式) **1** ⟨家・部屋・座席など⟩をあける, 立ちのく, 明け渡す(↔ **occupy**). **2** ⟨職・地位など⟩を退く, 辞任する, 辞める. **3** [法律] ⟨契約など⟩を無効にする.

·va·ca·tion /veikéiʃən, və-|və-, vei-/ [空(き)にする(vacate)こと(tion). cf. **vacant**]
—(名) (複) **~s/-z/)** ⓒⓤ **1** (仕事・学校などのない)休暇, 休日, [仕事などの]休み(**from**)((英略式) **vac**)(◆ (米)ではどのような休暇にも用い, **holiday** はふつう祝祭日の休暇に用いる. (英)では **vacation** はふつう大学の休暇や法廷の休廷期などにのみ用い, それ以外の休暇には **holiday** を用いる. cf. **leave**) ‖ **the Christmas vacation** クリスマス休暇(**the Christmas holidays**) / **I'm going to take my vacation in June.** 6月に休暇をとるつもりです / **School is out for summer vacation now.** 今学校は夏休みです / **She went to America during the vacation.** 彼女は休暇中に米国に行った. **2** (正式)⟨家・部屋などの⟩明け渡し, 立ちのき; 辞職, 退職.

*on (a) vacátion (主に米) (1) 休暇に[で]; 休暇を取って[利用して]((英)**on holiday**) ‖ **I'm on vacation from school now.** 私は今学校が休みです / **Where do you go on vacation?** 休みはどこへ行きますか. (2) (仕事でなく) 遊びで(↔ **on business**).

—(動) (自) (主に米) […で]休暇を過ごす(**in, at**) ‖ **He vacationed in Guam.** 彼はグアム島で休暇を過ごした(=**He had [took] his vacation in Guam**.).

†va·ca·tion·er /veikéiʃənər, və-|və-, vei-/, **--tion·ist** /-ʃənist/ (名) (主に米) 休暇中の行楽客, 避暑客, 保養地客((英) **holidaymaker**).

vac·ci·nal /væksənl/ (形) ワクチン(接種)の; 種痘の.

vac·ci·nate /væksəneit/ (動) (他) **1** ⟨人・動物など⟩に対する]ワクチン[予防]接種をする(**against**); ⟨人⟩に種痘をする. **2** ⟨人⟩に(病菌の)予防接種をする(**with**). —(自) (…の)種痘[ワクチン接種]をする(**against**).

†vac·ci·na·tion /væksənéiʃən/ (名) **1** ⓤⓒ (病気に対する)ワクチン[予防]接種, (特に)種痘(**against, for**) ‖ **get [receive] a vaccination against measles** はしかの予防接種を受ける. **2** ⓒ 種痘[ワクチン接種]の痕(あと).

vac·cine /væksíːn|væksíːn/ (名) ⓤⓒ **1** [医学] 痘苗(とうびょう), ⟨種痘で用いる⟩ワクチン. **2** (一般に)ワクチン. **3** [コンピュータ] =**vaccine program [software]**.

vaccíne prógram [sòftware] ワクチンソフト《コンピュータウイルスを検出・駆除するためのソフト》

†vac·il·late /væsəleit/ (動) (自) (正式) **1** ⟨人が⟩[2つのものの間で/事において]心を決めかねる, ためらう, (精神的に)揺れ動く(**between/in**) ‖ **vacillate between execution and withdrawal** 遂行か撤退かで揺れ動く / **vacillate in going to the movies** 映画に行こうかと迷う. **2** ⟨物が⟩(前後[左右]に)揺れる, 揺れ動く; 変動する. **3** ⟨人が⟩よろめく, ふらつく.

vác·il·là·tion /væ̀səléiʃən/ (名) ⓤⓒ 優柔不断な心.

vác·il·là·tor /væ̀səléitər/ (名) ⓒ 優柔不断な人.

vac·il·la·to·ry /væ̀sələtɔ̀ːri/ (形) 優柔不断の, ためらいの.

vac·u·a /vækjuə/ (名) **vacuum** の複数形.

va·cu·i·ty /vækjúːəti, və-/ (名) (正式) **1** ⓤ 空(くう)の状態, 空虚; 空虚なること; ⓒ (通例 **vacuities**) 空間, 空所; 空漠たる広がり(**emptiness**). **2** ⓤ 心の空虚; 愚鈍; 放心. **3** ⓒ (通例 **vacuities**) 愚かな事[言葉, 考え].

vac·u·ous /vækjuəs/ (形) **1** ⟨空間などが⟩何もない, 空虚な; 真空の. **2** (正式)⟨言葉・表情など⟩がうつろな, ぼんやりした; ⟨生活など⟩が目的のない, 無意味な.

†vac·u·um /vækjuəm/ (名) (複) **~s/-z/**, **vac·u·a** /-ə/) **1** ⓒ 真空(空間); 真空状態, 真空度 ‖ **a perfect [partial] vacuum** 完全[不完全]真空 / **I wonder if sound can travel in a vacuum.** 音は真空中を伝わるだろうか. **2** [**a ~**] 空虚, 空白, 空所; (正式)(外界から隔絶された)孤立状態. **3** ⓒ (略式)=**vacuum cleaner**.

—(動) (略式) (他) (自) (…を)電気掃除機で掃除する

vácuum bòttle [(英) **flàsk**] 魔法瓶, ポット(thermos)《◆(英)では flask ともいう》.
vácuum bràke 真空ブレーキ.
vácuum clèaner 電気[真空]掃除機(商標)《hoover》.
vácuum pùmp 真空ポンプ; 排気ポンプ.
vácuum tùbe [(英) **vàlve**]〖電子工学〗真空管《◆単に(米)では tube,(英)では valve ともいう》.
vac·u·um-packed /vǽkjuəmpæ̀kt/ 形〈食品が〉真空包装された.
†**vag·a·bond** /vǽgəbɑ̀nd | -bɔ̀nd/ 名 C 《略式》ならず者, ごろつき.
vag·a·bond·age /vǽgəbɑ̀ndɪdʒ | -bɔ̀nd-/ 名 1 U 放浪, 放浪状態[生活]. 2 [集合名詞] 放浪者たち.
†**va·ga·ry** /véɪɡəri, (米) vəɡéəri/ 名 C 《正式》[通例 vagaries] とっぴな考え[行動], 気まぐれ, むら気.
va·gi·na /vədʒáɪnə/ 名 (複 --nae /-ni:/, ~s) C〖解剖・動〗膣(ぢ); さや状器[器官].
†**va·grant** /véɪɡrənt/ 名 C 1 浮浪者, ルンペン. 2〖法律〗主に住所不定で定職のない人.

*__vague__ /véɪɡ/【発音注意】
—形 (**vagu·er, vagu·est**) 1〈姿・形・輪郭などが〉ぼんやりした, **はっきりしない**(cf. obscure)(↔ clear);〈におい・音・味などが〉ほのかな, かすかな;〈目・表情などが〉うつろな ‖ I saw a *vague* figure in the darkness. 暗闇の中にぼんやりと人影が見えた.
2〈言葉・表現・考えなどが〉**あいまいな**, 漠然とした;〈人が〉…について〉明言しない〈*about, on*〉‖ a *vague* promise あいまいな約束 / a *vague* sense of fear 漠然たる恐怖感 / a *vague* person 態度のあやふやな人 / He seemed *vague* about his future plans. 彼は自分の将来の計画に関して考えがはっきりしていないようだった.
3《略式》かすかな, わずかな ‖ I haven't the *vaguest* idea where I've left my umbrella. かさをどこに忘れたかさっぱりわからない.
vágue·ness 名 U あいまいさ, 漠然; C はっきりしないもの[部分].
vague·ly /véɪɡli/ 副 ぼんやりと, 漠然と; 何となく.
†**vain** /véɪn/(同音 vane, vein) 形 1〈行為などが〉(結果的には)むだな, 無益な, 骨折り損の《◆ useless より堅い語》‖ *vain* efforts むだ骨, 徒労 / She made a *vain* attempt to swim across the river. 彼女はその川を泳いで渡ろうとしたがだめだった(=She attempted to swim across the river *in vain*.).
2 《主に文·古》むなしい, 中身のない; 価値のない(empty) ‖ *vain* promises から約束 / *vain* threats こけおどし / *vain* hopes はかない望み. 3〈人が〉虚栄心の強い, うぬぼれの強い;〈容姿・能力などを〉自慢する〈*of, about*〉‖ a *vain* woman 虚栄心の強い女性 / She is too *vain* to wear glasses. 彼女は外見を気にしてめがねをかけない / He is *vain* of himself. 彼はうぬぼれが強い.

*__in váin__《正式》(1) [文全体を修飾] **むだに**, むなしく (vainly) ‖ The boy tried *in vain* to lift up the heavy bag. =The boy tried to lift up the heavy bag(, but) *in vain*. 少年はその重いかばんを持ち上げようとしたがだめだった《◆後の例のように文尾では but を伴うこともある》. (2) みだりに, 軽々しく ‖ Don't take God's name *in vain*. みだりに神の名を唱え[用いて]はいけない. (3) むだな, むなしい ‖ All his labor was *in vain*. 彼の骨折りはすべてむだだった.
váin·ness 名 U むだ, 無益, 虚栄.

†**vain·ly** /véɪnli/ 副 [結果を表して] むだに, 無益に((正式) in vain) ‖ She *vainly* tried to repair the car. 彼女はその車を修理しようとしたができなかった(= She tried *in vain* to repair …).
†**val·ance** /vǽləns/ 名 C 1 たれ布《◆寝台・天蓋(ぷ)・棚などの装飾用》. 2 (米)《窓の上部の)飾りカーテン, カーテンの金具隠し,(英) pelmet》.
vál·anced 形 たれ布の付いた.
†**vale** /véɪl/ (同音 veil) 名 C 谷, 谷間(valley)《◆地名の一部として用いる以外は《詩》》‖ this [the] *vale* of tears 涙の谷間, この世, 現世.
val·e·dic·to·ry /væ̀lədíktəri/ 形《正式》告別の, 別れの. —名 C = valedictory speech. **valedíctory spéech** (米)(特に卒業生総代の)告別演説.
va·lence /véɪləns/ 名 1 C (主に米)〖化学〗原子価 ((主に英) valency). 2 U C〖生物〗(染色体・血清などの)結合以.
va·len·cy /véɪlənsi/ 名《主に英》= valence 1.
†**val·en·tine** /vǽləntàɪn/ 名 C 1 バレンタインデーのカード(贈り物, 赤いバラ)《◆ふつう匿名で送る. カードは valentine card ともいう》. 2 [しばしば V~] 聖バレンタインデーの恋人;(一般に)恋人.
Val·en·tine /vǽləntàɪn/ 名 **St.** ~ 聖バレンタイン, バレンティヌス《3世紀ごろのキリスト教殉教者. cf. Saint Valentine's Day》.
Válentine('s) Dày = Saint Valentine's Day 【日本発】》 On *Valentine's Day* in Japan, it is the women who give chocolate to the men. 日本ではバレンタインデーには女性が男性にチョコレートを贈ります.
va·le·ri·an /vəlíəriən/ 名 C〖植〗カノコソウ, ハルオミナエシ, キッソウ; U 吉草根(ぷっこん)《カノコソウの根茎. 鎮静剤》.
†**val·et** /vǽlət, væléɪ, -´/ /vǽlɪt, -eɪ/ 名 C 1 (貴人の身回りの世話をする)従者, 付き人. 2 (ホテルなどで客の衣服の世話をする)従業員.
Val·hal·la /vælhǽlə/ 名 〖北欧神話〗バルハラ《Odin神が戦死した英雄の霊を招く大神殿》.
†**val·iant** /vǽljənt/ 形《文・行為が〉(特に不利な戦闘や目的達成において)勇敢な, 雄々しい, 英雄的な.
val·iant·ly /vǽljəntli/ 副《正式》勇敢に, 雄々しく, 英雄的に ‖ I try *valiantly* 勇敢にも試みる《◆しばしば不成功に終わる場合に用いる》.

†**val·id** /vǽlɪd/ 形 (**more** ~, **most** ~; ~**·er**, ~**·est**) 1《正式》〈議論・理由などが〉(事実・論理に基づき)妥当な, 正当な, 根拠の確かな(reasonable) (↔ invalid) ‖ Your argument is *valid* in every respect. 君の議論はどの点からみてももっともだ. 2〖法律〗〈契約などが〉(法的に)有効な, 合法的な(↔ invalid, void) (使い分け → **effective 形 2**) ‖ make the new law *valid* 新しい法律を発効する. 3〈切符·方法などが〉…に効力がある〈*for*〉‖ a season ticket (which is) *valid for* three months 3か月間有効な定期券 / a *valid* method of going on a diet ダイエットの効果的な方法. **vál·id·ly** 副 正当[妥当]なやり方で; 合法的に. **vál·id·ness** 名 U《正式》正当[妥当](性); 合法(性).
val·i·date /vǽlədèɪt/ 動他《正式》1 …を法的に有効にする; …を承認[認可, 批准]する. 2 …が正しい[真実である]ことを証明する, …を確認[認証]する.
†**va·lid·i·ty** /vəlídəti/ 名 U 1《正式》(議論などの)妥当[正当](性) ‖ have [carry] full *validity* 十分な妥当性がある. 2〖法律〗(契約などの)法的有効(性), 合法(性); 効力.
†**va·lise** /vəlí:s | -lí:z, -lí:s/ 名 C 1 (やや古)旅行用手さ

げかばん. **2**〔軍事〕背嚢(はいのう).

Val·ky·rie /vǽlkiəri, vælkíəri/ 图〔北欧神話〕バルキューレ《Odin 神に仕える侍女たちの1人. 戦死した英雄たちの霊を Valhalla に導く》.

†**val·ley** /vǽli/ 图 ⓒ **1** (山と山の間の, しばしば川が流れている) 谷間, 凹地(おうち), 盆地, 谷間, 谷《◆(1) 日本語の「谷」よりも比較的なだらかで広い所をいうことが多い. (2)「切り立つ狭い谷」は ravine, gorge, その大きなものは canyon, 小さいのは gully》∥ Salt Lake City lies in a *valley* surrounded by high mountains. ソルトレークシティーは周囲を高い山に囲まれた凹地にある. **2** [the ~; 修飾語を伴って] (大河の)流域, (流域の)平野, 盆地 ∥ the Mississippi *valley* ミシシッピ川の流域. **3** 〔建築〕屋根の谷 (図 → house).

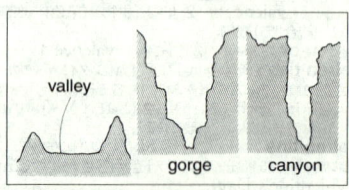

valley

gorge　canyon

†**val·or**, (英) **-our** /vǽlər/ 图 ⓤ (文) (特に戦闘での) 勇気, 勇敢さ, 武勇, 剛勇 (bravery).
val·or·ous /vǽlərəs/ 形 (文) 勇敢な, 勇ましい, 勇猛.
†**val·our** /vǽlə/ 图 (英) = valor.
★**val·u·a·ble** /vǽljəbl, -ljuə-/
— 形 (more ~, most ~) **1** (金銭的に) 価値の高い, 高価な (↔ valueless) (類語) costly, expensive, dear, precious) ∥ a *valuable* ring [painting] 高価な指輪[絵画]. **2** (有用性から見て) (目的のために) 人にとって) **貴重な**, 価値ある (valued) ; 役に立つ [*for/to*] ∥ *valuable* assistance 貴重な援助 / This brochure is *valuable for* tourists. このパンフレットは観光客の役に立つ.
— 图 ⓒ [通例 ~s; 複数扱い] **貴重品** 《宝石など》 ∥ Don't carry your *valuables* about with you. 貴重品を持ち歩くな.
val·u·ate /vǽljueɪt/ 動 他 (米) …を評価する, 見積もる.
†**val·u·a·tion** /væ̀ljuéɪʃən/ 图 (正式) **1** ⓤⓒ (金銭的) 評価(をすること), 査定, 見積もり. **2** ⓒ […の] 評価額, 査定額 [*of, on*]. **3** ⓒ (人の能力・性格などに対する)評価 ∥ set a high *valuation* on her ability 彼女の能力を高く評価している.

★**val·ue** /vǽljuː/ 屈 valuable (形・名), valuation (名)
— 图 (榎 ~s/-z/) **1** ⓤⓒ **a** 価格, 値段, (金銭的) 価値 《◆ふつう高価格のものについていう》∥ márket *válue* 市場価格, 市価 / a street *value* 末端価格 / *What is the value* of this ring? この指輪の値段はいくらですか (= How much is this ring?) / The stocks are falling in *value*. その株価は下がっている. **b** (貨幣の)購買力, 交換価値.
2 ⓤ [時に a ~] (実用性から見た) **価値**, 値打ち; 重要性, 有用性 (cf. worth) ∥ the *value* of an education 教育の真価[重要性] / It is not until we lose it that we realize the *value* of good health. 健康を失ってはじめてそのありがたみを知る (つ文法 23.2(1)) / (対話) "I think this old castle is worth seeing." "But they say it's of no historical *value*." 「この古城は一見の価値があると思いますよ」「しかし歴史的価値はなさそうですが」.
3 ⓤ (…に対する) 正当な報い (*for*) ; [~ for (one's) money] 金に相当するもの ∥ This camera will give you good *value for your money*. これはお値段に十分見合うカメラです.
4 ⓤⓒ 評価 (valuation) ∥ sèt [pùt] a hígh *válue on* health 健康を重んじる.
5 [~s] (道義・慣習などの) 価値観, 価値基準. **6** ⓤ (語句などの) 意味, 意義. **7** ⓒ 〔音楽〕歴時《音符が示す音の長さ》. **8** ⓒ 〔数学〕値(あたい). **9** ⓒ 〔美術〕色価, 色の明暗(度).
*****of válue** 価値のある, 貴重な (valuable) ; [value の前に形容詞を伴って] …の価値のある ∥ things of (some) *value* (少々)価値のある物 / An academic career is of little *value* to them. 彼らにとって学歴はほとんど価値のないものである.
— 動 (~s/-z/; 過去・過分 ~d/-d/; -u·ing)
— 他 **1** ⟨人・人・物⟩ を**尊重する**, 重んじる ∥ *value* freedom 自由を重んじる.
2 a ⟨人が⟩⟨物⟩を(金銭的に)**評価する**, 値ぶみする; [value A at B] ⟨A⟩⟨物⟩をB⟨価格⟩と見積もる ∥ The used car dealer *valued* the car *at* 2,500 dollars. 中古車商はその車を2500ドルと[近くだと]評価した. **b** ⟨人・物・事⟩を(優秀性・実用性などから) […だと…] とても高く] 評価する [*as/for/above*] ∥ I greatly [highly] *value* her *as* an artist. 私は芸術家として彼女を高く評価している / He *values* honor *above* [much more highly than] wealth. 彼は名誉を富以上[よりずっと上]のものと見ている.

vál·ue-ádd·ed tàx /vǽljuːǽdɪd-/ 付加価値税 (added-value tax) (略) VAT) ∥ prices inclusive of VAT 付加価値税込みの値段.
val·ued /vǽljuːd/ 形 **1** 高く評価された; 貴重な. **2** 評価[査定]された.
val·ue·less /vǽljuːləs/ 形 (正式) 無価値な, つまらない.
†**valve** /vǽlv/ 图 ⓒ **1** (液体・気体などの流れを調節する) 弁, バルブ ∥ the *valve* of a bicycle tire 自転車タイヤのバルブ. **2** 〔解剖〕(心臓・血管の)弁, 弁膜 ∥ the *valves* of the heart 心臓の弁膜. **3** 〔生物〕(二枚貝の)貝殻の片方; 珪藻(けいそう)類の殻(から). **4** (英) 〔電子工学〕電子管, 真空管 《(米) (vacuum) tube》. **5** 〔音楽〕(金管楽器の)ピストン, バルブ. **6** (古) (開き戸・折り戸の)扉.
válved 形 弁[バルブ]のある.
vamp /vǽmp/ 图 ⓒ (靴の)つま皮 (図 → shoe).
vam·pire /vǽmpaɪər/ 图 ⓒ **1** 吸血鬼《死体に宿り夜墓から出て睡眠中の人の血を吸うといわれる悪霊》. **2** (略式) 人を食いものにする人, 鬼のような搾取者. **3** 妖(よう)婦, 毒婦. **4** 〔動〕= vampire bat.
vámpire bàt 吸血コウモリ.
†**van**¹ /vǽn/ 图 ⓒ [しばしば複合語で] **1 a** (ふつう有蓋(ゆうがい)の)トラック, ワゴン, バン ∥ a baker's [furniture] バン[家具]運搬車 / a motor *van* (英) 有蓋貨物自動車 / a police [prison] *van* (英) (囚人)護送車 / (米) patrol wagon). **b** (商品運搬用)小型トラック, ライトバン (delivery van), (米) pickup [panel] truck) 《◆×light van とはいわない》. **2** (英) 有蓋貨車, 手荷物車, (米) luggage van, (米) baggage car) ∥ a guard's *van* (英) 車掌車, (米) caboose). **3** (英) 〔ジプシーの〕大型ほろ馬車.
— 動 (過去・過分 vanned/-d/; van·ning) 他 …をバンで運搬する. — 自 バンで行く.

†**van**² /væn/ 名《正式》=vanguard 2, 3《◆次の成句で》.
in the ván […の]先頭に立って, 先駆として[*of*].
léad the ván […の/…において]先頭となる, 先頭に立つ[*of*/*in*].
van, VAN（略）[コンピュータ] value-added-network 付加価値通信網.
Van Ál·len (radiátion) bèlt /væn ælən-/《物理》[the ~] バン-アレン帯《地球を取り巻く2種のドーナツ状放射線帯の1つ》.
Van·cou·ver /vænkú:vər/ 名 **1** バンクーバー《カナダの British Columbia 州の都市》. **2 ~ Island** バンクーバー島《British Columbia 州南西沖の島》.
van·dal /vændl/ 名 ⓒ **1** [V~] バンダル人《[the Vandals] バンダル族《4, 5世紀にガリア・ローマなどを略奪したゲルマン民族》. **2**《芸術品・公共物・自然景観などの》心ない破壊[汚損]者. — 形 **1** [V~] バンダル族の. **2** 芸術品[公共物]などを破壊する, 野蛮な.
van·dal·ism /vændəlìzm/ 名 Ⓤ 芸術品・公共物などの(意図的)破壊[汚損], 非文化的蛮行.
van·dal·ize /vændəlàiz/ 動 他《正式》〈芸術作品・公共物など〉を(故意に)破壊[汚損]する.
Van·dyke, Van Dyck /vændáik/ 形 ニニノ 名 **1** バンダイク, ファン-ディク《Sir Anthony ~ 1599-1641; フランドルの肖像画家・英国宮廷画家》. **2** [時に v~] ⓒ =Vandyke beard. — 形 バンダイク(作)の;〈服装が〉バンダイクの肖像画にあるような, 縁にぎざぎざのある. **Vandýke béard** バンダイクひげ《先のとがったあごひげ》.
†**vane** /véin/（同音 vain, vein）名 ⓒ **1** 風見, 風向計(weather vane)《◆雄鶏の形をしたものは特にweathercock という》. **2**《風車・タービン・推進器・扇風機などの》翼, 羽根.
van Gogh /væn góu, -gɔ:x | -gɔ́x, -gɔ́f/ 名 バン-ゴッホ, ファン-ホッホ《Vincent /vínsnt/ ~ 1853-90; オランダの画家》.
†**van·guard** /vængà:rd/ 名 ⓒ《軍事》[集合名詞;単数・複数扱い] 先兵, 先遣隊(↔ rear guard). **2** [the ~]《軍隊・艦隊・行進などの》先頭, 前衛, 先陣. **3** [the ~]《各種運動などの》指導[先駆]的地位, 先頭;[集合名詞] 指導者たち ‖ *in the vanguard of* the anti-discrimination movement 反差別運動の先頭に立って.
†**va·nil·la** /vənílə/ 名 **1** ⓒ《植》バニラ《熱帯アメリカ原産のラン科の植物》; =vanilla bean. **2** Ⓤ バニラ(エッセンス)《菓子・アイスクリーム用の香料》.
vanílla bèan バニラの実.
*✱**van·ish** /vǽniʃ/（類語 banish /bǽn-/）
— 動（~·es /-iz/;（過去・過分）~ed/-t/; ~·ing）
— 自 **1**〈人・物が〉[…から](突然・不可解に)消える, いなくなる[*from*] ‖ She *vanished* without a trace. 彼女は跡形もなくななった / A six-year-old boy *vanished* from his home in Tokyo on July 27, 2004. 2004年7月27日に6歳の少年が東京の自宅から姿を消した(➔文法 21.3).
2《今まで存在していたものが》[…から]なくなる, 消滅する, 絶滅する;〈希望・恐怖・痛みなどが〉消える[*from*] ‖ The kind of bird has *vanished* from this region. その種類の鳥はこの地域から姿を消した.
— 他 …を消す, 見えなくする.
vánishing pòint [通例 the ~] **(1)**《透視画法の》消失点, 消尽点. **(2)**《我慢・体力などの》尽きる点.
van·ish·er /vǽniʃər/ 名 ⓒ 消えた[住]物[人].
†**van·i·ty** /vǽnəti/ 名 **1 a** Ⓤ《容姿・能力などについての》うぬぼれ, 慢心; 虚栄心《◆pride よりも人にほめてもらいたい気持ちが強い. pride, vanity, conceit の順に意味が強くなる》(↔ modesty) ‖ injured [wounded] *vanity* 傷つけられた虚栄心 / His words tickled her *vanity*. 彼の言葉は彼女の虚栄心をくすぐった. **b** ⓒ うぬぼれの種[対象], 自慢のもの. **2 a** Ⓤ《正式》むなしさ, 空虚; 無価値 ‖ He knows the *vanity* of life. 彼は人生のはかなさを知っている. **b** ⓒ [vanities] むなしいの[行為]; 価値のないもの[こと]. **3** Ⓤ 虚飾, 誇示. **4** ⓒ《米》=vanity case [bag].
vánity càse [bàg]《女性の》携帯用化粧道具入れ.
Vánity Fáir (1) 虚栄の市《Bunyan 作 *The Pilgrim's Progress* 中の市場の名. Thackeray 作の小説の題名》. **(2)** [しばしば v~ f-]《文》虚栄にみちた現世;上流社会.
vánity table《米》化粧台, 鏡台《英》dressing table).
†**van·quish** /vǽŋkwiʃ/ 動 他《文》**1**《戦闘などで》〈敵など〉を征服する(conquer), 打ち破る;《競技・議論などで》〈相手〉を打ち負かす(defeat) ‖ a *vanquished* enemy 撃破された敵. **2**《感情・誘惑などに》打ち勝つ, …を抑制する, 克服する ‖ *vanquish* one's fears 不安に打ち勝つ.
†**van·tage** /væntidʒ | vá:n-/ 名 **1** Ⓤ《競争などでの》有利(な点), 強み, 優越, 優勢 ‖ a position of *vantage* 有利な位置. **2** ⓒ《正式》=vantage point [ground]. **3**《英》《テニス》=advantage 3.
vántage pòint [gròund] (1)《戦略・行動・眺望などの面で》有利[好都合]な位置 ‖ *point [place] coign] of vantage* ともいう》. **(2)**《有利な》見地, 観点, 立場.
vap·id /væpid/ 形《正式》**1**〈飲み物が〉気の抜けた, 味のない. **2**《会話・人などが》退屈な, つまらない.
†**va·por**,《英》--**pour** /véipər/ 名 **1** Ⓤⓒ《正式》《目に見える》蒸気《空気中に漂う細かい液体のつぶ. 湯気・霧・かすみなど》 ‖ the *vapor*(s) from the lake 湖から立ちのぼる蒸気. **2** Ⓤ《物理》蒸気《液体・固体が気化してできた気体》 ‖ water *vapor* 水蒸気 / Water changes into *vapor* when it is heated. 水は熱すると蒸気になる.
vápor bàth 蒸し風呂;蒸気浴.
va·por·i·za·tion /vèipərizéiʃən | -rai-/ 名 **1** 蒸気化(作用). **2**《医学》蒸気療法.
va·por·ize /véipəràiz/ 動《正式》他 …を蒸発させる, 気化させる. — 自 蒸発する, 気化する.
va·por·iz·er /véipəràizər/ 名 ⓒ 蒸発器, 気化器;噴霧器, 霧吹き;《医学》吸入器.
va·por·ous /véipərəs/ 形《正式》蒸気の(ような). **2** 蒸気を発する;蒸気[霧]の立ちこめた.
†**va·pour** /véipə/《英》=vapor.
va·que·ro /vɑ:kéərou | və-/ 名（複 ~s）ⓒ《米南西部・メキシコ》牧畜者, 牧者, カウボーイ.
†**var·i·a·ble** /véəriəbl/ 形 **1a** 変わりやすい, 定まらない, 不定の(↔ invariable) ‖ *variable* weather [winds] 変わりやすい天気[風向き]. **b**《遠回しに》〈気分・考え・行動などに〉むらがある;気まぐれな ‖ a man of *variable* mood 移り気な人. **2** 変えられる, 可変の ‖ The height of this chair is *variable*. このいすの高さは調整できる. **3**《数学》変数の, 不定の. — 名 ⓒ **1** 変わる[変わりやすい]もの. **2**《数学・物理》変数(cf. constant). **3**《天文》=variable star.
váriable stár 変光星《光度が時間によって変わる恒星》.
vàr·i·a·bíl·i·ty 名 Ⓤ 変わりやすさ, 流動性.

vár·i·a·ble·ness 名 U 変りやすいこと, 可変性.
vár·i·a·bly 変わりやすく, 不定に.
†var·i·ance /véərians/ 名 1 U C (意見などの)〔…との〕間の〕相違, 不一致(disagreement)〔with/among〕. 2 U C 〔人との〕不和, 仲たがい(quarrel)〔with〕. 3 U 変化, 変動. 4 C (米)(法律違反の)例外的許可. 5 U 〔統計〕分散.
be at váriance(正式)(1)〈物・事が〉〔…と〕矛盾している, 食い違っている〔with〕. (2)〈人が〉〔人と〕仲が悪い, 不和である〔with〕.
var·i·ant /véəriənt/ 形 1 (正式)(同種の物や標準とは)異なる, 違った ∥ "Axe" is a *variant* spelling of "ax." axe は ax の異形〔別のつづり〕である. 2 さまざまの, 色々に変わる. 3 変わりやすい. ─名 C 1 (同一語の)異なるつづり〔発音〕, (変)異形. 2 〔他とは少し〕異なる物, 変形〔言語〕(変)異形, 変異音.
†var·i·a·tion /vèəriéiʃən/ 名 1 U 変化すること, C (個々の)変化, 変動 ∥ *variations* in [of] temperature 温度の変化 / There was a slight *variation* in voltage. 電圧にかすかな変動がみられた. 2 C 変化の程度, 変化量. 3 C 違い, 差異 ∥ Why are there *variations* of price for the same books? 同じ本なのにどうして値段に違いがあるのですか. 4 C 変種, 変わり種. 5 U C 〔生物〕a (形態・機能上の)変異. b (aの変異を示す特徴)〔個体〕. 6 C 〔音楽〕変奏(曲).
vàr·i·á·tion·al 形 変化する; 変異の.
vár·i·cose véins /værəkòus-/ 〔医学〕〔複数扱い〕(特に脚部の)静脈瘤(りゅう).
†var·ied /véərid/ 形 1 さまざまな, 色々な. 2 変化に富んだ. 3 変えられた, 変更を加えた. 4 雑色の, まだらの.
var·i·e·gate /véəriəgèit | véəriəgèit/ 動 他 1 …を多色彩にする, まだらにする. 2 …に変化を与える.
vár·i·e·gàt·ed 形 1 (正式)(花・葉などが)多色彩の, まだらの. 2 多様な, 変化に富んだ.

***va·ri·e·ty** /vəráiəti/ [発音注意]
─名 (複 ~·ties/-z/) 1 〔a ~ of …〕いろいろの… 《◆(1) … は物・人を表す複数名詞. (2) variety の前に形容詞を伴うことがある》∥ *a* large [great, wide] *variety of* flowers 種々さまざまの花 / She has *a variety of* dolls. 彼女はいろいろな人形を持っている(=She has *various* dolls.).
2 U **a** 変化(に富むこと), 多様(性)[類語] diversity (↔ monotony) ∥ *variety* in a diet 食事が偏っていないこと / Her life was really full of *variety*. 彼女の人生は本当に変化に富んでいた / *Variety is the spice of life.* (ことわざ)いろいろあってこそ人生は楽しい. **b**〔同類の物の中での〕相違, 不一致.
3 C (同類の物の中の)種類(kind) ∥ *a variety of* apple リンゴの一種 《◆ この形では of に続く名詞は単数形でも無冠詞》/ butterflies *of every variety* あらゆる種類のチョウ / several *varieties of* roses [(正式) rose] 数種類のバラ.
4 C 〔生物〕変種, 亜種(→ classification 名 3) ∥ a new *variety* of strawberry イチゴの新種. 5 U (英)=variety show [entertainment].
for variety's sàke =*for the sàke of variety* 変化を与える[目先を変える]ために.
variety shòw〔entertàinment〕バラエティー(ショー)((米正式) vaudeville, (英) music hall).
variéty stòre(米) 雑貨店 《◆ dime store ともいう. ふつう安価な品を扱い, general store と違って食料品は売らない》.
variéty thèater 寄席, 演芸館.

***var·i·ous** /véəriəs/

─形 1 〔名詞の前で〕いくつかの(several), 多くの(many)《◆(1) 必ず複数名詞を伴う. (2) 比較変化しない》∥ *Various* students fail to graduate every year. 多くの学生が毎年卒業に必要な単位を取れないでいる. 2 さまざまな, いろいろな, 種々の, それぞれ異なる 《◆(1) different と違って, 同種類の複数の物・事・人が「互いに異なる」の意. (2) 必ず複数名詞を伴う》∥ people of *various* occupations さまざまな職業の人たち. 3 別々の, 個々の.
vár·i·ous·ness 名 U 多様性.
†vár·i·ous·ly /véəriəsli/ 副 (正式) 1 さまざまに, いろいろに. 2 いろいろな名前で.
†vár·nish /vá:rniʃ/ 名 1 U ニス, ワニス (ニスに似た)上塗り, 上薬(うわぐすり) 《◆「ワニス」は varnish のなまり》∥ put *varnish* on a table テーブルにニスを塗る. 2 [(the) ~] ニス塗りの(表面), ニス塗りのような)光沢(面). 3 U (正式)〔時に a ~〕(礼儀・作法の)表面だけの飾り, 見せかけ;(一般に)粉飾, ごまかし ∥ hide one's dismay under *a varnish of* good manners 上品なマナーでごまかして狼狽(ろうばい)を隠す. 4 U (英) マニキュア液(nail varnish [polish]).
─動 他 1 〈家具・油絵などに〉ニスを塗る (+*over*)〈物に〉光沢[つや]をつける;(英)〈つめに〉マニキュアを塗る ∥ a *varnished* table ニス塗りのテーブル. 2 (正式)〈態度・事実・欠点などを〉〔…で〕表面的に取り繕う, 粉飾する, うまくごまかす (+*over*)〔*with*〕∥ *varnish* the fact with fiction 事実をうそで話でごまかす.
var·si·ty /vá:rsəti/ 名 C 1 (米)(大学・学校・クラブなどの, 特にスポーツの)代表チーム;〔形容詞的に〕代表(チーム)の ∥ My son is *on the varsity* in debating. 息子は弁論の代表チームの一員である. 2 〔しばしば V~〕(英略式・今は旧) [the ~; おおげさに] 大学 《◆ 特に Oxford, Cambridge 大学をさす. 大学名としては使えない》;〔形容詞的に〕大学(スポーツ)の (特に Oxford, Cambridge) 大学 (代表チーム)の.

***var·y** /véəri/ [同窓] ᴬ very; [頭音] berry, bury /béri/〔関〕variable (形), various (形), variation (名)
─動 (~·ies/-z/; 過去・過分 ~·ied/-d/; ~·ing)
─自 **1a**〈同種の物・事・人が〉〔…において〕〔…から…まで〕〔…の間で〕(相互に)異なる, 違う, さまざまである〔*in* / *from* … *to* … / *between*〕《◆ differ はふつう異種の物[人]を比較》∥ *varying* opinions さまざまな意見 / The houses vary in size *from* small *to* large [*between* small *and* large]. 家の大きさは小さいものから大きなものまでいろいろある. **b**〔…と〕異なる (differ) 〔*from*〕∥ My method *varies* hers a great deal. 私のやり方は彼女のとは非常に違う.
2〈同一の事・物・人が〉(形・性質などの点で)〔…によって〕〔…から…まで〕〔…の間で〕変わる, 変化〔変動〕する 〔*with* / *from* … *to* … / *between*〕《◆ change と異なり部分的にしだいに変わることをいう》∥ The weather *varies* (*from* hour *to* hour). 天気は(刻々と)変わる / Opinions *vary with* people's ages. 意見は人の年齢により異なる.
3〔基準・規則などから〕はずれる, それる〔*from*〕∥ *vary from* the norm [law] 標準〔法〕からはずれる.
─他 1〈人・物・事が〉〈物・事を〉(形・性質などの点で)変える, 変更する;…を修正する, 手直しする ∥ *vary* a curriculum according to their ability 彼らの能力に応じてカリキュラムを変える.
2〈人・物・事が〉〈物・事に〉変化を与える, 多様にする

You ought to *vary* your diet. 食事に変化をつけた方がいいですよ.

Vas·co da Ga·ma /væskoʊ də gǽmə, vɑ́ːskoʊ-|-gɑ́ːmə/ 名 → Gama.

vas·cu·lar /vǽskjulər/ 形〖生物・解剖〗導管の, 脈管の, 血管の.

váscular plánt 〖植〗 [the ~] 維管束植物.

váscular sýstem 〖動〗[the ~] 血管[リンパ管]系;〖植〗維管束系.

‡**vase** /véis, véiz | vɑ́ːz/
  ——名 (複 ~s/-iz/) C 花瓶(%ʰ); (装飾用の)つぼ, 瓶, かめ ‖ a *vase* of flowers =a flower *vase* 花瓶《◆前者には「花が生けてある花瓶」の意もある》/ Will you arrange some flowers in the *vase*? 花瓶に花を生けてくださいませんか.

Vas·e·line /vǽsəliːn, -ˌ-ˈ-/ 名 [時に v~] U〖化学〗(商標) ワセリン《軟膏・潤滑剤などとして用いる》.

†**vas·sal** /vǽsl/ 名 1 C〖歴史〗(封建時代の)封土を与えられ君主に忠誠を誓った)臣下, 家臣. 2 C 隷属者, 配下; 召使い; 奴隷.

vas·sal·age /vǽsəlidʒ/ 名 1 U (封建時代の)臣下の身分, 臣下であること. 2 U 臣下の忠誠(の誓い). 3 C 臣下の領地, 封土. 4 U 隷属(的地位).

‡**vast** /vǽst | vɑ́ːst/〖「非常に大きい」が本義〗
  ——形 (~·er, ~·est) 〖通例名詞の前で〗 1 広大な, 広漠とした, 非常に広い; (平面的に)巨大な《◆形・かさが大きいのは huge》‖ the *vast* expanse of the Pacific Ocean 果てしなく広い太平洋 / the *vast* mountains of the Andes アンデスの巨大な山々. 2 《略式》〈数・量・程度などが〉莫(好)大な, 膨大な, ものすごい; 大変な a *vast* number of people おびただしい数の人.
  ——名〖古・詩〗[the ~] 広大な[果てしない]広がり.

‡**vast·ly** /vǽstli | vɑ́ːst-/ 副 1 広大に, 限りなく. 2 《程度が》大いに, 非常に, たいそう ‖ be *vastly* improved 大幅に改善されている. 3 〖比較を表す形容詞を修飾して〗はるかに, ずっと ‖ This system is *vastly* superior to ours. このシステムは私たちのよりはるかに優れている.

†**vast·ness** /vǽstnəs | vɑ́ːst-/ 名 1 U 広大さ, 広大なこと; 莫(好)大さ, 莫大なこと. 2 C 〖通例~es〗広漠とした広がり[地域].

†**vat** /vǽt/ 名 C (醸造などの液体用)大おけ.
  ——動 (過去・過分 **vat·ted**/-id/; **vat·ting**) 他 …を大おけに入れる.

VAT /víːèitíː, væt/〖*v*alue-*a*dded *t*ax〗名 U (英国の)付加価値税.

†**Vat·i·can** /vǽtikn/ 名 [the ~] 1 =Vatican Palace. 2 [集合名詞; 単数・複数扱い] ローマ教皇庁, 教皇権〖政治〗. ——形 教皇政治の.

Vátican Cíty [the ~] バチカン市国《教皇支配下にあるローマ市内の世界最小の独立国. 正式名 the State of the City of Vatican》.

Vátican Pálace バチカン宮殿《ローマのバチカン市国にあるローマ教皇(Pope)の宮殿》.

†**vau·de·ville** /vɔ́ːdəvìl, vóʊd-/ 名 U〖正式〗《米》ボードビル, 寄席(ょ゚) 演芸《《英》variety show》《歌・踊り・曲芸など》.

vau·de·vil·lian /vɔ̀ːdəvílian, vòʊd-/ 名 C ボードビリアン, 寄席(ょ゚)芸人; ボードビルの台本作家.
  ——形 ボードビルの, ボードビルに特有の.

†**vault**¹ /vɔ́ːlt/ 名 1 C〖建築〗アーチ形屋根[天井], 丸天井; (アーチ形屋根[天井]の)一連のアーチ. 2 C (特に地下の)アーチ構造の場所[部屋, 通廊]. 3 C a (しばしばアーチ構造の)地下貯蔵室 ‖ a wine *vault* ワイン貯蔵室. b (教会・墓地の)地下納体堂《しばしば遺体を納めるアーチ構造の部屋》‖ be buried in the family *vault* 一族の納体堂に葬られる. 4 C (特に銀行の)(地下)金庫室, 貴重品保管室. 5〖詩〗[the ~] 丸天井のようなもの; (特に)大空, 穹窿(ʰʸᵘː); the (blue) *vault* of heaven 蒼穹(そ゚ʰ), 大空.

vault² /vɔ́ːlt/ 動 自 1 (手・棒などを支えにして)跳ぶ, 跳躍する. 2 [...に]一気に到達する[*to, into*]. ——他 …を跳び越える. ——名 C (手・棒などを支えにして)跳ぶこと, 跳躍;〖体操〗跳馬(ょ゚う) ‖ the pole *vault* 棒高跳び.

vb, vb. 略 *v*er*b*(al).
VCR 略 *v*ideo*c*assette *r*ecorder.
VD 略 *v*enereal *d*isease.
V-day /víːdèi/〖*V*ictory *Day* の略〗名 (第二次世界大戦の)戦勝記念日《1946年12月31日》(cf. V-E Day, V-J Day).
VDT 略 *v*ideo *d*isplay *t*erminal ビデオ=ディスプレイ端末.
VDU 略 *v*isual *d*isplay *u*nit.

*'**ve** /-əv/, 母音の後で -v/《略式》have の短縮語 ‖ I've no idea where he is. 彼がどこにいるかわからない.

†**veal** /víːl/ 名 U 食用子牛(の肉).

vec·tor /véktər/ 名 C 1〖数学〗ベクトル, 動径, 方向量(cf. scalar); ベクトル空間の要素. 2〖生物〗病原菌媒介生物《カ・ハエなど》. 3〖航空〗方向, 針路.

V-E Day /víːíːdèi/〖*V*ictory in *E*urope *Day*〗名 (第二次世界大戦の)ヨーロッパ戦勝記念日《1945年5月8日. cf. V-J Day, V-Day》.

†**veer** /víər/ 動 自 1〈乗物・人・道などが〉向きを変える, 曲がる, それる ‖ *veer away* [*off*] to the left 左に向きを変える / The car *veered* across the road to avoid hitting an old man. 車は老人をよけようとして向きを変え道路を突っ切った. 2〈話題・意見・政策・人などが〉[…に]変わる, 転換する(+*round, away*)[*to*];〈人が〉[主題などから]それる, 脱線する[*from, off*]‖ Suddenly the talk *veered round* to space travel. 突然話は宇宙旅行のことに変わった. 3〈風が〉右回りに向きを変える(+*round*)《◆北→東→南→西の順》(↔ back) ‖ The wind *veered* from southeast to southwest. 風向きが南東から南西に変わった. ——他 1〈乗物などの〉向きを変える. 2〖海事〗〈船の〉針路を(特に風下に)変える(+*round*).
  ——名 C (方向・進路・政策などの)転換, 変更 ‖ take [make] a sharp *veer* to the left 急に左へ曲がる.

veer·y /víəri/ 名 C〖鳥〗ビリーチャツグミ《米国東部産のツグミの一種》.

veg /véd ʒ/〖*veg*etable より〗名 (複 **veg**) U C《英略》〖通例複数形で〗(ふつう火を通して料理した)野菜(《米》veggies) ‖ *veg* soup 野菜スープ.
  ——動 (過去・過分 **vegged**/-d/; **veg·ging**) 自《略式》仕事をせずにのんびり暮らす(+*out*).

Ve·ga /víːgə/ 名〖天文〗ベガ, 織女星《こと座(Lyra)の主星》.

‡**veg·e·ta·ble** /védʒətəbl/〖「元気づけることができる」が原義〗
  ——名 (複 ~s/-z/) 1 C〖通例 ~s〗a 野菜; 青物(green vegetables) ‖ pickled *vegetables* ピクルスにした野菜 / garden *vegetables* 菜園の野菜 / live on *vegetables* 菜食する / Did you eat

enough *vegetables*? 野菜を十分に食べましたか / I wonder if a tomato is a *vegetable* or a fruit. トマトは野菜だろうかそれとも果物だろうか. **b** (熱с調理した, 副菜としての)野菜《◆salad に対していう》. 【対話】 "Which would you like, *vegetables* or a salad?" "I'll have a salad with vinegar dressing." 《食堂で》「(つけあわせの野菜は)温野菜になさいますかそれともサラダにされますか」「ビネガードレッシングをかけたサラダにします」.

【関連】〖英米の青物屋〗《米》vegetable store, 《英》greengrocer's でみられる主な野菜〗asparagus, beet, cabbage, carrot, celery, chicory, corn, cucumber, lettuce, onion, (sweet) potato, pumpkin, spinach, tomato など. 大きさ・形・味は日本のものとかなり異なるものも多い.

2 ⓒⓊ(動物・鉱物に対して)植物, 草木(plant).
3 ⓒ《略》無為徒食な(ひと)人; 《略》(大脳の麻痺(まひ)した)植物状態の人 ‖ The traffic accident left him a *vegetable*. 彼は交通事故で植物状態になった.
4 [形容詞的に] **a** 野菜の; 植物(性)の ‖ a *vegetable* diet =*vegetable* food 菜食 / *vegetable* oil 植物油 / *vegetable* soup 野菜スープ. **b** 植物のような; 無為な, つまらない ‖ a *vegetable* existence 単調な暮らし.

végetable kíngdom [the ~] 植物界.
végetable màrrow 《英》《植》セイヨウカボチャ《《米》squash》《食用・飼料》.
végetable spònge 《植》ヘチマ.
veg・e・tár・i・an /vèdʒətéəriən/ 图ⓒ 菜食(主義)者 ‖ strict *vegetarians* 厳格な菜食主義者. ━圏 菜食主義(者)の; 菜食者のための; 野菜ばかりの ‖ be on a *vegetarian* diet 菜食している.
veg・e・tár・i・an・ism /vèdʒətéəriənìzm/ 图Ⓤ 菜食(主義).
veg・e・tate /védʒətèit/ 働⾃ 《略》食べて寝るだけの無為な[無気力な]生活をする.
†**veg・e・ta・tion** /vèdʒətéiʃən/ 图Ⓤ《正式》[集合名詞](ある地域に生育するすべての)植物; 植生 ‖ tropical *vegetation* 熱帯植生.
veg・e・ta・tive /védʒətèitiv/ ⑁ -tə-/ 圏《正式》**1** 植物の, 植物に関する. **2 a** 〈植物が〉生長する, 生長能力がある; 植物のように生長する. **b** 栄養と生長機能のある; 〈土地が〉肥えた. **3** 〈生殖が〉無性の. **4** 〈肉体機能が〉自律的な; 〈生活が〉食べて寝るだけの, 無為の.
veg・gie /védʒi/ 图圏《主に英》=vegetarian.
†**ve・he・mence, --men・cy** /víːəməns(i), víːhə-/ 【発音注意】
†**ve・he・ment** /víːəmənt, víːhə-/ 【発音注意】 圏《正式》**1**〈感情・主張・賛否などが〉激しい, 強烈な, 熱烈な ‖ a *vehement* desire [hatred] 激しい欲望[憎悪] / a *vehement* argument 激論. **2**〈風・拍手・身振りなどが〉激しい, 猛烈な.
ve・he・ment・ly /víːəməntli, víːhə-/ 副《正式》激しく; 熱烈に, 熱情をこめて.
†**ve・hi・cle** /víːəkl, 時に víːhi-/ 【発音注意】 图ⓒ **1**《正式》ふつう陸上の乗物, 輸送機関 ‖ mótor *véhicles* 自動車《類》乗用車・バス・トラックなど. 自転車を含む / an official *vehicle* 公用の乗物 / a space *vehicle* 宇宙船 / spórt utílity *véhicle* スポーツジャー用車両《略》SUV). **2**《正式》〈…の〉伝達〉手段; 媒体〖for, of / to do〗 ‖ Sculpture is the *vehicle* of her ideas. 彫刻は彼女の思想の伝達手段である.

véhicle navigàtion sýstem(車の)誘導装置, カーナビ《→ navigator》.
ve・hic・u・lar /viːhíkjələr/ vi-/ 圏 **1**《正式》乗物の, 車の ‖ *vehicular* accidents 車の事故. **2** 伝達手段の, 媒体になる.

†**veil** /véil/ 【同音】vale》 图ⓒ **1** ベール, かぶり布 ‖ a bridal *veil* 花嫁のベール. **2**(修道女の)ベール; [the ~] 修道女の生活[誓い]. **3**[a/the ~] 覆い隠す物; たれ幕, とばり ‖ a *veil* of clouds 雲のベール. **4**《正式》見せかけ, 口実, 仮面 ‖ savageries under the *veil* of goodwill 親善の名に隠れた蛮行. **dráw [thrów, cást] a véil óver** Ⓐ 《正式》 を隠す; …を秘密にしておく, 言わないでおく.
━━働 **1**〈人が〉…をベールで覆う, …にベールをかける ‖ *veil* one's face ベールで顔を覆う. **2**(正式)[…で / …から]…を覆う, 隠す(conceal)〖under, in, with / from〗(↔ unveil) ‖ be *veiled* in mystery 神秘に包まれている. ❸ …をベールをかぶる.
veiled /véild/ 圏 **1** ベールをかぶった, ベールをつけた. **2** 隠された; 不明瞭な, 直接的でない ‖ a *veiled* threat 無言の脅し.
†**vein** /véin/ 【同音】vain, vane》图ⓒ **1** 静脈(↔ artery)《◆形容詞は venous》;(一般に)血管 ‖ the main *vein* 大静脈. 【ジョーク】"Why were the two red blood cells so unhappy?" "Because they loved in *vein*."「ふたつの赤血球はなぜそんなに不幸だったの?」「愛し合ったのが静脈の中だったからさ」《◆ in vain とのしゃれ》. **2**(文)[a ~](一時的な)気分, 気持ち ‖ be in the *vein* [for tears [for crying] 泣きたい気になる(=feel like crying) / be in [out of] the *vein* 気が向く[向かない]. **3**(文)(人・物・事の)傾向, 特質, 気質, 肌(trait); [a ~ of + Ⓤ 名詞] …の気味 ‖ a person of scientific *vein* 科学者肌の人 / There is a *vein* of humor in the essay. その随筆にはユーモアの味がある. **4** 静脈状の物; [植]葉脈; [動](昆虫の)翅脈(しみゃく). **5**(大理石などの)石理(せきり), 筋, 裂け目; 鉱脈, 岩脈; 地下水(脈) ‖ strike a rich [poor] *vein* of gold 豊かな[乏しい]金鉱脈を掘り当てる.
in [**the sáme** [**a símilar**] **véin**(1)同じ(ような)調子で, 同じ(ような)傾向で.(2)[文頭で]同じような言い方をすれば.
veined /véind/ 圏 脈(状の筋)のある[見える], 葉脈[翅脈(しみゃく)の, 筋[模様]のある.
vein・ing /véiniŋ/ 图Ⓤ脈[筋]ような]模様, 脈配列; 脈形成.
Vel・cro /vélkrou/ 图ⓒ《商標》ベルクロ《衣服を留めるためにボタンの代わりに用いるマジックテープ》.
ve・le・ta /vəlíːtə/ 图ⓒ ベレッタ《3拍子の社交ダンス》.
vel・lum /véləm/ 图 **1** Ⓤ 上質皮紙《子牛・子羊などの皮から作り, 本の表紙などになる. parchment より上質で昔は書き物に用いた》. **2** Ⓒ 上質皮紙に記された文書. **3** Ⓤ =vellum paper.
véllum páper 模造皮紙.
ve・loc・i・pede /vəlɑ́səpìːd/ -lɔ́s-/ 图ⓒ **1**《米》(子供の)3輪車. **2**(前輪ペダルの)初期の自転車.
†**ve・loc・i・ty** /vəlɑ́səti/ -lɔ́s-/ 图 **1** Ⓤⓒ《物理》速度《◆speed と違い方向性を持った速度》 ‖ the *velocity* of a bullet 弾丸の速度. **2** Ⓤ[時に a ~; 俗用的に](運動・動作などの)速さ, 速力(speed) ‖ 高速を意味する》;《正式》(出来事などの)速さ, 急速さ ‖ at a *velocity* of 332 meters per second 毎秒332メートルの速さで / move with great *velocity* 非常な速さで動く.

ve·lour(s) /vəlúər(z)/ 名U ベロア《ビロード状の布》.

†**vel·vet** /vélvit/ 名 **1** CU ビロード, ベルベット ‖ cotton *velvet* べっちん, 綿ビロード / (*as*) smooth *as velvet* ビロードのように柔らかな[すべすべした]. **2** CU ビロード状のもの; モモの皮, うぶ毛の生えたほお.

 be [stánd] on vélvet (古) (1) 金銭的に恵まれている; 有利な立場にある. (2) (賭博(とばく)で) 必ずもうかる状況にある.

 ──形 **1** ビロード(製)の, ベルベットの ‖ *a velvet frock* ビロードのフロックコート. **2** ビロードのような; 柔らかな, 滑らかな ‖ walk with (a) *velvet* tread (文) 静かに歩く.

 vélvet glóve (1) ビロードの手袋. (2) うわべだけの優しさ.

†**vel·vet·y** /vélvəti/ 形 **1** ビロードのような, 滑らかで柔らかい, すべすべした. **2** 〈色・光・音などが〉柔らかい, 落ち着いた. **3** 〈ワインなどが〉まろやかな, 口当たりの柔らかな.

ve·nal /víːnl/ 形 (正式) **1** 〈人が〉金で動かされる. **2** 〈行為・特権などが〉金銭目当ての, 金銭ずくの.

ve·nal·i·ty /viːnǽləti/ 名U (正式) わいろのきくこと, 金で動かされる[動く]こと; 金銭ずくの行為.

vend /vénd/ 動 **1** (正式) (ふつう街頭などで) 〈花・果物などを〉売る, …を売り歩く, …の行商をする. **2** (法律) 〈土地・家屋などを〉売却する(sell). ──自 **1** 売る; 売り歩く, 行商する. **2** 〈商品が〉売れる.

 vénding machine 自動販売機《(英) slot machine》‖ 日本発 *Vending machines*, which are located practically everywhere in Japan, operate 24 hours a day, 365 days a year. 日本では自動販売機はほとんどどこにでもあって, 1年365日, 1日24時間利用できる.

†**vend·er** /véndər/ 名 =vendor.

ven·det·ta /vendétə/ 名C **1** (2族間の)復讐(ふくしゅう), かたき討ち. **2** 長期の激しい争い, 怨念.

†**ven·dor** /véndər, -dɔːr/ 名C **1** [通例複合語で] (街頭の)物売り;(球場などの)売り子; 行商人 ‖ a peanut *vendor* ピーナッツ売り. **2** (法律) (不動産などの)売り主; 納入業者. **3** =vending machine.

ve·neer /vəníər/ 名UC **1** (家具などの表面に張る)化粧板. **2** (合板用の)薄板《◆「ベニア(板)」はこれを張り合わせた plywood のこと》. **3** (正式) [通例 a ~] 見せかけ, うわべの飾り ‖ *a veneer of* honesty うわべだけの誠実さ. ──動他 (正式) **1** 〈木材・家具などを〉…で化粧張りする(*with*, *in*). **2** (合板を作るために)〈薄板を〉張り合わせる. **3** 〈欠点などを〉〔…で〕体裁よく隠す, ごまかす(*with*).

†**ven·er·a·ble** /vénərəbl/ 形 **1** (正式) 〈人が〉〈高齢・人徳・高位・威厳などで〉尊敬すべき, 尊い, 立派な ‖ *a venerable* old priest ありがたい老司祭. **2** (略式) 〈事物・場所・建物などが〉〈宗教的・歴史的連想を伴い〉尊重すべき, 神さびた, 由緒ある ‖ *venerable* relics of a saint 聖者の尊い形見 / the *venerable* ruins of the castle その城の古さびた遺跡. **3** [通例 the V~] (アングリカン) …師《大執事(archdeacon)の敬称》. (略) Ven., V.》. **4** (カトリック) 尊者《福者・聖人の前段階に対する敬称》.

†**ven·er·ate** /vénərèit/ 動他 (正式) 〈有徳者・高齢者・古い事物などに〉深い敬意を払う, …を敬(うやま)う, 大切にする(respect) ‖ a *venerated* tradition 神聖視され尊ばれている伝統.

ven·er·a·tion /vènəréiʃən/ 名U (正式) **1** 〔…に対する〕尊敬[畏敬]の念〔*for*〕‖ *veneration for* one's forefathers 先祖に対する畏敬の念. **2** 尊敬(すること).

ve·ne·re·al /vəníəriəl/ 形 (医学) **1** 〈病気が〉性交によって起こる[うつる]. **2** 性病の, 性病に関する; 性病に感染した. **venéreal diséase** 性病(略 VD).

†**Ve·ne·tian** /vəníːʃən/ 形 ベネチア[ベニス]の; ベネチア人の; ベネチア派の; ベネチア風[様式]の. ──名C **1** ベネチア人. **2** =Venetian blind.

 Venétian blínd ベネチアン・ブラインド, 板よろだれ《金属・プラスチック・木などの薄いよろい戸をつづった日よけ》.

Ven·e·zue·la /vènəzwéilə, (米+) -zwíː-/ 名 ベネズエラ《南米北部の共和国. 首都 Caracas》.

†**venge·ance** /véndʒəns/ 名U (正式) 〔人に対する/事に対する〕復讐(ふくしゅう)〔*on*, *upon* / *for*〕;〔a ~〕仇(あだ)討ち, かたき討ち ‖ wreak [inflict] *vengeance* 仇討ちをする / swear *vengeance on* [*against*] one's father's murderer 父親の殺害者に対し復讐を誓う / take *vengeance for* the death of his father 父のあだ討ちをする.

 with a véngeance (略式) 猛烈に, 激しく; まったく, まさしく; 極端に, 徹底的に.

venge·ful /véndʒfl/ 形 (文) 復讐(ふくしゅう)心に燃えた, 執念深い; 報復的な.

ve·ni·al /víːniəl/ 形 (正式) 〈過失・誤り・罪などが〉許せる, ささいな(↔ mortal).

†**Ven·ice** /vénis/ 名 ベネチア, ベニス《イタリア北東部の都市. 運河と gondola で有名. イタリア名 Venezia. 形容詞は Venetian》.

†**ven·i·son** /vénəsn, -zn, (英+) vénzn/ 名U (食用の)シカの肉.

†**ven·om** /vénəm/ 名U **1** (ヘビ・サソリ・ハチなどの)毒液, 毒 ‖ a *venom* duct [fang] 毒管[毒牙]. **2** (正式) 悪意, 恨み, 憎悪; 毒舌; 悪意の行為.

†**ven·om·ous** /vénəməs/ 形 **1** 毒液を分泌する, 有毒な. **2** (正式) 悪意[憎しみ]に満ちた, 有害な ‖ a *venomous* tongue 毒舌. **vén·om·ous·ly** 副 悪意に満ちて, 毒々しく.

ve·nous /víːnəs/ 形 **1** (生理) 静脈の; 〈血が〉静脈を流れる(↔ arterial) ‖ *venous* blood 静脈血. **2** (植・動) 葉脈[翅脈(しみゃく)]の多い[はっきりした].

†**vent**[1] /vént/ 名C **1** (気体・液体などの)穴, (抜け)口, (空気・煙・蒸気などの)通気(口), 排気[気]孔;(笛などの)指穴;(火山の)噴気孔;(大砲の)火門 ‖ an air *vent* 通気口. **2** U [時に 〜] 〈感情・精力などが〉はけ口, 出口(*for*) ‖ He found (*a*) *vent* for his energies in baseball. =His energies found (*a*) *vent* in …. 彼は野球に精力のはけ口を見いだした. **3** C (動) (鳥・魚・爬(は)虫類などの)総排泄(はいせつ)孔.

 give vént to A (正式) 〈怒り・悲しみなどを〉〔…で/…によって〕表に出す, 爆発させる(*in* / *by doing*); 〈精力などを〉発散させる; 〈音などを〉出す ‖ She *gave vent to* her anger 「*by* swearing [*in* furious speech]. 彼女は口汚い言葉を吐いて[激烈な演説をして]怒りをあらわした.

 ──動他 **1** 〈怒りなどを〉〔人・動物に向けて/…で/…によって〕爆発させる, 発散させる, ぶちまける(*on*, *upon* / *in* / *with*, *by doing*) ‖ He *vented* his anger *on* his wife *by* shouting at her. 彼はどなりつけて妻に怒りをぶつけた. **2** …に穴[口]をあける, 通気孔をつける;〈煙・蒸気・液体などを〉出す, 放出する.

vent[2] /vént/ 名C ベンツ, スリット《コート・上着などの背や両脇の切れ込み》.

†**ven·ti·late** /véntəlèit/ 動他 **1** 〈部屋・坑内などの〉換気をする, …に風〔空気〕を通す; 〈風・空気が〉〈部屋・家などを〉よく通る ‖ *ventilate* a room 部屋の換気をする / be well [badly] *ventilated* 換気がいい[悪い]. **2** (正式) 〈問題などを〉公開して自由に討議[論

ven·ti·la·tion /vèntəléiʃən/ 名 U **1 a** 換気, 風通し. **b** 換気[通風]状態; 換気装置 ‖ a room with good [bad, poor] *ventilation* 換気のいい[悪い]部屋. **2** 〖正式〗公開討議, 自由な論議; 公表, 表明 ‖ thorough *ventilation* of a question 問題の十分な公開[自由]討議. **3** 〖医学〗人工呼吸.

ven·ti·la·tor /véntəlèitər/ 名 © 換気装置, 換気扇, 空気調節器, 換気窓, 通風孔[管]; 人工呼吸装置.

ven·tral /véntrəl/ 形 **1** 〖解剖〗腹(部)の, 腹(部)にある. **2** 〖解剖動〗腹側の, 腹側にある(cf. dorsal).
——名 © 〖魚〗=ventral fin.

véntral fín 腹びれ(pelvic fin).

ven·tri·cle /véntrikl/ 名 © 〖解剖〗**1** (心臓の)心室. **2** (脳髄・喉(&)・頭などの)室, 空洞.

ven·tril·o·quism /ventríləkwìzm/ 名 U 腹話術.
ven·tríl·o·quist 名 © 腹話術師.

†**ven·ture** /véntʃər/ 名 **1** © (危険な)冒険, 危険な試み; 冒険[投機]的事業 《◆ venture は主に事業について用いられるのに対し, adventure は通常一般的な語で危険の有無にかかわらず刺激的なものをいう》. **2** 投機, 思惑, やま; (賭(%)け金・商品など投機のかかっている物 ‖ make a *venture* 投機をやる.

at a venture 運任せに, でたらめに; まったく偶然に.

——動 他 〖正式〗**a** 〈人が〉〈命などを〉〔危険な行為・状況で〕危険にさらす, 賭(%)ける〔*in, into*〕‖ *venture* one's life in war 戦争で命を危険にさらす. **b** 〖正式〗〈人が〉〈金・財産などを〉〔賭け事・事業などに〕賭ける(*risk*)〔*on, upon*〕‖ I decided to *venture* all my money on the new business. 有り金全部を新事業に賭けることに決めた / *Nothing venture, nothing gain* [*win, have*]. =*Nothing ventured nothing gained*. (ことわざ)危険を冒さなくては何も得られない; 「虎穴(Ξ)に入らずんば虎児を得ず」. **2** 〖正式〗〈人が〉〈危険な行為・状況に〉危険を冒して立ち向かう, 敢然と挑む. **3** 〖正式〗〈人が〉あえて〔…〕する, 思いきって〔…〕する(*dare*)〔*to do*〕; 〈人が〉〈考えなど〉をあえて述べる; 〔…と〕思い切って言う〔*that* 節〕‖ *venture* to jump out the window 窓から思い切って飛び出す / *venture* an opinion [objection] あえて意見[反対意見]を述べる / I *venture* (*to* say [*suggest*]) *that* you are wrong. 口はばったいようですが, あなたの考えは間違っていますよ / May I *venture* (*to* make) a suggestion? あえて1つ提案をしてもよろしいでしょうか.

——自 **1** 〈人が〉危険を冒して行く[進む]《◆ 方向を示す副詞(句)を伴う》‖ *venture out* in the storm あらしの中を思い切って外に出る. **2** 〖正式〗〈人が〉〔危険な事業・旅などに〕思い切って乗り出す, 〔…を〕危険を冒して試みる〔*on, upon*〕‖ She *ventured on* [*upon*] a dangerous journey [a new enterprise]. 彼女は思い切って危険な旅[新しい事業]に乗り出した.

vénture búsiness ベンチャービジネス《新技術導入・新規開発事業を行なう新設の中小企業. 成長性が高いがリスクも大きい》.

vénture cápital 《主に米》〖経済〗危険負担資本《《英》risk capital》《有望な新興企業に損失の危険を冒して投下される資本》‖ a *venture capital* firm ベンチャー企業.

Vénture Scóut ベンチャー=スカウト《年長(16歳以上)ボーイ=スカウト隊員》.

vén·ture-bàcked cómpany /véntʃərbækt-/ ベンチャー企業.

ven·ture·some /véntʃərsəm/ 形 〖文〗**1** 〈人が〉冒険好きの, 大胆な, 向こう見ずな(daring). **2** 〈行為が〉危険を伴う, 冒険的な.

ven·ue /vénju:/ 名 © **1** 〖法律〗(事件などの)裁判籍, 訴訟原因発生地; 《米》(陪審裁判が行なわれる)裁判地 ‖ change the *venue* (暴動を避けたり, 公正を期すため)裁判地を変更する. **2** 開催地; 発生地, 現場. **3** 《米》立場, 意見.

†**Ve·nus** /ví:nəs/ 名 **1 a** 〖ローマ神話〗ビーナス, ウェヌス《愛と美の女神. ギリシャ神話の Aphrodite に相当》. **b** © 絶世の美女. **2** 〖天文〗金星《◆ 明け見えるときは the morning star, Lucifer (明けの明星), 夕方見えるときは the evening star, Hesperus (宵($)の明星)と呼ぶ》.

the Vénus of Mílo /máilou, mí:-/ ミロのビーナス(像).

ver. (略) version.

ve·ra·cious /vəréiʃəs/ 形 〖正式〗**1** 〈人が〉真実を語る, 誠実な. **2** 〈ことばなどが〉本当の; 正しい, 正確な.

ve·rac·i·ty /vəræsəti/ 名 〖正式〗**1** U [通例 the ~] 正直さ, 誠実さ; 真実性, 正確性. **2** © 本当のこと, 真実.

†**ve·ran·da, –dah** /vəréndə/ 〖ヒンディー〗名 © 《主に英》ベランダ, 縁側《《米》porch》《建物の1階側面から張り出した屋根付きの縁》. cf. balcony.

***verb** /və:rb/ 名 〖『言葉』が原義〗(略) verbal (形)
(複)~s/-z/; 〖文法〗動詞(略 v., vb) ‖「an intransitive [a transitive] *verb* 自[他]動詞 / 「an irregular [a regular] *verb* 不規則[規則]動詞.

***ver·bal** /və́:rbl/ 形 〖→ verb〗

——形《比較変化しない》**1** 〖正式〗[通例名詞の前で] 口頭の, 口で言い表された(《正式》oral, spoken) (↔ written) ‖ a *verbal* agreement [contract, message] 口頭での協定[契約, 伝言] / a *verbal* promise 口約束.
2 (意味・実体にかかわりなく)言葉の上(だけ)の; (行動を伴わず)言葉だけによる ‖ a *verbal* protest 言葉だけの抗議.
3 [通例名詞の前で] **言葉の**, 言葉に関する; (他の表現手段に対して)言葉による; 言語使用[理解]に関する (↔ nonverbal) ‖ *verbal* mistakes 言葉遣いの誤り / *verbal* communication 言葉による意思疎通.
4 〈翻訳が〉逐語的な, 文字通りの. **5** 〖文法〗動詞の, 動詞的な; 動詞から派生した; 動詞を構成する.

——名 © **1** 〖文法〗準動詞《不定詞・分詞・動名詞の総称》. **2** 〖英約式〗口論.

vérbal nóun 〖文法〗動詞的名詞《動詞から派生した名詞, 特に (名詞的性質の強い)動名詞をいう》.

vér·bal·ly 副 口頭で, 口で; 言葉で; 一語一語忠実に; 言葉の上だけ; 〖文法〗動詞として.

ver·ba·tim /və:rbéitəm/ 形 副 逐語的な[に], 言葉どおりの[に], 一語一句そのままの[に] ‖ a *verbatim* report 当たり通りの報告.

ver·be·na /və:rbí:nə/ 名 © 〖植〗クマツヅラ; (特に)バーベナ, ビジョザクラ.

ver·bi·age /və́:rbi:ɪdʒ/ 名 U 〖正式〗(文章・談話で)無用な語句が多いこと, 冗言; 不要語の多用, 冗長, 冗漫.

ver·bose /və:rbóus/ 形 〖正式〗〈人・陳述・文体などが〉言葉数が多い, くどい, 饒($)舌な; 冗漫な.

ver·bos·i·ty /və:rbɑ́səti| -bɔ́s-/ 名 U 〖正式〗言葉数が多いこと, くどいこと, 饒($)舌; 冗長, 冗漫.

†**ver·dant** /və́:rdnt/ 形 〖詩〗**1** 新緑で覆われた, 青々とした ‖ *verdant* hills 緑の丘. **2** 若草色の.

Ver·di /véərdi/ 名 ベルディ《**Giuseppe** /dʒuːzépi/ -sépi/ ~ 1813-1901; イタリアのオペラ作曲家》.

†**ver·dict** /vɔ́ːrdikt/ 名 C **1**〔法律〕(陪審員が下す)評決, 答申《◆ verdict に基づいて裁判官が下す判決は judgment, decision, 刑の宣告は sentence. 関連 → sentence 図 **2**》‖ The jury「brought in [returned] a *verdict* of guilty [not guilty]. 陪審員は有罪[無罪]の評決を下した. **2**《略式》〔物事に関する〕(熟慮に基づく)意見〔on, about〕; 決定, 判定, 判断‖ the public *verdict* on welfare 福祉に関する世論.

ver·di·gris /vɔ́ːrdəgriːs, -ɡrɪs | -ɡriː/ 名 U〔化学〕緑青(ろくしょう)《銅の表面に生じる青緑色のさび》.

†**ver·dure** /vɔ́ːrdʒər/ 名 U〔詩〕**1**(草木の)緑, 新緑. **2** 新緑の草木, 萌(も)える若葉[若葉]. **3** 生気, 新鮮さ; 隆盛.

ver·dur·ous /vɔ́ːrdʒərəs/ 形〔詩〕《草木が》青々とした, 新緑の;《場所が》新緑[緑の草木]で覆われた.

†**verge** /vɔ́ːrdʒ/ 名 C **1 a**《場所などの》縁(ふち), 端, へり, はずれ; 境界, 境; 限界, 範囲‖ the *verge* of a cliff がけの縁. **b**《英》(芝生縁どりした)花壇べり;(草芝)の生垣)の道路[歩道]べり. **2** [the ~ of +U 名詞](破産・絶望などの)間際(きわ), 瀬戸際, 寸前‖ His failures brought [drove] him to *the verge* of ruin. たび重なる失敗で彼は破産寸前まで追い込まれた.

on the vérge of (*do*ing) Ⓐ《ふつう好ましくない[不都合な]状態・行為》の間際に, …の寸前で; 今にも…しようとして 類語 on the BRINK [POINT] of).

——動 ⾃ **1**《場所が》《場所に》境を接している〔on, upon〕‖ Our property *verges* on the road. 我々の地所はその道路に隣接している. **2**《発言・行為などが》《状態・性質に》近い, ほとんど等しい, …と紙一重である;《人などが》《状態の》間際にいる〔あ る〕;《色が》《色に》近い〔on, upon〕‖ It *verges* on madness to swim in such a rough sea. こんな荒れた海で泳ぐのは狂気に等しい.

ver·i·fi·ca·tion /vèrəfɪkéɪʃən/ 名 U《正式》証明, 立証; 実証, 検証; 確認, 照合. **2** U 証拠, 根拠.

†**ver·i·fy** /vérəfài/ 動 ⺄《正式》**1**〈目撃者・調査などが〉〈供述・疑惑などが〉事実である[正しい]ことを証明[立証, 確証]する(⇔ falsify)‖ *verify* her statement 彼女の話に間違いないことを証明する / As time went on, everything he said was *verified*. 時がたつにつれ彼の言ったことがことごとく実証された. **2**〈人・科学などが〉(調査・実験などによって)〈供述・計算・仮説などが〉正しい[事実である]かどうかを確かめる;〔…ということを〕〈…かを〉確かめる〔*that* 節/*wh*節〕‖ *verify* these figures この数字を確かめる / The computer *verified that* the result was accurate. コンピュータでその結果が正しいことを確めた. **3**〔法律〕(宣誓・証拠などによって)〈主張・文書・物品などを〉確認[立証]する.

vér·i·fi·a·ble 形 証明できる. **vér·i·fi·er** 名 C 証明[立証]する人, 実証する物[事]; 検定器.

†**ver·i·ly** /vérəli/ 副〔古〕〔文全体を修飾〕本当に, 確かに《◆聖書の古い訳に用いられた》.

†**ver·i·ta·ble** /vérɪtəbl/ 形《正式》真の, 本当の, まぎれもない‖ a *veritable* triumph 真の勝利 / His wife is a *veritable* slave. 彼の奥さんはまさに奴隷だ.
vér·i·ta·ble·ness 名 U 真実[本当]であること.
vér·i·ta·bly 副 本当に, まさしく.

†**ver·i·ty** /vérəti/ 名《文》**1**〔通例 verities〕(宗教・倫理上の)真理, 真実の陳述[教え]; 真に実在するもの, 基本的価値‖ religious [the eternal] *verities* 宗教的[永遠の]真理.

ver·mi·cel·li /vɔ̀ːrmɪtʃéli, -séli/〔イタリア〕名 U バーミセリ《spaghetti より細いパスタ》.

ver·mi·form /vɔ́ːrməfɔːrm/ 形 蠕(ぜん)虫状の.
vérmiform appéndix〔解剖〕[the/one's ~]虫垂《◆ appendix ともいう. cf. appendicitis》.

†**ver·mil·ion, --lion** /vərmíljən/ 名 U 朱色, 朱.——形 朱(色)の. ——動 ⺄ …を朱色[朱]で塗る.

†**ver·min** /vɔ́ːrmɪn/ 名〔集合名詞; 複数扱い〕**1**(穀物・家畜などに害を与える)害獣《キツネ・イタチ・モグラなど》, 害鳥; 害虫《シラミ・ノミなど》; 寄生虫. **2** 社会の害虫, 有害な人; 人間のくず.

ver·min·ous /vɔ́ːrmənəs/ 形《正式》**1**(ノミ・シラミなど)害虫のたかった[わいた]; 寄生虫のわいた. **2**〈人が〉不愉快きわまる.

Ver·mont /vərmάnt | -mɔ́nt/ 名 バーモント《米国北東部の州. 州都 Montpelier.《愛称》the Green Mountain State. 略 Vt,《郵便》VT》.
Ver·mónt·er 名 C バーモント州の人.

ver·mouth /vərmúːθ | vɔ́ːməθ, vəmúːθ/ 名 U C ベルモット《香料を加えた白ワイン. 主に食前用》.

†**ver·nac·u·lar** /vərnǽkjələr/ 形 **1**〈言語が〉その土地[地方]固有の, 自国の‖ the *vernacular* languages of India インドの諸地方語. **2** その地方[国]の(話し)言葉を用いた[による]‖ a *vernacular* newspaper 地方[自国語]新聞 / a *vernacular* poet 土地言葉で書く詩人.

——名 C〔しばしば the ~〕《特に標準語・外国語に対し》その地方[国]固有の言語, 自国語; 土地[お国]言葉, 方言《◆家庭で最初に身につける言語で, 堅い文語と区別して話し言葉・日常語をさすことが多い》‖ speak in the *vernacular* 日常語[土地言葉]で話す.

ver·nác·u·lar·ly 副 地方語[自国語]で[風に].

ver·nal /vɔ́ːrnl/ 形 **1** 春の, 春に咲く, 春に起こる[現れる]. **2**〔詩〕春のような, 春にふさわしい.

ver·ni·er /vɔ́ːrniər/ 名 C **1** =vernier scale. **2**(微調整用の)補助装置.
vérnier scàle 副尺, 遊標(尺), バーニヤ.

ve·ron·i·ca /vərάnɪkə | -rɔ́n-/ 名 U C〔植〕クワガタソウ.

Ver·sailles /veərsái,《米+》vər-,《英+》vɜː-/ 名 **1** ベルサイユ《Paris 南西部の都市》. **2** ベルサイユ宮殿《同地にある Louis XIV の建てた宮殿》.

†**ver·sa·tile** /vɔ́ːrsətl | -tàil/ 形 **1**〈人が〉[…の点で]多面的な才能がある, 多芸の〔*at*, *in*〕‖ a *versatile* performer who can act, sing, and dance 芝居も歌も踊りもこなす多才な役者. **2**〈道具・材料などが〉用途の広い, 色々に使える, 多目的な‖ Iron is a *versatile* material. 鉄は用途の広い材料である.
vér·sa·tile·ly 副 何でもうまく, 多才に; 使途広く, 万能に.

†**verse** /vɔ́ːrs/ 名 **1** U **a** 韻文(↔ prose);[形容詞的に]韻文の, 韻文で書かれた‖ His works are (written) *in verse*. 彼の作品は韻文で書かれている. **b**〔集合名詞〕(ある作家・時代・国などの)詩, 詩歌, 詩作品(poetry)‖ English lyrical [epic, contemporary] *verse* 英国叙情詩[叙事, 現代]詩. **2** C〔詩学〕(一定数の詩脚・強勢音節のある)詩の1行(line)‖ quote a few *verses* from Dryden ドライデンの詩から数行引用する. **3** C(詩・歌謡の)節, 節, スタンザ(stanza)‖ a poem of five *verses* 5節からなる詩. **4** U 詩形, 詩格‖ blánk [frée] *vérse* 無韻[自由]詩形 / iambic [trochaic] *verse* 弱強[強弱]格詩形. **5** C(聖書の)節《chapter (章)

versed /vˆːrst/ 形 《正式》[しばしば well ~]〈人が〉(研究・経験などによって)［学問・技術などに］精通した, 熟達［熟練］した[in] ‖ She is *well versed in Latin*. 彼女はラテン語に造詣が深い.

ver·si·fi·ca·tion /vəˋrsifikéiʃən/ 名 U 1 作詩; 作詩法［理論］, 韻律法. 2 詩形式, 韻体(形式); 韻文化.

ver·si·fy /vəˋrsəfài/ 動 《正式》他〈散文〉を韻文にする; …を韻文で語る［述べる, 表現する］; …を主題に詩を作る. ── 自 (下手な)詩を書く.

ver·sion /vəˋrʒən, -ʃən/
── 名 (複 ~s /-z/) C 1 a 《文学作品などの》改作, 脚色, …版 ‖ an abridged *version* of a novel 小説の縮約版. b 〈品物などの特殊化された〉型, …版, 〈原型の〉異形(物), 変形(物), 〈ある物に〉対応［相当］するもの, 〈コンピュータ〉〈ソフトウェアなどの〉バージョン, 版 ‖ a deluxe [cheaper] *version* of the dictionary その辞書の豪華［廉価］版.
2 《個人的・一方的な》説明, 報告, 意見, 解釈 ‖ Each of the boys gave his own *version* of the accident. 少年たちが事故についてそれぞれ違った説明をした.
3 翻訳(されたもの), 訳書, 訳文(translation); [通例 V~]〈聖書の〉…版, …訳 ‖ I read an English *version* of *Crime and Punishment*「罪と罰」の英訳本を読む / the Authorized [Revised] *Version* of the Bible 欽定訳［改訳］聖書. 4 《演奏》［演技］家独自の作品解釈, 表現.

ver·sus /vəˋrsəs/ 《ラテン》前 《正式》1 〈訴訟・競技などで〉…対, …に対して(against) (略) 《米》vs, vs.; 《英》v, v.) ‖ the England *versus* Scotland football game イングランド対スコットランドのサッカー試合 / the Lions *versus* the Tigers ライオンズ対タイガース(の試合). 2 …に対して, 比較して ‖ peace *versus* war 平和か戦争か.

ver·te·bra /vəˋrtəbrə/ 名 (複 -brae /-briː, -brèi/, ~s) C 〖解剖〗脊椎(つい)骨, 椎骨; [the vertebrae] 脊柱, 背骨(backbone) ‖ cervical *vertebrae* 頸(けい)骨.

ver·te·bral /vəˋrtəbrəl/ 形 〖解剖〗脊椎(つい)(骨)の, 脊椎(骨)に関する, 背骨の; 脊椎に似た.

ver·te·brate /vəˋrtəbrət, -brèit/ 形 〖解剖〗脊椎(つい)［背骨］のある; 脊椎動物の. ── 名 C 脊椎動物.

ver·tex /vəˋrteks/ 名 (複 ~·es, -·ti·ces /-təsìːz/) C 1 《正式》最高点, 頂点, 頂上(top). 2 〖数学〗頂点, (2 辺の)交点, (多面体の)頂角.

†**ver·ti·cal** /vəˋrtikl/ 形 1〈線・面が〉垂直の, 水平面に直角な; 〈物体が〉直立した; 垂直に上昇［下降］する(→ perpendicular) (↔ horizontal) ‖ a *vertical* line [plane] 垂直線［面］/ a *vertical* movement 垂直運動 / a *vertical* take-off and landing aircraft 垂直離着陸機. 2 《画面などの》縦の, 〈写真が〉垂直下に向けて撮影した ‖ draw a *vertical* line 縦線を引く. 3 〖数学〗頂点の, 〖天文〗天頂の ‖ a *vertical* angle 〘対〙頂角. ── 名 C 1 垂直線［面］. 2 [the ~] 垂直位置 ‖ 「out of [off] *the vertical* 垂直でない, 傾斜して［垂直位置からずれて］. 3 〖天文〗 = vertical circle.

vértical círcle 垂直圏.

vértical thínking 垂直思考 (↔ lateral thinking).

vér·ti·cal·ness 名 U 垂直(状態).

†**ver·ti·cal·ly** /vəˋrtikəli/ 副 垂直に, 直立して.

ver·ti·ces /vəˋrtəsìːz/ 名 vertex の複数形.

verve /vəˋrv/ 名 U 《正式》1 《芸術作品[活動]などの》熱情, 気迫, 活気. 2 《一般に》活気, 元気, 生気.

:**ver·y** /véri, (略式・弱) vəri/ 〘類音〙bury /béri/, vary /véəri/) 〖「真実の［に］」が原義. 今は強意副詞の中核語〗

index 副 1 非常に 2 本当に 3 あまり
形 1 ちょうどその 2 ただ…だけで

────副 ◆ 《比較変化しない》1 非常に, たいへん, とても ◆ (1) 形容詞を修飾する典型的な強意語. この語の修飾が可能か否かで分詞か形容詞化した分詞かが識別できる (→ b, c および 語法). (2) exceedingly, extremely, highly の方が強意的. → 語法 (5)〉 a [原級の形容詞・副詞を前位修飾] ‖ a *very* tall tree 非常に高い木 / I'm *very* busy now. 私は今大変忙しい / He is *very* fond of baseball. 彼は野球がとても好きだ / She worked *very* hard. 彼女はとても熱心に働いた / This book is *very* important. この本はとても重要です (= This book is of great importance.) ◆ *very* に対応する形容詞は great など).

〘語法〙(1) 比較級・最上級の形容詞・副詞には much, very much, far などを用いる (➡文法 19.8). ただし最上級の形容詞を very で修飾する用法はある (→ **2 a**): He is *much* [×*very*] older than I (am). 彼は私よりもかなり年上です.
(2) 補語として用いる形容詞の afraid, alike, ashamed, aware などには very を用いることがある. 補語に用いる形容詞でも段階性を表さない asleep, awake に very はふつう用いない: She is *very* [*much*] afraid to die. 彼女は死ぬことをひどく恐れている.
(3) ふつう too の前に very は使えない: You are *much* [*far*, ×*very*] too nice. 君は実にすてきだ.
(4) wonderful, splendid, superb, marvelous, terrible, horrible などそれ自体に very の意を含んだ語とともには用いない (cf. delicious 1).
(5) 《略式》では very の強意表現として terribly, awfully, horribly, incredibly, remarkably などをしばしば用いる: *very* [*awfully*] bad weather とても悪い天気.
(6) 動詞を修飾できないが, very much とすれば可: I like him *very much*. = I *very much* like him. 彼がとても好きだ (→ 成句 very much).

b [形容詞化した現在分詞を修飾] ‖ a *very* interesting book とても面白い本.
c [形容詞化した過去分詞を修飾] ‖ a *very* complicated problem 非常に複雑な問題 / I'm *very* tired. とても疲れた.

〘語法〙[very と過去分詞]
(1) 補語として用いて感情や心理状態を表す amused, excited, pleased, surprised, worried などや物の状態を表す changed, damaged などは much, very much より very で修飾することが多い: I was *very* surprised at the news. そのニュースには大変驚いた.
(2) 明らかな受身形の場合は much, very much などを用いる: Your kindness is *much* [*very much*] appreciated (by me). ご親切をとてもありがたく存じます. しかし, very much, much を用

いた文は堅苦しく響くので, greatly などを用いることが多い.

(3) (2) の例文のように by 句が続く場合, by +〈人〉は受身と感じられて much, very much が好まれる. by +〈人〉以外は受身とはあまり感じられず very が好まれる傾向がある: I'm *very* disturbed by your attitude. 君の態度を見て私は大変気持ちが乱れています.

2《◆元来は形**1**を副詞的に用いたもの》**a** [the/that/one's ~; -est 型の最上級, best, worst または first, next などを強調して] 本当に, 確かに ‖ *the very best* wine まさしく最良のワイン(=much [by far] the best wine) / You are the *very first* person I've met today. あなたが今日私がはじめて会った人です / Be home at ten *at the very latest*. どんなに遅くとも10時には帰って来なさい. **b** [the/that ~; same, opposite などを強調して] まったく, まさに ‖ He asked me the *very same* question as you had. 彼はあなたとまったく同じ質問をした.

3 [否定文で] あまり, たいして(…ない); ちっとも(…ない) [◆部分否定 ➔ 文法 2.2(2)] ‖ 〈対話〉"Is his lecture interesting?""No, *not very*." 「彼の講義は面白いですか」「いいえ, あまり」/ I am *not very* good at swimming. 私は水泳はあまりうまくない.

one's véry ówn [通例子供用, または子供に対して用いる] (1) [名詞の前で] 自分だけ[専用]の ‖ my *very own* room 私専用の部屋. (2) 自分だけのもの ‖ She has a PC of *her very own*. 彼女は自分専用のパソコンを持っている.

véry góod (英) [敬意をこめた同意を表して] かしこまりました.

*véry múch たいへん, 大いに.

語法 (1) → **1a** 語法 (1)

(2) → **1c** 語法

(3) 段階性を示す動詞に限り次の2つの位置が可能: We *very much* doubt [enjoy, fear, hope, like, want] it. / We doubt [enjoy, fear, hope, like, want] it *very much*.

(4) 目的語は長い動詞と目的語の間にくることが可: I admire *very much* what she did. 彼女のやったことをたいへん賞賛している. ただし短い場合は目的語の後が同様: I admire Bill *very much*. 私はビルをたいへん賞賛している. cf. ˣI admire *very much* Bill.

(5) 段階性を示さない動詞ではふつう否定文のみで用いる: I don't drive *very much*. 私はあまりドライブはしない. cf. I drive ˊa lot [ˣ*very much*].

(6) 名詞句の前では「まさしく…だ」の意: This is *very much* an agricultural problem. これはまさしく農業問題だ. 《◆形容詞が程度形容詞の場合は不可: ˣShe is *very much* a pretty girl.》.

---

véry wéll = **óh wéll** (正式) [譲歩・あきらめを示して] なるほど, そうですか.

—形 (··i·er, ··i·est) 《◆ふつう比較変化しない》 [名詞の前で] **1** [the [this, that, one's] ~] (適合性を強調して) ちょうどその, まさにその, ちょうどぴったの; (同一性を強調して) まったく同じの, ほかならぬ(cf. same) ‖ At that *very* moment the door bell rang. ちょうどそのとき玄関のベルが鳴った / This is *the very* book I need now. これこそ今私に必要な本です.

2 a [通例 the ~] ただ…だけで, 単に…ですら(mere) ‖ *The very* thought of going there frightens me. そこへ行くことを考えるだけでも恐ろしい. **b** [通例 the/one's ~] …でさえ(even) ‖ *The very* stones cry out. 《聖》 (悪事などがひどすぎて)(物言わぬ) 石ですら叫ぶ.

3 [通例 the ~] まったく, 本当の; ぎりぎりの ‖ from *the very* beginning まったくの最初から.

4 現実の, 実際の ‖ arrest a pickpocket in the *very* act of stealing すりを現行犯で逮捕する.

véry hígh fréquency 超短波(略) VHF). (cf. UHF).

véry lòw fréquency 超長波(略) VLF).

ves·i·cle /vésikl/ 名 C **1** 小嚢(の), 小胞. **2** (解剖・動) 小胞; (医学) (小) 水疱.

†**ves·per** /véspɚ/ 名 **1 a** C (古·詩) 夕暮れ, 夕べ, 宵. **2** (キリスト教) [~s, Vespers; 単数・複数扱い] 晩課, 晩祷; 晩課[晩祷]の礼拝[時刻].

Ves·puc·ci /vespúːtʃi/ 名 ベスプッチ 《Amerigo /əmérəɡoʊ, ɑːməri/, à: 1454-1512; イタリアの海洋探検家. America の名は彼のラテン名 Americus にちなむ》.

†**ves·sel** /vésl/ 名 C (正式) **1** (液体を入れる) 容器, うつわ 《コップ・水差し・はちうえ・バケツなど》 ‖ a drinking *vessel* 飲み物を入れるうつわ / a plastic *vessel* プラスチックの容器 / *Empty vessels make the most sound*. (ことわざ) からの容器がもっとも大きな音を立てる; 知識が少ない人ほどよくしゃべる. **2 a** (大型の) 船 《◆ ship, boat より堅い語で, 船舶関係で好まれる》 ‖ a fishing [passenger, merchant] *vessel* 漁船 [客船, 商船] / 〈ジョーク〉 "What kind of boat pulls Dracula when he water-skis?""A *blood vessel*."「ドラキュラが水上スキーをするとき彼を引くのはどんな船?」「「血だらけの船」《◆a blood vessel は「血管」(→ 3 用例).》. **b** 飛行船. **3** (解剖) (血液などを通す) 管; (植) 導管 ‖ a *blóod véssel* 血管.

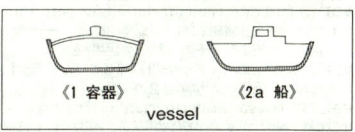

〈1 容器〉 〈2a 船〉
vessel

†**vest** /vést/ 名 C **1** (米) (上着の下に着る男性用の) チョッキ, ベスト, (女性用) 胴着 《(英) waistcoat》 《(英) では商用語》. **2** (英) (男性用の) シャツ 《(米) undershirt》; (米) (女性・子供用の) メリヤスシャツ.
—動 (文) 他 **1** …に衣服を着せる(clothe); …に祭服をつけさせる ‖ *vest* oneself 衣服を身につける. **2** 〈人〉に〈権利・財産などを〉授ける, 与える 《with》; 〈権限・財産など〉を〈人・委員会などに〉与える, 授ける 《in》 ‖ *vest* the manager *with* authority = *vest* authority *in* the manager 支配人に権限を与える. —自 **1** 衣服[祭服]を着る. **2** 〈権利などが〉(…に) 帰属する 《in》.

Ves·ta /véstə/ 名 **1** (ローマ神話) ウェスタ 《炉と家庭の女神; ギリシア神話の Hestia に当たる》. **2** (天文) ベスタ 《最も明るい小惑星》. **3** [v~] C 短い蠟(が)マッチ 《木製マッチ》.

ves·tal /véstl/ 形 **1** ウェスタ(Vesta)の, ウェスタに身を捧げた. **2** 純潔な; 処女の. —名 C **1** = vestal virgin. **2** 純潔な女性; 処女. **3** 修道女, 尼.

véstal vírgin ウェスターリス 《女神ウェスタに仕え神殿の聖火を守った6人の処女の1人》.

vest·ed /véstid/ 形 **1** (法律) 〈権利・財産などが〉所有

ves・tib・u・lar /vestíbjələr/ 形 1 玄関(ホール)の. 2 [解剖] 前庭[前室, 前房]の.

†**ves・ti・bule** /véstəbjùːl/ 名C 1 (正式) (公共の建物・家の)玄関, (玄関)ホール, ロビー(entrance hall)《玄関のすぐ内側》. 2 (教会の)ポーチ. 3 〔米鉄道〕デッキ, (他の車両への)連絡通路部. 4 [解剖] (耳・鼻などの)前庭, 前房, (特に)内耳前庭.

véstibule tràin (米) 連結通路付き列車《デッキがあり, 他の車両へ通り抜けできる. この点では (英) corridor train (これはコンパートメント式)も同様》.

†**ves・tige** /véstidʒ/ 名C 1 (過去の文明・人・物などの)跡, 痕跡(ミ), 形跡; (過去の慣習などの)名残り, 面影, わずかな残り物, 残存物《◆trace より堅い語》‖ the last vestige of Incan civilization インカ文明の最後の遺跡. 2 [通例否定文で] a ~ of +U 名詞〕 ごくわずか[ほんの少し](も…ない)‖ There is not a vestige of truth in this article. この記事には少しの真実もない. 3 〔生物〕痕跡(器官), 退化器官.

ves・tig・i・al /vestídʒiəl, -tídʒəl/ 形 (正式) 痕跡(ミ)の, 名残りの; 〔生物〕退化した‖ a vestigial tail 尾の名残り.

†**vest・ment** /véstmənt/ 名C 1 (文) 式服, 礼服. 2 〔宗教〕[しばしば ~s] 法衣, 祭服《聖職者・聖歌隊員などが礼拝の際に着る cassock, stole, surplice など》.

†**ves・try** /véstri/ 名C 1 (教会の)祭服室, 聖具室. 2 (非アングリカン教会の)教会付属室(祈禱(*)会室・日曜学校の教室・事務室などに用いる). 3 [the ~; 集合名詞] (アングリカン教会・米国聖公会の)教区委員, [アングリカン]教会区委員会.

vestry・man /véstrimən/ 名(複 -men) C 教区委員, 教区代表者.

vet¹ /vét/ [(米) veterinarian, (英) veterinary surgeon の短縮語] (略式) 名C 獣医. ──動他 (略式) 〈動物〉を診療する. ──自 獣医(の仕事)をする.

vet² /vét/ [veteran の短縮語] (米略式) 名C 形 1 古参兵(の); 退役軍人(の). 2 ベテラン(の).

vet. veteran; veterinarian; veterinary.

vetch /vétʃ/ 名UC 〔植〕カラスノエンドウ, ヤハズエンドウ《家畜の飼料, また土地改良の目的で栽培される》.

†**vet・er・an** /vétərən/ 名C 1 古参兵, 老練兵〔歴戦の〕兵士. 2 (米) 兵役経験者; 退役軍人, 復員[在郷]軍人《(英) ex-serviceman, (米略式) vet》‖ a veteran of the Vietnam War ベトナム戦争の従軍兵. 3 (職業・活動などで) 経験豊富な人, 老練な人《◆「ベテラン」は expert に当たることが多い》‖ a veteran of the screen 映画界の古つわもの. 4 長く使われ古くなったもの.
──形 1 老練な, ベテランの‖ a veteran politician [baseball player] 老練な政治家[ベテランの野球選手]《◆「年老いた」というニュアンスがある. 「熟練した」の意味では seasoned, expert などを用いる》. 2〈兵士が〉経験豊富な, 歴戦の;〈隊〉が古参兵から成る.

véteran càr (英) 1919年(特に1905年)以前に製造された自動車.

Véterans(') Dày (米・カナダ)復員軍人の日《第一次・第二次世界大戦の終戦を記念する法定休日(11月11日). 以前は Armistice Day と呼んだ. cf. Remembrance Day [Sunday]》.

vet・er・i・nar・i・an /vètərənéəriən/ 名C (米) 獣医((英) veterinary surgeon).

vet・er・i・nar・y /vétərənèri /-nəri/ 形 獣医(学)の, 家畜・ペットの病気治療に関する. ──名C 獣医. **véterinary súrgeon** (英) 獣医((米) veterinarian).

†**ve・to** /víːtou/ (複 ~es) 名 1 UC〔…に対する〕拒否権〔over〕《議会が可決した法案に対し大統領などが持つ拒否権, 国連の安保理事会で5常任理事国が持つ拒否権など》; 拒否権の行使[発動]‖ power of veto, veto power ともいう》; 拒否権の行使[発動]‖ exercise [use] the (power of) veto over a bill 法案に拒否権を行使する. 2 C (正式)〔提案などに対する〕拒否, 否認; 禁止〔on〕‖ put [set, place] a veto on her proposal 彼女の提案を拒否する. ──動他 1〈法案など〉に対し拒否権を行使[発動]する, …を拒否[否認]する. 2 (正式)〈行為・計画など〉を認めない, 禁止する(forbid).

véto mèssage 拒否議会書.

vé・to・er /-ər/ 名C 拒否(権行使)者; 禁止する人.

†**vex** /véks/ 動他 1 (やや古) a〈人〉を〔人に/物・事について/…して/…ということで〕いらだたせる, やきもきさせる, 怒らせる〔with / at, about / to do / that節〕《◆annoy, irritate より強意的》‖ be very vexed with the reckless driver 無謀な運転手に大いに腹を立てる / Nothing vexed her more than his selfishness. 彼女のわがままほど彼女の気にさわることはなかった / She was vexed at [to know of] his bad behavior. 彼女は彼の無作法な態度に[を知って]機嫌を悪くした / Mother was vexed that [because] I didn't help her. 母は私が手伝わなかったことで[ので]腹を立てた. b〈人〉を悩ませる, 困らせる, 苦しめる(distress);〈人〉を当惑させる, まごつかせる(puzzle)‖ Tom was vexed at his diseases. トムは病気で悩んだ / Lack of money vexed us. 金がなくて困った. 2 (正式)〈問題など〉を大いに[長々と]議論する. 3 (古・詩)〈海など〉をかき乱す, 騒がせる.

†**vex・a・tion** /vekséiʃən/ 名 1 U (正式) いらだたせる[せられる]こと, 悩ます[される]こと; いらだたしさ, 腹立たしさ‖ glare him in vexation 彼を迷惑顔でにらみつける / To my vexation, I missed the last train. しゃくなことに終電に乗り遅れた. 2 C (やや古) [しばしば ~s] いらだち[悩み]の種, 腹の立つこと[人]‖ daily worries and vexations 日々の心配と悩み.

vex・a・tious /vekséiʃəs/ 形 (正式) いらだたしい, 腹立たしい; 面倒な, やっかいな(troublesome)‖ a vexatious delay じれったい遅延.

VHF, vhf very high frequency.

VHS [video home system] 名 VHS《ビデオカセットの規格のひとつ》.

v.i. (略) verb intransitive;〔ラテン〕vide infra(= see below).

†**vi・a** /váiə, víːə/〔ラテン〕前 1 …経由で, …を通って, …回りで(by way of)‖ fly to Athens via Paris パリ経由でアテネへ飛ぶ. 2 (略式) …によって, …の媒介で(by means of)‖ via [by] airmail (米) 航空便で / read this novel via an English translation この小説を英訳で読む.

vi・a・ble /váiəbl/ 形 (正式) 1〈胎児など〉が〔胚外生育が可能なほど〕成熟した. 2〔植・動〕成長[発芽]できる. 3〈計画などが〉実行可能な, 成功しそうな. 4〈国など〉が独立[存続]できる.

vi・a・duct /váiədʌkt/ 名C (谷間などにかかる)陸橋, 高架橋《ふつう鉄道用》.

Vi・a・gra /vaiǽgrə/ 名 (商標) バイアグラ《男性の性的不能治療薬》.

vi・and /váiənd/ 名C (正式) 食品; 珍味.

†**vi・at・i・cum** /vaiǽtikəm/ 名 (複 -ca /-kə/, ~s)①

vi·brant /váibrənt/ 形 〖文〗 1 〈物が〉振動する, 震える (vibrating). 2 〈音·声が〉よく響く. 3 〈人が〉元気いっぱいの. 4 〈場所などが〉〖活気などで〗みなぎる〖with〗; 活気に満ちた ‖ a city (which is) *vibrant with* life 活気に満ちた町. 5 〈行為などが〉刺激的な, スリルのある; 〈人が〉〖…で〗わくわくする〖with〗. 6 〈色·光が〉明るい, 明るく輝く.

vi·bra·phone /váibrəfoun/ 名 C 〖音楽〗ビブラホン《ビブラフォンをかける装置つきの鉄琴》.

†**vi·brate** /váibreit/ –/ 動 自 1 〈物が〉〔規則的に〕振動する, 揺れる; 〈速く連続的に〉〖…で〗震える, 震動する 〖to, with〗 ‖ My windows *vibrate* whenever a train goes by. 列車が通りすぎるたびにうちの窓がはげしく揺れる / The car's engine is *vibrating*. 車のエンジンが震動している. 2 〈声が〉震える〖with〗; 〈音·声が反響する, (よく)響く〗 ‖ Her voice *vibrated with* fear. 彼女の声は恐怖で震えていた. 3 〔略式まれ〕〈人·心が〉感動する; 〖…で/…に〗わくわくする〖with/to〗 ‖ His heart *vibrated with* expectation. 彼の心は期待でわくわくした.
— 他 1 〈物を〉揺り動かす, 振動させる; …を震動[震え]させる. 2 〈音などを振動によって出す. 3 〈時間などを振動によって計る.

†**vi·bra·tion** /vaibréiʃən/ 名 1 Ｕ 振動する[させる]こと; C (一回の)振動, 震動; 〖電〗 振動; 躍動 振動. 2 C (略式) (通例 ~s) (人·状況などから受ける)感じ, 印象, 雰囲気 ‖ I get good *vibrations* from her 彼女からいい印象を受ける. 3 C (心の)動揺, 迷い. **vi·brá·tion·al** 形 振動の.

vi·bra·to /vibrɑ́:tou/《イタリア》名 (複 ~s) C 〖音楽〗ビブラート.

vi·bra·tor /váibreitər/ –/ 名 C 1 振動する[させる]物[人]; 電気マッサージ器. 2 〖電気〗振動器.

vi·bra·to·ry /váibrətɔ̀:ri, vaibréitəri/ 形 〖正式〗振動する[させる]; 振動(性)の.

vic·ar /víkər/ 名 C 1 〖アングリカン〗教会区司祭[牧師]《昔 tithes(10分の1税)を受けていた個人·団体から stipend(俸給)を得て教会区を代行した. 今でも rector がいなかった教会区の司祭は vicar という》. 2 〖カトリック〗教皇[司教]代理; 代理者 ‖ the *Vicar* of (Jesus) Christ キリストの代理者《教皇のこと》. 3 〖米聖公会〗(教区教会の付属礼拝堂を管理する)会堂牧師.

vic·ar·age /víkəridʒ/ 名 C 1 vicar の住宅, 司祭[牧師]館. 2 C vicar の聖職禄; U vicar の職.

vi·car·i·ous /vaikéəriəs, vi–/ 形 〖正式〗〈楽しみなどが〉(想像上)他人の経験を通じて自分のことのように感じられる ‖ get *vicarious* pleasure through his success 彼の成功を自分のことのように喜ぶ.

†**vice**[1] /váis/ (同音 vise) 名 1 Ｕ (道徳·宗教上の)悪, 邪悪, 悪徳, 不道徳(な行為) (cf. crime) ‖ *virtue and vice* 徳と不徳 / You should not lead a life of *vice*. 悪に染まった生活をすべきでない. 2 C (道徳上の)悪い行ない, 悪行 ‖ Everybody knows lying is a *vice*. うそをつくのは悪いとだれもが知っている. **b** (略式) 悪習, 悪癖 ‖ Drunkenness is her *vice*. =She has the *vice* of drunkenness. 酒を飲みすぎるのが彼女の悪い癖です. 3 C 性的不道徳, 売春. 4 C (性格上の)欠点; (略式) (制度·組織などの)欠陥.

vice[2] /váis/ 名 (英) 名 =vise.

vice- /váis-/ 〖語要素〗→語要素一覧(1.7).

vice-chan·cel·lor /vàistʃǽnsələr| –tʃáːn–/ 名 C 1 〖時に V–-C–〗(大学の)副学長《英国では chancellor が名誉職なので, 副学長が事実上の学長. 呼びかけも可. (略) VC》. 2 副長官, 次官. 3 副大法官.

†**vice-pres·i·dent** /vàisprézədənt/ 名 C 1 副大統領; 副総裁; 副会長, 副社長; 副頭取《(略) VP》《◆ veepee /víːpiː/, veep ともいう》. 2 〖時に V–-P–〗(米国の)副大統領《VP, veep ともいう》. **více-prés·i·den·cy** 名 Ｕ vice-president の職[任期].

†**vice·roy** /váisrɔi/ 名 C 副王, 総督, 太守《国王の代理として植民地などを統治する高官》.

vice·roy·al·ty, vice·roy·ship 名 Ｕ viceroy の位[権限, 任期, 支配地域].

†**vi·ce ver·sa** /váisi və́ːrsə, váisə-, váis-/ 〖ラテン〗 副 〖通例 and ~〗逆もまた同様に; 逆に, 反対に《(略) v.v.》 ‖ When he wants to go out, she wants to be home, *and vice versa*. 彼が出かけたい時には彼女は家にいたいが, 逆に彼が家にいたい時には彼女は出かけたがる.

†**vi·cin·i·ty** /visínəti/ 名 Ｕ 1 〖時に vicinities; 単数扱い〗〖…の〗近所, 近辺, 付近, 周辺〖of〗《◆ neighborhood より堅い語でふつう広い範囲をいう》‖ 〈対話〉"Is there a supermarket *in the* [*this*] *vicinity*?" "Yes, three blocks down from here." 「この近くにスーパーマーケットがありますか」「はい, 3区画南に行ったところにあります」. 2 〖…に〗近いこと, 近接(していること)〖to, of〗 ‖ *in close vicinity to* the school 学校のすぐ近くに.

in the vicinity of A 〖正式〗(1) …の近くに(→ 1). (2) 〖おおげさに〗(数量などが)およそ…で[の]《about》 ‖ Our school has *in the vicinity of* 1,500 students. 私たちの学校には約1500名の生徒がいます.

†**vi·cious** /víʃəs/ 形 1 〈人·言動などが〉悪意のある, 敵意のある, 意地の悪い, 冷酷な ‖ start a *vicious* rumor 悪意のあるうわさを広める / She gave the dog a *vicious* kick. 彼女は犬を憎らしげにけった(=She kicked the dog *viciously*.) / have a *vicious* tongue (言葉に)とげがある. 2 〈人·行為·習慣などが〉邪悪な, 悪い, 非道の, 不道徳な, 堕落した(evil)(↔ virtuous) ‖ a *vicious* crime [criminal] 極度非道の犯罪[犯罪者] / *vicious* habits [practices] 悪癖[悪習] / a *vicious* life 堕落した生活. 3 〈苦痛·あらし·攻撃などが〉ひどい, 激しい; 〈天候などが〉厳しい(severe) ‖ a *vicious* headache [storm] ひどい頭痛[あらし] / a *vicious* blow 強い一撃.

vícious círcle [**cýcle**] (1) (略式) 悪循環. (2) 〖経済·医学〗悪循環. (3) 〖論理〗循環論法.

ví·cious·ness 名 Ｕ 意地悪; 凶暴さ; 激しさ; 欠陥; 邪悪, 不道徳.

†**ví·cious·ly** /víʃəsli/ 副 1 悪意[敵意]をもって, 意地悪く. 2 凶暴に, 荒々しく. 3 ひどく, 激しく. 4 邪悪に.

†**vi·cis·si·tude** /visísitjùːd/ 名 C 〖正式〗〖通例 ~s〗(人生·運命などの)移り変わり, 栄枯盛衰 ‖ the *vicissitudes* of his long career 彼の長い人生の浮き沈み.

†**vic·tim** /víktim/ 名 C 1 犠牲者, 被害者, 被災者; 罹(り)病者 ‖ *victims* of war = *war victims* 戦争犠牲者(→文法 14.5) / I'm sorry to hear that his son was a murder *victim*. 彼の息子が殺人の犠牲になったと聞いて気の毒に思っています / *victims* of lung cancer 肺がん患者《◆これを避けて people with lung cancer と言うほうがふつう》. 2 (悪意·詐

victimize — Vietnam

欺・冗談などの)被害者, えじき ‖ the *victim* of malice [a swindler] 悪意[詐欺師]のえじき. **3**〔宗教〕(神への)いけにえ, 犠牲 ‖ offer a lamb as a *victim* 子羊をいけにえに捧げる.

fall ((今рошо)) *victim* **to** ▲ …の犠牲となる;〈魅力などの)とりこになる ‖ He *fell victim to* the strange disease [her charms]. 彼はその奇病の犠牲に[彼女の魅力のとりこ]になった.

vic·tim·ize /víktimàiz/ 動他 **1** …を犠牲(者)にする;…をいけにえとして殺す. **2** …を不当に処罰[迫害]する. **3** …から金などを詐取する.

†**vic·tor** /víktər/ 图⃝C (おおげさに) (個々の戦いの)勝利者, 戦勝者《◆戦争の「最終的勝利者」は conqueror》; (試合・コンテストなどの)勝利者, 勝者, 優勝者 ‖ a *victor* in a battle 戦いの勝者.

Vic·to·ri·a /viktɔ́:riə/ 图 **1** ビクトリア《女の名. 愛称 Vicky, Vickie》. **2 Queen ~** ビクトリア女王《1819–1901; 英国の女王(1837–1901)》. **3** ビクトリア《オーストラリア南東部の州. 州都 Melbourne》.

Victória Cróss 《英》[the ~] ビクトリア十字勲章《軍人に対する最高の勲章》.

Victória sándwich ビクトリア=サンドイッチ《スポンジケーキの一種》.

†**Vic·to·ri·an** /viktɔ́:riən/ 形 **1** ビクトリア朝[時代]の, ビクトリア女王の;〈建築・家具などの)ビクトリア朝様式の ‖ the *Victorian* age ビクトリア時代 / *Victorian* literature [furniture] ビクトリア朝文学[様式の家具]. **2**〈考え・作法などの)ビクトリア時代の中流階級のように)厳格な, 堅苦しい;お上品ぶった, 偽善的な ‖ His attitude to sex is *Victorian*. 性に対する彼の考え方はひどく古めかしい. ── 图⃝C ビクトリア時代の人《作家・文化人など》.

Victórian Órder《英》[the (Royal) ~ Order] ビクトリア勲位[勲章]《元首に対し勲功のあった人に授けられる》.

Vic·tó·ri·an·ism 图⃝U ビクトリア朝的考え方[信念, 道徳, 生活様式].

†**vic·to·ri·ous** /viktɔ́:riəs/ 形 (正式)〔…に対して/…で)勝利を得た, 勝った;勝ち誇った〔*over/in*〕(↔ vanquished, losing).

vic·to·ri·ous·ly 副 勝ち誇って.

__vic·to·ry__ /víktəri/ 图 victorious (形)
── 图 (優) -ries/-z/ U⃝C **1**〔…に対する/…での〕(…にとっての)勝利, 勝利者〔*over* / *in*, *for*〕(cf. triumph) (↔ defeat) ‖ the joy of *victory* 勝利の喜び / *win a* [*the*] *victory over* one's enemy 敵に勝つ ‖ He led his team to *victory*. 彼はチームを勝利に導いた. **2**〔反対・困難などの)征服, 克服〔*over*〕‖ a *victory over* difficulties [fear] 困難[恐怖]の克服.

víctory láp〔競技〕ウイニングラン《競技に勝ってトラックを一周すること. ×winning run とはいわない》.

Víctory Médal《米》[the ~] 大戦参加記念章《第一次・第二次大戦の戦勝記念》.

víctory paráde 戦勝パレード.

víctory sígn 勝利のしるし, ガッツポーズ《◆ ×guts pose という》.

†**vict·ual** /vítl/ [発音注意] 图⃝C (古) [~s] 食料.
── 動 (過去・過分) ~ed or《英》 víct·ualled; ~·ing or《英》 -ual·ling 他〈大勢の人)に食料を供給する. 自 食糧を積み込む[蓄える].

vi·de /váidi/ /「ラテン」/ 動他 (正式)〔命令形で〕…を見よ, 参照せよ(see)《◆参照箇所の指示に用いる. 略 v., vid.》 ‖ *Vide* page 7. 7 ページを参照せよ.

víde ínfra 下を見よ《略 v.i.》.

víde súpra 上を見よ《略 v.s.》.

__vid·e·o__ /vídiou/
── 图 (優) ~s/-z/) **1** U⃝ (音声に対し) (ビデオ, テレビの)映像(部分). **2** C⃝ (略式)ビデオ(の機械)《◆(正式)は video(tape) [videocassette] recorder》;ビデオテープ ‖ record a TV program on (one's) *video* テレビ番組をビデオに録画する / fast-forward a *video* ビデオを早送りする / pause a *video* ビデオを一時停止にする. **3** U⃝C⃝ (主に米)テレビ.
── 形 **1** テレビの, テレビ映像(部分)の, テレビ映像受信(用)の(cf. audio) ‖ *video* frèquency 映像周波数(略 VF). **2** ビデオの.

vídeo árcade (テレビゲームの)ゲームセンター.

vídeo dráma テレビドラマ.

vídeo gáme テレビ[ビデオ]ゲーム《◆ electronic game ともいう》.

vídeo recórder《主に英》=videocassette recorder.

vídeo tápe =videotape.

vid·e·o·cas·sette /vídioukəsét, -kæs-/ 图⃝C ビデオカセット;それに録画したもの.

vídeo cassétte recòrder (正式)ビデオカセット=レコーダー(略 VCR)((略式) video).

vid·e·o·disc, -·disk /vídiodìsk/ 图⃝C ビデオディスク《映像・音声の収録される円盤. cf. LV》.

vid·e·o·phone /vídioufòun/ 图⃝C テレビ電話《◆ viewphone, videotelephone ともいう》.

vid·e·o·play·er /vídiouplèiər/ 图⃝C ビデオプレーヤー《ビデオテープ再生装置》.

vid·e·o·rec·ord /vídiourikɔ́:rd/ 動他 =videotape.

vid·e·o·tape /vídioutèip/ 图 **1** U⃝C⃝ ビデオテープ ‖ record [make a recording of] a TV show *on videotape* テレビのショーをビデオに録画する(= *videotape* a TV show). **2** C⃝ = videotape recording (2). ── 動他 …をビデオテープに録画する((主に英) video-record)(用例 → **1**).

vídeotape recórder (正式)ビデオテープ=レコーダー(略 VTR)((略式) video).

vídeotape recórding (1) ビデオ録画. (2) ビデオテープに録画したもの.

vid·e·o·tel·e·phone /vídioutélafòun, -téli-/ 图 = videophone.

vid·e·o·tex /vídiouteks/ 图⃝U ビデオテクス《テレビ画面と電話回線による家庭用情報サービス(システム)》.

†**vie** /vái/ 動 (過去・過分) ~d; vý·ing 自 (正式)〈ふつう複数の競技者・団体などが)〔人と/…を得ようと/…の点で)競う, 張り合う〔*against*, *with* / *for* / *in*〕《◆ compete の方がふつう》‖ *vie with* him *for* [*to* win] the championship 彼と選手権を争う.

ví·er 图⃝C 競争者.

†**Vi·en·na** /viénə/ 图 ウィーン《オーストリアの首都. ドイツ語名 Wien》.

Viénna sáusage ウインナ=ソーセージ.

Vi·en·nese /vì:əní:z/ 形 ウィーン(人)の, ウィーン風の. ── 图 (優) Vi·en·nese) C⃝ ウィーン生まれの人, ウィーン人.

Vien·tiane /vjentjá:n/ 图 ビエンチャン《ラオスの首都》.

Vi·et·cong, Viet Cong [Vietnamese Communist] /vi:etkɔ́ŋ, (米+) vjèt-|-kɔ́ŋ/ 图 **1 Viet·cong 1a** [the ~] ベトコン《南ベトナム民族解放戦線(the Vietnamese National Liberation Front)の俗称. 略 VC》. **b** C⃝ そのゲリラ兵. **2** [形容詞的に] ベトコンの.

Vi·et·nam, Viet Nam /vì:etnɑ́:m, vjèt-|-næm/

名 ベトナム《インドシナ半島の国. 現在の正式名 the Socialist Republic of Vietnam (ベトナム社会主義共和国). 首都 Hanoi》.

Vietnám Wár [the ~] ベトナム戦争《南ベトナムと米軍対北ベトナムの戦争(1954-75). 北ベトナムの勝利でベトナムは1976年独立》.

***view** /vjúː/ 『「見る」が原義. cf. **vision**』派 viewer (名)

index 名 1意見 2見方 5視野 6眺め

――名 (複 ~s/-z/)
I [見方・見解]
1 © [(…についての/…という)(個人的感情・偏見を含んだ)]意見, 見解, 考え(idea)〔on, about / that節〕(cf. opinion) ‖ **give** one's **views on** the plan その計画について自分の意見を述べる / He has a different **view on** education. 彼は教育について異なった見解を持っている / He expressed his **view that** we ought to apologize. 私たちはあやまるべきであるという考えを彼は述べた / **My view is that** she will be elected. 彼女が選出されるだろうというのが私の見解です(●文法 22.4).

2 © [通例単数形で; 修飾語を伴って]〔(…に対する/…という)〕(ある特定の)見方, 考え方〔of/that節〕‖ one's **view of** life 人生観 / a new **view of** the matter その問題に関する新しい見方 / take the long [short] **view**(s) 長い目で見る[目先のことを考える] / She took [had] a poor **view of** my behavior. (略式) 彼女は私の行動を快く思わなかった.

3 © [正式]意図, 意向(intention), 目的, ねらい; 期待, 見込み ‖ **with this** [that] **view** この[その]目的で / It was my **view** to please my mother. 母を喜ばせるのが私の意図でした(= I intended to please …) / This may not meet [fall in with] his **views**. これは彼の期待[意向]に添わないかもしれない. **4** © [正式]〔(…の)〕見通し, 見込み〔of, for〕 ‖ with no **view** of success 成功の見込みなしに.

II [見え方・見えること]
5 ⓤ **a** 視野, 視界 ‖ **within view** 見える所に[で] / The ship passed **out of** [**from** our] **view**. 船は見えなくなった / Can you sit down, Tom? You are blocking my **view**. 座ってくれないか, トム. 君がじゃまになって見えないんだ. **b** 視力, 視覚 ‖ a field of **view** 視界.

6 © (目に見える)〔…の〕眺め, 風景, 景色〔of〕(類語) landscape, outlook, scene, scenery, sight, vista) ‖ get a good **view of** the sea 海がよく見える / The top of the mountain has [affords] a fine **view of** the countryside. 山の頂上から美しい田園風景が見られる / It is a lot of fun to look at the passing **views** from the train window. 列車の窓から移りゆく景色を見るのはとても楽しいことだ.

7 [a/one's ~] 見る[眺める]こと; 見て調べること; (法的)検分, 実地検証 ‖ take a closer **view** もっと近づいてよく見る[調べる] / This is my first **view** of a desert. 砂漠を見るのはこれが初めてです. **8** © [正式] [通例 a ~] 概観, 概説 ‖ a **view** of French literature フランス文学の概説. **9** © **a** 風景画[写真](picture) ‖ a **view** of mountains on the wall 壁にかかっている山の風景画[写真]. **b** (ある位置から見た)面; [複合語で] …図 ‖ a back [front] **view** 背[正]面図; 背後[正面]からの眺め.

còme into víew 見えてくる, 視界に入ってくる ‖ The tower came into view. その塔が見えてきた.

còme in víew of A 〈人が〉〈物・人〉の見える場所に来る ‖ He came in view of the house. 彼にその家が見えてきた.

in fúll víew of A 〈人〉が見ている前で, …の面前で; 〈人〉からまる見えの所で.

in the lóng víew 長い目で見れば(cf. **2**).

in the shórt víew 目先のことを考えれば(cf. **2**).

in the víew of A = **in** A's **view** 〈人〉の意見では, 〈人〉の見地からすれば ‖ in the view of the doctors = in the doctors' view 医者から見れば / In my view, that method of learning English is useless. 私の考えではその英語学習法は役に立たない.

***in víew** (**1**) 見える所に ‖ Keep [Have] your bag **in view**. バッグを目の届く所に置きなさい, バッグから目を離さないように. (**2**). 心に, 記憶に. (**3**) 考慮に入れて. (**4**) 《正式》計画中の, 予定での ‖ I have nothing particular **in view** for tomorrow. 明日は特に予定はありません. (**5**) 目的として. (**6**) 希望[期待]して.

in víew of A (**1**) 〈人・物〉の〔から〕見える所に. (**2**) 《正式》〈事〉を考慮して, …から考えて;〈事〉のために《◆節を従えるときは in view of the fact that …》‖ *In view* of your efforts, I'm sure you'll pass the examination. 君の努力から考えて, きっとその試験に通ると思う.

tàke a dím víew of A (略式)〈物・事など〉を悲観的に[懐疑的に]見る; …を非とする, …に不賛成である.

with a víew to *dóing* 《正式・文》(**1**) …する目的で, つもりで《◆(**1**) with the intention of doing がふつう. (**2**) to doing の代わりに to do を用いるのも (略式). (**3**) doing の代わりに名詞がくることもある》‖ He plays tennis every day *with a view to* promoting his health. 彼は健康増進の目的で毎日テニスをしている. (**2**) …を見込んで, 予想して.

with the víew of *dóing* = with a VIEW to doing (**1**).

――動 他 (正式) **1** …を見る, 眺める(look at) 〈テレビなどを見る. **2** 〈家などを〉(買う前に)検分する; …を調査[検査, 検視]する; …を注意深く見る(examine). **3 a** …を考察する, 考える(consider)《◆新聞見出し語としてよく用いる》‖ view the matter from a pupil's standpoint 生徒の立場でその問題を考慮する. **b** …を〔ある見方で〕見る(look at)〔with〕‖ view society with pessimism 社会を悲観的に見る. **c** …を〔…と〕みなす(regard)〔as〕‖ I view his advice as valuable. 彼の忠告は貴重なものだと思っている.

――自 (英) テレビ[ビデオ, 映画]を見る.

†**view・er** /vjúːər/ 名 © **1a** 見る人, 見物人, 観客者. **b** テレビの視聴者(cf. listener). **c** 検査[監督]官. **2** ビューアー《スライドなどの拡大透視装置. ファイルの中を見るプログラム》.

view・phone /vjúːfòun/ 名 © テレビ電話.

***view・point** /vjúːpɔ̀int/ 『見る(view)点(point)』
――名 (複 ~s/-pɔ̀ints/) © **1** [修飾語句を伴って]見地, 観点, 立場(point of view) ‖ An increase in salary is good from「**the viewpoint** of the employees [the employee's **viewpoint**]. 従業員の立場からみれば昇給はよいことだ. **2** (ある物が)見える地点.

†**vig・il** /vídʒil/ 名 (正式) **1** ⓤ © (見張り・看護などのための)徹夜, 寝ずの番; (祈りのための)徹夜. **2** © ⓤ 徹夜の期間.

keep (a) vígil〔正式〕〔病人などを〕徹夜で看護する,〔死者の〕通夜〔つや〕をする;〔人・物の〕寝ずの番[監視]をする〔over〕;〔祈りのために〕徹夜をする(→ keep). ‖ They *kept* (a) *vigil* all night *over* their sick mother. =They *kept* (an) all-night *vigil* … 彼らは徹夜で病気の母親の看護をした.

†**víg·i·lance** /vídʒələns/ 名 **1**〔正式〕(危険などに対する)警戒, 用心; 寝ずの番 ‖ *with vigilance* 油断なく / use [exercise] *vigilance* against the spread of a disease 病気が蔓延(まんえん)しないよう警戒する. **2**〔医学〕不眠症.

†**víg·i·lant** /vídʒələnt/ 形〔正式〕〈人・動物が〉〔危険に備えて〕絶えず警戒[注意]している, 油断のない〔against〕‖ be *vigilant against* the spread of typhus チフスの蔓延に備えて警戒する.

vig·i·lan·te /vìdʒəlǽnti/《スペイン》名 C 自警団員.

vi·gnette /vinjét/ 名 **1** (本の扉・章頭・章尾などの)小さな装飾模様[カット]. **2** ビネット《背景をぼかした風景画[写真]や肩から上の肖像写真[画]》. **3** (優雅な)小品文[スケッチ].

†**vig·or**,《英》**-our** /vígər/ 名 U〔正式〕**1** (心身の)活動力, 精力, 活力 (strength); 心身の旺(おう)盛な活動期[状態]; 元気, 気力, 活気 ‖ a man of great mental [physical] *vigor* 非常に精神力[体力]のある人 / a young man (who is) *full of vigor* 元気いっぱいの若者 / be in the full *vigor* of manhood 男盛りである / She began her work *with vigor*. 彼女は精力的に仕事を始めた. **2** (言葉・文体・人格などの)力強さ, 激しさ ‖ the *vigor* of her literary style 彼女の文体の迫力 / attack his policy with great *vigor* 彼の政策を猛烈に攻撃する.

†**vig·or·ous** /vígərəs/ 形 **1**〈人・動物が〉精力旺(おう)盛な, 元気はつらつとした, 強健な (strong and healthy) ‖ Although he was over 50, he seemed as *vigorous* as a youth of 20. 彼は50歳を越えていたが, 20歳の若者と同じくらい元気いっぱいに思えた. **2**〈行為・運動などが〉力強い, 激しい;〈文体・論説などが〉迫力ある ‖ carry on a *vigorous* campaign 精力的に選挙運動をする / a *vigorous* writing style 力強い文体 / make a *vigorous* protest 猛烈な抗議をする. **víg·or·ous·ness** 名 U 精力旺盛, 元気はつらつ; 力強さ, 激しさ.

†**víg·or·ous·ly** /vígərəsli/ 副 精力的に, 元気よく, 力強く, 活発に.

†**víg·our** /vígər/ 名《英》= vigor.

Ví·king /váikiŋ/ 名〔時に v~〕 C バイキング《8-10世紀にヨーロッパの北部・西部海岸を荒らしたスカンジナビアの海賊》;(一般に)海賊. 表現「バイキング料理」は smorgasbord /smɔ́ːrgəsbɔ̀ːrd/.

†**vile** /váil/ 形 **1**〔正式〕〈人・性格・言行などが〉下劣な, 卑しむべき, 恥ずべき (low, shameful); いやらしい《◆ mean より強意的》‖ *vile* thoughts 下劣な考え / use *vile* language 下品な言葉を使う. **2**〔略式〕〈天気・食物・品物などが〉ひどく悪い, 実に不快な;〈文字・作品などが〉下手くそな ‖ *vile* weather [food] ひどい天気[食べ物] / She has such a *vile* temper. 彼女はひどい気性(きしょう)悪だ.

vil·i·fy /víləfài/ 動 他〔正式〕(正当な理由なく)…を悪く言う[書く], けなす.

†**vil·la** /vílə/ 名 **1 a** 別荘, 別邸《◆(1) ふつう富豪が保養地などに持つ広い庭つきの大邸宅. (2) 中流の人の「別荘」は《米》cottage, cabin,《英》(country) cottage, holiday cottage など》. **b**(田舎(いなか)の堂々とした)邸宅, 屋敷《◆《英》では country house ともいう》. **2**〔しばしば V~〕〔住所名の一部として〕《英》(1戸・2戸建ての)郊外住宅.

‡**víl·lage** /vílidʒ/〖『田舎家(villa)』が原義. cf. **villain**〗派 villager (名)
—名 (複 ~s/-iz/) **1** C 村, 村落《◆(1) hamlet より大きく town より小さい. (2)「町」と訳す方が当たる場合も多い》‖ He was born in a little *village* in Scotland. 彼はスコットランドの小さな村に生まれた. **2**[形容詞的に]村の ‖ the *village* square 村の広場. **3**〔the ~, 集合名詞〕村民, 村の人たち《◆団体とみるときは単数扱い, 個々の人を意識すると複数扱い. **⇒文法** 14.2(5)〕‖ *The village* was [were] in the church then. その時村の人たちは教会にいた.
víllage gréen 村の共有草地.

†**víl·lag·er** /vílidʒər/ 名 C 村民, 村人, 村人 ‖ All the *villagers* gathered at the public hall. 村人は全員公民館に集まった.

†**víl·lain** /vílən/ 名 C **1**〔正式〕(極)悪人, 悪者, 悪党, 悪漢;《英略式》犯人, 犯罪者. **2**〔the ~〕(劇・小説・映画などの)悪役, かたき役 (↔ hero) ‖ play *the villain* in a melodrama メロドラマの悪役を演じる. **3** C〔略式〕(子供・動物などといたずら者】*You little villain!* Where have you hidden my hat? このわんぱく者め! 帽子をどこに隠したのだ.

†**víl·lain·ous** /vílənəs/ 形 **1**〔主に文〕〈人・行為などが〉極悪の, 悪辣(あくらつ)な (evil);〈顔つきなどが〉悪党の, 悪党らしい ‖ a *villainous* criminal [deed, plot] 極悪犯人[下劣な行為, 悪辣な陰謀]. **2**〔略式〕ひどく悪い, ひどい, いやな ‖ What *villainous* weather! 何とひどい天気だろう.

†**víl·lain·y** /víləni/ 名 **1**〔主に文〕U 極悪, 非道, 下劣;〔集合名詞〕極悪な行い. **2** C〔通例 villainies〕(個々の極悪な行為), 悪事.

vim /vím/ 名 U〔略式・古〕精力, 活力, 活気, 元気; 熱意.

Vin·ci /vínʧi/ 名 → Leonardo da Vinci.

†**vin·di·cate** /víndəkèit/ 動 他〔正式〕**1**〈人・人格などに対する〉嫌疑[疑惑など]の不当性を立証する;〈人の潔白〉を〈容疑・罪などを晴らすかで〉証明する〔from〕‖ *vindicate* his honor 彼の名誉を回復する / *vindicate* her honesty 彼女の誠実さを立証する / Nothing seemed to *vindicate* her *from* such accusations. そうした非難から彼女の身の潔白を証明するものは何もないように思えた. **2**〔正式〕〈行為・主張・権利などの〉正当性を立証する (justify) ‖ *vindicate* their opinion 彼らの意見の正しいことを示す. **3**〔正式〕〈財産などの権利[所有権]を〉〔自分・人のものとして〕主張する〔for〕. **vín·di·cà·tor** 名 C 弁護する人, 弁明者, 正当性[無実]の立証者.

†**vin·di·ca·tion** /vìndəkéiʃən/ 名〔正式〕**1** U〔主張・行動などの〕弁護, 弁明, 正当性の立証; 無実の証明〔of〕‖ speak *in vindication of* his claim [conduct] 彼の主張[行動]を弁護する. **2**〔a ~〕〔主張・行動などの〕正当性を立証するもの, 弁護[弁明]するもの〔of〕.

†**vin·dic·tive** /vindíktiv/ 形〔正式〕〈人・言動などが〉復讐(ふくしゅう)心に燃えた, 執念深い; 報復的な, 悪意からの ‖ She was too *vindictive* to forgive her enemies. 彼女は復讐心に燃え敵を許す気持ちはなかった / *vindictive* acts 報復的行為 / *vindictive* remarks 悪意に満ちた言葉.
vin·díc·tive·ly 副 復讐心に燃えて.

†**vine** /váin/ 名 C **1** ブドウの木 (grapevine);〔the ~, 集合名詞〕ブドウ ‖ products of *the vine* ブドウ生産高. **2**〔主に米〕つる性植物(の茎), つた

vin・e・gar /vínigər/ 图 ❶ 酢, ビネガー ‖ pickle cucumbers in *vinegar* キュウリを酢につける. ❷《米略式》活力((米略式) vim).

†vine・yard /vínjərd/ 【発音注意】 图 ⓒ （主にワイン製造用の）ブドウ園[畑]《◆ vine は tree と考えられないので ブドウ園は orchard とはいわない》.

vi・nous /váinəs/ 形《正式》❶ ワインの(ような). ❷ ワインに酔った.

†vin・tage /víntidʒ/ 图 ❶ⓒ [通例 a/the ~] 毎年のブドウの収穫(期); ワイン醸造(期). ❷ⓒⓊ ビンテージワイン(vintage wine) 《良質ブドウの豊作の年に醸造された極上ワイン》; (製造年の年号を伴って)…年ものの(ワイン)‖ excellent *vintages* of 1985 1985年ものワインは何年ものですか. ❸ⓒ ある年のブドウ収穫高; ワイン生産量. ❹Ⓤⓒ《略式》(製品などが)…年製, …年型‖ a car of 2004 *vintage* 2004年型の車.
―― 形 ❶〈ワインなどの〉極上の, ビンテージものの《◆他の年度ものと混ぜ合わさずに売られる優良品に用いる》. ❷《略式》(ビンテージもの以外のワインで)上等の. ❸(有形・無形のものが)特に傑出した年に生産された.

víntage cár（主に英）ビンテージカー《1919-30年に生産されたクラシックカー. cf. veteran car》.

víntage yéar (1) 良質ブドウの豊作の年. (2) 大当たりの年. ❷ 円熟した年齢, 「熟年」《◆old age の遠回し表現》.

vint・ner /víntnər/ 图 ❶（主に英古）ワイン商人. ❷（米）ワイン醸造業者.

vi・nyl /váinl/ 图 Ⓤⓒ〔化学〕 ❶ ビニル(基). ❷ = vinyl chloride; = vinyl plastic [resin].
vínyl chlóride 塩化ビニル(vinyl).
vínyl plástic [résin] ビニル樹脂(vinyl).

vi・ol /váiəl/ 图 ⓒ ビオル《16-17世紀の弦楽器(属). バイオリンの前身》.

vi・o・la /vióulə/【イタリア】 图 ⓒ〔音楽〕ビオラ《バイオリンよりやや大型の弦楽器》.

vióla da brác・cio /-də brɑ́ːtʃou/〔音楽〕ビオラ=ダ=ブラッチョ《ビオール属の初期の弦楽器. ビオラの前身》.

vióla da gám・ba /-də gɑ́ːmbə | -gǽm-/〔音楽〕ビオラ=ダ=ガンバ《ビオール属の低音弦楽器(bass viol)》.

†vi・o・late /váiəlèit/ 動 他 ❶〈人が〉〈法律・協定などに〉違反する, 〈約束などを〉破る(break), 〈良心などに〉そむく《◆意図的な場合にもそうでない場合にも用いる》‖ *violate* a promise 約束を破る / She *violated* the law. 彼女は法律違反をした. ❷《正式》〈人が〉〈神聖な物・場所を〉汚(殄)す, 冒瀆(兄)する(spoil) ‖ *violate* a church 教会の神聖を汚す / *violate* a grave 墓をあばく. ❸〈文〉〈静寂・睡眠などを〉乱す, 妨害する(disturb); 〈権利・私生活などに〉侵害する(invade) ‖ *violate* the calm of the country 田舎の静けさを乱す / *violate* his privacy 彼のプライバシーを侵害する.

***vi・o・la・tion** /vàiəléiʃən/
―― 图 (榎 ~s/-z/) Ⓤⓒ《正式》❶（法律などの）違反; ⓒ 違反行為 ‖ get a ticket for a traffic *violation* 交通違反でチケットを渡される. ❷ 神聖を汚すこと, 冒瀆(兄). ❸（静寂・睡眠などの）妨害; （権利などの）侵害.

†vi・o・lence /váiələns/ 图 Ⓤⓒ ❶a（自然現象・行為などの）激しさ, 猛烈さ‖ the *violence* of a storm 嵐の猛威 / The robber kicked him *with violence*. 強盗は彼を激しくけった. b（感情・言動などの）激しさ, 激情 ‖ the *violence* of her anger 彼女の怒りの激しさ. ❷a 暴力(行為), 乱暴 ‖ commit a *violence* 暴力行為をはたらく / domestic *violence* 家庭内暴力. b 暴行 《◆rape の遠回し語》. ❸ 害, 損害.

dó víolence to A《正式》(1)〈人・物〉に暴力を加える. (2)〈美観・感情などを〉そこなう, 害する. (3)〈主義などに〉反する. (4)〈事実などを〉曲げる, 曲解する.

***vi・o・lent** /váiələnt/ 【「荒々しい力を伴った」が本義】
 派 violence (名), violently (副)
―― 形 ❶〈人・手段などが〉乱暴な, 暴力的な ‖ *violent* deeds 暴行 / Whatever her son does, she never becomes *violent*. 息子がどんなことをしても彼女は手荒になることなどない. ❷a〔通例名詞の前で〕〈感情・言葉などが〉興奮した, 激しい ‖ a *violent* discussion 激しい討議 / be in a *violent* temper [mood] 激怒している. b〈自然現象・行為が〉激しい, 猛烈の, すさまじい ‖ We had a *violent* storm last week. 先週すごいあらしがあった / He received *violent* blows to the head. 彼は頭を激しくなぐられた. c（苦痛などが）ひどい, 激しい ‖ (a) *violent* pain 激痛. ❸〔通例名詞の前で〕（死が）不自然な, 暴力[事故]による ‖ meet a *violent* death 変死[事故死]する. ❹（程度について）著しい, 極端な ‖ a *violent* change 激変 / *violent* colors 極彩色.

***vi・o・lent・ly** /váiələntli/ [→ violent]
―― 副 ❶〔通例動詞の直前・文尾で〕激しく, 猛烈に ‖ The wind blew *violently*. 風が激しく吹いた. ❷〔通例文尾で〕乱暴に, 手荒に ‖ He attacked me *violently*. 彼は私を激しく(暴力で)攻撃した(= He attacked me with *violence*).

†vi・o・let /váiəlɪt/ 图 ❶ⓒ スミレ(の花)《◆ rose, lily と並んで愛好される花》. 文化 (1) 謙譲・貞節・薄命の象徴とされる: (*as*) *shý as a víolet* 恥ずかしがり屋の / a shrinking [modest] *violet* 恥ずかしがり屋. (2) 米国 Illinois, New Jersey, Wisconsin, Rhode Island の州花. ❷ Ⓤ スミレ色 ‖ *Violet* is my favorite color. スミレ色は私の最も好きな色です. ❸ Ⓤ スミレ色の服.

***vi・o・lin** /vàiəlín/【アクセント注意】【小さな(in)ビオラ(viol)】
―― 图 (榎 ~s/-z/) ⓒ ❶ バイオリン(cf. fiddle) ‖ an old *violin* out of tune 調子のはずれている古いバイオリン / play (the) *violin* バイオリンを弾く(→ play 他 2a) / Play this song on the *violin* for us, will you? この歌をバイオリンで弾いてくれませんか. ❷《略式》[通例 ~] （特にオーケストラの）バイオリン奏者 ‖ the first *violin* 第1バイオリン(奏者).

pláy first violín 第1バイオリンを弾く; 指導的役割を演じる.

†vi・o・lin・ist /vàiəlínist/ 图 ⓒ バイオリン奏者.
vi・ol・ist /vióulist/ 图 ⓒ（米）ビオラ(viola)奏者.
vi・o・lon・cel・lo /vàiələntʃélou/ 图 (榎 ~s)ⓒ《正式》チェロ((略式) cello). **vi・o・lon・cél・lo・list** 图 ⓒ《正式》チェロ奏者(cellist).

VIP /víːàipíː/ 图 《◆軽べつ的な響きがするので /víp/ とは読まない》《very important person》图 (榎 ~s, ~'s)《略式》要人, 大物, 有力者.

†vi・per /váipər/ 图 ⓒ ❶〔動〕a クサリヘビの類; （特に）ヨーロッパクサリヘビ(common viper)《英国でみられる唯一の毒ヘビ》. b マムシ亜科のヘビ《マムシ・ガラガラヘビ・ハブなど》; （一般に）毒ヘビ. ❷〔文〕マムシのような人間, 腹黒いやつ.

vi・ral /váirl/ 形 ウイルスの; ウイルスによって起こる.

vir・e・o /víriòu/ 图 (榎 ~s)ⓒ〔鳥〕モズモドキ《北米

から南米に生息》.

Vir·gil /vˈɚːrdʒəl/ 〖名〗ウェルギリウス《70-19 B.C.; ローマの詩人》.

†**vir·gin** /vˈɚːrdʒɪn/ 〖名〗 **1 a** 〖Ｃ〗処女, おとめ. **b** 〖Ｃ〗童貞(の男性). **2** 〖Ｃ〗〖キリスト教〗処女昇天者. **3** [the V~] 聖母マリア《◆the Virgin Mary [Mother], the Blessed Virgin, the Blessed (Virgin) Mary などともいう》; [V~] 〖Ｃ〗聖母マリアの絵[像]. **4** [the V~]〖天文・占星〗=Virgo.
―〖形〗**1 a** 処女の, 童貞の. **b** 処女にふさわしい, おとめらしい; 純真な, 貞節な ‖ *virgin* modesty 処女らしい慎み深さ. **2** 〈文〉〈物が〉汚されていない, 清らかな;〈物が未使用の;〈場所が〉未開墾の; 人跡未踏の ‖ the *virgin* snow 処女雪《◆「処女航海」は a maiden voyage という. → maiden 〖形〗**2**》/ *virgin* timber 未使用の材木 / *virgin* wool (再生物でない)新しい羊毛 / a *virgin* forest 原始林 / a *virgin* peak 処女峰. **3** 〈行動などが〉初めての, 最初の(first) ‖ a *virgin* effort 最初の努力. **4** 〈金属が〉鉱石から直接精錬された;〈鉱物〉天然のままの ‖ *virgin* sulfur 天然硫黄(ｲｵｳ). **5** 〈オリーブ油などが〉(加熱せず)最初の圧搾で得た.

vírgin bírth (1) [しばしば V~ B~] [the ~] 処女降誕《キリストが処女マリアから生まれたとする説》. (2)〖動〗単為[処女]生殖.

Vírgin Máry [Móther] → 〖名〗**3**.

Vírgin Quéen [the ~] 処女王《英国の Elizabeth I の通称》.

vir·gin·al /vˈɚːrdʒənl/ 〖形〗**1** 処女の, 処女らしい. **2** 清純な, 純潔の, 汚れていない; 人跡未踏の. ―〖名〗〖Ｃ〗[時に ~s; a pair of ~s] バージナル《16-17世紀に用いられたハープシコード属の楽器》.

†**Vir·gin·ia** /vərdʒínjə/ 〖名〗**1** バージニア《米国東部の州. 正式名 the Commonwealth of *Virginia*. 州都 Richmond. (愛称) the Old Dominion, the mother of presidents. (略) Va., (郵便) VA. Virgin Queen (Elizabeth I) の名より》. **2** バージニア《女の名. (愛称) Ginger, Ginnie, Virgie》. **3** 〖Ｕ〗〖Ｃ〗=virginia tobacco.

Virgínia tobácco 〖正式〗バージニア(産)タバコ.

Virgínia créeper 〖植〗[主に V~] 〖米〗〖植〗アメリカヅタ《米》woodbine《装飾用に壁などにはわせる》.

Vir·gín·ian 〖形〗〖名〗バージニア州の(人).

vir·gin·i·ty /vərdʒínəti/ 〖名〗〖Ｕ〗**1** 処女であること, 処女性; 童貞であること ‖ lose one's *virginity* 処女[童貞]を失う. **2** 清純, 純潔, 汚れていないこと.

Vir·go /vˈɚːrgoʊ/ 〖名〗(~s) **1**〖天文〗おとめ座(the Virgin)《天の赤道付近にある星座》. **2**〖占星〗処女宮, おとめ座(the Virgin) (cf. zodiac); 〖Ｃ〗処女宮生まれの人《8月23日-9月22日生》.

vir·ile /vírəl | -aɪl/ 〖形〗**1** 〈男・言動などが〉男らしい, 男性的な《◆manly より堅い語》. **2** 〈文体・精神・性格などが〉力強い, 雄々しい, 剛健な.

vi·ril·i·ty /vəríləti/ 〖名〗〖Ｕ〗**1** 男であること. **2** 力強さ, 活気.

†**vir·tu·al** /vˈɚːrtʃuəl/ 〖英+〗-tjuə-/ 〖形〗**1** (名目上はそうではないが)実質上の, 事実上の, 実際上の ‖ the *virtual* head of a university 大学の実質上の学長. **2** 〖光学〗虚の, 仮の(↔ real) ‖ a *virtual* image 〖物理〗虚像 / a *virtual* focus 虚焦点.

vírtual máll 〈ウェブ上の〉仮想商店街.

vírtual reálity バーチャル・リアリティ《コンピュータにより作り出された仮想上の空間》.

†**vir·tu·al·ly** /vˈɚːrtʃuəli, 〖英+〗-tjuə-/ 〖副〗(名目的にではなく)実質上は, 事実上, ほぼ, 実質的に ‖ *virtually* zero 実質上ゼロ / The car was *virtually* sold as scrap. その車は実質的にはスクラップとしての値段でしか売れなかった.

†**vir·tue** /vˈɚːrtʃuː, 〖英+〗-tjuː/ 〖名〗**1** 〖Ｕ〗〖正式〗美徳, 徳, 善(goodness) (↔ vice) ‖ a man of high *virtue* 徳の高い人 / *Virtue is its own reward.* (ことわざ) 徳行はそれ自体が報いである. **2** 〖Ｃ〗(個々の)道徳的美点, 徳目 ‖ Kindness is a fine *virtue*. 親切はすばらしい美点である. Among her *virtues* are courage and truthfulness. 彼女の美点のうちには勇気と正直さがある. **3** 〖Ｃ〗〖Ｕ〗(物・事の)長所(good point), よい(所の)(advantage) ‖ Tell me the *virtues* of your plan. 君の計画の長所を言ってごらん / This jacket has the *virtue* of being easy to wash. この上着は洗濯が簡単である長所がある.
by [in] vírtue of A 〖正式〗…の理由で(because of), …のおかげで《◆in の方が by より堅い言い方》.
máke a vírtue of necéssity せざるをえないことを潔(ｲｻｷﾞﾖ)くする, やむをえぬ事態をすなおに受け入れる.

vir·tu·os·i·ty /vˌɚːrtʃuɑ́səti, -s-, -tju-/ 〖名〗〖Ｕ〗〖正式〗(芸術家, 特に音楽家の)妙技, 名人芸.

vir·tu·o·so /vˌɚːrtʃuóusou, -zou, 〖英+〗-tju-/ 〖イタリア〗〖名〗(~s, ~si/-si, -zi:/) 〖Ｃ〗〖正式〗**1** (芸術, 特に音楽)の名手, 巨匠, 大家. **2** 美術通(ﾂｳ), 美術品愛好[鑑識]家.

†**vir·tu·ous** /vˈɚːrtʃuəs, 〖英+〗-tju-/ 〖形〗**1 a** 〖正式〗(主に正義・誠実・貞節について)有徳の, 徳の高い, 高潔な(noble) (↔ vicious) ‖ lead a *virtuous* life 正直な生活を送る. **b** [今len] 〖遠回しに〗〈女性が〉貞節な. **2** 高徳者ぶった.
vír·tu·ous·ness 〖名〗〖Ｕ〗有徳, 高潔.

vir·u·lence /vírələns(i), vírjə-| vírʊ-/ 〖名〗〖Ｕ〗**1** 有毒, 毒性; 悪性伝染力. **2** 激しい悪意[敵意], 憎悪; 辛辣(ﾗﾂ)さ, 毒々しさ.

vir·u·lent /vírələnt, vírjə-| vírʊ-/ 〖形〗**1** 〈毒が〉毒性の強い;〈動物が〉猛毒を持った. **2** 〖医学〗〈病気が〉悪性の, 伝染力の強い;〈細菌が〉有毒な ‖ a *virulent* infection 悪性の伝染病. **3** 〈言葉・表情が〉悪意[敵意]に満ちた, 憎悪を持った, ひどく辛辣(ﾗﾂ)な;〈憎悪などが〉猛烈な.

***vi·rus** /váɪərəs/ [発音注意]
〖名〗(複) ~·es /-ɪz/) 〖Ｃ〗**1**〖医学〗**a** ウイルス, ビールス(cf. germ, bacteria) ‖ the common cold *virus* 普通の風邪のウイルス / evolutionary capsule *viruses* 進化する小型ウイルス. **b**〖略〗=virus disease. **2** (精神上・道徳上の)害毒, 悪影響 ‖ the *virus* of racism 人種差別主義の害毒. **3**〖コンピュータ〗コンピュータウイルス(computer virus).

vírus diséase ウイルス性の病気.

vi·sa /víːzə, -sə/ 〖名〗〖Ｃ〗ビザ, (出入国)査証, (旅券などの)裏書き ‖ an entry *visa* 入国[出国]許可証 / a working *visa* 就労ビザ / an F-1 *visa* 〖米〗学生用ビザ / get [apply for] a tourist *visa* to the USA 米国行きの観光ビザをとる[申請する].

†**vis·age** /vízɪdʒ/ 〖名〗〖Ｃ〗〖文〗(人の)顔; 顔つき; 容貌(ﾎﾞｳ)《◆日常語は face, look(s)》 ‖ a stern *visage* 厳しい面(ｵﾓ)持ち. **2** (事物の)外観, 様相.

vis-à-vis /vìːzəvíː, -aː-/ 〖フランス〗〖正式〗[おおげさに] 〖副〗〖形〗向かい合って(いる), 相対して(いる). ―〖前〗**1** …と向かい合って, …と相対して. **2** …に関して; …と比較して.

vis·cer·al /vísərəl/ 〖形〗**1** 内臓の, 腸の; 内臓を冒す; 内臓に似た. **2** 〖文〗直感的な, 本能的な.

vis·cos·i·ty /vɪskɑ́səti, -kɔ́s-/ 〖名〗〖Ｕ〗**1** ねばねばすること, 粘着性. **2** 〖Ｕ〗〖Ｃ〗〖物理〗(液体の)粘性, 液体摩

viscount

擦；粘度，粘性率．

†**vis·count** /váikaunt/ [発音注意] 名 C 子爵《◆(1) 英国で伯爵(earl)の下で男爵(baron)の上の位の貴族(→ duke). (2) 伯爵の長子の敬称としても用いる. (3) 称号は Viscount ..., Lord .... (4) 女性形は viscountess》.

vis·count·cy /váikauntsi/ 名 U 子爵の地位[身分, 称号].

vis·count·ess /váikauntəs | vàikauntés/ 名 C 子爵夫人；女子爵(→ viscount).

vis·cous /vískəs/ 形〖物理〗〈液体が〉粘性の(ある), 粘性の高い.

†**vise**, 《主に英》**vice** /váis/ 《米》名 C〖機械〗万力(苎ん) ‖ (as) firm as a *vise* (万力のように)しっかり固定した / hold a piece of wood in a *vise* 万力で木片を固定する．――動 他〈を〉万力で締める[つかむ]；…をしっかり締める[つかむ]．

Vish·nu /víʃnuː/ 名〖ヒンドゥー教〗ビシュヌ《維持・発展の神. Brahma, Shiva と共に3大神の1つ》.

vis·i·bil·i·ty /vìzəbíləti/ 名 **1** UC 視界, 見える範囲；〖気象〗視程；(大気などの)透明度, 可視性；[the ～]知名度 ‖ Poor *visibility* made it a difficult landing. 視程に悪いため着陸は難しかった．**2** U 目に見えること[状態].

***vis·i·ble** /vízəbl/ 《見ることの(vis)できる(ible)》
――形 **1** 目に見える, 〈人・目に〉見える(to)(↔ invisible) ‖ a *visible* ray 可視光線 / the *visible* stars 目に見える星《◆非一時的・永続的意味. the stars *visible* は〈ある時〉たまたま見えた[見えた]星」で一時的の意味(⇒文法 17). The stars are *visible*. は両様に解される》 / *visible* exports and imports 〈観光収入などに対して〉商品の[有形的]輸出入 / Mt. Fuji was *visible* from the train. 列車から富士山が見えていた．**2 a** (見た目に)明らかな, 見てわかる ‖ with *visible* irritation いらだちを外に表して / show a *visible* dislike for capitalism 資本主義にはっきりと嫌悪を示す．**b** (心に)明らかな, はっきりとした ‖ There were no *visible* dangers. はっきりわかる危険はなかった．

†**vis·i·bly** /vízəbli/ 副 [強意語として]目に見えて, 明らかに．

Vis·i·goth /vízigɑθ | -gɔθ, vísi-/ 名 [the ～s] 西ゴート族；C 西ゴート族の人《5世紀から南ガリアからヒスパニアにかけ王国を建設した. West Goths ともいう》．

***vi·sion** /víʒən/ 《見る(vis)こと(ion). cf. *visible*》
――名 (複 ～s /-z/)
I [目に見えること]
1 U〖正式〗視力, 視覚(eyesight) ‖ the field of *vision* 視野, 視界 / She has poor *vision* (in her right eye). 彼女は(右眼の)視力が弱い / I have twenty-twenty [20/20] *vision*. 私の視力は20/20だ《◆20フィートの距離から指標20の文字が見えること. 日本の1.0に相当する》．
2 C [通例 a ～]光景, 有様(ス);(幻のように)美しい光景[人] ‖ She is a *vision* in her new dress. 彼女は新しい服を着てとても美しい．
II [心に見えること]
3 U (未来を)**見通す力**, 先見性, 洞察力(foresight)；像力(imagination) ‖ 対話 "Who do you think will be the next boss?" "Mr. Kato. He is a man of *vision*." 「次の社長はだれだと思いますか」「加藤さんだと思います, 先見の明のある人ですから」 / She works hard but lacks *vision*.
4 C [通例 ～s]〔…という〕空想, 心に描く像；未来図, 理想像〔*of*〕‖ He had *visions of* becoming a doctor. 彼は医者になることを心に描いていた．
5 C [通例 ～s] 幻, 幻影；幽霊；幻覚(illusion) ‖ She saw *visions*. 彼女は幻を見た．
――動 他〈を〉幻に見る；…を幻で表す．

†**vi·sion·ar·y** /víʒənèri | -ʒənəri/〖正式〗形 **1**〈人が〉先見の明のある, 予見力のある(foresighted). **2**〈人が〉空想にふける, 思弁的な. **3**〈計画・考えなどが〉非現実的な, 実行不可能な, 観念的な. **4**〈物・事が〉幻の(ような), 幻想的な．――名 C **1** 空想家, 夢想家. **2** 幻を見る人, 神秘家．

*†**vis·it** /vízɪt/ ※〖「見に行く」が原義. cf. *view*, *vision*〗派 visitor (名), visitation (名)
――動 (～s/-əts/; 過去・過分 ～·ed/-id/; ～·ing)
――他 **I** [人が訪れる]
1 a〈人が〉〈人を〉**訪問する**, 訪ねる(call on, 《略式》drop in) ‖ I'll *visit* the doctor this afternoon. 午後医者へ行きます / I am *visiting* my aunt in London tomorrow. 明日私はロンドンのおばを訪問します(⇒文法 5.2(2)). **b**〈病人などを〉見舞う ‖ go to the hospital and *visit* her 病院へ行って彼女を見舞う．
2 《英》〈人が〉〈場所〉へ行く, …を訪れる, 見物に行く《《米》 visit in》‖ There was no time to *visit* the zoo. 動物園へ行く時間はなかった / I *visited* Paris last year. 昨年(観光で)パリに行った / The British Museum is *visited* by 'many people [×me]. 大英博物館には多くの人が見学に来る《◆ **2** の語義の受身形の文ではふつう by 以下は不特定多数の人》．
3〈人の〉家に(客として)**滞在する**[泊まる] ‖ He *visited* his uncle for two days. 彼はおじさんの家に2日間泊まった(=He stayed with his uncle ...).
4《主に米》…を(職務上)視察[調査]に行く,〈医者が〉〈病人など〉を往診する, 見舞う ‖ The principal *visited* our class at work. 校長が授業を視察した．
II [人以外のものが訪れる]
5〔古〕[be ～ed]〈場所・人が〉〈病気・災害などに〉襲われる(be attacked),〈人に〉〔病気などが〕ふりかかる(afflict);〈人の(のど)〉に〔考えなどが〕浮かぶ〔*by, with*〕‖ The district was *visited by* [*with*] an epidemic. その地方は伝染病にみまわれた(⇒文法 7.3). **6**〖聖書〗〈怒りなどを〉〈人に〉ぶつける；〔古〕… の罰を〔人に〕与える(inflict)〔*on, upon*〕．
――自 **1**〔家などを・人を〕訪問する, 訪ねる〔*at*/*with*〕《◆この意味では他動詞用法がふつう》‖ *visit at* her house 彼女の家を訪ねる, 見物に行く〔*in*〕‖ **2** 《米》〔町などに・ホテルなどに〕滞在する(stay)〔*in, at*/*at*〕,〔人の〕家に泊まる〔*with*〕‖ I am *visiting* in Nagano. 私は今長野に滞在中です．
3《米略式》(訪問して)〔人と・場所で〕雑談する, おしゃべりする〔*with*/*at*〕‖ *visit with* her over a cup of coffee コーヒーを飲みながら彼女とおしゃべりする．
――名 (複 ～s/-əts/) C **1** [通例 a ～]〔人への・人からの〕**訪問**；見舞い〔*to*/*from*〕《◆《英》では長期の滞在を含む訪問には visit を用い長期滞在の傾向がある.《米》ではこの区別をせず visit がふつう》‖ a *visit* to a friend 友人訪問 / I had [received] a *visit* from her yesterday. 昨日私は彼女の訪問を受けた．
2 (場所の)**見物**, 観光(旅行), 参観〔*to*〕‖ This is my first *visit* to this town. この町へ来たのはこれが初めてだ(=This is the first time that I have *visited* this town.)(⇒文法 20.10(1)) / The chil-

dren enjoyed the *visit to* Disneyland. 子供たちはディズニーランドで楽しく過ごした. **3**〈客としての〉滞在. **4**〈職務上の〉訪問, 視察, 巡視, 出張;〈医者の〉往診‖ *have a visit from the police* 警察の訪問を受ける. **5**〈米略式〉〈人との〉〈訪問・電話での〉雑談, おしゃべり (chat)〔*with*〕.
gó on a vísit to A …を訪問している, 訪ねる〔◆長期［時〕間の滞在を含意する〕.
on a vísit to A …を訪問中の.
páy [máke] a vísit to A [*pay [make]* A *a ~*] 〈場所〉を訪問する, 訪ねる, 見物する〔◆(1) A が人の時は *pay* A *a visit* がふつう. (2) ふつうはっきりとした目的のある短期［時〕間の訪問に用いる.

†**vis・i・ta・tion** /vìzitéiʃən/《名》 **1** ⓒ〈正式〉〔…による〕〈職務上の〉公式訪問, 巡視, 視察 (visit)〔*by, of*〕;〈船の〉臨検. **2** ⓒ〈正式〉訪問, 見学. **3** ⓒ〈略式〉〔…の〕迷惑な長居〔*from*〕. **4** ⓒ〈正式〉 **a**〈神の〉罰, 天罰;〈神の〉恵み, 天恵;災難, 災害;悲惨な出来事〔経験〕. **b** 超自然的なものの現れ〔訪れ〕.

vis・it・ing /vízitiŋ/《名》⓾《形》訪問(の), 見舞い(の);視察(の), 巡視(の). *be on vísiting térms with* A =*háve a vísiting acquáintance with* A〈人〉と行き来するほど親しい間柄である.
vísiting bòok 訪問帳〈来客・訪問先などを書く〉.
vísiting càrd〈主に英〉名刺 (= card).
vísiting hòurs〈病院の〉面会時間‖ The hospital *visiting hours* are from 2:00 to 5:00 p.m. 病院の面会時間は午後2時から5時までだ.
vísiting núrse〈米〉訪問〔巡回〕看護師.
vísiting proféssor 客員教授, 派遣教授.
vísiting ríght〈代理母などが〉子供に面会する権利.
vísiting téacher〈米〉家庭訪問教員〈病気の生徒などに出張授業をする〉.
vísiting tèam 来訪チーム, ビジター.

▶**vis・i・tor** /vízətər/〖→ visit〗
——《名》(複 ~s/-z/) ⓒ **1**〔…への/…からの〕訪問者, 来訪者, 来客;見舞客〔*to, at / from*〕〈使い分け〉→ guest)‖ a *visitor at* his house 彼の家の訪問客 / a parking place for *visitors* 来客用駐車場 / I had *visitors from* Kenya last week. 先週ケニアからの訪問客があった. **2**〔…への/…からの〕観光客, 見学者;参詣(ﾀﾞﾝ)人〔*to, in / from*〕‖ *visitors* to the museum 博物館の入館者 / The temples in Kyoto attract *visitors from* all over the world. 京都の寺は世界中から観光客をひきつけている / The exhibition drew 10,000 *visitors*. その展覧会には1万人の入場者があった.
3〔ホテルなどの〕宿泊客, 滞在客〔*at*〕〔◆長期の客をさす. 短期の客は caller〕‖ *The number of the visitors at* the hotel has increased recently. そのホテルの客は最近になって増えた. **4**〈英〉〈大学などの〉視察員, 巡視官.
vísitors' bòok〈旅館の〉宿泊者名簿,〈博物館などの〉来訪者名簿.
vísitors' dày 面会日.

vi・sor /váizər/《名》ⓒ **1**〈歴史〉〈かぶとの〉面頬(ﾒﾝ). **2**〈主に米〉〈帽子の〉まびさし. **3**〈自動車の〉サンバイザー, 日よけ板 (sun visor). **4**〈正式〉仮面, 覆面.

†**vis・ta** /vístə/《名》ⓒ〈正式〉 **1**〈両側に木・建物などの並ぶ通りを通して見る〉眺め, 眺望, 遠望 (view)‖ The street lined with trees provided a *vista* of the sea. 街路樹のある通りの向こうに海が見えた. **2**〈将来への〉展望, 見通し (prospect);〈過去への〉回想, 追憶‖ open up a new *vista* of the future 未来への新しい展望を切り開く.

***vi・su・al** /víʒuəl, 〈英〉-zju-/〖見ること (vision) に関する (al)〗
——《形》〔◆比較変化しない〕**1**〈正式〉〔名詞の前で〕視覚の, 視覚に関する;見るための (cf. auditory)‖ a *visual* defect 視覚障害 / *visual* effects 視覚上の効果 / Eyes are *visual* organs. 目は視覚器官です. **2** 目で見た, 目で見ての‖ *visual impressions* 目で見た印象. **3**〈計器などによるが〉視覚による, 目に見える‖ *visual* flight [bombing] 有視界飛行［爆撃］/ *visual* proof 目に見える証拠. **4** 視覚教材の, 視覚教材に関する, 視覚教材を用いる‖ *visual* education [instruction] 視覚教育.

vísual áid〔しばしば ~s〕視覚教材〔教具〕《スライド・映画など》. cf. audio-visual aids.
vísual árts〔the ~〕視覚芸術《絵画・彫刻など》.
vísual displáy ùnit〈コンピュータ〉データ表示装置《略》 VDU).
vísual pollútion 視覚公害〈看板などによって景観が損なわれること〉.
ví・su・al・ly /-li/《副》外見は, 見た目には;視覚的に, 目に見えるように;視覚〔教材〕によって;視覚に関して.

†**vi・su・al・ize**,〈英ではしばしば〉**-ise** /víʒuəlàiz,〈英〉-zju-/《動》⑫ **1** …を〈心に〉心に思い浮かべる;〔…するのを/…であるかを〕心に描く〔*doing*/*wh* 節〕;〔…として〕想像する (imagine)〔*as*〕‖ *visualize* the face of an old friend 旧友の顔を思い浮かべる / *visualize* him *as* a businessman 実業家としての彼を想像する / *visualize* what she is like 彼女がどんな人か想像する / Try to *visualize* (yourself) living on the moon. 試みに月で生活すると想像してみなさい. **2**〈イメージ・考えなどを〉目に見えるようにする, 視覚化する. ——⑬ 心に思い浮かべる.

†**vi・tal** /váitl/《形》**1**〈正式〉 **a** 命の, 生命の, 生命に関する‖ *vital* functions 生活機能《呼吸・消化など生命に関する機能》 / *vital* energies 生命のエネルギー, 生命力. **b** 生命の維持に不可欠の‖ the *vital* organs 必須器官《心臓・脳など生命維持に不可欠の器官》 / a *vital* part〈生命にかかわる〉急所. **2**〈正式〉活気のある, 生き生きとした‖ Mao Tse-tung was a *vital* leader. 毛沢東は活気に満ちた指導者であった. **3** きわめて重要な,〔…にとって〕不可欠の, 肝要な〔*to, for*〕〔*in*〕‖ a point of *vital* importance 大変重要な点 / Your help is *vital to [for]* this project. この計画にはあなたの援助がぜひ必要です / It is absolutely *vital* that environmental pollution be controlled. 環境汚染の防止が絶対に必要である. **4**〔比喩的にも用いて〕命にかかわる, 致命的な‖ a *vital* blow to the firm その会社に対する致命的な打撃.

vítal capácity 肺活量.
vítal statístics〔複数・単数扱い〕人口動態統計《出生・死亡・結婚などの統計》.

†**vi・tal・i・ty** /vaitǽləti/《名》Ⓤ **1a** 生命力, 生き〔つづ〕る力. **b** 活力, 体力. **2** 活気, 生気, 元気. **3**〈制度・言語などの〉存続性, 持続力.

vi・tal・ize /váitəlàiz/《動》⑫〈正式〉…に生命を与える;…を活気づける.

†**vi・tal・ly** /váitli/《副》**1** 生命上;命にかかわるほどに. **2** きわめて重大に;絶対に.

***vi・ta・min** /váitəmin | vítə-, váitə-/〖生命 (vita) のアミノ酸 (amin(e))〗. cf. vital〗
——《名》(複 ~s/-z/) ⓒⓊ〔通例 ~s〕ビタミン‖ foods rich in *vitamins* ビタミンの豊富な食物 /

lack of *vitamin* A ビタミンAの不足. **2** [形容詞的に] ビタミンの ‖ (a) *vitamin* deficiency ビタミンの不足 / take two *vitamin* tablets [pills] every day 毎日ビタミン剤を2錠飲む.

vi·ti·ate /víʃièit/ 動 他 **1**〈正式〉**a** …の質[価値]を低下させる, …を損なう〈空気・血液など〉を汚す. **b** …を精神・性格などを堕落させる. **2**〈契約・証書などを〉無効にする.

vit·re·ous /vítriəs/ 形 **1** ガラスの(ような), ガラス質[状]の. **2** ガラスから得た, ガラスでできた.

vit·ri·ol /vítriəl/ 名 U **1**〈古〉《化学》**a** 硫酸(sulfuric acid)《◆ oil of vítriol ともいう》. **b** 硫酸塩, 礬(ばん)類 ‖ green [white] *vitriol* 硫酸塩[亜鉛] / blue [copper] *vitriol* 硫酸銅. **2**〈文〉辛辣(しんらつ)な言葉[批評]; ひどい悪意[憎悪, 皮肉].

vi·tu·per·a·tive /vait(j)ú:pərèitiv, -pərèi-, vi-/ 形〈正式〉〈言葉などが〉口汚い, 非難の, ののしりの;〈人が〉〈…のことで〉毒舌を振るう〔*about*〕.

vi·va /víːvə/ 間《イタリア》万歳(Long live …!)《◆ *Viva* America! のように人・物の名前が後に置かれる》. — 名 C 万歳の声; [~s] 歓声.

†**vi·va·cious** /vivéiʃəs, vai-/ 形〈主に女性が〉快活な, 元気のよい, 陽気な;〈動作・物腰などが〉活発な, きびきびした. **vi·vá·cious·ly** 副 快活に, 陽気に; 活発に. **vi·vá·cious·ness** 名 U 快活, 陽気; 活発.

†**vi·vac·i·ty** /vivǽsəti, vai-/ 名 U 快活, 元気のよさ, 陽気, 活発 ‖ talk with *vivacity* 快活に話す.

Vi·val·di /vivá:ldi/ 名 ビバルディ《Antonio/æntóuniòu/ ~ 1675?-1741; イタリアの作曲家》.

†**viv·id** /vívid/ 形 (more ~, most ~; ~·er, ~·est) **1**〈色彩・光などが〉鮮やかな, 鮮明な, 強烈な, まばゆい;〈物かが〉鮮明な色をした ‖ a *vivid* flash of lightning 強烈な稲妻の閃(せん)光 / a *vivid* red dress 目の覚めるような真っ赤なドレス. **2**〈記憶・描写・表現などが〉はっきりした, 生き生きとした, 鮮やかな, 鮮烈な, 生々しい ‖ My memory of the accident is still very *vivid*. =The accident is still very *vivid* in my memory. その事故はまだ私の記憶に鮮烈に焼きついている / give a *vivid* description of the battle 戦闘の模様を生々しく語る. **3**〈想像力・感覚などが〉活発な, 盛んな, 鋭敏な ‖ a *vivid* imagination 活発な想像力. **4**〈人・性格などが〉生気[活気]にあふれた ‖ a *vivid* personality はつらつたる人柄. **vív·id·ness** 名 U 鮮やかさ, 鮮明さ; 明瞭さ; 迫真性.

†**viv·id·ly** /vívidli/ 副 **1** 鮮やかに, 鮮明に. **2** はっきりと, 鮮烈に; ありありと, 生き生きと, 迫真的に ‖ describe the accident *vividly* 事故の様子をありありと述べる.

viv·i·fy /vívəfài/ 動 他 **1** …に生命[生気]を与える, …を活気づける, …を生き返らせる. **2** …を生き生きさせる, 鮮明[強烈]にする.

viv·i·sec·tion /vìvəsékʃ(ə)n/ 名 U C〈正式〉生体解剖(術).

†**viz, viz.** /víz/『ラテン語 videlicet の略; z は et の縮約記号』副〈正式〉すなわち, 換言すると《◆ ふつう namely /néimli/ と読む. 今は namely がふつう》.

V-J Day /ví:dʒéi dèi/『Victory over Japan』名〈米〉〈第二次世界大戦の〉対日戦勝記念日《1945年8月15日, 公式には同年9月2日. cf. V-E Day, V- Day》.

Vlad·i·vos·tok /vlǽdəvɑ́stɑk | -vɔ́stɔk/ 名 ウラジオストク《日本海に面したロシアの都市. 海港・海軍基地》.

V-neck /víːnèk/ 名 C V字型のえり, Vネック.

VO 略〈英〉(Royal) Victorian Order; very old 大変古い《ブランデーなどの酒齢を示す. cf. VSO, VSOP》.

VOA 略 Voice of America.

vo·cab /vóukæb/ 名 C〈略〉=vocabulary **2**.

vo·ca·ble /vóukəbl/ 名 C〈意味に関係なく音または文字の構成としてみた〉語, 単語.

†**vo·cab·u·lar·y** /voukǽbjəlèri | -ləri/ 名 [アクセント注意] **1** C U〈通例 a/the/one's ~〉語彙(ご)《ある職業・専門分野・個人などの用いる語の全体. 単語1つ(a word)やばらばらの単語の集団(words)ではない》, 用語範囲, 用語数;〈ある言語の〉(総)語彙, 全単語 ‖ the *vocabulary* of physics 物理学用語 / enrich [increase] one's *vocabulary* 語彙を増やす / The writer has 「a large *vocabulary* [×many vocabularies]. その作家は語彙が豊富だ. **2** C 単語集, 語彙集(glossary, 《略式》vocab)《◆dictionary ほど詳しくない》.

†**vo·cal** /vóukl/ 形 **1**〈正式〉声の, 音声の; 発声に必要な ‖ The tongue is one of the *vocal* organs. 舌は発声器官の1つです / *vocal* quality 声の質. **2**〈正式〉口頭の, 声に出した(oral) ‖ *vocal* communication 口頭伝達 / *vocal* noise (声の)騒音. **3**〈略式〉〔…について〕遠慮なく意見を述べる〔*in*, *about*〕; よくしゃべる ‖ He is *vocal* about his rights. 彼は自分の権利について口やかましい. — 名 C《音楽》[しばしば ~s] ボーカル(バンド演奏を伴った歌),《ミュージカルなどに》歌われる台詞.

vócal còrds [chòrds] /(英) ⌒ ⌒, ⌒ ⌒/ [the/one's ~; 複数扱い] 声帯.

vó·cal·ly 副 声で, 声に出して, 口頭で.

vo·cal·ist /vóukəlist/ 名 C《音楽》(instrumentalist に対して)歌手, ボーカリスト.

vo·cal·ize /vóukəlàiz/ 動〈正式〉他 **1** …を声に出す, 発音する; …を歌う. **2**《音声》…を母音化する; …を有声化する. **3**《アラビア語・ヘブライ語について》口頭に(母音符号)を付ける. — 自 **1** 話す, 歌う, 叫ぶ. **2**《音楽》(母音による)発声練習をする. **3**《音声》母音化する; 有声化する.

†**vo·ca·tion** /voukéiʃ(ə)n | vəu-/ 名 **1** [a/one's ~]〈信仰生活・聖職への〉神のお召し, 召命(しょう). **2 a** C [通例 a/one's ~] (神から与えられたと感じられ, 使命感をもって行なう)天職, 聖職(cf. work) ‖ *vocation* as well as a profession 専門職であると同時に使命感をもって行なう職業. **b** U〈…に対する/…するべき〉天職意識, 使命感〔*for* / *to* do〕. **2**〈正式〉[通例単数形で] (一般に)職業, 仕事, 商売《job, occupation より堅い語》 ‖ What is your *vocation*? 職業は何ですか. **3** U [時に a ~]〈職業に対する〉適性, 才能, 素質〔*for, to*〕.

†**vo·ca·tion·al** /voukéiʃ(ə)nəl | vəu-/ 形〈正式〉職業に関する, 職業上の; 職業指導[訓練]の.

vocátional gúidance [tráining] 職業指導[訓練].

vocátional schóol 職業(訓練)学校.

vo·cif·er·ate /vousífərèit/ 動〈正式〉自 (抗議・不平などで) …と〔…に対して〕大声で叫ぶ, 絶叫する, わめく〔*against*〕.

†**vo·cif·er·ous** /vousífərəs | və-/ 形〈正式〉〈人などが〉〈要求・非難などで〉大声で叫ぶ, 絶叫する〔*in*〕;〈叫び声・議論などが〉やかましい, 騒がしい.

vo·cíf·er·ous·ly 副 やかましく, 声高に.

vo·cíf·er·ous·ness 名 U 騒々しいこと, 騒々しさ.

vod·ka /vɑ́dkə | vɔ́d-/『ロシア』名 U C ウォッカ《小麦・ライ麦・トウモロコシ・ジャガイモなどで作るロシア産の強い酒》.

†vogue /vóug/ 名 (正式) **1** C [通例 the ~] (一時的な)〔…の〕流行, はやり〔for〕; はやっているもの (fashion). **2** U [often a ~] 人気, 世間の受け ‖ His novel has been in *a great vogue* for a long time. 彼の小説は長い間たいへん人気があった.
- **be all the vógue** (略式) 最新の流行(品)である; いたる所で大流行している.
- **cóme into vógue** 流行してくる; はやり出す.
- **gò óut of vógue** はやらなくなる, 人気を失う.
- **in vógue** (正式) 流行して, 人気があって.

:voice /vɔ́is/ 〖→ vox〗 関連 vocal (形)
── 名 (複 ~s/-iz/)

I [声]

1 U C (人の)**声** ‖ I heard *voices*. 人の声が聞こえた / "Welcome aboard the Super Express," said the *voice*. 「ようこそ特急にご乗車くださいました」と(車内放送の)声がした.

2 U C [my 等の所有格や形容詞を伴って] (…の声の)**声**, (…の状態〔特徴〕の)**声** ‖ He has a deep [hoarse] *voice*. 彼は太い〔しわがれた〕声をしている / She spoke in [with] *a low* [*loud, angry*] *voice*. 彼女は低い〔大きな, 怒ったような〕声でしゃべった / Keep your *voice* down. 声を落してください / Nobody recognized her *voice*. だれも彼女の声だとはわからなかった / His *voice* is breaking. 彼は変声期を迎えている.

3 C [通例 the ~ of …] (人の声を思わせる自然の)声, 音; (理性・神などの), お告げ ‖ *the voice of the winds* 風の声 / listen to *the voice of reason* 理性の声に耳を傾ける.

II [声が生み出すもの]

4 U C [通例 one's ~] 声を出す力, 話す能力 ‖ She has lost *her voice*. (かぜなどで)彼女は声が出ない.

5 U (正式) [時に a ~]〔…の点での〕発言権; 投票権 (vote); 影響力〔in〕‖ They *have a* [*no*] *voice in* the matter. 彼らはそのことに発言権が〔ない〕.

6 C (正式) [通例 the ~] (主義などの)代弁者〔するもの〕, 表明者 ‖ He is *the voice of the workers*. 彼は労働者の代弁者である.

7 C (正式) (表明された)**意見** (opinion), 選択, 希望 ‖ They are all of one *voice*. 彼らは意見が一致している / My *voice* was ignored in the discussion. その討議で私の意見は無視された / *The voice of the people is the voice of God*. (ことわざ)「民の声は神の声」(cf. vox).

8 U (正式) (感情・考えなどの)表明, 表現 ‖ find *voice* in song (感情などを[が])歌で表現する[される].

III [その他]

9 U C (文法) [通例 the ~] (動詞の)態 ‖ the active [passive] *voice* 能動〔受動〕態.

10 U C (音楽) 声, 声調; C (曲の)声部; C 歌手 ‖ a choir of 80 *voices* 80人の合唱団. **11** U (音声) 有声, 声 (cf. breath).

- **at the tóp of** one's **vóice** 声を限りに, 大声で.
- **be in (góod) vóice** 声の調子がよい.
- **give vóice to A** (正式) 〈感情など〉を表明する, 口に出す.
- **ráise** one's **vóice** (1) 〔怒りなどで〕〈人に〉声を大きくする〔荒げる〕〔to, at〕; 叫ぶ. (2) 不平を言う; 〔計画などに〕反対する〔against〕.
- **the Vóice of América** ボイス-オブ-アメリカ (米国

政府の海外向け放送. 略 VOA).

── 動 (**vóic·ing**) 他 **1** 〈意見など〉を〔手紙などで〕言う, 言葉に表す (express)〔in〕‖ *voice a* [one's] complaint 不満を口に出す. **2** 〈音声〉…を有声音化する.

vóice bòx (略式) 喉(ś)頭 (larynx).

vóice màil (コンピュータ) ボイスメール, 音声メール〈電話とコンピュータを使って音声によるメッセージを送信する電子システム〉.

vóice recognítion (コンピュータ) 音声認識.

vóice vòte (米) 発声採決〈賛成・反対の声の大小で採決する〉.

voice·less /vɔ́islǝs/ 形 **1** 声のない, 無言の; 口がきけない. **2** 意見を言わない〔言えない〕. **3** 投票権のない. **4** (音声) 無声(音)の (↔ voiced).

voic·ing /vɔ́isiŋ/ 動 → voice.

†void /vɔ́id/ 形 (正式) **1** 〈場所・部屋などが〉(まったく)空(ś)の, 空虚な, 何もない (empty); 〈家・職などが〉あいた (vacant) ‖ *a void* space 空間; (物理) 真空 / fall *void* 空席ができる. **2** [be *void* of A] 〈性質など〉を欠いている 《◆ have [there is] no **A** の方がふつう》 ‖ a man (who is) *void of* humor ユーモアのない男 / Her words were wholly *void of* meaning. 彼女の言葉はまったく無意味だった. **3** 〔主に法律〕〈契約などが〉無効の ‖ a *void* contract 無効な契約 / *void* if detached (切符などで)「切離し無効」 / The marriage was declared *null and void*. その結婚は無効と宣告された.

── 名 **1** [the ~] (地球を取り巻く)空間, 宇宙空間 (outer space); 虚空; 真空(状態) ‖ a rocket shooting up into *the void* (of outer space) 宇宙空間にぐんぐん上昇していくロケット. **2** C [通例 a ~] (一般に)空所; (地表などの)割れ目, すき間; (壁・建物などの)開口部; 空漠とした場所 ‖ the huge desert *voids* of Africa アフリカの何もない広大な砂漠地帯. **3** C [通例 a ~] 空虚感, むなしさ.

── 動 **1** (法律) 〈契約など〉を無効にする, 取り消す. **2** (正式) 〈小便・大便など〉を排泄(ǎ)する; 〈中身〉を出す, 空(ś)にする.

void·a·ble /vɔ́idǝbl/ 形 無効にできる, 廃棄できる, 取り消しできる.

voile /vɔ́il/ 名 C ボイル〈木綿・羊毛・絹などの薄織物, 婦人服・カーテンなどに用いる〉.

vol. (略) volcano; [しばしば V~] volume.

†vol·a·tile /vɑ́lǝtl | vɔ́lǝtàil/ 形 **1** 〈液体・油が〉揮発性の; (俗用的に)爆発しやすい ‖ *volatile* oil 揮発油, (特に)精油 (essential oil). **2** (正式) **a** 〈人・性格・情勢などが〉変わりやすい, 不安定な; 〈人・心などがかのんきな. **b** 〈気性などが〉激しやすい; 〈夢・美しさなどが〉一時的な, はかない.

vol·a·til·ize /vɑ́lǝtǝlàiz | vǝlǽti-, vɔ́lǝti-/ 動 他 …を蒸発させる; …を揮発させる. ── 自 蒸発する; 発揮する.

†vol·can·ic /vɑlkǽnik | vɔl-/ 形 **1** 火山の; 火山性の; 火山作用による ‖ a *volcanic* eruption 火山の爆発 / *volcanic* activity 火山活動 / *volcanic* rocks [ash] 火山岩〔灰〕. **2** 火山のある, 火山の多い ‖ a *volcanic* region 火山地帯. **3** 〈気質・感情・精力などが〉非常に激しい, 猛烈な ‖ a man of *volcanic* temper 激しい気性の人.

†vol·ca·no /vɑlkéinou | vɔl-/ 名 (複 ~(e)s /-z/) C 火山; 噴火口 ‖ an active [extinct] *volcano* 活[死]火山 / a dormant [quiescent] *volcano* 休火山 / Which *volcano* erupted [ˣexploded]? どの火山が爆発したのか / 日本発 There are so many *volcanoes* in Japan that there is always the possibility of great damage from an eruption. 日本にはたくさんの火山があり,噴火によって大きな被害が出る可能性が常にあります.

Vol·ga /vάlgə/ v5l-/ 图 the ~ (River) ボルガ川《ロシア西部を南流しカスピ海に注ぐヨーロッパ最長の大河》.

vo·li·tion /voυlíʃən/ 图 (U) 《正式》 1 意志[決断,選択]行為,意志作用;決断,選択. 2 意志[決断,選択]力. **of** one's **ówn volítion** 《正式》自分の意志で,自発的に.

vo·li·tion·al /voυlíʃənl/ 形 《正式》意志の,意志に関する;意志的な;意志[決断]に基づく.

Volks·wa·gen /vóυkswǽgən, -wὰːgn│v5lks-, f5lks-/《ドイツ》(商) **Volks·wa·gen, ~s**) C フォルクスワーゲン (略 VW)《ドイツの自動車会社;同社製の車》.

†**vol·ley** /vάli│v5li/ 图 C 1 〈弾丸・矢などの〉一斉射撃,〈石などを〉一斉に投げつけること[of];一斉射撃された弾丸[矢など],一斉に投げつけられた物 ‖ *in a volley* 一斉射撃で / fire a *volley* in salute 一斉に礼砲を放つ / The angry crowd aimed *volleys of* stones at the embassy. 怒った群衆は大使館に一斉に投石した. 2 〔悪口・質問・拍手などの〕連発[*of*] ‖ be subjected to *a volley of* questions 矢つぎばやの質問にさらされる. 3 〔球技〕[the ~] ボレー《テニス・サッカーなどで球が地にうつかないうちに打ち[けり]返すこと》 ‖ hit [kick] a ball *on the volley* 球をボレーで打ち返す[けり返す].
——動 他 1 〈弾丸・矢などを〉一斉に射撃する,〈石などを〉一斉に投げる. 2 〈悪口・質問などを〉連発する. 3 〔球技〕〈球〉をボレーで打ち[けり]返す;〈相手に〉ボレーで打ち[けり]返す. ——自 1 〈銃・大砲などが〉一斉に発射される;〈弾丸・矢・石などが〉一斉に飛ぶ. 2 〔球技〕ボレーをする.

vol·ley·ball /vάlibɔːl│v5li-/ 图 1 U 〔球技〕バレーボール. 2 C バレーボール用のボール.

vols., vols (略) *volumes*.

†**volt** /vóult/《イタリアの物理学者 A. Volta から》图 C 〔電気〕ボルト《電気の単位.(記号) V》.

†**volt·age** /vóultidʒ/ 图 C U 〔電気〕電圧 ((略) v.) ‖ a high-*voltage* cable 高圧線.

vol·ta·ic /valtéiik│vɔl-/ 形 〔電気〕(化学作用によって生じた)動電気の,直流電気の;化学作用によって起電する.

Vol·taire /voultέər│vɔl-/ 图 ボルテール (1694-1778;フランスの啓蒙思想家・文学者・哲学者. 本名 François Marie Arouet).

volt-am·pere /vóultǽmpiər│-peə/ 图 C 〔電気〕ボルト=アンペア《皮相電力の単位.(記号) VA》.

volt·me·ter /vóultmiːtər/ 图 C 〔電気〕電圧計.

†**vol·u·ble** /vάljəbl│v5l-/ 形 《正式》〈人が〉多弁な,口達者な;〈話などが〉弁舌さわやかな,多弁を弄(ろう)した.

*****vol·ume** /vάljəm│v5ljuːm/ 〔アクセント注意〕《(文字を書いた)巻き (volve) 物 (me).「本の大きさ」から比喩的に「容積」「量」「音量」の意が生じた. cf. *revolve*》
——图 (複) ~s/-z/)

I【音量】

1 U 音量,ボリューム;C 音量調整つまみ ‖ turn down the *volume* of the radio ラジオの音を小さくする.

II【物の量・容積】

2 a U C 〈流動体の〉量,分量;〔仕事・生産・取引などの〕量 (cf. quantity) ‖ the *volume* of water in a container 容器の中の水の量 / a large *volume of* sales 多くの販売量 / The charges will be assessed on the basis of *volume* not weight. その料金は重さでなくかさで算定されます. **b** [~s / a ~ of + U 名詞] 多量の… ‖ *volumes of* smoke《略式》もうもうたる煙 / *a volume of* work たくさんの仕事.
3 U 容積,容量;体積 ‖ Water increases its *volume* when it freezes. 水は凍ると体積が増す.
4 C **a** (2冊以上から成る本の)1巻,1冊 ((略) vol.,複数形 vols.) ‖ selected works in 5 *volumes* 全5巻の著作選集 / *volume* six of the encyclopedia 百科事典の第6巻. **b** (略式)(内容よりも外形から見た,特に大きな)本,書物 (book) ‖ She has a library of 5,000 *volumes*. 彼女は5000冊の蔵書がある. **c** (月刊誌などの1年分の巻).
5 C (パピルス・羊皮紙などの)巻き物《古代の本》.

†**vo·lu·mi·nous** /vəlúːmənəs/ 形 《正式》 1 多量の,かさばった (bulky). 3 〈服が〉ゆったりした (loose). **4**〈容器が〉大きい;たくさん入る. **5**〈著者が〉多作の,〈書物などが〉大部の;巻数の多い.

†**vol·un·tar·i·ly** /vάləntèrəli, ⟵—⟵│v5ləntərəli/ 副 自発的に,自分の意志で;任意に《◆ふつう命令文・依頼表現には用いない》.

†**vol·un·tar·y** /vάləntèri│v5ləntəri/ 形 1 〈行為・人が〉(強制的でなく)自発的な,自ら進んで行なう[行なわれた](↔ compulsory) ‖ *voluntary* tasks (無償で)自発的にする仕事 / a *voluntary* worker 無料奉仕者,ボランティア / place *voluntary* restraints on car exports 自動車輸出を自主規制する / He made a *voluntary* contribution to the school. 彼はその学校に自発的に寄付した. **2**〈病院・学校などが〉任意の寄付で運営される ‖ a *voluntary* school 《英》寄付で運営される学校. **3** 自由意志を持った,自由意志で行動する ‖ Man is a *voluntary* agent. 人間は自由行為者だ. **4** 自然に[思わず]生じる ‖ *voluntary* laughter 思わず起こる笑い. **5**〔生理〕随意の (↔ involuntary) ‖ *voluntary* muscles 随意筋. **6**〔法律〕故意の,意図的な;任意の ‖ a *voluntary* confession 任意自白.
——图 C オルガン独奏(曲)《教会で礼拝の前後・中間に奏する》.

***vol·un·teer** /vὰləntíər│v5l-/ 〔アクセント注意〕
——图 (複) ~s/-z/) C 1〔人のいやがる仕事などの…をする〕志願者,有志家,篤(とく)志家 [*for* / *to do*] ‖ There were no *volunteers for* the job. その仕事をしようと名乗り出る者はいなかった / Any *volunteers*? だれか志願する人[(教室で)答える人]はいませんか. **2** 志願兵,義勇兵. **3**[形容詞的に] 志願の,自発的な;志願兵の ‖ a *volunteer* fireman 自警消防員 / a *volunteer* army 義勇軍 / *volunteer* activity ボランティア活動 / I'm doing *volunteer* work at the hospital. 私は病院でボランティアをしている.
——動 自 1〔…を〕進んで引き受ける,買って出る [*for*],〔…しようと〕進んで申し出る[*to do*] ‖ *volunteer* 「*to* clean [*for* cleaning] the room 進んで部屋の掃除を引き受ける / *volunteer* to wash the car 車洗いを買って出る. **2** 志願兵になる,〔…に / …として〕志願する [*for* / *as*].
——他 《正式》〈…を〉進んで申し出る[話す,提供する][*that* 節] ‖ *volunteer* suggestions 進んで助言する.

Voluntéer Státe《米》(愛称) [the ~] ボランティア州 (→ Tennessee).

vol·un·teer·ism /vὰləntíərìzm│v5l-/ 图 U ボランティア活動[精神].

†**vo·lup·tu·ous** /vəlʌ́ptʃuəs, 《英+》-tju-/ 形 《正式》 1

a 〈女の(肉体)などが〉なまめかしい, 色っぽい. **b** 〈欲望・興奮などが〉官能的な. **2** 〈人・生活などが〉官能的快楽にふける(↔ ascetic). **3** 〈芸術・修飾などが〉官能の喜びを与える. **vo·lúp·tu·ous·ly** 副 官能的に; 享楽的に. **vo·lúp·tu·ous·ness** 名 U

†**vom·it** /vάmɪt | vɔ́m-/ 動 《正式》 ⓐ **1** 〈人が〉(胃の中の物を)吐く, 嘔吐(ξ)する, もどす(throw up) (cf.《米》be sick) ‖ The long bus ride made me *vomit*. 長時間バスに乗って(酔って)吐いてしまった. **2** 〈火山が〉溶岩・灰などを噴出する;〈溶岩・煙などが〉(激しく多量に)吹き出る, 流出する(pour) (+*out*).
—ⓗ **1** 〈人が〉(胃から)〈食べ物などを〉吐く, 嘔吐する(+*out*, *up*, *forth*) (cf. cough) ‖ *vomit* everything one has eaten 食べた物を全部吐く. **2** 〈火山・煙突・船・管などから〉〈溶岩・煙・油・汚水など〉を(激しく多量に)吐き出す, 噴出[流出, 排出]する(+*out*, *forth*).
—名《正式》ⓒ 吐くこと, 嘔吐. **2** U 嘔吐物.

von /fɑn, fən | fɔn/ 《ドイツ》 前 ...の, ...からの《ドイツ人の貴族の家名の前につける》‖ Herbert *von* Karajan ヘルベルト・フォン・カラヤン.

voo·doo /vúːduː/ 名 (複 ~s) [しばしば V~] U ブードゥー教《西インド諸島や米国南部の黒人間で行なわれる魔術的宗教》; ⓒ そのまじない師; そのまじない[呪(ξ)]術, 呪(ξ)物. **vóo·doo·ism** 名 U ブードゥー教. **vóo·doo·ist** 名 ⓒ ブードゥー教のまじない師[信者].

vo·ra·cious /vɔːréɪʃəs | və-/ 形 《正式》 **1** 〈人・動物が〉大食の, がつがつ食べる;〈食欲が〉旺盛な. **2** 〈人・欲望などが〉飽くことを知らない, 貪(ξ)欲な.

vo·rac·i·ty /vɔːrǽsəti | və-/ 名 U 《正式》大食, 暴食; 食欲旺盛な;貪欲.

vor·tex /vɔ́ːrteks/ 名 (複 ~·es, -·ti·ces/-təsɪːz/) **1** ⓒ (水・火などの)渦, 渦巻; 旋風; 竜巻. **2** 〔物理〕 (流体中の)渦.

vo·ta·ry /vóʊtəri/ 名 ⓒ 《正式》 **1a** 修道僧, 修道女. **b** (特定の神・宗教などの)信者, 崇拝者, 信奉者. **2** 〔おおげさに〕(主義・運動・理想などの)唱導者, 信奉者; (芸術・スポーツなどの)熱愛者, 心酔者; (研究・学問などの)献身者, 熱心な人;(指導者などの)崇拝者, 支持者 ‖ a *votary* of peace [golf] 熱烈な平和主義者[ゴルフ愛好家].

*****vote** /vóʊt/ 〔『誓い, 誓約』が原義〕(源) voter (名)
—名 (複 ~s/vóʊts/) **1** ⓒ (意志表明としての)[...への/...に賛成の/...に反対の]投票, 票, 票 [*to*/*for*/*against*] (類語) ballot, poll) ‖ I gave my *vote* to the candidate. 私はその候補者に投票した(=《略式》 I *voted* for the candidate. → ⓐ1) / I cast [*recorded*] my *vote* for the proposal.《正式》私はその提案に賛成の票を投じた.

2 ⓒ [...について]投票で選ぶこと, 採決, 票決[*on*, *about*] ‖ Let's *take a vote on* the question. =Let's put the question *to a vote*. その問題について投票で決めよう / We decided the matter by *vote*. 採決でその事柄を決めた.

3 ⓒ 投票権; [通例 the ~] 選挙権, 参政権 ‖ have *the vote* 選挙[投票]権がある(=have the right to vote).

4 [the/a ~; 集合的名詞] 投票(総)数; 得票 ‖ a light [heavy] *vote* 少数[多数]の投票 / by a *vote* of 100 to 50 100対50の得票で. **5** [the ~; 集合的名詞] (ある集団の持つ)票, 集団票 ‖ *the* labor *vote* 労働者票. **6** ⓒ 投票方法 ‖ 'a secret [an open] *vote* 無記名[記名]投票. **7** ⓒ 投票用紙(ballot). **8** ⓒ 決議;《英》[通例 the/a ~][...に対する]議決額[*for*] ‖ a *vote* of confidence [no confidence, censure] 信任[不信任]決議 / propose a *vote* of thanks《主に英》(拍手で感謝を表す)感謝決議を提案する.

—動 (~s/vóʊts/; 過去過分) ~d/-ɪd/; vot·ing)
—ⓐ **1** 〈人・団体が〉[議案などに関して]投票する[*on*, (まれ) *about*];〔人・議案などを支持する/...に反対する〕投票をする[*for*/*against*] ‖ go to *vote* 投票(し)に行く / Congress *voted on* the bill yesterday. 議会は昨日その法案について投票を行なった / *vote for* [*against*] the candidate その候補者に賛成[反対]投票する.

2 [I *vote* for A to do] A〈人〉が...することを提案する ‖ I *vote for* you *to* captain the team. 君がチームの主将になることを提案する.

—ⓗ **1** 〈人・団体などが〉〈議案などを〉投票[挙手]で決める, 可決する; [vote to do] ...することを投票で決める;[vote that節] ...ということを投票で決める ‖ We *voted to* go on a hike next Sunday. 次の日曜日にハイキングをすることを投票で決めた / Congress has *voted that* the present law (《主に英》*should*) remain in effect. 議会は現行の法律が効力を持ち続けると投票で決めた(→文法 9.3).

2《略式》〈人・政党などに投票する ‖ *vote* Labour 労働党に投票する. **3** 〈金などを〉[...に][...のために]与える[交付する]ことを議決する[*for*]; ...を[人に]議決によって与える[*to*] ‖ The committee *voted* '(the city) funds *for* a new hospital [funds *for* a new hospital (*to* the city)]. 委員会は(その市に)新病院のための資金を交付することを決議した. **4**《略式》[通例 be ~d] (みんなの意見として)...が...だと認められる[みなされる] ‖ The trip *was voted* a success. 旅行は成功だったとみんなが思った. **5**《略式》[通例 I を主語にして][...ということを]提案する(suggest)[(*that*)節] ‖ (対話) "I *vote* (*that*) we (《主に英》*should*) take the bikes." "That's an idea." 「自転車で行こうよ」「それはいいね」.

vote dówn [他] 〈...を〉(投票で)否決する.
vote ín [他] [通例 be ~d] 〈人〉が選出される.
vote A *óff* [*óut of*] B [通例 be ~d] 〈人が〉 B〈職など〉から(投票で)解職される.
vote óut [他] [通例 be ~d] 〈人が〉[...から]解職される[*of*];〈事が〉否決される.
vote thróugh [他] [通例 be ~d] 〈事が〉可決される.

†**vot·er** /vóʊtər/ 名 ⓒ **1** 投票者. **2** 有権者.
vóter tùrnout 投票者数, 投票率 ‖ The rain affected the *voter turnout*. 雨が投票率に影響した.

vot·ing /vóʊtɪŋ/ 動 → vote. —名 U 形 投票(の), 選挙(の).
vóting bòoth《米》=《英》polling booth.
vóting màchine《主に米》投票機《投票用紙を用いずに投票する機械. 票の集計も自動的にできる》.
vóting right 投票権.
vo·tive /vóʊtɪv/ 形 奉納の, 奉納された; 願(ξ)かけの.

†**vouch** /váʊtʃ/ 動 ⓐ **1** [真実・人格などを]保証する, 請け合う,〔...だと〕断言する;〔...の〕保証人になる[*for*] ‖ I am always ready to *vouch for* him [his honesty]. 私はいつでも喜んで彼の人柄[彼の誠実さ]を保証します / I can *vouch for it that* Bob has broken with his former bad friends. ボブが昔の悪友と手を切ったことは確かだと言える. **2** 〈物・事が〉〔真実・信頼などの〕証拠[保証]になる,〔...を〕裏付ける[*for*] ‖ These references *vouch for* her character and ability. これらの推薦状が彼女の人

vouchsafe / **vying**

柄と能力を証明している.

vóuch・er 名 © 保証人；証拠(物件)，証拠書類；(商品・サービスの)引換券，[…(相当額)の]クーポン券，割引券〔for〕；〔法律〕領収証.

†**vouch・safe** /vaʊtʃséɪf/ 動 他 〔文〕〔しばしば皮肉に〕 **1**（好意や特別の計らいで）返事・特典などを〔目下の者に〕与える，賜わる(offer)〔to〕 ‖ Would you *vouchsafe* me a few questions? いくつか質問させていただけますか. **2** 親切にも〔…して〕くださる〔to do〕 ‖ The queen *vouchsafed* to shake hands with me. 女王は私と握手してくれた.

†**vow** /váʊ/ 名 © （神に対して〔かけて〕の）〔…の/…する〕誓い，誓約，誓願〔of／to do〕〔願語 pledge〕 ‖ recite one's marriage *vows* 結婚の誓約を朗読する／break [keep, perform] a *vow* 誓いを破る[守る，果たす]／He is *under a vow of* poverty [silence]. 彼は清貧[秘密を守ること]を誓っている／She made [took] a *vow to* study hard. 彼女は熱心に勉強すると誓いを立てた.

tàke vóws 修道士[女]になる.

——動 他 **1a** [vow to do] 〈人が〉…することを(厳粛に)誓う，誓約する；[vow (that)節] …ということを誓う（◆新聞見出しでは swear, pledge よりふつう）‖ She *vowed* never to marry. =She *vowed* (*that*) she would never marry. 彼女は結婚しないと誓った（→**文法** 11.7）. **b** 〔正式〕…すると誓う ‖ I *vow* revenge on one's enemies 敵に復讐(ふくしゅう)を誓う. **2** 〔正式〕…を〔…に〕献上すると誓う〔to〕 ‖ *vow* one's life *to* the service of the church 一生を教会に捧げることを誓う.

†**vow・el** /váʊəl/ 名 © **1** 〔音声〕母音(vowel sound) (cf. consonant)；〔形容詞的に〕母音の ‖ /ɔː/ in bought is a long *vowel*. bought の /ɔː/ は長母音です／a simple *vowel* 単母音（◆二重母音 a diphthong. ×a double vowel とはいわない）. **2** 母音字（英語では a, e, i, o, u と時に y）.

vówel mutátion =umlaut 名1.
vówel sòund = 1.

vox /vɑ́ks│vɔ́ks/,〔ラテン〕名（複）**vo・ces**/vóʊsiːz/） © 声，音声.

vóx pó・pu・li /-pɑ́pjəlàɪ│-pɔ́-/〔ラテン〕[通例 the ~] 民の声，世論（◆ *Vox populi, vox Dei* /díːaɪ/「民の声は神の声（世論には理あり）」から）.

*****voy・age** /vɔ́ɪɪdʒ/〔『道(via)』が原義〕
——名 （複 ~s/-ɪz/） © **1** (ふつう長い)船旅，航海（◆陸の旅はふつう journey) ‖ a *voyage* around the world 世界一周の船旅／**gó on** [make, take, *go for*] *a voyage* to Australia オーストラリアへの船旅に出る／*on a voyage* 航海中／the *voyages* of James Cook ジェイムズ=クックの航海記. **2** (ふつう長い)空[宇宙]の旅 ‖ a *voyage* to the moon 月旅行. **3** 〔文〕人生航路，旅路.
——動 〔文〕 自 他 (…を)航海する(+ through, across)；(やや古)(…を)(船・空の)旅をする.

vóy・age・a・ble 形 航行[航海]できる.

voy・ag・er /vɔ́ɪɪdʒər, vɔ́ɪədʒər/ 名 © **1** (古) 船(時に)空)の旅をする人；(一般に)旅行者. **2** (昔の)航海冒険者. **3** [V~] ボイジャー《米国の宇宙探査機》.

VP, V. Pres. 略 Vice-President.
vs, vs. 略 〔米〕 versus ((英) v, v.).
VS 略 Veterinary Surgeon.
v.s. 略 〔ラテン〕 vide supra (=see above).
V-sign /víːsàɪn/ 名 © **1** Vサイン《手のひらを外に向け人差し指と中指で作ったV字形. 勝利の印. 承認・OK の印.《米》平和の印(peace sign)》. **2**〔英〕 ファックサイン《1と同様にしてV字を作り手のひらを内に向ける. 卑俗な軽蔑(ぶつ)・嫌悪・立腹・挑戦の印》.

VSO 略 very superior [special] old 《酒齢12-17年のブランデーの表示》.

VSOP 略 very superior [special] old pale 《酒齢18-25年のブランデーの表示》.

vt, v.t. 略 verb transitive 他動詞.
VT 略 〔郵便〕 Vermont.
VTR 略 videotape recorder [recording].

Vul・can /vʌ́lkən/ 名 〔ローマ神話〕ウルカヌス，バルカン《火と鍛冶(かじ)の神. ギリシャ神話の Hephaestus に相当》.

vul・ca・nize /vʌ́lkənàɪz/ 動 他 〈ゴム〉を硫化する，加硫させる；〈ゴムタイヤなど〉を(加熱・薬品処理して)修理する.

†**vul・gar** /vʌ́lgər/ 形 (more ~, most ~ ; 時に ~・er /vʌ́lgərər/, ~・est/vʌ́lgərɪst/) **1**〈人・言動・習慣などが〉下品な，無作法な，粗野な，卑しい，無教養な(↔ refined, cultured)，〈家具・趣味・服装などが〉品のない，悪趣味の；〈娯楽などか〉俗悪な，低俗な（◆ coarse より強意的》‖ *vulgar* behavior 下品なふるまい／*vulgar* manners 無作法／*vulgar* language 卑猥(ひ)な言葉を使う. **2** (主に文) 限 〈上流階級に対し〉一般大衆の，民衆の ‖ the *vulgar* (herd [masses]) 一般大衆，庶民. **3** 〈意見・信念などが〉一般大衆の間に広まっている；〈言葉の解釈などが〉通俗的な，次元の低い，一般的な ‖ *vulgar* errors 誤った俗説／*vulgar* superstitions 俗間の迷信. **c** 〔翻訳などが〉一般大衆の話す；〔翻訳などが〉大衆の言語による ‖ the *vulgar* tongue [language] 俗 語《主に昔，（古典）ラテン語に対して一般大衆の言語をさした. cf. Vulgar Latin》.

vúlgar fráction 〔数学〕 =common fraction.
Vúlgar Látin 平俗ラテン語(→ Latin).

vul・gar・ism /vʌ́lgərìzm/ 名 〔正式〕 © (主に無教養な人が使う)卑俗な語句[表現]；下品な言葉(遣い). **2** Ⓤ =vulgarity 1.

vul・gar・i・ty /vʌlgǽrəti/ 名 **1** Ⓤ 下品，野卑；悪趣味；俗悪，低俗. **2** © [しばしば vulgarities] 下品[卑俗]な行為[言葉].

vul・gar・ize /vʌ́lgəràɪz/ 動 〔正式〕 **1** 〈人・作法などを下品[卑俗]にする；…を通俗化する，安っぽくする. **2** …を一般大衆向きにする，平易にする.

Vul・gate /vʌ́lgeɪt, -gət/ 名 [the ~] ウルガタ聖書《St. Jerome が4世紀末に訳した教会公認のラテン語訳聖書》.

vul・ner・a・ble /vʌ́lnərəbl/ 形 〔正式〕 **1a** 〈人・体などが〉〔…に〕傷つき[冒され]やすい，弱点がある〔to〕(↔ invulnerable) ‖ He is *vulnerable to* temptation. 彼は誘惑に弱い. **b**〈場所・部隊などが〉攻撃されやすい；〈場所などが〉〈攻撃などに〉弱い〔to〕 ‖ be in a position (which is) *vulnerable* to attack 攻撃を受けやすい場所にいる. **2** 〈人・感情・名声などが〉〔非難などに〕傷つきやすい；負けやすい〔to〕 ‖ a young girl in her *vulnerable* years 傷つきやすい年ごろの女の子／a person (who is) *vulnerable to* criticism 批判にもろい人. **3** 〔ブリッジ〕バルの《3回戦勝負(rubber)で1回勝っている状態》.

vul・pine /vʌ́lpaɪn/ 形 **1** キツネ(fox)の，キツネに似た. **2** 〔正式〕 キツネのような；ずるい，狡獪(こうかい)な.

†**vul・ture** /vʌ́ltʃər/ 名 © **1** 〔鳥〕 **a** ハゲワシ. **b** コンドル. **2** (弱い者を食いものにする)強欲な人，冷血なやつ.

vy・ing /váɪɪŋ/ 動 → vie.

W

:w, W /dʌ́bljuː/ 〖「2つの u」の意〗 名 (複 **w's, ws; W's, Ws**/-z/) **1** CU 英語アルファベットの第23字. **2** → a, A 2. **3** CU 第23番目(のもの). 事情 w で始まる語は大半が古英語起源.

W (記号) 〔化学〕 tungsten; 〔電気〕 watt(s).

W., W (略) Wales; Wednesday; Welsh; west(ern).

WA (略)〔郵便〕Washington 《州》.

wab·ble /wάbl | wɔ́bl/ 動 自 = wobble.

WAC (略) Women's Army Corps 《米》陸軍婦人部隊.

wack·y /wǽki/ 形 (**-i·er, -i·est**) 〈主に米略式〉風変わりな, とっぴな, ばかげた. ── 名 C 変わった人.

wáck·i·ness 名 U〈略式〉風変わりなこと.

†wad /wάd | wɔ́d/ 名 C **1** (綿・紙など柔らかい物を丸めた)固まり, 小さなかたまり ‖ *a wad of* chewing gum チューインガムの固まり. **2** (柔らかい物を丸めて)詰め物, 詰め綿, パッキング ‖ stuff up a hole *with a wad of* newspaper 丸めた新聞紙を穴に詰める. **3** (紙幣・書類の)束, 札束 ‖ *a wad of* ten dollar bills 10ドル札の束. **4** U〈米略式〉[~(s)] 多量, 多額(の金). ── 動 (過去・過分 **wad·ded**/-id/; **wad·ding**) 他 **1** 〈主に米〉〈綿・紙など〉を丸める, 固まりにする(+*up*). **2** …を丸めて〔…に〕詰める(*into*) ‖ *wad up* the paper 紙を丸める. **2** …に〔…を〕詰める(*with*); …を〔…に〕詰める(*into*) ‖ *wad* one's ears *with* cotton 綿で耳に栓をする.

wad·dle /wάdl | wɔ́dl/ 動 自 **1** (アヒルのように)よたよた(よちよち)歩く(+*along*). **2** 〈船などが〉ゆらゆらと進む. ── 名 C (通例 a ~) よたよた〔よちよち〕歩き.

wád·dler 名 C よたよた歩く人.

†wade /wéid/ 動 自 **1** 〈水の中を〉歩く, 〈ぬかるみ・雪の中を〉苦労して歩く〔*in, through*〕, 〔…を〕歩いて渡る〔*across*〕 ‖ *wade in* [*through*] the snow 雪の中を歩く. **2** 〈略式〉〔…を〕苦労して進む, やり通す〔*through*〕 ‖ *wade through* a book 本をやっと読み通す. ── 他 〈川など〉を歩いて渡る.

wáde ín 自 (1) 〈略式〉〔…を〕猛烈に攻める〔*to*〕. (2) 〈略式〉勢いよく仕事を始める.

wáde ínto 他 〈略式〉(1) 〈敵など〉を猛烈に攻める. (2) 〈仕事など〉によく取りかかる. (3) 〈食事〉をがつがつ食べる.

wáding bìrd 渉禽(しょう)類の鳥《ツル・サギなど》.

wad·er /wéidər/ 名 C **1** (水の中を)歩く人. **2** C = wading bird. **3** [~s] (釣り人用の)防水長靴, 防水ズボン.

†wa·fer /wéifər/ 名 **1** CU ウェハース《薄い軽焼きの菓子》. **2** C 〔カトリック〕聖餅(せ)《聖体式用のパン》. **3** C 封緘(かん)紙.

†waf·fle¹ /wάfl | wɔ́fl/ 名 CU 〈主に米〉ワッフル《焼き型に生地を入れて薄くカリッと焼いたケーキ. 表面に格子模様がある. 日本のワッフルとは異なる》.

waf·fle² /wάfl | wɔ́fl/ 動 自 **1** 〈主に米〉〔…について〕煮え切らない態度を取る〔*on*〕; 〈英略式〉〔…について〕むだ口をたたく(+*on*)〔*about*〕; 〔…について〕言いのがれをする〔*on*〕.

†waft /wάːft, 〈米〉wǽft, 〈英+〉wɔ́ːft/〈正式〉動 他 (空中・水上を)〈におい・音・物など〉に〔…に〕漂わせる, ふわりと運ぶ〔*to, toward, into*〕. ── 自 〔…から〕漂う, ふわふわと飛ぶ(+*along*)〔*from*〕 ‖ A delicious smell *wafted into* the room. おいしそうなにおいが部屋に漂ってきた. ── 名 C **1** ひと吹きの風 (煙・花などの)ひと吹き ‖ *a waft of* fresh air ひと吹きの新鮮な空気. **2** (風にのってくる)におい, 音. **3** 漂い, 浮動.

†wag /wǽg/ 動 (過去・過分 **wagged**/-d/; **wag·ging**) 他 **1** 〈人・動物などが〉〈左右・上下に〉〈体の一部〉を振る, 揺り動かす ‖ *wag* one's head 頭〔首〕を振る, うなずく《◆あざけり・面白がり・同意などの動作》 / *wag* one's finger at him 彼の鼻先で指を振る《◆軽蔑(べつ)・非難の動作》/ The dog *wagged* its tail happily. 犬は喜んで尾を振った. **2** 〈舌・あごなど〉を動かし続ける, 盛んに陰口をきく. ── 自 **1** 〈尾・頭などが〉揺れ動く, 絶えず動く. **2** 〈略式〉〈舌・あご・あごひげが〉盛んに動く, 〈驚くほど〉ぺちゃくちゃしゃべる, 陰口をきく ‖ Her strange behavior has set the neighbors' tongues *wagging*. 彼女の妙なふるまいで近所の人の口からうるさくなった.

── 名 C [通例 a ~] (頭・尾などの)ひと振り, 揺すること ‖ *with a wag of* the tail 尾を振って.

†wage /wéidʒ/ 名 CU [~s] 賃金, 労賃, 給料《主に肉体労働に対する賃金. 時間給, 日給, 週給. → **salary**》 ‖ hourly *wage* 時間給 / draw high [low] *wages* 高[低]賃金をもらう / a living [minimum] *wage* 生活[最低]賃金 / His *wages* are $300 a week. =He gets *wages* of $300 a week. =He gets a weekly *wage* of $300. 彼は週給300ドルをもらっている. ── 動 他〈正式〉〈戦争・闘争など〉を〔…に対して〕行なう, 遂行する(carry on)〔*against, on, with*〕 ‖ *wage* a campaign *against* nuclear weapons 反核兵器運動を行なう.

wáge èarner 賃金労働者《(米) wageworker》.

wáge [〈英〉 **wáges**] **frèeze** 賃金凍結.

wáge restráint 賃金抑制.

wáge scàle 〔経済〕賃金体系, 給与表.

†wa·ger /wéidʒər/〈正式〉名 C 賭(か)け(bet), 賭け事; 賭け金, 賭けた物 ‖ lay [màke] a *wáger* 賭けをする / have [place] a *wager* of $5 on the race そのレースに5ドルを賭ける.

── 動 他 **1** 〈人〉と〈金〉を賭ける; 〈金〉を〔…に/…と〕賭ける(*on/that* 節) ‖ *wager* £5 on a horse 馬に5ポンド賭ける / I *wagered* him a dollar *that* I'd sell more magazines than he would. 彼が彼より雑誌を多く売ることに彼と1ドル賭けた《◆ him, a dollar のいずれか, または両方とも省略可》. **2** […だと]請け合う(*that* 節) ‖ I'll *wager that* the black horse will win the race. あの黒い馬がレースに勝つことは請け合うよ. ── 自 **1** 〔…に〕賭けをする, 賭けをする〔*on*〕. **2** […と]請け合う〔*on*〕.

wá·ger·er 名 C 賭けをする人.

wage·work·er /wéidʒwəː̀rkər/ 名 C 〈米〉 = wage earner.

wag·gle /wǽgl/〈略式〉動 他 〈尾・尻(り)などを〉振る,

揺する(wag). ― 振れる, 揺れる(+*about*);〔ゴルフ〕ワッグルする. ―名 [a ~] 振り, 揺れ動き.

Wag·ner /vάːgnərː/ⓒ ワグナー《*Richard*/ríkɑːrt/ ~ 1813-83;ドイツの作曲家》.

*wag·on, (英古) wag·gon /wǽgn/
― 名 (複 ~s) 1 (四輪の)荷馬車《(おもちゃの)四輪荷車》‖ The *wagon* is loaded with apples. その荷車はリンゴを積んでいます. **b** 荷馬車一杯の量‖ a *wagon* of hay 荷馬車一杯の干し草. **2**〔英〕〔鉄道〕無蓋ⓒ貨車(cf. van¹). **c**〔米〕freight car). **3**〔米略式〕=station wagon (〔英〕estate wagon [car], trolley). **4** (主に米)配膳ワゴン(dinner [dessert, tea] wagon [cart]). **5**〔米〕(ライト)バン, (運送用)小型トラック(van)‖ a milk *wagon* 牛乳運搬車 / a water *wagon* 給水車.
be [gó] on the wágon〔略式〕禁酒している.
wágon tràin〔米史〕(西部開拓時代の)幌馬車隊;(軍需品輸送の)大荷馬車隊.

wag·on·er, (英古) **wag·gon·-** /wǽgnər/ 名ⓒ 荷馬車の御者.

wag·on·load, (英古) **wag·gon·-** /wǽgnlòud/ 名ⓒ 荷馬車1台分の積量‖ a *wagonload* of hay 荷馬車1台分の干し草.

wag·tail /wǽgtèil/ 名ⓒ〔鳥〕セキレイ《長い尾をたえず上下に振る》.

waif /wéif/ 名ⓒ (主に文) 浮浪児;放浪者.

Wai·ki·ki /wáikikìː, ⌐⌐/ 名 ワイキキ《Hawaii 州 Oahu 島 Honolulu 湾の海水浴場・観光地》.

†**wail** /wéil/ (同音) whale)〔正式〕動 ⓐ **1**〔死などを悲しみ・痛みで/…を求めて〕嘆き悲しむ, 泣き叫ぶ(cry)〔*over*/*with*, *in* /*for*〕‖ *wail* with pain 痛くて声をあげて泣く / The child *wailed* for his mother. 子供は母親を求めて泣き叫んだ. **2**〔風・サイレンなどが〕泣くような音を出す‖ The wind *wailed* in the trees. 梢(こずえ)を渡る風が悲しげな音を立てていた. **3**〔…について〕不平を言う〔*about*, *over*〕. ― 他 **1**〔詩〕…を嘆き悲しむ. **2**〔…だと〕泣き叫ぶように言う〔*that*節〕. ― 名 **1** 泣き声, 泣き叫び声. **2**〔(the) ~〕〔風などの〕物悲しい音‖ the *wail* of a siren サイレンの悲しげな音.

wain /wéin/ 名ⓒ〔詩〕〔大型の)農家用荷車. **2** 〔the W~〕〔天文〕北斗七星(〔米〕Big Dipper, 〔英〕Plow).

wain·scot /wéinskət, -skɑt/-skət, -skɔt/ 名ⓤⓒ〔建築〕〔部屋の壁の〕板張り, 羽目;羽目板. **2** 腰羽目;腰板.

wain·scot·ing, --scot·ting /wéinskətiŋ, -skɑt-/-skət-, -skɔt-/ 名ⓤ **1** 羽目, 腰羽目. **2**〔集合名詞〕羽目〔腰〕板. **3** 羽目板〔材料.

***waist** /wéist/〔発音注意〕(同音) waste)〖『体の成長』が原義〗
― 名 (複 ~s /wéists/) ⓒ **1** 腰(のくびれ) (図)〔← back, body〕‖ She has no [a slender, a large] *waist*. 彼女はぜんぜん〔柳腰だ, 腰がでかい〕/ put one's arm around her *waist*《ダンスなどで》彼女の腰に手を回す《◆日本語の「腰」は back の下の辺りから hips の部分に当たる. ダンスで「腰を振る」は swing one's hips》.
2 ウエスト《胴回りの寸法》.
3〔米〕〔女性の〕ブラウス;〔子供の〕胴着. **4** 腰状の物《(バイオリンなどの)くびれ;〔飛行機の〕胴体中央部;〔船の〕上甲板中央部;〔昆虫の〕胸と腹の間のくびれ》.

waist·band /wéistbæ̀nd/ 名ⓒ〔スカート・ズボンなどの〕ベルト((図) → pants **1**).

†**waist·coat** /wéskət | wéistkòut/ 名ⓒ (主に英) チョッキ, ベスト《(米) vest》.
waist-deep /wéistdíːp/ 形 副 腰までの深さの[に].
waist·ed /wéistid/ 形 **1** 腰部がくびれた. **2** 〔複合語で〕…の胴の;〔ズボンが〕…の腰回りの‖ **short-***waisted* 短い胴の.
waist-high /wéisthái/ 形 副 腰までの高さの[に].
†**waist·line** /wéistlàin/ 名ⓒ **1**〔身体の〕腰のくびれ, 腰線‖ watch one's *waistline* 胴回りに気をつける, 太らないようにする. **2**〔婦人服の〕胴回り;ウエストライン.

▶**wait** /wéit/ (同音) weight)〖『見張る』が原義〗
― 動 (~s/wéits/; 過去・過分 ~·ed/-id/; ~·ing)
― ⓐ **1** 〔人が〕〔人・物・事を/…まで〕待つ, 待ち受ける〔*for*/*until*〕《◆受身可だが《まれ》》;〔…するのを〕待つ〔*to do*〕《◆(1) await より口語的. (2) wait はスケジュールなどを変更したり, 来る人〔物, 事〕のために具体的な準備をし, 他の事はしないで〔待つ〕ことなのに対し, expect は具体的な準備行動を必ずしも伴わずに待つ人の心の状態を表す》‖ Let's *wait* and see. あせらずに成り行きを見よう / *Wait* for me! もっとゆっくり行って / *Wait* a minute. I'm not ready. ちょっと待って. まだ用意ができていません / *Wait* for it!《英略式》適当な時機〔合図する〕まで待て / We *waited* at the bus stop *until* the bus came. =We *waited for* the bus (*to* come) at the bus stop. バスが来るまでバス停で待った / 対話 "Tom, what are you *waiting for*?" "Sorry, I can't make up my mind what to buy."《略式》「トム, 何をぐずぐずしているんだい」「ごめんね, 何を買おうか迷っているんだ」 / I 'just *can't* [can hardly] *wait to* see you again. あなたにお会いできるのが待ち遠い / I'm sorry to have kept you *waiting* for a long time. 長い間待たせてごめんなさい (=I'm sorry I have kept …) / We *waited to* hear from him. 私たちは彼からの連絡を待った / I *can't wait*.《文字通り》待てない;《楽しくて楽しくて》待ち切れない;《皮肉的に》これは待ち遠しいことだ.
2〔しばしば can ~〕〔物・事が〕延期される, ほうっておける‖ *This can wait*. これは急ぎません〔後回しにできます〕/ This cactus can *wait* for months without water. このサボテンは何か月も水をやらなくても平気です / The meeting had to *wait* until everybody arrived. 全員が来るまで会議を遅らせなければならなかった. **3**〔通例 be ~ing〕〔物・事が〕〔人に〕用意されている. 手元にある〔*for*〕‖ Dinner *is waiting* for you. 食事の用意ができています. **4**〔正式〕給仕する(serve)(→成句 wait on, water)‖ *wait* on [〔英〕at] table《食卓で》食事の給仕をする.

― 他 **1**〔人が〕〔機会・時・命令などを〕待つ, 待ち受ける《◆通例次の句以外は wait for がふつう; await より口語的》‖ *wait* one's chance [opportunity] 機会を待つ / You must *wait* your turn. 順番を待たなければいけません. **2**〔主に米略式〕〔食事・行事などを〕〔人のために〕遅らせる, 延ばす〔*for*〕‖ Don't *wait* lunch for us. 私たちが来なくても昼食を始めておいてください.

wáit and sée 静観する, 状況を見守る《◆この語形で用い, *waited and saw のような変化はしない》(cf. wait-and-see)‖ We will *wait and see* whether the president keeps his words. 大統領が約束を守るかどうか様子を見よう / ショウク "What is the difference between a ton and the ocean?" "*Wait and see*."「1トンと海の違い

何?「ちょっと考えさせて」《◆weight and sea (重さと海)とのごろ合わせ》.
wait ín [自] 家で待つ.
***wáit on** [**upòn**] A《◆受身可》(1)〈人〉に仕える;〈客〉に応対する(serve) ‖ wait on [upon] him hand and foot 何から何まで彼の身の回りの世話をする / "Have you been waited on?"(店で客に向かって)「ご用をお伺いしていますか?」 (2)《正式》〈人〉に給仕する(serve).
wáit óut [他]《米略式》〈あらし・危機など〉をしのぐ, 好転するのを待つ.
wáit úp [自]《略式》(1)〔人・事を〕寝ないで待つ(sit up)〔for〕‖ Don't wait up for me tonight. 今夜は先に寝ておいてくれていいよ. (2)〔人が〕追いつくのを待つ〔for〕.
── [名] [a ~]《…を待つこと, 待機〔for〕; 待ち時間 ‖ He had a long wait for the train. 彼は列車を長い間待った(=He waited for the train for a long time.)
lie in 《やや古》**láy**]**wáit** 〔…に〕待ち伏せする〔for〕.
wait-and-see /wéitənsíː/ [形] 成り行き次第の(cf. WAIT and see) ‖ a wait-and-see policy 静観[日和見(ﾋﾞ)]政策.
+**wait·er** /wéitɚ/ [名] ⓒ 1 (レストランなどの)ウエイター, (男の)給仕, ボーイ《◆呼びかけも可. 女性形は waitress》. 2 待つ人. 3 給仕盆.
+**wait·ing** /wéitiŋ/ [名] Ⓤ 1 待つこと; 待ち時間 ‖ No Waiting.《英》《掲示》一時停車禁止(=《米》No Standing.). 2 《正式》給仕(すること). 3 《正式》仕えること, かしずき.
in wáiting (王族に)仕えて, かしづいて.
── [形] 1 待っている. 2 《正式》仕えている.
wáiting gàme [通例単数形で] 待機戦術.
wáiting lìst 順番待ち名簿, 補欠人名簿 ‖ We still have long waiting lists. 順番待ちの人がまだたくさんいます.
wáiting ròom (駅・病院などの)待合室.
+**wait·ress** /wéitrəs/ [名] ⓒ ウエイトレス, (女の)給仕((PC) waiter, waitperson).
waive /wéiv/ [動] 他 1 〈権利・請求権など〉を放棄する, 撤回する; 〔野球〕〈球団が〉〈選手所有権〉を放棄する ‖ waive one's right 権利を放棄する.
waiv·er /wéivɚ/ [名] Ⓤⓒ 〔法律〕権利放棄(証書); 〔野球〕(球団による)選手所有権の放棄.
wáiver clàuse ウェーバー条項《ガット(GATT)の自由化義務免除規定》.

:**wake**¹ /wéik/
──[動] (~s/-s/; 過去 woke/wóuk/, 過分 wok·en /wóukn/; wak·ing) 《◆《米》では woke, woken の代わりにまれに waked を用いる》
──[自] 1 〈人が〉(眠り・夢から/…で)目を覚ます, 目が覚める(+up)〔from, out of / to〕《◆〔(目覚めて)起き上がる〕は get up》‖ wake out of sleep 眠りから覚める / I woke up early this morning. 今朝早く目が覚めた / He woke to find that he was alone. 彼が目を覚ましてみるとひとりぼっちだった(=He woke to find himself alone.)《◆to find は結果を表す不定詞. **文法** 11.3⑴》.
2 《略式》(精神的に)目覚める, 〔危険などに〕気づく(+up)〔to〕《◆この意味では awake がふつう》‖ It's time you woke (up) to the fact that (…)〔…〕という事実に気づくべき頃だ《◆ woke は仮定法過去. **文法** 9.8》.
── [他] 1 〈人・物・事が〉〈人〉の〔…から〕目を覚まさせる, 起こす(+up)〔from, out of〕‖ The noise woke me from my nap. その物音で居眠りから目を覚ました / My brother woke me up at seven. 兄が私を7時に起こしてくれた.
2 《正式》〈人・物〉が〈人・感情など〉を目覚めさせる, 奮起させる(+up);〈人〉に〔危険などに〕気づかせる《◆この意味では awake(n) がふつう》‖ The book woke my interest in ancient history. その本が古代史に対する私の興味を目覚めさせた.
3 《正式》〈記憶・思い出など〉を思い出させる, 呼びさます;〈反響など〉を引き起こす.
Wáke úp!《略式》聞け, 注意せよ.
── [名] 1 《米・アイル北ｲﾝｸﾞ》通夜. 2 《アングリカン》守護聖人[教会献堂]記念祝祭; その(徹夜の)前夜祭.
+**wake**² /wéik/ [名] ⓒ 1 〔海事〕航跡. 2 《正式》(物が)通った跡[道] ‖ the wake of the tornado 竜巻の通った跡. **in the wáke of** A =**in** A's **wáke** (1)〔海事〕…のすぐあとに続いて, …にならって. (2)《正式》…の結果として. (3)→ 2.
+**wake·ful** /wéikfl/ [形] 《正式》1 〈夜などが〉眠れない, 目覚めている. 2 〈人が〉目を覚まして, 眠れない(↔ asleep). 3 寝ずに見張っている, 油断のない.
wáke·ful·ly [副] 眠らずに, 目覚めて; 用心深く.
+**wak·en** /wéikn/ [動] 《正式》他 1 〈人・物が〉〈人〉の目を覚まさせる, …を起こす(+up)《◆ wake がふつう》‖ I was wakened by a fire. 火事で目が覚めた. 2 〈人〉を奮起させる, 活気づかせる;〔危険などに〕気づかせる(+up)〔to〕《◆この意味では awaken がふつう》.
── [自] 1 〈人が〉目を覚ます, 目覚めて〔…に〕気づく(+up)〔to〕. 2 活気づく; 自覚する(+up).
wáke-up cáll /wéikʌp-/ 1 (ホテルの)モーニングコール《◆ ×morning call とはいわない》. 2 (人の)目を覚ます警告; 危険を人に知らせる出来事.
wak·ing /wéikiŋ/ [動] → wake. ── [形] 目覚めている, 起きている ‖ a waking dream 白日夢.
wáking or sléeping 寝ても覚めても.
+**Wales** /wéilz/ [名] ウェールズ《Great Britain 島の南西部. 首都 Cardiff.《別称》Cambria》.

:**walk** /wɔ́ːk/ 《類音》**woke** /wóuk/, **work** /wɚ́ːk/ 〖「ころげ回る」が原義〗
──[動] (~ed/-t/; ~·ing)
──[自] 1 〈人・動物が〉**歩く**, 歩いて行く ‖ You'll be able to walk soon. すぐに歩けるようになりますよ / walk across the road 道路を歩いて横切る / Don't walk.《米》(信号の表示で)止まれ(=Wait.)《《英》では Don't cross now.》/ walk to work [school] 歩いて仕事[学校]に行く / walk forward for a few steps 2, 3歩前へ歩く / walk away [off] 歩き去る, 立ち去る / She walked right into [out of] the house. 彼女は歩いてまっすぐ家に入った[家から出てきた] / How long will it take to walk there? そこまで歩いてどれくらいかかりますか / I walked up and down the platform. 私はプラットホームを行ったり来たりした.

【関連】[いろいろな種類の歩き方]
hike 山をビクビク / jog とぼとぼと歩く《米》ゆっくり走る) / march 行進する / stagger よろよろ歩く / stride 大またで歩く / stroll ぶらぶら歩く / stumble よろめきながら歩く / tiptoe つま先で歩く / toddle よちよち歩く / wade 水や雪の中を歩く / waddle よたよた歩く / wander ぶらつく, さまよう.

2 散歩する, ぶらぶら歩く(+about, around) ‖ Let's

walk [go *walking*] on the beach after dinner. 食事のあと浜辺へ散歩に行こう(=Let's「*go* for [have, take] a *walk* on the beach after dinner.).

3 《略式》仕事を辞める, 辞職する. **4** 《略式》〈物が〉なくなる, 盗まれる. **5** 《米略式》無罪になる《◆ walk free ともいう》. **6** 〔野球〕(四球で)歩く, 出塁する (cf. ball [名] **4 b**) ; 〔バスケットボール〕ボールを持ったまま3歩以上歩く(travel)《◆ 反則》. **7** 《略式》ストライキをする.

—[他] 1 〈人が〉〈道・場所など〉を**歩く**, …へ歩いて行く (+*about, around*) ‖ *walk* a long distance 長い道のりを歩く / He *walked* two kilometers in the snow. 彼は雪の中を2キロ歩いた.

2 a 〈人が〉〈犬・馬など〉を**歩かせる, 散歩させる**, 連れて歩く ‖ I *walk* the dog every morning. 私は毎朝犬を散歩させる(=I take the dog for a *walk* ...).

b 〈人〉を**送って行く**, …に付き添って歩く ‖ *walk* him home 歩いて彼を家まで送る / He *walked* me (over [round]) *to* the bus stop. 彼は私をバス停まで送ってくれた.

3 〈人・病気など〉を歩いて…させる《◆ 通例次の句で》‖ *walk* him to exhaustion 彼を歩かせてへとへとにさせる. **4** 〔野球〕(四球で)〈打者〉を出塁させる, 歩かせる (cf. ball [名] **4 b**) ; 〔演劇〕〈役者〉に〔…の〕演技をつける〔*through*〕.

wálk (àll) óver A 《略式》(1) 〈人〉の権利[気持ち]を踏みにじる. (2) (試合などで)…に楽勝する.

wálk awáy from A (1) …から(平気で)歩いて去る. (2) 《米略式》(競技で)…に楽勝する. (3) 〈事故〉を(ほとんど)無傷で切り抜ける.

wálk awáy with A (1) 〈人〉と一緒に歩いて出て行く ; 〈(面白くない)持ち場など〉を(勝手に)離れる. (2) 《略式》…を持ち逃げする, …を間違って持って行く. (3) 《略式》〈競技〉に楽勝する ; 〈ショーなど〉の人気をさらう.

wálk frée =[自] **5**.

wálk into A (1) → [自] **1**. (2) …を激しく責める, 非難する. (3) …をがつがつ食べる. (4) …にうっかりぶつかる (bump into). (5) 《略式》(うっかりして)〈わななど〉に陥る. (6) …に無断で入る. (7) 〈人〉を勇敢に攻める. (8) 《略式》〈仕事〉をやすやすと手に入れる.

wálk it 《略式》(1) 歩く, 歩いて行く. (2) 容易にできる ; 楽に勝つ.

wálk óff [自] 急に出発する ; → [自] **1**. **—**[他] 〈頭痛・体重など〉を歩いて除く[減らす].

wálk óut [自] (1) 《略式》ストライキをする. (2) 〔物・事に〕抗議・立腹して立ち去る, 〔…から〕(抗議のため)退場する〔*on, of*〕. (3) 《略式》〔人・仕事などを〕見捨てる ; 〔責任・約束などを〕放棄する〔*on*〕.

wálk táll 《略式》自信たっぷりである, 堂々としている.

wálk úp [自] 〔…に〕歩いて行く[近寄る]〔*to*〕; 階上へ歩いて上がる ; 《略式》[命令形で ; 呼びかけ] いらっしゃい《◆ ショーなどへの呼びこみ》.

—[名] ([複] **~s** /-s/) [C] **1 散歩** ; [a ~] 歩行, 歩くこと ; ふつうの足どり ‖ Let's「*gò for* [*hàve, tàke*] *a wálk* in [to] the park. 公園に散歩に行こう《◆ 公園内の散歩を明確にいうときは in》/ go at *a walk* ふつうの足どりで歩く.

2 歩道, 散歩道 ; [W~ ; 地名で] …通り([略] Wk) ‖ a graveled *walk* 砂利道.

3 [通例 a ~] **歩行距離**, 道のり ‖「(*a*) ten minutes' [*a* ten-minute] *walk* from here ここから歩いて10分の距離 / It is *a* short *walk* to the school. 学校までは歩いてすぐだ.

4 歩き方, 歩きぶり ; (馬の)並み足(→ gait [名] **2**). **5** 《正式》暮らしぶり, 世渡り, 処世 ; 職業, 身分 ‖ an honest *walk* 正直な暮らし方 / people「in every *walk* [from all *walks*] of life あらゆる職業[階級]の人々[人材リスト]. **6** 〔野球〕(四球による)出塁《◆ ×four balls とはいわない》.

†walk·er /wɔ́ːkər/ [名] [C] **1** 歩く人, 散歩する人 ; 散歩好きな人. **2** (幼児・足の不自由な人の)歩行器.

walk·ie-talk·ie /wɔ́ːkitɔ́ːki/ [名] [C] 携帯用無線電話器.

†walk·ing /wɔ́ːkiŋ/ [名] [U] **1** 歩くこと, 歩行 ; 歩き方. **2** ウォーキング, 速歩き《◆ brisk walk ともいい, 健康維持などを目的とした速く元気よく歩く運動. cf. jogging》. **3** 道の状態. **—[形] 1** 歩行用の ‖ *walking* shoes 散歩靴. **2** 歩く, 歩ける, 歩いて行く.

wálking díctionary [**encyclopédia**] 《略式》生き字引, 物知り.

wálking pàpers [**ticket**] 《米略式》解雇通知(《英》marching orders).

wálking stìck (1) ステッキ, 散歩用杖. (2) 〔昆虫〕ナナフシ.

wálking tòur [**trìp**] 徒歩旅行.

walk·out /wɔ́ːkàut/ [名] [C] **1** ストライキ. **2** (抗議のための)退場, 退席.

walk·way /wɔ́ːkwèi/ [名] [C] **1** (公園・庭などの)歩道, 散歩道. **2** 《主に米略式》(工場内の機械の上に渡した)通路.

walk·y-talk·y /wɔ́ːkitɔ́ːki/ [名] =walkie-talkie.

****wall** /wɔ́ːl/ 〚「(防御のための)くい, 柵(さく)」が原義〛

—[名] ([複] **~s** /-z/) [C] **1** (部屋などの)**壁**, 内壁, 仕切り壁 ; [形容詞的に] 壁の, 壁面の ‖ a thick *wall* 厚い壁 / *hang* a picture *on the wall* 壁に絵をかける / paint a *wall* white 壁を白く塗る / ***Walls have ears.*** 《ことわざ》「壁に耳あり」/ *wall* hangings 壁掛け / *wall* plants 壁にはうつる状の植物. **2** (石・れんが板などの)塀(へい) ‖ a stone [brick] *wall* 石[れんが]塀. **3** [通例 ~s] 城壁, 防壁 ‖ the Great *Wall* (of China) 万里の長城. **4** [a/the ~] 壁のような物 ‖ *a* steep *wall of* rock 険しい岩の壁 / *a* white *wall* of fog 霧の白い壁. **5** 《正式》障壁, 障害(barrier). **6** (器官・容器の)内壁 ; 体壁.

dríve [***púsh, thrúst***] A ***to the wáll*** 《略式》〈人〉を窮地に陥れる.

dríve [***sénd***] A ***ùp the*** [***a***] ***wáll*** 《略式》〈人〉を激怒させる ; 〈人〉を追いつめる.

gò to the wáll (1) 負ける. (2) 事業に失敗する. (3) わきへ押しやられる, 無用扱いされる.

gò ùp the wáll 《略式》腹を立てる, 頭にくる.

hít a wáll [比喩的に] 壁にぶち当たる, 伸び悩む.

úp agàinst the [***a***] ***wáll*** 壁に突き当たって, 八方ふさがりで.

with** one's **báck to [***agàinst***] ***the wáll*** → back 成句.

—[動] [他] 1 …を壁[塀]で囲う(+*in, round*), 〔…から〕壁で仕切る(+*off*)〔*from*〕. **2** …に城壁をめぐらす. **3** 〈窓・入口など〉を(壁で)ふさぐ(+*up*) ‖ ***wall up*** a space between the buildings 建物と建物との間の空所をふさぐ. **4** 〈人〉を〔…に〕閉じこめる(+*up*)〔*in*〕.

wáll frùit 壁際に垣根仕立てにした樹の果実《西洋ナシ・リンゴなど》.

wáll pàinting (フレスコなどの)壁画(法).

wáll sòcket コンセント《◆ この意味で consent とは

W

いわない).

Wáll Strèet ウォール街《New York 市株式取引所の所在地》; 米国金融市場.

wal·la·by /wɑ́ləbi | wɔ́l-/ 名 © [動] ワラビー《小型のカンガルー》; [Wallabies] ワラビーズ《オーストラリア代表のラグビーチーム》. **on the wállaby** (**tráck**)〔豪俗〕仕事を求めて歩き回って.

wall·board /wɔ́ːlbɔ̀ːrd/ 名 ⓊⒸ 化粧ボード, 人造壁板, 壁張り用材.

walled /wɔ́ːld/ 形 **1** 壁をつけた, 塀(^)[城壁]をめぐらした. **2**〔…に〕心を閉ざした〔in〕.

***wal·let** /wɑ́lət | wɔ́lit/
——名 ⓒ **1** (革製で二つ折りの)札入れ, 紙入れ, (米) billfold. → purse **1**); (革製の)書類入れ ‖ I left my *wallet* at home. 札入れを家に忘れてきた. **2** 小道具袋.

wall·flow·er /wɔ́ːlflàuər/ 名 ⓒ **1** [植] ニオイアラセイトウ. **2**〔略式〕壁の花《ふつう舞踏会で相手のいない若い女性》; 引っ込み思案の女性.

wal·lop /wɑ́ləp | wɔ́l-/〔略式〕動 ⊕ …をひどく打つ, 打ちのめす; …に〔試合などで〕大勝する〔*at*〕.
——名 Ⓤ 強打, 痛打; パンチ力, 効力.

†**wal·low** /wɑ́lou | wɔ́l-/ 動 ⊕ **1** 〈動物などが〉〔泥・水中で〕転げ回る, のたうつ〔*in*〕;〈船が〉荒波にもまれる ‖ *wallow in* the mud 泥の中で転げ回る; ひどい生活をする. **2**〔略式〕〈快楽などに〉ふける, 〈感情などに〉おぼれる〔*in*〕‖ *wallow in* luxury ぜいたくにふける / *wallow in* money〔略式〕金がうなるほどある.
——名 **1** Ⓒ 転げ回ること; 〔…に〕つかること〔*in*〕. **2** Ⓤ〔快楽・ぜいたくなどに〕ふけること. **3** Ⓒ 動物が転げ回る場所, くぼみ.

wall·pa·per /wɔ́ːlpèipər/ 名 Ⓤ 壁紙;〔コンピュータ〕壁紙, 背景画面. ——動 ⊕ …に壁紙をはる.

wall-to-wall /wɔ́ːltəwɔ́ːl/ 形 **1**〈じゅうたんが〉床一面の. **2 a**〔主に米略式〕端から端までの, 全面的な. **b**〈人などが〉(場所に)びっしりの.

†**wal·nut** /wɔ́ːlnʌ̀t, -nət/ 名 **1** Ⓒ クルミ(の実)(→ nut); クルミの木(walnut tree) ‖ crack a *walnut* クルミを割る. **2** Ⓤ クルミ材《堅くて良質の家具材》. **3** Ⓤ クルミ色, 赤褐色.

†**wal·rus** /wɔ́ːlrəs/ 名 (複 ~**es**, [集合名詞] **walrus**) Ⓒ [動] セイウチ《◆ sea horse, sea cow ともいう》.

wálrus mústache セイウチひげ《両端がたれ下がった濃い口ひげ》.

Wal·ter /wɔ́ːltər/ 名 ウォルター《男の名. 愛称 Walt, Wat》.

†**waltz** /wɔ́ːlts/ 名 Ⓒ ワルツ《2人で踊る3拍子の舞踏曲》; ワルツ曲, 円舞曲. ——動 ⊜ **1** ワルツを踊る. **2**〔略式〕踊るような足取りで歩く, 軽やかに動く〔*in, out, off, (a)round*〕. **3**〔略式〕〔…を〕楽々とやってのける〔*through*〕. ——⊕〔略式〕〈人〉を〔…へ〕ぐいぐい連れていく, 連行する〔+*off*〕〔*to*〕.

wam·pum /wɑ́mpəm | wɔ́m-/ 名 Ⓤ 貝殻玉《◆北米先住民が通貨や装飾に用いた》.

†**wan** /wɑ́n | wɔ́n/ 形 〔主に文〕**1** 青ざめた, 血の気のない(pale) ‖ a *wan* face 青ざめた顔. **2** 病弱な, 疲れたような ‖ a *wan* smile 弱々しい微笑. **3**〈星・明かりが〉かすかな. **wán·ly** 副 青ざめて; 弱々しく.

†**wand** /wɑ́nd | wɔ́nd/ 名 Ⓒ **1** (手品師・魔法使いの)つえ. **2** (儀式で職権を示す)職杖. **3** 指揮棒. **wáve a** [*one's*] (**mágic**) *wánd* 魔法のつえをひと振りする(魔法のように望みをかなえる).

***wan·der** /wɑ́ndər | wɔ́n-/〔発音注意〕〔類音 won·der /wʌ́ndər/〕〖「あてもなく動き回る」が本義〗

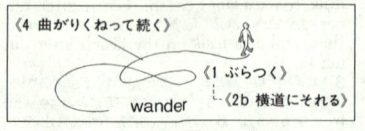

〈4 曲がりくねって続く〉
〈1 ぶらつく〉
wander
〈2b 横道にそれる〉

——動 (~**s** /-z/; 過去·過分 ~**ed** /-d/; ~·**ing** /-dəriŋ/)
⊜ **1**〈人·動物が〉歩き回る, ぶらつく, さまよう, 放浪する〔+*about, around*〕(cf. stroll);〈目·視線などが〉〔…を〕見回す〔*over*〕‖ *wander around* the town 町をぶらつく / The cows *wandered* slowly across the meadow. 雌牛は牧場をゆっくりと歩いて行った.
2 a〈人が〉(道に)迷い, 〔…からはずれて〕迷子になる〔+*off*〕〔*from*〕‖ The child *wandered from* his companions. その子供は仲間からはぐれた. **b**〈行動が〉道を踏みはずす;〈考え・話が〉〔…から〕横道にそれる, 脱線する〔+*away, off*〕〔*from*〕‖ The speaker *wandered* ˈ*away from* [*off*] the subject. 講師は本題から脱線してしまった.
3〈心・考えが〉取りとめなくなる,〈人が取りとめもないことを言う〉‖ She is *wandering* because of her high fever. 高熱のために彼女はうわごとを言っている. **4**〈川・道などが〉曲がりくねって続く ‖ The river *wanders* through the green fields. その川は緑の野原を曲がりくねって流れている.
——⊕ …を歩き回る, さまよう ‖ *wander* the world 世界中を放浪する / *wander* the street 街を歩き回る.
——名 Ⓒ〔略式〕ぶらつくこと, 散歩.

†**wan·der·er** /wɑ́ndərər | wɔ́n-/ 名 Ⓒ 歩き回る人[動物], さまよう人; 放浪者, さすらい人.

wan·der·ing /wɑ́ndəriŋ | wɔ́n-/ 形 **1** 歩き回る, さまよう, 放浪する ‖ *wandering* tribes 遊牧民族. **2**〈川などが〉曲がりくねった. **3**〈考えなどが〉取りとめのない. ——名 **1** Ⓤ 放浪; [~s] 放浪の旅. **2** [~s] うわごと.

wándering Jéw (**1**) [the W~] さまよえるユダヤ人《はりつけの日にキリストを侮辱した罪で世の終わりまで放浪する運命をになうという中世伝説上の人物》. (**2**) 放浪する人. (**3**) [植] ムラサキツユクサ.

wán·der·ing·ly 副 放浪して.

†**wane** /wéin/ 動 ⊜ **1**〈月が〉欠ける〔+*away*〕(⇔ wax) ‖ The moon is *waning* this week. 今週月は欠け始める. **2**〔正式〕〈力·程度などが〉衰える, 〔…の点で〕弱くなる〔+*away*〕〔*in*〕‖ His popularity is *waning*. 彼の人気は衰えかけている.
——名 [the ~] **1** (月の)欠け. **2**〔正式〕衰微, 減少. *on the wáne* (**1**)〈月が〉欠け始めて. (**2**)〔正式〕衰えかけて, 終わりに近づいて.

wan·gle /wǽŋgl/〔略式〕動 ⊕ **1** …を〔…から〕策略で手に入れる, うまくせしめる〔*out of*〕;〈人〉をだまして〔…〕させる〔*into*〕. **2**〈書類など〉をごまかす. ——⊜ **1**〔困難から〕うまく抜け出る〔*out of*〕.
——名 Ⓒ ごまかし, だますこと; ずるい策略.

wan·na /wɑ́nə | wɔ́nə/〔米略式·英方言〕= want to.

‡**want** /wɑ́nt, wɔ́nt, wə́ːnt | wɔ́nt/〔類音 won't /wóunt/〕〖「欠けている」という原義から「欲する」の意が生まれた〗
——動 (~**s** /wɑ́nts, wɔ́ːnts | wɔ́nts/; 過去·過分 ~·**ed** /-id/; ~·**ing**)《◆ふつう命令形・進行形不可》
——⊕

wanted

I [欲する]

1 〈人が〉〈物・事が〉**欲しい**, …を〔人に〕**望む**, 欲する〔**with, from,** of〕《[類語] desire は堅い語. wish for は手に入りにくいものを望むこと》‖ I badly *want* some coffee. コーヒーがとても飲みたい《◆I'd very much like some coffee. の方がていねい》/ What does he *want from* me? 彼は私に何を求めているのだろうか / **What do you *want* (*from* me)?** 何が欲しいのか; 何の用があるか《◆(1) ややぶしつけな表現. ていねいな言い方としては What can I do for you? / Is there anything I can do for you? など. (2) ふつう進行形にはしないが, 表現を和らげて What *are* you *wanting?*(↗) と言ったり《[⇒文法] 5.2(5)》, 話し手のいらだちを示して What *is* he *wanting* this time?(↘) などとすることがある. [⇒文法] 5.2(4)》/ I'll give you what you *want*. あなたが欲しいものをあげよう / Is that what you *wanted?* それが欲しかったのですか.

2 [*want* to do] 〈人が…**したいと思う**《◆実現不可能な望みには用いない》‖ I *want* to surprise him. 私は彼をあっと言わせてやりたい《◆I would [〔英〕should] like to surprise him. の方が控え目な表現》/ I *want* to see you again. また会いたいです《◆目上の人には I hope to see ... がふつう》/ Once I *wanted* to be a doctor. 昔, 私は医者になりたかった / I *had wanted* to be a doctor. 医者になりたかった(がなれなかった[ならなかった]) 《[⇒文法] 6.2(5)》《◆I *wanted* to be a doctor, but I couldn't. と言う方がふつう》/ I'll do it if I *want* to. やりたかったらやりますよ《◆(1) want to は代不定詞《[⇒文法] 11.9》. さらに to も省略されることがある: If you *want*, I'll go with you. 何なら, 一緒に行ってあげよう. (2) If you [you'd] like, ... の方がていねい》/ Do you *want* to sit here? ここに座っていただけますか《◆ふつう女主人が客に席をすすめる言葉. Please sit here. よりていねい》.

3 a [*want* **A** *to* do / *want* **A** doing] 〈人が〉**A**〈人・物〉に…することを**望んでいる**, …して(いて)ほしいと願っている, …するのがよいと思っている《◆I hope **A** will ... より強い言い方》‖ He *wants* me to leave. 彼は私がいない方がよいと思っている / My parents *wanted* me to be a doctor. 両親は私を医者にしたいと思っていた / I don't *want* her com*ing*. 私は彼女に来てもらいたくない / **Do you *want* me to** speak to him? 私が彼にお話ししましょうか(=Should [〔英〕Shall] I speak to him?).

[語法] want と **A** の間に副詞(句)が入ると [*want* for **A** *to* do] の型をとる: Bill *wants* very much *for* Tom *to* be successful. ビルはトムが成功することを強く望んでいる.

b [*want* **A C**] 〈人・物〉を**C** してもらいたい《◆**C** は形容詞》; [*want* **A** (*to* be) done] 〈人・物〉が…されることを望んでいる》‖ Nobody *wants* you dead. あなたが死ぬのを望んでいる人なんかいない / Do you *want* your windscreen clean*ed*, sir? フロントガラスを磨きましょうか.

c 〈人・物〉を…してもらいたい《◆方向の副詞(句)を伴う》‖ I *want* the book *back* その本を返してほしい / I *want* my car *in* (the garage). 車(を車庫に)入れておいてもらいたい / I *want* the payment *in* yen. 支払いは円でお願いしたい.

II [必要とする]

4 〈人が〉〈人〉に**用がある**; …を(用があって)捜している‖ **Did you *want* me?** 私にご用でしょうか《◆質問や依頼の場合は過去時制がていねいな言い方. [⇒文法] 4.2(2)》/ **You are *wanted* on the phone.** 電話ですよ(=There's a phone call for you.) / He is *wanted for* theft. =The police *want* him for theft. 彼は窃盗容疑で指名手配されている.

5 《略式》〈人・事・人が〉…を**必要としている**, …が要る(need); [*want* doing] …されることを必要としている《◆want の直後の名詞・動名詞は受身の意味に解釈される》《[⇒文法] 12.1(3)》‖ This dirty floor *wants* a scrub. この汚れた床はごしごし磨く必要がある / This chair *wants* repair*ing* [repair]. このいすは修理の必要がある《◆needs ... がふつう》.

6 《略式》[you を主語にして] …しなければならない, …すべきである; [not *want* to do] …する必要がない[すべきでない]‖ You *want* to go to a doctor. 医者に行った方がいい / Come on: *you don't want to* keep them all waiting. さあ, みんなを待たせておくんじゃない.

III [欠けている]

7 《正式》〈人・物に(は)〉〈物〉が**欠けている**, 足りない(lack)《◆ふつう進行形不可》‖ She *wants* courage. 彼女には勇気がない.

—— 自 《正式》〈人に〉〔…が〕**欠けている**, 足りない〔*for*〕《◆ふつう疑問文・否定文で用いる》; 困窮する‖ **You shall *want* for nothing.** 君に不自由はさせないよ.

want in [自] 《米略式・スコット》中に入りたいと望む; (事業などに)加わりたいと望む.

want out [自] 《米略式・スコット》〔…から〕外に出たいと望む; (事業などから)身を引きたいと望む〔*of*〕.

—— 名 (複 ~s /wánts, wɔ́ːnts | wɔ́nts/) **1** ⓊⓁ (必要なものの)**不足**, 欠乏《◆lack は単なる欠如の意にも用いる》‖ The plants died from *want of* water. その植物は水をやらなかったので枯れてしまった.

2 Ⓤ 《正式》**貧困**, 困窮(poverty)‖ The old couple are [is] now in *want*. 老夫婦は貧しい暮らしをしている(=The old couple are [is] poor.).

3 Ⓤ **必要**, 入用(need)‖ Our school is **in** *want* **of** repair. 《正式》私たちの学校は修理する必要がある(=Our school *wants* [needs] repair.).

4 Ⓒ [通例 ~s] **必要な物**, 欲しい物, 欲望‖ most people's *wants* たいていの人の欲しい物 / a person of few *wants* 欲の少ない人 / a long-felt *want* 長い間の切実な要求.

*****for** [**from**] **wánt of A** …不足のために‖ The plants died *for* [*from*] *want of* sunshine. 植物が日当たりが悪くて枯れた.

wánt àd 《米略式》(新聞などの)求人広告(classified [small] ad).

want·ed /wɑ́ntɪd, wɑ́ntɪd, wɔ́ːntɪd | wɔ́ntɪd/ 形 **1** (広告で)…を求む, …を雇いたい‖ Cook *Wanted*. コック求む. **2** 指名手配の‖ a *wanted* man おたずね者 / **Most *Wanted*** (公開捜査に用いられる広告・ちらしなどで)凶悪犯罪人尋ね人. **3** 〈人が〉好かれて(↔ unwanted).

—— 名 Ⓒ 《略式》指名手配の犯人.

†**want·ing** /wɑ́ntɪŋ, wɑ́ntɪŋ, wɔ́ːnt- | wɔ́nt-/ 形 **1** 《正式》〈人・物が〉…が**欠けている**, 足りない〔*in*〕《◆lacking の方がふつう》‖ A few pages are *wanting*. 2, 3ページ落丁している / The machine has some of its parts *wanting*. その機械は部品が足りない / He was found (to be) *wanting in* ability. 彼は能力が不十分だとわかった / Some people are *wanting in* courtesy. 礼儀に欠けている人がいる. **2** 《略式》[遠回しに] 頭が足りない, ぬけている.

──冠 …の足りない、…のない；…がなくては ‖ a box wanting a lid ふたのない箱.

†wan·ton /wάntn/ w5ヘ─形《正式》**1** 理不尽な, むちゃな, 悪意のある ‖ a wanton claim 不当な要求. **2**《古》《特に女性がみみだらな, 浮気な ‖ a wanton look 好色なまなざし. **3** 抑制できない；《詩》（植物が）伸び放題の. **wán·ton·ly** 副 気ままに, むちゃに；浮気に. **wán·ton·ness** 名 U 気まぐれ, 戯れ；浮気, 不貞.

wa·pi·ti /wάpəti/ w5ヘ名《複》~s, **wa·pi·ti** C《動》ワピチ《北米・アジア北部の大型のシカ.《米・カナダ》では elk ともいう》.

★war /w5ːr/ [「争い」が本義]
──名《複》~s/-z/) **1** U〔…との〕戦争, 戦争状態 (↔ peace); 交戦期間；C〔個々の〕戦争, 戦役〔against, on, with〕《◆(1) 戦争中の個々の戦闘は battle.（2) 固有名詞としての「…戦争」にはふつう定冠詞がつく：the Vietnam War ベトナム戦争》‖ a hot war 本格的な戦争 / a núclear wár 核戦争 / 「an aggressive [a defensive] war 侵略［防衛］戦争 / Japan declared war on ［upon, against］ the USA in 1941. 日本は1941年に米国に宣戦布告した / Supposing war broke out, what would you do? もし戦争が起こったら君はどうするか.

> [関連] [いろいろな種類の war]
> air war 空中戦 / civil war 内戦 / cold war 冷戦 / guerrilla war ゲリラ戦 / holy war 聖戦 / regional war 局地戦争 / religious war 宗教戦争 / Revolutionary War アメリカ独立戦争 / surrogate war 代理戦争 / world [global] war 世界大戦

2 C U〔…をめぐっての〕戦い, 争い, 闘争〔for, about, over〕 ‖ a war of nerves 神経戦 / a war of words 舌戦, 論争 / the war between the sexes 男女間の争い / carry on a war against pollution 公害反対闘争をしている. **3** U 軍事；戦術, 戦略 ‖ the art of war 兵法 / an expert in war 戦争専門家.

*at wár〔…に〕戦争中の, 交戦中で；〔…と〕不和で〔with〕(↔ at peace) ‖ Our country was at war with the US in those days. そのころうちはアメリカと戦争していた.

gò to wár（1）〔国が〕〔…と〕戦争を始める〔against, with〕.（2）〔人が〕出征する.

màke [wáge] wár on [upòn, agàinst] A《正式》(1)…に戦争をしかける,…と戦争する.（2）〈病気などと〉戦う.

the Wár between the Státes〔米史〕南北戦争 (the (American) Civil War)《◆南部諸州で用いた呼称》.

the Wár in the Pacíific 太平洋戦争 (the Pacific War).

the Wár of Américan Indepéndence〔英〕米国独立戦争 (the American Revolution).

the Wár of the Róses〔英史〕ばら戦争《1455-85；Lancaster 家（赤ばら）と York 家（白ばら）との王位継承戦争》.

──動 (過去過分) warred /-d/; war·ring) 自 **1**《文》〔…を求めて〕戦争する, 戦う (fight)〔with, against / for〕‖ 日本発》Japan has not warred against other nations since 1945. 日本は1945

年以来他国と戦争したことはありません. **2** 敵対する, 対立状態にある；〔提案に〕反対する〔against〕；〔病気などと〕戦う〔against, on〕.

──形 [名詞の前で] 戦争の；戦争による；戦争に用いる ‖ a war novel 戦争小説 / war dead [集合名詞] 戦没者 / war weapons 兵器.

wár bàby 戦時中に生まれた子《特に私生児》；戦争の落とし子.

wár bride 戦争花嫁.

wár clòud(s) 戦争のきざし, 戦雲.

wár correspòndent 従軍記者, 前線特派員.

wár crime [通例 -s] 戦争犯罪《捕虜虐待・大量虐殺など》.

wár críminal 戦争犯罪人, 戦犯.

wár cry (1) ときの声 (battle cry).（2）(政党などの) 標語, スローガン.

wár gàme (1) 机上作戦演習；機動演習.（2）ウォーゲーム.

wár gód 軍神《ローマ神話の Mars など》.

wár memòrial 戦没者記念碑.

wár páint (北米先住民が絵の具で顔や身体に塗る) 出陣前の化粧.

wár wídow 戦争未亡人.

wár zòne〔国際法〕交戦地帯.

†war·ble /w5ːrbl/ 動 自 **1**〈小鳥が〉声を震わせて続けてさえずる (+away); 〈人が〉声を震わせて美しく歌う. **2**〈川などが〉さらさらと音を立てて流れる. **3**《米》ヨーデルを歌う. ──他〈小鳥[人]が〉…を美しい声でさえずる[歌う] (+out). ──名 [the/a ~] さえずり, 声を震わせて歌うこと；さえずるような歌声.

†war·bler /w5ːrblər/ 名 C **1**《鳥》ムシクイ《ウグイス科の鳥》. **2** さえずるように歌う人, (特に女性の) 歌手.

†ward /w5ːrd/ 名 **1** C (市・町の行政・選挙の) 区 ‖ the headman of a ward 区長. **2** [しばしば複合語で] 病棟, 病室；(刑務所の) 監房 ‖ a maternity [surgical] ward 産科/外科病棟 / The nurse works in the emergency ward. その看護師は救急病棟で働いている. **3** C〔法律〕未成年者などの) 被後見人, 被保護者 (wand of court)(↔ guardian). **4** U〔法律〕後見；被後見；(一般に) 保護, 監督 ‖ be in ward to him 彼の後見を受けている. **5** C [通例 ~s] (かぎの中の) 突起；(かぎの) 刻み目. **6** U《古》監視；監禁 ‖ be under ward 監禁されている. ──動 **1**〔…をかわす, 受け流す, 防ぐ, 近づかせない (+off) ‖ ward off a blow 一撃をかわす. **2**《古》…を守る, 保護する；見張る.

+-ward /-wərd/ (語尾辞) →語尾辞一覧 (1.7).

†ward·en /w5ːrdn/ 名 C **1** [しばしば複合語で] 監視人, 番人；(老人ホームなどの) 管理人 ‖ a game warden 猟区監視官 / a traffic warden《英》交通巡視員. **2**《米》刑務所長. **3**《英》(ある大学の) (寮) 長；校長. **4** (各種官公署の) 長官.

†ward·er /w5ːrdər/ 名 C **1**《米》監視人, 門番, 守衛. **2**（主に英）看守.

†ward·robe /w5ːrdroub/ 名 C **1** 洋服だんす, 衣装戸棚；(劇場の) 衣装部屋 ‖ a wardrobe master [mistress] (劇団の) 衣装係((PC) wardrobe supervisor). **2** [通例 a/one's ~；集合名詞] (個人・劇団の) 持ち衣装, 衣服 ‖ a new spring wardrobe 新しい春の衣装 / have a large wardrobe 衣装持ちである. **3** (王室・貴族の) 衣装管理作.

wárdrobe trùnk 衣装トランク《大型で立てると洋服だんすになる》.

†ward·room /w5ːrdrùːm/ 名 **1** C (軍艦の) 上級士

用船室《特に食堂》. **2** [the ~; 集合名詞] 上級士官.

†**ware** /wéər/ [同音] wear) 名 **1** 《古》[one's ~s; 複数扱い] 《露天商の》商品(goods); 売り物 ‖ display one's wares 商品を陳列する. **2** Ⓤ [ふつう陶[磁]器の産地名・製作者名などの後で] …焼き ‖ Wedgwood [Bizen] ware ウェッジウッド[備前]焼き.

-ware /-wèər/ [語要素] → 語要素一覧(1.4).

†**ware·house** 名 wéərhàus; 動 -hàuz, -hàus/ (複) ~·hous·es /-hàuziz/ Ⓒ **1** 倉庫, 商品保管所. **2** 《主に英》卸売り店, 問屋, 大商店.
 —— 動 他 《家具などを》倉庫に入れる.

ware·house·man /wéərhàusmən/ 名 Ⓒ **1** 倉庫係, 倉庫業者((PC) warehouser). **2** 《英》卸売り商人, 問屋((PC) wholesaler).

†**war·fare** /wɔ́ːrfèər/ 名 Ⓤ […との]戦争(*against, on*); 戦争状態, 交戦; 武力衝突 ‖ chemical [bacteriological, biological] warfare 化学[細菌, 生物]戦争. **2** 闘争.

†**war·i·ly** /wéərəli/ 副 用心して, 油断なく.

†**war·like** /wɔ́ːrlàik/ 形 **1** 戦争の(ための), 軍事の ‖ make a warlike expedition 武力遠征[出兵]する. **2** 好戦的な, 戦闘的な(↔ pacific) ‖ a warlike nation 好戦的な国家[国民].

war·lock /wɔ́ːrlàk/ 名 Ⓒ **1** 《古》《男の》魔法使い. **2** 占い師, 手品師, 魔術師.

****warm** /wɔ́ːrm/ [発音注意] [類音] worm /wɔ́ːrm/) 派 warmly (副), warmth (名)
 —— 形 (~·er, ~·est)

I [物理的に暖かい]

1 暖かい, 温暖な; [運動などで]体がほてって[*from*]; (やや)暑い《♦ hot と cool の中間. 気温については, 一般に warm は 16-7°C から 26-7°C ぐらいまでをさすので, 時には不快な暑さを表すこともある》(↔ cool) ‖ warm milk 温かいミルク / warm weather 温暖な天気 / get warm by the fire 火のそばで暖まる / feel warm and sweaty 暖かくて汗ばむ / It is a nice, warm day today. 今日は天気がよくて暖かい / We kept swinging our rackets in the air to keep warm. ラケットの素振りを続けて体を暖めた.

II [心が温かい]

2 [通例名詞の前で] […に対して]思いやりのある, (心の)温かい, 心からの[*to*](↔ cold) ‖ a warm person 心の温かい人 / a warm welcome 心からの歓迎 / We received a warm greeting from our host. 私たちは主人から心のこもったもてなしを受けた.

3 [通例名詞の前で] 熱心な, 熱烈な, 興奮した ‖ a warm argument [debate] 激論 / a warm supporter 熱烈な支持者 / a warm temper かっとなる性質.

4 〈色が〉暖かい感じの, 暖かみのある〈赤や黄の勝った色〉‖ warm colors 暖色(↔ cold colors).

III [痕跡などが新しい]

5 〈獲物の臭い跡が〉新しい, 生々しい(↔ cold) ‖ a warm scent [smell] 新しい臭跡 / a warm trail (ついたばかりの)新しい足跡. **6** 《略式》[補語として] (かくれんぼで)鬼がもう少しで見つけ出しそうな, 〈答えが〉正解に近い(↔ cool, cold) ‖ You are getting warm. もう少しで見つかる[当たる]よ.

IV [その他]

7 《略式》[通例名詞の前で] [人にとって]つらい, 居心地の悪い(uncomfortable)[*for*] ‖ warm work 骨の折れる仕事 / a warm corner 激戦地, 不愉快な立場.
 —— 動 (~·s /-z/; [過去・過分] ~ed /-d/; ~·ing)
 —— 他 **1** 〈人・物・〉〈人・物〉を暖める, 暖かくする(+*up*)(↔ cool) ‖ wárm onesélf 体を暖める / He warmed his hands at the fire. 彼は火にかざして手を暖めた. **2** 〈人〉を暖かい気持ちにさせる, 喜ばせるのときによる ‖ It warmed them to see him happy. 彼の幸せそうな様子をみて彼らはほのぼのとした気持ちになった. **3** …を熱中させる, 興奮させる; …を元気づける.
 —— 自 **1** [特に物が]暖まる; 〈人が〉[…で]暖かくなる(+*up*)[*from*] ‖ The rolls are warming in the oven. オーブンの中でロールパンが温まっている. **2** 《略式》〈人が〉[仕事などに]熱心になる(become enthusiastic), 興奮する(+*up*)[*to*] ‖ warm to one's work 仕事に熱中する / Our teacher quickly warmed to his lesson. 先生は早くも授業に熱が入ってきた. **3** 《略式》[…に対して]暖かい気持ちになる, 同情[好意]をよせる[*to*, *toward*].

wárm óver 他 《主に米》(1) 〈料理〉を温め直す. (2) 〈計画など〉を焼き直しする.

***wárm úp** 自 (1) 〈天候・人・部屋・エンジンなどが〉暖まる(→ 他 1)(↔ cool down) ‖ It warmed up in the afternoon. 午後には暖かくなった. (2) → 自 2. (3) (軽い)準備運動[練習]をする, ウォーミングアップする. (4) 〈催しなどが〉盛り上がる, 〈国際緊張などが〉高まる(heat up). —— 他 (1) …を暖める(→ 他 1) ‖ warm up a cold motor 冷えたモーターを暖める. (2)《英》〈料理など〉を温め直す. (3)〈催しなど〉を活気づける. (4)〈観客〉の雰囲気作りをしておく. (5)〈計画など〉を焼き直しする.
 —— 名 《主に略式》**1** [a ~] 暖めること; 暖まること ‖ have a warm by the fire 火のそばで暖まる. **2** [the ~] 暖かい所; 暖かさ ‖ The chill of winter gave way to the warm of spring. 冬の寒さが春の暖かさにとってかわった.

wárm blóod (1) 温血動物. (2) 熱血, 多感.

warm front /ー|ー/ 〘気象〙 温暖前線(↔ cold front).

wárm·ness 名 = warmth.

warm-blood·ed /wɔ́ːrmblʌ́did/ 形 **1** 〈動物が〉温血の, 定温の. **2** 《文》熱烈な, 熱血の, 激しやすい(↔ cold-blooded).

warm·er /wɔ́ːrmər/ 名 Ⓒ 暖める人[物]; 加温器 ‖ a foot warmer 足温器.

warm·heart·ed /wɔ́ːrmhɑ́ːrtəd/ 形 心の温かい, 思いやりのある, 親切な.

†**warm·ly** /wɔ́ːrmli/ 副 **1** 暖かく, 暖かに 〚対話〛 "Well, I must go now." "Dress warmly. It's cold outside." 「さあ, 出かけないと」「暖かい服装をしなさい. 外は寒いよ」. **2** [比喩的に] 暖かく, 心から, 心をこめて, 親切に ‖ Mr. and Mrs. Rouse received me warmly. ラウス夫妻は私を心から迎えてくれた. **3** 熱心に, 熱烈に; 興奮して.

war·mon·ger /wɔ́ːrmʌ̀ŋgər | -mʌ̀ŋ-/ 名 Ⓒ 戦争挑発者, 戦争屋, 主戦論者.

†**warmth** /wɔ́ːrmθ/ 名 Ⓤ **1** 暖かさ, 温暖 ‖ The warmth of the sun felt good. 太陽の暖かさが心地よく感じられた. **2** 思いやり, 温情, 優しさ ‖ a woman of great warmth 優しさあふれる女性 / The warmth of their welcome made me happy. 彼らの温かい歓迎をうれしく思った. **3** 熱心, 熱狂; 興奮 ‖ speak about him with warmth 彼のことを熱をこめて話す. **4** (色の)暖かい感じ.

warm-up /wɔ́ːrmʌ̀p/ 名 **1** 準備運動, ウォーミングアップ《◆*warming-up* とはいわない》. **2** (エンジンなどを)暖めること, 暖機運転.

***warn** /wɔ́ːrn/ (同音) worn) [「危険などを前もって人に告げる」が本義] 派 **warning** (名)
——動 (~s/-z/; 過去・過分 ~ed/-d/; ~·ing)
——他 **1**〈人が〉〈人〉に〈危険などを〉**警告する**, 注意する《*of*, *against*, *about*》; [warn (A) *that* 節] (A〈人に〉…だと警告[注意]する, 戒める《◆〈英〉ではAを略するように警告する》; [warn A to *do*] A〈人に〉…するように警告する ‖ I *warn* you. = I'm *warning* you. いいか, 気をつけろ《◆後者の方が強い表現》/ *warn* her *of* the danger in front of her 前途に横たわる危険を彼女に警告する / He *warned* me *against* crossing the road at that point. = He *warned* me not to cross the road at that point. 彼はその地点で道路を横断しないように私に注意した(➡文法 11.7) / The anchor man on television *warned* (people) *that* the roads were icy. テレビのニュースキャスターは道路が凍結していると警戒を呼びかけた.
2〈人に〉〈…を〉**通知する**, 予告する《*of*, *about*》;〈人〉に〈…するように〉通知する《to *do*》;〈人〉に〈…だと〉知らせる[*that* 節] ‖ They *warned* us *of* [*about*] the strike. 彼らは私たちにストを通告した.
——自 〈…について〉〈…を〉いう;警告する《*of*, *about* / *against*》‖ *warn* *of* [*about*] the dangers of land mines 地雷の危険性について警告する.
wárn awáy [他]〈人〉を警告して立ち去らせる;〈人〉に立ち退きを通告する.
wárn óff [他]〈人〉に近寄らないよう警告する;〈人〉を警告して立ち去らせる.

†**warn·ing** /wɔ́ːrnɪŋ/ 名 **1** UC 〈…の/…に対する/…するようにとの〉**警告**, 警報, 注意《*of* / *against* / to *do*》; [a ~] […に]警告となるもの《to》‖ a *warning* not to eat between meals 間食をしないようにという警告(➡文法 11.7) / The radio gave a *warning* of bad weather. ラジオは悪天候になると告げた / Let that accident be a *warning* to you. その事故を戒めとしなさい / take *warning* from [by] his example 彼の例を他山の石とする. **2** C [悪いことの]前兆《*of*》‖ a *warning* of disaster 大災害の前兆.
at a móment's [**mínute's**] **wárning** 直ちに.
without wárning 警告[予告]なしに.
——形 警告の, 警戒の ‖ a *warning* color [coloration] 〔動〕警告色 / raise a *warning* signal 警報を掲げる.
wárning tràck 〔野球〕警戒線, ウォーニングトラック《外野手にフェンスの近いことを知らせる芝の地帯》.
warn·ing·ly /wɔ́ːrnɪŋli/ 副 警告して, 警告的に, 警戒して.

†**warp** /wɔ́ːrp/ 動 ❶ **1**〈板など〉をそらせる, ひずませる, 曲げる ‖ The sun *warped* the board fence. 太陽にあたって板塀(ビ)がそった. **2**〈心・判断などを〉ゆがめる, 曲げる ‖ a *warped* mind ゆがんだ心 / Hunger *warps* his judgment. 空腹が彼の判断をゆがめている. **3** 〔海事〕〈船〉を引き綱で引く. ——自 **1**〈板などが〉そる, ゆがむ. **2**〈心・判断が〉ゆがむ, 偏(ネッ)る.
——名 **1** C [通例 the ~; 集合名詞](織物の)縦糸《◆横糸は *weft* または *woof*》. **2** [a ~](板などの)そり, ゆがみ, ひずみ ‖ a *warp* in a board 板のそり. **3** [a ~](心・判断の)ゆがみ, 偏り.
war·path /wɔ́ːrpæ̀θ/ 名 C [通例 the ~](北米先住民の)戦いに行く道, 出陣の路.
on the wárpath [be, go の後で] **(1)** 戦おうとして, 戦いに行こうとして. **(2)** 〈略式〉けんか腰で, 怒って.

†**war·rant** /wɔ́ːrənt, wɑ́ːr- | wɔ́r-/ 名 **1** U〔正式〕〈…の〉正当な理由, 根拠《*for*》;〈…する〉権限《to *do*》‖ *without warrant* 正当な理由なく, いわれなく / with the *warrant* of a good conscience 正々堂々と / They *had* no *warrant for* their action. 彼らの行動には正当な理由はなかった / You *have* no *warrant for* trespassing. 君には立ち入る権限はない. **2** C 〔法律〕〈…の/…するための〉令状; 召喚状《*for* / to *do*》‖ a search *warrant* for her house 彼女の家の捜索令状 / issue an arrest *warrant* for him 彼への逮捕状を発行する. **3** C〈…の〉保証(となるもの)《guarantee》《*for*, *of*》‖ I'll be your *warrant*. 私が君の保証人になろう. **4** C 証明書; 認可証; 委任状.
——動 他 **1**〔正式〕〈事〉からすると〈事〉は当然のことである(justify) ‖ Such impoliteness will never be *warranted*. そのような無礼は決して許されないだろう / Her work in school *warranted* her good grades. 彼女は勉強したからよい成績をとって当然だ. **2 a**〔正式〕〈人・会社などが〉〈商品の品質などを〉保証する; [*warrant doing*] …することを保証する ‖ The company *warranted* the quality of their cameras. 会社は自社カメラの品質を保証した. **b**〈やや古〉〈人〉に〈…だと〉請け合う[*that* 節] ‖ It won't happen again, I('ll) *warrant* (you). 二度とそういうことは起こりません. 請け合います.

war·ran·ty /wɔ́ːrənti, wɑ́ːr- | wɔ́r-/ 名 **1** U〈…の〉正当な理由; 権限《*for*》. **2** CU〔商品などの〕保証; 保証書《*on*》‖ *under warranty* 保証期間中 / The *warranty* covers parts and labor charges for one year. 1年間部品交換や修理代を保証します《◆保証書の決まり文句》.

†**war·ren** /wɔ́ːrən/ 名 **1** ウサギの繁殖地, ウサギの飼育場(rabbit warren). **2** 過密住居, ごみごみした地域[建物].

†**war·ri·or** /wɔ́ːriər, wɑ́ːr- | wɔ́r-/ 名 C **1**〔文〕武人, 武士, 軍人; 古つわ者, 勇士. **2**(未開部族の)戦士.

War·saw /wɔ́ːrsɔː/ 名 ワルシャワ《ポーランドの首都》.

†**war·ship** /wɔ́ːrʃìp/ 名 C 軍艦.

wart /wɔ́ːrt/ 名 C **1** いぼ. **2** 〔植〕(木の)こぶ.
wart·hog /wɔ́ːrthɔ̀(ː)ɡ/ 名 C 〔動〕イボイノシシ《アフリカ産》.
war·time /wɔ́ːrtàɪm/ 名 U 戦時; [形容詞的に] 戦時の(↔ peacetime) ‖ *under wartime* control 戦時体制下で.

†**war·y** /wéəri/ 形 (**-i·er**, **-i·est**)〔正式〕〈…に〉用心深い《*of*》, 油断のない, 細心の, 慎重な ‖ be *wary of* giving offense to him 彼を怒らせないよう用心する.
wár·i·ness 名 U 用心, 注意.

‡**was** /(弱) wəz, wz; (強) wɑ́z, wʌ́z, wɔ́z | wɔ́z/
——動 助 **1** 一人称および三人称単数を主語とする be の直説法過去形《◆am, is の過去形》(語法 → be): I [He] *was* busy. 私[彼]は忙しかった. **2**〔略式〕be の仮定法過去《◆一人称・三人称主語の場合 were の代わりに *was* を用いるのが〔略式〕ではふつう》. ➡文法 9.1).

‡**wash** /wɔ́ʃ, wɔ́(ː)ʃ | wɔ́ʃ/ [「水で洗う」が本義]
——動 (~·es/-ɪz/; 過去・過分 ~ed/-t/; ~·ing)
——他 **1 a**〈人が〉〈体(の部分)・物〉を〔…で〕**洗う**, 洗濯する《*with*, *in*》‖ *wásh* oneself 体を洗う / *wásh*

one's fáce 顔を洗う / *Wash* your*self* before you eat. 食事の前に手を洗いなさい《◆ *Wash* before you eat. の方がふつう》/ *wash* some dirty clothes *with* soap 汚れた衣服を石けんで洗う / I want to *wash* my hands. 手を洗いたい；トイレはどこ. **b** [wash **A C**] 〈物を〉**A**〈物〉を洗って **C** にする ‖ *wash* clothes white 服を洗って真っ白にする. **2 a** 〈人などから〉〈汚れ・しみなどを〉[…に]洗い落とす, 洗い流す(+*out, off, away*)〔*off, out, of, from*〕‖ Can you *wash* that spot out? そのしみを洗い落とせますか. **b** 〈人を〉〔罪などから〕洗い清める(+*away*)〔*from*〕‖ She was *washed* from sin. 彼女は罪を洗い清められた(=Her sin was *washed* away.). **3** 〈流水が〉〈橋・舟・土砂などを〉**押し流す**, さらって行く (+ *up, down, away*) ‖ The bridge was *washed away* in the storm. 橋があらしで押し流された.
4 《主に文》〈海・波が〉〈岸辺・崖などを〉洗う, …に打ち寄せる ‖ The waves are *washing* the shore. 波が岸を洗っている. **5** 〈水などが〉…をえぐり取る, 浸食する;〈浸食して〉…を作り出す(+*out*) ‖ The water *washed* (*out*) a channel in the sand. 水が砂地をえぐって溝を作り出した.
—自 **1** 〈人が〉[…で]手を洗う, 顔を洗う, 体を洗う((米) + *up*)〔*in, with*〕‖ *wash* before eating 食事前に手を洗う / He *washed*, shaved, and put on clean clothes. 彼は顔を洗い, ひげをそって洗濯たての服を着た.
2 〈人が〉洗濯をする ‖ She *washes* for a living. 彼女は洗濯(屋)をして生計をたてている.
3 〈生地などが〉**洗濯がきく**, 洗っても色落ちしない;〈洗剤などが〉汚れなどが洗い落とせる(+*out, off*) ‖ This cloth *washes* well [*easily*]. この生地はよく洗濯がきく[簡単に洗える] / This material won't *wash* — it must be dry-cleaned. この布地は洗濯がきかない. ドライクリーニングしなければいけない.
4 《主に文》〈波が〉〈岸などに〉打ち寄せる, 〔岸などを〕洗う (*against, over, at, on, upon*) ‖ The waves *washed against* the shore. 波が岸に打ち寄せた.
5 《英略式》《通例疑問文・否定文で》〈話・言い訳などが〉〈人には〉信じられる, 当てになる(*with*) ‖ Her story won't *wash*. 彼女の話は当てにはならない / It doesn't *wash* (*with* me). (私には)それはどうも納得できない《◆ It's a lie. の遠回し表現》.

wásh awáy [他] ⇒ **2, 3**.
wásh dówn [他] (1) …を(勢いよく)洗い流す ‖ They *washed down* the car. 彼らは車を洗った. (2) → 他 **3**. (3) 〈食物などを〉〈液体で〉流しこむ〔*with*〕‖ *wash down* the medicine *with* water 薬を水で流しこむ.
wásh óut [自] (1) 〈汚れ・染色などが〉洗って落ちる. (2) → 他 **3**. (3) 《米》落第する. —[他] (1) → 他 **2 a, 5**. (2) …を押し流す, 洗い流す. (3) 《略式》[be ~ed] 疲れ切る(→ washed-out). (4) 〈人・雨が〉〈試合などを〉中止にする;〈計画などを〉つぶす. (5) 《米》〈人を〉落第させる.
wásh úp [自] (1) 《米》手[顔]を洗う. (2) 《英》(汚れた)食器を洗う ‖ Who *washes up* after dinner in your house? 君の家ではだれが夕食後食器を洗うのか. —[他] (1) → 他 **3**;〈波などが〉〈漂流物を〉岸に打ち上げる ‖ the wood (which was) *washed up* by the sea 波が打ち上げた木材. (2) 〈食器類を〉洗って後片付けをする ‖ *wash up* the supper things 夕食の皿を洗う《◆ 1 点だ

けの食器を洗う時は up は使わない》. (3) 《略式》[be ~ed] だめになる, 失敗する;疲れている, 元気がない ‖ He is now all *washed up* as a boxer. 彼はボクサーとしてはもうだめだ.

—名 (複 ~・es/-iz/) **1** [a/the ~] 洗うこと, 洗濯, 洗浄(washing); [the ~] 洗濯屋[場] ‖ *have a good* [*quick*] *wash* (手や顔をよく)[急いで]洗う / *be at the wash* 洗濯(屋)に出してある / The trousers have shrunk *in the wash*. 洗濯してズボンが縮んだ / Give your shirt *a good wash*. 君のシャツをよく洗いなさい.
2 [a/the ~;集合名詞] (1回分の)**洗濯物**, 洗い物 ‖ Take *the wash* from the dryer. 乾燥機から洗濯物を取り出しなさい.
3 [the ~] (水の)流れ, (波の)打ち寄せる音)‖ hear *the wash* of the waves against the shore 岸に打ち寄せる波の音が聞こえる. **4** Ⓤ《時に a/the ~》(船の通った後の)うねり, 白波;(飛行機の通った後の)気流 ‖ make *a big wash* 大きなうねりを生じる. **5** Ⓤ (汁まじりの)残飯. **6** Ⓤ《時に a/the ~》水っぽい飲食物, 薄い飲み物. **7** Ⓒ[複合語で] 洗剤, 化粧水, 洗薬 ‖ a hair *wash* 洗髪剤. **8** Ⓒ (塗料の)薄いひと塗り, (金属の)めっき. **9** Ⓒ 《米》洗い場 ‖ a cár wàsh 洗車場 (=a carwash).
còme óut in the wásh《略式》(1)〖洗濯で汚れが落ちると服の本当の状態がわかることから〗好ましくないことが明るみに出る, 知れる. (2)〖汚れが洗濯でうまく落ちることから〗最後はうまくいく, 好転する.
—形《略式》[名詞の前で]洗濯のきく.

Wash.《略》*Washington*.
wash- /wɑ́ʃ-|wɔ́ʃ-/《語要素》→ 語要素一覧 (1.2).
✝**wash·a·ble** /wɑ́ʃəbl, wɔ́ʃ-|wɔ́ʃ-/ 形 **1** 〈衣類などが〉洗濯のきく. **2**〈インクなどが〉水に溶ける.
wash-and-wear /wɑ́ʃənwéər, wɔ́ʃ-|wɔ́ʃ-/ 形 洗っただけですぐ着られる, ノーアイロンの.
wash·basin /wɑ́ʃbèisn, wɔ́ʃ-|wɔ́ʃ-/ 名《英》= washbowl.
wash·board /wɑ́ʃbɔ̀ːrd, wɔ́ʃ-|wɔ́ʃ-/ 名 Ⓒ **1** 洗濯板. **2** (家の)幅木(はば).
wash·bowl /wɑ́ʃbòul, wɔ́ʃ-|wɔ́ʃ-/ 名 Ⓒ 《米》**1** 洗面器. **2** 洗面台《米》sink, 《英》washbasin((図)→ bathroom).
wash·cloth /wɑ́ʃklɔ̀(ː)θ, wɔ́ʃ-|wɔ́ʃ-/ 名 Ⓒ 《米》**1** 小型タオル, 浴用タオル(facecloth)《◆入浴時に顔・体を洗うのに用いる.). **2** (皿洗い用の)ふきん.
washed-out /wɑ́ʃtáut, wɔ́ʃ-|wɔ́ʃ-/ 形 **1** 色のあせた;洗いざらしの. **2**《略式》〈人が〉疲れ果てた, 元気のない.
washed-up /wɑ́ʃtʌ́p, wɔ́ʃ-|wɔ́ʃ-/ 形 **1** きれいに洗った. **2**《略式》疲れ切った. **3**《略式》[しばしば all ~] 〈人・事が〉だめになった, 完全に失敗した.
✝**wash·er** /wɑ́ʃər, wɔ́ʃ-|wɔ́ʃ-/ 名 Ⓒ **1** 洗う人, 洗濯女. **2**《略式》洗濯機, 洗浄機, 洗鉱機.
✝**wash·ing** /wɑ́ʃiŋ|wɔ́ʃ-/ 名 **1** Ⓤ Ⓒ 洗うこと, 洗濯, 洗浄(wash) ‖ Do a [the] *washing* 洗濯をする / He gave his car a good *washing*. 彼は自分の車をよく洗った《◆ ✳He gave a good washing to his car. とはいわない》. **2** Ⓤ[通例 the ~;集合名詞] (1回分の)洗濯物 ‖ hang out *the washing* on the line to dry 洗濯物をロープにかけて干す.
wáshing machìne 洗濯機.
wáshing pòwder 粉石けん.

Wash·ing·ton
/wɑ́ʃiŋtən, wɔ́ʃ-|wɔ́ʃ-/
—名 **1 a** ワシントン《米国の首都. Washington,

Wáshington Convéntion ワシントン条約《絶滅のおそれのある野生動植物の国際取引に関する条約》.

Washington, D.C. [**DC**] → **1 a**.

Washington's Birthday ワシントン誕生日《もとは2月22日, 現在は2月の第3月曜日》.

wash'n'wear /wáʃnwɛər, wɔːʃ- | wɔʃ-/ 形 = wash-and-wear.

wash·out /wáʃàut, wɔːʃ- | wɔʃ-/ 名 1 Ⓤ (道路・堤防などの)流失, 決壊. 2 Ⓒ 流失[決壊]箇所, 浸食部分. 3 Ⓒ (略) 大失敗; 失敗者, 落第者.

wash·room /wáʃrùːm, wɔːʃ- | wɔʃ-/ 名 Ⓒ (米) (レストランや公共施設の)洗面所; (遠回しに) 公衆便所[トイレ](rest room, comfort station, the ladies' [men's] room).

wash·stand /wáʃtænd, wɔːʃ- | wɔʃ-/ 名 Ⓒ 1 (旧式の)洗面台《水差しや洗面器などを置いた台》. 2 (水道設備のついた)洗面台.

wash·tub /wáʃtʌb, wɔːʃ- | wɔʃ-/ 名 Ⓒ 洗濯だらい.

***was·n't** /wʌznt, wɒz-/ was not の短縮形.

✝**wasp** /wɔ́sp, wɔːsp | wɔsp/ 名 Ⓒ 1 [昆虫] ジガバチ, スズメバチ(hornet). 2 怒りっぽい人, 気難し屋.

WASP, Wasp /wɔ́sp, wɔːsp | wɔsp/ [**W**hite [white] **A**nglo-**S**axon **P**rotestant] 名 Ⓒ (米) 《通例侮蔑》アングロサクソン系白人新教徒, ワスプ《◆特に少数民族が米国社会の支配層としての白人中流階級をさして使う言葉》.

wasp·ish /wɔ́spiʃ, wɔːsp- | wɔsp-/ 形 1 [昆虫] スズメバチ[ジガバチ]の(ような). 2 怒りっぽい; 意地の悪い.

Was·ser·mann /wɑ́ːsərmən | wǽs-/ Ⓤ Ⓒ = Wassermann test [reaction].

Wásser·mann tèst [reàction] [医学] ワッセルマン検査[反応] 《血清による梅毒検査. ドイツの医師・細菌学者の名から》.

wast /(弱) wəst; (強) wást | wɔst/ 動 (古) be の二人称単数直説法過去形(→ wert) ‖ thou wast = you were.

wast·age /wéistidʒ/ 名 1 Ⓤ [時に a/the ~] 損耗, 消耗; 損耗額[高], 損失量. 2 Ⓒ Ⓤ 浪費, 廃物.

***waste** /wéist/ [発音注意] [同音] waist) 《「空(むな)しい」が原義》 刑 wasteful (形)

— 動 (~s/-ts/; 過去・過分 ~ed/-id/; ~ing)
— 他 1 〈人が〉〈金・時間・財産などを〉浪費する, 消耗する, むだに使う; ...を[...で]むだにする[on, over, in] ‖ *waste* time *on* trifles つまらない事に時間をむだに過ごす / Bill *wasted* two hours (*in*) waiting for her to come. 彼女が来るのを待ってビルは2時間むだにした.
2 《戦争などが》〈土地・国などを〉荒廃させる《◆destroy の方がふつう》 ‖ a country (which was) *wasted* by a long war 長期の戦争で荒廃した国. 3 《正式》〈体・体力などを〉消耗させる, 弱り衰えさせる; ...を浸食する ‖ His strength was *wasted* by long illness. 長患(ながわずら)いで彼は体が弱った.

— 自 1 むだ使いする, 浪費する ‖ *Waste* not, want not. (ことわざ) むだがなければ不足もない. 2 《まれ》〈物が〉浪費される, むだになる ‖ The water is *wasting*. 水がむだにどんどん流れている. 3 〈人・体力などが〉衰弱する, やせ衰える, 弱る(+*away*) ‖ *waste*

away for lack of food 食糧不足でやせ衰える. 4 〈物が〉(だんだん)消耗する[減る, すり減る].

áll wásted (1) 間違った. (2) 理解していない; (考え方などが)遅れている.

— 名 (複 ~s/wéists/) 1 Ⓤ [時に a ~] 浪費, 空費, むだ使い(↔ thrift) ‖ *a waste of* time [énergy] 時間[エネルギー]の浪費 / What *a waste!* いくらなんでももったいない(ことをする).
2 Ⓒ 《主文》 [しばしば ~s] 荒地, 荒野, 荒涼とした土地[原野], 砂漠(→ desert) ‖ *a waste of* rocks 見渡す限りの岩の荒地 / sandy *wastes* 砂漠 / the *wastes* of the Sahara サハラの大砂漠《◆「広大さ」の強調のための複数形》.
3 Ⓤ (都市などの)破壊. 4 Ⓒ Ⓤ [しばしば ~s] (生産過程で生じる)廃(棄)物, くず, 残りかす; 排泄物, (特に)犬の糞; くず原料[毛布]; ごみ ‖ industrial [radioactive] *wastes* 産業[放射能]廃棄物 / human *waste* 人間の便.

gó [rùn] to wáste むだになる, 廃物になる.

— 形 《◆比較変化しない》 1 [通例名詞の前で] 廃物の, 不用の; 余分の, むだになる, 残りかす. 2 荒れた; 不毛の, 耕されていない; 無人の ‖ lie *waste* (土地が)荒れている, 未開墾のままである. 3 [名詞の前で] 〈容器などが〉ごみ[汚れ物]用の. 4 排泄(はい)された ‖ *waste* matter [医学] (体の)老廃物.

wáste bin (英) (台所の)生ごみ入れ; = wastebasket.

wáste dispósal (ùnit) (英) = garbage disposal.

wáste mànagement ごみ管理[処理].

wáste pàper = wastepaper.

wáste pipe 排水管.

wáste pròduct (工場などの)廃棄物.

waste·bas·ket /wéistbæskət | -bàːskit/ 名 Ⓒ (米) (紙)くずかご, くず入れ((英) wastepaper basket).

wast·ed /wéistid/ 形 不要な, むだな; 浪費した.

✝**waste·ful** /wéistfl/ 形 1 むだづかいの多い, 浪費する; 不経済な(↔ economical); [...を]浪費する[*of, with*]. 2 戦争などが〉荒廃をもたらす, 破壊的な.

wáste·ful·ly 副 むだに, 不経済に.

wáste·ful·ness 名 Ⓤ 浪費, 不経済.

waste·land /wéistlænd/ 名 1 Ⓤ Ⓒ 《文》 荒地, 未開墾[不毛]の土地; (戦争・災害などで)荒廃した地域. 2 Ⓒ [通例 a ~] 荒廃した社会[時代], 荒廃地帯.

waste·pa·per /wéistpèipər/ 名 Ⓤ 紙くず, ほご.

wástepaper bàsket (英) = wastebasket.

waste·wa·ter /wéistwɔ̀ːtər/ 名 Ⓤ 廃水, 汚水.

wast·ing /wéistiŋ/ 動 → waste.

***watch** /wátʃ, wɔːtʃ | wɔtʃ/ 《「目を覚ましている」が原義》

index
動 自 1 じっと見ている 2 期待して待つ 3 警戒する
他 1 じっと見ている 2 見張る
名 1 腕時計 2 見張り 3 警備員

— 動 (~·es/-iz/; 過去・過分 ~ed/-t/; ~·ing)
— 他 1 〈人・変化するものを〉じっと見ている, 見守る, 注意して見る; 見物する, 観察する ‖ *Watch* while he is writing. 彼が書いている間よく見ていなさい.
2 [*watch for* A] 〈人が〉A〈人・物・好ましい変化など〉を期待して待つ; [*watch for* A *to do*] 〈人が〉A〈人・物などが〉...するのを待ち構える; [*watch to do*] 〈人が〉...しようと待機する ‖ *watch for* the train 今

か今かと列車を待つ / She stood ***watching for*** the signal ***to*** change to green. 彼女は信号が青に変わるのを待っていた / I ***watched to*** see what she would do. 私は彼女が何をするのかを見ようと待ち構えていた.

3 〔…が〕現れないかと**警戒する**[用心する]〔*for*〕; 〔…を〕見張る, 監視する; 〔…を〕見守る; 《正式》〔…の〕番[世話]をする〔*over*〕‖ ***Watch for*** cars when you cross the street. 通りを横切る時には車に注意しなさい / ***Watch over*** my suitcase. 私のスーツケースを見ていてください.

━[他] **1** 〈人が〉〈人・物・事〉を**じっと見ている**, 見守る, 注視する, 観察する《◆ ✎ 目的語は動く・変化するもの, またはその可能性のあるもの. 動かない[変化しない]ものを見るのは look at. 「look at [×watch] the painting 絵を見る」》([使い分け] → see [他]**1 a**); [watch **wh**節・句] …かを観察する; [watch **A** do] 〈人が〉**A**〈人・物〉が…するのを**見守る** ‖ *watch* a baseball game on TV テレビで野球の試合を見る / *Watch what* she is going to do. 彼女が何をしようとしているのか見ていなさい / I ***watched*** her go [go***ing***] out of the room. 彼女が部屋を出て行くのを[出て行くところを]私はじっと見ていた《◆(1) ✎ 不定詞 go は「出て行く行為」を「終わるまで見ていた」, going は「途中の一部分を見ていた」の意. (2) ×She was watched to go … の受身形は不可. She was *watched* going … は可.》/ *Watch* your head, please! 頭上に注意してください.

2 〈人が〉〈人・物・事〉を**見張る**, 監視する; 〔…ということに/…かを〕気をつける[用心する]〔*that*節/*wh*節〕‖ *Watch* my bags. 私のかばんを見ていてください / ***Watch*** (***that***) you don't fall. 転ばないように気をつけなさい《◆ that節内にはふつう will を用いない. ➔文法 4.1(4)》.

3 〈機会など〉を待つ, うかがう ‖ *watch* one's opportunity [time] to … …の好機を待ち構える. **4** …の世話[看病, 番]をする. **5** 《略式》…に注意[用心]する ‖ *watch* oneself 自重する.

Wátch it! 《略式》ほら, 気をつけて!

wátch óut [自]《略式》用心する, 警戒する; 〔…に〕用心する, …を監視する〔*for*〕‖ *Watch out!* あぶない!, 気をつけろ!(=Mind!).

━[名] ([複] ~·es/-iz/)

I [時計]

1 [C] [しばしば複合語で] **腕時計**, 懐中時計(→clock); クロノメーター ‖ What time is it ***by*** your ***watch***? =What does your *watch* say? あなたの腕時計では今何時ですか / [対話] "This *watch* doesn't work [×move]. How long will it take to repair it?" "Give me a week." 「この時計動かないんですが, 修理にどのくらいかかりますか」「1週間ですね」.

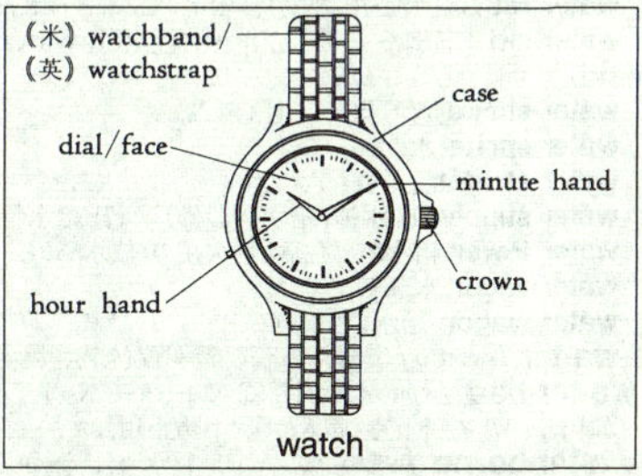

II [見張り]

2 [C][U] 〔…に対する〕**見張り**, 警戒, 用心, 監視〔***for, on, over, upon***〕; 注視, 熟視, 観察 ‖ ***kèep*** (***a***) góod [clóse, cáreful] ***wátch on*** [***over***] his house 彼の家を十分[厳重]に見張る.

3 [C] 《正式》[しばしば a/the ~] 番人, 見張り人, **警備員**, 夜警, ガードマン(watchman); [the ~; 集合名詞; 単数・複数扱い] 夜警団《◆ night-watch ともいう》.

4 [C][U] 警備[見張り]時間; 〔海事〕(ふつう4時間交替の)当直(時間), ワッチ; [集合名詞; 単数・複数扱い] 当直団; [C] 〔歴史〕[通例 ~es] 更(こう)《夜間を3-4等分した区分の1つ》‖ the port *watch* 左舷当直員 / the first *watch* 午後8時から真夜中までの当直 / keep *watch* 当直をする / on [off] *watch* 当直[非番]中.

5 [C][U] 《正式》寝ないで[眠らずに]いること; 眠れないこと; 〔…に対する〕寝ずの番, 寝ずの看護〔*over*〕‖ She ***kept watch over*** her sick baby. 彼女は病気の赤ん坊を寝ずに看病した.

a wátch and cháin [単数扱い] 鎖の付いた時計.

be on the wátch for [***agáinst***] **A** …を油断なく警戒している, 待ち構えている.

wátch chàin [**guàrd**] 懐中時計の鎖.

wátch glàss 《英》懐中[腕]時計のふたガラス.

wátch nìght 除夜, 大みそかの夜.

wátch pòcket (チョッキ・ズボンの)時計用のポケット.

Wátch Tówer ものみの塔(Jehovah's Witness).

watch·band /wɑ́tʃbæ̀nd, wɔ́ːtʃ- | wɔ́tʃ-/ [名][C]《米》腕時計のバンド.

watch·dog /wɑ́tʃdɔ(ː)g, wɔ́ːtʃ- | wɔ́tʃ-/ [名][C] 番犬; 監視人.

†**watch·er** /wɑ́tʃər, wɔ́ːtʃ- | wɔ́tʃ-/ [名][C] **1** 番人, 監視人. **2** 寝ずに付き添う人; 看護人; 通夜をする人. **3** 《米》選挙立会人.

†**watch·ful** /wɑ́tʃfl, wɔ́ːtʃ- | wɔ́tʃ-/ [形]《正式》〔…に〕用心深い, 油断のない〔*about, against, for, of*〕; 〔…を〕見張って〔*on, over*〕; 〔…するように〕用心する〔*to* do〕‖ Be *watchful of* her health. 彼女の健康に気をつけなさい. **wátch·ful·ly** [副] 用心深く, 油断なく, 警戒して.

†**watch·ful·ness** /wɑ́tʃflnəs, wɔ́ːtʃ- | wɔ́tʃ-/ [名][U] 用心深いこと, 油断のないこと.

watch·mak·er /wɑ́tʃmèikər, wɔ́ːtʃ- | wɔ́tʃ-/ [名][C] 時計屋[製造人, 修理人].

†**watch·man** /wɑ́tʃmən, wɔ́ːtʃ- | wɔ́tʃ-/ [名] ([複] --men) [C] 夜警, ガードマン(nightwatchman); 見張り人((PC) watch, (security) guard).

watch·tow·er /wɑ́tʃtàuər, wɔ́ːtʃ- | wɔ́tʃ-/ [名][C] 望楼, 物見やぐら, 監視塔.

†**watch·word** /wɑ́tʃwə̀ːrd, wɔ́ːtʃ- | wɔ́tʃ-/ [名][C]《文》**1** 合言葉. **2** 標語, モットー(motto); (政党などの)スローガン.

⁑**wa·ter** /wɔ́ːtər, (米+) wɑ́-/

━[名] ([複] ~s/-z/)

I [水]

1 [U] **水**《◆ 温度に関係なく用いる. したがって日本語の「湯」も含む》‖ ***a glass of water*** コップ1杯の水 / turn on the *water* (蛇口をひねって)水を出す / Give me *some water*, please. 水を少しください / The boiler provides all the hot *water* we need. 使うだけのお湯がこのボイラーで出ます / It's like mixing oil and *water*. それは水と油を混ぜるような

ものだ.

関連 [いろいろな種類の water]
boiling water 熱湯 / cold [cool] water 冷水 / distilled water 蒸留水 / drinking water 飲料水 / filtered water ろ過水 / fresh water 淡水, 清水 / hard water 硬水 / hot water 湯 / mineral water 鉱泉水 / salt water 塩水 / sea [ocean] water 海水 / soapy water 石けん水 / soft water ワインを水で割る / spring water 泉の水 / tap water 水道水 / warm water 温水.

2 a [~s; 複数扱い] 鉱泉水 ‖ drink [take] the waters (健康のために)鉱水を飲む; 湯治をする《◆欧米では入浴のためよりはむしろ鉱水を飲む目的で温泉に行くことが多い》. **b** ⓤ 水道(水) ‖ running water 水道水; 流水 / city water 水道用水.
3 ⓤ 分泌液, 体液《涙・汗・尿・唾液・羊水など》; 〔医学〕水腫 ‖ hold one's water 小便をこらえる.
4 ⓤ 〔化学〕水溶液; 化粧水; [複合語で] …水 ‖ róse wàter バラ香水 / ammónia wàter アンモニア水.

‖ [水が集まった所]
5 [the ~] (陸・空に対しての)水, 水中, 水のある所 ‖ fall in [into] the water 水中に落ちる.
6 ⓤ [時に (the) ~s; 複数扱い] (海・湖・川などの)多量の水, 満々たる水, 積水, 流水; 〔文〕海, 湖, 川; 洪水 ‖ rough water 荒れた海 / in deep waters 深海に / cross the waters 海を渡る ‖ Still waters run deep. (ことわざ) 静かな流れは深い; 考えの深い人はぺらぺらしゃべらない; 〔文〕「能あるタカはつめを隠す」《◆「腹黒い人, ずる賢い人」といった悪い意味にも用いる》.
7 [~s; 複数扱い] 水域, 海域; 領海, 近海 ‖ in American waters 米国の領海[水域]で《◆この waters は海・川・領海など水域を示す強意複数》.
8 ⓤ 水[潮]位; 水[海]面; 喫水 ‖ above water 水面上に / at high [low] water 満[干]潮に.

above wáter (1) → 8. (2) 〔略式〕(経済上の)困難[苦痛]を免れて.
by wáter 水路で, 海路で(↔ by land) ‖ I like traveling by water. 私は船旅が好きです《◆by boat の方がふつう》.
hóld wáter (1) 水を漏らさない. (2) [通例疑問文・否定文で] 〈理論・計画などが〉すきがない, 筋道が通っている, 完璧(欠)である. (3) (オールの先を水中に立てて)ボートを止める.
in [into] déep [róugh, hót] wáter(s) 難儀して, 苦境に陥って.
like wáter 〔略式〕惜しげなく, どんどん ‖ pour out money like water 湯水のように金を使う.
on the wáter 水上に, 海上に; 船に乗って(on board).
póur cóld wáter óver [on] A =throw cold WATER over [on].
táke (the) wáter (1) 水に入る, 泳ぎ始める. (2) 〈船が〉進水する. (3) 退散する.
thrów cóld wáter óver [on] A 〔略式〕〈計画などに〉水をさす, けちをつける.
tréad wáter 立ち泳ぎする《◆過去形・過去分詞形はふつう treaded》.
*__únder wáter__ 水中に; 浸水して ‖ The entire town was under water. 町全体が水没した.
wáter ùnder the brídge =wáter óver the dám 過ぎてしまったこと, 今さらどうにもならないこと.

──**動** (~s/-z/; 過去・過分 ~ed/-d/; ~・ing /-təriŋ/)
──**他 1** 〈人などが〉〈場所〉に水をかける, 〈植物〉に水をやる, …をぬらす ‖ water the lawn 芝生に水をまく.
2 〈人が〉〈船・エンジンなど〉に給水する;〈動物〉に水を飲ませる ‖ water a ship 船に給水する.
3 〈土地〉を灌漑(蒙)する. **4** 〈液体など〉を水で薄める[割る]; 〈話・表現などの〉調子を和らげる[弱める]; 〈物〉の品質を落とす(+down) ‖ water down the wine ワインを水で割る. **5** [通例 be ~ed] 〈織物・金属などが〉波紋をつけられている.
──**自 1** 〈器官が〉分泌液を出す; 〈目が〉涙を出す; (しばしば物欲に)〈口がよだれ[生つば]を出す ‖ His mouth watered at the thought of his mom's cookies. ママの作ってくれるクッキーを思い出すと彼の口から生つば[よだれ]が出た. **2** 〈動物が〉水を飲む. **3** 〈船・エンジンなどが〉水の供給を受ける, 水を補給する.

wáter ballèt 水中バレエ.
Wáter Bèarer 〔天文・占星〕 [the ~] =Aquarius.
wáter bèetle 〔昆虫〕水中に住む甲虫; ゲンゴロウ.
wáter bìrd 水鳥(aquatic bird).
wáter blìster 〔医学〕水ぶくれ, 水疱(½½).
wáter bòttle 〔英〕水差し, 水筒(canteen).
wáter bùffalo 〔動〕スイギュウ; 〔米俗〕水陸両用戦車.
wáter chèstnut 〔植〕ヒシ(の実).
wáter chùte ウォーターシュート《傾斜路をボートで滑り降りて水上に突進する遊戯》.
wáter clòck 水時計.
wáter clòset 〔主に英正式〕水洗便所, 洗面所(略 WC, w.c.).
wáter contaminátion 水質汚染.
wáter cóoler 飲用水冷却器.
wáter gàte 水門(floodgate).
wátering càn [主に米] **pòt** [英] じょうろ.
wátering hòle (1) 水たまり, 小さな池; (動物たちの水飲み場となった)河原の水たまり. (2) 社交場《バー, ナイトクラブ》. (3) 〔米略式〕海水浴場(watering place).
wátering plàce (1) 〔主に英〕温泉場, 海水浴場. (2) (動物の)水飲み場; (船などの)水補給地.
wáter lèvel 水位, 水平面; 水準器.
wáter lìly 〔植〕スイレン.
wáter mèter 水量計.
wáter mìll 水車小屋; (水車による)製粉場.
wáter nỳmph 〔ギリシア神話・ローマ神話〕水の精(naiad).
wáter pìpe 送水管; 水ぎせる.
wáter pìstol 水鉄砲.
wáter plàne (1) 〔造船〕水線(断). (2) 水上(飛行)機.
wáter pòlo 〔競技〕水球, ウォーターポロ.
wáter ràt 〔俗〕(海・川などの)浮浪者, ごろつき; 水夫.
wáter skì [通例 ~s] 水上スキー(の板) (cf. water-ski).
wáter snàke 〔動〕ミズベヘビ《無毒》.
wáter sprìte 水の精.
wáter strìder 〔昆虫〕アメンボ.
wáter supplỳ (1) 水道(給水); (設備). (2) 給水量.
wáter tòwer 給水塔; (高所消火用の)放水やぐら.
wáter vàpor 水蒸気.
wáter wàgon 給水[散水]車.
-wa・ter /-wɔ́ːtər/ 〔語要素〕→語要素一覧(1.7).
wa・ter・bed /wɔ́ːtərbèd/ 图 Ⓒ ウォーターベッド《水が中に入ったマットレス. 病人の床ずれ防止用》.
wa・ter・borne /wɔ́ːtərbɔ̀ːrn/ 形 **1** 水上に浮かぶ

water-bus

2 水上輸送の. **3** 水中伝染する.
wa·ter·bus /wɔ́ːtərbʌ̀s/ 图 C 《英》水上バス《湖・川などの連絡船》.
Wa·ter·car·ri·er /wɔ́ːtərkæ̀riər/ 图 《天文・占星》=Aquarius.
wa·ter·col·o(u)r /wɔ́ːtərkʌ̀lər/ 图 **1** U 《通例 ~s; 複数扱い》水彩絵の具. **2** C 水彩画;U 水彩画法.
†**wa·ter·course** /wɔ́ːtərkɔ̀ːrs/ 图 **1** 水流, (小)川. **2** 川床;運河, 水路.
†**wa·ter·cress** /wɔ́ːtərkrès/ 图 C U 《植》オランダガラシ, ミズガラシ, クレソン《アブラナ科. 葉・茎はサラダ・スープ用》.
†**wa·ter·fall** /wɔ́ːtərfɔ̀ːl/ 《米+》wɑ́-/ 图 **1** 滝, 瀑布(ばく)《◆ 固有名詞の場合は Niagara Falls《ナイアガラの滝》のように falls がふつうだが, それ以外では falls よリー般的. cf. fall, cascade, cataract》落水 ‖ This *waterfall* is 50 meters high. この滝は50mの高さがあります. **2** 《束ねずに長く後ろに垂らす》女性の髪型の一種. **3** どっと押し寄せるもの, [a ~ of +名詞] …の殺到《◆ flood の方がふつう》.
wa·ter·find·er /wɔ́ːtərfàindər/ 图 C 《主に英》占い杖(で)で水脈を発見する人[占い師].
wa·ter·fowl /wɔ́ːtərfàul/ 图 《複》~s, [集合名詞]
wa·ter·fowl (U) 水鳥;[集合名詞;複数扱い]《猟鳥としての》水鳥《カモ・ガンなど》 《◆ 個々の水鳥は water bird》.
wa·ter·front /wɔ́ːtərfrʌ̀nt/ 图 C 《通例 a/the ~》 **1** 海岸[湖岸]の土地;河岸(が). **2** 海岸[湖岸]通り.
Wa·ter·gate /wɔ́ːtərgèit/ /《民主党本部のあった建物の名から》图 U **1** ウォーターゲート事件《1972年米国共和党側の人物が民主党本部に盗聴器を仕掛けようとした事件. ニクソン大統領の失脚にまで発展した》. **2** 《時に w~》 C 《略式》《ウォーターゲートのような》謀略.
wa·ter·line /wɔ́ːtərlàin/ 图 C 《海事》《the ~》 《喫》水線.
wa·ter·logged /wɔ́ːtərlɔ̀ːgd/ 形 **1** 〈船が〉浸水した;〈道が〉水びたしの;〈木材が〉十分水につかった. **2** 行き詰まった.
†**Wa·ter·loo** /wɔ́ːtərlúː/ 《◆ 名詞の前に用いる場合にはふつう /´-´-/》 图 **1** ワーテルロー《ベルギー中部の町. Napoleon I が1815年に大敗北を喫した古戦場》. **2** 《one's ~》大失敗. **méet** *one's* **Waterlóo** [*wa·terlóo*] 大敗を喫する.
wa·ter·man /wɔ́ːtərmən/ 图 《複》 **-men** C **1** こぎ手, 艇手. **2** 船頭. **3** 漁師.
wa·ter·mel·on /wɔ́ːtərmèlən/ 图 C スイカ;U スイカの実 ‖ a slice [piece] of *watermelon* スイカひと切れ.
wa·ter·pow·er /wɔ́ːtərpàuər/ 图 U 水力;《水力源に利用できる》滝.
†**wa·ter·proof** /wɔ́ːtərprùːf/ 形 〈服などが〉水を通さない, 《完全》防水[耐水]性の. ━━图 **1** U 《主に英》防水布, 防水材. **2** C 《主に英》防水服, レインコート. ━━動 他 …に防水する.
wá·ter·pròof·ing 图 U 防水加工[処理];防水材料.
wa·ter·shed /wɔ́ːtərʃèd/ 图 C **1** 分水嶺(れ)[界]. **2** 《米》《河川の》流域. **3** 《正式》分岐点.
wa·ter·side /wɔ́ːtərsàid/ 图 《the ~;時に形容詞的に》《海・湖・川の》水辺(の), 水ぎわ(の).
wa·ter·ski /wɔ́ːtərskìː/ 動 自 水上スキーをする《cf. water ski》.
wa·ter·sol·u·ble /wɔ́ːtərsɑ́ljəbl | -sɔ́l-/ 形 水溶性の.
wa·ter·spout /wɔ́ːtərspàut/ 图 C **1** 排水口[管];

《縦+》雨どい. **2** 水上の竜巻. **3** 《突然の》豪雨, どしゃぶり.
wa·ter·tight /wɔ́ːtərtàit/ 形 **1** 水を通さない, 防水の. **2** 《正式》〈議論などが〉水も漏らさぬ, すきのない.
†**wa·ter·way** /wɔ́ːtərwèi/ 图 C **1** 運河;水路, 航路. **2** 《甲板の》排水溝. **3** 《木造船の》梁圧(ようあつ)材.
wa·ter·wheel /wɔ́ːtərhwìːl/ 图 C 水車;《バケツのついた》揚水車;水力タービン.
†**wa·ter·works** /wɔ́ːtərwə̀ːrks/ 图 **1** U[単数・複数扱い]水道[給水]設備. **2**[単数扱い]給水所. **3**[通例複数扱い]《ショーなどの》大噴水. **4**《英略式》[複数扱い;遠回しに] 泌尿器.
†**wa·ter·y** /wɔ́ːtəri/ 形《時に **-i·er, -i·est**》 **1**〈地面などが〉湿った, じめじめした;雨の多い ‖ a *watery* sky 雨模様の空. **2**〈目が〉涙ぐんだ;涙ながらの ‖ *watery* eyes 涙ぐんだ目. **3** 水っぽい ‖ *watery* soup 薄くて味のないスープ. **4** 水で処理した. **5**《文》水中の ‖ go to a *watery* grave 水死する.
wá·ter·i·ness 图 U 水の多いこと, 湿っぽいこと;希薄;《食物・文章などの》無味, 味のなさ;雨模様.
WATS /wɔ́ts | wɔ́ts/ 《*W*ide *A*rea *T*elephone [*T*elecommunications] *S*ervice》图 U 《米》長距離電話サービス《月ぎめ料金で長距離電話を無制限にかけられる. その回線は WATS line》.
Wat·son /wɔ́tsn | wɔ́t-/ 图 **1** ワトソン. **2** **Dr. ~**;Conan Doyle 作の推理小説に登場する医師. Sherlock Holmes の親友》.
†**watt** /wɑ́t | wɔ́t/ 图 C 《電気》ワット《電力の単位. 記号》W》.
Watt /wɑ́t | wɔ́t/ 图 ワット《James ~ 1736-1819;英国の技術者・発明家. 蒸気機関を完成した》.
watt-hour /wɑ́tàuər | wɔ́t-/ 图 C 《電気》ワット時《1時間1ワットの電力量. 記号 Wh;略 wh, WH》.
wat·tle /wɑ́tl | wɔ́tl/ 图 **1** U《時に ~s》編み枝《細工》《垣根・壁・草ぶき屋根などに用いる》. **2** C 《英》編み枝《細工》用の小枝. **3** C 《シチメンチョウ・ニワトリなどの》肉垂(にくすい)《(図) → chicken》;《魚の》ひげ. **4** C 《豪》《植》ワットル《アカシア属の総称. 花はオーストラリアの国花》.

⁕**wave** /wéiv/
━━图《複》~s/-z/ C
I[波]
1 波, 波浪《◆ 新生・周期的浮沈などの象徴》《類語》 ripple さざ波 / roller, billow 大波 / surf 寄せ波;《詩文》《the ~(s)》《海・湖・川などの》水;海 ‖ great *waves* 大波 / mountainous *waves* 山なす波.
2 a《物理》《光・音・電気などの》波, 波動 ‖ a sound *wave* 音波 / on the shórt *wàve* 短波の[で].
b《気象・温度などの》急激な変動, 波 ‖ a cold [heat] *wave* 寒[熱]波.
II[形状・動きが波に似たもの]
3《頭髪の》ウェーブ, 縮れ;《絹布などの》波紋, 波形模様;《地形の》うねり, 起伏 ‖ a permanent *wave* パーマ(ネント) / The baby has a natural *wave* in his hair. その赤ん坊の髪は天然パーマだ.
4《手・ハンカチなどを》振ること;振る合図 ‖ Bill gave Tom a *wave*. ビルはトムに手を振った(=Bill *waved* at [to] Tom.).
III[抽象的な波]
5[比喩的に] 波, うねり ‖ *waves of* applause 拍手の波 / attack *in waves* 波状攻撃をする.
6 [a ~ of + C U 名詞]《感情・情勢・景気などの》高

wavelength

まり, 強まり; 高潮; 波 ‖ *a wave of* anger わき上がる怒り.
——動 (~s/-z/; 過去・過分 ~d/-d/; wav·ing)
——⾃ **1**〈人が〉〈人に対して/…するよう〉手[ハンカチなど]を振って合図する, あいさつする〔*at*, *to*〕〔*to do*〕;〈手・ハンカチなどが〉振られる ‖ Bill *waved at* [*to*] Tom. ビルはトムに手を振った(=Bill gave Tom a *wave*.) / He *waved to* her *to* pull it up. 彼は彼女に手を振ってそれを引けと合図した.
2〈旗・枝などが〉**揺れる**, 揺れ動く, 翻(ﾊﾞｳ)る; 波立つ, 波動する ‖ The branches were *waving* in the breeze. 枝がそよ風に揺れていた.
3 波打つ, うねる, 起伏する;〈頭髪がウェーブしている〉‖ Her long hair *waves* naturally over her shoulders. 彼女の長い髪は肩を覆って自然にウェーブしている.
——⽥ **1**〈人が〉〈手・旗など〉を〔人に〕**振る**, 揺り動かす; 翻す;〈武器など〉を〔人に〕振り回す(+ *about*, *around*)〔*at*, *to*〕‖ *wave* a flag 旗を振る / He *waved* his arms *about*. 彼は両腕をぐるぐる振り回した / She *waved* the stick *at* me. 彼女は私に向かってつえを振り回した.
2 a〈人が〉〈人に〉手[ハンカチなど]**を振って**〔方向などを〕**合図する**;〈別れなどを〉手[ハンカチなど]を振って表す《◆修飾語(句)は省略できない》‖ *wave* him *on* [*out*, *away*, *nearer*] 手を振って彼に進め[出て行け, あっちへ行け, もっと近くへ寄れ]と合図する / She *waved* me *to* a seat. 彼女は私に手を振って席につくように合図した. 《*wave* A B =*wave* B *to* A》〈人〉〈人〉に〔手を振って〕B〈あいさつなど〉をする;〈人・車など〉に〔…するように〕手[旗]などを振って合図[指図]する〔*to do*〕‖ He *waved* good-by *to* me. 彼は手を振って私に別れを告げた. / She *waved* a greeting *to* me. =She *waved* me a greeting. 彼女は手を振って私にあいさつした / He *waved* a taxi *to* stop. 彼は手を振ってタクシーを呼び止めた.
3〈頭髪〉をウェーブさせる, うねらせる; …を波立たせる, 起伏させる;〈絹布など〉に波紋[波形模様]をつける.

wáve asíde〔他〕〈人など〉を払いのける;〈提案など〉を退ける, はねつける.
wáve awáy [**óff**]〔他〕→⽥ **2 a**; …を拒む.
wáve bànd〔通信〕周波(帯)帯.

wave·length /wéivlèŋkθ/〔名〕ⓒ〔物理〕(光・音などの)波長; 周波数 ‖ be on different *wavelengths* =be not on the same *wavelength*《略式》波長が合わない; 考え方[好み]が異なる.
wave·less /wéivləs/〔形〕波[波動]のない; 静かな.
†**wa·ver** /wéivər/〔動〕⾃ **1**〈物が〉揺れる;〈炎などが〉ゆらめく, ちらつく;〈声などが〉震える ‖ a *wavering* light ちらちらする明かり / The flame of the candle *wavered* and went out. ろうそくの炎がゆらめいて消えた / Her voice *wavered* with emotion. 彼女の声は感動して震えた. **2**〈人が〉〔判断・決心などで/問題に関して〕**迷う**, 心が揺れ動く(*in*/*on*);〈人が〉〔…の間で〕ためらう, 決めかねる(*between*) ‖ She *wavered* in her judgment. 彼女は判断に迷った / The boy *wavered between* going and staying. その男の子は行こうかとどおうかためらった. **3**《正式》〈人・勇気など〉くじける, ぐらつく; よろめく;〈軍隊など〉が浮き足立つ ‖ His courage *wavered*. 彼は勇気がくじけた. **4**〈物価などが〉変動[動揺]する, 不安定である.
——〔名〕ⓒ 揺れ, 震え; ためらい, 迷い; 動揺.
wa·ver·er /wéivərər/〔名〕ⓒ 揺れる人[物]; 迷う人.
wav·ing /wéiviŋ/〔動〕⇒ wave.

†**wav·y** /wéivi/〔形〕(**--i·er, --i·est**) **1** 揺れる, 波動する, うねる. **2** 波状の, 波形の, 起伏する ‖ a *wavy* line 波線(〜〜〜) / *wavy* hair ウェーブのかかった髪. **3**《正式》波立つ ‖ the *wavy* sea 波立っている海.

†**wax**[1] /wæks/〔名〕Ⓤ **1** ろう(蠟), みつろう(beeswax);[形容詞的に] ろう(製)の ‖ make various figures out of *wax* ろうでさまざまな像を作る / a *wax* doll ろう人形; 美しいだけで表情に乏しい女. **2** ろう状物質 ‖ paraffin *wax* パラフィン[石]ろう / vegetable *wax* 木ろう. **3**(家具・車などをみがく)ワックス;(靴屋が縫い糸につける)ろう; 封ろう.——〔動〕⽥ …にろうを塗る.
wáx(ed) pàper《主に米》ろう紙, パラフィン紙.
†**wax**[2] /wæks/〔動〕(過去 ~ed, 過分 ~ed or《古》~·en/-n/) ⾃ **1**《文》〈勢力などが〉大きくなる, 増大する(increase);〈月が〉満ちる(↔ wane).
wáx and wáne〈月が〉満ち欠けする;《やや古》盛衰[増減]する.

†**wax·en** /wæksn/〔動〕《古》wax[2] の過去分詞形.
——〔形〕**1**(まれ)ろう製の; ろう引きの. **2**《文》ろうのような, 滑らかな;〈顔などが〉青白い ‖ a face *waxen* with horror 恐怖で青ざめた顔.
wax·work /wækswə̀rk/〔名〕ⓒ **1** ろう細工(品); ろう人形. **2** [~s; 単数扱い] ろう人形[細工]陳列館.
wax·y /wæksi/〔形〕(**--i·er, --i·est**)《文》ろうのような; 軟らかい, 光沢のある, 青白い. **2** ろう(製)の; ろう引きの; ろうの多い.

way

‡**way**[1] /wéi/ (同音 weigh)《「乗り物で運ぶ」が原義》

index **1 a** やり方 **c** …のように **2 a** 癖 **b** 風習 **3** 道 **4** 道のり **5** 進路 **6** 方向 **7** 観点

——〔名〕(複 ~s/-z/)
Ⅰ[**方法・やり方**]
1(通例単数形で) **a**〔…する〕**やり方**, 仕方, 方法〔*to do*, *of doing*〕‖ the [a] *way* of life 生き方 / a pleasant *way* of speaking 気さくな話し方 / the best *way* to learn English 英語の最良の方法 / (in) the same *way* 同じやり方で, 同じように / to mý *wày* of thinking 私の考えでは(=in my opinion) / speak in such a *way* as to offend them 彼らの腹の立つような話し方をする / solve a mystery (*in*) óne wày or anóther なんとかしてなぞを解く / There is no *way*「of knowing [*to* know] where he's gone. 彼がどこへ行ってしまったか知る由もない / Do it (*in*) *this way*. それはこのようにやってみなさい / *This way*, you get the rich flavor of the cake. こうすればケーキの豊かな風味が味わえます《◆《略式》では in を省略で副詞的に用いる》.
b [the ~; 名詞節を導いて] (…の)仕方, やり方 ‖ I don't like the *way* she smiles. 彼女の笑い方が気にくわない / This is the *way* it happened. それはこのように起こった《◆ **2**の意のあとでは in which または関係副詞的の that が省略される》.
c《略式》[the ~; 接続詞的に; 副詞節を導いて] …のように(as) ‖ She sang the *way* I did. 彼女は私の歌うとおりに歌った.
2 ⓒ [しばしば ~s] **a**(個人の)**習慣**, 流儀, 癖; [~s] 行ない, 行状 ‖ mend one's *ways* 行ないを改める / want one's *way* 我を通す / He has a *way* of

way

leaving his bills unpaid. 借金を払わないのが彼のやり方だ / It is always the *way* with her. 彼女はいつもそうする.
b 風習, 様式 ‖ the good old *ways* 古きよき時代の風習 / English *ways* of life [living] イングランド流の生活様式.

II [道]
3 a © 道, 道路; 通路 ‖ a *way* around 回り道 / find a *way* through the forest 林を抜ける道を見つける / the only *way* 「out of [into] the room 部屋の唯一の出口[入口] / Can you *tell* [*show*, ×*teach*] me the shortest *way to* the Port of Yokohama? 横浜港に行く最短の道順を教えてください / I *went* the *wrong way*. 道を間違えた《◆the wrong *way* は副詞句》 / They didn't know which *way* to go. 彼らはどの道を行けばいいかわからなかった.
b [the/one's ~] 通り道, 行く手 ‖ Be careful *on the* [*your*] *way* home. 気をつけてお帰りください《ホストが客に立ち寄りください》 / a bus *in* my *way* 行く手の邪魔になっているバス / A fallen tree was *in the way of* the bus. 倒れた木がバスの進行の邪魔をしていた / Get *out of* my *way*. おばき(ここから)退け / open [block] the *way* for ... ～への道を開く[閉ざす] / They are *on the* [their] *way* to school. 彼らは学校へ行く途中である.

III [距離]
4 Ⓤ [時に a ~; (米略式) a ~s; 単数扱い] 道のり, 距離; (程度・時間の)へだたり ‖ *some way* [副詞的に] ちょっと(行ったところ), いくらか / The White House is 「*a long way* [*a great distance*] (off) from here. ホワイトハウスはここからずっと遠く離れている / Your composition is still a long way 「*off* perfection [*from* perfection, *from being* perfect]. 君の作文はまだ完璧(%)にはほど遠い / My aunt lives a little *way* off. おばは(ここから)少し行ったところに住んでいる《◆副詞的にも用いられる》 / I have come *quite a way*. 私はずいぶん遠い所に来た.

IV [進路・方向・方面]
5 Ⓤ [通例 one's ~] 進路; 進行, 前進 ‖ make one's *way* through the crowd 人ごみの中を進む / The water channels *its way* through the rocks. 水が岩をぬって流れる / We chopped our *way* through the jungle. 我々はジャングルを切り開いて進んだ.

関連 make one's *way* の make の代わりに種々の他動詞 (時に自動詞) laugh, smile などを用いて次のように用いる: elbow [thread, wheel] one's *way* ひじで押して[縫うように, 車で]進む / struggle [force, thrust] one's *way* もがくように[押して]進む / pick [work] one's *way* 用心して[骨折って]進む / feel [grope] one's *way* in the dark 暗がりの中を手探りして進む / laugh one's *way* through life 笑って暮らす / weave one's *way* through the traffic 車の列を縫うように進む / shoulder one's *way* through the crowd 人ごみを押して通る / nose one's *way* in the dark 暗やみを用心して進む / plow one's *way* through the crowd [storm] 群衆を押し分けて[あらしをついて]進む / push one's *way* out the door 戸を押し開けて出る.

6 a © 方向, 方角《◆ふつう /wèi/ と発音》‖ (Come) *this way*, please. どうぞこちらへ《◆ふつう this [that] *way* などの場合 in を省略して副詞的に用いる》 / Which *way* is your house from here? ここからでは家はどの方角にありますか《略式》 / [通例 one's ~; 地名の後で] 近所, 付近, 方面 ‖ Drop in if you ever come my *way*. こちらへおいでの節にはお立ち寄りください / He lives somewhere Omori *way*. 彼は大森あたりに住んでいる.

V [その他]
7 © 観点, 見方(respect) ‖ *in* 「a *way* [one *way*, some *ways*] ある点で / *in every way* =*all along the way* =*in all ways* どの点からかも.
8 a [a/one's ~] 意思; 心得, 慣れ ‖ *go* [*take*] one's (*own*) *way* 思いどおりにふるまう / She has *a way* with children. 彼女は子供の扱いに慣れている. **b** [one's] 経験[知覚]の範囲 ‖ the best offer that ever came my *way* 今まで私の受けた中で最高の申し出. **9** Ⓤ [略式] [時に a ~] (健康・経済の)状態, 具合(condition) ‖ be in *a* bad [poor] *way* 具合[暮らし向き]がよくない.

***all the wáy** (1) [途中] ずっと; はるばる ‖ run *all the way* to the station 駅までずっと走る / come *all the way* in the rain 雨の中をわざわざ来る. (2) [米略式] […から…まで] さまざまに [*from*/*to*] ‖ Prices vary *all the way from* $50 *to* $500. 値段は50ドルから500ドルまでさまざまである. (3) 完全に ‖ I agree *all the way* with her in improving the school 学校をよくするという点で彼女に全面的に同意する.

be a lóng wáy óff [*fróm*] A (1) → 4. (2) …どころではない, 決して…ではない(be far from).

bóre one's *wáy* 〔…を〕押し分けて[穴を掘って]進む 〔*through, under*〕.

***by the wáy** (1) [略式] [しばしば文頭で; 会話を再開したり, 新しい話題を導入して] (本論から) ちょっと脇(%)道にそれるが, ときに, ところで(incidentally)《◆「実はこれから本論に入るのだが」といった含みを持つことも多い》 ‖ *By the way* (↘), do you know my brother is getting married? ときに, 君はうちの兄が結婚するのを知っていますか(➡文法 5.2(2)). (2) (旅の)途中で. (3) 道端に.

***by wáy of** A (1) 《正式》…を通って, …経由で(via) ‖ *by way of* the Suez Canal スエズ運河を通って. (2) …のつもりで, …の目的で ‖ *by way of* greeting 出迎えるつもりで. (3) [英略式] [通例 by ~ of doing] …にみせかけて, …ということで; いつもして.

cléar the wáy 〔…に〕活路[進路]を開く 〔*for*〕.

cóme 〔*háppen, páss*〕 A's *wáy* → **8 b**. (2) 〈事が〈人〉に〉起こる. (3) 〈事がうまく運ぶ. (4) 〈物が〉〈人〉の手に入る, 〈人〉に使えるようになる.

fíght one's *wáy* 〔*fórward* [*óut*]〕 戦い[もがき]ながら〔道に〕進む[(外に)出る], 活路を見出す.

fínd one's *wáy* (1) 〈人が〉〔…を/…に〕苦労して進む 〔*through*/*into*〕; 〔…に〕たどり着く 〔*to*〕. (2) 〈物が〉〔…に〕着く, 届け[伝え]られる 〔*to*〕. (3) 〈物が〉〔…に〕ひょっこり出てくる 〔*to*〕.

gét in the wáy of A =*gét in* A's *wáy* 〈人・物が〉〈人・物〉の邪魔[妨げ]になる.

gét one's (*ówn*) *wáy* =have one's (own) WAY.

***give wáy** (1) 〔…に〕取って代わられる 〔*to*〕 ‖ Traditional farming is *giving way to* modern method. 伝統的農業が近代的方法に取って代わられている. (2) 〔…に〕譲歩する, 屈する, 折れる 〔*to*〕;

〔…に〕身をゆだねる, 負ける;されるままになる;〈英〉道を譲る《米》yield〔to〕‖ *give way to* despair 悲嘆に暮れる / *give way to* him in some respects いくつかの点で彼に譲る. (3) 退く. (4)〔…の重みで〕崩れる, **こわれる**〔under〕;〈健康が〉だめになる‖ The roof *gave way* under the weight of the snow. 屋根が雪の重みで崩れた. (5)〈貨幣・株などが〉価値[値]が下がる.

gò áll the wáy《略式》完全に同意する.
gò a lóng wáy =go FAR(→ far 副).
*gò óut of the [one's] wáy (1)〖いつもの道を外れて〗回り道をする. (2) 取り乱す. (3)〖いつものやり方を外れて〗(する必要がないのに)わざわざ〔…〕する, 無理して〔…〕する〔to do〕‖ She went out of her way to see me off. 彼女はわざわざ見送りに来てくれた.
grópe one's wáy (1) → 5 関連. (2) 暗中模索する.
hàve a wáy with A (1) → 8 a. (2) 〖(魅力的な)個性(way 图 2 a)を持ち合わせている〗魅力がある《◆ A は主語と同じ人称代名詞がくる》‖ You have a *way with* words. あなたは言葉がたくみだ.
have còme a lóng wáy 出世する, 成功する;とてもよくなる‖ Air travel *has* certainly *come a long way* since the Lindbergh's day. 飛行機による旅はリンドバーグの時代から考えると確実にとてもよくなった.
hàve éverything [it (áll), things] one's (ówn) wáy 思い通りにする(cf. 8 a.).
*hàve one's (ówn) wáy (1) 自分の思い通りにする, 勝手をする‖ She never let her child *have his own way*. 彼女は子供にわがままを許さなかった. (2)〔…を〕自分の思い通りにする〔with〕.
in a bíg [〈英〉gréat, lárge] wáy《略式》大規模に;熱狂的に. 派手に.
in a smáll wáy《略式》小規模に;つましく, 簡素に.
in nó wáy 少しも[決して]…ない(not in any way)《◆文頭に置くと倒置構文になる》.
in one's (ówn) wáy (1) それぞれ[自分]のやり方で. (2)〖通例否定文で〗得意で, 専門で. (3) 手の届く所に.
(in) óne wày and [or] anóther (1) あれこれと. (2) なんとかして, 何らかの形で(→ 1 a.).
in the wáy of A (A's way) (1) …の点で, …としては. (2) …に有利な立場で[に]. (3) …の行く手をふさいで, 邪魔になって(→ 3 b).
in the wáy that ... …という点で.
(in) the wórst wáy《米略式》非常に, すごく, 大いに(very much)‖ I want more money (*in*) *the worst way*. どうしてももっとお金が欲しい.
know one's **wáy aróund [abóut]** (A)〔…の〕地理に明るい;〔…に〕精通している〔in〕‖ He *knew his way* about the city. 彼はその市の地理に明るかった《◆副詞的に用いる場合は around がふつう》.
léad the wáy (1) 案内する, 先導する. (2)〔…で〕手本を示す, 一番である〔in〕.
lóok the óther wáy 顔をそむける;見て見ないふりをする.
lóse the [one's] wáy 道に迷う.
*màke one's wáy (1) (苦労して)進む(go) → 5 関連. (2) 生活の苦労をする. (3) 成功[出世]する‖ *make one's way* in life [the world] 立身出世する.
màke wáy (1)〔…に〕道をあける[譲る]〔for〕. (2)

(文)〈事が〉はかどる;〈船が〉進む.
nó wáy《主に米略式》(1)〖依頼の返答として; 間投詞的に〗いやだ, とんでもない, 冗談じゃない《◆no の強意表現》. (2) どんなことがあっても…ない‖ *No way* will I go with you. 君とは絶対行かないよ《◆文頭に置くと倒置構文》. (3) まさか(そんなはずはない)
〘対話〙"I've decided to join the army." "*No way*!" 「軍隊に入ろうと決心したよ」「うそ!」
*on [alóng] the [one's] wáy (1) 途中で, 途中にある(→ 2). (2) 途中で, 〔…〕しつつある〔to, to doing〕‖ The country is well *on the way* to industrialization. その国はさらに工業化が進んでいる. (3) 近づいて(coming)‖ Winter is *on the way*. 冬が近づいている. (4)《略式》〈赤ん坊が〉おなかにいて.
on the [one's] wáy óut (1) 出る途中で. (2)《略式》(解雇されて)職場を去ろうとして. (3)《略式》消滅しかかって, すたれかかって.
*óut of the [one's] wáy (1) じゃまにならないように[所で]. (2) 片付けて, 終了して‖ get one's homework *out of the way* 宿題を終える. (3)《略式》殺されて‖ put him *out of the way* 彼をこっそり片付ける. (4) 人里離れて. (5) 不適当な‖ do nothing *out of the way* 間違ったことはしない. (6) 異常な, 目立つ(unusual, uncommon). (7) 方向を間違えて.
páve the wáy for [to] A …を容易にする, …への道を開く[付ける].
páy one's **[its] (ówn) wáy** 〈人が〉(借金せずに)自活する.
plód one's **wáy** とぼとぼ歩く.
quíte a wáy ずいぶん遠い所へ[に].
sée one's **wáy (cléar)**《略式》〖通例否定文・疑問文で〗(1) 前途に障害がない. (2)〈人が〉〔…する〕見通しがつく,〔…〕できるようになる〔to, to doing, to do〕.
stánd in A's **wáy** 〈人〉のじゃまをする.
stéal one's **wáy** こっそり進む.
stóp the wáy 道をふさぐ;妨げる.
strôke [A's háir] in the wróng wáy 〈人〉を怒らせる.
tálk one's **wáy óut of** A うまく話をして〈困難など〉からのがれる.
téar one's **wáy óut** 強引に押し分けて進む[出てくる].
thréad one's **wáy through** A …を縫うようにして進む.
ùnder wáy → underway.
wáys and méans (1)〔…する〕手段, 方法〔to do, of doing〕. (2)《米》財源;(政府の)歳入財源‖ the Committee on [〈英〉of] the Ways and Means 歳入委員会.
wind one's **wáy** (1)〈川・道・人などが〉〔…を〕うねって進む〔through〕. (2)〔…を〕うまく手に入れる〔into〕‖ He *wound his way into* her confidence. 彼はうまく立ち回って彼女の信用を得た.
wórk one's **wáy** 徐々に〔…に〕進む〔into, to〕, 働いて〔努力して〕〔…を〕出る〔through〕‖ He *worked his way up*. 彼は次第に出世した / *work one's way* into the rock 岩盤を骨折って切り開く / *work one's way through* college 働きながら大学を出る.
wáy ín《英》入口.
wáy óut (1)《英》出口. (2)〔…の〕解決法〔of〕.
way² /wéi/〖away の a の省略〗副 **1**《略式》〖副詞・前置詞を強めて〗ずっと, はるかに, うんと;遠くに‖ I *way*

above [ahead] ずっと上に[前方に] / from *way* back はるか昔から(の); 遠方の地から(の). **2**〘主に方言〙あっち, 去って. **3**〖名詞の後で〗…の近くに[へ] (near).

-way /-wéi/ 〘語要素〙→語要素一覧(1.7).

†**wáy･far･er** /wéifεərər/ 名C〘文〙旅人, 徒歩旅行者.

way･lay /wèiléi/ 動 (過去･過分) **-láid**) 他〘古〙**1** …を待ち伏せする, 襲う. **2**〈人〉を途中で呼び止める, 待ち受けて話しかける.

-ways /-wéiz/ 〘語要素〙→語要素一覧(2.5).

†**wáy･side** /wéisàid/ 名〘正式〙[the ~] 道ばた, 路傍 ‖ a signpost by the *wayside* 道ばたの標識. *fáll by the wáyside* [遠回しに] 途中で挫折する, 落後する.

way･ward /wéiwərd/ 形〘正式〙**1** 強情な, 片意地の; わがままな. **2** 気まぐれな, 移り気の;〈方針･方向などが〉ぐらつく, 不規則な. **3** 予想外の, やっかいな.

wáy･ward･ly 副 強情に; 気まぐれに.
wáy･ward･ness 名U 強情; むら気.

†**wáy･worn** /wéiwɔ̀:rn/ 形 旅に疲れた[やつれた].

w.b. 〘略〙 water ballast 水脚荷(ﾌﾞｨ); westbound.

WC, w.c. 〘略〙(やや古) water closet.

we /wí:; (弱) wi/〖一人称複数主格の人称代名詞〗(❶文法 15.3(1))
——代〖所有格 **our**, 所有代名詞 **ours**, 目的格 **us**〗**1a**〖包括的 we〗**私たちは[が]**, 我々は[が]《◆話し手(I)と聞き手(you)または話し手と聞き手と他の人を含む》‖ *We* are all good friends. 私たちはみんな仲良しです / *We* teachers are human, too. 我々教師も人間です《◆特に we の内容を明確にさせる場合には同格語をつける》. **b**〖除外的 we〗私たちは[が]《◆聞き手(you)を含まない. 話し手(I)と第三者〗‖ *We* young people have learned a lot from you older men. 私たち若者はあなた方年配者から多くを学んできた.

2〖総称の we〗(一般に)**人は**, 我々は《◆「包括的 we」の総称用法. 総称の they に対する語. you よりも堅い言い方》‖ *We* see with our eyes. 我々は目で物を見る / *We* should obey traffic rules. 交通規則は守らねばならない《◆we は日本語に訳さなくてすむ場合が多い》.

3〖会社･乗物の we〗私たちは[が] ‖〖店の者･会社の者･乗物に乗っている者がそれぞれ店･乗物をさしていう場合で, 訳語は「我々の」他,「当社」「わが社」「弊社」「本船」「この車」などとなる〗‖ *We* sell fruits from South Africa. 当店では南アフリカ産の果物を扱っております《◆店の人以外の人がいう場合 They sell …》.

4〖君主の we〗〘正式〙朕(ﾁﾝ)は[が], 余は[が]《◆(1) 君主が公式的に述べる場合. I の代わりに用いる. (2) 再帰代名詞はふつう ourself を用いる》‖ *We* will look into the matter *ourself* more. 余が自らこの事件をさらに取り調べよう.

5〖編集者の we〗我々は[が]《◆新聞の社説･論文･書物で執筆者が I の代わりに用いる》‖ In Chapter One, *we* outlined the system of English sounds. 第1章で英語の音声組織の概略を述べた《◆Chapter One outlined … / The system of English sounds was outlined in Chapter One. のようにいうことも多い》. 語法 論文では I を用いることも多くなってきている.

6〖親心の we〗〘略式〙**a** あなたは[が]《◆親･医者などが子供･病人に対して, 元気づけたり, なぐさめたり, また忠告したりする場合に用いるが, 時にはふざけた調子で軽く皮肉った気持ちを含むこともある》‖ How are *we* (feeling) today? 今日は気分はどうかね《◆実質的には How are you (feeling) today? と同じ》. **b**〖遠回しに〗=you ‖ Why don't *we* go? どうして行かないの.

weak /wí:k/ (同音) week) 派 weaken (動), weakness (名)
——形 (**~･er, ~･est**)
I〖弱い〗

1〈人が〉〈体力･力などが〉**弱い**, 弱々しい, 虚弱な;〔病気などで〕手術などの後で〕弱っている〔with, from / after〕;〈物が〉こわれやすい, もろい(↔ strong);〈器官などが〉衰えた;〈法律･国家･人などが〉支配力があまりない, 無力な(類語) weakly, feeble, frail, fragile, infirm) ‖ a *weak* body 弱い体 / a *weak* table こわれやすいテーブル / a *weak* old man 弱い老人 / a *weak* law 無力な法律 / I was *weak* from [with] hunger. 私は空腹で倒れそうだった / have *weak* eyes [ears] 視力[聴力]が弱い / He is *weak* in the legs. 彼は脚が弱い.

2〈意志･判断力･性格が〉**弱い**, 薄弱な, 優柔不断な;〈人が〉愚かな ‖ a man of *weak* character 性格の弱い人 / The father was *weak* with his only son. その父親は1人息子に甘かった.

3〈量･程度などが〉わずかの, 弱い ‖ in a *weak* voice かぼそい声で.

4〘文法〙弱変化の, 規則変化の.

II〖足りない･劣った〗

5〈頭が〉**弱い**, 鈍な;〔…の点で〕弱点のある,〔学課などが〕不得意な, へたな(poor)〔in, at, on〕(↔ strong) ‖ a *weak* head [mind] 低能 / her *weak* point 彼女の弱点 / He is *weak* on names. 彼は人の名前を覚えるのが苦手だ / My daughter is *weak* 「in social studies [at speaking English]. 私の娘は社会科が弱い[英語を話すのがへただ]《◆「…が好物だ」の意の「…に弱い」は have a *weakness* for **A** → weakness**3**》.

6〈議論･論拠などが〉不十分な, 説得力に欠ける;〈文体･表現などが〉迫力のない, 表現力が弱い ‖ a *weak* style 迫力に欠ける文体 / a *weak* argument 根拠の弱い議論 / *weak* evidence 説得力のない証拠.

7〈飲み物が〉薄い, 希薄な; 水っぽい(↔ strong) ‖ *weak* tea 薄いお茶 / *weak* beer 弱いビール.

wéak fórm 〘音声〙弱形《and の /ən/, have の /həv, əv/ など》.

wéak hánd 〘トランプ〙[a ~]〘口〙札運の悪い手.

wéak knées (1) しっかり立てないひざ ‖ I've got *weak knees*. ひざがガクガクしている. (2) 弱腰(cf. weak-kneed).

wéak súit 弱点.

wéak vérb 〘文法〙弱変化動詞《語尾に -ed, -d を付けて過去形･過去分詞形を作る規則動詞のほか, burn, lean, send など語幹母音の変化しない動詞も含む》.

†**weak･en** /wí:kn/ 動 他 **1**〈物･事が〉〈体力などを〉弱める, 弱くする, 無力にする(↔ strengthen) ‖ The illness has considerably *weakened* her. 病気で彼女はかなり体が弱った. **2**〈酒･茶などを〉薄める.
——自 弱る, 弱まる; 衰弱する; 優柔不断[弱気]になる, ぐらつく.

weak-kneed /wí:kní:d/ 形 ひざの弱い;〘略式〙弱腰の, いくじのない, 優柔不断な(cf. weak knees).

†**weak･ling** /wí:kliŋ/ 名C 虚弱者; 弱虫, 柔弱な人;

弱い動物. ——形 弱い; 弱虫の.
†weak・ly /wíːkli/ (--li・er, --li・est) 形 (正式)弱い, 弱々しい; 病弱な(weak). **2** いくじなく, 優柔不断に. ——副 **1** 弱く, 弱々しく.
weak-mind・ed /wíːkmáindid/ 形 **1** 優柔不断の.
2 低能の.
†weak・ness /wíːknəs/ 名 **1** U (体力的・精神的・知的な)弱さ, 弱々しさ; 虚弱, もろさ, 弱気, 柔弱; 愚鈍 ∥ weakness of mind 心の弱さ / physical weakness 身体の弱さ. **2** U (証拠・論拠などの)不十分, 薄弱 ∥ logical weakness 論理の薄弱さ. **3** C (ある衝動を自制できないために起こる小さな人間的な)弱点, 欠点, 短所; […の点での]弱み[in](→ fault 名 **2**) ∥ Her weakness is talking too much. 彼女の欠点はしゃべりすぎることだ. **4** C (人・物など)非常に好きなもの, 大好物; [通例 a ~](…に対する)愛好, 偏愛, 趣味[for] ∥ Candy is a weakness of hers. 彼女はキャンディーが大好物だ / He has a weakness for opera. 彼はオペラに目がない.
weald /wíːld/ 名 C 森林地帯; 広野.
＊wealth /wélθ/ 【幸せな(weal)こと(th)】派生 wealthy(形)
——名 (複 ~s/-s/) **1** U 富(riches); C U 財産; U[経済]富, 財(経済[貨幣]価値を持っている物すべて)∥ a man of wealth 財産家(=a wealthy man) / She has obtained great wealth by hard labor. 彼女は苦労して莫(ば)大な財産を築いた. **2** U 富裕, 裕福, 富貴; [集合名詞]富裕階級. **3** (正式)[a [the] ~ of + 名詞][おおげさに] 豊富な…, たくさんの…◆C も U も用いられる∥ She has a wealth of golden hair. 彼女は豊かな金髪の持ち主だ / A wealth of words is not eloquence. 多弁は雄弁ではない.
wéalth tàx 富裕税《基準を超える個人財産にかかる》.
＊wealth・y /wélθi/ [→ wealth]
——形 (--i・er, --i・est) **1** 富裕な, 裕福な, 金持ちの(◆rich より堅い語であるがその遠回し語としてよく用いられる)(↔ poor) ∥ wealthy people 裕福な人々. **2** (…に)富んでいる, 豊富な[in] ∥ wealthy in knowledge 知識が豊かな / a country (which is) wealthy in natural resources 天然資源に富んだ国.
†wean /wíːn/ 動 他 **1** (人・動物の)子を離乳させる ∥ wean a baby from its mother 赤ん坊を離乳させる. **2** (人を)[仲間・習慣などから]引き離す; (人に)[…を]捨てさせる[from, of, off] ∥ He tried to wean his son (away) from his bad habit. 彼は息子に悪習を直させようと努めた. **3** (人)を[…の影響下に]育てる[on].
†weap・on /wépn/ [発音注意] 名 C **1** 武器, 兵器; 凶器; (動植物の)攻撃[防御]器官《角・つめ・歯・とげなど》; nuclear weapons 核兵器 / an offensive weapon 攻撃用兵器.

> 使い分け [weapon と arms]
> weapon は《銃・爆弾・石や棒などの個々の》武器, 兵器」の意.
> arms は「(集合的に)武器, 兵器」の意.
> They used stones as weapons [⁻arms]. 彼らは武器として石を使った.
> That country sells arms to other countries. あの国は他の国に武器を売る.

2 [比喩的に][…のための]武器, 対抗手段[for, against] ∥ an effective weapon against inflation インフレに対する有効な手段.

＊wear /wéər/ [発音注意] (同音) ware, △where

index 動 他 **1a** 身につけている **2** はやしている **3** 表している **4** すり減らす **5** 疲れさせる
自 **1** 使用に耐える **2** すり減る
名 **1** 衣服 **3** 着用

——動 (~s/-z/; 過去 wore/wɔ́ːr/, 過分 worn/wɔ́ːrn/; ~ing/wéəriŋ/)
——他
I [身につけている]
1a (人が)(物)を身につけている, 着ている; …を(体の部分に)つけて[持って]いる(have on)[in, on] ∥ She wore [was wearing] a hat when I met her. 私が彼女に会ったとき, 彼女は帽子をかぶっていた(=She had a hat on ...) / wear 「a seat belt [contact lenses] シートベルト[コンタクトレンズ]をしている / She always wears brown shoes. 彼女はいつも茶色の靴をはいている / She wore a diamond ring on her finger. 彼女はダイヤの指輪を指にはめていた / What a nice shirt you're wearing! いいシャツを着ていますね / I never wore white ever. 私は白い服を着たことがない. **b** (人が)(物)を身につけて[…へ]行く[来る][to] ∥ They wore their new suits to church. 彼らは新しい服を着て教会へ行った.

> 語法 (1) 目的語は衣類に限らず, 帽子・靴・靴下・装身具・化粧品など身につけるものの一切を含む. 身につけるものによって, 訳語は「着ている」「はいている」「かぶっている」「はめている」「している」「かけている」などさまざま.
> (2) wear は「着ている」状態を表し, put on は「着る」という1回の動作を表す. ただし「身につけている」という一時的状態には be wearing を用いることもある.

2 (人が)(ひげ・髪など)をはやしている; [wear A C] A(ひげ・髪)を C の状態にしている[伸ばしている] ∥ He wears a mustache. 彼は口ひげをたくわえている / She wore her hair long. 彼女は髪を長くしていた. **3** (正式)(人が)(表情・様子・態度などを)表している, 示している(show); …を[記憶・心に]持っている(have)[in] ∥ She was wearing a smile. 彼女は微笑を浮かべていた / He wears an air of dignity. 彼にはどことなく威厳がある.

II [使い古す]
4 (人が)(物)をすり減らす, すり切らす, 使い古す(+out); (人・物)を[…になるまで]使い古す[to, into]; [wear A C] (人が) A(物)を使いすぎて C にする(◆C は形容詞)∥ His shoes are much worn (out). 彼の靴はひどくすり減っている / He wore ⁻his jeans into holes [holes in his jeans]. 彼はジーンズをはき古して穴だらけにした(→ **6**) / His gloves are worn thin. 彼の手袋はすり減って薄くなっている.
5 (物・事・人が)(人)を[…で]疲れさせる, 弱らせる(+down, out, away)[with, from, after] ∥ Chemotherapy could wear you out. 化学療法は体を弱らせることがある / She was worn out from the pressures of her job. 彼女は仕事のプレッシャーですっかり疲れていた.
6 (長期間の使用・摩滅などで)…を侵食する; (穴・溝)を[…に]うがつ, つくる, 掘る[in, through] ∥ Constant dropping wears the stone. (ことわざ)「雨

だれ石をもうがつ」/ He *wore* a hole *in* his socks. 彼の靴下はすり切れて穴があいた(→ 他 **4**).

III [その他]

7 〖主に英略式〗[~ it; 通例否定文・疑問文で] …を認める, 許す(accept) ‖ I don't think Mother will *wear* it. 母はゆるしてくれないと思う.

——自 **1**〈物が〉(すり切れたりなどしないで)使用に耐える, 長持ちする, 使える◆(1) 能動受動態. (2) 修飾語(句)は省略できない; 〖略式〗〈人が〉いつまでも若々しい ‖ This cloth *wears* well. この生地は長持ちする (=This cloth lasts long.)(✕ ... *wears* long. は不可. ただし long-*wearing* cloth, long-lasting cloth は可能)/ He is old, but he's *worn* well. 彼は年をとっていてもまだ若々しい.

2〈物などが〉**すり減る**, すり切れる(+*away*, *down*, *out*, *off*)◆修飾語(句)は省略できない; [wear **C**]〈物・感情などが〉(使用・摩滅などで)徐々にすり減って **C** になる◆**C** は主に thin〉; […に〉なる[*to*] ‖ Her patience *wore* thin. 彼女はだんだん我慢できなくなった/ My trousers have *worn* to shreds. 私のズボンははき古してぼろぼろになってしまった.

3〈時が〉ゆっくり過ぎる, 経過する(+*on*, *away*, *out*) ‖ Time *wore on*. 時が経過した/ The day *wears* to [*toward*] its close. 日が次第に暮れていく.

wéar awáy [自] → 自 **2**, **3**. ——[他] (1) …をすり減らす, 弱める ‖ The inscription has been *worn away*. その碑銘は摩滅している. (2)〈時〉を過ごす(while away). (3) → 他 **5**.

wéar dówn [自] → 自 **2**. ——[他] (1) → 他 **5**. (2) がんばって〈敵・人・議論など〉に勝つ, …を克服する. (3)〈反発心など〉を次第に弱めさせる. (4) =WEAR away [他] (3).

wéar óff [自] (1) → 自 **2**. (2) 次第になくなる, 消えていく(disappear) ‖ My stomachache was *wearing off*. 胃の痛みは次第になくなってきた. ——[他] (1) …をすり減らす. (2) [~ **A** *off* **B**] **A**〈くせなど〉を **B**〈布など〉からこすり取る.

wéar óut [自] (1) → 自 **2**. (2) 次第になくなる ‖ My patience *wore out*. 私はもう我慢できなくなった. ——[他] (1) → 他 **4**, **5**. (2)〈時〉をだらだらと過ごす. (3)〈忍耐など〉を尽きさせる ‖ His patience was *worn out* at last. 彼はついに我慢できなくなった. (4)〖米やや略式〗〈衣服〉を(新調するため)着つぶしてお払い箱にする.

wéar thróugh [自]〈時が〉過ぎて行く. ——[他] (1)〈日など〉をどうやら過ごす. (2)〈衣服〉を着古して穴をあける, 〈靴〉をすり減らす.

——**名** Ｕ **1** [集合名詞; 単数扱い; しばしば複合語で] 衣服, 衣類, …着 ‖ sports *wear* 運動着類/ men's [ladies'] *wear* 紳士[婦人]服.

2 すり切れ, 摩滅; 着古し ‖ His coat showed signs of *wear*. 彼の上着は着古してだいぶすり切れていた.

3 着用, 使用 ‖ a suit for summer *wear* 夏着 1着/ in *wear* 常に着用して/ Will this jacket be good for winter *wear*? この上着は冬着るのによいでしょうか.

4〈衣服などの〉もち, 耐久力 ‖ There is plenty of *wear* left in these shoes. この靴はまだまだはける.

wéar and téar 〈使用・摩滅による〉消耗, 損耗.

wear·a·ble /wéərəbl/ 形 着用できる; 着用に適する.

†wea·ri·ly /wíərili/ 副 **1** 疲れて, ものうげに. **2** うんざりして, あきあきして.

†wea·ri·ness /wíərinəs/ 名 Ｕ **1** 疲労 ‖ weariness.

from labor 働き疲れ. **2** 退屈, あきあきしていること.

wear·ing /wéəriŋ/ 形 **1**〈人を〉疲れさせる, 消耗させる ‖ ~. **2** 退屈な.

†wea·ri·some /wíərisəm/ 形 〖正式〗**1**〈人を〉疲れさせる ‖ a *wearisome* task 疲れる仕事. **2** 退屈な; うんざりさせ. **wéa·ri·some·ness** 名 Ｕ 疲労; 退屈.

†wea·ry /wíəri/ [発音注意] 形 (--ri·er, --ri·est)〈人・体・精神が〉(非常に)疲れた, […で〉疲れている, うっとうしい {*from*, *after*, *with*}◆{tired より堅い語} ‖ a *weary* look 疲れた表情/ She is *weary from* too much reading. 彼女は読書のしすぎでへとへとになっている. **2**〈人が〉[事・物に〉…することに[…であることに]あきあきしている, うんざりしている {*of* / *of doing* / *that* 節} ‖ I am *weary of* her grumbling. 私は彼女のぐちに閉口している◆{tired of より堅い表現}. **3**〖正式〗疲れさせる; 退屈な, うんざりさせる, じれったくさせる ‖ a *weary* lecture 退屈な講義/ a *weary* journey ひどく疲れる長旅/ *weary* work つらい仕事/ *weary* weather うっとうしい天候.

——動〖正式〗他 **1**〈人〉を[…で〉疲れさせる {*with*} ‖ He is *wearied* to death. 彼は死ぬほど疲れている/ They got *wearied with* climbing. 彼らは登山で疲れた(●文法 7.12). **2**〈人〉を退屈させる; 〈人〉を[…で〉いらいらさせる, じらす {*with*}; 〈人〉を[いやな事で〉あきあきさせる]うんざりさせる(bore) {*of*} ‖ She *wearied* me *with* her idle talk. 彼女のくだらない話に私はいらいらした/ I was *wearied of* waiting. 私は待ちくたびれた.

——自 **1** […に〉退屈する, あきる, うんざりする {*of*}. **2** 疲れる.

†wea·sel /wíːzl/ 名 Ｃ **1** 動 イタチ(cf. ferret); テン. **2** こそこそする人, ずるい人; 密告者.

——動〖主に米略式〗自 **1**〈言葉を〉濁す, ごまかす. **2** 〈責任を〉回避する(+*out*) {*of*}.

: weath·er /wéðər/ 同音 △ whether) 〖『風(wind)が吹く』が原義. cf. wither〗

——名 Ｕ **1** [通例 the ~] (ある時・ある場所の) **天候**, **天気** ◆気温の高低にも重点がある; (毎日の)天候, 空模様, 気象(cf. climate); [形容詞的に] 天候の ‖ *in* nice [wet] *weather* 晴天[雨天]に/ changeable *weather* (conditions) 変わりやすい天候(状態)/ King's [Queen's] *weather* 〖英〗式日などの快晴/ *The weather* was cold that winter. その年の冬は寒かった/ If the *weather* is nice [〖英〗fine], I'll go out for a walk. 天気がよければ散歩に出かけます/ **What was the *wéather* like?** =How was the *weather*? 天気はどうでしたか/〈対話型〉"How's *the weather* in Chicago in summer?""It's warm. The average temperature is 76°F." 「シカゴの夏の天候はどうですか」「暑いです. 平均気温は華氏 76 度です」(◆76°F は seventy-six degrees Fahrenheit と読む).

2 [集合名詞] 荒れ模様, (暴)風雨, 荒天 ‖ We had some real *weather* last summer. 去年の夏の天候は本当にひどかった.

in áll wéathers 〖文〗運のよい時にも悪い時にも; どんな天気でも◆in all kinds [sorts] of *weather* がふつう.

wéather permítting (↗)〖正式〗天気がよければ(書き換え例 → permit 動 自)(●文法 13.7).

——形〖海事〗[名詞の前で] 風上の(↔ lee); 風上に向かう.

——動 他 **1**〈木材など〉を風雨にさらす, 外気に当てる;

…を乾かす ‖ *weather* wood 木材を外気に当てて干す. **2**〔地質〕〔通例 be ~ed〕〈岩石などが〉風化する. **3**〈あらし・困難などを〉切り抜ける, 乗り切る(+*through*) ‖ *weather* a storm〔海事〕あらしを乗り切る; 難局を切り抜ける / He *weathered* the economic crisis. 彼は経済的危機を切り抜けた.
——自 **1** 外気で変化する. **2** 風化する. **3** 外気に耐える.

wéather bùreau〔米〕〔the ~〕気象局〔庁〕.
wéather cèntre〔英〕(特に地方の)気象局.
wéather èxpert〔日本の〕気象予報士.
wéather èye (1) 天候観測眼, 天候の変化を予知する眼. (2) 気象衛星. **3** 警戒, 用心.
wéather fòrecast〔米〕**repòrt** 天気予報.
wéather fòrecaster 天気予報担当のアナウンサー.
wéather màp〔**chàrt**〕天気図.
wéather sàtellite 気象衛星.
wéather shìp 気象観測船.
wéather stàtion 測候所.
wéather vàne 風向計 (cf. weathercock).

†**weath·er·beat·en** /wéðɚbìːtn/ 形 **1** 風雨にさらされた. **2**〈顔などが〉日に焼けた, 風雨に鍛えられた.
weath·er·board /-bɔ̀ːrd/ 名 U〔建築〕下見板(ˈ—); 〔米〕clapboard; C 雨押え板; 〔~s〕下見張り. **2** C〔海事〕風上舷(ˈ—); 波よけ板.
weath·er·board·ing /wéðɚbɔ̀ːrdiŋ/ 名 U 下見張り; 〔集合名詞〕下見板.
weath·er·bound /wéðɚbàund/ 形〈船・飛行機などが〉悪天候で出帆[出航]できない; 悪天候で家にこもっている.
†**weath·er·cock** /wéðɚkɑ̀k | -kɔ̀k/ 名 **1**〔ふつうニワトリの形をした〕風見(ˈ—); 風向計 (cf. vane). **2**〔比喩的に〕風見鶏(ˈ—), 移り気な人, お天気屋, 変わりやすい人[物].
(*as*) *chángeable as a wéathercock* 風見のようにくるくる向きが変わる; 移り気の.
weath·er·man /wéðɚmæ̀n/ 名 (複 ···men) C〔略式〕(特にテレビ・ラジオの)天気予報係[官] ((PC) weather forecaster).
weath·er·proof /wéðɚprùːf/ 形 風雨に耐える.
——動 他 …を風雨に耐えるようにする.

†**weave** /wíːv/ 動 (過去 **wove**, 過分 **wo·ven**/wóuvn/)(◆(1) 専門用語としての過去分詞形に wove を用いる場合がある. (2) 比喩的意味では過去形・過去分詞形に weaved を用いることがある.)
——他 **1**〈人などが〉〈糸などを〉織る,〈ひも・竹などを〉編む, 編み合わせる(+*together*);〈糸・花などを織って[編んで]〉〈布・花輪などを〉作る(+*up*)〔into〕;〈布・花輪などを〉…で作る(+*up*)〔*from, of*〕 ‖ *weave* a rug じゅうたんを織る / *weave* a basket かごを編む / *weave* hair *into* a ponytail 髪を結んでポニーテールにする / *weave* a garland of flowers = *weave* flowers *into* a garland 花で花輪を作る. **2**〈物を〉〔物に〕編み込む, 織り込む〔into〕 ‖ *weave* flowers *into* one's hair 花を髪に編み込む. **3**〔文〕〈計画・物語などを〉仕組む, 作り上げる;〈…に〉組み入れる;〈…を〉〔…から/…に〕まとめ上げる(construct)(+*up, together*)〔*from/into*〕 ‖ *weave* a story 話を作り上げる / The writer *wove* three plots (*together*) *into* one novel. =The writer wove one novel *from* three plots. その作家は3つの筋をまとめて1つの小説を作った. **4**〈クモなどが〉〈巣を〉張る ‖ Most spiders *weave* webs. たいていのクモは巣を張る. **5**(◆この意味では過去形・過去分詞形は weaved)〈人・物を〉ジグザグに進ませる ‖ *weave* the car *through* the crowd 人混みの中を車を縫うように走らせる.
——自 **1**〈織物を織る, 機(ˈ—)を織る;〔…に〕織り合わされる〔into〕. **2** いろいろな要素を1つに組み立てる. **3**(◆この意味では過去形・過去分詞形は weaved)〈道が〉縫うように続く,〈人が〉〔…を〕縫うように進む〔through〕 ‖ The path *weaved through* the woods. その小道は森を縫うように続いていた.
——名 C U 織り(方), 編み(方); …織 ‖ a coarse *weave* 目の荒い織り[編み]方.
†**weav·er** /wíːvɚ/ 名 C 織り手, 編む人; 織工.

*****web** /wéb/〔「織られた(woven)布地」が原義. cf. weave〕
——名 (複 ~s/-z/) C **1**〔the W~〕(インターネットの)ウェブ(World Wide Web) ‖ Welcome to the largest movie database on the *Web*! ウェブ上で最大の映画データベースへようこそ! **2** クモの巣(a spider's web, cobweb) ‖ a fly in the *web* クモの巣にかかったハエ. **3**〔正式〕クモの巣状のもの ‖ a *web* of expressways 高速道路網. **4**(一機(ˈ—)分の)織布, 織物. **5**〔鳥〕(水鳥の)水かき; 羽板, 鰭(ˈ—).
——動 (過去・過分 **webbed**/-d/**web·bing**) 他 **1** …に網[クモの巣]を張る ‖ *web* the corner 隅にクモの巣を張る. **2**〈虫などを〉わな[クモの巣]で捕える.
——自 クモの巣を張る.
wéb bròwser〔しばしば W~ b-〕〔コンピュータ〕ウェブブラウザ《ウェブサイトを見るためのソフト》.
wéb pàge〔コンピュータ〕ウェブページ, ホームページ.
Wéb sèrver〔コンピュータ〕ウェブサーバー.
wéb shópping〔コンピュータ〕ウェブショッピング, インターネットショッピング.
Wéb site =Website.
webbed /wébd/ 形 **1** 水かきのある;〔動〕膜でつながっている. **2** クモの巣状の.
web·bing /wébiŋ/ 名 U **1**(安全ベルト・馬の腹帯などに用いる)帯ひも. **2**(敷き物などの)厚縁(ˈ—).
web·cam /wébkæ̀m/ 名 C〔コンピュータ〕ウェブカム《インターネット上に映像をリアルタイムで送るためのカメラ》.
web·mas·ter /wébmæ̀stɚ | -màːs-/ 名 C〔コンピュータ〕ウェブマスター《ホームページ管理者》.
Web·site /wébsàit/, **Wéb site**〔しばしば w~〕C〔コンピュータ〕(インターネット上の)ウェブサイト ‖ *the* official *Website* for the White House ホワイトハウスの公式ウェブサイト.
Web·ster /wébstɚ/ 名 ウェブスター《Noah ~ 1758-1843; 米国の辞書編集者》.

†**wed** /wéd/ 動 (過去・過分 **wed** or **wed·ded; wed·ding**)〔文〕他 **1**〈複数のものを〉結びつける, …と〔…と〕結合[調和]させる(unite)〔*to, with*〕; 〔be ~ded〕〔…と〕堅く結合している〔*to*〕. **2** …と結婚する; …の結婚式をとり行う[…と]結婚させる(marry)〔*to*〕(◆ふつう新聞用語). **3**〔be ~ded〕(…に)執着している, 傾倒している(stick)〔*to*〕 ‖ be wedded [wed oneself] *to* a theory ある理論に固執している.
——自 結婚する.
Wed., wed.〔略〕Wednesday.
*****we'd** /wíːd/;(弱) wid/(同音 weed) we had, we would, we should の短縮形.
†**wed·ded** /wédid/ 形〔正式〕結婚した; 結婚の ‖ a *wedded* pair 夫婦 / a (lawful) *wedded* husband [wife] 正式に結婚している夫[妻].
*****wed·ding** /wédiŋ/
——名 (複 ~s/-z/) C **1** 結婚式, 婚礼(→ marriage 文化); 結婚披露宴 ‖ Our *wedding* will

wedge /wédʒ/ 名 C **1** くさび ‖ drive a *wedge* into the log 丸太にくさびを打ち込む. **2** くさび[V字]形のもの; 〔軍事〕くさび形隊形;〔ゴルフ〕ウェッジ《頭部がくさび形の短いアイアン》‖ a *wedge* of cake くさび形に切ったケーキ. **3** [比喩的に] くさび; 分裂[分解]の原因; 糸口, 端緒.　　動 他 **1** 〈人が〉〈物〉をくさびで留める[固定する]; …にくさびを入れて(…の状態にして)おく ‖ *wedge* a door open ドアをくさびで留めて開けておく. **2** …をくさびで割る[裂く].

Wedg·wood /wédʒwud/ 名 **1** ウェッジウッド《Josi·ah/dʒóusáiə/ ~ 1730–95; 英国の陶芸家》. **2** U(商標)ウェッジウッド焼き《英国の軟質の美術陶器》.

*****Wednes·day** /wénzdei, -di/《アングロサクソン神話の主神ウォーデン(Woden's) 日(day)》
　　名 (複 ~s/-z/) U C 水曜日(略 W., Wed(s).); [形容詞的に]; 〔米略式〕副詞的にの 水曜日の[に] (語法 → Sunday).

Weds. (略) Wednesday.

†**wee** /wíː/ (同音 we) 形 (時に ~·r, ~·st) **1**〈スコット小児語〉ちっぽけな, ちっちゃな. **2**《廃》[a ~] ほんの少しの ‖ a *wee* pinch of salt ほんの1つかみの塩. **3** 〔米〕〈時刻が〉早い.

wée fólk [the ~] 妖(ぁ)精たち.
wée hóurs 〔米〕たいへん早い時刻《夜中の1時, 2時ごろ》.

†**weed**¹ /wíːd/ (同音 we'd) 名 C **1** 雑草 ‖ pull out the *weeds* in the garden 庭の雑草を引き抜く / He's grown like a *weed* in the last six months. 彼はこの6か月のうちにやたらに背が伸びた / *Ill weeds grow apace*.《ことわざ》雑草は生長が早い;「憎まれっ子世にはばかる」. **2** 役に立たない人[物]; やせ馬;〈英略式〉ひよろ長い人;気の弱い人. **3**〔略式〕[the ~] タバコ; 巻きタバコ, 葉巻き.
　　動 他 **1** 〈庭などの〉雑草を除く;〈雑草〉を取る(+ *out*) ‖ *weed* a garden 庭の草を取る. **2 a**〔~から〕取り除く(+*out*)〔*from*, *out of*〕 ‖ She *weeded* out the useless books *from* her library. 彼女は不用な本を蔵書から除いた. **b** …から無用[有害]な物[人]を排除する(+*out*). ──自 雑草を除く, 草取りをする.

weed² /wíːd/ 名 **1** C (帽子・腕につける)喪章. **2**(古) [~s] (未亡人の)喪服(widow's weed).
weed·er /wíːdər/ 名 C 草取り人;除草器.
weed·y /wíːdi/ 形 (-i·er, -i·est) **1** 雑草の多い. **2** 雑草の(ような); 雑草のように伸びるのが早い. **3** (略式) ひょろっとした; 貧弱な; 気の弱い.

*****week** /wíːk/ (同音 weak) 派 weekly (形)
　　名 (複 ~s/-s/) C **1** 週《米国ではふつう日曜日から土曜日, 英国では月曜日から日曜日まで》;(ある一定の日から, またその日を含んで) 1週間, 7日間《◆しばしば前置詞を伴わずに副詞的に用いる》‖ We've had a lot of rain *this week*. 今週は雨が多かった (→文法 21.6(1)) / *last* [*next*] *week* 先[来]週 / the next *week* これからの7日間; その翌週, それからの1週間 / *weeks ago* 何週間も前に / for *weeks* 何週間も / next *week's* Saturday 来週の土曜日《◆on Saturday next *week* ともいう》/ the *week* 「*after next* [*before last*] 来々[先々]週 / *all* (*the*) *week long* 1週間ずっと / the other *week* このあいだの週 /〈ジョーク〉"Which is the strongest day of the *week*?" "Saturday and Sunday. All the other days are weak days." 「一週間で一番強いのは何曜日?」「土曜日と日曜日. 残りは全部弱い日だからね」《◆weekdays とのしゃれ》.

(関連)(1)《週・日の言い方》a *wéek agò* [from] todáy (米)今日で(=今日から)1週間, todáy wéek, thìs dáy wéek《◆先週の意味では(今ではまれ)》/ a *week* ago [from] tomorrow (米) 先週[来週]のあす(=(英) tomorrow week) / a *week* ago [from] yesterday (米) 先週[来週]のきのう(=(英) yesterday week) / a *week* ago [from] Friday (米) 先週[来週]の金曜日(=(英) Friday week) / a *week* on Tuesday (英) 先週[来週]の火曜日 / a *week* ago last Monday (米) 先々週の月曜日(=(英) a *week* last Monday) / *What day of the week* is it (today)? = *What day is* (*it*) *today*? きょうは何曜日ですか / the *week* of August 3 8月の3日から始まる1週間.
(2)昔は日曜日は太陽(sun)に献げる日とされ, 長年にわたって Sunday is the first day of the week. とされていたが, 今日では workweek (1週間の勤務日数)の立場から Monday is the first day of the week. と考えている人がふつう.

2 a〔主に略式〕[the ~] 平日《日曜日を除く6日間または土・日を除く5日間》(cf. weekday); [通例単数形で](勤務・授業の)1週間の勤務[労働]日数《(米) workweek,(英) working week》‖ a five-day (working, school) *week* 週5日(労働, 登校)制. **b** (1週間の)実動時間制 ‖ He works a 40-hour *week*. 彼は週40時間勤務である. **3** [W~] U (特別の催しのある)週間, …週間 ‖ Fire Prevention *Week* 火災予防週間.

by the wéek 1週いくらで, 週ぎめで. 週給で.
wéek by wéek (変化が) 1週1週と, 1週ごとに (→文法 16.3(3)).
wèek ín, wèek óut =*week after wéek* (同じ行為・状態が) 毎週, 来る週も来る週も.

†**week·day** /wíːkdèi/ 名 C 平日, 週日, ウイークデー《祝日を除く月曜日(または土曜日と日曜日)以外の日》; [形容詞的に] 平日の;(米略式)[~s;副詞的に] 平日には ‖ She is always busy *weekdays*. 彼女は平日はいつも忙しい《◆(正式)では on *weekdays* とする》.
lóok like a wét wéekday (略式)〈人がしょんぼりしている.

*****week·end** /wíːkènd, ⁻⁻/
　　名 (複 ~s/-endz, -èndz/) C **1** 週末, ウイークエンド《◆ふつう土曜日から日曜日, 時に金曜日の夜から月曜日の朝までをいう》; 週末の休み; [形容詞的に] 週末の ‖ *over the weekend* 週末を通じて / a *weekend market* 週末に開かれる市 / Why don't you stay

weekender

with us *for* [(米・豪) *on*, (英) *at*] *the weekend*? 週末はうちに泊まりにいらっしゃいませんか《◆ *for* は「週末をすためだ」》/ Come ((米) *on*, (英) *at*) *the following weekend.* 次の週末にいらっしゃい.
── 動 自 《…で》週末を過ごす(*at, in*);週末旅行をする.

week・end・er /wíːkèndɚ/ 名 ❶ 週末旅行者;週末の泊まり客. ❷ 週末旅行用かばん.

*week・ly /wíːkli/
── 形 〔通例名詞の前で〕毎週の, 週に1回の;1週間の;週ごめの, 週刊の《◆比較変化しない 関連 → periodical》‖ What is your *weekly* wage? あなたの週給はいくらですか / subscribe to a *weekly* magazine 週刊誌を定期購読する.
── 副 毎週, 週1回;週ごめで ‖ I am paid *weekly*. 私の週給外もらっている(=… by the week.).
── 名 Ⓒ (雑誌・新聞などの)週刊誌, 週報.

*weep /wíːp/
── 動 (~s/-s/; 過去・過分 wept/wépt/; ~・ing) 〔正式〕
── 自 ❶〈人が〉(涙を流して)しくしく泣く《◆ cry は声を出すことに, weep は声を出さないで涙を流すことに力点が置かれる. 声が聞こえてすすり泣くのは sob》, 〔…に〕涙を流す;〔…を〕嘆き悲しむ, 嘆く(+*away*) 〔*for, over, at, with, about*〕 ‖ *weep* bitterly さめざめと泣く / *weep for* joy うれし泣きする / I *wept* until there were no more tears. 私は涙がかれるまで泣いた / He *wept over* [*about*] his misfortunes. 彼は身の不運を嘆き悲しんだ《◆ *over* の方が about より強意的》. ❷ しずくをたらす;したたる〈植物などが樹液を分泌する. ❸ 〔通例 be ~ing〕〈木が〉しだれる, 枝をたれる.
── 他 ❶〈涙を〉〔…に〕流す〔*about, over*〕‖ *weep* bitter tears さめざめと泣く. ❷〈…に〉涙を流す, …を嘆き悲しむ ‖ *weep* the dead child 死んだ子を悲しんで泣く. ❸〈…を〉涙を流して〔泣きながら〕言う(+*out*). ❹〈…を〉泣き暮らす(+*away, out*);〔~ oneself〕泣いて〈ある状態に〉なる(*to, into*) ‖ *weep* one's life *away* 泣いて一生を過ごす / *weep* one's heart [*eyes*] *out* 泣き尽くして, 目を泣きはらす / The baby *wept* itself to sleep. その赤ん坊は泣きながら寝入った. ❺〈水気・しずくなど〉をしみ出させる, たらす.
── 名 (略) ❶〔通例 a ~〕泣くこと, ひと泣き. ❷ (液体の)滲(に)み出.

weep・er /wíːpɚ/ 名 ❶ 泣く人, 悲しむ人;〔葬式に雇われる〕泣き男(女). ❷〔~s〕(男子の帽子の)喪章;(寡婦の)黒いベール.

weep・ing /wíːpɪŋ/ 形 ❶ 涙を流す, 涙ぐんだ. ❷ しみ出る;したたり落ちる. ❸〈枝など〉垂れ下がる, しだれる.
wéeping willow 〔植〕シダレヤナギ.

†**wee・vil** /wíːvl/ 名 Ⓒ〔昆虫〕ゾウムシ《穀物などを食べる小型甲虫》.

weft /wéft/ 名 〔the ~;集合名詞〕(織物の)横糸, ぬき(woof)(↔ warp).

*weigh /wéɪ/ 〔発音注意〕〔同音 way〕《〔秤(はかり)にかける〕が本義》 関連 weight (名)
── 動 (~s/-z/; 過去・過分 ~ed/-d/; ~・ing)
── 他 ❶〈人が〉〈物・人の〉重さを量る, 目方を量る;…の重さをみる;…を量り分ける(+*out*) ‖ She *weighed* herself *on* [*in*] the scales. 彼女ははかりで体重を計った / *weigh out* a pound of sugar 砂糖を1ポンド分量る. ❷〈人が〉〈物・事〉をよく考える;…を〔…と/…の点で〕比較考察する〔*with, against / in*〕‖ *Weigh* your words *in* [while] speaking. 慎重に言葉を選んで

weight

発言しなさい / He *weighed* one plan *with* [*against*] another. 彼はある計画を別の計画と比較検討した.
❸〔正式〕…を重みで圧する, 押し下げる, 曲げる(+*down*);〔通例 be ~ed〕〈人が〉〔苦労・悲しみなどで〕悩む, 打ちひしがれる(+*down*)〔*with, by*〕‖ His wife *was weighed down with* various worries. 彼の妻はさまざまな心配事に打ちひしがれていた.
── 自 ❶ [*weigh* C] 〈物・人が〉**重さが** C である;目方が C だけある〔かかる〕《◆ 対話》"How much does the parcel *weigh*?" "950 grams." 「その小包はどのくらいの重さですか(= What is the weight of the parcel?)」「950グラムです」/ The book *weighs* a pound. その本の目方は1ポンドある.
❷〔正式〕〈…の点で〉重要である〔*in*〕;〈物・事が〉〈人に〉重要視される〔*with*〕‖ The argument *weighed with* him. その議論を彼は重要視した. ❸〔人・心の〕重荷となる, 〔…を〕圧迫する〔*on, upon*〕;〔人に〕不利となる〔*against*〕‖ The matter *weighs heavily on* her mind. その事は彼女の心に重くのしかかっている. ❹〔海事〕錨(いかり)を揚げる, 出航する.

wéigh úp [他]…を理解する;…を比較考量する, よく考える;…を評価する;…を一方の重みでは上げる.

wéighing machine [scàle] 計量機, はかり.

***weight** /wéɪt/ 〔発音注意〕〔同音 wait〕《→ weigh》 関連 weighty (形)
── 名 (複 ~s/wéɪts/)
Ⅰ〔重量・重さ〕
1 Ⓤ 重さ, 重量;体重;〔物理〕重さ ‖ *gain* [*put on*] *weight* 体重が増える, 太る / She has *lost* (some) *weight*. 彼女は(少し)体重が減った〔やせた〕(➡ 文法 15.3(2))/ What [×How much] is your *weight*? あなたの体重はどれくらいですか(= How much do you *weigh*?) / My *weight* is 50 kilograms. =〔主に英〕I am 50 kilograms *in weight*. 私の体重は50キロです《◆ I *weigh* 50 kilograms. の方が一般的》/ Watch your *weight* [waistline]. 体重が増えないように注意.
2 Ⓒ 重量の単位;Ⓤ〔時に複合語で〕衡法 ‖ tróy *weight* 金衡. **3** Ⓒ 〔…の〕目方に相当する量 ‖ a ten-ton *weight* of coal 10トンの石炭. **4** Ⓒ〔統計〕加重値, ウエイト. **5** Ⓒ〔しばしば複合語で〕(衣服などの)重さ, 厚さ ‖ a winter-*weight* jacket 冬向きの〔厚手の〕上着. **6** Ⓒ 分銅;おもり, 重し;文鎮;〔運動競技用の〕砲丸, 円盤, 〔重量挙げの〕ウエイト, バーベル, 〔ボクシングなど〕ウエイト ‖ an ounce *weight* 1オンスの分銅 / *lift weights* 重量あげをする.

Ⅱ〔抽象的に重みのあるもの〕
7〔正式〕〔the/a ~〕〔心の〕**重荷**, 重圧(burden)〔*on*〕;負担, 責任 ‖ *a weight of* care 心労 / It was as if *a great weight* had been lifted from my shoulders. =It was *a great weight off* my mind. それはまるで大きな肩の荷が降ろされたようであった. **8** Ⓤ〔正式〕重要さ, 重み;有力(なこと), 影響力 ‖ He will *give* [*attach*] *weight to* your ideas. 彼はあなたの考えをないがしろにしないでしょう / people of heavier *weight* 実力者, 大物.

by wéight 目方で.
cárry nó wéight 〔…にとって〕重要でない;影響力がない〔*with*〕.
cárry wéight 〔…にとって〕重要である;影響力がある〔*with*〕.
óver wéight 重量が超過して.
únder the wéight of A …の重圧を受けて, …のため

に.
ùnder wéight 重量が不足して.
── 動 他 **1** 重くする, […に]重みをかける[加える](+*down*). **2** 〖正式〗〈人〉に重荷を負わせる;〈人〉を[…を負わせて]苦しめる;〖通例 be ~ed〗〈人が〉[…で]悩む;〈船が〉過重に積み込まれている(+*down*)〖*with*〗‖ He *is weighted down with* various cares. 彼はいろいろな心配事で参っている. **3** 〖正式〗…に重要性を付加する.
wéight lifter 重量挙げ選手.
wéight lifting [**tráining**] 重量挙げ, ウエイトリフティング.
weight·less /wéitləs/ 形 重量の(ほとんど)ない, 無重量の.
†**weight·y** /wéiti/ 形 (-·i·er, -·i·est) 〖正式〗 **1** 重い, 重量のある. **2** 重荷となる, 重苦しい;煩わしい. **3** 重大な, 重要な. **4** 有力な, 勢力のある;説得力のある.
Wei·mar /váimɑːr/ 名 ワイマール《ドイツ中部の都市. Goethe が住んだ地》.
weir /wíər/ 名 ⓒ (川の)せき, ダム;(魚をとるための)やな.
†**weird** /wíərd/ 形 **1** 不可思議な, 気味の悪い, 超自然的な. **2** 〖英略式〗風変わりな, 奇妙な, 理解に苦しむ《◆ eerie, uncanny, unearthly よりも好意的》‖ *weird* clothes 風変わりな服装.
wéird·ly 副 不思議に;気味悪く.
wéird·ness 名 Ⓤ 不思議;気味悪さ.

wel·come /wélkəm/ 〖「喜んで来てくれる人」が原義〗

── 間 〖しばしば副詞(句)を伴って〗 ようこそ, いらっしゃい 》 *Welcome* home [back]! お帰りなさい / *Welcome to* Japan [Nippon]! ようこそ日本へ.
── 名 (複 ~s/-z/) ⓒ 〈人からの/…への〉歓迎, 歓待;Ⓤ 歓迎のあいさつ[言葉]〖*from*/*to*〗‖ receive a cold [warm] *welcome* 冷たい[温かい]歓迎を受ける / We gave her a hearty *welcome*. 私たちは彼女を心から迎えた.
bíd a wélcome =**sày wélcome to A** 〈人〉を歓迎する.
wéar óut [**outstáy, overstáy**] one's **wélcome** しばしば訪ねて[長居しすぎて]いやがられる.
── 動 (~s/-z/; 過去・過分 ~d/-d/; ~·com·ing)
── 他 **1**〈人が〉〈人など〉を歓迎する, 〔場所などに〕喜んで迎える(+*in*)〖*to*, *into*〗;…の帰還を喜んで迎える(+*back*);〈人〉を〖世辞・握手などで〗迎える〖*with*〗;…に対応する‖ He warmly *welcomed* his guest at the door. 彼は入口で客を温かく迎えた / a *welcoming* party 歓迎会. **2** 〔文〕〈意見・機会など〉を喜んで受け入れる[受ける].
── 形 (比較変化なし) **1**〈人が〉歓迎される‖ a *welcome* guest 喜んで迎えられる客 / You're *welcome*. よくいらっしゃいました / Visitors are *welcome*. 訪問客は歓迎します / Good evening and *welcome to* our program. こんばんは. この番組にようこそ《◆(1) テレビ番組の司会者のあいさつ. (2) *welcome* の前に you are が省略されている》. **2**〈物・事が〉〈人に〉うれしい, ありがたい‖ a *welcome* present うれしいプレゼント / *welcome* news 吉報. **3** 〖補語として〗〈人が〉〖物〗を自由に使ってよい〖*to*〗, […に]していい〖*to do*〗;〖皮肉的に〗勝手に[…]するがよい〖*to*, *to do*〗‖ Anyone is *welcome to* try it. どなたでも自由にお試しください / She is *welcome to* the use of my library. 彼女は自由に私の蔵書を利用してよいことになっている.

*****You are wélcome.** (1) 〔主に米〕 どういたしまして 《◆ (1) お礼の言葉に答える決まり文句で, よりていねいには You are more than [most] *welcome*. ともいうが, 単に *Welcome*. ともいう. (2) The pleasure is mine., 〔英やや古風〕 Don't mention it., 〔正式〕 Not at all., 〔略式〕 Forget it. = at ALL). (3)〔米略式〕では sure, uh-huh も用いられる》‖ 〈対話〉 "Thank you." "*You're welcome*." (⤴)「ありがとう」「どういたしまして」. (2) → 形 **1**.

〈使い分け〉 [**That's all right.** と **You're welcome.**]
 That's all right. は「(謝罪に対して)どういたしまして」の意.
 You're welcome は「(お礼に対して)どういたしまして」の意.
 "I am sorry I broke the vase." "Oh, *that's all right* [×You're welcome]." 「花びんを割ってすみません」「いいえ, いいんですよ」.
 "It was very kind of you to help." "*You're welcome*." 「助けてもらって本当にご親切さま」「どういたしまして」.

†**weld** /wéld/ 動 他 **1** …を[…に]溶接する〖*to*, *onto*〗;…を鍛接する(+*together*). **2** 〖正式〗〈家族・グループなど〉を[…に]結合させる, 密着させる(join)(+*together*)〖*into*, *to*〗. ── 自 溶接[鍛接]される.
── 名 **1** ⓒ 溶接点[部]. **2** ⓒⓊ 溶接, 密着.

†**wel·fare** /wélfeər/ 名 Ⓤ **1** 幸福, 繁栄, 福利(well-being)《◆健康・快適な生活などを含めた意味での幸福》‖ sócial *wélfare* 社会福祉 / the Ministry of Health, Labour and Welfare (日本の)厚生労働省 / work *for the welfare of* others 他人の幸福のために働く. **2** =welfare work;〔英略式〕 [the ~]〔米略式〕生活保護, 福祉援助((英) social security).
on wélfare 〔主に米略式〕生活保護を受けて, 政府の救済を受けて.
wélfare mòther 〔米〕生活保護を受けている母親.
wélfare stàte 〔時に W~ S~〕 [the ~] 福祉国家《各種社会保障制度の発達した国》;社会福祉制度.
wélfare wòrk 福祉[厚生]事業.
wélfare wòrker 福祉事業家.

well¹ /wél; 間 では時に (弱) wəl/

index 副 **1** よく **3** 十分に **4** かなり **6** うまく **7** 都合よく **8** 道理にかなって
形 **1** 健康な **2** 満足な
間 **1** さて

── 副 (**bet·ter**/bétər/, **best**/bést/)
I [十分に満足いくほどに]
1a よく, 満足に, 申し分なく (↔ ill, badly) ‖ He slept *well* last night. 彼は昨晩よく眠れた / All's *well* that ends *well*. → all 句. **b** [自動詞の後で] よく, 申し分なく ‖ This knife cuts *well*. このナイフはよく切れる / sell *well* 売れ行きがよい / write *well* よく書ける.
2 正しく, 立派に ‖ She did *well* in school. 彼女は学校ではよい生徒だった.
3 十分に, 完全に《◆比較変化なし》‖ wash one's hands *well* よく手を洗う / Shake the bottle *well* before using. 瓶をよく振ってから使用しな

さい.
4 [通例時・場所の副詞・前置詞の前で] **かなり**, 相当, ずいぶん, 優に《◆比較変化しない》‖ She is *well past* forty. 彼女は40歳をかなり越えている / He got there *well* after ten o'clock. 彼は10時を大分過ぎてそこに着いた.
5 [able, aware などの補語として用いる形容詞, worth の前で] かなり, 十分に ‖ I am *well* able to manage on my own. 私は一人でどうにか十分やっていける / He was *well* aware of the danger. 彼はその危険に十分気づいていた / The work is *well worth* the trouble. その仕事は十分骨折ってするだけの価値がある.

‖ [うまく**適切**に]
6 うまく, 上手に, すばらしく《◆(1) ふつう文尾に置く. (2) 対応する形容詞は good》(↔ badly)‖ He speaks English *well*. 彼は上手に英語を話す(= He is a good English speaker.)
7 都合よく, うまく, 適当に(↔ badly)‖ *Wéll dóne!* うまいぞ, でかした! / That is *well* said! まさにそのとおり, ご名答! / Everything is going *well*. すべてうまくいっている.
8 [動詞の前で] 道理にかなって, もっともで, 正当に, 適切に; [cannot, could not の後で] 容易に(は)《…できない(だけではなかった)》《◆成句の may well do, might (just) as well do などの もとはこの意味》‖ You may *well* need your sweater if it gets a little colder. もう少し寒くなればセーターも必要となるでしょう.
9 [may [might, could] (very) well] たぶん(probably); 可能性が十分ある ‖ It may *well* rain before tonight. 晩までに雨になりそうだ(= It is very likely that it will rain before midnight.) I may *very well* accept the nomination. 私は指名を受け入れる準備が十分あると思っている[受け入れてもよいと思っている](cf. I can *well* imagine! 十分察しがつきます. → 3).
10 親密に, 好意を持って《◆比較変化しない》‖ The teacher *is well* spoken of. その先生は評判がよい.
* **as wéll** (1) 《略式》なおその上(too), おまけに(besides)‖ He gave us clothes, and money *as well*. 彼は私たちに着る物をくれ, なおその上にお金もくれた《◆**A as well as B** では B を先行させて, B and A as well としたもの》. (2) 同じくらい上手に ‖ He speaks English, and his sister does [can] *as well*. 彼は英語を話すが, 彼の妹も同じくらいうまく話す.
* **as wéll as ...** [前] **…と同様に**, …のみならず, …だけでなく, …はもちろん ‖ He gave us fóod *as wéll as* clòthes. 彼は私たちに着る物はもちろんお金もくれた(= He gave us not only clothes but (also) food.)《◆ ☑ A as well as B では A の方に意味上重点が置かれ, また主語とする動詞は A の人称・数と一致するが原則: I *as well as* he am [×is] diligent. 彼と同様に私も勤勉だ / *As well as* being in love with her, she respected him. 彼女は彼を愛しているだけでなく尊敬もしていた《◆前置詞として用いるので ×As well as she was in ... とはいわない》. —[接] …するのと同じくらい上手に ‖ 〔対話〕 "Can he play golf?" "Yes, he can play *as well as* you." 「彼はゴルフができるかい」「ええ, あなたと同じくらい上手にできますよ」《◆ John worked *as well as* Jane. は「ジョンはジェーンと同じように熱心に勉強した」((2) の意味)のほかに「ジェーンだ

けでなくジョンも勉強した」((1)の意味)にもなる》.
be wéll óff → well-off.
be wéll óut of A《略式》…をうまく免れている.
còme óff wéll《事がうまくいく;〈人が〉幸運である.
dò wéll (1) うまくいく, 成功する; 〈学校で〉成績がよい. (2) [be doing]〈人が〉(病気から)だんだん回復している.
dò wéll to *do* → do¹ 動.
gèt ón wéll with A〈人〉と仲よくやっていく;〈物・事〉がうまく進む(cf. GET on [自] (4) (5)).
* **máy [míght] (jùst) as wéll** *do* 「…しても しなくてもよい] が本義》(1) 肯定文で用いる《略式》(1) a) 《…するのは》…するのと同じだ [変わりない] 《…するなら》…する方がましだ《この意味では might がふつう》‖ He'll never listen; you *might as well* talk to the wall. 彼は絶対に耳を貸そうとしない. 壁に向かって話すのと同じだ. b) …してもよい, …して差し支えない ‖ It's not very far, so I *may* [*might*] *as well* walk. 「歩いて行こう」という誘いなどに対して)あまり遠くないから歩いて行ってもいいよ / It's late, so I *may* [*might*] *as well* go home. 遅いから家に帰ることにしよう. [*as well* 動詞を省略して]; そうしてもいいね《◆あまり熱意のない返答》‖ 〔対話〕 "Shall we start?" "*Might as well*." 「出かけようか」「そうだね」. (2) [控え目な提案] [主に *might* (just) *as well* で] …してもいいじゃない, …したらどう ‖ What a slow bus it is! We *might as well* go by taxi. 遅いバスだね. タクシー(にするの)がいいんじゃない.
* **máy [míght] wéll** *do* おそらく…だろう《◆ will probably do に近い意味》‖ You *may well* be surprised at the news. 君はこのニュースを聞いておそらく驚くだろう[驚くのはもっともだ]《◆ You may [might] well do はしばしば文脈的に「…するのはもっともだ (It is natural that you should be ...)」に近い意味になる》.
prétty wéll (1) かなりよく[うまく]. (2) ほとんど.
stánd well with A〈人〉の気に入られる.
wéll and trúly《略式》ひどく, すっかり.
wéll úp in [on] A《略式》…をよく知っている, …に通じている.

—形 (**better**, **best**) **1** [通例補語として]〈人が〉(ある時点において)**健康な**, 丈夫な, (病気などが)治って《◆ healthy より口語的》(↔ ill, sick) ‖ gèt [lòok] *wéll* 元気になる[元気そうに見える] / the sick and the *well* 病人と健康な人 / I don't feel *well*. 気分がよくない / 〔対話〕 "How are you?" "I'm quite well, thank you. And you?" 「お元気ですか」「おかげさまでとても元気です, あなたはいかがですか」《◆〈米〉では I'm fine, thank you.》/ a *well* baby 〔まれ〕元気な赤ん坊《= a healthy baby》.
2 [主に〕[補語として]〈人にとって〉**満足な**, 申し分ない, 好都合な(with); 見ばえがよい《◆比較変化しない》‖ all being *well* 万事うまくいけば[思い通りになれば]《**◯文法** 13.7》/ Everything is *well* with us. 私たちに万事がうまくいっている / I am very *well* where I am. 今のままで十分満足です.
3《正式》[補語として] 適当で, 当を得た; 望ましい《◆比較変化しない》.
It [That] is áll [véry wéll [wéll enóugh], but ...《略式》…するには結構だが…《◆不満の反語用法》‖ *It's all very well* for you to say so, *but* who will go instead? 君がそういうのは結構だが, だれが代わりに行くのですか.
It is jùst as wéll (that ...)《略式》(…とは)幸運

だ，(…なのは)むしろ好都合だ．*it mày* [*wòuld*] *be* (*jùst*) *as wéll to* do …した方がよい ∥ *It may be as well not to invite him.* 彼を呼ばない方がよいだろう(→文法 11.7).

──間 /wél, 時に(弱) wəl/

I [前言とのつながりを表す]

1 [話の続行・言葉の切り出し] さて，ところで；それで《◆きっぱりと下降調で言うと，話を打ち切る合図になる》∥ *Well, then.* それでどうしました．**2** [同意・確認] よろしい，そうね《◆ふつうあまり満足でない同意》∥ *Well* (↘), *but what about the money?* よろしい，でも金はどうなるんだい．**3** [譲歩] なるほど，それじゃ《◆しばしば気が進まない含意がある》∥ *Well* (↘), *you may be right.* なるほど，君の言うとおりかもしれない．**4** [ためらい・思案] ええと，そうね ∥ *Well* (→), *let me see.* ええと，そうですね．

II [驚きなどの気持ちを表す]

5 [驚き・非難など] おや，まあ，えっ，へぇー ∥ *Well, to be sure!* = *Well now!* = *Well, well* (, *well*). まあ，これは驚いた．**6** [安心] やれやれ，さあ．

──名 ⓤ よいこと，満足なこと；幸福，繁栄《◆次の表現でのみ用いられる》∥ *wish well to him* = *wish him well* 彼の幸福[幸運]を祈る．

*well² /wél/ [[泉]が原義]

──名 (複 ~s/-z/) ⓒ **1** 井戸；[しばしば複合語で](石油・天然ガスを採るための)井(gas well) ∥ *dig a well* 井戸を掘る / *an oil well* 油井(*). **2** 井戸状の穴；くぼみ，(階段の)吹き抜け(stairwell)；(エレベーターの)縦穴．**3** (英) (法廷の)弁護士席．

──動 ⓘ 〈水などが〉〈…から〉わき出る，噴出する(+*up, out, over, forth*)[*from, out of*] ∥ *Tears welled* in the girl's eyes. その女の子の目から涙がわき出た．──他〈水・涙・感情などを〉ふき出す，わき出させる(+*up, out, forth*).

well- /wél-/ (語要素→要素一覧(1.1)).

***we'll** /wíːl, (弱) wil/ (略式) *we will* [*shall*] の短縮形．

well-ad·just·ed /wélədʒʌ́stid/ 形 十分に[よく]順応した．

well-ad·vised /wélədváizd/ 形 思慮のある，賢明な．

well-ap·point·ed /wéləpɔ́intid/ 形 (正式) 設備の整った．

well-bal·anced /wélbǽlənst/ 形 (正式)〈人・考え方などが〉常識のある；正気な；〈食事などが〉バランスのとれた．

well-be·haved /wélbihéivd, -bə-/ 形 行儀[しつけ]のよい．

⁺**well-be·ing** /wélbíːiŋ/ 名 ⓤ (正式) 幸福，福利，健康．

well-born /wélbɔ́ːrn/ 形 生まれのよい，名門の出の．

well-built /wélbílt/ 形〈人が体格のよい〉；〈建物が〉しっかりした作りの．

well-de·fined /wéldifáind/ 形 明確な；輪郭のはっきりした．

well-de·vel·oped /wéldivéləpt/ 形 十分考え抜かれた；よく発達した．

well-dis·posed /wéldispóuzd/ 形 **1** 気立てのよい，親切な；[…に]好意を持っている[*to, toward*]．**2** 正しく並べた．

well-do·ing /wéldúːiŋ/ 名 ⓤ 形 善行(の)，徳行(の)．

well-done /wéldʌ́n/ 形 **1** 立派になされた．**2**〈肉が〉よく焼けた(→ beefsteak).

well-es·tab·lished /wélistǽbliʃt, -es-/ 形 確立した；定着した．

well-found·ed /wélfáundid/ 形 (正式) 事実に基づいた，根拠の確かな．

well-groomed /wélgruːmd, -grúmd/ 形〈馬などが〉手入れの行き届いた；〈人が身なりのきちんとした，小ぎれいな．

⁺**well-in·formed** /wélinfɔ́ːrmd/ 形 (正式) **1** 博識の，見聞の広い．**2** […に]精通している，(…の)事情に通じている((略式) well up) [*in, about*] (↔ ill-informed).

Wel·ling·ton /wéliŋtən/ 名 **1** ウェリントン《*the First Duke of* ~ = Arthur Wellesley /wélzli/ ~ 1769-1852; Waterloo で Napoleon を破った英国の将軍・政治家》．**2** ウェリントン《New Zealand の首都》．**3** (主英) [通例 ~s; 時に wellingtons] = Wellington *boot*(s). **Wéllington bòot**(s) ウェリントン・ブーツ《前面にひざの上までくる革[ゴム]製の長靴》((米) rubber boot).

well-in·ten·tioned /wélinténʃənd/ 形 善意の，善意で行なった《◆しばしば不首尾に終わったことを含む》．

well-kept /wélképt/ 形 世話の行き届いた，手入れの十分な．

***well-known** /wélnóun/ 《◆動詞の前では /-́-/. 補語として用いる場合はハイフンなしの well known がふつう》

──形 (more ~, most ~; bet·ter-, best-) **1**〈人に〉よく知られている [*to*], […で/…として]有名な[*for / as*] (類語→ famous) ∥ *a well-known painter* 名の通った画家 / *She is one of the most well-known [the best-known] TV personalities in Japan.* 彼女は日本で最もよく知られているテレビタレントの1人です．

2 なじみ深い，親しい (↔ little-known).

well-made /wélméid/ 形 かっこうのいい，つり合いのとれた；巧妙に作られた．

well-man·nered /wélmǽnərd/ 形 行儀のよい，上品な，ていねいな．

well-marked /wélmɑ́ːrkt/ 形 はっきりした，明確な．

well-mean·ing /wélmíːniŋ/ 形 = well-intentioned.

⁺**well-off** /wélɔ́ːf/, **well off** 形 (bet·ter-, best-) **1** (略式) 順境にある **2** *You don't know when you're well-off.* (人は自分が)順境にあるときはそれがわからないのだ．**2** 裕福な《◆ rich より口語的》(↔ badly-off)；[…が]豊富な，たっぷりある，[…に]不自由しない[*in, for*].

well-po·si·tioned /wélpəzíʃənd/ 形 適当な位置に置かれている．

well-pro·por·tioned /wélprəpɔ́ːrʃənd/ 形 よく釣合[均整]のとれた．

well-read /wélréd/ 形 多読の；(正式)[…に]博識の，精通している [*in*].

well-rep·re·sent·ed /wélreprizéntid/ 形 十分に表された．

well-round·ed /wélráundid/ 形 **1** 多才の；円満な．**2** 包括的な，多方面にわたる．**3**〈体・文体などが〉よく釣合[均斉]のとれた．**4** 丸々した《◆ fat の遠回し語》．

Wells /wélz/ 名〈**H**(erbert) **G**(eorge) ~ 1866-1946; 英国の小説家・歴史家》．

well-sat·is·fied /wélsǽtisfaid/ 形 十分に満足した[得心のついた]．

well-sea·soned /wélsíːznd/ 形 [薬味などで]強く味つけした [*with*]；十分に年数を経た；経験の豊かな．

well-spo·ken /wélspóukn/ 形 **1** 話しぶりがうまい．**2** 言葉づかいが上品な；〈言葉などが〉適切な；(英) 標準英語を使う．

wéll·spring /wélsprìŋ/ 名C **1** 水源. **2**(主に文)〈知識などの〉源泉〔*of*〕.

wèll-sup·plíed /wélsəpláid/ 形 豊富な, 十分に供給された.

wèll-sup·pórt·ed /wélsəpɔ́ːrtid/ 形 十分な支持[援助]をもつ.

wéll-tímed /wéltáimd/ 形 《正式》時宜を得た, 好機の(timely).

†**wèll-to-dó** /wéltədúː/ 形《略式》**1** 裕福な(rich)《◆補語として用いる場合は well to do とも書く》. **2** [the ~; 集合名詞的に] 富裕階級.

wéll-úsed 形《正式》正しく[盛んに]用いられた.

wéll-wà·ter /wélwɔ̀ːtər/ 名 U 井戸水.

wéll-wìsh·er /wélwìʃər/ 名 C 他人[物事]の幸福を祈る人, 人に好意を寄せる人;〈主義などの〉支持者; 見送り人.

wèll-wórn /wélwɔ́ːrn/ 形《◆補語として用いる場合は well worn》**1** 使い古した, 着古した. **2** 陳腐な, 月並な, 見えすいた.

†**Welsh** /wélʃ/ 形 **1** ウェールズの. **2** ウェールズ人[語]の.
── 名 **1** [the ~; 集合名詞; 複数扱い] ウェールズ人《◆個人は Welshman, Welshwoman, Welsh person》. **2** U ウェールズ語.

Wélsh·man /wélʃmən/ 名(複 **-men**)C 〈男の〉ウェールズ人,(一般に)ウェールズ人((PC Welsh person)).

welt /wélt/ 名 C **1**〈靴底と甲皮との〉継ぎ目革((図)→ shoe);〈衣服の〉へりかがり, ふち飾り, 当てぎれ. **2** むち[棒]の跡, みみずばれ;《略式》殴打.

†**wel·ter** /wéltər/ 動《正式》(**1**《快楽などに》ひたる, ふける〔*in*〕; **2** welter in sin 罪に身をひたす. ── 名《通例 a ~》混乱, 騒動;ごった返し(mess).

wel·ter·weight /wéltərwèit/ 名 C 形《ボクシング・レスリング》ウエルター級の(選手).

wen /wén/ 名 C《医学》皮脂腺腫(ル);《囊胞(の)》, 表皮囊胞.

†**wench** /wéntʃ/ 名 C《略式》少女, 女の子;娘っ子.

†**wend** /wénd/ 動(過去・過分 ~·**ed**/-id/ or《古》**went** /wént/)他《文》[~ one's *way*] 進む, 行く《◆儀式ばった行列の行進に用いられる》. ──《古》行く, おもむく(go)《◆過去形 went は go の過去形に転用されている》.

Wen·dy /wéndi/ 名 **1** ウェンディ《女の名》. **2** ウェンディ《*Peter Pan* に登場する3人きょうだいの長女》.

Wéndy hòuse《主に英》=playhouse **2**.

*****went** /wént/ 動 **1** go の過去形. **2**《古》wend の過去形・過去分詞形.

†**wept** /wépt/ 動 weep の過去形・過去分詞形.

*****were** /(弱) wər; (強) wə́ːr/
── 動 **1** 二人称単数および各人称の複数を主語とする be の直説法過去形《◆ are の過去形》‖ You [We, They] were busy. 君(たち)[私たち, 彼(女)たち]は忙しかった.
2 仮定法単数・複数全人称の過去形 (→文法9.1)‖ I wish it *were* [《略式》*was*] Saturday today. きょうが土曜日であればなあ / *Were* [×Was] she my daughter, I could suggest a different plan.《文》もし彼女が私の娘であれば私は別の計画を提案するのに (→文法9.4).
wère it nót for ...《文》=*if it were not for* ... もし…がなければ.
were to dó → IF A were to do.

*****we're** /wíər/《略式》we are の短縮形.

*****wer·en't** /wə́ːrnt/《略式》were not の短縮形.

were·wolf /wéərwùlf, wíər-/ 名(複 **-wolves**) C 狼(人)人間《ヨーロッパの伝説に出てくるオオカミに変えられた人, またはオオカミに変身する人》.

†**wert** /(弱) wərt;(強) wə́ːrt/ 動《古》be の二人称単数直説法過去形(→ wast)および仮定法過去形‖thou *wert* =you were.

†**Wes·ley** /wésli | wéz-, wés-/ 名 ウェスレー《**John** ~ 1703-91;英国の神学者, メソジスト教派の創始者》.

Wes·ley·an /wéslian | wéz-, wés-/ 形 ウェスレーの;メソジスト派の. ── 名 C ウェスレーの信奉者;(主に英)メソジスト教徒.

Wes·sex /wésiks, (米+) -seks/ 名 ウェセックス《イングランド南西部(今の Dorsetshire 地方)にあった古代の Anglo-Saxon の一王国》.

★**west** /wést/ 派 western(形)
── 名[しばしば W~] [the ~] **1** 西, 西方, 西部(略 W, W., w.) (cf. east, north, south)《◆用例・語法その他は → east 名 **1**》. **2** [the W~] 西部地方;(米)西部(地方)《Mississippi 川以西. かつては Allegheny 山脈以西》, 西部諸州. **3** [通例 the W~] **a** 西洋, 欧米(the Occident). **b**《略式》(共産圏に対して)西側(諸国), 自由主義陣営(↔ the East).
── 形《◆比較変化しない》[しばしば W~] [名詞の前で] **1** 西の, 西にある, 西部の(→ eastern 語法). **2** 西に向いた〔へ行く〕;〈風が〉西から来る《◆用例は → east》.
── 副[しばしば W~] 西へ[に], 西方へ[に];〈風が〉西《◆比較変化しない》(cf. western, westerly)《◆用例は → east》.
gò wést (1) 西[西部]へ行く;〈太陽が〉西に沈む.(2)《主に英略式》〈人が〉死ぬ《◆die の遠回し表現》;〈物が〉こわれる, 動かなくなる;無用になる;没する.

Wèst Berlín 西ベルリン《ベルリンの西部地域の旧称. 西ドイツに属していた. cf. East Berlin》.

Wèst Énd [the ~] ウエストエンド《ロンドン西部地区. 官庁・公園・劇場・高級商店・高級住宅街がある. ここの住民は **West-Ender** という. cf. East End》.

Wèst Gérmany 西ドイツ《公式名 the Federal Republic of Germany. 1990年 East Germany と統合》.

Wèst Índian 西インド諸島の(人).

Wèst Índies [the ~] 西インド諸島《北アメリカ東部と南アメリカ北部の間にある諸島》.

Wèst Póint(米)ウエストポイント《ニューヨーク市の北方 Hudson 河畔の軍用地. 陸軍士官学校がある》.

Wèst Síde [the ~] ウエストサイド《ニューヨークの Manhattan の西部地区. cf. the East Side》.

Wèst Sússex ウエストサセックス《イングランド南部の州》.

Wèst Virgínia ウエストバージニア《米国東部の州.《愛称》the Mountain [Panhandle] State.《略》W.Va., 《郵便》WV》.

Wèst Yórkshire ウエストヨークシャー《イングランド北部の州. 1974年に新設された》.

wést·bound /wéstbàund/ 形〈船・乗物・道路などが〉西へ向かう, 西にのびる.

†**west·er·ly** /wéstərli/ 形 **1** 西の;西への, 西方への(westward). **2**〈風が〉西からの《◆west に比べ大体の方向をさす》‖a *westerly* wind 西風. ── 副 西へ[に], 西方へ[に];〈風が〉西から.

*****west·ern** /wéstərn | wéstn/ [→ west]
── 形《◆比較変化しない》(→ eastern 語法) [しば

しば W~] **1** [名詞の前で] 西の, 西方の, 西にある ‖ Kyushu is in the *western* part of Japan. 九州は日本の西部にある(→ east 名**1**語法). **2** 西へ行く[向かう], 西向きの. **3** 〈風が〉西からの. **4** 西部の; [W~] 〔米〕[通例名詞の前で] 西部(地方)の, 西部諸州の. **5** [通例名詞の前で] **a** 西洋の; *Western* literature [thought] 西洋文学[思想]. **b** 〔略〕(共産圏に対し)西側(諸国)の, 自由主義陣営の.
——名(複 ~s/-z/)[しばしば W~] C 西部劇, ウエスタン, 西部もの《開拓時代のカウボーイなどの登場する映画・小説》.

Wéstern Chúrch [the ~] 西方教会, ローマカトリック教会(cf. the Eastern (Orthodox) Church).
Wéstern (Róman) Émpire 〔歴史〕 [the ~] 西ローマ帝国《395-476》.
Wéstern Samóa 西サモア《南太平洋の国》.
Wéstern Státes 〔米〕[the ~] 西部諸州.

†**west・ern・er** /wéstərnər | wéstn-/ 名 C **1** 西部地方の[生まれの]人. **2** [W~] 〔米〕(米)西部の[生まれの]人. **3** [W~] 西洋人.

†**West・min・ster** /wéstminstər/ 名 **1** ウエストミンスター《ロンドン中央部の自治区. 国会議事堂, Westminster Abbey, Buckingham 宮殿などがある》. **2** 〔英〕国会議事堂; 議会政治 ‖ at *Westminster* 議会で. **3** =Westminster Abbey. **4** =Westminster school.

Wéstminster Ábbey ウエストミンスター寺院《ロンドンのゴシック風の大教会堂. 単に the Abbey ともいう. → Poets' Corner》.
Wéstminster Cathédral ウエストミンスター大聖堂《英国ローマカトリック教の大本堂. Westminster Abbey の近くにある》.
Wéstminster schóol ウエストミンスター校《Westminster Abbey 付属のパブリックスクール》.

west-north-west /wéstnɔːrθwést/ ; 〔海事〕 -nɔːrwést/ 名 [the ~] 西北西の《略》WNW. ——形 副 西北西の[に]; 〈風が〉西北西からの(の).

west-south-west /wéstsauθwést/ ; 〔海事〕 [the ~] 西南西の《略》WSW. ——形 副 西南西の[に]; 〈風が〉西南西から(の).

†**west・ward** /wéstwərd/ 副 〔主に米〕西へ[に], 西方に向かって ‖ sail *westward* 西に向かって航海する. ——形 西(へ)の; 西向きの. ——名 [the ~] 西(方).

west・ward・ly /wéstwərdli/ 副 形 西向きの[に]; 〈風が〉西からの(の).

†**west・wards** /wéstwərdz/ 副 〔主に英〕=westward.

※**wet** /wét/ 〔同音〕△whet
——形 (**wet・ter, wet・test**)

Ⅰ [ぬれた]
1 〈人・物が〉[…で/…のために] ぬれた(with/from), 湿った; 湿気のある(↔ dry) (→ damp) ‖ get *wet* ぬれる / *wet* dishes ぬれた皿 / The baby's cheeks were still *wet with* tears. 赤ん坊のほおはまだ涙でぬれていた / My hair was still *wet from* being washed. 私の髪は洗ったばかりでまだぬれていた.
2 雨降りの, 雨で湿った, 〈気候が〉雨の多い, 雨がちの《♦rainy より口語的》‖ a *wet* day 雨模様の日 / *wet* weather 雨天 / the *wet* season 雨期 / 〔対話〕 "My, it's *wet* outside." "We'll have a *wet* drive." 「あれ, 外は雨だ」「雨のドライブになりそうだね」.
3 〈ペンキなどが〉まだ乾いていない, 塗りたての.

Ⅱ [酒に関すること]
4 〔米略〕飲酒を禁止していない, 酒類の製造販売を認めている(↔ dry) ‖ a *wet* state 非禁酒の州. **5** 〔略〕酔っている(drunk).

Ⅲ [精神的にしめっぽい]
6 〔主に英略〕〈人が〉感傷的な, しめっぽい; 弱気な; 間抜けな.

wét thróugh =**wét to the skín** =**drípping wét**
びしょぬれになって.

——名 **1** 〔略〕[しばしば the ~] 湿気, しめり. **b** [the ~] 雨降り, 雨天; 雨; 〔雨後の〕ぬかるみ ‖ Stay out of *the wet*. 雨にぬれないようにしなさい. **2** C 〔米略〕禁酒反対者(↔ dry). **3** C 〔主に英略〕感傷的な[弱々しい]人.

——動 (~s/wéts/; 過去・過分 **wet・ted**/-id/ or 〔米〕 **wet**; **wet・ting**)
——他 **1** …をぬらす, 湿らす(+*down*) (↔ dry) 類語 drench, saturate, soak ‖ *wet* a towel タオルをぬらす. **2** …に小便する《♦受身不可. 〔英〕では過去形・過去分詞形はふつう wet》‖ *wet* one's [the] bed =*wet* oneself 寝小便する.
wét páint 塗りたてのペンキ.
wét sùit 〈ダイバーの〉ウエットスーツ.
wét・ness 名 U 湿気, ぬれていること.
weth・er /wéðər/ 名 C 去勢した雄羊.
wet・lands /wétlændz/ 名 U 沼沢地, 湿地.

※**we've** /wíːv; 弱 wiv/ 〔略〕we have の短縮形 (→ I've 語法).

Wh 〔略〕〔電気〕 watt-hour.

†**whack** /hwǽk/ 〔略〕動 他 **1** …を(つえなどで)強く打つ, ピシャリと打つ(strike). **2** 〔米〕…を山分け[分配]する(up). ——自 強く打つ.
wháck úp [他] (1) → 他 **2**. (2) 〔略〕…を増加する. (3) …を一度に多くする.
——名 C **1** ピシャリと打つこと[音], 強打. **2** 〔英通例 a〕試み. **3** 〔英〕[通例 a/one's ~] 分け前, 配分(share).

whack・ing /hwǽkiŋ/ 〔略〕形 すごく大きい, でかい《♦big, great の強調語》. ——副 すごく. ——名 U [通例 a ~] 打つ[ぶつ]こと.

whack・y /hwǽki/ 形 C 略 =wacky.
whad・da・ya /hwǽdəjə, hwɑ́d-/ 〔米俗〕what do you の短縮形 ‖ *Whaddaya* mean? どういう意味だい.

※**whale** /hwéil/ 〘「大きな魚」が原義〙
——名 (複 ~s, **whale**) **1** C クジラ(鯨)《♦マッコウクジラ, イルカ(dolphin)など有歯のものと, ザトウクジラ, セミクジラ, ナガスクジラなどひげのあるものに2大別される》‖ a bull [cow] *whale* 雄[雌]クジラ / Look! The *whale* is blowing (its spout). 見てごらん, クジラが潮を吹いているよ. **2** [the W~] 〔天文〕くじら座《天の赤道上にある星座》.

a whále of a … 〔略〕すばらしい, 抜群の ‖ We are having *a whale of a* (good) time. 気分は最高, 乗ってます.

whále cálf 子クジラ.
whále físhery 捕鯨業; 捕鯨場.
whále óil 鯨油.
whale-boat /hwéilbòut/ 名 C 両端のとがった細長いボート《もとは捕鯨用. 今は救助艇》.
whale-bone /hwéilbòun/ 名 **1** ヒゲクジラのひげ《歯の退化したもので, 物のしん・コルセットに使う》. **2** C クジラのひげで作った製品.

whal・er /hwéilər/ 名 C **1** 捕鯨者[船員]; 捕鯨船. **2** =whaleboat.

whal·ing /hwéiliŋ/ 名 U 捕鯨(業).
whál·ing gùn 捕鯨砲, もり発射砲.
whál·ing màster 捕鯨船船長.
†**wharf** /hwɔ́ːrf/ 名 (複 ~s, wharves) C 波止場, 埠頭(とう) (cf. pier).
wharves /hwɔ́ːrvz/ 名 wharf の複数形.

⋮what /hwʌ́t, hwʌ́t | wɔ́t; (弱) hwət/ ⟨◆弱い do, does, did の前では /t/ が発音されないこともある⟩

index 代 1何 2 (…する)もの[こと, 人] 形 1何の 2 なんという 3 全部の

──代 《主格・目的格 what, 所有格なし》

I [疑問代名詞]

1 a [通例文頭で; wh 疑問文] **何**, どんなもの[こと], 何もの[ごと]; いくら ⟨◆(1) 主語として用いる場合はふつう単数扱い. (2) 不特定の数・量の中からの選択を求める語. 限定された数のものからの選択は which⟩ ∥ *What* is that? あれは何ですか / *What* are these? これは何ですか / *What* is (there) in the garden? 庭には何がありますか / *What* is your age [weight, height]? 年齢[体重, 身長]はいくつ[いくら]ですか / *What's* your order? = *What* will you have? (注文は)何になさいますか / *What* is the temperature [price]? 温度[値段]はどのくらいですか / *What* are you doing? 何をしているのですか / *What's* it all about? (本を読んでいる人にその内容などを)いったいそれは何(について)ですか / *What* are you? あなたは何者ですか⟨◆職業を聞く言い方であるが, ぶしつけなので, *What* do you do (for a living)? (cf. 次例), *What's* your occupation? などと言うのがふつう. cf. Who are you?⟩ / ⦅対話⦆ "*What* do you do on Sundays?" "I play golf." 「日曜は何をしていますか」「ゴルフをします」 (cf. 上例注) / *What* is wrong with this camera? このカメラのどこが調子悪いのだろう⟨◆×*Where* is wrong ... とはしない⟩ / ⦅対話⦆ "I saw it then." "*What?*(↗)" "A book." 「そのときそれを見た」「何を」「本だ」⟨◆**b** と音調の違いに注意⟩ / I don't know *what to do*. どうしたらよいかわかりません⟨◆ to do の意味上の主語は I. 次例では he: He asked me *what* to do. 彼はどうしたらよいかと私に尋ねた. ⇨文法11.4(1)⟩ / *What do you think of* my plan? 私の計画をどう思いますか⟨◆✓⦿ *How* do you think ... とはしない⟩ / *What* happened then? = And then *what* happened? それからどうなりましたか⟨◆相手の話に関心があることを示し, その話の展開をうながす表現⟩ / Tell me *what* you want to have for lunch, Meg. メグ, お昼に何が食べたいか教えて⟨⇨文法1.3(2)⟩.

b [通例文尾で; 問い返し疑問文] ⟨◆相手の発話に対する驚き・念押しに用いる⟩ ∥ ⦅対話⦆ "Here comes the teacher." "*What?*" "Here comes the teacher." 「ほら先生が来たぞ」「え, 何だって」「先生が来たぞ」 ⟨◆(1) 答えはふつう前言を繰り返す. (2) *What* did you say? / Pardon?(↗) / I beg your pardon?(↗) などていねいさが増す⟩ / "A call from Mr. Rothman." "Mr. *what*(↗)?" 「ロスマンさんから電話だよ」「何さんですって?」 / "I dyed my hair purple yesterday." "You dyed it *what* color!" 「きのう髪を紫色に染めたよ」「何色に染めたって?」 / "Open the door with your head." "With *what*(↗)?" 「ドアを君の頭を使って開けなさい」「何でだって?」 ⟨◆ your head の確認である

から *What* with? ではない. cf. "Open the door." "*What with?*(↘)" 「そのドアを開けてくれ」「何で開けようか」. 語法 2 つ以上の疑問詞を用いることも可能: *Who* did *what*? だれがどうしたって?⟨×*What who did?* は不可⟩.

II [関係代名詞]

2 [先行詞を含んで] **a** (…する)**もの[こと, 人]** ⟨◆*what* 節は補語, 目的語に用いられる⟩ (the thing which, (正式) that which) ∥ That is *what* we want to know. それが私たちの知りたいことです / Look at *what* I got. 私のもらったものを見てごらん / Do *what* is right. 正しいことをしなさい / He is looking at "*what* used to be [*what* seems to be, *what* is said to be] my father's desk." 彼は以前父のものだった[父のものだと思われる, 父のものだと言われている]机を見ている / She has made our school *what it is today*. 彼女が今日の本校を築き上げた.

┌──語法──*what* he said はあいまいで「彼の言ったこと」(関係節), 「何を彼が言ったか」(疑問代名詞)の両方に解釈できる. ただし ask, tell, know, decide などと共起する場合はふつう「何を」の意: I believe *what* he said. 彼の言ったことを信じている / I don't know *what* she said. (彼女が何と言ったのかわからない).

b [*what* ... is C] [単数・複数扱い] **…なのは C である** ⟨◆*what* 節は主語に用いられる⟩ (the thing(s) which) (⇨文法23.2(2)) ∥ *What* your child needs is your love. お子さんが必要としているのはあなたの愛情なのです / *What* is needed is [are] books. = *What* are needed are books. 必要なのは本です / *What* you have to do *is* (to) tell the truth. あなたがすべきことは真実を述べることです ⟨◆**is** の直前に do がある場合, is の後の to はしばしば省略される⟩.

c (…する)**ものは何でも** ⟨◆通例次の句で⟩ ∥ Do *what* you please. 好きなことは何でもしなさい (=Do anything you like.) / Come *what* may [will], I will not break my word. どんなことがあろうと約束は破りません (=⦅略式⦆ No matter *what* happens, ...).

d [挿入節を導いて] (…である)ことには ⟨◆(1) 副詞節を導く. (2) ふつう比較級の形容詞と共に用いる⟩ ∥ *What* made matters worse, we had little money left. さらに悪いことにほとんどお金が残っていなかった / Jack is a fine athlete; *what is more important*, he is a good musician. ジャックは立派なスポーツマンだが, さらに重要なことにすぐれた音楽家でもある ⟨◆ important 成句⟩.

III [その他]

3 [感嘆的に] **なんと, どれほど** ∥ *What* she has suffered! 彼女はどれほど苦しんだことだろう.

4 [文尾で; 同意を求めて] **だろう, そうだろう** ∥ A fine morning, *what*? いい朝だねえ.

and whát nót = **and** [**or**] **whát háve you** ⟨略式⟩

A̲ is to B̲ whát C̲ is to D̲. **A の B に対する関係は C の D に対する関係と同じである** ⟨◆ A is *what* C is to D to B. の語順になることもある⟩ ∥ The teaching plan *is to* the teacher *what* the blue print *is to* the architect. 教師にとっての教案は建築家にとっての青写真のようなものである ⟨◆「A は B にとって重要である」という文脈で使うことが多い⟩.

I [**I'll**] **téll you whát.** (↘) =**I knów whát.** (↘) 《略式》いい考えがある, ねえちょっと(聞いてよ), 実はこうなんだ《◆what is something の意》‖ *I'll tell you what.* Let's go ice-skating tomorrow. そうだ, 明日スケートに行くっていうのはどうだ.

Like whát? 《略式》(相手の言葉を受けて)例えば(どんな)?《◆For example? よりくだけた言い方》.

or whát [通例否定・条件文で;文尾で] それとも他に何か ‖ I don't know whether I've offended her, *or what*. 彼女の気分を損ねてしまったのか, それとも他に理由があるのか, よくわからない.

Sò whát? (↘) 《略式》**(1)** (詰問されて)それがどうしたというのだ;(相手を詰問して)そんなことどうっていうことないでしょう(=WHAT of it?). **(2)** (相手の言ったことが聞きとれなくて)それでどうしたって?

*****Whát abòut** A? (↘) 《略式》《◆(1) A は名詞・動名詞. (2) How about A? の方がいくぶんかだけた表現》**(1)** [提案を示して] A〈物・事〉(をして)はどうですか ‖ *What about* (going for) a swim? 泳ぎに行ってはどうですか. **(2)** [情報・意見を求めて] A についてどう思いますか. A はどうしますか ‖ *What about* your homework? 宿題はどうなっているかね. **(3)** [非難を示して]〈人・物・事〉はどうなっているのか.

Whát did you sáy? (↗) (よく聞こえなかったので)もう一度言って(→ I beg your PARDON. (pardon 名) 成句)).

*****Whát ... fòr?** (↘) 《略式》**(1)** なぜ, どうして《◆(1) **Whàt fór?** として単独に用いられることもある. (2) ×For what ...? とはいわない》‖ *What* did you go to town *for*? なぜ町へ行ったのですか(=Why did you go to town?) / *What are* friends *for*? [修辞疑問で] (私たちは)友だちじゃないか. **(2)** どんな目的で ‖ *What's* this old lamp *for*? この古いランプは何に使うのですか.

whàt háve you 《略式》[... and ~; 列挙する物の最後で] その他いろいろ, 何でも.

*****Whát if ...?** (↘) **(1)** ...したらどうなるだろうか; ...したらどうだ ‖ *What if* you move the desk a little? 机を少し動かしたらどうなるだろうか[動かしてみたら]. **(2)** ...してもかまうものか, ...だとしたらどうだというのだ.

whàt is áll abòut〈人・物・事〉について[とって]最も大切なこと.

*****what is cálled** A =**what we** [**you**, **they**] **càll** いわゆる《◆A は名詞・形容詞》‖ He is 'what is called [what we call] a man of culture. 彼はいわゆる教養人だ《◆so-called は「(その呼ばれているが)その名に値しない」という含みがある》.

whàt is móre [副] [文全体を修飾; 文頭・文中で; 新情報に注意を引いて] **(1)** その上, おまけに(正式moreover) (→文法 23.4) ‖ He is well off, and *what is more*(↘), he is of good birth. 彼は裕福だし, おまけに名門の出だ. **(2)** =(what is) more IMPORTANT.

Whát néxt? (↘) 《略式》お次は何だね, この上何があるのだね(=Whatever next?)《◆驚き・嫌悪などを表す》.

Whát of that? ...だからどうなったのか ‖ *What of that matter*? 例の件はどうなったんだ《◆ *What* has become of ...? の省略表現》.

Whát óf it? (↘) 《略式》=So WHAT? (1).

What price A? → price 名.

What's úp (**with you**?) (↘) 《略式》(相手のことを心配して)やあ, どうしたんだ(悩みがあれば言ってごらん)〔類語〕 ‖ What's the matter with you? / Is anything wrong with you? / What happened? / What's on your mind? / What's all this?).

Whát wòuld(**n't**) ...**!** → would 動 **7**.

──形《◆比較変化しない》**1** [疑問形容詞] 何の, 何という, どんな; どれほど; 《略式》どの(which) ‖ *What* flower is this? これは何という花ですか / *What* day (of the week) is it today? 今日は何曜日ですか / *What* size shoes do you wear? どのサイズの靴をはきますか / Tell me *what* time to start. 何時に出発したらよいか教えてください.

2 [感嘆的に] **なんという**(→ how 副 **5** 語法) ‖ *What* a píty! なんてかわいそう[残念]なことだ / *What* a mán! なんてやつだ!《◆ほめる場合にも使える》/ *What* a friend you are! なんて友人だ《◆皮肉的でいらだちを表す》/ *What* wonderful hair you have! なんてすてきな髪をしていらっしゃること.

3 [関係形容詞] (...する)**全部の**, (...する)だけの ‖ I will give you *what* help I can. できるだけの援助をしましょう / I've lost *what little* money I had. 私はなけなしのお金を失ってしまった / I'll lend you *what* few books I have on the subject. その問題に関して私の持っている本は多くはありませんが, どれでもお貸しします.

──副《比較変化しない》**1** [疑問副詞] どれほど, いかに, どの点で《◆ふつう皮肉的》‖ *What* does it matter? それがどうしたというのか, どうでもいいじゃないか. **2** [感嘆的に] どれほど ‖ *What* she has suffered! 彼女なんなに苦しんだことだろう.

whàt with A **and** (**whàt with**) B 《略式》[通例文頭で] A やら B やらで《◆(1) A, B は名詞・動名詞. (2) ふつうよくない事態の原因 2 つ以上を表す(because of A and B)》‖ *what with* one thing *and* another あれやこれやで / *What with* the heat *and* humidity, I could not sleep well. 暑いやらむしするやらで熟睡できなかった. 語法 最近では *what with* hunger (飢えで)のように句がひとつだけのこともある.

──間 [疑問文を伴って] 何だって!, なに!, へえ!《◆驚き・怒り・不信などを表す. cf. 代 **3**》‖ *What*! No bread? 何だって, パンがないって?

what'd /hwʌtəd, hwət-|wɒt-/ 《弱》hwət-/ what did の短縮形.

†**what・e・er** /hwʌtɛ́ər, hwət-|wɒt-;《弱》hwət-/《詩》代形=whatever.

*****what・ev・er** /hwʌtɛ́vər, hwət-|wɒt-;《弱》hwət-/

──代
I [関係代名詞; 独立用法; 名詞を導いて]

1 (...する)**物[事]は何でも**[みな]《◆ whatever 節は補語, 目的語に用いられる》(anything that) ‖ Do *whatever* you like. やりたい事をしなさい(=Do anything you like.) / *Whatever* is left over is his. 残っているものは全部彼のものです. 語法 no matter what は副詞節を導くので交換不可: ×Do no matter what you like.

2 a [譲歩の副詞節を導いて]《正式》**どんな事[物]が**[を]...(しようと**とも**(→ 【文頭】譲歩節中には may をよく用いるが, 《略式》では省くことが多い. will は用いない(→文法 4.1(4)).(2)《略式》では no matter what がふつう》‖ Stay calm *whatever* [no matter what] happens [may happen]. どんな事が起ころうとも落ち着いていなさい / *Whatever* your problems (are)(↘), they are surely less serious than mine. あなたの問題が何であろうと, 私のかかえて

いる問題より確かにしました. **b**〘主に米略式〙〘話し手の無関心を表して〙何であれ, 何であろうとも ‖ He says he's a psychiatrist, *whatever* that is. どんな意味かよくわからぬが, 彼は精神科医だということだ.

‖ [疑問代名詞]

3〘略式〙いったい何が[を]〘◆ (1) what の強調形で ever ともつづる. (2) 驚き・当惑などの気持ちを表す〙‖ *Whatever* is that loud noise? あの大きな音はいったい何だろう.

4〘略式〙[or ~ の形で] 何かそのようなもの ‖ Bring me a hammer, a chisel, or *whatever*. ハンマーか, たがねか何かを持って来てくれ.

――形〘比較変化しない〙**1** [関係形容詞] (…する) どんな…でも〘◆ what 形3の強調形〙‖ She gave me *whatever* help I needed. 彼女は私の必要な援助はどんなことでも開きとくれた.

2 [譲歩節を導いて] どんな…が[を]…しようとも ‖ *Whatever* objections you may meet [〘略式〙meet] with, you are right. どんな反対を受けようともあなたは正しい.

3 [通例否定文・疑問文で; any または no を伴った名詞の後でそれを強調して] 少しの…も, 少しでも ‖ I have no doubt *whatever* that she is innocent. 彼女が潔白であることには何らの疑いもない / Is there any chance *whatever* of their survival? 彼らが生き残る見込みは少しでもあるのか / Any person *whatever* can tell the way to the temple. だれでもその寺へ行く道を教えてくれます.

†**what'll** /hwʌtl, hwʌ́tl | wɔ́tl/ 〘略式〙what will の短縮形.

what·not /hwʌ́tnɑ̀t, hwɑ́t- | wɔ́tnɔ̀t/ 图 C **1** 〘書物・骨董などを載せる〙飾りだな, 置きだな. **2** U〘略式〙何やかや, いろんな物.

†**what're** /hwʌ́tər, hwɑ́təv | wɔ́tə; 〘弱〙hwətə/ what are の短縮形.

*__**what's**__ /hwʌts, hwɑ́ts | wɔ́ts; 〘弱〙hwəts/ what is [has, does] の短縮形.

what·so /hwʌ́tsòu, hwɑ́t- | wɔ́t-/〘文〙代形 = whatever〘◆ 譲歩節を導くほか関係詞としても用いる〙.

what·so·e·er /hwʌ̀tsouéər, hwɑ̀t- | wɔ̀t-/ 代形〘詩〙= whatsoever.

†**what·so·ev·er** /hwʌ̀tsouévər, hwɑ̀t- | wɔ̀t-/〘文・正式〙代形 = whatever〘◆ 今では whatever 形3の意の強調語として用いるのがふつう〙.

†**what've** /hwʌ́təv, hwɑ́təv | wɔ́təv; 〘弱〙hwətəv/ what have の短縮形.

†**wheat** /hwíːt/ 图 U〘植〙コムギ〘イネ科1年生穀草〙, (穀物としての) 小麦, 小麦の粒〘粉にパン・菓子の原料〙〘(英) corn〙(cf. grain) ‖ spring [summer] *wheat* 春[夏]まき小麦 / winter *wheat* 秋まき小麦 / grind *wheat* into flour 小麦をひく / separate the *wheat* from the chaff 小麦を脱穀する; 価値のあるものとないものに分ける.

┌─────────────────────┐
│ 〖関連〗[いろいろな種類の穀物]   │
│ barley 大麦 / corn トウモロコシ / oat オート麦 │
│ / millet キビ / rice 米 / rye ライ麦.   │
└─────────────────────┘

whéat gèrm 小麦胚芽(はいが)〘ビタミン B₁供給源として食品に添加〙.

wheat·en /hwíːtn/ 形〘文〙**1** 小麦の, 小麦製の ‖ *wheaten* bread 無精白パン〘◆ 精白パンは white bread〙. **2** 小麦色の.

†**whee·dle** /hwíːdl/ 動他 **1** 〈人〉を甘言で欺(あざむ)く, 口車に乗せる〈人〉を甘言で[…の]させる[やめさせる]

(persuade) [*into* [*out of*] (*doing*)] ‖ She *wheedled* her mother *into* buying her a new sweater. 彼女は母親にうまいことを言って新しいセーターを買ってもらった. **2** 〈物・情報など〉を〈人から〉口車に乗せて手に入れる (*out of, from*); 〈人から〉〈物を〉甘言でせしめる [*out of*] ‖ He *wheedled* some money *out of* me. = He *wheedled* me *out of* some money. 彼は私をうまく口車に乗せて金を巻き上げた. ――自 おせじを使う.

whee·dler /-dlər/ 图C 甘言でだます人.

*__**wheel**__ /hwíːl/〘『輪 (circle)』が原義〙

――图(複 ~s/-z/)C **1a** (乗り物の)**車輪**(図) → car; (歯車の)輪 ‖ a toothed *wheel* 歯車 / fóur-*wheel* drive (自動車の)四輪駆動. **b** 車輪に似たもの ‖ a potter's *wheel* (製陶の)ろくろ / a spinning *wheel* 糸車 / a water *wheel* 水車.

2 [the ~] (自動車の)ハンドル(steering wheel); 〘海事〙舵輪(だりん)〘◆ 🚫 (1) この意味では handle とはいわない. (2) 自転車・オートバイの[ハンドル]は handlebar〙 ‖ turn the *wheel* 舵輪[ハンドル]を切る / get under [sit behind] the *wheel* 運転席に座る.

3 〘米略式〙自転車; 〘略式〙[~s] 自動車, オートバイ. **4** [通例 ~s] 〈事を動かす〉原動力, 推進力; 機構 ‖ the *wheels* of commerce 商業活動. **5** 回転, 旋回; 〘軍事〙旋回行動.

at [**behind**] **the whéel** (1) ハンドル[舵輪]を取って, (船・車を)操縦[運転]して ‖ the man *at the wheel* 舵手, 運転手. (2) …を支配して[*of*] ‖ be *at the wheel* of the firm 会社を経営している.

gò on (**oiled**) **whéels** 順調に進む.

――動 **1** 〈車輪の付いたもの〉を動かす, 押す ‖ *wheel* a pram 乳母車を押して行く. **2** …を(手押し車で)運ぶ, 動かす ‖ *wheel* a load of bricks on a dolly れんが1荷を手押し一輪車で運ぶ. **3** …を(突然)回転させる (+*about, around,* 〘英〙*round*) ‖ *wheel* a horse *about* 馬の向きを変える.

――自 **1** (軸を中心に回る), (ぐるりと)回る, 振り向く, (突然)向きを変える; 見解を変える (+*about, around,* 〘英〙*round*). **2** 〈鳥などが〉旋回する.

†**wheel·bar·row** /hwíːlbærou/ 图C 〘土砂などを運ぶ〙手押し車〘一輪, 時に二輪〙〘◆ 単に barrow ともいう〙.

wheel·chair /hwíːltʃèər/ 图C 車いす(cf. Bath chair).

wheeled /hwíːld/ 形 **1**〘正式〙[しばしば複合語で] 車輪の付いた, …輪の ‖ a four-*wheeled* vehicle 四輪車. **2** 車で移動する.

wheel·er /hwíːlər/ 图C **1** 荷車ひき. **2** [通例複合語で] 車輪の付いた物 ‖ a four-*wheeler* 四輪(馬)車. **3** = wheelwright.

wheel·wright /hwíːlràɪt/ 图C 車大工, 車輪製造人.

wheeze /hwíːz/ 動 自 (ぜんそくなどで)ぜいぜい息をする; 〈物が〉ぜいぜいという音を出す[出して動く]. ――他 …をぜいぜいさせて言う (+*out*). ――图C **1** ぜいぜいいう音 [こと]. **2** 〘古略式〙(役者の)入れぜりふ, ギャグ; 冗談.

wheez·y /hwíːzi/ 形 (-i·er, -i·est) 〘略式〙ぜいぜいいう; ぜいぜい音を立てる.

†**whelp** /hwélp/ 图C **1** 〘今はまれ〙子犬, 犬ころ; 〘古〙(ライオン・オオカミなどの)子. **2** 〘古〙子供, がき, 若僧. **3** 〘海事〙巻揚げ機の胴のうね突出部. ――動 自他〘正式〙〈動物が〉〈子〉を産む; 〘略式〙〈人〉〈子〉を産む.

when

/hwén; (弱) hwən/

index
副 1 いつ 2 (…する[である])時
接 1 (…する)時に 2 …する時はいつも
 3 …なのに

――副

I [疑問副詞]

1 いつ; どんな場合[時]に ‖ **When** did you go there? いつそこへ行ったのですか / **When** will he come? 彼はいつ来るのですか / I don't know **when** she will visit us. 彼女がいつ私たちを訪ねて来るのか知らない《◆副詞節ではないので未来のことは will を用いてよい. →接**1**》/ It is undecided「**when** to start [**when** we should start]. いつ出発すべきかは決まっていない(→文法 11.8) / **When** do you double the final consonant? どんな場合に最後の子音を重ねるのですか / **When** did the party begin? パーティーはいつ始まりましたか《◆ ×**When** has the party begun? →文法 6.1》.

II [関係副詞]

2 a [制限用法; 時を表す語句を先行詞にして] (…する[である])時《◆(1) **when** はしばしば省略される. (2) **when** の代わりに that が用いられることがある》‖ The day (**when**) we arrived was a holiday. 私たちが着いた日は休日だった / It snowed heavily (on) the morning **when** he was born. 彼が生まれた朝は大雪だった / I will never forget the time (**when**) we first met. 私たちが初めて会った時のことを決して忘れません / *The time will cóme **when*** you *will* regrét it. そのことを後悔する時が来るだろう《◆先行詞と離れると **when** は省略されない》.

b [非制限用法] (そして)その時, それから, ちょうどその時《◆(1) ふつう **when** の前にコンマを置く. (2) 接続詞に近い》(and then) ‖ All gathered **when** the lesson started. みんなが集まって授業が始まった / I *was about to* leave(,) **when** there was a knock on the door. ちょうど出かけようとしていた時にドアをノックする音がした.

3 [先行詞を含んで; 名詞節を導いて] …の時(the time when) ‖ *That is **when*** he lived there. それは彼がそこに住んでいた頃のことだ《◆ the period [time] の省略》/ Night is **when** most people go to bed. 夜はたいていの人が寝る時である.

Sày whén! 〜(略式)ころあいを言ってくれ, いいかい《人に酒などをつぐ時などの言葉で Say when you have enough. の省略表現》. その返事は "When."(「(そのぐらいで)いいよ」)あるいは "That's enough [fine], thanks." "All right." など.

――接
1 [時の副詞節を導いて] (…する)時に; (…する)とすぐに; [完了形の副詞節を導いて] (して)から(after)《◆☑ 節内に will を用いない. →文法 4.1(4)》‖ **When** he turned up, the party was over. 彼が現れた時, パーティーは終わっていた / Cóme **when** I cáll you. 呼んだらすぐに来なさい / Give her this letter **when** she comes. [×will come]. 彼女が来たらこの手紙を渡しなさい / He received a scholarship **when** (he was) in high school. 彼は高校のころ奨学金を得ていた《◆主節と **when** 節の主語が同じである場合, **when** の後の主語と be 動詞は省略できる. →文法 23.5(2)》/ He *had not been* employed two months **when** his ability was recognized. 彼は雇われて2か月とたたないうちに能力を認められた(→ HARDLY … when …) / **When** I (had) read the newspaper, I went to bed. 新聞を読んでから床に就いた(= After I (had) read …) / Mrs. Smith goes to work **when** her children have gone to school. スミス夫人は子供たちが学校へ行ってから仕事に出かける / They **had been** married for three years **when** I met them. 私が会った時, 彼らは結婚して3年だった(→文法 6.2(3)).

2 [通例現在時制の文で] …する時はいつも(whenever) ‖ I get annoyed **when** I am kept waiting. 待たされているときはいつもいらいらする《◆過去時制の場合, I got annoyed **when** I was kept waiting. では過去の特定の出来事が習慣かがあいまいになることが多い. I got annoyed *whenever* I … / I *always* got annoyed when … のようにいえば習慣であることがはっきりする》/ **When** he goes out, he takes his cellphone with him. 彼は外出するときはいつも携帯電話を持っていく.

3 [主文と相反する内容の副詞節を導いて] …なのに, だけれども(although) ‖ He gave up trying, **when** he might have succeeded. 彼は成功したかもしれないのにあきらめてしまった / Why are you complaining **when** you've passed the test? 試験に合格したのになぜ不満を言っているのか.

4 [理由] …なので(since) ‖ I cannot go **when** I haven't been invited. 招待されていないので私は行けない.

5 [現在時制と共に] …ならば《◆ if を用いるより確実性が強い》‖ No one can swim **when** they haven't learned how. 泳ぎ方を習っていなければだれも泳げない.

6 [形容詞節として直前の名詞を修飾して] …する[した]時の ‖ I can imagine his astonishment **when** she asked him to marry her. 彼女が彼に結婚してほしいと言った時の彼の驚きを想像できる.

――代 [前置詞 until, till, since の目的語として]
1 [疑問代名詞] いつ ‖ *Until whén* will you stay there? いつまでそこにいるのですか / *Since whén* have you given up smoking? いつからタバコをやめているのですか.

2 [関係代名詞] その時 ‖ His fame as an athlete began in 2000, since (**when**) he established three world records. 運動選手としての彼の名声は2000年に始まり, 以来3つの世界記録を樹立している.

――名 [the ~] 時, 場合 ‖ Tell me *the **when*** and (the) where of the meeting. その会の行なわれる時間と場所を教えてください.

†**whence** /hwéns/ (正式) 副 **1** [疑問詞] どこから (from where); なぜ, どうして ‖ **Whence** did she come? 彼女はどこから来たのか(= *Where* did she come *from*?). **2** [関係詞] **a** [先行詞を伴って] (そこ)へ…する(ところの) ‖ He returned to the country **whence** he came. 彼はもといた国へ帰った. **b** [先行詞を含んで] (そこから)…する(ところの)場所へ. **2** [結果を示して] そこから, そのために《◆ふつう **whence** の前にコンマを置く》‖ She has reddish hair, **whence** comes her nickname 'Carrot'. 彼女は赤味がかった髪の毛をしている. それで「にんじん」というあだ名がついている.

――代 [from の目的語として]《◆ from のない形を用いる方が好まれる. → 副**1, 2 a**》**1** [疑問詞] **1** From **whence** did you come? どこから来たのか. **2** [関係詞] …するところの ‖ the country *from **whence*** she came 彼女が(そこから)出て来た国.

――名 [one's/the ~] 来た所, 出所, 根源.

when·e'er /hwenéər/ 《詩》接 副 =whenever.

*when·ev·er /hwenévər/, 《弱》hwən-/
—接 **1** [時の副詞節を導いて] …する時はいつでも; …するたびに《◆節内に will を用いない. ➡文法 4.1 (4)》‖ Come *whenever* you like. いつでも気の向いた時に来て (=Come (at) any time (*when*) you like.) / *Whenever* he comes, he brings us some presents. 彼は来るたびにおみやげを持って来てくれる (=*When* he comes, he *always* brings us some presents. / He never comes without bringing us some presents.).

2 a [譲歩の副詞節を導いて] いつ…しようとも《◆(1) 譲歩節中では may をよく用いるが, 《略式》では may を省くことが多い. will は用いない ➡文法 4.1 (4)》. (2) 《略式》では no matter when がふつう》‖ I'm ready *whenever* you (may) come. いつ来てくださっても準備はできています. **b** (話し手の無関心を表して) いつであろうとも, いつであれ ‖ *Whenever* it was, she died last year. いつだったか知らんが, 彼女は(ともかく) 昨年死んだ.

—副 《略式》**1** [疑問副詞] いったいいつ《◆(1) when の強調形. (2) when と2語につづる方がふつう》. 〔対話〕 "Just help yourself." "*Whenever* did you find time to prepare such wonderful dishes?" 「どうぞ召しあがってください」「いったいいつこんな見事な料理を準備する時間があったのですか」. **2** [or … で] いつでも ‖ Whether you come today, tomorrow, *or whenever*, you'll be welcomed. きょうかあす, あるいはいつ来てくださっても歓迎しますよ.

when·so·ev·er /hwènsouévər/, 《弱》hwən-/ 《正式》接 副 =whenever《◆ 接 **1** の意は除く》.

:where /hwéər/ 《同音》△ware, △wear)

index
副 **1** どこで[に, へ] **3** …するところ **4** そしてそこで[に, へ] **5** …する場所
接 **1** …する所に[へ] **2** …する所はどこ(へ)でも **3** …する場合に(は)
代 **1** どこ

—副
I [疑問副詞]
1 どこで[に, へ]; どこから ‖ *Where* is my pen? 私のペンはどこですか / *Where* áre we? ここはどこですか (→ here 名 日英比較) / *Where* are you going? どこへ行くの《◆あいさつとしてはしばしば失礼になる. のち文法 11.8》/ Ask him「*where to* put the books [*where* you *should* put the books]. 本をどこに置いたらよいか彼にたずねなさい(⇒文法 11.8) / I dón't knòw whère they áre. 彼らがどこにいるのか私は知らない / *Where* did you get such an idea? そんな考えをどこから仕込んだのですか / *Where* is your sense of responsibility? 責任感はどうなったのですか《◆相手に対し非難したり注意を促す時に用いる》.

語法 第2, 3例は《略式》ではそれぞれ *Where* are we *at*? / *Where* are you going *to*? と言える. その場合 where は疑問代名詞とみなされる(→ 代).

2 どんな点で, どんな立場[状態]に ‖ *Where* will we be if an earthquake occurs? 地震が起こったら私たちはどんなことになるだろうか / Will you tell me *where* I am wrong. どこが間違っているか言ってください.

II [関係副詞]
3 [制限用法; 場所・場合を表す語句を先行詞にして] …するところの《◆ in [at, to] which で置き換え可能》‖ I remémber the hóuse *where* I was bórn. 私は自分の生まれた家を覚えている (= the house in which …) / There are cases *where* no treatment can be of any avail. どんな治療もまったくきき目のない症例もある (= … cases in which …).

語法 [*where* の先行詞に使われる場所以外の主な名詞] 場所・場合を表す名詞以外に, かなり多様な名詞が先行詞にくる: The treatment will continue until the patient reaches the *point* where he can walk safely. 患者がちゃんと歩けるまで治療は続けられるでしょう. ほかにも circumstance, face などが可能.

4 [非制限用法] そしてそこで[に, へ] (and there)《◆ふつう where の前にコンマを置く》‖ She lifted the cat into her arms, *where* it purred and snuggled up. 彼女がそのネコを抱き上げると, ネコは腕の中でゴロゴロとのどを鳴らし体をすり寄せた / He went to Paris, *where* he first met her. 彼はパリに行き, そこで初めて彼女に会った (= …, *and there* he …) / Báltimore (↘), *where* I bóught a cár (↘), is on the East Coast. ボルティモアは私が車を買った所で, 東海岸にある.

5 [先行詞を含んで] …する場所[場合, 点] (the place where)《◆名詞節を導く》‖ *This is where* I live. ここが私の住んでいる所です / That's *where* you are wrong. そこが君の間違っている点だよ / She walked directly to *where* Mike sat still. マイクがじっと座っている所に彼女はまっすぐに歩いて行った.

—接《◆副詞節を導く》**1** …する所に[へ] ‖ Put back the book *where* you found it. その本をもとあった場所に戻しておきなさい / Apricots won't grow *where* the winters are cold. アンズは冬が寒い所では育たないものす / *Where there is a will, there is a way.* (ことわざ) 決意ある所に道あり; 「精神一到何事か成らざらん」.

2 …する所はどこ(へ)でも (wherever) ‖ Go *where* you like. どこでも好きな所へ行きなさい (= Go anywhere you like.).

3 …する場合に(は) ‖ The meaning of a new word is given *where* (it is) *necessary*. 新出単語の意味は必要な場合は書きてあります.

4 [対照・範囲] …する[である]のに (whereas); …する[である]限りでは ‖ *Where* he was shy, his brother was gregarious. 彼は内気だったが, 弟の方は社交的だった / *Where* money is concerned, he is very thrifty. 金に関する限り彼は非常に倹約家だ / Now there is nothing but desert, *where* there used to be a fertile plain. 以前は肥沃(ඈ)な平野であったのに今では荒地にすぎなくなっている.

—代 [疑問代名詞; 前置詞の目的語として] どこ ‖ *Whére are you fróm?* = *Where do you come from?* どこの出身ですか. 〔対話〕 "He's going now." "*Where tó?*" 「彼は今行くところです」「どこへですか」.

—名 [the ~] [(…の)場所[of]] ‖ the when and (the) *where* of the accident その事故の起きた時間と場所.

where·a·bout /hwéərəbàut/《主に米》副 名 = whereabouts.

†where·a·bouts 副 hwéərəbàuts/｜⁻⁻｜; 名 ⁻⁻｜副 [疑問詞] どのあたりに. ——名《正式》[one's/the ~; 単数・複数扱い] 所在, ゆくえ, ありか ‖ *The whereabouts* of the suspect is [are] still unknown. 容疑者のゆくえはまだわからない.

†where·as /hwèəréz/ 接 **1** [比較・対照]《正式》…だが一方, …であるのに《◆while より堅い語》‖ He's tall, *whereas* I'm short. 彼は背が高いが, 私は低い / *Whereas* Mary is talkative (↘), her sister is quiet and reserved. メリーは話し好きだが, 妹はおとなしく控え目だ. **2** [文] [文頭で] …なるがゆえに, …という事実からみれば《◆ふつう公文書に用いる》.

†where·at /hwèərǽt/ 副《古》**1** [疑問詞] どこに, 何のことで. **2** [関係詞] そこへ[で](…する); (…すると) その時[場で].

†where·by /hwèərbái/ 副 **1**《古》[疑問詞] どのようにして, どういう手段で(how). **2**《正式》[関係詞] それによって[従って](…する).

where'd /hwéərd/ where did の短縮形.

wher·e'er /hwèəréər/《詩》接 副 = wherever.

†where·fore /hwéərfɔ̀ːr/ 副 **1** [疑問詞] どういう理由で, なぜ. **2**《正式》[関係詞] **a** そのために(…する). **b** [接続詞的に] それゆえに, したがって《◆法律条文で用いることが多い》. ——名 [~s] 理由, 原因《◆ふつう the whys and (the) *wherefores* として用いる》.

†where·in /hwèərín/ 副《古》**1** [疑問詞] どこで, どういう点で. **2** [関係詞] そこで[その間, その点で](…する).

where'll /hwéərl/ where will の短縮形.

†where·of /hwèərʌ́v｜-ɔ́v/ 副《古》**1** [疑問詞] 何[だれ]について ‖ I know *whereof* I am speaking. 私は自分が何をしゃべっているかわかっているつもりだ. **2** [関係詞] それ[その人]について(…する).

†where·on /hwèərɔ́n, 《米》-ɔ́ːn/ 副《古》**1** [疑問詞] 何(の上)に. **2** [関係詞] その上に[で](…する) (on which).

*where're /hwéərər/ where are の短縮形.

*where's /hwéərz/ where is, where has の短縮形.

where·so·e'er /hwèərsouéər/《詩》接 副 = wheresoever.

where·so·ev·er /hwèərsouévər/《古》接 副 = wherever《◆副 **1** の意を除く》.

†where·to /hwèərtúː, 《米》-⸚/ 副《古》**1** [疑問詞] どこへ, どこに, 何の目的で. **2** [関係詞] そこへ(…する).

†where·up·on /hwèərəpɔ́n, 《米》-əpɔ́ːn, 《英》+⸚/ 副 **1** [疑問詞]《古》何の上に. **2** [関係詞] ⁻⁻｜《正式》[非制限用法] それで, そこで, それから ‖ They made fun of her, *whereupon* she went away. 彼らは彼女をからかった, そこで彼女は立ち去った.

where've /hwéərv/ where have の短縮形.

*wher·ev·er /hwèərévər/
——接 **1** (…する)所ならどこ(へ)でも; (…する)場合はいつでも《◆to を ×に》‖ Go *wheréver* you like. 好きなところへ行け / Why do you follow me *wherever* I go [×will go]? 私が行く所にはどこへもついて来るのはなぜだ / Get in touch with me *wherever* (it is) possible. できる限り連絡してください《◆以上3例は副詞節を導く用法》/ *Wherever* they live is close to the highway. 彼らの住んでいる所はどこも街道筋に近い《◆名詞節を導く用法》.

語法 副詞節, 名詞節ともに, no matter where と交換できない. anywhere, any place となら交換可. 上の第1例は次のように言いかえられる: Park *anywhere* [《米略式》*any place*, *anyplace*, ×*no matter where*] you like.

2 a [譲歩節を導いて] どこへ[に]…(しよう)とも《◆(1) 譲歩節中には may をよく用いるが, 《略式》では省くことが多い. will は用いない. (2)《略式》では no matter where がふつう》‖ *Wheréver* you áre [may be] (↘), remember that I will be thinking of you. あなたがどこにいようとも, 私はあなたのことを思っているのだということを忘れないでね. **b** [話し手の無関心を表して] どこであろうとも, どこであれ ‖ She lives in Nora, *wherever* that is. 彼女はどこかよく知らないが, 彼女はともかくノラという所に住んでいる.
——副《略式》**1** [疑問詞] いったいどこへ[で](…)《◆(1) where の強調用法 for where ever ともつづる. (2) 驚き・不信・当惑の気持ちを表す》‖ *Wherever* did you find the lost child? いったいどこでその迷子を見つけたんだ《◆ Where the hell [on earth] did you find the lost child? などともいう》. **2** [or ~ で] どこか(そのような)ところ[で](…).

†where·with /hwèərwíθ, -wíð｜-wíð/《古》**1** [疑問詞] 何で, 何によって. **2 a** [関係詞] それで[それによって](…する) ‖ the pen *wherewith* she is used to writing 彼女の書きなれているペン. **b** [関係代名詞的に] それで…するもの ‖ the *wherewith* to fix the machine. 機械を修理するものが必要だ《◆しばしば不定詞が続く》.

wher·ry /hwéri/ 名 C **1**《英》(平底の) 川舟《人・荷などを運ぶ》; はしけ. **2**《米》(競技用) 1人乗りスカル.

†whet /hwét/ 《同音》wet) 動 《過去・過分》 **whet·ted** /-id/; **whet·ting** 他 **1**〈刃物〉をとぐ(sharpen). **2**〈食欲・興味など〉を刺激する, そそる《◆stimulate より堅い語》.

*wheth·er /hwéðər/ 『「2つのうちいずれか」が原義』
——接 **1** [名詞節を導いて] (…する)かどうか ‖ I don't know *whether* she is still in Tokyo *or whether* she's gone to Osaka. 彼女はまだ東京にいるか, それとも大阪へ行ってしまったか私にはわからない / He asked me *whether* I liked the plan (*or not*). その計画が気に入っているかどうかを彼は私にきいた《= He said to me, "Do you like the plan (or not)?"》《◆ *whether* は疑問詞のない疑問文に相当する. ➡文法22.4》/ *Whether* we can help you is a difficult question. 私たちにあなたのお手伝いができるかどうかは難しい問題です / It is still uncertain *whether* she's coming or not. 彼女が来るか来ないかまだはっきりしていない / It depends (on) *whether* we have enough money. それは私たちに十分なお金があるかどうかによって決まるものです / He's doubtful (about) *whether* he can afford a car. 彼は自分に車を持てる余裕があるかどうかわからない / I sometimes ask myself *whether* the research is worth the trouble. その調査は手間をかける値打ちがあるかと私は自分に問いかけることがある / I wonder *whether* [if] she is not honest. 彼女は正直でしょうか(→ wonder 動 他 **1**).

語法 [**whether** と **if**]
(1) 次の場合, 両者は交換可能(→ if 接 **6** 語法):
a) 他動詞の目的語となるとき《◆ただし, 目的語になる名詞節が文頭にくるときは whether のみが用

whetstone

いられる).
b) whether ... or not の場合(→ **1**).
(2) 次の場合は if との交換は不可:
a) 前置詞の目的語となるとき.
b) whether to do(→ **2**).
c) 主語または補語になるとき.
d) 同格節.
e) whether or not (→成句).

2 [whether to do] (…すべき)**かどうか**《◆if での代用はできない》‖ You needn't decide ***whether to*** go or stay. =... ***whether*** you should go or stay. あなたは行くべきかとどまるべきかを決断する必要はありません《➡文法 11.8》/ We must reach a decision (as to) ***whether*** to sell this car. 私たちはこの車を売るべきかどうかの結論を出さなければならない / ***Whether*** to postpone it or not was the point of argument. それを延期すべきかどうかが議論のまとであった.

3 [譲歩の副詞節を導いて; whether **A** or **B**] **A** であろうと **B** であろうと《◆(1) A, B は語または句. (2) 節中に will は用いない》; [whether **A** or not] **A** であろうとなかろうと‖ ***Whèther*** (he is) cháirman ***or nót***(↘), he deserves to be criticized. 議長であろうとあるまいと彼は非難されて当然だ《➡文法 23.5 (2)》/ ***Whether*** we win or (whether we) lose, we'll celebrate. 勝っても負けても私たちはお祝いをします《➡文法 4.1(4)》/ He sat next to her ***whether*** by accident or design. 彼は偶然か故意か(知らないが)彼女の隣に座った.

whèther or nót (1) [接続詞的に] (…する)かどうか‖ It makes no difference to me ***whether or not*** she knows Bill. 彼女がビルを知っているかどうかは私にはどうでもよいことである. (2) (…しよう)とそうでなかろうと‖ ***Whether or not*** you realize it, I am a grown man now. おわかりいただこうとなかろうと, 私はもう大人です. 語法 特に whether 節が長い場合に or not を whether の直後に置く傾向がある. (3) [副詞的に] いずれにしても, どんなことがあっても‖ I will be back soon, ***whether or not***. いずれにしてもすぐ戻ってきます.

whet·stone /hwétstòun/ 名 © 砥石(なし); 刺激物; 激励者.

†**whew** /fjú:, hwjú:/ 間 =phew.
†**whey** /hwéi/ 名 ⓤ 乳漿(にゅうしょう)《チーズ製造で凝乳 (curd)を除いた後に残る水のような液》.
whf. 略 *wharf*.

which

which /hwítʃ/

index 代 1 どちら 2 どちらの 3 …する(ところの) 4 そしてそれは[を] 6 そして[しかし]その…

——代 (主格・目的格 which, 所有格 whose, of which)

I [疑問代名詞]

1 [主格・目的格; 独立用法] **a** [文頭で; wh 疑問文] **どちら, どれ**; どちらの[どの]人[もの]《◆限定された数のものからの選択. 不特定のものからの選択は what. → who 代**1a**》‖ ***Whìch*** is yóur bòok? どちらが[どれ]があなたの本ですか / ***Which*** [×Who] **of** those girls do you like? あの女の子たちのうちでどの子が好きですか / ***Which*** is「the cheaper [(略)the cheapest] of the two? 2つのうちでどちらが安いで

すか《➡文法 19.3(3)》/ I don't know ***which*** **to** choose. どちらを選ぶべきか私にはわからない《➡文法 11.8》/ I wonder ***which*** of them will win. 彼らのうちどちらが勝つのだろう / ***Which*** is the shortest month of [in] the year? 1年の中で最も短い月は?《◆what の代わりに ***which*** も慣用的に用いられる》. **b** [通例文尾で; 問い返し疑問文]《◆相手の発言に対する驚き・念押しに用いる》‖ You chose ***which***? どちらを選んだって?

2 [形容詞用法] **どちらの, どの**《◆**1** の場合と同様, 限定されたものから選択. ただし人の場合にはしばしば不特定のものからの選択に用いられる》: ***Which*** [What] singer do you like best? 歌手ではだれが一番好きですか‖ ***Whìch*** bóok is míne? どちらの本が私のですか / Ásk ***whìch*** wáy to tàke. どっちの道を行ったらよいか尋ねなさい / ***Which*** dress do you think I should wear? 私はどの服を着たらいいと思いますか.

II [関係代名詞]

☑ [〈物・事〉が先行詞のとき]
主格	which	(**3 a**)
所有格	of which	(**3 b**), whose
目的格	which	(**3 a**)

3 a [主格・目的格; 制限用法] **…する(ところの)**(**物, 事**)《◆(1) 主格・目的格とも that と交換可能. (2) 目的格の場合,《略》ではふつう省略. (3) 先行詞は物・事》‖ We need a car ***which*** uses electric energy for its fuel. 燃料に電気エネルギーを使う自動車が必要だ / The meeting (***which*** was) held yesterday was a success. 昨日開かれた会合は盛会であった《➡文法 23.5(3)》/ The bicycle (***which***) I sold was old. 私の売った自転車は古かった / I like the house **in *which*** he lives. =I like the house (***which*** [that]) he lives **in**. 彼の住んでいる家が好きだ《➡文法 20.2(2)》/ I need something **with *which* to** write. 何か書く物が必要だ《◆… something (***which***) I can write with. か関係代名詞を用いずに … something to write with. の方がふつう》/ It is this video recorder ***which*** [that] is broken. こわれているのはこのビデオカセットレコーダーなのです《◆強調構文にも用いられる➡文法 23.2(1)》/ I bought a book (***which***) I thought would be of interest to my son. 息子の興味を引くだろうと思う本を買った《◆主格の省略. ➡文法 20.3(2)》.

b [of ～; 所有格; 制限用法] **…する(ところの)**(**物, 事**)《◆先行詞は物・事》‖ the house,「the windows **of *which*** [**of *which*** the windows] are broken 窓がこわれている家(=the house **whose** windows are broken)《◆以上2つの言い方が ふつう. cf. with 前**7 a**》.

4 [主格・目的格; 非制限用法] **a** [単一の語を先行詞として] **そしてそれは[を]**《◆ふつう and it [they] または and ... it [them] の意であるが, 前後関係により and のほかに but, because, though などの意になることもある➡文法 20.6(2)》‖ Her clothes(↗), ***which*** are all made in Paris(↘), are beautiful. 彼女の服はどれもパリで作られたもので美しいのです / My PC,「for ***which*** I paid 200,000 yen [(略)***which*** I paid 200,000 yen for], is already out of date. 私のパソコンは20万円で買ったのだが, もう旧式になってしまった.

b 〔句・節・文またはその内容を先行詞として〕そしてのこと〔◆ふつう主節の前に置かない. as の方が堅い言い方〕(**⇒文法** 20.9) ‖ Bob answered the phone, *which* made him late for school. ボブは電話に出，そのために学校に遅刻した.

c 〔人を表す名詞・形容詞を先行詞として〕…であるがそれは[を, に]…〔◆(1) 節中の be 動詞の補語となる. (2) 先行詞が名詞の場合は，人そのものではなく，地位・性格・人柄・職業などをさす〕‖ I thought she was competent, *which* she was not. 私は彼女は有能だと思った，しかし実際にはそうではなかった / Mr. Jones wore a dark blue suit and looked like a bank clerk, *which* he was. ジョーンズ氏は濃い青色の背広を着て銀行員のように見えたが，事実彼はそうであった《◆ bank clerk は「人」であるが, who, that は用いない》.

5 〔先行詞を含んで〕(…する)どちら[どれ]でも(whichever) ‖ Choose *which* of the books you want. その本のうち欲しいのをどれでも選びなさい.

6 〔正式〕〔形容詞用法・非制限用法〕そして[しかし]その《◆(1) ふつう and the [its] の意味になるが，前後関係により and but, because, though, if などの意になることもある. (2) 前置詞の後に用いる以外は(まれ)〕‖ In 1990 he came to Tokyo, in *which* city he has lived ever since. 彼は1990年に東京に来て，それ以来都内に住んでいる《◆ in which city の代わりに where を用いる方がふつう》/ I said nothing, *which* fact made her angry. 私が何も言わなかったので，そのことで彼女は腹を立てた《◆ふつう fact を取って … nothing, *which* made … のようにする. (略式)では次のようにする: I said nothing, and this made her angry.》.

thát which (正式) (…する)こと[もの](what).

whích is whích どれ[どちら]が，どれ[どちら]か；どこがどこやら.

****which‧ev‧er** /hwitʃévər/
━━(代)

Ⅰ 〔関係代名詞；独立・形容詞的用法〕

1 (…する)どちら[どれ]でも，どちらか[どの]…でも ‖ Take *whichéver* (one [ones]) you want. 欲しいものをどれ[どちら]でも取りなさい《◆ whichever だけだと単複の区別不明となり, one(s) をつけることによってそれを明らかにできる》.

2 〔譲歩の副詞節を導いて〕どちら[どれ]が[を]…(しよう)とも，どちらが[を]…が[を]…(しよう)とも《◆(1) 譲歩節中には may をよく用いるが，(略式)では省略することが多い. will は用いない. (2) (略式)では no matter which がふつう》‖ *Whichéver* (book) you (may) bórrow(↘), you must return it by Monday. どれ[どの本]を借りても月曜日までに返さねばなりません / *Whichever* (side) wins, I'll be happy. どちら(の側)が勝ってもうれしい《◆節中は未来の will を用いない. **⇒文法** 4.1(4)》.

Ⅱ 〔疑問代名詞〕

3 (略式)いったいどれ[どちら]が[を] 〔◆(1) which の強調形で which ever ともつづる. (2) 驚き・当惑の気持ちを示す〕‖ *Whichéver* will she choose? 彼女はいったいどちらを選ぶのか.

†**whiff** /hwíf/ 名 C **1** 〔通例 a ～〕(風・煙などの)ひと吹き；(香水などの)ひとかぎ；(タバコの)一服；〔通例 ～s〕呼吸 ‖ tàke [hàve] *a* *whíff* タバコを一服吸う. **2** 〔通例 a ～〕ぷんとくる香り；におい；気配, 気味 ‖ *a whiff* of danger 危険な気配. **3** (略式)小さい葉巻. ━━動 (自) **1** ぷ～と軽く吹く；〔英式式〕いやなにおいがする. **2** タバコをふかす. **3** (米式式)(野球などで)

から振りする. ━━(他) **1** …をぷっと吹く[吹き出す]；…を吸いこむ. **2** 〔タバコなど〕をふかす.

†**Whig** /hwíg/ 名 **1** 〔英式〕〔the ～s〕〔英式〕ホイッグ党《17-18世紀に Tory 党と対立した政党で，自由党(The Liberal Party)の前身. cf. Tory》；C ホイッグ党員. **2** 〔米式〕**a** C 〔独立戦争当時の〕独立党員. **b** 〔the ～s〕ホイッグ党《1834年ごろ成立. 1855年ごろ共和党(The Republican Party)に引き継がれた》；C ホイッグ党員.

Whíg‧gism 名 U 〔英式〕ホイッグ主義.

‡**while** /hwáil/ 〔「休息(時間)」が原義〕(同音) wile)

━━(接) **1** 〔期間・時点〕…している間に，…の間じゅう；…と同時に〔◆(1) しばしば節中の動詞は進行形をとる. (2) 期間を用いて言い換えれば during. → During (前) **2** **語法**, 用例〕‖ He came *while* I was out. 私が外出中に彼がやって来た / I stayed inside *while* it was raining. 雨が降っている間，家にいた / She bought the camera *while* (she was) in Japan. 彼女は日本にいた時にそのカメラを買った《**⇒文法** 23.5(2)》.

2 a 〔譲歩〕[while節は主節の前〕…なのに，…だけども(although) ‖ "*While* I like [*While* liking] the shape of the bag(↘), I don't like its color." そのバッグの形は気に入るのだが色が好きでない. **b** 〔対照〕[while節は主節の後〕…だが一方(but, whereas)〔◆この用法は避けるべきだという人もいる〕‖ I've read fifty pages, *while* he's read only twenty. 私は50ページ読んだ. ところが彼は20ページしか読んでいない.

> **語法** 主節の後に置くと対照の意味合いが薄れて and に近くなることがある: John likes music, Tom likes math, *while* (=and) Suzie likes history. ジョンは音楽が好き，トムは数学，そしてスージーは歴史が好きだ.

3 その上(furthermore) ‖ The floor was littered with crumbs, *while* the desk was strewn with books. 床にはパンくずが散らばっていた. その上，机には本が散乱していた.

━━名 U 〔通例 a ～〕(ふつう短い)時間，間 ‖ He phoned you *a while ago*. しばらく前に彼からあなたに電話がありました / *a while back* 数週間[数か月]前 / *after a while* しばらくして / (quite) *a long while* (かなり)長い間 / *once in a great* [*long*] *while* ごくまれに / He will be back *in a little* [*short*] *while*. 彼はまもなく戻って来ます / She didn't say anything *for a while*. 彼女はしばらく何も言わなかった / What have you been doing *all this while*? 今までずっと何をしていたのですか.

****áll the whíle** = **the whóle whíle** 〔副〕その間じゅう ‖ She stayed at home *all the while*. 彼女はその間ずっと家にいた.

(in) betwèen whíles 〔副〕時々，合い間に.

━━(前) (英方言)…まで(until) ‖ stay *while* next Sunday 来週の日曜まで滞在する.

━━(動) (**whíl‧ing**) (他) (時・日など)をのんびりと過ごす(+*away*) ‖ I *whiled* [*wiled*] *away* many afternoons swimming and fishing. 何日も泳ぎや釣りでのんびりと午後を過ごした.

whil‧ing /hwáiliŋ/ 動 → while.

†**whilst** /hwáilst/ 接 (主に英) = while.

†**whim** /hwím/ 名 C 〔…に対する〕/…(したい)気まぐれな

whim·per /hwímpər/ 動 ⓐ 1 〈子供が〉しくしく[めそめそ]泣く;〈犬が〉くんくん鳴く. 2 ぶつぶつ不平を言う,泣きごとを言う;…を泣き声で言う ‖ *whimper* an excuse 泣き声で言い訳をする. ─ 名 © しくしく,めそめそ(泣く声);くんくん(鳴く声).

whim·si·cal /hwímzɪk(ə)l/ 形 (正式) 1 気まぐれな,むら気の,移り気の. 2 風変わりな,奇妙な,異様な (odd). **whím·si·cal·ly** 副 気まぐれに;奇妙に.

whim·sy /hwímzi/ 名 (正式) 1 気まぐれ,もの好き. 2 © 奇想,奇行,風変わりなユーモア;奇妙な物.

†**whine** /hwáɪn/ 動 ⓐ 1 〈子供が〉哀れっぽく[ひいひい]泣く;〈犬が〉くんくん鳴く,鼻を鳴らす ‖ The dog *whines* all day. その犬は一日中くんくん鳴いている. 2 〔…について〕ぼそぼそ泣きごとを言う,ぐちをこぼす〔*about*〕. ─ ⓗ …をめそめそ言う,哀れっぽく言う(+*out*). ─ 名 © (通例単数)哀れっぽい[泣く]声,哀れっぽい声;くんくん(鳴く)声. 2 泣きまね.

whin·ny /hwíni/ 動 ⓐ 〈馬が〉うれしそうにいななく. ─ 名 ©(馬の)いななき.

†**whip** /hwɪp/ 動 (過去・過分) whipped-t/; whip·ping) ⓗ 1 〈人が〉〈人・動物〉をむち打つ;…をせっかんする;〈動物〉をむち打って駆りたてる(+*on*);〔むちで打つように〕…を激励する(+*on*, *up*);…を〈人に〉(やかましく言って)教え込む(*into*);〈悪癖などを〉〈人に〉〔厳しく言って〕なくさせる(*out of*) ‖ *whip* a naughty boy いたずらっ子をせっかんする / *whip* a horse on むちをあて馬を走らせる / The mother *whipped* sense *into* her boy. 母親は息子にやかましく言って聞かせた. 2 〔通例副詞(句)を伴って〕…をひったくる(+*in*, *off*, *out*);(英略式)〈人・物〉をひったくる(+*away*, *off*) ‖ He *whipped* óff his cap. 彼は帽子をさっと脱いだ. 3 (正式)〈雨などが〉…を激しく打つ,…に打ちつける (strike) ‖ The wind *whipped* the windows. 風が激しく窓に吹きつけた. 4 〈卵・クリームなど〉を強くかき回してあわだてる(+*up*). 5 (略式)〔試合などで〕…を決定的に打ち負かす (defeat). 6 〈ロープ・ステッキなどの先端を糸[ひも]で〉ぐるぐる巻く;〈糸・ひもを〉〔…に〕巻きつける(*around*, *round*);〔糸などで〕〈縫い目・へり〉をくける,かがる. 7 (英略式・やや古)…をくすねる,取る(steal の遠回し語).

─ ⓐ 1 〈人が〉急に動く,突進する(+*out*, *off*) ‖ The boy *whipped* around the corner. 少年はさっと角を曲がった. 2 〈旗などが〉はためく;〈風が〉激しく吹く. 3 (正式)〈雨・波などが〉〔…に〕激しく打つ〔*against*〕.

***whip úp** ⓗ …にむちをあてて〔…の状態に〕駆りたてる〔*to*〕;…をひっつかむ;〈感情など〉をかきたてる,〈興味などを〉刺激する;(略式)〈料理〉を手早く作る.

─ 名 1 © むち(cf. rod);[the ~]むち打ち. 2 © 猟犬係. 3 [しばしば W~]〔政治〕(議会の)院内幹事;(英)副院内総務《主に議会内での集票工作に当たる》;(英)(下院で)登院命令. 4 © ⓤ ホイップ《卵・クリームなどを泡立てて作ったデザート》.

whip hánd むちを持つ手;[the ~]優位;有利な立場 ‖ get [have] *the whip hand* over [of] *the political world* 政界を支配する.

whip·cord /hwípkɔ̀ːrd/ 名 ⓤ むちなわ,あや織りの一種;腸線.

whip·lash /hwíplæ̀ʃ/ 名 1 © むちひも《むち先のしなやかな部分》;むち打ち. 2 ⓤ =whiplash injury. **whíplash injury** むち打ち症.

†**whip·ping** /hwípɪŋ/ 名 1 © ⓤ むち打つこと;むち打ちの刑. 2 ⓤ (ロープの)端止(はじ);巻きひも.

whípping bòy (昔,身代わりにむち打たれた)王子の学友;身代わり.

†**whir**, (英では主に) **whirr** /hwə́ːr/ 動 (過去・過分) whirred-d/; whir·ring) ⓐ 〈鳥などが〉ビュー[バタバタ]と飛ぶ;〈機械などが〉ブンブン音をたてて回る ‖ The propeller was *whirring* loudly. プロペラがブンブンと大きな音をたてて回っていた. ─ 名 ⓤ (機械・昆虫の)ブンブンいう音.

†**whirl** /hwə́ːrl/ (同音) whorl) 動 ⓐ 1 〈物・人が〉(ものすごい勢いで)ぐるぐる回る;回転[旋回]する(+*about*, (*a*)*round*) (cf. turn);渦巻く ‖ The leaves were *whirling* about [(*a*)*round*] in the wind. 葉が風に舞っていた. 2 急に向きを変える[わきへそれる](+*round*). 3 〈人・車が〉疾走する,(車などで)急いで行く ‖ Her car *whirled* out of sight. 彼女の車は疾走して見えなくなった. 4 (文)めまいがする,〈頭が〉ぐらぐらする,混乱する ‖ My head's *whirling*. 私は頭がくらくらする. 5 〈考え・感情などが〉次々に浮かび,また出る. ─ ⓗ 〈人などが〉…をぐるぐる回す,旋回させる;…を渦巻かせる ‖ *whirl* a stick ステッキをぐるぐる振り回す / The wind was *whirling* the leaves about. 風に吹かれて木の葉が渦巻いていた. 2 〈人〉をぐいと引っ張る(+*away*);〈風などが〉渦を巻いて…をさっと持っていく;〈車などが〉…をすばやく運ぶ(+*away*, *off*).

─ 名 (通例 a ~) 1 回転,旋回;ぐるぐる回る物,渦(巻);旋風 ‖ a *whirl* of wheels 車輪の回転. 2 急に向きを変える[わきへそれる]こと. 3 (人・車などの)ひとっ走り;(略式)駆け足の旅行. 4 (出来事などの)めまぐるしい連続 ‖ a *whirl* of parties パーティーの連続. 5 騒動(精神的)混乱,乱れ ‖ Her head is in a *whirl*. 彼女の頭は混乱している. 6 めまい. 7 (略式)試み(try) ‖ give it a *whirl* それをひとつやってみる.

***in a whírl** 旋回して;(興奮などで)混乱して〔*with*〕.

whirl·i·gig /hwə́ːrligìg/ 名 © 1 回転するおもちゃ(こま,風車など);回転木馬;ぐるぐる回る物. 2 © ⓤ 回転運動;変転. 3 (昆虫)=whirligig beetle. **whírligig bèetle** ミズスマシ.

†**whirl·pool** /hwə́ːrlpùːl/ 名 © (風・水などの)渦,渦巻. 2 [比喩的に]うず,混乱,騒ぎ.

†**whirl·wind** /hwə́ːrlwìnd/ 名 © 1 つむじ風,旋風(米略式) twister). 2 (感情などの)嵐;目まぐるしさ,急激さ. ─ 形 [形容詞的に] 性急な,急激な ‖ make a *whirlwind* trip [tour] かけ足で旅行する.

†**whisk** /hwɪsk/ 動 ⓗ 1 〈ちり・ハエなど〉をさっと払う,はたく(sweep)(+*away*, *off*) ‖ *whisk awáy* [*óff*] the fly ハエを追い払う. 2 …をさっと連れ[持ち,運び]去る;〈物〉を〔…から〕〔…へ〕さっと動かす[振る](+*away*, *off*)〔*from*, *off* / *into*〕 ‖ She *whisked* the envelope *into* a drawer. 彼女はその封筒をさっと引き出しに隠した. 3 〈卵・クリームなど〉を泡立てる (beat). ─ ⓐ さっと動く,急に見えなくなる.

─ 名 © 1 (通例 a ~) すばやい動き;(尾など)一振り[払い]. 2 泡立て器. 3 (羽毛・草・わらなどの)小ぼうき[束]. 4 =whisk broom.

whísk bròom 洋服ブラシ.

†**whis·ker** /hwɪ́skər/ 名 © 1 [通例 ~s]ほおひげ《ほおの両側のひげをさす. cf. mustache, beard》(図 → beard). 2 (ネコ・ネズミなどの)ひげ;(鳥のくちばしの回りの)羽毛.

†**whis·key**, --ky /hwíski/ 《♦(米・アイル)では whiskey, (英・カナダ・豪)では whisky とつづる》名 1 ⓤ ウイスキー《♦英国で whisky と言えば Scotch

(whisky) のこと); ©(略式)1杯のウイスキー ‖ a whiskey and water 水割りウイスキー / have a shot of whiskey (米略式)=(英略式)have a spot of whiskey ウイスキーを少し[一口]飲む. **2** © ウイスキー1杯[1本] ‖ Would you like a whiskey? ウイスキーを1杯いかがですか.

†**whis·ky** /hwíski/ 图 (英・カナダ・豪)=whiskey.

*wh**is·per** /hwíspər/ [擬音語]
— 動 (~s/-z/; 過去・過分 ~ed/-d/; ~·ing /-pəriŋ/)
— 自 **1** 〈人が〉〔…に〕ささやく, 小声で話す[言う][to] (cf. murmur) ‖ whisper in his ear =whisper to him 彼に耳打ちする / Don't whisper in class. 授業中は内緒話をするな. **2** (陰口・中傷・陰謀などのため)〔…について〕内緒話をする[about] ‖ whisper about his scandal 彼のスキャンダルをひそかにうわさする. **3** (文)〈風・木の葉・流れなどが〉さわさわと音をたてる.
— 他 **1** 〈人が〉〈人に〉〈事を〉ささやく;「…」とささやく ‖ He whispered secrets in her ear. 彼は彼女の耳もとで秘密をささやいた.

語法 whisper B A という型もあるが(She whispered her mother a plan of surprise.)まだ十分に確立していない.

2〈人に〉〔…せよと〕ささやく[to do], 〔…に/…だと〕ささやく[to/that 節] ‖ He whispered me to follow. 彼は私について来いと耳打ちした. **3** …をこっそり言いふらす; [it is whispered that 節]…とひそかにうわさされる(+about) ‖ It is whispered (about) that the president will resign. 会長が辞任するといううわさだ(🡆文法 7.13).
— 名 (複 ~s/-z/) **1** © ささやき声; かすれ声 ‖ speak in a whisper =speak in whispers ひそひそ声で話す. **2** © ひそひそ話, 内緒話. **3** ©(略式)〔…の/…という〕うわさ, 風説(rumor)〔about/that 節〕. **4** ©[通例 the/a ~]〔風などの〕ざわざわいう音 ‖ the whisper of leaves in the breeze 風にそよぐ木の葉の音.

†**whis·tle** /hwísl/ 動 **1**〈人が〉口笛を吹く, (口)笛で合図する ‖ His mother told him not to whistle at night. 彼の母親は夜口笛を吹くなと彼に言った (🡆文法 11.7). **2**〈風・弾丸などが〉ヒューと音をたてる; 笛[警笛]を鳴らす, 汽笛を鳴らす; 〈鳥などが〉口笛のようにさえずる. — 他 **1**〈人が〉〈曲を〉口笛で吹く ‖ I can whistle any tune. 私はどんな曲でも口笛で吹ける. **2**〈動物・人に〉口笛で合図する(+ back, away, off, up); …に口笛を吹いて〔…するように〕させる[to do] ‖ The policeman whistled the car to stop. 警官はその車に停車せよと笛で合図した / He whistled his dog (to come) back. 彼は犬に戻るように口笛を吹いた.

whístle for A (1) …を口笛で呼ぶ. (2) (略式)…を望んでもむだである.
whístle úp [自] 口笛で合図する. — [他] (1) → [動] **2**. (2)(略式)…を(乏しい材料で)手早く作る[from].
— 名 **1** © 口笛(を吹くこと). **2** 汽笛, 警笛, ホイッスル(などの音).
blów the whístle (略式)〔…の〕内部告発をする[on] (cf. whistle-blower).

whis·tle-blow·er /hwíslblòuər/ 名 © 内部告発者.
whis·tle-blow·ing /hwíslblòuiŋ/ 名 U 内部告発.
whis·tle-lan·guage /hwísllæŋgwidʒ/ 名 © 口笛

言語.

†**whit** /hwít/ 名 (文・古) [a ~; 通例否定文で]ほんのわずか (not) at all) ‖ He has not a whit of common sense. 彼には常識のかけらもない.

‡**white** /hwáit/
— 形 (~r, ~st)
I [色が白い]
1 白い, 白色の (↔ black);〈ガラスなどが〉無色の《「無色の」の意味では比較変化しない》‖ Her handkerchief is (as) white as snow. 彼女のハンカチは真っ白です / a white bandage 白い包帯 / white glass 無色のガラス / a round white moon 丸くて白い月 / a white Mercédes 白のベンツ. 日英比較 日本語の「白」と同様, 精神や身体の「潔白さ」を表す(→ **6**; cf. black 形 **1** 文化).
2 白人の, (皮膚が)白い (↔ colored); [名詞の前で]白色人種の《◆比較変化しない》(cf. black, yellow) ‖ white rulers 白人の支配者たち.
3 白[銀]髪の, しらがの; (詩・古)ブロンドの ‖ grow white with age 年をとって白髪になる / a white old man 白髪の老人.
4〈人・顔・唇が〉〔病気・恐怖で〕青ざめた (pale)〔with〕‖ turn [go] white 青ざめる / Ann looked white and ill. アンは青白くて病気みたいだった / His face was white with agony [fear]. 彼の顔は苦痛[恐怖]で青ざめていた.
5 (英)〈コーヒー・紅茶が〉ミルク[クリーム]入りの (⦅PC⦆ (coffee) with milk) 《◆比較変化しない》(↔ black) ‖ A white coffee, please. ミルク入りコーヒーをください.
II [悪意が混ざっていない]
6 善意の, 罪のない, 言っても許される《◆比較変化しない》‖ a white líe 罪のないうそ.
— 名 (複 ~s/hwáits/) **1** U 白, 白色《◆純潔・完全性・平和などの象徴》(↔ black) ‖ The color of the wall is white. その壁の色は白色です. **2** UC 白色のペンキ[絵の具, 染料];《◆一般に》白いもの; U 白い衣服, 白い布; [~s] 白い運動着; ©U [通例 the ~] (卵の)白身 (egg white)《◆「黄身」は yolk》. **3** (目の)白目 ‖ be dressed in white 白い服を着ている. **4** [時に W~] © 白人, 白色人種.

white ánt 〔昆虫〕シロアリ (termite).
white báck·lash /-bǽklæʃ/ (米) 公民権運動[黒人の進出]に対する白人の反撃[憎悪].
white béar 〔動〕ホッキョクグマ, シロクマ (polar bear).
white bírch 〔植〕シラカバ.
white (blóod) céll [córpuscle] 白血球.
white bóok U (米) 白書《政府発行の国内事情報告書. cf. white paper, blue book》.
white bréad 精白パン.
white Chrístmas 雪の積もったクリスマス, ホワイトクリスマス (cf. green).
white cóffee ミルク[クリーム]入りコーヒー.
white críme ホワイトカラー犯罪《背任・横領・着服・使いこみ・収賄など》.
white dwárf 〔天文〕白色矮小〕星.
white élephant 白象《インド産》;《維持費がかかる》わずらわしい物, 無用の長物.
White Énglish (黒人英語に対して)米国白人が使う英語 (cf. Black English).
white énsign 英国海軍旗.
white flág [the ~] 白旗, 降服[休戦]旗.
white flíght (米)白人の郊外への転居《◆黒人などと

white hánds 無実, 潔白.
white héat (1) 白熱《赤熱より高い温度》. (2) 激情.
white hóle ホワイト=ホール(↔ black hole).
White Hòuse [the ~] (1) ホワイトハウス《米国大統領官邸》. (2) 米国大統領の権威[職]; 大統領行政府; 米国政府 ‖ *White House chief of staff* 大統領首席補佐官.
white léad /-léd/ 白鉛.
white líght 〔物理〕白色光; 日光.
white mágic (よい事を祈ったり病気を治すための)魔術.
white màn [**wòman**] 白人; (略式) 育ちのよい人, 公平な人.
white pàper (1) 《英・カナダ・豪》白書《政府の公式報告書》. (2) [W~ P~] (英) 白書《下院の報告》.
white pépper 白コショウ《殻を除いて粉末にしたもの. cf. black pepper》.
white péril [the ~] 白禍《白色人種がもたらすわざわい》(cf. yellow peril).
white ráce [the ~] 白色人種.
white ròom 無菌[清浄]室.
white róse 〔英史〕白ばら《ばら戦争でのヨークシャー家の紋章》.
White Rússia ベラルーシ, 白ロシア《Byelorussia の別名》.
White Rússian ベラルーシ[白ロシア]人.
white sáuce ホワイトソース《小麦粉をバターで炒めて作る》.
white suprémacy 白人優越主義.
White Térror 〔フランス史〕[the ~] 白色テロ《王党派によるテロ. cf. Red Terror》.
white tíe 《夜会服で用いる男子の》白いちょうネクタイ(cf. black tie).
white wédding 花嫁が白いウェディングドレスを着る結婚式.
white wíne 白ワイン.
white·bait /hwáitbèit/ 《名》《複 **white·bait**》 ⓒ 〔魚〕シラス《ヨーロッパ産ニシン類の幼魚》.
white-col·lar /hwáitkàlər | -kɔ̀lə/ 《形》 事務労働(者)の, サラリーマンの, ホワイトカラーの(↔ blue-collar) ‖ *a white-collar worker* 事務社員[職]員.
white-faced /hwáitfèist/ 《形》 1 青ざめた. 2 《馬などが頭に白斑のある, 顔が白い.
white·fish /hwáitfìʃ/ 《名》《複 ~, ~·es》 〔魚〕 1 ホワイトフィッシュ《サケ科のいくつかの魚》. 2 (英) (一般に) 白身の魚《タラ・シタガレイなど》.
White·hall /hwáithɔ̀ːl/ 《名》 ホワイトホール《London 中央部の官庁街》. 2 [the ~; 集合名詞; 単数・複数扱い] (行政能力の点から見た)英国政府, 英国の政策.
white-hot /hwáithɔ́t | -hɔ́t/ 《形》 1 《金属が》白熱した(→ red-hot). 2 [比喩的に] 白熱した, 熱烈な.
white-liv·ered /hwáitlìvərd/ 《形》 臆(おく)病な; 青ざめた, 顔色の悪い.
†**whit·en** /hwáitn/ 《動》《他》 …を白くする. ──《自》白くなる.
†**whit·ness** /hwáitnis/ 《名》 ⓤ 白さ.
†**white·wash** /hwáitwɔ̀ʃ, -wɔ́ʃ | -wɔ́ʃ/ 《名》 1 ⓤ 漆喰(しっくい). 2 ⓤⓒ うわべだけのごまかし, 糊塗(こと). 3 ⓤⓒ (略式)(競技での)零敗. ──《動》《他》 1 …に漆喰を塗る. 2 …をつくろう.
white·wood /hwáitwùd/ 《名》 1 ⓒ 白太材を持つ木《linden, tulip tree, cottonwood など》. 2 ⓤ 白太材.
†**with·er** /hwíðər/ 《副》 《古・詩》 1 〔疑問詞〕 どこへ (where), どちらへ; どんな状態[地位, 程度, 目的]まで; [主に新聞で; 政治的用語として] …の将来[行方]はどうか《◆ 文の形をとらず提示しなどで用いる》 ‖ *Whither the dispute in Cambodia?* カンボジアの紛争はどうなるのか. 2 〔関係詞〕**a** そこへ(…する); そしてそこへ. **b** [接続詞的に] (…する)ところへ / どこへ (…しよう)とも. ──《名》 ⓒ 行き先, 目的地.

Whit·man /hwítmən/ 《名》 ホイットマン《**Walt**(er) ~ 1819–92; 米国の詩人》.

Whit·sunday, Whit Sunday /hwítsʌ̀ndei, -di, -səǹdei/ 《名》 ⓤⓒ 聖霊降臨祭《復活祭後の第7日曜日. → quarter day》.

†**whit·tle** /hwítl/ 《動》《他》 1 《木などをナイフで少しずつ削る(+*away, down*); [whittle **A** into **B** = whittle **B** into **A**] 《木などを削って B 《物・形》を作る ‖ *whittle a piece of wood into a doll* = *whittle a doll from a piece of wood* 木を削って人形を作る. 2 …を(少しずつ)減らす, 削減する, 削ぐ(+*away, down, off, up*) ‖ *whittle down his salary* 彼の給料を減らす / *Lack of sleep whittled away her energy.* 寝不足で彼女は元気がなかった. ──〔木などを〕削る(+*away*) [*at*].

whít·tler 《名》ⓒ (木などを)削る人, 木彫師.

†**whiz(z)** /hwíz/ 《動》 《過去・過分》 **whizzed**/-d/; **whiz·zing** 《自》(略式) 1 (空気を切って)ピューッと飛ぶ[疾走する], (ブーンと音をたてて)すばやく動く ‖ *A bullet whizzed past my ear.* 弾丸が耳をかすめてビューンと飛んで行った. 2 《仕事などを》さっと片づける(*through*). 3 《時が》早く過ぎ去る(+*by*). ──《他》 …をシュッといわせる, さっと動かす.
──《名》ⓒ (弾丸・矢などの)ヒュー[ピュー]という音をたてて飛ぶこと.

✱✱who /húː, húː; II ではしばしば《弱》 hu, 時に uː/

index
《代》 1 だれが 2 だれを[に] 3 a …する(人) b そして[すると]その人(たち)は

──《代》 (所有格 **whose**, 目的格 **whom** or (略式) **who**)

▌[疑問代名詞]

1 [主格] **a** [文頭で; wh 疑問文] だれが, どの(ような)人が《◆主語として用いられる時は複数が予想される場合でも単数扱い》‖ *Who is gathering in the auditorium?* 講堂に集まっているのはどのような人たちですか / *Whó is at the dóor?* 戸口にいるのはだれですか / *Who is older, him or her?* 彼と彼女のどちらが年上ですか《◆ *Who is older, he or she?* より口語的な言い方》 / *Who was going to help her?* だれが彼女を手伝うつもりだったのか / *Who told you so?* だれがあなたにそう言いましたか / *Whó is this* [*that*](, *please*)?(↗) = *Who's calling, please?* 《電話で》どちらさまですか《◆この場合ふつう *Who are you?* は ほぼていねいな言い方なので用いない》/ ❷対話 "*Whó is it*(, *please*)?(↗)" "*It's mé* [《正式》I]." 「どなたですか」「私です」《◆ドアのノックに対して尋ねるとき》あなたはだれですか《◆初対面の人に名前や素性を尋ねる言い方だが, 実際には相手を見て驚いた時や挙動の不審な人に使われる. 時に職業・身分を問題にしている場合もある. ぶしつけな言い方なのでふつうは "What's your [the] name, please?" (↗) / "May I have [ask] your name?" / "What's your occupation?" などと言う. cf. *What are you?*》 ❷対話 "*Who* is that man?" "He's Mr. Green." "*Who's* Mr. Green?" "He's Jim's father." 「あの人はだれなの」「グリーンさんよ」「グリーンさんてだれ」「ジムのお父さんよ」/ *Who* do you think they are? (↘) 彼らはだれだと思いますか / 〖対話〗 "Did you find out who broke the vase?" "*Who* knows." 「花びんを割ったのはだれかわかったか」「知るもんか」《◆ 後の文は修辞疑問文で No one knows. と同意. ➡文法 1.6》. **b** 〖問い返し疑問文〗‖ You said *who*? (↗) だれと言いましたか / *Who* went where? だれがどこへ行ったって?

2 〖略〗〖目的格〗**a** 〖文頭で〗**だれを[に]**, どの(ような)人に[を]《◆whom の代用. 動詞・前置詞の目的語を疑問詞化して文頭に移動したもの》‖ *Who* else did you see near here? この近くでほかにだれに会ったのですか / *Who* did you show the picture to? その写真をだれに見せたのですか《◆ 間接目的語は疑問詞化して文頭に置けないので to は必要. 次例も同様: *Who* did you give the money to? / ˣ*Who* did you give the money?》/〖対話〗 "She's playing tennis." "*Who* with?" 「彼女がテニスをしています」「だれと(しているの)?」《◆ *Who* is she playing *with*? の短縮表現》/ *Who* is that book written *about*? その本はだれについて書かれているの. **b** 〖通例文尾で; 問い返し疑問文〗《◆ 相手の発話に対する驚き・念押しに用いる》‖ You met *who*! (↗) だれに会ったって? / What happened to *who*? (↗) だれに何が起こったって?.

> 〖語法〗 *who* はしばしば団体をさして用いられる: *Who*'s playing *who*? どことどこの試合ですか / *Who*'s ahead? どっちのチームが勝っているの / *Who* do you work for? どこで[どの会社で]働いていているんですか.

II 〖関係代名詞〗
3 〖主格〗**a** 〖制限用法〗**…する(人)**《➡文法 20.2(1)》‖ They're the people *who* live next door. 彼らは隣に住んでいる人たちです / The girl (*who*) is singing on the stage is my sister. ステージで歌っている女性は私の姉です《➡文法 23.5(2)》/ *It is I who* am to blame. 悪いのは私です《◆ 強調構文にも用いられる. ➡文法 23.2(1)》/ I asked the man (*who*) I thought could help me. 助けてくれそうな男の人がいたので頼んでみた / *There's* somebody at the door (*who*) wants to see you. 〖略〗戸口にあなたにお目にかかりたいという人がいます《◆ 主格の省略. ➡文法 20.3(2)》/ They talked about the painter *who* Jenny was going to study with. ジェニーと一緒に研究しようとしていた画家について彼らは話し合った《◆〖略〗では目的格として用いられることがある》. **b** 〖非制限用法〗**そして[すると]その人(たち)は**《◆ ふつう and he [she, they] の意になるが, 前後関係により and のほか but, because, though, if などの意になることもある》‖ He has a sister (↘), who works as a typist in a London bank. (↘) 彼には姉があり, ロンドンの銀行でタイピストとして勤めている(=…, *and* she works …) / Few people could follow the speaker, *who* spoke too quickly. 講師の話すことのわかった人は少なかった, というのもあまりにも速く話したからです(=…, *because* he spoke …).

WHO 〖略〗(the) World Health Organization.

whoa /hwóu/ 〖間〗**1** どうどう《馬を止めるかけ声》. **2** 《目下の人に対して》そこまで‖ *Whoa*, stop right there. そこまで, あとは結構.

ᛮwho'd /húːd/ 〖弱〗hud, uːd/〖略〗who would [had] の短縮形.

who·e'er /huːɛ́ər/ 〖代〗〖詩〗=whoever.

ᛮwho·ev·er /huːɛ́vər/; 節の主位以外ではまた uːèvər/
—— 〖代〗(所有格 **whosever,** 目的格 **whomever** or 〖略〗**whoever**)
I 〖関係代名詞; 名詞節を導いて〗
1 **…する人(はだれも)** (anyone who)《◆ *whoever* 節は主格・目的格に用いられる》‖ *Whoéver* finishes first gets a prize. 最初に終わった人が賞をもらうのです / Take me to *whoever* is in charge of this establishment. この施設を管理している人はだれか知らないが, その人の所へ私を連れて行きなさい《◆ is の主語になっているので主格を用いる》/ He consults *whoever* he trusts. 〖略〗彼は信頼する人ならだれでもその人の助言を仰ぐ《◆〖正式〗では whomever が正しいが, 一般には He consults anyone that he trusts. のようにいう》.

2 〖通例譲歩の副詞節を導いて〗**だれが[を]…しようとも**《◆(1) 譲歩節中には may をよく用いるが, 〖略〗では省略することが多い. (2)〖略〗では no matter who がふつう》‖ *Whoéver* comes [*may* come] now (↘), I won't let him in. 今だれが来ても, 中に入れはしない(=No matter *who* comes [*may* come] … /〖略〗I won't let in anyone who comes.).

II 〖疑問代名詞〗
3 〖略〗**いったいだれが[を]**《◆(1) who の強調形で who ever ともつづる. (2) 驚き・不信・当惑を表す》‖ *Whoéver* tóld you thát? いったいだれがそんなことを言ったのか《◆ 意味を強めて Who ˈin the world [on earth, the hell] told you that? などともいう》.

4 〖略〗[or ~] **だれか(そのような人)**‖ Give this to Jim, or Jill, *or whoever*. これはジムかジルかそれともだれかにあげなさい.

ᛮwhole /hóul/ 〖同音〗hole; 〖類音〗hall /hɔ́ːl/)
〖「完全な, 健全な」が原義. cf. *heal, hale*〗
—— 〖形〗《◆ 比較変化しない》**1** 〖名詞の前で〗〖通例 the/one's ~〗(まとまった)**全体の,** すべての, 全部の‖ *the whole* world 全世界 / The *whole* village is [ˣare] excited at the festival. 村中が祭りでうきうきしている《◆ all the villages は「全部の村」. cf. half the village 村の半分》/ with *one's whole* heart 心をこめて / He gave *his whole* time to study. 彼は寸暇を惜しんで勉強した / Give me *the whole* story. 洗いざらいぶちまけなさい / *Whole* forests in north Africa were destroyed during Roman times. 北アフリカの森林の全領域がローマ時代に破壊された《◆ 無冠詞の「whole＋複数名詞」はふつうこの意味になる. all forests は「森林という森林は残らず」の意》.

> 〖語法〗(1) 定冠詞のついた複数名詞や固有名詞, Ⓤ名詞を直接修飾できない. 「全メンバー」は all the members か *the whole* of the members とし, ˣthe *whole* members としない. 「全アジア」は ˣ*whole* Asia でなく all Asia か *the whole* of Asia.
> (2) Ⓤ 名詞と共に用いるのは不可であることが多い: ˣthe *whole* money, ˣ*whole* the money → all the money (ˣthe all money).

2 [名詞の前で] [しばしば複数名詞を伴って] (時間・距離などが)まる…(↔ half), …中, 満… ‖ a *whole* year まる1年(=all year) / for the *whole* ten days =for ten *whole* days の10日間.

3 [名詞の後で] 丸ごとの, ひとかたまりの ‖ She ate the ice-cream cone *whole*. 彼女はソフトクリームを丸ごと食べた(◆*whole* は副詞と考えてもよい. and all ともべる. She ate the *whole* ice-cream cone. は「残さず食べた」という意味).

4 [正式] [補語として] 完全な, 欠けたところのない; 無傷の(safe) ‖ The cup is left *whole*. コップはきれいなまま残っている / She found herself *whole* after the accident. 彼女は事故にあったが無傷だった.

── 名 [正式] **1** ⓊＵ [通例 the ~ of+Ⓤ名詞/Ⓒ単数名詞] 全部, 全体 ‖ *the whole of* Japan 日本全体(◆*whole* Japan とはいわない → 形 **1** 語法. cf. all (of) Japan, the *whole* country) ‖ throughout *the whole of* history 全歴史を通じて. **2** [通例 a ~] 完全な物, 統一体 ‖ an organic *whole* 有機体.

as a whóle [名詞の後で] 全体として(の) ‖ The poem (taken) *as a whole* is well written. 全体としてその詩はよく書けている.

gó the whóle hóg (略式) 徹底的にやる.

on the whóle 概して, 大体は, 全体から見て, 何もかも考えあわせると ‖ The party was, *on the whole*, successful. パーティーは全体的には成功だった.

whóle gàle [気象] 全強風(秒速24.5-28.4m. → wind scale).

whóle hóliday 全休日 (cf. half-holiday).

whóle mílk 全乳(脂肪分を除かない完全乳).

whóle nòte (米) [音楽] 全音符 《(英) semibreve》.

whóle númber [数学] 整数 (integer).

whóle rèst (米) [音楽] 全休止(符).

whóle tòne [(米) stèp] [音楽] 全音程(half step の2倍).

whóle·ness 名 Ⓤ **1** [正式] 全体, 総体; 完全(であること). **2** [数学] 整数(であること).

whole·heart·ed /hóulhá:rtəd/ 形 <人・行為が> 真心をこめた; 非常に熱心な. **whóle·héart·ed·ly** 副 真心をこめて. **whóle·héart·ed·ness** 名 Ⓤ 誠意, 真心(のこもったこと).

✝**whole·sale** /hóulsèil/ 形 **1** 卸(売)の ‖ a *wholesale* price [dealer] 卸値[卸商]. **2** 大規模な, 無差別の, 見境のない. ── 副 **1** 卸(売)で ‖ I buy goods *wholesale* 卸で商品を買う. **2** 大規模に ‖ kill innocent people *wholesale* 罪のない人々を大量に殺す. ── 名 Ⓤ 卸(売) (cf. retail) ‖ at [(英) by] *wholesale* 卸(売)で. ── 動 他 自 (物を)卸売する (cf. retail).

✝**whole·sal·er** /hóulsèilər/ 名 Ⓒ 卸売業者[商人].

✝**whole·some** /hóulsəm/ 形 (*more* ~, *most* ~; ~**r**, ~**st**) **1** (身体的・精神的に)健康によい, 衛生によい(↔ unwholesome) ‖ *wholesome* food [exercise, surroundings] 健康によい食べ物[運動, 環境]. **2** <人・顔などが>(身体的・精神的に)健康そうな(◆ healthy より堅い語) ‖ a *wholesome* girl 健やかな少女. **3** (道徳的・精神的に)ためになる, 健全な(◆ sound より堅い語) ‖ Some TV programs are not *wholesome* for children. 子供のためにならないテレビ番組もある. **whóle·some·ly** 副 健康的に, 健全に. **whóle·some·ness** 名 Ⓤ 健康によいこと, 健全, 有益.

✱**who'll** /húːl/, (弱) hul, uəl/ (略式) who will の短縮形.

✝**whol·ly** /hóuli/ (同音) holy) 副 [正式] まったく, 全面的に; もっぱら(↔ partially) ‖ He is *wholly* inexperienced in business. 彼は商売にはまったく不慣れである / I don't *wholly* agree with you. (↘) 私は全面的に君に同意しているわけではない(=I agree with you only partially.)(◆ 部分否定). ➡ 文法 2.2(2).

‡**whom** /húːm; II では時に (弱) hum, uːm/ (who の目的格)

── 代 **I** [疑問代名詞]

1 だれを, だれに(◆(1) 動詞または前置詞の目的語として用いる疑問詞. (2) whom の代わりに who を用いる用法については → who 代 **2**) ‖ *Whom* (略式) *Whó*) are we meeting tonight? 私たちは今夜だれに会うことになっているのですか / *Whom* (略式) *Who*) did you give the present to? =(正式) To *whom* did you give the present? あなたはだれに贈り物をしたのですか(◆ 文法 3.3) / Do you know *whom* (略式) *who*) *to* ask? だれに尋ねたらいいかご存じですか / 《対話》 "Mary is very, very angry." "With *whom*(↘) (略式) Who with (↘)]?" 「メリーはとても腹を立てているよ」「だれに?」(◆ With *whom*? は With *whom* is Mary angry? の, Who with? は Who is Mary angry with? の短縮表現. 語法 by whom の受身については ➡ 文法 7.4.

II [関係代名詞](◆ (1) ふつう先行詞は人. (2) 関係詞節中の動詞または前置詞の目的語となる).

2 [制限用法] …する(ところの)(人)(◆ (略式) では whom の代わりに who を用いることもあるが, ふつうそれも省略する) ➡ 文法 20.2) ‖ The girl *whom* [*who*] Jóhn márried is a nurse. ジョンの結婚した相手は看護師です / Does Mary live next door to the bus driver with *whom* John worked? メリーはジョンと一緒に働いていたバスの運転手の隣に住んでいるのですか(=… driver (*who*) John worked with?) / He has no friends 「with *whom* to play [*×whom* to play with]. 彼は一緒に遊ぶ友だちがいない(➡ 文法 20.7).

3 [非制限用法] そしてその人(たち)を[に](◆ (1) ふつう and … him [her, them] の意になるが, 前後関係により and だけでなく but, because, though, if などの意になることもある. (2) 制限用法(2)と違って whom を省くことはできない) ‖ His ex-wife(↘), *whom* I met at the station (↘), is very attractive. 彼の前の奥さんに駅で会ったのだが, とても魅力的な人だね(=(略式) His ex-wife is very attractive. I met her at the station.) / The man has two sons, *one of whom* is still at college. その人には2人息子があり, その1人はまだ大学生です(=(略式) The man has two sons. One of them is still …).

4 (古) (…が…する)人(たち)(◆ 先行詞を含んで名詞節を導く) ‖ *Whom* the gods love die young. (ことわざ) 「佳人薄命」.

whom·e'er /huːméər/ 代 [詩] =whomever.

whom·ev·er /huːmévər/ 代 whoever の目的格(◆ (略式) では whoever を用いる).

whom·so·ev·er /huːmsouévər/ 代 whosoever の目的格.

✝**whoop** /húːp, húp/ wúːp/ (同音) (米) hoop) 名 Ⓒ (文) (喜び・興奮などの)叫び声, 喚声(わー, うわっ, やった, など) ‖ *give a whoop of* joy わっと喜びの叫び声をあげる / with a *whoop* and a holler 大騒ぎして. ── 動 自 (文) (喜び・興奮などで)大声で叫ぶ.

— [他] …を歓声をあげて言う. ***whóop it úp*** 《略式》(祝福して)ばか騒ぎする, 底ぬけにはしゃぐ.
whóoping còugh 〔医学〕百日ぜき.
whoops /hwú(ː)ps/ [間] =oops.
whoosh /hwú(ː)ʃ/ [名][C] [通例 a/the ~] ヒュー, シャーという音. **—**[動][他] …をヒュー[シャー]と(音をたてて)飛ばす. **—**[自] ヒュー[シャー]と(音をたてて)飛ぶ.
whop·per /hwɑ́pər | hwɔ́p-/ [名][C] **1** 打つ[なぐる]人. **2** 《古・略式》とてつもなくでかいもの; 大ぼら.
†**whore** /hɔ́ːr/ [名][C] 《古》売春婦.
*__who're__ /húːər; 《弱》huər, u(ː)ər/ 《略式》who are の短縮形.
whorl /hwɔ́ːrl/ [名][C] **1** 〔植〕(葉・花の)輪生体, 環生; 〔動〕(巻貝の)渦巻; 渦のひと巻き. **2** 《やや文》(一般に)渦巻; 渦巻型指紋.
whorled /hwɔ́ːrld/ [形] 輪生の; 渦巻形の, らせん状の.
whor·tle·ber·ry /hwɔ́ːrtlbèri, 《英+》-bəri/ [名][C] 《英》〔植〕ツツジ科スノキ属の低木《◆ ブルーベリーに似た実をつける》.
*__who's__ /húːz; 《弱》huz, u(ː)z/ 《略式》who is [has] の短縮形.

‡**whose** /húːz; II では時に《弱》huz, u(ː)z/ 〚who の所有格〛

—[代]

I [疑問代名詞]

1 [形容詞用法] だれの ‖ *Whóse* shóes are thése? これはだれの靴ですか / *Whose* glass is broken? だれのグラスが割れているのか / *Whose* father are you talking about? だれのお父さんのことを話しているのか / Ask him *whose* book this is. これはだれの本か彼に尋ねなさい.

2 [独立用法; 単数・複数扱い] **だれのもの** 《◆ whose + 名詞の代わりに用いられる》‖ *Whose* is that house? あの家はだれの(もの)ですか《◆ *Whose* house is that? の方がふつう》/ Tell me *whose* to use. だれの(もの)を使ったらよいか教えてくれ《◆ その場の状況などで何のことをさしているのかわかっている場合の言い方》(➲文法 11.7).

II [関係代名詞] 《◆ who の所有格であるが先行詞は物・事でもよい》.

3 [制限用法] その(…が)…する(ところの)(人, 物, 事)《◆ 名詞の前に置いて形容詞的に用い, 先行詞との所有関係を表す》(➲文法 20.2(3)) ‖ I met the man *whose* son had won the race. 競走に勝った男の人の父親に会った / The sculptor *whose* works we know well will come to our school. その作品がよく知られている彫刻家が私たちの学校にやってくる / The house *whose* roof you can just see is Mr. Baker's. 屋根の見えている家はベーカーさんの家です《◆ 《文》The house the roof of which you can just see … / The house (which) you can just see the roof of is Mr. Baker's. (→ which **3 b**) / 《略式》The house — you can just see ⌜the roof of it [its roof] — is Mr. Baker's. ともいえる》.

4 [非制限用法] **そしてその人[それ]の**《◆ ふつう and his [her, its, their] … の意になるが, 前後関係により and のほかに but, because, though, if などの意にもなる》‖ Mr. Black, *whose* wife teaches singing, is a piano teacher. ブラック氏は奥さんが声楽を教えていて, 自分はピアノの教師をしている(=Mr. Black is a piano teacher, *and his* wife teaches singing.) / Mont Blanc, ⌜*whose* sides [the sides of which] are very steep, attracts many mountain climbers. モンブランは斜面がたいへん険しく, 多くの登山家を引きつける(=Mont Blanc attracts many mountain climbers, *because* its sides are very steep.).

whos·ever /huːzévər/ [代] whoever の所有格.
who·so·ever /hùːsouévər/ [代] 《古》=whoever《◆ 関係詞用法のみ》.
*__who've__ /húːv; 《弱》huv, u(ː)v/ 《略式》who have の短縮形.

‡**why** /[副] hwái; [間] wái; [名] hwái/ 〚理由を問う疑問詞であるが, 会話の含意として「なぜ…するのか」(しなくていいのに), 「なぜ…しないのか」(…したらよいのに), 「なぜ…しないはずがあろうか」(もちろん…しますよ)の用法が生まれた〛

—[副]

I [疑問副詞]

1 なぜ, どうして《◆ 理由または目的を尋ねる. 目的を強調する場合は What … for? を用いる. How come …? との比較は → How come …?》‖ [対話] "*Why* are you standing?" "Because I haven't (got) a seat." 「なぜ立っているの」「席がないからです」《◆ Why …? に対してはふつう Because … で答える. → because **1 a**》/ *Whý* do you cáll me námes? どうして私の悪口を言うのか(=What makes you call me names?) / *Why* ever [on earth, the hell] didn't you tell me you were coming to the party? パーティーへ来るとどうしてひとこと言っておいてくれなかったのか《◆ ever, on earth, the hell は why の強調》/ ***Why is it that*** you are always late? 君がいつも遅刻するのはどういうわけかね《◆ Why are you always late? の why を強調した強調構文. ➲文法 23.2(1)》/ I wonder *why* she's crying. 彼女はなぜ泣いているのかしら / *Why* so? どうしてそうなの? / [対話] "We can't go." "***Whỳ nót?***(↘)" 「私たちは行けません」「どうして?」《◆ 否定平叙文に答えて用いる. cf. **2**》.

2 [whỳ dó …?] どうして…をするのか(するにはおよばない)《◆ 相手の言った事に対する異議申し立てとして用いる》‖ *Why* stay indoors on such a nice day? こんな天気のよい日にどうして家の中にいるの.

3 [whỳ dòn't you do? / whỳ nót do?] 君(たち)[私たち]は…したらどう(ですか); …しなさい(よ)《◆ 提案・軽い命令を示す》‖ ⌜*Why don't you* [*Why not*] call a plumber? 配管工に電話したら? / ***Why don't you*** be a doctor? 医者になったらどう / ***Why not*** stop here? ここでストップしたら? / *Why not* the best? 最善を尽くそうではないか《◆ 米国の Carter 元大統領の標語》/ [対話] "*Why don't you* have some wine?" "No, thanks." 「ワインをいかがですか」「いえ, 結構です」《◆ some の代わりに any を用いると **1** の用法で「なぜワインを飲まないのか」の意》.

> [語法] (1) why don't you? は文尾に置くこともできる: Take a rest, *why don't you?*(↗) 一服なさったらどう, いいじゃない《◆ 命令の語調を柔らげる》. また独立して用いることもある: "Take this seat." "*Why don't you?*" 「このいすに座ってください」「どうぞ, あなたの方こそ」.
> (2) 提案者も相手も含めて why don't we となることもある: *Why don't we* read a bit about the famous *Botchan*? 有名な『坊ちゃん』について少し読んでみませんか.

W

4 [why nót?] (提案などに同意して)うんそうしよう、いいですとも ‖ **対話** "Shall we go?""*Why not?*(↘)" / "Would you like some more salad?" "*Why not?*" 「サラダをもう少しどうですか」「ええ、いただきます」.

‖ **[関係副詞]**

5 [制限用法；reason を先行詞として] (…だという)理由(for which) ‖ The *reason* (*why* [*for which*]) he came so early is not evident. 彼がそんなに早く来た理由は明白でない《◆The *reason* を省略して *Why* he came so early … も可》/ There is no *reason* (*why*) I should be here all by myself. 私がただひとりここにいなければいけない理由はない.

6 [先行詞を含[含]み；名詞節を導いて] (…する)理由[わけ] (=the reason why の省略表現と考えられる) ‖ *Why* Ann left was *because* she was unhappy. アンが行ってしまったのは楽しくなかったからです / Bill is *why* talkative. **This** is *why* I don't like him. ビルはとてもおしゃべりだ. これが彼が嫌いなのです；こういうわけで彼が嫌いなのです《◆This is *why* is *And so* に相当》.

── **間** /wái/ **1** [主に米] [意外な発見・認識を表して]まあ, おや, あら ‖ *Why*, that's the book Tim was talking about. まあ, それティムの言ってた本だわ.

2 [質問などの簡単なことへの抗議を表して]なあに, なんだ ‖ *Why*, a child could answer it. なあに, 子供でも答えられるぞ.

3 [熟慮のため間を置いて] そうね, えーっと ‖ *Why* (↘), yes. I think I would. そうですね, してもいいですが.

4 [反対を示して] なに, なんだって. **5** [条件の帰結を導く語として] それなら ‖ If this answer is wrong, *why*, I must try again. この答えが間違っているなら, それならもう一度やらなければならない.

── **名** /hwái/ (複 ~s/-z/) © **1** [通例 the ~(s) and wherefore(s)] 理由 ‖ I want to know the *whys* and *wherefores* of her objection. 彼女が反対している理由を知りたい. **2** [通例 ~s] 「どうして」という質問.

WI (略) West Indian; West Indies; (郵便) Wisconsin.

Wich·i·ta /wítʃɪtɔː/ (名) ウィチタ 《米国 Kansas 州南部, Arkansas 河畔の都市》.

wick /wík/ (名) © (ろうそく・ランプの)芯(し).

†**wick·ed** /wíkid/ **[発音注意]** 形 (~·er, ~·est) **1a** 〈人・行為・精神が〉悪い, 不正な, 不道徳で；悪意のある, 意地悪な《◆*evil* よりも不道徳で意図的な悪さを強調》‖ *wicked* people [deeds, heart] 悪人[悪事, 邪心] / the *wicked* [集合名詞的に] 悪人ども / The writer has a *wicked* tongue. その作家は毒舌家です《◆*wicked* の代わりに sharp, bitter なども使えるが後になるほど意味が穏やかになる》. **b** [A is *wicked* to do / it is *wicked* of **A** to do] …するとは **A** 〈人〉はひどい ‖ The boy *is wicked* to beat the poor dog. =*It is wicked of* the boy to beat the poor dog. かわいそうにあの犬をぶつなんてひどい子だ《文法 17.5》. **2** (略式)いたずらな, わんぱくな ‖ a *wicked* smile いたずらっぽい微笑《◆女性に用いると, 時には「色っぽい微笑」となる. 「わんぱくぼうず」は a naughty child がふつう》. **3** (略式)とてもひどい[いやな], とんでもない ‖ a *wicked* storm [odor] ひどいあらし[におい] / a *wicked* task いやな仕事 / a *wicked* price 法外な値段.

†**wick·ed·ly** /wíkidli/ 副 (意地)悪く, 不正に.

†**wick·ed·ness** /wíkidnəs/ (名) Ⓤ 邪悪, 不正, 悪意.

†**wick·er** /wíkər/ (名) © (柳の)小枝；Ⓤ © 枝編み細工(品) ‖ a *wicker* basket 枝編みのかご.

wick·er·work /wíkərwɜːrk/ (名) Ⓤ © 枝編み細工(品).

wick·et /wíkit/ (名) © **1** =wicket gate [door]. **2** (駅の)改札口, (畑・囲い地の)回転木戸. **3** (米)(切符売り場・銀行などの)窓口. **4** 〖クリケット〗三柱門(図→cricket)；三柱門間の芝地(pitch)；投球場；打撃者. **(米)**〖クロッケー〗柱門 ‖ kéep (the) *wícket* 三柱門後方でキーパーをする / lóse [táke] a *wícket* 打者がアウトになる[打者をアウトにする].

wícket gàte [dòor] (大門の中か横の)くぐり戸, 小門.

※**wide** /wáid/ 〖「端から端までの長さが大きい」が本義〗(派) width (名), widen (動)

index 形 **1** 広い **3** 十分に開いた **4** ゆったりとした **6** 遠く外れた
副 **1** 広く

── 形 (~·r, ~·st)

Ⅰ **[幅が広い]**

1 (幅が)広い(broad) (↔ narrow)；[長さの単位を表す名詞の後で] 幅が…ある (↔ long) ‖ a *wide* [(正式) broad] river [street] (幅の)広い川[通り] / a *wide* [*broad] gap 広い割れ目 (→ broad 形[1]) / This door is two feet *wide*. このドアは幅2フィートだ.

2 (範囲などが)広い, 広範囲にわたる；(面積などが)広大な《◆部屋などが「広い」のは big, large》；[しばしば複合語に]多方面にわたる ‖ the *wide* world 広い世界 / a man of *wide* experience [reading] 経験[読書量]の豊富な人 / a nation(-)*wide* survey 全国的な調査 / offer a *wide* range of courses 多方面の科目を開講する / There is a *wide* difference between the two opinions. 2つの意見には大きな相違がある.

3 〈目などが〉(驚き・恐怖などで)十分に開いた(with) ‖ She stared at the sight [with *wide* eyes [with her eyes *wide* open]. 彼女は目を丸くしてその光景を見つめた.

4 〈衣類などが〉ゆったりとした ‖ *wide* trousers [sleeves] だぶだぶのズボン[そで].

Ⅱ **[比喩的に広い]**

5 〈視野などが〉広い, 偏狭でない, 拘束されない ‖ take *wide* views 幅広い物の見方をする / have [make] a *wide* guess 大ざっぱに推察する.

Ⅲ **[広すぎて目標から外れて]**

6 〈標的などから〉遠く外れた；見当違いの(of) ‖ a *wide* ball (野球などで)遠く外れた球；(クリケットで)暴投 / Your guess [criticism] is *wide of the mark*. (ややまれ)君の推測[批評]は的はずれだ / The plane went *wide of* its course. その飛行機は進路を大きくはずれた.

── 副 (~·r, ~·st) **1** 広く, 広範囲に；[しばしば複合語で]多方面にわたって ‖ He traveled *far and wide*. 彼はいたるところを旅行した / be popular nation(-)*wide* 全国的に人気がある. **2** 十分に開いて ‖ Open your mouth *wide*. 口を大きく開けなさい. **3** (…から)それて, 見当違いに(of) ‖ The arrow fell *wide of* the target. 矢は的をそれて落ちた.

wide-a·wake /wáidəwéik/ 形 **1** すっかり目ざめた.

2 目を大きく見開いた ∥ Stay *wide-awake* when you drive. 車を運転する時はしっかり目をあけておきなさい. **3** (略式)〈人・考えなどが〉(損得に)油断[抜け目]のない ∥ a *wide-awake* idea [young woman] 人につけこまれる隙(ﾞ)のない考え[若い女性]《◆補語として用いる場合は wide awake とも書く》.
—名 © =wide-awake hat.
wide-awáke hát 広縁のフェルトの中折帽.
†**wide-eyed** /wáidaid/ 形 (不思議・驚き・疑いなどで)目を丸くした; びっくりぎょうてんした; 素朴な, 純真な.
***wide·ly** /wáidli/ (→ wide)
—副 (more ~, most ~) **1** 広く, 広範囲にわたって ∥ travel *widely* 方々を旅行する《◆travel wide よりふつう》/ a *widely* known státesman 著名な政治家 / Today computers are *widely* used all over the world. 今日コンピュータは世界中で広く使われている. **2** 大きく, はなはだしく ∥ Our views are 「*widely* different [differ *widely*] from each other. 我々の見解はお互いに大きく異なる.
†**wid·en** /wáidn/ 動 他〈人が〉…を広くする(+*out*) ∥ The city has *widened* the road. 市は市道路を広げた. —自 広くなる, 大きく開く(+*out*) ∥ Her eyes *widened* in surprise. 彼女は驚いて目を丸くした / a *widening* gap ますます広がるギャップ.
wide-o·pen /wáidóupən, (時に) -pm/ 形 **1** 広く開いた. **2**〈制度などが〉攻撃にさらされやすい. **4** (米略式)(酒・犯罪・ギャンブル・売春などの)取り締まりがゆるい.
wide-rang·ing /wáidréindʒiŋ/ 形 広範囲にわたる.
wide-screen /wáidskrí:n/ 形 [映画]ワイドスクリーンの, 画面の広い.
†**wide·spread** /wáidspréd/ 形 **1**(翼などを)広げた. **2** 広範囲に及ぶ; 広く行きわたった, 普及した ∥ a *widespread* belief [superstition] 広く受け入れられている信念[迷信] / The use of the Internet has become *widespread*. インターネットが普及してきた.
†**wid·ow** /wídou/ 名 © **1** 未亡人, 後家《◆男性形は widower》∥ Susie is a *widow*. スージーは未亡人だ《◆Susie is Bob's *widow*. (スージーはボブの未亡人である)とする. cf. widower》. **2** (略式)[スポーツ名などの後で] …未亡人, …ウイドー《◆夫がスポーツなどに熱中するため(家に)置きざりにされる妻》∥ a fishing [computer] *widow* 魚釣り[コンピュータ]ウイドー. **3**[トランプ](ピノクルなどでの)余分の手札. —動 他 **1** [通例 be ~ed] 未亡人[男やもめ]になる ∥ She was *widowed* early in life. 彼女は若くして夫と死別した(=She was left a *widow* …). **2**(詩)〈人〉から[…を]奪う(*of*).
wídow's míte [the ~] 未亡人の少しの寄付;「貧者の一灯」.
wídow's péak 額中央のV字型の髪のはえ際《◆未亡人になる相という俗信がある》.
†**wid·ow·er** /wídouər/ 名 © 男やもめ《◆(1) 女性形は widow. (2) *Bob is Susie's widower.* とはふつういわない. 単に Bob is a *widower*. という. cf. widow 名 1 用例》.
wid·ow·hood /wídouhùd/ 名 Ｕ Ｃ やもめ[男やもめ]の状態[期間], やもめ暮らし.
†**width** /wídθ, wítθ/ [発音注意] 名 **1** Ｕ Ｃ (幅の)広さ, 幅(㊑ w.) ∥ a river of great *width* 幅の広い川 / a box (which is) two feet in *width* 幅2フィートの箱(=a box (which is) two feet *wide*). **2** Ｕ (理解などの)広いこと, 広さ ∥ the *width* of one's mind [knowledge] 心[知識]の広さ. **3** © 一定の幅(の布地・材木など)∥ join the three *widths* of cloth 布地3幅を継ぎ合わす.
†**wield** /wí:ld/ 動 他 **1**(文)〈武器・道具などを手で巧みに使う〉∥ *wield* 「a weapon [a sword, an axe, the pen] 武器[剣, おの, 健筆]をふるう. **2**〈権力などを〉ふるう, 行使する;〈影響などを〉及ぼす ∥ *wield* power [authority, the scepter] 権力を行使する / *wield* control 支配する / *wield* influence over the nation 国民に影響を与える.
wield·er 名 © (武器・権力などを)行使する人.
wie·ner /wí:nər/ 名 Ｕ Ｃ (米)フランクフルト, ウィンナソーセージ.
wíener róast 野外のフランクフルト[ホットドッグ]パーティー.

***wife** /wáif/ [「女(woman)」が原義]
—名 (複 **wives**/wáivz/) Ｃ 妻, 女房(↔ husband); 既婚女子(↔ spinster)《◆呼びかけには用いない》∥ a lawful [wedded] *wife* 正式の妻(↔ a mistress, a common-law *wife* (内縁の妻)) / husband and *wife* 夫婦(cf. BRIDE and groom) / She will make a good *wife*. 彼女はよい妻になるでしょう.
wife·hood /wáifhùd/ 名 Ｕ 妻であること, 妻の身分.
wife·ly /wáifli/ 形 (正式)妻(として)の; 妻にふさわしい ∥ her *wifely* support for her sick husband 病気の夫に対する彼女の妻としての支え.
†**wig** /wíg/ (同音 Whig) [periwig の短縮語] 名 © **1**(髪の全部または一部の)かつら; 髪飾り《ヨーロッパで17-18世紀に流行》∥ wear a *wig* かつらをつける. **2**(英)裁判官, 弁護士《◆英国では今日でも裁判官や弁護士は慣例として法廷でかつらをつける》.
wigged /wígd/ 形 かつらをつけた.
†**wig·gle** /wígl/ 動 他 (略式・方言)〈身体(の一部)など〉をぴくぴく[くねくね]小刻みに動かす[ゆする] ∥ Stop *wiggling* your legs. 貧乏ゆすりはやめなさい. —自 ぴくぴく[くねくね]小刻みに動く. —名 © ぴくぴく[くねくね]する[させる]こと; 小刻みな身動き.
wíg·gler 名 © **1** ゆり動かす人[物]. **2**[昆虫]ボウフラ(wriggler).
wig·gly /wígli/ 形 (略式) **1** ゆれ動く ∥ a *wiggly* child じっとしていない子. **2** 波状の ∥ a *wiggly* line 波線.
†**wight** /wáit/ 名 ©(古・方言)(不運な, みじめな)人間.
wig·wag /wígwæg/ (略式) 動 (過去・過分 **wig·wagged**/-d/; **--wag·ging**) 他 **1** …を振り動かす. **2** …を(手旗・灯火などで)合図する. —名 Ｕ Ｃ 手旗[灯火]信号をする. —名 Ｕ Ｃ 手旗[灯火]信号.
†**wig·wam** /wígwɑm | -wæm/ 名 © (北米先住民の)テント小屋.

***wild** /wáild/

index 形 **1** 野生の **2** 荒れ果てた **3** 激しい **4** 野蛮な **5** 荒っぽい
名 **1** 荒野

—形 (~·er, ~·est)
1[自然のままの]
1[通例名詞の前で]〈動植物が〉野生の, 野育ちの, 人慣れしていない《◆比較変化しない》(↔ domestic) ∥ *wild* beasts 野獣 / *wild* flowers 野生の花 / Are these horses tame or *wild*? これらの馬は飼い慣らしてるのですか, それとも野生のままですか.
2〈土地が〉荒れ果てた, 荒涼とした(↔ cultivated), 自然のままの, 耕作していない, 人の住まない ∥ *wild*

land 荒野 / *wild* moorland 荒涼とした荒れ地.
3 激しい, 強い, 荒れた, 騒々しい ‖ a *wild* sea 荒海 / a *wild* night ひどい[恐ろしい, 大変な]夜, ひどく荒れしの夜 / a man living in *wild* times 乱世に生きた男.
4 [通例名詞の前で]〈人などが〉**野蛮な**, 未開な(savage) ‖ a *wild* man 野蛮人 / *wild* tribes 蛮族.

‖ [感情のおもむくままの]

5 〈人などが〉**荒っぽい**, 乱暴な, 手に負えない, 放埒(ほうらつ)な ‖ *wild* mobs 暴徒 / a *wild* boy 手に負えないわがままっ子 / a *wild* horse 気の荒い馬.
6 〈人・感情などが〉[…で]狂気じみた, 熱狂的な, 興奮した[*with*] ‖ *wild* rage 激怒 / drive him *wild* 彼を興奮[熱狂]させる / She is *wild with* grief. 彼女は悲しみのあまり気が変になっている. **7** 乱れた, 乱雑な, だらしない ‖ *wild* hair 乱れ髪 / a room in *wild* disorder 乱雑極まる部屋. **8** 的はずれな, 見当違いの, とっぴな, でたらめの ‖ a *wild* guess とんでもない憶測 / a *wild* throw (野球)(野手の)悪送球.
9 (英略式)[補語として]〈人・事に/…に対して〉激怒した[*with*/*about*/*for*] ‖ be *wild with* her *for* being late 遅れたことで彼女に対してかんかんに怒る.

‖ [強く欲する・熱中する]

10 ひどく[…し]たがっている(eager)[*to do*] ‖ He is *wild* to buy a new motorcycle. 彼は新しい単車が買いたくてうずうずしている. **11** (略式)[補語として][…に]夢中である, 熱心である[*about*] ‖ The students are *wild about* the brand-new computers. 学生たちは新型のコンピュータに夢中だ. **12** (略式や古)パーティーなどが, 楽しい.

gò wíld […で/…に]ひどく怒る[喜ぶ]; 発狂する; 夢中になる[*with*/*over*] ‖ go *wild with* joy 狂喜する.

rùn wíld (1)〈動物が〉野飼いにしてある,〈植物が〉自然のままのびている; 野生化する. (2)〈人が〉気ままに[乱暴に]ふるまう; 規制を受けず自由である ‖ Don't let your imagination *run* wild. 想像をたくましくする.

wíld and wóolly (米) 粗野な; 波乱に富む.

—— 副 (〜・er, 〜・est) 乱暴に, でたらめに ‖ shoot *wild* 乱射する.

—— 名 ―s; 複数扱い) (ある地方の)**荒野, 未開地, 不毛地帯** ‖ the *wilds* of the North 北部の荒野. **2** [the 〜] 荒野(wilderness), 大自然, 野外 ‖ animals in the *wild* 野生の動物 / a tiger driven by the call of the *wild* 野生の呼び声にかられたトラ.

wíld bóar [動] イノシシ.
wíld cárd (1) [トランプ] ワイルドカード, 万能札《ふつうジョーカー》. (2) (米) [スポーツ] ワイルドカード《アメリカンフットボールや野球などで, リーグ首位でない下一るの中から勝率上位の1ないし数チームがプレーオフに進める制度》. (3) まったく予測がつかないこと[人, もの]. (4) [コンピュータ] ワイルドカード(検索の際に用いられる * や ? などの記号. 任意の文字列を示す》.
wíld fówl =wildfowl.
wíld góose [鳥] ガン.
wíld mán (1) 野蛮人; 粗野な男. (2) (党内の)過激分子. (3) [動] =orangutan.
wíld róse [植] 野バラ《米国 Iowa, New York, North Dakota 各州の州花》.
Wíld Wést [the 〜] (開拓時代の無法な)米国西部地方.
Wíld Wést shòw [米史] (カウボーイや先住民の離れ業を呼び物とした)西部のサーカス.

†**wíld・cat** /wáildkæt/ 名 C **1a** ヤマネコ. **b** 野良ネコ.
2 (略式) 突然怒り出す人, 怒りっぽい人, 意地悪女. **3** (米) [石油・ガスの] 試掘井. **4** 無謀で信用のおけない企業. **5** (米) =wildcat strike. —— 形 **1**〈経営などが〉無謀で, でたらめの;〈計画などが〉向こう見ずの ‖ *wildcat* schemes (財政・商売上の)無謀な計画. **2**〈ストなどが〉非合法な; やみ取引の. **3** (油井(ゆせい)などの)試掘の.

wíldcat stríke ヤマネコスト《組合員が本部の指令によらずに行なうストライキ》.

Wilde /wáild/ 名 ワイルド《Oscar 〜 1854-1900; アイルランド生まれの英国の劇作家・小説家》.

†**wíl・der・ness** /wíldərnəs/ [発音注意] 名 (複) (まれ) 〜・es [-iz/] **1** (古) [the 〜] (人の住まない) 荒れ地; [the W〜] 米国 Virginia 州北東部の森林地帯《南北戦争の古戦場》. **2** [a/the 〜], (話) [a] (変化らしい変化もない)だだっ広い所]; 乱雑な[手に負えない状況の]場所 ‖ a watery *wilderness* = a *wilderness* of waters 大海原. **3** [a/the 〜] 〈物・人の〉ごたごたした[雑然とした]集まり[*of*]. **4** (正式) [a/the 〜] (精神・社会などの) 空白の[不幸な, 荒廃した]状態.

a vóice (crýing) in the wílderness [聖] 世にいれられない改革家などの叫び《◆「荒野に呼ばわる者の声」より》.

wíld-éyed /wáildáid/ 形 **1** 目が怒りにぎらぎら燃えた. **2** まったく無謀[無分別]な, 過激な.

wíld・fire /wáildfàiər/ 名 U 野火, 鬼火.
spréad [*rún*, *gó róund*] *lìke wíldfire* 〈うわさ・疫病などが〉またたく間に広がる.

wíld・fowl /wáildfàul/, **wíld fòwl** 名 (複) 〜s, [集合名詞] **wíld・fowl** [複数扱い] ⓒ U 猟鳥《カモ・キジなど》; 野鳥.

wíld-life /wáildláif/ 名 U [集合名詞] 野生生物《狩猟のとき対象になる鳥・獣・魚》.

Wíldlife Consérvation Párk [the 〜] (New York の) 野生生物保護公園《1993年2月 the Bronx Zoo を改称》.

†**wíld・ly** /wáildli/ 副 **1** 野生的に; 野生状態で ‖ a *wildly* left field 野生状態の野原. **2** 激しく, やみくもに; 乱暴に ‖ cry *wildly* 気が狂ったように(泣き)叫ぶ / hit the door *wildly* ドンドン戸をたたく. **3** (略式) ひどく, むやみに, でたらめに ‖ a *wildly* written bill でたらめに書かれた請求書.

†**wíld・ness** /wáildnəs/ 名 U **1** 野生. **2** 荒廃. **3** 乱暴, 無謀, 狂乱.

†**wile** /wáil/ (同音 while) (正式) 名 [〜s] 策略, 謀略, たくらみ (trick).

—— 動 他 **1** 〈人を〉だます;〈人を〉そそのかして […] させる[*into* (doing)];〈人を〉誘って[…を離れ[やめ]させる[*from*, *out of*] ‖ *wile* her *into* buy*ing* the goods 彼女をだまして商品を買わせる. **2** 〈秘密などを〉うまくだまして〈人から〉引き出す[*from*].

wíle awáy [他] (1) 〈人を〉だまして連れ去る. (2) 〈時間をぶらぶらして過ごす〉 = while (他).

wil・ful /wílfl/ 形 (英) =willful.

****will**[1] /(弱) l, 時に wəl, əl; (強) wíl/ [「…しようと欲する」が原義]

index 助 **1a** …するつもりである **b** …でしょう
4 …だろう **5** …しなさい **6** どうしても…したがる

—— 助 (過去) would /wud, (w)əd, d/《◆(1) 短縮形

will

'll. (2)《古》では二人称単数現在形 (thou) wilt, 同過去形 (thou) wouldst》

[意志未来と単純未来]

語法 (1) 主語が代名詞の場合, 平叙文では《米》《英》とも短縮形 'll, won't がふつう. ただし, I と and I となる場合は, 'll, won't は避けられることが多い: Bill and I *will* be delighted to see you. ビルと私はあなたにお目にかかれたらうれしいのですが.
(2) be going to との比較については → go¹ 成句.
(3) 「近い未来」を表す場合, 特に go, come, leave, arrive などでは will を用いずに現在形 (→文法 4.1(2)), 現在進行形 (→文法 5.2(2)), be going to で表すことが多い: I leave Paris for London tomorrow. 明日ロンドンに向けてパリを出発します.
(4) 未来を表す他の表現 (→文法 4.3): I *am to* leave for London tomorrow. 私は明日ロンドンに出発する予定です / The sun *is about to* rise on the horizon. 太陽がまさに地平線に昇ろうとしている / He is *on the point of* jumping into the river. 彼はまさに川に飛び込もうとしている.
(5) 単純未来の will は時・条件・譲歩の副詞節には用いない (→文法 4.1(4)).

1 [一人称主語: I [we] will ...] **a** [意志未来] …**するつもりである**, …します《♦ 状況によっては I am going to, I promise to などともいえる》‖ I'll write to you as soon as I arrive [*will arrive] in London. ロンドンに着いたらすぐお手紙を書きます / I *won't* cut school again. 二度と学校をさぼるつもりはありません / I *will* give you my answer tomorrow. 明日返事します(=《正式》You shall have my answer ...).

語法 強い意志を示す場合は 'll, won't の短縮形は用いない: I *will* go there whatever happens [*will happen]. どんなことがあっても私はそこへ行きます.

b [単純未来: I [we] will ...] [通例未来を示す副詞語句を伴って] ...**でしょう**, ...だろう《《英》では shall も用いる》‖ I'll be 20 (years old) next year. 来年20歳になります / *Will* we be in time for the train? 電車に間に合うでしょうか / I *won't* be seeing him again. 彼に二度と会うことはないでしょう《♦ I *won't* see ... では「会うつもりはない」の意になるのがふつう》.

2 [二人称主語: you will do] **a** [意志未来; 条件の if 節・疑問文で] …**するつもりである** ‖ *If you will* wait here a moment, I'll go and get a chair. もしここでちょっとお待ちいただけるのでしたら, いすをお持ちします《♦ (1) 相手の気持ちを尊重した言い方で if you wait ... よりもていねい. (2) if you will を文尾につけることもある: Wait here a moment if you *will*. ここでちょっとお待ちください(cf. 語法 (2))》/ *Will you* come to the party? パーティーにはおいでになりますか / *Will you* please be at home tomorrow? 明日家にいてくださいませんか(→ **2 b**).

語法 [Will you do? / Won't you do?]
(1) Will you ...? / Won't you ...? は相手の意志を問うだけにとどまらず, ふつう勧誘・依頼の気持ちを含む. 依頼の場合は please を伴うことが多い. しかし, いずれにしても Will [Won't] you ...? は命令口調なので, 目上の人に対する依頼には Would [Could] you ...? を使うのがよい: *Will [Won't] you* have some coffee with me?(↗)一緒にコーヒーを飲みますか[飲みませんか]《♦ Won't you ...? は勧誘に用いる》/ *Will you be quiet!*(↘) 静かにしてくれないか《♦ 時には怒りを表す》/ *Will you please* open the window?=Open the window, *will you please*? 窓をあけてくれませんか.
(2) will you? / won't you? は付加疑問として命令文の後につけて上昇調に言うと口調をやわらげる: Give me your telephone number, *will you!*(↗) 電話番号を言ってください / Please come in, *won't you?*(↗) どうぞお入りください.
(3) 否定の命令文の付加疑問としては will you? のみ付加できる: Don't make a noise, *will you?*(↗) 静かにしてくれないか. 下降調だと「…しなさい」の命令口調: Be quiet, *will you!*(↘) 静かにしないか. will you? だといくぶんていねいだが, その分いらだたしさを押し隠した表現になりやすい.

b [単純未来] …**でしょう**, …だろう ‖ You'll reach Kokura in six hours. 6時間で小倉に着くでしょう / *Will* you be at home tomorrow? 明日家にいらっしゃいますか《♦ 文脈によっては「明日家にいてください」の意にもなる. → **2 a**》.

語法 単純未来の疑問文は Will you do? を避けて Will you be doing? / Are you doing? の型をとることが多い(→文法 5.4(3)): *Will* you be coming? =Are you coming? 来ますか《♦ *Will* you come? は「来てくれますか」の意になるのがふつう. → **2 a**》.

3 [三人称主語: he [she, it, they, etc.] will ...] **a** [意志未来] …**するつもりである**; [will not [won't] ...]《人・物・事が》(どうしても)…しようとしない (refuse to do) ‖ She says (that) she'll help you. 君を手伝うと彼女は言っています(=She says, "I'll help you.") / If he *won't* come, we'll ask someone else. もし彼に来る気がないのであれば, だれか他の人を頼もう《♦ 単純未来を表す will なり, if 節にも使われる. cf. If it rains [*will rain] tomorrow, I'll stay home.》 / I've asked Bill to come, but he *won't*. ビルに来るよう頼んだが, 彼は来ようとしない.

語法 (1) 物・事も主語に用いる: *The door won't open.* ドアはどうしても開かない《♦ The door refuses to open. のようにもいう. 擬人法的な表現》.
(2) 「予定」を表す用法は意志未来と単純未来の中間に位置する: Mr. Turner *will* leave tomorrow. ターナーさんは明日出発します(cf. Mr. Turner *is going to* leave tomorrow. / Mr. Turner *leaves* [*is leaving*] tomorrow.).

b [単純未来] …**でしょう**, …だろう ‖ They'll be pleased to see you. 君に会ったら彼らは喜ぶでしょう / She *won't* pass the exam because she won't study for it. 彼女は受験勉強をしようとしないので, 試験には受からないでしょう《♦ because節の won't は主語の意志. → **3 a**》/ Tom *won't* be cutting the grass. トムは芝生を刈らないだろう《♦ Tom *won't* cut ... ではふつう「刈ろうとしない」の意》/ That *will* be $5.25 in all. 全部で5ドル25セントになりま

す.

Ⅱ [その他]

4 [可能性・推量] **a** [will do / will be doing]《人・物・事が》…だろう, …でしょう《◆(1) 現在(発話時)に関する推量. (2) 話し手の確信度については→might¹ 1. (3) be going to で代用はできない》‖ You'll be starving now after your long walk. 長い間歩いたのでもう腹ペコでしょう / That will be John, I expect. (戸口にだれか来たので)それはジョンでしょう / The shop won't be too crowded. 店はあまり込んでいないでしょう.

<mark>語法</mark> (1) will be doing の形をとることが多い(→成句). (2) shall にはこの可能性・推量の用法はない.

b [will have done] (まれ)…しただろう[でしょう]《現在から見た過去の推量》‖ She will have posted the letter by now. 彼女は今ごろまでに手紙を投函してしまっているでしょう(=It is probable that she has posted the letter by now.) / She will have posted the letter yesterday.《◆It is probable that she posted the letter yesterday. の方がふつう》.

5 [依頼・指図: you will do] …しなさい, 当然してもらいます ‖ You will do as I tell you. 私の言いつけどおりにするのですよ《◆Do as … よりふつう語気が強い》/ You will wait here till I come back. 私が帰ってくるまでここで待っていなさい.

<mark>語法</mark> (1) 形は平叙文だが「君は…することになるのだ」という相手の行為を勝手に決めつける響きがあり, ていねいなようでその実は有無を言わさぬ命令.

(2) しばしば三人称主語に用いられる: All boys will attend roll-call at 8 o'clock.《掲示》男子生徒は全員8時の点呼に出席のこと《◆All boys are (supposed, requested) to attend … の構文がふつう》.

6 [習慣・性質・能力] [通例二・三人称主語] どうしても…したがる[する]; …するものだ《◆will はふつう強勢を受ける. 意志未来の用法が拡大したもので, しばしば話し手のいらだちを含む》‖ Mary will sit still and look at the sea for hours. メリーは何時間もじっと座って海を眺めていることがある / Why will you arrive late for every class? 君はどうしていつも授業に遅れてくるんだね《◆「遅れないと気がすまないのかね」といった気持ち. Why do you always arrive …? はこのような感情を含まない質問》/ When will the strike be over? ストはいつ終わってくれるのでしょうね《◆スト自体に意志があるかのように問いかけることによって話し手のいらだたしさを示す》/ Oil will float on water. 油は水に浮くものだ《◆(1) Oil floats on water. でもよいが, will を用いると, 油には水に浮こうとする特性があることを強調する. (2) 自然法則で繰り返される動きには単純現在を用いる: The sun rises [ˣwill rise] in the east. 太陽は東から昇る》.

will be dóing [未来進行形]…していることになるだろう, …でしょう; …する予定である(→ **1 b**, **4 a**) ⏵文法 5.4) ‖ I'll be seeing you tomorrow. 明日お会いすることになるでしょう《◆I'll see you tomorrow. が話し手の意志を表面に押し出す表現であるのに対して, I'll be seeing … は状況からして「会うことになるだろう」という意味に近い言い方で, 予定を表している》/ The procession will be passing our house in a few minutes. あと数分で行列は家の前を通るでしょう《◆数分先に身をおいて進行中の行列を眺めている気持ち》/ Will you be coming to the party? パーティーには来られますね.

will have dóne (1) [未来完了形; 通例未来の副詞句を伴って] (…までに)…することになるでしょう(⏵文法 6.3) ‖ I'll have read the book by next week. 来週までにその本を読んでしまっているでしょう《◆(1) では I'll finish reading the book by next week. のようにいって未来完了を用いないですますことが多い》/ He knew that by the time he was fifty he would have already passed his peak. 50歳になるまでには盛りをすぎてしまっているであろうことは, 彼にはわかっていた《◆would は knew との時制の一致による. ⏵文法 10.1》. (2) [可能性・推量] …したかもしれない《発話時からみた回想》‖ You'll have heard the news last night. 昨夜ニュースをお聞きになったことでしょう(=I suppose (that) you heard …). (3) → **4 b**.

*__will__²/wíl/

──名 (複)~s/-z/) **1** Ⓤ [時に a ~] 意志(力) ‖ have a strong [weak] will 意志が強い[弱い] / a man of iron will 鉄の意志を持った人 / Where there's a will, there's a way.《ことわざ》意志ある所には道がある; 精神一到何事か成らざらん. **2** [one's/the ~] […したい]願望, 決意, 意地[to do] ‖ the will to win 必勝の信念. **3** [正式] [one's/the ~] 命令. **4** ⓊⒸ [正式] (他人に対する)態度, 気持ち《通例次の句で》‖ good [ill] will 善意[悪意]. **5** Ⓒ [法律] 遺言; 遺書 ‖ make [draw up] a will 遺言[書[状]]を作成する / leave a will 遺言を残す.

agàinst one's **will** 不本意ながら ‖ He was laid off against his will. 心ならずも彼は解雇された.

*__agàinst__ A's (ówn) **will** = **against the will of** A 〈人〉の意志にそむいて, 逆らって ‖ She married Bob against her parents' will. 彼女は両親の願いに逆らってボブと結婚した.

at will [正式] [通例文尾で] 思いのままに, 自由に.

of one's **ówn** (frée) **will** [通例文中・文尾で] 〈人〉が自らの意志で, 自発的に.

remember A **in** one's **will** 遺言で〈人〉に財産[金]を残す.

with a will 真剣に, 決意をもって.

──動 [正式] (他) **1** …を望む, 欲する(want); […することを/…だと]望む, 意図する(intend){to do / that 節}; …が[…することを]望む{to do}. **2** …を成し遂げる; 〈人〉に[…することを]決心させる, (意志の力で)…に[…]させる{to do}; 〈苦痛など〉を意志の力で消す(+away); [~ oneself] 意志の力で[…]になる{into}‖ He willed himself to run to the finish. 彼女は意志の力で走りきった. **3** …を[…に]遺言して与える(+away)[to]; […だと]遺言する{that 節}‖ will one's property to him = will him one's property 財産を彼に遺贈する(=leave one's property to him in one's will).

──(自) 決意する, 決定する(decide); (古)望む, やろうと思う.

Will /wíl/ 图 ウィル《男の名. William の愛称》.

-willed /-wíld/ (語要素) 語要一覧(1.2).

†**will・ful**, (英) **wíl・ful** /wílf(ə)l/ 形 [正式] **1** がんこな, わがままな(obstinate). **2** 故意の, 意図的な(intentional). **wíll・ful・ly** 副 がんこに, わがままに; わざと. **wíll・ful・ness** 图 Ⓤ がんこ, わがまま.

†**Wil・liam** /wíljəm/ 图 **1** ウィリアム《男の名. 愛称》Bill, Billy, Will, Willy, Willie》. **2** ~ **I** ウィリアム1世《1027-87; もとフランスの Normandy 公で, 1066年の Norman Conquest により William

the Conqueror《征服王ウィリアム》と称された》. **3** ~ III ウィリアム3世《1650-1702；名誉革命により英国王位に》.

Wil·lie /wíli/ 图 **1** ウィリー《男の名. William の愛称》. **2** ウィリー《女の名》.

✝**will·ing** /wíliŋ/ 形 (**more ~, most ~**；時に **~·er, ~·est**) **1** [**be willing to** *do*]〈人・動物が〉（相手の意を汲んで）快く(…)する,(…)するのをいとわない；[**be willing that** 節] …ということを望んでいる, …に同意している‖ 〖対話〗 I *am willing* to hélp you. お手伝い致しましょう（いつでも申し出てください）/ He was *willing* to comply with our request. 彼は我々の要請に応じることに快く応じてくれた[をいとわなかった]《◆ 必ずしも応じたとは限らない》.

語法 同調の態度をとることで, **be ready to** *do* と違って自分から積極的にしたいという気持ちは含まないが, 特に反対する積極的な理由もないときに用いる.

2（相手の意を汲んで）快くやる, 気持ちを持っている, 乗り気になっている‖ a *willing* student やる気十分の学生 / a *willing* worker（必要であれば働きたいと思っている人《cf. a voluntary worker 自発的に働く人》.

✝**will·ing·ly** /wíliŋli/ 副 （相手の意を汲んで）進んで, 快く, いとわず《◆ 命令文・依頼を表す疑問文にはふつう用いない》‖ "Will you do me a favor?" "Yes, *willingly*." 「お願いがあるんですが」「どうぞ喜んで」.

✝**will·ing·ness** /wíliŋnəs/ 图 U （相手の意を汲んで）快く(…)すること[*to do*];（…に対して）乗り気であること[*for*].

✝**wil·low** /wílou/ 图 **1** Ⓒ ヤナギ（willow tree, withy）‖ *Willows* are weak, yet they bind other wood.（ことわざ）柳は弱いが他の木をしばることができる；「柔よく剛を制す」. **2** U willow wood.
wíllow wòod ヤナギ材；ヤナギの小枝.
will·pow·er /wílpàuə/ 图 U 意志力, 自制力.
wil·ly-nil·ly /wíliníli/ 副 いやおうなしに, 好むと好まざるとにかかわらず；無計画に, 手当たり次第に. ── 形 なかなか決心のつかない.

✝**Wil·son** /wílsn/ 图 ウィルソン《**Woodrow** /wúdrou/ ~ 1856-1924；米国の第28代大統領（1913-21）》.

wilt¹ /wílt/ 動 圓 〈草花などが〉しおれる；〈人が〉しおれる, 弱る. ── 他 〈草花などを〉しおれさせる；〈人を〉弱らせる.
wilt disèase 立ち枯れ病.

wilt² /wílt/ 助 〈古〉will¹ の二人称単数現在形.

Wil·ton /wíltn/ 图 Ⓒ =Wilton carpet.
Wílton cárpet ウィルトンじゅうたん《南イングランドの Wilton が産地》.

✝**wil·y** /wáili/ 形 (**-i·er, -i·est**) 狡猾（こうかつ）な, ずるい, 悪賢い‖ (as) *wily* as a fox キツネのようにずるい.

Wim·ble·don /wímbldən/ 图 ウィンブルドン《London 郊外の一地区. 毎年6-7月に開催される全英テニス選手権大会で有名》.

wimp /wímp/ 图 Ⓒ〈略式〉いくじなし, 弱虫, 気力のない人‖ That *wimp* can't even run 50 meters! あのいくじなしはたった50メートルでさえ走れないくせに!

wim·ple /wímpl/ 图 Ⓒ **1**（修道女の）頭巾《中世には一般の女性がかぶった》. **2**（スコット）（布の）ひだ；（道路などの）カーブ；さざなみ. ── 動 **1** …を頭巾で包む. **2** …にさざなみを立てる. 圓 さざなみが立つ.

‡**win** /wín/ 图 winner (名), winning (名)
── 動 (~s/-z/; 過去・過分 won/wʌ́n/; **win·ning**)

── 他
I [競走・戦いに勝つ]
1〈人が〉〈競技・戦争などに〉勝つ, 勝利を得る《◆「人・相手に勝つ」は defeat, beat を用いる》(↔ lose) ‖ *win* a battle [race] 戦い[競走]に勝つ / Our school *won* the game three to one. わが校はその試合で3対1で勝った.
2〈人が〉〈勝利・賞品・選挙権などを〉[競争などで]勝ち取る[*in*], 〈金を〉[賭(か)けで/人から]獲得する[*at, on / from, of*] ‖ She has *won* first prize. 彼女は1等賞を獲得した / *win* 20 medals at the Olympics オリンピックで20のメダルを獲得する / *win* $50 *from* him *at* cards トランプで彼から50ドルをせしめる.

II [得る・達成する]
3 a〈人が〉〈名声・賞賛・人気などを〉（努力して）得る, 博する；〈名声などを〉[人に]得させる[*for*] ‖ *win* honors [support] 名声[支持]を得る / She has *won* respect for her work on the committee. 彼女は委員会での仕事により尊敬を得た. **b** [**win B for A**=**win A for B**]〈物・事が〉A〈人〉に B〈名声・賞賛など〉を得させる ‖ The movie *won* him a Golden Globe. その映画で彼はゴールデングローブ賞を取った.
4〈人を〉説きふせる,〈見解などに〉従わせる[*to*];（まれ）〈人を〉[…するように]説き伏せる[*to do*] ‖ His eloquence *won* his audience. 彼の雄弁は聴衆を引きつけた. **5**〈正式〉〈目的地などに〉達する(reach), やっとたどり着く；[~ one's way] 苦労して進む[成功する].

── 圓 **1**〈人が〉〈競技などで/相手に〉勝つ,（努力の末）勝利を得る《(《米》+*out*, (米) *+through*)[*in, at, against*, 《主米》 *over*]；（略式）ついに成功する(+*out, through*) ‖ *win against* the home team ホームチームに勝つ / *win by* a boat's length [a score of 3 goals to 2] 1艇身の差[3対2]で勝つ. **2**〈人が〉努力して…となる.

wín báck [他] …を努力の末取り戻す.
wín or **lóse** 勝っても負けても.
wín óver A (圓⁺) → 圓 **1**. ── 他 …を説きふせる,[味方に]引き入れる；〈人を〉[…に]改宗させる[*to*] ‖ *win* her *over* to one's side 彼女を味方につける.
wín thróugh [自](1)(英) → 圓 **1**. (2) …（まで）進む, たどり着く[*to*].

── 图 Ⓒ（略式）勝利, 勝ち‖ a great *win* 大勝利 / three wins and two defeats 3勝2敗.

✝**wince** /wíns/ 動 圓（苦痛・恐怖・不快・驚きなどで）(…に)一瞬びくっとする, ひるむ, たじろぐ, しかめ面をする[*at, under, in*]《◆ 肉体的にも精神的にも使う》. ── 图 [a ~] びくっとすること, たじろぎ.

winc·er /wínsə/ 图 Ⓒ ひるむ人.
winch /wíntʃ/ 图 Ⓒ **1**（機械）ウインチ, 巻き揚げ機. **2** クランク, 曲がり柄. **3**〈織〉ウインチ, ウインス《染色機の一種》. **4**（英）（釣りざおの）リール. ── 動 他 …をウインチで巻き揚げる(+*up, away, in*).

Win·ches·ter /wíntʃestər | -tʃəs-/ 图 **1** ウィンチェスター《イングランド南部 Hampshire 州の州都. 大聖堂と英国最古のパブリックスクール Winchester College で有名》. **2** Ⓒ =Winchester rifle. **Wínchester rífle** ウィンチェスター銃《連発式ライフル銃》.

‡**wind**¹ /wínd, (詩)では時に wáind/ [「吹く」が原義] 派 windy (形)
── 图（複 ~s/wíndz/）**1** U Ⓒ [しばしば the ~] 風 〖類語〗breeze, gale, gust, blast, storm》《◆ 魂・生

wind

命・神の怒りなどの象徴》‖ *A blast* [*gust*] *of wind* blew away my umbrella. 一陣の風にかさを飛ばされた / *wind* and weather 風雨, 風雪 / *a north* [*northerly*] *wind* 北から吹く風 / *a wind of 60 m.p.h.* =*a 60-m.p.h. wind* 時速60マイルの風 / *the wind of a speeding car* 疾走する車のあおり風 / *The wind is blowing hard.*（正式）風が強く吹いている（=It is blowing hard.）/ *The wind is in the north.* 風は北風だ / *It is an ill wind that blows nobody (any) good.*（ことわざ）だれの得にもならない風は吹かない;「甲の損は乙の得」.

[関連] [いろいろな種類の風]
cold *wind* 寒風 / contrary *wind* 逆風 / fair *wind* 順風 / hot *wind* 熱風 / seasonal *wind* 季節風 / strong [heavy, high] *wind* 強風《◆風力による分類については→ wind scale》.

[語法] *wind* は一般的な語であるが, *breeze* に対して「不快な風」の意味合いをもつこともある. そのため,「涼しい風」は cool *breeze*,「そよ風」は gentle [soft] *breeze* がふつう.

2 ⓊⒸ 大風, 強風 ‖ *A wind* raged across the island. 暴風が島を吹き荒れた. **3**（略式）[a/the/one's ~] 息(breath), 呼吸(する力); 肺活量 ‖ *get back* [*recover*] *one's wind* 息をつく, 一息つく / *lose one's wind* 息切れがする / *His wind is weak.* 彼はあまり肺活量がない. **4** [the ~(s)] 管楽器, 吹奏楽器（類）;[集合名詞; 単数・複数扱い]（オーケストラの）管楽器セクション. **5** ⓊⒸ（変化などの）風向き, 動向, 傾向; 影響(力) ‖ *today's political wind* 今日の政治的潮流 / *winds of change* 改革への力[動き] / *withstand the wind of popular opinion* 世論の風向きに逆らう. **6**（主に英）腸内のガス ‖ *break wind* おならをする. **7** Ⓤ（略式）空虚[無意味]な話, たわ言;うぬぼれ ‖ *His talk is mere wind.* 彼の話はまるでたわごとだ.

against the wind (1) 風に逆らって. (2) 大勢に逆らって, 世論に抗して.
down the wind 風下に.
gain [*get*] *the wind of A*〔海事〕〈他船〉の風上に出る;〈相手〉より優位に立つ.
get one's second wind (1)（運動で息を切らした後）正常な呼吸に戻る. (2)（不調後）盛り返す, 元気[調子]が出る, 乗ってくる.
get the wind up（略式）おびえる, おびえている.
get wind of A（略式）〈うわさ・陰謀・秘密など〉を(それとなく)かぎつける.
have the wind of A (1)〔海事〕〈他船〉の風上にある. (2)〈相手〉より優位にある.
have wind of A =get WIND of A.
in the wind (1) 風で;〔海事〕風上に. (2)（略式）ひそかに計画[準備]されて; 起こりかけて. (3) 未決定で ‖ *hang in the wind* 未決定である.
like the wind〈人・車などが〉疾風のように速く.
on the wind〈音・においなどが〉風に乗って.
put the wind up〔自〕=get the WIND up.
—〔他〕[put the ~ up A]（略式）〈人〉をぎょっとさせる, おびえさせる.
sáil clóse to the wind (1)〔海事〕できるだけ風上方向に進む. (2) 法律[道徳]違反すれすれのことをする, 危ない橋を渡る.
see [*find*] *how* [*which way*] *the wind blows* [*lies*]（略式）（行動を起こす前に）世論の風向き[事の成り行き]をうかがう.
take the wind from [*out of*] *A's sails*（略式）（議論・力量などで）〈相手〉をギャフンといわせる, …の鼻をくじく.
The wind is in that quarter. 事態はそういう状況だ.
throw A to the wind(s)〈用心・慎みなど〉を勇敢にかなぐり捨て(て(思い切ったことをする).
up the wind 風上に向かって.
with the wind 風と共に;順風で.
—〔動〕〔他〕**1**〈人〉を息切れさせる ‖ *I was winded by the long climb.* 私は長い登りで息切れした. **2**〈馬などを〉一息入れさせる. **3**〈猟犬などが〉〈獲物のにおい〉をかぎつける.
wind fàrm 風力発電基地.
wind instrument〔音楽〕管[吹奏]楽器.
wind scàle〔気象〕風力, 風級《◆Beaufort scale では次の0-12級に分類: 0. calm 静穏 / 1. light air 至軽風 / 2. light breeze 軽風 / 3. gentle breeze 軟風 / 4. moderate breeze 和風 / 5. fresh breeze 疾風 / 6. strong breeze 大風 / 7. moderate gale 強風 / 8. fresh gale 疾強風 / 9. strong gale 大強風 / 10. whole gale 全強風 / 11. storm 暴風 / 12. hurricane 颶(゜)風. なお, 米国では風速103マイル以上の風には13-17級を設けている》.
wind sùrfing =windsurfing.

†**wind²** /wáind/ [発音注意]〔動〕（過去・過分） **wound** /wáund/〔自〕**1**〈川・道などが〉曲がる,〔…に〕曲がりくねる(*through*) ‖ *a path winding* [*which winds*] *up* [*down*] *the mountain* うねうねと山を上っていく[下っていく]小道 / *The river winds through the valley.* 川は谷の中を蛇行している. **2**〈つるなどが〉〔…に〕巻きつく, からみつく(*around*) ‖ *The ivy winds around the tree.* ツタが木に巻きついている. **3**〈板などが〉曲がる, そる.
—〔他〕**1**〈人が〉〈時計など〉(のねじ)を巻く(+*up*) /〈取っ手など〉を回し, …を取っ手を回して降ろす(+*down*) ‖ *wind (up) the clock* 置き時計のねじを巻く / *wind down* [*up*] *the car window* 取っ手を回して車の窓をあける[しめる]. **2**〈毛糸など〉を〔玉になるように〕巻く(+*in, up*) [*to, into*] ‖ *wind (up) wool into a ball* 毛糸を巻いて玉にする. **3** [wind A on [(a)round, about] B =wind B with A]〈物〉をB〈物〉に巻きつける ‖ *wind a bandage on one's leg* =*wind one's leg with a bandage* 脚に包帯を巻く / *wind a towel around one's head* 頭にタオルを巻く. **4**（ウインチなどで）〈物〉を巻き上げる(+*up*). **5** [通例 ~ oneself]〔…に〕巧妙に[それとなく]とりいる(*into*);〔…に〕巧妙に取り入れる(*into*) ‖ *wind oneself into power* 巧みに身を処して権力をつかむ.
wind dòwn〔自〕(1)〈時計のぜんまいが〉ゆるんで止まる. (2)（略式）〈人が〉緊張から解放されリラックスする. (3)〈力・熱意などが〉だんだん弱まる. —〔他〕 →〔他〕**1**. (2)〈活動など〉をだんだん弱める.
wind òff〔他〕(1)〈巻いてある物〉をほどく(unwind). (2) [~ A off B] A〈糸など〉をB〈物〉から巻いてほどく.
wind ùp〔自〕(1)（略式）話・活動などを〔…で〕やめる, 終わりをつける(*with, by*) ‖ *wind up with a song* 1曲歌ってお開きにする / *The speaker wound up by thanking everyone for coming.* 講師が来場の礼を述べて話を終えた. (2)（略式）結局（…

る)破目[ということ]になる《◆名詞・形容詞・前置詞句・as句・doing を伴う》∥ You'll **wind up** in (the) hospital if you don't drive carefully. 慎重に運転しなけりゃ病院行きだぞ / He *wound up* cooking by himself. 彼は結局自分で料理する破目になった. **(3)**〔野球〕〈投手が〉ワインドアップする. ━[他] **(1)** → [自] **1, 4. (2)**〔略式〕〈人〉を興奮[緊張, いらいら]させる; …をだます ∥ The boxer was *wound up* before the big fight. そのボクサーは大試合を前に緊張していた. **(3)**〔略式〕…にけりをつける; …を[…で]終わる[*with*]. **(4)**〔通例 be wound〕[…に]夢中になっている, かかりきりである[*in*]. **(5)**〈人〉を結局[…の]破目に合わせる[*in*]. **(6)**〈会社・店など〉をたたむ, 精算する ∥ *wind up* one's business 店をたたむ.
━[名]C **1** 曲げる[曲がる]こと; 回転 ∥ Give the handle another *wind*. 取っ手をもう1回回してみなさい. **2**(時計・ねじなどの)ひと巻き.

wind·break /wíndbrèik/ [名]C 防風林, 風よけ, 防風設備.

wind·break·er /wíndbrèikər/ [名]C《米》ウインドブレーカー《スポーツ防寒用ジャンパー》.

wind·cheat·er /wíndtʃìːtər/ [名]C《英今はまれ》= windbreaker.

wind(-)chill fáctor /wíndtʃìl-/〔気象〕体感温度《風の冷却効果と気温の相乗効果で肌に感じる寒さ. 単に wind(-)chill ともいう》.

wind·ed /wíndid/ [形] 息を切らした; [複合語で] 息が…の ∥ *short-winded* 息が続かない.

wind·er /wáindər/ [名]C **1** 巻く人[物]; 曲がる物, 曲げる人[物]; 糸巻き;〔腕時計の〕竜頭(りゅうず)(図) (→ watch). **2**(らせん階段の)回り段.

†**wind·fall** /wíndfɔ̀ːl/ [名]C **1**(収穫前に風で落ちた)果物. **2** 意外な授かりもの《主に遺産》, たなぼた ∥ *windfall* profits tax〔略式〕たなぼた利益税.

wind·gauge /wíndgèidʒ/ [名] **1** 風力[速]計. **2**(オルガンの)風圧計.

†**wind·ing** /wáindiŋ/ [形] **1**〈道・川などが〉曲がりくねった ∥ a *winding* staircase らせん階段. **2**〈話などが〉回りくどい, ややこしい, 散漫な. ━[名] **1**UC 巻くこと, 巻きつくこと, うず巻き状の動き. **2**C 巻かれたもの. **3** 折れ曲がること, 屈曲, 曲がり目.
wínding shèet 経かたびら(shroud).

wind·lass /wíndləs/ [名]C 巻き上げ機《winch より簡単で手回しのものが多い. 井戸の水汲み・いかりの巻き上げなどに用いる》. ━[動] …を巻き上げ機で巻き上げる.

wind·less /wíndləs/ [形]《文》風のない, おだやかな.

†**wind·mill** /wíndmìl/ [名]C **1** 風車(小屋)《◆水の汲みあげ・製粉に利用する》∥ The *windmill* is turning slowly. 風車はゆっくり回っている. **2**(英)(おもちゃの)かざぐるま((米)pinwheel).
fight [tilt at] wíndmills (自分が勝手に思いこんだ)空想上の敵[悪]と戦う[議論する]; ひとり相撲をとる《◆ドン=キホーテが風車を敵と思い戦ったことから》.

※**win·dow** /wíndou/〔風(wind)+目(ow)→風の入る穴〕
━[名](複 ~s/-z/)C **1** 窓; 窓わく《◆(1)壁にある空所にも, それを閉じる戸にも用いる. (2)英米の家では上下に動かす窓(sash window)か外側に押し開く窓(casement window)が多い. (3)出入口・目などの象徴》∥ He stood [sat] *in the window*. 彼は窓ぎわに立って[座って]いた / the curtain on the *window* 窓のカーテン / A thief came in by [at, through, ˣfrom] *the window*. 窓から泥棒が入った / look ˹out of [(米)out]˼ *the window*. 窓から外を見る / ˹a bay [an oriel] *window* 出窓 / a bow *window* 弓形の出窓 / a picture *window* 見晴らし窓.
2(形・機能から)窓状のもの;〔コンピュータ〕(プログラムが動く)ウインドウ, 窓; [Windows] U [単数扱い](商標)ウインドウズ ∥ Computers can have several *windows* open at the same time. コンピュータは同時にいくつものウインドウを開くことができる.
3 窓ガラス(windowpane) ∥ break [clean] the *window*(*s*) 窓ガラスを割る[ふく].
4 飾り窓, ショーウインドー(show window) ∥ display goods *in the window* ショーウインドーに商品を陳列する.
5 窓口 ∥ *Is this the right window for* cashing traveler's checks? トラベラーズチェックを現金に替えてくれるのはこの窓口ですか.
6(限られた短い)期間, 機会 ∥ a *window* of opportunity 好機.

window dréssing (1) ショーウインドーの装飾(法). **(2)** 見せかけ, 粉飾(決算).
window énvelope(中のあて名が見える)窓付き封筒.
window fráme 窓枠.
window sàsh 窓枠サッシ.
window sèat (1) 窓下に取りつけた腰かけ, ベンチ. **(2)**(乗物の)窓側の座席.
window shòpper ウインドーショッピングをする人.
window sill 窓敷居(窓の下枠).
window wàsher 窓ふき屋.

†**win·dow·pane** /wíndoupèin/ [名]C 窓ガラス.

win·dow-shop /wíndouʃɑ̀p | -ʃɔ̀p/ [動](過去・過分 **-shopped**/-t/; **-shop·ping**) [自] ウインドーショッピングをする ∥ go *window-shopping* ウインドーショッピングに行く.

win·dow-shop·ping /wíndouʃɑ̀piŋ | -ʃɔ̀p-/ [名]U ウインドーショッピング.

wind·pipe /wíndpàip/ [名]C 気管, のど笛(trachea).

wind·row /wíndròu/ [名]C **1**(干すためにかき集めた)干し草[穀束]の列. **2**(風に吹き寄せられた)落ち葉やごみの列.

wind·screen /wíndskrìːn/ [名](英)=windshield 1.
windscreen wiper(英)=windshield wiper.

†**wind·shield** /wíndʃìːld/ [名]C **1**(米)(車の)フロントガラス((英)windscreen)(図 → car)《◆ˣfront glass とはいわない》. **2**(小型オートバイなどの)風よけ, 風防. **windshield wiper**(米)(自動車の)ワイパー((英)windscreen wiper).

†**Wind·sor** /wínzər/ [名] **1** ウィンザー《イングランドの Berkshire 州にある町. 宮殿 Windsor Castle と Eton College の所在地》. **2 the House of ~** ウィンザー王家《英国の現在の王室(1917-)》.
Wíndsor cháir ウィンザーチェア.
Wíndsor tíe ウィンザータイ《幅広の絹のちょうネクタイ》.

wind·surf /wíndsə̀ːrf/ [動][自] ウインドサーフィンをする.
wind·surf·er /wíndsə̀ːrfər/ [名]C ウインドサーフィンをする人, ウインドサーフィン用の艇.

wind·surf·ing /wíndsə̀ːrfiŋ/, **wínd sùrfing** [名]U ウインドサーフィン.

†**wind·swept** /wíndswèpt/ [形]〔正式〕**1**〈土地が〉風に吹きさらされた ∥ a *windswept* beach 吹きさらしの海岸. **2**〈髪などが〉風に吹かれたように乱れた.

wind·up /wáindʌp/ 名 © **1** 《主に米略式》結末, 終末, けり. **2** 〔野球〕ワインドアップ.

†**wind·ward** /wíndwərd/ 形 ① 〔海事〕風上 (↔ lee, leeward); 風上に面する側.

*__**wind·y**__ /wíndi/ 〖→ wind¹〗
—形 (--i·er, --i·est) **1**〈天候が〉風の強い, 風のある ‖ on a *windy* day [night] 強風の日[夜]に. **2**〈場所が〉風の当たる, 風を受ける, 吹きさらしの. **3**〈議論などが〉激しい. **4** 腸にガスのたまる; ガスによる. **5**《略式》口・言葉がおおげさな, 気取った.

*__**wine**__ /wáin/
—名 (複 ~s/-z/) **1 a** Ⓤ ワイン, ブドウ酒 ‖ red *wine* 赤ワイン《赤いブドウを皮と共に醸造したもの, cf. rosé, claret》/ white *wine* 白ワイン《皮をとった緑色の[色の薄い]ブドウから醸造したもの》/ sweet [dry] *wine* 甘口[辛口]ワイン / Which do you like better, white *wine* or red (*wine*)? 白ワインと赤ワインのどちらが好きですか / These grapes are made into *wine*. これらのブドウからワインが作られる / *Good wine needs no bush*. (ことわざ) 良酒に看板[宣伝]は不要. **b** © (ある基準で大別したときのワインの1つ《複数形は数種類を表す》‖ French *wines* フランス産のワイン類 / inexpensive *wines* 高価ではないワイン数種.
2 Ⓤ© 果実酒 ‖ apple [gooseberry] *wine* リンゴ[グズベリ]酒. **3** Ⓤ =wine color.
new wíne in óld bóttles 〔聖〕古い皮袋に入れた新しい酒「「旧来の尺度では律しきれない新しい考え」の意と「一見新しそうで変わりばえがしない」の意がある).
—動《◆ 通例次の成句で》
wíne and díne (A) 〈人をもてなして〉酒を飲み食事する (*with*); 〈人に酒食の接待をする.
wíne bàr 〔英〕ワインバー.
wíne cèllar (1) (地下の) ワイン貯蔵室, ワインセラー. (2) 貯蔵されたワイン(の量).
wíne còlor 赤ワイン色, ワインカラー.
wíne còoler ワイン冷却容器.
wine-col·ored /wáinkʌlərd/ 形 ワインカラーの; 暗赤色の.
wine·glass /wáinglæs | -glɑːs/ 名 © ワイングラス(その1杯(分)).
wine·press /wáinprès/ 名 © ブドウ絞り器.

*__**wing**__ /wíŋ/
—名 (複 ~s/-z/) ©
I 〔翼〕
1 (鳥・コウモリ・昆虫などの)翼, 羽, 翅(¹) (図 → bird), (トビウオの)大びれ, (四足獣の)前足, (天使の)翼, (人の)腕 ‖ spread one's *wings* 翼を広げる; ひとり立ちする / The ostrich has *wings* but it cannot fly. ダチョウは翼があるが飛べない.
2 (飛行機・風車・ヘリコプターなどの)翼(図 → airplane), (館)翼壁, (茎や葉的に長く水平にはって突起. カエデなどの果実の翼); 翼弁, 〔英〕(自動車の)フェンダー(mudguard), 〔米〕fender ‖ the huge *wings* of a jet ジェット機の巨大な翼. **3** 〔空軍〕翼軍, 航空団《米国では 2 groups, 英国では 3 squadrons 以上から成る連隊》; 〔英〕[~s] 空軍記章 ‖ get [earn] one's *wings* 航空兵の資格を得る.
II 〔翼に見立てられるもの〕
4 (中央から)左右に出ている部分; 〔建築〕(建物の)翼(f), 片〔築城〕翼壁, 〔演劇〕[the ~s] 舞台のそで; 〔海事〕艦舷(¹); 〔サッカーなど〕翼, ウイング(図 → rugby); 〔軍事〕(主力に対して、左右の)翼; (両開きの戸の)戸面 ‖ the South *Wing* of Narita Airport 成田空港の南ウイング / watch the performance from *the wings* 舞台のそでから演技を見る / play as the left *wing* レフトウイングのポジションにつく.
5 〔政治〕(通例単数形で) 党派, (左翼・右翼などの)翼《◆ フランス革命後に開かれた議会の座席の位置から》‖ the right *wing* 右翼[右派] / the radical *wing* of the party 党の急進派.
clip A's wíngs = clíp the wíngs of A (1)〈鳥の〉羽を切る. (2)〈人の〉行動を制限する, 野心[望]をそぐ. (3)〈人の〉予算を削る.
on [《正式》upón] the wíng (1) 《文》飛行中で(の) (in flight) ‖ a bird *on the wing* 飛んでいる鳥. (2) 旅行中で(の). (3) 活動して, 動きまわって.
táke wíng(s) 〈人・活動などが〉活発になる, 急に進歩[進展]する.
—動 他 **1**〈物を〉[…に向けて]飛ばす[*at*]; 〈物に〉[翼・羽を]つける[*with*] ‖ *wing* an arrow *at* the mark 的に向かって矢を射る / *wing* an arrow *with* eagle's feathers 矢にワシの羽をつける. **2** …をすばやく進める, …を駆け上[下]る ‖ The sudden fear *winged* my steps. 私は突然恐怖にかられて歩を早めた. **3**〈鳥の〉翼を傷つける, 《略式》〈人の〉腕を傷つける.
—自《文》飛んで行く.
wíng chàir そで付き安楽いす《すき間風よけ・頭もたせ用に背部がそで状につき出たいす》.
wíng còllar ウイングカラー《前端が下に折れ曲がった直立カラー. 紳士の正装用》.
wíng mirror 〔英〕(自動車の)サイドミラー.
winged /wíŋd, (詩) wíŋid/ 形 **1** 翼のある **‖** *winged* insects [seeds] 羽で飛ぶ昆虫 [種子]. **2** [複合語で]翼が…の ‖ a long-*winged* airplane 翼の長い飛行機. **3** 翼で飛ぶような; 速い.
wing·less /wíŋləs/ 形 翼の(痕跡しか)ない.
wing·span /wíŋspæn/ 名 © **1** 〔航空〕翼幅. **2** 〔鳥〕翼開長 (span). 〔昆虫〕開長.

*__**wink**__ /wíŋk/ 〖『ゆすぶる』が原義〗
—動 (~s/-s/; 過去・過分 ~ed/-t/; ~·ing)
—自 **1**〈人が〉[…に]**ウインクする**, 目くばせする [*at*] (cf. blink), 目くばせを返す (+*back*) ‖ He *winked at* the girl to follow. 彼はその少女について来いとウインクした.

[関連] [英米人の **wink** の主な意味]
(1) 何かの合図・暗示・注意. (2) お互いの秘密. (3) 親しみ・相互理解. (4) からかい・冗談. (5) 愛・性的な意図. (6) 同意・承認. (7) あいさつがわり.

2 目をまばたかし続ける (+*away*); 〈人・両目が〉まばたきする. **3**《文》〈星・光などが〉きらめく, またたく (twinkle). **4** 〔英〕〈車などのライトが〉点滅する(《米》blink).
—他 **1**〈両目・片目〉をまばたかせる. **2**〈意志など〉をウインク[目くばせ]して知らせる ‖ *wink* one's approval ウインクでよしと知らせる. **3** 〔英〕〈光などを〉点滅させて合図する. **4** …をまばたきして取り除く (+*away, back*).
—名 (複 ~s/-s/) **1** © ウインク, 目くばせ ‖ She gave me a suggestive *wink*. 彼女は私に意味ありげな目くばせをした / *A nód is as góod as a wínk (to a blind mán)*. (ことわざ) 〔目の見えない人に〕うなずきも目くばせも同じこと; 「馬の耳に念仏」《◆「合図やヒントだけで十分でありいちいち説明する必要はない」の意でよく用いる》. **2** © (星・光などの)きらめき. **3** [a ~] 1回まばたきする間, 一瞬; [否定文で] 一睡 ‖ I'll be there *in a wink*. すぐそちらへ行きま

す / I didn't sleep a wink. =I didn't get [have] a wink of sleep. 一睡もしなかった.

wink·er /wíŋkər/ 名 **1** ⓒ 目くばせ[まばたき]する人[物]. **2** 《米俗・英方言》 [~s] まつ毛; 目; まぶた. **3** ⓒ (馬の)目隠し. **4** 《英略式》[~s] (車の)ウインカー, 方向指示機(《米》blinkers).

win·kle /wíŋkl/ 名 ⓒ 〔貝類〕 巻貝;(特に)(ヨーロッパ)タマキビガイ. ── 動 他 《主に英略式》…を[…から]えぐり取る, むりやり引き出す(+out)〔of〕.

***win·ner** /wínər/
── 名 (複 ~s/-z/) ⓒ **1 勝利者**, 勝った人, (競馬の)勝ち馬(↔ loser) ‖ The winner of the tennis tournament was presented with one million dollars. そのテニストーナメントに勝った人には100万ドルが与えられた. **2 受賞者**, 受賞作品 ‖ Dr. Yukawa was the first Japanese Nobel prize winner in physics. 湯川博士は日本人初のノーベル物理学賞受賞者であった. **3** (略式)(確実に)成功した物[事], 成功しそうな物[事]; 大当たり, (天気などが)最高によいこと.

†**win·ning** /wíniŋ/ 名 **1** ⓤ **勝利** ‖ the winning of a marathon race マラソンに勝つこと《◆win a marathon race の名詞化表現》. **2** [~s] (賭(ヵ)けなどの)勝ち高, 賞金. ── 形 勝利をおさめた[得させる], 勝った(↔ losing) ‖ a winning pitcher 勝利投手.

win·now /wínou/ 動 (文) **1** 〈穀物を〉〈もみがら・ごみなどから〉あおぎ分ける, 箕(ﾐ)る(from). **2** くもみがらなどをあおぎ除く(+away, out).

wín-or-lòse cúlture /wínərlù:z-/ 〔心理〕 (アメリカ社会などの)勝敗文化.

***win·ter** /wíntər/ [「湿った季節」が原義]
── 名 (複 ~s/-z/) **1** [時に W~] ⓤⓒ **冬**, 冬季《◆英国では11, 12, 1月, 米国では12, 1, 2月が winter とされる. 老齢・退行・眠りなどの象徴》; [形容詞的に] 冬の, 冬向きの ‖ a hard winter 寒さの厳しい冬(↔ a mild winter) / in [(the) dead [the depth] of] winter 真冬に. **2** (文) [the ~] 末期, 衰退期, 晩年. **3** ⓒ (詩) 1年, 歳 ‖ many winters ago (文) 何年も前に.
── 動 自 《正式》〈場所で〉冬を過ごす, 越冬する(+over)〔at, in〕.
── 他 〈動植物を〉冬の間飼育[保護]する.

wínter gàrden 温室, 冬園.
wínter quárters 避寒地;〔軍事〕冬営地.
wínter slèep 冬眠.
wínter sólstice [the ~] 冬至(↔ summer solstice).
wínter spórts ウインタースポーツ.

win·ter·time /wíntərtàim/ 名 ⓤ [(the) ~] 冬, 冬期 ‖ in (the) wintertime 冬に.

†**win·try** /wíntri/ 形 (**-tri·er**, **-tri·est**) **1** 冬(のような), 冬らしい; 寒い, 冷たい. **2** 《正式》冷淡な; わびしい.

***wipe** /wáip/ [「前後に動かす」が原義]
── 動 (~s/-s/; 過去・過分 ~d/-d/; **wip·ing**)
── 他 **1** 〈人が〉〈物の表面を〉[布・手などで]ふく, ぬぐう (+over)〔on, with〕(cf. clean) [類語] こすって消すのは rub, 固いものでゴシゴシこするのは scrub, scour) ‖ wipe [a dish [a table, one's hand] 皿[テーブル, 手]をふく / wipe one's mouth with [on] a napkin ナプキンで口をぬぐう / wipe onesélf (ぬれた)体をふく / Wipe your feet [shoes] on the

mat when you come in. 入る時は足[靴]をマットでふきなさい.
2 〈人が〉〈汚れ・水気など〉を[…から]ふき取る, ぬぐい去る(+away, off, out, up)〔from, off〕 ‖ wipe one's tears away 涙をふく / wipe out 〔(米) off〕 the sink 洗面台の中をふく / Wipe that grin off your fáce! にたにたするのはよせ!
3 [wipe A C] A〈物〉をふいて C にする ‖ wipe a dish dry 皿の水気をふきとる / Wipe your hands clean. 手をきれいにふきなさい.
4 [比喩的に] …を[…から]ぬぐい去る[from, off〕;〈負債などを帳消しにする(+out, away) ‖ wipe a disgrace 汚名をそそぐ / wipe a memory 記憶をぬぐい去る / 対話 "Have you wiped that file from our computer?" "Yes, I thought it was unnecessary." 「コンピュータから例のファイルを消去しましたか」「はい, 不要だと思いましたから」.
5 [場所を表す副詞句を伴って] 〈布・手などを〉[…に]こすりつける[over, across〕 ‖ wipe a cloth over the table テーブルを布でふく(=wipe the table with a cloth) / She wiped her hand across her forehead. 彼女は額を手でぬぐった.
── 自 〈…の表面〉を〉ふく, ぬぐう〔over/at〕.

wípe óff 他 (1) → 他 2. (2) 〈借金など〉を返す, 帳消しにする.

***wípe óut** 自 (主に米)(サーフボードなどから)落ちる.
── 他 (1) → 他 2. (2) 〈相手〉を一掃する, 徹底的にやっつける; …を**絶滅**にする; (略式) …を殺す《◆kill の遠回し表現》 ‖ The whole village was wiped out by the floods. 洪水で全村が壊滅した. (3) = WIPE off (2).

wípe úp 他 (英や古) 皿などをふく. ── 他 (1) → 他 2. (2) …を一掃する.

── 名 (複 ~s/-s/) ⓒ **1** [通例 a ~] ふくこと, ぬぐうこと; ひとふき ‖ Give your face [the dishes] a good wipe. 顔[皿]をよくふきなさい. **2** (俗・方言) さっと打つこと, ひと払い.

†**wip·er** /wáipər/ 名 ⓒ **1** ふく人. **2** ふく物《タオル・ハンカチ・ふきん・スポンジなど》. **3** (自動車の)ワイパー (windshield wiper)(図 → car).

wip·ing /wáipiŋ/ 動 → wipe.

***wire** /wáiər/
── 名 (複 ~s/-z/) **1** ⓤⓒ **針金**, 金属線, ワイヤー《◆(1) まとまった金属体は ⓤ, 1本の針金は ⓒ. (2) wire には string と thread の中間の太さが多い. ↔ rope》 ‖ a (piece of) wire 針金1本 / iron [copper] wire 鉄[銅]線 / cut [bend] wire 針金を切断する[曲げる] / a wire fence 鉄条網.
2 ⓒⓤ 針金でできたもの《金網・鉄条網・楽器の弦・人形の操り糸・動物のわななど》.
3 (略式) [the ~] 電話線(telephone wire(s)); 電線(electric wire(s)).
4 《主に米略式》ⓤ 電信(telegraph); ⓒ 電報(telegram); 海外電信(cablegram); [the ~] 電話(telephone) ‖ send him a message **by wire** =send him a wire 彼に打電する / talk over [on] the wire 電話で話す.
── 動 (~s/-z/; 過去・過分 ~d/-d/; **wir·ing** /wáiriŋ/)
── 他 **1** 〈建物〉に**電線を引く**(+up) ‖ wire a house for electricity 家に配電工事をする.
2 〈お金〉を電子送金する ‖ My mother wired me two hundred dollars. 母が僕に200ドル電子送金してくれた.
3 《主に米略式》〈人が〉〈人〉に電報を打つ(send a tele-

wireless

gram to);〈人が〉〈事〉を**電報で知らせる**;〈金〉を電報為替で送る(+*off*); [wire **A B** =wire **B to A**]〈人が〉**A**〈人〉に**B**〈事〉を電報で知らせる,〈人に〉[…に…を]電報を打つ(*to do*); [wire (**A**) *that* 節]〈人が〉〈人に〉…と電報で知らせる ‖ *I wired* Bill the news of her death. =I *wired* the news of her death *to* Bill. 彼女の訃報をビルに打電した.
4…を[…に]針金で結ぶ[縛る, 支える](+*together*)[*to*] ‖ *wire* a handle *to* the box 箱に取っ手を針金でつける.
──⑪ (略式)[…に/…を求めて/…するよう]電報を打つ(+*off*)[*to* / *for* / *to do*] ‖ He *wired* to his father *for* money. 彼は電報で父親に金を無心した.
wíre cútters [複数扱い] 針金切り, ペンチ.
wíre nètting 金網〈網戸やフェンスなどに用いる〉.
wíre rópe ワイヤーロープ.
wíre sèrvice (主に米)通信社(news agency)《AP, UPI など》.
†wire·less /wáiərlɪs/(主に英古)形 **1**電線を用いない, 無線の; 無線電信[電話]の ‖ Do you have a *wireless* telephone at home? 家に無線電話がありますか / *wireless* communication 無線通信. **2**ラジオの(radio) ‖ a *wireless* program ラジオ番組.
──名 **1** Ⓤ 無線電信[電話, 電報] ‖ send a message *by wireless* 無線電信で送信する, 無電を打つ. **2** Ⓤ [しばしば the ~] ラジオ; ラジオ放送 ‖ hear the news *on* [*over*] *the wireless* ラジオでニュースを聞く. **3** Ⓒ (古) =wireless set.
wíreless sèt ラジオ(受信機).
wíreless telégraphy [**télegraph**] 無線電信(術).
wíreless télephone 無線電話.
wire·worm /wáiərwə̀ːrm/名Ⓒ(動) ヤスデ《作物害虫》.
wir·ing /wáiəriŋ/動 → wire.
†wir·y /wáiəri/形 (**-i·er, -i·est**) **1**やせているが筋骨たくましい; 強靭な. **2**針金(状)の; しなやかで強い; 〈毛などが〉堅い.
Wis., Wisc. (略) Wisconsin.
Wis·con·sin /wɪskɑ́nsɪn | -kɔ́nsɪn/名 ウィスコンシン《米国北中部の州. 州都 Madison. (略) Wis., Wisc.; (愛称) the Badger State》.
*wis·dom /wízdəm/
名Ⓤ **1** 賢明(さ), 知恵, 分別, 英知(sense) ‖ gain *wisdom* with age 年をとるにつれて分別を身につける / My mother always shows *wisdom* in deciding what to do. 私の母はどうすべきか決める時いつも正しい判断をする. **2** (先人の)知恵, 賢明な教え[行ない] ‖ the *wisdom* of the ancients 古人の知恵[教え]. **3**学問的知識, 博識, 学問 ‖ the *wisdom* of the East 東洋についての知識. **4**Ⓤ Ⓒ (古)金言, 格言, 深遠な思想.
The Wisdom of Sólomon 〔聖書〕ソロモンの知恵《旧約聖書外典の一つ》.
wísdom tòoth 親知らず, 知恵歯((図) → tooth) ‖ cut one's *wisdom teeth* 親知らずがはえる(てくる); 分別がつく年ごろになる.

⫶wise /wáiz/派 wisdom (名)
──形 (**~r, ~st**) **1**(正式)〈人・行為などが〉**賢い**, 思慮分別に富む, 賢明な, 聡明な(↔ foolish, stupid)《◆ clever は「頭の回転が早い, 抜け目がない」の意; [**A** is wise *to do*] / [it is wise *of* **A** *to do*]〈人〉…するのは賢明である《◆ sensible の方が口語的》; [the ~; 集合名詞的に] 賢者(たち) (wise people) ‖ a *wise* man 〔choice, decision, act〕 賢明な人 〔選択, 決定, 行為〕 / a *wise* saying 金言, 格言 / 「It was *wise of* you [You were *wise*] to take your umbrella with you. 君が傘を持って行ったのは賢明だった(❺文法 17.5) / A word (*is enough*) *to the wise.* (ことわざ) 賢者には一語で足りる;「一を聞いて十を知る」《◆ A *word* not to mix with those people.(賢い君に一言, あの連中とつきあってはいけませんぞ)のように使うことが多い》.
2 a (正式)博識な, 学識豊かな(well-informed), 〔事の真相や内部事情などに〕よく通じた, 明るい, 詳しい(in the know) [in] ‖ a *wise* old man 物知りの老人. **b** (主に米式) [補語として] 〔…を〕知って, 〔…に〕気づいて [*to*] ‖ be [get] *wise to* his unfairness 彼の不正に気づいている[気づく].
wise after the evént 〈人が〉事後に気づいて ‖ It is easy to be *wise after the event*. (ことわざ) しくじってからああしておけばよかったと悟るのは容易だ;「げすの後知恵」.
would be wise to do [助言・忠告] 〈人が〉…するのが賢明だ, …すべきだ.
──動 (**wis·ing**) ⑪ ⑫ (…を)知る.
wise úp (主に米式) ⑪ 〔…に〕気づく, 〔…に〕知る [*to*]. — ⑫ 〈人〉に〔…に〕気づかせる, 知らせる [*to*].
wíse fòol ばかなふりをしている人; 自分が愚かであることを自覚している人.
wíse gùy (略式) [皮肉的に] 知ったかぶりをする男, うぬぼれ屋; 世事に明るい当世風の男.
wíse màn (1) 賢人《◆ しばしば皮肉に fool の意に用いられる》; ((PC) wise person, sage). (2) (男の)魔法使い.
wíse wòman (1) 魔女; 占い女. (2) 産婆.
-wise /-wàɪz/(語要素) → 語要素一覧(2.1).
wise·crack /wáizkræ̀k/(略式)名Ⓒ 気のきいた[機知に富んだ]言葉; 皮肉, いやみ. ──動⑪ 気のきいた言葉を言う; 皮肉[いやみ]を言う. ——⑫ …を警句[冗談]として言う. **wíse cráck·er** 名Ⓒ wisecrack を言う人.

†wise·ly /wáizli/副 **1**賢明に, 抜け目なく ‖ choose *wisely* 賢い選択をする. **2** [文全体を修飾] 賢明にも ‖ 「She *wisely* [*Wisely*, she] held her tongue. 彼女は賢明にも黙っていた.

⫶wish /wíʃ/
──動 (**~·es**/-ɪz/; 過去·過分) **~ed**/-t/; **~·ing**)
──⑫ **1** [wish **A** + (助)動詞過去形] [仮定法過去] …すれば[であれば]いいのだがと思う(❺文法 9.6) ‖ I *wish* she were [(略式) was] my sister. 彼女が私の姉であればいいのになあ(= I am sorry she is not my sister.) / I *wish* I knew her e-mail address. 彼女のEメールアドレスがわかっていればなあ(= I'm sorry I don't know her e-mail address.).
2 [wish **A** + (助)動詞過去形 + have + 過去分詞] [仮定法過去完了] …していれば[であったら]よかったのにと思う(❺文法 9.6) ‖ I *wish* I had bought the concert ticket. そのコンサートのチケットを買っておけばよかった(=I'm sorry I didn't buy the concert ticket.).
3 [wish **A** would do] [仮定法過去] …すれば[であれば]いいのだがと思う(❺文法 9.6) ‖ I *wish* it would stop raining. 雨が(どうもやみそうにないが)やめばいいのに / 〖対話〗"Shall I help you carry this box?" "I *wish* you *would*." 「この箱を運ぶのを手伝いましょうか」「そうしてくれるとありがたい」 / I *wish* you wouldn't nag me like that. そんなにがみがみ言わないでもらいたいのだが.

wishful

語法 wish は「実現不可能あるいは可能性の少ない困難なことを望む」という基本的な意味をもつ. この点で hope や want とニュアンスが異なる.

4〖正式〗[wish to do]（できたら）…したいと思う《(1) want to …, would like to … よりもていねいな表現. (2) ふつう進行形不可》∥ I don't **wish to** disturb you, but there's a phone call. 申し訳ありませんがお電話です / She **wished** to be alone. 彼女はひとりになりたかった《◆ wanted の方が一般的》.
5〖正式〗[wish **A** to do]〈人が〉**A**〈人など〉に…してほしいと思う《要求またはていねいな命令を表す. 目上の人には用いないのがふつう. cf. want ⑯**3a**》∥ Do you **wish** him to go with you? 彼に一緒に行ってもらいたいですか.
6〖正式〗[wish **A C**]〈人が〉**A**〈人・物〉が **C** であればいいと思う《◆ **C** は形容詞・過去分詞・副詞・前置詞句など》∥ **wish** him [the pain] **away** 彼が出て行けば[痛みが消えれば]いいのにと思う / I **wish** all the money back. お金がすべて返って来ればなあ / I **wish** this work done quickly.《有無を言わせぬ命令口調で》この仕事を早急にやってもらいたい.
7〈米正式・英方言〉〈控え目に，上品に〉〈人が〉〈物事を〉望む《◆ wish for, want の方が一般的》∥ If you **wish** more assistance, please call upon me. もっと援助をお望みなら私にお申しつけください.
8[wish **A B**]〈人が〉〈人〉に **B**〈幸運・成功など〉を祈る《◆ あいさつに多用される》∥ I **wish** you well [good luck]. ご健康[幸運]をお祈りします / I **wish** you「a Merry Christmas [a Happy New Year]. よいクリスマス[年]をお迎えください / クリスマス[新年]おめでとう(→ new year) / I don't **wish** her any harm. 彼女に危害のないことを願う.
9[wish **A B**]〈人が〉〈人〉に **B**〈あいさつの言葉〉を言ってあいさつする ∥ We **wished** the hostess good night and left the house. 我々は奥さんにおやすみなさいを言って辞去した.
10〈略式〉〈人が〉〈いやな仕事・義務など〉を〔他人に〕押しつける〔on〕.

―― ⑧ **1**〈人が〉〔…を〕望む，切望する，思いこがれる〔for, of〕《◆受身可》∥ **if you wish** お望みなら《＝（正式）if you wish it》/ **wish away** 望み(を持ち)続ける. **2**〔…に〕願いをかける〔on, 〖正式〗upon〕∥ **wish on a star** 星に願いをかける / She **wished** on her rabbit's foot. 彼女はウサギの足に願いをかけた《◆ ウサギの足は幸運を呼ぶという迷信がある》.

wish Ａ awáy〖他〗願いをかけて〖取り除く〔なくす〕.

wish for Ａ …を望む，欲しいと思う《(1) 受身可. (2) ふつう進行形不可. (3) 容易に得られないものについて用いるのがふつう. 例えば文房具店では I **wish** [×wish for] a fountain pen.（万年筆が欲しいんですが）という》∥ The child **wished for** all the stars in the sky. その子は空の星がすべて欲しいと言った / There is nothing left to be **wished** for. 申し分ない；完璧(%)である / It's no use **wishing** for things you can't attain. 高望みをしてもむだだ.

wish Ａ wéll〈人の健康を願う〉《◆ wish well to **A** となることもある》.

―― ⑧（⑮ ～es/-iz/）**1**ⓒ〖不可能なことへの／…したいという／…という〗願望，願い，望み，希望〔for / to do / that節〕∥ make a **wish** 願いをかける / her last **wish** 彼女の遺言 / a **wish for** world peace 世界平和の希求 / He has a great **wish**「to become a pilot [*that* he will become a pilot]. 彼はパイロットになりたいという強い望みを持っている / I have an earnest **wish** *that* my daughter ((主に英) should) be a pianist. 私は娘をピアニストにしたいという心からの願いを持っている（⊙文法 9.3）《◆ *that*節内は …. be a pianist. ともいう》.
2ⓒ 望みのもの，願いごと ∥ get [obtain] one's **wish** 願いごとがかなう / satisfy her **wish** 彼女の願いごとをかなえてやる.
3ⓒ〔通例 ～es〕祝福の言葉，（他人の幸福や健康への）切なる願い ∥ With best **wishes**. ご多幸[成功]を祈って《◆ 手紙の結びや贈り物の添え書きの言葉》/ Please give my **best** [**kindest**] **wishes** to Mr. Smith. スミスさんにどうぞよろしくお伝えください《◆スミス夫人に言っている場合は「ご主人によろしくお伝えください」の意》.
4ⓒ〖正式〗〔しばしば ～es〕要請，（おだやかな）命令；意向 ∥ Your **wish** is my command. あなたのお望みのことは何でもいたします《＝I will do whatever you want.》/ She married the young man against [to] her mother's **wishes**. 彼女は母親の意向に反して[どおりに]その若者と結婚した.

wíshing càp 魔法の帽子《おとぎ話に出てくる帽子. これをかぶるとどんな願いもかなうという》.
wíshing wèll（結婚式でお祝い(金)を入れる）祝福の箱[筒].

wish･ful /wíʃfl/ 〖形〗〖正式〗**1**〈人が〉〔…を〕切望している〔for, of〕；〔…することを〕望んでいる〔to do〕∥ be **wishful for** marriage 結婚にあこがれている / He is **wishful to** go to Paris. 彼はパリへ行きたがっている《◆〈略式〉では want to などがふつう》. **2** ＝wistful **1**.

wíshful thínking 希望的観測，甘い考え；〖心理〗願望的思考《身勝手な願望に基づいた非現実的な考え方》.

wis･ing /wáiziŋ/ → wise.

†**wisp** /wísp/ 〖名〗ⓒ 〖正式〗**1**（わら・干し草などの）小さい束；（毛髪などの）房〔of〕∥ *a wisp of* straw [hay] ひと束のわら[干し草] / *a wisp of* hair ひと房の髪. **2** [a ~ of …]…の一片，小片，切れ端；かすかな… ∥ *a wisp of* smoke [steam] 一筋の煙[蒸気] / *a wisp of* cloud うっすらとたなびく雲 / *a wisp of* smile かすかな微笑. **3** 小さくか細い人 ∥ *a wisp of* a child ひょろっとしたひ弱な子供.

wisp･y /wíspi/ 〖形〗（**–i･er, –i･est**）**1** 小さい束[房]の. **2** 小さくか細い. **3**〈髪などが〉ほんの少しの，かすかな.

wis･te･ri･a /wistíəriə/《米国の内科医の名から》〖名〗ⓒ Ⓤ〖植〗フジ.

†**twist･ful** /wístfl/ 〖形〗**1**〈表情・人などが〉物欲しそうな，物足りなそうな ∥ with *wistful* eyes 物欲しそうな目つきで. **2**〈人・気分が〉物思いに沈んだ ∥ He has a *wistful* look on his face. 彼は物悲しそうな顔つきをしている. **wíst･ful･ness** 〖名〗Ⓤ**1** 物欲しそうなそぶり. **2** 物思いに沈むこと，悲嘆，苦悩.

†**twist･ful･ly** /wístfəli/ 〖副〗物欲しそうに.

†**wit** /wít/ 〖名〗**1**Ⓤ〔時に ～s；単数扱い〕知力，理解力，思考力，頭の回転，賢明さ ∥ have quick [slow] *wits* 理解が早い[遅い]，頭の回転が早い[遅い] / You have to use your *wits* to solve this problem. この問題を解くには頭を使わなければならない. **2**Ⓤⓒ〔しばしば ～s〕機知，ウイット，ユーモア；機転，とんち，当意即妙のオ(cf. humor)∥ She showed a great deal of *wit* in handling the delicate question. 彼女は機転を大いにきかせてきわどい質問をかわした. **3**〔~s〕正気；心の平静，平衡感覚 ∥ *in* [*out*

of] one's (*right*) *wits* 正気で[正気を失って, ひどく取り乱して] / be frightened [scared] out of one's *wits* (気も狂うほど)びっくり仰天する / lose [regain] one's *wits* 正気を失う[取り戻す] / collect [gather] one's *wits* 気を落ち着ける. **4** Ⓤ 〘正式〙〘時に ~s〙分別, 理性 ‖ *have no wits* 分別がない. **5** Ⓒ 機転に富む人, 機転のきく人, 当意即妙の受け答えのできる人; 冗談のうまい人; 才人, 才子.

at one's wits' [wit's] end = at the end of one's wits 〘知力(wits)の限界(end 图4a)で〙〘略式〙途方に暮れて, 思案に暮れて;〘万策つきて〙ほとほと困っている ‖ I was *at my wits' end with this difficult problem*. この難問にはどうしていいかわからなかった.

have [keep] one's wits about one 〘緊急事態などに〙冷静でいる; 分別を失わない; 抜け目がない.

†**witch** /wítʃ/ 同音 △which (英) 图 Ⓒ **1** 魔女, 女魔法使い 《♦男性形は wizard. ほうきの柄にまたがって夜間空中を飛ぶという俗説があった. 昔は多くの女が魔女扱いされ迫害を受けた》‖ 対話 "Have you ever read a story about a *witch*?" "Yes, she could fly on a broomstick." 「魔女の話を読んだことがあるかい」「うん, 魔女はほうきの柄に乗って飛べるんだ」. **2** 〘略式〙〘しばしば old ~〙 醜い(老)女; いやな女. ── 動 他 **1** 〈人〉に魔法をかける; …を魔法で[…に]等る[*into*]. **2** …を魅了する《♦*bewitch* がふつう》.

wítch bàll 魔女よけのガラス玉《窓につるした中空のガラス玉. 後には装飾用になった》.

Wítches' Sábbath 〘時に w~ s~〙悪魔の宴《年1回深夜に行なわれると信じられていた黒ミサや大酒宴》.

wítch hùnt (1) 〘歴史〙魔女狩り. (2) 〘公共の福祉・治安維持などの名目による〙反体制派の人への迫害や中傷.

†**witch·craft** /wítʃkræft│-krɑ̀ːft/ 图 Ⓤ **1** 〘ふつう悪事を引き起こす〙魔法, 魔術, 妖術(を使うこと) ‖ practice *witchcraft* 魔法を使う. **2** 〘女性などの〙魅力, 魔力.

witch·ing /wítʃɪŋ/ 形 **1** 魔女(が出現する時)にふさわしい; 魔術の. **2** 〘まれ〙魅力的な. ── 图 Ⓤ 魔法(を使うこと); 魅力.

wítching hòur 〘the ~〙〘魔女が横行する〙真夜中.

:**with** /wíθ, wɪð, wəð, wəd│wɪð/ 〘「…に反対して(against)」が原義〙

index **1** …と共に **2** …と **3 a** …を含めて **4 a** …と同意見で **5 a** …と同時に **b** …と同じ方向に **6** …と離れて **7** …を持っている **8** …の身につけて **9** …の手もとに **10** …した状態で **11** …をもって **12** …で **14** …の原因で **16 a** …に対して **b** …を **17** …に関して

────
前

Ⅰ 〘対立・随伴〙

1 〘随伴・同伴〙…と共に, …と一緒に;〈人〉の家に ‖ tea *with* lemon レモンティー / Come (along) *with* me. 私と一緒に来なさい / I'll *be right with you*. すぐ戻ります(から) / He is staying *with* his friend. 彼は友だちの家に滞在している / The ball, (together) *with* two rackets, was [ˣwere] lost. ボールがラケット2つと共になくなった《♦実質的にはthe ball and two rackets だが動詞は主語のball に一致》.

2 〘対立〙…と, …を相手に ‖ argue *with* them 彼らと議論する / He had a quarrel *with* Tom. 彼はトムと口論した.

3 a 〘包含/所属〙…を含めて, …の一員で, …に雇われて ‖ It is £5 *with* tax. それは税込みで5ポンドだ / She has been *with* a publishing company for two years. 彼女は出版社に2年勤めている. **b** 〘登録・出演〙…が出演の, …主演の ‖ *Harry Potter and the Prisoner of Azkaban with Daniel Radcliffe* ダニエル=ラドクリフ主演の『ハリー=ポッターとアズカバンの囚人』.

4 〘略式〙 **a** 〘同意・協調〙…と同意見で, …に賛成(味方)して(↔ *against*) ‖ I am *with* you there [all the way on this point]. その点では[この点では完全に]君と同じ意見だ / She voted *with* the Tories. 彼女は保守党に投票した. **b** 〘通例否定文・疑問文で〙〈人〉の言うことが理解できて ‖ Are you *with* me so far? ここまで私の言っていることがわかりますか.

5 a 〘同時・同程度〙…と同時に, …につれて ‖ rise *with* the sun 日の出と共に起きる / wages that vary *with* skill 技能によって異なる賃金 / He mellowed *with* age. 彼は年と共に円熟味を増した. **b** 〘同一方向〙…と同じ方向に(↔ *against*) ‖ row *with* the current 流れにまかせてこぐ / go *with* the tide of public opinion 世論の流れに従って行く.

6 〘分離; 特定の動詞と連語して〙…と離れて ‖ break *with* the past 過去を捨てる / Let us *dispense with* ceremony. 儀礼的なことはやめよう.

Ⅱ 〘所有〙

7 〘所有/所持〙 **a** …を持っている, …がある, …の付いた(↔ *without*) 《♦*whose, of which* を用いた関係代名詞節の代用表現としても好まれる》‖ a girl *with* blue eyes 青い目をした少女(=a girl whose eyes are blue) ⤵ 文法 20.2(3) / a can *with* a hole in the bottom 底に穴のあいた缶 / I want a house *with* a large garden. 広い庭付きの家が欲しい / ジョーク "What do you call a fish *with* no eyes?" "A fsh." 「目がない魚を何と呼ぶ?」「フシュ」《♦eye と(アルファベットの)i とのしゃれ》.

b …があれば, …を得たので ⤵ 文法 9.5(3) ‖ *With* all his gifts, he will become a great musician. あれだけの才能があれば彼は立派な音楽家になるだろう.

8 〘携帯〙〈人〉の身につけて《♦金などの小物については on がふつう》‖ I *have no money with* [*on*] me. お金の持ち合わせがない(→ *about* 前 **3 a**) / Take an umbrella *with* you. かさを持って行きなさい.

9 〘管理・委託〙 **a** 〈人〉の手もとに, …に預けて ‖ leave the key *with* him [*in charge of*] the caretaker 管理人にかぎを渡しておく. **b** 〘責任・決定などが〕〈人〉にかかって ‖ The responsibility rests *with* [*on*] us. その責任は我々にある.

10 a 〘付帯状況〙…した状態で, …して, …しながら《♦(1) ふつう「*with* + 名詞 + 補語(形容詞・分詞・副詞辞・前置詞句など)」の形をとる. (2) *with* はしばしば省略される. その場合, 冠詞・所有格なども省略されることがある》‖ speak *with* a pipe in one's mouth パイプをくわえて話す / sit *with* one's *eyes closed* 目をとじて座る / Don't speak *with* your *mouth full*. 口一杯に食べ物をほおばったまま言うな / They stood there *with* their hats *off* [*on*]. 彼らは帽子を取って[かぶったまま]そこに立っていた.

b 〘状況の理由〙〘*with* (*all*) **A** (+補語)〙(…が存在する)ので(それを考えると) ‖ I can't play cards *with* all these dishes to wash. この皿をみな洗わなくてはならないのでトランプはできない / *With night*

coming on, we closed our shop. 夜が近づいたので閉店した(◆*with* を省略すれば独立分詞構文.
➡**文法** 13.7).

11 [様態] …をもって, …で《◆名詞を伴って副詞句を作る》 ‖ *with* ease 容易に(=easily) / fight *with* courage [courageously] 勇敢に戦う / work *with* diligence [diligently] 熱心に働く / Treat this *with* care [carefully]. 慎重にこれを扱いなさい / I'll come *with* pleasure. 喜んでまいります / I'm pleased to come.》 / She said *with* a frown [frowningly]. 彼女は顔をしかめて言った.

Ⅲ [手段・材料・原因]

12 [道具・手段] …で, …を使って ‖ pay *with* a check 小切手で支払う / cut meat *with* a knife ナイフで肉を切る(=use a knife to cut meat) / He was killed *with* an arrow. 彼は矢で殺された《◆Somebody killed him *with* an arrow. の受身. An arrow killed him. の受身は He was killed by an arrow.》 / I have no pen to write (*with*). 私には書くペンがない《◆(略式)ではしばしば *with* を省略》.

13 [材料・成分] …で ‖ a road (which is) paved *with* asphalt アスファルトで舗装された道 / Cows provide us *with* milk. 雌牛は我々にミルクを供給する / make a cake *with* eggs 卵を使ってケーキを作る / I filled a glass *with* water. コップに水をいっぱい入れた.

14 [原因・理由] …が原因で, …のために, …のせいで ‖ shake [shiver] *with* cold 寒さで震える / eyes dim *with* tears 涙でかすんだ目 / She is in bed *with* a fever. 彼女は熱があって寝ている. [類例] white *with* fear / blue *with* cold / red *with* anger / tremble *with* rage / green *with* envy / jump up and down *with* excitement.

Ⅳ [対象・関連]

15 [混合・接触・交渉・比較など種々の関係] …と, …を, …に ‖ deal *with* the company その会社と取引をする / mix the whiskey *with* the water ウイスキーを水で割る / compare the translation *with* the original 翻訳を原文と比べる / The tie goes *with* your jacket. そのネクタイは君の上着とよく合っている.

16 a [対象] …に対して, …に ‖ sympathize *with* her 彼女に同情する / Be patient *with* people. 人に腹を立ててはいけません / She is popular *with* [among] the boys. 彼女は男の子に人気がある.

┌─────────────────────────────┐
│ **語法** [*with* を用いるその他の形容詞] │
│ angry, cross, furious, pleased, upset. 一方 │
│ kind, polite, rude などは *with* をとらない: be │
│ kind to [×*with*] people. │
└─────────────────────────────┘

b [up, down, in, out, off などの方向の副詞の後で; 命令的に], …を ‖ *Dówn with* the tyrant. 暴君を倒せ / *Out with* him. 彼を追い出せ / *In with* it. それを中へ入れろ / *Awáy with* it. それを取り除け / *Off with* your coat. コートを脱ぎなさい.

17 [関連] …に関して, …について, …にとっては ‖ *What's wrong* [*the matter*] *with* you? どうしたのですか / What do you want *with* me? 私になんだご用ですか / It's all right *with* me. 私には異存ありません / The first object *with* him is to rise in the world. 彼の第一の目的は出世することだ.

be [*get*] *with it* (略式や古) (1) 《人々の流行に通じている, モダンである, 時流に乗っている. (2) 《人の話な

どが)はっきり理解できる(cf. **4 b**).

***with áll** A (1) 〈物・動物〉のすべてで, …も含めて
 (2) **にもかかわらず** (for all, in spite of) ‖ *With all* her faults, I love her still. 彼女には欠点があるが, やはり彼女が好きです(=Though she has faults, …). (2) → **10 b**

with thát [*this*] (正式)その[この]後で, その[この]とき, そう[こう]言って(at that)(cf. **5 a**) ‖ *With that*, she went out of the room. そう言って彼女は部屋から出て行った.

†**with·al** /wiðɔ́ːl, (米+) wiθ-/ 《古》 副 **1** その上; 同様に; 同時に. **2** =nevertheless. **3** =therewith **1**. ──前 [文尾で; 通例否定文・疑問文で] =with.

†**with·draw** /wiðdrɔ́ː, wiθ-/ 動 (過去) **-drew** /-drúː/, (過分) **-drawn** /-drɔ́ːn/ (他) **1** 〈人〉を〈手・足など〉を[…から]引っ込める[from]; 〈カーテンなど〉を引く; 〈視線など〉をそらす ‖ *withdráw* one's gáze 視線をそらす / *withdraw* the curtains カーテンを引く / She quickly *withdrew* her hand from the hot kettle. 彼女は熱いやかんからさっと手を引っ込めた. **2** 〈人が〉〈陳述・約束・申し出など〉を取り消す, 撤回する《◆*take back* より堅い語》; 〈訴訟〉を取り下げる ‖ *withdraw* one's previous remarks and apologize 前言を撤回して謝罪する / *withdraw* the charges against the manager 管理者に対する告訴を取り下げる / The group *withdrew* their support for the government. その団体は政府への支持をとりやめた. **3** 〈人・物〉を[…から]退かせる, 退出させる《◆*take back* [*away*] より堅い語》; …の出場を取り消す[*from*] ‖ He *withdrew* his son *from* school. 彼は息子を退学させた / *withdraw* a hórse *from* the ráce その日のレースの馬の出場を取り消す. **4** 〈預金〉を[…から]引き出す; 〈通貨・物品〉を回収する; 〈与えたもの〉を[…から]とりあげる, 回収する[*from*] ‖ *withdraw* coins [magazines] *from* circulation 出回っている通貨[雑誌]を回収する / *withdraw* 10,000 yen *from* a bank account 銀行の預金口座から1万円を引き出す / the móney *withdráwn* (*from* the bank) (銀行から)引き出した金(◆×the *withdrawn* money とはいわない).

──(自) **1** (正式)〈人などが〉[…から…へ]引き下がる, 引っ込む, 退く, 退く, 立ち去る(leave), あとずさりする, わきへよける(step aside); (軍事)撤退する, 転進する[*from*/*to*] ‖ *withdraw to* the country 田舎へ引きこもる / The troops *withdrew from* the front line. (味方の)軍隊は最前線から撤退した《◆味方の軍には withdraw, 敵軍には retreat (退却する)を用いることが多い》. **2** (申し出・約束などを)取り消す, 撤回する. **3** (団体・組織・会・活動などから)脱退する, 手を引く; 隠退[引退]する[*from*]; (競技などの)出場を取り消す[*from*] ‖ *withdraw from* school 学校をやめる / *withdraw from* discussion 議論から手を引く. **4** (精神的に)[自分の殻に]とじこもる[*into*] ‖ *withdráw into* onesèlf [one's own world] 自分だけの殻[世界]にとじこもる.

†**with·draw·al** /wiðdrɔ́ːl, wiθ-/ 名 ⓊⒸ (正式) **1** […から]引っ込める[引っ込む]こと; 引き下がらせる[引き下がる]こと[*from*]; 退出; 隠退, 引退. **2** 取り消し, 撤回. **3** 取り戻すこと, 回収; 預金の引き出し. **4** 脱退, 身を引くこと; 退学, 退社. **5** 撤退, 撤兵.

†**with·drawn** /wiðdrɔ́ːn/ 動 withdraw の過去分詞形. ──形 (正式) **1** 内向的な, 引っ込み思案の, 内気な. **2** 〈人が〉世間と没交渉の, 引きこもった.

†**with·er** /wíðər/ 動 (自) **1** 〈植物が〉しぼむ, しおれる, しなびる, 枯れる(+*up*) ‖ All the plants in the gar-

den *withered* in the beating sun. 庭の草花は強い日差しに当たってみなしおれた. **2** 〈色が〉あせる；〈音が〉消えていく；〈体力・容色などが〉衰える；〈希望などが〉弱まる，うすれる；〈人が〉しゅんとなる(+*away*) ‖ His spirits gradually *withered away*. 彼の元気がだんだんになくなってきた. ━[他] **1** 〈太陽・暑さ・寒さなどが〉〈植物など〉をしおれさせる，しぼませる，枯らす(+*up, away*) ‖ The long spell of hot weather *withered* (*up*) the plants. 暑さ続きでその植物はしぼんでしまった. **2** 〈愛情・美貌など〉を衰えさせる，うすれさせる ‖ The news *withered* his hopes. その知らせは彼の希望をくじいた. **3** 〈人〉を〔軽蔑(べつ)のまなざし・辛辣(しんらつ)な言葉などで〕ひるませる，縮みあがらせる，赤面させる〔*with*〕‖ She can *wither* anyone *with* a look. 彼女はひとにらみでだれをも震えあがらせることができる.

†with·hold /wiðhóuld, wiθ-/ [動] ([過去・過分] **-·held**) [他] 《正式》 **1** …を〔…に〕与えずにおく，保留する；許可しない〔*from*〕‖ *withhold* one's permission [approval, consent] *from* him 彼に許可[賛同，同意]を与えない / *withhold* judgment [payment] 判断[支払い]を差し控える. **2** 〈感情など〉を抑える，制する ‖ *withhold* one's anger [laughter] 怒り[笑い]をこらえる.

withhólding slip 源泉徴収票.

withhólding tàx 源泉徴収税(額).

***with·in** /wiðín, 《米+》 wiθ-/ 〚共に(with)中に(in)〛

━[前] **1** [期間・距離] …**以内で[に]** ‖ *within* shouting distance 叫べば聞こえる所に / She'll be back *within* an hour. 彼女は1時間以内に帰るでしょう《◆in an hour は「1時間たったら，1時間後に」の意味》/ I live *within* a mile *of* [×from] the station. 駅から1マイル以内の所に住んでいる / Do it *within* the next month [year]. 来月[来年]中にそれをやりなさい. [表現] 「今日中にそれをやりなさい」は Do it *today*. で ×Do it within today [this day]. とはいわない.

2 [程度] …**の範囲内で[に]**，…を越えずに(↔ beyond) ‖ *within* the law 法の許す範囲内で / live *within* sight of the Japan Alps 日本アルプスの見える所に住む / live *within* one's income [means] 自分の収入[資力]の範囲内で生活する / The task is *within* my power(s). その仕事は私にできる.

3 [場所] 《文》 …**の内部に**，…の内側に，…の中に(in, inside) (↔ without) ‖ *within* a city 市内に[で] / *within* the precincts of the college 大学の構内に / disagreement *within* the government 政府内の意見の不一致.

━[副] 《文》 **1** 内側[内部]に，内[中]に；室内[屋内]に(↔ without) ‖ The apple was rotten *within*. そのリンゴは中が腐っていた / Is he *within*? 彼は家にいますか《◆in, inside の方がふつう》. **2** 心の中で(は)，内心は ‖ But *within*, she felt no remorse. しかし彼女は何の良心の呵責(かしゃく)も感じていなかった.

━[名] [U] 《文》 [通例 from ~] 内部，内側 ‖ revolt *from within* 内部からの反乱.

‡with·out /wiðáut, 《米+》 wiθ-/ 〚共に(with)外に(out)〛

━[前] **1 a** **…を持たないで**，…なしに，…のない(↔ with) ‖ go out *without* a coat コートを着ないで[持たないで]外出する《◆「着て行く」は go out *in* a coat》/ drink coffee *without* sugar 砂糖なしでコーヒーを飲む / climb the cliff *without* any fear 少しも恐れずに岩壁を登る / He came *without* his wife. 彼は奥さんを連れずにやって来た / We'll go *without* you if you're late. 遅れたら君をおいて行くよ / She is **not without** money. 彼女はお金がないというわけではない；彼女はかなり裕福だ《◆not を伴ってしばしば控え目な表現として用いる》/ They were *without* [*out of*] food. 彼らには食べる物がなかった《◆without には「永続的」，out of には「一時的」というニュアンスが強い》.

b …**がなければ**，…がなかったなら《◆仮定的意味では主節は仮定法過去・過去完了形を用いる. ➔文法 9.5(3)》‖ I can't live *without* him. 彼がいなければ私は生きていけない(=… *unless* he is with me.) / *Withóut* your hélp, she would fail [have failed]. 君の助力がなければ[なかったら]彼女は失敗するだろう[失敗していただろう](=If you ˈdidn't help [had not helped] her, … =If it ˈwere not [had not been] for your help, … =*But for* your help, …).

2 [動名詞を伴って] …**しないで**，…せずに；…しないように；…しないわけではないのだが ‖ She went out *without* say*ing* goodbye. 彼女はさよならも言わずに出て行った / You can't play outdoors *without* finish*ing* your homework. 宿題を終わらせないと外で遊んではいけません(=… *unless* you finish your homework.) / The merger was going on *without* him [his] know*ing* anything about it. その合併は彼が何も知らないうちに進んでいた(➔文法 12.5).

3 a 《文》 …の範囲[限界]を超えて(beyond) ‖ *without* his reach 彼の手の届かない所に. **b** 《古》 …の外に[で](outside)《◆この意味では within and without の対句以外には今は用いられない》‖ negotiations within and *without* the House 院内外での交渉.

(, *but*) *withóut* A [結果的に] けれども…がない ‖ I looked for the lost key *without* success. 失くしたかぎを捜したがむだだった(=… in vain) / He turned the key again and again, *without* result. 彼はかぎを何度も回してみたが，何の手応(ごた)えもなかった.

nót* [*néver*] … *withóut* do*ing …することなしには(決して)…しない；[前から訳して] …すれば必ず…する ‖ She can*not* argue *without* losing her temper. 彼女は議論をすれば必ずかんしゃくを起こす(=Whenever she argues, she loses her temper.) / I *never* see him going out *without* tak*ing* his dog. 彼が犬を連れないで出かけるのを見かけることはない.

━[副] 《古・文》 **1** 外に[は，へ]，外側に；戸外に(outside) ‖ It was cold *without*. 外は寒かった. **2** 外見[外面]は ‖ She is fair *without*, but evil within. 彼女は外見は美しいが心は汚れている.

━[名] [U] 《文》 [通例 from ~] 外，外部，外側；屋外，室外 ‖ I heard a voice *from without*. 外から声が聞こえてきた.

†with·stand /wiðstǽnd, wiθ-/ [動] ([過去・過分] **-·stood** /-stúd/) [他] 《正式》 〈人・物が〉〈人・攻撃・困難・誘惑など〉によく耐える，持ちこたえる，逆らう(resist) ‖ *withstand* an attack [invaders] 攻撃[侵略者]に抵抗する / *withstand* the storm [flood] 暴風[洪水]に耐える / She *withstood* a lot of temptation [hardships]. 彼女は多くの誘惑[苦難]に耐えた.

W

wit·less /wítləs/ 形《正式》知恵[思慮]のない, 無分別な, 愚かな; 気が狂った.

†**wit·ness** /wítnəs/ 名 **1** ⓒ《正式》〔…の〕目撃者 (eyewitness); 〔…の〕現場証人〔to, (やや稀) of〕‖ I was among the *witnesses* to the car accident. 私はその自動車事故の目撃者の1人だった. **2** ⓒ〔しばしば無冠詞〕(法廷などでの)〔…に有利な/…に不利な〕証人, 参考人〔for/against〕‖ She was a *witness* for the defense [prosecution]. 彼女は弁護人[検察]側の証人をつとめた. **3** Ⓤ《正式》〔通例単数形で〕証拠, 証明(evidence); (法廷などでの)証言‖ *bear* [*give*] *witness* on behalf of an accused person 被告のために証言する / bear [give] false *witness* in court 法廷で偽証する. **4** ⓒ〔通例単数形で〕〔…の〕証拠となる物[人], 証拠物件〔to〕‖ The scar on his face was a *witness* to the torture he had suffered. 顔の傷跡は彼の受けた拷問の証拠となった. **5** ⓒ〔文書の〕連署人; 立会人〔to〕‖ a *witness* to the will 遺言状の連署人.

cáll [táke] A to wítness〈人〉を証人として呼ぶ, …に証明してもらう.

——動 他 **1**《正式》〈人が〉…を目撃する‖ *witness* the accident 事故を目撃する / This century has *witnessed* great progress in science. 今世紀には科学の大きな進歩が見られた. **2** (まれ)《法律》〈人・物が〉…を証言する, 立証する; …の証拠となる. ——自 (法廷で)〔…を/…に不利に/…に有利に〕証言する, 証明する〔to/against/for〕‖ *witness* to her innocence 彼女の潔白を証言する / She *witnessed* to having seen the man. 彼女はその男を見たと証言した(⇒ 文法 12.2) / *witness against* the suspect 容疑者に不利な証言をする.

wit·ted /wítid/ 形 **1** 知恵[分別, 理解力]のある. **2** 〔複合語で〕…の知恵のある, …の才の‖ quick-[slow-]*witted* 頭の回転の速い[遅い] / dull-*witted* 鈍才の.

wit·ti·cism /wítəsìzm/ 名 ⓒ《正式》警句, 名言, 当意即妙のせりふ, しゃれ.

†**wit·ty** /wíti/ 形 (--ti·er, --ti·est)〈人・言葉が〉機知のある, 気のきいた‖ a *witty* remark 機知に富む評言.
wit·ti·ness 名 Ⓤ 才気, とんち, しゃれ.

wi·vern /wáivərn/ -vn/ 名 =wyvern.

wives /wáivz/ 名 wife の複数形.

†**wiz·ard** /wízərd/ 名 **1** (男の)魔法使い(◆女性形は witch). **2** 魔術師; 奇術師, 手品師. **3**《略式》〔…の〕天才, 名人, 達人, 鬼才〔at〕‖ a financial *wizard* 金もうけの天才 / a *wizard* at math [playing the guitar] 数学の天才[ギターの名人].

wiz·ard·ry /wízərdri/ 名 Ⓤ **1** 魔法, 魔術(◆magic の方がふつう). **2** 妙技, すぐれた技術.

wk (略) weak; (**wks.**) week; work.

w/o (略)《商用語》without.

wob·ble /wábl | wɔ́bl/ 動 自 **1**〈人などが〉ふらつく, よろよろ歩く(*about, around*);〈コマ・回転物などが〉ふらめく, 傾く, ゆらゆらする, 〈いす・テーブルなどが〉ぐらぐら[がたがた]する;〈声・音が〉震える‖ I was so scared that my legs were *wobbling*. 恐ろしくて足が震えていた. **2**〈気持ち・方針・人などが〉ぐらつく, 動揺する.
——他〈物〉を(意図的に)ぐらつかせる.
——名 ぐらめき, ぐらつき, 揺れ, 震え, 動揺; (方針などの)方向転換.

wób·bler 名 ⓒ ふらつく人[物]; (主義・主張の)動揺する人.

wob·bly /wábli | wɔ́-/ 形 (--bli·er, --bli·est)《略

式》〈人・物・意見などが〉ふらつく, ぐらつく, 不安定な; 無定見の(unsteady).

Wo·den /wóudn/ 名《神話》ウォーディン《アングロサクソン神話の主神. 北欧神話の Odin に当たる》.

†**woe** /wóu/ 名《文》**1** Ⓤ 悲哀, 悲痛, 苦悩‖ a tale of *woe* 悲しい身の上話, 泣き言. **2**〔通例 ~s〕苦痛[悩み]の種, 災難, 難儀, 悲痛な出来事.
——間〔詩・古〕ああ悲しいかな!

†**woe·ful** /wóufl/ 形 **1**〈文〉悲惨な, 痛ましい‖ a *woeful* expression 悲痛な表情. **2** 情けない, 恥ずべき, 嘆かわしい;〈質が〉みじめな‖ a *woeful* lack of knowledge ひどい無知.

woe·ful·ly /wóufli/ 副 悲しげに, いたましく.

wok /wák | wɔ́k/ 名 ⓒ (金属製の)中華なべ.

†**woke** /wóuk/ 動 wake¹ の過去形・過去分詞形.

wo·ken /wóukn/ 動 wake¹ の過去分詞形.

wold /wóuld/ 名 **1** Ⓒ Ⓤ 〔しばしば ~s〕広い原野, 不毛の高原. **2** [Wolds; 地名で] …丘陵‖ the Yorkshire *Wolds* ヨークシャー丘陵.

★**wolf** /wúlf/（発音注意）
——名 (⑧ **wolves** /wúlvz/) ⓒ **1** オオカミ(◆イヌの祖先. 鳴き声は howl); Ⓤ オオカミの毛皮‖ (*as*) *greedy as a wólf* オオカミのように貪じみ欲な / *To mention the wolf's name is to see the same.*（ことわざ）オオカミの名を口にするとそのオオカミが現れる;「うわさをすれば影」. **2** 貪欲〈強欲〉な人, 残忍な人. **3**（略式）女たらし; 色魔.

crý wólf 虚報を伝える, 不必要な助けを求める《◆ *Aesop's Fables* でのオオカミ少年の話から》‖ cry *wolf* too often うそが多くて信用を失う.
——動 他《略式》…をがつがつ食べる(+*down*). **2** [~ it] ——自 女をあさる.

wólf càll [whístle] 魅力的な女を見た時に吹く口笛.
wólf cùb (1) オオカミの子. **2**《英》ボーイスカウトの年少団員で 8-11 歳. 今は Cub Scout という.
wolf·ish /wúlfiʃ/ 形 オオカミのような(性質)の, 残忍な, 貪欲(ヨッ)な. **wólf·ish·ly** 副 残忍に, 貪欲に.
wol·fram /wúlfrəm/ 名 Ⓤ 〔化学〕タングステン(tungsten) (⦅記号⦆ W).
wol·ver·ine /wùlvərí:n | ─ ─/ 名 ⓒ 〔動〕クズリ《北米産イタチ科の肉食動物》; Ⓤ その毛皮.
wolves /wúlvz/ 名 wolf の複数形.

★★**wom·an** /wúmən/ 『女(wif)の人(man). cf. wife』
——名 (⑧ **wom·en** /wímin/) **1 a** ⓒ (成年の) 女, 女性, 婦人(◆ man に対して) (1) 既婚・未婚にかかわらず用いられる中立的な語. 当人のいる場合は lady を用いるのがていねい. (2) 豊饒(ほうじょう)の象徴. (3) 赤ん坊・子供・若い未婚の女は girl》‖ a single [middle-aged] *woman* 独身[中年]女性 / She has grown into an attractive *woman*. 彼女は魅力的な女性に成長した / Women and children should be saved first. 女性・子供が最初に救出されるべきで《◆ ×children and women とはふつういわない》/ They say that I'm an old *woman*. あの人たちは私のことをおばあちゃんだと言う. **b** [形容詞的に] 女性の‖ a *woman* lawyer 女性弁護士 / a married *woman* doctor 既婚の女医.

> **語法** (1) 複数名詞を修飾する時は women を用いる: three *women* reporters 3 人の女性記者.
> (2) ⚠️ lady の形容詞的な用法 (a *lady* writer), 接尾辞 -ess (a poetess) などは軽蔑(ﾍﾞ)的に響くこ

wo/man

もあるので, 一般的に「女性の」を表すには woman が好まれる.

2 (正式)[無冠詞で; 集合名詞; man に対して](男性に対する)**女性**(全体), 女(というもの)(womankind) ‖ She wrote a book on the representation of *woman* in medieval art. 彼女は中世美術における女性描写についての本を書いた.

> 語法 最近では「男」「女」一般を対照的にいう時, man and woman の固定表現を除き man/woman よりも a man/a woman, men/women がふつう: the concept that *women* are equal to *men* 女性が男性と平等であるという考え / I was brought up to believe that a *man* should take care of a *woman*. 男が女の面倒をみるべきだと信じるように私は育てられた.

3 [the/時にa~] 女らしさ, 女らしい面[感情] ‖ Being a mother brings out *the woman* in her. 母親になって彼女には女らしさが出てきた. **4** Ⓒ (略式)家政婦, お手伝いさん ‖ Thursday is our woman's day off. 木曜日はうちのお手伝いさんの休みの日だ. **5** Ⓒ 女みたいな男, めめしい男. **6** Ⓒ (略式) [通例 one's~] 女房, 愛人, 付き合っている彼女. **7** (略式) [呼びかけ] ねえ, 君, ちょっと (◆しばしばいらだち・怒りを表す).

a woman of the world 世故にたけた女性.
the little woman (英略式) うちの細君.
wóman's ríghts, wómen's ríghts 女性の権利.
wóman's súffrage 婦人参政権.
wóman súffragist 婦人参政権論者.
wómen's líb [**liberátion**] [しばしば Women's L-] (やや古) = women's liberation movement.
wómen's liberátion 女性解放運動(女性解放運動 ◆women's libber ともいうが軽蔑的なニュアンスがある. feminist が好まれる).
wómen's liberátion móvement (やや古) ウーマンリブ, 女性解放運動 (◆women's lib ともいうが軽蔑的なニュアンスがある. women's movement, feminism が好まれる).
wómen's móvement [the ~] 女性解放運動(に参画する女性たち).

wo/man 名 =man or woman 《◆両性を示すための書き言葉》. cf. s/he).
-wom·an /-wʊmən/ (語素) →語素一覧(1.5).
wom·an-friend·ly /wúmənfréndli/ 形 〈仕事などが〉女性向きの.

†**wom·an·hood** /wúmənhʊd/ 名 U (正式) **1** 成人した女であること ‖ reach [grow to] *womanhood* 一人前の女になる. **2** 女性にふさわしい性質, 女らしさ.

wom·an·ish /wúməniʃ/ 形 〈男が〉女みたいな, めめしい (↔ mannish); 〈女の子が〉大人ぶった.

wom·an·kind /wúmənkáind/ 名 U (正式) [集合名詞; 単数・複数扱い] 女性, 婦人, 女(↔ mankind).

wom·an·like /wúmənlàik/ 形 女性にふさわしい, 女らしい (↔ manlike).

wom·an·ly /wúmənli/ 形 (正式) 女らしい, 女性にふさわしい, 優しい (◆womanlike が中立的な語. cf. womanish).

†**womb** /wúːm/ 名 Ⓒ **1** [解剖] 子宮. **2** (文) [通例 the ~] (物・事の)発生[成長]する所; (物・事の)内部, 核心 ‖ *the womb* of the earth 地球の内部.

wom·en

—名 woman の複数形 (◆(1) 英語で o の文字が /i/ と発音されるのはこの例だけ. (2) 複合語 women's liberation, etc. は → woman).

wom·en·folk(s) /wíminfòuk(s)/ 名 [複数扱い] **1** (略式) 女, 婦人, 女性. **2** 一家庭内の女たち.

*****won** /wʌ́n/ [発音注意] (同音) one) 動 win の過去形・過去分詞形.

won·der /wʌ́ndər/ [発音注意] (類音) wander /wɑ́ndər/) 『「未知・未経験の物事に好奇心や疑念を抱く」が本義』(派) wonderful (形).

— 動 (~s/-z/; 過去過分 ~ed/-d/; ~·ing /-dəriŋ/)

— 自 **1** [通例 be ~ing] 〈人が〉 〈人・物・事について〉 あれこれ思いめぐらす, 本当のところを知りたいと自問する (be curious) [about] ‖ I am *wondering about* painting the fence white. 塀を白く塗ったものかどうかとあれこれ思案しているところです / They *were wondering about* why she was reluctant to go out. 彼女がなぜ出かけるのをしぶっているのか彼らはあれこれ考えた.

2 (正式) 〈人が〉〈人・物・事を〉不思議に思う [at]; […に/…して]驚く [at / to do] 《◆be surprised より堅い語》 ‖ The picture set her *wondering*. その絵を見て彼女は驚嘆した / I *wondered at* his rude joke. 彼の下品な冗談にあきれた / His refusal is not *wondered at*. 彼の拒絶は驚くにあたらない / I *wondered to* see him smoking. 彼がタバコを吸っているのを見て驚いた / I *wouldn't* [(英) *shouldn't*] *wonder* if she got [gets] married to him. (略式) 彼女が彼と結婚しても当然だと思う (◆ I wouldn't [shouldn't] *wonder* の後の if 節は直説法または仮定法). ➡文法 9.1, 9.2).

3 〈人が〉〈物・事を〉疑う […ではないと思う(doubt)] [about] ‖ 対話 "I think he will come." "I *wonder*. (╲)"「彼は来ると思うよ」「さあどうだかね」 / We *wondered about* the truth of her statement. 彼女の供述はほんとうだろうかと私たちは疑った.

— 他 《目的語に名詞・代名詞は不可》 **1a** [wonder wh 節[句] / wonder whether 節 / wonder if 節] 〈人が〉 …かなと思う, …か知りたいと思う (ask oneself) (◆自問する言い方) ‖ I *wonder what* an airship looks like. 飛行船がどんなかこうしているのかしら / I am *wondering who* to invite. だれを招待したらよいだろうか / I *wonder why* he gave a false name. = *Why did he give a false name*, I *wonder?* (╲) 彼はなぜ偽名を名乗ったのだろう (◆ I wonder は直接疑問文の文末に付加されることもある. その時イントネーションは先行部分の音調が延長される) / She *wondered how* the meeting was going. 会議はどんなふうに進んでいるのかしらと彼女は思った (◆ She said (to herself), "How is the meeting going?" に相当. ➡文法 10.1) / I *wonder if* [*whether*] he isn't over fifty. 彼は50過ぎではないかな (◆ if 節, whether 節内の肯定・否定が意味上逆転する. I think he is over fifty. に相当).

b [wonder if 節] [ていねいな依頼] …してもらえないかと思う, …してもらえますか ‖ I *wonder if* [*whether*] I could use the telephone. 電話をお借りしてもよろしいか(= Could I use the telephone?) (◆依頼の遠回し表現) / I *was wondering if* you'd care to have dinner with me one evening. whether-

いつか晩に食事をご一緒していただけませんでしょうか《◆過去形でも意味は現在. 非常にていねいな依頼. ➡文法 5.3(5)》.
2 [wonder (that)節]《正式》〈人が…ということに〉驚く;…とは不思議だ《◆進行形不可》∥ I *wonder* (*that*) you have passed the exam. 君が試験に合格したとは意外だね / I *don't wonder* she is opposed to your marriage. 彼女があなたの結婚に反対しているのは当然だと思う(=No *wonder* she is opposed to your marriage.).

> 語法 (1) 肯定であっても that節に any が用いられることがある: I *wonder* (*that*) anybody spoke well of him. 彼をほめる人がいたとは意外だ.
> (2) 平叙文では that はふつう省略されるが, 疑問文ではふつう省略しない: Do you *wonder that* …?

——名 (複 ~s /-z/) **1** Ⓤ《正式》驚き, 驚嘆の念, 不思議(surprise) ∥ I was filled with *wonder* at his story. 彼の話を聞いて驚嘆の念でいっぱいになった. **2** Ⓒ [通例 a ~] 不思議な[驚くべき]物[出来事, 人]; [the ~] すばらしい物, 奇観 ∥ the *wonders* of nature 自然の偉観 / the Seven *Wonders* of the World 世界の七不思議 / *It is a wonder* (*that*) [*The wonder is that*] you don't know about it. あなたがそれを知らないとは不思議だ / *What a wonder*! 何と不思議なことだ(=How surprising!). **3** [形容詞的に] 不思議な, 驚くべき ∥ a *wonder* boy 天才少年.

and nó [*líttle*] *wónder* それも当然だ ∥ He has done with her, *and no wonder*. 彼は彼女と絶交したが, 驚くにはあたらない.
dó [*wórk, perfórm*] *wónders* 〈物・事が〉驚くべき効果[よい結果]を生じる;〈人が〉奇跡に近いことを行なう《◆対話》 "I drank too much last night." "This medicine will *work wonders* for a hangover." 「昨晩は飲み過ぎてしまいました」「この薬が二日酔いによく効きますよ」.
(*it is*) *nó* [*smáll, líttle*] *wónder* (*that*) … …は少しも不思議ではない, …なのは当たり前だ, 道理で… 《◆(1) It is natural that … より口語的. (2) この that は真主語の that なので ×there is no wonder that … とすることはできない. cf. there is no DOUBT that …)》∥ *No wonder* he refused your offer. 彼が君の申し出を断ったのは当然だ《◆しばしば it is, that を省略. *no wonder* では that は省略, small wonder では that はあってもなくてもよい:「Small *wonder* (that) [No *wonder*] he refused your offer.》.
Nó wónder. なるほど, その通り.
wónder drùg 特効薬.

won·der·ful /wʌ́ndərfl, 《米式》wʌ́nər-/《→ wonder》

——形 (more ~, most ~; 時に --ful·er, --ful·lest) **1** すばらしい, すてきな, 見事な《◆wonderful にはすでに very good or admirable の意味があるので, very などの修飾語はつかないのがふつう》∥ have a *wonderful* time すばらしい時を過ごす / Marriage can be a *wonderful* thing if two people understand each other. 結婚は 2 人がお互いを理解し合えばすばらしいものとなりうる / *It was wonderful to see* him. 彼に会えてよかった / *It is wonderful of* you *to* ask me to the concert. コンサートへ招待してくださってご親切にありがとう(➡文法 17.5) /

My sister is *wonderful* 「at knitting [with kids]. 姉は編み物上手だ[子供の扱いが上手だ].
2 不思議な, 驚くべき ∥ a *wonderful* story 不思議な話 / My father had a *wonderful* memory for faces. 私の父は人の顔を驚くほどよく覚えていた / *wonderful to say* 言うも不思議だが(➡文法 11.3 (3)).

⁺**won·der·ful·ly** /wʌ́ndərfəli, 《米式》wʌ́nər-/ 副 不思議なほど, 驚くほど; すばらしく ∥ These flowers smell *wonderfully* sweet. これらの花はとても香りがよい.

won·der·land /wʌ́ndərlænd/ 名 **1** Ⓤ《文》おとぎの国. **2** Ⓒ [通例 a/the ~] (景色などの)すばらしい場所.

⁺**wont** /wɔːnt, wʌnt, wóunt | wóunt, wɔ́nt/ 形《文》[…し]慣れた, […するのを]常とする(accustomed) [*to do*] ∥ She was *wont* to sit up late at night. 彼女はよく夜ふかししたものだった(=She was in the habit of sitting …). ——名 Ⓤ《正式》[通例 one's ~] 習慣, 風習 ∥ use and *wont* 世間の習わし / *as is* one's *wont* いつものように / It was my father's *wont* to read the newspaper before breakfast. 朝食前に新聞を読むのが父の習慣だった.

⁕**won't** /wóunt/ [同音]△ wont) will not の短縮形.
woo /wúː/ 動 他《主に古》〈名声・財産などを〉手に入れようとする;…に指示をせがむ.

⁑**wood** /wúd/ [発音注意]派 wooden (形)
——名 (複 ~s/wúdz/)
Ⅰ [木]
1 Ⓤ 木材, 材木《◆wood はふつういう「用材としての木」. 製材したものは《主に米·カナダ》lumber, 《英》timber》∥ This floor is (made) *of* [×from] *wood*. この床は木でできている(cf. wooden) / He used various *woods* to build this garage. 彼はこの車庫を作るのにいろいろな種類の材木を使った.
2 Ⓤ まき, たき木(firewood) ∥ collect several *pieces of wood* たき木を何本か集める / put *wood* on the fire まきをくべる.
3 Ⓒ [しばしば ~s; 単数·複数扱い] 森, 林《◆forest より小さく grove より大きい》∥ There is a *wood*(s) beyond the cattle shed. 牛小屋の向こうに森がある《◆「1 つの森」は《米》a woods, 《英》a wood または woods (複数扱い)がふつう》/ He made his way through the *wood*(s). 彼は森を突き進んで行った /「*Don't hallo*(*o*) *till* [*Don't crow before*] *you are out of the woods* [《英》*wood*]. 〔ことわざ〕森を出るまでは安心して叫ぶな; 早まって喜ぶな.
Ⅱ [木でできた物]
4 [the ~] 酒だる, おけ ∥ whiskey aged in *the wood* たる詰めにしたウイスキー. **5** [the ~] 〔ゴルフ〕ウッド《ヘッドが木製のクラブ》; 〔テニス〕ラケットの木枠. **6** [the ~] (道具などの)木の部分. **7** [形容詞的に] 木の, 木製の《◆wooden の方がふつう》∥ a *wood* chair 木のいす. **b** 木材用の ∥ a *wood* chisel 木工用彫刻刀. **c** 森の ∥ *wood* moss 森にはえるこけ.

cánnot [*be unáble to*] *sée*「*the wóod* [《米》*the fórest*] *for the trées* 木を見て森を見ない; ささいな事にこだわって全体が見えない.
knóck (*on*) *wóod*《米》《略式》[間投詞的に] たたりがないように, うまくいくように《◆自慢などをした後で復讐(ᶠˢ)の女神 Nemesis のたたりを避けるため, ふつう木(の製品)[しばしば額(ᵏᵃ)]をこぶしの内側でコツコツたた

きなから言うまじないの言葉．子供の遊びで鬼につかまらないよう木製品に触れること）．

wóod engráving (1) 木版（術）．(2) 木版画．
wóod nýmph (1) 森の精 (dryad)．(2) 〔鳥〕セイレイハチドリ．
wóod pùlp 木材パルプ《紙の原料》．
wóod scrèw 木(もく)ねじ《木工用の金属性のねじ》．
†**wood·bine** /wúdbàin/ 名 (主に詩) (植) スイカズラ．
†**wood·chuck** /wúdtʃʌk/ 名 C (動) ウッドチャック《北米産の草食性の marmot. 地中に穴を掘って巣を作る》．
†**wood·cock** /wúdkɑ̀k | -kɔ̀k/ 名 (複 ~s, (集合名詞) **wood·cock**) C 〔鳥〕ヤマシギ《長く細いくちばしを持つ，猟鳥》．
wood·craft /wúdkræft | -krɑ̀ːft/ 名 U (主に米) 1 森林(生活)の知識と技能《狩猟・方向判断など》．2 山林管理．3 木彫(技術)．**wóod·cràfts·man** 名 C 森林技術者；木彫家．
wood·cut /wúdkʌ̀t/ 名 C 1 木版画．2 木版．
wóod·cùt·ting 名 U C 木材伐採業(者)；木版(画家)．
†**wood·cut·ter** /wúdkʌ̀tər/ 名 C 1 木こり．2 木版画家．
†**wood·ed** /wúdid/ 形 1 森のある，樹木に覆われた．2 〔複合語で〕木質が…の．
†**wood·en** /wúdn/ 形 (more ~, most ~; 時に ~·er, ~·est) 1 木でできた，木製の ‖ a **wooden box** 木の箱(= a wood box / a box (which is) made of wood). 2 a〈人・動作が〉不器用な，ぎこちない，へたな ‖ **wooden performance** まずい演技. b〈顔・目などが〉無表情な，堅い，生彩のない ‖ with a **wooden stare** ぼんやりした目つきで．
wóoden hórse 〔歴史〕 [the ~] トロイの木馬 (Trojan Horse)．
wóoden wédding 木婚式《結婚5年目》．
†**wood·land** /wúdlənd, -læ̀nd/ 名 U C 〔しばしば ~s〕森林地帯，森林 ‖ birds of the **woodland**(s) = **woodland** birds 森に住む鳥．
†**wood·man** /wúdmən/ 名 (複 -·men) C 1 きこり ((PC) woodcutter)．2 森林で生活する人《森林を管理・監督する人》((PC) forester)．
†**wood·peck·er** /wúdpèkər/ 名 C 〔鳥〕キツツキ．
wood·pile /wúdpàil/ 名 C 材木の山《特にまき・たき木》．
wood·shed /wúdʃèd/ 名 C (家屋近くの)まき小屋．
woods·y /wúdzi/ 形 (-·i·er, -·i·est) (米略式) 森林の(ような)，森林に関する(woody)．
wood·wind /wúdwìnd/ 名 〔音楽〕 1 C 木管楽器《clarinet, oboe など》．2 [the] ~s, (英) [the] ~; 集合名詞)(オーケストラの)木管楽器部．
†**wood·work** /wúdwə̀ːrk/ 名 U 1 (主に英) (特に家具などの)木工作業 (carpentry)．2 家屋の木造部《ドア・階段など》；木工品．
†**wood·y** /wúdi/ 形 (-·i·er, -·i·est) 1 森の茂った，木の多い (wooded)．2 木質の，木のような．
woof[1] /wúf, wúf/ 名 C 1 [the ~] (織物の)横糸 (weft) (↔ warp)．2 C 織物，布地．
woof[2] /wúf/ 名 (略式) 動 自〈イヌが〉ウーッとなる．—— 名 C 犬の低いうなり声．—— 間 ウー〈イヌのうなり声〉．
***wool** /wúl/ 【発音注意】 (類) woolen (形), woolly (形)
—— 名 U 1 羊毛 (◆ヤギ・ラマ・アルパカなどの毛にも用いる) ‖ Japan imports a lot of **wool** from abroad. 日本は外国からたくさんの羊毛を輸入しています．

2 ウールの織り糸；毛糸 ‖ knitting **wool** (編み物用の)毛糸 / two balls of **wool** 毛糸2玉．
3 ウール製品；毛織物，毛織物の衣服；毛糸で編まれたもの《特にセーターなど》 ‖ wear **wool** in winter 冬には毛織の物を着る．
4 〔通例複合語で〕羊毛状のもの[繊維] ‖ cótton wóol 原綿，脱脂綿 / stéel [(英) wíre] wóol (台所用品を磨く)鉄綿，金属性たわし．5 (動物の)むく毛；(植物・毛虫などの)綿毛．6 (略式) (黒人の)縮れ髪；(略式) 頭髪(hair)．7 [形容詞的に] 羊毛の；毛織(物)の；ウールの(◆ **woolen** がふつう) ‖ a **wool coat** ウールの上着．
†**wool·en**, (主に英) **-len** /wúlən/ 形 1 羊毛の；羊毛製の；毛織りの；毛糸で編んだ(◆ **wool** の形容詞的用法よりふつう) ‖ **woolen cloth** ラシャ / **woolen stockings** ウールの靴下．2 毛織物(業者] (商う)] ‖ **woolen manufacturers** 毛織物[毛織製品]業者．—— 名 1 U 紡毛糸《短い羊毛が原料．cf. worsted》．2 [~s] a 毛織物《毛布・ラシャなど》．b 毛糸製品，毛織の衣服(類)．
Woolf /wúlf/ 名 ウルフ《Virginia ~ 1882-1941；英国の女性小説家・随筆家》．
wool·gath·er·ing /wúlgæ̀ðərɪŋ/ (略式) 名 U 放心(状態)，とりとめのない空想．—— 形 放心した，うわの空の．
†**wool·len** /wúlən/ (主に英) 形 名 = **woolen**．
†**wool·ly**, (米でしばしば) **-y** /wúli/ 形 (-·li·er, -·li·est) 1 (略式) 羊毛の，羊毛からできた ‖ a **woolly suit** ウールのスーツ．2 (略式) 羊毛に似た，もじゃもじゃの ‖ **woolly hair** もじゃもじゃの毛．3 (絵などが)ぼんやりした，不鮮明な；(略式)〈考え・心などが〉混乱した，ぼやけた (通例 **woollies**) 毛織の衣服(類)；セーター．2 毛織の下着．
wool·y /wúli/ (米) 形 名 = **woolly**．
Worces·ter /wústər/ 名 1 ウスター《イングランド西部の都市》．2 ウスター《米国 Massachusetts 州中部の都市》．
Wórcester pórcelain ウスター焼きの磁器．
Wórcester sauce /--|--/ ウスターソース《日本でふつうにいうソース．→ sauce》．
Worces·ter·shire /wústərʃər/ 名 ウスターシャー《イングランド西部の旧州．現在は Hereford and Worcester 州に編入》．
Wórcestershire sauce /--|--/ = **Worcester sauce**．

***word** /wə́ːrd/ 〖「話す」が原義〗

index 名 1 語，言葉 2 ひと言 6 約束

—— 名 (複 ~s/wə́ːrdz/)

Ⅰ [言葉]
1 C 語，(伝達の手段としての)言葉，単語 ‖ Lóok up an Énglish **word** in a díctionary. 英単語を辞書で調べなさい / put an apology **into words** 謝罪を言葉で表す / Lánguage consísts of **words**. 言語は単語から成り立っている．
2 C [通例 a ~/~s] a (ひと言，手短な会話，ちょっとした発言) ‖ big **words** おおげさな言葉 / fáir **words** お世辞 / without a **word** 何も言わずに / a pérson of féw [many] **words** 口数の少ない[多い]人 / give him a **word** of gréeting [advice, warning] 彼にひと言あいさつ[忠告，警告]する / exchánge a féw **words** with one's gúests 客とちょっと言葉を交わす / Wé néver sáid a (single)

word to each other. 私たちはお互いにひと言も交わさなかった / *Words cut more than swords.* (ことわざ)言葉は剣より切れる;「寸鉄人を刺す」. **b** (曲に対する)歌詞,台本.
3 [the ~] 合言葉, スローガン, 最もぴったりする言葉 ‖ give [demand] *the word* 合言葉を言う / *Beautiful is just the word for her.* 美しいというのは彼女にぴったりの言葉だ / *I felt free or, what's the word* (ﾝ), *released.* 私は自由な, というより, もっとぴったりした言葉でいうと解放されたという気がした / 〘対話〙 "He is mad." "*Mád* [*Thát*] is *the wórd*. [*Mad* [*That*] isn't *the word.*]" 「彼はかんかんだ」「そのとおりだ[それどころじゃないんだ]」/ *Mum's the word!* → mum 名 成句 / *Sharp's the word!* 急げ, 早く早く.
4 [the W~] 聖書, 神の言葉, 福音, キリスト 《◆ the Word of God, God's Word ともいう》.

‖ [言葉を使って行なわれること]
5 ⓤ [(the) ~] [(…の/…という)知らせ, 便り, ことづて, 消息, うわさ (news) [*of/that* 節]] ‖ *bring word of his marriage* = *bring word that* he got married 彼の結婚の知らせを伝える / *She sent us word that* the football match had been called off. フットボールの試合は中止されたと彼女が知らせてきた 《◆ *send* [*have*] *word* は主に手紙・電話などで知らせを送る[受ける]こと》 / *Word* [*The word*] *has got around that* some of them were bribed. 彼らのうちの何人かにわいろが贈られたといううわさが広まった.
6 [one's ~] 約束, 保証, 請合い; [(…に対する/…という)誓言 [*for/that* 節]] ‖ *a man of his word* 約束を守る男 ‖ *be true to* [*keep*] *one's word* = *make one's word good* 約束を守る / "*go back on* [*break*] *one's word* 約束を破る / *give* [*pledge*] *one's word* 約束する / *I give you my word for it.* 誓ってそうです / *You have my word on her sincerity.* 彼女の誠実さは私が保証します / *I gave him my word that* I would never be late. 私は彼に決して遅刻しないと誓った.
7 [one's/the ~; 通例単数形で] [(…の/…せよとの)命令, 指示 [*for / to do*]] ‖ *give* [*get*] *the word to* start immediately すぐ出発せよとの命令を出す[受ける]. **8** [~s] 口論, 議論 ‖ *have words with* him over [about] trifles ささいなことで彼と口論する / *come to high words* 言い争いになる.

(*as*) *góod as* one's *wórd* [*prómise*] 必ず約束を守って, 言葉どおり実行して.
beyònd wórds 言葉では言い表せない(ほど).
by [*on*] *wórd of móuth* [口(mouth)の知らせ (word 名 **5**)によって] (by[1](b)) 口頭で, 口述で (orally); 口コミで (→文法 16.3(3)).
hàve a wórd with A (主に意見を求めて, また尋問[意見]をするために)〈人〉と[…について]ちょっと話をする[*about*].
hàve nó wórds [(…に対して/…するのに)言葉でうまく表せない [*for / to do*]] ‖ *I have no words to express my gratitude.* お礼の言葉もございません.
in a [(やや前) *òne*] *wórd* [通例文頭か文中に挿入して] 早い話が, 一言で言えば, 要するに.
in òther wórds 言い換えれば 《◆しばしば要約するときに用いられる》; [推論を表して] (ということは)つまり (〘類語〙 *that is to say* / *to put it another way*) ‖ *She got 50 percent in the math exam. In other words, she failed it.* 彼女は数学のテストで50点でした. 言い換えると落第点をとったということです.

in so many words [通例文尾で; しばしば否定文で] そのとおりの言葉で, あからさまに ‖ 〘対話〙 "*Did he say he would resign?*" "*Not in so many words.*" 「彼は辞任すると言ったのか」「そうはっきりとではないけれどね」.
in the words of A …の言葉を借りれば, …の言うところによれば.
nòt bréathe a wórd [*sýllable*] [(略式)(…の)秘密を一言ももらさない [*of, about*]].
on the word 合下に, そう言うとすぐに.
sáy [(やや前) *speak*] *the wórd* (略式)[通例命令文で] 指示を出せ, よしと[はっきり]言え ‖ *If you'd like to get something, say the word.* 何か入用のものがあるなら遠慮なく言ってください(手に入れますから).
take A *at* A's *wórd* 〈人〉の言ったことをそのまま信じて, 〈人〉の言葉どおりに行動する.
through wórd of móuth = by WORD of mouth.
weigh one's *wórds* (*with gréat cáre*) (慎重に)言葉を選ぶ, じっくり考えてものを言う.
word by word 1語ずつ(拾って); 一語一語正確に.
word for word 一語一語正確に; 逐語的に.

—— 動 他 …を言葉で表す.

word blíndness 失読症 (alexia).
word cláss 〘文法〙語類, 品詞 (part of speech).
word órder 〘文法〙語順.
word pròcessing ワード=プロセッシング《コンピュータによる文書の作成・編集・記憶》(略 WP).
word pròcessor ワードプロセッサー, ワープロ (略 WP).
word wràp 〘コンピュータ〙ワードラップ《ワープロなどで右マージンにかかる語を自動的に次行に送る機能》.

word·ing /wə́ːrdɪŋ/ 名 [(a/the) ~] **1** 言葉づかい. **2** 言い回し, 表現.
word·less /wə́ːrdləs/ 形 **1** 口には出さない, 言わない. **2** 言い表しようのない, 口のきけないほどの.
Words·worth /wə́ːrdzwəːrθ|-wəθ/ 名 ワーズワース《William ~ 1770-1850; 英国の自然派桂冠詩人》.
word·y /wə́ːrdi/ 形 (--i·er, --i·est) **1** 言葉[口]数の多い, 冗漫な. **2** 言葉の, 言葉による.

**wore /wɔ́ːr/ 動 wear の過去形.

*work /wə́ːrk/ (類音 walk /wɔ́ːrk/) 〘「ある目的のために意識的に何かをするか, 機械がその意図に沿って働く」が本義だが, 常に「徐々に努力して」が含意されている〙派 worker (名), workman (名)

index 名 **1 a** 仕事 **b** 勉強 **2 a** 職場 **b** 勤め口 **3** 効果 **6** 作品 **7** 針仕事 **8** 工場
動 自 **1** 働く, 勉強する **2** 勤めている **3** 機能する **4** うまくいく
他 **1** 動かす **2** 働かせて…にする **3** もたらす

—— 名 (複 ~s/-s/)

‖ [仕事]
1 ⓤ **a** 仕事, 労働, 作業, 任務 (↔ play) (〘類語〙 labor, toil は疲労・不快感を含意する. task は「課された仕事」をいう) ‖ (*ˣa*) *phýsical* [*intelléctual*] *wórk* 肉体[知的]労働 / *have a lot of work to do* しなければならない仕事がたくさんある 《◆この意味では *ˣa lot of* [*many*] *works* は不可》 / *a good week's work* たっぷり1週間分の仕事 《◆ *a* は week につけられたもの》 / *táke* [*bríng*] (one's) *wórk*

hóme 仕事を家に持ち帰る / To discharge one's responsibility is hard *work*. 自分の責任を果たすのは骨の折れるものだ.
b 〔…の〕**勉強**, 研究, 課題〔*on*〕‖ ***All work and no play makes Jack a dull boy.*** 《ことわざ》勉強ばかりで遊ばないと子供はだめになる；「よく遊びよく学べ」《◆しばしば makes 以下は略される》. **c** [形容詞的に] 仕事(上)の；勉強(上)の ‖ the poor *work* habits 勤務[勉学]上の好ましくない習慣.
2 Ⓤ [無冠詞で] **a** 勤め；**職場** ‖ leave for *work* 勤めに行くため家を出る / ***walk*** [drive] ***to work*** 歩いて[車で]通勤する / ***get to work*** 職場[仕事場]に着く / report for [to] *work* 出社した旨を告げる / leave (one's) *work* at 5 5時に退社する《◆one's をつけない方がふつう》/ 〈対話〉 "I came across Mr. Collins on my way from *work*." "Did you? How was he?" 「仕事の帰りにコリンズさんに会いました」「そうですか. 彼は元気でしたか」/ My *work* ⌈is in law [is selling]. 私の仕事は法律関係です[セールスです].
b **勤め口**, 働き口, 職《◆job はⒸ ➔文法 14.3(3)》‖ seek [look for] (×a) *work* 職を捜す.
3 Ⓤ **効果**, 手並み, 仕業(しわざ) ‖ do its *work* そのなせる業を行なう, 効果がある / do good [careful] *work* 立派な[慎重に]成果をあげる / These uprooted flowers are the *work* of your dog. 花が根こそぎになっているのは君の犬の仕業だ / Nice [Good] *work*! 上出来だ.
4 [~s; 複数扱い] **a** [通例複合語で] 工事 ‖ public *works* 公共土木工事. **b** 防衛工事, 堡塁(ほうるい), 要塞(ようさい). **5** Ⓤ 〔物理〕仕事(量).
II [仕事により作り出されたもの]
6 Ⓒ [通例 ~s] (芸術などの)**作品**, 著作；出版物 ‖ ***works of*** art 芸術作品 / *works* in progress 執筆[製作]中の作品 / ⌈a revolutionary [an epoch-making] *work* 革命的[画期的]な作品 / I looked up Poe's collected *works* at the city library. 私は市立図書館でポー全集を調べた《◆「ポー全集」は the collected [complete] *works* of Poe ともいう. 共に単数形で受けることが多い》.
7 Ⓤ **針仕事**, (趣味の)手芸；裁縫道具, 手芸用品；**手芸品**, 細工品 ‖ This muffler is her own *work*. このマフラーは彼女の手作りです(cf. make 名 **1**).
8 [しばしば複合語で；~s; 単数・複数扱い] **工場**, 製作所《◆原料を加工処理して新たな素材にする工場の意で, この素材をもとに製品を作るのが factory》‖ a brick*works* れんが工場 / The glass*works* is [are] on sale. そのガラス工場は売りに出されている.
9 [the ~s] (時計などの)機械部分, (機械の)動く部分(mechanism). **10** 《略式》[the (whole) ~s; 複数扱い] ありったけ全部, 1つ残さずすべて.
áll in the* [*a*] *dáy's wórk 《略式》[補語として] いやなことだがよくあることで, 珍しくもない, 日常茶飯事で.
****at wórk*** (1) 〈人が〉(いつものように)**仕事中で**, 働いている；職場にいる(→ **2 a**) (↔ off work(ing)) ‖ Men *at work*. 《標識》工事中. (2) 〈人が〉(一時的に)〔…に〕**取りかかっている**〔*on*〕‖ She is *at work* ⌈(*on*) repairing her radio [*on* a new poem]. 彼女はラジオの修理[新しい詩の創作]に取りかかっている(=She is working on ...). (3) 〈思考・心などが〉〔…のことで〕**活動中で**, 働いて〔*on*〕. (4) (機械・力などが)働いて, 作動中で. (5) 職場で(cf. **2**) ‖ I've left my purse *at work*. 会社に財布を置き忘れた.
gèt to wórk (1) → **2 a**. (2) 〔…の〕仕事に取りかかる〔*on*, *to* do, do*ing*〕. (3) 《略式》〔人に〕働きかける, 〔人を〕説き伏せる〔*on*〕；〔人を〕やっつける〔*on*〕.
****gò to wórk*** (1) **出勤する**, 勤めに出る(cf. **2 a**) ‖ She *goes to work* every other day. 彼女は1日おきに出勤する. (2) **職につく**, 〔…の〕仕事を始める〔*on*〕‖ As soon as he graduated, he *went to work* in his father's general store. 学校を出るとすぐ彼は父親の雑貨屋に働きに出た.
in the wórks 《米》とりかかって, 進められて.
in wórk 職について(↔ out of work).
òff wórk 仕事[会社]を休んで, 休暇を取って.
óut of wórk 失業中で(↔ in work) ‖ fall *out of work* 仕事にあぶれる.
pùt* A *to wórk =set to WORK [他].
sét to wórk [自] =get to WORK (2). ―[他] [*set* A *to* ~] 〈人〉に〔…する(という)〕仕事を始めさせる〔do*ing*〕.
――**動** (~s/-s/; 過去・過去分 ~ed/-t/; ~·ing) 《◆他 **3**, **9** では《文》の過去形・過去分詞形 wrought /rɔ́:t/ も用いられる》
―**自**

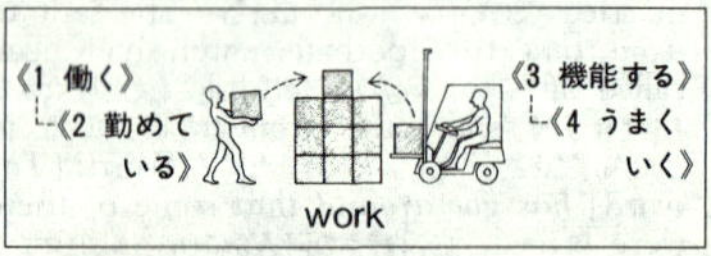

I [働く]
1 〈人が〉**働く**, 仕事をする；**勉強する**, 努力する《◆時・場所・様態を表す副詞(句)を伴う》‖ *work* late at night for a living 生計のために夜遅くまで仕事する / ***work hard*** to catch up with the class 級友たちに追いつくため一生懸命勉強する / *work* for [against] reform 改革のために[改革に反対して]力を尽くす / *work* with [under] her 彼女と協力して[彼女の指揮のもとで]働く / He is *working* with clay [a slide rule]. 彼は粘土[計算尺]で仕事をしている《◆with は道具・材料. cf. 成句 WORK in [自+] (1)》.
2 〈人が〉〔…に/…として/…の下で〕**勤めている**, 就職している〔*at*, *in*, *for*, *on* / *as* / *under*〕《◆修飾語(句)は省略できない》‖ ***work on*** a ranch 牧場で働く / He ***works for*** a newspaper. 彼は新聞社に勤めている / Do you *work* here? ここに勤めていますか；ここの会社の人ですか / She ***works in*** [*for*] the city. 彼女はその市で働いている[市の職員だ](→ 語法) / She ***works at*** [*in*] a downtown department store. 彼女は繁華街のデパートに勤めている / He is ***working as*** a stockbroker on Wall Street. 彼は今はウォール街(の会社)で株式仲買人として働いている《◆進行形は一時的な意味. ➔文法 5.2(3)》/ *working* mothers 仕事を持っている母親《◆ふつう「(今)働いている母親」という意味はない》.

> **語法** (1) at, in は勤務先[場所]に焦点を置き, for は雇用関係を示す.
> (2) 「どちらへお勤めですか」の疑問文は, at, in には *Where* do you *work*? が, for には *Who* do you *work for*? が対応する.
> (3) → belong 自 **1** 語法.

II [うまく機能する]
3 〈機械・設備・頭脳などが〉**機能する**, 作動する, 働く, 使用できる《◆様態の副詞(句) well, smoothly, in

work

the correct way などを伴う》‖ a machine that *works* by electricity [steam] 電気[蒸気]で動く機械《◆この意味では move は用いない》/ My mind *works* well today. 今日は頭がよくさえている.
4《計画・方法などが》**うまくいく**；《薬・力などが》〔…に〕効く〔*on*〕‖ This method is sure to *work* (*well*). この方法はきっとうまくいく / I tried twice, but neither try *worked*. 私は2度やってみたが, どちらの試みもうまくいかなかった / These pills will *work* 'on you [on your nerves]. この薬はあなたに効く[あなたの神経を安める]でしょう.

Ⅲ[その他]
5 a《人・物が》〈ある方向へ〉徐々に動く, じわじわ進む〔*to*〕《◆方向の副詞(句)を伴う》‖ *work through* the crowd 人ごみをかきわけて進む / The rain *worked* (its way) *into* my tent. 雨がテントにしみ込んできた《◆my tent を省略すると The rain worked in. のように in になる》.
b [work *C*]《物が》ゆっくり動いて *C* (の状態)になる《*C* は状態を表す形容詞》‖ Tiles on the roof *work loose* with age. 年月と共に屋根のかわらはだんだんゆるくなる《◆become より「ゆっくりと徐々に」の意が強い》.
6《顔・表情などが》ひきつる, ゆがむ；〈心などが〉動揺する.
7《波が》揺れる.　**8**〈ビールなどが〉発酵する.

━ 〔他〕
Ⅰ[人・物事を動かす]
1《人・物・事が》《機械・船など》を**動かす**；〈道具〉を使う‖ a machine that is *worked* by electricity [hand] 電気[手動]の機械 / how to *work* a microwave 電子レンジの使い方 / She was *working* the brush over her nails. 彼女はつめにブラシをかけていた.
2 [work *A C*]《人が》*A*〈人・牛など〉を**働かせて** *C* (の状態)する《*A* は形容詞, 様態・程度の副詞(句)》‖ Dón't wórk yourself sick. 働きすぎて病気にならないようにしなさい / Why on earth does he *work* us so hard? いったいなんだって彼は我々をこんなにこき使うのだろうか / She *worked* her horse to death. 彼女は馬を酷使して(死なせてしまった).
3《物・事が》《変化・奇跡など》を**もたらす**, 生じさせる‖ *work* havoc 破壊をもたらす / *work* wonders 奇跡(的)を行なう / A little lipstick will *work* miracles with her. ほんの少し口紅をつければ彼女は見ちがえるようにきれいになるだろう（◯**文法** 9.5 (4)）.
4 a《人》を次第に〔…の状態に〕する〔*into*〕‖ *work* the crowd (up) *into* a frenzy 群衆などを興奮させる / *work* oneself (up) *into* a rage とうとう怒り出す.　**b**《やや古》〈人〉に〔…するよう〕仕向ける, 勧める〔*to do*〕.　**c** [~ one's way] → work one's WAY.
5 [work *A C*] *A*〈物・事〉を細かな手仕事で *C* にする‖ I *worked* the thorn out of her finger. 彼女の指からとげをうまく抜き取った / *work* the wedge loose [into place] くさびを(上下左右に動かして)ゆるめる[ぴったり差し込む].
Ⅱ[具体的に運営・作業をする]
6《人・会社などが》《農場・鉱山など》を**経営する**；〈土地など〉を*work*〔採掘〕‖ *work* a gold mine 金鉱を経営[採掘]する / 〈任務・地域など〉を受け持つ, 担当する‖ *work* a homicide 殺人事件を担当する / *work* the Kansai area 関西方面を受け持つ / He is *working* the pool. 彼はプールの監視係をやっている.　**8**〈問題・計画など〉をあれこれ考える, (苦労して)解く(+*out*)‖

work a problem 問題をじっくり考えて答えを出す.
9 a《粘土など》をこねる《◆ knead より口語的》; …をこねて〔…を〕作る〔*into*〕; 〈服など〉を縫う[編む]; 〈図案など〉を〔…に〕刺繍(シュウ)する〔*on*〕‖ *work* a cushion クッションを作る / *work* clay *into* a mug 粘土でジョッキを作る.　**b**《物》に手を加えて[別の物に]する〔*into*〕; …を〔…で〕細工する〔*in*〕‖ The ornaments are *worked in* pure gold. その装飾品は純金で加工されている / *work* a play (up) *into* a novel 脚本を小説に仕立て上げる / *work* one's hair *into* braids 髪を三つ編みにする.　**10**〈人形〉を手で操る.

wórk agàinst *A* (**1**)〈病気・無知などが〉〈人・事〉に不利に働く《◆受身不可》.　(**2**) → 〔自〕**1**.
wórk (a)róund to *A* [*doing*]《略式》〈問題など〉についに直面する[…せざるを得なくなる]；…に話を持って行く.
wórk at *A* [*doing*] (**1**)《英》〈仕事・問題など〉に取り組む《◆受身可》.　(**2**)《英》〈学科など〉を勉強する.　(**3**) …に従事する.　(**4**) → 〔自〕**2**.
wórk awáy 〔自〕 [しばしば be ~ing] 〔…を〕せっせとする, 勉強し続ける〔*at, on*〕.
***wórk ín** 〔自〕 〈ほこりなどが〉入り込む, しみ込む (cf. 〔自〕**5 a**).　━ 〔他〕 (**1**) 〈説明・冗談など〉を効果をねらって挿入する.　(**2**) 〈かぎ・針など〉をゆっくり[上手に]差し込む‖ *work* a *key in* かぎをさぐるように差し込む《◆(**1**), (**2**) とも差し込む場所を明示するときは *work* a *key into* the *hole* のようにする. → WORK *A* into *B*》.　━ 〔~ *in A*〕 (**1**) 〈人が〉〈特殊な材料・技術など〉を専門的に扱う, …の専門家である‖ *work in* computers コンピュータの専門家である.　(**2**) 〈人が〉〈職種・分野〉関係の仕事をしている‖ I want to *work in* the banking business. 私は銀行関係の仕事をしたい.　(**3**) → 〔自〕**2**.
wórk *A* intò *B* (**1**) 〈かぎなど〉を *B*〈鍵穴など〉にゆっくり[上手に]差し込む.　(**2**) *A*〈エピソードなど〉を *B*〈小説など〉に効果的に挿入する‖ *work* a few jokes *into* the speech 演説に冗談を2, 3入れる《◆(**1**), (**2**) とも *B* が省略されると *work* a joke *in* のように *in* になる. → WORK in 〔他〕. cf. 〔自〕**9 b**》.
wórk ín with *A* 〈人〉と協力してやっていける；〈他の考えと〉調和する(*fit in with*)《◆受身不可》.
wórk it《略式》 (**1**) (不正な方法で)まんまとやってのける.　(**2**) […できるよう] 取り計らう, 手を下す〔*so that*節〕‖ My schedule is full, but I'll try to *work it so that* we can meet next Monday. 私のスケジュールはつまっていますが, 来週の月曜日に会えるように取り計らいましょう.
wórk óff 〔自〕〈物の一部が〉とうとう取れてしまう, 外れる；〈疲労などが〉(運動によって)徐々にとれる.　━ 〔他〕 (**1**)〈物の一部など〉をゆるめて(何とか)取り外す.　(**2**)〈仕事など〉を苦労して片付ける；〈借金〉を働いて埋め合わせる；〈体重〉を徐々に減らす.　(**3**)〈疲労・いやなことなど〉を体を動かして発散させる.　(**4**)〈怒りなど〉を〔…に〕ぶつけて晴らす〔*against, on*〕.
***wórk ón** 〔自〕働き続ける.　━ 〔他〕〔*~ on A*〕 (**1**) 〈映画・小説など〉を**製作する**《◆《英》では *at* も用いる》‖ You should have seen the fourth play I *worked on*. 私が書いた第4作目の劇をあなたに見せたかったね.　(**2**) 〈問題など〉に**取り組む**《◆(**1**)《英》では *at* も用いる》.　(**2**)〈仕事〉を *working on* a crucial case. 私は今ある重大な事件に取り組んでいる / I'm still *working on it*. (レストランなどで)まだ食べています(から片付けないでください)　(**3**) 〈苦悩・光景などが〉〈人(の心)〉に**影響を与える**《◆《正式》では

worked を wrought とすることもある. 《受け不可》 ‖ The greenery *worked on* her like adrenaline. 新緑の木々が彼女には刺激剤のような効果があった. (4) →⦿ 4. (5) 〈人に〉[…するよう] 働きかける[to do] (cf. ⦿ 4 b, WORK up [他] (2)). (6) 〈人の手当をする;〈物〉の修理をする ‖ *work on* an oven オーブンを修理する.
wórk onesélf → ⦿ 2, 4 a, WORK out [他] (9), WORK up [他] (1).
wórk on it 〈変更させるため〉努力を続ける.
***wórk óut** [自] (1) (略式) 〈事がうまくいく, よい結果となる ‖ I'm sorry your transfer didn't *work out*. あなたの異動がよい結果にならなくてお気の毒に思います. (2) (略式) 〈事が〉…という結果となる (+*well, badly, all right*) ‖ Things will *work out* all right. 物事はまるくおさまるだろう. 〈 *work* themselves *out* となることもある. (3) 〈主に運動選手が〉(試合に備えて) 一連のトレーニングをする. (4) (計算すると) […に] 達する[*at, to*] ‖ The total area *works out to* 300 square meters. 総面積は300平方メートルになる. ━[他] (1) 〈計画・理論などを〉練って作る ‖ *work out* a blueprint for a new car 新型車の設計図を練り上げる. (2) 〈問題・なぞなどを〉苦労して解く,(苦労して) 〈事を〉やり遂げる;〈意味などを〉つかむ ‖ I'm going to *work out* the rest of my problems by myself. 私は残りの問題は自分で解決するつもりです. (3) 〈疲労などをとる ‖ *work* a muscle cramp *out* by massage マッサージをして筋肉のけいれんをとる. (4) 〈税金・費用など〉を計算する. […かを]はじき出す[*wh*節]. (5) […だと]とうとう気づく, わかる[*that*節, *wh*節]. (6) 〈鉱山など〉を掘り尽くす;〈体力などを〉使い果たす. (7) [通例 can(not)〜**A out**] 〈人〉の本心を見抜く, …を見破る. (8) (米) 〈借金〉を働いて埋め合わせする. (9) [〜 itself *out*] [自] (2).
wórk óver [他] (1) 〈人を〉…をやり直す. (2) …を徹底的に調査する. (3) (略式) (自白・脅迫のため) 〈人〉を痛めつける, なぐりつける.
***wórk úp** [自] (1) 〈人が〉[…から] 身を起こす[*from*];[…まで]昇進[出世]する[*to*]. (2) くぐなどが〉徐々に出てくる; 〈風などが〉次第に力を増す. 〈絶頂などに〉達する[*to*]. 近づく[*to*]. 〈…だんだん進歩する. ━[他] (1) 〈人を〉徐々に興奮させる;…を興奮させて[…の状態に]する[*into*]; [be 〜ed up / 〜 oneself up] 〈人が〉[次第に] 興奮する[*about*]; (心配で)心が高ぶる[*about, over*] ‖ *work* her *up into* a fury 彼女をあおって怒らせる(→ ⦿ 4 a) / Don't *work* yourself *up about* [*over*] nothing. 何でもないことで興奮するな. (2) 〈人に〉[…することを]徐々に働きかける[*about* doing] (cf. WORK on [⦿⁺] (5)). (3) 〈感情などをかきたてる, あおる, 奮い起こす ‖ *work up* steam [an appetite] (運動して)元気[食欲]を出す. (4) 〈事業などを〉次第に拡張する;〈名声などを〉努力して高める. (5) 〈物を〉[別の物に]手を加えて仕立てる[*into*] (→ ⦿ 9 b).
wórk càmp (1) 奉仕活動キャンプ. (2) 戸外労働囚人用キャンプ.
wórk clòthes 作業[仕事]着.
wórk fòrce =workforce.
wórk rècord 経歴 (◆ career よりふつう).
wórk ròle 労働分担.
wórks còuncil [còmmittee] (主に英) (1) 労使協議会. (2) 工場[職場]内委員会.
wórk shèet =worksheet.
wórk stùdy 労働能力研究[調査].

-**work** /-wə̀ːrk/ (語基要) ⇒語要素一覧(1.7).
wórk·a·ble /wə́ːrkəbl/ 形 **1** 〈機械・道具などが〉動く, 使える. **2** 〈計画などが〉実行可能な. **3** 〈材料などが〉加工できる.
wórk·a·day /wə́ːrkədèi/ 形 **1** 平日の, 仕事日の. **2** 平凡な, 単調な, つまらない.
wórk·a·hol·ic /wə̀ːrkəhɔ́ːlik, -hál-/ 名 (略式) 仕事中毒の人 (→ -holic). **wórk·a·hól·ism** /-ìzm/ 名 U 仕事中毒.
wórk·bench /wə́ːrkbèntʃ/ 名 C 仕事台, 工作台.
wórk·book /wə́ːrkbùk/ 名 C **1** 学習練習帳, ワークブック. **2** 作業手引書. **3** 取り扱い説明書.
wórk·day /wə́ːrkdèi/ 名 C (主に米) **1** 平日, 仕事日 (↔ holiday). **2** 1日の勤務時間(数) ‖ an eight-hour *workday* 1日8時間労働.
***wórk·er**
━名 〜s/-z/; C **1** 仕事をする人[動物], 勉強する人;(略式) よく働く人 ‖ He is a hard *worker*. 彼はよく勉強[する] (=He works hard.).
2 労働者, 職工; 労働者階級の人 ‖ a Moscow factory *worker* モスクワの工場労働者 / an óffice *wórker* 事務労働者 (◆ 男女を問わず, 事務職の職員・公務員に用いられる).
3 [通例複合語で] 〈ある分野の〉研究者, 活動家[on].
4 [昆虫] 働きバチ[アリ].
wórk·force /wə́ːrkfɔ̀ːrs/, **wórk fòrce** 名 [the 〜]
1 〈特定の会社の〉被雇用者集団[数]. **2** (一般に) 労働力, 雇用可能人口.
wórk·house /wə́ːrkhàus/ 名 C **1** (米) 少年院, 感化院. **2** (英) [the 〜] (昔の)救貧院.
***wórk·ing** /wə́ːrkɪŋ/
━名 〜s/-z/; C **1** [しばしば 〜s] 〈機械などの〉動き方, 動かし方;〈精神・機構の〉働き, 作用 ‖ the *workings* of the machine 機械の仕組み[運転法].
2 U 働くこと, 労働, 仕事. **3** [〜s] 〈鉱山などの〉採掘場.
━形 (◆ 比較変化しない) [名詞の前で] **1** 働く, 労働に従事する ‖ the *working* population 労働人口 / below the legal *working* age 法定就業年齢に満たない / a *working* girl [woman] 働く女性, 勤めをもっている女性. **2** 〈機械などが〉動く ‖ the *working* parts of a machine 機械の可動部分. **3** 実用的な, 実際に役立つ.
wórking càpital (1) 運転[営業]資本(金). (2) 流動資本.
wórking clàss [the 〜(es);集合名詞的に; 単数・複数扱い] 労働者階級;[形容詞的に;補語として用いて] 労働者階級の (cf. middle class, upper class, working-class).
wórking hòliday (1) 休日出勤日. (2) ワーキングホリデー (観光だけで受け入れ国で働くこと. ふつうは認められないが, 国によっては青少年に限り海外体験のため認められる).
wórking hòurs 勤務[労働]時間.
wórking hypóthesis 作業仮説.
wórking knòwledge [a 〜] 実際に役立つ知識.
wórking mòdel 実用模型, 縮小試作品.
wórking òrder 〈機械などの〉正常運転[操業].
wórking pàrty (1) 〈軍隊・囚人などの〉作業班. **2** 事務局作業部会; 分科会. (3) (英) 特別調査委員会; 労資共同委員会.
wórking pàttern 労働形態.
wórking wèek (英) =workweek.
wórk·ing-clàss /wə́ːrkɪŋklæ̀s, -klɑ̀ːs/ 形 労働者階級の (cf. working class).

†**work·ing·man** /wə́ːrkiŋmæ̀n/ 名 (複 **-men** /-mèn/) (cf. working-class) C 労働者, 工員 ((PC) worker).

work·load /wə́ːrklòud/ 名 C (一定期間内に行なう) 仕事量.

†**work·man** /wə́ːrkmən/ 名 (複 **-men** /-mən/) **1** 労働者, 職人, 熟練工 ⟨◆女性形は workwoman⟩ ((PC) skilled worker) ‖ His father is a good [skilled] *workman*. 彼の父は腕のよい職人[熟練工]です / *A bad workman blames his tools*. (ことわざ)下手な職人は道具に文句をつける;「弘法(ᶜᵘ)筆を選ばず」. **2** [形容詞を伴って] …な仕事をする人, 仕事をするような人 ((PC) worker) ‖ He is a slow *workman*. 彼は仕事をするのがのろい(= He *works* slowly.).

work·man·like /wə́ːrkmənlàik/ 形 職人にふさわしい, 腕のよい(skillful).

†**work·man·ship** /wə́ːrkmənʃìp/ 名 U **1** (職人の) 手並み, すぐれた技術 ((PC) expertise). **2** 出来ばえ ((PC) expertness). **3** 細工もの, 作品 ((PC) craft).

work·out /wə́ːrkàut/ 名 C **1** (略式) (主に運動選手の) (試合前の) トレーニング, 練習. **2** (機械などの) 試運転, 検査.

work·peo·ple /wə́ːrkpìːpl/ 名 pl ((主に英) [集合名詞; 複数扱い] (主に工場の) 労働者.

work·place /wə́ːrkplèis/ 名 C [通例 the/one's ~] 仕事場, 職場.

work·room /wə́ːrkrùːm/ 名 C 仕事部屋, 作業室.

work·sheet /wə́ːrkʃìːt/, **wórk shèet** 名 C **1** 作業(予定[処理])票. **2** (会計士の) 精算表; (表計算ソフトで作成される) 表, ワークシート. **3** 練習帳.

†**work·shop** /wə́ːrkʃɑ̀p | -ʃɔ̀p/ 名 C **1** 作業場, (手工業的作業を行なう) 工場(ⁿⁱ). **2** (小規模の) 研修[研究]会, 講習会, 勉強会. **3** (工場·学校などの) 工作室.

work·site /wə́ːrksàit/ 名 C 作業現場.

work·sta·tion /wə́ːrkstèiʃən/ 名 C (コンピュータ) ワークステーション.

work·ta·ble /wə́ːrktèibl/ 名 C 仕事台, (引き出し付きの) 裁縫台.

work·top /wə́ːrktɑ̀p | -tɔ̀p/ 名 C (台所の) 調理台 (counter).

work·week /wə́ːrkwìːk/ 名 C (米) 1週間の労働 (日数[時間]) ((英) working week) ‖ a five-day [35-hour] *workweek* 週5日[35時間]労働.

‡**world** /wə́ːrld/ 『「神々の時代」に対し「人の時代」が原義』派 worldly (形)
——名 (複 ~s/wə́ːrldz/)

I [世界]

1 [the ~] **a** (地理的に見た) 世界 ⟨◆広大·有限·はかない喜びなどの象徴⟩, 地球(earth, globe) ‖ travel around [round] *the world* 世界一周旅行をする / *áll òver the wórld* = *throughout the world* =*the whole world* 世界中いたるところで / *the world's* population 世界の人口 / at [to] *the world's* end 世界の果てに[まで]. **b** (特定の地域としての) 世界 ‖ the civilized *world* 文明世界 / the Thírd Wórld 第三世界.

2 [the ~; 単数扱い] 世界中の人々, 人類, 世間の人々 ‖ What will *the world* say? 世間の人は何と言うだろうか / 「*All the world* [*The whole world*] is [ˣare] against the nuclear test. 世界中の人がその核実験に反対している.

3 (正式) [the ~] 世の中, 世間, 浮世 ‖ a man of *the world* 世間のことに明るい人 / the way(s) of *the world* =*the way the world goes* 世の習わし / as is often the case with *the world* 世間によくあることだが (⊃文法 20.9) / *get out into the world* 世の中に出る / this *world* この世 / the next [other] *world* 来世, あの世 / live apart from *the world* 隠遁(ⁱⁿ)している / know nothing of *the world* まったく世間を知らない / *rise* [get on, make one's way, go [come] up] *in the world* 出世する / *All's right with the world*. → right 形 5.

II [特定の領域]

4 C [通例 the ~; 修飾語句を伴って] **a** …界 ‖ *the* sporting *world* =*the world* of sport(s) スポーツ界 / *the* great [fashionable] *world* 社交界 / *the world of* show business 芸能界 / *the* animal [mineral, vegetable] *world* 動物[鉱物, 植物]界 ⟨◆自然界の3区分⟩ / *the* insect *world* 昆虫の世界. **b** (個別的·個人的経験としての) …の世界, …の国 ‖ a child's *world* (of fantasy) 子供の(空想の) 世界 / *the world* of dreams 夢の国 / *the* men's *world* 男の世界 / live in a little *world* of one's own (略式) 自分だけの小さな世界に住む.

III [その他]

5 [the ~] 宇宙; C (地球に似た) 天体, 星界 ‖ other *worlds* than ours 地球以外の星界. **6** (略式) [a/the ~ of …, ~s of …] 多大な…, 非常にたくさんの… ‖ A balanced diet will do you a [the] *world* of good. バランスのとれた食事はとても効き目があるでしょう / have *worlds* of time 時間がたくさんある / The task is *worlds* too difficult for me. その仕事は私には難しすぎる ⟨◆ *worlds* で副詞的にも用いる⟩.

as the world góes 世間に従えば.

bring A into the [*this*] *wórld* (文) (1) ⟨子供⟩を産む. (2) ⟨子供⟩の親になる. (3) ⟨助産婦などが⟩⟨子供⟩を取り上げる.

cóme into the [*this*] *wórld* (文) (1) ⟨子供が⟩生まれる. (2) 出版される.

déad to the wórld (略式) ぐっすり眠っている; 完全に意識不明の.

for (áll) the wórld = *for the whóle wórld* (略式) [否定文で] (たとえ全世界と取り替えても) 絶対に, いくら考えてみても, 決して ‖ I wouldn't take his job *for the world*. どうしても彼の仕事はいやだ.

for áll the wórld like [*as if*] … (略式) [通例驚きを表して] まるで…かのように ‖ The girl looked *for all the world like* a young mother. その娘はまるで若い母親のように見えた.

gò óut of this wórld この世に別れを告げる ⟨◆die の遠回し表現⟩.

háve (áll) the wórld before one すばらしい未来がある.

*in the wórld (1) [疑問詞を強調して] いったいぜんたい [類語] on earth, ever, in heaven, (俗) (in) the hell) ‖ What *in the world* do you mean? いったい何を言いたいんだ. (2) [否定を強調して] 決して, とても ‖ Nothing *in the world* will change his mind. どんなことがあっても彼の決心は変わらないだろう.

on tóp of the wórld (1) 成功して. (2) 大得意で, 有頂天で, 有頂天になって.

sée the wórld 世界[世間]を(旅行して)知る ⟨◆しばしば完了形で用いる⟩.

think (áll) the wórld of A 〈人・物・事〉をとても大切にする, 最高に重んじる, 高く買う.
to the wórld すっかり, まったく.
wórlds apárt 《略式》(考えなどの点で)非常にかけ離れて[違って](→ **6**).
wórld without énd 〈文〉永久に, 永遠に.
Wórld Bánk [the ~] 世界銀行《国際復興開発銀行(International Bank for Reconstruction and Development)の通称. (略) IBRD》.
Wórld Cúp [the ~] ワールドカップ《各種スポーツ(特にサッカー)の世界選手権試合》.
Wórld Environméntal Dáy 世界環境デー《毎年6月5日》.
wórld exposítion =world's fair.
Wórld Héalth Organizàtion (国連)世界保健機関 (略) WHO).
Wórld Intelléctual Próperty Organizàtion 世界知的所有権機構 (略) WIPO).
Wórld Ísland [the ~] 世界島《アジア・ヨーロッパ・アフリカの総称》.
wórld lánguage (1) (人工の)国際語《Esperantoなど》. (2) 世界語《多くの国で用いられている言語. 英語など》.
wórld pówer 列強, 強国.
wórld séries [しばしば W~ S~] [the ~; 単数扱い] ワールドシリーズ《全米プロ野球選手権試合》.
wórld's fáir 世界博覧会.
Wórld Tráde Cènter [the ~] 世界貿易センター《ビル》《New York市にある. 2001年9月11日のテロにより主要なビルは崩壊》.
wórld view 世界観.
wórld wár 世界大戦.
Wórld Wár I /-wʌ́n/ 第一次世界大戦《1914-18》◆ the First World War ともいう》.
Wórld Wár II /-túː/ 第二次世界大戦《1939-45》◆ the Second World War ともいう》.
Wórld Wíde Wéb [コンピュータ] [the ~] ワールドワイドウェブ(the Web)《ハイパーテキスト方式でリンクされたインターネット上の情報ネットワーク. (略) WWW》.
world-class /wə́ːrldklǽs | -klɑ́ːs/ 形 世界的一流の.
world-fa·mous /wə́ːrldfèiməs/ 形 世界に知られている.
world·ling /wə́ːrldliŋ/ 名 ⓒ 俗物, 名利を追う人.
***world·ly** /wə́ːrldli/ [→ world]
—— 形 (more ~, most ~; 時に --li·er, --li·est)
1 《正式》[名詞の前で] 現世の, 世間の; 世俗的な《◆比較変化しない》(↔ unworldly) ‖ *worldly affairs* この世の俗事 / *worldly goods* 財産 / *worldly pleasure* 浮世の楽しみ / She enjoys her *worldly fame* as a popular singer. 彼女は人気歌手として世の名声を得ている. **2** 名利欲の強い, 世才のある ‖ *worldly people* 俗人 / *worldly wisdom* 世才.
wórld·li·ness 名 Ⓤ 現世的なこと, 世俗的なこと.
†**world·wide** /wə́ːrldwáid/ 《◆名詞の前で用いる場合はふつう /-'-/》 形 世界中に広まった, 世界的な. —— 副 世界中に[で].
***worm** /wə́ːrm/ (同音 warm) /[「ヘビ」が原義]
—— 名 (複 ~s/-z/) ⓒ **1a** (ふつう細長く柔らかい, 脚のない)虫《ミミズ・ヒル・ウジムシ・カイチュウ・サナダムシ・シャクトリムシなど. cf. insect》; 蠕(ぜん)虫 ‖ *a worm in the apple* リンゴの中の虫《「外観はよいが内はどうなるのかわからない」の意》/ *Even a [The] worm will turn.* = *Tread on a worm and it will turn.* 《英》《ことわざ》虫けらでも反撃してくる;「一寸の虫にも五分の魂」/ I am a *worm* today. 《聖》今日は少しも元気がない. **b** [~s] (腸内の)寄生虫; [医学]寄生虫病.
2 [通例単数形で; 比喩的に] 虫けら, くず.
3 《正式》(心をむしばむ)苦痛, 苦悩 ‖ 《聖》地獄の責め苦 ‖ the *worm* of conscience 良心の痛み. **4** [機械] ねじ(screw)のらせん状部分, ねじ山; (蒸留器の)らせん状パイプ.
—— 動 (~s/-z/; 過去・過分 ~ed/-d/; ~·ing)
—— 他 **1** 《略式》[~ one's way / ~ oneself] 〈人が〉[…を]徐々に進む{through, under} ‖ *worm* one's *way* [oneself] *through* the bushes 茂みの中を少しずつ進む. **2** [~ one's way / ~ oneself] 〈人が〉徐々に[好意・信用などを]得る{into}. **3** 《略式》(心をくすぐって)[…から]情報などを[人から]徐々に引き出す{from, out of} ‖ *worm* the secret *from* the messenger その使いの者から秘密を徐々に聞き出す. **4** 〈犬などから〉寄生虫を取り除く; 〈花壇などから〉虫を駆除する.
—— 自 《略式》[…を]はうように進む{through}.
worm-eat·en /wə́ːrmìːtn/ 形 **1** 〈家具などが〉虫に食われた ‖ *worm-eaten* wood [timber] 虫食い穴の多い木材. **2** 《略式》古くさい, 時代遅れの.
worm·wood /wə́ːrmwùd/ 名 Ⓤ **1** [植] ヨモギ, (特に)ニガヨモギ《苦みがあり, 薬草・駆虫剤のほか vermouth, absinthe などのリキュールの風味をつけるのに用いる》. **2** 〈文〉苦悩(の種), 苦い経験.
worm·y /wə́ːrmi/ 形 (-i·er, --i·est) **1** 虫のついた, 虫だらけの. **2** 虫のような, 卑しい. **3** 虫が穴をあけた.
***worn** /wə́ːrn/ 動 wear の過去分詞形.
=worn-out.
†**worn-out** /wə́ːrnáut/ 形 **1** 〈衣服などが〉使い古した, すり切れた ‖ *worn-out* dress すり切れた服. **2** 〈人が〉疲れ切った ‖ The boy looks *worn-out*. その男の子は疲れ果てた様子をしている. **3** 〈表現などが〉陳腐な, 古くさい.
wor·ried /wə́ːrid | wʌ́r-/ 形 困った, 心配そうな; […のことで]当惑した(anxious) {about} ‖ Her *worried* parents waited at the station. 彼女の両親は心配して駅で待っていた.
wor·ri·er /wə́ːriər | wʌ́r-/ 名 ⓒ くよくよ悩む人; 心配性の人; 悩ます人.
wor·ri·some /wə́ːrisəm | wʌ́r-/ 形 《主に米》**1** やっかいな, 心配な. **2** 〈人が〉くよくよする.

⁑**wor·ry** /wə́ːri | wʌ́ri/ (発音注意) [「窒息させる」の原義から今は「精神的苦痛を繰り返し与える」が本義]
—— 動 (wor·ries/-z/; 過去・過分 wor·ried/-d/; ~·ing)
—— 自 〈人が〉[人・物・事のことで]心配する, 気にする, 悩む{about, for, over} ‖ Don't *worry*! Everything is going to be fine [all right]. 心配はいらない, 万事うまくいきそうだ / Don't *worry about* the results of your test. テストの結果は気にするな / We *worried (about)* whether the lecturer would arrive in time. 私たちは講師の先生が遅れずに着くかどうかを気をもんだ《◆wh節の前では about は省略可》/ Don't *worry about* meeting me at the airport. わざわざ空港まで出迎えるなどというご心配は無用です《◆worry about doing はふつう否定文で用いる》/ (ショック) "Waiter! Look out! You've got your thumb in my soup!" "Don't *worry*, sir. It isn't very hot!"「ウエイター, 気をつけろ! スープの中に親指が入ってるじゃないか!」

「お客さま, 心配ご無用です。スープはそんなに熱くありませんので」.

——他 **1 a**〈人・物・事が〉〈人〉を[…のことで]**心配させる**, 悩ませる, 苦しめる(*about*, *over*, *with*, *by*)(→ tease 他 **1**)‖ **対話** "I don't want to *worry* you, but I have something to tell you." "About my job interview?"「心配させたくないのですが, 話しておきたいことがあるんです」「入社面接試験についてですか」/ Don't *worry* your*self about* what she says. 彼女の言うことは気にするな / It *worries* us that he should cancel the agreement. 彼が契約を取り消すというので私たちは悩んでいる.
b [be worried about [*over*] **A**]〈人が〉〈人・物・事〉のことで**心配している**, 悩んでいる; [be worried *to do*] …して心配している; [be worried *that*節]…というので心配している《◆悩み苦しんでいる状態は受身形で表す場合が多い》‖ I *am* greatly *worried by* your health. あなたの健康のことがとても気がかりです / She *was worried to* find that her son looked pale. 彼女は息子が青い顔をしているのに気づいて心配だった / They *were worried that* the game might be put off. 試合が延期になるのではないかと彼らは気をもんでいた / We are *worrying that* she won't turn up. 彼女が来ないのじゃないかと私たちは心配しているのです.

> **語法** [be worrying, be worried, worry] 次の2例はほぼ同じ意味を伝える: I am *worrying* that he will be late. ＝I am *worried* that … 彼が遅れるのではないかと私は心配している.

2 [worry oneself **C**]〈人が〉心配のあまり **C**(の状態)になる‖ *wórry* one*sèlf* to déath 心配のあまり死ぬ《◆「死ぬほど心配する」の意の方がふつう》/ She worried herself sick over her family. 彼女は家族のことを気に病むあまり病気になった. **3**〈人〉に〔…〕をくれと/…してくれと〕せがむ(*for* / *to do*). **4**(正式)〈動物が〉…をくわえて振り回す, 追いかけ回す;〈人が〉…をいじくり回す.

I should wórry!(略式)少しも困らない《◆反語用法》.
nót to [nó] wórry(略式)ご心配なく, 気にするな.
wórry alóng [thróugh]〔自〕困難にもかかわらず暮らしていく, 何とかやっていく.
wórry at **A**(1)〈人〉(神経質で・おもちゃにして)いじくる.(2)〈問題など〉を解決するようがんばり続ける.(3)〈人〉に[…するよう]せがむ(*to do*).
wórry óut〔他〕(1)〈問題など〉を考え苦しんで解く.(2)〈物・事〉をしつこくせがむ.
——名(複 --ries/-z/) **1 C** [通例 worries][…の/…にとっての]**心配事**, 悩みの種[*over*, *about* / *to*]; 苦労をかける人‖ job [money] *worries* 仕事の上での[金の]心配 / He lived a life (which was) full of *worries*. 彼は苦労でいっぱいの一生を送った.
2 U 心配, 気苦労, 悩む[悩ませる]こと‖ Worry turned her hair gray overnight. 心配のため彼女の髪は一晩で白くなった.

*__worse__ /wə́ːrs/
——形《bad, ill の比較級》(↔ better) **1** [bad の比較級] **より悪い**, より劣った, もっとひどい‖ Drinking is bad for your health, but smoking is *worse*. 酒は健康に悪いがタバコはもっと悪い / The weather was much [far] *worse* than we (had) expected. 天候は予測したよりもはるかに悪かった / *Things* [*It*] *could be worse.* まあまあってところだ; この辺が我慢のしどころだ; 上を見ればきりがないよ. **2** [ill の比較級]〈人が〉体の具合がより悪い, もっと気分がすぐれない‖ I feel a little *worse* today. 今日は少しばかり気分が悪い.

(and) whát is [was] wórse その上もっと悪いことには《◆(1)ふつう2文の中間に位置し, 必ずしも主文の時制と一致しない.(2)あとに起こったことが重大である場合に用いる》.
be wórse than … …どころではない; まったく…である‖ *be worse than* useless 有害無益である, 百害あって一利なし / *be worse than* impossible まったく不可能だ / I like fishing, too, but my son *is worse* than I am. 私も釣りが好きですが息子は私より徹底しています《◆必ずしも悪いことでない場合にも用いられる》.
go from bad to worse → bad 形.
nòne the wórse for **A**〈物・事〉のために悪くなったということは少しもない; …にもかかわらず少しも変わらない《◆ the worse for **A** の否定型. cf. 副 成句》‖ His cold was *none the worse for* going out. 彼のかぜは外出したために悪くなったということはない(外出したにもかかわらず少しも変わらなかった).
the wórse for **A**〈物・事〉のためにいっそうひどい, …の分だけ悪くなって(→ **文法 19.3**(2))‖ be *the worse for* drink [liquor] 酔っ払っている / My headache was so much *the worse for* walking in the sun. 日なたを歩いたためいっそう頭痛がひどくなった《◆ so much は強意語》.
to máke mátters wórse ＝(略式) *wórse (still)* ＝(and) what is WORSE.
——副《badly, ill の比較級》(↔ better) **1** より悪く, より下手に‖ She cooks *worse* than I. 彼女は私より料理が下手だ(＝Her cooking is *worse* than mine.) / The child behaved *worse* than I (had) expected. その子は私が思ったより行儀が悪かった《◆このような場合の worse は in a *worse* manner の方がよいとする人もいる》. **2** [強意語として] より激しく.
(be) wórse óff いっそう暮らし向き[具合]が悪い(↔ (be) better off).
can [could] dó wórse than do …するのも捨てたものではない.
nòne the wórse for **A**〈物・事〉にもかかわらず(cf. 形 成句)‖ I like her *none the worse for* being inquisitive. 彼女はせんさく好きではあるけれども私は彼女が好きだ.
thìnk nòne the wórse of **A**〈人〉をそれでも[やはり]尊敬している.
——名 **U** いっそう悪いこと[物, 状態]; **C** もっとひどい人‖ I have *worse* to tell. もっと悪い知らせがある.
for the wórse 悪い方へ, 悪化して.
if wórse cómes to wórst(米)＝if (the) WORST comes to (the) worst.

wors・en /wə́ːrsn/ 動 他 …をさらに悪くする. ——自 さらに悪くなる.

*__wor・ship__ /wə́ːrʃəp/《類音》warship /wɔ́ːrʃip/》【worth (価値のある) ＋ ship (状態)】
——名 **U 1**(神・神聖なものへの宗教的)**崇拝**‖ the *worship* of God 神の崇拝 / fire *worship* 拝火, 火神崇拝 / sun *worship* 太陽崇拝 / the *worship* of idols ＝idol [image] *worship* 偶像崇拝 / nature *worship* 自然崇拝.
2(正式) 礼拝(式), お祈り(の儀式)(religious services)‖ attend morning *worship* 朝の礼拝に出席する / a day of rest and *worship* 休息と礼拝

の日.

3 (一般に人・物・事への)賛美, 礼賛, 熱愛‖ the *worship* of wealth and power 富と権力への賛美 / hero *worship* 英雄礼賛.

your [his, her] Wórship〈主に英〉〈敬称として〉閣下〈市長・判事などに対し, your は本人に向かって, his [her] は間接的に言及するときに用いる. 大使・知事などには Excellency を用いる. cf. Majesty〉.

── 動 (過去・過分) ~ed or (米ではしばしば英) **wor-shipped**/-t/; ~ing or (米ではしばしば英) **ship-ping**) 他 **1**〈神などを〉崇拝する. **2**(略式)〈人・物・事を〉賛美[熱愛]する(admire).

── 自《正式》礼拝に出る, 教会に行く.

†**wor·ship·er**, 〈英〉 **-ship·per** /wə́ːrʃəpər/ 名 C
1 崇拝者, 礼拝者, 参拝者. **2** (…の)愛好家, 信奉者, 論者.

†**wor·ship·ful** /wə́ːrʃəpfl/ 形 敬虔(ﾋﾟ)な, 敬う(べき);
[the W~ …]〈主に英正式〉〈敬称として〉名誉ある…‖ *the Worshipful* the Mayor 尊敬すべき市長閣下.

†**worst** /wə́ːrst/ 形〈**bad, ill** の最上級〉(↔ **best**)〈通例 the ~〉最も悪い, いちばんひどい;〈人が〉体の具合が最も悪い‖ *the worst* hotel I've ever stayed at 今まで泊まった中で最低のホテル / In Britain, February is usually thought as one of *the worst* months. 英国では一般的に2月は最もいやな月の1つだと考えられている.

── 副〈**badly, ill** の最上級〉(↔ **best**) 最も悪く, いちばん下手に; 最もひどく[激しく]〈◆ふつう the を伴わない〉‖ She danced *worst* of anybody. 彼女がいちばんダンスが下手だった(= She was the poorest dancer.).

wórst of áll (1) [文全体を修飾] 何よりも悪いことには, いちばん困るのは. (2) 何よりもいちばん.

── 名[the ~]いちばん悪いこと[物, 人], 最悪(の事態)‖ ⌈prepare for [expect] *the worst* 最悪の場合を覚悟する / *The worst* of the typhoon is passing our town now. 台風の一番強い部分が町を通過中.

at one's **[its] wórst** 最悪(の状態)で(in the worst state)‖ Hunger was *at its worst*. 飢餓が頂点に達していた.

at (the) wórst (1) 最悪の場合でも, せいぜい(even if the worst happens). (2) 最悪の場合は. (3) = at one's [its] WORST.

gét [háve] the wórst of it (争いなどに)負ける.

gíve A the wórst of it〈人を〉したたかに打ち負かす.

if (the) wórst cómes to (the) wórst(略式)最悪の事態になったら[なっても]〈◆the の省略は主に〈米〉〉.

màke the wórst of A〈人〉〈事を〉をいちばん悪くとらえる.

the wórst (of it) is that … 最も悪い[困った]ことは…ということだ〈◆the worst of it is, のように that が省略されコンマに代わることもある〉.

worst-case /wə́ːrstkèis/ 形 最悪の事態の[に関する, に備えた]‖ in the *worst-case* scenario (予想される)最悪の状況[場合]では.

wor·sted /wústid/ 名 U 形 梳毛(ﾞ)糸(の)〈長い羊毛を原料として作った毛糸〉; ウーステッド(の), 梳毛織物(の).

•**worth** /wə́ːrθ/ 形〈類音〉worse /wə́ːrs/)【「あるものと交換しても等しい価値のある」が本義】派 **worthless** (形), **worthy** (形)

── 前〈◆もとは 形 であったので比較変化(**more ~, most ~**)をする〉**1 a** [be worth A]〈人・物・事は〉…に値する, …する価値がある; [be worth doing]〈人・物・事は〉…する価値がある〈◆目的語はふつう動作を表す名詞・他動詞の動名詞〉‖ The new method is **well worth** consideration [a trial]. その新しい方法は熟考[試みる]に値する〈◆worth A が補語. これを修飾するには well, hardly などを直前に置く〉/ The planetarium is *worth*「a visit [visit*ing*]. そのプラネタリウムは訪れてみる価値がある〈◆visiting の意味上の目的語は the planetarium〉/ His speech is *worth* list*ening* to. 彼の演説は聞く価値がある〈◆文法上は easy型形容詞と同じ: His speech is easy to listen to. 彼の演説は聞きやすい.

➡**文法** 17.4) / I have some letters (which are) *worth* keep*ing*. 私は保存しておく値打ちがある手紙を何通か持っています / What(ever) is *worth* do*ing at all* is *worth* do*ing well*. (ことわざ) 少しでもやってみる価値のあることなら立派にやる価値がある.

b [it is worth while doing] …することは(時間や労力をかける)価値がある〈◆it は形式主語で doing が真主語. worth while は補語〉‖ It is *worth while* visit*ing* the planetarium. そのプラネタリウムは訪れてみる価値がある = *The planetarium* is *worth* visit*ing*. → **1 a**〈◆ while を省略することもある: It is *worth* visit*ing* the planetarium.〉.

c [A is worth one's while]〈人・物・事は〉時間や労力をかける価値がある, むだではない〈◆worth one's while は補語〉(cf. **worthwhile**)‖ Visiting the planetarium *is worth your while*. そのプラネタリウムは訪れてみる価値がある〈◆形式主語を用いて It is *worth your while* to visit the planetarium. とすることも可. doing では one's を使わない傾向がある. → **1 b**〉/ Will you interpret for me? I'll make it *worth your while*.(略式)私に通訳してくれませんか, それだけの分はお払いします.

> **語法** 「その山は登る価値がある」は次のように言える:
> The mountain is *worth* climbing.
> It is *worth* (while) climbing the mountain.
> The mountain is *worth* your while.
> It is worthwhile to climb the mountain.
> Climbing the mountain is worthwhile [*worth* the time].

2 [金額を表す語を伴って] …の値打ちがある‖ This clock is *worth* fifty dollars. この時計は50ドルの値打ちがある〈◆「金額に換算して50ドル」と「値打ちが50ドル」の2通りの意味がある〉/ a vase (which is) *worth* much [nothing] 大変価値のある[全然価値のない]つぼ /「How múch [What, ˣHow] is the páinting **wórth**? その絵はいくらぐらいですか / The house is not *worth* the price you are asking. その家はあなたの言っている値段ほどの価値はない.

3〈人が〉…の財産を所有して, 財産が…で‖ She is ⌈*worth* two million dollars [*worth* a small fortune]. 彼女は200万ドル[かなり]の財産を持っている / He died *worth* all he was *worth*. 彼は全財産を残して死んだ / What [ˣHow] do you think she is *worth*? 彼女の財産はどれくらいだと思いますか.

be as múch as … is wórth …の価値に匹敵するほどである. …を失うのも同じである.

for áll one **is wórth**(略式)力いっぱい, 全力で‖ I pulled the door *for all I was worth*. 力の限りドアを引っ張った.

for what it is wórth 役に立つか[本当か, 価値があ

***worth it** それだけの**価値がある**(worth (one's) while) ‖ The book is very expensive, but it is *worth it*. その本は値が張るが,それだけの価値はある《◆初めの it は the book を受け, 2番目の it は前文の内容を受ける》.

——名 U **1**(精神的・道徳的な)**価値**,重要性,真の値打ち《◆ value, importance より堅い語》‖ a book of little [great] *worth* 価値のほとんどない[大いにある]本 / The larger the house is, the more *worth* it has. 家は広ければ広いほど価値がある. **2**《◆ふつう《英》では /wərθ/》(金額・単位・容器などの)…相当量《(の‐)》《(of)》‖ 'a dollar('s) [five dollars(')] *worth* of coffee 1ドル[5ドル]分のコーヒー. **3** 財産.

pùt [*gèt*] *ín* one's *twó cénts wòrth* 《米略式》自分の考えを(割り込んで)述べる.

†**worth·less** /wə́ːrθləs/ 形 **1**〈物が〉価値のない,値打ちのない,つまらない(valueless, useless) ‖ This deal is *worthless to* us. この取引は我々には無価値だ. **2**〈人が〉役立たずの,卑劣な ‖ a *worthless* man 見下げ果てたやつ.

wórth·less·ness 名 U 無価値.

†**worth·while** /wə̀ːrθhwáil/《◆名詞の前で用いる場合は /⁼/》形 時間・金・労力をかける価値がある,やりがいのある,むだではない ‖ a *worthwhile* scheme 価値のある計画 / The bus tour of the city was *worthwhile*. 市内バス巡りはそれだけの価値があった / I wouldn't think it *worthwhile* to ask him to go with us. 彼に同行してくれと頼んでもむだだと思うよ《◆後の2例は → worth 助 **1b**, **c**》.

***wor·thy** /wə́ːrði/《発音注意》《※ worth》
——形 (通例 **--thi·er**, **--thi·est**) **1** [補語として] [be worthy **of A**] …に**値する**,価値がある; [be worthy **of doing** [《正式》 **to do**]] …する**に値する**, …する価値がある ‖ Her behavior is *worthy* of reverence [severe punishment]. 彼女の行為は尊敬[厳罰]に値する / The incident is *worthy* of *being* [*to be*] *remembered*. その事件は記憶に値する(=… is *worth* remembering.) / a singer *worthy of* the name その名にふさわしい歌手 / He is *worthy* to be captain of our team. 彼はわがチームの主将にふさわしい. **2** 《正式・古》 [通例名詞の前で] 価値のある,尊敬に値する,立派な(good and deserving) ‖ a *worthy* opponent 好敵手 / a *worthy* cause 立派な主義 / a *worthy* gentleman 立派な紳士《◆しばしばおどけていう. 皮肉めいた「お偉方」も意味する》.

-wor·thy /-wə̀ːrði/ 《語要素》 →語要素一覧(1.7).

度については→ may 助**1**》‖ She left two hours ago. She *would* be at home now. 彼女は2時間前に出たのだから,もう家に着いているでしょう《◆ should を用いる人も多い》.

Ⅱ [will の直説法過去]

2 [肯定文の従節において単純未来・意志未来の過去を表す. 否定文では仮定法の過去に対応する]《◆ will の用法に対応する》.

a [一人称]
[意志未来] I said that I *would* do my best. ベストを尽くしますと私は言った.
[単純未来] I said that I *would* be twenty on my next birthday. 次の誕生日で20歳になりますと私は言った.

b [二人称]
[意志未来] You said that you *would* do your best. ベストを尽くしますと君は言った.
[単純未来] You said that you *would* be twenty on your next birthday. 次の誕生日で20歳になりますと君は言った.

c [三人称]
[意志未来] He said that he *would* do his best. ベストを尽くしますと彼は言った.
[単純未来] He said that he *would* be twenty on his next birthday. 次の誕生日で20歳になりますと彼は言った.

| 語法 | (1)《略式》では《米》《英》とも 'd. (2) 節の中の和訳は現在形のようになる: He said that he *would* help his father. 父を手伝う(つもりだ[だろう])と彼は言った(← He said, "I will help my father.").

3 [(過去時における)**可能性**・**推量**] [would do]《今はまれ・古》〈人・物・事が〉…だったろう,…だったかもしれない(would have been) ‖ She *would* be 80 when she died. 彼女が死んだ時80歳になっていたろう.

4 [(過去の)**習慣**・**習性**] [過去を示す副詞節[句]を伴って] [would do]〈人が〉(**よく**)…**したものだった** ‖ He *would* (often) go fishing in the river when he was a child. 子供のころ彼はよく川へ釣りに行ったものだ.

5 [(過去時における)**固執**・**拒絶**] [would not do]〈人・物・事が〉(どうしても)…しようとしなかった ‖ He was angry because I *wouldn't* give him any help. 私がどうしても手助けをしないので彼は怒った / The door *wouldn't* ópen. ドアはどうしても開かなかった《◆肯定文では行為の反復を表す: She *would* tálk for hours. 彼女は話しだすと何時間でも話した》.

Ⅲ [will の仮定法過去]

6 [if節の帰結節として] **a** [would do] (もし…であれば)〈人・物・事が〉…するであろうに,…であろうに(→文法 9.1) ‖ If he *were* a little stronger, he *would* be a champion. もう少し強かったら彼はチャンピオンになれるのに《◆ As he isn't a little stronger, he isn't a champion. の意味》.

| 語法 | 仮定は if 節の他に不定詞などでも述べられる: It *would be* better *to* tell her the truth. 彼女に本当のことを話す方がよかろう(=It *would be* better *if* you told her the truth.)(→文法 9.5).

b [would have done] (もし…だったとしたら)〈人・

***would** /(弱) wəd, əd, d; (強) wúd/《同音》 ^wood》《現在時における可能性・推量を表す独自の用法の他, will の直説法および仮定法過去としての用法を持つ》

index
1 …かもしれない	3 …だったろう
4 (よく)…したものだった	5 …しようとしなかった
6a …であろうに	b …だったであろうに
8a …してくださいますか	

——助《◆短縮形 **'d**》

Ⅰ [独立用法]

1 [(現在時における)**可能性**・**推量**] [would do]〈人・物・事は〉(ひょっとすると)…**かもしれない**, …でしょう《◆形は過去形であるが現在時の推量を表す. 話し手の確信

物・事が)…だったであろうに(⊙文法9.2) ‖ Bill *would have passed* the exam *if* he *had* not *made* an error in calculation. もし計算ミスをしなかったら、ビルは試験に合格していたでしょう.

7 [wish, if only, what節で] …する意志がある ‖ I *wish* you *would* give up smoking. 禁煙してくれるとありがたいのだが(=I am sorry (that) you won't give up smoking.) / *If only* Ann *would* not talk like that. アンがあんな口をきかないでくれたらなあ / What *wouldn't* I give for a really comfortable house! 住み心地のいい家さえあればなあ!

8 a [一・二・三人称意志未来の代用]《◆直説法 will より遠回しでていねい. ⊙文法4.2(2)》[would you …?; 依頼・勧誘を表して] …してくださいますか; [強い意志・願望を表して] …しようと思う》◆対話 "*Would you* give my regards to Mr. Jones?" "With pleasure." 「ジョーンズさんによろしく伝えていただけませんか」「喜んで」《◆(1) 依頼の場合 *Wouldn't you* …? はふつうではない(cf. **b** の対話例). (2) 肯定の返事は ×Yes, I would. でなく Certainly(, I will). など,否定の返事は I'm afraid I can't. など》.

b [直説法単純現在の代用]《◆say, think, like, prefer などの動詞の前に置いて口調をやわらげる》[would do]〈人が〉…したいと思う, …させてもらいたい ‖ I *would* like to come to your party. パーティーにはぜひ伺いたく存じます《◆ I want to come … よりていねい》 / We *would* prefer to go to the zoo rather than to the park. 公園へ行くよりもしろ動物園へ行きたい(=We *would* rather go to the zoo than to the park.) /《◆対話 "*Would* [*Wouldn't*] *you* like to go to the zoo?" "I *would* rather nót go today." 「動物園へ行きませんか」「今日はあまり行きたくありません」《◆(1) この Wouldn't you …? はしつこさの感じがしないすすめ方(cf. **a** 用例注). (2) ×I *wouldn't* rather go today. は不可》 / It *would* seem that she did not understand what I said. 彼女は私の言ったことを理解できなかったようだ《◆ It seems that … で断言を弱め,それをさらに It would seem that … で弱める》.

IV [その他]

9 [驚き・意外] (米)〔主に wh疑問文で〕…するとは((英) should) ‖ Why *would* he talk like that? どうして彼はあんな口をきくのだ / Who *would* take on that job for £20 per week? あの仕事を週20ポンドでだれが引き受けてくれるというのだ.

Would that …!《文》…であればなあ《◆節内は過去形・過去完了形》‖ *Would that* I could make money so easily! そんなに楽に金もうけができればなあ(=I wish I could make …).

†**would-be** /wʊ́dbìː/ [形] …になるつもりの, …志望の ‖ a *would-be* poet 詩人の卵 / a *would-be* hijacker 乗っ取り未遂犯人.

*would·n't /wʊ́dnt/ would not の短縮形.

†**wouldst** /(弱) wədst, əst, dst, wətst; (強) wʊ́dst, wutst/ [助] 《古》will の二人称単数過去形.

*wound¹ /wúːnd/
—[名] (複 ~s /wúːndz/) [C] **1** [体の部分の]傷, 外傷, けが[in]《◆戦争・襲撃・けんかなどで刀剣・銃器類によって傷害の意図のもとに受けた傷. injury は爆弾・大きな棒などによって受けた傷や事故によって受けた傷をいう. wound, injury とも hurt よりも重い傷をいう》‖ get [receive] ˈa slight [a knife] *wound in* the arm 腕に軽傷[ナイフ傷]を負う / inflict [heal] a *wound* 傷を負わせる[直す]. **2**《正式》心の傷, 痛手, 感情[誇り, 名声など]を傷つけること(hurt) ‖ lick one's *wounds* 痛手をいやそうとする / Her rejection was a *wound* to his pride. 彼女の拒絶が彼の自尊心を傷つけた. **3**（樹皮などの）傷, 損傷.

—[動] (~s/wúːndz/; 過去・過分 ~·ed /-id/; ~·ing)
—[動] 他 **1**〈人・身体を表す語; [be ~ed] 物が〉〈体の部分/…に当たって〉**負傷する**[in/against] ‖ He *was* badly [seriously] *wounded* ˈin the fight [in the arm by a bullet]. 彼は戦いで[弾丸で腕に]ひどい傷を負った《◆ … ×by the fight. とはいわない》(cf. badly **2**).

使い分け [**wound** と **hurt, injure**]
事故によるけが, 爆弾による傷などは hurt, injure を用いる.
刀剣・銃器などによる意図的な傷は wound を用いる.
John was *hurt* [*injured*, ×*wounded*] in a car accident yesterday. ジョンは昨日, 車の事故でけがをした.
The soldier was *wounded* in the leg. 兵士は足に(切り傷などの)けがをした.

2《正式》感情・誇りなどを傷つける(hurt) ‖ *wound* her feelings with some jokes 冗談で彼女の感情を傷つける.

†**wound²** /wáʊnd/ [動] wind² の過去形・過去分詞形.

wove /wóʊv/ [動] weave の過去形.

wóve páper [名] 目漉(ぢ)き紙 (cf. laid paper).

†**wo·ven** /wóʊvn/ [動] weave の過去分詞形.

wow /wáʊ/ [間] 《略式》うわあ, やあ《驚嘆・喜びなどの叫び》, ワゥ《結婚式で花嫁に掛ける声》‖ *Wow*(ʔ), that's neat. あら, それはすてきね. —[名]《略式》 [a ~] (特に興行の)大成功 (hit). —[動]他 《俗》〈観衆などを〉熱狂させる, うならせる.

wrack /rǽk/ [名] **1** [U] 打ち上げられた海草《肥料などに用いる》. **2** [C] 難破船[の断片], 漂着物. **3** [U] 破滅 ‖ (go to) *wrack* and ruin 破滅(する).

wraith /réɪθ/ [名] [C] **1**（人の死の前に現れる当人の）霊. **2**《文》幽霊. **3** やせこけた人.

†**wran·gle** /rǽŋgl/ [動] 自 […と/…のことで]やかましく口論する, 声高く論争する[with / about, over]. —他〈物・事についてやかましく口論する;〈人〉を説き伏せる. —[名] [C] 口論, 論争.

wran·gler /rǽŋglər/ [名] **1** 論争する人. **2**（米·カナダ）家畜の世話をする人. **3**（英）（ケンブリッジ大学の）数学試験トップ合格者. **4** [W~]《商標》ラングラージーンズ.

*wrap /rǽp/ [『「曲げる」が原義』][同音] rap)
—[動] (~s/-s/; 過去・過分 wrap·ped /-t/ or wrapt /rǽpt/; wrap·ping)
—[動] 他 **1**〈人が〉〈物・人・身体の一部〉を[…で]**包む**, くるむ(+up) [in, with] ‖ She *wrapped* her baby *in* a blanket. 彼女は赤ん坊を毛布でくるんだ / *Wrap* up the dishes *with* [*in*] soft paper, please. お皿を柔らかい紙で包んでください.

2〈人が〉〈衣類など〉を〈物・身体などに〉**巻きつける**, …をまとう[(a)round, about] ‖ She *wrapped* a blanket (a)round her baby. 彼女は赤ん坊を毛布でくるんだ.

—[動] 自 [暖かい衣類などに]くるまる(+up) [in]. ‖ 〈旗・植物が〉[…に]巻きつく[(a)round].

be wrápped (úp) in **A 1** [比喩的にも用いて] … にすっかり包まれている (cf.〔他〕**1**) ‖ The plan *is wrapped up in* secrecy. その計画はまったく秘密のう

wrapper

されている. **(2)**（略式）〈人・物・事〉に夢中になっている, …に専念している ∥ *be wrapped up in* 「*one's thoughts* [*one's child, one's work*] 考え[子供, 仕事]に没頭している. **(3)** …と深い関連がある.
wráp úp [他] **(1)** → 圏**1**. **(2)**（略式）〈仕事・議論など〉を終わりにする; …を要約する ∥ *wrap up the class* 授業を終わりにする / *Let's wrap this up*. これを仕上げてしまおう.
━[名] **1** [C]（主に米）ショール, スカーフ, ひざかけ. **2** [C] [U]（主に米）包むもの, 包装紙(wrapping) ∥ *Gift wrap*, please. 贈物の包装をしてください.
kéep ʌ **únder wráps**（略式）〈計画など〉を秘密にしておく.
wrap·per /rǽpər/ [名] [C] **1** 包む[巻く]人. **2**（何かを）包むもの, 包装紙. **3**（郵便用）帯封. **4** 本のカバー.
†**wrap·ping** /rǽpiŋ/ [名] [U]（時に ~s; 単数扱い）包装用材料；包装紙 ∥ *cellophane wrappings* セロハン包装紙. **wrápping pàper** 包装紙.
wrapt /rǽpt/ [動] *wrap* の過去形・過去分詞形.
†**wrath** /rǽθ | rɔ́(ː)θ/ [名] [U]（文）(…に対する)激怒, 憤怒(anger); 復讐(ふ́く) [*against*] ∥ *the wrath of God* 神罰 / *He showed his wrath against* the discrimination. 彼はその差別に対して怒りを表した / *the grapes of wrath* 怒りのぶどう〈◆ 神の怒りの象徴. Steinbeck が小説の題名に使った〉/ *A soft answer turns away wrath*. 【聖】(非難に対する)穏やかな答えは怒りをそらす.
†**wrath·ful** /rǽθfəl | rɔ́(ː)θ-/ [形]（文）激怒した, 怒りに満ちた(angry) ∥ a *wrathful* look 怒りに燃えた顔つき / *wrathful* words 激しい怒りの言葉.
†**wreak** /ríːk/ [動] [他]（文）〈復讐(ふ́く)など〉を[人に]する, 〈怒りなど〉を[…に]ぶちまける [*upon, on*] ∥ *wreak* vengeance [*one's revenge*] *on him* 彼に復讐する, 恨みを晴らす / *wreak* anger [*one's fury*] *on her* 彼女に怒りをぶつけて発散させる.
†**wreath** /ríːθ/ [名] [C] **1**（クリスマスの飾りや葬儀に用いる）花輪, 花冠, リース ∥ a *laurel wreath* 月桂樹の冠 / a *funeral wreath* 葬儀の花輪 / *put a wreath of flowers on her grave* 彼女の墓に花輪を供える / *hang a holly wreath in the window at Christmas* クリスマスに花輪を窓の所に飾る〈◆ セイヨウヒイラギとその実で作る〉. **2**（正式）輪状のもの ∥ a *wreath of smoke* [*clouds*] 渦巻く煙[雲].
†**wreathe** /ríːð/ [動] [他]**1**〈花輪〉を作る；〈花などを〉[花輪に]編む [*into*] ∥ *wreathe a garland* 花輪を作る / *wreathe daisies into a garland* ヒナギクを花輪にする. **2** …を(花などで)飾る(decorate) [*with*] ∥ *wreathe the room with flowers* 部屋を花で飾る. **3** …を[…で]包む, 取り巻く [*in*]；…を[…に]巻きつける [*(a)round*] ∥ *the woods (which are) wreathed in mist* 霧に包まれた森. ━[自]（煙が）渦巻く；からみつく.
†**wreck** /rék/ [名] **1 a** [U]（文）難破；難船(shipwreck) ∥ *save a ship from wreck* 船を難破から救う. **b** [C] 難破船；（難破船の）漂流物, 残骸(ざん) ∥ a *wreck* beached by a tsunami 津波で打ち上げられた難破船. **c** [C]（米）（列車・自動車などの）事故(accident). **2** [U] 破損, 破滅, 被害；破綻, 挫折(ざ́つ) ∥ *go to wreck* 壊れる. **3** [C]（略式）[通例 a ~]（衝突事故などの）破損車；(地震などの)破損家屋；(壊れたものの)残骸(wreckage) ∥ *Her car was a worthless wreck*. 彼女の車は廃車同然の無残な姿だった / *This hat is a wreck*. この帽子はつぶれて役に立たなくなっている. **4** [C]（略式）[通例 a ~] 健康をそ

wrestle

こねた人；廃人, 敗残者 ∥ a *physical* [*mental*] *wreck* 体をこわした[神経のまいった]人 / a (mere) *wreck of one's former self*（病気で昔の面影もないほど）やつれはてた当人.
━[動] [他] **1** 〈船〉を難破させる；〈列車・車〉を破壊[破損]する；〈人〉を遭難させる《*進行形不可*》∥ *The ship was wrecked on the rocks*. 船は岩にぶつかって難破した / *The collision wrecked both cars*. =*Both cars were wrecked in* [*through, ×by*] *the collision*. 衝突で2台の車が大破した. **2**（略式）…を破壊する, だめにする；〈計画など〉を挫折(ざ́つ)させる ∥ *The scandal nearly wrecked her career*. 彼女はスキャンダルでもう少しで失職するところだった / *Smoking has wrecked his health*. タバコで彼は健康をそこねた.
†**wreck·age** /rékidʒ/ [名] [U] **1** 難破, 大破；[集合名詞]（難破船の）漂流物；（壊れたものの）残骸. **2** 破壊, 挫折(ざ́つ) ∥ *the wreckage of her hopes* 彼女の失意.
†**wreck·er** /rékər/ [名] [C] **1**（米）（建物の）解体業者((英) housebreaker). **2**（米）=wrecker train; =wrecker truck. **3**（米）事故車解体作業員. **4** 海難救助船[作業員].
wrécker tràin（米）救援列車.
wrécker trùck（米）レッカー車((英) breakdown lorry (van)).
†**wren** /rén/ [名] [C] 〘鳥〙ミソサザイ.
†**wrench** /rénʧ/ [動] [他] **1**〈人が〉〈物〉をぐいとねじる, 〈物〉を[…もぎ取る, ひったくる；〈人〉を引き離す [*off, from, out of*]；[*wrench* **A C**] **A**〈物〉をねじって **C**（の状態）にする ∥ *wrench the money from* [*out of*] *her hand* 彼女の手からお金をもぎ取る / a *child wrenched from his parent* 親から引き裂かれた子 / *wrench the gun from him* 彼から銃をもぎ取る / *wrench the handle from* [*out of*] *the door* ドアから取っ手をもぎ取る / *wrench the door open* 戸をこじあける. **2** …をねんざする, くじく《◆ twist, sprain より堅い語》∥ *wrench one's wrist* 手首をくじく. **3**〈別れが〉〈人〉を悲しませる. **4** …の意味をこじつける[曲げる]. ━[自] ねじれる, […を]ねじる [*at*].
wrénch óff [他]〈物〉をもぎ取る ∥ *She wrenched an apple off*. 彼女はリンゴをもぎ取った.
━[名] [C] **1**（通例 a ~）ぐいとねじること ∥ *give the knob a sudden wrench* ノブを急激に回す. **2** ねんざ, 筋違い ∥ *give one's ankle a wrench* 足首をくじく. **3** [a/the ~]（別れの）悲しみ, つらい別れ. **4**（物などの）こじつけ, 曲解. **5**（米）レンチ, スパナ((英) spanner)；(英)自在スパナ(monkey wrench).
†**wrest** /rést/（同音 rest）[動] [他]（正式）**1** …を[…から]もぎ取る, 取り上げる(take away) [*from, out of*] ∥ *wrest the club from* [*out of*] *his hand* 彼の手から棍(こ́)棒をもぎ取る. **2**〈権力・秘密など〉を[…から](苦心して)手に入れる [*from, out of*] ∥ *wrest* 「a *secret* [*the fact*] *from* [*out of*] *her* 彼女から秘密[事実]を聞き出す / *wrest a living from the sterile land* 不毛の土地でやっと暮らしていく. **3**〈事実・意味など〉を曲げる, こじつける.
━[名] [C] ねじり, ひねり；こじつけ.
†**wres·tle** /résl/ [動] [自] **1**〈人〉と組み打ちをする, 取っ組み合う；格闘する, レスリングをする [*with*]. **2**（正式）[困難・問題など]取り組む, […に]全力を尽くす [*with*]. ━[他] …とレスリングする, …と取っ組み合う.
━[名] [C] 組み打ち, レスリング；奮闘.

wres・tler /réslər/ 名C レスリング選手, レスラー.

wres・tling /résliŋ/ 名U レスリング, 相撲 《日本発》 Sumo is a form of traditional Japanese *wrestling*. Because it was practiced as an agricultural and Shinto ritual in ancient times, the sport continues to include many ceremonial features. 相撲は日本の伝統的な格闘技です. 古代には農耕儀礼や神事として行なわれていたため, 現在も儀礼的な要素を多く含んでいます.

†wretch /rétʃ/ 名C 《正式》 **1** 気の毒な人, とても不幸な人. **2** 見下げ果てたやつ, 悪党;〔愛情こめて〕やつ, わんぱく小僧 ‖ You *wretch*! こいつめ《◆ 動物にも用いる》.

†wretch・ed /rétʃid/ 発音注意 形 (通例 ~・er, ~・est) **1** 《正式》哀れな, ひどく不幸, 悲惨な, 惨めな (miserable) ‖ He lived a *wretched* life when young. 彼は若いころ惨めな生活を送った (⇒ 文法 23.5 (2)) / She felt quite *wretched* about her failure in business. 彼女は商売に失敗してひどく情けなかった. **2**《古》〈人が〉あさましい, 劣った;〈物が〉粗末な, 貧弱な ‖ a *wretched* player 大根役者. **3**《略式》いやな, 不快な, ひどい ‖ What *wretched* weather! 何てひどい天気だ.

†wretch・ed・ness /rétʃidnəs/ 名U 惨めさ.

†wrick /rík/ 《主に英》動他《正式》〈体の関節〉をくじく, …の筋を違える (twist) ‖ *wrick* one's ankle 足首をねんざする. ── 名C ねんざ, 筋違い.

†wrig・gle /rígl/ 動自〈人・ヘビなどが〉体をくねらせる (+*about*), そわそわする (wiggle), のたくりながら進む ‖ The snake *wriggled* under the hedge. ヘビは生け垣の下をにょろにょろ進んだ / Stop *wriggling* in class. 授業中そわそわするな. ── 他〈体・ヘビなどが〉〈体・体の一部〉をくねらす (+*about*);〈道〉をうねうねと曲がりながら進む ‖ *wriggle* one's hips 腰をくねらす / He *wriggled* his way through the chairs. 彼はいすの間をなんとか入み進んで行った.

***wrìggle** (onesélf) òut of A (1) 体をくねらせて…から出る. (2)《略式》〈困難なこと〉をどうにか切り抜ける.
── 名C (通例 a ~) のたうつこと.

wrig・gler 名C のたうつ人[物];〔昆虫〕ボウフラ.

wright /ráit/ 名C (通例複合語で) …大工, …製作者 (cf. wheelwright, playwright).

Wright /ráit/ 名 ライト (**Orville** /ɔ́ːrvl/ ~ 1871–1948, **Wilbur** /wílbər/ ~ 1867–1912; 1903年世界初の動力飛行に成功した米国人兄弟).

†wring /ríŋ/ 同音 ring 動 (過去・過分 **wrung** /rʌ́ŋ/) **1**〈人が〉…を絞る (+*out*), [wring A C] A〈の状態〉に絞って C〈の状態〉にする ‖ *wring* a wet towel (*out*) ぬれたタオルを絞る / *wring* the laundry dry 洗濯物を絞って乾かす. **2**〈人から〉〔ぬれた物などから〕〈水〉などを絞り出す〔*from*, *out of*〕‖ *wring* the water *out* 水を絞る《◆ *of* A が略されたもの》/ She *wrung* the juice *from* [*out of*] the oranges. 彼女はオレンジからジュースを絞り取った. **3**〈人が〉〔人から〕〈秘密・財産など〉を力ずくで得る, 苦労して得る〔*from*, *out of*〕‖ *wring* a promise [donation] *from* [*out of*] him 彼から約束[寄付]を取りつける / The police *wrung* a confession *from* the criminal. 警察は苦労して犯人に自白させた. **4**《正式》〈人が〉〈身体の一部〉を強くねじる, 固く握りしめる (clasp)《◆ ふつう感情の表現に重点がある》‖ She *wrung* her hands 「in fear [in grief]. 彼女は怖くて[悲しくて]両手を握りしめた / She *wrung* my hand. 彼女は私の手を力をこめて握った《◆ あいさつの握手の際の喜びの様子》/ I'll *wring* your neck.《略式》[怒りを表して] 殺してやる. **5**《正式》[通例 ~ one's heart] 〈物事が〉…を苦しめる (distress) ‖ The misery of the fatherless children *wrung* my heart [our hearts]. 父親のない子供たちの悲惨さに私の[我々の]心は痛んだ.

be wrúng óut《略式》〈人が〉(心労で)疲れ切っている.

── 名 (通例 a ~) 絞ること;〔洗濯物の〕水絞り機 ‖ give the towel a *wring* タオルを絞る.

wring・er /ríŋər/ 名C **1** 絞る人;搾取者. **2** 旧式脱水絞り機. **be pùt through the wrínger**《略式》苦境におかれる.

†wrin・kle /ríŋkl/ 名C **1** (皮膚・衣類などの)しわ《◆ crease より口語的》‖ the *wrinkles* 「*on* one's brow [*round* one's eyes] 額[目の周り]のしわ / the *wrinkles* of age 老齢によるしわ / I ironed óut the *wrinkles in* [*of*] my pants. 私はズボンのしわをアイロンで伸ばした. **2**《略式》うまい考え, 妙案;助言;流行 ‖ a new *wrinkle* 新案 / the latest *wrinkle* in hats 帽子の最新流行型.

── 動他〈人が〉〈顔〉にしわを寄せる;〈衣類〉にひだをつける (+*up*)《◆ crease より口語的》‖ **wrínkle (úp)** one's nóse at the smell《米》そのにおいをかいで鼻にしわを寄せる (=《英》*wrinkle* (up) one's face [forehead] at the smell そのにおいをかいで顔[額]にしわを寄せる)《◆ 当惑のしぐさ》/ His slacks are all *wrinkled*. 彼のスラックスはしわくちゃだ. ──自〈衣類などが〉しわが寄る ‖ His face *wrinkled* with age. 彼の顔は年とともにしわが寄った.

wrin・kly /ríŋkli/ 形 (--**kli・er**, --**kli・est**) しわの寄った[多い], しわになりやすい.

***wrist** /ríst/ 「ねじれる」が原義
── 名C **1** 手首(の関節) (図 ⇒ body);〈衣服・手袋などの〉手首の部分 ‖ The policeman caught the thief by the *wrist*. 警官は泥棒の手首を捕えた. **2**《口》手先の力 〔技〕.

wrist wàtch =wristwatch.

wrist・band /rístbænd/ 名C (シャツなどの)そで口;(腕時計などの)バンド.

wrist・let /rístlət/ 名C **1** (防寒用の)手首[そで口]覆い. **2** 腕輪.

wrist・watch /rístwɑtʃ | -wɔtʃ/, **wrìst wàtch** 名C 腕時計.

writ[1] /ríːt/ 名C 〔法律〕令状 ‖ a *writ* of summons 召喚状.

writ[2] /ríːt/ 動《古》write の過去形・過去分詞形.

writ・a・ble /ráitəbl/ 形〔コンピュータ〕<CD-ROMなどが>書き込み可能な.

※write /ráit/ 同音 right, rite; 類語 light /láit/ 「固いもので物の表面に傷をつける」が原義 派 writer (名), writing (名)
── 動 (~s/ráits/; 過去 **wrote** /róut/ or《古》**writ** /rít/, 過分 **writ・ten** /rítn/ or《古》**writ** /rít/; **writ・ing**)
── 他 **1a**〈人が〉〈小説・記事など〉を〔…について/…向けに〕執筆する〔*on*, *about* / *for*〕;〈曲〉を作曲する;…の著者である ‖ *write* a book *on* [*about*] women's rights *for* a publishing company 出版社に(原稿料をもらって)女性の権利に関する本を書く / *write* a quartet *for* students 学生向けの四重奏曲を作曲する / Who *wrote* "A Farewell to Arms"?『武器よさらば』は誰の作品ですか. **b**〈人が〉〈考えなど〉を**書いて伝える**, 文字で書き表す ‖ *write* 「the directions [one's suggestions] 指示[意見]を書いて伝える.

2 《◆用具・書き込む箇所などを示す語(句)を伴う》 **a** 〈人が〉〈字・名前などを〉**書く**《◆draw は〈ペン・鉛筆などで〈図形などを〉書く」, paint は「絵の具で〈絵を〉描く」》‖ *write* shorthand in pencil 鉛筆で速記をとる / *write* the test result into the file (コンピュータの)ファイルにテストの成績を書き込む.
b 〈人が〉〈書類・文書を〉**書く, 作成する**(+*out*) ‖ *write* (*out*) a check 小切手を切る / *write* (*out*) a prescription 処方箋(いい)を書く / *write* a letter with [on] a word processor ワープロで手紙を書く / *write* a detailed report 詳しい報告書を書く / *write* a will 遺言状を書く.
3 a 〈主に米〉〈人が〉〈人に〉〈…について〉手紙[はがき]を書く[書いて出す][*of*, *on*] ‖ Please *write* me as soon as you get there. そこに着いたらすぐ手紙をください《◆受け身可 I will be written to は《英》がふつう》.
b [write A B =write B to A] 〈人が〉A〈人に〉〈手紙・知らせ・小切手などを〉**書き送る** ‖ Ethel and Aaron *wrote* each other passionate letters. エセルとアーロンは互いに情熱的な手紙を出し合った / He *wrote* his lawyer a note. =He *wrote* a note *to* his lawyer. 彼は弁護士に短い手紙を書いて出した(⬇文法3.3).
c [write A to do] 《米》〈人が〉A〈人に〉…するようにと手紙[はがき]を書く《◆to do の意味上の主語は A》‖ She *wrote* me to leave at once. 彼女は私にすぐ出発するようにと手紙で言って来た《◆She *wrote* me that I should leave at once. ともいえる. → **d**》.
d [write ((to)) A) that節] 〈人が〉〈(人に)〉…だと手紙[はがき]で知らせる; [write (to) A wh 節] 〈人が〉A〈人に〉…かと手紙を書く《◆who は省略するのは《主に米》》‖ My brother *wrote* ((to) me) *that* he would try again. もう一度やってみるつもりだと兄は(私に)手紙を書いてきた / She *wrote*, "Dear Mother: It has been a long time ..." 「お母さんへ お久しぶりです…」と彼女は手紙に書いて寄こした.
4 [write *that*節] 〈人が〉…ということを(本などの中に)**書いている**; 「…」と言っている ‖ Aristotle *writes* *that* imitation is natural to man from childhood. 模倣は子供のころから人間につきものであるとアリストテレスは書いている《◆過去の出来事を今眼前で起こっているかのように生き生きと表すときは現在形がふつう》/ It *is written* that no man is a hero to his valet. どんな人も召使いにとっては英雄には見えないと書かれている《◆書物を主語にして ˣThe Bible *writes* that ... とはできない. It *is written* in the Bible that ... (聖書には…と書いてある) または The Bible says that ..., It says in the Bible that ... などとする》.
— 圓 **1** 〈人が〉**執筆する**, 著述[作曲]する, 〈…について〉書く《*about*, *of*, *on*》; 作家である《◆目的を示す語(句)を伴う》‖ *write* for a living 著述で生計を立てる / She quit her job to *write* for magazines. 雑誌の原稿を書くために彼女は仕事をやめた《◆「書く仕事をやめた」の意味にも取れる》.
2 〈人が〉字を**書く**, 記入する《◆用具・書き込む箇所・様態などを示す語(句)を伴う》‖ learn to read and *write* 読み書きを習う / *write* in [with] ink インクで書く / *write* on [with] a word processor ワープロで打つ / have nothing to *write* with [on] 書くもの〈ペンなど〉[紙] がない《◆have nothing to *write* about は「書くことがない」》/ He *writes* badly [(in) a bad hand]. 彼は字がへた

(=His handwriting is poor.)《◆「文章がうまい[へた]」は He *writes* cleverly [poorly].》.
3 a 〈人が〉〈…へ〉〈に〉**手紙**[はがき]を**書く, 手紙[はがき]を出す**《*to*/*about*》《◆受身可》(cf. 圓 **3**) ‖ She *wrote* (ˣto) home about her new job. 彼女は新しい仕事のことを家へ手紙で知らせた / *Write* to us at least once a month. 少なくとも月に1度は手紙をよこしなさい.
b [write *to* do / write doing] 〈人が〉…すると[ために]**手紙を書く**《◆write and do に等しい言い方》‖ I *wrote to* inform [inform*ing*] him of my decision. 私は自分の決定を知らせる手紙を彼に出した.
4 〈ペンなどが〉…のように**書ける**, 書き味が…だ《◆修飾語(句)は省略できない》‖ This pen *writes* well [poorly]. このペンはよく書ける[よく書けない].
*be written on [áll óver]** 《A》〈顔などに〉はっきり現れている ‖ Despair *was written on* the mother's face. 母親の顔に絶望の色がありありと見えた.
write (A) agáinst B 《A〈本・記事などを〉》B〈人・物・事〉に対して批判的に書く.
write báck [‥に/‥するために/‥だと]返事を書く[出す][*to* / *to* do, doing / *that*節].
write dówn 圓 [人に合わせて]わかりやすく書く〔*to*〕. — 他 (1) 〈名前などを〉**書き留める**(put down)《◆A に that節, wh節も用いられる》‖ *Write down* my address before you forget it. 忘れないうちに私の住所を書き留めておいてください. (2) 〈記事などを〉[人に合わせて]程度を落として書く〔*to*〕. (3) 〈人を〉[…だと]書く, きめつける〔*as*〕. (4) 〈まれ〉〈物の〉価値などを下げる《◆ mark down がふつう》.
write (A) for B 《A〈本・記事などを〉》B〈人・物・事〉に賛成して[好意的に]書く.
write ín 圓 (1) 〔放送局・会社などに〕投書する〔*to*〕. (2) 〔物を〕手紙で注文する[求める]〔*for*〕. — 他 〔語句などを〕書き込む, 書き込む箇所を明示するときは write A *into* B とする.
write óff 圓 (1) 〔…に〕ぐずぐずせずに手紙を書く〔*to*〕. (2) 〔物を〕手紙で注文する〔*for*〕. — 他 (1) 〈文章・記事などを〉すらすらと書き上げる. (2) 〈投資・資金などを〉回収不可能とみなす, 〔回収不能として〕帳消しにする〔*as*〕. (3) 《英》〈車などを〉無価値として帳消しと消す.
write-off /ráɪtɔ̀(ː)f/ 图 Ⓒ **1** 帳簿からの削除(額), 帳消し; 控除. **2** (市場)価格の引き下げ. **3** 《英》壊れて役に立たなくなった物〈自動車・飛行機など〉, おしゃか.
***writ·er** /ráɪtər/ (圓覆 lighter, rider) [→ write]
— 图 (圓 ~s/-z/) Ⓒ **1 a** 作家, 著述家, 作曲家, 記者 ‖ a gifted *writer* of short stories 才能ある短編小説家. **b** [形容詞的に] 作家の ‖ a *writer* friend of mine 作家をしている私の友人.
2 書き手, 執筆者 ‖ He is a good *writer*. 彼は文章がうまい(=He *writes* well).《◆(1)「書く意味になる. (2)「字が上手だ」は He *writes* (in) a good hand. → write 圓圓**2**) / The present *writer* wishes to ask for opinions from the readers of this book. 筆者はこの本を読まれた読者からの意見をお待ちしています《◆論文などでは筆者は自分のことを the present *writer* というが, 最近では we, I とすることが多い》.

†writhe /ráɪð/ 動 《正式》圓 **1** 〈人が〉〔…で〕身もだえする (twist), 苦悩する《*under*, *with*, *at*, *in*》‖ *writhe* with shame 恥ずかしさに身をよじる. **2** 〈ヘビなどが〉

のたくる. ――他 〈身体など〉をよじる.

*writ・ing /ráitiŋ/ (類音 lighting) [[→ write]]
― 動 ▶ write.
― 名 (複 ~s/-z/) **1 a** ⓤ 書かれた物, 文書, 書類 ‖ two pieces of *writing* 文書 2 通. **b** [~s; 複数扱い] 諸作品, 著作集 ‖ the *writings* of Hemingway ヘミングウェイ著作集.
2 ⓤ 書き方, 筆跡, 書体, 書法 ‖ legible *writing* 読みやすい書体 / the art of *writing* 書記法.
3 ⓤ 書くこと, 執筆, 著述(業) ‖ turn to *writing* 執筆業になる.
*in wríting 文書で, 書いて ‖ Submit the plan *in writing*. 計画を文書にして提出してください.
wríting càse 文房具入れ.
wríting dèsk (1) (引き出し付きの) 書き物机. (2) 携帯用文具箱 [書き物ができる平面を備えている].
wríting matèrials 筆記用具, 文房具.
wríting pàper 便箋(せん), 筆記用紙 (notepaper).
wríting tàble (引き出し付きの) 書き物用のテーブル.

*writ・ten /rítn/ 動 write の過去分詞形.
― 形 書かれた, 文書の, 筆記の (↔ spoken) ‖ *written* language 書き言葉, 文語 / a *written* guarantee 保証書.

wrong /rɔ́(ː)ŋ/ (類音 long) [[「ねじれた」が原義. cf. wring]]

index

形 **1** 誤っている **2** ふさわしくない **3 a** 悪い **b** 間違っている **4** 故障した, 具合が悪い **5** 裏の, 劣った方の
名 **1** 不正 **2** 悪事
副 誤って; 不当に

― 形 《◆ ふつう比較変化しない》(more ~, most ~; 時に ~**er**/-gər/, ~**est**/-gist/)

Ⅰ [(判断などが) 適切でない]
1 (判断・方法などにおいて) […を/…の点で] 誤っている, 違った, 妥当でない (incorrect) [*about/in*]《◆ (1) 名詞の前で用いる場合はふつう the *wrong* …. (2) 人について用いる場合は→ 第 3, 4 例》‖ take the *wróng tráin* 電車を間違える / 対話 "I'm afraid you have the *wrong* number." "This isn't Mr. Kato's residence? I'm sorry."「(電話で) 番号をお間違いですよ」「加藤さんのお宅ではないのですか. 失礼しました」《◆ こちらが間違えた時は, I'm sorry I must have the *wrong* number. のように言う》/ I was *wrong about* my wife's character. 私は妻の性格を考え違いしていた / He is '*wrong in* evaluating [*wrong in* his evaluation of] her. 彼は彼女の評価を誤っている《◆「実際よりよく [悪く]」の両方に用いる》/ It was *wrong* for [×*of*] you to carry out the plan by yourself. =*It was wrong that* you ˹should carry out [should have carried out, carried out] the plan by yourself. 君がその計画を単独で実行していたのは間違いだった.
2 [通例名詞の前で] (基準・原則などの点で) […に/…するのに] ふさわしくない, 合致しない, 不適切な (unsuitable) [*for / to do*]《◆ 名詞の前で用いる場合はふつう the *wrong* …》‖ the *wrong* applicant 応募者としてふさわしくない人 / the *wrong* speech *for* the wedding 結婚式に不適切なスピーチ.

Ⅱ [(行動などが) 正しくない]
3 a (道徳的に) 悪い, よこしまな, 不正な, よくない (unjust, wicked) (↔ right) ‖ *wrong* acts 邪悪な行為 / take the *wrong* way of life 悪の道に入る / Cheating at cards is *wrong*. =*It is wrong to* cheat at cards. トランプでごまかすのはよくないことだ. **b** [A is wrong to do =it is wrong of A to do] (人の一時的な行為を問題にして) …するなんて A〈人〉は間違っている =*It is wrong of* [×*for*] you to find fault with him. 彼のあら捜しをするなんて君は間違っている《◆ 構文の方が遠回しの非難》(→文法17.5) / How *wrong* of you to think that! (○). そんなふうに考えるとは君はなんて心得違いをしてるんだ《◆ How を使った感嘆文では it is は省く》.
4 a [通例補語として] 〈機械などが〉故障した, 〈物事が〉正常でない, あるべき姿になっていない; 〈人が〉具合が悪い ‖ Your watch is *wrong*. 君の時計は狂っている / He is *wrong* in his head. 彼は頭がおかしい / My mother came into my room to see what was *wrong*. どうしたのかを見に母は私の部屋に入って来た. **b** [something is wrong *with* A =there is something wrong *with* A] A〈人・物〉はどこか具合が悪い ‖ *Something is wrong with* this clock. この時計はどうも調子がよくない / *What's wrong?* (気遣って) どうしたのですか, まずいことでもありましたか (→ What's the matter with you? (matter 名 成句)).

語法 (1) 否定文・疑問文・if 節では something は anything, nothing に変化する.
(2) something を疑問詞にすると what.

5 (布などの) 裏の, 逆の; 劣った方の ‖ stand *wrong* side up 逆立ちをする (=stand downside up) / wear a T-shirt *wrong* side out Tシャツを裏返しに着ている (=wear a T-shirt inside out).

― 名 (複 ~s/-z/) (正式) **1** ⓤ 不正 (↔ right) ‖ know (between) right and [from] *wrong* 正邪の区別がわかる / do *wrong* 悪い事をする, 罪を犯す.
2 ⓒ 悪事, 不当な待遇 [行為] ‖ suffer *wrongs* 不当な扱いを受ける / *Two wrongs do not make a right.* (ことわざ) 悪事に対して悪事で仕返ししても事態は正されない, 人の悪事を引合いに出して自分の悪事を正当化することはできない.
3 ⓒ 〘法律〙 不法行為, 権利侵害 ‖ redress the legal *wrongs* 不法行為を正す.

dò A (a) wróng =**dò (a) wróng to A**《正式》(1) 〈人〉を不当に処遇する. (2) 〈人〉を誤解する.
in the wróng 誤って, 悪い《◆ wrong より堅い言い方》(↔ in the right).
pùt A in the wróng《正式》誤りを〈人〉のせいにする.
― 副 (略式) [通例文尾で] 誤って, **不当に** (incorrectly)《◆ 比較変化しない》‖ pronóunce a wórd *wróng* 単語を間違って発音する / Her name was spelled *wrong*. 彼女の名前のつづりが間違っていた (=… was *wrongly* spelled.) / The package was sent *wrong*. その小包は誤配された.
gèt A wróng《略式》〈事・人〉を誤解する, 取り違える.
gò wróng [[人が間違った方向へ行く]] (1)〈人が〉間違える. (2)〈事がうまくいかない, 失敗する. (3) (略式)〈機械などが〉正確に動かない.
― 動 他 A を […によって/…して] 不当に取り扱う [*by / in doing*] ‖ *wrong* him *by* [*in*] (making) a false charge 彼にぬれぎぬを着せる. **2** 〈人〉を中傷する;〈人〉を誤解する.
wróng síde (1) → 形 5. (2)《◆ 次の句で》‖ on

the *wrong side* of ... …歳以上で.
wróng wày (一方通行の)出口《◆ Do Not Enter. (進入禁止)の標識がある》.
wrong·do·er /rɔ́ːŋdùːər/ 图ⓒ《正式》悪事を働く人, 犯罪者.
wrong·do·ing /rɔ́ːŋdùːɪŋ/ 图ⓤⓒ 悪事(を働くこと), 犯罪.
wrong·head·ed /rɔ́ːŋhédid/ 形 **1** 考え[判断]を誤った. **2** 片意地な, 素直でない.
+**wrong·ly** /rɔ́ːŋli/ 副 [通例過去分詞の前で] (cf. wrong 副) **1** 誤って, 間違って ‖ *rightly or wrongly* 善かれ悪しかれ(いずれにしても) / Her name was *wrongly* spelled. 彼女の名前のつづりが誤っていた. **2** 不当に ‖ *wrongly* arrested 不当に逮捕された.
*<mark>**wrote**</mark> /róut/ 動 write の過去形.
+**wroth** /rɔːθ | róuθ/ 形《古・文》〈人・自然など〉激怒した, 荒れ狂った(very angry).
wrought /rɔːt/《古・文》動 work の過去形・過去分詞形. ── 形 入念に作られた, 細工された, 精錬された.
wróught íron 錬鉄.
wrung /rʌŋ/ 動 wring の過去形・過去分詞形.
+**wry** /rái/ (同音 rye) 形 (~·er, ~·est ; wri·er, wri·est) **1**《正式》〈顔などが〉しかめられた(frowned), とまどった ‖ màke a *wrý* fáce [móuth] しかめっ面をする / give a *wry* smile 苦笑いする. **2**《正式》皮肉たっぷりの, こじつけた(ironic) ‖ a *wry* view ひねくれた物の見方.

WTO 略 World Trade Organization 世界貿易機関.
WV 略〖郵便〗, **W.Va.** 略 West Virginia.
WW 略《主に米》World War.
WWII 略 World War II.
WWW 略〖コンピュータ〗World Wide Web.
WX 略 women's extra large size.
WY 略〖郵便〗Wyoming.
wych-elm, wych elm /wítʃèlm/ 图ⓒ〖植〗(ヨーロッパ・南西アジア産の)ニレ.
wych-ha·zel, wych hazel /wítʃhèizl/ 图〖植〗**1**ⓒ マンサク, アメリカマンサク; ⓤ その樹皮[葉]から抽出したエキス《外用薬》. **2** =wych-elm.
Wy·o·ming /waióumiŋ/ 图 ワイオミング《米国北西部の州. 州都 Cheyenne. 《愛称》the Equality [Cowboy] State. 略 Wyo., 〖郵便〗WY》.
WYSIWYG, wysiwyg /wíziwìg/ 略〖コンピュータ〗*what you see is what you get* ウィジウィグ《最終的に印刷される形を画面に表示して編集できる》.
wy·vern, wi·- /wáivərn | -vn/ 图ⓒ ワイバン, 飛竜《翼のある架空の動物. 紋章に用いる》.

X

x, X /éks/ 名 (複 x's, xs; X's, Xs/-z/) **1** CU 英語アルファベットの第24字. **2** → a, A 2. **3** CU 第24番目(のもの). **4** U (ローマ数字の)10(→ Roman numerals). **5 a** CU 〔数学〕 第1の未知数(量) (cf. y, z); x 軸. **b** C 未知の人[物]. **6** C (手紙やカードの)キスの印; (投票用紙などの)選択の印; (テストなどの)誤りの印; 文盲の人が使う署名代わりの記号; U (小麦などの)粉末純度. **7** C (米略式) 10ドル紙幣.
X chrómosome 〔生物〕 X染色体《性染色体の1つ》.
x ray → 見出し語.
X únit エックス単位《エックス線[ガンマ線]の波長単位》.

x /éks/ 動 (過去・過分) **x-ed** or **x'd** or **xed** /ékst/; **x-ing** or **x'ing** /éksiŋ/ 他 (米) …にX印をつける(+in) 《◆日本での×のような否定的イメージはない》; …をX印で消す(+out).

X 〔記号〕 (古) =X-rated (→ film rating); experimental; Christ, Christian; cross.

Xan·thip·pe /zæntípi, -θípi/, **-·tip·-** /-típi/ 名 **1** クサンティッペ《Socrates の妻. 悪妻の代名詞》. **2** C がみがみ女(shrew).

Xa·vi·er /zéiviər, zæ-/ 名 ザビエル《Saint Francis ~ 1506-52; 1549年日本にはじめてキリスト教を伝えたスペインの宣教師》.

x-ax·is /éksæksis/ 名 C 〔数学〕 x軸, 横軸.

Xe 〔化学〕 xenon.

xe·non /zí:nɑn, zē-|-nɔn/ 名 U 〔化学〕 キセノン 《記号 Xe》.

xe·no·pho·bi·a /zènəfóubiə/ 名 U (正式) 外国の人[物]嫌い.

Xen·o·phon /zénəfn/ 名 クセノフォン《434?-355? B.C.; ソクラテスの弟子. ギリシアの将軍・歴史家》.

Xe·rox /zíəraks|-rɔks/ 〔時に x~〕 U (商標) ゼロックス; C そのコピー(1部) ‖ make a Xerox of the contract 契約書をゼロックスでコピーする.

—— 動 …を(ゼロックスで)コピーする.

X-game /éksgéim/ 名 C (主に米) Xゲーム, エクストリームスポーツ《パラシュート降下や急流下りなど極限のスポーツ》.

xi /zái|sái/ 名 CU グザイ, クシー《ギリシアアルファベットの第14字(ξ, Ξ). 英字のx, Xに相当. → Greek alphabet》.

-xion /-kʃən/ 〔語要素〕 →語要素一覧(2.2).

XL 〔略〕 extra large 特大の.

+Xmas /krísməs, (しばしば) éksməs/ 名 〔略式〕 = Christmas 《◆(1) キリストを表すギリシア語の頭文字が χ であることから. (2) 主に広告文で用いる. (3) X'mas, X-mas はふつう避けられる》.

Xn, Xn. 〔略〕 Christian.

X-ra·di·ate /éksréidieit/ 動 他 (身体に)エックス線[レントゲン]をかける.

X-rat·ed /éksréitid/ 形 (映画が)成人向き指定の ‖ an X-rated movie 成人向け映画 《単にXともいう. ポルノの度合いの大きいものは, XXX. → film rating》.

+x ray, x-ray[1] /éksréi/ 〔しばしば X~〕 名 C **1** 〔通例 ~s〕 エックス線, レントゲン線《◆ Roentgen rays より x rays の方がふつう》 ‖ X rays are used to locate breaks in bones. エックス線は骨折箇所をつきとめるのに用いられる. **2** レントゲン写真 ‖ an x ray (photograph) of the chest 胸部のレントゲン写真. **3** レントゲン検査 ‖ have an x ray レントゲン検査を受ける.

x-ray[2] /éksréi/ 〔しばしば X~〕 形 エックス線の ‖ Superman has x-ray vision. スーパーマンはエックス線で物を見る. —— 名 =x ray. —— 動 他 …をレントゲンで写真をとる[検査する, 治療する] ‖ He was x-rayed. 彼はレントゲンをかけられた(=They gave him an x-ray).

+xy·lo·phone /záiləfòun, zí-/ 名 C 〔音楽〕 木琴, シロホン.

Y

:y, Y /wái/ 名 (複 y's, ys; Y's, Ys/-z/) **1** CU 英語アルファベットの第25字. **2** → a, A 2. **3** CU 第25番目(のもの). **4 a** CU 〔数学〕 第2の未知数(量) (cf. x, z); y軸. **b** C 未知の人[物].
Ý chrómosome 〔生物〕 Y染色体《性染色体の1つ》.

Y 〔略〕 yen[1].

¥ 〔記号〕 yen[1].

y. 〔略〕 yard(s); year(s); yen[1].

-y /-i/ 〔語要素〕 →語要素一覧(2.2, 2.3).

ya /jə/ 代 (略式) =you.

*yacht /jɑ́t|jɔ́t/ 〔発音注意〕 《「追跡船」が原義》

—— 名 (複 ~s/jɑ́ts|jɔ́ts/) C **1** 大型ヨット, 大型レジャー船, 快速船《個人所有の遊覧用の豪華な船. ふつうエンジン付きで帆のないものが多い》. **2** ヨット, (小型の)帆船《スポーツおよびレース用のものをいい, 日本語の「ヨット」に相当. (米)ではふつう sailboat, (英)では sailing boat といい1と区別する》 ‖ a yacht race = yacht racing ヨット競走.

—— 動 自 ヨットに乗る, ヨットを走らす ‖ go yachting 《(英)ヨット乗りに行く《◆(米)ではふつう go sailing, go boating などという》.

yácht clùb ヨットクラブ.

yacht·ing /jɑ́tiŋ|jɔ́t-/ 名 U ヨット遊び[競走], ヨット

操縦(術)《◆帆走するのは sailing》.

yachts·man /jάtsmən | jɔ́t-/ [名] (複 **--men**) [C] ヨットを操縦[所有, 愛好]する人(《PC》 yacht sailor [owner, lover]).

yah[1] /jά:/ [間] やあーい, やいやい《◆軽蔑(ぶ)・挑戦・嘲(ちょう)笑を表す》.

yah[2] /jά:/ [副] 《米略式》=yes (cf. yeah).

ya·hoo /jɑ:hú:/ [間] やったあ, ヤッホー《◆喜びや興奮を表す》. ――[名] [Yahoo!] 《商標》ヤフー《代表的なインターネット検索サイトの1つ》.

Ya·hoo /jά:hu, jéi- | jəhú:, jɑ:-/ [名][C] ヤフー《◆ *Gulliver's Travels* に出てくる人間の姿をした獣》.

Yah·weh /jά:wei/ [名] 〔旧約〕ヤハウェ, エホバ(Jehovah).

yak /jǽk/ [名] (複 **~s,** [集合名詞] **yak**) [C] 〔動〕ヤク, 犛牛(りぎゅう)《チベット・中央アジアの長毛の野牛》.

†**Yale** /jéil/ [名] エール(大学)《米国 Connecticut 州 New Haven にある1701年創立の名門私立大学》.

Yal·ta /jɔ́:ltə | jǽl-/ [名] ヤルタ《ウクライナの黒海岸の海港》 ‖ the *Yalta* Conference ヤルタ会談《1945》.

yam /jǽm/ [名][C] 〔植〕ヤムイモ《塊茎を食用とするヤマノイモ属の植物》; その塊茎[イモ]; 《米南部》サツマイモ; 《スコット》ジャガイモ(potato).

Yan·gon /jæŋgά:n | -gɔ́n/ [名] ヤンゴン《ミャンマーの首都. 旧称 Rangoon》.

Yang·tze(-Kiang) /jǽŋtsi(-kjά:ŋ | -kiǽŋ)/ [名] [the ~] 揚子江《中国最大の川. 正式には長江》.

†**yank** /jǽŋk/ 《略式》[動][他] …を〔…から〕ぐいと引っ張る(jerk)〔*from, off, out of*〕 ‖ *yank* him to his feet 彼をぐいと引っ張って立たせる. ――[自] 〔…を〕ぐいと引っ張る〔*at, on*〕. ――[名][C] ぐいと引くこと ‖ give a *yank* on the rope ロープをぐいと引く(=*yank at* [*on*] the rope).

†**Yan·kee** /jǽŋki/ 〖オランダ人移民が英国人移民に「あいつら」といった意味でつけたあだ名 Jan Kees が語源だとする説がある〗 [名][C] **1** 《英略式》ヤンキー《米国人》. **2** 《米》ヤンキー《ニューイングランド人》. **3** 《米南部》ヤンキー《北米人》. **4** 〔米史〕ヤンキー《(主に南北戦争時代の)北軍兵士》. **5** [形容詞的に] ヤンキー(流)の ‖ *Yankee* shrewdness ヤンキーの抜け目なさ.

Yánkee Dóodle (1) ヤンキー=ドゥードゥル《米国独立戦争時人気のあった歌》. (2) =Yankee.

Yan·kee·dom /jǽŋkidəm/ [名][U] **1 a** ヤンキーの国《米国北部諸州またはニューイングランド》. **b** ヤンキーの国《米国》. **2** [集合名詞] ヤンキーたち.

Ya·oun·dé /jɑ̀:undéi | ⁻́⁻/ [名] ヤウンデ《カメルーンの首都》.

†**yap** /jǽp/ [動] ([過去・過分] **yapped** /-t/; **yap·ping**) [自] **1** 〈小犬や小型の犬が〉〔…に〕キャンキャン[けたたましく]ほえたてる〔*at*〕. **2** 《略式》〔くだらぬことについて〕ぺちゃくちゃしゃべる; うるさく文句を言う(+*away*)〔*on*〕 ‖ *yap away* for hours 何時間もぺちゃくちゃしゃべる. ――[名] **1** [C] ワンワン, キャンキャン ‖ give a *yap* キャンキャンほえたてる. **2** [U] 《略式》つまらぬおしゃべり. **3** [C] 《米俗》口(mouth).

‡yard[1] /jά:rd/ 〖「棒」が原義〗
――[名] (複 **~s**/jά:rdz/) [C] **1** ヤード, ヤール《長さの単位. =3 feet, 36 inches (0.9144 m). [略] y., yd., yrd》 ‖ two *yards* and a half of cloth 2ヤール半の布 / [ジョーク] "What is the difference between one *yard* and two *yards*?" "A fence." 「1ヤードと2ヤードの違いは?」「柵(さく)がいるかどうか」《◆yard[2] とのしゃれ. 庭が1つであれば境界が存在しない》. **2** 〔海事〕帆桁(ほげた).

by the yárd (1) ヤード単位で. (2) 長々と.

yárd of ále 背の高いビール用グラス; そのグラスに入れたビール.

yárd gòods 《米》ヤール単位で売られる布, 反物(piece goods).

yárd mèasure ヤード尺《さお尺・巻き尺》.

‡yard[2] /jά:rd/ 〖「囲まれた地面」が本義〗
――[名] (複 **~s** /jά:rdz/) [C] **1** [しばしば複合語で] 庭, 囲い地, 構内《◆家や建物に付属した比較的小さな空地または土地. 英国ではしばしば舗装されていて物置き場となっている. courtyard ともいう》([使い分け] → garden [名]**1**) ‖ a frónt [báck] *yárd* 前[裏]庭 / There are some children playing in the school *yard*. 校庭で子供が何人か遊んでいます / a chúrch *yàrd* 教会の境内 / a bárn *yàrd* 納屋を囲む庭.

2 《米》**家の庭**, 庭園《◆家に隣接し草花・芝生・植込みのある庭全体. yard は多くの場合, 芝生で覆われている部分と花・野菜が栽培されている部分から成る. 後者は garden》, 裏庭(backyard)《◆通例芝生で覆われた庭で, バーベキューなどをする》 ‖ There used to be a garden in our *yard*. 私の家の庭には昔菜園があった.
3 [通例複合語で] …場, 作業場, 工場(cf. brickyard, shipyard) ‖ a chicken *yard* 養鶏場 / a (railway) *yard* 鉄道操車場. **4** 《米》(シカなどの)冬の牧草地. **5** [the Y~] 《英略式》ロンドン警視庁(Scotland Yard).

yard·age /jά:rdidʒ/ [名][U] ヤード法で測った長さ[分量].

yard·arm /jά:rdɑ̀:rm/ [名][C] 〔海事〕桁端(こたん), ヤーダーム.

yard·stick /jά:rdstìk/ [名][C] **1** ヤード尺. **2** 《正式》(判断・比較などの)基準, 尺度.

†**yarn** /jά:rn/ [名] **1** [U] 《主に米》織り物用糸, 編み物用糸, 紡ぎ糸《ウール・綿など. 「縫い糸」は thread. cf. rope》. **2** [C] 《略式》(信用できない)旅行のみやげ話; 作り話(tall tale) ‖ spin a *yarn* おおげさな冒険談をする. ――[動][自] 《略式》ほら話をする.

yar·row /jǽrou/ [名][C][U] 〔植〕ノコギリソウ《◆強壮剤にする》.

yaw /jɔ́:/ [動][自] 〔海事・航空〕針路よりそれる; 〈船首が〉左右に揺れる(+*about*). ――[名][C] **1** 〔海事〕船首揺れ. **2** 〔航空〕偏(へん)揺れ.

yawl /jɔ́:l/ [名][C] 〔海事〕**1** (船に積む)雑用艇. **2** ヨール《2本マストの小型帆船》.

†**yawn** /jɔ́:n/ [動][自] **1** 〈人が〉あくびをする ‖ We *yawn* when sleepy or bored. 眠い時や退屈な時にはあくびが出る. **2** 〈穴・割れ目などが〉大きく口を開ける ‖ A crater *yawned* below us. 足元には噴火口がぽっかり口を開いていた. ――[他] あくびをしながら…と[を]言う ‖ Don't *yawn* good night. あくびをしながらお休みなさいと言ってはいけない.

――[名][C] **1** あくび ‖ stifle [smother] a *yawn* あくびを抑える / ***with a yawn*** あくびしながら / *yawn*-inspiring speeches あくびをもよおす[退屈な]演説(=yawnful speeches)《◆ ×yawning speeches とはいわない》/ She ***gàve a yáwn*** of sheer weariness. 彼女は退屈しきってあくびをした. **2** 《略式》[通例単数形で] うんざり[退屈]させる物[人].

yawn·ing /jɔ́:niŋ/ [形] **1** あくびをしている, 退屈している. **2** 《正式》口を大きく開いている.

yawp /jɔ́:p/ [名][C][動][自] **1** 《主に米略式》ギャーギャー(大声でわめく[不平を言う]). **2** 《俗》ぺちゃくちゃ[がやがや](むだ話する).

Y

y-ax·is /wáiæksis/ 名 C 〔数学〕y軸, 縦軸.
yd, yd. (略) yard(s).
yds, yds. (略) yards.
†ye¹ /jíː/, (弱) ji/ 代 (所有格 your, 所有代名詞 yours, 目的格 you, ye) **1** (古) 〔二人称単数thou の複数形〕**a** なんじら、そなたたちは、おまえたちは. **b** 〔呼びかけに〕なんじら. **2** (古・詩) 〔単数・複数の目的格として〕なんじを[に]∥ I tell *ye*. おまえに言っておく. **3** (略式)〔単数の主格として〕あなたは∥ How d'*ye* do? /hau di dúː/ 初めまして；元気かい.
ye² /(弱) (母音の前) ðiː(i), (子音の前) ðə; (強) ðíː; (つづり字発音) jíː/ 冠 (古) =the.
†yea /jéi/ 副 (古文) **1** しかり, さよう (yes)《◆口頭による採決で使用》(↔ nay). **2** 実に, 本当に, げに; その上, それどころか. — 名 C (議会での)賛成(投票); 賛成投票者∥ the yeas and nays 賛否(cf. aye).
yeah /jéə, jéː, jǽə/ 副 (略式) =yes ∥ *Yeah*, I hear you. ああ, わかっているよ.

year /jíər/, (英+) jɔ́ː/ 〔頭音〕ear /íər/ 源
yearly (形)

index 1年 2…年 3年度 4a …歳 b老齢 5長い年月

— 名 (複 ~s/-z/) C **1 1年**, 暦年(calendar year), 年間《1月1日から12月31日まで》(略 y-, yr)∥ ¯an astronomical [an equinoctial, a natural, a tropical] *year* 太陽年 / a lunar *year* 太陰年 / a cómmon [léap] *yéar* 平年[うるう年] / a man of the *year* その年いちばんの有名人 / (in) the *year* 2005 2005年 (に)《◆2005 は two thousand (and) five または twenty-oh-five と読む. ×(in) 2005 *year* は不可》/ within the calendar (civil) *year* ここ一年以内 / She was born ×(in)「*last year* [*the year before last*]. 彼女は昨年[一昨年]生まれた 文法 21.5(1) / She will be married (×in)「*next year* [*the year after next*]. 彼女は来年[再来年]結婚します / We hold a class reunion ×(in)「*every year* [*every third year*]. 私たちはクラス会を[3年ごとに]開きます / *What year* is this? 今年は何年ですか / He went abroad the *year* his father retired. 彼は父親が退職したその年に海外へ行った《◆ the *year* が接続詞的に用いられて in the year when の意を表す》.
2 (任意の日から数えて)…年, 1年間 ∥ a *year* (from) today きょうから1年間[後], 来年「来年[来年[来年]できょう / in ¯a *year's* [*four years'*] time 1年[4年]したら / once in five *years* 5年に1度 / rent a room by the *year* 年ぎめで部屋を賃貸する / a *two year* plan 10か年計画《◆ two ten-*year* plans 10か年計画が2つ》/ She has been dead for five *years*. 彼女が亡くなって5年になる (=Five *years* have [×has] passed since she died. =It「has been [英] is] five *years* since she died. =She died five *years* ago.) / This book was published five *years* ago (today). この本は5年前の(きょう)出版された / Five *years* is [×are] too long to wait. 5年は待つには長すぎる《◆この例では five *years* をまとまった1単位として単数扱い》/ This is going to be the hottest summer in thirty-six *years*. この夏は36年ぶりの暑さになるようだ.
3 (個別的・慣例上の)**年度**；学年; …期の学年[組]∥ the schóol [académic] *yéar* 学校[大学]の年

度 / the 2004-05 financial [(米) fiscal] *year* 2004年から2005年にわたる会計年度《◆この‐は to と読む》/ He is in his second *year* [×*grade*] of high school. 彼は高校2年生です《 日本発》 In Japan, April marks the start of the academic and business *year*. 日本では4月は学校や会社の年度が始まる月です.
4 a 〔数詞の後で〕 …歳; 年齢∥ a six-*year*-old girl =a girl of six (*years*) =a girl six *years* old 6歳の女の子(→ old 形 3 a) / He is a tall boy 「*for his years* [*for his age*]. 彼は年齢のわりには背が高い / She looks (ten) *years* younger than her (thirty-three) *years*. 彼女は実際の(33)歳より(10歳)若く見える / She is eighteen (¯*years* of age [*years* old]). 彼女は18歳だ / He is young in *years* but old in experience. 彼は年は若いが経験は豊富だ / The actress portrayed a wonderful 37-*year*-old. その女優はすばらしい37歳の人を演じた《◆ 37-*year*-old は「こごは「…歳の人」の意の名詞》/ *Years* bring wisdom.《ことわざ》年齢が知恵をもたらす；「カメの甲より年の功」. **b** (正式文) [~s] 老齢∥ I feel ¯one's *years* [*one's age*] 年を感じる / a man of [*in*] *years* 老人.
5 (略式) [~s] **長い年月**, 多年, とても長い間∥ I haven't heard from him in [for] *years*. 彼から長い間便りがない《◆ in は主に (米)》.
6 (正式文) [~s] 時代∥ one's *years* at sea 船員時代(=one's days at sea).

·áll (the) yéar aróund [róund] 一年中∥ You can enjoy swimming here *all (the) year round*. 当地では一年中水泳が楽しめます.
from yéar to yéar 毎年毎年(1) 文法 16.3(3).
of láte yéars =*of* [*in*] *récent yéars* 近年, ここ数年.
the yéar of gráce [*Christ, our Lórd*] 西暦.
thís dáy néxt yéar 来年のきょう.
yéar áfter yéar 毎年毎年(同じことを繰り返して).
yéar by yéar 年ごとに(変化して).
yéar ín and yéar óut =*yéar ín, yéar óut* いつもいつも, 年中; 毎年きまって.
yéar on yéar 前年に比べて, 年を追って.
year·book /jíərbùk, (英+) jɔ́ː-/ 名 C **1**年鑑, 年報. **2** (米) 卒業記念アルバム.
year·end /jíərènd, (英+) jɔ́ː-/ 名 C 形 年末(の).
†year·ling /jíərliŋ, (英+) jɔ́ː-/ 名 C **1** (動物・特に家畜の)1年子《満1年以上2歳未満》. **2** 〔競馬〕1歳馬. — 形 **1** 〔競馬〕1歳の. **2** 1年を経た.
†year·ly /jíərli, (英+) jɔ́ː-/ 形 **1** 例年の, 年1度の∥ a *yearly* event [meeting] 例年の行事[会合] / pay a *yearly* visit to the mayor 市長を毎年1回訪問する. **2** その年だけの, 1年間続く∥ a *yearly* plant 1年生草 / a *yearly* income 年収.
— 副 **1** 毎年. **2** 年1度.
— 名 C 年1度の刊行物[行事].
†yearn /jə́ːrn/ 動 (正式) 自 **1**〈人が〉〔人・物に〕恋しく思う, あこがれる, 慕う; 切望する〔*for*,〔ややあって〕*after*〕《◆ long の方が口語的》∥ The exile *yearned* for his home. その亡命者は故国への思いに胸を焦がした / The whole world is *yearning* for the abolition of nuclear weapons. 世界中が核兵器廃絶を切望している / Every pupil *yearned for* the rain to stop. 生徒たちはみな雨があがることを心から望んだ. **2**〔…に〕同情する,〔…を〕思いやる(feel pity)〔*over, toward, to, for*〕∥ Our heart *yearned for* the orphan. 我々は心からその遺児

かわいそうだと思った.
——他 [yearn to do]〈人が〉…することを切望する ‖ He *yearns to* marry her. 彼女はひたすら彼女と結婚したがっている.

yearn・ing /jə́ːrniŋ/ 图 UC《正式》**1**[…に対する/…したい]あこがれ, 切望[*for / to do*]. **2** 同情.
——形 切望した.

year(-)round /jíərráund, 《英+》jə́ː-/ 形副 一年中(の), 年間を通じて(ある).

†**yeast** /jíːst/ 图 U **1** イースト, パン種, 酵母(菌). **2** 影響力, (刺激となる)要素.

yéast càke (主に米)**(1)** 固形イースト. **(2)** 甘パン.

yeast・y /jíːsti/ 形 (**--i・er, --i・est**) **1** イーストのよう な). **2** 発酵した, 泡立った. **3** 不安定な, 軽薄な.

Yeats /jéits/ 图 イェイツ(**William Butler**/bʌ́tlər/ ~ 1865-1939; アイルランドの詩人・劇作家).

yeh /jéə, jé, jə́ə/ 副《米俗》= yeah.

†**yell** /jél/ 動 自〈人〉が[…に向かって]大声をあげる, 鋭く叫ぶ(+*out*)[*at, to*][♦ **shout, cry** より口語的]‖ *yell out* for help 大声で助けを求める / *yell* in [with] pain 痛くて悲鳴をあげる / *yell* in anger 怒ってどなる / *yell* with delight [fright] 喜んで[驚いて]叫ぶ / She *yelled at* the children to be quiet. 彼女は子供たちに静かにと叫んだ.
——他 …を大声で言う ‖ *yell* a warning to him 彼に大声で警告する.

yéll óut [他]〈言葉など〉を大声で言う.
——图 C **1** [通例 a ~] わめき声, 叫び. **2** 《米》《スポーツの応援の》エール.

⋆**yel・low** /jélou/
——形 (~**・er, ~・est**) **1** 黄色の; (病気・老齢などで)黄ばんだ ‖ a *yellow* light 黄信号(→ signal 图 **1**). **2** 〈顔・皮膚〉が黄色(ミ½)の, モンゴル人種の(**Mongoloid**). **3** 《略式》臆(セ)病な, 意気地なしの(**cowardly**). **4** 《新聞》が扇情的な, センセーショナルな.
[文化] **(1)** yellow は愛・平和・知性・豊饒(ジヨ)などを象徴する.
(2) キリストを裏切ったユダの着衣の色からも, 好ましくないイメージをもつ色でもあり, 臆病・卑怯(ピ½)・精神の頽廃(ミミ)などを連想させるとされている.
[表現]「黄色い声」は a shrill [squeaky] voice,「口ばしの黄色い」は young and unexperienced.
——图 (~**s**/-z/) **1** U 黄色 ‖ Look out! The traffic light is *yellow*. 危ない! 黄信号だ / *Yellow* is the color of autumn. 黄色は秋の色だ.
2 U 黄色の服; UC 黄色の絵の具[染料] ‖ be dressed in *yellow* 黄色の服を着ている. **3** UC 卵の黄味(**yolk**). **4** C 黄色い肌の人.
——動 他 …を黄色にする; …を黄ばませる.
——自 黄色にする; 黄ばむ.

yéllow cárd 《サッカー》イエローカード《反則した選手に審判が示す警告》.

yéllow féver 黄熱病《♦ **yellow jack, black vomit** ともいう》.

yéllow flú《米》《人種差別撤廃の強制バス通学に反対して, かぜと称して行なう》集団欠席《♦ スクールバスの色が黄色いことから》.

yéllow páges [しばしば Y~ P-] [the ~; 複数扱い]《商標》職業別電話帳.

yéllow péril [the ~; しばしば Y~ P-] 黄禍《黄色人種がもたらすわざわい》.

yéllow píne (北米産の)松; その材.

Yéllow Ríver [the ~] 黄河.

Yéllow Séa [the ~] 黄海.

yéllow・bird /jélouˌbəːrd/ 图 C《鳥》(一般に)黄色の羽の鳥《オウゴンヒワ(**goldfinch**)など》.

†**yel・low・ish** /jélouiʃ/ 形 黄色っぽい.

Yél・low・stóne /jélouˌstóun/ 图 [the ~] イエローストーン川《米国北西部の川. Missouri 川に注ぐ》.

Yéllowstone Nátional Párk イエローストーン国立公園《米国 Wyoming, Montana, Idaho 州にまたがる米国最古の国立公園. 温泉・景観が有名》.

†**yelp** /jélp/ 動 自 **1**〈犬が〉(痛がって・怒って)キャンキャン鳴く, 〈人が〉〈苦しみの叫び声[叫び声]〉をあげる.
——他 …を叫んで言う. ——图 C [通例 a ~] **1**《犬の》キャンキャン鳴く声. **2**《人の》悲鳴.

Yel・tsin /jéltsin/ 图 エリツィン(**Boris** ~ 1931-; ロシア共和国大統領 (1991-2000)).

Ye・men /jémən/ 图 《米+》 jéi-/ [the ~] イエメン《アラビア半島の国. 南北に分かれていたが1990年5月統一. 正式名 Republic of Yemen. 首都 San'a》.

†**yen**[1] /jén/ 图 (複 **yen**) C 円《日本の貨幣単位. 略 **Y, y.** 《記号》¥》《♦「1円玉3つ」と言うときは three [3] *yens* とも, three one-yen coins ともいう》.

yen[2] /jén/ 图 《略式》[a ~]〈…に対する/…したいという〉熱望, あこがれ[*for / to do*].

†**yeo・man** /jóumən/ 图 (複 **--men**/-mən/) C **1** 《英史》自作農. **2**《英史》ヨーマン, 自由農民, 郷士(cf. **franklin**). **3**《英史》《王室などの》侍従, 従者. **4** 《英史》義勇農騎兵の兵.

yeo・man・ry /jóumənri/ 图 UC 《英》 **1** 《文》 [the ~; 集合的詞; 単数・複数扱い]自作農階級. **2** 《歴史》義勇農騎兵団《1761年 yeoman の子弟で結成, 現在は国防義勇予備軍に所属》.

yep /jép/ 副《米略式》= yes (↔ **nope**)《♦ /p/ は破裂しない》.

⋆**yes** /jés/
——副 **1 a** [疑問詞のない疑問文に対する肯定の返事; 下降調で] はい, そうです《略式》yeah, uh-huh, mm-hum, yep, yup》(↔ **no**)‖《対話》"Can she play the guitar?" "*Yes*, she can."「彼女はギターを弾けますか」「はい, 弾けます」/ "Can [Shall] I open the window?" "*Yes, pléase.*(↗)"「窓を開けましょうか」「ええ, お願いします」《♦ 申し出を承諾する時の最も一般的な言葉. 断る時は No, thank you.》/ "Didn't they notice you?" "*Yés*, they did." 「彼らは君に気づかなかったのか」「いや, 気づいたよ」.

[語法] [否定疑問の返答] **(1)** 日本語では否定疑問文「…ではないのか」に対して返答は「はい, …ではない」,「いや, …だ」のようになるが, 英語では返答内容が肯定なら yes, 否定なら no を用いる. つまり肯定・否定のいずれで問われても, 返答形式はそれには左右されない. 例えば, Are you hungry? でも Aren't you hungry? でも,「空腹である」ならば Yes, I am. と答える(→上例 (**1a**)の最終例参照).
(2) この yes は身ぶりでは nod one's head (うなずく), no は shake one's head (首を横に振る)で表される(→ **head 1**[日英比較]).

b [相手の言葉に同意して] そうです, その通りです(↔ **no**)‖《対話》"And you were in this room at six." "*Yes*.(↗)"「それであなたは6時にこの部屋にいらした」「そうです」《♦ *Yes* の後に definitely, quite (so), indeed, precisely などをつけることも多い》/ "Isn't she attractive?" "*Yés, isn't she*!"「彼女は魅力的じゃないか」「その通りだね」/ "Hasn't he grown!""Yes, hasn't he?"「彼は大人になったじゃないか」「そう、そのとおりだね」《◆ 後の2例の yes の後の否定疑問形は、前者は感嘆文(→文法 1.9)の、後者は付加疑問文(→文法 1.7)の変形》.

c [呼びかけ；命令に答えて] **はい** 〘対話〙"Bob!" "Yes." 「ボブ」「はい」/ "Call him up.""Yes, sir." 「彼を電話に呼び出してくれ」「かしこまりました」《◆Yes, sir [madam]. は尊称もしくは店員の客に対する言い方なので、その代わりに OK, all right, right-o(h) (英)などを用いるのがふつう》.

2 [相手の否定的な言葉に反論して] **いいえ**、**いや** ∥ 〘対話〙"There's no need to apologize to her.""Yés, there is." 「彼女にあやまる必要はない」「いや、あるよ」/ "Don't ask him about it.""Yés, I will." 「そのことを彼に聞かないで」「いや、聞く〈もり だ」《◆ この場合日本語の「いいえ」は Yes、「はい」は No、となる："Don't ask him about it.""No, I won't." 「うん、聞かないよ」→ 語法 (1)》.

3 [通例 Y~?(↗)] **a** [呼びかけられて] **はい?，何でしょうか?** ∥ "Mother!""Yes?"「母さん」「なあに?」/ "I have a favor to ask you.""Yes?"「ひとつお願いがあります」「何でしょうか」. **b** [相手の意向がわからず、または内心の興味をひく] **何なの?，ご用ですか** ∥ 〘対話〙"Yes?""I'd like two tickets for the concert."「あの何か?」「コンサートのチケットを2枚ください」. **c** [相手の言葉への相づち・軽い驚きを表して] 〘対話〙"Then I happened to meet him.""Yes?""で、彼に偶然出会ったよ」「ほう、それで?」/ "I'm going to Hawaii next week.""Yes?" 「私来週ハワイへいくつもりよ」「ほんと?」. **d** [相手に自分の言葉を確かめて] **いいですね** ∥ "You must not speak until spoken to. Yes?"「話しかけられるまで口を開いてはいけません。わかりましたね?」.

4 [しばしば ~, and … または ~, or …；前言より強い言葉を導いて] **しかも、その上(moreover)** ∥ This dictionary is useful for beginners, yes, and also for advanced learners. この辞典は初級者に、いやそれどころか上級者にも役に立つ.

5 [前言を強めて] **ほかならぬ…** ∥ She hit me — yes me, her teacher. 彼女は私を、担任教師であるこの私を殴ったのです.

6 [Yes … Yes … Yes … と間を置いて繰り返して、相手の話を聞いている合図として] **ええ、うん**.

7 [自分の話す番が回ってきて] (あなたのお話はうかがいましたよ)**ところで**.

Yés and nó. (↘) さあどうかな、どちらとも言えないね《◆ 単に yes または no で答えられない場合に用いる》.

— 名 (@~·es, ~·ses) **1** ⓒ ⓤ「はい」という返事、同意[肯定]の言葉(↔ no) ∥ say yes はいと言う、同意[承諾]する / answer with a yes or a no イエスかノーで答える. **2** ⓒ [しばしば ~es, ~ses] 賛成票、賛成投票者《◆ この意味では、特に英国議会では aye の方がふつう》.

— 動 (過去·過分) yesed or yessed/-t/; ~·ing or yes·sing) 自他 (…に)イエスと言う.

yes·man /jésmæn/ 名 (@~·men) ⓒ (略式)イエスマン、ごますり((PC) endorser, follower).

:**yes·ter·day** /jéstərdei, -di/ 〘「前の(yester) 日(day)」〙

— 副 **1 きのう(は)** 《◆ 過去時制と共に用いる》 ∥ "When did he come?""He came yesterday."「彼はいつ来たの?」「きのう来た」《◆ 位置は文尾》/ You came back only yesterday. 君はきのう帰って来たばかりだ / She said, "I had an accident yesterday."「昨日事故にあったの」と彼女は言った《◆ 直接話法での yesterday は間接話法ではふつう前の day before の previous day となる. →文法 10.4(3)》: She said she had had an accident 「the day before [the previous day]. (前の日に事故にあった)と彼女は言った)ただし、彼女が「昨日」のことを話し手が伝えているのが同じ日であることが明らかな場合は yesterday のまま》.

2 [比喩的に] **きのう；つい最近** ∥ only yesterday いきなり / 〘対話〙"Will you have a share?""You can't fool me. I wasn't born yesterday." 「君も一口のらないか」「ばかにしないでくれ、(略式)昨日生まれたわけじゃないぞ」《◆「簡単にだまされはしない」の意》.

— 名 (@~s/-z/) **1** ⓤ きのう、昨日 ∥ the dáy before yésterday おととい、一昨日《◆ 副詞句扱いの場合(米)では the がしばしば省略される》/ in yesterday's paper 昨日の新聞に / Yesterday was rainy. 昨日は雨降りだった(=It was rainy yesterday. =It rained yesterday.)《◆ ×Yesterday rained. は不可》/ He stayed with us until yesterday. 彼は昨日まで私たちの家に滞在していた.

2 [形容詞的に] **きのうの、昨日の** ∥ yesterday [×last] **morning** [afternoon] きのうの朝[午後]《◆「きのうの夜」は last night といい、×yesterday night は不可. evening の場合は yesterday [last] evening が可》/ yesterday week 先週のきのう、8日前. **3** ⓤ (文)昨今；つい最近.

:**yet** /jét/

index 副 1 まだ 2 今はまだ 3 もう
接 けれども

— 副 《比較変化しない》**1a** [否定文で] (しばしば)**まだ起きていないことに対して驚きを表して****まだ、**(これから先に起こる可能性はあるが)**今[その時]までのところ**《◆ (1) yet not の否定形. (2) 肯定文では already に対応する》∥ She is **not** home yet. 彼女はまだ帰宅していない / He **hasn't** finished his work yet. 彼はまだ仕事を終えていない《◆「もう終わっていても当然なのに」という気持ちを強調する場合は He still [×yet] hasn't finished his work.》/ John has **never** yet been late for school. ジョンはまだ一度も学校に遅刻したことがない / She told me that they had **not yet** arrived. 彼らはまだ着いていないと彼女は言った. **b** [否定文·疑問文で] まだ《◆ 否定疑問文での yet は驚き·じれったさ·同情などを表す》∥ **Aren't** you ready **yet**? まだ用意ができていないのか?.

2 [否定文で；現在または未来を表す文で] **今はまだ、今すぐには** ∥ **Don't** start yet. まだ出発するな / My daughter is not yet old enough to go to school. 娘はまだ学校に行く年になっていない / He will **not** come **just** yet. 彼は今すぐには来ないだろう.

3 [肯定の疑問文で] **もう、今[その時]までにもう**(cf. already **2**) ∥ Is Tom up yet? トムはもう起きたかい / **Has** [(米式) **Did**] the mailman come yet? もう郵便屋さんは来ましたか.

4 (正式) [肯定文で] **a** まだ、依然として、**今[その時]なお**《◆ (1) still の方がふつうであるが、yet を用いると感傷的色彩を帯びる. (2) 進行形·継続の意を表す動詞と共に用いる》∥ The baby is crying yet. 赤ちゃんはまだ泣いている / She made a great discovery

while *yet* a young student. 彼女はまだ若い研究生のうちに大発見をした.
b 〔正式〕[be yet to do] まだ…していない; [have yet to do] まだ…しない[していない, したことがない]《◆期待感がないときによく用いられる》‖ He *is yet to* know the truth. 彼は事実をまだ知らない(=He has not known the truth yet.) / I *have yet to* find a husband who is perfect. 完璧(%)な夫なんかまだ出会ったことがない(=I have still not found …).
5 〔助動詞と共に〕いつか, やがて, そのうちに《◆ふつう文尾に用いるが, 〔正式〕または〔文〕では助動詞の直後に用いる》‖ He may come here *yet*. 彼はそのうち来るかもしれない / I will learn to play the violin *yet*. いつかバイオリンを習おう. **6 a** 〔正式〕[比較級を強めて] なおいっそう, その上(still, even)《●文法 19.8 (1)》‖ a *yet* more interesting story さらに面白い話 / Apples are likely to be「*yet* scarcer [scarcer *yet*]. リンゴはなおいっそう品薄になってきそうだ. **b** [通例 another, more の前で] さらに(still) ‖ *yet* another time =*yet* once *more* さらにもう一度 / another and *yet* another また1つまた1つ / 次々に / *yet* more people さらに多くの人たち. **7** [最上級を強めて] これまでに, 今までに ‖ the greatest book *yet* written これまでに書かれた最も偉大な書物. **8** [通例 and/but ～] それにもかかわらず, だが, でも ‖ She worked hard *and* [*but*] *yet* she failed. 彼女は一生懸命働いたが失敗した(=She worked hard only to fail.).

as yét 〔正式〕[通例否定文で; 文頭・文中・文末・過去分詞の前で] まだ, 今[その時]までのところ《◆「先はどうかわからないが」という含みを持つ》‖ an *as yet* unidentified explosive まだ確認されていない爆発物 / *As yet* we have *not* heard from him. 今のところ彼からは便りがない.

nòr yét …, (文)また…もない ‖ She will not come next week, *nor yet* (will she come) next month. 彼女は来週もまた来月も来ないでしょう.

yét agáin またしても.

──接 けれども, しかし, それにもかかわらず《◆(1) but, however より対比の意が強い. (2)〔文〕ではしばしば(al)though で始まる従節で示された対照をさらに強めるために主節に用いられる. (3) → 圏 8》‖ She is beautiful *yet* weak. 彼女は美人だが, ひ弱だ / He was angry, *yet* he listened to me patiently. 彼は怒っていたが, それでも私の言うことには辛抱して耳を傾けた / Deserts receive almost no rainfall, *yet* a few plants manage to live in them. 砂漠にはほとんど雨が降らないが, それでも少数の植物は何とか生きながらえる / *Although* she had not eaten for days, *yet* she looked healthy. 彼女は何日も食べていなかったが, それでも健康そうに見えた.

†**yew** /júː/ 名 **1** ⓒ 〔植〕(セイヨウ)イチイ(yew tree)《常緑針葉樹》. **2** Ⓤ イチイ材《古くは弓材, 現在は家具材》.

YHA (略) Youth Hostels Association ユースホステル協会.

Yid·dish /jídiʃ/ 名 Ⓤ 形 イディッシュ語(の)《世界各地のユダヤ人の国際語》.

†**yield** /jíːld/ 動 他 〔正式〕**1** 〈草木・土地などが〉〈作物など〉を産出する, もたらす(produce) ‖ The field *yields* oil [good crops]. その土地は石油[豊かな作物]を産する. **2** 〈事業・投資などが〉〈利益など〉を生む, 生む(produce) ‖ exports that *yield* large profits 大きな利益を生む輸出品. **3** 〈要求などより〉〈権利など〉を〈人・物に〉与える, 譲る, 認める(give) [to] ‖ *yield* precedence [the palm] 優先権[勝ち]を譲る / *yield* one's consent to the proposal その提案に同意する / My uncle 「*yielded* his property *to* me [(米) *yielded* me his property]. おじは私に財産を譲ってくれた. **4** 〈圧力を受けて〉〈町などを〉〈敵などに〉(一時的に)明け渡す, 放棄する(give up)(+*up*)[*to*] ‖ *yield* the field *to* a rival 対抗者に譲る / They *yielded* (*up*) the town to the enemy. 彼らは敵軍に町を引き渡した.
──自 〔正式〕**1** 〈草木・土地などが〉作物を産出する ‖ These apple trees *yield* poorly [well]. これらのリンゴの木は収穫が悪い[よい]. **2** 〈人が〉〈力・相手などに〉(一時的に)屈する, 負ける(give way)《◆surrender, submit は全面降伏》; 応じる; (米)〈車が〉〈他の車に〉道を譲る[*to*] ‖ *Yield* 〈米掲示〉譲れ / *Yield Ahead.* 〈米掲示〉前方に他車優先道路あり / *yield to* 「the enemy [her demand] 敵[彼女の要求]に屈する / I *yield to* no one in my abhorrence of violence. 私は暴力を憎むことでは人後に落ちない. **3** (圧力などのために)〔…に〕屈する, 曲がる, 動く(bend)[*to, under*] ‖ The gate *yielded* to the last push. 門は最後のひと押しでようやく開いた.

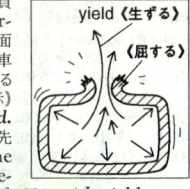

yíeld onesélf (úp) to A 〔正式〕〈誘惑などに〉負ける, 身をまかせる(give way to).

yíeld úp 他 〔正式〕**(1)**〈席などを〉譲る(give up). **(2)**〈秘密などを〉提出する.

──名 ⓒ 〔正式〕[通例 a/the ～] 産出(物), 産出高, 収穫(量)(product); 利回り, 収益 ‖ the *yield* of [from] the vineyard ブドウ園の収穫量 / a large *yield* of silver 銀の大量産出 / The company shares give a high [good] *yield*. その会社の株は高配当である.

yield·ing /jíːldiŋ/ 形 〔正式〕**1**〈物が〉曲げ[曲がり]やすい, しなやかな. **2** 服従しやすい, 従順な.

†**yip·pie, ~·py** /jípi/ 〖Youth International Party + hippie〗名 ⓒ (米俗)イッピー《ヒッピー族の過激派グループ》; その一員.

†**YMCA** (略) Young Men's Christian Association [the ～] キリスト教青年会((米略式) Y).

yo /jóu/ 間 (米略式) ヨウ, ヨッ《◆あいさつ・興奮を表す言葉》.

yo·del /jóudl/ 名 ⓒ ヨーデル《スイスやチロル地方の地声と裏声を交替させる歌い方》. ──動 (過去・過分) ～ed or (英) **yo·delled**/-d/; ～**ing** or (英) **··del·ling**) 他 自 (…と)ヨーデル(調)で歌う.

yo·ga /jóugə/ 〖サンスクリット〗名 [時に Y～] Ⓤ ヨーガ《ヒンドゥー教の宗教哲学》; ヨーガの行.

†**yo·ghurt, ··gurt, ··ghourt** /jóugərt | jɔ́gət, jóu-/ 〖トルコ〗名 Ⓤ ヨーグルト; ⓒ 1カートンのヨーグルト.

yo·ho /jouhóu/ 間 ヤッホー, よいしょ. ──動 自 おーい.

†**yoke** /jóuk/ (同音 yolk) 名 (複 ～**s, 2** では通例 **yoke**) **1** ⓒ くびき ‖ put the *yoke* on the oxen =put the oxen to the *yoke* 牛をくびきにつなぐ. **2** ⓒ (くびきにつながれた)1対の動物 ‖ two *yoke*(*s*) of mules くびきにつないだ2対[4頭]のラバ. **3** ⓒ (形・用途が)くびきに似たもの; てんびん棒; かすがい; 〔海

事〕横舵柄(ᵒˣ̌ᶻ̌). **4** ⓒ〔服飾〕ヨーク《体にぴったりするよう上着・シャツの肩, スカートの腰部に入れる切り替え布(の部分)》. **5**〔文〕[the ~] 束縛, 支配;〔聖〕‖ throw off *the yoke* 隷属状態を脱する, 反抗する / pass [come] under *the yoke* of a dictator 独裁者に支配される. ——動 他 **1**〈牛など〉をくびきにつなぐ(+*together*) ‖ *yoke* the oxen *together* 1対の牛を一緒にくびきにつける. **2**〈牛など〉を〔農具などに〕つなぐ〔*to*〕. **3**〔文〕…を結合させる, 一緒にする(join); [通例 be ~d] 一緒にさせる(+*together*) ‖ *be yoked* in marriage 結婚で結ばれる.

†**yolk** /jóuk, (米+) jóulk/ 同音 yoke 名 ⓒ Ⓤ《卵の黄身, 卵黄(cf. white 名 **3**, albumen).

yon /ján | jɔ́n/〔古·詩〕形 副 =yonder. ——代 あそこ[向こう]の人[物].

yond /jánd | jɔ́nd/〔古〕形 副 =yonder.

†**yon·der** /jándər | jɔ́n-/〔古·方言〕形 **1**[通例無冠詞で] あそこの, 向こうに見える ‖ He lived in *yonder* house. 彼は向こうの家に住んでいた. **2**[通例 the ~] その向こうの, もっと遠くの, 反対側の ‖ the *yon-der* side of the woods 森の反対側. ——副 あそこに, 向こうに(over there).

†**yore** /jɔ́ːr/ 名〔文〕[通例 of ~] 昔 ‖ *of yore* 昔の / in days of *yore* 昔は.

†**York** /jɔ́ːrk/ 名 **1**〔英史〕ヨーク王家(the House of York)《1461-85. 紋章は白バラ》(cf. Lancaster). **2** ヨーク《イングランド North Yorkshire の首都》. **3** =Yorkshire.

York·ist /jɔ́ːrkist/〔英史〕形 ⓒ ヨーク家の(人); 白バラ党の(党員).

York·shire /jɔ́ːrkʃər/ 名 ヨークシャー《イングランド北東部の旧州. 1974年 North [West, South] Yorkshire に分割. 略 Yorks》. **còme [pút] Yórkshire óver** [**on**] **A**〔英略式〕〈人〉を出し抜く.

Yórkshire púdding〔英〕ヨークシャー·プディング《小麦粉·卵黄·牛乳をまぜ合わせて焼いたもの. しばしばローストビーフの付け合わせにする》.

Yórkshire térrier〔動〕ヨークシャーテリア《毛の長い小型犬》.

Yo·sem·i·te /jouséməti | jəu-/ 名[通例 the ~] ヨセミテ《米国 California 州の Sierra Nevada 山脈中の大渓谷》.

Yosémite Nátional Párk ヨセミテ国立公園《米国 California 州東部に位置し, Yosemite Falls と呼ばれる3段の滝が有名》.

***you** /júː; (弱) ju, (米+) jə/ 同音 △yew, △ewe〖二人称単数[複数]主格[目的格]の人称代名詞〗(⇨文法 15.3(1)(3))

——代(⑲ you)《所有格 your, 所有代名詞 yours, 目的格 you》 **1**[主語として] あなた(たち)は [が], 君(たち)は《複数の場合は全員が話し相手であるか, または話し相手を含む複数の人を表す》‖ You and I are good friends. あなたと私は仲良しです《◆「包括的 we」を用いて We are good friends. ともいえる. cf. we **1a**》/ Are you there?(電話)でもしもし.

2 a[動詞の目的語として] あなた(たち)(を, に), 君(たち)(を, に)‖ My father knows you. 父はあなた(たち)を存じあげています. **b**[前置詞の目的語として] あなた(たち)(に, を, と, など)‖ I will speak to *you* tomorrow. あすお話します.

3[呼びかけ] お前たち(◆you に強勢を置く)‖ *Yóu* boys! お前たち, 男の子ら / Hey there, *yóu* in the blue sweater, you dropped something. おいそこの青いセーターの人, 何か落としましたよ《◆知らない人の注意を引く時に用いる》/ Behàve yoursèlf, *yóu*. 行儀よくしろよ, お前 / *Yóu* be cáreful. お前, 気をつけろ《◆勧告的な調子で, 強いいらだちを示すのに, ふつう please と共に用いない》/ *Yóu* come here, Jane, and *yóu* go over there, Jim. ジェーン, 君はここに来い, そしてジム, 君はあそこへ行け《◆2人以上の話し相手がある場合, 特に選び出すのに用いる》.

語法 命令文は常に聞き手(you)を前提としているので, 付加疑問では you を用いる: Open the window, will *you*?

4[総称的 you][一般に] 人は(だれでも)《◆(1) 話し相手を含めて一般の人を表す. (2) 話しかけるような調子で親しみをかもし出す. we よりもくだけた言い方》‖ You have to be careful in crossing the street. 道の横断には気をつけなければなりません / 対応 "What happens if *you* heat ice?" "If *you* heat ice, it melts." 「氷を暖めるとどうなるか」「氷を暖めると融ける」《◆you が問いに用いられても, 返答は I でなく you を用いる》.

5[ある地域·場所の] 人たち《◆(1) 話し相手を含む. (2) ふつう日本語に訳さない》‖ What language do *you* speak in your country? あなたの国では何語を話しますか.

Yóu and yóur **A!** (略式) **A**〈話など〉がまた始まった!‖ *You and your* big mouth! また例の大ぼらが始まった《◆しばしば Him and his …, Me and my … も可能》.

——名 Ⓤ(略式) あなたらしさ, あなた(の個性)‖ I saw another you at the party. そのパーティーでは(いつもとは違う)あなたの別の面を見ました.

yòu áll =you-all.

you-all, you all /júːɔ́ːl, jɔ́ːl/ 代(米南部) you(複数)の主格·目的格 **1** Boys, I want *you-all* to be quiet. おい, みんな, 静かにしてくれんか. 語法 呼びかけに用いる時は, 単数の「君」をさすこともある. y'all ともつづる.

***you'd** /júːd; (弱) jud, (米+) jəd/(略式) you had [would] の短縮形.

***you'll** /júːl; (弱) jul, (米+) jəl/(略式) you will [shall] の短縮形.

▶**young** /jʌ́ŋ/〖「出現してからの時間が比較的短くまだ発達の途中にある」が本義〗 派 youth (名)

——形(**~·er**/jʌ́ŋɡər/, **~·est**/jʌ́ŋɡist/)《◆/ɡ/ の音が加わる》

1[出現してからの時間が短い]

1〈人·生物が〉若い, 幼い, 年少の(↔ old)‖ *young* ones 子供たち, 動物の子たち / a *young* child 幼児 / a *young* family(一家族の)子供たち, 幼児のいる家族 / an ambitious *young* man 野心を抱いた青年《◆*a *young* ambitious man とはふつういわない. ⇨文法 17.2》 / magazines for *young* adults ハイティーン向けの雑誌 / die [marry] *young* 若くして死ぬ[結婚する] / the *younger* generation 若い世代, 青年層 ‖ He was better off 'when (he was) *young* [in his *young* days]'. 彼は若いころは暮らし向きがよかった / She is as *young* as I. 彼女は私と同じくらい若い《◆I am *young*. という含みがある. She is as old as I. では I am old. という含みはない》.

2〈人·考えなどが〉若々しい, はつらつとした, 青年らしい; 青春時代の(youthful)(↔ old); 若者にふさわしい,

若者向きの ‖ young love 清新な愛 / a man of young ambition 若々しい野心を抱いている人 / She is old in years but young in [at] heart. 彼女は年はとっているが気は若い.
3 a (他と比較して)**年下の**, 年齢が少ない《◆年齢の差を示すだけで比較の意味をもたない》‖ his young(er) brother [sister] 彼の弟[妹]《◆特に必要がない限り, 単に This is my brother [sister]. などという》/ Ann is *the younger of the two*. アンは2人のうち年下の方です《◆比較級の前に the が必要. ⊃文法 19.3(3)》/ the youngest of a family of four 4人きょうだいの末っ子 / She is (two years) *younger than* I am. =She is *younger than* I am (*by* two years). 彼女は私より(2歳)年下だ / John is too old to do the job. It is a job for *younger* men. それをやるには彼はとりすぎている. それは彼より若い人たちの仕事なのだ. **b**(やや古)[名詞の前で][同名の人・親子・兄弟を区別して]年下の方の, 若い方の, 息子[娘]の方の(junior) ‖ (the) young Greene 息子[娘, 弟, 妹]の方のグリーン《◆今は the young Greene は「若々しいグリーン」(**1**)の意となるのがふつう》, a young Greene は「若き日のグリーン」(**2**)の意となるのがふつう》/ young Mrs. Palmer パーマーさんの若奥様《◆「young Mr. Palmer の夫人」の意》.

‖[時間的にできて間がない]
4〈国家・社会などが〉できて間もない, 新興の(new)(⇔old) ‖ a young regime 揺籃(*ようらん*)期にある体制 / a young town 新しい町《◆「若者の町」の意にはならない》.
5《正式》〈季節などが〉始まって間もない, 早い, 浅い ‖ when the evening is still young まだ夕方になったばかりのころ(=early in the evening).
6〈人が〉〈物・事に〉未熟な, 経験の浅い(*in*, *at*)‖ a man young *in* this kind of work こういった仕事に不慣れな人 / a young hand *at* shooting 射撃の未熟な人.
——**名**Ⓤ **1**[通例 the ~; 集合名詞; 複数扱い]若い人たち ‖ The ambitious *young* are not content with a small success. 野心的な若い人たちはささやかな成功には満足しないものだ. **2**[集合名詞; 複数扱い](動物・鳥の)子たち(offspring) ‖ a bird fighting to defend its young ひな鳥を守って戦っている親鳥.

* **yóung and óld** (**alíke**) = (まれ) **óld and yóung** [複数扱い] 若い人も年を取った人も, 老いも若きも(everyone) ‖ *Young and old* in Japan celebrate New Year's Day. 日本では老いも若きも正月を祝います.

yóung adúlt (米) 10代後半の青少年, ハイティーン.
yóung pérson (**1**) 若い人. (**2**)(英)《法律》[the ~]14-17歳までの青少年.
young‧er /jʌ́ŋɡɚr/ [発音注意] **形** young の比較級.
——**名**Ⓒ **1**(米古)[通例 one's ~]年下の人 ‖ I am three years *her younger*. 私は彼女より3つ年下だ. **2**[通例 the ~; 時に Y~][同名の人・親子・兄弟を区別して]年[年下]の(…)‖ the *Younger* Smith =Smith the *Younger* 息子[娘, 弟, 妹]の方のスミス(cf. young **形 3 b**).
young‧ish /-ɪʃ/ どちらかというと若い, 中年には少し間がある(↔oldish).
†**young‧ster** /jʌ́ŋstɚr/ **名**Ⓒ **1** 子供《主に活発で元気のよい少年》. **2**(戯)若者(↔oldster)《◆ふつう12歳ぐらいから下の子. youth はそれほどでない, 特に思春期の

若者たち》‖ The singer is popular among *youngsters*. その歌手は若者に人気があります. **3**若い動物《主に馬》. **4**(米国海軍兵学校の)2年生.

‡**your** /jʊər, (弱) jər | jɔː, jʊə/ **同音** you're》《you の所有格》(⊃文法 15.3(2))
——**代**[名詞の前で; 形容詞的に] **1 あなた(たち)の**, 君(たち)の ‖ When you come next time, you should all bring *your* wives. 今度お越しの節は皆さん奥様を同伴なさいますように.
2(一般に)人の《◆日本語では訳さない》‖ A library is *your* best source of knowledge. 図書館は知識を得ることのできる最良の場所だ.
3(略式)よく言われる[知られている], 例の, 君のいう《◆非難を示したり, 思われているほどよいものでないということをほのめかす》.
4(英略式)例の, かの《◆ふつう actual, typical で強調する》‖ This is a painting by *your actual* Millet. これは本物のミレーの絵だ.
5[称号の前で]《◆面と向かっての呼びかけ》‖ *Your* Majesty 陛下《◆言及する時は His [Her] Majesty》.

*‡**you're** /jʊər, (弱) jər | jɔː, jʊə/ 《**同音** your》《(略式)you are の 短縮形《◆文尾では(略式)でも you're とならない: She's younger than you (are).》.

‡**yours** /jʊərz | jɔːz, jʊəz/《you の所有代名詞》(⊃文法 15.3(1))
——**代 1 a** [単数・複数扱い]**あなた(たち)のもの**, 君(たち)のもの《◆your ＋先行名詞の代用》‖ The red boots are *yours*. その赤いブーツはあなたの(もの)です. **b** あなたの手紙[家族, 義務] ‖ Greetings to you and *yours*. ご家族の皆さまによろしく.
2 [*of* ~]あなた(たち)の《◆名詞の前に your と a, this, no などとを並置できないので of yours として名詞の後に置く. → 語法 》‖ Is she *a friend of yours*? 彼女はあなたのお友だちですか / May I borrow *this book of yours*? あなたのこの本をお借りしていいですか《◆ ×this your book / ×your this book は不可》.
3 [通例 Y~] 敬具, 草々《◆(**1**) 単独では友人に対して用いる. ふつう下記のようにいろいろな副詞をつける. (**2**) 後にコンマをつけ, その下に署名する》.

| 関連 [手紙の結びの言葉] Yours ever (女性語), Yours cordially, (略式) Yours, (略式) Ever (以上上友人に用いる) / Yours faithfully (商用文または Dear Sir [Madam] で始まるような形式ばった手紙に用いる) / Yours sincerely ＝(米) Sincerely yours (親友とまではいかない友人とか知人への手紙, または個人あての商用文に用いる) / (主に米) Yours truly (ちょっとした知人, または商用文に用いるが, 礼儀の度合いは Yours faithfully と Yours sincerely の中間). |

yóurs trúly (**1**) 敬具(→ truly **3**). (**2**)《略式》私, 私には, 私自身 ‖ I can take care of *yours truly*. 自分のことは自分でできる.

‡**your‧self** /jʊərsélf, jər- | jɔː-, jʊə-/ 《you の再帰代名詞》(⊃文法 15.3(5))
——**代**(複 --selves /-sélvz/)《◆you は単複同形であるが再帰形では単・複の区別がある》**1** [再帰用法として] **あなた自身を[に]**《◆主語の you に呼応して, 他

yourselves / **zeal**

動詞または前置詞の目的語として生じる》‖ When did *you* hurt *yourself*? いつけがをしたのですか / 〖対話〗 "May I have a cookie?" "Help *yourself*." 「クッキーを食べてもいいですか」「ご自由にお取りください」.
2 [強勢を置いて強調用法として] あなた自身で《◆ *you* と同格に用いる》‖ *You* asked the question *yourself*. あなた自身がその質問をされましたよ.
[◆成句は → oneself].

*your·selves /juərsélvz, jər-|jɔː-, juə/ 〖→ yourself〗◇文法 15.3(5)
—— 代 yourself の複数形《◆複数の you に対して用いるもので, 単独には yourself に準ずる.

*youth /júːθ/ 〖類語〗 use /júːs/) 〖→ young〗派 youthful (形)
—— 名 ~s /júːðz, (米+) -θs/) **1** U《正式》[しばしば one's ~] 青春時代, 青年期；(国などの発展の)初期 ‖ enjoy *one's* youth 青春時代を楽しむ / The country is *in its* youth. その国は建国まもない.
2 U《正式》若々しさ, 元気よさ；未熟さ ‖ My mother is over sixty, but still keeps his *youth*. 母は 60 歳を越えていますがまだ若さを保っています.
3 C （主に10代の男性の)若い人, 青年, 若者 ‖ a *youth* of seventeen 17歳の青年(= a *young man seventeen years old*) (→ old **3 a**) / a gang of *youths* 若者の一団 / The *youth* in jeans belongs to a motorcycle gang. そのジーパンをはいた若者は暴走族です.
4 U《正式》[the ~；集合名詞；単数・複数扱い] 若い人たち(young people) (→ youngster) ‖ *The modern youth* spends too much time in front of the television. 近ごろの若者たちはテレビの前であまりにも多くの時間を費やしている / *The youth* of our country are indifferent to politics. わが国の青年男女は政治に無関心だ.
yóuth cènter [**clùb**] 青少年センター［クラブ]《余暇活動のための施設または組織》.
yóuth hòstel [時に Y- H-] ユースホステル《徒歩・自転車旅行をする青少年のための宿泊施設》.

†**youth·ful** /júːθfl/ 〖形〗**1**〈人 が〉若々しい(young-looking)；元気な ‖ my *youthful* grandmother はつらつとした祖母. **2**《正式》〈態度などが〉若者らしい(of youth) ‖ with *youthful* earnestness 青年らしい熱心さで. **3**《正式》初期の, できて間もない (new). **yóuth·ful·ness** 名 U 若々しさ.

*you've /júːv, (弱) juv, (米+) jəv/ 〖略〗you have の短縮形《◆文尾では〖略〗でも you've とはならない: She's got as many books as you (have).》.

yowl /jául/ 〖動 自〗〈犬が〉（苦痛のため）長く悲しげに鳴く, ウォーンと遠ぼえする；〈人が〉悲鳴な声を出す. —— 名 C 長く悲しげな鳴き声, 遠ぼえ.

yo-yo /jóujòu/ 〖名〗 (複 ~s) C **1**《商標》ヨーヨー. **2**《略式》優柔不断な人. —— 動〖自〗《略式》あれこれ迷う, ためらう；変動する.

yr., yr. 〖略〗year(s).

yuc·ca /jʌ́kə/ 〖名〗 C 〖植〗ユッカ, イトラン《リュウゼツラン科. New Mexico 州の州花》.

yuck /jʌ́k/ 〖間〗《略式》ゲェー《◆ひどい不快を表す》.

Yu·go·slav /júːgouslɑ̀ːv|-gɑ̀ː-/ 〖名〗 C ユーゴスラビア人 ユーゴスラビア人の人).

Yu·go·sla·vi·a /jùːgouslɑ̀ːviə|-gou-/ 〖名〗ユーゴスラビア《バルカン半島にあった国. 現在は5か国に分裂》.

Yu·kon /júːkɑn|-kɔn/ 〖名〗[the ~] ユーコン川《カナダ北西部から Alaska 中部を通り Bering 海に注ぐ》.
Yúkon Térritory [the ~] ユーコン準州《カナダ北西部》.

yum·my /jʌ́mi/ 〖形〗 (-mi·er, -mi·est)《略式・主に小児語》非常においしい, 気持ちよい. —— 名 C おいしい［喜ばしい］物.

yum-yum /jʌ̀mjʌ́m/ 〖間〗《略式》おいしい, うまい.

yup·pie, -py /jʌ́pi/ 〖young urban professionals + -ie〗 〖名〗 C《略式》ヤッピー《1940 年代後半から 50 年代前半生まれの, 都会派若手エリート層に属する人. cf. DINKS》.

yurt /júərt/ 〖名〗 C ユルト, パオ《中央アジアの遊牧民の移動式テント小屋》.

YWCA 〖略〗Young Women's Christian Association [the ~] キリスト教女子青年会((米略式) Y).

Z

‡**z, Z** /zíː|zéd/ 〖名〗 (複 z's, zs; Z's, Zs/-z/) **1** C U 英語アルファベットの第26字. **2** → a, A. **3** C U 第26番目(のもの). **a** C U 〖数学〗第3の未知数(量) (cf. x, y); z 軸. **b** C 未知の人［物]. **5** C 1 オンスの麻薬. *from A to Z* → a, A.
z, Z. 〖略〗zero; zone.
Z 〖略〗atomic number 原子番号；impedance; 〖独〗Zone.
Z. 〖略〗zero; zone; zinc.

Za·ire/zɑːíər, -|zɑíə/ 〖名〗 **1** ザイール(共和国)《コンゴ民主共和国の旧称》. **2** [z~] C (新) ザイール《コンゴ民主共和国の貨幣単位》.

Zam·bi·a /zǽmbiə/ 〖名〗ザンビア(共和国)《アフリカ南部. 公式名 the Republic of Zambia》.

za·ny /zéini/ 〖名〗 C 〖演劇史〗副道化役.

zap /zǽp/ 〖動〗(過去・過分 zapped/-t/; zap·ping) 〖略式〗 他 **1** …を強打する, 殺す, やっつける ‖ get *zapped* やられる. **2** …を素早く動かす. **3** 〖コマーシャル〗を早送りする. **4** 〖コンピュータ〗…を画面から消す, 〈データ〉を削除する. **5** (リモコンを使って)〈テレビのチャンネル〉を変える, 〈テレビのスイッチ〉を切る. **6**《米略式》〈食物〉を(電子レンジで)チンする.
—— 自 **1** 素早く動く；手早くすませる. **2**（コマーシャルを飛ばして)ビデオにとる.
zap·per /zǽpər/ 〖名〗 C《略式》(テレビの)リモコン.
Zar·a·thus·tra /zærəθúːstrə/ 〖名〗 = Zoroaster.

*zeal /zíːl/〖『競い争うこと』が原義〗派 zealous (形)
—— 名 U《正式》〈仕事・理想などに対する〉熱意, 熱心さ, 熱中 (eagerness) [*for, in*]《◆ *in* は過程, *for* は態度を示す》‖ The children prepared for the

party「*with zeal*. 子供たちは熱心にパーティーの準備をした / He showed great *zeal for* political and social reforms. 彼は政治と社会の改革に非常な熱意を示した.

zeal·ot /zélət/ 图 C〔正式〕熱狂する人, 狂信者(fanatic).

†**zeal·ous** /zéləs/〔発音注意〕形〔正式〕[be zealous for **A**]〈人が〉〈物事に〉熱心である; [be zealous in doing / be zealous to do] 熱中して…する(eager) ‖ *zealous* supporters [efforts] 熱心な支持者たち[努力] / be *zealous for* victory [fame] 勝利[名声]を熱望している / She was *zealous* in carrying out [to carry out] the plan. 彼女はその計画を実行しようと懸命だった.

zeal·ous·ly /zéləsli/ 副 熱心に, 熱狂的に.

†**ze·bra** /zí:brə, zí-/ 图〔集合名詞〕(zebra) ❶ C シマウマ. ❷ C =zebra crossing. **zébra cróssing**〔英〕(黒と白のしま模様の)横断歩道.

ze·bu /zí:bu:, -bju:/ 图 C コブウシ, ゼビューウジ.

ze·nith /zí:nɪθ, zé-/ 图 ❶〔天文〕[the ~] 天頂《地上の観測者の真上の天球上の点》(↔ nadir). ❷ C〔文〕[通例 the one's ~](名声・力などの)頂点, 絶頂 ‖ be *at the zenith* of one's career [fame] 出世[名声]の絶頂にある.

Ze·no /zí:nou/ 图 ゼノン《336?-264?B.C.; ギリシアのストア学派の始祖》.

†**zeph·yr** /zéfər/ 图 C〔詩〕やわらかな西風.

Zep·pe·lin /zépəlɪn/〔考案者のドイツの将軍の名から〕图 ❶ C〔歴史〕ツェッペリン型飛行船(略式) Zepp. ❷ [z~](一般に)飛行船(airship).

***ze·ro** /zí(ə)rou, 〔米+〕zí:rou/〔アラビア語の「からっぽの」の意から〕

── 图(圈 ~s/-z/, ~es)〔正式〕❶ C (数字の)0, ゼロ, 零 ‖ The figure 1010 has two *zeros* in it. 数字の1010にはゼロが2つある.
❷ U (計量器の目盛の)ゼロ, 零度《◆〔英〕では科学的な書き物のみに用いられる. cf. naught》‖ ábsolute *zéro* 絶対零度 / fly at *zero*〔航空〕ゼロ高度(=500フィート以下の高度)で飛行する / The temperature [It] was (six degrees) belòw *zéro* this morning. 気温は今朝氷点下(6度)だった. ❸ U 無, 少しもないこと, 最低の状態(nothing) ‖ We had to start our business from *zero*. 我々は商売をゼロ[何もないところ]から始めなければならなかった. ❹ C U 0 点 ‖ get (a) *zero* in Russian ロシア語で0点をとる. ❺〔形容詞的に〕**a** ゼロの, 無の ‖ *zero* gravity〔物理〕無重力状態 / (at) *zero* degrees 0度(で)《◆数値が0 degrees と複数形》/ a *zero* probability of his coming 彼が来る見込みがまったくないこと. **b**〔文法〕不変化の, 何も付加しない ‖ a *zero* relative ゼロ関係詞《◆ the boy (whom) I met of whom を省略した場合を示す》.

語法 (1)〔電話番号・建物番号などの0〕ふつう oh /ou/ と読む: 034-1023 *oh* three four, one *oh* two three. 〔米〕では oh のほかに zero もふつうに用いられるが, 〔英〕では oh, nought, nil が好まれる. (2)〔スポーツでの読み方〕[サッカー, ラグビーなど] Japan won 5-0. 日本が5対0で勝った《◆ five nil または five (to) nothing と読む》. [テニス] The score is 30-0. 得点は30対0《◆ thirty love と読む》. → tennis〔関連〕. 〔米スポーツ放送〕It's Florida over Georgia, 8-0. フロリダがジョージアに8対0と優位に立っています《◆ eight zip と読む》. 〔野球の打率〕.207 (two *oh* seven) 2割7

厘 / .300 (three hundred) 3割.
(3)〔小数点と0〕0.357 *zero* [*nought*] point three five seven / 0.5% *zero* point five percent / 3.04 three point *oh* [*zero*] four.

──動(過去・過分) ~ed/-d/) 他 自 (計量器の)目盛りをゼロに合わせる.
zéro ín on A (1)〈物に〉銃[カメラ]のねらいを定める. (2)〈物・事〉に注意を集中する, 専念する.
zéro hòur (1)〔軍事〕攻撃開始予定時刻. (2)(宇宙船発射などの)重大な計画の)開始予定時刻. (3) 決定的[危機的]局面.
zéro populátion gròwth 人口ゼロ成長《出生率と死亡率が均衡を保っている状態. 〔略〕ZPG》.

†**zest** /zést/ 图〔正式〕❶ U [時に a ~] […に対する]熱意, 強い興味, 大喜び(joy)〔for〕‖ with terrific *zest* 恐ろしいほどの情熱で / lose one's *zest for* life 生きる意欲を失う. ❷ U [時に a ~] 面白味, 興奮 ‖ Her disappearance gave [added] (a) *zest* to the mystery. 彼女の失踪(ʃ̂ƒ)でなぞが一段と面白くなった. ❸ C (香辛料としての)レモン[オレンジ]の皮.

zest·ful /zéstfl/ 形 シオンに満ちた; 趣のある.

ze·ta /zéɪtə, zí:-/ 图 U C ゼータ《ギリシアアルファベットの第6字(ζ, Z). 英字の z, Z に相当. → Greek alphabet》.

†**Zeus** /zjú:s/ 图〔ギリシア神話〕ゼウス《Olympus の神々の主神. ローマ神話の Jupiter に当たる》.

Zhou En·lai /dʒóu enláɪ/ 图 周恩来《1898-1976; 中国の共産党指導者. 首相(1949-76)》.

zig·zag /zígzæg/ 图 ❶ C ジグザグ(形のもの), Z字[稲妻]形(のもの)《左右交互に鋭角に折れ曲がった道路など》‖ move in a *zigzag* ジグザグに動く. ❷〔形容詞的に〕ジグザグの ‖ by a *zigzag* path ジグザグに曲がった道を通って.
──副 ジグザグに ‖ run *zigzag* ジグザグに走る(= run in a *zigzag*).
──動(過去・過分) zig-zagged/-d/; --zag·ging) 自 ジグザグに動く, ジグザグになっている ‖ *zigzag* through the woods 森をジグザグに通り抜ける. ── 他 …をジグザグに動かす, ジグザグの形にする.

zil·lion /zíljən/〔主に米略式〕图 C 無数, 数えきれないほどの多数; [~s of …] おびただしい数の….
──形 天文学的数字の.

†**zinc** /zíŋk/ 图 U〔化学〕亜鉛《金属元素. 〔記号〕Zn》.
──動(過去・過分) zinc(k)ed or〔英〕zincked/-t/; zin(c)k·ing or〔英〕zinck·ing) 他 …を亜鉛メッキする.
zínc óxide [**white**]〔化学〕酸化亜鉛.
zínc súlfide〔化学〕硫化亜鉛.

zinck·y /zíŋki/ 形 亜鉛の, 亜鉛を含む.

zing /zíŋ/ 图 U〔略式〕ビューン[ヒューン]という音.

zin·ni·a /zíniə/ 图 C〔植〕ヒャクニチソウ(の類)《◆キク科. Indiana 州の州花》.

†**Zi·on** /záɪən/ 图 ❶ シオン《David が宮殿を建てたエルサレムにある聖丘》. ❷ イスラエル. ❸〔集合名詞〕イスラエル人. ❸ 天国, 神の国. ❹ キリスト教会; (ユダヤ人の)ユートピア. **Zí·on·ism** 图 U シオニズム.
Zí·on·ist 图 C シオン主義の(人), シオニスト.

zip[1] /zíp/ 图 ❶ C〔略式〕[通例 a ~] ビュッ[ピリッ](という音)《弾丸の飛ぶ音, 布の裂ける音など》. ❷ U〔略式〕活力, 精気, すばしこいこと. ❸ U =zipper.
──動(過去・過分) zipped/-t/; zip·ping) 自 ❶ ビュッと音を立てる. ❷〔略式〕勢いよく進む. ❸ ジッパーで開閉できる. ── 他 ❶ …のジッパーを締める(+ *up*); …のジッパーを開ける. ❷ …を勢いよく動かす.

zip² /zíp/ 名CU (米略式)(主にスポーツ)無得点, ゼロ点((英) nil).

zip còde /zíp-/ [zoning [zone] improvement plan] [しばしば Zip code, ZIP code] (米国の)郵便番号(制度)《9桁あるいは5桁の数字からなり, 始めの3桁は州と都市, 次の2桁は郵便区, 末尾4桁(拡張コード)は配達場所などを表す. 英国の postcode に相当》《◆ zip code は UC だが, Morse code などは U》.

zip·fas·ten·er /zípfǽsnər | -fǽsn-/ 名 (英) =zipper.

zip·per /zípər/ 名C (米) ジッパー, ファスナー, チャック. ——動 自 (…の)ジッパーを締める.

zir·con /zə́ːrkɑn | -kən/ 名U 鉱物 ジルコン《◆ turquoise と共に12月の誕生石》.

zith·er /zíðər, zíθ-/ 名C 音楽 チター《30–40本の弦を持ち, 水平にして弾く弦楽器》.

zizz /zíz/ 名 (英略式)[a ~] うたたね ‖ have [take] a *zizz* 居眠りする.

Zn (記号)(化学) zinc.

†**zo·di·ac** /zóudiǽk/ 名 1 天文 [the ~] 黄道帯, 獣帯《天球の黄道に沿った想像上の帯. 太陽・月・惑星がこの上を運行するように見える》. 2 C 十二宮図《黄道帯を12等分し1つ1つに星座を配したもの》.

関連 [黄道十二宮(the signs of the zodiac)]
Aries 白羊宮 [the Ram おひつじ座]
Taurus 金牛宮 [the Bull おうし座]
Gemini 双子宮 [the Twins ふたご座]
Cancer 巨蟹宮 [the Crab かに座]
Leo 獅子(し)宮 [the Lion しし座]
Virgo 処女宮 [the Virgin おとめ座]
Libra 天秤(てんびん)宮 [the Balance [Scales] てんびん座]
Scorpio 天蠍宮 [the Scorpion さそり座]
Sagittarius 人馬宮 [the Archer いて座]
Capricorn 磨羯(まかつ)宮 [the Goat やぎ座]
Aquarius 宝瓶(ほうへい)宮 [the Water Bearer [Carrier]みずがめ座]
Pisces 双魚宮 [the Fishes うお座]

---

zo·di·a·cal /zoudáiəkl/ 形 天文 1 黄道帯の. 2 黄道帯内の ‖ *zodiacal* light 黄道光.

Zo·la /zóulə/ 名 ゾラ《Emile/emíːl/ ~ 1840-1902; フランスの自然主義小説家》.

zom·bi(e) /zɑ́mbi/ 名 1 (Voodoo 教で)超自然力によって操られる死体, ゾンビ. 2 C (略式)無気力なやつ, うすのろ.

*****zone** /zóun/ [「帯」が原義]
——名 (複 ~s/-z/) C 1 [しばしば複合語で] (特定の目的・用途・特徴により区分される)地帯, 区域 ‖ in a demilitarized [war, neutral] *zone* 非武装[戦争, 中立]地帯で / a no-parking *zone* 駐車禁止[禁止]/a smokeless [residential] *zone* 無煙[住宅]地区. 2 地理 帯(たい)《地表を緯度で大きく5つに分けた区域》.
——動 (zon·ing) 他 1 (目的別に)〈都市など〉を […として]区画する〈as, for〉 ‖ *zone* part of the city 「*as* industrial [*for* redevelopment] 市の一部を工業地区として[再開発用地域に]区画する. 2 (特徴により)…を[…に]分類する〈into〉.

zóne défense 《バスケットボールなど》ゾーン=ディフェンス《範囲を分担する防御(法). cf. man-to-man》.

zon·ing /zóuniŋ/ 動 → zone.

*****ZOO** /zúː/ [『zoological garden(s) の短縮語』]
——名 (複 ~s/-z/) 1 C 動物園《◆ 正式には zoological garden(s)》‖ My family went to the *zoo* to see the pandas last Sunday. 先週の日曜日に私の家族はパンダを見に動物園に行った.
2 [the Z~] (英) ロンドン動物園.

zoo·o- /zóuə-/ (語要素)「動物」の意 (1.6).

zoo·ge·og·ra·phy /zùːdʒiɑ́grəfi/ -5g-/ 名U 動物地理学.

†**zo·o·log·i·cal** /zòuəlɑ́dʒikl | -lɔ́dʒ-/ 形 動物学(上)の, 動物に関する.

zoológical gárden(s) 動物園 (zoo).

†**zo·ol·o·gy** /zouɑ́lədʒi | -lɔ́l-/ 名U 動物学.

zo·ól·o·gist 名C 動物学者.

zoom /zúːm/ 動 自 1〈飛行機が〉急上昇する. 2 (略式)〈ブーンという音と共に〉急に動く, スピードをあげる(+*past, by, off, away*). 3 (略式)〈物価などが〉(急に)上がる(+*up*). 4 写真 ズームレンズで […を拡大[縮小]撮影する(+*in* [*out*]) 〈*on*〉. ——他 …を急上昇させる.

zóom lens 写真 ズームレンズ.

Zo·ro·as·ter /zɔ́ːrouæstər | zɔ̀rouǽs-/ 名 ゾロアスター《紀元前600年ごろのペルシアの宗教家. ゾロアスター教[拝火教]の始祖》.

zuc·chi·ni /zuːkíːni/ 名 (複 ~s, zuc·chi·ni) C U (米)〈植〉ズッキーニ((英) courgette) 《夏カボチャの一種》.

Zu·lu /zúːluː/ 名 (複 ~s, Zu·lu) 1 [the ~(s)] ズールー族; C ズールー族の人《アフリカ南部 Natal 地方の Bantu 族に属す》. 2 U ズールー語. ——形 ズールー族[語]の.

Zu·rich /zú(ə)rik/ 名 チューリッヒ《スイス最大の州, および州都. 工業の中心》.

zzz, z-z-z, ZZZ /zːː/ 間 名U グーグー《擬音語. いびきの音》, ブンブン《のこぎり・羽虫の音》.

付　　録

目　次

和英索引 ………………………… 1793

文法のまとめ …………………… 1878
文法用語集 ……………………… 1920
語要素一覧 ……………………… 1926
発音注意の語一覧 ……………… 1941
不規則名詞変化表 ……………… 1947
不規則動詞活用表 ……………… 1951
発音のてびき …………………… 1957

度量衡換算表 …………………… 1963

和 英 索 引

(1) 辞典本文中の重要な語句の訳語を見出し語とした。
 ただし，本文中に，この索引の見出し語そのままの形で訳語がのっていないこともある。
 日本人にとって重要と思われる語は，対応する英語の頻度が低くても見出し語とした。また，句については，必ずしもそのままの英語が本文にのっていなくても，英作文に有用と思われるものは記載した。
(2) 見出し語の配列は五十音（アイウエオ）順。長音（ー）は直前の文字の母音を繰り返すものと見なして，その位置に置いた。
   サービス →「サアビス」の位置
   ノート →「ノオト」の位置
(3) 辞典本文と同様，（ ）は「省略可能」，［ ］は直前の部分との「交替可能」を表す。
(4) 〜は原則として見出し語の代用。ただし，見出し語が動詞・形容詞など活用のある語の場合は，語幹（変化しない部分）の代用としたところもある。
   小さい …… 〜くする ……
   散らかす 〜っている ……
 見出し語に（ ）や［ ］がある場合は，〜はこれらを除いた形の代用である。
   代理(の) …… 〜店 …… 〜をする ……
(5) 見出し語の意味を明確にするため，〔 〕で補足説明を入れた。また，適宜〈形〉(英)などで品詞や使用地域を示した。

あ

ああ ah, oh.
アーチ arch.
アーモンド almond.
愛 love, affection. 〜する[している] love, be attached to.
あいかわらず (as) ... as ever, as usual.
愛玩動物 pet.
愛好(する) love. 〜者[家] lover, amateur.
愛国 〜者 patriot. 〜心 patriotism. 〜的な patriotic.
アイコン icon.
あいさつ greeting, salute;〔時候の〕compliment;〔公式の〕address. 〜する greet, salute.
アイシャドウ eye shadow.
愛称 nickname.
愛情 affection, heart, love. 〜に満ちた[のこもった] loving, affectionate.
愛人 love, lover.
合図(する) signal, sign;〔しぐさで〕motion.
アイスクリーム ice cream.
アイスコーヒー iced [ice] coffee.
アイススケート ice skating.
アイスホッケー ice hockey.
アイスランド Iceland. 〜人 Icelander. 〜語[の] Icelandic.
愛想 〜のよい affable, amiable, agreeable, sociable. 〜の悪い unsociable.
(…の)間〔期間〕over, for, time, while.（…の）〜に[で] between, among.（…の）〜ゅう through, throughout, during.
愛着 love, attachment. 〜を持つ be attached to.
相手 opponent;〔事件・契約などの〕party.
あいている〈形〉free, vacant.
あいにく unfortunately. 〜の unfortunate, untimely.
合い間 meantime.
あいまいな vague, ambiguous, obscure.
アイルランド Ireland. 〜人[の] Irish.
アイロン iron. 〜を当てる press, iron.
あう〔雨などに〕be caught in [by] **A**.
会う meet, see.
合う〔体質に〕agree;〔大きさ・型が〕fit.

あえぎ gasp.
あえぐ gasp. 〜ながら言う gasp, pant.
あえて…する dare, pretend, venture, presume.
青い blue;〔緑〕green.
仰ぐ →見上げる；尊敬する.
青ざめた white, pale. 〜る lose color.
青白い pale.
あお向けに[の] on one's back.
赤(い) red. (顔が)〜くなる blush, flush.
アカウント account.
赤字 red.
アカシア acacia.
上がったり下がったり up and down.
上がって up.
(顔を)赤らめる blush, flush.
明かり light.
上がる go up, lift, rise;〔おどおどする〕get nervous.
明るい light, bright;〔快活な〕cheerful, bright. 〜く brightly. 〜くする light.
赤ん坊 baby.
秋 autumn, fall.
空き space, room. 〜家[地] vacant house [lot].
あきあきさせる tire. 〜している weary, tired. 〜する〈形〉tiresome.
明らかな obvious, manifest, clear, evident.
明らかに clearly, evidently, obviously. 〜する manifest, reveal, show.
あきらめる give up, abandon.
あきる tire, be tired [weary] of. 〜た tired, weary.
あきれる be surprised at [by].
悪 evil, vice.
悪意 harm, malice, spite. 〜のある vicious, malicious.
悪い wrong, evil.
握手する shake hands.
アクセサリー accessory.
アクセス(する) access.
アクセル accelerator.
アクセント accent.
あくび(をする) yawn.
悪魔 devil, demon, Satan.
悪夢 nightmare.
アゲハチョウ swallowtail.
(夜が)明ける dawn, break.
(場所を)あける make room.
開ける open.
あげる give.
上げる raise, lift, elevate.
揚げる fry.
あご jaw, chin. 〜ひげ beard.

あこがれ longing, yearning;〔崇拝〕adoration. 〜る long, yearn;〔崇拝する〕adore.
朝 morning.
麻 hemp.
浅い〔深さが〕shallow;〔思慮・知識が〕superficial;〔傷が〕slight;〔眠りが〕light.
アサガオ morning glory.
あざける mock, ridicule, sneer, laugh at.
あさって the day after tomorrow.
朝寝坊する get up late (in the morning).
浅はかな shallow.
朝日 morning sun.
あざむく deceive, cheat.
鮮やかな clear, vivid;〔手ぎわのよい〕neat, skillful.
アザラシ seal.
アシ reed.
脚 leg.
足 foot;〔犬・猫の〕paw. 〜の指 toe. 〜の裏 sole.
味(がする, がわかる) taste.
アジア Asia.
足跡 footstep, step, footprint.
足音 footstep;〔重い〜〕tramp.
足首 ankle.
あした(の) tomorrow.
味付ける season.
足取り footstep.
味見する taste.
味わう taste;〔鑑賞する〕appreciate.
預かる〔保管する〕keep.
アズキ small bean.
預ける give;〔銀行に〕bank, deposit;〔荷物を〕check;〔子供を〕leave.
アスパラガス asparagus.
汗 sweat, perspiration. 〜をかく sweat, perspire.
アセアン ASEAN.
あせる〔色が〕fade.
焦る be in a hurry, be impatient, in haste.
あそこに[の] there, over there.
遊び play, game. 〜友だち gang,〔子供の〕playmate. 〜場 playground, place to play.
遊ぶ play.
値 price. 〜しない unworthy. 〜する worth, worthy,〈動〉deserve.
与える give, provide;〔援助を〕render;〔賞として〕award. 〜ない refuse, deny.
あたかも…かのように as if [though].
暖[温]かい warm. 〜く心地よい snug.

暖かく	warmly.
暖かさ	warmth.
暖まる	warm (up).
暖める	warm；〔熱する〕heat.
アタッシェケース	attaché case.
あだ名	nickname.
頭	head；〔頭脳〕brain．〜の先からつま先まで from head to foot [heel, toe]．〜のよい bright．〜の鈍い dull．〜にくる get mad at.
新しい	new, hot, fresh, novel．〜く newly.
当たり	〔命中〕hit；〔当たりくじ〕prize.
あたりに	around, about.
あたりまえ	→当然の.
当たる	hit, strike.
あだを討つ	revenge.
あちこちに[を]	around, round, here and there.
あちらへ	away, over there.
暑い	hot, warm.
熱い	hot.
厚い	thick.
扱う	use, handle, deal in [with], treat．〜いにくい difficult.
厚かましい	forward, impudent．〜くも(…)する have the nerve.
暑さ	heat.
圧搾する	squeeze.
(…で)あったかもしれない	could have done.
圧倒	〜する overwhelm．〜的 overwhelming.
アットマーク	at sign, @.
圧迫	oppression, pressure, stress．〜する oppress.
アップ	〜グレード(する) upgrade．〜デート(する) update.
集まり	gathering, meeting, assembly.
集まる	gather, assemble, collect, concentrate.
集める	gather, collect；〔人を〕assemble；〔資金を〕raise.
あつらえる	made to order.
圧力	pressure.
あて先	address.
当てにする	〔頼る〕rely, depend, count on；〔期待する〕expect.
当てになる[ならない]	reliable [unreliable].
(…に)あての	for.
当てのない	aimless.
あてはまる	apply, be applicable to.
あてはめる	apply.
当てる	hit, strike；〔言い当てる〕guess.
跡	mark, print, trace, trail.
あと	〜に[へ] behind．(…した)〜に[で] after．〜で afterward(s), later, subsequently．〜の latter, subsequent．〜を継ぐ succeed.
アドバルーン	advertising balloon.
アトピー	atopy.
アドレス	address.
穴	hole, hollow, opening, pit．〜をあける drill．〜を掘る dig.
アナウンサー	announcer.
あなた(を, に)	you．〜の your．さま sir, madam [ma'am]．〜のもの yours．〜自身(で, を, に) yourself.
あなたたち(は, が, を, に)	you．〜の your．〜のもの yours.
兄	(older) brother.
姉	(older) sister.
あの	that, the.
アパート	apartment, flat.
あばく	disclose.
あばら骨	rib.
浴びせ(かけ)る	pour.
アヒル	duck.
浴びる	bathe.
アフガニスタン	Afghanistan．〜人[の] Afghan.
アフターサービス	service.
危ない	dangerous.
油	oil；〔脂肪〕fat, grease．〜っこい greasy．〜絵 oil painting.
アフリカ	Africa．〜の[人(の)] African.
アプリケーション	application.
あぶる	roast.
あふれる	fill, flood, overflow．〜ほどいっぱいの full.
甘い	sweet；〔子供などに〕indulgent．〜点をつける grade easily.
天の川	Milky Way, Galaxy.
甘やかす	indulge, spoil.
余り	〔残り〕surplus, rest；〔割り算の〕remainder.
あまり	〔否定文で〕very.
あまり(にも)	too (much).
…余りの	odd.
甘んじる	reconcile.
網	net；〔肉などを焼く〕grill．〜状のもの network.
網棚	rack.
網戸	screen door.
編む	knit, weave.
雨(が降る)	rain；〔にわか雨〕shower．〜(降り)の rainy, wet．〜の降らない dry.
アメーバ	amoeba, (米) ameba.
アメリカ(合衆国)	America, United States (of America)．〜の[人(の)] American.
アメリカンフットボール	American football.
アメンボ	water strider.
あやうく	narrowly．→ほとんど.
怪しい	〔疑わしい〕doubtful, questionable；〔信頼できない〕unreliable；〔不審な〕suspicious．〜と思う[怪しむ] suspect, doubt.
操る	manage；〔帆船を〕sail；〔人・世論を〕manipulate.
(…ではないかと)危ぶむ	fear.
誤った	false, wrong.
誤って	by mistake [accident], accidentally.
誤り	error, fault, mistake．〜を犯す make a mistake, commit a fault, err.
謝る	apologize, ask pardon for.
あら	→欠点．〜捜しする be critical of.
粗い	〔きめが〕rough, coarse.
荒い	〔気が〕wild.
アライグマ	raccoon.
洗う	wash, bathe.
あらし	storm, typhoon, tempest．〜の stormy．〜が吹く storm.
荒す	〔国土などを〕devastate；〔害する〕damage.
アラスカ	Alaska.
あらすじ	outline, summary.
争い	strife, struggle；〔競争〕competition；〔論争・紛争〕dispute.
争う	〔対抗する〕cope；〔競争する〕compete；〔張り合う〕fight.
新たな	new.
新たに	newly, anew, afresh．〜する refresh.
アラブ首長国連邦	the United Arab Emirates.
改める	change, mend；〔改善する〕improve, reform；〔改正する〕amend.
荒っぽい	wild.
あらゆる	every, all.
あられ	hail.
表す	〔表に出す〕show, display；〔表現する〕express；〔意味する, 象徴する〕represent, stand for.
現れる	appear, come (out), show up；〔事実などが〕emerge.
アリ	ant.
ありうる	possible.
(…では)ありえない	can't, 〈形〉impossible.
ありがたく思う	appreciate.
ありがとう	thank, Thank you.

ありくい anteater.
ありそうな likely, probable. ～こと probability.
ありそうもない unlikely, improbable.
ありふれた common, everyday, ordinary.
(…で)ある be.
(…が)ある There ..., exist; 〔所有する〕have.
ある a, one, some; certain.
あるいは or; 〔ことによると〕perhaps.
歩き回る go about, roam, wander.
歩く walk, tread, step.
アルコール(飲料) alcohol, drink.
アルジェリア Algeria. ～人[の] Algerian.
アルゼンチン Argentina. ～人[の] Argentine.
アルツハイマー病 Alzheimer's disease.
ある程度 kind of, to some extent.
アルト alto.
アルバイト part-time job.
アルバニア Albania. ～人[語](の) Albanian.
アルバム album.
アルファベット alphabet. ～順の alphabetical.
アルメニア Armenia. ～の, ～人[語](の) Armenian.
あれ that.
荒れ狂う rage.
荒れた waste, wild;〔天候・肌などが〕rough;〔会議などが〕stormy.
荒地 waste.
あればいいと思う wish.
あれら those.
荒れる〔荒廃する〕be ruined;〈形〉rough.
アレルギー allergy.
アロエ aloe.
アロマ aroma. ～セラピー aromatherapy. ～セラピスト aromatherapist.
泡(立つ) foam, bubble.
合わせる〔部品などを〕fit;〔時計を〕time;〔チャンネルを〕tune.
あわてる〔まごつく〕be confused;〔急ぐ〕be in a hurry, in haste, in a hurry.
哀れな〔悲しい〕sad, sorrowful;〔気の毒な〕poor, pitiful, pathetic;〔悲惨な〕wretched, miserable.
哀れみ pity.
案〔計画〕plan, scheme, idea;〔提案〕proposal.

アンインストールする uninstall.
暗記 ～する learn A by heart, memorize. ～している know by heart.
アンケート questionnaire.
暗号 cipher, secret code.
アンコール encore.
暗殺 assassination. ～する assassinate.
暗算する do mental arithmetic, do mental calculation.
暗示 suggestion, indication, hint, implication. ～する suggest, hint, imply.
暗礁 rock.
暗唱 recitation. ～する recite, repeat.
安心 relief, ease. ～させる relieve. ～する feel relief, relieve. ～して…させる trust.
安全 safety, security. ～かみそり safety razor. ～な safe, secure. ～に safely, securely. ～ピン safty pin.
アンダーライン(を引く) underline.
安定(性) stability. ～した stable, steady. ～させる stabilize.
アンテナ antenna, aerial.
アンドゥ undo.
安堵(感) relief.
案内 guidance. ～人 guide, conductor. ～書 guide, guidebook. ～所 bureau. ～する show, lead, guide.
暗に imply.
アンパイア umpire.
安否を尋ねる inquire after A.
あんまり →あまり.
アンモニア ammonia.
安楽な easy.

い

胃 stomach.
いいえ no, yes.
言いかえ(る) paraphrase. ～れば in other words.
言い返す retort, talk back.
いいかげんな〔でたらめな〕haphazard, random;〔でっちあげた〕madeup. ～に扱う trifle.
言い足す add.
言いつける tell;〔命令する〕order.
言い伝え tradition, legend.
(…が)いいですか could, may.
いいとも sure, certainly.
言い回し expression.
eメール email, e-mail, Email, E-mail.

言い訳(をする) excuse.
委員 commissioner, committeeman;〔全委員〕committee. ～会 board, committee. ～長 chairman.
言う say;〔…しなさいと〕tell;〔所見として〕remark;〔評する〕describe;〔説明する〕represent.
(…と)いうことになる follow.
(…と)いう人 … by name ; a Mr. ...
言うまでもない go without saying.
(…は)言うまでもなく let alone ..., needless to say, not to speak of A, to say nothing of A.
家 home, house, place.
家柄 family.
家中の者 household.
イエス=キリスト Christ.
イエローカード yellow card.
イエメン Yemen.
硫黄 sulfur.
イカ cuttlefish, squid.
…以外 ～の other than [from] .... …～は except, but.
意外な unexpected. ～にも surprisingly, unexpectedly.
医学 medicine, medical science. ～の medical.
いかさまをする cheat.
(…)以下(で, に, の) →…より下(で, に, の).
錨 anchor.
怒り anger, fury, rage, wrath.
遺憾 regret.
息 breath. ～をする breathe. ～が詰まる choke. ～を吐く[吹きつける] blow.
(…)行き bound for.
意義 meaning, significance. ～のある significant, meaningful.
異議 objection. ～を唱える object, protest.
(場所に)行き当たる strike.
生き生きした bright, lively, vivid;〔新鮮な〕fresh.
生き写し image.
勢い force. ～よく forcibly;〔流れる・吹く〕rush.
生き返る[らせる] revive.
生きている alive, live, living.
生き長らえる live.
いきなり suddenly, abruptly.
生き残る survive. ～こと survival.
生き物 being, creature, living thing.
イギリス →英国.
生きる live.

行く go, come;〔距離・場所を〕cover;〔長距離を〕travel;〔訪れる〕visit.
イグアナ iguana.
育児 child care. ～室 nursery.
意気地のない tame, timid.
育成する foster.
いくつ how many;〔年齢〕how old. ～かの several, some. ～もの several.
いくぶん rather, somewhat. ～か の certain.
いくら〔値段〕how much. ～かの few, some. ～…しても…しすぎではない cannot … too …
池 pond.
畏敬の念 awe.
生け垣 hedge.
(…しては)いけない must not, do not.
いけにえ sacrifice.
生け花 flower arrangement.
意見 opinion, judgment, thought, view, notion. ～が合わない differ. ～が一致する agree. ～を求める consult.
威厳 dignity, majesty. ～のある grand, stately.
…以後 after, since.
意向 intention, view.
勇ましい brave, courageous, valiant, gallant.
遺産 heritage, legacy, inheritance.
石 stone, rock. ～の(多い) stony.
意志 will, volition. ～表示 gesture.
維持 maintenance. ～する maintain, sustain.
意識 consciousness. ～している[的な, のある] conscious. ～を失った unconscious. ～を取り戻す come (back) to life.
異質の foreign, heterogeneous.
いじめ(る) tease, bully.
いじめっ子 bully.
いじめられっ子 victim of bullying.
医者 doctor;〔内科医〕physician;〔外科医〕surgeon.
移住 migration; emigration; immigration. ～する migrate;〔他国へ〕emigrate;〔他国から〕immigrate.
衣装 clothes, garment, costume.
…以上(で, に, の) → …より上(で, に, の).
異常な remarkable, abnormal, unusual.

衣食住 food, clothing and shelter.
意地悪な spiteful, ill-natured.
威信 prestige.
偉人 hero, great man.
いす chair, stool, bench.
泉 fountain, spring.
イスラエル Israel.
イスラム教 Islam. ～徒 Islam, Muslim.
いずれか either.
いずれにせよ anyway.
異性 other [opposite] sex.
威勢のいい spirited, dashing.
遺跡 ruin, remain, relic.
以前(に) before, previously. ～は formerly.
依然(として) still, yet.
急いで hastily, in a hurry, in haste. ～行く run, rush. ～送る rush.
忙しい busy, be engaged. ～く busily.
急がせる hasten, hurry, speed.
急ぎ足 trot.
イソギンチャク (sea) anemone.
急ぐ hasten, hurry, speed.
板 board, plank.
痛い painful, sore.
偉大(さ) greatness. ～な great, mighty.
委託 trust. ～する refer, trust.
いだく bear.
いたずら mischief, trick. ～な naughty, mischievous.
イタチ weasel.
痛み ache, pain. ～を与える pain. ～を感じる sore.
痛み止め painkiller.
いたむ go bad [rotten], spoil, bruise.
痛む hurt, ache.
いためる fry.
痛める strain.
イタリア Italy. ～人[の, 語] Italian.
至る go, get to, reach.
至る所で[に, を] all over A, everywhere, throughout, through.
いたんでいる rotten.
1 one.
市 fair, market.
位置 location, position, situation. ～する lie, be located. ～している situated, stand.
いちいち one by one, each.
一員 member.
1月 January.
一撃 stroke.
イチゴ strawberry.
一時〔かつて〕once, at one time;〔しばらく〕for a while. ～の temporary.
イチジク fig.
一時停止(する) suspend.
著しい striking, remarkable. ～く strikingly, remarkably.
一族 family.
一団 company, gang, party, troop.
位置づける rank.
位置について, 用意, ドン Ready, steady, go!
一度 once. ～に at once.
一日中 all day (long), all the day.
一年中 all (the) year around [round].
市場 market.
1番(の) first. (…するのが)～よいhad [would] best do.
一部 part, fraction, portion. ～の partial.
一部分は partly.
一面(に) all over. ～の広がり field.
一夜づけ overnight cramming.
イチョウ ginkgo.
一覧 catalogue. ～表 table. ～表にする list.
一律に equally, evenly.
一流 ～の first-class, leading. ～好みの luxurious.
一輪車 wheelbarrow.
一塁 first base. ～手 first baseman.
一連の a chain of, a series of.
いつ when.
いつか someday, sometime;〔かつて〕once.
一家 family, home.
1階 first [ground] floor.
一貫した consistent.
一見(して) at a glance, at sight.
一行 party, company.
(…の)一種(の) a sort [kind] of.
1周 circuit.
一瞬 moment, instant.
一生 life, lifetime, time.
一生懸命(に) hard, for dear life.
一緒に together, along with. ～行く go with.
一斉に〔同時に〕all at once;〔一緒に〕all together.
一節 passage.
一層 more than ever, more and more, all the more.
一掃する sweep, wipe out.
一足 a pair of (shoes).
いったい(全体) ever, on earth, in the world, in the hell.

(…を)行ったり来たり up and down.
いったん…すると once.
一致 accord, accordance, agreement, union, correspondence. 〜する accord, agree, correspond；〔言行などが〕〈形〉consistent.
一直線の direct, straight.
5つ(の) five.
1対 couple, pair.
一定の definite, regular, uniform, fixed.
いつでも at any time；〔常に〕always；〔…する時はいつでも〕whenever.
1等 first prize.
いっぱいにする fill.
いっぱいになる fill, overflow, swarm.
いっぱいの full.
1杯の a cup [glass] of.
一般 〜の[的な] general, common, in general, at large. 〜に generally, in general. 〜的に言って generally [roughly] speaking.
一般公開(する) release.
一般の civil.
一般大衆 mass.
一般民衆の popular.
一片 flake.
一歩 step, stride. 〜一歩 step by step.
一方(の) one. 〜では on (the) one hand.
一本立ちする set up；→独立.
いつも always, each time. (…する時は)〜 every time. 〜の regular, usual. 〜のように as usual. 〜するとは限らない not always.
いつわり deceit. 〜の deceitful. 〜のない sincere.
イディオム idiom.
いて座 Sagittarius.
移転 transfer.
遺伝 inheritance, heredity. 〜的な inherit, hereditary.
意図 intent, intention, view. 〜する intend.
糸 string, thread. 〜を通す thread.
緯度 latitude.
井戸 well.
移動 removal, transfer, movement. 〜させる[する] move, transfer.
いとこ cousin.
いとしい(人) dear.
糸巻き reel.
いとまごい leave.

挑む challenge.
…以内で[に] within, less than.
いないときに during [in] A's absence.
(…の)いない所で behind A's back, behind the back of A.
いないで in the absence of A.
田舎 country, countryside, province. 〜の rural.
イナゴ locust.
稲妻 bolt, lightning.
イニシアチブ initiative.
委任 commission. 〜する entrust, commit.
イニング inning.
イヌ dog. 〜小屋 kennel.
稲 rice (plant).
いねむり(する) nod, doze.
イノシシ wild boar.
命 life. 〜にかかわる deadly, mortal, vital. 〜取りになる fatal.
祈り(の言葉) prayer；〔食前・食後の〕grace.
祈る pray, wish.
いばる be proud [haughty, pompous].
違反 breach, offense, violation. 〜する violate, break, offend.
いびき(をかく) snore.
衣服 clothes, suit.
違法な illegal.
居間 living [〔主に英〕sitting] room.
今 now. 〜から(先)hence. 〜すぐ (just) now. 〜すぐにも (at) any minute. 〜でも even now. 〜にも (at) any moment. 〜の current. 〜まで hitherto. 〜までのところは so [thus] far.
いま(…だから) now.
意味 meaning. 〜ありげな significant. 〜する mean, signify. 〜のある meaningful, significant.
移民 emigrant, immigrant.
イモ 〔ジャガイモ〕potato；〔サツマイモ〕sweet potato.
妹 sister.
イモリ newt.
いや 〜だに思う dislike, hate, mind,〈形〉reluctant.
いやいや unwillingly, reluctantly.
いやがる be reluctant.
いやし healing.
卑しい 〔身分などが〕humble, low；〔卑劣な〕mean, base.
いやす mend, heal.
いやな unpleasant, offensive,

horrible, nasty, disgusting.
イヤリング earring.
いよいよ 〔ついに〕at last, finally；〔ますます〕more and more.
依頼 request. 〜する request, ask.
(…して)以来 since, downward.
いらいら 〜させる annoy, irritate, vex. 〜する annoy, be irritated.
イラク Iraq. 〜人[の] Iraqi.
イラスト illustration. 〜入りの illustrated. 〜レーター illustrator.
イラン Iran. 〜の[人, 語] Iranian.
入り江 bay.
入口 entrance, gateway, door.
入り組んだ complex.
衣料品 clothing, clothes.
いる be, exist, be present.
イルカ dolphin.
入れかえる reverse.
入れ物 container, case.
入れる 〔物を〕put in；〔液体を〕pour；〔案内する〕show；〔入場・入学を許す〕admit.
色 color, hue.
色つや tone.
いろいろな various, different.
色白の fair.
岩 rock. 〜の多い rocky.
祝い(の言葉) congratulations, celebration.
祝う celebrate, congratulate.
イワシ sardine.
(…とは)言わないまでも not to say …
いわば as it were, so to speak.
いわゆる socalled, what is called, what we [you, they] call.
印(を押す) seal.
韻 rhyme.
陰影(をつける) shade.
陰気 gloom. 〜な dismal, gloomy.
インク ink.
イングランド England. 〜の English. 〜人 English, Englishman, Englishwoman.
インコ parakeet.
印刷 print, printing. 〜する print.
印象 impression. 〜を与える impress. 〜的な impressive.
飲食物 diet.
インスタント食品 convenience food.
インストール installation. 〜する install.
隕石 meteorite.

インターチェンジ interchange.
インターネット the Internet, the Net, the Web. 〜ショッピング Internet shopping. 〜電話 Internet telephone.
インターフェース interface.
引退 retirement. 〜する retire.
インタビュー interview.
インチ inch.
インテリ intellectual. 〜ぶる人 highbrow.
インテリア interior. 〜デザイナー interior designer.
インド India. 〜[の] Indian.
インドネシア Indonesia. 〜の[人, 語] Indonesian.
インフォームドコンセント informed consent.
インフルエンザ influenza, flu. 〜の予防注射 flu shot.
インフレ inflation.
韻文 verse.
陰謀 plot, intrigue.
引用 quotation, citation. 〜する quote.
引力 gravitation, attraction.

う

ウイスキー whisk(e)y.
ウイルス virus.
ウインカー directional [turn] signal, blinkers, (英) winkers.
ウインク(する) wink.
ウインドウ window.
ウインドサーフィン windsurfing, wind surfing.
ウインドブレーカー windbreaker.
ウール wool.
ウーロン茶 oolong.
上 [上部] top. 〜の[に] on, above, beyond, over. 〜の方の upper. 〜の方へ upward.
飢え hunger, starvation.
ウエイター waiter.
ウエイトレス waitress.
ウェールズ Wales. 〜の Welsh.
植木 garden tree. 〜屋 gardener.
ウエスト waist.
ウエディングケーキ wedding cake.
ウェブ →ワールドワイドウェブ. 〜サイト Website, Web site. 〜ブラウザ web browser. 〜ページ web page.
飢える starve. 〜hungry.
植える plant.
ウォール街 Wall Street.
うお座 Pisces.

うがい gargling.
浮かぶ float;〔心に〕occur. 〜べ float.
ウガンダ Uganda.
浮き沈み ups and downs.
浮く float.
ウクライナ Ukraine. 〜の[人, 語] Ukrainian.
請け合う assure.
受け入れ reception.
受け入れる accept, take in A. 〜られる catch on.
受け皿 saucer.
受け継ぐ take over, inherit, succeed.
受付 reception (desk), information desk;〔ホテル・駅などの〕inquiry office.
受け付ける receive.
受けとめる take.
受け取り人 receiver.
受け取る get, receive, take, accept.
受ける have, get;〔検査などを〕undergo.
動かす get, move;〔揺り動かす〕stir;〔機械などを〕run;〔船などを〕work;〔人・意見などを〕sway.
動かない motionless.
動き move, movement;〔傾向〕trend. 〜のない dead.
動き回る get about.
動く act, move, stir;〔機械などが〕run.
ウサギ rabbit;〔野ウサギ〕hare.
牛 ox;〔雌〕cow;〔雄〕bull;〔子牛〕calf;〔総称〕cattle.
失う lose.
失われた lost.
うしろ back, rear. (…の)〜に behind, at the back of. 〜の back, behind, hind. 〜へ back, backward.
渦 whirlpool, vortex.
薄明かり twilight.
薄い〔色が〕light, pale;〔厚さが〕thin;〔飲み物が〕weak.
うすうす感じる suspect.
薄皮 film.
薄く thinly. 〜削る shave. 〜塗る spread.
うずく ache.
薄暗い dim, gloomy, dusky.
薄暗み gloom.
ウズベキスタン Uzbekistan.
ウズラ quail.
うそ lie. 〜つき liar. 〜を言う lie, tell a lie.
歌 song.
歌う sing, chant, recite. 〜人 singer.

疑い doubt, suspicion. 〜なく beyond [without] (all) question. 〜深い suspicious.
疑う doubt, suspect, wonder.
疑わしい doubtful, suspicious.
うたた寝 nap, doze.
(…の)うち in, inside;〔期間〕in, within.
打ち明ける confide, confess.
打ち合わせ arrangement. 〜をする arrange.
打ち勝つ overcome, prevail.
内側 inside. (…の)〜に within, inside, under. 〜にある inward. 〜の inner, inside.
内気な shy, bashful.
打ちそこなう miss.
打ち負かす beat.
宇宙 space, universe, cosmos. 〜ステーション space station. 〜船 spaceship. 〜飛行士 astronaut.
有頂天 rapture.
打ち寄せる lap.
撃つ shoot.
打つ strike, hit;〔続けて〕beat;〔むちなどで〕lash.
うっかり carelessly, thoughtlessly.
美しい beautiful, lovely, fine, handsome.
美しく beautifully.
写し copy.
移す carry, shift, remove, transfer.
(病気などを)うつす infect.
写す〔写真を〕take a picture [photograph] of, photograph;〔書類などを〕copy.
映す reflect.
訴え appeal.
訴える〔告訴する〕accuse;〔苦情を言う〕complain;〔手段に〕resort.
うっとうしい sullen.
うっとりさせる enchant.
移り住む settle, move.
うつろな hollow.
腕 arm;〔腕前〕ability, skill. 〜を組む fold one's arms. 〜時計 watch.
うながす〔せきたてる〕urge, press.
ウナギ eel.
うなずく nod.
うなる〔犬が〕growl;〔野獣が〕roar;〔風が〕howl;〔うめく〕groan.
ウニ (sea) urchin.
うぬぼれ conceit, pride, vanity. 〜ている be conceited, be proud.
うのみにする swallow.

乳母 nurse. ～車 baby carriage, pushchair.
奪う deprive, rob.
馬 horse. ～小屋 stable. ～に乗る ride. ～の背 horseback.
うまい 〔上手な〕good, skillful;〔巧妙な〕clever;〔おいしい〕delicious, nice, good.
うまく well, successfully. ～いく get along, get on, work (out). ～…する contrive. ～やっていく manage.
生まれ birth, origin.
生まれつき by nature, naturally, from birth. ～の natural.
生まれながらの born. ～に持っている be endowed.
生まれる be born, come into existence.
海 sea, ocean. ～の marine.
ウミガメ turtle.
生み出す produce.
産む bear, give birth to;〔動物が〕breed, have;〔卵を〕lay.
埋め合わせ compensation. ～する compensate.
うめき声 moan.
うめく groan, howl.
埋める bury;〔空白を〕fill.
裏 〔裏面〕reverse, wrong side;〔うしろ〕back;〔野球〕bottom, second half.
裏返しに inside out, wrong side out.
裏返す turn, reverse.
裏書き endorsement.
裏切り treachery. ～の treacherous.
裏切る betray.
裏口(の) backdoor.
占い fortunetelling.
占う tell one's fortune.
裏庭 backyard.
恨み grudge, malice.
恨む bear [have, nurse, hold] a grudge against.
うらやむ envy, be envious of.
売上(高) sale.
売る sell. ～れる sell. ～り出す offer. ～り物 for sale. ～り切れる be sold out.
ウルグアイ Uruguay.
うるさい loud, noisy;〔いらいらさせる〕annoying;〔好みが〕particular.
うれしい glad, happy.(…して)～ be pleased to do.
売れ行きが…である sell.
熟れる ripen. ～た ripe.
うろこ scale.
うろたえる be dismayed, be upset.
うろつく wander, loiter, hang around [about].
上着 coat, jacket.
うわさ rumor, report, gossip. ～に聞いている hear.
上向きの[に] upward.
運 fortune;〔一時的の〕luck. ～がよい[悪い] fortunate, lucky [unfortunate, unlucky]. ～よく[悪く] fortunately, luckily [unfortunately, unluckily].
運営する administer.
運河 canal.
うんざり ～させる bore, tire, disgust. ～させる人[事] bore. ～した tired, sick. ～する tire.
運勢 fortune.
運送 transportation, transport. ～料 freight rates, carriage.
運賃 fare. ～後払い(で) carriage forward.
運転 〔車の〕driving;〔機械の〕operation. ～手, ～する人 driver. ～する drive, operate, run.
運動 〔身体の〕exercise;〔社会的〕campaign, movement;〔動き〕motion. ～会 athletic meet(ing). ～着 warmup suit, track suit. ～競技の athletic. ～競技の athletic. ～場 ground, playground. ～選手 athlete, sportsman.
運命 destiny, doom, fate, lot. (…する)～にある be destined [doomed] to. ～を決する〈形〉fatal.

え

柄 handle, grip;〔ハンマーなどの〕shaft.
絵 painting, picture;〔線画〕drawing. ～のように美しい picturesque. ～を描く paint, draw.
エアメール airmail.
エアロビクス aerobics.
エイ ray.
永遠 eternity. ～に続く everlasting. ～の eternal.
映画 film, movie, picture. ～館 cinema, movie house [theater].
永久 eternity. ～的な permanent. ～に forever, for ever. ～の eternal, perpetual.
影響 influence, operation. ～し合う react. ～する[を及ぼす] affect, influence, work on. ～力 force, influence. ～を受ける feel. ～を受けやすい sensitive.
英語 English.
栄光 glory. ～ある glorious.
英国 United Kingdom, England. ～人 British, Englishman. ～の British, English.
衛星 satellite, moon. ～都市 satellite town [city]. ～放送 satellite broadcasting.
衛生的な sanitary, hygienic.
映像 reflection, screen.
永続する〈形〉lasting, permanent.
鋭敏な keen, sharp, fine.
英文和訳 translation from English into Japanese.
英雄 hero. ～の[的な] heroic. ～的女性 heroine.
栄誉 distinction. ～を授ける honor.
栄養 nutrition. ～のある nutritious, nourishing.
エーカー acre.
ええと Let me see, Let's see.
描く represent;〔線画を〕draw;〔絵の具で〕paint;〔下図を〕draft.
駅 (railroad) station, depot;〔鉄道施設〕railroad.
液晶 liquid crystal. ～ディスプレイ liquid crystal display.
液体(の) liquid.
エクアドル Ecuador.
えくぼ dimple.
えさ feed;〔釣りの〕bait. ～を与える feed.
えじき prey.
エジプト Egypt. ～の[人] Egyptian.
会釈 salutation. ～する salute, nod.
エスカレーター escalator.
エストニア Estonia, Esthonia. ～人[の] Estonian.
枝 branch;〔大枝〕bough;〔小枝〕twig. ～を出す shoot.
エチオピア Ethiopia. ～人[の] Ethiopian.
エチケット etiquette, manner.
エックス線 x ray.
閲覧室 reading room.
エネルギー energy.
絵の具 color, paint. ～で描く paint.
絵はがき postcard, post card.
エビ prawn, shrimp;〔大エビ〕lobster.
エピソード episode.

エプロン apron.
エムエスドス MS-DOS.
エルペグ MPEG.
偉い great.
選ぶ choose;〔精選する〕pick out;〔多くの物の中から〕select;〔選挙で〕elect, take. 〜こと choice, selection, election.
えり collar, neck. 〜巻 scarf, muffler.
えり抜きの select, selected.
得る get, acquire, obtain, gain;〔金を〕earn;〔名声を〕win.
エル=サルバドル El Salvador.
エレベーター elevator,《英》lift.
円 circle, round;〔日本円〕yen.
宴会 reception, banquet, feast, dinner party.
沿岸 coast.
演技 performance, acting.
延期する delay, postpone, put off.
婉曲な indirect, euphemistic.
遠距離 distance.
遠近(画)法 perspective.
園芸 horticulture, gardening.
演劇 drama, play, theater. 〜の theatrical.
縁故 connection.
円熟した ripe.
援助 assistance, aid, support, help. 〜する assist, aid, support, help.
演じる act, perform, play.
エンジン engine.
円錐(形) cone.
遠征(隊) expedition.
演説 address, speech. 〜者 speaker. 〜する address, speak.
演奏 performance. 〜者 player. 〜会 concert. 〜する play (on), perform.
遠足 (school) excursion, trip. 〜に行く to on [make] an excursion to.
エンタイトルツーベース ground rule double.
演壇 platform.
円柱(状の物) column.
延長 extension, prolongation. 〜する extend, prolong.
円筒 cylinder.
エンドウ pea.
煙突 chimney;〔汽車などの〕funnel.
円盤 disk;〔空飛ぶ円盤〕flying saucer, UFO. 〜投げ discus throw.
鉛筆 pencil. 〜削り(機) pencil sharpener.
円満な〔人が〕bland, suave, gentle.
遠慮 reserve, restraint;〔気がね〕constraint. 〜する be reserved. 〜なく without reserve.

お

尾 tail.
オアシス oasis.
おい Hey, Look [See] here!.
甥 nephew.
追いかける run after, pursue, chase.
王権 throne.
追い越す pass;〔競走で〕outstrip.
おいしい delicious, good, nice.
老いた aged, very old.
追い出す put [drive] out, expel.
追いつく catch up (with), overtake.
(…に)おいて in, at, on.
追い払う send away.
追い求める pursue.
追いやる drive.
王 king.
追う〔追いかける〕run after;〔人・動物を〕drive;〔犯人・真相を〕hunt;〔追跡する〕pursue, chase. (…を)〜て after.
負う〔背負う〕carry [have] … on one's back;〔義務・恩義な〕owe, be indebted to.
応援 〜する〔声援する〕cheer;〔支援する〕support. 〜歌 fight song, rooters' song. 〜団 cheering party, cheerleaders club.
王冠 crown.
扇 fan.
応急手当 first aid.
王国 kingdom, realm.
黄金 gold. 〜の gold, golden.
雄牛 bull, ox.
王子 prince.
王女 princess.
応じる〔答える〕answer, reply to, respond to;〔招待・申し出に〕accept.
応接室 reception [living, sitting] room.
横断 crossing. 〜する cross, get [go] across. 〜歩道《英》pedestrian crossing《米》crosswalk.
応答 answer, response. 〜する answer, respond.
王妃 queen.
往復 going and returning. 〜する go and return [come back]. 〜切符 round-trip《英》return] ticket.
横柄な arrogant.
応募 application. 〜する apply for. 〜者 applicant.
オウム parrot. 〜返しに繰り返す echo.
応用 application. 〜する apply.
往来 traffic.
オウンゴール own goal.
終える finish;〔仕事などを〕get through, have done;〔会議論・取引などを〕close;〔連載・講義などを〕conclude.
おお oh.
多い a lot of, lots of;〔数が〕many, numerous,;〔量が〕much; a good [great] deal of.
覆い(隠すもの) cover, mask. 〜のない bare, naked, open.
大いに very much, greatly, largely.
覆う cover.
オオカミ wolf.
多かれ少なかれ more or less.
大きい big, great, large;〔音が〕loud. 〜方の major.
大きくする enlarge.
大きさ size, proportion.
オーク oak.
(…より)多く over, more.
多くて at (the) most, not more than.
多くの a lot of, lots of;〔数が〕many, a good many, numerous, a great number of;〔量が〕much, a good [great] deal of.
(…もの)多くの as many as A.
おおげさに言う exaggerate.
オーケストラ orchestra.
大声で loudly, out.
大声をあげる yell.
大ざっぱな rough.
大騒ぎ fuss.
オーストラリア Australia. 〜人[の]Australian.
オーストリア Austria. 〜人[の]Austrian.
大勢 flock, host, troop. 〜の many, a crowd of, a very large number of.
大通り avenue, thoroughfare, main street [road].
オートバイ motorcycle, motorbike.
オードブル hors d'oeuvre.

オートミール oatmeals.
オーバー overcoat.
オーバーヘッドキック scissors [bicycle] kick.
オーブン oven.
オーボエ oboe.
大また(で歩く) stride.
大麦 barley.
大目に見る overlook, make allowances [(an) allowance] for.
大文字 capital (letter).
大物 somebody, big name, big shot;〔狩り・釣りの〕big game.
公 〜の public;〔公式の〕official. 〜に publicly, officially. 〜になる〔秘密などが〕be made known, come to light. 〜にする go public, disclose. 〜になって out.
大雪 heavy snow.
およそ approximately, roughly.
大喜び(させる) delight.
オール oar. 〜でこぐ row.
オールインワンの all-in-one.
オールスター(ゲーム) All-Star Game.
丘 hill, height.
お返し return.
(…の)おかげで thanks to;〔…のせいで〕owing to, due to. 〜をこうむる owe.
おかしい〔こっけいな〕funny;〔変な〕strange, odd, queer, peculiar.
犯す〔罪・過失などを〕commit;〔法を〕violate, offend against.
冒す〔病気の〕attack;〔危険などを〕run.
拝む〔崇拝する〕worship;〔祈る〕pray.
小川 stream, brook.
起き上がる get up, rise.
置換え displacement.
(寝ずに)起きている stay up, sit up.
補う make up for A, supplement, supply.
起き直る sit up.
お気に入り favorite, pet.
起きる get up, rise;〔目覚める〕wake up.
置き忘れる leave.
奥〔家の〕back;〔心の〕back, recess.
億 hundred million.
置く put, place, lay, set;〔据える〕settle;〔根拠を〕ground.
屋外 〜の outdoor. 〜で outdoors, in the open.

奥様 one's wife;〔呼びかけ〕madam, ma'am.
屋内 〜の indoor. 〜で indoors.
臆病 cowardice, timidity. 〜な nervous, timid, cowardly. 〜者 coward.
遅らせる delay.
送り出す send.
贈り物 gift, present.
送る send;〔列車・トラックなどで〕ship;〔見送る〕see … off.
贈る present.
遅れ delay. 〜を取り戻す catch up on.
遅れた〔発達が〕backward.
(…に)遅れて behind, late.
遅れている slow.
遅れる be late, come late;〔時計が〕lose;〔列車などに〕miss;〔列車が〕arrive behind time.
おけ tub.
起こさせる〔反応を〕excite.
起こす awake, wake;〔倒れた人・物を〕raise.
厳かな solemn, grave.
怠る fail, neglect, omit.
行ない act, action, deed, behavior;〔道徳上の〕conduct.
行なう do, act;〔習慣的に〕practice;〔仕事・義務などを〕perform;〔業務などを〕conduct;〔会議を開く〕hold, give.
怒らせる make angry, provoke.
起こり〔起源〕origin, beginning;〔原因〕cause.
起こりうる possible.
起こる happen, occur, take place, arise, come about;〔起源が始まる〕originate.
怒る get [become, grow] angry, be offended [upset]. 〜っている be angry.
おごる treat.
抑える press, hold down;〔感情・行動などを〕control, restrain, subdue;〔笑いを〕suppress.
治まる〔風・あらし・痛みなどが〕abate, die down.
治める administer, govern, rule.
納める〔金を〕pay;〔納品する〕supply;〔納戸などに〕put away.
押す push, thrust.
おじ uncle.
惜しい 〜残念な.
おじいさん〔祖父〕grandfather;〔老人〕old man.
教える teach, instruct;〔告げる〕tell.
おじぎ(をする) bow.

押し進む push, press.
押しつける press, impose.
押しつぶす crush.
押して動かす push.
押しボタン button.
惜しむ regret, be sorry;〔けちる〕grudge, spare.
おしゃべり(をする) chat, chatter.
おしゃれ〔めかし屋〕dude. 〜をする dress up.
押し寄せる pour.
雄(の) male.
押す push, press.
お世辞(を言うこと) flattery, compliment. 〜を言う flatter.
おせっかいを焼く meddle.
(大きな)お世話だ Mind your own business [affairs]!
汚染 pollution. 〜する pollute.
遅い slow;〔時間が〕late.
襲う attack;〔嵐・病気・不幸が〕catch, strike;〔人・場所を〕hit.
遅かれ早かれ sooner or later.
遅く〔時間が〕late;〔速度が〕slowly. 〜する slow.
おそらく probably, maybe, perhaps, possibly, presumably.
恐れ fear, dread. 〜のある threaten. 〜て for fear of A, for fear (that) [lest]. 〜を知らない fearless.
畏れ awe.
怖れる scare, fearful, fear, dread, afraid.
恐ろしい awful, terrible, dreadful, fearful, horrible, formidable.
お互い(に) each other, one another.
オタマジャクシ tadpole.
穏やかな calm, gentle, peaceful, quiet, serene, soft. 〜に calmly, gently.
陥る plunge, sink.
落ちこぼれる drop out.
落ち込む sink;〔気持ちが〕be depressed;〔成績が〕go down.
落ちた fallen.
落ち着いた calm, composed;〔色などが〕quiet.
落ち着かない awkward, restless.
落ち着く settle. 〜かせる〔気持ちを〕collect, compose;〔人を〕calm down.
落ち葉 fallen leaves.
お茶(1杯) tea.
落ちる drop, fall;〔試験に〕fail.
負っている owe.
夫 husband.
オットセイ fur seal.
お手洗い bathroom, toilet, men's [ladies] room.

お手伝い maid；〔手伝うこと〕help.

汚点 stain.

音 noise, sound. 〜がする sound.

おとうさん father；〔呼びかけ〕dad, daddy, papa.

弟 (younger) brother.

脅かす threaten, menace；〔ぞっとさせる〕frighten, scare

おとぎ話 fairy story [tale].

男 man, guy, fellow, gentleman. 〜の masculine. 〜の子 boy. 〜らしい manly, masculine.

陥れる 〔困難に〕plunge；〔だます〕deceive.

落とす drop, shed；〔書き落とす〕omit.

おどす threaten, scare. 〜して追い払う frighten. 〜して…させる scare A into doing.

訪れる visit；〔人を〕call on；〔場所を〕call at.

おととい the day before yesterday.

大人 grownup, adult.

おとない quiet, gentle；〔従順な〕meek. 〜く quietly, gently.

おとめ maiden. 〜座 Virgo.

踊り dance.

劣る be inferior to. 〜った inferior, mean, weak. 〜らず no less … than, second to none.

踊る dance. 〜人 dancer.

衰え decline.

衰える 〔勢力・美が〕decay；〔体力・健康が〕decline；〔元気が〕droop；〔視力が〕fail；〔体力・気力が〕sink.

驚かす astonish, surprise, amaze, startle.

驚き amazement, astonishment, surprise；〔驚嘆〕wonder；〔恐怖の〕alarm.

驚く be astonished [surprised, amazed], marvel, wonder. 〜べき marvelous, surprising. 〜ほど(に) surprisingly. 〜いたことに to one's surprise, to the surprise of. 〜いて in surprise.

同じ same, identical；〔等しい〕equal. 〜の like, same. 〜な高さの even, level. 〜もの same. 〜ように like, likewise.

同じくらい as … as. 〜じょうずに as well.

おの ax(e).

各々(の) each.

おば aunt.

おばあさん 〔祖母〕grandmother；〔老婦人〕old woman.

お化け ghost；〔怪物〕monster.

おはよう Good morning.

帯(状のもの) band.

おびえさせる scare.

おびえる scare, be scared [frightened].

雄ヒツジ ram. 〜座 Aries.

お人よし simple.

オフィス office.

オフライン(の, で) off-line.

オフレコで off the record.

オフロード(用)の off-road. 〜車 off-road vehicle.

オペラ opera.

覚え書 note.

覚えている remember, recognize.

覚える learn, memorize.

おぼれる be nearly drowned；〔おぼれ死ぬ〕be drowned, drown；〔夢中になる〕addict oneself, be addicted.

おまけ → 追加；〔景品〕premium. 〜する throw in.

おまけに furthermore, in addition.

オムレツ omelet.

おめでとう Congratulations! あけまして〜 (A) Happy New Year! クリスマス〜 (A) Merry [Happy] Christmas! 誕生日〜 Happy Birthday (to you)!

重い heavy；〔病気が〕serious, bad.

思いがけない unexpected, accidental, unforeseen. 〜く unexpectedly.

思い切って…する venture.

思いこがれる long for.

思い出させる carry A back, recall, remind.

思い出す recall, recollect, remember, think of.

思いつき idea. 〜の casual.

(…を)思いつく think of [up], hit on [upon], strike on [upon], conceive, occur to.

思い出 memory, recollection, remembrance. 〜となる事[もの] remembrance.

(自分の)思い通りにする have one's (own) way.

思い悩む bother, worry.

思いのままにする rule.

思いめぐらす think, wonder.

思いやり thought, warmth；〔同情〕sympathy. 〜のある kindly, sweet, sympathetic, thoughtful.

思う think, suppose，〔何となく

guess；〔推測する〕imagine；〔推定する〕expect；〔信じる〕believe；〔気がする〕fancy；〔疑いたと〕care；〔遺憾ながら…ではないかと〕I fear that …

重く heavily；〔事態・病気などが〕seriously.

重さ weight. 〜が…である[を量る] weigh.

面白い interesting, quaint，〔こっけいな〕funny, amusing. 〜くない dull.

面白がる be amused at [by, with]. 〜らせる amuse.

重そうに heavily. 〜進む drag.

おもちゃ toy, plaything. 〜屋 toyshop.

表 〔表面〕surface, face；〔硬貨の〕head；〔葉の〕upper side；〔紙の〕right side；〔野球で〕top. 〜(感情などを)…に出す show.

主な chief, main, leading, principal. 〜に chiefly, mainly.

重荷 burden, tie.

趣 spice. 〜のある tasteful.

(…と)思われる seem, appear, look.

重んじる think much [highly] of；〔尊重する〕esteem, value.

親 parent.

おやすみ(なさい) Good night.

おやつ refreshment.

親指 thumb；〔足の〕big [large] toe.

泳ぐ swim.

およそ about, around, some, nearly, approximately.

及ぶ 〔ある範囲に〕go；〔達する〕reach. (…の)〜限りでは as [so] far as, far as.

オランウータン orangutan.

オランダ Holland, Netherlands. 〜人(の)[国民, 語(の)] Dutch.

おり cage, pen.

オリーブ(色の) olive.

折りたたみ 〜いす collapsible chair, folding chair. 〜かさ collapsible umbrella.

折りたたむ fold.

織物 textile.

降りる go down, descend；〔高い所・はしご・馬などから〕get down；〔汽車・バス・馬などから〕get off. 〜てくる come down.

オリンピック(の) Olympic.

折る 〔枝などを〕break；〔折りたたむ〕fold；〔2つに折りたたむ〕double.

織る weave.

オルガン organ.

オルゴール music [musical]

box.
折れる break;〔譲歩する〕give in, yield.
オレンジ(色の) orange.
愚かな foolish, stupid, silly.
卸(売)の wholesale.
降ろす lower;〔人・積荷を〕unload, discharge;〔物を〕get down;〔地位・職などから〕relieve.
負わせる burden, charge.
おわび excuse, apology.
終わり end, finish, close. 〜が(…に)なる end. 〜ごろの late. 〜のない endless.
終わる end, cease, finish;〔会・討論などが〕close;〔文·話·会などが〕conclude;〔という結果になる〕result. 〜らせる end.
音楽 music. 〜家 musician. 〜会 concert. 〜室 music room. 〜好きの musical.
恩義 obligation.
恩恵 benefit, boon;〔好意〕favor.
温室 greenhouse.
オンス ounce.
音節 syllable.
温泉 hot spring, spa.
温暖な mild.
温度 temperature. 〜計 thermometer.
穏当な reasonable.
おんどり cock, rooster.
女 woman, female. 〜の[らしい] female. 〜主人(役) hostess. 〜の子 girl.
音波 sound wave.
音符 note.
オンライン(式)の[で] on-line. 〜取引 on-line trading.
温和な〔気候が〕mild;〔人柄が〕gentle.

か

課〔教科書の〕lesson;〔会社などの〕section, division, department.
科〔分類上の〕family;〔科目〕course;〔学科〕department.
蚊 mosquito.
ガ moth.
かあさん mother.
ガーゼ gauze.
カーソル cursor.
カーディガン cardigan.
ガーデニング gardening.
カーテン curtain. 〜コール curtain call.
カード card.
ガードマン guard.
ガードレール guardrail.
ガーナ Ghana.
カーネーション carnation.
カーブ curve, bend.
カーペット →じゅうたん.
カール(する) curl.
会〔組織としての〕institute;〔集まり〕meet, meeting.
階 floor, story.
貝 shellfish;〔貝がら〕shell.
…回 time;〔野球〕inning.
…海 sea.
…界 public, world.
害 mischief, harm, damage. 〜のある harmful. 〜のない harmless.
会員 member;〔一員であること〕membership. 〜数 membership.
開花(期) blossom. 〜する blossom, bloom.
階下(へ、で) downstairs.
絵画 picture, painting.
開会 session, opening of a meeting [session]. 〜する open [begin] the meeting. 〜の辞 opening address [speech].
海外(の) oversea(s). 〜に abroad. 〜旅行する travel abroad.
快活な cheerful, gay, light, sunny.
貝がら shell.
会館 chamber, hall.
海岸 (sea)shore, coast;〔保養地などの〕seaside, beach.
外観〔物·事の〕aspect;〔外見〕appearance;〔建物の〕exterior.
会期 session.

会議 meeting, conference;〔正式の〕congress;〔公の〕council;〔幹部の〕board.
階級 class, degree, rank.
海峡 channel, strait
開業する practice.
開業医 practitioner.
海軍 navy. 〜の naval.
会計 accounts. 〜をする pay the bill. 〜係[士] accountant.
外形 outline.
解決 settlement, solution, resolution. 〜する settle, decide, resolve, solve. 〜のかぎ key.
会見 interview.
外見 air, appearance.
戒厳令 martial law.
カイコ silkworm.
解雇 discharge, displacement, dismissal. 〜する fire, discharge, dismiss, displace.
介護 care. 〜犬 service dog.
会合 meeting, assembly. 〜する meet.
開校する found [establish] a school.
外国 foreign country. 〜人 foreigner. 〜人の alien. 〜人留学生 overseas student, student from overseas. 〜に[へ] abroad. 〜の foreign, alien.
骸骨 skeleton.
開墾する cultivate.
開催する hold, give, open.
改札口 gate, wicket.
解散 dismissal, breakup. 〜させる dismiss. 〜する〔議会・組織が〕dissolve;〔集まりが〕break up.
海産物 marine products, seafood.
開始 commencement, opening, beginning, start. 〜する commence, open, begin, start. 〜の opening.
概して as a rule, generally, as a whole, on the whole.
会社 company, firm, corporation, office. 〜に行く go to the office.
解釈 interpretation, explanation. 〜する interpret.
外出する go out. 〜している be out.
解消 dissolution. 〜する dissolve.
海上(に、で) at sea, on the sea, afloat.
階上(へ、で) upstairs.
外食する eat [dine] out.

海図 chart.
海水 seawater, saltwater. 〜着 swimming [bathing] costume [suit]. 〜パンツ swimming [bathing] trunks. 〜浴 sea bathing.
害する harm.
改正 amendment, revision. 〜する amend, revise.
解説 explanation, comment. 〜する explain.
改善 reform, reformation, improvement. 〜する reform, improve.
回想 reminiscence, retrospection. 〜する reflect on, review, look back.
海草 seaweed.
改造 adaptation. 〜する adapt, rebuild, remodel.
回送する forward.
解像度 resolution.
会則 〔生徒会〕 rules of the student council.
海賊 pirate.
開拓 exploitation, reclamation. 〜者 pioneer, settler. 〜する pioneer, open.
階段 stair, step.
怪談 ghost story.
改築する rebuild, remodel.
懐中電灯 flashlight, (英) electric torch.
会長 president;〔会社などの〕chairman.
海底 bottom of the sea. 〜の submarine. 〜電信 cable.
改訂 revision. 〜する revise. 〜版 revised edition.
欠いている lack, want.
快適(さ) comfort. 〜な comfortable.
外的な external.
回転 revolution, round, turn. 〜させる[する] revolve, turn.
ガイド guide. 〜ブック guidebook. 〜ライン guideline.
解答 answer, solution. 〜する answer, solve. 〜者〔クイズ番組の〕panelist. 〜用紙 answer sheet. 〜欄 answer column.
解凍 〜する thaw, defrost;〔データを〕unpack, unzip.
回答(する) reply, answer.
街道 highway, main road.
外套 overcoat, coat.
街灯 street lamp.
飼いならす[された] tame.
概念 idea, concept, conception.
開発 development. 〜する develop.

海抜 sea level.
会費 dues, membership.
回避する escape;〔責任などを〕evade.
外部 outside. 〜の outside, external, exterior.
回復 recovery. 〜する recover, restore, get well.
怪物 monster. 〜のような monstrous.
解放 discharge, freedom, release, emancipation. 〜する release, discharge, emancipate.
解剖 dissection, anatomy;〔検視解剖〕autopsy. 〜する dissect, anatomize.
開放する open, throw open. 〜的な expansive.
介抱する nurse, attend.
快方に向かう get better.
外務省[大臣] Ministry [Minister] of Foreign Affairs.
買物 shopping. 〜袋 →ショッピングバッグ. 〜をする shop.
外野 outfield.
外来語 word of foreign origin, loanword.
快楽 pleasure.
概略 outline, sketch. 〜の general.
改良(点) improvement. 〜する improve, reform.
回路 circuit.
街路 street.
会話 conversation, talk, dialogue. 〜をする converse.
下院 Lower House [Chamber], House of Commons, House of Representative. 〜議員 representative.
買う buy, purchase.
飼う keep, have, feed, raise.
カウボーイ cowboy.
ガウン gown.
カウンセラー counselor.
カウンセリングルーム counseling room.
カウンター counter.
返す return, give [bring, take] back;〔金を〕pay back, repay.
(卵を)かえす hatch.
かえって →それどころか
カエデ maple.
帰り(道)に on the [one's] way home.
カエル frog.
帰る return, come back, go back.
変える change, alter;〔形・性質を〕vary;〔機能上〕convert;

〔向きを〕turn;〔別の物に〕turn ... into;〔位置・方向を〕shift;〔無理に〕reduce.
換[替]える change, replace.
(卵が)かえる hatch out, be hatched.
火炎びん petrol bomb, Molotov cocktail.
顔 face. 〜色 color, complexion. 〜立ち feature. 〜つき look, face, countenance.
かおり perfume, smell, scent, odor.
画家 painter, artist.
課外活動 extracurricular activity, club activity.
抱える hold ... in one's arms;〔脇に〕hold ... under one's arm.
カカオ cocoa. 〜バター cocoa butter.
価格 price, figure, value.
化学 chemistry. 〜の chemical. 〜者 chemist. 〜製品 chemical.
科学 science. 〜の[的な] scientific. 〜的に scientifically. 〜技術 technology. 〜者 scientist.
かかし scarecrow.
かかっている〔橋・虹が〕span.
かかと heel.
鏡 mirror, glass.
鏡板 panel.
かがむ stoop.
輝いている[輝かしい] bright, brilliant, shiny.
輝き beam, sparkle, glitter.
輝く〔太陽・月が〕shine;〔宝石・星・目が〕sparkle;〔キラキラと〕glitter;〔白熱して〕glow;〔星・遠方の光が〕twinkle. 〜かせる brighten;〔喜びで目を〕twinkle.
かかる〔ぶら下がる〕hang;〔費用が〕cost;〔高価な〕expensive;〔時間が〕take;〔橋が〕span, cross, 〔医者に〕see, consult.
(…に)かかわらず regardless of.
(…に)かかわらず for [with, after] all, notwithstanding, (in) spite of.
カキ 〔貝〕oyster.
カキ 〔植物〕persimmon.
夏季[期] summer. 〜講習 summer session.
鍵 hook, key. 〜をかける lock.
書き入れる write [fill] in.
書き送る write.
書き方 writing.
書き込む insert.
書き手 writer.

書留 ～書簡 registered letter. ～郵便(物) registered mail [[英] post]. ～にする register.
書き留める note, write down.
書き取らせる dictate.
書き取り dictation.
書き直す rewrite.
垣根 hedge, fence.
下記の(もの) following.
かき回す stir, churn.
かき乱す disturb.
下級生 student in a lower year.
下級の inferior.
限られた narrow.
(知る)限りでは as far as I know.
限る limit, restrict.
角 angle.
核 nucleus. ～の nuclear. ～拡散防止条約 (nuclear) non-proliferation treaty. ～家族 nuclear family. ～戦争 nuclear war. ～廃棄物 nuclear waste. ～兵器 nuclear weapon.
かく 〔かゆいので〕scratch.
書く write, draw; 〔…のことを〕mention.
描く draw, paint.
欠く lack, want.
各 each.
家具 furniture. ～付きの furnished.
額 frame.
学位 degree.
架空の unreal, imaginary.
各駅停車の local.
学園 campus. ～の academic.
学業 study, schoolwork.
格言 proverb, saying, maxim.
確認する affirm.
欠くことのできない indispensable.
覚悟をさせる[する] prepare.
角砂糖 lump; 〔1個〕sugar, a lump [cube] of sugar.
学士 bachelor. ～院 academy.
学識 scholarship, learning. ～のある learned.
格式ばった formal.
確実な certain, sure;〔信頼すべき〕reliable. ～に certainly, surely.
各自の each, respective.
学者 scholar.
学習 study, learning. ～する study, learn.
各種の various, several, kinds of.
確信 assurance, conviction, belief. ～する be sure, trust. ～している be certain [confident, convinced, sure]. ～がない uncertain. ～させる assure, persuade.
革新 innovation. ～的な innovative.
隠す conceal, disguise, hide, keep.
学生 student. ～時代 school days. ～服 boy's school uniform.
学説 doctrine, theory.
拡大 expansion. ～する magnify, expand, amplify, enlarge. ～鏡 magnifying glass.
楽団 band, orchestra.
拡張 expansion, extension. ～する expand, extend. ～子 extension.
学長 president.
格付け rating.
カクテル cocktail. ～グラス cocktail glass. ～ドレス cocktail dress. ～パーティー cocktail party.
角度 angle.
格闘(する) fight.
獲得 achievement. ～する achieve, take, win.
確認 confirmation. ～する confirm, make sure.
学年 grade [[英] form];〔年度〕academic [school] year. ～末試験 annual examination, final examination.
学費 school expenses.
楽譜 music, score.
学部 faculty, department;〔総合大学の〕college. ～学生 undergraduate.
格別の particular.
確保する secure.
革命 revolution. ～の revolutionary.
学問 learning, scholarship. ～のある learned.
確立 establishment. ～する establish.
学力 〔学業成績〕scholastic attainments. ～テスト achievement test.
学歴 academic background.
隠れる hide.
学割 student fare.
掛け(売り) credit.
賭け stake, bet, gamble, venture. ～金 stakes, bet.
陰 shade, shadow. ～の多い shady.
影 shadow.
崖 cliff.
家計 household economy. ～費 housekeeping money.
影絵 silhouette, silhouette art.
歌劇 opera.
過激な extreme, radical.
掛け算 multiplication. ～をする multiply.
可決する approve, pass.
(…に)かけて by.
欠けている absent, lack, want.
掛ける 〔ぶら下げる〕hang;〔数字を〕multiply.
賭ける bet, stake, venture.
過去(の) past.
かご(一杯) basket.
囲い fence, enclosure.
囲う fence, enclose.
火口 crater.
河口 mouth.
化合 combination. ～する combine. ～物 compound.
囲む enclose, surround.
かさ umbrella;〔日がさ〕sunshade, parasol.
火災 fire;〔大火〕conflagration, great fire. ～報知器 fire alarm. ～保険 fire insurance.
家財 household goods.
重ねる lap, pile.
かさばった bulky.
カザフスタン Kazak(h)stan.
飾り ornament, decoration. ～棚 cabinet. ～窓 window.
飾る decorate, adorn, dress.
火山 volcano. ～の volcanic.
菓子 confectionery, sweet. ～屋 candy store.
華氏 〔温度計の〕Fahrenheit.
(船の)かじ steering wheel. ～をとる steer.
家事 housekeeping, housework.
火事 fire;〔大火事〕conflagration.
餓死 starvation. ～させる[する] starve.
かじかむ be numbed.
貸し切り charter. ～の chartered, reserved.
賢い wise, bright, smart.
過失 error, slip, fault. ～致死 accidental homicide.
果実 fruit.
貸し付け(金) loan.
カシミヤ 〔織物〕cashmere.
貸し家 house for rent;(英) house to let.
貨車 freight car, goods wagon.
歌手 singer.
果樹園 orchard, grove.
箇所 place, spot.
過剰 excess, surplus. ～の excessive, surplus.

箇条 article, item. 〜書きにする itemize.
頭 〔頭〕head；〔長〕principal. 〜文字 initial.
…かしら I wonder.
かじる gnaw, bite.
かす dregs.
課す impose, put.
貸す lend；〔土地・家を〕rent,（英）let；〔物・金を〕loan.
数 figure, number.
ガス gas.
かすかな faint, subtle. 〜音 murmur. 〜光 gleam.
カスタマー customer. 〜サービス customer service.
カスタマイズする customize.
かすめる graze. 〜て飛ぶ skim.
かぜ cold. 〜をひく catch (a) cold.
風 wind, breeze. 〜の強い windy.
火星 Mars.
課税 taxation. 〜する tax.
家政婦 housekeeper.
化石 fossil.
稼ぐ earn, make money.
仮説 hypothesis. 〜の hypothetical.
カセット cassette.
下線(を引く) underline.
数え唄 counting rhymes.
数える count, number, reckon. 〜きれない innumerable, countless.
加速(度) acceleration. 〜する accelerate, speed up.
家族 family, folk, household. 〜の family.
ガソリン gasoline, gas；（英）petrol. 〜スタンド gas station,（米）filling station.
肩 shoulder.
型 form, style, pattern, type；〔鋳型〕mold. 〜にはまった conventional.
過多 excess.
カタール Qatar. 〜人[の]Qatari.
かたい hard, firm, rigid, stiff, tough. 〜約束 pledge.
課題 〔題目〕subject, theme；〔練習課題〕exercise；〔研究課題〕assignment.
過大な excessive, exorbitant. 〜評価 overestimate.
肩書き title.
ガタガタいう rattle.
ガタガタいう音(を立てる) clatter.
かたく hard, firmly, tight. 〜する[なる] harden. 〜決心している be determined.
堅苦しい formal, stiff.

片すみ corner.
形(作る) form, shape.
片付ける get rid of, put aside, put [clear] away.
カタツムリ snail.
型どる model.
刀 sword.
片方 the other one, mate, odd. 〜の odd, other.
かたまり 〔固くて小さな〕lump；〔一定の形の〕cake；〔形・大きさが不定の〕mass；〔木・石などの大きな〕block；〔人などの〕body.
固まる harden, stiffen.
形見 keepsake, memento.
片道 one way. 〜切符 one-way ticket,（英）single ticket.
傾き inclination.
傾く decline, sink, incline.
傾ける incline, lean.
固める harden, solidify；〔信念などを〕confirm.
かたよった biased, prejudiced, partial.
語り narration.
カタログ catalog(ue).
花壇 flower bed.
価値 value, worth. 〜がある deserve, worth, worthy, worthwhile, of value. 〜のない worthless, valueless. 〜の高い valuable, precious.
家畜 domestic animal.
勝ち取る win, carry off.
勝ち誇る(こと) triumph.
ガチャガチャいう音(をたてる) clatter.
ガチャンと音(をたてる) clash.
ガチョウ goose.
勝つ win, win a [the] victory over.
閣下 lordship, excellency.
学課 lesson.
学科 subject.
学会 institute, institution.
かっかする flare up, be in a rage.
がっかりする be disappointed [discouraged].
活気 life. 〜のある vital, animated, lively.
学期 term.
楽器 (musical) instrument.
画期的な epoch-making.
学級 class, form. 〜委員 monitor. 〜担任 teacher in charge of a class, homeroom teacher. 〜閉鎖する close the class.
かっきり just, exactly；〔時間に〕sharp.
かつぐ shoulder；〔からかう〕pull a person's leg.

学区 school district, school zone.
かっこ 〔丸かっこ〕parenthesis；〔角かっこ〕bracket；〔中かっこ〕brace.
格好 〔形〕shape；〔外見〕appearance；〔身なり〕guise, dress. 〜がよい shapely, smart, excellent, beautiful.
カッコウ cuckoo.
学校 school. 〜行事 school function, school event.
かっさい cheer, applause. 〜を送る cheer, applaud.
活字 type.
滑車 pulley. 〜装置 tackle, pulley.
合唱(曲) chorus. 〜団 chorus；〔教会の〕choir；〔男声の〕glee club.
褐色(の) brown.
カッターナイフ retractable knife.
合体させる[する] incorporate, unite, combine.
かつて ever, once, before.
勝手な selfish, self-seeking. 〜に〔好きなように〕as one pleases [likes, wishes]；〔許可なしに〕without leave [permission].
カット cut, cutting；〔さし絵〕illustration.
活動(性) activity. 〜中で at work. 〜的な active. 〜的でない passive. 〜力 vigor.
かっとなる flame up, fall into a passion, anger.
活発な brisk, active, lively, animated.
カップ cup.
合併 amalgamation. 〜する amalgamate, tie up, merge.
活躍 activity. 〜する flourish, be active in.
活用 application；〔動詞の〕conjugation. 〜する utilize, make the most of.
かつら wig.
活力 energy, vitality.
家庭 home. 〜の[的な] domestic. 〜教師 tutor. 〜訪問をする make home visits.
課程 course.
過程 process.
(…と)仮定して assuming [assume] (that).
仮定する suppose, assume.
かど corner.
…かどうか if, whether.
下等な low, lower, inferior.
過度の excessive.
カドミウム cadmium.
カトリックの[教徒] Catholic.

かなう 〔目的などに〕serve;〔希望が〕come true, be realized.
敵う →匹敵する
かなえてやる grant;〔祈りなどを〕hear.
金切り声(を出す) scream, shriek.
悲しい sad, sorrowful, mournful. 〜事件 tragedy. 〜そうに sadly.
悲しみ lament, regret, sorrow, sadness, grief. 〜に沈んだ mournful, sorrowful.
悲しむ lament, mourn, grieve.
カナダ Canada. 〜の[人(の)] Canadian.
必ず necessarily, without fail, surely. 〜…する make a point of, never fail to do.
必ずしも necessarily. 〜…する[である]とは限らない not always. 〜…というわけではない not quite.
かなり considerably, fairly, pretty, quite, well. 〜の considerable, fair.
カナリア canary.
カニ crab.
加入する join, enter.
カヌー canoe.
金 money.
鐘 bell, chime. 〜を鳴らす ring.
金持ち rich (man). 〜の rich, wealthy.
可能(性) possibility. 〜な possible, potential. 〜にさせる enable.
彼女(の, に) her. 〜自身に[を] herself. 〜のもの hers. 〜は[が] she.
彼女ら(を, に) them. 〜の their. 〜のもの theirs. 〜は[が] they.
カバ hippopotamus, river horse.
カバー cover;〔本・レコードの〕jacket.
かばう protect, defend;〔弁護する〕plead for.
かばん bag, trunk, suitcase.
過半数 majority.
かび mold, mildew.
花瓶 vase.
過敏な oversensitive.
カブ turnip.
株(式) stock.
カフェテリア cafeteria.
カプセル capsule.
カブトムシ beetle.
かぶる put on;〔かぶっている〕wear.
花粉 pollen. 〜症 hay fever.
壁 wall.
貨幣 money, currency.

カボチャ pumpkin.
かまう 〔邪魔・口出しをする〕interfere;〔心にかける〕care, mind. 〜わないでおく neglect;〔そのままにしておく〕leave ... alone. (…しても)〜わない can.
我慢 tolerance, patience. 〜する endure, put up with-stand. 〜できない〈形〉impatient. 〜できないほど beyond endurance.
紙 paper. 〜くず wastepaper. 〜袋 paper bag.
神 god;〔女神〕goddess;heaven, lord. 〜の[のような] divine.
カミキリムシ longhorn (beetle).
かみそり razor.
かみつく bite.
上手へ[に] up.
雷(が鳴る) thunder.
髪の毛 hair.
かむ bite. 〜んで食べる chew.
ガム (chewing) gum.
カメ tortoise, turtle.
カメラ camera. 〜マン cameraman, photographer.
カメルーン Cameroon, Cameroun.
カメレオン chameleon.
仮面 mask.
カモ duck;〔だましやすい人〕sucker.
科目 subject.
…かもしれない may, might, would, could.
貨物 freight, goods, cargo. 〜運送 freight. 〜船 cargo boat.
カモメ (sea) gull.
火薬 gunpowder.
火曜日 Tuesday.
殻 shell, hull.
(…して)から since.
…から 〔場所〕from, out of, at, off;〔時間〕from, since;〔根源・出所〕of;〔原料・材料〕from, of, out of.
カラー collar.
カラー 〔色〕color. 〜テレビ color TV. 〜フィルム color film.
辛い hot;〔採点が〕severe. 〜点をつける grade strictly.
からかい joke.
からかう make fun of, poke fun at, tease.
ガラガラヘビ rattlesnake.
がらくた rubbish.
カラシ mustard.
カラス crow.
ガラス glass.
からだ body. 〜つき figure.
空 〜の empty, hollow. 〜になる[する] empty.

狩り(をする) hunt. 〜をする人 hunter.
カリカリした crisp.
カリキュラム curriculum.
借り切る charter.
刈り込む trim.
駆けがえる spur.
刈り取る trim.
仮に…としても granted [granting] (that).
カリフラワー cauliflower.
下流の[に] downstream, below.
借りる borrow;〔賃借りする〕rent, let;〔使わせてもらう〕use. 〜ている owe.
刈る clip.
軽い light;〔程度が〕mild, slight. 〜食事 refreshment.
軽く lightly. 〜する[なる] lighten.
カルシウム calcium.
カルテ clinical record.
彼(に, を) him. 〜の(もの) his. 〜が[は] he. 〜自身(に, を) himself.
ガレージ garage.
カレーライス curry and rice.
彼ら(に, を) them. 〜の their. 〜のもの theirs. 〜が[は] they. 〜自身(に, を) themselves.
枯れる die, wither.
カレンダー calendar.
過労 strain, overwork.
かろうじて barely, narrowly. 〜の narrow.
軽んじる think little of.
川 river;〔小川〕stream, brook.
皮 skin, hide;〔なめし革〕leather;〔果物の〕peel. 〜をむく peel. 〜製品 fur.
側 part, side.
かわいい pretty, adorable, sweet.
かわいそうな poor, pitiable, pitiful. 〜に思う pity.
乾いた dry.
(のどが)渇いた thirsty.
カワウソ otter.
乾かす[く] dry.
渇き thirst.
変わった odd, strange, unusual;〔独特の〕peculiar.
革ひも strap.
変わらない →一定の.
代わり 〜の substitute, alternative. 〜に instead of, in place of, for. 〜になる do for, substitute. 〜をする take the place of.
変わる change, turn, vary. 〜も

ない〔一定の〕constant, steady;〔同じの〕same. ～りやすい changeable.
かん can.（英）tin. ～入りの canned.
巻 book, volume.
がん cancer.
考え idea, thought, feeling;〔意見〕opinion. ～違い error.
考える think, consider;〔深く〕meditate. ～つく think of.
感覚 feeling, sensation, sense. ～のない dead.
間隔 interval.
感化(する) influence.
管楽器 wind instrument.
カンガルー kangaroo.
かんきつ類 citrus.
観客 spectator, audience.
環境 surrounding, environment. ～の environmental. ～汚染 environmental pollution. ～省[大臣] Ministry [Minister] of the Environment.
関係 relation, concern, connection, relationship. ～がある connect, have ... to do with. ～のある relative. ～がない〈形〉independent; have nothing to do with.
歓迎(する) welcome. ～会 welcom party.
関係する concern, touch. ～づける connect, relate.
感激させる inspire, move.
感激する be inspired [moved, impressed].
完結 completion. 次号～to be concluded. ～する conclude, complete.
簡潔な brief, compact, short. ～に briefly, shortly.
管弦楽団 orchestra.
歓呼 cheer. ～する cheer. ～して迎える hail.
看護 nursing. ～する nurse, care, attend. ～婦 nurse.
観光 sightseeing. ～を見る see [do] the sights of. ～客 tourist, visitor.
刊行する publish.
勧告 advice, recommendation. ～する advise.
韓国 South Korea.
頑固な obstinate, stubborn.
観察(力) observation. ～する observe. ～する人 observer.
冠詞 article.
監視(する) watch, guard. ～カメラ security camera. ～人 guard. ～の目 eye.

漢字 Chinese character.
感じ feeling, impression, sensation, sense. ～のよい agreeable.
元日 New Year's (Day).
(…に)関して about, on, with, as to, regarding, concerning, with [in] regard to.
(…に)関しては by, for, in the case of, with [in] regard to, as regards.
感謝 thank, thanksgiving, gratitude, acknowledgment. ～する thank, appreciate. ～している be thankful [grateful]. ～の気持ち gratitude.
患者 patient, case.
かんしゃく(を起こした状態) temper.
慣習 custom, institution, convention.
感受性 sensibility. ～の強い sensitive, susceptible.
願書 application.
感傷 sentiment. ～的な sentimental.
鑑賞 appreciation. ～する appreciate.
干渉 interference. ～する interfere, meddle.
感情 emotion, feeling, passion. ～的な[の] emotional. ～を害する hurt, offend.
勘定 account. ～書 account, bill. ～に入れる count.
がんじょうな hardy, rugged, solid, stout.
感触 sense, touch. ～をもつ feel.
間食をする eat between meals.
感じる feel;〔気づいている〕be aware of.
関心 concern, interest. ～事 affair, concern. ～を持っている be interested in, be concerned with.
感心する admire, be impressed with.
(…に)関する限り as [so] far as ... is concerned.
完成 perfection, completion. ～させる perfect, finish, complete;〔書類を〕fill in. ～した complete.
関税 custom, tariff.
関節 joint.
間接 ～の indirect. ～に indirectly.
完全 perfection. ～な perfect, absolute, complete, entire, total. ～に perfectly, absolutely, completely. ～犯罪

perfect crime.
感染する catch, be infected.
幹線道路 highway.
簡素な simple, plain.
感想 sentiment, impression.
乾燥(する, した) dry.
肝臓 liver.
観測 observation. ～する observe. ～所 observatory.
歓待 reception, welcome, entertainment. ～する welcome, give a warm reception, entertain.
艦隊 fleet, squadron.
寛大 courtesy, generosity. ～な liberal, generous.
かん高い shrill. ～声でいう shriek.
感嘆 admiration. ～する admire. ～符 exclamation mark.
寒暖計 thermometer.
簡単な simple. ～に simply.
間断なく incessantly, continually, ceaselessly.
含蓄 implication. ～のある pregnant.
貫通 penetration. ～する penetrate.
かん詰め(のかん) can, tin. ～にする can, tin.
鑑定 judg(e)ment. ～する judge. ～家 judge, connoisseur.
カンテラ lantern.
観点 standpoint, viewpoint, way, light.
感電 electric shock.
乾電池 dry battery [cell].
感動 emotion, impression. ～させる move, touch, impress. ～する be moved [touched, affected, impressed].
間投詞 interjection.
監督 manager. ～者 superintendent. ～する direct, supervise, manage.
かんにさわる get on A's nerves.
カンニングペーパー crib sheet.
カンニングをする cheat.
かんぬき(を掛ける) bar, bolt.
観念 concept, idea, notion, sense. ～的な ideal, ideological.
乾杯(する) toast, drink to.
カンバス canvas.
がんばる〔固執する〕persist;〔抵抗する〕stand out;〔持ちこたえる〕hold out.
甲板 deck.
完備した complete with.
看病する nurse, attend.

完璧な perfect.
願望 desire, wish.
灌木(の茂み) bush.
カンボジア Cambodia.
冠 crown.
感銘 impression. 〜を与える impress.
勧誘 invitation. 〜する invite, induce. 〜員 canvasser.
寛容 tolerance, generosity. 〜な tolerant, generous.
慣用語句 idiom.
元来 originally.
陥落(する) fall.
管理 administration, management, supervision. 〜職(の人) director. 〜する administer, govern, manage.
完了する complete, finish.
慣例 practice, custom, convention. 〜の conventional, traditional, customary.
関連 relation. 〜がある relevant, related, relative. 〜する tie up. 〜づける relate.
緩和 modification. 〜する ease, modify.

き

木 tree;〔木材〕wood. 〜でできた wooden.
気 (…する)〜がしない〈形〉unwilling. (…という)〜がする feel. 〜が短い quick, short-tempered. 〜が長い patient. 〜のきかない clumsy, tactless. 〜のきいた witty, smart. 〜の荒い wild. 〜の抜けた vapid, stale. 〜の進まない unwilling.
ギア gear.
気圧 (atmospheric) pressure. 〜計 barometer.
議案 bill.
キーウィ kiwi.
キーパー keeper.
キーボード keyboard.
黄色(の) yellow.
キーワード keyword.
議院 house, chamber.
議員 a member of parliament.
消え去る pass.
消える dissolve, pass, vanish;〔明り・火が〕go out; die.
記憶 memory, remembrance, mind. 〜する memorize. 〜している remember. 〜力 memory, mind.
気おくれする backward, hesitate.
気温 temperature.
気化 evaporation. 〜する evaporate.
帰化 naturalization. 〜する be naturalized.
機会 chance, occasion, opportunity.
機械 machine, apparatus. 〜の mechanical. 〜工 mechanic. 〜装置 machine, machinery. 〜化する mechanize. 〜的な automatic, mechanical.
危害 harm. 〜を加える do harm to. 〜を加えそうな dangerous.
議会 assembly;〔日本の〕Diet;〔米国の〕Congress;〔英国・カナダの〕Parliament. 〜の parliamentary. 〜政治 parliamentary government.
着替え〔服〕a change of clothes. 〜をする change one's dress.
幾何学 geometry. 〜的な geometric.
規格 standard.
企画 plan, project.
気がつく notice, see, find. (…に)〜いている be aware of.
気が遠くなる[なりそうな] faint.
気軽に freely, readily.
器官 organ.
期間 period, span, term, time.
機関〔政府などの〕organ;〔エンジン〕engine. 〜車 engine, locomotive. 〜銃 machine gun.
気管 windpipe. 〜支 bronchial tubes. 〜支炎 bronchitis.
季刊の quarterly.
危機 crisis. 〜の critical. 〜管理 crisis management.
聞き取る learn.
聞きのがす lose.
効きめ efficacy, effect. 〜がある tell;〈形〉effective, telling;〔薬が〕efficacious.
気球 balloon.
企業 enterprise, company, business. 〜コンサルタント company doctor.
戯曲 drama, play.
基金 fund.
飢饉 famine.
貴金属 precious metal;〔装身具〕jewelry.
菊 chrysanthemum.
効く work, be good for, be effective.
聴く, 聞く hear;〔注意して〕listen, attend. 〔尋ねる〕ask, inquire; 〔聞いて知る〕learn. 〜こうとしない be deaf to.
器具 tackle. 〜一式 apparatus.
気ぐらいが高い → 高慢な
喜劇 comedy. 〜の[的な] comic.
危険 danger, peril, risk. 〜な dangerous, perilous, risky. 〜をはらんだ serious. (…の)〜がある be in danger of A. 〜にさらす risk, venture. 〜を冒す run [take] a risk.
棄権〔投票の〕abstention. 〜する〔投票で〕abstain from;〔競技で〕withdraw from.
起源 origin, beginning.
機嫌 temper, humor. 〜のいい cheerful, goodhumored. 〜の悪い ill [bad] tempered.
期限 deadline, time limit.
寄稿 contribution. 〜する contribute.
機構 frame, framework, institution, organization.
気候 climate, weather.
記号 mark, symbol, sign.
技巧 technique, art, skill.
帰国子女 student returning to Japan, student returning from overseas.
ぎこちない awkward, clumsy.
記載(事項) entry.
気な affected.
刻み目 nick.
刻む cut;〔こま切れに〕chop;〔肉・野菜を細かく〕mince.
岸 shore, beach, coast;〔川岸〕bank. 〜に[へ] ashore.
騎士 knight.
キジ pheasant.
記事 article, piece, item. 〜を書く report.
生地 texture;〔服の〕material.
技師 engineer.
議事 〜録 proceedings. 〜日程 agenda. 〜堂〔日本の〕Diet Building;〔米国の〕Capitol;〔英国の〕House, House of Parliament.
儀式 ceremony, ritual. 〜ばった ceremonious.
気質 disposition, temper, temperament, nature.
汽車 train.
記者 journalist, newspaperman. 〜席 press box. 〜会見 press conference.
騎手 horseman, jockey.
奇襲 surprise. 〜する take A by surprise, surprise.
寄宿舎 dormitory.
奇術 magic. 〜師 magician.

記述 description. 〜する describe.
技術 art, craft, technique. 〜上の technical. 〜革新 technological innovation. 〜者 engineer.
基準 criterion, standard, basis.
気象 weather, meteorology. 〜衛星 weather [meteorological] satellite. 〜観測 meteorological observation. 〜予報士 weather expart.
キス(する) kiss.
傷 hurt, wound; 〔切り傷〕cut; 〔比喩的な〕blot. 〜跡 scar. 〜をつける bruise, scratch.
奇数の odd.
築く build, construct.
傷つける hurt, injure.
きずな bond, tie.
(…に)帰する attribute.
規制 regulation. 〜する regulate.
寄生 parasitism. 〜虫[植物] parasite.
犠牲 sacrifice, victim; 〔代償〕cost. 〜者 victim. (…を)〜にして at the cost of A, at the expense of A, at A's expense. 〜フライ sacrifice fly.
擬声語 onomatopoeia.
既製の ready-made.
既成の established.
奇跡(的な出来事) miracle. 〜的な miraculous.
季節 season.
気絶(する) faint.
着せる dress.
汽船 steamer, steamship.
偽善 hypocrisy. 〜者 hypocrite. 〜的な hypocritical.
基礎 base, basis, foundation. 〜の basic, fundamental. 〜を置く base.
起訴 prosecution, indictment. 〜する prosecute, indict.
偽造(物) forgery, fabrication. 〜する forge, counterfeit, fabricate.
規則 rule, regulation. 〜正しい[的な] even, regular. 〜正しく regularly, evenly. 〜にかなった fair.
貴族 lord, peer, noble, aristocrat. 〜階級 nobility, aristocracy.
義足 peg leg.
北 north. 〜の north, northern. 〜へ north, up.
ギター guitar.

期待 hope, expectation. 〜する expect, anticipate, look forward to.
気体 gas, vapor.
鍛える train, discipline; 〔刀剣を〕forge; 〔身体を〕harden.
北朝鮮 North Korea.
気立てのよい good-natured.
汚い dirty, filthy; 〔卑怯な〕foul, unfair.
来たるべき coming.
基地 base.
機知 wit.
議長 chairman. 〜を務める preside. 〜席[職] chair.
貴重な precious, valuable, golden.
貴重品 valuable.
きちょうめんな methodical, precise, exact, punctual.
きちんと properly, neatly. 〜した neat, tidy, straight. 〜座る sit up. 〜並べる arrange.
きつい tight; 〔仕事が〕hard; 〔性格が〕fierce.
喫煙 smoking. 〜家 smoker. 〜室 smoking room. 〜車 smoking car.
気づかう care, be anxious about, worry about.
気づく notice, observe, see, find, be aware of, sense; 〔思いつく〕think of. 〜ている be conscious, know. 〜かせる remind. 〜かない be unconscious.
喫茶店 coffee house, tea shop, tearoom.
ぎっしり詰まった compact.
キツツキ woodpecker.
切手 stamp. 〜収集 stamp collecting. 〜帳 stamp album.
きっと 〔確かに〕surely, certainly; 〔必ず〕without fail. 〜…す る be bound to, be sure to.
キツネ fox.
きっぱり 〜と flatly, once and for all. 〜断る refuse.
切符 ticket.
規定 prescription, rule. 〜食 diet. 〜する prescribe.
議定書 protocol.
機転 resource, wit. 〜のきく quick-witted, tactful.
軌道 〔天体の〕orbit; 〔鉄道の〕track, rail.
起動する start; 〔コンピュータを〕boot.
危篤の critical.
気取る put on airs. 〜った affected. 〜らない simple. 〜った態度 posture.

ギニア Guinea. 〜人[の] Guinean.
気に入りの favorite.
気に入る be pleased [satisfied], like.
気にかける concern.
気にする care about, worry about, mind. 〜な never mind.
記入する put, 〔書類に〕fill in.
絹(の衣服) silk.
記念 commemoration, memory. …を〜して for; 〔故人を〕in memory of. 〜切手 commemorative stamp. 〜すべき日時 epoch. 〜の memorial. 〜碑 monument. 〜日 anniversary. 〜品 token, trophy. 〜物 memorial.
きのう(は) yesterday.
機能 faculty, function. 〜する work, function. 〜しなくなる out.
キノコ mushroom.
気の毒な poor, pitiful. 〜に思う be sorry.
気のない lukewarm.
きば tusk, fang.
希薄な thin.
揮発性の volatile.
奇抜な novel, eccentric, fanciful.
気晴らし pastime, recreation.
きびきびした brisk.
きびしい strict, severe, harsh, sharp, hard, exact.
きびしく strictly, severely, sharply.
気品 →品.
機敏 smartness, quickness. 〜な prompt, smart.
寄付(金) contribution; 〔公共施設などへの〕donation. 〜する contribute.
義父 father-in-law.
気風 tone.
ギプス plaster cast.
キプロス Cyprus.
気分 humor, mood, spirit, temper, feeling. 〜をさわやかにする refresh. 〜を害する offend.
規模 scale.
義母 mother-in-law.
希望(する) hope, wish.
基本 basis, foundation. 〜的な basic, fundamental.
気前のよい generous, liberal, lavish. 〜よく generously, freely.
気まぐれな fickle, changeable, capricious. 〜思いつき whim.
生まじめな serious, grave.

期末試験 terminal examination.
決まった set, regular.
決まって always, habitually. 〜…する make a point of.
気まま liberty. 〜な selfish;〔気楽な〕comfortable, easy.
決まり〔規則〕rule, regulation;〔慣習〕convention, custom, habit. 〜文句 formula, cliché.
黄味〔卵の〕yolk, yellow.
…気味 a touch of.
機密 secret.
奇妙な curious, funny, queer, strange, odd. 〜ことに strange to say [tell, relate], oddly.
義務 duty, liability, obligation. …する〜がある bound. 〜づける oblige. 〜教育 compulsory education.
気難しい be hard to please;〔好みがうるさい〕particular;〔口うるさい〕fastidious.
偽名 false name, alias.
きめの荒い coarse.
きめの細かい fine.
(…することに)決める choose, decide, determine.
気持ち feeling, mood. 〜のよい pleasant, comfortable. 〜よくさせる〈形〉cheerful. 〜の悪い unpleasant, uncomfortable;〔気味の悪い〕weird. (…する)にさせる incline.
着物 clothes, dress,〔和服〕kimono.
疑問 question. (…かどうかを)〜に思う doubt. 〜の余地なく undoubtedly.
客〔招待客〕guest;〔訪問客〕visitor, caller,〔店の〕customer, client;〔乗客〕passenger;〔観客〕spectator, audience. 〜室 guest room. 〜間 drawing room. 〜車 carriage. 〜船 passenger boat.
逆(の) contrary, reverse, opposite. 〜にする reverse.
虐殺 massacre, slaughter.
逆説 paradox.
虐待する abuse, ill-treat, treat … cruelly.
客観的な objective.
キャッシュカード cash card.
キャッチャー catcher.
キャビア caviar.
キャビネット cabinet.
キャプテン captain.
キャベツ cabbage.
ギャング gangster, gang.
キャンディー candy.

キャンバス(地) canvas.
キャンパス campus.
キャンプ camp.
旧… old, former.
急 emergency. 〜を要する urgent, pressing.
級 class, grade.
球 ball, globe, sphere.
9(の) nine. 〜番目の ninth.
休暇 leave, vacation, holiday.
嗅覚 nose, smell.
救急〜車 ambulance. 〜箱 firstaid kit [case].
休業 closure. 〜日 holiday. 〜する be closed, close.
究極の ultimate, last.
窮屈な tight;〔狭い〕confined;〔身体が〕uneasy;〔気詰まりな〕uncomfortable.
休憩 recess, rest. 〜室 lounge.
吸血鬼 vampire.
急行(の) express.
休校する close the school.
球根 bulb.
求婚 proposal.
救済 relief. 〜する relieve, help.
休止(する) pause.
給仕 waiter;〔女の〕waitress.
旧式な old-fashioned.
休日 holiday.
吸収 absorption;〔企業の〕takeover, affiliation. 〜する absorb, soak up, take in.
90(の) ninety.
救助 rescue, aid. 〜する rescue, save, aid.
急進論者[的な] radical.
給水する water.
旧姓 maiden name.
急性の acute.
休戦 armistice, truce;〔一時的〕ceasefire.
休息 repose, rest.
窮地 fix, corner, difficult situation, extremity.
宮廷 court.
宮殿 palace.
急な〔カーブ・坂が〕sharp;〔突然の〕sudden. 〜に sharply; suddenly, short.
牛肉 beef.
牛乳 milk.
急場 emergency. 〜しのぎの方法 shift.
キューバ Cuba. 〜人[の] Cuban.
窮乏 misery, poverty.
給油 fill. 〜所 filling [gas,〈英〉petrol] station.
休養 rest, relaxation.
キュウリ cucumber.
急流 torrent.

給料 pay, salary, wage.
清い pure, clean.
…卿 lord, sir.
きょう(は) today.
行 line.
脅威 menace, threat.
驚異 marvel, wonder.
教育 education, instruction. 〜の educational. 〜的な instructive. 〜する educate, train. 〜実習 teaching practice. 〜実習生 student teacher, practice teacher.
教科 subject. 〜書 shcoolbook.
強化 reinforcement. 〜する reinforce, strengthen.
教化 cultivation. 〜する cultivate, civilize.
教会 church.
協会 association, society.
境界(線) border, bound, boundary, line.
共学 coeducation. 〜の mixed, coed.
教科書 textbook, text.
恐喝 blackmail, extortion.
共感 sympathy.
狂気 madness, insanity, insane.
協議 conference, consultation. 〜する talk, confer, consult.
競技 game, athletics. 〜者 player. 〜場 field, stadium. 〜会 athletic meeting. 〜する play.
行儀 manner, behavior. 〜のよい well-mannered[-behaved], polite, good. 〜の悪い ill-mannered, impolite. 〜よくする behave oneself [well].
供給 provision, supply. 〜する furnish, provide, serve, supply.
狂牛病 BSE, bovine spongiform encephalopathy, mad cow disease.
境遇 circumstance;〔立場〕situation.
教訓 lesson, moral, instruction, teaching.
恐慌 panic;〔経済不況〕depression.
強硬な firm, strong.
峡谷 canyon, gorge.
教材 teaching material, teacher's material.
共産主義 communism. 〜者 communist.
共産党 Communist Party.
教師 teacher, instructor. 〜を

する teach.
行事 occasion, event.
教室 classroom.
教授 professor;〔教えること〕instruction, teaching. 〜陣 faculty.
恐縮する 〔感謝している〕be grateful [thankful];〔痛み入る〕feel small, be ashamed, be sorry.
強制 〜する force, compel. 〜的な compulsory, forced.
強勢(をつける) stress, accent.
矯正(する) remedy.
行政 administration. 〜の administrative. 〜官 executive, magistrate. 〜上の executive.
業績 achievement.
競争 competition, contest, game, race. 〜する compete, rival. 〜相手 match, rival, competitor. 〜させる match.
競走(する) race, run. 〜させる race.
胸像 bust.
共存 coexistence.
強打 blow. 〜する knock.
兄弟 brother.
驚嘆 amazement;〔感嘆〕admiration. 〜する be amazed. 〜すべき amazing;〔感嘆すべき〕admirable.
教壇 platform.
胸中 breast.
強調 emphasis, stress. 〜する emphasize, stress.
協調(性) cooperation. 〜介入 concerted intervention 〜する cooperate with.
共通の common, mutual.
協定 agreement, convention, arrangement.
郷土 one's home town. 〜色 local color.
教頭 assistant principal, vice principal.
協同 cooperation. 〜の cooperative.
共同 〜の joint, common, mutual. 〜研究する collaborate. 〜出資する pool. 〜墓地 cemetery. 〜体 community.
器用な handy, clever, dexterous, skillful;〔手先が〕adroit.
脅迫 threat. 〜する threaten.
恐怖 dread, fright, horror, terror. 〜感 fear.
強風 gale.
興味 interest. 〜ある[を引き起こす] interesting. 〜を持たせる interest. 〜を持った interested.
業務 service, business.

共鳴 sympathy. 〜する sympathize.
共有(する) share. 〜の common.
教養 culture. 〜の cultural. 〜のある cultured.
強要 enforcement. 〜する enforce, compel. 〜的な loud, forced.
協力 cooperation. 〜する cooperate. 〜的な cooperative.
強力な hard, mighty, powerful.
行列 parade, procession.
強烈な strong;〔光などが〕intense.
共和国 republic. 〜の republican.
共和主義の republican.
共和党 Republic Party.
虚栄心 vanity. 〜の強い vain.
許可 leave, license, permission. 〜する permit;〔入学・入会を〕admit. 〜証 permit, license.
虚偽 falsehood. 〜の false.
漁業 fishery.
局 bureau, office, station.
曲 tune, music.
極 pole. 〜の polar.
極限 extremity, limit. 〜の extreme.
曲線 curve.
極端 extremity. 〜な extreme. 〜に extremely.
極点 top.
極度 top. 〜に extremely.
極東 Far East.
局面 phase, aspect;〔情勢〕position.
居住 residence. 〜者 resident.
巨人 giant.
寄与する contribute, make for.
拒絶 refusal, rejection. 〜する refuse, reject.
巨大な huge, immense, gigantic.
ぎょっとさせる frighten, shock.
去年 last year. 〜の last.
拒否 →拒絶
清める purify, cleanse.
清らかな clean, pure.
距離 distance.
嫌う[嫌いだ] dislike, hate, abhor, have no use for.
きらきらする glaring.
きらきら光る twinkle.
気楽 〜さ ease. 〜な easy, at (one's) ease, comfortable. 〜に at home.
切らす〔貯えをなくす〕run short of.

きらめき flash, twinkle.
錐 drill, gimlet.
霧 fog, mist.
義理 duty;〔恩義〕debt. 〜の弟 brother-in-law.
切り株 stock.
切り刻む chop.
切り傷 cut.
キリギリス grasshopper.
霧雨 drizzle.
ギリシア Greece. 〜の[人, 語] Greek.
キリスト Christ, Lord. 〜教 Christianity. 〜教徒(の) Christian.
切り立った sheer.
規律 discipline, order.
切り詰める cut down, trim down.
切り取る cut, trim.
切り抜き clipping;〔英〕cutting.
切り開く cut, open.
気流 air current, airflow.
器量 〜のよい good-looking, beautiful. 〜の悪い plain, homely, ugly.
気力 spirit.
キリン giraffe.
切る cut;〔薄く〕slice;〔細かく〕chop.
着る clothe, put on. 〜ている wear.
キルト quilt.
切れ味 〜のよい sharp. 〜の悪い dull.
きれい好きな clean, cleanly.
きれいな pretty, beautiful;〔清潔な〕clean, pure;〔澄んだ〕clear.
きれいに cleanly. 〜にする clean, clear. 〜にたいらげる eat … up.
切れる cut, be sharp;〔無くなる〕run short of, run out;〔電球が〕burn out.
記録 record, register, document.
キロバイト kilobyte.
議論 argument, dispute. 〜する argue, dispute.
疑惑 suspicion. 〜を起こさせる suspicious.
際どい narrow, close.
極めて very, extremely, exceedingly.
気を配る take care of.
気を鎮める compose.
気をつける see, sure, take care [notice], look out.
金 gold. 〜色の golden.
銀(色の) silver.
禁煙 〔掲示〕No smoking. 〜す

きんか

- る give up smoking. ～車[席] nonsmoker.
- 金貨 gold coin, gold.
- 銀河 Milky Way, Galaxy.
- 金額 sum, amount.
- 近眼の nearsighted, short-sighted.
- 緊急の urgent, pressing.
- 金魚 goldfish.
- 金庫 safe.
- 近郊 →郊外.
- 均衡 balance.
- 銀行 bank. ～家 banker.
- 禁止(令) ban, prohibition. ～する forbid, ban, prohibit.
- 近所 neighborhood. ～の neighboring. ～の人 neighbor.
- 禁じられた forbidden.
- 謹慎する 〔家庭で〕 be confined to one's home.
- 金星 Venus.
- 均整のとれた symmetrical.
- 金銭 money.
- 金属 metal.
- 近代 modern times. ～の modern. ～化する modernize.
- 緊張 strain, stress, tension. ～する tense. ～した strained, tense. ～をほぐす relax.
- 近東 Near East.
- 筋肉 muscle. ～の muscular.
- 金髪 blond, fair.
- 勤勉 industry, diligence. ～な diligent, industrious, hard-working.
- 勤務 service, work. ～する serve, work. ～時間 office [working] hours. ～中[外]で on [off] duty.
- 金融 ～業者 financier. ～市場 money market. ～庁 Financial Services Agency.
- 金曜日 Friday.

く

- 区 ward.
- 句 phrase.
- 具合が悪い →調子.
- グアテマラ Guatemala. ～人[の] Guatemalan.
- 杭 stake, post.
- クイズ quiz.
- ぐいと押す(こと) thrust.
- ぐいとつかむ clutch.
- 食い物にする prey.
- 空 vacancy;〔空白〕blank.
- クウェート Kuwait.
- 空間 room, space.
- 空気 air, atmosphere. ～の aerial.
- 空軍 air force;〔一国の〕air service. ～基地 air base.
- 空港 airport.
- 偶数 even number
- 偶然 accident, chance. ～…する happen to … ～出会う encounter, run across, come across. ～の casual. ～に by chance [accident], accidentally.
- 空想 fancy, vision. ～小説 romance, fiction. ～的な fantastic.
- 空中に in the air.
- クーデター coup d'état.
- 空白 blank.
- 空腹 hunger. ～の hungry.
- クーラー air conditioner.
- 寓話 fable, allegory.
- 区画 compartment.
- 9月 September.
- 茎 cane, stem, stalk.
- くぎ nail, peg. ～でとめる peg.
- 苦境 strait, difficulty.
- くくる tie.
- 草(地) grass;〔雑草〕weed.
- 腐った bad, rotten.
- 草花 flower.
- 鎖(でつなぐ) chain.
- 腐る go bad [rotten], rot, spoil.
- くし comb.
- くじ lot, lottery.
- くじく〔気持ち・希望を〕damp, discourage, dash;〔足などを〕sprain, wrench.
- くじける〔勇気などが〕waver.
- くじ引きで lot.
- クジャク peacock;〔雌〕peahen.
- くしゃみ(する) sneeze.
- 苦情 quarrel, complaint. ～を言う complain.
- クジラ whale.
- ぐずぐずする delay, linger.
- くすくす笑う giggle, chuckle.
- くすぐる[くすぐったい] tickle.
- 薬 drug, medicine;〔丸薬〕pill. ～指 third finger;〔左手の〕ring finger.
- くずれる crumble;〔足場・屋根などが〕collapse, fall down;〔形が〕be [get, go] out of shape.
- 癖 habit, way.
- 管 tube, pipe, duct.
- 具体的な concrete. ～に concretely.
- 砕く break, crush, smash, shatter.
- 砕ける crack, smash, break.
- 果物 fruit.
- くだらない〔重要でない〕trifling, trivial;〔ばかげた〕ridiculous, stupid;〔面白くない〕uninteresting. ～物 trifle.
- 下りの down.
- 下る descend, go down.
- 口 lip, mouth. ～をはさむ cut in. ～をつぐむ cease to speak. ～の達者な glib. ～の悪い cynic.
- 口げんか quarrel.
- 口答え back talk. ～する answer back, talk back, contradict.
- くちばし beak, bill.
- 唇 lip.
- 口笛(を吹く) whistle.
- 口紅 lipstick.
- 靴 shoe;〔長靴〕boot. ～の底 bottom, sole. ～のひも(米) shoestring, (英) shoelace. ～べら shoehorn. ～ぬぐい mat.
- 苦痛 pain, distress, agony, suffering, torment, torture.
- クッキー cookie.
- 靴下 sock, stocking.
- クッション cushion. ～ボール carom.
- ぐっすりと sound.
- 屈する give, yield, submit.
- くっつく cling, stick.
- くっつける join, attach;〔のりで〕paste, stick.
- 屈服させる[する] submit.
- 靴屋 shoemaker;〔小売店〕shoe store [shop].
- くつろいで free.
- くつろがせる relax, put [set] … at ease.
- くつろぐ relax, be [feel] at-home, make oneself at home.
- 苦闘(する) struggle.
- 句読法 punctuation.
- 苦難 hardship, suffering.
- 国 country, land, nation, state.
- 苦悩 pain, torment, torture.
- 配る deal, distribute, hand out.
- 首 neck, head. ～飾り necklace. ～にする sack, fire, dismiss. ～輪 collar.
- 工夫 device. ～する devise. ～に富む ingenious.
- 区分 division.
- 区別 discrimination, distinction. ～する distinguish, separate, tell … apart, tell … from …
- くぼ地 depression.
- くぼみ hollow.
- くぼんだ hollow.
- クマ bear.

- **熊手** rake.
- **組** class. ひと〜 a pair of, a set of.
- **組合** association, union.
- **組み合わせ** combination.
- **組み合わせる** cross, combine.
- **汲み出す** draw.
- **組み立て** assembly.
- **組み立てる** assemble, compose, construct, frame, put together.
- **クモ** spider. 〜の巣 (spider's) web, cobweb.
- **雲(状のもの)** cloud.
- **曇った〔曇りの〕** cloudy.
- **曇らせる〔曇る〕** cloud.
- **悔しがらせる** mortify.
- **悔しがる** be mortified [chagrined] at.
- **悔やむ** regret, repent, be sorry for [about].
- **くよくよする〔考える〕** worry about, dwell on [upon].
- **暗い** dark;〔人が〕gloomy. 〜影を投げかける cloud.
- **位** rank.
- **…くらい** about, some, … or so.
- **グラウンド** ground, playground.
- **クラゲ** jellyfish.
- **暗さ** darkness.
- **暮らし** life;〔生計〕livelihood, living.
- **クラシック** 〜音楽 classical music. 〜カー classic car.
- **クラス** class. 〜替え new class formation.
- **暮らす** live, get along.
- **グラス** glass.
- **クラッカー** cracker.
- **ぐらつかせる** shake.
- **ぐらつく** totter, shake;〈形〉unsteady.
- **クラッシュ** crash.
- **グラフ** graph. 〜用紙 →方眼紙.
- **クラブ(室)** club. 〜活動 club activities.
- **比べる** compare, contrast.
- **(…と)比べると** beside, (as) compared with [to].
- **(目を)くらませる** dazzle.
- **くらむ** be dazzled [blinded] by.
- **グラム** gram, gramme.
- **グランプリ** grand prix.
- **クリ** chestnut.
- **クリーニング** cleaning. 〜屋 cleaner, laundry.
- **クリーム** cream. 〜ソーダ ice-cream soda. 〜チーズ cream cheese.
- **繰り返し** repetition.
- **繰り返す〔して言う〕** repeat.
- **クリケット** cricket.
- **クリスチャン** Christian.
- **クリスマス** Christmas. 〜カード Christmas card. 〜キャロル Christmas carol. 〜ケーキ Christmas cake. 〜ツリー tree.
- **クリック(する)** click.
- **クリップ** clip.
- **来る** come, be here.
- **狂う** go [run] mad, become insane;〔計画が〕be upset, miscarry;〔時計・機械が〕go wrong;〔順序が〕be out of order.
- **グループ** group. 〜学習 group learning.
- **ぐるぐる** 〜巻く coil. 〜回す〔回る〕whirl, spin.
- **グルジア(人)** Georgia. 〜の[人, 語] Georgian.
- **苦しい** painful;〔つらい〕trying, hard.
- **苦しみ** 〔苦痛〕pain;〔苦悩〕agony, torture.
- **苦しむ** suffer from, be pressed.
- **苦しめる** annoy, overwhelm, prick, try, torment, torture.
- **車** car, automobile;〔英〕motorcar;〔乗物〕vehicle. 〜いす wheelchair. 〜で行く drive. 〜で送る ride.
- **クルミ(の木)** walnut.
- **ぐるりと回って** about, round.
- **狂わんばかりの** mad.
- **グレープフルーツ** grapefruit.
- **クレジットカード** credit card.
- **グレナダ** Grenada.
- **暮れる** get dark.
- **クレンジングクリーム** cleansing cream.
- **黒(い)** black;〔頭髪・目が〕dark.
- **クロアチア** Croatia. 〜の[人, 語] Croat.
- **苦労** trouble, difficulty, trial. 〜する have difficulty [trouble], take pains.
- **くろうとの** professional.
- **クローク** cloakroom,〔米〕checkroom.
- **クローバー** clover.
- **グローブ** glove.
- **クローン** clone, cloning.
- **黒字** the black.
- **グロテスクな** grotesque.
- **クロワッサン** crescent roll.
- **クワ** mulberry.
- **加える** 〔加算する〕add;〔付加する〕apply, annex, add;〔含める〕include, count in;〔動作・行為を〕give. (…に)〜て in addition to, plus.
- **クワガタムシ** stag beetle.
- **詳しい** 〔説明が〕particular;〔詳細な〕minute, full, detailed. 〜く in detail.
- **企て** 〔試み〕attempt,〔計画〕plan, scheme;〔陰謀〕plot.
- **企てる** attempt, propose.
- **加わる** join, enter, participate, take part in.
- **郡** county.
- **軍事行動** operation.
- **君主** lord, monarch, sovereign. 〜政治 monarchy.
- **群衆** crowd, throng.
- **勲章** decoration, order, medal.
- **軍事力** force.
- **軍人** 〔陸軍の〕soldier;〔海軍の〕sailor;〔空軍の〕airman.
- **軍曹** sergeant.
- **軍隊** army, armed forces, troop.
- **軍団** corps.
- **軍(隊)の** military.
- **軍備** armament. 〜縮小 reduction of armaments, disarmament.
- **君臨(する)** reign.
- **訓練** discipline, training. 〜する drill, discipline, train, exercise.

け

- **毛** hair. 〜むくじゃらの hairy.
- **経営** management, administration. 〜管理 business administration. 〜者 manager. 〜する run, keep, manage, operate.
- **経過** 〔時・事態の〕course, progress;〔時の〕flight, lapse, process.
- **警戒** precaution, caution, watch.
- **軽快な** light, nimble.
- **計画** design, plan, program, project, proposition, scheme, game. 〜する plan, design, project. 〜中である have … in mind.
- **警官** policeman, police officer;《略式》cop.
- **景気** 〔商況〕business;〔にわか景気〕boom. 〜回復 economic recovery.
- **敬具** Sincerely (yours).
- **経験(したこと)** experience. 〜する experience, have, meet with, pass through, see, suffer, undergo.

軽減する reduce.
傾向 tendency, tide, trend, bent. (…の)〜がある be apt to, tend to, have a tendency to.
携行する carry.
蛍光灯 fluorescent lamp.
警告 caution, warning. 〜する warn, caution.
経済 economy. 〜学 economics. 〜上の economic. 〜的な economical. 〜産業省[大臣] Ministry [Minister] of Economy, Trade and Industry. 〜成長 economic growth. 〜成長率 economic growth rate. 〜封鎖 economic blockade.
警察 police. 〜犬 police dog.
計算 calculation, figure. 〜する calculate, figure, reckon, count. 〜器 calculator.
掲示 notice. 〜板 bulletin [(英)notice] board.
刑事 detective. 〜上の criminal.
形式 form. 〜的な[ばった] formal.
傾斜(する) slant, slope.
芸術 art. 〜の[的な] artistic. 〜家 artist.
軽食 lunch, snack. 〜堂 cafe, snack bar.
形勢 aspect, tide.
罫線 ruled line.
継続 continuance, continuity, continuation. 〜させる[する] continue. 〜的な〔切れ目ないし〕continuous;〔断続的な〕continual.
軽率な careless, hasty. 〜に carelessly, lightly.
形態 form.
携帯 〜用の portable. 〜する carry, have [take, bring] …with one. 〜電話(米) cellular phone, cellphone, (英) mobile phone.
傾聴 give (an) ear to, listen.
警笛 horn, whistle.
毛糸 wool.
芸当 trick, performance.
競馬 horse racing.
刑罰 penalty, punishment.
経費 expense, expenditure, budget.
警備 security. 〜員 security guard.
敬服する admire.
軽蔑 contempt, scorn. 〜した contemptuous, scornful. 〜する despise, scorn, disdain, look down on [upon].

警報 alarm, warning.
刑法 criminal law.
刑務所 jail, prison.
芸名 stage name.
契約 contract, bargain, agreement. 〜する contract. 〜書 contract.
…経由で via, by way of.
形容詞 adjective.
計略 trap, trick.
経歴 career, record, history, background.
けいれん cramp.
ケーキ cake.
ケースワーカー caseworker.
ケーブル(線) cable. 〜カー cable car. 〜テレビ cable television [TV].
ゲーム game.
毛織物 wool.
けが injury, hurt;〔刀・銃などによる〕wound. 〜をする be injured [wounded, hurt], injure [hurt] oneself.
外科 surgery. 〜医 surgeon. 〜の surgical.
汚す〔神聖なものを〕violate;〔名を〕bring disgrace on.
汚れのない virgin;〔純潔な〕innocent.
毛皮 fur, skin.
劇 drama, play. 〜的な dramatic.
劇場 theater. 〜(用)の theatrical.
激情 passion.
激痛 pang, acute pain.
激怒 rage. 〜する boil, rage.
激突(する) crash.
激励 encouragement. 〜する encourage.
下校 〜する leave school. 〜時間 school closing time.
けさ this morning.
夏至 summer solstice.
景色 landscape, view, scene;〔ある地方全体の〕scenery.
消しゴム eraser, rubber.
下車 〜する get off. 途中〜 stopover. 途中〜する stop off.
下宿 lodging. 〜屋 lodging [rooming] house;〔食事付きの〕boardinghouse. 〜する lodge, board.
化粧 makeup, toilet. 〜水 toner. 〜品 cosmetic. 〜する make up.
消す〔火を〕put out, extinguish;〔文字・記憶などを〕blot out;〔消しゴムなどで〕erase;〔電灯・テレビなどを〕turn off.
下水 drainage, sewage.

削る〔刃物で〕shave;〔鉛筆を〕sharpen;〔費用を〕cut down, curtail.
気高い noble.
げた箱 shoe boxes.
けち(ん坊) miser. 〜な stingy, mean.
ケチャップ ketchup.
決意 resolution.
血液 blood.
血縁 kin.
結果 result, consequence, effect, outcome. その〜 consequently, as a result.
決壊させる[する] burst.
欠陥 defect, fault. 〜のある defective.
血管 blood vessel.
月刊の monthly.
決議 resolution. 〜する resolve.
月給 monthly salary.
結局(は) after all, eventually.
結局…になる amount to.
ゲッケイジュ laurel.
結合 combination, union. 〜させる[する] combine, unite.
月光 moonlight.
結構です〔同意・賛成〕All right. 〔断り〕No, thank you.
結婚 marriage. 〜式 wedding, marriage (ceremony). 〜する marry.
決済 settlement.
傑作 masterpiece.
決算 closing.
決して…でない no, never, not nearly, by no (manner of) means, not at all.
決勝(戦) finals.
結晶(体) crystal.
月食 lunar eclipse.
決心 decision, determination, purpose, resolution. 〜させる determine. 〜する decide, determine, make up one's mind, resolve. 〜の堅い resolute.
結成する form, organize.
欠席 absence. 〜する absent oneself from, be absent from. 〜の absent. 〜者 absentee.
決着をつける settle.
決定 decision, determination. 〜する decide, determine, resolve, shape. 〜的な decisive, final.
欠点 fault, defect, objection.
欠乏 poverty, want, lack. 〜する lack, want, run short.
結末 conclusion, end.

月曜日 Monday.
結論 conclusion. ～を下す[出す] conclude.
けなす damn, depreciate.
ケニア Kenya. ～の Kenyan.
ゲノム genome.
下品な low, vulgar, coarse.
毛虫 caterpillar.
煙(を出す) smoke.
獣 beast, brute.
下痢 diarrhea, loose bowels.
ゲリラ guerrilla.
ける(こと) kick.
けれども although, as, though, yet.
険しい steep.
県 prefecture. ～の prefectural.
弦 string. ～楽器 strings, stringed instrument.
権威(者) authority. ～のある authoritative.
原因(となる) cause. …が～で with, because of.
検疫 quarantine.
現役 ～合格者 successful candidate who gains immediate entry.
嫌悪 disgust, hatred. ～する abhor, hate, dislike. ～すべき hateful, disgusting, abominable.
原価 cost price, prime cost.
けんか(する) 〔口げんか〕 quarrel；〔なぐり合い〕fight.
限界 boundary, end, limit, limitation.
幻覚 illusion.
見学する observe, visit.
厳格な stern, severe, rigid, grim.
玄関 entrance, hall, porch, door.
嫌疑 suspicion. ～をかける suspect.
元気回復(させるもの) refreshment.
元気づく[づける] cheer, stimulate.
元気な fine, lively, cheerful, alive.
研究 research, study, investigation. ～する study, investigate, look into. ～論文 paper.
言及 mention, reference. ～する mention, refer, touch.
現金(に換える) cash.
原型 original, pattern.
権限 authority, commission. ～を与える authorize, empower.
言語 language, tongue.

健康 health. ～な healthy, right, well. ～診断 physicalexamination [checkup]. ～管理 aftercare. ～によい wholesome, good for one's [the] health.
原稿 manuscript.
原告 plaintiff.
検査 inspection, test, examination, check. ～する inspect, test, examine, check.
現在(の) now, present. ～使われている living.
検索 retrieval, search. ～する retrieve, search. ～エンジン search engine.
原作(の) original.
検事 prosecutor；〔地方検事〕(米) prosecuting attorney.
原子 atom. ～の atomic. ～爆弾 atomic bomb.
堅持する stick to.
現実 fact, reality, actuality. ～主義の realistic. ～的な practical. ～の actual, real. ～に actually.
堅実な steady, sound.
原始(時代の)[的な] primitive.
原住民 native, aborigine.
厳粛 ～さ gravity. ～な grave, serious, solemn.
憲章 charter.
現象 phenomenon.
減少 decrease. ～させる[する] reduce, decrease.
現状 present [existing] conditions.
原子力 atomic, nuclear.
減じる reduce, decrease, cut down.
献身 devotion. ～的な devoted.
厳正な strict, rigid.
原生林 virgin forest.
建設 construction, foundation. ～する build, set up, construct.
源泉 source.
健全な healthy, sound, wholesome.
元素 element.
建造(物) building. ～する build.
幻想 illusion, fancy. ～的な dreamy, fanciful, visionary.
現像 development. ～する develop.
原則 principle.
謙遜 humility. ～する be modest [humble].
現存の in existence.
現代 today, present age. ～の today's, contemporary, modern, presentday. ～的な modern.
見地 viewpoint, standpoint.
建築 architecture, construction. ～家 architect. ～する build, construct.
顕著な sensible, conspicuous, remarkable.
限定 ～する define, restrict, limit. ～版 limited edition.
限度 limit, limitation, bound.
原動機 motor.
検討する 〔調べる〕examine, investigate, kick around；〔話し合う〕discuss.
現場 scene, spot, site.
顕微鏡 microscope.
見物 visit, sightseeing. ～する do, see, visit, see [do] the sights of. ～人 spectator.
原物 original.
原文 text, original. ～の original.
憲法 constitution. ～(上)の constitutional.
厳密 exact, strict. ～に properly, strictly.
賢明(さ) wisdom. ～な wise, sensible.
幻滅する be disillusioned.
原野 moor；→荒野.
倹約 economy, thrift. ～家 economizer, economist. ～家の economical, thrifty. ～する be frugal, economize.
原油 crude oil [petroleum].
権利 right, claim. ～を与える entitle.
原理 principle.
原料 (raw) material.
権力 power, authority.
言論 speech.

こ

子 child, offspring.
故… late.
…湖 lake.
…個 article, piece.
語 word.
5 five. ～番目の fifth.
コアラ koala (bear).
鯉 carp.
濃い thick；〔液体が〕dense；〔色が〕dark；〔茶・コーヒーが〕strong.
恋(する) love.
語彙 vocabulary.
小石 pebble, stone.

恋しい [く思う] yearn.
小犬 puppy.
故意の deliberate, intentional. 〜に on purpose, intentionally.
恋人 love, lover, sweetheart.
コイル coil.
コイン coin. 〜ランドリー coin laundry, coin-op.
請う beg.
高圧の high-tension. 〜線 highvoltage cable. 〜的な overbearing.
考案 contrivance, invention. 〜する contrive, invent.
好意 favor, goodwill. 〜的な favorable, friendly. …の〜により by courtesy of.
行為 act, deed, conduct, behavior.
校医 school doctor, school physician.
合意 consent, understanding, agreement. 〜する consent, agree.
更衣室 locker room.
降雨(量) fall of rain.
幸運 fortune, luck. 〜な fortunate, lucky, happy. 〜にも fortunately, luckily.
光栄 honor. 〜ある glorious, honorable.
公園 garden, park.
講演 lecture, talk. 〜者 lecturer, speaker. 〜をする lecture.
後援 sponsorship. 〜者 patron. 〜する back, sponsor, support.
効果 effect. 〜的な effective.
硬貨 coin.
校歌 school song. 〜を斉唱する sing a school song.
豪華 splendor, gorgeousness, luxury. 〜な splendid, gorgeous, luxurious.
後悔 regret, repentance. 〜する regret, repent.
航海 voyage, navigation, crossing. 〜する navigate, voyage.
公害 (environmental) pollution; public nuisance.
郊外 suburb, skirt, outskirts.
公開する open; 〔情報などを〕release. 〜の open, public.
光化学スモッグ photochemical smog.
光学 optics. 〜の optical.
工学 engineering, technology. 〜の technological.
合格する pass, succeed in.

高価な expensive, costly, precious, rich, dear.
交換(する) exchange, trade. 〜手 operator. …と〜に for.
好感 good impression [feeling]. 〜を持つ favor.
抗議(する) protest.
講義(をする) lecture.
高気圧 high (atmospheric) pressure.
好奇心 curiosity. 〜が強い curious.
高貴な noble.
高級な high-class, high-grade, quality.
恒久的な permanent, everlasting.
興業 performance. 〜主 promoter.
工業 industry. 〜(用)の industrial. 〜技術 technology. 〜技術の technical. 〜専門学校 technical college.
交響楽団 symphony orchestra.
交響曲 symphony.
公共の common, public.
合金 alloy.
航空会社 airline.
航空機 aircraft.
航空便 airmail. 〜で by air [airmail].
口径 caliber.
光景 spectacle, scene, vision.
合計 sum, total. 〜する add, sum. …になる add up to, total.
後継者 successor.
攻撃 attack, offense, assault, onslaught. 〜する attack, assault, charge. 〜(用)の offensive.
好結果 success, good results. 〜の successful.
貢献 contribution. 〜する contribute.
高原 highland, plateau.
公言する profess.
合憲の constitutional.
口語 spoken language.
高校 senior high school.
孝行 piety.
航行(する) sail, navigate.
皇后 empress. 〜陛下 Her Majesty the Empress.
ごうごうと鳴る roar.
広告 advertisement, publicity. 〜する[を出す] advertise, announce.
交互に one after the other, in turn, alternately. 〜起こる〈形〉alternate

交差 crossing, intersection. 〜点 intersection, crossing, crossroads. 〜する cross, intersect.
口座 account.
講座 chair.
交際 association, society, acquaintance. 〜する associate, keep company.
鉱山 mine.
降参する give in, give up, surrender.
高山の alpine. 〜病 mountain sickness.
講師 lecturer.
公使 minister.
格子 lattice.
子牛 calf; 〔肉〕veal.
工事 construction.
公式 formula. 〜化する formulate. 〜的な formal. 〜の official.
口実 excuse, pretext.
校舎 school, schoolhouse.
後者(の) latter.
公爵 duke. 〜夫人 duchess.
侯爵 〔英国の〕marquess, 〔英国以外の〕marquis. 〜夫人 marchioness, marquise.
講習 course, class.
公衆 public. 〜衛生 sanitation. 〜便所 public conveniences [toilet], comfort station. 〜電話 pay phone.
絞首刑 hanging. 〜にする hang.
口述 dictation. 〜する dictate. 〜試験 oral examination.
交渉 negotiation, treaty. 〜する negotiate, treat.
校章 school badge.
工場 factory, mill, plant, work.
向上 improvement. 〜する improve.
高尚な high, lofty.
強情な obstinate, stubborn.
行進 march, parade, procession. 〜曲 march. 〜させる[する] march, parade.
更新 renewal. 〜する renew.
香辛料 spice.
香水 perfume; (英) scent.
洪水 flood, deluge.
降水(量) → 降雨(量).
更生 regeneration. 〜する regenerate.
校正 proofreading.
構成 composition, constitution, formation. 〜員 piece. 〜する constitute, compose, form, make, make up.
公正 justice. 〜な fair, just, im-

partial. ～に fair, fairly, justly, impartially.
後世 posterity.
合成 ～の compound, composite, synthetic. ～する compound, synthesize. ～写真 montage. ～洗剤 synthetic detergent.
抗生物質(の) antibiotic.
厚生労働省[大臣] Ministry [Minister] of Health, Labour and Welfare.
功績 merit, exploit. ～のある meritorious.
鉱石 ore, mineral.
降雪 snow, snowfall.
光線 beam, ray, light.
公然 ～の open, public. ～と openly, in public.
控訴(する) appeal.
構造 construction, structure. ～(上の) structural.
校則 school regulations, school code.
高速道路 expressway.
交替 alternation, replacement, change;〔勤務の〕shift. ～する alternate, replace, change.
後退 retreat, recession. ～する retreat, recede, regress.
抗体 antibody.
皇太子 (crown) prince. ～妃 (crown) princess.
広大な vast.
光沢 luster, shine, gloss, glaze. ～のある lustrous, glossy.
紅茶 (black) tea.
校長 principal, schoolmaster. ～室 principal's office.
紅潮(する) flush.
公聴会 hearing.
交通 traffic;〔輸送〕transportation. ～の traffic. ～安全 road safety. ～整理 traffic control.
好都合な favorable, convenient.
肯定 affirmation. ～的 affirmative. ～する affirm, say [answer] yes.
工程 process.
行程 journey, itinerary, distance.
校庭 (school) yard.
皇帝 emperor. ～の imperial.
公的な public. ～資金 public funds [money].
鋼鉄 steel.
高度 altitude, height.
高等 ～な high, higher, advanced. ～学校 upper secondary school, high school.
行動 act, action, behavior. ～する act, do, behave.
講堂 hall, auditorium.
強盗 burglar, robber.
口頭 ～の oral, spoken, verbal.
合同 ～の joint, combined.
(予約)講読 subscription. ～する subscribe.
高度な high. ～に highly.
構内〔大学の〕campus;〔駅などの〕precinct.
校内～暴力 school violence, classroom violence.
購入 purchase. ～する purchase, buy.
コウノトリ stork.
荒廃 ruin. ～させる destroy, waste, ruin. ～する come to ruin.
後輩 junior.
勾(こう)配 slope;〔道路・鉄道などの〕grade.
公倍数 common multiple.
後半(の) latter.
公判 public trial.
交番 police box.
広範囲な comprehensive. ～に及ぶ widespread.
公表する announce, publish.
好評の of good repute, popular.
後部 back, rear.
校風 tone of the school.
幸福 happiness, welfare. ～な happy. ～に happily.
降伏(する) surrender.
鉱物 mineral.
好物の favorite.
興奮 excitement. ～させる excite. ～させる(ような) exciting. ～した[する] get [be] excited. ～状態 fever.
公平な fair, impartial. ～に fairly, impartially.
後方の(へ) backward.
合法の[的な] lawful, legal.
候補者 candidate.
子馬〔雄〕colt;〔雌〕filly.
小馬 pony.
高慢な proud, boastful.
傲慢な haughty, insolent.
巧妙な clever, cunning.
公民 citizen. ～権 civil rights.
公務員 official.
こうむる suffer.
項目 item.
コウモリ bat.
肛門 anus.
校門 school gate.
拷問 torture.
荒野 wilderness, wild (land).
公約数 common divisor [factor].
甲ら shell.
行楽 picnic, excursion. ～地 resort.
小売り retail. ～商人 merchant, retail dealer.
合理化する rationalize.
合理的な rational, reasonable.
考慮に入れる consider, take ... into account.
航路 route.
口論(する) quarrel.
声 voice. ～の vocal. ～を出して aloud.
護衛(者) guard, escort.
肥えた fertile, fat.
小枝 twig.
越える go over;〔とび越える〕clear, jump;〔限度を〕exceed.
ゴーサイン the green light, the go-ahead signal.
コーチ coach.
凍った frozen.
コート〔テニスなどの〕court;〔外套〕coat.
コード cord.
コートジボワール Côte d'Ivoire.
コーヒー coffee.
コーラス chorus.
凍らす[凍る, 凍りつく] freeze.
氷 ice. ～の[で覆われた] icy. ～が張る freeze.
ゴール goal. ～キック goal-kick, goal kick. ～キーパー goalkeeper. ～ポスト goalpost, goal post.
コオロギ cricket.
戸外 open air. ～の outdoor. ～へ[で] outdoors.
誤解 misunderstanding. ～する misunderstand, mistake.
語学 language (study).
互角の equal, even.
焦がす scorch, singe, burn.
5月 May.
小切手 check.
ゴキブリ cockroach.
顧客 customer.
呼吸 breath. ～する breathe.
故郷 home, hometown, birthplace.
漕ぐ row.
極悪人 devil.
国王 king. ～の royal.
国外へ abroad, outside the country.
国語〔学科名〕Japanese; →言語.
刻々と minute by minute.
国際関係 international relations.

国際的な international, worldwide.
国際電話 international call.
国際連合 the United Nations.
国産の domestic.
酷使する drive ... (very hard), keep ~'s nose to the grindstone.
黒人(の) black, Negro.
濃くする[なる] condense, thicken.
国勢調査 census.
国籍 nationality.
告訴 accusation, complaint. ~する accuse, charge.
国土交通省[大臣] Ministry [Minister] of Land, Infrastructure and Transport.
国内の domestic, civil, inland, internal.
告白 confession. ~する confess.
告発 prosecution, accusation, indictment. ~する prosecute, accuse, indict.
黒板 blackboard, board.
克服する overcome, conquer.
告別式 funeral.
国民 nation, people, citizen, folk. ~の national.
穀物 grain, cereal, corn.
国有林 national forest.
国立の national.
国連 →国際連合. ~平和維持活動 United Nations Peacekeeping Operations.
コケ moss.
コケコッコー cock-a-doodle-doo.
語源(学) etymology.
ここ(に, へ, で) here, this place.
午後 afternoon, p.m., P.M.
ココア cocoa, (hot) chocolate.
心地よい[よくない] comfortable [uncomfortable].
個々の individual, each.
9つ(の) nine.
ココヤシの実 coconut.
心 heart, mind, soul. ~に浮かぶ come, strike, remember. ~に描く fancy, picture. ~の底で(は) at heart. ~の中で[に] to oneself.
心から heartily, sincerely, warmly. ~の cordial, genuine, heartly.
志す intend, aim.
試み attempt, trial. ~る attempt, try.
心ゆくまで to one's heart's content.
快い comfortable, pleasant. ~く readily, willing.

ござ (straw) mat.
小雨 light rain; 〔霧雨〕drizzle.
腰 hip, waist. ~が曲がる stoop, be bent. ~の低い very polite.
孤児 orphan.
腰掛け stool.
こじき beggar.
固執する persist.
小島 isle.
50(の) fifty.
コショウ pepper.
故障 breakdown, trouble. ~した wrong. ~する break. ~している be out of order.
誤植 misprint.
個人(的な) individual. ~的に personally. ~攻撃の personal.
越す →越える.
濾す filter, strain.
コスタリカ Costa Rica.
こすり取る scrape.
こする rub, scrape, scrub.
個性 character, personality. ~的な individual.
午前 morning, a.m., A.M.
五線紙 music paper.
固体 solidity, solid. ~の solid.
古代の ancient. ~ローマ(人)の Roman.
答え answer, reply; 〔返答〕response.
答える answer, reply, respond. …に~て in answer to, in reply.
こたえる 〔身に〕tell on; 〔言葉などが〕strike home; 〔つらい〕trying, hard.
木立ち grove.
こだま echo.
ごちそう feast, banquet. ~する treat.
誇張 exaggeration. ~する exaggerate.
こちらへ[に] this way, here.
こつ knack, trick.
国歌 national anthem.
国家 state, nation, country. ~の national.
国会 〔日本の〕Diet; 〔米国の〕Congress; 〔英国の〕Parliament.
小遣い pocket money; 〔子供への〕allowance.
骨格 〔人・動物の〕skeleton. 〔建物の〕framework.
国旗 national flag.
国境 border, frontier.
コック 〔料理人〕cook; 〔蛇口〕tap.
こっけいな humorous, comical, funny, ridiculous.

国庫 exchequer, treasury.
国交 diplomatic relations.
こつこつ steadily. ~勉強する grind away for, work steadily.
コツコツたたく(音) tap.
骨折(する) fracture.
こっそり stealthily, secretly, in secret. ~…する steal.
小包 parcel; 〔郵便の〕postal package.
骨董品 curiosity, curio.
コットン →ワタ.
コップ(一杯) glass.
固定する fix, fasten. ~した firm, fast, fixed.
古典 classics. ~的な[の] classic. ~文学の classical.
事(柄) thing, matter, affair.
鼓動 beat, pulse.
語頭(にある) initial.
孤独 solitude, loneliness. ~な lonely, solitary.
今年 this year.
言付け message.
異なる differ, vary. ~った different, distinct.
…ごとに every, each time.
ことによると maybe, perhaps, possibly.
言葉 word, language. ~の verbal. ~遣い phrase, wording. ~では言い表せない(ほど) beyond description.
子供 child, kid. ~の時代 childhood. ~っぽい childish. ~らしい childlike. ~の日 Children's Day.
ことわざ proverb, saying.
断る refuse, decline, turn down.
粉 powder, flour. ~ミルク dry milk.
粉々にする[なる] smash.
小荷物 parcel, package.
コネ connection, pull.
子ネコ kitten.
こねる knead.
この this, these.
この間 →先日.
この上なくすぐれた exquisite.
この頃 recently, lately, these days, nowadays.
この前の last.
好ましい 〔性質などが〕pleasant; 〔望ましい〕desirable.
好み liking, taste, inclination, preference; 〔生まれつきの〕bent; 〔気まぐれの〕fancy; 〔食べ物の〕tooth. ~がうるさい particular.
木の実 nut.

好む like, please, prefer, fancy, care for **A**.
このように so, thus.
この世の earthly.
拒む refuse, decline.
湖畔 lakeside.
御飯 boiled rice;〔食事〕meal.
コピー copy, duplicate. ～ライター copy writer.
子羊 lamb.
小びと dwarf.
媚びる flatter, fawn, cringe.
こぶ lump, wen, swelling;〔背こぶ〕hump.
古風な old,〔旧式の〕old-fashioned, out-of-date.
こぶし fist.
コブラ cobra.
こぼす drop, spill;〔涙を〕shed;〔不平を言う〕complain.
こま top.
駒 〔チェス・将棋の〕piece.〔チェスの〕man, chessman.
ゴマ sesame. ～油 sesame oil.
コマーシャル commercial (message).
細かい fine, small, minute;〔金銭に〕stingy;〔やかましい〕precise. ～注意 close attention.
ごまかす deceive, cheat;〔笑って〕laugh away;〔過失などを〕gloss, smooth;〔勘定を〕juggle.
鼓膜 eardrum.
ごますり 〔人〕ass kisser.
コマドリ robin.
困らせる brother, trouble.
困る[困っている] puzzle, (be) at a loss, bother, be troubled.
ごみ dust, litter;〔台所の〕garbage.
込み合った crowded.
込み入った complicated.
小道 lane, path, track.
込む be crowded.
ゴム gum, rubber.
コムギ wheat. ～粉 flour.
小娘 lass.
米 rice.
コメディー comedy.
コメディアン comedian;〔女性の〕comedienne.
ごめんなさい Excuse me [us]., I beg your pardon;→すみません.
小文字 small letter.
子守 nurse, nursemaid;〔ベビーシッター〕baby-sitter. ～をする nurse, take care of, baby-sit. ～歌 lullaby.
顧問 consultant, adviser.
小屋 cabin, hut, shed, cottage.

子ヤギ kid.
固有の proper, peculiar.
小指 little finger.
雇用 employment. ～する employ, hire.
暦 calendar, almanac.
娯楽 sport, pleasure, amusement, entertainment.
孤立する be isolated.
ゴリラ gorilla.
凝る 〔筋肉などが〕stiffen;〔熱中する〕be absorbed in, have a passion for. ～った〔肩などが〕stiff;〔手のこんだ〕elaborate, fancy, sophisticated.
コルク(栓) cork.
ゴルフ golf. ～クラブ golf club. ～場 golf course [links]. ～ボール golf ball.
これ this.
これから hereafter, from now on.
コレクトコール collect call.
コレステロール cholesterol.
これまでに until now, so far.
コレラ cholera.
これら(の) these.
…頃 about, around.
転ぶ roll.
転がる roll;〔倒れる〕tumble.
転げ回る tumble, roll, wallow.
ゴロゴロ鳴る roll;〔雷が〕thunder.
殺す kill, murder, destroy.
転ぶ tumble, fall.
コロンビア Colombia.
怖い terrible, fearful, dreadful;〔…が〕be afraid of;〔表情・態度が〕grim.
怖がらせる frighten, scare, terrify.
怖がる fear, be scared, be terrified.
壊す break, destroy.
壊れた broken.
壊れる break, be destroyed;〔故障する〕get [be] out of order.
懇願する appeal, implore, request.
根気強さ endurance, patience, perseverance. ～い enduring, patient.
根拠 ground, foundation, basis. ～のある well-founded, authentic. ～のない groundless, baseless.
コンクール competition.
コンクリート(製の) concrete.
今月 this month.
混血の half-blooded. ～児 halfbreed.

コンゴ Congo.
混雑 mixture, blending. ～する mix, blend.
今後は from now on, hereafter.
混雑〔交通の〕traffic jam. ～する be crowded.
今週 this week.
根性 push, guts.
根絶する eradicate, exterminate.
コンセンサス consensus.
コンセント outlet.
コンタクト=レンズ contact lens.
献立(表) menu.
昆虫 insect. ～の群れ swarm.
コンテナ container.
コンデンスミルク condensed milk.
混同 confusion. ～する confuse, mistake, mix.
コンドーム condom, rubber.
今度の new.
今度は this time;〔次回は〕next time.
コンドル condor.
コントロール control. ～キー control key. ～タワー control tower.
混沌 chaos.
困難 difficulty, matter, trouble, hurdle. ～な hard, difficult, troublesome.
今日(では) today.
こんにちは Good afternoon., Hello., How are you?
コンパクトカメラ compact camera.
コンパクトディスク compact disc, CD.
コンパス compass.
今晩 this evening, tonight.
こんばんは Good evening.
コンビーフ corned beef.
コンピュータ computer. ～ウイルス (computer) virus. ～グラフィックス computer graphics. ～ゲーム computer game. ～言語 computer language.
根本的な fundamental, radical.
コンマ comma.
今夜 tonight.
婚約 engagement. ～している[する] be engaged. ～者 fiancé(e).
混乱 confusion, disorder, tumult. ～させる confuse, disturb. ～した confused, puzzled.
困惑する be confused, be embarrassed.

和英

さ

差 difference, disparity;〔差額・残り〕balance;〔得票差〕majority.
サーカス circus.
サーチ search. 〜エンジン search engine. 〜ライト searchlight.
サーバー server.
サービス service. 〜エリア service area.
サーブ service. 〜する serve.
サーファー surfer.
サーフィン surfing.
…歳 year, age.
サイ rhinoceros.
罪悪 →罪.
最悪の worst.
災害 disaster, calamity.
財界 financial circles [world].
再会する meet again.
再開する resume, reopen.
在学証明書 school identification.
再確認する reconfirm.
再起動する 〔コンピュータを〕reboot.
最近 late, lately, recently. 〜の late, latest, recent.
細工〔…細工〕work [work]. 〜をする work.
採決(する) vote.
債券 bond, debenture.
際限 limit. 〜なく boundlessly, endlessly.
財源 finance, revenue.
再検査 reexamination.
再建する reconstruct, rebuild.
再検討する reexamine, review, restudy.
最後[期] end, last. 〜の last, final. 〜に last, finally. 〜には in the end. 〜には…になる end up. 〜まで out, to the last.
在庫(品) stock.
最高 〜の best, chief, supreme, top. 〜記録 (best) record. 〜点 top [highest] marks;〔絶頂〕peak. 〜峰 highest peak. 〜級の classic, best.
最高裁 Supreme Court.
サイコロ dice, die.
財産 fortune, property, estate, asset, means.
祭日 holiday.
最終 last, final, ultimate. 〜的に finally, ultimately.
採集する collect, gather.

最上 〜の best, finest, supreme. 〜階 top floor. 〜級 highest grade;〔文法〕superlative. 〜級生 senior.
最小の smallest, least.
在職する hold, be in office.
菜食主義者 vegetarian.
最初の first, primary, initial, original.
最初に at first.
再審 review, retrial.
最新(式)の newest, latest, up-todate.
サイズ size.
財政 finance. 〜上の financial.
再生する reproduce, play back.
在籍する →所属する. 〜者数 enrollment.
再選する reelect.
最先端 〜の extreme. 流行の〜を行く lead the fashion.
最大限 maximum, utmost. 〜に活かす[利用する] make the most of. 〜に使う strain.
最大の greatest, largest, utmost.
在宅している be at home, be in.
最中に in the (very) act of, in the middle of, during.
最低限 minimum.
最低 lowest, worst.
最適の only, best, most appropriate.
採点する mark, grade, score.
サイドテーブル side table.
サイドボード sideboard.
サイドビジネス sideline.
サイドミラー side (view) mirror, (英) wing mirror.
災難 misfortune, calamity, disaster.
歳入 revenue.
最年長の eldest.
…歳の aged, old.
才能 ability, faculty, talent, capacity, genius.
才能ある able, talented, capable.
栽培 culture, growth. 〜上の cultural. 〜する grow, culture.
裁判 judgment, justice, trial. 〜する judge. 〜にかけられる on trial.
裁判官 judge, court, justice.
裁判所 court.
裁判長 chief judge.
財布 purse, wallet.
細部 detail.
裁縫 sewing, needlework.
再訪(する) return, revisit.

細胞 cell.
財宝 treasure.
財務省[大臣] Ministry [Minister] of Finance.
材木 lumber, timber, wood.
採用 adoption. 〜する adopt.
材料 material, stuff.
サイレン siren.
幸いにも happily, luckily, fortunately.
サイン autograph, signature.
サウジアラビア Saudi Arabia.
…さえ even, only.
さえぎる interrupt, intercept, obstruct, block.
さえずる chirp, sing.
坂 slope, incline, hill;〔上り坂〕ascent;〔下り坂〕descent.
境 border, boundary, frontier.
栄える prosper, flourish.
さかさまに upside down, head first [foremost].
捜し出す trace, seek out.
捜し求める seek.
捜す look for, hunt, search;〔手さぐりで〕feel, fumble;〔引っかき回して〕rummage.
魚 fish. 〜釣り fishing.
さかのぼる go upstream,〔過去に〕go back.
逆らう〔口答えする〕contradict,〔親などに〕disobey.
盛り〔絶頂〕height, peak;〔花が〕full bloom;〔人生の〕prime, bloom;〔動物の〕heat, rut.
下がる drop, fall, go down, lower;〔垂れ下がる〕hang down;〔うしろへ〕step back, walk backward.
盛んな active, thriving. 〜に〔絶え間なく〕incessantly;〔熱心に〕eagerly, earnestly. 〜になる prosper, flourish.
(…の)先 tip, point, head, end. (…よりも)〜に before, ahead of. 〜の〔前の〕former. 〜へ forth, forward.
詐欺(を働く) swindle. 〜師 swindler.
先立つ precede. …に〜って in advance of.
砂丘 sand dune.
作業 operation, work.
柵 fence, stockade.
策 plan, scheme. 〜を練る draw up a plan.
咲く bloom, flower, blossom, come into flower. 〜いている be in bloom [blossom].
裂く tear, rip, split.

割く〔時間を〕spare.
索引 index.
作詞する write the lyrics [words].
作者 author. ～不明の anonymous.
削除する eliminate, delete, omit.
作成する make out;〔文書を〕draw up.
作戦 tactics, strategy, operation, maneuver.
作品 work, piece, composition.
作文 composition.
作物 crop, product.
昨夜 last night.
サクラ〔木〕cherry tree;〔花〕cherry blossom [flower].
サクランボ cherry.
探り出す find.
探る〔ポケットを〕fumble, feel;〔手探りで〕grope for;〔秘密などを〕feel, spy on;〔調査する〕investigate.
ザクロ pomegranate.
サケ salmon.
酒 drinks, liquor.
叫び(声) cry, shout.
叫ぶ cry, exclaim, shout.
裂け目 crack, cleft;〔服などの〕rip, tear.
避けられない inevitable, unavoidable, inescapable, necessary.
避ける avoid, keep away.
裂ける rip, split, tear.
下げる lower, drop;〔ぶら下げる〕hang;〔うしろへ〕back, move back;〔食器を〕clear the table.
ささいな trivial, trifling, small, minor.
支え support;〔支柱〕prop.
支える bear, carry, support, sustain, hold, prop.
捧げる devote, dedicate;〔犠牲にする〕sacrifice.
さざ波(をたてる) ripple.
ささやく[さきやき声] whisper.
さしあたり for the present [moment], for the time being.
挿絵 illustration. ～をいれる illustrate.
刺し傷 prick, stab.
差し込む insert, put in.
さし示す point, indicate.
指図 direction, instruction. ～する direct, instruct, order.
差し迫った pressing, urgent.
差し出す〔手・腕を〕reach, hold out;〔提出する〕present, submit;〔証拠などを〕produce.
差し控える keep, refrain.
差し向ける〔行かせる〕refer;〔派遣する〕send.
指す point, indicate.
刺す pierce, stick;〔鋭い物で〕stick;〔ちくりと〕prick;〔針・とげ・ハチなど〕sting;〔虫などが〕bite.
授ける give, grant;〔賞・称号を〕confer.
座席 seat.
挫折 frustration. ～させる frustrate. ～する fail, miscarry, be frustrated.
させておく have ... ing, let, allow.
させない keep;〔禁ずる〕forbid, ban, inhibit.
…させる have, get, make, set;〔させてやる〕let;〔許す〕permit, allow.
誘う〔勧誘する〕invite, ask;〔誘惑する〕tempt, allure.
サソリ scorpion. ～座 Scorpio.
定められた given, determined.
定める fix, set, decide, determine, appoint.
座談会 symposium.
札 bill;(英) note. ～入れ wallet.
作家 writer;〔著者〕author.
サッカー soccer;(英) (association) football.
錯覚 illusion.
さっき a while ago.
作曲 composition. ～家 composer. ～する compose.
雑誌 magazine, journal;〔季刊〕quarterly;〔月刊〕monthly;〔週間〕weekly.
雑種 mongrel, hybrid.
殺人 murder, homicide. ～者 murderer.
雑草(を除く) weed.
さっそく at once, immediately.
雑談する make small talk, chat, gossip.
殺虫剤 insecticide.
さっと reckon.
さっと通る sweep.
さっぱりした tidy, neat;〔性格が〕frank;〔味が〕plain. ～する feel refreshed.
サツマイモ sweet potato.
さて now.
査定〔財産・収入の〕assessment;〔評価〕valuation, estimation. ～する assess, value, estimate.
砂糖 sugar.
作動する function.

悟る realize, see. ～らせる awake.
サドル saddle.
さなぎ chrysalis, pupa.
サバ mackerel.
砂漠 desert.
裁く judge, sit in judgment on.
サバンナ savanna(h).
さび rust. ～た rusty.
寂しい lonesome, lonely;〔場所が〕solitary. (いなくなって)～くなる[思う] miss.
ザブンという音[と飛び込む] splash.
差別 discrimination. ～する discriminate.
作法 manners, etiquette.
サボテン cactus.
さぼる〔学校を〕cut a class [lecture];〔学校・仕事を〕play truant.
さまざまな various, several.
さます cool.
妨げる disappoint, disturb, hinder, prevent, stop.
さまよう wander, stroll.
寒い cold.
寒いの cold-blooded.
寒け chill.
寒さ cold.
寒々とした bleak.
サムネイル thumbnail.
サメ shark.
冷める cool.
(目が)覚める wake up, awake.
サモア Samoa. ～人[の] Samoan.
さもないと else, otherwise.
左右する right and left. ～する govern, control. ～に from side to side.
座右の銘 motto.
作用 action, agency, operation. ～する act on [upon], operate, affect.
さようなら Goodby., So long., See you.
皿 dish, plate;〔受け皿〕saucer.
さらざらした harsh, rough.
サラサラと音をたてる rustle;〔小川が〕babble, murmur.
(人を)さらし者にする gibbet.
さらす expose;〔恥を〕make a spectacle of oneself;〔漂白する〕bleach.
サラダ salad. ～バー salad bar. ～ボウル salad bowl.
さらに even, still, again, likewise, more. ～進んだ[で] further. ～遠い[遠くへ] further.
さらば farewell.

サラリー salary, pay. 〜マン salaried worker, office worker, nine-to-fiver.
ザリガニ crayfish, 《主に米》 crawfish.
サル monkey, ape.
去る go, leave.
騒がしい noisy, loud.
触ってみる[触る] feel, touch.
さわやかな refreshing, fresh. 〜気分になる be refreshed, freshen.
3(の) three.
…さん Miss, Mr., Mrs., Ms.
酸(性の) acid. 〜性 acidity.
酸化 oxidation. 〜させる[する] oxidize.
参加 〜する take part in, participate, partake, join; 〔競技などに〕compete. 〜者 entry, participant.
三角 triangle. 〜形の triangular. 〜定規 set square, triangle. 〜関係 triangle.
3月 March.
参議院 House of Councilors.
産業 industry. 〜の industrial. 〜廃棄物 industrial waste.
残業する work overtime.
サングラス sunglasses.
参考 reference. 〜にする[手本にする] make a model of; 〔参照する〕refer to, consult. 〜図書 reference book.
残酷(さ) cruelty. 〜な cruel.
サンザシ hawthorn.
サンゴ礁 coral reef.
賛辞 compliment, tribute.
サンシキスミレ pansy.
30 thirty.
三重の treble.
産出する produce, yield.
参照 reference. 〜する refer to.
サンショウウオ salamander.
三振 strikeout. 〜する[させる] strike out.
算数 arithmetic.
産する produce.
参政権 franchise; 〔選挙権〕suffrage, vote.
(…に)賛成して[で] for, in favor of.
賛成する approve, favor, agree; 〔賛成の投票をする〕vote for, 〈形〉friendly.
賛成の favorable, friendly.
酸素 oxygen.
サンタクロース Santa Claus.
サンダル sandal.
散弾 shot. 〜銃 shotgun.
三段跳び triple jump; hop, step, and jump.
三段論法 syllogism.
山地の mountainous.
山頂 summit, mountaintop.
サンドイッチ sandwich.
残念ながら regret to …
残念ながら…のようだ I am afraid (that).
残念に思う regret, be sorry.
3倍の treble, triple.
桟橋 pier.
散髪 haircut. 〜してもらう have one's hair cut.
3番目(の) third.
ザンビア Zambia.
賛美歌 hymn.
山腹 mountainside.
散布する distribute.
産物 product.
サンフランシスコ San Francisco.
散文 prose. 〜の prosaic.
3分の1(の) a third.
散歩 walk.
サンマリノ San Marino.
山脈 range, mountains.
三輪車 tricycle.
三塁 third base. 〜手 third baseman. 〜打 triple.

し

4 four.
市 city. 〜の city, municipal.
詩 poem, poetry, verse. 〜の poetic.
死 death.
…時 time, o'clock.
字 letter, character.
試合 game, match.
仕上げる complete, finish.
幸せ happiness. 〜な happy.
飼育する breed, rear, raise.
シーズンオフ off-season.
シーツ sheet.
シーディーロム CD-ROM.
シード校 seeded school, seed.
シートベルト seat belt, safety belt.
ジーパン jeans.
シーフード seafood.
シーラカンス coelacanth.
強いる compel, force, push.
仕入れる stock.
子音 consonant.
寺院 temple; 〔イスラム教の〕mosque.
シェアウェア shareware.
自衛 self-defense; 〔自己防衛〕self-protection.
ジェット jet. 〜機 jet plane.
ジェットコースター roller coaster.
塩 salt. 〜辛い salty.
潮(の干満) tide, ebb and flow. 〜の流れ current.
しおれる droop, wither; 〔人が〕be downcast, be dejected.
シカ deer; 〔雄〕stag; 〔雌〕hind; 〔子ジカ〕fawn.
市価 market price.
…しか only, but, no more than.
自我 ego, self. 〜の強い egoistic, selfish.
司会(者) chairman; 〔宴会の〕toastmaster. 〜をする chair, preside.
視界 sight, field of vision, visibility.
歯科医 dentist.
市街 street, town. 〜地区 urban district.
紫外線 ultraviolet rays.
市外通話 →長距離通話.
仕返し revenge, retaliation. 〜する revenge, retaliate, give tit for tat.
四角(の) square. 〜形 quadrangle.
視覚 eye, vision. 〜の visual.
資格 capacity, qualification. 〜のある qualified. 〜を与える entitle, qualify.
自覚 sense, consciousness, awareness. 〜している know, be conscious.
仕掛 contrivance, device. 〜する set.
…しかける start, begin; 〔けんかなどを〕pick.
シカゴ Chicago.
しかし but, yet, however.
自画自賛する sing one's own praises.
しかしながら however.
仕方 way, method, how. 〜がない cannot help.
しがちな liable, apt, likely.
4月 April.
しかめつら frown, grimace. 〜をする frown, grimace, make faces [a face] at.
しかも… 〔その上〕and that …, moreover.
しかる scold, reprimand, reprove, rebuke; 〔おだやかに〕chide.
志願 application. 〜者 applicant, volunteer. 〜する apply, volunteer.
時間 hour, period, time, while. 〜どおりに on time. 〜を守る be punctual. 〜割 school

しき timetable, class timetable.
式 ceremony, rite.
指揮 command, direction. ~する command, direct;〔音楽の〕conduct. ~者 commander, leader;〔音楽の〕conductor.
時期 season, period, time.
磁器 porcelain, china.
敷居 threshold.
敷き写す trace.
市議会 city assembly [council].
色彩に富んだ colorful.
時機尚早の premature.
しきたり convention, habit, custom.
敷地 ground.
磁気の[を帯びた] magnetic.
敷き物 →じゅうたん.
四球 walk.
死球 hit by a pitch.
支給する issue, supply.
至急の urgent, pressing.
事業 business, enterprise, undertaking.
始業式 opening ceremony.
資金 fund.
至近 ~弾 near miss. ~距離で at close range.
敷く lay.〔蒲団を〕make a bed.
軸 axis.（…を）にして on.
しくしく泣く weep.
仕組み mechanism.
仕組む〔たくらむ〕scheme, plot, contrive.
シクラメン cyclamen.
死刑 capital punishment. ~囚 condemned criminal.
刺激 stimulus, spur, incentive. ~する arouse, stimulate. ~的な exciting.
茂み thicket, bush.
試験 examination, test, trial. ~する test, examine. ~的な tentative, trial. ~科目 exam subject, subject of examination. ~場 testing place. ~勉強 cramming for an examination.
資源 resource.
事件 affair, incident, event. 殺人~ case of murder.
時限爆弾 time bomb.
事故 accident, incident.
自己 self. ~中心の selfish, egoistic. ~嫌悪 selfhate. ~弁護する justify oneself. ~採点する mark one's own paper.
思考 thinking, thought. ~する think, reason, meditate.
事項 subject, item, matters.

時効 prescription.
時刻 hour, time.
地獄 hell.
仕事 work, business, employment, job, labor, pursuit, task. ~場 studio, shop.
時差 time difference. ~ぼけ jet lag.
思索 speculation.
視察 inspection.
自殺 suicide. ~する kill oneself, commit suicide.
資産 property, asset.
獅子 →ライオン. ~座 Leo.
支持 support. ~する support, maintain, stand by. ~者 friend, supporter.
指示 indication, prescription. ~する instruct, prescribe, direct.
事実 fact, reality, truth. ~上 practically.
史実に基づく historical.
支社 branch office.
試写 preview.
死者 the dead, the deceased.
使者 messenger.
子爵 viscount. ~夫人 viscountess.
磁石 magnet.
刺しゅう embroidery, needlework.
40 forty.
始終 always, at any time.
自習 self study, personal study. ~時間 self study session.
支出 expenditure, outlay, outgoings. ~する expend.
自主的な free, voluntary, independent.
辞書 dictionary.
市場 market. ~経済 market economy. ~調査 market research.
事情 circumstance, thing, situation, condition.
死傷者 casualty.
辞職 resignation. ~する resign.
自叙伝 autobiography.
詩人 poet.
自信 confidence, assurance. ~がある confident, positive.
…自身 itself, self.
地震 earthquake.
静かな quiet, silent, still, tranquil. ~に quietly, silently. ~にさせる hush, quiet.
しずく drip, drop.
静けさ calm, hush, peace, quiet, silence.

したがらない 静まる, 鎮(シヅ)まる become quiet, quiet down,〔暴動が〕be put down, be suppressed.
沈む sink, set, settle. ~める sink.
静める cool, settle, calm;〔鎮圧する〕suppress;〔怒りを〕appease, calm.
姿勢 attitude, position, posture, pose.
時勢 time, day.
自制する control oneself, pull oneself up.
史跡 historic spot [sites].
自責 self-reproach. ~の念に駆られる have a guilty conscience.
施設 institution, establishment, facilities.
使節 delegate, mission. ~団 mission, delegation.
自然 nature. ~の natural. ~に naturally. ~環境 environment. ~食品 natural [organic] food.
慈善 charity.
思想 thought, idea.
持続する continue, last;〔予想以上に〕persist;〔維持する〕maintain, sustain.
子孫 descendant.
自尊心 pride, selfrespect. ~のある proud.
舌 tongue. ~を出す protrude one's tongue.
下〔下部〕bottom. ~の lower, under. ~に[へ] under, below, down. ~の方へ downward. ~あご chin.
死体 body.
（…）したい like, want, would, feel like, be eager to. ~くない reluctant.
…しだい〔すぐに〕as soon as, directly;〔…にかかっている〕depend on, be up to.
事態 matter, situation.
時代 times, date, day, epoch, era, period. ~劇 costume piece [play]. ~錯誤 anachronism. ~遅れで[の] out of date, behind the times, old-fashioned.
…時代 age.
（それ）自体では in oneself.
次第に gradually, by little and little.
従う follow, obey, submit to.
したがって thus, accordingly, therefore.
…したかもしれない may.
…したがらない be reluctant to,

したぎ be unwilling to.
下着 underwear.
仕度する prepare; 〔身仕度〕equip oneself, dress.
親しい familiar, close, intimate.
したたる drip, drop.
仕立屋 tailor.
…した方がよい may (just) as well do (as not), should.
…したものだった would, used to.
7(の)〔7番目の〕 seven [seventh]. 〜月 July.
自治 self-government, autonomy. 〜の autonomous.
シチメンチョウ turkey.
試着 〜室 fitting room. 〜する try on.
支柱 pillar.
シチュー stew.
市長 mayor.
視聴覚教室 audio-visual room, AV room.
視聴率 ratings.
質 quality;〔性質〕nature, character.
しっかりした〔丈夫な〕substantial, sound, firm;〔堅実な〕sound.
しっかりと fast, steadily.
失業 unemployment. 〜する lose one's job. 〜している be out of [without] employment.
実業 business. 〜家 man of business, businessman;〔女性の〕businesswoman. 〜学校 business school, technical school, trade school, industrial school.
実況放送 running commentary.
じっくり考える contemplate, meditate, think deeply.
しつけ discipline. 〜をする discipline, train.
湿気 damp, moisture.
実験 experiment, test. 〜の experimental. 〜室 laboratory. 〜する experiment.
実現する come true, realize.
しつこい persistent;〔病気などが〕lingering, obstinate, stubborn;〔要求などが〕urgent. 〜く obstinately.
実行 deed, practice, execution. 〜する carry out, practice, execute, implement.
実際 〜の actual, real. 〜には actually. 〜は in (actual) fact, really, indeed. 〜的に practically.
実在の actual, real. 〜しない

imaginary. 〜する exist.
実施 operation, enforcement. 〜する enforce, bring ... into effect.
実質 substance. 〜上の practical. 〜的な substantial. 〜的に substantially. 〜的には virtually.
実習(する) practice. 〜生 trainee. 教育〜 practice teaching.
実情は as it is, the fact is ...
失神(する) faint.
質素 simplicity.
質素な plain, simple. 〜に plainly, simply.
実体 substance, reality. 〜のある substantial.
知っている know.
知ってのとおり You see.
しっと envy, jealousy. 〜深い jealous.
湿度 humidity.
じっと fixedly. 〜している keep quiet. 〜見つめる gaze, stare, contemplate. 〜見る fix, peer, watch.
室内楽 chamber music.
実に indeed, truly;〔非常に〕very, very much.
実は indeed, really, in fact, (as a) matter of fact;〔実を言えば〕To tell (you) the truth.
失敗 failure, mistake;〔大失敗〕blunder. 〜する fail, be unsuccessful.
執筆する write.
実物 the real;〔絵に対して〕life. 〜そっくりの living.
しっぽ tail.
失望 disappointment. 〜させる disappoint. 〜する be disappointed, be discouraged.
質問 inquiry, question. 〜する ask, question.
実用的な practical.
執拗な obstinate, persistent, tenacious.
失礼 〜な rude, impolite. 〜ですが Excuse me [us]., I beg your pardon.
実例 case.
失恋 broken heart.
実話 true story.
指定 assignment;〔予約〕reservation. 〜する appoint, assign. 〜席 reserved seat.
指摘する point out, indicate.
私的な private, personal.
…してもよい can, might.
…してもらう get, have.
支店 branch (office).

辞典 dictionary.
事典 encyclopedia.
自転 rotation.
自転車 bicycle, bike, cycle.
指導 direction, lead, leadership, teaching. 〜力 leadership. 〜する direct, teach, instruct, coach.
児童 child, juvenile.
自動車 automobile, car;〔英〕motorcar.
自動(式)の automatic. 〜ドア automatic door. 〜販売機 vending machine.
しとやかな modest.
…しないで without.
…しなければならない must.
品物 article, thing;〔商品〕goods, wares.
しなやかな flexible, elastic, supple.
死にかけている dying.
死ぬ die, perish, pass away;〔事故などで〕be killed. 〜運命にある mortal.
地主 landlord.
しのぐ〔勝る〕gain [get] an advantage over;〔耐える〕endure, bear;〔雨を〕shelter from rain.
忍び込む steal into.
支配 control, grip, reign, rule, domination. 〜者 ruler. 〜する control, dominate, rule. 〜的な dominant.
芝居(をする) play.
自白 confession. 〜する confess.
自爆テロ suicide bombing.
しばしば frequently, often.
自発的な voluntary, spontaneous. 〜に voluntarily, spontaneously.
芝生 lawn, turf, grass.
支払い payment. 〜期日の来た due.
支払う pay.
しばらく(の間) some time, for a while. 〜して after a while. 〜前に a while ago.
縛る bind, tie. 〜られた bound.
慈悲 mercy. 〜深い merciful. 〜心 charity.
しびれる be numbed, be benumbed.
支部 chapter, branch office.
渋い astringent;〔色などが〕quiet, sober.
しぶき spray, splash.
しぶしぶ reluctantly, unwillingly.
ジフテリア diphtheria.

自分(自身) oneself, self. 〜で personally, on one's own, for oneself, by oneself. 〜の one's own, own. 〜のために for oneself. 〜としては personally.
自分自身(に, を) oneself.
紙幣 bill, paper money, (英) note.
シベリア Siberia.
脂肪 fat, grease.
死亡 death. 〜記事 obituary.
時報 time signal.
志望校 school of one's choice.
司法長官 attorney general.
しぼむ fade, wither.
絞る squeeze, wring.
資本(金) capital. 〜主義 capitalism. 〜家 capitalist, financier.
しま stripe.
島 island.
姉妹 sisters.
しまう put away, stow away, lay away;〔かぎをかけて〕lock away.
シマウマ zebra.
…しましょうか Shall I …?
…しますか Do you …?
始末 〜する dispose (of), deal with. 〜をつける settle.
締まり屋 economical, thrifty.
締まる fasten, tighten.
閉まる close, shut.
自慢(の種) boast, pride. 〜する boast of, be proud of, be boastful of.
しみ blot, spot, stain.
しみ込む penetrate sink.
地味な quiet, sober, modest, plain.
シミュレーション simulation.
しみる soak;〔薬などが〕smart;〔身に〕pierce, bite.
市民 citizen. 〜権 citizenship.
事務 affair, clerical work. 〜員 ，her office, bureau. 〜的な businesslike;〔おざなりの〕perfunctory.
使命 mission.
指名 appointment, nomination. 〜する appoint, nominate, name, designate.
締め切り deadline. 〜日 closing day.
締め切る close.
示す show;〔指し示す〕indicate;〔合図で〕signify;〔…であることを〕reveal;〔典拠などを〕quote;〔手本を〕set.
締め出す exclude, lock **A** out.
湿った(湿っぽい) moist, damp, humid.
湿らす damp, moisten, wet.
占める occupy, take.
閉める close, shut.
締める tighten.
地面 ground, earth.
霜 frost.
下手に[へ] down.
指紋 fingerprint.
視野 view, vision.
ジャーナリズム journalism.
シャープペンシル mechanical pencil;(英) propelling pencil.
ジャガー jaguar.
社会 society. 〜の social. 〜科学 social sciences. 〜工学 social engineering. 〜保障(制度) social security.
社会主義 socialism. 〜者 socialist.
社会民主党 Socialist Democratic Party.
ジャガイモ potato.
しゃがむ crouch, squat.
市役所 city hall.
蛇口 tap, faucet.
尺度 gauge.
シャクトリムシ inchworm.
釈放 release, discharge, liberation. 〜する release, liberate.
借用する borrow. 〜証書 IOU.
射撃 shoot, shooting.
車庫 shed, garage.
社交 〜の social. 〜的な sociable. 〜界 society.
謝罪 apology. 〜する apologize.
写実 〜的な realistic. 〜主義 realism.
車掌 conductor;〔女性〕conductress.
写真 photo, photograph, picture.
ジャズ jazz.
ジャスミン jasmine.
写生(する) sketch.
社説 editorial;(英) leader, leading article.
社長 president, boss.
シャツ shirt, undershirt;(英) vest.
ジャッカル jackal.
若干(の) some.
借金 debt.
しゃっくり hiccup.
シャッター shutter.
車道 roadway.
しゃぶる suck.
しゃべる talk, chat.
シャベル shovel.
写本 manuscript.
シャボン玉 soap bubble.
邪魔(物) obstacle, nuisance. 〜をする interfere, interrupt, discourage.
ジャマイカ Jamaica.
ジャム jam.
斜面 slope, slant;〔丘の〕hillside.
砂利 gravel;〔小石〕pebble.
車輪 wheel.
しゃれ jest, joke.
謝礼 fee, reward.
ジャングル jungle.
シャンデリア chandelier.
ジャンパー jacket, windbreaker, jumper.
シャンパン champagne.
種 species.
首位(の人) top, primacy. 〜の premier.
州 state, province;(英) county. 〜の provincial.
週 week.
シュー(という音を出す) hiss.
自由 freedom, liberty. 〜の free. 〜に freely, at liberty, as one please, at will. 〜主義の liberal.
10(の) ten.
銃 gun.
周囲 circuit, circumference;〔環境〕environment. (…の)〜に round.
11(の) eleven.
11月 November.
11番目(の) eleventh.
10億 billion.
集会 assembly, meeting, congregation, convention, rally.
収穫(期) harvest. 〜する reap. 〜物 crop.
修学旅行 school excursion [journey]. 〜に行く go on a school excursion.
10月 October.
習慣 habit, rule, custom. 〜的な habitual.
週刊誌[紙] weekly.
周期 cycle, period.
衆議院 House of Representatives.
住居 dwelling, house, residence.
宗教 religion. 〜の religious.
従業員 employee.
終業式 closing ceremony.
19[19番目](の) nineteen [nineteenth].
15[15番目](の) fifteen [fifteenth].
集合 congregation, meeting;〈数〉set. 〜する gather, meet, assemble.

15分 quarter, fifteen minutes.
秀才 bright [brilliant] student.
13[13番目](の) thirteen [thirteenth].
習字 penmanship;〔書道〕(Japanese) calligraphy.
14[14番目](の) fourteen [fourteenth].
従事 〜する engage, follow, occupy, pursue. 〜させる engage. 〜している engage, 〈前〉about. …に〜して in, on.
十字架[十字形] cross.
修辞学 rhetoric.
重視する make a point of. 〜しすぎる make much of.
17[17番目](の) seventeen [seventeenth].
終止 period.
収拾 〜する cope with, deal with. 〜がつかなくなる get beyond [out of] control.
収集(物) collection. 〜する collect.
自由主義の free, liberal.
従順 obedience. 〜な obedient.
柔順な tame.
住所 address. 〜録 address book.
重傷である be seriously wounded.
就職する〔会社などに〕get job with, take a post in;〔タイピストなどとして〕get a position as.
修飾する modify.
囚人 prisoner.
重心 center of gravity.
終身刑 life imprisonment.
ジュース juice.
修正 amendment, modification. 〜する amend, modify, correct.
従属している[させる] subject, subordinate.
渋滞 traffic jam, traffic congestion.
重大局面 crisis.
重態である be seriously ill.
重大な critical, grave, serious, significant.
住宅 residence, house.
集団 group, mass. 〜の collective.
じゅうたん carpet;〔一部に敷く〕rug.
州知事 governor.
執着する cling to.
集中 concentration. 〜させる[する] center, concentrate.

終点 terminal (station), terminus.
重点 accent, emphasis.
シュート shoot.
修道院 monastery;〔女子の〕convent, nunnery.
修道女 nun.
充当する apply, appropriate.
習得する learn, get, acquire, master.
柔軟性 flexibility, elasticity. 〜のある flexible, elastic. 〜のない rigid, inflexible.
12(の) twelve.
12月 December.
12番目(の) twelfth.
十二分 〜の ample. 〜に amply, more than.
収入 income, revenue. 〜印紙 revenue stamp.
就任〔式〕inauguration. 〜する take [enter] office; be inaugurated as.
10年間 decade, ten years.
…周年記念日 anniversary.
執念深い spiteful, vindictive.
私有の private.
宗派 religion.
(郵便)集配人 mailman, postman.
周波数 frequency, wavelength.
18[18番目](の) eighteen [eighteenth].
10番目(の) tenth.
修復 restoration. 〜する restore.
秋分 autumnal equinox.
十分 full. 〜である suffice. 〜な enough, full, good, sound, sufficient. 〜な量の adequate. 〜に enough, fully, sufficiently, to the full, well.
周辺装置 device.
週末 weekend.
充満する fill, settle.
住民 inhabitant.
自由民主党 Liberal Democratic Party.
重役 executive, director.
収容 〜する house, accommodate, admit, receive. 〜設備 accommodation.
重要〔一〕性 importance, moment, consequence, significance. 〜な important, vital, fundamental, considerable, big. 〜である matter, be important. 〜な地位 importance.
14[14番目](の) fourteen [fourteenth].

従 till now, hitherto, in the past. 〜通りに as usual.
修理 repair, service. 〜する fix, repair.
重力 gravity.
16[16番目](の) sixteen [sixteenth].
守衛 guard.
主観的な subjective.
主義 principle, doctrine, cause, ism.
儒教 Confucianism. 〜の Confucian.
授業 class, school, lesson. 〜を受ける attend a class. 〜をさぼる cut a class. 〜時間 class hour, period. 〜日数 the number of school days. 〜料 school fees.
塾 cram school.
祝宴 feast.
熟させる[熟す] ripen, mature.
祝辞 congratulations.
熟した mature, mellow, ripe.
祝日 day, holiday.
淑女 lady.
縮小 reduction. 〜する reduce, cut.
宿題 assignment, homework. 〜をする do one's homework. 〜を出す give homework to.
熟達した good, expert.
宿泊 lodging. 〜客 visitor. 〜する lodge, stay, stop, put up. 〜設備 accommodation.
祝福〔牧師の〕blessing; celebration. 〜する celebrate. 〜の言葉 wishes.
熟考する deliberate, consider.
熟練 skill. 〜した skillful. 〜した人 expert.
手芸 handiwork, handicraft. 〜品 work.
受験 …を〜する undergo [take, have] an examination of. 〜生 examinee. 〜番号 examinee's number. 〜票 examination admission card.
主語 subject.
主催する host, promote. 〜者 host.
手術 operation. 〜をする operate.
首相 premier, prime minister.
受賞者 winner.
受賞する win [gain] a prize [award].
主人 landlord, master;〔夫〕husband.
主人(役) host;〔女の〕hostess.
主人公 hero;〔女の〕heroine.

首席で[の] at the head of.
種族 race, tribe.
主題 theme, subject.
受諾 acceptance. 〜しうる acceptable. 〜する accept.
受託者 trustee.
手段 means, measure, medium, resource.
主張 claim, maintenance. 〜する argue, claim, insist, maintain, make a point of, persist, protest.
出演 appearance. 〜する appear, act.
出勤する go to work.
出血する bleed.
出欠をとる call the roll.
出現する appear, come into being.
述語 predicate.
熟考 reflection. 〜する reflect.
出産 birth.
出生 birth.
出場 〜する take part in. 〜者 participant, contestant.
出身地 birthplace.
出身である come from.
10進法 decimal system.
出席 attendance, presence. 〜する attend. 〜している be present. 〜をとる call theroll, note the absentees. 〜者 attendance, attendant. 〜簿 roll book.
出世する rise, succeed in life; [昇進する] promote.
十中八九 ten to one.
出頭する present.
出発 departure, start. 〜する depart, leave, set out, start.
出版(物) publication. 〜社 publisher. 〜する print, publish.
出帆する sail.
出費 expenses.
出没する haunt.
首都 capital.
主導権 initiative.
受動的な passive.
主として chiefly, largely, mainly.
首尾よく successfully.
主婦 housewife, mistress.
手法 touch, technique.
趣味 hobby, taste.
寿命 life.
種目 event, item.
呪文 spell.
主役 leading part.
需要 demand, sale.
主要な main, central, chief, major, primary, prime, principal.
ジュラルミン duralumin.
狩猟 hunting. 〜する hunt.
受領 receipt. 〜する receive.
種類 kind, sort, variety, form.
シュレッダー shredder.
手話 finger language.
受話機 receiver.
手腕 ability.
順位 post.
巡回 patrol, round.
瞬間 instant, minute, moment. 〜的な momentary.
循環 circulation. 〜する cycle.
殉教者 martyr.
純血種の thoroughbred, pure, genuine.
純潔な pure.
巡航ミサイル cruise missile.
巡査 constable, policeman, cop.
巡視船 patrol boat.
順々に one after the other.
順序 order. 〜よく orderly.
純真 simplicity, naiveté. 〜な naive, innocent.
純粋な pure, genuine. 〜に purely, genuinely.
順調な smooth. 〜に favorably.
順番 turn, order.
準備 preparation, arrangement, equipment, trim. 〜する prepare, arrange. 〜ができている ready.
春分 vernal, equinox.
巡礼者[する] pilgrim.
…しよう let's.
使用(する) use, employ.
章 chapter.
賞 award, prize.
錠 lock. 〜をおろす lock.
情愛 affection.
上位の upper, superior to.
上院 Upper House; [米国・カナダの] Senate; House of Lords. 〜議員 senator.
上演 performance.
上演する perform, stage, play.
消火 fire fighting. 〜に当たる fight a fire. 〜栓 hydrant, fireplug. 〜器 fire extinguisher.
消化 digestion. 〜する digest. 〜の digestive.
ショウガ ginger.
商会 firm.
照会 reference.
紹介 introduction. 〜する introduce, present.
障害 bar, barrier, block, obstacle. 〜物 bar, block, obstacle.
生涯 life, lifetime. 〜続く life-long.
傷害 injury.
奨学金 scholarship.
小学生 →男子[女子]生徒.
正月 New Year.
小学校 primary school, elementary school.
正気 wit, sense. 〜の sane. 〜でない crazy.
蒸気 steam, vapor.
定規 rule, ruler, square.
上記 above, above-mentioned.
小規模の small.
乗客 passenger.
昇給(額) rise.
上級生 senior.
商業 commerce. 〜(上)の commercial, merchant. 〜地区へ[の] downtown.
状況 circumstance, condition, situation.
消極的な negative, passive.
賞金 prize, reward.
将軍 general; [日本の] shogun.
衝撃 impact, shock. 〜的な shocking.
上下に動く toss.
証券 [有価証券] securities; [公債・債券] bond. 〜アナリスト securities analyst.
証言 testimony. 〜する testify.
条件 condition, term. (…という)〜で on condition (that) …
証拠 evidence, proof, testimony, witness.
正午 noon.
称号 title.
照合(する) check.
条項 clause, article.
昇降口 [船の] hatch.
詳細 detail, particulars.
錠剤 tablet.
小冊子 manual, pamphlet.
賞賛 admiration. 〜する admire, praise. 〜に値する admirable, praiseworthy.
上司 boss, superior.
正直 honesty. 〜な honest, upright.
常識 [良識] common sense, good sense; [だれもが知っていること] common knowledge.
焼失する burn down.
消失する disappear, vanish.
商社 business [trading] company.
乗車する get on, ride, board. 〜

券 (railroad) ticket.
成就 achievement, accomplishment. 〜する achieve, accomplish.
招集する call, summon, convene.
常習的な frequent, habitual.
少女 girl. 〜時代 girlhood. 〜らしい girlish.
症状 symptom.
上昇する rise, elevate, go up.
昇進 promotion. 〜する be promoted, be advanced.
少数 minority, few. 〜の few, small number of, minor. 〜民族 minority.
上手な handy, skillful, good at.
使用する use, employ.
生ずる arise, produce.
情勢 position, situation.
小説 fiction, 〔長編〕 novel. 〜家 novelist.
肖像(画) portrait.
醸造 brewing. 〜所 brewery. 〜する brew.
消息 news, information.
招待(状) invitation. 〜する invite, ask.
正体 〜を現す unveil oneself. 〜を隠す wear a mask. 〜を見破る find out.
状態 condition, shape, state.
承諾 consent, agreement, assent. 〜する consent, agree, assent.
上達する progress.
冗談 joke, jest, game. 〜に in [for] fun.
承知 〜する〔知っている〕 know;〔同意する〕 consent, agree.
省庁 service.
象徴 symbol, emblem. 〜する symbolize. 〜的な symbolic.
小テスト quiz, short test.
焦点 focus.
商店 store, shop. 〜街 shopping center, downtown (centers).
衝動(する) transfer.
衝動 impulse, urge. 〜的な impulsive.
消毒する disinfect, sterilize.
…しようとしている be about to …, be going to …
…しようとしなかった would not.
衝突 collision, conflict. 〜する crash, collide;〔意見などが〕 conflict.
小児科医 pediatrician.
使用人 servant, employee.
証人 witness.

承認 approval, recognition. 〜する approve, recognize, admit.
商人 merchant.
情熱 passion. 〜的 passionate.
少年 boy, lad. 〜らしい boyish. 〜時代 boyhood.
商売 business, trade.
蒸発する evaporate.
消費 consumption. 〜者 consumer. 〜する consume. 〜税 consumption tax.
商品 goods, merchandise, ware, commodity.
賞品 prize.
上品 grace, elegance. 〜な decent, elegant, graceful, refined.
勝負 game, bout.
上部 top. 〜の upper.
丈夫 tough, strong, stout.
小便 urine, water. 〜する urinate.
譲歩 concession. 〜する concede, compromise, give way.
消防 fire fighting. 〜士 fireman, fire fighter. 〜自動車 fire engine.
情報 information, news, intelligence. 〜科学 information science. 〜化社会 informational society. 〜工学 communication engineering. 〜産業 information industry.
(…の)上方に[の] above, over.
静脈 vein.
乗務員 crew.
証明 proof, certification. 〜書 certificate. 〜する prove, certify, testify.
照明 illumination. 〜する illuminate.
消滅 extinction. 〜させる destroy, consume, extinguish.
正面 front, face. 〜の[で] in front.
消耗する waste, consume. 〜品 consumables.
条約 treaty, pact, agreement.
しょう油 soy.
将来(性) future.
勝利 triumph, victory, winning. 〜者 victor, winner, conqueror.
上陸 landing. 〜させる[する] land;〔台風が〕 hit.
省略(形) abbreviation. 〜する 〔短くする〕 abbreviate;〔省く〕 omit.
蒸留 distillation. 〜する distill.
上流社会(の人々) society. 〜の

upper.
(…より)上流に[へ] above, up.
使用料 rent.
少量 grain, trifle. 〜の little, touch.
常緑樹[の] evergreen.
症例 case.
奨励する recommend, encourage.
小論文テスト preliminary essay for admission to colleges and universities.
女王 queen. 〜アリ queen ant. 〜バチ queen bee.
ショート 〔電気〕 short circuit;〔野球〕 shortstop.
ショートカット shortcut.
ショールーム showroom.
除外する omit, exclude, except, set aside.
女学生 girl student.
初期 early stage. 〜の early, initial.
書記 secretary, clerk. 〜長 secretarygeneral.
除去 removal, relief. 〜する remove, omit.
助教授 assistant professor,〔英〕 reader.
ジョギング jogging. 〜する jog.
職員 official, staff. 全〜 personnel.
食塩 (common) salt.
職業 business, occupation, profession, trade, work.
食事 meal, dinner, board, table. 〜をしている be at (the) table.
食卓 dinner table. 〜に並べる spread.
食中毒 food poisoning.
食堂 dining room;〔学校の〕 lunchroom;〔軽食堂〕 luncheon [snack] bar;〔セルフサービスの〕 cafeteria,〔劇場・列車の〕 buffet.
職人 craftsman.
食パン bread.
食費 food expenses;〔下宿の〕 board.
植物 plant, vegetation. 〜園 botanical gardens.
植民(地) colony. 〜開拓者 colonist. 〜の colonial.
職務 duty, functions. 〜上 officially. 〜上の official.
食物 food, dish.
食用の edible.
食欲 appetite.
食糧[料] food, provision. 〜品 foodstuffs. 〜雑貨店 grocery. 〜品店 market.

処刑 execution. ～する execute.
助言 advice;〔専門的な〕counsel. ～者 adviser. ～する advise.
書斎 study, library.
所在 whereabouts. ～地 seat.
助産婦 midwife.
女子 girl;〔女性〕woman. ～高校 girls' high school. ～生徒 schoolgirl.
叙事詩 epic.
所持する carry, have ... about one. ～金 funds. ～品 one's things.
助手 assistant, helper.
処女(の) virgin, maiden.
叙情詩[的な] lyric.
徐々に gradual. ～に gradually, little by little.
初心者 beginner, novice.
女性 woman. ～の female, feminine. ～らしい womanly, feminine.
所属 ～する attach, belong. (…に)してし in.
処置 disposition, step, measure.
食器(類) dish, tableware. ～戸棚 →サイドボード.
ショック(を受ける) shock.
ショッピングセンター shopping center [(米) moll].
ショッピングバッグ shopping bag.
書店 bookstore, bookshop.
書道 calligraphy.
初等の elementary.
所得 earnings, income.
処分 disposal;〔処罰〕punishment. ～する dispose.
序文 preface, foreword.
処方箋 prescription.
初歩の elementary.
署名 signature. ～する sign.
所有 possession, property, hand. ～する own, possess. ～権 ownership. ～者 owner. ～物 possession, property.
女優 actress.
処理する do, treat, cope, dispose.
書類 paper, document. ～かばん briefcase, attache case.
ショルダーバッグ shoulder bag.
地雷 mine.
白髪 gray hair. ～まじりの gray.
シラカバ white birch.
知らせ news, notice, information.
知らせる acquaint, communicate, inform, notify, acknowledge.

調べる see, look over;〔調査する〕examine;〔詳しく〕study;〔より綿密に〕inspect, investigate;〔指などで〕feel;〔原因・出所などを〕trace;〔辞書・本などで〕consult, look up.
知られていない unknown.
尻 buttocks;〔ズボンの〕seat.
シリア Syria. ～人[の] Syrian.
知り合い acquaintance. ～になる meet.
しりごみする shrink, flinch.
市立の municipal, city.
私立の private.
支流の branch.
資料 data, material.
飼料 feed.
視力 sight, vision.
思慮深い thoughtful, judicious.
思慮分別 sense, prudence.
シリング shilling.
汁 soup;〔果物の〕juice.
知る know, learn, tell, gather. ～限りでは to (the best of) one's knowledge (and belief).
シルエット silhouette.
しるし mark, sign;〔徴候〕indication, symptom;〔象徴〕token. ～をつける mark.
指令 order. ～官 marshal, commander. ～する charge.
試練 trial, cross.
ジレンマ dilemma.
城 castle.
白(い) white.
シロアリ white ant, termite.
素人 amateur. ～臭い amateurish.
シロクマ white bear, polar bear.
じろじろ見る stare.
しわ line, wrinkle.
仕業 →行い.
しん(芯) 〔リンゴなどの〕core;〔鉛筆の〕lead.
親愛な dear.
進化 evolution. ～する evolve.
神学 theology.
人格 personality. ～者 (man of) character.
シンガポール Singapore.
審議 deliberation, discussion. ～する deliberate.
進級する be moved up to the next form.
真空 vacuum.
シンクロナイズド=スイミング synchronized swimming.
神経 nerve. ～の nervous. ～にさわる get on one's nerves.
神経過敏 nerve. ～の[神経質な] sensitive, nervous.
人権 human rights.
震源地 focus.
真剣な earnest, serious, sincere.
信仰 belief, faith. ～する believe in.
進行 ～する go, march, progress. ～中である on.
信号(を送る) signal.
人口 population.
人工 art ～の artificial. ～衛星 (artificial) satellite. ～呼吸 artificial respiration, mouth-to-mouth respiration. ～芝 artificial turf. ～受精 artificial insemination. ～知能 artificial intelligence.
申告 declaration, return. ～する declare, notify.
深刻な serious, grave. ～に seriously, gravely.
新婚 ～の newly married. ～旅行 honeymoon.
審査 judgment. ～する judge. ～員 judge. ～員団[委員会] jury.
診察 examination. ～してもらう see, consult. ～する examine. ～室 consulting room.
紳士 gentleman. ～階級 gentry.
新時代 epoch.
寝室 bedroom.
真実 truth. ～の true.
神社 shrine.
しんしゃくする make allowances [(an) allowance] for.
真珠 pearl.
人種 race. ～の racial.
進取の気性 enterprise.
心証 sentiment.
心情 sentiment.
身障者 the handicapped.
侵食 erosion. ～する erode.
信じられない incredible.
信じる believe, trust. ～こと belief.
信心 belief, faith. ～深い pious.
新人 newcomer, recruit, freshman, new face, rookie.
進水させる[する] launch.
浸水する be flooded, be inundated.
人生 life.
神聖な holy, sacred.
親戚 relative, relation.
親切(心) kindness. ～な kind, nice, good. ～な行為 favor, kindness. ～なもてなし hospitality. ～に(も) kindly. ～にする kind, oblige.

親善 goodwill, amity. ～試合 friendly match [game, contest].
新鮮でない stale.
新鮮な fresh.
真相 truth, case.
心臓 heart.
腎臓 kidney.
人造の false, artificial.
親族 kin, relative.
迅速な swift, speedy, quick.
身体 body. ～の bodily, physical. ～的に physically. ～測定 physical measurements.
寝台 bed；〔船・列車の〕berth. ～車 sleeping car.
診断 diagnosis. ～する diagnose.
真鍮 brass.
身長 stature, height. ～が…ほど tall.
慎重な deliberate, careful, prudent.
慎重に deliberately, carefully, prudently.
新陳代謝 metabolism.
死んでいる dead.
親展 Confidential.
神殿 temple.
震動[振動]する tremble, shake, quake, vibrate.
人道的な humanitarian.
新入社員 recruit.
侵入する invade, trespass.
信任 →信頼. ～状 letter of credence.
新任の new.
信念 faith, belief, conviction, principle.
新年 new year.
真の real, genuine. ～に really.
心配 anxiety, care, concern, dread, trouble, worry. ～事 worry. ～させる[する] concern, worry. (…ではないかと)～する be afraid. ～している be anxious, worry.
審判(員) judge, umpire.
神秘 mystery. ～的な mysterious.
新品の brandnew.
新婦 bride.
神父 father.
人物 figure. 重要～ somebody.
新聞 newspaper, paper, press, journal. ～記者 journalist, newspaperman, reporter.
進歩(する) advance, progress. ～的な progressive.
辛抱 endurance. ～する endure. ～強い patient.
信奉者 follower.

親密な close, intimate. ～に closely, intimately, well.
人民 people.
尋問 interrogation.
親友 good [bosom, close, great, intimate] friend；〔大の〕special friend.
信用 belief, credit, trust. ～する believe in, trust. ～できる trustworthy, reliable.
信頼 reliance, confidence, faith. ～する rely, confide. ～できる reliable, responsible.
辛辣な severe, bitter, pungent.
真理 truth.
心理(学) psychology. ～的な psychological.
審理する try, examine.
診療所 clinic.
森林 forest, woods. ～地帯 woodland.
親類(関係) kinship, relation, relative.
人類 mankind, man, humanity. ～学 anthropology.
進路 way, course.
新郎 bridegroom.
神話 myth, mythology.

す

巣 nest；〔ハチの〕beehive；〔クモの〕cobweb, web.
酢 vinegar.
図 diagram.
図案 design.
水域 area.
水泳 swimming, bathing. ～する swim, bathe.
スイカ watermelon.
スイギュウ water buffalo.
水銀(柱) mercury.
水源(地) source.
遂行 performance, execution. ～する do, perform, carry out, execute.
吸い込む 〔息を〕draw, breathe in；〔空気・ガスを〕inhale；〔液体を〕absorb, soak up, suck.
水彩画 watercolor.
推察 →推測.
水車 mill wheel. ～場 (water) mill.
衰弱する weaken.
水準 level, standard.
水晶(細工) crystal.
水蒸気 steam, vapor.
水上スキー water ski.
推奨する recommend.

スイス Switzerland. ～の[人] Swiss.
水星 Mercury.
彗星 comet.
スイセン narcissus, daffodil.
推薦 ～する recommend, nominate, commend. ～状 recommendation. ～入学 enrollment by recommendation.
水素 hydrogen.
推測 guess, inference, conjecture, supposition. ～する guess, gather, infer, conjecture, suppose.
水族館 aquarium.
衰退する set, decline.
水中に under water, into [in] water.
垂直 ～の vertical, perpendicular. ～に straight, vertically.
スイッチ switch. ～を入れる switch on. ～を切る switch off.
推定する presume.
水道 water supply, waterworks. ～管 water pipe；〔本管〕water main.
随筆 essay.
水分 moisture.
水平(な) level. ～線 horizon. ～にする level.
睡眠 sleep.
水曜日 Wednesday.
推理 ～する reason. ～小説 detective story.
スイレン water lily.
水路 channel, ditch. ～で by water.
推論する reason.
吸う 〔空気を〕breathe, inhale；〔液を〕suck；〔タバコなどを〕smoke.
スウェーデン Sweden. ～人 Swede, Swedish. ～語[の] Swedish.
数学 mathematics, math. ～者 mathematician.
数字 figure, numeral.
ずうずうしい impudent, shameless, bold.
スーダン Sudan.
スーツ suit.
スーツケース suitcase.
スーパーコンピュータ supercomputer.
スーパーマーケット supermarket.
崇拝 worship, adoration. ～する adore, worship. ～者 adorer, worshiper, admirer.
スープ soup.
図画 picture.

スカート skirt.
スカーフ scarf.
図解 diagram, illustration. 〜する illustrate.
スカウト scout.
姿 image, figure, shape. 〜を現す appear.
スカッシュ(=テニス) squash (tennis).
すがりつく cling.
スカンク skunk.
好き like, love, be fond of. 〜な favorite. 〜になる take to.
すき(鋤) spade, plow. 〜で耕す plow.
杉 cedar.
…過ぎ past, after.
スキー(をする) ski. 〜ウエア ski-wear, ski suit.
過ぎ去る roll.
(…に)すぎない no more than …, nothing but.
すき間 gap. 〜風 draft.
スキャナー scanner.
スキャンダル scandal.
スキューバダイバー scuba diver.
スキューバダイビング scuba diving.
…すぎる too.
スクイズ squeeze (play).
過ぎる go, pass.
すくい取る skim.
救いの手 aid.
救う save, rescue, help.
スクール school. 〜バス school bus.
スクーリング schooling.
すぐその場で then and there.
少ない few, little, light, low, small. 〜からず not a little. 〜くする lessen.
少なくとも… at least, not less than …
すぐに soon, directly, right, right away [off]. …すると〜 as soon as …, no sooner … than, the minute (that) …, hardly [scarcely] … when [before, than] …
すくめる 〔肩を〕 shrug.
スクラップ(にする) scrap.
スクリーン screen.
スクリュー screw.
すぐれた distinguished, eminent, excellent.
(…より)すぐれている excel, surpass.
スクロール(する) scroll. 〜バー scroll bar.
図形 figure.
スケート skating. 〜をする skate.
スケートボード skateboard.
スケジュール schedule.

スケッチ sketch. 〜ブック sketchbook.
少し bit, little;〔数が〕few.
少しは a little,〔数が〕a few.
少しも…ない anything but …, no, not at all.
過ごす pass, spend.
スコットランド Scotland. 〜の[人] Scotch, Scottish.
すさまじい tremendous, awful. 〜音 crash.
筋 stripe;〔話の〕plot. 〜が通った logical.
図式 graph.
筋道 method.
頭上で[に, を, の, にある] overhead.
スズ tin.
鈴 bell.
涼しい cool.
進む advance, go off, make one's way, pass, proceed;〔車が〕roll;〔時計が〕gain. (…より)〜んで in advance of. 〜んでいる〔時計が〕fast.
スズメ sparrow.
スズメバチ hornet, wasp.
進める advance, forward.
勧める induce, advise, invite, recommend.
スズラン lily of the valley.
すすり泣く sob.
(自ら)進んで willingly, voluntarily.
スター star.
スタジオ studio.
すたれる go out of use;〔流行が〕be out of fashion;〔言葉が〕be obsolete.
スタンディングオベーション standing ovation.
スタンプ(で押す) stamp.
スチーム steam. 〜アイロン steam iron.
スチュワーデス stewardess, air hostess.
頭痛 headache.
すっかり all, clear, quite, perfectly, entirely, completely, off.
ずっと all along, all the way, always, away, ever, right;〔はるかに〕far, much.
すっぱい acid, sour.
ステーキ steak.
ステージ stage.
すてきな splendid, lovely, jolly.
すでに already, yet.
捨てる abandon, desert, discard, give up, throw away, toss.
ステレオ stereo (set).

ステンドグラス stained glass.
ストーブ stove, heater.
ストール stall.
ストッキング stockings.
ストック stock. 〜オプション stock option.
ストップウォッチ stopwatch.
ストライカー striker.
ストライキ strike.
ストライク strike.
ストレス stress.
砂(地) sand. 〜の sandy. 〜浜 beach.
素直な docile, obedient.
スナップ写真 snapshot, snap, candid photograph.
すなわち namely, or, that is to say, that is.
頭脳 head, brain.
スノーボード〔板〕snowboard;〔競技〕snowboarding. 〜をする snowboard.
スパイ spy, secret agent;〔密告者〕informer. 〜活動 espionage.
スパイス spice.
すばやく swiftly, quickly.
すばらしい wonderful, superb, magnificent, lovely, heavenly, grand, fantastic.
すばらしく fantastically, wonderfully.
スピード speed. 〜を落とす[上げる] slow down [speed up].
図表 chart.
スフィンクス the Sphinx.
スプーン spoon.
スプレー spray.
スペアリブ sparerib.
スペイン Spain. 〜の[語] Spanish. 〜人 Spaniard.
スペースシャトル space shuttle.
…すべきであったのに should have done.
…すべきである ought, should.
すべての all, whole, every, every bit, the. 〜こと everything, all.
すべる slide, glide;〔誤って〕slip,〈形〉slippery.
スポーツ(の) sport. 〜医学 sports medicine. 〜カー sports car. 〜センター sports center. 〜マン sportsman, athlete. 〜用品 sports gear.
ズボン pants, trousers.
スポンジ sponge.
すまなく思っている be sorry.
すみ(隅) corner.
炭 charcoal.
住み込む live in.
すみません I'm sorry.

スミレ(色) violet.
住む live, settle, dwell. ～人のいdesert. ～んでいるinhabit. ～まわせるsettle.
済む end, be over, finish.
澄む settle, clear.
スモッグ smog.
すらすらと fluently;〔順調に〕smoothly, easily.
スラム街 slum.
すり pickpocket.
すり切れる wear away. ～たwornout.
すり込む rub.
スリッパ slipper, mule.
すり減らす[減る] wear.
すりむく chafe, graze.
スリランカ Sri Lanka.
する[盗む] pick.
する do;〔スポーツ・遊戯などを〕play;〔ある状態に〕set. (**A** を **B** に)～ make **A** into **B**.
ずるい sly, cunning, crafty.
すると and, then.
鋭い acute, keen, sharp, shrill.
鋭く sharply, keenly, acutely. ～するsharpen.
…するのがよい had better do.
する scrape.
スローイン throw-in.
スロバキア Slovakia. ～の[人,語] Slovak, Slovakian.
スロベニア Slovenia. ～の[人,語] Slovene, Slovenian.
座る sit, sit down, sit up. ～っているsit. ～らせるseat, settle.
澄んだ clear.
すんでのことで…するところ almost, nearly.
寸法 dimension, measure, measurement, size.

せ

背 back. ～が高いtall. ～が低いshort.
性 sex. ～のsexual. ～犯罪sex crime.
姓 family name, surname, last name.
精〔精霊〕spirit;〔精力〕energy. 火の～salamander. ～を出して働くtoil.
聖… saint.
…製(の) made.
税 tax, duty.
誠意 sincerity. ～のあるsincere.
セイウチ walrus.
成果 outcome, result, fruits.
正解 correct answer.
正確(さ) accuracy, precision. ～なaccurate, exact, faithful, precise. ～にaccurately, exactly, faithfully, precisely.
性格 character, personality.
聖歌隊 choir.
生活 life. ～状態circumstance. ～手当subsistence allowance. ～費costs of living. ～をする[送る] live, lead.
請願(書) petition.
税関 customs.
世紀 century.
正義 justice, right.
請求 ～するcharge, claim, demand. ～書bill.
制御 control. ～するcontrol. ～装置control system.
生計 livelihood, living.
清潔な clean, neat.
制限 restriction, limit. ～するconfine, restrict, limit. ～時間time limit. ～速度speed limit.
成功 success. ～するsucceed, make it, get on. ～した[の] successful, lucky.
性向 tendency.
精巧な delicate, elaborate, sophisticated.
星座 constellation.
政策 policy.
制作 production, manufacture. ～するproduce, manufacture, make, work on. ～者producer, manufacturer.
生産 production. ～者producer. ～的productive. ～するproduce, turn out. ～性productivity. ～高output.
(運賃)精算所 fare adjustment office.
清算する settle, liquidate, adjust.
制止 restraint.
静止 ～するrest. ～したstill, stationary. ～衛星stationary satellite.
政治 government, politics, administration. ～のpolitical. ～家politician, statesman. ～学politics. ～献金political donation. ～亡命political asylum.
正式な[の] correct, formal, proper. ～手続procedure.
性質 nature, disposition, character, quality, kind.
誠実 sincerity. ～なsincere, true, honest. ～にsincerely, truly, honestly.
成熟させる[する] mature, ripen. ～したmature, ripe.
青春(時代) youth, springtime.
聖書 Bible, scripture, testament.
正常な normal, regular.
聖職者 priest.
精神 soul, spirit. ～の[的] spiritual, mental, moral. ～的打撃blow. ～力force.
成人(した) grown-up, adult. ～映画X-rated movie.
聖人 saint.
製図 drawing.
せいぜい〔多くて〕not more than …, at the most;〔よくて〕at (the) best;〔長くて〕at the longest.
精製する refine. ～されたrefined.
正々堂々とした clean.
成績 (academic [school]) record, achievement;〔試験などの〕result. ～表report card;（英）(school) report.
整然と regularly, systematically. ～したorderly, systematic.
製造 manufacture, production. ～業者maker, manufacturer. ～するproduce, manufacture, make.
生存 existence, survival. ～するlive, exist. ～者survivor.
盛大な grand, magnificent.
ぜいたくな luxurious, extravagant.
成長 growth. ～するgrow (up), thrive. ～したbig, grownup.
精通している be familiar, be at home.
制定 constitution. ～するconstitute.
性的(な) ～いやがらせ→セクシャルハラスメント. ～虐待sexual abuse.
青天の霹靂(へきれき) a bolt from [out of] the blue.
生徒 pupil, student. ～会student council, student body. ～会長president, head boy [girl]. ～通用門gate for students, side gate. ～手帳student handbook, student diary.
制度 system, institution.
政党 political party.
正当 ～なright, just;〔合法の〕lawful, legal, legitimate. ～化するjustify. ～性justice. ～な理由(となる)warrant. ～防

justifiable (self-)defense.
聖堂 shrine, temple.
青銅 bronze.
正統の orthodox.
整頓 arrangement, order. 〜する arrange, order.
(…の)せいにする attribute.
青年 young man [woman], youth.
成年 age, majority.
生年月日 date of one's birth.
正反対の(人,物,事) opposite.
製品 manufacture, product.
政府 government, administration.
西部(の) western.
制服 uniform.
征服 conquest. 〜者 conqueror. 〜する conquer, master, subdue.
生物 life, living thing, creature. 〜学 biology.
成分 ingredient.
正方形(の) square.
精察な delicate, elaborate, sophisticated, precise.
生命 life. 〜のない dead.
声明 statement.
正門 main gate.
西洋 West, Occident. 〜の Western, Occidental.
整理 →整頓
精力 energy, vigor. 〜旺盛な vigorous, energetic.
勢力 influence, force. 〜のある powerful, influential.
西暦…年 A.D.
セーター sweater.
セーフ(の) safe.
セーブ(する) save.
セーフティーバント drag bunt.
セーラー服 middy blouse, naval style uniform (for girls).
セールスポイント selling point.
セールスマン salesman；〔販売員〕salesclerk, shop assistant, salesperson.
背負った[て] on one's back.
世界 world. 〜的な worldwide, global, universal. 〜中で all over the world, on earth.
セカンドオピニオン second opinion.
席 place, seat. 〜を取り替える trade [change] seat, switch around.
せき(をする) cough. 〜払いをする clear one's throat.
せきたてる rush, urge.
石炭 coal.
脊椎動物 vertebrate.
赤道 equator.

赤道ギニア Equatorial Guinea.
責任 responsibility, blame, charge, fault, liability. 〜がある responsible, liable. 〜にする blame. 〜を負う answer for.
赤面する flush, blush.
石油 oil, petroleum.
セキュリティ security.
セクシャルハラスメント sexual harassment.
世間の人々 people, society.
施行する enforce.
…せざるを得ない be obliged to …, be compelled to …
…せずにはいられない cannot help doing, cannot help but do.
世代 generation.
節 clause；〔詩の一節〕passage.
説教 lecture, sermon. 〜する preach, lecture.
積極的な active, positive.
接近(する) approach. 〜した[て] close. 〜方法 access.
設計 design. 〜をする lay out, plan, design.
赤血球 red (blood) cell [corpuscle].
石けん soap.
接合 joint.
絶交する break off, part from, be through with, have done with.
摂氏 〔温度計の〕Celsius.
接触(する) contact, touch.
接する 〔土地が〕border on, adjoin；〔客に〕attend to.
節制 temperance. 〜する be moderate, be temperate.
接続 〜する connect, link. 〜詞 conjunction.
切断 cutting, section. 〜する cut, sever. 〜面 section.
設置する constitute, establish.
接着剤(でつける) glue.
絶頂 height.
セット set.
窃盗 theft.
接頭辞 prefix.
説得 persuasion. 〜して…させる [やめさせる] talk A into doing [talk A out of doing], persuade. 〜する argue, urge.
節度のある moderate, temperate.
切迫した pressing urgent.
設備 equipment, facility, service；〔宿泊の〕accommodations.
絶壁 cliff.
絶望 despair. 〜する despair. 〜した[的な] desperate, hopeless.
切望する be anxious, be

greedy, long, yearn.
説明 explanation, version. 〜する explain, illustrate, account for, demonstrate.
節約 economy. 〜する economize, save.
設立 establishment, institution. 〜する build, establish, found.
背中 back.
セネガル Senegal.
ゼネコン general contractor.
ぜひ by all means, at all costs, at any cost.
背広 suit.
背骨 backbone.
狭い narrow；〔家などが〕small.
迫る 〔強要する〕urge, press；〔近づく〕approach, near, draw near.
セミ cicada.
せめて 〔少なくとも〕at least, at most.
責める charge, condemn, blame.
攻める attack, assault.
セメント cement.
ゼリー jelly.
セル cell.
セルビア=モンテネグロ Serbia and Montenegro.
セルフサービス(の) self-service.
ゼロ zero.
セロテープ Scotch tape, Sellotape, tape.
セロリ celery.
世論 public opinion.
世話 care. 〜する attend to, care for, look after, see to, take care of.
栓 〔びんなどの〕stopper, stop；〔水道の〕tap, faucet；〔コルクの〕cork. 〜をする stop. 〜抜き opener, corkscrew.
線 line. 〜の linear. 〜を引く draw.
1000(の) thousand.
善 good.
繊維 fiber.
善意 goodwill.
船員 sailor.
全員 all. 〜一致した unanimous. 〜一致して unanimously. 〜の universal.
前科 previous conviction.
選挙 election. 〜する elect, vote. 〜権 vote, suffrage. 〜資金 campaign fund.
占拠 occupation. 〜する occupy.
先駆者 pioneer.
先月 last month.

宣言 declaration, proclamation. ～する declare, proclaim.
先見の明のある foresighted, far-seeing.
全校 ～集会 school assembly. ～生徒 school.
専攻する major in, specialize in.
選考する select, choose.
先行する precede;〔試合で〕be ahead of the game.
前後関係 context.
全国模試 nationwide mock exam.
前後に back and forth [forward].
戦後の postwar.
洗剤 cleanser, detergent.
潜在的な potential. ～能力がある capable.
繊細な delicate, fine, subtle.
戦死する be killed in action [battle].
船室 cabin;〔個室〕stateroom.
先日 the other day [afternoon, night, week], not long ago.
戦車 tank.
前者 former.
船首 stem.
選手 player. ～権 championship, title.
先週 last week.
先住民 native, aborigine.
戦術 tactics. ～核兵器 tactical nuclear weapon.
戦場 battlefield, field.
染色する stain.
先進国 advanced nation.
前進する advance, move onward, step forward.
潜水する dive, submerge. ～艦 submarine. ～夫 diver.
宣誓 oath. ～する swear, swear [take] an oath.
先生 teacher;〔男の〕master.
全盛時代 day.
占星術 astrology.
専制政治 autocracy, despotism.
センセーション sensation.
全然 at all. ～…ない not (...) in the least.
戦前の prewar.
先祖 ancestor, forefather.
戦争 battle, war, warfare. ～の at war.
全速力で (at) full speed.
センター center field;〔選手〕center fielder. ～ハーフ center half.

全体 whole. ～的な general. ～的に見て altogether. ～の all, entire, whole.
洗濯 washing, cleaning. ～する wash. ～がきく wash. ～機 washing machine. ～ばさみ (米) clothespin, (英) clothespeg. ～物 laundry. ～屋 laundry.
選択 choice, pick. ～科目 (米) elective subject;〔英〕optional subject. ～肢 alternative. ～する choose, select. ～の自由 [権利] choice.
先端 point, tip.
前置詞 preposition.
船長 captain.
前兆 omen;〔不吉な〕foreboding.
前提 premise.
宣伝 propaganda, advertisement. ～する propagandize, advertise.
セント cent.
前途 future. ～有望な promising, with a future.
戦闘 battle. ～的な fighting.
先頭 head, lead.
先導 lead, leading. ～者 leader. ～車 leading car.
扇動する agitate, instigate, incite. ～者 agitator, instigator.
セントルシア Saint Lucia.
全日制 full-time course, regular course.
前任者 predecessor.
専任の full-time.
全能の almighty.
専売(権) monopoly. ～特許(品) patent.
先輩 senior, superior.
船舶 craft.
先発 ～投手 starting pitcher, starter. ～メンバー starting lineup.
船尾 stern.
前部 front.
全部 all, whole. ～の all, whole, every. ～で in all, together.
扇風機 (electric) fan.
選別 separation, screening. ～する separate, screen.
羨望(の) envy.
前方 front. ～に[へ, の] ahead, in advance, onward. ～の forward.
ぜんまい〔ばね〕 spring. ～仕掛 clockwork.
鮮明な〔色が〕 bright;〔写真が〕 clear.
全滅 annihilation. ～させる an-

nihilate, wipe out.
洗面器 basin, washbowl.
洗面所 toilet, washroom, lavatory.
専門 specialty. ～の special, technical. ～家 specialist, expert, professional. ～にする specialize. ～学校 professional school. ～用語 (technical) term.
前夜(祭) eve.
占有 occupation. ～する occupy.
専用の exclusive.
旋律 melody.
戦略 strategy.
占領 occupation. ～する occupy, capture.
善良な good.
全力 ～を尽くす do one's best, be extended. ～で with all one's might.
洗礼 baptism, christening.
洗練された sophisticated, fine, refined.
線路 track, rail.

そ

層 layer, bed, stratum.
僧 priest, monk.
ゾウ elephant.
像 image, statue, figure.
相違 difference, division.
憎悪 horror, hatred, abhorrence. ～する hate, abhor, detest.
騒音 noise. ～公害 sound pollution.
増加 growth, increase. ～する increase, grow.
総会 general assembly.
総額 total, sum.
壮観 glory, spectacle. ～な spectacular.
双眼鏡 binoculars, field glasses.
争議 dispute.
象牙 ivory.
総計 amount, total. ～して…になる total, amount to. ～の gross, total.
双肩 shoulders.
草原 plain, meadow, grassland.
草稿 draft.
壮行会 ～をする hold a pep rally.
総合する synthesize. ～的な comprehensive, synthetic.

相互の mutual, reciprocal.
荘厳 glory. ～な solemn, sublime.
捜査 search, manhunt. ～する search.
操作 operation. ～する operate, manipulate.
総裁 president.
相殺する offset.
創作 composition, creation. ～する compose, create.
捜索(する) search.
掃除 cleaning. ～する clean, sweep.
送辞 farewell speech, farewell address.
葬式 funeral.
操縦 ～する steer, operate, pilot. ～席[室] cockpit.
蔵書 library.
装飾(品,物) decoration, ornament, adornment. ～する decorate. ～用の decorative.
装身具 accessory, costume, jewelry.
増進する promote.
総数 count, total number.
そうすれば and.
造船 shipbuilding. ～所 dockyard, shipyard.
総選挙 general election.
創造 creation. ～する create. ～力のある creative. ～物 creation.
想像 imagination. ～する imagine, suppose, conceive. ～上の fantastic, imaginary. ～力 imagination.
騒々しい noisy, loud. ～く noisily, loudly.
相続 inheritance, succession. ～する inherit, succeed. ～財産 inheritance. ～人 successor, heir ; [女] heiress.
増大 swell. ～する gather, swell, increase.
早退する leave school ealier than usual.
相対的な relative. ～に relatively.
壮大な grand, magnificent.
相談 conference, consultation, counsel. ～する consult, talk with. ～役 advisor.
装置 device, apparatus.
増築する enlarge.
想定 assumption. ～する assume.
贈呈 presentation. ～する present.
そうでなければ or.
装填 charge.

相当 ～な considerable, fair, handsome. ～する be equal to, correspond to.
騒動 tumult.
総督 governor.
挿入する insert.
相場 market.
装備 equipment. ～一式 outfit.
送別会 farewell party.
総務省[大臣] Ministry [Minister] of Internal Affairs and Communications.
総理(大臣) prime minister, premier.
創立 foundation, establishment. ～する found, establish. ～者 founder.
送料 postage ; [運送費] carriage, freight (rates).
添える add, annex.
ソース sauce.
ソーセージ sausage.
ソーダ(水) soda.
ソーホー SOHO.
ソーラーシステム solar system.
ソーラーハウス solar house [home].
疎外 alienation. ～する alienate.
族 tribe, family ; [一族] clan.
俗語 slang.
即座 ～の immediate. ～に promptly, at once, on the spot, offhand.
即時の instant.
促進 promotion. ～する help, promote, aid.
属する belong to.
即席の impromptu, instant.
ぞくぞくさせる[する] thrill.
速達 special delivery ; 《英》 express (delivery).
測定 measurement. ～する measure.
速度 pace, rate, speed, velocity. ～を計る time. ～を増す speed.
俗の[な] common, vulgar ; [僧に対して] civil.
束縛 restraint, shackle. ～する restrain, shackle, bind.
俗物 snob.
側面 side, flank.
測量 survey, measurement. ～する survey, measure.
底 bottom ; [川・海の] bed ; [靴の] sole.
そこ(に,で,へ) there.
祖国 motherland, mother country.
損なう hurt, damage.

粗雑な coarse, rude, rough. ～に coarsely, roughly.
組織 constitution, organization, system, tissue. ～する organize, form. ～化[体] organization. ～的な systematic.
阻止する hamper, retard, check.
素質 makings, fiber.
そして and, then.
訴訟 suit, lawsuit, action.
祖先 ancestor, forefather.
注ぐ pour, empty ; [川が] flow into.
そそっかしい hasty, careless, rash.
そそのかす allure, tempt, instigate.
育ちがよい [生まれがよい] be of gentle [good] birth, be gently born [bred] ; [よく育つ] grow well, thrive.
育つ grow.
育てる [作物を] grow ; [子供を] bring up ; [人・作物を] nourish ; [子供・家族を] raise ; [成人まで] rear ; [考えなどを] nurse.
速記 stenography, shorthand. ～者 stenographer.
卒業 graduation. ～する graduate. ～生 graduate. ～式 graduation (ceremony), commencement. ～証書 diploma, certificate of graduation. ～記念アルバム yearbook.
率先する take the initiative.
率直(さ) sincerity. ～な direct, sincere, frank, open. ～に frankly, openly, plainly. ～にいうと frankly, to be plain [frank] with you.
(…に)沿って along.
そっと [静かに] quietly ; [軽く] lightly.
卒倒(する) faint.
ぞっとさせる freeze, chill, horrify.
ぞっとする shudder, thrill.
そで sleeve.
外 (の,に,で,へ) outside, out, outward ; [戸外] outdoor(s). ～を見る look out. ～に現れた outward.
外側 outside, exterior. ～に outside. ～の outer, outside, exterior.
備えつける equip, provide.
(…に)備えて against.
備える prepare, provide for.
その that, the.
その上 besides, in addition,

moreover, what is more.
そのうち in due course, some day.
その代わりに instead.
その後 afterwards, since. 〜は thereafter.
その他 others, rest. 〜の other. 〜の点では otherwise.
その通りです so, right.
その時 then, at that time.
そのままにしておく let [leave] ... alone.
そのような(人, 物, 事) such.
そのように so, thus.
(…の)そばに[の] beside, alongside, by, near. 〜置く apply. (…の)〜を通って by, past.
そば buckwheat. 〜粉 buckwheat (flour).
そびえ(立ってい)る rise, tower.
祖父 grandfather.
ソファ sofa.
ソフト(ウェア) software.
ソフトドリンク soft drinks.
ソプラノ soprano.
そぶり gesture.
祖母 grandmother.
素朴な artless, naive.
粗末な poor, coarse, humble. 〜に〔ぞんざいに〕carelessly. 〜にする〔むだに使う〕waste.
ソマリア Somalia. 〜人[の] Somalian.
染まる[める] dye.
背く disobey;〔反逆〕revolt;〔信頼を裏切る〕betray;〔約束に〕break.
粗野な coarse, gross, rough, rude.
そよ風 (gentle) breeze.
空 sky.
そらす 〔質問などを〕evade;〔目を〕avert, turn away;〔注意を〕divert;〔話を〕switch.
そり sleigh, sled.
反る 〔板などが〕warp.(身体を)〜らす lean back.
剃る shave.
それ that, those.
それから and, then.
それじゃ See you later [soon]!
それぞれ each, respectively. 〜の respective, several.
それだけ the (＋比較級). 〜いっそう… all the more (…).
(…から)それて off.
それで and, and so, so, so that …, that.
それでは so, then.
それでも still, nevertheless.
それどころか on the contrary.
それとなく示す[言う] suggest, hint.
それとも or.
それなのに and.
それなら then.
それの its.
それは[が, を, に] it.
それほど so, that. 〜の such.
それゆえに accordingly, hence, therefore.
それる 〔考え・話が〕wander away from;〔道に〕go astray;〔他の道へ〕turn off into;〔針路が〕yaw;〔弾丸が〕glance off.
そろえる 〔並べる〕arrange, put in order;〔一様にする〕uniform.
そわそわする become restless, be fidgety.
損 loss. 〜する have a loss of.
損害 damage, harm, mischief. 〜を与える damage, harm.
尊敬 esteem, regard, respect, reverence. 〜する respect, look up to A. 〜すべき honorable.
尊厳 dignity.
存在 being, existence, presence. 〜する be, exist. 〜を信じる believe in.
損失 loss.
存続 continuation. 〜する live, continue.
尊大な arrogant, important, pompous.
尊重 esteem, respect. 〜する esteem, respect, value.
そんなに so, so much.
存分に to one's heart's content, freely. 〜食べる[飲む, 泣く] eat [drink, weep] one's fill.
村民 villager.

た

ダース dozen.
タイ 〔国〕Thailand. 〜の[人, 語] Thai.
タイ 〔魚〕bream.
対 versus, vs, against.
隊 band, troop, party.
態 voice.
台 stand;〔宝石の〕mount.
題 〔タイトル〕title;〔主題〕subject, theme.
代 20〜に in one's twenties. 1920年〜に during the twenties.
大意 summary, synopsis.
体育 gymnastics, physical education. 〜館 gym, gymnasium. 〜館シューズ gym shoes.
第一 〜の first, primary. 〜に first, primarily, in the first place. 〜志望校 school of (one's) first choice.
退院する leave (the) hospital.
ダイエット diet.
体温 temperature. 〜計 clinical thermometer.
耐火 〜性の fireproof. 〜れんが firebrick.
退化 〔機能の〕atrophy. 〜する degenerate, be degraded, atrophy.
大家 authority.
大会 rally, meeting, congress.
体格 constitution, frame, physique.
退学 〜する leave. 〜になる be expelled from school. 〜届 withdrawal note.
大学 college, university. 〜院 graduate school. 〜進学率 rate of advancement to university.
対角線 diagonal.
大気 atmosphere, air. 〜の atmospheric, air. 〜汚染 air pollution. 〜圏外の宇宙 outer space.
退却(する) 〔敵が〕retreat;〔味方が〕withdraw.
耐久性[力] durability, endurance.
代金を払う pay.
大工 carpenter.
待遇 treatment;〔もてなし〕reception.
退屈 〜な tedious, boring, dull, tiresome. 〜する be bored with, be wearied [tired] of.

たいぐん (…の)大軍 an army of.
大群 cloud, host, troop.
体系 system. 〜的な systematic.
体験 experience. 〜する experience, go through, undergo.
太鼓 drum.
対抗 〜する oppose, rival, cope. 〜者 opponent.
第…号 no., No.
大根 Japanese radish.
滞在(する) stay, sojourn;〔客として〕visit.
対策 measures.
大使 ambassador. 〜館 embassy.
大事 concern. 〜をとる play for safety, play (it) safe. 〜をとって to be on the safe side. 〜な important, momentous, precious, dear. 〜にする cherish, treasure.
たいした(…でない) much of.
体質 constitution. 〜の constitutional.
たいして(…でない) very, much;〈形〉small.
(…に)対して against, toward, with.
大衆 public, masses. 〜的な popular.
体重 weight. 〜を計る weigh.
対照 contrast. 〜させる contrast.
対象 object.
対称 symmetry. 〜の symmetrical.
大将 general;〔海軍〕admiral.
大丈夫よ That's OK.
退職 retirement. 〜する retire, resign, leave.
大臣 minister.
ダイズ soybean.
代数(学) algebra.
大好き 〜である adore.
大聖堂 cathedral.
大西洋(の) Atlantic.
堆積 heap, pile. 〜物 deposit.
体積 volume.
大切な precious, important. 〜にする take care of.
体操 gym(nastics), exercise.
代走 pinch runner.
怠惰 idleness, laziness. 〜な idle, lazy.
代打 pinch hitter.
だいたい〔概して〕generally, on the whole;〔およそ〕about, much, more or less.
ダイダイ bitter [sour] orange. 〜色(の) orange.

大多数 majority.
対談 conversation.
大胆な bold, daring, adventurous;→向こう見ずな. 〜に boldly.
台地 terrace, plateau.
たいてい(は) mostly, in general, almost;〔いつもは〕usually.
態度 attitude, manner.
対等 equality. 〜の equal, even. 〜である match.
大統領 president.
台所 kitchen.
台なしにする blast, destroy, kill, make a mess of, spoil.
ダイナマイト dynamite.
頽廃 corruption. 〜した corrupt, degenerate. 〜的な decadent.
体罰 chastisement. 〜を与える resort to corporal punishment.
対比(する) contrast.
タイピスト typist.
代表 delegate, representation. 〜する represent. 〜の[する]representative. 〜的な typical. 〜者 representative. 〜者会議 convention. 〜として派遣する delegate.
ダイビング diving.
大分 →かなり.
台風 typhoon.
大部分 most of, better [best, most] part of.
タイプライター typewriter. 〜で打つ type.
大ブリテン島 Great Britain.
太平洋(の) Pacific.
たいへん very much, nice and, by far. 〜だ By Heaven!
大便 stools.
代弁者 spokesman.
逮捕(する) arrest, capture. 〜されて under arrest.
大砲 cannon, gun.
たいまつ torch.
怠慢 neglect, negligence. 〜な negligent.
代名詞 pronoun.
タイムリーな opportune, timely.
題目 subject.
タイヤ tire.
ダイヤ〔列車の〕diagram.
ダイヤモンド diamond.
ダイヤル dial.
大洋 ocean.
太陽 sun. 〜の solar. 〜光線 sunbeam. 〜電池 solar battery.
代用 〜する substitute. 〜になる substitute. 〜品 substitute.

平らな even, flat, level. 〜にする level.
代理(の) deputy. 〜になる substitute. 〜店 agency, agent. 〜をする fill in. 〜人 agent, deputy.
大リーグ Major League.
大陸 continent. 〜の[的な]continental.
大理石(の) marble.
対立 opposition, antagonism. 〜する oppose, antagonize;〈形〉antagonistic.
大量 abundance. 〜の abundant. 〜に in (large) quantities. 〜生産 mass production. 〜破壊兵器 weapon of mass destruction.
体力 physical strength [stamina], power. 〜テスト physical fitness test.
ダイレクトメール direct mail.
第六感 the sixth sense.
台湾 Taiwan. 〜の[人, 語]Taiwanese.
対応 correspondence. 〜する correspond. 〜するもの parallel.
ダウンロード(する) download.
耐えがたい heavy, unendurable, intolerant.
絶えず constantly, continually, always.
絶え間のない incessant, perpetual.
耐える bear, endure, resist, sustain. 〜られる equal, proof.
絶える cease, die out.
倒す〔家・木などを〕bring down;〔建物などを引き倒す〕throw down;〔なぎ倒す〕level, lay;〔なぐり倒す〕floor, knock down;〔ひっくり返す〕tumble;〔負かす〕beat, defeat.
タオル towel.
倒れる fall, tumble, drop. 〜た fallen. 〜て over.
タカ hawk.
高い high, tall;〔値が〕expensive, high, dear;〔かん高い〕high.
互い違いに alternately.
互いに each other, one another, mutually.
高く high. 〜そびえる tower. 〜なる rise.
高さ altitude, height, level;〔音・声の〕pitch. 〜が…ある tall. 〜が…の high.
高跳び high jump.
高める elevate, heighten.
耕す cultivate, plow.

宝 treasure.
…だから since, and so. …の〜いっそう(…) all the more (…) for.
滝 fall, waterfall.
タキシード tuxedo,〔英〕dinner jacket.
抱きしめる clasp, embrace, hug.
たき火 bonfire.
妥協(する) compromise.
炊く boil, cook.
タグ tag.
抱く hold, embrace.
たくさん a good [great] deal, pile, plenty. 〜の a lot of, lots of;〔数〕many, numerous;〔量〕much, a good [great] deal of.
タクシー taxi, cab.
託す commit, trust;〔仕事・世話などを〕charge.
たくましい tough, robust, strong;〔筋骨たくましい〕muscular.
巧みな skillful, clever.
たくらむ contrive, scheme, plot, conspire.
たくわえ reserve, fund, store;〔貯金〕savings. 〜る save, store, treasure, put aside.
竹 bamboo.
…だけ only, by, nothing but.
打撃 hit, blow;〔精神的〕shock, blow;〔バッティング〕batting;〔損害〕damage.
妥結する〔合意に達する〕come to terms [settlement].
たこ(凧) kite.
タコ octopus.
多国籍企業 multinational.
打算 calculation. 〜的な calculative.
確かな certain, sure, definite;〔信頼できる〕reliable.
確かに certainly, definitely, doubtless, sure, sure enough, surely, to be sure.
確かに…だ You bet (you) (that) …
確かめる confirm, make certain, make sure, check.
足し算 addition.
出し抜く anticipate, forestall, bypass, outwit.
多少 a little, somewhat, some, some or less.
足す add.
出す〔取り出す〕take out;〔提出する〕hand in, submit;〔手紙を〕post;〔食事を〕serve;〔宣言・命令を〕issue;〔本を〕publish;〔葉・芽を〕put forth;〔うみなどを〕discharge.

多数 crowd, flood, multitude. 〜の large, score, mountain, number.
多数決で決める vote.
助け help, aid;〔助力〕assist.
助ける aid, assist;〔救助する〕rescue.
訪ねる visit;〔人を〕call on;〔場所を〕call at.
尋ねる ask, inquire, demand.
ただ 〜の free. 〜で for nothing, for free, free of [without] charge.
ただ merely, only, simply.
戦い fight, battle, struggle, war.
戦う combat, fight, struggle.
たたき chop.
たたく strike, hit;〔手を〕clap;〔続けざまに〕beat;〔軽く〕pat, tap.
ただし only, but.
正しい correct, right, just. 〜く correctly, right, rightly.
立たせる stand.
ただ…だけ alone, just, only. 〜で very. 〜の only.
ただちに at once, soon, immediately, instantly, right away, on [upon] the spot.
たたみ mat.
たたむ fold;〔旗などを〕furl.
漂う drift, float.
たたり curse.
立ち上がる get up, rise, stand.
立ち聞きする eavesdrop.
立ち去る go away [off], leave.
立ち止まる halt, stop, pause.
立場 situation, position, standpoint.
立ちはだかる confront.
ダチョウ ostrich.
立ち寄る drop in [by, over], call at, stop by, visit.
立つ stand (up), rise.
断つ〔切る〕cut, sever;〔やめる〕abstain from, give up.
経つ pass, elapse, go by. 〜ってin.
発つ start, leave, depart.
建つ be built, be erected.
卓球 table tennis.
脱臼 dislocation. 〜する dislocate.
ダックスフント dachshund.
タックル tackle.
達する〔数・量・額に〕amount to;〔場所に〕come, get at;〔結論などに〕reach;〔完成の域に〕attain. 〜しない come [fall] short.
脱税 tax evasion.

達成する achieve, attain, accomplish.
脱走する desert.
たった今 just now.
…だったかもしれない could have done.
…だったろう could, would, might.
手綱 rein.
タツノオトシゴ sea horse.
脱皮する shed.
たっぷり amply, plenty.
竜巻 tornado.
縦 length. 〜の lengthways, vertical. 〜の欄 column. 〜の列 file. 〜揺れ pitch.
建物 building.
建てる build, erect.
立てる raise.
打倒する throw over, overthrow.
妥当な valid, reasonable.
たとえ comparison.
たとえそうでも even so.
たとえ…でも even if, no matter, though.
たとえば for example [instance].
たとえ話 parable.
たとえる compare, liken.
たどる trace, follow.
たな shelf, rack. 〜上げにする set aside, shelve.
谷 vale, valley;〔峡谷〕gorge.
他人 others.
タヌキ raccoon dog.
種 seed;〔モモなどの〕stone;〔リンゴ・ナシ・オレンジなどの〕pip. 〜をまく sow.
他の other, another.
楽しい pleasant, delightful, good, joyful, lovely, merry.
楽しませる please, entertain, amuse.
楽しみ pleasure, amusement, fun, treat.
楽しむ enjoy, amuse oneself with, take pleasure in, have a good time at.
頼む ask, beg, request.
束 bundle, bunch.
タバコ tobacco, cigarette. 〜を吸う smoke.
旅 travel, journey, trip. →旅行.
たびたび frequently, often. 〜の frequent.
(…の)たびに whenever, every time.
ダビングする dub.
タブキー tab key.
ダブルクリック double click. 〜す

る double-click.
ダブルプレー double play.
ダブルベッド double bed.
たぶん likely, probably, perhaps, maybe.
食べ物 food.
食べる eat, have, take, taste.
他方(では) on the other hand.
打撲傷 bruise.
玉 ball；〔木製の〕bowl；〔汗などの〕bead.
弾 bullet, shot.
卵 egg.
魂 soul.
だます cheat, deceive, impose, trick.
たまたま…する chance to, happen to.
玉突き衝突 chain reaction.
黙って silently.
たまに (only) occasionally, on rare occasions.
タマネギ onion.
たまる collect, accumulate.
黙る fall silent, hold one's tongue. 〜っている keep silent. 〜らせる hush, shut up.
ダム dam.
ため息 sigh.
試しに on trial. 〜…してみる try.
ためす try, prove, attempt.
駄目な 〔望みがない〕hopeless. 〜にする spoil, ruin；〔計画などを〕frustrate, upset.
(…する)ために in order to, to.
(…の)ために 〔原因〕on account of, owing to, due to, through, to, for；〔利益〕sake.
ためになる <動> benefit；〔有益な〕beneficial, useful.
ためらう hesitate, falter.
ためる accumulate；〔財産などを〕amass.
保つ keep, preserve, retain；〔姿勢を〕carry.
便り news.
頼りになる reliable, trustworthy.
頼る depend, lean on, rely, rest. 〜っている〈形〉dependent [independent].
堕落 corruption. 〜させる[する] corrupt. 〜した〈形〉corrupt.
だらしない loose, slovenly；〔人・服装などが〕untidy.
だらだらと長引く drag.
ダリア dahlia.
打率 batting average.
足りない be short of, lack.
多量の large, much, mountain, quantities of.

足りる be sufficient [enough].
たる barrel；〔貯蔵だる〕cask.
だるい languid.
だれか anyone, someone.
だれが who. 〜の(もの) whose. 〜を[に] whom, who.
だれが[を]…とも whoever.
だれでも any.
だれにも劣らない second to none.
だれひとり…ない none.
だれも…ない no one, noone, nobody.
垂れる droop；〔垂れ下がる〕fall, hang down；〔水が〕drip, drop.
…だろう will.
たわむ bend, give.
たわむれ sport；〔冗談〕joke. 〜に for fun.
壇 platform.
段 step, stair；〔印刷物の〕column；〔剣道・柔道の〕grade.
弾圧 coercion, oppression. 〜する oppress, clamp down (on).
単位 unit,〔学科の〕credit. (…という)単位(で) the.
単一の simple, single.
段階 phase, scale, stage, step, grade.
単科大学 college.
嘆願 appeal, pleading. 〜する plead, appeal.
弾丸 bullet, shot；〔砲弾〕shell.
短気 〜な quick(-tempered), hot-tempered, short-tempered. 〜を起こす lose one's temper.
探究 hunt, quest, research, inquiry.
短距離競走 sprint, dash.
タンク tank.
ダンクシュート dunk shot.
団結する combine, unite.
探検 exploration. 〜する explore. 〜家 explorer.
断言 claim. 〜する affirm, allege, assert, pronounce, swear.
単語 word.
だんご dumpling.
タンザニア Tanzania.
男子 〜高校 boys' high school. 〜生徒 schoolboy.
短915 brief.
断食 fast.
短縮 contraction. 〜する cut, shorten, contract.
単純な simple；simple-minded. 〜にする simplify.
短所 fault, shortcoming.
誕生 birth. 〜日 birthday.

男女共学 co-education, coed.
たんす drawers, bureau.
ダンス(をする) dance. 〜パーティー dance, ball.
単数の singular.
男性 man, male. 〜的な manly.
弾性の(ある) elastic.
炭素 carbon.
断続的な continual.
団体 body, corps, group, party.
だんだんと gradually, increasingly.
団地 housing developments.
単調な monotonous, dull；〔色などが〕flat.
探偵 detective.
担当する cover.
単なる mere, simple. 〜に merely, purely, simply.
断念する resign, give up.
短波 short wave.
蛋白質 protein.
ダンプカー dump truck, dumper (truck).
断片 scrap, fragment. 〜的な fragmentary.
短編小説 short story.
担保 guarantee.
暖房 heating. 〜する heat. 〜器具 heater.
段ボール cardboard. 〜箱 corrugated box.
タンポポ dandelion.
断面 section, profile.
段落 paragraph.
弾力 elasticity. 〜のある elastic.
暖炉 fireplace, stove.

ち

血 blood. 〜だらけの bloody. 〜を流す bleed.
地 earth, ground.
治安 peace. 〜判事 magistrate, justice of the peace.
地位 post, status, standing, condition, position, rank.
地域 area, place, region. 〜社会 community. 〜の regional, local.
小さい little, small, tiny；〔年齢〕young. 〜方 minor, smaller. 〜くする lessen.
チーズ cheese.
チータ cheetah.
チーム team.
知恵 wisdom.
チェーン chain. 〜ソー chain

saw. ~ステッチ chain stitch. ~ストア chain store.
チェコ共和国 the Czech Republic. ~の[人, 語] Czech.
チェック check. ~イン checkin. ~アウト checkout.
遅延 delay.
地下(の, に) underground. ~室 basement.
近い near, close.
誓い oath, vow.
地階 basement.
違い difference;〔差〕distinction.
(…に)ちがいない must.
誓う pledge, swear, vow, give one's oath.
違う be different, differ.
知覚 perception, sensation, feeling. ~する perceive, feel.
…近く toward, near. (…の)~で[に] around, nearby. (…の)~に on, at hand.
近ごろ newly, nowadays, lately.
近づかない keep away.
近づく approach, draw.
近づける[づきやすい] accessible.
違った different.
地下鉄 subway;〔英〕tube, underground.
地下道 subway.
近道 shortcut.
力 force, might, power, strength;〔能力〕ability, faculty. ~が強い strong. ~をふりしぼって with [by] all one's might.
地球 earth, globe. ~温暖化 global warming. ~儀 globe.
地区 district, zone.
蓄積 accumulation. ~する accumulate.
ちくりと刺す prick.
遅刻 lateness, being late for classes. ~する be late for.
知事 governor.
知識 knowledge, acquaintance, learning.
地上 earth, ground. ~の earthly, terrestrial.
地図 map;〔地図帳〕atlas.
知性 intellect, intelligence. ~の intellectual.
治世 reign.
地層 stratum.
…地帯 belt, zone.
乳 milk. ~を絞る milk. ~をやる nurse.
父(親) father.
縮む shrink, contract, shorten.

縮める shorten, contract;〔言葉などを〕abbreviate, condense.
地中海(の) Mediterranean.
縮れる be crimped, crisp.
秩序 〔社会の〕order;〔体系〕system. ~立った systematic.
窒素 nitrogen.
窒息する choke, be choked, suffocate, be suffocated.
チップ tip.
知的な intellectual.
地点 spot.
血なまぐさい bloody.
(…に)ちなんで after.
知能 intelligence, intellect. ~の高い intelligent.
乳房 breast.
地平線 horizon. ~(上)の horizontal.
地方 country, countryside, district, province. ~自治の municipal. ~の provincial.
致命的な fatal, mortal, deadly.
茶 tea.
茶色(の) brown.
着実な steady. ~に steadily.
着手する attack, start.
着色する stain.
着席させる seat. ~する be seated, take a seat, sit down.
着用(する) wear.
着陸 landing. ~させる[する] land.
チャット(する) chat. ~ルーム chat room.
チャド Chad.
茶わん bowl;〔湯のみ〕cup.
ちゃんと 〔きちんと〕properly, regularly. ~した[社会的に] respectable.
チャンネル channel.
チャンピオン champion.
注 note, annotation.
…中 during, while.
注意 attention, care, heed;〔警告〕warning. ~を払う mind, heed, regard. ~する note, notice, take notice;〔人に〕warn.
中位の medium.
注意深い attentive, careful, cautious. ~く attentively, carefully.
チューインガム (chewing) gum.
中央 center. ~の central, median.
中央アフリカ共和国 the Central Africa Republic.
中学 junior high school. ~生 junior high school student [boy, girl]. ~校 lower sec-

ondary school, junior high.
中間 medium, middle. ~の medium, middle, halfway, intermediate. ~考査[試験] midterm examination.
中継(する) relay.
中高一貫教育 consistency in education from middle school through high school.
忠告 advice, counsel. ~する advise, counsel.
中国 China. ~の[語, 人] Chinese.
中古 secondhand, used.
仲裁 arbitration, mediation, intervention. ~する arbitrate, mediate, intervene.
注視(する) gaze.
中止 suspension, stoppage. ~する quit, suspend, stop, discontinue.
忠実な faithful, steadfast.
注射 injection, shot. ~する inject.
駐車 parking. ~させる[する] park. ~場 park.
中旬に in the middle of.
抽象 abstract, abstraction. ~的な abstract.
昼食 lunch, luncheon. ~会 luncheon.
中心 center, core, focus, heart. ~の central. ~的存在 center. ~部 core.
忠誠 loyalty. ~な loyal.
中性 neutral. ~洗剤 (neutral) detergent.
中世の medieval.
中断 break, interruption, stoppage. ~する break, interrupt, stop.
ちゅうちょ hesitation. ~する hesitate.
中程度の middle.
中途 ~で[に] halfway, midway. ~半端な halfway. ~半端にby halves. ~退学 leaving school halfway.
中東 Middle East.
中毒 ~の toxic. ~になる be addicted.
中年 middle age.
チューブ tube.
注目 note, notice, remark. ~する notice. ~すべき notable, remarkable.
注文(する) order.
中立 neutrality. ~の[者] neutral.
チューリップ tulip.
チュニジア Tunisia.
チョウ butterfly.

腸 intestines, bowels.
兆 trillion.
調印 signature. ～する seal, sign.
超音波 supersonic wave. ～旅客機 supersonic transport.
超過 excess. ～する exceed.
聴覚 ear, hearing.
朝刊 morning paper.
長官 chief, chancellor, commissioner, secretary.
長距離 ～の long-distance. ～通話 long-distance call.
徴候 symptom, sign, indications.
超高層ビル skyscraper.
彫刻 sculpture, carving, engraving. ～する sculpture, carve, engrave. ～家 sculptor.
調査 examination, inquiry, inspection, investigation, probe, survey. ～する examine, inspect, investigate, probe, survey. ～員 inspector.
調子 〔声の〕note；〔音の〕pitch；〔談話・文章の〕tone；〔体の〕trim, condition. ～がよい〔悪い〕be in good [bad] condition.
長時間 for (very) long.
聴衆 audience.
徴収する collect.
長所 merit, virtue, strong point.
嘲笑(する) scorn, ridicule.
頂上 summit, top.
朝食 breakfast.
調整 adjustment, regulation. ～する adjust, regulate, set, fix.
調節 adjustment. ～する adjust, regulate.
朝鮮 Korea. ～の[語,人] Korean.
挑戦(する) challenge.
ちょうちん (paper) lantern.
ちょうつがい hinge.
調停 arrangement, mediation, arbitration, intervention. ～する arrange, mediate, arbitrate, intervene.
頂点 summit, peak, climax, apex.
ちょうど directly, just, precisely, right. ～今 just, right now.
長編小説 novel.
長方形 rectangle.
帳面 book, notebook.
跳躍(する) jump, leap.

潮流 tide, current.
朝礼 morning assembly.
調和 harmony, correspondence. ～させる match, reconcile. ～する blend, correspond, go with, match.
チョーク chalk.
貯金 savings, deposit. ～する save. ～箱 money box, piggy bank.
直 ～に direct, directly, immediately. ～の direct, immediate.
直線 straight line. ～の linear.
直面する confront.
直立した erect, straight, upright.
チョコレート(飲料) chocolate.
著作権 copyright.
著者 author, writer.
貯水池 reservoir.
貯蔵 stock, storage, preservation. ～する stock, store, preserve.
貯蓄 savings. ～する save.
直角 right angle.
直観 intuition. ～の intuitive.
チョッキ vest；〔英〕waistcoat.
直径 diameter. ～で across.
ちょっと 〔時間〕moment, minute；〔少し〕little.
ちょっとした… something of a …, a bit of a …
著名な eminent, noted.
散らかす scatter, litter. ～っている be in disorder.
ちらし bill.
ちらっと見る glance, glimpse.
ちり dust.
チリ Chile, Chili. ～人[の]Chilean, Chilian.
地理学 geography.
治療 cure, remedy, treatment. ～する cure, treat. ～法 remedy, treatment.
知力 intellectual, mind, power, wit. ～の mental.
散る disperse；〔群衆などが〕scatter；〔葉・花が〕fall, drop；〔気が〕be distracted.
チワワ Chihuahua.
鎮圧する suppress.
賃貸しする rent.
賃借りする hire, rent.
賃金 wage, pay.
陳情 petition, representation.
沈着 nerve. ～な composed, self-possessed, cool.
チンパンジー chimpanzee.
沈没する sink, go down.
沈黙 silence.
陳列 display, exhibition. ～する display, exhibit, show.

つ

つい only, just. ～この間 recently.
対 pair, couple.
追加(分) addition. ～の additional, supplementary. ～する add.
追求 pursuit. ～する pursue.
追試験 ～を受ける make up an examination, retake an exam.
追伸 postscript.
追跡 chase, pursuit. ～する chase, pursue, run after.
(…に)ついて about, as to, concerning, of, on.
ついで ～に〔話の〕in passing, talking of. ～ながら by the way, incidentally.
ついて行く follow；〔勉強・流行などに〕keep up；〔一緒に行く〕go along.
ついに at last [length], finally.
追放 banishment；〔国外への〕exile；〔不正分子の〕purge. ～する banish, exile, purge.
費やす use, spend；〔時間・精力などを〕employ.
墜落 fall. ～する crash.
ツインベッド twin bed.
通貨 currency.
通学路 catchment area.
通過する pass, go through, sweep.
通行 passage, traffic. ～(許可)証 pass. ～人 passerby. ～料 toll. 一方～ oneway traffic.
(…を)通じて through, on.
通じ(ている) 〔場所などに〕communicate, lead；〔電話が〕be connected, get through to.
通信 message, correspondence, communication. ～員 correspondent. ～衛星 communication(s) satellite, COMSAT. ～する correspond, communicate. ～教育 education by correspondence.
痛切な poignant. ～に poignantly.
通知 notice. ～する notify. ～簿 report card.
通風 ventilation. ～孔 ventilator.
通訳 interpreter. ～する interpret.

通用している[する] 〈形〉 current.
ツール tool. ～バー toolbar.
通例 usually, generally, ordinarily.
通路 passage, way;〔座席間の〕aisle.
杖 stick, cane.
使い errand;〔人〕messenger.
使い捨てカメラ disposable camera.
使い果たす exhaust, run out of.
使い古した shabby, wornout.
使いみち use.
使う use, spend, put ... to use, make use of, exert. (…を)～って by, in.
仕える attend, serve, wait on [upon].
つかまえる catch, take;〔逮捕する〕arrest, seize.
つかむ catch, grasp, seize, clutch, grip.
疲れる be tired, be weary. ～れ切る be worn out, be exhausted.
つき 〔幸運〕luck.
月 moon;〔暦の〕month. ～一回の monthly.
(…に)つき a, per.
継ぎ(をあてる) patch, piece.
付き合い contact, association, acquaintance;〔同行〕company.
付き合う 〔交際する〕associate with, keep company with;〔同行する〕keep ... company, accompany.
突き当たり end.
突き合う strike.
突き刺す stick, thrust, pierce, stab. ～さる stick.
突き進む thrust, pierce.
付添い attendance. ～人 attendant, escort.
付き添う attend, escort.
突き出す push out, thrust out, poke out, stick out;〔犯人を〕hand over.
次々に one after another.
突き出る prominent.
突き出る project, push out, protrude.
突き止める locate, trace;〔正体を〕find out.
(…の)次に after, next.
…付きの[付いた] and, with.
次の following, next, coming. ～に next;〔…の次に〕after, next to.
継ぎ目 joint.
尽きる run out, give out, come to an end.
着く arrive, come, get, reach;〔席に〕take a seat.
付く stick to, attach;〔しみなどが〕be stained with;〔火が〕catch, ignite.
突く push, thrust, poke;〔やりやすりで〕spear, lance;〔角で〕gore.
つぐ pour.
継ぐ succeed, inherit.
机 desk.
尽くす serve, render.
償う repair, make up for, compensate.
作り変える alter.
創り出す invent.
作り話 fiction, invention, fable.
作る make, create;〔製品を〕produce, manufacture;〔形作る〕form;〔…を基にして〕model;〔建物・ダムなどを〕build, construct;〔栽培する〕grow, raise;〔食事を〕prepare;〔組織する〕organize.
告げ口する report, tell tales, inform against.
つけ加えて言う[書く] add.
つけこむ impose, take advantage of.
つける 〔はり付ける・結びつける〕attach;〔詩に曲を〕set;〔印・汚点などを〕mark;〔日記・記録を〕keep;〔テレビ・明かりなどを〕turn on;〔勘定に〕charge;〔後を〕follow.
漬ける soak, dip.
告げる inform, tell.
都合 〔…のよい〕convenient. ～の悪い inconvenient.
都合よく well, conveniently.
ツタ ivy.
伝える tell;〔書いて〕write;〔報道する〕carry;〔感情などを〕convey;〔知識・情報・真相を〕give;〔伝統を〕hand down;〔熱・電気を〕conduct.
伝わる 〔光・音などが〕travel;〔熱・電気が〕conduct;〔先祖から〕descend.
つち(槌) hammer.
土 soil, dirt, earth.
続き物 series.
つつく peck.
続く continue, last;〔後に〕follow.
続ける continue, go on, keep, proceed.
突っ込む 〔物を〕plunge, thrust;〔手などを〕stick;〔車が〕run into.
慎む refrain from, abstain from.
つつましやかな humble, modest.
包み pack, package, parcel, packet;〔手紙・衣類などの〕bundle.
包む fold, lap, settle, wrap.
つづり spelling.
つづる spell.
務め duty.
勤め口 work, position.
勤め(てい)る work, be employed.
努める endeavor, make efforts.
務める 〔職務・任期を〕serve;〔役目を〕act, fill.
綱 line, cord, rope, cable.
つながり tie, connection, link.
つながる join, connect.
つなぐ connect, join, tie;〔電話を〕connect, put through;〔鎖で〕chain, leash.
津波 tidal wave, tsunami.
常に always.
角 horn;〔触覚〕antenna.
つば(を吐く) spit.
ツバキ camellia, japonica.
翼 wing.
ツバメ swallow.
粒 grain, particle.
つぶす crush, squash;〔時間を〕kill.
つぶやく mutter, murmur.
つぶれる crush;〔計画・事業などが〕collapse, fold up.
つぼ pot, vase, jar.
つぼみ bud.
妻 wife.
つま先 tiptoe;〔靴・靴下の〕toe.
つまずく stumble, trip.
つまむ pinch.
つまらない 〔ささいな〕trivial, trifling;〔面白くない〕uninteresting. ～物 trifle.
つまり in (actual) fact, that is (to say).
罪 crime, guilt, offense;〔宗教・道徳上の〕sin. ～を犯す offend. ～を犯した criminal, guilty.
積み上げる heap, pile.
積み重ねる pile up, heap up.
摘み取る pick, pinch.
積み荷 load.
摘む pluck;〔採取する〕gather.
積む pile;〔積み込む〕load.
紡ぐ spin.
つめ nail;〔鳥獣の〕claw.
詰め込む load, stuff, pack, jam, cram.
冷たい cool, cold;〔冷淡な〕

chilly.
冷たさ chill.
詰め物(をする) pad.
詰める stuff;〔席を〕make room for.
(…する)つもりだ be, intend, be going to …, propose, will, expect, mean, plan.
積もる settle, accumulate.
艶 gloss, polish, luster, glaze. 〜のある glossy, polished, lustrous. 〜のない dim, dingy, lusterless.
通夜 vigil.
露 dew.
梅雨 rainy season.
強い strong, stout. 〜く strongly, hard. 〜くする strengthen.
強さ strength, intensity.
(…という)強みを持つ have the advantage of.
つらい bitter, hard.
貫く penetrate, pierce.
釣り fishing. 〜をする fish, angle. 〜人 angler, fisherman. 〜糸 (fish) line, fishing line. 〜ざお fishing rod.
つり合い proportion, equilibrium. 〜のとれた harmonious, proportional, proportionate.
つり合う balance, match, be proportionate.
つり合わす balance, proportion.
つり革 strap.
つり銭 change.
つり橋 suspension bridge.
つる vine. 〜性植物 vine.
ツル crane.
釣る fish.
剣 sword.
つるす hang, suspend.
つるつる滑る〈形〉slippery.
連れ合い mate.
連れ出す take out.
(…するに)つれて as.
連れて行く have, lead, take.
連れて来る bring, fetch.
ツンドラ tundra.

て

手 hand. 〜を洗う wash. 〜をつける touch. 〜を振る[振って合図する] wave.
…で〔場所〕at, in;〔道具〕with.
出会う meet, come across, encounter.
手足 limb. 〜を伸ばす stretch. 〜を十分に伸ばして at full length.

手当〔報酬〕allowance;〔傷などの〕treatment. 〜する treat.
手洗い →お手洗い.
提案 proposal, proposition, suggestion. 〜する propose, suggest.
ディーブイディー DVD.
定員〔劇場などの〕capacity.
庭園 garden.
定価 a (fixed) price.
低下 depreciation. 〜する fall, decline.
定期 〜券 commutation ticket. 〜航空便 flight. 〜船 liner. 〜刊行物 periodical.
定義 definition. 〜する define.
低気圧 low (atmospheric) pressure.
提供する offer;〔番組を〕sponsor.
提携 partnership.
抵抗 opposition, resistance. 〜する resist.
帝国 empire. 〜の imperial.
定刻に on time.
体裁 decency;〔書籍などの〕format. 〜のよい respectable.
停止 halt, stop. 〜させる[する] halt, stop. 〜の状態に down, up.
定時制高校 part-time upper secondary school.
低姿勢をとる adopt a low profile.
低脂肪の low-fat. 〜牛乳 low-fat milk.
定住する settle.
提出 presentation. 〜する present, advance, hand in, send in, submit.
ディスカウントストア discount store [shop].
ディスク disk. 〜ジョッキー disk jockey, DJ.
ディスプレイ display, monitor.
訂正 correction. 〜する correct.
停戦 truce, ceasefire, armistice.
(大)邸宅 mansion.
低地 valley.
定着 〜させる fix. (しっかり)している root. 〜する set in, fix.
ティッシュペーパー tissue (paper).
停電 power failure.
程度 degree, extent, point, grade. (この)〜まで thus.
抵当 pledge.
ていねいな polite, courteous. 〜に politely, courteously.
定年 age limit.
定評のある acknowledged.

堤防 bank, embankment.
出入り〔入場許可〕entree. 〜口 doorway.
停留所 stop.
手入れする〔植木・庭・髪を〕trim. 〜の十分な well-kept.
デージー daisy.
データ data. 〜暗号化 data encryption. 〜処理 data processing. 〜バンク data bank. 〜ベース database.
デート date.
テープ tape.
テーブル table.
テーマ theme. 〜ソング theme song [tune]. 〜パーク theme park.
手がかり clue, key.
手書き manuscript, handwriting. 〜の handwritten.
手がける set out.
でかした Well done!
手形 bill, note.
手紙 letter;〔形式ばらない短い〕note. 〜で知らせる[を書く] write. 〜をもらう hear from.
手柄 merit, exploit.
敵 enemy;〔競技・争いなどの〕opponent;〔競争相手〕rival. 〜の hostile.
敵意のある vicious, hostile.
適応 adaptation, accommodation. 〜する adapt [accommodate] oneself to.
適合させる adapt, adjust.
出来事 event, affair, incident, occasion, occurrence.
溺死する be drowned.
適する suit. 〜している be suited. 〜した adequate, good, proper, suitable. 〜していない unsuitable.
適性 aptitude.
適切な appropriate, proper, relevant, right. 〜に appropriately, properly, relevantly, right.
適当な correct, likely.
適度の moderate, modest.
できない cannot, be unable to …
適用する apply.
…できる can, could, be able to.
できるかぎりの possible.
できるだけ早く as soon as possible [one can, maybe].
出口 outlet, exit.
てくてく歩く tramp.
手首 wrist.
出くわす come across, meet.
手こずらせる puzzle.
でこぼこの rugged, rough,

bumpy, uneven.
手頃な 〔扱いに〕handy;〔値段が〕moderate, reasonable.
デザート dessert.
デザイナー designer.
デザイン design.
手先 〔手下〕tool;〔指〕fingers. ～が器用な deft, dexterous.
手探りで捜す feel, grope.
手ざわり feel, touch. ～の柔らかい soft.
弟子 pupil, disciple.
デジタル(の) digital. ～カメラ digital camera, digicam. ～時計 digital clock.
出しゃばる obtrude, thrust oneself.
手順 procedure.
手数 trouble. ～料 charge.
デスクトップ(の) desktop.
テスト test;〔簡単なテスト〕quiz.
でたらめ random, haphazard.
手帳 notebook;〔英〕pocketbook.
鉄(の,製の) iron;〔鋼鉄〕steel.
撤回する withdraw, take back.
哲学 philosophy. ～的な philosophical. ～者 philosopher.
デッキ deck.
鉄筋コンクリート reinforced concrete.
手伝い help, assistance;〔お手伝い〕maid.
撤退する retreat, withdraw.
手伝う assist, help.
でっちあげる make up, invent. ～た made-up.
手続き procedure, formalities.
徹底的な drastic, thorough, complete. ～に drastically, thoroughly, completely.
鉄道 railroad, railway, rail. ～(便)で by rail.
デッドボール → 死球.
出っ張り 〔壁面の〕ledge.
出っ張る project.
鉄棒 〔体操の〕horizontal bar.
鉄砲 gun.
徹夜 vigil. ～の all-night. ～する sit up all night.
出て行く go out.
出所 source.
手に入れる pick up, procure, secure.
手におえない formidable, intractable, beyond one's capacity.
テニス tennis.
手に取る take.
手荷物 baggage, luggage.
テノール tenor.

手のこんだ elaborate.
手のひら palm.
デバイス device.
手はずを整える arrange.
手放す part with;〔売る〕sell.
手引き guide, manual.
デフォルト値 default.
手袋 glove.
手本 example, model, pattern.
手短な summary, brief.
出迎える meet.
デモ demonstration.
(…の)手もとに with.
寺 temple.
テラス terrace.
照らす illuminate, light.
照る shine.
出る get out, come out, go out, issue;〔太陽・星などが〕rise;〔出発する〕leave;〔本が〕be published [issued], come out;〔出没する〕be haunted.
テレビ(受像機) television, TV.
テロ 〔行為〕terrorism.
テロリスト terrorist.
手渡す give, pass.
天 heaven, sky. ～の heavenly.
点 dot, spot, point,〔箇所〕respect;〔成績〕mark, score, grade;〔競技の得点〕point, score;〔野球の〕run.
電圧 voltage.
店員 (sales)clerk;〔英〕shop assistant.
点火 ignition, lighting. ～する ignite, light, fire. ～装置 ignition.
転嫁 imputation. ～する impute, attribute.
添加する add. ～物[剤] additive.
転換 conversion. ～する convert.
天気 weather. ～図 weather map [chart]. ～予報 weather forecast.
伝記 biography.
電気 electricity;〔電灯〕light. ～の electric, electrical. ～で動く electric.
電球 bulb.
転居 removal. ～する remove, move.
典型 type. ～的な typical, representative.
電撃 shock.
点検 inspection;〔機械などの〕service. ～する inspect, overhaul.
転校 ～する transfer, change

to. ～生 transfer student, transfer.
天国 heaven, paradise.
伝言 message, respect. ～をもらう hear from.
天災 disaster.
天才 genius, prodigy.
点在する dot, be scattered.
天使 angel.
展示 exhibition, display. ～する exhibit, display, show.
電子 electron. ～オルガン electronic organ. ～辞書 electronic dictionary. ～手帳 electronic organizer. ～ブック electronic book, e-book. ～マネー cyber cash. ～メール → eメール. ～レンジ electronic oven.
電子工学 electronics. ～の electronic.
電車 car, train;〔市街電車〕streetcar;〔英〕tramcar.
天井 ceiling. ～桟敷 gallery.
電信 telegraph, wire.
点数 point, score, mark, grade;〔野球の〕run.
伝説 legend, tradition. ～の legendary.
点線 dotted line.
伝染する infect. ～させる transmit. ～性の infectious, contagious, epidemic. ～病 plague.
転送する forward.
天体 heavenly [celestial] bodies. ～望遠鏡 astronomical telescope.
電卓 calculator.
伝達 circulation, communication, transmission, conveyance. ～する communicate, transmit, convey.
電池 battery, cell.
電柱 telephone pole.
テント tent.
転倒(する) fall, tumble.
電灯 light, lamp, electric.
伝統 tradition. ～的な traditional.
テントウムシ ladybug, ladybird.
転任 transference. ～する[させる] transfer.
天然の natural, crude.
天皇 emperor.
伝票 check.
てんびん scale, balance.
転覆 turnover. ～させる〔政府などを〕overthrow, overturn. ～する〔船などが〕be overturned, overturn, upset.
添付 attachment. ～する attach, affix. ～ファイル attach-

ment, attached file.
天分 genius, gift.
テンポ tempo.
電報 telegram, telegraph, wire. ～で知らせる[伝える] wire, telegraph. ～を打つ cable, telegraph, wire.
デンマーク Denmark. ～人 Dane. ～語[の] Danish.
天文学 astronomy. ～者 astronomer.
展覧会 exhibition, show.
電流 (electric) current.
電力 electric power.
電話(機) phone, telephone. ～線 line. ～帳 telephone book [directory]. ～で by phone. ～番号 telephone number. ～をかける call, phone, ring, telephone. ～を切る hang up. ～をもらう hear from.

と

戸 door.
度 degree, time.
問い合わせ inquiry, reference. ～をする inquire, refer.
…と言えば talking of.
ドイツ Germany.
ドイツの[語(の), 人(の)] German.
トイレットペーパー toilet paper.
党 party.
塔 tower; 〔尖塔〕steeple; 〔パゴダ〕pagoda; 〔記念塔〕monument.
等 class, grade. 1～になる get [take] (the) first place.
問う inquire, ask.
…等 and so on, etc.
胴 trunk, body; 〔人体の〕torso.
銅 copper. ～メダル bronze medal.
同意 consent, agreement, assent. ～する agree, consent, assent.
どういうわけか somehow.
(…と)同意見である be with, agree.
統一 unification. ～する unify. ～体 unity.
同一視する identify.
同一の a, identical, same. ～のとみなす identify.
(…について)どう思いますか What about …?
銅貨 copper.

どうか…していただけませんか Would [Do] you mind ing?
統轄する preside.
投機 speculation, venture.
陶器 pottery, earthenware.
討議 discussion. ～する discuss, debate.
動機 motive.
動議 motion. ～を出す move.
同義語 synonym.
等級 grade, rate. ～に分ける grade.
同級生 classmate.
同業組合 guild.
当局 authority.
道具 tool, instrument, implement, utensil; 〔一式〕kit.
洞窟 cave; 〔大きな〕cavern.
峠 pass. (病気などの)～を越す pass the crisis.
統計 statistics. ～の statistical.
同形の uniform.
投稿 contribution. ～する contribute.
登校拒否 refusal to attend school.
統合失調症 schizophrenia, split mind.
同行する accompany, go with.
投獄 imprisonment. ～する imprison.
動作 action, motion, movement.
投資 investment. ～する invest.
闘志 fight, fighting spirit.
冬至 winter solstice.
答辞 valedictory, speech by the valedictorian to his [her] juniors.
当時(の) then.
動詞 verb.
同志 comrade.
同磁器(類) china.
凍死する be frozen to death.
同時代(の人) contemporary.
どうして why, how.
どうしても by all means, at all costs.
同時に at once, at the same time, together.
(…と)同時に on, with.
投手 pitcher.
投書 correspondence.
登場 entrance, entry. ～する enter, come on. ～人物 character.
同情 sympathy, compassion. ～する feel, sympathize, be sympathetic.
搭乗券 boarding card.
同数の as many.

統制 control, regulation. ～する control, regulate.
同席 company.
当選 election, return. ～する be elected [returned].
当然 rightly. ～の due, just, natural. ～のことと思う take … for granted.
どうぞ if you please, please.
(…を)どうぞ Here's your …
逃走 flight. ～する run away, flee.
闘争 battle, conflict, fight.
灯台 lighthouse.
到達する arrive, attain.
統治者 lord, ruler, governor.
到着 arrival. ～する get to, arrive, reach, attain.
とうちゃん dad, papa.
(…は)どうですか How [What] about …?
同点(になる) tie.
堂々と imposingly, grandly, magnificently. ～した stately, imposing, grand, dignified.
同等の equivalent, level, equal.
道徳(性) morality, morals, ethics. ～的な[上の] moral. ～的美点 virtue.
盗難 robbery.
どうにかして by any (manner of) means.
豆乳 soy milk.
導入 introduction. ～する introduce.
糖尿病 diabetes.
投票 poll, vote. ～する poll, vote. ～権 vote. ～数 poll.
豆腐 soy curd, tofu.
東部(地方) east. ～の eastern.
同封する enclose.
動物 animal. ～園 zoo.
当分 for the time being, for now.
逃亡 escape. ～する escape, run away, flee.
動脈 artery.
冬眠 hibernation. ～する hibernate.
同盟 alliance, league, union. ～する ally.
透明な transparent.
獰猛な fierce, savage.
トウモロコシ corn; (英) maize.
東洋 east, orient. ～の oriental.
同様 ～の same, as good as. (…と)～に similarly, as well as …
童謡 nursery rhyme [song].
(心を)動揺させる shake, disturb.

道理 reason. 〜にかなった[をわきまえた] reasonable.

同僚 colleague, associate. 〜の fellow.

(…と)同量の as much as …

盗塁 steal.

道路 road.

登録 registration. 〜する register.

討論 debate, dispute, discussion. 〜する debate, dispute, discuss.

童話 nursery tale;〔おとぎ話〕fairy tale.

当惑 〜させる perplex. 〜する be perplexed, be embarrassed, be puzzled.

当を得た fit.

遠い distant, far, faraway, remote.

(…から)遠い far from …

遠く(に) far. 〜隔たった remote.

遠ざかる recede.

遠ざけておく keep away.

通さない〔水・空気などを〕impervious.

通す〔針などを〕pass … through;〔電気を〕carry;〔目を〕look [run] over;〔部屋を〕show.

トーゴ Togo.

トースト toast.

ドーナツ doughnut.

遠ぼえ(する) howl.

(…)通り street, avenue.

通り過ぎる go by, pass.

通り抜ける go [get] through.

通る pass. (…を)〜って by, by way of, up, down.

都会 city, town.

トカゲ lizard.

とかす〔髪を〕comb.

融かす〔氷・雪などを〕thaw, melt.

溶かす dissolve.

とがった sharp.

とがらせる point.

時 occasion, time, moment. (…する)〜 when, as. その〜 then, when.

時折の occasional.

ときどき sometimes, occasionally, (every) now and then [again], once in a while, off and on.

解き放つ release.

とぎれ gap, pause. 〜る break.

ドキュメンタリー documentary.

ドキュメント document.

得 profit. 〜をする profit, gain, benefit.

徳 virtue. 〜の高い virtuous.

解く solve, release, dissolve

〔ほどく〕untie.

説く preach.

研ぐ grind, sharpen.

毒 poison. 〜のある poisonous.

得意 〜の elated, triumphant;〔お得意の〕favorite. 〜になる be elated, be inflated. 〜になって triumphantly, proudly. (…が)〜である be strong in, be good at.

特異な differential. 〜体質 idiosyncrasy.

独裁者 dictator.

特産物 staples, chief product.

独自 〜の own, original. 〜に on one's own.

得失点差 goal difference.

読者 reader.

特殊な special, particular, peculiar.

読書 reading.

特色 characteristic. 〜づける distinguish.

独身の single, unmarried.

特性 character, characteristic, property, quality.

特設の special.

独占(権) monopoly. 〜する monopolize. 〜的な exclusive.

独奏 solo.

独創(性) originality. 〜的な original, creative. 〜的に originally, creatively.

戸口 door, doorway.

特徴 distinction, feature. 〜のな characteristic, distinctive. 〜を示している〔形〕typical.

特定の particular.

得点 score, point;〔野球の〕run. 〜する score.

独特な[の] own, individual, peculiar.

特に〔特別に〕especially, in particular, particularly, peculiarly, specifically.

特売 sale.

特派員 correspondent.

特別 〜の extra, special, particular. 〜に specially, particularly.

匿名の anonymous.

毒薬 poison.

特有な[の] characteristic, native, peculiar, particular, special, typical.

独立 independence. 〜した independent.

独力で by [for] oneself, on one's own.

とげ sting, thorn, prickle. 〜のある言葉 barb.

溶け合う blend.

時計 clock;〔携帯用の〕watch.

融ける〔氷・雪などが〕thaw; melt.

溶ける dissolve.

どこ(で, に, へ) where. 〜かで[へ, に] anywhere, somewhere. 〜でも anywhere. 〜にも…でも nowhere. 〜へも anywhere.

床につく go to bed, retire.

床屋〔主人〕barber;〔店〕barbershop,（英）barber's shop.

ところで well, by the way.

登山 mountaineering, climb. 〜家[者] mountaineer, climber, alpinist. 〜をする climb, mountaineer.

年〔暦の〕year;〔年齢〕age, year. 〜をとる age. 〜をとった old, aged.

都市 city. 〜の urban.

年上の elder, old, senior.

閉じ込める confine, lock.

年下の junior, young.

閉じた shut, closed.

…として as, for.

図書館 library. 〜員 librarian.

閉じる shut, close, bar.

とじる〔書類などを〕bind, file.

ドシンドシン歩く tramp.

トス toss.

土星 Saturn.

土台 base, foundation.

戸棚 cupboard, closet, cabinet.

土地 ground, land, place, country;〔国土〕soil.

途中(で) on the [one's] way. 〜下車する stop over.

どちら which.

どちらかの either.

どちらでも either, whichever.

どちらの…も…でない neither.

どちらも…ない neither.

特急(列車) limited express.

特許(の, 権, 品) patent.

ドック dock.

とっくに already.

特権 privilege. 〜階級 privileged classes.

突進する dash, charge.

突然 suddenly, all at once, (all) of a sudden. 〜の sudden.

取っ手 handle, knob, grip.

(…に)とって to, for.

とっておく keep, put away, save, lay up, reserve, set aside, spare.

取って代わる replace.

取ってくる get, fetch.

突発 outbreak.

突風 blast.

凸面の convex.
土手 bank.
とても very, extremely, dearly, most, so, terribly, badly.
届く reach, get at;〔砲弾などが〕carry.
届ける 〔配達する〕deliver;〔届け出る〕notify, report.
整える fix, make, set, arrange.
とどまる remain, stay.
とどろく roll, thunder.
とどろく roar, rumble, thunder.
トナカイ reindeer.
隣 ～の next, neighboring. ～に[の] next door.（…の）～の[に] next to. →隣人, 隣家.
とにかく at any rate, anyway, in any case.
どの a, which. ～…でも whichever.
どのくらい how far.
どのようにして how.
飛ばす fly;〔飛ばし読みする〕skip over.
トビウオ flying fish.
跳び越える jump, clear.
飛び込む dive, spring, plunge.
とびつく catch at, leap [jump] at.
トピック topic.
跳ぶ jump, leap, spring, hop, skip.
飛ぶ fly.
徒歩 ～で on foot. ～旅行 walking tour [trip], hike, tramp.
途方にくれて(いる) (be) at a loss, at one's wits' end, be puzzled.
途方もない incredible, ridiculous.
土木技師 civil engineer.
乏しい low, scarce.
トマト tomato.
とまり木 perch.
止まる stop, halt;〔鳥が〕perch, settle.
泊まる stay, sleep, put up, lodge.
ドミニカ Dominica.
ドミニカ共和国 the Dominican Republic.
富 wealth, riches.
（…に）富む full, abundant,〈動〉abound.
ドメイン domain. ～名 domain name.
留める fix, fasten;〔留め金で〕clasp.
泊める lodge, put up.
止める stop, check, turn off.

友だち friend, pal.
伴う attend;〔…に〕〈形〉attendant.
（…と）共に with, together.
どもる stammer.
土曜日 Saturday.
トラ tiger;〔雌〕tigress.
ドライバー 〔ねじ回し〕screwdriver;〔運転者〕driver.
ドライブ drive.
捕える catch, capture.
トラクター tractor.
トラック truck, van, lorry.
ドラッグストア drugstore.
とらの巻 ～を使う crib.
トランク trunk.
トランプ(札) card.
トランペット trumpet.
鳥 bird, fowl. ～かご cage.
取りあえず 〔さしあたり〕for the time being.
取り上げる take up;〔奪う〕take away.
取り扱い management, treatment.
取り扱う treat, deal with, handle, manage.
取り入れる gather, take in;〔導入する〕introduce;〔収穫する〕harvest.
取り替え replacement. ～する change, replace.
取りかかる start, begin, set about, set to.
取り囲む surround, close around.
取りかわす exchange.
取り決め arrangement. ～る arrange, settle.
取り組む work on, tackle, grapple with.
取り消す 〔約束・注文を〕cancel;〔撤回する〕withdraw.
取り壊す pull down.
取り去る →取り除く.
取り出す draw, take out.
とりつかれる haunt.
取次店 agency.
とりつく possess.
取り付ける install, equip, fix, furnish.
とりで fort.
取りに行く go for.
トリニダード=トバゴ Trinidad and Tobago.
取り除く clear, ease, relieve, remove, rid, take away, take off.
取り計らう see to it that …
取引 transaction, dealing. ～する deal with, trade.
取り戻す recover, regain, renew.
努力 effort, endeavor, push, exertion. ～する endeavor, exert, strive, try.
とりわけ above all (things).
取る get, take, obtain.
撮る take, photograph.
ドル dollar.
トルコ Turkey. ～(人, 語)の Turkish. ～語 Turkish. ～人 Turk.
取るに足りない trivial, trifling, insignificant, small.
どれ which.
奴隷 slave.
トレーニング training. ～パンツ sweat pants. ～シャツ sweat shirt.
ドレス dress.
どれでも any, whichever.
どれほど how.
どれも any.
泥 dirt, mud. ～の muddy.
泥棒 thief, robber.
度の excessive.
トン ton.
トンガ Tonga.
鈍感な insensitive, obtuse.
富んでいる rich, abundant.
どんどん and. ～走る run and run.
トントンとたたく knock.
どんな…でも whatever.
どんなに…とも however.
トンネル tunnel.
トンボ dragonfly.
貪欲な greedy.
どんよりとした dull.

な

名 name. ～をつける name ... after [for].
(…が)ない there is no [not] ...
(…で)ない not.
(…の)ない no.
内科(医学) internal medicine. ～の medical.
内閣 cabinet, ministry. ～改造 cabinet reshuffle. ～官房長官 Chief Cabinet Secretary.
ナイジェリア Nigeria. ～人(の).
内出血 internal bleeding.
内緒 ～の secret, private. ～で secretly, privately.
ナイター night game.
(…が)ないので in the absence of.
ナイフ knife.
内部 interior, inside. ～の internal, interior, inside. (…の)～に within, inside.
内密の confidential. ～に confidentially.
内野 infield.
内容 content, matter, substance.
内陸(の) inland.
ナイロン nylon.
ナウル Nauru.
なお still, yet.
なおいっそう still.
治す cure, heal, remedy.
直す 〔修理する〕mend, fix, repair; 〔訂正する〕correct.
なおその上 as well.
治る heal, get well, recover.
直る be mended, be fixed.
中 inside. ～の within, inside. ～から外へ out of. ～に[へ] in, into, under, inside.
仲 ～がよい[悪い] be on good [bad] terms.
長い long.
長生きする live long, survive.
長いす sofa, couch.
長い年月 years.
長い目で見れば in the long run.
長くする lengthen.
長靴 boot.
長さ length, span.
流し sink.
流す run, pour, drain; 〔血・涙を〕shed.
中庭 court.
仲間 company, companion, mate; 〔共同の利益・目的の〕associate; 〔労苦を共にする〕comrade, partner; 〔職業・趣味の〕set; 〔同僚〕fellow; 〔同志〕friend.
中身 content.
眺め view, scene, prospect, sight.
眺める see, look on, view.
仲よくやっていく get on.
流れ current, drift, flow, stream.
流れ落ちる run down.
流れ出る pour.
流れる flow, run, stream.
流れるように動く flow.
泣き声 cry.
鳴き声 〔犬などの〕bark, bow-wow; 〔鳥の〕song, call, chirp, chatter; 〔カラスの〕caw, croak; 〔めんどりの〕cackle, cluck; 〔アヒルの〕quack; 〔馬の〕neigh, whinny; 〔牛の〕low, moo, bellow; 〔羊・ヤギの〕bleat, baa; 〔ネコの〕mew; 〔狼の〕howl; 〔サルの〕chatter; 〔ライオンなどの〕roar; 〔虫の〕chirp, chirrup; 〔カエルの〕croak.
泣く 〔涙を流して〕weep, cry; 〔むせび泣く〕sob.
鳴く 〔犬などが〕bark; 〔鳥が〕sing; 〔カラスが〕caw.
慰め comfort, consolation. ～る comfort, console.
なくす lose; 〔希望・疑いなどを〕dissolve.
(…が)なくなって out of.
なくなる go, vanish, be gone; 〔尽きる〕run out of; 〔死亡する〕die.
なぐる strike, hit, beat.
投げ上げる toss.
嘆く lament, grieve.
投げ込む throw.
投げつける dash, fling.
投げる throw, pitch, cast, toss.
(…が)なければ but for, without, but.
情け pity, mercy. ～深い merciful. ～を知らない[無情な] merciless, heartless.
なさけない →みじめな.
ナシ pear.
なしですます do [go] without.
成し遂げる accomplish, achieve.
ナス eggplant.
(…の)なすがままに(なって) at the mercy of.
ナスダック NASDAQ.
なぜ why, What ... for?
なぞ riddle, puzzle, mystery.
なだめる soothe, calm down.
なだれ avalanche.
夏 summer.
懐かしい old. ～がる miss.
名づける name, call.
納得させる convince.
納得する understand, be convinced.
なでる stroke, caress.
…など etc., etc, and so on.
7 (つの) seven. ～番目(の) seventh.
70(の) seventy. ～番目(の) seventieth.
斜め ～の slant, oblique. ～に slantingly, slantwise.
何 what.
何か any, anything.
何ひとつ…ない none.
何も anything.
何も…ない nothing.
何よりもまず first of all.
…なので as, because, that.
ナノテクノロジー nanotechnology.
…なのに while, when.
ナノメートル nanometer.
名ばかりの in name only. ～もの name.
ナプキン napkin.
なべ pot; 〔平なべ〕pan; 〔大なべ〕caldron.
生 ～の raw; 〔演奏などが〕live. ～放送 live broadcast.
名前 name.
ナマケモノ sloth.
怠ける idle, laze, neglect. ～た idle, truant.
ナマコ sea cucumber.
生ごみ garbage.
ナマズ catfish.
鉛 lead.
なまり accent, dialect.
波 wave; 〔大波〕billow; 〔さざ波〕ripple.
並木 〔街路樹〕roadside trees. ～道 avenue, boulevard.
涙 tear. ～を流して泣く cry.
並(の) average, common. ～以下の ordinary.
並はずれた extraordinary, singular.
ナメクジ slug.
なめし革 leather.
なめらかな smooth. ～に smoothly. ～にする smooth.
なめる lick, lap; 〔みくびる〕underestimate.
納屋 barn.
悩ます bother, trouble, distress, vex.
悩み distress, trouble. ～の種 bother, vexation, worries.
悩む suffer, worry.

習う learn.
鳴らす 〔管楽器・警笛などを〕blow;〔鐘などを〕chime;〔合図の鐘・ベルなどを〕ring;〔ベル・ラッパなどを〕sound.
慣らす 〔動物を〕tame, domesticate.
…にならって after.
並ぶ line up. 列の後ろに〜 follow the line. 〜ばせる form … into a row.
並べる 〔兵隊を〕rank;〔整列させる〕range;〔一列に〕line up;〔整頓する〕arrange.
並んで alongside. 〜立つ stand in a row.
成り立つ consist.
(…と)なる be, become, come, fall, get, get into, go, grow, run, turn.
(…から)成る consist of, be composed of.
鳴る 〔管楽器などが〕blow;〔鐘・時計が〕chime;〔鐘・ベル・電話などが〕ring;〔鐘などが〕sound.
なるほど indeed, to be sure.
慣れさせる accustom, habituate.
慣れている be [get, become] accustomed [used] to;〈形〉used,〔人に〕domestic.
慣れる accustom.
なわ rope.
なわ跳びをする skip.
何回 …? How often …?
難解な difficult, deep, profound.
南極(の) Antarctic, South Pole.
軟式 〜テニス softball tennis. 〜野球 rubberball baseball.
何千という thousands of …
何でも anything.
(…にとって)何でもない be nothing to.
なんと how, what.
なんとか somehow, possibly.
なんとかやっていく get along, get on.
何の what.
ナンバープレート (米) license plate, (英) number plate.
難破する be wrecked. 〜船 wreck.
南部(地方) south.
難民 refugee, displaced person.

に

荷 burden, load, cargo.
2 two. 〜番目(の) second.
似合う become, suit.
煮える boil.
におい scent, smell;〔芳香〕fragrance;〔悪臭〕stink. 〜がする〔をかぐ〕smell, stink.
2階 second floor;(英) first floor.
苦い bitter.
逃がす 〔釈放する〕let go, set free;〔好機を〕let slip.
2月 February.
苦手だ be weak on.
ニカラグア Nicaragua. 〜人(の) Nicaraguan.
にぎやかな 〔場所が〕busy. 〜にする enliven.
握りこぶし fist.
握りしめる clasp.
握る grasp, clutch, grip.
肉 flesh;〔食肉〕meat. 〜屋 butcher.
憎い hateful.
憎しみ hatred, hate.
肉体 body. 〜の bodily, physical.
憎む hate, detest.
逃げる escape, flee, get away, run away.
煮込む stew.
濁る become muddy. 〜った muddy;〔川が〕thick;〔川・鏡などが〕cloudy.
2, 3の one or two.
西(へ) west. 〜の west, western.
にじ rainbow.
ニジェール Niger.
二次的な secondary.
にじむ 〔インクなどが〕run.
20 twenty. 〜番目の twentieth.
二重 〜の double, dual, twofold. 〜に double, twofold.
2週間 fortnight.
25セント貨 quarter.
2乗 square.
ニシン herring.
偽の false, sham, counterfeit. 〜物 sham, counterfeit.
似た(人, 物) like, similar.
似たりよったり all the same.
2段ベッド bunk bed.
日常の daily, everyday, routine.
日没 sunset.

日曜日 Sunday.
日用品 daily necessaries.
日記 diary, journal.
日給 daily wage.
ニックネーム → あだ名.
荷造りする pack.
ニッケル nickel.
日光 daylight, light, sunlight, sunshine.
日食 solar eclipse.
日中 day. 〜に in the daytime.
日程(表) program;〔スケジュール〕schedule.
日本 Japan, Nippon.
似ていない 〈形〉unlike.
似ている resemble, parallel, take after;〈形〉alike.
2度 twice.
ニトログリセリン nitroglycerin(e).
2倍 double;〈副〉twice. 〜の double, twofold. 〜にする double.
鈍い dull, slow. 〜くする dull.
日本 Japan, Nippon.
日本の[語(の), 人(の)] Japanese, Nipponese.
(…)にもかかわらず despite, for, in spite of, all the same, nevertheless.
荷物 burden, baggage, luggage.
入会 entrance, enrollment. 〜する enter, enroll. 〜を認める admit. 〜金 admission fee.
入学 entrance. 〜する enter. 〜を認める admit. 〜願書 application for admission. 〜許可 admission. 〜金 admission fee. 〜式 entrance ceremony. 〜試験 entrance examination.
ニュージーランド New Zealand. 〜人 New Zealander.
入手できる 〈形〉available.
入場 entrance. 〜する enter. 〜料 admission.
ニュース news;〔情報〕information.
入門(書) introduction.
ニューヨーク New York.
入浴 bath. 〜する bathe, take a bath.
入力(する) input.
似る resemble, look like, be alike.
煮る boil.
二塁 second base. 〜手 second baseman. 〜塁打 double.
ニレ elm.
庭 garden, yard.

にわか雨 shower.
鶏 fowl; chicken; 〔おんどり〕 rooster, cock; 〔めんどり〕 hen.
任意の arbitrary.
人気 popularity. ～のある popular.
人形 doll.
人間 human beings, humanity, man, mankind. ～の human, mortal. ～らしい human.
認識 recognition. ～する recognize. ～している〈形〉sensible. ～力 sense.
妊娠 pregnancy. ～する get [become] pregnant. ～している be expecting, be pregnant.
ニンジン carrot.
人相 physiognomy. ～書き description.
忍耐 endurance, patience, perseverance, tolerance. ～強い patient. ～力 patience.
ニンニク garlic.
任務 commission, duty, office, task.
任命 appointment. ～する appoint, assign, nominate.

ぬ

縫い目 seam.
縫う sew, stitch.
抜かす miss.
抜き打ちテスト surprise quiz.
抜きんでる tower above, excel.
抜く pull, pluck; 〔追い越す〕 pass; 〔競走で〕 outstrip.
脱ぐ remove, shed, take off.
ぬぐう wipe.
抜け出す get rid of.
抜け目のない shrewd, sharp.
抜ける〔歯・羽などが〕fall out; 〔歯・くぎ・ボルトなどが〕come out. ～ている〔欠けている〕missing.
盗み steal, theft.
盗む steal, rob; 〔人の文章・考えなどを〕plagiarize.
布(切れ), 布地 cloth.
沼地 marsh, swamp.
ぬらす wet, moisten.
塗る paint, apply; 〔しっくいを〕plaster; 〔薄く〕spread; 〔バターを〕butter.
ぬるい lukewarm, tepid.
ぬれた wet; 〔涙・雨で〕moist.
ぬれる be wet; 〔雨で〕be soaked [drenched].

ね

根 root.
値上がりする rise to.
値上げ rise in price, markup. ～する mark up, put up, raise. ～になる be raised.
音色 tone.
値打ち value, worth. ～のある worth.
ネガ negative.
願い［願う］wish, hope, desire.
寝返りをうつ toss.
ネクタイ tie.
ネコ cat, pussy. ～科の[のような] feline.
値下げ reduction [cut] in price. ～する reduce, mark down. ～競争 price war.
ねじ回し screwdriver.
ねじ screw, twist, wrench; 〔手足などを〕distort, twist.
ねじれ twist, distortion, torsion; 〔糸・綱などの〕kink.
ねじる twist, wrench.
ネズミ rat, mouse.
ねたみ envy, jealousy.
ねたむ envy, be envious [jealous] of.
値段 cost, price, value. ～をつける mark, bid.
ネチケット netiquette.
熱 heat; 〔病気による〕fever, temperature; 〔熱中〕passion.
熱意 zeal. ～のある zealous, enthusiastic. ～のない cool.
熱狂 enthusiasm. ～的な enthusiastic, frantic, ardent. ～的に enthusiastically.
根付く put down roots. ～かせる root.
熱情的な passionate.
熱心な eager, earnest, hard, keen, warm, zealous, ardent, enthusiastic.
熱心に eagerly, hard, zealously.
熱する heat.
熱帯 Torrid Zone. ～雨林 rain forest. ～地方 tropics. ～(地方)の tropic, tropical.
熱中 enthusiasm, absorption, zeal. ～する be crazy about, be zealous in doing.
ネット net.
ネットワーク network.
熱病 fever.
熱望する aspire, long. ～している be eager, be keen.
熱烈な ardent, warm, passionate; 〔賞賛的〕loud.
ネパール Nepal.
ねばねばする clammy, gummy, adhesive, sticky.
寝袋 sleeping bag.
寝坊する oversleep, get up late.
眠い drowsy, sleepy.
眠って(いる) asleep.
眠り sleep.
眠る sleep, go to sleep.
ねらい aim, intention.
ねらう aim, sight.
練り粉 paste.
寝る → 眠る; 〔床につく〕go to bed.
年 year. ～1回の annual.
年賀状 New Year card.
年鑑 almanac, yearbook, annual.
年金 pension, annuity.
捻挫 sprain
年中〔いつも〕always; 〔1年中〕all the year round. ～無休〈掲示〉We never close.
年少者 junior.
年代 era. ～を定める date.
年長者 senior.
年度 year.
粘土 clay.
年配の elderly.
年報 annual.
燃料 fuel.
年齢 age.

の

ノイローゼ neurosis.
脳 brain.
農園 farm; 〔大きな〕plantation.
農家 farmhouse.
農業 agriculture, farming. ～の agricultural.
ノウサギ hare.
農産物 agricultural products.
脳死 brain death. ～状態の braindead.
濃縮する condense.
農場 farm, farmstead. ～経営者 farmer.
農村の rural.
農地 farming land.
能動の active.
農民 farmer.
濃霧 heavy [deep, thick] fog.
能率 efficiency. ～的な efficient.
能力 ability, capacity, faculty,

power, competence, capability. 〜がある able, capable, competent.
農林水産省[大臣] Ministry [Minister] of Agriculture, Forestry and Fisheries.
ノート notebook. 〜をとる take notes, make a note. 〜パソコン notebook (computer).
ノーベル賞 Nobel Prize.
のがれる escape, get rid of.
のこぎり(で切る) saw.
残して死ぬ leave.
残す leave;〔将来のために〕reserve;〔記録に〕record.
残っている[残る] remain, be left.
残り rest, remains, remainder.
のしかかる bear on [upon].
ノズル nozzle.
載せる put ... on;〔荷を車などに〕load;〔新聞に〕insert.
乗せる take up, take on, give A a lift.
(…を)除いて except, save, but, exclusive of.
除く remove, eliminate, except;〔除外する〕exclude;〔弊害・悪癖などを〕cure.
のぞく look into [in], peep.
望ましい desirable.
望み(のもの) desire, wish, hope.
望む wish, desire, hope, care for.
のちの after, later. 〜に after, afterward(s).
ノック(する) knock.
乗っ取り〔会社の〕takeover.
乗っ取る〔会社を〕take over;〔飛行機を〕hijack.
のど throat. 〜の乾いた thirsty.
ののしる damn, call ... names.
伸ばす extend, stretch, lengthen;〔手を〕reach;〔延期する〕put off, postpone.
野原 field.
伸びる extend, stretch;〔つめ・髪などが〕grow.
述べる say;〔…であると〕mention;〔はっきりと〕state;〔意見などを〕pass;〔意見・考えなどを〕observe;〔意見・理由・助言・祝福を〕give;〔あいさつを〕bid.
上り下り ups and downs.
上り坂 rise.
のぼる ascend, rise;〔よじ登る〕climb;〔丘などに〕go up;〔山などに〕mount;〔木・階段・坂などを〕get up.
飲みこむ swallow.
…のみならず as well as, not only ... but also ...

飲み干す drink down [off].
飲み物 drink.
飲む〔飲み物を〕drink, have;〔薬・毒・飲み物を〕take.
のり paste;〔洗濯用の〕starch.
乗り遅れる miss, lose.
乗り換える transfer, change.
乗り切る〔船があらしを〕ride out, outride;〔困難などを〕tide over, sail through.
乗組員 crew.
乗り越える〔へいなどを〕get over, climb over, surmount.
乗物 vehicle, transportation.
乗る〔バス・馬などに〕get on;〔自転車・乗物・馬などに〕ride;〔馬・自動車などに〕mount. (…に)〜って aboard.
ノルウェー Norway. 〜人[の] Norwegian.
のろい curse.
のろのろ進む crawl.
ノンアルコール non-alcoholic.
のんきな easygoing, happy-go-lucky.
ノンストップの[で] nonstop.
ノンフィクション nonfiction.
ノンプロ(の) nonprofessional.

は

歯 tooth. 〜の dental.
刃 edge, blade.
葉 leaf;〔平たく細長い〕blade;〔松などの〕needle;〔木全体の〕foliage.
派 school;〔宗教上の〕sect;〔党派〕section.
場〔劇〕scene.
バー bar;(英) pub.
(…の)場合には in the event of, in case of, where.
バーコード bar code.
パーセント percent, per cent.
パーティー party.
ハード(ウェア) hardware.
ハードディスク hard disk.
パートナー partner.
パームトップ(の) palmtop.
はい Yes;〔否定の問いに対して〕No.;〔同意・賛成して〕All right., OK.;〔点呼の返事〕Yes., Here., Present.
灰 ash. 〜皿 ashtray.
肺 lung.
…倍 time.
パイ pie.
灰色(の) gray.
ハイエナ hyena.
バイオリン violin.
媒介 agency.
媒介物 medium.
排ガス exhaust gas.
廃棄物 rubbish.
売却する sell.
廃墟 ruins.
ばい菌 germ, bacteria.
ハイキング hike, hiking.
拝啓 Dear Sir, Dear Madam, Dear Mr. [Miss, Mrs.] ...
背景 background, setting, scenery. (…を)〜にして against.
廃止する do away with, abolish;〔習慣を〕disuse;〔法律・慣習などを〕abrogate.
歯医者 dentist.
買収する corrupt. 〜して…させる bribe.
排出する discharge. 〜させる drain.
賠償(金) compensation, reparation. 〜する compensate, recompense.
陪審 jury. 〜員 juror.
歯痛 toothache.
配達 delivery. 〜する deliver.
排他的な exclusive.

ハイチ Haiti.
配置 disposal, disposition, layout, arrangement. 〜する dispose, set.
売店 〔市場・駅などの〕 stall, stand.
配当(金) dividend.
パイナップル pineapple.
ハイパーテキスト hypertext.
ハイパーリンク hyperlink.
売買(する) trade. 〜契約 bargain.
バイパス bypass.
ハイビスカス hibiscus.
配布 distribution.
パイプ pipe;〔巻きタバコ用の〕cigarette holder.
パイプオルガン organ.
配分 distribution. 〜する distribute.
俳優 actor;〔女優〕actress; player.
配慮 attention, regard.
入る come in, enter, get in, go into;〔加入する〕join;〔会社などに〕go into;〔学校に〕enter;〔収納できる〕hold, contain.
パイロット pilot.
パイント pint.
はう crawl, creep.
ハエ fly.
生える grow, sprout.
墓 tomb, grave. 〜石 tomb.
ばか(者) fool. 〜げた ridiculous. 〜な silly, stupid.
破壊 break, destruction. 〜する break, destroy. 〜的な destructive.
はがき card, postcard, post card.
はがす peel, strip, tear.
博士 doctor, Dr.
はかどる 〔仕事が〕advance, make progress, get along.
はかない 〔短命の〕shortlived, passing;〔むなしい〕vain.
はかり balance, scale.
(A)ばかりでなく(B)も not only [merely, simply, alone] A but (also) B.
計る 〔速度を〕time.
測る 〔寸法・大きさ・量を〕measure.
量る 〔重さを〕weigh.
はがれる come off, peel away.
吐き気 sickness. 〜がする feel sick [sickness].
パキスタン Pakistan. 〜人[の] Pakistani.
掃く sweep.
吐く 〔息・タバコの煙・水などを〕blow;〔カイコなどが糸を〕spin;

〔つばを〕spit;〔嘔吐する〕vomit.
はぐ strip, tear, peel, rip off.
バグ bug. 〜を取り除く debug.
博愛 humanity.
迫害 persecution. 〜する persecute.
博学な learned, erudite.
爆撃 bombing. 〜する bomb.
白紙 blank paper. 〜の blank.
博識な well-informed, erudite.
拍車(をかける) spur.
拍手 applause. 〜する applaud, clap one's hands.
白状 confession. 〜する confess;〔すっかり〕own.
漠然と vaguely. 〜した vague, misty.
莫大な vast, huge, enormous.
爆弾 bomb.
ハクチョウ swan.
パクッとかみつく snap.
爆破する blast, blow up.
爆発 explosion. 〜させる[する] burst, explode;〜する go off. 〜性の explosive.
白髪の gray, grayhaired.
博物館 museum.
博覧会 fair, exposition, expo.
歯車 gear.
はぐれる stray.
暴露する expose, uncover, disclose.
はけ口 outlet.
激しい acute, bitter, fierce, furious, hot, intense, sharp, stormy, violent, wild. 〜く bitterly, hard, heavily, violently, wildly.
激しさ heat, violence.
バケツ bucket, pail.
はげている bald.
励ます encourage, stimulate.
はげる come off, peel away.
ハゲワシ vulture.
派遣する send, dispatch.
箱 box, case.
運ぶ carry, bear, convey. 〜び込む carry in. 〜び去る carry away, take away. 〜人 carrier.
はさみ scissors;〔木・針金などを切る〕clipper;〔切符を切るパンチ〕punch. 〜で摘む clip.
はさむ pinch, nip.
破産 bankruptcy. 〜する go bankrupt.
橋 bridge. 〜かける span.
端 edge, end, border. 〜から〜までの overall.
箸 chopstick.
恥 shame. 〜さらし disgrace.
はしご ladder.

恥じている be ashamed.
始まる begin, start, open;〔季節・天候が〕set in;〔年代・時期に〕date;〔人・状況・出来事に〕originate.
始め beginning, start. 〜から終わりまで over.
初め opening, origin. (…の)から終わりまで through, throughout. 〜の initial. 〜に first, at [in] the beginning. 〜は at first.
初めて first, for the first time. 〜の first, maiden.
初めまして How「do you [d'ye] do?
始める begin, start;〔企てる〕undertake;〔事業などを〕launch;〔会議・店・商売などを〕open.
馬車 carriage, coach.
派出所 police box.
場所 place, site, location. (…する)where. 〜をあける make room for.
柱 post, pole;〔柱状のもの〕pillar.
走り高跳び running high jump.
走り幅跳び running broad jump.
走る run, shoot.
ハス lotus.
バス bus, coach.
恥ずかしい be ashamed. 〜思いをさせる embarrass. 〜がりの shy.
恥ずかしさ shame.
(…した)はずがない cannot have done.
バスケット basket. 〜ボール basketball.
はずす 〔眼鏡を〕take off;〔取りはずす〕remove;〔ボタンを〕undo, unbutton;〔指輪などを〕slip off;〔関節を〕dislocate.
恥ずべき shameful, disgraceful.
パスポート passport.
はずむ bound.
はずれる 〔ボタンが〕come undone;〔受話器が〕be off the hook;〔ねらいが〕miss;〔基準から〕deviate. 〜て off, out.
パセリ parsley.
パソコン personal computer.
旗 flag, banner.
肌 skin.
バター butter.
裸 nude. 〜にする strip. 〜の naked, bare.
畑 field.
果たす 〔義務・約束などを〕perform, fulfill;〔義務・責任を〕

はたらいている discharge;〔義務・職務などを〕carry out, execute;〔役割を〕function.
働いている be at work.
働く work;〔骨折って〕labor;〔機械・器官を〕operate.
8 eight. ～番目(の) eighth.
ハチ bee;〔ジガバチ〕wasp;〔スズメバチ〕hornet, wasp.
はち bowl;〔浅い〕basin;〔植木の〕flowerpot.
8月 August.
バチカン市国 the Vatican City.
80(の) eighty.
ハチドリ hummingbird.
パチパチ(という音) clap.
はちみつ honey.
爬虫類 reptile.
パチン(という音) snap.
罰 punishment, penalty. ～する punish.
発育 growth, development. ～する grow, develop.
発音 pronunciation. ～する pronounce.
ハッカ peppermint.
発火 ignition. ～する ignite.
ハッカー hacker, cracker.
ハツカダイコン radish.
ハツカネズミ mouse.
発揮する display, exhibit.
発狂する go [run] mad.
はっきりした clear, distinct, express, sharp, vivid. ～形をとる take shape.
はっきりしない uncertain, vague.
はっきりと clear, clearly, plainly, rightly, sharply, definitely. ～は rightly.
罰金 fine, penalty.
バックアップ(の) backup. …の～をとる back up.
バックグラウンド background.
バックミラー rear-view mirror.
バックル buckle.
抜群の distinguished, preeminent.
白血球 white (blood) cell [corpuscle].
白血病 leukemia.
発見 discovery. ～する discover, find;〔偶然〕chance.
発言 utterance, speech. ～する speak. ～権 voice.
発行 issue, publication. ～する issue, publish, bring out. ～部数 circulation.
発散する〔光・熱・煙などを〕send;〔においなどを〕exhale;〔悩み・精力などを〕blow off.
発射 shot. ～する shoot, fire, discharge.

発車する depart, start, leave.
抜粋(する) extract.
発する〔声・音などを〕give;〔叫び声・言葉などを〕utter.
罰する punish.
発生〔病気などの〕incidence;〔事件などの〕occurrence, outbreak;〔起源〕birth, genesis;〔電気・熱・ガスなどの〕generation. ～する occur, break out, generate.
発送 sending, dispatch. ～する send, dispatch.
バッタ grasshopper.
発達 development, advance, progress. ～させる[する] develop. ～した mature.
はって進む creep, crawl.
発展 development, evolution, growth, expansion. ～する develop, evolve, grow, expand.
発電 ～する generate. ～機 (electric) generator. ～所 power station.
はっと ～させる alarm. ～息をのむ gasp.
バット bat.
ぱっと浮ぶ flash.
発動機 motor.
はっぱをかける spur.
発表 disclosure, publication, announcement. ～する disclose, publish, announce.
発砲 discharge. ～する fire, discharge.
発明 invention. ～する invent. ～家 inventor. ～品 invention.
派手な〔色・服装が〕gay;〔けばけばしい〕loud, showy.
ハト dove, pigeon.
パトカー patrol car.
バドミントン badminton.
パトロール(する) patrol.
花 flower, blossom, bloom. ～束 bouquet. ～屋〔人〕florist;〔店〕florist's.
鼻 nose;〔象の〕trunk. ～の nasal. ～の穴 nostril. ～が高い be proud. ～にかける boast.
バナー banner.
鼻歌を歌う hum.
話 talk, account;〔物語〕tale, story.(…と)～をする speak to.
話し合う discuss, talk over.
話しかける to address, speak to.
話し方 one's speech.
離す →引き離す.
放す release;〔手を〕let go.
話す tell, talk, speak, relate. について～ speak about [of],

talk.
鼻血 nosebleed.
バナナ banana.
花火 fireworks.
パナマ Panama.
花婿 bridegroom.
花嫁 bride.
離れた separate, detached.
離れて off, away, apart, out of, with;〔別々に〕separately.
離れる part;〔去る〕leave. ～ずon.
はにかむ be bashful.
羽 feather, plume, wing. ～飾り plume.
ばね spring.
はねかかる splash.
はねる〔水・泥などが〕splash;〔跳び上がる〕spring;〔車が人を〕hit.
母 mother.
幅 width, breadth, range.
パパイア papaya.
羽ばたき(する) flutter.
幅跳び broad [long] jump.
バハマ Bahamas.
パプアニューギニア Papua New Guinea.
省く〔節約する〕save;〔除外する〕omit, eliminate.
歯ブラシ toothbrush.
破片 fragment, splinter.
浜 beach;〔砂浜〕sands.
葉巻 cigar.
歯磨き toothpaste.
ハム ham.
ハムスター hamster.
破滅 ruin, destruction, wreck. ～する be ruined, go under.
(…の)羽目になる be reduced.
はめる〔手袋・指輪を〕put on, pull on;〔部品などを〕fit into;〔はめ込む〕set, enchase, inlay;〔板・れんがなどを〕tail.
はめをはずす cut loose.
場面 scene.
速足(で駆ける) trot.
速い fast, quick, rapid.
早い early.
早く early, soon.
速く fast, quickly, rapidly. ～なる[速める] quicken.
速さ speed.
林 wood, grove.
ハヤシライス hashed (meat and) rice.
はやす〔髪・ひげなどを〕grow. ～している wear.
早まった rash.
はやっている be popular, prevalent.
早めの early.

はやり出す come into fashion [vogue].
腹 stomach, belly;〔動物・虫などの〕abdomen.
バラ(の花) rose.
払い戻す repay.
払う pay;〔手で払いのける〕brush away [off].
パラグアイ Paraguay.
パラシュート parachute.
晴らす〔疑いを〕dispel, clear;〔心の憂さを〕vent.
バラッド ballad.
ばらばらに apart. 〜なる take apart, break up. 〜する disjoint.
パラボラアンテナ parabola.
針 needle, sting;〔時計の〕hand;〔釣り針〕hook. 〜で刺す sting.
梁 beam.
パリ Paris.
針金 wire.
ハリケーン hurricane.
針仕事 work, needlework.
はり付ける attach, stick.
ハリネズミ hedgehog.
パリパリした crisp.
貼る stick;〔のりで〕paste.
張る〔キャンプ・テントを〕pitch;〔針金・綱などを〕strain;〔ロープなどを〕stretch.
春 spring. 〜の spring, vernal.
はるかに (by) far, much.
はるばる all the way.
バレエ ballet.
バレーボール volleyball.
晴れた fine, clear, serene.
破裂 explosion. 〜する explode, burst.
晴れる clear, be fine;〔疑いが〕be dispelled.
腫れる swell. 〜あがった swollen.
パロディー parody.
ハワイ Hawaii. 〜の Hawaiian.
版 edition.
晩 evening.
番〔見張り〕guard. 〜をする tend, guard.
…番 no., No., number.
パン bread, roll. 〜1個 loaf. 〜の皮 crust. 〜屋〔人〕baker;〔店〕bakery.
範囲 extent, range, scope, sphere, circle. (…の)〜内で[に] within.
反映 reflection. 〜する reflect.
繁栄 glory, prosperity. 〜する prosper, flourish. 〜している prosperous.
半永久的な permanent.
ハンカチ handkerchief.

ハンガリー Hungary. 〜人[の] Hungarian.
反感 antipathy, aversion. 〜を抱く revolt.
反逆 treason. 〜する rebel, revolt. 〜者 rebel, traitor. 〜の rebel.
反響 echo;〔反応〕response. 〜させる[する] echo, resound.
パンク flat tire, puncture, blowout. 〜する get a flat (tire), puncture. 〜させる puncture.
ハングアップする hang.
番組 program, bill.
バングラデシュ Bangladesh.
半径 radius.
判決 judgment, decision, sentence. 〜を下す judge.
反語 irony.
反抗 resistance, disobedience. 〜する resist, disobey. 〜的な defiant, rebellious, disobedient.
番号(をつける) number.
犯罪 crime. 〜の[者] criminal.
万歳 cheer, hurray.
ハンサム handsome.
晩餐会 dinner (party).
判事 judge.
パンジー pansy.
反射 reflection, reflex. 〜する[させる] reflect. 〜的に reflectively.
繁昌する flourish, thrive, prosper.
繁殖する breed, reproduce.
反省 selfexamination. 〜する reflect, introspect.
帆船 sail, sailboat, sailing boat.
伴奏 accompaniment. 〜する accompany.
ばんそうこう sticking [adhesive] plaster.
反則 foul, foul play.
パンダ panda.
反対 objection, opposition. 〜する oppose, object, care. 〜の contrary. 〜側の opposite. 〜に to the contrary. (…に)〜して against.
判断 judgment. 〜する judge, decide. 〜力 judgment, sense.
範疇 category.
斑点(をつける) spot.
ハンディキャップ handicap.
バンド〔ベルト〕belt;〔楽団〕band.
半島 peninsula.
反動 reaction.

ハンドバッグ purse.
ハンドボール handball.
ハンドル〔自動車の〕wheel;〔自転車の〕handlebar;〔取っ手〕handle.
犯人 criminal.
番人 guard.
反応 reaction, response. 〜する react, respond.
万能 universal, all-around, all-round.
ハンバーグステーキ hamburger.
販売 sale. 〜員 salesman. 〜人 dealer. 〜をしている[する] sell.
パンフレット brochure, pamphlet.
半分(の) half.
ハンマー hammer.
判明する turn out (to be), prove (to be).
パン屋 bakery. 〜の主人 baker.
反乱 rebellion, revolt. 〜を起こす revolt, rebel.
氾濫(させる) flood. 〜する overflow, be flooded.
販路 outlet.

ひ

火 fire, light. 〜のfiery. 〜をつける fire, light.
日 date, day;〔太陽〕sun.
比 ratio.
美 beauty.
日当たりのよい sunny.
ピアノ piano.
ひいき〔人〕patron. 〜する favor.
PK戦 penalty shoot-out.
ピーチクパーチク鳴く chatter.
ひいでる excel. 〜ている excellent.
ピーナッツ peanut.
ビーバー beaver.
ビール beer.
冷えた cold.
冷える grow cold.
被害 damage, injury. 〜者 victim.
控えめ modesty. 〜な modest, quiet.
控える abstain, refrain;〔書き留める〕write down.
比較 comparison. 〜する compare. 〜上の relative, comparative. 〜的 relatively, comparatively.
東(へ) east.
東の east, eastern.
光 light, beam, shine, ray. 〜を発する glow;〈形〉luminous,

光る radiant．
光る shine；〔ぴかっと〕flash；〔ぴかぴか〕glitter；〔かすかに・鈍く・白く〕gleam；〔ぬれて〕glisten；〔きらめく〕sparkle；〔ちらちら〕glimmer；〔星・遠方の光がきらきら〕twinkle．
引き上げる pull up；〔カーテンなどを〕draw up．
引き揚げる → 撤退する．～者 repatriate．
率いる lead．
引き受ける take, undertake, assume．
引き起こす bring about, cause, draw, give rise to, induce, lead, make．
引き降ろす pull down．
引き替えに against, in exchange for．
ヒキガエル toad．
引き下がる retire, withdraw．
引き裂く rip, tear．
引き算 subtraction．
引き潮 ebb (tide)．
引きずる drag, trail．
引き出し drawer．
引き出す derive, draw, pull out, extract；〔預金を〕withdraw．
引き継ぐ take over, succeed．
引きつける attract, draw．
引き続き…である continue．
引きとめる detain．
引き取る〔返品を〕take back．
引き抜く pluck, pull out, extract；〔人を〕hire … away．
引き伸ばす draw, enlarge；〔期間を〕extend, prolong．
引き離す part, separate, detach；〔レースで〕outrun．
引き寄せる draw, attract．
引き分け tie, draw．～試合 drawn game．
引き渡し delivery, surrender．
引き渡す deliver, surrender, give over．
ひく〔粉に〕grind；〔のこぎりで〕saw．
引く pull, draw；〔注意を〕arrest, attract；〔減じる〕subtract；〔線・図を〕trace；〔辞書を〕consult；〔身を〕draw off．
轢(ひ)く run over；〔はねる〕knock down, hit．
弾く〔楽器を〕play．
低い low；〔背が〕short；〔地位・身分が〕humble．
低くする lower；〔ラジオの音を〕turn down, lower．
ピクセル pixel．
ひげ〔あごひげ〕beard；〔口ひげ〕

mustache；〔ほおひげ〕whisker．～をそる shave．
悲劇 tragedy．～の tragic．
秘訣 secret；〔成功などの〕key．
否決する vote down．
非現実的な romantic．
非行 misconduct．～少年[少女] juvenile delinquent．
飛行 flight, aviation．～する fly．
飛行機 airplane, plane；(英) aeroplane．～で by air．
非公式 ～の informal．～に off the record, informally．
飛行場 airport．
被告 defendant．
ひざ〔ひざがしら〕knee；〔座った時の〕lap．～をつく〔ひざまずく〕kneel．
久しぶりですね I haven't seen you for a long time．
悲惨な tragic, miserable, wretched．
ひじ elbow．
ピシッ〔という音〕snap．
ピシャッとたたく flap, slap．
美術 (fine) art．～館 gallery；(米) museum．
秘書 secretary．
非常 ～の場合(の) emergency．～ブレーキ emergency brake．～階段 fire escape．
微笑 smile．
非情な callous, cold-hearted．～にする harden．
微少な minute．
非常に very, much, too, awfully, highly．～……なので so … that …, such … that …
避暑地 summer resort．
びしょぬれになる be soaked [drenched] (to the skin), be wet through．
ビスケット biscuit；(米) cracker．
ピストル pistol, gun, revolver．
ひそかに stealthily, secretly．
額 forehead, brow．
浸す soak, bathe, dip, immerse．
ビタミン vitamin．
左(の, へ) left．
浸る soak, be immersed．
ひっかかる be caught in [by], catch．
ひっかき傷 scratch．
ひっかく scratch．
ひっかける hang, catch．
棺 coffin．
ひっくり返す turn, upset, overturn, overthrow．
ひっくり返る overturn．
びっくりさせる surprise, amaze, startle, astonish．

びっくりする be surprised [amazed, startled, astonished]．
日付(を書く) date．
引っ越し moving, movement, (英) removal．
引っ越す move．
引っ込める withdraw, retract．
ヒツジ sheep；〔子馬〕lamb；〔羊肉〕mutton．～飼い shepherd．
必死になって desperately．
必修科目 compulsory subject, required subject．
必需品 commodity, necessary．
必然 necessity．～の necessary．～的に inevitably．
ひったくる snatch．
ぴったりの〔ある目的・条件などに〕fit；〔服などがきつい〕tight．
ピッチ pitch．
ピッチャー pitcher．
匹敵する compare, compete, equal, match, rival．～人[もの] rival, parallel．
ヒット(を打つ) hit．
引っ張る draw, pull, haul．
蹄 hoof．
必要 necessity, want．～性[品] necessity, need．～な necessary．～がない have no use for；〈形〉needless．(…する)～がある[ない] need to … [do not need to …, do not have to …]．～とする〔注意・技術・時間などを〕demand；〔人・物・事を〕require, need；〔時間・労力・勇気などを〕take．
否定 denial, negation．～する contradict, deny．～の[的な] negative．
ビデオ video．～カメラ video camera．～ゲーム video game．～テープ video(tape)．
美的な aesthetic．
人 man, one, person, human being；〔人々〕people；〔他人〕others．
ひどい〈強意語〉bad, gross, a hell of a …；〔つらい〕hard；〔むごい〕cruel；〔とても悪い〕terrible；〔天気・行為などが〕awful；〔みすばらしい〕mean．～く hard, wildly, terribly．
一重の single．
美徳 virtue．
一口〔酒などの〕sip；〔ひとかじり〕bite, mouthful．
1組(の男女) pair．
ひと言 word．～で言えば in a word．
人混み crowd．

人さし指 forefinger, first [index] finger.
人里離れた lonesome.
等しい equal. ～く equally.
1つ one, piece. ～おきの alternate. ～ずつ one by one. ～には for one thing.
ひと続き spell, flight.
ヒトデ starfish.
ひと握り handful;〔わずかの〕few, little.
ひと飲み draft, drink, swallow.
一晩中 overnight.
人々 folk, people.
ひとまたぎ stride.
ひとまとまり set.
(…の)ひとまわりして round, around.
ひとみ pupil.
一目 at a glance, at first sight.
人目をひく conspicuous.
1人 one. ～の one, single. ～ぼっちの lonely, solitary. ～ぼっちで by oneself. ～ずつ one by one.
ひとりでに by oneself.
日なた sunshine.
非難 blame, charge, reproach. ～する accuse, blame, reproach, criticize.
避難 refuge. ～所 refuge, shelter. ～する shelter, take refuge.
ビニール袋 plastic bag.
皮肉 satire, irony, sarcasm. ～な satirical, ironical, sarcastic.
ひねる twist.
日の出 daybreak, sunrise.
火花 spark, sparkle. ～を発する sparkle.
ヒバリ lark.
ひび(がはいる) crack, flaw.
響く ring, sound;〔反響する〕resound, echo.
批評 criticism, review. ～の critical. ～家 critic. ～する comment, criticize, review.
皮膚 skin.
非凡な才能 genius.
暇 time, leisure, spare time. ～な free.
ヒマワリ sunflower.
秘密 mystery, secret, secrecy. ～の secret, private.
微妙な subtle, delicate.
悲鳴(をあげる) shriek, scream.
ひも lace, string, tie, cord, band.
100(の) hundred. ～番目(の) hundredth.
百分率 percentage.

100万(の) million.
百万長者 millionaire.
日焼け(する) sunburn.
ヒヤシンス hyacinth.
冷やす cool, chill.
百科事典 encyclopedia.
ヒューズ fuse.
費用 cost, expense.
ひょう hail.
ヒョウ panther, leopard.
表 list;〔図表〕diagram;〔一覧表〕table.
票 vote. ～を得る poll.
美容 beauty.
秒 second.
びょう tack;〔画鋲〕thumbtack,〔英〕drawing pin.
美容院 hairdresser, beauty parlor.
病院 hospital.
評価 estimate, assessment, rating, valuation. ～する estimate, assess, rate, reckon, regard, value.
氷河 glacier.
病気 disease, illness, sickness. ～の ill, sick.
表現 expression, representation. ～する express, put;〈形〉representative.
標語 motto.
氷山 iceberg.
表紙 cover.
表示 display.
標識 sign.
描写 portrait, description. ～する describe, portray.
病弱な[者] invalid.
標準 criterion, standard. ～の normal, standard. ～的に normally.
表彰 recognition, award. ～する recognize, award.
表情 expression, look.
表題 title. ～をつける entitle.
ヒョウタン gourd.
病棟 ward.
平等 equality. ～な equal.
評判 reputation, publicity, name;〔悪評〕notoriety. ～の famous. ～のよい reputable. ～の悪い notorious.
表面 face, surface;〔机などの〕top. ～的な superficial, casual.
漂流 drift.
評論 criticism. ～の critical. ～家 critic.
肥沃な fertile, rich.
ひよこ chicken.
ぴょんぴょん跳ぶ hop.
開く open;〔包みなどを〕undo;

〔パーティーなどを〕give, hold, have. ～いている open;〔会議などが〕be sitting.
平手打ち(をする) slap.
ピラニア piranha.
ピラミッド pyramid.
ひらめき〔機知などの〕gleam;〔霊感の〕flash.
ひらめく gleam, flash.
ひりひりする sting, smart.
肥料 fertilizer.
微量 particle, grain.
ヒル leech.
ピル pill.
昼(間) daytime, day.
昼休み lunch time [hour].
昼寝 nap.
比例(させる) proportion. (…に)～して in proportion to [with].
卑劣な mean, dirty, shabby, nasty.
広い broad, wide;〔家などが〕large, ample;〔部屋などが〕spacious.
拾い上げる pick up.
ヒロイン heroine.
疲労 fatigue, weariness, exhaustion, tiredness.
拾う〔拾い上げる〕pick up;〔拾い集める〕gather.
ビロード(製の) velvet.
広がり stretch, spread, expanse.
広がる expand, extend, spread, stretch.
広げる expand, extend;〔空間的に〕spread;〔手足・翼などを〕stretch;〔折りたたんだものを〕unfold;〔道などを〕widen.
広さ extent, width.
広場 square, plaza;〔公共広場〕forum.
広々とした broad, open.
広まる〔うわさなどが〕spread abroad, be in the air, circulate, diffuse.
品 dignity. ～のよい respectable, graceful, noble, elegant.
びん bottle, jar.
便〔バスなどの〕service;〔飛行機の〕flight;〔郵便の配達〕delivery.
ピンで留める pin.
敏感な delicate, sensitive.
貧困 need, want, poverty.
品質 quality.
便せん writing paper, stationery.
敏速に promptly, quickly.
ピンチ ～ヒッター → 代打. ～ランナ

びんづめにする — → 代走.
びん詰めにする can.
ヒント hint.
頻度 frequency.
ピント focus.
ピンとくる take a [the] hint.
ぴんと張る strain, tighten. 〜った tense, tight.
ひんぱんに often, continually.
品評会 fair.
貧乏 poverty. 〜な poor, needy.
便覧 manual.

ふ

部 〔冊〕 copy;〔組織の〕department, division;〔本の〕part.
ファーストフード fast food.
ファイル file.
ファスナー zipper, fastener.
ファックス, ファクシミリ facsimile, fax.
不安 fear, anxiety. 〜な restless, uneasy. 〜のない secure. 〜に思う be anxious. 〜にする disturb;〈形〉uneasy.
ファン fan.
ファンクション function. ファンクションキー function key.
不安定な uncertain, unstable, unsteady, precarious.
ファンデーション foundation.
不案内な 〔無知な〕 ignorant.〔場所に〕〜人 stranger.
不意 〜の sudden, unexpected. 〜に suddenly, unexpectedly. 〜をつく take … by surprise.
フィート foot.
フィクション fiction.
フィジー Fiji. 〜の[人, 語] Fijian.
フィファ FIFA.
フィヨルド fiord, fjord.
フィラデルフィア Philadelphia.
フィリピン Philippine.
フィルター filter.
フィルム film.
フィンランド Finland. 〜人 Finn. 〜語[の] Finnish.
封(をする) seal.
風変わりな fantastic, strange.
風景 scenery, scene, landscape, view. 〜画 landscape.
風刺 satire, innuendo, lampoon. 〜の satirical. 〜する satirize, lampoon.
風車(小屋) windmill.
風習 custom, manner, way.
風俗 manners.

ブータン Bhutan.
風潮 current.
封筒 envelope.
プードル poodle.
夫婦 husband and wife, married couple.
風味(を添える) flavor.
フーリガン hooligan.
不運 misfortune. 〜な unfortunate, unlucky. 〜にも unfortunately, unluckily.
笛 pipe;〔横笛〕flute;〔縦笛〕recorder;〔呼び子〕whistle.
フェリー ferry.
増える increase, multiply, swell, gain.
フェレット ferret.
フェンシング fencing.
フォアボール → 四球.
フォーク fork.
フォースアウト forceout, force out.
フォーマット(する) format.
部下 man.
深い deep, profound. 〜く deep, deeply, profoundly.
不快 displeasure. 〜な unpleasant, bad, harsh, nasty, offensive, ugly. 〜感を与える offend. 〜にする displease.
不可解な mysterious, inscrutable, incomprehensible. 〜事[物] mystery, enigma.
不可欠な[の] integral, essential, indispensable.
不可抗力な overwhelming;〔不可避の〕inevitable.
深さ depth. 〜の…の deep.
不可能な impossible;〔実行不可能な〕impracticable.
深み 〔知性などの〕depth.
不完全な imperfect, incomplete.
武器 arm, weapon.
吹きかける spray;〔タバコの煙を〕blow.
不機嫌な sour, sullen, sulky, morose, cross.
吹き込む 〔考えなどを〕inspire;〔風が〕blow into.
吹きさらしの bleak.
不規則な irregular.
不吉な evil, unlucky, ominous, sinister.
吹き出物 spot.
ふき取る wipe.
普及する prevail, diffuse, pervade.
不況 depression.
無器用な awkward, clumsy.
吹き寄せ(だまり) drift.

付近 neighborhood, vicinity.
ふく wipe, dry, mop.
吹く blow;〔クジラが潮を〕spout.
服 clothes, dress, suit. 〜を着る[着ている, 着せる] dress.
フグ swellfish.
福音 gospel.
副教材 supplementary material.
複合の[的な] complex, multiple.
複雑な complicated, complex, intricate.
福祉 welfare.
復讐 revenge, vengeance. 〜する revenge, avenge.
復習(する) review.
服従 obedience, submission. 〜させる subject, submit. 〜する obey, submit.
複数(の) plural.
服装 costume, dress;〔特別の〕attire.
腹痛 stomachache.
不屈の iron, indomitable.
ぶくぶく沸く bubble.
含む include, contain, comprise, cover.
(…に)含めて including, with.
服用量 dose.
ふくらむ[ふくらませる] swell, expand, inflate.
ふくれる 〔すねる〕pout, sulk.
袋 bag, sack.
フクロウ owl.
不景気 depression. 〜の depressed, slack.
不潔 impurity. 〜な foul, impure, unclean, dirty.
(夜が)ふける grow old.
(…に)ふける indulge in, addict oneself to.
不幸 misfortune, unhappiness. 〜な miserable, unhappy, unfortunate.
符号 code, sign.
不公平な unfair, partial, unjust.
布告する announce.
房 〔実の〕bunch, cluster;〔髪・羽毛・糸・草などの〕tuft;〔ふさ飾り〕fringe.
負債 debt.
不在 absence. 〜の absent. 〜で away.
ふさぎこむ mope.
ふさぐ 〔道路・交通などを〕block;〔場所・管などを〕choke;〔穴などを〕fill in.
ふざける gambol, fun, jest. 〜て just for fun. 〜た trifling.
ふさわしい becoming, proper,

suitable, worthy.
ふさわしくない improper, unworthy, wrong.
不賛成の negative.
節 〔音楽の〕tune;〔体の〕joint;〔木の〕knot.
不思議な strange, wonderful, mysterious. ～ほど wonderfully. ～に思う wonder.
不自然な unnatural, artificial.
部室 club house.
無事な safe. ～に safe, safely, in safety.
不死の immortal.
不自由な 〔不便な〕inconvenient. ～する want for.
不十分な insufficient, scanty, unsatisfactory.
不純物 impurity. ～のない clean.
部署 post.
負傷 injury, wound.
侮辱 insult, indignity, slight, affront. ～する insult, affront.
不振の dull, depressed.
婦人 lady, woman.
夫人 wife;〔…夫人〕Mrs.
不親切な unkind.
不審な suspicious.
不正 wrong, injustice. ～な foul, unfair, wrong. ～行為 injustice.
不誠実な false, insincere, unfaithful.
防ぐ ward;〔事故・病気などを〕prevent, avert.
不節制 excess.
不鮮明な obscure.
不足 defect, deficiency, shortage. ～する fail, run short, lack, want.
付属校 attached school.
付属品 accessory.
ふぞろいの irregular.
ふた lid;〔びんなどの〕cap.
札 label, tag.
ブタ pig. ～肉 pork.
舞台 stage;〔作品の〕scene.
双子(の一方) twin.
不確かな uncertainty. ～な uncertain.
再び again. ～始める renew, resume.
2つ(の) two. ～に折る double.
負担 burden;〔重い〕tax;〔精神的な〕load. ～する bear. …の～で at the expense of.
ふだん着 casual wear [clothes].
縁 edge, margin;〔コップ・鉢などの〕brim;〔円い物の〕rim;〔崖などの〕brink.
不注意な careless, heedless.

普通 ～の general, common, ordinary, normal. ～でない unusual, abnormal. ～は generally, usually, normally, commonly. ～科 general course. ～高校 high school, senior high school.
物価 prices (of commodities).
復活 revival, rebirth;〔キリスト・生命・希望の〕resurrection;〔制度・秩序などの〕restoration. ～する revive. ～させる resurrect, restore, revive. ～祭 Easter.
ぶつかる strike, hit, run into,〈比喩〉clash.
ブックマーク 〔コンピュータの〕bookmark(er).
ぶつける hit, strike;〔投げて〕throw ... at, dash;〔うっかり〕knock;〔車を〕run.
物質 matter, substance. ～の〔的な〕material, physical.
物体 object, body.
沸騰する boil.
ぷっと吹く puff.
フットボール football.
ぶつぶつ言う〔声〕murmur.
物理(学) physics. ～の physical. ～的に physically.
プディング pudding.
太い thick.
不当 injustice. ～な unjust, unfair, unreasonable.
ブドウ grape. ～酒 wine. ～の木 vine.
舞踏会 〔大規模な〕ball.
不動産 real eatate. ～屋〔米〕real estate agent,〔英〕estate agent.
浮動票 swing vote.
不得意な poor, weak.
太る gain [put on] weight, fat, get fat. ～った stout, fat.
ブナ beech.
船旅 voyage.
船荷 cargo.
不慣れな strange, inexperienced, unaccustomed.
船 ship, boat;〔大型の〕vessel;〔汽船〕steamship.
腐敗する decay, go bad, rot. ～した bad, rotten.
不発弾 unexploded bomb.
不必要な unnecessary.
ふぶき snowstorm, blizzard.
部分 part, proportion, division. ～品 part, piece. ～的な partial. ～的に partially, partly.
不平 complaint, grumble, discontent, dissatisfaction. ～を言う complain, grumble.
不便 inconvenience. ～な inconvenient.
普遍的な universal.
不変の constant, invariable.
不満 complaint, discontent, dissatisfaction. ～を言う complain. ～である be dissatisfied [discontented].
踏切り railroad crossing.
踏む tread, stamp. ～み込む[入れる]step.
不名誉 disgrace, dishonor, shame. ～な disgraceful, dishonorable.
不明瞭な obscure, vague.
不滅の immortal, undying, eternal.
不毛の barren, sterile.
部門 department, division, sector, section, branch.
増やす increase, add to, multiply.
冬 winter.
富裕な wealthy, rich.
不愉快な unpleasant, disagreeable.
扶養(する) support, maintain.
フライドポテト 〔米〕French fries,〔英〕potato chips.
フライパン frying pan, skillet. ～であたためる fry.
ブラインド blind.
ブラウザー browser.
ブラウス blouse.
ぶら下がる[げる] hang, dangle, swing, suspend.
ブラシ(をかける) brush.
ブラジャー brassiere, bra.
ブラジル Brazil. ～(人)の Brazilian.
フラスコ flask.
プラスチック(製の, 製品) plastic.
プラスの plus.
プラズマ plasma. ～ディスプレイ plasma display.
プラチナ platinum.
ぶらつく lounge, stroll, roam.
プラットホーム platform.
ふらふらする 〔頭が〕swim;〈形〉dizzy;〔歩き方が〕〈形〉unsteady.
フラミンゴ flamingo.
プランクトン plankton.
ブランコ swing.
フランス France. ～の[語の], 人(の)〕French.
フランチャイズ franchise.
ブランデー brandy.
不利(な立場[状態]) disadvantage. ～な disadvantageous, unfavorable.

フリーエージェント〔選手〕free agent;〔資格〕free agency.
フリーズ(する) freeze.
振り落とす shake.
振り返る turn, look back.
振りかかる〔不幸などが〕happen to, befall.
振りかける〔粉などを〕dust;〔ショウなどを〕shake;〔一面に〕sprinkle.
ブリキ tin.
振り捨てる throw off.
不良債権 nonperforming loan, bad debt [loan]. 〜の処理 disposal of bad debts [loans].
武力 sword;〔軍事力〕military power.
ふりをする affect, pretend, make believe.
降る fall, come down.
振る shake, wag, wave.
古い old;〔旧式な〕oldfashioned;〔古くさい〕ancient.
部類 class.
フルーツゼリー jelly.
フルート flute.
ブルーベリー blueberry.
震える shake, shiver, tremble, vibrate.
ブルガリア Bulgaria. 〜の[人, 語] Bulgarian.
ブルドッグ bulldog.
ブルネイ Brunei.
フルネーム full name.
ブルペン bullpen.
ふるまい behavior, conduct.
ふるまう act, behave, carry, do, conduct oneself.
無礼 offense, rudeness, insolence. 〜な impolite, rude, insolent.
プレーオフ playoff.
ブレーキ(をかける) brake.
触れる touch, feel, come in contact;〔言及する〕mention.
風呂 bath, bathroom.
ブロードバンド(の) broadband.
付録 appendix;〔別冊の〕supplement.
プログラマー programmer.
プログラミング programming.
プログラム program.
ブロッコリー broc(c)oli.
フロッピーディスク floppy disk.
プロトコル protocol.
プロバイダー (Internet [service]) provider.
プロパティ property.
プロファイリング profiling.
プロポーズ proposal. 〜する propose.

分 minute.
文 sentence.
雰囲気 atmosphere, air.
噴火 eruption. 〜する erupt.
文化 culture. 〜の cultural. 〜的な cultural, cultured, civilized. 〜人類学 cultural anthropology. 〜人類学者 cultural anthropologist.
憤慨 indignation. 〜させる outrage, shock. 〜する resent, shock, be indignant.
分解 resolution, analysis, dissolution. 〜する resolve, analyze, dissolve;〔小機械を〕take apart.
文学 literature, letter. 〜の literary.
文化祭 cultural festival, fair festival.
分割 division, partition. 〜払いで on the installment. 〜する divide, split, partition.
奮起させる rouse, stir, wake. 〜する rouse, stir oneself.
文語的な literary.
分子 molecule.
紛失 loss. 〜する lose.
噴出 jet, ejection,〔溶岩の〕eruption. 〜する jet, eject, gush;〔溶岩が〕erupt.
文書 document. 〜で in writing.
分譲マンション condominium.
噴水 fountain.
分数 fraction.
分析 analysis. 〜する analyze.
紛争 conflict, dispute, strife, trouble.
扮装 makeup. 〜する make up, impersonate.
文体 style.
分担する share, divide.
文通 correspondence. 〜する correspond. 〜する人 correspondent.
奮闘する struggle, strive.
分配 distribution. 〜する deal, distribute.
分布 distribution. 〜する distribute.
プンプン(いう) buzz, hum.
分別 wisdom, discretion. 〜のある wise, sensible, thinking, discreet, prudent.
文法 grammar. 〜(上)の grammatical.
文房具 stationery, writing materials.
文明(化) civilization. 〜した civilized.
分野 field, area.

分離 separation. 〜する separate.
分量 quantity.
分類 classification, separation. 〜する classify, divide, group.
分裂 split. 〜させる divide, split.

へ

…へ to.
ヘアケア haircare, hair care.
ヘアスプレー hair spray.
ヘアスタイル hairstyle;〔主に男性の〕haircut;〔主に女性の〕hairdo.
塀 wall, fence.
平易な simple, easy.
平穏 peace. 〜な quiet, peaceful.
陛下 majesty.
閉会 closure. 〜の closing. 〜する close.
兵器 weapon, arm.
平気な unconcerned, indifferent. 〜だ don't care.
平均(の) average. 〜して on (an [the]) average.
平原 plain.
平衡 balance, equilibrium.
平行する[の, 線] parallel.
閉口する be floored. 〜させる beat, floor.
米国 the United States (of America).
併殺(打) double play.
兵士 soldier.
平日 weekday.
平常の ordinary.
平静(な) quiet, cool.
平方(の) square. 〜根 square root.
平凡な common, commonplace, ordinary.
平面 plane, level.
平野 plain.
平和 peace. 〜な peaceful, at peace. 〜に peacefully, at peace.
ベーコン bacon. 〜エッグ bacon and egg(s).
ペースメーカー pacemaker.
ベール(で覆う) veil.
壁画 wall painting.
ペキン Beijing.
へこます hollow, dent.
へこむ dent, give;〔帽子・ほお・壁などが〕cave in.
ベストセラー best seller, best-

へだたり / ぼうどう

seller. ~の best-selling.
隔たり interval.
隔てる separate.
へた poor, awkward, clumsy;〔作品・技術などが〕unskilled.
別荘 cottage, villa, cabin.
ペット pet.
ベッド bed. ~を整える make a bed.
別の(人, もの) another, other, different.
別々の separate. ~に separately, individually.
べとべとする sticky, adhesive.
ベトナム Vietnam, Viet Nam.
ペニー(貸) penny.
ベネズエラ Venezuela.
ペパーミント peppermint.
ヘビ snake, serpent.
ベビーシッター baby-sitter.
ヘブライ人 Hebrew.
部屋 room, apartment.
減らす diminish, lessen, lower, decrease.
ベラルーシ Belarus. ~の[人, 語] Belarussian.
ベランダ porch, veranda.
ヘリ border, rim, brim.
ペリカン pelican.
ヘリコプター helicopter.
減る decrease, sink, diminish, lessen.
ベル bell;〔玄関の〕doorbell. ~を鳴らす ring.
ペルー Peru.
ベルギー Belgium. ~人[の] Belgian.
ベルト belt.
ベルリン Berlin.
ヘルプ help.
ぺろぺろなめる lap.
便 convenience, facility;〔バスなどの〕service.
ペン pen.
変化 change, shift, turn, variety. ~する change, vary, pass. ~に富む varied.
弁解 apology, explanation. ~する apologize, explain.
便宜 convenience, facility, accommodation.
ペンキ(を塗る) paint. ~屋 painter.
勉強 study, work. ~する study, work, do.
ペンギン penguin.
変形 transformation. ~させる[する] transform, change.
偏見(を持たせる) prejudice. ~を持つ be biased, be prejudiced.
弁護 defense. ~士 lawyer.

する plead, defend, speak for.
変更する change, modify, shift.
偏差値 deviation (value). ~教育 education giving too much importance to test results.
返事(をする) reply, answer.
編集する edit, compile, make up. ~者 editor. ~者の editorial.
便所 toilet, bathroom, men's [ladies] room, lavatory;〔ホテル・劇場などの〕rest room.
ペンス pence.
編成 formation.
変装(させる) disguise.
ベンチ bench.
返答 response, answer. ~する respond, answer.
弁当 lunch;〔行楽の〕picnic.
変な peculiar, strange, queer, funny.
ペンネーム pen name.
へんぴな remote, out-of-the-way.
便利 convenience. ~な convenient, useful, handy.

ほ

帆 sail.
歩 step, pace.
保安官〔郡の〕sheriff.
母音 vowel.
法 law.
棒 bar, pole, rod, stick.
法案 bill.
防衛 defense. ~する defend. ~庁 Defense Agency. ~庁官 Minister of State for Defense.
貿易 trade, commerce. ~する trade. ~業者 trader. ~障壁 trade barrier. ~摩擦 trade friction.
望遠鏡 telescope.
崩壊(する) collapse.
妨害 disturbance, hindrance, obstruction, interruption, interference. ~する disturb, hinder, obstruct, interrupt, interfere.
法外な unreasonable, outrageous, extravagant, excessive.
方角 direction.
法学 law.
放火する set fire to.
包括的な comprehensive, inclusive.

傍観 ~する look on, stand by. ~者 onlooker.
方眼紙 graph paper, section paper.
放棄 resignation, renunciation, abandonment. ~する surrender, resign, abandon.
ほうき broom.
法規 law.
防御 defense. ~する defend. ~率 earned run average.
棒切れ stick.
暴君 tyrant.
方言 dialect.
冒険 adventure, venture;〔危険〕risk.
封建的な feudal, feudalistic.
宝庫 treasury.
方向 direction, course, hand, way. ~転換 turn.
暴行 violence, outrage, violation.
報告 report, account. ~する report, inform. ~者 reporter. ~書 report.
奉仕 service. ~する serve. ~者 servant.
帽子 cap, hat.
防止 prevention. ~する prevent.
放射(線) radiation. ~する radiate. ~状の radiate.
放射能 radiation, radioactivity. ~汚染 radioactive pollution. ~のある radioactive.
報酬 payment, reward, recompense.
放出する〔熱・煙などを〕send.
方針 policy, course.
法人 corporation.
放心状態の absent.
宝石 gem, jewel, precious stone;〈集合的に〉jewelry.
放送(する) broadcast. ~局 broadcasting station. ~されている[いない] be on [off] the air.
包装する wrap. ~紙 wrapping (paper).
法則 law.
包帯 bandage, dressing.
棒高跳び pole vault.
膨張する expand, swell.
法廷 court.
法定の legal.
法的責任がある liable.
法典 code.
暴徒 mob.
報道 news, report, information. ~する report, cover.
暴動 riot, rebellion.

防犯(ビデオ)カメラ security video.
豊富な abundant, plentiful, liberal.
(…の)方へ toward, to, up.
方法 means, method, way, manner, mode, how.
法務省[大臣] Ministry [Minister] of Justice.
亡命 exile. ~する exile oneself.
訪問 visit, call. ~する call on, visit. ~者 visitor.
抱擁(する) embrace.
法律 law, act. ~の legal. ~で認め[定め]られた lawful.
暴力 force, outrage, violence.
ボウリング bowling.
ボウル bowl.
法令 statute.
ホウレンソウ spinach.
放浪 wandering. ~する wander, roam, tramp. ~者 tramp.
ほえる 〔犬などが〕bark;〔ライオンなどが〕roar;〔犬・狼が遠ぼえする〕howl.
ほお cheek.
ポーズ(をとる) pose.
ポーチ porch.
ボート boat. ~をこぐ row.
ホームバンキング home banking.
ホームヘルパー 〔英〕home help, care attendant, 〔米〕home care [health] aide, personal care worker.
ホームユーザー home user.
ホームラン home run. ~を打つ hit a home run.
ホームルーム homeroom meeting.
ホームレス 〔人々〕the homeless, street people. ~の homeless.
ポーランド Poland. ~人 Pole. ~語[の] Polish.
ホール hall;〔ゴルフの〕hole.
ボール ball.
(…の)ほかに besides, else.
ほかの another, other. ~所で[に, へ] anywhere. ~何でも anything but.
補給する supply, replenish.
募金 fund-raising. ~箱 collection box.
ポキン(と折れる) snap.
牧師 clergyman, minister, pastor.
牧場 ranch, pasture.
牧草地 meadow, pasture.
補欠 substitute, spare (man). ~選挙 by(e)-election.
墓穴 grave. 自ら~を掘る dig one's own grave.

ポケット pocket.
保健 ~室 nurse's office, sick room. ~所 health center. ~体育 health and physical education.
保険(金) insurance. ~を掛ける insure.
保護 protection, shelter. ~する protect, shelter, shield. ~者 guardian. ~者面談 parent-teacher conferences.
歩行 foot. ~距離 walk. ~者 pedestrian.
母校 one's old school, alma mater.
母国 mother country, homeland.
誇らしげに proudly.
ほこり dust, dirt. ~まみれの dusty. ~をとる dust.
誇り pride. ~を持っている〈形〉proud.
誇る pride, be proud;〔自慢する〕boast. ~れる〈形〉proud.
星 star;〔惑星〕planet.
欲しい want, wish. (…して)と思う expect, like.
干し草 hay.
保持する retain.
捕手 catcher.
保守(的な) conservative. ~党 Conservative Party.
募集 recruitment. ~する recruit, collect.
補助 ~の subsidiary, assistant, auxiliary. ~金 subsidy, support. ~する subsidize.
保証 assurance, guarantee. ~する assure, ensure, guarantee, undertake, answer for. ~書[人] guarantee.
補償 compensation, reparation. ~する compensate, repair.
ポスト post, mailbox, postbox;〔地位〕post.
ボストン Boston.
ボスニア Bosnia. ~の Bosnian. ~=ヘルツェゴビナ Bosnia-Herzegovina.
細い thin, fine, slender;〔狭い〕narrow.
舗装(道路) pavement. ~されてある be paved.
補足 supplement. ~する supplement, complement. ~的な complementary.
細長い long, slender.
細道 lane, path.
保存 preservation, conservation. ~する preserve, conserve.

ホタル firefly.
ボタン(を付ける) button.
墓地 graveyard, churchyard, cemetery.
歩調 pace;〈軍隊〉cadence.
補聴器 hearing aid, deafaid.
北極 North Pole. ~の Arctic.
ホッケー hockey.
発作 fit, attack.
ほっそりした slight, slim.
ポット(1杯) pot.
没頭する be engaged [absorbed], immerse oneself.
ホットドッグ hot dog.
勃発 outbreak. ~する break out.
ほてり glow.
ホテル hotel.
歩道 sidewalk, walk, pavement.
ほどく undo, untie, unfasten, loosen;〔包みを〕unpack.
ほどける untie.
施し(物) alms. ~を請う beg.
(…には)ほど遠い far from ….
ほどなく it is not long before …, soon.
ほとんど almost, nearly, next to, practically. ~…ない hardly, few, little, scarcely.
ポニー pony.
哺乳動物 mammal.
骨 bone;〔骨格〕skeleton;〔あばら骨・傘の〕rib.
骨折り pain, toil, trouble. (…するよう)骨折る take (the) trouble, make effort.
骨組み frame, framework, skeleton.
骨の折れる painful, tough, hard.
炎 blaze, flame.
ほのめかす hint, imply, allude to.
保母 nurse.
ほほえみ[ほほえむ] smile.
ほめる praise, commend, admire.
ぼやけた dim, obscure.
保養地 resort.
ほら big words, gas. ~話 tall story [tale]. ~を吹く talk big, swagger.
ほら! Look!, There!, You see.
堀 moat, fosse.
掘出し物 steal, bargain.
ボリビア Bolivia.
保留 reservation. ~する reserve.
ボリューム volume.
捕虜 captive, prisoner.
掘る dig, excavate.

和英

彫る carve, engrave.
ボルト 〔締めくぎ〕bolt;〔電圧〕volt.
ポルトガル Portugal. 〜人[の]Portuguese.
ボレー volley.
ぼろ(切れ,服) rag, tatters.
滅びる fall, be destroyed;〔絶滅する〕die out.
滅ぼす destroy.
ホワイトハウス the White House.
本 book, volume.
盆 tray, server.
本気 earnestness. 〜の earnest, serious. 〜で seriously. 〜になる become earnest.
ホンコン Hong Kong.
本質 essence, substance, nature. 〜的な essential, substantial. 〜的に essentially.
ホンジュラス Honduras. 〜人[の] Honduran.
本性 nature.
本棚 bookshelf.
盆地 basin.
本土 mainland.
ポンド pound.
本当に actually, indeed, truly, very.
本当の real, true.
本当らしい likely.
ポンとたたく clap.
ポンと鳴る pop.
本人 original.
ほんの but, mere, only. 〜少し shade.
本能 instinct. 〜的に instinctively.
本箱 bookcase.
本部 headquarters.
ポンプ(でくむ) pump.
本文 text.
本物の genuine, true, authentic. 〜でない false, fake.
本屋 bookstore;〔英〕bookshop.
翻訳(書) translation, version. 〜する translate, put.
ぼんやりした faint, dim, obscure, vague;〔人が〕absent-minded, vacant.
本来 primarily, essentially, by nature. 〜の original. 〜備わっている inherent.

ま

間 interval. 〜のとり方 timing.
まあ! why.
マーカー marker.
マーガリン margarine.
マークシート mark-sensing card, mark-sense. 〜方式テスト computer-graded[-scored] test.
マーケット market.
マーシャル諸島 the Marshall Islands.
ま新しい clean, brand-new.
まあまあの decent.
マーマレード marmalade.
毎… every, each.
…枚 sheet.
舞い上がる soar.
マイク(ロフォン) microphone.
迷子 stray [lost] child, stray. 〜になる wander, stray.
マイコン microcomputer.
毎週の weekly.
埋葬 burial. 〜する bury.
毎月の monthly.
毎年の annual, yearly.
マイナス minus.
毎日の daily, everyday.
マイホーム house of one's own.
マイル mile.
マウス mouse. 〜パッド mouse pad [英] mat].
前 …する〜に before; …より〜に previous to, before; …の〜に ahead of, before; …へ〜に ago; 〜の former, previous, prior; この〜の last; 〜へ along, forth, forward.
前足 forefoot;〔犬・猫の〕paw.
前金 advance, advance(d) payment. 〜で in advance.
前払い(する) advance.
前もって in advance. 〜を送る send forward.
負かす defeat, beat.
任せる leave, entrust.
曲がり角 turn.
曲がる bend, curve;〔角などを〕turn;〔川・道などが〕wind. 〜った bent.
マカロニ macaroni.
まき wood.
巻き上げる roll up, wind up;〔風などが物を〕raise;〔だましとる〕cheat.
巻毛 curl.
巻き込む involve, entangle;〔波・戦争などが〕engulf. 〜まれる〔事件・興奮などに〕be caught up in.
まき散らす scatter.
巻きつく[つける] coil, wrap.
牧場 pasture.
巻物 scroll.
紛らわしい misleading.
まぎわに on [at] the point of.
まく 〔種を〕seed, sow;〔水などを〕sprinkle.
巻く 〔包む〕lap;〔糸・テープを〕reel;〔円筒形・球形に〕roll;〔周りに〕twist;〔時計を〕wind.
幕 curtain;〔第…幕〕act.
膜 skin.
マグニチュード magnitude.
マグネシウム magnesium.
まくら pillow.
まぐれ当たり fluke. 〜の lucky.
マグロ tuna.
マケドニア Macedonia. 〜人[の] Macedonian.
曲げやすい flexible.
負ける lose, be defeated, be beaten. 〜た lost.
曲げる bend, crook, curve.
孫 grandchild;〔男〕grandson;〔女〕granddaughter.
まごつく be confused, be baffled, be embarrassed, be perplexed.
まことに →本当に.
まさか Never!, You don't say (so)!, I want to know., Indeed!, surely, You are kidding. 〜の時に in time [case] of need.
まさしく →ちょうど.
摩擦 friction, rubbing. 〜する rub;〔身体を〕chafe.
まさに…しようとしている be on [at] the point of, be about to …
まさにその通り so, just so.
(…に)まさる exceed, surpass, gain [get] an advantage over. 〜っている be superior. 〜とも劣らないほど not less … than.
混ざる mingle, mix.
(…するくらいなら…)ました might [may] (just) as well do as do.
(…の)真下に[の, を, へ] under.
マジックペン magic marker.
ましてや… much [still] more.
まじない charm, spell, incantation.
まじめ(さ) gravity. 〜な earnest, sober, solemn, serious. 〜に seriously, earnestly.
魔女 witch.

交わる 〔道・川・線などが〕meet；〔交差する〕cross, intersect；〔付き合う〕mix, keep company with.
マス trout.
増す gain, rise, increase.
麻酔 anesthesia. 〜薬 narcotics.
まずい 〔味が〕taste bad,〈形〉tasteless；〔へたな〕clumsy, awkward, bad, poor.
まずく badly, poorly.
マスコミ mass communication.
貧しい poor, needy.
まず第一に[最初に] first, (the) first thing, to begin with.
マスト mast.
ますます increasingly, more and more.
まずまずの adequate, decent.
混ぜる mingle, mix, blend.
また again, and, also, likewise.
まだ still, yet.
マダガスカル Madagascar.
また聞きの secondhand.
またたく blink, wink. 〜間に in the blink [wink, twinkling] of an eye.
または or.
まだらの spotted, dappled.
町 town.
街 street.
待合室 lounge；〔駅・病院などの〕waiting room.
間違い error, mistake. 〜なく rightly, without fail. 〜する certain. 〜のない accurate, right. 〜をする err, mistake.
間違っている wrong, mistaken.
待ち構える watch. 〜ている await.
待つ wait, await；〔楽しみに〕look forward to.
マツ(の木) pine.
真っ暗な pitch-black, pitch-dark.
まつ毛 eyelash.
マッサージ massage, rubdown.
真っ青な deep blue.（怖くて）〜になる go pale with fear.
まっさかさまに head over heels, headlong.
真っ白な snowwhite.
まっすぐな straight, direct. 〜に direct, directly, right, straight；〔直立して〕upright. 〜にする straighten.
まったく quite, absolutely, altogether, entirely, fairly, perfectly, purely, right, simply, through, throughout, utterly, wholly, all. 〜の complete,

perfect, positive, pure, sheer, simple, total.
まったく…ない little, not at all.
マッチ match.
マット mat.
マットレス mattress.
松葉づえ crutch.
祭り festival.
(…する)まで until, till；〔場所〕as [so] far as, to；〔時間・空間〕up to.
…までに(は) by.
的 target, mark.
窓 window；〔船室や飛行機の〕porthole. 〜ガラス pane, window.
まとめる 〔考えなどを〕collect；〔紛争・交渉などを〕settle.
まどろむ doze.
マトン mutton.
まな板 chopping block [board].
学ぶ learn, study；〔教訓を〕learn a lesson.
…マニア mania, maniac.
間に合う 〔汽車などに〕catch；〔役に立つ〕do. 〜って in time.
マニキュア nail polish. 〜をする manicure.
免れる miss, escape.
まね imitation, mimicry. 〜る imitate, mimic, mock.
マネキン 〔人形〕dummy；〔人〕model.
招く invite, ask.
まばたき(する) blink, wink.
まばらな thin, sparse, scattered.
麻痺 paralysis, numbness. 〜した benumbed, numb, dead. 〜する be paralyzed, be benumbed, be numbed.
真昼 high noon, midday.
まぶしい dazzling, glaring.
まぶた eyelid.
真冬 midwinter.
マフラー muffler.
魔法(の) magic. 〜使い magician；〔男の〕wizard；〔女の〕witch. 〜びん thermos (flask, jug, bottle), vacuum bottle [(英) flask].
ママ mamma, mama.
ままごとをする play house.
(…の)ままである[いる] remain, stay.
(…の)ままにしておく leave.
まま母 stepmother.
豆 bean；〔エンドウ〕pea. (手足の)まめ blister.
まもなく before long, shortly, presently, soon.
守り defense.

守る 〔敵・危害などから〕defend, guard；〔人・動物を保護する〕preserve；〔貯えて大切に〕save；〔約束・秘密などを〕keep；〔法律などを〕observe；〔命令を〕follow.
麻薬 drug, narcotics.
まゆ eyebrow, brow. 〜をひそめる frown.
繭 cocoon.
迷う 〔ためらう〕waver, hesitate；〔道に〕lose one's way, stray.
真夜中 midnight.
マヨネーズ mayonnaise.
マラソン marathon.
マラリア malaria.
マリファナ marijuana.
魔力 magic, spell.
丸暗記 rote learning.
丸い round, rotund, circular.
丸くする round. 目を〜して with wide eyes.
丸印をつける draw a circle.
丸太 log.
マルタ Malta.
マルチメディア multimedia.
まるばつテスト true or false test.
丸々と太った plump.
マレーシア Malaysia. 〜人[の] Malaysian.
まれな rare, uncommon.
回す turn；〔取っ手などを〕wind；〔車輪などを〕rotate；〔軸を中心に〕spin；〔物を配る〕hand round.
(…の)周りに round, around, about.
回り道 detour.
回る turn, go (a)round, revolve, rotate；〔目が〕feel giddy.
万一の場合に備えて (just) in case.
満員になる be packed, be full.
漫画 comic；〔風刺漫画〕cartoon, caricature. 〜本 comic book.
満開である be in full bloom.
マングローブ mangrove.
万華鏡 kaleidoscope.
満月 full moon.
マンゴー mango.
満場一致の unanimous.
マンション condominium.
慢性の chronic. 〜疲労症候群 chronic fatigue syndrome.
満足 content, satisfaction. 〜させる content, indulge, satisfy. 〜した satisfied, contented. 〜したことには to one's satisfaction. 〜する be satisfied；〔不十分ながら〕content oneself. 〜な

satisfactory, well.
満潮 high tide.
満点 perfect score;(英) full marks. ～をとる get full marks.
マント cloak, mantle;〔肩マント〕cape.
真ん中 middle, midst, center.
万年筆 fountain pen.
万引き shoplifting. ～する shoplift.
満腹する eat heartily [to one's heart's content].
マンホール manhole, utility [sewer] hole, maintenance hatch.
マンモス mammoth.
満塁ホームラン bases-loaded home run, grand slam.

み

実 fruit, nut, berry.
見上げる look up.
見いだす find.
ミイラ mummy.
身動きする stir.
見失う lose, lose sight of.
見え show. ～を張る cut a dash.
見えすいた obvious.
見えない invisible. ～ところに out of sight. ～くなる disappear, go out of sight.
見える see, look, show;〔…のように〕appear, seem, look. ～ところに[の] in sight [view].
見送る see, see ... off, send off.
見落とす overlook, miss.
見おろす look down, overlook.
未解決の unsolved, outstanding. ～問題 open question.
未開の primitive. ～人 savage.
味覚 taste.
磨く polish, shine, brighten;〔才能などを〕cultivate.
味方 part, ally, one's side, friend. ～して for.
見方 view, viewpoint, outlook.
三日月 crescent.
身勝手な selfish.
ミカン mandarin [tangerine] orange.
幹 trunk.
右(の) right.
見きわめる evaluate.
見苦しい unsightly, ungainly, ugly;〔不名誉な〕ignoble, dishonorable.
ミクロネシア Micronesia.
見事な fine, admirable, wonderful. ～に finely, excellently, brilliantly.
見込み chance, hope, probability, prospect.
未婚の maiden, unmarried.
ミサ Mass.
ミサイル missile.
岬 cape, headland.
短い short, little;〔簡潔な〕brief.
短くする[なる] shorten.
見知っている know ... by sight.
みじめ(さ) misery.
みじめな miserable, wretched, pitiful, pitiable.
未熟な immature, unskilled, inexperienced.
見知らぬ strange, unfamiliar, unknown. ～人 stranger.
ミシン sewing machine.
水 water, Adam's ale. ～を通さない watertight, waterproof. ～をかける[まく] water, pour [sprinkle] water. ～に流す pass the sponge over, let bygones be bygones.
未遂の attempted.
湖 lake.
みずがめ座 Aquarius.
水着 swimsuit, swimming costume, bathing suit;〔男性用〕swimming trunks.
水先案内人 pilot.
水差し pitcher.
水玉模様 polka dots.
水たまり puddle, pool.
水っぽい watery.
密林 thick forest, jungle.
見捨てる forsake, abandon.
水浸しにする flood, submerge, inundate.
水ぼうそう chicken pox.
みすぼらしい mean, poor, shabby.
水虫 athlete's foot.
店 shop, store, parlor.
未成年 nonage, minority, infancy. ～者 minor. ～である be under age.
見せかけ disguise. ～の false.
みせびらかす parade, display, show off.
見せ物 show, spectacle.
見せる show, reveal, exhibit.
溝 trench;〔道路の〕gutter;〔排水溝〕ditch.
みぞおち pit of the stomach.
みぞれ sleet.
見出し〔新聞・雑誌の〕headline;〔本の章・節などの〕title.
満たす fill;〔なみなみと〕brim;〔希望を〕satisfy.
乱す disturb, disorder.
見たところは…らしい apparently.
乱れる be disturbed, be disordered. ～た〔部屋などが〕disorderly.
道 road, route, way. ～に迷う stray. ～に迷った lost, stray.
道しるべ guidepost.
道筋 route.
(…に)満ちた all, full.
未知の unknown.
道のり distance, way.
道ばた wayside.
導く guide, lead, conduct.
満ちる fill;〔潮が〕rise, flow;〔月が〕wax.
蜜 honey.
見つける find, catch, catch sight of, detect.
密集した dense.
ミッションスクール church school.
密接な close, intimate. ～に closely.
3つ(の) three.
密度 density.
密な thick.
ミツバチ bee. ～の巣(箱) hive.
見つめる stare, gaze.
見積もり(をする) estimate.
密輸 contraband trade.
見通し outlook,〔将来の〕prospect.
見通す力 vision.
認める admit, recognize, grant, own;〔正当と〕allow;〔事実だと〕confess;〔価値を〕appreciate;〔入学・入会などを〕admit;〔欠点・罪を〕own;〔敗北・過失などを〕acknowledge.
緑(の) green.
皆 all;〔全員〕everybody, everyone.
見直す take a hard look at;〔前より高く評価する〕think better of.
(…だと)みなす consider, assume, look on, regard, think of, treat.
港 harbor, port.
南 south. ～十字星 the Southern Cross. ～の south, southern.
南アフリカ South Africa. ～人[の] South African.
源 source. ～を発する rise.
見習う imitate, copy. 彼を～ follow his example.
身なり getup.
醜い ugly.
身にしみる sink into one's

身につける 〔着る〕put on, wear, get into;〔武器などを〕bear;〔能力・趣味・知識などを〕acquire;〔技術などを〕master;〔習慣などを〕pick up, ～て in, on, with. ～ている wear, have on.
見抜く see through, penetrate.
峰 peak.
見のがす overlook;〔うっかり〕miss.
身の代金 ransom.
身の程 oneself. ～知らずのことをする forget oneself.
実りの多い fruitful.
見晴らし outlook, prospect.
見張り guard, watch.
見張る watch, keep [take] a good lookout for.
身ぶり gesture, sign.
身震いする shudder.
身分 standing, position, status. ～証明書 identification [identity, ID] card.
未亡人 widow.
見本 example, sample, specimen.
見舞う inquire after, visit.
見守る watch.
(…)未満の[の] under.
耳 ear. ～が遠い One's hearing is bad [poor]. ～が聞こえない〈形〉deaf. ～が聞こえる hear. (…を)にする hear, hear of. ～を貸す[傾ける]listen.
耳障りな loud, noisy, harsh.
ミミズ earthworm.
脈(打つ) pulse.
みやげ souvenir, present.
ミャンマー Myanmar.
名字 family name, surname.
妙な strange, odd, queer.
明日 tomorrow.
未来 future.
ミリメートル millimeter.
魅了する charm;〈形〉fascinating.
魅力 charm, attraction, lure. ～的な attractive, charming.
見る see, look, regard, watch. (…を)～て at, at the sight of.
見分ける distinguish, tell, know, discern.
見渡す survey. ～せる overlook.
身を固める settle.
実を結ぶ bear [produce] fruit.
ミンク mink.
民主 ～主義 democracy. ～主義の democratic. ～政治 democracy. ～的な democratic. ～党 Democratic Party.
民衆 people.
民族 race, people. ～学 folklore. ～主義者 nationalist, racist. ～舞踊 folk dance.
ミント mint.
みんな all, everybody, everyone, one and all. ～で〔一緒に〕all together;〔全部で〕altogether, in all.
民法 civil law.
民謡 folk song.

む

無 nothingness.
無意識の unconscious.
向いている face;〔適している〕suit,〈形〉suitable.
無意味 nonsense. ～な insignificant, meaningless.
ムード atmosphere.
無益な useless, futile.
向かい合う confront. ～って face to face.
向かい側の opposite.
無害の harmless;〔悪気のない〕innocent.
迎える receive, hail, welcome.
無学 ignorance. ～の ignorant.
昔 antiquity, former times [days]. ～の former.
昔々 once upon a time, long long ago.
むかつく[むかむかする] be sick;〔嫌悪する〕be disgusted.
(…)に向かって at, on, for.
ムカデ centipede.
無関係の indifferent, unconcerned. ～である have nothing to do with, have no concern with.
無関心 indifference. ～な indifferent, unconcerned.
麦 〔大麦〕barley;〔小麦〕wheat;〔カラスムギ〕oat;〔ライムギ〕rye.
無傷の entire, flawless, sound.
むきだしの bare, naked.
無期停学 suspension from school for an indefinite period.
無気力な languid.
麦わら straw.
向きを変える turn, veer.
向く look, turn.
むく〔皮を〕peel, pare.
報い reward, retribution.
報いる pay, reward, recompense, render.
無口な reticent, taciturn, silent.
ムクドリ starling.
向ける turn, put;〔銃などを〕aim;〔視線・非難などを〕cast;〔仁言葉・歩みなどを〕direct;〔自分自身・心を〕apply;〔進路などを〕set;〔目標に〕point.
無限の infinite, boundless.
むこ son-in-law.
むごい bitter, cruel.
(…の)向こう側に opposite, over, across.
無効の invalid, void, null. ～にする annul, cancel.
(…の)向こうに[へ, で, の] beyond.
向こう見ずな reckless, desperate.
無言の mute, silent.
無罪の innocence. ～の innocent.
無作為の random.
むさぼり食う[読む] devour.
虫 bug, insect;〔脚のない虫〕worm.
無視 neglect. ～する ignore, neglect, defy, set aside.
蒸し暑い sultry.
虫歯 bad [decayed] tooth, cavity.
むしばむ prey.
無慈悲な merciless, cruel.
無邪気 innocence. ～な innocent, simple, naive.
むしゃむしゃ食べる munch.
矛盾 conflict, contradiction, inconsistency, discrepancy. ～する conflict, contradict.
無条件の absolute, unconditioned.
無職 →失業.
無色の colorless.
むしろ rather. ～…したい prefer.
蒸す steam;〔蒸し暑い〕sultry.
無数の innumerable, countless, thousand.
難しい difficult, hard, complicated, tough.
難しさ difficulty.
息子 son, boy.
結びつける join, unite, connect.
結びとする conclude.
結び knot.
結ぶ fasten, bind, knot, tie;〔契約を〕conclude. ～んでいない loose.
娘 daughter, girl;〔おとめ〕

むせいげんの maiden.
無制限の absolute.
無脊椎動物 invertebrate.
無責任な irresponsible.
むせび泣く sob.
無線(の) wireless.
むだな vain, useless, futile, fruitless. 〜である It is (of) no use -ing [to …], go for nothing. 〜に in vain.
無断で without permission.
むち whip, rod. 〜打つ whip, lash.
無知 ignorance. 〜の ignorant.
無秩序 disorder, chaos.
夢中にさせる absorb. 〜になる be absorbed, lose oneself, be intent on, be crazy about.
6つ(の) six.
むっつりした sullen.
無鉄砲な rash, foolhardy.
無頓着な regardless, careless, nonchalant, indifferent.
むなしい vain, empty.
むなしさ vanity.
胸 bosom, breast, chest.
棟 ridge.
(…という)旨の to the effect that.
無能な incompetent, incapable, inefficient.
無表情な blank.
謀反 rebellion. 〜を起こす rebel.
村 village, hamlet.
群がる crowd, flock, swarm, throng.
紫色(の) purple, violet.
むらのない[ある] even [uneven].
無理な 〔要求などが〕unreasonable;〔不可能な〕impossible.
無理やり…させる compel, force.
無料 free. 〜で for nothing, free of [without] charge.
群れ 〔動物の〕herd;〔移動する人・サル・アリなどの〕troop;〔ヒツジ・アヒルなどの〕flock;〔飛ぶ鳥の〕flight;〔移動する昆虫・人などの〕swarm.

め

芽 bud. 〜を出す bud, shoot.
目 eye;〔視力〕sight. 〜を覚ます[が覚める] wake, awake, wake up. 〜がくらむ be dazzled, be blinded. (…に)〜がない have a weakness for. (さっと)〜を通す glance, give [take] a glance at, look over [through].
目新しい物[事, 経験] novelty.
姪 niece.
明確な definite, positive, specific. 〜に definitely, specifically.
銘柄 brand.
名言〔金言〕wise saying.
明言する declare.
名作 masterpiece.
名刺 card.
名士 personality.
名詞 noun.
名所 sight.
命じる order, bid, command.
迷信 superstition.
名人 master, expert.
名声 fame, reputation, name, prestige, renown, credit.
明晰な 〔頭脳・思考が〕clear, lucid.
瞑想 meditation. 〜する meditate.
命中する 〔ボール・殴打などが〕catch;〔矢などが標的に〕hit.
明白な apparent, evident, plain, obvious.
名物 specialty.
名簿 list, roll.
めいめい(の) each. 〜に respectively.
命名する name, call.
名目 〜上は nominally. 〜賃金 nominal wages.
名誉 honor, glory. 〜な honorable. 〜(上)の honorary.
明瞭な clear, distinct. 〜に clearly, distinctly.
命令 command, order.
迷路 maze, labyrinth.
迷惑をかける trouble, disturb.
雌牛 cow.
メーカー maker, manufacturer.
メーキャップ makeup.
メーター meter.
メーデー May Day.
メートル meter.
メーリングリスト mailing list.
メール mail; → eメール. 〜アカウント mail account. 〜アドレス mail address.
目方 weight. 〜を量る weigh.
メガバイト megabyte.
めがね glasses, spectacles. 〜をかける put on glasses. 〜屋 optician.
女神 goddess.
メキシコ Mexico. 〜人[の] Mexican.
巡って来る come around.
目くばせ wink.
恵み 〔天の〕blessing, grace;〔幸い〕mercy. 〜深い gracious.
恵む give. 〜まれる be endowed with. 〜まれた favored. 〜まれない underprivileged.
めぐり合わせ luck.
めくる turn over.
目ざす aim.
目覚しい signal.
目覚し時計 alarm clock.
目覚めさせる arouse, awake, rouse, wake.
目覚める wake, waken.
召使 servant.
メジャーリーグ → 大リーグ.
目印 mark.
雌の female.
珍しい 〔目新しい〕new, novel;〔まれな〕rare. 〜く unusually, uncommonly.
メゾソプラノ mezzo-soprano.
目立つ stand out, be conspicuous, stick out. 〜った outstanding, prominent, striking. 〜たない inconspicuous.
目玉 eyeball.
メダリスト medalist.
メダル medal.
目つき eye, look.
メッセージ message.
メッセンジャー messenger.
めったにない 〈形〉uncommon.
メドレー medley.
メニュー menu.
めったに…ない rarely, seldom.
目の見えない blind.
目まいがする feel [be] dizzy [giddy].
メモ memorandum, memo, note.
目盛り scale.
メモリー memory.
メロディー melody.
メロドラマ melodrama.
メロン melon.
面 〔問題などの〕phase, side;〔平面〕plane;〈数〉surface;〔仮面〕mask.
免疫 immunity. 〜のある immune.
面会 〜する meet. 〜時間 visiting hours.
免許証[状] license, certificate.
面識(のある人) acquaintance.
免除(する) release, exempt.
免状 diploma.
面する face.
面積 area, dimension.
面接試験 interview.
面前 presence.
メンテナンス maintenance.
面倒(をかける) bother, trouble. 〜な troublesome. 〜を見る

めんどり hen.
メンバー member.
綿布 cotton.
綿密な minute, close. 〜に closely, minutely.

も

…も as … as;〔もまた〕also, either, too.
もう already, yet.
猛威 rage.
もう一度 once again, (all) over again.
盲学校 school for the blind.
もうかる〈形〉profitable.
もうける gain, earn, make a profit.
設ける institute, locate.
猛攻 thrust.
申し込み application, proposal.
申し込む apply, propose.
申し出(る) offer.
申し分ない all right. まったく〜 leave nothing to be desired.
猛獣 beast of prey.
申し渡す pronounce.
盲導犬 guide dog, seeing eye.
もう1つ(の) another.
毛布 blanket.
盲目 blindness. 〜の[的な] blind.
猛烈な terrible, fierce, violent.
燃え立たせる kindle.
燃える burn, blaze. 〜上がる flame. 〜ような色 glow.
モーグル mogul.
モーター motor. 〜ボート motorboat.
もがく struggle.
模擬試験 preliminary entrance examination for admission to colleges and universities.
目撃する[者] witness.
木材 wood, lumber, timber.
目次 contents.
木星 Jupiter.
木炭 charcoal.
目的 purpose, object, end, aim. 〜語 object. 〜地 destination. (…する)〜で in order that …
もくねじ screw.
目標 goal, object, objective, aim.
木曜日 Thursday.
モグラ mole.
潜る〔水中に〕dive, dip into;〔穴をあけて〕burrow.
目録 list, catalogue, table.
もくろむ meditate, contemplate.
模型 model, dummy, pattern.
モザイク mosaic.
モザンビーク Mozambique.
もし(…ならば) if, in case, provided. 〜…がなかったら if it had not been for A. 〜…がなければ if it were not for A. 〜(…)ければ unless. 〜よろしければ if I may.
文字 letter, character. 〜盤 dial. 〜通りに literally.
模写 copy, facsimile.
モジュール module.
モスクワ Moscow.
模造(品) imitation. 〜する imitate.
もたせかける lean.
(…を)持たないで without.
もたらす bring, cause, do, work.
もたれる bear, lean.
持ち上げる lift, raise, pick up.
持ち歩く carry … about [around].
モチーフ motif.
用いる use.
持ち帰る bring home;〔食べ物を〕take out.
もちこたえる bear, endure, last.
持ち去る take away.
持ち出す take out;〔こっそり〕smuggle;〔話題を〕introduce;〔話題・問題などを〕bring up.
持ち続ける keep.
持ち主 owner, possessor.
持ち運びできる portable.
持ち物 thing, one's belongings.
もちろん of course, naturally, certainly.
持つ have, bear, possess.
もつ〔耐える・続く〕hold;〔腐らない〕keep.
目下(は) at present.
もったいない! What a waste!
持って行く take, have.
持って来る bring.
もっと more.
モットー motto.
最も most. 〜よい best. 〜悪い worst. 〜重要な prime, capital, first, most important.
もっともな reasonable, natural. 〜理由で with reason. 〜だ may well.
もっぱら exclusively, entirely, solely.
もつれ〔髪・糸などの〕tangle.
もつれる tangle. 〜た tangled, intricate;〔舌が〕tongue-tied.
もてなす entertain.
モデム modem.
モデル model. 〜ルーム show room.
モトクロス motocross.
戻す replace, restore, return.
基づく be based [founded] on. (…に)〜いて on.
元どおりになる recover.
もとの所へ again.
もとへ back.
求める ask for, appeal, claim, beg;〔声を大にして〕call for;〔名声・仕事などを〕go after;〔仕事・許可・援助などを〕apply for;〔捜す〕search;〔丁寧に〕invite.
戻る return, come [go] back.
モナコ Monaco.
モニター monitor.
物 thing, stuff, object.
物置 closet, shed.
物惜しみしない free, generous.
物思いにふける muse.
物語 story, narrative, narration.
物語る〔事実などを〕speak.
物事 thing.
物差し measure, rule.
モノレール monorail.
ものを言う talk.
もはや…しない no more.
模範 example, model, pattern. 〜的な model, exemplary.
模倣 imitation. 〜する imitate.
…もまた also, either, too. 〜ない neither, nor.
モミジ →カエデ.
もむ〔紙などを〕rumple;〔気を〕worry.
ものごと trouble.
木綿 cotton.
もも thigh.
モモ(の木, 実) peach.
桃色(の) pink.
もや haze, mist.
燃やす burn, kindle.
模様 pattern, design;〔様子〕look, appearance.
催す give, have.
漏らす〔秘密を〕betray, reveal;〔うっかり情報などを〕let fall;〔小便などを〕wet.
森 wood, forest.
モルタル mortar.
モルディブ Maldives.
モルヒネ morphine.
モルモット guinea pig.
もれる〔水などが〕leak;〔光・気体・液体・ため息が〕escape.

もろい fragile, brittle.
モロッコ Morocco.
門 gate, gateway.
門外漢 layman.
文句を言う complain, grumble, find fault with.
モンゴル Mongolia. ～の[人, 語] Mongolian.
モンタージュ写真 montage.
問題 problem, question;〔問題点〕issue;〔…の問題〕a matter of. ～にならない out of the question. ～児 problem child. ～集 workbook. ～用紙 question paper.
文部科学省[大臣] Ministry [Minister] of Education, Culture, Sports, Science and Technology.

や

矢 arrow.
やあ hello, hi.
ヤード yard.
八百屋 vegetable store.
やがて by and by, presently.
やかましい noisy, loud.
やかん kettle.
夜間に in the night.
ヤギ goat;〔子ヤギ〕kid.
焼き網 grill.
焼き印(を押す) brand.
焼き固める bake.
焼き付け printing.
野球 baseball, ball game. ～場 ballpark, baseball ground.
夜勤をする work (on) the nightshift.
役 role, part.
約 about, some.
訳 translation.
焼く〔パン・魚などをじか火に当てずに〕bake;〔焼き網・グリルを使ってじか火で〕broil;〔肉などを網焼きにする〕grill;〔パン・ベーコンなどをこんがり〕toast;〔オーブンまたはじか火で〕roast;〔燃やす, 肌を焼く〕burn.
役員〔団体などの〕officer;〔会社の〕executive.
薬剤師 chemist, druggist, pharmacist.
役者 player;〔男〕actor;〔女〕actress.
役所 office. お～風の official.
躍進する →発展する.
訳す translate, interpret.
約束 promise, word, faith;〔会合などの〕engagement;〔面会の〕appointment;〔会う約束〕date. ～する promise.
役に立つ avail, help, serve, be of use, be of service. ～たない〈形〉useless.
役人 officer, official, public [civil] servant.
薬味 → スパイス.
役目 part, office, function. ～を務める act.
役割 role, share.
やけ desperation. ～になって in desperation, desperately.
やけど〔火による〕burn;〔熱湯・湯気による〕scald.
焼ける bake. ～た〈形容詞的に〉roast.
野菜(の) vegetable, greens.
易しい easy, simple.

優しい gentle, mild, gracious, soft, tender. ～く sweetly, tenderly.
ヤシ coconut.
やじ馬 mob.
養う feed, keep, maintain, nourish.
やじる boo, heckle.
野心 ambition. ～的な ambitious.
安い cheap, inexpensive.
安売り sale.
休み時間 recess.
休む rest;〔学校を〕be absent;〔休暇を取る〕take a holiday.
野生の[的な] wild. ～的に wildly.
やせた lean, thin.
やせる〔体重が減る〕lose weight.
屋台(の店) booth.
家賃 rent.
やつ chap, fellow, guy.
やっかいな awkward, troublesome, hard.
矢つぎ早に in quick succession. ～で質問する shoot.
薬局 pharmacy, drugstore;〔英〕chemist's (shop).
8つ(の) eight.
やっていく do.
やって来る come over.
やってみる try.
やっと finally;〔ようやく〕barely, narrowly.
宿 lodging.
雇い人 help.
雇い主 employer.
雇う employ, engage, hire;〔船を〕charter.
野党 opposition party.
宿屋 inn.
宿る〔心に〕inhabit.
ヤナギ willow.
家主 landlord.
屋根 roof;〔丸屋根〕dome. ～のない open.
屋根裏(部屋) attic.
やはり nevertheless, with all, none the less.
野蛮な wild, brutal, savage. ～人 barbarian, savage.
やぶ bush, thicket.
破る〔紙などを〕tear;〔負かす〕defeat;〔約束・規則を〕violate, break.
山 mountain;〔山積みになったもの〕heap. ～の mountain.
…山 Mt., Mt, mount.
山積みする heap.
山場 climax.
山盛りの heaped.
山道 pass.

やみ dark, darkness. ～夜 moonless night. ～取引 black market.
やむを得ない unavoidable. ～ず unavoidably, necessarily.
止める cease, stop, quit, leave off;〔断念する〕give up. ～させる discourage, restrain.
辞める retire, resign, leave.
ヤモリ gecko.
やや rather, little, somewhat.
やり spear, lance.
やり方 fashion, way.
やりくりする manage.
やり遂げる stick to, manage.
柔らかい soft, tender.
柔らかくする[なる] soften.
和らぐ relax, ～げる〔痛みなどを〕soothe, abate;〔緊張を〕lessen.

ゆ

湯 hot water.
唯一の one, only, sole, unique.
遺言 will, testament.
結う〔髪を〕do up, dress.
有意義な significant, meaningful.
憂うつ depression, melancholy, oppression. ～な gloomy, melancholy, melancholic.
有益な profitable, useful, beneficial.
優越感 superiority complex. ～にひたる superior.
遊園地 pleasure ground, amusement grounds [park].
誘拐する kidnap, abduct.
有害な evil, harmful, noxious, injurious.
有価証券 securities.
夕方 evening, twilight. ～に at night.
優雅な elegant, graceful.
ユーカリ eucalyptus.
夕刊 evening paper.
勇敢(さ) bravery. ～な brave, gallant. ～に bravely.
勇気 courage, heart. ～がある〈形〉brave, courageous; have the nerve. ～づける encourage.
有機 ～の organic. ～化学 organic chemistry. ～体 organism. ～農業 organic farming. ～肥料 organic fertilizer.

有給 paid.
夕暮れ dusk, evening.
遊撃手 → ショート.
有限会社 corporation.
有権者 voter.
友好 ～的な friendly. ～条約 Friendship Treaty.
有効 valid, effective;〔…の期間通用する〕good.
ユーザー user.
有罪 guilt. ～の guilty. ～と判決する condemn.
優秀な excellent, brilliant, superior.
優勝 championship, victory. ～者 champion. ～杯 cup. ～する win the championship.
友情 friendship.
夕食 supper.
友人 friend. ～にふさわしい friendly.
ユースホステル youth hostel.
優勢な superior, dominant.
優先する precede, be prior to. ～権 precedence, priority.
郵送する mail.
ユーターン U-turn.
雄大な grand, sublime.
夕立つ evening shower.
誘導尋問 leading question.
有毒の poisonous.
有能な able, efficient, competent, capable, good.
夕日 evening [setting] sun.
優美 grace. ～な delicate, graceful.
郵便 mail, post. ～局 post office. ～(局)の postal. ～集配人 mailman, postman. ～制度 mail. ～物 mail, post. ～ポスト post. ～料 postage.
裕福な rich, wealthy.
雄弁 eloquence. ～な eloquent.
有望な hopeful, promising.
有名な famous, well-known;〔悪いことで〕notorious. ～になる make a name (for oneself).
ユーモア humor. ～のある humorous.
勇敢な intrepid, lionhearted.
猶予 grace, extension, forbearance. ～する respite, give (five minutes).
有用な useful, valuable.
ユーラシア Eurasia.
遊覧船 pleasure boat.
有利(な点) advantage. ～な advantageous;〔もうかる〕profitable, lucrative.
有料 〈形容詞的に〉toll, pay.
有力な important, influential;

〔候補者などが〕strong.
幽霊 ghost, apparition.
ユーロ Euro.
誘惑 temptation, seduction. ～する lure, tempt, seduce, entice.
床 floor.
愉快な pleasant, glorious, delightful, jolly. ～にする〈形〉delightful.
ゆがみ distortion, warp, twist.
ゆがむ warp;〔顔などが〕contort;〔心・判断が〕warp. ～んだ distorted, contorted, perverted.
雪(が降る) snow;〔降雪〕snowfall. ～解け thaw.
行き先 one's destination.
行き詰まり deadlock.
…行きの bound for, for.
行きわたった widespread.
行く go, come;〔車で〕drive;〔歩いて〕walk.
行方不明の missing, lost.
輸血 transfusion. ～する transfuse.
輸出 export, exportation. ～向きの exportable. ～する export.
揺すぶる sway, shake, rock.
ゆすり extortion, blackmail.
ゆする extort, blackmail.
譲る〔財産・権限などを〕hand over, make over, transfer;〔会社などを〕turn over;〔譲歩する〕give way, yield. 勝ちを～ concede a match.
輸送 transport, transportation. ～する carry, transport. ～車 carrier.
豊か(さ) 〔音・色などの〕riot;〔豊富〕abundance, plenty, richness. ～な rich, abundant, wealthy. ～にする enrich.
ゆだねる charge, entrust.
ユダヤ人 Jew. ～の Jewish.
油断する be unguarded, be off one's guard. ～した unguarded. ～して off (one's) guard. ～のない alert, watchful, attentive. ～のならない insidious.
湯たんぽ hot-water bottle.
ゆっくり slow, slowly. ～した leisurely. ～動く creep.
ゆったりとした〔衣類などが〕wide, easy;〔部屋などが〕ample;〔時間をかけた〕leisurely.
ゆで卵 boiled egg.
ゆでる boil.
ユニセフ UNICEF.
ユニホーム uniform.
輸入(品) import. ～する im-

port.
ユネスコ UNESCO.
指 finger;〔親指〕thumb;〔足の〕toe. ～さす point, indicate. ～輪 ring.
弓 bow.
夢(を見る) dream.
由来 〔起源〕origin;〔履歴〕history;〔出所〕derivation. ～する derive.
揺らす swing;〔急激に〕jolt.
ユリ lily.
揺り動かす rock, sway, shake.
揺りかご cradle.
ゆい loose, lax, slack.
許し leave, pardon, permission.
許す admit, allow, excuse, forgive, overlook, pardon, permit.
ゆるめる[ゆるむ] loosen, relax, slacken.
ゆるやか gentle;〔速度が〕slow.
ゆるんだ loose, lax.
揺れ sway, swing, shake.
揺れる[揺れ動く] sway, wave, waver, shake, quiver, rock, swing, wag;〔縦に〕pitch.

よ

世 world.
夜明け dawn, daybreak, daylight.
よい good, nice. (…して)～ may, can. (…するのが)～ had better. (…しなくても)～ need not, do not have to.
用 →用事. (人に)～がある want.
酔う get drunk. ～った drunken, intoxicated. ～っていない sober.
容易(さ) ease, facility. ～な easy, simple, facile. ～に easily.
用意 provision, preparation. ～する fix, prepare, lay. ～ができた ready.
要因 factor.
溶液 solution.
容器 container, vessel.
容疑者[容疑をかける] suspect.
陽気な jolly, light, merry. ～に merrily.
要求 claim, demand. ～する ask, claim, demand, insist, require.
用具(一式) outfit.
ヨーグルト yoghurt.
用語 term, diction.

擁護 ～する defend, champion, support. ～者 champion.
ようこそ welcome.
用紙 form, blank. ～を1枚ずつ取る take one sheet each. ～を配る give out papers. 答案～ answer sheet. 投票～ ballot.
養子 adopted child. ～にする adopt. ～縁組 adoption.
容姿 figure, person.
要旨 gist, substance, amount.
ようじ〔つまようじ〕toothpick.
用事 business, errand, engagement.
幼児(期の) infant, infancy.
様式 mode, style, form.
幼少 infancy.
養殖 cultivation, culture. ～する cultivate, culture. ～場 farm.
用心 caution, precaution, guard. ～する guard. ～している〈形〉cautious. ～して cautiously, on (one's) guard. ～深い prudent, cautious, careful.
様子 appearance, look, air.
要する 〔費用を〕cost;〔必要とする〕require, need.
妖精 fairy.
要するに in brief, in short, in a word.
要請(する) request.
容積 bulk, volume, capacity.
要素 element, piece, factor. (…の)ようだ appear, seem.
用地 ground, site.
幼稚な childish, infantile. ～園 kindergarten.
要点 point, gist, essentials. ～を述べる outline, brief.
用品 article, outfit. 台所～ kitchen utensils.
洋服〔衣服〕clothes, suit, dress. ～店 tailor shop;〔英〕tailor's.
容貌 look, appearance. ～の personal.
要望(する) desire, request.
羊毛 wool. ～の woolen.
ようやく just, finally, at length.
要約 digest, summary, abbreviation. ～する condense, sum, abbreviate;〔文学作品などを〕digest. ～すると in short.
要領 〔こつ〕knack, hang. ～を得た pertinent. ～よく(説明する) to the point. ～の悪い sad sack.
葉緑素 chlorophyl(l).
要を得た to the point.
ヨーロッパ Europe. ～連合 the European Union.
ヨーロッパの[人(の)] European.
予感 hunch, premonition;〔不吉な〕foreboding. ～する foresee, forebode.
予期 expectation. ～する expect, anticipate.
余儀なく →やむを得ず. ～させる oblige.
預金 deposit. ～する bank, deposit. ～口座 account. ～通帳 bank book.
よく often, well. (…のことを)～言う speak well of. ～…したものだ used to, would. ～知られた familiar, well-known. ～あることだが as is usual with, as is often the case.
欲 self. ～深い greedy, avaricious. ～のない unselfish, disinterested.
翌… next.
抑圧 suppression. ～する suppress.
浴室 bath, bathroom, toilet.
(戦争)抑止力 deterrent.
抑制 control. ～する govern, restrain.
浴槽 bath.
よくても at (the) best.
よくなる improve.
欲望 desire, appetite.
余計な 〔余分の〕extra;〔不必要な〕unnecessary. ～ことはするな Mind your (own) business!.
よける dodge. →避ける.
予言 prophecy. ～者 prophet. ～する forecast, predict, prophesy.
横 side. ～からの lateral. ～になる lie down, repose. ～にする lay down.
横顔 profile.
横木 rail, bar.
横切る cross, traverse. ～って across.
予告 notice;〔解雇・辞職の〕warning. ～する notice, warn.
よこしま wrong.
汚す blot, stain, spot, soil.
横線 horizontal line. ～を引く cross.
横たえる lay.
横たわる[横になる] lie down, repose.
横町 side street.
横幅 breadth, width.
横腹 side, flank.
横道 byway, sideway. ～にそれる〔考え・話が〕wander.
横向きの horizontal, sideways.

横目で見る look askance [sideways].
横揺れ(する) roll.
汚れ stain, soil, spot.
汚れる soil, be stained, spot. 〜た dirty, filthy. 〜ていない clean.
予算 budget.
よじ登る climb, scramble.
予習 preparation. 〜する prepare for tomorrow's lesson.
予想 anticipation, forecast, prospect. 〜する anticipate, forecast.
余地 room, space. 〜がある〈動〉admit.
四つ角 〔十字路〕crossroad.
4つ(の) four.
(…に)よって by, on, (by) means of.
ヨット yacht.
酔っぱらう get drunk [intoxicated]. 〜い運転 drunken [drunk] driving.
予定 schedule, program, plan. (…する)〜だ be going to. 〜表 schedule.
世の中 world.
余白 margin.
呼びかける call to.
予備校 preparatory school, tutorial college. 〜生 preparatory school student.
呼び声 call.
呼び出す summon;〔電話に〕call up.
呼びにやる send for.
予備の preliminary, spare, reserved.
呼び戻す call back, recall.
呼び物(にする) feature.
呼びりん doorbell.
呼ぶ call.
夜ふかしをする sit up (till) late at night.
余分 redundancy. 〜な redundant.
予報(する) forecast.
予防 prevention. 〜する take precaution to. 〜策 precaution.
読み終える read through.
読む read.
嫁 〔花嫁〕bride;〔息子の妻〕daughter-in-law.
予約 reservation. 〜する〔席などを〕reserve;〔座席・部屋・切符などを〕book;〔本・雑誌を〕subscribe to.
余裕 〔時間・金銭などの〕margin. (…する)〜がある afford.
より以上の more.

…より上(で, に, の) above, over, more than.
…より多い more than …
寄りかかる lean.
…より下(で, に, の) below, under, less than.
よる twist;〔糸などを〕twine.
夜 night. 〜に(は) at night.
寄る 〔立ち寄る〕drop;〔ゴルフで〕approach.
(…に)よる be owing to, depend on.
ヨルダン Jordan.
(…に)よれば according to.
よれる twist.
喜ばせる gratify, please, rejoice.
喜び joy, pleasure, delight.
喜ぶ be glad, be delighted, be pleased, rejoice.
喜んで with pleasure. 〜いる be glad, be happy. 〜…する be pleased to …, be glad to …, be ready to …
よろしい OK, Good.
よろしく(と伝える) remember, give one's regards to.
(…に)よろしく Say hello to (him).
よろめく stagger, reel.
世論調査 public opinion poll.
弱い weak, soft, frail, feeble;〔不得手な〕poor, weak.
弱い者いじめ bully.
弱気になる draw [pull, haul] in one's horns.
弱くする weaken;〔ガス・明かりなどを〕turn down.
弱腰 weak knees.
弱さ weakness, frailty.
弱った 〔健康・気力が〕low
弱まる sink, weaken.
弱み weakness.
弱める weaken, enfeeble.
弱々しい faint, feeble.
4 four. 〜番目(の) fourth.
40 forty. 〜番目(の) fortieth.

ら

来… next.
雷雨 thundershower, thunderstorm.
ライオン lion.
来客 company, guest, visitor.
ライター 〔作家〕writer;〔火をつける道具〕lighter.
ライト right field;〔選手〕right fielder.
ライナー line drive, liner.
ライフル銃 rifle.
ライ麦 rye.
ライラック lilac.
ラオス Laos.
楽園 paradise.
落書き scribble, graffiti.
落後する drop, straggle;〔競技で〕drop out.
ラクダ camel.
落第させる[する] fail.
落胆する be discouraged.
楽天的な optimistic.
楽な easy;〔快適な〕comfortable. 〜も仕事 picnic. 〜でない uneasy. 〜にする ease.
酪農 dairy.
ラグビー rugby.
落葉樹 deciduous tree.
ラケット racket.
…らしい appear, seem.
ラジウム radium.
ラジオ(放送, 受信機) radio.
…らしく like.
…らしくない unlike.
羅針儀[盤] compass.
落下(する) fall.
ラッコ sea otter.
ラッシュアワー rush hour.
らっぱ trumpet, bugle.
ラッパズイセン daffodil.
ラップ 〔音楽〕rap (music).
ラップトップ(の) laptop.
ラテン語 Latin.
ラトビア Latvia.
ラベル(をはる) label.
ラベンダー lavender.
ラリー rally.
蘭 orchid.
欄 column.
ランキング ranking.
ランク rank. 〜付けされる rate.
乱雑 confusion, mess. 〜な disorderly, disordered.
卵子 ovum.
乱入する burst into.
ランニングホームラン inside-the-park home run.

ランプ lamp.
乱暴 violence, roughness, wildness. ～な rough, violent, wild. ～に roughly, violently, wild.
乱用(する) abuse.

り

リーグ league.
リーダー leader.
利益 benefit, gain, interest, profit. ～になる pay. (…の)～のために for one's sake, for (the) sake of. ～を得る benefit, gain, profit. ～をもたらす〔形〕profitable.
理科 science.
理解 understanding, comprehension, grasp. ～する understand, comprehend, grasp, make much of, make out, perceive, see;〔相手の言うことを〕follow. ～力 understanding, grip, grasp. ～力のある intelligent.
利害 interest. ～関係 concern.
力学 dynamics.
力説する urge, emphasize, stress.
陸(地) land.
陸軍 army. ～の army, military.
陸上 land. ～に on shore. ～競技 track (and field).
理屈 reason, argumentation, logic, theory. ～っぽい argumentative.
利己 ～的な selfish, egotistic. ～主義者 egoist.
利口な bright, clever, ingenious, smart.
リコール recall.
離婚(する) divorce.
リサイクル recycling. ～する recycle.
リサイタル recital.
利子 interest.
理事 〔団体の〕director;〔大学の〕trustee.
履修科目 subject to be studied.
リス squirrel.
リズム rhythm.
理性 reason. ～の(ある) rational.
理想(的な) ideal.
リターン return. ～キー return key.
離脱 separation. ～する separate.

rate.
率 rate;〔比率〕ratio.
立憲君主国 constitutional monarchy.
立候補 candidacy. ～する stand for, run for. ～者 candidate.
立証 proof. ～する prove, establish.
立食の standup.
立体(の) solid. ～映画 threedimensional film. ～派 cubism. ～交差 grade separation.
リットル liter.
立派な fine, good, nice, splendid, brilliant.
立腹 offense. ～する get angry, be furious.
立法 legislation. ～上の legislative.
立方根 cube root.
立方体 cube. ～の cubic.
利点 〔有利な点〕advantage.
リトアニア Lithuania. ～人[の] Lithuanian.
リニアモーター列車 linear motor train.
リハーサル(する) rehearsal.
リバイバル rivival.
理髪師[店] barber.
リハビリ rehabilitation. ～を施す rehabilitate.
リビア Libya. ～人[の] Libyan.
リヒテンシュタイン Liechtenstein.
リビングルーム living room.
リフト lift.
リベリア Liberia.
リボン(状の細長いもの) ribbon.
利回り yield.
リムジン limousine.
リモコン remote control.
略式の informal.
略す abbreviate.
略奪(する) plunder.
理由 reason, occasion, why. (…の)～で because of, by reason of.
竜 dragon.
流域 basin, valley.
留学する study abroad.
流感 influenza, flu.
流血 bloodshed.
流行 fashion. ～する come into fashion. ～している be in fashion. ～の fashionable, popular, prevailing.
流星 meteor, shooting [falling] star.
流体(の) fluid.
留置する keep ... in prison, detain. ～所 jail.
流暢 fluency. ～な fluent.
流通 〔商品の〕distribution;〔貨幣の〕circulation. ～する circulate. ～機構 distribution structure [system].
流動的な fluid.
流派 school.
リュックサック rucksack.
利用 use, utilization. ～する use, utilize, make use of;〔チャンスなどを〕take, take advantage of. ～できる〔形〕available.
寮 dormitory.
量 quantity, volume.
猟 hunting. ～をする hunt. ～犬 hound.
領域 realm.
領海 territorial waters [seas].
了解する understand, accept.
両替する change, exchange.
料金 charge, fee, rate. ～所 tollgate.
量産 〔大量生産〕mass production. ～する mass-produce.
領事 consul. ～館 consulate.
良識 sense.
良質 quality. ～の good, of good quality.
領収書[証] receipt.
両親 parents, folks.
良心 conscience. ～的な conscientious.
両生類(の) amphibian.
領土 territory.
両方の both.
療養所 sanatorium.
料理 〔料理すること〕cooking;〔料理品〕food;〔皿に盛った〕dish;〔食卓に出された〕fare. ～する cook, do the cooking. ～店 restaurant. ～法 cooking, cookery, cuisine. ～場 cookery. ～学校 cookery school. ～人 cook.
旅館 hotel, inn.
旅客 passenger.
旅券 passport.
旅行 travel, trip;〔陸上の比較的長い〕journey;〔観光・視察などの〕tour;〔行楽などの通例団体の小旅行〕excursion;〔船・飛行機による長期の〕passage;〔乗り物による〕ride;〔船旅〕voyage. ～者 traveler, tourist. ～案内所 travel agency. ～案内書 guidebook. ～する travel, make a trip [tour].
リラックス(する) relax.
リリーフ投手 relief pitcher, reliever, closer.
離陸 takeoff. ～する take off.
利率 interest rate.
リレー relay.

履歴 career, history. ～書 curriculum vitae, resume.
理論 theory. ～上の[的な] theoretical.
リンカーン Lincoln.
輪郭 outline, line, contour. ～のはっきりした clear-cut. ～を描く outline.
臨機応変の処置をとる be equal [rise] to the occasion.
リンク 〔つながり〕link；〔スケートの〕rink.
リンゴ apple.
臨時の odd, temporary. ～政府 provisional government. ～増刊 extra, special edition. ～列車[バス] special, special train [bus].
隣人 neighbor.
リンス conditioner.
隣接する adjoin. ～した adjacent, neighboring.
倫理(学) ethics, moral. ～上の ethical, moral.

る

塁 base. ～に出る get to first.
類 like. ～は友を呼ぶ Birds of a feather (flock together). ～のない unparalleled, unique.
類似 comparison, similarity. ～の like, similar, analogous. ～点 parallel, similarity.
類人猿 ape.
類推 analogy. ～する analogize.
ルータ router.
ルート 〔数学〕root；〔道筋〕route.
ルーマニア Romania, Rumania. ～の[人, 語] Romanian.
ルール rule.
ルーレット roulette.
ルクセンブルグ Luxemb(o)urg.
留守 absence. ～にする absent oneself.
留守番電話 answering machine.
ルネサンス Renaissance.
流布している prevalent.
ルポルタージュ reportage, report.

れ

例 example, instance, illustration. ～によって as usual.
零 zero, naught, nought.
霊 spirit, soul. ～的な spiritual.

例外 exception. ～的な exceptional.
霊感 inspiration. ～を与える inspire.
礼儀 etiquette, ceremony. ～作法 form. ～正しい civil, courteous, polite. ～正しく with courtesy.
霊柩車 hearse.
冷遇する illtreat, treat ... coldly.
冷酷(さ) cruelty. ～な cruel, cold-blooded.
礼状 letter of thanks.
冷静(さ) cool. ～な calm, cool, sober, self-possessed. ～に calmly, coolly, soberly, composedly.
礼装 full dress.
冷蔵庫 refrigerator.
冷淡な cold, cool, icy, indifferent. ～に coldly, icily, coldheartedly, indifferently.
霊長類 primate.
冷凍 ～する freeze, refrigerate；〔急速に〕deep-freeze. ～庫 freezer. ～食品 frozen food.
例年の annual, yearly.
礼拝 church, worship；〔定期的な〕service.
礼服 robe. ～で in full dress.
冷房 air conditioning. ～装置 air conditioner.
レーザー laser. ～光線 laser beam.
レース lace.
レース 〔競技〕race.
レーダー radar.
レガース leg guard.
歴史 history. ～の historical. ～家 historian. ～上重要な historic.
レクリエーション recreation.
レゲエ reggae.
レコード record, disk.
レジ checkout counter.
レシート receipt.
レストラン restaurant.
レタス lettuce.
列 line, range, rank, row, queue. ～に並べる range.
列車 train.
列島 archipelago.
劣等感 sense of inferiority, inferiority complex.
レッドカード red card.
レトルト retort.
レトロ retro.
レバー 〔機械〕lever；〔肝臓〕liver.
レパートリー repertoire.

レバノン Lebanon.
レフェリー referee.
レフト left field；〔選手〕left fielder.
レベル class, level.
レモン lemon.
恋愛 love, romance.
れんが brick.
連結する link, join, couple.
連合 association, combination, union. ～する ally, be combined [united]. ～軍 Allied Forces.
連鎖 chain.
連山 range.
レンジ range, stove.
練習(する) exercise, practice. ～問題 exercise.
レンズ lens.
連想 association. ～する associate.
連続(物) sequence, series, serial, succession. ～公演 run. ～講座 course. ～する continue；〈形〉successive, consecutive, serial.
レンタカー rentacar.
連邦 commonwealth, federation, contact, liaison. ～の(制)の federal.
連盟 league.
連絡 connection, communication, contact, liaison. ～をつける[する] get, contact, connect. (…と)～している be in touch with, be in communication with.

ろ

炉 furnace, fireplace, hearth.
ろう wax.
牢 prison, jail.
聾唖者 deaf-mute.
廊下 corridor, hall, hallway；(英)passage.
労使関係 labor relations.
老人 old [aged] man [woman]；〈集合的に〉the old.
老衰 senility, decrepitude. ～で死ぬ die of old age.
ろうそく candle.
労働 labor, work, working. ～組合 labor union. ～者 labor, laborer, worker, workman. ～者階級 labor.
老若 young and old.
浪人 repeater. ～中である studying for the resits of the university examination.
ろうばい dismay, confusion. ～

する be disconcerted [embarrassed, confused].
浪費する waste, squander.
老齢 years. ～の old, old age.
ローテーション rotation.
ロード(する) load.
ロードショー road show.
ローブ robe.
ロープ rope.
ローマ Rome. ～の[人] Roman.
ローラー roller. ～でならす roll.
ロールシャッハテスト Rorschach test.
ローン loan.
6 six. ～番目(の) sixth.
ログ log.
録画する recording. ～する record.
録画する videotape, video-record.
6月 June.
60 sixty. ～番目の sixtieth.
ロケーション(地) location.
ロケット rocket.
露見する be found out;〔ばれる〕come out.
露骨な naked;〔あからさまな〕open.
ロサンゼルス Los Angeles.
路地 lane, alley.
ロシア Russia. ～の[語, 人] Russian.
露出 exposure.
ロッカー locker.
ロック〔音楽〕rock (music).
ロッククライミング rock climbing.
肋骨 rib.
露店 stall.
ロバ ass, donkey.
ロビー lobby, lounge.
ロボット robot.
ロマンス romance.
ロマンチックな romantic.
ROM ROM.
路面電車 streetcar, tram.
論証 demonstration. ～する demonstrate.
論じる〔論理的に〕reason;〔議論する〕argue.
論説 discourse;〔新聞の〕leading article, editorial.
論争 controversy, dispute. ～する argue, dispute.
論点 disputed, point.
ロンドン London.
論評(する) comment.
論文 thesis, dissertation;〔小論文〕essay.
論理(学) logic. ～的な logical.

わ

輪 circle, link, ring.
ワークステーション workstation.
ワープロ word processor.
ワールドカップ the World Cup.
ワールドシリーズ the World Series.
ワールドワイドウェブ WWW, World Wide Web, the Web.
歪曲 distortion.
ワイシャツ shirt.
わいせつ obscene.
わい談 blue jokes, nasty story.
ワイパー (windshield) wiper.
ワイヤー wire.
わいろ(を贈る) bribe. ～のきく corrupt.
ワイン wine.
和音 chord, accord.
若い young. ～人 youth.
和解 reconciliation. ～させる reconcile.
沸かす boil.
分かち合う share.
わがままな selfish, willful, egoistic. ～子供 spoilt child. ～にふるまう have one's own way.
若者 lad, youngster. ～らしい youthful.
わが家に[へ] home.
わかりやすい plain, easy to understand.
わかる〔理解する〕understand, make out, tell;〔判明する〕find, turn out.
別れ farewell, leave. ～のあいさつ good-by, farewell.
分かれる part, diverge.
別れる part;〔絶交する〕finish with.
若々しい young, youthful.
若々しさ youth.
わき side. ～に aside. ～に置く lay [put] aside.
沸き出る bubble.
湧き出る spring, flow out.
わきの下 armpit, underarm.
わき腹 side.
わき役 supporting part;〔役者〕supporting actor [actress].
枠 frame, framework.
沸く boil.
惑星 planet.
ワクチン vaccine.
わくわくさせる thrill, excite;〈形〉thrilling, exciting.
わけ reason, meaning.

わけのわからない unintelligible.
分け前 portion, share, allotment.
分ける divide, part, separate, share.
輪ゴム rubber band.
わざ art;〔特殊な技能〕skill.
わざと on purpose, purposely, intentionally. ～らしい intentional.
災い plague, disaster, calamity. ～のもと curse.
わざわざ(…)する go out of the [one's] way, take (the) trouble.
ワシ eagle.
和紙 Japan(ese) paper.
ワシントン Washington.
わずか… no more than …, shadow, a few, a little;〔ほんの〕mere.
わずかな slight, trifling. ～金 trifle. ～違い shade. ～に slightly.
わずらわしい →めんどうな.
忘れっぽい forgetful.
ワスレナグサ forget-me-not.
忘れる forget, omit;〔努力して〕dismiss;〔置き忘れる〕leave. ～ないで…する remember. ～られない unforgettable.
ワタ cotton, floss. ～菓子(米) cotton candy, (英) candyfloss.
話題 topic, subject.
私(に, を) me. ～が[は] I. ～自身(を, に) myself. ～の my. ～のもの mine. ～としては for one, as for me.
私たち(を) us. ～は[が] we. ～自身に[を] ourselves. ～の our. ～のもの ours.
渡し船 ferry, ferryboat.
渡す give, pass, hand.
渡り鳥 migrant.
渡る cross, get across, go over, pass;〔船で〕sail.
ワックス(で磨く) wax.
ワット watt.
わな trap, snare. ～で捕える trap.
ワニ crocodile, alligator.
わび apology, excuse. ～を言う apologize.
わびしい dreary, desolate, comfortless.
和文英訳 translation from Japanese into English.
和平会談 peace talks.
話法 narration, speech.
わめき声 howl, yell, bawl.
わめく roar, bawl.
わら straw.
笑い laughter, laugh, laugh-

ing, smile.
笑う laugh；〔歯を見せて〕grin；〔くすくす〕chuckle；〔せせら笑う〕sneer；〔げらげら〕guffaw；〔くっくっと〕giggle；〔にたにた〕simper.
笑わせる 〔面白がらせる〕amuse. ～な Don't make me laugh.
ワラビ bracken.
割合 proportion, rate.
割合に →比較的
割り当て share, assignment. ～る assign.
割り勘にする split the bill, go Dutch.
割り切れる[ない] divisible [indivisible].
割り込む squeeze into.
割算 division.
割付け layout.
割りに合う pay.
(…の)**割には** in proportion to, for.
割引 discount, reduction.
割り引く discount.
割る split, break；〔割り算で〕divide.
悪い bad, evil, wrong, foul, ill, wicked. ～行ない vice.
(…のことを)**悪く言う** speak ill of.
悪賢い cunning.
ワルツ waltz.

割れ目 crack, split, crevice.
割れる crash, split.
我々 ～は[が] we. ～に[を] us. ～の our. ～のもの ours. ～自身(に, を) ourselves.
湾 bay, gulf.
わん（1杯の量）bowl.
腕章 armband.
わんぱく ～な naughty.
ワンピース onepiece dress.
ワンマン autocrat. ～ショー one-man show.
腕力 muscle, force.
ワンルームマンション （米）studio apartment, （英）studio flat.
ワンワン bowwow.

文法のまとめ

目 次

[1] 文の種類 ······················· 1880
  1.1 平叙文
  1.2 疑問文
  1.3 疑問文の種類
  1.4 疑問文のさまざまな意味
  1.5 選択疑問文
  1.6 修辞疑問文
  1.7 付加疑問文
  1.8 命令文
  1.9 感嘆文

[2] 否定文 ························· 1881
  2.1 否定文
  2.2 部分否定

[3] 動詞と文型 ····················· 1882
  3.1 自動詞と他動詞
  3.2 文型と文の構成要素
  3.3 目的語を2つとる動詞
  3.4 知覚動詞
  3.5 使役動詞

[4] 時制 ··························· 1884
  4.1 現在時制
  4.2 過去時制
  4.3 未来の表し方

[5] 進行形 ························· 1886
  5.1 進行形の形
  5.2 現在進行形のさまざまな意味
  5.3 過去進行形のさまざまな意味
  5.4 未来進行形のさまざまな意味
  5.5 進行形に用いない動詞の注意点

[6] 完了形 ························· 1887
  6.1 現在完了
  6.2 過去完了
  6.3 未来完了

[7] 受身 ··························· 1889
  7.1 受身の基本形
  7.2 by Aがない場合
  7.3 by以外の前置詞
  7.4 疑問詞がある受身
  7.5 進行形の受身
  7.6 完了形の受身
  7.7 命令文の受身
  7.8 目的語を2つとる動詞の受身
  7.9 知覚動詞の受身
  7.10 使役動詞の受身
  7.11 句動詞の受身
  7.12 get＋過去分詞
  7.13 慣用的な受身

[8] 助動詞 ························· 1891
  8.1 助動詞の役割
  8.2 助動詞の使い方
  8.3 may [cannot, must, need, will]＋have＋過去分詞
  8.4 could [would, should, might, ought to]＋have＋過去分詞

[9] 仮定法 ························· 1892
  9.1 仮定法過去
  9.2 仮定法過去完了
  9.3 仮定法現在
  9.4 接続詞 if の省略
  9.5 if 節を使わない場合
  9.6 I wish
  9.7 as if [though]
  9.8 it is time
  9.9 その他の仮定法表現

[10] 時制の一致と話法 ············· 1895
  10.1 時制の一致
  10.2 時制の一致をしない場合
  10.3 時制の一致をする場合としない場合の意味の違い
  10.4 直接話法と間接話法
  10.5 間接話法の動詞

[11] 不定詞 ······················· 1897
  11.1 名詞的用法
  11.2 形容詞的用法
  11.3 副詞的用法
  11.4 不定詞の意味上の主語
  11.5 不定詞の完了形
  11.6 不定詞の受身形
  11.7 不定詞の否定
  11.8 疑問詞＋to do

11.9 代不定詞	18.4 場所・方向の副詞
[12] 動名詞 ································1899	18.5 時・時間の副詞
12.1 動名詞の用法	18.6 文修飾の副詞
12.2 動名詞の完了形	18.7 前置詞と同形の副詞
12.3 動名詞の受身形	**[19] 比較** ································1910
12.4 動名詞の否定	19.1 原級
12.5 動名詞の意味上の主語	19.2 比較級
12.6 動名詞を用いた複合語	19.3 the+比較級
・ 他動詞+doing と他動詞+to do	19.4 比較級+and+比較級
[13] 分詞 ································1900	19.5 最上級
13.1 分詞の種類	19.6 the の付かない形容詞の最上級
13.2 分詞の形容詞用法	19.7 原級・比較級・最上級での言い換え
13.3 分詞を補語に用いる用法	19.8 比較級・最上級を強める副詞
13.4 分詞構文の基本形	**[20] 関係詞** ································1912
13.5 分詞構文の完了形	20.1 関係代名詞の基本
13.6 分詞構文の否定	20.2 関係代名詞の主格,目的格,所有格
13.7 独立分詞構文	20.3 関係代名詞の省略
13.8 慣用的な分詞構文	20.4 関係副詞の基本
[14] 名詞 ································1902	20.5 関係副詞と関係代名詞の違い
14.1 名詞の役割	20.6 制限用法と非制限用法
14.2 名詞の種類	20.7 前置詞+関係代名詞+to不定詞
14.3 Ⓒ 名詞と Ⓤ 名詞	20.8 先行詞を含む what
・ 名詞句の主格・目的格関係	20.9 主節(の一部)を先行詞とする as と which
14.5 名詞の形容詞的用法	20.10 先行詞によって決まる関係詞
[15] 代名詞 ································1904	**[21] 前置詞** ································1915
15.1 代名詞の種類	21.1 前置詞の目的語
15.2 指示代名詞	21.2 前置詞句の3用法
15.3 人称代名詞の主な用法	21.3 前置詞句の順序
15.4 名詞に先行する場合	21.4 目的語の移動
15.5 不定代名詞	21.5 前置詞の目的語の省略
[16] 冠詞 ································1906	21.6 前置詞の省略
16.1 冠詞の位置	21.7 群前置詞
16.2 a [an] と the の使い分け	**[22] 接続詞と節** ································1916
16.3 冠詞を付けない場合	22.1 等位接続詞
[17] 形容詞 ································1907	22.2 従位接続詞：従節と主節
17.1 [名詞の前で]使う用法	22.3 副詞節
17.2 名詞の前の形容詞の順序	22.4 名詞節
17.3 [補語として]使う用法	22.5 同格の that 節
17.4 easy 型形容詞	22.6 形容詞節
17.5 kind 型形容詞	**[23] 特別な構文** ································1917
17.6 その他の形容詞型	23.1 無生物主語
[18] 副詞 ································1909	23.2 強調
18.1 程度の副詞	23.3 倒置
18.2 頻度の副詞	23.4 挿入
18.3 様態の副詞	23.5 省略

[1] 文の種類

平叙文・疑問文・命令文・感嘆文の4種類がある. 平叙文・疑問文・命令文にはそれぞれ肯定と否定がある.

1.1 平叙文

考え・事実などの情報を伝達する文で,「主語+動詞」の語順をとる. 文末に「.」(period [ピリオド])を打つ.

A caterpillar changes into a butterfly. (毛虫はチョウに変化する)

We went shopping by bus. (私たちはバスで買い物に行った)

1.2 疑問文

相手に質問したり, 情報を求める文で,「(助)動詞+主語」の語順となり, 文末に「?」(question mark [クエスチョン=マーク])を付ける.

(1) 一般動詞の疑問文

「Do [Does, Did]+主語+動詞原形」の語順にする.

***Do* you** like music? (音楽は好きですか)

***Did* he** miss the concert? (彼はコンサートを聞き逃したのか)

(2) be動詞・助動詞・完了形の疑問文

be動詞・助動詞を主語の前に出す. 完了形を作る have [has, had] も主語の前に出す.

be動詞: ***Is* he** at home? (彼は在宅ですか)
助動詞: ***Can* you** swim? (泳げますか)
完了形: ***Have* you *finished*** your homework yet? (もう宿題は終わったのか)

1.3 疑問文の種類

(1) Yes-No疑問文 [疑問詞のない疑問文]

be動詞・助動詞・Do [Does, Did]・完了形の Have [Has, Had] で始まる疑問文のことで, 返答は Yes か No である.

"***Are* you** fond of watching TV?" "***Yes*, I am.**"(「テレビを見るのは好きですか」「ええ、好きです」)《◆ Yes で返答するときは短縮形にしない:×Yes, I'm.》

"***Will* she** come with us?" "***No*, she won't.**"(「彼女は一緒に来るかな」「いや、来ないだろう」)《◆ No で返答するときは No, she will not. や No, she'll not. も可》

"***Don't* you** like dogs?" "***Yes*, I do.**"(「犬は好きじゃないの?」「いや、好きだよ」)《◆否定疑問文への返答は日本語の場合と Yes と No が逆になる. 英語では聞かれた文が肯定か否定かに関係なく, 返答が肯定なら Yes, 否定なら No で答える》

(2) 疑問詞のある疑問文 [wh 疑問文]

Yes や No では答えられない. 疑問詞には疑問代名詞 (who, whose, whom, which, what など)と, 疑問副詞 (when, where, why, how など)がある. 疑問詞は文頭に置く.

"***Where*** does he live?" "He lives in Ohio."(「彼はどこに住んでいますか」「オハイオに住んでいます」)

What are you looking at? (何を見ているの)《◆疑問詞が前置詞の目的語のとき, 疑問詞だけを文頭に出すのがふつう》

Who called me? (だれが私に電話してきたのですか) 《◆疑問詞が主語のときは, 平叙文と同じ語順》

●疑問詞のある疑問文を文の一部に使うときは「疑問詞+平叙文」の語順になる (➔10.5(1)).

I don't know ***where* he lives**. (彼がどこに住んでいるのか私は知りません)

1.4 疑問文のさまざまな意味

形は疑問文でも, 意味は, 質問・勧誘・提案・依頼・軽い命令などさまざまある.

質問: Why were you absent yesterday? (昨日はなぜ欠席したのですか)

勧誘: Would you like have some tea? (お茶はいかがですか)

提案: Why not go swimming this afternoon? (今日の午後泳ぎに行くのはどう)

依頼: Do you know how to work this washing machine? (この洗濯機の使い方知ってる? [知っていたら教えてください])

軽い命令: Will you come this way? (こっちにおいで)

確認: More money? Didn't I give you 10,000 yen a week ago? (もっとお金がほしいだと. 1週間前1万円をあげなかったか)

1.5 選択疑問文

or を使って「AとBのどちらですか」と聞く疑問文. Yes や No では答えられない(→ or 腰 **1**).

"Do you go to school by bus(↗) *or* by bicycle(↘)?" "By bicycle." (「学校へはバスで行っていますか, 自転車ですか」「自転車です」)

1.6 修辞疑問文

形は疑問文だが意味は平叙文と同じ. 肯定のときは否定の意味を, 否定のときは肯定の意味を表す.

Who can imagine life without computers?
(コンピュータのない生活をだれが想像できようか)《◆「だれもできはしない」と言っているのだから Nobody can imagine life without computers. とほぼ同じ意味》

Did you ever hear of such a foolish thing?
(そんなばかな話聞いたことがある?)《◆「聞いたことないよね」と言っている》

1.7　付加疑問文

相手の同意を求めたり，念を押したりする．相手に同意を求めて「そうでしょう?」と言うときは上昇調(↗)，念を押して「そうですね」と言うときは下降調(↘)で発音する．作り方は，疑問文の作り方と同じで，「(助)動詞+主語」を文尾に添える．

(1) 肯定文の後には否定の疑問形を付ける.
　<u>Three men were</u> in the park then, ***weren't they***? (3人の人がその時公園にいたのですね)

(2) 否定文や，否定語に準じる hardly, scarcely, seldom, rarely などを含む文には肯定の疑問形を付ける．
　<u>You didn't meet him</u>, ***did you***? (彼に会わなかったのですね)
　<u>You seldom see her</u>, ***do you***? (彼女にはめったに会わないのですね)

(3) 主語は代名詞にする．
　<u>Your sister will be glad to see him</u>, ***won't she***? (妹さんは彼に会えると喜ぶでしょうね)

●命令文の付加疑問は次の通り．
　Close the window, ***will you***? (窓を閉めてくれますか)
　Let's go shopping, ***shall we***? (買い物に行きましょう)

1.8　命令文

主語を使わず動詞原形で始まる文を命令文と呼ぶ．意味は命令・提案・依頼などを表す．
命令：Get out! (出て行け)
禁止：***Don't*** be late again. (二度と遅刻するな)
　　《◆命令文の否定は「Don't+動詞原形」》
提案：Let's go to the movies tonight. (今夜映画に行こうよ)
　　　Make yourself at home. (気楽にしてください)
依頼：Turn on the air-conditioner, please. (エアコンをつけてください)

1.9　感嘆文

驚き・悲しみ・喜びなどの強い感情を表す文．文末に「!」(exclamation mark [イクスクラメーション=マーク])を付ける．

(1) **What+a(n)+形容詞+名詞+主語+動詞+!**
　This is <u>a very pretty flower</u>. (これはとてもかわいい花だ)　／名詞
　What a pretty flower this is! (これはなんてかわいい花なんだ)

(2) **How+形容詞・副詞+主語+動詞+!**
　This flower is <u>very pretty</u>. (この花はとてもかわいい)　　形容詞
　How pretty this flower is! (この花はなんてかわいいんだ)

●「主語+動詞」は省略されることがある．
　What a sad story (that is)! (なんてかわいそうな話なの)
　How boring (it is)! (なんて退屈なんだ)

[2]　否定文

2.1　否定文

動詞を not で否定して「…ではない」の意味を表す．否定文の作り方は次の通り．

(1) **一般動詞の場合**
「do not [does not, did not]+動詞原形」，《略式》では「don't [doesn't, didn't]+動詞原形」の語順にする．
　I ***didn't take*** a day off last month. (先月は休暇を取らなかった)

(2) **be 動詞・助動詞・完了形の場合**
be 動詞や助動詞ではすぐ後に not を置く．完了形では have [has, had] のすぐ後に not を置く．
be 動詞：My mother ***is not*** a good cook.
　　　　(母は料理が上手ではありません)
　　　　I ***am not*** going to get in touch with him. (彼と連絡を取るつもりはありません)
助動詞：You ***shouldn't use*** this room without permission. (この部屋を許可なしに使ってはいけません)
完了形：I ***have not driven*** a car for two years. (私は2年間車を運転していません)

●be 動詞と助動詞を一緒に用いる場合は「助動詞+not+be」となる．
　You ***may not be*** here. (ここにいてはいけません)
また，助動詞が2つ以上続く場合は1番目の助動詞の後に not, never などを置く．
　She ***will not*** have arrived yet. (彼女はまだ到着していないだろう)

(3) **never, hardly, scarcely, seldom, rare-**

ly などを用いる否定

never（決して…しない，これまで一度も…したことがない）

hardly, scarcely（ほとんど…ない）[程度]

rarely, seldom（めったに…ない）[頻度]

これらは準否定語なので他の否定語とともには使えない．位置は「be 動詞・助動詞の後，一般動詞の前」に置く．ただし，助動詞ではないので，第 3 例のように三単現の -s が必要な場合には -s を忘れないように注意．

I *hardly* slept last night.（昨夜はほとんど眠れなかった）

The singer will *never* make her comeback.（その歌手はカムバックすることは決してないだろう）

He *seldom* eats out.（彼は外食することはめったにないのだ）

●堅い言い方ではこれらの語を強調のために文頭に出すことがあるが，ふつう倒置が起こる（→23.3(2)）．

Rarely does he eat out.（めったに彼は外食しないのだ）

2.2 部分否定

not が文全体ではなく文中の特定の 1 語だけを否定することを部分否定という．特定の語とは下の(1)(2)にあるような「全体性」を意味する語のことをいう．訳し方はまず肯定文で訳して，最後に「…（という）わけではない」を付け加えればよい．

(1) **all, both, every** などの不定代名詞の場合

Not all the students are in the classroom.（生徒の皆が教室にいるわけではない）＝All the students are*n't* in the classroom.《◆ all ... not の語順では「生徒の皆が教室にいない」という全体否定の意味にもなる．また all の全体否定はふつう no ... で表す：No students are in the classroom.（生徒はだれも教室にいない）》

●主語に用いる場合 not all ..., not every ... はよいが，not both ... は不可というように，語によって語法が異なるので，詳しくは各語を参照．

(2) **always, necessarily, exactly, altogether** などの副詞の場合

He is *not always* joking. He sometimes acts seriously.（彼はいつも冗談を言っているわけではない．時にはまじめなときもある）《◆ always not の語順は誤り；「いつも…ない」の全体否定は never を用いる．＝He never jokes.（彼は決して冗談は言わない）》

Best sellers are *not necessarily* great.（ベストセラーが必ずしもすぐれているというわけではない）

[3] 動詞と文型

3.1 自動詞と他動詞

自動詞と他動詞の違いは目的語（主語の動作の対象を表す語・句・節）をとるかとらないかである．

自動詞は目的語をとらない．

A fight *began*.（けんかが始まった）

Who *began*?（だれが始めたのだ）

他動詞は目的語をとる．

Tom and Max *began* the fight.（トムとマックスがけんかを始めたのだ）

The two *began* to feel ashamed.（2 人は恥ずかしくなり始めた）

このように同じ begin という動詞でも自動詞では主語に〈人〉や〈事〉が来るし，他動詞では目的語をとり，その目的語が名詞であったり，不定詞であったりもする．このような語と語の結び付きを，動詞を中心にしてまとめたのが次の 3·2 の文型である．

●日本語に引かれて自動詞と他動詞を使い誤らないこと．

The typhoon will *approach* Japan next week.（台風は来週日本に近づくでしょう）《◆ approach は他動詞なので前置詞を入れて ˣapproach to Japan とはしない》

We *discussed* the problem for a long time.（私たちは長時間その問題について議論した）《◆discuss は他動詞なので ˣdiscuss about the problem としない》

Don't *laugh at* others' mistakes.（人の誤りを笑ってはいけない）《◆ この laugh は自動詞なので前置詞が必要：ˣlaugh others' mistakes としない》

I *got to* Narita Airport this morning.（今朝成田空港に着いた）《◆「着く」の get は自動詞なので前置詞が必要：ˣgot Narita Airport としない》

3.2 文型と文の構成要素

文の要素には主語，(述語)動詞，目的語，補語，副詞(句)がある．

(1) **第 I 文型 A：主語＋自動詞**

The frog jumped into the pond.（カエルが池に飛び込んだ）《◆副詞句の into the pond はなくても文法上は可》

第 I 文型 B：主語＋自動詞＋副詞(句)

He lives in Nagasaki.（彼は長崎に住んでいます）《◆「住む」意味では必ず副詞(句)が必要．副詞句の in Nagasaki を付けない He lives. では「彼は生きている」の意味になり第 I 文型 A となる》

●本辞典では［様態の副詞を伴って］あるいは《◆副詞句を伴う》などと表示している.

(2) 第Ⅱ文型：主語＋自動詞＋補語

補語になるものには名詞・代名詞・形容詞・不定詞・動名詞・分詞・前置詞句・節などがある. 補語は主語の〈人・物・事〉がどのようなものか, どういう状態・性質なのかを説明する. 主語＝補語の関係にある.

Whales are mammals. (クジラは哺乳類である)
She became famous. (彼女は有名になった)
The boy looked surprised. (少年は驚いた顔をしていた)

(3) 第Ⅲ文型A：主語＋他動詞＋目的語

目的語は, 主語が何かをするその対象が何であるかを述べる. 目的語になるものには名詞・代名詞・不定詞・動名詞・節などがある. 主語≠目的語の関係にある.

He kicked the ball (into the goal). (彼はボールを(ゴールに)けりこんだ)《◆副詞句 into the goal はなくても文法上は可》

●「同族目的語」,「結果の目的語」は用語集を参照.
第Ⅲ文型B：主語＋他動詞＋目的語＋副詞(句)
Put the book on the desk. (その本を机の上に置いてくれ)《◆ *Put the book. (その本を置いてくれ)だけではどこに置くのかわからず文意が不完全. したがってこの文型では副詞(句)が必要》

(4) 第Ⅳ文型：主語＋他動詞＋間接目的語＋直接目的語

2つのグループに分類される.「3.3 目的語を2つとる動詞」で詳しく説明した. 間接目的語≠直接目的語の関係にある.

She teaches kids English. (彼女は子供たちに英語を教えている)《◆ She teaches English to kids. とすれば第Ⅲ文型B》

(5) 第Ⅴ文型：主語＋他動詞＋目的語＋補語

補語になるものには名詞・代名詞・形容詞・不定詞・分詞・前置詞句・節などがある. 補語は目的語の〈人・物・事〉がどのようなものか, どういう状態・性質なのかを説明する. 目的語＝補語の関係にある.

John kept the door open. (ジョンはドアを開けたままにしておいた)《◆the door＝open の関係》

●知覚動詞・使役動詞もこの文型に分類される. それぞれ3.4, 3.5に詳しい説明がある.
●形式目的語 it の構文も多くはこの文型である.

3.3 目的語を2つとる動詞：他動詞＋A〈人〉＋B〈物〉「A に B を与える」

give (与える), make (作ってあげる)などの動詞は「与える」の意味から授与動詞と呼ばれることもある. B には品物だけでなく抽象名詞なども用いられる. A を間接目的語, B を直接目的語という.

I *gave* Alice a picture book. (私はアリスに絵本をあげた)
Did you *tell* the teacher the truth? (君は先生に本当のことを言ったのか)
I'm going to *buy* our mother a birthday present. (私は母に誕生日のプレゼントを買ってあげるつもりです)
Tom *found* the woman a taxi. (トムはその女性にタクシーを見つけてあげた)

この型の動詞は A と B の語順を入れ替えて「他動詞＋B〈物〉＋前置詞＋A〈人〉」と言い換えられる. このとき前置詞が to になるものと, for になるものとに大別される.

(1) give A B のグループの特徴

A と B の位置を入れ替えると give B *to* A となる.
受身にするとき to はあってもなくてもよい(→7.8(1)).

I gave a picture book *to* Alice. (私はアリスに絵本をあげた)
Did you *tell* the truth *to* the teacher? (君は先生に本当のことを言ったのか)

[give グループの主な動詞]
give / hand / lend / offer / pass / pay / promise / read / sell / show / teach / tell / write

(2) buy A B のグループの特徴

A と B の位置を入れ替えると buy B *for* A となる.
A あるいは for A がなくても正しい文である.

I'm going to *buy* a birthday present. (誕生日のプレゼントを買うつもりだ)
I'm going to *buy* a birthday present *for* our mother. (私は母に誕生日のプレゼントを買ってあげるつもりです)
Tom *found* a taxi *for* the woman. (トムはその女性にタクシーを見つけてあげた)

受身にすると for は省略できない(→7.8(2)).

[buy グループの主な動詞]
bring / buy / call / choose / find / get / leave / make / sing

●どちらのグループでも間接目的語 A を疑問詞にすることはできない.

Who [Whom] did you give the money to? (そのお金をだれにあげたのですか)《◆ to のない *Who [Whom] did you give the money? は誤り》

●広い意味で「A に B を与える」の意味を表すが, A と B の間に with が入る動詞がある. provide がその代表.

Cows *provide* us *with* milk. (牛は我々にミルクを供給してくれる)

その表す意味はさまざまだが, 基本的には「A に B を(特定の方法で)与える」の意味を持つ.

We are planning to *supply* the homeless *with* food. (私たちはホームレスの人たちに食べ物を支給する計画をしています)
The woman *endowed* the poor *with* two million dollars. (その女性は貧しい人たちに200万ドルを寄贈した)

The firm *issued* each guard *with* a hard-hat. (会社は警備員1人1人に保安帽を支給した)

3.4 知覚動詞

これには3パターンある。以下, see で代表させる.

(1) see+A+動詞原形「**A** が…するのが見える」

I saw him walk across the street. (私は彼が通りを横切るのを見た)

動詞原形の場合はその動作の一部始終を見聞きしたことを表す.

この例では walk は彼が「渡り終わった」ことを暗示する. 言い換えると He walked across the street and I saw it. (彼は通りを横切った, それを私は見た)

(2) see+A+doing「**A** が…しているのが見える」

I saw him walking across the street. (私は彼が通りを横切っているのを見た)

現在分詞は動作の途中だけを見聞きしたことを表す. ここでは walking は「歩いている最中を見た」という意味で, 渡り終わったかどうかは不明(→**5.1**). 言い直せば He was walking across the street and I saw him. (彼は通りを渡る途中だった, その彼を私は見た)

(3) see+B+過去分詞(+by A)「**B** が(**A** によって)…されるのが見える」

I saw the fence broken by the boy. (私はその塀が少年に壊されるのを見た)

これは(1)の see+**A**+動詞原形+**B**(**A** が **B** を…するのが見える)の「**A**+動詞原形+**B**」部分が受身のようになったもの. (1)で言い換えると次のようになる.

I saw the boy break the fence. (私はその少年が塀を壊すのを見た)

[主な知覚動詞]

feel / hear / listen to / look at / notice / observe / see / watch

3.5 使役動詞

他動詞+**A**+動詞原形の型で「**A**に…させる」の意味を表す.

		使役動詞
強制	make **A** do	**A**に…させる
許可	let **A** do	**A**に…させてやる
依頼	have **A** do	**A**に…してもらう
	have **B** done	**B**を…してもらう

(1) make：相手の意志にかかわりなくさせるという意味で用いられる.

The police *made* us move our cars. (警察は私たちに車を移動させた)

(2) let：相手が望んでいるからさせてやるという意味で用いられる.

The officer will *let* me use the room. (係の人はその部屋を使わせてくれるだろう)

(3) have：関係上そうさせて当然の相手にさせる, してもらうという意味で用いられる. それを職業にしている人に料金を払って何かをしてもらったり, 目上の人が目下の人に頼んで何かをさせたりする場合などである. 次の2つの形で用いられる.

(a) have **A** do **B**「**A** に **B** を…してもらう」

Please *have* the porter *take* these suitcases to my room. (ポーターにこのスーツケースを部屋に運んでもらってください)

(b) have **B** done (by **A**)「**B** を(**A** に)…してもらう」

I *had* these suitcases *taken* to my room by the porter. (私はこのスーツケースをポーターに部屋へ運んでもらった)

● (a)と(b)では **A** と **B** が能動態と受動態(受身)の関係にある. 両者の違いは, (a)では「**A**=させられる人」に焦点があり, (b)では「**B**=してもらう物」に焦点があることである. したがって(b)では by **A** は省略されるのがふつう.

I *had* a picture *taken*. (私は写真を撮ってもらった) (→**13.3(2)**)

[4] 時制

「時制」には現在時制と過去時制がある. 各時制は動詞の形で表す. つまり, 現在時制は現在形で表し, 過去時制は過去形で表す. (なお, 本辞典では未来時制, 完了時制ということばを便宜的に使っている所もある.) 注意すべきことは, 実際の日常時間と時制が表す時間が必ずしも一致しないことである. たとえば次の太字の語は過去形だが, 過去のことではなく現在のことを言っている.

Could you give me some water? (水をいただけますか)《◆ ていねいな依頼》

また次の現在形は未来のことを述べている.

He *leaves* for New York next week. (彼は来週ニューヨークへ発ちます)《◆ 将来起こることが確実だと考えられている》

4.1 現在時制

(1) 現在の事実・習慣・反復

現在時制の単純形は「昨日も今日も明日も；過去も現在も未来も」続いている状態, 繰り返される動作・行為を表す. また科学的事実や普遍の真理を表す.

I *know* his e-mail address. (彼のEメールアドレスを知っています)

London *is* famous for its fog. (ロンドンは霧で有名である)

The last train for Osaka *leaves* at 11:50. (大阪方面行き最終電車は11時50分に出ます)《◆

毎日反復される公的な取り決め》
My brother *walks* our dog every Sunday. (弟はうちの犬を毎週日曜日に散歩させます)《◆個人的な規則的な習慣. every Sunday がなくても規則的かどうかが不明になるだけで, 現在の習慣を表すことに変わりはない》
Love *is* blind. ((ことわざ)恋は盲目)《◆ことわざが現在時制であるのは真理を述べているからである》
Sound *travels* through water. (音は水中を伝わる)《◆科学的事実》
The sun *rises* in the east. (太陽は東から昇る)《◆過去・現在・未来にわたる幅広い時間を表している》
● 今の瞬間だけを表すのは現在進行形である(→5.2(1)).

(2) 未来の確かな予定
未来のことでも, 確実に起こるとみなされている場合 will を使わないで現在時制で表すことがある. ふつう未来を表す語句を伴う.
We *have* our press conference next week. (来週記者会見を行います)
The team which *wins* tomorrow's game will be sent to England. (明日の試合に勝ったチームはイングランドへ派遣されます)《◆試合で1チームが優勝するのは確実に起こることであるから, tomorrow があっても現在形で表す》

(3) 現在進行形の代用
目の前で起こっていることを描写する.
Here *comes* the bus! (ほら, バスが来たよ)
Do you *feel* bad? (気分が悪いのかい)

(4) 時・条件・譲歩を表す副詞節中で未来の代用
When my brother *comes* [×will come] home, I'll tell him you called. (兄が帰って来たらあなたから電話があったことを伝えます)
If you *post* [×will post] the letter today, it will reach him tomorrow morning. (その手紙を今日中に投函すれば明日の午前中には彼に届きますよ)

4.2 過去時制

(1) 過去の動作・行為・状態
I *went* to South Korea five years ago for the first time. (私は5年前に初めて韓国へ行った)
My mother *worked* for a newspaper when she *was* young. (母は若い頃新聞社で働いていた)

(2) 現在の事柄に対するていねい・控え目
Did you know he is getting married? (彼が結婚するって知ってた?)《◆ Do you know ...? よりもていねい》
I *hoped* you would come with us. (一緒に行っていただけると思っていました)
● 過去進行形にも同様の使い方がある(→5.3(5)).

(3) 仮定法過去
現在の事実の反対の仮定を表す(→9.1).
If he *told* the truth, they *would* forgive him. (もし彼が真実を話したら, 彼らは許してくれるだろうに)

4.3 未来の表し方

未来に起こるであろうことを表現する方法がいくつかある.

(1) 助動詞 will, shall
(a) 話し手や主語の意志にかかわりなく, 未来に起こると予想されることを表す. これを「単純未来」と呼ぶ.
Turn left, and you*'ll* find the white building. (右へ曲がればその白い建物が見えます)
(b) 話し手や主語の意志を表す. その場の思いつき・意図・決意などを表す. これを「意志未来」と呼ぶ.
I *will* answer the phone. (私が電話に出ます)
I *will* never bring an abandoned cat home again. (捨てネコをもう二度と連れて帰らないよ)
I *shall* see you tomorrow. (明日お会いしましょう)

(2) 未来進行形(→5.4)
I *won't be seeing* him again. (彼には二度と会うことはないでしょう)《◆意志ではなく推量》
Will you *be using* Room 201 this afternoon? (今日の午後201号室を使う予定ですか)

(3) be going to do
We*'re going to* eat out tonight. (今夜外で食べるつもりだ)《◆意図・確信》
It *is going to* rain tomorrow. (明日は雨が降りそうだ)《◆予測》

(4) 現在進行形(→5.2(2))
予定を表し, その準備が始まっていることを暗示する.
I*'m leaving* you tomorrow. (君とは明日お別れだ)
My sister and I *are visiting* our aunt next week. (妹とぼくは来週おばさんを訪問する予定です)

(5) be to do
公式の予定を表す(→be 助 2).
We *are to* meet in front of the city hall. (市役所の正面で会うことになっています)

(6) 現在形
ほぼ確実に起こる予定を表す.
He *leaves* for New York next week. (彼は来週ニューヨークへ発ちます)
The parade *begins* at five o'clock. (パレードは5時に始まります)

[5] 進行形

5.1 進行形の形

現在進行形	is [am, are] doing
過去進行形	was [were] doing
未来進行形	will be doing

be 動詞と現在分詞の結びついた「be 動詞+doing」を進行形という。「…している最中である, …しているところである」という動作の進行中を表すので,「動作・行為動詞」が進行形にふつう使われる。基本的には一瞬間を表す。

She *is listening* to music. (彼女は音楽を聴いている)

は彼女がいつ聞き始めたのか, どれくらいの間聞いているのか, これから先も聞き続けるのかはわからない。確かなことは今の瞬間, 聞いているという事実である。

It *is raining* now, but it will stop soon. (今は雨が降っているがすぐに止むだろう)

文法上は時間の幅を持たないから, 期間を表す for, 開始時点を表す since などと一緒には使えない。少しでも時間幅があるときは現在完了進行形で表す。

I *have been waiting* for him for ten minutes. (彼を10分間待っています)(×I am waiting for him for ten minutes.)

It *has been raining* since morning. (朝から雨が降っている)(×It is raining since morning.)

5.2 現在進行形のさまざまな意味

(1) **現在進行中の動作・行為**「(今)…しているところだ」
"What *are* you *doing*?" "I'm *dubbing* a CD." (「何をしているの」「CDをダビングしているところだ」)

Our rocket *is being built*. (私たちのロケットは今建造中だ)《◆現在進行受身形》

(2) **未来の予定・約束・取り決め**「…する予定だ」
主に往来・発着などの(日常的行為を表す)動詞を使う。未来の時を表す副詞的語句を伴うのがふつう。

I'm *coming* back in ten minutes. (10分したら戻ってきます)

My wife and I *are eating* out this evening. (妻と私は今晩外食します)

We *are meeting* at seven. (7時に会うことになっている)《◆必ずしも公式の予定を含意しない。We are to meet at seven. とすれば公式の予定》

My sister *is expecting* a baby next month. (姉は来月出産予定です)

You're *paying* this time! (今回は君が払えよ)《◆主語の意志ではなく話し手の意志を含む》

●約束や取り決めだから, 自然現象など人が計画できないことには使えない。

×It is raining tomorrow.
→It'll rain tomorrow. / It is going to rain tomorrow. (明日は雨になるだろう)

●be not doing が「決意」を表すことがある。

I'm *not giving* him another chance. (彼にもう一度チャンスを与えるつもりはない)

(3) **一時的な継続的行為・断続的な反復行為**「(最近)…している」
ある期間継続する動作, あるいは繰り返される動作を表す。

My sister *is reading* Gone with the Wind this month. (妹は今月は『風と共に去りぬ』を読んでいる)《◆途切れ途切れであってもその行為自体は続いていることを表す。今の瞬間は読んでいないかもしれない》

My father *is living* in Osaka now. (父は今大阪に住んでいます)《◆行為・動作がある期間途切れることなく続いていることを表す》

What a nice tie you're *wearing*! (なんていいネクタイをしめているの)《◆常時のことなら My boss wears no tie. (上司はいつもネクタイをしていない)のように現在形。→4.1》

Mary *is staying* up late this week to prepare for the midterm exam. (今週メリーは中間試験の勉強のために夜遅くまで起きている)《◆夜遅くまで起きていることは時間的に継続していないが, 毎日毎日繰り返されている》

●be動詞の進行形
[be 動詞+being+形容詞・名詞]は一時的な状態を言い「…のようにふるまっている, …のふりをしている」の意味。

Why *is* she *being* so nervous today? (彼女は今日なぜあんなにいらいらしてるんだろう)

She *is being* as nice as she can. (彼女はできるだけ優しくふるまっている (=She is behaving as nicely as she can.)《◆この型で用いられる主な形容詞: brave, careful, careless, clever, courageous, cruel, foolish, (un)kind, (un)selfish, stupid》

●進行形にしないと言われる動詞も, 実際には一時的な意味を強調するために進行形で使われることが多い。

"You're *needing* money, aren't you?" my father said, and gave me some. (「お金が今必要なんだろう」と父は言って少しばかり私にくれた)

She *is seeing* visions now. (彼女は今幻影を見ているのだ)《◆一時的な現象》

(4) **話し手のいらだち・不満**「いつも…してばかりいる」
always, constantly, continually などの副詞

(句)をふつう伴う.

He's always *reading* comics. (彼は漫画を読んでばかりいる)《♦ 話し手は「困ったものだ」と思っている》

She said her husband *was* constantly *working* late at the office. (夫はいつも会社で遅くまで働いてばかりいると彼女は言った)《♦「たまには早く帰って来てほしい」あるいは「健康が気になる」などの妻の不満を表している》

● always, continually などを伴うと必ず「いらだち」を表すのではない。動詞の意味による。

Many students are always *trying* to improve their command of English. (英語を自由に使える能力を伸ばそうといつも努力している生徒がたくさんいる)

Technology *is* always *evolving* and improving. (技術は絶えず進化・進歩している)

(5) ていねい・控え目「…しています」

進行形は「一時的」であるためいつまでも固執しないという含みがある。そのため相手にかけるプレッシャーも一時的となり控えめな言い方となる。

We *are hoping* you will visit us one of these days. (近日中にあなたが訪問してくださればと思っています)

I *am wondering* if I could use the telephone. (電話をお借りしてもよいでしょうか)

What *are* you *wanting*?(↗) (何が欲しいの)

5.3 過去進行形のさまざまな意味

(1) **過去のある時点での進行中の動作・行為**「…しているところだった」

He *was washing* the dishes when I called him. (私が彼に電話したとき彼は食事の後片付けをしている最中だった)

(2) **過去のある時点から見た未来の予定・約束・取り決め**「…する予定だった」

Mary said that if things didn't turn around, she *was quitting* her job at the end of the year. (事態が良くならなければその年の終わりに仕事をやめる予定だったとメリーは言った)

(3) **一時的な継続的行為・断続的な反復行為**「(当時)…していた」

My father *was writing* something after dinner every day. (父は毎日夕食後何かしら書いていた)

(4) **話し手のいらだち・不満**「いつも…してばかりいた」

He *was* always *getting* us into a mess when young. (彼は若い頃はいつも私たちをごたごたに巻き込んでばかりいた)

(5) **ていねい・控え目**「…しています」

I *was wondering* if you would help me. (あなたが私を助けてくださればありがたいと思っていますが)《♦ 過去形だが意味は現在》

5.4 未来進行形のさまざまな意味 「(その頃は)…していることだろう」

(1) **未来のある時点での進行中の動作・行為**

At this time tomorrow, we *will be flying* over the Atlantic Ocean. (明日の今ごろは大西洋上空を飛んでいるだろう)

(2) **未来への予測**「…する予定だ」

I *won't be seeing* him again. (彼に二度と会うことはないでしょう)《♦ 話し手の意図・意志を表さない. I won't see him. では意志を表し「会うつもりはない」の意味》

(3) **ていねい・控え目**「…しています」

I'*ll be waiting* for you. (お待ちいたしております)《♦ I'll wait for you. より控え目》

5.5 進行形に用いない動詞の注意点

進行形は「…している」と訳すが、日本語に引きずられて「知っている (know)」、「所属している (belong)」、「理解している (understand)」などを英語にするときに進行形にしないように注意.

進行形にできない動詞は「状態動詞」(see, hear, smell; like, love; believe; have, own; remain など)である. ただし、ある動詞が進行形で使えるかどうかは単語ごとに決まっているのではなく、使われるときの意味による. たとえば have は「持っている」の意味では進行形にできないが、「食べる」の意味では進行形にできる. smell は「においがする」では進行形不可だが「においをかぐ」では進行形可.

[6] 完了形

単純形	have [has] done
完了進行形	have [has] been doing
完了受身形	have [has] been done

6.1 現在完了:have [has]+過去分詞

現在完了の「現在」は、過去の動作や状態が「現在とつながっていること」を意味している.「…した(だから今は…だ)」という含みを読み取ることが文によっては必要である.「完了・結果」「経験」「継続」の用法がある. それぞれ一緒に使われる「時を表す副詞(句)」が限定されるので、どの用法かを判断する手がかりになる. 以下の用例では、その推測され得る含みの例を《 》で示してある.

(1) 完了・結果

現時点での動作の完了とその結果を述べる:「ちょうど…した／…してしまった／…した」

[一緒に使われる語句] just, now, yet, already, at last など

The clock ***has just struck*** ten. (時計がたった今10時を打った)《「もう10時になったのか」,「やっと10時になった」》◆ 過去形の The clock struck ten. では10時を過ぎてどれくらい経ったのか不明》

Have you ***finished*** your homework ***yet***? (宿題はもう終わったの)《「終わってないのなら,遊びに行ってはいけません」》

The taxi ***has arrived***. (タクシーが到着しました)《「タクシーが今ここにいる」,「さあ行きましょう」,「早くしなさい」》

The storm ***has washed*** the bridge away. (嵐が橋を押し流してしまった)《「向こうへ渡れない」》《◆ 過去形の The storm washed the bridge away. では今は橋が修復されているかもしれない》

● (米)ではしばしば過去形+already [yet] で現在完了形の代用をする。

I ***saw*** it ***already***. (それはすでに見た)

Did you eat your burgers ***yet***? (もうハンバーグは食べたのですか)

(2) 経験

現時点までの経験を述べる:「…したことがある」

[一緒に使われる語句] before, once, … times, ever, never など

I ***have visited*** the anime festival. (アニメ祭りに行ってきたよ)《「どんな内容か知っている」》◆ 完了形はアニメ祭りがまだ開催中であることを表し,過去形の I visited the anime festival. ではアニメ祭りが終わっていることを含む》

Have you ever ***been*** to Yokohama? (横浜へ行ったことがありますか)《「横浜への行き方を教えてほしい」》

I ***have*** never ***heard*** him speak ill of others. (彼が人の悪口を言うのを聞いたことがない)《「彼は人の悪口を言うような人ではない」》

● (米)ではしばしば Have you ever …? の代わりに Did you ever …? も用いる。

Did you ***ever*** meet the President? (大統領に会ったことがあるかい)

(3) 継続

現時点までの継続を述べる:「(ずっと)…してきた,している」

[一緒に使われる語句] for A, since A, since 節

I've ***been*** very busy lately. (最近とても忙しい)《「何かをする暇がない」,「一緒に行けない」》

動作動詞(run, sing, look など)は現在完了進行形 have [has] been doing を用いる。

We ***have been playing*** soccer for two hours. (サッカーを2時間やっています)《「まだやっています」》◆ 単純な進行形は時間幅を表さないので ×We are playing soccer for two hours. とは言えない》

状態動詞・動作動詞の両方に使える動詞は単純形・現在完了進行形が可。

He ***has lived*** [***has been living***] in London for two years. (彼はロンドンに2年間住んでいる)《「ロンドンのことはよく知っているはずだ」》◆ has lived … は「彼はロンドンに2年間住んだことがある」の経験にもとれる。 ➔6.1(2)》

I ***have known*** him since childhood. (彼を子供の時から知っている)《「彼がどんな人物かはわかっている」》《状態を表す know, like, belong などの動詞は have done のみ可で,×have been doing は不可》

● 上の(1)(2)(3)に共通して,過去の一時点を表す語句 ago, just now(ちょっと前), yesterday, last week など,疑問副詞の when(いつ)と一緒に使えない。これらの語句は現在とのつながりがないからである。

×When have you moved to this town? (いつこの町に引っ越してきたのですか)《◆ 過去の一時点を表す語句は過去形と用いるので When did you move to this town? が正しい》

(4) 未来完了の代用:「…した,…し終わる」

時の副詞節(when, while, before, after など)や条件の副詞節(if, unless など)では未来を表す will を使えない(➔4.1(4))ので, will have done を have [has] done とする。

When you ***have written*** your name, write the date. (名前を書き終わったら日付も書いておきなさい)《◆ ×will have written は誤り》

6.2 過去完了:had+過去分詞

過去の一時点までの「完了・結果」「経験」「継続」の用法がある。その過去の一時点を表す語句を通例伴う。以下の用例では下線部がその過去の一時点である。

(1) 完了・結果

過去の一時点までの完了・結果を述べる:「(すでに)…していた」

The parcel ***had arrived*** <u>on May 1st</u>. (小包は5月1日には着いていた)

(2) 経験

過去の一時点までの経験を述べる:「…したことがあった」

Had they ***been*** to America <u>before</u>? (彼らはそれ以前にアメリカへ行ったことがあったのですか)

I ***hadn't seen*** a lion <u>before I was ten years old</u>. (10歳になるまでライオンを見たことがなかった)

(3) 継続

過去の一時点までの継続を述べる:「…していた」

動作動詞では had been doing(過去完了進行形)を用いる.

> He ***had stayed*** in his father's firm <u>till his father died</u>. (彼は父親が亡くなるまで父親の会社にいた)
>
> He ***had preached*** in that church <u>for fifty years</u>. (彼はその教会で50年間説教をしていた)
>
> I ***had been waiting*** for an hour <u>when you called me</u>. (君が電話をくれたとき私はもう1時間も待っていたのだ)

(4) **大過去**:「…した」

「財布をなくしたことに気がついた」と言う場合日本語では「なくした」も「気がついた」も同じ言い方だが, 英語では先に起こった方を had done で表す(→10.1). この過去完了を「大過去」とも呼ぶ.

> When I got home, I <u>found</u> I ***had lost*** my wallet. (家に着いたとき, 財布をなくしたことに気がついた)
>
> When I <u>got</u> to the station, the train ***had left***. (駅に着くと電車はすでに出ていた)
>
> I <u>got</u> home, and the mail ***had come***. (帰宅すると, 郵便が来ていた)
>
> My mother <u>asked</u> me where I ***had been*** all night. (一晩中どこへ行っていたのかと母が私に尋ねた)
>
> I <u>ate</u> my lunch after my wife ***had come*** [came] home. (妻が帰って来たあとで昼食を食べた)《◆接続詞 when, after, before, because などと共に用いて時の前後関係が明白な場合, しばしば過去時制で代用される》

(5) **特殊用法**

expect, hope, intend, mean, suppose, think, want などの動詞を過去完了で使うと, 実現できなかった希望・意図などを表す.

> I ***had hoped*** that I would succeed. (成功するものと思っていたのに)《◆ I hoped to succeed but failed. の方がふつう; I hoped to have succeeded. は今はまれ》

6.3 未来完了: will [shall] have+過去分詞

未来の一時点までの「完了・結果」「経験」「継続」の用法がある. 未来の一時点を表す語句を伴う.

(1) **完了・結果**

未来の一時点までの完了・結果を述べる:「(ある時までに)…して(しまって)いるだろう」

通例 by+時を表す語句を伴う.

> <u>By next Sunday</u>, I'***ll have moved*** into the new house. (来週の日曜日までには新居に引っ越しているだろう)

●未来完了は堅い感じを与えるため, 次のように表現することもある.

> I'll be through with (=I'll have finished) the work by noon. (昼までに仕事をすませているだろう)

(2) **経験**

未来の一時点までの経験を述べる:「…したことになるだろう」

[一緒に使われる語句] ... times などの副詞(句)

> I ***shall have taken*** the examination <u>three times</u> if I take it again. (もう一度試験を受けると3回受けたことになる)

(3) **継続**

未来の一時点までの継続を述べる:「…していることになるだろう」

[一緒に使われる語句] for ... など期間を表す副詞(句)

> By the end of next month she ***will have been*** here <u>for five years</u>. (来月末で彼女はここに5年いることになる)

[7] 受身

主語(**A**)+動詞+目的語(**B**)(「**A** は **B** を…する」)の文を能動態という. 受身(受動態)は, その主語と目的語の位置を入れ替えて「**B** は **A** に…される」という意味を表す.

A+他動詞+**B**

> The mayor cut the ribbon. (市長がテープをカットした)

B+be 動詞+過去分詞+by **A**

> The ribbon ***was cut*** by the mayor. (テープは市長によってカットされた)

7.1 受身の基本形

<u>The president</u> interviewed <u>the student</u>.
(社長がその学生を面接した)
主語　　　　　動詞　　　　目的語

<u>The student</u> ***was interviewed*** by the president.　主語　　　　動詞
(その学生は社長に面接された)

受身では動作・行為を受ける〈人・物・事〉が主語になる. 動作・行為をする〈人・物・事〉は by **A** で表される.

7.2 by Aがない場合

「だれ・何」によってその動作がなされるのかが自明の場合, また不明であったり明らかにする必要がない場合は by **A** を省略する.

> The injured people ***were taken*** to the

hospital.（負傷した人たちは病院へ運ばれた）《◆運んだ人はおそらく救急隊員らであろう》

Taking photographs inside this building *is* strictly *forbidden*.（この建物内で写真を撮ることは堅く禁じられています）《◆撮影を禁じる人は当局の人などである》

Five people *were injured* in the accident.（その事故で5名が負傷した）

●by him [them] などが使われることはほとんどないが, 次のような代名詞は省略されない.

He *wasn't seen* entering the room by anyone.（彼は部屋に入るところをだれにも見られなかった）

Peace *is desired* by everybody.（平和はだれもが望んでいる）

7.3 by 以外の前置詞

行為者をby A（Aによって）で表すが, それ以外の原因・理由, 対象などを他の前置詞で表すことがある.

His name *is known to* young people in Japan.（彼の名は日本の若者に知られている）

She *was surprised at* the news.（彼女はそのニュースを聞いて驚いた）

Some young people *are interested in* cars.（自動車に興味を持つ若者もいる）

[その他の例]
be covered with [by] / be disappointed at [in, with] / be filled with / be satisfied with [about, at, by]

7.4 疑問詞がある受身

疑問詞（句）は文頭に置く.

What language *is spoken* in Mexico?（メキシコでは何語が話されていますか）《◆疑問詞の句が主語なので be 動詞＋過去分詞の語順. 能動態は What language do they speak in Mexico?》

When *was* the fan club *formed*?（いつそのファンクラブは結成されたのですか）《◆疑問詞が主語以外のときは「疑問詞＋be 動詞＋主語＋過去分詞…?」の語順. 能動態は When did they form the fan club?》

●Who discovered the island?（だれがその島を発見したか）の受身 Who was the island discovered by? は不自然であり, By whom was the island discovered? は堅苦しく響くのでどちらもふつう言わない.

7.5 進行形の受身 「be 動詞＋being＋過去分詞」の語順

The fence *is being painted* by my father.（塀は父がペンキを塗っている）

Dinner *was being served* when I entered the room.（私が部屋に入った時食事が並べられているところだった）

7.6 完了形の受身 「have [has, had] been＋過去分詞」の語順

Your room *has been prepared*.（お部屋の準備ができました）

This machine *has* never *been used*.（この機械は使われたことがない）

7.7 命令文の受身「Let B be＋過去分詞」の語順

Let the results *be known* (to us) now.（結果を今知らせよ）《◆ 堅い言い方で〈文〉. 能動態は Let us know the results now.》

7.8 目的語を2つとる動詞の受身

(1) give A B グループ（→3.3(1)）の受身は3通り

He was given the camera.（彼はそのカメラをもらった）《◆何を与えられたかに焦点》

The camera was given him.（そのカメラは彼に与えられた）《◆〈ややまれ〉. だれに与えられたかに焦点》

The camera was given to him.（そのカメラは彼に与えられた）《◆だれに与えられたかに焦点》

(2) buy A B グループ（→3.3(2)）の受身は B を主語にして, for A とするのがふつう

The hat *was bought for* Ann by her husband.（その帽子はアンが夫に買ってもらったのだ）

7.9 知覚動詞の受身

知覚動詞（→3.4）そのものはふつうの受身と同じだが, (1)のパターンでは動詞原形が to＋動詞原形になる.

(1) see+A+動詞原形のグループ

He *was seen to* walk across the street by many people.（彼は通りを横切るのを多くの人に見られた）

●notice, watch は受身不可.

(2) see+A+doing のグループ

ふつうの受身と同じ. doing 部分は影響を受けない.

He *was seen* walking across the street by many people.（彼は通りを横切っているところを多くの人に見られた）

●see+B+過去分詞のグループは受身にできない.

7.10 使役動詞の受身

使役動詞（→3.5）の make+A+動詞原形は動詞原

形の前に to を置いて be made to do となる.
  We *were made* to move our car by the police. (私たちは警察に車を移動させられた)
● let は受身形がないので be allowed [permitted] to do で代用する(→let 他 **1**).
●have の受身はない.

7.11　句動詞の受身

動詞の後の前置詞や副詞はそのまま過去分詞のあとに続く.
  I *was laughed at*. (私は笑われた)《◆能動態は They laughed at me.》
  Our dog *was run over* by a truck. (うちの犬はトラックにはねられた)《◆能動態は A truck ran over our dog. =A truck ran our dog over.》
●**A** take care of **B** のグループの受身
ふつうは **B** を主語にして受身にする.
  The children *are taken care of* by two nurses. (その子たちには2人の看護師によってケアがなされている)
care に no, much, good などが付いている場合にはその部分を主語にして受身が可能なものもある.
  Good care is taken of the children by two nurses. (その子たちには十分なケアが2人の看護師によってなされています)
[このグループの主なもの]
  find fault with **B** / lose [catch] sight of **B** / make a fool of **B** / make allowance for **B** / make fun of **B** / make mention of **B** / make use of **B** / pay attention to **B** / take advantage of **B**

7.12　get+過去分詞

be 動詞のときは状態と動作の両方を意味してあいまいになることがある.
  They *were married* last year.
  [状態](彼らは昨年は結婚していた)
  [動作](彼らは昨年結婚した)
このようなとき be 動詞を get に変えると動作だけを明確に表すことができる.
  They *got married* last year. (彼らは昨年結婚した)
  Did the suspect *get arrested*? (容疑者は逮捕されたか)

7.13　慣用的な受身

  It is thought that Japanese is a difficult language. =Japanese *is thought to* be a difficult language. (日本語は難しい言語だと思われている)《◆能動態は People [They] think that Japanese is a difficult language.》
[このグループの主なもの]
  be believed to do / be reported to do / be said to do / be supposed to do (…すると考えられている)

[8]　助動詞

助動詞の can / could / dare / do / had better / may / might / must / need / ought to / shall / should / used to / will / would に共通する使い方をここで述べる. 意味の違いなどは各語を参照のこと.

8.1　助動詞の役割

現在や過去の事実を事実として(客観的に)述べるのではなく話し手の主観(的な心理や判断)を加えるのが助動詞である.
  He *may* know her e-mail address. (彼は彼女のEメールアドレスを知っているかもしれない)
  She *will* be at her office. (彼女はオフィスにいるでしょう)
  You *must* come home by five. (5時までに帰宅しなさい)
  My brother *can* stand on his head. (弟は逆立ちができる)

8.2　助動詞の使い方

(1)「助動詞+動詞原形」の語順にする:
  It *will* rain tomorrow. (明日は雨だろう)
(2) 三単現の -s を付けない:
  He *will* come on time. (彼は時間通りに来るだろう)
(3) 否定語は直後に置く:
  She *need* not come so early. (彼女はそんなに早く来る必要はない)
● ought to と used to の否定はそれぞれの語を参照.
(4) 進行形・受身形・完了形の前に置く:
  The work *will* have been finished by tomorrow. (仕事は明日にはすでに終わっているだろう)
(5) 疑問文では主語の前に出す:
  Should I wait for her? (私は彼女を待たなければいけませんか)
(6) 助動詞を2つ以上並べない:

×We will can move into a big house this year.《◆We will be able to move into a big house this year.（今年は大きな家に引っ越しできるだろう）とする》

8.3 may [cannot, must, need, will] + have +過去分詞

助動詞が現在での推量を表し，have＋過去分詞（完了形）が過去のこと，あるいは現在までの経験・継続を表す．

She ***cannot have done*** such a thing.（彼女がそんなことをしたはずはない）（＝I'm sure that she didn't do [hasn't done] such a thing.）

Since she is not in her office, she ***must have gone*** home.（彼女がオフィスにいないのなら，帰宅したのに違いない）

You ***will have bought*** the lottery tickets.（その宝くじをお買いになったでしょう）

8.4 could [would, should, might, ought to] + have +過去分詞

過去の事柄に対する現在の時点での推量・可能性・義務などを述べる．

It was a fine day. You ***would have enjoyed*** picnicking.（良い天気だったので，ピクニックを楽しまれたことでしょう）

I ***should have attended*** the lecture but I didn't.（私はその講演を聴くべきだったのだが，聴かなかった）

A wise father ***would not have let*** his son go there alone.（賢明な父親であれば息子をそこへ1人で行かせはしなかっただろうに）《◆これは仮定法過去完了．➡9.5(4)》

[9] 仮定法

仮定法は「法」という意味がわかれば理解が早い．

たとえば弟との相部屋ではなく，自分の部屋が欲しいとき親に，「自分の部屋が欲しい」と言うのが直説法，「私の部屋を作れ」と言うのが命令法，「自分の部屋があればもっと勉強ができるんだけどな」と言うのが仮定法．3つとも同じ事を伝えているのだけれど，気持ちの伝え方が違っている．この気持ちの伝え方の違いが「法」である．仮定法とは，現在や過去の事実とは反対のことを想像して述べる表現方法である．

仮定法は文法上の動詞の時制に注意が必要だが，それ以上に，何を伝えようとしているのかを理解することが大切である．その伝えたい真意を《 》で例示しておいた．

9.1 仮定法過去

[動詞の形]：if＋主語＋過去形 …，主語＋would [should, could, might]＋動詞原形 …

[意味]：「もし…だとしたら，…だろうに」

話し手にとって現在においてありえない（と思われる）こと，未来において起こりえないと思われることを仮定する．現在の事実の反対の仮定，または未来において実現の可能性がないか，少ないと思われることを述べるのに使われる．

If I ***had*** another stamp now, I ***could*** give this one to you.（もう1枚切手を持っていたらこの1枚を君にあげられるのだけれど）《2枚持っていないからあげられなくてすまないと言っているのかもしれないし，あげたくないときの断りの言葉かもしれない．どちらの意味にしても事実としての文は As I don't have another stamp now, I can't give this one to you.》

If your father ***heard*** of that, what ***would*** he do?（もしそれを聞けばお父上はどうなさるでしょう）《that の内容がよいことならほめているのだろうし，よくないことなら気づかっていることになる》

If that company ***could*** improve the quality of its products, its sales ***would*** increase.（あの企業が製品の質を改良できれば売り上げは伸びるだろうに）《事実は As that company can't improve the quality of its products, its sales will not increase. と言える．伝えたいのは「改良できそうもないからだけど」と言っているのかもしれないし，「まだまだ生き延びる道はある」と言っているのかもしれない》《◆if 節内に助動詞過去形可》

if 節内の動詞が be 動詞のとき，主語が単数であっても were を使う．《略式》では was を使う．

If there were [《略式》***was***] more street lights along the road, ***there would not be*** so many accidents.（道路沿いにもっと街灯があれば，そんなに多くの事故は起こらないだろうに）《事実は There are not many street lights along the road, and so there are so many accidents. と言える．「事故を防ぐために街灯をもっと設置せよ」と言っているのであろう》

If I were you, I wouldn't ask him to help me.（ぼくが君なら彼に援助を頼まないのだが）《「彼に援助を頼むな」と言っている．You must not ask him to help you. / Don't ask him to help you. と同じ．If I were you, … は相手に忠告するときに用いる》

●if 節が過去完了形となることもある．「もしあの時…だったとしたら，今…だろうに」の意味を表す．

If I ***had caught*** that plane, I ***would*** be dead now.（もしあの飛行機に間に合っていたら今

ごろは死んでいるだろう》《事実は Since I didn't catch that plane, I am alive now. だが、「あの飛行機に間に合わなくてよかった」と安堵しているのであろう》

9.2 仮定法過去完了

[動詞の形] if+主語+had+過去分詞 ..., 主語+would [should, could, might] have+過去分詞 ...
[意味]「もし(あの時)…だったとしたら、…だっただろうに」

過去の事実について反対の仮定を表す.

If you *had studied* harder, you *would have passed* the exam. (もっと一生懸命勉強していたら、君は試験に合格していただろうに)《事実は You didn't pass the exam, because you didn't study hard enough. と言える. 「勉強しなかったのだから試験に落ちたのもしょうがない」と言っているのであろう》

If I *had known* your illness, I *would have visited* you in the hospital. (あなたが病気だと知っていたら病院へお見舞いに行ったのに)《事実は As I didn't know your illness, I didn't visit you in the hospital. お見舞いに行かなかったことを詫びたり弁解しているのであろう》

She *might have been* saved *if* the police *had arrived* a bit earlier. (警察がもう少し早く到着していたら彼女は救助されていたでしょうに)《事実は She was not saved, because the police did not arrive early. だが、警察の到着の遅れを責めているのであろう》

●if 節が過去形となることもある.

If he *were* a woman, he *might not have said* such a thing. (もし彼が女性ならばそんなことは言わなかっただろうに)《◆「もし彼が女性であれば」という仮定は過去だけでなく現在でも言えることだから、×If he had been a woman とはしない》

9.3 仮定法現在

(a) 要求・提案・必要などを表す動詞・形容詞・名詞に続く that 節の中で動詞原形を用いる形を「仮定法現在」と呼ぶ. 現在の時点での「そうあってほしい」という気持ちを表す. ただしは(米)用法.
[動詞の形]　　　動詞+that+主語+動詞原形
　　　　　　It is+形容詞+that+主語+動詞原形
　　　　　　　名詞+that+主語+動詞原形
[意味]「…であるように、…することを」

I demanded that she *be* back by five. (彼女が5時までには戻って来るようにと私は要求した)

It is important that she *learn* to control her temper. (彼女が自分の感情を抑えられるようになることは重要だ)

The policeman gave orders that she *produce* her identification. (警官は彼女に身分証明書を出すようにと命令した)

They recommend that this tax *not be* [*be not*] abolished. (この税金を廃止しないように彼らは勧めている)《◆ 否定文では not は be の前後いずれに来てもよい. 一般動詞の場合は not は前に置く：They suggest that I *not eat* meat. (私は肉を食べないようにと彼らは勧めている)

●(英)用法は動詞原形ではなく「should+動詞原形」を用いる.
●この構文に用いられる主な語は次の通り.
[動詞] advise, agree, ask, decide, demand, desire, entreat, insist, intend, move, order, propose, recommend, request, require, suggest, urge
[形容詞] desirable, essential, imperative, important, necessary, proper, right
[名詞] consensus, decision, desire, insistence, move, order, proposal, recommendation, request, suggestion, wish
●接続詞 lest の節中も仮定法現在を用いることがある.

He walked on tiptoe lest he *be* heard. (彼は聞こえないようにつま先で歩いた)

(b) 慣用用法
文語もしくは堅い書き言葉で用いられる. 用例と語法は → be 動 自 4.

9.4 接続詞 if の省略

if を省略して主語と were や had を入れ替えて「倒置」にすることがある. これは文語表現なので読むときにわかればよい.

Were I in your position, I would not raise an objection to his proposal. (私があなたの立場であれば彼の案に異議を唱えることはしないのだが)(=If I were [was] in your position, ...)《◆ 倒置の場合は必ず Were+主語で、Was は使えない》

Had I been able to speak Korean, I could have enjoyed shopping in Seoul much more. (韓国語を話せたらソウルでのショッピングをもっと楽しめただろうに)(=If I had been able to ...)

Should he not be there, I would be disappointed. (万一彼がそこにいないなら、がっかりだな)(=If she *should* not be there, ...)

9.5 if 節を使わない場合

(1) to 不定詞で代用

To hear him speak, you would think he is American. (彼が話すのを聞けばアメリカ人と思うでしょう)(=If you heard him speak, ...)

(2) 事実の文+otherwise で代用

She did her best; *otherwise* she would not have won first prize. (彼女はベストをつくしたのだ、そうでなければ1位にならなかっただろうに)《◆事実の文(She did her best)＋; otherwise が if節(If she had not done her best,)に相当する》

(3) 副詞句で代用

With a little more time, I could have helped you. (もう少し時間があれば、手伝ってあげたのだが)(=If I had had a little more time, ...)

This would have been a tragedy *ten years ago*. (10年前ならこれは悲劇になっていただろう)

But for his hot temper, he would make a perfect husband. (すぐかっとならなければ、彼は完璧な夫なのだが)(=If he did not have a hot temper, ...)

Without water, nothing could live. (水がなければ何も生きていけないだろうに)(=If it were not for water, ...)

(4) 主語で代用

A man of sense would not do so. (分別のある人ならそうはしないだろう)(=If he were a man of sense, he would not do so.)

(5) 名詞句+and で代用

Another step, and you would have fallen into the river. (もう一歩動いたら、君は川へ落ちていただろうに)(=If you had taken another step, you would ...)

(6) 分詞構文で代用

Born in better times, he would have become famous. (もっといい時代に生まれていたら彼は有名になっていただろうに)(=If he had been born in better times, ...)

9.6 I wish

I wish+主語+動詞：事実に反することや実現不可能なことへの願望を表す．

(1) [仮定法過去]：wish **A**+(助)動詞過去形「(今)…すれば[であれば]いいのだがと思う」

I wish he *were* [(略式) *was*] here with me now. (彼が今ここに一緒にいてくれたらなあ)《I am sorry he is not here with me now. (彼が今ここに一緒にいなくて残念だ)と言っている》

I wish I *could* come to the party tonight. (今夜のパーティーに行けたらなあ)《I am sorry I can't come to the party tonight. (今夜のパーティーに行けなくて残念だ)と言っている》

How I wish I *had* more time to talk with you. (あなたともっと話せる時間があればどんなにかいいでしょうに)《What a pity I have no more time to talk with you! (あなたとこれ以上お話する時間がなくてなんて残念なことでしょう)と言っている》

I wish you *would* listen. (ちゃんと聞いてもらいたいのだが)《◆would を用いると現状への不満や遺憾の意が含まれ、通例期待感の薄い願望を表す》

(2) [仮定法過去完了]：wish **A**+(助)動詞過去形+have+過去分詞「(あの時)…していれば[であったら]よかったのにと思う」

I wish he *had followed* my advice. (彼が私の忠告に従っていたらよかったのに)《I am sorry he didn't follow my advice. (彼が私の忠告に従わなかったのが残念だ)と言っている》

I wish I *could have watched* the finals last night. (昨夜の決勝戦を見ることができていたらよかったのだが)《I am sorry I could not watch the finals last night. (昨夜は決勝戦を見られなくて残念だ)と言っている》

How I wish I *had been* more careful. (もっと注意していればよかったのになあ)《What a pity I wasn't careful! (注意しなかったのが残念だ)と言っている》

●仮定法過去・仮定法過去完了ともに主語にI以外も可．また仮定法は時制の一致をしない(→10.2(3))．

He *wishes* [*wished*] he *had* an apartment in Tokyo. (彼は東京にアパートがあればなあと思っている[思った])

9.7 as if [though]

(1) [仮定法過去]：as if+主語+過去形「まるで…であるかのように」《◆as if 節内の過去形は主節の動詞の表す時制と同時である》

Tim writes *as if* he *were* [(略式) *was*] left-handed. (ティムはまるで左ききのような書き方をする)《◆次のような意味の違いを認める人もいる：were は実際は左ききでないこと、was は左ききかもしれないことを示す》

Tim wrote *as if* he *were* [(略式) *was*] left-handed. (ティムはまるで左ききのような書き方をした)

(2) [仮定法過去完了]：as if+主語+過去完了形「まるで…であったかのように」《◆as if 節内の過去完了形

は主節の動詞の表す時制より以前を表す》

He <u>looks</u> *as if* he *hadn't eaten* for days.
（彼はまるで何日間も食べていないかのように見える）

He <u>looked</u> *as if* he *hadn't eaten* for days.
（彼はまるで何日間も食べていなかったかのように見えた）

◉不定詞句・前置詞句・分詞句・形容詞の直前に as if を置くことも可.

His hands were folded at his breast *as if* in prayer. （彼の手はまるでお祈りの時のように胸のところで組まれていた）

He stood motionless *as if* struck by lightning. （彼はまるで雷に打たれたかのようにじっと立っていた）

9.8　it is time

「もう…する時間だ」を It is time＋主語＋過去形で表すことがある. これも仮定法過去である.

It is time he *knew* the world better. （世の中のことを彼ももっとよくわかっていい頃だ）（＝It is time for him to know the world better.）

It is high [about] *time* you *went* to bed. （もう寝る時間ですよ）《◆high や about は強意》

It is about *time* she *was* getting along with us. （そろそろ彼女は私たちと仲良くしてもいい頃だ）《◆(1) 主語が単数の場合 be 動詞は were でなく was がふつう. (2) 進行形可》

Is it time our baby *could* walk? （そろそろうちの赤ん坊は歩ける頃じゃないか）《◆助動詞過去形可》

9.9　その他の仮定法表現

以下は本編の成句参照.

IF only / IF it had not been for **A** / IF it were not for **A** / IF **A** should / IF **A** were to do / SUPPOSE [SUPPOSing] ... / would RATHER / WOULD that ...

[10]　時制の一致と話法

主節の動詞が過去時制になる場合, 従節の動詞はそれを基準にして変化する. これを時制の一致という. 多くは他動詞＋that 節[wh 節]の文で起こる.

第三者の言葉を人に伝えるとき, その第三者が発した言葉をそのまま伝えるか, 自分の言い方に直して伝えるか, 2通りある. 前者の伝え方を直接話法, 後者を間接話法という.

10.1　時制の一致

日本語と比較してみる.
(a) 「彼は10分したら帰って来ると私は思います」
(b) 「彼は10分したら帰って来ると私は思った」

2文の違いは文尾が違うだけである. これを英語で表すと次のようになる.

(a) I *think* that he *will* be back in ten minutes.
(b) I *thought* that he *would* be back in ten minutes.

主節の動詞が現在形(a)から過去形(b)になると, 従節の動詞は現在形から過去形になる.

従節の動詞が過去形のときは, 主節の動詞が過去形になると, 過去完了形になる.

I *know* that Mary *went* abroad. （私はメリーが外国に行ったことを知っている）
→I *knew* that Mary *had gone* abroad. （私はメリーが外国に行ったことを知っていた）

従節の動詞が現在完了形のときは, 主節の動詞が過去形になると, 過去完了形になる.

She *thinks* that he *has been* abroad since 2002. （彼は2002年から海外に行っていると彼女は思っている）
→She *thought* that he *had been* abroad since 2002. （彼は2002年から海外に行っていると彼女は思っていた）

10.2　時制の一致をしない場合

(1) 歴史上の事実
歴史上の事実は現在を基準にするのでいつも過去形で表す.

We *learned* that the Normans *invaded* England in 1066. （私たちは1066年にノルマン人がイングランドを侵略したことを知った）

He *said* that he *was* born in 1985. （1985年生まれだと彼は言った）

(2) 普遍の真理・一般的事実は現在形で表す.

We *learned* that oil *floats* on water. （油は水に浮くことを習った）

Ann *wrote* in her book that there *is* a waterfall in the east of the island, which actually exists. （その島の東部に滝があるとアンは本に書いたが, 事実その滝は存在する）

(3) 仮定法

She *said* if she *were* free she *could* help Tom. （彼女はもしひまだったらトムを手伝えるのにと言った）（＝She said, "If I were free I could help Tom."）

He *looks* [*looked*] as if nothing uncom-

文法のまとめ

mon *had happened*. (彼はあたかも変わったことが何も起こらなかったかのような顔をしている[していた])

●次の過去形は, 従節の中の主節の時制と同時を表す.

Tom told me he *had met* me when I *was* a high school student. (トムは私が高校生だったとき会ったことがあると言った)《◆この文で was を had been にすると had met より以前を表すことになり同時ではなくなる》

10.3　時制の一致をする場合としない場合の意味の違い

Our teacher *said* she *lives* [*lived*] in this city. (先生はこの市に住んでいると言った)《◆現在形の lives は今もこの市に住んでいることを表す. 過去形 lived であれば今も住んでいるかどうかは不明》

My father *said* every individual *has* [*had*] to learn to be responsible. (個人はひとりひとり責任があることを学ばねばならないと父は言った)《◆過去形 had では父の言ったことをそのまま述べただけだが, 現在形 has では話し手も真理だと思っていることが表されている》

Copernicus *taught* that the earth *moves* [*moved*] around the sun. (コペルニクスは地球が太陽の周りを回ると教えた)《◆話し手がコペルニクスの言ったことをそのまま伝える場合は過去形となり, コペルニクスの言った内容が真理であると話し手も信じていることを表す場合は現在形となる》

She *did*n't tell me when she *will* [*would*] come home. (彼女はいつ帰宅するか私に言いませんでした)《◆will では彼女がまだ帰宅していないとを表す》

●after, before, because の場合は時間の前後関係をはっきり表していて意味も変わらないので, 時制の一致をしないこともある.

I went to bed after I (had) watched TV. (テレビを見てから寝ました)

10.4　直接話法と間接話法

人の言った言葉をそのまま伝えるのを直接話法, 話し手が自分の言葉に言い直して伝えるのを間接話法という.
間接話法で表現する時は, 時制の一致をさせたり, 代名詞や時・場所を表す副詞(句)を話し手の立場から見た適切なものに変えたりする必要がある.

(1) 時制の一致

She said, "*I'm* going to China with my husband." (「夫と中国へ行くつもりです」と彼女は言った)

→She said (that) she *was* going to China with her husband.

He said to me, "I *arrived* at the station before five." (「5時前に駅に着いた」と彼は私に言った)

→He told me that he *had arrived* at the station before five.

(2) 人称代名詞・指示代名詞の整理

She said to Ben, "I'm glad to see *you*." (彼女はベンに「あなたに会えてうれしいわ」と言った)

→She told Ben (that) *she* was glad to see *him*.《◆I は she と同一人物なので she に, you は Ben と同一人物なので him にする》

He said to me, "You can use *this* bike." (彼は私に「この自転車を使っていいよ」と言った)

→He told me that I could use *that* bike.《◆その自転車が手もとにあるのなら this を用いる》

(3) 時・場所を表す語句の整理

She said, "Max will start *tomorrow*." (「マックスは明日出発します」と彼女は言った)

→She said (that) Max would start *the next day* [*the following day*].《◆今日言ったのなら the next day [the following day] ではなく tomorrow を用いる》

The police said, "The accident happened *here* two hours *ago*." (「事故は2時間前に起こった」と警察は言った)

→The police said the accident had happened *there* two hours *before*.《◆事故現場で話しているのなら there ではなく here を用いる》

10.5　間接話法の動詞

(1) 疑問文

She *said to* me, "What juice do you like?" (「どんなジュースが好きなの」と彼女は私に尋ねた)

→She *asked* me what juice I liked.《◆疑問詞のある疑問文のときは疑問詞+主語+動詞の語順にする. ⇒1.3(2)》

I *said to* her, "Do you know my name?" (「ぼくの名前を知っていますか」と私は彼女に言った)

→I *asked* her *if* [*whether*] she knew my name.《◆疑問詞のない疑問文のときは whether, if を用いる》

(2) 命令文

He *said to* me, "Come to my house at 7:30." (彼は私に「7時半に家に来てくれ」と言った)

→ He *told* me to come to his house at 7:30.《◆命令の強さにより order, command, ask, request, advise などに使い分ける》

Many doctors *say to* us, "*Don't* eat too much." (「食べ過ぎてはいけません」と多くの医者

が私たちに忠告している)
→ Many doctors *advise* us *not to* eat too much.
(3) **提案・勧誘**
Mary *said*, "*Let's* invite Bill to the party."(「ビルをパーティーに招待しましょう」とメリーが言った)
→ Mary *proposed that* we (should) invite Bill to the party.
(4) **感嘆文**
She *said*, "*How* confident he looks!"(「何と自信たっぷりなんでしょう」と彼女は言った)
→ She *exclaimed how* confident he looked.《◆文脈により cry (out), sigh などを用いる》

[11] 不定詞

to 不定詞(to+動詞原形)と原形不定詞(動詞原形.to なし不定詞とも呼ばれる)がある。原形不定詞は,助動詞(➡8)の後に,また知覚動詞(➡3.4)や使役動詞(➡3.5)とともに用いられる(動詞原形は命令文でも用いられる。➡1.8)。ここでは to 不定詞だけを扱う.

11.1 名詞的用法

(1) **主語** 「…すること」
To walk is a healthy form of exercise. (歩くことは健康によい運動だ)
(2) **補語** 「…すること」
The best way is *to make* efforts. (最善の方法は努力することだ)
What [All] you have to do is (*to*) *press* the button. (ボタンを押すだけでよいのです)《◆be 動詞の直前に動詞 do がある場合 be 動詞の後の不定詞の to は省略されることが多い》(=You ónly hàve to press the button.)
(3) **目的語** 「…すること」
I hope *to work* with you. (あなたと一緒に仕事をしたい)
[to do を目的語にとる主な他動詞] (➡12.7(2)(3)(4))
afford / begin / cease / continue / decide / desire / expect / forget / hate / hope / intend / like / love / manage / mean / offer / pretend / promise / refuse / regret / remember / start
(4) **他動詞+目的語+to do**
to doをする主体は目的語(➡11.4(1))
He told me *to wait* for him. (彼は私に待って くれと言った)

[目的語+to do をとる主な他動詞]
advise / allow / ask / cause / compel / enable / expect / force / forbid / get / help / imagine / like / oblige / permit / persuade / promise / request / tell

11.2 形容詞的用法

(1) **名詞修飾**「…すべき,…するための,…する価値のある」
関係代名詞で言い換えられることも多い.
I have two more letters *to write*. (書かなくてはいけない手紙がもう2通ある)(=… letters (which) I should write.)《◆不定詞を関係詞節で言い換えると助動詞が必要になることが多い》
She was the first *to come*. (彼女が最初に来た)(=She was the first who came.)
The poor prince didn't have any friends *to play* with. (かわいそうに王子様には一緒に遊ぶ友だちがいませんでした) (=… any friends (whom) he could play with. =… any friends with whom he could play. =… any friends with whom to play. (➡20.7))
(2) **同格的用法**「…という」
前の名詞を修飾しその内容を具体的に説明する。多くは同格の that 節(➡22.5)で言い換えられる.
Some women don't have a strong *desire to get* married. (結婚したいという強い願望を持たない女性もいる) (=… a strong desire that they ((主に英)) should) get married.)
How about a plan *to go* hiking? (ハイキングに行く計画はどうですか)
[この to を用いる主な名詞]
attempt / decision / desire / intention / plan / promise / refusal / tendency / wish

11.3 副詞的用法

(1) **動詞修飾**
目的・原因・結果・仮定・判断の根拠などを表す.
She moved to Boston *to live* with her old mother. [目的](彼女は年老いた母と一緒に住むためにボストンへ引っ越した)《◆「…する目的で」の意味をはっきり表すために so as [in order] to do とすることも多い。この目的の否定については➡11.7》
He awaked *to find* himself alone in the room. (彼は目を覚ますと部屋には自分ひとりだった) [結果] (=He awaked and found …)《◆何かをするために目を覚ますことは不自然》
To hear you sing, people might take you

for a girl. [仮定] (君が歌うのを聞けば人は君を少女と間違うかもしれない)

He must be very rich *to have* expensive cars. [判断の根拠] (高価な車を数台持っているなんて彼は金持ちにちがいない)

(2) 形容詞・分詞修飾

その意味内容を具体的に述べたり, 原因・理由などを説明する (➡17.6(2)).

I am glad *to see* you. [原因] (あなたにお会いできてうれしい)

He is likely *to come* here today. (彼女は今日ここへ来そうだ)

(3) 独立不定詞句

文全体を修飾し, 慣用句として使われる.

needless to say (言うまでもなく) / so to speak (いわば) / to be frank (with you) (率直に言って) / to begin with (まず第一に)

11.4　不定詞の意味上の主語

(1) 文の主語や目的語と同じ場合

不定詞の意味上の主語が文中に出ているときは, 表さない.

I have something *to tell* you. (ちょっとお話したいことがあります)《◆to tell の意味上の主語は I》

I advise you *to find* good friends while a student. (学生時代によい友だちを見つけるよう薦めます)《◆to find の意味上の主語は you. 他動詞+目的語+to do では目的語が to do の意味上の主語である. ただし promise の場合は文の主語 : I promise you *to give* the CD back to you tomorrow. (明日 CD を返すことを私はあなたに約束します)》

(2) for ... で表す場合

不定詞の意味上の主語が文の主語と異なるときは, for ... を to の前に置く. これは名詞的・形容詞的・副詞的用法全てに適用される.

I stepped aside *for* the kids *to enter* the room. (子供たちが部屋に入れるように私は脇によけた) (=I stepped aside so that the kids could enter the room.)

There are some urgent questions *for us to discuss*. (私たちが話し合わなくてはならない緊急の問題がいくつかある) (=... questions (which) we must discuss.)

11.5　不定詞の完了形

その文の動詞が表す時よりも以前のことを表す.

I am sorry *to have kept* you waiting so long. (長い間お待たせしてすみません) (=I am sorry that I have kept you waiting so long.)

We believe him *to have been* a doctor. (私たちは彼が以前医者だったと思っている) (=We believe that he was a doctor.)

● 未来のある時点に完了していることを表すこともある.

I hope *to have read* this book by next Tuesday. (次の火曜日までにはこの本を読み終えてしまいたいと思っている)

● 実現されなかった希望・意図などについては ➡6.2(5).

11.6　不定詞の受身形

to be+過去分詞で表される.

Something has *to be done* at once. (いますぐ何か手が打たれなければならない)

The politician refused *to be interviewed*. (その政治家はインタビューされるのを拒否した)

11.7　不定詞の否定

to の直前に not を置く.

Try *not to be* late. (遅れないようにしなさい)

He told me *not to wait* for him. (彼は私に待たないでくれと言った)

● 副詞的用法の目的の場合はふつう not to do とは言わず so as [in order] not to do とする.

I got up early *so as not to miss* the train. (電車に遅れないように早く起きた)

● 意味上の主語と否定の not の両方を使うときは for A not to do の語順になる : It was impossible *for* Bob *not to think* of her. (ボブは彼女のことを考えないようにするのは無理だった)

11.8　疑問詞+to do

疑問詞+to do は名詞句として用いられる.

I don't know *how to* express my thanks. (どのように感謝の気持ちを表せばよいのかわかりません) (=... how I should express ...)《疑問詞の節で言い換えると助動詞が必要になることが多い》

Please tell me *when to* start tomorrow. (明日はいつ出発するのか教えてください) (=... when we will start ...)

I'll ask him *where to* wait for him. (彼をどこで待てばよいのか聞いてみよう) (=... where I should wait for him.)

● why to do はない.

11.9　代不定詞

不定詞の繰り返しを避けるため to だけを残すことがあ

る. 会話で多く用いられる.
"Would you like to come to my party?"
"I'd like *to*." (「パーティーにいらっしゃいませんか」「行きたいですね」)《◆ to come to your party の代わり》

I went there because I wanted (*to*). (行きたいからそこへ行った)《◆ to go there の代わり. want では to も省略されることがある》

The exam was easier than I imagined it *to be*. (試験は思っていたよりやさしかった)《◆ be 動詞のときは be を省略しないのがふつう》

●使役動詞のときはもともと to がないので代不定詞の to も表されない.

She wanted to throw up her job, but her pride would not let her. (彼女は仕事を投げ出したかったが, プライドが許さなかった)

[12]　動名詞

動詞に -ing を付けて名詞化されたもので, 「…すること」という意味を表し, 名詞と同じ働きをする. つまり, 主語, 補語, 他動詞の目的語, 前置詞の目的語になる. 動詞の性質も持つので, 目的語・補語や副詞(句)などを伴う.

動名詞は不定詞(名詞的用法)と比べ「一般的なこと・事実・進行中のこと・過去のこと・体験済みのこと」を述べるのに原則として用いられる.

見た目は現在分詞(→13)と同じだが, 意味・用法ともに異なる.

12.1　動名詞の用法 「…すること」

(1) **主語**
主語に用いると動名詞は単数で一致させる.
Walking every day is good for the health. (毎日歩くことは健康によい)

Being together with you makes me very happy. (あなたと一緒にいるととてもうれしくなります)

(2) **補語**
My favorite pastime is *chatting* on the Internet. (私の好きな気晴らしはインターネットでチャットすることです)

The important thing is *getting* along with your friends. (大切なことは友人と仲良くやっていくことです)

●第Ⅴ文型の目的補語に使われることはない. したがって We saw him *sleeping* on the bench. の sleeping は現在分詞である.

(3) **他動詞の目的語**
I enjoyed *playing* tennis with her yesterday. (昨日は彼女とテニスをして楽しみました)

He finished *ironing* his clothes a few minutes ago. (彼は数分前に衣類にアイロンをかけ終えた)

[動名詞を目的語にとる主な他動詞] (→12.7(1)(3))
admit, avoid, consider, deny, enjoy, finish, forget, mind, miss, practice, remember, resent, resist, resume, stop, suggest

●want, need, require では動名詞は受身の意味になる.
This knife wants *sharpening*. (このナイフはとぐ必要があります)《◆ナイフが主語だから受身の「とがれる」の意味》

(4) **前置詞の目的語**
Are you interested in *learning* foreign languages? (外国語を学ぶことに興味がありますか)

There is a difference between *spending* time alone and *being* lonely. (ひとりで時を過ごすことと孤独でいることには違いがある)

12.2　動名詞の完了形

その文の動詞の時制より以前の時を表すときは完了動名詞を用いる.
He is ashamed of *having said* such a foolish thing. (彼はそんなばかなことを言ったのを恥ずかしく思っている)(=He is ashamed that he *said* such a foolish thing.)

●意味の上から時間の前後関係や因果関係が明らかな場合は単純形もしばしば用いられる.
I regret *making* [*having made*] so many promises. (私はあんなにたくさんの約束をしたことを後悔している)

12.3　動名詞の受身形 「…されること」

I don't like *being regarded* as a student writer. (私は学生作家と思われるのが嫌です)

Being invited to have dinner with you is a great honor. (一緒に食事をしようと招待されることはとても光栄です)

12.4　動名詞の否定

動名詞の否定は否定語をその直前に置く.
He suggested *not joining* the project. (彼はその企画に参加しないことを提案した)

Do you mind my *not attending* the meeting? (私が会議に出なくてもかまいませんか)《意味上の主語があるとき動名詞の直前に置く》

I am ashamed of not *having told* the

truth. (真実を言わなかったことを恥ずかしく思っている)《◆完了動名詞のときもふつう動名詞の直前に置く》

12.5 動名詞の意味上の主語

動名詞の意味上の主語が，その文の主語と異なる場合，ふつうは所有格を前に置く．《略式》では目的格も用いられる．

I don't remember Tom's [Tom] *saying* such a thing. (私はトムがそんなことを言ったのを覚えていません)

My father has agreed to my [me] *marrying* Mary. (父はぼくがメリーと結婚することに賛成してくれた)

She complained of *the room* being too cold. (彼女はその部屋が寒すぎると不満を言った)
《◆意味上の主語は物・事でも可だが，'sは付けない：
×She complained of *the room's* being too cold.》
●動名詞が主語の場合は目的格は不可．
His [×Him] *being* late again made his boss angry. (彼がまた遅刻したので上司が怒った)

12.6 動名詞を用いた複合語

名詞の前に置いて，用途・目的を表す．
a *díning* càr (食堂車) (= a car for dining)
a *cúrling* ìron (頭髪カール用のコテ) (= an iron for curling)

12.7 他動詞+doing と他動詞+to do

他動詞には，目的語に動名詞と不定詞の一方しかとらないものと両方をとるものがある．

(1) **動名詞をとる他動詞**
He *avoided* giv*ing* a definite answer. (彼は明確な返答をするのを避けた)
She *enjoyed* walk*ing* in the mountains. (彼女は山を歩くのを楽しんだ)
[このグループの主な他動詞]
admit / avoid / consider / deny / enjoy / finish / mind / oppose / postpone / practice / quit / recall / resume / stop

(2) **不定詞をとる他動詞**
He *refused to* accept such an absurd proposal. (彼はそんなばかげた提案を受け入れることを拒否した)
[このグループの主な他動詞]
afford / decide / desire / expect / hope / manage / mean / offer /

pretend / promise / refuse

(3) **両方をとり意味がほぼ同じ他動詞**
Tom *began* runn*ing* [to run] after Jerry. (トムがジェリーを追いかけ始めた)
[このグループの主な他動詞]
begin / cease / continue / hate / intend / like / love / start

(4) **両方をとり意味が異なる他動詞**
次の語では，動名詞は過去のことを述べ，不定詞は未来のことを述べる．

I *remember* see*ing* her somewhere before. (私は彼女に以前どこかで会ったのを覚えている)
I still *remember to* visit you at 3 o'clock tomorrow. (私はあなたを明日3時に訪問するのをちゃんと覚えています)
[このグループの主な他動詞]
forget / regret / remember

[13] 分詞

13.1 分詞の種類：現在分詞と過去分詞

現在分詞と過去分詞がある．be動詞の後に現在分詞を置くと進行形，過去分詞を置くと受身になる．
Birds *are flying* in the south. [進行形](⊃5) (鳥が南へ飛んでいる)
The injured *were taken* to the hospital. [受身](⊃7) (けが人は病院へ運ばれた)

13.2 分詞の形容詞用法

分詞は形容詞のように名詞を修飾することができる．現在分詞は「…している[進行]，…させる[能動]」，過去分詞は「…した[完了]，…された[受身]」が基本的意味．
分詞が1語のときは名詞の直前に置く．

(a) **自動詞の場合**
fàlling léaves (散っている葉，舞い落ちる葉)
fàllen léaves (散った葉，落葉)

(b) **他動詞の場合**
an *exciting* movie (人を興奮させる映画)
an *excited* spectator (興奮した観客，興奮させられた観客)

2語以上の場合は名詞の後ろにまとめる．
Do you know the girl *singing by the window*? (窓の所で歌っている少女を知っていますか)《◆これらは関係代名詞+be動詞を補って考えるとわかりやすい：… the girl (who is) singing by the window?》
We came to a meadow *filled* with sheep. (私たちは羊がいっぱいいる草地に出た)《◆… a

meadow (which was) filled with sheep.》
●進行形にできない動詞(状態動詞)の場合も, 現在分詞にして使える.

We need a secretary ***knowing*** how to use computers. (コンピュータの使い方を知っている秘書が必要だ)《◆進行形にできない動詞のとき関係代名詞を使える... a secretary who knows [×is knowing] how to use computers.》

He is a magician performing tricks. (彼は手品をやる奇術師です)《◆この文では He is a magician who performs tricks.の意》

13.3　分詞を補語に用いる用法

(1) 主語＋自動詞＋分詞

(a) 主語＋自動詞＋現在分詞

They stood ***talking*** by the window. (彼らは窓辺で話しながら立っていた)

Let's get ***going***. (さあ始めよう)

(b) 主語＋自動詞＋過去分詞

We seemed ***lost*** in the mist. (私たちは霧の中で道に迷ったようだった)

Let's get ***started***. (さあ始めよう)

●「動作・行為」を表す受け身の get＋過去分詞は ➡ 7.12.

(2) 主語＋他動詞＋目的語＋分詞

(a) 主語＋他動詞＋目的語＋現在分詞

I can't set this engine ***going***. (このエンジンを始動できない)

Don't keep me ***waiting***. (待たせないでくれ)

He caught the kids ***picking*** off apples. (彼は子供たちがリンゴをもぎ取っているところを捕まえた)

I can hear a dog ***barking***. (犬がほえているのが聞こえている)

(b) 主語＋他動詞＋目的語＋過去分詞

目的語と過去分詞は受け身の関係にある. 文型は第Ⅴ文型だから目的語＝過去分詞の関係にある.

I want this job ***finished*** right away. (この仕事を今すぐ終わらせてもらいたい)

I had a picture ***taken***. (私は写真を撮ってもらった) (➡3.5(3))

You had better get the bad tooth ***pulled*** out. (虫歯を抜いてもらった方がいいよ) (➡ 3.5(3))

I heard my name ***called*** from behind. (私は後ろから名前が呼ばれるのが聞こえた) (➡3.4(3))

He had his bike ***stolen*** yesterday. (彼は昨日自転車を盗まれた)[被害]

13.4　分詞構文の基本形

現在分詞や過去分詞の句が従節と同じ役割をもつことがある.

Making up in front of the mirrors, the actors were chatting. (鏡の前で化粧をしながら, 俳優たちはおしゃべりをしていた)

主節に対して同時進行・付帯状況・時・連続する動作・原因・理由などを表す. ただし, 実際はこれらのどれか1つに限るわけではなく, 複合している場合やどれか1つに決められない場合も多い.

一般動詞は -ing 形にする. being は省略されることが多い.

Looking into the shop windows, we strolled along the street. (ショーウインドーをのぞきながら私たちは通りを歩いた) (＝As we were looking into the shop window, ...) [同時進行]

She left the room, (***being***) ***confused*** with his words. (彼女は部屋を出ていった, 彼の言葉に困惑しながら) [付帯状況]

(***Being***) ***Jealous*** of Bob's new bicycle, Mary asked her mother to buy her one. (ボブの新しい自転車がうらやましくて, メリーは母親に自分にも1台買ってとねだった) [理由]

Now I am a grown-up, (***being***) ***capable*** of taking care of myself. (ぼくはもう大人なのだから自分のことは自分でできる) (＝..., and so I am capable of taking care of myself.) [結果]

Jack, ***hearing*** a noise, went downstairs. (ジャックは物音を聞いて, 階下へ降りて行った)《◆主語と動詞の間に入ることもある》[先行する動作]

13.5　分詞構文の完了形

現在完了と過去完了に相当する場合がある.

Having heard your explanations, I am more inclined to agree with you. (あなたの説明を聞いたので, 私はもっとあなたに賛成したくなりました) (＝Because I have heard your explanations, ...)

Having read only a few books on the subject, Max considered himself an expert. (そのテーマの本をわずか2，3冊読んだだけでマックスは自分を専門家だと思ってしまった) (＝After he had read a few books on the subject, ...)

13.6　分詞構文の否定

否定するときは not, never など否定語を分詞の前に置く.

Not knowing what to do, he asked for help. (どうしてよいかわからなかったので彼は助けを求めた) (＝Since he did not know what to do, ...)

My father listened to me, ***never interrupting*** me. (父は私の話を聞いてくれた，一度も話の腰を折らずに)

Not having slept well the night before, he felt so sleepy. (彼は前の晩よく眠れなかったので眠かった)《◆完了形の場合 ×Having not slept としない》

13.7 独立分詞構文

主節の主語と従節の主語が異なるときはどちらも残しておく．これを独立分詞構文という．文語的な表現である．

<u>Ellie</u> ran toward him, <u>her heart</u> ***beating*** strongly. (エリーは彼の方へ走った，心臓が強くドキドキしていた)

<u>There</u> ***being*** no vacant seat in the bus, <u>I</u> had to stand. (バスに空席がなかったので私は立っていなくてはならなかった) (=Since there was no vacant seat in the bus, ...)

13.8 慣用的な分詞構文

意味上の主語が一般の人々(you, we, one, people など)なので省略されている．

Generally speaking, many of the Japanese houses are made of wood. (一般的に言うと，日本の家屋の多くは木造である)

[慣用的分詞構文の主なもの]

all [other] things being equal (すべて他の条件が同じだとすれば) / all things considered (すべてを考慮すると) / broadly speaking (おおざっぱに言えば) / counting ... (…を数えると) / frankly speaking (率直に言えば) / generally speaking (一般的に言えば) / given ... (…と仮定すると) / granted (that) ... (仮に…としても) / judging from **A** (**A**から判断すると) / personally speaking (個人的に言えば) / provided 節... (もし…ならば) / speaking as **A** (**A**の立場から言えば) / speaking of **A** (**A**と言えば) / strictly speaking (厳密に言えば) / such [that] being the case (こう[そう]いう事情なので) / taking all things into account (あらゆることを考慮すれば) / talking of **A** (**A**と言えば) / weather permitting (天気がよければ)

[14] 名詞

詞の役割

他動詞の目的語，前置詞の目的語に使われる．

主語：***Prices*** keep increasing. (物価が上がり続けている)

補語：The hot dog is a popular ***food*** in America. (ホットドッグはアメリカで人気の食べ物だ)

他動詞の目的語：I couldn't lift the heavy ***box***. (私はその重い箱を持ち上げられなかった)

前置詞の目的語：She is good at ***tennis***. (彼女はテニスが上手だ)

14.2 名詞の種類

(1) 普通名詞 (Ⓒ 名詞)

形があり数えられ，人・動物・物を表す名詞．
student / doctor / dog / book / telephone / park / computer など

(2) 物質名詞 (Ⓤ 名詞)

一定の形や区切りのない物質を表す名詞．
butter / coffee / ink / meat / paper / tea / water など
数える方法はいくつかある．
[容器] a cup of coffee (コーヒー1杯)
[計量単位] a kilogram of meat (肉1キロ)
[個数] a piece [sheet] of paper (紙1枚)

●Ⓒ 扱いでは種類を言う．

This is <u>a different **coffee**</u> from the one I usually buy. (これは私がいつも買うのとは違うコーヒーです)

Gold is <u>a precious **metal**</u>. (金は貴重な金属である)

They sell <u>health</u> ***foods*** at that store. (あの店では健康食品を売っている)

(3) 抽象名詞

抽象的な概念を表す名詞．
advice / beauty / democracy / difficulty / news / peace / truth など

●その具体例として数えるときは a piece of を用いるものもある．

a piece of advice (1つの)助言, two pieces of news (ニュース2つ)

● Ⓤ 名詞だが，その具体的な1つを表したり，形容詞が付くとその1種類と考えて Ⓒ 名詞となるものもある．

a ***beauty*** (美人，きわだって美しいもの)

Thank you for your many ***kindness***es. (あれこれとご親切にありがとうございます)

(4) 固有名詞

特定の人・物・場所などの名前を表す名詞．
Annie / Times (『タイムズ』紙) / Windows (ウインドウズ) / Japan / Paris / Tokyo
固有名詞にはthe を付けるものもある：the Pacific

Ocean (太平洋) / the Thames (テムズ川) / the Internet (インターネット)

(5) 集合名詞

(a) 人・動物・物の集まりで1つの単位をなす名詞. (Ⓒ名詞)(本辞典では[集合的に；単数・複数扱い]と表示されている)

1つの単位と考えれば単数扱い.

The team is aiming at full victory. (そのチームは完全優勝をねらっている)

There *are three soccer teams* in our city. (我が市にはサッカーチームが3つある)

その構成員ひとりひとりを思い浮かべると複数扱い.

The team are all married. (チームのメンバーはみんな結婚している)《◆集合名詞の構成員1人を話題にする場合：<u>A member of</u> the team was injured. (チームの1人がけがをした)》

[主な集合名詞]

audience / cabinet / class / committee / company / crew / crowd / family / fruit / generation / government / group / hair / jury / population / poultry / public / staff / team

(b) 家具類のように物・事の集まりで常に1つのまとまりとして扱われる名詞. 常に単数扱い. (Ⓤ名詞)

量として考えるので「多・少」は little, much で表す.

There *is* much *furniture* in the room. (その部屋には家具がたくさんある)《◆ ˣThere are many furnitures ... とは言わない》

1つ1つを数える場合は a piece of ... などを使う.

She bought <u>three pieces of</u> furniture. (彼女は家具を3点買った)

[主な集合名詞]

baggage / food / fruit / jewelry / luggage など

14.3 Ⓒ名詞（数えられる名詞）とⓊ名詞（数えられない名詞）

(1) Ⓒ 名詞には単数形と複数形があり, そのままでは使えない. book を例にとると次のようになる.

a book / the book / two books / another book / some books / many books / all the books / ˣbook

このように a(n), each, every, two, some, many などを付けることができ, 複数形になる.

[複数形になると単数形の意味の他に別の意味をもつ名詞]

単数形の意味	複数形の意味
a custom 習慣	customs 関税, 習慣
a letter 手紙, 文字	letters 文学, 学問
a look 一見, 顔つき	looks 顔つき, ルックス
a manner 方法	manners 行儀, 作法

(2) Ⓤ 名詞は a(n) や数詞を付けることもできないし, 複数形にもできない. the, some, much などを付けることができる.

[Ⓒ と Ⓤ で意味が異なる名詞]

	Ⓒ	Ⓤ
absence	（1回の）欠席	欠席, 不在
change	転地	つり銭
chicken	ニワトリ（1羽）	鶏肉
company	会社	仲間, 友だち
exercise	練習問題	運動
fire	火事（1件）	火
game	ゲーム, 試合	獲物, 目標
glass	グラス	ガラス
iron	アイロン	鉄
land	国	土地
language	（個々の）言語	ことばづかい
medicine	薬	医学, 薬
paper	新聞, レポート	紙
people	（1国の）国民	人々
room	部屋	空間, 余地
stone	石（1個）	石材
time	時代	時, 時間
town	町	都会
trouble	もめごと	悩み
work	作品	仕事

(3) 日本語での意味は同じだが Ⓒ 名詞と Ⓤ 名詞とで使い分けるものがある.

	Ⓒ名詞	Ⓤ名詞（総称的）
祖先	an ancestor	ancestry
エンジン	an engine	enginery
友だち	a friend	company
宝石	a jewel	jewelry
仕事	a job	work
手紙	a letter	mail
機械	a machine	machinery
詩	a poem	poetry
風景	a scene	scenery
小説	a story, a novel	fiction

14.4 名詞句の主格・目的格関係

動詞・形容詞から作られた名詞は, 意味上の主語や目的語の関係が前置詞などで表される.

the *influence* <u>of</u> West <u>upon</u> Japan (西洋の日本への影響)《◆文にすると West influenced Japan. (西洋は日本へ影響を与えた)あるいは West will influence Japan. (西洋は日本へ影響を与えるだろう)である. この例では of は主格関係を表し, upon は目的格関係を表してい

のように名詞化表現には現在のことか，過去のことか，未来のことかが表されないので，意味をとるときには注意が必要》

our team's *entry* to the competition（わがチームの大会への参加）《◆'s が主格関係を，to が目的格関係を表している》

her interest *in* baseball（彼女の野球への興味）《◆She is interested [has (an) interest] in baseball. の名詞化表現》

a sharp increase *in* the cost of petrol（ガソリンの価格の急な上昇）《◆the cost of petrol が主語，increase が自動詞の関係》

the improvement *in* the ability of your body to use oxygen during exertion（歩行中に体が酸素を消費する能力の向上）

a search *of* the room *for* the missing key（なくなった鍵を求めての部屋の捜索）

14.5 名詞の形容詞的用法

(1) 形容詞形のない名詞はふつう形容詞的に用いられる．前置詞を用いて名詞と名詞をつないだ場合と比較してみれば，その簡潔さがよく理解できる．

the murder which took place at the hotel by the side of the river（川のそばのホテルで起こった殺人事件）
=the riverside hotel murder（川沿いホテル殺人事件）

さらに，「名詞＋名詞」の組み合わせが正しい場合もある．

a baseball player（野球選手）《◆*a player of baseballとは言わない》

このような「名詞＋名詞」の結び付きが決まっているものを複合語と言う．

car industry（自動車産業）／ *film production* companies（映画製作会社）／ *information* society（情報社会）／ a *school* newspaper（学校新聞）／ *university entrance* examinations（大学入学試験）

(2) 形容詞形があるのに，名詞を形容詞的に用いる語がある．両者はふつう意味が異なる．（本辞典では重要語では名詞のところに［形容詞的に］と表記していることもある．（例：*lace* 图 [形容詞的に] レースの．この表示はないが用例で示している場合もある．例：the *departure* platform（発車ホーム））

{ a mud house（泥で作った家）
{ a muddy house（泥だらけの家）

{ a convenience store（コンビニ）
{ a convenient store（便利な店）

{ ～ talks（和平会談）
{ ～ talks（穏やかな会談）

{ salt water（海水，塩水）
{ salty water（塩辛い水）

{ a baby boy（男の赤ん坊）
{ a babyish boy（(行動が)赤ん坊みたいな男子）

{ a music teacher（音楽の先生）
{ a musical teacher（音楽的センスのある先生）

[15] 代名詞

15.1 代名詞の種類

指示代名詞：this, these／that, those／such, same

人称代名詞：

	主格	所有格	目的格	所有代名詞	再帰代名詞
1人称単数	I	my	me	mine	myself
1人称複数	we	our	us	ours	ourselves
2人称単数	you	your	you	yours	yourself
2人称複数	you	your	you	yours	yourselves
3人称単数	he	his	him	his	himself
3人称単数	she	her	her	hers	herself
3人称単数	it	its	it	—	itself
3人称複数	they	their	them	theirs	themselves

不定代名詞：all, both, each, every, one, another, other
either, neither
any, anything, anybody, anyone
some, something, somebody, someone
everything everybody, everyone
none, nothing, nobody

疑問代名詞（⇒1.3(2)）: who, whose, whom／which／what／when, where

関係代名詞（⇒20）: who, whose, whom／which／that／as／than／what

15.2 指示代名詞

(1) this, that, these, those

4つとも，独立用法(単独で主語・目的語などになる)でも形容詞用法でも用いられる．this, that は単数形，these, those は複数形．それぞれ，主語に用いた場合動詞は主語の数に一致する．

Those [*Those* students] are diligent.（あの人たち[あの生徒たち]は勤勉です）

This [*This* book] is too long.（これ[この本]は長すぎる）

(2) this (these) と that (those) の違い

this は空間的にも心理的にも話し手に近いものをさす．一方 that は遠いものをさす．

I *like* this dress better than *that*. (この服の方があれよりも好きだ)

It was colder *that* morning than *this* morning. (今朝よりもあの日の朝の方が寒かった)
this は前述・後述のもの両方をさすが, that は後ろに出るものをさせない.

You must obey *this* [˟*that*]. Be sure to ask permission before you leave. (次のことを守ること. 出て行く前に必ず許可を得よ)

(3) **such と same**

such は「そのような物・事・人」, same は「同じ事；同じような事［物］」の意味. 文法上の違いは such は冠詞を付けず複数形にもならずそのままで, same はふつう the same で用いる.

Beauty is only skin deep. *Such* is beauty. (美貌は皮一重. 美しさなんてそんなものだ)

She bought a kimono, and I bought *the same*. (彼女は着物を買い, 私も同じ物を買った)
どちらも形容詞的にも用いられる.

such a (useful) book (そんな(役に立つ)本)《◆a の位置に注意》

the same book (同じ本)

15.3 人称代名詞の主な用法

(1) **主格**(I, we, you, he, she, it, they)
(a) 主語に用いる.
He sings well. (彼は歌が上手だ)

Yóu are to blame. (君が悪いのだ)《◆他の人ではないことを強調するため強勢を置くと「…が」と訳せることが多い》(=It is *yóu* that are to blame.)

(b) 付加疑問文で用いられる.
Jack married Betty, didn't *he*? (ジャックはベティと結婚したのだったね?)

(2) **所有格**(my, our, your, his, her, its, their)
(本辞典では用例・成句では one's と表示されている)
(a) 名詞に付ける：「…の, …の所有の」の意味.
my house (私の家), *her* mother (彼女の母)
文脈によってはさまざまな意味を表す.
his juku (彼の塾)《◆「彼の通っている塾」「彼の勤めている塾」「彼の経営している塾」など. 生徒が自分の通っている学校を言う場合は our ［˟my］ school》

(b) (略式)では動名詞の意味上の主語にも用いられる.
I have no objection to *their* going home at once. (彼らが今すぐ帰宅することに異存はありません)

(c) その人にかかわる「特定」,「唯一」の物・事・人を表すことがある.
My train left at 5 o'clock. (私の乗った電車は5時に出た)

What is *her* weight? She seems to have lost weight. (彼女の体重はどれくらいなのだろうか. 体重が減ったようだ)《◆第2文で ˟have lost *her* weight とすると彼女の体重, つまり全体重がなくなってしまうことになるので不可》

●成句表現では所有格・目的格両方を用いることができるものがある. 本辞典では次のように表示されている.
for A's sake =for (the) sake of A (〈人・物・事〉の利益のために)

(3) **目的格**(me, us, you, him, her, it, them)
(a) 他動詞と前置詞の目的語に用いられる：「…を, …に」
Please take *me* to the zoo. (私を動物園に連れて行ってください)

Let's play tennis with *her*. (彼女とテニスをしよう)

Will you use a microphone for *us* to hear you better. (もっとよく聞こえるようにマイクを使ってください)《◆不定詞の意味上の主語》

(b) 動名詞の意味上の主語に用いられる：「…が」
I don't like *him* being out so late. (彼がそんなに遅くまで外出するのは気に入らない)

(c) 主格(I, we, he, she, they)の代用
主格が正式であり, この代用は(略式).
"Who struck me?" "It was *him* (that struck you)."(「私をなぐったのはだれだ」「彼だ」)

I'm taller than *him*. (私は彼より背が高い)《◆ただし動詞があるときは目的格不可. ... than he ［˟him］ is.》

"I'm glad to be with you." "*Me*(,) too." (「あなたと一緒でうれしい」「ぼくもだ」)《◆*I'*m(,) too. の代用》

She is honest. Yes, but「not *hím* [(正式) hé is not]. (彼女は正直だが, 彼はそうではない)《◆he is not の代用》

(4) **所有代名詞**(mine, ours, yours, his, hers, theirs)
(a) 「所有格＋先行名詞」の代用. 主語・補語・他動詞の目的語・前置詞の目的語に用いられる：「…のもの」
This book is *hers*. (この本は彼女のものです) [=her book]

(b) 内容に応じて単数・複数扱い
Our children go to bed early, but *theirs* stay up late watching TV. (うちの子らは早寝だが, 彼らの子供たちは遅くまで起きてテレビを見ている)《◆their children の代用なので複数扱い. ただし「彼ら」の子供が1人の場合は their child の代用なので theirs stays up のように単数扱い》

(c) 1つの名詞に対して, 人称代名詞の所有格(my, his など)と, 冠詞(a, an)や指示代名詞などを一緒に使うことはできない. a [an, this, that など]＋名詞＋

of+所有代名詞」の語順にする.

this room ***of mine*** (私のこの部屋)[×this my room]

a friend ***of hers*** (彼女の友だちの1人)[×a her friend]

● ×the friend of hersは不可. her friendと言う.

(5) 再帰代名詞(myself, ourselves, yourself, yourselves, himself, herself, itself, themselves)

(a) [再帰用法] 主語と目的語が同一の場合, 目的語に用いる. 他動詞の目的語と前置詞の目的語に用いられる:「自分自身を, 自分自身に」

I hurt ***myself***. (私はけがをした)

They bought a new car for ***themselves***. (彼らは自分たちが使うのに新車を買った)

●場所を表す前置詞の後では人称代名詞の目的格を用いることが多い.

She looked around ***her*** [×herself]. (彼女はあたりを見回した)

(b) [強調用法] 主語または目的語を強調して, 強く読む:「自分自身(で), 自ら」

She went to Paris ***hersélf***. (彼女は自らパリへ行った)《◆She ***hersélf*** went ...も可能だが, 文尾がふつう》

I spoke to the mayor ***himsélf***. (私は市長自身に話した)

(c) [強調代用形] それぞれの目的格の代用形

I wanted to talk to his mother and ***himself***. (私は彼のお母さんと彼に話をしたかった)《◆himを強調している》

15.4　名詞に先行する場合

代名詞はLinda→sheのように前に出ている名詞を受けるのに使う.

I happened to see Linda and talked to ***her***. (私はリンダをたまたま見かけて彼女に声をかけた)

従節や前置詞句が主節に先立つ場合, 代名詞が先に出てもよい.

When ***he*** heard the news, Max jumped up with joy. ＝When Max heard the news, he jumped up with joy. (その知らせを聞いて, マックスはうれしくて跳びあがった)《◆従節が後に来る場合は不可:×He jumped up with joy, when Max hard the news.》

Because of ***its*** bitter taste, coffee is not pleasant for children to drink. (苦い味なのでコーヒーは子供が飲むにはおいしくない)

●先行する前置詞句の中に固有名詞や普通名詞がある場合, 後続する代名詞はその名詞を指すのではない.

In Henry's house, ***he*** searched for the missing key. (ヘンリーの家で, 彼は紛失した鍵を探した)《◆Henryとheは別人》

15.5　不定代名詞

不定代名詞は特定の人や物をさすのではなく, 任意の1つ, あるいは不特定の複数を取り上げる代名詞である. 15.1でいくつかのグループに分けておいたが, 各語に特有の用い方があるので詳しくは各語を参照.

[16]　冠詞

不定冠詞(a, an)と定冠詞(the)がある. 冠詞は名詞(句)に付けるのが原則である.

16.1　冠詞の位置

名詞に複数個の形容詞がついても冠詞は一番前に置く.

a [an, the]+形容詞+名詞:a [the] hot day (暑い日) / a [the] hot summer day (暑い夏の日)

such, quite, 感嘆文のwhatはこのa [an] の前に置く.

such a hot day (そんな暑い日) / quite a hot day (かなり暑い日) / What a hot day! (なんて暑い日なんだろう)

16.2　a [an] とthe の使い分け

(1) 初めて話題にするときはa [an], 2度目からはtheが原則.

There is ***an*** old shrine in front of my house. ***The*** shrine was built about two hundred years ago. (私の家の前に古い神社がある. その神社は200年前に建てられた)

初めて話題に出すときでも, theを使う場合がある.

Turn off ***the*** light when you leave. (出るときは電気のスイッチを切りなさい)《◆その場の状況で何を指しているかわかる》

On ***a*** ship, ***the*** captain gives ***the*** orders. (船では船長が命令を出す)《◆captainは初出だが1隻の船には船長は1人しかいないので aではなくthe. the ordersのtheはthe+複数名詞で「すべての…」を表す用法》

(2) a [an] はたくさんあるものの中の1つ, theは唯一, または場面でわかるものに付ける.

a former mayor (元市長, 過去に市長だった人)

the former mayor (前市長, 現在の1人前の市長)

You should stay at *a* hotel. (ホテルに泊まるのがいいよ)
Let's go back to *the* hotel now. (もうホテルに帰ろうよ)
Don't go near *a* dog, Annie. (アニー, 犬には近づかないようにね)
Don't go near *the* dog, Annie. (アニー, その犬に近づかないで)
The birth of *a* child is almost always *a* happy occasion. (子供の誕生はたいていいつもうれしい出来事のひとつだ)

(3) 慣用用法
He hit the dog on *the* [ˣa, ˣits] head. (彼はその犬の頭をたたいた)
I have a pain in *the* [*my*, ˣa] stomach. (胃が痛い)
We sell eggs by *the* [ˣa] dozen. (卵はダース単位で売ります)
These potatoes are 5 dollars *a* [per, *the* (英)] kilo. (このジャガイモは1キロ5ドルです)

16.3 冠詞を付けない場合

a [an], the に共通する無冠詞用法をここでとりあげる.
(1) 初めて話題に出す場合でも Ⓤ 名詞は無冠詞.
My favorite pastime is listening to [ˣa, ˣthe] *music* alone in my room. (私の大好きな娯楽は自分の部屋でひとりで音楽を聴くことです)
(2) 総称的に言うとき目的語は無冠詞の複数形.
I like *apples* [ˣan apple].
My hobby is taking *pictures* [ˣa picture, ˣthe picture(s)]. (私の趣味は写真を撮ることです)
(3) 同一名詞の繰り返しや対をなすような言い方では無冠詞.
face to face (面と向かって) / from door to door (ドアからドアへ, 一軒一軒) / from head to foot (頭のてっぺんからつま先まで) / from place to place (あちこちに) / husband and wife (夫婦) / mother and child (母子)
(4) 学校の校長のように1つの組織の中で1人しかいない役職名を補語に用いると無冠詞. その責任ある地位にあることを言う. ただしこれは(略式). (正式)では定冠詞 the を付ける.
Jody Nelson is *chairperson* of the committee. (ジョディ=ネルソンがその委員会の議長です)
We elected him *captain* of our team. (私たちは彼を我がチームのキャプテンに選んだ)
●補語以外のこともある.

stand for *mayor* (市長に立候補する)
She has worked as *headmaster* here for many years. (彼女はここで何年も校長として勤めている)
(5) 「by+乗り物・通信の手段」は無冠詞.
by *bus* (バスで) / by *e-mail* (Eメールで)
(6) 施設がそのもの本来の用途を表すときは無冠詞.
in [at] *church* (礼拝中で) / arrive in *port* (入港する) / be sent to *prison* (入獄する) / after *school* (放課後)

[17]　形容詞

形容詞には, 名詞の前で使う用法と, 補語として使う用法の2つがある. 名詞の前で用いる場合は永続的なことを, 補語として用いる場合は一時的なことを述べることが多い.

17.1 [名詞の前で]使う用法

たとえば, 向こうのテーブルに本が複数あるときに, Please bring me the book. (その本を取ってください)と言われてもどの本かわからない. そこで限定して Please bring me the *red* book. (その赤い本を取ってください)と言えばわかる. このような使い方を本辞典では「[名詞の前で]」と表示している(他の辞典や文法書では「限定(用法)」としているものもある). この役割では名詞の前に置いてその名詞を説明する.
a *difficult* problem (難しい問題)
my *favorite Italian* restaurant (私の行きつけのイタリア料理店)
important features of *human* society (人間社会の重要な特徴)
●形容詞が2語以上のまとまりになるときは名詞の後ろにまとめて置く.
Listen to others' opinions *different* from yours. (自分とは違う人の意見を聞きなさい)
これは「関係代名詞+be動詞」の省略と考えてもよい.
a box *full of toys* (おもちゃでいっぱいの箱)《◆ a box which is [was] full of toys と同じである. これが, つまり, 関係代名詞の制限用法である. ➔ 20.6(1)》
●-thing, -body, -one の語は形容詞を後ろに置く.
something cold (何か冷たいもの)

17.2 名詞の前の形容詞の順序

いくつもの形容詞が1つの名詞を修飾する場合並べる順番がほぼ決まっている. ふつうは並べても4語くらいまでで以上の形容詞を並べることは避けられるが, 次が一般原則でおおよその目安である. 「数詞+状態+大小+形状+新

旧＋色＋所属＋材質＋用途＋名詞」の順序．考え方としてはその名詞の本質から遠いものから順に並べることになる．
　a big white two-story house （大きくて白い2階建ての家）
　that lovely tall young French girl （あの可愛らしい背の高い若いフランス人の少女）
●同じグループの形容詞を並べるときは and を使う．
　a black and white TV

17.3 ［補語として］使う用法

主語についてその性質や状態などを説明する．
(1) 主語＋自動詞＋形容詞
　be 動詞の後では主格補語という．
　He is *famous* as an actor in South Korea. （彼は韓国の俳優として有名です）
　自動詞の後で
　This flower smells *good*. （この花はいいにおいがする）
(2) 主語＋他動詞＋目的語＋形容詞
　他動詞＋目的語の後では目的格補語という．
　The news made me *glad*. （そのニュースに私はうれしくなった）
［補語だけにしか使われない主な形容詞］（ ）内は［名詞の前］で使うときの形容詞
　afraid (frightened) / alike (similar) / alive (living, live) / alone (lonely, lone) / ashamed / asleep (sleeping) / awake (waking) / aware (conscious) / liable / content (satisfied)
●名詞の前に置いたときと，補語として使われたときで意味が異なる形容詞がある．
　This is my *present* address. （これが私の現在の住所です）
　We were *present* at the wedding. （私たちは結婚式に出席していました）
［このグループの主な形容詞］
　certain / due / fond / ill / late / present

17.4 easy 型形容詞

It is easy* (for A) *to do* B. ＝B *is easy* (for A) *to do.
　（（A が）B を…するのは簡単だ，B は（A には）…しやすい）

> ***It is easy*** (for me) ***to*** solve this problem.
> ＝This problem ***is easy*** (for me) ***to solve.***
> 　（この問題を解くのは私には簡単だ）

This problem is easy for me to solve (it).
《♦for A があるときは文尾に it を付けることがある．*for A* がない場合は it は付けない：ˣThis problem is easy to solve it.》
形容詞を名詞の前に置いて次のようにも言える．
This is an *easy* problem *to* solve.
形容詞を副詞にして次のようにも言える．
I can *easily* solve this problem.
This problem is *easily* solved.
　動詞は他動詞の他に自動詞＋前置詞，自動詞＋副詞＋前置詞，他動詞＋名詞＋前置詞などの句動詞も可．
　It is easy to deal with this matter. ＝This matter is easy to deal with. （この問題は扱うのが簡単だ）
　It is easy to get along with Bob. ＝Bob is easy to get along with. （ボブは付き合いやすい）
　It is not easy to take care of tropical fishes. ＝Tropical fishes are not easy to take care of. （熱帯魚は世話をするのが簡単でない）
次のような構文には使えない．
ˣIt is easy that I solve this problem.
ˣI am easy to solve this problem.
［この型の主な形容詞］
　beautiful / challenging / comfortable / convenient / dangerous / difficult / enchanting / expensive / fearful / funny / good / hard / impossible / interesting / nice / painful / pitiful / pleasant / proper / sad / safe / simple / tricky / unfit
●この型をとらない形容詞は enough to do を使え可．
　The ice was thick enough to walk on. （氷は歩くのに十分厚かった）

17.5 kind 型形容詞

It is kind of* A *to do.* ＝A *is kind to do.
　（…するとは A は親切だ）

> ***It is kind of*** you ***to*** come.
> ＝You are kind to come.
> 　（来てくれてありがとう）

当人の性質について言うのではなく，その場での行為をほめたり，けなしたりする言い方．特に本人の前ではいきなり You are careless to do と切り出すより It is careless of you to do の方が好まれる．
感嘆文では it is は省略される．
　How careless of you to leave your

umbrella behind. (かさを置き忘れるなんて注意が足りないよ)

またこの型は副詞を用いても言い換えられることがある.

It was wise of him to quit wasting his money.

He was wise to quit wasting his money.

He *wisely* [*Wisely* he] quit wasting his money. (彼は賢明にもむだ使いをやめた)

次のような構文には使えない.

×It is kind for you to come.
×It is kind that you came.

[この構文で用いられる主な形容詞]

bold / brave / careful / careless / clever / clumsy / considerate / cowardly / courageous / cruel / foolish / generous / good (=kind) / heartless / ill-natured / impolite / inconsiderate / (un)kind / mean / nasty / naughty / nice (=kind) / polite / reasonable / ridiculous / rude / (un)selfish / sensible / sharp / silly / stupid / sweet / thoughtful / thoughtless / unwise / weak / wicked / wise / wonderful / wrong

17.6 その他の形容詞型

(1) be+形容詞+to do 型

to 不定詞が形容詞の理由・原因, 内容説明などを表す.

I *am glad to* see you. (お会いできてうれしいです) [理由]

He *is anxious to* know the results of the test. (彼は検査の結果を知りたいと思っている) [内容説明]

She *is careless to* be late. (彼女は遅れるなんて不注意だ) [判断の根拠]

He *is sure to* come on time. (彼はきっと時間通りに来るよ) [確信の内容]

(2) it is+形容詞+that 節 [to do]型

形式主語 it に対し真主語 that 節や to do がその内容を述べる. 形容詞は話し手の判断, 確信などを表す.

It is quite *natural* that the couple should love each other. =*It is quite natural for the couple to love* each other. (夫婦が愛し合うのはまったく自然である) [話し手の判断]

It is certain that she will win first prize. (彼女が1等をとるのは確かだ) [話し手の確信]

It is likely that I will be free tomorrow. (私は明日は暇になりそうだ) [話し手の推量]

[18] 副詞

動詞・形容詞・副詞・文を修飾する. 文中での位置も決まっているものから, かなり自由なものまである.

18.1 程度の副詞

almost, completely, considerably, greatly, quite, remarkably, utterly, very, very much などがある.

疑問副詞の How much? (どのくらい)に答える語である.

置く位置はそれぞれの語を参照.

He was *utterly* surprised. (彼はまったく驚いた)

I like comics *very much*. (ぼくは漫画が大好きだ)

not で否定されると部分否定になる.

I don't *completely* trust him. (彼を完全に信用しているわけではない)

準否定語の hardly と scarcely については●2.1(3).

18.2 頻度の副詞

頻度順・起こる可能性の順に並べるとだいたい次のようになる.

always 100% / usually, generally 80% / often, frequently, not always 60% / sometimes 50% / occasionally 40% / seldom, rarely 20% / never 0%

疑問副詞 How often? (どのくらいの回数で)に答える語である.

文中での位置は, be 動詞・助動詞の後・完了形の have [has, had] の後, 一般動詞の前に置くのが原則だが, sometimes のように文頭・文中・文尾に用いられるものもある.

My mother is almost *always* at home. (母はほとんどいつも家にいます)

My grandfather *usually* gets up at five. (祖父はふつう5時に起きます)

18.3 様態の副詞

bravely, fast, noisily, quickly, slowly, well などがある.

疑問副詞 How? (どのように)に答える語である.

They *proudly* talked about your success. (彼らはあなたの成功を誇らしげに話した)

18.4 場所・方向の副詞

ahead, around, back, here, there などがある。疑問副詞 Where? に答える語である。
文中での位置は文尾だが時・時間の副詞の前が原則である。

I'm going to stay ***here*** another week. (もう1週間ここに滞在するつもりです)

18.5 時・時間の副詞

ago, already, before, immediately, now, soon, still, then, today, tonight, yesterday, yetなどがある。
疑問副詞 When?, How long? に答える語である。
文中での位置は文尾が原則である。

What are you doing ***tomorrow***? (明日は何をするつもりですか)

18.6 文修飾の副詞

話者の気持ち・判断を表す。文頭に置くのがふつう。
fortunately, happily, honestly, luckily, surprisingly などがある。

Luckily he found a job in the bank. (幸運にも彼は銀行に職を見つけた)

文修飾の副詞は形式主語構文で言い換え可能なものもある。

＝***It was lucky that*** he found a job in the bank.

言い換えできない apparently などもあるので各語で確認すること。

●語修飾する場合との意味の違いに注意。
[文修飾] ***Surprisingly***, he answered all the questions in a short time. (驚いたことに、彼はすべての質問に短時間で答えた)(＝It is surprising that he …)
[語を修飾] He answered all the questions in a ***surprisingly*** short time. (驚くほど短い時間で彼はすべての質問に答えた)

18.7 前置詞と同形の副詞

(1) about, in, on などは副詞にも前置詞にも使われる(副詞に使う場合を「副詞辞」と呼ぶこともある)。

We walked ***about*** the park. (私たちは公園をぶらぶらした) [前置詞]
We went to the park and walked ***about***. (私たちは公園に行き、ぶらぶらした) [副詞]

この例でわかるように、この 2 つの about は元に同じものと考えることができる。前置詞の目的語が前に出ていたり、文脈でわかるときは、代名詞を繰り返さないで、切り捨ててしまうのである。言わないでもわかるなら言わない方が経済的だからである。

(2) 次の例では指輪は指にはめるのに決まっているのだから、どの指かを言うのでなければ目的語は切り捨てる方が簡潔でよい。

She put a ring ***on*** her little finger. (彼女は小指に指輪をはめた) [前置詞]
She put a ring ***on***. (彼女は指輪をはめた) [副詞]

このような副詞の場合は動詞の直後に移動することもある。

＝She put ***on*** a ring.

ただし目的語が代名詞のときは She put it ***on***. の語順が正しく、×She put on it. は誤り。これは pùt it ón の方が pùt ón it より発音しやすいからである。

[19] 比較

比較変化をするのは形容詞と副詞である。原級、比較級、最上級がある。同じ意味を原級、比較級、最上級で表せることもある。

19.1 原級

(1) **as＋原級＋as B** 「B と同じくらい…だ」
He has ***as*** many CDs ***as*** I (do) [(略式) as me]. (彼は私と同じくらいの CD を持っている) 《◆do を省略するのは《正式・やや古》。堅い言い方》
Bob goes to the movies ***as*** often ***as*** Meg. (ボブはメグと同じくらいたびたび映画に行く)

(2) **not as [so]＋原級＋as B** 「B ほどではない」
Mr. Brown is ***not as*** [so] old ***as*** he looks. (ブラウンさんは見かけほど年をとってはいません)

(3) **No (other)＋名詞＋動詞＋as [so]＋原級＋as B** 「どんな…も B ほど…でない」
No (***other***) mountain in Japan is ***so*** [***as***] high ***as*** Mt. Fuji. (日本の(他の)どんな山も富士山ほど高くない)

19.2 比較級

(1) **-er＋than B / more＋原級＋than B** 「B より…だ」
I am young***er than*** he [(略式) him]. (私は彼より年下だ)
She can swim fast***er than*** I can [(略式) me]. (彼女は私より速く泳げる)
This dress is ***more*** expensive ***than*** that one. (このドレスはあのドレスよりもっと高い)

(2) **less＋原級＋than B** 「B ほど…ではない」
She looks ***less*** angry ***than*** yesterday. (彼女

は昨日ほどは怒っていないように見える》《◆ -er 変化する語でも less+原級+than を使う. これは文語体で, ふつうは She doesn't look as [so] angry as yesterday. とする》

19.3　the+比較級

(1) **the+比較級, the+比較級**「…すればするほどます…」

最初のtheは「…すればするほど」, 後のtheは「それだけ(よけいに)」の意.

The old*er* he grew, *the* **more** interested he was in poetry. (彼は歳をとるにつれて, 詩に興味を持つようになった)《◆more interesting が比較級なので, この2語を離して ×..., the more he was interested in ... とするのは誤り》

The soon*er* you do it, *the* **better** it will be. (早くそれをすればするほど良くなるでしょう)《◆ 未来のことでも, 最初の節は現在時制で表す》(=As you do it sooner, it will be better.)

The high*er* the price, *the* **smaller** the market. (価格が高ければ高いほど, 需要はますます減少する)《◆しばしば動詞が省略される》

The **more**, *the* **better**. (多ければ多いほどよい)《◆しばしば主語+動詞が省略されることがある》

(2) **(all) the+比較級**「それだけ, ますます, かえって」

(1)の構文の後の the と同じ用法.「それだけ」に対する理由は for, because などで表される.

I like her (*all*) *the* **better** *for* her naughtiness [*because* she is naughty]. (彼女はいたずらっぽいところがあるからますます好きだ)

If we start now, we will be back *the* soon*er*. (今出発すれば, それだけ早く帰れるだろう)

●none the+比較級にすると「…にもかかわらず, …だがやはり」の意味になる.

I like her none the less for being talkative. (彼女はおしゃべりだけれども私は(やはり)彼女が好きだ)

(3) **the+比較級+of the two**

2つを比較する場合, 一方が残りの一方より「より…」なので比較級を使うが, 2つのうちで「一番」なので the も使うことになる.《略式》では the+最上級+of the two となることもある.

The tall*er* *of the two* began to run away first. (背の高い方が先に逃げ出した)

Of his two children, Mr. Clark had to admit that he found *the* old*er* more reliable. (クラークさんは2人のお子さんのうち, 年上の方が頼りになると認めざるをえなかった)《◆このように of the two が前に出ることもある》

19.4　比較級+and+比較級「ますます…」

It is getting *colder and colder* [*more and more* cold]. (だんだん寒くなってきている)

You will find the book *more and more* interesting. (その本がますます面白くなりますよ)

19.5　最上級:the -est / the most+原級「一番…だ」

Mt. Fuji is *the* high*est* (mountain) in Japan. (富士山は日本で一番高い)《◆ 形容詞の最上級の後の はしばしば省略される》

Jason behaved (*the*) **most** politely of the boys. (その男の子たちの中ではジェイソンが一番礼儀正しくふるまった)《◆副詞の最上級にはふつうthe を付けないが,《米略式》では多く用いられる》

She runs (*the*) fast*est* in her class. (彼女は走るのがクラスで一番速い)《◆ She is the fastest runner in her class. のような「the+形容詞の最上級+名詞」の型の方がふつう》

●最上級が「どんな…でも, …さえも」を表すことがある.

The wis*est* man sometimes makes mistakes. (どんなに賢い人でさえも時には間違いをするものだ)《◆Even the wisest man とすることもあるが even が省略されることが多い》

I *don't* have [*haven't*] *the* slight*est* idea where our dog has gone. (うちの犬がどこに行ったのかさっぱりわからない)《◆感情を強く表すときは《米》でも haven't が好まれる》

19.6　the の付かない形容詞の最上級

他とではなく同一人物・物についての比較をしていて, 形容詞の最上級が補語に用いられた場合.

She is happi*est* when she is at home. (彼女は家にいる時が一番幸せだ)《◆ 同一人物の性質や状態について言っている》

The lake is deep*est* here. (湖はここが一番深い)《◆他の湖と比較しているのではない》

19.7　原級・比較級・最上級での言い換え

No (*other*) mountain in Japan is *so* [*as*] high *as* Mt. Fuji. (日本のどの山も富士山ほど高くはない)

=*No* (*other*) mountain in Japan is higher than Mt. Fuji. (日本のどの山も富士山より高くはない)

=Mt. Fuji is higher *than any* (*other*) mountain in Japan. (富士山は日本の他のどの山よりも高い)

=Mt. Fuji is *the* highest (mountain) in Japan. (富士山は日本で一番高い)

Nothing is *so* [*as*] precious *as* time. (どんなものも時間ほど大切ではない)

=Nothing is more precious than time. (どんなものも時間より大切ではない)

=Time is *more* precious *than any other* thing. (時間は他のどんなものよりも大切である)

=Time is *the most* precious (thing). (時間が一番貴重である)

I *have never* seen *such an* beautiful sunset *as* this. (私はこんな美しい夕陽は見たことがない)

=I *have never seen a more* beautiful sunset *than* this. (私はこれより美しい夕陽を見たことがない)

=This is *the most* beautiful sunset (*that*) I *have ever seen*. (これは私が今まで見た中で一番美しい夕陽です)

19.8 比較級・最上級を強める副詞

(1) 比較級の場合

Iron is much [(by) far, a lot, yet, still, even] *more useful than* gold. (鉄は金よりもはるかに役に立つ)

(2) 最上級の場合

She is much [(by) far] *the* fast*est* runner in our class. (彼女はクラスでずば抜けて足が速い)

[20] 関係詞

関係代名詞と関係副詞をまとめて関係詞という。どちらも先行詞(前にある名詞)を具体的に説明する。

20.1 関係代名詞の基本

「接続詞+代名詞」の役割を持つので「接続代名詞」と考えればわかりやすい。

I have a friend and she lives in Sapporo.

I have a friend *who* [*that*] lives in Sapporo. (私には札幌に住んでいる友人がいます) [主格]

関係代名詞は形容詞節を導き先行する名詞を修飾し説明する。

A doctor *who* lived in St. Louis invented peanut butter in 1890. (セントルイスに住んでいた医者が1890年にピーナッツバターを発明した)

人称代名詞に格があるように、関係代名詞にも主格・目的格・所有格がある。

I'll buy a tumbler. I can use it as a vase. (目的語)

I'll buy a tumbler (*which* [*that*]) I can use as a base. (花瓶として使える大きなグラスを買おう) [目的格]

Linda is a novelist and her books are widely read in Japan. 所有格

Linda is a novelist *whose* books are widely read in Japan. (リンダは本が日本で広く読まれている作家です) [所有格]

先行詞　格	主格	所有格	目的格
人	who	whose	who(m)
物・動物	which	of which/whose	which
人・物・動物	that	—	that
先行詞を含む	what	—	what

20.2 関係代名詞の主格, 目的格, 所有格

(1) 主格

A big city is a place *which* [*that*] attracts the young. (大都会は若者を引きつける場所である)

(2) 目的格

(a) 他動詞の目的語の場合

There are a lot of stars (*which* [*that*]) we can't see with our naked eyes. (肉眼では見えない星がたくさんあります)《◆目的格は省略されることが多い。➋20.3(1)》

(b) 前置詞の目的語の場合

関係代名詞が前置詞の目的語のときは2通りがある。下の言い方がくだけた言い方である。

Who is the man *to whom* [×to that] you spoke? (あなたが話しかけた人はだれですか)《◆前置詞+関係代名詞となる場合。省略は不可。前置詞+that は不可》

Who is the man (*whom* [*that*]) you spoke *to*?《◆前置詞と離れる場合。省略するのがふつう》

(3) 所有格

Pass me the book *whose* cover is torn. (その表紙の破れている本を取ってくれ)

Pass me the book the cover *of which* is torn.

Pass me the book *of which* the cover is torn.

(4) 補語として

補語として用いられるのは that だが省略されることが多い.

He is not the man (*that* [ˣ*who*]) he was.
(彼は昔の彼ではない)

●who と which の使い分け

(1) 先行詞が人の集団を表す語で複数扱いになる場合には who が, 単数扱いの場合には which が用いられる.

I know a family **who** often enjoy hiking altogether. (家族でよくハイキングをする一家を私は知っている)

a family **which** always travels every weekend (週末ごとにいつも旅行に出かける家族)

(2) 先行詞が動物, とりわけペットなどの場合, 親しみをこめた表現として which の代わりに who が用いられる.

Do you know my story about the squirrels **who** live in a tunnel? (穴に住んでいるリスについての私の話を知っていますか)

20.3 関係代名詞の省略

(1) 目的格

他動詞の目的語の whom [(略式) who], which, that は省略可.

Is he the man (*whom* [*who*, *that*]) you met last night? (彼があなたが昨夜会った人ですか)

The adventure gave me an experience (*which*) I would never forget. (その冒険は私が決して忘れないであろう経験を与えてくれた)

前置詞の目的語のときは, 離れているときに省略可.

The hotel (*which* [*that*]) we stayed *at* is by the lake. (私たちが泊まったホテルは湖のそばにある)

(2) 目的格以外

主格ではあるけれども関係代名詞が省略されることがある.

(a) be 動詞の補語の場合

He is not the man (*that* [ˣ*who*]) he used to be. (彼はもう昔の彼ではない)

(b) there is 構文の主語の場合

There's somebody at the door (*who*) wants to see you. (玄関にあなたにお目にかかりたいという人がいます)

(c) there is で始まる節で

This is an old temple (*which*) there was on the top of that mountain. (これは昔あの山の頂上にあった古いお寺です)

(d) they say+(助)動詞, I think+(助)動詞などの前にある場合

The Man (*who*) they had said would be the next governor was killed. (次期知事になるだろうと言われていた人が殺された)《◆ they had said he would ... の he が who となったもの》

20.4 関係副詞の基本

when, where, why, how の4つがある.

「接続詞＋副詞」の役割を持つので「接続副詞」と考えればわかりやすい. 関係副詞はその名が表す通り, 副詞なので, 主格・目的格・所有格はない. したがって, 節内で主語も目的語も揃っている.

先行詞が「時」を表す語には when, 「場所」を表す語には where を用いる.

先行詞(しばしば省略)	関係副詞
時を表す語	when 制限用法, 非制限用法
場所を表す語	where 制限用法, 非制限用法
理由(reason)	why 制限用法
なし	how

《「理由」を表す why の先行詞は reason, 「方法・様子」を表す how は先行詞を付けないので注意が必要》.

たとえば, the hotel を先行詞にすれば, 「そのホテルで」何をする[した]かの説明を加えるのである.

The hotel is by the lake. We stayed at the hotel.

↓

The hotel **where** we stayed is by the lake.
(私たちが泊まったホテルは湖のそばにある)

次のように関係副詞 where は in [at, to] which で置き換えることができる.

[時] The day **when** we arrived was a holiday. (私たちが着いた日は休日だった) (= The day on which ...)

[場所] I remember the house **where** I grew up. (私は自分の育った家を覚えている) (= ... the house in which ...)

[理由] The reason **why** he came so early is not evident. (彼がそんなに早く来た理由は明らかではない) (=The reason for which)《◆ why の先行詞は reason に限定》

[方法・様態] I like **how** [*the way*] he smiles at me. (彼が私に微笑む仕方が好きだ)《◆how は the way で 言い換えできるが, 2つ一緒に用いて ˣthe way how とは言わない》

20.5 関係副詞と関係代名詞の違い

先行詞が時を表す語だから when, 場所を表す語だから where というわけではない. 関係副詞節内で主語, 目的語のうちどちらかが欠けていたら which, 主語も目的語もあるときは where である.

The hotel **where** [×which] we stayed is by the lake. (私たちが泊まったホテルは湖のほとりにある)《◆主語は we, stay は自動詞だから目的語をとらない》

The hotel **which** [×where] we visited is by the lake. (私たちが訪れたホテルは湖のほとりにある)《◆visit の目的語が欠けている》

Sunday is the day **when** [×which] I enjoy swimming. (日曜日は私がスイミングを楽しむ日です)《◆主語は I, 目的語は swimming》

Sunday is the day **which** [×when] comes after Saturday. (日曜日は土曜日の次に来る日です)《◆comes の主語が欠けている》

20.6　制限用法と非制限用法

関係代名詞, 関係副詞には次の2つの用法がある.

(1) 制限用法

先行詞の意味を修飾・限定する.

たとえば, 5, 6人の人がいる方を指差して「あの人見てごらんなさい」と言われてもどの人かわからない. 名詞の前で使う形容詞(→17.1)と同様に, どの人かを限定する必要がある.

Look at the girl **who** is eating ice cream. (アイスクリームを食べている女の子を見てごらん)

Do you remember the store **where** you bought the bag? (そのバッグを買った店を覚えていますか)

(2) 非制限用法

世界に唯一のもの, ある範囲で1つしかないもの, 話し手・聞き手の双方に既知のものが先行詞の場合, 先行詞と関係代名詞の間にコンマを打つ用法. コンマに続けて先行詞の内容を補足説明する. 書き言葉に多く用いられる. 主格・目的格ともに省略できないし, that と交換もできない.

I shook my hand at the mayor, **who** smiled at me. (私は市長に手を振った. すると市長は私に微笑んだ) (who =and she)

Meg left for Seoul on August 31st, **when** our summer vacation ended. (メグは8月31日にソウルへ向けて発った, その日に私たちの夏休みが終わったのだった) (when =and on that day)

I thought he was an actor, **which** he was not. (私は彼が俳優だと思ったが, 実際はそうではなかった)

●関係代名詞の that, what, 関係副詞の why, how には非制限用法はない.

20.7　前置詞+関係代名詞+to 不定詞

関係代名詞は to 不定詞で言い換えることもできる(→ 11.2(1))が, 前置詞の目的格の場合次のようにも言える.

He has no friends with whom he can play. (彼には一緒に遊ぶ友だちがいない)

=He has no friends **with whom to** play.《◆ ×... no friends whom to play with とは言わない. ... no friends (whom) he can play with. か... no friends to play with. がふつう》

He looked for a room **in which to** sleep. (彼は眠る部屋を探した)《◆ ... a room he could sleep in か a room to sleep in がふつう》

20.8　先行詞を含む what

what は特別で, 先行詞を含んでいる. ふつう the thing(s) which と言い換えられるように「…する(ところの)もの[こと, 人]」の意味. what 節は名詞節なので主語, 補語, 目的語に用いられる.

What is essential is invisible to the eye. (とても大切なことは目には見えない)

A big Teddy bear was **what** Meg wanted for Christmas. (大きなテディベアがメグがクリスマスにほしい物だった)

Cheer up! I'll do **what** I can do for you. (元気を出せよ, ぼくにできることなら何でもしてあげるからさ)

From **what** you said, it seems you don't like the job. (あなたの言うことからすると, その仕事が好きじゃないようだね)

He is not **what** he was [used to be]. (彼は今では以前の彼ではない)《◆現在はふつう悪い意味に用いる. 日常的には次のような言い方がふつう: He has changed a lot. 彼はずいぶん変わった》

20.9　主節(の一部)を先行詞とする as と which

主節の句・節・主節全体, さらにその内容を先行詞とすることがある. (→as 代 **2**; which 代 **4b**)

Some students go to school without breakfast, **as** [**which**] is harmful to their health. (朝食抜きで登校する生徒がいるが, それは健康によくないことだ) (as [which] =and it)《◆先行詞は go to school without breakfast の部分》

As [×Which] is clear from his accent, he comes from Osaka. (彼は大阪出身だ, 話すアクセントから明らかだ)《◆which のときは主節の前に出せない》

20.10 先行詞によって決まる関係詞

(1) 先行詞に all, every, any, no, the only, the very, 形容詞の最上級, 序数詞を伴うときは人以外は that がふつうだが, which が用いられることも多い.

To understand someone different is all *that* is required. (自分と違う人を理解することが必要とされるすべてです)

(2) 先行詞に such, as [so] を伴うときは as を用いる (→as 代 1).

Last year I could not speak English so fluently *as* I can now. (去年は今と同じほどなめらかに英語を話せなかった)

(3) 先行詞に比較級を伴うときは than を用いる(→than 接).

You're <u>more</u> likely to make mistakes in writing *than* you are in speech. (あなたは話すときより書くときの方がもっと間違いをするようです)

[21] 前置詞

前置詞は単独で用いられることはなく必ず目的語をとる. 目的語の多くは名詞だが, その前に置かれるので前置詞と呼ばれる.

21.1 前置詞の目的語

(1) (代)名詞・動名詞

I ran *into* him *at* the supermarket. (スーパーで彼にばったり出会った)

Thank you *for* visiting me. (訪ねて来てくれてありがとう)《◆動名詞や不定詞は前置詞に続けられないので動名詞にする》

(2) wh 節 [wh to do]

From what I hear, he left a large fortune to his son. (私が聞いたところでは, 彼は息子に莫大な遺産を残したそうだ)

I don't think *of* what to say at the sight. (その光景を見てどう言えばよいのか思いつきません)

(3) 前置詞+名詞

前置詞の中には「前置詞+名詞」を目的語にとるものもある.

The moon came out *from behind* a cloud. (雲の後ろから月が出てきた)《◆名詞が省略されることもある: Someone called me from behind. (だれかが後ろから私を呼んだ)》

He stayed here *until after* midnight. (彼は深夜過ぎまでここにいました)

She has not been here *since before* the closing time. (彼女は閉店時間前からここにいません)

But for your help, I would have failed in the project. (あなたの援助がなければ私はその企画に失敗していたでしょう)

I answered all the questions *except for* the last one. (最後の問題のほかは全部答えた)

21.2 前置詞句の3用法

「前置詞+目的語」のまとまりを前置詞句と呼ぶ. これには3つの役割がある.

(1) 形容詞句: 前の名詞を修飾

Fetch me the <u>apple pie</u> *on the table*. (テーブルの上のアップルパイを取ってきてちょうだい)

one-half of all the <u>people</u> *in the country between the age of eighteen and twenty-five* (その国の18歳から25歳の国民の2分の1)《◆ in the country も between the age of eighteen and twenty-five も people を修飾している》

(2) 副詞句: 動詞を修飾

The tower <u>stands</u> *on the cliff*. (その塔はがけの上に立っている)

She <u>put</u> the apple pie *on the table*. (彼女はそのアップルパイをテーブルに置いた)

(3) [補語として]

He felt *at ease*. (彼はくつろいでいた)

Put the room *in order*. (部屋を片付けなさい)

She showed me three pictures. The first was *of* her father. (彼女は私に3枚の写真を見せてくれた. 最初の1枚は彼女の父親だった)《◆ The first was (a picture) of her father. のように省略したもの》

21.3 前置詞句の順序

場所と時間を表す前置詞句は文末に「場所+時間」の語順に, それぞれ小さな単位から大きな単位に並べる.

She was born <u>in a small town on the Thames in December in 1996</u>. (彼女はテムズ川沿いの小さな町で1996年12月に生まれた)

21.4 目的語の移動

ふつうは, 前置詞と目的語がくっついて並んでいるが, 目的語が離れて前に出ることも多い. そのとき後ろにある前置詞とのつながりを見抜くこと.

(1) 目的語が疑問詞のとき

<u>Who</u> did you go shopping *with*? (だれと買い物に行ったの)

(2) 目的語が受身の文の主語のとき

Selfish people are often spoken ill ***of***. (自分本位な人はしばしば悪く言われる)

(3) 不定詞の形容詞用法のとき

a house to live ***in*** (住む家)

Can you lend me a basket to carry these apples ***in***? (このリンゴを入れて運ぶかごを貸してくれますか)

(4) 目的語が関係代名詞のとき

I visited the house (***which***) my grandmother was born ***in***. (私は祖母が生まれた家を訪ねた)

21.5 前置詞の目的語の省略

前置詞の目的語が先に述べられると、その目的語を代名詞で繰り返さず省略することがある。

A car stopped by the woman, and she got ***in*** (it). (1台の車がそばに止まると、その女性は乗り込んだ)

He went to the car, and looked ***inside*** (it). (彼はその車のところまで行き、中をのぞき込んだ)

目的語を省略すると、前置詞ではなく副詞である（● 18.7）。

21.6 前置詞の省略

(1) 時を表す名詞の前に every, last, next, one, this などを置くと前置詞を使わない。

We go camping ***every*** summer. (私たちは毎年夏にキャンプに行きます)

(2) that 節の前では前置詞を使わない。

I am sure ***that*** he will succeed. (◆前置詞+that 節はふつう不可: ×I am sure ***of*** that he ...) (=I am sure of his success.)

● 例外: in that 節 (…だという点で、…であるから)

21.7 群前置詞

「副詞+前置詞」や「前置詞+名詞+前置詞」などの成句が1つの前置詞のように働くものを群前置詞と呼ぶ。

We express our thoughts ***by means of*** words. (私たちは考えていることを言葉で表現する)

I couldn't sleep ***because of*** the noise next door. (隣の騒音のために眠れなかった)

[主な群前置詞]

along with / ahead of / apart from / as a result of / as for [to] / at the cost of / at the expense of / at the mercy of / at the sight of / because of / but for / by way of / except for / for the purpose of / in case of / in charge of / in favor of / in front of / in place of / in pursuit of / in respect of / in search of / in spite of / in view of / instead of / on account of / out of / owing to / regardless of / thanks to / with regard to / up to

[22] 接続詞と節

接続詞には等位接続詞と従位接続詞がある。

22.1 等位接続詞

and, but, or, nor, for, so の6つがある。文と文を接続するときは必ず文と文の間に置く。

We were supposed to meet at 7 o'clock, ***but*** he didn't show up. (7時に会うことになっていたが、彼は現れなかった)

and, but, or, nor は語(句)と語(句)をつなぐこともある。

Elephants use their trunks to obtain food ***and*** water. (象は食べ物と水を得るために鼻を使う)

I have no money ***nor*** honor. (私にはお金も名誉もない)

● and は文法的に同じものを接続する。

She told me (that) she was busy ***and*** that she couldn't go shopping. (彼女は忙しくて買い物に行けないと私に言った)《◆言った内容が2つとも told の目的語になっているので、2番目の that は省略できない》

×Who and why sent me a letter like this? (だれがなぜこんな手紙を送ってきたんだろう)《◆ who は疑問代名詞、why は疑問副詞なので and でつなぐことはできない》

22.2 従位接続詞：従節と主節

等位接続詞以外はすべて従位接続詞である。従位接続詞の付いている方の節を従節という。接続詞の付いていない方の節を主節という。

He is absent from school today ***because***
主節　　　　　　　　　　　　　　　　　　　従節
he has a cold. (彼はかぜを引いているので今日は学校を休んでいる)

We are sure ***that*** he will recover from his illness in a couple of days. (彼が2,3日で病気から治ると私たちは確信しています)

● 従節はしばしば前置詞句でも表せる。

He is absent from school today ***because of*** a cold.

We are sure *of his recovery from his illness in a couple of days.*

[従位接続詞の一覧]

時：after / as / as long as / as soon as / before / by the time / each time / every time / once / till / until / when / whenever / while

条件：as long as / if / in case / unless

譲歩：although / as / even if / even though / no matter＋疑問詞 / though / whether (or not)

原因・理由：as / because / in that / now (that) / since

目的：for fear (that) / in order that / lest / so that

様態：as / as if / as though / like / the way

22.3　副詞節

副詞節は主節の動詞を修飾する．主節の前にも，後ろにも置かれる．

Whether you *are* [×will be] here tomorrow, I will be here by noon. (あなたが明日ここに来ても来なくても私は正午までには来ています)《◆時・条件・譲歩の副詞節では未来の will は用いない．現在形がその代用をする．➡4.1(4)》

When (I was) *young*, I was interested in collecting stamps. (若い時は切手を集めるのが面白かった) (＝When I was young, ...)《◆従節の主語と主節の主語が同じ場合，従節の主語と be 動詞はしばしば省略される．➡23.5(2)》

The lecturer was *so* well known *that* she needed no introduction. (その講師はとても有名だったので紹介の必要はなかった)《◆ so ... that のように他の語と相関的に用いられるものもある：such ... that, hardly [scarcely, barely] ... when, no sooner ... than など》

22.4　名詞節

that, whether, if に導かれる節，間接疑問文の疑問詞節などは，名詞節として主語，補語，目的語に用いられる．

It is lucky *that* the weather is so nice. (天気がこんなによいなんてついているね)

I don't know *where* he lives. (彼がどこに住んでいるのか私は知りません) (➡1·3(2))

22.5　同格の that 節

that 節は先行名詞の内容を説明する．「…という…」と訳す．

There was no hope *that* the old elephant would recover. (その老いた象が回復する見込みはなかった)

●同格の that が省略されることがある．

I have an idea (*that*) she is out on business. (彼女は仕事で出かけているのではないだろうか)

● that 節 が of doing や to 不定詞と交換できる名詞もある．

There is a good chance *that* he will win [*of* his winning]. (彼が勝つ見込みは十分にある)

[同格の that 節を取る主な名詞]

agreement / appeal / assumption / belief / case / certainty / chance / condition / confidence / danger / decision / discovery / doubt / evidence / fact / fear / ground / hope / idea / impression / information / knowledge / likelihood / manner / message / myth / news / notion / plan / pledge / possibility / probability / promise / proof / proposal / question / realization / reason / reminder / report / resolution / rumor / satisfaction / sign / story (うわさ) / supposition / suspicion / theory / thought / view

22.6　形容詞節

関係代名詞・関係副詞に導かれ，先行詞を修飾する節 (➡20).

He showed me the house *in which* [*where*] he was born. (彼は生まれた家を案内してくれた)

●関係代名詞節はto 不定詞の形容詞用法に相当する．(➡11.2)

I have many friends (*whom*) I can play with. (私には一緒に遊ぶ友だちがたくさんいる)

＝I have many friends to play with.

＝I have many friends with whom to play. 《◆堅い言い方》

[23]　特別な構文

23.1　無生物主語

英語では「その手紙が彼を怒らせた」のように「〈物・事〉が〈人〉に…させる」という言い方がある．これを無生物主

語構文という．日本語に訳すときに〈物・事〉のために〈人〉は…する」「〈物・事〉のおかげで〈人〉は…する」などとすればわかりやすい．この英語特有の言い回しに慣れることで英語表現の幅が広がる．

Your help enabled me to get the work done. (あなたに助けてもらったのでその仕事が終わりました)

A *few minutes' walk* brought me to the seashore. (数分歩くと海岸に出た)

What made you come here? = *What* brought you here? (なぜここに来たのか)

[無生物主語をとる主な動詞]
bring [lead, take] **A** to + 場所 / cause [enable, force, help, require] **A** to do / let [make] **A** do / keep **A** doing / keep [prevent, stop] **A** from doing / convince [inform, show, tell] **A** that節

23.2 強調

何らかの理由で文中のある部分だけを強調するとき，いくつかの方法がある．

(1) 強調構文

it is **A** that 節の枠組を使って「…するのは **A** である」と **A** の部分を強調する．口語では that が省略されることがある．**A** が人の場合は who，物・事の場合は which となることもある．**A** は名詞(句)・代名詞・副詞(句・節)で，具体的には次の下線部が **A** になりうる．

<u>Joe</u> bought <u>a magazine</u> <u>at a kiosk</u>.
主語　　　目的語　　　　副詞句
(ジョーはキオスクで雑誌を買った)

→ *It was* Joe *that* [*who*] bought a magazine at a kiosk. (キオスクで雑誌を買ったのはジョーだ)《◆強調される語が人のとき who も可》

→ *It was* a magazine *that* [*which*] Joe bought at a kiosk. (ジョーがキオスクで買ったのは雑誌だ)《◆強調される語が物・事のとき which も可》

→ *It was* at a kiosk *that* Joe bought a magazine. (ジョーが雑誌を買ったのはキオスクでだ)

次は副詞節の例．

It was because she was ill *that* we decided to return. (私たちが帰ろうと決めたのは彼女が病気だったからです)《◆ because の代わりに as, since は使われない》

疑問詞も強調される．

Where was it that they met? (彼らが会ったのはどこでしたか)

●人称代名詞の主格が強調されるとき《略式》では目的格も用いられる．

It was *I* [《略式》*me*] that told the police. (警察に知らせたのは私です)

(2) What [All] ... is C

先行詞を含む関係代名詞 what を使って「…するのは C[C だけ] である」と C を強調する．

What I like most about her *is* her innocence. (彼女のことで一番好きなのは無邪気なことです)

What is needed in one's childhood *are* [*is*] books. (子供の時に必要なのは本です)《◆ what は意味により単数と複数で扱う．What are need in one's childhood are books. とも言える》

All you have to do *is* (to) practice every day. (あなたがしなくてはいけないことは毎日練習することだけです) (= You only have to practice every day.)《◆この構文で be 動詞の直前に do がある場合，be の後ろの to は省略されることが多い》

23.3 倒置

疑問文ではないのに主語と(助)動詞の位置が入れ替わることを倒置という．倒置する理由は文のスタイル，リズム，強調などがある．

(1) 主語と動詞をそのまま入れ替える場合

"Hurry up," *said my brother*. (「急げ」と兄が言った)

Here *comes the bus*. (ほらバスが来たよ)

Oh, *am I* glad to see you! (ああ，お会いできてうれしい)

The more excited he was, the more beautiful *was his performance*. (興奮するにつれて，彼の演技はそれだけすばらしくなっていった)

●仮定法の if を省略するとそれに続く主語+動詞は倒置される．

Were it not for her advice, all would have gone to ruin. (彼女の助言がなかったらすべてが破滅していただろうに) (→9.4)

(2) 否定語(句)や only が文頭に出るとき

「助動詞+主語+動詞原形」の語順になる．文語に多く見られ，詠嘆の気持ちが含まれる．

Seldom have I heard him speak English. (彼が英語を話すのを私はめったに聞いたことがないのだ)

Never did I think that I would win first prize. (1位になるなんて考えもしなかったのよ)

No sooner had I sat down than the phone rang again. (座るや否や電話が再び鳴ったのだ)

Only yesterday did I realize what he meant. (昨日になってやっと私は彼が言いたいことがわかったのよ)

Little did I dream of ever seeing you here. (ここでお会いするなんて夢にも思っていませんでしたよ)

●動詞を否定しない場合は倒置しない.

Not long ago we had a big earthquake. (最近大きな地震があった)

(3) 「…もまた同じ」と言うとき

If he is going, then *so am I*. (彼が行くなら私も行きます)

I had a good time, and *so did my wife*. (私は楽しみました,妻もです)

He won't buy the ticket, *nor* [and *neither*] *will she*. (彼はチケットを買わないだろうし,彼女もまたそうだろう)

(4) 文の流れをよくするために前の語句をすぐに受け継ぐ語句を文頭に出す場合

I went to Sara's office. <u>With her *was her husband*</u>. (私はサラの会社へ行った.サラと一緒にいたのは彼女の夫だった)

He brought us to the kitchen, and <u>sitting around the table *was his five-year-old son*</u>. (彼は私たちをキッチンに連れて行った,テーブルに座っていたのは彼の5歳になる息子だった)

23.4 挿入

前後の部分と文法上の関係のない語句を,前後をコンマやダッシュで区切り割り込ませることを挿入という.文頭・文中・文尾いずれにも用いる.補足説明などに用いる.

The man was, *it turned out*, our new homeroom teacher. (その人は,後でわかったことだが,私たちの新しい担任だった)《◆ It turned out that the man was our new homeroom teacher. としても同じ》

Ms. Hashida is a great scholar, and, *what is more*, a good pianist. (橋田さんは優れた学者で,さらに立派なピアニストでもあります)

You did a good job, Bill, *in my view*. (うまくできたね,ビル,私から見ればね)

23.5 省略

簡潔な文にするため,同一語(句)を重複して使うのを避けたり,文法上なくてもわかる語(句)がしばしば省略される.

(1) 前出・重出語句の省略

名詞,冠詞,(助)動詞などが省略されることが多い.

I like Dutch cheese more than Danish (cheese). (デンマークチーズよりオランダチーズが好きだ)

I ordered a cherry pie, not (an) apple (pie). (チェリーパイを注文したのです,アップルパイではありません)

We have been to London and (have) seen Big Ben. (私たちはロンドンに行きビッグベンを見たことがあります)

If another typhoon comes, that bridge will be washed away and the power supply (will be) cut off. (もう一度台風が来たらあの橋は流されて電気が止まるだろう)

(2) 主語+be 動詞の省略

時・条件・譲歩の副詞節では,主節の主語と同じで be 動詞のとき主語+be 動詞がしばしば省略される.

He received a scholarship when (*he was*) in high school. (彼は高校のころ奨学金を得ていた)

Although (*he was*) rich, he was not happy. (彼は金持ちだが,幸せではなかった)

(3) 関係代名詞+be 動詞の省略

There are many customs even in Asia (*which are*) different from ours. (アジアでも私たちの習慣とは異なる習慣がいっぱいある)《◆ 形容詞の名詞修飾とも考えられる. ●17.1》

The boy (*who was*) reading a magazine did not see me enter the room. (雑誌を読んでいた少年は私が部屋に入るのが見えなかった)《◆ 分詞の形容詞用法とも考えられる. ●13.2》

(4) 慣用的な省略

I would like to come with you, *if* (it is) *possible*. (できればご一緒させていただきたいのですが)

"Why not eat out?" "(It) *Sounds* great." (「外で食べないか」「いいね」)

文法用語解説

太字の用語はこの「文法用語解説」で見出し語となっている.
➡は「文法のまとめ」への参照を示す.

〈あ〉

- **一人称** 話し手本人のこと. I, we で表す.
- **一致** (1)動詞の形を, 主語の人称と数(⁷⁄₉)に合わせること: 三単現 He is a baseball player. (彼は野球選手です.)/複数 The girls are baton twirlers. (その女の子たちはバトンガールです.) (2)時制を合わせること: He said, "I'll be back in five minutes." (「5分したら戻ります」と彼は言った)を言いかえると He said he *would* be back in five minutes. となる. 過去形の said に合わせて will も過去形の would になることを「時制の一致」という. 時制が一致しない場合 ➡10.2
- **一般動詞** be 動詞以外の動詞すべてを一般動詞と呼ぶ. 疑問文・否定文を作るとき do, does, did の助けを借りる.
- **移動動詞** 動作動詞のうち ski (スキーをする)のように移動しながらまたは場所を移して行なう意味をもつ動詞. go + -ing の形でよく用いる. →go 動 ⓐ 2 語法
- **意味上の主語** 「文法上の主語」に対する用語. She likes sitting by the window. (彼女は窓辺に座っているのが好きだ) の she は動詞 likes の文法上の主語であり, さらに sitting の意味の上からも主語である. また This problem is easy for *me* to solve. (その問題は私には解くのが簡単だ)の文では不定詞 to solve の主語は me である. このように動名詞や不定詞の主語に当たるものを意味上の主語と呼ぶ. ➡11.4, 12.5, 13.7
- **意味上の目的語** 「文法上の目的語」に対する用語. solve the problem (その問題を解く)では the problem は他動詞 solve の文法上の目的語である. これを The problem is easy to solve. (その問題は解くのが簡単だ.)の文で使うと The problem は文の主語だが, 同時に他動詞 solve の目的語にもなっている. このような目的語を意味上の目的語と呼ぶ.
- **受身形** 「…される」「…されている」のように行為・動作を受ける人・物を主語にするときの動詞の形. ふつう be 動詞+過去分詞になる. ➡7

〈か〉

- **外来形容詞** もともと英語ではなくラテン語などの外国語から入ってきて, 現在, 形容詞としてふつうに使われている語: solar (太陽の) を sun (太陽) の外来形容詞と呼ぶ.
- **格** 名詞と代名詞が文中でどんな役割をしているかを明示するときの呼び名. 主語に使われたら主格, 目的語に使われたら目的格, 補語に使われたら補語格, 名詞の前で使われたら所有格という. 関係代名詞にも主格, 目的格, 所有格, 補語格がある. ➡20.2
- **過去完了** had+過去分詞 の形で, 過去のある時点より以前のことを表す. ➡6.2
- **過去分詞** 規則動詞の過去分詞は ed を付けて作る. 不規則動詞の過去分詞は本辞典 p.1951〜 に載っている. 用法は, (1) be動詞+過去分詞で受身形(…される) ➡7 を作る. (2) have+過去分詞で完了形(…したところだ) ➡6 を作る. (3) 多くの過去分詞は形容詞と同じように名詞を修飾する: a broken car (こわされた車) ➡13.2
- **可算名詞** 1つ2つと数えられる名詞. 本辞典では Ⓒ と表示している. Ⓒ と表示されている名詞は, 1つであれば a, an, the, this, my などをつけて a book, that book などとしなければならない. 何もつけず ˣbook ということはできない. 2つ以上の場合は必ず複数形にして, many books, his books などとする. ➡14.3 (1)
- **仮定法** 事実ではないことを「もし…ならば, …だろうに」と仮定する言い方. ➡9
- **仮定法過去** 現在の事実の逆を仮定したり, 未来に起こり得ないことを言う言い方. 動詞に過去形を使うので「仮定法過去」と呼ぶ: If he *tried* hard, he *would* succeed. (一生懸命やれば彼は成功するだろうに). ➡9.1
- **仮定法過去完了** 過去の事実の逆を仮定して言う言い方. 動詞に過去完了形 (had+過去分詞) を使うので「仮定法過去完了」と呼ぶ: If I *had known* her address, I *would have written* to her. (彼女の住所を知っていたら, 手紙を出したのだが). ➡9.2
- **仮定法現在** that 節の中で動詞原形を使う言い方.

(例) They suggested that she *remain* here until next week.（彼女は来週までここにとどまるようにと彼らは提案した）. she の後でも -s を付けず動詞原形 remain とする. ➔9.3

関係詞 関係代名詞と関係副詞のこと. ➔20

関係代名詞 名詞の後ろに付けてその説明を始める語.「接続詞＋代名詞」の働きをする. who, whose, whom, which, that, what がある. ➔20

関係副詞 名詞の後ろに付けてその説明を始める語.「接続詞＋副詞」の働きをする. when, where, why, how がある. ➔20.4

冠詞 a, an の3つがある. a, an を**不定冠詞**と呼び, the を**定冠詞**と呼ぶ.

間接疑問文 疑問詞＋主語＋動詞の語順で, 主語, 補語, 目的語に使われる：I don't know *where he lives*.（彼がどこに住んでいるのか私は知らない）. 本辞典では wh節と表示している.

間接目的語 他動詞＋A＋B（AにBを与える）の**A**のこと. ➔3.3.

間接話法 人の言ったことをそのまま伝えずに自分のことばで言い替えて伝える言い方. ➔10.4, 10.5

感嘆文 ➔1.9

間投詞 oh とか well などの驚き・喜びなどを表す語.

完了形＝完了時制 have 動詞＋**過去分詞**の動詞の形を完了形と言う. **現在完了形, 過去完了形, 未来完了形**がある. ➔6

基数詞 one, two, three など.

疑問詞 疑問代名詞と疑問副詞がある. 本辞典では疑問代名詞と疑問副詞をまとめて wh 語と表示している. ➔1.3(2)

疑問代名詞 what, which, who, whose, whom がある. ➔15.1

疑問文 文末に ？（クエスチョンマーク）が付いている文. 疑問詞のある疑問文, 疑問詞のない疑問文, 直接疑問文, 間接疑問文がある. ➔1.2～1.4

疑問副詞 when, where, why, how の4つがある.

強勢 他の語よりも強く発音すること. アクセントともいう. 1つの単語の中にもあり, 文でも名詞, 動詞, 形容詞, 副詞にはふつう強勢を置く. 強勢の置き方によりふつう文意が異なる. I am tíred.（私は疲れているのです）, Í went there.（私が行ったのです）.

強調構文 It is＋強調される部分＋that .... で「…するのは…だ」を表す文. ➔23.2(1).

句 2語以上のまとまりで, **接続詞＋主語＋動詞**がないもの.

形式主語 *It* is a great pleasure to be here.（ここにいるのはとても楽しい）の文で it の内容は to be here である. このように主語＋動詞がすぐ発見できるように先に it を立てて具体的な内容を後ろに置くことがよくある. この it を形式主語と呼ぶ. →**4a**–**h**.

形式目的語 I find *it* a great pleasure to be here.（ここにいるのはとても楽しいと思います）の文で it の内容は to be here である. このように先にわかりやすく it を立てて具体的な内容を後ろに置くことがよくある. この it を形式目的語と呼ぶ. →it **6a**–**e**, that² 接 **1a**の最終例.

形容詞 2つの用法がある. (1) **名詞**の前に置いて名詞を修飾する：a *happy* prince（幸せな王子）本辞典ではこれを［名詞の前で］と表示している. (2) 動詞のあとに置いて補語になる：The prince was *happy*.（王子は幸せであった）本辞典ではこれを［補語として］と表示している.

形容詞句 名詞を説明する2語以上のまとまり：a book *easy to read*（簡単に読める本）などがある.

形容詞節 前の**名詞**を説明する主語と動詞をもつ2語以上のまとまり. **関係代名詞**の作る節と同じ.

結果の目的語 理屈では「地面を掘って穴をあける」だが dig a hole（穴を掘る）と言う. この a hole を結果の目的語という. 日本語でも「ご飯を炊く」,「お湯を沸かす」などという.

原級 比較を表す方法の1つ. rich-richer-richest の rich.

原形 →動詞原形.

現在完了 have＋**過去分詞**の形. 過去のことが現在とどうつながっているかを表す. ➔6.1

現在形＝現在時制 現在の状態や動作を表す. ➔4.1

現在単純時制 現在形で, 進行形でもなく**完了形**でもない動詞の形. 現在の事実, 習慣, 状態などを表す.

現在分詞 動詞の -ing 形のこと. (1) **be動詞**＋doing（…しているところだ）で進行形を作る. (2) 名詞を修飾説明する形容詞としても使う：a *sleeping* baby（眠っている赤ん坊）. ➔13

限定詞 the, my, this, these, that, those など. 2つ並べて使うことはできない. one of や most of の後には必ずこの限定詞のどれかが用いられなくてはならない：one of the books（その本の中の1冊）, most of those students（それらの学生たちのほとんど）.

肯定文 「…である」「…する」と認める文.

呼応 (1) **一致**の(1)と同じ. (2) **名詞**の複数形は代名詞 の they, their, them で, 単数形は代名詞 it などで受けること.

固有名詞 人の名前, 物の名前. 最初の1字を大文字で書く. ふつう**冠詞**をつけないし, 複数形にもしない. ➔14.2(4)

コロケーション 語と語の慣用的な結びつき. answer a question など.

〈さ〉

再帰代名詞 oneself のこと. 主語の人称, 数に対応して yourself, herself, themselves などの形をとる. 目的語に使うのが再帰用法, 意味を強めるのに使

文法用語解説

うのが強調用法.

三単現(の -s) 主語が三人称で単数(he, the book, it など)のとき,動詞の現在形に -s を付けること.

三人称 2人が話しているとき話の話題に上る人・物.代名詞は he, she, it, they.

使役動詞 have, let, make などがあり, make [have, let]+A+動詞原形 (Aに…させる) の形で用いる. ➔3.5

指示代名詞 this, that, it, these, those, they のこと. ➔15.2

時制 動詞が表す「時」のこと.「形」ともいう. 現在時制=現在形,過去時制=過去形 2 つがある. ➔4

時制の一致 ➔10

自動詞 目的語をとらない動詞. be動詞, go など. ふつう受身形にできない. ➔3.1

集合名詞 family のように人・物の集まりを表す名詞. 1つの団体と考えれば単数扱いにし,ひとりひとりを思い浮かべれば複数扱いにする. ➔14.2(5)

修飾語(句) 名詞に付ける形容詞,形容詞・副詞に付ける副詞のこと. →world 4.

従節=従属節 ➔22.2.

主格 主語のこと.

主格補語 自動詞のあとに来る補語のことで, 主語=補語の関係にある. 本辞典では C で表示している. 補語には主に名詞,代名詞,形容詞,前置詞+名詞が用いられる: The street is *busy* on Sundays. (その通りは日曜日は車の往来が多い) [the street = busy] / He became *a teacher*. (彼は先生になった) [he = a teacher].

主語 英語では,命令文を除いて必ず主語と動詞がある. 主語になるのは名詞,名詞節,名詞句, wh 節・句,代名詞,動名詞,不定詞などがある.

主節 主語+動詞が2組あるとき,その文の主語+動詞がある方のまとまりを主節という. When he arrived at the door, *he opened it quietly*. (ドアのところへ着くと,彼は静かにドアを開けた). 接続詞のついている方を**従節**と呼ぶ.

受動態 →受身形. ➔7

授与動詞 →目的語を2つとる動詞. ➔3.3

瞬間動詞 hit (打つ), jump (跳ぶ) などの瞬時で終わる動作を表す動詞. 進行形ではその動作の繰り返しを表す: He is kicking the ball. (彼はボールを何度も蹴っている).

準動詞 不定詞・動名詞・分詞をまとめて準動詞と呼ぶ.

準否定語 純然たる否定語ではないが否定の意味をもつ hardly (ほとんど…ない), scarcely (ほとんど…ない), rarely (めったに…ない), seldom (めったに…ない) など.

照応 the book を it で受けるなど,語と語の指示関係.

冗語(的) 「馬から落ちて落馬した」のような重複した,あるいは余分な表現.

状態動詞 like (好きである), know (知っている) のように始まりと終わりがはっきりしないで今どういう状態にあるかを述べる動詞. 進行形にしない.

焦点 文の中でもっとも重要な情報. 話し手が聞き手に新しい情報として伝えたいと考えている事柄. She made me an apple pie. (彼女は私にアップルパイを作ってくれた) では an apple pie に焦点があり, She made an apple pie to Max. (彼女はアップルパイをマックスに作ってあげた) では Max に焦点がある.

序数詞 first, second, third など順序を表す語. ふつう the を付ける.

助動詞 can, may, must, will, shall, should など. 疑問文では主語の前に出し,否定文では not を後ろに置く. 三単現の -s はつけない. ➔8

所有格 代名詞では my, our, your, his, her, their, its, whose がある. ➔15.1 名詞は my father's car (父の車) のようにアポストロフィー s ('s) で表す. →apostrophe ◆[用法](2).

進行形 be動詞+doing の形. 動作動詞の進行中の行為を表す. 状態動詞は進行形にできない. ➔5

真主語 形式主語の it のあとに置く. 不定詞,動名詞, that 節, wh 節を用いる. →形式主語

真目的語 形式目的語の it のあとに置く. to 不定詞,動名詞, that 節, wh 節を用いる. →形式目的語

数(^{すう}) 単数と複数がある. (1) C 名詞は単数か複数かのどちらかで用いる. (2) U 名詞はいつも単数扱い. (3) 動詞には**三単現の -s** が重要.

数量形容詞 数(すう)や量を表す形容詞. 数を表す形容詞: a few, some, several, many, a plenty of, a lot of など. 量を表す形容詞: a little, some, much, a plenty of, a lot of など. one, two, three などは数詞と呼ぶ.

成句 いわゆる熟語,イディオムのこと. 本辞典では各単語の品詞別の最後に太字斜字体でまとめてある.

制限用法 関係代名詞,関係副詞の用法の1つ. 前の名詞を限定する用法. 関係詞の前にコンマを打たない. ➔20.6.

節 2語以上のまとまりで,接続詞+主語+動詞があるもの.

接続詞 文と文をつなぐ語. and, because, but, if, when など. ➔22

絶対比較級 他との比較ではなく, the upper lip (上唇), higher animals (高等動物) などの決まった言い方.

先行詞 関係詞によって修飾される名詞.

前置詞句 前置詞+名詞のまとまりのこと. 3つの使い方がある. (1) すぐ前の名詞を修飾: a book *on the desk* (机の上の本). (2) 動詞を修飾: live in

Kyoto（京都に住む）．(3)補語になる：be in good health（健康である）．→21.2
全(体)否定 「全部…ない」のようにすべてを否定すること．We don't have any homework today. = We have no homework today.（きょうは宿題がありません）→2.2

〈た〉

代不定詞 You may go home if you want to. のように不定詞の to の後の**動詞原形**を省略したもの．→11.9
代名詞 指示代名詞，人称代名詞，疑問代名詞，不定代名詞，関係代名詞がある．→15
他動詞 目的語をとる動詞．受身形にできるものが多い．→3.1
他動詞的 en exciting game（人をわくわくさせる試合）のように形容詞だが人に何かをさせるような意味をもつことをいう．「わくわくする試合」のように訳す方が日本語らしい：a boring film（退屈させる映画→退屈な映画）．
単数(形) ⓒ名詞の単数形には a, an を付ける．主語が三人称で単数のとき動詞の現在形は -s を付ける．
知覚動詞 知覚・感覚を表す see のような動詞．〈see＋A＋動詞原形〉の語順で「**A**が…するのを見る」の型と，〈see＋A＋doing〉で「**A**が…しているのを見る」の2つの型がある．他に hear, feel などがある．感覚動詞ともいう．→3.4
抽象名詞 luck（幸運），truth（真実）のように性質・状態などを表す名詞．ふつう a, an を付けない．→14.2(3)
直説法 →法．
直接目的語 ⑯動詞＋**A**＋**B** の **B** のこと．
直接話法 人の言葉をそのまま伝えること．日本語では「…」と忠告する，「…」と叱る，など「…」を自由につけられるが，英語では "……" が使えない動詞もある．本辞典では直接話法で使ってよい **A**，**B** ランクの他動詞には「『…』と言って尋ねる」のように書いてある．→10.4, 10.5．
定冠詞 the のこと．→16
問い返し疑問文 普通の疑問文の語順でなく，平叙文の語順の中に疑問詞をそのまま用いる疑問文：You brought what here?（ここに何を持って来たんだって?）．
等位接続詞 →22.1
同格 「日本という国」では「日本」と「国」は同格の関係にある．この「という」の意味に当たる関係．→22.5
動作動詞 begin（始める）のように瞬間の動作を表すもの，write（書く）のように瞬間では終わらない動作を表すものがある．動作動詞を現在形で使うと I walk before breakfast.（私は朝食前に散歩をします），The sun rises in the east.（太陽は東から昇る）のように繰り返される習慣，事実などを表す．
動詞 英語の文は主語＋動詞の語順が普通（→3）．→be 動詞，一般動詞，自動詞，他動詞，動作動詞，状態動詞．→3
動詞句 動詞を中心語とする語句のまとまり．→so 副 8．
動詞原形 動詞の基本形．たとえば go-goes-went-gone の go. is, am, are, was, were の原形は be. 次の4つが主な使い方：(1)命令文，(2)助動詞や not のあと，(3)不定詞：to のあと，(4)知覚動詞[使役動詞]＋**A**＋動詞原形．本辞典では一般動詞の動詞原形は do で代表させている．
同族目的語 laugh a merry laugh（陽気な笑いを笑う）のように動詞とつづりの同じ名詞が目的語になること．live a happy life（幸せな生活を送る）なども含める．
動名詞 動詞の ing 形のこと．動詞から作った名詞だから，名詞と同じ役割をする．意味は「…すること」．to 以外の前置詞のあとでは動詞原形は使えないので必ず動名詞を使う．本辞典では doing で代表させている．→12
倒置 疑問文ではないのに，Never have I been to Paris.（パリへは1度も行ったことがない）のように疑問文と同じ語順にすること．→23.3
遠回し語 日本語で「便所」といわず「お手洗い」「トイレ」「(デパートなどの)化粧室」などというように間接的な表現を用いる言い方．→stout 形 2．
独立用法 this, that や what, which などには2つの使い方がある．I like this.（これが好きです）と I like this racket.（このラケットが好きです）．前者のように単独で使うのが独立用法．後者のように名詞の前に置くのが形容詞用法．→this Ⅲ, Ⅳ, which 代 1．

〈な〉

二人称 あなたが話をしている相手．you で表す．
人称代名詞 人を指す代名詞．[一人称] I, my, me, we, our, us, [二人称] you, your, you, [三人称] he, his, him, she, her, her, they, their, them がある．→15.3
能動受動態 動詞の形は**受身形**ではないが意味が「…される」のように受身的に訳されるような動詞の使い方．This shirt washes well.（このシャツはよく洗える）のように自動詞＋副詞が特徴である．
能動態 主語＋他動詞＋目的語の文で「…を…する」の意味を表す．

〈は〉

反語用法 文字通りの意味とは逆の意味を表す用法．→contrive 動 3．
非制限用法 関係代名詞，関係副詞の用法の1つ．関係詞の前にコンマを打つ．前の名詞に説明を加える

文法用語解説

用法．非限定用法，継続用法ともいう．→20.6

否定(文) 「…ではない，…しない」の意味を表す文．be 動詞では後ろに not を置く．**一般動詞**では do not, does not, did not, don't, doesn't, didn't を前に置く．→2

比喩的 文字通りの意味を表すのではなく，たとえていう言い方．→taste 動他 4.

品詞 8 つの品詞がある．**名詞，代名詞，動詞，形容詞，副詞，前置詞，接続詞，間投詞**の 8 つ．

頻度の副詞 繰り返して起こる回数を表す副詞．never-sometimes-often-usually-always の順に頻度が高くなる．→18.2

付加疑問 文の最後に添える疑問文で，念を押したり，確認を求めるのに使う．肯定文には否定の付加疑問を添える：You know my email address, *don't you*? （私の E メールアドレス知ってるよね）．否定文には肯定の付加疑問を添える：Naomi can't swim, *can she*? （ナオミは泳げないんだよね）．→1.7.

不可算名詞 1 つ 2 つと数えられない**名詞**．本辞典では Ⓤ と表示している．Ⓤ と表示されている名詞は，数えられないので a, an, one を付けることはできない．また複数形にすることもできない．Ⓤ 名詞には**抽象名詞，物質名詞，固有名詞**がある．→14.3

副詞 副詞は (1) **形容詞**を修飾する．(2) **動詞**を修飾する．(3) **副詞**を修飾する．→18

副詞句 主語+動詞を持たない 2 語以上のまとまりで，全体で動詞を修飾する．多くは前置詞+名詞：The car stopped *in front of the gate*. （車は門の前で止まった）．

副詞辞 on, in, up, off などは前置詞にも用いられるが，これらは副詞にも用いられる．前置詞を用いた She put a kettle on the stove. （彼女はやかんをコンロにかけた）は，She put a kettle on. ともいえる．この on を副詞辞と呼ぶ．→18.7

副詞節 接続詞+主語+動詞を持つ 3 語以上のまとまりで，全体で動詞を修飾する：*When he arrived at the door*, he opened it quietly. （ドアのところへ着くと，彼は静かにドアを開けた）．**従節**と同じ．→22.3

複数形 Ⓒ 名詞は 2 つ以上のときは複数形にする．

複数主語 主語が複数形，もしくは主語が 2 つ以上あること．動詞は複数形で受ける．

複数語 名詞の複数形と同じ意味で本辞典では使っている．→group 图 1.

付帯状況 「…した状態で」「…しながら」という意味を表す言い方．→with 前 10a.

普通名詞 student （学生），bicycle （自転車），lion （ライオン），tree （木）など，目に見える一定の形をもった物・人を表す名詞．**可算名詞**である．→14.2(1)

物質名詞 iron （鉄），butter （バター），fire （火）など一定の形をもたない物質を表す名詞．**不算名詞**である．→14.2(2)

不定冠詞 a, an のこと．→16

不定詞 to 不定詞と原形不定詞の 2 つがあるが，本辞典では原形不定詞は**動詞原形**と呼んでいる．したがって，本辞典で不定詞という場合 to+動詞原形を指し，to で表示している．不定詞には次の 3 つの用法がある：(1) 名詞的用法．(2) 形容詞的用法．(3) 副詞的用法．→11

不定詞句 不定詞の作るまとまり．不定詞と同じ．

不定代名詞 he （彼）のように特定の人や物を言うのではなく，one （ある一人），others （他の人たち），などのように不特定の人・物を指す代名詞．他には another, some, each, every, all, both, either, none, neither などがある．→11.1

不定の名詞 a book, books など**限定詞**のつかない名詞句をさす．

部分否定 否定語（not, no など）が特定の語句だけを否定すること．文の一部分を否定するのでこう呼ぶ．→2.2

文 主語+動詞を備えた 2 語以上のまとまり．**平叙文，疑問文，命令文，感嘆文**の 4 つがある．→1.1

文型 動詞がとる型を大きく分けると 5 つになる．これを**基本 5 文型**と呼ぶ．→3.2

第Ⅰ文型 [SV] Money talks. （金がものをいう）

第Ⅱ文型 [SVC] John is a lawyer. （ジョンは弁護士です）

第Ⅲ文型 [SVO] Bees collect honey. （ミツバチは花のみつを集める）

第Ⅳ文型 [SVOO] He gave me some chocolate. （彼は私にチョコレートをくれた）

第Ⅴ文型 [SVOC] We named the island Cook. （私たちその島をクックと名づけた）

分詞 **過去分詞**と**現在分詞**がある．2 つとも形容詞のように名詞を修飾できる．そのほかに，過去分詞は be 動詞+過去分詞で**受身形**となり，現在分詞は be 動詞+現在分詞で**進行形**となる．→13

分詞構文 分詞が作る句．(1) 現在分詞の分詞構文：*Being sick*, he stayed at home all day. （病気だったので，彼は 1 日中家にいた）．(2) 過去分詞の分詞構文：*Written in easy English*, this book is easy to read. （この本はやさしい英語で書かれているので，読むのが簡単です）．→13.4〜13.8

分離不定詞 He failed to *entirely* understand it. （彼はそれを完全には理解できなかった）のように to と動詞原形の間に副詞が割りこんだ形．避ける方がよいがしばしば使われる．

平叙文 事実や考えをそのまま述べる文．→1.1

法 たとえば CD が欲しいとき，親に「CD が欲しい」と言えば**直説法**，「CD を買え」と言えば**命令法**，「CD を買ってくれれば，もっと勉強するんだけど」と心にもないことを言えば**仮定法**．3 つとも同じことを言っているのだ

が, 気持ちの表し方が違う. この心の表し方を法と呼ぶ.
→9

補語 主語＋自動詞のあとや, 主語＋他動詞＋目的語のあとに置いて, 主語や目的語の意味を補って説明する語. **主格補語**と**目的格補語**がある. 補語に使われるのは形容詞・名詞・代名詞・不定詞・前置詞＋名詞などである. 本辞典では **C** と表示している. →3.2(2)(5)

本動詞 ふつうに動詞と呼ぶものと同じ. 助動詞と区別するため本動詞と呼ぶこともある. →dare [助] [語法].

〈ま〉

未来完了 will＋have＋**過去分詞**の形. →6.3

未来の表し方 これから起こるであろうことを表す言い方. 過去のことは過去形を使うが, 未来のことを表す未来形という変化形はない. そのため代わりに, will や be going to などで表す. I *will* send you email tomorrow. (あしたメールを送ります) / My sister is going to leave in a week. (姉は1週間したら出発する予定です). →4.3

無冠詞 a, an, the を付けないこと. →16.3

無生物主語 生物ではない物を主語にして, それがまるで意志をもった生き物のように何かをする, たとえば, 「そのニュースが私を楽しくさせた」のような言い方がある. これを無生物主語の文と呼ぶ. 日本語にするとき工夫してみよう：The news made me happy. (そのニュースが私を楽しくさせた→そのニュースを聞いて私は楽しくなった) / Your foolishness amazes me. (君の愚かさはぼくを驚かせる→君のばかさかげんには驚くよ). →23.1

名詞 人・物・事を表す語で, 主語, 補語, 目的語に使われる. **普通名詞, 集合名詞, 抽象名詞, 物質名詞, 固有名詞**の5つがある. →14

名詞化表現 invent the camera (カメラを発明する) という動詞句を the invention of the camera (カメラの発明) のように名詞句にすること. この名詞化表現により, もとは動詞だったものを主語, 補語, 目的語としても使えるようになり表現の幅が広がる. ただ主語, 目的語, 動詞の関係がわかりにくくなることもある. →14.4

名詞句 名詞を中心にする2語以上のまとまり. 不定詞の句, 動名詞の句も名詞句である. 名詞と同じく**主語, 補語, 目的語**に使われる.

名詞節 接続詞＋主語＋動詞からなる3語以上のまとまり. **that 節, wh 節, 間接疑問文**がある. 名詞と同じく主語, 補語, 目的語に使われる. →22.4

命令文 命令は二人称の you に対して行なわれるが, 主語の you はふつう言わないで, **動詞の原形**で文を始める. be 動詞の命令文：*Be* careful. (注意しなさい). 命令文の否定は *Don't*＋動詞の原形で, be 動詞のときも *Don't be* afraid. (恐れるな). 命令文につける付加疑問は will you? または won't you? を使う. →1.8 →法.

目的格 他動詞の目的語と前置詞の目的語の2つがある.

目的格補語 他動詞＋目的語のあとに来る補語のこと. 本辞典では**C**で表示している：The news made Bill *happy*. (知らせを聞いてビルは喜んだ) [Bill = happy の関係になっている] →3.2(5)

目的語 (1) 他動詞の目的語：他動詞のあとにある**名詞, 代名詞, 不定詞, 動名詞, that 節, wh 節・句**などはすべて目的語である. →3.2(3)(4)(5) (2) 前置詞の目的語：前置詞のあとにある名詞, 代名詞, 動名詞, wh 節・句などはすべて目的語である. →21.1

目的語を2つとる動詞 give A B は「A に B を与える」の意味で, このような語順をとる動詞をいう. give B to A の語順でも表せるのが特徴. A と B を入れ替えると buy A B → buy B for A となるものもある. →3.3

〈や〉

様態の副詞 「どのように」行動するか,「どんなふうに」存在しているかを述べる副詞. 具体的には live *happily* (幸せに暮す), swim *slowly* (ゆっくり泳ぐ), take it *easy* (気楽にやる). 正しい文を作るために様態の副詞がどうしても必要な動詞には本辞典では《◆ 様態の副詞を伴う》と注記してある. →18.3

〈ら〉

歴史的現在 過去の出来事だがあたかも今目の前で起こっているかのように現在時制で述べること. また, すでに亡くなっている人の言動を今生きているかのように引用するときにも用いられる. In *Gulliver's Travels*, Jonathan Swift *imagines* a society with a special type of beings who never die. (『ガリバー旅行記』の中で, ジョナサン・スイフトは決して死なない特殊な生き物のいる社会を想像している).

〈わ〉

話法 人の言ったことをそのまま伝える**直接話法**と言い直して伝える**間接話法**とがある. →10

be 動詞 動詞 be は, 他の動詞と違う特徴を多く持っているので, これを特に区別して be 動詞と呼ぶ. be には, 否定文を作るとき後ろに not を置く, 疑問文を作るとき主語の前に出す, do, does, did をいっしょに使わないといった特徴がある. 詳しくは →be.

that 節 that＋**主語**＋**動詞**のまとまりで, 主語, 補語, 目的語, 副詞節などとして用いる. →that² [接].

wh 節・句 wh は what, which, who, whose, whom, when, where, why, how, whether, if を代表している. 疑問詞や関係代名詞の作るまとまりを表す. wh 節・句は名詞と同じ役割をする.

語要素一覧

英単語を構成する要素

単語は1つまたは複数の要素からできている

英語の語には,1つの要素から成っているものと,複数の要素から成り立っているものがある。
(1) 1つの要素のみのもの
　　Japan　boy　short　cook　wife　pay
(2) 2つの要素からできているもの
　① 変化形　boys [boy + s]　　shorter [short + er]　　cooked [cook + ed]
　② 派生語　Japanese [Japan + ese]　　ex-wife [ex + wife]　　prepay [pre + pay]
　③ 複合語　highway [high + way]　　high school [high + school]　　high-tech [high + tech]
(3) 3つ以上の要素からできているもの
　① 語頭要素＋語根＋語末要素　unemployment [un + employ + ment]
　② 複合語＋語末要素　percentage [per cent + age]
　③ 語頭要素＋複合語　ex-flight attendant [ex + flight attendant]

語の要素を観察しよう

知っている単語の数が増えてくると,いくつかの単語に共通する部分があるのに気づくだろう。その部分はつづりが共通しているだけでなく,音や意味,さらには,その語の品詞を決める役割などの点でも共通していることがある。その共通する部分とその他の部分が組み合わさって,いくつもの違う単語ができている。

新しい単語に出会うたびに別々の単語だと思うと,1つ1つ覚えるのが大変だが,**いくつもの語に共通することが多い要素を覚えておけば,知っている要素から全体の意味や役割が予想できる。**

語に意味や役割を付け加えているこうした「要素」は,しばしば「接頭辞」「接尾辞」,および「連結形」と分けられるが,ここでは,こういった要素を全て「語要素」と呼ぶ。語要素は,語の最初についている**語頭要素**と,語の末尾についている**語末要素**とに分けられる。なお,語から語頭要素と語末要素を取り除いたものが語根と呼ばれる部分で,それも複数の語に共通したものが見られる。

以下の一覧表では,主な語要素を,(1)意味,(2)品詞によって分類・説明する。

[1]　意味による分類

1.1　数・大きさ・量

one- 1 ‖ one-armed 片腕の,片腕用の.
uni- 単一の,1つから成る ‖ uniform 制服 / unicycle 一輪車.
mono-¹ [母音の前ではしばしば **mon-**¹] ひとつの,唯一の(⇔poly-) (cf. 1.6 mono-²) ‖ monopoly 独占.
sesqui- 1倍半.
twi- 2の,2倍の,二重の.

di- 2の, 2倍の, 二重の.
tri- 3の, 3倍の, 三重の ‖ triangle 三角形 / trisect 3等分する / trimonthly 3か月ごとの / trioxide〔化学〕三酸化物.
quadri- 4の.
tetra- [母音の前で **tetr-**] 4の.
penta- [母音の前で **pent-**] 5の.
hexa- [母音の前で **hex-**] 6の.
septi- [母音の前で **sept-**] 7の.
hepta- [母音の前で **hept-**] 7の.
octa- [**oct-, octo-**] 8の.
deca- [母音の前で **dec-**] 10の, 10倍 ‖ decade 10年間.
twenty- 20 ‖ twenty-four 24 / twenty-third 23番目の.
thirty- 30 ‖ thirty-three 33 / thirty-third 33番目の.
forty- 40 ‖ forty-four 44 / forty-third 43番目の.
fifty- 50 ‖ fifty-five 55 / fifty-third 53番目の.
sixty- 60 ‖ sixty-five 65 / sixty-third 63番目の.
seventy- 70 ‖ seventy-five 75 / seventy-third 73番目の.
eighty- 80 ‖ eighty-five 85 / eighty-third 83番目の.
ninety- 90 ‖ ninety-five 95 / ninety-third 93番目の.
centi- [母音の前で **cent-**] 100, 100番目, 100分の1.
kilo- 1000 ‖ kilowatt キロワット / kilocalorie キロカロリー / kilogram キログラム.
mega- **1** 大きい ‖ megaspore〔植〕大芽胞. **2** 100万倍の ‖ megabyte メガバイト.
giga- 10億の ‖ gigabyte ギガバイト.
tera- 1兆.
deci- 10分の1 ‖ decigram デシグラム / decimeter デシメートル.
milli- 1000分の1 ‖ milligram ミリグラム / millimeter ミリメートル.
nano- 10億分の1.
macro- 長い, 大きい(⇔micro-).
maxi- 特大の, 特別に長い ‖ maxiorder 大量注文.
micro- **1** 小, 微小, 微量;〔病理〕過小(⇔macro-) ‖ microcosm 小宇宙 / microspore〔植〕小胞子 / microelectronics ミクロ電子工学 / microcephaly 小頭;〔医学〕小頭症. **2** 拡大の, 顕微鏡を使う ‖ microscope 顕微鏡 / micrograph 顕微鏡写真. **3** 100万分の1 ‖ microsecond マイクロ秒.
mini- (略式) **1** 非常に小さい, 小型の ‖ minibus マイクロバス. **2** 丈がひざ上の, ミニの ‖ miniskirt ミニスカート.
multi- 多い, 多数の.
poly- 多数の, 多量の(⇔mono-^{1}).
well- よく, 十分に.
-meter^1 …メートル(cf. 1.4 meter-^{2}) ‖ millimeter ミリメートル.
-pounder **1** 重さが…ポンドの物[人]; …ポンド砲. **2** …ポンドの価値[財産]のある物[人].
-sized …の大きさ[サイズ, 型]の ‖ large-sized 大型の / small-sized 小型の.

1.2 体・性格・様子・特徴

auto-^{1} 自身の[で](cf. 1.6 auto-^{2}) ‖ autobiography 自叙伝.
crypto- 隠れた, 見えない; 秘密の ‖ cryptograph 暗号(文).
demo- 人々(の), 庶民(の).
fine- [通例過去分詞を伴って] 細かく[見事に]…された ‖ fine-cut tobacco 細刻みのタバコ.
hetero- [母音の前で **heter-**] 他の, 異なった(⇔homo-, iso-).
homeo- [(英) **homoeo-**] 類似の, 同種の.
homo- [母音の前で **hom-**] 同一(の)《◆ふつうギリシア語系の語に用いる》(⇔hetero-).
matri- [**matro-**] 母(の).
neo- [しばしば N~] 新しい; 近代の; 後期の; 復活の(new) ‖ neoclassic 新古典派[主義]の.
pan- 全…; 総…の ‖ panchromatic 全整色(性)の/Pan-American 汎米の.
para-^{1} [母音, h の前で **par-**^{1}] 防護(の)(cf. 1.6 para-^{2}, 1.7 para-^{3}) ‖ parachute パラシュート.
patri- 父(の).
person- 人(の)《◆性差別につながる man- を避けるために用いられる》‖ personkind 人類.
proto-^{1} [母音の前では **prot-**] 最初の, 主要な, 原始の(cf. 1.6 proto-^{2}) ‖ prototype 原型.

語要素一覧

quasi- (正式) **1** 外見上(の), 見たところ(では). **2** ある程度[意味]で(の); 半…, 準… ‖ quasi-scientific considerations 半科学的な考察. **3** 類似[擬似]的に[な] ‖ quasi-cholera 擬似コレラ.

rent-a- 貸しの; 派遣の; 雇われの….

stereo- 固い; 立体の ‖ stereomicroscope 立体顕微鏡.

turbo- タービンの (→ turbine).

up- 上向きの, 上の方へ, 上の ‖ upward 上の方へ / uphill 上りの / upland 高地 / upgrade 上り坂.

wash- 洗うこと(のための) ‖ washbowl 洗面器.

-based …を基にした, …に基礎を置いた ‖ a soundly-based argument 筋の通った議論.

-bodied …なからだ[本体, 味わい]を持った ‖ able-bodied 五体満足の / full-bodied 〈酒など〉こくのある.

-born …生まれの, …から生じた.

-bound¹ …装の ‖ a leather-bound book 革装本.

-bound² …行きの ‖ south-bound traffic 南行きの交通 / a Paris-bound train パリ行きの列車 / college-bound students 大学進学希望者.

-bound³ …に閉ざされた ‖ a snow-bound car 雪に閉じ込められた車 / the frost-bound ground 凍結した地面.

-brained (…の)頭をした ‖ a big-brained man 大きな頭の男性.

-built¹ …の体格の ‖ well-built 体格のよい.

-cheeked …のほおをした ‖ a rosy-cheeked child バラ色のほおの子.

-chested …の胸をした ‖ flat-chested 胸がぺしゃんこの.

-edged …刃の ‖ a sharp-edged blade 鋭い刃の刀身.

-engined [型・数字を示す名詞に付けて] …エンジン付きの ‖ a 4-engined aircraft 4発機.

-faced …の顔[表情]をした ‖ baby-faced 童顔の.

-free …がない, 無料の ‖ salt-free 塩を加えていない/tax-free 非課税の.

-friendly …にとって都合のよい; …に役立つ; …にとって無害の 《◆しばしばハイフンを省略して2語につづる》‖ a learner-friendly dictionary 学習者向きの辞書 / earth-friendly 地球[環境]を破壊しない, 地球にやさしい / environment-friendly goods 環境にやさしい商品.

-haired …の頭髪をした ‖ curly-haired 縮れ毛の.

-handed …の手をした; …の人でする; …の手を使う ‖ right-handed 右ききの / four-handed 4人でする; (ピアノ曲が)4手連弾の.

-hearted …の心を持った.

-high …の高さの ‖ waist-high 腰までの高さの.

-humored [(英) **-humoured**] 機嫌が…の ‖ good-humored 上機嫌な / ill-humored 不機嫌な.

-intensive ‖ …集約的な, 多量の…を必要とする ‖ labor-intensive 労働集約的な.

-legged …足[脚]の ‖ bare-legged 素足の / a three-legged race 2人3脚.

-limbed …の手足[枝]のある ‖ short-limbed 手足[枝]の短い.

-lived …の生命を持った ‖ short-lived 短命の, つかの間の.

-looking …の顔つきの; …に見える ‖ young-looking 若そうに見える.

-making (略式) …を引き起こす ‖ sick-looking 吐き気を催させる.

-masted …マストの ‖ a three-masted ship 3本マストの船.

-minded **1** …心[気質]を持った ‖ My uncle is (a) very business-minded (man). 私のおじは仕事一筋(の人)です. **2** …に関心のある, 熱心な ‖ food-minded 食い道楽の.

-monitored …による監視付きの ‖ government-monitored 政府の監視により監視された.

-mouthed **1** 口が…の. **2** 声[話し方]が…の ‖ loud-mouthed 大声の.

-natured …の気質[性質]を持つ ‖ ill-natured 意地悪な / a good-natured person 人のいい[善良な]人.

-necked …首の, 首が…の; …えりの.

-nerved¹ 神経が…な (cf. **1.6** -nerved²) ‖ strong-nerved 神経の太い.

-nosed …鼻の, …鼻をした.

-seated 座席が…製の; (乗物が) …人乗りの.

-pated 頭が…の ‖ long-pated 賢い.

-philia …の傾向; …の病的愛好 (⇔-phobia) (→**1.5** -phile).

-phobia …恐怖症[病], …嫌い (⇔-philia) (→**1.5** phobe) ‖ hydrophobia 恐水症.

-prone …の傾向がある, …しがちである, …しやすい ‖ injury-prone けがしやすい / accident-prone 事故が起こりやすい.

-read (読んで) …に精通している ‖ a well-read man 博学の人.

-style …風の[に] ‖ cowboy-style カウボーイ風の[に].

-sexed …な性欲の ‖ highly-sexed 性欲の強い.
-shy …を怖がる, …嫌いの ‖ girl-shy 女嫌いの / camera-shy カメラ嫌いの.
-skulled …の頭蓋骨を有する ‖ thick-skulled 頭の鈍い.
-tempered …の気質の ‖ a good-tempered girl 気立てのよい女の子.
-throated …ののどをした, …ののどから出る ‖ a white-throated bird のどの白い鳥 / a deep-throated voice 太く低い声.
-tight …の漏らない, 防… ‖ airtight 気密の / watertight 防水の.
-tired …のタイヤの付いた ‖ a rubber-tired vehicle ゴムタイヤの付いた車.
-toned …な調子の.
-willed …の意志を持つ, 意志が…の.

1.3　国・民族

Afro- [母音の前で **Afr-**] アフリカ人の.
Anglo- イングランド[英国](と…)の, 英語(と…)の.
Chino- 中国と, 中国との間の(cf. 1.3 Sino-) ‖ Chino-Japanese 日中(間)の.
Euro- ヨーロッパ(の).
Franco- フランス(の), フランス系(特にフランスカナダ系の)米国人の(Franco-American) ‖ The Franco-Prussian War 普仏戦争《1870-71》.
Greco- [**Graeco-**] ギリシア(人), ギリシアと…との.
Indo- [母音の前で **Ind-**] インド(人)(と)の ‖ Indo-British インドと英国の.
Italo- イタリアの, イタリアと…の間の ‖ Italophile イタリアびいきの人.
Romano- ローマの; ローマと…との.
Russo- ロシアの; ロシアと…との ‖ Russophile ロシアびいき.
Sino- 中国の, 中国と…との(cf. 1.3 Chino-) ‖ Sinophile 中国びいき.

1.4　建物・家具・道具

-breaker[1] …を砕く物[道具](cf. 1.5 -breaker[2]).
-built[2] …で[に]造られた(cf. 1.4 -built[1]).
-burner[1] …バーナー(cf. 1.5 -burner[2]) ‖ a gas-burner ガスバーナー.
-buster[1] 破壊する物[道具](cf. 1.5 -buster[2]).
-graph[1] 書く[描く, 記録する]装置(cf. 1.5 -graph[2]) ‖ telegraph 電信.
-meter[2] …計(cf. 1.1 -meter[1]) ‖ barometer 気圧計.
-roomed …の部屋がある ‖ a five-roomed house 5室ある家.
-storied [(主に英) **-storeyed**] …階建ての, …層の ‖ a two-storied house 2階建ての家《♦ a two-stor(e)y house ともいう》.
-ware[1] …製の品, …用の器物(cf. 1.6 -ware[2]) ‖ glassware ガラス製品 / ironware 鉄器 / silverware 銀器 / tableware 食卓用食器類.

1.5　[動作主として] …する人[物], …である人[物]

-boy 少年, (特に)勤労少年, 青年 ‖ schoolboy 男子生徒 / paperboy 新聞配達少年.
-breaker[2] …を破る人(cf. 1.4 -breaker[1]) ‖ a record-breaker 記録更新者.
-burner[2] …を焼く人(cf. 1.4 -burner[1]) ‖ a brick-burner れんが工.
-buster[2] …を破壊する人(cf. 1.4 -buster[1]) ‖ a crime-buster 犯罪撲滅のために働く人.
-dweller …にすむ人[動物] ‖ city-dwellers 都会人 / desert-dwellers 砂漠の動物.
-graph[2] 書かれた[描かれた, 記録された]もの(cf. 1.4 -graph[1]) ‖ autograph 自筆.
-grapher 書く人, 描く人, 記録者 ‖ biographer 伝記作家.
-person …に従事する人《♦ -man, -woman を避けるために用いられる》‖ chairperson 議長 / salesperson 販売員.
-phile [**-phil**] …を好む(人)(⇔-phobe)(cf. 1.2 -philia) ‖ Anglophil(e) イングランドびいきの(人).
-philiac …の傾向の(人), …の病的愛好者(の) (cf. 1.2 -philia).
-phobe …を恐れる[嫌う](者)(⇔-phile)(cf. 1.2 -phobia).
-phobic …恐怖症の人.
-runner …密輸者 ‖ a gun-runner 銃密輸者.

- **-to-be** (近い)将来…になる(人)‖ a bride-to-be (もうすぐ)花嫁になる人 / the president-to-be 次期大統領就任予定者.
- **-woman** 1 …国[民族]の女性‖ Englishwoman 女性のイングランド人. 2 女性…家, …の職業[地位]の女性(cf. 2.2 -man, 1.4 -person)‖ chairwoman 女性議長 / spokeswoman 女性の代弁者 / sportswoman スポーツウーマン.

1.6 専門用語に含まれる語要素

- **aero-** 空気, 空中; 航空(術).
- **astro-** 星, 天体, 宇宙‖ astronaut 宇宙飛行士 / astronomy 天文学.
- **audio-** 聴, 音‖ audiometer 聴力計 / audiovisual 視聴覚の.
- **auto-**² 自動車の[で](cf. 1.2 -auto¹)‖ automaker 自動車メーカー.
- **baro-** [母音の前で **bar-**] 気圧(pressure), 重さ(weight)‖ barometer 気圧計.
- **bio-** [母音の前で **bi-**] 生物, 生命‖ biology 生物学.
- **cardio-** [母音の前で **cardi-**] 心臓.
- **chrono-** [母音の前で **chron-**] 時‖ chronoscope クロノスコープ.
- **cine-** (主に英) 映画の‖ cine-film 映画フィルム.
- **cyber-** 〔コンピュータ〕人工知能の…, コンピュータ上の‖ cyberpunk サイバーパンク / cyberspace サイバースペース.
- **cyclo-** 円; 円運動, 回転‖ cyclotron サイクロトロン / cyclometer 車輪回転記録計.
- **derm-** 皮膚(cf. 1.6 -derm)‖ dermatitis 皮膚炎.
- **eco-** 生態の[に]; 環境の[に].
- **electro-** 電気の, 電気に関する, 電気による.
- **ferro-** 鉄の, 鉄分を含む;〔化学〕第一鉄の, 鉄(II)の‖ ferronickel ニッケル鉄.
- **geo-** [母音の前で **ge-**] 土地(の), 地球(の), 地理(学)の‖ geology 地質学 / geopolitics 地政学.
- **gyro-** 回転, 輪.
- **helio-** [母音の前で **heli-**] 太陽の.
- **hemo-** [母音の前で **hem-**; (英) **haemo-** [母音の前では **haem-**]] 血.
- **hydro-** [母音または h の前で **hydr-**] 水の; 水素の.
- **hypo-**² [母音の前で **hyp-**²] 〔化学〕次亜(cf. 1.7 hypo-¹).
- **intra-** 内に, 内部に, 間に(cf. 1.7 intro-)‖ intramural 校内にある.
- **iso-** [母音の前で **is-**] 等しい, 同一の;〔化学〕異性体の‖ isochronism 等時性.
- **magneto-** 磁気(力)の.
- **mono-**² [母音の前で **mon-**²] 〔化学〕単一分子の, 一原子を含む(cf. 1.1 mono-¹).
- **neuro-** [母音の前で **neur-**] 神経の.
- **nitro-** [母音の前で **nitr-**] 〔化学〕ニトロ基の‖ nitroglycerin(e) ニトログリセリン.
- **osteo-** [母音の前で **oste-**] 骨.
- **paleo-** [母音の前で **pale-**; (英) **palaeo-** [母音の前で **palae-**]] 古い, 古代の‖ paleoecology 古生態学.
- **para-**² [母音, h の前で **par-**²] 〔医学〕病的異常; 擬似(cf. 1.2 para-¹, 1.7 para-³)‖ paranoia 偏執症.
- **per-**¹ 〔化学〕過…(cf. 1.7 per-²)‖ peroxide 過酸化物.
- **petro-** 岩石; 石油‖ petrochemistry 石油化学.
- **phono-** [母音の前で **phon-**] 音; 声‖ phonograph 蓄音機 / phonology 音韻論.
- **photo-** 光(化学)の; 写真の.
- **physio-** [母音の前で **physi-**] 1 自然の‖ physiography 自然地理学. 2 物理の.
- **politico-** 政治の‖ politico-economical 政治経済上の.
- **proto-**² [通例 P~] 〔言語〕(ある言語[語族]の)原始の(cf. 1.2 proto-¹)‖ Proto-Indo-European インドヨーロッパ祖語.
- **psycho-** 霊魂, 精神‖ psychoanalysis 精神分析.
- **radio-** 放射, 輻射; 無線; ラジウム; 放射性; 半径, 橈骨.
- **socio-** 社会の; 社会学の.
- **strato-** 〔気象〕層雲, 成層圏‖ stratocumulus 層積雲 / stratopause 成層圏界面.
- **sulf-** [他の形として: **sulfo-, sulph-, sulpho-**] 硫黄.
- **techno-** [母音の前で **techn-**] 技術, 工芸, 工業, 工学‖ technology 科学技術.
- **tele-** [母音の前で **tel-**] 遠い, 遠距離の, 遠距離にわたる; テレビジョンの, テレビジョンによる‖ telegraph 電信.

theo- [母音の前で **the-**] 神(々)の.
thermo- [母音の前で **therm-**] 熱の.
uro- [母音の前で **ur-**] **1** 尿 ‖ urology 泌尿器科学. **2** 尾.
zoo- **1** 動物の. **2** 自動性の.
-ate¹ 〔化学〕…酸塩(cf. 2.2 -ate², 2.3 -ate³, 2.4 -ate⁴) ‖ acetate 酢酸塩 / carbonate 炭酸塩.
-derm 皮膚(cf. 1.6 derm-).
-graphy **1** 書法, 画法, 写法 ‖ cryptography 暗号書記法. **2** 記述(したもの) ‖ geography 地理学.
-mo 〔製本〕…折(判) ‖ 16mo 16折判.
-nerved² 〔植・動〕…の葉脈[翅脈]のある(cf. 1.2 -nerved¹).
-pathy 感情; 病気; 療法.
-petal(l)ed 〔植〕花びらが…の; …弁の.
-phone 音を出す装置 ‖ earphone ヘッドホン / telephone 電話.
-photo 写真; 光.
-phony 音; 声 ‖ telephony 電話通信 / euphony 音調のよいこと.
-syllabled …音節の.
-tined 〔植・動〕…の歯[枝]のある.
-valent 〔化学〕…(原子)価の.
-ware² 〔コンピュータ〕…ウェア(cf. 1.4 -ware¹) ‖ freeware フリーウェア.
-winger 〔政治〕(政治的に)…翼の人 ‖ a left-winger 左翼の人.

1.7 その他の意味を持つ語要素

a-¹ [母音の前では **an-**] 非, 無, 欠如(cf. 2.1 a-²,³) ‖ apathy 無感動 / anarchy 無政府状態.
ab- [m, p, v の前では **a-**; c, t の前ではしばしば **abs-**] 離れて… ‖ abnormal 異常な / abduct 誘拐する / avert そむける / abstract 抽象的な.
ad- [p の前では **ap-**²; s の前では **as-**; t の前では **at-**] 方向, 変化, 付加, 完成, 開始; 単なる強意 ‖ advert 注意を向ける / advent 到来.
after- あとの, のちの.
ambi- 両方, 周囲 ‖ ambiguous 2つ以上の意味にとれる.
anti- 反…, 非…, 対…, 不…《◆母音や大文字で始まる形容詞・副詞の前ではハイフンを用いる》‖ antislavery 奴隷制度反対 / anti-intellectual 知識人に反感を持つ / anti-Russian 反ロシアの; 反(旧)ソ連の.
ap-¹ [母音, h の前で] …から離れて[別れて](cf. ap-² →ad-) ‖ apagone 〔論理〕間接還元法.
arch- 首位の, 第一の, 主要な ‖ archbishop 大司教 / archenemy 不倶戴天の敵 / archrival 宿敵.
be-¹ 〔他動詞に付けて強意的に〕全面的に, すっかり, 完全に, あらゆる方向に(cf. 2.1 be-²,³,⁴,⁵) ‖ bedeck ごてごて飾る / berate がみがみしかる.
bi- 2, 双, 複, 重 ‖ bicycle 自転車 / biplane 複葉機 / bigamy 重婚 / biannual 年2回の.
by- [**bye-**] **1** 近くの, そばの ‖ bystander 傍観者. **2** 脇道の ‖ bypass バイパス. **3** 副次的な ‖ byproduct 副産物.
cata- [母音または h の前で **cat-**] **1** 下へ, 下に ‖ cataract 瀑布. **2** まったく ‖ catalogue カタログ. **3** 反して, 後へ ‖ catapult 石弓.
circum- …の周りに, …の諸方に.
com- [母音, h, gh の前では **co-**; l の前では **col-**; r の前では **cor-**] [通例 b, p, m の前で] 共に; [強意語として] まったく.
contra- 逆(against), 反対(opposite) ‖ contrary 反対の.
counter- **1** 反対, 対立 ‖ counteract やわらげる. **2** 仕返し, 返報 ‖ counterattack 逆襲. **3** 対応 ‖ counterpart 対応する人[物].
cross- **1** 横切の. **2** 反対の ‖ crosswind 横なぐりの風. **3** 雑種の ‖ crossbreed 異種交配物.
de- **1** 下降 ‖ descend 下る / degrade 地位を下げる. **2** 分離 ‖ decline 断る / dethrone 退位させる. **3** 否定 ‖ demerit 欠点 / decentralize 地方に分散させる. **4** 強意 ‖ declare 宣言する / definite 限定された. **5** 悪化; 非難 ‖ devalue 価値を減じる.
demi- 半, 小, 部分的.
di-¹ 2つの, 2倍の, 二重の(cf. di-², →dis-) ‖ dicotyledon 双子葉植物 / dioxide 二酸化物.
dia- 通して, 完全な[に], 離れて, 横切って, 間の ‖ diagonal 対角線の / diacritical 区別するための / dialogue 対話.
dis- [b, d, l, m, n, r, s, v(時に g, j)の前では **di-**²; f の前では **dif-**] **1** 分離する, 奪う, 反対の動作, しそこなう, やめる, 拒絶する ‖ dismiss 解散させる / disbar 剝奪する / dissatisfy 不満を抱かせる. **2** 不…, 非…,

無… ‖ dishonest 不正直な / dissatisfied 不満を示す / displeasing 不快な. **3** 反対, 欠如 ‖ disease 病気 / disunion 分離.

dys- 病気にかかった, 困難, 不良, 悪化(⇔ eu-) ‖ dyspeptic 消化不良の.

epi- 上, その上; 外; 間に ‖ epigraph 碑銘 / epidermis 表皮.

equi- 等しい, 等しく.

eu- よい, 好ましい, 真…(⇔ dys-) ‖ eugenics 優生学.

ex-¹ [ハイフンを付けて] 前の, 前… ‖ ex-president 前大統領《◆ ex- には「外へ追い出された」「選ばれなかった」というマイナスイメージがあるので former president の方がふつう》.

ex-² [c, f, p, q, s, t 以外の子音の前では **e-**; c の前では **ec-**; f の前では **ef-**] …から, …から外へ[に] ‖ exclude 締め出す.

ex-³ 全く, 完全に ‖ exterminate 絶滅させる.

extra- 領域外の, …の範囲外の ‖ extraterrestrial 地球(圏)外の.

Fitz- [姓につけて] …の子 (cf. Mac-, O'-)《◆ 通例王・王族の庶子を示す》‖ Fitzwilliam フィッツウィリアム《「ウィリアム公の庶子」の意》.

for- **1** 離れて ‖ forget 忘れる / forgive 許す. **2** 禁止 ‖ forbid 禁止する / forfend 予防する. **3** 無視, 控えること ‖ forbear 自粛する / forsake 縁を断つ. **4** 悪影響 ‖ fordo 滅ぼす. **5** 完全に, 極度に《◆ しばしば悪い[否定的な]意味で用いる》‖ forlorn あわれな.

fore- 前もって, 前方の, 昔の ‖ forecast 予報(する) / forehead 額 / forefather 祖先.

grand- [親族名の前で] 1等身隔てた ‖ grandfather 祖父 / grandchild 孫.

great- 1等身を隔てた《◆ uncle, aunt, nephew, niece および grand- のつく親族名と共に用いる》‖ a great-aunt 大おば / great-grandchildren ひ孫.

hemi- [母音の前で **hem-**] 半.

hygro- 湿性の, 湿気の.

hyper- 超, 過度の.

hypo-¹ [母音の前で **hyp-**¹] 下(方), 退行, 従, 過少 (cf. **1.6** hypo-²).

in-¹ [p, b, m の前では **im-**; l の前では **il-**; r の前では **ir-**] 中に[へ], …へ, …に反して (cf. in-²,³) ‖ include 含む / import 輸入する / illuminate 照らす / impose 課す《◆ in-, en- の両形が用いられる場合もある: imbed =embed》.

in-² [p, b, m の前では **im-**; l の前では **il-**; r の前では **ir-**] 無…, 不… (cf. in-¹,³) ‖ inability 無力 / impossible 不可能な.

in-³ 流行の (cf. in-¹,²) ‖ in-language 最新流行の言葉(づかい) / in-thing (今はやりで)かっこいいこと.

infra- …の下の, …の下位区分の …以後の ‖ infrahuman 人間以下の.

inter- …の中, …の間, 相互に, 一緒に ‖ intercity 大都市間の / interact 相互に作用する.

intro- 内へ[に], 中へ[に] (cf. **1.6** intra-) ‖ introvert …を内へ向ける / introduce 紹介する.

Mac- [**Mc-, M'-**]《son of の意味を持ち, スコットランド系・アイルランド系の姓に付けられる》(cf. Fitz-, O'-) ‖ MacArthur マッカーサー/McMillan マクミラン.

mal- **1** 悪い, 悪く ‖ malodorous 悪臭を放つ. **2** 不完全な[に]; 不十分な[に] ‖ malformed 不格好な. **3** …でない ‖ malcontent 不平の.

mid- 中間の, 中部の, 真ん中の ‖ midsummer 真夏.

mis- 誤った[て]…, 悪く[い], 不利に[な] ‖ misgovernment 失政 / misbehave 無作法にふるまう.

non- **1** 非…, 不…, 無…《◆ (1)dis-, in- (im-, il-, ir-), un- などが「反対」「逆」を表すのに対し, non- は「欠如」など消極的否定を表す. (2)大文字で始まる語につく場合は通例ハイフンを用いる》‖ nonfiction ノンフィクション/non-Catholic 非カトリック教徒. **2**《略式》…らしくないもの, にせの… ‖ nonbook ノンブック/nonstudent にせ学生.

O'-《son of の意味を持ち, アイルランド系の姓に付けられる》(cf. Mac-, Fitz-) ‖ O'Connor オコナー / O'Hara オハラ.

ob- [c, f, g, p の前ではそれぞれ **oc-, of-, og-, op-**; m の前では **o-**; (まれ) c, t の前では **os-**] **1** …に反して (against) ‖ obstruct ふさぐ. **2** …に向かって (toward); 反対方向に (inversely) ‖ obverse 表面 / oblate (楕円形が)上下に短い. **3** …の上に (on), 覆って (over) ‖ obscure 不明瞭な. **4** 完全に (completely) ‖ obsolete (完全に)すたれた.

off- **1** …から離して, …に乗って[接して]いない ‖ offshore 沖へ[の] / off-street 裏通りの /off-load 荷を降ろす. **2** [色を表す名詞・形容詞の前で] 別の色のまざった ‖ off-white 灰色[黄色]がかった白色(の).

omni- すべて (all); あまねく (universally) ‖ omnipresent どこにでも存在する /omniscient 全知の.

on- 副詞 on の意味の連結形《◆ 強勢は on- に置く》‖ oncoming 近づいてくる.

ortho- [母音の前で **orth-**] **1** まっすぐな, 垂直の ‖ orthocenter (三角形の)垂心. **2** 直角の ‖ orthoclase 〔鉱物〕正長石. **3** 正しい, 標準の ‖ orthography 正書法. **4**〔医学〕矯正 ‖ orthopedics 整形外科.

out-¹ [現在分詞・過去分詞に付けて] **1** …よりすぐれて ‖ outstanding 目立った. **2** 十分に ‖ outspread 広げる.

out-² **1** 外側の ‖ outhouse 屋外便所. **2** 外へ現れて[突き出して] ‖ outcrop （地層などの）露出 / outgrowth （本体から）伸び出たもの. **3** [人名に付けて] …をしのぐ ‖ out-Herod 残虐なヘロデ王よりひどい.

out-³ **1** 長く ‖ outlive …より長生きする. **2** …以上 ‖ outrun …より速く[遠くまで]走る. (cf. 2.1 out-⁴).

over- **1** 上(位)の, 上から ‖ overhead 頭上の. **2** より上の ‖ overlord 領主. **3** …を横断して ‖ overseas 海外の. **4** あまりに…すぎる; 多すぎる ‖ overcrowded 大変混雑した. **5** 限度を越えて ‖ oversize. **6** 外に, 外側の, おおって ‖ overcoat 特大の.

para-³ [母音, h の前で **par-³**] 近所; 側; 超; 以上; 不規則; 不正 (cf. **1.2** para-¹, **1.6** para-²) ‖ paragraph 段落 / parapsychology 超心理学.

per-² **1** …を通して ‖ percolate 濾過する. **2** 完全に, 非常に ‖ perfect 完全な / perfervid 熱狂的な. **3** 破壊 ‖ perfidy 不誠実. [♦ cf. **1.6** per-¹].

post- 後の, 次の ‖ postwar 戦後の.

pre- …以前の, あらかじめ, …の前部にある.

pro- **1** …の代わり, 副…, 代理 ‖ procathedral 仮大聖堂. **2** 賛成の, 支持の(⇔ anti-) ‖ proabortion 中絶賛成の. **3** 前の, 先の ‖ prologue 序幕. **4** 前に, 前へ ‖ proceed 進む.

pseudo- [母音の前で **pseud-**] 偽りの, 仮の, 擬似の ‖ pseudoscience 疑似科学 / pseudopodium 偽足.

re-¹ [ラテン語系の語に用いて] 反, 後, 退, 離, 再, 相互 ‖ rebel 反逆者 / relic 遺物 / recluse 修道者 / recede 退く.

re-² [動詞またはその派生語に用いて] 再び, 新たに, 繰り返して, …し直す; 元に ‖ rebound 立ち直る / refine 精製する 《♦ (1) 次の音節がeや大文字で始まるときはしばしば, また既成語と区別するときは通例ハイフンを用いる: re-enforce / re-create (cf. recreate). (2) re- で始まる動詞にもつく: remind / reread》.

retro- 遡って, 再びもとへ, 後方へ, 逆に ‖ retrospect 追想 / retroflex そり返った.

self- 自分を, 自分で, 自分に対して, 自分だけで, 自然の, 自動的な.

semi- [固有名詞または i で始まる語につけるときにはふつうハイフンをつける] **1** 半… ‖ semicircle 半円. **2** いくぶん…, やや… ‖ semicivilized 半文明の. **3** 2回 ‖ semiannually 半年ごとに.

step- [親族名の前で] （親の再婚による）継… ‖ stepmother まま母.

supra- 上の, 上に, 超えた.

sub- [c, f, g, p, r の前ではそれぞれ **suc-, suf-, sug-, sup-, sur-²**; m の前では **sum-, sub-**; s の前では **sus-, sub-**; c, p, t の前では **sus-**] **1** 下 ‖ subsoil 底土. **2** 副, 補欠 ‖ subplot わき筋. **3** 分割, 細分 ‖ subregion 小区域. **4** 亜, 類 ‖ subhuman 類人の.

stone- 完全に.

sur-¹ （まれ）上, 超過 (cf. sur-² →sub-).

super- 上位, 超過, 過度, 余分, 以上, 超越 ‖ superimpose 重ねる / superexcellent 極上の.

subter- 以下に, 秘密に ‖ subterfuge 逃げ口上.

syn- [l の前では **syl-**; b, m, p の前では **sym-**; r の前では **syr-**; s の前では **sys-, sy-**] [ギリシア語系の語に付けて] **1** 共に, 同時に; 類似. **2** 合成の.

topo- 場所 ‖ topography 地形学.

trans- [s の前では通例 **tran-**; ラテン系の語の子音の前では **tra-**] 越えて; 横切って; 貫いて, 通って; 完全に; 他の側へ; 別の状態[場所]へ ‖ transmit 送る / transcend 越える / transfix 突き通す / transform 変形させる.

ultra- …(の範囲)を越えた, 極端な[に]…, 超… ‖ ultraviolet 紫外(線)の.

un-¹ …でない, …がない, …と反対の (cf. **2.1** un-²) ‖ unhappy 不幸な / unfinished 未完成の / unluckily 不運にも / unkindness 不親切 / unrest 不安.

under- **1** （…より）下の[に], 下から ‖ underground 地下の / the underfives 5歳未満の子供たち. **2** 下位の, 従属した ‖ undersecretary 次官. **3** 不十分に, （標準より）少なく ‖ underestimate 過小評価する. **4** 秘密の ‖ underhand 秘密の[不正]の.

vice- [官職名の前に付けて] 副…, …代理, 次… ‖ vice-president 副大統領.

-ache [体の部分に付けて] …痛 ‖ headache 頭痛.

-an [**-ean, -ian**] [固有名詞などに付けて] …に関する, …の性質を有する, …の住人である, …の言葉の, …に精通する, …を信奉する ‖ Asian アジアの, アジア人(の) / American アメリカの, アメリカ人(の) / historian 歴史家 / magician 奇術師 / Christian キリスト教徒 / Freudian フロイト派の(人).

-arch 支配者, 君主, 指導者 ‖ heresiarch 異端(派)の開祖 / matriarch 家母長.

-archy （…の）政治, 政体 ‖ monarchy 君主政治 / oligarchy 寡頭政治.

-arian …派の(人), …主義の(人) ‖ humanitarian 人道主義者(の人) / vegetarian 菜食主義の(人).

- **-ary** …の, …に関する(人, 場所) ‖ customary 習慣的な / library 図書館.
- **-ate**² …の職務(の人) (cf. 1.6 -ate¹, 2.3 -ate³, 2.4 -ate⁴) ‖ senate 上院 /candidate 立候補者.
- **-bashing** …批判 ‖ Japan-bashing 日本いじめ[たたき], 対日批判.
- **-dom**¹ **1** 地位, 勢力範囲, 領地 ‖ kingdom 王国. **2** (略式) …であるすべての人々 ‖ officialdom 公務員. [◆ cf. 2.1 -dom²].
- **-fest** (米) (にぎやかな)祭, 集まり ‖ songfest 合唱祭 /peacefest 平和の集い.
- **-head** 「状態」「性質」の意を表す ‖ maidenhead 処女であること.
- **-line** (電話)(相談) ‖ childline 子供電話相談 /helpline 悩み事電話(相談).
- **-manship** …の技能, …の態度 ‖ craftsmanship 職人の技能 / gentlemanship 紳士らしさ / sportsmanship スポーツマンシップ.
- **-nd**¹ …されるべき人・物 (cf. 2.1 -nd², 2.2 -nd³) ‖ dividend 配当 /reverend 尊敬に値する.
- **-oid** …のような, …状の(もの).
- **-ory** **1** …の性質がある ‖ contributory 寄付の. **2** …する場所[物] ‖ dormitory 寄宿舎.
- **-ose** **1** …の多い, …の性質を持つ ‖ verbose 言葉数が多い /jocose こっけいな. **2** 炭水化物 ‖ lactose ラクトース.
- **-osis** 作用, 過程, 状態 《◆ 多く病名・症名に用いる》‖ osmosis 浸透(性) / neurosis 神経症.
- **-otic** **1** …にかかった, …を引き起こすような (cf. -osis) ‖ sclerotic 硬化症の / narcotic 麻酔性の. **2** …に似た. [◆ cf. 2.5 -otically].
- **-penny** 価格が…ペニーの ‖ a four-penny stamp 4ペニーの切手.
- **-proof** **1** …を防ぐ, …に耐える ‖ a fireproof coat 耐火服 /a waterproof watch 防水時計 / a soundproof room 防音室. **2** …に安全な, …にも扱える ‖ a childproof toy 子供にも安全なおもちゃ /a foolproof camera 全自動式カメラ.
- **-scape** …の風景 ‖ landscape 景色 / seascape 海の風景.
- **-shire** (英国の)…州 ‖ Hampshire ハンプシャー /Yorkshire ヨークシャー.
- **-sphere** …球体, 天体 ‖ hemisphere 半球 /bathysphere バチスフィア.
- **-taxis** 配列, 順序 ‖ hypotaxis 従属(関係).
- **-type** 型, 形式, 版.
- **-ward** [**-wards**] …の方向の[へ] ‖ backward 後方(へ)の /eastward 東へ[に].
- **-water** **1** …液, …物質の液体. **2** …用途の水 ‖ bathwater 浴槽の湯.
- **-way** 道, 交通路 ‖ railway 鉄道 / airway 航空路 / highway 幹線道路.
- **-work** **1** …細工, …仕事 ‖ needlework 針仕事. **2** …細工品 ‖ woodwork 木工品.
- **-worthy** **1** …に値する ‖ trustworthy 信用できる. **2** …に耐える ‖ crashworthy 衝突[衝撃]に耐える.

[2]　品詞による分類

2.1　品詞や役割を変える

- **a-**² ［名詞→叙述形容詞・副詞］ …(の方)へ, …(の中)に ‖ aside わきへ[に] / ashore 岸に[へ].
- **a-**³ ［動詞→叙述形容詞・副詞］ …している状態に ‖ asleep 眠って(いる) / ablaze 燃えて (cf. 1.7 a-¹).
- **be-**² ［自動詞→強意他動詞］ 過度に, まったく ‖ bewail …を深く嘆き悲しむ / bestride …にまたがる.
- **be-**³ ［形容詞・名詞→他動詞］ …にする, …として扱う ‖ bedevil …を苦しめる /belittle …を小さくする.
- **be-**⁴ ［名詞→他動詞］ …で囲む, 覆う ‖ befog …を霧で覆う /bejewel …を宝石で飾る.
- **be-**⁵ 《(語尾 -ed を付けて)名詞→形容詞》 …を持った, …で飾った ‖ bespectacled めがねをかけた (cf. 1.7 be-¹).
- **en-**¹ [b, m, p, ph の前では時に **em-, in-**] ［名詞→動詞］ …の中に入れる ‖ enthrone 王位につかせる / encase (箱・容器に)入れる / enchain (鎖で)つなぐ.
- **en-**² [b, m, p, ph の前では時に **em-, in-**] ［名詞・形容詞→動詞］ …にする ‖ enrich 豊かにする / enlarge 大きくする / enslave 奴隷にする.
- **en-**³ [b, m, p, ph の前では時に **em-, in-**] ［動詞→(…の中に〜するという意の)動詞］《◆ この場合さらに -en が付加されることがある》 enlighten 啓発する / enwrap すっかりつつむ.
- **out-**⁴ ［動詞→名詞］(cf. 1.7 out-¹,²,³) **1** 外へ, 前へ ‖ outlet 出口 /outlook 見晴らし. **2** 行為の始動 ‖ outbreak 突発.
- **un-**² **1** ［動詞に付けて］反対の動作を表す ‖ unlock 錠を開ける. **2** ［名詞に付けて］「(名詞の表す)物・性質・状

態を取り去る」「物から放つ[移動させる]」の意の動詞を作る ‖ unmask 仮面をはぐ / uncage かごから出す / unman 勇気をなくさせる. **3** [一部の動詞に付けて] その意味を強める ‖ unloose 解放する. [◆ cf. **1.7** un-¹].

-able [動詞・名詞→形容詞] …できる, …に適した, …を持った, …を好む, …しがちな《◆動詞に付いた場合は,意味は受身》(cf. **1.5** -ably) ‖ agreeable 感じのよい / believable 信じられる《◆子音+ e では e は脱落. ただし子音が/s, dʒ/の場合はそのまま: peaceable / changeable》/ justifiable 正当と認められる《◆ y は i に変わる》/ navigable (← navigate) 航行可能な / accountable 責任がある.

-al¹ [動詞→名詞] …すること(cf. **2.3** -al²) ‖ removal 除去.

-ally [-ic で終わる形容詞→副詞]

-ant¹ [動詞→形容詞] …を起こす, …性の ‖ compliant 従順な.

-ant² [動詞→名詞] …する人, …の働きをする物 ‖ assistant 助手.

-ar [動詞→名詞] …する人 (cf. **2.3** -ar²; -er¹, -or¹) ‖ liar うそつき /scholar 学者.

-ard [**-art**] [動詞・名詞・形容詞→名詞] 過度に…をする人 ‖ drunkard 大酒飲み.

-ation [動詞→名詞]「動作・状態・結果」の意を表す ‖ decoration 装飾 / examination 試験.

-ative [動詞→形容詞]「傾向・性質・関係」などの意を表す ‖ affirmative 言い切った / imaginative 想像の/talkative 話し好きな.

-dom² [形容詞→名詞] …の状態 (cf. **1.7** -dom¹) ‖ freedom 自由 / wisdom 英知.

-ed [名詞→形容詞] …を持った, …を備えた, …にかかっている(cf. **2.4** -ed²) ‖ long-legged 足の長い / honeyed はちみつで甘くした.

-ee¹ [動詞→名詞] **1** …される人 ‖ employee 従業員. **2** …する人 ‖ absentee 欠席者.

-ee² [形容詞・動詞・名詞→名詞] **1** …の小さいもの ‖ bootee (幼児用の)毛糸靴. **2** …に似たもの, …を連想させる ‖ goatee ヤギひげ.

-eer¹ [名詞→動詞] …に従事する (cf. **2.2** -eer²) ‖ electioneer 選挙運動をする.

-en¹ [名詞→形容詞] [物質名詞に付けて] …性の, …質の, …製の ‖ earthen 土製の / golden 金(製)の.

-en² [形容詞・名詞→動詞] …にする, …になる(cf. **2.2** -en³, **2.4** -en⁴) ‖ sicken 病気になる / lengthen 長くする.

-ence [動詞など→名詞]「行為・事実・特質・状態」などの意を表す(cf. **2.2** -ency) ‖ abhorrence 憎悪 / prudence 用心深さ / absence 不在.

-er¹ [動詞→名詞] …する人, …するもの(cf. **2.2** -er², **2.3** -er³, **2.4** -er⁴, **2.5** -er⁵; -ar¹.; -or¹) ‖ speaker 話す人 / burner バーナー.

-ery¹ [名詞・形容詞→名詞]《◆ -d, -t, -l, -n, -e の後では -ry ともなる》**1a** …の術, …行為, …状態 ‖ slavery 奴隷であること. **b** 集合物; …類 ‖ crockery 陶器類/machinery 機械装置. [◆ cf. **2.2** -ery²]

-ese [名詞・形容詞→名詞] **1** [国名・地名に付けて] …の, …語の; …人(の) ‖ Japanese 日本(の), 日本人[語](の). **2** [作家・文体に付けて] 特有の(文体) ‖ journalese 新聞語法[文体](の).

-esque [名詞→形容詞] …様式の, …ふうの, …のような ‖ picturesque 絵のように美しい.

-ess¹ [名詞→女性名詞] ‖ actress 女優《◆この形は性差別的であるとして嫌われることもある》.

-ess² [形容詞→抽象名詞] ‖ largess 気前よく与えること.

-eth [-y で終わる基数→序数] 三十番目の (cf. **-th¹**) ‖ thirtieth 30 番目の.

-ette¹ [名詞→女性名詞] (cf. **2.2** -ette²,³) ‖ usherette 女性案内係.

-ey [名詞→形容詞] …を含む, …のような ‖ gooey ねばねばした.

-fication [-fy で終わる動詞→名詞]「…化(すること)」の意の名詞を作る ‖ personification 擬人化 / amplification 拡張.

-fied [-fy で終わる動詞→形容詞] …化された, …を与えられた ‖ dignified 威厳のある / terrified おびえた.

-fold¹ [数詞→形容詞] …倍の, …重の (cf. **2.3** -fold²) ‖ tenfold 10倍の /threefold 3要素から成る.

-former [序数→名詞]《英》…年生 ‖ a 3rd-former 3年生.

-ically [-ic, -ical で終わる形容詞→副詞] ‖ chemically 化学的に《◆impoliticly, publicly は例外》.

-ician [-ic(s)で終わる名詞→専門家を表す名詞] ‖ electrician 電気技師.

-ie¹ [形容詞→名詞] …の性質のあるもの (cf. **2.2** -ie²).

-ish [名詞・形容詞→形容詞] **1** (国籍・人種などを示して) …の, …に属する, …性の ‖ English イングランドの/ Turkish トルコの. **2** …のような, …じみた, …めいた ‖ childish 子供じみた / womanish (男が)女みたいな《◆通例好ましくない状態・傾向を表す. 一方 -like は良い意味および類似, -ly は好ましい性質を表す: childlike 子供らしい / womanly 女性らしい》. **3** …の性質を持つ ‖ boyish (男の子が)少年らしい. **4** 《主に英》[形容詞の後で] やや…の, …がかった ‖ coldish うすら寒い / blackish 黒みがかった. **5** (略式)(年齢が)およそ…の, …がらみの(about, around); (時刻が)…頃, …をちょっとすぎた ‖ fortyish 40 歳がらみの / sevenish 7 時頃《◆社交上の言葉でかなり幅がある》.

-ity [形容詞→抽象名詞]「状態」「性質」「程度」の意を表す ‖ probity 正直 / purity 清らかさ / profanity

冒瀆.

- **-ization** [(英) **-isation**] [-ize で終わる動詞→名詞] ‖ civilization 文明 / nationalization 国有化.
- **-less**¹ [名詞→形容詞・副詞] **1** …のない ‖ homeless 家のない / doubtless 疑いのない. **2** …の及ばない ‖ priceless 金では買えない.
- **-less**² [動詞→形容詞・副詞] …できない, …しない ‖ countless 数えきれない / ceaseless 絶え間のない.
- **-like** [名詞→形容詞] **1** …のような, …に似た ‖ ball-like ボールのような. **2** …の特徴を持つ ‖ childlike 子供らしい. **3** …に適した ‖ businesslike 事務的な.
- **-ling**¹ [名詞・形容詞・副詞→名詞] [けなして] …にかかわりのある人・物 ‖ underling 下っ端.
- **-ly**¹ [形容詞・副詞→副詞] 「様態」「頻度」などの意を表す ‖ quickly 速く / generally 一般に / seemingly うわべは / namely すなわち.
- **-ly**² [名詞→形容詞] **1** …のような, …らしい ‖ kingly 王にふさわしい / motherly 母のような. **2** 周期 ‖ hourly 1時間ごとの / daily 毎日の / yearly 例年の.
- **-ment** [動詞・形容詞→名詞] 「結果」「状態」「動作」「手段」などの意を表す ‖ enjoyment 楽しむこと / amazement びっくりすること / pavement 舗装 / inducement 誘導 / lodgment 宿泊(所).
- **-nd**² [基数→序数][(12以外の)1の位が2の数字に付けて] (cf. **1.7** -nd¹, **2.2** -nd³) ‖ 2nd [second] 2番目 / 32nd [thirty-second] 32番目.
- **-ness** [形容詞・分詞→抽象名詞] 「性質」「状態」「程度」「行為」などの意を表す ‖ tiredness 疲労 / kindness 親切心.
- **-or**¹ [動詞→名詞] …する人[もの] (cf. -ar¹, -er¹) ‖ actor 俳優 / conductor 車掌, 指揮者, 伝導体 / percolator パーコレーター.
- **-osity** [-ose, -ous で終わる形容詞→名詞] ‖ generosity 物惜しみしないこと / jocosity こっけい.
- **-rd** [基数→序数][(13以外の)1の位が3の数字に付けて] ‖ a 3rd 3分の1 / the 23rd of June 6月23日.
- **-ship** [名詞・形容詞→抽象名詞] **1** 状態, 性質 ‖ friendship 友人であること / hardship 苦難. **2** 身分, 地位 ‖ professorship 教授の職. **3** 能力, 技量 ‖ leadership 指導者の地位. **4** 集団, 層 ‖ readership 読者層 / membership 一員であること.
- **-st**¹ [基数→序数][(11以外の)1の位が1の数字に付けて] (cf. **2.2** -st², **2.5** -st³) ‖ 1st (first) 1番目の / 21st [twenty-first] 21番目の.
- **-some**¹ [名詞・動詞・形容詞→形容詞] …を引き起こす, …に適する, …の傾向がある, …によって特徴づけられる ‖ troublesome やっかいな / cuddlesome 抱き締めたいほどかわいい / meddlesome おせっかいな / lonesome さびしい.
- **-some**² [数詞→名詞・形容詞] …人組(の), …つ組(の), …重(の) ‖ foursome 4人組.
- **-th**¹ [基数→序数][14以上で1の位が1〜3以外の数字に付けて] 《◆基数が -ty の時は -tieth となる; fifth, eighth, ninth, twelfth に注意》 (cf. -eth¹).
- **-th**² [動詞・形容詞→抽象名詞] ‖ birth 出生 / length 長さ.
- **-tion** [動詞→名詞] 「状態」「動作」「関係」「結果」の意を表す 《◆アクセントは直前の音節にくる》 ‖ education 教育 / imagination 想像(力).
- **-tor** [動詞・名詞→名詞] …する人 《◆ラテン語からの借用語に見られる》 ‖ orator 演説者.
- **-ty** [形容詞→抽象名詞] 「状態」などの意を表す ‖ safety 安全(性) / subtlety 希薄.
- **-ure** [動詞→名詞] **1** 「動作」「状態」「結果」の意を表す ‖ failure 失敗 / pleasure 喜び / exposure さらすこと. **2** 「機能」「機関」「集合体」の意を表す ‖ legislature 立法府 / prefecture 県.
- **-wise** [名詞・形容詞・副詞→副詞・形容詞] **1** 「様態・方法」…のように ‖ likewise 同じように / slantwise 斜めに. **2** 「位置・方向」…の位置に, …の方向に ‖ lengthwise 縦の[に] / clockwise 右回りに[の]. **3** [関連] (略式) …に関して, …の点で ‖ salarywise 給与の面では 《◆**3**の意味でいろいろな名詞に連結して次々と新しい簡潔な副詞が作られているが, 慎重な言葉づかいをする人には好まれない: speechwise 言語上で / situationwise 情勢については》.

2.2 名詞語尾

- **-acy** [抽象名詞語尾] 「性質」「状態」「職」の意を表す ‖ accuracy 正確さ / celibacy 禁欲 / papacy ローマ教皇の職.
- **-ade** [名詞語尾] 「動作」「行動中の集団」「動作の結果・成果」「果物から作る甘味飲料」の意を表す ‖ escapade はらはらどきどきの冒険 / cavalcade 騎馬行進 / masquerade 仮面舞踏会 / lemonade レモネード.
- **-age** [名詞語尾] 「集合」「地位・状態」「行為」「料金」の意を表す ‖ baggage 荷物 / baronage 貴族, 男爵 / marriage 結婚 / postage 郵便料金.
- **-ance** [抽象名詞語尾] 「性質」「行為」などの意を表す ‖ arrogance 横柄さ / assistance 手伝うこと.
- **-ancy** [抽象名詞語尾] 「性質」「状態」の意を表す ‖ constancy 不変 / expectancy 予想 / vacancy 空

虚.

-ate² ［名詞語尾］…の職務(の人) (cf. 1.6 -ate¹, 2.3 -ate³, 2.4 -ate⁴) ‖ senate 上院 / candidate 立候補者.

-ator ［名詞語尾］…するもの ‖ creator 創造者.

-cide ［名詞語尾］…を殺す人, …を殺すこと, …を殺す薬剤 ‖ suicide 自殺.

-cle ［名詞語尾］「小(さな)…」の意を表す ‖ particle 小さな粒.

-cracy [**-ocracy**] ［名詞語尾］**1** …政治・支配(力), 統治 ‖ democracy 民主主義. **2** …支配社会. **3** …社会階級.

-craft ［名詞語尾］**1** 一定の技術 ‖ housecraft (学校の)家庭科. **2** 一定の才覚 ‖ priestcraft 僧侶の才覚. **3** 一定の乗物 ‖ aircraft 航空機.

-crat [**-ocrat**] ［名詞語尾］(-cracy の)支持者, 一員 ‖ democrat 民主主義者 / bureaucrat 官僚.

-cule ［名詞語尾］「小さな」の意を表す《♦ -cle となることもある》‖ animalcule 極微動物.

-cy ［名詞語尾］**1** 「性質」「状態」の意を表す ‖ bankruptcy 破産. **2** 「地位」「役職」‖ captaincy captain の地位.

-drome ［名詞語尾］**1** 走ること, 走路 ‖ hippodrome (古代ギリシア・ローマにあった競馬・戦車競走の)競技場. **2** 広い場所 ‖ airdrome 飛行場.

-eer² ［名詞語尾］…関係者, …を取り扱う人, …を作る人 (cf. 1.1 -eer¹) ‖ engineer 技師 /pamphleteer パンフレットを書く人.

-en³ **1** ［名詞複数形語尾］‖ children 子供たち. **2** ［名詞語尾(指小辞)］‖ chicken ひよこ / kitten 子ネコ. [♦ cf. 2.1 -en¹,²].

-ency ［名詞語尾］「性質」「状態」の意を表す (cf. 2.1 -ence) ‖ dependency 属国 /frequency しばしば起こること.

-ent¹ ［名詞語尾］「行為者」の意を表す (cf. 2.3 -ent²).

-er² ［名詞語尾］**1** …出身者 ‖ New Yorker ニューヨーク市民 /villager 村人. **2** …の関係者, …を職業とする人 ‖ hatter 帽子屋. **3** …の性質の人・物 ‖ old-timer 古顔. **4** 数が…ある人・物 ‖ six-footer 6フィートの背の人/double-decker 2階建てバス. **5** 名詞語句の変形・短縮形語尾 ‖ footer (=football). **6** 擬音語 ‖ chatter ぺちゃくちゃしゃべる /patter パタパタ音を立てる. [♦ cf. 2.1 -er¹, 2.3 -er³, 2.4 -er⁴, 2.5 -er⁵].

-ery ［名詞語尾］「…の場所」の意を表す《♦ e の後では -ry となる》(cf. 2.1 -ery²) ‖ bakery 製パン所 / rookery ミヤマガラスの群居る所.

-es¹ ［名詞複数形語尾］[s, z, x, ch, sh, 子音字+ y (この場合 y が i に変わる)などで終わる名詞に付けて] 複数形を作る (cf. 2.4 -es²) ‖ buses バス / boxes 箱.

-escence ［名詞語尾］「作用」「過程」「変化」「状態」などの意を表す ‖ adolescence 青春期.

-et ［名詞語尾(指小辞)］小さい ‖ islet 小島.

-ette² ［名詞語尾(指小辞)］「小さいもの」の意を表す ‖ cigarette 紙巻きタバコ.

-ette³ ［名詞語尾］「代用品」の意を表す (cf. 2.1 -ette¹) ‖ leatherette 人工皮革.

-ful¹ ［名詞語尾］…に1杯(分) (cf. 2.3 -ful²) ‖ a spoonful of sugar スプーン1杯の砂糖 / an armful of groceries ひと抱えの食料品《♦ 複数語尾は, 例えば basketfuls が普通で basketful は古風》.

-gamy ［名詞語尾］「結婚」「結合」の意を表す ‖ polygamy 複婚制 / allogamy 他家生殖[授精].

-geny ［名詞語尾］…の起源・発生のしかた.

-gon ［名詞語尾］角形 ‖ hexagon 六角形 / polygon 多角形 / pentagon 五角形.

-gram ［名詞語尾］**1** 書いた[描いた]もの; 配達されたもの ‖ diagram 図 / telegram 電報. **2** 「グラム」の意の単位名を作る ‖ kilogram キログラム / centigram センチグラム.

-holic [**-aholic, -oholic**] ［名詞語尾］《米》「…中毒の人」‖ cardholic クレジットカード中毒の人 / spendholic 買物中毒者.

-hood ［名詞語尾］「性質」「状態」「集団」「時期」などの意を表す ‖ boyhood 少年時代 /neighborhood 近所.

-ic¹ [**-ical**] ［名詞語尾・学術名詞尾］(cf. 2.3 -ic²) ‖ critic 批評家 / logic 論理学.

-ice ［名詞語尾］「状態」「性質」「行為」などの意を表す ‖ justice 公平 / service 勤務.

-ide ［名詞語尾］化合物を表す ‖ carbide 炭化物.

-ie² ［名詞語尾］［愛称］…ちゃん (cf. 2.1 -ie¹) ‖ birdie 小鳥さん / Jimmie ジミー.

-ier ［名詞語尾］…の職業の人 ‖ cashier 勘定係.

-ile¹ ［名詞語尾］…に関する人; 物 (cf. 2.3 -ile²) ‖ juvenile 少年少女.

-in¹ ［名詞語尾］**1** 化学製品名 ‖ penicillin ペニシリン. **2** 抗議集会《♦ ベトナム戦争や黒人の抗議集会の 'sit-in' (座り込み)に始まり, 種々の動詞と結合されるようになった》‖ teach-in 討論集会. [♦ cf. 2.3 in-², 2.5 in-³].

- **-ine**[1] **1**[女性名詞語尾] ‖ heroine ヒロイン. **2**[抽象名詞語尾] ‖ discipline 訓練. **3**[化学物質・製品名語尾] ‖ caffeine カフェイン. [♦ cf. 2.3 ine-[2]].
- **-ing**[1] [動名詞・名詞語尾] **1**「動作」「職業」などの意を表す ‖ dancing 踊り / driving 運転. **2**「動作の結果」「材料」「産物」「その集合」の意を表す ‖ clothing 衣料品 / building 建物 / flooring 床張り材. **3**形容詞的用法 ‖ a sleeping car 寝台車 / a dancing girl 踊り子.
- **-ing**[2] [名詞語尾]「種」の意を表す ‖ gelding 去勢された動物 / herring ニシン(類). [♦ cf. 2.4 -ing[3]].
- **-ion** [名詞語尾]「動作」「結果」「状態」などの意を表す ‖ union 結合 / religion 宗教.
- **-ism** [抽象名詞語尾] **1**行動, 状態, 作用 ‖ barbarism 野蛮 / heroism 英雄的資質 / pauperism 赤貧 / criticism 批評. **2**主義, 体系, 信仰 ‖ Darwinism ダーウィン説 / socialism 社会主義 / pacifism 平和主義. **3**特性, 特徴 ‖ Americanism 米国特有の英語表現. **4**病的状態 ‖ alcoholism アルコール依存症. **5**-ize で終わる動詞の名詞形 ‖ baptism 洗礼.
- **-ist** [名詞語尾] 《♦ 多くは -ize で終わる動詞, -ism で終わる名詞に対応する》 **1**…をする人 ‖ cyclist 自転車に乗る人/lobbyist 議会通過運動者. **2**…に巧みな人, 専門家 ‖ pianist ピアニスト / biologist 生物学者. **3**…に関係している人 ‖ journalist ジャーナリスト. **4**…主義者 ‖ anarchist 無政府主義者. **5**…の性格の人 ‖ sadist 加虐趣味の人. [♦ 語幹の語尾の母音, 黙字の子音は省略される: cello → cellist / type → typist].
- **-ite** [名詞語尾] **1**…の人, …の住民, …の信奉者 ‖ Israelite ヤコブの子孫 / Trotskyite トロツキー派の人. **2**化石・塩類・爆薬・商品などの名 ‖ ebonite エボナイト.
- **-ition** [名詞語尾]「動作」「状態」の意を表す ‖ ambition 大望 / expedition 遠征.
- **-itis** [名詞語尾] **1**[病理]…炎 ‖ appendicitis 虫垂炎 / bronchitis 気管支炎. **2**(略式)…熱, …狂 ‖ jazzitis ジャズ熱 / telephonitis 電話狂.
- **-ium** [名詞語尾] **1**ラテン語系の名詞語尾 ‖ medium 中間 / premium 賞金. **2**[化学] 金属元素名を表す ‖ iridium イリジウム / uranium ウラニウム.
- **-ix** [女性名詞語尾] ラテン語系の -or で終わる男性名詞に対する女性名詞語尾 ‖ executrix 女性執行者 (cf. executor).
- **-kin** [名詞語尾(指小辞)] ‖ lambkin 小さい子ヒツジ.
- **-latry** [名詞語尾]「賛美」「崇拝」の意を表す ‖ idolatry 偶像崇拝.
- **-le**[1] [名詞語尾(指小辞)] (cf. 2.4 -le[3]) ‖ icicle つらら.
- **-le**[2] [名詞語尾]…する人・物(cf. 2.4 -le[3]) ‖ handle 取っ手.
- **-let** [名詞語尾] **1**[指小辞] ‖ starlet 小さい星. **2**飾り ‖ armlet 腕輪.
- **-ling**[2] [名詞語尾(指小辞)] ‖ duckling 子ガモ.
- **-logist** [-ologist] [名詞語尾]…学者, …研究者 ‖ biologist 生物学者.
- **-logy** [-ology] [名詞語尾]…学, …論 ‖ zoology 動物学.
- **-man** [名詞語尾] **1**…の(男の)住人 ‖ a Frenchman フランス人男性 / countrymen (ある土地の出身者). **2**…に従事する人, 従業員 《♦ 女性差別語だとして -person を用いる向きもある》 ‖ a chairman 議長 (=a chairperson) / firemen 消防士(=fire fighters)/businessmen 実業家. **3**…船 ‖ an Indiaman [歴史]インド貿易船 / merchantman 商船. **4**[数詞に付けて] …人の, …人用の ‖ a 200-man crew 200人の乗組員.
- **-metry** [名詞語尾] 測定法[学, 術] ‖ geometry 幾何学.
- **-most**[1] [名詞→最上級語尾] 最も… (cf. 2.3 -most[2], 2.5 -most[3]) ‖ topmost 最も高い.
- **-nd**[3] (cf. 1.7 -nd[1], 2.1 -nd[2]) ‖ fiend 悪魔 / friend 友だち.
- **-nik** [名詞語尾]「集団」の意を表す ‖ a no-goodnik ギャング(の1人) / computernik コンピュータ族.
- **-nomy** [名詞語尾]「…学」「…法」の意を表す ‖ agronomy 農学 / astronomy 天文学 / economy 経済学 / taxonomy 分類学 / autonomy 自治.
- **-or**[2] [(英) **-our**] [名詞語尾]「動作」「状態」「性質」の意を表す(cf. 2.1 -or[1]) ‖ behavio(u)r ふるまい / terror 恐怖 / error 誤り.
- **-osis** [名詞語尾] 作用, 過程, 状態 《♦ 多く病名・症名に用いる》 ‖ osmosis 浸透(性)/neurosis 神経症.
- **-s**[1] **1** [名詞複数形語尾] ‖ dogs / cats. **2** [文字・数字・略字の複数形語尾] ‖ the three R's 読み, 書き, 計算 / the 1980s 1980年代. (cf. 2.4 -s[2]).
- **-'s**[1] [名詞所有格語尾] ‖ Tom's book トムの(持っている)本, トムが書いた書物 / cat's cradle あや取り / glider's wings グライダーの翼(=the wings of a glider) 《♦ (1) 無生物名詞の場合は原則として of 句を用いる. (2) s で終わる固有名詞の所有格は —'s または —': Dickens', Dickens's 《♦ 後者の形が普通》. (3) s で終わる複数名詞の場合は —': a girls' school (=a school for girls).
- **-ster** [名詞語尾]「人」を表す ‖ trickster 手品師 / rhymester へぼ詩人 / gangster ギャング(の一員).
- **-teen** [基数] 13-19.
- **-tion** [-sion, (英) -xion] [抽象名詞語尾][動詞に付けて]「状態」「動作」「関係」「結果」の意を表す 《♦ アクセントは直前の音節にくる》 ‖ education 教育 / imagination 想像(力).

-trix ［名詞語尾］-tor で終わる男性名詞に対する女性名詞語尾 ‖ aviatrix 女性飛行家.
-tude ［抽象名詞語尾］「性質」「状態」の意を表す (cf. 2.1 -ness) ‖ servitude 奴隷の境遇 / magnitude 大きいこと.
-ule ［名詞語尾(指小辞)］ ‖ valvule 小弁.
-worth ［名詞語尾］…に相当する量 ‖ two pennyworth of sugar 2ペニー分の砂糖.
-y^1 ［名詞語尾(愛称・あだ名)］ ‖ daddy パパ / fatty でぶ / Willy ウィリー.
-y^2 ［名詞語尾］ ‖ entry 入ること / inquiry 質問 / recovery 取り戻すこと / history 歴史. [♦ cf. 2.3 -y^3].
-yer ［名詞語尾］[w で終わる語に付けて] …する人 ‖ lawyer 法律家 / sawyer 木びき.

2.3　形容詞語尾

-al^2 ［形容詞語尾］…の(性質の) (cf. 2.1 -al^1) ‖ postal 郵便の.
-ar^2 ［形容詞語尾］…の性質の, …のような, …に関連した (cf. 2.1 -ar^1) ‖ polar 極の / popular 人気のある.
-ate^3 ［形容詞語尾］…のある (cf. 1.6 -ate^1, 2.2 -ate^2, 2.4 -ate^4) ‖ foliate 葉のある / passionate 情熱的な.
-cidal ［形容詞語尾］殺害の ‖ suicidal 自殺の.
-cratic [**-ocratic**] ［形容詞語尾］「-cracy の」の意を表す ‖ democratic 民主主義の.
-ean ［形容詞語尾］[通例固有名詞と共に] …の, …に属する, …に由来する ‖ European ヨーロッパの.
-ent^2 ［形容詞語尾］「性質」「状態」「行動」の意を表す (cf. -ence, 2.2 -ent^1).
-er^3 ［形容詞比較級］《♦ 単音節または -y, -ly, -le, -er, -ow で終わる2音節の形容詞に付ける. ただし, -y, -ly, -le はそれぞれ -ier, -lier, -ler とする: hotter / drier / kindlier / gentler》(cf. 1.1 -er^1, 2.2 -er^2, 2.4 -er^4, 2.5 -er^5).
-escent ［形容詞語尾］…し始めた, …になりたった, …性の ‖ adolescent 青春期の.
-est^1 ［形容詞最上級語尾］(cf. 2.5 -est^2) ‖ highest.
-fic ［形容詞語尾］…化する, …を起こす ‖ specific 明確な / terrific ものすごい.
-fold^2 ［形容詞語尾］…の部分を持つ (cf. 1.1 -fold^1) ‖ manifold 多数の.
-form ［形容詞語尾］…の形を有する ‖ waveform 波形の.
-ful^2 ［形容詞語尾］**1** …に満ちた ‖ hopeful 希望に満ちた. **2** …の性質がある ‖ forgetful 忘れっぽい. **3** …を引き起こす, 与える ‖ harmful 有害な. [♦ cf. 2.2 -ful^1].
-ible ［形容詞語尾］[主にラテン語系の語に付けて] …できる, …が可能な ‖ accessible 接近できる / audible 聞こえる / visible 目に見える《♦ -able より造語力は弱い》.
-ic ［形容詞語尾］…の, …に関する, …的な (cf. 2.2 -ic^1) ‖ atomic 原子(力)の / tragic 悲劇の《♦ -ic と -ical で意味が異なることがある: economic 経済の / economical 経済的な; historic 歴史上有名な / historical 歴史に関する》.
-ile^2 ［形容詞語尾］…に関する, …できる (cf. 2.2 -ile^1) ‖ juvenile 若い.
-in^2 ［形容詞語尾］…に属する (cf. 1.2 in-^{1}, 2.5 in-^{3}).
-ine^2 ［形容詞語尾］…に似た, …から成る, …に関する, …の性質の (cf. 2.2 ine-^{1}) ‖ divine 神の / Alpine アルプス山脈の.
-ive ［形容詞語尾］…の性質をもつ, …の傾向のある ‖ massive 大きなかたまりになった / passive 受動的な / sportive 楽しい.
-most^2 ［形容詞→最上級語尾］最も… (cf. 2.2 -most^1, 2.3 -most^3) ‖ uppermost 最上の.
-ous ［形容詞語尾］…の多い, …に富む, …の特徴を有する ‖ ceremonious 儀式ばった / dangerous 危険な.
-st^2 ［形容詞最上級語尾］e で終わる1, 2音節の形容詞に付ける (cf. 2.1 -st^1, 2.5 -st^3) ‖ whitest 最も白い.
-ular ［形容詞語尾］…の(ような) ‖ tubular 管状の.
-y^3 ［形容詞語尾］[色を表す形容詞に付けて] …がかった, …味を帯びた (cf. 2.2 -y^{1,2}) ‖ yellowy 黄色っぽい / pinky ピンクっぽい.

2.4　動詞語尾

-ate^4 ［動詞語尾］…させる, …する (cf. 1.6 -ate^1, 2.2 -ate^2, 2.3 -ate^3) ‖ create 創造する / separate 引き離す.
-ed^2 ［規則動詞過去・過去分詞語尾］(cf. 2.1 -ed^1) ‖ wanted / tried / dropped.
-en^4 ［不規則動詞過去分詞語尾］(cf. 2.1 -en^{1,2}, 2.2 -en^3) ‖ fallen / shaken / written.

-er[4] [動詞語尾]「反復」の意を表す. **1** [動詞に付けて] ‖ flicker 明滅する / waver 揺れる. **2** [擬音語に付けて] ‖ chatter ぺちゃくちゃしゃべる / patter パラパラと降る. [◆cf. **2.1** -er[1], **2.2** -er[2], **2.3** -er[3], **2.5** -er[5]].

-es[2] [動詞三人称単数形語尾][s, z, x, ch, sh, 子音字+ y (この場合 y が i に変わる)などで終わる動詞に付けて] (cf. **2.2** -es[1] ‖ watches / goes.

-fy [**-ify**] [動詞語尾] …にする, …になる ‖ purify 浄化する / solidify 凝固させる / terrify 怖がらせる.

-ing[3] [動詞現在分詞語尾] **1**「動作」「職業」などを表す ‖ dancing / driving. **2**「動作の結果」「材料」「産物」; その集合 ‖ clothing / building / flooring. **3** 形容詞的用法 ‖ a sleeping car 寝台車 / a dancing girl 踊り子 《◆ 時に名詞・間投詞・擬音語に付ける: oh-ing oh と言う / dear-dearing dear, dear と言う》. [◆ cf. **2.2** -ing[1,2]].

-ize [(英ではしばしば) **-ise**] [動詞語尾][名詞・形容詞に付けて] **1** [自動詞を作る] …になる, …化する; …に従事する, 携わる; …を経験する ‖ apologize わびる / crystallize 結晶する. **2** [他動詞を作る] …にする, …化する, …で処理する, …のように取り扱う; …に従わせる ‖ Americanize アメリカ風にする / organize 組織する / oxidize 酸化させる / civilize 文明化する 《◆ advise, chastise, devise, exercise, surmise, surprise などの語は -ize とは関係なく, 英米でつづり字に差はない》.

-le[3] [動詞語尾]「反復」の意を表す (cf. **2.2** -le[1,2]) ‖ prattle ぺちゃくちゃしゃべる.

-s[2] [動詞三人称単数現在形語尾] (cf. **2.2** -s[1] ‖ comes / asks.

2.5 副詞語尾

-ably -able で終わる形容詞の副詞形を作る (cf. **2.1** -able) ‖ agreeably 楽しく / probably たぶん.

-er[5] [副詞比較級語尾] 《◆ 単音節または -y, -ly, -le, -er, -ow で終わる2音節の形容詞に付ける. ただし, -y, -ly, -le はそれぞれ -ier, -lier, -ler とする》(cf. **2.1** -er[1], **2.2** -er[2], **2.3** -er[3], **2.4** -er[4]).

-est[2] [副詞最上級語尾] (cf. **2.3** -est[1]).

-in[3] [副詞語尾] …の中に (cf. **2.2** in-[1], **2.3** in-[2]).

-most[3] [副詞→最上級語尾] 最も (cf. **2.2** -most[1], **2.3** -most[2]).

-otically -otic に対応する副詞を作る (cf. **1.7** -otic).

-s[3] [副詞語尾] 《米略式》(cf. **2.2** -s[1], **2.4** -s[2]) ‖ mornings (=in the mornings) 朝には.

-st[3] [副詞最上級語尾] (cf. **2.1** -st[1], **2.4** -s[2]).

-ways [副詞語尾]「様態」「位置」「方向」の意を表す ‖ anyways いずれにせよ / sideways 横に.

発音注意の語一覧

[1] 品詞によって音が異なる語

◆母音

名詞	形容詞
crime /ai/ (犯罪)	criminal /i/ (犯罪の)
depth /e/ (深さ)	deep /iː/ (深い)
holiday /ɑ | ɔ/ (休日)	holy /ou/ (神聖な)
nation /ei/ (国)	national /æ/ (国の)
nature /ei/ (自然)	natural /æ/ (自然の)
south /au/ (南)	southern /ʌ/ (南の)
type /ai/ (型)	typical /i/ (典型的な)
width /i/ (幅)	wide /ai/ (幅広い)
wilderness /i/ (野生)	wild /ai/ (野生の)
wisdom /i/ (知恵)	wise /ai/ (賢い)
youth /uː/ (若さ)	young /ʌ/ (若い)

名詞	動詞
breath /e/ (息)	breathe /iː/ (息を吸う)
cloth /ɔ(ː)/ (布)	clothe /ou/ (服を着る)
description /i/ (記述)	describe /ai/ (記述する)
division /i/ (分割)	divide /ai/ (分割する)
introduction /ʌ/ (導入)	introduce /uː/ (導入する)
knowledge /ɑ | ɔ/ (知識)	know /ou/ (知る)
life /ai/ (生活)	live /i/ (生きる)
production /ʌ/ (生産)	produce /uː/ (生産する)
pronunciation /ʌ/ (発音)	pronounce /au/ (発音する)
sign /ai/ (サインする)	signature /i/ (サイン)

形容詞	動詞
clean /iː/ (清潔な)	cleanse /e/ (清潔にする)

◆子音

名詞	形容詞
anxiety /ŋz/ (心配)	anxious /ŋkʃ/ (心配な)
electricity /s/ (電気)	electric /k/ (電気の)
medicine /s/ (医学, 薬)	medical /k/ (医学の)
part /t/ (部分)	partial /ʃ/ (部分的な)
society /s/ (社会)	social /ʃ/ (社会の)
worth /θ/ (価値)	worthy /ð/ (値する)

名詞	動詞
abuse /s/ (虐待)	abuse /z/ (虐待する)
action /ʃ/ (行動)	act /t/ (行動する)
advice /s/ (助言)	advise /z/ (助言する)
confusion /ʒ/ (混乱)	confuse /z/ (混乱させる)

発音注意の語一覧

excuse /s/ （言い訳）　　excuse /z/ （言い訳する）
expression /ʃ/ （表現）　　express /s/ （表現する）
use /s/ （使用）　　use /z/ （使用する）

[2] 黙字

◆mb の b

- bomb （爆弾）
- climb （登り）
- comb （櫛(ｸｼ)）
- dumb （口がきけない）
- lamb （子羊）
- limb （四肢）
- numb （かじかんだ）
- thumb （親指）
- tomb （墓）

◆bt の b

- debt （負債）
- doubt （疑い）
- subtle （かすかな）

◆gn の g

- design （図案）
- foreign （外国の）
- reign （治世）
- sign （サインする）

◆kn の k

- knee （ひざ）
- knife （ナイフ）
- knight （騎士）
- knit （編む）
- knock （トントンたたく）
- knot （結び目）
- know （知る）
- knuckle （こぶし）

◆mn の n

- autumn （秋）
- column （円柱, 列）
- hymn （賛歌）
- solemn （厳粛な）

◆gh

- daughter （娘）
- fight （戦い）
- high （高い）
- neighbor （隣人）
- night （夜）
- straight （まっすぐな）
- weigh （重さを量る）

◆h

- exhibit （展示する）
- heir （相続人）
- honest （正直な）
- honor （名誉）
- hour （時間）
- rhetoric （修辞学）
- rhyme （韻）
- rhythm （リズム）
- vehicle （乗り物）

◆l

- calf （子牛）
- chalk （チョーク）
- could （助動詞）
- folk （人々）
- salmon （鮭）
- should （助動詞）
- talk （話す）
- would （助動詞）

◆p

- pneumonia （肺炎）
- psalm （賛美歌）
- psychology （心理学）
- receipt （受領）

◆s

aisle（通路）　　　　　　　　　　　　　　island（島）
corps（軍団）[ps が黙字]

◆t

ballet（バレエ）　　　　　　　　　　　　listen（聴く）
castle（城）　　　　　　　　　　　　　　soften（柔らかくする）
fasten（つなぐ）　　　　　　　　　　　　whistle（口笛を吹く）

[3] カタカナ語との関連で誤りやすい音

語	発音	意味
Asia	/éiʒə/	アジア
Asian	/éiʒən/	アジアの
boat	/bóut/	ボート
button	/bʌ́tn/	ボタン
dilemma	/dilémə/	ジレンマ
dollar	/dálər ǀ dɔ́l-/	ドル
fuse	/fjúːz/	ヒューズ
garage	/gərɑ́ːdʒ ǀ gǽrɑːdʒ/	ガレージ
gauze	/gɔ́ːz/	ガーゼ
glove	/glʌ́v/	グローブ
hood	/húd/	ずきん, フード
hose	/hóuz/	ホース
London	/lʌ́ndən/	ロンドン
loose	/lúːs/	ゆるい, ルーズな
media	/míːdiə/	メディア
meter	/míːtər/	メーター
onion	/ʌ́njən/	オニオン (たまねぎ)
only	/óunli/	唯一の, オンリー
oven	/ʌ́vn/	オーブン
post	/póust/	ポスト
pound	/páund/	ポンド
puncture	/pʌ́ŋktʃər/	パンク
soldier	/sóuldʒər/	ソルジャー (兵士)
stadium	/stéidiəm/	スタジアム
steak	/stéik/	ステーキ
sweater	/swétər/	セーター
Sweden	/swíːdn/	スウェーデン
syrup	/sə́ːrəp/	シロップ
theory	/θíəri/	セオリー
tip	/típ/	チップ
ton	/tʌ́n/	トン (重量単位)
tuna	/t(j)úːnə/	まぐろ, ツナ

[4] アクセントについて注意すべき語

*印は「アクセントは, 名詞は前に, 動詞は後ろに, 形容詞・副詞は比較的前にくる」というおおまかな傾向に反する語

◆名詞

acquáintance*　　　　　　　　　　　　ágent
advénture*　　　　　　　　　　　　　 allówance*

発音注意の語一覧

ambássador*
ártist
áspect
ástronaut
átmosphere
canál*
círcumstance
cóffee
condítioner*
crýstal
descéndant*
dífference
diséase*
éffort
élegance
envíronment*
excúrsion*

expérience*
expériment*
gréenhouse
fúnction
ímpulse
ínfant
jóurney
knówledge
máintenance
mícroscope
nóvel
próblem
púrpose
relíef*
repúblic*
súrface
technólogy*

◆動詞

accépt
árgue*
commít
commúnicate
cóncentrate*
connéct
cónquer*
contínue
disgúst
enjóy
entertáin
exámine
explóde
forgét

hésitate*
infórm
insíst
maintáin
occúr
óffer*
perfórm
prefér
reláte
réscue*
respéct
sátisfy*
súffer*
uníte

◆形容詞

apprópriate*
cólorful
cónfident
cónscious
distínct*
enóugh*
impóssible*

mystérious*
particular*
pérmanent
práctical
relúctant*
téchnical
últimate

◆副詞

nówadays

◆接続詞

unléss

[5] 同音語と同綴語

◆綴りが異なる同音語

/éər/	air（空気）	heir（相続人）
/áil/	aisle（通路）	isle（小島）
/béər/	bare（覆いのない）	bear（耐える; クマ）
/béis/	base（土台）	bass（低音, ベース）
/béri/	berry（ベリー）	bury（埋める）
/báu/	bough（大枝）	bow（おじぎをする）
/bréik/	brake（ブレーキ）	break（こわす）
/sél/	cell（細胞）	sell（売る）
/díər/	dear（親愛な）	deer（シカ）
/dizə́:rt/	desert（見捨てる）	dessert（デザート）
/d(j)ú:/	dew（露）	due（当然支払われるべき）
/dái/	die（死ぬ; さいころ）	dye（染める）
/féər/	fare（運賃）	fair（公正な; 品評会）
/fláuər/	flour（小麦粉）	flower（花）
/héər/	hair（毛）	hare（ノウサギ）
/hí:l/	heel（かかと）	heal（治す）
/hóul/	hole（穴）	whole（全体の）
/áidl/	idle（怠けた）	idol（偶像）
/kí:/	key（かぎ）	quay（波止場）
/méil/	mail（郵便）	male（男の）
/péər/	pair（1対）	pear（セイヨウナシ）
/péil/	pale（青白い）	pail（バケツ）
/pí:s/	peace（平和）	piece（1つ）
/pléin/	plane（飛行機）	plain（はっきりした, 平易な）
/préi/	pray（祈る）	prey（えじき）
/réin/	rain（雨）	reign（治世）
/ráit/	right（正しい, 右）	write（書く）
/róul/	role（役）	roll（転がる）
/rú:t/	root（根）	route（道筋）
/séil/	sale（販売）	sail（帆）
/sɔ́:s/	sauce（ソース）	source（英）（源）
/sóu/	sew（縫う）	sow（種をまく）
/sáit/	sight（視力, 視界）	site（場所）
/sʌ́m/	some（いくらかの）	sum（合計）
/sʌ́n/	son（息子）	sun（太陽）
/stéər/	stare（見つめる）	stair（階段）
/stí:l/	steal（盗む）	steel（鋼鉄）
/stréit/	strait（海峡）	straight（まっすぐな）
/swí:t/	suite（一続きの部屋）	sweet（甘い）
/téil/	tale（話）	tail（尾）
/véin/	vain（むだな）	vein（静脈）
/wéər/	ware（商品）	wear（身につけている）
/wéist/	waste（浪費する）	waist（腰, ウエスト）
/wéi/	way（道）	weigh（重さを量る）

◆同じ綴りで意味の異なる語

	発音	意味
bow	/bóu/	弓
	/báu/	おじぎをする

close	/klóus/	接近した
	/klóuz/	閉じる
invalid	/ínvəlid/	病弱な
	/invǽlid/	根拠の薄い
lead	/líːd/	導く
	/léd/	鉛
learned	/lə́ːrnid/	学識のある
	/lə́ːrnd/	learnの過去形
live	/lív/	生きる
	/láiv/	生きている
minute	/mínət/	(時間の)分
	/mainúːt/	微少な
row	/róu/	列; 漕ぐ
	/ráu/	けんか
tear	/tíər/	涙
	/téər/	引き裂く
wind	/wínd/	風
	/wáind/	曲がる, 巻く

不規則変化名詞表

規則変化で特に注意を要するものを含む。赤色はA，Bランクの語。

単　数　形	複　数　形
abacus (計算盤，そろばん)	abacuses, abaci
alga (藻，藻類)	algae
amoeba (アメーバ)	amoebas, amoebae
analysis (分析)	analyses
antenna (触角，アンテナ)	antennae (触角), antennas (アンテナ)
apex (頂点)	apexes, apices
appendix (付録，虫垂)	appendixes, appendices
aquarium (水槽，水族館)	aquariums, aquaria
arbor (樹木)	arbores
asylum (保護施設)	asylums, asyla
auditorium (講堂，公会堂)	auditoriums, auditoria
aurora (オーロラ)	auroras, aurorae
axis (軸)	axes
basis (基礎)	bases
businessman (実業家)	businessmen
cactus (サボテン)	cactuses, cacti
calculus (結石，微積分学)	calculi (結石), calculuses (微積分学)
calf (子牛，ふくらはぎ)	calves
catalysis (触媒作用)	catalyses
chairman (議長，委員長)	chairmen
charisma (カリスマ)	charismata, charismas
cherub (ケルビム，愛らしい人)	cherubim (ケルビム), cherubs (愛らしい人)
child (子供)	children
chrysalis (さなぎ)	chrysalises, chrysalides
cicada (セミ)	cicadas, cicadae
clergyman (聖職者，牧師)	clergymen
codex (古写本)	codices
colossus (巨像)	colossi, colossuses
concerto (協奏曲)	concertos, concerti
corpus (集大成，言語資料，コーパス)	corpora, corpuses
cortex (皮層，樹皮)	cortices, cortexes
countryman (土地の出身者)	countrymen
craftsman (職人)	craftsmen
cranium (頭蓋(骨))	crania, craniums
crisis (危機)	crises
criterion (標準，基準)	criteria, criterions
crocus (クロッカス)	crocuses, croci
curriculum (教育課程，カリキュラム)	curricula, curriculums
datum (データ，資料)	data
diagnosis (診察)	diagnoses
die (さいころ)	dice
discus (円盤)	discuses, disci
dogma (教義)	dogmas, dogmata

単 数 形	複 数 形
Dutchman (オランダ人)	Dutchmen
dwarf (小びと)	dwarfs, dwarves
elf (小さい妖精)	elves
ellipsis (省略)	ellipses
emeritus (名誉教授)	emeriti
emphasis (強調)	emphases
emporium (商業中心地)	emporiums, emporia
Englishman (イングランド人)	Englishmen
enigma (なぞ)	enigmas, enigmata
eyetooth (犬歯)	eyeteeth
fireman (消防士)	firemen
fisherman (漁師)	fishermen
flagstaff (旗ざお)	flagstaves
focus (焦点, 中心)	focuses, (正式) foci
foot (足, フィート)	feet
formula (決まり文句, 公式)	formulas, (正式) formulae
forum (フォーラム, 公開討論(の場))	forums, fora
Frenchman (フランス人)	Frenchmen
freshman (新入生, 1年生)	freshmen
fungus (菌類)	funguses, fungi
genesis (創世記, 起源)	geneses
genius (才能, 天才, 守り神)	geniuses (才能, 天才), genii (守り神)
gentleman (紳士)	gentlemen
genus (分類上の)属)	genera, genuses
goose (ガチョウ)	geese
grandchild (孫)	grandchildren
gymnasium (体育館)	gymnasiums, gymnasia
half (半分)	halves
halfpenny (半ペニー)	halfpennies (半ペニー貨), halfpence (半ペニーの金額)
handkerchief (ハンカチ)	handkerchiefs, handkerchieves
hippopotamus (カバ)	hippopotamuses, hippopotami
hoof (ひづめ)	hoofs, hooves
horseman (騎手)	horsemen
housewife (主婦)	housewives
hypothesis (仮説)	hypotheses
index (索引, 指数)	indexes (索引), indices (指数)
iris ((眼球の)虹彩, アイリス)	irises, irides
Irishman (アイルランド人)	Irishmen
isthmus (地峡)	isthmuses, isthmi
jackknife (ジャックナイフ)	jackknives
kerchief (スカーフ)	kerchieves
knife (ナイフ)	knives
larva (幼虫)	larvae
larynx (喉頭)	larynxes, larynges
leaf (葉)	leaves
life (一生, 生活)	lives
linesman (ラインズマン, 線審)	linesmen
loaf (パン1個)	loaves
louse (シラミ)	lice
madam (奥様)	mesdames
magma (マグマ)	magmas, magmata

単数形	複数形
mailman (郵便集配人)	mailmen
man (男)	men
matrix (母体, 行列)	matrices, matrixes
maximum (最大限)	maximums, maxima
medium (中間, マスコミ機関)	mediums (中間), media (マスコミ機関)
memorandum (覚え書き)	memorandums, memoranda
metamorphosis (変形)	metamorphoses
micron (ミクロン)	microns, micra
midwife (助産師)	midwives
milkman (牛乳配達人)	milkmen
millennium (1000年間, 千年祭)	millenniums, millennia
minimum (最小限)	minima, minimums
momentum (はずみ)	momenta, momentums
moratorium (一時停止, 支払い猶予)	moratoriums, moratoria
mouse (ハツカネズミ, (コンピュータの)マウス)	mice (ハツカネズミ)/mouses, mice ((コンピュータの)マウス)
narcissus (スイセン)	narcissuses, narcissi, narcissus
nebula (星雲)	nebulae, nebulas
neckerchief (ネッカチーフ)	neckerchiefs, neckerchieves
neurosis (神経症, ノイローゼ)	neuroses
nova (新星)	novas, novae
nucleus (中心, 細胞核, 原子核)	nuclei, nucleuses
oasis (オアシス)	oases
octopus (タコ)	octopuses, (まれ) octopi
ovum (卵子)	ova
ox (雄牛)	oxen
papyrus (パピルス)	papyruses, papyri
paralysis (麻痺)	paralyses
parenthesis (挿入語句, 丸かっこ)	parentheses
penny (ペニー, ペンス)	pence (ペニー), pennies (ペニー貨)
phenomenon (現象, 非凡な人)	phenomena (現象), phenomenons (非凡な人)
planetarium (プラネタリウム)	planetariums, planetaria
plateau (高原)	plateaus, plateaux
plectrum ((ギターなどの)つめ)	plectrums, plectra
podium (指揮台)	podiums, podia
policeman (警官)	policemen
premium (賞金, 景品)	premiums, premia
psychosis (精神病)	psychoses
pupa (さなぎ)	pupae, pupas
quantum (量子)	quanta
radius (半径)	radii, radiuses
rectum (直腸)	rectums, recta
referendum (国民投票, 住民投票)	referendums, (正式) referenda
rostrum (演壇)	rostrums, rostra
salesman (男子販売員, セールスマン)	salesmen
salmonella (サルモネラ菌)	salmonellae
sanatorium (保養地, サナトリウム)	sanatoriums, sanatoria
sanitarium (保養地)	sanitariums, sanitaria
scarf (スカーフ)	scarfs, scarves
Scotchman (スコットランド人)	Scotchmen
self (自己)	selves
serum (血清)	serums, sera

単 数 形	複 数 形
sheaf (束)	sheaves
shelf (たな)	shelves
spectrum (スペクトル)	spectra, 《略式》spectrums
sportsman (スポーツマン)	sportsmen
staff (職員, スタッフ, 杖)	staffs (職員, スタッフ), staves (杖)
stamen (雄ずい)	stamens, stamina
stigma (汚名)	stigmas, stigmata
stimulus (刺激)	stimuli
stratum (層, 地層)	strata, stratums
symposium (シンポジウム)	symposiums, symposia
synopsis (概要)	synopses
synthesis (統合)	syntheses
tarantula (タランチュラ)	tarantulas, tarantulae
tempo (テンポ, (仕事)の速さ)	tempi (テンポ), tempos ((仕事の)速さ)
terminus (終点)	termini, terminuses
thesaurus (シソーラス)	thesauruses, thesauri
thesis (主題)	theses
thief (泥棒)	thieves
tooth (歯)	teeth
turf (芝土)	turfs, 《英正式》turves
ultimatum (最後通牒(つうちょう))	ultimatums, ultimata
vacuum (真空)	vacuums, vacua
vertebra (脊椎骨)	vertebrae, vertebras
vortex (渦)	vortexes, vortices
Welshman (ウェールズ人)	Welshmen
wharf (波止場)	wharfs, wharves
wife (妻)	wives
wolf (オオカミ)	wolves
woman (女)	women

不規則動詞活用表

*印の形については辞書本文参照。赤色はA, Bランクの語。

原　形	過　去　形	過去分詞形
abide (とどまる)	abode, abided	abode, abided
alight¹ (降りる)	alighted, (まれ・詩)alit	alighted, (まれ・詩)alit
arise (起こる, 生じる)	arose	arisen
awake (起こす, 目ざめる)	awoke, awaked	awoke, awaked, awoken
babysit (子守をする)	babysat	babysat
backbite (陰口をきく)	backbit	backbitten
backslide (逆戻りする)	backslid	backslid, backslidden
be (am,is,are) (…である, 存在する)	was/were	been
bear¹ (耐える, 運ぶ, 産む)	bore, (古)bare	borne, born*
beat (打ち負かす, 打つ)	beat	beaten, (米)beat
become (…になる, …に似合う)	became	become
befall ((不幸が)起こる)	befell	befallen
begin (始める, 始まる)	began	begun
behold (見守る)	beheld	beheld
bend (曲げる, 曲がる)	bent, (古)bended	bent, (古)bended
bereave (奪う)	bereaved, bereft	bereaved, bereft
beseech (嘆願する)	besought, beseeched	besought, beseeched
beset (包囲する)	beset	beset
bespeak (物語る)	bespoke	bespoken, bespoke
bestrew (一面に覆う)	bestrewed	bestrewn, bestrewed
bestride (またがる)	bestrode, bestrid	bestridden
bet (賭ける)	bet, betted	bet, betted
bid (値をつける, 命ずる)	bade, bid*, (古)bad	bidden, bid*
bide (待つ)	bided, bode	bided
bind (縛る)	bound	bound
bite (かむ, かみつく)	bit	bitten, (まれ)bit
bleed (出血する)	bled	bled
blend (混合する, 溶け合う)	blended, (詩・文)blent	blended, (詩・文)blent
bless (恩恵を受ける)	blessed	blessed
blow¹ (吹く)	blew	blown
bottle-feed (人工乳で育てる)	bottle-fed	bottle-fed
break (こわす, 中断する)	broke	broken
breast-feed (母乳で育てる)	breast-fed	breast-fed
breed (産む)	bred	bred
bring (持って来る, 連れて来る)	brought	brought
broadcast (放送する)	broadcast, (時に)broadcasted	broadcast, (時に)broadcasted
browbeat (威嚇する)	browbeat	browbeaten
build (建てる, 築く)	built, (古)builded	built, (古)builded
burn (燃える, 燃やす)	burned, burnt	burned, burnt
burst (爆発する)	burst	burst
bust (こわす, だめにする)	busted, bust	busted, bust
buy (買う)	bought	bought
cast (投げる, 向ける)	cast	cast
catch (つかまえる)	caught	caught
chide (しかる)	chid, (米)chided	chidden, chid, (米)chided
choose (選ぶ)	chose	chosen
cleave¹ (切り裂く)	clove, cleft, cleaved	cloven, cleft, cleaved
cleave² (…に忠実である, くっつく)	cleaved, (古)clave	cleaved
cling (くっつく, しがみつく)	clung	clung
clothe (着る)	clothed, (古・文)clad	clothed, (古・文)clad
colorcast (カラーで放送する)	colorcast, colorcasted	colorcast, colorcasted
come (来る, …になる)	came	come
cost (…がかかる, …を要する)	cost	cost
creep (はって進む)	crept	crept

不規則動詞活用表

原　　形	過　去　形	過去分詞形
crossbread（異種交配する）	crossbred	crossbred
curse（呪う）	cursed, (古)curst	cursed, (古)curst
cut（短縮する, 切る）	cut	cut
dare（あえて…する）	dared, (古)durst	dared
deal²（配る）	dealt	dealt
deep-freeze（急速冷凍する）	deep-froze, deep-freezed	deep-frozen, deep-freezed
dig（掘る）	dug, (古)digged	dug, (古)digged
dive（飛び込む, 潜る）	dived, (米)dove	dived
do¹ **(does)**（…をする）	did	done
draw（線を引く）	drew	drawn
dream（夢を見る）	dreamed, (やや古)dreamt	dreamed, (やや古)dreamt
drink（飲む）	drank	drunk, (米略式)drank
drip（したたる）	dripped, dript	dripped, dript
drive（運転する, 追いやる）	drove, (古)drave	driven
drop（落ちる）	dropped, (まれ)dropt	dropped, (まれ)dropt
dwell（住む）	dwelt, dwelled	dwelt, dwelled
eat（食べる）	ate	eaten
fall（落ちる, ころぶ）	fell	fallen
feed（えさを与える）	fed	fed
feel（感じる, 知覚する）	felt	felt
fight（戦う）	fought	fought
find（見つける）	found	found
fit（合う, 合せる）	fitted, (米)fit	fitted, (米)fit
flee（逃げる）	fled	fled
fling（投げつける, ほうり出す）	flung	flung
fly¹（飛ぶ）	flew, fled, flied*	flown, fled, flied*
forbear¹（自制する）	forbore	forborne
forbid（禁ずる）	forbade, forbad	forbidden
forecast（予言する, 予報する）	forecast, (時に)forecasted	forecast, (時に)forecasted
forego¹（…の先を行く）	forewent	foregone
forerun（…の先駆けをする）	foreran	forerun
foresee（予感する）	foresaw	foreseen
foretell（予言する）	foretold	foretold
forget（忘れる）	forgot	forgotten
forgive（許す）	forgave	forgiven
forgo（さし控える, …なしですませる）	forwent	forgone
forsake（縁を絶つ,（習慣などを）やめる）	forsook	forsaken
freeze（凍る）	froze	frozen
gainsay（否定する, 反対する）	gainsaid	gainsaid
get（受け取る, 得る）	got	got, (米略式)gotten*
gild（金をかぶせる）	gilded, gilt	gilded, gilt
gird（(帯などを)締める）	girded, girt	girded, girt
give（与える）	gave	given
gnaw（かじる）	gnawed	gnawed, (まれ)gnawn
go（行く, 動く, 至る）	went	gone
grave³（彫る, 刻み込む）	graved	graven, graved
grind（(穀物を)ひく, 研ぐ）	ground	ground
grip（しっかりつかむ）	gripped, gript	gripped, gript
grow（増える, 成長する, 育てる）	grew	grown
grip（しっかりつかむ）	gripped, gript	gripped, gript
hamstring（妨害する）	hamstrung, hamstringed	hamstrung, hamstringed
hang（つるす, 掛かる）	hung, hanged*	hung, hanged*
have (has)（持っている）	had	had
hear（聞こえる）	heard	heard
heave（持ち上げる,（波が）うねる）	heaved, hove*	heaved, hove*
hew（たたき切る）	hewed	hewn, hewed
hide¹（隠す, 隠れる）	hid	hidden, hid
hit（打つ, 襲う）	hit	hit
hold（持っている, 握っている）	held	held
hurt（傷つける）	hurt	hurt
inlay（はめ込む, ちりばめる）	inlaid	inlaid
inlet（はめ込む）	inlet	inlet
input（入力する）	inputted, input	inputted, input
inset（差し込む）	inset, insetted	inset, insetted

原　　形	過　去　形	過去分詞形
interweave (織り合わせる)	interwove, interweaved	interwoven, interwove, interweaved
keep (持ち続ける，…のままである)	kept	kept
kneel (ひざまずく)	knelt, (主に米)kneeled	knelt, (主に米)kneeled
knit (編む，編み物をする)	knitted, knit	knitted, knit
know (知っている)	knew	known
lade (荷を積む)	laded	laded, laden
lay¹ (横たえる，置く)	laid	laid
lead¹ (案内する，導く)	led	led
lean¹ (寄りかかる)	leaned, (英)leant	leaned, (英)leant
leap (跳ぶ)	leaped, (主に英)leapt	leaped, (主に英)leapt
learn (習得する)	learned, learnt*	learned, learnt*
leave¹ (去る，残す)	left	left
lend (貸す)	lent	lent
let¹ (…させてやる，…してもらう)	let	let
lie¹ (横たわる，…の状態にある)	lay	lain
light¹ (火をつける，明るくする)	lighted, lit*	lighted, lit*
lip-read (読唇術で理解する)	lip-read	lip-read
lose (失う，負ける)	lost	lost
make (作る，…させる)	made	made
mean¹ (意味する，…のつもりでいう)	meant	meant
meet (会う，出くわす)	met	met
melt (融ける)	melted	melted, (古)molten
miscast (不適当な役を当てられる)	miscast, (時に)miscasted	miscast, (時に)miscasted
mislay (置き違える)	mislaid	mislaid
mislead ((人を)誤った方向に導く)	misled	misled
misread (読み違える)	misread/-réd/	misread/-réd/
misspell (つづりを誤る)	misspelt, misspelled	misspelt, misspelled
mistake (間違える，誤解する)	mistook	mistaken
misunderstand (誤解する)	misunderstood	misunderstood
mow¹ (刈る，刈り取る)	mowed	mowed, mown
offset (相殺する)	offset	offset
outbid (…より高い値をつける)	outbid, outbade	outbid, outbidden
outdo (まさる，出し抜く)	outdid	outdone
outfight (戦って勝つ)	outfought	outfought
outgrow (大きくなって(服などが)合わなくなる)	outgrew	outgrown
outlay (…に費やす)	outlaid	outlaid
output (産出する)	output, outputted	output, outputted
outrun (…より速く走る)	outran	outrun
outsell (…より多く売る)	outsold	outsold
outshine (…より光る)	outshone	outshone
outspread (広がる，延ばす)	outspread	outspread
outwear (…より長持ちする，着古す)	outwore	outworn
overbear (押さえつけられる)	overbore	overborne
overcome (打ち勝つ，克服する)	overcame	overcome
overdo (やりすぎる，誇張している)	overdid	overdone
overdraw (借り越す)	overdrew	overdrawn
overeat (食べすぎる)	overate	overeaten
overfeed (食べさせすぎる)	overfed	overfed
overflow (あふれる)	overflowed	overflowed, (時に米では)overfleown
overgrow ((草などが)はびこる，大きくなる)	overgrew	overgrown
overhang (…の上にかかる，(危険などが)迫る)	overhung, overhanged	overhung, overhanged
overhear (ふと耳にする，漏れ聞く)	overheard	overheard
overlay (薄く覆われる，上塗りする)	overlaid	overlaid
overleap (跳び越える，省略する)	overleaped, overleapt	overleaped, overleapt
overlie (…の上に横たえる)	overlay	overlain
overpay (支払いすぎる，十二分に償う)	overpaid	overpaid
override (踏みつぶす)	overrode	overridden
overrun (荒廃させる，越える)	overran	overrun
oversee (監督する)	oversaw	overseen

不規則動詞活用表

原　形	過　去　形	過去分詞形
overset（くつがえす）	overset	overset
overshoot（射はずす, 勇み足になる）	overshot	overshot
oversleep（寝過ごす）	overslept	overslept
overspend（金をかけすぎる）	overspent	overspent
overspread（一面に覆う）	overspread	overspread
overtake（追いつく）	overtook	overtaken
overthrow（転覆させる）	overthrew	overthrown
overwork（こき使う, 働きすぎる）	overworked, overwrought	overworked, overwrought
overwrite（上書きする）	overwrote	overwritten
partake（参加する）	partook	partaken
pay（支払う, 報いる）	paid	paid
pen²（おりに入れる）	penned, pent	penned, pent
plead（嘆願する, 弁護する）	pleaded, plead, (主に米・スコット)pled	pleaded, plead, (主に米・スコット)pled
prepay（前払いする）	prepaid	prepaid
proofread（校正する）	proofread/-rèd/	proofread/-rèd/
prove（証明する, …であるとわかる）	proved	proved, (米・英文・スコット)proven
put（置く, …の状態にする）	put	put
quick-freeze（急速冷凍する）	quick-froze	quick-frozen
quit（やめる, 中止する）	quit, quitted	quit, quitted
read（読む）	read/réd/	read/réd/
rebuild（改築する）	rebuilt	rebuilt
recast（鋳直す, 作り直す）	recast	recast
re-do（再びする）	re-did	re-done
reeve（(ロープを)通す）	reeved, rove	reeved, rove
rend（引き裂く, もぎ取る）	rent	rent
repay（払い戻す, 報いる）	repaid	repaid
reread（再読する）	reread/-réd/	reread/-réd/
resell（転売する）	resold	resold
reset（研ぎ直す, つけ直す）	reset	reset
retake（取り戻す, 撮り直す）	retook	retaken
retell（再び語る）	retold	retold
rewind（巻き戻す）	rewound, (まれ)rewinded	rewound, (まれ)rewinded
rewrite（書き直す）	rewrote	rewritten
rid（取り除く）	rid, ridded	rid, ridded
ride（乗る, 乗って行く）	rode, (古)rid	ridden
ring²（鳴る, 響く）	rang, (略式・方言)rung	rung
rise（増す, 高くなる, 出る）	rose	risen
roughhew（粗く切る）	roughhewed	roughhewed, roughhewn
run（走る, 流れる）	ran	run
saw²（のこぎりで切る）	sawed	(米)sawed, (英)sawn
say（言う, 述べる）	said	said
see（見る, 見える）	saw	seen
seek（捜し求める, 努める）	sought	sought
sell（売る, 売れる）	sold	sold
send（送る, 派遣する）	sent	sent
set（置く, 定める, 整える）	set	set
sew（縫う）	sewed	sewn, (主に米)sewed
shake（振る, 揺れる）	shook	shaken
shave（ひげを剃る, 薄く削る）	shaved	shaved, shaven*
shear（刈る）	sheared, (古)shore	sheared, shorn
shed²（流す, 落とす）	shed	shed
shine（輝く）	shone, shined*	shone, shined*
shit（大便をする）	shit, shat, shitted	shit, shat, shitted
shoe（靴をはかせる, 蹄鉄を打つ）	shod, shoed	shod, shoed
shoot（撃つ, 発砲する）	shot	shot
show（見せる, 明らかにする）	showed	shown, (時に)showed
shred（細く切る）	shredded, shred	shredded, shred
shrink（縮む, しり込みする）	shrank, (米)shrunk	shrunk, (米)shrunken
shut（閉める, 閉じる）	shut	shut
sing（歌う, (虫が)鳴く）	sang, (まれ)sung	sung
sink（沈む）	sank, (まれ)sunk	sunk, (米まれ)sunken
sit（座る, 座っている）	sat, (古)sate	sat

原　　形	過去形	過去分詞形
slay（殺す）	slew	slain
sleep（眠る，泊まる）	slept	slept
slide（なめらかに滑る）	slid	slid, (米)slidden
sling（投げつける，つるす）	slung	slung
slink（こそこそ歩く）	slunk	slunk
slit（細長く切る）	slit	slit
smell（においがわかる，…のにおいがする）	(主に米)smelled, (主に英)smelt	(主に米)smelled, (主に英)smelt
smite（強打する，打ち負かす）	smote	smitten, smit
sow（種を〜まく）	sowed	sown, sowed
speak（話す，演説する）	spoke	spoken
speed（急ぐ，速度を増す）	sped, speeded	sped, speeded
spell[1]（つづる）	(主に米)spelled, (主に英)spelt	(主に米)spelled, (主に英)spelt
spend（使う，過ごす）	spent	spent
spill（こぼす）	(米)spilled, (主に英)spilt	(米)spilled, (主に英)spilt
spin（紡いで…にする，回転させる）	spun, (古)span	spun
spit（つばを吐く，吐き出す）	spat, (米)spit	spat, (米)spit
split（裂く，分裂させる）	split	split
spoil（台なしにする，甘やかす）	spoiled, spoilt	spoiled, spoilt
spread（広げる，薄く塗る）	spread	spread
spring（はじく，はねる）	sprang, (米)sprung	sprung
stand（立っている，立ち上がる）	stood	stood
stave（穴をあける，傷める）	staved, stove	staved, stove
stay（とどまる，…のままでいる）	stayed, (古)staid	stayed, (古)staid
steal（盗む）	stole	stolen
stick[2]（はり付ける，突き刺す）	stuck	stuck
sting（針で刺す）	stung	stung
stink（悪臭を放つ）	stank, stunk	stunk
strew（ばらまく）	strewed	strewn, strewed
stride（大またで歩く，またぎ越す）	strode	stridden
strike（打つ，襲う）	struck	struck, (古・文)stricken
string（じゅずつなぎにする，〈弦・電線など〉を張る）	strung	strung
strive（努力する）	strove	striven
sublet（また貸しする，また借りする）	sublet	sublet
sunburn（日焼けさせる，日焼けする）	sunburned, sunburnt	sunburned, sunburnt
swear（誓う，断言する）	swore, (古)sware	sworn
sweat（汗をかく）	sweat, sweated	sweat, sweated
sweep（掃く，一掃する）	swept	swept
swell（ふくらむ，増大する）	swelled	swollen, swelled
swim（泳ぐ）	swam	swum
swing（揺らす，揺れ動く）	swung	swung
take（手に取る，持っていく）	took	taken
teach（教える）	taught	taught
tear[2]（引き裂く，引きはがす）	tore	torn
tell（話す，命じる）	told	told
think（考える，思う）	thought	thought
thrive（成長する，栄える）	thrived	thrived, (米)thriven
throw（投げる）	threw	thrown
thrust（ぐいと押す，突き刺す）	thrust	thrust
toss（投げる，捨てる）	tossed, (詩)tost	tossed, (詩)tost
tread（踏む，歩く）	trod, treaded, (古)trode	trod, trodden
typewrite（タイプライターで打つ）	typewrote	typewritten
unbend（まっすぐにする）	unbent, (古)unbended	unbent, (古)unbended
unbind（ほどく，解放する）	unbound	unbound
undercut（…の下を切り取る，…より安く売る）	undercut	undercut
undergo（経験する）	underwent	undergone
underlay（…の下に置く，支える）	underlaid	underlaid
underlie（…の下にある，…の基礎となる）	underlay	underlain
underpay（十分に支払わない）	underpaid	underpaid
undershoot（〈的に〉届かない）	undershot	undershot
understand（理解する）	understood	understood
undertake（引き受ける，着手する）	undertook	undertaken
underwrite（保険を引き受ける）	underwrote	underwritten

不規則動詞活用表

原　形	過去形	過去分詞形
undo（ほどく，元通りにする）	undid	undone
unlearn（(習慣などを)わざと捨てる）	unlearnt, unlearned	unlearnt, unlearned
unwind（ほどく）	unwound	unwound
uphold（支持する）	upheld	upheld
upset（ひっくり返す，だめにする）	upset	upset
wake¹(目を覚ます)	woke, (米まれ)waked	woken, (米まれ)waked
waylay（待ち伏せする）	waylaid	waylaid
wear（身につけている，すり減る）	wore	worn
weave（織る，編む）	wove, weaved*	woven, wove*
wed（結びつける，結婚する）	wed*, wedded	wed*, wedded
weep（しくしく泣く，嘆く）	wept	wept
wend（進む，行く）	wended, (古)went	wended, (古)went
wet（ぬらす，湿らす）	wetted, (米)wet	wetted, (米)wet
win（勝つ，勝ち取る）	won	won
wind²(曲がる，巻く，回す)	wound	wound
withdraw（引っ込める，取り消す）	withdrew	withdrawn
withhold（保留する，許可しない）	withheld	withheld
withstand（よく耐える，持ちこたえる）	withstood	withstood
work（働く，機能する）	worked, wrought*	worked, wrought*
wrap（包む，巻きつける）	wrapped, wrapt	wrapped, wrapt
wring（絞る，苦労して得る）	wrung	wrung
write（執筆する，書く，手紙で知らせる）	wrote, (古)writ	written, (古)writ

発音のてびき

英語は世界中で多くの人に使われているので、当然、国により、地域により、少しずつ違いがあり、特に発音の面では違いがはっきりしている。この中でいちばん大きなグループはアメリカ英語とイギリス英語である。日本の学校で普通教えられているのもこのどちらかである。

辞典では、発音を書き表すのに発音記号を用いる。英語の普通のつづり字は、同じ文字が場合によっていく通りにも発音されたり、同じ発音がいろいろなつづりで書かれたりするが、発音記号はひとつの文字が1種類の音を表す。発音記号にもいろいろな方式があるが、ここでは、この辞典で使っている記号の解説をかねて、英語の発音を簡単にまとめてみよう。

なお、この辞典では、発音記号は見出し語のすぐ後ろに / / に入れてある。また、アメリカとイギリスの発音が違うときは |米国音|英国音|の形で書いてある。

I. 母　　音

日本語では「ア」「イ」「ウ」「エ」「オ」の5つの音が母音である。英語ではもっと多くて、次のような記号が使われる。

単母音　iː　ɑː　əː　ɔː　uː
　　　　 ɪ　e　æ　ʌ　ə　ɒ　u
二重母音　ei　ai　ɔi　au　ou
　　　　　iər　eər　uər

このうち二重母音というのは、ひとつの母音から別の母音に移動するようにして発音されるものである。

A. 単母音

1. /iː/

日本語の「イー」によく似ているが、舌にもっと力を入れ、唇は少しゆるめて、そのまま左右に平たく広げる。この音は単に /i/ を長く延ばしただけではなく、音質も異なっている。
  sweet /swíːt/
  people /píːpl/
  police /pəlíːs/

2. /i/

日本語の「イ」と「エ」の中間のような音。「イ」というつもりで舌をリラックスさせ、/iː/ よりも低く後退させる。/iː/ ほど唇を横に張らず、唇の緊張もずっとゆるい。
  milk /mílk/
  busy /bízi/
  Alice /ǽlis/

3. /e/

/i/ よりも舌を少し下げ、唇には力を入れずに、少し横に広げる。舌の位置は日本語の「エ」とほぼ同じ少し低め。
  tread /tréd/
  many /méni/
  leopard /lépərd/

4. /æ/

日本語の「エ」と「ア」を同時に出した感じの音。/e/ よりも少し大きく口を開け、唇を左右に引き、喉の奥の方を緊張させて発音する。普通は短いが、有声の子音 /b/, /d/, /g/, /dʒ/, /m/, /n/ の前ではかなり長めに発音されることもある（例：cab, bad, bag, badge, jam, man）。
  cat /kǽt/
  happy /hǽpi/
  angry /ǽŋgri/

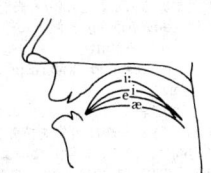

5. /ɑː/

日本語の「ア」よりも口を大きく開け、口の奥の方で発音する。
  calm /kɑ́ːm/
  psalm /sɑ́ːm/
  father /fɑ́ːðər/

/ɑːr/

米国英語では /ɑː/ の後に r があれば発音するので、この母音のすぐ後で舌先を持ち上げ、上の歯ぐきの方向に、歯ぐきに触れないように少しそり返らせる。英国英語ではこの r は発音しない。
  art /ɑ́ːrt/
  farm /fɑ́ːrm/
  garden /gɑ́ːrdn/

英国英語の /ɑː/ が米国英語で /æ/ となるのは /θ/, /f/, /s/, /nt/, /ns/, /ntʃ/, /nd/, /mp/ の直前にある時である。

発音のてびき

laugh /lǽf | lá:f/
path /pǽθ | pá:θ/
dance /dǽns | dá:ns/

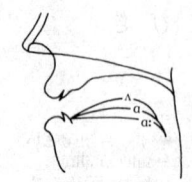

6. /ɑ/（米国英語），/ɔ/（英国英語）

米国英語で用いられる/ɑ/の音は/ɑ:/を少し短めにすればよい。英国英語で用いられる/ɔ/は、舌を/ɑ:/よりも後ろへ引くが、舌の後部は/ɑ:/より少しだけ高くする。口も/ɑ:/ほどは大きく開けない。日本語の「オ」よりは奥の方で発音し、口も広く、唇も丸める。

got /gɑ́t | gɔ́t/
swan /swɑ́n | swɔ́n/
cough /kɑ́f | kɔ́f/

7. /ɔ:/

日本語の「オ」よりも奥の方で長めに発音する。舌の後の方を/ɔ/よりも少し高くし、唇を/ɔ/の時よりいっそう丸めて狭くする。

law /lɔ́:/
sauce /sɔ́:s/
talk /tɔ́:k/

/ɔ(:)/
つづり字oを米国で/ɔ:/、英国で/ɔ/と発音する単語がある。これを/ɔ(:)/と表記した。

dog /dɔ́(:)g/
soft /sɔ́(:)ft/
correspond /kɔ̀(:)rəspánd | -spɔ́nd/

/ɔ:r/
米国英語では/ɔ:/の直後のrは発音するので/ɑ:r/の時と同様に舌先を持ち上げ、上の歯ぐきの方向に、歯ぐきに触れないように少しそり返せる。英国英語ではこのrは発音しない。

door /dɔ́:r/
stork /stɔ́:rk/
cord /kɔ́:rd/

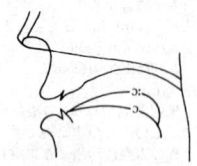

8. /u/

日本語の「ウ」より少し唇を丸め、舌を少し低くする。

put /pút/
good /gúd/
wolf /wúlf/

9. /u:/

/u/よりも唇をさらに丸めて突き出し、かつ舌を緊張させ、後ろよりで発音される。/i/と/i:/の違いと同様に、/u/と/u:/も単に音の長短の問題ではなく、音質が異なっている。

lose /lú:z/
fruit /frú:t/
whose /hú:z/

10. /ʌ/

日本語の「ア」の口の構えで、唇をやや横に張り、口の開け方を少し狭くして、「ア」より鋭く発音する。（英国英語では若い人でやや前寄りに発音する人もいる。）

sun /sʌ́n/
blood /blʌ́d/
London /lʌ́ndən/

11. /ə:r/

唇は自然な状態でやや横に張り、舌先は下歯の後ろに近付けたまま、舌の中央部を高くもなく低くもない位置にして、「アー」「ウー」の中間のようなあいまいな音を発音する。つづり字では、直後にrを伴う（colonelは例外）ので、米音では舌先を後ろへそり返らせながら/r/を響かせるが、英音は/r/を響かせず、舌のそり返しがない。

person /pə́:rsn/
bird /bə́:rd/
myrrh /mə́:r/
colonel /kə́:rnl/

/ər | ʌr/
/r/の前で同じつづりを米国では/ə:r/、英国では/ʌr/と発音する単語がいくつかある。

worry /wə́:ri | wʌ́ri/
courage /kə́:ridʒ | kʌ́ridʒ/
nourish /nə́:riʃ | nʌ́riʃ/

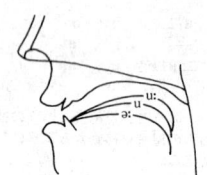

12. /ə/

/ə:/の時の舌の位置で、舌・唇の力を抜き、最も自然な口の構えで「ア」という。アクセントのない音節では母音はすべてこの音になる傾向がある。「ア」でも「イ」でも「オ」でも「エ」でもないあいまいな音で、「あいまい母音」と呼ばれる。

today /tədéi/
alone /əlóun/
China /tʃáinə/

/ər/
米ではつづり字にrがあれば、舌先を後ろへ少しそり返らせて/r/の響きを加えて発音する。英ではこのrは発音しない。

murder /mə́ːrdər/
forget /fərgét/
sugar /ʃúgər/

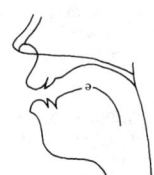

B. 二重母音

二重母音は，2つの要素（母音）から構成されているが，第1要素の方が第2要素よりも強く，目立って聞こえる。

発音するときに気をつけることは，
(1) 第1要素を強く，長く，第2要素は軽く，短く発音する。（第2要素の /i//u//ə/ は「方向」を示すものであり，単独の /i//u//ə/ と同じ音に「到着」するわけではない。）
(2) 第1要素から第2要素への渡りは滑らかにする。2つの母音の結合にならないように注意する。
(3) 2つの要素を1つの母音（例：/ɑː/）の長さで発音する。

この辞典では，二重母音の種類として，
  (1) /i/ の方向に向かうもの：/ei/, /ai/, /ɔi/
  (2) /u/ の方向に向かうもの：/au/, /ou/
  (3) /ə/ の方向に向かうもの：/iər/, /eər/, /uər/

の合わせて8つを区別している。

1. /ei/
舌を少し緊張させて，「エイ」と発音すればよい。
  acre /éikər/
  grey /gréi/
  pail /péil/

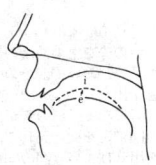

2. /ai/
日本語の「ア」より舌をもう少し低い位置から始めてすぐ /i/ の方へ移る。
  guide /gáid/
  cry /krái/
  isle /áil/

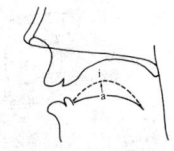

3. /ɔi/
日本語の「オ」より唇を少し開け，後ろ寄りから始めて /i/ の方向へ持って行く。
  boy /bɔ́i/
  buoyant /bɔ́iənt/
  voyage /vɔ́iidʒ/

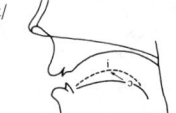

4. /au/
/ai/ の第1要素 /a/ より舌を低く後ろへ持ってきて，/u/ の方向へ移る。
  loud /láud/
  towel /táuəl/
  ounce /áuns/

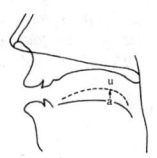

5. /ou/
厳密に言うと，米音と英音では少し違う音であるが，この辞典では両方の音をこの記号で表している。米音では，唇を丸めて /ɔː/ を発音し /u/ の音へ移ればよい。英音は，第1要素は唇の丸めを伴わない /əː/ から始まる（このため，/əu/ と表記されることもある）。
  low /lóu/
  only /óunli/
  hero /hí(ː)ərou/

6. /iər/, /eər/, /uər/
/iər/ は /i/ のあたりから（日本語の「イヤ」にならないように注意する），/eər/ は /e/ と /æ/ の中程 /æ/ よりから，/uər/ は /u/ のあたりから第1要素が始まり，いずれも /ər/ の方向に進むように発音する。/uər/ にならないように注意。
  queer /kwíər/
  deer /díər/
  fierce /fíərs/

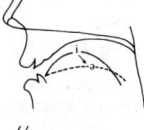

  bare /béər/
  chair /tʃéər/
  pair /péər/

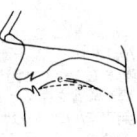

  moor /múər/
  boor /búər/
  mature /mətʃúər/

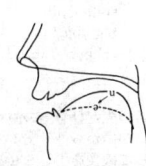

発音のてびき

米国英語では，rが直接に来ている場合は第2要素で舌先を少しそり返らせて/r/の響きを加えて発音する。/uə/は英語口語では/ɔː/または/ɔə/を代わりに使うことがある（とくにsure, poor, tourなどで）。

C. 二重母音+/ə/

/ei/, /ai/, /ɔi/, /au/は直後に/ə/を伴うことがある。英国英語では，ゆっくりとした話し言葉では，二重母音+/ə/の発音になるが，早い話し言葉では第2要素（/i/, /u/）が省略される傾向がある（特に(1)(2)の場合）。

(1) /aiə/ → /ɑːə/　fire
(2) /auə/ → /ɑːə/　our
(3) /eiə/ → /eːə/　player
(4) /ɔiə/ → /ɔːə/　employer

II. 子　音

母音以外の音が子音である。日本語では，「カ，キ，ク，ケ，コ」に使われるkの音，「ガ，ギ，グ，ゲ，ゴ」に使われるgの音，などが子音の例である。

英語の子音は日本語のと同じような音が多いが，日本語にない音もいくつかある。英語の子音は次のとおり：

破裂音　　p b t d k g
摩擦音　　f v θ ð s z ʃ ʒ h
破擦音　　ts dz tʃ dʒ
鼻音　　　m n ŋ
側音　　　l
接近音　　r w j

なお，日本語では語が子音で終わることは（nを除いて）ないが，英語では子音で終わる語がたくさんある。

A. 破裂音

空気の通路を一時完全にふさいで閉鎖状態を作り，急にそれを開放する音である。閉鎖音ともいう。

1. /p, b/

両唇をしっかりと閉じて口の中に空気を閉じこめ，急に両唇を開くときに出る音。息で破裂させれば無声音/p/，声を出せば有声音/b/となる。/p/は日本語の「パ」行の子音より勢いよく出す。

　　pin /pín/
　　spill /spíl/
　　big /bíg/
　　rubber /rʌ́bər/

2. /t, d/

舌の先だけを上の歯ぐきにしっかりとつけて，空気が口から外へ出るのを妨げた後，急に舌先を離して破裂を生じさせる。息を破裂させれば無声音/t/，声を出せば有声音/d/となる。日本語の「タ」よりも空気を勢いよく出す。

　　take /téik/
　　beat /bíːt/
　　do /du/
　　bid /bíd/

3. /k, g/

舌の後部を上あご奥にあてて息の通路をふさいで一瞬空気を閉じこめ，すぐに舌を下げると空気が勢いよく出て行く，その時の音である。息を破裂させれば無声音/k/，声を出せば有声音/g/である。日本語の「カ」行，「ガ」行の子音であるが，日本語の「ク」よりも強く出すようにする。

　　kind /káind/
　　bank /bǽŋk/
　　ghost /góust/
　　eager /íːgər/

B. 摩擦音

空気の通路が狭められて，空気の流れが妨げられ，摩擦が起こるときに生じる音である。

1. /f, v/

下唇を上歯の先にくっつけて，空気を歯と唇の間のすき間から強く出す。息の代わりに声を出せば有声音/v/になる。日本語にはない音である（日本語の「フ」は両唇の間を空気が通るときに出る摩擦音であり，/f/とは違う）。

　　feet /fíːt/
　　triumph /tráiəmf/
　　veal /víːl/
　　oven /ʌ́vn/

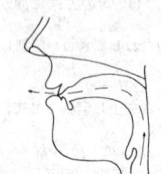

2. /θ, ð/

舌の先を上の前歯の裏に軽くくっつけて（接近させて）おいて，その間から息または声を出す。息を出せば/θ/になり無声音，声を出せば/ð/で有声音になる。この音が出にくい場合は，上下の歯の間に舌を突き入れて，小さいすき間を作って音を出せばよい（図の(b)）。

　　thief /θíːf/
　　length /léŋkθ/
　　there /ðéər/
　　rhythm /ríðm/

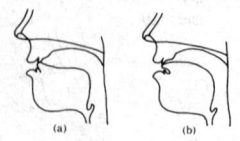

　　　(a)　　(b)

3. /s, z/

舌の前の方を，上の歯ぐきに近づけて，その間から息または声を出す。息を出せば無声音の

/s/, 声を出せば有声音の/z/が出る。/s/の後ろに /i/, /i:/が続くと/ʃ/になりがちなので注意する。
cease /síːs/
rest /rést/
zeal /zíːl/
does /dəz/

4. /ʃ, ʒ/

舌の先を上の歯ぐきの後ろに近づけ，舌の前半分を硬口蓋（上の歯ぐきに続く硬い部分）の方へ上げて，唇を突き出すようにし，狭い通路から空気を鋭く出しながら発音する。この音を出しにくい場合は，唇を丸めて突き出すようにすればよい。/s/を発音する状態から舌先を少し後ろに移動させてもよい。同じ唇・舌のかまえで息だけでなく声も出すと/ʒ/の音になる。/ʒ/はフランス語などからの借入語を除いて，英語では語頭・語末には現われない。
shoe /ʃúː/
cash /kǽʃ/
measure /méʒər/
usual /júːʒuəl/

5. /h/

「ハァ」「ハァ」とガラスに息をかけるときに出る音に似た，のどの奥から出す息の音。ふつう，音節の始め，母音の直前に現れ，無声音である。有声音と有声音（母音と母音）の間では有声化することもある。
hook /húk/
heat /híːt/
ahead /əhéd/
inhabit /inhǽbit/

C. 破擦音

破裂音と，その直後に口内の同じ場所で作る摩擦音とがほぼ同時に生じて2つの音が一体化した音。2つの記号を組みあわせて書くが，一体化して1つの音として発音される。

1. /tʃ, dʒ/

舌の先を上歯ぐきに付け，舌の他の部分は/ʃ/の時と同じ位置におき，次に舌先を離して舌全体を/ʃ/の位置にする。そのとき摩擦が起こり，この音が生じる。無声音が/tʃ/で，有声音が/dʒ/である。/tʃ/は日本語の「チャ」行子音と似ているが，空気を少し強く出す。/dʒ/は/tʃ/が混同しやすいが，/dʒ/は/tʃ/の有声音であり，舌先が最初歯ぐきについているのに対し，/ʒ/は/ʃ/の有声化したもので舌先は歯ぐきについていない。
cheese /tʃíːz/
church /tʃə́ːrtʃ/
jam /dʒǽm/
soldier /sóuldʒər/

2. /ts, dz/

/t/を発音するときのように舌先を歯ぐきにつけて口の中の圧力を高めてから，つけた舌先を少し離して摩擦を起こすのが/ts/で，このとき声を出せば/dz/となる。日本語の「ツ」「ヅ」の子音とほぼ同じ。英語では語頭に来ない。
quartz /kwɔ́ːrts/
cats /kǽts/
roads /róudz/
adze /ǽdz/

D. 鼻音

口内の空気の通路は完全にふさがれ，呼気は口の奥の方から鼻の方へ流れる。英語には3つの鼻音があり，すべて有声音である。

1. /m/

/p/, /b/と同じように，両方の唇をしっかりと閉じ，「ム」という声を鼻から出す音である。語末に生じたときには，両唇をしっかりと閉じたままにする。/f/, /v/の直前にあるときは（例：nymph, come first, warm vest），両唇ではなく上歯と下唇とで/m/が発音される。
meal /míːl/
seem /síːm/

2. /n/

/t/, /d/と同様に舌の先（および舌の両側）を上の歯ぐきにしっかりと付け，「ヌ」という声を鼻の方へ送って発音する。母音の前にある/n/は日本語の「ナ」行子音とほぼ同じ音。日本語の「ン」と違って，舌の先を歯ぐきにつけたままにする。/m/と同じように，/f/, /v/の直前にあるときは（例：infant, invoice, on fire, in vain），舌先と上の歯ぐきではなく上歯と下唇とで/n/が発音される。
neat /níːt/
mean /míːn/

3. /ŋ/

/k/, /g/と同じように，舌の後部を上あご奥にあてて，鼻の方へ声を送って発音する。日本語の「カンコク」「カンガイ」の「ン」とほぼ同じ音。この音は音節の始めに来ない。
singer /síŋər/
finger /fíŋɡər/
tinker /tíŋkər/

つづり字でngが語中にあるとき/ŋ/となったり/ŋɡ/となったりするが，それは次のような原則による。
(1) -ngで終わる動詞に動作主を表す-erや-ingをつけるときは/ŋ/となる。例：hanger
(2) -ngで終わる形容詞に比較級・最上級の-er, -estをつけるときは/ŋɡ/となる。例：longer/longest
(3) 語基そのものにngを含むときは/ŋɡ/。例：angry, hunger, linger, English

E. 側音

舌の中央正面は閉鎖されているが，舌の両（片）側から空気が流れ出るときに生じる。日本語にはない。

/l/

舌の先と舌端の両側のみを上の歯ぐきにしっかりとつけて、声を舌の両側から出して発音する（図の(a)）。注意することは舌先を上歯ぐきにしっかりとつけておくこと，/r/と混同しないこと。（英国英語では子音の前または語尾に来たときなど，図の(b)のように舌の後ろの部分が高められる。）

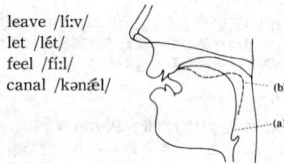

leave /líːv/
let /lét/
feel /fíːl/
canal /kənǽl/

F. 接近音

口の中の空気の通路が広く摩擦が生じない音。/j//w/は母音に近い音なので「半母音」とよばれることがある。

1. /r/

最も普通の英語の/r/音は，舌先を上の歯ぐきのすぐ後ろの「硬口蓋」の方へそり返るようにして近づけ，声をその間から出して発音する。（日本語の「ラ」行の子音は舌先が一度歯ぐきに軽く触れて生じる音である。）唇の丸めも/r/らしい音を出すのに役立つ。

read /ríːd/
hurry /hʌ́ri/

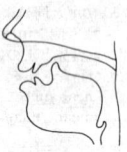

2. /w/

唇を丸め，/uː/あるいは/u/を発音する口の構えから後続の母音へ移るときにつなぎの音として生じる。日本語の「ワ」と違って，英語の/w/は唇をよく丸める必要がある。

weed /wíːd/
away /əwéi/

3. /j/

/i/の口の構えをして声帯を振動させ，後続する母音へ移る際のつなぎの音。日本人にとっては，後ろに /i/, /iː/ が続く場合（yeast : east | year : ear）が難しい。このような場合は舌を思い切って口内の天井に近づけ，声をきしませて発音する。

yield /jíːld/
pew /pjúː/

III. 音節・強勢

A. 音節

1個の母音を中心にした音のまとまりを音節といい，音のリズムやアクセントの単位となる。語は，ひとつまたは何個かの音節からできている。日本語のひらがなの1字1字は，だいたい音節に相当する。

英語では，たとえば，decorate という語は3つの音節 dec-o-rate からできていて，辞典の見出しのところには音節の区切りが入れてある。

なお，英語では，lやnなどの子音を中心にした音節もある（peo-ple の -ple など）。

B. 強勢（アクセント）

英語の単語を発音するとき，特定の音節が強く発音されることを「強勢がある」という。（日本語のアクセントは，音の強弱ではなく高低の違いであり，性質がすこし違う。）

英語の強勢は，第1強勢（´），第2強勢（`），無強勢（無印）の3つの段階がある。たとえば，communication という語は5つの音節 com-mu-ni-ca-tion からできていて，第1強勢は4番目の音節 -ca- に，第2強勢は2番目の音節 -mu- にあり，その他の音節は無強勢である。

英語では強勢の位置は非常に重要で，まちがえると話が通じなくなることもよくある。

度 量 衡 換 算 表

右: 左欄はヤード・ポンド法, 右欄はメートル法

長　さ (linear measure)

in.	**inch** = 0.0833 ft. = 2.540 cm	mm	**millimeter** = 0.039 in.
ft.	**foot** = 12 in. = 0.3048 m	cm	**centimeter** = 10 mm = 0.3937 in.
yd.	**yard** = 3 feet = 0.9144 m	dm	**decimeter** = 10 cm = 3.937 in.
ch.	**chain** = 22 yd. = 20.117 m	m	**meter** = 100 cm = 39.37 in.
fur.	**furlong** = 10 ch. = 201.17 m	km	**kilometer** = 1,000 m = 0.6214 mi.
mi.	**mile** = 8 fur. = 1,760 yd. = 1.609 km		

面　積 (square measure)

sq. in.	**square inch** = 6.4516 cm²	mm²	**square millimeter** = 0.00155 in²
sq. ft.	**square foot** = 144 in² = 0.0929 m²	cm²	**square centimeter** = 0.1550 in²
sq. yd.	**square yard** = 9 ft² = 0.8361 m²	m²	**square meter** = 10,000 cm²
sq. rd.	**square rod** = 30¹/₄ yd² = 25.293 m²		= 1.196 yd²
sq. ch.	**square chain** = 16 rod² = 404.67 m²	a	**are** = 100 m² = 119.6 yd²
A	**acre** = 10 ch² = 4,840 yd² = 4,046.7 m²	ha	**hectare** = 100 as = 2.471 acres
sq. mil.	**square mile** = 640 As = 2.5900 km²	km²	**square kilometer** = 247.114 acres

体　積 (cubic measure)

cu. in.	**cubic inch** = 16.387 cm³	cm³	**cubic centimeter** = 0.06102 in³
cu. ft.	**cubic foot** = 1.728 in³ = 0.02832 m³	dm³	**cubic decimeter** = 1,000 cm³
cu. yd.	**cubic yard** = 27 ft³ = 0.7646 m³		= 0.03532 ft³
		m³	**cubic meter** = 1.308 yd³

重　さ (avoirdupois weight or mass)

gr.	**grain** = 64.8 mg	mg	**milligram** = 0.015 grain
dr.	**dram** = 27.3438 gr. = 1.7718 g	cg	**centigram** = 10 mg = 0.154 grain
oz.	**ounce** = 16 dr. = 28.3495 g	dg	**decigram** = 100 mg = 1.543 grains
lb.	**pound** = 16 oz. = 0.4536 kg	g	**gram** = 10 dg = 15.43 grains
st.	**stone** = 14 lb. = 6.350 kg		(= 0.035 oz.)
qr.	**quarter** = 2 st. = 12.70 kg	kg	**kilogram** = 1,000 g = 2.2046 lb.
cwt.	**hundredweight**	m.t., MT	**(metric) ton** = 1,000 kg
	= (米) 100 lb. (= 45.36 kg)		= 1.1023 (short) tons
	= (英) 112 lb. (= 50.80 kg)		(= 2,204.62 lb.)
t.	**(short) ton** = 2,000 lb. = 0.9072 m.t.		= 0.984 (long) ton
	(long) ton = 20 cwt. = 1.016 m.t.		

容　積 (capacity measure)

fluid oz.	**fluid ounce** = (米) 29.57 ml.	ml.	**milliliter** = 0.00176 pint
	= (英) 28.41 ml.	cl.	**centiliter** = 10 ml = 0.0176 pint
gi.	**gill** = (米) 4 fluid oz. (= 0.118 l.)		= 0.338 fluid oz.
	= (英) 5 fluid oz. (= 0.142 l.)	dl.	**deciliter** = 10 cl. = 0.176 pint
pt.	**pint** = 4 gi. = (米) 0.4732 l.	l., lit.	**liter** = 10 dl. = 0.264 米 gallon
	= (英) 0.5683 l.		(= 0.220 英 gallon)
qt.	**quart** = 2 pt. = (米) 0.9464 l.	dal.	**decaliter** = 10 l. = 2.20 英 gallons
	= (英) 1.137 l.	kl.	**kiloliter** = 10 hl. = 220.0 英 gallons
gal.	**gallon** = 8 pt.		
	= (米) 231 in³ (= 3.785 l.)		
	= (英) 277.42 in³ (= 4.546 l.)		
bu.	**bushel** = 8 gal. = (米) 35.24 l.		
	= (英) 36.369 l.		

本辞典は,『ジーニアス英和辞典』を始めとする諸辞典を基礎に編集された。
ここに,主な辞典の関係者氏名を掲げる。

◇ジーニアス英和辞典

【第3版】

編集主幹　小西友七　　南出康世

編集委員　畠山利一　　佐藤哉二　　小林資忠

編集協力者・校閲者・執筆者

池内敏郎　　杉本一潤　　中畝　繁　　宮本正俊　　Lawrence Schourup
Kevin Keane　　　　　広瀬浩三　　西川眞由美　　吉田　聡　　瀬谷廣一
森　哲郎　　須賀　廣　　橋本喜代太　　森本　勉　　浜口　仁
［発音］南條健助　　有本　純

◇フレッシュ ジーニアス英和辞典

【初版】

編集主幹　小西友七

編集委員　南出康世　　佐藤哉二

執筆者　阿部初子　　萩原裕子　　木谷尚代　　森　龍日出　　鈴木　伸　　米山正夫　　菅山謙正

【改訂版】

編集委員　南出康世　　佐藤哉二　　浜口　仁　　Lawrence Schourup

編集協力者　岩瀬恭一　　尾崎恒夫

校閲者・執筆者

淀縄義男　　米山正夫　　松尾文子　　木谷尚代　　阿部初子　　菅山謙正　　政村秀實
八村伸一

◇アクティブ ジーニアス英和辞典

編集主幹　小西友七

編集委員　南出康世　　佐藤哉二　　浜口　仁　　東森　勲

編集協力者　政村秀實　　尾崎恒夫　　岩瀬恭一　　高田哲朗　　Philip M.Rideout

校閲者・執筆者

Kevin Collins　　岸野英治　　上野義雄　　堀内秀俊　　鈴木　昇　　石井賀津雄
尾崎恒夫　　山岡憲史　　三宅　亨　　石川圭一　　東森めぐみ　　小西英二

編集協力	日本アイアール㈱
校正・調査協力	㈱ジャレックス
イラスト・図版	㈲E・R・C　㈲ニューデザイン東京
[地図]	㈱ジェオ
装丁	井之上聖子

プラクティカル ジーニアス英和辞典
©KONISHI Tomoshichi & HIGASHIMORI Isao, 2004
NDC833　1984p　19cm

初版第1刷	2004年11月20日
第4刷	2008年4月1日

編集主幹	小西友七／東森 勲
発行者	鈴木一行
発行所	株式会社 大修館書店
	〒101-8466　東京都千代田区神田錦町3-24
	電話 03-3295-6231 販売部／03-3294-2355 編集部
	振替 00190-7-40504
	[出版情報] http://www.taishukan.co.jp
印刷・製本	共同印刷株式会社
本文用紙	三島製紙株式会社
表紙クロス	ダイニック株式会社

ISBN978-4-469-04168-2　Printed in Japan

Ⓡ本書の全部または一部を無断で複写複製(コピー)することは,
著作権法上での例外を除き禁じられています。

発音記号表

[母　音]

/iː/	sea, piece	/əːr/*	bird, early
/i/	hit, pick	/ər | ʌr/*	courage, current
/e/	set, red	/ei/	take, eight
/æ/	bat, cap	/ai/	right, try
/æ | ɑː/	laugh, staff	/ɔi/	choice, toy
/ɑː/	father, calm	/au/	out, cow
/ɑ/*	hot, watch	/ou/	rope, road
/ʌ/	cup, bus	/ɑːr/**	star, par
/ɔː/	law, ball	/ɔːr/**	door, store
/ɔ(ː)/*	long, soft	/iər/**	deer, fear
/u/	book, would	/eər/**	hair, care
/uː/	soup, food	/uər/**	tour, poor
/(j)uː/*	new, pursue	/-iər-/*	serious, cereal
/ə/	collect, sofa	/-eər-/*	parent, vary
/ər/*	paper, sister	/-uər-/*	tourist, curious

[子　音]

/p/	pen, cup	/dz/	reads, adds
/b/	boy, job	/tʃ/	chart, catch
/t/	team, sit	/dʒ/	July, bridge
/d/	date, pad	/h/	hot, who
/k/	kick, cut	/m/	man, sum
/g/	gate, leg	/n/	not, run
/f/	fight, puff	/ŋ/	song, singer
/v/	voice, save	/l/	light, tell
/θ/	three, tooth	/r/	red, terrible
/ð/	this, bathe	/j/	yes, opinion
/s/	sun, pass	/w/	well, one
/z/	zoo, noise	/hw/*	what, while
/ʃ/	she, cash	/x/	Bach（外国語のみ）
/ʒ/	vision, pleasure	̥	無声化を示す：umph /m̥m̥m̥/
/ts/	cats, roots		

詳細については「発音記号表への注」(p. xvii) 参照。